R.N. Champlin, Ph.D.

O ANTIGO TESTAMENTO INTERPRETADO

Versículo por Versículo

VOLUME 1 | GÊNESIS / ÊXODO
LEVÍTICO / NÚMEROS

Nova edição
revisada – 2018
Inclui hebraico

Av. Jacinto Júlio, 27 • São Paulo, SP
Cep 04815-160 • Tel: (11) 5668-5668
www.hagnos.com.br | editorial@hagnos.com.br

Copyright © 2001, 2018 por Editora Hagnos

Copyright do texto hebraico: *Biblia Hebraica Stuttgartensia*, editada por Karl Elliger e Wilhelm Rudolph, primeira edição revisada, editada por Adrian Scheker © 1977 e 1977 por Deutsche Bibelgesellschaft, Stutgard. Usado com permissão.

2ª edição: maio de 2018
2ª reimpressão: janeiro de 2024

Revisão
Andrea Filatro
Ângela Maria Stanchi Sinézio
Priscila Porcher
Caio Peres

Diagramação
Sonia Peticov

Capa
Maquinaria Studio

Editor
Aldo Menezes

Coordenador de produção
Mauro Terrengui

Impressão e acabamento
Imprensa da Fé

As opiniões, as interpretações e os conceitos emitidos nesta obra são de responsabilidade do autor e não refletem necessariamente o ponto de vista da Hagnos.

Todos os direitos desta edição reservados à

Editora Hagnos Ltda.
Rua Geraldo Flausino Gomes, 42, conj. 41
CEP 04575-060 — São Paulo, SP
Tel.: (11) 5990-3308

E-mail: hagnos@hagnos.com.br
Home page: www.hagnos.com.br

Editora associada à:

Dados Internacionais de Catalogação na Publicação (CIP)
(Câmara Brasileira do Livro, SP, Brasil)

Champlin, Russell Norman, 1933-2018

O Antigo Testamento interpretado versículo por versículo. Volume 1: Gênesis, Êxodo, Levítico, Números / Russell Norman Champlin. 2 ed. — São Paulo: Hagnos, 2018.

Bibliografia

ISBN 85-88234-15-7

1. Bíblia AT - Crítica e interpretação
I Título.

00-2001   CDD-221.6

Índice para catálogo sistemático:
1. Antigo Testamento: Interpretação e crítica 221.6

DEDICATÓRIA

Dedico *O Antigo Testamento Interpretado* ao
ESPÍRITO ETERNO DO HOMEM

Não estou em conflito com a Morte,
Quanto a mudanças operadas na forma e na face;
Há um processo eterno que prossegue;
O espírito avança, de estado para estado.
Nem culpo a Morte porque ela tirou
A virtude e a expulsou da terra.
Sei que o valor humano transplantado
Florescerá com proveito, em algum outro lugar.

TENNYSON

Nenhuma chama condenatória poderá jamais consumir
Aquilo que nunca foi criado para ser queimado.
Que o fôlego se vá, pois não há morte para
Uma Alma Viva.

Aqui flui a maré que vem do mar sem praias,
De longe, uma vereda incomensurável,
Atingindo a ti e a mim.

RUSSELL NORMAN CHAMPLIN

Centro e fusão de todas as distâncias,
Velhice-mãe de todas as infâncias
E futuro de quanto há de morrer.
Possa a minha alma ver-te, um só segundo,
Presente em ti, pretérito do mundo,
Infinito imortal do Verbo Ser!

ANTÔNIO CORREIA, LISBOA, PORTUGAL

Eu estou indo pelo caminho superior;
Aquele caminho que segura o sol.
Estou subindo através das esferas estreladas,
Onde os rios celestiais correm.
Se você pensar em me procurar
Na minha habitação escura de ontem,
Achará este escrito que deixei na porta:
"Ele está viajando no caminho superior".

Ó que sem um gemido demorado,
Possa dar boas-vindas ao mundo que vem!
Abandonando este corpo, a tarefa completa.
E triunfantemente segurar a coroa eterna.

RUSSELL NORMAN CHAMPLIN

SOBRE O AUTOR

Russell Norman Champlin nasceu no dia 22 de dezembro de 1933 em Salt Lake City, EUA. Concluiu o bacharelado em Literatura Bíblica no Immanuel College; os graus de M.A. e Ph. D. em Línguas Clássicas na University of Utah; fez estudos de especialização (em nível de pós-graduação) do Novo Testamento na University of Chicago. Em sua carreira como professor universitário e escritor (atuando na UNESP por 30 anos), publicou três grandes projetos, sua magna opera, a Trilogia:

• *O Novo Testamento Interpretado*
• *A Enciclopédia de Bíblia, Teologia e Filosofia*
• *O Antigo Testamento Interpretado*

É autor de mais sete livros e colaborador em diversos outros; escreveu um número significativo de artigos sobre filosofia que foram publicados em revistas brasileiras especializadas. No total, produziu e publicou mais de 60.000 páginas de literatura.

AGRADECIMENTOS

O original desta obra se constitui de 20.000 páginas. Todo o material foi revisado três vezes, perfazendo um total de 60.000 páginas.

Além da tradução e revisão, houve também a preparação de mais de 500 ilustrações e gráficos. Tarefa de tamanho porte exigiu a dedicação de uma série de pessoas, cujos nomes listo abaixo em ordem alfabética. Sem a ajuda delas, *O Antigo Testamento Interpretado* nunca poderia ter sido publicado:

Andrea Cristina Filatro
Ângela Maria Stanchi Sinézio
Cesar Gomes de Souza
Darrell Steven Champlin
Iragi Maria Bicalho Teixeira
Irene Champlin
João Marques Bentes
Josete de Oliveira Lima
Márcia Cristina Soares
Maria de Jesus Ferreira Aires
Rosane Santara da Silva
Rosângela Champlin
Rosângela Santana da Silva Oqi
Vera Lúcia de Oliveira

Um agradecimento especial se deve a Mauro Wanderley Terrengui, presidente da Associação Religiosa Imprensa da Fé, que tornou possível a publicação desta obra.

MENÇÃO HONROSA

Com a publicação desta obra, concluímos a produção da Trilogia: *O Novo Testamento Interpretado*; a *Enciclopédia de Bíblia, Teologia e Filosofia* e *O Antigo Testamento Interpretado*. Este feito exigiu a dedicação extraordinária de várias pessoas, algumas durante muitos anos. A lista a seguir inclui algumas pessoas que, embora não tenham atuado diretamente nos projetos, deram contribuições vitais para a minha vida profissional. Devo a elas gratidão especial:

IRENE CHAMPLIN
que, desde a produção de minhas teses de pós-graduação, sempre esteve entusiasmada para começar mais um projeto.

DARRELL STEVEN CHAMPLIN
que contribuiu com obras artísticas para enriquecer as publicações. He was always there for me.

JOÃO MARQUES BENTES
que acompanhou o trabalho por trinta anos, traduzindo a Trilogia com diligência; nunca desistiu; nunca falhou.

BILL BARKLEY
que, em momentos de indecisão, afirmava que é sempre cedo demais para desistir.

LEÔNIDAS HEGENBERG, Ph. D.
meu amigo, o maior filósofo brasileiro de todos os tempos; escritor de inumeráveis livros e artigos.

MAURO WANDERLEY TERRENGUI
que compartilhou a minha visão de literatura bíblica e zelosamente publicou as obras com muito sacrifício.

JACOB GEERLINGS (in memoriam)
meu professor e amigo, mestre do Novo Testamento.

MRS. MARGARET HUTZEL (in memoriam)
que contribuiu com grandes somas de dinheiro para a publicação de meus projetos; sempre me encorajou a continuar lutando. "... as suas obras a sigam..." (Apocalipse 14.13).

VERA LÚCIA DE OLIVEIRA
que persistiu no trabalho de tal maneira que se tornou o próprio modelo de dedicação. Será recompensada.

...em verdade vos digo que de modo algum estas pessoas perderão o seu galardão.

Mateus 10.42

INTERPRETAÇÃO DAS ESCRITURAS

Orígenes, no seu quarto livro, *De Principiis*, dá-nos algumas sugestões valiosas sobre como interpretar as Escrituras. Segundo Orígenes, as Escrituras são semelhantes ao complexo humano, tendo diversos níveis de significados possíveis.

O corpo físico
Como o homem tem um corpo mortal, material, assim as Escrituras às vezes devem ser interpretadas literalmente.

A alma
Como o homem tem uma alma, assim as Escrituras às vezes devem ser interpretadas moralmente. Isto é, lições morais podem ser extraídas de passagens que, entendidas literalmente, não têm significado para nós. Por exemplo: aquelas passagens que descrevem matanças e brutalidades dificilmente nos podem ensinar alguma coisa sobre a espiritualidade. Na verdade, são repugnantes para nós. Até mesmo nesses casos, podemos extrair lições morais importantes.

O espírito
O homem é um espírito, assim as Escrituras às vezes devem ser interpretadas espiritualmente, ou misticamente, através de metáforas. Dessa maneira, verdades podem ser obtidas além do literal ou moral.

Algumas passagens admitem os três modos de interpretação, mas outras são limitadas a um ou dois.

A VERDADE COMO UMA AVENTURA
Enquanto algumas verdades são dadas livremente através da revelação e podem ser entendidas facilmente, outras com frequência exigem trabalho árduo para que sejam compreendidas. A verdade pode ser como uma mina de ouro que precisa ser trabalhada. O homem que se esforça em descobrir a verdade é aquele que recebe a recompensa dos tesouros de sabedoria e conhecimento. A verdade é uma aventura. Não devemos ter medo de nos aventurar, porque esta aventura é gloriosa. Não devemos permitir que os dogmas impeçam a nossa busca.

O ENSINO

E o que de minha parte ouviste, através de muitas testemunhas, isso mesmo transmite a homens fiéis e também idôneos para instruir a outros.

2Timóteo 2.2

Fazei discípulos de todas as nações... ensinando-os a guardar todas as cousas que vos tenho ordenado...

Mateus 28.19,20

Vós, reunindo toda vossa diligência, associai com a vossa fé a virtude; com a virtude, o conhecimento...

2Pedro 1.5

Nenhum outro aspecto do ministério de Jesus é tão frequentemente salientado nos evangelhos como o seu ensino. Até mesmo questões como pregação e milagres envolviam, necessariamente, o ato de ensinar.

O ANTIGO TESTAMENTO

Números de capítulos e versículos:

Livro	Capítulos	Versículos
Gênesis	50	1.533
Êxodo	40	1.213
Levítico	27	859
Números	36	1.288
Deuteronômio	34	959
Josué	24	658
Juízes	21	619
Rute	4	85
1Samuel	31	811
2Samuel	24	695
1Reis	22	817
2Reis	25	719
1Crônicas	29	942
2Crônicas	36	822
Esdras	10	280
Neemias	13	406
Ester	10	167
Jó	42	1.070
Salmos	150	2.461
Provérbios	31	915
Eclesiastes	12	222
Cantares	8	117
Isaías	66	1.292
Jeremias	52	1.364
Lamentações	5	154
Ezequiel	48	1.273
Daniel	12	357
Oseias	14	197
Joel	3	73
Amós	9	146
Obadias	1	21
Jonas	4	48
Miqueias	7	105
Naum	3	47
Habacuque	3	56
Sofonias	3	53
Ageu	2	38
Zacarias	14	211
Malaquias	4	55
Totais	**929**	**23.148**

BIBLIOGRAFIA

A

A   *GreekEnglish Lexicon of the New Testament and Other Early Christian Literature*, Arndt, William F. e Gingrich, F. Wilbur, 1963.
AAA   *Annals of Archaeology and Anthropology*.
AASOR   *Annual of the American School of Anthropology*, 1952.
AB   Abetti, Giorgio, *The History of Astronomy*.
ABB   *A Bibliography of Bible Study*, Princeton, 1960.
ABE   Abernathy, George L. e Thomas, A. Langford, *Philosophy of Religions*, 1962.
ABR   Abrahamson, I., *Studies in Pharisaism and the Gospels*, 1917.
ACM   McGiffert, A.C., *Protestant Thought Before Kant*, 1911.
AD   Adolph, R., *Missions Health Manual*, 1964.
ADA   Adams, A.M.C., *The Evolution of Urban Society*, 1966.
ADM   Adams, J.M., *Biblical Backgrounds*, 1965.
AG   *A Guide to Christian Reading*.
AH   Aharoni, Y., *The Land and The Bible, 1967*; "The Problem of Canaanite Arad", in *Israel Exploration Journal*, 1964; *The Land of the Bible, a Historical Geography*, 1967; *The Archaeological Survey of Massada* (1956); *The Stratification of Israelite Megiddo* (1982).
AJ   Nichols, James, *The Works of Jacobus Arminius*, 1875.
AJA   *American Journal of Archaeology*.
AJP   *American Journal of Philology*.
AJSL   *American Journal of Semitic Languages and Literature*.
AJT   *American Journal of Theology*.
AL   Alford, Henry, *The Greek Testament*, 1871.
ALA   Aland, K., *The Problem of the New Testament Canon*, 1962.
ALB   Albright, W.F., *Archaeology and the Religion of Israel*, 1956; (1935) "Egypt and the Early History of the Negeb", JPOS, XV, 1935; (1936) "The Song of Deborah in the Light of Archaeology", BASOR, 62, 1936; (1957) "The High Place in Ancient Palestine", 1957. *The Bible and the Ancient Near East,* "The Roll of the Canaanites in the History of Civilization", 1961.
ALL   Allen, A.B., *The Romance of the Alphabet*, 1937.
ALLE   Allegro, John M., *The Dead Sea Scrolls*, 1964.
ALS   Alston, William, *Religious Belief and Philosophical Thought*, 1963.
ALT   Altizer, T.J.J., *The Gospel and Christian Atheism*, 1967.
AM   *Encyclopedia Americana*, 1970.
AMI   Amvran, R., *Ancient Pottery of the Holy Land*, 1970.
AN   Anderson, Alan R., *Minds and Machines*, 1964.
AND   Anderson, B.W., *The Old Testament and Christian Faith*, 1964.
AND(2)   Anderson, G.H., *The Theology of the Christian Mission*, 1961.
ANEA   *Ancient Near Eastern Archaeology*.
ANEP   Pritchard: *Ancient Near East in Pictures*, 1964.
ANET   Pritchard: *Ancient Near Eastern Texts*, 1956.
ANF   Roberts and Donalson: *The AnteNicene Fathers*.
ANS   Anson, P.F., *The Call of the Cloister*, 1964.
ANT   James, M.R., *The Apocryphal New Testament,*1924.
AO   Allis, O.T., *God Spoke by Moses*, 1951.
AOTS   Thomas, D. R., *Archaeology and Old Testament Study*, 1982.
AP   Thomas, D.R., *A Primer of Old Testament Textual Criticism*, 1965.
APEF   *Annual of the Palestine Exploration Fund*.
APOT   Charles, R.H., *Apocrypha and Pseudepigrapha of the Old Testament*, 1914.
AR   Richardson, Alan, *Religion in Contemporary Debate*, 1966.
ARAB   Luckenbill: *Ancient Records of Assyria and Babylonia*.
ARB   Arbesmann, Rudolph, *Fasting and Prophecy in Pagan and Christian Antiquity*, 1949.
ARC   Archer, G., *A Survey of Old Testament Introduction*, 1964.
ARE   Breasted, J.H., *Ancient Records of Egypt*, 1975.

ARN	Arnason, H.H., *The History of the Chalice of Antioch*, 1941.	BLR	Blackmore, Susan J., *Experiências Fora do Corpo*, 1990.
ARNO	Arnold, P., *Birds of the Bible*, 1962.	BM	Beasley, Murray, R., *Baptism Today and Tomorrow*, 1966.
AS	AbbottSmith, *Manual Greek Lexicon of the Testament*, 1978.	BMU	BurnMurdoch, *The Development of the Papacy*, 1954.
ASH	Ashby, Robert H., *The Guidebook for the Study of Psychcal Research*, 1972.	BN	Bowman, R.A., "Arameans, Aramaic and the Bible", *Journal of Near Eastern Studies*, 1948.
AT	Altizer, Thomas, e Hamilton, Wm., *Radical Theology and the Death of God*, 1966.	BO	Box, H.S., *The Assumption of the Blessed Virgin Mary*, 1963.
ATHR	*Anglican Theological Review*.	BOD	Bodheimer, F.S., *Animals and Man in Bible Lands*, 1960.
ATT	Attwater, D., *A Dictionary of Mary*, 1956.	BOE	Boettner, E., *Immortality*, 1956.
AU	*Novo Dicionário Aurélio*, 1980.	BOH	Bohl, F.M., *King Hammurabi of Babylon in the Setting of his Time*, 1946.
AUG	Augustine, *Confessions of St. Augustine*, Warner, Rex (ed.), 1963.	BOK	Bert, J. e Priscilla, F., *The Milky Way*, 1957.
AUL	Aulon, G., *The Faith of the Christian Church*, 1961.	BON	Bonhoeffer, Dietrich, *Ethics*, 1955.
AV	Ave Jonah, Michael, *Jerusalem*, 1962.	BOR	Borger, R., *Die Inscripten Asarhaddons Konigs von Assyrian*, 1956.
AY	Ayer, A.J., *Language, Truth and Logic*, 1936.	BOT	Botsford, G.W., e Robinson, C.A., *Hellenic History*, 1956.
		BOU	Bouyer, K.E., *The Meaning of the Monastic Life*, 1955.
B		BOW	Bowman, G.W., *The Dynamics of Confession*, 1969.
B	*Baker's Dictionary of Christian Theology*, Harrison, E.F. (ed.), 1960.	BOX	Box, C.H., *The Ascension of Isaiah*, 1919.
		BOY	Boyle, Isaac, *Ecclesiastical History*, 1966.
BA	Altaner, B., *Patrology*, 1960.	BR	*Encyclopedia Britannica*, 1982.
BA	(revista) *Biblical Archaeology*.	BRA	Brav, S.R., *Marriage and the Jewish Tradition*, 1951.
BAD	Badawy, A., *Architecture in Ancient Egypt and the Near East*, 1966.	BRE	Breasted, J.H., *The History of Egypt*, s.d.
		BRI	Bright, J., *A History of Israel*, 1959.
BAG	Baggot, J., *A New Approach to Colossians*, 1961.	BRIG	Bright, J., *The Kingdom of God in Bible and Church*, 1955; *Jeremiah*, 1966.
BAI	Bailey, A., *Daily Life in Bible Times*, 1943.		
BAIL	Bailey, D.D., *The Mystery of Love and Marriage*, 1955.	BRIG(2)	Brightman, E.S., *A Philosophy of Religion*, 1942.
BAA	Baly, D., *The Geography of the Bible*, 1967.	BRIN	Brinker, R. *The Sequence of Sanctuaries in Early Israel*, 1946.
BALL	Ballow, R.O., *The Bible of the World*, 1939.		
BAR	Barton, G.A., *Archaeology and the Bible*, 1937.	BRO	Bromiley, G.W., *The Baptism of Infants*, 1955.
BARC	Barclay, W., *The Mind of Jesus*, 1960.	BROA	Broad, C.D., *The Mind and Its Place in Nature*, 1925.
BARK	Barkley, W.P., *Twelve Who Were Chosen*, 1959.	BROC	Brockington, L.H., *A Critical Introduction to the Apocrypha*, 1961.
BART	Barth, Karl, *Church Dogmatics*, 19361962; *The Epistle to the Romans*, 1933; *The Knowledge of God and the Service of God*, 1938.	BRON	Bronstein, Daniel J., e Schulweis, Harold M., *Approaches to the Philosophy of Religion*, 1954.
BARTS	Bartsch, W., *Jesus Christ and Mythology*, 1960.	BRU	Bruce, F.F., *The Book of Acts*; 1954, "Israel and the Nations", ANET, 176281.
BASOR	*Bulletin of the Evangelical Theological Society*.		
BAU	Baur, Ferdinand Christian, *The Christ Party in the Christian Church*, 1831; *Paul, the Apostle of Jesus Christ*, 1845; *Compendium of Christian Doctrine*, 1847; *Christianity and the Christian Church of the First Three Centuries*, 1853; *History of the Christian Church*, 1863.	BRUN	Brunner, E., *The Christian Doctrine of God*, 1949; *Eternal Hope*, 1954.
		BS	*Biblioteca Sacra*.
		BU	Burr, Harold S., *Blueprint for Immortality; The Electrical Patterns of Life*, 1972.
		BUB	Buber, Martin, *I and Thou*, 1958.
BAY	Bayless, Raymond, *Apparitions and Survival of Death*, 1973.	BUC	Buchan, J., "Augustus Caesar", *Cambridge Ancient History*, X, 1930.
BDB	Brown, Driver e Beges, *HebrewEnglish Lexicon of the Old Testament*, 1980.	BUD	Budge, A.W., *A History of Ethiopia, Nubia and Abyssinea*, 1928.
BE	Bentley, John C., *Philosophy, An Outline History*, 1962.	BUH	Buhl, F., "Muhammed", *Encyclopedia of Islam*, 189295.
BEA	Bea, Augustine, *The Unity of Christians*, 1963.	BULL	*Bulletin of the Theological Students' Fellowship*, 1970.
BEC	Beccaria, G., *Crime and Punishment*, 1964.	BULT	Bultman, R., *Die Geschichte der Synoptischen Tradition*, 1931; *Form Criticism*, 1932; *Theology of the New Testament*, 1955; *Jesus Christ and Mythology*, 1960.
BEL	Bell, Sir Charles Alfred, *The Religions of Tibet*, 1931.		
BEN	Bentzen, A., *An Introduction to the Old Testament*, 1952.		
BENS	Benson, Clarence H., *A Popular History of Christian Education*, 1946.	BUR	Burkitt, F.C., *Jewish and Christian Apocalypses*, 1914.
		BUS	Bush, F.O., *The Five Herods*, 1958.
BES	Besnier, M., *Les Catacombes de Rome*, 1900.	BW	Brownlee, William H., *The Meaning of the Qumran Scrolls for the Bible*, 1964.
BEV	Bevan, E.R., *The House of Seleucus*, 1902; (1927), *A History of Egypt Under the Ptolemaic Dynasty*.		
BI	Bickerman, E., *Chronology of the Ancient World*, 1968.	**C**	
BIR	Birley, E., *Roman Britain and the Roman Army*, 1953.	C	*A Dictionary of Christian Theology*, Richardson, Alan (ed.), 1969.
BJ	Burnet, J., *Early Greek Philosophy*, 1930.		
BJR	Roberts, B.J., *The Old Testament Manuscripts, Text and Versions*, 1969.	CA	De Camp, L.S., *The Ancient Engineers*, 1963.
		CAD	Cadbury, Henry J., *The Making of Luke-Acts*, 1927; *The Book of Acts in History*, 1955.
BK	Blackman, E., *The Epistle of James*, 1957.		
BL	Blair, E.P., "Soundings of Anata", *Bulletin of the American Schools of Oriental Research*, 62, 1936.	CAL	Callaway, J.E., *Burials in Ancient Palestine*, BA, XXVI, 1963.
BLA	Blackwood, A.W., *Leading in Public Prayer*, 1958.	CALM	*Calmet's Dictionary*, 1732.
BLAC	Black, Matthew, *An Aramaic Approach to the Four Gospels and Acts*, 1953.	CALV	Calvin, John, *Calvin's Commentaries*, 1949.
		CAM	Cook, A.S., *Cambridge History of English Literature*, 1909-1961.
BLAS	*A Greek Grammar of the New Testament and Other Early Christian Literature*, 1961. Blass, F. e Debrunner, A., 1961.	CAR	Carey, K.M. (ed.), *The Historic Episcopate*, 1954.
BLAU	Blau, C., *Bath Kol*, *JE, II*, 1909.	CARN	Carnell, John E., *The Philosophy of the Christian Religion*, 1952.
BLM	Blackman, G.E. *The New Testament in the Apostolic Fathers*, 1905.	CARR	Carrington, P., *The Primitive Christian Catechism*, 1946.

CAS	Cassell's, *LatinEnglish, EnglishLatin Dictionary*, 1957.	DAR	Darling, James, *Encyclopedia Bibliographica*, 1854-1859.
CB	Enslin, Morton Scott, *Christian Beginnings*, 1956.	DAV	Davies, J.G., *Introduction to Pharisaism*, 1954; *Members One of Another; Aspects of Koinonia*, 1958.
CBQ	*Catholic Biblical Quarterly.*	DAVI	Davidson, A.B., *The Theology of the New Testament*, 1925.
CC	Curran, Charles (ed.), "Absolute Norms in Moral Theology", *Norm and Concept in Christian Ethics*, 1968.	DB	Baille, D.M., *God was in Christ*, 1948.
CD	*Catholic Dictionary of Theology*, Davis, Mon. H. (ed.), 1962.	DBF	Japiassu, Hilton, e Marcondes, Danilo, *Dicionário Básico de Filosofia*, 1990.
CDC	*Cairo Genezan Document of the Damascus Covenanters.*	DCJ	Ducasse, C.J., *Belief in Life After Death*, 1948.
CE	*Catholic Encyclopedia*, Hebermann, Charles G. (ed.), 1954.	DD	Davbe, D., *Studies in Biblical Law*, 1947.
CEM	Montefiore, C.G., *Lectures on the Origin and Growth of Religion*, 1892.	DE	*DicionárioEnciclopédia*, Den Born (ed.), 1969.
CEN	*Collier s Encyclopedia*, 1964.	DEIS	Deismann, A., *Light From the Ancient East*, 1927; *Paul, A Study in Social and Religious History*, 1926.
CER	Cerny, B.J., *Ancient Egyptian Religion*, 1952.	DEL	Delitzsch, F., *Biblical Commentary on the Prophecies of Isaiah*, 1866.
CG	Gordon, C., *Recent Discoveries and the Patriarchal Age*, 1940.	DEN	Dennis, James Shepherd, *Christian Missions and Social Progress*, 1906.
CGG	Cameron, George Glen, *History of Early Iran*, 1936.	DF	*Dicionário de Filosofia*, Brugger, Walter, 1962.
CGT	*Cambridge Greek Testament.*	DH	Dhorme M., *A Commentary on the Book of Job*, 1926.
CH	Charles, R.H., *Apocrypha and Pseudepigrapha of the Old Testament*, 1913; *The Ascension of Isaiah*, 1900.	DI	Dixon, Jeane, *My Life and Prophecies*, 1969.
CHA	Chafer, Lewis S., *Systematic Theology*, 1947.	DIR	Diringer, David, *The Alphabet a Key to the History of Man kind*, 1948; *The Story of the AlphaBeth*, 1960; *Writing*, 1962.
CHAV	Chavasse, C., *The Bride of Christ*, 1939.	DK	Diels, H., Franz, W., *Die Fragments der Vorsokratiker*, 1951.
CHE	Chetwynd, Tom, *How to Interpret Your Own Dreams*, 1980.	DL	*Enciclopédia Delta Larouse*, 1980.
CHI	Chainey, George, *Jerusalem, The Holy City*, 1933.	DLI	*Diretório Litúrgico da Igreja no Brasil*, 1986.
CHI(2)	Chisholm, Roderick, M., *Theory of Knowledge*, 1966.	DM	Driver, C.R., e Miles, J., *The Babylonian Laws*, 1952.
CIL	*Corpus Inscriptionum Lationorum.*	DO	Dorosse, J., *The Secret Book of the Egyptian Gnostics*, 1960.
CKB	Barrett, C.K., *The Fourth Gospel in Recent Criticism and Interpretation*, 1955.	DOD	Dodd, C.H., *The Parables of the Kingdom*, 1935; *The Bible and the Greeks*, 1960.
CL	Clay, A., *The Empire of the Amorites*, 1919.	DOL	Dolan, John P., *History of the Reformation*, 1965.
CLA	Clark, Gordon H., *Hellenistic Philosophy*, 1940; *A Christian Vision of Man and Things*, 1952.	DOT	Dothan, T., *The Philistines and Their Natural Culture*, 1967.
CLAP	Clapp, F.G., "The Site of Sodom and Gomorrah", *AJA*, 1936.	DOTT	Drumm: *Documents from Old Testament Times.*
CLAR	Clarke, Adam, *Clarke's Commentary*, s.d.	DOU	Dougherty, R. P., *Nabonidus and Belshazzar*, 1929.
CM	Cary, Max, *A History of the Greek World*, 1963.	DOW	Downey, E., *A History of Antioch in Syria from Seleucus to the Arab Conquest*, 1961.
CN	Cameron, G.C., *History of Early Iran*, 1936; *Persepolis Treasury Tablets*, 1948.	DP	Rouse, W.H.D. (tradutor), *Great Dialogues of Plato*, 1956.
CO	Coploston, Frederick, *A History of Philosophy*, 1962.	DR(1)	DanielRopes, H., *Daily Life in Palestine at the Time of Christ*, 1962.
COB	Cobb, J.B., *A Christian Natural Theology*, 1968.	DR(2)	Ross, Sir David e Smith, J.A., *The Basic Works of Aristotle*, 1956.
COB(2)	Cobern, C., *The New Archaeological Discoveries*, 1917.	DRE	Champlin, Russell N., *Como Descobrir o Significado de Seus Sonhos*, 1983.
COH	Cohen, H., "Day of Atonement", I, *Judaism*, 1968 (summer); e II, III, *Judaism*, 1969 (winter, spring).	DRI(1)	Driver, G.R., *Birds in the Old Testament*, 1955.
COH(2)	Cohen, S.S., *What We Jews Believe*, 1931.	DRI(2)	Driver, S.R., *Notes on the Hebrew Texts of the Book of Samuel*, 1913.
COM	*Comprehensive Commentary on the Holy Bible*, 1887.	DRIV	Driver, G.R., *Aramaic Documents of the 5th Century*, 1954.
COP	Cope G., *Ecclesiology Then and Now*, 1964.	DRO	Drower, M.S., *Water Supply, Irrigation and Agriculture; A History of Technology*, 1954.
COPL	Ver CO.	DS	Denzinger, H., e Schonmetzer, A., *Enchiridion Symbolorum Definitionum et Declarationum de Rebus Fidel et Morum*, 1965.
COR	Corbishley, Thomas, *Roman Catholicism*, 1950.	DT	Doughty, C.M., *Travels in Arabia Deserta*, 1953.
COT	Cottrell, L., *The Last Pharoahs*, 1950; *Life Under the Pharoahs*, 1960.	DU	Ducasse, C.W. (ed.), *The Interpretation of the Bible*, 1964.
COW	Cowloy, A., *Aramaic Papyri of the 5th Century*, 1923.	DUB	Dubberstein, W.H., "The Chronology of Cyrus and Cambyses", em *AJSL*, 416419, 1938.
CR	Carr, Harvey, *The Interpretation of Animal Mind in Psychological Research*, 1917.	DUC	Duchesne, L., *Christian Worship, Its Origin and Evolution*, 1923.
CRI	Cripps, R.S., *Critical and Exegetical Commentary on Prophecy in Amos*, 1958.	DUN	Dunlap, Jane, *Explosive Inner Space*, 1961.
CRIP	Crippa, Adolpho (ed.), *As Ideias Filosóficas no Brasil*, 1978.	DV(1)	Davidson, A.B., *An Introductory Hebrew Grammar*, 1962.
CS	Chiera, E.; Speiser, E.A., "A New Factor in the History of the Ancient Near East", *AASOR*, VI, 1926.	DV(2)	Dvornik, Francis, *The Ecumenical Councils*, 1961.
CSEG	*Corpus Scriptorum Ecclesiasticorum Graecorum.*	**E**	
CSEL	*Corpus Scriptorum Ecclesiasticorum Latinorum.*	E	*Encyclopedia of Religion*, Ferm, Vergilius (ed.), 1964.
CUM	Cumont, F., *Oriental Religions in Roman Paganism*, 1911.	EA	Eaton, J.H., *Obadiah, Nahum, Habbukkuk and Zephaniah*, 1961.
CW	Williams, Colin, *John Wesley's Theology Today*, 1960.	EAU	Bourke, Vernon, *The Essential Augustine*, 1964.
CY	Richardson, Cyril Charles, *Library of Christian Classics*, "Early Church Fathers", 1933.	EB	Brunner, E., *Revelation and Reason*, 1947.
D		EBI	*Encyclopedia Biblica.*
D	Denzinger, H., *Enchiridion Symbolorum Definitionum et Declarationum de Rebus Fidei et Morum*, 1957.	EC	Champlin, Russell N., *Evidências Científicas Demonstram que Você Vive Depois da Morte*, 1981.
DA	Connolly, R.H., *Didascalia Apostolorum*, 1929.		
DAL	Dalman, G., *Sacred Sites and Ways*, 1935.		
DALB	Dalby, J., *Christian Mysticism and the Natural World*, 1950.		
DAN	Dancy; J.C., *A Commentary on I Maccabees*, 1954.		
DANA	Dana E.S., *A Textbook on Mineralogy*, 1954.		
DANR	DanielRopes, H., *Daily Life in Palestine at the Time of Christ*, 1962.		

ED	Edersheim, Alfred, *The Temple, Its Ministry and Services*, 1874; *Life and Times of Jesus the Messiah*, 1883; *Sketches of Jewish Social Life*, 1927; *Bible History*, 1956.		FRO	Frost, H.W., *The Great Commission*, 1934.
			FW	Farmer, W.R., *Maccabeus, Zealots and Josephus*, 1956.

EDD   Eddy, R., *History of Universalism*, 1955.
EDE   Ver ED.
EDER   Ver ED.
EDI   Edidin, B.M., *Jewish Holidays and Festivals*, 1940, in K.
EDM   Edmunds, C. Gordon, *Medical Ethics*, 1966.
EF   *Enciclopédia Filosófica*, Firenze: G.C. Sansoni, 1967.
EGT   *Expositor's Greek Testament*, Nicoll, W. Robertson (ed.), 1956.
EI   Eisen, G.A., *The Great Chalice of Antioch*, 1953.
EIS   Eissfeldt, *The Old Testament, An Introduction*, 1965.
EL   Eliot, H.W., *Excavations in Mesopotamia and Western Iran*, 1950.
ELK   Elert, W., *The Structure of Lutheranism*, 1962.
ELL   Ellison, H.L. *Ezekiel, The Man and flits Message*, 1951.
ELLI   Ellicott, Charles John, *Ellicott's Commentary on the Whole Bible*, 1954.
EN   Enslin, Morton Scott, *Literature of the Christian Movement*, 1956.
ENI   *Encyclopedia of Islam*, 1965.
EP   *Encyclopedia of Philosophy*, Edwards, Paul (ed.), 1967.
ERR   *Encyclopedia of Religion and Religions*, Pike, Royston E. (ed.), 1959.
ES   Rader, Melvin (ed.), *A Modern Book of Esthetics*, 1967.
ET   Melden, A., I. (ed.), *Ethical Theories*, 1955.
EU   Eusebius, *Historia Eccles*.
EUG   Eugene, Maly, *The World of David and Solomon*, 1961.
EW   *The Concise Encyclopedia of Western Philosophy and Philosophers*, Urmson, J.O. (ed.), 1960.
EW(2) Ewing, W., *Bethsaida*, in ISBE, I., 1929; *ibid, Galilee*, 1929.
EX   *Expositor's Bible*, Nicoll, Robertson (ed.), 1956.
EXPT   *The Expository Times*.
EXT   Spanos, William V., *A Casebook on Existentialism*, 1966.

F

F   *Dictionary of Philosophy*, Flew, Antony, 1968.
FA(1)   *Bible Encyclopedia and Dictionary*, Fausset, A.R., s.d.
FA(2)   Fairbairn, M., *The Place of Christ in Modern Theology*, 1898.
FAI   Fairbridge, R.W., *The Encyclopedia of Geomorphology*, 1968.
FAL   Falkner, E., *Games, Ancient and Oriental*, 1892.
FAR   Farrar, F.W., *The Message of the Book*, s.d.
FARQ   Farquhar, John, *A Primer of Hinduism*, 1912.
FE   Shaffer, Jerome A., *Filosofia do Espírito*, 1968.
FI   Filson, F.V., *Origins of the Gospels*, 1939; *Jesus Christ, The Risen Lord*, 1956.
FIN   Finegan, J., *Light From the Ancient Past*, 1946; *Handbook of Biblical Chronology*, 1964.
FK   Kenyon, Frederick, *The Bible and Archaeology*, 1940.
FL   Flemington, W.F., *The New Testament Doctrine of Baptism*, 1948.
FO   *Classical Greek Dictionary*, Foilett, 1960.
FOE   Foerster, W., *From the Exile to Christ*, 1964.
FOR   Forbes, R.J., *Studies in Ancient Technology*, 1981.
FP   Bornheim, Gerd A., *Os Filósofos PréSocráticos*, 1977.
FR   Frazer, J.G., *Adonis, Attis and Osiris; Studies in the History of Oriental Religion*, 1906.
FRA   Frankfort, H.H., *The Art and Architecture of the Ancient Orient*, 1954.
FRAN   Frankfort, H., *Kingship and the Gods*, 1948.
FRE   Free, J.P., *Archaeology and Bible History*, 1956; (1953-1960): Artigos diversos sobre descobertas arqueológicas: American Schools of Oriental Research, and BASOR.
FREE   Freeman, H.E., *An Introduction to the Old Testament Prophets*, 1963.
FREE(2) Freeman, David Hugh, *A Philosophical Study of Religion*, 1976.
FREU   Freud, Sigmund, *The Interpretation of Dreams*, 1900; *Wit and Its Relationship to The Unconscious*, 1916.
FRI   Friedrich, J. *Strabo, XII, Monumenta Asiae Minores Antiqua; Anatolean Studies*, REK, XX, pp. 781891.

G

G   *Dr. Gill's Commentary on the Whole Bible*, sd.
GA   Gaebelein, Frank E., *Christian Education in a Democracy*, 1951.
GAD   Gadd, Cyril John, *The Assyrian Sculptures*, 1934; *The Stones of Assyria*, 1936.
GAS   Gaster, M., *Jewish Magic*, HA, VIII, 3000-3005.
GB   *Great Books of the Western World*, Hutchins, R. (ed.), 1952.
GC   Clark, Gordon, *Hellenistic Philosophy*, 1940.
GCH   Gordon, G.H., "Biblical Customs and the Nuzi Tablets", BA iii (1940), 1-12.
GD   Goodspeed, E.J., *The Formation of the New Testament*, 1926; *Strange New Gospels*, 1931; *The Meaning of Ephesians*, 1933; *The Story of the Apocrypha*, 1939; *Early Christian Literature*, 1942; "Modern Apocrypha", *The Princeton Seminary BULLETIN*, 1957.
GE   Gilson, Étienne, *History of Christian Philosophy in the Middle Ages*, 1955; *God and Philosophy*, 1961.
GEI   Geikie, C., *Old Testament Characters*, 1888.
GEO(1)   Geoffrey, Parmiter, *King David*, 1961.
GEO(2)   George, P.R., *Communion with God in the New Testament*, 1953.
CES   Gesenius, W., *Hebrew Grammar*, 1910.
GEY   Geyser, A.S., *The Youth of John the Baptist: New Testament*, 1956.
GG   Blass, F. e Debrunner, A., *Greek Grammar of the New Testament and Other Early Christian Literature*, 1961.
GH   Ghirshman, R., *Iran*, 1954.
GI   Ginzberg, H.L, *The Apocalypse of Abraham*, 1906.
GL   Glueck, N., *The Other Side of Jordan*, 1940; *Some Ancient Towns in the Plains of Moab*, 1943; *The River Jordan*, 1946; *Rivers in the Desert*, 1960.
GLO   Glover, R.H., *The Biblical Basis of Missions*, 1946.
GLU   Ver GL (1943).
GN   Green, W.H., *Higher Criticism and the Pentateuch*, 1895.
GO   Ver GD (1933 e 1942).
GOL   Goldschmidt, Victor, *A Religião de Platão*, 1963.
GOOD   Goodman, Jeffrey, *We Are the Earthquake Generation*, 1981.
GOR   Gordon, C.H., "The Story of Jacob and Laban in the Light of the Nuzi Tablets", BASOR, 66, 1937; "Biblical Customs and the Nuzi Tablets", BA, 3, 1940; *Old Testament Times*, 1953, *Ugaritic Textbook*, 1965.
GORD   Ver GOR (1953).
GOT   Gottwald, N.K., *Studies in the Book of Lamentations*, 1954; *A Light to the Nations*, 1959.
GP   Grimal Pierre, *Hellenism and the Rise of Rome*, 1968.
GR   Grant R.M., *The Apostolic Fathers*, 1964.
GRA   Grant E., "Beth Shemash", 1928, AASOR, IX, 115.
GRAD   Gradenwitz, P., *The Music of Israel*, 1949.
GRAN   Grant, F.C., *Form Criticism*, 1939.
GRE   Greenberg, M., "The Biblical Concept of Asylum", *Journal of Biblical Literature*, 78.
GREE   Greenslade, S.L. (ed.), *The Cambridge History of the Bible from the Reformation to the Present*, 1963.
GRI   Griffith, G.T., *Alexander the Great: The Main Problems*, 1956.
GREN   Grenfell, B.P., e Hunt, A. S., *The Oxyrhynchus Papyri*, 1888-1889.
GRO   Groves, C.P, *The Planting of Christianity in Africa*, 1948.
GROL   Grollenberg, L. H., *Atlas of the Bible*, 1957.
GS   Ver GD (1939).
GSM   Smith, G. (ed.), *The Teaching of the Catholic Church*, 1948.
GT   *The Greek New Testament*, United Bible Societies, 1975.
GU   Guthrie, D., *New Testament Introduction*, 1965.
GUI   Guillamont, A., *La Designation des Couleurs en Hebreu et en Araméan*, en Meyerson, ed., *Problems de la Couleur*, 1957.
GUN   Gunday, R.H., *A Survey of the New Testament*, 1970.
GY   Gray, J., *The Canaanites*, 1964.

H

H	*Baker's Dictionary of Christian Ethics*, Henry, Carl F.H. (ed.), 1978.
HA	*Encyclopedia of Religion and Ethics*, Hastings, James (ed.), 1940.
HAZ	Barnes, Hazel E., *An Existentialist Ethics*, 1967.
HDB	*Harper's Bible Dictionary*, 1978.
HEA	Healy, Edwin, F., *Medical Ethics*, 1956.
HEI	Heidel, Alexander, *The Gilgamesh Epic and the Old Testament Parallels*, 1949.
HEN	Hennecke, Edgar, *The New Testament Apocrypha*, 1963.
HER(1)	Herodotus, *History*.
HER(2)	Herford, R.Y., *Sayings of the Fathers*, 1962.
HF	*História da Filosofia*, Hirschberger, Johannes, 1969.
HI	Hick, John, *Philosophy of Religion*, 1963.
HIC	Ver HI.
HIE	Hiers, R.H., *The Kingdom of God in the Synoptic Tradition*, 1970.
HIR	Hirsch, F.E., "Punishment", ISBE, IV, 1955.
HIT	Hitti, P.K., *The History of the Arabs*, 1970.
HJ	Jonas, H., *The Gnostic Religions*, 1963.
HO(1)	Hodge, C., *Systematic Theology*, 1874.
HO(2)	Howard, Clingbell, *Understanding and Counselling the Alcoholic*, 1968.
HOD(1)	Hodgson, Leonard, *The Ecumenical Movement*, 1951.
HOD(2)	Hodgson P.C., *The Formation of Historical Theology, a Study of Ferdinand Christian Bauer*, 1966.
HOR	Horowitz, E., *How the Hebrew Alphabet Crew*, 1961.
HOS	Hoskins, H., *The Religion of Ancient Israel*, 1967.
HOU	Houston, M.G., "Ancient Egyptian and Persian Costume and Decoration", ANEP, 1954.
HOW	Howlet, D., *The Essenes and Christianity*, 1957.
HP	Clark, Gordon H., *Hellenistic Philosophy*, 1940.
HR	Harrison, A.W., *Arminianism*, 1937.
HAD	Hadas, M., *Aristeas to Philocrates*, 1951.
HAH	Hahn H.F., *The Old Testament and Modern Research*, 1954.
HAL	Holmgard and Hall, *History of Technology*, 1954.
HALD	Haldar, A., *Studies in the Book of Nahum*, 1947.
HALL	Halley, Henry, H., *Pocket Bible Handbook*, 1948.
HAN	Hanson, R.P.C., *Allegory and Event*, 1959.
HANS	Hanson, S., *The Unity of the Church in the New Testament*, 1946.
HAR	Harding, G.L., *The Antiquities of Jordan*, 1959.
HARN	Harnack, Adolf von, *The Acts of the Apostles*, 1909; *The History of Dogma*, 1958.
HARR	Harrison, R.K., *The Dead Sea Scrolls*, 1961; *Archaeology of the New Testament*, 1964; *Introduction to the Old Testament*, 1969.
HART	Hartfelder, Karl, *Melanchthon als Praetor Sermaniae*, 1889.
HAT	Hatch, Edwin, *The Influence of Greek Ideas on Christianity*, 1957.
HAU	Haupart, Raymond, "Lachish, Frontier Fortress of Judah", BA, 1938.
HAY	Hayes, W.C., *The Scepter of Egypt*, 1959.
HRL	Harris, H.L., *Inspiration and Canonicity of the Bible*, 1957.
HRM	Hare, R.M., *The Language of Morals*, 1952.
HRR	Harrison, P.N. "Onesimus and Philemon", *Anglican Theological Review*, xxxii, 1950.
HS	Schoeps, Hans, *The Jewish Christian Argument*, 1963.
HTR	*Harvard Theological Review*.
HO	Hughes, Philip, *A History of the Church*, 1947.
HUCA	*Hebrew Union College Annual*.
HUN	Hunt, I., *The World of the Patriarchs*, 1966.
HUS	Smith, Huston, *The Religions of Man*, 1958.
HY	Hughes, T. Hawel, *The Philosophical Basis of Mysticism*, 1937.

I

I	*International Critical Commentary*, Driver, Samuel R., Plummer, Alfred e Briggs, Charles, A. (eds.), 1961.
IB	*Interpreter's Bible*, Buttrick, George (ed.), 1946.
ID	*Interpreter's Dictionary of the Bible*, 1962.
IOT	Young, E.J., *Introduction to the Old Testament*, 1941.
IR	Iranaeus, *Against Heresies*.
IRA	Ira, Progoff, *Jung's Psychology and its Social Meaning*, 1953.
ISBE	*International Standard Bible Encyclopedia*, 1975.

J

J	Charlesworth, James H., *The Old Testament Pseudepigrapha, Apocalyptic Literature and Testaments*, 1983.
JA	*The New SchaffHerzag Encyclopedia of Religious Knowledge*, Jackson, Samuel (ed.), 1950.
JAL	Jalland, Tig, *The Church and the Papacy*, 1944.
JAM	James, M.R., *The Apocryphal New Testament*, 1924.
JAME	James, E.D., *Creation and Cosmology*, 1969.
JAOS	*Journal of American Oriental Society*.
JAR	Jarrett, James L. e McMurrin, Sterling M., *Contemporary Philosophy*, 1954.
JAS	Jastrow, M., "Did the Babylonian Temples Have Libraries?", JAOS, 27:147182, 1906.
JB	Baille, J., *Our Knowledge of God*, 1939.
JBL	*Journal of Biblical Literature*.
JD	Daniélou, J., *Shadows to Reality*, 1960.
JE	*The Universal Jewish Encyclopedia*, 1943.
JEL	Jellicoe, S., *The Septuagint in Modern Study*, 1969.
JF	Fabricus, J.F., *Codex Apocryphus Novi Testamenti*, s.d.
JFB	*Critical and Experimental Commentary*, Jamison, Fausset e Brown, 1948.
JG	Goodman, Jeffrey, *We Are the Earthquake Generation*, 1974, *Psychic Archaeology; Time Machine to the Past*, 1979.
JL	Lewis, John, "Marxism and Ethics", *Marxism and the Open Mind*, 1957.
JM	Montgomery, J., *Kings*, 1951.
JNES	*Journal of Near Eastern Studio*.
JO	Josephus, *Antiquities and Wars*.
JOH	Johler, K., *Jewish Theology*, 1918.
JOHN	Johnson, A.R., *Sacral Kingship in Ancient Israel*, 1955.
JON	Jones, A.H.M., *The Cities of the Roman Provinces*, 1937.
JP	Pederson, J., *Israel*, 1959.
JPOS	*Journal of the Palestine Oriental Society*.
JQ	Quaston, J., *Patrology*, 1950.
JR	*Journal of Religion and Psychic Research*.
JSS	*Journal of Semitic Studies*.
JTS	*Journal of Theological Studies*.
JU	Jung, Carl, *Modern Man in Search of a Soul*, 1933; *The Psychology of Religion*, 1938; *Memories, Dreams and Reflexions*, 1963.
JUD	Judge, E.A., *The Social Patterns of the Christian Groups of the First Century*, 1960.
JUN	June, Leo, *The Jewish Library*, 1934.

K

K	*Theological Dictionary of the New Testament*, Kittle, Gerhard (ed.), 1964.
KA	Kassis, H., "Gash and the Structure of Philistine Society", BL, 84, 1965.
KAH	Kahler, Martin, *The SoCalled Historical Jesus and the Historical Biblical Christ*, 1964.
KAP	Kapelrud, Arvid S., *Joel's Prophecies*, 1948.
KD	*Commentary on the Old Testament*, Keil e Delitzsch.
KE	Kenyon, Sir Fredric, *Our Bible and the Ancient Manuscripts*, 1962; *Archaeology in the Holy Land*, 1970.
KEI	Keil, C.F., *Books of Ezra, Nehemiah and Esther*, 1950; *Jeremiah*, 1960, *Chronicles*, 1966.
KEL	Kelson, J., com Albright, W., *Excavations of Bethel*, AASOR, vol. 39, 1968.
KELL	Kelly, J.N.D., *The Pastoral Epistles*, 1963.
KELS	Kelso, J.L., "Excavations at Jericho"; AASOR, vols. 2930, 1955; "Excavations at Jerusalem", BA, XXVII, 1964.
KEN	Kent, R.G., *Old Persia*, 1950.
KENN	Kennedy, R., "Crimes and Punishment", HA, 1963.
KENY	Kenyon, K., *Digging up Jericho; Excavations at Jericho*, 1960.
KI	Kidner, D., *Proverbs*, 1964.

KIN	Kinsey, Alfred C., *Sexual Behavior in the Human Male*, 1948; *Sexual Behavior in the Human Female*, 1953.	MAC	Macintosh, H.R., *Types of Modern Theology*, 1963.
KK	Kitchen, K.A., *Ancient Orient and the Old Testament*, 1966.	MACA	Macalister, R.A.S., *The Excavations of Gezer*, 1912; *The Philistines, Their History and Civilization*, 1913.
KL	Lake, Kirsopp, *The Apostolic Fathers*, 1913.	MAG	Maggs, J.T.L., *The Spiritual Experience of Paul*, 1901.
KLA	Klausner, J., *The Messianic Ideal in Israel*, 1956.	MAL	Mallowan, M.E.L., *TwentyFive Years of Mesopotamian Discoveries, and Nimrod and its Remains*, 1962.
KLI	Kline, M.G., *Structure of Biblical Authority*, 1972.	MAN	Manley, *The Book of the Law*, 1957.
KLIN	Klink, A., *Home Life in Biblical Times*, 1959.	MAR	Marmor, Judd (ed.), *Sexual Inversion; The Multiple Roots of Homosexuality*, 1965.
KM	Hiltner, Seward e Menninger, Karl, *The Constructive Aspects of Anxiety*, 1967.	MARI	Marias, Julian, *Introdução à Filosofia*, 1966.
KN	Knight, G.A.F., *A Christian Theology of the Old Testament*, 1959.	MAY	May, H.C., *Material Remains of the Megiddo Cult*, 1935.
KNE	Kneller, George, *Introdução à Filosofia da Educação*, 1964.	MC	*Dicionário Bíblico*, McKenzie, John L. (ed.), 1978.
KO	Kopp, C., *The Holy Places in the Gospels*, 1963.	MCC	McCown, C.C., "Hebrew High Places and Cult Remains", JBL LXIX, 1950.
KOH	Gordis, Robert, *Koheleth, The Man and His World*, 1951.	MCG	McGiffert, A.C., *A History of Christianity in the Apostolic Age*, 1920.
KR(1)	Kraeling, C.H., *John the Baptist*, 1951.	MCN	McNeill, J.T., *The History and Character of Calvinism*, 1954.
KR(2)	Kraft, C.F., *Judges, Book of*.	ME	Metzger, Bruce, *An Introduction to the Apocrypha*, 1957; *The Text of the New Testament*, 1964.
KR(3)	Kraft, R.A., *Barnabas and the Didache*, 1961.	MEL	Melden, A.I. (ed.), *Human Rights*, 1970.
KRA	Kramer, S.N., *History Begins at Summer*, 1956.	MER	Mercer, S.A.B., *The Religion of Ancient Egypt*, 1949.
KRAU	Kraus, H.J., *Worship in Israel*, 1966.	MET	Taylor Richard, *Metaphysics*, 1965.
KU	Kurtz, Prof., *Church History*, s.d.	MEY	Meyer M.A., *History of the City of Gaza*, 1907.
KY	Kyle, M.G., *Moses and the Monuments*, 1920; "The Story of Ancient Sodom in the Light of Modern Science", BS, LXXI, July, 1924.	MEYE	Meyer, Heinrich August Wilhelm, *Meyer's Commentary on the New Testament*, 1884.

L

L	*Twentieth Century Encyclopedia of Religious Knowledge*, Letcher, Leiterts, A. (ed.), 1955.	MG	Goguel, M., *The Primitive Church*, 1964.
LA	Lampe, G.W.N., e Woolcombe, K., *The Doctrine of Justification by Faith*, 1954.	MH	Mornschuh, M., *Studien Zur Epistula Apostolorum*, 1965.
		MI	*Encyclopedia Mirador International*, 1976.
LA(2)	Lang, C.H., *Pictures and Parables*, 1955.	MIC	Micklem, N., "Leviticus", em IB, 1953.
LAB	Labby, Daniel H., *Life or Death; Ethics and Option*, 1968.	MICH	Michols, R., *The New Testament Speaks*, 1969.
LAE	Laetsch, A., *Jonah, The Minor Prophets*, 1956.	MIL	Miller, J.L., *Encyclopedia of Bible Life*, 1949.
LAK	Foakes, Jackson e Lake, K., *The Beginnings of Christianity*, 192033.	MILL	Millardi, A.R., *Archaeology and the Life of Jacob*, 1963.
		MIT	Mitton, C., *The Epistle of James*, 1966.
LAM	Larnon, R.S., *Megiddo*, 1931.	MK	McKnight, W.J., *The Apocalypse of Jesus Christ; John to the Seven Churches*, 1927.
LAN	*Lange's Commentary*, Lange, P., s.d.		
LANG	Langton, E., *Essentials of Demonology*, 1949.	MM	McMurrin, S., e Fuller, B.A.G., *History of Philosophy*, 1955.
LAS	La Sor, W., "The Messianic Idea in Qumran", *Studies and Essays in Honor of Abraham Neuman*, 1962.	MO	Moffatt, J., *The Historical New Testament*, 1901; *Moffatt New Testament Commentary*, 1938.
LAT	Latourette, K.S., *A History of the Expansion of Christianity*, 1945.	MOF	Ver MO.
		MOO	Moody, Raymond, A., *Life After Life*, 1977; *Reflections on Life after Life*, 1978.
LE	Leuick, B., *Roman Colonies in Southern Asia Minor*, 1967.	MON	Montgomery, J.A., *Arabia and the Bible*, 1934.
LEA	Lea, H.C., *History of Sacred Celibacy in the Christian Church*, 1956.	MONT	Montgomery, J.A., "Aesthetics in Hebrew Religion", JBL, LVI, 1937.
LEO	Leon-Dufour, *Vocabulário de Teologia Bíblica*, 1984.	MONTE	Montefiore, *The Epistle to the Hebrews*, 1964.
LEU	Leupolo, H.C., *Exposition of Genesis*, 1942; (1967) *Christian Reflections*.	MOR	Moore, G. F., *Judaism*, 1927.
		MORN	Morgan, G. Campbell, *Commentary on the Four Gospels*, 1977.
LEW	Lewis, C.S., *Miracles*, 1947.		
LEX	*Analytical Greek Lexicon*, Bagster S., 1958.	MOU	Moule, C.F.D., *An Idiom Book of the New Testament*, 1960.
LI	Little, F.H., *The Anabaptist Doctrine of the Church*, 1952.	MOUR	Mourant, John A., *Readings in the Philosophy of Religion*, 1954.
LIG	Lighffoot, J.B., *Clement of Rome*, 1890; *Apostolic Fathers*, 1890; *Dissertation on the Apostolic Age*, 1892.	MR	Moore, G.E., *Principia Ethica*, 1903.
LIL	Lillie, W., *Studies in New Testament Ethics*, 1961.	MST	*Cyclopedia of Biblical, Theological and Ecclesiastical Literature*, Moulton and Milligan, 1975.
LIN	Linstrom, Harold, *Wesley and Santification*,1946.		
LINN	Linnemann, E., *Parables of Jesus*, 1966.	MU	Murray, H.J.C., *A History of Board Games other than Chess*, 1952.
LL	Lloyd, R., *The Church of England in the 20th Century*, 1960.		
LLO	Lloyd, S., *The Art of the Ancient Near East*, 1961.	MUR	Murray, Gilbert, *Five Stages of Greek Religion*, 1951.
LO	*Loeb Classical Library*, Lake, K., 1912.	MW	Weber, M., *Ancient Judaism*, 1952.
LOT	Lotz, Johannes Baptist, *How the Reformation Came*, 1965.	MY	Myers, F.W.H., *Human Personality and its Survival of Bodily Death*, 1903.
LOU	Loud, G., *The Megiddo Ivories*, 1939.		
LOW	Lowther, Clarke (ed.), *Liturgy and Worship*, 1943.		
LU	*Luther's Works*, Philadelphia, Fortress (ed.), s.d.	**N**	
LUT	Lutz, ELF., *Textiles and Costumes Among the Peoples of the Near East*, 1923.	N	Nelson, Leonard, *Systems of Ethics*, 1956.
LUTH	Luther, Martin, *A Commentary on St. Paul's Epistle to the Galatians*, 1535.	NA	Navarra, Fernand, *The Forbidden Mountain*, 1958.
		NAI	Nairne, A., *The Faith of the New Testament*, 1920.
LY	Lyttleton, Raymond A., *The Modern Universe*, 1957.	NAP	Napier, B.P., *Exodus*, 1963.
LW	Lambert, W.G., *Babylonian Wisdom Literature*, 1960.	NAS	Nash, Arnold S. (ed.), *Protestant Thought in the Twentieth Century*, 1951.
		NB	Newberry, Thomas, *The Newberry Study Bible*, 1959.
M		NBC	*New Bible Commentary*, Davidson, F. (ed.), 1953 (português).
M	Mansel, H.L, *The Limits of Religious Thought*, 1957.		
MA	Macgregor, C.H.C., "The Concept of the Wrath of God in the New Testament", *N.T. Studies*, 1961.	NCE	*The New Catholic Encyclopedia*.

ND	Novo Dicionário da Bíblia, 1968.	PET	Petrie, F., "Ancient Gaza", IIV, The Egyptian Research Account, and the British School of Archaeology in Egypt, LVILVIII; 193134.
NE(1)	Newell, William R., Hebrews Vs. by Vs., 1947; Romans Vs. by Vs., 1952.		
NE(2)	Neve, Juergen, L., History of Christian Thought, 1946.	PETA	Petavel, E., The Struggle for Eternal Life, 1875.
NI	Nida, Eugene, Customs and Cultures, 1970.	PETR	Petrie, W.F., Tools and Weapons, 1917.
NIC	New International Commentary.	PF	Pfeiffer, Robert H., The Books of the Old Testament, 1962.
NIE	Niebuhr, H., Richard, Christ and Culture, 1952.	PFE	Pfeiffer, C.F., The Patriarchal Age, 1961.
NIL	Nilson, P., Primitive Time Reckoning, 1920.	PH	Price, H.A., "Appearing and Appearances", American Philosophical Quarterly, 1932.
NTI	Champlin, Russell Norman, O Novo Testamento Interpretado, 1979.	PHI	Philo, Legattio and Gaium.
NO	Noth, M., The Old Testament World, 1966.	PHIL	Philipson, D., The Reform Movement in Judaism, 1931.
NOK	Nock, A.D., Festugiere, A.J., Corpus Hermeticum (4 vols.), 1960.	PM	Montet, P., Everyday Life in Egypt, 1958.
NOT	Noth, M., Geschichte und Altes Testament, "Mare und Israel", 1953, pp. 127152; Exodus, 1962.	PO	Pommerenke, C.H., "Artificial Insemination, Genetic and Legal Implications", Obstetrics and Gynecology, 9:189, 1957.

O

O	Piper, O., The Biblical View of Sex, 1960.	POE	Poebel, Arno, "The Assyrian King List From Khorsalead", JNES, Vols. 1,2; 194243.
OA	Oates, W.J., The Basic Works of St. Augustine, 1948.	PPH	Freeman, Kathleen, Ancilla to the Pre-Socratic Philosophers, 1956.
OC	O'Callaghan, R.T., Aram Naharaim, 1948.		
OD	Odeberg, Hugo, III Enoch or the Hebrew Book of Enoch, 1928.	POR	Porter, Frank E., The Mind of Christ in Paul, 1939.
OE(1)	Oesterley, W.O.E., The Sacred Dance, 1923; (1937) Fresh Approach to the Psalms, 1937.	PR	Prat, F., Jesus Christ, His Life, His Teaching and His Work, 1960.
OE(2)	Oehler, G.F., Theology of the Old Testament, 1882.	PRI	Pritchard, J.B., Ancient Near Eastern Tests, 1955; Studies in Ancient Technology, 1956; Gibeon Where the Sun Stood Still, 1962.
OES	Oesthorn, Torah in the Old Testament, 1945; Yahweh and Baal: Studies in the Book of Hosea, 1956.		
OG(1)	Ogden, Schubert M., The Reality of God, 1962.	PRIT	Ver PRI.
OG(2)	Ogg, G., The Chronology of the Public Ministry of Jesus, 1940.	PS	Smith, T.V. (ed.), Philosophers Speak for Themselves, 1956.
OIC	Oriental Institute Communications.	PSBA	Proceedings of the Society of Biblical Archaeology.
OLM	Olmstead, A.T., History of the Persian Empire, 1948; History of Assyria, 1960.	PT	Peters, P.W., The Hebrew Attitude to Education in the Hellenistic Era, 1967.
OLMS	Ver OLM 1960.	PTR	Princeton Theological Review.
OP	Oppenheim A.L., Ancient Mesopotamia, 1964; Letters from Mesopotamia, 1967.	PU	Pusey, E.B., The Minor Prophets, 1957.

Q

OR	Orni, E., e Efrat, E., Geography of Israel, 1966.	QDAP	Quarterly of the Department of Antiquities of Palestine.
ORE	Orr, J., Revelation and Inspiration, 1910.	QS	Quell, Gottfried; Schrenk G. (trans. Coats, J.R.), Righteousness, 1951.
ORR	Orr, James, The Problem of the Old Testament, 1966.		
OS	Seyffert, Oskar, Dictionary of Classical Antiquities, 1964.		

R

OSI	Osis, K., Deathbed Observations by Physicians and Nurses, 1961.	R	Encyclopedia of Theology, Rahner, Karl (ed.), 1975.
		RA	Von Rad, Gerhard, Old Testament Theology, 1962.
OX	Oxford Dictionary of the Christian Church, Cross, F.L., 1957.	RAM	Ramsay, M., A Historical Commentary on St. Paul's Epistle to the Galatians, 1900; Letters to the Seven Churches, 1904; St. Paul the Traveller and the Roman Citizen, 1909; The Cities of St. Paul, 1949.

P

P	Dictionary of Philosophy and Religion, Reese, W.L., 1983.	RAMM	Ramm, B., The Christian View of Science and Scripture, 1954.
PA	Patterson, S., The Concept of God in the Philosophy of Aquinas, 1933.	RAN	Randall, John L., Parapsychology and the Nature of Life, 1977.
PAD	Padovani, Humberto e Castagnola, Luis, História da Filosofia, 1964.	RAND	Randall, John Herman e Buchler, Justus, Philosophy, An Introduction, 1942.
PAL	Pallis, E.H., Mandean Studio, 1926.	RE	Reed, W.L., The Asherah of the Old Testament, 1949.
PAR	Parrot, A., Ninevah and the Old Testament, 1955; The Flood and Noah's Ark, 1956; Babylon and the Old Testament, 1958.	REA	Read, H.H., Rutley's Elements of Mineralogy, 1970.
		REG	Regush, Nicholas M., Frontiers of Healing, 1977.
		REI	Reider, J., An Index to Aquila, 1966.
PAS	Pastor, Ludwig von, Baron, History of the Popes (trans. Kerr, R.F.), 1925.	REIF	Reifenberg, A., Ancient Hebrew Arts, 1950.
PAT	Paterson, J., The Wisdom of Job; Job and Proverbs, 1961.	REIN	Reincarnation, An EastWest Anthology, Head, Joseph, e Cranston, S.L., 1981.
PAU	Pauck, Wilhelm, Nature of Protestantism, 1937; The Heritage of the Reformation, 1950.		
		REIS	Reis, J.K.S., The Biblical Doctrine of the Ministry, 1955.
PAY(1)	Payne, J.B., The Theology of the Older Testament, 1962.	REN	Rentz, G., The Encyclopedia of Islam, 1960.
		REU	Reu, M., Catechetics and Theory and Practice of Religious Education, 1927.
PAY(2)	Payne, Barton, An Outline of Hebrew History, 1954.		
PE	Peeters, Evangeles, Apocrypha, II, 1914.	RG	Grant, R.M., Reader in Gnosticism, 1961.
PEA	Peak, A.S., The Bible, Its Origin, Its Significance and Its Abiding Worth, 1913; Elijah Jezebel, 1927.	RH	Rhine, J.B. The Reach of the Mind, 1947.
		RI	Richardson A., Historical Theology and Biblical Theology, 1955.
PEAK	Ver PEA.		
PED	Pederson, J., Israel, Its Life and Culture, 1926.	RIC	Richardson, E.C., Biblical Libraries, 1915.
PEL	Pelikan, J., From Luther to Kierkegaard, A Study of the History of Theology, 1963.	RID	Ridderbos, H., Paul and Jesus, 1958.
		RIN	Ring, Kenneth, Life at Death: A Scientific Investigation of the Near Death Experience, 1983.
PEQ	Palestine Exploration Quarterly.		
PER	Perowne, S., Life and Times of Herod the Great, 1958; The Later Herods, 1958.	RO	Robertson, A.T., John the Loyal, 1912; Word Pictures in the New Testament, 1930; A Grammar of the Greek New

	Testament in the Light of Historical Research, 1931; *The Body*, 1952.	SO	Souter, A., *The Text and Canon of the New Testament*, 1954.
ROB	Robertson, H.W., *The Christian Doctrine of Man*, 1926.	SOC	Mondolfo, R., *Sócrates*, 1967.
ROB(2)	Robinson, T., *The Poetry of the Old Testament*, 1947.	SP	Spitzer, Walter, e Saylork, Carlyle, I. (eds.), *Birth Control and the Christian; A Protestant Symposium on the Control of Human Reproduction*, 1961.
ROBIN	Robinson, S., *Biblical Researches*, 1841.		
ROBINS	Robinson, J., *A New Quest of the Historical Jesus*, 1959.	ST	Strong, Augustus, *Systematic Theology*, 1907.
ROS	Rose, Herbert J., *A Handbook of Greek Literature*, 1951; *A Handbook of Latin Literature*, 1960.	STA	Stanley, Arthur Penrhyn, *The Jewish Church*, 1886.
		STAI	Stainer, J., *The Music of the Bible*, 1914.
ROT	Roth, C., *Jewish Art*, 1961.	STAN	Stanley, David, M., *The Apostolic Church in the New Testament*, 1965.
ROU	Rouse, Ruth, *A History of the Ecumenical Movement*, 1948.		
		STE	Stendall K. (ed.), *Immortality and Resurrection*, 1964.
ROUT	Routley, Eric, Hymns, *Today and Tomorrow*, 1964.	STI	Stibbs, A.M., *The Meaning of the Word Blood in Scripture*, 1947; *God's Church*, 1959.
ROW	Rowley H.H., *From Joseph to Joshua*, 1950; *The Old Testament and Modern Study*, 1951; *Men of God*, 1963.		
		STO	Stokes, W.L., *Essentials of Earth History; An Introduction to Historical Geography*, 1963.
ROWE	Rowe, L.A., *Topography and the History of BethShan*, 1930.		
		STOI	Hadas, Moses (ed.), *Essential Works of Stoicism*, 1961.
RP	Sahakian, William e Lewis, Mabel, *Realms of Philosophy*, 1965.	STON	Stonehouse, Paul, *Before the Aeropagus*, 1956.
		STONE	Stonehouse, N.B., *Origins of the Synoptic Gospels*, 1964.
RU	Russell, D. S., *The Jaws from Alexander to Herod*, vols. 5 e 6; *The New Carendom Bible*, 1967; *The Method and Message of Jewish Apocaliptic Literature*, 1964.	STOR	Storr, C., *Ancient Ships*, 1895.
		STR	Striwe, Otto, *The Universe*, 1962.
		STRA	Strawson, W., *Jesus and the Future Life*, 1959.
RUN	Runes, Dagobert D., *Twentieth Century Philosophy*, 1943.	STRAC	Strack, H.L., *Introduction of the Talmud and Midrash*, 1931.
RUS	Russell, Bertrand, *Principia Mathematica*, 1912.		
RV	Devaux, R., *Ancient Israel*, 1962.	STRE	Streeter, B.H., *The Four Gospels*, 1930.
RW	Wilson, R. Mec. *Gnostic Problems*, 1958; *Gnosis and the New Testament*, 1968.	STRO	Strong, James, *Exhaustive Concordance of the Bible*, 1951.
RY	Rynne, Xavier, *Vatican II*, 1967.	SU	Suetonius, *Calus Caligula Dio*.
RYR	Ryrie, C., *Biblical Theology and the New Testament*, 1959.	SW	Swete, H.B., *Essays on the Early History of the Church and the Ministry*, 1921.
S		**T**	
S	*Bible Encyclopedia and Scriptural Dictionary*, HowardSeverance (ed.), 1904.	T	*Baker's Dictionary of Practical Theology*, Turnball, Ralph (ed.), 1982.
SA	Sabom, Michael, *Recollections of Death*, 1982.		
SAC	Sachs, *A History of Musical Instruments*, 1940.	TA	Taylor, V., *The Gospels*, 1960.
SAG	Saggs, H.W.F., *The Greatness That Was Babylon*, 1962.	TAR	Tarn, William W., e Griffith, Guy T., *Hellenistic Civilization*, 1961.
SAL	Salmond, S.D.F., *The Christian Doctrine of Immortality*, 1901.		
		TAY	Taylor, C., *Sayings of the Jewish Fathers*, 1900.
SAM	Samuel, H.E., *Ptolemaic Chronology*, 1962.	TC	Tcherikover, V., *Hellenistic Civilization and the Jews*, 1959.
SAU	Sauer, E., *From Eternity to Eternity*, 1954.	TCE	*The Twentieth Century Encyclopedia of Religious Knowledge*, Loetscher, 1979.
SB	Muller, A., *The Sacred Books of the East*, 1910.		
SC	Scurti, S.J., *Short History of Philosophy*, 1950.	TCH	Chan, Thomas, *The Adam and Eve Story*, 1963.
SCH	Schaff, Philip, *History of the Christian Church*, 1892.	TE	Tenny, M.C., *The New Testament, A Historic and Analytical Survey*, 1953; *Galatians: The Charter of Christian Liberty*, 1954.
SCHO	Schonfield, Hugh J., *Reader's A to Z Bible Companion*, 1967.		
SCHW	Schweitzer, Albert, *The Quest of the Historical Jesus*, 1910.	TEC	Techenie, *Euprat und Tigris*, 1934.
		TEN	Ver TE.
SCO	Scofield, C.I., *The Scofield Reference Bible*.	TH	Thomas, D., Winston, *Archeology and Old Testament Study*, 1967.
SE	Seiss, Joseph, *Letters to the Seven Churches*, 1956.		
SEG	Segal, J.B., *The Hebrew Passover*, 1963.	THA	Thackeray, H., *Josephus the Man and the Histories*, 1929.
SET	Sebrs J. Van, *The Hyksos, a New Investigation*, 1966.	THI	Thiel, A., *The Mysterious Numbers of the Hebrew Kings*, 1965.
SH	Schurer, B., *A History of the Jewish People*, 1891.		
SHE	Sherman, Harold, *Know the Powers of Your Own Mind*, 1960.	THO	Thomas, D.W., *Documents from Old Testament Times*, 1958.
SHER	*The New SchaffHerzag Encyclopedia of Religious Knowledge*.	THOM	Thompson, R.C., *The Epic of Gilgamesh*, 1930.
		THU	Thomas, C. e Hutchinson, R.W., *A Century of Exploration of Nineveh*, 1929.
SHO	Short Rendel, *The Bible and Modern Medicine*, 1953.		
SHS	Singer, Charles, *A Short History of Scientific Ideas*, 1959.	TI	Titus, Eric Lane, *Essentials of New Testament Study*, 1958.
SHU(1)	Shultz, S.J., *The Prophets Speak*, 1968.	TIL	Tillich, Paul, *The Dynamics of Faith*, 1957.
SHU(2)	Shut, R.J.H., *Studies in Josephus*, 1961.	TIS	Tischendorf, Constantinus, *Novum Testamentum Graece*, 1869.
SI	Simons, J., *The Geographical and Topographical Text of the Old Testament*, 1959.		
		TJ	Jallard, Trevor, *Church and Papacy*, 1944.
SIM	Simpson, E.K., *The Pastoral Epistles*, 1954.	TL	Thorndike, Lynn, *A History of Magic and Experimental Science*, 1938.
SIN	Singer, C. (ed.), *A History of Technology*, 1958.		
SK	Kierkegaard, Soren, *The Concept of Dread*, 1946.	TO	Torbet, R.G., *A History of the Baptists*, 1950.
SKE	Skeat, T.C., *The Reign of the Ptolemies*, 1954.	TON	Tonybee, J., *The Shrine of St. Peter and the Vatican Excavation*, 1956; *The History of Civilization*, 1959.
SL	Ostrander, Sheila e Shroeder, Lynn, *A Handbook of Psychic Discoveries*, 1968.		
		TOR	Torrey, C.C., *Ezra Studies*, 1910; *Pseudo-Ezekiel and the Original Prophecy*, 1930.
SM	Smith, J.B., *GreekEnglish Concordance*, 1955.		
SMI	Smith, J.A., *The Historical Geography of the Holy Land*, 1896.	TOR(2)	Torrey, R.A. (ed.), *The Topical Textbook*, sd.
SMID	Smid, T., *Protevangelium Jacobi, a Commentary*, 1965.	TR	Tristan, H.B., *Eastern Customs in Bible Lands*, 1984.
SMIT	Smith, W.R., *The Religion of the Semites*, 1927.	TRA	Trawick, Buckner B., *The New Testament as Literature*, 1964.
SN	Snaith, H.H., *Mercy and Sacrifice*, 1953.		

TT	*The New Topical Textbook*, Fleming and Revel, sd.	WHE	Whesluright Philip, *A Critical Introduction to Ethics*, 1559.
TVS	Smith, T.V., *Philosophers Speak for Themselves*, 1956.	WHG	Green, W.H., "Primeval Chronology", *Bibliotheca Sacra*, 1890.
TYN	*Tyndale New Testament Commentary*, 1958.	WHI	White, H.G.I., *The Sayings of Jesus from Oxyrknchus*, 1920.

U

U	Uhlhorn, G., *Christian Character in the Ancient Church*, 1883.
UL	Ullendorff, E., "The Moabite Stone", *Documents from OT Times*, 1958; *Ethiopia and the Bible*, 1968.
UL(2)	Ver UL (1958).
UN	Unger, Merrill F., *Unger's Bible Dictionary*, 1966. Ver também UNA.
UN(1952)	Unger, Merrill, F., *Biblical Demonology*, 1952.
UN(1957)	Unger, Merrill, F., *Israel and the Aramaeans of Damascus*, 1957.
UNA	Unger, Merrill, *Archaeology and the New Testament*, 1960; *Archaeology and the Old Testament*, 1962.
UNN	Van Unnick, W.C., *Newly Discovered Gnostic Writings*, 1960.
UT	*Ugaritic Textbook*.

V

V	Vriezen, S., *An Outline of Old Testament Theology*, 1962.
VA	Vaux, R., *Ancient Israel*, 1961.
VAS	Vasilieve, *History of the Byzantine Empire*, 1929.
VE	Velikovsky, R.B.Y., *Worlds in Collision*, 1950.
VI	Vincent, A., *La Religion des Judeo Arameens D'Eléphantine*, 1957.
VIN	Vincent, Marvin R., *Word Studies in the New Testament*, 1946.
VO	Vos, E., *The Teaching of the Epistle to the Hebrews*, 1956.
VR	Vriezen, Th.C., *An Outline of Old Testament Theology*, 1963.
VT	*Vocabulário de Teologia Bíblica*, Xavier-LeonDufour, SJ (ed.), 1984.

W

W	Richardson, Alan, *A Theological Word Book*, 1962.
WA	*Funk and Wagnalls Standard Dictionary*, 1968.
WA(2)	Wallace, R.S., *Many Things in Parables*, 1955.
WAL	Walker, W., *All the Plants of the Bible*, 1958.
WALK	Walker, G.P., *Mammals of the World*, 1964.
WALL	Wallace, R.S., *Elijah and Elisha*, 1957.
WAT	Watson, Thomas, *The Ten Commandments*, 1965.
WAX	Waxman, Meyer, *The History of Jewish Literature*, 1960.
WBC	*Wycliffe Bible Commentary*, 1962.
WC	Westerman, C., *Essays of Old Testament Interpretation*, 1958.
WE	Eichrodt, W., *Theology of the Old Testament*, 1961.
WEA	Weatherhead, L.D., *Psychology, Religion and Healing*, 1951.
WEB	Webre, A.L., e Liss, P.H., *The Age of Cataclysm*, 1974.
WEH	Howard, F.H., *Christianity According to St. John*, 1946.
WEI	Weiser A., *The Psalms*, 1905.
WEI(2)	Weigali, A., *The Life and Times of Cleopatra*, 1925.
WES	*Westminster Commentaries*.
WEST	Westermach, E., *A Short History of Marriage*.
WG	Wright, George E., *The Book of Isaiah*, 1964; *The Old Testament and Theology*, 1969.
WH	Whale, J.S., *Christian Doctrine*, 1941.
WHB	Brownlee, H.H., *The Text of Habakkuk in the Ancient Commentary from Qumran*, 1959.
WHI(2)	White, John, *Pole Shift*, 1982.
WHIS	Whiston, W., *The Life and Works of Josephus*, 1906.
WHIT	Whitcomb, J.C. Jr., *Darius the Mede: A Study in Historical Identification*, 1963.
WI	Wilson, R., *The Gnostic Problem*, 1958.
WI(2)	Wright, P., Ver WRIG.
WIE	Wiegard, T., *Baalbek*, 1921-25.
WIK	Wilkenhauser, A., *New Testament Introduction*, 1958; *Pauline Mysticism*, 1960.
WIL	Eastman e Wilson, *Drama in the Church*, 1942.
WILS	Wilson, J.A., *The Culture of Ancient Egypt*, 1956.
WIR	Wirgman, A.T., *The Blessed Virgin and All the Company of Heaven*, 1905.
WIS	Wiseman, J., *Chronicles of Chaldean Kings in the British Museum*, 1956.
WOD	Wood, J.A., *Bible Animals*, 1869.
WOO	Wooley, C.L., *Charchemish*, I-III, 191452, 1962.
WOR	Worrell, W., "Israel and the Dance", D.D. Runes (ed.), *The Hebrew Impact on Western Civilization*, 1951.
WORD	Wordsworth, Charles, *The Greek Testament*, 1875.
WOU	Woudstra, M.H., *The Ark of the Covenant from Conquest to Kingship*, 1965.
WRI	Wright, G., *Biblical Archaeology*, 1957.
WRIG	Wright, F., *Manners and Customs of Bible Lands*, 1954.
WT	Whitehead, A.N., *Process and Reality*, 1929.
WTJ	*Westminster Theological Journal*.
WW(1)	Comay, Joan E. Brownrigg, Robert, *Who's Who in the Bible*, 1980.
WOO(2)	Walker, Willinston, *History of the Christian Church*, 1959.
WY	Wycherley, Richard C., *How the Greeks Built Cities*, 1962.

X

XJ	Jacques, X., *Orientalia*, 1969.

Y

Y	Young, E.J., *The Prophecy of Daniel*, 1949.
YA	Yahudu, A.S., *The Accuracy of the Bible*, 1934.
YAD	Yadin, Y., *The Art of Warfare in Biblical Lands*, 1963; *The BenSira Scroll from Mosada*; 1965; *Masada, Herod's Fortress and the Zealots Last Stand*, 1966.
YAT	Yates, Kyle, *Studies in the Psalms*, 1953.
YE	Yeivin, S., "The PalestinoSinaitic Inscriptions", PEQ, 1937.
YO	Young, E.J., *Studies in Isaiah*, 1954; *Introduction to the Old Testament*, 1958; *History of the Literary Criticism of the Pentateuch*, 1970.

Z

Z	*The Zondervan Pictorial Encyclopedia of the Bible*, Tenney, Merril C. (ed.), 1977.
ZAE	Zaehner, R.C., *The Dawn and Twilight of Zorastrianism*, 1961.
ZE	Zeitlin, S., *A Historical Study on the Canonization of the Old Testament*, 1950.
ZEL	Zeller, Eduard, *Outlines of the History of Greek Philosophy*, 1950.
ZEU	Zeuner, F.E., *A History of Domesticated Animals*, 1963.
ZY	Zyl, A.H., Van, *The Moabites*, 1960.

AUTORES E EDITORES EM ORDEM ALFABÉTICA

AbbottSmith, Ver AS.
Abernathy, George L., Ver ABE.
Abetti, Giorgio, Ver AB.
Abrahamson, I., Ver ABR.
Adams, A.M.C., Ver ADA.
Adams, J.M., Ver ADM.
Adolph, R., Ver AD.
Aharoni, Y., Ver AH.
Aland, K., Ver ALA.
Albright, W.F., Ver ALB e KEL.
Alford, Henry, Ver AL.
Allegro, John M., Ver ALLE.
Allen, A.B., Ver ALL.
Allis, O.T., Ver AO.
Alston, William, Ver ALS.
Altaner, B., Ver BA.
Altizer, T.J.J., Ver ALT.
Amiran, R., Ver AMI.
Anderson, Alan R., Ver AN.
Anderson, B.W., Ver AND.
Anderson, G.H., Ver AND(2).
Anson, P.F., Ver ANS.
Arbesmann, Rudolph, Ver ARB.
Archer, G., Ver ARC.
Arnason, H.H., Ver ARN.
Arndt, William F., Ver A.
Arnold, P., Ver ARNO.
Ashby, Robert H., Ver ASH.
Attwater, D., Ver ATT.
Augustine, Ver AUG.
Aulon, G., Ver AUL.
Ave Jonah, Michael, Ver AV.
Ayer, A.J., Ver AY.
Badawy, A., Ver BAD.
Baggot, J., Ver BAG.
Bagster, S., Ver LEX.
Bailey, A., Ver BAI.
Bailey, D.D., Ver BAIL.
Baille, D.M., Ver DB.
Baille, J., Ver JB.
Baly, D., Ver BAL.
Ballow, R.O., Ver BALL.
Barclay, W., Ver BARC.
Barkley, W.P., Ver BARK.
Barnes, Hazel E., Ver HAZ.
Barrett, C.K., Ver CKB.
Barth, Kart, Ver BART.
Barton, G.A., Ver BAR.
Bartsch, W., Ver BARTS.
Baur, Ferdinand Christian, Ver BAU.
Bayless, Raymond, Ver BAY.
Bea, Augustine, Ver BEA.
Beasley, Murray R., Ver BM.
Beccaria, G., Ver BEC.
Bell, Sir Charles Alfred, Ver BEL.
Benson, Clarence H., Ver BENS.
Bentley, John C., Ver BE.
Bentzen, A., Ver BEN.
Bert, J., Ver BOK.
Besnier, M., Ver BES.
Bevan, E.R., Ver BEV.
Bickerman, E., Ver BI.
Birley, E., Ver BIR.
Black, Matthew, Ver BLAC.
Blackman, E., Ver BK.
Blackman, G.E., Ver BLM.
Blackmore, Susan J., Ver BLR.
Blackwood, A.W., Ver BLA.
Blair, E.P., Ver BL.
Blass, F., Ver BLAS.
Blau, C., Ver BLAU.
Bodheimer, F.S., Ver BOD.
Boettner, E., Ver BOE.
Bohl, F.M., Ver BOH.
Bonhoeffer, Dietrich, Ver BON.
Borger, R., Ver BOR.
Bornheim, Gerd A., Ver FP.
Botsford, G.W., Ver BOT.
Bourke, Vernon, Ver EAU.
Bouyer, K.E., Ver BOU.
Bowman, G.W., Ver BOW.
Bowman, R.A., Ver BN.
Box, C.H., Ver BOX.
Box, H.S., Ver BO.
Boyle, Isaac, Ver BOY.
Brav, S.R., Ver BRA.
Breasted, J.H., Ver ARE e BRE.
Briggs, Charles A., Ver I.
Bright, J., Ver BRI e BRIG.
Brightman, E.S., Ver BRIG(2).
Brinker, R., Ver BRIN.
Broad, C.D., Ver BROA.
Brockington, L.H., Ver BROC.
Bromiley, G.W., Ver BRO.
Bronstein, Daniel J., Ver BRON.
Brown, David, Ver JFB.
Brown, Driver e Beges, Ver BDB.
Brownlee, H.H., Ver WHB.
Browniee, William H., Ver BW.
Brownrigg, Robert, Ver WW(1).
Bruce, F.F., Ver BRU.
Brugger, Walter, Ver DF.
Brunner, E., Ver BRUN e EB.
Buber, Martin, Ver BUB.
Buchan, J., Ver BUC.
Buchler, Justus, Ver RAND.
Budge, A.W., Ver BUD.
Buhl, F., Ver BUH.
Bultman, R., Ver BULT.
Burkitt, F.C., Ver BUR.
Burnet, J., Ver BI.
Burr, Harold S., Ver BU.
Bush, F.O., Ver BUS.
Buttrick, George Arthur, Ver IB.
Cadbury, Henry, J., Ver CAD
Callaway, J.E., Ver CAL.
Calvin, John, Ver CALV.
Cameron, G.C., Ver CN.
Cameron, George Glen, Ver CGC.
Carey, K.M., Ver CAR.
Carnell, John E., Ver CAR.
Carr, Harvey, Ver CR.
Carrington, P., Ver CARR.
Cary, Max, Ver CM.
Cassell, Ver CAS.
Castagnola, Luis, Ver PAD.
Cerny, B.J., Ver CER.
Chafer, Lewis S., Ver CHA.
Chainey, George, Ver CHI.
Champlin, Russell N. Ver DRE, EC e NTI.
Chan,Thomas, Ver TCH.
Charles, R.H., Ver APOT e CH.
Charlesworth, James H., Ver J.
Chavasse, C., Ver CHAV.
Chetwynd, Tom, Ver CHE.
Chiera, E., Ver CS.
Chisholm, Roderick M. Ver CHI(2).
Clapp, F.G., Ver CLAP.
Clark, Gordon H., Ver CLA, GE e HP.
Clarke, Adam, Ver CLAR.
Clay, A., Ver CL.

ATI ■ Autores e editores

Cobb, J.B., Ver COB.
Cobern, C., Ver COB(2).
Cohen, H., Ver COH.
Cohen, S.S., Ver COG(2).
Comay, Joan, Ver WW(1).
Connolly, R.H., Ver DA.
Cope, G., Ver COP.
Copleston, Frederich, Ver CO.
Cook, A.S., Ver CAM.
Corbishley, Thomas, Ver COR.
Cottrell, L., Ver COT.
Cowley, A., Ver COW.
Cranston, S.L., Ver REIN.
Crippa, Adolpho, Ver CRIP.
Cripps, R.S., Ver CRI.
Cross, F.L., Ver OX.
Cumont, F., Ver CUM.
Curran, Charles, Ver CC.
Dalby, J.C., Ver DALB.
Dalman, J.C., Ver DAL.
Dana, E.S., Ver DANA.
Dancy, J.C., Ver DAN.
Daniélou, J., Ver JD.
DanielRopes, H., Ver DANR.
Darling, James, Ver DAR.
Davbe, D., Ver DD.
Davidson, A. B., Ver DAVI e DV(2).
Davidson, F., Ver NBC.
Davies, J.G., Ver DAV.
Davis, Mon. H., Ver CD.
Debrunner, A., Ver BLAS.
De Camp, L. S., Ver CA.
Deismann, A., Ver DEIS.
Delitzsch, F., Ver DEL et KD.
Den Born, Ver DE.
Dennis, James Shepherd, Ver DEN.
Denzinger, H., Ver D e DS.
Devaux, R., Ver RV.
Dhorme, M., Ver DH.
Diels, H., Ver DK.
Diringer, David, Ver DIR.
Dixon, Jeane, Ver DI.
Dodd, C. H., Ver DOD.
Dolah, John, P., Ver DOL.
Doresse, J., Ver DO.
Dothan, T., Ver DOT.
Dougherty, R.P., Ver DOU.
Doughty, C.M., Ver DT.
Downey, E., Ver DOW.
Driver, G.R., Ver DM, DRI(1) e DRIV.
Driver, S.R., Ver DRI(2) e I.
Drower, M.S., Ver DRO.
Dubberstein, W.H., Ver DUB.
Ducasse, C.J., Ver DCJ.
Ducasse, C.W., Ver DU.
Duchesne, L., Ver DUC.
Dunlap, Jane, Ver DUN.
Dvornik, Francis, Ver DV(2).
Eastman e Wilson, Ver WIL.
Eaton, J.H., Ver EA.
Eddy, R., Ver EDD.
Edersheim, Alfred, Ver ED, EDE e EDER.
Edidin, B.M., Ver EDI.
Edmunds, C. Gordon, Ver EDM.
Edwards, Paul, Ver EP.
Eichrodt, W., Ver WE.
Eisen, G.A., Ver EI.
Elert, W., Ver ELE.
Eliot, W., Ver EL.
Ellicott, Charles John, Ver ELLI.
Ellison, H.L., Ver ELL.
Enslin, Morton Scott, Ver CB e EN.
Eugene, Maly, Ver EUG.

Eusebius, Ver EU.
Ewing, W., Ver EW(2).
Fabricus, J.F., Ver JK.
Fairbairn, M., Ver FA(2).
Fairbridge, R. W., Ver FAI.
Falkner, E., Ver FAL.
Farmer, W. R., Ver FW.
Farquhar, John, Ver FARQ.
Farrar, F.W., Ver FAR.
Fausset, A.R., Ver FA(1) e JFB.
Ferm, Vergilius, Ver E.
Ferreira, Aurélio Buarque de Holanda, Ver AU.
Filson, F.V., Ver FI.
Finegan, J., Ver FIN.
Firenze, Ver EF.
Flemington, W.F., Ver FL.
Flew, Antony, Ver F.
Foakes, Jackson, Ver LAK.
Foerster, W., Ver FOE.
Foilett, Ver FO.
Forbes, R.J., Ver FOR.
Frankfort, H., Ver FRAN.
Frankfort, H.H., Ver FRA.
Franz, W., Ver DK.
Frazer, J.G., Ver FR.
Free, J.P., Ver FRE.
Freeman, David Hugh, Ver FREE(2).
Freeman, H.E., Ver FREE.
Freeman, Kathleen, Ver PPH.
Freud, Sigmund, Ver FREU.
Friedrich, J., Ver FRI.
Frost, H.W., Ver FRO.
Gadd, Cyril John, Ver GAD.
Gaebelein, Frank E., Ver GA.
Gaster, M., Ver GAS.
Geikie, C., Ver GEI.
Geoffrey, Parmiter, Ver GEO(1).
George, P. R., Ver GEO(2).
Gesenius, W., Ver GES.
Geyser, A. S., Ver GEY.
Ghirshman, R., Ver GH.
Gill, John, Ver G.
Gilson, Êtienne, Ver GE.
Gingrich, F. Wilbur, Ver A.
Ginzberg, H.L., Ver GI.
Glover, R.H., Ver GLO.
Glueck, N., Ver GL.
Goguel, M., Ver MG.
Goldschmidt, Victor, Ver GOL.
Goodman, Jeffrey, Ver GOOD e JG.
Goodspeed, E.J., Ver GD.
Gordis, Robert, Ver KOH.
Gordon, C.H., Ver CG, GCH e GOR.
Gottwald, N. K., Ver GOT.
Gradenwitz, P., Ver GRAD.
Grant, E., Ver GRA.
Grant, F.C., Ver GRAN.
Grant, R. M., Ver GR e RG.
Gray, J. Ver GY.
Green, W.H., Ver GN e WHG.
Greenberg, M., Ver GRE.
Greenslade, S.L., Ver GREE.
Grenfell, B.P., Ver GREN.
Griffith, Guy, Ver TAR.
Griffith, G.T., Ver GRI.
Grimel, Pierre, Ver GP.
Grollenberg, L.H., Ver GROL.
Groves, C.P., Ver GRO.
Guillamont, A., Ver GUI.
Gunday, R.H., Ver GUN.
Guthrie, D., Ver GU.
Hadas, M., Ver HAD e STOI.
Hahn, H.F., Ver HAH.

Haldar, A., Ver HALD.
Hall (e Holmgard), Ver HAL.
Halley, Henry, H., Ver HALL.
Hanson, R.P.C., Ver HAN.
Hanson, S., Ver HANS.
Harding, G.L., Ver HAR.
Hare, R.M., Ver HRM.
Harnack, Adolf von, Ver HARN.
Harnack, G.L., Ver HAR.
Harris, H.L., Ver HRL.
Harrison, A.W., Ver HR.
Harrison, E.F., Ver B.
Harrison, P.N., Ver HRR.
Harrison, R.K., Ver HARR.
Hartfelder, Karl, Ver HART.
Hastings, James, Ver HA.
Hatch, Edwin, Ver HAT.
Haupart, Raymond, Ver HAU.
Hayes, W.C., Ver HAY.
Head, Joseph, Ver REIN.
Healy, Edwin, Ver HEA.
Heberman, Charles E., Ver CE.
Heidel, Alexander, Ver HEI.
Hennecke, Edgar, Ver HEN.
Henry, Carl F.H., Ver H.
Henry, Matthew, Ver COM.
Herford, R.Y., Ver HER(2).
Herodotus, Ver HER(1).
Hick, John, Ver HI.
Hiers, R.H., Ver HIE.
Hiltner, Seward, Ver KM.
Hirsch, F.E., Ver HIR.
Hirschberger, Johannes, Ver HF.
Hitti, P.K., Ver HIT.
Hodge, C., Ver HO(1).
Hodgson, Leonard, Ver HOD(1).
Hodgson, P.C., Ver HOD(2).
Holmgard e Hall, Ver HAL.
Horowitz, E., Ver HOR.
Hoskins, H., Ver HOS.
Houston, M.G., Ver HOU.
Howard, Clingbell, Ver HO(2).
Howard, F.H., Ver WEH.
HowardSeverance, Ver S.
Howlet, D., Ver HOW.
Hughes, Philip, Ver HU.
Hughes, T. Hawel, Ver HY.
Hunt, I., Ver HUN.
Hutchins, B., Ver GB.
Ira, Progoff, Ver IRA.
Iranaeus, Ver IR.
Jackson, Samuel, Ver JA.
Jacques, X., Ver XL.
Jalland, Tig, Ver JAL.
Jallard, Trevor, Ver TJ.
James, E.D., Ver JAME.
James, M.R., Ver ANT e JAM.
Jamieson, Robert, Ver JFB.
Japiassu, Hilton Ver DBF.
Jarrett, James L., Ver JAR.
Jastrow, M., Ver JAS.
Jellicoe, S., Ver JEL.
Johler, K., Ver JOH.
Johnson, A.R., Ver JOHN.
Jonas, H., Ver HJ.
Jones, A.H.M., Ver JON.
Josephus, Ver JO.
Judge, E.A., Ver JUD.
June, Leo, Ver JUN.
Jung, Carl, Ver JU.
Kahler, Martin, Ver KAH.
Kapelrud, Arvid S., Ver KAP.
Kassis, H., Ver KA.

Keil, C.F., Ver KD e KEI.
Kelly, J.N.D., Ver KELL.
Kelso, J.L., Ver KELS.
Kelson, J., Ver KEL.
Kennedy, K., Ver KENY.
Kent, R.G., Ver KEN.
Kenyon, Frederick, Ver FK. e KE.
Kenyon, K., Ver KENY.
Kidner, D., Ver KI.
Kierkegaard, Soren, Ver SK.
Kinsey, Alfred C., Ver KIN.
Kitchen, K.A., Ver KK.
Kittle, Gerhard, Ver K.
Klausner, J., Ver KLA.
Kline, M.G., Ver KLI.
Klink, A., Ver KLIN.
Kneller, George, Ver KNE.
Knight, G.A.F., Ver KN.
Kopp, C., Ver KO.
Kraeling, C.H., Ver KR(1).
Kraft, C.F., Ver KR(2).
Kraft, R.A., Ver KR(3).
Kramer, S.N., Ver KRA.
Kraus, H.J., Ver KRAU.
Kurtz, Prof., Ver KU.
Kyle, M.G., Ver KY.
Labby, Daniel H., Ver LAB.
Laetsch, A., Ver LAE.
Lake, Kirsopp, Ver KL, LAK e LO.
Lambert, W.G., Ver LW.
Lamon, R.S., Ver LAM.
Lampe, G.W.N., Ver LA.
Lang, C.H., Ver LA(2).
Lange, P., Ver LAN.
Langford, A., Ver ABE.
Langton, E., Ver LANG.
La Sor, W., Ver LAS.
Latourette, K.S., Ver LAT.
Lea, H.C., Ver LEA.
Letcher, Lefferts A., Ver L.
LeonDufour, Ver LEO.
Leuick, B., Ver LE.
Leupolo, H.C., Ver LEU.
Lewis, C.S., Ver LEW.
Lewis, John, Ver JL.
Lewis, Mabel, Ver RP.
Lightfoot, J.B., Ver LIG.
Lillie, W., Ver LIL.
Linnemann, E., Ver LINN.
Linstrom, Harold, Ver LIN.
Liss, P.H., Ver WEB.
Little, F.H., Ver LI.
Lloyd, R., Ver LL.
Lloyd, S., Ver LLO.
Loetscher, Ver TCE.
Lotz, Johannes Baptist, Ver LOT.
Loud, G., Ver LOU.
Lowther, Clarke, Ver LOW.
Luckenbill, Ver ARAB.
Luther, Martin, Ver LU e LUTH.
Lutz, H.F., Ver LUT.
Lyttleton, Raymond A., Ver LY.
Macalister, R.A.S., Ver MACA.
Macgregor, C.H.C., Ver MA.
Macintosh, H.R., Ver MAC.
Maggs, T.J.L., Ver MAG.
Mallowan, M.E.L., Ver MAL.
Manley, Ver MAN.
Mansel, H.L., Ver M.
Marcondes, Danilo, Ver DBF.
Marias, Julian, Ver MARI.
Marmor, Judd, Ver MAR.
May, H.C., Ver MAY.

MeCown, C.C., Ver MCC.
McGiffert, A.C., Ver ACM e MCG.
McKenzie, John L., Ver MC.
McKnight, W.J., Ver MK.
McMurrin, Sterling M., Ver JAR e MM.
McNeile, A.H., Ver I.
McNeill, J.T., Ver MCN.
Melden, A.I., Ver ET e MEL.
Menninger, Karl, Ver KM.
Mercer, S.A.B., Ver MER.
Metzger, Bruce, Ver ME.
Meyer, Heinrich August Wilhelm, Ver MEYE.
Meyer, M.A., Ver MIEY.
Michols, R., Ver MICH.
Micklem, N., Ver MIC.
Millard, A.R., Ver MILL.
Miller, J.L., Ver MIL.
Mitton, C., Ver MIT.
Moffatt, J., Ver MO.
Mondolfo, R., Ver SOC.
Montefiore, C.G., Ver CEM.
Montetiore, Ver MONTE.
Montet, P., Ver PM.
Montgomery, J., Ver JM.
Montgomery, J.A., Ver MON e MONT.
Moody, Raymond, A., Ver MOO.
Moore, G.E., Ver MR.
Moore, G.F., Ver MOR.
Morgan, G., Campbell, Ver MORN.
Mornschuh, M., Ver MH.
Moule, C.F.D., Ver MOU.
Moulton e Milligan, Ver MST.
Mourant, John A., Ver MOUR.
Muller, R., Ver SB.
Murray, Gilbert, Ver MUR.
Murray, H.J.C., Ver MU.
Myers, F.W.H., Ver MY.
Nairne, A., Ver NAI.
Napier, B.P., Ver NAP.
Nash, Arnold S., Ver NAS.
Navarra, Fernand, Ver NA.
Nelson, Leonard, Ver N.
Neve, Juergen L., Ver NE(2).
Newberry, Thomas, Ver NB.
Newell, William R., Ver NE(1).
Nichols, James, Ver AJ.
Nicoll, W. Robertson, Ver EGT e EX.
Nida, Eugene, Ver NI.
Niebuhr, H. Richard, Ver NIE.
Nilson, P., Ver NIL.
Nock, A.D., Ver NOK.
Noth, M., Ver NO.
Oates, W.J., Ver OA.
O'Callaghan, R.T., Ver OC.
Odeberg, Hugo, Ver OD.
Octiler, G.F., Ver OE(2).
Oestborn, Ver OES.
Oesterley, W.O.E., Ver OE(1).
Ogden, Schubert M., Ver OG(1).
Ogg, G., OG(2).
Olmstead, A.T., Ver OLM e OLMS.
Oppenheim, A.L., Ver OP.
Orni, E., Ver OR.
Orr, J., Ver ORE.
Orr, James, Ver ORR.
Osis, K., Ver OSI.
Ostrander, Sheila, Ver SL.
Padovani, Humberto, Ver PAD.
Pallis, E.H., Ver PAL.
Parrot, A., Ver PAR.
Pastor, Ludwig von, Baron, Ver PAS.
Paterson, J., Ver PAT.
Pauck, Wilhelm, Ver PAU.

Payne, Barton, Ver PAY(2).
Payne, J.B., Ver PAY(1).
Pederson, J., Ver JP e PED.
Peak, A.S., Ver PEA.
Peeters, Evangeles, Ver PE.
Pelikan, J., Ver PEL.
Perowne, S., Ver PER.
Petavel, E., Ver PETA.
Peters, P.W., Ver PT.
Petrie, F., Ver PET.
Petrie, W.F., Ver PETR.
Pfeiffer, C.F., Ver PFE.
Pfeiffer, Robert H., Ver PF.
Pike, Royston, Ver ERR.
Piper, O., Ver O.
Philipson, D., Ver PHIL.
Philo, Ver PHI.
Plummer, Alfred, Ver I.
Poebl, Arno, Ver POE.
Pommerenke, C.H., Ver PO.
Porter, Frank E., Ver POI.
Prat, F., Ver PR.
Pritchard, J.B., Ver ANEP, ANET e PRI.
Pusey, E.F., Ver PU.
Quaston, J., Ver JO.
Quell, Gottfried, Ver QS.
Rader, Melvin, Ver ES.
Rahner, Karl, Ver R.
Ramsay, M., Ver RAM.
Ramm, B., Ver RAMM.
Randall, John Herman, Ver RAND.
Randall, John L., Ver RAN.
Read, H.H., Ver REA.
Reed, W.L., Ver RE.
Reese, W. L., Ver P.
Regush, Nicholas M., Ver REG.
Reider, J., Ver REI.
Reifenberg, A., Ver REIF.
Reis, J.K.S., Ver REIS.
Rentz, G., Ver REN.
Reu, M., Ver REU.
Rhine, J.B., Ver RH.
Richardson, Alan, Ver AR, C, RI e W.
Richardson, Cyril Charles, Ver CY.
Richardson, E.C., Ver RIC.
Ridderbos, H., Ver RID.
Ring, Kenneth, Ver RIN.
Roberts, B.J., Ver BJR.
Roberts, Donalson, Ver ANF.
Robertson, A.T., Ver RO.
Robertson, H.W., Ver ROB.
Robinson, C.A., Ver BOT.
Robinson, J., Ver ROBINS.
Robinson, S., Ver ROBIN.
Robinson, T., Ver ROB(2).
Rose, Herbert, J., Ver ROS.
Ross, Sr. David, Ver DR(2).
Roth, C., Ver ROT.
Rouse, Ruth, Ver ROU.
Rouse, W.H.D., Ver DP.
Routley, Eric, Ver ROUT.
Rowe, L.A., Ver ROWE.
Rowley, H.H., Ver ROW.
Runes, Dagobert, D., Ver RUN.
Russell, Bertrand, Ver RUS.
Russell, D.S., Ver RU.
Rynne, Xavier, Ver RY.
Ryrie, C., Ver RYR.
Sabom, Michael, Ver SA.
Sachs, K., Ver SAC.
Saggs, H.W.F., Ver SAG.
Sahakian, William, Ver RP.
Salmond, S.D.F., Ver SA.

Samuel, H.E., Ver SAM.
Sansoni, G.C., Ver GC.
Sauer, E., Ver SAU.
Saylork, Carlyle, Ver SP.
Schaff, Philip, Ver SCH.
Schoepes, Hans, Ver HS.
Schonfield, Hugh, Ver SCHO.
Schonmetzer, A., Ver DS.
Schulweis, Harold M., Ver BRON.
Schurer, E., Ver SH.
Schweitzer, Albert, Ver SCHW.
Scofield, C.I., Ver SCO.
Scurti, S.J., Ver SC.
Segal, J.B., Ver SEG.
Seiss, Joseph, Ver SE.
Seters, J., Ver SET.
Seyffert, Oskar, Ver OS.
Shaffer, Jerome A., Ver FE.
Sherman, Harold, Ver SHE.
Short, Rendel, Ver SHO.
Shrenk, G., Ver QS.
Shroeder, Lynn, Ver SL.
Shultz, S.J., Ver SHU(1).
Shut, R.J.H., Ver SHU(2).
Simons, J., Ver SI.
Simpson, E.K., Ver SIM.
Singer, C., Ver SIN.
Singer, Charles, Ver SHS.
Skeat, T.C., Ver SKE.
Smid, T., Ver SMID.
Smith, G., Ver GSM.
Smith, Huston, Ver HUS.
Smith, J.A., Ver DR(2) e SMI.
Smith, J.B., Ver SM.
Smith, T.V., Ver PS e TVS.
Smith, W.R., Ver SMIT.
Snaith, H.H., Ver SN.
Souter, A., Ver SO.
Speiser, G.A., Ver CS.
Spitzer, Walter, Ver SP.
Spanos, William V., Ver EXT.
Stainer, J., Ver STAI.
Stanley, Arthur Penrhyn, Ver STA.
Stanley, David M., Ver STAN.
Stendall, K., Ver STE.
Stibbs, A.M., Ver STI.
Stokes, W.L., Ver STO.
Stonehouse, N.B., Ver STONE.
Stonehouse, Paul, Ver STON.
Storr, C., Ver STOR.
Strack, H.L., Ver STRAC.
Strawson, W., Ver STRA.
Streeter, B.H., Ver STRE.
Striwe, Otto, Ver STR.
Strong, Augustus, Ver ST.
Strong, James, Ver STRO.
Suetonius, Ver SU.
Swete, H.B., Ver SW.
Tarn, William W., Ver TAR.
Taylor, C., Ver TAY.
Taylor, Richard, Ver MET.
Taylor, V., Ver TA.
Tcherikover, V., Ver TC.
Techenie, Ver TEC.
Tenny, M.C., Ver TE e Z.
Thackeray, H., Ver THA.
Thiel, A., Ver THI.
Thomas, C., Ver THU.
Thomas, D.R., Ver AOTS e AP.
Thomas, D.W., Ver THO.
Thompson, R.C., Ver THOM.
Thorndike, Lynn, Ver TL.
Tillich, Paul, Ver TIL.
Tischendorf, Constantinus, TIS.
Titus, Eric Lane, Ver TI.
Tonybee, J., Ver TON.
Torbet, R.G., Ver TO.
Torrey, C.C., Ver TOR.
Torrey, R.A., Ver TOR(2).
Trawick, Buckner B., Ver TRA.
Tristan, H.B., Ver TR.
Turnball, Ralph G., Ver T.
Uhlhorn, G., Ver U.
Ullendorff, E., Ver UL.
Unger, Ver UN, UN(1952), UN(1957) e UNA.
Urmsoh, J.O., Ver EW.
Van Unnick, W.C., Ver UNN.
Vasilieve, Ver VAS.
Vaux, R., Ver VA.
Velikovsky, R.B.Y., Ver VE.
Vincent, A., Ver VI.
Vincent, Marvin R., Ver VIN.
Von Rad, Gerhard, Ver RA.
Vos, E., Ver VO.
Vriezen, S., Ver V.
Vriezen, Th.C., Ver VR.
Walker, G.P., Ver WALK.
Walker, W., Ver WAL.
Walker, Willinston, Ver WW(2).
Wallace, R. S., Ver WA(2) e WALL.
Warner, Rex, Ver AUG.
Watson, Thomas, Ver WAT.
Waxman, Meyer, Ver WAX.
Weatherhead, L.D., Ver WEA.
Weber, M., Ver MW.
Webre, A.L., Ver WEB.
Weigall, A., Ver WEI(2).
Weiser, A., Ver WEI.
Westermach, E., Ver WEST.
Westerman, C., Ver WC.
Whale, J.S., Ver WH.
Whesluright, Philip, Ver WHE.
Whiston, W., Ver WHIS.
Whitcomb, J.C., Ver WHIT.
White, H.G.I., Ver WHI.
White, John, Ver WHI(2).
Whitehead, A.N., Ver WT.
Wiegard T., Ver WIE.
Wilkenhauser, A., Ver WIK.
Wilson, Colin, Ver CW.
Wilson, J.A., Ver WILS.
Wilson, R., Ver WI.
Wilson, R. Mcl., Ver RW.
Wirgman, A.T., Ver WIR.
Wiseman, J., Ver WIS.
Wood, J.A., Ver WOD.
Woolcombe, K., Ver LA.
Wooley, C.L., Ver WOO.
Wordsworth, Charles, Ver WORD.
Worrell, W., Ver WOR.
Woudstra, M.H., Ver WOU.
Wright, F., Ver WRIG.
Wright, G., Ver WRI.
Wright, George E., Ver WG.
Wycherley, Richard C., Ver WY.
XavierLeonDufour, Ver VT.
Yadin, Y., Ver YAD.
Yahudu, A.D., Ver YA.
Yates, Kyle, Ver YAT.
Yeivin, S., Ver YE.
Young, E.J., Ver IOT, Y e YO.
Zaehner, R.C., Ver ZAE.
Zeitlin, S., Ver ZE.
Zeller, Eduard, Ver ZEL.
Zeuner, F.E., Ver ZEU.
Zyl, A.H., Van, Ver ZY.

GÊNESIS

O Livro dos Princípios

> *No princípio, criou Deus os céus e a terra.*
> Gênesis 1.1

50 | Capítulos
1.533 | Versículos

GÊNESIS

O Livro dos Princípios

*No princípio, criou Deus
os céus e a terra.*
Gênesis 1.1

| 50 | Capítulos |
| 1.533 | Versículos |

INTRODUÇÃO

O livro de Gênesis constitui a primeira seção da Torá ou Livro da Lei. Em hebraico é chamado *Bereshîth* (no começo), vocábulo derivado das palavras iniciais do livro. O nome português originou-se da Septuaginta (grego *génesis*), por intermédio da Vulgata Latina. Em conformidade com o conteúdo do livro, o vocábulo "gênesis" significa "começo".

Há uma série de problemas relacionados ao livro de Gênesis que são tratados em artigos separados. Esses artigos, além de examinar os problemas, acrescentam muitas informações sobre os assuntos do livro. Talvez a maior dificuldade do livro seja a *historicidade* dos acontecimentos narrados antes do tempo de Abraão. Ver no *Dicionário* os artigos chamados *Cosmogonia, Cosmologia, Criação, Antediluvianos, Dilúvio, Éden, Cronologia* e *Adão*.

ESBOÇO

I. Importância do Livro
II. Composição
III. Conteúdo
IV. Teologia
V. Descobertas Arqueológicas
VI. Considerações Finais
VII. Bibliografia

I. IMPORTÂNCIA DO LIVRO

A importância do livro de Gênesis tem sido acentuada em três aspectos principais: teológico, literário e histórico.

1. Teológico. O livro de Gênesis contém grande teologia e deve ser considerado o "começo de toda teologia". Os principais conceitos de Deus como um ser supremo, onipotente e extremamente sábio são introduzidos neste livro. Gênesis oferece também um tratamento teológico às questões da origem do mundo, origem do homem, origem do pecado, e aos problemas da queda do homem do estado de graça, do plano de redenção, do julgamento e da providência divina. O livro narra como um remanescente da raça humana foi providencialmente poupado e preparado de maneira tal para permitir o crescimento do plano de redenção, sob a direção do Pai, para toda a humanidade.

2. Literário. O livro de Gênesis é considerado uma das grandes obras literárias de todas as épocas. Seu autor descreve de maneira vigorosa as atividades de Deus como guia da criação e da história. Os contos individuais, verdadeiras obras-primas de narrativas interessantes e intensas, são entrelaçados inteligentemente, não prejudicando assim a unidade do tema. O livro segue um plano lógico e em geral evita detalhes desnecessários. Suas personagens são apresentadas não como figuras mitológicas, mas como seres humanos reais, passíveis de faltas e de virtudes. Quem escreveu Gênesis observou a vida de duas perspectivas: exterior e interior. Do lado exterior considerou as coisas materiais; do lado interior considerou os desejos, as ambições, as alegrias, as tristezas, o amor e o ódio.

Os assuntos tratados no livro incorporam uma rara combinação do simples com o complexo. Temas vitais para o homem, envolvendo suas mais profundas necessidades e aspirações, são tratados de maneira extremamente simples, quase infantil. Este fato é importante no sentido de que a mensagem do livro pode ser captada até mesmo pelos menos instruídos.

A importância literária deste livro é ainda ressaltada pelas frequentes referências feitas a ele nos outros livros das Escrituras. Segundo alguns afirmam, Gênesis é o alicerce mesmo dos outros livros do Pentateuco.

3. Histórico. Como história, os primeiros capítulos de Gênesis ilustram somente o status da cosmologia hebraica daquela época. Do capítulo 12 em diante, por outro lado, o caráter histórico do livro é fortalecido. A autenticidade da história patriarcal e do autor é evidente nesses capítulos. Nem as falhas na história de Abraão nem os pecados crassos dos filhos de Jacó (dentre os quais os pecados de Levi, o progenitor da raça sacerdotal) foram ocultados.

O mesmo autor, cujos princípios morais são tão censurados pelos antagonistas de Gênesis com relação ao relato sobre a vida de Jacó, produz na história de Abraão uma figura de grandeza moral que somente poderia ter-se originado em fatos reais.

A fidelidade do autor se manifesta principalmente: 1. na descrição da expedição dos reis da Alta Ásia para a Ásia Ocidental; 2. nos relatos a respeito da pessoa de Melquisedeque (Gn 14); 3. na descrição dos detalhes circunstanciais envolvidos na compra de um cemitério hereditário (Gn 23); 4. na genealogia das tribos árabes (Gn 25); 5. na genealogia de Edom (Gn 36); 6. e nos impressionantes detalhes que são entretecidos com as narrativas gerais. No relato de José, a história patriarcal entra em contato com o Egito; e, quanto às narrativas fornecidas pelos escritores clássicos antigos, bem como os monumentos do Egito, acrescentam esplêndidas confirmações. Por exemplo, o relato apresentado em Gênesis 47.13-26, que descreve como os Faraós se tornaram proprietários de todas as terras, exceto aquelas pertencentes aos sacerdotes, é confirmado pelos escritos de Heródoto (II.84). Submetendo-se o livro de Gênesis a um exame minucioso, outros dados similares podem ser encontrados. Do ponto de vista crítico, Gênesis é considerado uma fonte primária da história antiga.

II. COMPOSIÇÃO

A unidade de composição não só do livro de Gênesis, mas de todos os livros do Pentateuco, tem sido um tema polêmico entre os críticos. O caso de Gênesis tem sido particularmente investigado e, como a questão da unidade do livro está intimamente relacionada ao problema de autoria, apresentaremos a seguir duas principais linhas de pensamento sobre o assunto: 1. o ponto de vista conservativo; 2. o ponto de vista crítico.

1. Ponto de Vista Conservativo. A teoria conservativa reivindica que o livro de Gênesis foi recebido por Moisés como revelação direta de Deus, pois Moisés evidentemente tinha contatos imediatos com Deus. Defendendo a teoria da autoria mosaica, os conservativos oferecem os seguintes argumentos:

a. Considerando as evidências internas que provam que Moisés escreveu pelo menos algumas porções dos livros do Pentateuco, parece plausível assumir que ele tenha escrito a obra inteira, inclusive Gênesis.
b. A matéria tratada de Êxodo a Deuteronômio exige uma subestrutura como Gênesis. Sentindo essa necessidade, Moisés talvez tenha usado o material disponível da época e feito uma compilação dessa matéria na forma de tradição antiga.
c. Passagens como João 5.46 e ss., em que Jesus se refere aos "escritos de Moisés", podem ser interpretadas como escritos meramente atribuídos a Moisés. Por outro lado, essas passagens podem igualmente ser interpretadas como pronunciamentos da autoria mosaica desses escritos.
d. A *Comissão Bíblica* da Igreja Católica sugere que, embora Moisés seja o autor do Pentateuco, talvez ele tenha empregado pessoas para trabalhar sob sua direção como compiladores. Esta seria uma maneira de explicar as diferenças estilísticas do livro.

2. Ponto de Vista Crítico. Empregando o método de análise do texto, os críticos modernos afirmam que pelo menos três fontes distintas serviram de base para o livro de Gênesis: *P, E* e *J*. Alguns fanáticos no estudo das fontes literárias têm fragmentado essas fontes em subfontes, contudo, como essas subdivisões não os têm conduzido a nenhuma conclusão importante, nos limitaremos ao tratamento das três fontes citadas acima, as quais foram provavelmente baseadas no tradicional. A fonte *P(S)*, de caráter basicamente formal e estatístico, relata o tipo de material que os *sacerdotes* cultivavam, como, por exemplo, Levítico 1-16. Contudo, momentos de grandeza são também encontrados nesta fonte, a saber, Cantares 1. *P* é a fonte mais recente das três, provavelmente pertencendo ao período entre os séculos V e VI a.C.

A fonte *E* e a fonte *J* se distinguem principalmente pelo emprego respectivo dos nomes *Elohim* e *Jeovah* para Deus. Além desta diferença, o documento *E* se apresenta intimamente relacionado em suas partes, formando assim um todo sólido. O documento *J*, por outro lado, não apresenta a mesma solidez, mas é de natureza meramente complementar, fornecendo detalhes nos pontos em que *E* se torna abrupto e deficiente. A fonte *E* pertence provavelmente ao século VIII a.C.; e a fonte *J*, ao século IX a.C. Ver no *Dicionário* o artigo separado sobre a teoria *J. E. D. P.(S.)*. Ver também sobre o *Pentateuco*.

Os críticos modernos reivindicam que essas fontes foram subsequentemente combinadas pela mão de um autor final cujo nome é desconhecido. Os antagonistas do ponto de vista crítico mantêm que Gênesis foi escrito por um único autor, e que o uso de dois nomes diferentes para Deus não deve ser atribuído à origem do livro em duas fontes distintas, mas aos diferentes significados desses nomes. Talvez essa observação seja plausível com referência aos nomes de Deus, todavia as diferenças de estilo e vocabulário que claramente distinguem porções do livro de Gênesis ainda permanecerão misteriosas se essa explicação for aceita.

Data e Lugar. Os estudiosos que aceitam a autoria mosaica do livro de Gênesis são compelidos a explicar algumas passagens da obra como notas de rodapé adicionadas posteriormente pelos copistas. (Exemplos: 12.6; 13.7; 14.17 e partes de 36.9-43.) O lugar de origem do livro sugerido por eles é a península do Sinai. Os críticos que não reivindicam autoria mosaica oferecem datas possíveis somente para as fontes individuais, como mencionado anteriormente. Quanto à cópia final, só se sabe que foi compilada depois do exílio, afirmam eles. O local da compilação é desconhecido.

III. CONTEÚDO
O livro de Gênesis pode ser esboçado de várias maneiras:
1. **Esboço Histórico.** É o esboço mais geral e popular, que divide o livro em duas partes principais.
   a. *História Primordial.* Capítulos 1 a 11: tratam de assuntos de natureza universal, tais como a origem da terra e a origem da raça humana.
   b. *História Patriarcal.* Capítulos 12 a 50. Estes capítulos relatam a história dos antepassados de Israel. Cerca de dez histórias são apresentadas no livro (2.4; 5.1; 6.9; 10.1; 11.10,27; 25.12,19; 36.1; 37.1), dentre as quais algumas se ocupam de personagens importantes, a saber, Terá, Isaque, Jacó e José. Algumas histórias tratam de importantes categorias, tais como terra e céu, ou os filhos de Adão e os filhos de Noé; outras tratam de personagens como Ismael e Esaú. Apesar de não oferecer um tratamento profundo sobre dificuldades sugeridas pelo texto, este esboço é eficaz, pois enfatiza a direção de Deus na história da humanidade e mostra como ele usou diversas pessoas para cumprir seus propósitos finais.

2. **Esboço Temático.** Divide o livro em quatro assuntos principais:
   a. Livro do Princípio (1—11)
   b. Livro da Fé (12—25)
   c. Livro da Luta (26—35)
   d. Livro da Direção (36—50)

3. **Esboço Detalhado do Conteúdo:**
   a. História da Criação (1.1—2.3)
      1. Criação do céu e da terra (1.1-23)
      2. Criação dos seres viventes (1.24—2.3)
   b. História Humana (2.4—11.32)
      1. Criação do homem (2.4-17)
      2. Criação da mulher (2.18-25)
      3. Queda do homem (3.1-24)
      4. Multiplicação da raça humana: Caim e Abel (4.1-7)
      5. O primeiro homicídio (4.8-26)
      6. A genealogia de Sete (5.1-32)
      7. A corrupção do gênero humano (6.1-12)
      8. A pena do dilúvio (6.13—8.22)
      9. O pacto de Deus com Noé (9.1-29)
      10. Os descendentes de Noé (10.1-32)
      11. Uma língua universal (11.1-6)
      12. A confusão das línguas (11.7-32)
   c. História dos Patriarcas: A Escolha de Abraão, Isaque, Jacó e Judá (12.1—23.20)
      1. Abraão entra na Terra Prometida (11.27—14.24)
      2. Pacto e promessa de um filho (15.1—18.16)
      3. A história dos patriarcas (18.17—19.23)
      4. Destruição de Sodoma e Gomorra (19.24-38)
      5. Sara, Isaque e Ismael (20.1-23.20)
   d. Isaque (24.1—26.35)
      1. Isaque e Rebeca casam-se (24.1-67)
      2. Morte de Abraão e nascimento dos filhos de Isaque (25.1-34)
      3. Isaque vai a Gerar; renovação da promessa (26.1-35)
   e. Jacó (27.1—36.43)
      1. Jacó trapaceia o irmão e obtém a bênção de seu pai (27.1-46)
      2. Jacó foge para Arã e Deus renova a promessa em Betel (28.1-22)
      3. Os casamentos de Jacó em Arã (29.1-30)
      4. Nascimento dos filhos de Jacó (29.31—30.24)
      5. Labão faz novo pacto com Jacó (30.25-43)
      6. Retorno de Jacó para a Terra Prometida (31.1—34.31)
      7. Renovação da promessa em Betel (35.1-29)
      8. Os descendentes de Esaú (36.1-43)
   f. Judá e José (37.1—50.26)
      1. José vendido por seus irmãos e transportado para o Egito (37.1-36)
      2. Judá e Tamar (38.1-30)
      3. José na casa de Potifar (39.1-23)
      4. José na prisão (40.1-23)
      5. José interpreta os sonhos do faraó (41.1-37)
      6. José como governador do Egito (41.38-57)
      7. Os irmãos de José vão ao Egito pela primeira vez (42.1-38)
      8. Os irmãos de José retornam ao Egito (43.1-34)
      9. A família de José no Egito (44.1—47.31)
      10. Jacó abençoa seus filhos (48.1—49.28)
      11. Morte de Jacó e José (49.29—50.26)

IV. TEOLOGIA
De certo modo, o livro de Gênesis constitui a primeira filosofia da história, embora não se baseie em argumentos, mas em convicções. Não há no livro todo nenhuma tentativa de provar que Deus existe, ou que realmente agiu tal qual o autor relata. Alguns pontos de vista importantes a respeito da doutrina de Deus emergem deste livro, a saber:

1. **Deus é o único e supremo monarca do universo e de seu povo.** O livro mantém um monoteísmo latente, preparando o alicerce para declarações tais como a de Deuteronômio 6.4.
2. **Deus é onipotente.** Através de sua poderosa palavra, ele pode criar o que bem desejar.
3. **Deus é onisciente.** Ele soube o local do esconderijo de Adão e Eva no jardim, bem como o fato de que Sara riu secretamente dentro da tenda. Ele está também presente longe da casa ancestral, como Jacó surpreendidamente descobre em Gênesis 28.16.
4. **Deus é extremamente sábio.** Ele criou um universo integrado, no qual todas as coisas demonstram perfeita eficiência segundo o uso e o propósito designados.
5. **Deus tem profunda misericórdia e amor por sua criação.** Isto é evidente principalmente no que se refere ao homem, obra-prima da criação. Deus não só criou o homem, mas providenciou-lhe tudo aquilo de que precisava para sobreviver. O homem caiu do estado de graça, mas Deus preparou um plano de redenção; guiou e protegeu o caminho dos patriarcas para que esse plano fosse cumprido.
6. **Deus se revelou a seu povo.** Às vezes num sonho (31.11), outras vezes através de um misterioso agente, "o anjo do Senhor" (31.11).

Este livro oferece também uma clara noção da natureza do homem:
1. O homem é uma criatura dotada de parte material e parte imaterial.
2. O homem é dotado de livre-arbítrio: pode dizer "sim" ou "não" à tentação.
3. O homem foi criado como um ser superior, obra-prima de Deus, livre de qualquer mancha. Mas ai! O homem caiu do estado de graça. A história da queda, por sua vez, embora soe estranha para muitos ouvidos modernos, ainda é objeto de estudo em ética e em religião. O autor de Gênesis observou que um grande desastre poderia emergir de uma desobediência aparentemente *trivial*.

4. O homem será restaurado: os dois elementos básicos para a redenção são: graça da parte de Deus e fé da parte do homem. Gênesis 15.16 declara que Abraão creu nas promessas do Senhor: "E creu ele no Senhor, e foi-lhe imputado isto por justiça". Esta passagem figura proeminentemente no desenvolvimento da teologia de Paulo (Rm 4.3,9,22,23).

V. DESCOBERTAS ARQUEOLÓGICAS

Descobertas arqueológicas modernas têm desvendado o mundo de Gênesis. Civilizações nos arredores da Palestina estão sendo descobertas com todas as suas riquezas e variedades. A existência de povos tais como os horitas e os hurrianos (até recentemente apenas nomes) tem sido confirmada. A civilização dos amoritas, enterrada por muitos séculos, está emergindo lentamente. Atualmente pode-se afirmar que os hititas foram poderosos conquistadores que influenciaram o curso da história no passado.

Temas como Criação, Paraíso e Dilúvio são achados também em muitas mitologias do mundo. Tabletes de barro encontrados na Mesopotâmia contêm muitos mitos cujos temas e detalhes também estão presentes no livro de Gênesis.

Na história da criação há algumas semelhanças entre os registros hebraicos e os babilônicos: 1. Ambas as histórias registram um caos antigo. Até mesmo o nome para esse caos é semelhante em cada língua. 2. Segundo os dois relatos, houve luz antes de os astros serem criados. 3. Há paralelismo também nas crônicas do Dilúvio: os deuses mandaram a inundação, mas salvaram um homem que construiu um navio para se abrigar da tempestade. O homem testa o término da catástrofe soltando pássaros e oferece sacrifícios quando tudo está terminado.

Há também algumas diferenças drásticas entre as narrativas hebraicas e babilônicas: 1. A história hebraica mantém um monoteísmo latente; os outros relatos são de natureza politeísta. 2. Os princípios morais registrados na história hebraica são extremamente mais altos que os das outras civilizações. Descobertas espetaculares na cidade de Ur dos Caldeus são de grande importância para o conhecimento da história da civilização, todavia de menos relevância direta para as narrativas bíblicas. É mister observar que, num local não muito distante de Ur, os escavadores encontraram evidência de uma inundação de comparável tamanho. No entanto, dizem os críticos, isso não prova a historicidade de Gênesis 6—8, pois foi provado que muitas vezes na história diferentes áreas da Mesopotâmia foram inundadas.

O mundo cultural dos patriarcas tem sido iluminado pelos achados do segundo milênio a.C. em Nazu (perto da moderna Kirkuk). Foram encontrados nessa localidade inúmeros documentos que ilustram detalhadamente diversos costumes patriarcais. Por exemplo, quando a estéril Sara deu a Abraão uma escrava, Hagar, para que concebesse filhos, ela estava fazendo exatamente a mesma coisa que as mulheres de Nazu faziam. A única diferença era o fato de que as últimas eram proibidas de maltratar a escrava. O ato da venda dos direitos de primogenitura feito por Esaú, bem como os problemas de Jacó na obtenção da esposa de sua escolha, são entendidos com mais clareza através desses tabletes (tabletes Nazu). Unger afirma que "o grande serviço que a pesquisa arqueológica está desenvolvendo no período mais antigo da história bíblica demonstra que o quadro dos patriarcas apresentado em Gênesis se ajusta perfeitamente ao estilo de vida da época" (Unger, *Archaeology and the Old Testament*, p. 120).

VI. CONSIDERAÇÕES FINAIS

Esta introdução referiu-se a alguns problemas peculiares do livro de Gênesis, tais como autoria e historicidade. Essas questões têm sido objeto de controvérsia entre os eruditos, todavia nada tem sido tão polêmico no livro como o tema da criação. Há um estridente conflito entre o ponto de vista da ciência moderna e o relato deste livro sobre as origens do mundo.

Ao Leitor:
Muita informação acerca do livro de Gênesis foi compilada como parte do *Dicionário* da obra presente. Por toda a exposição do Antigo Testamento menciono artigos que deveriam ser lidos em conexão com a exposição do texto que está sendo oferecido. Também refiro-me à *Enciclopédia de Bíblia, Teologia e Filosofia*, quanto a artigos relacionados ao estudo do Antigo Testamento, mas que não foram incluídos no *Dicionário*. O *Dicionário* oferece um número bastante grande de artigos que se revestem de interesse especial para os estudiosos. Quando está em pauta o Novo Testamento, por estar relacionado a algum texto ou ideia do Antigo Testamento, convido os leitores a examinar o *Novo Testamento Interpretado*, um comentário versículo por versículo daquele documento.

Controvérsias, debates e *críticas*, com suas contracríticas, naturalmente estão vinculados aos estudos sobre o Antigo Testamento. Não devemos permitir que essas coisas gerem o *ódio teológico*. Muitas discussões dessa natureza giram em torno do livro de Gênesis. Homens dotados de espiritualidade deveriam poder debater sem nenhum ódio:

> Ó Deus... que carne e sangue fossem tão baratos!
> Que os homens viessem a odiar e matar,
> Que os homens viessem a silvar e decepar a outros
> Com línguas de vileza... por causa de... Teologia.
> Russell Champlin

Vários artigos que figuram no *Dicionário* e deveriam ser lidos em conexão com o primeiro capítulo de Gênesis são:
1. *Astronomia*.
2. *Cosmogonia*.
3. *Criação*. Ver também *J.E.D.P.(S.)*.

Os céticos têm *vontade de não crer*, pelo que nenhum acúmulo de evidências pode convencê-los. Mas os ultraconservadores têm *vontade de crer*, pelo que não há evidência que os convença de que estão errados, sem importar a questão em foco. Entre esses dois extremos usualmente se acha a verdade, na qual as *evidências* confirmam a crença.

VII. BIBLIOGRAFIA
ALB ANET AM BA E I IB IOT LEU WES YO Z

Citações de Gênesis no Novo Testamento
- *Mateus*: 19.4 (Gn 1.27); 19.5 (Gn 2.4); 19.26 (Gn 18.14); 24.38 (Gn 7.7).
- *Marcos*: 10.6 (Gn 1.27); 10.7 ss. (Gn 2.24); 10.27 (Gn 18.14).
- *Lucas*: 1.37 (Gn 18.14); 17.27 (Gn 7.7); 17.29 (Gn 19.24); 17.31 (Gn 19.26).
- *João*: 1.51 (Gn 28.12).
- *Atos*: 3.25 (Gn 22.18); 7.3 (Gn 12.1; 48.4); 7.5 (Gn 17.8; 48.4); 7.6 ss. (Gn 15.3 ss.); 7.8 (Gn 17.10 ss.; 21.4); 7.9 (Gn 37.11; 39.2 ss; 21; 45.4); 7.10 (Gn 39.21; 41.40 ss.; 43.46); 7.11 (Gn 41.54 ss.; 42.5); 7.12 (Gn 42.2); 7.13 (Gn 45.1); 7.16 (Gn 50.13); 7.45 (Gn 17.8; 48.4).
- *Romanos*: 4.3 (Gn 15.6); 4.9 (Gn 15.6); 4.11 (Gn 17.11); 4.17 (Gn 17.5); 4.18 (Gn 15.5); 4.22 (Gn 15.6); 9.7 (Gn 21.12); 9:9 (Gn 18.10); 9.12 (Gn 25.23).
- *1Coríntios*: 6.16 (Gn 2.24); 11.7 (Gn 5.1); 15.45,47 (Gn 2.7).
- *2Coríntios*: 9.3 (Gn 3.13).
- *Gálatas*: 3.6 (Gn 15.6); 3.8 (Gn 12.3; 18.18); 3.16 (Gn 12.7; 13.15; 17.7 ss.; 22.18; 24.7); 4.30 (Gn 21.10).
- *Efésios*: 5.31 (Gn 2.24).
- *Colossenses*: 3.10 (Gn 2.24).
- *Hebreus*: 4.3 ss. (Gn 2.2); 4.10 (Gn 2.2); 6.7 (Gn 1.11 ss.); 6.8 (Gn 3.17 ss.); 6.13 ss. (Gn 22.16 ss); 7.1 ss. (Gn 14.17 ss.); 7.3 (Gn 14.18); 7.4,6 ss. (Gn 14.20); 11.4 (Gn 4.4); 11.5 ss. (Gn 5.24); 11.8 (Gn 12.1); 11.9 (Gn 23.4); 11.12 (Gn 22.17; 32.12); 11.13 (Gn 23.4); 11.17 (Gn 22.1 ss.); 11.18 (Gn 21.12); 11.21 (Gn 47.31); 12.16 (Gn 25.33).
- *Tiago*: 2.21 (Gn 22.2,9); 2.23 (Gn 15.6); 3.9 (Gn 1.26).
- *Apocalipse*: 2.7 (Gn 2.9; 3.22); 5.5 (Gn 49.9); 7.14 (Gn 49.11); 9.2 (Gn 19.29); 9.14 (Gn 15.18); 10.5 (Gn 14.19,22); 12.9 (Gn 3.1); 14.10 (Gn 19.24); 16.12 (Gn 15.18); 19.20 (Gn 19.24); 20.2 (Gn 3.1); 20.10 (Gn19.24); 21.8 (Gn 19.24); 22.1 ss. (Gn 2.9 ss.; 3.22); 22.14 (Gn 2.9; 3.22; 49.11); 22.19 (Gn 2.9; 3.22).

EXPOSIÇÃO

CAPÍTULO UM

HISTÓRIA DA CRIAÇÃO (1.1—2.3)

Os artigos sob *Introdução* permitem-me suprir uma exposição mais breve do que seria possível de outra maneira. Para que tire o melhor proveito possível, o leitor deverá examinar o material apresentado no *Dicionário* e na *Enciclopédia*, mencionados anteriormente.

A maioria dos eruditos concorda que os capítulos 1 e 2 de Gênesis contêm duas narrativas da criação que foram entretecidas. O hebraico do segundo capítulo é mais antigo que no caso do primeiro. Os problemas e as alegadas discrepâncias entre os dois relatos são abordados na *Introdução* ao livro e nos artigos ali referidos. Aqueles que tentam identificar fontes específicas de materiais dizem-nos que o primeiro capítulo reflete basicamente a fonte *P (S)*, e que o segundo reflete a fonte *J*. De acordo com eles, além de apresentar informes sobre os primórdios, o livro é uma espécie de filosofia da história, com base na teologia, na piedade e nas convicções, e não uma tentativa de demonstrar fatos científicos. Deus existe, mas o autor sacro não oferece provas racionais a respeito. Suas convicções dizem-nos aquilo que se espera que reconheçamos. Mas os estudiosos conservadores, é claro, discordam dessas avaliações.

CRIAÇÃO DO CÉU E DA TERRA (1.1-22)

■ 1.1

בְּרֵאשִׁית בָּרָא אֱלֹהִים אֵת הַשָּׁמַיִם וְאֵת הָאָרֶץ׃

No princípio. Há várias interpretações quanto a essa simples declaração:
1. Estaria em pauta o começo absoluto do tempo, o momento do ato criativo que trouxe à existência qualquer coisa fora de Deus.
2. Ou deveríamos pensar no começo da *criação física*.
3. Ou então, aquele momento em que Deus começou a agir sobre o caos primevo, a fim de produzir dali ordem e beleza.

Criação ex nihilo? Essas palavras dão a entender que Deus criou *ex nihilo*, ou que ele organizou a matéria já existente, fazendo assim reverter o caos? Os eruditos do hebraico, antigos e modernos, assumem uma ou outra dessas posições? Alguns traduzem: "No princípio da criação divina dos céus e da terra, disse Deus" etc. Isso significaria que Deus então manipulou matéria já existente, que estava em estado de caos, a fim de organizá-la em boa ordem. As lendas da Babilônia (e de outros povos) afirmam a eterna existência da matéria, concebendo os deuses como organizadores, e não como quem criou a partir do nada. Os mórmons modernos aceitam essa posição. Porém, há eruditos que creem que o autor sagrado quis dizer que houve tempo em que só Deus existia e que seu ato criativo (sem importar o *modus operandi* que ele tenha usado) trouxe à existência outras coisas, em algum remoto ponto do tempo. Essa interpretação coaduna-se melhor com o monoteísmo do autor sacro. Afinal, a *eternidade* é um atributo exclusivo de Deus. Todavia, há bons teólogos que não encararam a questão por esse prisma. Ver no *Dicionário* o artigo intitulado *Atributos de Deus*.

Hebreus 11.3 provê um comentário. Deus criou as coisas a partir de algo *imaterial*, ou seja, "... o visível veio a existir das cousas que não aparecem". A palavra traduzida aqui por *aparecem* refere-se a coisas materiais, visíveis. Todavia, isso não requer a interpretação *ex nihilo*. As coisas invisíveis poderiam ser a própria *energia* criativa de Deus, e não o vácuo. Seja como for, o ato criativo atuou por meio de sua própria, imensa e toda-poderosa vontade, uma qualidade que pertence somente ao Deus único. As palavras *ex nihilo* são confrontadas por alguns intérpretes com a declaração latina *ex nihilo nihil fit*, ou seja, "do nada, nada foi feito".

Defesa da criação ex nihilo. Mas alguns intérpretes teimam em defender uma literal criação *ex nihilo*, dizendo-nos que esse modo de criação exalta o indizível poder de Deus. Pensemos nisso! Antes, só Deus existia. Todavia, diante de sua mera palavra proferida, "haja", coisas vieram à existência, absolutamente do nada. Isso é poder!

Deus. No hebraico, *Elohim*. Ver a explicação sobre essa palavra no *Dicionário*. Há várias conjecturas quanto ao seu sentido. *El* (outro nome de Deus, dentro das culturas semíticas) por certo é sua base, e tem o significado de "poderoso". Talvez uma combinação pudesse ter alterado seu sentido básico. Ver no *Dicionário*, *Deus, Nomes Bíblicos de*, que oferece informações sobre esse assunto em geral. Alguns pensam que, em sua forma combinada, o termo signifique "adoração", mas isso já é menos provável.

Notar o plural: Elohim é o plural de *Eloah*, podendo ser traduzido por "deuses". No plural, essa forma pode apontar para os *anjos*. Neste caso, porém, o plural sem dúvida é um aumentativo de *exaltação*, frisando a *majestade* de Deus, e não a ideia de pluralidade de pessoas. Alguns tentam extrair desse plural um sentido trinitário, mas a maioria dos estudiosos pensa que isso é cristianizar demais o texto. Dentro da própria teologia cristã, a doutrina da trindade só veio a ser formulada no século II d.C. É verdade que Orfeu falava sobre a criação feita por um deus com três nomes. Ademais, em muitas religiões, achamos noções triteístas. Ver no *Dicionário* o artigo *Tríadas (Trindades) na Religião*.

Criou. No hebraico, *bara*, termo usado exclusivamente acerca do ato divino criativo, que, segundo vimos, envolve a organização do caos existente, ou, mais provavelmente, envolve algo que foi trazido à existência, ainda que antes nada existisse. Em meu artigo sobre a *Criação* (ver o *Dicionário*), expus muitas ideias sobre as origens. Ver a segunda seção, *Origens da Criação*. Ver também a terceira seção, *Pontos de Vista Bíblicos da Criação*.

O Logos. Alguns intérpretes supõem que o fato de que "Deus *falou* a sua palavra*", trazendo assim tudo à existência, subentenda, embora não o diga diretamente, a ideia de que o Criador é o *Logos*. Ver o artigo sobre esse assunto no *Dicionário*. Diz o trecho de Provérbios 3.19: "O Senhor com sabedoria fundou a terra". A palavra *sabedoria* é ali personalizada por alguns intérpretes, para aludir ao Logos. Como é óbvio, o evangelho de João usa esse tema, usando o conceito do Logos que foi iniciado por Heráclito (filósofo grego) e que era um dos temas favoritos dos estoicos, antes dos tempos neotestamentários. Filo também personalizou o Logos, identificando-o como o poder criativo de Deus em seu eclético sistema neoplatônico/judaico.

Os céus e a terra

a. Alguns veem nessas palavras um começo absoluto de todas as coisas (fora de Deus). Supõem que elas formem um coletivo para indicar "tudo exceto Deus". Nesse caso, o trecho de Gênesis 1.1 também incluiria a criação espiritual, os anjos, o céu da presença de Deus etc.
b. Outros creem que está em pauta a criação material, e que a (anterior) criação espiritual foi olvidada pelo momento.
c. Alguns limitam a questão ao sistema solar, mas por certo não era isso que o autor sagrado tinha em mente.
d. Quase certamente, a expressão "os céus e a terra" refere-se ao universo organizado e adornado que conhecemos, não incluindo a anterior criação espiritual, embora não haja consenso entre os eruditos quanto a esse particular.

Preexistência? Houve uma criação espiritual antes da criação física? Em tempos posteriores, tornou-se comum a crença dos hebreus de que a criação espiritual antecedeu à física por um longo período de tempo (*Targum Jon*. e Jers., sobre Gn 3.24). Alguns intérpretes usam Jeremias 1.5 para mostrar a preexistência da alma humana, uma ideia comum na teologia dos hebreus posteriores. Provérbios 8.22 ss. aludem ao Logos preexistente, ou Sabedoria Divina, personalizada por alguns intérpretes. Outros veem a preexistência em Eclesiastes 1.9-11. A história de Lúcifer (Is 14.22 ss.) quase sem dúvida indica que a queda de Satanás ocorreu em algum passado remoto, antes da criação física. Ver no *Dicionário* o artigo *Preexistência da Alma*.

Lições Morais e Espirituais do Capítulo 1 de Gênesis

Em meio às controvérsias e debates que obscurecem a exposição do primeiro capítulo de Gênesis, não podemos esquecer as grandes lições morais e espirituais que a Bíblia nos apresenta ali. Por mais importantes que sejam as questões de historicidade e de ciência, o debate sobre tais coisas não nos deveria fazer olvidar o que é mais importante.

1. *Teísmo*. Deus criou, mas ele também está presente em sua criação. Ele recompensa e pune. Ele se importa. Ver no *Dicionário* sobre o *Teísmo*. Em contraste com isso, o *deísmo* afirma que a força ou pessoa criativa abandonou o seu universo às leis naturais.

2. Não há *caos* que o poder de Deus não possa pôr em boa ordem, sem importar se esse caos é cósmico ou pessoal.
3. O universo tem *sentido?* A Bíblia informa-nos que as negras forças do caos não lograram a vitória. Deus impôs a ordem ao mundo: ordem e significado.
4. Há *bondade* no mundo? O trecho de Gênesis 1.31 revela que tudo está na dependência desse poder.
5. Este mundo é um mundo de *causa e efeito,* a começar pela *Primeira Causa,* que deu início à reação em cadeia. Por meio da fé, podemos sondar essa Causa benévola.

> Novas misericórdias, a cada novo dia,
> Pairam por sobre nós, enquanto oramos.
>
> Keble

6. Deus é *mais bem compreendido.* As antigas cosmogonias babilônicas alicerçavam-se sobre mitos acerca de atividades de muitas divindades. A fé dos hebreus trouxe-nos o *monoteísmo,* aprimorando o nosso conhecimento de Deus. Ver no *Dicionário* o artigo sobre o *Monoteísmo.*
7. *Desígnio.* A vontade e a bondade de Deus garantem o bom resultado da criação, apesar do caos e da miséria.

> Um remoto evento divino, para onde caminha a criação toda.
> Tennyson

8. O Gênesis dá início ao *Pentateuco* (ver esse artigo no *Dicionário*); e essa coletânea mostra-nos como a vontade divina atuou através de uma nação preparada para transmitir a mensagem divina. O Êxodo promete a redenção. O grandioso propósito foi sendo gradualmente desvendado.
9. *Significados* da criação. No meu artigo sobre a *Criação* (apresentado antes da exposição sobre o Gênesis, após a *Introdução* àquele livro), alistei sete propósitos da criação. Ver a quarta seção daquele artigo.
10. *Reverência.* Tornamo-nos humildes quando vemos a grandiosa mensagem e suas implicações. Apesar dos debates, abordamos a questão com reverência. Isso distingue o homem espiritual daquele que meramente gosta da controvérsia e dos debates. Criticar a Bíblia é algo pior que a ignorância, se for uma crítica arrogante. As críticas dos críticos são piores do que a ignorância, quando são caracterizadas pelo ódio. Precisamos evitar todo vestígio de rancor teológico.

Em última análise, a espiritualidade é uma questão de experiência, e não de argumentação. "Sei em quem tenho crido" (2Tm 1.12).

■ **1.2**

וְהָאָרֶץ הָיְתָה תֹהוּ וָבֹהוּ וְחֹשֶׁךְ עַל־פְּנֵי תְהוֹם וְרוּחַ אֱלֹהִים מְרַחֶפֶת עַל־פְּנֵי הַמָּיִם׃

A terra, porém, era sem forma e vazia. Várias antigas cosmogonias, incluindo a dos babilônios, pintavam um caos primevo ao qual as forças da criação esforçaram-se por emprestar boa ordem, produzindo um mundo bem organizado e embelezado. O relato babilônico dizia que o caos era governado pelo deus Apsu e pela deusa Tiamate. Somente o Deus supremo, Marduque, finalmente teve o poder de fazer reverter o caos de Apsu. A temível Tiamate foi morta. O "corpo" dela foi dividido em duas partes, e uma metade tornou-se a terra, e a outra metade, o firmamento acima. O paralelismo é óbvio, mas o autor do Gênesis evitou o crasso simbolismo, deixando tudo nas mãos de Deus, como é mister. Para nosso autor não havia deuses nem semideuses, mas tão somente o Deus Todo-poderoso, capaz de falar para trazer tudo à existência, removendo o caos reinante. Os *Targuns* sobre o texto falam sobre deserto e desolação, vazio e devastação. Ovídio, Hesíodo e outros escritores antigos oferecem quadros similares, crendo em um caótico mundo de matéria eterna, que alguma força divina foi capaz de organizar. Dentro da filosofia religiosa da China aparece uma massa caótica ao qual o Deus imaterial pôs em boa ordem, de acordo com as forças opostas do Ying e do Yang. Os fenícios aludiam a um caos túrbido, a ventos ferozes, a trevas e à desordem.

O vs. 1 sem dúvida refere-se a um começo relativo das coisas, que Deus, posteriormente, levou à fruição e à beleza. O quadro confuso diante de nós faz-nos lembrar do pecado e de seu poder destruidor. Só Deus tem poder para reverter esse mal.

As águas. O caos é retratado, pelo menos em parte, como se envolvesse uma espécie de grande oceano. Por sobre esse mar caótico, o Espírito de Deus pairava como o grande Pássaro da Criação.

O Espírito de Deus pairava. Temos aqui outro paralelo das antigas cosmogonias. O autor sacro utilizou-se da metáfora do Espírito como o poder divino que produziu vida dentre a massa aquosa. "Esse mesmo Espírito... adejava sobre a superfície das águas, impregnando-as, como uma galinha choca os seus ovos" (John Gill, *in loc.*). Hermes, Orfeu, os egípcios, os fenícios e os chineses tinham todos metáforas parecidas no tocante ao começo da vida, e como ela emergiu dentre o caos. Tais expressões, como é natural, são poéticas.

O Espírito. Devemos entender aqui uma pessoa ou uma força cósmica dirigida por Deus? A teologia hebreia posterior, sem dúvida, apontava para a personalidade do Espírito. Podemos supor que esse era o ponto de vista do escritor sagrado.

A Teoria da Grande Expansão de Tempo

1. Muitos intérpretes pensam que entre Gênesis 1.1 e 1.2 devemos entender que houve uma grande expansão de tempo, o que explicaria todas as modernas descobertas científicas, que fazem pensar em uma terra antiguíssima. O vs. 2 fala de uma nova criação, desconsiderando o que poderia ter ocorrido antes, incluindo supostas raças pré-adâmicas. Ver no *Dicionário* os artigos *Raças Pré-Adâmicas* e *Antediluvianos.*
2. Outros estudiosos insistem em que precisamos ajustar o tempo inteiro da criação aos sete dias referidos no relato da criação.
3. Ainda outros aceitam o texto como poético e metafórico, crendo ser uma tolice forçar sobre ele qualquer espécie de cronologia.
4. Outros, finalmente, falam sobre um começo relativo no vs. 1 e sobre um começo absoluto no vs. 2, mas sem requerer nenhuma condição cronológica.

O PRIMEIRO DIA (1.3-5)

■ **1.3**

וַיֹּאמֶר אֱלֹהִים יְהִי אוֹר וַיְהִי־אוֹר׃

Disse Deus: Haja luz; e houve luz. Várias antigas cosmogonias falavam de uma luz primeva que nada tinha a ver com a luz solar. No relato do Gênesis temos essa luz antes da criação do sol (vs. 14), o que só teve lugar no quarto dia da criação. As cosmogonias babilônica, indiana, grega e fenícia falam sobre essa luz primeva. Muita especulação estéril cerca a descrição dessa luz. Alguns supõem que a luz vinha do sol, que já existiria, mas que ainda não tinha sido posto como centro da órbita terrestre, conforme sucedeu mais tarde. Outros veem uma metáfora na expressão que não pode ser compreendida por meio de explicações literais. Certo intérprete aludiu a uma espécie de "corpo luminoso" (não o sol), que se movimentaria de leste para oeste, e que, posteriormente, teria sido transformado no sol. Outros lembram a coluna de fogo e de nuvem da história posterior de Israel, pensando então que havia algo parecido com isso. Todas essas explicações são inúteis.

A Luz e as Trevas. Apesar de não podermos entender bem a declaração do autor sacro, as lições morais e espirituais são óbvias. É preciso o Espírito de Deus para que o caos escuro da vida de um homem seja iluminado. Ver no *Dicionário* o artigo sobre *Luz, a Metáfora da.* As Escrituras preveem que a obra de Deus culminará na era futura em que não haverá mais trevas (Ap 22.5). Deus é luz; os homens são luzes quando são piedosos. Jesus é a Luz do mundo. Israel seguia a luz de Deus ao ser libertado do Egito (Êx 13.21; ver também Is 45.7). Esse último versículo afirma que Deus também criou as trevas, embora hesitemos em afirmar tal coisa. Espiritualmente falando, porém, as trevas existem com um certo propósito, até que venham a ser finalmente revertidas.

■ **1.4**

וַיַּרְא אֱלֹהִים אֶת־הָאוֹר כִּי־טוֹב וַיַּבְדֵּל אֱלֹהִים בֵּין הָאוֹר וּבֵין הַחֹשֶׁךְ׃

E viu Deus que a luz era boa. Essa luz era uma perfeita representação de seu pensamento, um reflexo da essência do seu ser, porquanto

Deus é Luz. Essa luz era agradável, deleitosa, útil. Foi o primeiro passo na reversão do caos escuro. É interessante que as lendas babilônicas atribuam a criação a Marduque, o *deus-sol*. Os homens percebem a importância capital da luz, da qual dependem toda a vida e a ordem. Em tudo isso, porém, não devemos procurar meros fatos científicos, e, sim, verdades espirituais muito importantes.

A Luz é Boa. Os egípcios adoravam ao deus-sol, Rá. No zoroastrismo adorava-se o Senhor da Luz. A luz é um dos símbolos de Deus. Aponta para a vida e a iluminação, e essas coisas são boas. Até os aldeões do vale do rio Nilo sabiam que toda vida e bem-estar dependem do sol. O sol é que faz sucederem-se as estações do ano, fazendo a semente brotar. Os homens perdem-se em uma floresta. Mas o sol, brilhando por entre as árvores, ilumina-os e confere-lhes orientação. Os homens temem as trevas. O homem primitivo acendia fogueiras para proteger-se durante a noite. Muitas pessoas não conseguem dormir se no aposento não houver alguma luz. O salmista falou de Deus como quem está "coberto de luz como de um manto" (Sl 104.2). A luz é associada à retidão e à alegria, no Salmo 97.11. Não é fácil alguém acreditar em Deus quando se vê isolado nas trevas. Mas quando a luz ilumina, a fé cresce. Só os criminosos regozijam-se nas trevas. Ao justo é garantido que a luz aparecerá em meio às trevas (Sl 112.4).

A Palavra Divina. A Palavra de Deus é criativa. Deus falou e a luz penetrou no caos. Ver o vs. 1 quanto às diversas explicações sobre o poder criativo. É interessante observar que as cosmogonias babilônica, egípcia e indiana representavam a Palavra divina como um poder criador. O homem reconhece isso de alguma maneira, instintivamente. Talvez os antigos acreditassem nessa palavra como uma espécie de mágica divina. Mas no livro de Gênesis a palavra origina-se no poder e na vontade de Deus. "Pois ele falou, e tudo se fez" (Sl 33.9).

O Logos, a Palavra de Deus. Os intérpretes costumam ligar a palavra de Deus, no primeiro capítulo do Gênesis, com o Logos. Ver o vs. 1 quanto a explicações.

■ 1.5

וַיִּקְרָא אֱלֹהִים לָאוֹר יוֹם וְלַחֹשֶׁךְ קָרָא לָיְלָה וַיְהִי־עֶרֶב וַיְהִי־בֹקֶר יוֹם אֶחָד: פ

Chamou Deus à luz, Dia. O primeiro dia começou mesmo sem o concurso da luz solar (vs. 14). Sem dúvida, o autor estava pensando em termos de luz e de dia literais, provavelmente de 24 horas, apesar do problema da ausência do sol. Os intérpretes recorrem a toda espécie de contorções para explicar como isso pode ter acontecido, fazendo a luz primeva atuar como se fosse uma espécie de sol, que mais tarde teria sido incorporada ao sol, quando este foi criado. O autor sacro deixa-nos sem nenhuma explanação, e aquelas que muitos têm oferecido são vãs. O autor sagrado não estava pensando em algum *aeon* ou era, como alguns têm sugerido. Se essa tivesse sido a sua intenção, sem dúvida ele teria deixado clara a questão. Bem pelo contrário, logo adiante ele começou a falar em dias de 24 horas. A ciência sacode a cabeça aqui, devido ao seu ceticismo. Os intérpretes têm oferecido toda forma de explicação, procurando conciliar o relato da criação com a ciência moderna. Em meu artigo sobre a *Criação* (que antecede a exposição deste capítulo), na sétima seção, mencionei algumas teorias que buscam conseguir essa conciliação. Ver outros problemas que são examinados na quinta seção daquele artigo.

Noite. Não há que duvidar que o autor sacro falava literalmente. Antes do sol, dia e noite já existiam e tinham suas respectivas funções. O que interpretam literalmente continuam a depender da luz primeva para produzir dias de 24 horas, sem a ajuda do sol. Talvez o autor sacro não tivesse antecipado o problema que ele criou assim. Os que interpretam ultraliteralmente procuram tolamente identificar até mesmo a data do primeiro dia — 23 de outubro, de acordo com o bispo Usher. Mas essas tentativas apenas lançam confusão.

Dias Longos e Outras Explicações e Contorções. Cada intérprete, à sua maneira, procura "corrigir" o texto para fazê-lo concordar com a razão ou com a ciência. Ofereço sete tipos de interpretação na sétima seção do artigo intitulado *Criação*. Os estudiosos liberais e críticos aceitam a palavra do autor sacro, mas asseguram que ele estava cientificamente equivocado. Os conservadores, por sua vez, buscam corrigir o texto para que concorde com o que a ciência hodierna ensina. O debate enevoa a mensagem espiritual do texto e gera o rancor teológico. O debate pode ser saudável. Mas muitas pessoas preferem um debate doentio.

Houve tarde e manhã, o primeiro dia. Para os hebreus, o dia começava às 18 horas, o que justifica o fraseado dessa expressão. Os atenienses também computavam seus dias de um pôr do sol ao outro, o que igualmente ocorria entre outros povos antigos, como algumas tribos germânicas e os antigos druidas das ilhas britânicas. Os romanos iniciavam o dia à meia-noite. A intenção do autor do Gênesis é, como é óbvio, fazer seu "primeiro dia" ser um período de 24 horas, apesar da ausência do sol. Orfeu fazia a *noite* dar início a todas as coisas (Plínio, *Hist. Nat.* 1.2), mas o autor sagrado atribui isso à luz de Deus.

O SEGUNDO DIA (1.6-8)

■ 1.6

וַיֹּאמֶר אֱלֹהִים יְהִי רָקִיעַ בְּתוֹךְ הַמָּיִם וִיהִי מַבְדִּיל בֵּין מַיִם לָמָיִם:

E disse Deus: Haja firmamento. Temos aqui o segundo dia da criação, vss. 6-8. Muita discussão gira em torno da natureza desse *firmamento*. Jó 26.11 sugere uma substância sólida. As lendas babilônicas pintavam o corpo de Tiamate, que teria sido dividido por Marduque. Metade tornou-se o firmamento, que represava as águas acima, separando-as das águas deixadas cá embaixo. Os eruditos do hebraico dizem que a antiga cosmogonia dos hebreus falava em uma espécie de taça invertida, que pairava por sobre a terra, tocando-a em duas extremidades. Ilustro essa ideia no *Dicionário*, em meu artigo sobre *Astronomia*. Os intérpretes conservadores, objetando a qualquer empréstimo de ideia por parte do autor sagrado e ignorando aquilo em que os hebreus realmente criam, fazem desse firmamento uma "expansão e espaço" ou então os "céus estrelados". Os trechos de Salmo 29.10; 148.4 e Apocalipse 4.6 falam sobre um "mar celestial" acima do firmamento, mas muitos pensam que essas referências têm natureza poética. Outros conservadores meramente explicam que o autor sacro usou cosmogonias antigas em um sentido poético, não querendo ensinar um sistema crasso que a ciência, há muito, deixou para trás. Os críticos dão maior importância a esses detalhes do que eles merecem, e assim os debates obscurecem nosso entendimento, impedindo-nos de obter a verdade espiritual de que precisamos. Ver também Jó 26.11; 27.18 e 2Samuel 22.8.

O poder de Deus continua a ser frisado. Sua palavra (vs. 1) continuava a ser o seu *modus operandi*.

Dentro do relato babilônico, haveria um lugar, acima do firmamento, que serviria de residência às divindades, as quais, assim sendo, habitavam em seu céu separado, isento das molestações das criaturas inferiores. Nosso autor não achou espaço para essas explicações politeístas, mas, antes, fez Deus intervir no caos, a fim de separar-nos dele e trazer até nós a Luz.

■ 1.7

וַיַּעַשׂ אֱלֹהִים אֶת־הָרָקִיעַ וַיַּבְדֵּל בֵּין הַמַּיִם אֲשֶׁר מִתַּחַת לָרָקִיעַ וּבֵין הַמַּיִם אֲשֶׁר מֵעַל לָרָקִיעַ וַיְהִי־כֵן:

Fez, pois, Deus o firmamento no meio das águas. Este versículo é uma forma de refazer o fraseado do vs. 6, sendo que o que é comentado ali aplica-se aqui. As palavras *E assim se fez* (confirmando o sucesso da divina palavra) aparecem no fim do vs. 6, na Septuaginta; e, por essa razão, alguns supõem que o vs. 7 (uma simples repetição) tenha sido uma antiga adição feita ao relato original. Por outra parte, sabe-se que até bons autores repetem o que dizem para efeito de ênfase, o mesmo sem nenhuma razão.

O firmamento. "...dentro da poesia bíblica... uma imensa cúpula de vidro derretido (Jó 37.18) sustentada pelos montes, como se fossem colunas (Jó 26.11; 2Sm 22.8)" (Ellicott, *in loc.*).

■ 1.8

וַיִּקְרָא אֱלֹהִים לָרָקִיעַ שָׁמָיִם וַיְהִי־עֶרֶב וַיְהִי־בֹקֶר יוֹם שֵׁנִי: פ

E chamou Deus ao firmamento, Céus. De acordo com alguns estudiosos, o céu estrelado, ou visto como idêntico ao firmamento (segundo os conservadores) ou como o lugar onde foram postos os

O MUNDO EM RELAÇÃO À PALESTINA
Observações:

Na representação ao lado, o mundo Mediterrâneo (a área na qual ocorrem os episódios bíblicos e a de seis impérios mundiais com quem Israel fazia tratados e negócios) está demarcado por um retângulo. Como fica demonstrado no mapa, a Palestina é, de fato, uma parte muito pequena do mundo.

Somente 29% da superfície terrestre é de terra firme. Essa extensão territorial ocupa aproximadamente 91.560.000 km². A Palestina ocupa apenas 16.000 km², ou 1/5700.

A maior massa da terra é aquela compreendida pela Europa, Ásia e África. Segue-se o continente americano (América do Norte, Central e do Sul), com uma área um pouco menor que a da África. A Antártica ocupa 9% da massa terrestre e a Austrália, 5%.

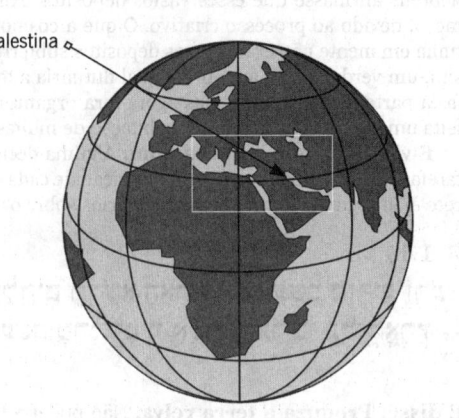

MASSAS DE TERRA DO MUNDO E A PALESTINA
Observações:

A extensão territorial terrestre total é de aproximadamente 91.560.000 km², um total de somente 29% da área da terra. A Palestina ocupa 16.000 km² do total territorial, algo representado acima por um pequeno retângulo.

As massas de terra são: 1. Europa-Ásia-África (57%). 2. América do Norte e do Sul, que ocupam uma área pouco menor do que a última. 3. Antártica, centralizando o Polo Sul (9%). 4. Austrália (5%).

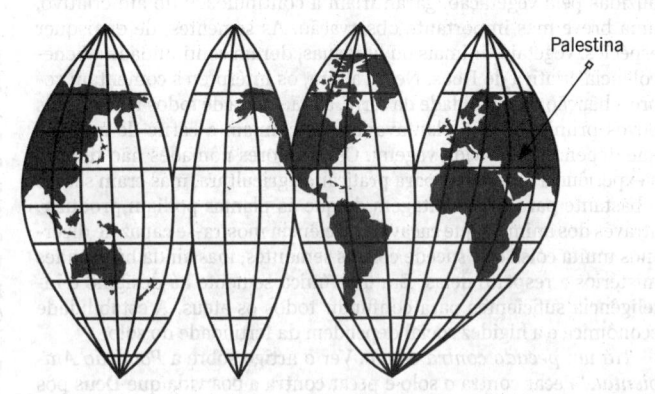

luzeiros. Alguns antigos criam que as estrelas eram perfurações feitas no firmamento, permitindo que a luz celestial chegasse até nós. Outros acreditavam que corpos luminosos, celestes, tinham sido presos ao lado inferior do firmamento sólido e abobadado. A antiga cosmogonia dos hebreus incluía ambas as ideias. Mas há aqueles que objetam a essas interpretações literais, preferindo considerar poeticamente essas descrições. Mas outros admitem o caráter literal da linguagem e meramente afirmam que o autor sacro estava equivocado, tendo absorvido em sua cosmogonia certos elementos que nosso conhecimento já ultrapassou.

A Queda dos Anjos. Alguns antigos intérpretes do hebraico afirmam que esse foi o dia da queda de certos anjos, mas isso é mera conjectura infrutífera. Há outros que pensam que a queda dos anjos ocorreu em um passado remoto, *antes* da criação do mundo físico. Ver o vs. 1 quanto ao termo *Preexistência.*

Houve tarde e manhã, o segundo dia. Essa é a fórmula do autor sacro ao terminar seu comentário sobre cada dia da criação. Ver a explicação da fórmula no vs. 5.

Notemos a ausência das palavras "e viu Deus que isso era bom", que se vê no fim da descrição de todos os outros dias da criação. Sem dúvida, temos aí apenas uma omissão propositada do autor. Mas alguns intérpretes antigos exploravam essa omissão para indicar que "foi então que os anjos caíram", o que não deve ter sido uma coisa boa. Mas essa é uma interpretação forçada, que faz a Bíblia dizer o que ela não diz.

O TERCEIRO DIA (1.9-13)

■ 1.9

וַיֹּאמֶר אֱלֹהִים יִקָּווּ הַמַּיִם מִתַּחַת הַשָּׁמַיִם אֶל־מָקוֹם אֶחָד וְתֵרָאֶה הַיַּבָּשָׁה וַיְהִי־כֵן׃

Disse também Deus: Ajuntem-se as águas debaixo dos céus. O terceiro dia envolveu dois atos criativos, o que se vê de novo no sexto dia. Não pode haver vida terrestre sem terra seca, pelo que a separação das águas preparou o globo para a criação dos animais terrestres e do homem. Isso sugere um propósito para a criação física do homem, embora seja este, igualmente, uma criação espiritual, pois foi criado à imagem e semelhança do próprio Deus. Um ato separou as águas; e o outro fez aparecer a terra seca. Nos épicos babilônicos, os deuses viveriam em seu próprio lugar, acima do firmamento. Na narrativa do Gênesis, Deus atarefava-se com a terra, preparando um lugar para o homem (que ainda seria criado) habitar. De novo, o Gênesis leva-nos a uma consideração espiritual. Ver o artigo sobre a *Criação* (após a Introdução ao livro), em sua quarta seção, quanto aos sentidos da criação. Na terra, Deus baniu de nossa mente a alegada multiplicidade de divindades concebida em outras fontes informativas.

O caos incluía uma inundação geral. A separação das águas em um só lugar criou os oceanos. Cf. essa descrição com o trecho de Salmo 104.6-9. As águas *profundas* eram temidas pelos antigos como lugares onde ameaçavam subdeuses ocultos. Mas o ato criativo de Deus ignorou tais superstições, alijando-as da mente humana. O versículo de novo ilustra os imensos poderes à disposição de Deus. Ele pode mover os oceanos e domá-los, circunscrevendo-os em seus lugares apropriados. Falamos na "remoção de montes" em um sentido metafórico. Mas também há oceanos que precisam ser amansados. Cf. esse relato com Jó 38.8-11.

■ 1.10

וַיִּקְרָא אֱלֹהִים ׀ לַיַּבָּשָׁה אֶרֶץ וּלְמִקְוֵה הַמַּיִם קָרָא יַמִּים וַיַּרְא אֱלֹהִים כִּי־טוֹב׃

À porção seca chamou Deus Terra. Agora o palco estava armado para receber a vida, enquanto continuava o processo criativo. O termo *mares* inclui os oceanos, conforme os conhecemos, mas também os grandes depósitos de águas freáticas ou subterrâneas. Sobre essas águas é que, supostamente, flutuariam as massas de terra (Sl 24.2). Sabemos que há grandes lençóis freáticos, formados por meio de infiltração, criando rios subterrâneos. Mas talvez a cosmologia dos hebreus afirmasse que esses vastos depósitos existiam desde o começo, devido ao processo criativo. O que a cosmologia dos hebreus tinha em mente não eram meros depósitos subterrâneos de águas, e, sim, um verdadeiro mar sobre o qual flutuaria a terra firme. A terra fazia parte do caos geral, mas agora fora organizada, embelezada e feita um lugar próprio para ser habitação de muitas espécies de vida.

E viu Deus que isso era bom. Alguma declaração sobre uma tarefa bem executada segue-se à descrição de cada dia da criação, exceto à do segundo dia. Ver os comentários sobre o vs. 8.

■ **1.11**

וַיֹּאמֶר אֱלֹהִים תַּדְשֵׁא הָאָרֶץ דֶּשֶׁא עֵשֶׂב מַזְרִיעַ זֶרַע עֵץ פְּרִי עֹשֶׂה פְּרִי לְמִינוֹ אֲשֶׁר זַרְעוֹ־בוֹ עַל־הָאָרֶץ וַיְהִי־כֵן:

E disse: Produza a terra relva. Não poderia haver vida animal sem a vegetação. Os atos criativos do terceiro dia deram continuidade à armação do palco para que a terra fosse habitada. As *sementes,* produzidas pela vegetação, garantiriam a continuidade do ato criativo, uma breve mas importante observação. As sementes, de quaisquer espécies, vegetais, animais ou humanas, deram continuidade à benevolência criativa de Deus. Nessa altura, os intérpretes comentam sobre a bênção da fertilidade da terra, a mãe física de todos nós. Alguns povos primitivos não plantavam, mas comiam a carne de animais que dependiam da vida vegetal. Os caçadores nômades não tinham a experiência necessária para praticar a agricultura, mas eram sábios o bastante para tirar vantagem do que as plantas podiam produzir, através dos animais que caçavam. A ciência mostra-se capaz de dizer-nos muita coisa que sucede com as sementes, mas ainda há grandes mistérios a respeito delas. Em uma única semente há desígnio e inteligência suficientes para confundir todos os ateus. A estabilidade econômica e a higidez social dependem da fertilidade do solo.

Há um pecado contra o solo. Ver o artigo sobre a *Poluição Ambiental.* "Pecar contra o solo é pecar contra a boa vida que Deus pôs ao alcance dos homens... A exploração ditada pela cobiça é um desses pecados. Nos Estados Unidos da América e em outros países, montes de madeira têm sido devastados selvagem e descuidadamente, impedindo a renovação da vegetação. Poços de petróleo têm sido perfurados com uma pressa tão cega, devido ao espírito competitivo, que milhões de toneladas de petróleo têm sido desperdiçadas. Deve haver uma vigilância constante contra os interesses privados que procuram apossar-se de recursos que pertencem a todos os seres humanos" (Walter Russell Bowie).

Segundo a sua espécie. Uma declaração como essa tem sido usada para combater a teoria da evolução. E não há que duvidar que a narrativa sacra dificilmente pode ser conciliada com essa teoria. Ver no *Dicionário* o artigo intitulado *Evolução.*

■ **1.12**

וַתּוֹצֵא הָאָרֶץ דֶּשֶׁא עֵשֶׂב מַזְרִיעַ זֶרַע לְמִינֵהוּ וְעֵץ עֹשֶׂה־פְּרִי אֲשֶׁר זַרְעוֹ־בוֹ לְמִינֵהוּ וַיַּרְא אֱלֹהִים כִּי־טוֹב:

A terra, pois, produziu relva, ervas que davam semente. A palavra criativa de Deus continuava a produzir o que era bom, e em breve o homem poderia habitar na boa terra. Deus preparou o solo para mordomos, e não para exploradores. Deus criou coisas que proveem alimentos e flores que decoram o meio ambiente, para deleite do homem. Desfigurar a criação sem dúvida não é um pecado sem importância. A fertilidade e a beleza serão protegidas por pessoas razoáveis. A terra produz com abundância. Mas o homem explora e desfigura a torto e a direito. Somos informados de que, antes da ocupação humana, a parte ocidental da América do Norte contava com grandes manadas de animais de muitas espécies, suficientes para sustentar uma numerosa população. Mas o homem destruiu muita coisa, caçando animais por puro esporte, deixando que as suas carcaças apodrecessem ao sol. De certo modo, "o oeste foi conquistado", mas, em outro sentido, "o oeste foi perdido".

No Brasil estamos enfrentando outro absurdo. Embora a Amazônia ainda não tenha sido devidamente ocupada pelo homem, este está destruindo rapidamente a região com as suas "queimadas". A obra de Deus é *boa.* Nessa obra divina sempre há aquilo que é apropriado, oportuno, pois, para Deus, coisa alguma é estragada, nada é prematuro e nada é tardio. Mas o homem, em sua perversidade, reverte todas essas condições.

■ **1.13**

וַיְהִי־עֶרֶב וַיְהִי־בֹקֶר יוֹם שְׁלִישִׁי: פ

Houve tarde e manhã. Isso reitera a indicação do ciclo de 24 horas de cada dia da criação, o que é explicado no vs. 5. Esse versículo também indica o sentido da palavra *dia,* bem como as várias interpretações que cercam esse vocábulo.

O QUARTO DIA (1.14-19)

■ **1.14**

וַיֹּאמֶר אֱלֹהִים יְהִי מְאֹרֹת בִּרְקִיעַ הַשָּׁמַיִם לְהַבְדִּיל בֵּין הַיּוֹם וּבֵין הַלָּיְלָה וְהָיוּ לְאֹתֹת וּלְמוֹעֲדִים וּלְיָמִים וְשָׁנִים:

Disse também Deus: Haja luzeiros no firmamento. A palavra *firmamento* é explicada no vs. 6. Primeiro houve a luz primeva (vs. 3), que tinha, como *uma* de suas funções, o estabelecimento de dias criativos de 24 horas. Agora aparecia o sol, que dava prosseguimento a essa função. Todavia, não há sugestão de que o sol viera substituir a luz primeva. A questão fica sem explicação. O sol e a lua passaram a separar o dia da noite, embora também tivessem funções astronômicas. Ver no *Dicionário* sobre *Astronomia.* Os intérpretes judeus fantasiavam em suas interpretações ao dizerem que o sol e a lua também promoviam suas várias festividades, dias de descanso etc. Ver *Festas (Festividades) Judaicas* no *Dicionário.* Eu disse "fantasiavam", embora seja totalmente possível que o autor sacro, intensamente interessado por essas coisas, realmente quisesse dar isso a entender.

Sinais. É possível que estivessem em mente funções astronômicas (Is 7.11 e 2Rs 20.8-11). Mas outros entendiam que esses eram sinais de condições atmosféricas boas ou más, o tempo próprio para o plantio, para a colheita etc.

Estações. Estão em foco as quatro estações do ano, os ciclos que ocorrem anualmente. O trecho do Salmo 104.19 contém uma afirmação similar.

Dias e anos. Talvez essas palavras indiquem uma extensão da primeira parte do versículo, a questão de dia e noite e dos ciclos normais da vida. Mas aqui os intérpretes judeus viam suas festividades religiosas. Diz o *Targum* de Jonathan: "... e que sirvam de sinais e de tempos das festividades, considerando-se o número de dias e santificando o começo de cada mês...". E Jarchi, por igual modo, interpreta a palavra *estações,* julgando que ela alude às festas solenes que eram regulamentadas pelas estações do ano.

Astrologia. Os povos antigos muito respeitavam o céu, idolatrando-o de várias maneiras. Ademais, acreditavam que os corpos celestes exerciam influências sobre a vida dos homens. Mas essas noções são escarnecidas em trechos como Jeremias 10.2 e Isaías 47.13. Os antigos pais da Igreja pensavam que todos os poderes dessa ordem se tinham prostrado diante do berço do menino Jesus, o Grande Poder que veio suplantar todos os demais poderes. Afinal, astrólogos vieram visitar o menino Jesus. Ver no *Dicionário* sobre *Astrologia.* A mente hebraica reputava os céus como obras dos dedos de Deus, e não como poderes capazes de afetar as vidas humanas. Mas os homens acabaram caindo no ardil de adorarem as forças celestes (Rm 1.25).

A Sacralidade do Tempo. Foi Deus quem trouxe à existência o tempo e as suas vicissitudes. O tempo é sagrado e deve ser respeitado e usado da forma mais vantajosa possível. Deus é o poder por trás do tempo, além de ser o poder que há no tempo. O Natal foi comercializado; a Páscoa passou a girar em torno do coelhinho; os feriados religiosos tornaram-se justificativas para os homens caírem em excessos.

A Grandiosidade da Criação de Deus. Meu artigo sobre *Astronomia* expõe algumas ideias sobre a grandiosidade do mundo criado por Deus. Em meio a essa grandiosidade, está o homem, em torno do qual residem muitos propósitos de Deus. Sem dúvida, esse é um fato significativo. Compare-se isso com o mistério paulino da vontade de Deus (Ef 1.9,10). O destino remoto tem por alvo redundar no bem de todos, porque foi assim que Deus planejou as coisas.

O Sermão Pregado uma Vez por Ano. Certo pastor da Nova Inglaterra (nos Estados Unidos) tinha por hábito pregar um sermão, uma vez por ano, sobre as últimas descobertas da *astronomia*. Alguém objetou a essa prática. Mas o pastor insistiu em que se manter informado sobre esse conhecimento ampliava em muito o seu próprio conceito de Deus. O objetor notou que o pastor estava com a razão, e uma luz brilhou em sua mente. Todo conhecimento, quando corretamente apreendido, faz nossa mente volver-se para Deus. Quanto maior for o nosso conhecimento, mais conheceremos sobre Deus, o qual é a fonte originária de todo conhecimento e de todo saber. A postura anti-intelectual de muitas pessoas religiosas por certo labora em erro. Ver no *Dicionário* o artigo intitulado *Anti-intelectualismo.*

■ 1.15

וַיְהִי־כֵן: וַיְהִי לִמְאוֹרֹת בִּרְקִיעַ הַשָּׁמַיִם לְהָאִיר עַל־הָאָרֶץ

Luzeiros no firmamento. Ver sobre *Firmamento*, no vs. 6. A cosmologia dos hebreus supunha que o firmamento era uma espécie de taça invertida, alguma substância sólida que separava as águas acima (o mar celeste) das águas abaixo (os oceanos e demais depósitos de água, sobre os quais a terra firme flutuaria). Os luzeiros, postos no céu, ou seja, o sol, a lua e as estrelas, seriam corpos luminosos afixados ao lado inferior do firmamento, que pairaria sobre aquela massa sólida. Naturalmente, não faziam ideia da grande imensidão do espaço sideral. Os estudiosos conservadores, que reconhecem esses elementos da cosmogonia dos hebreus, supõem que o autor sagrado aludia aqui a esses luzeiros em um sentido poético, e não literal, e não tentam nenhuma real definição da questão. Os críticos, por sua vez, pensam que o autor sacro promovia uma cosmogonia ultrapassada, devido à falta de melhor entendimento. E também supõem que este versículo contradiz o terceiro, que fala na luz primeva, pois agora o sol e a lua teriam assumido as funções até recentemente atribuídas à Luz, produzindo dias de 24 horas. Com base nisso, supõem que diferentes fontes informativas foram alinhavadas, de maneira um tanto inepta. Seja como for, todos admitem que, em contraste com outros povos antigos, os hebreus não transformavam os corpos celestes em objetos de adoração.

"Nestes versículos do Gênesis acha-se uma das muitas instâncias em que o autor hebreu elevava conceitos instintivos de povos mais antigos a uma fé mais nobre. Para os hebreus, o sol e a lua já não eram forças independentes. Mas também seriam obras da mão do Deus vivo, cuja obra final é o homem" (Walter Russell Bowie, *in loc.*).

Para alumiar a terra. Adam Clark (*in loc.*) supõe que todos os objetos físicos foram criados como lugares de habitação, pelo que, em seus dias (século XVIII), ele pensava que todos os planetas eram habitados, incluindo a lua. Nisso ele estava enganado, embora tivesse entendido quão antropocêntrica é a Bíblia. O autor do Gênesis adianta que os *luzeiros* foram feitos visando ao benefício da terra. Daí podemos extrair uma lição espiritual, embora talvez não uma lição científica. Ver o *Dicionário* sobre o *Teísmo*.

■ 1.16

וַיַּעַשׂ אֱלֹהִים אֶת־שְׁנֵי הַמְּאֹרֹת הַגְּדֹלִים אֶת־הַמָּאוֹר הַגָּדֹל לְמֶמְשֶׁלֶת הַיּוֹם וְאֶת־הַמָּאוֹר הַקָּטֹן לְמֶמְשֶׁלֶת הַלַּיְלָה וְאֵת הַכּוֹכָבִים:

Os dois grandes luzeiros. O vs. 16 é uma elaboração do vs. 15. Os luzeiros são o sol, a lua e as estrelas. Os dois grandes luzeiros (o sol e a lua) governam, respectivamente, o dia e a noite. Ambos visam ao benefício do homem. Mas sua finalidade não era servir de objetos de adoração. O sol era adorado no Egito. Mas em áreas desérticas da Ásia, onde o sol castiga e perturba os homens com os seus raios requeimantes, a lua era favorecida como o poder mais beneficente, e muitos lhe mostravam grande respeito. Os eclipses solares só infundiam o pavor no coração dos homens. Todavia, a lua era temida por alguns como uma entidade prejudicial. O telescópio removeu alguns dos mistérios, o que também tem sido obtido mediante o avanço geral do conhecimento. Mas até hoje os corpos celestes são reputados como realidades temíveis. Pensemos na maravilha da existência de qualquer coisa! O autor do Gênesis não tinha como entender a grandiosidade dos objetos que ele mencionou tão aligeiradamente. A criação é um testemunho da existência, do poder e da benevolência de Deus. A religião natural apoia-se sobre esse fato. Ver o *Dicionário* quanto à *Revelação Natural*.

Estrelas. O nosso sol é apenas uma estrela de grandeza média, mas o autor sagrado não tinha como saber disso. A maravilha do sol é multiplicada por bilhões de vezes nas estrelas. O autor sagrado incluía os planetas em seu termo, *estrelas*. É que ele não antecipava alguma diferença nos dois tipos de luzeiros celestes. Existem bilhões de galáxias, cada qual com seus bilhões de estrelas. Ver o artigo intitulado *Astronomia* quanto a alguns fatos básicos. Os fatos não são frios. Antes, ilustram a majestade de Deus. É a ele que nós oramos. Seu poder foi posto à minha disposição, para meus pequenos interesses e projetos. O poder de Deus faz-se sempre presente, e o bem de todo o destino humano depende disso. Seu poder está sempre presente para o nosso bem.

■ 1.17

וַיִּתֵּן אֹתָם אֱלֹהִים בִּרְקִיעַ הַשָּׁמָיִם לְהָאִיר עַל־הָאָרֶץ:

Este versículo é uma reiteração de itens anteriores. Lemos aqui, novamente, que os luzeiros existem para benefício da "terra", enfatizando o teísmo extremo do autor sacro, bem como sua cosmologia antropocêntrica. Em contraste com isso, no relato babilônico, os deuses se divertiriam em sua habitação acima do firmamento, enquanto na terra imperariam as trevas e o caos. De acordo com o relato do Gênesis, Deus estava preparando o caminho para o homem.

Colocou. Este termo dá a entender um *propósito* divino. O caos estava sendo revertido. Nada foi deixado ao mero acaso. Os pagãos adoravam objetos cujo propósito era servi-los, e não serem servidos por eles (Jó 31.26-28). O homem, em seu desespero, pensa que se acha em uma jornada sem significação. Mas ao contemplar os fatos astronômicos, reconhece instintivamente a mão de Deus em todas as coisas. Deus não é perdido de vista na imensidão de sua criação. Antes, seu poder, bondade e intento benévolo rebrilham através das obras de suas mãos.

Do famoso Hiperion ele fez levantar-se o sol,
e colocou a lua no meio do céu,
revestida de esplendor,
mas com luz muito menor,
Os chefes radiosos do dia
e da noite.

Claudiano, o *Arrebatado Escritor de Prosa*,
traduzido do latim

Hiperion: Um dos titãs, pai do deus-sol Hélios.
Homero chamava Hélios de Hiperion

■ 1.18

וְלִמְשֹׁל בַּיּוֹם וּבַלַּיְלָה וּלְהַבְדִּיל בֵּין הָאוֹר וּבֵין הַחֹשֶׁךְ וַיַּרְא אֱלֹהִים כִּי־טוֹב:

Para governarem o dia e a noite. O vs. 18 continua a repetir itens que já haviam sido mencionados. Neste versículo, agora é o sol e a lua que dividem a luz das trevas, o que, no vs. 4, aparecia como uma das funções da luz primeva. Alguns intérpretes supõem que o aparecimento do sol tenha eliminado a necessidade da luz. Mas outros pensam que a luz, sem importar o que ela fosse, teria sido absorvida pelo sol. O autor sacro não oferece nenhum esclarecimento ou explanação conciliadora. Mas sem importar como tenham sido as coisas, um ponto fica claro: "Os céus proclamam a glória de Deus e o firmamento anuncia as obras das suas mãos" (Sl 19.1).

Isso era bom. Uma afirmação reiterada no fim de cada dia da criação, excetuando o segundo. Ver o comentário sobre a expressão, no vs. 8. O trabalho estava sendo bem-feito, e era benévolo. Nada foi feito ao acaso ou destituído de propósito. Resultados apropriados eram obtidos a cada dia.

1.19

וַיְהִי־עֶרֶב וַיְהִי־בֹקֶר יוֹם רְבִיעִי׃ פ

O quarto dia. A menção à tarde e à manhã, formando um ciclo de 24 horas, põe fim à descrição do quarto dia da criação. Ver o vs. 5 quanto a amplos comentários sobre essa expressão.

O QUINTO DIA (1.20-23)

1.20

וַיֹּאמֶר אֱלֹהִים יִשְׁרְצוּ הַמַּיִם שֶׁרֶץ נֶפֶשׁ חַיָּה וְעוֹף יְעוֹפֵף עַל־הָאָרֶץ עַל־פְּנֵי רְקִיעַ הַשָּׁמָיִם׃

Disse também Deus: Povoem-se as águas de enxames. Sabemos, por experiência própria e por instinto, o quanto dependemos da água. Não pode haver vida sem a água. Este versículo diz, literalmente: "Que as águas enxameiem com enxames", uma expressão que alude à abundância de formas de vida. Alguns estudiosos têm pensado que o autor cria que a própria água fosse uma fonte da vida, dotada de poder criativo ou doador de vida. Ao que parece, porém, o autor estava usando expressões poéticas. Falava em termos bem latos, agrupando peixes e aves. Mas os primeiros pertencem à água; e os segundos ao céu. Por meio de tais classificações, ele tocava em vastíssimos aspectos da criação, inúmeras espécies, maravilhas as mais variegadas. Há cosmogonias antigas que pintam as aves como saídas originariamente do mar, mas não é provável que o autor sagrado tivesse em mente tal conceito.

As Espécies Foram Criadas. Em contraste com a *Evolução* (ver no *Dicionário*), o autor sacro afirma que muitas espécies saíram prontas desde o primeiro momento de sua criação. Desse modo, o autor estava exaltando o poder criador de Deus, com base em sua inteligência e desígnio. Há imensos tesouros nas águas. Alguém já declarou: "Graças a Deus pelos peixes!" Quão grande é toda a indústria que gira em torno desse item isolado da criação de Deus. Rolam bilhões de reais todos os anos. Muitos empregos são assim gerados; um alimento saudável é provido para os homens. E para aumentar ainda mais a nossa admiração, o espaço está repleto de aves. Jesus ensinou que Deus cuida de cada ave, o que mostra que ele cuida de nós ainda mais (Mt 10.29). Alguns dos primeiros discípulos de Jesus eram pescadores. O mar, os rios e os cursos de água testificam o suprimento abundante da graça divina. Os mares agitam-se de vida; o ar também. Assim opera o desígnio de Deus; assim provê a sua graça. Deus preparou o lugar próprio para os peixes, e isso visando ao benefício do homem. Ele também purificou a atmosfera para uso das aves, e deu as aves ao homem, para que ele as contemplasse como parte de sua obra criativa. Plínio pensava em cento e setenta e seis espécies diferentes de peixes, mas na verdade há incontáveis milhares de espécies de peixes. Isso demonstra com clareza o desígnio de Deus. Ver o *Dicionário* quanto ao artigo intitulado *Teleologia*. Declarou Joseph Smith: "A glória de Deus consiste em inteligência". E essa inteligência é ilustrada, de forma suprema, pelo relato da criação.

A Água Espiritual. Convidou Jesus: "Se alguém tem sede, venha a mim e beba" (Jo 7.37). Sim, existe uma água espiritual que opera pela agência do Espírito, e que transmite vida e satisfaz à alma. Ver sobre a metáfora da "água" em Jeremias 2.13; 17.13; Jo 7.37-39; 4.10-13; Salmo 1.3; Isaías 11.3-9; 43.19. Ver no *Dicionário* o artigo intitulado *Água*.

1.21

וַיִּבְרָא אֱלֹהִים אֶת־הַתַּנִּינִם הַגְּדֹלִים וְאֵת כָּל־נֶפֶשׁ הַחַיָּה הָרֹמֶשֶׂת אֲשֶׁר שָׁרְצוּ הַמַּיִם לְמִינֵהֶם וְאֵת כָּל־עוֹף כָּנָף לְמִינֵהוּ וַיַּרְא אֱלֹהִים כִּי־טוֹב׃

Criou, pois, Deus, os grandes animais marinhos. A vastidão da criação: há mais de 500 mil espécies de insetos; há 30 mil espécies de aranhas; há 6 mil espécies de répteis; há 5 mil espécies de mamíferos; há 3 mil espécies de rãs. O autor do Gênesis fornece-nos um breve esboço. Entre os animais marinhos, as baleias nos impressionam com suas dimensões. Outros tipos de animais ele mencionou por meio de grandes generalizações. E repete, "segundo as suas espécies". Isso já foi comentado no vs. 11.

Animais marinhos. Entre eles, é provável que devamos incluir as baleias. Os antigos acreditavam em monstros marinhos mitológicos, mas mesmo à parte dos tais, há um bom número de animais marinhos gigantescos (Sl 74.13; Is 27.1; 51.9; Jó 7.12). Alguns povos antigos adoravam dragões e monstros, mas o autor sacro mostra que eles também são apenas feituras de Deus. Jonathan e Jarchi falaram sobre o leviatã e seu companheiro, em conexão com este versículo. Ver no *Dicionário* o artigo intitulado *Leviatã*. John Gill (*in loc.*) oferece-nos um interessante sumário das crenças dos antigos acerca de gigantescos monstros marinhos e terrestres. Parte desse material é puramente imaginária, mas relatos modernos confirmam o fato de que os oceanos contêm monstros que a ciência ainda não teve oportunidade de classificar. Plínio falava sobre um monstro marinho tão grande que, ao ser tirado para fora da água, ocupou 17.000 m²! Juba afirmou que existem baleias com 183 m de comprimento e 110 m de largura! (Polyhistor. c. 65). As histórias sobre peixes são sempre exageradas.

Isso era bom. A obra criativa era excelente e provia benefícios para o homem.

1.22-23

וַיְבָרֶךְ אֹתָם אֱלֹהִים לֵאמֹר פְּרוּ וּרְבוּ וּמִלְאוּ אֶת־הַמַּיִם בַּיַּמִּים וְהָעוֹף יִרֶב בָּאָרֶץ׃

וַיְהִי־עֶרֶב וַיְהִי־בֹקֶר יוֹם חֲמִישִׁי׃ פ

Sede fecundos, multiplicai-vos. Os animais marinhos e as aves são novamente especificados (como no vs. 20), mas agora é destacada a fertilidade deles. Deus fez provisão para a continuação da vida. De certo modo, o ato criativo é contínuo, por causa de seu poder de autoperpetuação. As provisões de Deus são amplas e *permanentes*. Essa é uma lição espiritual da qual frequentemente nos esquecemos. Assim, nossa fé precisa ser renovada de vez em quando. A vida é um dom de Deus, e a capacidade de continuar vivo e prosperar é uma provisão secundária sua.

Como Deus Cuida das Coisas. Lemos que, certa tardinha, Lutero viu um passarinho encarapitado em uma árvore, ali abrigado para passar a noite. Então ele observou: "Esta avezinha já se alimentou e agora se está preparando para dormir aqui, segura e contente, sem se perturbar sobre qual será seu alimento ou sobre onde se abrigará amanhã. À semelhança de Davi, ela 'descansa à sombra do Onipotente'. Está pousada e contente sobre esse pequeno ramo. Deus cuida dela" (citado em *Daily Strength for Daily Needs*, de Mary W. Tileston).

> Como o galeirão se aninha sobre as plantas aquáticas,
> Eis que farei um ninho sobre a Grandiosidade de Deus.
> Sidney Lanier

Houve tarde e manhã, o quinto dia. Ver o comentário sobre essa expressão, no vs. 5.

CRIAÇÃO DOS SERES VIVENTES (1.24-2.3)

O SEXTO DIA (1.24-31)

1.24

וַיֹּאמֶר אֱלֹהִים תּוֹצֵא הָאָרֶץ נֶפֶשׁ חַיָּה לְמִינָהּ בְּהֵמָה וָרֶמֶשׂ וְחַיְתוֹ־אֶרֶץ לְמִינָהּ וַיְהִי־כֵן׃

Vss. 24-31. O dia culminante da criação foi descrito com maiores riquezas de detalhes que todo o resto. Passamos do mar para a terra. Assim como os mares produziram os animais marinhos, assim a terra produziu os mamíferos e o homem. Essa produção, no caso dos animais inferiores, pode ser uma alusão ao fato de que os animais precisam da vegetação que encobre a terra, para dela alimentarem-se e assim sobreviverem. Ou então, como outros supõem, tal como Deus criou o homem do pó literal da terra, assim fez também no caso dos animais, embora seu *modus operandi*, no caso deles, não seja descrito. As cosmologias antigas, como é óbvio, pintam os deuses a criar os animais formados do barro, tal como o oleiro usa a argila para a produção de seus vasos. Alguns eruditos conservadores defendem a criação a partir da ideia do barro. Mas outros tomam essas palavras em um sentido poético e simbólico. Os críticos meramente atribuem a descrição toda a antigas cosmogonias ultrapassadas. Algumas dessas cosmogonias falavam em *geração espontânea,* a partir da terra, mas no relato do Gênesis a palavra dita por Deus está por detrás de cada ato criativo. Alguns estudiosos pensam que é melhor confessar que não sabemos qual foi o *modus operandi* dessa fase da criação.

Classificações. Prosseguindo em suas mui latas classificações, o autor sacro contentou-se em falar sobre animais terrestres divididos em apenas três classes: animais domésticos; répteis, que incluiriam os insetos; e animais selváticos, que são as feras que não podem ser domesticadas, incluindo os que caçam e matam para se alimentar.

■ 1.25

וַיַּעַשׂ אֱלֹהִים אֶת־חַיַּת הָאָרֶץ לְמִינָהּ וְאֶת־הַבְּהֵמָה לְמִינָהּ וְאֵת כָּל־רֶמֶשׂ הָאֲדָמָה לְמִינֵהוּ וַיַּרְא אֱלֹהִים כִּי־טוֹב׃

E fez Deus os animais selváticos. Este versículo reitera os elementos já mencionados, embora desprezando, sem propósito aparente, a menção aos "animais domésticos". *Conforme a sua espécie* é frase de novo repetida, a qual já comentamos no vs. 11.

Isso era bom. Isso é dito acerca de todos os dias da criação, excetuando o segundo, vs. 8. A tarefa foi bem-feita, em sua beleza e estrutura. Ficou assim demonstrada a benevolência de Deus, como tudo visava ao bem do homem, por amor de quem todas as coisas foram criadas, em consonância com o teísmo extremado do autor sagrado. Não é dito que Deus "abençoou" os animais, conforme fizera com os peixes (vs. 22), mas devemos entender que a bênção e a bondade de Deus envolveram a totalidade de sua criação. Geralmente, os intérpretes exploram essas omissões.

Cada coisa tem seu papel dentro da criação de Deus. Sua criação era "boa". Cada animal desempenha sua parte. Coisa alguma ficou relegada ao mero acaso. Os modernos estudos ecológicos afirmam algo da bondade do bem-equilibrado desígnio de Deus. Ver o artigo *Teleologia.*

A CRIAÇÃO DO HOMEM (1.26-31)

Embora façam parte do ato criativo do sexto dia, estes versículos formam uma seção toda própria, assinalando o ponto culminante de um trabalho bem-feito. O pronunciado teísmo do autor sagrado levou-o a crer que a própria criação física veio à existência *visando ao bem do homem.* Os propósitos da criação incluem o fato de que, dentre a criação física, deverá emergir a criação espiritual. Isso é enfatizado no vs. 26, onde o homem é visto como quem foi feito *à imagem de Deus,* algo jamais dito no tocante aos animais irracionais. Paulo toma esse mesmo tema em um sentido mais elevado, informando-nos que faz parte do destino dos salvos serem conformados à *imagem do Filho,* transformação espiritual essa que é a própria essência da salvação. Destarte, o homem passa a participar da natureza divina (2Pe 1.4). Isso posto, o vs. 26 aponta para 2Pedro 1.4; e Romanos 8.29 mostra-nos o *modus operandi* da exaltada operação espiritual de Deus sobre o homem. Ver também 1João 3.2. Assim, Gênesis 1.26 abre a primeira janela bíblica para essa exaltada doutrina. Coube a Paulo fornecer-nos mais detalhes. A salvação, pois, consiste em uma eterna progressão. Visto que é impossível que o homem venha a obter totalmente a imagem e a natureza divina, deverá haver um perene processo de transformação, que se moverá sempre nessa direção. O finito será cheio com o Infinito. Mas visto que esse enchimento será potencialmente infinito, haverá um enchimento eterno. Comentei longamente sobre esse conceito na *Enciclopédia de Bíblia, Teologia e Filosofia,* no artigo intitulado *Transformação Segundo a Imagem de Cristo,* vol. VI, págs. 603 ss. Pessoalmente, aceito a questão em seu sentido mais literal. O homem virá a participar da natureza divina, não metaforicamente apenas, mas realmente. Sempre em um sentido finito, mas real. O finito continuará a aproximar-se para sempre do infinito: por conseguinte, a salvação é um processo eterno, e não um único acontecimento momentâneo. Ver sobre a *Criação,* quarta seção, que fala sobre os *propósitos* da criação.

■ 1.26

וַיֹּאמֶר אֱלֹהִים נַעֲשֶׂה אָדָם בְּצַלְמֵנוּ כִּדְמוּתֵנוּ וְיִרְדּוּ בִדְגַת הַיָּם וּבְעוֹף הַשָּׁמַיִם וּבַבְּהֵמָה וּבְכָל־הָאָרֶץ וּבְכָל־הָרֶמֶשׂ הָרֹמֵשׂ עַל־הָאָרֶץ׃

Também disse Deus: Façamos o homem. A primeira pessoa no plural, "nós" (subentendido), tem sido interpretada de vários modos:

1. Os críticos opinam que o autor sagrado voltou a uma terminologia politeística, se não a noções politeístas. No épico babilônico da criação, Marduque, antes de criar o homem, envolveu Ea em seu desígnio. As cosmogonias antigas sempre envolveram *deuses.*
2. Outros pensam que esse "nós" alude ao plural, Elohim, no vs. 1, supondo que temos aqui o plural de majestade ou magnificação, que nada teria a ver com "deuses" ou outros poderes criadores em potencial.
3. Aqui, tal como no vs. 1, o *nós,* para certos teólogos cristãos, torna-se uma referência trinitariana. Ver os comentários sobre *Elohim,* no vs. 1, que esclarecem essa questão.
4. Outros supõem que os *anjos,* que também são chamados *elohim* no texto hebraico, estejam envolvidos na questão, como agentes da criação. É provável que os anjos (quando delegados por Deus) exerçam poderes criativos; mas não é provável que o autor sacro tivesse isso em mente ao usar a primeira pessoa do plural. Teólogos judeus posteriores apegam-se a essa interpretação do versículo.
5. Ou então, a exemplo de Salmo 43.3; 89.14 e 147.18, temos aqui uma espécie de hipostatização dos atributos divinos, o que nos fornece uma pluralidade.
6. Ou ainda, temos aqui apenas um *nós* editorial, sem nenhum sentido especial.
7. Maimônides brinda-nos com a curiosa ideia de que Deus tomou conselho com a terra, que haveria de suprir o corpo físico do homem. Mas Isaías 40.13 ensina que Deus só toma conselho consigo mesmo.

Cf. com Jó 35.6; Salmo 149.2 e Eclesiastes 12.1, trechos que, no hebraico, mencionam criadores, no plural.

À nossa imagem. Os animais foram criados "conforme a sua espécie". Mas o homem foi criado "conforme a espécie de Deus", ou seja, de acordo com a sua natureza, o que prevê a final participação do homem na natureza divina. Esse é o nosso mais elevado conceito religioso. Paulo foi quem o desenvolveu. Há muitos mistérios ligados a ele. A imagem (no hebraico, *selem*) fala sobre a imagem mental, moral e espiritual de Deus. O homem veio à existência compartilhando de algo da natureza divina; e em Cristo, essa imagem é grandemente fomentada, a ponto de os salvos virem a compartilhar da natureza divina, em um sentido finito, mas real. Os atributos de Deus como sua veracidade, sabedoria, amor, santidade e justiça passam a ser atributos dos salvos, posto que parcialmente. Isso eleva o homem muito acima do reino animal.

Entretanto, alguns críticos não creem que, em data tão recuada, os hebreus tivessem o conceito de um Deus imaterial, ou de uma alma imaterial. Há referências materialísticas a Deus (Êx 33.20-23; Sl 119.73; Is 60.13) que os críticos aceitam em sentido literal, embora outros vejam nisso um sentido metafórico e antropomórfico. Curiosamente, o mormonismo assevera a materialidade de Deus, embora definida como de espécie superior àquela que conhecemos na experiência diária. Mas parece que, mediante inspiração, o autor sagrado foi além disso. Participar da imagem de Deus é compartilhar de sua imaterialidade.

Uma Participação Trina? Certamente o homem é corpo, alma e espírito, tal como Deus é trino: Pai, Filho e Espírito Santo. Mas é um exagero cristão pensar que essa ideia esteja implícita aqui.

Deus Está Sempre Próximo. Constitui grande consolo sermos chamados filhos de Deus. Eternidade e segurança residem nessa assertiva. Nossa fé é fraca, mas as realidades de Deus servem de âncora para nossas almas. A vida reserva para nós tragédias e vicissitudes aparentemente sem sentido. Coisa alguma, de fato, pode abalar a um filho de Deus, embora sua fé possa hesitar. Conta-se a história de uma menininha que não conseguia dormir sem a presença de sua mãe. A mãe deu-lhe uma boneca para que dormisse com ela, e também lhe garantiu que Deus está sempre por perto. No entanto, a menininha disse: "Sei que tenho minha boneca e que Deus está comigo, mas quero alguém com *cara de carne".* Em nossa fraqueza, buscamos rostos de carne. O Pai alegra-nos com muitos benefícios. Mas o mais real benefício é a sua presença conosco. Isso garante um bom resultado para a vida de todos os dias.

Que Dizer sobre a Alma? Os teólogos históricos judeus afirmam que o conceito de uma alma imaterial não surgiu no pensamento hebraico senão já na época dos Salmos e dos Profetas. E mesmo ali o conceito nem sempre é claro. É verdade que a lei mosaica nunca prometeu a vida eterna aos bons, nem a condenação eterna aos maus. As doutrinas do céu e do inferno não emergem daquela coletânea. Existem seres imateriais (Gn 16.7,9,10; Êx 3.2; Nm 20.16; 22.22), a saber, os anjos. Os críticos, porém, negam que, naquele tempo, a imaterialidade fosse atribuída aos anjos. No épico babilônico da criação, foi copiada a *imagem mental* de um deus, a qual se tornou o homem. Mas naquele hino épico não temos um deus imaterial.

Implicações da Expressão Imagem de Deus. Se a fé dos hebreus, em seus primeiros anos, não incluía a ideia de uma alma imaterial, estou supondo que esse conceito fazia parte necessária do sentido da expressão *imagem de Deus*. Também estou supondo que esse conceito ultrapassava a compreensão pessoal do autor sobre a questão. Faz parte da experiência humana comum que as ideias de inspiração e de criação vão além dos tesouros ou expectativas cerebrais do indivíduo. O conceito de o homem compartilhar da *imagem* de Deus foi uma ideia criativa. A noção entrou aqui, embora não tenha sido desenvolvida durante o período patriarcal.

Imagem de Deus, o Homem como. Ver o artigo separado sobre *Imagem de Deus, Cristo Como.* Ao participar da imagem de Cristo (Rm 8.29; 2Co 3.18), o homem remido chega a participar da natureza divina. Visto que tanto o homem quanto Cristo compartilham da natureza divina, esse é o *modus operandi* pelo qual Cristo e os remidos compartilham da mesma essência de ser e têm comunhão um com o outro.

ESBOÇO

I. Referências Bíblicas
II. Problemas Teológicos Envolvidos no Homem como Imagem de Deus
III. O Destino do Homem como Imagem de Deus

I. Referências Bíblicas

É expressamente afirmado, em Gênesis 1.26,27, que o homem foi criado à imagem de Deus. Em Gênesis 5.1-3 aprendemos que o homem tem a semelhança de Deus, e que a sua descendência também a tem. A injunção contra o homicídio foi feita com base no fato de que uma criatura que tem a dignidade de possuir a imagem de Deus não pode ser tratada dessa maneira. O trecho do Salmo 8.5 não usa a palavra "imagem", mas refere-se à mesma verdade, ao enfatizar a dignidade humana. O trecho de 1Coríntios 11.7 aceita o fraseado de Gênesis, ao declarar o homem ser "imagem e glória de Deus". Em um sentido muito mais profundo, Cristo é a imagem de Deus, porquanto traz a estampa mesma de sua natureza (Hb 1.3); mas ao ser remido, o homem chega a compartilhar da imagem de Deus, dessa maneira (Rm 8.29; 2Co 3.18). O trecho de João 17.21 não usa a palavra "imagem", mas ressalta a unidade formada por Deus Pai, Deus Filho e os filhos de Deus. Na regeneração, o homem é revestido de uma nova natureza, criada segundo a semelhança de Deus (Ef 4.24). Lemos na nossa versão portuguesa: "criado segundo Deus", o que corresponde exatamente ao que diz o texto original grego, onde não aparece o vocábulo específico "imagem", embora a ideia esteja ali contida. Cristo é a perfeita imagem de Deus (Cl 1.15), e, na redenção, o homem passa a participar da imagem do último Adão (Cristo), embora ainda retendo a imagem do primeiro Adão (1Co 15.45-49). Desnecessário é dizer, os teólogos não concordam quanto ao que está exatamente implicado nessas declarações, o que é discutido na segunda seção, abaixo.

II. Problemas Teológicos Envolvidos no Homem como Imagem de Deus

1. Essa imagem é concreta ou espiritual?
2. Qual é a condição metafísica da imagem dada ao homem?
3. Qual é a futura condição metafísica dessa imagem?
4. Até que ponto a queda no pecado maculou (ou apagou) essa imagem?

Essas são as importantes indagações que têm suscitado muitos debates entre os teólogos e estudiosos, que passaremos a responder:

1. Essa imagem é concreta ou espiritual?

Em primeiro lugar, deveríamos dizer que as discussões sobre os termos hebraicos e gregos envolvidos não nos ajudam muito a entender a questão. As palavras são por demais plásticas e ambíguas para que nos deem sempre indicações precisas. O termo grego *eikon*, por exemplo (que é o termo grego comum para "imagem"), quando se refere a um ídolo, necessariamente significa uma *representação*, de acordo com a qual a imagem não participa da natureza da divindade representada. Mas quando Cristo é chamado de *eikon de Deus* (Cl 1.15), é difícil supor que isso não envolva uma participação real na natureza de Deus. Por igual modo, em Romanos 8.29 e 2Coríntios 3.18, é difícil pensarmos que o texto não requer a ideia de participação na natureza essencial, em que os remidos assumem a natureza do Filho de Deus. Porém, não podemos provar isso meramente apelando para a palavra grega *eikon*. Chegamos a esse pensamento por meios interpretativos, e não mediante definição de palavras.

Sabemos que o idioma hebraico usava mais termos concretos. No Antigo Testamento há muitas declarações sobre Deus, de natureza antropomórfica. Se as considerarmos literalmente, então obteremos a ideia de um mero super-homem. No entanto, João 4.24 lembra-nos de que Deus é "espírito"; e isso nos permite entender que todas as descrições bíblicas de Deus são simbólicas, não revelando, realmente, a natureza do seu ser. As experiências e as pesquisas têm mostrado a realidade do espírito, em contraste com a matéria; mas até agora, não se conseguiu nenhuma descrição da essência de um espírito. Nem a teologia nem a ciência conseguiram ainda chegar a esse ponto. Penso que chegamos mais perto da verdade supondo que, quando o homem foi criado à imagem de Deus, não devemos pensar em modalidade de imagem física (de aparência de ser), como se o homem duplicasse, ainda que imperfeitamente, o formato de Deus. Antes, devemos abandonar toda ideia concreta, material, sólida. Apesar de o homem fazer parte da natureza, porquanto o seu corpo até foi feito do pó da terra (Gn 2.7), além do que compartilha de certos aspectos da vida animal (Gn 18.27; Jó 19.8,9; Sl 103.14; Ec 3.19,20), ele também foi criado à imagem de Deus (Gn 1.27). Porém, o que significa isso?

a. Os *mórmons* supõem que haja alguma participação literal em uma suposta natureza *material* de Deus, explicando que o *espírito* é apenas uma forma de matéria superior, mais refinada. Eles pensam, outrossim, que Deus tem um corpo físico, de conformidade com o qual o homem teria sido criado e moldado. Não é mesmo impossível que o autor original do livro de Gênesis, em sua teologia primitiva expressa em termos fortemente antropomórficos, tivesse concebido algo semelhante a isso. Porém, o trecho de João 4.24 nos leva para longe dessa maneira de pensar. Essa ideia é por demais concreta, por demais crassa para representar Deus, e para representar de que modo o homem participa de sua natureza.

b. Alguns teólogos têm procurado chegar por esse prisma à ideia trinitária. Visto que Deus é um ser trino, então o homem, criado segundo a sua imagem, também possui uma natureza trina, composta de corpo físico (a parte material), de alma (propriedades de consciência do mundo, mas não inclinadas para as coisas divinas) e de espírito (natureza espiritual, semelhante à de Deus). Essa ideia contém certo elemento de verdade; mas poucos eruditos supõem que a palavra hebraica *elohim* tenha sido usada para antecipar alguma explicação trinitária de Deus. Certamente isso seria estranho à teologia dos hebreus. Os teólogos, às vezes, injetam ideias teológicas posteriores (parcialmente baseadas no Novo Testamento) nos ensinos do Antigo Testamento; mas fazendo isso, erram.

c. Parece melhor entender que o homem foi criado segundo a imagem moral de Deus, incluindo aspectos racionais e espirituais. Isso confere uma interpretação espiritual à questão.

2. Qual é a condição metafísica da imagem dada ao homem?

Quando Deus criou o homem, insuflou nele algo de sua própria natureza; de tal modo, o homem recebeu algo da essência divina? Alguns respondem que sim, e outros, que não. A ideia da *faísca divina* requer alguma forma de participação na essência divina. O estoicismo e sua doutrina das emanações do Logos, o Fogo eterno, necessariamente pensavam no homem como um real participante da substância ou essência de Deus. Qualquer teoria de emanação (ou panteísta) requer essa ideia. Quase todos os teólogos judeus e cristãos têm relutado em ver qualquer participação real do homem na essência divina, preferindo usar termos como *semelhança, aparência* etc. O homem teria sido criado *parecido com Deus*, embora sem a natureza essencial de Deus, em qualquer sentido real. Essa semelhança, em seguida, é explicada em termos de qualidades ou atributos morais, racionais e espirituais, e nunca em termos de natureza essencial.

3. **Qual é a futura condição metafísica dessa imagem?**
Prossegue o mesmo debate. Alguns supõem que o fato de o homem poder obter a imagem de Cristo (Rm 8.29; 2Co 3.18) significa apenas um grande avanço na espiritualidade e na forma de vida, embora não uma participação real na essência divina. Porém, os trechos de Efésios 3.19 e Colossenses 2.9,10 tanto falam sobre a participação na *plenitude de Deus* quanto parecem indicar que participaremos dessa plenitude *da mesma maneira* em que Cristo dela participa. E há trechos que parecem requerer uma real participação na essência divina, como o de 2Pedro 1.4, que diz diretamente que os remidos chegarão a receber a natureza divina. Nesse caso, a salvação consiste em chegar a participar da natureza de Deus, posto que em dimensões finitas e secundárias, ainda que *reais*. E esse é o mais elevado conceito espiritual que nos foi revelado na Bíblia. Tornamo-nos, literalmente, filhos de Deus, moldados segundo o modelo do *Filho de Deus*, Jesus Cristo.

4. **Até que ponto a queda no pecado maculou (ou apagou) essa imagem?**
   a. *Muitos eruditos liberais* não levam essa questão a sério. Eles creem que os homens tateiam em busca de Deus, usando todo o tipo de linguagem e metáfora que, na verdade, não nos transmite a verdade. Eles supõem que argumentos sofisticados sobre essas questões, com suas inevitáveis distorções de palavras e distinções exageradas, não nos dizem muita coisa. Porém, creem que deveríamos assumir uma atitude otimista. Deus, como Pai amoroso, fonte de toda vida e existência, é generoso para com o homem. Creem que o homem, apesar da queda (sem importar o que entendam com isso e sem importar quando tenha tido lugar, originalmente), é dotado de uma natureza moral positiva, que realmente é capaz de buscar e achar a Deus. Quase todos os estudiosos liberais procuram evitar o calvinismo extremado que transforma o homem em um verme que não pode olhar para cima, para Deus, sem assistência especial do Espírito Santo.
   b. *Muitos eruditos conservadores*, porém, tomam um ponto de vista pessimista supondo que o homem não tem nenhuma capacidade de buscar a Deus sem a ajuda divina. Dentro do calvinismo, essa ajuda é dada para salvar apenas alguns poucos.
   c. A *fagulha divina* é uma ideia que afirma que a natureza divina está no homem, e que os seus próprios esforços são capazes de atiçar essa fagulha, com a ajuda de estímulos externos, levando o homem a buscar e encontrar Deus, sem a necessidade de uma intervenção radical da parte de Deus.
   d. O *arminianismo* concorda com a depravação humana; mas seus advogados acreditam que, na cruz do Calvário, foi distribuída uma graça geral, com o resultado de que todos os homens são agora capazes de buscar a Deus, inteiramente à parte da suposta intervenção divina, que elegeu alguns poucos. A cruz já seria essa intervenção divina. Talvez pudéssemos dizer que a cruz *garantiu* a integridade da imagem de Deus no homem; ou então, talvez a cruz tenha restaurado essa imagem no homem, inteiramente à parte da redenção. Ambas as ideias são defendidas pelos teólogos.
   e. Os *teólogos da Idade Média* supunham que o homem, antes da queda, além de trazer a imagem de Deus, também tinha o *donum superadditum*, isto é, capacidades sobrenaturais. Por ocasião da queda, é de se presumir, o homem perdeu essas capacidades, embora retendo a imagem de Deus. Essa imagem existe no homem e consiste em sua boa vontade natural, em sua moralidade e em seu amor.
   f. *Lutero* acreditava que o homem perdeu a imagem de Deus por ocasião da queda. Portanto, se um homem tem boa vontade, bons impulsos morais e o espírito de amor, isso é porque essas virtudes lhe foram restauradas na regeneração. *Calvino*, naturalmente, concordava com isso.
   g. *Alguns reformadores*, porém, pensavam que essa era uma ideia extremada. Eles falavam em termos de uma imagem borrada, embora restante em todos os homens em graus diversos. A imagem de Deus, no homem, teria sido deformada, e não perdida. Embora deformada, ainda assim pode inspirar o homem a buscar a Deus, sem a intervenção divina da eleição específica.
   h. *Karl Barth* aludia à imagem de Deus em termos de relação do que existe e pode ser criado, e não em termos de qualidades inerentes. Deus, como um Ser trino, tem um relacionamento inerente e essencial com seu próprio ser. Quando ao homem foi dada a mulher, ele aprendeu algo da importância dos relacionamentos pessoais. O homem é capaz de entrar em relação de pacto com Deus. Deus prometeu ligar o homem a si mesmo, nesse pacto. Em Cristo, a *imago* se torna manifesta quando Cristo chama a Noiva (a Igreja) para si mesmo. Logo, para vermos a verdadeira imagem de Deus, devemos olhar não para o indivíduo isolado, e, sim, para Jesus Cristo e a sua congregação (imagem), onde encontramos a concretização da imagem de Deus. Assim entendemos algo do que Deus é e do que ele faz.
   i. *Brunner* dizia que Deus tem sua imagem *refletida* no homem, e não em termos de como o homem, como um ser, é possuidor das qualidades divinas. Os discípulos de Cristo deveriam preocupar-se em como refletem a imagem de Deus, pois nisso consistiria o verdadeiro discipulado. Desse modo, Brunner emprestou um sentido essencialmente *moral* ao termo "imagem", evitando assim quaisquer explicações metafísicas.
   j. A *teologia católica romana* afirma que foi impossível destruir a imagem de Deus no homem, porquanto isso envolve *o que o homem é*, em sua substância. Se a imagem de Deus tivesse sido destruída na queda, então o próprio homem teria deixado de existir. Assim, a imagem de Deus continua no homem, embora ele precise ser ajudado pelos meios da graça, ministrados através da Igreja (incluindo os sacramentos), para que chegue a fruir sob a forma de redenção. Mas, visto possuir verdadeiramente a imagem de Deus, o homem pode buscar a Deus, sem nenhuma intervenção divina. Por essa razão, a teologia natural seria válida, e não somente a teologia sobrenatural, ou revelada. O homem poderia ser levado por Deus ao conhecimento dele, mediante a razão e a natureza.
   k. A *teoria da evolução*. Aqueles que creem na evolução *teísta* pensam que os teólogos têm posto a carroça diante dos bois. Segundo eles, o homem começou como um animal selvagem, e desde então vem evoluindo, e não involuindo. E continua a evoluir, por causa de meios naturais e porque Deus o ajuda a fazê-lo, através de ensinamentos espirituais. Desse modo, a imagem de Deus *está sendo formada* no homem. O homem não a perdeu subitamente, em algum ponto remoto do tempo.

III. O Destino do Homem como Imagem de Deus

Como é patente, a salvação é algo que ultrapassa as condições de perdão dos pecados e da mudança para o céu, algum dia. Envolve mais o que sucede ao indivíduo, em sua evolução espiritual. Também é claro que o Novo Testamento promete aos homens a participação na imagem de Cristo (Rm 8.29), mediante um processo gradual no qual o Espírito o conduz de um estágio de glória para outro (2Co 3.18). Esse processo será eterno. Visto que há uma infinitude com que seremos cheios, também deve haver um enchimento infinito. Chegaremos a compartilhar de toda a plenitude de Deus (Ef 3.19), tal como o próprio Filho a possui (Cl 2.9,10). Alguns teólogos interpretam metaforicamente, e não literalmente, esses trechos bíblicos. Eles supõem estar em foco algum elevado e misterioso progresso espiritual, mas negam qualquer participação real na natureza divina. Quanto a nós, autor e tradutor deste comentário, cremos que esses versículos ensinam uma participação real — posto que secundária e finita — na divindade, de tal modo que os filhos de Deus vão adquirindo a própria natureza do Filho de Deus. Quanto a uma completa declaração sobre esta doutrina, ver o artigo intitulado *Transformação Segundo a Imagem de Cristo*. Ver na *Enciclopédia de Bíblia, Teologia e Filosofia* os artigos *Divindade, Participação na, pelos Homens* e *Salvação*.

■ **1.27**

וַיִּבְרָא אֱלֹהִים אֶת־הָאָדָם בְּצַלְמוֹ בְּצֶלֶם אֱלֹהִים
בָּרָא אֹתוֹ זָכָר וּנְקֵבָה בָּרָא אֹתָם׃

Criou Deus, pois, o homem à sua imagem. Temos aí o nosso mais elevado conceito religioso, o qual descrevi com detalhe no artigo no fim do vs. 26. Ver no *Dicionário* o artigo intitulado *Alma*.

O Homem Concebe Deus Conforme a Sua Imagem. Em suas muitas religiões e denominações, o homem cria um Deus segundo a sua própria imagem humana. Os muitos "deuses" concebidos pelo homem são realmente pequenos. Ver no *Dicionário* o artigo intitulado *Antropomorfismo*.

A Evolução e a Alma. A maior parte dos advogados da evolução não acha lugar para a alma. Pensam apenas em termos do corpo físico, e, para eles, *nisso* consiste o homem total. Alguns poucos, contudo, como McTaggart, presumem que o mais exaltado produto do processo da evolução é a alma. Todavia, eles formam uma minoria. Se Gênesis 1.26,27 nada ensinam sobre a alma, então nem o primeiro capítulo do Gênesis nem a evolução falam sobre o homem real, a alma imortal, conforme *nós o conhecemos* com nosso avançado conhecimento. Ver no *Dicionário* o artigo intitulado *Evolução*. A pessoa espiritual, no entanto, pode ter percepções que vão além de seu próprio tesouro de conhecimentos. Estou supondo que isso foi o que sucedeu à doutrina da *imagem de Deus*.

TRANSFORMAÇÃO À IMAGEM DIVINA

O Ato Criativo

Criou Deus, pois, o homem à sua imagem, à imagem de Deus o criou.

Gênesis 1.27

O Ato Redentor-Glorificador

... os predestinou para serem conformes à imagem de seu Filho, a fim de que ele seja o primogênito entre muitos irmãos.

Romanos 8.29

E todos nós com o rosto desvendado, contemplando, como por espelho, a glória do Senhor, somos transformados de glória em glória, na sua própria imagem, como pelo Senhor, o Espírito.

2Coríntios 3.18

PARTICIPAÇÃO NA NATUREZA DIVINA

Pelas quais nos têm sido doadas as suas preciosas e mui grandes promessas para que por elas vos torneis co-participantes da natureza divina...

2Pedro 1.4

Amados, agora somos filhos de Deus, e ainda não se manifestou o que havemos de ser. Sabemos que, quando ele se manifestar, seremos semelhantes a ele; porque havemos de vê-lo como ele é.

1João 3.2

A participação da alma humana transformada na divindade é, e sempre será, finita, embora perfeitamente real. Esta participação sempre aumentará, porque a própria glorificação nunca pode entrar em um estado estagnado; ela é um processo eterno, não um ato de uma vez só. Eis o grande alvo da vida humana! A Cabeça e o corpo devem participar da mesma natureza. Existindo uma infinidade com que a alma deve ser preenchida, deve existir também um enchimento infinito.

Homem e mulher os criou. Não vemos aqui os detalhes do ato criativo da mulher, que só figuram em Gênesis 2.4 ss. Alguns estudiosos insistem em que os dois relatos foram escritos em dois tipos históricos de hebraico, o que refletiria diferentes fontes. Nesse caso, algum editor reuniu esses informes, como se o segundo fosse uma espécie de suplemento do primeiro. Alguns intérpretes judeus afirmam, de modo muito absurdo, que a criação *original* (Gn 1) foi um ser hermafrodita, homem e mulher ao mesmo tempo, dois corpos, criados costa com costa. Mas a maioria dos estudiosos prefere pensar que o segundo relato suplementa o primeiro, conforme diz o ponto de vista conservador. Os críticos atribuem o segundo relato à fonte J, ao passo que o primeiro capítulo do Gênesis é atribuído à fonte P (S). Ver no *Dicionário* o artigo *J.E.D.P.(S.)*, quanto à teoria das várias fontes.

PRIMEIRA DISPENSAÇÃO: INOCÊNCIA (1.28—3.24)

Ver no *Dicionário* o artigo intitulado *Dispensação (Dispensacionalismo)*.

■ **1.28**

וַיְבָרֶךְ אֹתָם֮ אֱלֹהִים֒ וַיֹּ֨אמֶר לָהֶ֜ם אֱלֹהִ֗ים פְּר֥וּ וּרְב֛וּ וּמִלְא֥וּ אֶת־הָאָ֖רֶץ וְכִבְשֻׁ֑הָ וּרְד֞וּ בִּדְגַ֤ת הַיָּם֙ וּבְע֣וֹף הַשָּׁמַ֔יִם וּבְכָל־חַיָּ֖ה הָֽרֹמֶ֥שֶׂת עַל־הָאָֽרֶץ׃

O Pacto Edênico. Esse pacto condicionava a vida do homem em seu estado de inocência. Ele tinha a responsabilidade de reproduzir-se, de subjugar a terra e de obedecer à palavra de Deus, a fim de que não viesse a morrer. No *Dicionário* ver o artigo intitulado *Pactos*. Há oito desses pactos ou dispensações.

E Deus os abençoou, e lhes disse: Sede fecundos, multiplicai-vos. Tal como no caso dos animais, era mister a propagação do gênero humano. Foram dados poderes de procriação ao homem; a fertilidade foi-lhe assegurada por decreto divino. O autor sacro aparentemente quis dar a entender que somente mais tarde o homem e a mulher receberam a consciência sexual, em razão da queda (cap. 2). A vida do homem era abençoada no mais alto grau, e não só no que dizia respeito à procriação. A vida do homem é abençoada porque Deus se importa com ele; há uma provisão divina; o amor flui; o bem-estar faz parte do decreto divino.

A Ordem para Multiplicar-se. Até ali, a procriação era uma potencialidade. Alguns intérpretes extrapolam isso até aos tempos modernos, crendo que não deveria haver casais sem filhos. Alguns (como os mórmons) chegam a insistir sobre a obrigação quanto ao próprio casamento. Mas, segundo penso, essas duas ideias exageram o texto sagrado. Seja como for, o matrimônio aparece neste texto como uma ordenança e uma instituição divina. Que todos os homens e mulheres *devam* reproduzir-se é uma posição exagerada e anacrônica. A multiplicação da raça é necessária para que se cumpra o plano de Deus na criação. Porém, já havendo seis bilhões de pessoas em nosso planeta, não é mister insistir em que todas as pessoas participem de uma contínua multiplicação. Dentre a criação física, haverá de emanar uma criação espiritual, segundo os vs. 26 e 27 sem dúvida dão a entender.

Dominai. O homem é uma criatura fraca, mas a sua inteligência lhe permite dominar o seu meio ambiente, como também dominar e amansar, até certo ponto, os animais irracionais. Isso aparece como um poder dado por Deus, que o homem *deveria* exercer. A ciência, pois, tem feito bem em promover toda espécie de conhecimento e poder.

O Grande Avanço do Homem. Apesar de sua queda e degradação, é simplesmente espetacular como o homem tem progredido no conhecimento científico. Vivemos em um período de estupendo progresso. A bênção de Deus está em tudo isso. O homem foi criado como um ser dotado de natureza tal que ele pode realizar essas coisas, e todas as atividades que fazem parte desse progresso foram determinadas e abençoadas por Deus.

■ **1.29**

וַיֹּ֣אמֶר אֱלֹהִ֗ים הִנֵּה֩ נָתַ֨תִּי לָכֶ֜ם אֶת־כָּל־עֵ֣שֶׂב ׀ זֹרֵ֣עַ זֶ֗רַע אֲשֶׁר֙ עַל־פְּנֵ֣י כָל־הָאָ֔רֶץ וְאֶת־כָּל־הָעֵ֛ץ אֲשֶׁר־בּ֥וֹ פְרִי־עֵ֖ץ זֹרֵ֣עַ זָ֑רַע לָכֶ֥ם יִֽהְיֶ֖ה לְאָכְלָֽה׃

Eis que vos tenho dado todas as ervas... e todas as árvores em que há fruto.

Vegetarianismo? O homem tira vantagem da provisão divina da vida vegetal. Isso faz parte de sua herança divina. Visto que o versículo não menciona especificamente a carne dos animais, alguns estudiosos têm pensado que este versículo determina uma dieta vegetariana para o homem. Nesse caso, o domínio do homem sobre os animais (vs. 26) não inclui o uso deles em sua alimentação. A fim de reforçarem sua interpretação vegetariana, alguns estudiosos frisam que em outras antigas cosmologias, como aquelas dos persas e dos greco-romanos, supunha-se ter havido antes uma era áurea quando os homens estavam em paz com o reino animal, não se utilizando de animais para se alimentarem. Presumivelmente, a história do jardim do Éden (Gn 2.18-20) reflete aquelas antigas tradições. Ver Isaías 11.6-8; 65.2 e Oseias 2.18 quanto a ideias similares. Outros intérpretes pensam que a omissão de animais como alimentos, neste ponto, foi meramente incidental, sem nenhum propósito básico. John Gill fala sobre intérpretes judeus que supunham que os antediluvianos eram vegetarianos, e que esse regime alimentar tinha por finalidade não pôr em risco as espécies animais, que se estavam multiplicando. O *Targum Bab. Sanhedrin*, fol. 59.2, confirma a interpretação em favor do vegetarianismo do homem primitivo, mas que, a começar pelos filhos de Noé, essa proibição foi suspensa. Alguns pensam que, enquanto o pecado não entrou no mundo, não havia nenhum caso de morte, humana ou animal, o que indica, naturalmente, que não eram abatidos animais para fins de alimentação. As especulações dos vegetarianos, porém, parecem olvidar aqui o sacrifício de Abel, oferecido dentre as ovelhas escolhidas do rebanho. Podemos presumir que tais animais foram usados como alimento. Não somos informados quanto a nenhuma *mudança* que tenha feito abandonar a dieta vegetariana, pelo que talvez seja seguro presumir que jamais houve tal proibição, exceto na imaginação de certos intérpretes. Dizer que a ingestão de carne, "após a queda", foi permitida, mas não antes do dilúvio, é ler muita coisa onde a Bíblia faz silêncio. Por outro lado, ninguém realmente sabe o que sucedeu. Os críticos afirmam que todas as especulações dessa ordem são vãs, pois a história de Adão realmente não nos dá informações históricas e científicas sobre a origem do homem. Aqueles que creem na literalidade do relato talvez acabem envolvidos no vegetarianismo, pelo menos como um ideal.

■ 1.30

וּלְכָל־חַיַּת הָאָרֶץ וּלְכָל־עוֹף הַשָּׁמַיִם וּלְכֹל רוֹמֵשׂ עַל־הָאָרֶץ אֲשֶׁר־בּוֹ נֶפֶשׁ חַיָּה אֶת־כָּל־יֶרֶק עֵשֶׂב לְאָכְלָה וַיְהִי־כֵן׃

E a todos os animais... aves... e a todos os répteis da terra... toda erva verde lhes será para mantimento. A provisão de Deus abrange todos os demais animais, e sob as mesmas condições. A ingestão de carne também é omitida aqui, pelo que os comentários sobre o vs. 29 também se aplicam aqui. Todas as criaturas eram vegetarianas. Devemos supor, de acordo com os exageros de alguns estudiosos, que coisas como os enormes dentes caninos dos leões etc. só cresceram depois da queda. Por que um leão precisaria de dentes tão grandes, se não tivesse de despedaçar outros animais com eles?

Deus Cuida Até dos Animais. O livro de Jonas é o trecho de João 3.16 do Antigo Testamento. É significativo que Jonas 4.11 nos mostre a preocupação de Deus com os animais. Há evidências em favor do fato de que as civilizações mais avançadas mostram maior preocupação com os animais e menor crueldade do que no caso das civilizações mais primitivas. Por outro lado, lamentamos a matança insensata de animais para efeito de experiências científicas, produtos de beleza ou glutonaria de certas pessoas. Se a experimentação científica é necessária, e se alguns animais devem ser sacrificados, isso não justifica os excessos praticados nos laboratórios. Os hindus exibem grande respeito pelos animais, e isso os torna vegetarianos. Talvez isso seja realmente melhor para os homens, por motivos morais e de saúde.

Isaías antecipou o tempo quando a violência não mais predominará no mundo. Animais ferozes, que agora devoram outros, como o lobo e o leopardo, haverão de tornar-se vegetarianos. Uma criança pequena poderá circular entre animais que agora são ferozes, e brincar com eles. Ver Isaías 11.6 e algo similar em Oseias 2.18. Mas muitas pessoas relutam em alimentar-se de carne animal. Talvez nosso coração esteja querendo dizer-nos alguma coisa.

■ 1.31

וַיַּרְא אֱלֹהִים אֶת־כָּל־אֲשֶׁר עָשָׂה וְהִנֵּה־טוֹב מְאֹד וַיְהִי־עֶרֶב וַיְהִי־בֹקֶר יוֹם הַשִּׁשִּׁי׃ פ

Viu Deus tudo quanto fizera, e eis que era muito bom. A declaração sobre a bondade da criação é repetida após cada um dos dias da criação, excetuando apenas o caso do segundo dia, o que, provavelmente, foi uma omissão não-propositada. O advérbio *muito* chama a nossa atenção. Essa palavra talvez fale a respeito da criação *inteira*, tendo sido inspirada pela obra do sexto e último dia da criação, a criação do homem, o clímax do labor divino. O próprio Deus aparece como quem se deleitava em sua criação. Ela era funcionalmente boa; era esteticamente boa; cumpria bons propósitos; e terminou de modo espetacular, no homem. Uma correta consideração sobre a criação de Deus inspira-nos a alma e eleva-nos o espírito. Sem dúvida há algo de magnificente em tudo isso. O próprio Einstein tirou o chapéu diante das maravilhas do universo.

Tarde e manhã, o sexto dia. Terminou assim o último ciclo criativo de 24 horas; o mesmo foi dito acerca de cada um dos seis dias. Ver os comentários sobre o vs. 5.

Na cidade de Boston, muito tempo atrás, foi organizado um clube para meninas pequenas, chamado Happiness Club. Operava em um bairro bastante pobre e desenxabido. Uma das regras desse clube era que cada membro devia ver algo de *belo* a cada dia, dando notícia do fato. Até o voo de um pássaro é uma linda cena. A beleza pode ser encontrada nos lugares mais insuspeitos. Um ato de gentileza é algo belo. A beleza acha-se em todos os lugares. Deus via sua criação original como bela e *muito* boa.

Adam Clark sentia-se inspirado pela história da criação, e observou (*in loc.*): "Assim terminou um capítulo que contém as mais extensas, mais profundas e mais sublimes verdades que talvez chamem a atenção do intelecto humano. Quão indizivelmente estamos endividados para com Deus por nos haver dado uma revelação de sua vontade e de sua criação".

Ellicott via um paralelo entre o término da criação física e a criação espiritual, realizada por Cristo, ambas as quais ocorreram em uma sexta-feira. A bênção divina repousa supremamente sobre ambas essas criações.

"O homem que contempla a vida com os olhos de Deus sempre achará algum valor, mesmo nos piores indivíduos, e alguma bondade por toda parte" (Gilbert Chesterton).

CAPÍTULO DOIS

O SÉTIMO DIA: O DESCANSO (2.1-4A)

■ 2.1

וַיְכֻלּוּ הַשָּׁמַיִם וְהָאָרֶץ וְכָל־צְבָאָם׃

Fonte informativa alegada, *P (S)*. A instituição do sábado ou dia de descanso foi uma questão solene, e as religiões, de um modo ou outro, simbólica ou literalmente, têm sido assinaladas por esse conceito. Deus descansou de seus labores. O homem também precisa trabalhar; mas também precisa *descansar*, tendo em vista o seu *benefício*. Ademais, esse descanso precisa ser marcado por serviço e devoção religiosos. Ver o artigo geral sobre o *Sábado*, no fim do vs. 3. Aqui temos o primeiro grande *sétimo* da Bíblia. Esse número envolve o emblema da perfeição. O sábado tornou-se o sinal do pacto de Deus estabelecido no Sinai (Êx 31.13,17). A perfeição de sua criação foi assinalada pelo número do dia de descanso. As perfeições das leis divinas são enfatizadas mediante a observância do dia sétimo, que Deus santificou.

Os três primeiros versículos do segundo capítulo do Gênesis concluem a narrativa anterior, destacando especificamente *um* de seus propósitos. O Hino à Criação santifica o sábado divino. O *próprio Criador* originou o sábado. E assim, aquele que não se cansa descansou. O trabalho é algo enobrecedor quando cumpre algum bom propósito; o descanso também é nobre, quando se dedica àquilo que é sagrado.

Foram acabados os céus e a terra, e todo o seu exército. A palavra *exército* aponta para a multiplicidade das coisas sobre a terra e nos céus, fazendo-nos lembrar de um grande exército com suas várias divisões e patentes militares. Existe um único exército — a criação de Deus, considerada coletivamente. "Exército do céu" é uma expressão que se acha somente aqui no Antigo Testamento. Devemos pensar em grande acúmulo de coisas, nos céus e na terra. Algo parecido foi dito no tocante aos anjos, que formam um "exército" imenso (1Rs 22.19). A criação inclui inúmeros elementos dotados de beleza e ordem, harmonia e regularidade. O poder divino estabeleceu as leis naturais que persistem até hoje, sem as quais não poderia haver nem vida nem conhecimento científico. A própria ciência depende do princípio da constância das leis da natureza, as quais nunca sofrem variação. De outra sorte, não poderia haver experiências válidas. A *invariabilidade* (das leis naturais) depende da vontade e do poder de Deus, aquele que estabeleceu as leis naturais. Ver no *Dicionário* o artigo intitulado *Teleologia*. Note-se que a própria ciência tem que começar pela *fé* em leis naturais invariáveis.

2.2

וַיְכַל אֱלֹהִים בַּיּוֹם הַשְּׁבִיעִי מְלַאכְתּוֹ אֲשֶׁר עָשָׂה
וַיִּשְׁבֹּת בַּיּוֹם הַשְּׁבִיעִי מִכָּל־מְלַאכְתּוֹ אֲשֶׁר עָשָׂה:

E havendo Deus terminado no dia sétimo a sua obra... descansou. Exponho o artigo geral sobre o *Sábado* no versículo terceiro. Os críticos supõem que o livro de Gênesis tenha sido escrito bastante tarde, resultante de várias fontes informativas (provenientes de diversos períodos históricos), que um ou mais editores teriam compilado. Ver o artigo sobre *J.E.D.P.(S.)* no *Dicionário*. Eles acreditam que o sábado já vinha sendo observado por Israel quando o livro de Gênesis foi publicado. O autor da fonte de Gênesis 2.1-3, a fim de emprestar a maior autoridade a essa observância, fez o próprio Deus instituí-la, como se assim tivesse sido desde o princípio. Os estudiosos conservadores aceitam o texto conforme ele está escrito, pensando em uma genuína instituição divina do sábado, após a obra da criação. Os críticos atribuem essa seção à fonte *P (S)*.

A versão siríaca diz aqui "no sexto" dia, mas não há razão para supormos que "sétimo" não seja o texto correto, sendo esse o texto padrão hebraico, como também o texto mais difícil. Os escribas, com frequência, alteravam os textos difíceis para torná-los mais fáceis ou aceitáveis, mas dificilmente faziam o contrário. Talvez o autor sacro pensasse que a instituição do sábado foi o real encerramento das obras da criação. Alguns têm emendado o texto de "terminado" para "desistido", mas essa emenda é desnecessária.

"A narrativa da criação, vista através dos olhos da nova nação de Israel, nos dias de Moisés, reveste-se de grande significação teológica. Dentre o caos e as trevas do mundo pagão, Deus tirou o seu povo, ensinando-lhes a verdade, garantindo-lhes a vitória sobre todo poder dos céus e da terra, comissionando-os para serem seus representantes e prometendo-lhes *descanso teocrático*. E isso, igualmente, haveria de encorajar crentes de todos os séculos" (Allen P. Ross, *in loc*.).

A instituição do sábado sugere a legislação mosaica que haveria de seguir-se, bem como todos os privilégios de Israel como nação que haveria de ensinar a todas as demais nações.

Descansou. Não a fim de sugerir que o Ser Supremo pode ficar cansado, pois temos aqui uma declaração antropomórfica que diz respeito à cessação de atividades. Simbolicamente falando, o sábado foi uma *obra de redenção*, porquanto retrata o descanso após o pecado e a aceitação, como filho, na casa do Pai. Mas nesse sétimo dia não houve mais atividade criativa.

2.3

וַיְבָרֶךְ אֱלֹהִים אֶת־יוֹם הַשְּׁבִיעִי וַיְקַדֵּשׁ אֹתוֹ כִּי בוֹ
שָׁבַת מִכָּל־מְלַאכְתּוֹ אֲשֶׁר־בָּרָא אֱלֹהִים לַעֲשׂוֹת: פ

E abençoou Deus o dia sétimo, e o santificou. Ver o vs. 2 quanto a especulações atinentes ao fundo histórico deste versículo: a instituição do sábado. Seria realmente parte de um documento muito antigo, que falava sobre a criação, ou o sábado foi subentendido no antigo relato, por parte de um escritor posterior? Ou todos os autores das fontes do Gênesis foram posteriores, em cujos dias o sábado já havia sido instituído? Provi artigos sobre esses problemas. Os eruditos conservadores, crendo na autoria mosaica do Gênesis, supõem que ele soube da instituição divina do sábado *mediante inspiração*, e que isso serviu de apropriado clímax da criação original. O artigo que apresento no fim do versículo, a respeito do *sábado*, explica a questão em seus pormenores, incluindo as controvérsias sobre a alegada natureza obrigatória do sábado para os cristãos. Provi um artigo adicional sobre o sábado, no que diz respeito aos crentes, chamado *Sábado Cristão*, na *Enciclopédia de Bíblia, Teologia e Filosofia*.

O sábado era a grande instituição da fé do povo hebreu. A legislação mosaica lhes dera suas instituições, ritos e crenças, mas nada era mais importante do que o sábado. Os críticos pensam que a exaltada natureza do sábado foi uma das consequências do exílio babilônico, mas sem dúvida temos aí uma apreciação exagerada. O sábado, desde os tempos mais remotos, serviu sempre como sinal mais decisivo para quem era hebreu ou judeu. Como é claro, havia outros sinais, incluindo a circuncisão (Gn 17.10), e, naturalmente, as grandes provisões da própria lei mosaica.

As Razões da Separação. O autor sagrado apresenta várias delas no tocante à história da criação: a luz foi separada das trevas (1.14); as águas das águas (1.6); as águas de cima do firmamento das águas de baixo (1.9); as espécies foram separadas umas das outras, e não mediante evolução (1.11,20). O sábado separou um *tempo* de outro, o tempo devotado ao trabalho, do tempo devotado ao descanso e ao serviço e adoração a Deus. Em tempos posteriores, o santuário divino serviu de meio de separar o sagrado do profano, o divino do humano.

Deus Santificou o Sábado. Nesta oportunidade não ficou esclarecido como o sábado seria expresso e obedecido. Mas as instituições posteriores dos hebreus nos dão informações. A adoração a Deus era frisada no dia de sábado, quando então havia culto ao Senhor. Tal como o sábado é separado para ser observado pelo homem, assim também o homem é separado para Deus. Os capítulos três e quatro de Hebreus desenvolvem o tema do "descanso" providenciado para o crente, conferindo-lhe o descanso da salvação, com toda a sua fruição. Ver especialmente Hebreus 4.9. Os crentes esclarecidos que não observam o sábado mosaico veem em Cristo o cumprimento do mesmo, desfrutando *desse* sábado ou descanso, e não do sábado judaico.

O Dia do Senhor. Para os cristãos, o domingo é o dia do Senhor, e não o sábado. Historicamente, os intérpretes têm dito que o domingo é o "descanso", chamando-o de sábado cristão. Mas apesar de ser verdade que nossos cultos religiosos ocorrem no primeiro dia da semana, o que retém um certo elemento próprio do dia de sábado, isso não faz o Dia do Senhor tornar-se um sábado cristão. Que Deus nos salve do legalismo! Isso não significa que o crente deveria ignorar as implicações de quão próprio é que um dos dias da semana seja especialmente consagrado a exercícios espirituais. Paulo, todavia, deixou claro que, para o crente, todos os dias são iguais (Rm 14.5 ss.). No mesmo contexto, porém, ele também deixou claro que o crente pode estabelecer uma distinção, se tal distinção puder fomentar a sua piedade e a eficácia de sua adoração. Historicamente, a Igreja tem estabelecido essa distinção. O domingo deveria ser um dia isento de todo legalismo, tão somente retendo um devido espírito de adoração. Não deveria ser profanado. A Igreja assim tem observado, para bem do homem. A Escola Dominical é uma grande instituição, embora não faça parte dos ensinos do Novo Testamento. O domingo tem-se tornado um dia dedicado à adoração, ao estudo da Bíblia e à evangelização de uma Igreja reunida com esses propósitos. É no domingo que a Igreja comemora a ressurreição de Jesus. Ele saiu do túmulo revestido de uma vida nova. O domingo, pois, é uma oportunidade para participarmos dessa vida nova e a expressarmos. O domingo não é imposto, conforme o sábado era imposto. Contudo, é benéfico e exige nosso respeito. A liberdade, se for *abusada*, será sempre tão ruim e errada quanto uma obrigação *imposta*.

A Natureza Monótona e Destrutiva de um Labor Contínuo. Deus pode conferir-nos a graça e talvez até permitir e encorajar que labutemos todos os dias, se tal trabalho for benéfico para nós mesmos e para o próximo. Todavia, descansar um dia por semana é uma boa medida de saúde. Talvez se assim fizermos, poderemos realizar em seis dias o que realizamos em sete. A saúde inclui o ritmo intercalado de trabalho e descanso. Não nos deveríamos preocupar se, em dia de domingo, estivermos fazendo aquilo que os antigos sabatistas proibiam para o sábado. Se tivermos tal preocupação, estaremos mostrando nossa insensatez. Não obstante, estaremos pecando se nos esquecermos do *espírito* do sábado, que nos convida a estacar, descansar, adorar e servir.

O Mandamento contra o Ócio. Foi ordenado ao homem que trabalhasse por seis dias, e não apenas que descansasse no sétimo. "Aquele que se mostra ocioso por seis dias é igualmente culpado, aos olhos de Deus, do que se vier a trabalhar no sétimo dia" (Adam Clark, *in loc*.)

> O cumprimento dos deveres espirituais, em nossa vida diária,
> é algo vital para a nossa sobrevivência.
>
> Winston Churchill

> Na civilização não há lugar para o ocioso...
> Nenhum de nós tem o direito de demorar-se no lazer.
>
> Henry Ford

> Pois Satanás sempre achará alguma malignidade
> Para as mãos ociosas fazerem.
>
> Issac Watts

A HISTÓRIA HUMANA (2.4—11.32)

A CRIAÇÃO DO HOMEM (2.4-17)

FEITO DO PÓ DA TERRA (2.4-7)

O *Senhor Deus* é agora o agente no segundo relato da criação do homem. O original hebraico tem aqui a combinação *Yahweh-Elohim*. Os críticos veem nisso e no pressuposto de que temos aqui um hebraico histórico diferente (ou seja, um tipo de hebraico usado em um diferente período histórico, em contraste com o que se vê no primeiro capítulo do Gênesis), prova de que um novo autor está dando sua contribuição aqui. O mais certo, porém, é que um editor estava adicionando outro relato ou versão da criação do homem. Presume-se que o primeiro relato da criação origine-se da fonte *P (S)*, e que o segundo venha da fonte *J*. Ver sobre *J.E.D.P.(S.)* no *Dicionário*. O duplo nome divino é reiterado nos vss. 5,7-9,15,16,18,19 e 21,22. Ver no *Dicionário* os artigos sobre *Yahweh* e *Elohim*. Os críticos datam a fonte *J* nos séculos X ou IX a.C., e a fonte *P (S)*, no século V a.C. Se esse raciocínio estiver certo, então o relato que passamos a examinar é o mais antigo dos dois. Trata-se de uma história detalhada da criação do homem e da mulher, ao passo que a primeira narrativa é mais generalizada. Um relato não parece dependente do outro. São narrativas distintas, se é que o raciocínio dos críticos está correto. Contra tais teorias, entretanto, os conservadores merecem informar-nos que os dois nomes divinos poderiam ter sido facilmente usados intercambiavelmente. Quanto às datas dos dois tipos de hebraico usados (se é que isso representa diferentes períodos históricos), não descobri nenhuma explanação. Isso deve ser deixado ao encargo de especialistas no hebraico, e precisamos ouvir o parecer deles. Os críticos, todavia, pensam haver intrusões no texto atribuído à fonte *J*, a saber, os vs. 5,9,10-14,15,19 e 20, que deveriam então ser reputados originários da fonte *J²*, ou seja, provenientes de um autor posterior. É precisamente esse tipo de fragmentação que, de acordo com os eruditos conservadores, põe em dúvida toda essa questão das supostas fontes originárias.

Sem embargo, o segundo relato tem suas características distintas, que jamais figuram no primeiro. Para os críticos, isso evidencia uma história *diferente*. Mas para os conservadores, isso é apenas preenchimento de detalhes, como se um mesmo autor tivesse querido complementar o primeiro relato com o segundo. Do ponto de vista da composição literária, ambas as coisas poderiam ter acontecido. Ademais, no segundo relato há alguns paralelos com as lendas babilônicas da criação. Irei salientando as mesmas, conforme a exposição for progredindo.

O relato fornece várias respostas a indagações básicas: o mundo está cheio de espécies vivas, incluindo o homem. Como isso poderia ter sucedido? Existimos como homem e mulher. Qual foi a origem desse arranjo? Como sucedeu que o mundo está tão admiravelmente adaptado para satisfazer às nossas necessidades? Foi formada a unidade familiar original. Quais foram e quais são as implicações disso? Mas como a harmonia e a beleza da criação chegaram a ser perturbadas, teremos de esperar pelo terceiro capítulo. A queda do homem no pecado alterou a ordem e a beleza que predominam no primeiro e no segundo capítulos do Gênesis.

■ 2.4

אֵלֶּה תוֹלְדוֹת הַשָּׁמַיִם וְהָאָרֶץ בְּהִבָּרְאָם בְּיוֹם עֲשׂוֹת יְהוָה אֱלֹהִים אֶרֶץ וְשָׁמָיִם:

Esta é a gênese. Outras traduções dizem aqui "Estas são as gerações...". No livro de Gênesis, essa expressão ocorre por onze vezes. Alguns estudiosos pensam que a ocorrência dessa expressão marca a divisão do livro, feita pelo próprio autor sacro. No hebraico, temos a palavra *toledoth*. A menção original da criação, porém, não tem o seu *toledoth*, mas deve ser considerada a primeira seção. As onze ocorrências da palavra são como se vê abaixo:

1. Criação (1.1—2.3 — sem a palavra)
2. Dos céus e da terra (2.4—4.26)
3. De Adão (5.1—6.8)
4. De Noé (6.9—9.29)
5. De Sem, Cão e Jafé (10.1—11.9)
6. De Sem (11.10-26)
7. De Terá (11.27-25.11)
8. De Ismael (25.12-18)
9. De Isaque (25.19—35.29)
10. De Esaú (36.1-8)
11. De Esaú, pai dos edomitas (36.9—37.1)
12. De Jacó (37.2—50.26).

Os livros antigos, tipicamente, não eram divididos por esboços, sendo possível que o autor do Gênesis fosse o criador desse tipo de arranjo primitivo. Nesse caso, excetuando a primeira seção, temos um arranjo que pode falar em favor de um único autor, ou, pelo menos, de um único editor. Em outras palavras, houve um desígnio que orientou, de forma lógica, a compilação do livro. Não foi apenas um trabalho de compilação tipo colcha de retalhos, produzido por vários autores e editores.

Os escritos babilônicos continham tipos de *cólofons* reunindo informações básicas como título, data, número de série, uma declaração de que algo fora terminado, o nome do escriba ou o nome do proprietário. Alguns eruditos têm confrontado isso com os *toledoth* do Gênesis; mas não parece haver nenhuma associação ou similaridade entre os dois sistemas.

Dos céus e da terra. Temos aqui a descrição do modo de criação dos céus e da terra, um paralelo com Gênesis 1.1. *Dia*, um paralelo coletivo dos *seis dias* da criação. A *criação* é aqui chamada de *gênese*. Os críticos veem nesse estilo e fraseado um autor diferente. Os estudiosos conservadores, porém, creem que um único autor simplesmente contou a mesma história de forma diferente.

■ 2.5

וְכֹל שִׂיחַ הַשָּׂדֶה טֶרֶם יִהְיֶה בָאָרֶץ וְכָל־עֵשֶׂב הַשָּׂדֶה טֶרֶם יִצְמָח כִּי לֹא הִמְטִיר יְהוָה אֱלֹהִים עַל־הָאָרֶץ וְאָדָם אַיִן לַעֲבֹד אֶת־הָאֲדָמָה:

Deus fez (subentendido com base no vs. 4) **toda planta** etc. O caos total e as trevas não permitiam que brotasse nenhuma vida vegetal. Ademais, toda forma de vida teve a sua origem no decreto divino da criação. Alegadas incoerências têm levado alguns intérpretes a suporem adições posteriores feitas por *J²*, conforme se viu na introdução ao vs. 4. O que se evidencia é que esse relato é bem diferente daquele do primeiro capítulo do livro. Ou é uma completa revisão do relato, ou é um suplemento, ou então veio de uma fonte informativa separada, tendo sido incorporado na porção inicial do Gênesis por causa das informações adicionais que tinha a dar.

Não fizera chover. Por causa do caos reinante, não havia nenhuma vida vegetal. Também não havia chuvas, necessárias para tal tipo de vida. Contudo, a vida vegetal prosperava, por causa de uma outra provisão, a *neblina* (vs. 6). A vida vegetal prosperava, apesar de não haver homem para cultivar o solo. Deus fizera surgir a vida vegetal no terceiro dia da criação, antes de o homem vir à existência. Assim, por decreto divino, prosperava a vida vegetal, sem o concurso humano.

■ 2.6

וְאֵד יַעֲלֶה מִן־הָאָרֶץ וְהִשְׁקָה אֶת־כָּל־פְּנֵי־הָאֲדָמָה:

Neblina. Esse versículo tem embaraçado e deixado perplexos os intérpretes. Pode significar que, no começo, não havia nenhuma chuva, e, sim, um sistema alternativo de irrigação da terra. Presume-se que, após o caos primevo, não se formaram prontamente as nuvens, mas que uma espécie de neblina prevalecia, fornecendo um tipo de lenta irrigação, sem que chovesse realmente. Ou então, a intenção do autor sagrado foi dizer-nos, em termos bem gerais, como apareceram afinal as nuvens de chuva, produzindo aguaceiros. Presumivelmente, nesse caso, a *neblina* foi o começo do processo da formação das nuvens. Parece que a primeira alternativa é a mais correta, pelo que podemos supor que o intuito do autor foi o de informar a seus leitores que não somente a vida vegetal foi criada por decreto divino, mas também que a maneira de prover umidade fora outro ato divino, não dependente de nuvens naturais. O *jardim*, prestes agora a ser criado, recebia cuidados sob forma sobrenatural, antes que ao homem fosse entregue tal tarefa. Os antigos ficavam abismados diante dos processos naturais, tendendo por atribuí-los aos poderes divinos. O trecho de Jó 36.27 tem sido usado na tentativa de mostrar que a neblina, no presente versículo, produziu o processo natural da chuva, mas isso parece um tanto fora de lugar.

2.7

וַיִּיצֶר יְהוָה אֱלֹהִים אֶת־הָאָדָם עָפָר מִן־הָאֲדָמָה
וַיִּפַּח בְּאַפָּיו נִשְׁמַת חַיִּים וַיְהִי הָאָדָם לְנֶפֶשׁ חַיָּה:

Então formou o Senhor Deus ao homem. O nome divino, no original hebraico, é aqui *Yahweh-Elohim*, comentado no vs. 4, onde há referência a artigos que explicam o significado desses nomes.

Formou. No hebraico, *yasar*. Esse mesmo vocábulo é usado para indicar a formação de um vaso, por parte do oleiro (Is 29.16; Jr 18.4). As cosmogonias antigas aceitavam literalmente a questão e retratavam os poderes divinos a tomar literalmente uma massa de argila para formar não somente o homem, mas até os animais, como o *modus operandi* da doação da vida.

Pó da terra. No hebraico há um jogo de palavras. O homem (no hebraico, *adham*), foi formado do pó da terra (no hebraico, *adhamah*), uma palavra cognata. E foi essa palavra que deu o nome genérico à raça humana, *homem*, ou seja, um ser formado do *pó da terra*. O primeiro homem foi chamado *Adão*, outro termo cognato, que veio a tornar-se seu nome próprio. Ver Gênesis 2.20. Hesíodo oferece-nos um quadro similar em sua cosmogonia, onde ele diz que o pó da terra foi misturado com água, a fim de formar a *argila*. Ver Jó 33.6. "Deus é o oleiro que formou o homem, dando-lhe o seu formato. Ver Isaías 64.8" (John Gill, *in loc*.).

"Assim como Elohim é o Todo-poderoso, assim Yahweh é sabedoria e habilidade, e suas obras refletem sagacidade e desígnio... o intuito central dessas palavras é frisar a debilidade humana. Ele não foi feito das rochas, nem de minérios ou de metal, mas do pó da superfície do planeta, muito leve e que qualquer vento pode tanger" (Ellicott, *in loc*.). Isso é verdade, mas não nos devemos olvidar que a terra é um símbolo universal da fonte da vida, da fertilidade e da produtividade. A terra é a nossa mãe.

...lhe soprou nas narinas. Deus animou a estátua conferindo-lhe a energia divina, e aquilo que era apenas argila tornou-se um ser vivo, já equipado com todos os sistemas necessários à vida biológica, à reprodução e ao senso de bem-estar. O decreto divino continuou, portanto, a ser a origem de tudo. Não é antecipado nenhum processo evolutivo. Ver no *Dicionário* o artigo intitulado *Evolução*. O *sopro* divino é espírito, e espírito é vida. Todavia, não parece haver aqui nenhuma referência direta ao Espírito de Deus como agente da criação, conforme se vê em Gênesis 1.2.

Alma vivente. No hebraico, *nephesh*. Os intérpretes debatem-se diante dessa palavra, e as controvérsias florescem por causa dela. Essa palavra significaria que o homem, a criatura de argila, agora fora dotada de uma alma imaterial, que garantia sua sobrevivência diante da morte biológica, em sobrevindo tal evento? A maioria dos eruditos, porém, concorda que o versículo não contempla a parte imaterial do homem. Notemos que os animais irracionais também são *seres viventes* (1.24). No hebraico, temos exatamente a mesma palavra, ali e aqui. É bem possível que os animais também possuam alma, embora não seja provável que o autor sagrado tenha antecipado isso. Naturalmente, dentro da história do termo *nephesh*, essa palavra veio a incorporar a ideia de alma. A *criatura viva* é agora possuidora de uma alma imaterial. Mas esse conceito já pertence ao judaísmo posterior. Mesmos os mais antigos eruditos conservadores admitem que não há aqui nenhuma tentativa para fazer do homem um ser dualista. Disse Ellicott (*in loc*.): "A palavra *alma* não contém nenhuma ideia de existência espiritual. Pois tanto em 1.20, 'seres viventes', quanto em 1.24, 'seres viventes', literalmente, temos *almas viventes*".

Por outro lado, alguns estudiosos insistem aqui em favor da alma, pois o homem é um ser especial. Deus formou o corpo do homem do pó da terra e de água. E isso quer dizer que o homem é feito de uma porção material e de uma porção imaterial. O homem foi criado como um ser racional e espiritual. Isso é verdade, naturalmente; mas não parece que a teologia dos hebreus, nos dias de Moisés, já tivesse incorporado tal noção. O homem foi criado como uma *pessoa completa*, dotada de vida. O autor sagrado, contudo, não definiu nada sobre a alma. E nem o Pentateuco contém alguma declaração distinta sobre a natureza da alma. A lei mosaica não prometia a vida eterna aos que lhe fossem obedientes, nem ameaçava com a segunda morte aos desobedientes.

Todavia, a alma aparece embutida na expressão *a imagem de Deus*. Em Gênesis 1.26 (ver a exposição), suponho que essa expressão deve incluir a ideia da espiritualidade do homem, mesmo que essa ideia tenha ultrapassado a compreensão do autor sagrado. Assim creio. O homem, criado como foi à imagem de Deus, sem dúvida compartilha de sua espiritualidade, e isso deve envolver a alma imortal.

O relato inteiro é altamente *antropomórfico*, e isso envolve uma certa falta de melhor entendimento. Apesar disso, o relato contém lições para todos os séculos, pois proclama o poder de Deus; como ele determinou todas as coisas; o seu desígnio; o seu amor e a sua bondade; a provisão para o homem é completa e está alicerçada sobre o decreto divino. Deus é o Criador do homem, o seu amigo e conselheiro desde o princípio, e assim continua até hoje e continuará para sempre.

Deus fez o homem tornar-se uma alma vivente quando *soprou* sobre ele. Após a queda no pecado, tornou-se mister insuflar vida eterna no indivíduo, para que este tivesse restaurada a sua vida espiritual e para que desfrutasse de comunhão com seu Criador.

O JARDIM DO ÉDEN (2.8-15)

2.8

וַיִּטַּע יְהוָה אֱלֹהִים גַּן־בְּעֵדֶן מִקֶּדֶם וַיָּשֶׂם שָׁם אֶת־
הָאָדָם אֲשֶׁר יָצָר:

Ver o artigo sobre esse *Jardim*, no final dos comentários sobre o vs. 8.

A *provisão divina* em favor do homem prossegue, o que vemos quando ele plantou um lugar especial para o homem viver, uma utopia original. Muitas cosmogonias e mitos de povos antigos incluem a existência de tal lugar, do qual o homem acabou expulso, devido à sua perversão, mas que haverá de reconquistar, em face da retidão imputada ao homem. Antes, a alma humana estivera bem. Mas acabou enfermando. Contudo, agora o crente antecipa aquele Jardim de esperança que lhe foi prometido. Por isso mesmo, o livro de Apocalipse retorna a esse símbolo, conferindo-nos uma visão do céu futuro (Ap 22). Haverá um Novo Paraíso, provisão de Deus, tal como houve o primeiro paraíso.

O jardim do Éden foi a utopia original do homem. Mas também se tornou o local onde ele foi originalmente testado. O homem obedeceria em meio a seu extremo bem-estar? A resposta foi um lamentável "não". Da mesma forma, hoje em dia, pessoas que desfrutam de bem-estar financeiro algumas vezes se tornam os mais insensíveis criminosos. Maiores crimes derivam-se da natureza corrupta do homem do que de sua pobreza. Até mesmo quando o homem era inocente e altamente abençoado por Deus, o seu livre-arbítrio cedeu diante da tentação. E quanto mais agora, que se acha em um estado de profunda miserabilidade!

Da banda do Oriente. Quanto a ideias sobre a *localização* do jardim do Éden, ver o artigo a respeito, em sua terceira seção. Os críticos só veem aqui artifícios literários, pelo que não fazem nenhuma tentativa para descobrir a localização desse jardim. Dizem eles que o máximo que se pode fazer é tentar localizar onde o autor sagrado queria que pensássemos que o jardim estava localizado.

Um Lar para o Homem. Talvez o mais forte desejo que um pai tem, no que diz respeito a seus filhos, seja prover para eles um local de residência. Deus, o Pai celeste, interessou-se em que seu filho, Adão, e sua filha, Eva, tivessem um lugar decente para ali viverem.

Alguns escritores judeus, de épocas posteriores, falaram sobre um jardim do Éden *preexistente*, que seria uma daquelas coisas que já existiriam na *criação espiritual* de Deus, antes da criação física, descrita no primeiro e no segundo capítulos do Gênesis. (Ver *Talmude Bab. Pesachim*, fol. 54.1.) Nesse caso, o jardim do Éden físico teria sido uma cópia daquele outro. Ver no *Dicionário* o artigo intitulado *Preexistência*, bem como os comentários sobre o trecho de Gênesis 1.1.

ÉDEN, JARDIM DO

ESBOÇO

I. A Palavra
II. Interpretações Liberais e Alegóricas sobre o Éden
III. Localização do Éden
IV. Significados da Narrativa
V. A Dilmum dos Textos Sumérios

I. A Palavra

Dois sentidos possíveis estão vinculados a esse termo: 1. Se ele deriva-se do acádico *edinu*, então refere-se a um "campo aberto". Entretanto, esse sentido não parece ajustar-se muito bem a um *jardim*. 2. Por conseguinte, talvez a palavra seja hebraica, e não um vocábulo importado. Nesse caso, vem do termo hebraico *eden*, que significa "deleite". A Septuaginta, com frequência, traduz a palavra por "parque de deleites", o que fortalece a segunda possibilidade. Seja como for, a palavra *eden* tem o sentido geral de "jardim", embora também possa aludir a qualquer localização territorial ou geográfica. Em Amós 1.5, aparece como o nome de uma cidade.

II. Interpretações Liberais e Alegóricas sobre o Éden

Nos mitos mesopotâmicos que narram as origens do homem e os anos iniciais e formativos da humanidade, há muitos paralelos com a narrativa do livro de Gênesis. Para ilustrações a esse respeito, ver o artigo sobre *Cosmogonia,* que explana com detalhes a cosmogonia dos hebreus. Ver também o artigo sobre a *Criação,* que explica os paralelos ao relato dos hebreus, comparando-os com os relatos da cultura mesopotâmica em geral. Nas lendas e mitos daquela área, também há menção ao Éden. Ali, aparece como um deserto (o *espaço aberto* subentendido pela palavra), como um oásis. Dentro desse oásis, o homem teria sido criado. No Oriente Médio, onde a água é escassa e muito estimada, uma cena favorita imaginária é a de um parque ou oásis, onde água e verdura aparecem com abundância. Um autor qualquer, ao criar uma história, naturalmente dar-lhe-ia certo colorido local, pois as pessoas sempre gostam de pensar em sua região do mundo como mais importante do que qualquer outra. Portanto, a narrativa bíblica fornece-nos alguma informação que parece indicar a localização do jardim do Éden. Havia um rio no Éden, que irrigava o jardim. Esse rio dividia-se em quatro braços, dentro do jardim. E esse detalhe pode levar à identificação dentro do atual Iraque. Ver a seção III. O que sucede aqui, entretanto, é que o autor proveu um meio ambiente fictício, injetando nele algumas características geográficas locais. Provavelmente, ele queria que seus leitores acreditassem que "há muito tempo" o local era conforme ele descrevera. Agora, porém, as coisas haviam-se modificado, pelo que o que o autor dizia não podia ser identificado com as características geográficas existentes em seus dias.

Era um Jardim Especialíssimo. Entre suas espécies vegetais, havia uma árvore da vida e uma árvore do conhecimento. O primeiro casal, em sua ansiedade de saber mais do que deveria, comeu do fruto da árvore do conhecimento do bem e do mal. Ao fazerem isso, Adão e Eva perderam quaisquer direitos que tivessem à árvore da vida, por meio da qual poderiam ter-se tornado imortais. O próprio fato de que o conhecimento e a vida são considerados coisas que podem ser obtidas mediante a ingestão do fruto de uma árvore demonstra que alguma mente primitiva criou uma lenda improvável acerca de como o homem caiu de seu original estado de inocência. Ou então, o autor tencionava que seus leitores pensassem em termos de uma parábola ou alegoria, e não em termos literais. O fato de que uma serpente participou da cena da tentação, dotada até mesmo da capacidade de falar, demonstra, mui provavelmente, a natureza parabólica da narrativa. Deveríamos relembrar, em conexão com isso, que esses elementos também são paralelos, embora de maneira diversa, das fábulas próprias da cultura mesopotâmica. Ademais, a identificação da serpente com Satanás foi um desenvolvimento relativamente tardio do judaísmo, que não pode ser associado ao intuito do autor original do livro de Gênesis. Alguns dos pais da Igreja, como os da escola alexandrina, não hesitaram em falar sobre essa narrativa como uma parábola; e, em vez de tentarem apresentar uma difícil defesa da narrativa como um relato literal, mostraram-se dispostos a descobrir nessa narrativa lições morais e espirituais, e não respostas para indagações acerca das origens do homem e da depravação original, que não têm nenhuma resposta adequada, a despeito das especulações de muitos.

Muitos intérpretes conservadores objetam a essa maneira de manusear a narrativa do Gênesis, razão pela qual tentam identificar sua localização, com seriedade, conforme se segue.

III. Localização do Éden

Alguns eruditos têm feito sérias tentativas para identificar a localização geográfica do jardim do Éden. Três sugestões têm sido feitas, a saber: 1. a Armênia; 2. a Babilônia; 3. perto do polo Norte. Essa terceira ideia, porém, deve ser descartada pelo fato de que sua flora elimina qualquer possibilidade. Também têm sido feitas tentativas para identificar os quatro rios mencionados, cujos nomes eram Pisom, Giom, Hidequel e Eufrates (Gênesis 2.10-14). Todas as formas de ideias fantásticas estão vinculadas à tentativa de localizar esses rios. Alguns supõem que os grandes rios mencionados não ocupam, atualmente, os mesmos lugares, devido ao rearranjo da crosta terrestre, por causa das mudanças dos polos. Por essa razão, até o rio Amazonas, no norte do Brasil, tem sido considerado um dos quatro rios que banhavam o jardim do Éden. Mas a ideia é manifestamente absurda. Os rios Tigre e Eufrates são mencionados especificamente no vs. 14. Os outros dois rios não existem na área, na atualidade. Por essa razão, alguns intérpretes dizem que grande mudança topográfica deve ter ocorrido naquela região, ou então que esses outros dois nomes não representavam rios, mas canais de alguma sorte, talvez ligados aos dois grandes rios. Alguns estudiosos tentam incluir ali o Nilo e o Indus. Outros declaram que o dilúvio dos dias de Noé alterou o quadro, de tal modo que não podemos identificar os rios em questão, exceto o Tigre e o Eufrates. Houve canais, construídos muito mais tarde, e que dificilmente se adaptam à descrição e ao intuito do livro de Gênesis. A Armênia aparece como a localidade do jardim do Éden, por alguns que procuram identificar o Pisom e o Giom como rios menores daquele país. O Hidequel é um antigo nome do rio Tigre. Nossa versão portuguesa, de fato, diz em Gênesis 2.14, "Tigre", e não Hidequel. Os estudiosos liberais, entretanto, declaram que a solução é perfeitamente simples. Visto que a narrativa seria uma lenda, não deveria ser interpretada como se desse descrições topográficas genuínas. A única coisa que se poderia afirmar é que o autor, ao identificar dois rios bem conhecidos, situou o berço da civilização na Babilônia, ou seja, em algum lugar do atual Iraque.

Por muito tempo houve o hábito de identificar essa área como o berço da civilização. Atualmente, porém, os especialistas estão se inclinando pela África como o berço da civilização. Considerando-se o fato de que os polos mudam, e que a crosta terrestre sofre rearranjos, e, também, que houve raças humanas pré-adâmicas (ver o artigo sobre os *Antediluvianos*), pouco sentido faz tentar falar sobre qualquer área geográfica específica, onde o "homem" teria começado a sua existência na terra, marchando na direção da civilização, conforme a conhecemos atualmente.

IV. Significados da Narrativa

Os sentidos dados à narrativa de Gênesis estão entretecidos com aqueles da própria criação, e o artigo sobre esse assunto elucida a questão. Os principais ensinos são estes: 1. Que o estado original do homem era de paz, abundância e bem-estar. Supomos que o homem deveria ser concebido como um ser imortal, e que se Adão e Eva tivessem comido do fruto da árvore da vida, esse estado teria sido confirmado e se tornaria permanente. 2. Embora vivesse em perfeito ambiente, o homem não era possuidor de uma natureza perfeita, a despeito de seu estado de inocência. Era capaz de ser tentado e de cair em pecado. Portanto, sem importar qual a sua condição exata, o homem não possuía a verdadeira imortalidade divina. 3. O tentador é uma realidade. O homem sempre terá de enfrentar escolhas morais e, mesmo em meio às mais favoráveis circunstâncias, ele pode fazer escolhas erradas. 4. As más escolhas são seguidas pelo julgamento, o que envolve mudanças drásticas, tanto no meio ambiente quanto no estado espiritual do homem. Está envolvida a lei da colheita segundo a semeadura, porque o homem obtém aquilo que merece. O pecado de Adão não passou despercebido. Presume-se que, se ele tivesse feito uma escolha diferente, teria recebido algum exaltado galardão. 5. O *teísmo* é um dos aspectos do relato. Deus não é um ser distante e transcendental, desinteressado do homem. O autor de Eclesiastes (que vide) declara que somente indivíduos insensíveis supõem que Deus não está interessado neles, desconsiderando o que fazem. 6. O fato de que foram postados querubins no oriente do jardim do Éden, para impedir o retorno do homem (Gn 3.24), mostra-nos que, uma vez que o homem faça uma má escolha, poderá ser barrado, por longo tempo, de reverter sua condição. O homem sacrificou qualquer imortalidade, ou oportunidade de atingi-la, que tivesse tido. A história da redenção, contudo, ensina-nos que a recuperação em Cristo é algo possível. Outrossim, um *novo tipo* de imortalidade foi dado, um tipo que ultrapassa qualquer espécie de imortalidade que o primeiro casal possa ter conhecido ou antecipado. Nessa nova imortalidade, foi prometida a participação na natureza divina (2Pe 1.4), mediante a transformação segundo a imagem do Filho (Rm 8.29; 2Co 3.18). Isso envolve a participação em toda a *plenitude* de Deus (Cl 2.10), que envolve sua natureza e seus atributos.

V. A Dilmum dos Textos Sumérios

Material proveniente da biblioteca da Suméria, descoberto há cinquenta anos em Nipur, no sul da Babilônia, fala sobre um lugar chamado *Dilmum*, um lugar aprazível onde eram desconhecidas a morte e as enfermidades. O lugar estivera sem água, mas Enki, o controlador das águas, ordenou que a situação fosse remediada. A *deusa* Ninti esteve associada a ele. Dentro do relato sumério, a história tem uma função muito parecida com a de Eva, no relato bíblico. De fato, o nome Ninti significa "dama da costela". E também pode significar "dama que vivifica" (o sentido do nome *Eva* é "mãe dos viventes"). Essa deusa teria curado vários males do deus Enki, com seus poderes transmissores de vida. Como é óbvio, há nisso pontos de conexão com a história bíblica. Ver o artigo sobre *Eva*. Nas lendas babilônicas posteriores, Dilmum é chamado de "terra dos viventes", o lar dos seres imortais. O que aparece como mortal na história bíblica é relacionado a seres imortais, nessas lendas. É curiosa a ideia de alguns mórmons sobre a história original de Adão e Eva, de que eles tinham sido deuses, mas caindo no pecado, tornaram-se seres mortais, e que Eva era uma das esposas de Adão, quando eles ainda eram imortais, bem como aquela que ele levou consigo ao jardim. Isso se aproxima do espírito da lenda do material sumério.

Alguns eruditos pensam que a história bíblica é uma espécie de versão purificada, para ter um sentido monoteísta, do material da Suméria. Mas outros pensam que o material sumério representa uma corrupção do relato bíblico. A verdade mais provável é que ambas as versões originaram-se de um fundo comum, dentro da cultura mesopotâmica da época. A tentativa de interpretar a história em sentido literal (incluindo dados geográficos) tem levado a certo número de problemas acerca dos quais os teólogos e os eruditos da Bíblia continuam debatendo. Em contraste com isso, as lições morais e espirituais do relato são perfeitamente claras.

■ 2.9

וַיַּצְמַח יְהוָה אֱלֹהִים מִן־הָאֲדָמָה כָּל־עֵץ נֶחְמָד לְמַרְאֶה וְטוֹב לְמַאֲכָל וְעֵץ הַחַיִּים בְּתוֹךְ הַגָּן וְעֵץ הַדַּעַת טוֹב וָרָע׃

Toda sorte de árvores agradável à vista... a árvore da vida... a árvore do conhecimento do bem e do mal. Não era algum jardim comum, conforme meu artigo ilustra com detalhes. Ver a segunda seção quanto a descrições de sua natureza especial, incluindo suas árvores especiais, a árvore da *vida* e a árvore do *conhecimento*. O relato é rico em alegorias, e muitos estudiosos entendem-no precisamente como uma alegoria. Mas outros aceitam o relato em sentido literal, debatendo-se com a ideia de como ingerir alguma coisa poderia transmitir vida ou conhecimento. As cosmogonias antigas incluíam esses elementos. Ver a quinta seção do artigo. O jardim do Éden revestia-se de grandes potencialidades: para a vida ou para a morte; para o conhecimento ou para a ignorância; para o conhecimento aplicado correta ou erroneamente.

O homem é um jardim no qual Deus cultiva a sua vontade e a sua vida. Há provisão tanto para esse cultivo quanto para o cultivo da perversão. O livre-arbítrio faz-se presente, mas Deus usa esse livre-arbítrio humano sem destruí-lo. Como, não sabemos dizê-lo.

Árvore da Vida. No hebraico temos uma expressão de duas palavras. A Septuaginta traduz por *tó ksúlon tês zoês*, "a árvore da vida". Juntamente com a árvore do conhecimento do bem e do mal, a "árvore da vida" foi plantada por Deus no jardim do Éden. Deus não ordenou a Adão que ele não comesse do fruto da árvore da vida, e a tentação da serpente não a envolveu. E quando Adão e Eva foram expulsos do paraíso, a razão da expulsão foi: "...para que não estenda a mão, e tome também da árvore da vida, e coma e viva eternamente" (Gn 3.22). Dois querubins, armados de espada flamejante, guardavam a árvore da vida. No relato inicial sobre o jardim do Éden, aparentemente a participação do fruto da árvore da vida, por parte do homem, era permitida por Deus; mas por alguma razão não explicada, ele nunca participou dele. Notemos que em Gênesis 2.9,10, tanto a árvore da vida quanto um rio são mencionados, embora nada ali seja esclarecido quanto à significação de uma coisa ou de outra.

Em Ezequiel 31.1-12, novamente aparece um rio, ladeado por árvores perenemente verdes, produtoras de alimento e medicamento. No Antigo Testamento, somente no livro de Provérbios aparece novamente a expressão "árvore da vida", isto é, em Provérbios 3.18. O "fruto do justo" é árvore da vida, como também o desejo cumprido (Pv 11.30 e 13.12). E a "língua serena" participa de idêntica honraria (Pv 15.4). Ao que parece, o homem é vitalizado e renovado por essas coisas, embora não haja elaboração do termo nem alguma significação cósmica emprestada a essas árvores da vida.

No Novo Testamento, apenas o livro de Apocalipse faz alusão à árvore da vida e, em cada caso, há um significado espiritual e cósmico. Assim, em Apocalipse 2.7 é feita a promessa de que o "vencedor" haverá de participar da árvore da vida, localizada no "paraíso de Deus". O capítulo 22 fornece-nos ainda mais detalhes. Na nova Jerusalém manará o rio da vida, desde o trono de Deus. E em ambas as margens desse rio, a árvore da vida proverá tanto a vida quanto a cura para aqueles que ali viverem.

É verdade que os cultos pagãos antigos aproveitaram a ideia, embora distorcidamente, incluindo a *árvore da vida* em seus mitos. Os reis antigos também açambarcaram a ideia, associando sua imagem à da árvore da vida, geralmente sob a forma de um guardião e sacerdote sacramental que dispensa sua autoridade através do culto. Em outro contexto, a árvore da vida aparece intimamente relacionada à deusa-mãe, que representava o princípio feminino da reprodução natural, quer nas plantações, quer no gado ou na família humana. Essa deusa-mãe também podia representar o trono, ou seja, aquela que dava vida e poder ao monarca.

Podemos concluir que a árvore da vida *representa* o poder doador de vida de Yahweh. O Senhor é a fonte de vida para o rei e para o povo de Israel, exatamente como o foi para Adão. Essas e outras ideias foram sintetizadas no livro de Apocalipse, a fim de exprimir a realidade da vida eterna e da felicidade celeste com Deus (Ap 22.1-3; cf. 2.7 e 21.6). Essa evolução de ideias sugere-nos que o livro de Gênesis não se referia somente a uma situação do passado, mas a um destino definitivo que dá uma perspectiva esperançosa, e, portanto, mostra-nos qual o sentido mais profundo da existência humana. Em suma, o paraíso é perdido no Gênesis mas é totalmente recuperado no Apocalipse. E todos os demais livros da Bíblia ensinam como isso ocorre. Os homens encontram vida em Jesus Cristo: "Eu sou o caminho, e a verdade, e a vida; ninguém vem ao Pai senão por mim" (Jo 14.6).

Árvore do Conhecimento. A expressão, no hebraico, consiste em duas palavras, que a Septuaginta traduz por *tó ksúlon toû eidénai*, "a árvore do Éden". A expressão completa aparece em Gênesis 2.9, "a árvore do conhecimento do bem e do mal", que designa uma das duas árvores incomuns que Deus plantou no jardim do Éden. Deus ordenou a Adão que não comesse do fruto dessa árvore, sob pena de morte (Gn 2.17). A tentação de Eva, por parte da serpente, concentrou-se sobre esse mandamento. Ela cedeu à tentação, diante do argumento de que não morreria, mas seria "como Deus", e ela não somente comeu do tal fruto, como também deu-o ao seu marido. A expressão "do bem e do mal", que indica os pontos extremos do conhecimento, denota a ideia de conhecimento total, isto é, onisciência e poder. Segundo se depreende de Gênesis 3.5, equivale a tornar-se um ser divino. Porém, ao apelar para o tal fruto, buscando tornar-se divino, o homem apenas tornou-se culpado, cobrindo-se de vergonha e condenação, e foi expulso do jardim do Éden, onde comungava com Deus.

A falta de conhecimento do bem e do mal pode ser um sinal de imaturidade (Dt 1.39; Is 7.14-17), e no trecho de 2Samuel 19.35 aparece como um sinal da senilidade própria da idade muito avançada. A posse de conhecimento, por parte do rei, torna-o semelhante a um anjo de Deus, e de conformidade com 1Reis 3.9, conhecimento e sabedoria eram os mais almejados de todos os dons, por parte de Salomão (Gn 24.50; Nm 24.13; Ec 12.14; Jr 42.6). A árvore do conhecimento simbolizava a onisciência divina.

A árvore do conhecimento do bem e do mal ensina para o homem, simbolicamente, que o ser humano não pode fazer arbitrariamente o que quiser, nem pode estabelecer as normas do bem e do mal. No entanto, o ato de rebeldia pecaminosa de Adão, que arrastou toda a sua descendência, fez com que o homem se arrogasse à posição de modelo ou norma, como se ele tivesse autonomia moral (Is 5.20; Am

5.14,15). Essa arrogante autossuficiência é frequentemente condenada nas Escrituras, mormente nos escritos proféticos (Ez 28; Is 14.12 ss.; cf. Gn 11), como a característica fundamental do pecado. Portanto, profundíssimo é o ensino de Gênesis, que ensina que esse equivocado senso de autossuficiência é a raiz e a essência do pecado, ensino esse confirmado e reforçado em todos os demais livros da Bíblia.

Qual seria a árvore do conhecimento do bem e do mal? Popularmente, tratar-se-ia da macieira, e a maçã simbolizaria o contato sexual. Mas isso é produto da fantasia maliciosa. As tradições judaicas pensavam na videira, na oliveira ou em uma espiga gigantesca, ao passo que os gregos pensavam na figueira. Na verdade, porém, as Escrituras não determinam a espécie da árvore. A ideia da macieira apareceu pela primeira vez entre escritores latinos, talvez devido a uma semelhança de palavras latinas (*malum* = o mal; *malus* = macieira). Se não fosse essa similaridade de palavras, no latim, não se teria vulgarizado a ideia da maçã, que é tão tola quanto outra tolice qualquer.

■ 2.10

וְנָהָר יֹצֵא מֵעֵדֶן לְהַשְׁקוֹת אֶת־הַגָּן וּמִשָּׁם יִפָּרֵד וְהָיָה לְאַרְבָּעָה רָאשִׁים׃

Um rio. Um único rio é descrito a entrar no jardim, vindo do exterior, para então dividir-se em quatro braços. Os estudiosos têm-se esforçado para tirar daí algum sentido, embora a geografia *atual* não corresponda a essa descrição. Assim, eles supõem que teria havido tal condição, *em algum tempo*, no vale do Tigre-Eufrates. Os críticos pressupõem a natureza mitológica de tais declarações, e nem fazem alguma investigação geográfica. Os nomes dos rios aparecem nos vss. 10-14, e há comentários sobre cada um deles na exposição desses versículos. Todo tipo de ideia fantástica entra aqui na exposição desses versículos, de acordo com certos autores. Ver a terceira seção do artigo sobre o jardim do Éden, no final do vs. 8. A única coisa que se pode afirmar é que o autor, ao identificar dois rios (o Tigre e o Eufrates), situou o berço da civilização na Babilônia, ou seja, em algum lugar do atual Iraque.

Esses rios representam, metaforicamente, a provisão de Deus para a irrigação do Éden, tornando-se assim parte do *teísmo* (ver no *Dicionário*) do autor sagrado. Deus criou; Deus cuida; Deus provê. Ver em Apocalipse 22.1,2 a causa do simbolismo do presente versículo. Ali o rio procede do próprio trono de Deus, um vívido simbolismo. Deus é a fonte originária direta da água da vida. Cf. Eclesiastes 24.25-27.

Os intérpretes cristãos alegorizam o texto. John Gill (*in loc.*) faz o rio significar a água da vida, a manar perenemente do trono de Deus. Esse rio divide-se em seus decretos principais de eleição eterna, redenção, santificação e vida e felicidade eternas.

■ 2.11

שֵׁם הָאֶחָד פִּישׁוֹן הוּא הַסֹּבֵב אֵת כָּל־אֶרֶץ הַחֲוִילָה אֲשֶׁר־שָׁם הַזָּהָב׃

Pisom. Ver o artigo geral sobre o Éden, em Gênesis 2.8. No hebraico, *pisom* significa "canal, correnteza cheia". Esse é o nome de um dos quatro rios que atravessavam o Éden. As descrições não correspondem aos fatos geográficos atuais, o que tem provocado toda espécie de especulação e tentativa de alterar a narrativa para ajustar-se à geografia moderna. Os dois únicos rios sobre os quais não há dúvida alguma são o Tigre e o Eufrates. Mas há dificuldades insuperáveis quanto aos outros dois rios, o Pisom e o Giom.

Eusébio afirmou, juntamente com Jerônimo, que o Pisom é o rio Ganges; mas outros falam no Nilo. Ainda outros opinam pelo Fasis. Mas se o jardim do Éden tiver de ser localizado perto da desembocadura do rio Eufrates, então o Pisom poderia ser o rio *Jaabe*, que deságua no Tigre perto de Curná. São inúteis, porém, as tentativas de ajuste com a geografia moderna; e se esses quatro rios são todos rios *grandes*, então teremos de pensar em uma linguagem poética, sem precisão histórica; ou então, que dois grandes rios desapareceram, embora antes existissem na região. Os eruditos liberais preferem a primeira dessas alternativas; e os conservadores, a segunda. Os céticos, por sua vez, pensam que o relato inteiro é uma fabricação poética, e não história autêntica, não sentindo assim nenhuma necessidade de associar a história à geografia. Supondo-se que o Pisom não fosse um rio, mas um canal ligado ao rio Tigre, então poderíamos pensar no canal Palacotos, próximo de Ur, cidade natal de Abraão. Gênesis 12.10-14 e Eclesiastes 24.25.

Havilá. No hebraico, "circular". Nas páginas do Antigo Testamento, esse é o nome de duas regiões geográficas diferentes:

1. Uma região nas vizinhanças do Éden tinha esse nome. O rio Pisom corria através desse território, e ali havia ouro, bdélio e pedra de ônix (Gn 2.11,12). Não há como localizar essa área, visto que as descrições geográficas dadas na Bíblia, quanto ao presumível local do Éden, não se ajustam a nenhuma das características geográficas atuais, naquela área em geral. Aqueles que aceitam que a narrativa é de natureza metafórica ou poética, em relação ao jardim do Éden, supõem que é inútil tentar identificar quaisquer localizações geográficas dentro do relato bíblico.

2. O nome de um distrito que, aparentemente, ficava ao norte de Sabá, na Arábia, localizado entre Ofir e Hazarmavete. Ismaelitas nômades (Gn 25.18) habitavam na região. Os amalequitas (1Sm 15.7) também estavam associados a essa região. Suas fronteiras parecem ter sido modificadas de tempos em tempos, embora a região ficasse na área geral da península do Sinai e na porção noroeste da Arábia. Saul guerreou ali, contra os amalequitas. Alguns estudiosos supõem que a Havilá referida em 1Samuel 15.7, na verdade, seja uma palavra mal grafada, que deveria aparecer com a forma de *Haquilá*, uma colina que havia naquela área (1Sm 23.19; 26.1,3). A identificação dessa região com o jardim do Éden parece ser fantasiosa. Seja como for, nenhuma localização exata de qualquer dos dois lugares, chamados na Bíblia de "Havilá", tem sido feita.

Ouro. Esse metal, juntamente com os demais que figuram no vs. 12, talvez tenha sido mencionado para ajudar o leitor a identificar o território em foco. Porém, muitos lugares do mundo possuem esses minérios. O mais provável é que o autor sacro tenha mencionado essas coisas como mero ponto curioso, oferecendo algumas características distintivas do território ao qual se referia.

■ 2.12

וּזֲהַב הָאָרֶץ הַהִוא טוֹב שָׁם הַבְּדֹלַח וְאֶבֶן הַשֹּׁהַם׃

O ouro dessa terra é bom... o bdélio e a pedra de ônix. O ouro é *sempre* bom. O autor sagrado faz um comentário curioso sobre a boa qualidade do ouro de Havilá. Talvez ele quisesse dizer que o minério de ouro dali contivesse uma elevada porcentagem desse metal, podendo ser fácil e abundantemente extraído, em contraste com outros lugares produtores de ouro. Supostamente, a menção ao ouro nos ajudaria a identificar a região referida. É admirável que muitos intérpretes nada tenham dito sobre esse ouro. O ouro sempre excitou a imaginação dos homens. Sua cor é "pálida", conforme alguém observou, por causa do cortejo de cobiça dos homens, sempre à cata desse mineral. Ver no *Dicionário* o artigo geral intitulado *Ouro*.

Bdélio. No hebraico temos o termo *bedolach*, o qual figura somente duas vezes, em Gênesis 2.12 e Números 11.7. Na primeira referência aparece como uma das riquezas da terra de Havilá, e, na segunda, como descrição da aparência do maná. O bdélio é uma resina gomosa aromática, da espécie *Commiphora*. Exsuda de uma árvore similar à mirra. Era muito apreciado pelos povos antigos, sendo usado na arte do perfumista. Assemelha-se à mirra tanto pela cor quanto por seu sabor amargo. Por ser uma verdadeira goma, está relacionado aos açúcares, sendo solúvel em água. Plínio informa-nos que a árvore que produz essa resina é de cor negra, sendo mais ou menos das dimensões de uma oliveira (*Nat. Hist.* 1.12 c.9). Pode ser encontrada em muitos lugares, como a Arábia, a Índia, a Média e a Babilônia, mas especialmente em Bactriana.

Ônix. Essa é uma pedra preciosa que recebeu seu nome a partir de sua cor, ou seja, como a unha de um dedo de um ser humano. Plínio informou-nos que podia ser achada em abundância nos montes da Arábia. Em sua época, os antigos que ele conhecia não sabiam de outra área geográfica que tivesse ônix (ver *Nat. Hist.* 1.36 c.7).

O ônix é uma variedade de calcedônia, uma sílica (dióxido de sílica) de grão extremamente fino. Também está relacionado à cornalina. Os intérpretes pensam que essa pedra está em foco em Êxodo 28.10 e Jó 28.16. O ônix consiste em camadas minerais de diferentes cores, como se fosse uma unha grossa em várias camadas. Essa pedra tem sido usada na joalheria, especialmente para a formação de camafeus.

Os romanos aplicavam esse termo a certa variedade de mármore, formado em camadas, chamado "mármore ônix". Essa rocha era usada no fabrico de potes e jarras de unguento (Mt 26.7). Outra variedade de mármore, que também era formado por camadas, era empregada na construção de edifícios, especialmente em Cartago e em Roma. O mármore ônix é muito suave; o verdadeiro ônix é um mineral bastante duro.

A palavra portuguesa desse mineral vem do grego, *onuks*. O termo hebraico correspondente é *shoham*. Essa palavra é variegadamente traduzida na Septuaginta, o que reflete certa dúvida quanto à pedra específica em questão. Josefo afirma que o ônix era uma pedra usada no peitoral do sumo sacerdote de Israel (Êx 28.20). Para alguns intérpretes, isso fixa a identificação entre o vocábulo grego *onuks* e o termo hebraico *shoham*. Porém, Josefo viveu em um tempo muito posterior à época da confecção das vestes sumo sacerdotais originais para que o seu testemunho seja absoluto.

2.13

וְשֵׁם־הַנָּהָר הַשֵּׁנִי גִּיחוֹן הוּא הַסּוֹבֵב אֵת כָּל־אֶרֶץ כּוּשׁ׃

Giom. Esse é o segundo rio a ser mencionado como existente nas proximidades do jardim do Éden. Alguns dizem que esse rio cruzava todo o território de Cuxe (Etiópia). Isso significa que era um rio bastante extenso, mas as tentativas de identificação não têm produzido resultado seguro. Alguns intérpretes, no entanto, preferem ligar esse nome à região dos *cassitas*, o trecho montanhoso que ficava a leste da Mesopotâmia. Também provi no *Dicionário* um detalhado artigo sobre a *Etiópia*. Os trechos de 1Reis 1.33 e 2Crônicas 32.30 incluem tal nome no que toca a Israel; mas jamais é dito que o jardim do Éden estivesse localizado ali. O rio Nilo é outra alternativa, embora com pouquíssimas possibilidades.

Giom é palavra que vem do hebraico e significa "irrompimento". Esse nome, além da famosa fonte assim chamada [ver sobre *Giom (Fonte)*], também era a designação de um dos quatro rios que banhavam o Éden, onde Adão e Eva foram criados e postos pelo Senhor Deus. Alguns eruditos supõem que a referência seja a um dos quatro braços de um mesmo rio que atravessava o Éden, rio esse que se dividiria em quatro, após deixar a área para trás. Ver Gênesis 2.10-14. Mas outros eruditos pensam que Giom era apenas um canal que ligava entre si os rios Tigre e Eufrates. As alterações geológicas, as mudanças de leito de rios etc. fazem com que qualquer declaração dos estudiosos, quanto a essa questão, seja precária. Os estudiosos liberais simplesmente duvidam da autenticidade de *quatro* rios (dois além dos grandes rios, Tigre e Eufrates) e dizem que o relato sobre o jardim do Éden é mitológico, e que, por isso mesmo, não podemos determinar acidentes geográficos ali existentes. A narrativa bíblica parece falar em um único rio que se dividia em quatro braços menores. O fato, porém, é que os rios Tigre e Eufrates não se originam de um manancial comum, pelo que a topografia local da atualidade não se ajusta a esse antigo relato bíblico. É possível, porém, que algum grande terremoto, ou mesmo a mudança de polos magnéticos, tenha obliterado completamente qualquer configuração geográfica antiga.

2.14

וְשֵׁם הַנָּהָר הַשְּׁלִישִׁי חִדֶּקֶל הוּא הַהֹלֵךְ קִדְמַת אַשּׁוּר וְהַנָּהָר הָרְבִיעִי הוּא פְרָת׃

Tigre. No hebraico, esse rio era chamado *Hidequel*, conforme se vê no texto hebraico desta passagem. Era esse o nome de um dos rios que Moisés afirmou que banhavam o jardim do Éden. Aparentemente, era nome equivalente ao Tigre (ou então, era um nome que os hebreus davam a esse rio). Visto que as descrições dadas aqui não se ajustam à topografia atual, qualquer identificação é simplesmente impossível. Os eruditos liberais supõem que a passagem seja poética e parcialmente imaginária, pelo que nenhuma localização específica teria de ser determinada.

Os intérpretes, com base na quase certeza de que o Hidequel é o Tigre, e com base no fato de que o Eufrates é mencionado de forma absoluta, supõem que o autor sagrado situava o jardim do Éden naquela área em geral, muito provavelmente o moderno *Iraque*.

A planície aluvial da Mesopotâmia (no grego, "entre rios") era a região que ficava entre os rios Eufrates, mais a oeste, e o Tigre, mais a leste.

O rio Tigre começa nas montanhas do Zagros, na porção ocidental do Curdistão. Conta com muitos tributários, entre os quais queremos citar o Zabe Maior e o Zabe Menor, além do Diala. Percorre cerca de 1.130 Km, na direção noroeste para sudeste, até desaguar no golfo Pérsico. Durante muitos séculos, esse rio serviu de fronteira mais oriental dos povos sumérios, um fulcro que punha em contato os elamitas, os sumérios e os indo-europeus. As neves das montanhas do Zagros se derretem e fluem para o sul, fazendo o rio Tigre atingir seu nível maior entre maio e junho de cada ano. Os misteriosos povos "proteufrateanos", cujo caráter só é conhecido pelos estudiosos de maneira muito vaga e imprecisa, aparentemente foram os primeiros a dar nome ao rio. Esse nome, *Idiglate*, foi adotado pelos sumérios e pelos babilônios posteriores, durante vários milênios. Somente mais tarde surgiu o nome Tigre. Tanto Eufrates quanto Tigre são nomes que aparecem na narrativa do Gênesis (2.14). No entanto, no original hebraico temos a forma *hidekel*, correspondente ao semítico *hidigla*, "flecha rápida". No entanto, *digla* é uma forma semítica corrompida de Tigre, o nome medo-persa do rio. O nome que atualmente se usa no Iraque é muito parecido com isso, *Dijleh*. Nas inscrições assírias, o nome aparece com a forma de *Tiggar*.

O comprimento total do rio Tigre, que é pouco mais de 1.900 Km, desde a mais remota antiguidade vem sendo pontilhado pelas cidades de várias civilizações perdidas. No extremo norte dele viviam os urartu, que emprestaram o seu nome ao monte Ararate, os cimérios (ancestrais, entre outros, dos povos celtas e germânicos, que vieram habitar na parte mais ocidental da Europa, mas com grande representatividade entre os povos eslavos), e, séculos mais tarde, os guti (provavelmente aqueles que, na época dos romanos em diante, foram conhecidos por godos, no caso daqueles que habitavam na península escandinava). Nas encostas dos montes do Zagros podem ser encontrados os restos de antigas localidades pré-neolíticas, como Sanidar e Tepe Gawra, ao mesmo tempo em que os sumérios fundavam cidades como Esnuna, Lagas e outras, que antes floresceram nos lugares onde depois existiram Samarra e Cafaje. A porção sul desse rio, após o fim do terceiro milênio a.C., veio a ser dominada pelos semitas acadianos, cujos governantes estabeleceram-se em Sumer e Agade. Ao norte deles foi surgindo o império assírio. As cidades que serviram de capitais do império assírio, Nínive, Assur e Ninrode, localizavam-se todas às margens desse rio. A planície que havia entre o Tigre e o Eufrates, na sua porção norte, foi ocupada pelos arameus ou sírios.

As antigas alterações do curso do rio Tigre ainda são compreendidas de modo imperfeito, e o trabalho de pesquisas à superfície tem prosseguido por muitos anos. Sabe-se que no período da história registrada, tanto o Tigre quanto o Eufrates mudaram de leito por mais de uma vez, com frequência, fazendo com que alagadiços verdejantes e terras de pastagem viessem a tornar-se desertos ressequidos. A longa rota de caravanas, ligando a região com o norte da Índia, que cruzava até a costa da Síria-Palestina, seguia o curso do rio Tigre por centenas de quilômetros, até que, finalmente, voltou na direção do rio Eufrates, em Nínive, o que foi uma das razões do grande poder e das imensas riquezas dessa cidade como uma das capitais da Assíria.

O terreno íngreme, os extremos das condições climáticas e a natureza caprichosa do suprimento de água potável requeriam, da parte dos homens, sistemas sociais elaborados e bem estruturados, para que pudessem sobreviver, e para que as cidades às margens dos rios Tigre e Eufrates continuassem florescendo. É possível que essa topografia nada hospitaleira tenha sido o fato que, mais do que qualquer outro, encorajou o surgimento da civilização mesopotâmica, tão pujante e tão influente sobre a nossa própria civilização ocidental.

Eufrates. No *Dicionário*, provi um artigo detalhado sobre esse importante curso de água desde a antiguidade.

2.15

וַיִּקַּח יְהוָה אֱלֹהִים אֶת־הָאָדָם וַיַּנִּחֵהוּ בְגַן־עֵדֶן לְעָבְדָהּ וּלְשָׁמְרָהּ׃

Tomou, pois, o Senhor Deus ao homem e o colocou no jardim. O homem estava apenas iniciando a sua carreira. O Pai proveu-lhe uma habitação, por certo um dos principais cuidados que qualquer pai tem com seus filhos. Ver no *Dicionário* acerca do *Teísmo*. Deus criou; Deus cuidava; Deus provia. Isso em contraste com as noções deístas, que pensam que Deus criou o homem mas então abandonou a sua criação. Ver no *Dicionário* o artigo intitulado *Deísmo*. Deus preparou a vida vegetal e, então, fez um trabalho todo especial no jardim do Éden. O homem sempre esteve na mente de Deus.

Este versículo é uma virtual repetição do vs. 8, onde o leitor deveria consultar os comentários. Naquele versículo também provi um artigo geral sobre o *jardim do Éden*.

Para o cultivar e o guardar. Na ocasião, o homem recebeu um trabalho para fazer. Não foi deixado no ócio. A tarefa do homem era cultivar e tomar conta do jardim que Deus havia preparado. Isso posto, o seu trabalho era feito *para* Deus, um serviço divino. Cada indivíduo tem seu próprio jardim para cultivar e proteger, o que, sem dúvida, é uma das lições espirituais sugeridas neste texto. Idealmente, cada ser humano tem uma missão ímpar a cumprir. Sua vida deveria ser vivida de tal maneira que ele descobrisse essa missão e então a cumprisse. Ver meus comentários, no fim de Gênesis 2.3, que cabem bem aqui.

Cada Indivíduo é um Jardineiro. Toda pessoa tem algo de importante para amar e para cuidar. Há um nobre serviço a ser realizado. Seu plantio medra como as flores e as árvores. Ali está tudo, e pode ser visto. Podem ser coisas dotadas de beleza para que ela mesma e outras pessoas possam contemplar. Esse plantio produz fruto. É útil para ela mesma e para outras pessoas. Cada indivíduo tem a responsabilidade de cultivar a tarefa que Deus lhe deu. Jesus apreciava os lírios do vale (Mt 6.28). O próprio reino cresce como uma semente de mostarda (Mt 13.31). O homem diligente deve ser como um semeador que, cheio de entusiasmo, sai para cumprir a sua tarefa (Mt 13.3). Deus andava e conversava com o homem no jardim do Éden. Ele está sempre perto para ajudar e inspirar ao homem honesto que quer cumprir bem a sua tarefa. Cada missão tem uma *provisão* divina para que seja devidamente levada a efeito. Deus preparou o jardim; em seguida, preparou o homem; e também garantiu a sua fertilidade.

Aben Ezra referiu-se à necessidade de proteger o jardim do Éden das feras. Elementos estranhos que impedem a tarefa devem ser evitados ativamente. Nenhuma missão deixará de ter sua cruz para ser suportada; mas algumas vezes as pessoas vivem descuidadamente, permitindo que elementos prejudiciais venham atrapalhar.

"Mesmo estando no estado de inocência, não podemos conceber que o homem poderia sentir-se feliz, se ficasse *inativo*. Deus lhe deu um trabalho para fazer, e sua atividade contribui para a sua felicidade" (Adam Clarke, *in loc.*).

A ÁRVORE PROIBIDA (2.16,17)

Foi estabelecida uma limitação. O homem ainda não estava pronto para todo e qualquer tipo de conhecimento, especificamente naquela ocasião, o conhecimento do bem e do mal. A árvore proibida proveu o homem com a oportunidade de agir livremente com bons intuitos e com justiça. Ele ainda não havia testado o seu livre-arbítrio. Tudo fora providenciado para ele. Mas certas coisas tinham sido proibidas. Mesmo em seu estado de impecabilidade e inocência, não dispunha de recursos interiores que lhe permitissem passar no teste. E é aqui que entramos em um dos aspectos do *problema do mal*, sobre cujo assunto ofereço um artigo detalhado no *Dicionário*.

Deus forçou uma tentação que, segundo ele *sabia*, não poderia ser enfrentada com sucesso pelo homem, pelo que ele *permitiu* (ou *causou*) que entrasse no paraíso terrestre. Isso levanta difíceis indagações teológicas que abordo no artigo acima mencionado. É claro que supomos que a queda dos anjos já tivera lugar, pelo que a queda do homem foi apenas uma extensão daquela rebelião angelical. Só nos resta pensar que para Deus havia algo mais importante do que preservar o estado de impecabilidade do homem. Esse *algo* por certo era a redenção e a salvação. É mister que o homem seja levado à plena participação da *imagem* de Deus. Isso só pode ser realizado se o pecado for enfrentado, se o homem cair no pecado, se o homem for redimido do pecado, para então ser transformado segundo a imagem de Deus, no seu sentido mais pleno e literal. Ver o artigo sobre a *Imagem de Deus, o Homem Como,* no fim dos comentários sobre Gênesis 1.26 quanto a explicações. Após levarmos em conta essas coisas, nem assim teremos resolvido os problemas teológicos envolvidos. O que poderia ser dito eu já disse no artigo acima referido.

■ **2.16**

וַיְצַו֙ יְהוָ֣ה אֱלֹהִ֔ים עַל־הָֽאָדָ֖ם לֵאמֹ֑ר מִכֹּ֥ל עֵֽץ־הַגָּ֖ן אָכֹ֥ל תֹּאכֵֽל

De toda árvore. Presumivelmente, até da árvore da vida, que teria garantido ao homem a imortalidade. A capacidade de previsão de Deus, todavia, não o levou a "temer" essa finalidade. Ele sabia que o homem cairia e se tornaria um ser mortal. Logo, a imortalidade seria provida por meio da salvação, mediante a transformação da alma, e não através de uma eterna preservação do corpo físico.

E lhe deu esta ordem. No hebraico temos o verbo *sawah*, o primeiro uso bíblico do termo, assinalando o primeiro mandamento dado por Deus ao homem. Dizia respeito à vida e à morte, ao bem e ao mal, ao uso apropriado do livre-arbítrio. Esse mandamento de Deus acabou por desdobrar-se na *Lei*, e então na doutrina de Cristo, onde o amor é o mandamento supremo e todo-controlador. Deus tem autoridade. Ele *ordena*. Mas tudo visa sempre ao bem do homem. Seus decretos não são destrutivos, a menos que o homem os force a serem assim. Os mandamentos de Deus são específicos e diretos. Ao homem foi conferida a iluminação apropriada para que tivesse uma boa conduta.

■ **2.17**

וּמֵעֵ֗ץ הַדַּ֙עַת֙ ט֣וֹב וָרָ֔ע לֹ֥א תֹאכַ֖ל מִמֶּ֑נּוּ כִּ֗י בְּי֛וֹם אֲכָלְךָ֥ מִמֶּ֖נּוּ מ֥וֹת תָּמֽוּת׃

Esta seção provê a resposta do autor sacro sobre como o mal teve início. Muitos estudiosos têm-se sentido infelizes diante da simplicidade e da aparente ingenuidade da questão toda. O pecado realmente entrou desse modo no gênero humano? Os antropólogos pensam que o pecado e a má conduta do homem se devem à sua herança animal. A civilização seria um meio para melhorar o homem selvagem, o qual é selvagem devido à sua herança animal. O livro de Gênesis oferece razões espirituais para a corrupção humana, e assim prepara-nos para compreender melhor as operações espirituais da redenção.

Árvore do conhecimento. Ver o artigo sobre esse assunto, em Gênesis 2.9. Os críticos veem aqui um pouco de mitologia. Alguns eruditos conservadores aceitam a passagem alegoricamente. Mas outros insistem sobre o caráter literal da árvore, embora não façam nenhuma sugestão lógica de por que, ao comer daquele fruto, o homem poderia receber conhecimento. Não nos devemos deter em debates, perdendo assim de vista os claros ensinamentos espirituais do trecho. Nenhum paraíso está isento de seus problemas ou complicações. O pecado agachava-se, ameaçador, mesmo quando o homem era inocente. Sempre haverá testes. O mal é real, e não relativo. O homem caiu no pecado da maneira mais ignorante e estúpida. Sem embargo, aquilo foi uma necessidade, de uma maneira que não podemos entender, a fim de que a redenção e a salvação pudessem ser outorgadas, levando-nos muito além do estado original de inocência. Desse modo, chegamos a compartilhar da imagem de Deus, por meio de Cristo, o qual é o nosso irmão mais velho. Ver no *Dicionário* o artigo intitulado *Problema do Mal*.

Certamente morrerás. Os eruditos cristãos veem aqui tanto a morte física quanto a espiritual, ambas as coisas efeitos da queda no pecado. Alguns intérpretes supõem que só a morte física está em pauta, visto que o autor sacro não antecipava a doutrina da alma — a única entidade passível de morte espiritual. Ver meus comentários sobre essa questão em Gênesis 1.26,27 e 2.7. Tem sido motivo de debate até que ponto a imagem de Deus foi desfigurada no homem por causa da queda. Comento sobre esse ponto no artigo sobre a *Imagem de Deus, o Homem Como,* que aparece no fim dos comentários sobre Gênesis 1.26.

Será Justo? Os comentadores debatem-se diante da presença dessa árvore no paraíso. Ela estava ali a fim de que seu fruto pudesse ser desejado. Mas ao homem foi proibido participar do mesmo. Alguns intérpretes caem no erro do *Voluntarismo* (ver o artigo a respeito no *Dicionário*). Esse erro ensina que uma coisa é boa porque assim Deus quer, e não por ser ela inerentemente boa. Deus proibiu; ao homem cabia obedecer cegamente. Mas outros alegorizam a questão, vendo aí uma inevitável tentação ao pecado, que Deus *permitiu* a fim de submeter a teste as qualidades espirituais do homem. Testar é algo necessário a fim de comprovar a força, falando-se física e espiritualmente. Testar também é necessário para desenvolver habilidades e para o crescimento.

CRIAÇÃO DA MULHER (2.18-25)

O HOMEM PRECISA DE COMPANHIA (2.18-20)

■ **2.18**

וַיֹּ֙אמֶר֙ יְהוָ֣ה אֱלֹהִ֔ים לֹא־ט֛וֹב הֱי֥וֹת הָֽאָדָ֖ם לְבַדּ֑וֹ אֶֽעֱשֶׂה־לּ֥וֹ עֵ֖זֶר כְּנֶגְדּֽוֹ׃

Não é bom que o homem esteja só... O autor sacro interrompeu seu relato que estava mostrando como o mal foi introduzido entre os homens. Mas aqui ele começa a explicar como foram criados homem e mulher. Em Gênesis 1.27, temos apenas uma declaração geral de que Deus criou o ser humano como homem e mulher. O segundo relato da criação fornece-nos o *modus operandi*. De novo, os críticos veem aqui muito material mitológico, tomado essencialmente por empréstimo do folclore babilônico. E, uma vez mais, os conservadores dividem-se em simbolistas e literalistas. Deus criou a mulher, mas o episódio sobre a costela deve ser alegorizado e espiritualizado. Ou então, como alguns dizem, devemos aceitar a questão como um relato literal. Busquemos as lições espirituais do trecho, e não nos deixemos arrastar para o lodaçal do mero debate.

Companheirismo. Platão mencionou o mito cru de como, originalmente, homens e mulheres formavam um único ser, uma combinação de macho e fêmea. Mas os deuses não gostavam dessa combinação e, então, os separaram, deixando-os sempre a buscar um ao outro. E assim, conforme ele ajuntou, cada vez que vemos um homem e uma mulher abraçando-se, podemos estar certos de que eles estão tentando unir-se de novo. Esse mito é ridículo, embora disponha de alguns defensores sérios. Por outra parte, a lição que o caso ensina é vital. Alguns ensinam, por esse motivo, a doutrina das *almas gêmeas*, ou seja, a ideia de que, originalmente (de alguma maneira inexplicável), certo homem e certa mulher eram, de fato, um único ser. E, visto que esse conceito envolve a ideia da reencarnação, ao longo da vereda da vida eles se encontram de novo e são instantaneamente atraídos um pelo outro. Um homem vive buscando sua alma gêmea; e uma mulher faz a mesma coisa. Sem importar se essa ideia corresponde ou não à realidade, ela pelo menos ensina uma importante verdade: o homem precisa de uma companheira idônea; e a mulher precisa de um companheiro idôneo. A ideia do *hermafroditismo* é ridícula, embora contenha uma urgente verdade. As pessoas casadas vivem por mais tempo; elas são dotadas de uma melhor psicologia; os seus sistemas vitais funcionam melhor; há menos frustração sexual; há amor e companheirismo nelas. Não, não é bom que o homem viva só. Embora o texto nada tenha a ver com o celibato do sacerdócio católico romano, ainda assim indica quão equivocado é aquele sistema, excetuando os casos em que esse celibato é *voluntário*. De acordo com a mitologia grega, *Hermafrodito* era filho de Hermes e de Afrodite. Após ter amado a ninfa Salmacis, ficou tão apaixonado que se uniu a ela formando um único corpo, combinando assim os dois corpos e os dois seres. Esses mitos transmitem a mesma lição que nos ensina o trecho de Gênesis 2.18.

Interpretando a Existência. As coisas só estão certas, dentro do universo, quando se relacionam devidamente ao Criador. Essa é a mensagem central da história da criação. Uma lição secundária é que as coisas só são certas na terra quando cada homem tem sua companheira, e cada mulher tem seu companheiro. Essa é uma das bases do desenvolvimento mútuo. Temos aí os primórdios da instituição do matrimônio.

Uma Auxiliadora. Essa não é uma palavra aviltante. É enobrecedor alguém ser ajudante em alguma causa justa. A Bíblia não ensina igualdade absoluta entre homem e mulher, mas também não rebaixa a mulher. Quase todos os *homens* são secundários diante de alguém. Os homens fazem parte das coisas, e não são a totalidade. Por igual modo, uma mulher encontra seu justo valor quando se posta ao lado de um homem bom. "O amor é um jubiloso conflito de duas ou mais pessoas livres e autoconscientes que se regozijam nas individualidades umas das outras" (G. A. Studdert-Kennedy). O lar provê um lugar ideal para essa expressão de amor e unidade, mediante a individualidade.

A Importância do Sexo. O sexo faz parte do casamento, e alguns intérpretes têm a coragem de discutir isso. O sexo é fundamental para os seres humanos. Não podemos desvencilhar-nos dele e nem ignorá-lo. Os essênios experimentaram o celibato. Jesus e Paulo eram celibatários, e Paulo chegou a recomendar essa condição. A Igreja Católica Romana oficializou o celibato no caso do seu clero. Mas o sexo foi uma ordenação divina para as massas, e um indivíduo precisa ser chamado por Deus para a vida celibatária, e não forçado a aceitar a condição. No *Dicionário* ofereço um detalhado artigo intitulado *Celibato*. Ver também o artigo intitulado *Sexo*.

■ **2.19**

וַיִּצֶר יְהוָה אֱלֹהִים מִן־הָאֲדָמָה כָּל־חַיַּת הַשָּׂדֶה וְאֵת
כָּל־עוֹף הַשָּׁמַיִם וַיָּבֵא אֶל־הָאָדָם לִרְאוֹת מַה־יִּקְרָא־
לוֹ וְכֹל אֲשֶׁר יִקְרָא־לוֹ הָאָדָם נֶפֶשׁ חַיָּה הוּא שְׁמוֹ׃

Havendo, pois, o Senhor Deus formado da terra todos os animais. Isso reitera Gênesis 1.20 ss. Mas agora o propósito é contar como as coisas receberam seus nomes. Deus entregou ao homem essa tarefa. Metaforicamente, o texto ensina como o homem exercia domínio sobre a criação terrestre (Gn 1.26). O *nome* de uma coisa qualquer traz essa coisa à nossa mente. Quando Adão deu nomes às coisas, ele determinou como elas deveriam ser e como deveriam funcionar, ou, pelo menos, essa é a noção aceita por alguns intérpretes. Provavelmente temos aí um exagero que o autor sagrado não antecipou. Mas sem dúvida ele estava pensando acerca do domínio do homem sobre a criação inferior.

A Inteligência do Homem. O homem mostrou estar à altura da grande tarefa que recebeu. Sem dúvida essa é uma das lições espirituais do texto. Supomos que a formação da linguagem, quanto à extensão do vocabulário, também é algo enfatizado no texto. Diz o autor sacro que a linguagem cresceu juntamente com Adão. Ridiculamente, os intérpretes judeus diziam que a língua original foi o hebraico, e pensavam neste texto como prova dessa noção. Ver o artigo geral no *Dicionário* sobre o verbete *Língua*. Platão diz que os primeiros nomes das coisas foram determinados pelos deuses (*In Cratylo*, apud. Euseb. Praepar. Evangel. 1.11. c.6), e Cícero declarou algo similar.

Deve-se presumir que um homem só poderia cumprir essa tarefa se fosse dotado de grande e *inerente* conhecimento da natureza, da biologia e da zoologia. Concluímos, pois, que o homem foi criado com conhecimento inerente e com ideias inatas, de acordo com este texto. O homem descobriu muitas aplicações de seu conhecimento, e assim as ciências tiveram início.

A Ausência de Companhia. Os animais passaram diante de Adão, e ele lhes deu nome. Eles sempre apareciam aos pares. Mas ele estava sozinho. Assim sendo, este versículo aponta para a necessidade da formação da mulher. Nessa questão de companheirismo, o homem, naquele momento, era inferior aos animais inferiores.

Os críticos opinam que a tarefa referida neste versículo é algo impossível e mitológico. Os estudiosos conservadores, como sempre, dividem-se em alegoristas e literalistas.

■ **2.20**

וַיִּקְרָא הָאָדָם שֵׁמוֹת לְכָל־הַבְּהֵמָה וּלְעוֹף הַשָּׁמַיִם
וּלְכֹל חַיַּת הַשָּׂדֶה וּלְאָדָם לֹא־מָצָא עֵזֶר כְּנֶגְדּוֹ׃

Deu nome o homem a todos. Adão cumpriu bem a sua tarefa, aplicando seu notável conhecimento. Mas, enquanto ele ia dando nome aos animais, que passavam aos pares, não aparecia nenhuma companheira para ele. Ele percebeu isso; Deus já sabia do fato e logo remediou a situação.

A FORMAÇÃO DA MULHER (2.21-25)

■ **2.21**

וַיַּפֵּל יְהוָה אֱלֹהִים תַּרְדֵּמָה עַל־הָאָדָם וַיִּישָׁן וַיִּקַּח
אַחַת מִצַּלְעֹתָיו וַיִּסְגֹּר בָּשָׂר תַּחְתֶּנָּה׃

Fez cair pesado sono. O texto frisa um sono sobrenaturalmente imposto, que vários elementos químicos, em tempos modernos, também podem produzir. Os primeiros usos desses agentes foram aprovados por pessoas religiosas porque Deus "havia aberto o caminho". *Deus evitou uma dor desnecessária.* Uma intervenção cirúrgica sem anestesia teria sido dolorosa para Adão. Deus teve misericórdia dele. A misericórdia faz parte da provisão divina universal, sendo aplicada de inúmeras maneiras.

Uma das suas costelas. Ver o artigo sobre *Eva*, em Gênesis 3.20. O relato sobre a costela, no livro de Gênesis, tem paralelo no folclore sumério. Discuto isso com detalhes no artigo sobre *Eva*, em sua quarta seção, pelo que não repito o material aqui. Os críticos veem nisso apenas mitos. Os estudiosos conservadores dividem-se entre os que alegorizam e os que interpretam literalmente o versículo. O debate pode enevoar os sentidos espirituais do texto sagrado. Alguns desses significados aparecem abaixo:

1. Deus trouxe uma companheira idônea a Adão. Acerca disso comentei longamente no v. 18.
2. Deus usou de misericórdia e não infligiu dor desnecessária a Adão.
3. Há provisões para todas as nossas necessidades, provisões essas que começam em Deus, o qual é a fonte de toda bondade e riqueza (Tg 1.17).
4. É enfatizado o relacionamento íntimo entre o homem e a mulher. Deus não formou a mulher a partir da argila, como se deu no caso do homem. Ela veio como parte dele. Essa parte foi extraída por Deus de Adão, e então dali foi formada a mulher.
5. A mulher foi a *obra-prima* de Deus, conforme concordam todos os intérpretes masculinos!
6. Deus *fechou de novo a carne,* depois de ter extraído a costela de Adão. Sua obra foi completa. Ele não fez um trabalho parcial. Nisso ele nos serve de exemplo. O sacrifício pode ser algo necessário para trazer à fruição certos projetos nobres. Deus não deixou nenhuma cicatriz. Seu trabalho foi perfeito.
7. *Teísmo*. Declara que Deus está com o homem. Deus jamais abandonou a sua criação. Ele provê o que é preciso para cada necessidade. Ver no *Dicionário* o artigo sobre o *Teísmo.*

Vãs Especulações. Alguns têm dito que antes o homem tinha treze costelas, mas agora tem somente doze. A genética teria transmitido a redução. Antigos e modernos intérpretes, às vezes, envolvem-se em especulações triviais como essa.

Os críticos pressupõem a natureza ingênua e mitológica do relato. Os eruditos conservadores dividem-se nos campos alegórico e literal, tanto entre os mais antigos como entre os mais recentes.

■ 2.22

וַיִּבֶן֩ יְהוָ֨ה אֱלֹהִ֧ים ׀ אֶֽת־הַצֵּלָ֛ע אֲשֶׁר־לָקַ֥ח מִן־הָֽאָדָ֖ם לְאִשָּׁ֑ה וַיְבִאֶ֖הָ אֶל־הָֽאָדָֽם׃

A costela... transformou-a numa mulher, e lha trouxe. Meus comentários sobre o vs. 21 cobrem todos os elementos aqui constantes, exceto a conclusão da obra-prima, que foi então apresentada ao boquiaberto homem! As alegorias incluem a observação de que a mulher não foi feita de alguma porção inferior do corpo do homem, nem de alguma porção superior, mas do seu *lado,* para que ela sempre estivesse ao lado dele, como sua companheira. Não há que duvidar de que está em foco a ideia da *união espiritual,* e não apenas alguma união social e biológica. A mulher não foi *criada.* Ela foi formada do homem e para o homem.

E lha trouxe. A provisão divina supriria a necessidade. Deus traz até nós aquilo de que precisamos, quando o necessitamos. O texto institui o matrimônio. Deus uniu o casal. No *Dicionário* ver o artigo sobre o *Matrimônio.* O casamento é uma instituição divina. Agora viera à existência a primeira família. O desejo sexual fazia parte da instituição humana. Os homens pervertem tudo, mas isso não anula a bondade inerente das coisas. Essa união veio a tornar-se símbolo de Cristo e de sua Igreja (Ef 5.29-32). Há na questão elementos místicos, porquanto a união espiritual faz parte da união física. Aquele que criou os céus e a terra também fez as coisas menores. O mesmo poder reside em todos os labores de Deus, e a bondade assinala todos eles.

Mulher. Ver os comentários a respeito no vs. 23.

■ 2.23

וַיֹּאמֶר֮ הָֽאָדָם֒ זֹ֣את הַפַּ֗עַם עֶ֚צֶם מֵֽעֲצָמַ֔י וּבָשָׂ֖ר מִבְּשָׂרִ֑י לְזֹאת֙ יִקָּרֵ֣א אִשָּׁ֔ה כִּ֥י מֵאִ֖ישׁ לֻֽקֳחָה־זֹּֽאת׃

Osso dos meus ossos e carne da minha carne. Adão aprovou a obra de Deus e reconheceu a profunda comunhão que haveria de ter com aquela magnífica criatura feminina. O mesmo poder divino que havia cumprido a tarefa fez Adão tomar consciência de sua perfeição. A mulher fora formada já equipada com o poder da reprodução, pelo que aquela obra-prima não precisava ser repetida.

Tomada. No original, "edificada", o que nos fornece o quadro de um artífice celeste que usou de seu tempo e de suas habilidades com todo o cuidado. A mulher não resultou de uma obra apressada. Nossas mais bem-feitas tarefas são aquelas que requerem tempo e sacrifício, exigindo todo o nosso conhecimento e persistência. A preguiça anula muitos bons empreendimentos. Adão precisou sacrificar uma parte de si mesmo a fim de que algo maior e melhor fosse formado daquela parte.

Nossas melhores realizações são sempre as que exigem mais de nossa parte. Mas Deus garante o bom resultado dos esforços envidados sacrificialmente. Deus abençoa esse tipo de dedicação pelo qual o homem se sacrifica. "A linguagem antropomórfica desses primeiros capítulos faz parte daquela condescendência diante da debilidade humana, tornando-a a regra geral da inspiração, usando uma linguagem popular" (Ellicott, *in loc.*). Ellicott dava apoio à interpretação conservadora alegórica do texto. As lições espirituais, como aquelas encerradas no presente texto, atuam através da comunicação por meio da linguagem humana. Mas os empreendimentos espirituais devem ter lugar no mundo real.

Mulher. No hebraico, *isha,* ou seja, tomada do *ish* (homem). Literalmente, o termo significa *homem-ela,* ou seja, "do homem". A Vulgata Latina contém a tradução *virago,* em imitação ao vocábulo hebraico, pois o latim é a forma feminina de *vir* (homem).

■ 2.24

עַל־כֵּן֙ יַֽעֲזָב־אִ֔ישׁ אֶת־אָבִ֖יו וְאֶת־אִמּ֑וֹ וְדָבַ֣ק בְּאִשְׁתּ֔וֹ וְהָי֖וּ לְבָשָׂ֥ר אֶחָֽד׃

Deixa o homem pai e mãe, e se une à sua mulher. A instituição do matrimônio, iniciada por Deus, requer o sacrifício de caminhos antigos. Quantos empreendimentos têm sido deixados de lado porque a pessoa envolvida não pode impedir-se de olhar para trás? Lembremo-nos da esposa de Ló. Deixar o antigo para lançar-se ao novo é a primeira e grande garantia de sucesso. Um homem dividido entre mãe e esposa acha-se sobre um alicerce muito fraco. Acabará não agradando a nenhuma das duas, e ambas serão infelizes com ele. Disse Adão: "Considere o modo como eu tive de fazer isso. Eu tinha somente a minha esposa". Assim também qualquer outro homem, quando se casa, tem apenas a sua esposa. Visitas vindas de membros da antiga família serão suficientes.

O que Esse Ensino Não Envolve. O autor sagrado não nos encoraja a sermos negligentes no tocante a nossos pais. Continuemos a servi-los, na medida do possível. O amor filial continuará rebrilhando. Mas ele diz: "Sai da casa de teus pais!" Uma mãe é como a terra natal de um homem. Uma esposa é como um país para onde ele migrou. Ninguém pode viver em dois países ao mesmo tempo. Tal homem ama a ambos, mas sua presença física manifesta-se na sua nova pátria.

"Por ordem de Deus, haverá uma conexão mais íntima, entre o homem e a mulher, do que pode subsistir até mesmo entre pais e filhos" (Adam Clarke, *in loc.*).

Uma só carne. Essa afirmação tem sido entendida de várias maneiras, como segue:

1. Marido e mulher devem ser tidos como *um só corpo,* em uma verdadeira comunhão de bens, onde nenhum tem direitos separados ou independentes, nem privilégios, nem cuidados, nem interesses: antes, compartilham de tudo, estão interessados pelas mesmas coisas e têm os mesmos alvos. Aristóteles dizia que os verdadeiros amigos são dois corpos com uma só mente; e esse sentimento aplica-se aqui.
2. Vivem para a *produção* de uma carne, uma referência ao dever e privilégio que têm de se reproduzirem segundo a sua espécie.
3. O termo pode expressar união espiritual. Os dois tornam-se uma única pessoa, embora possuidores de dois corpos. Sua união, pois, é uma união de almas.
4. "A união entre os dois é tão íntima que é como se fossem uma só pessoa, uma só alma, um só corpo, o que faz contraste com a poligamia, o divórcio ilegítimo, toda espécie de imundície moral, fornicação e adultério" (John Gill, *in loc.*).
5. A esposa é o "ego-fêmea" do esposo, a sua hetero-identificação.

Usos Deste Versículo no Novo Testamento. Jesus (Mt 19.5) utilizou este versículo para combater o divórcio, pois quem pode separar aquilo que Deus juntou? Deus junta; o homem separa. Ver no *Dicionário* o artigo intitulado *Divórcio.*

Paulo (citando indiretamente) usou o sentimento do versículo a fim de proibir a prostituição, visto que o princípio de *uma só carne* que deve prevalecer no matrimônio é violado pela intrusão de uma terceira pessoa. Em Efésios 5.31, esse apóstolo citou diretamente o versículo. Primeiro usou-o para indicar o casamento literal, e, em seguida, o casamento espiritual de Cristo com a sua Igreja. Em ambos os casos, ele partiu do pressuposto de alguma espécie de comunhão mística, no âmbito da alma, que une os casais, bem como Cristo à sua Igreja, o que o vs. 32 dá a entender por meio do termo *mistério*.

■ 2.25

וַיִּהְיוּ שְׁנֵיהֶם עֲרוּמִּים הָאָדָם וְאִשְׁתּוֹ וְלֹא יִתְבֹּשָׁשׁוּ׃

Estavam nus, e não se envergonhavam. "Sentiam-se à vontade um com o outro, sem temerem exploração ou potencialidade para o mal" (Allen P. Ross, *in loc.*).

Nus. Alguns supõem que Adão e Eva tinham uma espécie de campo de luz ou aura em torno de seus corpos. Mas o texto sagrado não dá nenhum indício disso. A maior parte dos eruditos admite total nudez (sem nenhum pejo). Platão dizia algo similar acerca dos primeiros homens, produzidos da terra (em *Politico*, apud Euseb. Praepar. Evan. 1.12 c.13). A nudez, naturalmente, sugere a *impecabilidade*. Após a queda, eles tentaram cobrir a sua nudez. Provavelmente, um aspecto dessa impecabilidade não envolve a consciência e as paixões produzidas pelo desejo sexual descontrolado. Ver no *Dicionário* o artigo intitulado *Nu, Nudez*.

"Houve tempo em que os homens podiam manter-se de pé diante de Deus, sem nenhum embaraço. Mas, depois do pecado, envergonhavam-se culposamente tanto diante de Deus quanto na presença uns dos outros. Mas as folhas de parreira que tentaram coser não foram o bastante. Em última análise, *o próprio Deus* precisa vesti-los com aquilo que envolve dor, sangue e sacrifício" (Walter Russell Bowie, *in loc.*).

SETE PERÍODOS DISTINTOS DA HISTÓRIA DE ISRAEL

1. De Abraão ao êxodo: Gn 12—Êx 1.22.
2. Do êxodo até a morte de Josué: Êxodo—Josué.
3. A época dos juízes: desde a morte de Josué até o início da monarquia: Jz 1.1—1Sm 10.24.
4. Da monarquia até os cativeiros: 1Sm 11.1— 2Rs 17.6.
5. Os cativeiros (assírio para Israel; babilônico para Judá): Ester; partes históricas de Daniel.
6. A comunidade restaurada; o fim dos 70 anos na Babilônia; o retorno do remanescente; a construção do segundo Templo; o cativeiro romano, de 132 a.C. até nossos dias.
7. O milênio (os livros proféticos).

CAPÍTULO TRÊS

QUEDA DO HOMEM (3.1-24)

O Homem Alienado de Deus. O autor sagrado tenta descrever outro princípio. É óbvio que o homem caiu no pecado, a menos que concordemos com os antropólogos, que supõem que a natureza pervertida do homem é meramente resultante de seu passado animalesco. A fera selvagem tornou-se o homem salvagem. As cosmologias antigas, entretanto, que pintam o homem como uma espécie distinta dos animais, emprestam-lhe uma queda distintiva. Platão pensava que a queda humana ocorrera através tanto da curiosidade quanto de certa tendência interior para a perversão, que o homem resolve satisfazer.

O relato da queda do homem, no livro de Gênesis, tem paralelo na mitologia babilônica, conforme demonstro nos artigos *jardim do Éden; Eva* e *Criação*. Ver também o artigo intitulado *Origem do Mal*, o qual é instrutivo quanto à questão da queda do homem, incluindo um sumário de ensinos bíblicos sobre o assunto (em sua terceira seção).

A Queda Primitiva dos Anjos. Alguns intérpretes judeus situavam essa queda no segundo dia da criação (Gn 1.6-8), por ser esse o único dia em que não há o comentário de que Deus viu que isso era bom. Mas essa é uma observação trivial. Os trechos de Isaías 14.22 e Apocalipse 12.14 favorecem a ideia da preexistente queda dos anjos, antes da criação física. Alguns pais alexandrinos da Igreja acreditavam na preexistência da alma humana, pensando que a queda espiritual do homem tivera lugar junto com a queda dos anjos. Nesse caso, isso foi transferido para a esfera terrena, quando o homem recebeu um corpo físico.

A História Modelo da Tentação. À medida que avançarmos na exposição, descobriremos que estamos manuseando uma história modelo da tentação, cujos fatores são verazes no caso de qualquer época da história humana. Ver um *sumário* sobre esses fatores em Gênesis 3.24.

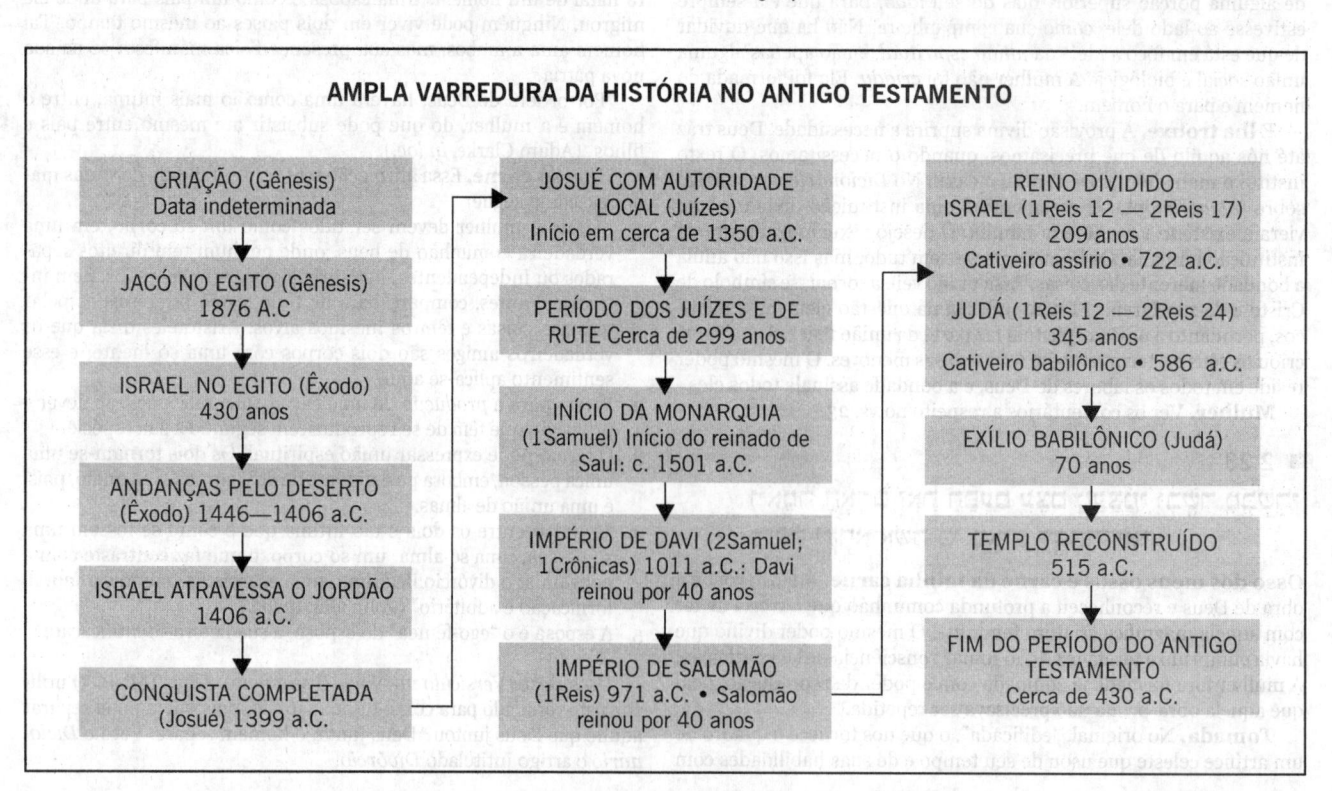

AMPLA VARREDURA DA HISTÓRIA NO ANTIGO TESTAMENTO

- **CRIAÇÃO (Gênesis)** — Data indeterminada
- **JACÓ NO EGITO (Gênesis)** — 1876 A.C
- **ISRAEL NO EGITO (Êxodo)** — 430 anos
- **ANDANÇAS PELO DESERTO (Êxodo)** — 1446—1406 a.C.
- **ISRAEL ATRAVESSA O JORDÃO** — 1406 a.C.
- **CONQUISTA COMPLETADA (Josué)** — 1399 a.C.
- **JOSUÉ COM AUTORIDADE LOCAL (Juízes)** — Início em cerca de 1350 a.C.
- **PERÍODO DOS JUÍZES E DE RUTE** — Cerca de 299 anos
- **INÍCIO DA MONARQUIA (1Samuel)** — Início do reinado de Saul: c. 1501 a.C.
- **IMPÉRIO DE DAVI (2Samuel; 1Crônicas)** — 1011 a.C.: Davi reinou por 40 anos
- **IMPÉRIO DE SALOMÃO (1Reis)** — 971 a.C. • Salomão reinou por 40 anos
- **REINO DIVIDIDO ISRAEL (1Reis 12 — 2Reis 17)** — 209 anos — Cativeiro assírio • 722 a.C.
- **JUDÁ (1Reis 12 — 2Reis 24)** — 345 anos — Cativeiro babilônico • 586 a.C.
- **EXÍLIO BABILÔNICO (Judá)** — 70 anos
- **TEMPLO RECONSTRUÍDO** — 515 a.C.
- **FIM DO PERÍODO DO ANTIGO TESTAMENTO** — Cerca de 430 a.C.

A Árvore da Vida Também é Proibida. Segundo se vê em Gênesis 2.16,17, a proibição era aplicável somente à árvore do conhecimento do bem e do mal. Mas Gênesis 3.22 expande essa proibição, por implicação, para a outra árvore, a da vida. Alguns intérpretes supõem que essa extensão tenha-se originado no folclore babilônico, e não na versão original do autor sagrado. Porém, o sentido desse versículo pode ser que, uma vez no estado pecaminoso, teria sido um erro imenso que o homem fosse imortalizado. Uma vez que ocorreu a queda, a imortalidade teria de operar através da espiritualidade do homem, e não através de seu estado corpóreo.

O vs. 22 implica certo "temor", da parte de Deus, de que o homem viesse a tornar-se "como um de nós", ou seja, dotado de pleno conhecimento do bem e do mal, além de tornar-se imortal, em seu estado pecaminoso. A remoção do primeiro casal do jardim do Éden pôs fim a essa ameaça. Alguns estudiosos pensam que essa ameaça era contra a *supremacia* de Deus, e outros ajuntam que isso se derivaria dos mitos babilônicos. Todavia, talvez não devamos pensar em supremacia, e, sim, na obtenção da imortalidade no estado pecaminoso, uma situação simplesmente intolerável. Destarte, o homem tentaria aproximar-se de Deus pelo lado errado. O evangelho é que provê o caminho certo de abordagem.

■ 3.1

וְהַנָּחָשׁ הָיָה עָרוּם מִכֹּל חַיַּת הַשָּׂדֶה אֲשֶׁר עָשָׂה יְהוָה אֱלֹהִים וַיֹּאמֶר אֶל־הָאִשָּׁה אַף כִּי־אָמַר אֱלֹהִים לֹא תֹאכְלוּ מִכֹּל עֵץ הַגָּן׃

A Alienação do Homem. Na teologia, a crença de que o homem caiu e, em consequência, tornou-se um ser alienado, carente de restauração, reconciliação e salvação. A teologia localiza a alienação do homem em sua condição moral, provocada pela sua revolta espiritual (Rm 3.9 ss.). O modernismo e todos os tipos de liberalismo, abandonando a explicação sobrenatural da alienação humana, retrocederam para um evangelho social, cujo intuito é ajudar o homem a assumir o seu lugar em uma sociedade utópica. À medida que guerras, pobreza, ódio e violência generalizada embotam essa visão, a neo-ortodoxia postula um abrigo na reação existencial interna do homem à realidade transcendental. Entrementes, o homem não pode entender esse tipo de conceito e continua alienado. O existencialismo declara que a alienação é uma piada da natureza, por ser a *própria substância* do não-sistema mundial. O cosmos seria apenas uma existência caótica e irracional; através da "piada" da evolução, fomos envolvidos nesse caos. O homem só pode vencer a alienação forçando os seus próprios valores sobre este mundo amoral.

A Bíblia oferece uma declaração mais esperançosa. O homem caiu, mas Deus não o abandonou. O homem retém a imagem de Deus, e a imagem *espiritual* de Deus continua podendo ser implantada nele. A missão de Cristo no mundo teve por finalidade reverter todos os vestígios da queda, além de conferir a genuína imortalidade, por meio da qual os homens podem vir a compartilhar da natureza divina (2Pe 1.4).

Mas a serpente, mais sagaz que todos os animais selváticos. Os intérpretes judeus posteriores diziam que a serpente era o diabo disfarçado (daí a declaração cristã, em Ap 12.9 e 20.2). Mas essa doutrina surgiu relativamente tarde nas crenças judaicas. Temos diante de nós uma *serpente*, classificada entre os "animais selváticos", e não entre os seres sobrenaturais. No entanto, Gênesis 3.15 certamente demonstra que *algum* grande princípio maligno pulsava por trás da serpente. Esse versículo dificilmente fala sobre uma *mera* serpente literal. Para se livrarem do problema de serpentes que falam, muitos intérpretes antigos e modernos preferem pensar em uma história alegórica. Mas alguns estudiosos conservadores pensam que Satanás é capaz de agir por intermédio de serpentes vivas.

O texto dá a entender que essa serpente não era como as que conhecemos hoje. A serpente teria sido *reduzida* à sua atual forma humilde como um juízo divino contra a espécie, por ter-se envolvido na queda do homem. Alguns intérpretes têm chegado a imaginar uma serpente capaz de caminhar, mas que veio a perder as pernas, sendo forçada a arrastar-se à superfície do solo. Algumas vezes, a fé acredita em algo que simplesmente não é verdade, e penso que muitas das explanações do texto presente requerem *esse tipo* de fé.

Mais sagaz. O texto pinta a serpente como o mais inteligente de todos os animais irracionais. É verdade que provérbios e ditos populares afirmam que a serpente é sagaz, embora maliciosa. Adam Clarke (*in loc.*) simplesmente não conseguia ver como a serpente poderia ser sagaz, nem agora nem primitivamente. Assim sendo, ele propôs que o animal em foco seria alguma espécie de *símio*. Não há que duvidar de que os símios são mais inteligentes que as serpentes, mas ninguém haverá de levar a sério Adam Clarke, neste ponto. Clarke descobria evidências em palavras árabes (um idioma cognato ao hebraico), em favor dessa especulação. John Gill (*in loc.*) admitia que as serpentes podem fazer alguns truques sagazes, mas afirmava que a raposa é mais inteligente que ela. E encontra a solução dizendo que *aquela serpente*, embora não a espécie inteira, era sagaz. Mas isso não se ajusta ao fraseado do versículo. Outros supõem que a inteligência da serpente envolvida foi *dada* por Satanás, que a empregou com tanta astúcia. Mas isso também não se ajusta bem ao fraseado do versículo. Ellicott (*in loc.*) pensa que é inútil falar sobre serpentes inteligentes, em confronto com outros animais, e afirmou que é melhor deixar "sem resposta" perguntas dessa ordem, sem importar se aceitamos o ponto de vista alegórico ou literal sobre o texto.

O Caminho da Tentação. O *primeiro* passo dado nesse caminho é que algo inteligente, racional ou respeitado... torna-se um *instrumento* na tentação de pessoas.

É assim que Deus disse...? O *segundo* passo no caminho da tentação é que a autoridade respeitada e de confiança, que tenta, contradiz a ordem divina, procurando anulá-la por raciocínios falazes. Essa autoridade é um *mentiroso* sutil. Não beneficia realmente o homem, embora finja fazê-lo. Um Deus de bondade poderia mesmo negar a você essa coisa tão boa? A bondade de Deus é posta em dúvida. Busque a sua própria felicidade. Não se restrinja àquilo que, presumivelmente, Deus disse. Satanás, desde o princípio, é homicida e mentiroso (Jo 8.44). A serpente não mentiu devido à falta de informações. Mas enganou deliberadamente a mulher. Ver o artigo geral no *Dicionário* intitulado *Satanás*.

■ 3.2

וַתֹּאמֶר הָאִשָּׁה אֶל־הַנָּחָשׁ מִפְּרִי עֵץ־הַגָּן נֹאכֵל׃

Podemos comer. A mulher não havia entendido mal as instruções divinas. Antes, repetiu a instrução recebida. Podemos pensar que esse é o *terceiro* passo na tentação. Por muitas vezes, as pessoas caem em tentação sob a plena luz do conhecimento. Há tentações sutis que assaltam de súbito as pessoas. Usualmente, porém, sabemos a natureza do mal que estamos prestes a cometer.

A serpente não pareceu repulsiva à mulher. Ela dizia coisas lógicas. A mulher sabia quais eram as instruções de Deus. Embora Eva tivesse falado em ter sido "enganada", parece que sua dificuldade estava em sua *fraqueza* interior, em meio mesmo à sua inocência.

■ 3.3

וּמִפְּרִי הָעֵץ אֲשֶׁר בְּתוֹךְ־הַגָּן אָמַר אֱלֹהִים לֹא תֹאכְלוּ מִמֶּנּוּ וְלֹא תִגְּעוּ בּוֹ פֶּן־תְּמֻתוּן׃

Disse Deus. *Aquela* árvore, a do conhecimento do bem e do mal, fora proibida por ordem divina. De acordo com alguns críticos, o vs. 22 amplia essa proibição à árvore da vida, e isso concorda com a versão da história segundo o folclore babilônico. Pelo menos neste ponto (vs. 3), o fruto da árvore do conhecimento do bem e do mal estava fora de cogitação.

Nem tocareis nele. Alguns eruditos pensam que a mulher *adicionou* isso à proibição divina, visto que esse item não é mencionado antes. Mas há quem suponha que temos aí um detalhe simples, sem maior significado, adicionado pelo autor sacro. Se foi a mulher quem fez tal adição, então podemos considerar isso um *quarto* passo no caminho da tentação. Os homens *fazem adições* à Palavra de Deus, pervertendo-a ou dificultando a obediência a ela, e isso só aumenta os pontos da tentação. O grande exemplo clássico de adição à Palavra de Deus é a dos fariseus, que acrescentavam à lei tantos mandamentos, positivos e negativos, que ninguém à face da terra era capaz de suportar a carga.

Para que não morrais. Ver Gênesis 2.16,17 onde fora dado esse mandamento, e onde apresento notas completas a respeito. O pacto edênico era condicional. O homem tinha várias responsabilidades, e tinha de realizar certas coisas positivas. Mas havia uma única coisa que ele **não podia fazer.** Contudo, embora inocente, não foi capaz de evitar a única coisa que lhe fora vedado fazer. Ver no *Dicionário* o artigo intitulado *Pactos* (o oitavo), e também *Pacto Edênico*, nas notas sobre Gênesis 1.28.

O autor sacro tentou aqui explicar a origem da *mortalidade*. Ele não entendia que o homem já fora criado mortal, ou que evoluíra como tal. Simplesmente aceitava que um ser criado por Deus não poderia ser mortal. Os antropólogos e os críticos em geral supõem que a mortalidade do homem é uma simples consequência da mortalidade animal. Mas o autor sagrado busca uma resposta divina para esse problema humano.

■ 3.4

וַיֹּאמֶר הַנָּחָשׁ אֶל־הָאִשָּׁה לֹא־מוֹת תְּמֻתוּן׃

É certo que não morrereis. Temos aqui o *quinto* passo no caminho descendente da tentação. A *autoridade respeitada* contradiz abertamente a Palavra de Deus e instila uma dúvida fatal na mente da pessoa tentada. Se no vs. 1 vemos a serpente *dando a entender* que a proibição divina não deveria ser levada a sério, aqui vemo-la apresentar astutamente uma ousada contradição àquela injunção divina.

A Autoridade Respeitada. Desde o início da história das culturas antigas, vemos que a serpente não somente era respeitada, mas até adorada. O deus egípcio Thoth atribuía qualidades divinas à serpente ou ao dragão. Cneph era o deus-serpente na concepção dos egípcios. Na mitologia fenícia, a serpente representava um demônio benévolo, um deus de classe inferior. Heródoto mencionou várias serpentes sagradas entre os povos que ele investigou. Justino Mártir mencionou pinturas pagãs que retratavam deuses-serpentes (*Apol*. 2 par, 71). A teologia judaica posterior fez a serpente da história da tentação significar o próprio *Satanás*, sendo ele o "deus deste século" (2Co 4.4). Há muitos livros importantes escritos por reais ou alegadas "autoridades". Alguns desses livros desafiam a hígida moral, e assim tornam-se instrumentos de tentação.

Uma autoridade respeitada pode tornar-se *causa* da morte. A serpente-divindade tornou-se a causa da morte espiritual da humanidade. Aquilo que os homens perdidos veneram lhes é prejudicial. As crenças e os símbolos pagãos desviam e matam.

Uma Impossibilidade? Alguns estudiosos supõem que a serpente implica aqui que o homem, criado por Deus, não poderia morrer, pois seria imortal. Nesse caso, o grande mentiroso enganou de novo a mulher.

■ 3.5

כִּי יֹדֵעַ אֱלֹהִים כִּי בְּיוֹם אֲכָלְכֶם מִמֶּנּוּ וְנִפְקְחוּ עֵינֵיכֶם וִהְיִיתֶם כֵּאלֹהִים יֹדְעֵי טוֹב וָרָע׃

Porque Deus sabe. Temos aqui o *sexto* passo na vereda da tentação. A serpente disse uma verdade, mas com uma distorção. A verdade pode ser usada de forma errônea. Comer do fruto abriria os olhos de Adão e Eva, e isso parecia uma coisa boa. O conhecimento é bom, mas somente quando é corretamente aplicado. Neste caso o conhecimento seria aparentemente obtido com um bom propósito. Mas no fim resultou na morte espiritual.

Como Deus, sereis. O homem foi criado à imagem de Deus, pelo que, de certo modo, ele já era *como Deus*. Ver o artigo sobre a *Imagem de Deus, o Homem Como*, no fim das notas sobre Gênesis 1.26. Paulo anuncia que haveremos de compartilhar da imagem do Filho (Rm 8.29). O trecho de Levítico 19.1 ensina que o povo de Deus deve ser *santo*, e isso em emulação à santidade de Deus. A transformação moral produz a transformação metafísica. O trecho de 2Pedro 1.4 alude à nossa participação na "natureza divina". Nosso mais sublime conceito religioso consiste em como os salvos haverão de participar da natureza divina. Isso sucederá em um sentido finito, é verdade, mas bem *real*. Todavia, não podemos olvidar que essa participação gradual na natureza divina opera através da vontade do Senhor. Mas a serpente sugeriu que isso poderia ser conseguido graças à desobediência à vontade de Deus, um pensamento oposto àquele. O próprio Satanás havia aspirado a ser semelhante ao Altíssimo, e esse orgulho foi o principal fator de sua queda (Is 14.14).

Os homens *deificam* a si mesmos por meio da concupiscência e do poder. De acordo com certas filosofias, ter poder é ter direitos. Para muitas vidas, o que funciona, embora seja algo errado, torna-se a norma. Existe um patriotismo estúpido, como o que transpira nas palavras de Stephen Decatur: "Nosso país... que sempre esteja com a razão ...pois é a nossa pátria... sem importar se estiver ou não com a razão". As pessoas pensam desse jeito; as pessoas e as nações agem dessa maneira.

Na mente de algumas pessoas há uma filosofia constante que diz que bons alvos podem ser atingidos por *quaisquer* meios. Foi assim que surgiram os lamentáveis exemplos de Hitler e Stalin, que cometeram homicídios sem conta, para promoverem suas causas. Há muitas pessoas que continuam adorando a esses deuses falsos. Historicamente, o comunismo vinha sendo promovido mediante o genocídio. No entanto, há pessoas, que até se dizem parte da Igreja, que servem a essa falsa divindade!

Elohim. Aqui traduzido por "Deus". No relato da criação do primeiro capítulo do Gênesis, essa palavra (que está no plural, no hebraico) é usada para indicar Deus. Ver as notas sobre Gênesis 1.1. Mas o segundo relato da criação prefere "Senhor Deus", *Yahweh-Elohim*, o que é discutido em Gênesis 2.4. Nessa mudança de nomes, os críticos veem uma fonte (autor ou autores) diferente. No AT, *elohim* também é termo usado para indicar os anjos. A serpente, pois, sugeriu que os *deuses* são muito parecidos com Deus, particularizando um ponto, o pleno conhecimento do bem e do mal, que o homem, em sua inocência, não tinha. O vs. 22 reitera a *ameaça* de o homem tentar aproximar-se de Deus da forma errada, mas ali a ameaça é proferida por Deus. A tentação era a de que o homem obtivesse a *onisciência*, um atributo divino. Ver no *Dicionário* o artigo intitulado *Onisciência*.

■ 3.6

וַתֵּרֶא הָאִשָּׁה כִּי טוֹב הָעֵץ לְמַאֲכָל וְכִי תַאֲוָה־הוּא לָעֵינַיִם וְנֶחְמָד הָעֵץ לְהַשְׂכִּיל וַתִּקַּח מִפִּרְיוֹ וַתֹּאכַל וַתִּתֵּן גַּם־לְאִישָׁהּ עִמָּהּ וַיֹּאכַל׃

Vendo a mulher. Achamos aqui o *sétimo* passo no caminho da tentação. A coisa desejada *parecia boa*: a concupiscência dos olhos (1Jo 2.16). O homem bom (mas que está sendo tentado) diz: "Sei que isto é errado, mas assim mesmo vou praticá-lo. Amanhã vou ajoelhar-me e pedir perdão". Mas o homem mau já caiu no pecado, antes de dar-se ao trabalho de racionalizar. O que a mulher via servia tanto para alimento quanto para torná-la sábia. Os alegados benefícios do pecado avultaram em sua mente. O engano levou a maior engano. O ludíbrio vindo de fora agora era ajudado pelo autoludíbrio. A mulher disse a si mesma que seus desejos eram legítimos, e que esses desejos deviam ser satisfeitos.

O Desejo de Sabedoria e de Conhecimento é Nobre. O conhecimento é uma das duas grandes colunas da espiritualidade. Essas colunas são o amor e o conhecimento. A ignorância nada nos confere. Ela é inútil. Mas no nosso texto, o conhecimento foi pervertido, e seu objeto fora proibido. Paulo comentou sobre o *dom do conhecimento*, o instrumento especial do mestre (1Co 12.8). Mas esse texto deixa claro que é o Espírito Santo quem controla essa questão.

Eva Não Percebeu o Perigo. O fruto era bom; prometia ser saboroso. Mas continha em si mesmo o poder da morte. Uma vívida ilustração disso pode ser vista na AIDS, sobre a qual não precisamos comentar. Isso serve de vívido lembrete de que aquilo que parece bom pode trazer a morte. Teu prazer pode ser tua execução.

Tomou-lhe do fruto e comeu, e deu também ao marido. A teologia judaica sempre achou que o ato de Eva foi mais culpado. Ela se permitiu ser *enganada*. Adão mostrou-se mais resistente. Ele não se deixou enganar. Por essa razão, de acordo com alguns: é fácil enganar uma mulher. As coisas são como alguém já disse: "É bom que as mulheres possam ser enganadas facilmente. Se assim não fora, nada quereriam ter que ver conosco!" No entanto, "na queda, todos pecamos" (*New England Primer*). Isso dificilmente serve de elogio a Adão. O trecho de Romanos 5.12-19 respalda muita teologia sobre este texto. Adão tornou-se o *cabeça federal* dos homens, e aquilo que ele fez foi transmitido (geneticamente?) a todos os seus descendentes. Cristo, na qualidade de Cabeça Federal dos justificados, reverteu tudo isso. Temos aí o nascimento da doutrina do *pecado original*. Quanto a uma ampla discussão sobre o assunto, ver o *Dicionário* no verbete *Pecado Original*. Ver também ali *Dois Homens, Metáfora dos*, um artigo que examina a doutrina de Adão e de Cristo, ambos como cabeças federais.

Achamos aqui o *oitavo* passo no caminho da tentação. A pessoa tentada acaba cedendo. Mas também temos aqui o *nono* passo nesse caminho. A pessoa que cai não demora a arrastar outrem, devido ao seu mau exemplo.

"As promessas de Satanás nunca têm cumprimento. Jamais poderemos obter a sabedoria desobedecendo à Palavra de Deus. Pelo contrário, o temor do Senhor é o princípio do saber (Pv 1.7)" (Allen P. Ross, *in loc.*).

Disse Oscar Wilde certa feita: "Posso resistir a tudo, menos à tentação". Compreendemos a piada; mas ela não é nada engraçada, afinal. Algo de muito sóbrio nos é revelado no episódio da queda sobre a debilidade da natureza humana. O texto sem dúvida dá a entender que, mesmo em seu estado de inocência, o homem mostrou ser um fraco. Cristo veio a fim de proporcionar-nos a fortaleza espiritual, para assim poder nos arrancar do estado de pecaminosidade.

■ 3.7

וַתִּפָּקַחְנָה עֵינֵי שְׁנֵיהֶם וַיֵּדְעוּ כִּי עֵירֻמִּם הֵם וַיִּתְפְּרוּ עֲלֵה תְאֵנָה וַיַּעֲשׂוּ לָהֶם חֲגֹרֹת:

Abriram-se, então, os olhos de ambos... estavam nus. *A sentença de Deus foi executada.* Eles não morreram imediatamente no físico, como Gênesis 2.17 parece subentender. No entanto, as sementes da mortalidade agora se tinham alojado em seus corpos, e por certo morreriam algum dia, e não muito tempo depois, conforme Deus computa o tempo. Ademais, na *queda*, o homem morreu espiritualmente, e isso ocorreu pronta e imediatamente. Agora a redenção tornara-se uma necessidade. Os críticos encontram problemas no texto. Já vimos que a teologia antiga dos hebreus não ensinava ainda a existência de uma alma imortal no homem. Por essa razão, que aplicação tem este texto à espiritualidade humana? Contudo, tenho entendido que a expressão *imagem de Deus* (Gn 1.26,27) sugere que o homem participava da *espiritualidade* de Deus, embora talvez isso ultrapasse o entendimento do próprio autor sagrado. A teologia judaica posterior, bem como o pensamento cristão, naturalmente fazem essa queda ter um cunho espiritual, não envolvendo somente o fato de que o homem se tornou mortal e algum dia haveria de morrer.

Encontramos aqui o *décimo* passo na vereda da tentação: o seu horrendo resultado. A sentença foi executada. O pecado traz consigo um medonho resultado. Todas as maçãs do diabo têm vermes.

Nus. Alguns intérpretes tomam uma posição freudiana quanto a essa declaração. Todo pecado estaria, de algum modo, encastoado nos impulsos sexuais humanos. Antes, Adão e Eva estavam nus, mas não envergonhados (Gn 2.25), mas agora, sim. Agora eles se viam como *intoleravelmente indecentes*. A consciência do sexo agora viera à tona, e o homem foi prontamente contaminado por suas paixões inferiores. Deus ordenara o sexo (Gn 2.18,21-23), mas agora o homem o corrompera. Naturalmente, Adão e Eva seriam representantes da raça humana inteira. Mas *outros estudiosos* têm uma visão mais genérica sobre o texto. Essa *nudez* representaria a indecência geral, a maldade geral da natureza pecaminosa agora adquirida, e não apenas a indecência sexual. Agora o homem entrara em circunstâncias deprimentes, por estar internamente degradado. Se antes o homem era inocente e vivia em um perfeito meio ambiente, agora ele se fizera culpado, e logo seu ambiente haveria de adquirir toda forma de defeito, miséria e espinhos.

Coseram folhas de figueira. Alguns intérpretes desperdiçam seu tempo tentando identificar o *tipo* de figueira. O homem tentou preparar precipitadamente vestes toscas, para encobrir sua nudez. Mas isso proveu uma cobertura inadequada, na tentativa de reverter os efeitos do pecado. Temos aqui o *décimo primeiro* passo no caminho da tentação. Uma vez caído, o homem promoveu um remédio falso e inadequado para sua queda. Filosofias e religiões também tentam encobrir ou remediar a pecaminosidade do homem, mas é tudo inútil. Mas há uma provisão divina para a queda (Gn 3.21).

A alienação foi completa. Ver os comentários sobre a *Alienação*, em Gênesis 3.1.

"Os toscos aventais que eles coseram para si mesmos não foram suficientes. O fato é que Deus precisou vesti-los, e isso ao preço de dor, sangue e sacrifício" (Walter Russell Bowie, *in loc.*).

Que Teria Acontecido se Adão Não Tivesse Pecado? Os estudiosos especulam sobre essa questão. John Gill tinha certeza de que Deus simplesmente teria removido Eva para dar a Adão outra esposa, conservando-o no estado de inocência. Mas outros eruditos questionam se isso teria dado certo dentro do plano de redenção. Outros supõem abertamente que a queda era necessária dentro do plano de redenção, se o homem tivesse de receber a plena imagem de Deus, e que o pecado foi um mal necessário interposto no caminho dessa transformação. Provavelmente essa ideia é a mais correta, mas não dispomos de bons argumentos para responder satisfatoriamente a todas as objeções. Uma delas é que essa ideia parece fazer de Deus o autor do mal. Ver no *Dicionário* os artigos intitulados *Problema do Mal* e *Origem do Mal*. Devemo-nos lembrar de que a redenção eleva-nos muito acima do estado de inocência. Nesse plano, chegaremos a compartilhar plenamente da imagem de Deus, o que não teria sido possível sem a queda. Mas aqui, a bem da verdade, já estamos entrando em mistérios, posto que parece ser essa a verdade dos fatos.

■ 3.8

וַיִּשְׁמְעוּ אֶת־קוֹל יְהוָה אֱלֹהִים מִתְהַלֵּךְ בַּגָּן לְרוּחַ הַיּוֹם וַיִּתְחַבֵּא הָאָדָם וְאִשְׁתּוֹ מִפְּנֵי יְהוָה אֱלֹהִים בְּתוֹךְ עֵץ הַגָּן:

Deus, que andava no jardim. Todos os pecados acabam por ser desvendados, ou nesta vida, ou na vida futura. De outra sorte, nosso mundo seria caótico, e não caracterizado pela ordem e pela justiça. Deus veio a fim de revelar tudo. Os críticos creem que a *familiaridade* do Todo-poderoso com o homem, porquanto vinha conversar com ele em algum sentido literal, deve ser algo derivado do folclore babilônico. As lendas antigas sobre os deuses faziam deles companheiros fáceis dos homens. Alguns eruditos conservadores supõem que nos primeiros estágios da história humana o contato e a comunhão fáceis com Deus eram um fato. Ainda outros pensam que este texto é alegórico. Podemos pensar em *experiências místicas* com Deus, nas quais a sua presença é uma realidade, sem entrarmos em alguma crassa e literal explanação a respeito. Parece ser esse o caso do texto presente. Ver no *Dicionário* o artigo *Misticismo*.

O Homem Ocultou-se. O homem não resistiu permanecer na presença de Deus. Como é óbvio, os homens precisam estar preparados para tanto. O homem perdera essa preparação ao cair no pecado. O homem perdeu o tipo de vida que tinha. Agora estava vivendo uma morte em vida. Antes ele tivera prazer não-mitigado, agora ele tinha dor; antes ele desfrutara da presença de Deus, agora escondia-se dele; antes ele gozara de comunhão, agora fugia de um encontro com o seu Criador. Esses são fatores próprios da *alienação*. E temos aí o *décimo segundo* passo na vereda da tentação. Ver um sumário desses passos nas notas em Gênesis 3.24. A queda produziu uma alienação que pode ser descrita de muitos modos, visto que tem inúmeras facetas. Nossa herança é realmente pobre. A queda do homem garantiu isso. Nossas circunstâncias são lamentáveis; nascemos em um mundo deprimente. Os homens lançam a culpa de suas desgraças nos deuses e nas estrelas, transferindo as causas para outras pessoas ou para meras coisas.

A Palavra de Deus. Alguns eruditos pensam que a aparição de Deus, neste caso, foi uma antiga aparição do *Logos*, o qual começara a buscar o homem a fim de redimi-lo. Mas outros veem aqui uma *teofania* (ver o significado disso no *Dicionário*).

Os Targuns de Onkelos e de Jonathan dão-nos a *voz da Palavra de Deus*, o que provavelmente não se harmoniza com o intuito do autor original do livro, embora seja, teologicamente falando, uma inferência legítima. O homem escondera-se no jardim, mas nem por isso fora abandonado. Deus continuava disposto a recuperá-lo, tendo em sua mente uma *provisão* para tanto.

Comentando sobre a natureza geral do relato, disse Ellicott (*in loc.*): "Isso não implica uma aparição visível, pois a narrativa inteira é antropomórfica". Talvez haja nisso uma verdade, mas talvez não fosse isso que o escritor sagrado tivesse em mente.

Até que ponto a queda desfigurou a imagem de Deus no homem? Essa é uma questão com a qual a teologia se tem debatido. Forneço algumas respostas para a pergunta no artigo intitulado *Imagem de Deus, o Homem Como*, no final das notas sobre Gênesis 1.26. Ver II. 4 daquele artigo.

DESMASCARAMENTO DO CASAL CULPADO (3.9-13)

Nada há de oculto que não venha a ser revelado. Adão só pensava em esconder-se; tinha preparado vestimentas inadequadas. Mas a voz de Deus procurou pelo primeiro casal. A verdade veio à superfície — a expulsão era o único remédio. A bênção que poderia ter sido recebida fora perdida. No entanto, uma nova provisão e promessa esperavam pelo casal culpado.

■ 3.9

וַיִּקְרָא יְהוָה אֱלֹהִים אֶל־הָאָדָם וַיֹּאמֶר לוֹ אַיֶּכָּה׃

Chamou o Senhor Deus ao homem... Onde estás?
Confrontação. O homem sempre terá de enfrentar a si mesmo. A voz de Deus busca o homem e faz o homem descobrir a si mesmo. O homem sempre terá de enfrentar a lei da colheita segundo a semeadura (Gl 6.7,8). A voz de Deus pode ser ignorada por muito tempo, mas a confrontação é inevitável. Os homens tentam saber mais do que Deus, mas a Palavra de Deus será vindicada no fim. Os homens tentam imitações baratas ou substitutos para a verdade e para a conduta ideal. Mas o fracasso será o resultado final das tentativas.

Onde estás? Muitos sermões têm sido pregados com base nessas simples palavras. Elas têm recebido uma aplicação espiritual. Pode-se aquilatar onde se acha, espiritualmente, cada indivíduo. A miséria caracteriza a "localização" espiritual da maioria dos homens. E há uma gradação quase infinita de posições espirituais a que os homens têm chegado. Porém, nenhum ser humano acha-se, de fato, onde já deveria estar, espiritualmente falando. E assim o texto tem uma aplicação universal. "A que posição de miséria você chegou, ao dar ouvidos ao tentador e ao desobedecer a Deus?" (John Gill, *in loc.*). O texto faz-nos lembrar do Bom Pastor e de como ele buscava a sua ovelha perdida. E ele fazia isso não para destruir, mas, sim, para restaurar. Mas a ovelha desviada precisa ser repreendida antes que possa ouvir palavras de consolo.

Quem Teria Falado? Alguns pensam que o Espírito foi quem falou, mas outros preferem pensar no Logos, a Voz ou Palavra de Deus. O mais provável, porém, é que devamos pensar aqui em uma linguagem metafórica, sem nos importarmos com o refinamento de quem realmente teria falado.

"Adão e Eva haviam pecado. Portanto, em vez de estarem em um lugar de adoração, estavam escondidos entre as árvores do jardim! Leitor, quantas vezes isso já ocorreu em sua vida?" (Adam Clarke, *in loc.*).

■ 3.10

וַיֹּאמֶר אֶת־קֹלְךָ שָׁמַעְתִּי בַּגָּן וָאִירָא כִּי־עֵירֹם אָנֹכִי וָאֵחָבֵא׃

Ouvi a tua voz... estava nu, tive medo e me escondi. A horripilante história da queda foi sintetizada nessas palavras. "A franqueza do relato empresta à narrativa força e clareza!" (Cuthbert A. Simpson, *in loc.*). Ter ouvido a voz de Deus não foi o verdadeiro motivo de o homem ter-se escondido. A causa estava no próprio homem. Resultou do pecado. Mas a voz de Deus deixou-o apavorado. É triste quando a voz de Deus para nós é um espanto, em vez de ser motivo de consolação. Isso faz parte da *alienação* provocada pelo pecado. O homem foi despido de suas legítimas roupagens espirituais. Adão perdera sua retidão e sua inocência. Os pecadores costumam ocultar-se nas trevas. Os homens maus ficam embaraçados e consternados quando a luz os descobre. O *temor* é uma antecipação do *julgamento*. Aquilo que um homem semear, isso terá de colher. A vergonha e o medo foram os primeiros frutos da desobediência. A transgressão nunca deixa de trazer seus maus resultados, sob a forma de sofrimento.

■ 3.11

וַיֹּאמֶר מִי הִגִּיד לְךָ כִּי עֵירֹם אָתָּה הֲמִן־הָעֵץ אֲשֶׁר צִוִּיתִיךָ לְבִלְתִּי אֲכָל־מִמֶּנּוּ אָכָלְתָּ׃

Comeste da árvore...? Tornou-se claro, logo de início, que a proibição divina fora violada. Pois o homem temeu, escondeu-se e demonstrou que a sua comunhão com Deus fora rompida. Assim, a voz divina requeria agora uma *confissão*. Deus controla todas as circunstâncias, por mais desagradáveis que elas sejam. Ele já sabia qual seria a resposta do homem, mas precisou interrogar o homem para que este percebesse a gravidade de seu erro. O pecado é a transgressão da lei (1Jo 31.33), e nada existe de oculto que não venha a ser revelado (Lc 12.2).

"Deus... a fim de reconquistar a Adão para melhores pensamentos, fez sua mente desviar-se dos efeitos do pecado para a causa do pecado" (Ellicott, *in loc.*).

■ 3.12

וַיֹּאמֶר הָאָדָם הָאִשָּׁה אֲשֶׁר נָתַתָּה עִמָּדִי הִוא נָתְנָה־לִּי מִן־הָעֵץ וָאֹכֵל׃

A mulher... ela me deu da árvore. Os estudiosos tradicionalmente veem aqui, e corretamente, que Adão lançou a culpa na *mulher*. Mas o texto também deixa claro que Adão, indiretamente, também lançou a culpa sobre Deus, pois *Deus* é que a tinha dado ao homem. Essa questão é sempre ventilada quando se discute o problema do mal. Pergunta-se: Se Deus é um ser todo-poderoso, todo-bondade e onisciente, então de onde vem o mal? Pois se ele fosse todo-poderoso, poderia ter impedido o mal; se ele pudesse prever tudo, não teria sido apanhado de surpresa; e se ele é todo-bondade, não se teria interessado em não permitir que o mal prevalecesse? Isso posto, a presença do mal debilita nosso conceito de Deus. Ou estaria correto o deísmo? Ver no *Dicionário* o artigo intitulado *Deísmo*. Este assegura que alguma grande força, pessoal ou impessoal, depois de ter criado as coisas, abandonou a sua criação. Nesse caso, as leis naturais tomaram o lugar de Deus; e todos admitem que as leis naturais não são perfeitas. Ademais, resta muito de caos na criação. Desse modo, Deus escapa das acusações, mas só aparentemente. Pois agora ele é visto como quem criou leis imperfeitas, como quem não se incomodou em eliminar os fatores que causam o caos. Na verdade, não existe nenhuma resposta satisfatória para o problema do mal. Trato sobre o problema no *Dicionário,* no artigo *Problema do Mal.*

O homem foi criado dotado de livre-arbítrio. Mas Deus criou o homem com certas *fraquezas* inatas, sem as quais ele não teria caído tão facilmente no pecado. Por que Deus não criou o homem mais forte por *natureza?* Quanto a isso, a *imagem divina* estampada no homem não foi suficiente. Só podemos retrucar que, para Deus, há algo mais importante do que preservar a sua criatura de todo mal. Parte disso reside na magnificente obra da redenção, que terminará por dar ao homem muito mais do que ele perdera na queda. Assim sendo, a queda foi uma necessidade. Mas manusear agora essa questão, teologicamente falando, não é fácil, nem produz alguma solução perfeita.

Os Treze Passos Descendentes da Vereda da Tentação. O homem gosta de lançar a culpa de suas falhas em outrem, até mesmo em Deus. Em meio à sua tragédia, o homem quase sempre culpa Deus por seus infortúnios. Conheci um pastor que caiu nesse erro, e, por causa disso, acabou desistindo do ministério. É que sua esposa havia sido seduzida por outro homem. Consternado diante do fato, disse ele: "Deus poderia ter impedido que minha esposa fizesse isso". Essa história faz-nos lembrar do relato da tentação, no terceiro capítulo do Gênesis. Deus não criou o homem forte o bastante para resistir a certas tentações; ou então, parece que esse foi o caso no episódio que acabamos de historiar. Adão, mesmo na inocência, caiu com tanta facilidade! Quanto mais, depois de já caído, ele continua em pecado! Ver o vs. 24 quanto a um sumário sobre os passos na vereda da tentação.

A teologia judaica posterior mui tolamente acusa mais fortemente a mulher do que o homem, em face da queda. Talvez seja verdade que a mulher se deixe enganar mais facilmente do que o homem. Isso até parece ser comprovado pela experiência diária. Mas o fato é que o homem caiu de olhos bem abertos, e também que se mostrou ridículo ao lançar a culpa de seu ato em Deus e na mulher.

■ 3.13

וַיֹּאמֶר יְהוָה אֱלֹהִים לָאִשָּׁה מַה־זֹּאת עָשִׂית וַתֹּאמֶר הָאִשָּׁה הַנָּחָשׁ הִשִּׁיאַנִי וָאֹכֵל׃

Que é isso que fizeste? A mulher teve sua oportunidade de responder à voz divina. Cada pessoa é responsável por si mesma. Por muitas vezes, o pecado é uma questão coletiva, mas cada participante tem sua responsabilidade pessoal. Mas a mulher passou a culpa para o tentador. É verdade que o problema começou com o tentador, mas a mulher cooperou plenamente com seu desenvolvimento. O resultado foi a *ruína*. Mas a gravidade da situação não foi plenamente reconhecida pelos perpetradores do ato. Apesar de as coisas terem-se tornado caóticas, as pessoas transferiam a culpa de uma para a outra. Isso mostra a falta de percepção quanto à gravidade do pecado e seus resultados. Talvez, por implicação, a mulher também tenha acusado Deus. Pois quem criara o tentador, que então apresentara a tentação?

A serpente estava equipada para a tarefa com uma grande mas pervertida sabedoria. E o resultado foi que ninguém era capaz de oferecer-lhe resistência. E fora Deus quem havia criado e equipado a serpente, e quem também havia formado a mulher sujeita ao ludíbrio. Ver as notas sobre o vs. 12, que segue essa linha de ideias e suas consequências.

Neste ponto, vários estudiosos falam sobre a urgência da *responsabilidade* no que tange a cada indivíduo. Mas a queda também não embotou esse senso?

Um Caso Ilustrativo. Anos atrás, um homem cometeu homicídio, no Estado americano de Utah. Ele foi apanhado, condenado e sentenciado à morte. Em meio à sua agonia, converteu-se, no sentido religioso. Pessoas que se opunham à pena de morte uniram forças em sua defesa. O governador do Estado concordou em adiar a execução. Mas o próprio homem *repeliu* o oferecimento, com base no senso de *justiça*. Observou ele: "O governador do Estado de Utah não tem fibra moral". Finalmente, o homem foi executado. É que ele havia assumido a *responsabilidade* por seu ato, uma atitude rara, de fato.

A MALDIÇÃO E A SENTENÇA (3.14-19)

Foram impostas várias maldições e sentenças. Note o leitor que todos os participantes receberam o que queriam. A *culpa* ficou sendo transferida; mas no fim foi feita uma *justiça* absoluta. Emanuel Kant argumentava em prol da existência de Deus com base na ideia da *necessidade moral*. Deve haver um Deus que é inteligente e justo o bastante para recompensar todo bem e punir todo mal. Se um Deus assim não existisse, então o verdadeiro deus de tudo seria o *caos*. Isso posto, se quisermos manifestar-nos com inteligência, teremos de escolher Deus, ou este mundo seria deveras confuso, e o pessimismo seria o princípio mais dominante. Ver no *Dicionário* o artigo *Pessimismo*.

O PACTO ADÂMICO (3.14-19)

Esse pacto condicionava a vida humana após a queda no pecado, prometendo ao homem a redenção. Ver no *Dicionário* o artigo intitulado *Pactos*. Várias maldições foram proferidas por causa do pecado, mas o Redentor foi prometido em Gênesis 3.15. A morte viria, em consequência do pecado; mas a vida, afinal, reverteria todos os efeitos do pecado.

3.14

וַיֹּאמֶר יְהֹוָה אֱלֹהִים אֶל־הַנָּחָשׁ כִּי עָשִׂיתָ זֹּאת אָרוּר
אַתָּה מִכָּל־הַבְּהֵמָה וּמִכֹּל חַיַּת הַשָּׂדֶה עַל־גְּחֹנְךָ
תֵלֵךְ וְעָפָר תֹּאכַל כָּל־יְמֵי חַיֶּיךָ:

Maldita és. A queda imporia uma maldição sobre todos os seres vivos, pois as coisas não continuariam em sua condição ideal. Mas a serpente, especialmente, ficaria em estado de miséria. Ela teria de arrastar-se de ventre e comer pó. O texto implica, embora não declare especificamente, que a serpente era antes um animal dotado de pernas, bem diferente da serpente que conhecemos. O fato de que comeria pó indicava, metaforicamente, sua posição humilde. O vs. 15 parece aplicar a maldição a algo como Satanás, que tinha agido por trás da serpente. Também estava destinado a receber um golpe esmagador. Seu poder seria anulado. É difícil ver como o vs. 15 pode ser aplicado somente a serpentes literais. Só pode ser que o autor sacro estivesse pensando em *algum* grande princípio de mal que se ocultava por trás da serpente. Essa circunstância deu origem à teoria, desenvolvida por teólogos posteriores (judeus e cristãos), de que *Satanás* foi o inspirador de todo o episódio. Ver no *Dicionário* o artigo intitulado *Satanás*.

"A serpente é a mais odiosa de todas as criaturas, a mais detestada pelos homens; e Satanás, amaldiçoado por Deus, foi banido de sua presença, tendo sido preso em cadeias de trevas, à espera do juízo do último dia..." (John Gill, *in loc.*).

Vários comentadores judeus posteriores (Aben Ezra, Jarchi etc.) referiram-se à ideia de que originalmente a serpente tinha pernas; e alguns estudiosos evangélicos levam a sério essa questão.

"Ela obteve a palma da vitória sobre nossos crédulos primeiros pais, e continua à solta entre os homens, sempre trazendo consigo a degradação, sempre fazendo suas vítimas afundar cada vez mais em abismos de vergonha e de infâmia. Mesmo assim, perpetuamente, ela sofre a derrota, e, em segundo lugar, tem de 'lamber o pó', por causa de sua astúcia maligna..." (Ellicott, *in loc.*).

3.15

וְאֵיבָה אָשִׁית בֵּינְךָ וּבֵין הָאִשָּׁה וּבֵין זַרְעֲךָ וּבֵין
זַרְעָהּ הוּא יְשׁוּפְךָ רֹאשׁ וְאַתָּה תְּשׁוּפֶנּוּ עָקֵב: ס

Este te ferirá a cabeça, e tu lhe ferirás o calcanhar. Essa é uma declaração notabilíssima. Os críticos erram ao continuarem a ver aqui apenas uma serpente literal que teria sido amaldiçoada, e que continuaria a ser um vexame para o homem e a mulher. Mas é uma insensatez falar aqui meramente sobre como uma serpente pode ferir um homem no calcanhar, e como sua picada por muitas vezes é fatal. E também é tolice pensar que faz parte da maldição que o homem, em retaliação, por muitas vezes esmaga a cabeça da serpente. Ambas as coisas são verdadeiras: as serpentes continuam picando e matando, e os homens continuam esmagando cabeças de serpentes, mas por certo o texto envolve mais do que isso.

A Explicação Remidora. A maldição trouxe a inimizade; mas há uma solução. A cabeça da serpente seria esmagada. Isso subentende um resultado *remidor* como a resposta divina ao problema todo. Porém, o autor sagrado não nos oferece uma única palavra sobre como isso sucederia. Nem Moisés nem o resto do Antigo Testamento têm alguma coisa que se compare à doutrina neotestamentária da redenção, com a consequente obtenção da imagem divina, por causa da herança da natureza divina (2Pe 1.4). O livro de Gênesis não nos oferece nenhuma explicação a respeito. Mas certas porções do Antigo Testamento, como o livro de Isaías, projetam bastante luz.

A Explicação Messiânica. Os Targuns de Jonathan, de Jerusalém, e os intérpretes cristãos falam sobre a explicação messiânica. O *descendente* da mulher é a raça humana, mas por extensão é o Messias, o qual é o Filho do Homem. E a *descendência* da serpente é o seu contínuo poder maligno, através de quaisquer agentes que ela queira utilizar. O poder de Satanás não foi anulado, mas há a missão de Cristo que já derrotou e que ainda derrotará mais definitivamente o poder satânico. O resultado da cruz é a salvação, por meio do Messias e de sua missão.

Os Ferimentos. Metaforicamente, o *calcanhar ferido* aponta para o calcanhar de Cristo ferido na cruz, e, por extensão, todo o sacrifício da cruz, a expiação ao preço do sangue do Senhor. E a *cabeça ferida* é o golpe fatal recebido pelas forças do mal, encabeçadas por Satanás. O bem vencerá, afinal, o mal. Os ferimentos infligidos por Satanás prosseguem: o mundo jaz no maligno; a miséria humana prevalece por toda parte; o pecado parece triunfar; os homens continuam blasfemando; o mal aparentemente triunfa por toda parte; a maioria dos homens endurece o coração diante da mensagem da redenção; a iniquidade opera universal e eficazmente.

Os Ferimentos Maior e Menor. É verdade que Satanás inflige seus ataques; mas na refrega ele sai muito mais ferido. Satanás ofende e prejudica a todos os homens. Sob seus ataques, os homens são miseravelmente empurrados para cá e para lá. Mas para o crente, pelo menos está assegurado o seu triunfo final em Cristo.

"Os motivos do terceiro capítulo — morte, labuta, suor, espinhos, a árvore, o conflito e as descendências — giram em torno de Cristo. Ele é o segundo Adão, que se tornou maldito em nosso lugar, que suou como que grandes gotas de sangue, na mais amarga agonia, que recebeu a coroa de espinhos, que foi pendurado em um madeiro até a morte, e que foi depositado no pó do sepulcro" (Allen P. Ross, *in loc.*).

3.16

אֶל־הָאִשָּׁה אָמַר הַרְבָּה אַרְבֶּה עִצְּבוֹנֵךְ וְהֵרֹנֵךְ
בְּעֶצֶב תֵּלְדִי בָנִים וְאֶל־אִישֵׁךְ תְּשׁוּקָתֵךְ וְהוּא יִמְשָׁל־
בָּךְ: ס

Em meio de dores darás à luz filhos. Até hoje os homens buscam como aliviar as dores do parto. Por que a mulher não é um pouco diferente, para poder dar à luz seus filhos facilmente, como se dá com alguns animais? O autor sagrado vê aqui outro *princípio*. O parto é uma ocorrência dolorosa e potencialmente fatal. Essa condição é um dos medonhos resultados da queda no pecado. Metaforicamente, essa dor do parto é também a dor contínua de tudo quanto se segue. O homem nasce para a tristeza, como as fagulhas sobem para o ar (Jó 5.7). Essas fagulhas não tomam outra direção, a não ser sempre para cima, tal como o homem está sempre sujeito a dores. Esse é outro aspecto do "problema do mal". Ver no *Dicionário* o artigo *Problema do Mal*.

O teu desejo. Não somente o desejo sexual da mulher, conforme Jarchi pensava, mas toda a sua vontade, prazer e desejos, que ficariam sujeitos ao veto ou aprovação de seu marido. A afirmação destaca a *dependência* da mulher ao seu marido. Na antiguidade, essa supremacia do homem era exercida mediante um tratamento extremamente arbitrário, e, com frequência, isso continua até os tempos modernos. Muito significativamente, o autor do livro de Gênesis faz essa condição aparecer como um resultado da queda no pecado. Presumivelmente, antes disso, a mulher era uma *auxiliadora* (Gn 2.18), o que envolvia sujeição, mas não aviltamento. Todo domínio e ditadura que uma pessoa possa manter sobre outra devem ser tidos como parte da desordem reinante e resultante do pecado. Os críticos, que acreditam que o Gênesis é uma obra de data posterior, veem nesse versículo um reflexo de condições para as quais contribuíram o baalismo, uma das religiões que exaltava a fertilidade e se especializava na exploração da mulher. Nesse caso, o *desejo* seria somente o desejo sexual, conforme Jarchi supunha, e isso visto como parte da exploração da mulher. E alguns comentadores contendem sobre o fato de que o autor sacro indicava assim que as relações sexuais entre homem e mulher são o ponto focal do domínio e exploração que o homem exerce sobre a mulher.

E ele te governará. Temos aí ou um reforço do que já fora dito, ou, então, uma generalização. Se o *desejo* é de natureza sexual, então esta declaração generaliza o tema do domínio exercido pelo homem. Se aquela palavra tiver de ser entendida em um sentido geral, então esta afirmação adicional meramente repete a ideia, para efeito de ênfase.

Desejo é termo que, de acordo com alguns, indica o desejo que ela teve de pecar, após ter sido enganada. Visto que ela cedera a esse *desejo*, agora teria de suportar o domínio exercido pelo homem, embora isso só se manifestasse ocasionalmente. Mas esse sentido não é muito provável.

Vários intérpretes supõem que, antes da queda, o homem e a mulher eram iguais e não havia nenhum domínio masculino arbitrário, e que a vida era sempre harmônica sem jogos de poder entre os sexos.

Adam Clarke (*in loc.*) oferece um curioso significado ao termo "desejo". Ele supunha que seria o desejo sexual, e que a mulher cai na armadilha do sexo, ou seja, por mais que ela tente, não é capaz de escapar às dores de parto. Ela *desejará* o sexo, mas *sofrerá* na hora do parto. Nesse caso, o "desejo" seria o apetite sexual.

Ellicott, por sua vez, pensava que o *desejo* indica um "anseio natural pelo casamento". Sem importar as dores que isso lhe traga, ainda assim a mulher deseja muito esse estado. Há uma grande verdade nesse parecer, sem importar se o autor sagrado queria dizer isso, especificamente, ou não.

A Diferença do Novo Testamento. No trecho de Gálatas 3.28, Paulo vai além da conduta sugerida no relato do Gênesis. Ele faz homem e mulher serem iguais em Cristo. É como se ele tivesse afirmado: "Em Cristo foi ab-rogada toda essa penalidade".

■ 3.17

וּלְאָדָם אָמַר כִּי־שָׁמַעְתָּ לְקוֹל אִשְׁתֶּךָ וַתֹּאכַל מִן־הָעֵץ אֲשֶׁר צִוִּיתִיךָ לֵאמֹר לֹא תֹאכַל מִמֶּנּוּ אֲרוּרָה הָאֲדָמָה בַּעֲבוּרֶךָ בְּעִצָּבוֹן תֹּאכֲלֶנָּה כֹּל יְמֵי חַיֶּיךָ׃

Visto que atendeste à voz de tua mulher. Em geral, os homens *não* dão ouvidos às suas mulheres, e *isso* lhes traz dificuldades. Nesse caso, Adão, na qualidade de primeiro homem, não tendo sofrido tentação da parte do Enganador, ou decidiu *agradar sua mulher*, conforme pensam alguns estudiosos, ou, então, gostou da aparência do fruto proibido, e sofreu sua própria tentação particular. Ele foi internamente tentado, devido a uma fraqueza inerente. Era inocente, mas fraco. O trecho de 1Timóteo 2.14 indica que o homem caiu *deliberadamente*.

Adão. A maioria dos intérpretes opina que esse é um nome próprio, o que indicaria que aqui Adão recebeu seu nome. Ellicott explica que no hebraico não há o artigo definido, pelo que devemos entender a palavra como um nome próprio. Mas outros preferem traduzir aqui por "homem", e não por um nome próprio, como nos vss. 9, 12 e outros.

A Terra Foi Amaldiçoada. Notemos o paralelo. O trabalho da mulher efetua-se no lar, particularmente a tarefa de gerar filhos. No caso dela, isso se tornou um processo difícil e doloroso. Mas o trabalho do homem efetua-se no campo, e esse trabalho também foi dificultado. O pecado sempre produz dificuldades e vexames. Ninguém pode desobedecer à Palavra de Deus sem pagar por isso. O homem viu romper-da a sua comunhão com Deus, e agora a própria natureza rebelava-se contra o homem.

Em fadigas. Notemos a natureza enfática dessa declaração. Antes o labor do homem era satisfatório. Mas agora ele trabalharia muito para produzir pouco, e isso em meio a muita labuta fatigante. Essa frustração resulta da desaprovação divina. Quanto a isso, Adão não usufruiu do "muito bem" de Deus.

A Voz de Deus, a Voz da Mulher. Notemos o contraste entre este versículo e o vs. 8. O homem podia dar ouvidos a uma ou a outra voz. Mas acabou dando ouvidos à voz errada. Assim sucede no caso das tentações. Muitas vozes estranhas procuram desviar-nos da senda do nosso dever. Quanto ao trabalho como uma maldição ou uma bênção, ver as notas sobre o vs. 19.

Até que tornes à terra. O homem não foi executado no momento de seu pecado. Mas recebeu ali uma sentença perpétua. A terra, origem de toda a sua riqueza e bem-estar, agora havia sido amaldiçoada — uma pesada pena. Entregue a si mesmo, o solo não produziria boas coisas de maneira espontânea. Coisas boas só poderiam ser produzidas mediante uma labuta cansativa. Abandonado a si mesmo, o solo só produziria espinhos e ervas daninhas. O fim dessa árdua labuta é a decadência e, finalmente, a morte.

■ 3.18

וְקוֹץ וְדַרְדַּר תַּצְמִיחַ לָךְ וְאָכַלְתָּ אֶת־עֵשֶׂב הַשָּׂדֶה׃

Cardos e abrolhos. Não é preciso cultivar as plantas nocivas. Sozinhas, elas exibem uma estonteante fertilidade. Adam Clarke proveu uma curiosa exposição neste ponto, que vale a pena reproduzir:

"...a espécie de cardo chamada *Acanthum vulgare* produz mais de cem cabeças, cada uma contendo de três a quatrocentas sementes. Suponhamos que esses *cardos* produzam uma média de 80 cabeças, e que cada qual contenha apenas 300 sementes. A primeira colheita da planta seria de 22 mil. Se tudo fosse replantado, a colheita seguinte seria de 576 milhões. Se tudo fosse semeado de novo, haveria 13.824 bilhões; e uma única colheita daí, que seria apenas a colheita do *terceiro* ano, produziria 331.776 quatrilhões; e a colheita do *quarto* ano totalizaria 7.962.624 sextilhões, uma produção mais do que suficiente para ocupar não somente a superfície do mundo inteiro, mas também de todos os demais planetas do sistema solar, de tal forma que nenhuma *outra* espécie vegetal poderia medrar, se imaginarmos que cada planta ocupasse um quadrado de trinta centímetros de lado". (Ele acreditava que os planetas são habitáveis e são férteis, à semelhança da terra.) E é bom que ele tenha parado no quarto ano, pois de outra sorte ninguém saberia dizer o número resultante.

John Gill mostrou ser mais simples. Disse ele apenas: "...toda espécie de ervas daninhas e plantas e mato sem valor... crescendo e florescendo". Clarke prosseguiu para queixar-se dessa prodigiosa produção de vida vegetal, a fim de mencionar o *Cardus vulgatissimus viarum*, que não somente produz *milhões* de sementes inúteis, mas também espalha suas raízes por toda parte, cercando a planta-mãe por muitos metros em redor, a lançar seus rebentos por toda parte. Em seguida as sementes criam uma nova planta-mãe e assim o processo se vai multiplicando, até que grandes campos acabam cobertos por essa espécie tão daninha. Então ele fala sobre a terrível *Spinosa vulgaris*, tão prejudicial que nenhuma outra planta ousa medrar onde ela tiver lançado raízes. Essa planta é recoberta de espinhos, de tal modo que se uma pessoa aproximar-se dela, terá de pagar pela sua imprudência. Por outra parte, tentemos plantar uma macieira! Em breve fica recoberta de vermes e parasitas, e a menos que seja devidamente cultivada, logo estará completamente degenerada. O limão, no entanto, fazendo exceção à regra, é tão *azedo* que não parece ter nenhum inimigo natural. Será isso correto?

Foi assim que o *paraíso* degenerou em um campo recoberto de espinhos e abrolhos, árvores frutíferas mirradas e grãos de cereal minados de parasitas.

3.19

בְּזֵעַת אַפֶּ֙יךָ֙ תֹּ֣אכַל לֶ֔חֶם עַ֤ד שֽׁוּבְךָ֙ אֶל־הָ֣אֲדָמָ֔ה כִּ֥י מִמֶּ֖נָּה לֻקָּ֑חְתָּ כִּֽי־עָפָ֣ר אַ֔תָּה וְאֶל־עָפָ֖ר תָּשֽׁוּב׃

No suor do rosto. No jardim do Éden, o homem tinha de cultivar o solo; mas então sua tarefa era comparativamente leve. Ele tinha tempo para lazer, adoração e desenvolvimento espiritual. Mas agora, para obter um mínimo de sustento, ele precisava suar. E continuaria a cumprir sua sentença perpétua, pois o labor e o suor haveriam de continuar até que voltasse à terra, da qual fora formado.

Ao pó tornarás. A referência aqui é ao sepultamento de corpos mortos. O homem foi tirado do pó da terra; e haveria de voltar a ele. Algo lamentável, para dizer o mínimo. Por ocasião dos sepultamentos, é costumeiro o pregador dizer, à beira do túmulo: "Tu és pó e ao pó tornarás". Mas notemos que coisa alguma é dita acerca da alma, que não pode ser afetada pelo pó da terra. Também nada é dito sobre a vida do futuro. O Pentateuco, de fato, é mudo quanto à esperança futura. Ver meus comentários sobre esse fato em Gênesis 1.26. Assim, embora haja um pálido raio de esperança no fato de que o homem compartilha da *imagem* de Deus (e essa percepção fazia parte inerente do uso desse vocábulo), o autor sagrado não desenvolveu o tema, e, ao que parece, não sabia muita coisa a respeito, ou mesmo nada sabia. Ver no *Dicionário* o artigo intitulado *Alma*. Aprendemos que a teologia é um empreendimento contínuo. Na verdade, a teologia progride. É ridículo que queiramos achar no Gênesis as verdades que encontramos nos escritos de Paulo. E é igualmente ridículo dizer que aquilo que Paulo sabia é o fim da erudição. A verdade nunca estaca, embora os homens tentem freá-la em uma ou outra de suas fases. O que estaca é o conhecimento do homem, quando este se enterra em dogmas estagnados.

Quando um ministro, diante de um túmulo qualquer, diz que o morto está voltando ao pó, costuma adicionar as palavras "na esperança da vida eterna". Mas o autor sagrado fez alto diante da maldição herdada pelo homem, sem agitar nenhum laivo de esperança.

O homem teria vivido fisicamente para sempre se não tivesse comido do fruto proibido? Alguns eruditos respondem com um *não*, mas outros respondem com um *sim*. Para alguns, o pó precisa voltar ao pó, com maldição divina ou não. Seja como for, não foi oferecida nenhuma promessa de vida. Ver Eclesiastes 12.7 quanto a um contraste. O homem, como pó, volta à terra; mas o *espírito* volta a Deus, "que o deu". Agora está sendo dito algo. Agora temos esperança.

O homem, essa criatura frágil, quão pouca razão tem para orgulhar-se de si mesmo.

Em meu artigo sobre a *alma*, forneci provas acerca da sobrevivência da alma. Alguns estudiosos, neste ponto, contrastam o *pó*, que naturalmente se desintegra, com a *substância pura* da alma, que é simples e não se pode desintegrar. Este argumento filosófico comum teve origem com Platão e foi aproveitado por filósofos e teólogos posteriores. Um corpo feito de partículas de terra deve desintegrar-se. Mas o espírito, por sua própria natureza, não se dissolve. Alguns intérpretes supõem que a "árvore da vida" teria dado ao homem essa contraparte imortal, pelo que teria vivido para sempre no espírito, sem importar o que viesse a suceder ao seu corpo físico. Mas o texto não nos fornece nenhum indício em favor dessa ideia.

O Trabalho como Maldição e como Bênção. Para a maioria das pessoas, o trabalho é uma maldição. Poucas pessoas seguem todos os dias para o trabalho de coração leve. A maior parte dos trabalhadores é escrava de seus salários. Poucas pessoas acham satisfação interior naquilo que fazem. Isso faz parte da maldição divina. Quando nada há de criativo em um trabalho, este se torna monótono, insípido, entorpecedor. Tal tipo de trabalho é degradante, mas é nisso que a maior parte das pessoas se vê envolvida. Hoje em dia as pessoas se mantêm em longas filas à espera de algum trabalho que pague o salário mínimo, o qual não é adequado nem mesmo para as necessidades mais básicas. E os que não são contratados acabam ficando sem alimento suficiente para servir a seus filhos. Quase metade de toda a população brasileira vive subnutrida. Muitas pessoas vão para o leito, à noite, com fome. Pessoas neste país estão morrendo de inanição, ao passo que muitos políticos vivem no luxo e dispõem de contas bancárias secretas na Suíça. Essas condições fazem parte da maldição; e, no entanto, continuamos a considerar o pecado de forma tão negligente. As pessoas sentem-se esgotadas diante de seu trabalho, e não lhes resta energia para desfrutar de suas horas de lazer. Uniões trabalhistas, apesar de seus excessos ocasionais, têm melhorado um tanto a situação, mas esta é deveras lamentável, para dizer o mínimo.

O Trabalho como uma Bênção. Um trabalho que realiza alguma coisa é divertido. Epicuro insistia em que os prazeres mentais são superiores aos prazeres físicos. Aqueles que trabalham usando seus cérebros e assim realizam projetos valiosos divertem-se o tempo todo. Talvez tenham de trabalhar longas horas, mas sentem satisfação. "Os homens que trabalham duramente em geral são os mais felizes" (Cuthbert A. Simpson, *in loc.*). "Sempre haverá *alguém* ou *alguma coisa* pela qual devamos trabalhar; e enquanto assim continuar sucedendo, a vida deverá ser e realmente será digna de ser vivida" (Le Baron R. Briggs). O treinamento e a educação têm por alvo desenvolver habilidades naturais e latentes, liberando-as em atividades dignas. Quando temos algo pelo que trabalhar, muito naturalmente a energia se redobra, e o trabalho torna-se mais inspirador do que cansativo. Quando o trabalho não é criativo é que se torna degradante. Desenvolvi esse tema no meu artigo intitulado *Trabalho, Dignidade e Ética do,* que se acha no *Dicionário*.

A EXPULSÃO DO JARDIM (3.20-24)

3.20

וַיִּקְרָ֧א הָֽאָדָ֛ם שֵׁ֥ם אִשְׁתּ֖וֹ חַוָּ֑ה כִּ֛י הִ֥וא הָֽיְתָ֖ה אֵ֥ם כָּל־חָֽי׃

E deu o homem o nome de Eva à sua mulher. Adão havia dado nomes ao reino animal, e agora deu o nome à princesa, a mãe de todos os seres humanos (Gn 2.19).

EVA

ESBOÇO

    I. O Nome
   II. Seu Relacionamento com Adão
  III. Participação de Eva na Queda
   IV. Comparação com o Relato sobre o Deus Sumério Enki
    V. Eva no Novo Testamento

I. O Nome

No hebraico, *Hawwah*, com frequência definido como "doadora da vida", embora outros significados tenham sido sugeridos. A derivação é incerta, a tal ponto que um certo léxico fala em nove possibilidades. O relato do livro de Gênesis conecta o nome dessa mulher com a própria existência da raça humana. Adão chamou sua companheira de Eva, palavra que, no hebraico, aparentemente está relacionada ao termo hebraico *hayyah*, que significa "viver". Ela foi chamada assim porque se tornaria a mãe de todos os seres humanos. O nome lhe foi dado por Adão, após a queda no pecado (Gn 3.20).

II. Seu Relacionamento com Adão

O trecho de Gênesis 2.21,22 revela que Deus fez Eva, partindo de uma costela extraída de Adão. Alguns intérpretes aceitam o relato literalmente, mas outros só o aceitam simbolicamente. Neste último caso, estariam em foco a intimidade entre homem e mulher, a dependência da mulher ao homem, e, no caso de Eva, a dependência de toda a vida humana a essa primeira mulher. A Bíblia também ensina a subordinação da mulher ao homem (1Tm 2.12,13). Tudo isso indica uma lição geral da vida, que nos instrui sobre o fato de que dependemos uns dos outros, o que nos ensina a amar e a ser amados, que é a maior das lições da vida.

Os eruditos liberais salientam que a questão da *costela* pertence às lendas tipicamente mesopotâmicas sobre a criação. Ver sobre *Cosmogonia* e sobre *Criação*. Ver também o artigo separado sobre o *jardim do Éden*. Esses vários artigos ilustram como um fundo comum de informações foi aproveitado pelo autor do livro de Gênesis, tanto quanto pelos autores das histórias da criação, dentro da cultura da Mesopotâmia. O trecho de Gênesis 1.28 mostra-nos que um dos principais propósitos do casamento é a procriação. Alguns intérpretes modernos têm-se valido desse fato para sustentar que ter filhos é uma obrigação moral em *todos* os casamentos. Mas contra essa opinião, outros estudiosos têm salientado que em um mundo superpovoado como o nosso, é quase impossível que se pense ser necessário que cada casal seja como foram Adão e Eva, procriadores. Muitos pensam que a propagação da raça humana não requer que todos os casais participem do processo. Na verdade, seria melhor se houvesse mais casais que deixassem outros casais encarregar-se de gerar filhos, em um mundo já tão envolvido no problema da superpopulação.

III. Participação de Eva na Queda

A serpente esteve envolvida na tentação de Eva e alguma fruta não identificada foi o objeto de tentação. O fruto era capaz de fazer o homem distinguir entre o bem e o mal, como uma espécie de fruto de conhecimento limitado. Saber distinguir entre o bem e o mal, em certo sentido, guindou o homem à categoria de ser divino (Gn 3.22). E assim, para impedir que o primeiro casal se divinizasse ainda mais, tornando-se permanentemente imortal, se comesse do fruto da árvore da vida, Adão e Eva foram expulsos do jardim do Éden.

A história geral da tentação aparece no terceiro capítulo do livro de Gênesis. Temos ali alguns paralelos das lendas mesopotâmicas. Os artigos sobre o *jardim do Éden* e sobre *Cosmogonia* fornecem detalhes a respeito. Os pais alexandrinos viam esses relatos como parábolas. Ver sobre a *Interpretação Alegórica*. Os evangélicos fundamentalistas continuam a crer literalmente no relato bíblico, pensando que a ingestão de algum fruto poderia conferir conhecimento especial, e até mesmo a imortalidade. Porém, parece melhor extrair desses relatos lições espirituais, não interpretando literalmente tudo quanto está contido nesses relatos bíblicos. Seja como for, porém, o fato é que dali veio a queda. Portanto, temos nas primeiras páginas do Gênesis uma explicação singela de como o mal penetrou neste mundo. Muitos teólogos gostam de extrair lições dessa história, mas crendo que está envolto em mistérios como foi que o mal teve início neste mundo. Orígenes e os pais alexandrinos em geral supunham que a alma do homem é preexistente, já tendo caído na eternidade (talvez junto com a rebelião dos anjos que acompanharam Lúcifer). Somente bem mais tarde é que essa queda foi transferida para a cena terrestre. Isso faria a queda no pecado tornar-se inevitável. Dotadas de corpos humanos, as almas vieram a envolver-se em um tipo de dupla existência. Naturalmente, esse ponto de vista é platônico. Aprecio essa conjectura porque ela promete uma maneira mais frutífera de se pensar sobre o pecado verdadeiramente original (um pecado cósmico, e não somente edênico). Os teólogos que aceitam essa conjectura usualmente associam a queda da alma humana à queda original dos anjos, conforme dissemos linhas acima. Também tem sido conjecturado que não houve, dentro da criação dos seres inteligentes, apenas uma, ou mesmo apenas duas quedas; antes, várias ordens de seres estariam envolvidos em suas respectivas e independentes quedas. Por outra parte, há estudiosos que acreditam que essas muitas ordens de seres já eram más desde o princípio, e que o que realmente sucedeu foi uma melhoria em face do estado original de maldade e degradação. Grandes mistérios circundam essas questões e coisa alguma que digamos é capaz de dar-lhes solução, porquanto a Bíblia faz silêncio sobre o ponto, como uma daquelas coisas que Deus não nos quis revelar. "As cousas encobertas pertencem ao Senhor nosso Deus..." (Dt 29.29a).

Seja como for, o relato de Gênesis diz-nos que toda espécie de resultado negativo sobreveio imediatamente após a queda no pecado: a maldição contra a serpente, que proveu o pano de fundo para a primeira promessa messiânica (Gn 3.15); a maldição contra a terra; o começo do labor árduo; a dificuldade da mulher no parto; a submissão da mulher ao homem. E, de modo algum a coisa menor, a tendência de uma pessoa lançar a culpa sobre outra, por suas más ações. Adão, por assim dizer, disse a Deus: "Foi *esta* mulher, que *tu* (Deus) me deste, que causou toda essa dificuldade". Ver Gênesis 3.12. Eva, por sua parte, lançou a culpa sobre a sutileza da serpente. Portanto, tornou-se tradicional afirmar (e talvez com razão) que as mulheres fazem coisas más por serem seduzidas a praticá-las, enquanto os homens, de olhos bem abertos, fazem coisas más visando à sua própria vantagem.

São dados os nomes de apenas três dos filhos de Eva, todos homens: Caim (Gn 4.1), Abel (Gn 4.2) e Sete (Gn 5.3), embora seja dito que ela teve filhos e filhas (Gn 5.4). E este último ponto resolve muita objeção tola, como aquela que indaga onde Caim foi buscar mulher.

IV. Comparação com o Relato sobre o Deus Sumério Enki

Nos mitos sumérios sobre o deus *Enki*, é-nos dito que ele sofria de certo número de mazelas. Na tentativa de curar essas enfermidades, a deusa Ninhursague produziu uma deusa especial. Quando ele disse: "Dói em minha costela", ela replicou que fizera a deusa Ninti (que significa "senhora da costela") nascer para curá-lo e restaurá-lo à vida. Ora, Ninti também pode significar "senhora que transmite vida".

Os paralelos entre Eva e Ninti, tanto no tocante à definição de nomes, como no que concerne às funções, são por demais evidentes para negarmos qualquer conexão entre elas. Por esse motivo, alguns estudiosos têm dito que a narrativa bíblica mostra dependência dos mitos mesopotâmicos. Outros asseguram que o contrário é que está com a verdade. Porém, o mais provável é que ambos os relatos tenham tido uma origem comum, com modificações. E, se tomarmos a narrativa bíblica como uma parábola religiosa, então não teremos de enfrentar nenhum problema com a questão da *inspiração*. Por outra parte, se insistirmos em uma interpretação literal, então surgirão problemas nesse setor.

V. Eva no Novo Testamento

No trecho de 2Coríntios 11.3, Paulo refere-se ao relato da tentação, por meio da serpente, com o propósito de mostrar quão fácil é o ser humano cair no erro, com sérias consequências. A passagem de 1Timóteo 2.11-14 ensina que Eva pecou porque tomou as circunstâncias em suas próprias mãos. Em seguida, Paulo recomenda que as mulheres crentes façam silêncio nos cultos, proibindo-as de trazer mensagens, por estarem sujeitas à autoridade dos homens. Presumivelmente, visto que facilmente são enganadas, não deveriam comunicar a outros a mensagem divina. Nessa conexão, tornou-se uma tradição salientar que muitos dos cultos estranhos de nossos dias foram iniciados por mulheres.

Dentro da teologia cristã, vale a pena lembrar que ela é um tipo da Igreja, a Noiva de Cristo (Ef 5.28-32).

Maternidade. Este versículo contém a primeira menção na Bíblia a esse ofício e privilégio. Eva foi a autora dos "ais" do homem; mas ela também foi a origem da vida biológica humana. A Bíblia é rica quanto a histórias de mães. Lembremo-nos da mãe de Samuel e de sua suprema dedicação. Também podemos pensar na mulher egípcia que salvou e criou Moisés. Ela não perderá a sua recompensa. Se a mãe de Jesus, Maria, tem sido erroneamente transformada em objeto de adoração, ninguém poderá arrebatar-lhe a exaltada posição e missão como mãe de Jesus. Paulo tinha duas mães; sua própria e a bondosa mãe de Rufo (ver Rm 16.13). Algumas mulheres queixam-se das responsabilidades domésticas e saem pelo mundo para serem escravas assalariadas de alguém. E equivocadamente ainda chamam isso de *senso de realização*. O trabalho mais nobre de todos, para a mulher, está em seu próprio lar, onde ela cria e serve a crianças preciosas. Qualquer coisa que seus filhos possam ser ou fazer devem-no às suas mães, em grau significativo. Algumas crianças fracassam porque suas mães não lhes transmitem nenhuma visão da vida. Outras obtêm êxito porque suas mães tinham uma visão grandiosa das coisas. Ver no *Dicionário* o artigo intitulado *Mãe*.

3.21

וַיַּעַשׂ יְהוָה אֱלֹהִים לְאָדָם וּלְאִשְׁתּוֹ כָּתְנוֹת עוֹר וַיַּלְבִּשֵׁם׃ פ

Fez o Senhor Deus vestimenta de peles. Esse é o *décimo quarto* passo na vereda descendente da tentação. Apesar da queda do homem no pecado, há *provisão divina*. A fim de ocultar sua nudez, o homem preparou inadequadas vestes de folhas de figueira, símbolo de boas obras. Em contraste com isso, *Deus* produziu vestimentas substanciais, feitas de peles de animais. O sacrifício de alguns animais foi necessário para essa provisão. Para os intérpretes cristãos, isso significa a provisão por meio de Cristo, em face de sua obra expiatória, além da *retidão* que ele oferece como resultado de sua obra (Rm 3.21-26). As vestimentas recebidas por Adão e Eva foram-lhes supridas divinamente. Agora estavam de novo aptos a estar na presença de Deus. Ver no *Dicionário* o artigo intitulado *Expiação*. Notemos que as *vestimentas* foram uma provisão notável. Serviram para encobrir a nudez dos dois, além de proteger contra as intempéries. Assim também a missão de Cristo é uma provisão geral de tudo quanto é bom.

Há mitos acerca de como o homem foi vestido com peles de animais. Os gregos atribuíam isso à obra de Pelasgo, ao qual chamavam de *primeiro homem* (Pausânias em *Arcadicis*, sive 1.8 pars. 455, 456).

O Primeiro Sacrifício. Os comentadores observam sobre como esse *primeiro* sacrifício, realizado pelo próprio Deus, lançou a base para o sistema sacrificial da fé dos hebreus.

■ 3.22

וַיֹּאמֶר יְהוָה אֱלֹהִים הֵן הָאָדָם הָיָה כְּאַחַד מִמֶּנּוּ לָדַעַת טוֹב וָרָע וְעַתָּה פֶּן־יִשְׁלַח יָדוֹ וְלָקַח גַּם מֵעֵץ הַחַיִּים וְאָכַל וָחַי לְעֹלָם׃

Eis que o homem se tornou como um de nós. Neste ponto, os críticos estão certos de que esse elemento do relato remonta diretamente ao mito babilônico da criação. Os deuses ficaram preocupados com o homem, sentindo que deveriam limitá-lo para não ir longe demais. Por isso teriam dito aqui "nós", e o autor sacro descuidou-se de ocultar sua fonte informativa politeísta. O versículo dá a entender que duas árvores tinham sido proibidas: a árvore da vida e a árvore do conhecimento do bem e do mal. Os eruditos conservadores retrucam dizendo que a preocupação de Deus a respeito da árvore da vida não ocorreu senão *depois* da queda no pecado. Deus não queria permitir que o homem se tornasse imortal em seu estado de degradação. Pois o Senhor tinha um outro plano: a imortalidade por meio do espírito. Assim, na palavra *nós*, esses eruditos não veem nenhum reflexo do politeísmo. Antes, seria a aplicação, neste ponto, do termo plural *Elohim*, de Gênesis 1.1, onde ele é explicado. Alguns continuam vendo aqui uma referência trinitariana. Ver também Gênesis 1.26 quanto a uma explicação sobre a palavra *nós*.

Alguns intérpretes, como Crisóstomo e Agostinho, aludiram a essa declaração divina em um sentido irônico e sarcástico: Vejam esse homem tolo! Pensa ele que pode tornar-se como Deus? A serpente disse que ele poderia tornar-se como Deus. Mas olhem agora para ele!

A *imagem* de Deus foi implantada no homem, mas este, mediante outro ato impensado, poderia danificar mais ainda a obra divina, tornando-se o tipo errado de ser imortal. O homem remido deverá ser como Deus, mas somente da maneira aprovada pelo Senhor. Ver o artigo intitulado *Imagem de Deus, o Homem Como,* nas notas sobre Gênesis 1.26.

Se o homem vivesse para sempre, isso impediria que ele viesse a sofrer o resultado final da maldição divina, *a morte.* Por conseguinte, a expulsão do jardim do Éden tornou-se necessária, a fim de evitar isso.

■ 3.23

וַיְשַׁלְּחֵהוּ יְהוָה אֱלֹהִים מִגַּן־עֵדֶן לַעֲבֹד אֶת־הָאֲדָמָה אֲשֶׁר לֻקַּח מִשָּׁם׃

O Senhor Deus... o lançou fora do jardim. Foi executada assim a severa sentença contra a desobediência. O homem perdeu seu belo local de residência. Agora o homem estava reduzido a dedicar-se a um trabalho árduo "em algum lugar lá fora". A terra foi amaldiçoada; e agora o homem era um ser mortal. Adão faz-me lembrar de certo homem que foi condenado a servir por vários anos em uma detenção, e que comentou então: "Não sei se poderei suportar isso!" Uma terrível expectativa, realmente. A prisão. Foi assim que Adão chegou ao seu novo meio ambiente: trabalho árduo e suor, preso em um corpo que haveria de debilitar-se no decorrer dos anos. Ele saiu do paraíso em alienação, e essa é uma verdade universalmente ilustrada. Não é fácil fracassar. O homem havia falhado na tarefa simples que Deus lhe dera para fazer. John Gill (*in loc.*) consolava-se no fato de que Deus não enviou o homem diretamente para o inferno! Antes, Adão estaria cultivando um solo relutante, infestado de cardos e abrolhos.

Há tolas especulações acerca de para onde ele foi expulso. O Targum de Jonathan localizava-o no monte Moriá. Mas outros preferem pensar em algum lugar perto de Damasco. No entanto, todas essas ideias são vãs. O homem estava "fora" do paraíso, e isso é tudo quanto precisamos saber.

Encontramos aqui o *décimo quinto* passo no caminho da tentação. A sentença foi executada. O homem estava expulso do jardim. Não devemos olvidar, entretanto, que o *décimo quarto* (vs. 21) passo fala sobre uma contínua provisão divina, que, finalmente, haverá de reverter as várias maldições que sobrevieram ao homem. Ver um sumário sobre esses *passos* nas notas no fim do vs. 24.

■ 3.24

וַיְגָרֶשׁ אֶת־הָאָדָם וַיַּשְׁכֵּן מִקֶּדֶם לְגַן־עֵדֶן אֶת־הַכְּרֻבִים וְאֵת לַהַט הַחֶרֶב הַמִּתְהַפֶּכֶת לִשְׁמֹר אֶת־דֶּרֶךְ עֵץ הַחַיִּים׃ ס

E, expulso o homem. A descrição mostra a severidade da medida. Deus era agora o Deus da ira. E expulsou o homem de sua presença, sem nenhum vestígio evidente de misericórdia. Era o seu *filho* que ele expulsava e barrava-lhe a aproximação da árvore da vida.

SEGUNDA DISPENSAÇÃO: CONSCIÊNCIA (3.24—7.21)

Ver no *Dicionário* o artigo detalhado sobre a *Consciência.* Agora o homem possuía conhecimento experimental sobre Deus. Agora ele conhecia o bem e o mal, e a sua consciência tornava-se seu guia. Mas ainda não havia lei escrita para guiá-lo. Essa dispensação terminou no dilúvio, outro lamentável fracasso do homem. Ver o artigo intitulado *Dispensação (Dispensacionalismo).* Ver as notas sobre Gênesis 3.14 quanto ao *Pacto Edênico.* Ver as notas em Gênesis 1.28 quanto à *Primeira Dispensação.*

Ao oriente. Talvez para dar a entender, neste ponto, que havia alguma espécie de portão ou entrada que distinguia essa direção das outras três. Talvez não haja nenhum sentido metafórico tencionado.

Querubins. Ver no *Dicionário* o artigo intitulado *Querubins,* quanto ao que pode ser dito sobre essa espécie de anjo. Os querubins são descritos como quem tem a função de guardiães de algum lugar santo. Cf. Êxodo 37.7-9; 1Reis 6.23-27. Em 2Samuel 6.2; Salmo 18.10 e Ezequiel 1 os querubins aparecem como seres que sustentam o trono de Yahweh. E Ezequiel 41.18,19 pinta-os como seres de duas faces, de um homem e de um leão, ou, então, de quatro faces (homem, leão, boi e águia). Esses animais vieram a representar os quatro evangelhos. Os querubins representam força e majestade, sendo guardiães de confiança que prestam vários serviços a Yahweh. É provável que, em Êxodo 25.20, sejam representados como bois alados. Neste ponto dou apenas alguns poucos detalhes sobre esses seres. Mas a nota referida acima é bastante extensa e preenche os detalhes.

O refulgir de uma espada. Poderíamos concebê-la segura na mão de um dos querubins; ou, então, era um poder guardador separado, independente dos querubins. A ira de Deus aparece como uma chama. Onde estiver o fogo, ali os homens temem entrar. Essa chama mantinha-se em movimento, refulgindo em todas as direções, não permitindo que alguém se aproximasse, fosse de que direção fosse. E assim, pesadas armas impediam o retorno tentado pelo homem castigado.

Não Há Autorredenção. Uma das lições do texto é que o homem não pode redimir a si mesmo, pois não podia voltar ao jardim do Éden em busca da árvore da vida. Agora expulso, ele era obrigado a esperar pelo ato redentor de Deus. O antigo paraíso estava irreversivelmente perdido. Mas um novo paraíso, afinal, haverá de surgir no horizonte.

Depois do Fracasso, o Que Viria? A medida do homem não é se ele pode ser derrubado ou não. É claro que todos os homens estão sujeitos à derrota, e nenhuma vida humana é vivida sem muitas derrotas. A medida de um homem é o seu retorno. Agora o primeiro casal enfrentava um futuro desconhecido; mas Deus continuava cuidando deles, pelo que isso era uma garantia. Muitas vidas têm perdido seus respectivos Édens; muitas vidas têm sido rejeitadas após algum fracasso. O homem peca deliberadamente, sem calcular o custo possível. Ele comete erros precipitados e tolos, que podem ser devastadores. E tem de enfrentar consequências amargas de poder permanente. O homem está do lado de fora, mas suas asneiras não precisam ser a última palavra. A Bíblia inteira deixa isso bem claro, e a missão de Cristo pode ser a última palavra, no tocante ao destino humano, no caso de muitas pessoas. A Bíblia começa com o paraíso perdido, no livro de Gênesis. Mas vai prosseguindo até o Apocalipse, onde vemos que o paraíso será reconquistado. Ali vemos aquela grande cidade, a nova Jerusalém, que descerá do céu (Ap 21.10). Naquele lugar futuro haverá outra árvore da vida, da qual todos os habitantes poderão participar gratuitamente (Ap 22.2).

OS PASSOS NA VEREDA DA TENTAÇÃO: SUMÁRIO

Tenho acompanhado os elementos da história bíblica, crendo ser esse o modelo de como a tentação acaba prevalecendo, de como o homem cai, de como vem o fracasso, de como a volta é possível:

1. O instrumento da tentação pode ser alguma autoridade respeitada e racional (Gn 3.1)
2. Essa autoridade respeitada contradiz o mandamento divino (3.1)
3. O homem cede diante da tentação, embora reconheça que está errado (3.2)
4. O homem faz adições à Palavra de Deus, pervertendo-a dessa maneira (3.3)
5. A autoridade respeitada contradiz abertamente a Palavra de Deus (3.4)
6. O tentador diz uma verdade, embora lhe dê um sentido distorcido (3.5)
7. A coisa oferecida pelo tentador parece boa, à concupiscência dos olhos (3.6)
8. O homem cede diante da tentação (3.6)
9. A pessoa que cai não demora a influenciar outras para cometerem o mesmo erro (3.6)
10. O juízo divino é executado (3.7)
11. O homem tenta um remédio falso e inadequado para a sua queda (3.7)
12. O homem, tendo caído, oculta-se de Deus (3.8)
13. O homem lança a culpa em outrem, diante de seu fracasso, até mesmo em Deus (3.12)
14. A provisão divina ainda assim provê restauração (3.21)
15. O horrendo julgamento divino é executado (3.23)

Naturalmente, na tentação, na queda e na restauração há outros elementos, mas esses quinze passos contêm, em si mesmos, muitas lições, porquanto refletem as condições do homem moderno.

A melhor maneira de cuidarmos da tentação consiste em *fugirmos* dela (1Co 6.18; 10.14; 1Tm 6.11; 2Tm. 2.22). Aqueles que resistem ao teste usualmente ficam de nervos prejudicados. Ver no *Dicionário* o artigo intitulado *Tentação*.

Richard Laurence, *The Book of Enoch*, 1821.

AS SETE DISPENSAÇÕES

1. Inocência: Gn 1.1—3.24
2. Consciência: Gn 3.23
3. Governo humano: Gn 8.20
4. Promessa: Gn 12.1
5. Lei: Êx 19.8
6. Graça: Jo 1.17
7. Reino: Ef 1.10

A palavra *dispensação* vem do latim *dispenso*, que significa "pesar" ou "administrar". Este vocábulo tem sido usado de diversos modos, porém o uso que mais chama atenção é aquele que, segundo pensam alguns intérpretes, envolve um período de tempo no qual Deus trata com os homens de maneira específica. Essa ideia foi popularizada pela Bíblia Anotada de Scofield e desenvolvida por intérpretes posteriores.

Cada dispensação é uma revelação do desejo multifacetado de Deus e nela o homem fica sujeito a testes, devendo obedecer a certas condições e atingir determinados objetivos.

Consulte no *Dicionário* o artigo chamado *Dispensação* (*Dispensacionalismo*).

EXPULSOS DO JARDIM

O Senhor Deus, por isso, o lançou fora do jardim do Éden, a fim de lavrar a terra de que fora tomado.

Gênesis 3.23

Rebelião
- Proibida (Nm 14.9; Js 22.19)
- Provoca a Deus (Nm 16.30; Ne 9.26)
- Provoca a Cristo (Êx 23.20,21; 1Co 10.9)
- Vexa o Espírito Santo (Is 63.10)

Exibida
- Na incredulidade (Dt 9.23; Sl 106.24,25)
- Na rejeição do governo divino (1Sm 8.7)
- No desprezo aos seus conselhos (Sl 107.11)
- Na desconfiança quanto ao seu poder (Ez 17.15)

CAPÍTULO QUATRO

MULTIPLICAÇÃO DA RAÇA HUMANA: CAIM E ABEL (4.1-7)

Os críticos atribuem todo o capítulo quarto à fonte *J*. Ver no *Dicionário* o artigo *J.E.D.P.(S)*. Agora achamos o nome divino *Yahweh* do começo ao fim, em contraste com o nome *Elohim*, do primeiro capítulo, ou o nome composto *Yahweh-Elohim*, do segundo capítulo. Os críticos veem vários sinais de fontes diversas neste capítulo, como obra de editores diversos.

O homem, agora caído, começou a multiplicar-se. Em certo sentido, conforme foi ilustrado no triste exemplo de Caim, temos aí a multiplicação de uma sociedade ímpia. O homem, em sua rebeldia, dera início à sua expansão geográfica. Os piedosos e os ímpios separam-se e seguem seus próprios caminhos distintos. Mas na nossa sociedade mista eles se entrechocam.

> O morcego e a coruja habitam ali;
> A serpente se aninha no altar de pedra;
> Os vasos sagrados mofam perto;
> A imagem de Deus desapareceu!
> Naquele duro mundo pagão caíram
> O desgosto e o nojo secreto;
> Profundo cansaço e concupiscência concentrada
> Fizeram da vida humana um inferno.
>
> Matthew Arnold

4.1

וְהָאָדָם יָדַע אֶת־חַוָּה אִשְׁתּוֹ וַתַּהַר וַתֵּלֶד אֶת־קַיִן וַתֹּאמֶר קָנִיתִי אִישׁ אֶת־יְהוָה׃

Coabitou. No hebraico temos um eufemismo para o ato sexual, *conheceu*. Há o conhecedor e o conhecido, uma curiosa mas exata descrição. Jarchi interpreta a palavra como *tinha conhecido*, ou seja, uma ação já passada, antes mesmo da queda, pois supunha que, de outra sorte, ele não teria obedecido à ordem para multiplicar-se. Mas não há nenhuma indicação de que Adão se havia reproduzido antes da queda no pecado.

O homem. Assim diz nossa versão. Mas *adam* tornara-se um nome próprio desde Gênesis 3.17. Ver o artigo detalhado sobre *Adão*, no *Dicionário*.

Eva. Ver a nota detalhada sobre ela em Gênesis 3.20. Ela era a mãe de "todos os viventes", e agora começava a cumprir a sua função.

Deu à luz a Caim. Houve algo de terrível no fato de que o filho primogênito, dentre toda a humanidade, de acordo com o relato bíblico, veio a tornar-se um homicida. Mas talvez isso seja apropriado, agora que vemos o começo da propagação do homem caído, ímpio. O nome dele significa "trabalhador em metal", ainda que, de acordo com a etimologia popular, tenha obtido o sentido de "adquirido", porquanto Eva dissera: "Adquiri um varão com o auxílio do Senhor". O fraseado tem perturbado alguns intérpretes, porque a frase diz, literalmente, "com o Senhor". Por isso, a palavra hebraica *'eth* (com) é tida por alguns como um erro primitivo no texto (feito pelo autor sagrado, por descuido, ou por algum escriba antigo). Daí, outros conjecturam que está em pauta o *'oth* (marca) de Yahweh. E isso significaria que Caim já nasceu com a marca do mal, em antecipação a seu pecado; ou, então, que ele já nasceu separado para adorar a Yahweh, como primogênito da raça. Se é a "marca de Caim" que está em foco, então aqui é antecipada a declaração de Gênesis 4.15. E se a adoração a Yahweh é que está destacada aqui, então fica antecipado o trecho de Gênesis 4.26. Os intérpretes que preferem o "com" no texto fazem isso significar "com o auxílio do Senhor", conforme se vê em nossa versão portuguesa, ou alguma coisa similar. E uma interpretação fantástica é aquela que diz que Eva antecipou que em Caim se cumpriria a promessa messiânica de Gênesis 3.15. *Ele* seria o Messias prometido.

"Os descendentes de Caim formavam uma raça ímpia e cobiçosa, mas que, apesar disso, em muito ultrapassou os descendentes de Sete quanto às artes da civilização. À agricultura e à vida pastoral eles adicionaram a metalurgia e a música, o conhecimento não só do cobre e seus usos, mas também do ferro (vs. 22)... (eles) diminuíram em muito a maldição do labor árduo, acrescentando lazer e luxo às suas vidas" (Ellicott, *in loc.*).

Caim. No hebraico, *lança* (?). Foi o filho mais velho de Adão e Eva (Gn 4.1). Tragicamente, foi o primogênito da raça humana, de acordo com a narrativa sobre a raça adâmica; e também foi o primeiro assassino e fratricida. Há algo de apropriado nas circunstâncias de que o homem, de quem se diz ter sido o primeiro filho produzido pelo homem, também é descrito como o primeiro homem a ser um assassino. Essa narrativa simboliza a degeneração humana desde o princípio. Nada havia no meio ambiente de Caim que o tivesse levado a matar seu irmão. O ato originou-se da maldade no íntimo. Muito erra a criminologia quando busca a causa dos crimes no meio ambiente adverso das pessoas, mas não a busca no íntimo pervertido do ser humano.

1. *Nome.* Não há certeza alguma quanto à origem do nome "Caim", embora pareça estar relacionado à forja de metais, como um "ferreiro"; outros preferem dar-lhe o sentido de "lança"; e, de acordo com a etimologia popular, "adquirir". Outros ainda pensam em "inveja". *Aquisição* (Gn 4.1) é a ideia mais comum entre os intérpretes.

2. *O Sacrifício.* Adão e Eva cultivavam o solo; Abel era pastor de ovelhas. Caim também cultivava o solo. Os irmãos trouxeram suas ofertas a Deus. Caim as trouxe do fruto de seu trabalho no solo, e elas foram rejeitadas. Abel trouxe suas ofertas do rebanho; e elas foram aceitas por Deus. A maioria dos intérpretes vê nisso um prenúncio dos sacrifícios cruentos, e, naturalmente, do sacrifício de Cristo. De conformidade com isso, a oferta de Caim representa o esforço próprio, o mérito humano, que parece bom a nossos olhos, mas não é aceitável diante de Deus. Isso dá a entender a necessidade da justificação, com base na expiação de Cristo. Não estão em foco apenas as ofertas de Caim e Abel, mas as próprias pessoas deles, pois lemos: "Agradou-se o Senhor de Abel e de sua oferta; ao passo que de Caim e de sua oferta não se agradou" (Gn 4.4,5). Portanto, Deus, que lê os corações, viu as atitudes deles: a de Abel, de autodesistência e confiança na expiação de outrem; a de Caim, de autossuficiência e de confiança própria.

3. *A Ira de Caim.* A ira de Caim impeliu-o a matar. A enormidade de seu crime se vê no fato de que matou seu próprio irmão. A ira é um dos pecados cardeais. Aparece na lista das obras da carne, na lista de Paulo, em Gálatas 5.20. A ira encontra-se na raiz de muitos atos irracionais, e quase sempre tem o egoísmo como sua base, e o ódio como sua motivação.

4. *O Crime de Caim.* Embora repreendido por Deus, Caim resolveu dar vazão à sua maldade mediante um ato irracional de homicídio. Desde então, os homens têm satisfeito a sua vontade tirando a vida do próximo, o que mostra a extensão da queda. Quando Deus perguntou a Caim onde estava seu irmão, Abel, Caim indagou: "Não sei; acaso sou eu tutor de meu irmão?" (Gn 4.9). Essa pergunta de Caim, famosa desde então, usada em inúmeros contextos, mostra-nos a natureza egoísta de seu ato homicida. Pois a lei do amor leva-nos a cuidar uns dos outros, como cuidamos, cada um, de nós mesmos. Negar que sou guardador de meu irmão é negar a essência da lei do amor. A voz de Abel clamava do solo. Isso demonstra que os atos pecaminosos não podem ser ocultados, pois apelam a Deus, pedindo vingança.

5. *O Castigo de Caim.* De certo modo, Caim recebeu a primeira sentença perpétua. Ele seria objeto de ódio, e outros haveriam de querer tirar-lhe a vida. Porém, ele escaparia. Em lugar disso, foi pronunciada contra ele uma maldição divina. Ele se tornaria vagabundo e fugitivo à face da terra, pelo resto de seus dias, caçado e odiado pelos outros seres humanos.

6. *A Marca de Caim.* Caim seria caçado pelos outros homens. Correria o risco permanente de ser morto. Deus, entretanto, não permitiria que ele fosse executado. Para garantir isso, foi posta uma marca em Caim, como se dissesse: Vede este homem. Não o mateis! Não se sabe que marca seria essa. Alguns supõem que Deus deu-lhe coloração negra à pele, pelo que a marca seria forte carga de melanina. Porém, essa interpretação, além de ser mera especulação, só serve para fomentar preconceitos raciais. Esse sinal também poderia ser uma marca tribal, alguma espécie de tatuagem ou sinal que identificasse uma pessoa dentre um grupo particular, um costume que, mais tarde, também se viu no Oriente Médio. Outros compreendem que o *sinal* era a promessa de Deus de que ele não seria morto, em vez de suporem alguma marca física. Não há como determinar a questão, por ausência de maiores informes bíblicos.

7. *Posteriormente,* Caim foi enviado à terra de Node (vagueação), onde ele edificou uma cidade e tornou-se o progenitor de uma numerosa família, que se ocupou de muitas artes e ofícios. De acordo com as tradições, os primeiros residentes em tendas, metalúrgicos e músicos vieram da linhagem de Caim. Mas outras tradições antigas dizem que os deuses foram os originadores das artes e ofícios.

8. *Onde Caim foi Buscar Sua Esposa?* Alguns críticos indagam assim, com escárnio, julgando haver encontrado uma séria discrepância no relato bíblico. É como se dissessem: se Adão e Eva geraram somente Caim, Abel e Sete, onde Caim encontrou esposa, quando se retirou para a terra de Node? Esse tipo de objeção, além de exibir uma atitude cética para com os relatos sagrados, demonstra a ausência de um exame cuidadoso dos textos bíblicos por parte de tais críticos. A Bíblia não diz que Adão e Eva geraram somente aqueles três filhos homens. Caim, Abel e Sete foram apenas três dentre os muitos filhos do primeiro casal. Seus nomes são fornecidos por causa do relato expressivo que gira em torno deles, e nada mais. Lemos em Gênesis 5.4: "Depois que gerou a Sete, viveu Adão oitocentos anos; e teve filhos e filhas". Não há informação quanto ao número desses filhos e filhas, mas essa informação é suficiente para indicar que Caim levou consigo, para Node, uma de suas irmãs. E Sete, onde quer que tenha ficado, sem dúvida, fez o mesmo. Não há nenhuma dificuldade para sabermos onde Caim arranjou esposa!

9. *Referências Neotestamentárias a Caim.* a. Hebreus 11.4. Pela fé, Abel ofereceu melhor sacrifício que o de Caim. Dentro do plano de Deus, Cristo ofereceu o sacrifício final e definitivo, que substituiu a todos os outros sacrifícios, sendo essa a mensagem central da epístola aos Hebreus. b. 1João 3.12 é trecho que nos relembra o crime de Caim, seu ato homicida e o fato de que suas obras eram más, e as de seu irmão, Abel, boas. c. Judas 11 alude ao *caminho* de Caim. Lemos

ali que os mestres gnósticos seguem esse caminho. A literatura rabínica diz que o caminho de Caim caracteriza-se pela concupiscência, pela cobiça, pela autoindulgência e pela malignidade geral. Se juntarmos a isso a inveja e o ódio, parece que é isso o que tal caminho significa. Caim tornou-se um homem profundamente depravado. Ver Sabedoria de Salomão 10.3; Jubileus 4.1-5; Apocalipse de Moisés 3.2.

4.2

וַתֹּסֶף לָלֶדֶת אֶת־אָחִיו אֶת־הָבֶל וַיְהִי־הֶבֶל רֹעֵה צֹאן וְקַיִן הָיָה עֹבֵד אֲדָמָה׃

Deu à luz a Abel, seu irmão. Alguns pensam que está em pauta um irmão gêmeo. Antigos escritores judeus supunham que Caim nasceu com uma irmã gêmea, e que Abel também nasceu com uma irmã gêmea. Desse modo, haveria esposas providas para a multiplicação. Mas tudo isso é pura conjectura. Também não podemos dizer que Abel era irmão gêmeo de Caim somente por causa da ausência da frase "ela concebeu", no caso de Abel. Vários sentidos são ligados ao nome Abel, como *lamentação* (em antecipação ao seu assassinato), ou *vaidade* (Josefo). Ou, então, o termo pode significar *respiração*, *vapor*, *fragilidade* ou *filho* (sendo essa a sugestão mais provável).

Abel. Vem de um termo hebraico que significa *respiração*. Mas a etimologia é incerta, e outros sentidos têm sido sugeridos como "vapor", "fragilidade" e "filho". É possível que esse nome esteja associado ao termo acádico *aplu*, "filho", ou ao sumeriano *ibila*, "filho".

1. *História da Família*. Era o segundo filho de Adão e Eva, talvez gêmeo de Caim (Gn 4.1,2). Foi instruído na adoração ao Criador e trabalhava como pastor. Seu irmão, Caim, era agricultor. Devido a essas circunstâncias, Abel ofereceu em sacrifício um animal, ao passo que Caim trouxe dos frutos da terra (Gn 4.3-5). O trecho de Hebreus 11.4 mostra que Deus agradou-se do sacrifício de Abel, mas não do de Caim. Despertou-se-lhe a inveja, e, segundo diz o texto samaritano, ele *convidou* Abel para o campo, onde o matou. O texto hebraico disponível silencia sobre o convite, embora registre o homicídio. Seja como for, é certo que o ato foi premeditado.

2. *Tradição Judaica*. Segundo esta, Abel foi morto na planície de Damasco, e seu túmulo é ali mostrado aos turistas, perto da vila de Sinie ou Sineiah, a cerca de dezenove quilômetros a noroeste de Damasco, na estrada para Baalbeque, embora tudo isso não passe de fantasia.

3. *Interpretações simbólicas*, baseadas no nome "Abel". a. Se seu sentido é "filho", então o nome simplesmente assinala o fato de seu nascimento. Visto que Caim significa "possessão", esse foi o nome do primogênito, porque ele foi uma possessão significativa para seus pais. b. Se seu sentido é "fraqueza", "vaidade" ou "lamentação", seu nome predizia seu fim súbito e triste, tendo nele o primeiro quadro de um justo sob perseguição, fisicamente impotente perante um poder físico superior.

4. *Um Homem de Fé*. O trecho de Hebreus 11.4 elogia Abel por sua fé, do que resultou um sacrifício superior. Seu nome figura no início da grande lista dos fiéis, tendo sido ele elogiado pelo próprio Senhor Jesus (Mt 23.35). Presume-se que ele obedeceu a alguma ordem específica, acerca do sacrifício, que Caim ignorou, embora isso não seja declarado no Antigo Testamento.

5. *Simbolismo*. Abel tornou-se um tipo de Cristo porquanto ofereceu um sacrifício cruento, superior (Hb 9.26; 10.12). Ele tipifica Cristo como o Messias e Servo sofredor, o Cordeiro de Deus (Jo 1.29; Is 53.7). Ele testifica sobre a necessidade de um sacrifício de sangue (Hb 9.22; 11.4).

6. *Nos Escritos dos Pais da Igreja*. Crisóstomo chamou-o de tipo do Cordeiro de Deus, gravemente injustiçado, em vista de sua inocência (*Ad Stagir* ii.5). Agostinho chamou-o de "peregrino", porquanto foi morto antes de poder residir em qualquer cidade terrena, pelo que aguardava uma cidade celeste, onde pudesse habitar em justiça (*De Civitate Dei*, xv.1). Caim, por sua vez, fundou uma cidade terrena e ali habitou em meio à iniquidade. Irineu observou como Abel mostrou que os justos sofrem às mãos dos ímpios, e como as virtudes dos justos são assim magnificadas (*Contra Haeres*. iii.23).

7. Jesus referiu-se a Abel como o primeiro mártir (Mt 23.35), conceito esse que teve prosseguimento na Igreja primitiva. Evidentemente, Jesus o considerava um personagem histórico. O sangue de Abel é contrastado com o sangue de Cristo, em Hebreus 12.24.

8. *Ocupação*. Abel atarefava-se na vida pastoril; mas Caim era agricultor. E os descendentes deste não demoraram a ocupar-se em várias outras profissões, segundo se vê em Gênesis 4.22. Caim seguiu o exemplo de seu pai, mas seu sacrifício não foi considerado aceitável, por parte de Deus — em razão de sua *espécie* ou por motivo da *atitude* com que foi oferecido? Ver no *Dicionário* o artigo *Artes e Ofícios*.

4.3

וַיְהִי מִקֵּץ יָמִים וַיָּבֵא קַיִן מִפְּרִי הָאֲדָמָה מִנְחָה לַיהוָה׃

Trouxe Caim do fruto da terra. Naturalmente, ele trouxe parte do que produzia em sua profissão. Aqui, sem nenhuma explicação, é-nos apresentado um primitivo sistema de oferendas. Não há razão para duvidarmos de que os homens mais primitivos participavam desse costume, antes mesmo que as religiões formais viessem a fazer parte da espiritualidade oficializada. O homem, por natureza, tem pendores religiosos, como se fossem *ideias inatas*. Talvez isso faça parte da imagem de Deus que ainda permanece nele, a despeito da queda.

A questão da cultura religiosa é aqui exagerada por alguns intérpretes, que supõem que possamos ver aqui a instituição formal do sábado entre os homens. As palavras *"no fim de uns tempos"* não são designação específica de algum período especial, seguido por um sábado ou descanso. Nem parecem significar "terminada a colheita". Antes, é uma observação casual acerca da passagem do tempo. A imaginação dos homens tem-se mostrado ativa aqui. Alguns supõem que as oferendas tenham sido trazidas à presença de Yahweh, que teria vindo ao encontro dos dois irmãos na porta oriental do Éden, onde os querubins mantinham guarda.

4.4

וְהֶבֶל הֵבִיא גַם־הוּא מִבְּכֹרוֹת צֹאנוֹ וּמֵחֶלְבֵהֶן וַיִּשַׁע יְהוָה אֶל־הֶבֶל וְאֶל־מִנְחָתוֹ׃

Abel... trouxe das primícias do seu rebanho. Abel, naturalmente, trouxe produtos próprios de sua ocupação. Aqui achamos pela primeira vez o sacrifício de animais, como parte do culto religioso. Os antropólogos têm descoberto ser esse um costume deveras antigo, que data de muito antes das práticas formais da legislação mosaica. Sacrifícios animais e vegetais mais tarde vieram a fazer parte do culto dos hebreus. Alguns intérpretes veem aqui, no sacrifício de cordeiros do rebanho de Abel, uma prefiguração do Cordeiro de Deus.

Gordura. Depois, Abel ofereceu uma porção, pertencente ao Senhor (ver Lv 3.15). Os críticos pensam que a passagem inteira foi escrita muito tempo depois, quando o culto religioso já estava institucionalizado. Outros supõem que temos aqui formas primitivas de culto, que, posteriormente, foram incorporadas ao culto dos hebreus. Estão em foco as *porções gordurosas* dos animais sacrificados, e não as ovelhas mais nédias e saudáveis. Josefo (*Antiq*. I.1 c.2) afirmava que a oferenda foi "leite e as primícias do rebanho". Sabemos que os egípcios ofereciam leite a seus deuses, como sacrifício, mas não parece que isso seja o que está em pauta aqui.

Deus Aceitou a Oferenda de Abel. Yahweh é retratado como quem ficou satisfeito com Abel e sua oferta, algo que é negado no caso de Caim (vs. 5). Conforme disse John Gill (*in loc*.), Deus olhou para a oferta de Abel com "uma fisionomia sorridente". Deus sorriu para Abel, mas franziu a testa para Caim. Alguns estudiosos incluem aqui a ideia expressa em Levítico 9.24: *O fogo divino* consumiu os sacrifícios. Mas isso já é um refinamento exagerado do texto.

4.5

וְאֶל־קַיִן וְאֶל־מִנְחָתוֹ לֹא שָׁעָה וַיִּחַר לְקַיִן מְאֹד וַיִּפְּלוּ פָּנָיו׃

O Sacrifício Rejeitado. Deus não aceitou nem a Caim nem a seu sacrifício, pois não se agradara dele, nem ofereceu nenhuma palavra de aprovação. Não lemos aqui *por qual razão* assim sucedeu. Nos tempos antigos, os aldeões, que possuíam parcos recursos, traziam de seus produtos agrícolas para oferecer, porquanto não podiam fazer oferendas de animais. Encontramos aqui uma lição. Os homens substituem o rico pelo pobre, o muito pelo pouco. Os críticos pensam que o autor sagrado tinha em mente, o tempo todo, os sacrifícios animais da religião posterior dos hebreus, e que a *razão* da superioridade dos sacrifícios de animais residiria nisso. O vs. 7 mostra que Caim tinha *procedido mal*, e é mencionado até mesmo um *pecado*. Mas a questão fica um tanto obscura, a menos que meditemos nela à luz de revelações posteriores. Outros intérpretes pensam que Deus havia dado instruções acerca da questão, mas que Caim, em sua rebeldia, não quis atender ao Senhor. Outros eruditos aludem ao comentário do texto que se vê em Hebreus 11.4. Abel ofereceu seu sacrifício motivado pela *fé*, ou seja, em resultado de uma autêntica espiritualidade, em legítima obediência a Deus. Quanto a Caim, esse fator se fez ausente. Isso posto, seu sacrifício realmente não visava honrar a Deus. Ele estava apenas cumprindo um dever, e não se estava ocupando em adoração a Deus. E foi nisso que ele *pecou*. Se foi esse, realmente, o caso, então a rejeição ao seu sacrifício não foi porque este se compunha de produtos vegetais, mas por haver sido oferecido com uma atitude errada, com motivos distorcidos. Podemos discutir se essa interpretação está ou não com a razão. Podemos fazer grandes obras, mas se nossos corações e nossos motivos não forem espirituais, tais obras não agradarão a Deus. Outra lição é que cada homem deve oferecer a Deus uma parte daquilo que ele produz em sua profissão. Ou, melhor dizendo, a profissão de um homem, sem importar qual seja, deve ser levada a efeito com vistas à glória de Deus. Primeiro sirvamos a Deus, depois ao próximo, e, finalmente, a nós mesmos. Essa é a ordem de precedência, segundo a lei do amor.

Irou-se, pois... Caim. Diz o original hebraico, literalmente, "Caim incendiou-se muito". Por muitas vezes, a ira do homem é o começo da cadeia que termina em algum ato precipitado e pusilânime. Assim aconteceu no caso de Caim, conforme o texto sagrado passa a demonstrar. Com frequência, os homens se iram por causa de seus fracassos, mas não mostram nenhum interesse em se corrigirem quanto a seus erros. Faz parte da reação natural dos homens defenderem o seu próprio "eu" por meio de acessos de ira, como que dizendo: "Não errei. Fui enganado. Sou vítima de alguma perseguição". Comentou John Gill (*in loc.*): "Ele franziu o sobrolho e rangeu os dentes, seu rosto ficou com aspecto de indignação, e em sua fisionomia podia-se ver todos os sinais da tristeza e do desapontamento, e também de fúria e de cólera". Ver no *Dicionário* o artigo intitulado *Ira dos Homens*, quanto a um detalhado estudo sobre esse pecado. O trecho de Gálatas 5.19 informa-nos que essa é uma das "obras da carne". Sem dúvida, trata-se um dos principais vícios humanos. Jamais pode produzir a justiça, no dizer de Tiago 1.20.

Descaiu-lhe o semblante. Expressão concreta, típica do hebraico, neste caso para indicar ira, desapontamento, mas sem dúvida não *vergonha*, como alguns estudiosos têm pensado. Caim demonstrou sua falta de fé, em sua resposta ao Senhor. Ele não remediou a situação. Mas explodiu em autodefesa. E visto que não podia vingar-se diretamente de Deus, não muito depois descarregou a sua ira contra o inocente e indefeso Abel.

■ 4.6

וַיֹּאמֶר יְהוָה אֶל־קָיִן לָמָּה חָרָה לָךְ וְלָמָּה נָפְלוּ פָנֶיךָ׃

Por que andas irado? Assim indagou a voz divina, dando a entender que não havia razão real para tal atitude. A falta estava no próprio Caim, e não na desaprovação de Deus. Essa pergunta foi feita com uma certa medida de graça. Foi uma advertência graciosa, na tentativa de impedir um crime que em breve haveria de ser cometido.

■ 4.7

הֲלוֹא אִם־תֵּיטִיב שְׂאֵת וְאִם לֹא תֵיטִיב לַפֶּתַח חַטָּאת רֹבֵץ וְאֵלֶיךָ תְּשׁוּקָתוֹ וְאַתָּה תִּמְשָׁל־בּוֹ׃

Os estudiosos admitem a dificuldade do texto. Talvez seja aqui sugerido que a insatisfação de Caim estava dentro dele mesmo. Ele não estava agindo direito. Mas não é explicado especificamente *por quê*. Mas havia alguma coisa em Caim que anulou a validade desse oferecimento divino. Ver as notas no vs. 5 quanto a possíveis razões de seu sacrifício não ter sido aceito.

O pecado jaz à porta. O pecado é como um animal agachado que espera por uma oportunidade para atacar. A *porta* é metafórica.

Richard Laurence, *The Book of Enoch*, 1821.

O ÓDIO QUE MATA

Disse Caim a Abel, seu irmão: Vamos ao campo. Estando eles no campo, sucedeu que se levantou Caim contra Abel, seu irmão, e o matou.

Disse o Senhor a Caim: Onde está Abel, o teu irmão? Ele respondeu: Não sei; acaso sou eu tutor de meu irmão? E disse Deus: Que fizeste? A voz do sangue de teu irmão clama da terra a mim.

Gênesis 4.8—10

- O ódio já é homicídio e leva o homem a praticá-lo (Mt 5.21,22; 1Jo 3.15).
- O ódio é uma das obras da carne, de maneira que é contrário às virtudes cultivadas pelo Espírito.
- O que o amor é para Deus, o ódio é para o diabo: Deus-amor; diabo-ódio.

Pode indicar a porta da vida de uma pessoa; o seu "eu" interior; ou, simplesmente, pode indicar a ideia de algo "prestes" a suceder. O pecado está sempre presente para perturbar e corromper. Alguns preferem interpretar como "a porta do sepulcro" (Targuns de escritores judeus posteriores). O pecado está à espreita para produzir a morte, e o dia do juízo produzirá o resultado maligno.

Oferta pelo Pecado. Outra interpretação sugere que o que estava "à porta", ou seja, prestes a acontecer, era uma oferta pelo pecado (ou seja, um *sacrifício animal*), e que tudo quanto Caim precisava fazer era tirar vantagem desse remédio fácil para o seu pecado. É verdade que o hebraico original pode ser assim interpretado. As ofertas pelo pecado, sob a forma de um animal que podia ser sacrificado, estavam ali mesmo à porta (ou cortina) da tenda. Caim, levanta-te! Oferece o sacrifício e remedia a tua situação! Talvez já houvesse sido dada alguma instrução, agora reiterada. Caim, faze o que deves fazer!

Declarou Jesus: "... não quereis vir a mim para terdes vida" (Jo 5.40). Essa é, essencialmente, a atitude retratada no texto à nossa frente.

"Temos aí o conflito perpétuo entre o bem e o mal. Qualquer indivíduo presa da inveja e do espírito belicoso é uma vítima do Maligno" (Allen P. Ross, *in loc.*).

O seu desejo será contra ti. Caim era o filho primogênito, e, como tal, ele exercia uma certa medida de autoridade sobre seu irmão mais novo, Abel. Destarte, a voz divina disse-lhe que ele estava em uma posição privilegiada, não havendo verdadeira razão para invejar a seu irmão. Mas outros pensam que *desejo*, nesse caso, indica a tentação ao pecado, que poderia ser facilmente controlada e dominada. Em outras palavras, Deus estava dizendo a Caim que ele precisava vencer o pecado, o que poderia fazer se voltasse a ter uma atitude correta. Mas a primeira ideia parece melhor.

O PRIMEIRO HOMICÍDIO (4.8-26)

■ 4.8

וַיֹּאמֶר קַיִן אֶל־הֶבֶל אָחִיו וַיְהִי בִּהְיוֹתָם בַּשָּׂדֶה וַיָּקָם קַיִן אֶל־הֶבֶל אָחִיו וַיַּהַרְגֵהוּ׃

O original hebraico tem sido interpretado de vários modos neste ponto. Algumas traduções dizem aqui: "Conversou Caim com Abel...", dando a entender que relações amistosas teriam sido estabelecidas depois do encontro de Caim com Yahweh. Nesse caso, em uma súbita e não-premeditada explosão de cólera, Caim matou Abel. Mas outras traduções (como nossa versão portuguesa) dizem: "Disse Caim a Abel... Vamos ao campo". Em outras palavras, ele já tinha o homicídio em seu coração e *convidou* propositadamente a Abel para que fosse com ele a um lugar onde lhe convinha executar seu maligno propósito. Nesse caso, o primeiro homicídio foi premeditado. Ainda uma terceira tradução é possível. O termo hebraico *wayyomer*, "e (ele) disse", poderia ser uma corrupção de *wayyishmor*, "e ele olhou" para seu irmão. Isso significaria que Caim *olhou* para Abel, com ódio e intuitos homicidas no olhar, e então passou a executar seu terrível plano. Nesse caso, pode haver um sutil jogo de palavras com o vs. 9. Caim "fixou os olhos" em seu irmão, com intuitos assassinos. No entanto, mais tarde, desculpou-se dizendo que não era vigia de seu irmão, então por que teria ficado olhando para ele?

Campo. Caim teve o cuidado de assassinar seu irmão em um local onde não pudesse ser observado. Mas coisa alguma é feita em segredo que não venha a ser revelada. Alguns intérpretes têm procurado identificar o local com precisão, isto é, cerca de um quilômetro e meio distante de Damasco, onde há uma colina que, segundo se diz, seria o lugar onde ocorreu o fratricídio. Existe ali uma estrutura que presumivelmente assinala o túmulo de Abel. Mas identificações dessa ordem geralmente são fantasiosas.

Caim... o matou. O texto não nos informa se Caim sabia ou não o que significa morrer, e se ele, mediante um golpe ou pancada com algum osso de animal, poderia matar um homem. Os intérpretes costumam dramatizar o texto. Caim teria atingido Abel com uma pedra, na cabeça. Abel caiu. Para a surpresa de Caim, ali estava Abel, imóvel. Atônito, ele acabou percebendo que tinha acabado com uma vida humana. Foi a primeira pessoa a ver um ser humano morrer, e isso sob as mais terríveis circunstâncias. Não há como saber o que o autor sacro queria que entendêssemos aqui. O drama já é grande o bastante sem nenhum voo da fantasia humana, conforme os intérpretes costumam fazer.

Ódio Teológico. É estranho que o primeiro assassinato tenha ocorrido por causa de um pervertido ato de adoração. Os homens golpeiam e executam na fogueira outros homens por motivo de *teologia*, e não existe ódio pior do que o ódio religioso. Caim não se saíra bem em sua vida espiritual (o sacrifício por ele oferecido não fora aceito); e assim, irado, matou um homem que era seu superior espiritual. Os sistemas ensinam os homens a odiar aqueles que são diferentes.

> Ó Deus... que carne e sangue fossem tão baratos!
> Que os homens viessem a odiar e matar,
> Que os homens viessem a silvar e decepar outros,
> ...por causa de... "Teologia."
>
> Russell Champlin

Ver no *Dicionário* os artigos intitulados *Ódio* e *Homicídio*.

"Foi quando se aproximava de Deus que Caim percebeu o quanto odiava seu irmão. Ele estava frustrado porque sentia que, de alguma maneira, a verdade de Deus era mais preciosa para Abel do que para ele... e então revidou... cega e amargamente, contra a superioridade que o deixava envergonhado" (Cuthbert A. Simpson, *in loc.*). Os homens se lançam contra seus semelhantes cujas realizações invejam. Nada é mais inerente à natureza humana decaída do que isso.

Foi um *irmão* que Caim matou. Esse fato deveria deixar-nos sóbrios. O ódio invadiu o próprio coração da família; e o ódio também pode invadir o coração de membros da família de Deus.

Pensemos nos milhares de crentes que têm sido exilados, aprisionados ou mortos por causa de disputas religiosas e de diferenças denominacionais! Ver no *Dicionário* o artigo sobre a *Tolerância*, o qual ilustra esse ponto. Ver especialmente a sua terceira seção.

"...aquele monstro de muitas cabeças, a perseguição religiosa... Todo perseguidor é um filho legítimo do antigo homicida... aquilo não foi feito por um inimigo comum... mas pela mão de um irmão" (Adam Clarke, *in loc.*).

■ 4.9

וַיֹּאמֶר יְהוָה אֶל־קַיִן אֵי הֶבֶל אָחִיךָ וַיֹּאמֶר לֹא יָדַעְתִּי הֲשֹׁמֵר אָחִי אָנֹכִי׃

Onde está Abel...? Deus efetua outra inquisição, que nos faz lembrar daquela de Gênesis 3.9-19,23. A voz divina volta, perscrutando os corações dos homens: "Que fizeste?" (Gn 3.13 e 4.10). Deus faz perguntas que não queremos ouvir. Caim havia eliminado seu irmão. E a última coisa que agora Caim queria falar era sobre esse assunto. Mas não há erro que não venha a ser desvendado (Mt 10.26). Esse versículo fala sobre como os homens *encobrem* suas maldades. Caim teve o cuidado de cometer o seu crime onde ninguém poderia vê-lo. Tudo sucedeu no campo, quando ele e seu irmão estavam sozinhos. Mas Deus vira tudo. A mente perversa supõe que nenhum mal é cometido enquanto não é descoberto. Caim repudiou a sua responsabilidade, e não se incomodou com Deus nem com o que o juízo divino poderia fazer. Mas isso é próprio da insensatez dos pecadores.

Não sei. O assassino mostrou que também era um mentiroso, tal como Jesus disse acerca de Satanás (Jo 8.44,45). A perversão humana é como as raízes espinhentas que espalham os seus tentáculos por toda parte e sobre tudo, estragando assim a personalidade inteira. A mente criminosa quase sempre ofende em várias áreas: furtando a propriedade alheia; violando pessoas como aqueles que ferem ou assaltam sexualmente. Dificilmente a mente criminosa manifesta-se apenas em uma área.

Acaso sou eu tutor de meu irmão? Muitos sermões e lições têm sido pregados sobre essa breve declaração. A lei do amor responde com um sonoro "sim". No *Dicionário*, ver o artigo sobre o *Amor*. Tal como o mal permeia todas as áreas da atividade humana, assim também o amor é igualmente todo-penetrante, afetando cada área da vida humana. Jesus ensinou quem é o nosso "irmão", a saber, qualquer pessoa em necessidade. A parábola do bom samaritano deixou isso claro (Lc 10.33 ss.). Contraste-se isso com a limitada maneira de pensar que ele encontrou entre os judeus. Seu irmão era um compatriota judeu, e, verdadeiramente, essa ideia permeia todo o Antigo Testamento. Sabemos qual era a atitude dos judeus acerca dos "de fora", como os malditos gentios. Era um ato ético revolucionário estender amor a todos os homens indistintamente. Deus amou o "mundo", tendo dado exemplo disso, e tornou-se o tutor de todos os seres humanos. Não obstante, Caim falou apimentada e imprudentemente. A providência de Deus é um fato, mas ela opera através do homem, e somente então é que, na prática, ela se torna verdadeiramente universal.

O amor não indaga somente acerca daqueles a quem temos ofendido. Também nos questiona a respeito daqueles a quem temos *negligenciado*. As igrejas evangélicas evangelizam, mas, de modo geral, mostram-se quase insensíveis quanto à caridade, mormente no que diz respeito aos "de fora". Onde está a lei do amor e aquele tipo de espiritualidade sobre o qual Tiago falou (Tg 2)?

Deus está com o homem; ele o criou, mas também o recompensa pelo bem e o pune pelo mal. Ver no *Dicionário* o artigo intitulado *Teísmo*.

■ 4.10

וַיֹּאמֶר מֶה עָשִׂיתָ קוֹל דְּמֵי אָחִיךָ צֹעֲקִים אֵלַי מִן־הָאֲדָמָה׃

Que fizeste? Ver Gênesis 3.13. A voz divina fez a pergunta vital. O dedo de Deus foi posto sobre o nervo da degradação do homem. A pergunta não solicitava informação, pois Deus já sabia de tudo. Mas ela apontava para a confissão e o remédio, o que será sempre a função do Logos, a voz divina. Caim não tinha muita consciência sobre seu horrendo crime. Foi preciso a voz divina para insuflar nele um pouco de consciência. É admirável quão pouco a maioria dos criminosos sente a profundeza de sua própria degradação. Nesta altura, dentro das Escrituras, estamos dentro da Dispensação da Consciência (Gn 3.24). Mas quão pouco disso possui o homem caído. O bispo Butler fazia da *consciência* o grande guia e o princípio moral de todos os homens, pois tinha confiança em seu poder e atividade. A consciência é uma realidade, mas não é aquele grande poder que o bispo Butler imaginava. Ver no *Dicionário* o artigo sobre a *Consciência*.

A voz do sangue de teu irmão clama. O perverso coração de Caim se endureceu; mas Deus ouvia o clamor amargo da vítima. As vítimas silentes não estão de fato silentes, exceto para os homens. O solo havia repudiado o ato de Caim. O sangue derramado clamava por vingança. Testemunhas se tinham levantado contra ele. Ele tinha tido todo o cuidado para evitar tal testemunho; mas este não pudera ser abafado.

Sangue. No hebraico temos o plural, "sangues", o que, para alguns intérpretes, indica que os descendentes de Abel, ou dos justos, continuariam a clamar contra os abusos cometidos pelos pecadores. Assim, o Targum de Onkelos diz: "A voz do sangue das sementes ou gerações que deveriam vir de teu irmão". Naturalmente, não há registro de que Abel teve filhos. Assim, podemos entender que *todas as gerações* de seres humanos, dali por diante, haveriam de relembrar aquele horrendo crime. Jarchi dramatizou a questão falando em muitos *ferimentos*, de onde o sangue de Abel teria esguichado. Cada um daqueles ferimentos testificava contra Caim. Como é óbvio, isso é uma fantasia, embora seja instrutivo. A justiça divina não esquece *nenhum ferimento*. "Assim, juntamente com a primeira golfada de sangue humano que foi derramado, surgiu aquele pensamento medonho, divinamente inspirado, de que a terra não conferiria tranquilidade para o miserável que a havia manchado de sangue" (Ellicott, *in loc.*).

■ 4.11

וְעַתָּה אָרוּר אָתָּה מִן־הָאֲדָמָה אֲשֶׁר פָּצְתָה אֶת־פִּיהָ לָקַחַת אֶת־דְּמֵי אָחִיךָ מִיָּדֶךָ:

És agora, pois, maldito. A sentença divina foi passada, mesmo sem a presença de alguma testemunha humana. As forças policiais, em nossas cidades violentas, resolvem somente uma pequena porcentagem dos crimes cometidos. A maioria dos criminosos, da maior periculosidade, caminha hoje em dia pelas ruas, buscando outras vítimas. Mas a justiça assegura-nos de que, apesar de parecer que tudo resulta do *caos* moral, ainda assim existe um que vê tudo e que pune. Outrossim, o julgamento divino é absolutamente completo. Caim não pôde escapar. Ele tentou esconder o seu crime, mas *Deus* o descobriu. Isso posto, a justiça divina atua sobre tudo e sobre todos. Ver no *Dicionário* o artigo intitulado *Justiça*. Emanuel Kant baseou um argumento seu, em prol da existência de Deus, na retidão moral. A *justiça* deve ser feita. Para que ela seja feita, deve haver um Deus inteligente e poderoso o bastante para impor a justiça. De outra sorte, precisaríamos admitir que o nosso mundo se caracteriza pelo *caos* e que o pessimismo é a regra da vida, e não um justo e reto desígnio. Ver no *Dicionário* o artigo acerca do *Pessimismo*.

Metaforicamente, o sangue de Abel havia infectado a terra, como um veneno, em retaliação pelo homicídio cometido. O resultado foi que, quando Caim cultivasse o solo, este produziria pouco resultado. Isso era uma *parte* de sua punição. Ver o vs. 12.

■ 4.12

כִּי תַעֲבֹד אֶת־הָאֲדָמָה לֹא־תֹסֵף תֵּת־כֹּחָהּ לָךְ נָע וָנָד תִּהְיֶה בָאָרֶץ:

O solo não te dará ele a sua força. O solo, empapado com o sangue de Abel, perpetraria vingança contra Caim. Recusar-se-ia a produzir com abundância. Caim haveria de trabalhar e suar, mas a terra se mostraria relutante. Essa maldição repete aquela que fora lançada contra Adão (ver Gn 3.18,19, onde ofereço comentários suficientes a respeito). A terra é aqui pintada como que dotada de *força*. Por decreto divino, ela se reveste de uma fertilidade natural. Mas essa força agora fora debilitada, exceto quanto à produção de cardos e abrolhos, que continuam a florescer abundantemente no solo empobrecido.

Fugitivo e errante. Esse castigo não foi infligido diretamente a Adão, mas foi o juízo especial contra Caim. Por outra parte, foi um castigo indireto imposto a Adão, porque ele teve um filho assassinado por outro, e seu filho assassino agora se tornaria um vagabundo pela terra. Desse modo, Adão compartilhou do castigo de Caim, posto que indiretamente. O relato do Gênesis ilustra sobejamente o imenso preço que o homem precisa pagar pelo pecado. Os pecados de um homem ferem, principalmente, a ele mesmo, e só secundariamente a outros. Ninguém é bom sozinho, mas só pode ser bondoso com outrem. E ninguém pode ser ruim sozinho, mas só pode ser ruim com outrem.

Pior do que um Nômade. Caim ficou reduzido a uma situação pior que a de um nômade. Um nômade até que mostra certa lógica quanto à sua maneira de viver. Sabe o que está fazendo. Mas o fugitivo vagueia atemorizado. O vagabundo é uma alma perdida. Caim ficou errando, acossado pelo medo. "Quem tentaria matar-me?" Os críticos opinam que a história de Caim originou-se em algum grupo nômade que vivia uma vida miserável no deserto, a qual acabou registrada no livro de Gênesis. Mas se uma tribo nômade bem poderia ter ilustrado o que sucedeu a Caim, não há motivo para supormos algum tipo de empréstimo primitivo aqui. Seja como for, Deus prometeu a Caim uma existência miserável e esquálida.

Os Queneus. Ver o artigo sobre esse povo no *Dicionário*. Alguns supõem que Caim teria sido o progenitor dessa tribo. Em caso contrário, a tradição que temos no quarto capítulo do Gênesis pode estar relacionada, de alguma forma, àquele povo. Os queneus eram um clã especialmente abominado por Israel. Alguns fazem retroceder esse ódio ao quarto capítulo do Gênesis, mas isso é pura conjectura.

Uma Sentença Perpétua. É interessante que o primeiro homicídio tenha sido punido com uma sentença perpétua, e não com a pena de morte. De acordo com Caim, essa punição era pesada demais: "É tamanho o meu castigo, que já não posso suportá-lo!" Aqueles que são encerrados em prisões, por muito tempo, dizem-nos que tal experiência é como "um inferno em vida".

Rixas e Vinganças Tribais. Quanta matança é descrita no Antigo Testamento, por Israel e contra Israel! Caim também foi enviado à terra da matança e da vingança. Ele haveria de vagabundear entre gente degenerada, sempre matando ou sendo morta, sempre em conflito, sempre em um turbilhão. Os historiadores ficam boquiabertos diante da extrema violência e belicosidade das tribos antigas.

Caim tinha preferido viver esse tipo de vida, a viver em paz na presença de Deus. Ele havia perdido seus direitos.

A Septuaginta diz aqui "gemendo e tremendo" na terra, o que, sem dúvida, passou a ser a experiência de Caim, embora a maior parte dos críticos textuais prefira ficar com o texto original, hebraico. Ao que parece, a Septuaginta dá uma *interpretação* do texto hebraico, e não é uma tradução de um texto diferente.

■ 4.13

וַיֹּאמֶר קַיִן אֶל־יְהוָה גָּדוֹל עֲוֹנִי מִנְּשֹׂא:

Meu castigo... já não posso suportá-lo. Caim perdeu seu lar ordeiro e confortável e seu trabalho relativamente ameno. Ele ampliou o exílio de seu pai, Adão, a regiões desconhecidas, distantes do Éden. O homem pagão agora espalhava a sua civilização. Homicídio, guerra, violência, miséria e fome acompanharam Caim ao deserto. Ele tinha começado a pagar sua sentença perpétua. Deus não permitiria que ele fosse morto, o que garantiria que sua punição estivesse à altura da gravidade de seu crime. Os homens costumam queixar-se, a exemplo de Caim, de que seu castigo é exagerado, mas podemos estar certos de que Deus, o qual é justo e amoroso, não pune além da medida certa. A lei da colheita segundo a semeadura aplica-se tanto a esta vida quanto à vida futura. O que for deixado em estado de desequilíbrio será devidamente compensado na vida por vir. Emanuel Kant baseou um argumento em favor da ideia da sobrevivência da alma, diante da morte biológica, sobre a necessidade de a justiça ser satisfeita. Isso raramente acontece neste mundo. Portanto, Deus deve impor um juízo preciso ou conferir uma recompensa precisa na outra vida. Os homens têm de continuar existindo, para se encontrarem com o resultado de suas ações, no outro lado da vida. Se isso não fosse verdade, então reinaria o *caos*, e não a ordem e a justiça. No *Dicionário*, ver os artigos chamados *Alma* e *Julgamento de Deus dos Homens Perdidos*.

Perguntou John Gill (*in loc.*): "Se essa punição pareceu intolerável, quais não serão os tormentos do inferno?" John Gill pensava que o castigo de Caim foi leve. Até mesmo homens bons têm tido suas propriedades confiscadas e têm sido enviados ao exílio, e isso sem nenhum motivo real. Como é claro, alguns, ao comentarem sobre o texto, supõem que Caim esperava a segunda morte, mas o texto mesmo não indica isso. Já pudemos notar que a antiga fé dos hebreus, antes da época dos Salmos e dos Profetas, não incluía a doutrina da alma imaterial, nem do céu e do inferno; nem a lei mosaica jamais ameaçou com castigos além-túmulo, nem com bem-aventuranças além-túmulo, a quem quer que fosse. Ver as notas sobre esse ponto, em Gênesis 1.26. Uma variante do texto diz aqui: "Meu pecado é maior do que aquilo que pode ser perdoado". Na realidade, porém, não há pecado que não possa ser perdoado, exceto a blasfêmia contra o Espírito Santo (Mt 12.31). Ver no *Dicionário* o artigo *Misericórdia (Misericordioso)*. Os juízos de Deus não são apenas retributivos, mas também remediais. Assim, podemos esperar que, afinal, Caim acabou achando a vida eterna. Afinal, pessoas piores do que ele têm sido salvas. Ver 2Pedro 4.6 quanto ao juízo remedial de Deus, mesmo no caso de pessoas ímpias. Adam Clarke (*in loc.*) procurou mostrar que a variante marginal é superior ao texto, mas a maioria dos críticos textuais e dos intérpretes não concorda com essa opinião.

■ 4.14

הֵן גֵּרַשְׁתָּ אֹתִי הַיּוֹם מֵעַל פְּנֵי הָאֲדָמָה וּמִפָּנֶיךָ אֶסָּתֵר וְהָיִיתִי נָע וָנָד בָּאָרֶץ וְהָיָה כָל־מֹצְאִי יַהַרְגֵנִי׃

Hoje me lanças da face da terra. O versículo reitera os elementos da maldição divina (sobre o que já comentamos), adicionando apenas mais dois elementos ao temor de Caim: ele temia vir a ser morto, por causa de sua reputação como assassino, porquanto seria alvo do ódio de todos. Além disso, alguns homens têm prazer em abater assassinos, como demonstram as gangues de extermínio no Brasil. E qual o segundo elemento? Ele teria de "esconder-se" da presença de Deus!

Quem seriam as pessoas que tentariam matar Caim? As respostas são as mais diferentes:

1. Haveria raças pré-adâmicas que ainda dominariam certas porções da terra, pois a criação de Adão teria sido um *reinício*, com uma raça superior, e não um início absoluto. Alguns eruditos conservadores têm assumido essa posição, supondo que antes de Adão poderia ter havido muitas eras, pré-históricas e pré-bíblicas.
2. Outros pensam que Adão e Eva tiveram muitos outros filhos, e que por esse tempo poderia já haver netos ou mesmo bisnetos do primeiro casal. Embora o relato bíblico não forneça tais detalhes, bem poderíamos aceitar essa suposição.
3. Ou, então, Caim estava *antecipando* o que poderia vir a suceder, quando os homens viessem a multiplicar-se, embora tal condição ainda não prevalecesse na ocasião de sua queixa.
4. Os críticos supõem que o autor do Gênesis tenha mesclado alguns elementos de seu mito. Ele não teria pensado, na oportunidade, em como tais pessoas poderiam ter existido, pois também não forneceu nenhuma explicação a respeito. E assim, o registro escrito conteria um elemento que não se coaduna com o resto.

O Segundo Elemento. A maldição divina não havia determinado que Caim se esconderia da presença de Deus, mas o próprio Caim temia que assim sucedesse. Porém, nenhum pecador está fora do alcance da misericórdia do Senhor. Não obstante, é verdade que a comunhão com Deus fora rompida, e que Caim teria de se esforçar muito para revê-la. Mas Deus estaria esperando pelo seu retorno, tal como o pai esperava pela volta do filho pródigo (Lc 15.11 ss.).

■ 4.15

וַיֹּאמֶר לוֹ יְהוָה לָכֵן כָּל־הֹרֵג קַיִן שִׁבְעָתַיִם יֻקָּם וַיָּשֶׂם יְהוָה לְקַיִן אוֹת לְבִלְתִּי הַכּוֹת־אֹתוֹ כָּל־מֹצְאוֹ׃

Qualquer que matar a Caim será vingado sete vezes. Deus garantiu assim que Caim serviria por toda a sua sentença perpétua. Não seria libertado de sua punição mediante uma morte súbita e violenta. O termo *vingança* não é definido, nem precisamos tentar entendê-lo com precisão. O poder divino haveria de impor certa variedade de castigos apropriados com quem quer que tentasse frustrar os seus planos. A vingança seria *sete* vezes pior do que a punição de Caim. Esse é o número divino, e indica alguma espécie de aplicação direta divina de algum mal ou males. "A vingança estaria visível sobre ele de alguma maneira, e isso em alto grau" (John Gill, *in loc.*). Os Targuns de Onkelos e de Jonathan supõem que a expressão significa "até a sétima geração". E se esse é o sentido, então o castigo haveria de prolongar-se por um longo período de tempo. Ver os comentários sobre Gênesis 4.24, um trecho que pode ser reputado como confirmação dessa ideia.

E pôs o Senhor um sinal em Caim. Explicações tolas, intermináveis e fabulosas têm sido dadas acerca desse sinal. Dou aqui alguns exemplos, a fim de também não exagerar sobre algo acerca do que não temos nenhum conhecimento:

1. Caim tornou-se um negro, uma interpretação nitidamente racista. De acordo com essa ideia, nesse ponto, por alguma interferência divina no seu código genético, começou a raça negra.
2. Caim teria ficado leproso, doença que atacou principalmente o seu rosto, tendo sido esse o início da temida enfermidade.
3. Caim recebeu alguma espécie de tatuagem, palavra impressa ou símbolo etc.
4. Caim ficou aleijado, tendo sido a primeira pessoa aleijada do mundo.
5. Caim ficou semiparalisado e começou a tremer loucamente.
6. Por onde ele ia a terra ia sofrendo terremotos!
7. Algum cão feroz o acompanhava, guardando-o de qualquer atacante. Alguns refinam isso a ponto de dizer que o cão era um dos guardadores do rebanho de Abel!
8. O nome "Yahweh" foi estampado na testa de Caim.
9. O nome "Caim" foi estampado na testa de Caim; ou então, "Caim, o fratricida".
10. Caim teria sido circuncidado, pelo que ele foi o primeiro homem a sofrer essa operação!
11. Deus fez um milagre diante de Caim, para garantir-lhe que ele estaria a salvo do ataque de qualquer outro ser humano. Deus lhe deu um sinal para aliviá-lo do medo de ser atacado, garantindo-lhe também a sua presença.
12. Deus tornou Caim invencível: ele não podia ser queimado a fogo; uma espada não podia feri-lo; ele não podia ser afogado na água.
13. Uma luz, como o círculo do sol, acompanhava-o por onde ele fosse.
14. Um longo chifre cresceu em sua testa!

Chega! Quem sabe o que foi o "sinal" de Caim?

Natureza do Sinal. Sem importar qual tenha sido o sinal de Caim, visava tanto à sua proteção quanto a mostrar o desprazer de Deus.

Extensão da Ideia. Alguns eruditos pensam que não só Caim, mas também seus descendentes, continuariam a gozar da proteção divina. Esses descendentes formariam um povo brutal, impondo severos danos a qualquer que quisesse prejudicar algum membro do clã. Seja como for, e como uma interpretação ou aplicação secundária do texto, é digno de nota que há um poder divino que *nos protege* de qualquer dano físico (segundo se vê, com grande eloquência, no Sl 91). Fazemos bem quando pedimos a proteção divina, para nós mesmos e para nossos familiares, todos os dias, crendo que, se uma pessoa como Caim podia ser protegida, então nós, como crentes, certamente também podemos.

Notemos como os péssimos efeitos do pecado de Adão não demoraram a ir-se acumulando! Toda a história da humanidade jaz sob a maldição de Adão. Essa maldição aumentou em Caim, e desde então nunca deixou de agravar-se, como os cardos e abrolhos produzidos pela terra.

■ 4.16

וַיֵּצֵא קַיִן מִלִּפְנֵי יְהוָה וַיֵּשֶׁב בְּאֶרֶץ־נוֹד קִדְמַת־עֵדֶן׃

Da presença do Senhor... na terra de Node. Essa é uma bela mas triste descrição. Caim deixou a presença de Deus e foi para a terra de Node, nome esse que significa "perambulação". Essa é uma verdade universal. Os homens que abandonam a presença de Deus automaticamente passam a vaguear, mesmo que venham a residir para sempre nas mais belas residências, nas cidades mais avançadas e civilizadas. Pessoas assim, mesmo que abastadas, são vagabundas. Os justos podem vaguear como *peregrinos;* mas a peregrinação deles leva-os até a Cidade Celeste. Os ímpios é que verdadeiramente vagueiam ao léu.

Ao oriente do Éden. À semelhança de Adão (ver Gn 3.24). Caim afastou-se ainda mais para o oriente do que o fizera seu pai. Logo, a *alienação* aprofundava-se. É triste quando um filho ainda é mais alienado de Deus do que seu pai. O pior erro que um pai pode fazer é transmitir a seus filhos os ensinamentos espirituais que ele desconhece. Todo pai deve a seu filho três coisas: Exemplo! Exemplo! Exemplo!

Node. Essa palavra significa "vagueação", "exílio", "vagabundagem". Alguns estudiosos afirmam que esse lugar ficava a leste do jardim do Éden. Não há como fazer uma identificação. Alguns pensam na China ou na Índia, mas ninguém sabe ao certo. E nem as tradições fornecem-nos uma informação mais segura.

OS DESCENDENTES DE CAIM (4.17-19)

■ **4.17**

וַיֵּדַע קַיִן אֶת־אִשְׁתּוֹ וַתַּהַר וַתֵּלֶד אֶת־חֲנוֹךְ וַיְהִי בֹּנֶה עִיר וַיִּקְרָא שֵׁם הָעִיר כְּשֵׁם בְּנוֹ חֲנוֹךְ:

Novamente, o autor sacro supôs, deliberadamente (ou, conforme afirmam os críticos, acidentalmente), que já havia "ali" uma população humana, além daquilo que é definitivamente afirmado no texto. A antiga pergunta ditada pelo ceticismo: "Onde Caim arranjou esposa?" é insensata e esperava uma precisão detalhada que o autor do livro de Gênesis não se incomodou em requerer de si mesmo. Ver as notas sobre Gênesis 4.14 quanto a explicações possíveis. Ver o artigo sobre *Caim,* em Gênesis 4.1, que oferece alguns comentários sobre a questão. A palavra *incesto* não teria sentido para um homem que só tinha uma irmã com quem se casar. Ver o artigo intitulado *Incesto,* em Levítico 18.6.

Deu à luz a Enoque. O "Enoque" deste texto não deve ser confundido com um homem do mesmo nome, mencionado entre os descendentes de Sete. Houve quatro personagens com esse nome. Ver no *Dicionário* o artigo sobre *Enoque.* Caim chamou a cidade por ele construída de acordo com o nome de seu filho, sem dúvida amado por ele. Ptolomeu situava essa cidade em *Hanuchta,* na Susiana. A única coisa que sabemos sobre esse homem é o que ficou registrado aqui. Não podemos dizer que ele cresceu na iniquidade de seu pai, conforme alguns têm dito. Esse nome significa "instruído", "dedicado" ou "iniciado". Oxalá isto tenha significado que ele fora "iniciado no caminho do Senhor". Mas talvez significasse somente "iniciado nos conhecimentos e nas habilidades de seu pai". É possível que, por essa altura, Caim já se tivesse arrependido e tivesse restabelecido comunhão com Deus. Mas não dispomos de nenhuma informação a esse respeito.

Uma cidade. O texto apresenta-nos Caim como o primeiro homem a estabelecer uma comunidade urbana. Ver no *Dicionário* o artigo sobre *Cidade.* Caim foi o primeiro arquiteto urbanista! E isso, hoje em dia, é uma profissão de *alguma* consequência.

A Primeira Civilização. É um curioso fato bíblico que a primeira civilização (a qual, finalmente, pereceu no dilúvio) teve origem caimita. As artes e as ciências tiveram ali os seus primórdios (ver os vss. 21 e 22 deste quarto capítulo). A cultura dos hebreus nunca produziu muito das armadilhas da civilização, exceto nos campos da literatura e da fé religiosa. Os povos vizinhos a Israel sempre produziam feitos melhores e maiores nos campos das artes e das ciências.

■ **4.18**

וַיִּוָּלֵד לַחֲנוֹךְ אֶת־עִירָד וְעִירָד יָלַד אֶת־מְחוּיָאֵל וּמְחִיָּיאֵל יָלַד אֶת־מְתוּשָׁאֵל וּמְתוּשָׁאֵל יָלַד אֶת־לָמֶךְ:

A Enoque nasceu-lhe Irade. Este último nome significa "fugitivo". Ele foi um dos filhos de Enoque, filho de Caim, o patriarca antediluviano. Ver também Gênesis 14.18. Nada se sabe sobre ele, e as próprias tradições não acrescentam muita coisa. O fato de que o autor sagrado importou-se em dar os nomes de algumas personagens mostra-nos que ele lhes dava alguma importância, o que para nós se perdeu. Talvez *Irade* tenha sido o primeiro prefeito de uma cidade. Isso lhe teria dado alguma distinção.

Meujael. Nome do filho de Irade, um nome que quer dizer "ferido por Deus". Por sua vez, ele foi o pai de Metusael. Em outros lugares do Gênesis, seu nome aparece com a forma de Maalaleel. Coisa alguma se sabe sobre Meujael.

Lameque. Quanto a notas completas sobre ele, ver o *Dicionário.* Ele foi uma figura que mereceu um pouco mais de comentário. Era filho de Metusael e foi pai de Jabal e de Tubalcaim, filhos de duas mulheres diferentes. De acordo com a Bíblia, foi o primeiro homem polígamo. A poligamia, entre os povos primitivos, era a regra, e não a exceção. Ver no *Dicionário* a nota sobre *Poligamia.* Esses dois filhos de Lameque deram início às artes e às ciências. Eles também tiveram uma irmã, chamada Naamá. Damos comentários sobre essas pessoas nas notas sobre o versículo seguinte. Em conexão com Lameque, temos o primeiro exemplo de poesia na Bíblia (Gn 4.23,24). Exibe o paralelismo que caracterizava a poesia dos hebreus.

"Assim, na linhagem de Caim... temos o começo da vida urbana; na linhagem de Sete, o começo de uma vida de santificação; e o caimita Lameque, regozijando-se nas armas inventadas por seu filho, mostrou ser o oposto mesmo do Lameque descendente de Sete, que chamou seu filho pelo nome de Noé, *quietude, descanso*" (Ellicott, *in loc.*).

■ **4.19**

וַיִּקַּח־לוֹ לֶמֶךְ שְׁתֵּי נָשִׁים שֵׁם הָאַחַת עָדָה וְשֵׁם הַשֵּׁנִית צִלָּה:

Duas esposas. A história do Lameque caimita revestia-se de algum interesse para o autor sacro. Ele tinha duas esposas, um fato mencionado sem nenhum comentário, um exemplo que, mais tarde, se tornou a regra universal. Ver o vs. 18 quanto ao pouco que sabemos acerca dele.

Ada. No Antigo Testamento, esse é o nome de duas pessoas. Ver também Gênesis 36.4. A primeira era uma das mulheres do Lameque da linhagem de Caim. Nada se sabe sobre ela além daquilo que é dito aqui. Seu nome significa "beleza" ou "adorno". Ela teve filhos distintos, visto que tiveram importância suficiente para serem mencionados no livro de Gênesis.

Zilá. Esse nome quer dizer *sombra.* Mas outros lhe dão o sentido de "proteção" ou de "tela". Ela foi mãe de Tubalcaim, "artífice de todo instrumento cortante, de bronze e de ferro". Seu filho deu início a implementos de guerra, mas também a implementos agrícolas. Não há como determinar uma data para esses povos antigos. Alguns calculam cerca de 4000 a.C. Coisa alguma se sabe sobre essa mulher, salvo aquilo que este texto nos informa. Ver no *Dicionário* os artigos sobre *Cobre* e *Bronze.* Ver também *Metal, Metalurgia* e *Artes e Ofícios.*

"O sétimo depois de Adão, através de Caim, foi *Lameque* (provavelmente contemporâneo do justo Enoque, também sétimo depois de Adão, Gênesis 5.3-21. Lameque alterou os planos de Deus (Gn 2.24) e se casou com duas mulheres" (Allen P. Ross, *in loc.*).

SURGIMENTO DO NOMADISMO, OUTRO COMEÇO (4.20-24)

■ **4.20**

וַתֵּלֶד עָדָה אֶת־יָבָל הוּא הָיָה אֲבִי יֹשֵׁב אֹהֶל וּמִקְנֶה:

Jabal. Seu nome significa *mestre.* Ele foi o inventor das tendas e criava gado, uma característica das tribos nômades. Suas invenções facilitaram a vida nômade. Ver no *Dicionário* o artigo intitulado *Nômades* quanto a detalhes a esse respeito. Coisa alguma se sabe sobre ele, exceto o que é sugerido no presente texto.

■ **4.21**

וְשֵׁם אָחִיו יוּבָל הוּא הָיָה אֲבִי כָּל־תֹּפֵשׂ כִּנּוֹר וְעוּגָב:

O nome de seu irmão era Jubal. Esse nome significa *riacho.* Ele descendia de Caim através de Lameque e de Ada. Ele aparece na Bíblia como o inventor dos instrumentos que em hebraico são chamados *kinnor* e *ugab,* e que alguns traduzem, respectivamente, por "harpa" e "órgão", mas que outros dizem "lira" e "gaita". Nossa versão portuguesa prefere "harpa" e "flauta". O nome dele talvez tenha algum vínculo com o *yobel*, o chifre de carneiro. Nesse caso, como músico que era, seu nome estava associado àquele instrumento musical de sopro. Foi um artista. Seu pai nos forneceu o primeiro poema da Bíblia (Gn 4.23,24). Assim, havia um talento artístico na família. Achamos aqui um outro começo. A música nasceu com um homem, e esse homem deu início aos instrumentos de música. Sem dúvida, o cântico antecedeu aos instrumentos musicais, pois as cordas vocais do homem estão adaptadas à produção de sons musicais. A *cultura* humana começou a desenvolver-se a partir de invenções primitivas. É curioso que essas invenções tivessem tido início com tribos nômades. É possível que a "trombeta vibrante" (Lv 25.9) tenha sido originada por ele. O folclore árabe preserva a tradição de que a música começou pela linhagem caimita. Essa tradição afirma que a versatilidade e habilidade de Jubal eram tão notáveis que as feras e as aves do campo reuniam-se em volta dele quando ele tocava. Ver no *Dicionário* o artigo intitulado *Música, Instrumentos Musicais*.

■ 4.22

וְצִלָּ֣ה גַם־הִ֗וא יָֽלְדָה֙ אֶת־תּ֣וּבַל קַ֔יִן לֹטֵ֕שׁ כָּל־חֹרֵ֥שׁ נְחֹ֖שֶׁת וּבַרְזֶ֑ל וַֽאֲח֥וֹת תּֽוּבַל־קַ֖יִן נַֽעֲמָֽה׃

Zilá... deu à luz a Tubalcaim. Há outro *Tubal* em Gênesis 10.2. Ver no *Dicionário* o artigo sobre esse nome. Não se sabe o que significa "Tubal", mas o sufixo, *cain*, significa "ferreiro". Josefo chamou-o de *Thobel*, tendo afirmado que ele tinha grande habilidade militar. Criou instrumentos de matança, outro triste começo. É claro que as suas habilidades também se destinaram a fins pacíficos, sob a forma de instrumentos agrícolas. Ele foi o originador da metalurgia, ou, pelo menos, deu-lhe uma nova significação. Ver no *Dicionário* o artigo *Metal (Metalurgia)*. Há outras antigas histórias sobre a questão. *Vulcano* (fogo) recebia o crédito dessa invenção, por parte dos gregos e dos romanos, trazendo assim a ajuda divina para o avanço das habilidades humanas e para a civilização. Clemente de Alexandria creditava aos indaeanos, ou sacerdotes de Cibele, na ilha de Chipre, as invenções referidas neste versículo. E assim fizeram igualmente Sófocles e Estrabão (*Geograph.* 1.10 par. 326). A Septuaginta dá o nome com a forma de *Thobel* (que Josefo seguia). Talvez a porção final do nome, *cain*, fosse uma glosa antiga sobre Tubal, isto é, "Tubal, o Ferreiro", a fim de distingui-lo do Tubal que foi filho de Jafé (ver Gn 10.2). Há muitas histórias sobre como teria tido início a metalurgia.

Ferro. Ver no *Dicionário* o artigo intitulado *Ferro*. Alguns estudiosos pensam que a menção a esse metal, neste ponto, é um anacronismo, pois a era do ferro supostamente teria começado muito depois do que a época de Tubalcaim sugere. A questão permanece sem solução. Ver no *Dicionário* o artigo chamado *Guerra*.

A engenhosa mente humana tem sido empregada para aumentar a matança, pois desde o começo houve no homem um instinto homicida. Caim exemplificou com supremacia esse instinto. E então, um de seus descendentes implementou essa capacidade com instrumentos de matança. Assim, a degradação do homem foi aumentando com a passagem do tempo, sempre encontrando alguma nova maneira de expressar-se. Deus criou o homem na retidão, mas este se tem corrompido muitíssimo. E tem inventado muitas coisas que só produzem a miséria. Então as riquezas materiais servem somente para aumentar a depravação. Aqueles que têm inventado artes e instrumentos úteis, que melhoram a vida humana, também têm inventado instrumentos perversos; e assim o homem é sempre o mais elevado e o mais aviltado dos seres, dividido entre o bem e o mal, algo sobre o que Paulo se mostrou amargo, no sétimo capítulo de Romanos.

Naamá. A primeira "filha" cujo nome nos é dado, embora as várias esposas mencionadas antes no texto fossem filhas de alguém. O nome dela significa "doçura", "deleite" ou "agradável". Essa é a única menção a ela na Bíblia, mas as tradições sobre ela são prolixas. De acordo com o Targum de Jonathan, ela foi "a dama das lamentações e dos cânticos". E assim, seu irmão inventou instrumentos de guerra, e ela inventou as lamentações pelos mortos! Josefo adianta que Lameque teve 77 filhos, por meio de suas duas mulheres, mas somente essa sua filha é mencionada por nome. Autores judeus posteriores qualificavam-na de bela e graciosa. R. S. Jarchi disse que ela era a esposa de Noé, e citou Bereshith Rabba em apoio a essa noção. As lendas, porém, discordam. Outros, além de considerá-la bela, também a consideravam justa. Mas ainda outros dizem que sua beleza era tão notável que o mundo inteiro a desejava, e outros pensam até que ela foi o instrumento que permitiu a entrada dos demônios neste mundo. Toda mulher bonita é sempre associada às tentações e à maldade, mas fazer dela a porta de entrada dos demônios no mundo não passa de um exagero. Se pudermos acreditar nessas histórias (e é melhor não o fazermos), *Naamá* foi uma espécie de Helena caimita. Dizem-nos os gregos que *Helena* era tão bela que podia enviar mil navios ao mar, mediante uma mera ordem sua. *Naamá* era tão bonita que podia enviar mil soldados à batalha, usando as armas inventadas por seu irmão, naturalmente. Mas a Bíblia diz-nos somente que ela era uma boa jovem.

■ 4.23

וַיֹּ֨אמֶר לֶ֜מֶךְ לְנָשָׁ֗יו עָדָ֤ה וְצִלָּה֙ שְׁמַ֣עַן קוֹלִ֔י נְשֵׁ֣י לֶ֔מֶךְ הַאְזֵ֖נָּה אִמְרָתִ֑י כִּ֣י אִ֤ישׁ הָרַ֨גְתִּי֙ לְפִצְעִ֔י וְיֶ֖לֶד לְחַבֻּֽרָתִֽי׃

E disse Lameque. Produzindo assim o primeiro poema que achamos na Bíblia. Esse poema, concordam todos os eruditos, é de grande antiguidade. Mas contém paralelismos, o que é típico da poesia dos hebreus. Esse poema foi originado pela linhagem caimita, tão criativa e artística. E sugere que a marca de Caim persistia na sua descendência. Aquele povo acreditava que ele tinha o direito de perpetuar terríveis vinganças contra qualquer pessoa que ferisse a alguém de seu clã. Supõe-se que Lameque tenha matado em autodefesa, ao passo que Caim simplesmente cometeu fratricídio, e que, assim mesmo, foi protegido divinamente por uma marca. Lameque jactou-se de seus assassínios. Ele usara um instrumento inventado por um de seus filhos. Linda história! Ficou de pé diante de suas esposas e recitou o seu poema, o qual, de acordo com ele, justificava a sua violência. Como é óbvio, a autodefesa é um direito reconhecido por todas as legislações. Mas ninguém precisa vangloriar-se do ato. Mas alguns eruditos pensam que Lameque havia ferido outro guerreiro em batalha, e que, em lugar de demonstrar misericórdia, matara o adversário. Não se interessava em fazer um prisioneiro de guerra. O texto, porém, não nos mostra o como ou o porquê da questão. Talvez ele estivesse procurando assegurar às suas esposas que ninguém ousaria procurá-lo para vingar-se de seus mortos. O mais provável, todavia, é que ele simplesmente se estava jactando de suas matanças.

As Tradições Mostram-se Ativas Aqui. Alguns supõem que o homem morto foi Caim, o qual, agora idoso e cego, se sentara no meio de uma floresta a fim de descansar. Lameque estaria caçando, guiado por Tubalcaim. O idoso Caim foi confundido com um animal, e Lameque, por ordem de seu filho, matou o idoso homem. Ao perceber o que tinha sucedido, Lameque matou seu próprio filho (o jovem do texto). Essa história é contada com algumas variantes (ver *Elmachinus*, par. 7, apud Hottinger; *Smegma Oriental* 1.1 c. 8. pars. 224-225). Mas não há possibilidade de essas lendas conterem alguma verdade.

Talvez tenhamos aqui uma antiga alusão à *lex talionis*, o direito de vingar-se "na mesma moeda", de acordo com a natureza do crime cometido. A legislação mosaica, muito depois, incorporou esse princípio, o que também se deu com várias legislações antigas. Ver no *Dicionário* o artigo *Lex Talionis*. Ver Êxodo 21.23 ss., quanto a exemplos disso nas Escrituras.

A civilização continuou à sombra de Caim. A perversão humana chega a aterrorizar. O dia que Isaías previu para o futuro distante, quando os homens haverão de transformar suas espadas em relhas de arado (Is 2.4), continua sendo visto como um mero sonho. A produtividade militar moderna resseca os recursos humanos, mesmo quando estes são tão desesperadoramente necessários para fins pacíficos.

■ 4.24

כִּ֥י שִׁבְעָתַ֖יִם יֻקַּם־קָ֑יִן וְלֶ֖מֶךְ שִׁבְעִ֥ים וְשִׁבְעָֽה׃

De Lameque, porém, setenta vezes sete. É difícil entender por que Lameque seria vingado com maior severidade do que no caso de Caim, se chegasse a ser ferido por causa de alguma retaliação justificada. Isso tão somente fazia parte da sua jactância. Homens ímpios sempre falam grosso demais. Os intérpretes não concordam quanto ao intuito dessa declaração. Alguns pensam que se trata de uma lamentação. Era como se ele tivesse dito: Caim sofreu sua *punição*, e agora sofrerei muito mais. Mas o mais provável é que Lameque estivesse aqui falando de seu próprio direito de tomar vingança contra suas vítimas impotentes, e não do direito de alguém vingar-se dele. Ninguém ousaria vingar-se de Lameque, pois ele era um autêntico descendente de Caim. Se alguém o ousasse, por certo uma terrível destruição ocorreria ao tal. Isso posto, a declaração parece conter um senso de reasseguramento para ele mesmo e para suas esposas, confirmando diante de todos que ninguém se vingaria de Lameque. Muito provavelmente está em pauta a *Lex Talionis*. Mas Lameque protestou diante de suas mulheres que essa lei não tinha aplicação em seu caso.

"Com esse jactancioso poema, que louva a violência armada e o derramamento de sangue, a par com indicações de uma vida de luxo e de prazeres, o narrador encerra a história da raça de Caim" (Ellicott, *in loc.*).

A ADORAÇÃO AO SENHOR (4.25,26)

■ 4.25

וַיֵּדַע אָדָם עוֹד אֶת־אִשְׁתּוֹ וַתֵּלֶד בֵּן וַתִּקְרָא אֶת־שְׁמוֹ שֵׁת כִּי שָׁת־לִי אֱלֹהִים זֶרַע אַחֵר תַּחַת הֶבֶל כִּי הֲרָגוֹ קָיִן׃

O propósito desta breve seção é mostrar como o Senhor proveu a substituição de Abel, o justo. O autor sacro acabara de contar a lamentável história de um assassinato, outro crime da linhagem de Caim. Abel foi uma vítima do iniciador dessa linhagem. A civilização ímpia espalhara-se por meio dos descendentes de Caim. E que dizer sobre a linhagem piedosa, desde que Abel fora assassinado? A resposta é que Sete havia nascido para continuar a oposição ao princípio do mal. O Targum de Jonathan diz-nos que seu nascimento teve lugar 130 anos após a morte de Abel, mas não há como confirmar isso. O bispo Usher pensa que isso sucedeu no mesmo ano, outra conjectura que não temos como investigar. Seja como for, isso *aconteceu,* e é o que importa. O propósito de Deus foi fazer isso suceder, mais cedo ou mais tarde.

Tornou Adão a coabitar. Ver as notas sobre essa expressão em Gênesis 4.1.

Ela deu à luz um filho... Sete. Não se sabe qual a verdadeira etimologia desse nome, mas a opinião popular é que vem do termo *shith,* "nomear". E nisso ela via uma divina nomeação para reparar o dano que havia sido feito. Esse é um princípio verdadeiro, que opera o tempo todo, porquanto Deus mantém este mundo de acordo com o seu desígnio, e não sujeito ao caos.

Sete (Filho de Adão e Eva). No hebraico, esse nome significa "compensação" ou "broto". Sua forma grega é *Séth.* Ele é mencionado nos livros de Gênesis, 1Crônicas e Lucas. Contudo, em Números 24.17 há menção a um certo Sete que parece ter-se tratado de um rei ou de uma raça, cuja procedência e localidade muitos estudiosos preferem dizer serem desconhecidas.

Sete foi o terceiro filho de Adão e Eva, depois de Caim e Abel. Teria sido ele, realmente, o terceiro, após o qual nasceram muitos filhos e filhas (Gn 5.4)? Ou foi Sete o terceiro filho cujo nome nos é dado? Essa indagação é difícil de ser respondida, pois a Bíblia não nos dá informes precisos quanto a esse particular. Ver Gênesis 4.25. A piedosa linhagem messiânica começa em Sete, e daí até Noé (Gn 5.3,4; 1Cr 1.1; Ec 49.16; Lc 3.38). De conformidade com certo texto massorético e com a recensão samaritana, Sete teve um filho de nome Enos (Gn 5.6,7), quando estava com 105 anos (a Septuaginta diz 205 anos). Sete chegou aos 912 anos de idade (Gn 4.26; 5.6-8).

Visto que as genealogias constantes em Gênesis 4.18-22 e 5.3-32 contêm ambos os nomes de Enoque e Lameque, alguns estudiosos pensam que uma dessas genealogias deriva-se do documento chamado "G", e que a outra procede do documento chamado "S". Ver o artigo sobre *Código Sacerdotal*, no *Dicionário*. Não obstante, outros eruditos opinam que as diferenças sugerem duas listas inteiramente diferentes, e não apenas uma lista confusa, por ter provindo de duas tradições diversas de fontes informativas.

Alguns estudiosos pensam que esse terceiro filho de Adão foi chamado Sete (Gn 4.25) por ter tomado o lugar de seu irmão assassinado, Abel. Pois Sete significaria "compensação", ou, conforme alguns, "restituição". Todavia, essa derivação envolve certos problemas linguísticos. Assim, de acordo com alguns especialistas, em vez de esse nome derivar-se da raiz que significa "nomear", "determinar" (no hebraico, *shath*), teria sido selecionado por causa de sua assonância com esse verbo hebraico.

Há uma pessoa com esse nome em Números 24.17, conforme a nossa versão portuguesa e outras, mas que outras versões traduzem por "tumulto". Esse Sete teria sido o antepassado de um povo mencionado por Balaão, como povo adversário de Israel. Albright (BASOR, lxxxiii, 1941, 34) identificou esse povo com os *SWTW* dos textos de execração dos egípcios. Dentro da própria Bíblia, nada é informado que nos permita identificar esse povo.

O nascimento de Sete armou o palco para a crescente espiritualidade do homem, de tal forma que dali por diante os homens começariam a invocar Yahweh, em suas orações, em resultado de uma renovada espiritualidade (ver o vs. 26).

■ 4.26

וּלְשֵׁת גַּם־הוּא יֻלַּד־בֵּן וַיִּקְרָא אֶת־שְׁמוֹ אֱנוֹשׁ אָז הוּחַל לִקְרֹא בְּשֵׁם יְהוָה׃ פ

Enos era filho de Sete. O termo hebraico por trás de *Enos* é outra palavra hebraica para "homem". Ele foi um filho varão. Mas alguns eruditos pensam que esse nome significa "mortal" ou "decadência". Seja como for, ele era filho de Sete e pai de *Cainã.* Morreu quando estava com 905 anos (Gn 5.6-11). O texto diz que, com ele, os homens começaram a invocar o nome de Yahweh, o que talvez queira dizer que foi então estabelecida alguma espécie de adoração formal, e certamente que a espiritualidade do homem (dentro da linhagem de Sete) estava prosperando, tal como a impiedade do homem prosperava cada vez mais dentro da linhagem de Caim. Seu nome aparece em Lucas 3.38 como um dos ancestrais remotos de Jesus. Assim, Jesus veio através da linhagem de Sete, certamente algo apropriado.

A Deus, através dos Filhos. Sete conduziu os homens para mais perto de Deus. Seu filho deu continuação ao processo. Há uma tremenda lição neste texto. W. R. Bowie escreveu uma composição que todo pai deveria memorizar e recitar todos os dias:

"Ó Deus, que és nosso Pai, toma meu papel de pai e abençoa-o com o teu Espírito. Não me deixes decepcionar a este meu filho. Ajuda-me a saber o que queres fazer dele, e *usa-me* para ajudá-lo e abençoá-lo. Torna-me um homem amoroso e compreensivo, animado e paciente, sensível a todas as suas necessidades, de tal modo que ele possa confiar em mim o bastante para aproximar-se de mim e deixar-me aproximar-me dele. Envergonha-me quando exijo dele o que não exijo de mim mesmo; mas ajuda-me mais e mais para tentar ser o tipo de homem que ele poderia emular. E isso peço no nome e pela graça de Cristo. Amém".

Há três coisas que um pai deve a seu filho: Exemplo! Exemplo! Exemplo!

Os homens tinham começado a invocar o nome do Senhor. Era chegado o tempo certo de fazer isso. Sempre será o tempo certo para tanto. A família é sagrada. Esse deve ser um meio de promover a espiritualidade e a visão espiritual. Esse deveria ser um lugar onde mentes jovens são ensinadas a distinguir o certo do errado, e onde lhes é dada a visão de que devem viver para aquilo que é certo. Disse Ana: "Por este menino orava eu" (1Sm 1.27). Ela recebera uma resposta positiva, e dedicou a criança ao Senhor, dando a todas as gerações uma lição. Quão triste é quando um filho amado desvia-se do caminho do Senhor. Alguns filhos terminam em uma vida criminosa e passam anos na prisão. Outros chegam a se tornar homicidas. Senhor, poupa-nos de tal sorte! Que nossos filhos sejam dedicados a ti, e que vivam vidas úteis que contem para o bem. Ver no *Dicionário* o artigo intitulado *Família*.

A variante marginal diz que, nesse tempo, os homens começavam a dar-se o nome do Senhor. Os bons separavam-se dos maus; distinções passaram a ser feitas; a convicção espiritual se acentuava.

Nesta altura, apresento um sumário dos *motivos mosaicos* que emergiram do livro de Gênesis.

MOTIVOS MOSAICOS

1. O sistema de holocaustos teve um começo. Os homens davam os melhores animais de seus rebanhos.
2. Cada homem é guardador de seu irmão.
3. O homicídio tinha poluído a terra. A violência e a vingança tornaram-se características de homens ímpios.

4. Os cuidados protetores de Deus alcançavam até mesmo Caim, e quanto mais os piedosos.
5. A punição pela culpa é uma necessidade absoluta para qualquer pessoa, para qualquer povo.
6. A vida destituída de Deus produz uma pessoa ou uma sociedade ímpia, segundo é ilustrado pela linhagem de Caim.
7. As artes e as ciências são boas, mas existem paralelamente ao crime e à corrupção.
8. Deus substitui as perdas sofridas. Abel foi morto, mas Sete tomou o seu lugar. Os propósitos de Deus tiveram prosseguimento nele.
9. A adoração formalizada é boa. Os homens precisam identificar-se com o Senhor.
10. Nossos filhos são herança do Senhor, e, através deles, aproximamo-nos de Deus. Logo, grande é a nossa responsabilidade.

CAPÍTULO CINCO

A GENEALOGIA DE SETE (5.1-32)

Os críticos atribuem este capítulo à fonte informativa *P. (S.)*. Ver no *Dicionário* o artigo *J.E.D.P.(S.)*.

"O alvo do Código Sacerdotal é mostrar como o único Deus que existe tornou-se o soberano invisível da comunidade judaica. Desde o momento em que Deus criou o céu e a terra, seu grande propósito, de acordo com a fonte *P. (S.)*, foi separar Israel das demais nações, revelar a sua lei, estabelecer o seu pacto e prover um país para Israel" (R. H. Pfeiffer, *Introduction to the Old Testament*).

Para os hebreus as genealogias eram importantes, e eles mantinham registros cuidadosos. É verdade que detalhes e números diferem consideravelmente na Septuaginta, e algum material daquela versão poderia refletir melhor o hebraico original. Ver o artigo chamado *Manuscritos do Antigo Testamento*, no *Dicionário*. O propósito da genealogia do quinto capítulo do Gênesis é expor diante de nós a linhagem piedosa de Sete, em contraste com a linhagem de Caim (Gn 4.17-19). Ambas as linhagens descendem de Adão: a linhagem piedosa e a linhagem ímpia. Da linhagem piedosa viria o povo de Israel e o Cristo. A outra linhagem produziria uma sociedade pecaminosa. A genealogia remonta à criação, chegando até Noé e seus filhos, o que arma o palco para o dilúvio, quando Deus cansou-se de tanta iniquidade que viera a permear ambas as linhagens que descendiam de Adão.

■ 5.1

זֶה סֵפֶר תּוֹלְדֹת אָדָם בְּיוֹם בְּרֹא אֱלֹהִים אָדָם
בִּדְמוּת אֱלֹהִים עָשָׂה אֹתוֹ׃

Livro da genealogia. Temos aqui a terceira menção ao termo hebraico *toledoth*, "gerações". O autor sacro parece oferecer-nos uma crua antiga divisão do Gênesis, com a repetição dessa frase. Ver as notas em Gênesis 2.4, que mostram onde essa palavra é usada. Os livros antigos eram tipicamente escritos com pouca ou nenhuma divisão de material capaz de ajudar o leitor a perceber melhor o conteúdo e o intuito de seus autores. Os esboços são, essencialmente, uma invenção moderna, o que também se dá com os índices.

Ambas as genealogias terminam com três filhos provenientes do último nome (de Caim, Jabal, Jubal e Tubalcaim; e de Sete, Sem, Cão e Jafé). Em cada lista somente homens falam, e ambos se chamam Lameque. O Lameque descendente de Caim jactou-se de um homicídio por ele cometido; e o Lameque descendente de Sete estava sofrendo os efeitos da maldição e aguardando consolação, por parte de Noé, seu filho.

De Adão. Ver as notas sobre Gênesis 1.26 e 2.19. Ver no *Dicionário* o artigo intitulado *Adão*.

À semelhança de Deus. Ver em Gênesis 1.26 notas completas sobre essa significativa doutrina.

Dez gerações foram especificadas. Os intérpretes supõem que a lista poderia ser representativa, sem o intuito de ser completa. Alguns têm suposto erroneamente que a antiguidade da terra pode ser determinada se adicionarmos as idades das pessoas que figuram nessa lista. Mas muitos estudiosos há muito já abandonaram qualquer tentativa dessa natureza. Quanto à grande antiguidade da terra, ver o artigo intitulado *Astronomia*.

Semelhança, e não *imagem*, embora talvez tenhamos aqui um sinônimo. O homem era agora um ser decaído, mas as palavras são repetidas. A imagem de Deus no homem fora borrada, mas não perdida, conforme demonstra meu artigo sobre esse assunto, em Gênesis 1.26. A bênção primeva continuava, a despeito da presença de várias maldições divinas em face do pecado. O pecado corrompera o vaso, mas o vaso continuava sendo preservado por Deus.

■ 5.2

זָכָר וּנְקֵבָה בְּרָאָם וַיְבָרֶךְ אֹתָם וַיִּקְרָא אֶת־שְׁמָם
אָדָם בְּיוֹם הִבָּרְאָם׃ ס

Os criou, e os abençoou. Adão e Eva foram criados para Deus e não para o mal. Deus não criou por acidente nem caprichosamente. Deus tinha seus propósitos, e nem mesmo a queda no pecado pôde alterá-los. Era mister que se estabelecesse um pacto; uma lei precisava ser dada; uma nação tinha de ser organizada. Essa nação teria de se tornar mestra do mundo; a redenção viria através da linhagem de Sete. Temos aí uma filosofia da história: a história é linear; é governada mediante um desígnio; encaminha-se na direção de um grande alvo; ela conta com a presença e com o poder de Deus; nada acontece por mero acaso. Ver no *Dicionário* o artigo *Teísmo*. Esse conceito entende que Deus não somente criou, mas também que ele continua dirigindo sua criação, com propósitos específicos; ele recompensa o bem e pune o mal. Em contraste com isso, o *deísmo* (ver no *Dicionário*) imagina que alguma força ou pessoa divina criou, mas então abandonou sua criação, deixando-a ao sabor das leis naturais, não recompensando nem punindo, exceto indiretamente, através das insuficientes leis naturais.

Abençoou. Com a fertilidade, a fim de que pudessem reproduzir-se, mas também em um sentido geral, conferindo-lhes todas as coisas necessárias à vida e à felicidade. A bênção é *instrumental*, porque é um meio de promover os propósitos maiores de Deus, conforme foi anotado na introdução a esta seção, e também no vs. 1.

Rebaixando o Propósito de Deus. Israel estreitou demais esse propósito, a fim de exaltar a si mesmo. Mas Deus não tinha abençoado a nação de Israel a fim de isolá-la. Antes, Israel deveria tornar-se o veículo da divina mensagem de redenção. Todavia, Israel levantou um muro em torno dos propósitos de Deus, e transformou-se em uma sociedade exclusivista. O exclusivismo sempre avilta.

■ 5.3

וַיְחִי אָדָם שְׁלֹשִׁים וּמְאַת שָׁנָה וַיּוֹלֶד בִּדְמוּתוֹ כְּצַלְמוֹ
וַיִּקְרָא אֶת־שְׁמוֹ שֵׁת׃

Cento e trinta anos. O autor sagrado não se tinha esquecido dos filhos de Adão, Abel e Caim. Ele não tencionava dizer que Sete era o primogênito de Adão. Antes, com Sete temos um novo começo. Sete substituiu o piedoso Abel, e fez a espiritualidade começar novamente a rolar. A Septuaginta diz 230 anos, e o Pentateuco samaritano e os escritos de Josefo também grafam números diferentes.

Conforme a sua imagem. Tal como Adão havia sido criado à imagem de Deus. Talvez o autor sacro tencionasse ligar os dois incidentes à palavra *imagem*, mostrando que Sete tinha Deus como seu Pai. Parece haver aqui mais do que a ideia de "conforme a sua imagem", também atribuída à procriação animal (Gn 1.11 *et al.*). Como é claro, a natureza pecaminosa de Adão foi reproduzida em Sete. Ele não começou inocente como o fora Adão, mas a imagem de Deus continuava em Sete, que também havia sido dada a Adão. O pecado não apagou isso. Sete, à semelhança de Adão, pendia para a bondade, fazendo contraste com Caim, que o autor acabara de descrever no quarto capítulo. Assim, disse Pirke Eliezer, c. 22: "Caim não era da semente nem da imagem de Adão, nem suas obras eram como as de Abel, seu irmão; mas Sete era da semente e imagem de Adão, e suas obras eram como as obras de Abel". Shalshalet Hakabala enfatiza como Adão ensinou a seu filho, Sete: a sabedoria foi transmitida; a espiritualidade foi enfatizada. Os homens se tinham tornado como feras; mas o Senhor reverteu, em Sete, aquela medonha maldição. Ver o artigo detalhado sobre *Sete,* nas notas sobre Gênesis 4.25.

■ 5.4

וַיִּהְיוּ יְמֵי־אָדָם אַחֲרֵי הוֹלִידוֹ אֶת־שֵׁת שְׁמֹנֶה מֵאֹת שָׁנָה וַיּוֹלֶד בָּנִים וּבָנוֹת:

De acordo com o texto, Adão continuou vivo por 800 anos, depois de haver gerado Sete. A Septuaginta, porém, diz 700. Ver o artigo sobre *Septuaginta, no Dicionário.*

E teve filhos e filhas. Tanto antes quanto depois de Sete, em um número desconhecido. A população foi aumentando, e vidas extremamente longas permitiam que muita gente nascesse de alguns poucos progenitores. Os escritores judaicos de tempos posteriores fornecem-nos números calculados de filhos de Adão, mas essas tentativas são vãs.

■ 5.5,6

וַיִּהְיוּ כָּל־יְמֵי אָדָם אֲשֶׁר־חַי תְּשַׁע מֵאוֹת שָׁנָה וּשְׁלֹשִׁים שָׁנָה וַיָּמֹת: ס

וַיְחִי־שֵׁת חָמֵשׁ שָׁנִים וּמְאַת שָׁנָה וַיּוֹלֶד אֶת־אֱנוֹשׁ:

Os dias todos da vida de Adão. De acordo com a Bíblia, foram 930 anos. O autor sacro faz algum cálculo matemático para nós, no sexto versículo. Os críticos opinam que as vidas muito longas dos patriarcas antediluvianos são apenas "manifestação de desejo". O homem anela por uma longa vida, e uma "imensa longevidade é uma espécie de reflexo daquilo que os homens gostariam de acreditar que estivesse sucedendo" (Cuthbert A. Simpson, *in loc.*). Os eruditos conservadores levam a sério esses informes. Josefo informa-nos que Manetho (o egípcio), Beroso (o caldeu), Hesíodo (o grego), além de outros, todos afirmavam a grande longevidade do homem primevo (*Antiq.* 1.1 c.3 sec. 9). Maimônides mantinha a opinião de que *somente* os homens mencionados na Bíblia tiveram vidas tão longas, e não os homens em geral. Mas isso não concorda com a afirmação de Josefo, que encontrou evidências sobre essa crença nos escritos de várias culturas. A Bíblia promete vida longa aos que viverem na Era do Reino (Is 65.20,22). A ciência trabalha para conseguir vidas humanas mais longas, se não mesmo dotadas de imortalidade. Há alguns anos, li um artigo que dizia: "Esta poderá ser a última geração mortal". E então, de súbito, ocorreram diversas doenças virais incuráveis, incluindo a terrível AIDS. E os cientistas tiveram de precipitar-se de volta a seus laboratórios para pesquisar em busca de uma vida humana mais longa. Alguns estudiosos frisam aqui a divina intervenção. A vida longa não depende apenas da genética e de condições de saúde. Deus pode intervir nessa questão, e alguns acreditam que foi isso que sucedeu com o homem primevo.

A Natureza Incompleta das Genealogias. As evidências demonstram que as genealogias dos hebreus não tinham por alvo ser completas. As gerações (no hebraico, *toledoth*) de Adão são apenas *dez*. As gerações de Sete também atingem o mesmo número de *dez*. A genealogia de Moisés contém apenas quatro pessoas: Levi, Coate, Anrão e Moisés (ver 1Cr 6.1-3), ao passo que, relativamente ao mesmo período, *onze* gerações são dadas na genealogia de Josué. Não há que duvidar de que as genealogias dos evangelhos de Mateus e Lucas são abreviadas: são genealogias representativas, e não exaustivas. Os números, às vezes, aparecem confusos, porque o sistema numérico dos hebreus podia resultar em grandes erros se houvesse pequenas modificações. Assim, é inútil procurar precisão e uma natureza exaustiva nos capítulos onde nomes e números são alistados.

E morreu. Talvez pareça que Adão viveria para sempre, e que a maldição divina falharia. Certo dia, porém, Adão *morreu*. A profecia tivera cumprimento. Destarte, o autor sacro nos fornece outro começo, a saber, *a morte*. Sabemos que a morte é nossa amiga, mas esse conhecimento aplica-se melhor a outras mortes, e não à nossa. Minha mãe, que faleceu após quatro anos e meio de batalha com o câncer, disse certa feita: "Uma coisa é alguém dizer: 'Devemos morrer algum dia'. E outra coisa é dizer: 'Sei que está perto o dia da minha morte'". Embora ela tivesse sido crente firme em Cristo, por toda a sua vida, ela mostrou estar receosa nas últimas semanas. Ela me chamou para saber se eu tinha feito tudo quanto era possível sobre o testamento. Assegurei-lhe que estava tudo em ordem. Então ela comentou: "Agora não falta muito tempo". E em sua voz não havia o tom do medo. Não obstante, não é fácil chegarmos perto da morte. Quando supomos que nossa morte ainda está distante, ignoramos o assunto. Eu mesmo tenho reagido contra a morte, procurando aprender tudo quanto posso através da teologia, da filosofia e da parapsicologia, dedicando-me a uma profunda reflexão, com base nos três campos (incluindo o campo científico), para reforçar minha crença na sobrevivência da alma diante da morte biológica. Esse estudo tem sido para mim uma bela aventura, e tenho podido comunicar minhas descobertas a um considerável número de pessoas, através de livros e de discursos ao vivo. Ver o artigo sobre *Alma,* quanto a alguns argumentos em prol da sobrevivência da alma ante a morte biológica. Incorporei artigos na *Enciclopédia de Bíblia, Teologia e Filosofia* que devem interessar ao leitor. Ver *Experiências Perto da Morte* e *Imortalidade* (onde são apresentados vários artigos). Ver também no *Dicionário* da presente obra os artigos intitulados *Morte* e *Salvação de Infantes*.

Algumas pessoas ignoram a morte física, acumulando possessões materiais. Os homens são naturalmente otimistas, e assim eliminam de sua mente qualquer acontecimento, como a morte, que poderia perturbar os seus planos. Jesus aludiu à falácia de tais atitudes na parábola do rico, em Lucas 12.16 ss. Alguns homens valem-se da dissipação, na tentativa de afogar os seus pensamentos sobre a morte. Os homens falam em continuar vivendo nas vidas de seus filhos, mas isso fica desgastado após algum tempo. A verdade é que é melhor viver bem do que viver por longo tempo; mas poucos são os homens capazes de apreender esse princípio. Depois de tudo ter sido dito e feito, "aos homens está ordenado morrerem uma só vez" (Hb 9.27).

Há inúmeras tradições que se manifestam sobre a morte de Adão e seus funerais, mas tudo não passa de fantasias de autores posteriores. Mas o fato é que todos acabam morrendo, e isso nos deixa muito pensativos.

Enos. Ver, sobre ele, as notas em Gênesis 4.26. Sete viveu por 870 anos, conforme nos diz o vs. 7. E tinha cento e cinco anos quando gerou Enos. Não somos informados sobre quantos filhos Sete teve, e em qual ordem. Isso estava além do escopo do propósito do autor sagrado. Enos aparece na linhagem de Cristo, pelo que sua linhagem continuaria por longo tempo, por meio de Noé. O salário do pecado é a morte (Rm 6.23). Mas a vida salta para além disso.

■ 5.7

וַיְחִי־שֵׁת אַחֲרֵי הוֹלִידוֹ אֶת־אֱנוֹשׁ שֶׁבַע שָׁנִים וּשְׁמֹנֶה מֵאוֹת שָׁנָה וַיּוֹלֶד בָּנִים וּבָנוֹת:

Os versículos sete a vinte repetem a mesma fórmula, afirmando o nome da pessoa, o seu filho principal, quanto tinha de idade ao gerar aquele filho e por quanto tempo ainda viveu depois daquele filho ter nascido. Algumas poucas vezes, é dado o informe indefinido sobre o nascimento de outros filhos e filhas. Visto que temos essa repetição sem variação, minha exposição apenas alista os nomes próprios até aquele versículo, com seus sentidos e quaisquer outras informações que as tradições nos possam dar.

Sete. Notas no vs. 3. Ver Gênesis 4.25 quanto ao detalhado artigo sobre *Sete*.

Enos. Notas em Gênesis 4.26 e 5.6.

A Septuaginta afirma que Sete tinha 230 anos quando gerou Enos. Os números, no hebraico, eram feitos com letras e pequenos sinais que facilmente podiam ser mal interpretados, pelo que a Septuaginta, outras versões e o Pentateuco samaritano exibem diferentes cálculos em alguns pontos. Josefo também difere, com frequência, quanto a esses números. Ver no *Dicionário Massora (Massorah); Texto Massorético,* quanto a um melhor entendimento sobre o texto hebraico padronizado e ver também *Manuscritos Antigos do Antigo Testamento*.

■ 5.8

וַיִּהְיוּ כָּל־יְמֵי־שֵׁת שְׁתֵּים עֶשְׂרֵה שָׁנָה וּתְשַׁע מֵאוֹת שָׁנָה וַיָּמֹת: ס

Declaração sobre a morte de Sete. Ver os vss. 5,6 quanto a notas sobre a *Morte,* onde damos referências acerca dos artigos que desenvolvem esse assunto e a questão da imortalidade.

■ 5.9-11

וַיְחִי אֱנוֹשׁ תִּשְׁעִים שָׁנָה וַיּוֹלֶד אֶת־קֵינָן:
וַיְחִי אֱנוֹשׁ אַחֲרֵי הוֹלִידוֹ אֶת־קֵינָן חֲמֵשׁ עֶשְׂרֵה שָׁנָה וּשְׁמֹנֶה מֵאוֹת שָׁנָה וַיּוֹלֶד בָּנִים וּבָנוֹת:
וַיִּהְיוּ כָּל־יְמֵי אֱנוֹשׁ חָמֵשׁ שָׁנִים וּתְשַׁע מֵאוֹת שָׁנָה וַיָּמֹת: ס

Enos. Notas em Gênesis 4.26 e 5.6.

Cainã. Nada se sabe sobre esse homem exceto aquilo que lemos aqui. Um filho de Arfaxade também tinha esse nome, na Septuaginta, em Gênesis 10.24. A Septuaginta fala em 715 anos, no vs. 10. Ao que parece, seu nome significa "fixo". A mesma palavra, sob outra forma, fala sobre ninhos de aves ou câmaras. Na maior parte das vezes, é difícil entender as razões pelas quais certos nomes foram dados. Talvez seus sentidos não fossem considerados ao serem dados, ou esses sentidos acabaram sendo esquecidos.

■ 5.12,13

וַיְחִי קֵינָן שִׁבְעִים שָׁנָה וַיּוֹלֶד אֶת־מַהֲלַלְאֵל:
וַיְחִי קֵינָן אַחֲרֵי הוֹלִידוֹ אֶת־מַהֲלַלְאֵל אַרְבָּעִים שָׁנָה וּשְׁמֹנֶה מֵאוֹת שָׁנָה וַיּוֹלֶד בָּנִים וּבָנוֹת:

Maalaleel. Seu nome significava "louvor de El (Deus)". O nome aparece com a forma "Meujael", em Gênesis 4.18. Outra pessoa com esse nome é mencionada em Neemias 11.4. A Septuaginta lhe dá 170 anos, no vs. 12. Ver o vs. 7 quanto à variação de números entre os diversos testemunhos do texto do Antigo Testamento. A Septuaginta dá 740 anos no vs. 13.

■ 5.14

וַיִּהְיוּ כָּל־יְמֵי קֵינָן עֶשֶׂר שָׁנִים וּתְשַׁע מֵאוֹת שָׁנָה וַיָּמֹת: ס

E morreu. Ver os vss. 5,6. Por toda a lista de nomes, as tradições árabes fazem diversas adições. A maior parte dessas tradições não é digna de confiança. Algumas das crônicas oferecidas são interessantes, mas fantásticas. É admirável como respeitados autores judeus não hesitavam em adicionar toda espécie de história absurda, fruto da pura imaginação, acerca de personagens do Antigo Testamento. Presume-se que Cainã foi um respeitado dirigente, dotado de elevada espiritualidade. Teria sido lamentado por quarenta dias e sepultado em uma caverna. Quanto dessa tradição corresponde à realidade?

■ 5.15,16

וַיְחִי מַהֲלַלְאֵל חָמֵשׁ שָׁנִים וְשִׁשִּׁים שָׁנָה וַיּוֹלֶד אֶת־יָרֶד:
וַיְחִי מַהֲלַלְאֵל אַחֲרֵי הוֹלִידוֹ אֶת־יֶרֶד שְׁלֹשִׁים שָׁנָה וּשְׁמֹנֶה מֵאוֹת שָׁנָה וַיּוֹלֶד בָּנִים וּבָנוֹת:

Jerede. Um patriarca antediluviano, pai de Enoque (Gn 5.15-20; 1Cr 1.2; Lc 3.37). Alguns dizem que sua data foi cerca de 4007 a.C., mas as datas desse período são difíceis de determinar com exatidão. O texto português também diz *Jarede* como seu nome. Esse nome significa "descida" ou "terra baixa". Outra pessoa com esse nome é mencionada em 1Crônicas 4.18, mas algumas versões dizem aqui *Jarede*.

■ 5.17

וַיִּהְיוּ כָּל־יְמֵי מַהֲלַלְאֵל חָמֵשׁ וְתִשְׁעִים שָׁנָה וּשְׁמֹנֶה מֵאוֹת שָׁנָה וַיָּמֹת: ס

Maalaleel. As tradições árabes elogiam-no. Ele proibiu que os seus descendentes se misturassem por casamento com os descendentes de Caim, e era homem piedoso e espiritualmente ativo.

■ 5.18

וַיְחִי־יֶרֶד שְׁתַּיִם וְשִׁשִּׁים שָׁנָה וּמְאַת שָׁנָה וַיּוֹלֶד אֶת־חֲנוֹךְ:

Enoque. Chegamos agora a uma brilhante luz espiritual. Só duas coisas distintas são ditas acerca dele: a. Ele andava com Deus. b. Deus o tomou para si. Palavras simples mas poderosas em seu significado e aplicação. Sua história, apesar de simples no Antigo Testamento, excitou a escrita de certos livros extras do Antigo Testamento: Enoque Eslavônico e Enoque Etíope, sobre os quais ofereço artigos detalhados na *Enciclopédia de Bíblia, Teologia e Filosofia*. Também há o livro Enoque Hebreus (3Enoque), anotado na mesma obra. A Septuaginta concorda com o texto hebraico quanto ao número de anos que viveu antes de gerar Metusalém, 65 anos (vs. 21); mas o Pentateuco samaritano diz apenas 62 anos.

Seu Nome. A derivação desse nome é incerta, mas parece que significa "iniciado", "ensino" ou "professor". Parece ser um cognato da palavra "ensina", em Provérbios 22.6.

Outras pessoas tiveram esse nome no Antigo Testamento. Ver Gênesis 4.17,18; 25.4; 1Crônicas 1.3; Gênesis 46.8,9; Êxodo 6.14 e Gênesis 46.8,9. Há notas sobre elas *in loc*.

Enoque, filho de Jarede, da linhagem piedosa de Sete, era o pai de Metusalém, o qual detém o recorde da mais longa vida registrada na Bíblia. Sem dúvida, Enoque foi uma pessoa incomum, homem de poder e de notável influência. Lemos a seu respeito: "Andou Enoque com Deus e já não era, porque Deus o tomou para si" (Gn 5.24). Naturalmente, isso significa que ele foi a primeira pessoa a ser arrebatada, sem passar pela morte. Ver sobre a *Parousia*, quanto a elementos sobre o *arrebatamento cristão*, que promete generalizar, entre todos os remidos, a experiência de Enoque. Elias também passou por essa experiência. Em nosso artigo sobre *Eliseu*, quinto ponto, "Testemunha do Arrebatamento de Elias", oferecemos comentários que o leitor achará interessantes, incluindo modernos de translação.

Enoque foi arrebatado depois de ter vivido 375 anos. O trecho de Hebreus 11.5 alista-o como um dos heróis da fé. A tipologia cristã fez dele um tipo da Igreja que, na opinião de alguns, será arrebatada antes da Grande Tribulação, da mesma maneira que Enoque foi arrebatado antes do dilúvio, um tipo da Grande Tribulação. Enoque foi o avô de Noé.

Figuras como Enoque sempre criam lendas a seu respeito. E, usualmente, alguns livros são atribuídos a personagens assim, o que se deu também com Enoque. Visto que Enoque teria sido levado corporalmente para o céu, isso fez com que escritores posteriores reproduzissem por escrito o que ele (presumivelmente) viu. Os escritos apócrifos sempre tentam preencher os hiatos sobre os quais nada se conhece. Os livros a ele atribuídos (ver sobre *Enoque, Livros de*), de acordo com alguns, são os mais importantes entre os livros pseudepígrafos, por servirem de pano de fundo ao Novo Testamento. Comumente diz-se que os autores do Novo Testamento não se utilizaram dos livros apócrifos e pseudepígrafos; mas qualquer pessoa que tenha examinado o Novo Testamento, versículo por versículo, sabe que há algumas citações, muitas alusões e muitas ideias extraídas daquelas obras. Ver o artigo geral sobre as obras *pseudepígrafas*.

Enoque é glorificado na crônica judaica. Ele teria sido o inventor das letras, da matemática e da astronomia. De fato, é reputado como o primeiro autor de livros e supõe-se que vários livros emanaram dele. Também teria sido homem que recebeu muitas visões e profecias. Presumivelmente, a literatura por ele deixada foi posta nas mãos de seu filho, e foi preservada por Noé, chegando aos dias posteriores ao dilúvio. Tudo isso tipifica como a matéria apócrifa é manuseada. E esse material é datado de tempos muito remotos. E aqueles que falam em uma data posterior dão explicações não muito convincentes a esse respeito. Temos algo similar no caso do *Livro de Mórmon* (ver, sob o título *Livros Apócrifos Modernos na Enciclopédia*). As placas de ouro supostamente teriam sido enterradas em uma data antiga e, então, teriam sido descobertas no século XIX, quando, finalmente, o conteúdo dessas placas foi revelado. O Alcorão (Sur. xix) refere-se a Enoque como *o sábio*, título esse que deve ter resultado do conhecimento das tradições judaicas que circundam o livro de Enoque.

Em nossa discussão sobre as coisas curiosas que resultaram da vida de Enoque, não podemos esquecer o verdadeiro significado de sua vida. Ele demonstrou que é possível ao homem atingir uma elevadíssima espiritualidade. A epístola aos Hebreus com toda a razão incluiu o seu nome entre os heróis da fé, por causa de suas realizações espirituais.

■ **5.19,20**

וַיְחִי־יֶרֶד אַחֲרֵי הוֹלִידוֹ אֶת־חֲנוֹךְ שְׁמֹנֶה מֵאוֹת שָׁנָה וַיּוֹלֶד בָּנִים וּבָנוֹת:

וַיִּהְיוּ כָּל־יְמֵי־יֶרֶד שְׁתַּיִם וְשִׁשִּׁים שָׁנָה וּתְשַׁע מֵאוֹת שָׁנָה וַיָּמֹת: פ

A Septuaginta concorda aqui com o número — 800 — que aparece no texto hebraico; mas o Pentateuco samaritano diz 785. As tradições árabes dizem que o nome Jerede, "descida", refere-se à sua descida do monte santo, não muito distante do jardim do Éden, a fim de exortar a seus filhos que não se misturassem por casamento com os pagãos, sobretudo os filhos de Caim. Por ocasião de sua morte, ele nomeou Enoque como seu sucessor, para que mantivesse em ordem a casa espiritual.

■ **5.21**

וַיְחִי חֲנוֹךְ חָמֵשׁ וְשִׁשִּׁים שָׁנָה וַיּוֹלֶד אֶת־ |H |V21 מְתוּשָׁלַח:

Metusalém. Admiramo-nos de pessoas que têm longas vidas. E aqui, como sabe qualquer criança aluna de Escola Dominical, aparece o campeão da longevidade — 969 anos (vs. 27). Finalmente, ele morreu; mas seu pai não morreu, pois foi arrebatado à presença do Senhor. Isso posto, o texto registra duas obras divinas: a longa vida de Metusalém e o arrebatamento de Enoque, ambas as coisas muito desejáveis. Muito curiosamente, a longa vida de Metusalém é a única coisa que sabemos acerca dele, com qualquer grau de certeza. Seu nome significa *dardo*. Isso pode significar que ele era um homem violento, mas já vimos que eram dados apelativos sem que se desse atenção ao sentido dos mesmos (ver o vs. 8 sobre *Cainã*). Esse nome poderia significar "fome". E a terminação do nome, *selah* (no hebraico), pode referir-se à "idolatria". Seja como for, a Bíblia não nos fornece nenhum detalhe sobre esse homem, exceto a nota sobre sua grande longevidade. Mas alguns estudiosos interpretam seu nome como: "quando ele morrer, haverá a emissão (o dilúvio)", e isso atendendo ao fato de que o dilúvio ocorreu pouco depois de sua morte.

A Desejabilidade de uma Vida Longa. É melhor viver bem do que viver por muito tempo. Isso é uma verdade, mas a maioria das pessoas gostaria de viver bem *e* por muito tempo. Uma vida longa faz sentido se provê para nós tempo para cumprirmos melhor as nossas missões e servirmos ao próximo, quando tiver necessidade de nós. Doutra sorte, conforme dizia minha mãe: "As pessoas idosas atravancam o caminho". Algumas pessoas partem daqui cedo demais, mas outras ficam por aqui por tempo demasiado. Até mesmo homens bons, por causa do endurecimento das artérias do cérebro, ficam mal-humorados, intratáveis e excessivamente exigentes, para nada falarmos de um egocentrismo pronunciado, devido à idade avançada. O ideal é dispor de muitos anos de boa produção; e outros tantos bons anos para *digerir* aquilo que tivermos aprendido, em anos dedicados ao estudo, à oração, à meditação e ao desenvolvimento da espiritualidade. Via de regra, porém, a idade reduz de tal modo as capacidades de todas as nossas funções vitais, tanto mentais quanto físicas, que, na verdade, a maior parte das pessoas apenas se senta em algum lugar à espera da morte. Esse tipo de longa vida não é desejável. Por outro lado, temos o exemplo de Platão, o qual, aos 80 anos de idade, continuava escrevendo e atarefado em seus famosos debates. Certa noite, na casa de um amigo, em meio a uma discussão amigável, quando estava planejando escrever mais, subitamente, faleceu, sem dor e sem confusão. Oh, Senhor, dá-nos essa bênção de Platão! Platão obteve 80 bons anos, e eu desejo 87. Parece que nada nos satisfaz quanto a essa questão! Observou um médico, acerca da longa vida de Metusalém, que, se ele tivesse cuidado bem de si mesmo, poderia ter vivido mais ainda! Mas é então que costumamos dizer: "Chega!" Um outro médico indagou acerca de Metusalém e de sua "morte prematura": "Que aconteceu? Ele se afogou no dilúvio?"

"Há beleza e bênção em uma vida longa. Uma das promessas dos Salmos é: 'saciá-lo-ei com longevidade' (Sl 91.16)" (Cuthbert A. Simpson, *in loc.*). O que mais nos aterroriza é a morte de crianças ou de jovens. Dessa praga, protege-nos, ó Senhor! A terra é um vale de lágrimas, mas ela também envolve bênção e inspiração. Deus permite que fiquemos neste mundo todo o tempo que nos foi determinado, e então permite que partamos daqui em paz espiritual e física. A dissipação abrevia a vida física; a falta de exercício faz o corpo tornar-se flácido; o trabalho mental mantém vivos o interesse e a curiosidade; o trabalho físico demasiado amortece tanto o corpo quanto a mente. Além disso, há aqueles acidentes insensatos que apagam vidas preciosas. Somente Deus pode dar-nos razões autênticas para viver. Ver Salmo 55.23; 90.10; Jó 5.26; 42.16,17; 1Reis 3.11; Isaías 45.20; Efésios 6.3.

A chave para uma vida bem-sucedida é viver de acordo com a *lei do amor*. Deus ama este mundo. Devemos amar o próximo e cuidar dele. Isso empresta significado à nossa vida. Uma longa vida sem esse tempero pouco significará. Sócrates dizia que "não vale a pena viver uma vida indisciplinada". E nós podemos afirmar: "A vida sem amor, sem serviço prestado ao próximo, não é digna de ser vivida". Só viveu bem aquele que amou bem. Metusalém viveu a mais longa vida humana, mas nada mais houve para ser dito sobre a sua vida. Jesus viveu uma vida bem curta, mas o mundo inteiro continua a falar a seu respeito.

■ **5.22**

וַיִּתְהַלֵּךְ חֲנוֹךְ אֶת־הָאֱלֹהִים אַחֲרֵי הוֹלִידוֹ אֶת־מְתוּשֶׁלַח שְׁלֹשׁ מֵאוֹת שָׁנָה וַיּוֹלֶד בָּנִים וּבָנוֹת:

Andou Enoque com Deus. Isso é repetido no vs. 24. A simplicidade do texto nos surpreende. Um homem tão espiritual recebe tão pequena atenção. Por duas vezes o autor sagrado menciona o fato de que ele andava com Deus, e em seguida o fato de que Deus "o tomou para si." Uma tão grande doutrina não recebe aqui nenhuma explanação. Meu artigo chamado *Enoque*, em Gênesis 5.18, desenvolve os temas aqui referidos.

Enoque prova que uma altíssima espiritualidade é possível para o homem, mesmo em meio à pecaminosidade e degradação ao seu redor. A metáfora do ato de *andar* aponta para a conduta geral na vida. Ver no *Dicionário* o artigo intitulado *Andar*, quanto a plenas explicações a respeito. O andar de Enoque caracterizou-se pela comunhão, pela obediência e pelo poder. Ver Levítico 26.3,12, onde essa maneira de andar é ordenada. Enquanto se narra sobre como outros viveram suas vidas... e morreram, subitamente, surge em cena um homem que não morreu, elevando-se assim acima de todos os demais homens, em sua expressão e poder espirituais. Outras figuras que aparecem no texto são louvadas nas tradições; e não há que duvidar de que pelo menos algumas delas mereciam os elogios. Mas a vida de Enoque elevou-se tanto acima das outras vidas que mereceu ser louvado pelo autor do livro de Gênesis, e não meramente pelas tradições humanas. Enoque também gerou filhos e filhas, o que nos permite entender que o estado do matrimônio não é incoerente com a mais alta espiritualidade. O segredo de Enoque era sua íntima comunhão com Deus. Ele não dispunha de nenhuma revelação escrita, e por certo não havia muitas pessoas, ao seu redor, que o encorajassem. Mas ele mantinha comunhão com Deus. Ver no *Dicionário* os artigos intitulados *Misticismo* e *Maturidade*.

■ **5.23**

וַיְהִי כָּל־יְמֵי חֲנוֹךְ חָמֵשׁ וְשִׁשִּׁים שָׁנָה וּשְׁלֹשׁ מֵאוֹת שָׁנָה:

Enoque viveu por 365 anos antes de sua vida terrena tornar-se uma vida celestial, sem ter passado pela morte. Era apenas um homem que estava entrando na *meia-idade*, de acordo com os padrões antediluvianos, quando Deus o tomou para si. Seu filho, Metusalém, viveu mais 604 anos, *depois* que seu pai foi arrebatado.

■ **5.24**

וַיִּתְהַלֵּךְ חֲנוֹךְ אֶת־הָאֱלֹהִים וְאֵינֶנּוּ כִּי־לָקַח אֹתוֹ אֱלֹהִים: פ

Andou Enoque com Deus. Reitera o vs. 22, onde comentamos a respeito.

E já não era, porque Deus o tomou para si. Em lugar da frase usual, *e morreu*, achamos essa estonteante declaração. Sobre ela há várias interpretações:

1. ...*já não era*... poderia ser um equivalente de "e morreu", mas a declaração de que *Deus o tomou para si* só pode significar algo muito mais profundo, como o primeiro indício da imortalidade da alma, no Antigo Testamento. Para alguns intérpretes, porém, as palavras "já não era" indicam uma *morte prematura*.
2. Outros pensam que *já não era* indica apenas que "ele morreu", enquanto *Deus o tomou para si* significaria apenas que Deus esteve pessoalmente presente por ocasião da morte de Enoque, tornando-a mais fácil. Nesse caso, não haveria nenhum indício aqui da ideia de imortalidade; só teríamos um indício dessa ideia (mas deixada sem o devido desenvolvimento) na expressão *à imagem de Deus*, comentada em Gênesis 1.26. Vários intérpretes judeus de nomeada assumem esse ponto de vista.
3. Deus cuida daqueles que morrem, sem entrar em nenhuma teologia específica acerca do *como* da morte.
4. ...*já não era*... não seria equivalente a *e morreu*. Bem pelo contrário, essas palavras seriam postas em contraste com aquela frase, que ocorre em cada caso, exceto neste. Um belo dia, simplesmente Enoque não estava mais ali. Ele havia desaparecido. Que lhe teria acontecido? Deus o tomara para si mesmo. E que significaria isso? Poderia significar que Deus o tomara no *corpo*, para estar com ele. Nesse caso, não seria mister antecipar nem um Deus imaterial nem uma alma imaterial. Ambos seriam materiais, e ambos possuiriam imortalidade. Enoque fora tornado imortal, mas isso não anteciparia, necessariamente (naquele estágio da teologia dos hebreus), a *imaterialidade*. Alguns intérpretes judeus assumiam essa posição. Ver o arrebatamento de Elias, em 2Reis 2.11, onde achamos a mesma noção.
5. Uma interpretação judaica tardia diz que, nessa afirmação, estaria envolvida a ideia da imortalidade da alma. O trecho de Hebreus 11.5 fornece-nos a ideia do arrebatamento cristão, desenvolvida por Paulo em 1Coríntios 15.51 ss. e 1Tessalonicenses 4.13. Fica ali entendido que o processo do arrebatamento haverá de espiritualizar o corpo, e que corpo (assim espiritualizado) e alma entrarão no estado imortal.
6. Alguns intérpretes pensam que o autor sacro previu aqui, acima de seu treinamento e formação teológicos, a ideia da imortalidade da alma, neste texto. Nesse caso, Gênesis 5.24 poderia ser a primeira quase clara indicação da entrada da doutrina da alma na teologia dos hebreus. "Na antiga história de Israel parece não ter havido expectativa sobre a imortalidade pessoal. A única maneira de o espírito humano sobreviver diante da morte seria na vida de seus filhos, de seu clã ou de sua nação. Ou, então, se viesse a sobreviver, afinal, o faria como um fantasma de sombras, no sheol. Gradualmente, porém, foi surgindo o senso da dignidade e valor duradouro da alma humana individual. Uma alma poderia estar de tal modo ligada ao Espírito, neste mundo, que ela atravessaria para além dos portões da morte. Parece que essa crença rebrilha aqui" (Cuthbert A. Simpson, *in loc.*).

Cf. o que aqui é dito com meus comentários sobre Gênesis 1.26. Permanece de pé, contudo, sem importar o que este texto esteja ensinando, que o conceito da alma imaterial e da vida além-túmulo (boa ou má) não permeou o resto do Pentateuco. De fato, esse conceito não aparece ali. Somente nos Salmos e nos Profetas essa doutrina vem à tona, e mesmo assim não com grande clareza. Quanto a essa questão *vital*, Platão tinha maior discernimento do que Moisés, gostemos ou não desse fato. Platão foi o campeão da doutrina da alma imortal, e desenvolveu argumentos racionais em favor desse conceito, argumentos que até hoje impressionam mesmo aos filósofos. Ver na *Enciclopédia de Bíblia, Teologia e Filosofia* o artigo sobre a *Imortalidade*, onde exponho vários artigos a respeito.

Deus o tomou para si. Enoque desapareceu, de sorte que ninguém podia encontrá-lo. Uma menininha comentou sobre esse episódio: "Enoque e Deus costumavam fazer juntos grandes passeios. Um dia, foram mais longe do que era costume. E Deus disse: 'Enoque, você deve estar cansado. Venha à minha casa para descansar'" (Cuthbert L. Simpson). As crianças são capazes de ensinar-nos a sabedoria. Ver Judas 14 e 15 quanto a outro comentário do Novo Testamento a respeito da questão.

5.25

וַיְחִי מְתוּשֶׁלַח שֶׁבַע וּשְׁמֹנִים שָׁנָה וּמְאַת שָׁנָה וַיּוֹלֶד אֶת־לָמֶךְ:

Metusalém... gerou a Lameque. Esse é o *Lameque* da linhagem de Sete, em contraste com o homem do mesmo nome, da linhagem de Caim (Gn 4.23), que foi um homicida jactancioso. O Lameque aqui referido foi pai de Noé. Era um descendente de Sete, filho de Adão (Gn 5.25-31; 1Cr 1.3 e Lc 3.6). Ele faz parte da linhagem do Messias. O fato de que os nomes *Lameque* e *Enoque* ocorrem tanto na genealogia de Caim quanto na genealogia de Sete (além de outras similaridades) tem dado margem à conjectura de que essas são meras variações de uma única lista original de nomes. Mas contra essa opinião encontramos o fato significativo de que também há diferenças significativas. O Lameque que foi descendente de Caim é aludido no quarto capítulo do Gênesis, ao passo que o Lameque, descendente de Sete, aparece no quinto capítulo desse livro. E se os dois derivam-se de uma só fonte informativa, então haveria alusão a um único homem. Presumivelmente, a fonte informativa J teria preservado uma das variantes, ao passo que a fonte informativa P (S) teria preservado a outra variante. Ver sobre a teoria das fontes informativas J.E.D.P.(S.), bem como o artigo intitulado *Hexateuco* no *Dicionário*. Lameque chamou seu filho de Noé (vs. 29), na esperança de que ele os *consolaria*, livrando-os da maldição. Temos aí uma etimologia popular, e não científica, que se origina da similaridade entre as palavras hebraicas *Noé* e *consolação*.

A Septuaginta diz aqui 802 anos, em lugar de 782. Ver as notas sobre Gênesis 5.7 quanto aos problemas atinentes aos números no original hebraico e nas versões do Antigo Testamento. O Pentateuco samaritano menciona apenas 653 anos, dando como total de sua vida 720 anos.

5.26,27

וַיְחִי מְתוּשֶׁלַח אַחֲרֵי הוֹלִידוֹ אֶת־לֶמֶךְ שְׁתַּיִם וּשְׁמוֹנִים שָׁנָה וּשְׁבַע מֵאוֹת שָׁנָה וַיּוֹלֶד בָּנִים וּבָנוֹת:

וַיִּהְיוּ כָּל־יְמֵי מְתוּשֶׁלַח תֵּשַׁע וְשִׁשִּׁים שָׁנָה וּתְשַׁע מֵאוֹת שָׁנָה וַיָּמֹת: פ

O autor sacro fala da vida extraordinariamente longa de Metusalém. Já comentei sobre isso com detalhes, em Gênesis 5.21, incluindo as lições morais e espirituais envolvidas na questão. Após os vários comentários sobre o incrível Enoque, agora Moisés retorna aos seus comentários usuais, iniciados no vs. 5. Ninguém jamais viveu mil anos, porquanto de acordo com uma observação dos judeus, "esse é um dia de Deus" (ver Sl 90.4). Alguns eruditos opinam que Mesusalém pereceu no dilúvio. Talvez somente uma morte violenta possa ter-lhe cessado a vida. Mas isso é mera conjectura. Os escritores árabes falam do tempo exato de sua morte, ou seja, no ano 600 da vida de Noé, em uma sexta-feira, ao meio-dia! Mas isso é pura fantasia, na ansiedade de preencher um hiato no conhecimento.

5.28

וַיְחִי־לֶמֶךְ שְׁתַּיִם וּשְׁמֹנִים שָׁנָה וּמְאַת שָׁנָה וַיּוֹלֶד בֵּן:

Lameque. Damos notas sobre ele em Gênesis 5.25. Ele se distinguiu ao trazer *Noé* ao mundo. A Septuaginta fala aqui em 188, em vez dos "82 anos" do texto hebraico. Ver os comentários sobre essas variações numéricas nas notas sobre Gênesis 5.7.

5.29

וַיִּקְרָא אֶת־שְׁמוֹ נֹחַ לֵאמֹר זֶה יְנַחֲמֵנוּ מִמַּעֲשֵׂנוּ וּמֵעִצְּבוֹן יָדֵינוּ מִן־הָאֲדָמָה אֲשֶׁר אֵרְרָהּ יְהוָה:

Noé. O autor sagrado fornece-nos uma etimologia incerta do nome, associada à ideia de *consolo*. Esse consolo seria o alívio em face da maldição divina, com o início de uma nova era, de um novo começo para a humanidade. A maldade dos homens tinha-se multiplicado de forma alarmante. O filho de Lameque, pois, teria como tarefa fazer valer a retidão e a piedade. Diz aqui a Septuaginta, "far-nos-á descansar", mas isso poderia também ser traduzido por "far-nos-á estabelecer", o que indicaria um estabelecimento mais firme na vida agrícola, em contraste com o nomadismo prevalecente. Apesar de a agricultura já ser então uma maneira de viver, Noé seria o instrumento que reverteria a vida urbana e o nomadismo, com os problemas causados por essas duas maneiras de vida. Como é óbvio, as cidades haveriam de ser destruídas por ocasião do dilúvio, e o autor sacro talvez tivesse isso em mente. Mas a verdadeira etimologia do nome é incerta.

NOÉ

ESBOÇO

I. Nome e Família
II. Noé e os Críticos
III. Indicações Cronológicas
IV. Noé e o Propósito Redentor
V. Descendentes de Noé
VI. Caráter de Noé

Temos preparado um artigo bem detalhado intitulado *Dilúvio de Noé*, pelo que, no presente artigo, não abordamos mais profundamente essa questão. Muito do que poderia ser dito sobre Noé não foi repetido, de modo que o leitor precisa examinar aquele outro artigo, como suplemento do que aqui se diz.

I. Nome e Família

A Bíblia trata Noé como uma personagem histórica, embora muitos eruditos estejam convencidos de que o relato inteiro não passa de um antigo mito, que recebeu vinculações históricas com o resto da Bíblia. O trecho de Gênesis 5.28,29 diz-nos que ele era filho de Lameque, o décimo descendente linear de Adão. O nome *Noé* vem do termo hebraico que indica "descanso", "alívio", "consolo". Talvez o nome seja um composto de *nhm* e *el*, que significaria "Deus aliviou". A forma do nome, na Septuaginta, é *Noe*, que passou para alguns idiomas modernos, como o português. A passagem de Gênesis 5.29 revela por que razão Lameque deu esse nome a seu filho. Deus havia amaldiçoado o solo; mas agora nascera alguém que faria os homens descansar de sua labuta. Mas alguns sugerem que Lameque simplesmente queria alguém para ajudá-lo no plantio. Outros creem que Noé estava destinado a inventar instrumentos agrícolas, que aliviariam o labor envolvido na agricultura. Ou, então, haveria alguma predição escatológica no nome, dando a entender que Noé produziria um novo começo da humanidade, quando a iniquidade acumulada dos homens fosse julgada por Deus (mediante o dilúvio); e isso, por sua vez, serviria de uma espécie de descanso e alívio. Outros intérpretes veem no nome de Noé uma referência messiânica, indicando que a descida do Messias ao mundo ficava assim garantida, apesar das destruições causadas pelo dilúvio. Noé, pois, é apresentado como pregoeiro da justiça, e isso pode estar envolvido nesse conceito. Ver Gênesis 6.1-9; 1Pedro 3.20; 2Pedro 2.5.

II. Noé e os Críticos

Os mais radicais dentre aqueles que negam a historicidade da pessoa de Noé, supondo que ele não é mais histórico que seu paralelo babilônico, Gilgamés, negam-no como personalidade histórica. *Gilgamés* (ver no *Dicionário*) também foi um herói de um relato sobre dilúvio, que tem muitas similaridades com a história de Noé.

Fontes Informativas. Além da questão da historicidade de Noé, o complexo literário de Gênesis 6.5—9.29, segundo alguns estudiosos, deriva-se de duas fontes informativas distintas, que foram alinhavadas uma à outra por algum editor posterior. Nesse material estariam envolvidas as alegadas fontes literárias J e S. Ver sobre *J.E.D.P.(S.)*. As diferenças encontradas por aqueles eruditos são as seguintes: na versão *J, sete* pares de cada animal limpo foram deixados a bordo da arca (Gn 7.2); mas em *S*, apenas um par sobreviveu de cada espécie (Gn 6.19). Na fonte *J*, o dilúvio dura quarenta dias e noites (Gn 7.12,17); mas na fonte *S*, dura 150 dias (Gn 7.24). A fonte *J* menciona o oferecimento de holocaustos (Gn 8.20-22); mas na fonte *S*, os sacrifícios só aparecem no começo da história do povo de Israel. Ambas as fontes prometem que Deus nunca mais destruiria o mundo mediante um dilúvio generalizado (em *J*, Gn 8.21; em *S*, Gn 8.12-17), o que escudaria a tradição acerca do arco-íris.

Outras diferenças podem ser observadas no relato: na história do dilúvio (Gn 6.5-9.17), os filhos de Noé estão casados; mas no outro relato (Gn 9.18-27), estão solteiros. Em um desses relatos, Noé tem um nobre caráter (Gn 6.9); mas no outro, Noé não passa de um desavergonhado bêbado (Gn 9.21). A segunda história parece ter tido três razões em sua composição: 1. narrar como as raças humanas vieram à existência; 2. contar como surgiram a agricultura e o cultivo da videira; 3. explicar *por que motivo* os cananeus posteriores ficaram sujeitos a Israel (Gn 9.25-27). Como *apologia,* o segundo relato também parece apresentar diferenças, em comparação com a primeira versão da história.

Respostas a Essas Observações. Apesar de o relato sobre Noé ser similar à história de Gilgamés, quanto a vários particulares, também é superior em seus conceitos teológicos. Não há razão para duvidarmos de que os povos semitas tinham narrativas variantes do dilúvio, embora interdependentes. Isso não anula a historicidade do evento nem das pessoas envolvidas.

É possível que o autor do relato de Noé e do dilúvio tenha combinado mais de uma fonte informativa, pelo que se confundiu em alguns pontos. E isso, mesmo que admitido, não anularia a exatidão geral do relato. Outrossim, alguns itens específicos mencionados não são contraditórios. As diferenças entre os sete e os dois casais de animais podem ser explicadas dizendo-se que havia sete pares de animais limpos, e dois pares de animais imundos (impróprios para a alimentação humana). Apesar de Gênesis 6.19 não fazer tal distinção, isso pode ter sido um descuido do autor sagrado. Os quarenta dias do dilúvio podem indicar o tempo em que as águas ficaram subindo, ao passo que os 150 dias seriam o tempo que foi necessário para aparecer qualquer porção de terra, conforme também Gênesis 8.3 parece indicar. Quanto a dois alegados Noés, a resposta é que até um homem bom pode cair em uma falha. Seja como for, questões dessa ordem nada têm a ver com a espiritualidade, e somente os estudiosos ultraconservadores ou ultraliberais dão muita atenção a tais pormenores.

III. Indicações Cronológicas

Os estudiosos acham muito difícil datar o dilúvio de Noé. O método de cálculo por meio de genealogias tem sido abandonado pela maioria, visto que, geralmente, as genealogias são meros esboços, e não relatos detalhados de sucessivas gerações. Se nos basearmos nessas genealogias não recuaremos mais do que até cerca de 2400 a.C. O dilúvio não pode ter ocorrido muito tempo antes disso. É-nos revelado que Noé tinha 500 anos de idade quando seu primeiro filho nasceu (Gn 5.32 e 6.10); e, então, o dilúvio ocorreu cerca de cem anos depois disso. Talvez tão tarde mais que um ano depois do início do dilúvio (Gn 7.11; 8.13), quando Noé deixou a arca. Holocaustos foram oferecidos, e houve a promessa divina de que nunca mais haveria dilúvio destruidor na terra. Pouco se sabe acerca dos 350 anos que Noé ainda viveu, após o dilúvio.

IV. Noé e o Propósito Redentor

Noé foi um tipo de salvador, tipo do *Salvador* que viria, Jesus Cristo. Noé também representou um novo começo, como aquele que se experimenta no batismo cristão (símbolo da regeneração). O trecho de 1Pedro 3.18—4.6 usa Noé como tipo simbólico, inter-relacionando sua prédica com o ensino sobre a *Descida de Cristo ao Hades* (vide). A mensagem de esperança é que até mesmo aos desobedientes do tempo de Noé foi dada a oportunidade de ouvir o evangelho de Cristo. E, se eles foram assim privilegiados, não se pode duvidar de que a todos os homens será oferecida idêntica oportunidade, sem importar se eles tiveram tal oportunidade ou não na terra. Esse ministério de Cristo no hades foi remidor, conforme aprendemos em 1Pedro 4.6, dando-nos a esperança de uma renovada oportunidade de salvação, depois da morte biológica. Cristo teve uma missão tridimensional: na terra, no hades e nos céus. Somente assim o propósito do amor de Deus pode ter ampla aplicação, cumprindo os seus propósitos. A questão do próprio dilúvio é abordada no artigo em separado, detalhado, *Dilúvio de Noé*. Esse artigo inclui uma discussão sobre a similaridade entre os relatos sumério e babilônico, por um lado, e o relato de Gênesis, por outro lado.

V. Descendentes de Noé

Lemos no livro de Gênesis que Noé teve três filhos: Sem, Cão e Jafé (Gn 5.32; 9.18,19; 10.1). Presume-se que deles descende toda a população atual da terra (Gn 9.19). Daí é que temos a Tabela das Nações, registrada no décimo capítulo de Gênesis. Quanto a uma completa discussão sobre a questão, com as muitas controvérsias que a circundam, ver o artigo *Nações*.

VI. Caráter de Noé

Noé foi um homem justo (Gn 6.9). Era dotado de fé autêntica e dos resultados espirituais de tal fé (Hb 11.7). Ele andava com Deus (Gn 6.9). Ele era pregador da justiça (2Pe 2.5). No entanto, terminado o dilúvio, ao tornar-se cultivador da vinha (Gn 9.20 ss), ele acabou alcoolizado, sem conhecer a força do suco fermentado da uva. Daí desenvolveu-se uma circunstância desagradável, resultante da qual um dos descendentes de Cão foi amaldiçoado, devido à participação dele nesse incidente (Gn 9.20-27). Ver o artigo sobre *Cão*, quanto a detalhes sobre a questão. Temos em Noé a antiga lição do homem bom que escorrega e perde momentaneamente uma merecida boa reputação. A humildade é necessária na vida humana. Nenhum ser humano está isento do pecado e de atos tolos.

■ 5.30,31

וַיְחִי־לֶמֶךְ אַחֲרֵי הוֹלִידוֹ אֶת־נֹחַ חָמֵשׁ וְתִשְׁעִים שָׁנָה וַחֲמֵשׁ מֵאֹת שָׁנָה וַיּוֹלֶד בָּנִים וּבָנוֹת:

וַיְהִי כָּל־יְמֵי־לֶמֶךְ שֶׁבַע וְשִׁבְעִים שָׁנָה וּשְׁבַע מֵאוֹת שָׁנָה וַיָּמֹת: ס

As antigas fórmulas, comuns desde o vs. 5 deste capítulo, reaparecem aqui. No vs. 30, a Septuaginta diz 568, em lugar de 595. Ver o vs. 7 quanto a dificuldades que envolvem os números, nas fontes do Antigo Testamento hebraico. No vs. 31, a Septuaginta diz 753, em lugar de 773. E o Pentateuco Samaritano diz 653.

Por oito vezes, na genealogia anterior, o texto sagrado diz *e morreu*.

> Ai daquele que nunca vê
> As estrelas brilhando através dos ciprestes!
> Que, sem esperança, deposita seu morto,
> Mas não olha para ver o romper do dia
> Do outro lado do triste esquife;
> Que não aprendeu, em horas de fé,
> A verdade que carne e sentidos desconhecem
> Que a vida é sempre o Senhor da Morte
> E o Amor nunca se esquece dos seus!
>
> John Greenleaf Whittier

■ 5.32

וַיְהִי־נֹחַ בֶּן־חֲמֵשׁ מֵאוֹת שָׁנָה וַיּוֹלֶד נֹחַ אֶת־שֵׁם אֶת־חָם וְאֶת־יָפֶת:

Estando com cerca de 500 anos de idade, Noé gerou os três filhos que haveriam de moldar o destino do mundo pós-diluviano, Sem, Cão e Jafé. Sem dúvida, ele tivera muitos filhos e filhas antes da ocasião, mas aqueles três foram escolhidos para uma tarefa especial. O restante da família ou pereceu de morte natural, ou ficou "lá fora", junto com os ímpios, quando chegou o dilúvio. Ver Gênesis 9.24 e 11.10 quanto a indicações sobre a ordem do nascimento desses três filhos. Jafé, ao que parece, era o mais velho, e Cão o mais novo. Sem costumeiramente é mencionado em primeiro lugar, por causa de sua superioridade espiritual. Ver Gênesis 11.26. A linhagem messiânica passa por ele.

Sem. No hebraico, o sentido desse nome é incerto. As sugestões são "nome" e "filho". A forma grega, na Septuaginta, é *Sem*. Esse nome aparece em Gênesis 5.32; 1Crônicas 1.4 e Lucas 3.36.

Sem, um dos três filhos de Noé, é o antepassado dos povos conhecidos como semitas. Em sentido classificatório, daqueles que falam línguas semíticas. Ele e sua esposa estavam entre as oito pessoas que escaparam do dilúvio, na arca (Gn 7.13). Dois anos após terem todos saído da arca, com a idade de 100 anos, ele tornou-se o pai de Arfaxade (Gn 11.10), que faz parte da linhagem ancestral do Messias, Jesus Cristo (Lc 3.36). Outros filhos e filhas nasceram de Sem e sua esposa, durante seus 600 anos de vida.

A "tabela das nações", no capítulo 10 do livro de Gênesis, fornece-nos detalhes adicionais acerca dos descendentes de Sem (vss. 21-31). Elão, Assur, Arfaxade, Lude e Arã são identificados, nas mais antigas geografias, como ancestrais dos povos da Pérsia, da Assíria, da Caldeia, da Lídia e da Síria, respectivamente. Há alguma incerteza quanto ao nome de Lude, porquanto há outro Lude em conexão com o Egito. Porém, esse último povo é reputado camita, e não semita. Os escritores clássicos, bem como alguns eruditos de nossos dias, preferem identificar Arfaxade com uma área dos sopés montanhosos da Armênia, a nordeste da Assíria. O trecho de 1Crônicas 1.17 acrescenta quatro filhos a Sem: Uz, Hul, Géter e Meseque, embora Gênesis 10.23 identifique esses quatro como filhos de Arã, sendo perfeitamente possível que a passagem de 1Crônicas esteja apenas se referindo a eles no sentido geral de serem descendentes de Sem. No desenvolvimento das relações étnicas da família de Sem, devemo-nos lembrar de que nem todos os seus descendentes teriam, forçosamente, de falar línguas ou dialetos semitas. Daí a aparente discrepância entre os informes genealógicos do capítulo 10 do livro de Gênesis e as afinidades históricas entre os povos do Oriente Próximo, que podem ser mais imaginárias do que reais.

Samuel Kramer expôs a teoria, que na realidade não é nova, de que o nome *Sem* deriva-se de *Sumer*, pelo que ele teria sido o antepassado das mais antigas populações do sul da Mesopotâmia; mas essa teoria teve aceitação muito limitada. Historicamente, o primeiro lugar habitado pelos semitas, ou famílias dos cinco filhos de Sem, deve ter sido os sopés montanhosos e os vales da Armênia. Dessa região nuclear, a reconstrução das migrações indica que os seus descendentes moveram-se para fora desse centro, em várias direções, que podem ser mais ou menos identificadas. Os descendentes de Arfaxade devem ter sido os que mais se demoraram na área inicialmente ocupada pelos semitas, antes que seguissem para o sul, ao longo do lado oriental da cadeia montanhosa dos Zagros, de onde, finalmente, partiram para o oeste, para a planície de Sinear (Gn 11.2). Um certo pesquisador moderno, Childe, empregou informes arqueológicos para demonstrar que, muito provavelmente, os semitas tiveram um antigo contato com os egípcios, levando afinidades culturais com os egípcios para a Suméria, para onde foram alguns deles.

Cão. No hebraico, seu nome, *ham*, significa "queimado", "moreno". Era o mais jovem dos três filhos de Noé (Gn 5.32). Já era casado na época do dilúvio. Juntamente com sua esposa, foi salvo da destruição, na arca. Terminado o dilúvio, provocou a ira de seu pai por causa de um ato de indecência, tendo sido castigado por meio de uma predição de longo alcance (Gn 9.21 ss.). Segundo essa profecia, os descendentes de Cão seriam escravos dos descendentes de seus dois irmãos. A Bíblia atribui todos os povos atualmente existentes no mundo a esses três irmãos. Na tabela das nações, em Gênesis 10.6-10, Cão é apresentado como o antepassado dos egípcios e dos povos sob o controle egípcio, no nordeste da África, além de certas porções da Arábia e a terra de Canaã, com exceção de Ninrode. Por causa da conexão entre o nome de Cão e a África, alguns intérpretes têm pensado que o comércio escravagista, que envolveu os africanos já nos tempos modernos, além do fato de que os povos negros têm sido, de modo geral, subservientes a outros povos, resulta da maldição lançada contra Canaã, descendente de Cão. Outros estudiosos não conseguem ver nenhum sentido nisso. Os intérpretes liberais supõem que a tabela das nações, no livro de Gênesis, não passa de uma criação da imaginação piedosa dos homens, sem nenhuma base na antropologia científica.

O adjetivo "camita" é usado pelos estudiosos modernos para referir-se a um grupo de idiomas, entre os quais se destaca o egípcio. Segundo a moderna classificação antropológica, não há nenhuma raça reconhecida como camita. Mas isso é compreensível, porque os antropólogos não partem da Bíblia, e, sim, de certas distinções mais ou menos artificiais, como cor da pele, tipo de cabelo etc. Lembremo-nos de que os três filhos de Noé eram irmãos. E as variações raciais que encontramos atualmente dependem mais de certas características que se vão acentuando, devido à seleção natural e ao isolamento em que os povos viveram durante milênios. Só na nossa época de transportes rápidos e fáceis, quando os povos podem miscigenar-se mais prontamente, esse isolamento está desaparecendo.

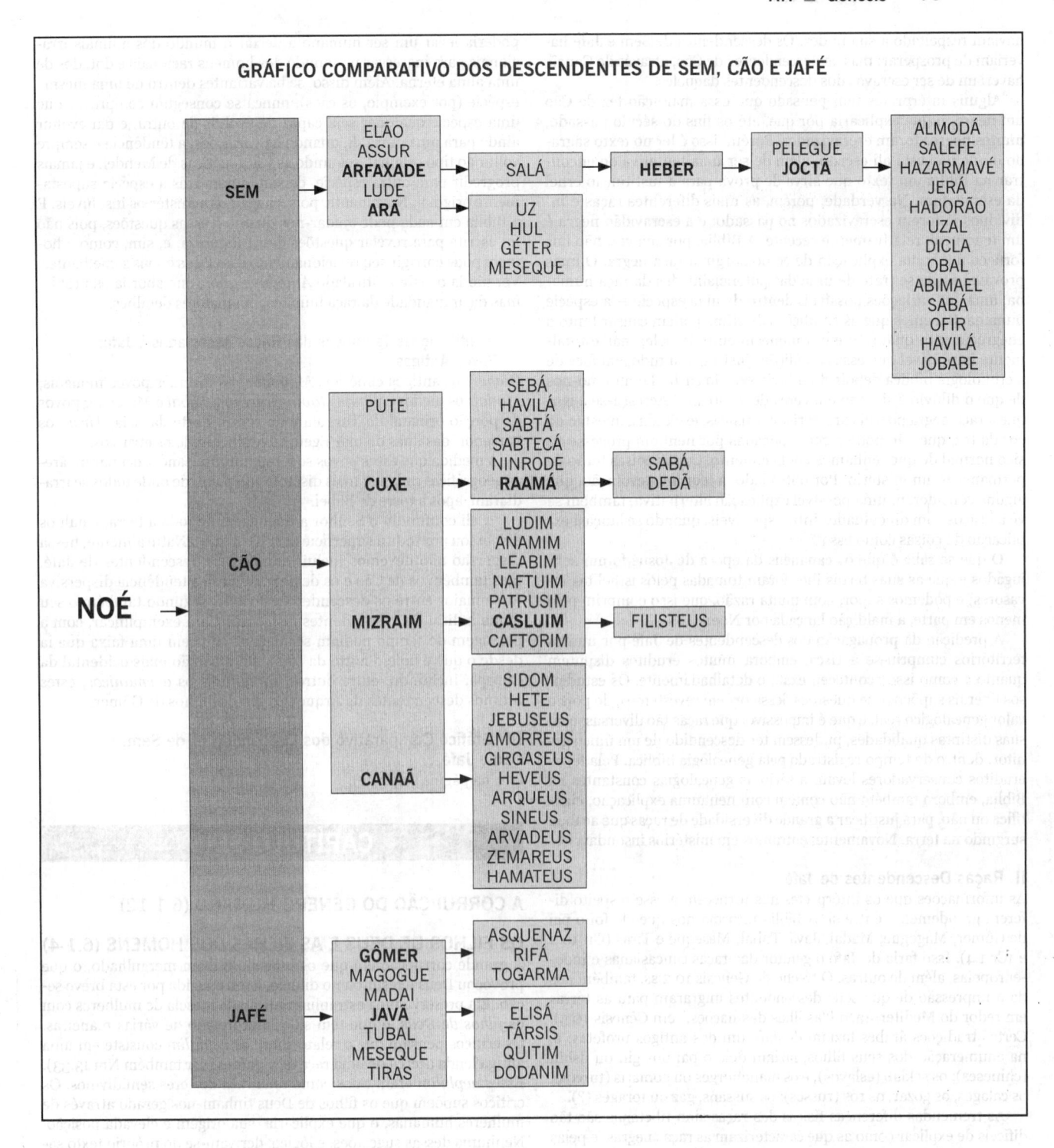

GRÁFICO COMPARATIVO DOS DESCENDENTES DE SEM, CÃO E JAFÉ

NOÉ					
	SEM	ELÃO, ASSUR, **ARFAXADE**, LUDE, **ARÃ**			
		ARFAXADE → SALÁ → **HEBER** → PELEGUE, **JOCTÃ** → ALMODÁ, SALEFE, HAZARMAVÉ, JERÁ, HADORÃO, UZAL, DICLA, OBAL, ABIMAEL, SABÁ, OFIR, HAVILÁ, JOBABE			
		ARÃ → UZ, HUL, GÉTER, MESEQUE			
	CÃO	PUTE			
		CUXE → SEBÁ, HAVILÁ, SABTÁ, SABTECÁ, NINRODE, **RAAMÁ** → SABÁ, DEDÃ			
		MIZRAIM → LUDIM, ANAMIM, LEABIM, NAFTUIM, PATRUSIM, **CASLUIM** → FILISTEUS, CAFTORIM			
		CANAÃ → SIDOM, HETE, JEBUSEUS, AMORREUS, GIRGASEUS, HEVEUS, ARQUEUS, SINEUS, ARVADEUS, ZEMAREUS, HAMATEUS			
	JAFÉ	**GÔMER** → ASQUENAZ, RIFÁ, TOGARMA			
		MAGOGUE, MADAI, **JAVÃ** → ELISÁ, TÁRSIS, QUITIM, DODANIM			
		TUBAL, MESEQUE, TIRAS			

JAFÉ

ESBOÇO

I. Informações Gerais
II. Raças Descendentes de Jafé
III. Gráfico Comparativo dos Descendentes de Sem, Cão e Jafé

I. Informações Gerais

No hebraico, "espalhado", com o sentido "Deus engrandecerá". Era um dos três filhos de Noé. É difícil dizer qual a sua posição entre os outros dois, porquanto ele é mencionado em último lugar em trechos como Gênesis 5.32; 6.10; 7.13; 9.18,23,27; 1Crônicas 1.4. Todavia, seus descendentes aparecem em primeiro lugar em Gênesis 10 e 1Crônicas 1.5-7. Além disso, o trecho de Gênesis 9.22,24 parece afirmar que Cão, pai de Canaã, era o mais jovem dos três. Porém, em Gênesis 10.21, temos uma afirmação que pode ser interpretada como se dissesse que Jafé era o segundo, e não o terceiro dos filhos de Noé.

Importantes incidentes em sua vida incluem estes pontos: ele foi uma das oito pessoas que participaram das experiências salvadoras da arca de Noé, durante o período do dilúvio universal. Ver sobre o *Dilúvio*. Terminado o dilúvio, Noé plantou uma vinha; e, colhendo a uva e tomando o vinho, ficou alcoolizado. Cão, o filho mais jovem de Noé, quebrou uma rígida lei moral da época, que proibia um filho de ver a nudez de seu pai. Em seu estupor de alcoolizado, Noé jazia nu em seu leito, e Cão observou a cena, divertido. Ao que parece, ele contou o acontecido a seus dois irmãos; e eles, horrorizados diante da infração, entraram de costas onde jazia Noé, e cobriram-no com alguma coisa (Gn 9.20-27). Quando Noé despertou e ficou sabendo do ato de Cão, lançou sobre ele uma maldição (que, na verdade, recaiu sobre seu neto, Canaã, filho de Cuxe); mas abençoou Sem e Jafé, que haviam respeitado a sua nudez. Os descendentes de Sem e Jafé haveriam de prosperar; mas os descendentes de Cão, através de Canaã, haveriam de ser escravos dos descendentes daqueles.

Alguns intérpretes têm pensado que essa maldição fez de Cão um negro, o que explicaria por que, até os fins do século passado, muitos negros foram escravizados. Porém, isso é ler no texto sagrado o que não está ali escrito, além de ser uma tentativa de encontrar na Bíblia um texto que sirva de prova para a instituição cruel da escravatura. Na verdade, porém, as mais diferentes raças e indivíduos já foram escravizados no passado; e a escravidão negra é um fenômeno relativamente recente. A Bíblia, por sua vez, não nos fornece nenhuma explicação de como surgiu a raça negra. O mais provável é que se trate de uma das potencialidades da raça humana, uma das variações possíveis dentro de uma espécie – a espécie humana. Sabemos que as condições de clima podem causar tanto o enegrecimento quanto o embranquecimento da pele; mas é totalmente impossível que essas condições justifiquem tudo, em face de a cronologia bíblica depois do dilúvio ser tão curta. Lembremo-nos de que o dilúvio é situado em cerca de 2400 a.C.! Acresça-se a isso que a raça negra possui características físicas, excluída a questão da cor da tez, que não podem ser explicadas por nenhum processo físico normal de que tenhamos conhecimento. Certas coisas terão de permanecer um mistério. Por outro lado, a teoria da evolução, que alguns consideram uma possível explicação alternativa, também se vê a braços com dificuldades intransponíveis, quando se lança à explicação de coisas como essa.

O que se sabe é que os cananeus da época de Josué foram subjugados e que as suas terras lhes foram tomadas pelos israelitas invasores; e podemos supor, com muita razão, que isso cumpriu, pelo menos em parte, a maldição lançada por Noé.

A predição da propagação dos descendentes de Jafé por muitos territórios cumpriu-se à risca, embora muitos eruditos disputem quanto a como isso aconteceu exata e detalhadamente. Os estudiosos liberais supõem que questões dessa ordem revestem-se de pouco valor genealógico real, e que é impossível que raças tão diversas, com suas distintas qualidades, pudessem ter descendido de um único genitor, dentro do tempo registrado pela genealogia bíblica. Pela fé, os eruditos conservadores levam a sério as genealogias constantes na Bíblia, embora também não contem com nenhuma explicação, científica ou não, para justificar a grande diversidade de raças que acabou surgindo na terra. Novamente, entramos em mistérios insondáveis.

II. Raças Descendentes de Jafé

As informações que os intérpretes nos fornecem a esse respeito diferem grandemente entre si. A Bíblia informa-nos que ele foi o pai de Gômer, Magogue, Madai, Javã, Tubal, Meseque e Tiras (Gn 10.2 e 1Cr 1.4). Isso faria de Jafé o genitor das raças caucasianas e indo-europeias, além de outras. O trecho de Gênesis 10.2 ss. também nos dá a impressão de que seus descendentes migraram para as terras em redor do Mediterrâneo ("as ilhas das nações," em Gênesis 10.5). Certas tradições árabes faziam de Jafé um dos antigos profetas; e, na enumeração dos seus filhos, faziam dele o pai dos gin ou dshin (chineses); os seklab (eslavos); e os manchurges ou gomaris (turcos), os calages, os gozar, os rôs (russos); os sussans, gaz ou torages (?).

As tremendas diferenças físicas das raças sino-tibetanas são tão difíceis de explicar como as que caracterizam as raças negras, e pelas mesmas razões. Naturalmente, os cientistas modernos atribuem as diferentes raças humanas a mutações genéticas, e não meramente a influências climáticas, supondo que o ser humano já existia há mais de um milhão de anos, e não a algo parecido com seis mil anos. Alguns desses cientistas pensam que várias raças devem sua existência a diferentes antepassados animais, pelo que nem todos os ramos da humanidade descenderiam de um mesmo e único genitor, Adão. Naturalmente, o ensino bíblico não concorda com isso. Paulo deixou bem claro: "O Deus que fez o mundo e tudo o que nele existe... de um só fez toda a raça humana..." (At 17.24-26).

Para os evolucionistas, as grandes diferenças raciais entre os seres humanos só podem ser explicadas em termos evolutivos. A teoria da evolução das espécies parece oferecer uma explicação lógica, excetuando a questão das origens absolutas; mas sob um exame mais detido, apresenta muitas dificuldades, porquanto nenhum argumento convincente é capaz de transpor um prodigioso salto evolutivo que poderia levar um ser humano a deixar o mundo dos animais irracionais para ingressar no mundo dos homens racionais e dotados de uma alma eterna. Além disso, se há variantes dentro de uma mesma espécie (por exemplo, os cães), nunca se conseguiu comprovar que uma espécie qualquer seja capaz de evoluir de outra, e daí evoluir ainda para uma outra. E, quando há variações, a tendência é sempre voltar ao tipo original, seguindo as leis genéticas de Mendel, e jamais progredir para outra espécie, deixando para trás a espécie supostamente original. Novamente, pois, chegamos a mistérios insolúveis. E a Bíblia em nada pode ajudar-nos quanto a essas questões, pois não foi escrita para revelar questões dessa natureza, e, sim, como o homem pode corrigir seu relacionamento com Deus e seus semelhantes. Ver ainda o artigo intitulado *Antediluvianos*, que aborda os problemas da antiguidade da raça humana, em maiores detalhes.

Identificações Tentativas das Raças Associadas a Jafé: Povos Antigos

Gômer: os antigos cimérios; *Magogue:* os diversos povos mongóis; *Madai:* os medos e persas; *Javã:* os gregos; *Tubal* e *Meseque:* povos da porção oriental da Turquia e do centro norte da Ásia; *Tiras:* os "tirsenoi" das ilhas do mar Egeu, talvez incluindo os etruscos.

À medida que esses povos se foram multiplicando, ocuparam áreas geográficas cada vez mais distantes do ponto de onde todos se irradiaram, após a torre de Babel.

"...ali confundiu o Senhor a linguagem de toda a terra, e dali os dispersou por toda a superfície dela" (Gn 11.9). Naturalmente, nessa dispersão não devemos incluir somente os descendentes de Jafé, mas também os de Cão e os de Sem, embora a tendência dispersiva fosse maior entre os descendentes de Jafé, segundo também o seu nome indica. Os descendentes de Gômer, para exemplificar, com a passagem do tempo podiam ser encontrados em uma faixa que ia desde o que é hoje o norte da Índia até a porção mais ocidental da Europa, incluindo, entre outros, os *celtas* e os *germânicos,* estes últimos descendentes de Arquenaz, um dos filhos de Gômer.

III. Gráfico Comparativo dos Descendentes de Sem, Cão e Jafé.

(ver na página seguinte).

CAPÍTULO SEIS

A CORRUPÇÃO DO GÊNERO HUMANO (6.1-12)

OS FILHOS DE DEUS E AS FILHAS DOS HOMENS (6.1-4)

A grande corrupção em que os homens tinham mergulhado, o que provocou Deus e resultou no dilúvio, é introduzida por esta breve seção. Ela preserva uma estranha tradição da mescla de mulheres com os *filhos de Deus*, o que tem sido interpretado de várias maneiras. Os críticos pensam que o relato sobre os *nephilim* consiste em uma antiga lenda acerca de uma raça de gigantes (ver também Nm 13.33). Esses *nephilim* eram tidos como uma raça de seres semidivinos. Os críticos supõem que os filhos de Deus tinham-nos gerado através de mulheres humanas, o que explicaria sua origem e elevada posição. Nenhuma dessas sugestões, é lógico, derivam-se do próprio texto sagrado, mas fazem parte de tradições que giram em torno desses seres. Ver no *Dicionário* o meu artigo intitulado *Gigantes*, onde essa raça é incluída. Ver especialmente o primeiro ponto daquele artigo. Alguns eruditos têm pensado que eles seriam anjos caídos.

O tema das *origens,* que predomina no livro de Gênesis, trouxe à mente do autor sacro essa questão, visto que tem ligação com os eventos que antecederam ao dilúvio. Outras literaturas antigas falam sobre raças de gigantes, semideuses, misto de seres divinos com mulheres terrenas (ou vice-versa). É difícil dizer, em qualquer sentido absoluto, quais elementos exatos estavam na mente do autor quando ele ventilou essa questão. Meu artigo intitulado *Gigantes*, bem como os comentários sobre o vs. 4, dão uma amostra de outras crenças acerca deles, entre vários povos, bem como uma tentativa de sumariar as muitas interpretações que giram em torno dessa passagem. Ver também Números 13.33; Josué 15.14; Deuteronômio 1.28; 2.10,11,21; 9.2 e Amós 2.9, quanto às muitas menções bíblicas aos gigantes.

"Ninguém pode saber, com certeza, o que esses versículos querem dizer. Eles procedem de algum período de pensamento primitivo, que obscurece a nossa percepção" (Cuthbert A. Simpson, *in loc.*). Os próprios intérpretes conservadores não concordam quanto a vários elementos constantes nesses versículos.

■ 6.1

וַיְהִי כִּי־הֵחֵל הָאָדָם לָרֹב עַל־פְּנֵי הָאֲדָמָה וּבָנוֹת יֻלְּדוּ לָהֶם׃

Como se foram multiplicando os homens. Este primeiro versículo tem dois propósitos. Fala da *imensa multiplicação* dos homens sobre a terra, cuja grande maioria estava corrompida (conforme seremos informados adiante); e também como *parte* dessa multiplicação ocorreu através dos misteriosos "filhos de Deus", que geraram filhos através de mulheres (ver os versículos que se seguem).

Está aqui em foco a *humanidade* em geral, e não apenas a ímpia linhagem de Caim. John Gill observou que essa grande superpopulação era ajudada pela prática generalizada da poligamia (ver, em Gn 4.19, a primeira menção bíblica a essa prática, bem como, no *Dicionário*, o artigo chamado *Poligamia*). Cada patriarca gerou filhos e filhas. Caim edificou uma cidade, o que subentende considerável população, desde antiguidade. Juntamente com o aumento populacional, houve um aumento paralelo da impiedade.

■ 6.2

וַיִּרְאוּ בְנֵי־הָאֱלֹהִים אֶת־בְּנוֹת הָאָדָם כִּי טֹבֹת הֵנָּה וַיִּקְחוּ לָהֶם נָשִׁים מִכֹּל אֲשֶׁר בָּחָרוּ׃

Os filhos de Deus. Há muitas interpretações sobre essa frase, conforme se vê a seguir:
1. A linhagem piedosa de Sete (ver a genealogia em Gn 5.3 ss.).
2. Semideuses ou heróis, como aqueles do folclore grego ou latino.
3. Anjos caídos, mas considerados seres materiais. Talvez nessa ocasião, a teologia dos hebreus ainda não concebesse seres imateriais. Para eles, os anjos eram uma classe diferente e mais alta de seres, mas não imateriais, como se vê na teologia posterior.
4. Anjos bons, mas não seres imateriais.
5. Anjos bons ou maus, mas seres imateriais.
6. Homens incomuns, como uma raça especial de gigantes.
7. Homens proeminentes, como juízes, governantes, sacerdotes etc.
8. Seres estranhos que não podem ser definidos.
9. Os críticos dizem que o relato é mitológico, pelo que não há como dar uma interpretação correta.
10. Homens comuns, mas controlados por forças sinistras, como anjos caídos.

A crença na mescla de deuses, semideuses e figuras angelicais com mulheres humanas fazia parte do folclore de muitos povos antigos. Muitos bons intérpretes insistem sobre a ideia angelical. Outros frisam que os anjos aparecem como seres destituídos de sexo, pelo que não se casam (Mt 22.30). Mas essa informação veio muito depois de ter sido escrita a narrativa à nossa frente. A literatura ugarítica dizia que os monarcas são divinos ou semidivinos, tal como faziam os egípcios, os gregos e os latinos, no período ainda primitivo da história humana.

Os filhos de Yahweh é expressão que, com frequência, aponta para os seres angelicais. Ver Jó 1.6; 2.1; 38.7 e cf. Salmo 29.1 e 89.6. Entretanto, em Isaías 43.6 vemos que essa expressão não se limita na Bíblia a tais seres.

Apesar de não haver como provar o que o autor sacro tinha em mente, opino que estão em foco *anjos*, apesar do fato de que Adam Clarke (*in loc.*) chama essa interpretação de um "sonho". Os trechos de Judas 6 e 2Pedro 2.4 são usados em favor da ideia angelical.

Notemos que o casamento entre os filhos de Deus e as filhas dos homens produziu homens "valentes" (vs. 4), um termo usado para *distinguir* essa prole da prole comum, o que significa que havia algo de *especial* acerca deles. Também é possível que os "valentes, varões de renome", no vs. 4, supostamente indiquem a prole de tais uniões. O texto parece indicar isso, embora a sugestão seja um tanto vaga nesse ponto.

Filhas dos homens. Há duas opiniões a respeito de quem seriam elas:

1. Mulheres em geral, não estabelecendo nenhuma distinção entre a linhagem de Caim (cuja genealogia começa em Gn 4.17) e a linhagem de Sete (genealogia a partir de Gn 5.3).
2. Ou a linhagem de Caim. Nesse caso, o texto nos estaria dizendo que uma maior corrupção caiu sobre a terra quando os filhos de Deus (sem importar quem fossem eles) começaram a casar-se com as mulheres da ímpia linhagem de Caim. Isso foi o rompimento da separação estabelecida por Deus, apressando o julgamento da queda. Houve um "ultrapassar dos limites" impostos por Deus. Os filhos de Deus formavam "um grupo sensual, que buscava fama e fertilidade" (Allen P. Ross, *in loc.*).

Tomaram para si. Era fácil alguém conseguir mulher, pois então a poligamia se tinha generalizado. As mulheres estavam dispostas e os homens estavam ansiosos.

As que, entre todas, mais lhes agradaram. De fato, algumas mulheres são bonitas. Isso assegura a procriação, apesar das grandes complicações que uma família produz.

■ 6.3

וַיֹּאמֶר יְהוָה לֹא־יָדוֹן רוּחִי בָאָדָם לְעֹלָם בְּשַׁגַּם הוּא בָשָׂר וְהָיוּ יָמָיו מֵאָה וְעֶשְׂרִים שָׁנָה׃

Então disse o Senhor. Este versículo, por estar aqui, nos surpreende. Mas o autor sagrado aproximava-se da declaração de que as coisas se tinham tornado tão decadentes que somente o juízo poderia ser agora esperado. Além disso, a descontrolada procriação, referida no segundo versículo, inspirou-o a declarar uma parte de sua tese, nesta altura: a paciência de Deus se estava esgotando, diante da raça humana degradada. E Deus marcou quando seria a prestação de contas: dentro de 120 anos, no futuro.

O meu Espírito. Podemos pensar aqui em duas possibilidades:
1. O Espírito Santo
2. ou *meu espírito,* o ser interior de Deus, de onde emanavam seus pensamentos e emoções, bem como a sua faculdade racional. Não há aqui a ideia de conceber um Deus parte material parte imaterial, como essa expressão, se dita por um ser humano, indicaria.

Naturalmente, essas expressões são antropomórficas. Ver no *Dicionário* o artigo intitulado *Antropomorfismo*.

Não agirá para sempre. Sua luta com os homens, para que estes fizessem o que é direito, continuaria através do ministério de Noé. Mas esse ministério fracassaria, e então cessaria em seus esforços. E sobreviria o juízo divino. Ver no *Dicionário* o artigo *Julgamento de Deus dos Homens Perdidos*. O julgamento não estava distante, mesmo computando o tempo conforme os homens o calculam. Todos os juízos de Deus têm natureza remedial, segundo fica demonstrado no artigo a que me referi. Ver 1Pedro 4.6. Quando a ameaça foi feita, a humanidade já estava madura para o julgamento. A misericórdia de Deus interveio. Ver no *Dicionário* o artigo intitulado *Misericórdia*.

O prazo de 120 anos não nos dá aqui a duração ideal da vida humana, nem a idade de Moisés quando ele escreveu o texto, embora diversos intérpretes tenham sugerido ambas essas ideias.

■ 6.4

הַנְּפִלִים הָיוּ בָאָרֶץ בַּיָּמִים הָהֵם וְגַם אַחֲרֵי־כֵן אֲשֶׁר יָבֹאוּ בְּנֵי הָאֱלֹהִים אֶל־בְּנוֹת הָאָדָם וְיָלְדוּ לָהֶם הֵמָּה הַגִּבֹּרִים אֲשֶׁר מֵעוֹלָם אַנְשֵׁי הַשֵּׁם׃ פ

Havia gigantes na terra. No hebraico, *nephilim,* um dos nomes dados aos gigantes, ou a uma das raças de gigantes. Ver o artigo chamado *Gigantes*, quanto a plenas informações sobre a questão. Alguns eruditos pensam em um raça semidivina que teria perecido por ocasião do dilúvio, na suposição de que eles eram prole dos filhos de Deus (anjos) e de mulheres terrenas. Mas outros eruditos insistem em que eram indivíduos naturais. Ver as notas sobre o vs. 2 quanto às várias interpretações sobre o título *filhos de Deus*. A literatura grega e romana fala sobre *heróis*, muitos dos quais seriam meio divinos e meio humanos, com deuses como pais e deusas como mães. É claro que não devemos pensar aqui em seres imateriais, e, sim, seres inteligentes de grande poder, de alguma ordem física superior. Nesse estágio da teologia dos hebreus, não é provável que os anjos fossem concebidos como seres imateriais, o que justificaria a possibilidade da propagação de filhos por meio de mulheres humanas. Meu artigo sobre os *Gigantes* preenche os hiatos em nosso conhecimento, além de oferecer várias conjecturas sobre esses seres.

Valentes. É provável que devamos entender aqui que os *nephilim* e os *valentes* formavam uma só classe de seres; ou então, o autor sagrado estaria falando sobre duas classes: seres semidivinos (uma raça superior aos seres humanos normais) *e* "valentes" (seres humanos normais). Os estudiosos estão divididos quanto à questão. Esses valentes eram tais devido à sua grande estatura, força, inteligência, domínio, tirania e opressão.

Varões de renome. A reputação deles era imensa, talvez por serem mais violentos que outros, capazes de matar com maior habilidade do que outros. Indivíduos assim geralmente são relembrados e até mesmo venerados na história, por mais que isso seja uma estupidez. Eles praticavam grandes feitos, alguns bons, mas quase todos maldosos. Alguns eruditos, pensando que a esses homens tinham sido dados poderes demoníacos, creem que seu poder, vindo de fora e vindo de dentro, explica sua perversa grandeza. A teologia posterior dos hebreus falava sobre reis dotados de poderes espirituais (pessoais) que agiam por trás deles (Dn 10.13). Dentro das lendas ugaríticas sobre a *Alvorada*, a divindade principal, chamada *El* (que na cultura dos hebreus também era um dos nomes de Deus), teria seduzido duas mulheres. A união do divino e do humano produziu duas deusas, Alvorada e Crepúsculo, mais tarde associadas a Vênus.

Gigantes nos Tempos Primevos. Esses figuram com insistência na literatura de povos antigos. Os titãs moveram guerra contra Saturno, que teria sido gerado por Urano (céu). Eles eram dotados de uma força invencível. Apolodoro (*De Origine Deorum*, 1.1 par 14) dizia que a cidade de Enos era habitada por gigantes de dimensões e força realmente espantosas. Eles teriam sido os inventores das artes e da música, além de serem inacreditavelmente debochados.

O DILÚVIO (6.5—9.19)

Os críticos mencionam um número incrível de fontes e subfontes para esta narrativa. Dou algumas indicações a respeito no meu artigo sobre *Noé* (em Gn 5.29), segundo ponto, *Noé e os Críticos*. Ver também o artigo detalhado chamado *Dilúvio de Noé*, nas notas sobre Gênesis 7.6, mormente sua terceira seção, *A Narrativa Bíblica e o Registro Mesopotâmico*. Ver no *Dicionário* o artigo sobre *Gilgamés, Epopeia de*.

Uma amostra dos comentários dos críticos diz aqui o seguinte: "Esta seção (Gn 6.5—9.19) veio da mão de *Rᵖ*, o qual juntou a recensão de *J* sobre o dilúvio com a fonte *P (S)*, usando esta última, que ele preservou intacta, como base de sua narrativa, e recheando-a, com certas omissões e com alguma deslocação, com o material de *J*. As narrativas extraídas da fonte *Rᵖ* foram sujeitas a alguma leve elaboração, mas as adições, em sua maior parte, revestem-se de pouca importância" (Walter Russell Bowie, *in loc.*). Ver os artigos sobre *Hexateuco* e *J.E.D.P.(S)* no *Dicionário*.

O *Épico de Gilgamés* contém muitos detalhes semelhantes aos do relato do Gênesis, e não os repito aqui porque o artigo sobre o assunto oferece plenas explicações. Lendas sobre um dilúvio universal acham-se em quase todos os lugares do mundo. Os críticos sugerem que os mitos babilônicos alicerçam-se sobre uma poderosa devastação havida no *vale do rio Eufrates*, mas há muitas evidências de um dilúvio quase universal.

■ 6.5

וַיַּרְא יְהוָה כִּי רַבָּה רָעַת הָאָדָם בָּאָרֶץ וְכָל־יֵצֶר
מַחְשְׁבֹת לִבּוֹ רַק רַע כָּל־הַיּוֹם׃

Viu o Senhor. Uma expressão antropomórfica, tal como no vs. 3; ver as notas.

A Maldade Prodigiosa dos Homens. Tudo quanto eles faziam era mau; todos os seus pensamentos eram pecaminosos; tudo quanto planejavam era corrupto. E isso se assemelha ao conteúdo dos jornais que lemos em nossos dias. A rebeldia tornara-se a medida do homem, a qual eles provavelmente confundiam com a *liberdade*. Esse tipo de liberdade na verdade é uma forma de escravidão. Por fim, o homem perdeu o poder de fazer o bem, o qual ele vinha degradando cada vez mais. Cf. Gênesis 8.21; Salmo 14.1-3; Romanos 3.9-11, quanto a afirmações similares que provavelmente refletem o texto atual. Daí a necessidade de juízo, de regeneração. Deus pode realizar melhor certas coisas por meio do julgamento, incluindo levar o homem ao arrependimento, aqui ou noutra oportunidade que lhe seja dada (1Pe 4.6).

Os homens mostravam-se maus, "...da manhã à noite, sem repreenda de consciência ou temor da justiça divina. Dificilmente poderia haver quadro mais impressionante da completa depravação humana; e essa corrupção da *natureza interior* do homem é atribuída ao fato de que ele rompeu com as restrições morais e sociais" (Ellicott, *in loc.*).

"Eles eram *carnais* (vs. 3), inteiramente sensuais, os desejos da mente avassalados e perdidos nos desejos da carne, suas almas incapazes agora de discernir seu elevado destino, sempre pensando somente no que era terreno" (Adam Clarke, *in loc.*). Ver no *Dicionário* o artigo intitulado *Pecado*.

■ 6.6

וַיִּנָּחֶם יְהוָה כִּי־עָשָׂה אֶת־הָאָדָם בָּאָרֶץ וַיִּתְעַצֵּב
אֶל־לִבּוֹ׃

Então se arrependeu o Senhor de ter feito o homem. Mais expressões antropomórficas. Ver o artigo intitulado *Antropomorfismo*. Dá-se-nos a impressão de que Deus não havia previsto os desastres causados pelos seres humanos, e que ele poderia (desde o começo) ter mudado suas ideias sobre a ideia inteira da criação. Ou, então, ele poderia ter criado outro tipo de criatura. O mundo por ele criado não era "o melhor mundo possível", sobre o qual os filósofos falam. Trechos bíblicos como esse são alegorizados para evitar aquilo que é tido como uma teologia crua. Alguns eruditos tentam anular a natureza *objecional* do fraseado do versículo assegurando-nos que *o ato do arrependimento*, neste caso, significa apenas ficar triste, e não que Deus teria mudado a mente. Trechos bíblicos como o de Malaquias 3.6 são dados em prova desse parecer, pois Deus é *imutável*. Todavia, cumpre-nos lembrar que a teologia foi-se desenvolvendo, e que esse item fazia parte do pensamento posterior. A teologia evolui como qualquer outra ciência. Ver no *Dicionário* os artigos *Deus* e *Atributos de Deus*.

"Isso é falar por *antropopatia*, conforme a maneira do homem... entristeceu-se ele em seu coração... pois a frase deve ser entendida como se vira antes" (John Gill, *in loc.*). No *Dicionário* ver o artigo intitulado *Antropopatismo*. Sentimentos e emoções humanos são atribuídos a Deus, mas devemos entender essa linguagem de modo figurado. Como é óbvio, alguns estudiosos interpretam literalmente o trecho, e pensam que Deus realmente tem emoções à semelhança dos homens. Outros trechos bíblicos usam uma terminologia similar. Ver Gênesis 8.21; 11.5,6; Zacarias 1.2; Efésios 4.30; Romanos 1.18; Colossenses 3.6; Hebreus 3.11.

■ 6.7

וַיֹּאמֶר יְהוָה אֶמְחֶה אֶת־הָאָדָם אֲשֶׁר־בָּרָאתִי מֵעַל
פְּנֵי הָאֲדָמָה מֵאָדָם עַד־בְּהֵמָה עַד־רֶמֶשׂ וְעַד־עוֹף
הַשָּׁמָיִם כִּי נִחַמְתִּי כִּי עֲשִׂיתִם׃

Farei desaparecer... o homem e o animal. Superpopulações sempre estiveram sujeitas a grandes destruições de alguma sorte. Estamos atualmente enfrentando uma situação dessas, e no próximo século haverá incontáveis bilhões de pessoas à face da terra. E os artigos de advertência que lemos nos jornais provavelmente são apenas um desperdício de papel. Ademais, grandes avanços na história humana sempre envolvem a destruição (eliminação) do que é antigo, antes que possa brotar o que é novo. A geologia registra muitas imensas catástrofes que têm quase eliminado a vida sobre a terra. O dilúvio de Noé evidentemente foi a última de uma longa série de tais catástrofes. Os egípcios consideravam Heródoto e os gregos meras "crianças", porquanto tinham conhecimento apenas de um grande cataclismo. "Nós temos conhecimento de muitos", asseguraram-lhe eles. E assim continuam os ciclos da vida, e cada grande ciclo sempre termina em destruição generalizada. Isso nos assusta, mas podemos continuar a crer que a alma imortal só sofre esses desastres como uma inconveniência, e não como destrutivos da vida que reside no espírito, e não na matéria. Não obstante, os juízos divinos são uma coisa séria. Todavia, visam a remediar, e não apenas a tomar vingança.

O oleiro está agora prestes a despedaçar a obra de suas mãos, porquanto, a despeito de tudo, o vaso está fatalmente defeituoso. Mas a roda do oleiro pode criar coisas novas. É chegado o tempo da renovação. Ele está prestes a "eliminar" o homem do rol dos seres vivos, embora a alma ainda venha a receber uma oportunidade, quando Cristo desceu ao hades, segundo se vê em 1Pedro 3.18—4.6. Ver na *Enciclopédia de Bíblia, Teologia e Filosofia* o artigo *Descida de Cristo ao Hades*. Levando-se em conta todas as Escrituras, concluímos que Deus fará cair sobre o mundo uma grande devastação. Mas em seguida vemos que seu amor providenciará uma grande restauração. O amor sempre escreve o último capítulo. É significativo que Pedro tenha escolhido os antediluvianos como exatamente aqueles que estavam mais pervertidos e tiveram de sofrer um grande juízo. Por outra parte, *eles* foram usados como representantes de *todos os homens* que carecem do amor de Deus e de sua graça remidora.

O animal. Porventura os animais têm alguma responsabilidade moral? O vs. 11 parece responder com um "sim", visto que "toda carne" havia corrompido o seu caminho. Questões dessa ordem, deixamos por enquanto nas mãos de Deus. Está vindo à luz alguma evidência em prol da moralidade e responsabilidade dos animais, pelo menos no que diz respeito aos grandes primatas.

■ 6.8

וְנֹחַ מָצָא חֵן בְּעֵינֵי יְהוָה׃ פ

Porém Noé achou graça. A linhagem de Caim se havia corrompido desde há muito. Mas a própria linhagem de Sete acabou degradada. Restavam apenas alguns poucos que seriam considerados dignos de escapar do terror. Assim também sucederá nos últimos dias. Encontrará Cristo fé na terra, quando voltar? Será salvo um pequeno remanescente, física e espiritualmente. Haverá outra grande demonstração de misericórdia, como sucedeu terminando o dilúvio, conforme foi comentado no vs. 7? *Naturalmente.* O amor de Deus nunca se torna lerdo. Será grandioso encontrar-se entre o número reduzido dos fiéis do fim. "Ai dos que andam à vontade em Sião" (Am 6.1). Jesus ressaltou como os homens antediluvianos, em seu estupor e abandono aos prazeres, foram totalmente surpreendidos pelo dilúvio (Mt 24.38,39). Ver as notas sobre *Noé* em Gênesis 5.29; e sobre o *Dilúvio*, em Gênesis 7.6. Noé achou graça diante de Deus. Mas afinal a *graça* é o princípio do amor de Deus por todos, pelo que jamais falha. Sem dúvida, os vizinhos de Noé ridicularizaram a ele mesmo e à sua arca. Mas a maioria provavelmente mostrou-se indiferente. *Deus*, entretanto, olhava para ele de modo aprovador. Essa é uma lição que precisamos aprender. Qual é a atitude de Deus para conosco? Essa consideração deveria ter grande peso para nós. O resto nada significa. Noé era um pecador, como todos os demais homens. Mas ele não perdera a sua espiritualidade.

Graça. Temos aqui a primeira menção desse vocábulo na Bíblia. Ver no *Dicionário* o artigo intitulado *Graça*. A graça é o amor divino que age sob a forma de redenção. Nunca é meramente uma palavra. "O propósito de Yahweh não era o extermínio, mas a regeneração; e com Noé haveria de começar uma ordem de coisas melhor e superior" (Ellicott, *in loc.*). E com Cristo (1Pe 3.18—4.6) até mesmo os que fossem julgados receberiam uma missão remidora da parte dele. A graça de Deus amplia-se tanto à terra quanto ao hades. Amplia-se até onde for necessária, ou seja, *por toda parte*. Amplia-se para todos os tempos em que for necessária, ou seja, *o tempo todo*. Ver no *Dicionário* o artigo sobre o *Amor*.

■ 6.9

אֵלֶּה תּוֹלְדֹת נֹחַ נֹחַ אִישׁ צַדִּיק תָּמִים הָיָה בְּדֹרֹתָיו אֶת־הָאֱלֹהִים הִתְהַלֶּךְ־נֹחַ׃

Entre os seus contemporâneos. O autor sacro provê para nós uma espécie de esboço aligeirado do conteúdo de seu livro, com o termo *geração*, verdadeira tradução daquilo que aqui é apenas uma interpretação. Essa palavra assinala o conteúdo principal do livro. Os antigos não esboçavam seus livros nem forneciam índices, sendo essas invenções modernas, mas alguns livros antigos continham modos crus de salientar as seções principais. Ver as notas sobre Gênesis 2.4 quanto a uma lista das *onze gerações* do livro de Gênesis. Temos aqui as *gerações de Noé* (a quarta dessas divisões), ou seja, um relato sobre a sua posteridade, as pessoas que pertenciam à sua família imediata, e aqueles que nasceram de seus três filhos, a fim de repovoar o globo terrestre. A genealogia (gerações) de Adão prossegue até Noé. Mas agora vemos um novo início, tal como Adão representou um início. O mundo antigo começou por Adão; o novo mundo, com Noé. As gerações incluem eventos, como é óbvio, visto que esses eventos são as coisas que acontecem aos homens.

Por que Noé Foi Escolhido para Esse Novo Começo? Porque: 1. Ele era *justo* ou reto. 2. Ele era perfeito (comparativamente falando) entre os seus contemporâneos. 3. Ele andava com Deus, à semelhança de Enoque (ver a nota sobre essa questão, em Gn 5.22). Essa expressão encontra-se somente em Gênesis 5.22,24 e 6.9, aplicada somente a Enoque e a Noé. Noé era a pessoa certa para ser usada em um novo começo. *Cada pessoa*, se for espiritualmente equipada, pode ser a pessoa certa para certos começos e realizações. Mas cada uma dessas pessoas deve ser equipada conforme o foi Noé.

Deus dera inequívocos sinais dos tempos, mas somente Noé teve espiritualidade e discernimento suficiente para poder interpretar esses sinais. Consideremos a degradação que tivera lugar, ao ponto em que, dentre a própria linhagem piedosa de Sete, somente Noé demonstrou ser possuidor de uma decente qualidade espiritual. Lembremo-nos de que Jesus comparou os dias dele com os dias finais, que supomos ser *o nosso próprio tempo*. A terra está pronta para vomitar de novo os ímpios.

■ 6.10

וַיּוֹלֶד נֹחַ שְׁלֹשָׁה בָנִים אֶת־שֵׁם אֶת־חָם וְאֶת־יָפֶת׃

Três filhos: Sem, Cão e Jafé. Já nos encontramos com esses três filhos de Noé, em Gênesis 5.32, onde ofereço *artigos* sobre cada um deles.

■ 6.11

וַתִּשָּׁחֵת הָאָרֶץ לִפְנֵי הָאֱלֹהִים וַתִּמָּלֵא הָאָרֶץ חָמָס׃

A terra estava corrompida... cheia de violência. A extrema degradação da humanidade deixava o autor atônito, pelo que a mencionou de novo. O vs. 12 dá continuação à sua queixa. Ver as notas em Gênesis 6.3,5,6 quanto a descrições completas. A *violência* foi salientada especificamente como um fator especial da corrupção geral. Crimes hediondos estavam sendo cometidos, e a idolatria havia substituído a antiga adoração a Yahweh (Gn 4.26). A justiça havia sido distorcida mediante governos tirânicos; campeava toda forma de imoralidade; os homens não cumpriam a palavra dada; tinham-se habituado a praticar ações injustas; eram arrogantes e hostis; faziam ouvidos surdos aos clamores dos necessitados. Portanto, tornara-se imperioso um novo começo, e não apenas alguma alternativa. O paraíso fora perdido; mas agora o próprio globo terrestre haveria de perder tudo.

■ 6.12

וַיַּרְא אֱלֹהִים אֶת־הָאָרֶץ וְהִנֵּה נִשְׁחָתָה כִּי־הִשְׁחִית כָּל־בָּשָׂר אֶת־דַּרְכּוֹ עַל־הָאָרֶץ׃ ס

Viu Deus. Os termos são antropomórficos. Ver o artigo intitulado *Antropomorfismo*, no *Dicionário*. Algumas vezes as expressões usadas são antropopáticas. Ver também sobre o *Antropopatismo*, no *Dicionário*. Deus aparece aqui como o Juiz da terra. Ele é aquele que impõe juízos e avaliações corretos, e então age em consonância com isso.

Estava corrompida. Ver as notas em Gênesis 6.3,5,6 quanto a descrições completas a esse respeito.

Todo ser vivente havia corrompido o seu caminho. Os animais têm alguma responsabilidade moral? O autor parece estar dizendo que até os animais podem corromper o seu caminho assim. As pessoas costumavam rir-se diante de noções assim; mas estudos recentes com os primatas têm mostrado que eles são bem mais inteligentes do que pensávamos. Eles podem *falar* mediante o teclado de um computador; e têm um certo senso de gramática e de sintaxe. E têm seus dias de *mau humor*, conforme sucede entre os homens. Os primatas *planejam* ataques de matanças, a fim de arrebatar fêmeas, tal como as primitivas tribos selvagens fazem até hoje, ou conforme certos homens civilizados fazem, embora não ajam como hordas. A ideia de que os animais só matam para comer é um mito, conforme tem sido demonstrado. Animais inferiores aos primatas têm sido vistos a matar por mero prazer. Há uma certa evidência em prol da existência da *alma* nos animais; e, se isso é verdade, então o reino animal é bem maior do que o homem supõe. Os próprios insetos dão mostras de serem *seres que raciocinam*. Na *Enciclopédia de Bíblia, Teologia e Filosofia*, há um detalhado artigo intitulado *Alma dos Animais*. Ver também, naquela mesma obra, o artigo *Animais, Direitos dos, e Moralidade*. As palavras *todo ser vivente* são interpretadas por alguns como se aludissem exclusivamente aos seres humanos, mas isso parece estreito demais para satisfazer a *acusação universal* inerente ao texto. Os homens estavam agindo como se fossem feras; e as feras estavam agindo como homens corruptos. As palavras *toda carne*, que figuram nos vs. 13, 17 e 19, incluem os animais, e acredito que isso também envolva o vs. 12.

A PENA DO DILÚVIO (6.13—8.22)

■ 6.13

וַיֹּאמֶר אֱלֹהִים לְנֹחַ קֵץ כָּל־בָּשָׂר בָּא לְפָנַי כִּי־מָלְאָה הָאָרֶץ חָמָס מִפְּנֵיהֶם וְהִנְנִי מַשְׁחִיתָם אֶת־הָאָרֶץ:

Este versículo reitera os elementos que já pudemos comentar em outros versículos. Aquilo que *Deus vira* e que tinha *avaliado*, agora ele *comunicava* a Noé; e o que ele comunicou foi a *inspiração* para construir a arca.

Resolvi dar cabo. John Dewey sugere um interessante e útil conceito. Todos os fins são *instrumentais*. Ou seja, também servem de meio para novos começos. Não há que duvidar de que isso sucedeu no caso do dilúvio. A destruição imposta por Deus devia-se à violência na terra (elementos repetidos, já referidos nos vss. 7 e 11), mas esse juízo daria início a um *novo começo*. Deus encontrara seu homem escolhido para esse novo começo, o reto Noé, que andava com ele em comunhão contínua. "A dramática simplicidade da antiga narrativa apresenta a verdade em termos concretos, como se Deus estivesse face a face com Noé, falando somente com ele. Na verdade, através dos inequívocos sinais dos tempos, Deus também estava falando para *todos*, mas *Noé* foi o único capaz de ouvir, porquanto era homem justo e andava com Deus" (Cuthbert A. Simpson, *in loc.*).

A FEITURA DA ARCA (6.14-22)

O mal é inerente ao homem. "Quando os ímpios amaldiçoam Satanás, amaldiçoam a sua própria alma" (Ben Siraque). Sem dúvida há uma aliança entre os ímpios e Satanás. A corrupção inerente produzira horrendos resultados à face da terra. Agora tinha início um período final de graça divina. Noé construiria a sua arca. Os homens ficariam olhando. Haveriam eles de rir-se? Perguntariam "por qual razão" aquele barco estava sendo construído em um lugar *seco*? Alguma pessoa, além dos familiares de Noé, haveria de crer em sua história: aproxima-se um gigantesco dilúvio? Todas as respostas nos deixam abismados. No entanto, no dizer de Isaías, "tu, Senhor, conservarás em perfeita paz aquele cujo propósito é firme; porque ele confia em ti" (26.3). Noé haveria de construir com confiança e paciência. Ele tinha fé e ele dispunha de tempo. Também tinha um alvo a ser alcançado. Fora dado tempo suficiente para completar o seu projeto. Ele teria saúde, forças físicas e um propósito espiritual. Estava fadado ao sucesso.

Tipos. A teologia cristã faz da **arca** um tipo de Cristo. E, para os crentes dispensacionalistas, *também* indica o meio de escape dos crentes da presença da Grande Tribulação, prometida para os últimos dias. A arca também pode tipificar a *Igreja*. E o trecho de 1Pedro 3.21 a faz tipificar o *batismo* em Cristo (1Co 12.13).

O *dilúvio* é tipo de qualquer juízo divino, mas especialmente da Grande Tribulação.

Enoque, para os dispensacionalistas, é um tipo da Igreja, a qual será arrebatada antes do dilúvio da Grande Tribulação, o que significa que sua presença física da terra terá sido retirada.

Noé é um tipo daqueles que atravessarão a Grande Tribulação, mas serão protegidos. Ou, então, na opinião de alguns, um tipo da Igreja que escapará aos efeitos do período atribulado, sem importar se deixados na terra ou tirados da terra naquele período. Ou, então, *Noé* representa o povo de *Israel*, que atravessará a Grande Tribulação, mas será preservado durante esse período. Meus vários artigos sobre essas personagens e coisas desenvolvem o tema dos tipos.

Examinem-se os seguintes artigos: *Dilúvio* (em Gn 7.6); *Enoque* (em Gn 5.18); *Noé* (em Gn 5.29); *Arca de Noé* (no fim das notas sobre este versículo). Na *Enciclopédia de Bíblia, Teologia e Filosofia* ver o verbete *Tribulação, a Grande*. E no *Dicionário* da presente obra ver *Dispensação (Dispensacionalismo)*.

■ 6.14

עֲשֵׂה לְךָ תֵּבַת עֲצֵי־גֹפֶר קִנִּים תַּעֲשֶׂה אֶת־הַתֵּבָה וְכָפַרְתָּ אֹתָהּ מִבַּיִת וּמִחוּץ בַּכֹּפֶר:

Uma arca. Ver o artigo a respeito, no fim do comentário sobre este versículo.

De tábuas de cipreste. Os autores judeus são quase unânimes na afirmação de que essa madeira é o nosso bem conhecido *cedro*. Mas alguns pensam no pinheiro, no abeto, no plátano indiano, no cipreste (no hebraico, o *som* dessa palavra se assemelha ao termo cipreste). Nossa versão portuguesa preserva essa interpretação, que parece ser mera transliteração. É possível que o vocábulo hebraico correspondente, *gopher*, indicasse o local onde havia árvores utilizadas na construção da arca. Não há como resolver o problema de identificação desse tipo de madeira.

Onde a arca teria sido construída também tem chamado a atenção dos intérpretes. Novamente, porém, as conjecturas mostram-se inúteis.

Betume. Devemos pensar aqui em algum tipo de betume, ou argila ou limo. No árabe, *kaphura*, que se parece com a palavra hebraica aqui empregada, é uma espécie de betume. Mas também poderíamos pensar na resina de certas árvores, como o pinheiro.

A Arca de Noé. No hebraico temos as palavras *tebbah* e *aron*. A primeira designa a embarcação construída por Noé; e a segunda, a arca da aliança. Talvez a palavra original seja o termo egípcio *db't*, que significa caixa (ver Gn 6-9). No livro de Gênesis, *tebbah* designa a embarcação que Noé construiu por mandato divino, a fim de que ele e sua família fossem salvos do dilúvio. Tinha 137 m de comprimento, 23 m de largura e 14 m de altura. Foi construída com madeira de cipreste, embora alguns estudiosos pensem no pinho ou no cedro. Havia três andares e estava dividida em compartimentos. Possuía um respiradouro e uma porta em um dos lados. Foi construída estanque, interna e externamente, com o uso de piche (Gn 6.14; 8.16). O trecho de Gênesis 6.14 tem sido interpretado como se as tábuas fossem mantidas no lugar por meio de ripas (se alguém ler *qanim* em lugar de *qinnim* — ninhos). Se assim sucedeu, então o conjunto inteiro recebeu uma cobertura de betume. No tocante aos *três andares*, alguns têm entendido que isso se refere a três camadas de tábuas, cruzando-se, formando os lados da embarcação. O respiradouro aparentemente foi feito no teto, para deixar entrar luz e ar. Aparentemente, a arca foi feita apenas para flutuar, sem nenhum meio de propulsão ou controle. Noé recebeu instruções 120 anos antes do tempo do dilúvio (Gn 6.13,14; 2Pe 2.5). É possível que o dilúvio tenha sido a última ocasião em que a posição dos polos se alterou, com o consequente desastre ecológico, devido às mudanças de posição na crosta terrestre. Quanto a detalhes sobre essa ideia e outras informações gerais, ver o artigo sobre o *Dilúvio*.

Simbolismo da Arca de Noé. Ela simboliza a segurança ante a destruição, ou a salvação em vista ao julgamento, provisões da misericórdia e da graça de Deus. Assim Jesus empregou a narrativa sobre a arca, em Mateus 24.38,39 e Lucas 17.27. O trecho de Hebreus 11.7 usa a arca como símbolo e exemplo de fé. A passagem de 2Pedro 2.5 usa o símbolo da mesma maneira que Jesus. Portanto, a arca é símbolo ou tipo de Cristo, o Salvador.

Sua Carga. Noé e sua família, oito pessoas ao todo (Gn 7.7; 2Pe 2.5), e uma parte de animais imundos, além de sete pares de animais limpos, sete pares de aves e alguns pares de répteis. Alguns têm indagado, com certa razão, se uma embarcação de dimensões bastante modestas poderia conter representantes de todas as espécies de animais da terra. Dizer tal coisa é um manifesto absurdo, pelo que devemos supor que os animais mencionados eram os animais nativos da área onde Noé vivia. As pessoas que têm procurado demonstrar que a arca de Noé poderia conter todos os animais da terra, cada espécie representada aos pares, não têm noção do fantástico número de espécies de animais que existem. Um zoólogo coraria de vergonha se tivesse de declarar que uma embarcação das dimensões da arca poderia conter todas as espécies de animais. Mas as pessoas que ignoram o fato não coram de vergonha.

Há evidências significativas que indicam que o dilúvio foi parcial, apesar de vasto. A China, por exemplo, permaneceu seca, o que explicaria o imenso número de chineses e outros povos amarelos, hoje em dia. Quando ocorrem os grandes cataclismos, eles rearranjam a posição dos continentes. Vastas áreas, antes ocupadas pelos homens, tornam-se fundo de oceanos, e oceanos tornam-se regiões habitadas. Portanto, esses desastres, embora de proporções gigantescas, nunca são absolutos. Fenômenos dessa natureza são mais amplamente comentados no artigo sobre *Dilúvio*. A arca trazia uma carga simbólica, mostrando o interesse de Deus por *toda* espécie de vida. Ele desejava a preservação e a propagação de todas essas formas de vida, e não apenas da vida humana. Isso fala sobre o amor de Deus como absolutamente universal. Se Deus queria salvar meros ursos e porcos, certamente devia estar interessado em cada ser humano, sem exceção. Isso é o que afirmam os textos de 1João 2.2; João 3.16 e 1Timóteo 2.4. Alguns pontos de vista teológicos, entretanto, têm preferido limitar o ilimitado, rebaixar aquilo que é moral e espiritualmente elevado, estabelecendo fronteiras naquilo que não pode ser medido. Uma desgraça! Notemos que o relato sobre a descida de Cristo ao hades, a fim de anunciar a sua mensagem aos espíritos dos mortos (1Pe 3.18—4.6), é dado em conexão com a narrativa do dilúvio. Isso serve para ilustrar ainda mais a qualidade da misericórdia e do amor divino, aumentando nossa compreensão sobre as dimensões do evangelho. Ver o artigo sobre a *Descida de Cristo ao Hades*.

6.15

וְזֶ֕ה אֲשֶׁ֥ר תַּֽעֲשֶׂ֖ה אֹתָ֑הּ שְׁלֹ֧שׁ מֵא֣וֹת אַמָּ֗ה אֹ֚רֶךְ הַתֵּבָ֔ה חֲמִשִּׁ֤ים אַמָּה֙ רָחְבָּ֔הּ וּשְׁלֹשִׁ֥ים אַמָּ֖ה קֽוֹמָתָֽהּ׃

Motivos do Dilúvio

1. *O Motivo Geológico*. Convulsões periódicas sacodem o globo terrestre, e coisa alguma pode ser feita para impedi-las. Tem havido muitos cataclismos gigantescos, alguns dos quais têm envolvido até a mudança dos polos e o deslizamento da crosta terrestre. Esses cataclismos produzem terremotos e dilúvios.
2. *O Motivo Divino*. A vontade de Deus controla essas coisas, por razões que desconhecemos. Mas há razões conhecidas, como a vontade de Deus acerca do homem e da criação física.
3. *O Motivo Humano*. Os homens tinham ficado tão corrompidos que o juízo se tornara inevitável.
4. O dilúvio seria um *remédio* eficaz para corrigir os males do mundo, e não somente para impor vingança.
5. *Um novo começo* haveria agora de ocorrer, ao passo que uma fase antiga e desgastada chegaria ao fim.
6. Uma espécie de *nova criação* viria tomar o lugar da antiga.
7. Antes Deus havia plantado um jardim; mas agora ele *desenvolveria* toda uma nova raça humana no mundo.
8. Ficaria demonstrado que Deus é o *juiz* de toda a terra, e também que a humanidade é responsável por seus atos, diante de Deus.
9. A misericórdia divina é outorgada aos obedientes.

Notemos que a *linhagem messiânica* continuaria, através de Noé, a despeito de toda a destruição.

Deste modo a farás. Um *côvado* tem cerca de 44,5 cm, pelo que as dimensões da arca eram de 137 m x 23 m x 14 m. O seu propósito não era velejar os mares da melhor maneira possível, e, sim, sobreviver, manter em segurança os seus ocupantes, posto que por breve período de tempo.

> Veleja ainda, ó Navio do Estado!
> ...
> A humanidade, com todos os seus temores,
> Com todas as esperanças para anos futuros,
> Aguarda, fôlego suspenso, por tua sorte!
>   Longfellow, citado por Franklin D. Roosevelt, presidente dos EUA, quando ainda era incerto o resultado da Segunda Guerra Mundial.

"A arca seria para salvação não de uma família, raça ou nação, não somente para os descendentes de Noé, mas — como na parábola do bom samaritano, contada por Jesus — também para o próximo que estiver em qualquer necessidade" (Cuthbert A. Simpson, *in loc.*). Essa é a intenção de Deus, e assim fará ser a misericórdia de Deus, afinal.

O *côvado* era do comprimento do braço, desde o cotovelo até a ponta do dedo médio. Portanto, não era uma medida exata. Vários povos antigos usavam partes do corpo como padrão de medida. Esse sistema foi incorporado pelo sistema inglês, passando daí para o sistema norte-americano, onde se fala em pés, polegadas, jarda (um passo), palmo etc.

Modernamente têm sido construídas embarcações de dimensões maiores que as da arca. Mas para a época, era um vaso gigantesco. Tem-se calculado que ela deslocava cerca de 43 mil toneladas.

6.16

צֹ֣הַר ׀ תַּֽעֲשֶׂ֣ה לַתֵּבָ֗ה וְאֶל־אַמָּה֙ תְּכַלֶּ֣נָּה מִלְמַ֔עְלָה וּפֶ֥תַח הַתֵּבָ֖ה בְּצִדָּ֣הּ תָּשִׂ֑ים תַּחְתִּיִּ֛ם שְׁנִיִּ֥ם וּשְׁלִשִׁ֖ים תַּֽעֲשֶֽׂהָ׃

Vários aspectos da arca foram especificados:

Uma abertura. Para efeito de ventilação e iluminação. Essa palavra também é usada em Gênesis 8.6, que nossa versão portuguesa traduz por *janela*, embora também possa significar "luz" ou "brilho". Talvez fosse um tipo de abertura que acompanhava todo o perímetro da arca, com um côvado de altura. Isso daria à arca uma ventilação e iluminação gerais. As palavras *de um côvado de alto* têm deixado perplexos os intérpretes, e muitas conjecturas circundam essa frase, mas sem certeza de nada. Algumas interpretações são fantásticas. Mas devemos pensar em algum tipo de iluminação, natural ou sobrenatural, que havia em algum ponto estratégico da arca, que a iluminava perpetuamente. Alguns até pensam que Noé, a exemplo de modernos técnicos em iluminação, teria acendido lamparinas de azeite! Mas todas essas interpretações parecem ruir por terra quando lemos que Noé "abriu a janela" (Gn 8.6). Sentidos metafóricos e espirituais têm sido vinculados a essa fonte de *iluminação*. Assim sendo, a luz celestial continuava brilhando, em meio à terrível noite na terra. Cristo é a luz, segundo o Novo Testamento (Jo 1.4 e 8.12).

Porta. Só é mencionada uma porta; e devemos pensar em uma porta comum. Não são dadas as dimensões da porta, mas teria de ser bem grande, se os animais mais corpulentos tivessem de entrar por ali. A lição espiritual da porta é o *acesso* à provisão de Deus, que aponta para a segurança ou para a sua *salvação*. No Novo Testamento, Cristo é a *porta* (Jo 10.1,2,7, *et al.*).

Pavimentos... um embaixo, um segundo e um terceiro. Isso para abrigar as muitas espécies de animais em compartimentos. A lição divina aqui é que a provisão de Deus é adequada para todos os seus propósitos, provendo misericórdia e espaço para todos.

Dentro do mito babilônico, a arca era cúbica, e com cinco vezes mais capacidade que a arca de Noé.

6.17

וַֽאֲנִ֗י הִנְנִי֩ מֵבִ֨יא אֶת־הַמַּבּ֥וּל מַ֨יִם֙ עַל־הָאָ֔רֶץ לְשַׁחֵ֣ת כָּל־בָּשָׂ֗ר אֲשֶׁר־בּוֹ֙ ר֣וּחַ חַיִּ֔ים מִתַּ֖חַת הַשָּׁמָ֑יִם כֹּ֥ל אֲשֶׁר־בָּאָ֖רֶץ יִגְוָֽע׃

Águas em dilúvio... tudo... perecerá. Agora Deus anunciava a Noé o que ele havia planejado fazer. Todos os elementos deste versículo já haviam sido mencionados antes, exceto que agora Deus comunicava a Noé o seu terrível desígnio.

Dilúvio. Ver as notas em Gênesis 7.6 sobre o *Dilúvio*. A geologia tem mostrado que tem havido *muitos* dilúvios imensos durante a história da terra. Heródoto ouviu dos egípcios que os gregos eram crianças, pois conheciam somente um dilúvio. Mas os egípcios sabiam de *muitos* deles. Se dilúvios localizados poderiam estar em pauta, tem havido dilúvios quase universais, com a mudança dos polos magnéticos da terra, que a têm afligido periodicamente, ao longo de sua história.

O Intuito de Destruir. Este versículo é, virtualmente, uma duplicação do versículo 7. Ver as notas ali.

A *Epopeia de Gilgamés* (ver no *Dicionário*) apresenta a versão babilônica do dilúvio. Muitos elementos aparecem ali similares ao que lemos no livro de Gênesis.

Sobre a terra. O globo terrestre inteiro, de acordo com alguns intérpretes. Mas a *terra que Noé conhecia*, de acordo com outros intérpretes. Meu artigo sobre o *Dilúvio* aborda essa controvérsia, além de outras.

6.18

וַהֲקִמֹתִי אֶת־בְּרִיתִי אִתָּךְ וּבָאתָ אֶל־הַתֵּבָה אַתָּה
וּבָנֶיךָ וְאִשְׁתְּךָ וּנְשֵׁי־בָנֶיךָ אִתָּךְ׃

A minha aliança. Achamos aqui o *Pacto Noaico*. Nesse pacto podem ser vistos os seguintes elementos:

1. Elementos do Pacto Adâmico foram confirmados (8.21)
2. Uma nova ordem na natureza foi estabelecida (9.1-6)
3. O governo humano foi estabelecido (9.1-6)
4. Não mais haveria um juízo divino por meio de um dilúvio universal (8.21 e 9.11)
5. Uma raça inferior e servil haveria de descender de Cão (9.24,25)
6. Sem teria um relacionamento especial com Yahweh. O Messias procederia da linhagem de Sem (9.26,27)
7. De Jafé descenderiam povos mais habilidosos nos campos do governo, da ciência e das artes (9.26,27)
8. A providência divina, sobre toda vida, com vistas à sua preservação, estava garantida (9.10,11). Deus nunca deixaria de ser benévolo. Ver no *Dicionário* o artigo intitulado *Pactos*.

A Arca Acolheria Noé e Seus Familiares. A predição divina, dessa forma, garantiu o cumprimento do pacto noaico. Este versículo não rejeita, de modo absoluto, quem quer que queira valer-se da arca da segurança, embora subentenda que muitos não quererão vir. A expectativa divina não era grande. A fim de compensar pela perda dos dias de Noé, Cristo foi enviado ao próprio hades a fim de buscar as almas perdidas, segundo afirma o trecho de 1Pedro 3.18—4.6. Ver na *Enciclopédia de Bíblia, Teologia e Filosofia* o artigo detalhado intitulado *Descida de Cristo ao Hades*. Esse fato exibe a natureza magnificente do amor de Deus, que até no hades buscou aquelas almas depravadas. É lamentável que uma parte da cristandade moderna (católicos-romanos e evangélicos) tenha perdido de vista esse aspecto da missão salvadora de Cristo. Mas um aspecto comum da teologia da comunidade anglicana e da Igreja Ortodoxa Oriental é a missão misericordiosa e salvadora de Cristo no hades.

O trecho de 1Pedro 3.20 diz que somente oito pessoas entraram na arca. Devemos supor que os três filhos de Noé, na ocasião, ainda não tinham gerado filhos.

"Por quase todo o Antigo Testamento vê-se a tendência de pensar que apenas um grupo particular pôde reivindicar algum favor especial da parte de Deus... Mas esse particularismo desaparece diante da ilimitada piedade revelada na pessoa de Cristo" (Cuthbert A. Simpson, *in loc.*).

> Quando este mundo passageiro desaparecer;
> Quando houver descido além, o sol brilhante;
> Quando estivermos com Cristo, na glória,
> Contemplando a história terminada da vida,
> Então, Senhor, é que conhecerei bem,
> Mas só então, o quanto eu te devo.
>
> M'Cheyne

6.19,20

וּמִכָּל־הָחַי מִכָּל־בָּשָׂר שְׁנַיִם מִכֹּל תָּבִיא אֶל־הַתֵּבָה
לְהַחֲיֹת אִתָּךְ זָכָר וּנְקֵבָה יִהְיוּ׃

מֵהָעוֹף לְמִינֵהוּ וּמִן־הַבְּהֵמָה לְמִינָהּ מִכֹּל רֶמֶשׂ
הָאֲדָמָה לְמִינֵהוּ שְׁנַיִם מִכֹּל יָבֹאוּ אֵלֶיךָ לְהַחֲיוֹת׃

Estes versículos nos dão um esboço simplista dos tipos de animais que Noé deveria recolher na arca. A distinção, tão importante posteriormente, entre animais limpos e imundos, é aqui observada pela primeira vez na Bíblia. Os críticos pensam que essa distinção revela uma data posterior, que reflete o sistema sacrificial que passou a vigorar nos tempos mosaicos. Ver no *Dicionário* o artigo intitulado *Limpo e Imundo*. Nestes versículos, *dois* animais de cada classe são ordenados. Em Gênesis 7.2, esse número é alterado para *sete* pares de cada animal, presumivelmente a fim de provisão para sacrifícios futuros, sem destruir as espécies envolvidas. Alguns estudiosos têm entendido isso como sete pares; mas outros como "setes", ou seja, três pares e um macho extra, para ser sacrificado. Alguns críticos veem no relato diferentes fontes informativas, uma que falava em *dois* pares, e outra que falava em *sete* pares, alegadamente, as fontes *S* e *J*. Ver sobre a teoria das fontes *J.E.D.P.(S.)*, acerca do Pentateuco. Outras diferenças sugerem a existência de duas fontes informativas. Ver o artigo sobre *Noé*, em seu segundo ponto, quanto a um sumário.

O imenso número de animais existente no mundo tem levado alguns intérpretes a sugerir estes pontos: 1. a natureza mítica da narrativa; 2. os animais eram somente da área onde Noé vivia; ou 3. houve necessidade de alguma intervenção divina para ajudar Noé a cumprir a ordem do Senhor. Seja como for, o autor sagrado não poderia ter antecipado o colossal número de espécies vivas. O número de espécies de vermes e insetos chega a cerca de quinhentos mil. Há cerca de três mil espécies de aranhas; três mil espécies de rãs; sete mil espécies de répteis; dez mil espécies de pássaros; cinco mil espécies de mamíferos. Como é claro, somente um pequeno número (comparativamente falando) desses animais reside na Mesopotâmia.

A pergunta seguinte indaga como uma embarcação das dimensões da arca, ou qualquer outra embarcação imaginável, poderia ter contido tantas espécies de seres vivos. Com base nisso, muitos intérpretes, alguns deles até conservadores, sugerem que o dilúvio foi parcial, e não universal. Ver a quarta seção do artigo sobre o *Dilúvio*, acerca de uma discussão pró e contra no tocante ao fato de o dilúvio ter sido universal ou não. Ver Levítico 11.2-23 quanto à distinção bíblica entre animais limpos e imundos.

O Targum de Jonathan antecipou o problema do recolhimento desses animais na arca, dizendo que Deus deu a Noé anjos para que o ajudassem na tarefa. E outros antigos escritores dizem a mesma coisa. Os intérpretes judeus até tentavam calcular quantos compartimentos poderiam ter sido feitos, e supunham que o número por eles calculado seria suficiente. Mas tais cálculos eram um desperdício de tempo.

Imaginemos o trabalho envolvido em lançar nas águas as fezes dos animais! Imaginemos a poluição dentro da arca! Imaginemos o trabalho de limpeza que isso dava! Imaginemos a quantidade de alimentos que seria necessário ter-se estocado para alimentar tantos animais por um espaço de mais de um ano (cf. Gn 7.6 com Gn 8.13,14).

6.21

וְאַתָּה קַח־לְךָ מִכָּל־מַאֲכָל אֲשֶׁר יֵאָכֵל וְאָסַפְתָּ אֵלֶיךָ
וְהָיָה לְךָ וְלָהֶם לְאָכְלָה׃

Alimento. Cerca de 60 ou 70 mil espécies, ou seja, 140 mil grandes animais teriam de ser alimentados por mais de um ano. Ver as notas sobre os vss. 19,20 quanto aos imensos problemas criados pelo grande número de animais a serem transportados. Pensemos no trabalho que seria recolher e estocar todo esse alimento. Uma vez mais, vários intérpretes invocam aqui a ajuda dos anjos (ou de muitos seres humanos), na concretização dessa tarefa. Scofield diz aqui: "Os navios modernos transportam centenas de animais vivos, com seu alimento, além de vintenas de seres humanos", uma declaração que nem ao menos começa a descrever os problemas de logística sugeridos por este texto. Pensemos no imenso trabalho de juntar os *tipos* específicos de alimentos, apropriados para cada espécie animal. Bastaria isso para que a tarefa assumisse proporções estonteantes.

6.22

וַיַּעַשׂ נֹחַ כְּכֹל אֲשֶׁר צִוָּה אֹתוֹ אֱלֹהִים כֵּן עָשָׂה׃ ס

Noé Cumpriu, Perfeitamente, a Vontade de Deus. Este versículo fornece-nos a grande lição moral e espiritual do relato. Noé, um homem que já andava com Deus, recebeu uma tarefa sobre-humana para realizar; e, com a ajuda divina contínua, foi capaz de fazer tudo quanto lhe fora ordenado. A maior parte de nós consiste em pessoas divididas. Andamos um tanto com Deus e realizamos nossas tarefas com algum grau de entusiasmo, e com algum grau de sucesso. Mas poucas pessoas buscam a *excelência*. Noé foi um obreiro *por excelência*. Notemos, por igual modo, que ele realizou *cada tarefa* do grandioso projeto com zelo e com inteira perfeição. Foi uma tarefa com muitas facetas; mas isso não o fez parar. Enquanto preparava a arca e juntava prodigiosa quantidade de provisões para um grande número de animais, ele também foi um pregoeiro da justiça, e isso pelo espaço de 120 anos (2Pe 2.5). Mas em certo sentido, embora não por culpa sua, sua tarefa de pregoeiro falhou. Ele não foi capaz de convencer aquela geração pecaminosa a arrepender-se. A missão de Cristo no hades, mediante a qual ele pregou *àquela mesma gente*, compensou por aquela falha. Algumas vezes nos levamos por demais a sério, pensando que a vontade e o propósito divinos só poderão ter cumprimento se *nós* os cumprirmos com êxito. Mas o Cristo divino está sempre pronto a compensar por nossas falhas, mediante os seus *próprios esforços*. Nós *trabalhamos* para ele, mas não podemos tomar o lugar dele. Ele continuará sendo o maior obreiro e pregador. Ele não fica inativo, somente porque dispõe de ajudantes. Sua missão salvadora é efetuada em três áreas: a terra, o hades e os céus. Sua missão é tridimensional. Não fora isso, e a missão remidora teria terminado onde Noé a deixou. Deus tem ideias mais amplas do que essa. O artigo apresentado na *Enciclopédia de Bíblia, Teologia e Filosofia*, sobre o tema da *Missão Universal do Logos*, expõe detalhes sobre as ideias aqui sugeridas.

CAPÍTULO SETE

COMEÇA O DILÚVIO (7.1-24)

Ver o artigo detalhado sobre o *Dilúvio*, em Gênesis 7.6. A vontade divina impõe-se de forma inevitável. O prazo fora amplo, provisões tinham sido feitas, uma mensagem de redenção fora pregada. Noé havia-se saído bem na sua tarefa. O terrível acontecimento, porém, não pudera ser evitado. Os homens não percebiam a sua aproximação nem podiam acreditar que aquilo fosse mesmo acontecer. Noé foi alvo de zombarias. Mas isso não fez parar a vontade de Deus nem a necessidade urgente do julgamento divino.

■ **7.1**

וַיֹּאמֶר יְהוָה לְנֹחַ בֹּא־אַתָּה וְכָל־בֵּיתְךָ אֶל־הַתֵּבָה
כִּי־אֹתְךָ רָאִיתִי צַדִּיק לְפָנַי בַּדּוֹר הַזֶּה׃

Disse o Senhor. Temos aqui uma declaração antropomórfica. Ver o artigo sobre o *Antropomorfismo*. O que determina tudo é a Palavra do Senhor.

Entra na arca. A provisão tinha sido feita para as massas humanas, mas somente algumas poucas pessoas acharam o caminho para a vida. Cf. isso com a declaração de Jesus, em Mateus 7.14: "... estreita é a porta e apertado o caminho que conduz para a vida, e são poucos os que acertam com ela". O acesso dado a Noé estava alicerçado sobre a *retidão*. Essa é uma referência à descrição que nos é dada em Gênesis 6.9. Noé era um homem justo, perfeito, que andava com Deus. As notas em Gênesis 6.9 expandem as ideias inerentes a essas palavras. O mundo criado por Deus é um mundo moral. Este mundo é governado pela vontade de Deus. Deus é um Deus teísta: ele recompensa os bons e pune os maus. Ver no *Dicionário* o artigo acerca do *Teísmo*.

Justo. Ver no *Dicionário* o artigo intitulado *Justiça*. Deus salva eternamente (Rm 8.30), e isso até mesmo das calamidades temporais (Is 3.10).

■ **7.2**

מִכֹּל הַבְּהֵמָה הַטְּהוֹרָה תִּקַּח־לְךָ שִׁבְעָה שִׁבְעָה אִישׁ וְאִשְׁתּוֹ וּמִן־הַבְּהֵמָה אֲשֶׁר לֹא טְהֹרָה הִוא שְׁנַיִם אִישׁ וְאִשְׁתּוֹ׃

Sete pares. Os *dois pares* de Gênesis 6.19 aparecem aqui como sete pares, no tocante aos animais *limpos*. Ver a nota sobre isso naquela referência. No *Dicionário*, ver o artigo chamado *Limpo e Imundo*.

Dos animais imundos, um par. O número permanece como em Gênesis 6.19. O texto subentende o sacrifício de animais, um sistema desenvolvido dentro do sistema mosaico, que surgiu muito tempo depois. O sacrifício de animais é uma prática muito antiga, não havendo razão para supormos que não tenha antecedido sua formalização dentro da legislação mosaica. Os *setes* proveriam três pares de animais limpos, além de um macho extra, para ser sacrificado. Os animais limpos foram recolhidos em maior número que os imundos, tendo em vista o sistema de sacrifícios, diante do que animais viriam a perecer.

William Warburton, bispo de Gloucester (século XVIII), que via a arca como um tipo da Igreja, ofereceu um curioso comentário sobre este texto: "A Igreja, à semelhança da arca de Noé, é digna de ser salva, não por causa dos animais imundos e animais inferiores que quase a enchiam, e que provavelmente faziam tanto ruído e bulha dentro dela, mas por causa da pequena fagulha de racionalidade, que se sentia tão aflita pelo mau cheiro interior, quanto pela tempestade lá fora".

O Amor de Deus Vai Além. Deus preocupava-se até mesmo com os animais, conforme nos mostra o relato sagrado. Notemos também que, no livro de Jonas, Nínive foi poupada por causa de sua população humana, mas Deus cuidava até mesmo dos animais que havia naquela cidade (Jn 4.11). Ver as notas sobre Gênesis 6.12.

Os *sacrifícios* são tipos do grande sacrifício de Cristo. Ver no *Dicionário* o artigo intitulado *Expiação*.

■ **7.3**

גַּם מֵעוֹף הַשָּׁמַיִם שִׁבְעָה שִׁבְעָה זָכָר וּנְקֵבָה לְחַיּוֹת זֶרַע עַל־פְּנֵי כָל־הָאָרֶץ׃

Temos aqui a reiteração da mensagem de Gênesis 6.20, exceto que aqui a entrada factual na arca foi preparada e executada, enquanto aquele texto anticipava o ato. Ver as notas sobre Gênesis 6.19,20. Deus interessava-se pela continuação da vida dos animais. Ensinei meus filhos a respeitar a vida animal. Quanto mais aprendemos sobre eles, mais ficamos impressionados. Os próprios insetos exibem sinais de ser racionais. Os primatas são capazes de certa linguagem, usando o teclado de um computador. Eles demonstram emoções, solidariedade, ódio e amor. Os macacos mais espertos são mais inteligentes que as crianças mais estúpidas.

Sete. O número que se lê em Gênesis 6.20 é *dois*. Ver as notas ali quanto às tentativas de solucionar essa aparente contradição.

■ **7.4**

כִּי לְיָמִים עוֹד שִׁבְעָה אָנֹכִי מַמְטִיר עַל־הָאָרֶץ אַרְבָּעִים יוֹם וְאַרְבָּעִים לָיְלָה וּמָחִיתִי אֶת־כָּל־הַיְקוּם אֲשֶׁר עָשִׂיתִי מֵעַל פְּנֵי הָאֲדָמָה׃

Daqui a sete dias. Ficou assim marcado o prazo final da misericórdia divina. Faltavam somente sete dias para o fatal evento. No entanto, os homens continuavam ali, descuidados, preocupados com seus interesses mundanos, matando e sendo mortos, festejando, procriando e ocupados em toda forma de prazer e atividade duvidosos. É provável que o número *sete* tenha o seu significado metafórico de algo completo ou perfeito. Aquela última semana *completaria* o período de advertência. Vários intérpretes judeus pensam que foi durante aquela semana que Metusalém morreu. Pura fantasia!

Quarenta dias e quarenta noites. Uma pesada chuva começaria a cair em breve, e não cessaria durante quarenta dias. Esse número, sem dúvida, é metafórico, indicando um período de *juízo* ou *provação*. Ver no *Dicionário* o artigo intitulado *Quarenta*, quanto a plenas explicações sobre os vários "quarentas" da Bíblia. Ali são discutidos nada menos de treze desses "quarentas".

O vs. 11 mostra que seria necessária muita água para produzir um dilúvio universal que inundasse cerca de 6,70 m acima das mais altas montanhas da terra (vs. 20). Nenhuma chuva, por mais pesada que fosse, poderia fazer isso no espaço de quarenta dias, pelo que o autor sacro menciona que havia outras fontes de águas, que discutirei naquele versículo.

"Dali por diante, quarenta tornou-se o número sagrado da provação e da paciência; e, além das óbvias menções ao número no Antigo Testamento, essa foi a duração do jejum do Senhor no deserto, bem como de sua permanência na terra, após a sua ressurreição" (Ellicott, *in loc.*).

Destruição completa era o plano de Deus, excetuando a vida vegetal, que aparece como a vida que sobreviveu à enxurrada (Gn 8.11).

■ **7.5**

וַיַּעַשׂ נֹחַ כְּכֹל אֲשֶׁר־צִוָּהוּ יְהוָה׃

E tudo fez Noé. Este versículo repete a mensagem de Gênesis 6.22, onde a questão foi anotada detalhadamente. Para cumprirmos bem algum grande projeto, precisamos da inspiração divina, a qual nos dá entusiasmo e energia. Assim sendo, peçamos *essa* inspiração da parte do Senhor. Noé foi inspirado por Deus para realizar a tarefa.

A palavra *entusiasmo*, no grego, significa "ter Deus dentro". Ali essa palavra é uma combinação de *théos* = Deus, e mais alguma coisa. A inspiração é algo divino, segundo o sentido básico dessa palavra, ainda que, popularmente, seu sentido não envolva essa ideia. Este versículo mostra-nos a continuação das tarefas, além daquilo que se diz que fora feito, em Gênesis 6.22. Agora, estavam sendo feitos os preparativos finais.

■ 7.6

וְנֹחַ בֶּן־שֵׁשׁ מֵאוֹת שָׁנָה וְהַמַּבּוּל הָיָה מַיִם עַל־הָאָרֶץ׃

Seiscentos anos de idade. Esse informe, combinado com o que achamos em Gênesis 8.13 (que assinala o fim do dilúvio), permite-nos determinar que as águas cobriram a terra pelo espaço de um ano. Alguns intérpretes pretendem aqui marcar o tempo exato, dizendo "um ano e treze dias". "Seu filho mais velho tinha agora 100 anos de idade, porquanto Noé tinha 500 anos de idade quando gerou seus filhos (Gn 5.32)" (John Gill, *in loc*.).

É aqui que apresento o artigo intitulado *Dilúvio*.

DILÚVIO DE NOÉ

ESBOÇO

I. A Pré-História e Antigos Relatos do Dilúvio
II. Provas Arqueológicas, Geológicas, Zoológicas e Botânicas de Mudanças dos Polos e de Dilúvios
III. A Narrativa Bíblica e o Registro Mesopotâmico
IV. Um Dilúvio Universal ou Parcial?
V. Data do Dilúvio de Noé
VI. A Próxima Mudança dos Polos — Um Desastre Mundial
VII. Implicações Éticas
VIII. Cronologia

I. A Pré-História e Antigos Relatos do Dilúvio

Muitas vezes a verdade é mais difícil de ser descoberta do que alguns gostariam que acreditássemos. A verdade geralmente requer longa pesquisa, com subsequentes comparações, combinações e separações de itens obtidos na pesquisa. A verdade sobre o dilúvio de Noé cabe dentro dessa categoria. Há muitas evidências de um grande cataclismo que envolveu um imenso dilúvio. Mas o problema não é assim tão simples. Pois há provas de *muitos* eventos dessa ordem, pelo que concluímos que *um* deles pode ser identificado como o dilúvio de Noé. Ademais, distinguir quais evidências se ajustam àquele evento, e quais testificam sobre acontecimentos similares, em diferentes épocas, não é tarefa fácil. Mesmo quando abordam somente os informes bíblicos, com base em evidências geológicas e arqueológicas, os eruditos não concordam quanto à data desse dilúvio, pensando em qualquer ponto entre 10000 e 4000 a.C. A verdadeira data, pois, está perdida em algum ponto da pré-história.

1. Mudanças dos Polos. O historiador grego, Heródoto, relata seu diálogo com sacerdotes egípcios do século V a.C. ele ficou admirado de que os registros deles afirmassem que, dentro do período histórico, e desde que o Egito se tornara um reino, por quatro vezes o sol girara na direção contrária à costumeira. Diversos papiros egípcios falam sobre como a terra virou de cabeça para baixo, quando o sul tornou-se norte, e vice-versa. O diálogo de Platão, *Estadista*, conta a mesma história sobre a mudança na direção do raiar e do pôr do sol. Platão garante que, quando isso ocorreu, houve grande destruição da vida animal, e que somente uma pequena porção da raça humana sobreviveu. Essas referências literárias são indicações claras de que, por mais de uma vez, os polos da terra mudaram de posição. Alguns estudiosos afirmam que as reversões magnéticas das rochas indicam que os polos já mudaram nada menos de quatrocentas vezes. Isso ensina que grandes cataclismos têm feito parte constante da história de nosso planeta. Considerando a cronologia bíblica, alguns têm calculado que a história de Adão emergiu depois da penúltima dessas ocorrências, e que a de Noé coincide com o último desses cataclismos. Datar esses acontecimentos, porém, é muito precário; mas, se essas narrativas são autênticas, então tanto Adão quanto Noé representam novos *começos*, e não começos absolutos. Isso posto, é correto falar em raças humanas pré-adâmicas, cujas histórias estão essencialmente perdidas para nós, excetuando alguma ocasional suposta descoberta arqueológica não-cronológica, que não se ajusta ao período da raça adâmica. O leitor deve examinar os artigos intitulados *Antediluvianos* e *Astronomia*, onde abordamos essas teorias com maiores detalhes.

Se os polos costumam mudar de posição, com o consequente deslizamento da crosta terrestre, então é óbvio que há imensos dilúvios, com ondas de até um quilômetro de altura e ventos que chegam a mil quilômetros por hora. Isso corresponderia a um grande cataclismo como aquele descrito na Bíblia, em torno de Noé. As fontes do abismo se rompem, os oceanos também mudam de lugar. Não seria, talvez, um acontecimento absolutamente universal, mas seria imenso. Quanto maior for a mudança polar, maior será o cataclismo, e, inversamente, quanto menor a mudança, menor o cataclismo.

2. Muitos Dilúvios? Antigas Histórias de Dilúvios. Penso que o que dizemos a seguir ilustra adequadamente o fato de que, quando examinamos o passado remoto, não encontramos apenas um grande dilúvio. Houve diversos dilúvios, com a subsequente mistura de evidências. Os sacerdotes egípcios zombaram de Heródoto, afirmando que os gregos eram apenas crianças, porquanto conheciam apenas *um* grande dilúvio. Os registros egípcios relatam vários dilúvios. As pessoas que examinam somente a Bíblia e relutam em extrair informações de outras fontes têm uma visão muito simples da pré-história. De fato, nem têm nenhuma pré-história, por suporem que os poucos e breves capítulos da porção inicial de Gênesis pretendem narrar-nos, em forma de esboço, tudo quanto já aconteceu neste mundo. Portanto, os hebreus, tal como os gregos, tinham apenas um relato sobre o dilúvio. Mas se Gênesis 6—9 nos dá detalhes de *um* desses cataclismos, outros registros antigos, bem como os registros geológicos, asseguram que já houve *muitos* de tais acontecimentos. Quando os seguimos, vemos claramente que não estamos tratando de uma única época, ou de um único evento. Portanto, é inútil afirmar que todos eles são apenas cópias do relato bíblico. Antes, a narrativa bíblica destaca um único desses desastres. Muitos deles o antecederam.

A ciência diz-nos que os dinossauros viveram há milhões de anos. Ocasionalmente, porém, encontram-se ossos humanos mesclados com ossos de dinossauros. Então as pessoas concluem: "Os dinossauros não foram animais que viveram há milhões de anos!" Porém, essa observação ignora alguns fatos importantes: 1. Usualmente, nas áreas onde são achados restos de dinossauros, não há nenhum vestígio humano. 2. Quando esses vestígios humanos são encontrados, há uma explicação simples para isso. Os grandes cataclismos, ao rearranjarem a crosta terrestre, naturalmente misturaram as épocas em alguns lugares, embora em outros, as camadas preservem corretamente suas respectivas épocas. 3. Os modos de datar projetam, definidamente, tanto remanescentes humanos quanto remanescentes animais muito antes de qualquer cronologia que possa ser extraída do livro de Gênesis. Devemos concluir, pois, que toda a narrativa do Gênesis, excetuando Gênesis 1.1, que descreve a criação original, consiste em história *recente*, a saber, a história da raça adâmica, mas sem tocar em tempos pré-históricos realmente remotos. Muitas descobertas científicas, a começar pelo século XIX, envolvendo fósseis de formas de vida extintas e artefatos primitivos, em sucessivas camadas de rochas, indicam uma pré-história muito mais ampla e complicada do que até então tem sido concebida pelos estudiosos.

a. *Histórias de Dilúvios na Mesopotâmia*. Em 1872, George Smith, ao decifrar antigos documentos assírios, achados em 1853 por arqueólogos britânicos que trabalhavam em Nínive, encontrou uma antiga versão mesopotâmica do relato do dilúvio que, de alguma maneira, tem certos paralelos semelhantes à narrativa de Gênesis. Smith descobriu a biblioteca do rei Assurbanipal (século VII a.C.) e, dentre esse material, uma versão bem mais longa da posterior história babilônica do dilúvio. Elementos dessa história desde há muito eram conhecidos nos escritos de um babilônio de nome Beroso (século III a.C.), cujos fragmentos foram citados por Josefo e Eusébio. Mas foi então que veio à luz o mais longo épico de Gilgamés. Essa história aparece naquele que é atualmente conhecido como o *tablete do dilúvio* de número onze, proveniente da cultura assíria, cuja narrativa sobre o dilúvio tem sido preservada, com menores detalhes, pelos registros babilônicos. O épico de Gilgamés, porém, é apenas uma história de uma série de relatos que parecem ter-se derivado da mesma tradição. Certo número de versões de um relato de dilúvio tem sido encontrado entre os documentos em escrita cuneiforme, escavados no Oriente Próximo.

Um tablete sumério de Nipur, no sul da Babilônia. Esse tablete relata como o rei Ziusudra, ao ser advertido sobre um dilúvio próximo, que a assembleia dos deuses resolvera enviar para destruir a humanidade, construiu uma grande embarcação, e assim escapou do desastre. Esse tablete é datado de cerca de 2000 a.C., sendo possível que se trate apenas da preservação de uma narrativa muito mais antiga. Versões acádicas dessa história procedem da Babilônia e da Assíria. O épico *Atrahasis* fala de um dilúvio enviado para expurgar a humanidade. O épico de Gilgamés é o mais bem detalhado, derivado da versão acádica. Nesse relato, Gilgamés é informado por um sobrevivente de um dilúvio que ocorreu muito tempo antes, de nome *Uta-napishitim*, de como ele escapou da morte em um grande dilúvio, por haver sido avisado do mesmo pelo deus Ea, para que construísse um barco no qual abrigou a sua família, animais domésticos e selvagens, e tesouros de ouro e de prata. Esse dilúvio teria perdurado por sete dias, e o barco veio a repousar sobre o monte Nisir, no noroeste da Pérsia. Uta-napishitim teria enviado, em sucessão, uma pomba, uma andorinha e um corvo. Quando o corvo não voltou, isso foi tomado como sinal de que o barco podia ser abandonado em segurança. Uta-napishitim ofereceu holocaustos às divindades, e estas, como moscas, juntaram-se em torno dos sacrifícios. Uta-napishitim falou a Gilgamés sobre uma planta rejuvenescedora, existente no fundo do mar, um tipo de variante da lenda da fonte da juventude. Gilgamés a obteve, somente para vê-la ser roubada por uma serpente. O poema termina com uma nota amarga, onde Gilgamés queixa-se de que os seus labores haviam sido em vão, e que somente a serpente, afinal de contas, fora beneficiada. Esse pormenor da história é deveras interessante. Presumivelmente, o dilúvio foi causado pelo deus Enlil, por causa dos muitos ruídos produzidos pela humanidade, que lhe perturbavam o sono. (Podemos simpatizar com isso, nesta nossa época de muita poluição sonora!) Entretanto, o deus Ea não concordou com o decreto do deus Enlil, pelo que avisou Uta-napishitim do dilúvio iminente, o que resultou na sua sobrevivência. A história do dilúvio entra no épico de Gilgamés como um detalhe lateral, porquanto, na realidade, conta a história de um herói acadiano em busca da vida eterna. Gilgamés, rei da cidade de Ereque, no sul da Babilônia, é o herói dessa história. Em suas aventuras, ele se encontrou com Uta-napishitim, o único mortal que já atingira a vida eterna na *terra dos viventes*, isto é, dos deuses. Gilgamés não conseguiu atingir a vida da mesma maneira que Uta-napishitim, porquanto as circunstâncias deste último haviam sido ímpares; mas foi-lhe recomendada uma planta rejuvenescedora, que foi encontrada e perdida, devido à intervenção da serpente. São óbvios os paralelos da árvore da vida e da serpente, no jardim do Éden.

Na verdade, há muitos paralelos entre esses mitos e a história do livro de Gênesis, sobre a existência do homem primitivo. Os paralelos são por demais parecidos e numerosos para os rejeitarmos como meros acidentes, pelo que ou há uma fonte informativa comum a ambos, ou uma narrativa depende da outra. Alguns eruditos supõem que o registro bíblico é o original, e que todos os demais registros seguem corrupções politeístas. Outros estudiosos supõem que as narrativas mesopotâmicas são mais antigas, e que o relato bíblico é um refinamento teológico e moral daquelas. Ver comentários sobre essa circunstância no artigo sobre a *Criação*. Ver especialmente o artigo sobre a *Cosmogonia*, onde são apresentados vários sistemas antigos de crenças, que mostram claramente a interdependência envolvida. Os grupos de estudiosos em oposição jamais chegarão a uma posição de consenso sobre a questão.

b. *Outras Histórias de Dilúvios*. Essas narrativas não se limitam à área da antiga Mesopotâmia. A história de um grande dilúvio, no qual apenas umas poucas pessoas escolhidas se salvaram, aparece em grande variedade de culturas, sob diversas formas. Aparecem em lugares tão distantes um do outro como a Grécia, a Polinésia, a Terra do Fogo, no extremo sul da América do Sul, e no círculo polar Ártico, entre os esquimós. Os estudiosos pensam que essas narrativas falam sobre mais de um gigantesco dilúvio; e que algumas delas não passam de relatos exagerados sobre dilúvios localizados.

Os índios hopi. Esses índios, um grupo de índios Pueblos norte-americanos que atualmente vive em reservas indígenas no Estado de Arizona, nos Estados Unidos da América, confirmam com clareza em seu folclore que houve tempo em que o mundo perdeu o equilíbrio, girando loucamente, por duas vezes. Isso reflete uma mudança de polos. Eles também acreditam que o mundo anterior ao nosso foi destruído por um dilúvio. Suas lendas falam sobre civilizações avançadas, nas quais os homens viajavam em máquinas de voar. O chefe Dan Katchongva, o falecido Hopi Sun Clan, disse enfaticamente em uma entrevista: "Os Hopi são os sobreviventes de outro mundo, que foi destruído. Portanto, os Hopi estiveram aqui primeiro e fizeram quatro migrações, para o norte, para o sul, para o leste e para o oeste, reclamando para si mesmos toda a terra, em favor do Grande Espírito, conforme a ordem de Massau'u, e em favor do *Verdadeiro Irmão Branco*, que trará o Dia da Purificação". Isso se parece com o anúncio de uma figura semelhante ao Messias, podendo ser uma referência histórica ou intuitiva sobre Cristo. Esses índios creem na vinda, para breve, do Dia da Purificação, o que talvez seja a segunda vinda de Cristo. O *Logos* parece ter implantado as suas sementes nos lugares mais inesperados. Ver o artigo sobre o *Verbo* (Logos).

II. Provas Arqueológicas, Geológicas, Zoológicas e Botânicas de Mudanças dos Polos e de Dilúvios

1. *Depósitos de Sedimentos*. Muito material arqueológico tem ficado registrado sobre esses depósitos. Sir Leonard Woolley, no seu livro *Ur of the Chaldees* (1929), despertou muito interesse. Ele descobriu um depósito feito pela água, com data de cerca do quarto milênio a.C., que tomou como evidência conclusiva em prol do dilúvio de Noé. Porém, em somente dois dos cinco buracos que ele escavou foi encontrada a sua suposta *camada do dilúvio*. Isso poderia sugerir um dilúvio local, que não cobriu a área inteira adjacente a Ur. Outras cidades, nos vales dos rios da Mesopotâmia, especialmente Quis, Fará e Nínive, também exibem camadas do dilúvio, embora não pareçam ser pertencentes à mesma época, pelo que mais de um dilúvio local deve estar em pauta. Nenhuma camada do dilúvio foi encontrada em Ereque, a cidade associada ao épico de Gilgamés. Abundam, entretanto, as evidências literárias que falam em mais de um dilúvio de grandes proporções. Há também muitas provas de mudanças de polos que, naturalmente, poderiam incluir gigantescas inundações. Terraços de seixos mostram que antigamente houve oceanos onde hoje há terras emersas. Sabe-se que a totalidade do território dos Estados Unidos da América já foi o leito do oceano, embora não todo ao mesmo tempo. Os oceanos têm surgido e desaparecido em vários lugares ao redor do globo, em passado remoto, que não mais podemos acompanhar com facilidade. Cataclismos, sem dúvida alguma, têm envolvido o aparecimento e o desaparecimento dessas grandes massas de água.

2. *Evidências Zoológicas e Botânicas*. Os restos de mamutes, rinocerontes, cavalos, cabras, bisões, leões e outros animais, em regiões que agora são árticas, perenemente recobertas de gelo, mostram que, em outras épocas, aquelas porções do globo eram próprias para servir de habitat a animais de sangue quente, indicando tremendas transformações no clima dessas regiões. Parece que alguns mamutes, por exemplo, foram congelados instantaneamente. O ato de cair num buraco de gelo não explica como eles foram preservados tão perfeitamente. Somente um súbito congelamento desses animais pode explicar por que eles não se putrefizeram, ainda com alimento não-digerido em seus estômagos. Focas encontradas no mar Cáspio e no lago Baical, na Sibéria, são idênticas às que hoje pululam nas águas do Alasca. Certo tipo de lagostas se encontra somente nas águas congeladas do Ártico e nas porções mais frias do mar Mediterrâneo. Esses mistérios zoológicos são explicados pela teoria de dilúvios globais, que transportaram os animais sobreviventes para grandes distâncias, em pouco tempo. Medusas fósseis têm sido encontradas incrustadas na lama. Não poderiam ter sido preservadas senão mediante o súbito congelamento, causado por alguma repentina mudança dos polos. De que outra forma as moles medusas poderiam ter endurecido como rocha? Outro tanto aplica-se a fósseis delicados, como as marcas das patas de passarinhos e os sinais deixados pela queda de uma gota de água!

No solo congelado da Sibéria têm sido encontradas árvores totalmente congeladas, com folhas e frutos! Nenhum processo gradual poderia ter feito isso, e nenhuma árvore frutífera medra atualmente no Ártico. No parque Yellowstone, nos Estados Unidos da América, uma montanha pesquisada mostrou contar com dezessete camadas de árvores petrificadas, ainda de pé. Entre cada camada havia uma camada de terra vulcânica. Cada camada de árvores estava em seu próprio período geológico de vida vegetal e animal. Cada época terminou mediante uma catástrofe. Quanto mais aprendemos sobre essas coisas, tanto mais apreciamos a vastidão da criação e chegamos a entender melhor a insignificância do conhecimento que temos sobre a vida abundantíssima que existiu antes de nós. Somente um pequeno fragmento veio a ser registrado nas páginas da Bíblia, ou em qualquer outro registro. Apesar de alguns estudiosos procurarem explicações para esses fatos, não há como justificar a presença, no Ártico, de animais cujo habitat é outro, ou a presença de uma vegetação tipicamente tropical, com folhas e frutos! E o resfriamento gradual da região também não explicaria o fenômeno dessas descobertas. Todos os argumentos esboroam-se diante do fato de que não somente o mamute é ali achado, sabendo-se que esse animal era capaz de resistir a baixíssimas temperaturas, mas também cavalos, leões, cabras, bisões etc. Isso demonstra que nem sempre a região do Ártico foi recoberta de gelo.

3. *As Eras Glaciais e a Deriva do Gelo Glacial*. Há outras provas em favor da ideia de que os povos já ocuparam posições diferentes das que vemos hoje. Os geólogos acham difícil explicar como há hoje grandes acúmulos de gelo onde já foi região tropical ou semitropical. Já houve grandes camadas de gelo na América do Sul, na Austrália, na África e na Índia. Ao examinar os depósitos deixados por essas geleiras e a direção em que se moveram (o que se verifica nas marcas que deixaram no solo), os estudiosos descobriram um grande mistério. Em primeiro lugar, a localização delas ignora totalmente o clima atual dessas regiões. Em segundo lugar, elas se moveram em direções contrárias ao que seria de esperar, considerando-se a localização atual dos polos. O Dr. William Stokes, da Universidade de Utah, em seu texto *Essentials of Earth History*, faz a seguinte declaração:

"Na África do Sul as geleiras moveram-se principalmente do norte para o sul — para longe do Equador. Na África central e em Madagáscar, outros depósitos mostram que o gelo movia-se para o norte, para bem dentro do que é hoje zona tropical. Mas o mais surpreendente tem sido a descoberta de grandes camadas de caliça das geleiras no norte da Índia, onde o movimento foi na direção norte... na Austrália e na Tasmânia, onde o gelo moveu-se do sul para o norte... no Brasil e na Argentina, esse movimento foi na direção oeste".

O Dr. C. O. Dunbar, de Yale, ficou admirado diante do fato de que, no Brasil, a glaciação chega a dez graus do Equador e de como, na Índia, o gelo derivou dos trópicos para as latitudes superiores. Muitos geólogos, pois, têm chegado à conclusão de que os polos já estiveram localizados nessas regiões atualmente tropicais, quentes. Alguns eruditos pensam que a deriva continental explica o fenômeno, mas outros creem que a teoria da mudança dos polos é uma explicação mais satisfatória. Essa mudança de polos teria dois resultados: primeiro, grandes depósitos de gelo subitamente encontraram-se em climas quentes, com a subsequente deriva e dissolução, produzindo grandes rios e mares interiores. Segundo, novos acúmulos de gelo teriam início onde os polos então ficaram, cobrindo o que antes eram regiões tropicais ou semitropicais.

4. *Data do dilúvio*, no tocante a esse fenômeno. É quase certo que o que dissemos antes se relaciona a mais de uma mudança dos polos magnéticos da terra. É de presumir-se que a última dessas mudanças esteve relacionada ao dilúvio de Noé, e que a mudança anterior a essa esteve ligada à história de Adão. Quanto aos mamutes, a sua extinção parece pertencer a uma antiguidade ainda anterior à do dilúvio. Portanto, essa situação ilustra como são provocados os imensos dilúvios, embora não, especificamente, o último da série. Ver o presente artigo em seu ponto quinto, *Data*.

5. *Depósitos de Corais no Ártico*. Sabemos que os corais são formados pelos esqueletos calcários secretados pelos tecidos de certos animais marinhos, e que esses depósitos vão-se acumulando durante milênios, até formarem os recifes. Esses animais são tropicais. No entanto, recifes de corais têm sido encontrados no Oceano Glacial Ártico!

6. *A Deriva Continental*. Sem dúvida foi preciso uma força gigantesca para separar o que é atualmente a África do que é a presente América do Sul, com todo um oceano entre os dois continentes. É bem possível que uma ou mais mudanças de polos estejam por trás disso.

7. *Alterações Magnéticas*. Nem sempre o norte esteve no norte, e nem sempre o sul esteve no sul. A terra é um gigantesco magneto com polos positivo (norte) e negativo (sul), que ficam próximos dos polos geográficos. Com base nos registros impressos nas rochas, sabemos que os polos têm mudado alternativamente a sua polaridade magnética através dos milênios. Nos últimos 76 milhões de anos, os polos norte e sul já mudaram de polaridade pelo menos 171 vezes. Nos últimos 48 milhões de anos, os registros magnéticos polares nas rochas e nos sedimentos mostram que houve cerca de cinco reversões a cada milhão de anos, com uma média de 220 mil anos entre cada reversão, com um período mais curto de 30 mil anos. Os geólogos supõem que uma nova reversão se aproxima, supondo que deverá ocorrer dentro de alguns poucos séculos, um tempo muito curto, geologicamente falando. Os místicos predizem que isso sucederá em nossa própria época, o que discutimos no sexto ponto deste artigo. Alguns cientistas pensam que essas reversões ocorrem espontaneamente (por razões ainda desconhecidas), sem nenhuma mudança da posição dos polos; mas outros supõem que as mudanças dos polos sempre são a causa dessas reversões. Ainda um terceiro grupo de estudiosos prefere a teoria dos meteoritos ou dos cometas. As reversões poderiam ser causadas por grandes colisões cósmicas de algum corpo celeste com o globo terrestre. Outrossim, tanto as mudanças de polos quanto as reversões magnéticas poderiam ter tais colisões como causas. Um impacto dessa grandeza poderia ser responsável pela extinção em massa dos animais.

8. *A Mudança de Polos e a História de Noé*. As muitas histórias sobre dilúvios quase certamente indicam que houve bolsões de sobreviventes, em vários lugares do mundo, em cada um deles. Também alguns acham difícil explicar as radicais diferenças raciais da presente humanidade, em face do tempo relativamente breve que se passou desde o último cataclismo. Há uma história muito mais longa de Noé para trás do que de Noé até nós. Consideremos este fato: os relatos mesopotâmicos têm muitos elementos similares aos do relato bíblico. Portanto, há uma espécie de tradição comum naquela região do mundo no tocante a esse desastre. Porém, as histórias provenientes de outras regiões do globo têm as suas próprias características. Esses relatos não parecem dependentes dos da Mesopotâmia. Finalmente, a China teria permanecido relativamente intocada por ocasião do dilúvio de Noé. A história chinesa pode ser acompanhada até antes desse grande abalo, pelo que grande parte da China deve ter permanecido seca, enquanto dilúvios inundavam outros continentes ou porções de outros continentes. Todavia, os chineses não foram totalmente poupados, pois a tradição chinesa fala sobre um grande dilúvio, há pouco mais de cinco mil anos, e Confúcio (nascido em cerca de 551 a.C.), em sua história da China, começa o seu relato falando sobre um dilúvio em recessão que "subira até os céus". Também há registros de imensas destruições por incêndios produzidos por perturbações cósmicas, e de como o sol não se pôs no horizonte por diversos dias (uma mudança de polos?), além de grandes inundações. É muito difícil datar esses acontecimentos, e não podemos ter certeza sobre como relacioná-los com o dilúvio de Noé. Mas eles ilustram, a grosso modo, a história narrada neste artigo. As histórias sobre dilúvios, em outras nações, referem-se a condições locais, e não universais, conforme dizem os registros mesopotâmicos, comprovando o que dissemos anteriormente, que deve ter havido sobreviventes de civilizações passadas, formando grupos isolados. Porém, houve muitos sobreviventes chineses, talvez sendo essa a razão pela qual atualmente os chineses chegam a cerca de um bilhão, um número inteiramente fora de proporção com as populações de outras raças.

A história dos grandes cataclismos é uma história grandiosa, repleta de mistérios. O que oferecemos aqui é apenas um mostruário das informações de que dispomos sobre a questão. Esse material mostra que a Bíblia está com a razão ao aludir a vastíssimas destruições, não faz muito tempo na história. Isso também nos mostra que podemos suplementar extraordinariamente o nosso conhecimento sobre esses eventos, voltando-nos para as descobertas científicas e para as tradições literárias de outros povos.

III. A Narrativa Bíblica e o Registro Mesopotâmico

Ver o artigo em separado sobre *Gilgamés, Epopeia de*. Temos dado provas da declaração de que os registros bíblicos apresentam uma das tradições do dilúvio, e que há outras narrativas que não se derivam daí. Muitas outras histórias refletem condições locais, e não aquelas refletidas pelo relato mesopotâmico. No Irã, o *alto deus* instruiu

Yima a construir um ambiente cercado por muralhas, para salvar as pessoas boas. É possível que em diversos lugares do mundo, onde as águas atingiram diferentes níveis de inundação, diferentes modos de proteção tenham sido adequados para salvar algumas pessoas. Também é possível que Deus tenha salvado outras pessoas, tal como salvou Noé e seus familiares, mediante informações dadas por profetas e homens santos. Os propósitos de Deus sempre são maiores e mais vastos do que nossos sistemas teológicos permitem. Seja como for, é significativo que a maior parte das histórias sobre dilúvios relaciona-se à corrupção moral dos homens. No entanto, na Índia temos uma exceção a essa regra. Ali o dilúvio não seria resultado de um decreto divino, mas de uma *série* de cataclismos cósmicos que destruiriam, periodicamente, o mundo. Apesar disso, a religião hindu vincula essas questões aos padrões cármicos da raça humana, de tal modo que fica envolvida a lei da colheita segundo a semeadura, ainda que não esteja em pauta um decreto divino específico, conforme a questão é exposta na Bíblia. A religião hindu sempre demonstrou apreciação pela imensidade do tempo envolvido na criação e no desdobramento do plano divino relativo ao homem, pelo que, ali as pessoas nunca tiveram um senso de urgência espiritual, conforme tanto se vê nas religiões ocidentais. Os propósitos divinos operam através de grandes expansões da história, e a redenção permeia todas essas expansões.

1. *A Questão Moral.* O relato bíblico salienta a corrupção dos valores morais, pelos homens, como a causa do dilúvio. É interessante que os animais também tenham sido objetos da ira do Senhor (Gn 6.7), o que poderia dar a entender alguma forma de moralidade e responsabilidade animal, conforme se vê na religião hindu. Contudo, estou apenas especulando quanto a esse ponto. Gênesis 6.12 afirma que "todo ser vivente havia corrompido o seu caminho na terra", o que parece dar a entender que os animais irracionais, e não somente os homens, no parecer do autor sagrado, são capazes de errar. Por essa razão foi que *toda carne* se tornou objeto do decreto divino. O homem, o pior de todos os animais, havia espalhado a violência por toda parte (vs. 11), e seus processos de pensamento se haviam tornado totalmente depravados (vs. 5). Esse raciocínio é melhor que a versão da tradição mesopotâmica, que diz que o deus Enlil decretou o dilúvio porque os homens estavam fazendo muito barulho, a ponto de ele não poder dormir!

2. *Monoteísmo.* A tradição mesopotâmica sobre o dilúvio, excetuando a versão bíblica, mostra-se totalmente politeísta, onde homens e deuses aparecem na narrativa. O relato bíblico, porém, é monoteísta, mais simples, mais direto, exibindo uma declaração muito melhor sobre a responsabilidade dos homens diante de Deus. É difícil crer que essa versão bíblica, muito superior, tenha sido a fonte original, que então sofreu uma série de corrupções, algumas delas tolas e curiosas. Para os intérpretes bíblicos também é difícil acreditar que a narrativa bíblica seja mero refinamento das histórias babilônicas. O mais provável é que tenha havido uma fonte comum das variantes mesopotâmicas, de cuja fonte procedem relatos separados. Mas alguns pensam que não há maneira satisfatória de resolver a questão, nem ela se reveste de importância especial, a não ser para os ultraconservadores, por um lado, e para os céticos, por outro lado. Os ultraconservadores exigem *revelação* somente, sem o acompanhamento de nenhum fator cultural. Os céticos gostam de lançar dúvidas quanto a todas as questões da revelação, ao dizerem que a similaridade de relatos significa que a questão inteira é mitológica. Ou então afirmam que as várias narrativas são invenções posteriores, criadas após o cataclismo, a fim de explicar por que ele teve lugar. Quando examinamos as diversas versões da história do dilúvio, torna-se óbvio para nós que muitos mitos vieram a ligar-se a ela, embora haja evidências mais do que convincentes sobre a realidade desse evento. Não há nenhuma razão para duvidarmos do relato bíblico sobre Noé e sua família, embora muitos pensem que eles não foram os únicos sobreviventes do dilúvio. A sobrevivência deles representaria o resultado de um ato salvador local de Deus, mas não o único desses atos.

3. *Eventos do Dilúvio segundo o Relato Bíblico*
    a. Noé, quando tinha 600 anos de idade, tendo sido informado pelo Senhor sobre a iminente destruição, construiu a arca, entrou nela, e assim preservou a vida de sua família e de muitos animais. As chuvas começaram no décimo sétimo dia do segundo mês, continuando por quarenta dias. As águas do abismo irromperam. Presumimos que isso aponta para uma mudança dos polos magnéticos da terra, embora isso não tenha sido reconhecido pelo autor sagrado (Gn 7.1-9,10-17).
    b. As chuvas cessaram, mas as águas persistiram, e, até onde Noé era capaz de ver ao seu redor, só havia água. Naturalmente, isso teria sido tomado como um dilúvio universal (Gn 7.18-24).
    c. A arca acabou pousando sobre o monte Ararate, no décimo sétimo dia do sétimo mês (Gn 8.1-4).
    d. Os picos das montanhas tornaram-se visíveis no primeiro dia do décimo mês (Gn 8.5).
    e. Um corvo e uma pomba foram soltos, a fim de investigarem a situação nas proximidades da arca (Gn 8.6-9).
    f. A pomba foi enviada novamente, sete dias mais tarde, e retornou com um raminho de oliveira no bico, mostrando que as águas estavam diminuindo de nível (Gn 8.10,11).
    g. A pomba foi enviada pela terceira vez, mas dessa vez não voltou, o que mostrou que agora era seguro aos homens abandonar a arca (Gn 8.12).
    h. O solo secou, sendo aquele o ano 601 da vida de Noé, o primeiro mês e o primeiro dia do mês. A cobertura da arca foi removida (Gn 8.13).
    i. Noé deixou a arca no segundo mês, no vigésimo sétimo dia (Gn 8.14-19).

IV. Um Dilúvio Universal ou Parcial?
1. *Argumentos em Prol do Dilúvio Universal*
    a. A linguagem dos capítulos 6—9 de Gênesis refere-se a um dilúvio de dimensões universais. Todos os picos dos montes foram cobertos pelas águas, tendo havido a destruição absoluta de todos os seres vivos terrestres, excetuando-se os que estavam na arca (e, naturalmente, excetuando-se a vida marinha em geral).
    b. A universalidade das narrativas sobre o dilúvio mostra que o dilúvio chegou a todos os lugares.
    c. Há uma distribuição mundial dos depósitos aluviais do dilúvio.
    d. Houve a súbita extinção de mamutes peludos do Alasca e da Sibéria, na hipótese de que eles foram mortos afogados, e não por congelamento.
    e. A diminuição das espécies animais. Poucas espécies restam agora, em comparação com o que se via na antiguidade. Isso supõe que Noé não abrigou na arca todas as espécies possíveis, mas apenas as representativas de cada espécie; ou, então, que muitas dessas espécies extinguiram-se após terem sido soltas da arca.
2. *Argumentos em Prol de um Dilúvio Parcial*
    a. Embora a linguagem de Gênesis 6—9 seja universal, só o é para aquela parte do mundo que Noé observou na ocasião. Ele não fazia ideia da verdadeira extensão da terra. O trecho de Colossenses 1.6 também diz como o evangelho se espalhara pelo mundo inteiro, embora seja óbvio que isso indique o mundo que Paulo conhecia, e não toda a superfície do globo. Havia muitos outros povos, nos dias de Paulo, que ele jamais visitou.
    b. A universalidade das histórias do dilúvio demonstra que estamos tratando com um gigantesco cataclismo terrestre, com dilúvios que ocorreram por toda a parte, como resultado desse cataclismo, mas não que as águas cobriram absolutamente toda a superfície terrestre. Quando os polos magnéticos se alteram, há inundações generalizadas, mas nem todas as terras emersas são cobertas. A história do dilúvio na China mostra que os chineses tinham conhecimento do dilúvio e sofreram com ele, mas a história chinesa também mostra que uma larga porção da superfície da terra permaneceu intocada.
    c. Há depósitos aluviais do dilúvio por toda parte, mas muitos desses depósitos refletem apenas dilúvios locais, não podendo ser usados como evidências em prol de um dilúvio universal.
    d. A destruição dos mamutes e outros animais, no Ártico, deu-se por congelamento, e não por afogamento. Alguns têm sido recuperados em condições quase perfeitas, sem putrefação. Isso jamais poderia ter acontecido se eles tivessem morrido por afogamento. Ademais, essa destruição parece estar relacionada a algum cataclismo anterior ao dilúvio de Noé, pelo que não serve para propósitos de ilustração.
    e. A diminuição do número de espécies animais seria decorrência natural de qualquer grande cataclismo, resultante de um dilúvio universal ou apenas parcial, pelo que esse argumento nada prova.

f. *A Quantidade de Água*. Fatal à teoria do dilúvio universal é a observação de que a quantidade de água necessária para cobrir a face da terra até encobrir o monte Everest, o mais alto monte do planeta, teria de ser seis vezes maior do que aquela que atualmente existe na terra. Teria sido impossível haver chuvas assim abundantes, dentro do tempo determinado em Gênesis 7.12, quarenta dias e quarenta noites, incluindo os depósitos naturais de água na terra, para que isso pudesse suceder. Além disso, como tanta água teria evaporado? Só se essa água estivesse perdida no espaço, o que sabemos que jamais aconteceu. Verdadeiramente, para que esse efeito fosse conseguido, teria de ter chovido durante vários anos, com água vinda do espaço exterior. Isso posto, teríamos de supor, em primeiro lugar, um suprimento *sobrenatural* de água, e, em segundo lugar, uma retirada *sobrenatural* de água, da face do planeta.

g. *O Problema do Abrigo*. O autor da narrativa bíblica parece que não fazia ideia do vasto número de animais existentes no mundo. Há incontáveis milhares de variedades de vermes e insetos. Haveríamos de supor que Noé tomou consigo somente um par ou sete pares de cada espécie, e que, desde o dilúvio, todas as outras espécies desenvolveram-se? O número de espécies só de vermes e insetos deve ser de quinhentos mil, embora somente doze mil espécies tenham sido classificadas. Só de aranhas há cerca de trinta mil espécies. Teria Noé abrigado somente um par de aranhas, do qual se desenvolveram todas as espécies de aracnídeos que atualmente existem? Há cerca de três mil espécies de batráquios, seis mil espécies de répteis, dez mil espécies de aves, cinco mil espécies de mamíferos. Somente um pequeno número representativo, de todos esses seres vivos, reside na área da Mesopotâmia. Os animais levados para a arca, por Noé, teriam sido os dessa área.

h. *O Problema do Recolhimento*. Teria havido um ato sobrenatural de imensas proporções para recolher um ou três pares mais um de cada espécie animal no mundo, a fim de deixá-los convenientemente aos pés de Noé e seus familiares. No entanto, no relato de Gênesis não há nenhuma indicação da necessidade de alguma intervenção divina nessa tarefa. O autor sagrado simplesmente não toma consciência do problema que estaria envolvido em um dilúvio de proporções universais, nem mesmo alude a esse problema, porquanto o *mundo* que ele conhecia era uma minúscula fração do mundo inteiro. Não há a menor indicação de que foi preciso o Senhor realizar uma série de milagres a fim de concretizar o que ocorreu por ocasião do dilúvio de Noé.

i. *Formas de Vida Marinha*. Há espécies de vida marinha como as que vivem imóveis, nos corais, ou as que vivem no fundo de águas rasas, ou requerem uma camada rasa de água para sobreviver. A pressão produzida pelo aumento das águas e a diminuição da salinidade teriam destruído totalmente essas formas de vida marinha; e, no entanto, elas continuam a sobreviver, a despeito das supostas águas universais que atingiram os mais elevados picos do planeta.

j. *O Fenômeno da Mudança de Polos Magnéticos*. Já apresentamos certos argumentos que dão apoio à teoria de vastas destruições mediante mudanças periódicas dos polos. Tais mudanças, naturalmente, produziriam gigantescas inundações. A própria natureza dessas mudanças de polos prova a teoria de um dilúvio parcial. Quando isso ocorre, afundam continentes ou partes de continentes, ao passo que outras terras imersas aparecem. As águas dos oceanos são redistribuídas, mas as terras emersas nunca são completamente inundadas. Isso é assim porque é impossível todos os continentes submergirem ao mesmo tempo, deixando os oceanos cobrir toda a superfície do planeta. Para que isso pudesse acontecer, a terra teria de ser tremendamente condensada, e não existe força conhecida, concebida pela ciência, que possa produzir tal ocorrência.

V. Data do Dilúvio de Noé

A Cronologia das Genealogias. Se usarmos esses informes, chegaremos até cerca de 2400 a.C. Mas bem poucos eruditos bíblicos apegam-se a esse método de fixação de datas, pois não aceitam uma data tão recente para o dilúvio. Utilizando-se de outros métodos, alguns estudiosos chegam a retroceder até 20000 a.C. Mas a maioria dos estudiosos confessa que não há como estabelecer a data do dilúvio de Noé. Alguns associam o dilúvio ao fim da última glaciação, ou seja, cerca de 10000 a.C.; mas todas essas opiniões são meras tentativas. A observação mostra que a maioria dos escritores sobre o assunto prefere uma data entre 5000 e 15000 a.C., embora as evidências de modo algum sejam conclusivas. A maioria dos escritores cristãos conservadores sugere cerca de 4000 a.C., quase sempre com base em registros genealógicos ou evidências arqueológicas. Mas sob exame, essas evidências não resistem à sondagem. A descoberta de camadas de argila (com supostas focas de antes e de depois do dilúvio, encontradas em Fará e Ur) provavelmente nada representa senão inundações locais dos rios da área, o Tigre e o Eufrates. Afinal, não é preciso nenhuma imensa inundação para depositar uma camada de argila com alguns metros de espessura. Outrossim, essas camadas de argila, segundo tem sido demonstrado, pertencem a diversos períodos, e não a uma única ocasião que possa ser identificada como um dilúvio universal ou quase universal. *Conclusão:* Não sabemos dizer a data do dilúvio, embora a opinião de que ocorreu em cerca de 8000 a.C. seja tão boa quanto qualquer outra.

VI. A Próxima Mudança dos Polos — Um Desastre Mundial

A Bíblia prediz uma ocasião futura de desastres sem precedentes, que os estudiosos das predições bíblicas pensam não estar muito distante. Esse período é chamado de Grande Tribulação. Ver o artigo sobre *Tribulação, a Grande*. Os místicos contemporâneos concordam que esse tempo está se aproximando rapidamente. Alguns deles associam esse novo cataclismo a outra mudança dos polos. Alguns geólogos concordam que gigantescas mudanças nas terras emersas são possíveis. Mas no que concerne a quando isso poderá suceder, os vários místicos sugeriram o final do século XX ou o começo do século XXI. Poderíamos citar alguns deles, como Adam Barber, Emil Sepic, Edgar Cayce, Aron Abrahamsen, Paul Solomon, Ruth Montgomery, Baird Wallace. Mas antes deles todos, Nostradamus. Todas essas pessoas tiveram ou têm a reputação de fazer predições exatas. Os intérpretes da Bíblia concordam quanto a um prazo relativamente curto ao mundo, antes de ter início essa próxima e grande fase de perturbações, embora quase todos eles não expressem ou não tenham consciência da teoria da mudança de polos magnéticos, em relação a esse período atribulado. Seja como for, as implicações morais e espirituais da aproximação desse período são vitais e perturbadoras.

Imaginemos como tal desastre poderia ocorrer. Lembremo-nos de que isso talvez seja o clímax da Grande Tribulação:

Aproxima-se a noite. Habitantes das grandes cidades do mundo precipitam-se para casa nas horas de pico no trânsito. A maioria não nota que o sol continua a brilhar acima do horizonte. Alguns poucos sentem-se apreensivos desde o começo. Passam-se várias horas e o sol não desaparece atrás do horizonte. Todos ficam alarmados. Então as pessoas começam a ouvir um ruído cavo, das profundezas da terra. Em alguns lugares a terra está tremendo, embora ainda gentilmente. A força normal da gravidade diminui, e as pessoas sentem-se inseguras sobre seus pés. Os animais estão inquietos desde horas atrás, e então, *em massa*, começam a movimentar-se na mesma direção. O firmamento fica avermelhado, e enormes nuvens de poeira começam a tapar a luz do sol. Um vento forte e constante começa a soprar, aumentando de forma alarmante, enquanto o ruído subterrâneo torna-se ensurdecedor. Os ventos chegam a uma velocidade de quase quinhentos quilômetros horários, desarraigando árvores e fazendo cidades inteiras desaparecer em questão de segundos. A terra começa a balançar loucamente, e há imensas tempestades elétricas como os homens nunca viram. Há terremotos de proporções devastadoras por todo o orbe. Montes abrem-se pelo meio e surgem vulcões cuspindo lava derretida e fogo. A terra fica com rachaduras de centenas de quilômetros. A crosta terrestre começa a mudar de posição e continentes inteiros desaparecem no fundo dos oceanos. Novos continentes vêm tomar o lugar dos antigos. Os oceanos agora irrigam vastos territórios que antes eram terra seca, ou retrocedem de vastos territórios antes cobertos pelo mar. O holocausto de vidas prossegue como se nunca terminasse. Mas cerca de 48 horas mais tarde, tudo começa a amainar novamente. Mas ainda assim há gigantescos terremotos que se negam a permitir que povos ao redor do globo aliviem a tensão. A temperatura de todos os lugares da terra

CRONOLOGIA DO DILÚVIO DE NOÉ				
Generalização	Acontecimentos	Data	Referências
Noé e sua família esperaram, dentro da arca, o dilúvio começar: Gn 7.7,10	1. Entrada na arca. 2. Depois de sete dias, as chuvas começaram.	Mês 2, dia 10 Mês 2, dia 17	Gn 7.7-9 Gn 7.10,11
As águas permaneceram na terra por 150 dias antes de começar a retroceder: Gn 7.24	3. Depois de 40 dias, as chuvas pesadas pararam e as águas do abismo descansaram.	Mês 3, dia 27	Gn 7.12
	4. Depois de 110 dias, as águas começaram a retroceder e a arca se estacionou no monte Ararate.	Mês 7, dia 17	Gn 7.24; 8.4
As águas retrocederam em 150 dias: Gn 8.3	5. Depois de 74 dias, os picos montanhosos ficaram visíveis.	Mês 10, dia 1	Gn 8.5
	6. Depois de 40 dias, um corvo e uma pomba foram enviados para fora da arca, mas voltaram.	Mês 11, dia 11	Gn 8.6-9
	7. Depois de 7 dias, a pomba foi enviada novamente e retornou com uma folha.	Mês 11, dia 11	Gn 8.10
	8. Depois de 7 dias, a pomba voou, mas desta vez não voltou.	Mês 11, dia 25	Gn 8.12
	9. As águas continuaram retrocedendo por mais 22 dias.	Mês 12, dia 17	Gn 8.13
	10. Terra seca à vista.	Mês 1, dia 1	Gn 8.13
	11. A terra ficou totalmente seca: saída da arca.	Mês 2, dia 27	Gn 8.14-19
TOTAL DE TEMPO NA ARCA: 1 ano e 17 dias				

Cortesia: Zondervan, Publishing House.

começa a mudar, para mais quente ou para mais frio. Novas áreas árticas, de muito frio, começam a ser criadas, onde tudo fica congelado. Grandes massas de gelo desprendem-se das atuais áreas polares e agora derivam em várias direções. O gelo dissolvido começa a formar rios gigantescos que não demoram a devastar tudo em seu curso. Sim, aconteceu novamente. Um enorme cataclismo removeu toda uma antiga era e civilização, abrindo caminho para uma nova era e civilização. E os poucos homens sobreviventes começam a edificar tudo de novo.

VII. Implicações Éticas

Os profetas e os místicos afiançam que sempre há um forte fator moral envolvido nos grandes cataclismos da terra. A história do dilúvio de Noé está firmada especificamente sobre essa base, no capítulo 6 de Gênesis. O livro de Apocalipse também apresenta a Grande Tribulação sobre essa base. A única preparação que temos contra tal eventualidade é o nosso próprio desenvolvimento espiritual. Não há outro modo de nos prepararmos para uma ocorrência assim. "Oh, podemos dizer que estamos prontos, irmão, prontos para o resplendente lar da alma? Quando Jesus vier, para galardoar seus servos, ele nos encontrará preparados, aguardando a volta do Senhor?"

VIII. Cronologia

Para detalhes, ver no *Dicionário* o artigo intitulado *Dilúvio de Noé*.

■ **7.7**

וַיָּבֹא נֹחַ וּבָנָיו וְאִשְׁתּוֹ וּנְשֵׁי־בָנָיו אִתּוֹ אֶל־הַתֵּבָה מִפְּנֵי מֵי הַמַּבּוּל:

Por causa das águas do dilúvio, que logo começariam a subir de nível. Os vizinhos de Noé chamavam-no de *louco*. Ninguém o seguia. Afinal, nem ao menos estava chovendo *ainda*.

Entrou Noé na arca. Noé e as outras sete pessoas entraram na arca. Ver o artigo sobre a *Arca de Noé* em Gênesis 6.14.

■ **7.8**

מִן־הַבְּהֵמָה הַטְּהוֹרָה וּמִן־הַבְּהֵמָה אֲשֶׁר אֵינֶנָּה טְהֹרָה וּמִן־הָעוֹף וְכֹל אֲשֶׁר־רֹמֵשׂ עַל־הָאֲדָמָה:

Os Animais Seguiram. O autor sacro nos dá um breve sumário de tipos de animais, limpos e imundos. Nenhuma espécie fica de fora dessa classificação. Dentro dos mitos babilônicos, Xisutro tomou consigo todas as espécies de animais e as *sementes* de plantas (um item esquecido no Gênesis). Ele também levou ouro e prata, coisas essas que não interessaram a Noé, e até mesmo *escravas* para fazerem o trabalho. Nessa história, uma tribo inteira, com o seu chefe, foi salva. No Gênesis, fala-se apenas de uma família salva.

7.9

שְׁנַ֨יִם שְׁנַ֜יִם בָּ֧אוּ אֶל־נֹ֛חַ אֶל־הַתֵּבָ֖ה זָכָ֣ר וּנְקֵבָ֑ה
כַּאֲשֶׁ֛ר צִוָּ֥ה אֱלֹהִ֖ים אֶת־נֹֽחַ׃

De dois em dois. Não fazendo aqui a distinção entre *dois* e *sete*, se esse último número significa *sete pares*. Mas o leitor não precisa ser ajudado a cada passo. Já lemos sobre isso páginas atrás.

Como Deus lhe ordenara. Noé realizava suas tarefas em espírito de completa obediência a Deus, algo de que muito precisamos e pelo que oramos. Ver no *Dicionário* o artigo intitulado *Vontade de Deus, Como Descobri-la*.

7.10

וַֽיְהִ֖י לְשִׁבְעַ֣ת הַיָּמִ֑ים וּמֵ֣י הַמַּבּ֔וּל הָי֖וּ עַל־הָאָֽרֶץ׃

Depois de sete dias. O fim do período divino de oportunidade de possível mudança de mente. Ver o vs. 4 quanto a notas a esse respeito. Mas disso nada resultou, e assim as águas se espraiaram pela face da terra, subindo sempre de nível. Este versículo antecipa o parágrafo seguinte, que entra em detalhes sobre como as águas foram engolfando tudo. Passariam 150 dias antes que *começassem* a baixar de nível, e mais de um ano até que aparecesse a terra seca. Algumas tradições judaicas fazem esses sete dias serem um período de lamentações de Metusalém, o qual, ao que se presume, morreu no começo daquele período.

7.11

בִּשְׁנַ֨ת שֵׁשׁ־מֵא֥וֹת שָׁנָה֙ לְחַיֵּי־נֹ֔חַ בַּחֹ֙דֶשׁ֙ הַשֵּׁנִ֔י
בְּשִׁבְעָֽה־עָשָׂ֥ר י֖וֹם לַחֹ֑דֶשׁ בַּיּ֣וֹם הַזֶּ֗ה נִבְקְעוּ֙
כָּֽל־מַעְיְנוֹת֙ תְּה֣וֹם רַבָּ֔ה וַאֲרֻבֹּ֥ת הַשָּׁמַ֖יִם נִפְתָּֽחוּ׃

No ano seiscentos. Repetindo a informação do vs. 6.

Segundo mês. No hebraico, *marcheshvan*. Era o segundo mês do ano civil, que começava com tisri, no equinócio do outono. Isso posto, o autor sacro informa-nos que o dilúvio começou no fim de outubro e continuou até a primavera. O ano eclesiástico, por sua vez, começava no mês de *abib*, ou seja, abril; mas o ano eclesiástico foi instituído como memorial do livramento da servidão no Egito, pelo que não é o ano eclesiástico que está em foco aqui. (Êx 12.2; 23.15). Plutarco tinha uma interessante declaração que serve de paralelo ao relato do Gênesis. Ele afirmou que Osíris entrou na arca no dia 17 de Athyr, que era o segundo mês após o equinócio do outono (*De Iside and Osir*). É possível que essa pequena informação tenha sido tomada por empréstimo da Bíblia, direta ou indiretamente.

Aos dezessete dias. Aqui lembrado por causa do tremendo acontecimento que teve lugar *naquele* dia.

Romperam-se todas as fontes do grande abismo. O dilúvio não dependeu somente da chuva, pois nenhuma chuva, por forte que fosse, poderia ter causado tão grande inundação em apenas quarenta dias. As *fontes do grande abismo*, de acordo com alguns intérpretes, seriam depósitos de águas subterrâneas, os quais são realmente grandes. Mais provavelmente, todavia, o autor sacro referia-se às águas sobre as quais repousaria a terra, as "águas debaixo", em distinção às "águas sobre" (ver Gn 1.6,7, onde há notas a respeito). As águas aqui referidas não são aquelas no interior do globo terrestre, mas *sob* a terra, em consonância com as antigas ideias dos hebreus acerca da natureza da terra. Ver o artigo chamado *Astronomia,* onde apresento um diagrama que ilustra essas crenças antigas.

Abismo. O *theom*, o grande abismo com água onde a terra flutuaria, com suas colunas para baixo.

As comportas dos céus. Pode ser uma alusão às "águas acima" do firmamento, e não meramente à chuva natural. Minha ilustração no artigo intitulado *Astronomia* inclui essa noção.

A imensa quantidade de água é considerada por alguns eruditos como prova de um dilúvio parcial, pois eles creem que nenhum poder (exceto as forças sobrenaturais) poderia ter produzido a água necessária para encobrir as mais altas montanhas da terra, em apenas quarenta dias. Ver o artigo sobre o *Dilúvio de Noé*, nas notas sobre Gênesis 7.6, iv.f.

7.12

וַיְהִ֥י הַגֶּ֖שֶׁם עַל־הָאָ֑רֶץ אַרְבָּעִ֣ים י֔וֹם וְאַרְבָּעִ֖ים לָֽיְלָה׃

Quarenta dias e quarenta noites. Quarenta é o número das provações e dos testes. Ver as notas no vs. 4. As chuvas começaram no décimo sétimo dia do segundo mês, *marcheshvan*, e cessaram no vigésimo oitavo dia do terceiro mês, *chisleu*. Quanto aos *meses* judaicos, ver o artigo intitulado *Calendário* no *Dicionário*.

7.13

בְּעֶ֨צֶם הַיּ֤וֹם הַזֶּה֙ בָּ֣א נֹ֔חַ וְשֵׁם־וְחָ֥ם וָיֶ֖פֶת בְּנֵי־נֹ֑חַ
וְאֵ֣שֶׁת נֹ֗חַ וּשְׁלֹ֧שֶׁת נְשֵֽׁי־בָנָ֛יו אִתָּ֖ם אֶל־הַתֵּבָֽה׃

Nesse mesmo dia. O dia décimo sétimo assinalou tanto o começo das chuvas como também a entrada das oito pessoas na arca. As Escrituras não nos fornecem os nomes das esposas; mas as tradições suprem-nas, procurando preencher o vazio de informação. Assim, a esposa de Noé seria *Titeia*; e as esposas dos três filhos seriam *Pandora, Noela* e *Noegla*. Mas outros autores falam em *Titzia* ou *Naamá*, filha de Lameque. Ainda outros preferem o nome *Hancel*. Além disso, a esposa de Sem, de acordo com alguns, seria *Zalbeth;* a de Cão, *Nahalath;* e a de Jafé, *Aresisia*. E todas as três, supostamente, seriam filhas de Metusalém. As tradições multiplicam absurdos ou dão informações falsas. Algumas delas dizem que quando Noé entrou na arca, levou consigo o corpo de *Adão!* e então o colocou bem no meio da arca.

7.14

הֵ֜מָּה וְכָל־הַֽחַיָּ֣ה לְמִינָ֗הּ וְכָל־הַבְּהֵמָה֙ לְמִינָ֔הּ
וְכָל־הָרֶ֛מֶשׂ הָרֹמֵ֥שׂ עַל־הָאָ֖רֶץ לְמִינֵ֑הוּ וְכָל־הָע֣וֹף
לְמִינֵ֔הוּ כֹּ֖ל צִפּ֥וֹר כָּל־כָּנָֽף׃

Todos os animais. O reino animal inteiro entra na arca e fica a salvo de qualquer dano, reiterando o que já havia sido dito por várias outras vezes, como nos vss. 8 e 9 deste mesmo capítulo 7. A ignorância das pessoas acerca do vasto número de animais envolvidos aparece na declaração feita pelo bispo Wilkins, no século XVIII. Ele disse que existem 195 espécies de animais, sendo essa uma estimativa muito modesta, mesmo em relação ao que se sabe que havia na Inglaterra, nos dias *dele*. Mas só de répteis há 7 mil espécies, 5 mil espécies de mamíferos etc. Ver algumas estatísticas a respeito nas notas sobre Gênesis 6.19. Neste ponto, não é mais ofício dos bispos dizerem-nos o que sucedeu. Agora os *zoólogos* são os que nos dão esse tipo de informação.

7.15

וַיָּבֹ֥אוּ אֶל־נֹ֖חַ אֶל־הַתֵּבָ֑ה שְׁנַ֤יִם שְׁנַ֙יִם֙ מִכָּל־הַבָּשָׂ֔ר
אֲשֶׁר־בּ֖וֹ ר֥וּחַ חַיִּֽים׃

De dois em dois. Um item repetido e que já fora dado em Gênesis 6.19,20 e 7.2,9, onde damos notas.

Em que havia fôlego de vida. Isso aponta tão somente para *seres vivos*, em distinção a objetos inanimados. O interesse de Deus por *todas* as criaturas vivas é confirmado uma vez mais, em contraste com a crueldade do homem, em sua falta de cuidados diante da natureza.

7.16

וְהַבָּאִ֗ים זָכָ֨ר וּנְקֵבָ֤ה מִכָּל־בָּשָׂר֙ בָּ֔אוּ כַּאֲשֶׁ֛ר צִוָּ֥ה אֹת֖וֹ
אֱלֹהִ֑ים וַיִּסְגֹּ֥ר יְהוָ֖ה בַּעֲדֽוֹ׃

Os que entraram de toda carne. Outra reiteração, havendo muitas no texto sagrado. A entrada de macho e fêmea de cada espécie garantia a continuação das espécies, mostrando-nos que há razões para a existência dos animais. Eles têm uma dignidade toda sua, inteiramente à parte do homem. Ver na *Enciclopédia de Bíblia, Teologia e Filosofia* os artigos *Animais, Direito dos,* e *Moralidade e Animais, Alma dos*.

O Senhor fechou a porta após ele. Alguns intérpretes veem aqui Deus, literalmente, talvez sob a forma de uma *teofania* (ver no *Dicionário*, sobre esse assunto), que fechou a porta da arca pelo lado de fora. Mas outros aceitam essa declaração como metafórica e antropomórfica. A grande lição espiritual aqui é que houve pessoas que ficaram fechadas *do lado de fora*, mediante esse ato divino. Essas pessoas não tinham tirado proveito da oportunidade. Além disso, havia aqueles que ficaram *fechados pelo lado de dentro,* com vistas à sua segurança e salvação. É significativo que, no sentido metafórico e espiritual, Deus novamente *abriu* a porta da arca para os que estavam *do lado de fora,* por meio da missão de Cristo no hades, com uma renovada oportunidade de salvação. Ver 1Pedro 3.18—4.6, bem como o artigo intitulado *Descida de Cristo ao Hades,* na *Enciclopédia de Bíblia, Teologia e Filosofia.* Sim, Deus cuida do homem; Deus abre e fecha a porta, para então abri-la de novo.

Após ele. Provavelmente devemos pensar em Noé, dando a entender que ele foi o último a entrar, depois de ter visto que seus sete familiares e todos os animais já haviam entrado na arca. Ele agiu como um capitão de navio cumpridor de seus deveres, considerando a segurança alheia antes da sua mesma. Atrás de Noé, porém, surgiu Yahweh, que fechou a porta da arca pelo lado de fora.

"É deveras notável o fato de que a *Yahweh* foi atribuído esse ato de *cuidado pessoal* por Noé. No Gênesis caldaico (par. 283), a divindade ordenou a Xisutro que se fechasse na arca por dentro" (Ellicott, *in loc.*). Deus criou e continua cuidando de sua criação. Ver no *Dicionário* os artigos intitulados *Teísmo* e *Providência de Deus.*

7.17

וַיְהִי הַמַּבּוּל אַרְבָּעִים יוֹם עַל־הָאָרֶץ וַיִּרְבּוּ הַמַּיִם
וַיִּשְׂאוּ אֶת־הַתֵּבָה וַתָּרָם מֵעַל הָאָרֶץ׃

Quarenta dias. Um item que também aparece no vs. 4 (onde é comentado) e no vs. 12, indicando o tempo durante o qual as águas, provenientes de várias fontes, continuaram prevalecendo sobre a superfície da terra. O resultado foi que a tarefa foi assim terminada. As águas prevaleceram acima dos mais elevados montes. A arca, uma grande caixa retangular, ficou flutuando, e assim garantiu a segurança de todos os que estavam em seu interior. Ver nas notas sobre Gênesis 6.14 o artigo intitulado *Arca de Noé.*

7.18

וַיִּגְבְּרוּ הַמַּיִם וַיִּרְבּוּ מְאֹד עַל־הָאָרֶץ וַתֵּלֶךְ |V18 |H|
|פ|הַתֵּבָה עַל־פְּנֵי הַמָּיִם׃

Predominaram as águas. O relato do autor sagrado é vívido. As águas precipitaram-se do céu em catadupas; emanaram do grande abismo interior; e assim foram incansavelmente subindo em seu nível, e prevaleceram sobre tudo e sobre todos. A arca flutuava sem rumo sobre as águas. Ela não fora construída para velejar de um lado para outro, mas somente para ficar flutuando. Deus haveria de dirigi-la para onde deveria abicar em terra, finalmente. Assim também, algumas vezes, nossas vidas parecem flutuar sem destino, mas há um plano de Deus que, inevitavelmente, haverá de conduzir-nos até onde devemos ir.

"Ela flutuou sobre as águas de maneira fácil e tranquila, pois não havia nem ventania nem tempestades que a pudessem ameaçar" (John Gill, *in loc.*).

7.19

וְהַמַּיִם גָּבְרוּ מְאֹד מְאֹד עַל־הָאָרֶץ וַיְכֻסּוּ כָּל־הֶהָרִים
הַגְּבֹהִים אֲשֶׁר־תַּחַת כָּל־הַשָּׁמָיִם׃

Prevaleceram as águas excessivamente. O resultado disso foi que até os montes mais altos ao redor foram encobertos pelas águas, a saber, tudo o que se via debaixo do céu. Até onde Noé podia enxergar, não havia nenhuma colina à vista: as águas cobriam tudo. No *Dilúvio de Deucalião,* alguns picos de montes mais altos ficaram acima da superfície da água, e algumas poucas pessoas conseguiram escapar ali. Ver as notas no fim deste versículo. As palavras do Gênesis, quando consideradas literalmente, indicam um dilúvio universal. No entanto, bons intérpretes, incluindo alguns conservadores, argumentam em favor de um dilúvio parcial. Discuti exaustivamente sobre essa questão no artigo *Dilúvio de Noé,* que aparece nas notas sobre Gênesis 7.6, em sua quarta seção. Ellicott (*in loc.*) apresenta a seguinte linha argumentativa: "... é fato bem conhecido que, na Bíblia, a palavra *todos* significa muito menos do que em nossa linguagem moderna. E também devemos lembrar que o idioma hebraico tinha um vocabulário bem pobre, pelo que as palavras 'debaixo do céu' significam apenas 'dentro do horizonte'. Nós, com nossa linguagem composta, temos pedido por empréstimo uma palavra do grego que significa *o horizonte todo,* ou seja, aquilo que se vê dentro dos limites da visão de um espectador. Assim sucedeu nesse caso. Até onde Noé e os seus podiam divisar, em qualquer direção, eles só viam água. Era tudo uma amplidão de água. Mas não devemos pensar aqui nos montes de Auverguem (coberto com as cinzas de um vulcão extinto, repousando em suas crateras, extinto provavelmente desde um tempo muito anterior à criação do homem). Os montes eram aqueles do mundo de Noé, tão limitado quanto o *mundo romano* de Lucas 2.1, ou mesmo mais limitado".

OBSERVAÇÕES SOBRE A CRONOLOGIA DO DILÚVIO

1. As expressões "fontes do grande abismo" e "comportas dos céus" provavelmente nos envolvem na antiga cosmologia hebraica. Os hebreus acreditavam que a terra descansava sobre grandes águas, que agiam como alicerce. Para eles, o "firmamento" era uma grande bacia sólida, de cabeça para baixo, que tocava nas extremidades da terra, onde montanhas suportavam o imenso peso. Em cima do *firmamento* havia o grande mar celestial. A quantidade gigantesca de águas surgida pelo dilúvio implicava a utilização das águas do alicerce e do mar celestial, não meramente das águas das chuvas.

2. *Muitos dilúvios?* Em uma famosa passagem, Heródoto, o historiador grego, informa-nos que os egípcios riram de certos gregos que visitaram o Egito como embaixadores, por causa de sua ignorância, que se contrastava com a sabedoria superior deles. Um ponto de comparação era a afirmação de que, enquanto os gregos sabiam somente de um grande dilúvio, os egípcios tinham conhecimento de muitos. Provavelmente tais dilúvios foram universais, não meramente inundações mais violentas do Nilo, que aconteceram periodicamente. A cada 20 mil ou 30 mil anos, condições cosmológicas se formam, favorecendo deslocamentos da crosta terrestre e provocando uma mudança de localização dos polos. Com isto, os mares assumem novos leitos, com imensas inundações da terra. A mudança da localização dos polos é a maior causa dos grandes dilúvios.

3. *O dilúvio foi parcial?* Se o dilúvio de Noé fosse de data relativamente recente (2.500 a.C., como alguns afirmam), então, certamente, foi parcial. Os chineses têm registros históricos que datam consideravelmente além dos 2.400 a.C., sem nenhuma interrupção. Não há nesses registros informações sobre um grande dilúvio. Ou os chineses fizeram história embaixo das águas! O artigo *Dilúvio de Noé,* do *Dicionário,* entra no problema de "parcial" ou "absoluto" em relação ao dilúvio. Se os chineses tivessem sido poupados do último grande dilúvio, isto explicaria sua população imensamente desproporcional.

4. *Datas?* Ver detalhes no artigo *Dilúvio de Noé,* seção V. Se dependermos das genealogias de Gênesis, então precisamos datar o dilúvio por volta 2.400 a.C. Poucos eruditos dependem destas genealogias para datar acontecimentos realmente distantes. Alguns supõem que o dilúvio deva ser associado à última glaciação e sugerem 10.000 a.C. Se datarmos o dilúvio com a suposta última mudança dos polos, então 20.000 a.C. seria uma data razoável. O fato é que estamos reduzidos a conjecturas. Alguns pesquisadores acham que outra mudança dos polos está perto dos nossos dias. Vamos esperar que este "perto" seja ainda muito distante!

Deucalião. Dentro da mitologia grega, Deucalião, filho de Prometeu, juntamente com sua mulher, Pirra, foram os únicos sobreviventes óbvios de um dilúvio enviado por Zeus para punir a raça humana devido à sua iniquidade. E eles teriam repovoado o mundo.

ARARATE

No hebraico, *deserto*, nome dado à região entre o rio Tigre e as montanhas do Cáucaso, conhecida como Armênia, mas chamada Urati nas inscrições assírias. O nome veio a ser aplicado à cadeia montanhosa e, especialmente, ao duplo pico em forma de cone, com 5.182 m e 4.265 m.

No Oriente existem vários montes sagrados, consagrados por tradições que os identificam com o lugar onde a arca teria repousado, terminado o dilúvio.

Se o dilúvio começou quando Noé estava em algum lugar da Mesopotâmia, então as mais elevadas montanhas das vizinhanças, quando as águas do dilúvio baixaram o suficiente, teriam sido as de Urartu (Ararate).

ARARATE, Smith's Bible Dictionary.

■ 7.20

חֲמֵשׁ עֶשְׂרֵה אַמָּה מִלְמַעְלָה גָּבְרוּ הַמָּיִם וַיְכֻסּוּ הֶהָרִים׃

Quinze côvados acima. Os intérpretes se debatem diante deste versículo, por causa de sua tradução um tanto dúbia. Mas parece dizer que os picos montanhosos mais altos foram cobertos pelas águas, que se elevaram acima daqueles por cerca de 6,70 m. Um dos argumentos em defesa de um dilúvio parcial é que há muitas espécies de água-marinha que só podem sobreviver em águas rasas. Toda aquela água acima delas haveria de matá-las quase instantaneamente. No entanto, essas espécies continuam a florescer até hoje. Se o dilúvio tivesse sido universal, seria preciso um novo ato criativo de Deus para replenar as águas com essas espécies. Ver o artigo intitulado *Dilúvio de Noé* nas notas sobre Gênesis 7.6, em sua quarta seção, quanto a argumentos pró e contra no que tange à extensão do dilúvio.

Quinze côvados (6,70 m) porque nenhum ser humano ou animal terrestre poderia subir até a superfície da água a fim de respirar.

Outro argumento em defesa de um dilúvio parcial, neste versículo, é a impossibilidade de ter sido depositada tanta água em meros quarenta dias, bem como sua subsequente remoção, dentro do tempo registrado pela Bíblia. Somente *dois atos divinos* poderiam ter realizado esse feito. Ver sobre o *Dilúvio de Noé,* em iv.f, nas notas sobre Gênesis 7.6.

■ 7.21

וַיִּגְוַע כָּל־בָּשָׂר הָרֹמֵשׂ עַל־הָאָרֶץ בָּעוֹף וּבַבְּהֵמָה וּבַחַיָּה וּבְכָל־הַשֶּׁרֶץ הַשֹּׁרֵץ עַל־הָאָרֶץ וְכֹל הָאָדָם׃

Pereceu toda carne. O *resultado desejado* fora obtido. *Todas as formas* de vida (que o autor enumerou segundo as categorias que se seguem) foram eficazmente eliminadas. Todas as espécies de animais terrestres pereceram, e isso "por causa do pecado dos homens, a quem pertenciam aqueles animais, e por quem estavam sendo maltratados" (John Gill, *in loc.*). Este texto ilustra a *radicalidade* do pecado. Medidas radicais precisam ser tomadas para contê-lo. Contudo, Deus não usa de medidas radicais apenas para tirar vingança. O juízo divino sempre tem também um aspecto remedial, segundo se vê em 1Pedro 4.6. Os intérpretes tentam inutilmente imaginar qual seria a população do mundo por ocasião do dilúvio. Uma das conjecturas fala em onze bilhões, cerca do dobro da atual população mundial. Mas essa estimativa é improvável.

O pecado aparece aqui como algo que infectou fatalmente toda a vida, de tal modo que somente um novo começo pôde satisfazer a vontade divina. Quando ocorrem grandes mudanças, quando surgem novos ciclos, sempre será verdade que o que é antigo precisa ser destruído (e não apenas renovado), antes que o que é novo possa prevalecer.

■ 7.22

כֹּל אֲשֶׁר נִשְׁמַת־רוּחַ חַיִּים בְּאַפָּיו מִכֹּל אֲשֶׁר בֶּחָרָבָה מֵתוּ׃

Tudo o que tinha fôlego de vida. A morte por afogamento cortou eficazmente o seu suprimento de ar. Eles morreram por falta de oxigênio. Deus lhes dera o fôlego de vida, ou seja, tinha-os animado pelo seu poder, razão pela qual se tinham tornado seres viventes. Mas agora lhes tirara a vida por meio da água.

Em terra seca. Porque os que viviam no mar não morreram por causa do dilúvio. Há uma antiga fábula judaica que diz que Deus matou toda vida marinha ao fazer as águas do mar ferver. Mas John Gill, especialista em fábulas judaicas, nunca encontrou nenhuma fonte literária com essa fábula.

É triste quando Deus tira uma vida por causa do pecado, não permitindo que as pessoas vivam todo o curso normal de suas vidas, nem cumpram o seu propósito, nem morram de morte natural. Mas há uma morte que é bendita aos olhos do Senhor: "Bem-aventurados os mortos que desde agora morrem no Senhor" (Ap 14.13).

■ 7.23

וַיִּמַח אֶת־כָּל־הַיְקוּם ׀ אֲשֶׁר ׀ עַל־פְּנֵי הָאֲדָמָה מֵאָדָם עַד־בְּהֵמָה עַד־רֶמֶשׂ וְעַד־עוֹף הַשָּׁמַיִם וַיִּמָּחוּ מִן־הָאָרֶץ וַיִּשָּׁאֶר אַךְ־נֹחַ וַאֲשֶׁר אִתּוֹ בַּתֵּבָה׃

Foram exterminados todos os seres... o homem e o animal... Novamente é salientada a natureza radical do juízo, embora com o uso de uma expressão diferente. O dilúvio foi a pior de todas as destruições. Mas haverá de novo uma incalculável destruição, visto que a terra passa periodicamente por coisas assim, devido à mudança de polos magnéticos. Ver na *Enciclopédia de Bíblia, Teologia e Filosofia* o artigo intitulado *Polos, Mudança dos*. E também haverá o *fim* da era em que estamos vivendo (Mt 24.37-39).

Ficou somente Noé, e os que com ele estavam na arca. A exceção divina, com base na retidão, na justiça e no andar com Deus. Veio o dilúvio e levou-os todos (Lc 17.27), deixando em vida somente aqueles poucos que tinham sido escolhidos para iniciar um novo começo. Há uma tola fábula judaica que diz que houve mais um sobrevivente do dilúvio, um homem de nome *Ogue*, que conseguiu ficar flutuando agarrado a um pedaço de madeira, e ao qual Noé, de vez em quando, alimentava. (*Pirke Eliezer,* c. 23, fol. 23.1,2).

■ 7.24

וַיִּגְבְּרוּ הַמַּיִם עַל־הָאָרֶץ חֲמִשִּׁים וּמְאַת יוֹם׃

Durante cento e cinquenta dias. Essa declaração deveria ser ligada com a de Gênesis 8.3. As águas foram-se acumulando, e, finalmente, atingiram o seu nível máximo. Após 150 dias, porém, começaram a diminuir. Parece que esse cálculo precisa ser entendido a contar do início dos quarenta dias, e não depois deles. Alguns intérpretes, entretanto, discordam desse parecer, e adicionam os 150 aos quarenta, totalizando seis meses e dez dias.

CAPÍTULO OITO

AS ÁGUAS RETROCEDEM (8.1-12)

A noite horrenda do julgamento foi seguida pelo dia. Deus sempre faz raiar um novo dia. Sua teologia é sempre otimista. A fidelidade de Deus brilhou novamente, ao amanhecer do novo dia. Deus lembrou-se de Noé, e, por meio dele, da humanidade inteira. Tudo se tinha perdido; mas tudo pode ser recuperado. A descida de Cristo ao hades visou especificamente ao propósito de alcançar as almas perdidas da época de Noé, que então tipificavam toda pessoa em necessidade espiritual. Deus estende a mão aos necessitados. É sobre isso que versa o evangelho. Ver na *Enciclopédia de Bíblia, Teologia e Filosofia* o artigo intitulado *Descida de Cristo ao Hades,* que comenta sobre os propósitos divinos no que tangem ao dilúvio e aos seus resultados.

Noé não ouvira sobre Deus por muito tempo, mas ele continuava ali. Algumas vezes temos de seguir nosso próprio caminho, traçar nossos próprios planos e realizar nossas próprias tarefas. Deus espera nas sombras para ver quão bem realizamos aquilo que ele nos deu para fazer. Então, às vezes, ele surge e faz intervenção, quando as coisas nos fogem ao controle, ou quando estamos em alguma necessidade especial. Assim sucede à inteira questão do julgamento. Deus espera para ver o que o homem fará. Ele não hesita em mostrar-se severo, pois as pessoas precisam ser tratadas com severidade, a fim de endireitar o seu caminho. Mas então Deus intervém, e usa de sua graça, porque ama a humanidade.

> Sei somente que não me posso desviar
> Para longe de seu amor e cuidado.
> *A Bondade Eterna,* por John Greenleaf Whittier

■ 8.1

וַיִּזְכֹּר אֱלֹהִים אֶת־נֹחַ וְאֵת כָּל־הַחַיָּה וְאֶת־ |H| |V1|
כָּל־הַבְּהֵמָה אֲשֶׁר אִתּוֹ בַּתֵּבָה וַיַּעֲבֵר אֱלֹהִים רוּחַ
עַל־הָאָרֶץ וַיָּשֹׁכּוּ הַמָּיִם׃

Lembrou-se Deus de Noé. Não fora isso, e toda forma de vida teria perdido a esperança. Uma mãe pode esquecer seu filho, mas Deus não se esquece dos que lhe pertencem (Is 49.15). Temos razão para continuar crendo, mesmo nos dias mais negros, porquanto Deus controla a sucessão de noite e dia. O amor de Deus é muito mais profundo do que o amor de uma mãe por seu filho infante, *tão grande* é o mesmo. A providência divina está sempre presente, pois ele não é como o homem, que vive mudando de atitude. Ver no *Dicionário* o artigo intitulado *Providência de Deus.* Pode parecer que as coisas se perderam, mas Deus contempla e age para reverter todo mal. Podemos perder de vista nossos marcos familiares; podemos ficar boiando no mar do conflito, mas em algum ponto existe a divina âncora da esperança.

Disse o salmista: "...tão perturbado estou, que nem posso falar" (Sl 77.4b). Mas a vida do homem não pode terminar dessa maneira. Finalmente, o dilúvio foi baixando de nível. Os montes apareceram outra vez; a terra seca continuava ali, embora tivesse estado oculta aos olhos por algum tempo. Os pássaros acharam seus ninhos; os animais do campo brincaram de novo; o homem começou a plantar e a adorar. As coisas foram voltando ao normal, pois um novo dia tinha raiado.

Deus fez soprar um vento. Cf. o vento criativo de Gênesis 1.2. Agora havia uma intervenção divina muito necessária. As fontes subterrâneas deixaram de jorrar água. Assim, Jesus acalmou as águas (Mt 8.26). É o Senhor quem acalma a tempestade (Sl 107.29). O trecho de Gênesis 7.24 evidentemente dá a entender que houve correntezas violentas envolvidas no dilúvio. Mas agora tudo estava calmo. O vento fez parar a enxurrada e soprou a chuva para longe. Talvez o vento também tenha imprimido certa direção à arca, conduzindo-a ao futuro lugar de habitação de Noé. Alguns sugerem que o vento também se mostrou eficaz ao produzir uma tremenda *evaporação,* que logo diminuiu o volume das águas. Nesse caso, o relato não entende uma evaporação natural. Adam Clarke falou sobre um seu amigo que tomou banho às margens do rio Tigre, e como então soprou um vento quente que o secou quase assim que ele saiu de dentro da água. E ele aludiu ao "vento eletrificado" de Deus, um superevaporador.

Deus Tomou Providências para que Houvesse Mudanças. Um dos aspectos da lembrança de Deus quanto a Noé foi que ele tomou medidas divinas com vistas à *mudança.* Algumas vezes, só pode haver mudança em nossa vida por meio do poder, pela iluminação e pela orientação divina. Algumas vezes, o vento de Deus precisa soprar em nossas vidas, ou falharemos em tudo quanto estivermos fazendo. Muito significativamente, os Targuns de Jonathan e de Jerusalém chamam esse vento de "vento de misericórdias", ao passo que Jarchi chama-o de "vento da consolação". A terra seca deveria acolher os ocupantes da arca, e a vontade divina fez essa provisão tornar-se uma realidade.

■ 8.2

וַיִּסָּכְרוּ מַעְיְנֹת תְּהוֹם וַאֲרֻבֹּת הַשָּׁמָיִם וַיִּכָּלֵא הַגֶּשֶׁם
מִן־הַשָּׁמָיִם׃

Fecharam-se as fontes. As várias fontes de água deixaram de jorrar, por decreto divino, tal como tinham começado. A vontade divina estava controlando as coisas, para que o propósito de Deus viesse a ter cumprimento, do começo ao fim. Aquilo que Deus começa ele não abandona pelo meio do caminho, e aquele que vive em consonância com a vontade de Deus vê cumprir-se um contínuo propósito divino. Quarenta dias foram suficientes para esse cumprimento; e, dali por diante, teve início um novo estágio. Provavelmente, *as fontes* indicam o *abismo* de águas sobre a terra, que então cessou de jorrar. Essa questão é comentada em Gênesis 7.11.

■ 8.3

וַיָּשֻׁבוּ הַמַּיִם מֵעַל הָאָרֶץ הָלוֹךְ וָשׁוֹב וַיַּחְסְרוּ הַמַּיִם
מִקְצֵה חֲמִשִּׁים וּמְאַת יוֹם׃

As águas iam-se escoando continuamente. Uma vez cessado o jorro de águas, agora seu nível começou a baixar. Alguns estudiosos veem aqui a necessidade de uma remoção divinamente provocada, tal como vemos uma intervenção divina no primeiro versículo. Ver as notas em Gênesis 7.6 sobre o *Dilúvio de Noé,* em sua seção iv.f, quanto ao problema da *quantidade* de água, da inundação e do escoamento das águas. Alguns eruditos pensam que o vento referido no primeiro versículo serviu de meio de remoção de águas, através de um incomum processo de evaporação. "...retornaram [as águas] ao seu devido lugar, que lhes fora determinado; parte da água foi seca pelo vento e o calor do sol fê-la ser absorvida pela atmosfera; outra parte da água retornou aos canais e às cavidades da terra..." (John Gill, *in loc.*). É provável que o autor sagrado cresse que a maior parte daquela água tivesse voltado ao *grande abismo.*

Ao cabo de cento e cinquenta dias. Ver notas sobre esse período em Gênesis 7.24. Deus havia determinado aquele período para o escoamento das águas. Esse período terminou, e Deus interveio e começou a restaurar a normalidade. Esse período tem sido calculado de vários modos, conforme se vê nas notas sobre Gênesis 7.24. Mas alguns intérpretes imaginam aqui que esses são *outros* 15 dias, depois que as águas começaram a baixar de nível.

■ 8.4

וַתָּנַח הַתֵּבָה בַּחֹדֶשׁ הַשְּׁבִיעִי בְּשִׁבְעָה־עָשָׂר יוֹם
לַחֹדֶשׁ עַל הָרֵי אֲרָרָט׃

No dia dezessete do sétimo mês foi quando a arca pousou sobre a terra. Corria o sétimo mês do ano, não do dilúvio, depois do mês de tisri, no equinócio da primavera. Está em pauta o mês de *nisan* (parte

Richard Laurence, *The Book of Enoch*, 1821.

O DIA DA DESTRUIÇÃO

A terra estava corrompida à vista de Deus, e cheia de violência.
Viu Deus a terra, e eis que estava corrompida;
porque todo ser vivente havia corrompido o seu caminho na terra.
Então disse Deus a Noé: resolvi dar cabo de toda carne, porque a terra está cheia da violência dos homens:
Eis que farei perecer juntamente com a terra.
Lembrou-se Deus de Noé, e de todos os animais selváticos e de todos os animais domésticos que com ele estavam na arca; Deus fez soprar um vento sobre a terra e baixaram as águas.

Gênesis 7.11-13

---

de nosso mês de março), ou então o começo da primavera, em algumas partes do mundo. O Targum de Jonathan diz *nisan*, mas Jarchi pensa que era o mês de *sivan* (maio ou junho). Os meses, para os hebreus, tinham trinta dias cada um.

Os Dezessete. "No décimo sétimo dia de abibe a arca repousou sobre o monte Ararate; no décimo sétimo dia de abibe, os israelitas atravessaram o mar Vermelho; no décimo sétimo dia de abibe, Cristo, nosso Senhor, ressuscitou dentre os mortos" (*Speaker's Commentary*). Talvez esse número deva ser considerado um ciclo completo. Ver no *Dicionário* o artigo *Número (Numeral, Numerologia)*. (Abibe é um nome alternativo para o mês de Nisan.) Ver sobre *Calendário Judaico*, no *Dicionário*.

Ararate. No hebraico, *deserto*. Nome aplicado à região entre o rio Tigre e as montanhas do Cáucaso, conhecida como Armênia, mas chamada Urarti nas inscrições assírias. O nome veio a ser aplicado à cadeia montanhosa e, especialmente, ao duplo pico em forma de cone, a pouco mais de onze quilômetros separados um do outro, respectivamente com 5.182 m e 4.265 m de altura. O pico de maior altura é chamado Massis, pelos nativos, ou, então, Varaz-Baris; e os persas lhe dão o nome de Kuhi-Nuh, "monte de Noé". Seu cume é perpetuamente coberto de neve. Tradições nativas dizem que a arca repousou sobre sua vertente sul, mas as inscrições assírias identificam um pico um tanto mais ao sul, a saber, o monte Nish'r, com 2.745 m de altura, comumente identificado com o Pir Omar Gudrun. Há relatos sobre o dilúvio por todo o Oriente, alguns dependentes da narrativa bíblica. Outros, porém, são independentes. Outrossim, essas narrativas sobre o dilúvio são universais, e supomos que a maioria delas, independentes do relato bíblico. Os sacerdotes egípcios disseram a Heródoto: "Vocês, gregos, são apenas crianças. Vocês conhecem apenas um dilúvio, mas temos registros sobre muitos dilúvios". Os registros geológicos, como a reversão do magnetismo das rochas, indicam que não apenas por uma vez, mas por muitas vezes (talvez até quatrocentas vezes) os polos têm mudado de lugar, com deslizes consequentes da crosta terrestre, produzindo, obviamente, grande destruição e imensos dilúvios. Pensamos que o dilúvio de Noé tenha sido a última dessas grandes catástrofes, e que ainda haverá outras, no futuro. Ver o artigo sobre o *Dilúvio*.

No Oriente existem vários montes sagrados, assim feitos pelas tradições, que os identificam com o lugar onde a arca teria repousado, terminado o dilúvio. Portanto, além dos montes de Ararate, há outros picos que são assim considerados, como o Sufued Koh (Monte Branco), onde os afegãos dizem que a arca descansou. O pico de Adão, na ilha de Ceilão, é outro desses lugares, sendo curioso que em Gênesis 8.4 o pentateuco samaritano diga *Sarandib*, nome árabe para o Ceilão. Os versos sibilinos afirmam que as montanhas do Ararate ficavam na Frígia. Outros situam-nas na porção oriental da cadeia montanhosa antigamente chamada Cáucaso e Imaus, que termina nos montes do Himalaia, no norte da Índia. As descrições bíblicas, porém, parecem eliminar regiões relacionadas ao Afeganistão, ao Ceilão e ao norte da Índia, embora alguns advoguem esses lugares como a região onde a arca ficou, ao terminar o dilúvio.

1. *Localizando o Ararate.* As únicas passagens bíblicas (além do livro de Gênesis) onde a palavra "Ararate" ocorre são 2Reis 19.37 (Is 37.38) e Jeremias 51.27. Nas duas primeiras, faz-se referência à terra para onde fugiram os filhos de Senaqueribe, rei da Assíria, depois que o assassinaram. Tobias 1.21 diz que eles fugiram para "as montanhas do Ararate". Isso indicaria um lugar, e não uma região dominada pela Assíria, embora não muito distante. A descrição adapta-se à antiga Armênia, que agora faz parte da Turquia moderna, em sua porção oriental. A antiga Armênia era um reino a nordeste da Ásia Menor, incluindo o leste da Turquia e da moderna Armênia, que ultimamente tornou-se independente da ex-União das Repúblicas Socialistas Soviéticas. Se o dilúvio começou quando Noé estava em algum lugar da Mesopotâmia, então as mais elevadas montanhas das vizinhanças, quando baixaram o suficiente as águas do dilúvio, teriam sido as de Urartu (Ararate), correspondendo à informação dada acima.

2. *Descrição do Ararate.* O monte e seu satélite, o Pequeno Ararate, mais para sudeste, são vulcões extintos, que se elevam espetacularmente em meio à planície. O Ararate é um cone irregular, com ombros proeminentes e um profundo abismo do alto ao sopé do monte, em seu lado nordeste. Seu cume é perpetuamente recoberto de neve, mas a natureza porosa e cheia de cinzas do solo impede a formação de rios, pelo que o monte é quase desnudo de árvores da base ao cume. É ligado ao Pequeno Ararate por uma longa cadeia de quase 13 km de extensão. Tratados de fronteira entre a Rússia e a Turquia (parte da qual era a antiga Armênia) deixaram o Ararate em território turco.

3. *O Reino de Ararate.* "Ararate" é a forma hebraica do assírio *Urartu*, nome de um reino fundado no século IX a.C. A região continuou sendo chamada por esse nome muito tempo depois de tornar-se Armênia, nos fins do século VII a.C. O reino de *Urartu* floresceu no tempo do império assírio, nas vizinhanças do lago Vã, na Armênia. Esse reino é frequentemente mencionado nas inscrições assírias como um vizinho perturbador do norte. Sua cultura foi muito influenciada pela civilização da Mesopotâmia, e, no século IX a.C., foi adotada e modificada a escrita cuneiforme para se escrever a língua urartiana, também chamada vânica e caldiana, que não deve ser confundida com o caldeu. A língua urartiana não estava relacionada à acadiana. Cerca de duzentas inscrições em urartiano foram encontradas pela arqueologia. Nessas inscrições, a terra é chamada de BIAI-NAE, e sua população é chamada de "filhos de Haldi", uma das principais divindades de sua religião.

Exemplares de sua arte e arquitetura têm sido descobertos em Toprak Kale. A antiga capital, Tuspa, ficava perto do lago Vã, e, nos tempos modernos, em Karmir Blur, uma aldeia próxima de Erivan, na ex-União das Repúblicas Socialistas Soviéticas.

As inscrições de Salmaneser I mencionam Urartu pela primeira vez no século XIII a.C. O reino começou como um pequeno estado entre os lagos Vã e Urmia. Então cresceu até tornar-se uma séria ameaça à Assíria, no século IX a.C. Em cerca de 830 a.C., Sardur I encabeçou uma dinastia ali, estabelecendo sua capital em Tuspa. Pelos fins do século VIII a.C., houve a invasão dos cimérios (ver o artigo sobre *Gômer*), e o reino de Urartu praticamente terminou. Houve um breve reavivamento em meados do século VII a.C., sendo possível que o rei Rusa II, daquela época, fosse o hospedeiro dos assassinos de Senaqueribe (Is 37.38). Não se sabe com certeza como terminou esse reino, mas isso parece ter ocorrido na primeira metade do século VI a.C. Antigas inscrições cuneiformes em persa antigo chamam o lugar de *Armênia,* uma designação indo-europeia, mostrando que os povos de raça jafetita provavelmente tinham tomado conta da região no século VI a.C., data dessas inscrições.

■ 8.5

וְהַמַּ֗יִם הָי֨וּ הָל֤וֹךְ וְחָסוֹר֙ עַ֖ד הַחֹ֣דֶשׁ הָֽעֲשִׂירִ֑י בָּעֲשִׂירִי֙ בְּאֶחָ֣ד לַחֹ֔דֶשׁ נִרְא֖וּ רָאשֵׁ֥י הֶהָרִֽים:

E as águas foram minguando até o décimo mês. A renovação divina prosseguia. As águas diminuíam rápida e continuamente. O novo dia estava prestes a raiar. No décimo mês, foi vista uma linda paisagem: apareceram os cumes dos *montes*. Fui criado na parte ocidental dos Estados Unidos, em uma área das Montanhas Rochosas. Lembro-me da primeira vez em que voltei do leste para o oeste (pois eu estudara na parte leste do país). Passei através das Grandes Planícies, no meio-oeste norte-americano, ainda a grande distância de meu destino. E lá no horizonte estavam elas, as Montanhas Rochosas. Era a minha terra, e meu coração saltou dentro do peito. Assim também aqui, os montes apareceram, e ali estava novamente a terra. Podemos imaginar a alegria que esse acontecimento trouxe àqueles que estavam encerrados na arca, os quais nada tinham visto, senão água, pelo espaço de tantos meses.

Décimo mês. Está em pauta o décimo mês do ano civil, e não o décimo mês do dilúvio. O Targum de Jonathan diz aqui *tammuz* (junho/julho), mas outros preferem falar no mês de *ab* (julho/agosto).

■ 8.6

וַֽיְהִ֕י מִקֵּ֖ץ אַרְבָּעִ֣ים י֑וֹם וַיִּפְתַּ֣ח נֹ֔חַ אֶת־חַלּ֥וֹן הַתֵּבָ֖ה אֲשֶׁ֥ר עָשָֽׂה:

Ao cabo de quarenta dias. Ou seja, desde o dia em que os montes foram avistados. Ver no *Dicionário* o artigo intitulado *Quarenta,* quanto ao simbolismo desse número e à sua frequência nas Escrituras. Houve uma provação ou um período de espera, depois que os montes foram avistados. A grande provação estava terminada, pelo que os quarenta dias de espera produziram apenas uma fagulha de ansiedade. O propósito de Deus continuou a operar, de acordo com o plano e o cronograma preestabelecidos. Nisso tudo há uma lição para nós. Nossa vida e o propósito dela seguem um cronograma divino. Aqueles quarenta dias de provação levam-nos até *ab* (julho/agosto).

A janela. Ver a nota sobre isso em Gênesis 6.16. A janela ou "abertura" foi aberta para um novo dia. Depois dos períodos de provação, são abertas janelas que nos dão esperança e perspectiva.

■ 8.7

וַיְשַׁלַּ֖ח אֶת־הָֽעֹרֵ֑ב וַיֵּצֵ֤א יָצוֹא֙ וָשׁ֔וֹב עַד־יְבֹ֥שֶׁת הַמַּ֖יִם מֵעַ֥ל הָאָֽרֶץ:

Soltou um corvo. Noé testou a situação para averiguar se a vontade de Deus havia agora produzido condições próprias para a vida humana. O texto talvez seja um tanto ambíguo para o leitor que não conhece o hebraico. No hebraico, conforme somos informados, é indicado que o corvo ficou voando para lá e para cá, indo e vindo, aparentemente sem encontrar um lugar onde pousar. E então, finalmente, encontrou um lugar, o que é indicado pela palavra "até". A história babilônica paralela (par. 286) adianta que o corvo não retornou, tendo encontrado alimento suficiente nos cadáveres flutuantes ou nas carcaças dos animais. A Septuaginta diz aqui "não voltou".

O *corvo* estava muito bem adaptado para sua tarefa. É uma ave forte que pode voar durante muito tempo, e pode ser amansado com facilidade. Antigamente era considerado dotado de poderes de previsão acerca das condições atmosféricas. "A cada noite voltava à arca, e talvez ao seu poleiro, perto da fêmea" (Elicio, *in loc.*).

A Lição Dada pelo Corvo. Essa ave estava bem equipada para a tarefa que Noé lhe deu. Ela tinha uma *virtude* para ser usada, e Noé a usou. Aristóteles falava sobre *virtude* como uma *função.* Para ele, cada pessoa atinge a *conduta ideal* quando *desenvolve* e *usa* a sua função especial. Ver no *Dicionário* o artigo intitulado *Corvo*.

■ 8.8

וַיְשַׁלַּ֥ח אֶת־הַיּוֹנָ֖ה מֵאִתּ֑וֹ לִרְאוֹת֙ הֲקַ֣לּוּ הַמַּ֔יִם מֵעַ֖ל פְּנֵ֥י הָֽאֲדָמָֽה:

Depois soltou uma pomba. Somente aos pares a pomba faz voos longos; e, se ela não voltasse, Noé saberia que havia terra seca apropriada por perto. Como é óbvio, a pomba é um símbolo da paz. O dilúvio havia terminado; a paz tinha chegado; o lar estava próximo; um novo dia havia raiado. Os intérpretes cristãos fazem da pomba um símbolo do evangelho, que traz paz e reconciliação. Tradicionalmente, a pomba tem sido usada para levar mensagens; e ela é dotada de uma inteligência especial para essa tarefa, pelo que, tal como no caso anterior do corvo, a pomba era a escolha apropriada para esta missão. Ver no *Dicionário* o artigo intitulado *Pomba*. Essa ave foi mandada por *três vezes.* Um homem bom receberá de Deus mais de uma missão.

■ 8.9

וְלֹֽא־מָצְאָה֩ הַיּוֹנָ֨ה מָנ֜וֹחַ לְכַף־רַגְלָ֗הּ וַתָּ֤שָׁב אֵלָיו֙ אֶל־הַתֵּבָ֔ה כִּי־מַ֖יִם עַל־פְּנֵ֣י כָל־הָאָ֑רֶץ וַיִּשְׁלַ֤ח יָדוֹ֙ וַיִּקָּחֶ֔הָ וַיָּבֵ֥א אֹתָ֛הּ אֵלָ֖יו אֶל־הַתֵּבָֽה:

Não achando onde pousar o pé. O resultado esperado não falhou, mas apenas foi adiado, uma significativa lição para nós, que, às vezes, nos mostramos tão ansiosos. Um dos problemas da vida é o das "orações não respondidas" (aparentemente). Não nos devemos olvidar que o plano de Deus opera de acordo com um cronograma. As coisas acontecem conforme devem. O adiamento não é um fracasso. A pomba "voltou" a seu antigo meio ambiente. Mesmo em meio à demora, houve paz. A provisão divina continuou. Havia lugares secos fora da arca, embora ainda não adequados para o sustento da avezinha, que vive alimentando-se de sementes e pequenos bocados que é capaz de encontrar. As águas continuaram prevalecendo sobre a terra, embora as condições estivessem melhorando. Graças a Deus pelos melhoramentos! A alma, à semelhança da pomba, não acha pouso seguro senão na provisão de Cristo. "... não nos aprazimentos mundanos; nem nos deveres externos; nem em ouvir, ler, orar, jejuar ou na humilhação externa que vai às lágrimas; nem na lei... como também não na descendência natural, nem na instrução ... nem na profissão religiosa... mas somente em Cristo" (John Gill, *in loc.*).

Noé a Recolheu na Arca. O lar temporário da pomba tornou-se assim o seu lar permanente. E ela foi bem acolhida ali. Isso também sucede à espiritualidade. Cristo nos abraça afetuosamente. "Mais espera e mais agonia da esperança adiada" (Cuthbert A. Simpson, *in loc.*). Mas a esperança adiada não é a mesma coisa que a esperança perdida.

■ 8.10

וַיָּ֣חֶל ע֔וֹד שִׁבְעַ֥ת יָמִ֖ים אֲחֵרִ֑ים וַיֹּ֛סֶף שַׁלַּ֥ח אֶת־הַיּוֹנָ֖ה מִן־הַתֵּבָֽה:

Esperou ainda outros sete dias. Noé julgou ser isso um prazo suficiente, antes de fazer outra tentativa para *mudar* sua situação. As mudanças esperam por nós, mas somente quando Deus assim ordena. É impossível abrir uma porta que Deus fechou. Mas ao chegar o tempo certo para uma porta ser aberta, ela se abre por si mesma. *Ainda* outros sete dias talvez indique que um período aproximado se tinha passado entre o envio do corvo e da pomba.

Outra lição ensinada no caso da pomba foi que Noé não abandonou a tarefa somente por estar envolvido um adiamento. Alguém já disse: "É sempre cedo demais para desistir", e essa declaração tem muitas aplicações em nossas vidas. A *persistência* rende dividendos.

■ 8.11

וַתָּבֹא אֵלָיו הַיּוֹנָה לְעֵת עֶרֶב וְהִנֵּה עֲלֵה־זַיִת טָרָף בְּפִיהָ וַיֵּדַע נֹחַ כִּי־קַלּוּ הַמַּיִם מֵעַל הָאָרֶץ:

À tarde ela voltou. E isso por ter achado fora da arca alimentação apropriada, razão pela qual não precisava voltar imediatamente, mas só no fim do dia. As coisas estavam *melhorando*. Graças a Deus pelos melhoramentos!

No bico, uma folha nova de oliveira. A oliveira não cresce a elevadas altitudes, e isso deu a entender que as águas haviam diminuído grandemente e, assim, as *terras baixas* tinham começado a aparecer. Grande deve ter sido o regozijo, diante da pequena folha de oliveira, tal como, alguns dias antes, a visão dos montes acima da água tinha sido motivo de tanto consolo.

Charles William Eliot foi um honrado e bem-sucedido presidente da Universidade de Harvard. Ele serviu longa e arduamente. Finalmente, chegara o tempo de aposentar-se. Muitos vieram prestar-lhe homenagens diante desse evento. Mas houve algo que o deixou especialmente emocionado. Um amado cidadão de Boston, um amigo de quase toda a vida, deu-lhe de presente um envelope. Que haveria dentro? Certamente não seria algo tão corriqueiro como dinheiro. Haveria alguma elegante carta de elogio? Eliot abriu o envelope. Não havia ali nenhum papel; nenhuma mensagem escrita. Continha apenas uma folha, uma folha de *louro*, símbolo da coroa conquistada pelos vitoriosos. Ele obtivera o triunfo. Quão grandioso é viver uma *vida vitoriosa*, no cumprimento da própria missão. Algumas vezes, quanto anelamos por um sinal divino de aprovação de nossa vida e daquilo que estamos procurando fazer. Um amigo pode falar uma palavra encorajadora, ou alguma ocorrência boa pode encorajar-nos a continuar. Uma das pessoas a quem dediquei a *Enciclopédia de Bíblia, Teologia e Filosofia* foi o Dr. Professor Leônidas Hegenberg, o maior filósofo vivo do Brasil. Ao ler minha dedicatória, ele ficou impressionado. Ele havia passado por um tempo de exaustivo teste. Mas, ao ler minha dedicatória, ele disse: "Isso inspira-me a continuar trabalhando!" Sim, algumas vezes ouvimos tantas palavras duras, desanimadoras; as circunstâncias externas nos castigam; um corpo físico que se vai tornando idoso reclama: "Diminui o ritmo!" Um acontecimento feliz ou uma palavra de encorajamento podem conferir-nos forças novas e determinação.

O encorajamento de Noé, pois, veio *à tarde*. Sempre apreciei o fim da tarde. O dia termina ali; a tarefa do dia está terminada; o sol deita-se em paz no horizonte; a noite estende seu cobertor de repouso. Assim também, no texto à nossa frente, a pomba trouxe esperança no fim da tarde. Foi no fim de uma tarde que os discípulos de Emaús convidaram o ressurreto Jesus a que ficasse com eles; e foi então que o reconheceram. Pensemos na noite jubilosa que tiveram. O sono fugiu deles; uma vitória tão grande e preciosa fora obtida; a morte fora vencida pela vida.

"Aquela pomba, enviada pela segunda vez, e que voltou, pode ser considerada emblema de um ministro do evangelho. Este pode ser comparado a uma pomba, em face dos dons do Espírito de Deus, que se parecem com os de uma pomba. Por meio desses dons um ministro vê-se qualificado para o seu trabalho, por ser homem simples e inofensivo, manso e humilde. E a folhinha de oliveira em seu bico pode ser um emblema do evangelho, que veio da parte de Cristo, a boa oliveira, o Evangelho da Paz... e por meio da paz sabe-se que as águas da ira divina foram pacificadas" (John Gill, *in loc.*).

■ 8.12

וַיִּיָּחֶל עוֹד שִׁבְעַת יָמִים אֲחֵרִים וַיְשַׁלַּח אֶת־הַיּוֹנָה וְלֹא־יָסְפָה שׁוּב־אֵלָיו עוֹד:

Ainda mais sete dias. Estava terminado o terceiro período de espera. Algumas vitórias ocorrem imediatamente, mas usualmente uma grande vitória é fruto de longos labores e muita paciência. Mas este texto mostra que o grande momento, finalmente, chegara. A *persistência* sempre será recompensada. A vida não é como uma corrida de cem metros. É como uma maratona. Precisamos de forças para a *longa corrida*. Ao terminar minha tese doutoral, fui aprovado pela comissão na Universidade de Utah. Atravessei o *campus* com minha tese doutoral na mão. Um homem totalmente estranho falou comigo durante o trajeto, expressando sua admiração (e talvez uma pontinha de inveja), ao ver minha tese terminada tão elegantemente adornada! Então eu lhe disse: "Ainda tenho um longo caminho a percorrer!" O que isso prova é que, se prosseguirmos por tempo bastante, finalmente terminaremos nossa tarefa. Meu amigo e companheiro de tarefas, João Marques Bentes, disse-me certo dia, quando me encontrei com ele em São Paulo para lhe dar mais páginas para serem traduzidas, que tinha tido uma visão de uma estrada reta, por onde ele guiava seu carro, em tremenda velocidade, ou melhor, a estrada é que corria, por baixo do veículo. A estrada era tão longa que se perdia no horizonte. E a partir disso e de outros símbolos, ele julgou que nosso trabalho conjunto ainda continuaria por muito tempo. Senti uma certa consternação, e repliquei: "Oh, não! Nunca haverá de terminar!" Mas a verdade é que o fim acaba chegando, para que venha o merecido descanso. Quando chega esse dia, podemos dizer: "Fiz o que tinha para fazer, e não me acovardei diante das dimensões da tarefa!"

A pomba... não tornou a ele. Tinha amanhecido um novo dia, e a pomba havia encontrado seu novo lar. Isso serviu de sinal, para Noé, de que em breve todos os seres encerrados na arca poderiam sair dali para buscar uma vida nova. Pensemos nisso! A humilde pomba foi a primeira criatura a experimentar a vida na nova criação, a renovação de todas as coisas, o novo começo. O mau tempo terminara; o bom tempo prevalecera.

■ 8.13

וַיְהִי בְּאַחַת וְשֵׁשׁ־מֵאוֹת שָׁנָה בָּרִאשׁוֹן בְּאֶחָד לַחֹדֶשׁ חָרְבוּ הַמַּיִם מֵעַל הָאָרֶץ וַיָּסַר נֹחַ אֶת־מִכְסֵה הַתֵּבָה וַיַּרְא וְהִנֵּה חָרְבוּ פְּנֵי הָאֲדָמָה:

Ano seiscentos e um. Confrontando este versículo com o trecho de Gênesis 7.11, concluímos por quanto tempo as águas prevaleceram sobre a terra. O dilúvio durou pouco mais de um ano, ou seja, um ano e dezessete dias.

Primeiro mês, isto é, do calendário civil, nisan (ou tisri), ou seja, setembro/outubro. Exatamente no *primeiro dia* daquele mês, Noé olhou para fora da arca e viu que a superfície da terra agora estava praticamente seca, embora ele e os outros ocupantes da arca ainda tivessem permanecido ali por mais dois meses, até que houve a ordem divina que os libertou dali (vss. 15 e 16).

Enxuto. Pela ação do vento mandado por Deus, porque a água ia recuando cada vez mais, mas, acima de tudo, porque as águas retornavam ao *abismo*, lugar dos depósitos freáticos. Ver o artigo intitulado *Astronomia,* quanto a uma ilustração sobre a antiga visão dos hebreus sobre o cosmo. A disposição do excesso de água provavelmente também tinha em vista alguma forma de intervenção divina.

A cobertura. Esta era feita de peles de animais, de madeira ou de algum outro material. Esse item não havia ainda sido mencionado no tocante à arca. O trecho de Êxodo 26.14 usa a palavra para indicar peles de animais. Talvez esteja em pauta a cobertura da "janela", mencionada em Gênesis 8.6. Agora a terra estava "enxuta", mas não totalmente, pois precisou haver ainda alguma espera.

■ 8.14

וּבַחֹדֶשׁ הַשֵּׁנִי בְּשִׁבְעָה וְעֶשְׂרִים יוֹם לַחֹדֶשׁ יָבְשָׁה הָאָרֶץ: ס

Segundo mês. Para que a terra estivesse bem seca, foi mister passar-se pouco mais de um mês. Corria o mês de marchesvan, que correspondia ao nosso outubro/novembro.

Visto que os meses tinham exatamente trinta dias entre os judeus, alguns intérpretes calculam que a arca tenha ficado flutuando exatamente por *um ano*, e isso significaria que o dilúvio fora um *ano de provação*. Mas outros estudiosos adicionam dezessete dias a esse cálculo. A ideia de "um ano" exato parece ser a mais correta.

■ 8.15

וַיְדַבֵּר אֱלֹהִים אֶל־נֹחַ לֵאמֹר:

Disse Deus a Noé. Cinco coisas podem ser consideradas aqui: 1. Temos aqui uma linguagem antropomórfica. Ver no *Dicionário* o artigo intitulado *Antropomorfismo*. 2. Isso teria sido dito pelo anjo do Senhor. 3. Ou, então, teria havido uma *teofania* (ver sobre esse assunto no *Dicionário*). 4. Ou houve alguma manifestação do Logos ou Verbo, no Antigo Testamento. 5. Ou, finalmente, pode ter havido uma visão, um sonho ou alguma outra experiência mística. Ver no *Dicionário* o artigo sobre o *Misticismo*. O fato foi que Deus falou e Noé entendeu. E isso mostra que outra fase da obra tinha sido realizada.

■ 8.16

צֵא מִן־הַתֵּבָה אַתָּה וְאִשְׁתְּךָ וּבָנֶיךָ וּנְשֵׁי־בָנֶיךָ אִתָּךְ:

Sai da arca. Isso ao fim exato de um ano solar. Terminara a grande provação; e os ocupantes da arca foram libertados pela voz divina.

Teus filhos, e as mulheres de teus filhos. Os intérpretes judeus, que via de regra davam grande atenção a pequenos detalhes (além de adicionarem algumas ideias suas), observavam que a saída da arca ocorreu de modo ligeiramente diferente do que sucedeu na entrada. Na entrada, tinham ingressado os homens, e depois as mulheres. Mas na saída saíram juntos os casais. Mediante essa circunstância, eles entendiam que a ordem da multiplicação, que havia sido dada a Adão, estava sendo renovada, sob o símbolo dos casais juntos. O vs. 17 repete especificamente o comando acerca da fertilidade.

■ 8.17

כָּל־הַחַיָּה אֲשֶׁר־אִתְּךָ מִכָּל־בָּשָׂר בָּעוֹף וּבַבְּהֵמָה וּבְכָל־הָרֶמֶשׂ הָרֹמֵשׂ עַל־הָאָרֶץ הוֹצֵא אִתָּךְ וְשָׁרְצוּ בָאָרֶץ וּפָרוּ וְרָבוּ עַל־הָאָרֶץ:

Faze sair a todos. Os animais participaram do novo começo. Os cuidados de Deus são tão universais que não negligenciam nem os minúsculos pardais (Mt 10.29). Terminada a provação, chega o momento da libertação. Deus não abandona o homem em sua miséria. Deus criou ou organizou todas as coisas em seis dias. Ele criou cada espécie com algum propósito; e esse propósito estava sendo preservado naquele dia de renovação. As obras de suas mãos não sofreram nenhum prejuízo. Havia meios para efetuar um novo começo. A provisão divina é sempre adequada para a tarefa e, usualmente, é abundante. Dá-nos ricamente o de que precisamos, Senhor!

> Todas as coisas brilhantes e belas,
> Todas as criaturas, grandes e pequenas,
> Todas as coisas, sábias e admiráveis:
> O Senhor Deus fez a todas elas.
>
> Sra. C. F. Alexander

Neste versículo, alguns eruditos acham provas de um dilúvio parcial. Como poderiam aqueles animais, em tão curto período (menos de três mil anos), ter-se espalhado por sobre toda a face do planeta, se considerarmos a barreira intransponível dos oceanos? Ver o verbete sobre o *Dilúvio*, nas notas sobre Gênesis 7.6, especialmente em sua quarta seção, quanto a argumentos pró e contra essa ideia. John Gill (*in loc.*) sugeriu que os animais atravessaram os oceanos "nadando", mas isso é extremamente improvável, como também é altamente improvável que homens tenham transportado os animais em embarcações, para cruzarem os oceanos. "Noé, seus familiares e todos os animais pertencentes ao *universo* de Noé, deveriam abandonar a arca", conforme opinou Ellicott sobre essa questão.

■ 8.18

וַיֵּצֵא־נֹחַ וּבָנָיו וְאִשְׁתּוֹ וּנְשֵׁי־בָנָיו אִתּוֹ:

As pessoas saíram da arca, uma reiteração do vs. 16, onde damos notas sobre a questão. Tal como por todo o relato, a voz de Deus foi obedecida, sendo essa a razão do êxito da missão. Isso é instrutivo para todas as gerações. Autores árabes enfeitam aqui o relato, adicionando que, então, Noé edificou uma cidade chamada *Themanin* (nome esse que significa "somos oito"), por terem saído da arca oito seres humanos (1Pe 3.20).

■ 8.19

כָּל־הַחַיָּה כָּל־הָרֶמֶשׂ וְכָל־הָעוֹף כֹּל רוֹמֵשׂ עַל־הָאָרֶץ לְמִשְׁפְּחֹתֵיהֶם יָצְאוּ מִן־הַתֵּבָה:

Todos os animais saíram da arca na ocasião. Em tudo os animais participaram do empreendimento. Eles saíram em boa ordem, *aos pares,* conforme tinha sido ordenado. A obra de Deus é sempre efetuada "com decência e ordem" (1Co 14.40). Os comentadores judeus sempre deram atenção a todos os pormenores. Assim, observaram aqui que os mesmos que entraram também saíram. Não houve reprodução de animais na arca. A fertilidade foi garantida a cada par de animais, mas a multiplicação precisou esperar pelo tempo apropriado.

TERCEIRA DISPENSAÇÃO: O GOVERNO HUMANO (8.20—11.9)

O SACRIFÍCIO DE NOÉ (8.20-22)

■ 8.20

וַיִּבֶן נֹחַ מִזְבֵּחַ לַיהוָה וַיִּקַּח מִכֹּל הַבְּהֵמָה הַטְּהוֹרָה וּמִכֹּל הָעוֹף הַטָּהֹר וַיַּעַל עֹלֹת בַּמִּזְבֵּחַ:

Ver no *Dicionário* o artigo intitulado *Pactos*. O homem havia fracassado completamente durante a dispensação da *Consciência* (Gn 3.24). Ver também ali o artigo *Dispensação (Dispensacionalismo)*.

O *Pacto Noaico* é explicado nas notas sobre Gênesis 6.18. As coisas tinham agora um novo começo, na pessoa de Noé, tal como tinham começado na pessoa de Adão. Cada dispensação tem terminado em fracasso; mas cada uma delas representa um período especial de teste e de crescimento para os que têm agido bem. Agora os homens seriam submetidos a um novo teste. Eles organizariam suas próprias instituições e testariam sua capacidade de governar-se. Agora recebiam a responsabilidade de governar a terra inteira. Porém, tanto os judeus quanto os gentios têm provado somente que governam apenas para benefício próprio, e não para a glória de Deus. Por isso, estamos encaminhando-nos para um novo fracasso. A confusão dos idiomas (de forma simbólica) pôs fim a esse teste racial. Os cativeiros assinalaram o fracasso dos governos de Israel. A destruição da imagem do segundo capítulo do livro de Daniel mostra-nos o que, finalmente, acontecerá aos governos gentílicos. E, então, será armado o palco para o governo de Deus na terra, durante o milênio (ver sobre isso no *Dicionário*) e o estado eterno.

Levantou Noé um altar. Andar com Deus governava a vida de Noé. O dilúvio em nada alterou isso. Noé havia feito provisão para holocaustos, ao fazer entrar na arca certos animais de sete em sete, ou seja, três pares e um macho *extra*, designado para ser sacrificado. Ver Gênesis 7.2,3. Destarte, a adoração foi renovada, para começar a generalizar-se. Noé não negligenciou o lado espiritual das coisas. Há uma fábula judaica que faz desse altar o mesmo sobre o qual Adão ofereceu holocaustos, ao ser expulso do jardim do Éden. É possível que Noé tenha erigido um altar no monte Ararate, antes mesmo de procurar um novo local de residência. Ver no *Dicionário* o artigo intitulado *Altar*.

Ofereceu holocaustos. Ver no *Dicionário* o artigo intitulado *Sacrifícios e Ofertas*. Os animais limpos eram o novilho, o carneiro e o bode; as aves limpas eram a rola e o pombinho. O *Targum de Jonathan* diz que Noé ofereceu quatro holocaustos sobre o altar. Os intérpretes cristãos leem certo simbolismo nesses sacrifícios. Neles, Cristo teria sido retratado de diferentes modos, um dos temas principais da epístola aos Hebreus. O antigo mundo de Adão havia começado com sacrifícios; e outro tanto sucedia agora ao mundo de Noé. A prática de sacrifícios de animais é deveras antiga. "Os judeus têm uma tradição que diz que o lugar onde Noé erigiu esse altar era o mesmo lugar onde Adão levantara também um altar, que teria sido usado por Caim e Abel, além de ser o mesmo lugar onde, mais tarde, Abraão ofereceu seu filho, Isaque." Mas esse refinamento não faz sentido. Ver o sétimo capítulo de Levítico quanto aos vários tipos de sacrifício.

■ 8.21

וַיָּרַח יְהוָה אֶת־רֵיחַ הַנִּיחֹחַ וַיֹּאמֶר יְהוָה אֶל־לִבּוֹ לֹא־אֹסִף לְקַלֵּל עוֹד אֶת־הָאֲדָמָה בַּעֲבוּר הָאָדָם כִּי יֵצֶר לֵב הָאָדָם רַע מִנְּעֻרָיו וְלֹא־אֹסִף עוֹד לְהַכּוֹת אֶת־כָּל־חַי כַּאֲשֶׁר עָשִׂיתִי:

E o Senhor aspirou o suave cheiro. Alguns intérpretes aceitam literalmente essa afirmação, como se Deus tivesse o sentido do olfato e tivesse apreciado o aroma de carne queimada. Mas a maioria deles explana a questão em sentido metafórico, e não em termos de *antropomorfismo* (ver sobre essa questão no *Dicionário*). É verdade que os povos antigos imaginavam que as divindades não diferiam grande coisa dos homens, deleitando-se em holocaustos em sentido literal, sentindo-se aplacados por tal coisa, o que os induziria a conceder favores. É patente que Paulo aludiu a este versículo em Efésios 5.2. Ali, Cristo aparece como o sacrifício que agradou a Deus, o que é simbolizado aqui pelo aroma suave do sacrifício.

O Senhor... disse consigo mesmo. Continua a descrição antropomórfica. Alguns autores judeus dramatizaram a cena, imaginando Deus a fazer um juramento solene, de mão direita erguida, em consonância com o trecho de Isaías 54.9. Mas a lição que temos aqui é que agora a voz divina revertia certos aspectos da maldição original, além de dar as promessas que ajudariam no progresso do novo começo.

Consigo mesmo. Trata-se de uma autodeterminação. A decisão foi firme, por não depender do homem quanto ao seu cumprimento. Deus foi *aplacado* em face do sacrifício, o que é uma antiga noção. Essa noção retrata Deus como alguém insatisfeito e irado (ver no *Dicionário* o artigo intitulado *Antropomorfismo*), para em seguida sentir-se de espírito leve, ao ver o homem a conduzir-se de forma apropriada, ocupado em seus deveres espirituais e ritos religiosos.

Não tornarei a amaldiçoar a terra. A antiga maldição imposta ao solo, por causa do pecado de Adão (Gn 3.17), que foi confirmada e agravada por causa do pecado de Caim (Gn 4.12), era agora aliviada, embora não anulada completamente, segundo a história subsequente nos mostra claramente.

Depravação Total do Homem. O ser humano é inerentemente mau. Todos os seus pensamentos são iníquos, desde a sua juventude, e os seus atos são correspondentemente malignos. Essa foi a causa do dilúvio (Gn 6.5). Deus não esperava que agora essa atitude mudasse. Mas *apesar* do fato de que essa maldade humana continuaria, Deus mitigou a maldição antiga e proferiu certas bênçãos, a fim de melhorar o caráter do novo começo da humanidade. Como é óbvio, esse foi um ato de pura graça. Ver no *Dicionário* os artigos chamados *Graça* e *Depravação*.

Nem tornarei a ferir todo vivente. Grandes juízos divinos haveriam ainda de sobrevir, mas nenhum tão drástico quanto o do dilúvio. Mas questionamos isso, quando lemos o livro de Apocalipse. Todavia, nem ali há a ameaça de uma destruição tão completa de vidas humanas.

Os críticos imaginam nesse ponto uma contradição. Uma profunda iniquidade fora a *causa* do dilúvio, mas aqui vemos essa iniquidade como uma *razão* da misericórdia divina. Este versículo permite-nos compreender que, *a despeito* da contínua grande depravação dos homens, Deus nunca mais agiria de forma tão drástica e radical como fizera por ocasião do dilúvio.

Está em foco a *longanimidade* de Deus. Ver no *Dicionário* o artigo intitulado *Longanimidade*. O homem mostra-se obstinado em seu pecado, mas a longanimidade de Deus prevalece. O homem aprende com extrema lentidão, mas Deus espera com paciência; o homem é irremediavelmente mau, mas Deus é infinitamente amoroso. O homem aprende afinal a confiar, apesar de sua maldade inerente e ativa.

■ **8.22**

עֹד כָּל־יְמֵי הָאָרֶץ זֶרַע וְקָצִיר וְקֹר וָחֹם וְקַיִץ וָחֹרֶף וְיוֹם וָלַיְלָה לֹא יִשְׁבֹּתוּ׃

Enquanto durar a terra... sementeira e ceifa. A vontade de Deus garante os processos regulares da natureza, essenciais para a sobrevivência e o bem-estar dos homens. Sobreviriam catástrofes, mas essa ordem de coisas não seria descontinuada. O trecho de Eclesiastes 1.4 diz que a terra permanecerá para sempre; e, nesse caso, a promessa divina que aqui vemos haverá de perdurar perpetuamente. O trecho de 2Pedro 3.10, entretanto, promete uma destruição da terra, conforme agora a conhecemos. E os intérpretes agonizam sem necessidade diante dessa aparente contradição.

Estações do Ano Estáveis. "... frio e calor, verão e inverno, dia e noite". Jamais falharia o ciclo natural de dias, meses e estações do ano. Os homens dependem dessas coisas quanto à continuação da vida biológica e de seu bem-estar. Os pagãos atribuíam a *Baal* (ver sobre essa divindade no *Dicionário*) o poder de controle sobre as estações do ano. Mas não há motivos para supormos aqui (conforme fazem os críticos) que o culto a Yahweh teria incorporado certos aspectos do baalismo.

Os homens aceitam como coisa automática a regularidade da natureza, e planejam sua vida de acordo com ela. E as ocasionais catástrofes não abalam essa sua fé básica. A continuidade dos ciclos naturais é uma prova do amor e da longanimidade de Deus, extensivos a todos os homens (Tg 1.17). Os autores judeus costumavam dividir as estações do ano em seis manifestações ou períodos de tempo. John Gill (*in loc.*) alistou cada par de dois meses como caracterizado por três períodos distintos. Mas em alguns lugares predomina um único tipo de clima, o clima *quente*, conforme se vê ao longo da linha do Equador; mas em outros lugares manifestam-se duas ou quatro estações. Sem importar o regime prevalente, porém, Deus o está controlando.

Metáforas. O dia e a noite são períodos bons e maus. O homem precisa de ambas as coisas em sua experiência. As estações do ano simbolizam padrões de mudança na vida, bem como as atividades apropriadas a cada estação. O homem requer esses padrões para que cresça e adquira experiências. Os agricultores seguem esse padrão porque *usualmente* ele funciona. Eles não temem o céu, pois de outro modo jamais semeariam. Isso nos ensina a não desperdiçar as oportunidades. Há um tempo para fazer o plantio, ou seja, iniciar as atividades. Precisamos crer na colheita natural de todo trabalho efetuado com honestidade. Nosso trabalho não é vão no Senhor (1Co 15.58). "Sobre tudo o que se deve guardar, guarda o teu coração, porque dele procedem as fontes da vida" (Pv 4.23). Deus tem os seus propósitos, e os homens precisam alinhar suas vidas com eles. Os pais precisam semear diligentemente as sementes do bem nas vidas tenras de seus filhos. O cultivo terá de se seguir a isso; e, uma vez feito isso, a colheita por certo ocorrerá. O processo é prenhe de bênçãos, e o resultado é bendito.

> Semeia um pensamento, e colherás um ato;
> Semeia um ato, e colherás um hábito;
> Semeia um hábito, e colherás um caráter;
> Semeia um caráter, e colherás um destino.
>
> Autor desconhecido

CAPÍTULO NOVE

O PACTO DE DEUS COM NOÉ (9.1-29)

AS LEIS NOAICAS (9.1-7)

Ver no *Dicionário* o artigo detalhado intitulado *Pactos,* e nas notas sobre Gênesis 6.18, a questão sobre o *Pacto Noaico.*

As leis, ou, pelo menos, as *preferências* dietéticas, faziam parte da provisão do pacto estabelecido com Noé. O trecho de Gênesis 1.29,30 dá a entender que a norma alimentar era o *vegetarianismo.* Mas os vss. 2 e 3 deste capítulo 9 mostram que a ingestão de carne tornava-se agora parte do regime alimentar. Contudo, o sacrifício de animais (Gn 4.4) implica a ingestão da carne de animais. Por certo, animais não eram domesticados somente para serem oferecidos como sacrifícios, ou meramente para fornecerem a lã. O fato de que Abel criava animais subentende uma dieta que incluía carne. A ciência moderna mostra-nos que a carne deve ser comida com grande moderação, e que a melhor dieta é a vegetariana, se essa puder ser equilibrada com as proteínas necessárias. Quiçá o regime vegetariano alicerce-se mais sobre o respeito a uma tola forma de vida (como se vê no hinduísmo), e só em segundo lugar sobre considerações nutricionais. O Pacto Noaico, essencialmente, não envolvia condições; mas o vs. 4 deste capítulo mostra-nos que a proibição acerca da ingestão de sangue era deveras antiga, por razões que são sugeridas nas notas sobre esse quarto versículo.

Vemos também aqui uma proibição específica no que tange ao homicídio, o que, posteriormente foi incorporado nos *dez mandamentos* (ver o *Dicionário* quanto a essa legislação). Essa proibição envolve a questão do respeito à vida (que está no sangue), e também o fato de que o homem foi criado à imagem e semelhança de Deus, exibindo a sua grande dignidade. Mas se houvesse homicídio, teria de haver a execução do culpado. Assim, neste texto, descobrimos como as leis se foram desenvolvendo e quais os primórdios da legislação mosaica. Os judeus requerem somente essas normas, da parte dos gentios, enquanto estes não se fazem judeus por religião, quando então as leis de Moisés passam a ser a norma. O primeiro concílio ecumênico de Jerusalém repetiu elementos do Pacto Noaico, quase não destacando as leis mosaicas (At 15.28 ss.), excetuando algumas normas obviamente morais. A vida animal pode ser tirada; mas não a vida humana. Assim foi estabelecida uma distinção que governava a vida humana na humanidade melhorada. Mas homens maus não obedecem a nenhuma lei, e assim têm ignorado essa norma.

■ 9.1

וַיְבָרֶךְ אֱלֹהִים אֶת־נֹחַ וְאֶת־בָּנָיו וַיֹּאמֶר לָהֶם פְּרוּ וּרְבוּ וּמִלְאוּ אֶת־הָאָרֶץ׃

Abençoou Deus Noé... Sede fecundos, multiplicai-vos. Noé era um homem (1) justo; (2) perfeito. Ele andava com Deus (ver as notas sobre essa ideia em Gn 6.9). E havia acabado de provar sua obediência e fidelidade, na questão do dilúvio e da arca. Em face disso, as bênçãos de Deus estavam sobre ele. "Se semearmos erva daninha, colheremos erva daninha. Se quisermos colher algo melhor, teremos de fazer mais do que meramente desejar isso. Teremos de seguir, na vida interior, a disciplina que os agricultores usam no cultivo do solo" (Cuthbert A. Simpson, *in loc.*). As bênçãos de Deus sempre envolvem os aspectos material e espiritual.

Sede fecundos. Essa foi a ordem divina. Noé recebeu a mesma ordem que fora recebida por Adão, e pelos mesmos motivos. Esse era um novo começo. Ver os comentários sobre Gênesis 1.28. Um mundo despovoado agora haveria de ser repovoado. Os propósitos divinos exigiam novas determinações. Muitos destinos humanos estavam em jogo. É uma autêntica bênção divina quando ele altera periodicamente a nossa vida e as nossas missões.

Este texto é quase exatamente paralelo ao de Gênesis 1.28,29 e 2.16,17. Noé foi o segundo pai da humanidade.

■ 9.2

וּמוֹרַאֲכֶם וְחִתְּכֶם יִהְיֶה עַל כָּל־חַיַּת הָאָרֶץ וְעַל כָּל־עוֹף הַשָּׁמָיִם בְּכֹל אֲשֶׁר תִּרְמֹשׂ הָאֲדָמָה וּבְכָל־דְּגֵי הַיָּם בְּיֶדְכֶם נִתָּנוּ׃

O Ser Humano Deve Ser Temido. A Adão havia sido ordenado que exercesse domínio sobre o mundo (Gn 1.28). E Noé recebia aqui a mesma autoridade. Adão não abatia animais a fim de comer, ou, pelo menos, o vegetarianismo parece ter feito parte da vida no paraíso original, onde nada perdia a vida. Ver Gênesis 1.29,30. Mas agora os animais teriam razão para temer. Serviriam como alimento. Há algo de profundamente triste nisso. Quão humilhante para o reino animal! Deus "entregou" a Noé todas as formas de vida. E os homens têm exercido essa autoridade com rudeza, por causa de sua superioridade mental. Um dos grandes terrores da história humana é a crueldade contra os animais. A permissão de tirar a vida foi limitada à vida animal, mas os homens, cruéis predadores, começaram a matar-se uns aos outros; e isso nunca mais parou.

O Sacrifício de Animais. Quando isso se dava com propósitos religiosos, já havia sacrifícios de animais desde antes desse tempo, e haveria de continuar. Ver o *Dicionário* quanto ao artigo *Sacrifícios e Ofertas*. Bereshit Rabba afirmava que seria eliminada a distinção entre animais limpos e imundos nos dias do Messias; mas ele não pôde antecipar que o próprio Messias seria *o* sacrifício que viria a descontinuar todos os sacrifícios de animais, que meramente tipificavam a morte de Cristo.

Os homens também começaram a usar os animais no *trabalho*, como se dá especialmente com o burro, com o cavalo e com o boi. E o emprego de animais era vital na agricultura, até serem inventadas certas máquinas agrícolas.

■ 9.3

כָּל־רֶמֶשׂ אֲשֶׁר הוּא־חַי לָכֶם יִהְיֶה לְאָכְלָה כְּיֶרֶק עֵשֶׂב נָתַתִּי לָכֶם אֶת־כֹּל׃

Ser-vos-á para alimento. Isso é comentado nos vss. 1 e 2. No jardim do Éden tinha havido amor, harmonia, gentileza, bondade e docilidade, entre os homens e os animais. Mas a queda no pecado trouxe a tudo isso a nódoa da crueldade e da exploração, além de exigir o sacrifício de animais. Presume-se que foi a partir daí que os homens também começaram a caçar-se uns aos outros, o que só aumentou a crueldade reinante. "Se o cavalo soubesse de sua própria força, e também a debilidade do miserável ser humano que, sem misericórdia, monta nele, dirige-o, chicoteia-o, esporeia-o e oprime-o, com um único coice haveria de matar seu possuidor" (Adam Clarke, *in loc.*). E esse mesmo autor acrescenta: "Não há nenhuma prova positiva de que os animais tivessem sido usados na alimentação humana *antes* do dilúvio. Noé foi o primeiro a receber licença dessa ordem... E não é provável que essa concessão teria sido feita se alguma alteração extraordinária não tivesse ocorrido no reino vegetal, tornando seus produtos menos nutritivos". Como é claro, é possível uma dieta vegetariana, se alguém for dotado dos *conhecimentos* necessários, mas isso não é possessão do homem comum. Também é significativo que a ciência tem podido demonstrar que os problemas cardíacos, em uma grande porcentagem dos casos, originam-se diretamente do uso da carne na alimentação. A gordura animal entope incansavelmente as artérias do corpo humano.

Os intérpretes têm observado que a constituição humana foi grandemente alterada depois do dilúvio, o que é evidenciado pelo fato de que desde então o homem tem vivido uma vida muito mais breve do que no caso dos antediluvianos.

■ 9.4

אַךְ־בָּשָׂר בְּנַפְשׁוֹ דָמוֹ לֹא תֹאכֵלוּ׃

Carne... com sua vida... com seu sangue, não comereis. A proibição acerca do uso de sangue na alimentação tem sido uma constante na história dos hebreus. Presume-se que ela tenha começado quando foi permitido que a carne animal viesse a fazer parte da alimentação humana. Em outras palavras, desde o início. Ver Levítico 7.27; 17.10,14; 19.26; Deuteronômio 12.16,23; 15.23; Ezequiel 33.25. Essa dieta foi imposta aos gentios, por fazerem ela parte do pacto com Noé, e não meramente por parte da lei mosaica. Ver Atos 15.20 e 21.25 nas notas no *Novo Testamento Interpretado*.

Várias razões são dadas pelos intérpretes para essa proibição:

1. Os antigos criam, em algum sentido literal, que o sangue é o agente da vida biológica, mais ou menos como atribuímos isso à alma, a parte imaterial do homem. Logo, seria um sacrilégio beber desse elemento sagrado.

2. Na idolatria, pensava-se que aquele que ingeria o sangue de um sacrifício apropriava-se da vida e do poder do deus sobre cujo altar o sangue fora vertido. Há um antigo hino que diz: "Há poder, sim, poder, só no sangue, só no sangue de Jesus". O que é dito a respeito do sangue de Cristo era dito acerca do sangue dos animais, por causa de sua conexão com os deuses. Ver no *Dicionário* os artigos intitulados *Sangue*. E, dentro do artigo *Expiação*, ver suas seções quinta e sexta, *Sangue* e *Expiação*. Ver também o artigo *Expiação pelo Sangue*.

3. Alguns antigos (como também alguns homens modernos, de tribos primitivas) acreditavam ou acreditam que as propriedades de animais, como a força, a resistência e a ferocidade, podiam ser transmitidas aos que ingerissem seu sangue. Essa superstição viria a ser combatida na teologia dos hebreus.

4. Razões dietéticas e estéticas. O sangue pode transmitir enfermidades; e não é uma substância agradável ao paladar.

5. Notemos que a palavra "vida" pode ser traduzida como *alma*. Assim, o sangue é vinculado à alma, conforme se vê no primeiro ponto desta série de razões acima. Deus deu a alma, pelo que, esta é *sagrada*. Nenhuma pessoa deveria apropriar-se da substância da alma, devido ao seu caráter sagrado. Esse é um dom especial de Deus, que não foi largado ao controle humano, embora domine sobre tudo mais. Nós aceitamos a questão em um sentido metafórico; mas a antiga teologia dos hebreus, sem dúvida, levava a questão muito a sério, por motivos que não parecem sérios para nós. O trecho de 1Samuel 14.31-34 é um comentário sobre a seriedade da questão para a mente hebraica.

6. O sangue sustenta a vida biológica, embora não seja um princípio vivo em sentido metafísico, pelo que não deveria ser sujeitado à humilhação de servir de alimento. Nesses versículos, encontramos o

começo da formação dos Dez Mandamentos, anotados com detalhes no artigo sobre esse assunto, no *Dicionário*.

■ 9.5

וְאַ֨ךְ אֶת־דִּמְכֶ֤ם לְנַפְשֹֽׁתֵיכֶם֙ אֶדְרֹ֔שׁ מִיַּ֥ד כָּל־חַיָּ֖ה אֶדְרְשֶׁ֑נּוּ וּמִיַּ֣ד הָֽאָדָ֗ם מִיַּד֙ אִ֣ישׁ אָחִ֔יו אֶדְרֹ֖שׁ אֶת־נֶ֥פֶשׁ הָֽאָדָֽם׃

Requererei... o sangue da vossa vida. "Vosso sangue, que é a vossa alma, significa que o sangue é o meio da manutenção da vida animal. Assim, visto ser o sustento da vida de um homem, um *animal* que chegasse a derramá-lo tornava-se culpado, devendo ser morto. Mais ainda, deveriam ser mortos os animais que caçassem seres humanos. Desse modo, foi baixada a ordem de serem extirpados os animais carnívoros, em um tempo em que os animais mais pacíficos haviam sido salvos da extinção... As palavras *da mão do homem* nada têm a ver com o vingador do sangue. O parente próximo figura aqui como o matador, e o mandamento requer que até mesmo este não deveria ser poupado" (Ellicott, *in loc.*). O vs. 6 dá o mandamento geral contra o homicídio. Alguns eruditos pensam que a palavra *homem*, que figura por duas vezes no texto, na nossa versão portuguesa, fica melhor do que a palavra "irmão", que aparece em outras versões, um conceito não bem recebido no judaísmo, posto que honrado no cristianismo. De acordo com esse ponto de vista, não estaria especificamente em vista um vingador que fosse parente de uma vítima. Seja como for, *qualquer forma* de execução capital de um homem é aqui proibida. Também devemos incluir aqui a questão da execução capital de criminosos. Isso também foi mais completamente regulamentado na lei mosaica. Todos os seres humanos são nossos irmãos, mas alguns erram e cometem homicídio. Esses devem ser mortos, por causa de seu crime hediondo.

■ 9.6

שֹׁפֵךְ֙ דַּ֣ם הָֽאָדָ֔ם בָּֽאָדָ֖ם דָּמ֣וֹ יִשָּׁפֵ֑ךְ כִּ֚י בְּצֶ֣לֶם אֱלֹהִ֔ים עָשָׂ֖ה אֶת־הָאָדָֽם׃

Se alguém derramar o sangue... pelo homem se derramará o seu. Ver no *Dicionário* o artigo intitulado *Homicídio*. Essa ordem tornou-se o sexto artigo dos Dez Mandamentos. A dignidade do homem, que foi criado à imagem de Deus, não permite que alguém cometa impunemente o pecado capital, o homicídio. A declaração parece ser uma antiga expressão judicial que sugere que esse crime vinha sendo repudiado desde os tempos mais remotos. Coisa alguma é dita sobre tirar vingança desse tipo de crime, embora a questão seja elaborada com detalhes pela legislação mosaica. Alguns sugerem que a pena máxima só deve ser imposta no caso de assassínio, mas as leis de muitos países ao redor do mundo requerem a pena capital para outros crimes, como é o caso do crime de traição, mormente em tempos de guerra. Por igual modo, o sequestro é algumas vezes castigado com a pena de morte. Contrariamente ao que dizem alguns, a pena de morte não existe somente para impedir o crime, mas também para fazer *justiça*. Ver no *Dicionário* o artigo *Punição Capital*.

Matando Espiritualmente

Senhor, disse eu, eu jamais mataria outro homem!
Crime tão grande é próprio de uma fera,
Resultado nocivo de uma mente maldita,
Ato ultrajante da pior espécie.
Senhor, disse eu,
Eu jamais mataria outro homem!
Ato desprezível de ira sem misericórdia,
Golpe irreversível de tendência perversa,
Ato impensado de um ímpio desígnio.
Disse-me o Senhor:
Palavra violenta a uma vítima, tu desdenhas,
É um dardo que inflige dor sem misericórdia.
A maledicência corta um homem pelas costas,
Um ato covarde que não se pode mais retirar.
Ódio no coração, ou inveja que erga a cabeça,
É desejo secreto de ver alguém morto.

Russell Champlin

Caim recebeu sentença perpétua. Mas outros homicidas terão de receber a pena capital.

■ 9.7

וְאַתֶּ֖ם פְּר֣וּ וּרְב֑וּ שִׁרְצ֥וּ בָאָ֖רֶץ וּרְבוּ־בָֽהּ׃ ס

Mas sede fecundos e multiplicai-vos. Reitera-se o primeiro versículo do capítulo, o qual, por sua vez, repete a ordem original, dada a Adão (Gn 1.28, onde a questão é comentada).

Os Sete Preceitos Originais. Esses preceitos foram entregues a Adão e a Noé, e, então, foram incorporados à legislação mosaica. Seis foram dados a Adão; sete, a Noé. Esses sete são os seguintes: 1. idolatria; 2. blasfêmia; 3. homicídio; 4. imoralidade; 5. furto; 6. justiça quanto aos crimes; 7. não comer parte do corpo de um animal, enquanto esse animal estiver vivo. Assim pensavam antigos intérpretes hebreus, embora não apareça isso no texto do Antigo Testamento, com tanta precisão, em relação a Adão e a Noé.

O PACTO NOAICO (9.8-19)

■ 9.8

וַיֹּ֤אמֶר אֱלֹהִים֙ אֶל־נֹ֔חַ וְאֶל־בָּנָ֥יו אִתּ֖וֹ לֵאמֹֽר׃

Aqui nos são dadas as provisões desse pacto, sobre o qual comentei em esboço nas notas sobre Gênesis 6.18. Ver também no *Dicionário* o artigo *Pactos*. Nenhuma exigência é imposta ao homem, a menos que isso seja entendido como a questão da procriação, um dever sagrado, sem o qual não poderia haver pacto.

■ 9.9

וַאֲנִ֕י הִנְנִ֥י מֵקִ֛ים אֶת־בְּרִיתִ֖י אִתְּכֶ֑ם וְאֶֽת־זַרְעֲכֶ֖ם אַחֲרֵיכֶֽם׃

Convosco e com a vossa descendência. Os intérpretes judeus aplicam esse pacto aos gentios, visto que somente muitos séculos mais tarde Deus estabeleceu pactos com Moisés e com o povo de Israel. O espírito dessa interpretação foi aplicado ao concílio de Jerusalém, o primeiro concílio ecumênico da Igreja cristã (At 15.28 ss.). Ver outros comentários no parágrafo inicial sobre o capítulo 9.

Este texto lança olhos até o fim da atual humanidade, de acordo com a vontade divina. As promessas incondicionais de Deus sublinham a vida e a sociedade humana. Deus é o Criador e sustentador de toda vida. Ver no *Dicionário* o artigo intitulado *Teísmo*. O homem é ignorante e tolo, mas a vontade de Deus continua a operar. *Elohim* é uma das partes do pacto, e esse é o mesmo nome que foi dado ao Criador. Até os animais foram beneficiados por esse pacto (vss. 10 e 11).

■ 9.10

וְאֵ֣ת כָּל־נֶ֣פֶשׁ הַֽחַיָּ֣ה אֲֽשֶׁ֣ר אִתְּכֶ֡ם בָּע֨וֹף בַּבְּהֵמָ֜ה וּֽבְכָל־חַיַּ֤ת הָאָ֨רֶץ֙ אִתְּכֶ֔ם מִכֹּל֙ יֹצְאֵ֣י הַתֵּבָ֔ה לְכֹ֖ל חַיַּ֥ת הָאָֽרֶץ׃

Com todos os seres viventes. As promessas passadas providenciavam em favor de todas as criaturas vivas. Todas as criaturas que entraram na arca, e depois dali saíram, participam das provisões do pacto noaico. Deus (Elohim) cria; Deus (Elohim) protege e preserva. Haveria ainda muitas catástrofes, mas nada tão universal que viesse a anular a benevolência de Deus para com todos. Deus amou ao mundo (Jo 3.16), mas este versículo e o trecho de Jonas 4.11 mostram que o amor de Deus envolve os próprios animais. Esse tem sido um fato constante, enfatizado no livro de Gênesis até este ponto. Posteriormente, homens têm excluído até outros *homens* como objetos do amor de Deus, para nada dizermos sobre os animais. Podemos concluir daí que *a vida inteira* é sagrada, porquanto Deus tanto a ama. Talvez os hindus tenham algo para ensinar-nos aqui, mostrando-se mais próximos do espírito do livro de Gênesis, quanto a este particular, do que a nossa civilização ocidental. No *Dicionário* ver o artigo intitulado *Reverência pela Vida*. Deus interessa-se até mesmo pela queda de um pardal (Mt 10.29).

9.11

וַהֲקִמֹתִ֤י אֶת־בְּרִיתִי֙ אִתְּכֶ֔ם וְלֹֽא־יִכָּרֵ֧ת כָּל־בָּשָׂ֛ר ע֖וֹד מִמֵּ֣י הַמַּבּ֑וּל וְלֹֽא־יִהְיֶ֥ה ע֛וֹד מַבּ֖וּל לְשַׁחֵ֥ת הָאָֽרֶץ׃

Não Haverá Mais Dilúvios. Parte das provisões do *Pacto Noaico* (ver informações a respeito nas notas sobre Gn 6.18) é que nunca mais haveria destruição universal por meio de um dilúvio. Autores cristãos frisam que a próxima grande destruição ocorrerá por meio do fogo, uma pequena consolação (2Pe 3.10). O propósito da renovação, sob Noé, era que a ordem natural das coisas fosse restabelecida, e que cada espécie de vida pudesse seguir a ordem natural de desenvolvimento. O texto subentende que a *enormidade* do que sucedeu no dilúvio foi demais, mesmo para a mente divina (naturalmente, devemos pensar aqui em uma linguagem antropomórfica). A natureza produz periodicamente (talvez a cada dez mil anos), uma mudança dos polos, e isso provoca catástrofes quase universais; todavia, por enquanto, pelo menos, continuamos em descanso. Ver no *Dicionário* o artigo *Polos, Mudança dos*. Alguns têm previsto outra grande destruição, resultante da mudança dos polos, para nossos próprios tempos, talvez como parte da Grande Tribulação ou dos acontecimentos imediatamente seguintes(Mt 24.29).

9.12

וַיֹּ֣אמֶר אֱלֹהִ֗ים זֹ֤את אֽוֹת־הַבְּרִית֙ אֲשֶׁר־אֲנִ֣י נֹתֵ֔ן בֵּינִ֣י וּבֵֽינֵיכֶ֔ם וּבֵ֛ין כָּל־נֶ֥פֶשׁ חַיָּ֖ה אֲשֶׁ֣ר אִתְּכֶ֑ם לְדֹרֹ֖ת עוֹלָֽם׃

O sinal. A promessa de que nunca mais haveria dilúvios universais ou quase universais é escudada por um sinal, a saber, o arco-íris, tal como o sinal do Pacto Abraâmico foi a circuncisão. Ver no *Dicionário* o artigo sobre o *Pacto Abraâmico*. O sinal teria vigência para Noé e para todas as gerações vindouras. Ver o termo hebraico aqui traduzido por "sinal", nas notas sobre Gênesis 17.11; Êxodo 3.12; 12.13; Números 17.10; Josué 2.12 e Salmo 86.17. Esse vocábulo pode dar a entender um milagre, embora não seja esse o caso do presente texto. Alguns intérpretes dramatizam o texto, imaginando Noé, o coração tomado pelo temor, pensando que o terrível acontecimento poderia ocorrer de novo. Mas eis que então apareceu o arco-íris no céu. E então lhe diz a voz divina: "Estás vendo o arco-íris? Faço agora dele um sinal de segurança. Põe fim aos teus temores!" Quão frequentemente precisamos ouvir a voz divina, para que nos desfaçamos de nossos temores. A benevolência de Deus é grande, mas nossa fé nem sempre se mostra receptiva; e para o frágil ser humano os temores são algo natural e constante.

9.13

אֶת־קַשְׁתִּ֕י נָתַ֖תִּי בֶּֽעָנָ֑ן וְהָֽיְתָה֙ לְא֣וֹת בְּרִ֔ית בֵּינִ֖י וּבֵ֥ין הָאָֽרֶץ׃

O meu arco. Isso não quer dizer que antes do dilúvio não aparecesse o arco-íris, mas somente que, agora, tornava-se um sinal do pacto de Deus com Noé, espantando os temores sobre outro grande dilúvio que viesse afligir os homens. O arco-íris eleva-se no céu, como símbolo do amor de Deus que abrange tudo, de oeste para leste e de norte para sul, em sua benevolência. O termo hebraico correspondente, usado aqui e em outros lugares, sempre fala sobre o arco do arqueiro, fazendo lembrar aquela arma de guerra. Talvez esse *arco* remonte às antigas lendas de que os relâmpagos são armas usadas pelo Senhor (Sl 7.13; 18.14; Hb 3.11). Se essa é a alusão aqui em pauta, então aprendemos que nem todos os arcos e flechas do Senhor são mortíferos instrumentos de destruição. Bem pelo contrário, *este arco* serve de símbolo de sua bondosa providência. Ver no *Dicionário* o artigo intitulado *Providência de Deus*.

Os expositores da Bíblia têm descoberto que o arco-íris, como uma *arma divina*, acha-se nas lendas de muitos povos. A história da criação dos babilônios imaginava o arco de Marduque sendo usado contra Tiamate, e esse ato de violência foi fixado nos céus sob a forma de uma constelação. O arco-íris também aparece na crônica seguinte:

De longe a grande deusa (Istar), aproximando-se,
Ergueu os poderosos arcos (o arco-íris) que Anu criara para sua glória.
Que eu nunca esqueça o cristal daqueles deuses.

Gn Cald. par. 287

O "cristal" aqui referido também é uma referência ao arco-íris. Ficamos assim sabendo que a mente dos antigos encantava-se diante do arco-íris, o qual também era temido, pois sempre aparecia em conexão com tempestades, às quais muitos povos antigos atribuíam poderes divinos. Como é óbvio, os antigos não sabiam que o arco-íris é um fenômeno natural, devido à refração dos raios de sol sobre partículas de água. Mas mesmo sabedores disso, maravilhamo-nos diante do arco-íris e de sua beleza.

Meu arco, o sinal divino, algo natural, mas usado como símbolo de uma promessa sobrenatural. Os gregos chamavam o arco-íris de filha de *Thaumas* (Admiração), e viam nele algo de divino (Platão em *Theaetus*, Plutarco de Placit). "... pois embora seja um arco, ainda assim não tem flechas, e não está voltado para baixo, na direção da terra, mas para o alto, na direção do céu, servindo assim de emblema de misericórdia e bondade, e não de ira..." (John Gill, *in loc.*). Na verdade, o *arco* aponta para o céu, e não ameaçadoramente para a terra.

9.14

וְהָיָ֕ה בְּעַֽנְנִ֥י עָנָ֖ן עַל־הָאָ֑רֶץ וְנִרְאֲתָ֥ה הַקֶּ֖שֶׁת בֶּעָנָֽן׃

Surgem as nuvens, e, com elas, a ameaça de tempestade. Mas então aparece o arco-íris, emblema da paz. *Sempre* há um arco-íris em meio à ira de Deus. O juízo divino é remedial, e não meramente retributivo. Ver 1Pedro 4.6 e também, no *Dicionário*, o artigo *Julgamento de Deus dos Homens Perdidos*.

Tomás de Aquino declarou que o *desespero* é o mais mortífero de todos os pecados, pois leva um ser humano a afundar em sua própria depravação e no torpor moral. Os homens duvidam de que Deus, finalmente, fará o bem, e desistem de combater contra as forças do mal. Os teólogos medievais usavam o termo *acedia* a fim de indicar certa forma de desespero que tomava conta dos homens e os tornava pessimistas. No deserto, o povo de Israel viu-se acossado por esse mal (Êx 17.3). Mas as grandes almas não cedem diante da maldade geral e do enfado. Elas trazem o arco-íris em sua mente e em seu coração. Ver no *Dicionário* o artigo intitulado *Pessimismo*.

Refinamentos Judaicos. A mente judaica simplesmente nunca resistia à tentação de ver grandes mistérios e ensinos nas coisas mais insignificantes. Assim também aqui, *cada cor* do arco-íris se revestiria de algum significado especial. E até intérpretes cristãos dão-se ao trabalho de fazer aquelas *cores* representar várias *dispensações*. Ou então, de acordo com outros, tal como há muitas cores no arco-íris, assim também a providência de Deus é multifacetada. Além disso, Cristo é o Sol que rebrilha sobre todas as nossas dificuldades, pecados e depravação, fazendo tudo irradiar esperança. O pacto da graça tem suas muitas facetas, suas muitas cores, que exprimem misericórdia, amor, paz, salvação, bem-estar espiritual etc. O trecho de Apocalipse 10.1 emprega o arco-íris como uma das glórias de um poderoso anjo de Deus. Ver as notas sobre esse trecho, no *Novo Testamento Interpretado*, onde o símbolo é plenamente explanado.

Implicações Messiânicas. Entre os judeus havia uma afirmação que estipulava: "Enquanto não virdes o arco-íris com suas cores luminosas, não espereis os pés do Messias, em sua vinda" (Tikkune Zohar correct. 18. fol. 32).

9.15

וְזָכַרְתִּ֣י אֶת־בְּרִיתִ֗י אֲשֶׁ֤ר בֵּינִי֙ וּבֵ֣ינֵיכֶ֔ם וּבֵ֛ין כָּל־נֶ֥פֶשׁ חַיָּ֖ה בְּכָל־בָּשָׂ֑ר וְלֹֽא־יִֽהְיֶ֨ה ע֤וֹד הַמַּ֨יִם֙ לְמַבּ֔וּל לְשַׁחֵ֖ת כָּל־בָּשָֽׂר׃

Então me lembrarei da minha aliança. Deus nunca se esquece de sua criação, querendo-lhe o bem, e não o mal. Ver no *Dicionário* o artigo *Amor*. Essas lembranças de Deus incluem a promessa de que "não haveria mais dilúvios", reiterando assim o vs. 11, onde há notas sobre essa ideia. Aqui, o arco-íris simboliza a memória divina, que traz alívio e ajuda, bem no meio das tempestades que ameaçam o nosso bem-estar. Nossa base de esperança está sempre em Deus, pelo que ela é sempre segura e eficaz. A presunção, o pecado e o desespero dos homens ocultam tudo isso, mas não poderão prevalecer, afinal, contra esses fatos.

■ 9.16

וְהָיְתָה הַקֶּשֶׁת בֶּעָנָן וּרְאִיתִיהָ לִזְכֹּר בְּרִית עוֹלָם בֵּין אֱלֹהִים וּבֵין כָּל־נֶפֶשׁ חַיָּה בְּכָל־בָּשָׂר אֲשֶׁר עַל־הָאָרֶץ׃

O arco estará nas nuvens. Isso repete, para efeito de ênfase, o que se lê no vs. 14, onde a ideia é comentada. Onde houver a tribulação e o desespero, *exatamente ali* residirão a esperança e a bondosa promessa de Deus. "Não vos sobreveio tentação que não fosse humana; mas Deus é fiel, e não permitirá que sejais tentados além das vossas forças; pelo contrário, juntamente com a tentação, vos proverá livramento, de sorte que a possais suportar" (1Co 10.13).

Aliança eterna. Aqui é dito que o Pacto Noaico (anotado em Gn 6.18) é eterno, aplicando-se a *todos* os seres vivos. Deus nunca se esquece; antes, ele se lembra. O homem contempla o arco-íris e então *lembra-se* da bondade de Deus, a qual é perene e nunca diminui. O homem é que se esquece de ser bom. O Pacto Noaico não envolve condições, e vai além das habilidades humanas.

■ 9.17

וַיֹּאמֶר אֱלֹהִים אֶל־נֹחַ זֹאת אוֹת־הַבְּרִית אֲשֶׁר הֲקִמֹתִי בֵּינִי וּבֵין כָּל־בָּשָׂר אֲשֶׁר עַל־הָאָרֶץ׃ פ

Disse Deus. Temos aqui: 1. Uma linguagem alegórica; 2. uma linguagem antropológica; 3. uma manifestação do Logos ou Verbo, no Antigo Testamento; 4. uma teofania; 5. mera linguagem poética; ou 6. uma experiência mística de alguma espécie (ver no *Dicionário* acerca do *Misticismo*). A voz divina prevalece ao longo das Escrituras, pois Deus criou e continua cuidando de sua criação. Ver no *Dicionário* o artigo sobre o *Teísmo*, que contrasta com o *Deísmo*.

O sinal da aliança. Outro tanto fora dito no vs. 13, onde a questão foi comentada. *Todos os seres viventes*, uma vez mais, figuram como o objetivo da misericórdia eterna de Deus.

A *Ilíada* de Homero (xi. vs.27) tem um paralelo interessante em relação ao livro de Gênesis:

... como o arco-íris do filho de Saturno,
posto nas nuvens, como sinal à humanidade.

Naquela obra, o arco-íris aparece no peitoral de Agamenom, em várias cores, em imitação a um arco-íris. Nos escritos de Virgílio temos algo similar: "Juno, a filha de Saturno, enviou o arco-íris do céu". O arco-íris, dentro da literatura dos gregos e dos romanos, servia de aviso, de sinal e de portento.

Na antiga literatura chinesa, o alegado primeiro imperador, *Fohi*, filho do Céu, não teve pai; mas sua *mãe*, ao caminhar à beira de um lago, perto de Lanthier, pôs o pé sobre uma grande pisada humana, impressa na areia; e então, dessa pisada emanou um arco-íris, e essa bela criação foi levada até *Fohi*, que muito se deleitou com ela.

A MALDIÇÃO CONTRA CANAÃ (9.18,19)

Esses dois versículos preparam-nos a mente para a tabela das nações (Gn 10) que mostra como, a partir de tão poucas pessoas, o mundo foi repovoado, havendo então um novo começo, similar ao que teve início com Adão. Bem tênues caracterizações são dadas aos três filhos de Noé, e, presumivelmente, aos seus descendentes. A tabela das nações é introduzida com a triste história da embriaguez de Noé. A partir desse incidente, características raciais parecem ter sido determinadas por decreto divino. E assim, a história de Noé tenta agora explicar certos *começos* que são um tema tão comum nos primeiros capítulos do livro de Gênesis.

Esta seção tem por intuito salientar especificamente a origem da maldição contra Canaã. Esta passagem, pois, dá-nos razões pelas quais os cananeus sempre foram tão amargos adversários do povo de Israel. O problema todo começou com Cão e seu filho, Canaã. A linhagem de Abraão começou com Sem, pelo que aqui, uma vez mais, temos uma divisão, como aquela que separou Caim e Sete, desta vez entre Canaã e Sem.

Sem, Cão e Jafé. Ofereço artigos sobre cada um desses filhos de Noé, em Gênesis 5.32. Embora Canaã não fosse o filho mais velho de Cão, foi sobre ele que recaiu especificamente a maldição de seu pai; e isso estendeu-se a todos os seus descendentes. Um novo começo logo foi maculado por uma nova maldição.

■ 9.18

וַיִּהְיוּ בְנֵי־נֹחַ הַיֹּצְאִים מִן־הַתֵּבָה שֵׁם וְחָם וָיָפֶת וְחָם הוּא אֲבִי כְנָעַן׃

Canaã. Ver em Gênesis 9.22 as notas sobre ele; e, no *Dicionário*, acerca do povo e do território de Canaã.

■ 9.19

שְׁלֹשָׁה אֵלֶּה בְּנֵי־נֹחַ וּמֵאֵלֶּה נָפְצָה כָל־הָאָרֶץ׃

Os três filhos de Noé; e deles se povoou toda a terra. O autor sacro antecipa aqui a tabela das nações, do capítulo 10 do Gênesis. Ver Gênesis 10.1 quanto ao artigo sobre esse assunto, mas principalmente a quinta seção, onde oferecemos um gráfico a respeito. Para muitos intérpretes, a palavra *toda*, neste caso, significa "o mundo bíblico", e não o inteiro globo terrestre, que tem tido povos não antecipados nas informações supridas na tabela das nações. Mas há estudiosos que insistem em que essa lista envolve todos os antepassados dos povos atuais. Detalhes como esses são mais bem abordados dentro do artigo dado e nos comentários que explicam os vários nomes próprios que aparecem no capítulo 10 de Gênesis. Ver também os artigos sobre cada um dos filhos de Noé, em Gênesis 5.32.

Outros Filhos? Porventura Noé teve outros filhos que acabaram perecendo no dilúvio, ou tais pessoas entraram na arca mas não são mencionadas nas Escrituras? O trecho de Gênesis 5.30 diz que ele teve filhos e filhas, antes de terem nascido Cão, Sem e Jafé; mas quando ele estava com 500 anos de idade (antes da eclosão do dilúvio), apenas três filhos são mencionados. Ninguém pode ter certeza disso, porém. Ver as notas sobre Gênesis 5.32.

ÚLTIMOS DIAS DE NOÉ: AGRICULTOR E CULTIVADOR DA UVA (9.20)

■ 9.20

וַיָּחֶל נֹחַ אִישׁ הָאֲדָמָה וַיִּטַּע כָּרֶם׃

Noé... passou a plantar uma vinha. Noé tornou-se agricultor, mas principalmente viticultor. Algumas traduções dizem aqui "lavrador do solo". Foi por causa desse trabalho que acabou ocorrendo sua grande queda, ou seja, ele abusou de seu mister, embora tal ocupação, por si mesma, fosse legítima. O texto parece indicar que Noé foi o primeiro homem a cultivar a vinha. Jesus usou essa profissão a fim de ilustrar a comunidade divina, em contraste com os que estão fora dessa comunidade. Ver João 15. Naquela metáfora, o próprio Jesus aparece como *a vinha*, ao passo que o Pai é o *viticultor* (a mesma profissão de Noé). Noé, ao escolher esse trabalho, cumpriu a profecia de Lameque que supunha que, em seu filho, Noé, eles haveriam de *estabelecer-se*, revertendo assim o nomadismo prevalente na época. Lameque é retratado como o originador desse tipo de vida. Mas outros pensam que o nome "Noé" significa "aquele que traz a paz", porquanto através dele veio o juízo divino que conferiu paz mediante a eliminação do mal. Ver as notas sobre Gênesis 5.19 sobre essas questões. Adão também havia sido viticultor, mas isso no antigo mundo. No novo mundo (após o dilúvio), foi Noé quem começou de novo essa profissão. Ele já tinha exercido a profissão no mundo antigo.

Antigos escritores judeus creditaram a Noé a invenção de novos instrumentos agrícolas (*Zohar*, apud Hottinger, Smegma Oriental, par. 253), mas quanto a isso não há informações precisas. Esses autores também deram detalhes igualmente incertos, como a ideia de que suas videiras não ficavam longe do monte Ararate, pois ali mesmo ele começara a cultivar o solo. Estrabão informa-nos de que na Armênia não se cultivava a vinha. No entanto, no século XIX e hoje em dia há grandes áreas cobertas de videiras na Armênia. Contudo, é impossível localizarmos que área poderia estar em foco, e nem a questão reveste-se de importância.

9.21

וַיֵּשְׁתְּ מִן־הַיַּיִן וַיִּשְׁכָּר וַיִּתְגַּל בְּתוֹךְ אָהֳלֹה

Embriagou-se. Noé era um homem justo e perfeito, e que andava com Deus (ver as notas sobre Gn 6.9), mas caiu em um estúpido lapso. O lance tem múltiplas aplicações: a vida de agricultor e viticultor, talvez uma vida tediosa, provê um terreno fértil para tentações que busquem aliviar o tédio. Somos assim ensinados que até mesmo o mais piedoso dos homens pode cair, de súbito, em alguma desgraça. Os aspectos do alcoolismo, da possível perversão sexual e da impiedade filial são aqui enfatizados. Aqueles que subjugaram o solo, com grande esforço, não conseguiram subjugar completamente a si mesmos, sendo essa, afinal, a batalha mais árdua de todas. O viticultor participou livremente demais do resultado do labor de suas próprias mãos. Essa é a mais comum tentação dos abastados. A ganância apossa-se do coração de um homem que prospera, e ele acaba esquecendo-se de seus ideais originais. E assim acaba servindo mais a si mesmo do que a Deus e ao próximo. O missionário que se atirara ao campo, com grande dedicação, acaba por construir uma mansão para si mesmo, em vez de usar seu dinheiro na obra do evangelho. O pastor termina por interessar-se mais em construir para si mesmo uma bela residência do que em cumprir o seu dever.

"O mesmo indivíduo que se mostra magnificente quanto às suas atividades públicas pode cair em ignomínia, na sua vida particular. Sansão era invencível contra os filisteus, mas não tinha defesas contra Dalila. Antônio tinha um império nas mãos, mas perdeu-o devido aos ardis de Cleópatra" (Cuthbert A. Simpson, *in loc.*).

O homem que era poderoso na obra do Senhor, sempre obediente, justo e perfeito, agora jazia sobre seu leito, embriagado e desnudo. Ele havia podido controlar todas as suas situações, mas havia uma falha em seu domínio próprio. Ademais, o sucesso não serve de garantia contra as falhas e as quedas pessoais.

O *alcoolismo* é uma das maiores maldições do mundo, afetando cerca de 20% da humanidade. Seus efeitos são muito piores que os de outras *drogas*, pois o álcool não passa de uma droga. Certa produção teatral, intitulada *Pastos Verdejantes*, ilustra de modo singular as tentações próprias do alcoolismo, e, embora não acompanhe de perto a história de Noé, mesmo assim é instrutiva. Ali, Noé aparece a pedir ao Senhor que lhe permita tirar da arca alguma bebida alcoólica, de fato, dois barriletes. Mas por que dois? Porque queria pô-los cada um ao lado do bote, para conferir-lhe um melhor equilíbrio. Mas teve permissão de tirar apenas um barrilete, que pôs no meio do bote. E ali estava o barrilete, tentando Noé e seus filhos, por estar ao alcance fácil deles. Bebidas alcoólicas são guardadas no refrigerador, sujeitando os membros de uma família a uma constante tentação. Outrossim, isso ensina às crianças que é correto dispor de alguma bebida alcoólica e ficar provando de vez em quando um trago. Isso, por si só, indica alcoólatras em treinamento. As pessoas costumam dizer que são fortes e exercerão moderação, mas uma coisa que as pessoas não são é fortes. Ver no *Dicionário* o artigo intitulado *Alcoolismo*.

E se pôs nu. Há muita vergonha refletida nessas palavras. O homem justo jazia ali, bêbado e despido. Todo pecado nos desnuda e nos expõe ao ridículo. Ellicott revela que o original hebraico é enfático aqui: "descobriu-se a si mesmo", e isso por uma "quebra voluntária da modéstia". Adam Clarke, entretanto, procurou desculpar a Noé, afirmando que nunca antes tinha sido produzido o vinho, e que, assim sendo, Noé foi tomado de surpresa. Uma bela desculpa, mas não muito provável. Naturalmente, é verdade que, algumas vezes, o pecado nos toma fora de guarda, ou por sermos ignorantes, ou porque há algum ponto vulnerável, quando nos mostramos mentalmente lerdos.

9.22

וַיַּרְא חָם אֲבִי כְנַעַן אֵת עֶרְוַת אָבִיו וַיַּגֵּד לִשְׁנֵי־אֶחָיו בַּחוּץ׃

Cão... fê-lo saber... a seus dois irmãos. O texto não subentende a ideia de homossexualidade. Antes, Cão achou graça na situação, e apressou-se para compartilhar a piada. Na antiga sociedade hebraica, ver a nudez de pai ou mãe era considerado uma calamidade social muito séria, e um filho ou filha ver tal nudez *propositadamente* era um lapso sério da moralidade filial. Portanto, Cão errou gravemente, de acordo com os padrões de sua época. E não somente errou pessoalmente, mas também correu até seus irmãos, fazendo do incidente um motivo de riso. Sua estupidez interior, pois, não tardou a manifestar-se sob a forma de um ato estúpido. Como é óbvio, o problema começou com o lapso de Noé; mas o dever filial ditava que um filho deveria tentar reparar a falha, e não promovê-la. Mas os outros dois filhos de Noé procuraram corrigir a situação (vs. 23). Quão frequentemente o pecado passa de pais para filhos. Um pai deve a seus filhos três coisas: Exemplo! Exemplo! Exemplo! Toda espécie de lenda desenvolveu-se em torno de Cão, apresentando-o como homem ímpio, imodesto e libertino. Alguns têm chegado a dizer que ele se tornou um mágico, que se envolveu na magia negra, pelo que se tornou corruptor da moral. O relato bíblico tem sido acrescido por detalhes crus e inocentes, como aquele que fala em um ato homossexual, ou então aquele que diz que Cão, aproveitando a oportunidade, castrou seu próprio pai! Todos esses acréscimos, entretanto, são fantasiosos. Todavia, não têm fim as histórias que têm sido adicionadas ao relato bíblico.

O *vinho* era usado para animar o coração (Jz 9.13; Sl 104.15), como também para aliviar a dor das maldições (Pv 31.6), mas em todos os períodos da história os homens têm perdido o controle no uso do vinho. Mediante os estudos científicos modernos, sabemos que um copo de vinho por dia reduz a taxa de colesterol no sangue, agindo isso como um tranquilizante suave, pelo que pode prolongar a vida por diversos anos. O próprio Paulo recomendou a Timóteo que tomasse um pouco de vinho, e isso com um propósito específico (1Tm 5.23). Aos anciãos das igrejas recomendou-se que fossem moderados no uso do vinho, e não que fossem totais abstêmios (Tt 2.3). Não obstante, é melhor não ter vinho algum para consumir.

Cão, pai de Canaã. A maldição caiu sobre Canaã (vs. 25). O nome *Canaã* parece significar "pertencente à terra da púrpura-vermelha". Ele era filho de Cão e neto de Noé. A transgressão de seu pai, Cão, relatada em Gênesis 9.22-27, na qual, segundo alguns pensam, Canaã esteve envolvido de alguma maneira, deu a Noé ocasião para proferir a condenação que sobreviria aos descendentes de Canaã. Porém, não há base nenhuma para a suposição de que os descendentes de Canaã tivessem sido amaldiçoados como consequência imediata da transgressão de Cão. De qualquer modo, ele foi o progenitor dos *fenícios* e do povo que vivia a oeste do rio Jordão, antes da conquista da região pelo povo de Israel (Gn 10.15; 1Cr 1.13).

9.23

וַיִּקַּח שֵׁם וָיֶפֶת אֶת־הַשִּׂמְלָה וַיָּשִׂימוּ עַל־שְׁכֶם שְׁנֵיהֶם וַיֵּלְכוּ אֲחֹרַנִּית וַיְכַסּוּ אֵת עֶרְוַת אֲבִיהֶם וּפְנֵיהֶם אֲחֹרַנִּית וְעֶרְוַת אֲבִיהֶם לֹא רָאוּ׃

Tomaram uma capa. Sem e Jafé evitaram cuidadosamente cair no mesmo erro de Cão, tomando uma capa e entrando de costas na tenda de Noé, de rosto virado, para que não vissem a nudez de seu pai. Conseguiram seu intento e cobriram a nudez de seu pai. Dessa forma, cumpriram seu dever filial, observando as normas da decência, conforme eles e sua sociedade compreendiam a questão. O contraste da atitude deles com a atitude de Cão foi violento e, assim como os descendentes de Canaã sofreriam castigo, os descendentes de Sem e de Jafé seriam abençoados. O pecado fizera descer o nível de decência a um ponto perigoso. Mas aqueles dois filhos de Noé preservaram a santidade da família, até onde lhes foi possível remediá-la.

Capa. Provavelmente a capa externa e solta, que era grande o bastante para envolver o corpo inteiro de uma pessoa.

9.24

וַיִּיקֶץ נֹחַ מִיֵּינוֹ וַיֵּדַע אֵת אֲשֶׁר־עָשָׂה־לוֹ בְּנוֹ הַקָּטָן׃

Noé... soube o que lhe fizera o filho mais moço. Só podemos supor que alguém mais tarde tenha contado a Noé o acontecido. Aqui a imaginação dos homens corre solta. Alguns pensam que ele notou que havia sido violentado! Ou notou que havia sido castrado! Ou soube que Cão havia violentado sua própria mãe, ao saber que seu pai jazia na tenda embriagado! As palavras *mais moço*, nessa declaração, significam literalmente "o pequeno", mas trata-se de um termo usado para indicar alguém mais jovem que outrem, segundo se vê em Gênesis 42.34; 43.29 e 1Samuel 16.11. Visto que Cão não era o filho mais jovem, pois o mais novo era Jafé, alguns eruditos supõem que *Canaã* é que esteja em vista, e que este versículo *sugere* que Canaã, de algum modo indefinido, tenha participado do ato indecente. Jarchi pensava que "pequeno" tem um sentido metafórico, como "desprezível", ou "de pouca importância espiritual" etc. Mas o próprio texto sagrado não dá nenhum indício nesse sentido, nem em favor de muita coisa que tem sido adicionada ao texto sagrado. Alguns estudiosos pensam que a listagem dos filhos, em Gênesis 5.32, onde Jafé aparece como o filho mais novo, na verdade não teve por finalidade ensinar isso, porquanto a ordem de menção teria sido meramente circunstancial, e não cronológica. Talvez Sem apareça ali em primeiro lugar por causa de alguma proeminência que ele tivesse. Abundam conjecturas, tentando resolver a aparente discrepância entre aquele versículo e este. Mas a questão não se reveste de importância.

■ 9.25

וַיֹּאמֶר אָרוּר כְּנָעַן עֶבֶד עֲבָדִים יִהְיֶה לְאֶחָיו׃

Maldito seja Canaã. O texto sagrado não esclarece por que Noé amaldiçoou Canaã, e não o próprio Cão. Já expus várias conjecturas a esse respeito. Mas podemos ter certeza de que, quando um *filho* é amaldiçoado, seu pai também é devidamente amaldiçoado. Talvez tudo quanto esteja envolvido aqui era que a maldição de Cão deveria expressar-se na *linhagem de Canaã*, e não através de qualquer outra linhagem da qual ele também foi o progenitor.

Na antiga cultura dos hebreus, as maldições e as bênçãos lançadas por pai ou mãe eram levadas muito a sério, e todos esperavam que elas se cumprissem. Era importante um homem receber a bênção de seu próprio pai, sobretudo quando este estivesse em seu leito de morte. E era vital evitar a maldição do próprio pai. Pois o pai, sumo sacerdote de sua família, tinha poderes que permitiam pôr em ação coisas boas ou coisas más, que afetariam não somente seus filhos diretos, mas também os descendentes *destes*.

Dentro do contexto histórico, essas palavras têm por intuito explicar o sucesso de Israel na subjugação dos cananeus, além de emprestar autoridade divina a essa conquista. Aquela linhagem havia sido amaldiçoada por causa de impiedade filial.

De acordo com as explicações ditadas pelo racismo, há a fantástica explicação que diz que Cão tornou-se um negro, e que os descendentes de Cão são os africanos de tez negra. E isso explicaria sua lenta marcha para a civilização, bem como todo o tráfico negreiro!

O Preconceito Racial. Como é evidente, essa forma de preconceito faz parte inerente do texto. Uma longa história de ódio foi assim posta em movimento, que atuava em ambos os sentidos: Israel contra Canaã, e Canaã contra Israel. Os homens sempre podem encontrar algum texto de prova que justifique o seu ódio. O ódio teológico é a mais virulenta das malquerenças. É triste ver que a Bíblia parece valer-se disso. As pessoas odeiam diferenças. Para a mente preconcebida, *diferente* é sinônimo de *errado.* Todos nós, em algum sentido, somos afligidos por essa forma de *doença.* A mente humana vive receosa do que é estranho, e aqueles que têm pensamentos e crenças diferentes tornam-se estrangeiros em meio à sua própria gente. Os preconceitos, de natureza racial ou outra, sempre tornam-se piores quando também envolvem a questão religiosa. A partir daí, as pessoas começam a fazer campanhas de ódio, como se assim estivessem servindo a Deus. Não obstante, os *prisioneiros* da mente são, na verdade, prisioneiros, e são dignos de lástima, como qualquer outro prisioneiro. Algumas das mais importantes personagens religiosas do mundo têm odiado, perseguido e até mesmo assassinado seus *opositores*, e isso tem acontecido até mesmo em círculos protestantes, e não apenas em círculos católicos. Ver no *Dicionário* o artigo intitulado *Intolerância.*

Seja servo dos servos. Os mais abjetos escravos, explorados e espezinhados. Alguns estudiosos têm sugerido aqui uma explicação metafórica. Quando examinamos as páginas da história, parece que tal maldição não atuou, a não ser no caso da conquista de Canaã. Talvez o texto sagrado queira dizer que aquela gente tornou-se escrava dos ídolos, ou seja, escravos espirituais, decadentes e corruptos. "A religião dos cananeus silenciava todos os melhores sentimentos da natureza humana, degradando a mente dos homens mediante uma superstição ao mesmo tempo cruel e devassa" (Cruezer, *in loc.*).

■ 9.26

וַיֹּאמֶר בָּרוּךְ יְהֹוָה אֱלֹהֵי שֵׁם וִיהִי כְנַעַן עֶבֶד לָמוֹ׃

A Linhagem de Sem Foi Abençoada por Causa de Deus. Abraão, e também o Messias, nasceriam dentro dessa linhagem, fazendo contraste com os ímpios cananeus. Israel conquistaria Canaã. Surgiria em cena uma nova nação que seria o veículo da mensagem espiritual. A Bíblia traça uma linha divisória precisa entre a espiritualidade e a iniquidade, a primeira própria de Sem, e a outra própria de Canaã.

O que parecera ser um incidente trivial para Cão, até mesmo um motivo de piadas, tivera as consequências mais sérias. Jamais deveríamos brincar com o pecado. A disposição de Cão, diante daquilo que, provavelmente, lhe parecera ser um ato inconsequente, produziu para ele os frutos mais amargos. Israel matou trinta reis cananeus, capturou suas cidades e fez dos gibeonitas lenhadores e puxadores de água, reduzindo-os à servidão. Que atividades horrendas! Tudo parte da maldição. Os críticos sentem-se abismados diante da mentalidade que atribui tudo isso a Deus. Mas os defensores da ideia de maldição veem a justiça divina no episódio.

■ 9.27

יַפְתְּ אֱלֹהִים לְיֶפֶת וְיִשְׁכֹּן בְּאָהֳלֵי־שֵׁם וִיהִי כְנַעַן עֶבֶד לָמוֹ׃

Engrandeça Deus a Jafé. Jafé tinha agido retamente no tocante a seu pai, e assim seu pai também lhe foi benigno. *Engrandeça*, neste caso, subentende conquistas territoriais. Os comentadores indicam a Europa, a Ásia Menor, a Média, a Ibéria, a Albânia, a Índia e parte da Armênia como terras que foram concedidas aos descendentes de Jafé. Alguns chegam a incluir aí o continente *americano*, por causa das migrações de tantos europeus para aí! Além disso, espiritualmente falando, em consonância com alguns estudiosos, temos a propagação fácil do evangelho nessas terras, o que apontaria para uma bênção espiritual especial, que acompanha outras vantagens.

Habite ele nas tendas de Sem. Uma referência obscura que tem sido variegadamente interpretada. Em certo sentido, *Sem* (que inclui a linhagem judaica) é que habita nas tendas de Jafé, porquanto o povo de Israel tem sido disperso entre as nações gentílicas, mormente as da Europa. Em um sentido religioso, porém, a bênção de Sem foi estendida a Jafé, por meio do cristianismo, e os judeus são agora abençoados por meio da Igreja. Ou então, Jafé habita (como participante) na tenda de Sem, porquanto alicerça seu processo histórico espiritual (o cristianismo) sobre o judaísmo. Talvez tudo quanto o texto pretenda dizer é que Sem e Jafé teriam intercomunicação racial, compartilhando, por assim dizer, da habitação uns dos outros. "Isso significa que os jafetitas conviveriam com os semitas de acordo com condições amigáveis, e não que os jafetitas desaposariam os semitas de seus territórios" (Allen P. Ross, *in loc.*), opinião essa que, provavelmente, está com a razão.

Canaã, porém, sofreria diante da opressão causada pelos jafetitas, e não somente pelos semitas, conforme a porção concludente do versículo deixa claro.

A Propagação dos Jafetitas. Adam Clarke fez um interessante comentário sobre a Inglaterra, um daqueles lugares onde os descendentes de Jafé têm sido abençoados e têm prosperado:

"...as ilhas britânicas, que dentre todas as nações debaixo do céu têm a mais pura luz da revelação divina, bem como os melhores meios de difundi-la, têm-se empenhado muito mais em propagar suas conquistas e aumentar o seu comércio do que em anunciar o evangelho do Filho de Deus. Mas essa nação, ao traduzir a Bíblia para todos os idiomas vivos, enviando-a, então, a todas as partes do globo habitado, e mediante suas várias sociedades missionárias... está redimindo rapidamente o seu caráter, tornando-se grande em bondade e benevolência sobre a terra inteira!" Podemos tolerar o marcante nacionalismo de Clarke, pois há alguma verdade em seu comentário. Naturalmente, o maior poder missionário da atualidade são os Estados Unidos da América do Norte, nação filha da Inglaterra.

■ 9.28,29

וַיְחִי־נֹחַ אַחַר הַמַּבּוּל שְׁלֹשׁ מֵאוֹת שָׁנָה וַחֲמִשִּׁים שָׁנָה׃

וַיִּהְיוּ כָּל־יְמֵי־נֹחַ תְּשַׁע מֵאוֹת שָׁנָה וַחֲמִשִּׁים שָׁנָה וַיָּמֹת׃ פ

Novecentos e cinquenta anos. Apesar de sua longa idade, o período de vida dos seres humanos estava decaindo rapidamente. Sem só viveu até os 600 anos; Pelegue, até os 239 anos. Noé viveu vinte anos mais do que Adão, e só perdeu para Metusalém por dezenove anos. Ele viveu o bastante para ver o novo mundo totalmente corrompido, revertendo essencialmente a razão para o dilúvio. A violência retornou como se nunca tivesse estado ausente. Alguns estudiosos calculam que ele tenha vivido até 32 anos antes do nascimento de Abraão, e alguns antigos intérpretes judeus supunham que ele tivesse vivido até Abraão chegar aos seus 58 anos de idade. Noé continuou a procriar, provavelmente tendo gerado muitos filhos, considerando os anos que lhe restaram para isso.

E morreu. Chegou o seu tempo. Ver as notas sobre Gênesis 5.30, que têm aplicação a este ponto. As tradições dão-nos detalhes tolos. Assim, quando a morte já se aproximava, teria ordenado que seu filho, Sem, sepultasse o corpo de Adão no meio da terra. Melquisedeque, filho de Pelegue, teria sido nomeado o ministro diante do sepulcro de Adão. Além disso, teria falecido no segundo dia do mês de ijar, no quarto dia da semana, e às duas horas da madrugada! São apenas detalhes fabulosos.

CAPÍTULO DEZ

OS DESCENDENTES DE NOÉ (10.1-32)

A Tabela das Nações. Os *críticos* supõem que o material usado na *Tabela das Nações* tenha sido uma compilação de listas derivadas das fontes informativas *J* e *P*. Ver os artigos no *Dicionário* intitulados *J.E.D.P,(S) Hexateuco*. Eles pensam que vários redatores participaram da questão. Os *céticos*, por sua parte, garantem que a ideia toda de a terra ter sido repovoada a partir de três irmãos de um fictício Noé, após uma imensa catástrofe, é pura ficção. E assim perde-se a mensagem central desse capítulo. Não seriam figuras de um homem só. Talvez haja alguma exatidão histórica nessas listas, mas não ao ponto de causar-nos preocupação. Os *críticos*, em sua maioria, também rejeitam o relato sobre Noé e o dilúvio, no tocante a pontos específicos da narrativa, embora admitam alguma exatidão histórica na

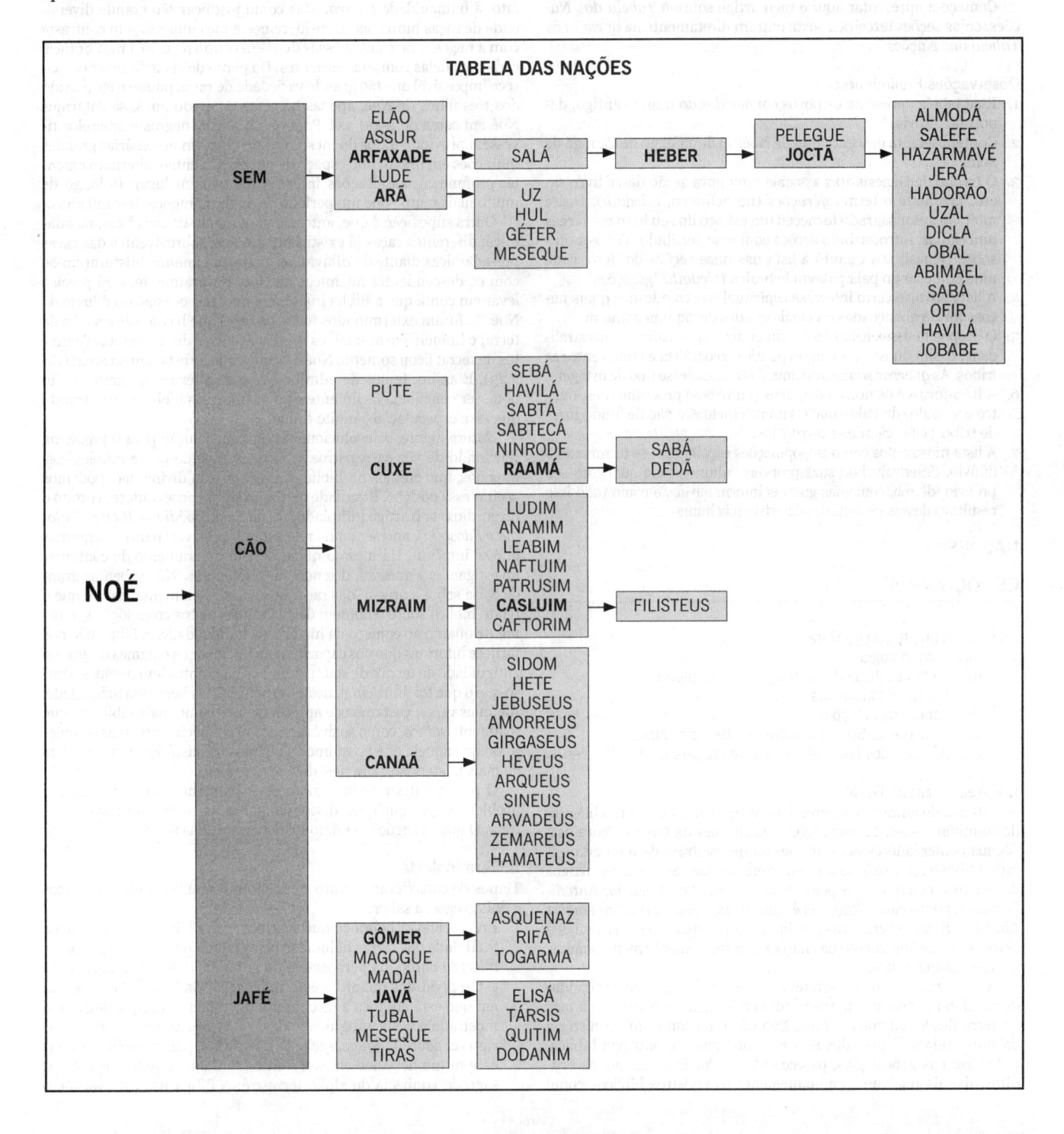

TABELA DAS NAÇÕES

NOÉ

- **SEM**
  - ELÃO, ASSUR, **ARFAXADE**, LUDE, **ARÃ**
    - ARFAXADE → SALÁ → HEBER → PELEGUE, **JOCTÃ**
      - JOCTÃ → ALMODÁ, SALEFE, HAZARMAVÉ, JERÁ, HADORÃO, UZAL, DICLA, OBAL, ABIMAEL, SABÁ, OFIR, HAVILÁ, JOBABE
    - ARÃ → UZ, HUL, GÉTER, MESEQUE

- **CÃO**
  - PUTE
  - **CUXE** → SEBÁ, HAVILÁ, SABTÁ, SABTECÁ, NINRODE, **RAAMÁ**
    - RAAMÁ → SABÁ, DEDÃ
  - **MIZRAIM** → LUDIM, ANAMIM, LEABIM, NAFTUIM, PATRUSIM, **CASLUIM**, CAFTORIM
    - CASLUIM → FILISTEUS
  - **CANAÃ** → SIDOM, HETE, JEBUSEUS, AMORREUS, GIRGASEUS, HEVEUS, ARQUEUS, SINEUS, ARVADEUS, ZEMAREUS, HAMATEUS

- **JAFÉ**
  - **GÔMER**, MAGOGUE, MADAI, **JAVÃ**, TUBAL, MESEQUE, TIRAS
    - GÔMER → ASQUENAZ, RIFÁ, TOGARMA
    - JAVÃ → ELISÁ, TÁRSIS, QUITIM, DODANIM

identificação das nações. Os eruditos *conservadores*, por seu lado, aceitam, em graus variados, a historicidade do relato. Quando é indagado como as raças que atualmente conhecemos poderiam ter descendido de três homens *da mesma raça*, e isso somente desde quatro mil anos atrás, várias respostas são dadas. Alguns tentam defender a tese de que as raças podem ter-se *alterado* tanto, e em tão curto tempo, que um homem branco pode ter sido o progenitor de um negro, talvez no espaço de meros dois séculos. Mas outros, dotados de maior conhecimento sobre a questão, asseguram que deve ter havido alguma *intervenção divina* que causou *mutações genéticas* radicais, das quais resultaram a grande variedade de raças humanas que conhecemos. Alguns eruditos conservadores, no entanto, supõem que possa ter havido raças pré-adâmicas, alguns fragmentos das quais podem ter sobrevivido, e que se misturaram por casamento com os descendentes dos filhos de Noé, o que explicaria melhor a variedade de raças humanas atuais. Naturalmente, não há o menor indício disso em Gênesis 10. Assim, esse capítulo tem provocado inúmeras controvérsias.

Começo a apresentar aqui o meu artigo sobre a *Tabela das Nações*, cujas seções terceira a sexta entram diretamente na questão da *Tabela das Nações*.

Observações Preliminares:
1. Essa tabela apresenta os povos *conhecidos* do mundo antigo, depois do dilúvio.
2. Contém setenta descendentes de Noé: 14 de Jafé; 30 de Cão; 26 de Sem.
3. O trecho de Gênesis 10.1 assinala uma nova seção desse livro sacro, mediante o termo *gerações* (no hebraico, *toledoth*). Desse modo, o autor sagrado forneceu um esboço do seu livro em largas pinceladas, introduzindo seções com esse vocábulo. Ver as notas sobre Gênesis 2.4 quanto à lista das onze seções do livro, cada uma começando pela palavra hebraica *toledoth*, "gerações".
4. A lista envolve certo interesse espiritual mostrando-nos quais nações foram abençoadas ou amaldiçoadas de alguma maneira.
5. O propósito dessa lista não é, primariamente, mostrar a ancestralidade, e, sim, mostrar a filiação política, geográfica e étnica entre as tribos. As *guerras santas* são uma das razões desse tipo de listagem.
6. A lista fornece os nomes de povos (ou tribos) proeminentes, dentro e ao redor da Palestina. Os nomes incluídos são de fundadores de tribos, clãs, cidades e territórios.
7. A lista mostra-nos como as populações espalharam-se terminado o dilúvio, desenvolvendo suas próprias culturas, cada qual com seu próprio idioma, com suas guerras intermináveis, e como tudo isso resultava dessas vicissitudes da existência humana.

NAÇÕES

ESBOÇO

I. Caracterização Geral
II. Terminologia
III. Listas Bíblicas das Nações e seu Conteúdo
IV. Fontes Informativas
V. Tabela das Nações
VI. Declaração Sumária sobre a Tabela das Nações
VII. Atitudes dos Hebreus e dos Cristãos para com as Nações

I. Caracterização Geral
A tentativa do autor (ou autores, conforme alguns pensam) bíblico(s) de compilar uma lista das origens das nações da terra foi corajosa. Alguns comentadores pensam mesmo que se trata de uma empreitada impossível. Ainda assim, em conexão com este, outros artigos deveriam ser examinados pelo leitor, como *Adão; Criação; Antediluvianos*, ponto cinco; *Raças Pré-Adâmicas; Língua*, IV. *Origem das Línguas*. Esses diversos artigos ilustram problemas concernentes à origem e ao delineamento das nações que são somente mencionados, sem serem ilustrados.

A geologia e a arqueologia têm demonstrado a grande antiguidade do globo terrestre, e também como o homem vem vivendo à face da terra desde tempos remotos. Não há como comprimir a história da humanidade dentro dos seis mil anos que a cronologia bíblica, com base nas genealogias, parece indicar. Por isso mesmo, os eruditos liberais rejeitam terminantemente os registros bíblicos como irremediavelmente incompletos ou mesmo inexatos, pelo menos no tocante às questões cronológicas. Até mesmo estudiosos conservadores têm apresentado a teoria da existência de *raças pré-adâmicas*, a fim de explicar as grandes extensões de tempo comprovadas pelas descobertas geológicas e arqueológicas. As evidências assim colhidas falam em um passado muito mais remoto do que aquele que podemos depreender das genealogias bíblicas. Na opinião deste autor, essa é a melhor maneira de abordar o problema, embora continuem sem solução certas dificuldades. E o principal problema, do ponto de vista dos eruditos conservadores, não fica resolvido por esse meio, que é a questão do silêncio. Pois, apesar de podermos especular sobre toda espécie de ocorrência não-registrada na Bíblia, desde o momento da criação inicial até a criação de Adão, será mister apresentarmos provas extra-bíblicas para isso. Penso que essa atividade é perfeitamente possível e legítima. Mas alguns conservadores persistem na suposição de que a Bíblia narra a história inteira do homem, e não apenas a história do homem adâmico. Ademais, eles pensam que o homem adâmico é, de fato, a humanidade *inteira*. Mas como justificar tão grande diversidade de raças humanas? Consideremos a raça amarela, em contraste com a raça negra, e então essas duas em contraste com a raça branca, cada uma delas com suas variantes. Do ponto de vista da genética, parece impossível que tão grande variedade de raças pudesse ter partido dos três filhos de Noé, apenas há cerca de 4.500 anos, se datarmos Noé em cerca de 2500 a.C. Para que brancos, negros e amarelos tivessem provindo todos do mesmo tronco, seriam necessárias grandes mutações em brevíssimo espaço de tempo. Ou então, alternativamente, profundas modificações inter-raciais tiveram lugar ao longo de muito mais tempo que um período de, mais ou menos, três mil anos.

Outra suposição é que, antes do surgimento da raça humana adâmica, diferentes raças já existiriam, e houve sobreviventes das raças pré-adâmicas diante do dilúvio, os quais, finalmente, misturaram-se com os descendentes adâmicos de Noé. Naturalmente, será preciso levar em conta que a Bíblia insiste em que, por ocasião do dilúvio de Noé, "...foram exterminados todos os seres que havia sobre a face da terra; o homem e o animal, os répteis e as aves dos céus foram extintos da terra; ficou somente Noé e os que com ele estavam na arca" (Gn 7.23). E assim, temos de admitir que essa alternativa também não pode ser conciliada facilmente com os informes bíblicos, mostrando que essa especulação é muito dúbia.

Naturalmente, os evolucionistas buscam solução para o problema rejeitando de vez os registros bíblicos, rotulando-os de mitológicos. Mas nós, que cremos na Bíblia como revelação divina, não podemos aceitar essa posição. É verdade que os eruditos conservadores cortam o nó górdio (ver o artigo intitulado *Nó*, na *Enciclopédia de Bíblia, Teologia e Filosofia*), apresentando respostas impossíveis para as perguntas que se impõem. Há mesmo quem desista inteiramente de continuar investigando a questão, dizendo simplesmente: "Não sabemos grande coisa sobre a origem das raças humanas". Realmente, parece que o relato bíblico sobre o homem deixa grandes hiatos cronológicos, mormente quanto ao começo da história da humanidade. A Bíblia não nos fornece informes que nos capacitem a solucionar os enigmas da grande antiguidade da terra e de seus primitivos habitantes humanoides. Penso que o que foi dito acima, neste verbete, ilustra bem essa dificuldade. Algumas vezes, gostamos de apresentar-nos como mais sábios do que realmente somos, como se tivéssemos um conhecimento mais completo do que aquele que possuímos. Odiamos os mistérios. E nada existe de mais misterioso, para nós, do que as *origens*.

O restante deste artigo ignora essencialmente os consternadores problemas que qualquer discussão sobre as raças humanas traz à tona. O que se segue é o relato bíblico acerca das nações.

II. Terminologia
Temos de considerar, quanto a esse ponto, sete vocábulos hebraicos e dois gregos, a saber:
1. *Erets*, palavra hebraica que significa "terra". Esse termo indica a totalidade das terras habitadas pelos povos, ou apenas a *parte conhecida então*, da perspectiva do autor sagrado? Os especialistas estão divididos quanto a essa indagação. Os literalistas insistem em que está em foco a face inteira do planeta. A arqueologia tem mostrado a vasta antiguidade de civilizações fora das terras bíblicas (ver sobre *Línguas*, seção IV). Portanto, parece melhor aceitar esse termo hebraico em seu sentido limitado: aquilo que o autor sagrado conhecia do globo terrestre. A Bíblia usa esse vocábulo

em seu sentido limitado, segundo se vê, por exemplo, em Gênesis 10.32. Assim, a propagação das nações foi na terra, naquela *porção* conhecida pelo autor sagrado. Não há qualquer registro bíblico sobre nações fora daquela área.

2. *Bene* e *yalad*. Dentro das três linhas dos filhos de Noé (Jafé, Cão e Sem) encontramos esses dois vocábulos hebraicos. *Bene* significa "filhos de"; e *yalad* quer dizer "gerou". Alguns eruditos têm pensado que esses dois modos de expressar refletem listas compiladas com base em fontes informativas diferentes. E isso é mesclado com a teoria da multiautoria chamada *J.E.D.P.(S.)* (ver o *Dicionário*). De acordo com essa teoria, o código sacerdotal — *P.(S.)* — usava o termo *bene*; mas o código jeovista — *J* — introduzia as descendências com o termo *yalad*. O código sacerdotal, pois, figuraria em Gênesis 10.1,2-7,20,22,23,31,32, e o código jeovista em Gênesis 1.1b,8-19,21,24-30. Mas os que não aceitam isso afirmam que se trata de uma mera questão de estilo o uso de *bene* ou de *yalad*.

3. *Toledoth*. Palavra hebraica que alude às "gerações" dos filhos de Noé, e, ao que parece, o autor sagrado pensava poder explicar todos os povos da terra, após o dilúvio. Ver Gênesis 10—11, quanto à Tabela das Nações, bem como a fórmula em Gênesis 10.1 e 11.10. Há eruditos que argumentam que grandes problemas podem ser resolvidos se supusermos que, além dos descendentes de Noé, tenha havido outras raças na terra, pré-adâmicas, que acabaram misturando-se com os descendentes de Noé. Isso posto, o trecho de Gênesis 7.23 se referiria somente ao extermínio total do homem adâmico, com exceção dos oito que estavam protegidos no interior da arca. E, consequentemente, que o dilúvio foi parcial. Mas essa interpretação é extremamente problemática, pois, nesse caso, a raça adâmica teria sido reduzida a uma ínfima minoria, dentro de uma esmagadora maioria de sobreviventes não-adâmicos que não teriam sido atingidos mais pesadamente pelo dilúvio. Isso não teria alterado radicalmente a raça adâmica, que se veria inteiramente dominada geneticamente pelas supostas raças pré-adâmicas? Todavia, apresentamos evidências em favor daquela suposição, no artigo sobre o *Dilúvio de Noé*.

4. *Mispehot*. Esse é o termo hebraico que significa "famílias", por cujo vocábulo cumpre-nos entender os "clãs" formadores das nações. Essa palavra é usada na Tabela das Nações em Gênesis 10.5,18,20,31,32.

5. *Goyim*. Termo hebraico que significa "nações", ou seja, os grupos de clãs que acabaram adquirindo identidade nacional. Ver Gênesis 10.5,20,31,32.

6. *Lashon*. Palavra hebraica que significa "línguas". É usada em Gênesis 10.31, como se os vários descendentes dos filhos de Noé falassem diferentes idiomas. Entretanto, somente no capítulo 11 de Gênesis somos informados de que essa diversificação de idiomas ocorreu mais tarde, quando da confusão das línguas, por ocasião da construção da torre de Babel. Esse pequeno anacronismo, todavia, não deve ser considerado um problema. O que cria problema é a questão da origem das línguas, o que é tratado no artigo chamado *Língua*, seção IV. Se há nisso algum problema, talvez o mesmo seja causado pelo fato de que a história sobre a torre de Babel foi preservada por uma tradição independente da Tabela das Nações.

7. *Ethnos*. Palavra grega que significa "nação" (também traduzida por "gentios"). Ocorre por 164 vezes no Novo Testamento, começando por Mateus 4.15 e terminando em Apocalipse 22.2. Alguns poucos exemplos: Mateus 20.19,25; Atos 4.27; 9.15; Romanos 1.5,12; Gálatas 1.16; 1Pedro 2.9,12; Apocalipse 2.26; 5.9. Algumas vezes, esse vocábulo refere-se a nações não-judaicas e, outras vezes, a todas as nações, incluindo os judeus, conforme se vê em Mateus 24.9; 28.19; Marcos 11.17; Apocalipse 7.9.

8. *Geneá*, palavra grega que significa "nação" ou "geração". Ela é usada por quarenta vezes no Novo Testamento, em sua grande maioria nos três evangelhos sinópticos, começando por Mateus 1.17 e terminando em Hebreus 3.10. Algumas vezes, essa palavra é traduzida, nas versões, por "gentios". O uso dessa palavra faz-nos entrar na questão das atitudes judaicas e cristãs acerca das nações, o que é comentado mais adiante, na sexta seção deste artigo.

III. Listas Bíblicas das Nações e Seu Conteúdo

A quinta seção deste artigo alista as nações e dá um mapa ilustrativo com um quadro completo acerca do conteúdo. Neste ponto, limitamo-nos a algumas observações.

1. *Tabela das Nações*. "Esse nome, com frequência, é dado ao décimo capítulo de Gênesis e ao trecho de 1Crônicas 1.5-23, com algumas pequenas variações, provendo uma lista étnica dos descendentes de Noé por meio de seus três filhos, Sem, Cão e Jafé. Ao que tudo indica, o registro limita-se às nações do mundo então conhecido, no segundo milênio a.C., isto é, povos quase todos concentrados no Oriente Próximo e Médio, com quem os israelitas poderiam entrar em contato. Os antigos documentos egípcios e mesopotâmicos revelam que os detalhes da tabela das nações não ultrapassariam ao conhecimento de uma pessoa educada na corte egípcia de cerca de 1500 a.C., conforme foi o caso de Moisés".

2. *Indicações sobre a Data das Listas*. Os nomes que foram incluídos ou que foram deixados de fora fornecem-nos alguma indicação de quando essa lista deve ter sido compilada. Assim, a Pérsia é deixada de fora. Se essa lista tivesse sido compilada ou editada por sacerdotes da época de Esdras (durante o regime persa), em data posterior, conforme alguns intérpretes supõem, então seria extremamente difícil explicar como esse nome foi omitido da lista. A fonte informativa chamada *P.(S.)* é datada pelos liberais como pós-exílica, e, presumivelmente, foi uma das fontes informativas usadas na confecção dessa relação. Por igual modo, a proeminência de Sidom, em Canaã, a par com a omissão de Tiro (Gn 10.15,19), sugere um tempo antes de 1000 a.C., quando Tiro ainda não era cidade importante. Foi em 1000 a.C. que Hirão fez de Tiro a principal cidade fenícia. Hete (Gn 10.15) aparece como a população mais nortista dentre o grupo sírio-cananeu, refletindo os meados do segundo milênio a.C., quando os heteus ou hititas controlavam grande parte da área desde a grande curva do rio Eufrates até às costas do mar Mediterrâneo.

Por igual modo, Albright salientou que quase todos os nomes dos descendentes tribais de Arã (Gn 10.23) e de Joctã (Gn 10.26-29) são arcaicos, sendo anteriores às informações dadas em inscrições do primeiro milênio a.C., que têm sido descobertas pelos arqueólogos na Assíria e no sul da Arábia. E alguns dos nomes também têm formas ortográficas que pertencem ao começo do segundo milênio a.C., mas que, mais tarde, sofreram modificações. Em certos manuscritos hebraicos encontramos revisões feitas por escribas, que adaptaram alguns nomes, grafando-os segundo a ortografia posterior.

3. *Plano*. As principais divisões apresentadas na Tabela das Nações acompanham os descendentes dos três filhos de Noé: Sem (Mesopotâmia e Arábia); Cão (África e Egito); Jafé (o extremo norte e as terras em redor do mar Mediterrâneo). Como é claro, grandes massas de terras foram deixadas de lado. Alguns eruditos conservadores explicam que o resto do mundo foi ocupado mediante vastas *migrações*, que ocorreram após a torre de Babel; mas a geologia e a arqueologia têm mostrado que essa teoria é ilusória. Para exemplificar, a história chinesa pode ser traçada até um tempo bem anterior ao dilúvio, e também continuamente depois do mesmo, sem qualquer interrupção devida a algum cataclismo. Podemos somente concluir daí que o relato do livro de Gênesis não se aplica à China. A arqueologia também tem encontrado civilizações que antecedem em muito à época de 2500 a.C., o tempo do dilúvio; e, em várias regiões do mundo, até com suas próprias línguas (anteriores a Babel). E disso só nos resta concluir que o registro do livro de Gênesis nada tem a ver com esses povos. E, consequentemente, que o relato de Gênesis envolve somente a porção do mundo sobre a qual a história versa. Em outras palavras, a narrativa do dilúvio é regional, e não universal. Nenhum problema é criado se aceitarmos a teoria do *dilúvio parcial*, que tem apoio geológico e arqueológico, embora a linguagem usada na narrativa de Gênesis pareça dar a entender o contrário.

4. *Identificação dos Povos Descendentes dos Filhos de Noé*. Essa questão é coberta, com detalhes, em três artigos separados, intitulados: *Cão*, *Jafé* e *Sem*. Assim sendo, tal material não é repetido aqui. E no artigo chamado *Jafé*, temos provido um gráfico que mostra, na medida do possível, os povos dele derivados.

IV. Fontes Informativas

A fonte original é o capítulo 10 de Gênesis, reiterado, com pequenas variações, em 1Crônicas 1.5-23. Relatos subsequentes sobre certos povos são comentados no resto do Antigo Testamento. Povos não mencionados na Bíblia são mencionados e estudados pela arqueologia. E esse estudo também tem contribuído em muito para iluminar nosso conhecimento dos povos envolvidos na Tabela das Nações. No tocante à *Mesopotâmia*, há evidências arqueológicas que remontam ao quarto milênio a.C. Na Mesopotâmia e circunvizinhanças houve uma espécie de antiga cultura comum, envolvendo diversos povos. E no terceiro milênio a.C., houve extensos contatos dessa cultura com outras, devido às campanhas militares e ao intercâmbio comercial entre os povos. Assim, era intenso o comércio que se fazia entre a península arábica, a Anatólia (em termos gerais, o que é hoje a Turquia), o Irã e a Pérsia. Registros feitos em escrita cuneiforme descrevem condições prevalentes no terceiro milênio a.C. No que concerne ao *Egito*, não é menos abundante o material arqueológico e histórico. Quando Abraão apareceu em cena, talvez nada menos que dez dinastias já haviam governado o Egito. A história egípcia pode ser acompanhada, com algum detalhe, desde cerca de 3000 a.C., e Abraão surgiu no palco do mundo mais ou menos em 2000 a.C. Nos tempos pré-históricos havia intenso comércio entre o Egito e certa variedade de lugares, como a região do mar Vermelho, a Núbia, a Líbia, e, talvez, a parte norte do imenso deserto do Saara. Dentro do terceiro milênio a.C., os egípcios enviaram expedições à península do Sinai e a Biblos, na costa mediterrânea da Síria. No segundo milênio a.C., os egípcios entraram em contato com as ilhas de Chipre e Creta, bem como com a Cilícia, na Anatólia. Os textos de execração dos Faraós fornecem-nos algumas informações sobre muitos povos com quem os egípcios tiveram algum tipo de relacionamento. No século XIV a.C., os arquivos de tabletes em escrita cuneiforme dão-nos muitas informações sobre a época. Esses arquivos têm sido descobertos pela arqueologia em *Tell el-Amarna* (ver no *Dicionário*).

É significativo que quase toda a informação que a arqueologia nos dá ajusta-se bem dentro da cronologia bíblica. No entanto, há descobertas arqueológicas que retrocedem enormemente no tempo, em relação aos informes bíblicos. Talvez isso possa ser explicado com a suposição de que o tempo de Adão e então o tempo de Noé foram *novos começos*, e não começos absolutos da história da humanidade. Ao todo, parece que o nosso globo já sofreu pelo menos quatrocentos grandes cataclismos, com tremendas modificações na posição dos polos da terra, com tremendas destruições consequentes. Há evidências que parecem favorecer a especulação de que a penúltima dessas grandes destruições corresponde, grosso modo, com a cronologia bíblica relativa a Adão; e que a última delas corresponde mais ou menos à cronologia bíblica atinente a Noé. Quanto a períodos deveras remotos da pré-história, contudo, vemo-nos forçados a depender de algumas poucas mas significativas descobertas arqueológicas.

V. Tabela das Nações
(ver tabela abaixo)

VI. Declaração Sumária sobre a Tabela das Nações
"A Tabela das Nações provê o pano de fundo da história do mundo para a chamada de Abraão (Gn 12). *Vs. 1*. Essa lista, vinculada a Gênesis 5.32, provavelmente foi extraída do livro da geneologia (Gn 5.1). A unidade original da humanidade é representada pela ideia de que todas as nações da terra originaram-se dos três filhos de Noé (Gn 9.19). Embora as diversas *famílias* estivessem separadas por terras e idiomas (vss. 5,20,31), essa lista foi arranjada, primariamente, com base em considerações políticas, e não tanto étnicas. *Vss. 2-5*. Os filhos de *Jafé* (Gn 9.27) tinham o seu centro político na Ásia Menor, o território anterior dos hititas (*Hete*, vs. 16). A propagação dos povos habitantes das *costas marítimas*, incluindo os filisteus (Gn 9.27), reflete movimentos populacionais da área do mar Egeu, em cerca de 1200 a.C. *Vs. 6-20*. Os filhos de *Cão* viviam na órbita do Egito. *Canaã* é incluída, porquanto, nominalmente, vivia sob o controle do Egito, entre 1500-1200 a.C. *Vss. 8-12*. Um antigo fragmento da tradição relata como Ninrode, um bem-sucedido guerreiro, erigiu um reino na terra de *Sinear* (Babilônia) e na Assíria. *Vss. 15-20*. Os *hititas* (Hete), que haviam estabelecido um poderoso império na Ásia Menor, desapareceram como uma potência mundial no século XII a.C. Nesse ponto, eles são mencionados juntamente com outros povos cananeus, como, por exemplo, *os jebuseus* (localizados em redor de Jerusalém), os *amorreus* (nativos da região montanhosa da Palestina), os *heveus* (talvez os mesmos horeus ou hurrianos; ver 34.2). *Vss. 21-31*. *Sem* aparece como o progenitor dos povos semíticos, os filhos de *Éber*, ou seja, todos os "hebreus", incluindo os que, posteriormente, se tornaram o povo de Israel. Durante o período de 1500-1200 a.C., ondas de hebreus entraram na Síria-Palestina e, finalmente, estabeleceram ali estados como *Arã*, na Síria (vs. 23), Moabe, Edom e Israel". (Notas traduzidas da *Oxford Annotated Bible, The Revised Standard Version,* sobre Gn 10.1.)

VII. Atitudes dos Hebreus e dos Cristãos para com as Nações
O judaísmo terminou sendo uma religião exclusivista, que gerava intensa hostilidade para com as outras nações, que passaram a ser vistas como os *pagãos* ou *gentios*. Isso atingiu sua mais horrível expressão no farisaísmo, para o qual até a ação de entrar na casa de um gentio era um ato contaminador. O trecho de Gálatas 2.12 ilustra graficamente o ponto. Paulo precisou repreender Pedro por estar evitando a companhia de crentes gentios, quando certos representantes de Tiago criticaram-no por confraternizar com os gentios. E foi necessário que Pedro recebesse uma visão a fim de que entendesse que as atitudes exclusivistas dos judeus eram fundamentalmente erradas, porquanto até haviam sido ultrapassadas pela fé cristã. Ver o capítulo 10 do livro de Atos. Essa visão provocou da parte de Pedro uma observação que exibe sua surpresa: "Reconheço por verdade que Deus não faz acepção de pessoas; pelo contrário, em qualquer nação, aquele que o teme e faz o que é justo lhe é aceitável" (At 10.34,35). E Paulo enfocou claramente a questão, ao escrever:

"...porque todos quantos fostes batizados em Cristo, de Cristo vos revestistes. Destarte, não pode haver judeu nem grego; nem escravo nem liberto; nem homem nem mulher; porque todos vós sois um em Cristo Jesus" (Gl 3.27,28).

A Missão Tridimensional de Cristo. O amor de Deus, atuando em favor dos homens, por meio da pessoa de Jesus Cristo, requereu que o Cristo tivesse uma missão nas três esferas gerais da existência, a saber: sobre a terra (a narrativa geral dos evangelhos); no hades (1Pe 3.18—4.6; Ef 4.9,10); e nos céus (Ef 4.9,10; 1Jo 2.1; Jo 12:32; e o décimo sétimo capítulo do evangelho de João). Essas missões de Cristo cooperam juntamente para a redenção dos eleitos e para a restauração dos perdidos. Ver Efésios 1.9,10. Vários artigos da *Enciclopédia de Bíblia, Teologia e Filosofia* abordam essas questões. Ver os seguintes artigos: *Descida de Cristo ao Hades; Mistério da Vontade de Deus* e *Restauração*. É com essa nota otimista que convém terminar um artigo sobre as *Nações*.

A seguir, aparecem os nomes de povos e indivíduos, com anotações. Os intérpretes variam em suas identificações, o que já seria de esperar.

■ 10.1

וְאֵ֛לֶּה תּוֹלְדֹ֥ת בְּנֵי־נֹ֖חַ שֵׁ֣ם חָ֣ם וָיָ֑פֶת וַיִּוָּלְד֥וּ לָהֶ֖ם בָּנִ֥ים אַחַ֖ר הַמַּבּֽוּל׃

As gerações. Isso assinala uma nova divisão no Gênesis. Ver as notas em Gênesis 2.4 quanto às doze seções do livro de Gênesis.

Noé. Ver o artigo sobre ele em Gênesis 5.29.

Sem, Cão e Jafé. Ver os artigos sobre essas pessoas em Gênesis 5.32.

Nasceram-lhes filhos depois do dilúvio. Estão aqui em pauta os povos alistados na *Tabela das Nações*. Ver sobre *Nações* nas explicações introdutórias a este capítulo.

■ 10.2

בְּנֵ֣י יֶ֔פֶת גֹּ֣מֶר וּמָג֔וֹג וּמָדַ֖י וְיָוָ֑ן וְתֻבָ֖ל וּמֶ֥שֶׁךְ וְתִירָֽס׃

Os filhos de Jafé

Gômer. Ver esse nome no *Dicionário*, quanto a descrições detalhadas. Os antigos citas, cimérios e címbrios estão em foco, como progenitores dos celtas (Ilhas Britânicas e porção ocidental da Europa, como também o centro da Turquia).

Magogue. Ver no *Dicionário* os artigos *Gogue e Magogue* e *Gogue*. Esse nome foi usado em vários trechos fora de Gênesis, e com sentidos e simbolismos variados. No que toca ao décimo capítulo de Gênesis, os intérpretes supõem que *Magogue* se refira aos antigos citas ou tártaros, cujos descendentes ocuparam parte da Rússia. Ver também Ezequiel 38.2; 39.6; Apocalipse 20.8. Quando está em pauta a terra de Gogue, deve-se pensar na Armênia e na Capadócia. Esses povos tornaram-se inimigos de Israel, vindos "do norte".

Madai. Ver no *Dicionário* acerca de *Média (Medos)*. Esses povos foram os antigos antepassados dos medos, a leste da Síria e a sudoeste do mar Cáspio. A área incluía parte do que hoje são o Iraque e

NAÇÕES DO MUNDO ANTIGO

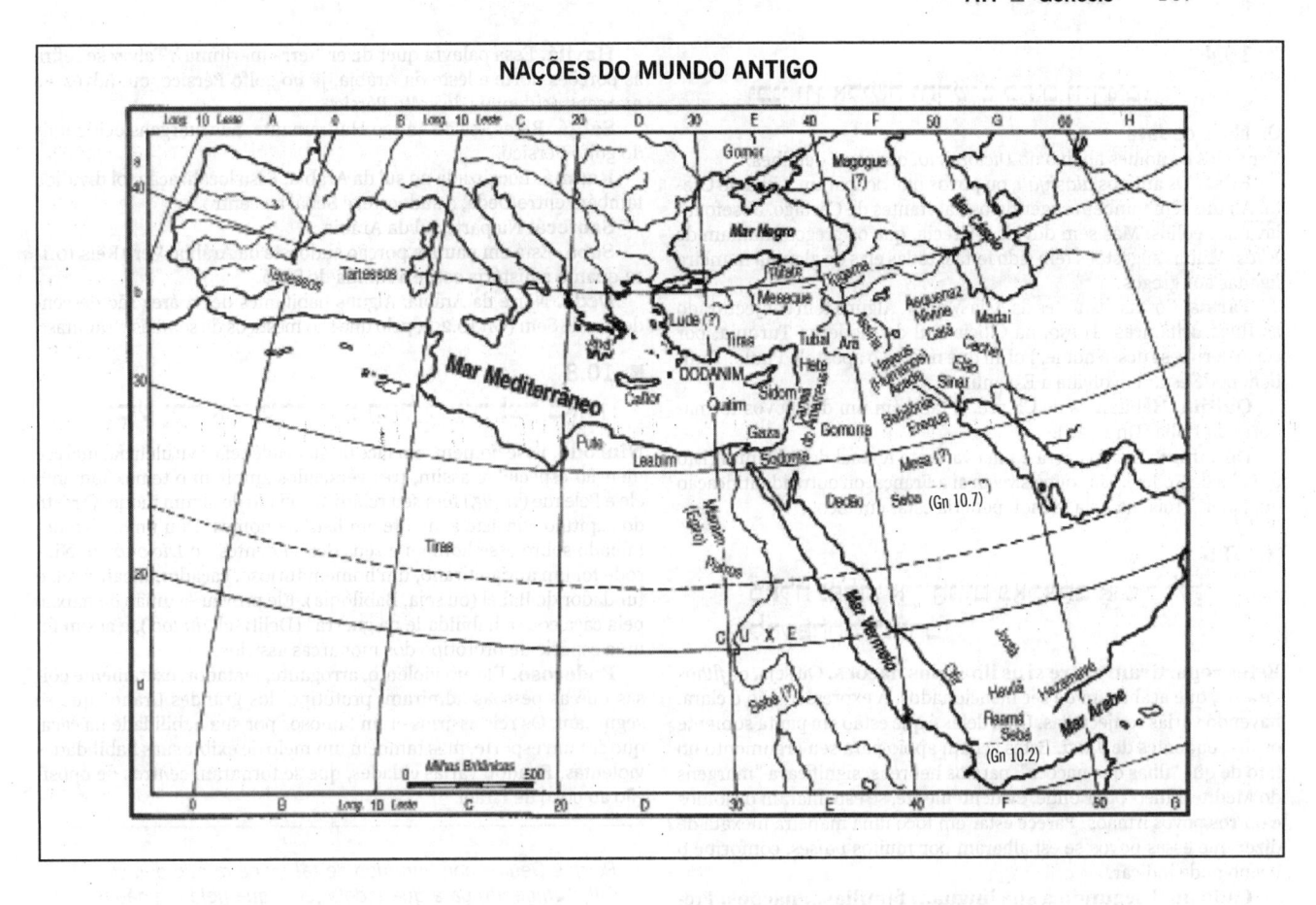

o Irã. Devem ter entrado na Índia como um dos povos formadores dessa nação.

Javã. Ver o artigo detalhado sobre ele no *Dicionário*. A Grécia, a Síria e margens do mar Negro faziam parte das extensas terras ocupadas por seus descendentes, como também a Ásia Menor e as terras em redor do mar Jônico, incluindo o sul da Itália.

Tubal. Ver esse nome no *Dicionário*. No começo parecem ter ocupado a região ao sul do mar Negro, de onde se espalharam para o norte e para o sul. *Tobolsk*, uma cidade da Rússia, parece ser o nome tribal. Ali também há o rio *Tobol*. Talvez um ramo desse povo tenha se transferido para a Espanha. Alguns intérpretes dizem que o nome referia-se a um estado militar no Ponto (ver no *Dicionário*, Ponto), um território da Ásia Menor, agora parte da Turquia.

Meseque. Ver esse nome no *Dicionário*. Originalmente, estão em vista áreas da Turquia moderna. Esses povos espalharam-se para o norte, e podem ter chegado à Rússia. Alguns pensam que Moscou reflete esse nome, embora outros duvidem. Está em pauta o Ponto, nos montes da Armênia.

Tiras. Ver esse nome no *Dicionário*. Esse nome envolve povos que habitavam áreas hoje ao norte do Irã, na Turquia e sul da Rússia. Dali espalharam-se para oeste, atingindo Macedônia, Iugoslávia e partes da Itália, onde parecem ter deixado seu nome no mar Tirreno. Outros pensam também nos pelasgos, nas costas do mar Egeu, e, igualmente, nos trácios.

■ 10.3

וּבְנֵי גֹּמֶר אַשְׁכְּנַז וְרִיפַת וְתֹגַרְמָה׃

Os filhos de Gômer
Todos esses nomes devem ser examinados no *Dicionário,* onde oferecemos detalhes. Na exposição daremos apenas as informações mais básicas.

Asquenaz. É evidente que esse povo se relaciona aos citas (ver o artigo a seu respeito), na área de Ararate, entre a Turquia, o Iraque e a Rússia. No hebraico moderno, Asquenaz = Alemanha. Podem estar em vista os germânicos e os curdos.

Rifá. Tribos do norte, embora sua localização exata seja desconhecida. John Gill localizava-os na Ásia Menor, na Turquia moderna,

CHAVE

Acade Fb	Gomorra Eb	Meseque Eb
Amorreus Eb	Haveus (Hurrianos) Fb	Misraim (Egito) Ec
Asquenaz Fb	Havilá Fd	Nínive Fb
Assíria Fb	Hete Eb	Ofir Fd
Babilônia Fb	Hazamavé FGd	Patros Ec
Cache Fb	Java Db	Pute Db
Caftor Db	Joctã Fd	Quitim Eb
Canaã Eb	Leabim Db	Raamá Fd
Catã Fb	Lude Db	Rifate Ea
Cuxe Ec	Madal Gb	Seba Fc
Dedão Ec	Magogue Fa	Sebá Ed; Fd
Dodanim Db	Mar Árabe FGd	Sidom Eb
Elão Fb	Mar Cáspio Ga,b	Sinar Fb
Egito Ec	Mar Mediterrâneo Cb	Sodoma Eb
Ereque Fb	Mar Negro Ea	Tartessos Bd
Gaza Eb	Mar Vermelho Ec	Tira Eb
Gômer Ea	Messa Fc	Tubal Eb

no antigo Ponto e na Bitínia. Alguns pensam serem eles os principais formadores do povo armênio, no sul da Rússia.

Togarma. Provavelmente uma tribo aparentada de Rifá. Josefo chamava-os *frígios*. Parece que o nome tem algo a ver com a Turquia, sendo possível que tenham sido um dos formadores dessa nação moderna. Outros eruditos opinam sobre povos como finlandeses, húngaros e populações da parte mais nortista da Rússia europeia.

10.4

וּבְנֵי יָוָן אֱלִישָׁה וְתַרְשִׁישׁ כִּתִּים וְדֹדָנִים׃

Os filhos de Javã
Ver todos os nomes abaixo no *Dicionário*, quanto a detalhes.

Elisá. Os antigos *alasiyah*, ou povos que ocuparam a ilha de Creta. Alguns têm também sugerido os habitantes de Cartago. Josefo falava nos eólios. Mas sem dúvida a Grécia, que os gregos chamam de *Ellás*. Muitas sugestões têm sido feitas, todas elas de alguma maneira ligadas aos gregos:

Társis. Costas distantes da Ásia Menor. Alguns têm conjecturado as Ilhas Britânicas. *Tarso*, na Cilícia, sul da moderna Turquia, por certo deriva-se desse nome. Foi ali que nasceu o apóstolo Paulo. Também pode estar envolvida a Espanha.

Quitim. Habitantes de Chipre. E também um dos povos formadores da Itália (Dn 11.30).

Dodanim. Essa palavra é uma variante textual de Rodanim (isto é, a ilha de Rodes). Mas outros veem aí a França, ou outra identificação qualquer. Troia, na Ásia Menor, poderia estar em foco.

10.5

מֵאֵלֶּה נִפְרְדוּ אִיֵּי הַגּוֹיִם בְּאַרְצֹתָם אִישׁ לִלְשֹׁנוֹ לְמִשְׁפְּחֹתָם בְּגוֹיֵהֶם׃

Estes repartiram entre si as ilhas das nações. Ou seja, os *filhos de Jafé*, que acabavam de ser mencionados. A expressão não é clara, havendo várias conjecturas. Uma delas é que estão em pauta somente os descendentes de *Javã*. Estes acham apoio para seu argumento no fato de que "ilhas das nações", para os hebreus, significava "margens do Mediterrâneo", por onde, evidentemente, se espalharam os jônios e outros povos irmãos. Parece estar em foco uma maneira inexata de dizer que esses povos se espalharam por muitos *países*, conforme o termo pode indicar.

Cada qual segundo a sua língua... famílias... nações. Prevalece aqui uma linguagem vaga. Esses povos desenvolveram seu próprio idioma, preservaram sua própria cultura, dominaram tribos ou famílias específicas, e foram-se organizando em grupos maiores, que se tornaram nações.

10.6

וּבְנֵי חָם כּוּשׁ וּמִצְרַיִם וּפוּט וּכְנָעַן׃

Os filhos de Cão
Ver no *Dicionário* todos esses nomes, onde há comentários detalhados. A exposição dá aqui apenas algumas ideias fundamentais.

Cuxe. Está em pauta o sul da Arábia, o sul do Egito moderno, o Sudão e, principalmente, o norte da Etiópia. Houve misturas com povos semíticos, o que explica alguns dos nomes que se seguem. Aqui entra o preconceito racial, que diz que alguns descendentes de Cão são os negros, sobre os quais, supostamente, teria caído a maldição contra Canaã (Gn 9.25 e suas notas). Tribos árabes parecem estar em foco.

Mizraim. Algumas traduções dizem aqui *Egito*. A palavra está no dual, aludindo, sem dúvida, ao Alto e ao Baixo Egito. Josefo chamava os egípcios de *mestres*, uma palavra cognata do texto. Os árabes chamavam o Cairo de *Al-messer*, outro termo cognato.

Pute. Os *líbios*, do norte da África. Josefo diz que o homem desse nome fundou a Líbia, e antigas tradições nos dão idêntica informação.

Canaã. Ver a nota sobre ele em Gênesis 9.22. Sobre a maldição que recebeu, ver Gênesis 9.25. Foi progenitor dos fenícios. Ver no *Dicionário* os artigos intitulados *Fenícia* e *Canaã, Cananeus*.

10.7

וּבְנֵי כוּשׁ סְבָא וַחֲוִילָה וְסַבְתָּה וְרַעְמָה וְסַבְתְּכָא וּבְנֵי רַעְמָה שְׁבָא וּדְדָן׃

Os filhos de Cuxe
Ver esses nomes explicados nos artigos correspondentes, no *Dicionário*.

Sebá. Está em pauta o Alto Egito. O nome original era de uma tribo árabe que, finalmente, migrou para a África. Outras áreas geográficas estiveram envolvidas em sua expansão.

Havilá. Essa palavra quer dizer "terra marítima". Talvez se refira às porções norte e leste da Arábia, já no golfo Pérsico, ou, talvez, às margens ocidentais do golfo Pérsico.

Sabtá. Refere-se ao antigo Hadramaute, nas margens ocidentais do golfo Pérsico.

Raamá. Localizada no sul da Arábia. Essa localização foi dividida também entre Dedã, a sudoeste, e Sebá, ao centro.

Sabtecá. Na parte sul da Arábia.

Sabá. Está em pauta a porção sudoeste da Arábia. Ver 1Reis 10.1-13 quanto à história sobre a rainha de Sabá.

Dedã. Norte da Arábia. Alguns habitantes dessa área são descendentes de Sem (Gn 10.29), pelo que são mestiços de semitas e camitas.

10.8

וְכוּשׁ יָלַד אֶת־נִמְרֹד הוּא הֵחֵל לִהְיוֹת גִּבֹּר בָּאָרֶץ׃

Ninrode. Esse homem, em face de sua violência e virulência, merece menção especial, e assim, três versículos ampliam o tema. Somente ele e Pelegue (vs. 25) têm seu relato ampliado de algum modo. O resto do capítulo consiste somente em lista de nomes. Dou um artigo detalhado sobre esse homem e seus descendentes no *Dicionário*. Ninrode foi um antigo tirano, um homem furioso, caçador, incansável, o fundador de Babel (ou seja, Babilônia). Ele proveu "a união da paixão pela caça com a habilidade na guerra" (Delitzsch, *in loc.*), e assim foi uma espécie de protótipo dos monarcas assírios.

Poderoso. Ele era violento, arrogante, matador, exatamente coisas que as pessoas admiram, protótipo dos grandes tiranos que se seguiriam. Os reis assírios eram famosos por sua habilidade na caça, que era um esporte, mas também um meio de exibir suas habilidades violentas. Fundou várias cidades, que se tornaram centros de oposição ao povo de Israel.

Porque Deus amou o mundo de tal maneira que deu seu Filho unigênito para que todo aquele que nele crê não pereça, mas tenha vida eterna.

João 3.16

Deus, não levando em conta os tempos da ignorância, manda agora que todos os homens em todo lugar se arrependam.

Atos 17.30

Pois é por isto que foi pregado o evangelho até aos mortos, para que, na verdade, fossem julgados segundo os homens na carne, mas vivessem segundo Deus em espírito.

1Pedro 4.6

10.9

הוּא־הָיָה גִבֹּר־צַיִד לִפְנֵי יְהוָה עַל־כֵּן יֵאָמַר כְּנִמְרֹד גִּבּוֹר צַיִד לִפְנֵי יְהוָה׃

Daí dizer-se: Como Ninrode, poderoso caçador. O seu nome tornou-se proverbial, e muitas lendas surgiram em torno dele, conforme ilustrei detalhadamente no meu artigo sobre ele. Outros homens entregaram-se a atividades pastoris, mas não Ninrode. Ele sabia onde poderia obter fama e glória humana. E fez outros homens o temerem, e com bons motivos. Fazia de suas presas tanto a animais quanto a homens, e ambos fugiam dele.

Diante do Senhor. Ninrode era tido como benfeitor público. Organizava caçadas e distribuía alimentos ao povo. Também organizava comunidades e obras públicas. Era um líder de homens e era respeitado, apesar de sua violência. Deu início a seu pequeno império, que, sob outros líderes, floresceu na forma dos impérios assírio e babilônico.

John Gill (*in loc.*) sugeriu que parte de sua fama residia no alegado fato de que, após o dilúvio, as feras aumentaram grandemente em número; e então qualquer homem, como Ninrode, que pudesse reduzir a ameaça e o desconforto produzido pelo reino animal, seria naturalmente respeitado e honrado. A *caça*, conforme informou Aristóteles (ver *Politico* 1.1 c. 8), era tida como um aspecto das artes *militares*. Há uma certa lógica nisso. Na guerra, os homens caçam uns aos outros, para se matarem; e, na caça, os homens caçam os animais. Uma triste atividade. Xenofonte escreveu que os reis da Pérsia eram preparados para a guerra e para o governo por meio da caça (*Politico* 1.1 c. 8). É curioso que a família real da Inglaterra sempre tenha se especializado na cavalaria e na caça, e muitos deles, mesmo em nossos dias, têm-se distinguido como militares. Os assírios deificaram Ninrode, e, em sua mitologia, puseram-no entre as constelações, após a sua morte, a fim de conferir-lhe perpetuidade. Ele chegou a ser chamado de *Órion*. Apesar de muitos outros homens já terem caçado, talvez o relato bíblico queira dar a entender que foi Ninrode quem deu origem à caça como uma verdadeira arte.

Diz aqui a Septuaginta "contra o Senhor", uma denúncia contra a sua virulência; mas dificilmente temos nisso uma verdadeira interpretação do versículo. O texto parece antes envolver um elogio, por meio de um ditado popular; e parece sugerir que o próprio Senhor respeitava Ninrode.

■ 10.10

וַתְּהִי רֵאשִׁית מַמְלַכְתּוֹ בָּבֶל וְאֶרֶךְ וְאַכַּד וְכַלְנֵה בְּאֶרֶץ שִׁנְעָר:

O princípio do seu reino foi Babel. Ninrode fundou várias comunidades que, mais tarde, se tornaram inimigas do povo de Israel. Ver notas completas, no *Dicionário*, sobre o artigo *Babel (Torre e Cidade)*. Ver também sobre a *Babilônia*. Fontes históricas e lendárias falam de vários fundadores da cidade de Babilônia, pelo que há certa confusão quanto a esse particular. A história deveras antiga sempre fica indefinida, perdida nas brumas do tempo.

Ereque. No hebraico, "extensão", "tamanho". No acádico, o nome dessa cidade é *Uruk* e, no sumério, *Unug*. Essa foi a segunda cidade fundada por Ninrode. Ele aparece como fundador das cidades de Babel (Babilônia), Ereque, Acade, Nínive, Reobote-Ir, Calá e Resén, sete ao todo (Gn 10.10,11). Alguns salientam, contudo, que a rigor não é dito que ele foi o construtor dessas cidades, mas somente estabeleceu sua autoridade sobre elas. Isso significaria que algumas delas, pelo menos, já existiam antes dele. Ereque ficava localizada à margem esquerda do rio Eufrates. O local antigo é assinalado pela moderna *Warka*, situada cerca de 160 km a sudeste da cidade de Babilônia, em uma área pantanosa do Eufrates. Nesse mesmo lugar, foram encontrados pelos arqueólogos dois antigos *zigurates* (*que vide*). Serviam de torres de templos e ali foram encontrados selos cilíndricos (*que vide*). O mais antigo desses zigurates data do começo do quarto milênio a.C. Ereque, juntamente com Ur, Lagase e Eridu, representam algumas das mais antigas cidades do sul da Babilônia de que se tem notícia.

Entre as inscrições encontradas nesse lugar, muitas são dos dias dos reis Dungi, Ur-Bau, Gudea, Singaside e Merodaque-Baladã. Também têm sido encontrados no lugar tabletes pertencentes aos reinados de Nebopolassar, Nabucodonosor, Nabonido, Ciro, Dario e dos selêucidas. Além disso, muitos artefatos têm sido encontrados, como peças de cerâmica esmaltada, esquifes, muitos tipos de receptáculos e sepulcros.

A vila original, chamada Culabe, foi fundada por pessoas do período do Ubaide (cerca de 4000 a.C.). A principal pessoa envolvida nisso foi o governante semítico Mesquiagaser, da primeira dinastia. Uruque (Ereque) foi a capital do rei heroico mítico, Gilgamés, cujas lendas são paralelas, em muitos pontos, à narrativa da criação do livro de Gênesis. Ver o artigo sobre *Cosmogonia*. A literatura assíria e babilônica contém muitas referências a Ereque. Nos tempos assírios, ao que parece, a cidade tornou-se uma espécie de necrópole nacional.

O local foi escavado a partir de 1850. E após essa data, houve muitas outras escavações arqueológicas. Além das coisas já mencionadas, deveríamos destacar que foram encontrados ali dois zigurates, vários documentos, alguns deles pertencentes a até 70 a.C. Canais artificiais traziam água para a cidade. As referências ao lugar indicam que, antigamente, a cidade ficava situada em uma área fértil, embora atualmente seja um virtual deserto.

O culto a Anu talvez fosse a mais importante expressão religiosa de Ereque, porquanto a divindade desse nome era um dos deuses mais proeminentes da Babilônia. Outro culto importante do lugar era o de Istar.

Acade. No hebraico significa "fortaleza", antigo centro do poder imperial camita, fundado por Ninrode (Gn 10.10). Essa cidade deve ser identificada com Agade, que Sargão I trouxe à fama como capital de seu império semita, e que dominou o mundo mesopotâmico em cerca de 2360—2180 a.C. Ficava à beira do rio Eufrates, a pouca distância da moderna Bagdá. A *região* derivou o nome de sua capital, incluindo a planície aluvial sem pedras do sul da Babilônia e do norte da Suméria. A expressão "terra de Sinear", onde se desenvolveu o primeiro poder imperial do mundo, incluía as cidades de Babel, Ereque (Uruque), Acade e Calné. Os habitantes originais da região provavelmente foram sumerianos não-semitas, mas de origem camita (Gn 10.8-10), inventores da escrita cuneiforme, precursores culturais dos posteriores conquistadores semitas da Babilônia. Esse império perdurou por dois séculos, considerado pelos babilônios um império ideal, representante de uma espécie de idade áurea. O termo Acade veio a ser aplicado a todo o norte da Babilônia, a fim de contrastar com a Suméria, o sul da Babilônia. *Acadiano* é atualmente usado como termo para referir-se à mais antiga língua escrita, utilizada durante o reinado de Sargão, de Acade, chamado "acadiano antigo". Essa palavra também designa os idiomas semíticos assírio e babilônio.

Calné. De acordo com alguns eruditos, no hebraico significaria "forte de Anu". Anu era uma das principais divindades do panteão babilônico. O local provável é a moderna Niffer, no Talmude, Nopher. Fica cerca de cem quilômetros a sudeste da antiga cidade da Babilônia, à margem esquerda do rio Eufrates. A Septuaginta refere-se a Calné ou Calno como o lugar onde foi edificada a torre famosa (Is 10.9). No século VIII a.C., foi conquistada por um dos reis assírios, e nunca mais recuperou a sua prosperidade. Foi uma das cidades da Babilônia, fundada por Ninrode, referida em associação a Babel, Ereque e Acade (Gn 10.10). O local acima referido tem sido intensamente investigado pela arqueologia. Ver sobre Nipur. Contudo, há estudiosos que a identificam com Kulunu, outra antiga cidade próxima de Babilônia. Ainda outros supõem que esta cidade deveria ser identificada com Hursagkalama, uma cidade gêmea de Quis. Outrossim, com base em uma compreensão diferente do texto hebraico, alguns intérpretes traduzem Calné como *todas elas*, pelo que aquele versículo diria: "O princípio do seu reino foi Babel, Ereque, Acade, todas elas na terra de Sinear". Nesse caso, nunca houve uma cidade chamada Calné, e todas essas identificações, acima referidas, laboram em erro.

Terra de Sinear. Ver o longo artigo sobre esse lugar no *Dicionário*. Essa é uma das designações (talvez a mais antiga) da *Babilônia*.

■ 10.11

מִן־הָאָרֶץ הַהִוא יָצָא אַשּׁוּר וַיִּבֶן אֶת־נִינְוֵה וְאֶת־רְחֹבֹת עִיר וְאֶת־כָּלַח:

Assíria. Ninrode é aqui retratado com quem viajou de Sinear (Babilônia) para a *Assíria*, ou seja, do sul para o norte. Ver o artigo detalhado sobre este último lugar, no *Dicionário*. Uma vez no território assírio, ele edificou *Nínive*, que também conta com um detalhado artigo no *Dicionário*. E Ninrode também fundou outras cidades, todas as quais recebem artigos separados no *Dicionário*. Ver sobre *Reobote-Ir* e *Calá*. As atividades de Ninrode eram poderosas e atingiam muitos lugares, e assim seu nome tornou-se legendário, tendo chegado a ser deificado em vista de suas obras prodigiosas.

■ 10.12

וְאֶת־רֶסֶן בֵּין נִינְוֵה וּבֵין כָּלַח הִוא הָעִיר הַגְּדֹלָה:

Resém. O autor sacro localizou-a entre Nínive e Calá, além de tê-la denominado "a grande cidade". Na Septuaginta temos a forma *Dase*, provavelmente uma forma hebraicizada do assírio *res eni*, que significa *cabeça de fonte*, embora outros estudiosos prefiram o sentido de *fortaleza*. A maioria dos estudiosos pensa que o locativo designa uma cidade assíria edificada por Ninrode, entre Nínive e Calá. Mas nenhuma cidade de dimensões apropriadas foi encontrada nessa área. Alguns eruditos propõem a aldeia assíria de *Resh-eni*, mencionada por Senaqueribe em conexão com as suas obras para suprir Nínive de água, situada a nordeste da capital. Mas há quem pense que se trata de uma descrição parentética de alguma impressionante construção militar ou de engenharia, talvez alguma obra hidráulica. Alguns intérpretes chegam mesmo a sugerir que uma grande cidade pode cair no olvido se seus conquistadores e destruidores não chegarem a reedificá-la.

10.13

וּמִצְרַיִם יָלַד אֶת־לוּדִים וְאֶת־עֲנָמִים וְאֶת־לְהָבִים וְאֶת־נַפְתֻּחִים׃

Agora o autor deixa Ninrode para trás, com sua valentia e obras prodigiosas, e reverte à lista simples de nomes e de localidades.

Mizraim. Algumas traduções dizem aqui *Egito*, fazendo esse termo tornar-se o nome próprio de um homem. Ver as notas sobre o vs. 6, onde esse nome é encontrado pela primeira vez. As tribos que descendiam desse homem ocuparam áreas que vão desde o norte da África até a ilha de Creta.

Lude, Ludim. Em Gênesis 10.22, "Lude" aparece como o quarto filho de Sem. Em Gênesis 10.13, *Ludim* (uma palavra que no hebraico está no plural) figura como o primogênito de Mizraim, filho de Cão. Em 1Crônicas 10, a tabela das nações, Lude é um povo semita, e Ludim é um povo camita, descendente de Mizraim, o Egito (ver os vs. 13 e 22). Josefo (*Antiq.* 1.6,4) refere-se aos lídios, embora ele não exclua uma identificação semítica desse povo. Ver o artigo sobre a *Lídia*. Nos trechos de Ezequiel 27.10 e 30.5, o povo de Lude é descrito como aliado de Tiro e do Egito, respectivamente. A Lídia (*Ludu*) aparece como aliada do Egito nos registros neobabilônicos. As inscrições egípcias dos séculos XIII e XIV a.C. referem-se a um povo chamado *Luden*, localizado perto da Mesopotâmia. Alguns eruditos supõem que isso indique que esse povo fora deslocado de sua pátria original, na Mesopotâmia, migrando então, para a Ásia Menor. Seja como for, a Lídia veio a tornar-se parte do império romano, após a morte de Croeso, às mãos de Ciro, rei da Média-Pérsia.

A identificação de Ludim com a Lídia é duvidosa, mas Lude quase certamente corresponde à Lídia. As inscrições assírias referem-se aos lídios chamando-os de Ludu. Essa é uma palavra cognata do termo hebraico, *lud*. Josefo também fez essa identificação. As evidências demonstram que Heródoto falou sobre *Lydus* como o ancestral dos lídios.

Ludim é um povo de origem camita, segundo se vê em Gênesis 10.13 e 1Crônicas 1.11. Talvez esteja em foco uma nação africana que não se consegue identificar. Mas alguns estudiosos pensam que deve ser *Lubim* (Líbia), o que somente serve para aumentar a confusão.

Anamim. No hebraico, *homens das rochas*, o segundo filho de Mizraim. Coisa alguma se sabe sobre esse homem. O termo também aplica-se a uma tribo relacionada aos egípcios, mencionada somente aqui e em 1Crônicas 1.11. De acordo com alguns estudiosos, estavam localizados no Alto Egito, no moderno grande oásis de Chargeh. Mas outros os localizam na Cirenaica.

Leabim. No hebraico, *chamejantes* ou *fogosos*. Esse é o nome dos descendentes do terceiro filho de Mizraim (Gn 10.13 e 1Cr 1.11). Alguns estudiosos supõem que o termo se aplique aos atuais *líbios*, um dos mais antigos povos da África. O termo *lubim* (talvez uma variante) aparece em Naum 3.9 e Daniel 11.43, que a Septuaginta e a Vulgata traduzem por "líbios". E, nessas mesmas duas referências, há a tradução alternativa *núbios*, que já indica colônias negras de egípcios. Alguns eruditos pensam que eles seriam os *Re Bu* ou *Le Bu* dos monumentos egípcios, de origem midianita ou de origem cognata aos egípcios.

Os *leabim* eram descritos como líbios de cabelos claros e olhos azuis, que desde as dinastias egípcias XIX e XX vinham sendo incorporados ao exército egípcio. Os leabim parecem ter saído do Egito juntamente com outros povos, como os ludim (que vide), ou, talvez, fossem os mesmos, ou então, os anamim, naftuim, casluim e caftorim. Porém, nada se sabe com certeza a respeito deles.

Naftuim. Não se sabe o significado dessa palavra, embora todos reconheçam que é um vocábulo que está no plural, um nome próprio que se refere a uma das populações do Egito (Gn 10.13; 1Cr 1.11). Essa palavra é de origem egípcia, embora tendo passado pelo hebraico. Por isso, alguns estudiosos pensam que se trata apenas de uma referência à cidade egípcia de Nofe. Mas outros eruditos opinam que a palavra alude à direção *norte*, pelo que poderia ser uma das "populações do norte", ou seja, daquelas que ocupavam o delta do rio Nilo, e sua tradução poderia ser "aqueles do delta". O livro de Gênesis indica que esse povo era de origem camita, o terceiro dentre sete povos camitas ali mencionados.

10.14

וְאֶת־פַּתְרֻסִים וְאֶת־כַּסְלֻחִים אֲשֶׁר יָצְאוּ מִשָּׁם פְּלִשְׁתִּים וְאֶת־כַּפְתֹּרִים׃ ס

Patrusim. No egípcio, essa palavra, que ao ser passada para o hebraico está no plural, significa "habitantes de Patros". Ver sobre *Patros*, em Isaías 11.11. Esse povo vivia no Alto Egito. A palavra encontra-se nas listas geográficas de Gênesis 10.14 e 1Crônicas 1.12.

Casluim. Um povo cujo primeiro antepassado era filho de Mizraim (Gn 10.14; 1Cr 1.12). Portanto, era um povo camita. Em ambos os textos, onde o adjetivo pátrio aparece, a palavra figura como se os *filisteus* descendessem de Casluim, e não de Caftorim, conforme se vê em Deuteronômio 2.23. Portanto, nesses dois trechos parece ter havido transposição de nomes. Alguns intérpretes sugerem que a listagem dos filisteus, neste ponto, representa movimentos migratórios, e não linhagem, do mesmo modo que era dito que Israel saíra "do Egito". Os filisteus, pois, migraram *de* sua região original perto do mar Egeu, atravessaram Caftor, entrando no delta do Egito, e, finalmente, entraram na Palestina. Sem embargo, pode estar em pauta um grupo mais antigo de tribos pelasgo-filisteias, distinto daquelas do século XIII a.C., sobre as quais lemos em outras porções da Bíblia. O fato de que o nome Casluim aparece lado a lado com o nome Patrusim sugere que as duas etnias eram aliadas bem de perto quanto à raça e à localização geográfica. *Casluim* tem diversas formas variantes nos manuscritos e nas referências históricas. Ellicott (*in loc.*) disse acerca deles: "Provavelmente o povo de Cassiotis, um distrito montanhoso a leste de Pelúsio".

(Donde saíram os filisteus). Uma observação migratória, e não uma indicação de descendência racial. Ver isso explicado no parágrafo anterior.

Caftorim, Caftor. Lugar de onde vieram, originalmente, algumas tribos de filisteus. A referência é migratória, e não uma indicação de descendência racial, conforme se falou antes sob *Casluim*. Ver também Jeremias 47.4 e Amós 9.7. Esse lugar tem sido verbalmente identificado com *Kaptara* (Creta), nome esse escrito em caracteres cuneiformes. As palavras que aparecem na referência de Amós, "e de Caftor os filisteus", atualmente, por parte de muitos estudiosos, são consideradas uma parte deslocada, realmente pertencente a Gênesis 10.14. A identificação de *Caftor* com o delta do Nilo, no Egito, ou com a Capadócia, há muito foi abandonada. A declaração que mais claramente mostra a origem dos filisteus é a que aparece em Jeremias 47.4, onde eles são declarados "... o resto de Caftor da terra do mar", o que pode ser uma alusão às costas marítimas da Palestina, embora outros estudiosos pensem que a alusão é às ilhas ou costas do Mediterrâneo. Referências bíblicas assim indiretas não podem elucidar o quebra-cabeça, e todas as identificações esbarram em problemas. A identificação com *Creta* também tem seus problemas, embora a própria palavra *Caftor* possa estar relacionada àquela ilha. Por isso, outros estudiosos preferem pensar na Cilícia.

DESCENDENTES DE CANAÃ (10.15-19)

10.15

וּכְנַעַן יָלַד אֶת־צִידֹן בְּכֹרוֹ וְאֶת־חֵת׃

Sidom. Essa era a mais importante cidade da Fenícia, e quase todos os estudiosos da Bíblia pensam naquele lugar, e não na pessoa que deu seu nome à cidade. No Antigo Testamento, o nome ocorre somente aqui e em Gênesis 10.19, mas o nome da cidade é frequente no Novo Testamento (Mt 11.21,22; 15.21; Mc 3.8; Lc 4.26; 6.17; At 12.20; 27.3). Acerca do homem de nome *Sidom*, entretanto, nada se sabe com certeza, exceto aquilo que é óbvio no texto do Gênesis. Os cananeus ocupavam uma faixa de terra na direção norte-sul, de Sidom a Gaza, que ladeava o Grande Mar, entre outros lugares, conforme vemos no contexto deste versículo. No Novo Testamento, Sidom é mencionado por muitas vezes junto com Tiro, quase como uma fórmula fixa. Jesus visitou essa área (Mt 15.21). É curioso que o ministério (a ser mencionado) que Jesus desenvolveu ali foi o único a ser efetuado fora das fronteiras da Palestina. A moderna cidade libanesa de Sidom foi construída sobre as ruínas da cidade antiga. Dista cerca de 48 km de Beirute, e está mais ou menos à mesma distância de Tiro. Ver também, no *Dicionário*, sobre as cidades de *Tiro* e *Biblos*, outras importantes cidades fenícias.

Hete. No hebraico, "terror", "medo". Esse era o nome do antepassado dos hititas. Ele era o filho mais velho de Canaã, e habitava na parte sul da Terra Prometida, perto de Hebrom (Gn 10.15; 23.3,7; 25.10). Efrom ou Hebrom era descendente de Hete. Nos dias de Abraão, Hebrom era um lugar habitado pelos descendentes de Hete. Alguns estudiosos têm conjecturado que havia uma cidade chamada Hete, mas nenhuma evidência foi achada para consubstanciar tal suposição. As esposas de Esaú foram chamadas "filhas de Hete" (Gn 27.46), embora algumas traduções digam ali "hititas". Esse povo é mencionado por ocasião da compra da caverna de Macpela, por Abraão, para ser usada como sepulcro da família (Gn 23; 25.10; 49.32). O fato de Rebeca ter aconselhado Jacó a não se casar com mulher hitita (Gn 28.1) mostra-nos que os hebreus e os hititas não se davam bem uns com os outros.

■ **10.16**

וְאֶת־הַיְבוּסִי וְאֶת־הָאֱמֹרִי וְאֵת הַגִּרְגָּשִׁי׃

Jebuseus. Um antigo nome de Jerusalém era *Jebus* (ver sobre esse nome no *Dicionário*). Também ofereço ali um detalhado artigo sobre os *Jebuseus*, um povo cananeu que habitava em Jerusalém.

Amorreus. Esse termo refere-se a semitas ocidentais. Mas neste ponto do livro de Gênesis a referência é mais estreita, aludindo a um pequeno segmento da população mista de Canaã. Ver no *Dicionário* o artigo detalhado sobre os *Amorreus*. O nome deriva-se de *Emor*, o quarto filho de Canaã.

Girgaseus. Alguns antigos escritores judeus disseram que, quando esse povo foi forçado a deixar a Palestina, expulso dali por Josué, então dirigiu-se a um lugar atualmente chamado Gurgestan. Os *girgaseus* constituíam uma das sete principais tribos que residiam em Canaã. Ofereço um detalhado artigo sobre esse povo no *Dicionário*.

■ **10.17**

וְאֶת־הַחִוִּי וְאֶת־הַעַרְקִי וְאֶת־הַסִּינִי׃

Heveus. No hebraico, "aldeões", um povo que descendia de Canaã (Gn 10.17) e, originalmente, ocupava a porção mais ao sul daquele território da Palestina, paralela à costa do Mediterrâneo, que os filisteus ou caftorinos posteriormente ocuparam (Dt 2.23). Visto que o território dos heveus é mencionado em Josué 13.4, em adição a cinco estados filisteus, parece que ele não estava incluído no território desses últimos, e que a expulsão dos heveus deveu-se a uma invasão filisteia anterior, mediante a qual os cinco principados filisteus foram fundados. O território deles começava em Gaza e estendia-se para o sul, até o rio do Egito (Dt 2.23), formando aquele que se tornou o reino unido dos filisteus de Gerar, na época de Abraão, quando não ouvimos falar sobre uma variedade de estados filisteus. Lemos, em Deuteronômio 2.23, que a pátria original dos heveus chamava-se *Hazerim*, conforme algumas versões. Mas na Bíblia portuguesa, nesse último trecho, o nome deles é grafado *aveus*.

Sineus. Esse povo é mencionado apenas por duas vezes na Bíblia (Gn 10.17 e 1Cr 1.15). Seria uma tribo de cananeus que vivia ao norte do Líbano, ou, então, em Trípoli ou Ortosia, entre Trípoli e Arca. Jerônimo sabia de um lugar chamado Sin, não longe de Arca; e Estrabão referiu-se a uma fortaleza conhecida, *Sina*, no monte Líbano. Todavia, a identificação dos sineus é problemática, nada tendo sido definitivamente estabelecido quanto a isso.

■ **10.18**

וְאֶת־הָאַרְוָדִי וְאֶת־הַצְּמָרִי וְאֶת־הַחֲמָתִי וְאַחַר נָפֹצוּ מִשְׁפְּחוֹת הַכְּנַעֲנִי׃

Arvadeus. No hebraico, *lugar de fugitivos*. Um lugar que figura na genealogia de Noé, na linhagem de Canaã (Gn 10.18; 1Cr 1.16). Era a cidade fenícia localizada mais ao norte, em uma ilha rochosa atualmente chamada Ruade. Os gregos chamavam-na *Aruade*, nome que aparece em 1Macabeus 15.23. Essa ilha ficava defronte da boca do rio Eleutero, ao largo da costa da Síria, diante da ilha de Chipre. Tinha três quilômetros de uma ponta da praia à outra. Estrabão referiu-se a ela como uma rocha que se eleva em meio às ondas do mar (ver. xiv. par. 753). Nos tempos antigos, era densamente povoada, apesar de suas minúsculas dimensões, tendo conseguido governar as costas próximas durante séculos. É mencionada nas cartas de Tell el-Amarna de números 101, 105 e 109, onde é chamada *arwada*. Nos registros históricos de Tiglate-Pileser (1114-1076 a.C.), ela é chamada *armada*. Cenas do local aparecem em relevos assírios (nos portões de bronze de Salmaneser III, 858-824 a.C.). Algumas moedas arvaditas retratam cenas da ilha. O lugar participava plenamente das atividades marítimas fenícias, particularmente depois que Tiro e Sidom caíram nas mãos dos reis greco-sírios.

Zemareus. Esse era um povo cananeu, nomeado entre os arvadeus e os hamateus (Gn 10.18; 1Cr 1.16). Provavelmente eles viviam na parte norte da Fenícia, entre Arvade e Trípoli, em uma cidade atualmente chamada Sumra, quase inteiramente reduzida a ruínas. Essa porção da Fenícia fica nos sopés do Líbano.

Hamateus. Esse é o patronímico de certos descendentes de Canaã, que residiam no extremo norte da Palestina. Por esse motivo, é possível que a menção envolva os habitantes de *Hamate* (ver a respeito no *Dicionário*.) Essa palavra, *hamateus*, ocorre no Antigo Testamento por duas vezes (Gn 10.18 e 1Cr 1.16, onde também são mencionados os naturais de outros lugares).

Espalharam-se as famílias dos cananeus. Uma declaração geral e vaga, indicando muitas migrações, tribos e subtribos dos cananeus, que o autor sagrado não enumerou. Ver no *Dicionário* o artigo intitulado *Canaã, Cananeus*.

■ **10.19**

וַיְהִי גְּבוּל הַכְּנַעֲנִי מִצִּידֹן בֹּאֲכָה גְרָרָה עַד־עַזָּה בֹּאֲכָה סְדֹמָה וַעֲמֹרָה וְאַדְמָה וּצְבֹיִם עַד־לָשַׁע׃

A extensão dos territórios ocupados pelos cananeus é aqui sumariada. Naturalmente, muitos lugares deixaram de ser mencionados, conforme o provam as descrições acima.

Desde Sidom... Ver as notas a respeito em Gênesis 10.15.

Gerar. Ver no *Dicionário* o artigo detalhado a respeito desse lugar. O antigo local de Gerar tem sido identificado com o Tell Abu Hureiah, cerca de 15 km a sudeste de Gaza e 24 km a noroeste de Berseba.

Gaza. Uma importante localidade bíblica, à qual dediquei um longo e detalhado artigo no *Dicionário*. Gaza era uma das principais cidades dos filisteus, na parte sudoeste da Palestina.

Sodoma. Ver no *Dicionário* informações detalhadas a respeito.

Gomorra. Descrita no *Dicionário*. Os dois nomes, Sodoma e Gomorra, tradicionalmente aparecem juntos, símbolos de uma vida de dissipação.

Admá. No hebraico, *terra vermelha*, uma das cidades do vale de Sidim (Gn 10.19), que tinha seu próprio rei, Sinabe (Gn 14.2). A cidade foi destruída juntamente com Sodoma e Gomorra (Gn 19.24; Dt 29.23; Os 11.8). Alguns identificam esse lugar com a Adão mencionada em Josué 3.16.

Zeboim. No *Dicionário* apresento um artigo detalhado sobre esse lugar. No Antigo Testamento há três lugares com esse nome. O primeiro a ser descrito naquele artigo é o que figura neste versículo. Ali aparece como local próximo de Sodoma e Gomorra. Supõe-se que, juntamente com Admá, tenha sido destruída no desastre que atingiu a região.

Lasa. Parece que no hebraico significa "irrompimento". Talvez o nome refira-se às águas que irrompiam de um manancial borbulhante. Era o nome de uma cidade que assinalava um ponto fronteiro ao território dos cananeus, mencionado somente neste versículo. Desconhece-se atualmente a sua localização, embora várias identificações tenham sido sugeridas, como Calirhoe, a leste do mar Morto, onde há muitas fontes termais. Outros estudiosos têm pensado em Lusa ou Elusa, mais ou menos equidistantes do mar Morto e do mar Vermelho. A história informa-nos que Herodes foi até ali por razões de saúde, a fim de banhar-se nas águas termais da localidade. Esse lugar ficava localizado no que agora se conhece por wady Zerka Ma'in.

■ **10.20**

אֵלֶּה בְנֵי־חָם לְמִשְׁפְּחֹתָם לִלְשֹׁנֹתָם בְּאַרְצֹתָם בְּגוֹיֵהֶם׃ ס

Os filhos de Cão. A referência é à lista anterior dos descendentes de Cão, em geral, e de Canaã (seu filho), em particular. A listagem começa no vs. 6. Seus descendentes incorporavam muitos povos, tribos e países, cada qual com seu próprio idioma. A lista contém trinta nomes específicos, mas as generalidades (vs. 18) mostram-nos que havia muitos outros grupos e localidades. Porções da Palestina, da Ásia Menor e da África foram ocupadas por eles. Mas os informes não nos levam para fora do mundo conhecido pelo autor sagrado, ou seja, o mar Mediterrâneo e suas circunvizinhanças. Conjecturas que atribuem lugares a esses descendentes, mas que vão além desses limites, são precárias, para dizer o mínimo. Outro tanto é verdadeiro no tocante à lista inteira do capítulo 10 de Gênesis.

■ 10.21

וּלְשֵׁם יֻלַּד גַּם־הוּא אֲבִי כָּל־בְּנֵי־עֵבֶר אֲחִי יֶפֶת הַגָּדוֹל׃

Sem e Seus Descendentes. Essa lista vai deste ao vs. 31. São cotados 26 nomes. Os descendentes de Pelegue (vs. 25) são omitidos dessa lista. Mas aparecem em Gênesis 11.18,19.

Héber. Ver no *Dicionário* o artigo detalhado a respeito dele. (No Antigo Testamento há cinco pessoas com esse nome.) Este foi bisneto de Sem, aqui mencionado por antecipação. Os hebreus procederam dele, *nessa* linhagem. O vs. 25 dá os nomes de seus filhos.

Sem, pai dos filhos de Héber, é chamado de irmão mais velho de Jafé. Cão não é aqui mencionado, por razões desconhecidas. A Sem também nasceram *filhos*. O autor sagrado fornece um esboço de nomes e lugares. Mas sua lista visa a ser representativa, e não exaustiva.

■ 10.22

בְּנֵי שֵׁם עֵילָם וְאַשּׁוּר וְאַרְפַּכְשַׁד וְלוּד וַאֲרָם׃

Elão. Apresentei no *Dicionário* um artigo intitulado *Elão, Elamitas*. O território chamado por esse nome ficava do outro lado do rio Tigre, a leste da Babilônia, limitado ao norte pela Assíria e pela Média, e ao sul pelo golfo Pérsico. Alguns poucos estudiosos pensam que Elão é o local original dos ciganos (Jr 49.36-39).

Assur. Ver acerca dele no *Dicionário*. Assur foi o segundo dos filhos de Sem, e viveu em torno de 2300 a.C. Seus descendentes ocuparam a região que veio a chamar-se *Assíria* (ver a respeito no *Dicionário*).

Arfaxade. Um dos filhos de Sem e pai de Selá. Ele nasceu um ano após o dilúvio, e faleceu com a idade de 438 anos (Gn 11.13), em cerca de 1960 a.C. Foi avô de Éber, que alguns consideram o antepassado dos hebreus, embora a questão ainda não esteja resolvida. Alguns veem as letras finais, *ksd*, como sugestão aos casdim ou caldeus, mas outros identificam o nome com Arraphka, na Assíria. Uma etimologia iraniana tem sido sugerida, e isso, subsequentemente, vinculado ao Arfaxade referido em Judite 1.1. Esse homem, de acordo com aquele livro apócrifo, governou os medos. Isso favorece essa última ideia, embora muitos estudiosos não aceitem essa opinião. Portanto, é possível que esse nome seja inteiramente desconhecido fora da Bíblia.

Lude. Ver sobre *Lude, Ludim*, em Gênesis 10.13. Lude era chamado Ludu pelos assírios, e, talvez, fosse outro nome para a *Lídia* (que ficava no que é agora a Turquia ocidental).

Arã. Ele foi o antepassado remoto dos arameus que habitavam nas estepes da Mesopotâmia. Ver no *Dicionário* o artigo *Arã (Arameus)* quanto a um detalhado artigo sobre esse povo. O idioma *aramaico* foi a contribuição deles à história da Bíblia, língua falada na Palestina, nos tempos de Jesus. Ver também o artigo intitulado *Aramaico*.

■ 10.23

וּבְנֵי אֲרָם עוּץ וְחוּל וְגֶתֶר וָמַשׁ׃

Os Filhos de Arã

Uz. Ver o artigo detalhado sobre esse nome, no *Dicionário*. Coisa alguma se sabe sobre o *Uz* de Gênesis 10.23, exceto o que é óbvio no próprio texto. As tradições fazem dele o fundador de Damasco e de outras cidades. Alguns o associam ao Uz de Jó, um distrito da parte norte da Arábia Deserta. Ver detalhes naquele artigo.

Hul. No hebraico, "círculo". Era o nome do segundo filho de Arã, que era filho de Sem. A região ocupada por sua família ficou conhecida pelo nome de *Hule*, embora não se saiba qual a sua localização. Josefo e Jerônimo situavam esse lugar na Armênia, mas outros antigos preferiam pensar no sul da Mesopotâmia, ou seja, na Caldeia. Ainda outros preferem o Líbano. Atualmente, há um distrito chamado Huleh, perto do lago Merom, que pode ser o lugar em foco.

Géter. O significado do nome é desconhecido. Todavia, foi o nome do terceiro filho de Arã. Ele é mencionado somente por duas vezes, em Gênesis 10.23 e 1Crônicas 1.17. Nesta última passagem, ele aparece como um dos filhos de Sem, quando, na realidade, era um de seus descendentes, através de Arã. Viveu por volta de 2200 a.C., ou mesmo antes. Mas nenhum povo, nação ou população têm sido identificados como seus descendentes diretos. Certo número de conjecturas não tem sido aprovado pela erudição moderna.

Más. O significado desse nome é incerto. Era o nome de um dos filhos de Arã (Gn 10.23; 1Cr 1.17). Nesta última passagem ele é chamado Meseque. A Septuaginta diz *Mosoque*, nos dois versículos, mas os estudiosos acham que *Más* é a forma original do nome. Alguns eruditos creem que o homem em questão habitava no monte Masius, na Mesopotâmia, tendo emprestado o seu nome ao rio Meseca, que tem ali os seus mananciais. Uma inscrição assíria exibe esse nome, identificando um lugar de sede e desmaio, em um deserto, onde nem animais podiam ser encontrados, por causa de sua desolação. Alguns têm identificado Más com o *Mons Masius* dos escritores clássicos.

■ 10.24

וְאַרְפַּכְשַׁד יָלַד אֶת־שָׁלַח וְשֶׁלַח יָלַד אֶת־עֵבֶר׃

Os Filhos de Arfaxade

Salá. Era filho de Arfaxade, da linhagem de Sem, e foi pai de Héber (Gn 10.24; 11.12-15; 1Cr 1.18,24 e Lc 3.35, onde ele aparece na genealogia de Jesus). As versões portuguesas variam a forma de seu nome entre *Salá* e *Selá*. Ambas as formas são também usadas para identificar outras personagens do Antigo Testamento. Esse nome quer dizer *paz*. Coisa alguma se sabe sobre esse homem além daquilo que é óbvio neste texto. Alguns eruditos, porém, supõem que ele tenha sido o antepassado dos susianos, e pensam que Sele, uma das cidades da Susiana, foi fundada por ele.

Héber. Ver as notas no vs. 21. Apresento um artigo detalhado sobre ele no *Dicionário*. Parece que *hebreu* é uma palavra cognata. E, nesse caso, os hebreus são descendentes dele. Mas os estudiosos continuam disputando sobre a questão.

■ 10.25

וּלְעֵבֶר יֻלַּד שְׁנֵי בָנִים שֵׁם הָאֶחָד פֶּלֶג כִּי בְיָמָיו נִפְלְגָה הָאָרֶץ וְשֵׁם אָחִיו יָקְטָן׃

Os Filhos de Héber

Pelegue. Pouca coisa é dita sobre ele, ao passo que muito fora dito sobre Ninrode, sendo esses dois os únicos que recebem alguma explicação ampliada nas listas de descendentes de Noé. Mas, apesar de breve, talvez o relato tenha ligação com a história da torre de Babel. Foi então que os povos da terra *foram divididos* de uma maneira especial. Ver sua genealogia em Gênesis 11.1 ss. A forma hebraica, *palag*, é termo usado no Antigo Testamento para descrever a *divisão* dos homens por idiomas. Esse informe diz que o evento da torre de Babel ocorreu cinco gerações após o dilúvio, *se* o autor sacro não deixou hiatos em seu sumário de nomes. Ver no *Dicionário* o artigo intitulado *Babel (Torre e Cidade)*.

No hebraico, o nome desse homem pode significar "divisão" ou "canal (de água)". A tradição era que todos os habitantes da terra descendiam dos três filhos de Noé, mas Pelegue assinalou uma espécie de momento crítico nessa descendência. Todavia, outra teoria acerca desse nome é a de que o homem, de algum modo, estava vinculado a *Falga*, uma cidade da Mesopotâmia, situada na junção (ponto de *divisão*) do rio Caraboas com o rio Eufrates. O substantivo comum hebraico, *peleg*, pode significar "canal". Portanto, Pelegue poderia referir-se a um território e seu povo, cujo território era bem regado por águas. A palavra assíria para "canal" é *palgu*, o que empresta apoio linguístico a essa interpretação.

Joctã. No hebraico, *pequeno*. Esse era o nome do segundo filho de Sem (Gn 10.25,26,29; 1Cr 1.19). Supõe-se que ele tenha sido o progenitor de treze tribos do sul da Arábia. Os árabes chamam-no de Catã, reconhecendo-o como um dos patriarcas de sua raça. Traços dos nomes de seus filhos podem ser encontrados em vários lugares da Arábia. As tribos árabes originais viviam sem se misturar com outros povos, até que Ismael, filho de Abraão e Hagar, com os seus filhos, também estabeleceram-se ali. Houve então a miscigenação, e os povos daí resultantes são conhecidos como mos-árabes, ou mostae-árabes, isto é, "árabes mistos".

10.26-29

וַיִּקְטָן יָלַד אֶת־אַלְמוֹדָד וְאֶת־שָׁלֶף וְאֶת־חֲצַרְמָוֶת וְאֶת־יָרַח׃

וְאֶת־הֲדוֹרָם וְאֶת־אוּזָל וְאֶת־דִּקְלָה׃

וְאֶת־עוֹבָל וְאֶת־אֲבִימָאֵל וְאֶת־שְׁבָא׃

וְאֶת־אוֹפִר וְאֶת־חֲוִילָה וְאֶת־יוֹבָב כָּל־אֵלֶּה בְּנֵי יָקְטָן׃

Os Filhos de Joctã

São fornecidos treze nomes do vs. 26 ao vs. 29. A maioria dessas tribos árabes ocupou a península da Arábia. Israel teria laços de sangue com esses povos, as treze tribos dos joctanitas do deserto.

Almodá. No hebraico, *agitador*. Era o filho mais velho de Joctã (Gn 10.26; 1Cr 1.20). Aparentemente, ele vivia no sul da península da Arábia, mas nada se sabe com certeza quanto a isso. A Septuaginta diz *Elmodá* (Deus é amigo). Somos informados de que ele foi o fundador de uma tribo árabe, de localização incerta.

Salefe. No hebraico, *retirado*. Era o nome de um dos filhos de Joctã, e, portanto, tornou-se designação de uma tribo árabe (Gn 10.26; 1Cr 1.20). Provavelmente, ele e seus descendentes localizaram-se no sul da Arábia, onde o nome aparece ainda como Salaf ou Sulaf. Viveu por volta de 2200 a.C.

Hazarmavé. No hebraico, *aldeia da morte*. Nome de um dos filhos de Joctã (Gn 10.26; 1Cr 1.20). Esse homem e seus filhos estabeleceram-se na parte sul da Arábia, no wadi Hadramaute, a cujo lugar deram nome. Os historiadores têm identificado essa localidade com os *chatramotitai* dos gregos, uma das quatro principais tribos do sul da Arábia, descritas por Estrabão (16.4,2). Eles tornaram-se célebres por seu comércio de incenso. A moderna Hadramaute é um vale muito frutífero, que corre paralelamente às costas marítimas da Arábia, por cerca de 320 km. Os dias de glória dessa região foram do século V a.C. ao século I ou II d.C., quando abrigou uma grande civilização. Sua capital chamava-se Shabwa.

Jerá. No hebraico, *mês*. Nome do quarto filho de Joctã (Gn 1.20; 1Cr 1.20). Foi o fundador de uma tribo árabe, que parece ter-se estabelecido perto de Hazarmavete e Hadorão.

Hadorão. No hebraico, *Hadar é exaltado*. Nas referências originais, parece haver alguma alusão aos *adoradores de fogo*. Esse é o nome de três personagens do Antigo Testamento, sendo o nome de um dos filhos de Joctã, dado também a seus descendentes, uma tribo árabe (Gn 10.27; 1Cr 1.21). Viveu antes de 2000 a.C.

Uzal. Seu nome figura somente aqui e em 1Crônicas 1.21. O significado desse nome é incerto. Fontes informativas antigas fornecem certa variedade de formas. Ele era o trineto de Sem, e filho de Joctã. Pelegue e Joctã representam as duas principais divisões dos povos de língua semita. Uma tradição árabe diz que Uzal era o nome original de Sanaá, capital do Iêmen, a sudoeste da Arábia, um país que existe até os nossos dias. O lugar é conhecido hoje por sua produção de aço. Mas outros estudiosos identificam Uzal com *Azala*, perto de Medina. Esse lugar foi capturado por Assurbanipal, quando lutava contra os nabateus. Seus anais mencionam Iarqui e Hurarina, nomes que sugerem descendentes dos filhos de Joctã, a saber, Jerá e Adorão. O trecho de Ezequiel 27.19 mostra que Tiro mantinha comércio com esse lugar, que incluía produtos de ferro. Os eruditos não estão seguros acerca da identificação de Uzal, mas uma ou outra identificação deve estar certa.

Dicla. Palavra aramaica que significa *palmeira*. Era o nome de um dos descendentes de Joctã (Gn 10.27; 1Cr 1.21). Visto que esse nome está associado à palmeira, os eruditos imaginam que a área da habitação deles teria muitas palmeiras. A região do sul da Arábia, nas proximidades da foz do rio Tigre, é a que tem sido mais insistentemente sugerida. Porém, nada se sabe a esse respeito, com algum grau de certeza. O que se sabe é que eles eram uma tribo semita que descendia de Héber, por meio de Joctã. Tradicionalmente, ele é o ancestral dos árabes do sul. Seus descendentes provavelmente estabeleceram-se no Iêmen, tendo ocupado uma porção dessa região, ligeiramente a leste de Hedjaz.

Obal. Há traduções que dizem *Ebal*. No hebraico significa *estar despido* ou *pedra*. Era o nome de um dos filhos de Joctã (Gn 10.28;

1Cr 1.22). Viveu em torno de 2200 a.C. Também é o nome de um monte do território de Efraim (Dt 11.29, chamado "monte da maldição"). Nada se sabe sobre essa pessoa, exceto o que nos é sugerido no texto. Seus descendentes formavam uma das treze tribos árabes que descendiam de Joctã e ocuparam a península da Arábia. O local exato da tribo de Obal ainda não foi identificado pelos estudiosos.

Abimael. No hebraico, *meu pai é Deus*. Ele aparece como o nono dos treze filhos de Joctã. Ver Gênesis 10.28 e 1Coríntios 1.22. Tal como alguns dos outros nomes dessa lista, o nome é tipicamente árabe do sul, pelo que seus descendentes devem ter ocupado algum lugar não identificado do sul da Arábia.

Sabá. O décimo filho de Joctã, filho de Héber e descendente de Sem (Gn 10.28 e 1Co 1.22). O fato de que Sabá e Dedã são classificados como cuxitas (Gn 10.7) parece indicar que houve uma migração por parte dessas tribos para a Etiópia. E sua derivação de Abraão (Gn 25.3) parece indicar que algumas famílias dessa tribo se localizaram na Síria. Na realidade, Sabá era uma tribo árabe do sul, ou joctanita.

Os sabeus figuram como negociantes em ouro e especiarias, e também como habitantes de um país distante da Palestina (1Rs 10.1,2; Is 60.6; Jr 6.20; Ez 27.22; Sl 75.15; Mt 12.42). Eram negociantes de escravos (Jl 3.8), ou mesmo atacantes em bandos, no deserto (Jó 1.15; 6.19). De acordo com genealogias árabes ele foi pai de Himyar e Kahlan. Teria recebido esse nome por ter sido o primeiro a fazer prisioneiros (*shabhah*) de guerra. Fundou a capital de Sabá e também sua cidadela, Maibe (Mariaba), famosa por sua grande barragem.

A elevada posição que as mulheres desse povo podiam ocupar reflete-se na história da rainha de Sabá e Salomão. Ali as mulheres podiam ocupar até mesmo altas posições militares. A identificação da rainha de Sabá com a rainha Bilkis não corresponde aos fatos, pois esta última viveu muito tempo depois de Salomão. A arte dos sabeus dependia muito das artes assíria, persa e grega. Ver no *Dicionário* o artigo intitulado *Sabeus*, quanto a maiores informações.

Ofir. No hebraico, *rico* ou *gordo*. Esse era o nome de um dos treze filhos de Joctã (Gn 10.29 e 1Cr 1.23), que veio a tornar-se uma tribo com sua própria localização geográfica, embora haja muita discussão sobre esse último ponto, estando os eruditos divididos entre a Índia, a África e a Arábia, neste último caso, o Iêmen.

Ofir era lugar visitado pelas naus de Salomão (1Rs 10.22). Seu ouro era considerado da melhor qualidade, talvez estando em foco a facilidade de sua extração ali. No *Dicionário* ver o artigo bastante extenso chamado *Ofir*.

Havilá. No hebraico, *círculo, distrito*. Pessoa que não deve ser confundida com o homem do mesmo nome no vs. 7, um dos filhos de Cuxe. Este *Havilá* era filho de Joctã, descendente de Sem (Gn 10.29; 1Cr 1.23), e era nome de um homem e de um povo. Parece que os descendentes de Havilá ocuparam o sul da Arábia, embora se tenham estendido até Babe el Mandebe, localizado na África.

Jobabe. No hebraico, *uivar, clamar, tocar a trombeta*. Era o filho caçula de Joctã (Gn 10.29; 1Cr 1.23). Os estudiosos não conseguiram localizar a tribo que dele descende, sendo mesmo possível que nenhuma tribo se tenha originado dele. Mas outros filhos de Joctã deixaram tribos no sul da Arábia.

Estes foram filhos de Joctã. Foram treze ao todo, já alistados e descritos. Assim, Joctã deixou um grande número de descendentes, engrossando a raça árabe. O vs. 30 adiciona mais alguns detalhes à questão.

10.30

וַיְהִי מוֹשָׁבָם מִמֵּשָׁא בֹּאֲכָה סְפָרָה הַר הַקֶּדֶם׃

E habitaram desde Messa. No hebraico, *liberdade*. Algumas traduções portuguesas dão a variante Mesa como nome deste lugar. O nome foi usado para indicar várias personagens e localidades no Antigo Testamento. *Messa* era a localidade que marcava um limite extremo do território dos descendentes de Joctã (Gn 10.30). O outro extremo era *Sefar* (ver abaixo). Talvez Messa seja idêntica a *Massá*, no norte da Arábia, embora a maioria dos eruditos diga que Messa ficava na parte sul da Arábia, pois, com quase absoluta certeza, era ali que se encontrava Sefar. Seja como for, nenhuma localidade com essa designação foi encontrada pelos estudiosos, naquela região. Talvez esteja em pauta a Muza de Ptolomeu e de Plínio, que era uma famosa cidade portuária do mar Vermelho. Mas há outras conjecturas.

Sefar. No hebraico, *numeração*. Mas no hebraico pós-bíblico, *país fronteiriço*. Alguns pensam que essa palavra tem origem extra-hebraica. Seja como for, o termo é usado para indicar um dos extremos de território ocupado pelos descendentes de Joctã. A *montanha do Oriente*, referida no texto, provavelmente é o mesmo "monte Séfer", aludido em Números 33.23. Mas os eruditos duvidam dessa identificação. O texto do Gênesis sugere um monte no *oriente*, mas ninguém foi capaz de frisar o local específico desse monte. Hazarmavete e Seba (sul da Arábia) são sugestões plausíveis, mas também poderiam estar em pauta Zafar ou Safari (no sul da Arábia) e Hadramaute.

■ **10.31**

אֵלֶּה בְנֵי־שֵׁם לְמִשְׁפְּחֹתָם לִלְשֹׁנֹתָם בְּאַרְצֹתָם לְגוֹיֵהֶם:

São estes os filhos de Sem. O autor sagrado alistou 26 nomes, dando algumas indicações dos lugares onde viviam os seus descendentes. Tinham sido formadas famílias, tribos e nações, cada qual com seu idioma distinto. Ver o vs. 20 quanto a uma declaração similar a respeito de Cão. Esses 26 nomes são uma lista representativa, e não exaustiva. Assim, nenhum filho de Elão, Assur e Lude foi nomeado, embora eles devam ter tido filhos. Além disso, foi mencionado somente um filho de Selá, dois de Héber e nenhum de Pelegue. O trecho de Gênesis 11.19, todavia, dá-nos o nome de um filho, *Reú*, mas acompanhado pela nota vaga de que ele teve filhos e filhas.

■ **10.32**

אֵלֶּה מִשְׁפְּחֹת בְּנֵי־נֹחַ לְתוֹלְדֹתָם בְּגוֹיֵהֶם וּמֵאֵלֶּה נִפְרְדוּ הַגּוֹיִם בָּאָרֶץ אַחַר הַמַּבּוּל: פ

Famílias dos filhos de Noé. Agora o autor sacro havia terminado sua *Tabela das Nações*. Então faz-nos lembrar, em conclusão, de que tudo havia começado com Noé e seus três filhos, através de várias de suas *gerações*, que povoaram diversas regiões do mundo com o qual o autor estava acostumado. E tudo isto teve lugar *após o dilúvio*. Moisés também prepara-nos para ver como Deus espalhou ainda mais as nações, ao dividir a única língua que tinham em muitas. Neste capítulo 10, contudo, ele menciona *línguas* por diversas vezes (ver os vss. 5,20,31). Os críticos opinam, em face disso, que já existiriam idiomas diversos antes da história sobre a torre de Babel. Mas os eruditos conservadores creem que o autor sagrado disse isso por mera *antecipação* daquilo que passaria a narrar no capítulo 11 de Gênesis.

Destes foram disseminadas as nações. Já havia muitos povos antes mesmo do episódio da torre de Babel, mas é de presumir-se que todos eles tinham um só idioma. Para alguns estudiosos, essa declaração antecipa a divisão em línguas, que ocorreria por ocasião daquele episódio. Também pensa-se que foi nos dias de *Pelegue* (ver no vs. 25) que ocorreu essa *divisão* em nações.

CAPÍTULO ONZE

UMA LÍNGUA UNIVERSAL (11.1-6)

Agora o autor começa a contar outro *começo* (em consonância com a essência do *Gênesis*, o livro dos princípios). Conforme ele nos disse, antes havia um único idioma. A começar pelo vs. 7, ele narra como esse estado de coisas chegou ao fim, e informa-nos como tiveram origem as *muitas línguas*. Os homens estavam unidos entre si, mas essa unidade conferiu-lhes a coragem e a ambição de fazer coisas proibidas. Uma dessas ambições era edificar uma torre tão alta que chegasse ao lugar de habitação do próprio Deus (ou dos próprios *deuses*, dependendo do entendimento de cada leitor). Lendas antigas informam-nos que os homens não tinham compreensão acerca das grandes distâncias envolvidas no espaço, e aqueles que acreditavam que o céu era ocupado por deuses não percebiam a impossibilidade de chegar até eles fisicamente falando. O antigo folclore babilônico fala em lugares de habitação dos deuses nos céus, e ninguém ignora o *Olimpo* dos gregos e dos romanos. O trecho de Gênesis 11.5 parece subentender que o autor compartilhava de tais crenças, ou, pelo menos, que ele falou em um sentido metafórico e antropológico, a fim de emprestar sentido à sua narrativa.

O capítulo 11 também prepara o caminho para fazer-nos ver de que forma surgiu Israel como uma nação, uma nação descendente de Abraão, cujo relato é formalmente iniciado no capítulo 12. Deus estava estabelecendo distinções. A língua universal foi confundida, dividindo-se em muitos idiomas. E as migrações foram espalhando povos em todas as direções. Dentre as massas, Deus separou um povo, descendente de Sem por meio de Abraão. Essa foi a linhagem selecionada para anunciar a mensagem espiritual, propiciando, afinal, o surgimento do Messias, que teria por missão concretizar a redenção para *todas* as missões. Essa divisão provocada por Deus, pois, foi feita a fim de produzir uma *união* de acordo com seus próprios termos, e não em harmonia com a falsa e problemática união dos homens antes da torre de Babel. Essa união dos homens, como sempre acontece, terminou em *confusão*. Mas a união segundo Deus sempre termina em *salvação*. Para melhor compreensão deste capítulo 11, examine no *Dicionário* os seguintes artigos: *Língua* e *Babel (Torre e Cidade)*.

■ **11.1**

וַיְהִי כָל־הָאָרֶץ שָׂפָה אֶחָת וּדְבָרִים אֲחָדִים:

Este versículo liga este capítulo com o anterior, onde encontramos a *Tabela das Nações*. Ver no *Dicionário* o artigo geral chamado *Nações*, que inclui informações sobre essa tabela, em suas seções terceira a sexta. Aprendemos que antes todas as nações formavam um único povo, preservando um único idioma. As declarações constantes no capítulo 10, acerca de línguas diversas (ver os vss. 5, 20 e 31), são tidas pelos críticos como se o autor sacro se tivesse esquecido das "línguas" que já existiriam antes da torre de Babel, e como se, desajeitadamente, não tivesse contado como essas línguas haviam começado. Ou, então, conforme outros estudiosos dizem, ele antecipou, naqueles versículos, a *multiplicidade* dos idiomas, mas somente aqui conta *como* ocorreu essa multiplicidade.

Uma só maneira de falar. Um dos grandes mistérios científicos é a origem da linguagem. O primeiro capítulo do Gênesis em nada ajuda quanto a isso, mas devemos supor que Deus, simplesmente, deu ao homem a capacidade de falar. A ciência assinala a questão com um grande ponto de interrogação. Alguns pensadores têm tentado achar uma resposta, mas elas não convencem. Ver no *Dicionário* o artigo intitulado *Língua*. Na quarta seção desse artigo apresento algumas teorias sobre as origens da linguagem.

Existem entre três a quatro mil línguas diferentes no mundo. Há cerca de quarenta *famílias* de línguas que já foram idetificadas. A maior dessas famílias é a das línguas indo-europeias, que ocupam uma faixa que vai desde a Índia até ao extremo ocidental da Europa, tendo-se espalhado daí para todos os outros continentes.

Têm sido vãs as tentativas de identificar a *língua única* da qual todas as demais línguas descenderiam. Naturalmente, alguns judeus falam no "hebraico", chegando ao extremo de pensar que Deus fala essa língua. Mas os árabes falam no "árabe". É que esses idiomas são sagrados para os povos que os falam. Alguns ultraconservadores chegam a objetar a traduções feitas a partir desses idiomas. Mas todas essas especulações são inúteis e anticientíficas.

O autor sagrado presume que a existência de um único idioma dava aos homens uma unidade especial. E não há que duvidar de que esse era um fator determinante de unidade.

■ **11.2**

וַיְהִי בְּנָסְעָם מִקֶּדֶם וַיִּמְצְאוּ בִקְעָה בְּאֶרֶץ שִׁנְעָר וַיֵּשְׁבוּ שָׁם:

Partindo eles do oriente. Uma alusão vaga às contínuas migrações humanas, após o dilúvio, historiadas com pormenores no capítulo 10 de Gênesis. A palavra *eles*, neste caso, aponta para os descendentes de Noé, mormente para aqueles que tinham chegado à terra de Sinear, ou seja, à região que originou a então futura Babilônia. O *oriente*, neste caso, parece referir-se a algum lugar perto do monte Ararate, onde a arca veio a repousar, terminado o dilúvio.

Terra de Sinear. No *Dicionário*, apresento um longo e detalhado artigo sobre esse lugar. Essa é uma antiga (quiçá a mais antiga) designação da *Babilônia* (ver também no *Dicionário*). Essa designação figura em Gênesis 10.10; 11.2; 14.1,9; Isaías 11.11; Daniel 1.2 e Zacarias 5.11.

O Fruto Proibido do Capítulo 11 de Gênesis. Tal como em Gênesis 2.17, houve um fruto proibido do qual o homem não podia participar (sob a pena de morte); assim também agora para os habitantes da terra, depois do dilúvio, havia um fruto proibido ao qual deveriam resistir, a saber, construir, movidos pelo *orgulho,* uma edificação que invadisse o santuário de Deus, sob a inspiração da unidade dos homens. A lição dada aqui é que só podemos nos aproximar de Deus de acordo com *suas* condições, e não segundo as condições ditadas pelos homens. As *condições humanas,* pois, constituem outro fruto proibido para nós.

■ 11.3

וַיֹּאמְרוּ אִישׁ אֶל־רֵעֵהוּ הָבָה נִלְבְּנָה לְבֵנִים וְנִשְׂרְפָה
לִשְׂרֵפָה וַתְּהִי לָהֶם הַלְּבֵנָה לְאָבֶן וְהַחֵמָר הָיָה לָהֶם
לַחֹמֶר׃

Façamos tijolos. Na planície da Babilônia não havia pedra para construções, o que causou a necessidade de fazer tijolos. No *Dicionário* apresento um detalhado artigo intitulado *Tijolo.* Construir com tijolos equivale à instrução espiritual. Esse tipo de edificação exige que se faça um pouco de cada vez, em um esforço cumulativo contínuo, para que se obtenha o resultado colimado. Assim também os homens, para o bem ou para o mal, vão-se tornando gradualmente no que são, e, gradativamente, produzem as realizações de sua vida, sejam elas benignas ou malignas.

Betume. Um produto natural do petróleo, ou, então, alguma espécie de cimento. As escavações feitas na Babilônia mostram a tenacidade das substâncias ali usadas para unir tijolos, como também a boa qualidade dos tijolos feitos na antiguidade. A planície de Sinear também tinha argila de boa qualidade, a qual, ao ressecar-se, tornava-se quase tão dura como a rocha. Heródoto dá-nos algumas informações sobre a edificação com tijolos, na Babilônia, e também alude ao betume natural ali existente. Certa área possuía essa substância em tal abundância que os mouros chamavam-na de "boca do inferno" (Curtius, *Hist.* 1.5 c.1). Dioscorus Siculus confirmou que, na Babilônia, se edificava com tijolos e betume (*Bibliothec.* 1.2 par.96).

■ 11.4

וַיֹּאמְרוּ הָבָה נִבְנֶה־לָּנוּ עִיר וּמִגְדָּל וְרֹאשׁוֹ בַשָּׁמַיִם
וְנַעֲשֶׂה־לָּנוּ שֵׁם פֶּן־נָפוּץ עַל־פְּנֵי כָל־הָאָרֶץ׃

Uma cidade, e uma torre. No *Dicionário* ver o artigo intitulado *Babel (Torre e Cidade),* onde há detalhes abundantes relativos a este versículo e à situação geral retratada neste capítulo. Ver também sobre *Zigurate,* que poderia ser o modelo de torre que os homens resolveram construir.

Cujo topo chegue até aos céus. No *Dicionário* ver o artigo chamado *Céu.* Vários povos antigos imaginavam que o *lar dos deuses,* ou de Deus, ficava *acima* da terra, mas não muito distante dela. O folclore babilônico, sem dúvida, encara as coisas assim. Também sabemos o que os gregos e romanos pensavam sobre o Olimpo. O Olimpo original ficava (e fica) em um dos montes da Tessália, cujo cume chega à altitude de 2.919 metros. Os gregos antigos simplesmente criam que naquele lugar elevado residiam os deuses. Daí derivou-se a ideia de que os deuses habitam "lá em cima". Homero fez as *nuvens* (literais) ser os portões do céu. E assim o Olimpo foi transferido para o *céu,* lá em cima. Na época, os antigos não concebiam divindades não-físicas. Não seriam seres mortais, mas também não seriam entidades espirituais. Assim, era fácil supor que eles foram seres exaltados, posto que não infinitos, que podiam ter intercomunicação fácil e frequente com os homens; pois os deuses seriam diferentes, mas *não muito diferentes.* Gênesis, como é claro, tem um conceito de Deus não tão desenvolvido como o que se vê em livros posteriores do Antigo Testamento, ou no Novo Testamento. Por que alguém pensaria que isso é estranho? Daí, o texto a nossa frente reflete um conceito primitivo de Deus, provavelmente físico em algum sentido, e aqueles homens julgaram que sua residência não estaria muito *acima* deles, no céu.

Os zigurates, pelo menos muitos deles, revestiam-se de um simbolismo religioso. Geralmente contavam com sete terraços, que partiam de um pátio no nível do solo, e eram coroados com santuários gigantescos no topo. Eram consideradas construções que ajudavam os homens em sua busca pela comunhão com os deuses. Talvez os sete pavimentos visassem honrar às sete divindades planetárias da religião babilônica. Essas divindades eram tidas como mediadoras entre os deuses e os homens. O alto dos zigurates era considerado *a entrada para o céu.*

Tornemos célebre o nosso nome. Tanto diante dos deuses (ou de Deus) quanto diante dos homens, visto que a torre seria feita para que se obtivesse acesso à divindade, para que merecesse a sua *aprovação.* Eles pareciam sinceros em sua crença. Não há que duvidar de que construíram movidos pelo orgulho, mas pensavam que assim estariam honrando os poderes divinos, e não meramente a si mesmos.

Para que não sejamos espalhados. A migração era a ordem do dia. Condições de vida instáveis forçavam as pessoas a vaguear para garantir seu sustento. Os construtores da torre buscavam segurança e estabilidade, aquilo que as pessoas mais buscam nesta vida. Eles queriam trabalhar visando à sua própria honra e à honra das divindades, mas desejavam que sua própria segurança fosse um subproduto de seus labores. A maioria das pessoas é impulsionada por esse tipo de motivação.

As *pirâmides* do Egito (ver sobre elas no *Dicionário*) também exaltavam os poderes divinos e o homem. Dessa forma, na maneira de pensar dos homens, o religioso e o secular tornam-se inseparáveis. Os homens tentam aproximar-se de Deus de uma maneira errada e, por isso mesmo, fracassam. O *acesso* sempre constituiu um problema.

Talvez o autor sacro quisesse sugerir aqui que as pessoas, mediante alguma intuição interior, temiam aquilo que acabou acontecendo, ou seja, a *dispersão.* E, assim sendo, tomaram algumas medidas preventivas. Deus havia ordenado que os homens se espalhassem pela terra (Gn 9.1), mas agora eles tentavam contornar o plano divino.

■ 11.5

וַיֵּרֶד יְהוָה לִרְאֹת אֶת־הָעִיר וְאֶת־הַמִּגְדָּל אֲשֶׁר בָּנוּ
בְּנֵי הָאָדָם׃

Ver o vs. 4 quanto às crenças dos homens primitivos acerca de Deus, e que a revelação bíblica foi corrigindo. Os céticos e os críticos tiram proveito deste versículo para mostrar quão ridículas noções os homens embalam a respeito de Deus, do que nem o autor do Gênesis teria escapado. Deus desceu de sua habitação celeste para espiar a torre e a cidade que estavam sendo edificadas. Mas os eruditos conservadores falam aqui em termos de símbolos antropomórficos, quando dizem que Deus compartilhou (metaforicamente) de emoções humanas. Ver no *Dicionário* dois artigos, *Antropomorfismo* e *Antropopatismo.* Os intérpretes, seguindo Orígenes, simplesmente nos dão interpretações alegóricas em passagens como esta.

John Gill (*in loc.*), que era um mestre conservador em extremo, comentou dizendo que Deus não desceu "local ou visivelmente, sendo ele imenso, onipresente e invisível... pois tudo isso foi dito à maneira dos homens". É verdade, mas alguns intérpretes não percebem tais refinamentos cristãos refletidos no próprio texto bíblico.

Significado Espiritual do Texto. Em meio às controvérsias teológicas, podemos perder de vista a lição que a teologia nos quer ensinar. Neste versículo, aprendemos que o homem, por mais sincero que seja, pode tentar aproximar-se de Deus de forma que não corresponde à vontade divina revelada, pelo que acaba falhando. A mensagem inteira do evangelho é que Deus aproxima-se do homem mediante certo intermediário, a saber, seu Filho, Jesus Cristo. Deus é paciente, e pode reconduzir todos nós através da variegada missão do Logos.

Os filhos dos homens. Ou seja, a humanidade. Temos aqui uma expressão geral, talvez enfatizando a fragilidade e a estupidez dos seres humanos, que pretendem aproximar-se de Deus de uma maneira que Deus não aceita.

Outra lição espiritual do texto é a do *Teísmo* (ver no *Dicionário*). Deus criou e continua cuidando; ele galardoa e castiga; ele acompanha a vida dos homens; ele está sempre presente, aquilatando os atos humanos certos e errados.

■ 11.6

וַיֹּאמֶר יְהוָה הֵן עַם אֶחָד וְשָׂפָה אַחַת לְכֻלָּם וְזֶה
הַחִלָּם לַעֲשׂוֹת וְעַתָּה לֹא־יִבָּצֵר מֵהֶם כֹּל אֲשֶׁר יָזְמוּ
לַעֲשׂוֹת׃

O povo é um... têm a mesma linguagem. A mente divina ressaltou aqui um problema: a unidade dos homens agora fora posta a serviço de uma abordagem errada a Deus, visando também a frustrar seu desígnio de espalhar os homens pela terra (Gn 9.1), para que esta fosse povoada. Ele não queria alguma gigantesca cidade, que crescesse sem parar, cheia de crimes e ambição; nem queria uma torre por onde os homens tentassem chegar até ele. A unidade da humanidade, pois, teria de terminar.

Agora não haverá restrição. Deus estava preocupado (em um sentido metafórico e alegórico), embora o homem antigo não tivesse entendido a questão por esse prisma. Mas até hoje alguns teólogos fazem de Deus um simples Super-Homem, que compartilha das crenças e da ciência dos homens. É muito fácil reduzir Deus às nossas proporções; e é precisamente isso que faz a teologia popular. Erasmo, pois, estava com a razão ao dizer que "a linguagem humana não pode conter o Infinito". Alguns intérpretes pensam que Deus falou aqui com "ironia", como se ele tivesse soltado uma gargalhada diante do que os homens estavam tentando fazer; mas essa ideia parece distante do intuito do autor sacro.

O que o homem não queria fazer por motivo de *obediência* à injunção divina (Gn 9.1), Deus realizaria através do juízo. Há coisas que Deus pode fazer melhor entre os homens, por meio do julgamento, do que por outros meios. Todavia, os juízos divinos são sempre remediais, e não apenas retributivos. Ver 1Pedro 4.6.

A CONFUSÃO DAS LÍNGUAS (11.7-32)

Os artigos referidos no vs. 4 iluminam este texto. Ver também a introdução a este capítulo 11. O poder de Deus "descia" de novo (ver esse tipo de linguagem no vs. 5). Deus agiu a fim de frustrar o propósito dos homens na falsa abordagem deles. Não basta que sejamos sinceros quanto àquilo em que cremos. Deve haver *verdade* nessas crenças. Além disso, é errado promover uma causa que labora contra a vontade de Deus — neste caso, Deus queria repovoar a terra inteira (Gn 9.1).

■ **11.7**

הָבָה נֵרְדָה וְנָבְלָה שָׁם שְׂפָתָם אֲשֶׁר לֹא יִשְׁמְעוּ אִישׁ שְׂפַת רֵעֵהוּ׃

Confundamos ali a sua linguagem. Ver o vs. 1 quanto a notas sobre a linguagem universal que havia; e, no *Dicionário*, o artigo chamado *Língua*. O homem é corrupto, independentemente de ter uma ou muitas línguas; mas um único idioma servia para unir os povos. Esse *idioma único* simbolizava como os homens estavam unidos em seus propósitos, que eram e continuam sendo contrários à vontade divina.

Quando Deus é Deixado de Lado e o Orgulho Nacional Predomina. Incontáveis exércitos têm marchado, matado e conquistado a fim de edificar um império para algum tirano! Pensemos na fama de Alexandre, o Grande, que ele obteve com suas atividades belicosas. Adolfo Hitler proclamou seu Terceiro Reich como um império que perduraria, no mínimo, por mil anos. Mas em quão pouco tempo esse império estava reduzido a cinzas. Um recente presidente argentino tolamente falou em cem anos de progresso sob sua filosofia de governo. Mas veio a eleição *seguinte*, e eis que ele foi tirado do governo. Os líderes e teóricos comunistas falam grosso, para dizermos o mínimo; mas em nossos próprios dias não somente o comunismo foi obliterado na Rússia, mas a própria *União Soviética* dividiu-se e o seu império se dissolveu. Nações por toda a Europa desvencilharam-se das peias comunistas. Os impérios antigos duravam por mais tempo. Mas eles também, um por um, acabaram substituídos por outros poderes. Deus é deixado de lado pelos homens, mas o orgulho nacional não tem podido estabelecer coisa alguma de duradouro. A Babilônia contou, por algum tempo, com um grande império; mas o juízo divino, finalmente, destruiu a iniquidade daqueles homens. Os homens precisam depender do *Eterno*, embora seja preciso muito tempo para aprenderem essa lição.

Os homens da torre de Babel estavam unidos, mas espiritualmente confusos. Deus precisou pôr fim àquela solidariedade humana que dava uma ideia falsa de unidade. Ver as notas sobre o vs. 9 quanto a uma aplicação espiritual de *Babel*.

Não havia intérpretes; ninguém falava duas línguas. E assim, quando os operários tentaram prosseguir com a obra, descobriram ser isso impossível. Jarchi oferece-nos aqui um curioso comentário: "Quando alguém pedia tijolos, outro lhe trazia massa ou betume, diante do que o primeiro se levantava contra o segundo e lhe estourava os miolos".

■ **11.8**

וַיָּפֶץ יְהוָה אֹתָם מִשָּׁם עַל־פְּנֵי כָל־הָאָרֶץ וַיַּחְדְּלוּ לִבְנֹת הָעִיר׃

Destarte o Senhor os dispersou. O plano divino mostrou-se eficaz. Cessou a construção da torre, e os homens reiniciaram sua marcha migratória, cumprindo assim a ordem divina que se vê em Gênesis 9.1. Também estacou a construção da cidade, ainda que, posteriormente, o poderoso império babilônico tivesse sido edificado em torno de uma cidade naquela área. Alguns intérpretes supõem que tenha havido alguma forma de intervenção divina, além da confusão da linguagem, mas o texto não dá indício algum a esse respeito. Uma única causa foi suficiente para produzir o efeito desejado. Quando Deus age, as coisas sucedem com prontidão e poder. Terminara o ambicioso projeto dos *homens*. A vontade de Deus tinha sido feita. Aquilo que os homens tanto temiam havia acontecido. "Se o Senhor não edificar a casa, em vão trabalham os que a edificam" (Sl 127.1). Abideno, um escritor assírio, atribuía o fim abrupto da construção a um vento poderoso que derrubou a torre (apud. Eusébio c.14 par.416). Antigos autores judeus tolamente referiam-se à "confusão do idioma hebraico", que, para eles, seria a língua original. E vários estudiosos têm descrito, mediante uma vívida imaginação, a consternação causada pela confusão da linguagem, com lutas, matanças e conflitos. Finalmente, simplesmente teriam desistido do projeto inteiro como um mau negócio. Algumas vezes, é melhor abandonar um projeto. Seja feita a vontade de Deus! Ver no *Dicionário* o artigo intitulado *Vontade de Deus, Como Descobri-la.*

■ **11.9**

עַל־כֵּן קָרָא שְׁמָהּ בָּבֶל כִּי־שָׁם בָּלַל יְהוָה שְׂפַת כָּל־הָאָרֶץ וּמִשָּׁם הֱפִיצָם יְהוָה עַל־פְּנֵי כָּל־הָאָרֶץ׃ פ

Babel. Essa palavra é de origem babilônica, e significa "portão de Deus". De acordo com a etimologia popular, porém, devido à similaridade de sons, no hebraico surgiu o sentido de "confundir". A palavra também pode significar "misturar" (o babilônico *bab-li* passou para o hebraico *balal*). No *Dicionário*, ver os artigos *Babel* e *Babilônia*.

Lições e Metáforas Espirituais. "Os construtores de Babel servem de emblema de pessoas justas aos próprios olhos, as quais, como na maior parte do mundo, existem sob diferentes formas religiosas, e tudo com base em um pacto de obras" (John Gill, *in loc.*).

"A história de Babel (*confusão*) é notavelmente paralela à história da Igreja professa: 1. Unidade (Gn 11.1 — a Igreja apostólica, At 4.32,33). 2. Ambição (Gn 11.4 — o uso de meios mundanos, e não espirituais, Gn 11.3), o que termina em uma unidade feita pelo homem, o papado. 3. A confusão da linguagem (Gn 11.7 — o protestantismo, com suas inúmeras seitas)." (C. I. Scofield, *in loc.*).

Os homens criaram um monte *artificial*. Mas a aproximação a Deus deve ser efetuada por meios espirituais genuínos. Posteriormente, Israel seguiu o mesmo curso de orgulho que fora seguido pelos babilônios, e terminou cativo por potências pagãs.

"A derrota de Babel foi explicada claramente por Sofonias, cujos termos por certo retraçaram esse evento, antecipando a grande unificação do reino milenar, quando todos falarão uma só linguagem pura, adorando a Deus no santo monte *de Deus*, convocados dentre as nações para onde tinham sido dispersos (Sf 3.9-11). O milagre do Pentecoste (At 2.6-11) foi um arauto daquele evento que ainda jaz no futuro" (Allen P. Ross, *in loc.*).

Este versículo assinala o fim dos eventos primevos. E agora o autor sagrado volta-se para a genealogia de Sem a fim de apresentar-nos a figura de Abraão, por meio de quem haveria de surgir em cena a nação de Israel. Essa nação seria a mestra das outras nações, e por meio dela Jesus, o Cristo, viria a este mundo.

OS DESCENDENTES DE SEM (11.10-26)

Fica Preparado o Caminho para Israel. Neste ponto, o autor sacro apresenta seu sexto *toledoth* (ou *gerações*), um artifício literário que ele usou para dar-nos uma espécie de esboço do Gênesis, em grandes pinceladas. Os autores antigos não pensavam muito em esboçar suas obras por meio de divisões, e certamente nunca incluíam índices em seus livros. Ver Gênesis 1.4 quanto a comentários sobre essa questão e sobre as divisões do livro de Gênesis.

O autor do livro havia acompanhado com cuidado o desenvolvimento do plano divino: primeiro, através de Adão; então, através de Noé; através dos filhos de Noé; agora, através de Sem, até Abraão; e, finalmente, de Abraão, ele acompanharia a organização da nação de Israel. E Israel seria a mestra das nações, e dela emergiria o Messias, o mestre do *mundo inteiro*. O homem coopera e ajuda na consecução do plano divino muito ocasionalmente, mas usualmente fracassa. No entanto, o plano divino propriamente divino nunca falha.

A *Tabela das Nações* (no *Dicionário* ver o artigo *Nações*, mormente suas seções terceira a quinta) já havia sido dada, e nela figura a maioria dos nomes da presente seção, até ao seu vs. 19. A genealogia de Sem é apresentada em Gênesis 10.21 ss. Essa lista deixa de fora qualquer informe sobre a idade dos homens quando geraram este ou aquele filho, e qual a sua idade por ocasião da morte. Mas as listas que se seguem incluem esses detalhes. Nesta seção, os números também diferem daqueles que aparecem na Septuaginta, no Pentateuco Samaritano e nos escritos de Josefo, tal como também sucede em todas as seções anteriores do Gênesis. São dadas oito gerações, até Terá, pai de Abraão. No fim de uma relação de nomes de pessoas sobre quem pouco sabemos, e sobre quem pouco deve ter havido para se saber, surge o gigante, *Abraão,* cuja história será contada longa e pormenorizadamente. Mistérios divinos e um destino específico distinguiam-no do resto. Ele estava destinado a tornar-se uma das figuras supremas da história e da fé religiosa.

■ 11.10

אֵלֶּה תּוֹלְדֹת שֵׁם שֵׁם בֶּן־מְאַת שָׁנָה וַיּוֹלֶד אֶת־אַרְפַּכְשָׁד שְׁנָתַיִם אַחַר הַמַּבּוּל׃

Sem. Ver as notas sobre ele em Gênesis 5.32.

Da idade de cem anos. Esse número varia no hebraico, na Septuaginta, no Pentateuco Samaritano e nos escritos de Josefo. O texto hebraico dá um total de 390 anos de Sem a Abraão. O Pentateuco samaritano fala em 1.040 anos. A Septuaginta, em 1.270 anos. Devemos lembrar que as letras do hebraico eram usadas para representar números, e que era fácil confundir uma quantidade com outra, alterando assim consideravelmente os cálculos.

Sem viveu até aos 600 anos de idade. Portanto, ele deve ter sido um contemporâneo mais idoso de Abraão, a menos que os cálculos não-hebraicos, que mencionei acima, estejam mais certos que o texto hebraico.

Arfaxade. Ver Gênesis 10.22.

■ 11.11

וַיְחִי־שֵׁם אַחֲרֵי הוֹלִידוֹ אֶת־אַרְפַּכְשָׁד חֲמֵשׁ מֵאוֹת שָׁנָה וַיּוֹלֶד בָּנִים וּבָנוֹת׃ ס

Quinhentos anos. Portanto, ele viveu até aos 600 anos de idade, de acordo com o texto hebraico. Por toda a lista, redatores antigos, sobretudo judeus e árabes, foram adicionando detalhes que faríamos bem em ignorar. Assim, supostamente, Sem morreu durante o mês de elul, em uma sexta-feira, quando Jacó estava com 15 anos, e viu doze gerações depois de si mesmo. Esses detalhes raramente são exatos, e vou ignorá-los daqui para a frente.

E gerou filhos e filhas. Ver o vs. 13.

■ 11.12

וְאַרְפַּכְשַׁד חַי חָמֵשׁ וּשְׁלֹשִׁים שָׁנָה וַיּוֹלֶד אֶת־שָׁלַח׃

Trinta e cinco anos. A vida extremamente longa dos patriarcas antediluvianos não foi duplicada em seus descendentes após o dilúvio. Mesmo no caso de Arfaxade, vemos um rápido declínio. Salá foi o primeiro filho a nascer de um pai relativamente jovem (conforme nós contamos os anos). Pelo menos, seu nascimento foi o primeiro a ser registrado nessas condições.

Salá (Selá). Ver Gênesis 10.24.

■ 11.13

וַיְחִי אַרְפַּכְשַׁד אַחֲרֵי הוֹלִידוֹ אֶת־שֶׁלַח שָׁלֹשׁ שָׁנִים וְאַרְבַּע מֵאוֹת שָׁנָה וַיּוֹלֶד בָּנִים וּבָנוֹת׃ ס

Arfaxade chegou ao total de 438 anos. De acordo com os padrões antediluvianos, morreu como um homem relativamente jovem. Ver o vs. 12.

E gerou filhos e filhas. Essa declaração é repetida em Gênesis 11.11,13,15,17,19,21,23 e 25, ou seja, oito vezes, dentro da genealogia de Sem. Houve muitos outros nascimentos que não foram alistados. A lista é apenas representativa, e não exaustiva.

■ 11.14

וְשֶׁלַח חַי שְׁלֹשִׁים שָׁנָה וַיּוֹלֶד אֶת־עֵבֶר׃

Trinta anos. Outro nascimento de um filho quando seu pai era relativamente jovem. Ver o vs. 12.

Héber. Ver no *Dicionário* o artigo a seu respeito. Presume-se que o nome *hebreus* derive do nome desse homem.

■ 11.15

וַיְחִי־שֶׁלַח אַחֲרֵי הוֹלִידוֹ אֶת־עֵבֶר שָׁלֹשׁ שָׁנִים וְאַרְבַּע מֵאוֹת שָׁנָה וַיּוֹלֶד בָּנִים וּבָנוֹת׃ ס

Quatrocentos e três anos. Isso quer dizer que Selá viveu um total de 533 anos, ligeiramente menos do que o *jovem* Arfaxade. Ver nas notas de Gênesis 5.21 a seção intitulada *Desejabilidade de uma Longa Vida.*

■ 11.16

וַיְחִי־עֵבֶר אַרְבַּע וּשְׁלֹשִׁים שָׁנָה וַיּוֹלֶד אֶת־פָּלֶג׃

Trinta e quatro anos. Outro nascimento de um filho quando seu pai era relativamente novo. Ver os vss. 12 e 14.

Pelegue. Ver Gênesis 10.25. Foi no seu tempo que ocorreu a *divisão* dos homens, por causa da torre de Babel. Em outras palavras, os homens reiniciaram então as grandes migrações, consoante a vontade divina expressa em Gênesis 9.1, por terem sido forçados a isso.

■ 11.17

וַיְחִי־עֵבֶר אַחֲרֵי הוֹלִידוֹ אֶת־פֶּלֶג שְׁלֹשִׁים שָׁנָה וְאַרְבַּע מֵאוֹת שָׁנָה וַיּוֹלֶד בָּנִים וּבָנוֹת׃ ס

Héber viveu um total de 464 anos. A vida humana agora tinha bem menor duração do que antes do dilúvio, e a longevidade continuaria diminuindo.

■ 11.18

וַיְחִי־פֶלֶג שְׁלֹשִׁים שָׁנָה וַיּוֹלֶד אֶת־רְעוּ׃

Pelegue gerou *Reú*. Temos aí a primeira adição de um nome dado à genealogia dos descendentes de Sem, segundo se viu em Gênesis 10.21 ss.

Reú. No hebraico, *amigo, companheiro.* Ele era filho de Pelegue e pai de Serugue. Era descendente de Sem (Gn 11.18-21; 1Cr 1.25,26). Alguns intérpretes fazem dele o pai de Melquisedeque, sacerdote do Deus Altíssimo. Na verdade, porém, coisa alguma se sabe sobre Melquisedeque, além do fato de seu sacerdócio. Ver Hebreus 7.3.

■ 11.19

וַיְחִי־פֶלֶג אַחֲרֵי הוֹלִידוֹ אֶת־רְעוּ תֵּשַׁע שָׁנִים וּמָאתַיִם שָׁנָה וַיּוֹלֶד בָּנִים וּבָנוֹת׃ ס

Pelegue viveu somente 239 anos, pouco mais que a metade da vida de seu pai. Teve muitos filhos que não foram nomeados na lista (ver o vs. 13). Talvez um deles tenha sido Melquisedeque, embora não haja como averiguar a possibilidade.

■ 11.20

וַיְחִי רְעוּ שְׁתַּיִם וּשְׁלֹשִׁים שָׁנָה וַיּוֹלֶד אֶת־שְׂרוּג׃

Serugue. No hebraico, *firmeza, força.* Seu nome aparece em Gênesis 10.20-23; 1Coríntios 1.26; e, na genealogia de Jesus, em Lucas 3.35, onde a forma grega é *Serouch.* Ele foi o pai de Naor e o bisavô de Abraão. Coisa alguma se sabe acerca dele, além daquilo que lemos no próprio texto. As tradições árabes atribuem a ele a edificação de duas cidades, ambas as quais teriam recebido o seu nome.

11.21

וַיְחִי רְעוּ אַחֲרֵי הוֹלִידוֹ אֶת־שְׂרוּג שֶׁבַע שָׁנִים וּמָאתַיִם שָׁנָה וַיּוֹלֶד בָּנִים וּבָנוֹת: ס

Reú viveu por 239 anos, exatamente a idade de seu pai, Pelegue, ao falecer. Presume-se que tenha sido em seus dias que vários reinos foram organizados. Alegam alguns que, quando ele estava com 130 anos, Ninrode começou a reinar em Babilônia. E em seus dias (no dizer de outros), o Egito ergueu-se como uma nação poderosa. Outros reinos são mencionados, como o das amazonas e o dos boêmios, mas não há como verificar se essas tradições estão com a razão. O que é indiscutível é que o Egito já havia passado por várias dinastias, antes de seu tempo. Ver no *Dicionário* o artigo intitulado *Egito*. Alguns pensam que ele morreu quando Abraão estava com 75 anos de idade, e que cerca de cinco dinastias antecederam os dias de Abraão.

11.22

וַיְחִי שְׂרוּג שְׁלֹשִׁים שָׁנָה וַיּוֹלֶד אֶת־נָחוֹר:

Naor. Duas pessoas e uma cidade têm esse nome nas páginas do Antigo Testamento. Ver Gênesis 11.22; 11.26 e 24.10. No hebraico, *resfôlego, respiração pesada*. Ele era filho de Serugue e pai de Terá, pai de Abraão. Viveu pelo espaço de 148 anos (uma vida muito breve, em comparação com seus antepassados), algum tempo antes de 2100 a.C. Seu nome aparece na genealogia de Jesus em Lucas 3.34. Sua grande distinção foi que ele era o avô de Abraão. Alguns pensam que seu nome significa "esforço intenso", dando a isso uma torção espiritual: "Foi com ele e em seus dias que os homens começaram a ter uma luta espiritual mais séria, o que veio a refletir-se na vida de Abraão, o qual representou um grande avanço espiritual". O trecho de Josué 24.2 mostra que a idolatria era praticada de modo geral pelos descendentes de Sem. Talvez Naor tenha feito algo para reverter isso, embora nada se saiba sobre ele com certeza.

11.23

וַיְחִי שְׂרוּג אַחֲרֵי הוֹלִידוֹ אֶת־נָחוֹר מָאתַיִם שָׁנָה וַיּוֹלֶד בָּנִים וּבָנוֹת: ס

Serugue viveu por 230 anos. A duração da vida humana estava declinando rapidamente, a cada geração. Serugue teve muitos filhos e filhas cujos nomes não figuram na lista. Ver o vs. 13 quanto a isso. Detalhes fornecidos por escritores judeus e árabes dizem que foi em seus dias que a idolatria começou, que surgiu o reino de Damasco, que os babilônios inventaram os pesos e as medidas, como tecer a seda e a arte de tingir panos. Mas tudo isso, provavelmente, é apenas imaginário.

11.24

וַיְחִי נָחוֹר תֵּשַׁע וְעֶשְׂרִים שָׁנָה וַיּוֹלֶד אֶת־תָּרַח:

Vinte e nove anos. Naor foi o homem mais jovem a gerar um filho, até onde vai o registro bíblico até este ponto.

Terá. Pai do grande Abraão (Gn 11.24-32). No hebraico, esse nome significa *giro, duração* ou *vagueação*. Na Septuaginta, *Thárra*. Também há menção a ele em Josué 24.2; 1Crônicas 1.26 e Lucas 3.34. Estêvão referiu-se ao pai de Abraão em Atos 7.4.

Terá teve três filhos que, no livro de Gênesis, são chamados de Abrão, Naor e Harã. Isso corresponde à época em que Terá vivia em Ur, uma cidade que a maioria dos eruditos modernos identifica como *Al-Muqayyur*, no curso inferior do rio Eufrates, já próximo do golfo Pérsico. De Ur, pois, Terá migrou para o norte, cerca de 800 km ao longo do rio Eufrates, até a cidade de Harã, localizada cerca de 440 km a nordeste de Damasco.

Embora o nome de Abrão ocorra em primeiro lugar, não devemos concluir daí que ele tenha sido o filho mais velho de Terá. É possível que Harã, que morreu antes de a família ter-se mudado mais para o norte, tivesse sido o filho mais velho. Foi o filho de Harã, Ló, quem, finalmente, acompanhou Abraão até à Palestina.

De acordo com Josué 24.2,15, Terá era um homem idólatra. A principal divindade adorada em Ur era Nannar (em semítico, *Sin*). E isso também acontecia na cidade de Harã, durante os dias de Terá.

Talvez tenha sido por esse motivo, igualmente, que o Senhor, quando quis conceder a Abraão experiências espirituais, recomendou-lhe: "Sai da tua terra, da tua parentela e da casa de teu pai, e vai para a terra que te mostrarei; de ti farei uma grande nação..." (Gn 12.1,2). Isso precipitou a formação do povo de Israel, cuja finalidade principal foi servir de berço para o Messias. Ver Romanos 9.5. A graça de Deus operou toda essa transformação, desde o idólatra Terá até o próprio Filho de Deus encarnado, o Salvador do mundo.

11.25

וַיְחִי נָחוֹר אַחֲרֵי הוֹלִידוֹ אֶת־תֶּרַח תְּשַׁע־עֶשְׂרֵה שָׁנָה וּמְאַת שָׁנָה וַיּוֹלֶד בָּנִים וּבָנוֹת: ס

Naor viveu somente 148 anos, pois a duração da vida humana vinha declinando rapidamente depois do dilúvio. Alguns presumem que, em seus dias, a idolatria tenha aumentado de forma alarmante, e grande juízo caiu sob a forma de um poderoso terremoto. Alguns calculam que foi nesse tempo que surgiram a Espanha, Portugal e Aragão como reinos. Naor morreu quando Abraão estava com 110 anos de idade. Mas, quanto a esses detalhes, coisa alguma sabemos com certeza.

11.26

וַיְחִי־תֶרַח שִׁבְעִים שָׁנָה וַיּוֹלֶד אֶת־אַבְרָם אֶת־נָחוֹר וְאֶת־הָרָן:

Abrão. Ofereço, no *Dicionário*, um detalhado artigo intitulado *Abraão*.

Naor. Este deve ser distinguido do Naor de Gênesis 11.22, que foi seu avô. Era filho de Terá e irmão de Abraão e Harã. Casou-se com sua sobrinha, Milca, filha de Harã (Gn 11.26,27,29). Aparentemente, viajou até Harã (o lugar) na companhia de Terá, Abrão e Ló, a despeito do fato de que isso não é mencionado especificamente em Gênesis 11.31. Harã veio a tornar-se conhecido como "a cidade de Naor" (Gn 24.10); e isso parece uma prova adequada daquela assertiva. Como é natural, ele pode ter chegado ali posteriormente.

Naor foi o progenitor de doze tribos dos arameus, alistadas em Gênesis 22.20-24, o que ilustra o parentesco próximo entre os arameus e os hebreus. Parece que Naor havia preservado as tradições religiosas (pré-hebreias) dos semitas, porquanto adorava a um falso deus, honrado por seu pai, Terá (Gn 31.53). É possível, igualmente, que o pacto firmado entre Jacó e Labão, em Mispa (Gn 31.43 ss.), tenha incluído vastos feitos tanto a Yahweh quanto ao deus de Terá, o que era tradicional na família, provavelmente desde gerações anteriores.

Harã. Três pessoas recebem esse nome no Antigo Testamento. Aquele que recebe esse nome no texto era filho de Terá e irmão de Abrão e Naor. Ele era o pai de Ló, e tinha duas filhas chamadas Milca (que se casou com Naor, um tio seu) e Iscá (Gn 11.27-31). Faleceu antes de seu pai, Terá, o que parece ter sido um caso raro, porquanto é mencionado. Muitos estudiosos têm pensado que seu nome significa "forte" ou "iluminado". Viveu por volta de 1990 a.C. Interessante é observar que Iscá, filha de Harã, é considerada por alguns antigos a mesma *Sara*, esposa de Abraão. Entre esses poderíamos citar Josefo. Contudo, não se sabe qual a base para essa opinião.

AS GERAÇÕES (*TOLEDOTH*) DE TERÁ (11.27-29)

Achamos aqui a sétima divisão do livro de Gênesis, de acordo com o uso que o autor sagrado fazia da palavra hebraica *toledoth*, "gerações". Os livros antigos não contavam com divisões ou seções como os livros modernos, e certamente também não tinham índices. O autor do livro de Gênesis dividiu seu livro em doze seções, cada uma delas iniciada pela palavra hebraica *toledoth*. Ver a nota sobre isso em Gênesis 2.4. As gerações de Terá, naturalmente, incluem aquelas de Abraão. É a partir deste ponto que começa a ser apresentada a nação de Israel, a nação derivada de Abraão, a nação por meio da qual viria o Messias. Assim a linhagem santa foi Sem/Terá/Abraão.

As informações que aqui achamos já tinham sido expostas no vs. 26, exceto pelo fato de que agora somos apresentados a Ló, filho de Harã. Esta seção serve para encerrar a genealogia de Sem, iniciada no vs. 10. É possível que a família de Abraão vivesse em Harã, lugar ao qual, finalmente, eles voltaram (Gn 11.31). Nesse caso, a família havia migrado por uma distância de cerca de 970 km, desde Ur, na Suméria, até aquele lugar. E dali, Abraão desceu à Palestina, dando assim início à história de Israel.

ATI ■ Gênesis

■ 11.27

וְאֵ֙לֶּה֙ תּוֹלְדֹ֣ת תֶּ֔רַח תֶּ֖רַח הוֹלִ֣יד אֶת־אַבְרָ֑ם אֶת־נָח֖וֹר וְאֶת־הָרָ֑ן וְהָרָ֖ן הוֹלִ֥יד אֶת־לֽוֹט׃

Todos os nomes que figuram neste versículo já foram anotados nos vss. 25 e 26, exceto *Ló*. Provi no *Dicionário* um longo e detalhado artigo sobre ele. Seu nome aparece aqui, provavelmente, porque ele haveria de figurar com proeminência nas narrativas que se seguirão. Ele era sobrinho de Abraão.

"...embora Abraão seja a personagem cêntrica, contudo a narrativa é chamada *toledoth Terá*, tal como a história de José foi chamada de *toledoth Jacó* (ver Gn 37.2). Isso vincula Abraão com o passado mostrando que, mediante Terá, e o *toledoth* que terminou com ele, ele era o representante de Sem."

Terá gerou a Abrão. Os comentaristas, em seu esforço por fazer a declaração de Estêvão, em Atos 7.4, concordar com os números do texto hebraico, têm suposto que Abraão não fosse o filho mais velho, e que o primeiro lugar lhe havia sido dado aqui por causa de sua proeminência espiritual. Mas isso é contra as regras da língua hebraica, e o fracasso da tentativa de privar Sem de seu direito de primogenitura, por uma tradução errada de Gênesis 10.21, confirma a reivindicação de Abraão à mesma prerrogativa" (Ellicott, *in loc.*). Ver as notas sobre o vs. 32 quanto aos números hebraicos em questão.

■ 11.28

וַיָּ֣מָת הָרָ֗ן עַל־פְּנֵ֛י תֶּ֥רַח אָבִ֖יו בְּאֶ֣רֶץ מוֹלַדְתּ֑וֹ בְּא֖וּר כַּשְׂדִּֽים׃

Morreu Harã... em Ur. Um breve comentário triste que envolve uma circunstância incomum. Sempre é triste quando um filho amado morre antes de seu pai. Parece algo tão desnatural. Mas precisamos continuar confiando na bondade de Deus, bem como no destino específico que Deus dá a cada ser humano. Uma vida longa é desejável, o que já comentei em sentido poético em Gênesis 5.21. Apesar de ser verdade que é melhor viver *bem* do que viver muito, ainda é mais verdadeiro que é melhor viver bem *e* longamente. O texto aqui pode significar "antes da morte de seu pai" ou "na presença de seu pai". Esse é o primeiro registro de uma morte prematura na Bíblia. Todos tememos a morte. *Sabemos* que Deus controla os ciclos da vida e, sem importar se esses ciclos são breves ou longos, sua vontade prevalece. Mas tememos os ciclos breves como se algum acidente estivesse envolvido neles. Tememos o caos e o desconhecido. O bispo William Lawrence, do Estado americano de Massachusetts, disse: "Para mim, o mais surpreendente na vida é que ela se vai tornando cada vez mais interessante, conforme envelhecemos. E uma fé cristã de uma longa vida infunde serenidade e esperança àqueles últimos anos". Ele tinha mais de 90 anos de idade quando escreveu essas palavras. Naturalmente, a vida humana toda, por mais longa que a consideremos, é breve. Minha mãe faleceu com somente 68 anos. O desejo dela era atingir os 80 anos e falecer de um ataque cardíaco. Ela só atingiu 68 e morreu de câncer. Deve ser nosso desejo viver o bastante para completarmos a nossa missão, e enquanto *outras* pessoas precisarem de nós. Que Deus nos conceda essa graça!

"...Harã morreu diante da face de seu pai; mas Abraão sobreviveu em segurança perante os olhos de todos eles" (John Gill, *in loc.*). Isso ele comentou acerca da alegada morte de Harã. Harã e Abraão foram lançados na fornalha: Harã representando os deuses falsos, e Abraão o verdadeiro Deus. O teste destruiu Harã, mas Abraão sobreviveu diante dele. Essas adições, todavia, são meros arroubos da imaginação. Nada sabemos acerca das circunstâncias que envolveram a morte de Harã.

Em Ur. No *Dicionário* há um longo e detalhado artigo sobre *Ur*. Ver também sobre a *Caldeia*.

■ 11.29

וַיִּקַּ֨ח אַבְרָ֧ם וְנָח֛וֹר לָהֶ֖ם נָשִׁ֑ים שֵׁ֤ם אֵֽשֶׁת־אַבְרָם֙ שָׂרָ֔י וְשֵׁ֤ם אֵֽשֶׁת־נָחוֹר֙ מִלְכָּ֔ה בַּת־הָרָ֥ן אֲבִֽי־מִלְכָּ֖ה וַאֲבִ֥י יִסְכָּֽה׃

Mulheres... Sarai. No *Dicionário* há um longo e detalhado artigo.

Milca. Naor casou-se com Milca, sua sobrinha. Ver o *Dicionário* quanto ao artigo intitulado *Incesto*. Naturalmente, aquilo que hoje consideramos incestuoso não era assim considerado nos tempos de Abraão, pois, afinal, ele casou-se com sua meia-irmã.

Milca, no hebraico, *conselho*. Há algumas variantes textuais que incluem as formas *Melcha* (na Septuaginta) e *Malka*, que significa "rainha". Essa palavra é usada como nome próprio feminino para indicar duas mulheres nas páginas da Bíblia. Ver também Números 26.33; 27.1. Uma filha de Harã tinha esse nome. Ela tornou-se esposa de Naor, irmão de Abraão. Teve oito filhos, um dos quais foi Betuel, pai de Rebeca (esposa de Isaque). Ver Gênesis 11.19; 22.20,23; 24.15,24,27. Ela viveu em cerca de 1950 a.C. É curioso que no panteão de Harã, *Sharratu* (nome similar ao de Sara) era o título dado à deusa-lua, consorte de Sin, ao passo que *Malkatu* (nome similar a Milca) era um título de Istar, uma deusa que também era adorada ali. É possível que esses dois nomes femininos derivassem da religião pagã com que a família de Abraão se tinha envolvido desde algumas gerações anteriores.

Iscá. No hebraico, *vigilante*. Esse era o nome de uma filha do irmão de Abraão, Harã. As tradições judaicas, como também Jerônimo (*Quaest*, sobre o Gênesis), identificavam-na com Sara. Josefo disse a mesma coisa (*Antiq.* 1.6,5). Mas Harã era irmão de Abraão (vs. 26). Ora, se Sara era filha dele, então Sara era sobrinha de Abraão, e não sua meia-irmã, conforme se lê em Gênesis 20.2. Ademais, por que Sara receberia outro nome dentro de uma mesma sentença, sem nenhuma explicação por parte do autor sacro?

■ 11.30

וַתְּהִ֥י שָׂרַ֖י עֲקָרָ֑ה אֵ֥ין לָ֖הּ וָלָֽד׃

Sarai era estéril. Até essa altura de sua vida, essa era a coisa mais significativa que podia ser dita sobre ela. Mas essa afirmação prepara o leitor para o milagre que vem mais tarde, o nascimento de Isaque (Gn 17.15), uma parte necessária do Pacto Abraâmico, que em breve teria lugar. Ver no *Dicionário* o artigo chamado *Pactos*.

Era precária a situação da mulher na sociedade antiga. Uma mulher sem filhos facilmente podia ser substituída por outra, dotada de rosto bonito, *e* fértil. As mulheres achavam alguma segurança quando se tornavam mães, e a competição entre as mulheres, no tocante aos homens, não era sexual (o homem fazia o que melhor lhe agradava). A luta envolve o número de filhos que ela deveria ter para cimentar seu casamento. De acordo com os padrões antigos, a situação de Sarai era uma *calamidade*.

■ 11.31

וַיִּקַּ֨ח תֶּ֜רַח אֶת־אַבְרָ֣ם בְּנ֗וֹ וְאֶת־ל֤וֹט בֶּן־הָרָן֙ בֶּן־בְּנ֔וֹ וְאֵת֙ שָׂרַ֣י כַּלָּת֔וֹ אֵ֖שֶׁת אַבְרָ֣ם בְּנ֑וֹ וַיֵּצְא֨וּ אִתָּ֜ם מֵא֣וּר כַּשְׂדִּ֗ים לָלֶ֙כֶת֙ אַ֣רְצָה כְּנַ֔עַן וַיָּבֹ֥אוּ עַד־חָרָ֖ן וַיֵּ֥שְׁבוּ שָֽׁם׃

Todos os nomes que figuram neste ponto já foram comentados nos versículos anteriores. Mas aqui recebemos a informação de que a família mudou-se de Ur para Harã, a cerca de 960 km de distância. Alguns eruditos pensam que, originalmente, a família residia em Harã, teria migrado para Ur, e agora retornava. Essa conjectura alicerça-se no fato de que alguns dos nomes da família de Terá são os mesmos nomes que se encontram em *Arã*, terra onde se localizava a cidade de Harã. Todavia, no próprio texto não achamos o menor indício sobre essas viagens.

Harã. Sobre a localidade assim chamada, ofereço um artigo detalhado no *Dicionário*. Esse lugar era um dos centros da deusa-lua (cujo nome era parecido com o de Sarai, isto é, *Sharratu*). Mas esse era um nome babilônico e não estava associado exclusivamente a Harã. Os críticos pensam que a fonte J² indica que Harã era a pátria original da família de Abraão, e que a fonte P alterou para Ur. Mas esse argumento, com base em um nome de família, é precário. Rotas comerciais ligavam Ur a Harã, e os nomes, sem dúvida, eram trazidos para cá e para lá. Ver no *Dicionário* o artigo *J.E.D.P.(S.)* quanto à teoria das fontes informativas múltiplas do Pentateuco.

Uma Omissão. Há muitas conjecturas sobre os parentes de Sara. O relato não nos diz aqui que ela era filha de Terá (embora de mãe diferente da de Abraão), mas isso parece ficar indicado em Gênesis 20.2, a menos que Abraão tenha usado o termo *irmã* em um sentido lato, que poderia incluir até uma sobrinha (talvez a *Iscá* do vs. 29).

A Chamada Preliminar. O texto não esclarece por qual motivo Terá mudou-se para Harã. Mas podemos ter a certeza de que o propósito que operava na vida de Abraão requeria essa mudança, pelo que Deus arranjou as circunstâncias para promover o destino de Abraão. Coisas dessa natureza não cessam de ocorrer. O destino atua através de famílias, e então nos indivíduos que fazem parte dessas famílias. Nenhum homem é uma ilha, separada do continente. Josefo diz que Terá ainda estava a lamentar-se pela morte prematura de Harã (vs. 28), e que não gostava de Ur, por causa da conexão desse lugar com aquele acontecimento funesto (Elmarinus, par. 31). Mas o mais provável é que isso seja mera conjectura.

Para ir à terra de Canaã. Ao que tudo indica, o intuito de Terá era entrar na Terra Prometida. Por que ele não o fez não é explanado no texto. Mas Abraão cumpriu essa intenção, e esse era o *seu* destino, e não o de Terá. Ver no *Dicionário* o artigo intitulado *Canaã*.

É possível que a migração de Terá tenha feito parte das migrações das tribos semíticas para o oeste e para o norte. Parece que na época eles eram povos seminômades. O termo "hebreu" parece significar *nômade*. Ver no *Dicionário* sobre o vocábulo *Héber*. Ellicott (*in loc.*) pensa que a viagem feita por Terá teve motivos religiosos, visto que Harã era um centro religioso, mas também era uma grande capital comercial e industrial. É possível que Terá tenha misturado as duas atividades. O dinheiro geralmente é o motivo impulsionador das ações da maioria das pessoas.

■ 11.32

וַיִּהְיוּ יְמֵי־תֶרַח חָמֵשׁ שָׁנִים וּמָאתַיִם שָׁנָה וַיָּמָת תֶּרַח בְּחָרָן: ס

Terá atingiu a idade de 205 anos. Nunca cumpriu seu desejo de chegar à terra de Canaã. O destino de cada pessoa toma precedência sobre seus desejos pessoais. Antigos escritores judeus deixaram registrado que Terá morreu quando Isaque estava com 35 anos de idade.

CAPÍTULO DOZE

A ESCOLHA DE ABRAÃO, ISAQUE, JACÓ E JUDÁ (12.1—23.20)

ABRAÃO ENTRA NA TERRA PROMETIDA (12.1—14.24)

A CHAMADA DE ABRAÃO (12.1-8)

Todos os eventos primevos agora tinham sido descritos. A sequência Adão/Sete/Abraão/Israel passava agora a ser a consideração dominante. Passamos de Adão a Israel, por meio de Abraão.

"Os capítulos 11 e 12 do Gênesis assinalam um importante ponto no trato divino com os homens. Até este ponto, a história envolvera toda a raça adâmica. Não havia ainda a distinção entre judeus e gentios; todos eram um só no primeiro homem, Adão. Mas doravante, no registro bíblico, a humanidade devia ser considerada uma vasta torrente da qual Deus, na chamada de Abraão e na formação da nação de Israel, separou uma estreita faixa, através da qual, finalmente, ele haveria de purificar a própria grande torrente! Israel foi chamada para ser testemunha da unidade de Deus em meio à idolatria universal (Dt 6.4; Is 43.10-12), para ilustrar quão bendito é servir ao verdadeiro Deus (Dt 33.26-29), para receber e preservar as revelações divinas (Rm 3.1,2; Dt 4.5-8), e para produzir o Messias (Gn 3.15; 21.12; 28.10,14; 49.10; 2Sm 7.16,17; Is 4.3; Mt 1.1)" (C. I. Scofield, *in loc.*).

Quarta Dispensação — A Promessa. Estende-se desde a chamada de Abraão (Gn 12). Ver no *Dicionário* o artigo intitulado *Dispensação (Dispensacionalismo)*.

O Pacto Abraâmico. Esse é o quarto pacto referido na Bíblia. Ver o artigo geral sobre os *Pactos* no *Dicionário*. Ver detalhes sobre o Pacto Abraâmico nas notas sobre Gênesis 15.18.

A promessa de Deus a Abraão (no pacto estabelecido com ele) produziu um novo tipo de relacionamento entre Deus e os homens, relacionamento esse que pode ser chamado *dispensação*. Deus fez grandes promessas que garantiam o soerguimento de Israel, a bênção de todas as nações através dessa *nação,* e a promessa do Messias, tipificado em Isaque, o *filho da promessa.* Esse pacto era gracioso e incondicional, e desse modo o princípio da *graça* (ver sobre isso no *Dicionário*) foi ilustrado e antecipado. A dispensação da promessa, conforme insistem os dispensacionalistas, estende-se de Gênesis 12.1 a Êxodo 19, quando então entra em cena a lei mosaica, imposta ao povo de Israel. A dispensação era *provisória*, mas o pacto é *eterno*, pelo que continua em vigor. A lei mosaica não ab-rogou o pacto, conforme Paulo deixa claro em Gálatas 3.15-18. A dispensação era uma medida disciplinadora e um período de prova, conforme o são todas as dispensações.

Houve muitos motivos por trás das migrações que atraíram povos semíticos à terra de Canaã, incluindo as migrações de povos, comunidades e famílias. Porém, por trás de todas as *circunstâncias,* havia a vontade divina, que estava moldando as circunstâncias que precipitariam os eventos desejados. Dinheiro, espírito aventureiro e motivos religiosos sempre foram molas impulsionadoras das migrações. O trecho de Hebreus 11.8 revela-nos que Abraão saiu sem saber para onde ia. Por certo ele conhecia Harã e talvez até já tivesse habitado ali ou tivesse visitado o lugar. Mas a terra de Canaã, como é provável, era essencialmente desconhecida para os primeiros nômades que ali chegaram. Até mesmo nossas viagens podem ter por trás delas a vontade divina, embora não tenhamos consciência de como isso opera.

Veio a chamada, e Abraão respondeu com fé. Isso fez dele um homem de fé, o que é comentado em várias passagens do Novo Testamento. Ver Romanos 4.1-3; 4.16; Gálatas 3.6-9; Hebreus 11.8-19; Tiago 2.21-23.

■ 12.1

וַיֹּאמֶר יְהוָה אֶל־אַבְרָם לֶךְ־לְךָ מֵאַרְצְךָ וּמִמּוֹלַדְתְּךָ וּמִבֵּית אָבִיךָ אֶל־הָאָרֶץ אֲשֶׁר אַרְאֶךָּ:

Sai da tua terra. A chamada missionária: ele deixaria amigos, família e terra natal. Levaria seus filhos a uma terra estrangeira, forçando-os assim a aprender outra língua e a viver em um lugar estranho. Apenas metade dos missionários permanece no campo mais do que o primeiro termo (3 a 5 anos). Não é fácil arrancar todas as raízes e começar tudo de novo. Alguns saem como aventureiros; outros ganham dinheiro para fazer isso; outros saem impelidos por intenso zelo religioso, por muitas vezes tolos e acriançados. Aqueles que vão e perseveram têm por trás de si a vontade de Deus, e é isso que dá poder de permanência ao empreendimento missionário. Abraão foi um pioneiro, ou seja, alguém que vai para o deserto e ali prepara o caminho para outros. O pioneiro abre uma vereda; os que o seguem abrem uma estrada. Assim sucedeu com Abraão. Colombo descobriu um novo mundo, e não tinha mapa. Atravessou o oceano em embarcações que eram cascas de nozes, e fundeou entre nativos hostis. A parte ocidental dos Estados Unidos foi conquistada com grande determinação, por uma raça de pioneiros e aventureiros. A grandeza do pioneiro é que ele prossegue apesar de suas perdas óbvias, olhando para um grande ganho remoto. É assim que as Escrituras falam acerca da aventura de Abraão (ver Hb 11.9-10).

Abraão era homem abastado em bens como gado, prata e ouro (Gn 13.2). É belo poder alguém avançar em meio à afluência material. O dinheiro pode fazer muitas coisas. Mas muitos pioneiros têm tido de aventurar-se em grande pobreza; e, mesmo assim, tornam-se vencedores.

Um País Desconhecido Esperava por Abraão. A chamada de Deus sempre tem um ou mais objetivos concretos. Quem nos *mostra* isso é o próprio Deus. Ver no *Dicionário* o artigo chamado *Vontade de Deus, Como Descobri-la.* Profunda verdade oculta-se naquele ditado que diz: "Quem não arrisca não petisca". Todos os grandes projetos custam alguma coisa para os que neles se aventuram. Mas todo risco acaba pagando dividendos. No caso de Abraão, grandes coisas estavam em jogo. Uma nação escolhida haveria de surgir por meio dele; e o Messias seria seu filho.

"Essa chamada de Abraão é um emblema da chamada dos homens, por meio da graça de Deus, para fora deste mundo e dentre os homens, renunciando às vantagens materiais, não se conformando com elas, e esquecendo-se de sua própria gente e da casa paterna, a fim de apegar-se ao Senhor, seguindo-o para onde quer que ele oriente" (John Gill, *in loc.*).

Tua terra. O local onde foi feita a chamada foi Harã. Mas os trechos de Gênesis 15.7; Neemias 9.7 e Atos 7.2 mostram que tudo se originara em *Ur,* talvez por orientação divina direta, que Abraão pôde entender, ou, pelo menos, Deus estava providenciando essa

A JORNADA DE ABRAÃO DE UR PARA A PALESTINA (2000—1800 a.C.)

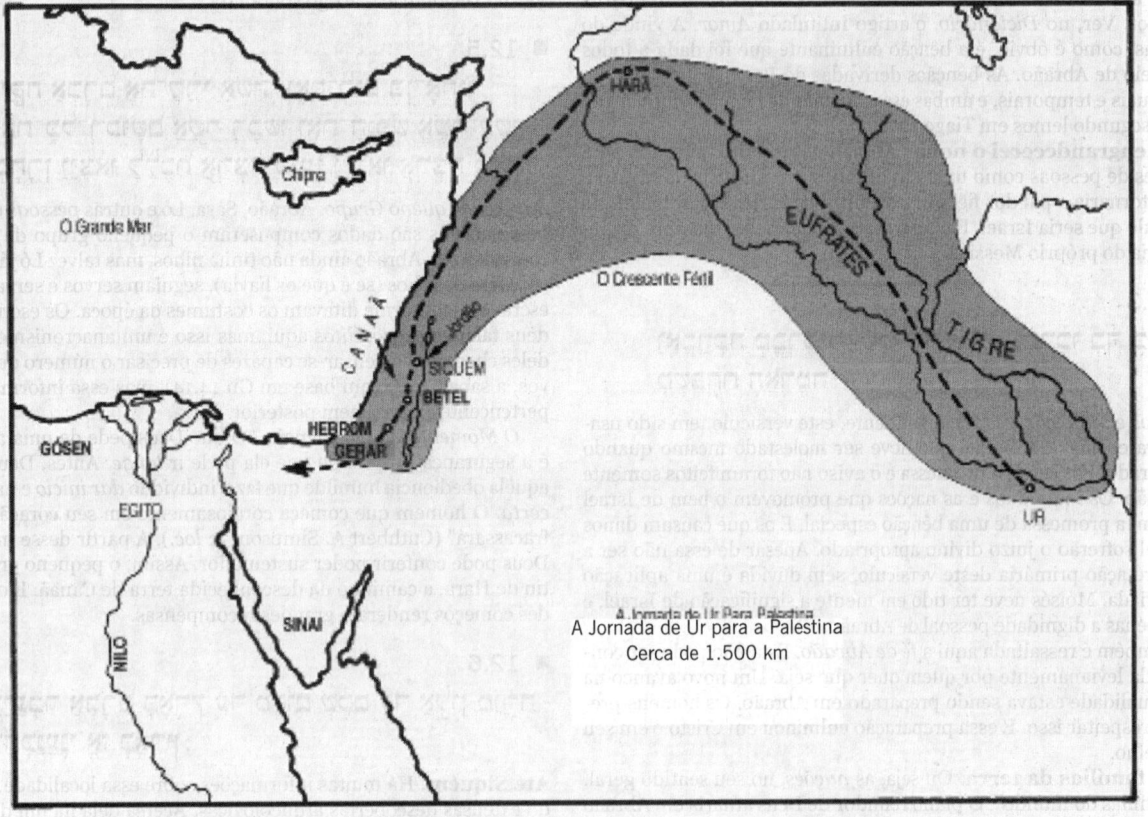

A Jornada de Ur para a Palestina
Cerca de 1.500 km

chamada, em sua forma preliminar, desde Ur, e não somente desde Harã, que acabaria levando Abraão à terra de Canaã. O relato do livro de Atos sugere alguma orientação divina bem definida e mesmo gloriosa. É lindo quando o crente é dirigido de maneira óbvia e específica, não precisando depender de meras circunstâncias externas para sentir-se guiado.

■ 12.2

וְאֶעֶשְׂךָ֙ לְג֣וֹי גָּד֔וֹל וַאֲבָ֣רֶכְךָ֔ וַאֲגַדְּלָ֖ה שְׁמֶ֑ךָ וֶהְיֵ֖ה בְּרָכָֽה׃

De ti farei uma grande nação. Nenhum homem é uma ilha, separada do continente. Abraão residia em Harã, abastado e com uma vida amena, gozando a vida. Mas eis que Deus tinha em mira coisas maiores para ele. Israel haveria de nascer a partir de Abraão. "Não havendo profecia o povo se corrompe" (Pv 29.18). Os prazeres embotam-nos a visão. Deus *desarraigou* a Abraão e *perturbou* o seu programa. Deu-lhe uma promessa, mas não recursos imediatos. Ele teria de *esforçar-se* para que a promessa tivesse cumprimento. Deus tem um plano, mas nós temos de *colocá-lo em execução*, tanto quanto isso estiver ao nosso alcance. Quando as coisas "avançam mais depressa do que nós", então precisamos de uma intervenção divina. Abraão teve *a fé* suficiente para pôr em execução a promessa divina:

Fé
    Oh, mundo, não escolheste a melhor parte;
    Não é sábio ser apenas sábio,
    E fechar os olhos para a visão interior;
    Mas é sabedoria acreditar no coração.
    Colombo achou um mundo, e não tinha mapa,
    Salvo o da fé, decifrado nas estrelas.
    Confiar na empresa invencível da alma

A CHAMADA DE ABRAÃO

Disse o Senhor a Abraão:
Sai da tua terra, da tua parentela e da casa de teu pai, e vai para a terra que te mostrarei.
De ti farei uma grande nação e te abençoarei, e te engrandecerei o nome.
Sê tu uma bênção.
Abençoarei os que te abençoarem, e amaldiçoarei os que te amaldiçoarem; em ti serão benditas todas as famílias da terra.

Gênesis 12.1-3

Era toda a sua ciência, toda a sua arte.
Nosso conhecimento é uma tocha fumegante
Que ilumina o caminho um passo de cada vez,
Através de um vazio de mistério e espanto.
Ordena, pois, que brilhe a luz terna da fé,
A única capaz de dirigir nosso coração mortal
Aos pensamentos sobre as coisas divinas.

George Santayana

Te abençoarei... Sê tu uma bênção. O fundo divino de bondade é mais do que suficiente para todos. Deus tem seus instrumentos, mas todos são beneficiários. Abraão haveria de ser um instrumento especial, e o mundo inteiro seria o beneficiário. Seu nome seria engrandecido, mas grandes seriam também as bênçãos que fluiriam por meio dele a todas as nações. Hoje em dia, onde estivermos, estaremos desfrutando dos benefícios dessa promessa feita a Abraão. A verdadeira bem-aventurança flui por meio de nosso relacionamento com

Deus. Um novo relacionamento, com suas bênçãos mais ricas, estava sendo preparado na vida de Abraão. Por isso mesmo, diz aquele hino antigo: "Senhor, faz de mim uma bênção para alguém, hoje mesmo". Esse é um alvo nobre para todos os dias. As bênçãos fluem a partir do amor. Ver, no *Dicionário,* o artigo intitulado *Amor.* A vinda do Messias, como é óbvio, é a bênção culminante que foi dada a todos por meio de Abraão. As bênçãos derivadas do Pacto Abraâmico são espirituais e temporais, e ambas essas formas de bênçãos derivam de Deus, segundo lemos em Tiago 1.17.

Te engrandecerei o nome. Abraão se tornaria conhecido para milhões de pessoas como uma das grandes personagens da história. Ele se tornaria o pai dos fiéis, o progenitor de várias raças, incluindo o veículo que seria Israel. Ele foi o mais proeminente membro da genealogia do próprio Messias.

12.3

וַאֲבָרֲכָה מְבָרְכֶיךָ וּמְקַלֶּלְךָ אָאֹר וְנִבְרְכוּ בְךָ כֹּל מִשְׁפְּחֹת הָאֲדָמָה:

Bênçãos e Maldições. Tradicionalmente, este versículo tem sido usado para ensinar que Israel não deve ser molestado mesmo quando está errado. Por certo, a promessa e o aviso não foram feitos somente a Abraão. Os indivíduos e as nações que promovem o bem de Israel recebem a promessa de uma bênção especial. E os que causam danos a Israel sofrerão o juízo divino apropriado. Apesar de essa não ser a interpretação primária deste versículo, sem dúvida é uma aplicação apropriada. Moisés deve ter tido em mente a significação de Israel, e não apenas a dignidade pessoal de Abraão.

Também é ressaltada aqui a *fé de Abraão.* Esta não pode ser considerada levianamente por quem quer que seja. Um novo avanço na espiritualidade estava sendo preparado em Abraão. Os homens precisam respeitar isso. E essa preparação culminou em Cristo e em seu evangelho.

As famílias da terra. Ou seja, as *nações,* no seu sentido geral, "as famílias do mundo". O plano redimor de Deus atuaria em Abraão e em seu Filho, o Messias. Seria oferecida salvação eterna, que é a maior de todas as bênçãos. O evangelho haveria de universalizar a mensagem. Todos os povos seriam o seu objetivo (Jo 3.16). Achamos aqui um universalismo incipiente que, com frequência, se perdia de vista dentro do exclusivismo do judaísmo. O calvinismo radical também falha por não ver de modo devido essa promessa. O fogo divino não teve por intuito avisar somente à casa de Israel. Esse fogo não conheceria limites de nacionalidade.

"Abraão e a nação dele originada deveriam ser os intermediários entre Deus e a humanidade" (Ellicott, *in loc.*). Ver Romanos 3.29 e 10.12. Esta última referência mostra como a vontade de Deus abençoa *ricamente todos* quantos o invocam, e aquele capítulo está dentro de um contexto missionário.

12.4

וַיֵּלֶךְ אַבְרָם כַּאֲשֶׁר דִּבֶּר אֵלָיו יְהוָה וַיֵּלֶךְ אִתּוֹ לוֹט וְאַבְרָם בֶּן־חָמֵשׁ שָׁנִים וְשִׁבְעִים שָׁנָה בְּצֵאתוֹ מֵחָרָן:

Partiu, pois, Abrão. Ele recebeu as promessas, confiou e agiu de acordo com elas. Essas promessas incluem estes pontos: 1. uma grande nação viria à realidade por meio dele; 2. surgiria um grande nome pessoal, pois seria o pai dos fiéis, conhecido por milhões de pessoas em todos os séculos; 3. seria a fonte de bênçãos ou de maldições, tudo dependendo do acolhimento que dariam a ele, à sua nação e à sua mensagem. Eram promessas grandiosas e de longo alcance, e Abraão deixou-se *convencer* por elas. Isso posto, agiu movido pela convicção e pelo entusiasmo, e logo estava a caminho da terra de Canaã. A vontade decidida é metade da batalha, e Deus põe em ação a vontade do homem, inclinando-a para o que é certo.

Terá tinha morrido; Naor ficou para trás; mas Abraão seguiu avante. Ló também dispôs-se a ir, como também as esposas dos dois homens e os animais de ambos. Os pioneiros partiram pela trilha, rumo à terra desconhecida, mas abençoada.

Setenta e cinco anos. Idoso, de acordo com os nossos padrões, mas um homem ainda jovem, dentro da época de grande longevidade em que ainda viveu. E assim, o homem ainda jovem atirou-se à grande aventura.

Ló. Seu nome é aqui mencionado para armar o palco para futuras revelações. Ver Gênesis 13.5-13 e os caps. 14, 18 e 19, onde se lê sobre o drama de Sodoma e Gomorra e a origem dos moabitas e amonitas. Ver no *Dicionário* o artigo sobre *Ló.*

12.5

וַיִּקַּח אַבְרָם אֶת־שָׂרַי אִשְׁתּוֹ וְאֶת־לוֹט בֶּן־אָחִיו וְאֶת־כָּל־רְכוּשָׁם אֲשֶׁר רָכָשׁוּ וְאֶת־הַנֶּפֶשׁ אֲשֶׁר־עָשׂוּ בְחָרָן וַיֵּצְאוּ לָלֶכֶת אַרְצָה כְּנַעַן וַיָּבֹאוּ אַרְצָה כְּנָעַן:

Partiu o Pequeno Grupo. Abraão, Sara, Ló e outras *pessoas* cujos nomes não nos são dados compuseram o pequeno grupo de viajores. Nesse tempo, Abraão ainda não tinha filhos, mas talvez Ló já os tivesse. Além de filhos (se é que os havia), seguiam servos e servas (talvez escravos), conforme ditavam os costumes da época. Os escritores judeus falam em *prosélitos* aqui, mas isso é um anacronismo. Alguns deles chegaram a pensar-se capazes de precisar o número desses servos, a saber, 318 (com base em Gn 14.14), mas essa informação já é pertencente a época bem posterior.

O Momento da Obediência. "O que Deus pede de uma alma não é a segurança própria de que ela pode ir *longe.* Antes, Deus requer aquela obediência humilde que faz o indivíduo *dar início* e na *direção certa.* O homem que começa corajosamente em seu coração jamais fracassará" (Cuthbert A. Simpson, *in loc.*). A partir desse momento, Deus pode conferir poder sustentador. Assim, o pequeno grupo partiu de Harã, a caminho da desconhecida terra de Canaã. E os humildes começos renderam grandes recompensas.

12.6

וַיַּעֲבֹר אַבְרָם בָּאָרֶץ עַד מְקוֹם שְׁכֶם עַד אֵלוֹן מוֹרֶה וְהַכְּנַעֲנִי אָז בָּאָרֶץ:

Até Siquém. Há muitas informações sobre essa localidade, incluindo extensas descobertas arqueológicas. Acerca dela há um detalhado artigo no *Dicionário.* Essa palavra indica tanto o nome de um homem quanto de uma antiga cidade dos cananeus, nas então futuras colinas de Efraim (Js 20.7). Foi ali que Abraão e seu grupo, a caminho de sua nova pátria, fizeram uma parada. Aquele era o santuário do famoso carvalho de Moré (Gn 35.4; Dt 11.30). Seu nome moderno é Balatá, cerca de 45 km ao norte de Jerusalém. Os temíveis cananeus já se tinham instalado ali, e isso arma o palco para os relatos sobre intermináveis batalhas entre Israel e aquela gente. Ver no *Dicionário* o artigo sobre *Canaã.*

"Era perigoso e perturbador estar em uma região onde vivia um povo tão ímpio e irreligioso [como os cananeus]" (John Gill, *in loc.*).

O nome Siquém significa *ombro,* uma alusão à serra que é uma extensão entre os montes Ebal e Gerizim (separados como estavam os dois por ligeiramente mais do que 3 km).

Até ao carvalho de Moré. Algumas traduções dizem aqui "planície de Moré", mas "carvalho" é a verdadeira tradução. Ver a questão explicada nas notas sobre o vs. 7.

12.7

וַיֵּרָא יְהוָה אֶל־אַבְרָם וַיֹּאמֶר לְזַרְעֲךָ אֶתֵּן אֶת־הָאָרֶץ הַזֹּאת וַיִּבֶן שָׁם מִזְבֵּחַ לַיהוָה הַנִּרְאֶה אֵלָיו:

Apareceu o Senhor a Abrão. *Senhor,* neste caso, é *Yahweh.* Devemos considerar estas possibilidades: 1. houve, literalmente, uma teofania; 2. temos aqui uma linguagem metafórica (ou poética); 3. temos aqui uma alegoria, um modo de expressar uma experiência interior; 4. houve alguma forma de experiência mística; ou 5. temos aqui uma aparição do *Logos* no Antigo Testamento. Ver no *Dicionário* o artigo intitulado *Misticismo.*

Darei à tua descendência esta terra, ou seja, a ti e aos teus descendentes. Essa foi a mensagem de Yahweh. Fica assim antecipado o chamado *Pacto Abraâmico.* Ver Gênesis 15.18 quanto a completos detalhes. Ver também, no *Dicionário,* o artigo *Pactos.* Acabamos de ser informados que ali viviam os cananeus, e mais adiante saberemos que outras tribos temíveis também poderiam resistir à invasão. Mas o pacto com Deus haveria de garantir uma ocupação bem-sucedida, embora não sem conflito e sacrifício. Deus está presente conosco para garantir-nos, mas também precisamos estar presentes para que os acontecimentos tomem lugar, havendo ocasionais e bem acolhidas intervenções divinas em nosso favor.

Edificou Abrão um altar. A experiência de Abraão foi impressionante e eficaz. Antes de ir adiante, ele sentiu que deveria parar e adorar ao Senhor. Então fez aquela construção formal, levantando um altar, talvez uma simples pilha de pedras. E ali recebeu outras visitas da parte de Yahweh, por ser aquele um local de comunhão espiritual. Ver no *Dicionário* o artigo intitulado *Altar*. O autor sagrado acrescenta que foi Abraão quem ergueu o santuário ao pé do carvalho de Moré (vs. 60).

Carvalho dos Adivinhadores. Talvez esteja em foco o *carvalho dos Adivinhadores*, assim chamado somente em Juízes 9.37. Esse carvalho ficava localizado em um lugar proeminente, talvez em uma pequena colina. Os carvalhos eram muito estimados por serem árvores majestosas. E os idólatras costumavam praticar a sua adoração debaixo de carvalhos escolhidos. Há uma variante, nesse trecho de Juízes, que diz "planície". Nesse caso, um lugar específico é destacado, e não alguma árvore, onde os adivinhos viriam atuar. Ver o artigo sobre *Adivinhação*.

Moré significa *mestre*, sendo também uma referência ao carvalho ou carvalhal que era um lugar apropriado para o recebimento de instruções da parte de poderes divinos, ou, no caso de Abraão, da parte de *Yahweh*. Foi naquele santuário, sob uma forma rudimentar, que foi proferido o Pacto Abraâmico. Talvez esse seja também o carvalho mencionado em Gênesis 35.4, onde Jacó enterrou seus deuses, antes de prosseguir até Betel. Também há uma alusão ao mesmo local, na história de Abimeleque (Jz 9.3). Ali foi erigido um altar, que continuou sendo importante para Israel, nos anos subsequentes. É possível que os cananeus já tivessem erigido altares pagãos naquele lugar. Nesse caso, Abraão consagrou o lugar a Yahweh.

■ **12.8**

וַיַּעְתֵּק מִשָּׁם הָהָרָה מִקֶּדֶם לְבֵית־אֵל וַיֵּט אָהֳלֹה
בֵּית־אֵל מִיָּם וְהָעַי מִקֶּדֶם וַיִּבֶן־שָׁם מִזְבֵּחַ לַיהוָה
וַיִּקְרָא בְּשֵׁם יְהוָה׃

O monte ao oriente de Betel. Talvez esteja em foco o monte Efraim (Gn 13.3). Abraão, pois, mudou-se de um lugar sagrado para outro. Ver no *Dicionário* o artigo detalhado acerca de *Betel*. Ali foi erigido um famoso altar também importante para Israel em sua história posterior. Arão caiu no erro de levantar ali um bezerro de ouro, mas posteriormente essa idolatria foi revertida. E foi assim que passaram a existir dois altares opostos (conforme as coisas sucederam mais tarde), em Siquém e em Betel. Abraão usou o altar desse segundo lugar, em seu culto e comunhão. Lutero traduziu "pregou", em lugar de *invocou*, a palavra aqui usada, como se Abraão tivesse evangelizado as populações em redor. Mas isso é por demais evangélico para os dias de Abraão. Seja como for, Abraão nunca negligenciou sua fé religiosa e cumpriu atos significativos para dar forma e orientação à sua fé.

Ai. No hebraico, *montão*, *ruína*. Era uma cidade dos cananeus, associada a Betel, Jericó e Jerusalém. No *Dicionário* exponho um artigo detalhado sobre essa cidade. Significativas escavações arqueológicas nos têm dado muitas informações sobre esse lugar, em seus sucessivos períodos históricos. A cidade foi incendiada (tornando-se uma ruína) em cerca de 2200 a.C., ou pouco mais tarde, tendo ficado desocupada até cerca de 1200 a.C. A Abraão não apareceu nenhuma teofania naquele lugar, e assim ele não erigiu um altar ali.

"Onde Abraão armava a sua tenda, ali também era erigido um altar" (Adam Clarke, *in loc.*).

■ **12.9**

וַיִּסַּע אַבְרָם הָלוֹךְ וְנָסוֹעַ הַנֶּגְבָּה׃ פ

Seguiu Abrão... indo sempre para o Neguebe. Ele continuou viajando terra de Canaã adentro. Havia um destino à sua espera, uma pátria a conquistar. Ele tirava proveito dos lugares que visitava, mas não se deixava prender a nenhum desses lugares.

Para o Neguebe. "Ou terra seca, assim chamada porque seu solo era um calcário branco e mole, que absorvia as águas da chuva, fazendo-as escoar pelos vales mais abaixo. Embora destituída de árvores, a região mesmo assim é rica em rebanhos de gado vacum e gado ovino, mas a água precisa ser recolhida em tanques e cisternas" (Ellicott, *in loc.*). Ofereço no *Dicionário* um detalhado artigo sobre o *Neguebe* (a porção sul da Palestina).

ABRAÃO NO EGITO (12.10—13.1)

Os críticos imaginam três versões de um único relato: 1. A presente seção, até Gênesis 13.1 (atribuída à fonte *J²*). 2. O capítulo 20 (atribuído à fonte *E*). 3. O trecho de Gênesis 26.1-11 (atribuído à fonte *J¹*). Ver no *Dicionário* o artigo intitulado *J.E.D.P.(S.)*, bem como o artigo chamado *Crescimento do Hexateuco*. Esses artigos explanam a ideia de fontes informativas múltiplas, criada pelos críticos. Eles pensam que a versão mais antiga da narrativa é a relativa a Isaque (Gn 26.1-11), e que mais tarde o material foi aplicado a Abraão. Também supõem que certas lendas preservadas acerca de Berseba tinham Isaque como o seu herói, e que a tendência foi transferir esse material para Abraão. Diante dessas mudanças, a área geográfica foi naturalmente mudada de Gerar para o Egito. Assim Abraão teria tido contatos internacionais: com os filisteus e povos circunvizinhos, e até mesmo com o Egito. Chegam mesmo os críticos a pensar que a história de Israel no Egito emprestou algumas ideias à história do capítulo 12 de Gênesis, pelo que isso seria mais uma instância de "lendas alinhavadas".

Paralelos com a História do Egito:
1. Há fome nos dois relatos (12.10 e 47.20)
2. Descida até ali (12.10 e 47.27)
3. Tentativa de matar os homens mas poupar as mulheres (12.12 e Êx 1.22)
4. Pragas contra o Egito (12.17 e Êx 7.14—11.10)
5. Despojo do Egito (12.16 e Êx 12.35,36)
6. As mulheres escapam da desgraça por intervenção divina (12.17 ss. e 26.10)
7. O livramento (12.19 e Êx 15)
8. Subida ao Neguebe (13.1 e Nm 13.17,22).

Os eruditos conservadores retrucam a isso dizendo que é possível a várias pessoas ter experiências similares, e que esses paralelismos apenas provam que a vida humana é cheia de vicissitudes que se repetem. E isso significa que o que temos aqui não consiste em "lendas alinhavadas", e, sim, "experiências humanas alinhavadas".

As lições morais dos relatos também são paralelas. Enganar o próximo é um mau negócio. Apesar de pecados os mais diversos, o plano de Deus continua atuante, e o livramento ocorre por decreto divino. Abraão caiu em certos pecados, mas prosperou, pois seu coração era sincero, sem importar os seus lapsos. Outro tanto pode ser dito acerca de seus descendentes imediatos. A Bíblia não oculta as falhas, mesmo de suas principais personagens, em contraste com muitas biografias populares.

■ **12.10**

וַיְהִי רָעָב בָּאָרֶץ וַיֵּרֶד אַבְרָם מִצְרַיְמָה לָגוּר שָׁם
כִּי־כָבֵד הָרָעָב בָּאָרֶץ׃

Havia fome. Ver os paralelos deste episódio com o que está envolvido no relato de tempos posteriores, quando os filhos de Jacó desceram ao Egito por causa de outro período de escassez, na introdução a esta seção. Ver no *Dicionário* o artigo intitulado *Fome*. Esse é um triste estado de coisas, mostrando a fragilidade humana, quando os esforços dos homens nem ao menos podem suprir-lhes o de que eles precisam para seu sustento. Buscamos alimentos e moradia como itens necessários à sobrevivência. Até mesmo em países desenvolvidos, onde o alimento é abundante, é dispendioso demais para as classes mais pobres terem suas próprias casas onde morar. Até os animais mais humildes têm sua maneira própria de resolver esses dois problemas, mas os seres humanos debatem-se para solucioná-los.

Já tinham passado várias dinastias egípcias quando Abraão, o nômade, desceu ao Egito. Por um lado, havia um único homem, que buscava alimento. Por outro lado, havia um orgulhoso império. Mas Deus estava com aquele homem, e grandes coisas estavam prestes a ocorrer, especialmente no campo *espiritual*. Israel, em nenhuma época de sua história, chegou perto da *cultura* egípcia. Mas Israel fez grandes contribuições no terreno da literatura e da religião. Isso derivava-se de Abraão. Abraão era o representante de um novo impulso e avanço espiritual que teria fruição no cristianismo, e que perdurou mais do que a cultura egípcia.

A terra de Canaã era um lugar frutífero. Porém, ocasionalmente, por razões climáticas, falhava a agricultura de sustento. Mas o Egito contava com o poderoso rio Nilo, cujas águas nunca secavam, pelo que era capaz de cuidar melhor do problema da fome.

"Essa fome deve ter ocorrido poucos anos depois da chegada de Abraão em Canaã. Pois ele tinha 75 anos quando partiu de Harã; e, visto que Ismael, seu filho com a escrava egípcia, tinha 13 anos quando Abraão estava com 99 anos, então restam somente oito anos para abrir espaço para os eventos registrados nos capítulos 12 a 16 de Gênesis" (Ellicott, *in loc.*).

Adam Clarke via alguma razão moral para a fome. Canaã era uma terra extremamente fértil, "mas Deus a deixara desolada por causa da iniquidade de seus ocupantes". Essa é a primeira fome a ser registrada na Bíblia, na história da humanidade. Não há que duvidar, porém, de que muitos outros períodos de fome já haviam ocorrido, embora não tivessem ficado registrados na Bíblia. Ver no *Dicionário* o artigo intitulado *Egito*.

12.11

וַיְהִ֗י כַּאֲשֶׁ֥ר הִקְרִ֖יב לָב֣וֹא מִצְרָ֑יְמָה וַיֹּ֙אמֶר֙ אֶל־שָׂרַ֣י אִשְׁתּ֔וֹ הִנֵּה־נָ֣א יָדַ֔עְתִּי כִּ֛י אִשָּׁ֥ה יְפַת־מַרְאֶ֖ה אָֽתְּ׃

Abraão Preocupado com a Beleza de Sara. Os pregadores costumam censurar pesadamente a Abraão, por causa de seu lapso no Egito. Por outra parte, consideremos que os chefes tribais locais (para nada dizermos sobre os reis das nações) possuíam um poder absoluto. Não havia instituições democráticas nem havia leis que protegessem os direitos das pessoas comuns (mormente dos nômades ou turistas), diante da vontade perversa de tais governantes. Abraão estaria disposto a sacrificar a virtude de sua esposa a fim de salvar sua própria vida. Os críticos indagam como Sara poderia ser uma mulher bonita se o quarto versículo deste mesmo capítulo informa que ambos eram pessoas idosas ao partirem de Harã. Mesmo considerando que então as pessoas tinham vida muito mais longa, não parece provável que uma mulher de tanta idade pudesse atrair algum chefe tribal, ou mesmo um rei que poderia ter todas as mulheres jovens que quisesse. Há alguns anos, ouvi um sermão que presumivelmente dá a resposta para essas críticas: Deus tornara-os jovens novamente! Em outras palavras, eles tinham rejuvenescido no corpo, tanto Abraão quanto Sara. Pois não muito depois, Abraão e Sara aparecem como pais de um filho. Para os críticos, o que fica aqui demonstrado é que houve um *deslize* de atenção por parte do autor sagrado, quando, presumivelmente, adaptou a história de Isaque (um homem mais jovem) para que se ajustasse à história de Abraão (um homem mais idoso).

Fosse como fosse, um chefe local não teria hesitado em matar Abraão a fim de ficar com sua bela esposa. Em outras palavras, Abraão ficou à mercê da situação; e, talvez, qualquer outro homem teria agido como Abraão, se sua própria vida estivesse correndo perigo.

Minha irmã. Uma meia-verdade, conforme se vê através de Gênesis 20.12. Essa meia-verdade teve por fito enganar, a fim de obter segurança. Dizemos verdades totais e meias-verdades por razões muito menos importantes do que fez Abraão. Ver no *Dicionário* o artigo chamado *Incesto*. Naor, irmão de Abraão, casou-se com uma sobrinha (Gn 11.29). As pessoas, nos tempos de Abraão, não compartilhavam de certas ideias que, finalmente, vieram a fazer parte da legislação mosaica no tocante ao incesto. Ver os capítulos 18 e 19 do livro de Levítico.

Adam Clarke tem aqui um curioso comentário. Ele opinou que, pelo simples fato de Sara ser uma estrangeira (de pele presumivelmente mais clara), ela teria sido motivo da cobiça dos egípcios, de pele mais escura. E também imaginava ele que nas Índias Ocidentais e na América do Norte as mulheres africanas seriam mais cobiçadas que as mulheres brancas. Por essa razão, disse Dryden:

> Lírios brancos jazem negligenciados na planície,
> Mas escuros jacintos permanecem em uso.

Pelo menos é verdade que os homens sempre buscam variedade nas mulheres, e que qualquer coisa que contribua para essa variedade é um fator importante para os predadores.

12.12,13

וְהָיָ֗ה כִּֽי־יִרְא֤וּ אֹתָךְ֙ הַמִּצְרִ֔ים וְאָמְר֖וּ אִשְׁתּ֣וֹ זֹ֑את וְהָרְג֥וּ אֹתִ֖י וְאֹתָ֥ךְ יְחַיּֽוּ׃ אִמְרִי־נָ֖א אֲחֹ֣תִי אָ֑תְּ לְמַ֙עַן֙ יִֽיטַב־לִ֣י בַעֲבוּרֵ֔ךְ וְחָיְתָ֥ה נַפְשִׁ֖י בִּגְלָלֵֽךְ׃

Abraão Sabia que Haveria Dificuldades. Devido à sua beleza física, Sara não poderia expor-se à atenção sem ser molestada de alguma maneira. Segundo as coisas ocorreram, o próprio Faraó (mediante várias manipulações) acabou prestando atenção a Sara. Estava iniciado o drama, conforme Abraão havia temido. Ele tinha instruído cuidadosamente Sara quanto ao que ela deveria dizer. Uma *bela* esposa não seria respeitada. Seu marido simplesmente seria eliminado. Brutal, sem dúvida, mas isso fazia parte da maneira de pensar da época; e, embora de forma mais sofisticada, até hoje assim pensa a mente criminosa.

12.14

וַיְהִ֕י כְּב֥וֹא אַבְרָ֖ם מִצְרָ֑יְמָה וַיִּרְא֤וּ הַמִּצְרִים֙ אֶת־הָ֣אִשָּׁ֔ה כִּֽי־יָפָ֥ה הִ֖וא מְאֹֽד׃

Uma Beleza Extraordinária. Ao ler esta crônica, lembro-me de Helena, a grega, por causa de quem houve a guerra de Troia. Diz-se que ela era tão bela que podia enviar mil barcos a vela simplesmente ao exibir em público o seu rosto. Temos em Homero uma cena na qual os anciãos de Troia queixaram-se devido às dificuldades que eram causadas pelo sequestro de Helena. "Mandem-na de volta", exigiram eles, "e assim salvem vidas". Mas exatamente quando estavam dando esse conselho, aconteceu que Helena estava passando. E todos olharam, admirados diante de sua extraordinária beleza. E então, disse-nos Homero, ficou-se sabendo *por que* ela tinha sido sequestrada, e por que ela teria de permanecer em Troia.

A beleza de Sara era tão grande que aqueles que a viam reconheciam prontamente que ela *tinha* de pertencer ao *próprio Faraó*. E assim, ela foi *conduzida* à presença dele, para sua apreciação. Qualquer rua de uma cidade egípcia contava com belas jovens que faziam os homens dar uma espiada. Mas Sara era simplesmente extraordinária.

Os egípcios. Todos os homens que viam Sara se admiravam dela. Então se admiraram também os *príncipes* (vs. 15) e, finalmente, o próprio *Faraó* (vs. 15).

12.15

וַיִּרְא֤וּ אֹתָהּ֙ שָׂרֵ֣י פַרְעֹ֔ה וַיְהַֽלְל֥וּ אֹתָ֖הּ אֶל־פַּרְעֹ֑ה וַתֻּקַּ֥ח הָאִשָּׁ֖ה בֵּ֥ית פַּרְעֹֽה׃

Os príncipes. Um termo vago que aponta para vários governantes secundários, que tinham acesso à presença do Faraó. O texto subentende que Abraão foi recebido por homens importantes. Não foi uma reunião ao acaso. Nos dias de Abraão, Canaã era o caminho que levava ao Egito, e um homem importante em Canaã se tornaria conhecido de algumas figuras-chave no Egito. Talvez esses "príncipes" fossem os cortesãos do rei. Nesse caso, Abraão estava sendo entretido em alguma dependência do próprio palácio real. Não há que duvidar de que Faraó já dispunha de um harém de bom tamanho, mas sempre haveria lugar para uma mulher tão atraente quanto Sara.

Faraó. Não há como determinar qual Faraó teria sido esse. Mas vários intérpretes pensam que seria um dos réis *hicsos*, acerca dos quais ofereço um artigo detalhado no *Dicionário*. Eles eram conhecidos como *reis pastores*, mas a palavra *shushu*, "pastores", tem sido confundida com *shoshu*, "terras estrangeiras". Eram reis de outros lugares, que tinham migrado para o Egito, tornando-se reis das dinastias egípcias XV e XVI. Com a passagem do tempo, os *hicsos* foram expulsos do Egito. O que ainda me resta dizer sobre eles aparece no citado artigo. Naturalmente, não há como determinar se algum deles esteve envolvido no incidente com Abraão e Sara.

Ellicott compara Abraão a um "xeque poderoso" que chegou de fora, para ser detido e interrogado pelos subchefes egípcios. E, segundo também pensa Ellicott, teria sido assim que Faraó entrou em contato com Abraão e sua mulher. Ver no *Dicionário* o artigo intitulado *Faraó*.

A casa de Faraó. A residência real, onde ele mantinha o seu harém, sem dúvida como uma preparação para incorporar Sara a esse harém. Uma mulher que tivesse de ser incluída em um harém real passava por um período de purificações cerimoniais, e foi durante esse período que houve a intervenção divina.

12.16

וּלְאַבְרָם הֵיטִיב בַּעֲבוּרָהּ וַיְהִי־לוֹ צֹאן־וּבָקָר
וַחֲמֹרִים וַעֲבָדִים וּשְׁפָחֹת וַאֲתֹנֹת וּגְמַלִּים׃

A Prosperidade de Abraão. Quando chegou no Egito, Abraão já era um homem rico. E agora, tendo sido favorecido pelo próprio rei, como futuro cunhado, muito aumentaram as suas possessões materiais e o seu prestígio. Tornou-se dono de toda espécie de animais domesticados (o que, naquele tempo, era um dos itens mais importantes nos bens de alguém), além de muitos escravos e escravas. Ver no *Dicionário* o artigo intitulado *Escravo, Escravidão*. O trecho de Gênesis 13.2 relata que Abraão tornou-se rico em *gado, prata e ouro*. O quadro que temos assim pintado implica a passagem de um tempo considerável, e alguns intérpretes supõem que Sara tenha acabado incorporada, por muito tempo, ao harém de Faraó; mas sobre isso o texto sagrado nada nos diz. Podemos supor, contudo, que grande parte das riquezas acumuladas por Abraão se devia a generosos presentes dados por Faraó. Os intérpretes judeus comentaram como Faraó abriu as portas de seus tesouros e se mostrou generoso com Sara e Abraão, incluindo a concessão de muitas terras. (Ver *Pirke Eliezer*, c. 26.)

12.17

וַיְנַגַּע יְהוָה אֶת־פַּרְעֹה נְגָעִים גְּדֹלִים וְאֶת־בֵּיתוֹ
עַל־דְּבַר שָׂרַי אֵשֶׁת אַבְרָם׃

Grandes pragas. Na introdução às notas sobre Gênesis 12.10 alistei certos paralelos que esse relato tem com a servidão do povo de Israel no Egito, e por quais razões alguns críticos supõem que temos aqui uma "mistura de lendas", histórias alinhavadas umas às outras, a fim de ser *produzido* esse incidente da vida de Abraão, para emprestar um senso dramático à sua vida. Seja como for, as *pragas* aqui mencionadas fazem-nos lembrar o que sobreveio ao Egito tempos mais tarde, por causa da presença do povo de Israel naquela terra. Tais calamidades tinham por fim levar Faraó a liberar Sara e a expulsar do Egito Abraão e sua gente.

Intérpretes judeus deixam sua imaginação correr solta aqui, procurando identificar quais teriam sido essas pragas. Eles pensam que doenças acossaram o Faraó, que suas terras foram devastadas, que enfermidades diversas atacaram o seu gado, que ele sofreu derrotas em batalha etc. Ou o país inteiro enfermou, e várias calamidades atingiram a nação.

Mas Deus protegeu o inocente, a despeito dos lapsos de Abraão.

... por detrás do indistinto desconhecido, está Deus,
entre as sombras, sempre vigilante, quanto aos seus.

James Russell Lowell

12.18

וַיִּקְרָא פַרְעֹה לְאַבְרָם וַיֹּאמֶר מַה־זֹּאת עָשִׂיתָ לִּי
לָמָּה לֹא־הִגַּדְתָּ לִּי כִּי אִשְׁתְּךָ הִוא׃

Chamou... Faraó a Abrão. O rei não demorou a reconhecer que o terror que o atacava tinha sua causa naquele *estrangeiro* que vivia com tanto luxo nas dependências do palácio real. E não só isso, mas Faraó também chegou à conclusão seguinte: "A mulher é esposa de Abraão, e não irmã dele!" O texto não nos revela *como* o Faraó chegou a reconhecer isso, ou seja, por quais meios ele chegou àquela conclusão. O fato é que, antes de ter chamado Abraão, já possuía aquela informação. Notemos sua abordagem direta. Ele não perguntou a Abraão *se* Sara era sua mulher. Simplesmente afirmou que sabia disso. John Gill (*in loc.*) sugeriu que ele havia consultado seus sacerdotes e adivinhos. É verdade que um bom psíquico poderia ter dado a Faraó essa informação, sem nenhuma dificuldade; e talvez tenha sido assim que Faraó descobriu a verdade. E então, sem dúvida, o Faraó ficou indignado. E vergastou Abraão com suas palavras, indicando que ele tinha sido enganado e estava ofendido, para nada dizer sobre os muitos desastres provocados pelas pragas contra o rei e contra seus súditos.

Que é isso que me fizeste? *Depois* de termos cometido algum erro, *depois* de termos ofendido alguém, *depois* de as coisas terem saído erradas, é *então* que, com frequência, perguntamos *por que* fizemos aquele erro. O texto mostra-se direto. Nem ao menos nos permite ouvir as desculpas esfarrapadas de Abraão. O texto poupa-nos disso.

12.19

לָמָה אָמַרְתָּ אֲחֹתִי הִוא וָאֶקַּח אֹתָהּ לִי לְאִשָּׁה וְעַתָּה
הִנֵּה אִשְׁתְּךָ קַח וָלֵךְ׃

Por isso a tomei para ser minha mulher. A versão portuguesa, além de outras, segue fielmente aqui o original hebraico, dizendo que Sara se tornara esposa de Faraó, ou seja, fora incorporada em seu harém. Mas algumas traduções, incluindo a King James Version, em inglês, acrescenta aqui um "poderia". E então os *intérpretes* acrescem essa ideia de potencialidade a essa declaração do Faraó. É curioso que o autor de Gênesis não se importou em tranquilizar nossa mente sobre a questão, não tendo incluído a ideia de *potencialidade* no texto. Destarte, ficamos com diversas interpretações possíveis, sem saber qual teria sido a verdade. O texto de Gênesis 26.10 (acerca de Rebeca) afirma que ela escapou à contaminação, mas um reparo semelhante não figura aqui.

A Repreensão Real. Vemos assim que Abraão foi repreendido pelo *chefe*. Essa repreensão foi feita pela maior autoridade. Mas as repreensões mais solenes são feitas pelo Senhor Deus, e *todos* os seus filhos são repreendidos, vez por outra (Hb 12.5 ss.). Todas as repreensões divinas são disciplinares. Se não o fossem, nada restaria a ser repreendido. Ver Lamentações 3.22.

12.20

וַיְצַו עָלָיו פַּרְעֹה אֲנָשִׁים וַיְשַׁלְּחוּ אֹתוֹ וְאֶת־אִשְׁתּוֹ
וְאֶת־כָּל־אֲשֶׁר־לוֹ׃

E acompanharam-no. A até fora das fronteiras do Egito, em desgraça. Podemos ter certeza de que ele não conseguiu levar consigo todas as suas riquezas. Ele levou o bastante, mas sua situação financeira sofreu um prejuízo, e quase todos os seus escravos ficaram no Egito, a fim de servirem a outrem. O fato é que ele teve de ser expulso do Egito. Abraão poderia ter-se fixado ali, gozando de uma vida confortável de forma permanente. Mas assim o propósito de Deus quanto a Canaã teria falhado. Algumas vezes tornam-se necessárias grandes *mudanças*, se tivermos de cumprir devidamente o nosso destino. Tais mudanças são intervenções divinas, sem importar se produzem felicidade ou infelicidade. Deus nos leva adiante, chegado o momento certo da mudança. Deus havia dito: "Sai da tua terra...". Abraão obedecera. E assim acabou ele chegando ao Egito. E então, por meio do Faraó, Deus lhe disse: "Agora, sai do Egito". A *família patriarcal* precisou ser livrada do Egito, e, para tanto, foi mister Deus enviar pragas. A embaraçosa situação de Abraão havia posto em perigo o plano divino. Algumas vezes, ficamos atolados em esquemas que nós mesmos traçamos, e isso força Deus a intervir em nossa vida.

O Ludíbrio Produziu Prosperidade. É admirável o bem que o dinheiro pode trazer! Algumas vezes, todavia, as riquezas materiais resultam do mal que é praticado. Abraão enriqueceu ao enganar o Faraó. Mas isso só poderia terminar trazendo-lhe maus resultados.

Hagar. Talvez tenha sido por essa altura dos acontecimentos que Hagar tornou-se parte do grupo que seguia Abraão. E isso abriu a porta para um novo drama, pleno de alegrias e tristezas, de coisas boas e coisas ruins (Gn 16.1 ss.).

O Faraó agiu com maior retidão do que Abraão. É triste quando alguém espiritualmente menos dotado repreende ou age melhor do que o homem espiritual. Ellicott (*in loc.*) exorta-nos aqui para não julgarmos Abraão de acordo com os padrões do cristianismo bíblico. Ele viveu em outra época, quando prevaleciam outros padrões de comportamento. Ele era um estrangeiro em um país hostil. Abraão fora submetido a um grande teste, e falhara. Com grande frequência caímos por razões triviais.

CAPÍTULO TREZE

ABRAÃO E LÓ (13.1-18)

O incidente registrado no capítulo 12 deixara Ló de fora. Estaria ele com Abraão, no Egito? Gênesis 13.1 responde com um "sim". O grupo que tinha entrado no Egito agora era expulso dali. E podemos supor com segurança que Abraão levara consigo algumas de suas possessões, e, talvez, alguns escravos que tinha adquirido ali, incluindo talvez Hagar. Os críticos supõem que a fonte informativa J^2, do capítulo 12 do Gênesis, deixara Ló em Canaã. Mas então a fonte R^p, uma nova fonte informativa, entrando em contradição com aquela, agora o fazia deixar o Egito em companhia de Abraão. Ver o artigo intitulado *J.E.D.P.(S.)*, quanto à teoria das fontes múltiplas do Pentateuco.

Deixando o Egito, o grupo dirigiu-se para o norte, para o *Neguebe* (ver as notas sobre Gn 12.9). Este ficava no sul da Palestina. Presumivelmente, o vs. 2 faz-nos retornar à fonte J^1, que teria sido abandonada em Gênesis 12.8. Essa fonte armaria o palco para a história da destruição de Sodoma (Gn 19.1-28), uma grande calamidade que o mundo bíblico jamais esqueceu. Então somos informados sobre como Ló chegou a habitar em Sodoma, e não em Hebrom, em companhia de Abraão. Também ficamos sabendo como Ló se tornou o progenitor dos moabitas e dos amonitas.

■ 13.1

וַיַּעַל אַבְרָם מִמִּצְרַיִם הוּא וְאִשְׁתּוֹ וְכָל־אֲשֶׁר־לוֹ וְלוֹט עִמּוֹ הַנֶּגְבָּה׃

Saiu... do Egito. Foi impossível para a família do patriarca estabelecer-se no Egito, em uma vida luxuosa. Ainda havia muitas *batalhas* a serem enfrentadas, antes que Israel fosse estabelecida como uma nação, na Palestina. O Egito era incompatível com o plano de Deus. Abraão fora *expulso* do Egito por haver enganado ao Faraó no tocante a Sara, tendo-a chamado de sua *irmã*, a fim de preservar sua própria vida. Tinha havido a intervenção divina (pragas enviadas para castigar o Egito e o Faraó), o que proporcionou a Abraão a oportunidade de sair dali. Ver a história em Gênesis 12.9-20. Algumas vezes surgem ocorrências desagradáveis em nosso caminho, a fim de impelir-nos para alguma nova direção. De outras vezes, há mudanças produzidas por acontecimentos harmoniosos e agradáveis. Quem dera que sempre sucedesse assim conosco! O fato foi que Abraão retornou ao lugar de onde havia partido. Estava sendo atraído por suas raízes. Algumas vezes, nossa vida segue em espirais, não se movendo em linha reta até alguma situação nova. Abraão, pois, precisou *voltar* ao altar que havia erigido em Betel (vs. 3), que ele tinha erguido *antes* de errar. Dali por diante, retomaria o caminho das bênçãos de Deus.

Por quanto tempo teria estado Abraão no Egito? Os comentadores judeus variam em sua opinião a respeito. Alguns falam em *poucos meses*. Mas outros calculam nada menos de *vinte anos*. Esse tempo, todavia, não foi tempo perdido, pois Abraão aprendeu lições. Mas agora, tudo isso ficara para trás.

■ 13.2

וְאַבְרָם כָּבֵד מְאֹד בַּמִּקְנֶה בַּכֶּסֶף וּבַזָּהָב׃

Era Abrão muito rico. Ele possuía todas aquelas *coisas* pelas quais eram aquilatadas as riquezas, no mundo antigo: gado (sem dúvida toda sorte de animais domésticos, conforme nos indica Gn 12.16), prata e ouro (não mencionados no capítulo 12, mas certamente sempre uma parte apreciável da abastança material). Mas de fora ficam as pessoas (incluindo os escravos, Gn 12.16) que também distinguiam um homem rico de um homem pobre. E, como é claro, apesar de seus lapsos, ele era espiritualmente rico.

O *dinheiro* é um mal necessário. Contudo, o dinheiro pode ser um *bem* positivo. O próprio Jesus disse: "...vosso Pai celeste sabe que necessitais de todas elas" (Mt 6.32). O dinheiro é como um sexto sentido, sem o qual não podemos tirar vantagem dos outros cinco. O dinheiro é o óleo lubrificante que faz a máquina movimentar-se. Paulo sabia o que era estar abatido e o que era gozar de abundância material (Fp 4.12). Se você estiver tentando fazer algo de significativo, sempre será melhor ser rico do que ser pobre. Por outra parte, há aquelas tentações e armadilhas especiais impostas pelo dinheiro. Algumas pessoas chegam mesmo a abandonar projetos, uma vez que tenham muito dinheiro, e, então, desperdiçam sua vida em viagens e em uma vida de luxo. Contudo, dispomo-nos a arriscar nessas escorregadelas e fracassos. O temor faz-nos buscar dinheiro; os prazeres inspiram-nos a dar valor exagerado às coisas materiais; o senso de segurança segrega para nós: "Consiga *agora* tudo quanto lhe for possível!" Não obstante, há muitas coisas boas que podem ser conseguidas pela abundância material. Paulo prometeu aos que *dão* que certamente *obterão*. A chave para a obtenção é o ato de dar: "Deus pode fazer-vos abundar em toda graça, a fim de que, tendo sempre, em tudo, ampla suficiência, superabundeis em toda boa obra" (2Co 9.8). Notemos que o contexto desse suprimento abundante (que deve ser usado visando às *boas obras*) é a generosidade com outras pessoas (vss. 6 e 7). Trata-se da lei da colheita conforme a semeadura, conforme esta passagem esclarece. O segredo do suprimento eterno é a nossa generosidade para com outras pessoas.

Embora rico, agora Abraão voltava ao seu altar, em Betel. Essa é a grande lição da passagem.

Josefo diz-nos que uma parte das riquezas de Abraão foi adquirida mediante seu ensino, a eles, das artes e ciências do Egito; e alguns dizem, da astrologia. Mas não parece que o Egito precisasse de Abraão para receber esse tipo de instrução, nem que ele seria o tipo de homem com tal conhecimento. Israel sempre foi culturalmente pobre, em comparação com o Egito. O povo de Israel notabilizou-se na literatura e na fé religiosa, e não nos refinamentos da civilização.

■ 13.3

וַיֵּלֶךְ לְמַסָּעָיו מִנֶּגֶב וְעַד־בֵּית־אֵל עַד־הַמָּקוֹם אֲשֶׁר־הָיָה שָׁם אָהֳלֹה בַּתְּחִלָּה בֵּין בֵּית־אֵל וּבֵין הָעָי׃

Do Neguebe Abraão voltou a Betel. O versículo reitera a informação dada em Gênesis 12.8, onde comentamos sobre todos os elementos do versículo. A jornada de Abraão ao Egito trouxe resultados negativos, pelo que ele acabou tendo de retornar para onde havia estado, antes de a fome tê-lo impelido dali. "Ele fez o mesmo trajeto, foi pela mesma estrada, parando nos mesmos lugares de descanso, como quando descera ao Egito." O antigo nome de Betel era Luz (Gn 28.19). Ver no *Dicionário* o artigo intitulado *Efraim, Região Montanhosa*. A área ficava cerca de 6,5 km ao norte de Jerusalém.

■ 13.4

אֶל־מְקוֹם הַמִּזְבֵּחַ אֲשֶׁר־עָשָׂה שָׁם בָּרִאשֹׁנָה וַיִּקְרָא שָׁם אַבְרָם בְּשֵׁם יְהוָה׃

Até ao lugar do altar. Ver Gênesis 13.7,8, onde ofereço notas detalhadas sobre o altar de Betel. A lição espiritual é óbvia. A excursão de Abraão ao Egito rendeu para ele muito dinheiro e possessões, mas quase lhe custou a vida e o casamento. O homem bom foi repreendido pelo homem mau, e foi expulso a pontapés do lugar para onde, antes de tudo, nunca deveria ter ido. Ele foi *forçado* a voltar ao bom senso, e assim retornou ao seu legítimo lugar: o altar. Como é óbvio, o Egito é um símbolo deste *mundo*. E muitos homens piedosos têm feito sua excursão ao mundo, para então terem de reparar os danos sofridos. Por outra parte, alguns religiosos nunca mais voltam da excursão, preferindo permanecer no Egito e mostrar que são homens maus.

Cada novo começo tem início defronte do altar, ou assim, pelo menos, deveria ser. A vida é sagrada e deveria ser vivida no espírito da adoração, no serviço do Senhor. Essa é a nossa grande oportunidade. Todo homem precisa da luz e da orientação do alto. Todo homem precisa de uma renovação periódica. Conheci um pastor que, quando era preciso recarregar suas baterias espirituais, sempre voltava à mesma cidade e até à mesma igreja, e ali permanecia por algum tempo. E, então, voltava ao seu próprio Estado e cidade, e ali reiniciava o seu trabalho.

Abraão voltou humilhado e arrependido. Ele havia cometido um erro. Agora, porém, buscava renovação. Esta está sempre à nossa disposição, conforme afirma o trecho de Tiago 1.5. Era ótimo ter aquele dinheiro todo. Mesmo que alguém se sinta mal por dentro, é melhor gozar conforto em meio à miséria íntima. Contudo, a pobreza espiritual é um estado pior do que a pobreza material.

Hebrom, *Smith's Bible Dictionary*.

O Enfoque Incide sobre Deus. Abraão era uma figura exaltada, mas a Bíblia não oculta de nós as suas falhas. A Bíblia enfoca a pessoa de Deus, e não o homem. Abraão cometeu seus equívocos, mas isso não arruinou o desígnio de Deus quanto à sua vida.

■ 13.5

וְגַם־לְלוֹט הַהֹלֵךְ אֶת־אַבְרָם הָיָה צֹאן־וּבָקָר וְאֹהָלִים׃

Ló Também Enriquecera. Ló havia acompanhado Abraão por todo o caminho, mas agora os dois teriam de separar-se. Ele tinha acumulado riquezas, tal como Abraão. Agora, tio e sobrinho tinham de tornar-se entidades distintas. As divisões no seio das famílias são sempre coisas difíceis, mas tornam-se simplesmente intoleráveis quando envolvem conflitos. Parece que Ló havia prosperado no Egito. Como homem menor, agora ele teria de tomar uma decisão muito pior do que aquela que Abraão tinha feito. Ele não retornou a nenhum altar. Sentia-se à vontade com suas riquezas. E haveria de ir escorregando até a pior região do mundo, *Sodoma*, onde havia todas as formas de maldade, em abundância. Haveria de tentar criar sua família em um lugar imundo. E ali não havia altares.

■ 13.6

וְלֹא־נָשָׂא אֹתָם הָאָרֶץ לָשֶׁבֶת יַחְדָּו כִּי־הָיָה רְכוּשָׁם רָב וְלֹא יָכְלוּ לָשֶׁבֶת יַחְדָּו׃

Uma Terra Frágil. Abraão e Ló eram ricos demais, possuíam muito gado e ocupavam muito espaço. E a terra não podia sustentar ambos. Não havia espaço, naquela região, para aqueles dois homens tão abastados. Isso impôs a necessidade de eles se separarem. Não haveriam de dividir uma herança, o que, por muitas vezes, causa brigas em famílias, mas teriam de dividir as terras, o que, potencialmente, **causa muitas contenções**. Usualmente, os membros de uma família vivem juntos quando os recursos financeiros deles são limitados.

Neste caso, porém, achamos a situação oposta. A maioria dos homens nunca chega a perceber esse outro lado da moeda.

Declarou Martinho Lutero: "Os filhos de famílias ricas raramente se saem bem na vida. Eles são complacentes, arrogantes e cheios de si. Pensam que não precisam aprender coisa alguma, porque têm muito com que viver, afinal de contas" (McGiffert, *Martin Luther*, pág. 4). Sem dúvida, Ló ilustrava o mal que o dinheiro em demasia pode fazer a uma família.

John Gill (*in loc.*) falou acerca da *inconveniência* criada pela riqueza demasiada. Mas a maioria das pessoas não entende essa palavra dentro do contexto. Antes, *nossa inconveniência consiste na falta* de dinheiro.

■ 13.7

וַיְהִי־רִיב בֵּין רֹעֵי מִקְנֵה־אַבְרָם וּבֵין רֹעֵי מִקְנֵה־לוֹט וְהַכְּנַעֲנִי וְהַפְּרִזִּי אָז יֹשֵׁב בָּאָרֶץ׃

Começam os Conflitos. Primeiro houve desentendimentos entre os servos, e isso logo haveria de perturbar Abraão e Ló. Vários fatores contribuíram para a situação: 1. Um acúmulo excessivo de bens materiais impedia que eles continuassem vivendo em um mesmo lugar. 2. Havia uma competição natural entre o pessoal de Abraão e o pessoal de Ló. Houve disputas *trabalhistas* entre eles. Suas respectivas corporações tinham entrado em choque. 3. Eles entraram em conflitos *com estrangeiros*, os cananeus e os ferezeus, que também ocupavam aquela área geral e competiam pelos parcos recursos. Ver no *Dicionário* os artigos intitulados *Canaã*, *Cananeus* e *Perezeus (Ferezeus)*. Ambos esses artigos são bastante detalhados. Algumas vezes, os nomes "cananeus" e "ferezeus" parecem ser usados em um sentido geral (não etnicamente exato), para indicar todos os habitantes primitivos da Palestina. Provavelmente é o que se deve entender neste versículo. É possível que, coletivamente falando, os povos semitas ocidentais fossem os cananeus e que os semitas orientais fossem os ferezeus. O resto que tenho a dizer a respeito acha-se nos artigos aludidos.

Competição. Essa é a alma dos negócios. Melhores produtos são produzidos quando a competição é mais ativa. São praticados preços menores quando os homens precisam competir uns com os outros. No entanto, o conflito nunca se afasta para muito longe. Ocorre a estagnação quando os homens não têm com quem competir. Ora, onde se estabelece a estagnação, aí passa a haver menos desenvolvimento. Mas algumas denominações cristãs querem apenas *conformidade*. A liberdade de expressão, permitida no mundo político, é brutalmente censurada no mundo religioso. E daí o resultado inevitável é a falta de crescimento.

■ 13.8

וַיֹּאמֶר אַבְרָם אֶל־לוֹט אַל־נָא תְהִי מְרִיבָה בֵּינִי וּבֵינֶיךָ וּבֵין רֹעַי וּבֵין רֹעֶיךָ כִּי־אֲנָשִׁים אַחִים אֲנָחְנוּ׃

Que Cessem os Conflitos. Abraão tomou a iniciativa a fim de acalmar a tempestade. As coisas que uniam tio e sobrinho eram maiores do que as coisas que os dividiam. Eles eram da mesma raça e família, adoravam ao mesmo Deus, eram provenientes da mesma terra, e agora compartilhavam da mesma sorte. Se a competição é boa, o ódio não o é. Abraão, por ser o homem mais importante, tomou a iniciativa a fim de trazer a paz. Bem-aventurados são os pacificadores (Mt 5.9). Abraão refletiu sobre a situação e achou uma solução. Não havia ali espaço para ambos; mas, se eles se separassem, poderiam achar espaço para o seu gado. Abraão estava tão ansioso por corrigir os males advindos daquele conflito que agiu prontamente, a fim de não permitir que a situação potencialmente explosiva viesse a estourar. Há poucos bons árbitros neste mundo.

O International Rotary Club tem um lema que contém uma profunda verdade: "Tira melhor proveito aquele que serve melhor". Jesus ensinou que é melhor dar do que receber, porque quem assim faz é "mais bem-aventurado" (At 20.35). Abraão apresentou sua generosa proposta. Ló, impelido pela ganância, escolheu aquilo que, economicamente, era "a melhor parte". Mas isso decretou o naufrágio da vida espiritual dele e de seus familiares.

"Nenhuma vantagem secular pode contrabalançar a perda da paz" (Adam Clarke, *in loc.*).

■ 13.9

הֲלֹא כָל־הָאָרֶץ לְפָנֶיךָ הִפָּרֶד נָא מֵעָלָי אִם־הַשְּׂמֹאל וְאֵימִנָה וְאִם־הַיָּמִין וְאַשְׂמְאִילָה׃

Peço-te que te apartes. Ló poderia escolher o caminho da direita ou o da esquerda, à sua vontade. Abraão mostrou-se *magnânimo*. Ló, o homem mais jovem, de acordo com o padrão da cultura ocidental, seria forçado a escolher a terra menos apropriada. Mas ele tirou proveito da generosidade de seu tio. Nem sempre os homens exercem um bom juízo espiritual, quando estão envolvidas questões de dinheiro, para dizermos o mínimo.

Contendas. Na região desértica, não havia água para beber. E o povo começou a contender (Êx 17.1-7). Isso sucedeu em Meribá, "contenda." O egoísmo cultivou nas pessoas a incredulidade (Sl 95.10). A grande maioria dos israelitas não pôde entrar na Terra Prometida (Sl 95.11). Ora, quando Ló fez sua escolha, foi seguindo na direção de Sodoma. Abraão, no passado, tinha feito uma má escolha e descido ao Egito (Gn 12.10). Mais tarde, tivera de reparar os danos sofridos. Agora era a vez de Ló fazer uma escolha errada, e o dano que sofreria seria imenso.

A direita... a esquerda. Quando um homem se põe de pé olhando para o ocidente, o norte fica à sua esquerda, e o sul à sua direita.

■ 13.10

וַיִּשָּׂא־לוֹט אֶת־עֵינָיו וַיַּרְא אֶת־כָּל־כִּכַּר הַיַּרְדֵּן כִּי כֻלָּהּ מַשְׁקֶה לִפְנֵי שַׁחֵת יְהוָה אֶת־סְדֹם וְאֶת־עֲמֹרָה כְּגַן־יְהוָה כְּאֶרֶץ מִצְרַיִם בֹּאֲכָה צֹעַר׃

O Vale do Rio Jordão. Essa foi a área que atraiu a atenção de Ló. Era um vale bem regado, o mais básico e necessário de todos os recursos naturais. E Ló escolheu a melhor parte. No *Dicionário* apresento uma nota detalhada chamada *Jordão (Vale)*, com um diagrama completo. Algumas vezes, um bem aparente, mas escolhido precipitadamente, leva ao desastre. Ver no *Dicionário* o artigo *Vontade de Deus, Como Descobri-la*. Nossas decisões por muitas vezes são influenciadas por alguma facilidade, quando parece que não teremos muito trabalho. Ló estava disposto a ser um homem piedoso, mas não queria sacrificar demais. E preferiu o curso mais fácil.

"O perigo de nos tornarmos como Ló jaz no fato de que só se chega lá pouco a pouco. Ló começou como um homem decente; e, no entanto, não terminou somente em desastre, mas também foi engolfado em um desastre que envolveu toda a sua família" (Cuthbert A. Simpson, *in loc.*).

Antes. O autor sagrado indica assim que tinha havido modificações radicais naquele vale, tornando-o menos fértil e menos bem regado, desde os dias de Ló até os seus próprios dias. Ele vinculou isso à destruição de Sodoma e Gomorra, como se alguma maldição divina tivesse modificado as condições climáticas da terra. Antes, o vale era como o jardim do Éden (com seus quatro grandes rios), ou como o Egito, que contava com o poderoso rio Nilo, o qual lhe garantia a fertilidade. Alguns eruditos supõem que o autor sacro sugerisse aqui que o mar Morto surgiu como consequência da imensa calamidade que sobreveio a Sodoma e Gomorra. Como é óbvio, historicamente falando, isso não corresponde à realidade dos fatos. "As evidências geológicas provam que aquela admirável depressão na superfície da terra tinha existido durante eras antes do advento do homem no globo, formando, desde o princípio, parte de um grande lago cujas águas, originalmente, estavam algumas tantas dezenas de metros acima do atual nível do mar Morto" (Skinner, *Genesis*, pág. 273).

As circunvizinhanças do mar Morto são estéreis, mas áreas um pouco mais distantes pulsam de vida e fertilidade. De onde Ló contemplou a cena, ele teria sido capaz de perceber abundante promessa de sustento da vida.

Gomorra. Ver no *Dicionário* um detalhado artigo sobre essa antiga cidade.

Zoar. No *Dicionário*, apresentei um artigo detalhado sobre essa localidade. Os eruditos encontram muita dificuldade diante da menção dessa cidade, neste ponto. "Nenhuma pessoa na rota para o Egito poderia topar com Zoar; e dentre as cinco cidades da planície, essa era a que menos se pareceria com o Paraíso. A versão siríaca preservou o texto correto, a saber, *Zoã*. Todavia, esta última era chamada Zor ou Zar pelos egípcios... e ficava situada no lado oriental do ramo tanaítico do Nilo, o início de uma planície fértil chamada campo de Zoã (Sl 78.12). Ló havia atravessado, não fazia muito, essa região rica e bem regada, na companhia de Abraão, e a vegetação luxuriante que ali havia permitia sua comparação com o Paraíso" (Ellicott, *in loc.*). No *Dicionário* apresento um detalhado artigo a respeito de *Zoã*.

■ 13.11

וַיִּבְחַר־לוֹ לוֹט אֵת כָּל־כִּכַּר הַיַּרְדֵּן וַיִּסַּע לוֹט מִקֶּדֶם וַיִּפָּרְדוּ אִישׁ מֵעַל אָחִיו׃

Ló Fez Sua Escolha. "Ele fez isso sem se preocupar com Abraão, o que foi o pior erro de sua vida" (Allen P. Ross, *in loc.*). Ló estava resolvido a prosperar materialmente, e não se importava com o que era apropriado fazer.

Para o Oriente. Ou seja, na direção leste, em relação à terra de Canaã.

Separaram-se um do outro. Uma separação de família. Eles tinham estado juntos por longos anos, mas agora chegara o tempo de se separarem. Eventos mais poderosos do que eles previram tinham assumido o controle. Mas ainda haveriam de estar juntos de novo, em um dia mais radioso. Todas as famílias cujos membros têm sido forçados a se separar sabem o que isso significa. Separaram-se como bons amigos, pois a generosidade de Abraão havia garantido isso. A generosidade sempre torna o caminho mais suave.

■ 13.12

אַבְרָם יָשַׁב בְּאֶרֶץ־כְּנָעַן וְלוֹט יָשַׁב בְּעָרֵי הַכִּכָּר וַיֶּאֱהַל עַד־סְדֹם׃

As duas escolhas são agora postas diante de nós de forma vívida. Abraão ficou habitando em Canaã. Ver no *Dicionário* o artigo intitulado *Canaã*. E Ló entrou na região da campina e escolheu *Sodoma* para sua residência. Ver no *Dicionário* o artigo sobre *Sodoma*. Esta cidade era cheia de vida e excitação, embora também fosse cheia de pecado e corrupção, conforme o capítulo 19 de Gênesis mostra de maneira inequívoca. Sempre será mais excitante viver em uma cidade grande do que em uma fazenda; mas nas metrópoles há sempre muitas armadilhas para seus habitantes. Brigham Young, um dos primeiros líderes do mormonismo, não permitia que cidades grandes fossem fundadas no estado de Utah, reconhecendo que essas cidades se tornam perigosas. Ele requeria que seus seguidores se espalhassem e dessem início a pequenas comunidades.

Ló por fim chegou a Sodoma, mediante uma série de escolhas descendentes. É possível que, por algum tempo, ele tenha residido nas periferias dessa cidade. Mas finalmente, cedendo à tentação, foi residir bem na região central. Quando Ló entrou na cidade, a cidade entrou nele. O trecho de Gênesis 19.16 diz-nos que ele "se demorou" ali, mesmo quando as coisas ficaram desesperadamente adversas. É que ele já não conseguia desvencilhar-se da cidade, não podia sair dela. Conforme alguém já disse: "Antes que você possa tirar as pessoas de uma favela, terá de tirar a favela das pessoas".

Ia armando as suas tendas até Sodoma. Talvez isso queira dizer que ele, a princípio, armava as suas tendas nos arrabaldes de Sodoma. Provavelmente continuou vivendo, por algum tempo, como seminômade, nas vizinhanças de Sodoma, mas não na própria Sodoma. Isso só ocorreu mais tarde (ver o capítulo 19). Ló foi caindo por etapas. Mas finalmente ele trocou suas tendas por uma casa. O vs. 14 oferece um violento contraste com isso: Abraão continuou a erigir os seus *altares*.

13.13

וְאַנְשֵׁי סְדֹם רָעִים וְחַטָּאִים לַיהוָה מְאֹד׃

Eram maus e grandes pecadores. O capítulo 19 fornece-nos detalhes quanto a isso. A iniquidade deles era tão grande que chegava a ser quase proverbial nos dias de Abraão, como até hoje. A região em redor de Sodoma era excelente para a criação de ovelhas, mas era horrível alguém ter de criar ali os seus filhos. Não demorou muito e Ló estava queixando-se em Sodoma, embora também estivesse transigindo. Ele era homem rico, mas em breve perderia seus bens em uma conflagração. Abraão havia tomado a estrada alta e dificultosa; Ló estava seguindo pelo curso de menor resistência, tendo preferido a estrada baixa e fácil. Sempre haverá esses dois tipos de homens. Cada qual atinge um resultado diferente. É que eles pensam de maneiras diversas. Ambos os tipos de homens desenvolvem-se pouco a pouco. Ninguém torna-se bom em um único dia; ninguém torna-se mau em um único dia.

OS MAIS DESGRAÇADOS PECADORES

Ora, os homens de Sodoma eram maus e grandes pecadores contra o Senhor.

Na quarta geração, porém, voltarão para cá; porque a medida da iniquidade dos amorreus não está ainda cheia.

Gênesis 13.13; 15.16

PAGANISMO CAÓTICO

Naquele duro mundo pagão caíram
Desgosto e nojo secreto;
Profundo cansaço e paixão arraigada
Fizeram da vida humana um inferno.

Matthew Arnold

"...eram culpados dos crimes mais notórios, viciados nas paixões mais escandalosas e desnaturais... e isso eles cometiam aberta e publicamente, diante de Deus e da maneira mais ousada e desavergonhada... sem nenhum temor ou pejo" (John Gill, *in loc.*). O Targum de Jonathan menciona o ludíbrio, a fraude, as concupiscências e práticas sexuais desnaturais, o incesto, o derramamento de sangue inocente, a adoração aos ídolos e a rebeldia. Cf. Isaías 3.9 e Ezequiel 16.49.

ABRAÃO ESTABELECE-SE EM HEBROM (13.14-17)

Voltam as Visitas Divinas. O Senhor falou com Abraão a fim de encorajá-lo. Ele tinha permitido que Ló escolhesse as melhores terras. Mas prevaleceriam as disposições do Pacto Abraâmico (Gn 15.18). Havia uma grande pátria que Abraão deveria herdar pela força do decreto divino. Talvez ele estivesse um tanto amuado por haver ficado com as terras inferiores. Deus, porém, haveria de reverter tudo isso. A provisão divina haveria de estender-se em todas as quatro direções, segundo o vs. 14 deixa claro. A magnanimidade de Abraão haveria de receber plena recompensa, ao passo que Ló em breve perderia tudo na conflagração do juízo divino. Os vss. 14-17 fazem um contraste violento entre Abraão e Ló. Abraão contava com a presença de Deus, e daí resultaria um sem-fim de benefícios, espirituais e materiais.

13.14

וַיהוָה אָמַר אֶל־אַבְרָם אַחֲרֵי הִפָּרֶד־לוֹט מֵעִמּוֹ שָׂא נָא עֵינֶיךָ וּרְאֵה מִן־הַמָּקוֹם אֲשֶׁר־אַתָּה שָׁם צָפֹנָה וָנֶגְבָּה וָקֵדְמָה וָיָמָּה׃

Há uma Falácia na Grandeza Terrena.
Eis que toda a pompa de ontem
Teve a mesma sorte de Nínive e Tiro!

Kipling

Disse o Senhor. Isso pode refletir um destes pontos possíveis: 1. Temos aqui uma manifestação do Logos no Antigo Testamento. 2. Ou uma teofania (ver sobre isso no *Dicionário*). 3. Ou isso foi dito alegórica ou poeticamente. 4. Ou Deus pode ter falado com ele mediante iluminação interior. 5. Ou, então, houve alguma experiência mística mediante a qual a presença divina manifestou-se novamente a Abraão. Ele foi homem de muitas experiências místicas. Ver no *Dicionário* o artigo chamado *Misticismo*.

"Todo poder corrompe; e o poder absoluto corrompe de maneira absoluta" (Lord Acton). Sodoma dispunha de muito poder e de muito dinheiro. Abraão havia preferido o campo humilde. Mas o Poder Supremo estava com ele. Jesus falou sobre a falácia do homem que tinha tantas riquezas que destruiu seus celeiros e construiu maiores, a fim de guardar ali os seus bens materiais. Mas tinha-se esquecido totalmente de sua própria alma (Lc 12.18-21).

Assim, Ló aproximava-se cada vez mais de Sodoma, mas Abraão aproximava-se cada vez mais de Deus.

Era de dia, e assim Deus mostrou a Abraão o que ele haveria de obter, fazendo-o olhar nas quatro direções. Para onde quer que olhasse, tudo seria seu. Em Gênesis 15.5, *era noite*. Por essa razão, Deus fê-lo olhar para o céu, contemplando o vastíssimo número das estrelas. Isso serviu de indicação de quão numerosa seria a sua posteridade.

Para o *norte*, Abraão viu o monte Líbano; para o *sul*, Edom ou Iduméia; para *leste*, o vale do rio Jordão; e para *oeste*, o mar Mediterrâneo.

13.15

כִּי אֶת־כָּל־הָאָרֶץ אֲשֶׁר־אַתָּה רֹאֶה לְךָ אֶתְּנֶנָּה וּלְזַרְעֲךָ עַד־עוֹלָם׃

Todo o território que Abraão contemplou para o norte, o sul, o leste e o oeste, pertencia a ele, e então seria o mesmo transferido à sua posteridade. Deus nada lhe negaria. Sua misericórdia é tão vasta quanto o mar. A Abraão foi prometida a grandeza:

1. A grandeza inclui uma significativa *missão espiritual* e a visão de vê-la e reconhecê-la, para então ativar-se a fim de desenvolvê-la.
2. A grandeza de um homem reflete-se nas coisas que ele procura *promover*.
3. A grandeza de um homem é garantida por sua capacidade de *persistir* em seus propósitos e levar suas ideias à plena fruição.
4. A grandeza de um homem reflete-se em sua capacidade de sofrer perdas, mas recuperar-se e *renovar* o seu zelo.
5. Um grande homem está sempre em uma *cruzada*. Ele nunca descansa em Sião.
6. A vitalidade e a força não residem nas coisas materiais, mas na *fé* que cultivamos. Abraão erguia um altar por onde quer que fosse.
7. Ao homem nômade foi prometida uma pátria grandiosa, por ser ele o homem *escolhido* para aquela hora, a fim de cumprir

o propósito de Deus. A *vontade de Deus* sempre coincide com a verdadeira grandeza.

Em Abraão, o povo de *Israel* seria grande. A promessa tinha âmbito universal. Não se destinava somente a Abraão. O *Messias* se levantaria dentre Israel, estando ele destinado a uma missão universal: na terra, no hades e nos lugares celestiais.

"Enquanto Ló via sua vida deteriorar-se, Abraão ia-se aproximando de Deus cada vez mais" (Ellicott, *in loc.*).

■ 13.16

וְשַׂמְתִּ֥י אֶֽת־זַרְעֲךָ֖ כַּעֲפַ֣ר הָאָ֑רֶץ אֲשֶׁ֣ר ׀ אִם־יוּכַ֣ל אִ֗ישׁ לִמְנוֹת֙ אֶת־עֲפַ֣ר הָאָ֔רֶץ גַּֽם־זַרְעֲךָ֖ יִמָּנֶֽה׃

Como o pó da terra. Notemos aqui as metáforas. A herança de Abraão seria tão grande que: 1. Ele podia olhar em todas as direções, pois tudo quanto visse lhe pertencia (Gn 13.14). 2. Ele podia contemplar o imenso número de estrelas, que falava de sua incalculável posteridade espiritual (Gn 15.5). 3. Ele podia olhar para o pó da terra (Gn 13.16), que ninguém pode contar, para mostrar-lhe sua posteridade física. 4. Ele podia olhar para a beira-mar, e para toda a sua areia, o que também lhe transmitia idêntica mensagem (Gn 22.17; 32.12). A generosidade de Abraão garantiu-lhe toda essa recompensa, a certeza de que o propósito divino operaria por seu intermédio. É dando que recebemos. *Dar* é o segredo das riquezas eternas. O Israel espiritual também estava incluído no Pacto Abraâmico (o que é comentado em Gn 15.18; ver também Gálatas 3.6,7,14,29; Rm 4.16,17; 9.7,8).

■ 13.17

ק֚וּם הִתְהַלֵּ֣ךְ בָּאָ֔רֶץ לְאָרְכָּ֖הּ וּלְרָחְבָּ֑הּ כִּ֥י לְךָ֖ אֶתְּנֶֽנָּה׃

Percorre esta terra. Conta-se a história do homem a quem foram prometidas todas as terras que ele pudesse percorrer, correndo ou andando, durante um dia. Sentiu grande entusiasmo ao ser-lhe feita a promessa. E assim, cedo pela manhã, começou a correr. Ele correu e correu, andou e andou, e tornou a correr um pouco mais. Seu zelo obteve assim uma grande realização. Foi capaz de cobrir um vasto território durante aquele dia. Tudo seria dele. No entanto, esforçou-se de tal modo que seu coração não aguentou o esforço. No fim do dia, morreu. A Abraão foi dito que caminhasse e percorresse toda a terra. Onde quer que ele pusesse os pés, aquilo lhe pertenceria. Em contraste com o homem daquela história, Abraão deveria continuar vivendo, e sua posteridade também. É que Deus foi para ele o poder sustentador.

A Terra Prometida não era grande, de acordo com os padrões modernos. A Palestina inteira não tem tanta área quanto o Estado brasileiro de São Paulo. No entanto, não devemos olvidar que a herança espiritual de Abraão haveria de abranger a *terra inteira*, incorporando todas as nações, povos e famílias. Ló, por sua vez, foi residir em Sodoma. A terra inteira seria o local da residência de Abraão.

Alguns intérpretes imaginam Abraão, o nômade, a viajar como um turista, atravessando toda aquela boa terra, divertindo-se enquanto prosseguia. Tudo era dele, e, sem dúvida, ele gostava do que estava fazendo.

■ 13.18

וַיֶּאֱהַ֣ל אַבְרָ֗ם וַיָּבֹ֛א וַיֵּ֛שֶׁב בְּאֵלֹנֵ֥י מַמְרֵ֖א אֲשֶׁ֣ר בְּחֶבְר֑וֹן וַיִּֽבֶן־שָׁ֥ם מִזְבֵּ֖חַ לַֽיהוָֽה׃ פ

Nos carvalhais de Manre. Abraão deixou o altar em Betel e foi para Manre, em Hebrom, e imediatamente erigiu outro altar. Assim, ele caminhava de altar em altar. A espiritualidade era a base de tudo quanto Abraão fazia, bem como a essência de seu ser. Isso explica a grandeza dele. Um santuário especial dedicado a *Yahweh* foi erigido naquele lugar, e por longo tempo seria importante.

Carvalhais, conforme lemos aqui, em algumas traduções aparece como "planície". Mas nossa versão portuguesa dá a tradução mais provável, pois um bosque seria um lugar apropriado para a adoração e para que ali fosse erigido um altar. Ver as notas sobre Gênesis 12.6, que contém elementos similares. A Septuaginta e a versão siríaca também dizem "carvalhais", parecendo que assim dizia o original.

Manre. No *Dicionário* há um artigo detalhado sobre esse lugar. Vários importantes acontecimentos da vida de Abraão tiveram lugar ali. Atualmente, o local tem sido variegadamente identificado.

Hebrom. Ver o artigo sobre esse lugar no *Dicionário*. Essa cidade ficava no sul da Palestina, no território de Judá, cerca de 29 km ao sul de Jerusalém. Essa é a cidade da Palestina situada à maior altitude, 972 m acima do nível do mar Mediterrâneo. A cidade moderna tem uma população de talvez sessenta mil pessoas. O nome desse lugar significa *aliança*, talvez uma referência à confederação firmada entre Abraão e os amorreus que residiam na região. Provavelmente, esse nome foi inicialmente aplicado ao distrito, e só depois à cidade construída no local. Ao que tudo indica, Manre ficava a pouca distância de Hebrom, mas os intérpretes opinam quanto a variadas distâncias. Várias localidades modernas competem pela honra de ser o local da antiga Manre.

Um altar. Ver no *Dicionário* um detalhado artigo sobre essa palavra.

CAPÍTULO CATORZE

A GUERRA DOS REIS (14.1-24)

Quando lemos sobre esses vários *reis,* dentro do contexto do livro de Gênesis, devemos pensar em chefes tribais, e não em monarcas de grandes nações, conforme se vê hoje em dia. Os nomes desses vários reis estão perdidos para a história, embora sejam conhecidos os locais que eles governavam. Desconhece-se de onde foram extraídas as informações que nos são dadas aqui. A questão dos *feitos militares* sempre excitou a mente humana, e ficamos desolados diante de quanto disso aparece nas páginas do Antigo Testamento. Mas o mundo inteiro tem sido palco dessa violência, pelo que nossa perplexidade é perene. Apesar de ser verdade que, algumas vezes, uma solução militar é a *única* opção, ou mesmo a *melhor* opção, sabemos que é loucura uma nação enviar homens armados contra outra nação, a fim de matar. Como é óbvio, não podemos esquecer que os tiranos por muitas vezes são psicopatas, quando, então, se torna impossível qualquer solução razoável ou negociada. Há provas científicas da insanidade literal de tiranos como Hitler e Stalin. Enquanto os homens gostarem de galgar posições de liderança e autoridade, haverá matanças insensatas, bem como necessidade de se fazer guerra contra eles.

Abraão impressiona-nos com a sua *espiritualidade.* Ele ia de altar em altar, e de uma experiência mística com a presença de Deus a outra. No entanto, aqui ele se tornou o cabeça de um pequeno exército, envolvido em *matança.* Ver no *Dicionário* o artigo intitulado *Guerra.* Certo intérprete intitulou esta seção do Gênesis de "Um Mal Antigo: a Guerra". "Aqui, na Bíblia, encontramos a primeira glorificação da guerra. E isso será seguido por muitas crônicas dotadas do mesmo espírito: no Êxodo, em Josué, em Juízes, e assim por diante. A literatura mais orgulhosa de outros povos, desde a *Ilíada* de Homero em diante, está repleta dos ruídos da guerra. A razão para isso é bastante clara. A existência humana sempre foi uma luta. No começo os homens lutavam contra as feras, a fim de sobreviverem; depois, buscando campos de caça e alimentos. As brigas de indivíduos expandiram-se até chegarem à ferocidade mútua das tribos. O profundo instinto primário da autopreservação estava à raiz de tudo isso" (Cuthbert A. Simpson, *in loc.*). Como é evidente, há muitas outras razões para a guerra: a cobiça, o espírito de aventura e a insanidade.

Lamentamos. Mas há comentadores que elogiam. "Abrão, o hebreu, deixou para seu povo um *ideal* de guerra *nobre* e de galante cavalheirismo. Ele é o tipo de todos os heróis da fé, poderosos homens de valor, animados pelo Espírito de Deus... Os limites apropriados da Terra Santa — de Dã a Berseba — eram um campo de batalha e um santuário... Deus abençoou o herói cuja espada ficou molhada com o sangue dos tiranos. Antes das doces notas da paz, por muitas vezes precisa haver o tom da trombeta de guerra, para que seja imposta a justiça" (James Strachan, *Hebrew Ideals*).

Certos *críticos* procuram aliviar Abraão desse elemento desagradável, a ideia de *herói guerreiro,* apresentando razões para crer que o relato é uma fabricação, e não história autêntica. Mas os eruditos conservadores acham outras razões para justificar atos de violência e não coram diante da informação de que Abraão foi forçado a matar.

Contudo, lamentamos o estado da humanidade que permite, causa ou provoca crônicas como essa que temos agora à nossa frente.

14.1

וַיְהִי בִּימֵי אַמְרָפֶל מֶלֶךְ־שִׁנְעָר אַרְיוֹךְ מֶלֶךְ אֶלָּסָר כְּדָרְלָעֹמֶר מֶלֶךְ עֵילָם וְתִדְעָל מֶלֶךְ גּוֹיִם׃

Anrafel. Têm falhado as tentativas de identificar esse homem com o bem conhecido Hamurabi, embora alguns eruditos insistam quanto ao ponto. O sentido desse nome é incerto. Ele foi rei de Sinear, as terras baixas de aluvião do sul da Babilônia. Fazia parte da liga de quatro reis (Arioque, Tidal, Quedorlaomer e Anrafel) que combateu contra um grupo de reis palestinos (de Sodoma, Gomorra, Admá, Zeboim e Bela). Os primeiros derrotaram estes últimos (Gn 14.1-11). O cabeça da liga oriental era Quedorlaomer, rei do Elão. Se Anrafel tem sido identificado com Hamurabi, da Babilônia, Tidal tem sido identificado com Tudalia I, de Hati. Mas tudo isso sem muitas certezas, pois as evidências linguísticas e cronológicas laboram contra tais identificações.

Sinear. Ver no *Dicionário* o verbete sobre esse lugar.

Arioque. Esse era o nome de um rei ou chefe de Elasar (Larsa, Senqueré, uma cidade-estado do sul da Babilônia), o qual estabeleceu uma aliança com Quedorlaomer, quando este invadiu o vale do rio Jordão (Gn 14.1,9). A guerra teve o propósito de punir os reis de Sodoma, Gomorra, Admá, Zeboim e Bela. Os primeiros saíram-se vitoriosos, mas foram postos em fuga por Abraão, quando este foi combater contra eles, porquanto haviam levado Ló, seu sobrinho, como cativo. Alguns estudiosos ligam o nome Arioque com Waad-Sin (Eri-aku), de cerca de 1836—1824 a.C., ou com Rim-sin (cerca de 1824—1763 a.C.), ambos filhos de Kudur-Mabuque, de Larsa, nomes comuns nos textos de Mari (ver a respeito no *Dicionário*). Porém, isso daria a Abraão uma data mais recente. Seja como for, a cronologia sobre a época é precária. A cidade de Elasar tem sido identificada com Ilanzura, mencionada nos textos hititas e nos arquivos de Mari, localizada entre Carquêmis e Harã. Alguma confirmação para essa conjectura talvez se ache no Apócrifo do Mar Morto, que diz que o reino de Arioque era *Kptwk* (talvez a Capadócia). E então, se o rei Tidal, mencionado na Bíblia, puder ser identificado com Tudalia I, dois daqueles quatro reis podem ter sido nativos da Anatólia, embora tudo isso seja extremamente incerto.

Elasar. O significado do nome desse lugar é desconhecido. Era uma cidade da antiga Babilônia (Gn 14.1,9), território do rei que acabamos de descrever. A cidade ficava no sul da Babilônia, entre Ur e Ereque, à margem esquerda do grande canal Shat-en-Nil. Uma colina, próxima de *Senkereh*, tem sido identificada como o local moderno. Essa área era um centro da fé religiosa que promovia a adoração ao sol. A forma babilônica desse nome é *Larsa*, que os gregos chamavam de *Larissa*. Não dispomos de nenhuma informação quanto à fundação desse lugar, mas aí por 2400 a.C. já era um centro populacional importante. Os reis de Elasar também controlavam as regiões próximas da Suméria e da Acádia. Somente dois nomes são historicamente conhecidos, vindos daquela área, naqueles tempos remotos, a saber, Nur-Raman e Sin-Indina, que foram governantes daquela parte da Babilônia. O último desses homens a ser mencionado construiu o canal que ligou Shat-en-Nil ao rio Tigre. Pouco depois dessa construção, os elamitas conquistaram a área. Kudur-Mabuque enviou seu filho, Elasar, para tentar controlar a situação. Seu nome era Eri-Aku. Mas esse nome, em inscrições babilônicas, aparece com a forma de Rim-Sin. Hamurabi, rei da Babilônia, mais tarde tomou esse território e anexou-o a seu próprio império, trazendo assim à existência o *império* da Babilônia. A identificação de Larsa com Elasar tem sido consubstanciada por muitos eruditos, mas mesmo assim restam dúvidas. Outras ideias têm sido sugeridas, como Ilanzura, entre Carquêmis e Harã, no norte da Síria.

Quedorlaomer. Ele era rei do Elão, líder dos três reis que invadiram Canaã na época de Abraão (Gn 14.1,4). No relato do Gênesis, aprendemos que Abraão veio de Ur dos caldeus, e, através de Harã, chegou à Palestina. Ali ele cuidava de seus rebanhos de gado vacum e de ovelhas, e recuperou os despojos que tinham sido tomados das cidades da planície. Também no livro de Gênesis, somos informados sobre os atos de Quedorlaomer, no tocante a Abraão. Elão era um país a leste da Babilônia, no fundo do golfo Pérsico (Gn 14.1,4,5). Aliou-se a três outros reis, a fim de combater contra os cinco reis da região do mar Morto. Quando os governantes de Sodoma, Gomorra, Admá, Zeboim e Zoar libertaram-se de sua hegemonia, ele tentou esmagar toda a resistência. Abraão entrou em conflito com ele, quando teve necessidade de libertar Ló, que fora levado como prisioneiro. Até agora, todas as tentativas para identificar esse homem com figuras históricas conhecidas têm fracassado. A identificação com Hamurabi (cerca de 1700 a.C.) não é mais mantida. Pelo menos, podemos datá-lo como pertencente ao século XXI a.C. Seu nome, aparentemente, vem de *kudu* (ou *kuti*), palavra elamita que significa *servo*. Coligações políticas como descritas no livro de Gênesis são refletidas nos textos cuneiformes do segundo milênio a.C. Porém, têm falhado todas as tentativas de identificação específica.

Elão. Ver o artigo sobre esse território e sobre os elamitas no *Dicionário*. O Elão era um país que ficava a leste da Babilônia, no fundo do golfo Pérsico. Ficava do outro lado do rio Tigre, limitado ao norte pela Assíria e pela Média, e ao sul pelo golfo Pérsico.

Tidal. No hebraico, *resplendor, renome* (Gn 14.1,9). Era rei de Goim. Confederou-se com Anrafel, Arioque e Quedorlaomer, em sua guerra contra o rei de Sodoma e seus aliados, nos dias de Abraão. Viveu por volta de 1910 a.C. Parece que "rei de Goim" era um título honorífico, comum nos anais acadianos. Mas outros estudiosos identificam Goim com Gutium, na Mesopotâmia. Os chamados textos de Mari usam a palavra *gayum* para indicar um grupo ou bando. Isso talvez sugira que Tidal era o chefe de uma tribo nômade, sem fronteiras fixas. O nome Tidal parece corresponder a Tudalia I, um governante hitita que, segundo pensam alguns, foi o sucessor de Anitas. Todavia, a identificação é incerta.

Goim. No hebraico está no plural, *nações*. Alguns estudiosos opinam que o termo procede do acádico *gayum*, "tribo." Na linguagem do Antigo Testamento, porém, indica a ideia de "raças pagãs", não-judaicas. Quanto às suas conexões geográficas, o vocábulo veio a ser associado à porção nordeste da Síria. Um território governado por um certo Tidal (Gn 14.1). Além disso, houve uma força armada gentílica, na Galileia, que foi derrotada pelas tropas comandadas por Josué, que tinha esse nome (Js 12.23). Em Juízes 4.2,13, esse é o nome de uma localidade, *Harosete-Hagoim,* o que parece ser outra alusão a essa ideia, indicando uma área da Galileia. Ver também Isaías 9.1. Onde Goim estaria localizada depende de como identificarmos *Tidal*. A maioria dos estudiosos identifica Tidal como um nome hitita ou sírio, relacionado a *Tudalia*. E esse é o nome de certa região da Síria. Porém, a ideia de que a palavra *goim* refere-se coletivamente aos povos não-israelitas não é bem recebida pela maioria dos estudiosos, quanto à sua ocorrência neste ponto.

14.2

עָשׂוּ מִלְחָמָה אֶת־בֶּרַע מֶלֶךְ סְדֹם וְאֶת־בִּרְשַׁע מֶלֶךְ עֲמֹרָה שִׁנְאָב מֶלֶךְ אַדְמָה וְשֶׁמְאֵבֶר מֶלֶךְ צְבֹיִים וּמֶלֶךְ בֶּלַע הִיא־צֹעַר׃

Fizeram guerra contra Bera. No hebraico, *presente*. Ele era rei de Sodoma nos dias de Abraão. Pagava tributo forçado a Quedorlaomer, rei do Elão, mas depois revoltou-se, juntamente com quatro outros reis. Após várias manobras, Quedorlaomer, com mais três reis, derrotou em batalha a Bera e seus quatro aliados. No processo da luta, Ló e sua gente foram levados cativos. Ao tomar conhecimento do fato, Abraão reuniu 318 homens dos mais capazes, nascidos em sua casa, e perseguiu os captores de seu sobrinho Ló, libertando-o. Isso permite-nos ver que Abraão era chefe de um clã poderoso, embora tenhamos de levar em conta que os reis antigos eram mais chefes de cidades-estado do que de nações inteiras.

Sodoma. Ver o artigo detalhado a respeito no *Dicionário*.

Birsa. No hebraico, *grosso* ou *forte*, ou então, *filho da iniquidade*. Esse era o nome do rei de Gomorra, quando Quedorlaomer invadiu o lugar (Gn 14.2), em cerca de 2080 a.C. Ele é mencionado no *Gen. Apocryphon* xxi.24. Birsa revoltou-se contra Quedorlaomer, rei do Elão, mas foi, finalmente, derrotado. Posteriormente, Abraão conseguiu derrotar as forças de Quedorlaomer, libertando os gomorritas e seu sobrinho, Ló, que havia sido levado cativo pelos elamitas (Gn 14.12-17).

Gomorra. No *Dicionário* ofereço um artigo detalhado sobre essa cidade.

Sinabe. Rei da cidade-estado de Admá, que se aliou a quatro outros governantes sul-palestinos, em uma rebelião contra

Quedorlaomer, mas que foi esmagado por ele e seus três aliados. Viveu em torno de 1910 a.C. Não se sabe o significado de seu nome.

Admá. No hebraico, *terra vermelha*. Era uma das cidades de Sidim, que tinha seu próprio rei, Sinabe. A cidade foi destruída juntamente com Sodoma e Gomorra (Gn 19.24; Dt 29.23; Os 11.8). Alguns identificam esse lugar com a cidade de Adão, mencionada em Josué 3.16.

Semeber. No hebraico, *esplendor de heroísmo*, rei de Zeboim, uma pequena cidade-estado da época de Abraão. Ele e outros quatro reis ou chefes locais foram derrotados no vale de Sidim, por uma coligação de reis orientais (Gn 14.2). Viveu em cerca de 1920 a.C.

Zeboim. No hebraico esse nome grafa-se *tsebhoyim* e significa *hienas*. Esse era o nome de uma das muito antigas cidades do vale de Sidim, que acabou sendo destruída com Sodoma e Gomorra. Seu nome ocorre por cinco vezes no Antigo Testamento (ver aqui e Gn 10.19; 14.2,8; Dt 29.23; Os 11.8). Ela é sempre mencionada depois de Admá, outra daquelas cidades. Zeboim aparece quando se menciona a fronteira sul dos cananeus, que, da beira-mar para o interior do continente, seguia na direção de Sodoma, Gomorra, Admá, Zeboim e Larsa. Quedorlaomer, rei do Elão, e seus três aliados atacaram essas cidades durante a campanha que fizeram ao longo do Caminho do Rei (ver a respeito no *Dicionário*). Semeber, rei de Zeboim, juntamente com seus quatro aliados saíram ao encontro dos invasores no vale de Sidim (que vide), mas acabaram sendo derrotados (Gn 14.2,8,10). Provavelmente, Zeboim foi destruída com Sodoma e Gomorra, cuja história aparece em Gênesis 19.24-29. Posteriormente, Moisés referiu-se à destruição de Zeboim e cidades vizinhas (Dt 29.23). E Oseias utilizou-se de Zeboim como um exemplo do julgamento que sobrevém, a mandado de Deus, a cidades malignas (Os 11.8). Não se sabe a localização exata dessa cidade, mas, ao que tudo indica, ela está sepultada na extremidade sul do mar Morto, que antes era terra seca, mas agora está recoberta por águas mais rasas do que o resto do mar Morto. Ver no *Dicionário* o artigo intitulado *Mar Morto*.

Zoar. Apresento no *Dicionário* um detalhado artigo sobre esse lugar. Seu nome significa *pequena*. É mencionado no Antigo Testamento por dez vezes. Em Gênesis 14.2,8 o texto explica que outro nome da cidade era *Belá*. Há intérpretes que pensam que Belá era o nome do governante de Zoar, mas parece que ambos os nomes se referem a um mesmo lugar, e que o nome de seu rei não é dado no texto sagrado, ou porque o autor não sabia de seu nome ou porque ele não era pessoa de fama.

■ **14.3**

כָּל־אֵ֙לֶּה֙ חָֽבְר֔וּ אֶל־עֵ֖מֶק הַשִּׂדִּ֑ים ה֖וּא יָ֥ם הַמֶּֽלַח׃

No vale de Sidim. O sentido desse locativo está sujeito a mais de uma interpretação. Alguns pensam que o nome significa "extensão", mas outros pensam que a palavra deriva-se do hitita, *syiantas*, "sal". Neste último caso, descreveria as planícies muito planas, de sal e betume, de um vale que acompanha por algum espaço as margens do mar Morto. Esse vale é mencionado somente em Gênesis 14.3,8,10. Aparece ali como o lugar onde Quedorlaomer e seus aliados derrotaram os reis de Sodoma, Gomorra e as demais cidades da pentápole da Jordânia. Essa expedição, muito provavelmente, ocorreu no século XX a.C., durante a Idade Média do Bronze. Os exércitos seguiram pelo Caminho do Rei, até algum lugar próximo do mar Morto. Há quem pense que o local exato teria sido na porção do extremo sul do mar Morto, que hoje está submersa mas já foi uma região emersa. O local está sujeito a muitas oscilações de nível, pelo que somente quando se fizerem mais pesquisas completas é que haverá possibilidade de uma determinação mais exata do local do vale de Sidim. Antes disso, tudo não passará de especulação.

Mar Salgado. Outro nome do mar Morto. Ver no *Dicionário* o artigo intitulado *Mar Morto*.

Estes se ajuntaram. Os cinco reis das cinco cidades da planície reuniram-se na extremidade sul do vale, formaram uma confederação, a *pentápole*, cinco cidades aliadas, semelhante à liga dos cinco príncipes dos filisteus, segundo se aprende em 1Samuel 6.16-18.

■ **14.4**

שְׁתֵּ֤ים עֶשְׂרֵה֙ שָׁנָ֔ה עָבְד֖וּ אֶת־כְּדָרְלָעֹ֑מֶר
וּשְׁלֹשׁ־עֶשְׂרֵ֥ה שָׁנָ֖ה מָרָֽדוּ׃

Doze anos serviram. Em outras palavras, tiveram de pagar tributo, além de outras possíveis e indesejadas responsabilidades, que lhes custavam recursos e tempo. Após doze anos, porém, resolveram descontinuar essa servidão por meios militares. Eles estavam acostumados a pagar um tributo anual, a fim de não serem vítimas das expedições saqueadoras de Quedorlaomer.

■ **14.5**

וּבְאַרְבַּע֩ עֶשְׂרֵ֨ה שָׁנָ֜ה בָּ֣א כְדָרְלָעֹ֗מֶר וְהַמְּלָכִים֙ אֲשֶׁ֣ר
אִתּ֔וֹ וַיַּכּ֤וּ אֶת־רְפָאִים֙ בְּעַשְׁתְּרֹ֣ת קַרְנַ֔יִם וְאֶת־הַזּוּזִ֖ים
בְּהָ֑ם וְאֵת֙ הָֽאֵימִ֔ים בְּשָׁוֵ֖ה קִרְיָתָֽיִם׃

Quedorlaomer. Ele foi um matador de homens, sempre ocupado nesse mister. A cena à nossa frente, provavelmente, era típica da vida diária naqueles tempos. Pequenos chefes (prefeitos de pequenas cidades-estados) viviam em choques armados constantes, matando e sendo mortos, nunca felizes, nunca em paz, impelidos pelo ódio, cruéis, prontos a matar os inocentes, sequestrando mulheres e gado e roubando prata e ouro, se por acaso achassem esses metais. Algumas das vítimas de seus ataques súbitos foram mencionadas por nome.

Refains. Eram populações de estatura gigantesca que habitavam na Transjordânia. Forneci um detalhado artigo sobre esses povos no *Dicionário*.

Asterote-Carnaim. No hebraico, *Asterote dos dois chifres*, ou, então, *Asterote perto de Carnaim* (dois chifres). Era uma cidade habitada pelos gigantes refains. Ficava a cerca de 37 km a leste do mar da Galileia. A palavra *Carnaim* não aparece nas referências bíblicas como uma referência separada, embora figure como tal em 1Macabeus 5.26, onde é descrita como cidade grande e fortificada. Fortificada como era, a cidade era quase inexpugnável, porquanto os vales que a cercavam eram por demais estreitos. Na época de Abraão, Asterote começou a ser ultrapassada em importância por Carnaim; e, na época dos arameus e sírios, Carnaim havia substituído Asterote como capital regional.

Zuzins. Ver a descrição desse povo no artigo com esse nome, no *Dicionário*. Ao que parece, eles também eram uma raça de gigantes da antiguidade, talvez da mesma origem a que pertencia Golias. Esse nome significa "murmuradores". Entretanto, outros estudiosos insistem em que não devemos confundir os *zuzins* com os *zanaumins* (vide no *Dicionário*).

Hã. Esse era o nome de uma cidade cujos habitantes, os zuzins, foram derrotados por Quedorlaomer e os reis seus aliados, nos dias de Abraão. Desconhece-se atualmente o local dessa antiga cidade, e nenhuma iluminação nos tem sido dada vinda de qualquer fonte. Alguns pensam que o nome reflete o nome de Cão, filho de Noé, mas até isso é incerto.

Emins. No hebraico, "terrores". Esse nome, que está no plural, designava uma numerosa raça de gigantes que, nos dias de Abraão, ocupavam a região do outro lado do Jordão, um território que os moabitas, tempos mais tarde, vieram a ocupar (Gn 14.5; Dt 2.1). Os emins ocupavam a área ao redor de Quiriataim (ver no *Dicionário*), que ficava a leste do mar Morto. O trecho de Gênesis 14.5 diz que eles foram derrotados pelas tropas dos quatro chefes locais invasores. Parece que foram os primeiros habitantes históricos conhecidos da área envolvida. Talvez o nome venha de *aima*, caso em que significa "tribo" ou "horda." A Bíblia informa-nos que várias etnias ocuparam o lado oriental do rio Jordão, incluindo os *refains* (em Basã), os *zanzumins* (terras dos amonitas posteriores), conforme se vê em Deuteronômio 2.20,21. E também havia os *horeus* (ver sobre eles no *Dicionário*), cujas terras acabaram ocupadas pelos idumeus, descendentes de Esaú.

Savé-Quiriataim. No hebraico, *planície de Quiriataim*, ou seja, "planície das Cidades Gêmeas". Foi nesse lugar que Quedorlaomer derrotou os emins, gigantes da antiguidade. Esse antigo rei derrotou outras tribos de gigantes, de outros lugares, como os refains e os zuzins (Gn 14.5). Foi ali, igualmente, que Absalão ergueu uma coluna memorial (2Sm 18.18). De conformidade com Josefo, essa cidade ficava a cerca de 400 m de Jerusalém, ou seja, muito provavelmente, no setor mais amplo, ao norte do vale de Hinon, que, então, se estreita para formar uma ravina, em seu setor mais baixo. Entretanto, com uma pequena modificação consonantal, essa palavra pode passar a significar "feia", o que apontaria para uma aldeia de localização topográfica desconhecida.

14.6

וְאֶת־הַחֹרִי בְּהַרְרָם שֵׂעִיר עַד אֵיל פָּארָן אֲשֶׁר עַל־הַמִּדְבָּר׃

Horeus. Exponho um detalhado artigo sobre eles, no *Dicionário*. Essa palavra parece significar "homens das cavernas". Até onde a história registra, parece que eles foram os habitantes originais do monte Seir, até serem conquistados pelos idumeus (Dt 2.12,22). A condição de miséria em que viviam é descrita em Jó 30.3-8.

Monte Seir. Forneci um detalhado artigo sobre essa cadeia montanhosa, no *Dicionário*. Eram montanhas de Edom. Estendem-se desde o wadi Armon, em direção ao sul, até as proximidades da moderna Ácaba. A cidade de Petra e o monte Hor encontram-se entre suas principais características.

El-Parã. No hebraico, *carvalho das cavernas* (Gn 14.6). Também é local chamado *monte Parã* e *Parã* (Gn 21.21; Nm 10.12; 12.16; Dt 1.1; 33.2; 1Sm 25.1; 1Rs 11.18; Hb 3.3). Era um lugar ao sul de Canaã e a oeste do território de Edom, onde os horeus habitavam, em Seir. Era um local ermo, desértico, que se estendia para oeste, até Sur, e para o sul, até o golfo Elanítico. Foi até ali que chegou Quedorlaomer, com suas tropas e seus reis aliados, quando guerrearam contra os horeus do monte Seir. A leste ficava o wadi Arabá, localizado ao norte do golfo de Ácaba. Os montes de Edom, que modernamente chamam-se cadeia de Jebel-esh-Shera, alongam-se a sudoeste do golfo de Ácaba. El-Parã é o nome mais antigo de Elate (modernamente, *Eilat*), o porto marítimo do extremo norte do golfo de Ácaba. Ismael foi residir no deserto de Parã, depois que ele e sua mãe, Hagar, foram expulsos por Sara (Gn 21.21). El-Parã é o único *oásis* a meio caminho da estrada principal, que atravessa o deserto de Parã. Posteriormente, veio a ser conhecido como *Qala at Nukjl* ou *Castelo de Nahkl*, isto é, "Castelo da Palmeira". Em tempos bem remotos, havia uma floresta de carvalhos (terebintos), à beira do grande deserto que distava três dias de viagem do Sinai (Nm 10.12,33).

14.7

וַיָּשֻׁבוּ וַיָּבֹאוּ אֶל־עֵין מִשְׁפָּט הִוא קָדֵשׁ וַיַּכּוּ אֶת־כָּל־שְׂדֵה הָעֲמָלֵקִי וְגַם אֶת־הָאֱמֹרִי הַיֹּשֵׁב בְּחַצְצֹן תָּמָר׃

De volta. Não voltaram pela mesma rota, mas, antes, dirigiram-se para o noroeste, encontrando então outras localidades, que até aqui não tinham sido mencionadas.

En-Mispate. No hebraico, *fonte de julgamento*. Nesse lugar os antigos habitantes costumavam resolver as suas disputas. Também é chamado *Cades*. Ver no *Dicionário* o detalhado artigo intitulado *Cades-Barneia*. Gênesis 14.7 informa-nos que Quedorlaomer e seus aliados, tendo cruzado o deserto de Parã, chegaram a esse lugar. Talvez a palavra "Cades" tenha sido acrescentada para garantir que os leitores reconheceriam o local, visto que o outro nome é o mais antigo. Essa fonte e seus arredores formavam um oásis na parte norte da península do Sinai. Ali passou a haver uma fortaleza, um santuário e a sede do governo local.

E feriram. A matança era o que eles melhor sabiam fazer, pelo que espalharam a morte por todos os lugares por onde foram passando. Esse é o homem animalesco que precisa de redenção, porquanto nele a imagem de Deus (Gn 1.26,27) foi desfigurada, embora não apagada.

Amalequitas. Ver no *Dicionário* um artigo detalhado sobre esses povos. Saul perseguiu essas hordas vagabundas até recessos em Parã (1Sm 15.7). Ao que tudo indica, houve tempo em que também controlavam as terras do Neguebe, na Judeia. Ver explicações completas naquele verbete.

Amorreus. Ver sobre eles no *Dicionário*. Essa gente ocupava um pequeno território, que começava mais ou menos à altura da metade do mar Morto e daí para o norte, e da parte leste desse mar até a margem oriental do rio Jordão. Quando Israel entrou na Terra Prometida, os amorreus já tinham ampliado suas terras para ambos os lados do Jordão, acima do mar Morto. Eram cananeus. O trecho de Gênesis 14.7 (a primeira menção bíblica a eles) situa-os no deserto da Judeia, não longe do mar Morto. Alguma ideia sobre a extensão do território deles, nos tempos antigos, é dada em Gênesis 15.16,21. Ver detalhes naquele artigo.

Hazazom-Tamar. No hebraico, *poda das palmeiras,* nome antigo de *En-Gedi* (Gn 14.7). Em 2Crônicas 20.2, a cidade é chamada de Hazazom-Tamar. Essa era uma antiquíssima cidade da Síria, tão antiga como qualquer outra da área, contemporânea de Sodoma e Gomorra. Já existia quando Hebrom foi fundada. Era ocupada pelos amorreus e pelos amalequitas. Foi conquistada por Quedorlaomer e pelos reis seus aliados. Sua identificação com En-Gedi revela-nos a sua localização antiga. Posicionava-se no lado ocidental do mar Morto, embora o local exato ainda não tenha sido descoberto. Não ficava muito longe de Sodoma e Gomorra. Talvez fosse a mesma Tamar que foi fortificada por Salomão (1Rs 9.18). Ezequiel diz que a cidade ficava na extremidade sudeste de Israel (Ez 47.19; 48.28). O *wadi Hasada*, a noroeste de 'Ain-jedi, preserva ainda o nome antigo.

14.8

וַיֵּצֵא מֶלֶךְ־סְדֹם וּמֶלֶךְ עֲמֹרָה וּמֶלֶךְ אַדְמָה וּמֶלֶךְ צְבֹיִים וּמֶלֶךְ בֶּלַע הִוא־צֹעַר וַיַּעַרְכוּ אִתָּם מִלְחָמָה בְּעֵמֶק הַשִּׂדִּים׃

Todos os nomes pessoais e locativos contidos neste versículo já foram comentados em outros lugares. Ver no *Dicionário* sobre *Sodoma* e *Gomorra*; sobre *Admá* (Gn 14.2); sobre *Zeboim* (14.2); sobre *Belá* e *Zoar* (no *Dicionário* e em Gn 14.2); sobre o *vale de Sidim* (14.3). Esse vale vivia coberto de sangue, naqueles dias. A malignidade dos homens não conhecia limites. Quatro chefes locais guerrearam contra cinco, e isso pela simples razão da cobiça.

14.9

אֵת כְּדָרְלָעֹמֶר מֶלֶךְ עֵילָם וְתִדְעָל מֶלֶךְ גּוֹיִם וְאַמְרָפֶל מֶלֶךְ שִׁנְעָר וְאַרְיוֹךְ מֶלֶךְ אֶלָּסָר אַרְבָּעָה מְלָכִים אֶת־הַחֲמִשָּׁה׃

Este versículo reitera os nomes que figuram no vs. 1, onde há artigos sobre eles, ou, então, o leitor poderá examinar o *Dicionário* se quiser maiores informações a respeito. *Quedorlaomer* aparece na lista em primeiro lugar, por ser o líder no massacre. Os *quatro*, do oriente, agora novamente mencionados, lutaram contra os cinco chefes das cidades da planície, cujos nomes aparecem a começar pelo segundo versículo deste capítulo.

14.10

וְעֵמֶק הַשִּׂדִּים בֶּאֱרֹת בֶּאֱרֹת חֵמָר וַיָּנֻסוּ מֶלֶךְ־סְדֹם וַעֲמֹרָה וַיִּפְּלוּ־שָׁמָּה וְהַנִּשְׁאָרִים הֶרָה נָּסוּ׃

O vale de Sidim. Dei notas sobre esse lugar em Gênesis 14.3.

Poços de betume. Ver o verbete *Betume* no *Dicionário*. Talvez diga respeito a escavações de onde tinha sido extraído o betume. Estão em foco camadas de asfalto natural, bem conhecido pelos gregos e pelos romanos pelo nome de *pix judaica*. O betume continua existindo no lado ocidental do mar Morto. Escavações antigas, em busca desse material, continuam visíveis até hoje. Em alguns lugares, o betume aflora à superfície, como se fosse uma fonte de água.

Alguns caíram neles. Os cinco reis das cidades da planície não demoraram a ser derrotados, e tiveram de fugir. Tudo quanto eles queriam era escapar de um tributo injusto que lhes havia sido imposto pelo espaço de dez anos (ver o vs. 4). Em lugar disso, porém, sua causa não foi ganha, e quase todos eles perderam a vida. Os restantes fugiram. Alguns fugitivos caíram naqueles horrendos poços de betume, e os poucos que conseguiram escapar abrigaram-se nas colinas das proximidades. Foi para aquelas mesmas colinas que Ló fugiu, quando Deus destruiu toda aquela área (Gn 19.30).

14.11

וַיִּקְחוּ אֶת־כָּל־רְכֻשׁ סְדֹם וַעֲמֹרָה וְאֶת־כָּל־אָכְלָם וַיֵּלֵכוּ׃

A Grande Pilhagem. Eles mataram e saquearam. Todos os bens materiais que as pessoas dali tinham podido acumular no decurso de anos se perderam; também perdeu-se todo o alimento estocado, deixando os sobreviventes passando fome. Sodoma e Gomorra tinham sofrido muitos prejuízos, mas nada que se comparasse com o que sucederia em seguida, quando Deus visitasse a área, por causa dos pecados de seus habitantes. A predação, a pilhagem e o saque sempre foram ingredientes comuns das guerras.

Adolescentes Morais. O General Omar Bradley, discursando no Dia do Armistício, em 1948, disse algumas coisas significativas sobre os guerreiros que dominam o nosso planeta:

"Nosso conhecimento científico já ultrapassou em muito a nossa capacidade de controlá-lo. Temos muitos homens de ciência, mas pouquíssimos homens de Deus. Temos conseguido manusear os mistérios do átomo, mas temos rejeitado o Sermão da Montanha. O homem está tropeçando cegamente em meio às trevas espirituais, ao mesmo tempo em que brincamos com os precários segredos da vida e da morte. O mundo tem obtido resplendor sem sabedoria, poder sem consciência. Nosso mundo é de gigantes nucleares e de infantes éticos. Sabemos mais sobre a guerra do que sobre a paz, mais sobre como matar do que sobre como viver. Essa é a nossa reivindicação à distinção e ao progresso, neste nosso século XX".

E o mesmo militar também queixou-se de como este mundo tem-se tornado vítima dos *adolescentes morais*. A quantidade de poder destrutivo tem aumentado a sabedoria, mas não a qualidade da sabedoria.

E se foram. Lavaram o sangue grudado em suas espadas; encheram a barriga com alimentos; e foram-se embora, regozijando-se por todo o caminho por causa de sua vitória tão fácil.

■ **14.12**

וַיִּקְחוּ אֶת־לוֹט וְאֶת־רְכֻשׁוֹ בֶּן־אֲחִי אַבְרָם וַיֵּלֵכוּ
וְהוּא יֹשֵׁב בִּסְדֹם:

Apossaram-se também de Ló. Ló era um homem bom que morava em um lugar mau, que subitamente se tornou o lugar errado. Ló foi achado na companhia de praticantes da iniquidade. Há uma antiga história inglesa sobre como gansos e grous estavam juntos em um campo. Os grous eram maliciosos e estavam destruindo os grãos por pura diversão. Os gansos estavam inocentemente comendo os grãos. Eis que chega um caçador e acaba pondo grous e gansos em um mesmo saco. Assim também sucedeu a Ló, o ganso, que foi tomado prisioneiro juntamente com os ímpios grous sodomitas. Sendo ele um forasteiro entre os ímpios, Ló acabou compartilhando do castigo daqueles. Os chefes vitoriosos saquearam os bens de Ló, suas preciosas possessões, algumas das quais ele havia amealhado facilmente no Egito, embora grande parte tenha conseguido mediante trabalho árduo. E assim ele perdeu os frutos de seu labor, porquanto tinha preferido ficar em companhia errada.

■ **14.13**

וַיָּבֹא הַפָּלִיט וַיַּגֵּד לְאַבְרָם הָעִבְרִי וְהוּא שֹׁכֵן בְּאֵלֹנֵי
מַמְרֵא הָאֱמֹרִי אֲחִי אֶשְׁכֹּל וַאֲחִי עָנֵר וְהֵם בַּעֲלֵי
בְרִית־אַבְרָם:

Veio um, que escapara. Esse tornou-se mensageiro de más notícias, mas sua missão resultou na reversão da situação, tanto quanto era possível revertê-la. Pois havia perdas que não podiam mais ser repostas.

Abrão, o hebreu. Ver no *Dicionário* o artigo sobre *Abraão*. É neste versículo que pela primeira vez aparece o termo *hebreu*, sobre o qual comentei, com riqueza de detalhes, no *Dicionário*, no verbete *Hebreus (Povo)*. Nesse artigo há várias ideias quanto à derivação desse nome. Vemos, na primeira referência a esse versículo, o começo da formação da nação hebreia. Agora, Abraão era um hebreu. O propósito divino estava avançando, a despeito da confusão e do conflito dos povos. Agora Abraão passava a ser reconhecido como o chefe de um clã. Abraão, segundo se vê neste capítulo 14, começava a tornar-se uma força que todos tinham de levar em conta. Agora ele era um poder entre outros poderes. Na primeira vez em que se engajou em uma campanha militar, obteve sucesso.

Carvalhais de Manre. No *Dicionário* apresentei um artigo detalhado sobre *Manre*. Ver Gênesis 12.7 e 13.18 quanto a detalhes adicionais. O nome *Manre* alude a um chefe dos amorreus (neste versículo), e aos carvalhais de Manre (Gn 13.18 e 18.1).

Manre, o amorreu, era aliado de Abraão, juntamente com seus irmãos, Aner e Escol. Esses homens ajudaram Abraão a derrotar os reis mesopotâmicos invasores. Lemos que Abraão havia armado as suas tendas perto dos terebintos de Manre, intitulado "o amorreu". Assim sendo, é provável que esse homem tenha dado o seu nome à localidade.

Escol. Esse nome era dado a um homem e a um vale. Ele era chefe amorreu com quem Abraão entrara em aliança, quando estava acampado perto de Hebrom. Ele se aliou a Abraão na perseguição a Quedorlaomer e seus aliados, na tentativa de libertar Ló, que havia sido sequestrado com todos os seus.

Aner. Nome de um homem e de uma cidade (Gn 14.13,24 e 1Cr 6.70). Essa palavra significa "jovem". Era irmão de Manre e de Escol, chefes cananeus (amorreus) que uniram suas forças às de Abraão, na perseguição aos reis Quedorlaomer e Anrafel e seus aliados, que haviam pilhado Sodoma e levado Ló, sobrinho de Abraão, como prisioneiro. É provável que ele tenha dado seu nome à cidade mencionada em 1Crônicas 6.70. Manre era o nome antigo de Hebrom (Gn 23.19). Escol é o nome de um vale perto de Hebrom (Nm 13.23). Terminada a tarefa, Abraão ignorou os despojos. Mas aqueles que o ajudaram deles compartilharam. Uma décima parte (o dízimo) foi dada a Melquisedeque, rei de Salém (o antigo nome de Jerusalém). Tudo isso sucedeu em cerca de 2060 a.C.

O amorreu. Estes amorreus formavam um pequeno grupo étnico da antiguidade, e não a poderosa onda de invasores amorreus que se derramou tanto sobre a antiga Suméria quanto sobre a região ao ocidente. Os amorreus eram tão proeminentes entre os cananeus que o nome deles podia ser usado para indicar todos os cananeus (Js 24.8).

■ **14.14**

וַיִּשְׁמַע אַבְרָם כִּי נִשְׁבָּה אָחִיו וַיָּרֶק אֶת־חֲנִיכָיו יְלִידֵי
בֵיתוֹ שְׁמֹנָה עָשָׂר וּשְׁלֹשׁ מֵאוֹת וַיִּרְדֹּף עַד־דָּן:

Abraão reuniu uma pequena força de milicianos. Eram 318 homens, mas ele foi o general, e obteve o crédito pela vitória ganha (vs. 17). Ver meus comentários sobre o homem espiritual envolvido na *guerra* e na *matança,* no parágrafo introdutório às notas sobre Gênesis 14.1. Abraão tornou-se um herói de guerra, exaltado e louvado como sempre o foram os homens violentos. É claro que a sua causa era justa, e também é verdade que, às vezes, a única solução restante é a militar. Mas isso não impede que quedemos boquiabertos diante do homem que erigia um altar a Deus, por onde ia, mas que aqui precisou matar. Melquisedeque (vs. 20) atribuiu a vitória a Deus. Mas os homens sempre metem Deus em suas batalhas. Destarte, Abraão transformou-se no modelo de Rei-Guerreiro que se tornou tema tão popular na época de Saul e depois dele. Podemos achar textos de prova quase para qualquer coisa.

Servos Treinados. Talvez tenham sido treinados exatamente para uma eventualidade como aquela. Aquele que encabeçasse uma tribo de qualquer modalidade teria de tomar medidas militares, pois, de outra sorte, acabaria morto. O *pacifismo* é um belo ideal, mas nunca funcionou, nem na sociedade antiga nem na moderna. O pacifismo serve somente para encorajar os matadores e os psicopatas. Tudo isso é um triste comentário sobre o estado aviltado da espiritualidade em que nos achamos. Por outra parte, nada existe de recomendável sobre a guerra, e nem deveríamos exaltá-la.

O pequeno número de homens que se preparou para essa batalha ilustra o que eu já tinha dito. Estamos tratando aqui com chefes tribais, e não com "reis" no sentido moderno da palavra.

"Esses (servos) foram treinados por ele nos exercícios religiosos (Gn 18.19), nas atividades da vida civil, no cuidado pelos rebanhos, e, particularmente, na arte da guerra" (John Gill, *in loc.*).

Até Dã. Ver sobre esse nome no *Dicionário*. Dã foi o quinto filho de Jacó. Seu nome acabou sendo dado à tribo que dele descendia. E, então, houve uma cidade com esse nome, que está em foco neste texto. Esse foi o nome que os danitas deram à cidade de *Lesém* (Js 19.47 quanto a um artigo sobre esse nome). A cidade também era chamada *Laís* (Jz 18.27,28). Era a cidade mais nortista de Israel, após a conquista da Terra Prometida. Daí a expressão "desde Dã até Berseba" (Jz 20.1; 1Sm 3.20) assinalar os extremos norte e sul de Israel. Quanto a outros detalhes sobre esse lugar e a sua história, ver o artigo mencionado. Se a perseguição efetuada por Abraão começou em Manre (Hebrom) e continuou até Dã, então ele percorreu cerca de 250 km, uma grande distância para a época, ou seja, quase toda a extensão norte-sul de Israel.

Provavelmente Abraão precisou marchar por grande distância antes de encontrar o inimigo. Parece que o vs. 15 indica que *quase* todos aqueles duzentos e cinquenta quilômetros foram percorridos antes de o inimigo ser detectado. Finalmente, em Dã, Abraão os surpreendeu, e a batalha deve ter ocorrido nas proximidades daquela cidade. As distâncias cobertas por Abraão, nessa perseguição, causaram-lhe consideráveis sacrifícios e perda de tempo. Isso mostra o grande interesse que ele demonstrou por seu sobrinho, Ló, e pelos familiares deste.

■ 14.15

וַיֵּחָלֵק עֲלֵיהֶם ׀ לַיְלָה הוּא וַעֲבָדָיו וַיַּכֵּם וַיִּרְדְּפֵם
עַד־חוֹבָה אֲשֶׁר מִשְּׂמֹאל לְדַמָּשֶׂק׃

E, repartidos contra eles. As tropas dividiram-se em vários esquadrões, de acordo com algum plano e formação de batalha preparados de antemão. Talvez tenha havido quatro grupos, para enfrentar quatro distintos grupos de inimigos. Os intérpretes judeus veem aqui alguma espécie de treinamento e experiência militar na vida de Abraão, que o tinha aprestado para uma eventualidade como aquela.

E os perseguiu até Hobá, que ficava à esquerda (norte) de Damasco, estando o bando de Abraão a olhar para o oriente. Josefo afirma que a perseguição durou um dia e uma noite, depois que o inimigo foi encontrado. Em Hobá terminam os montes e começa uma grande planície, e isso facilitou os golpes finais do ataque.

"A afeição de Abraão por Ló parece ter sido a motivação básica do primeiro. Abraão arriscou alegremente a sua vida em defesa do sobrinho que ainda há pouco havia escolhido a melhor parte da terra, deixando seu tio vivendo como melhor pudesse fazer, no território que ele mesmo havia rejeitado. Mas é próprio das mentes grandes e generosas não somente perdoar mas também esquecer as ofensas, pagando a todo o tempo o bem pelo mal recebido" (Adam Clarke, *in loc.*).

Hobá. No hebraico, *aquele a quem Yahweh incita*. Esse era o nome de uma localidade (talvez um lugar vazio entre montes, conforme o nome parece indicar), que ficava ao norte de Damasco. Abraão chegou àquele lugar quando perseguia os reis que haviam saqueado Sodoma. Tem sido identificada com a moderna Hoba, que fica cerca de 80 km ao norte de Damasco, na estrada para Palmira.

Damasco. Uma das mais antigas cidades do mundo, sobre a qual dou um artigo detalhado no *Dicionário*. Muitos episódios bíblicos estão associados a esse lugar, no Antigo e no Novo Testamento.

■ 14.16

וַיָּשֶׁב אֵת כָּל־הָרְכֻשׁ וְגַם אֶת־לוֹט אָחִיו וּרְכֻשׁוֹ הֵשִׁיב
וְגַם אֶת־הַנָּשִׁים וְאֶת־הָעָם׃

Houve Recuperação Completa ou Quase Completa do que se tinha perdido, tanto sob a forma de pessoas como sob a forma de bens materiais. Não fica claro por que aqueles saqueadores se deram ao trabalho de poupar os homens e levá-los como prisioneiros. O padrão comum era ficar com os bens materiais e com as mulheres. Temos aqui, pois, um significativo incidente da graça de Deus. Ló tinha tomado uma série de más decisões, e agora merecia um tratamento severo. Contudo, talvez por causa de Abraão, suas grandes perdas foram quase completamente revertidas. Não obstante, ele não aprendeu a lição, pois regressou a Sodoma, somente para perder tudo no juízo divino que não demorou a cair sobre aquele lugar. Paulo ensina-nos, em Romanos 2.4, que a *bondade* de Deus tem por intuito conduzir-nos ao *arrependimento*. Essa é a melhor maneira de alguém ser levado a arrepender-se. Mas a bondade de Deus não impressionou muito Ló. Somente um juízo drástico conseguiria esse efeito. Deus pode fazer, por meio do julgamento, certas coisas que não podem ser realizadas de outra maneira, e seus juízos nunca são meramente retributivos. Esses juízos sempre visam à restauração das pessoas punidas. Ver 1Pedro 4.6, que descreve o caso dos ímpios, que já estão sob o julgamento de Deus. Assim, o *amor* de Deus é o maior e mais ativo princípio que atua sobre a criação. Ver no *Dicionário* os verbetes intitulados *Amor* e *Graça*.

E ainda as mulheres. Um toque, ao mesmo tempo, de terror e de ternura. Todos quantos leem essas crônicas devem sentir dó das mulheres e das crianças, os impotentes e os inocentes, que homens desarrazoados vitimam, e que ficam à mercê de indivíduos brutais e moralmente insanos. O autor sagrado, porém, apressa-se por informar-nos que Deus cuidou desses. As criancinhas te pertencem, ó Senhor!

MELQUISEDEQUE (14.17-20)

Esta breve seção apresenta o misterioso Melquisedeque. Alguns críticos acreditam que o relato foi adicionado por uma mão posterior à narrativa da guerra; mas quase todos são sábios o bastante para ver que o relato sobre a guerra, embora interessante, reveste-se de menor importância do que a seção que tem começo aqui. O autor sagrado teve o cuidado de frisar, desde o princípio, os valores espirituais, e de ressaltar lições morais. A história dos saqueadores prové o ensejo para mostrar o que resultou de tanta agitação. Melquisedeque estava presente para abençoar o vitorioso Abraão, aparecendo como figura superior a ele, visto que dele recebeu dízimos e ainda o abençoou, e não o contrário. Temos aqui um sacerdócio em Salém (Jerusalém), anterior à instituição do sumo sacerdócio levítico, em Aarão. No Novo Testamento, com base nessa circunstância, é usado o argumento de que, se Jesus não descendia de Aarão (daí não ter o direito histórico de ser o sumo sacerdote), ele é sumo sacerdote segundo a ordem ou categoria de Melquisedeque (Hb 7.1-11,15,17,21). Os críticos veem nisso apenas uma competição de sacerdócios, que envolvia a questão de Jerusalém ter ou não precedência dentro do judaísmo. Os filhos de *Zadoque* (ver sobre ele no *Dicionário*) foram contrastados com os filhos de Aarão (Ez 48.11), pois o sacerdócio deles não seria de origem levítica. Talvez tivessem achado as origens de seu sacerdócio em Jerusalém, desde antes do desenvolvimento do sacerdócio aarônico. Outros críticos sugerem que eles aceitaram o *Yahwismo* (culto a Yahweh) quando Davi capturou Jerusalém. E, sendo eles pessoas de grande prestígio, foram capazes de manter-se como guardiães do santuário central, o de Jerusalém, formando assim uma espécie de sacerdócio rival. Além disso, terminado o exílio, teriam sido forçados a entrar em acordo com o sacerdócio aarônico. Alguns críticos também supõem que a descendência de Zadoque de Aarão tenha sido uma desinformação que penetrou nas genealogias (1Cr 6.1-8), para que se evitasse a suposição de que havia dois sacerdócios em competição. Na *fusão* dos sacerdócios, Jerusalém tornou-se o santuário central, e lugares como Betel perderam prestígio, parcial ou inteiramente. Os eruditos têm estudado essas questões sem chegarem a resultados definitivos, mas o texto à nossa frente sugere claramente um sacerdócio mais antigo e muito respeitado em Jerusalém, ao qual o próprio Abraão honrou. É lógico supor que esse sacerdócio tenha persistido mesmo depois que Israel se apossou da Terra Prometida, e, de algum modo, fundiu-se com o sacerdócio aarônico. Ver no *Dicionário* o artigo intitulado *Sacerdotes e Levitas*.

■ 14.17

וַיֵּצֵא מֶלֶךְ־סְדֹם לִקְרָאתוֹ אַחֲרֵי שׁוּבוֹ מֵהַכּוֹת
אֶת־כְּדָרְלָעֹמֶר וְאֶת־הַמְּלָכִים אֲשֶׁר אִתּוֹ
אֶל־עֵמֶק שָׁוֵה הוּא עֵמֶק הַמֶּלֶךְ׃

O Rei de Sodoma Encontra-se com Abraão. Tinha-se divulgado a notícia de que Abraão triunfara sobre os malignos reis do oriente (Gn 14.1), algo que os reis de Sodoma e seus aliados não tinham podido fazer. Esse rei estava em dívida com Abraão e queria expressar-lhe gratidão. Ademais, havia todo aquele dinheiro e bens (para nada dizermos sobre pessoas) que tinham sido levados, e o rei estava ansioso por recuperar a parte que lhe cabia. Melquisedeque, rei de Salém (Jerusalém), também foi, fazendo grande contraste entre os dois tipos de pessoas que tinham ido saudar a Abraão. Melquisedeque estava interessado em assuntos espirituais; os demais queriam saber somente dos bens. Os homens sempre estiveram e sempre estarão divididos entre o que é material e o que é espiritual. Isso, às vezes, sucede no caso de um único indivíduo, para não mencionar que é um fator que divide os homens em duas classes bem distintas.

No vale de Savé. No Antigo Testamento são mencionados 26 vales diferentes. Ver no *Dicionário* o artigo intitulado *Vale*. Um desses é o que figura neste texto, o *vale de Savé*, também conhecido como *vale do Rei* (Gn 14.17; 2Sm 18.18). Foi nesse vale que o rei de Sodoma veio ao encontro de Abraão, quando este voltava, após ter derrotado Quedorlaomer. Foi ali, igualmente, que Absalão erigiu uma coluna (2Sm 18.18). Ao que parece, ficava localizado perto de Salém (Jerusalém), onde Melquisedeque residia, e onde, posteriormente, foi edificada a cidade de Jerusalém. Muitos eruditos identificam o vale do rei com o *vale de Josafá* (ver no *Dicionário*).

Vale do Rei. Não somos informados sobre qual seria esse rei, mas a maioria supõe que Melquisedeque estaria em pauta, embora outros digam que seria o rei de Sodoma. Contudo, é possível que o termo *Rei* tivesse sido aplicado mais tarde ao lugar, ou seja, quando Israel começou a ter reis. Esse nome indicaria (em face dessa última conjectura) que foi nesse local que os reis de Judá, em tempos subsequentes, reuniam-se e exerciam seu poder, ou, então, ali eles faziam algo que deu notoriedade ao local. Nesse caso, "vale de Savé" é o nome antigo, e "vale do Rei" seu nome mais recente. *Savé* significa "planície" ou "vale".

■ **14.18**

וּמַלְכִּי־צֶ֙דֶק֙ מֶ֣לֶךְ שָׁלֵ֔ם הוֹצִ֖יא לֶ֣חֶם וָיָ֑יִן וְה֥וּא כֹהֵ֖ן לְאֵ֥ל עֶלְיֽוֹן׃

Melquisedeque. Achamos aqui um homem misterioso que tem arrebatado a imaginação dos intérpretes. Daí haver tantas e tão variadas tentativas de identificação. Não reitero aqui os detalhes, visto que no verbete sobre esse homem, no *Dicionário,* forneço abundantes informações. As referências veterotestamentárias a ele aparecem em Gênesis 14.18 e Salmo 110.4. No Novo Testamento, todas as referências acham-se na epístola aos Hebreus (5.6,10; 6.20; 7.1,10,11,15,17,21). Mas há muitas tradições sobre ele, que aumentam tão escassas informações bíblicas. O autor do tratado aos Hebreus faz dele um tipo de Cristo, o originador do tipo de sacerdócio que Cristo tinha, que já existia antes do sacerdócio aarônico e até lhe era superior. Os mórmons dizem ser continuadores tanto do sacerdócio de Aarão quanto do sacerdócio de Melquisedeque, e este segundo reveste-se de maior importância que o primeiro.

Salém. No hebraico, *completa.* Esse nome é uma forma abreviada de Jerusalém (ver no *Dicionário* a esse respeito). Embora ocorra apenas por quatro vezes nas Escrituras, o nome Salém é a primeira designação dessa cidade (Gn 14.18), identificando o lugar da *cobertura, tenda* ou *habitação* de Deus (Sl 76.2). O título dado a Melquisedeque, ou seja, rei de Salém (Hb 7.1), significa "rei de paz", no versículo seguinte, destacando-se o seu sentido de segurança, prosperidade e bem-estar. Salém talvez também seja nome ligado a alguma divindade cananeia desse nome, adorada pelos seus habitantes jebuseus originais. A emenda de nossa versão portuguesa, em Gênesis 33.18, para "chegou Jacó são e salvo à cidade de Siquém", segue de perto a Revised Standard Version, em inglês.

Pão e vinho. É provável que estejam em mira alimentos e bebidas de vários tipos. Talvez devamos pensar aqui em uma refeição providenciada por Melquisedeque. Mas alguns veem na cena uma espécie de sacrifício religioso, algum rito ou cerimônia. Talvez tenha havido algum tipo de rito religioso de ação de graças, diante da vitória, com bênção conferida aos participantes vitoriosos. É possível que Melquisedeque, como tipo do Rei dos reis que viria, tenha previsto as necessidades tanto do corpo quanto da alma dos presentes. O amor de Deus sempre provê o necessário tanto para um quanto para outra.

Deus Altíssimo. Melquisedeque era o sacerdote de *El Elyon.* O nome *El* era comumente aplicado a Deus entre os povos de origem semita, e tornou-se na Bíblia um dos nomes principais de Deus, em sua forma singular ou plural, respectivamente, *El* e *Elohim.* (Ver no *Dicionário* o verbete *Deus, Nomes Bíblicos de.) El* significa "poder", "força". É nome usado de forma composta com outros títulos. Assim, temos *Deus Todo-poderoso,* em Gênesis 17.1; *Deus, o Deus de Israel,* em Gênesis 33.20; e *El-Betel* (Deus de Betel), em Gênesis 31.13. Por sua vez, *Elyon* é apelativo usado com frequência no Antigo Testamento para indicar o Senhor (Sl 78.35).

Alguns estudiosos têm sugerido que *El Elyon* seria uma antiga divindade do santuário de Jerusalém que, mais tarde, veio a ser identificada com Yahweh. Os Macabeus foram chamados "sacerdotes do Deus Altíssimo" no livro *Assunção de Moisés* 6.1. Em Salmos 7.17, *Elyon* é aplicado a Yahweh. No vs. 22 deste capítulo, Abraão jurou por *Yahweh, El Elyon.*

Sacerdote. Temos aqui a primeira menção ao termo "sacerdote" na Bíblia. Ver as notas introdutórias a Gênesis 14.17, e, no *Dicionário,* o artigo *Sacerdotes e Levitas.* Embora talvez Melquisedeque fosse cananeu, seu sacerdócio e adoração foram reconhecidos por Abraão como ligados ao mesmo Deus que o seu. Alguns intérpretes judeus pensam que Melquisedeque é outro nome dado a Sem, a fim de evitarem o problema criado por um rei *pagão.* Mas isso já é *eisegesis,* e não exegese, ou seja, é ler no texto aquilo que queremos ver ali, e não o que realmente faz parte do texto sagrado.

■ **14.19**

וַֽיְבָרְכֵ֖הוּ וַיֹּאמַ֑ר בָּר֤וּךְ אַבְרָם֙ לְאֵ֣ל עֶלְי֔וֹן קֹנֵ֖ה שָׁמַ֥יִם וָאָֽרֶץ׃

Abençoou ele Abrão. Ou seja, Melquisedeque abençoou Abraão, mostrando ocupar uma posição superior à deste último. Algumas versões dizem aqui: "abençoou ele Abrão pelo Deus Altíssimo", fazendo Abraão e seu Deus serem os agentes dessa bênção. Ambos tinham o mesmo Deus, pois, de outra sorte, Abraão não teria aceitado a bênção. No vs. 22, El Elyon é o mesmo Yahweh. Portanto, não há aqui nenhum conflito quanto ao objeto apropriado da adoração. Deus aparece como "Criador" do céu e da terra, o que significa que estamos em terreno monoteísta. Mas algumas traduções dizem aqui "possuidor", ou "que possui" (como se dá com nossa versão portuguesa), em lugar de Criador. Comentou John Gill *(in loc.):* "Ele é o Criador de ambos (céu e terra), e tem o direito de dispor de tudo quanto há em ambos". O termo hebraico envolvido significa "criador" ou "formador".

Hebreus 7.7 usa o fato de que "o inferior é abençoado pelo superior", a fim de mostrar que o sacerdócio de Cristo tem mais prestígio que o de Aarão, e que seu sumo sacerdócio substituiu o sacerdócio aarônico.

■ **14.20**

וּבָרוּךְ֙ אֵ֣ל עֶלְי֔וֹן אֲשֶׁר־מִגֵּ֥ן צָרֶ֖יךָ בְּיָדֶ֑ךָ וַיִּתֶּן־ל֖וֹ מַעֲשֵׂ֥ר מִכֹּֽל׃

Bendito seja o Deus Altíssimo. Melquisedeque bendisse o Deus dos dois, o Altíssimo, a quem deu o crédito por ter dado a Abraão (o general que dirigira a operação) o poder de derrotar os seus inimigos. Abraão havia derrotado os *quatro reis,* o que não foi um feito insignificante. Os intérpretes judeus fazem esses reis representar a Babilônia, a Pérsia, a Grécia e Roma, todos os quais mais tarde se tornaram opressores de Israel, mas que foram caindo, um por um. Seja como for, a lição moral e espiritual é clara: somente através da ajuda divina podemos obter vitórias significativas de qualquer modalidade, embora, como é óbvio, tenhamos de fazer nossa parte. Indaga um certo hino: "Como poderíamos obter uma grande recompensa, se agora evitamos a luta?"

O dízimo. Ver o artigo assim intitulado no *Dicionário.* Neste caso, o dízimo foi uma oferenda de gratidão a Deus, mostrando-se generoso com seu sacerdote ou representante. Veja como o trecho de Hebreus 7.4-11 usa esse e outros elementos em seu argumento em prol da superioridade do sacerdócio de Cristo. O dízimo foi dos despojos tomados do adversário, visto que os bens voltaram aos seus proprietários. É possível, porém, que Abraão se tenha sentido justificado ao dar o dízimo de tudo. Neste ponto, achamos a primeira menção bíblica ao *dízimo.* É totalmente possível, contudo, que esse já fosse um costume fixo de sustento dos sacerdotes. Seja como for, o princípio veio a tornar-se parte integral do judaísmo, conforme mostra meu artigo sobre o assunto. Sem dúvida, o dízimo era um princípio observado por vários povos, e não somente pelos hebreus. Achamos algo similar na cultura helênica (no caso dos tarentinos, que deram dízimos depois de terem obtido uma vitória sobre os paucetianos). Um dízimo foi enviado a *Delfos,* nesse caso. Adam Clarke asseverou que muitos povos antigos seguiam essa prática, embora não tivesse citado nenhuma fonte informativa. Em meu artigo sobre o *Dízimo,* segunda seção, há algumas evidências em prova dessa assertiva.

■ **14.21**

וַיֹּ֥אמֶר מֶֽלֶךְ־סְדֹ֖ם אֶל־אַבְרָ֑ם תֶּן־לִ֣י הַנֶּ֔פֶשׁ וְהָרְכֻ֖שׁ קַֽח־לָֽךְ׃

Abraão Não se Interessou pelo Dinheiro. Disse ele ao rei de Sodoma: "Fica com teu dinheiro!" O rei não relutou, e ficou com o dinheiro.

Abraão estava interessado em salvar pessoas que lhe eram queridas. Tendo feito isso, seu interesse pelo caso tinha terminado. Não era assim que um *general* costumava agir, mas era a atitude espiritual certa. Alguns comentam: "Abraão já era rico, pelo que não precisava de coisa nenhuma". Isso é uma verdade, mas usualmente os ricos jamais param de cobiçar mais. Abraão mostrou ser diferente. Abraão era homem dotado de *mente elevada*, conforme o autor queria que entendêssemos, destacando outra lição moral e espiritual. Uma de minhas fontes informativas ajunta que Abraão agora passava por um "teste", por estar-lhe sendo oferecido "um negócio irrecusável". Mas Abraão simplesmente estava acima de tudo isso, e não se sentiu tentado. Abraão repeliu o que lhe fora oferecido com um discurso (vss. 22-24), deixando claro que não queria obter a reputação de ter enriquecido graças ao rei de Sodoma. Ele tinha uma fonte mais nobre para suas riquezas, *Deus*.

"A fé olha para além das riquezas deste mundo, contemplando as promessas superiores que Deus lhe reserva" (Allen P. Ross, *in loc.*).

■ 14.22

וַיֹּ֥אמֶר אַבְרָ֖ם אֶל־מֶ֣לֶךְ סְדֹ֑ם הֲרִימֹ֙תִי יָדִ֤י אֶל־יְהוָה֙ אֵ֣ל עֶלְי֔וֹן קֹנֵ֖ה שָׁמַ֥יִם וָאָֽרֶץ׃

Levanto minha mão. Abraão estava fazendo um juramento por Deus, mostrando quão sério era ele, ao recusar receber qualquer coisa da mão do rei de Sodoma. Esse é o primeiro incidente de um *juramento* registrado na Bíblia; mas é provável que esse fosse um costume bem antigo. Ver no *Dicionário* o artigo chamado *Juramentos*. Um crente pode erguer sua mão para orar, para abençoar, para curar e para fazer um juramento. Abraão apelou a Deus erguendo a mão. Um apelo foi feito a Deus. E isso mostra a fé de que Deus *tem* poder, e que *pode* e *quer agir* a pedido de seu povo. Abraão já havia submetido a teste as suas orações. Ele deixou sua casa, em Hebrom, a fim de perseguir os saqueadores, e deve ter orado muitas vezes, ao longo do caminho, pedindo a segurança de seus entes amados. Deus é o Criador, mas também é o Ser que cuida de sua criação. Ver no *Dicionário* o artigo intitulado *Teísmo*.

O Deus Altíssimo. *Yahweh El Elyon*. Esses são nomes importantes de Deus. Ver no *Dicionário* o verbete *Deus, Nomes Bíblicos de*, bem como os comentários no vs. 18 deste capítulo. Abraão estava sujeito à bênção de Deus, e recebeu essa bênção da parte de Melquisedeque (vs. 10). Mas do rei de Sodoma ele nada queria. Deus é o controlador dos tesouros divinos. E desse depósito é que fluem todas as suas bênçãos (Tg 1.17). Existe lucro ilícito, mas Abraão não estava interessado nesse tipo de ganho.

■ 14.23

אִם־מִחוּט֙ וְעַ֣ד שְׂרֽוֹךְ־נַ֔עַל וְאִם־אֶקַּ֖ח מִכָּל־אֲשֶׁר־לָ֑ךְ וְלֹ֣א תֹאמַ֔ר אֲנִ֖י הֶעֱשַׁ֥רְתִּי אֶת־אַבְרָֽם׃

Nada tomarei. O rei de Sodoma era um homem perigoso. Em alguma ocasião futura, ele poderia querer usar o episódio para explorar o bom nome de Abraão, com proveito próprio. É melhor deixar de lado certas pessoas.

Nem um fio, nem uma correia de sandália. Ou seja, nem a mínima coisa. Abraão reconhecia quão perigoso era fazer negócios com o rei de Sodoma. Ademais, ele tinha acesso a todas as bênçãos divinas, que faziam parte do seu Pacto Abraâmico (ver no *Dicionário* o artigo *Pactos*). John Gill sugeriu que o *fio* aqui mencionado era usado para costurar vestes, e que uma correia de sandália servia para prender uma sandália ao pé de uma pessoa. Assim, ele não ficaria com o mínimo dos mínimos que pertencesse ao rei de Sodoma. Uma sandália pouco valia; quanto menos uma correia de sandália! Adam Clarke (*in loc.*) pensa que estamos tratando com algum ditado proverbial, cujo sentido não é muito claro para nós, por falta de explicações por parte do autor sacro.

■ 14.24

בִּלְעָדַ֗י רַ֚ק אֲשֶׁ֣ר אָכְל֣וּ הַנְּעָרִ֔ים וְחֵ֙לֶק֙ הָֽאֲנָשִׁ֔ים אֲשֶׁ֥ר הָלְכ֖וּ אִתִּ֑י עָנֵר֙ אֶשְׁכֹּ֣ל וּמַמְרֵ֔א הֵ֖ם יִקְח֥וּ חֶלְקָֽם׃ ס

Algum Alimento Foi Consumido, que Abraão teve de aceitar, pois fazia parte de coisas que haviam sido tomadas de Sodoma. Além disso, aqueles que o tinham acompanhado, as pessoas alistadas no vs. 13 (ver as notas), mereciam algo dos despojos. Ele não pedia que seguissem o seu exemplo. Havia despojos recapturados, e os aliados de Abraão tinham o direito de compartilhar desses despojos. Os saqueadores, sem dúvida, tinham-se apossado de muitos bens, porquanto já haviam atacado *muitos* lugares.

Os rapazes... que foram comigo. Os 318 guerreiros treinados por Abraão, bem como certos aliados referidos no vs. 13. Que teria sucedido aos saqueadores? Teriam sido todos mortos? Teria Abraão reduzido os mesmos a seus escravos? Ou o rei de Sodoma levou-os consigo, para serem seus escravos? Essas eram coisas que normalmente acompanhavam as guerras antigas. Mas coisa alguma nos é informada sobre essas indagações.

CAPÍTULO QUINZE

PACTO E PROMESSA DE UM FILHO (15.1—18.6)

O PACTO COM ABRAÃO (15.1-21)

Yahweh é o principal nome divino usado por todo este capítulo 15 de Gênesis. Por isso, os críticos supõem que a fonte informativa seja *J*. Ver no *Dicionário* o artigo intitulado *J.E.D.P.(S.)*. Alguns críticos pensam que a fonte é *E*, mas que o material foi refeito por redatores das fontes *J* ou *D*. Outros veem uma fusão de *J* e *E*. A complexidade das suposições e das contradições inerentes a elas deixa na dúvida toda a teoria. Os eruditos conservadores pensam que Gênesis foi produzido por um único autor, e que algumas informações podem ter sido obtidas de qualquer número de fontes informativas independentes, por ser assim que os autores geralmente fazem. A maior parte dos livros representa algum trabalho de compilação. Não me incomodo em dar aqui ao leitor os pontos intrincados de porções primárias e secundárias, de inserções e adições que os críticos supõem terem ocorrido quanto a este capítulo.

Após os incidentes registrados no capítulo 14, Abraão recebeu do Senhor novas revelações. Um pacto formal, que já havia sido anunciado, agora seria firmado com ele (Gn 12.2,3). Todavia, tudo quanto está implícito nesse pacto não se tornaria óbvio e real senão após um longo período de servidão (vs. 13). Apesar disso, o propósito divino era firme e sua a concretização seria poderosa.

■ 15.1

אַחַ֣ר ׀ הַדְּבָרִ֣ים הָאֵ֗לֶּה הָיָ֤ה דְבַר־יְהוָה֙ אֶל־אַבְרָ֔ם בַּֽמַּחֲזֶ֖ה לֵאמֹ֑ר אַל־תִּירָ֣א אַבְרָ֗ם אָנֹכִי֙ מָגֵ֣ן לָ֔ךְ שְׂכָרְךָ֖ הַרְבֵּ֥ה מְאֹֽד׃

Depois destes acontecimentos. As revelações divinas ocorreram dentre várias maneiras possíveis: 1. Como uma *teofania* (ver sobre isso no *Dicionário*); 2. uma manifestação do Logos no Antigo Testamento; 3. a visita de um anjo; 4. a questão foi apresentada como uma alegoria: Abraão teve um sentimento ou certeza interior; neste caso, em contraste com as revelações anteriores dadas a Abraão, a origem dela é claramente dita: ele recebeu uma *visão*. Logo, estava envolvida alguma espécie de experiência mística. Ver no *Dicionário* sobre o *Misticismo*. Não somos informados sobre como essa visão teve lugar, nem entendemos muito sobre tais visões. Mas o fato é que as pessoas recebem visões. Ver no *Dicionário* o detalhado artigo intitulado *Visão* (*Visões*).

Senhor. No hebraico, *Yahweh*, o nome do grande tetragrama, *YHWH*, conjugação do verbo "ser" em hebraico, dando a entender o Eternamente Existente, a Fonte da Vida, o Eu Sou de Êxodo 3.14. Ofereci no *Dicionário* verbetes sobre *Yahweh* e sobre *YHWH*. Ver também *Deus, Nomes Bíblicos de*, quanto a muitos detalhes e combinações em que Yahweh figura como parte componente.

Não temas. As visões produzem algum temor, pois são incomuns e fazem a pessoa entrar subitamente em uma experiência com o "outro mundo". Ademais, os seres poderosos que, algumas vezes, produzem as visões são temíveis e assustam as pessoas. E assim, por muitas vezes, o ser que produz uma visão ou outra experiência mística acalma a pessoa que as recebe, dizendo-lhe para "não temer". Abraão haveria de enfrentar ainda muitas dificuldades, como também os seus descendentes, o povo de Israel. Precisavam do consolo e da garantia divinos a fim de que pudessem receber todas as provisões do pacto (comentado no vs. 18 deste capítulo). Diz um antigo hino: "Não sabemos o que o futuro tem para nós, mas sabemos quem garante o futuro". Ver Atos 27.24 quanto ao temor produzido pelas visões.

Eu sou o teu escudo. Essa era a peça da armadura que tinha por finalidade especial dar proteção ao guerreiro. Pode anular todos os dardos inflamados do inimigo. Ver Salmo 91.2 ss. Ali, a verdade de Deus é pavês e escudo. Abraão haveria de enfrentar perigos e dificuldades ao tentar obedecer aos mandamentos do Senhor e reivindicar as promessas que lhe tinham sido feitas no pacto.

Teu galardão será sobremodo grande. Não algo trivial como o benefício que Abraão havia recebido por ter sido generoso com Ló e por tê-lo livrado (depois) do cativeiro (cap. 14). Antes, o grande galardão embutido no Pacto Abraâmico, comentado no vs. 18. Em primeiro lugar chegaria o filho prometido (vs. 2) e, através dele, o resto fluiria. E através do maior Filho prometido (o Cristo) fluiria grande bênção para todas as nações da terra.

■ 15.2

וַיֹּאמֶר אַבְרָם אֲדֹנָי יֱהוִה מַה־תִּתֶּן־לִי וְאָנֹכִי הוֹלֵךְ עֲרִירִי וּבֶן־מֶשֶׁק בֵּיתִי הוּא דַּמֶּשֶׂק אֱלִיעֶזֶר:

Senhor. No hebraico, *Adonai* (uma palavra no plural), que significa "Senhor de escravos", uma palavra aplicada a Deus ou aos homens. Em certos contextos pode significar "marido" (Gn 24.9,10,12). Esse termo fala sobre domínio e autoridade. No tocante a Deus, mostra ser ele o Governante Supremo, o Senhor ou Proprietário de todos. A forma *Adonai* é o plural de *Adon*, usado como *pluralis excellentiae*, indicando exaltação e reverência. Homens também eram chamados assim, como se vê em Gênesis 42.30,33. Por motivo de respeito, os judeus evitavam pronunciar o nome divino *Yahweh*. Assim sendo, misturavam as letras consoantes desse nome, Yahweh, com as vogais do nome Adonai, a fim de produzir o nome artificial *Jeová* (ver no *Dicionário*). Para eles, o verdadeiro nome de Deus era por demais sagrado para ser pronunciado. Isso pode ser contrastado com os cristãos nominais de hoje, que proferem o nome de Deus com muita frivolidade. A linguagem frívola revela superficialidade espiritual. Ver no *Dicionário* o artigo intitulado *Deus, Nomes Bíblicos de*.

Deus. No hebraico, *Yahweh*. Há notas expositivas sobre esse nome no primeiro versículo deste capítulo e também no *Dicionário*, no verbete *Deus*.

Continuo sem filhos. Grandes coisas haviam sido prometidas a Abraão (Gn 12.1-4; 13.14-17), e outras mais lhe seriam prometidas, conforme se vê neste capítulo. Um pacto formal em breve seria firmado. Mas Abraão percebia que as provisões desse pacto não poderiam realizar-se sem o filho prometido. Portanto, era questão muito séria que ele continuasse sem filhos. "Todas as minhas riquezas e possessões, vitórias e honras, de nada valem enquanto eu estiver privado desse favor" (John Gill, *in loc.*). É belo contar as muitas bênçãos, no dizer do hino, mas há ocasiões em que precisamos de algum poder específico se tivermos de dar prosseguimento às nossas respectivas missões de maneira certa. Deus sabe disso, e, no tempo certo, esse poder nos é outorgado, se permanecermos fiéis.

O damasceno Eliezer? Onze homens são assim chamados na Bíblia. No hebraico, esse nome significa "Deus de socorro". Lázaro (Lc 16.20) é uma forma abreviada desse nome. O Eliezer de Gênesis 15.2 era o principal servo de Abraão, uma espécie de servo-líder que cuidava de seus interesses em geral. Talvez se tratasse de um escravo nascido em sua casa, dificilmente a pessoa certa para ser o herdeiro de Abraão, embora isso fosse legalmente possível, ante os costumes da época. Provavelmente ele foi o homem enviado, anos depois, para conseguir esposa para Isaque (Gn 24.2-4). Mas alguns intérpretes rejeitam essa identificação. É difícil entender como ele foi chamado "damasceno" se, em Gênesis 15.3, é dito que ele nasceu na casa de Abraão. Os críticos pensam que essa palavra é uma glosa da palavra *herdeiro*, uma corrupção posterior do texto. Porém, a palavra pode significar apenas que a família dele era de Damasco, mas não ele mesmo. Ele também foi chamado de "herdeiro da minha casa", ou seja, ele seria o possuidor da casa, das propriedades, dos animais, de tudo. Alguns supõem que o homem realmente fosse natural de Damasco e fosse parente próximo de Abraão, e não um escravo nascido em sua casa. E indagamos por que Ló não fora escolhido como herdeiro, pois era parente próximo de Abraão. Mas se Eliezer era um parente próximo, então é óbvia a razão de ele ter sido escolhido como o herdeiro principal. Podemos envolver-nos em muitas conjecturas sem sabermos qual a verdade da questão. Há tradições, mas elas raramente ajudam. Os intérpretes judeus deram toda sorte de desinformação, como aquela que diz que ele era filho ou neto de Ninrode, ou que depois ele recebeu carta de alforria de sua escravidão e tornou-se Ogue, o rei de Basã, ou que ele era Canaã, filho de Cão. Outros disseram que a cidade de Damasco foi construída por ele, e que ele chegou a ser o rei dessa cidade. Tantas fantasias, porém, deixam-nos vazios da verdade dos fatos.

Abraão dispunha de uma provisão legal para o seu caso. Eliezer poderia ser o seu herdeiro. Mas o plano de Deus não se ajustava a isso, e nem Abraão finalmente se apegou a essa alternativa inferior. Sempre será lindo quando Deus nos dá algo melhor do que aquilo que nós mesmos temos planejado.

Herdeiro. No hebraico temos o termo *benmeshek*, que significa "filho da possessão" ou "herdeiro". Em outras palavras, ele era o herdeiro potencial dos bens de Abraão. Mas esse termo hebraico tem outra interpretação, pois pode significar "aquele que corre", de *meshek*, ou seja, aquele que corre para fazer a vontade de seu senhor. A palavra é similar a Damasco, *dammesek*. Assim, Abraão pode ter feito um jogo de palavras, cujo sentido final seria: "Este damasceno é aquele que corre para servir-me. Deve ser ele o meu herdeiro?"

■ 15.3

וַיֹּאמֶר אַבְרָם הֵן לִי לֹא נָתַתָּה זָרַע וְהִנֵּה בֶן־בֵּיתִי יוֹרֵשׁ אֹתִי:

Este versículo repete a mensagem essencial do vs. 2. Havia um laivo de acusação no tom de voz de Abraão: "Tu, Adonai Yahweh, que tens poder ilimitado, não me deste ainda o ingrediente essencial ao plano, um filho!" Os antigos criam que os filhos são herança do Senhor, e o processo era visto como algo controlado pela vontade divina. Ver Salmo 127.3. Davi deu a entender que quanto mais filhos tivesse um homem, melhor. Mas Abraão agora dizia: "Vê a que triste estado estou reduzido. Tenho este escravo, nascido em minha casa, e sou forçado a tê-lo como meu herdeiro". Parecia que o poder de Deus havia falhado. Quão frequentemente chegamos a esse ponto. Continuamente precisamos de novas demonstrações desse poder, a despeito das muitas vitórias que já pudemos obter. Assim, Abraão pedia *uma* nova *prova do poder de Deus. Ó Senhor, concede-nos essa graça.*

O Poder que Resolve Problemas. Frederick W. Robertson, em *sua obra Life, Letters, Lectures and Addresses*, tocou no espírito do texto à nossa frente, em certo trecho do livro. Nos seus momentos mais negros, ele sabia que alguns grandes princípios, pelo menos, devem estar certos. Disse ele: "É melhor ser generoso do que egoísta, é melhor ser casto do que licencioso, é melhor ser veraz do que mentiroso, é melhor ser corajoso do que covarde". Algumas pessoas sofrem colapso em sua fé, e suas boas intenções dissolvem-se em meio à fraqueza. Deus está sempre presente para dar-nos forças. Deus está ali para ajudar-nos. Deus está ali para cumprir as suas promessas. A fé religiosa é a primeira coisa de que um homem precisa, e também a última coisa de que ele precisa. Um homem precisa ser achado por Deus e precisa achar a Deus. Ele precisa de Deus para começar e precisa de Deus para terminar sua carreira. É como se Abraão tivesse dito: "Senhor Deus, olha em que estado deplorável eu estou. Faze algo a respeito!" O pacto inteiro dependia de Deus fazer alguma coisa a respeito. O homem espiritual não é um indivíduo isolado. Deus está presente para garantir tudo de quanto ele precisa. Tudo o que precisamos fazer é pedir!

■ 15.4

וְהִנֵּה דְבַר־יְהוָה אֵלָיו לֵאמֹר לֹא יִירָשְׁךָ זֶה כִּי־אִם אֲשֶׁר יֵצֵא מִמֵּעֶיךָ הוּא יִירָשֶׁךָ:

Respondeu logo o Senhor. O autor sagrado como que disse: "Olha aqui!" Sim, a resposta do Senhor veio prontamente. Podemos supor que a resposta tenha vindo por meio de uma visão, segundo se vê no primeiro versículo. Nas notas sobre esse versículo, esbocei as várias maneiras pelas quais Deus pode falar conosco. Usualmente, quando buscamos a vontade divina, temos de esperar por um pouco, algumas vezes por bastante tempo. Mas, neste caso, Abraão obteve uma resposta imediata. E a resposta dirigiu-se ao cerne mesmo do problema. "Não será esse o teu herdeiro". E, ao ouvir a resposta, Abraão deve ter-se sentido melhor ali mesmo. "Aquele que será gerado de ti será o teu herdeiro". Ali estava ele, o filho prometido, previsto na mente divina, e isso assegurado de forma absoluta, embora Abraão ainda tivesse de esperar por algum tempo, até vê-lo pessoalmente. O plano de Deus obedece a um cronograma. As coisas chegam quando devem chegar, e não necessariamente quando pensamos que devem chegar. Ver no *Dicionário* o verbete intitulado *Vontade de Deus, Como Descobri-la*.

O PACTO ABRAÂMICO

Propósitos

- Dar ao povo escolhido uma terra.
- Originar uma nação espiritual.
- Fornecer bênçãos espirituais.
- Suprir bênção espiritual universal para todos os povos.
- Preparar para a chegada do Messias.
- Dar uma base para todos os outros pactos.

A Ênfase do Antigo Testamento

A importância deste pacto é demonstrada pelo número de vezes que ele ocorre no livro de Gênesis: 12.1-4; 13.14-17; 15.1-7; 17.1-8; 18.18 ss.; 22.15 ss.; 26.4,5; 26.24; 27.29; 28.3,4,14; 32.12; 35.9 ss.; 46.3,4; 48.16; 50.24. Consultar também Êx 2.24.

Confirmações do Novo Testamento

- Os descendentes de Abraão se tornariam uma grande nação: Jo 8.37.
- Seria formada uma nação espiritual, derrubando quaisquer origens étnicas: Jo 8.39; Rm 4.16,17; 9.7,8; Gl 3.6,7,14,29.
- Bênçãos espirituais e temporais acompanham o pacto: Jo 8.56.
- Bênçãos e pragas se aplicam ao pacto, dependendo das reações e dos relacionamentos com Israel: Mt 25.40.
- A nação espiritual é abençoada espiritualmente: Gl 3.16.
- Este é um pacto da graça, não da lei: Gl 3.17,18.

PACTOS BÍBLICOS

O Pacto Edênico: Gn 1.26-28
O Pacto Adâmico: Gn 3.14-19
O Pacto Noaico: Gn 9.1 ss.
O Pacto Abraâmico: Gn 15.8
O Pacto Mosaico: Êx 19.25; 20.1—24.11
O Pacto Palestino: Dt 28 e 30
O Pacto Davídico: 2Sm 7.8-17
O Novo Pacto: Hb 10.19—12.3

Cristo e os Pactos

Ele é sua substância: Is 42.6; 49.8
Seu mediador: Hb 8.16; 9.15
Seu mensageiro: Ml 3.1
Realização nele: Lc 1.68,69
Confirmação nele: Gl 3.17
Bênçãos nele: Is 56.4-7; Hb 8.10-12
Punição contra aquele que o despreza: Hb 10.29,30

Gerado de ti. No hebraico temos *produzido de tuas entranhas*, uma expressão bastante crua para nós, mas que significa apenas "do teu corpo", ou seja, de teus próprios poderes procriadores. A Vulgata diz aqui, "do útero", pois transfere a questão da procriação para Sara. A maior parte das traduções provê um eufemismo, como vemos em nossa versão portuguesa. Um filho natural de Abraão seria o seu herdeiro, e Abraão, mediante a fé, descansou nessa promessa, conforme vemos no vs. 5.

■ **15.5**

וַיּוֹצֵא אֹתוֹ הַחוּצָה וַיֹּאמֶר הַבֶּט־נָא הַשָּׁמַיְמָה וּסְפֹר הַכּוֹכָבִים אִם־תּוּכַל לִסְפֹּר אֹתָם וַיֹּאמֶר לוֹ כֹּה יִהְיֶה זַרְעֶךָ׃

Olha para os céus. Deus mostrou a Abraão a vasta expansão onde estão as estrelas. Em seguida, elas foram comparadas com o grande número da posteridade do patriarca, que cumpriria as provisões do Pacto Abraâmico, com notas no vs. 18 deste capítulo.

As Promessas e as Metáforas: 1. Em Gênesis 12.2, Deus prometeu que uma grande nação procederia de Abraão, por meio da qual todas as famílias (povos) da terra seriam abençoadas. 2. Em Gênesis 13.14, a Abraão foi dito que olhasse em todas as direções — norte, sul, leste e oeste — pois tudo quanto visse seria possessão sua, lugares onde sua posteridade habitaria (vs. 15). 3. Em Gênesis 13.16, foi feita a promessa de que a posteridade de Abraão seria tão numerosa que se assemelharia ao pó da terra. 4. Agora, porém, seus descendentes são comparados com as estrelas do céu. Naturalmente, sabemos hoje que essas estrelas chegam a incontáveis bilhões. Mas a olhos nus podemos divisar apenas alguns milhares de estrelas, e todas dentro da Via Láctea. E assim, os descendentes de Abraão, quanto ao seu número, seriam mais numerosos que as estrelas que ele poderia ver. Podemos estar certos de que Abraão foi inspirado pela visão celestial. Deus chamou Abraão para fora de sua tenda, à noite. Nas trevas, pois, foi-lhe feita a revelação. Essa circunstância é espiritualmente instrutiva. 5. Em Gênesis 22.17, a posteridade de Abraão aparece como se fosse a areia das praias do mar.

Os intérpretes judeus fazem de Abraão um homem treinado na astrologia, e, nesse caso (o que não é provável), ele teria alguma noção do imenso número das estrelas. Não é provável, todavia, que Abraão fosse um mestre na matemática e nas ciências, conforme diziam intérpretes antigos. Mas ele sabia o que tinha visto, e isso lhe era suficiente. Ver Hebreus 11.12 quanto à aplicação que o Novo Testamento faz dessa passagem, a qual ilustra a fé de Abraão e os resultados dessa fé. Ver também Gênesis 22.17 e 26.4.

■ **15.6**

וְהֶאֱמִן בַּיהוָה וַיַּחְשְׁבֶהָ לּוֹ צְדָקָה׃

Ele creu no Senhor. Este versículo é uma notável antecipação do princípio da justificação pela fé, tão salientado por Paulo (que ele copiou da Septuaginta), em Romanos 4.3,9,22 e Gálatas 3.6.

Isso lhe foi imputado para justiça. Conforme pensava Paulo, pensamos que está em foco a retidão de Deus, lançada na conta de Abraão. Contudo, de acordo com Deuteronômio 6.25 e 24.13, essa justiça seria atingida mediante a obediência à lei, o que, sem dúvida, era um ponto de vista judaico comum. O judaísmo nunca chegou a uma crença que se assemelhasse à doutrina da justificação pela fé, embora alguns poucos versículos isolados possam ser evocados como antecipações dessa doutrina. Os trechos de Salmo 24.5 e 106.31 contêm antecipações assim. Se Paulo entendeu o trecho de Gênesis 15.6 melhor do que Tiago, este, em sua epístola (cap. 2), certamente refletiu melhor o judaísmo em geral. O capítulo 15 do livro de Atos mostra-nos que houve um vívido conflito entre os princípios da graça e os princípios da lei, dentro da própria Igreja primitiva. E o segundo capítulo de Tiago mostra-nos que a disputa continuou, e ambos os lados dispunham de textos de prova que consubstanciavam suas crenças. E até hoje a Igreja usa textos de prova para solucionar qualquer de seus problemas, mesmo quando isso serve para defender mais de um ponto de vista. Na *Enciclopédia de Bíblia, Teologia e Filosofia*, ofereci artigos detalhados intitulados *Graça* e *Justificação pela Graça*. Ver também, no *Dicionário* da presente obra, o verbete chamado *Graça*.

Paulo ensinava que Abraão foi justificado pela fé, antes de a lei ter sido dada (Rm 4.13 e Gl 3.17). Isso posto, a lei não pôde anular o pacto que já tinha sido firmado. Tiago, por sua vez, argumentou que a justificação de Abraão ocorreu mediante sua fé e suas obras de fé, ilustradas pelo sacrifício de Isaque (uma obra nobre). Essas são as duas posições históricas sobre a questão, e qualquer interpretação precisa levar em consideração o pano de fundo histórico dessa doutrina. É infantil aquela teologia que precisa reconciliar todos os pontos, para efeito de conforto mental. Em um profundo sentido espiritual, ambas as posições estão corretas, porque a graça não produz meramente certos resultados sob a forma de obras. A graça, em si mesma, é um grande poder atuante, produzindo obras em um sentido verdadeiro, ou seja, as obras que Deus opera em nós, embora não efetuadas por nós com o fito de produzir mérito. Nesse sentido, não há contradição final entre Paulo e Tiago, mas sem dúvida Tiago escreveu o segundo capítulo de sua epístola visando a refutar o que Paulo tinha em mente. Os críticos, como é claro, não aceitam que foi Tiago, irmão do Senhor, quem escreveu a epístola que tem esse nome. Ainda assim, pensam que essa epístola propõe-se a expor suas ideias, as tradições em torno dele. Mas se Tiago não escreveu essa epístola, então ela é apenas uma produção literária do partido legalista, que teria escrito em nome de Tiago. Talvez essa seja a verdade da questão, afinal. E, nesse último caso, não se trataria de um conflito pessoal entre Paulo e Tiago, mas de um conflito entre duas tradições que eles representariam.

■ 15.7

וַיֹּאמֶר אֵלָיו אֲנִי יְהוָה אֲשֶׁר הוֹצֵאתִיךָ מֵאוּר כַּשְׂדִּים לָתֶת לְךָ אֶת־הָאָרֶץ הַזֹּאת לְרִשְׁתָּהּ׃

O mesmo *Yahweh* que já havia feito grandes coisas faria ainda outras grandes coisas, pois ele é o mesmo ontem, hoje e para sempre (Hb 13.8). Deus tinha trazido Abraão desde *Ur* (ver o artigo no *Dicionário* sobre essa cidade), e agora não teria ele dificuldade para dar a Abraão um filho prometido, cumprindo assim todas as condições do Pacto Abraâmico.

Deus Não é um Deus de Meras Partes. Tirar Abraão de Ur foi parte do plano de Deus para ele. Muito mais, porém, Deus ainda faria. Havia todo um plano a ser concretizado. Enquanto vamos passando de uma parte para outra, tendemos por duvidar e então dizer em nosso coração: "Haverá alguma provisão divina para esta parte?" É muito fácil esquecer as outras partes que Deus já realizou graciosamente. Precisamos manter a confiança no plano total de Deus, sabendo que uma parte feita significa que muitas outras partes serão adicionadas, inevitavelmente.

Te tirei de Ur. Ver no *Dicionário* o artigo chamado *Ur dos Caldeus*. Abraão viu suas raízes serem desarraigadas, mas Deus conferiu-lhe novas raízes, nos lugares para onde ele foi sendo conduzido. Jamais será fácil ter nossas raízes desarraigadas. Que Deus nos dê a graça necessária para tal prova.

■ 15.8

וַיֹּאמַר אֲדֹנָי יְהוִה בַּמָּה אֵדַע כִּי אִירָשֶׁנָּה׃

Como Poderemos Saber? O vs. 6 mostra-nos Abraão como alguém que tinha fé em razão da qual foi considerado justo. Contudo, agora ele pedia alguma forma de indicação concreta, capaz de dar-lhe repouso ao coração. Os melhores crentes podem ser assaltados por dúvidas ao longo do caminho. Às vezes os melhores homens precisam de um sinal, de alguma experiência de intuição especial, ou de alguma outra indicação sobre o caminho pelo qual convém enveredar e como avançar.

> Aquele que se lança sobre Deus, e busca-o,
> Sem perplexidade haverá de achá-lo.
>   Browning, *A Grammarian Funeral*

Qual Sinal? A promessa era grandiosa e também improvável, do ponto de vista humano. Abraão pediu algo de especial para satisfazer sua mente e fomentar sua esperança. Seguiu-se uma estranha visão ou experiência mística que pôs fim à dúvida e ao temor.

"...não envolve culpa pedir de Deus um sinal com esse intuito; homens bons sempre o fizeram, como Gideão e Ezequias, sem serem acusados por isso. Sim, Acaz foi acusado por não ter pedido um sinal" (John Gill, in loc.).

■ 15.9

וַיֹּאמֶר אֵלָיו קְחָה לִי עֶגְלָה מְשֻׁלֶּשֶׁת וְעֵז מְשֻׁלֶּשֶׁת וְאַיִל מְשֻׁלָּשׁ וְתֹר וְגוֹזָל׃

Um Sacrifício Especial. O sinal foi dado através de um sacrifício especial que envolveu os vários animais enumerados neste versículo. Uma experiência espiritual incomum resultou do rito. Os animais foram aqueles que geralmente eram usados nos sacrifícios. Ver Levítico 1.14-16. "É digno de nota que todo animal permitido ou ordenado a ser sacrificado, sob a lei mosaica, acha-se também nesta lista (de Abraão). Não é verdade que Deus estava dando ali a Abraão uma epítome da lei e de seus sacrifícios, que ele tencionava revelar mais plenamente a Moisés? e que a essência disso consistia em seus sacrifícios, que tipificavam o Cordeiro de Deus que tira o pecado do mundo?" (Adam Clarke, *in loc.*). Os intérpretes judeus veem toda forma de sentido oculto fantástico aqui, como se os animais maiores que deveriam ser divididos (vs. 10) simbolizassem as nações pagãs, que poderiam sofrer divisão e perda: a novilha, os povos babilônicos; o cordeiro, a Pérsia; a cabra, o rei da Grécia. Mas as aves representariam Israel, que não pode ser dividida nem derrotada.

Cada qual de três anos. Segundo as leis levíticas, animais de apenas um ano eram sacrificados. Os de três anos de idade eram animais adultos na sua maior força. Eram estes últimos que costumavam ser sacrificados entre os pagãos, e não os animais mais jovens, conforme determinava a legislação dos hebreus. Luciano alude a um sacrifício romano (em *Dialogis Deorum*). Talvez os três animais antecipassem três tipos de oferenda que seriam instituídos mais tarde: o holocausto, a oferta pela culpa e a oferta pacífica.

■ 15.10

וַיִּקַּח־לוֹ אֶת־כָּל־אֵלֶּה וַיְבַתֵּר אֹתָם בַּתָּוֶךְ וַיִּתֵּן אִישׁ־בִּתְרוֹ לִקְרַאת רֵעֵהוּ וְאֶת־הַצִּפֹּר לֹא בָתָר׃

A Divisão. Os animais mais corpulentos foram divididos pela metade, e as duas metades foram postas uma contra a outra; ou então, conforme pensam alguns eruditos, foram cortados em pedaços, e os pedaços foram arrumados em seus lugares, mas com um espaço vago entre as metades, largo o bastante para alguém andar entre as duas bandas. Talvez essa divisão indicasse como as duas partes de um acordo precisam concordar uma com a outra. O rabino Solomon Jarchi mencionou esse tipo de sacrifício e ofereceu uma explicação a respeito. As duas partes contratantes passavam entre as bandas dos animais sacrificados como sinal de seu acordo sobre qualquer ponto contido no pacto. Ver o vs. 17 quanto ao ato de passar entre as metades. O trecho de Jeremias 34.18,19 é a única outra referência bíblica a esse tipo de sacrifício e pacto, mas referências extrabíblicas ao costume são abundantes.

Temos mesmo uma terrível referência pagã a esse ato. Xerxes ordenou que um dos filhos de Pítio fosse cortado em duas bandas, e uma metade da criança foi posta em um lado, e a outra metade em outro lado, e ele ordenou que seu exército passasse entre as duas bandas. Isso foi feito para punir o inimigo da maneira mais horrível. Daniel 2.5 e 3.29 são passagens que mostram que os persas se utilizavam de punições extremamente brutais. Uma possível alusão a esse tipo de sacrifício aparece em Homero (*Ilíada* A., V.460). "Eles cortam os quartos e cobrem-nos com gordura, dividindo-os em duas bandas...". E Cirilo mencionou esse tipo de sacrifício como algo que existia entre os caldeus e outros povos da antiguidade.

As Aves Não Foram Divididas, o que as leis levíticas também proibiam (ver Lv 1.17). Foram cortadas para que as entranhas fossem retiradas, mas não foram divididas em dois pedaços. O vs. 17 mostra que foi o Fogo Divino — um fogareiro fumegante e uma tocha de fogo — que passou entre as bandas dos animais, e não participantes humanos. Assim sendo, Deus fez um acordo unilateral com base no qual firmou a sua promessa.

■ 15.11

וַיֵּרֶד הָעַיִט עַל־הַפְּגָרִים וַיַּשֵּׁב אֹתָם אַבְרָם׃

As Aves de Rapina. Essas aves foram atraídas para a cena e tentaram tirar proveito da situação. Essas aves de rapina talvez representassem as forças malignas que haveriam de juntar forças na tentativa de anular a vontade e o pacto de Deus, obliterando os sinais divinos que seriam concedidos. Os adversários de Israel se congregariam para tentar obliterar Israel. Mas Abraão conseguiu defender os elementos do sacrifício. Alguns estudiosos veem aqui, em forma simbólica, todos os ataques que Israel haveria de sofrer ao longo de sua história: seu cativeiro no Egito, sua divisão em dois reinos, os assédios constantes dos inimigos internos e externos. Mas Abraão manteve-se vigilante e enxotava as aves. Assim, a proteção divina mostrou ser real, e isso por meio de Abraão. Coisa alguma seria capaz de neutralizar a vontade de Deus. Haveria proteção divina a cada passo do caminho. O quanto precisamos desse cuidado para que o bom plano de Deus não seja anulado em nossa vida ou na vida de nossos entes queridos!

■ 15.12

וַיְהִי הַשֶּׁמֶשׁ לָבוֹא וְתַרְדֵּמָה נָפְלָה עַל־אַבְרָם וְהִנֵּה אֵימָה חֲשֵׁכָה גְדֹלָה נֹפֶלֶת עָלָיו:

Ao pôr do sol. O rito continuou por diversas horas. Abraão continuava espantando as aves de rapina. Ele estava fazendo a parte que lhe cabia. Desceram trevas sobre a cena. Abraão foi tomado por um sono profundo (divinamente provocado), porque não estava ocorrendo algum incidente comum. Ele haveria de entrar na noite escura da alma, uma experiência por muitas vezes anunciada pelos místicos. E então, em meio a seu profundo sono, houve um terror, que foram justamente as grandes trevas que caíram sobre Abraão, e o poder lhe sobreveio. Nada havia de natural naquelas trevas. Não é apenas uma noite sucedera ao dia. Antes, foram pesadas trevas espirituais. É possível que isso tipificasse, tal como o ataque das aves de rapina, os ataques físicos e espirituais que Israel haveria de sofrer. Israel haveria de passar por muitos ataques de trevas e de terror. Tudo isso faz-nos lembrar da própria noite escura de alma pela qual passou o Senhor Jesus.

> É meia-noite agora, no jardim das Oliveiras,
> A Estrela brilhante começa a empalidecer;
> Agora, é meia-noite no jardim das Oliveiras,
> E o Salvador sofredor orava sozinho.
> É meia-noite, e, distante de qualquer pessoa,
> Emanuel luta isolado, contra os temores...

Jarchi pensava que Abraão previa, nessa cena, as quatro temíveis monarquias que haveriam de escravizar os seus descendentes, ou maltratar de outros modos Israel. Seja como for, o que parece indiscutível é que algo do que é mencionado nos vss. 13-16 deve ter feito parte da noite de trevas de Abraão.

Esse episódio pode ser comparado ao trecho de Jó 4.12-16, que é muito instrutivo, e até paralelo em certos sentidos. A presença divina aterroriza. Ver também Daniel 10.8. Lemos em Jó 4.15: "Então um espírito passou por diante de mim; fez-me arrepiar os cabelos do meu corpo".

■ 15.13

וַיֹּאמֶר לְאַבְרָם יָדֹעַ תֵּדַע כִּי־גֵר יִהְיֶה זַרְעֲךָ בְּאֶרֶץ לֹא לָהֶם וַעֲבָדוּם וְעִנּוּ אֹתָם אַרְבַּע מֵאוֹת שָׁנָה:

O Cativeiro de Quatrocentos Anos. Nem bem se tinha iniciado a sua história, Israel sofreria cativeiro por mais de quatrocentos anos, no Egito. (Ver abaixo.) O texto fornece-nos aqui o número redondo, quatrocentos. Êxodo 12.40 e Gálatas 3.17 dão-nos o número exato, 430. Atos 7.6 também nos dá o número redondo. Os planos de Deus abrangem séculos e milênios. Em meio a tempos de prova, podemos perder a esperança e supor que o plano divino tenha falhado. Mas perdemos a esperança por motivo de ignorância, não percebendo que o plano opera tão bem nas trevas quanto na luz. Não conhecemos bem o cronograma de Deus. Qualquer pessoa cativa no Egito, se lesse um relato do Pacto Abraâmico, acharia motivo de riso. De acordo com a mentalidade humana, não havia como vir a existir a nação de Israel, quanto menos conquistar a terra que Deus havia prometido a Abraão. Em outras palavras, o plano divino tinha abortado. Mas esse raciocínio não levava um fator em consideração: Moisés. Este assinalaria um novo começo, por meio de uma nova manifestação do poder divino.

Quatrocentos Anos. Muita controvérsia gira em torno da declaração deste versículo e do prazo designado. No *Novo Testamento Interpretado*, em Atos 7.6, ofereci uma detalhada exposição sobre o assunto. "De conformidade com a maneira comum de computar os anos, o intervalo entre o pacto estabelecido com Abraão e o aparecimento libertador de Moisés é de 430 anos (Êx 12.40; Gl 3.17). E, dentro desse tempo, apenas 215 anos foram realmente passados pelos seus descendentes como escravos no Egito. Por conseguinte, estritamente falando, Israel não foi maltratado por quatrocentos anos, conforme Estêvão declara". Estêvão não se mostrou exato quanto ao tempo, nem a questão faz alguma diferença, exceto para os críticos, os quais tentam achar erros de qualquer modo; ou para os ultraconservadores, para quem não pode haver nenhuma forma de discrepância nas Escrituras.

"Paulo (Gl 3.17) segue a cronologia que se via em alguns manuscritos da Septuaginta, em Êxodo 12.40, de acordo com a qual os 430 anos incluíam o período em que os patriarcas estiveram na Palestina e no Egito; por outra parte, o texto hebraico de Êxodo 12.40 refere-se aos 430 anos somente quanto ao período de permanência no Egito" (*Oxford Annotated Bible* sobre Gl 3.17). John Gill (*in loc.*) oferece uma nota pormenorizada, procurando mostrar exatamente como se devem calcular os 430 anos. Ele começou pelo nascimento de Isaque. Outros eruditos começam pelo nascimento de Ismael.

■ 15.14

וְגַם אֶת־הַגּוֹי אֲשֶׁר יַעֲבֹדוּ דָּן אָנֹכִי וְאַחֲרֵי־כֵן יֵצְאוּ בִּרְכֻשׁ גָּדוֹל:

Eu julgarei. O Egito não é diretamente mencionado, mas a nação que cativasse o povo de Israel não poderia escapar ao juízo divino. A lei da colheita segundo a semeadura aplica-se tanto a indivíduos quanto a nações. Ver no *Dicionário* o artigo detalhado intitulado *Lei Moral da Colheita Segundo a Semeadura*.

Sairão com grandes riquezas. Mesmo durante o período de servidão, não lhes faltaria abundância material. A provisão divina cuidaria do bem-estar tanto físico quanto espiritual deles. E ao terminarem o seu período de cativeiro, estariam ricos. Ver o primeiro capítulo do livro de Êxodo.

■ 15.15

וְאַתָּה תָּבוֹא אֶל־אֲבֹתֶיךָ בְּשָׁלוֹם תִּקָּבֵר בְּשֵׂיבָה טוֹבָה:

Irás para teus pais em paz. Um eufemismo para a morte, onde termina a vida de toda carne. Deus cuida de seu povo, conferindo-lhe paz por ocasião da morte, apesar de suas labutas e sofrimentos. Essa promessa foi feita especificamente a Abraão, mas talvez, por implicação, Deus também tenha prometido aos israelitas cativos no Egito uma morte pacífica, a despeito dos rigores do cativeiro. Abraão se veria envolvido em trabalho árduo e vagueações, e nesta vida nunca veria o cumprimento cabal do pacto que Deus fizera com ele. Mas ele morreria em paz, sabendo que a promessa certamente se cumpriria no caso de seus descendentes. Alguns têm interpretado as palavras "irás para teus pais em paz" como uma promessa acerca da esperança da vida eterna, para além-túmulo. Cf. Gênesis 25.8, "reunido ao seu povo", onde ofereço notas sobre a questão.

Em ditosa velhice. Ver os comentários em Gênesis 5.31, sob o título *Desejabilidade de uma Vida Longa*, cujos sentimentos também são aplicáveis aqui. O Salmo 91.16 promete vida longa. Apesar de ser melhor viver bem do que viver por muitos anos, é melhor ainda viver bem e longamente. Como é natural, a vontade de Deus controla a questão. Jesus chegou apenas aos 33 anos! Abraão viveu 175 anos! (Gn 25.7).

Uma Ausência Conspícua. Não há aqui nenhuma promessa de vida espiritual a Abraão para depois da morte biológica; e não há que duvidar de que isso se torna conspícuo em razão de sua ausência. Tanto intérpretes judeus posteriores quanto intérpretes cristãos têm injetado no texto a promessa da vida eterna. O autor da epístola aos Hebreus declara que Abraão buscava uma "pátria celestial", referindo-se assim à salvação e à vida eterna (Hb 11.16). Deus preparou essa cidade celestial para Abraão, conforme vemos no mesmo versículo. Mas o texto do Antigo Testamento não subentende nada nesse sentido. Os estudiosos da teologia histórica dos hebreus asseguram-nos de que foi somente no tempo dos Salmos e dos Profetas que a ideia da imortalidade da alma veio a tornar-se parte da teologia deles. É possível que a questão de o homem haver sido criado à imagem de Deus (Gn 1.26,27) antecipasse ou incluísse (sem nenhuma explanação) a ideia de que o homem é um ser que tem uma parte imaterial, a qual sobrevive à morte física. Além disso, o fato de que Enoque andava com Deus e que Deus o tomou para si pode dar a entender alguma coisa sobre a alma (Gn 5.24 e suas notas expositivas). É verdade que a lei mosaica nunca promete a vida eterna aos obedientes, nem ameaça os desobedientes de juízo além-túmulo. Simplesmente temos de admitir que a teologia avança conforme vão sendo dadas novas revelações. E por que haveríamos de pensar que isso é estranho? Ver na *Enciclopédia de Bíblia, Teologia e Filosofia* os vários artigos sobre a *Imortalidade*. Ver no *Dicionário* da presente obra o verbete chamado *Alma*.

15.16

וְדוֹר רְבִיעִי יָשׁוּבוּ הֵנָּה כִּי לֹא־שָׁלֵם עֲוֹן הָאֱמֹרִי עַד־הֵנָּה:

Na quarta geração. Sem dúvida se passariam mais de quatro gerações médias, pelos padrões modernos, antes que a nação de Israel fosse livrada do cativeiro. Assim, os eruditos têm-se esforçado por encontrar uma explicação para essa afirmação:

1. A palavra "geração", neste caso, foi escrita pelo autor sacro como um deslize da pena. Ele teria querido dizer quatro séculos, para concordar com os quatrocentos anos referidos no vs. 13.
2. A palavra "geração" significaria aqui um século. Mas isso seria um uso bíblico raro, que só se encontra neste trecho.
3. Ou, então, essa palavra aponta para um ciclo de tempo, e não para uma geração literal.
4. Outros pensam que estariam em foco quatro gerações dos amorreus; a estes restariam quatro gerações distintas de grande iniquidade, e *então* o juízo divino viria contra eles. Mas essa explicação tem poucas possibilidades de estar com a razão.
5. Ou o autor estava pensando em termos de uma geração antiga, de cerca de cem anos, pois, na época de Abraão, a duração da vida humana ainda era *longa*. Abraão chegou aos 17 anos, e assim, uma média de cem anos para a vida humana média não constituiria um exagero. Provavelmente, essa é a interpretação correta. Um autor que até bem pouco havia descrito a duração da vida humana como vários séculos não hesitaria em pensar que a vida humana teria uma média de cem anos de duração. O próprio Moisés chegou aos 120 anos (Dt 34.7).

Não se encheu ainda a medida da iniquidade dos amorreus. É provável que *amorreu*, neste caso, seja uma referência geral a todos os habitantes originais da Palestina. Ver Gênesis 10.16 quanto à primeira referência a esse povo na Bíblia. No *Dicionário* forneci um longo artigo sobre esse povo. "Na qualidade de principal das tribos, eles foram usados aqui como representantes de todas as nações cananeias" (Ellicott, *in loc.*).

O Cronograma e a Justiça de Deus. Os cananeus eram os ocupantes originais da Terra Prometida, e tinham direitos sobre ela. Mas a extrema iniquidade deles haveria de anular esse direito. Os descendentes de Abraão não poderiam entrar na Terra Prometida enquanto o juízo divino não tivesse castigado os cananeus. E então, com justiça, aqueles iníquos perderiam os seus próprios territórios. Essa questão é muito instrutiva sobre como a vontade divina opera no que toca às nações e aos grandes ciclos de tempo.

"Com base nessas palavras, aprendemos que há um certo acúmulo de iniquidade a que as nações têm permissão de chegar, antes de serem destruídas, mas além do que, a justiça divina não permite que ultrapassem" (Adam Clarke, *in loc.*).

Israel seria mantida em cativeiro porque ainda não era chegado o tempo de eles tomarem posse da Terra Prometida. Esse tempo estava marcado (entre outras coisas inerentes à vontade divina), pela chegada do tempo de os cananeus serem punidos.

Amorreus. Eles são mencionados aqui porque, quando a promessa foi feita a Abraão, era entre essa tribo que ele vivia. Todavia, todos os habitantes da Palestina devem ser incluídos aqui, por extensão.

15.17

וַיְהִי הַשֶּׁמֶשׁ בָּאָה וַעֲלָטָה הָיָה וְהִנֵּה תַנּוּר עָשָׁן וְלַפִּיד אֵשׁ אֲשֶׁר עָבַר בֵּין הַגְּזָרִים הָאֵלֶּה:

Densas trevas. Trevas sobrenaturais tinham invadido a alma de Abraão (vs. 12). Não havia luz natural nem luz sobrenatural. Mas no meio das trevas, subitamente e sem a ajuda de mãos humanas, passaram um fogareiro fumegante e uma tocha de fogo entre os pedaços dos animais sacrificados, defronte de Abraão. Vemos esses pedaços ser dispostos em certa ordem, no vs. 10. Usualmente, as partes envolvidas em um acordo passavam ambas entre as bandas dos animais mortos, mas agora o fogo de Deus é que passava entre elas. Estava sendo feito um acordo unilateral, de Deus com Deus. Isso foi representado mediante o "fogareiro fumegante" e a "tocha de fogo". Deus estava assim mostrando a Abraão que não havia razão para ele duvidar do pacto (ver essa questão nas notas sobre o vs. 8). Deus "jurou por si mesmo" (Hb 6.13).

Os planos de Deus podem envolver trevas e adiamento, mas a luz de Deus haverá de resplandecer, iluminando tudo, finalmente. Trevas e adiamento não são anulações, mas apenas inconveniências temporárias. Não devemos apressar-nos, tentando levar à fruição aquilo que Deus adia por algum motivo. Lemos acerca de Phillips Brooks (um dos maiores pregadores de nossa época) que, em certo período da vida, buscou seguir diligentemente a carreira de professor. Mas fracassou miseravelmente. Deus fechou a porta diante dele, da maneira mais óbvia. Depois que a porta menor foi fechada, Brooks pôde ser levado à oportunidade maior e mais apropriada para as suas habilidades, em harmonia com a vontade de Deus para ele. Precisamos de fé para quando enfrentarmos uma porta fechada, para concluirmos que ela está fechada por alguma razão, e que o cronograma de Deus haverá de levar-nos diante de portas abertas, chegado o tempo certo para isso. O fim de um livro não se escreve logo no seu primeiro capítulo, mas as pessoas buscam um término ainda no começo.

George Elliott, em seu livro *Romola*, faz o menino Lillo dizer o seguinte, o que demonstra quão frívolas podem ser as pessoas a respeito da vida e suas operações: "Eu gostaria de ser algo que fizesse de mim um grande homem, e muito feliz também — algo que não me impedisse de me divertir à beça".

No entanto, com frequência, a felicidade traz a dor, e o sucesso não pode ser medido em termos daquilo que as pessoas chamam de grande. Aquele que quiser cumprir o propósito de Deus precisa esperar que o sacrifício seja um dos principais fatores de sua vida. Deverá ter pensamentos amplos e obedecer à lei do amor. Doutra sorte, terminará na gaiola de alguma seita ou denominação.

Fogareiro fumegante. Provavelmente, seguindo o modelo dos fogareiros redondos que os povos orientais costumavam usar para aquecer suas casas e que lhes dava algum conforto em tempos de frio. Mas há quem pense aqui em um forno de fabricar tijolos. Os intérpretes judeus viam nisso, em símbolo, intermináveis testes e provações para Israel. Mas outros pensam estar em foco um emblema de consolação e calor.

Tocha de fogo. Certamente indica a presença afogueada de Deus, dando a entender o seu poder, tal como o fogo é o maior poder potencial. A tocha é um "emblema da glória *shechinah*" (John Gill, *in loc.*). É possível que devamos entender aqui que o fogo consumiu os elementos do sacrifício, tal como, séculos mais tarde, o fogo divino desceu do céu e consumiu os animais sacrificados, assegurando aos circunstantes que Deus os havia aceitado.

15.18

בַּיּוֹם הַהוּא כָּרַת יְהוָה אֶת־אַבְרָם בְּרִית לֵאמֹר לְזַרְעֲךָ נָתַתִּי אֶת־הָאָרֶץ הַזֹּאת מִנְּהַר מִצְרַיִם עַד־הַנָּהָר הַגָּדֹל נְהַר־פְּרָת:

Fez o Senhor aliança com Abrão. Ver no *Dicionário* o artigo sobre os *Pactos*.

O Pacto Abraâmico. O livro de Gênesis destaca grandemente o Pacto Abraâmico, repetindo-o por dezesseis vezes, de maneira completa ou incompleta. Ver estas referências: Gênesis 12.1-4; 13.14-17; 15.1-7; 17.1-8; 18.18 ss.; 22.15 ss.; 26.4,5,24; 27.29; 28.3,4,14; 32.12; 35.9 ss.; 46.3,4; 48.4,16; 50.24. Ver também Êxodo 2.24. Há dez provisões nesse pacto, a saber:

1. Os descendentes de Abraão se tornariam uma grande nação: dele procederia a nação de Israel (Gn 13.16; Jo 8.37). O vs. 18 mostra quais seriam as dimensões de seu território. Mas outras nações também descenderiam de Abraão.
2. Abraão também se tornaria o pai de uma grande *nação espiritual* que não sofreria as limitações de considerações raciais e terrenas (Jo 8.39; Rm 4.16,17; 9.7,8; Gl 3.6,7,14,29). Homens de fé, sem importar sua raça, se tornariam filhos de Abraão.
3. Abraão receberia bênçãos divinas especiais, de ordem espiritual e temporal (Gn 13.14,15,17; 15.16,18; 24.34,35; Jo 8.56).
4. Abraão teria um grande nome. Ele é conhecido como um dos maiores líderes espirituais de todos os tempos, venerado por várias nações e religiões.

5. Aqueles que abençoassem Abraão (a sua nação ou a sua posteridade espiritual) seriam abençoados, o que está ligado bem de perto com o ponto seguinte (Gn 12.3 e 27.29).
6. Aqueles que amaldiçoassem Abraão seriam amaldiçoados, o que, sem dúvida, também envolve a nação de Israel (Dt 30.7; Is 14.1,2; Jl 3.1-8; Mq 5.7-9; Ag 2.22; Zc 14.1-3; Mt 25.40,45).
7. *Todas as nações* haveriam de ser abençoadas por meio de Abraão (Gn 18.18; 22.18) e por meio do *Filho prometido* (o Messias), que descenderia por meio da linhagem de Isaque, o menor filho prometido. O evangelho cristão é que tornaria realidade essa promessa espiritual maior (Gl 3.16; Jo 8.56-58). Assim, as provisões do Pacto Abraâmico foram *universalizadas* em Cristo.
8. Nisso consiste a *vida eterna*, por meio da salvação provida em Cristo. Embora esse aspecto não seja claramente frisado nas provisões originais do pacto, temos aí o cumprimento mais cabal dessas provisões.
9. O Pacto Abraâmico é *gracioso*, e não legal (Gl 3.17,18). Antecedeu à lei e não foi anulado quando foi instituída a lei.
10. *Circuncisão* — o sinal do pacto (ver Gn 17.10 ss.).

O Território. O território de Israel se estenderia do rio Nilo ao rio Eufrates, ou seja, cerca de mil quilômetros, o que não é uma distância muito grande, embora grande o bastante para as nações da época. Essencialmente, essa é a dimensão sudoeste-nordeste. Mas não nos é dada a dimensão oeste-leste. Naturalmente, Israel nunca possuiu tanta terra. Alguns intérpretes pensam que, no futuro, durante o milênio (ver esse artigo no *Dicionário*), Israel se apossará de todo esse território prometido a Abraão. Ver no *Dicionário* os verbetes sobre os rios *Nilo* e *Eufrates*.

Metáforas sobre a Grande Prosperidade. Quanto a este particular, consideremos os quatro pontos seguintes:
1. Abraão podia olhar em qualquer direção, e tudo quanto visse seria seu (Gn 13.14).
2. Ele podia contemplar o céu, e a grande multiplicidade das estrelas o informaria sobre sua imensa posteridade futura (Gn 15.5).
3. Ele podia olhar para as partículas do pó da terra, que ninguém pode enumerar, o que lhe transmitia, como um emblema, a mesma mensagem (Gn 13.16).
4. Finalmente, Abraão podia considerar a areia da praia do mar, o que ilustrava idêntica mensagem (Gn 22.17; 32.12).

■ **15.19**

אֶת־הַקֵּינִי וְאֶת־הַקְּנִזִּי וְאֵת הַקַּדְמֹנִי:

Devemos entender aqui que são mencionadas as *terras* dos povos alistados nos vss. 19-21, terras essas que seriam dadas a Israel. No vs. 16 encontramos os *amorreus* (a principal tribo cananeia da época), como representantes de todas as tribos que então ocupavam a Palestina. Neste versículo também aprendemos que Israel deveria continuar cativo no Egito até que se enchesse a medida da iniquidade dos cananeus. E então cairia contra eles o juízo divino, e eles perderiam o direito às suas terras, por causa de sua imensa iniquidade. A perda dos cananeus seria ganho para Israel.

Quenou. No *Dicionário* ofereço um detalhado artigo sobre esse povo, pelo que não repito aqui as informações. Os queneus ocupavam a região do atual wadi Arabá (Nm 24.20-22), naquilo que veio a ser o território de Naftali (Jz 4.11). Nos tempos de Davi e Salomão, eles foram mencionados em associação a Judá (1Sm 15.6; 27.10). Héber, aludido em Juízes 4.11 e 5.24, era queneu, e os ascetas tiratitas, simeatitas e sucatitas, mencionados em 1Crônicas 2.55, pertenciam a essa tribo cananeia.

Quenezeu. Nome de um clã ou família. Ver no *Dicionário* o artigo intitulado *Quenaz*. Essa tribo residia no sul da Palestina (Gn 15.19). Eram aparentados dos queneus, e, como eles, eram excelentes artífices em metais do vale do Jordão, que era rico em cobre. Essa palavra é usada como um epíteto para indicar Calebe, sendo possível que ele descendesse do idumeu Quenaz. Nomes próprios idumeus e horeus aparecem na genealogia de Calebe. Lemos que ele era filho de Jefoné, o quenezeu (Nm 32.12; Js 14.6,14). Os quenezeus são descritos como um povo estrangeiro (Gn 15.19). A Calebe foi prometida uma porção da Terra Prometida, com base em sua fidelidade, e não por direito de nascimento. Entretanto, as genealogias dos capítulos 2 e 4 de 1Crônicas fazem dele um neto de Judá, através de Hezrom (1Cr 2.9,10). Por essa razão, muitos eruditos têm encarado as genealogias dos livros de Crônicas como uma tentativa proposital de dar a Calebe uma posição legal em Israel, no judaísmo pós-exílico. Há nisso tudo uma discrepância que não é fácil de resolver. Por causa disso, alguns sugerem que devemos pensar em mais de um Calebe, o que não é impossível.

Cadmoneu. Esse vocábulo aparece somente em Gênesis 15.19, onde alude a uma tribo que os israelitas desapossaram. Tal palavra é um adjetivo, cujo sentido é oriental ou antigo, pelo que é possível que eles fossem os mesmos que, em Juízes 6.33, são chamados de "povos do oriente" (no hebraico, *bene-kedem*), cujo território ficava contíguo ao de Israel, na direção do nascente do sol. No livro de Gênesis, vemos que o território deles foi prometido a Abraão como uma possessão final. Os hebreus e outros povos antigos designavam as direções voltando o rosto para o sol nascente. Isso significa que diante ou à frente era o oriente, atrás era o ocidente, à direita era o sul, e à esquerda era o norte. O território que ficava entre os rios Nilo e Eufrates, o deserto sírio a leste de *Biblos* (ver no *Dicionário*), muito provavelmente era a região dos cadmoneus.

■ **15.20**

וְאֶת־הַחִתִּי וְאֶת־הַפְּרִזִּי וְאֶת־הָרְפָאִים:

Heteu. Ver o detalhado artigo sobre esse povo chamado *Hititas, Heteus*, no *Dicionário*. Nos dias de Abraão, uma tribo hitita localizava-se perto de Hebrom (Gn 23.1-20). Foi dos heteus que Abraão comprou um terreno com uma caverna, que passou a servir de cemitério da família. Esaú casou-se com esposas hititas (Gn 26.34,35; 36.2). Os espias enviados por Moisés encontraram hititas localizados na região montanhosa (Nm 13.29). Curiosamente, a língua hitita era uma antiga forma do indo-europeu. Isso parece indicar que, originalmente, em uma época inteiramente perdida no passado remoto, os antepassados desse povo desceram mais do norte (talvez da Europa) para a Palestina.

Ferezeu (perezeu). Ver um detalhado artigo sobre esse povo no *Dicionário*, chamado *Perezeus (Ferezeus)*. Esses nomes eram, ocasionalmente, usados para indicar os habitantes gerais da Palestina. Algumas vezes, cananeus e ferezeus eram nomes usados para abranger todos os povos que habitavam na Palestina, antes da invasão hebreia. Provavelmente, nos dias de Abraão, esse povo tinha se localizado na área a oeste do rio Jordão, como também talvez ao norte do mar Morto, uma região montanhosa entre Bete-Seã (Beisã) e Zezeque (Khirbet Ibziq). Foram os homens da tribo de Manassés que, finalmente, vieram a possuir a maior parte dessa região.

Refains. Ver o verbete sobre esse povo no *Dicionário*. Os habitantes da Transjordânia, em tempos pré-israelitas, eram conhecidos com esse nome. Pareciam ocupar um extenso território, mas eram chamados por nomes diversos, conforme a localidade. Em Moabe, os refains foram finalmente substituídos pelos moabitas, o que também veio a suceder entre os amonitas (Dt 2.11,20,21). Eram gigantes, como os filhos de Anaque (Dt 2.21).

■ **15.21**

וְאֶת־הָאֱמֹרִי וְאֶת־הַכְּנַעֲנִי וְאֶת־הַגִּרְגָּשִׁי וְאֶת־הַיְבוּסִי: ס

Amorreu. Forneci um artigo detalhado sobre esse povo no *Dicionário*. O termo refere-se aos semitas ocidentais, mas nos tempos de Abraão a referência era a um pequeno segmento da população mista de Canaã. Em seus dias, eles habitavam no outro lado do rio Jordão, e eram vizinhos de Abraão. O vs. 16 usa o termo para incluir todas as tribos de Canaã, e o juízo divino contra elas deixaria a terra livre para Israel. Quando Israel invadiu a terra, os amorreus ocupavam ambos os lados do rio Jordão, acima do mar Morto.

Cananeu. Ver no *Dicionário* o artigo *Canaã, Cananeus*. A extensão dos lugares ocupados pelos cananeus foi sumariada na exposição de Gênesis 10.19. O termo geral, cananeus, era usado para incluir sete nações distintas (heteus, girgaseus, amorreus, cananeus, perezeus, heveus e jebuseus). Além disso, havia diversas tribos cananeias que viviam nas fronteiras da Palestina, em seu lado norte, a saber, os *arqueus*, os *sinitas*, os *arvaditas*, os *zemaítas* e os *hematitas* (povos sobre os quais comentamos no *Dicionário*). As cartas de Tell el--Amarna, do século XIV a.C., referem-se aos cananeus como um povo que ocupava todo o território sino-palestino do Egito. E chegavam até a certas áreas da Síria, ao norte.

Girgaseu. Ver sobre os girgaseus no *Dicionário*. Esse era o nome de uma das sete principais tribos que ocupavam a antiga Palestina. Parece que ocupavam, nos tempos mais antigos, a área a leste do mar da Galileia. Talvez eles tenham sido um ramo lateral dos *heveus* (ver no *Dicionário*). Os gergesenos, de Mateus 8.28, talvez fossem descendentes daquele povo.

Jebuseu. Ver o verbete sobre eles no *Dicionário*. Esse era um povo antigo que tinha ocupado Jerusalém e áreas adjacentes.

O autor sagrado, pois, alistou assim as principais tribos que ocupavam a Palestina nos dias de Abraão, a quem foi prometido que toda aquela gente não seria capaz de resistir perante os descendentes do patriarca. As terras desses povos se tornariam terras de Israel. Isso fazia parte das provisões do Pacto Abraâmico, comentado no vs. 18 deste capítulo.

CAPÍTULO DEZESSEIS

A HISTÓRIA DE HAGAR (16.1-16)

O relato sobre essa mulher reveste-se de grande interesse humano, não só por estar ligado à vida de Abraão, mas também porque nos fornece um certo número de importantes lições. O apóstolo Paulo entendia que a história serve de alegoria, segundo se vê em Gálatas 4.22 ss., fazendo os israelitas incrédulos (e sua lei) serem representados pelos filhos da mulher escrava (Hagar). Essa aplicação do relato do Antigo Testamento parece especialmente repelente para os judeus, porquanto furta deles a sua posição especial dentro do Pacto Abraâmico, além de conferir aos odiados gentios um lugar favorecido, quando estes confiam em Cristo. Um dos pontos que dá valor ao relato é que ele empresta alguma evidência à historicidade das antigas narrativas acerca de Abraão. A arqueologia tem podido confirmar os costumes sociais relativos ao casamento que aparecem neste capítulo. Também aprendemos que aquilo que começa no ódio (Sara odiou Hagar por causa do filho desta) prossegue no ódio (os judeus e os árabes, hoje em dia, dão prosseguimento àquela antiga animosidade). Talvez seja verdade o que Maomé dizia, que ele era um descendente direto de Ismael. Nesse caso, teríamos um desenvolvimento histórico de religiões contrárias, e não meramente de povos contrários.

Admiramo-nos do poder de Sara diante de Abraão, que o levou a expulsar um filho e deixá-lo à mercê do deserto. Admiramo-nos da fraqueza de Abraão quanto a este ponto; e dizer "seja feita a vontade de Deus" dificilmente justifica aquele ato de desumanidade.

Abraão recebeu riquezas da parte de Faraó, ao descer ao Egito, por motivo de uma fome. Ele obteve ali grande quantidade de animais, ouro, prata, e, sem dúvida, escravos e escravas, para que sua vida se tornasse mais amena e luxuosa. Ver o capítulo 13 de Gênesis. Mais tarde, Abraão se recusou a aceitar qualquer coisa do rei de Sodoma, como medida insultuosa e pouco sábia para sua prudência e alta espiritualidade (ver o capítulo 14 de Gênesis). Ele tinha ficado mais sábio. Provavelmente foi no Egito que ele adquiriu Hagar (e outras escravas, sem dúvida). Mas esta se tornou a escrava pessoal de Sara, pelo que estava em posição de ser mãe "de aluguel". As mães de aluguel são um costume antigo, conforme a arqueologia tem descoberto, já existindo nos dias de Abraão.

Ficamos desolados diante do que sucede no capítulo 16 de Gênesis, considerando-se que não fazia muito tempo Abraão havia recebido uma experiência mística da mais alta qualidade, a fim de garantir-lhe que Deus lhe prometia um herdeiro, um filho dele mesmo, como algo resolvido nos decretos divinos (Gn 15.5 ss.). Se Eliezer não seria o herdeiro de Abraão, por que ele pensaria que o filho da escrava egípcia poderia sê-lo? Ver Gênesis 15.2. No entanto, até os homens mais espirituais estão sujeitos a lapsos, especialmente quando alguma promessa de modificação não produz resultados por muito tempo.

■ **16.1**

וְשָׂרַי אֵשֶׁת אַבְרָם לֹא יָלְדָה לוֹ וְלָהּ שִׁפְחָה מִצְרִית וּשְׁמָהּ הָגָר:

Em momentos de fraqueza, até mesmo as mentes mais espirituais caem, em busca de planos alternativos que não se harmonizam com a vontade de Deus. Ver no *Dicionário* o artigo intitulado *Vontade de Deus, Como Descobri-la*. Falta-nos previsão, e, em nossa mente, qualquer demora por muitas vezes é equiparada ao fracasso.

Sarai. Ver o artigo detalhado sobre ela no *Dicionário*.

Não lhe dava filhos. Já tínhamos sido informados acerca da esterilidade de Sara. Ver as notas sobre Gênesis 11.30 quanto a essa calamidade, aos olhos dos povos antigos. Esse foi o fato que provocou o queixume de Abraão diante de Deus, o que resultou em uma experiência mística de elevado nível acerca das provisões do Pacto Abraâmico, no capítulo 15 de Gênesis. A principal dessas provisões, o *sine qua non*, era a promessa de um herdeiro, um filho que o próprio Abraão geraria. Ter um filho com Hagar era um filho natural, mas não o filho prometido. Ver as notas sobre o Pacto Abraâmico, em Gênesis 15.18.

Uma serva egípcia. É provável que Abraão tenha escolhido Hagar no Egito, quando estava enriquecendo ali (capítulo 13 de Gênesis). Dentre as escravas adquiridas na época, Hagar foi selecionada para ser a atendente pessoal de Sara. Isso a deixou em uma posição de tornar-se concubina de Abraão, por meio da qual, presumivelmente, Deus poderia dar a Abraão o seu herdeiro. Parecia um plano plausível, mas não era esse o propósito divino.

Hagar. No *Dicionário* ofereço um artigo detalhado sobre ela. Esse artigo inclui as conjecturas acerca de sua origem, de sua linhagem racial etc.

Nem todas as oportunidades apontam para o cumprimento da missão de uma pessoa neste mundo. Abraão tomou uma providência que parecia levar ao cumprimento do plano de Deus acerca dele. Ele tirou vantagem dessa provisão. Com o tempo, entretanto, ele aprendeu que tinha feito um julgamento errado.

■ **16.2**

וַתֹּאמֶר שָׂרַי אֶל־אַבְרָם הִנֵּה־נָא עֲצָרַנִי יְהוָה מִלֶּדֶת בֹּא־נָא אֶל־שִׁפְחָתִי אוּלַי אִבָּנֶה מִמֶּנָּה וַיִּשְׁמַע אַבְרָם לְקוֹל שָׂרָי:

Sara acusou Deus pela sua esterilidade, e assim tomou suas próprias medidas. Os filhos são herança do Senhor (Sl 127.3); e estar alguém sem filhos, de acordo com a mentalidade dos hebreus, era um ato de Deus. Destarte, Sara resolveu ajudar a Deus para que o plano dele desse certo. É verdade que, na realização dos planos de Deus, precisamos fazer a parte que nos cabe, mas algumas vezes exageramos.

A arqueologia tem confirmado que, na época de Abraão, havia o costume de que uma mulher podia dar a seu marido uma concubina, para que os filhos desta fossem considerados filhos da esposa legítima. Esse costume é também confirmado em Gênesis 30.3 (no caso de Raquel) e em Gênesis 30.9 (no caso de Lia). Os filhos nascidos dessas uniões eram considerados filhos da esposa legítima, como já dissemos, e não da concubina. Assim, a questão tem-se tornado fulcro de muita discussão em nossos dias, e estão sendo julgados vários casos na lei, procurando resolver quem tem o direito de ficar com esses filhos.

O tempo fez Sara entrar em desespero. E ela acabou agindo precipitadamente. Há um hino que fala sobre a dor das "orações não respondidas", experiência essa pela qual todos nós temos tido ocasionalmente de passar. Deus mantêm-se oculto nas trevas, vigiando tudo, observando o que faremos com os meios e os equipamentos que ele nos dá. Quando as coisas tornam-se difíceis demais para nós, fora de nosso controle, então ele nos abençoa mediante alguma intervenção divina. Deus nos dá apenas o bastante para que fique garantido o nosso sucesso. Entrementes, temos de nos mostrar honestos e ativos.

Abraão Obedeceu à Sua Esposa. Algumas vezes é certo um homem fazer o que sua esposa lhe diz, mesmo que isso seja contra os seus sentimentos. Mas dessa vez, não foi certo. Abraão não consultou Deus. Disso podemos ter a certeza. Ele ansiava por ter Hagar. Gostou do plano de Sara, embora tal plano não pudesse resolver o problema dele. Tal plano estava de acordo com os costumes sociais da época, pelo que não houve *qualquer* objeção a ele, nem moral nem legalmente. Deus, porém, está muito acima de meros costumes sociais. Nem todos esses costumes são naturais e corretos.

Na época, Sara estava com 75 anos de idade, vivia em Canaã fazia dez anos, e simplesmente tinha desistido de ser mãe. Ver no *Dicionário* o artigo intitulado *Poligamia*. Nesse caso, Sara deu seu consentimento ao casamento plural. Todavia, não há nenhuma evidência, nos tempos do Antigo Testamento, de que tal consentimento fosse necessário.

16.3

וַתִּקַּ֞ח שָׂרַ֣י אֵֽשֶׁת־אַבְרָ֗ם אֶת־הָגָ֤ר הַמִּצְרִית֙ שִׁפְחָתָ֔הּ מִקֵּץ֙ עֶ֣שֶׂר שָׁנִ֔ים לְשֶׁ֥בֶת אַבְרָ֖ם בְּאֶ֣רֶץ כְּנָ֑עַן וַתִּתֵּ֥ן אֹתָ֛הּ לְאַבְרָ֥ם אִישָׁ֖הּ לֹ֥ו לְאִשָּֽׁה׃

Dez anos. Sara esperou por longo tempo, de acordo com os padrões humanos. Ela demonstrou uma paciência notável. Costumamos condená-la, mas provavelmente teríamos falhado até mesmo antes dela. Por outra parte, havia uma promessa a ser cumprida nela e em seu filho (Gn 16.10 ss., onde vemos que o anjo do Senhor estava com ela). Isso posto, o plano de Deus incluía o nascimento de Ismael, embora não para o ofício de herdeiro de Abraão. Os planos primários de Deus não eliminam os seus planos secundários.

Na ocasião, Abraão estava com 85 anos de idade. Ele viveria até aos 175 anos (Gn 25.7), pelo que, aos 85 anos, ainda era relativamente jovem. E isso quer dizer que havia muito tempo para que Deus fizesse muita coisa nele e através dele. Ver as notas sobre Gênesis 5.21 quanto à desejabilidade de uma vida longa.

Tempos depois, tornou-se norma entre os judeus que, se um homem tivesse esposa por dez anos, mas ela não lhe desse filhos durante esse tempo, ele poderia tomar outra mulher para dar-lhe um herdeiro (ver Bereshit Rabba, Jarchi e Aben Ezra, comentando sobre este texto). É provável, pois, que essa regra tenha sido sugerida pelo presente texto.

16.4

וַיָּבֹ֥א אֶל־הָגָ֖ר וַתַּ֑הַר וַתֵּ֙רֶא֙ כִּ֣י הָרָ֔תָה וַתֵּקַ֥ל גְּבִרְתָּ֖הּ בְּעֵינֶֽיהָ׃

O plano parece que estava funcionando. Hagar ficou grávida. O filho herdeiro estava a caminho. Mas então surgiu um grave problema. Hagar não era uma mulher humilde. Antes, ela desprezou Sara, sua senhora, em seu coração. O texto não nos diz por qual razão, mas a resposta é fácil. Agora ela tinha um filho amado que estava chegando, e já havia um poderoso laço de amor entre ela e Abraão. Mas o costume determinava que o precioso filho seria entregue a Sara. E Hagar sentia que algo de errado havia nesse costume. Outro tanto acontece hoje em dia com as mães de aluguel. Elas concordam em receber, digamos, dez mil dólares para servirem de veículo do nascimento da criança; mas, uma vez que a criança esteja a caminho, forma-se um laço de amor entre a mãe e a criança, e o dinheiro deixa de ser importante. Um poder superior toma conta da mãe de aluguel. O amor é sempre um poder superior, e o dinheiro nada significa quando um ente querido é ameaçado, conforme o demonstra o caso dos sequestros.

Alguns intérpretes têm pensado que a dificuldade estava na arrogância de Hagar. Agora ela não queria ocupar uma posição inferior, quando seria ela a mulher que ia trazer ao mundo o filho prometido. É possível que haja algo verdadeiro nessa ideia, mas não muito. Não é muito provável que uma escrava pudesse tornar-se tão arrogante assim. Mas outros pensam que Hagar desprezava Sara por causa da esterilidade desta. E nisso pode haver alguma verdade.

16.5

וַתֹּ֨אמֶר שָׂרַ֣י אֶל־אַבְרָם֮ חֲמָסִ֣י עָלֶיךָ֒ אָנֹכִ֗י נָתַ֤תִּי שִׁפְחָתִי֙ בְּחֵיקֶ֔ךָ וַתֵּ֙רֶא֙ כִּ֣י הָרָ֔תָה וָאֵקַ֖ל בְּעֵינֶ֑יהָ יִשְׁפֹּ֥ט יְהוָ֖ה בֵּינִ֥י וּבֵינֶֽיׄךָ׃

Seja sobre ti a afronta. O plano havia falhado, e agora via-se que tinha defeitos. O sexo nada tinha a ver com a questão. O que estava em jogo era o que se faria com a criança. Ela tinha duas mães. Qual delas ficaria com a criança? Hagar pode ter pensado que uma mulher estéril não tinha o direito de ficar dando ordens. Abraão foi acusado porque poderia ter dito: "Você deveria saber que o plano não daria certo. Por que você não aceitou minha sugestão?" O versículo, naturalmente, projeta luz sobre os inconvenientes da poligamia. Esse estado marital, naturalmente, produz certos conflitos, apesar de poder aliviar outros problemas. Assim, Sara lançou a culpa sobre Abraão, esperando vingar-se nele.

Julgue o Senhor entre mim e ti. Sara ameaçou aqui Abraão com a vingança divina, por causa da estupidez dele ao permitir que a situação se desenvolvesse. Parece que ela não estava meramente tentando achar de quem era a culpa, para então invocar Deus a fim de que o Senhor tomasse uma decisão. Antes, já tinha formado seu juízo, de que a culpa principal cabia a Abraão. As brigas em família sempre têm muito dessas acusações e ameaças mútuas.

16.6

וַיֹּ֨אמֶר אַבְרָ֜ם אֶל־שָׂרַ֗י הִנֵּ֤ה שִׁפְחָתֵךְ֙ בְּיָדֵ֔ךְ עֲשִׂי־לָ֖הּ הַטּ֣וֹב בְּעֵינָ֑יִךְ וַתְּעַנֶּ֣הָ שָׂרַ֔י וַתִּבְרַ֖ח מִפָּנֶֽיהָ׃

A alienação tornara-se completa. E assim a perseguição começou. Abraão, ato contínuo, deixou tudo nas mãos de Sara. "Ela é tua escrava, não é mesmo? Então age como te parecer melhor". Mas isso não foi uma maneira muito feliz de solucionar aquela crise. E Sara começou a afligir Hagar, conforme o vocábulo hebraico pode ser traduzido, tal como Israel foi mais tarde afligido pelo Egito (Êx 1.11). E o trecho de Gênesis 15.13 contém a mesma palavra. Israel seria afligido no Egito por muitos decênios. Essa aflição era verbal e constante, e também, sem dúvida, era física. No dizer de John Gill (in loc.): "...não só com palavras, mas com pancadas, conforme alguns pensam, pancadas duras, dando-lhe tarefas que ela não era capaz de cumprir, especialmente nas circunstâncias em que se achava".

Hagar Foge. Temos aí a antiga história da jovem que não aguenta os maus-tratos recebidos por parte da dona da casa; a antiga história da criada que é sobrecarregada com trabalhos com pouca ou nenhuma recompensa; a antiga história de maus-tratos dados a um inferior, a quem não se mostra amor. O ódio ia crescendo, as perspectivas em nada melhoravam. A fisionomia de Sara exibia ira, ódio e fúria. Quem poderia ficar por perto e olhar para ela? O nome Hagar significa fuga. Por isso, o lugar para onde Maomé fugiu, mais tarde, ficou sendo chamado Hegira. Outro tanto sucedeu no caso de Hagar, algum tempo mais tarde, após um breve período de restauração. Ver Gênesis 21.10 ss. Nessa segunda vez, Hagar foi expulsa e tornou-se uma fugitiva. Mas, em ambas as oportunidades, o anjo do Senhor a socorreu.

"Ao fugir, Hagar demonstrou não somente o indômito espírito de liberdade que Ismael herdou dela, mas aparentemente estava repetindo o ato do qual ela obtivera seu nome." Assim comentou Ellicott (in loc.), mas o texto diz-nos que os maus atos de Sara foram o motivo de sua fuga. Sara não era uma mulher boazinha.

16.7

וַֽיִּמְצָאָ֞הּ מַלְאַ֧ךְ יְהוָ֛ה עַל־עֵ֥ין הַמַּ֖יִם בַּמִּדְבָּ֑ר עַל־הָעַ֖יִן בְּדֶ֥רֶךְ שֽׁוּר׃

O anjo do Senhor. Dentro da cultura hebraica havia uma crença antiga em anjos. Temos aqui a primeira referência bíblica a esses seres, e isso sem nenhuma preparação prévia ou elaboração. Os eruditos na história dos hebreus informam-nos que não é provável que logo de início esses seres fossem considerados seres imateriais, como também não se pensava na alma como algo imaterial. Ver Gênesis 1.26,27. Os anjos eram concebidos como um tipo diferente de ser, poderosos, muito inteligentes, agentes de Deus, mas não imateriais, pelo que não teriam uma natureza muito diferente da nossa. Nesse estágio primitivo da ideia, fica claro no texto que esses seres eram tidos como quem vivia interessado pelos seres humanos, fazendo-se presentes com eles "a fim de ajudá-los". Esse anjo é identificado com El (Deus), em Gênesis 16.13, e alguns têm opinado que temos aí uma visita do Logos nas páginas do Antigo Testamento. Contudo, não podemos esquecer que era noção comum da teologia dos hebreus que aquele que visse o anjo do Senhor tinha visto ao Senhor. Ver também Gênesis 22.1-12; 31.11; 48.16; Juízes 6.11,16,22; 13.22,23; Zacarias 3.1,2. O anjo é distinguido de Yahweh (Gn 24.7; 2Sm 24.16; Zc 1.12). Talvez a antiga mente hebraica não fizesse distinção entre uma teofania e um anjo. Referências como as de Gênesis 18.1,2; 19.1; Números 22.22; Juízes 2.1-4; 5.23 e Zacarias 12.8 são interpretadas das maneiras mais diversas, mas por certo indicam aparições ou teofanias do Logos ou Cristo.

Hagar chamou aquele anjo de El Roi, "Poder (divino) de ver", dando a entender que ela tinha visto o Alto Poder, ou um seu representante. Ver também as notas sobre o vs. 13.

O anjo. Ver a respeito desses seres no *Dicionário*, como também o artigo intitulado *Teofania*.

No caminho de Sur. Ver o artigo detalhado sobre esse lugar e sua fonte, no *Dicionário*. É provável que Hagar tenha fugido por essa rota usual: para Hebrom, passando por Berseba, e daí seguindo para o Egito.

■ 16.8

וַיֹּאמַר הָגָר שִׁפְחַת שָׂרַי אֵי־מִזֶּה בָאת וְאָנָה תֵלֵכִי וַתֹּאמֶר מִפְּנֵי שָׂרַי גְּבִרְתִּי אָנֹכִי בֹּרַחַת:

De Onde Você Veio? Para Onde Está Indo? O anjo fez perguntas retóricas, a fim de dar início a um diálogo. Mas ele já sabia de tudo. O anjo do Senhor sabia quem era Hagar e o que ela estava fazendo. Isso nos serve de grande consolo. Não estamos sozinhos, embora, algumas vezes, assim nos possa parecer. O poder divino acompanha-nos o tempo todo, ao longo do caminho, e o Senhor intervém quando isso é necessário e benéfico. O anjo chamou Hagar pelo nome dela. Jesus ensinou que Deus se interessa até mesmo pelos pardais que caem em terra. Isso reflete o teísmo, e não o deísmo. Deus criou e continua cuidando de sua criação; ele também recompensa e pune; ele acompanha a sua criação. Ver no *Dicionário* acerca do *Teísmo*.

Fujo. Hagar não pudera mais suportar a perseguição (vs. 6) que Sara insistia em mover contra ela. Hagar, pois, fazia o que pensava que era próprio que se fizesse naquelas circunstâncias. Mas o plano de Deus, apesar de não justificar a crueldade de Sara, tinha algo mais em mente, visto que havia um propósito divino operando na vida de Hagar, e não somente na vida de Sara. Há destino, onde quer que se faça ativa a mente de Deus.

■ 16.9

וַיֹּאמֶר לָהּ מַלְאַךְ יְהוָה שׁוּבִי אֶל־גְּבִרְתֵּךְ וְהִתְעַנִּי תַּחַת יָדֶיהָ:

Volta... humilha-te sob suas mãos. O texto não apresenta a apologia de Sara. Ela ficou satisfeita por ver-se livre daquela escrava perturbadora, que estivera ao ponto de deixá-la nas sombras porque ia ter um filho de Abraão. Sem dúvida, Sara ficou muito infeliz ao ver a escrava voltar. Mas havia um plano divino envolvido, que estava acima daquela tola disputa em que as duas mulheres estavam envolvidas; e a fim de cumprir esse plano é que foi ordenado a Hagar que voltasse e se submetesse a Sara. Algumas vezes não podemos fazer as coisas do nosso modo, porque isso não corresponde ao modo de Deus.

Também manifestou-se na cena a graça celeste, que contemplou a necessidade humana de Hagar e reverteu uma atitude errada da parte dela. Aquele que cuida de Israel não dorme (Sl 121.4), e a vontade do Senhor é sempre beneficente. Tal como na história inglesa de Lord Jim, algumas vezes precisamos "submeter-nos aos elementos destrutivos". Em outras palavras, aquilo que pensamos que só pode prejudicar e destruir, algumas vezes é o próprio elemento que precisamos injetar em nossa vida e em nossos labores. Mas se contamos com a presença de Deus, então a disciplina será aplicada, mas disso resultará grande fruto de nossos esforços e de nossa vida.

Este versículo tem sido insensatamente usado para ensinar o direito divino que os senhores teriam sobre os seus escravos. Ver no *Dicionário* o artigo intitulado *Escravo, Escravidão*.

■ 16.10

וַיֹּאמֶר לָהּ מַלְאַךְ יְהוָה הַרְבָּה אַרְבֶּה אֶת־זַרְעֵךְ וְלֹא יִסָּפֵר מֵרֹב:

Multiplicarei sobremodo a tua descendência. Uma provisão similar à do Pacto Abraâmico (ver notas em Gn 15.18). Ver no vs. 7 as notas sobre esse anjo, bem como, no *Dicionário*, o verbete intitulado *anjo*. As nações árabes, naturalmente, descendem em grande parte de Hagar, pelo que tanto elas quanto Israel são descendentes diretos de Abraão. Mas o ódio que se origina no capítulo 16 de Gênesis tem persistido até os nossos dias. Quão ridículos são os homens. Uma pitada de amor teria solucionado o problema há muito tempo. O anjo falara com a autoridade de Deus. Não tinha autoridade independente para estabelecer pactos divinos.

O NASCIMENTO DE ISMAEL (16.11-16)

Originalmente, os ismaelitas eram uma tribo de beduínos que vagueavam pelo deserto, incluindo a parte sul da Palestina (Gn 25.18). Eles estavam ligados aos hagarenos (Sl 83.6) e tinham conexões raciais com eles. Os críticos supõem que esses povos tiraram vantagem da história à nossa frente para assim obterem uma alegada descendência de Abraão. Mas não há motivos para duvidar da veracidade do relato. Maomé dizia-se descendente direto de Ismael, mas não sabemos a qualidade das suas informações quanto a esse particular. Por outra parte, ele era seu filho espiritual, pois, de maneira enfática, encabeçou a oposição a Israel, mediante sua nova religião. Mas em algum ponto do futuro há uma unidade a ser conseguida (Ef 1.9,10), apesar de tudo ainda estar distante. Nesse ínterim, os homens continuam a dividir-se em campos opostos e conflitantes. Não existe ódio que se compare ao ódio religioso, pelo que, onde houver fé religiosa, ali os conflitos mostram-se mais amargos. E os homens sempre acusam Deus por causa do ódio em seu coração. Se alguém falar em amor, será questionada, pelos radicais, a qualidade da fé desse alguém. Matanças e revides ocorrem em nome de Deus, e os discípulos dos grandes matadores veem tudo com olhar de aprovação.

Pessoalmente, espero um bom destino para *Ismael*, filho de Abraão, e creio que o amor de Deus triunfará no fim, garantindo bons resultados.

■ 16.11

וַיֹּאמֶר לָהּ מַלְאַךְ יְהוָה הִנָּךְ הָרָה וְיֹלַדְתְּ בֵּן וְקָרָאת שְׁמוֹ יִשְׁמָעֵאל כִּי־שָׁמַע יְהוָה אֶל־עָנְיֵךְ:

Ismael. Há um longo e detalhado verbete sobre ele no *Dicionário*. O nome incorpora um dos mais comuns nomes semíticos para Deus, El, "força", "poder". O nome inteiro significa "Deus ouve". Sem dúvida, Hagar tinha feito muitas orações. Ali estava ela, grávida e prestes a morrer de sede e de fome. Deus viu a sua aflição, e também os maus-tratos de Sara contra a escrava. Mas Deus "ouviu" as orações de Hagar e os sons de agonia que subiam de seu coração. Ao ouvi-la, pôs-se a agir em favor dela. O texto parece dar a entender que a situação dela clamava a Deus. Ele a teria ouvido, mesmo que ela não tivesse orado.

Os intérpretes judeus observavam que seis pessoas receberam nomes da parte de Deus, antes mesmo de nascerem: Isaque, Ismael, Moisés, Salomão, Josias e o Messias. E o Novo Testamento, é claro, ajunta João Batista (Lc 1.13). Algumas pessoas dão exagerada importância a nomes. Mas talvez eles tenham mais importância do que percebemos, ou talvez essa importância só se aplique em alguns casos. Os casos bíblicos revestem-se de grande importância. O sentido de um nome falava de algum fato ou característica importante da pessoa que o possuía.

"As aflições e as tribulações chegam até os ouvidos de Deus, mesmo quando restringimos as nossas orações. E quanto mais, quando poderosamente oramos, quando suportamos tudo no espírito da humildade, com confiança e com súplicas dirigidas ao Senhor!" (Adam Clarke, *in loc*.).

■ 16.12

וְהוּא יִהְיֶה פֶּרֶא אָדָם יָדוֹ בַכֹּל וְיַד כֹּל בּוֹ וְעַל־פְּנֵי כָל־אֶחָיו יִשְׁכֹּן:

Como um jumento selvagem. Ismael seria hostil para com outros homens, sempre em conflito, lutando pela própria sobrevivência no deserto da Arábia, lugar tão difícil de viver que é o bastante para fazer um homem ali perdido quase enlouquecer. Pensemos no destino! O bisneto de Sara, José, bem mais tarde foi conduzido ao Egito pelos ismaelitas (Gn 37.28). Contudo, em meio ao entrelaçado do relacionamento humano, a misericórdia divina opera e não pode falhar, finalmente. A palavra *raiz* que é aqui traduzida por "selvagem" não aparece no Antigo Testamento, mas está ligada ao vocábulo árabe farra, "correr para longe" ou "correr selvagemente", como fazem os animais do deserto, como faz o jumento selvagem que é rápido e não pode ser amansado facilmente. Ver Jó 39.5-8 quanto a uma boa descrição que pode ser aplicada a homens ou a animais.

A sua mão será contra todos. Intermináveis conflitos tribais, e então guerras, que o povo chama de "guerras santas", têm confirmado essa predição.

"...vivendo no deserto, deleitando-se em caçadas a animais ferozes, roubando e pilhando... feroz, selvagem, indomado, nunca sujeito ao jugo... briguento... guerreiro, continuamente ocupado em combater os seus vizinhos... assediando seus vizinhos mediante excursões e ataques constantes, pilhando povos de todas as nações em redor... implacável e possuído por animosidades hereditárias..." (John Gill, *in loc.*).

Habitará fronteiro a todos os seus irmãos. Ismael estaria sempre pronto e presente para desfechar seus atos de hostilidade, conforme a frase pode ser entendida. Alguns eruditos, entretanto, sugerem que significa "a leste" de seus irmãos (como em Gn 25.6); ou, então, que Ismael habitaria "contra" os seus irmãos, ou seja, quanto à posição geográfica ou quanto à atitude. Jarchi asseverava que o sentido dessas palavras é que os descendentes de Ismael se multiplicariam em tão grande número que se espalhariam ao ponto de "atingir as fronteiras de todos os seus irmãos".

■ 16.13

וַתִּקְרָא שֵׁם־יְהוָה הַדֹּבֵר אֵלֶיהָ אַתָּה אֵל רֳאִי כִּי
אָמְרָה הֲגַם הֲלֹם רָאִיתִי אַחֲרֵי רֹאִי:

Senhor, ou seja, Yahweh, mas aqui interpretado como El, o Alto Poder, a Grande Autoridade dotada de força. Hagar invocou o Senhor e lhe deu um nome especial, em harmonia com as circunstâncias da ocasião. Vários estudiosos pensam que Hagar dirigiu-se a Deus em uma oração, onde então lhe deu um nome apropriado.

El Roi, ou seja, "Deus que vê". Esse nome tem sido entendido de duas maneiras: 1. "Aquele que vê tudo", no sentido de estar sempre pronto para ajudar os atribulados. 2. "Aquele que se permite ser visto". Ambos os sentidos são verdadeiros, embora não haja certeza quanto ao que está em foco aqui. Talvez ambas as ideias estejam incluídas.

A porção final do versículo é considerada ininteligível por muitos leitores modernos do hebraico, embora fosse claro para um antigo nativo dessa língua. Diversas opiniões tentam mostrar o seu sentido. Talvez Ellicott (*in loc.*) tenha captado bem o sentido:

"Não estou vendo e não continuo viva? Não fiquei cega nem perdi os sentidos e a razão, embora eu tenha visto Deus". Os judeus acreditavam que usualmente era fatal ver Deus (Êx 33.20; Jz 6.22; 13.22). Eles também criam que ver uma *teofania* (ver sobre isso no *Dicionário*) ou um *anjo* (ver sobre isso no *Dicionário*) era a mesma coisa que ver o próprio Deus. Por isso, Hagar surpreendeu-se ao ver-se viva e bem, depois de seu encontro com o anjo.

Naturalmente, o sentido do texto é mais profundo do que isso. Ela regozijou-se diante do fato de que Deus é um Deus que tanto ouve (vs. 11) quanto vê (vs. 13). Isso ensina que as vidas humanas estão seguras nas mãos de Deus, porque ele cuida de nós.

...lançando sobre ele toda a vossa ansiedade, porque ele tem cuidado de vós" (1Pe 5.7).

Uma Reprimenda a Abraão. Ele expulsou seu próprio filho, ao permitir que Sara afligisse Hagar, o que levou esta a fugir. No entanto, Deus trouxe Hagar de volta, e ela pôde manifestar-se diante de Abraão: "Embora tu me tivesses expulsado por teus atos impiedosos, contudo Deus me viu e me ouviu, e me conservou em segurança!"

■ 16.14

עַל־כֵּן קָרָא לַבְּאֵר בְּאֵר לַחַי רֹאִי הִנֵּה בֵין־קָדֵשׁ
וּבֵין בָּרֶד:

Aquele poço. Também é mencionado no vs. 7. Ver no *Dicionário* o verbete *Sur.*

Beer-Laai-Roi. Parece que o sentido dessas palavras é "poço da queixada do antílope", e presume-se que esse fosse o nome original do local. Mas de acordo com a etimologia popular e em conexão com a história de Hagar, o lugar veio a ser conhecido como "poço do Ser vivo que me vê" (cf. Gn 24.62 e 25.11). Outros patriarcas tiveram ligação com esse lugar. Os arqueólogos têm identificado, tentativamente, esse poço, a 19 km a noroeste de Ain Kadis, em "Ain el Muweileh, cuja pronúncia, no árabe, assemelha-se um pouco ao nome original e tem o mesmo sentido.

Cades. Ver no *Dicionário* o verbete *Cades-Barneia.* Ver Números 13.3,26; Josué 14.7. Os Targuns de Onkelos e Jonathan chamam o local de Rekam, equiparando-o com Petra, uma das principais cidades da Arábia Petrea, habitada posteriormente pelos nabateus, posteridade de Ismael.

Berede. Uma cidade de Judá, perto de Cades (Gn 16.14), que em caldaico chamava-se Agara, e em siríaco, Gedar. Talvez se trate da mesma Arade (Js 12.14), na parte sul do território de Judá. O local tem sido identificado com a moderna El-Khulassah, a 19 km ao sul de Berseba. Mas outras identificações também têm sido propostas. Não há certeza sobre a questão.

■ 16.15

וַתֵּלֶד הָגָר לְאַבְרָם בֵּן וַיִּקְרָא אַבְרָם שֶׁם־בְּנוֹ
אֲשֶׁר־יָלְדָה הָגָר יִשְׁמָעֵאל:

Hagar Estava de Volta. Parece que a concórdia reinou de novo por algum tempo, mas hostilidades francas em breve haveriam de fazer Hagar abrigar-se no deserto (Gn 21.9 ss.). Hagar deu à luz a seu filho, ao qual Abraão chamou Ismael, sem dúvida aceitando o testemunho de Hagar de que o próprio Senhor dera esse nome ao menino, dando o recado por meio do anjo que ela vira no deserto. Ismael, pois, foi o primeiro homem (cujo registro aparece na Bíblia) cujo nome lhe foi dado antes mesmo de nascer.

■ 16.16

וְאַבְרָם בֶּן־שְׁמֹנִים שָׁנָה וְשֵׁשׁ שָׁנִים בְּלֶדֶת־הָגָר
אֶת־יִשְׁמָעֵאל לְאַבְרָם: ס

Abraão tinha 86 anos de idade quando Ismael nasceu. Abraão chegou aos 175 anos de idade (Gn 25.7), pelo que ainda lhe restavam 89 anos de vida, após o nascimento de Ismael! Ele tinha 75 anos ao deixar Harã (Gn 12.4), e já estava por dez anos em Canaã, quando Sara lhe presenteou Hagar como concubina.

CAPÍTULO DEZESSETE

O PACTO DA CIRCUNCISÃO (17.1-27)

REITERAÇÃO DO PACTO ABRAÂMICO (17.1-8)

Os vss. 1-8 nada nos trazem de novidade, exceto pelo fato de que o nome de Abrão é mudado para Abraão, além de um novo nome divino começar a ser usado (ver 17.1). O restante é mera reiteração de elementos que já se achavam em passagens anteriores. O Pacto Abraâmico (comentado em Gn 15.18) tinha sido antecipado sob forma preliminar em Gênesis 12.1-4; então, mais completamente, em 13.14-17, e, finalmente, com maiores detalhes, em Gênesis 15.1-7. A narrativa do capítulo 15 é acompanhada por uma significativa história da experiência mística ou visão, dada a Abraão, que lhe trouxera essa mensagem. E este capítulo 17 também deixa claro que a reiteração do pacto foi igualmente feita mediante uma poderosa experiência mística. Ver no *Dicionário* o verbete *Misticismo*. A definição básica desse termo é qualquer experiência que concede ao indivíduo algum poder superior que faz uma revelação, ilumina ou, de algum modo, influencia a pessoa que recebe a experiência. Isso significa que aquilo que as pessoas, com frequência, chamam de experiências espirituais são experiências místicas. Está em foco algum contato genuíno com a deidade ou com alguma força cósmica do bem. O misticismo falso consiste ou em fraude ou em contato com algum poder prejudicial para a alma. Há o misticismo genuíno e há o misticismo falso. O artigo citado acima deixa bem claras essas questões. Quase todas as religiões começam e são sustentadas por essas experiências místicas, e Abraão foi um exemplo eloquente dessa realidade. Com que frequência ele recebeu alguma experiência mística a fim de ser instruído! Em Gênesis 15.2, vemos que Abraão solicitou do Senhor alguma espécie de sinal que lhe infundisse segurança quanto ao pacto. Deus lhe deu o sinal, e podemos estar certos de que Abraão cresceu espiritualmente.

Os críticos supõem que as várias repetições de elementos do pacto sejam meras versões diferentes do mesmo pacto, extraídas das várias fontes informativas que teriam contribuído na compilação do Pentateuco. Ver no *Dicionário* o artigo intitulado *J.E.D.P.(S.),* quanto à teoria das fontes informativas múltiplas do Pentateuco. Não há razão, porém, para supormos que o pacto firmado com Abraão não tenha sido reiterado por mais de uma vez. Abraão recebeu, em diversas ocasiões, algum visitante celeste, sob forma visionária ou outra, para que tivesse a certeza quanto à orientação de Deus e suas provisões. Foram visitas poderosas, que aumentaram sua fé e seu poder espiritual.

17.1

וַיְהִי אַבְרָם בֶּן־תִּשְׁעִים שָׁנָה וְתֵשַׁע שָׁנִים וַיֵּרָא יְהוָה אֶל־אַבְרָם וַיֹּאמֶר אֵלָיו אֲנִי־אֵל שַׁדַּי הִתְהַלֵּךְ לְפָנַי וֶהְיֵה תָמִים׃

Noventa e nove anos. Essa experiência mística ocorreu treze anos após o nascimento de Ismael. O filho prometido (Isaque) ainda não havia sido dado. Talvez a fé de Abraão se viesse debilitando. Agora ele tinha quase 100 anos de idade. Deus percebeu sua necessidade e deu-lhe uma experiência que renovou a sua fé na promessa divina.

O Senhor. Ou seja, *Yahweh* (ver sobre esse nome no *Dicionário*). O Senhor eterno, fonte de toda vida, em nada se sentiu obstaculizado pela passagem de alguns poucos anos. Suas promessas têm um cronograma certo, e aquilo que nos parece adiamento é algo apropriado para realização do plano de Deus.

E disse-lhe. O vs. 3 deixa claro que Abraão não ouviu simplesmente uma voz. Antes, recebeu outra visita celeste. Cf. Gênesis 15.12 ss. Naquela ocasião, esteve envolvida uma visão (15.1). A visita celeste pode ter sido uma das aparições do Logos no Antigo Testamento; uma *teofania* (ver a esse respeito no *Dicionário*); ou uma visita do anjo do Senhor, como sucedeu no caso de Hagar (16.9 ss.). Alguns intérpretes pensam estar aqui em foco uma alegoria. O autor sagrado teria apenas apresentado uma boa história, com alguns recursos literários, mas não quisera dar a entender uma aparição real de Deus. Mas essa interpretação não se ajusta ao nosso texto.

O Deus Todo-poderoso. No hebraico, *El Shaddai*. Não se sabe com certeza o significado da combinação (com El, "força" "poder"), pelo que há um certo número de interpretações, a saber:

1. Alguns pensam que *shaddai* é um termo cognato do acádico para "seios". Isso significaria, metaforicamente, que Deus é que nos *supre* as nossas necessidades, visto que com os seios a mulher alimenta seu infante. Nesse caso, o *Poder (El)* agora viera para *suprir* todas as necessidades de Abraão. Os críticos fazem-nos lembrar das deusas de muitos seios das culturas pagãs, supondo que tenhamos aqui um reflexo de alguma deusa cananeia cujo nome foi aqui tomado por empréstimo, para tornar-se um dos nomes de Deus. O termo hebraico *shad*, "seio", pode ser cognato do acádico. Essa palavra é usada, com frequência, para indicar esse órgão feminino (Gn 49.25; Jó 3.12; Sl 22.9; Ct 1.13; Ez 16.7). Deus, pois, seria encarado como Ser poderoso, aquele que satisfaz aos "infantes espirituais". Ou ele se teria aqui mostrado *todo-suficiente* para todas as nossas necessidades. Ele tanto enriqueceria quanto tornaria frutífero o crente, e essa teria sido a própria intenção do Pacto Abraâmico.
2. Alguns estudiosos sugerem que a palavra significa "ser poderoso a ponto de avassalar". Então estaria em pauta a ideia de Deus poder ultrapassar qualquer obstáculo, mediante seu poder inerente.
3. Ainda outros pensam na ideia de *toda-suficiência*. O Logos criou e sustenta tudo, dando significado a todos os aspectos da vida.
4. Essa palavra seria derivada do hebraico *shadah*, "derramar", indicando a ideia de *abundância* de suprimento e de forças que Deus proporciona. Ele daria aos crentes de maneira rica e abundante.

Ver no *Dicionário* o verbete intitulado *Deus, Nomes Bíblicos de*.

Anda na minha presença, e sê perfeito. O Pacto Abraâmico foi firmado unilateralmente, ou seja, era incondicional. Não obstante, seus beneficiários precisavam manter uma correta condição espiritual e uma conduta correta. O ato de *andar* é uma metáfora bíblica usual para indicar a *conduta*. O ato de andar consiste em uma série de passos, e o próprio ato de andar consiste em uma série de meias-quedas, mas que o passo seguinte não permite que cada queda se complete. Há um detalhado artigo sobre essa metáfora do *andar* no *Dicionário*. O andar do crente deve ser "na presença de Deus", o qual observa e requer o melhor de cada crente, e que se mantém sempre alerta a fim de ajudá-lo a prosseguir.

Quanto ao ato de andar, a mesma palavra é usada aqui como foi usada no caso de Enoque, o qual andava com Deus (Gn 5.22). E Noé foi descrito como homem perfeito e justo. A Abraão foi ordenado que manifestasse essas mesmas virtudes espirituais.

Perfeito. Toda perfeição humana é relativa. No entanto, esse é o alvo da vida cristã: obter a própria perfeição divina, posto que em proporções finitas. Está em pauta mais do que a maturidade espiritual. Convém que nos tornemos perfeitos como nosso Pai celeste é perfeito, quanto à natureza metafísica e quanto às perfeições morais. Ver no *Dicionário* os artigos *Perfeito*, *Perfeccionismo* e *Maturidade*.

17.2

וְאֶתְּנָה בְרִיתִי בֵּינִי וּבֵינֶךָ וְאַרְבֶּה אוֹתְךָ בִּמְאֹד מְאֹד׃

Farei uma aliança. Ver as explicações sobre o Pacto Abraâmico, nas notas sobre Gênesis 15.18.

Te multiplicarei. Essa é uma das promessas do Pacto Abraâmico, que seria cumprida através do Filho prometido, o qual, entretanto, se demorava tanto a chegar. Agora Israel deveria surgir em cena como uma nação, ainda que outras nações também se derivariam de Abraão. Todavia, Israel produziria a grande revelação contida no Antigo Testamento, tornando-se a nação mestra do mundo. E então, como descendente de Abraão, o Messias chegaria e tornaria realidade o lado espiritual do pacto, que visava a beneficiar a todas as nações. Assim sendo, apareceria uma raça espiritual, não limitada pela descendência humana, natural (Gl 3.13,14; 5.19-31).

No tocante ao verbo "fazer", que aparece no começo deste versículo, em nossa versão portuguesa, comentou Ellicott *(in loc.)*: "Em Gênesis 15.18 a palavra hebraica significa cortar, indicando que as vítimas deveriam ser divididas; mas aqui a palavra hebraica significa pôr, refletindo um ato gracioso da parte de Deus. Abraão havia esperado por 25 anos depois de ter deixado Ur-Chasdim, e mais catorze ou quinze anos desde a ratificação do solene pacto entre ele e Yahweh (15.17); mas agora, finalmente, tinha chegado o tempo do cumprimento da promessa".

17.3

וַיִּפֹּל אַבְרָם עַל־פָּנָיו וַיְדַבֵּר אִתּוֹ אֱלֹהִים לֵאמֹר׃

Prostrou-se Abrão, rosto em terra. Por motivo de temor, estando ele defronte ao anjo, da teofania ou de alguma manifestação visível da presença divina. Cf. Gênesis 15.1. O *temor*, por muitas vezes, faz parte das elevadas experiências espirituais, sobre o que comento, na referência dada. "O método oriental de as pessoas prostrarem-se era como segue: a pessoa primeiramente ajoelhava-se, então inclinava a cabeça até a altura dos joelhos, e então tocava na terra com a testa. Era uma postura bastante dolorosa, mas indicava grande humilhação e reverência" (Adam Clarke, *in loc.*). Naturalmente, Abraão, em seu temor e admiração, provavelmente não seguiu nenhum padrão fixo pelos costumes da época.

E Deus lhe falou. O autor de Gênesis por várias vezes pinta Deus a falar com seres humanos, o que podemos interpretar em sentido alegórico ou metafórico, ou mesmo realmente, através do Logos, que aparecia no Antigo Testamento de forma ocasional, ou também mediante uma teofania ou através do anjo do Senhor. Experiências místicas de alto nível mostram que uma voz podia fazer parte da experiência. Algumas vezes, a mensagem é entendida sem nenhuma palavra ser ouvida, mediante telepatia ou discernimento interior. Mas de outras vezes há uma voz audível. Cf. a fala de Deus com Abraão e os incidentes que envolveram Adão & Eva (Gn 2.16); Caim (Gn 4.9); Noé (Gn 8.15; 9.8) e Hagar (Gn 16.8-12).

17.4

אֲנִי הִנֵּה בְרִיתִי אִתָּךְ וְהָיִיתָ לְאַב הֲמוֹן גּוֹיִם׃

Será contigo a minha aliança. Deus mostrou-se gracioso ao estabelecer esse pacto, e era fiel para mantê-lo. O pacto foi firmado com Abraão, que estava prestes a começar a dele beneficiar-se.

Pai de numerosas nações. De Israel (que logo teria início), dos ismaelitas e dos idumeus. Mas Israel viria através de Isaque, o filho prometido; e de Israel viria o Cristo, o Pai espiritual de todos os homens de fé, sem importar sua origem racial. Ver Gênesis 25.1-4, onde são arroladas as nações que descendem de Abraão, nada menos de dezesseis, todas elas através de Quetura, a segunda esposa de Abraão.

17.5

וְלֹא־יִקָּרֵא עוֹד אֶת־שִׁמְךָ אַבְרָם וְהָיָה שִׁמְךָ אַבְרָהָם כִּי אַב־הֲמוֹן גּוֹיִם נְתַתִּיךָ׃

Abrão. Essa palavra significa "pai exaltado" ou "pai elevado", dando talvez a entender que Abrão descendia de uma linhagem real.

Abraão. "Pai de uma multidão", dando a entender as muitas nações que procederiam dele (vs. 4). Mas muitos eruditos acreditam que novamente estamos envolvidos aqui em uma etimologia popular e que não há diferença no sentido dos nomes, embora "fazer uma diferença" veio a tornar-se uma diferença do ponto de vista espiritual. No *Dicionário* forneci um detalhado artigo sobre *Abraão*. O nome mais longo entrou em uso a partir deste ponto em Gênesis, olhando para o cumprimento breve da provisão necessária do Pacto Abraâmico, isto é, o filho prometido. As nações agora começariam a nascer como descendentes de Abraão. O nome dele foi alterado quando ele estava com 99 anos de idade, o que parecia ser um tempo não muito propício para ele surgir em cena como pai com potencial de uma numerosa posteridade.

Maimônides ofereceu-nos um belo comentário sobre o presente versículo: "Eis que ele é o pai do mundo inteiro, reunidas todas as nações sob as asas da glória shechinah".

■ 17.6

וְהִפְרֵתִ֤י אֹֽתְךָ֙ בִּמְאֹ֣ד מְאֹ֔ד וּנְתַתִּ֖יךָ לְגוֹיִ֑ם וּמְלָכִ֖ים מִמְּךָ֥ יֵצֵֽאוּ׃

Far-te-ei fecundo extraordinariamente. Nos poderes procriadores, de tal modo que várias nações começariam a partir de seus descendentes imediatos, e, naturalmente, entre eles, haveria grandes homens valorosos, reis e outras pessoas de renome. Abraão, por meio de Sara, gerou Isaque, progenitor de Jacó, que deu início ao povo de Israel. Mas, mediante Quetura, ele gerou seis filhos, os quais, por sua vez, geraram outros, tornando-se assim Abraão ancestral remoto de dezesseis nações. Podemos, pois, computar Israel, Judá, os midianitas, vários povos árabes, os idumeus, os sarracenos e várias tribos da Turquia atual. Ismael produziu doze príncipes. E, naturalmente, em um sentido espiritual, todas as nações são filhas de Abraão, mediante a agência do Messias, seu Filho maior, através de Isaque.

■ 17.7

וַהֲקִמֹתִ֨י אֶת־בְּרִיתִ֜י בֵּינִ֣י וּבֵינֶ֗ךָ וּבֵ֨ין זַרְעֲךָ֧ אַחֲרֶ֛יךָ לְדֹרֹתָ֖ם לִבְרִ֣ית עוֹלָ֑ם לִהְי֤וֹת לְךָ֙ לֵֽאלֹהִ֔ים וּֽלְזַרְעֲךָ֖ אַחֲרֶֽיךָ׃

Estabelecimento do Pacto. Ver notas completas sobre o Pacto Abraâmico em Gênesis 15.18. E, no *Dicionário*, ver o verbete intitulado *Pactos*. O pacto foi uma autodeterminação de Deus, um propósito universal que tinha Abraão como centro, que serviria de agente iniciador. A condição da circuncisão foi imposta, e isso pode ser tido como uma circunstância bilateral. Ver o vs. 11 deste capítulo quanto a essa condição, a qual se tornou um sinal. Todavia, não devemos considerar a circuncisão uma obra humana, mas apenas um "sinal". Não obstante, foi um sinal absolutamente necessário, conforme qualquer judeu ansiaria por nos informar.

Aliança perpétua. Não há aqui nenhuma informação sobre a dimensão espiritual do pacto que estenderia seus benefícios ao mundo dos espíritos, para depois da morte biológica. De fato, não há declaração no pacto, em todo o Antigo Testamento, que fale sobre essa dimensão, e o termo perpétua significa que a aliança prosseguiria enquanto a nação de Israel existisse, o que, podemos supor, será *ad infinitum*. Foi o Filho maior de Abraão, o Messias, que trouxe a dimensão eterna (espiritual) do Pacto Abraâmico. Ao próprio Abraão não foi prometida, no pacto, vida para além do túmulo. E não parece que a vida eterna fizesse parte integral da teologia dos hebreus, senão já na época dos Salmos e dos Profetas. Mas talvez o fato de que o homem foi criado à imagem de Deus (Gn 1.26,27, ver as notas a respeito), e também o fato de que Enoque andava com Deus e foi arrebatado, sem passar pela morte física, fossem elementos no desenvolvimento da doutrina da imortalidade da alma. Ver Gênesis 5.24 quanto ao caso de Enoque. Naturalmente, os intérpretes judeus posteriores e os intérpretes cristãos injetam nessas passagens, como aquela que temos diante de nós, a ideia da espiritualidade eterna, a ideia da salvação da alma, por meio do Messias; mas, na época de Abraão, essa noção pode ser considerada um anacronismo. Apesar da falta de alusões antigas, o pacto sempre incluiu a dimensão espiritual. Todavia, essa dimensão só veio a ser entendida e expressa bem mais tarde. O propósito maior do Pacto Abraâmico era trazer à existência uma nação especial, Israel, e, dela, o Messias, que garantiria as aplicações espirituais do pacto. Mas foi preciso tempo para que houvesse a revelação sobre essa dimensão do Pacto Abraâmico.

Ideias Inerentes aos Pactos:
1. Deus é o iniciador dos pactos dotados de importância espiritual.
2. Esses pactos dependem do propósito e do poder de Deus.
3. Os pactos são interpretados do ponto de vista da mente divina, e não de acordo com o nosso entendimento. Nosso conhecimento sobre os pactos pode ir aumentando. A teologia é uma ciência que evolui.
4. Os pactos de Deus anulam ou subordinam todos os pactos de origem meramente humana. Nossa responsabilidade primária é diante de Deus.
5. Deus assegurou que o pacto não falharia e abrangeria a todos, em todos os tempos. O Pacto Abraâmico visava ao tempo todo, por ser perpétuo, e envolvia provisões e implicações crescentes.

■ 17.8

וְנָתַתִּ֣י לְ֠ךָ וּלְזַרְעֲךָ֨ אַחֲרֶ֜יךָ אֵ֣ת ׀ אֶ֣רֶץ מְגֻרֶ֗יךָ אֵ֚ת כָּל־אֶ֣רֶץ כְּנַ֔עַן לַאֲחֻזַּ֖ת עוֹלָ֑ם וְהָיִ֥יתִי לָהֶ֖ם לֵאלֹהִֽים׃

Dar-te-ei... a terra. Eis outra provisão do pacto. Israel precisava de um território. Ver as notas sobre Gênesis 15.18, onde a narrativa fala sobre as dimensões gerais da terra que Deus prometeu a Abraão. Ver Salmo 105.44,45, onde a posse da terra é considerada uma coisa necessária, se Israel tivesse de manter os estatutos de Deus e observar as suas leis. A ideia do povo escolhido não podia mesmo ser uma ideia abstrata. Era mister concretizá-la em uma pátria específica, em uma comunidade, em um governo instituído. O povo dessa nação teria de ser ímpar entre as nações, a fim de que o propósito divino pudesse operar por meio dele e não fracassar. O território seria um centro de operações, visando a esse propósito. Haveria um governo, uma lei, um culto religioso, sacerdotes e profetas, que guardassem e propagassem a crescente revelação divina, registrando-a em livros que se tornassem uma herança literária.

Tuas peregrinações. Abraão começou sua carreira em Canaã como mero peregrino em terra estrangeira. Mas logo os seus descendentes seriam os nativos daquele território, porque toda aquela terra pertenceria ao povo de Israel.

Terra de Canaã. Ver no *Dicionário* o detalhado artigo chamado *Canaã, Cananeus*.

Em possessão perpétua. O imperador romano Adriano expulsou os judeus da Terra Prometida, em 132 d.C. Expulsões ainda anteriores tinham causado muitas dificuldades. Ver no *Dicionário* os verbetes *Cativeiro (Cativeiros); Cativeiro Assírio* e *Cativeiro Babilônico*. As dez tribos do norte, Israel, nunca mais voltaram. As tribos do sul, Judá, retornaram após setenta anos. A partir de então, somente "judeus" no sentido estrito da palavra, ou seja, descendentes da tribo de Judá, deram continuação a Israel como uma nação. Mas Adriano fez um trabalho completo. Tanto assim que Israel foi disperso dali para "nunca mais" retornar, senão já em nossos dias (em maio de 1948), em um retorno que ainda não se completou. Assim, por algum tempo, parecia que a Terra Prometida se havia perdido para sempre. Mas um milagre está restaurando a Terra Prometida a seus legítimos proprietários, os descendentes de Abraão por meio de Isaque.

E serei o seu Deus. O Pacto Abraâmico foi uma ideia e uma iniciativa tomada por Deus, e ele mesmo era a garantia do pacto. O poder divino paira sobre esse pacto e o torna operante. Era e continua sendo uma instituição divina, que fomenta o culto divino e a verdadeira espiritualidade. Cf. Gênesis 21.33. Ali Deus é chamado "eterno". Nessa qualidade, ele tem injetado o elemento da eternidade no Pacto Abraâmico.

■ 17.9

וַיֹּ֤אמֶר אֱלֹהִים֙ אֶל־אַבְרָהָ֔ם וְאַתָּ֖ה אֶת־בְּרִיתִ֣י תִשְׁמֹ֑ר אַתָּ֛ה וְזַרְעֲךָ֥ אַֽחֲרֶ֖יךָ לְדֹרֹתָֽם׃

Guardarás a minha aliança. O Pacto Abraâmico deveria estar sempre diante de Abraão, em sua mente e em seu coração; para ele, suas provisões espirituais deveriam ter a prioridade; e ele receberia o sinal do pacto, que era a circuncisão (ver o vs. 10, que parece estar em foco neste versículo, por antecipação).

A Família. A célula familiar deveria ocupar o primeiro lugar na consubstanciação desse pacto, porquanto o sinal era de pai para filho, dentro da unidade da família. Consideremos estes sete pontos:

1. Abraão receberia instruções espirituais, transmitindo-as aos seus descendentes (Dt 6.6,7).
2. O pacto teria uma importância capital na vida diária. Abraão transmitiria o devido conhecimento a seus filhos (e estes, por sua vez, aos seus filhos). A pior coisa que um pai pode fazer é conhecer os ensinos bíblicos, mas não transmiti-los a seus filhos.
3. A espiritualidade de Abraão serviria de inspiração a todos os seus descendentes. Um pai deve três coisas a seus filhos: Exemplo, exemplo, exemplo! Ver Deuteronômio 6.7 acerca desse ensino contínuo dos filhos quanto às realidades espirituais.
4. Um pai deve ser uma figura dotada de autoridade aos olhos de seus filhos, para que estes recebam a orientação apropriada e não se deixem corromper pelas más influências do mundo. Um pai deve instilar em seus filhos os valores espirituais. Filhos indisciplinados podem frustrar o propósito da educação espiritual. As crianças geralmente assistem a programas televisivos por muitas horas diárias, mas pai e mãe lhes dão tão pouca instrução valiosa quanto a questões religiosas ou outras.
5. *As ervas daninhas do jardim.* Alguns pais permitem que cresçam ervas daninhas no jardim do coração de seus filhos. Alguns pais chegam a opinar que a educação moral e religiosa deveria ser adiada para quando os filhos já tiverem atingido uma certa idade. No entanto, quando um homem cultiva um jardim, ele o mantém livre de ervas daninhas *desde o começo*, pois de outra sorte jamais se tornará um verdadeiro jardim. Ou alguém cultiva o seu jardim, ou não obterá resultados positivos. Os pais devem ter as forças e a sabedoria para *cultivarem* seus jardins preciosos — a vida de seus filhos.
6. Há os mais diferentes desvios, e as crianças podem desviar-se por veredas da malignidade. No entanto, dizem as Escrituras: "Este é o caminho, andai por ele" (Is 30.21).
7. *O plano.* As crianças são forçadas a seguir na vida certos planos obrigatórios de educação, nas escolas públicas ou particulares. No entanto, na plana espiritual, os pais negligenciam quaisquer planos específicos com vistas ao desenvolvimento espiritual de seus filhos. Isso exibe falta de sabedoria, resultando em grande prejuízo para as crianças. O povo de Israel nada seria, não fora a insistência sobre o ensino e sobre a força do exemplo dos pais, que transmitiam suas tradições religiosas a seus filhos.

O SINAL DO PACTO: A CIRCUNCISÃO (17.10-14)

Ver as notas sobre o Pacto Abraâmico, em Gênesis 15.18. E, no *Dicionário*, o verbete intitulado *Batismo Infantil*.

O Pacto Abraâmico foi uma iniciativa essencialmente divina, unilateral e incondicional. Contudo, havia essa condição da circuncisão. Esta serviria de sinal. Todavia, os teólogos judeus não demoraram a tornar a circuncisão um ponto essencial, e intérpretes posteriores (até mesmo alguns cristãos) chegaram a dizer que a circuncisão é necessária para a salvação da alma, um exagero (At 15.1-5). Além disso, alguns antigos cristãos transformaram o batismo em água em algo mais do que um sinal, tornando-o imprescindível à salvação. Os homens sempre acham difícil distinguir a substância de seu mero sinal, pois pensam que o sinal é a substância da verdade. Não é provável que Abraão tenha sido o primeiro homem a ser circuncidado. Essa é uma questão que vem desde os tempos mais remotos, de antes da época de Abraão. Mas o rito foi aplicado a ele como um sinal de que participava do pacto com o Senhor.

Alguns críticos opinam que, visto que a circuncisão envolve o órgão masculino da reprodução, provavelmente esse rito se originou nos cultos de fertilidade, de desconhecida antiguidade. Seja como for, sabemos que a circuncisão era largamente praticada nas religiões semíticas primitivas. E os egípcios também a praticavam. O termo *incircunciso* veio a ser aplicado aos povos não-semitas, como os filisteus (1Sm 17.26,36; 18.25-27; 2Sm 1.20). Originalmente, a operação era efetuada durante a puberdade e servia de rito de iniciação, quando o garoto assumia plenas responsabilidades religiosas e civis, entrando assim no estado adulto. Ver Josué 5.2,3,8,9, que sugere que Josué, de maneira especial, tornou a circuncisão um dever obrigatório em Israel. Infantes eram circuncidados desde os tempos mais antigos, conforme fica entendido em Êxodo 4.25.

Em Êxodo 4.24-26 achamos uma curiosa passagem acerca desse rito. Moisés tinha-se esquecido da necessidade da circuncisão. Assim, o poder divino ameaçou tirar-lhe a vida, por causa dessa negligência. Mas sua esposa, Zípora, salvou-lhe a vida, realizando apressadamente o ato da circuncisão no próprio filho do casal. Alguns estudiosos pensam que as palavras "aos pés de Moisés", que figuram nesse texto, provavelmente são um eufemismo para as partes genitais. Assim sendo, Moisés teria sido salvo mediante uma circuncisão vicária. Esse episódio permite-nos entender algo da importância da questão em Israel. No *Dicionário* apresento um artigo detalhado sobre a *Circuncisão*, que destaca vários outros fatos. Esse verbete vincula a questão ao Pacto Abraâmico, como também, de modo geral, a Israel e a outras nações. Os estudiosos da teologia histórica dos judeus informam-nos que o mandamento acerca da circuncisão só perdia em importância diante do sábado, na hierarquia de valores dos hebreus.

17.10

זֹאת בְּרִיתִי אֲשֶׁר תִּשְׁמְרוּ בֵּינִי וּבֵינֵיכֶם וּבֵין זַרְעֲךָ אַחֲרֶיךָ הִמּוֹל לָכֶם כָּל־זָכָר:

Todo macho... será circuncidado. No vs. 11 essa operação é chamada de "sinal de aliança entre mim e vós". Ver os comentários no *Dicionário* a esta seção, anteriormente, bem como, no *Dicionário*, o artigo intitulado *Circuncisão*.

O Valor dos Sinais. Os homens transformam os sinais na essência que eles simbolizam. "...um rito como a circuncisão pode ter um vasto poder em favor do bem, pois leva o indivíduo ao campo magnético das sugestões e das influências, que impressionam mais do que a nua verdade simbolizada. Isso sucede no caso dos sacramentos de todas as religiões. A dificuldade é que o rito pode perder sua força de inspiração, quando se reduzir a uma forma tradicional que perdeu todo o significado. Ou seu suposto significado pode cristalizar-se tanto e tornar-se algo meramente pró-forma, que fica paralisado todo crescimento e expansão do espírito. Era isso que tendia por acontecer no judaísmo" (Cuthbert A. Simpson, *in loc.*). Ver Mateus 3.9 quanto a uma afirmação desse sentimento. Não basta ter Abraão como "pai" histórico, no sentido físico. Cada indivíduo deve ter sua própria (e genuína) espiritualidade.

"Deus Todo-poderoso, que fizeste teu Filho bendito ser circuncidado e ser obediente à lei, em lugar do homem, concede-nos a verdadeira circuncisão do Espírito, para que nossos corações e todos os nossos membros, sendo mortificados de toda concupiscência mundana e carnal, nos levem a obedecer em todas as coisas à tua bendita vontade" (*Livro de Oração da Comunidade Anglicana*).

"A propriedade da circuncisão servia de sinal da entrada no pacto, e especialmente em um pacto onde somente filhos eram admitidos, consistia no fato de ser um emblema do novo nascimento, mediante o despojamento do velho homem e da dedicação do novo homem à santidade. A carne era posta de lado, a fim de que o espírito fosse fortalecido. E a mudança do nome Abrão e (posteriormente) de Sarai tipificou essa mudança de condição. Eles tinham nascido de novo, e precisavam receber um novo nome" (Ellicott, *in loc.*).

Heródoto (II, 104) descreveu a circuncisão praticada entre os egípcios. Os críticos pensam que Abraão pode ter herdado deles a ideia, durante sua peregrinação naquele país (Gn 12.10 ss.). Parece que, naquela nação, o rito limitava-se aos sacerdotes, conforme Orígenes pensava (Epis. ad Rm 2.13). Parece que os etíopes e os sírios aprenderam a prática da parte dos egípcios. É evidente que a Heródoto faltavam informações sobre o rito entre os hebreus. Ele não sabia tudo. Alguns eruditos supõem que os próprios egípcios tenham aprendido o rito da parte de José, filho de Jacó, o que fica entendido por um de seus lexicógrafos (Baal Aruch in Rad. fol. 91.1).

17.11

וּנְמַלְתֶּם אֵת בְּשַׂר עָרְלַתְכֶם וְהָיָה לְאוֹת בְּרִית בֵּינִי וּבֵינֵיכֶם:

Ver a introdução às notas sobre o vs. 10 quanto a informações sobre a circuncisão, como também o verbete a respeito, no *Dicionário*.

"Mediante esse símbolo, Deus impressionou-os com a impureza da natureza e com a dependência a Deus para a produção de toda forma de vida. Eles deveriam reconhecer e lembrar que: a. toda impureza nativa deve ser rejeitada, sobretudo no casamento; b. a natureza humana é incapaz de gerar a semente prometida. Os israelitas que se recusassem a deixar-se cortar fisicamente desse modo seriam cortados (separados) dentre o povo (vs. 14), por motivo de desobediência ao mandamento de Deus" (Allen P. Ross, *in loc.*). E assim, essa operação tornou-se emblema de separação pessoal e de distinção entre aqueles que pertenciam e aqueles que não pertenciam ao pacto. O termo é usado em sentido metafórico em Deuteronômio 30.6, onde lemos sobre corações circuncisos. Paulo usou essa metáfora (Rm 2.28,29; cf. Rm 4.11). A incredulidade é como ter o coração incircunciso (Jr 9.26; Ez 44.7-9).

Causas Originais da Operação. É provável que os antigos tivessem consciência de enfermidades e infecções causadas nos homens que não eram circuncidados. A lavagem diária elimina tais problemas, mas aqueles que não se higienizam devidamente vivem com problemas. A circuncisão, pois, é uma boa medida de higiene, sendo possível que a causa original da circuncisão tenha sido o desejo de não ser vítima de certas doenças físicas. Daí não foi difícil pensar na saúde espiritual, e a operação tornou-se um rito religioso que fala de higidez ou higiene espirituais, de santificação e separação de qualquer causa que provoque enfermidades espirituais.

A carne do vosso prepúcio. Aquela parte do pênis que recobre a ponta, a qual, se não for higienizada diariamente, cobre-se de bactérias que causam infecções. Essa parte ofensora, pois, precisava ser cortada fora. Assim, essa pequena cirurgia tornou-se um sinal do Pacto Abraâmico para os israelitas. A santificação é vital à espiritualidade; separar-se do pecado é vital à espiritualidade.

Às vezes, a separação degenera no fanatismo e no exclusivismo. Muitos fariseus eram pessoas preconcebidas, embora circuncidadas. Qualquer bem pode degenerar em mal. Os prisioneiros da mente são prisioneiros e merecem nossa compaixão, como qualquer outro prisioneiro. A separação pode degenerar em legalismo. Neste caso, a lei reina; o espírito se estiola. Esse rito, como qualquer outro, pode degenerar em algo fraudulento. O sinal externo é transformado na essência da religião, conforme se vê em certas interpretações cristãs que dos memoriais fazem sacramentos.

■ **17.12**

וּבֶן־שְׁמֹנַת יָמִים יִמּוֹל לָכֶם כָּל־זָכָר לְדֹרֹתֵיכֶם יְלִיד בָּיִת וּמִקְנַת־כֶּסֶף מִכֹּל בֶּן־נֵכָר אֲשֶׁר לֹא מִזַּרְעֲךָ הוּא׃

O que tem oito dias. Dentro da fé dos hebreus, a circuncisão, que entre outros povos era efetuada durante a puberdade, para iniciar um rapazinho na vida adulta e na plena responsabilidade, dentro de sua comunidade, tornou-se um rito infantil.

Por Que Oito Dias? O infante acabara de passar por uma crise, a crise do parto. Que descansasse e obtivesse alguma força. Mas oito dias seriam o suficiente. E então que fosse circuncidado. A legislação levítica considera um menino impuro até aquele dia (Lv 12.2,3). Mas o infante, agora cerimonialmente purificado, era separado para sua fé e para o seu Deus, através desse ato. Ideias assim tentam ser copiadas hoje em dia por aqueles que creem no batismo infantil. Ver no *Dicionário* o verbete *Batismo Infantil*. Nenhum animal era oferecido a Deus, antes de seu oitavo dia de vida, pelas mesmas razões (Lv 22.27).

Aqueles que devem saber informam-nos que nessa tenra idade a circuncisão não é muito dolorosa, e que a dor vai aumentando com a idade. Maimônides explicava que é bom realizar a operação na infância a fim de que esse dever não seja esquecido ou negligenciado na mente ou nos atos. Alguns cânones judaicos permitiam o adiamento da operação por alguns poucos dias, talvez até o décimo segundo dia, mas não mais do que isso (Misn. Eracin. c. 2 sec. 2). Alguns pensavam que o dia exato dependia de ser ensolarado ou não. Quando o sol brilhava, então o rito era realizado (Schulchan Aruc. c. 262, sec. 1; Maimon. Hilchot Milah, c. 1, sec. 3).

Todos os infantes masculinos de lares hebreus eram circuncidados. Isso incluía filhos naturais e filhos de escravos, tanto daqueles nascidos na casa como daqueles adquiridos a dinheiro, e também servos de qualquer categoria, mesmo que fossem livres mas prestassem algum serviço. Um servo ou escravo adulto que não quisesse ser circuncidado não era forçado a sê-lo; mas nesse caso, tinha de ser despedido, pois no círculo de uma família hebreia não podia ficar homem que não fosse circuncidado. Destarte, o círculo inteiro da família era separado para o Senhor, sem importar a raça a que pertencesse aquela pessoa.

■ **17.13**

הִמּוֹל יִמּוֹל יְלִיד בֵּיתְךָ וּמִקְנַת כַּסְפֶּךָ וְהָיְתָה בְרִיתִי בִּבְשַׂרְכֶם לִבְרִית עוֹלָם׃

Este versículo repete, para efeito de ênfase, os requisitos que já tinham sido mencionados no versículo anterior. O círculo inteiro da família, sem importar como algum membro chegou a fazer parte dela, sem importar se por nascimento natural ou por ter sido comprado como servo ou escravo, e, segundo podemos presumir, se chegou ali como prisioneiro de guerra, todos deveriam submeter-se a esse rito. Nisso se vê uma união e uma santificação simbólica, na esperança de que cada um seria leal à fé dos hebreus, criando assim uma unidade espiritual equivalente à unidade simbólica.

Será aliança perpétua. Isso reitera o vs. 7, onde a questão é anotada. A ordem natural das coisas era a de que o pai ou a mãe efetuassem o rito, ao passo que os escravos eram circuncidados por seus respectivos genitores, se os houvesse, ou, então, por alguém nomeado para isso, como o mordomo principal da casa. Se o sistema familiar falhasse, então os magistrados da família realizariam a operação. Um homem podia realizar ele mesmo a operação, se falhassem outros métodos e se já tivesse chegado à idade adulta.

Os escravos não eram libertados ao receberem o sinal do pacto, mas eram mais considerados a partir dali, por terem sido então incorporados ao círculo da fé.

■ **17.14**

וְעָרֵל זָכָר אֲשֶׁר לֹא־יִמּוֹל אֶת־בְּשַׂר עָרְלָתוֹ וְנִכְרְתָה הַנֶּפֶשׁ הַהִוא מֵעַמֶּיהָ אֶת־בְּרִיתִי הֵפַר׃ ס

A Penalidade e a Ameaça. Nenhum homem podia ficar entre o povo hebreu, por qualquer longo período de tempo, se não fosse circuncidado. Todos os cidadãos e residentes permanentes tinham de ser circuncidados, sob pena de ser cortados, ou seja, separados, enviados para o exílio, enviados para alguma nação pagã etc. Não eram excluídos, mas eram banidos.

A Lição Moral da Circuncisão. A santificação é indispensável para a espiritualidade. Não pode haver transformação metafísica, segundo a imagem de Cristo, sem a santificação. Trata-se de um *sine qua non* do desenvolvimento espiritual. Ver no *Dicionário* o artigo sobre a *Santificação*.

Em tempos posteriores, chegou-se a pensar que um menino que não fosse circuncidado também ficaria sem salvação no mundo vindouro. Mas essa ideia não surgiu nos dias de Abraão, visto que, dentro da fé hebraica, a noção da salvação da alma só se tornou clara muito depois de seus dias. Dentro da era cristã, essa noção doentia também é aceita por alguns, sob a forma de que um infante não-batizado, se vier a morrer, irá para o limbo, ao passo que um adulto não-batizado irá para o inferno.

Castigos Temporais. O homem que negligenciasse circuncidar seu filho, ou que não se submetesse pessoalmente ao rito, embora tendo oportunidade para isso, seria castigado por Deus, e não meramente por ser banido, conforme pensava a mentalidade judaica. Ficaria sem filhos ou sofreria uma morte prematura (Talmude: Tract. Yebam, 55). Essa punição temporal, com a passagem do tempo, foi ficando cada vez mais severa, a ponto de o culpado ficar queimando no inferno, segundo pensavam os judeus.

RENOVAÇÃO DA PROMESSA DE UM FILHO (17.15-22)

O filho prometido não seria nem *Eliezer* (15.2) e nem *Ismael* (16.11). Esses teriam seus respectivos destinos, e Deus estaria com eles. Mas o filho prometido (Isaque), de quem descenderia o povo de Israel e por meio de quem surgiria a nação (e a linhagem de Abraão), seria *filho de Sara*. Isso requeria que o nome dela fosse mudado. E assim sucedeu, de *Sarai* para *Sara*. Portanto, temos aqui uma provisão especial para o cumprimento das condições do Pacto Abraâmico, o que comentamos em Gênesis 15.18.

O nome Abrão foi substituído por Abraão (Gn 17.5), e Sarai foi substituído por Sara. Nomes novos indicavam novas circunstâncias que agora surgiriam, um novo passo no desenvolvimento do pacto: uma nova intervenção divina nas atividades dos homens. Deus criou; Deus cuida; Deus intervém; Deus galardoa; Deus pune. Esse é o Deus do teísmo, e não o Deus do deísmo. Ver no *Dicionário* os artigos intitulados *Teísmo* e *Deísmo*.

A ÉPOCA DOS PATRIARCAS

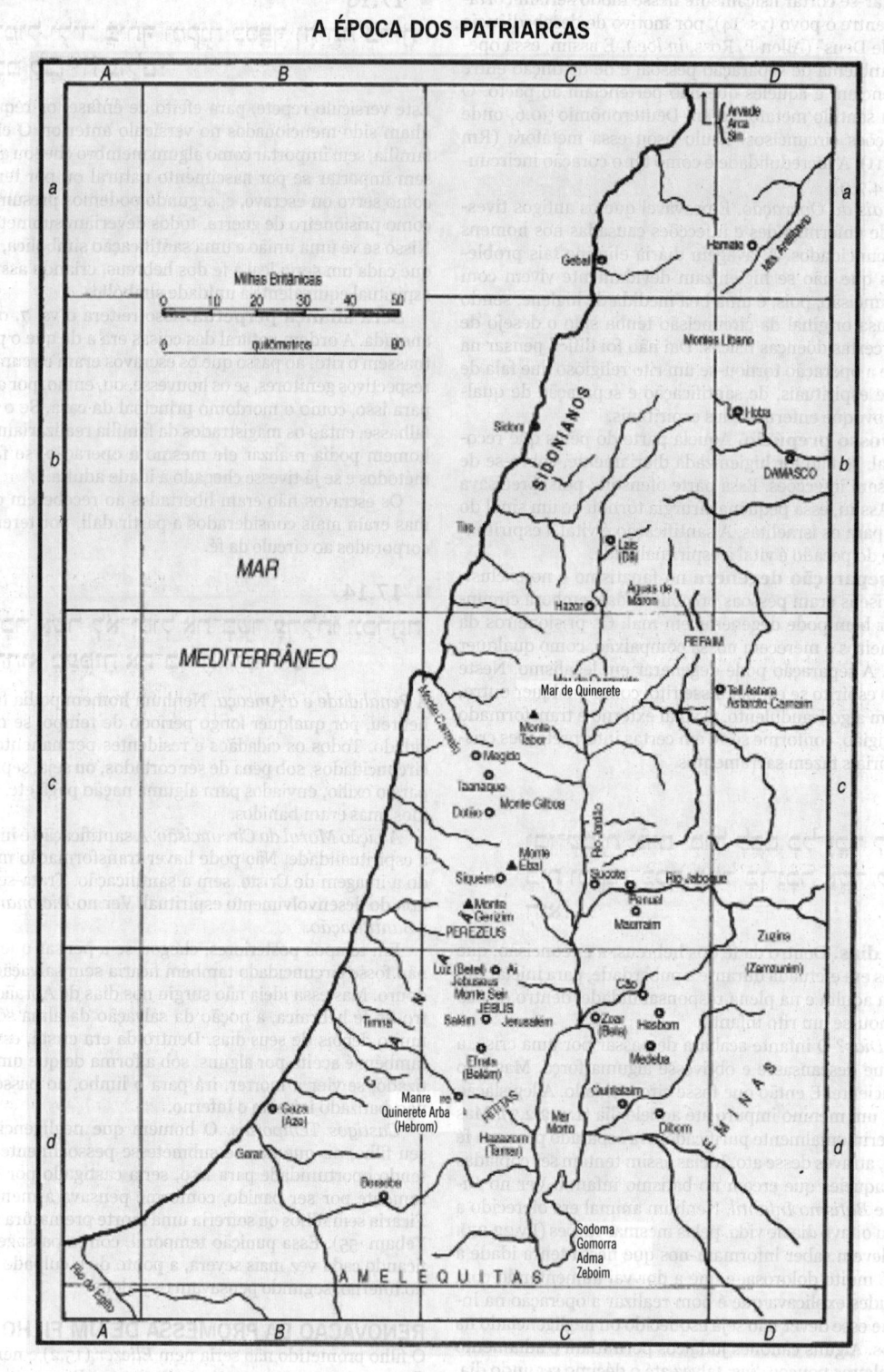

CHAVE

Adma Cd	Dotã Cc	Hazazom (Tamar) Cd	Jordão, rio Cc	Penuel Cc	Siquém Cc
Águas de Marom Cb	Ebel, mt. Cc	Hebrom	Lais (Dã) Cb	Perezeus Cc	Sodoma Cd
Ai Cd	Efrata (Belém) Cd	(Quiriate-Arba) Cd	Leontes, rio Cb	Quirlataim Cd	Sucote Cc
Amelequitas BCd	Emins CDd	Hesbom Cd	Líbano, mts. CDb	Quiriate-Arba Cd	Taanaque Cc
Antilíbano, mts. Da	Gaza (Aza) Bd	Perezeus Cc	Luz (Betel) Cd	(Hebrom)	Tabor, mt. Cc
Arca DaArvade Da	Gebal Ca	Hesbom Cd	Maanaim Cd	Refaim CDc	Tell Astara
Berseba Bc	Gerar Bd	Hititas Cd	Manre Cd	Rio (Ribeiro) do Egito Ad	(Astarote-Carnaim) Dc
Cão Cd	Gerizim, mt. Cc	Hoba Db	Mar de Quinerete Cc	Salém Cd	Timna Bd
Carmelo, mt. Cc	Gilboa, mt. Cd	Jaboque, rio Cc	Mar Morto Cd	Seir, mt. Cd	Tiro Cb
Damasco Db	Gomorra Ati	Jebus Cd	Mar Mediterrâneo Aba-d	Sidom Cb	Zeboim Cd
Dibom Cd	Hamate Da	Jebuseus Cd	Medeba Cd	Sidonianos Cb	Zoar (Bela) Cd
	Hazor Cb	Jerusalém Cd	Megido Cc	Sin Da	Zuzins (Zamzunim) Dcd

17.15

וַיֹּ֤אמֶר אֱלֹהִים֙ אֶל־אַבְרָהָ֔ם שָׂרַ֣י אִשְׁתְּךָ֔ לֹא־תִקְרָ֥א אֶת־שְׁמָ֖הּ שָׂרָ֑י כִּ֥י שָׂרָ֖ה שְׁמָֽהּ׃

De Sarai para Sara. Ver no *Dicionário* o artigo detalhado *Sarai, Sara*. Sarai significa "minha princesa" ou "principesca", e Sara quer dizer "princesa". Mas alguns eruditos veem em Sarai o plural, *princesas*, ao passo que Sara seria o singular, *princesa*, ou seja, *aquela* por meio de quem nasceria o filho prometido por Deus. Sara tornou-se a princesa absoluta, pois dela descenderia toda a linhagem real, que culminaria no Rei dos reis.

A mudança de nome não significou somente que ela tinha sido admitida ao pacto. Mas mostrou que ela seria uma personagem importante no seu cumprimento.

17.16

וּבֵרַכְתִּ֣י אֹתָ֔הּ וְגַ֨ם נָתַ֧תִּי מִמֶּ֛נָּה לְךָ֖ בֵּ֑ן וּבֵֽרַכְתִּ֙יהָ֙ וְהָֽיְתָ֣ה לְגוֹיִ֔ם מַלְכֵ֥י עַמִּ֖ים מִמֶּ֥נָּה יִהְיֽוּ׃

Abençoá-la-ei. Especialmente por torná-la fértil uma vez mais, depois que se tornara estéril (Gn 11.30). Agora ela daria a Abraão o filho tão ansiosamente antecipado. Essa era a maior de todas as bênçãos que Sara ou Abraão poderiam ter esperado. E essa promessa (de acordo com os padrões humanos) demorou muito a ter cumprimento.

Tipos. Os intérpretes católicos romanos veem em Sara um tipo da bendita *virgem Maria*. O apóstolo Paulo, porém, comparou-a com a futura *Jerusalém celestial*, a mãe dos descendentes espirituais de Abraão, ou seja, da Igreja, a comunidade espiritual (Gl 4.22 ss., especialmente o vs. 26). Todas as mulheres fiéis e santas são chamadas de *filhas* de Sara.

Ela se tornará nações. Israel com suas doze tribos, os descendentes de Esaú (neto de Sara), e os descendentes espirituais de Abraão, recolhidos dentre todas as nações.

Reis de povos procederão dela. Da *Princesa* descenderiam princesas, príncipes e reis, a linhagem real de Israel, e, finalmente, o próprio Rei dos reis.

17.17

וַיִּפֹּ֧ל אַבְרָהָ֛ם עַל־פָּנָ֖יו וַיִּצְחָ֑ק וַיֹּ֣אמֶר בְּלִבּ֗וֹ הַלְּבֶ֤ן מֵאָֽה־שָׁנָה֙ יִוָּלֵ֔ד וְאִ֨ם־שָׂרָ֔ה הֲבַת־תִּשְׁעִ֥ים שָׁנָ֖ה תֵּלֵֽד׃

Então se prostrou Abraão, rosto em terra. Não de espanto diante do comunicador da mensagem, como em outras ocasiões (Gn 17.3), mas dessa vez rindo-se. Tão grande era o seu riso que ele perdeu o controle muscular e caiu em terra. Ele não disse em voz alta o que subira em sua mente, quanto à *natureza ridícula* da promessa divina. Mas pensou isso em seu coração. Com razão, os intérpretes veem aqui um lapso de fé, pois o pacto já havia sido confirmado por muitas vezes, mediante as mais poderosas experiências místicas (ver as notas sobre Gênesis 15.12 ss. e 17.3 ss.). Já havia sido informado que Eliezer não seria o seu herdeiro (Gn 15.2), mas continuava pensando que *Ismael* seria o seu herdeiro. Talvez Abraão não tivesse entendido que o seu herdeiro seria um filho de *Sara*. E agora fora-lhe dito sem rodeios que o herdeiro seria filho carnal de Sara. Mas a promessa ultrapassava tudo quanto Abraão tinha antecipado. Mas é que, quando Deus está presente, qualquer coisa pode acontecer. Todavia, com frequência, ficamos surpreendidos pelas suas obras, que ultrapassam as nossas expectações. Se sucedesse somente aquilo que esperamos, esta vida não seria muito excitante.

Deus "...é poderoso para fazer infinitamente mais do que tudo quanto pedimos, ou pensamos, conforme o seu poder que opera em nós" (Ef 3.20).

A Idade Avançada Machuca. Quando uma pessoa envelhece, encolhem as esperanças, os poderes e até as expectativas. Assim é a experiência humana. *A idade avançada machuca.* Abraão estava então com 100 anos de idade, e Sara com 90. Alguns intérpretes acreditam que ambos foram favorecidos com um *milagre* de rejuvenescimento, pelo que, em certo sentido, o caso de Sara é um tanto paralelo ao caso futuro de Maria, mãe de Jesus. Foi mister um milagre para que Sara pudesse ter filhos, e seu milagre serviu de modelo, até certo ponto, do milagre com que Maria seria agraciada.

Isaque (vs. 19). Esse nome significa "riso". Portanto, foi com base na circunstância que ora presenciamos que lhe foi dado o nome.

Desculpando Abraão? Alguns estudiosos pensam que Abraão riu-se aqui de pura alegria, a qual foi tão avassaladora que ele caiu por terra. Mas o versículo à nossa frente não dá margem a essa interpretação. Abraão mencionou a grande idade dele mesmo e de Sara, não a fim de dizer que, porque seria vencida essa barreira, ele se alegrava tanto. Antes, ele caiu por terra devido à incredulidade.

Referindo-se a Salmo 103.5, comentou John Gill (*in loc.*): "Sua mocidade foi renovada como a das águias". De fato, depois disso, Abraão foi capaz de gerar seis filhos, por meio de sua segunda esposa, Quetura (Gn 25.1 ss.). Ver também Gênesis 18.12, onde Sara riu-se diante da mesma promessa e pelo mesmo motivo.

17.18

וַיֹּ֥אמֶר אַבְרָהָ֖ם אֶל־הָאֱלֹהִ֑ים ל֥וּ יִשְׁמָעֵ֖אל יִחְיֶ֥ה לְפָנֶֽיךָ׃

Oxalá viva Ismael diante de ti! É como se Abraão tivesse dito: "Para que tanto trabalho? Para que toda essa tribulação? Eu já tenho um filho, a quem amo. Por que ele não poderia ser o herdeiro e filho prometido?" Abraão parece não se ter incomodado muito quando permitira que Sara perseguisse Hagar, a qual acabou sendo forçada a fugir, por causa da ira de sua senhora (Gn 16.6 ss.). Agora, porém, ele queria enveredar pelo caminho fácil, deixando as coisas como estavam. Não lhe ocorria que Deus tinha uma ideia superior e um plano melhor. Queria facilitar as coisas. Não esperava algum milagre. Não fixou os olhos nas estrelas.

O Filho Mais Velho. É verdade que Ismael era o filho mais velho de Abraão, pelo que tinha direito de ser o seu herdeiro. Mas Isaque seria o filho primogênito *por meio de Sara*. E nisso residia o plano divino. Entrementes, Ismael teria sua própria bênção e destino (através de doze príncipes, seus descendentes), mas isso já era *outro plano*, e não *o plano* de Deus sobre o "filho prometido". A graça de Deus abrange todos os planos, portanto, quem pode queixar-se? Ver o vs. 20 quanto às bênçãos conferidas a Ismael.

Deus Ouviu o Apelo de Abraão em Favor de Ismael. E assim, tomou as devidas providências. Dessa maneira, bendito seja o nome daquele que provê para todos, embora não necessariamente da mesma maneira.

Durante treze anos Ismael vivera em companhia de Abraão, e fora o príncipe da casa. Qualquer pai que amasse seu filho haveria de fazer um apelo a Deus, em favor de tal filho.

17.19

וַיֹּ֣אמֶר אֱלֹהִ֗ים אֲבָל֙ שָׂרָ֣ה אִשְׁתְּךָ֔ יֹלֶ֥דֶת לְךָ֖ בֵּ֑ן וְקָרָ֥אתָ אֶת־שְׁמ֖וֹ יִצְחָ֑ק וַהֲקִמֹתִ֨י אֶת־בְּרִיתִ֥י אִתּ֛וֹ לִבְרִ֥ית עוֹלָ֖ם לְזַרְע֥וֹ אַחֲרָֽיו׃

E lhe chamarás Isaque. Apresentei um detalhado artigo sobre Isaque no *Dicionário*, pelo que aqui não dou pormenores. O nome dele significa "ele ri", referindo-se ao riso de Abraão diante da possibilidade de gerar um filho em sua idade (vs. 17). Ver também Gênesis 18.12 quanto ao riso de Sara sobre a mesma questão. "Esse nome seria um memorial perpétuo do fato de que o nascimento de Isaque era uma impossibilidade natural tão grande que excitava o ridículo" (Ellicott, *in loc.*).

Os intérpretes judeus afirmam que *seis pessoas* são mencionadas no Antigo Testamento cujos nomes lhes foram dados antes do nascimento: Ismael, Isaque, Moisés, Salomão, Josias e o Messias. E o Novo Testamento adiciona a essa lista o nome de João Batista (Lc 1.13). Algumas pessoas dão muita importância aos nomes próprios, pensando que exercem alguma influência sobre o caráter e o destino dos homens. Se isso é verdade, então não se aplica às massas humanas cujos nomes são escolhidos ao acaso, e muito repetidos. Pelo menos, porém, em alguns casos bíblicos revestiam-se de importância.

17.20

וּלְיִשְׁמָעֵאל שְׁמַעְתִּיךָ הִנֵּה ׀ בֵּרַכְתִּי אֹתוֹ וְהִפְרֵיתִי אֹתוֹ וְהִרְבֵּיתִי אֹתוֹ בִּמְאֹד מְאֹד שְׁנֵים־עָשָׂר נְשִׂיאִם יוֹלִיד וּנְתַתִּיו לְגוֹי גָּדוֹל׃

Quanto a Ismael. Este era o filho amado de Abraão e seu primogênito. Ismael não seria esquecido. Teria um digno destino e se tornaria cabeça de um povo poderoso. Mas sua vereda seria diferente da de Isaque, posto que também abençoada por Deus. Achamos nisso a graça de Deus. Ver no *Dicionário* o verbete *Graça*. É minha convicção pessoal que, mesmo quanto à questão da salvação, poucos terão de ser transformados à imagem de Cristo e de compartilhar da natureza divina (Rm 8.29; 2Pe 1.4). Mas mesmo sem a salvação, haverá uma graciosa restauração dos demais (Ef 1.9,10), o que faz parte do mistério da vontade de Deus, sempre graciosa, sempre amorosa e poderosa. Ver o artigo intitulado *Restauração* na *Enciclopédia de Bíblia, Teologia e Filosofia*.

Tipos. Os eleitos seguem Isaque; os não-eleitos, Ismael. No fim, porém, cada grupo receberá de Deus a sua bênção, posto que *diferente*. O *julgamento*, nesse caso, deve ser visto como remedial, e não apenas como retributivo, conforme vemos em 1Pedro 4.6. Ver esse versículo comentado no *Novo Testamento Interpretado*.

Gerará doze príncipes. E estes se tornariam chefes de várias nações árabes. O trecho de Gênesis 25.13-15 registra seus nomes e seus descendentes. Ismael atingiu os 137 anos de idade, pelo que teve uma vida longa e plena de bênçãos, incluindo os cuidados divinos por ele. Ismael era um dos filhos de Abraão; mas o pacto seria mediado por Isaque (vs. 21).

Os Doze Patriarcas. Assim como a nação de Israel procedeu de doze patriarcas, outro tanto sucedeu às nações árabes. Árabes e judeus, mais do que outros povos, têm preservado sua identidade histórica, bem como sua unidade de fé religiosa.

17.21

וְאֶת־בְּרִיתִי אָקִים אֶת־יִצְחָק אֲשֶׁר תֵּלֵד לְךָ שָׂרָה לַמּוֹעֵד הַזֶּה בַּשָּׁנָה הָאַחֶרֶת׃

A minha aliança, porém. Ismael não perdeu as suas bênçãos, pois Abraão pleiteara por ele, em seu coração. Mas o Pacto Abraâmico (comentado em Gn 15.18) viria por intermédio de Isaque, filho de Sara.

Daqui a um ano. Ver Gênesis 18.14, quanto ao *tempo determinado*. Abraão ouviu essa bendita profecia. Chegara o tempo do cumprimento da promessa. Faltava agora somente *um ano*. É admirável quando um acontecimento longamente esperado finalmente faz sua aparição. A espera adoece o coração (Pv 13.12). Mas a alegria é grande quando a promessa se *torna realidade*. Todo indivíduo que anda na vereda espiritual sabe o que isso significa.

Essa Promessa Era Especial. A profecia sobre a promessa fora especial. O pacto agora adquiriria um vívido sentido. Israel tinha sido escolhido; o plano estava funcionando; estava ocorrendo uma separação. Estava raiando uma *nova era*. A vontade de Deus opera de acordo com planos e promessas específicas. As profecias podem prever essas coisas. O capítulo 21 de Gênesis registra o cumprimento da promessa. O segundo versículo desse capítulo enfatiza que isso ocorreu no tempo "determinado" por Deus. O riso de zombaria se transformaria em riso de alegria, conforme se vê em Gênesis 21.6.

17.22

וַיְכַל לְדַבֵּר אִתּוֹ וַיַּעַל אֱלֹהִים מֵעַל אַבְרָהָם׃

Termina o Bendito Diálogo. Abraão e seu Deus tinham terminado outro encontro. Esses encontros sempre deixavam no ar a esperança, e também muita coisa para ser esperada. A oração é um prazer e uma demonstração de poder. O homem que se demora na vereda da oração pode esperar grandes coisas. O poder origina-se na nossa comunhão com Deus. Feliz o homem que se demora ali. Abraão ia de altar em altar (Gn 12.7,8; 13.4,18; 22.9). Ele passou por profundas experiências espirituais (Gn 15.12 ss.; 17.3 ss.). Ele passou por muitas experiências místicas significativas. Ver no *Dicionário* o verbete intitulado *Misticismo*.

CUMPRE-SE O REQUISITO DA CIRCUNCISÃO (17.23-27)

17.23

וַיִּקַּח אַבְרָהָם אֶת־יִשְׁמָעֵאל בְּנוֹ וְאֵת כָּל־יְלִידֵי בֵיתוֹ וְאֵת כָּל־מִקְנַת כַּסְפּוֹ כָּל־זָכָר בְּאַנְשֵׁי בֵּית אַבְרָהָם וַיָּמָל אֶת־בְּשַׂר עָרְלָתָם בְּעֶצֶם הַיּוֹם הַזֶּה כַּאֲשֶׁר דִּבֶּר אִתּוֹ אֱלֹהִים׃

Circuncisão Coletiva. Este versículo reitera os elementos dos vss. 12 e 13, onde comento sobre a questão de quem tinha de ser circuncidado e como. A ordem divina foi cumprida com precisão e de forma imediata (no mesmo dia em que foi baixada). Abraão mostrou-nos o caminho da obediência. Ele cumpriu a vontade de Deus sem demora, sem procrastinação. Não se assemelhou a Agostinho (que se debateu com pecados sexuais) e que disse: "Senhor, dá-me a castidade, mas não por enquanto". Ver o artigo geral sobre a *Circuncisão* no *Dicionário*. Nas notas introdutórias sobre o vs. 10, adiciono minúcias a respeito, bem como nos comentários sobre os vss. 10 e 11. Ver também as notas sobre o *Pacto Abraâmico*, em Gênesis 15.18.

Abraão foi circuncidado aos 99 anos de idade; Ismael, com 13, e todos os homens de sua casa com idades variadas, sem importar se eram da linhagem de Abraão ou não. O Pacto Abraâmico inclui todas as raças ou famílias da terra. O sinal da circuncisão, assim sendo, tornou-se algo que distinguiria Abraão e sua raça das massas humanas. Neste ponto, Israel é *salientado* em termos enfáticos, embora ainda se passasse algum tempo até essa nação vir à existência. Mas há um exagero quando a circuncisão é considerada a essência mesma da espiritualidade, o *sine qua non* da salvação, conforme se via entre os fariseus que se tornaram crentes, na Igreja primitiva (At 15.1).

17.24

וְאַבְרָהָם בֶּן־תִּשְׁעִים וָתֵשַׁע שָׁנָה בְּהִמֹּלוֹ בְּשַׂר עָרְלָתוֹ׃

Noventa e nove anos de idade. É significativo que o sinal do pacto tenha sido dado tão tardiamente a Abraão. Nunca é tarde demais para alguém fazer a vontade de Deus. E sempre será tarde demais para desistir. Os homens, de qualquer idade que sejam, podem ser admitidos à comunhão com Deus, para que a sua vida se torne útil. Homens *de todas as idades*, naquele dia, *começaram* a participar do Pacto Abraâmico. Isso criou certa unidade entre senhor e escravos. Esse princípio desenvolveu-se melhor no evangelho (Gl 3.28,29). Também é significativo que, nesse trecho de Gálatas, onde é frisada a *unidade* de todos os crentes em Cristo, todos eles sejam chamados descendentes espirituais de *Abraão*, de acordo com a *promessa*.

John Gill (*in loc.*) via nisso diversas lições. É possível que Eliezer, o chefe dos servos, tenha realizado o rito no caso de Abraão. Não houve pejo nem relutância diante da idade avançada. Todavia, é possível que o próprio Abraão se tenha aplicado o rito, o que era permissível. Mas foi *Abraão* quem circuncidou Ismael, seu filho. Nisso encontramos uma lição. Os pais devem servir seus filhos em sentido *espiritual*, e não apenas prover suas necessidades físicas. A pior coisa que um pai pode fazer é ter os ensinamentos mas não transmiti-los a seus filhos. Acima de tudo, ele lhes deve exemplo, exemplo, exemplo.

17.25

וְיִשְׁמָעֵאל בְּנוֹ בֶּן־שְׁלֹשׁ עֶשְׂרֵה שָׁנָה בְּהִמֹּלוֹ אֵת בְּשַׂר עָרְלָתוֹ׃

Treze anos. Ismael tinha 13 anos de idade quando foi circuncidado por seu pai. Os árabes, até hoje, circuncidam seus filhos quando eles atingem os 13 anos de idade, seguindo esse antigo exemplo. Essa prática foi mencionada por Josefo (*Ant.* 1.1c 12 sec. 2). Todavia, é permitida uma certa latitude, de modo que a operação seja feita entre os 13 e os 15 anos de idade. Ambrósio diz-nos que os egípcios costumavam circuncidar seus meninos aos 14 anos de idade. (*De Abraham*, 1.2 c. 11 par. 266).

Batismo Infantil? O trecho de Colossenses 2.11 ss. traça um certo paralelismo entre o batismo e a circuncisão e, com base nessa e em outras circunstâncias, muitos cristãos de hoje praticam o batismo infantil. Ver no *Dicionário,* no verbete *Batismo Infantil,* argumentos pró e contra essa prática.

■ 17.26

בְּעֶ֙צֶם֙ הַיּ֣וֹם הַזֶּ֔ה נִמּ֖וֹל אַבְרָהָ֑ם וְיִשְׁמָעֵ֖אל בְּנֽוֹ׃

Este versículo repete, para efeito de ênfase, que tanto Abraão quanto Ismael, seu filho, foram circuncidados *no mesmo dia* em que a ordem divina foi dada, o que já havia sido dito no vs. 23. O cumprimento *imediato* da ordem divina, pois, é novamente comentado. Abraão não temeu àqueles que poderiam zombar dele. Sempre custa alguma coisa cumprir prontamente a vontade de Deus.

■ 17.27

וְכָל־אַנְשֵׁ֤י בֵיתוֹ֙ יְלִ֣יד בָּ֔יִת וּמִקְנַת־כֶּ֖סֶף מֵאֵ֣ת בֶּן־נֵכָ֑ר נִמֹּ֖לוּ אִתּֽוֹ׃ פ

Todos os homens. Este versículo reitera o que já havia sido dito no vs. 23, onde a questão foi anotada. A vontade de Deus foi cumprida de modo *absoluto*. A maioria de nós cumpre a vontade de Deus apenas em parte. O absoluto não é atingido por muitas pessoas. E mesmo aquilo que fazemos, misturamos com elementos estranhos como pecado, orgulho e deficiência. Abraão exerceu pressão sobre *todos,* mas *não forçou* ninguém. Um homem podia repelir o rito, mas não podia continuar residindo na casa de Abraão. Sim, custava algo fazer parte daquela comunidade. O que se requer é que a pessoa se separe do mundo. Abraão, pois, foi o primeiro a dar exemplo. E então cuidou para que *seu filho* fosse circuncidado em seguida. E então seguiram-se outros membros da casa. Devemos preocupar-nos com que todos aqueles que vivem próximos de nós recebam a mensagem espiritual e se tornem discípulos do Senhor. Mas isso começa no lar.

CAPÍTULO DEZOITO

VISITA DO SENHOR EM HEBROM (18.1-33)

O nome divino *Yahweh* domina esta seção, pelo que os críticos supõem que sua fonte informativa seja *J.* Ver no *Dicionário* o artigo intitulado *J.E.D.P.(S.).* Esse artigo apresenta argumentos em favor e contra a teoria das fontes múltiplas do Pentateuco ou Hexateuco.

Visitas Divinas. Os teólogos históricos informam-nos que visitas *incógnitas* de seres divinos (anjos ou outros seres) são um motivo comum nos documentos antigos de todas as raças. Ver também Juízes 13.20,21 e 8.18 e, no Novo Testamento, Hebreus 13.2 fala sobre esse fenômeno. O contexto deste último trecho é a exortação, feita pelo autor sagrado, de que devemos ser hospitaleiros, e que "seja constante o amor fraternal". Alguns daqueles que agem assim têm sido surpreendidos por notáveis aparecimentos ocasionais de visitas divinas. Os críticos supõem que tais coisas façam parte das mitologias dos povos, pois o coração humano anela por contato com esses poderes superiores e de outra dimensão. Creio pessoalmente na realidade dessas visitas, e a evidência em favor delas é abundante, mesmo em tempos modernos.

A visita divina deu início à adoração a Yahweh em Hebrom. A fé dos hebreus estava crescendo e, finalmente, se tornaria a fé de Israel. Ademais, de modo muito enfático, a profecia e a certeza da chegada do filho prometido (um filho de Abraão e Sara) foram aqui repetidas. Os três visitantes divinos confirmaram o Pacto Abraâmico.

Continuamos precisando das visitas do anjo do Senhor. Carecemos da presença divina. Não basta lermos a Bíblia e orarmos; mas como é claro, há outros modos de desenvolvimento espiritual, além das experiências místicas. Ver no *Dicionário* os verbetes *Desenvolvimento Espiritual, Meios do* e *Misticismo.*

■ 18.1

וַיֵּרָ֤א אֵלָיו֙ יְהוָ֔ה בְּאֵלֹנֵ֖י מַמְרֵ֑א וְה֛וּא יֹשֵׁ֥ב פֶּֽתַח־הָאֹ֖הֶל כְּחֹ֥ם הַיּֽוֹם׃

O Senhor. No hebraico, *Yahweh.* Ver sobre esse nome divino no *Dicionário.* Contudo, no vs. 2 vemos *três* seres divinos. Isso tem sido explicado de vários modos:

1. Yahweh *era* os três, manifestando-se em sua pluralidade. Alguns veem aqui uma sugestão da doutrina da trindade, mas isso é exagerar o texto sagrado.
2. Yahweh era *uma* das teofanias, como em Daniel 3.25. Havia quatro que caminhavam entre as chamas, mas somente *um* deles era como o Filho de Deus. O trecho de Gênesis 19.1 parece dar apoio a essa interpretação.
3. Yahweh teria *enviado* os três anjos ou teofanias. Ver no *Dicionário* os verbetes *anjo* e *Teofania.*
4. Ou teríamos aqui o *Logos,* manifestando-se desde o Antigo Testamento, que teria aparecido pessoalmente entre anjos ou teofanias.
5. Os críticos pensam que o singular, *Senhor,* fazia parte de um documento, que acabou desajeitadamente combinado com os três do segundo versículo (proveniente de outro documento), e que a confusão ocorreu na compilação.
6. Os críticos e os céticos também supõem que tudo não passa de uma lenda. Eles duvidam de visitas divinas e de todas as narrativas dessa natureza.
7. Ou, então, o autor sacro escreveu em sentido metafórico e simbólico, não esperando que pensássemos em alguma visita divina concreta. Seria apenas um artifício literário. Todavia, não podemos embalar dúvidas quanto a dois pontos: a. o autor esperava que pensássemos em termos literais; e b. algumas vezes ocorrem visitas divinas. Ver no *Dicionário* o artigo intitulado *Misticismo.*

Nos carvalhais de Manre. Ver as notas sobre isso em Gênesis 13.18. Havia ali um antigo santuário e um altar, e o local, como é evidente, era importante dentro da vida espiritual de Abraão. Esse era um dos lugares onde Abraão havia erigido um altar (Gn 12.7,8; 13.4,18; 22.9). Abraão vivia indo de um altar para outro. O santuário em Manre era um local extremamente antigo da adoração a *Yahweh.* Essa fé foi crescendo em poder, até tornar-se o maior fator isolado em Israel.

No maior calor do dia. Não houve necessidade de escuridão. A experiência teve lugar em pleno meio-dia. Foi uma experiência clara, positiva, poderosa. O texto não indica que, *a princípio,* Abraão pensou estar acontecendo alguma coisa sobrenatural. Ele viu que os estranhos se aproximavam e, em uma incomum hospitalidade oriental, logo convidou-os para que comessem com ele, lavassem seus pés etc. Mas, conforme avançamos na leitura, adquirimos a impressão de que Abraão começou a suspeitar de que Yahweh o estava visitando de alguma maneira. Ao que parece, ele ofereceu um *sacrifício* (vs. 7 ss.). No vs. 23, torna-se óbvio que Abraão já entendera que estava recebendo uma visita divina. Talvez o autor esperasse que compreendêssemos isso desde o começo.

O espírito generoso sempre recebe a sua recompensa. Algumas vezes, até uma visita divina é dada. Mas a generosidade sempre terá o seu galardão. Aquele que dá recebe. Essa é a lei da semeadura e da colheita, a qual sempre funciona. Todos os homens espirituais têm confirmado isso por si mesmos, *reiteradamente.* Ver no *Dicionário* o verbete chamado *Amor.*

Propósitos da Visita Divina. Confirmar o Pacto Abraâmico e anunciar o julgamento de Sodoma e cidades vizinhas. *Dois anjos* prosseguiram para dizer a Ló que saísse de Sodoma (cap. 19).

À Porta da Tenda. Abraão estava à entrada de sua tenda, na canícula do dia, refrigerando-se, porquanto fica muito quente no interior de uma tenda. As atividades comuns de repente foram substituídas por uma atividade deveras incomum. O humano fundiu-se com o divino. Autores judeus afirmaram que corria o terceiro dia após a circuncisão, mas as tradições, com frequência, adicionam detalhes não-confirmados a uma boa história.

■ 18.2

וַיִּשָּׂ֤א עֵינָיו֙ וַיַּ֔רְא וְהִנֵּה֙ שְׁלֹשָׁ֣ה אֲנָשִׁ֔ים נִצָּבִ֖ים עָלָ֑יו וַיַּ֗רְא וַיָּ֤רָץ לִקְרָאתָם֙ מִפֶּ֣תַח הָאֹ֔הֶל וַיִּשְׁתַּ֖חוּ אָֽרְצָה׃

Eis. Talvez essa pequena palavra, como alguns intérpretes supõem, seja o bastante para introduzir diante de nós o elemento sobrenatural da narrativa. Abraão nem os viu aproximando-se. Mas *eis* que, de repente, eles simplesmente estavam lá!

Abraão correu ao encontro deles, em uma ansiedade difícil de explicar, a menos que não tenha percebido nada de incomum. E também *prostrou-se diante deles,* ao estilo oriental, um ato de autodepreciação que assinala muito daquela sociedade, mas que o autor sagrado pode ter usado para indicar que Abraão *reconheceu* que aquela não era uma visita usual. Cf. Gênesis 23.7; 1Samuel 24.8; 2Samuel 14.4; 1Reis 1.31.

"Quando alguém acolhe outra pessoa com calor humano, pode estar mais perto do que pensa de uma experiência divina" (Cuthbert A. Simpson, *in loc.*). A lei do amor é o maior princípio da lei e da espiritualidade. Aquilo que fazemos pelo próximo, fazemos pelo próprio Mestre (Mt 25.40).

Podemos notar aqui outra reafirmação do Pacto Abraâmico. Tomar juntos uma refeição era uma maneira comum de confirmar acordos e tratados. Por assim dizer, o próprio Senhor veio comer com Abraão.

Três homens. No entanto, neste mesmo versículo temos o singular, *Senhor (Yahweh)*. Ver o vs. 1 quanto a comentários sobre essa circunstância. Ver aqui a trindade por certo é um exagero e um anacronismo. Está diante de nós um dos textos lidos durante o domingo da Trindade, dentro da comunidade anglicana, mas não há justificativa para isso, senão, talvez, uma justificativa *poética*.

Os intérpretes judeus dão a cada um dos três personagens uma missão específica. Assim, um teria trazido a notícia sobre o nascimento de Isaque; o outro teria vindo para libertar Ló da destruição de Sodoma; e o terceiro viera para fazer o trabalho de destruir Sodoma. Mas isso não passa de um excessivo refinamento.

■ **18.3**

וַיֹּאמַר אֲדֹנָי אִם־נָא מָצָאתִי חֵן בְּעֵינֶיךָ אַל־נָא תַעֲבֹר מֵעַל עַבְדֶּךָ׃

Senhor meu. No hebraico, *Adonai*, uma palavra usada em relação a Deus ou aos homens. Ver as notas sobre essa palavra em Gênesis 15.1.

Rogo-te que não passes do teu servo. A insistência de Abraão em reter os três *homens* seria demasiada se ele não suspeitasse de que alguma coisa incomum estava acontecendo. Ele chegou a pleitear sua *dignidade* para receber a visita deles, o que *deveria* ser reconhecido por eles, e chamou a si mesmo de servo. Os intérpretes, por outra parte, ressaltam que a hospitalidade oriental parece exagerada em contraste com os padrões ocidentais. Assim, pois, talvez aqui recebamos alguma ideia de quão solícito *esperava-se* que fosse um homem *daquela* região, em uma ocasião como aquela.

■ **18.4**

יֻקַּח־נָא מְעַט־מַיִם וְרַחֲצוּ רַגְלֵיכֶם וְהִשָּׁעֲנוּ תַּחַת הָעֵץ׃

Água... repousai. Debaixo do carvalho sagrado de Manre, que comentamos em Gênesis 13.18. Era um bosque de carvalhos onde se tinha erigido um santuário em honra a Yahweh, dotado de altar. Naquele lugar sagrado, seus pés seriam lavados por Abraão ou por um de seus servos, uma parte indispensável da hospitalidade oriental. Também teriam a oportunidade de descansar, sendo entretidos como se deveria fazer.

Os antigos não conheciam sapatos, conforme hoje são fabricados. Usualmente o calçado era uma sandália que deixava os pés descobertos, e assim entravam em contato direto com a terra, a lama ou a poeira. Daí a necessidade constante de serem lavados os pés, quando não era mister um banho de corpo inteiro. É significativo que o costume do lava-pés tornou-se para alguns cristãos (segundo se vê no capítulo 13 de João), uma ordenança, juntamente com o batismo e a Ceia do Senhor. Dou uma nota detalhada sobre esse rito e costume na *Enciclopédia de Bíblia, Teologia e Filosofia*. Ver também o verbete sobre o *Lava-pés*. Ver ainda Juízes 19.21.

■ **18.5**

וְאֶקְחָה פַת־לֶחֶם וְסַעֲדוּ לִבְּכֶם אַחַר תַּעֲבֹרוּ כִּי־עַל־כֵּן עֲבַרְתֶּם עַל־עַבְדְּכֶם וַיֹּאמְרוּ כֵּן תַּעֲשֶׂה כַּאֲשֶׁר דִּבַּרְתָּ׃

Um bocado de pão. Abraão preparou uma refeição para os três homens, primeiramente trazendo um pão e, então, a carne de um *sacrifício* que ele tinha acabado de oferecer. Se ele estivesse meramente entretendo hóspedes humanos, e não suspeitasse da natureza divina deles, então tanta hospitalidade pareceria exagerada. O sacrifício de um animal poderia implicar um rito religioso. Seja como for, Abraão aparece aqui como um homem generoso e até mesmo magnânimo. Ver no *Dicionário* o verbete chamado *Hospitalidade*.

"Naqueles dias antigos, todo viajante... tinha o direito a descansar, quando precisasse de tanto, na primeira tenda que encontrasse durante a jornada" (Adam Clarke, *in loc.*).

Vossas forças. "No original hebraico temos aqui a palavra 'coração', que indica a soma total das faculdades, físicas e mentais, do homem inteiro" (Ellicott, *in loc.*). Abraão estava genuinamente interessado neles. Não estava apenas cumprindo um dever social.

■ **18.6**

וַיְמַהֵר אַבְרָהָם הָאֹהֱלָה אֶל־שָׂרָה וַיֹּאמֶר מַהֲרִי שְׁלֹשׁ סְאִים קֶמַח סֹלֶת לוּשִׁי וַעֲשִׂי עֻגוֹת׃

Três medidas. No hebraico, temos a palavra *seah*, medida equivalente a 6,3 litros, o que significa 18,9 litros. Os intérpretes tiram proveito disso para comentar como os antigos eram bons pratos. O piedoso abade Fleury tomou sobre si a tarefa de calcular que a refeição inteira pesaria cerca de 25 kg! Homero (*Odisseia* liv. xiv. ver 74) diz-nos que Eumaeus entreteve Ulisses com grande prodigalidade, tendo preparado *dois porcos* somente para os dois! Em outra ocasião, foi dito que um grande porco foi preparado para apenas cinco pessoas.

Pão assado ao borralho. A ajuda de Sara foi solicitada. Foi-lhe pedido que preparasse pães ao borralho. *Três medidas*, como já vimos, era mais do que três homens poderiam consumir. Talvez Abraão planejasse preparar alguma refeição comunitária, convidando outras pessoas, embora o texto nada diga sobre isso. Abraão era dotado de uma "pródiga generosidade", se é que tencionava que todo aquele alimento — sem falar no animal sacrificado — fosse servido para apenas três convidados. Pães cozidos sobre brasas eram considerados um alimento muito delicioso (1Rs 19.6). Carne usualmente não era servida nessas oportunidades, mas aqui foi oferecida essa provisão, juntamente com coalhada e leite e arroz ou papa de trigo. Abraão serviu somente o que havia de melhor.

■ **18.7**

וְאֶל־הַבָּקָר רָץ אַבְרָהָם וַיִּקַּח בֶּן־בָּקָר רַךְ וָטוֹב וַיִּתֵּן אֶל־הַנַּעַר וַיְמַהֵר לַעֲשׂוֹת אֹתוֹ׃

Correu. Mostrando sua grande solicitude para servir seus convidados.

Um novilho. Aqui chamado de "tenro e bom". Ele só serviria o melhor para os seus hóspedes. Hebrom era o centro da cultura da uva (cf. Gn 49.11,12), mas não é mencionado vinho como parte da hospitalidade. O vinho era geralmente associado a atos abusivos (Gn 9.21-25), pelo que pode ter sido omitido propositadamente nessa ocasião. O autor sacro não apresenta os anjos como bebedores de vinho. Mas talvez a omissão seja circunstancial, e não propositada. Cf. 1Samuel 28.24 e Lucas 15.23 quanto a um banquete com um novilho, considerado alimento delicioso e apropriado para ocasiões especiais. Embora Abraão devesse ter meia dúzia de servos, parece ter feito pessoalmente todo o trabalho envolvido, com a ajuda de Sara.

■ **18.8**

וַיִּקַּח חֶמְאָה וְחָלָב וּבֶן־הַבָּקָר אֲשֶׁר עָשָׂה וַיִּתֵּן לִפְנֵיהֶם וְהוּא־עֹמֵד עֲלֵיהֶם תַּחַת הָעֵץ וַיֹּאכֵלוּ׃

Coalhada e leite. Eram usados para temperar a carne, para preparar bolos ou como um prato acompanhante. Abraão proveu variedade, a essência de uma boa refeição. Jarchi afiançou que Abraão usou a *gordura* e o leite ou *creme*. Os hebreus, gregos e romanos não sabiam preparar a *manteiga*, conforme o fazemos, mas sabiam fabricar o queijo. O leite de camela era considerado, pelos árabes, a melhor de todas as bebidas, mas usava-se também o leite de outros animais. Talvez Abraão tenha trazido leite fresco de camelas e leite azedado de ovelhas. Provavelmente, essas coisas eram usadas na preparação de bolos ou pães. Interessante é que esses banquetes usualmente tinham lugar ao ar livre, e não no interior de casas.

Permaneceu de pé junto a eles. O próprio Abraão nada comeu, evidentemente para indicar que mostrava uma cortesia especial, permitindo que seus convidados se servissem primeiro. Como foi que os anjos comeram? Outro tanto pode ser indagado no caso do Senhor ressurreto (Lc 24.43). Dizem aqui os Targuns: "Eles fingiram que comiam". Mas não sabemos o suficiente a respeito dos anjos para tentar fazer uma ideia decente do que aconteceu. Naquele período remoto da história, a teologia dos hebreus não concebia os anjos como seres imateriais, mas apenas possuidores de mais poder, inteligência e atributos do que os homens, capazes de fazer coisas surpreendentes. Mas, se eram seres materiais, por que não seriam capazes de comer? John Gill (*in loc.*) fornece uma longa citação que ilustra como um hospedeiro ficava de pé nas proximidades e nada comia, mas antes, ficava sempre pronto a servir seus convidados, cuidando de cada necessidade que percebesse, além de afirmar que teria sido uma *quebra* de cortesia se um hospedeiro se juntasse aos seus convidados, enquanto eles comiam. Em outras palavras, Abraão fez o papel de *garçom*!

■ 18.9

וַיֹּאמְרוּ אֵלָיו אַיֵּה שָׂרָה אִשְׁתֶּךָ וַיֹּאמֶר הִנֵּה בָאֹהֶל:

Os Anjos Procuram por Sara. Aqueles seres divinos tinham várias missões a realizar. Um deles viera advertir sobre a destruição de Sodoma para breve; outro deveria anunciar o nascimento de Isaque, o filho prometido, para breve; ainda o outro deveria repetir a provisão essencial do *Pacto Abraâmico* (ver as notas a respeito em Gn 15.18). Sara era vital dentro da missão deles, pelo que perguntaram onde ela estaria. Eles sabiam quem ela era e a chamaram pelo nome. E através disso, se Abraão ainda não tivesse suspeitado da natureza divina deles, agora deve ter ficado muito admirado. Por outra parte, ele já tivera tantas grandes experiências espirituais (ou místicas) que talvez nada mais o surpreendesse. Sara estava no interior da tenda. De onde estava, ela ouviu a mensagem e riu-se. O vs. 15 mostra-nos que logo ela sairia da tenda, para negar que tinha rido. Ela não rira em voz alta, pelo que disse uma meia-verdade. No entanto, rira consigo mesma, de forma inaudível, e aí estava toda a verdade.

De acordo com Ellicott, os costumes orientais não permitiam que um homem perguntasse desse modo pela esposa de outro homem. Mas se nisso há alguma verdade, então os anjos não se importaram em seguir o costume dos homens.

Deus Sabe Onde Estamos. Em pergunta retórica, os anjos indagaram por Sara, mas os seres angelicais sabiam tanto o nome dela como onde ela estava. Ver Gênesis 3.9 ss. e 4.9 ss. quanto a circunstâncias similares. A mente divina sempre sabe onde estamos, espiritualmente falando. Até a queda por terra, por parte de um pardal, é importante e é reconhecida (Mt 10.29).

■ 18.10

וַיֹּאמֶר שׁוֹב אָשׁוּב אֵלֶיךָ כָּעֵת חַיָּה וְהִנֵּה־בֵן לְשָׂרָה אִשְׁתֶּךָ וְשָׂרָה שֹׁמַעַת פֶּתַח הָאֹהֶל וְהוּא אַחֲרָיו:

Daqui a um ano. Algumas traduções dizem aqui "na primavera". No hebraico, litealmente, temos "de acordo com um tempo de vida". A frase é disputada quanto a seu sentido, embora se entenda que aponta para algum *tempo fixo*. O anjo prometeu algum tipo de assistência, talvez um milagre de rejuvenescimento, estabelecido por um *tempo específico*, o que ajudaria Sara a cumprir seu maior sonho: *um filho*. Quando as circunstâncias nos avassalam, Deus intervém. Normalmente, ele espera que façamos o trabalho que nos cabe, de acordo com os recursos que tivermos desenvolvido ou recebido da parte do Senhor. Por assim dizer, ele aguarda nas sombras, sempre próximo, mas não de maneira conspícua. Sua presença garante o sucesso dos homens honestos.

Um Tempo de Vida. "... quando todas as coisas revivem, e que durante a estação do inverno pareciam mortas, um apropriado emblema do caso de Abraão e Sara, ambos os quais, por assim dizer, estavam *mortos* (no corpo), incapacitados de gerar filhos. Mas a natureza haveria de reviver neles de novo" (John Gill, *in loc.*). Assim, o inverno cederia lugar à primavera.

Um filho. O filho prometido, Isaque, a maior graça que Sara poderia jamais esperar, bem como a maior experiência de toda a sua vida, prometida fazia já tanto tempo, mas que agora em breve teria lugar.

Sara estava *por trás* do anjo que estava de pé, junto à entrada da tenda, mas não podia ser vista. A *porta* da tenda era uma espécie de cortina, feita de peles de animais, que podia ser arredada para um lado, permitindo acesso ao interior da tenda.

■ 18.11

וְאַבְרָהָם וְשָׂרָה זְקֵנִים בָּאִים בַּיָּמִים חָדַל לִהְיוֹת לְשָׂרָה אֹרַח כַּנָּשִׁים:

Abraão estava agora com 99 anos de idade; e Sara estava com 89. Mesmo que as pessoas vivessem muito mais tempo naqueles dias (Abraão chegou a 175 anos, Gn 25.7), este versículo diz especificamente que a época da fertilidade de Sara já havia cessado. Daí, a maioria dos intérpretes acreditar que devemos entender que foi mister um milagre para trazer Isaque a este mundo, através de Abraão e Sara. No entanto, anos depois, Abraão teve seis filhos com Quetura (Gn 25.2), o que, para os críticos, indica que ele nunca perdera a sua fertilidade, ao passo que os eruditos conservadores pensam que isso quer dizer que ele gerou esses filhos por ter rejuvenescido. O que o texto pretende dizer é que Abraão rejuvenesceu, sem dúvida alguma. John Gill (*in loc.*) disse esquisitamente que os *visitantes mensais* de Sara tinham deixado de fazer a sua aparição, referindo-se ao fim (desde há muito) de seu ciclo menstrual. O texto faz-nos lembrar do nascimento de Jesus através da virgem Maria, e a Igreja Católica Romana interpreta que Sara, por conseguinte, é tipo de Maria, mãe de Jesus.

■ 18.12

וַתִּצְחַק שָׂרָה בְּקִרְבָּהּ לֵאמֹר אַחֲרֵי בְלֹתִי הָיְתָה־לִּי עֶדְנָה וַאדֹנִי זָקֵן:

Sara Riu-se Consigo Mesma. E fez assim porque não queria que o anjo a ouvisse. Ela riu-se devido à incredulidade, tal como Abraão fizera muitos anos antes (Gn 17.17). Alguns intérpretes pensam que Abraão riu de alegria (e não por motivo de incredulidade), mas Sara riu por incredulidade. Mas isso é forçar o texto. Sara apontou para a *razão* e para suas *condições físicas*, a fim de justificar a sua incredulidade. Em outras palavras, ela estava vivendo por vista, e não por fé. A fé anula as inconveniências das circunstâncias adversas. Portanto, nada há de impossível para Deus (vs. 14). É fácil termos uma crença piedosa e uma fé forte quando não estamos sendo submetidos a teste. Confiar quando a noite ainda não chegou é fácil. Os incrédulos estão sempre por perto para dizer que a fé usualmente consiste em crer em algo que não é verdade. No entanto, o propósito de Deus é poderoso. No caso do nascimento de Isaque, esse propósito teve cumprimento *apesar* do ceticismo de Sara. Contudo, é melhor quando os grandes atos de Deus são antecipados por nós em alegria, e não na incredulidade. Por muitas vezes, o cumprimento dos propósitos de Deus nos toma inteiramente de surpresa. Regozijemo-nos *na surpresa*. O homem espiritual regozija-se antes *e* depois.

O Riso de Alegria. "Quando o Senhor restaurou a sorte de Sião, ficamos como quem sonha. Então a nossa boca se encheu de riso, e a nossa língua de júbilo" (Sl 126.1,2).

■ 18.13

וַיֹּאמֶר יְהוָה אֶל־אַבְרָהָם לָמָּה זֶּה צָחֲקָה שָׂרָה לֵאמֹר הַאַף אֻמְנָם אֵלֵד וַאֲנִי זָקַנְתִּי:

Disse o Senhor. "Por que se riu Sara?" Embora ela tivesse rido consigo mesma, seu riso foi percebido pelo anjo ou teofania. E ele também sabia *por quê*, embora lhe tenha feito outra pergunta retórica, como no vs. 9. Sua pergunta salientou o defeito de Sara. Às vésperas do grande milagre, ela estava rindo escarninha. Ela poderia ter suas razões, mas estava errada. E o Senhor fê-la enfrentar sua atitude errada. Toda pessoa é responsável, apesar de até os fracos serem usados como excelentes instrumentos da graça de Deus. Sentimo-nos reanimados quando vemos a obra do Senhor ser referida como beneficente e gentil, quando tão frequentemente ouvimos falar dos poderes destrutivos de Deus, que aniquilam tudo quanto o homem é e faz (Sl 18.7-15; 29; Êx 19.18; 1Rs 19.11; e logo adiante, no capítulo 19 de Gênesis, é descrita a tragédia que atingiu Sodoma e as cidades circunvizinhas).

Senhor, ou seja, *Yahweh* (como no vs. 1). E assim voltamos ao singular e a Yahweh, em vez dos *três* homens (vs. 2). Ver o primeiro versículo quanto a explicações sobre a mudança do singular para o plural.

Sendo velha? O hebraico é pitoresco, "desgastada", como se fosse uma peça de roupa antiga que não presta mais para ser usada. A velhice é algo terrível. Esperamos então ter alguns poucos anos para meditar e recapitular. Em lugar disso, porém, na maioria das vezes as pessoas recebem somente debilidade e fraqueza, esperando pelo fim com impaciência.

■ 18.14

הֲיִפָּלֵא מֵיְהוָה דָּבָר לַמּוֹעֵד אָשׁוּב אֵלֶיךָ כָּעֵת חַיָּה וּלְשָׂרָה בֵן:

Acaso para Deus há cousa demasiadamente difícil? Essa é uma breve mas sugestiva declaração bíblica, e também muito citada. *Difícil* aparece como *maravilhosa* em algumas traduções. As maravilhas aos olhos dos homens são apenas obras corriqueiras para Deus. O trecho de Lucas 1.37 reflete este versículo, e, significativamente, em relação ao fato de que Isabel, mãe de João Batista, ficara grávida dele, sendo ela já *idosa,* como também em relação ao nascimento virginal de Jesus. Maria, ao admirar-se, reagiu afirmando que era serva do Senhor, e que o propósito divino poderia ter cumprimento nela. Por muitas vezes, o homem põe obstáculos na vereda do propósito divino. Mas esse propósito avança, seja como for. Os labores humanos operam da causa para o efeito, obedecendo a leis físicas. Mas as obras de Deus podem injetar uma causa não-física. Isso posto, qualquer coisa pode ocorrer quando Deus intervém. Deus produziu a própria natureza, pelo que ele controla qualquer coisa dentro da natureza. Sua palavra trouxe todas as coisas à existência, pelo que sua palavra pode alterar quaisquer circunstâncias. Os homens pensam em termos de finitude. Deus age de acordo com sua infinitude. Seu poder é *maravilhoso,* e age de forma quase inacreditável.

Se ainda não ficara claro, o vs. 14 esclarece que o *Senhor* se estava manifestando, a fim de revelar a sua intenção. Aqui, pois, vemos uma intervenção divina. O anjo do Senhor apareceu, chegado ao tempo certo. E ele continua aparecendo, pois suas intervenções na vida humana nunca cessam.

Daqui a um ano. Ver o comentário sobre essa expressão no vs. 10. As traduções dizem "em um ano", "na primavera" etc. Seja como for, temos aqui uma palavra de encorajamento. Sara debatia-se na incredulidade. Mas Deus cuidou da questão. Havia uma repreensão inerente na palavra dita pelo Senhor, embora seu propósito fosse curar. Homens odiosos repreendem a fim de ferir. Homens espirituais (seguindo o exemplo divino) repreendem a fim de curar. Hebreus 12.6 ss.

■ 18.15

וַתְּכַחֵשׁ שָׂרָה לֵאמֹר לֹא צָחַקְתִּי כִּי יָרֵאָה וַיֹּאמֶר לֹא כִּי צָחָקְתְּ:

Sara, receosa, o negou. Ela mentiu, movida pelo temor. Quão fácil é mentir. Mentir é um esporte para a maioria das pessoas. Por muitas vezes, envolve certa medida de autoproteção. Com demasiada frequência, a verdade é muito reveladora. A mentira é como uma capa negra que esconde aquilo que não queremos que seja visto. Ver no *Dicionário* o verbete intitulado *Mentir (Mentiroso).* As mães dizem a seus filhos que não mintam, mas as mães mentem para seus filhos o tempo todo. E as crianças acabam aprendendo que têm de submeter a teste cada situação. Não podem crer no que suas mães lhes dizem. Uma mãe diz a seu filho o que ela quer que ele acredite, usualmente por motivo de conveniência. O filho logo aprende que sua mãe é uma mulher mentirosa, e assim torna-se um mentiroso. Além desse mau exemplo, ele dispõe da corrupção no íntimo. Desse modo, temos um dos piores pecados e vícios humanos. Sara não estava acima desse defeito. O próprio Senhor precisou repreendê-la acerca da questão.

Sara Temeu. Ela havia posto em dúvida a palavra dita pelo Senhor. Seu marido ficaria desgostoso com ela; ela seria considerada negligente quanto à hospitalidade; e os três visitantes divinos a repreenderam. Temos tantos temores, e muitos deles são destrutivos. O amor expele o temor (1Jo 4.18). A palavra *temor* aparece por cerca de 550 vezes na Bíblia. O medo é uma das emoções básicas do ser humano e, talvez, a mais destrutiva de todas. Franklin D. Roosevelt comentou que "Nada há para temer, exceto o próprio medo". Emerson afirmou que "o temor sempre tem origem na ignorância". Felizmente, porém, há coisas reais para temer, e nenhuma pessoa está isenta disso. O temor é algo cruel, conforme disse James Froude. Uma das lições espirituais no texto à nossa frente é que, visto que o poder e o amor de Deus operam na vida dos homens, o temor é algo desnecessário. Senhor, concede-nos essa graça!

■ 18.16

וַיָּקֻמוּ מִשָּׁם הָאֲנָשִׁים וַיַּשְׁקִפוּ עַל־פְּנֵי סְדֹם וְאַבְרָהָם הֹלֵךְ עִמָּם לְשַׁלְּחָם:

Tendo-se levantado dali aqueles homens. Eles partiram na direção de Sodoma; e Abraão, cumprindo seu dever de hospitalidade até o fim, acompanhou-os pelo caminho. Eles tinham cumprido um propósito. A promessa do filho tinha sido renovada e *garantida*. Agora seriam confirmadas outras provisões divinas (vss. 18 ss.). Outro propósito da visita agora tornara-se patente. Sodoma precisava ser destruída. O cálice da iniquidade dos cananeus estava cheio e até extravasando; a paciência de Deus tinha-se esgotado.

"Temos aqui outra demonstração da hospitalidade antiga — dirigir os estranhos pelo caminho. Não havia então estradas públicas, e eram indispensáveis os guias em regiões onde quase não havia aldeias" (Adam Clarke, *in loc.*). Cf. Atos 20.38 e 21.5.

Dessa forma, aquela visita do Senhor combinou a misericórdia com o julgamento. O amor e o juízo andam de mãos dadas. De fato, o juízo é apenas um dedo da mão amorosa de Deus. O juízo opera grandes transformações, e também tem uma natureza remedial (1Pe 4.6).

A rota seguida por Abraão provavelmente apontava para sudeste, passando pela região montanhosa de Judá. Há tradições que dizem que Abraão encaminhou os seus visitantes até a vila de Cafar-Barucha, de onde era possível ver-se o mar Morto, e, naturalmente, a localização da antiga Sodoma e cidades circunvizinhas.

A HISTÓRIA DOS PATRIARCAS (18.17—19.23)

PARTIDA PARA SODOMA (18.17-22)

O amor estava dirigindo Abraão e Sara. A promessa do filho fora reiterada e garantida. Mas agora o poder de Deus preparava-se para julgar. Não podiam continuar sendo toleradas as cidades de Sodoma e Gomorra. Assim sendo, o amor e o juízo de Deus são dois fatores que nunca deixam de operar. Entretanto, não são contraditórios, mas polos de uma mesma realidade. Deus castiga porque ama. A cruz foi um julgamento, mas também extraordinária demonstração de amor, mediada pela graça divina. O amor de Deus é sempre um remédio (ver as notas sobre 1Pe 4.6 no *Novo Testamento Interpretado*).

A *justiça* é um dos principais temas do trecho com que nos defrontamos. Deus julga. Mas esse julgamento será justo? O texto ilustra a paciência de Deus e a sua moderação, pelo que essa pergunta é respondida de forma afirmativa. O Juiz de toda a terra sempre faz o que é justo. Sócrates propôs a seguinte indagação: "Alguma coisa é justa porque Deus a faz, ou Deus a faz porque ela é justa?" Uma correta teologia responde que Deus faz o que é justo. Uma coisa não é justa somente porque Deus (ou alguma pessoa) a faz. Precisamos evitar o *voluntarismo* (ver no *Dicionário* o artigo com esse título). O voluntarismo ensina que a vontade de Deus é absoluta e não nos assiste o direito de pô-la em dúvida, mesmo quando ela nos parecer *injusta*. Mas a verdade é que *os homens* dizem que Deus faz certas coisas que, na verdade, ele não faz; e, então, querem que aceitemos pacificamente o que *eles dizem*, sem protesto. Mas aquilo que Deus faz é sempre justo, não meramente porque ele assim determina, mas porque o que ele faz é certo mesmo. Ademais, Deus equipou os homens com uma razão suficientemente correta para poder julgar (para dizermos o mínimo) no que consiste a justiça. Meu artigo sobre o *Voluntarismo* entra nas minúcias dessas questões.

A passagem que ora comentamos por certo é contrária à ideia do voluntarismo. Deus primeiro *investigou* Sodoma. Ele também permitiu grandes medidas de graça e de moderação, em harmonia com os pedidos de leniência, feitos por Abraão. No entanto, a situação naquelas cidades estava completamente podre. Sodoma não podia ser poupada. Algumas vezes, somente o juízo divino pode remediar uma situação. E, infelizmente, *nossa própria época* parece ser como uma Sodoma que clama pelo juízo divino. Muitos intérpretes acreditam que o período de investigação e leniência, da parte de Deus, se está esgotando rapidamente quanto a este velho mundo.

18.17

וַיהֹוָה אָמָר הַמְכַסֶּה אֲנִי מֵאַבְרָהָם אֲשֶׁר אֲנִי עֹשֶׂה:

Ocultarei a Abraão...? Essa pergunta os três fizeram a si mesmos, mas, estritamente falando, era *Yahweh*. Pouco antes disso, tudo era róseo e belo. Uma *maravilhosa* mensagem tinha sido anunciada acerca do filho prometido a Abraão. Mas agora era anunciada outra mensagem, nada alvissareira. Sodoma e Gomorra seriam destruídas. E não podemos esquecer Ló, sobrinho de Abraão, que estava em Sodoma, com seus familiares. Por isso, Abraão estava vitalmente interessado na questão. Quando nossos entes queridos estão envolvidos, a questão sempre nos será crítica. Nem sempre é bom saber das coisas de antemão. Sabendo do futuro, passamos por ansiedades. Por outro lado, a oração é mais poderosa que a profecia, e, em alguns casos, podemos até anular eventos, se soubermos deles com antecedência. A história que se segue mostra-nos que Abraão foi *capaz de anular* uma parte do futuro. Pois pôde tirar Ló e sua família de Sodoma, antes que o julgamento divino sobreviesse.

18.18

וְאַבְרָהָם הָיוֹ יִהְיֶה לְגוֹי גָּדוֹל וְעָצוּם וְנִבְרְכוּ בוֹ כֹּל גּוֹיֵי הָאָרֶץ:

O Homem do Pacto Era Digno. Yahweh havia perguntado: "Ocultarei a Abraão o que estou para fazer?" A *estatura* espiritual de Abraão, como o homem do pacto, significa que ele deveria ser informado da mensagem contida nos vss. 18-22. Naturalmente, havia outras razões para isso, além de Ló e sua família. Abraão era agora uma espécie de sócio de Yahweh, e precisava ser levado em conta no plano divino da destruição de Sodoma. O *solilóquio* do vs. 17 volta ao plural, no vs. 22, pelo que o singular e o plural são intercambiados na passagem inteira. Ver as notas sobre essa questão em Gênesis 18.1. Yahweh ou os três homens (anjos ou teofanias), quanto ao propósito, estavam unidos.

O *Pacto Abraâmico* (plenamente anotado em Gn 15.18) é agora repetido. Cf. Gênesis 12.1-4; 13.14-17; 15.1-7; 17.1-8 e 18.18 ss. quanto às várias repetições. Assim também o livro de Gênesis promete reiteradamente a vinda do filho prometido (Isaque), pois através dele teria cumprimento o propósito divino de levantar a nação de Israel. Mas o tempo todo, fica claro que, *através* de Israel, seriam abençoadas *todas* as outras nações. E isso é especificamente destacado no versículo que ora comentamos. *Todas as nações,* segundo se lê neste versículo, subentende que Abraão tinha o direito de saber acerca do destino de Sodoma (uma parte daquelas nações que seriam abençoadas por meio dele).

A *dimensão espiritual e maior* do Pacto Abraâmico (um mundo futuro, a imortalidade da alma neste mundo, a salvação eterna) nunca foi destacada na versão veterotestamentária desse pacto. Essa dimensão, porém, é adicionada e esclarecida no Novo Testamento.

18.19

כִּי יְדַעְתִּיו לְמַעַן אֲשֶׁר יְצַוֶּה אֶת־בָּנָיו וְאֶת־בֵּיתוֹ אַחֲרָיו וְשָׁמְרוּ דֶּרֶךְ יְהֹוָה לַעֲשׂוֹת צְדָקָה וּמִשְׁפָּט לְמַעַן הָבִיא יְהֹוָה עַל־אַבְרָהָם אֵת אֲשֶׁר־דִּבֶּר עָלָיו:

Abraão era digno de ser o homem do pacto. Essa é a mensagem deste versículo. Assim, ele deveria ser informado a respeito da intenção divina de destruir Sodoma (e o vs. 17 indaga se Abraão deveria ser informado ou não disso). Além disso, a dignidade de Abraão servia de garantia do cumprimento do pacto com ele. Abraão não falharia; e o plano divino operaria por meio dele. Sua obra começaria em seu lar; ele tomaria cuidados com sua própria espiritualidade, mas também providenciaria para que cada membro de sua casa observasse a Palavra de Deus. Quase todas as reiterações do pacto, bem como de seu emblema, a circuncisão (Gn 17.1-27), salientam quão importante é a família. A sequência é: a família, a nação, todas as nações. Trata-se de um pacto altamente humanista, porque tem em mira beneficiar todos os povos da terra. Grandes são as responsabilidades de um pai. Ele deve a seus filhos bom exemplo e ensino. O maior erro de um pai é não transmitir bom exemplo e ensino a seus filhos.

"O Manuseio da Fé. Meditar sobre o Antigo Testamento é viver em dois mundos ao mesmo tempo — no mundo antigo, mas também no mundo contemporâneo. Os costumes e a maneira de falar de Abraão não podem ser os mesmos que os nossos; mas os *valores centrais* da vida, refletidos em seu relacionamento com Deus, independem do tempo" (Cuthbert A. Simpson, *in loc.*).

> Eis, Senhor, sento-me em teu largo espaço,
> Com minha filha sobre os joelhos;
> Ela contempla o meu rosto,
> E eu contemplo o teu.
>
> George McDonald

Coisas que Devemos Transmitir a Nossos Filhos: 1. Exemplo. 2. Ensinos. 3. Um ideal de vida. 4. Uma profissão, negócio ou ocupação, ou o encorajamento para alguma dessas atividades, mediante a educação e a orientação pessoal. 5. Paciência. Os discípulos de Jesus pensavam que ele vivia ocupado demais para ser perturbado por crianças; mas Jesus disse: "Deixai vir a mim os pequeninos, não os embaraceis..." (Mc 10.14). 6. Uma fé para ser seguida.

A justiça e o juízo. Essas são virtudes cardeais da espiritualidade, que devem envolver tanto as famílias quanto as comunidades. Abraão era digno de que o pacto divino fosse firmado com ele, para beneficio dele mesmo e de sua posteridade. Ver no *Dicionário* os artigos intitulados *Retidão* e *Justiça*.

18.20

וַיֹּאמֶר יְהֹוָה זַעֲקַת סְדֹם וַעֲמֹרָה כִּי־רָבָּה וְחַטָּאתָם כִּי כָבְדָה מְאֹד:

O Clamor de Sodoma e Gomorra. O autor sacro falava sobre *o clamor contra Sodoma e Gomorra,* o grito cósmico pedindo justiça. Antes do dilúvio, Deus *vira* a grande iniquidade dos homens, do que resultou o juízo do dilúvio. Agora Deus *ouvia* novo clamor contra a iniquidade, o que, de novo, resultaria no devido julgamento. O autor sagrado usou essas metáforas dos *sentidos humanos,* instrumentos de percepção. Hoje em dia, em nosso mundo de extrema iniquidade, quem não pode ouvir os gritos de ultraje?

O seu pecado se tem agravado muito. Ver Gênesis 13.13 quanto a isso, onde praticamente a mesma coisa é dita. O capítulo 19 dá-nos detalhes da profunda maldade de Sodoma e Gomorra, que se tornara proverbial, até hoje lembrada. Seus habitantes eram culpados dos crimes mais notórios: eram tendentes a toda espécie de vício; eram praticantes da injustiça; e se tinham escravizado a concupiscências desnaturais, que exibiam publicamente, sem nenhum pejo. O Targum de Jonathan refere-se à desonestidade, às fraudes, aos pecados sexuais estranhos, ao incesto, ao derramamento de sangue inocente, à perseguição contra os órfãos e as viúvas, à adoração a ídolos e à rebeldia deles contra Deus e a decência.

18.21

אֵרֲדָה־נָּא וְאֶרְאֶה הַכְּצַעֲקָתָהּ הַבָּאָה אֵלַי עָשׂוּ כָּלָה וְאִם־לֹא אֵדָעָה:

Descerei, e verei se. Desde os tempos mais antigos, os povos pensavam que os deuses habitavam em lugares altos, ou literalmente, em algum monte, como os gregos pensavam no Olimpo, ou em algum outro mundo, material ou não, suspenso acima da terra. O trecho de Gênesis 11.5,7 (no que toca à torre de Babel) também retrata Deus a descer a fim de fazer uma averiguação. Ver meus comentários sobre o vs. 5, que fala sobre a visão antropomórfica de Deus e os problemas que essa visão cria para a teologia. Os eruditos conservadores supõem que essa linguagem seja metafórica.

Deus fez uma investigação, e assim deu o exemplo para os magistrados e juízes. Essa lição foi extraída do presente texto pelos intérpretes judeus. "Deus examina, antes de castigar" (Ellicott, *in loc.*).

Verei se de fato o que têm praticado corresponde a esse clamor... A investigação, feita por Deus, produziria o devido resultado. O *pleno conhecimento* determina a extensão do juízo divino, pois esse juízo é imposto de acordo com as obras de cada um (Rm 2.6). A mente divina *sabe,* mas o autor sagrado fala em figuras de linguagem que apelam para a mente humana.

18.22

וַיִּפְנוּ מִשָּׁם הָאֲנָשִׁים וַיֵּלְכוּ סְדֹמָה וְאַבְרָהָם עוֹדֶנּוּ עֹמֵד לִפְנֵי יְהוָה:

E foram para Sodoma. *Yahweh,* cujo nome predomina na narrativa, tinha três identificações possíveis: homem, anjo ou teofania. Ver as notas sobre Gênesis 18.1 sobre como os eruditos manuseiam esse intercâmbio entre uma e três personagens. Abraão tinha guiado os "homens" até perto de Sodoma, cumprindo assim o seu dever de hospedeiro (ver as notas sobre o vs. 16). Mas agora, tendo avistado o lugar para onde se dirigiam, prosseguiram sozinhos, enquanto Abraão ficava para trás a fim de receber mais uma experiência mística (espiritual). Abraão "permaneceu ainda na presença do Senhor". O autor sacro antecipava aqui alguma espécie de manifestação visual. Ver no *Dicionário* acerca do *Misticismo*. Uma experiência mística é aquela em que uma pessoa entra em contato com algum poder superior, de tal modo que o ser humano pode dizer: "Tive uma experiência com a presença divina". Esse tipo de acontecimento era uma constante na vida de Abraão.

Alguns intérpretes supõem que os *dois* anjos prosseguiram até Sodoma, ao passo que *Yahweh,* em alguma forma visível, permaneceu para trás a fim de instruir Abraão.

A INTERCESSÃO DE ABRAÃO (18.23-33)

Ver no *Dicionário* os artigos *Intercessão* e *Oração*. Abraão dá-nos outro exemplo, nesta seção. Ele anelava que o juízo de Deus não caísse contra Sodoma e as outras cidades malignas da área. O seu argumento diante de Yahweh era que eles deveriam ser poupados porque talvez se achassem ali algumas pessoas justas, ainda que em número muito reduzido. Por "amor a essas pessoas", ele esperava que aquelas cidades fossem poupadas da ira divina. Ver no *Dicionário* o verbete intitulado *Julgamento de Deus dos Homens Perdidos*. O *Pacto Abraâmico* (comentado em Gn 15.18) é uma provisão graciosa para todos os povos. Sodoma, pois, estava incluída nesse pacto. Podemos ter certeza de que Abraão era homem misericordioso e se preocupou com as pessoas que iam ser julgadas. Ele não ansiava somente pela segurança dos justos potenciais que poderiam ser apanhados pelo fogo. A misericórdia divina estava manifestando-se nele. Ele sentia as dores alheias. Homens ímpios não têm misericórdia pelo próximo. Os lobos matam qualquer membro da matilha que fique ferido. Mas os homens piedosos exibem misericórdia.

Várias verdades devem ser consideradas aqui:

1. Existem alvos universais no cristianismo, e destacam-se entre eles o amor e a misericórdia divina *para com todos*. O cristianismo não é uma fé exclusivista. Todos os homens são objetos do amor e do interesse de Deus, e não meramente o povo de Israel ou os seus eleitos.
2. Israel (ou a Igreja, dentro do contexto do Novo Testamento) existe para demonstrar o amor de Deus a outros, e não somente para tirar proveito exclusivo desse amor.
3. Os indivíduos são importantes. Deus teria poupado Sodoma e Gomorra por causa de alguns poucos indivíduos justos. As pessoas têm a capacidade de afetar a vida de muitas outras pessoas.
4. A presença de grandes males não deve embotar a nossa mente a ponto de não reagirmos nem nos esforçarmos para fazer *alguma* diferença onde nos achamos.
5. Devemos acreditar na bondade e também promovê-la, não permitindo que alguma atitude pessimista nos furte à nossa iniciativa.

18.23

וַיִּגַּשׁ אַבְרָהָם וַיֹּאמַר הַאַף תִּסְפֶּה צַדִּיק עִם־רָשָׁע:

Abraão Tomou a Iniciativa. Em outras oportunidades, quem se aproximava de Abraão era *Yahweh.* Mas dessa vez, Abraão foi quem tomou a iniciativa. Havia o senso da misericórdia em seu coração. Ele queria reverter um juízo divino, e veio equipado com argumentos. A oração intercessória consiste em tomar a iniciativa. Naturalmente, há um Deus misericordioso que está à nossa espera. Somos sempre bem acolhidos.

Destruirás o justo com o ímpio? Abraão tinha apenas um argumento, que ele pensava ser invencível: algumas poucas pessoas justas, que vivessem em Sodoma, poderiam fazer a ira divina desviar-se. O vs. 23 arma o palco para toda a intercessão. As coisas eram piores em Sodoma e Gomorra do que Abraão havia imaginado. Ele foi diminuindo o número de justos de cinquenta para 45, daí para quarenta, para trinta, para vinte e para dez. Mas mesmo assim, não podiam ser achadas dez pessoas justas em Sodoma. Billy Sunday foi um grande evangelista. Por onde ele levava suas campanhas, a taxa de criminalidade caía de modo significativo. As próprias forças policiais podiam ser reduzidas. Mas em *Chicago* não ocorreu a mesma coisa. Uma canção popular que entoa afetuosamente em honra a "Chicago, Chicago..." tem uma linha que diz: "Chicago, cidade que Billy Sunday não pôde fechar". Sodoma, pois, foi a Chicago de Abraão. Seus esforços evangelísticos não surtiram efeito ali. A corrupção havia tomado conta de tudo e de todos. Os homens dali nem ao menos se fingiam justos. "Temos aí o quadro das possibilidades corrosivas de um ambiente maligno. Aqueles que se acostumam com os métodos de uma sociedade má acabam por tornar-se maus. Que está acontecendo hoje em dia com pessoas que não protestam de modo eficaz contra os erros com que convivem todos os dias?" (Cuthbert A. Simpson, *in loc.*).

"O grande sacrifício de Cristo é uma *razão* infinita pela qual um pecador penitente deveria *esperar* encontrar misericórdia por aquilo que ele pleiteia" (Adam Clarke, *in loc.*).

18.24

אוּלַי יֵשׁ חֲמִשִּׁים צַדִּיקִם בְּתוֹךְ הָעִיר הַאַף תִּסְפֶּה וְלֹא־תִשָּׂא לַמָּקוֹם לְמַעַן חֲמִשִּׁים הַצַּדִּיקִם אֲשֶׁר בְּקִרְבָּהּ:

Os versículos que se seguem repetem as ideias do vs. 23, mas iniciando o possível número de pessoas justas, começando por cinquenta e terminando com dez (vs. 32). Abraão não sugeriu menos de dez justos. Talvez somente na casa de Ló houvesse mais do que dez pessoas, e essas seriam *tiradas* de Sodoma, antes de esta ser atingida pelo juízo divino. Os intérpretes dispensacionalistas veem nisso um símbolo do arrebatamento da Igreja, *antes* da Grande Tribulação. O argumento usado por Abraão era invencível. Por causa de um punhado de pessoas justas, Yahweh não mandaria seu juízo aniquilador. Mas nem mesmo esse pequeno número de justos pôde ser achado ali, e a ira divina não pôde ser evitada. É possível que o que salva o mundo de hoje, adiando o grande julgamento, seja a presença de *algumas* pessoas verdadeiramente justas. Por quanto tempo continuará essa situação?

Abraão Começou Humildemente (vs. 24). Cinquenta pessoas não é um grande número em uma cidade. Ló e seus familiares e servos talvez fossem mais do que cinquenta. No entanto, nem mesmo na casa de Ló havia tantos justos. Ló havia falhado. O próprio Ló era um homem justo (2Pe 2.8), mas ele não havia feito muita coisa para ajudar àqueles que com ele conviviam. E isso fazia violento contraste com o caso de Abraão, que cuidou dos que lhe pertenciam, segundo se vê em Gênesis 18.19.

Consideremos o Fracasso de Ló. Na região havia uma *pentápole* (cinco cidades), pelo que para serem achados cinquenta justos bastaria encontrar dez deles em cada cidade: Sodoma, Gomorra, Admá, Zeboim e Zoar.

18.25

חָלִלָה לְּךָ מֵעֲשֹׂת כַּדָּבָר הַזֶּה לְהָמִית צַדִּיק עִם־רָשָׁע וְהָיָה כַצַּדִּיק כָּרָשָׁע חָלִלָה לָּךְ הֲשֹׁפֵט כָּל־הָאָרֶץ לֹא יַעֲשֶׂה מִשְׁפָּט:

Longe de ti o fazeres tal cousa. Abraão tomou sobre si a tarefa de relembrar a Yahweh que ele é o justo Juiz de toda a terra, punindo os justos juntamente com os injustos. Um importante aspecto desse texto, que não deveria ser olvidado, é que está aqui em pauta um juízo temporal. Coisa alguma fica aqui entendida quanto ao juízo eterno das almas. Essa noção só veio a fazer parte explícita da teologia dos hebreus durante o período intertestamentário, o que começa a aparecer nos livros pseudepígrafos. Ver os artigos intitulados *Pseudepígrafos* e *Livros Apócrifos* na *Enciclopédia de Bíblia, Teologia e Filosofia.*

É encorajador pensar que os próprios juízos divinos temporais são retidos no caso dos justos, e que isso está em consonância com a bondade e a misericórdia de Deus, para as quais Abraão apelava. Naturalmente, essa consideração não contribui muito para dar solução ao problema do mal. Pois até os justos estão sujeitos a acidentes, a enfermidades, a desastres e à morte. Quanto a esse problema ver, no *Dicionário*, o verbete *Problema do Mal*.

Lições Evidentes: 1. O juízo divino visa a combater a iniquidade. 2. É útil interceder tanto pelos ímpios quanto pelos justos. 3. Deus pode preservar os ímpios do juízo por amor aos justos. 4. A justiça de Deus é perfeita, e não há equívocos. 5. A justiça exalta uma nação (Pv 14.34). Pessoas justas contribuem para que haja uma sociedade justa (Mt 5.13). 6. A misericórdia, a compaixão e o amor são virtudes cardeais que todos deveríamos exibir.

John Gill (*in loc.*) costumava ressaltar que, com frequência, nas calamidades naturais, os justos sofrem juntamente com os ímpios. Na dimensão eterna, entretanto, *haverá* a distinção entre justos e injustos. Todavia, nosso texto aponta para um julgamento temporal. A vontade de Deus é que determina as coisas.

O Juiz de Toda a Terra Age com Justiça. Abraão fez uma pergunta retórica, que equivale a uma afirmação. O Senhor é o Juiz. O Senhor é justo. Seus juízos são obrigatoriamente justos. Esse texto combate a ideia do *voluntarismo* (ver a respeito no *Dicionário*). Deus faz o que é direito porque ele mesmo é justo. Ele segue as mesmas leis que impõe aos homens. Ver no *Dicionário* o artigo intitulado *Atributos de Deus*. Em sua justiça, Deus não faz aquilo que ele ordena que os homens não façam.

Os deuses imaginários dos gregos faziam o que melhor lhes parecesse no momento, praticando coisas vergonhosas para um poder divino. Eles eram um poder para si mesmos e faziam o mal de forma poderosa. O Deus dos hebreus não se parecia com isso. Muitos têm declarado: "Poder é ter direito". Mas esse é um raciocínio corrompido. Antes, "o amor é direito". E o que é feito pelo amor, podemos estar certos, é verdadeiramente justo.

Justiça. John Gill tem um perceptivo comentário sobre esta palavra, neste ponto: "...com a palavra *justiça*, parece que Abraão não queria dar a entender uma justiça rigorosa e estrita, mas uma mistura de misericórdia com justiça... e a resposta dada pelo Senhor *concorda* com esse sentido". Achamos aqui uma justiça autêntica, *sempre* temperada com o amor de Deus. Justiça destituída da moderação do amor torna-se *justiça nua*. Mas a justiça de Deus não pertence a essa categoria, embora alguns intérpretes da Bíblia insistam em que essa é a justiça dele. O contrário da injustiça não é a justiça, e, sim, *o amor*.

Não Há Contradição Alguma. Não há nenhuma contradição entre os juízos (e a justiça) de Deus e o seu amor. O juízo divino é apenas o dedo da amorosa mão do Senhor. Seu julgamento é sempre remedial, e não apenas retributivo.

■ 18.26

וַיֹּאמֶר יְהוָה אִם־אֶמְצָא בִסְדֹם חֲמִשִּׁים צַדִּיקִם בְּתוֹךְ הָעִיר וְנָשָׂאתִי לְכָל־הַמָּקוֹם בַּעֲבוּרָם׃

Cinquenta Pessoas Justas. Yahweh não começa exigente. Sem dúvida haveria cinquenta pessoas que não se teriam corrompido em Sodoma. O colóquio que se segue é teórico. Nem Abraão nem Yahweh iriam até Sodoma para fazer uma contagem dos justos. E fica *entendido*, a cada vez em que o número de justos vai baixando, que tal investigação resultaria no fato de que aquele número específico de pessoas justas não poderia ser encontrado na cidade. No entanto, Yahweh começou por prometer que, se houvesse cinquenta pessoas justas em Sodoma, ele não imporia juízo contra a população toda que ali havia. O julgamento, pois, estava operando em combinação com a misericórdia (ver o vs. 25, nos últimos parágrafos de sua exposição).

■ 18.27

וַיַּעַן אַבְרָהָם וַיֹּאמַר הִנֵּה־נָא הוֹאַלְתִּי לְדַבֵּר אֶל־אֲדֹנָי וְאָנֹכִי עָפָר וָאֵפֶר׃

Abraão Foi Baixando o Número. Ele estava falando com Yahweh, o Deus Altíssimo, pelo que, muito apropriadamente, se humilhou, por ser ele apenas pó e cinzas. Ainda assim, Abraão mostrou-se ousado o bastante para tentar uma barganha. E prontamente diminuiu o número de justos de cinquenta para 45, que ele esperava resolveria a questão. Nenhuma investigação empírica foi feita. Fica entendido, porém, cada vez que o número baixava mais, que *se entendia* que nem mesmo tal número de pessoas justas poderia ser encontrado em Sodoma, *se fosse iniciada uma contagem*. Deus não precisa investigar a fim de ficar sabendo. Ele está acima do empirismo.

Pó e Cinzas. A condição aviltada do homem tem sido plenamente demonstrada na história. Quão facilmente o homem é reduzido a nada. A arqueologia vai descendo camada após camada, em suas investigações, e vai encontrando sucessivas civilizações perdidas e esquecidas. Praticamente ninguém ao menos sabe qual era o nome de seu bisavô. As guerras, as fomes e as pragas varrem da terra civilizações inteiras, e algumas poucas gerações mais tarde, ninguém mais liga para o acontecido. Não faz muito tempo, uma súbita inundação atingiu certo Estado dos Estados Unidos da América. E alguns cemitérios foram danificados. Alguns esquifes de bronze tinham sido manufaturados mais de cem anos atrás. Longe dali, foi encontrado um desses esquifes, flutuando em um rio. As pessoas que o acharam o abriram, movidas pela curiosidade. Continha uma jovem, muito bem preservada. Ela era bonita, e seus longos cabelos lhe encobriam parcialmente o corpo. Porém, quem era ela? Algum dia, no passado não muito distante, pessoas devem ter lamentado amargamente a morte daquela jovem. Mas, agora, quem poderia dizer quem ela era? Na parte ocidental da América do Norte a mineração atraiu muita gente para certas regiões. As massas humanas se locomoveram. Estradas de ferro ligaram cidades. Mas a mineração acabou diminuindo de intensidade ou tornou-se cara demais. Minas foram fechadas. Cidades-fantasmas foi tudo quanto restou. As linhas férreas deixaram de funcionar. Toda uma grande atividade humana virou poeira.

Além disso, há as vidas espirituais, que não passam de pó, mesmo quando o homem físico foi arrogante e materialmente próspero. Sodoma era uma cidade cheia de vida e de vícios, que quase nunca cessava em sua bulha. Espiritualmente, porém, era um deserto, cheia de poeira e de ossos secos de mortos.

O calvinismo tem enfatizado muito como o homem não passa de um verme. Abraão reconhecia isso. Contudo, não devemos esquecer o outro lado da moeda. Aos olhos de Deus, Abraão era homem de gigantesca estatura espiritual, pois, de outro modo, Yahweh não se teria perturbado em manter aquele colóquio com ele. Abraão foi um gigante espiritual, uma figura criativa, a outra parte do Pacto Abraâmico, um homem ao qual o próprio Deus dava crédito, a cujas orações e anelos ele dava atenção.

Quando alguém é sepultado, então o pregador ou padre diz: "O pó volta ao pó, a cinza às cinzas", tomando por empréstimo as palavras deste versículo. E assim, realmente, sucede. Por outro lado, há o espírito eterno, que sobrevive diante de tudo isso. Ver no *Dicionário* o artigo intitulado *Alma*.

O homem foi feito do pó da terra (Gn 1.26 e 2.7). Ao morrer, seu corpo volta a ser o que era antes. Mas isso diz respeito somente ao corpo físico do homem. O seu espírito volta para Deus, que o tinha dado (Ec 12.7).

■ 18.28

אוּלַי יַחְסְרוּן חֲמִשִּׁים הַצַּדִּיקִם חֲמִשָּׁה הֲתַשְׁחִית בַּחֲמִשָּׁה אֶת־כָּל־הָעִיר וַיֹּאמֶר לֹא אַשְׁחִית אִם־אֶמְצָא שָׁם אַרְבָּעִים וַחֲמִשָּׁה׃

Na hipótese de faltarem cinco. Abraão, ao refletir, receou que não poderiam ser achados cinquenta justos em Sodoma e nas cidades vizinhas (Pentápole). E assim, tratou de diminuir o número de justos. Nenhuma investigação foi feita. Mas simplesmente sabia-se que, se houvesse uma inquirição, não seriam achados *tantos* justos ali. Mas logo o número é de novo baixado, de 45 para quarenta. A iniquidade dos sodomitas ia ficando assim cada vez mais patente. O mal havia tomado conta de tudo. Nenhuma família da cidade tinha escapado. O próprio Ló não tinha cumprido o seu dever para com os seus familiares, pois, se eles e os seus escravos fossem todos contados, provavelmente o número deles chegaria a cinquenta.

■ 18.29

וַיֹּסֶף עוֹד לְדַבֵּר אֵלָיו וַיֹּאמַר אוּלַי יִמָּצְאוּן שָׁם אַרְבָּעִים וַיֹּאמֶר לֹא אֶעֱשֶׂה בַּעֲבוּר הָאַרְבָּעִים׃

Quarenta. Abraão não desistia. Sempre será cedo demais para desistir. A misericórdia deveria estender-se ao máximo. Os esforços não devem ser abandonados. Abraão continuava crendo que em Sodoma haveria ao menos uma pequena ponta de justiça. Albert Schweitzer trabalhou em meio à miséria humana do continente africano, mas nunca perdeu a fé na bondade. Nunca se queixou sobre a miséria, mas manteve a confiança de que *ele* poderia fazer *alguma coisa* para fazer a balança inclinar-se na direção do bem. Talvez ele pudesse fazer *um pouco* para alterar toda aquela miséria humana. Asseverou ele: "Tenho confiança no poder da verdade e do espírito. Acredito no futuro da humanidade" (*Out of My Life and Thought*, págs. 280,281). Os que quiserem salvar almas terão de manter uma atitude de otimismo. A derrota no íntimo é a melhor garantia para a derrota externa. A *persistência* é um dos mais necessários fatores do sucesso.

■ 18.30

וַיֹּאמֶר אַל־נָא יִחַר לַאדֹנָי וַאֲדַבְּרָה אוּלַי יִמָּצְאוּן שָׁם שְׁלֹשִׁים וַיֹּאמֶר לֹא אֶעֱשֶׂה אִם־אֶמְצָא שָׁם שְׁלֹשִׁים׃

Não se ire o Senhor. Ao baixar o número de justos possíveis de quarenta para trinta, Abraão temeu que Yahweh poderia perder a paciência e irar-se com ele. Atribuir emoções ao Ser divino é chamado, na teologia, de *antropopatismo*. Forneci um artigo sobre essa questão no *Dicionário*. Como é óbvio, o antropopatismo é uma subcategoria do *antropomorfismo*, que atribui qualidades ou defeitos humanos a Deus. Ver também sobre esse assunto no *Dicionário*. Os estudiosos ultraconservadores nada veem de errado com o antropopatismo, mas o autor sacro, não há que duvidar, estava fazendo uma concessão diante da compreensão *humana* neste ponto. Yahweh não se irou, e concordou que trinta justos seria um número aceitável.

■ 18.31

וַיֹּאמֶר הִנֵּה־נָא הוֹאַלְתִּי לְדַבֵּר אֶל־אֲדֹנָי אוּלַי יִמָּצְאוּן שָׁם עֶשְׂרִים וַיֹּאמֶר לֹא אַשְׁחִית בַּעֲבוּר הָעֶשְׂרִים׃

Abraão Mostra-se Atrevido. Ele tinha tomado sobre si mesmo a tarefa de falar com o próprio Yahweh, o que não é nenhum empreendimento de pouca monta. Ele já estava em águas profundas, mas persistiu. Agora ele atrevia-se a baixar mais ainda o número de possíveis justos. Não desistiria de suas tentativas, apesar da grande audácia que elas continham. Cf. o vs. 27, onde Abraão demonstrou humildade ao atirar-se a tão hercúlea tarefa. Yahweh, todavia, não se mostrou ofendido diante do atrevimento de Abraão, e concordou em torno do número de vinte justos.

■ 18.32

וַיֹּאמֶר אַל־נָא יִחַר לַאדֹנָי וַאֲדַבְּרָה אַךְ־הַפַּעַם אוּלַי יִמָּצְאוּן שָׁם עֲשָׂרָה וַיֹּאמֶר לֹא אַשְׁחִית בַּעֲבוּר הָעֲשָׂרָה׃

Não se ire o Senhor. Ver as notas sobre o vs. 30, quanto à esperada explosão de ira do Senhor. Agora, porém, Abraão chegava ao fim de sua intercessão. O número de justos foi baixado para um ridículo dez. Antigos intérpretes judeus supõem aqui que Abraão tinha boas razões para esperar encontrar esses dez entre os familiares de Ló. Sem dúvida, entre seus familiares e seus escravos, poderiam ser achadas dez pessoas razoavelmente justas. A narrativa, porém, é interrompida, sem dizer-nos o resultado de uma suposta investigação. Mas o capítulo 19 fornece-nos a resposta. Yahweh não permitiu que Sodoma escapasse ao castigo. Antes, as poucas pessoas razoavelmente retas foram removidas da cidade, deixando ali, como é presumível, somente as pessoas pecaminosas, para receberem o merecido castigo. Nesse caso, a intercessão de Abraão foi um *completo sucesso*, embora não da maneira exata como ele havia planejado. E assim sucede, com frequência, com a vontade de Deus. Pensamos que certa coisa tem de ser feita de certo modo, mas ignoramos a soberana vontade de Deus. Ele pode responder às nossas petições, mas de uma maneira inesperada e melhor. E, de outras vezes, ele não responde às nossas preces, porque isso é melhor para nós. Seja como for, há evidências esmagadoras em favor da suposição de que Deus responde às nossas orações, e que a oração é, realmente, eficaz. Todas as pessoas que trilham pela vereda espiritual recebem provas disso. Ver no *Dicionário* os verbetes *Oração* e *Intercessão*.

Dez Pessoas. De acordo com as leis do judaísmo posterior, já podiam formar uma congregação ou sinagoga, pelo que eles diziam que, onde houvesse dez pessoas justas, a localidade seria salva por amor a elas. Os irmãos dispensacionalistas veem no relato o arrebatamento da Igreja, antecipado em símbolo. O juízo caiu sobre Sodoma, mas "primeiro foi tirado" um pequeno remanescente.

■ 18.33

וַיֵּלֶךְ יְהוָה כַּאֲשֶׁר כִּלָּה לְדַבֵּר אֶל־אַבְרָהָם וְאַבְרָהָם שָׁב לִמְקֹמוֹ׃

Fim do Bendito Colóquio. "É grande e maravilhosa a condescendência de Deus ao comungar com uma mera criatura humana; e é um ato soberano o tempo em que Deus continua a assim fazer. Sempre devemos esperar a comunhão com o Senhor nesta vida. Mas ele comunga conosco por algum tempo, e então afasta-se, prosseguindo o seu caminho. Ver Jeremias 14.8". Uma definição simples do *misticismo* é o contato ou a comunhão com o poder divino. Ver o *Dicionário* quanto a uma discussão sobre o *Misticismo*.

O Targum sobre este versículo é pitoresco: "A glória do Senhor levantou-se", como uma bendita nuvem da presença divina, para então desaparecer. O Senhor seguiu o seu caminho. E que homem sabe como ou para onde? E Abraão retornou à sua tenda, em Manre.

CAPÍTULO DEZENOVE

DESTRUIÇÃO DE SODOMA E GOMORRA (19.1-29)

Yahweh é o nome divino usado até o vs. 29 deste capítulo 19, pelo que os críticos pensam que a fonte *J* é a base desta passagem, e que a fonte *P (S)* começa a partir daquele versículo. Ver sobre a teoria das fontes informativas *J.E.D.P.(S.)* no *Dicionário*.

Os eruditos falam de uma classe muito diversificada de histórias que seguem de perto o relato bíblico da destruição de uma cidade. Essas histórias aludem a uma cidade antes existente nas vizinhanças do mar Morto, provavelmente em sua extremidade sul. Os arqueólogos ainda não conseguiram descobrir o sítio de Sodoma e Gomorra, pelo que os estudiosos pensam que o local antigo jaz sob as águas daquele mar. Nesse caso, há algo de moralmente apropriado nisso tudo. Não somente o fogo e o enxofre consumiram aquelas cidades malignas, a Pentápole (Sodoma, Gomorra, Admá, Zeboim e Zoar), mas também as águas vieram e cobriram toda aquela vergonha para sempre. Os detalhes da narrativa parecem confirmar que a causa da conflagração foi uma erupção vulcânica, e que isso ocorreu em um momento oportuno. Há estudos que demonstram que a natureza age contra os que abusam, e há teorias sobre como isso opera. A boa moral, de modo bem definido, serve de proteção contra os desastres. E também, de modo bem definido, a imoralidade pode atrair tais desastres. Pode haver ou não alguma forma de intervenção divina direta. O livro de Gênesis parece indicar que o mar Morto só veio à existência *após* a destruição de Sodoma e das outras cidades (Gn 13.10; 14.3,10). Apesar disso não ser uma verdade geológica, é possível que uma imensa erupção vulcânica possa ter alterado as dimensões, a extensão e a profundidade do mar Morto, inaugurando assim uma espécie de novo começo.

A bancarrota moral da civilização cananeia desde há muito vinha provocando a ira de Deus. E, finalmente, esgotou-se a paciência de Deus. Agora a tarefa consistia somente em retirar dali Ló e seus familiares. Haveria poucos sobreviventes, como quase sempre ocorre durante tais calamidades. Ló era um cidadão reto, hospitaleiro e generoso (ver os vss. 2 e 3), mas estava irremediavelmente perdido em Sodoma. Era um homem justo, mas estava deslocado (2Pe 2.7,8). Mas Deus podia tirá-lo dali, e foi o que Deus fez. Ló tinha preocupações financeiras. Ele preferiu ganhar dinheiro negociando com os cidadãos de Sodoma do que criar vacas e ovelhas nas colinas (Gn 13.10,11). Agora ele tinha propriedades em Sodoma e se tornara homem próspero. E, por muito tempo, vinha dando mais valor aos bens materiais do que às riquezas espirituais. Como quase todas as pessoas religiosas, ele era um hipócrita. Sua palavra não significava muito em Sodoma (Gn 19.14). Era homem moral, mas tolerava o homossexualismo ao seu redor. Ele reconhecia o mal quando deparava com ele, mas dispunha-se a sacrificar a virtude de suas próprias filhas (vs.

8). Seu coração estava em Sodoma, pelo que Deus precisou arrancá-lo de Sodoma, e uma parte de sua vida precisou morrer. Sua esposa estava por demais presa a Sodoma para poder escapar com vida. E assim, ela pereceu quando ainda não estava longe da cidade. Ló pagou um preço altíssimo. Uma das dificuldades que cerca o pecado é que *raramente* podemos pecar sozinhos. Sempre arrastamos outras pessoas em nossa insensatez. Ló pensava que podia desfrutar tempos aprazíveis em Sodoma, e continuar sendo um homem espiritual. Ele foi um homem espiritual que perdeu a batalha contra o mundo. Para que Deus pudesse tirar Sodoma do coração de Ló, ele precisou tirar Ló de Sodoma.

A HOSPITALIDADE DE LÓ (19.1-3)

■ 19.1

וַיָּבֹאוּ שְׁנֵי הַמַּלְאָכִים סְדֹמָה בָּעֶרֶב וְלוֹט יֹשֵׁב בְּשַׁעַר־סְדֹם וַיַּרְא־לוֹט וַיָּקָם לִקְרָאתָם וַיִּשְׁתַּחוּ אַפַּיִם אָרְצָה׃

Ver no *Dicionário* o artigo intitulado *Hospitalidade*. As histórias de Abraão e Ló ilustram vários aspectos da antiga hospitalidade oriental. Podemos ver a ansiedade de Abraão por entreter estranhos (Gn 18.2 ss.); e Ló agiu da mesma forma, conforme nos mostra este versículo.

Os dois anjos. Evidentemente são dois dos três *homens,* mencionados em Gênesis 18.2. Agora o número era *dois,* em lugar de *três,* porquanto *Yahweh,* um dos três, não havia prosseguido até Sodoma, depois de seu encontro com Abraão (Gn 18.33). Quanto às várias interpretações que existem sobre esses "homens", e sobre o singular (Yahweh) intercambiado com o plural (os três), ver as notas em Gênesis 18.1. O capítulo 18 não chama nenhum desses seres de *anjos*. Ver no *Dicionário* o verbete *anjo*.

Ló Estava à Entrada da Cidade. Provavelmente isso quer dizer que agora ele era um dos juízes de Sodoma, homem dotado de autoridade e prestígio. Ele tinha posição e dinheiro, e, assim sendo, tolerava os grandes males da cidade. Ver as notas introdutórias sobre Gênesis 19.1, acima. O *portão* de uma cidade era o lugar onde se faziam deliberações e julgamentos. Estando ali, ele se encontrava em posição de ver a passagem de estranhos, o que explica o incidente que ocorreu. Ver no *Dicionário* o verbete chamado *Portão,* em sua segunda seção. Ele levantou-se para ir ao encontro dos anjos e *prostrou-se* à moda tipicamente oriental. Ver Gênesis 18.2 quanto a uma descrição similar do que sucedeu a Abraão, ao tratar com os mesmos seres.

■ 19.2

וַיֹּאמֶר הִנֶּה נָּא־אֲדֹנַי סוּרוּ נָא אֶל־בֵּית עַבְדְּכֶם וְלִינוּ וְרַחֲצוּ רַגְלֵיכֶם וְהִשְׁכַּמְתֶּם וַהֲלַכְתֶּם לְדַרְכְּכֶם וַיֹּאמְרוּ לֹּא כִּי בָרְחוֹב נָלִין׃

Vinde para a casa... pernoitai nela. Ló, tal como Abraão, insistiu em que aqueles homens se aproveitassem de sua hospitalidade. O versículo é paralelo a Gênesis 18.3,4, onde há notas que se aplicam aqui, sobre a questão do lava-pés. Algumas vezes, pessoas acolhem anjos sem terem consciência disso, mas ser bondoso para com estranhos fazia parte essencial da hospitalidade oriental. Eles foram convidados a pernoitar na casa de Ló, partindo somente na manhã seguinte, para que a viagem deles se efetuasse sem nenhum empecilho. Ló não queria atrapalhá-los. Gênesis 18.4 contém uma atitude similar. Ver também Lucas 7.44.

Na praça. Algumas versões dizem aqui "na rua", que é menos provável. Está em pauta um espaço aberto, como em Juízes 19.15,20. No clima quente, não haveria grande problema em passar a noite ao ar livre, o que era comum entre os andarilhos. Naquele tempo, as hospedarias eram raras, pelo que os viajantes se cuidavam o melhor possível, armando suas tendas portáteis em locais convenientes, a menos que alguém os abrigasse em sua casa.

A relutância inicial dos dois homens em aceitar o convite de Ló provavelmente deveu-se à polidez tipicamente oriental. Seja como for, eles tinham vindo para *investigar a cidade,* e a casa de Ló era um bom lugar por onde começar.

■ 19.3

וַיִּפְצַר־בָּם מְאֹד וַיָּסֻרוּ אֵלָיו וַיָּבֹאוּ אֶל־בֵּיתוֹ וַיַּעַשׂ לָהֶם מִשְׁתֶּה וּמַצּוֹת אָפָה וַיֹּאכֵלוּ׃

Ló Mostrou-se Insistente. Ló era homem generoso, um bom termômetro para aquilatar a espiritualidade de uma pessoa. O amor é a maior lei e o maior princípio moral que existe. Ver no *Dicionário* o artigo intitulado *Amor.* Ló preparou um banquete para eles, o que tem paralelo em Gênesis 18.5-8, onde a questão é exposta de forma mais elaborada e onde são anotados elementos que também aparecem neste versículo.

Pães asmos. No hebraico, *bolos finos,* sem fermento, como aqueles que foram determinados para a Páscoa. Podiam ser preparados rapidamente, tendo a vantagem de ser uma *refeição ligeira.* Ver 1Samuel 28.24 quanto a algo parecido.

"...um entretenimento generoso e liberal, conforme tinha feito Abraão, que consistia em comestíveis e bebidas" (John Gill, *in loc.*). Mas não é mencionado vinho, embora esse artigo usualmente fizesse parte de tais banquetes. Talvez Ló tivesse pensado que vinho era impróprio para seres celestiais, pelo que o autor não menciona esse artigo.

Eles comeram. Como pode um anjo comer? E como o Senhor ressurreto comeu? (Ver Jo 21.13 ss.). Disseram alguns intérpretes judeus: "Eles só fingiram que comeram". Por outra parte, devemos lembrar que, naquele período remoto, os anjos não eram concebidos como seres imateriais, mas somente como seres de ordem superior e de maiores habilidades que os homens. Não sendo eles imateriais, por que não haveriam de comer? Cf. Gênesis 18.8.

O PECADO DE SODOMA (19.4-11)

■ 19.4

טֶרֶם יִשְׁכָּבוּ וְאַנְשֵׁי הָעִיר אַנְשֵׁי סְדֹם נָסַבּוּ עַל־הַבַּיִת מִנַּעַר וְעַד־זָקֵן כָּל־הָעָם מִקָּצֶה׃

Antes que se deitassem. Os pervertidos sodomitas apressaram-se em reclamar outras vítimas de suas paixões desnaturais. Eram despudorados e incansáveis. O vício do homossexualismo tomara conta do lugar. O autor sacro dá-nos a horrenda informação de que eram homens velhos e jovens, vindos de todas as partes da cidade. Ver no *Dicionário* o artigo chamado *Sodoma.* Dou um detalhado artigo sobre o *Homossexualismo* na *Enciclopédia de Bíblia, Teologia e Filosofia.* As estatísticas modernas acerca desse vício são modestas em comparação com o que deve ter prevalecido em Sodoma. Somente cerca de 5% da população é realmente homossexual, ou seja, fazem sexo *somente* com membros de seu sexo. Mas os bissexuais atingem a taxa impressionante de 20% da população em geral. Daí a propagação rápida, que ninguém consegue fazer estacar, da AIDS, em nossos dias. No Brasil, a cidade de Santos é um triste exemplo disso. Mais da metade das prostitutas daquela cidade já está contaminada. Em alguns países africanos, mais da metade da população já apresentou a doença. Se essa doença tivesse existido em Sodoma, virtualmente a população inteira estaria infectada. Mas quase a população inteira estava infectada pela enfermidade pior ainda da corrupção da própria alma.

Cercaram a casa. A violação homossexual é um dos mais hediondos de todos os crimes. A população inteira de Sodoma era criminosa. Ver as notas sobre Gênesis 13.13 quanto à extensão da iniquidade dos sodomitas. Yahweh observou tudo com profundo desgosto. Mas não estava distante um ressonante fim de tudo aquilo, efetuado pelos próprios "homens" que agora eram buscados como vítimas.

■ 19.5

וַיִּקְרְאוּ אֶל־לוֹט וַיֹּאמְרוּ לוֹ אַיֵּה הָאֲנָשִׁים אֲשֶׁר־בָּאוּ אֵלֶיךָ הַלָּיְלָה הוֹצִיאֵם אֵלֵינוּ וְנֵדְעָה אֹתָם׃

E chamaram. Era o clamor de terror nas trevas da noite. Aqueles homens bestiais realizariam a sua violência sexual, se necessário. Ló estava incapacitado de lhes oferecer resistência. Teria sido um ato desumano, e não apenas uma quebra da hospitalidade, sacrificar os dois homens à multidão. Mas que poderia ele fazer agora? Os sodomitas eram o supremo exemplo de total depravação. Ver o artigo intitulado

Depravação, no *Dicionário*. Eles declararam desavergonhadamente as suas intenções. Ver Isaías 3.9.

Para que abusemos deles. Algumas traduções dizem algo como "para que os conheçamos", um eufemismo para o ato sexual, usado por várias vezes nas Escrituras. Ver Gênesis 4.1,17,25. Até hoje o termo *sodomia* refere-se ao homossexualismo. Nos Estados Unidos da América e em outros países, esse pecado também é chamado de "o pecado grego", pois, ultimamente, um número surpreendente de gregos entregou-se a essa corrupção.

■ **19.6**

וַיֵּצֵא אֲלֵהֶם לוֹט הַפֶּתְחָה וְהַדֶּלֶת סָגַר אַחֲרָיו:

Ló Fechou Sua Porta. Ou a da sua casa ou a do portão que dava para a rua. Mas portas não servem de obstáculo a criminosos resolutos. Ló não pensava que fechar a porta servisse de proteção. Ele só queria um pouco de tempo para barganhar. E ofereceu um horrendo negócio. Ele entregaria suas duas filhas para serem sacrificadas à multidão (vs. 8). Mas *Ló fechou a porta errada*. Desde há muito ele deveria ter fechado a porta para Sodoma, afastando-se daquele lugar. Hoje em dia, a Igreja vê-se invadida pelo mal da música tipo rock, sem nenhum freio, com suas chamadas palavras cristãs acerca de drogas e de sexo. Mas a porta da Igreja deveria ter sido fechada para essas coisas, e várias outras, faz muito tempo. Agora, Sodoma penetrou na Igreja, fazendo parte da apostasia prevista na Bíblia (2Ts 2.3). Assim sendo, há uma apostasia vinda de fora, e há outra apostasia, vinda de dentro.

■ **19.7**

וַיֹּאמֶר אַל־נָא אַחַי תָּרֵעוּ:

Meus irmãos. Devemos dar atenção a esse tratamento. Ló chamou "irmãos" àqueles homens bestiais. Muitos deles, sem dúvida, eram conhecidos pessoalmente por ele. Eram seus "amigos e vizinhos". Ló descendia da linhagem de Sem; os sodomitas, da linhagem de Cão. Ló não estava apelando para a ideia de origem racial, mas para a ideia de proximidade, vizinhança. Ele esperava que seus vizinhos e irmãos mudassem de atitude. Quanto à fé religiosa, eles não eram "irmãos". Eles seguiam uma religião idólatra, e Ló havia transigido, residindo em Sodoma. Cf. 1Reis 9.13, onde o termo "irmão" é usado acerca de uma relação mais distante, dentro de uma comunidade.

Não façais mal. Ló era capaz de reconhecer o pecado, quando o via. Aqueles homens nem ao menos possuíam essa percepção. A consciência deles havia perdido todo poder. Em lugar da consciência, tinham um irrefreável pendor para a corrupção. Aquilo que pomos em prática não demora a assenhorear-se de nós. Nossas práticas pecaminosas acabam por dominar-nos. Assim, os apelos patéticos de Ló aos sodomitas foram um desperdício. Eles agiriam como tinham desejado fazer. Ele era diferente deles no coração, mas nem por isso era respeitado.

■ **19.8**

הִנֵּה־נָא לִי שְׁתֵּי בָנוֹת אֲשֶׁר לֹא־יָדְעוּ אִישׁ אוֹצִיאָה־נָּא אֶתְהֶן אֲלֵיכֶם וַעֲשׂוּ לָהֶן כַּטּוֹב בְּעֵינֵיכֶם רַק לָאֲנָשִׁים הָאֵל אַל־תַּעֲשׂוּ דָבָר כִּי־עַל־כֵּן בָּאוּ בְּצֵל קֹרָתִי:

Tenho duas filhas. Ló ainda tentou aquela repelente barganha. Duas filhas donzelas seriam entregues à multidão de feras pervertidas, *se* esquecessem suas más intenções no tocante aos *homens*. Ellicott (*in loc*.) opinava que essa *proposta* não deve ter sido encarada, naquele tempo da história, com tanto horror como sentimos hoje; e frisou o trecho de Juízes 19.24 como prova disso. Mas outros eruditos pensam que a questão é "abominável". Ambrósio afirmava que Ló apenas queria substituir o pecado pior por um pecado menor. Crisóstomo comentou sobre como Ló estava na obrigação de proteger os homens e as suas filhas, "até os limites de suas forças". Mas ninguém diz como Ló poderia ter saído daquele dilema, sem a ajuda divina. Algumas vezes, somente uma intervenção divina pode solucionar os nossos problemas. Benditas são essas intervenções, quando elas ocorrem!

Ló havia amealhado propositadamente as suas riquezas em Sodoma. Sentia-se preso à cidade. Tinha negligenciado os valores morais, mas agora estava preso a uma armadilha. Fazia anos que ele tinha aberto as portas de sua casa à corrupção, e agora estava pagando o preço por isso. Podemos confrontar isso com a rendição de Sara, por parte de Abraão, ao harém de Faraó (Gn 12.11-20). E Isaque fez outro tanto, mais tarde (Gn 26.7-11). Em todos os três incidentes, estava em pauta uma questão de vida ou morte. Para nós parece fácil julgá-los, mas seria difícil melhorar nossa atitude, sob as mesmas circunstâncias. Seja como for, o texto reflete uma atitude inferior acerca da mulher. Na época, as mulheres eram pouco mais do que quinquilharias de seus maridos.

Como podemos reconciliar esse versículo com 2Pedro 2.7,8, que chama Ló de homem justo? Até mesmo homens justos, especialmente aqueles que têm comprometido suas convicções, caem em ardis dos quais, depois, não conseguem desvencilhar-se.

■ **19.9**

וַיֹּאמְרוּ גֶּשׁ־הָלְאָה וַיֹּאמְרוּ הָאֶחָד בָּא־לָגוּר וַיִּשְׁפֹּט שָׁפוֹט עַתָּה נָרַע לְךָ מֵהֶם וַיִּפְצְרוּ בָאִישׁ בְּלוֹט מְאֹד וַיִּגְּשׁוּ לִשְׁבֹּר הַדָּלֶת:

Retira-te daí. Eles rejeitaram a barganha oferecida por Ló. De fato, ele não estava em posição de barganhar. Agora, abusariam de Ló e de suas filhas, e não somente dos dois homens. Que Deus nos livre de indivíduos malignos e destituídos de razão! (2Ts 3.2).

Ló, o Estrangeiro. Na verdade, Ló não era natural de Sodoma. Tão somente, ele tinha parado ali. Ele se tornara um dos *juízes* da cidade; mas quem precisava dele? Ele estava brincando de ser juiz e de dizer-lhes o que deveriam fazer ou não fazer. Eram meras palavras. Os sodomitas eram homens de ação, e coisa alguma os faria parar. "Os apelos de Ló em favor da justiça (vs. 7) foram desperdiçados" (Allen P. Ross, *in loc*.). A iniquidade dos sodomitas tinha sido igualada, o tempo todo, pela hipocrisia e pela transigência de Ló. Suas palavras agora nada significavam. Os *cidadãos* poderiam fazer o que bem quisessem. E o *estrangeiro* teria de manter-se longe deles e ficar quieto.

Ló, Objeto da Indignação de Todos. Visto que Ló tinha ousado abrir a boca, para apresentar sua estúpida defesa, agora ele seria punido pela sua imprudência. Sofreria um ataque homossexual, e haveriam de deixá-lo meio morto, em piores condições em que deixariam os dois "homens".

"Na antiguidade os direitos dos cidadãos não eram ciosamente guardados, e a situação dos forasteiros era muito periclitante" (Ellicott, *in loc*.).

Os sodomitas abafaram Ló com suas ameaças de violência, com insultos, maldições e imprecações. Era o dia do juízo. Entrementes, a terra estava preparada para o seu ataque. A lava estava fervendo, os gases estavam prestes a explodir. A terra rugiria muito mais alto do que aquelas bestas humanas, e isso poria fim a toda aquela miserável pecaminosidade.

■ **19.10**

וַיִּשְׁלְחוּ הָאֲנָשִׁים אֶת־יָדָם וַיָּבִיאוּ אֶת־לוֹט אֲלֵיהֶם הַבָּיְתָה וְאֶת־הַדֶּלֶת סָגָרוּ:

A Ajuda Divina. Ló estava fazendo tudo quanto podia, mas apenas estava interferindo nos planos da maldade. E foi arredado de sua posição de defesa, que era inútil. Ele tinha fechado a sua porta, mas agora precisava de alguém dotado de poder muito maior, para que aquela ameaça turbulenta fosse removida. Assim, os dois homens impediram que Ló entregasse suas filhas à turba, e não permitiram a entrada de nenhum sodomita. As coisas funcionam quando Deus abre ou fecha as portas.

■ **19.11**

וְאֶת־הָאֲנָשִׁים אֲשֶׁר־פֶּתַח הַבַּיִת הִכּוּ בַּסַּנְוֵרִים מִקָּטֹן וְעַד־גָּדוֹל וַיִּלְאוּ לִמְצֹא הַפָּתַח:

A Intervenção Divina. Por causa dessa intervenção, a ameaça foi neutralizada. A cegueira imposta deixou aqueles homens animalescos a tatear nas trevas. Não desistiram de imediato de suas más intenções, mas agora não tinham como realizar o que desejavam. Todas as pessoas que seguem pela vereda espiritual sabem o que são as intervenções divinas. E também sabem que, normalmente, Deus nos permite experimentar nossas próprias ideias e capacidades, para vermos que nada podemos fazer. Mas quando as coisas tornam-se impossíveis de ser manuseadas por nós, então o poder divino intervém a fim de remediar a situação, ou criar situações inteiramente novas. Este versículo apresenta-nos o estranho quadro de homens cegados pelo pecado, a tatear em meio à noite de sua degradação. Plenos de energia e propósito quando se tratava de coisas erradas, foram subitamente reduzidos a zero, conforme está destinado que aconteça a todo tipo de maldade.

Alguns intérpretes judeus pensam que Deus enviou uma capa de trevas e terror, que envolveu aqueles homens iníquos, e não que seus olhos físicos foram afetados. Mas essa opinião apela para a fantasia. Não há que duvidar de que aquela cegueira física também tenha causado perturbações mentais. Aqueles que até momentos antes mostravam-se tão arrogantes, agora estavam reduzidos a uns coitados. Ver o relato em 2Reis 6.18 quanto a uma cena similar. Somente aqui e ali temos a utilização de certa palavra hebraica, aqui traduzida por "feriram de cegueira".

AS CIDADES SÃO DESTRUÍDAS (19.12-28)

O ataque contra os anjos (homens) ao que parece só ocorreu no começo da noite. O vs. 15 mostra que os anjos só começaram a executar o seu plano de destruição ao amanhecer. Os vss. 27 e 28 dão a entender que a destruição ocupou tempo considerável, atingindo seu ponto culminante pela manhã. É impossível fazermos declarações absolutas sobre o elemento tempo envolvido. Os críticos veem contradições nas afirmações sobre o tempo, supondo que mais de uma fonte informativa teria sido entretecida. Os vss. 18-22 são patéticos. Parece que Ló desistiu de viver na cidade. Mas rogou pela permissão de residir na "pequena" cidade de Zoar. Esta ficava no extremo sul do mar Morto, uma área que acabou completamente devastada. Não há informações sobre como e por que ela escapou.

A narrativa que passa a ser aqui contada tem incendiado a imaginação dos hebreus. Com frequência ela foi repetida ou aludida (Dt 29.23; Is 1.9; 13.19; Jr 49.18; 50.30; Am 4.11; Sf 2.9). Sodoma e Gomorra também são mencionadas por muitas vezes, a fim de ilustrar uma espantosa iniquidade, e como ninguém deveria ousar seguir o exemplo negativo dos sodomitas (Dt 32.32; Is 1.10; 3.9; Jr 23.14; Is 3.9; 4.6; Ez 16.46-55). No trecho de Deuteronômio 29.23 são mencionadas Admá e Zeboim, juntamente com Sodoma e Gomorra, e em Oseias 11.8 Admá e Zeboim são mencionadas sozinhas. Detalhes como esses, e a insistente repetição, demonstram como um evento real deixara impressões duradouras. Jesus lembrou o evento a pessoas de seus dias (Mt 10.15; 11.23 e Lc 17.32).

19.12

וַיֹּאמְרוּ הָאֲנָשִׁים אֶל־לוֹט עֹד מִי־לְךָ פֹה חָתָן וּבָנֶיךָ וּבְנֹתֶיךָ וְכֹל אֲשֶׁר־לְךָ בָּעִיר הוֹצֵא מִן־הַמָּקוֹם:

A lava já borbulhava no interior da terra. Os grandes bolsões de gás estavam prestes a explodir. O momento fatal estava muito próximo. A ameaça enchia o ar. Os anjos queriam que primeiro *saíssem* todos os familiares de Ló, pelo que apertaram com este para que se apressasse. Não havia tempo para diálogos. Até mesmo seus futuros genros deveriam ser poupados, por causa dessa relação de parentesco com ele. A ordem dos anjos foi: "...faze-os sair deste lugar". Esses genros eram "noivos" das filhas de Ló, porquanto elas são chamadas "virgens" no vs. 8. Ou, então, Ló tinha outras filhas, e os detalhes da história estão um tanto confusos. O vs. 14 subentende que esses genros potenciais não escaparam, porque não acreditaram nas palavras de Ló sobre o cataclismo iminente, uma previsão fantástica do ponto de vista deles.

As pessoas foram poupadas, mas Ló não achou meios para salvar seus bens, acumulados tão trabalhosamente e por tanto tempo. A *razão* pela qual Ló escolhera Sodoma como seu lar, por motivos de *vantagens financeiras,* mostrou assim ser uma razão totalmente absurda. De chofre, ele perdeu tudo, por causa daquela anterior decisão errada. "À semelhança de tantos outros homens desde então, ele ficou sabendo que suas escolhas anteriores, que ele tinha julgado serem espertas, na verdade lhe haviam chamuscado a consciência, e que agora estava pagando caro por elas. Não há garantia de uma responsabilidade parcial diante de um ato errado" (Cuthbert A. Simpson, *in loc.*).

19.13

כִּי־מַשְׁחִתִים אֲנַחְנוּ אֶת־הַמָּקוֹם הַזֶּה כִּי־גָדְלָה צַעֲקָתָם אֶת־פְּנֵי יְהוָה וַיְשַׁלְּחֵנוּ יְהוָה לְשַׁחֲתָהּ:

Três Fatores. Os dois "homens" eram agentes da destruição; o *clamor* da iniquidade requeria uma imediata destruição (cf. o vs. 18.20, onde a questão é anotada). *Yahweh* enviara-os em uma missão de destruição. Ver no *Dicionário* o artigo *Julgamento de Deus dos Homens Perdidos.*

19.14

וַיֵּצֵא לוֹט וַיְדַבֵּר אֶל־חֲתָנָיו לֹקְחֵי בְנֹתָיו וַיֹּאמֶר קוּמוּ צְּאוּ מִן־הַמָּקוֹם הַזֶּה כִּי־מַשְׁחִית יְהוָה אֶת־הָעִיר וַיְהִי כִמְצַחֵק בְּעֵינֵי חֲתָנָיו:

Os Avisos de Ló Resultam em Nada. Ló, tendo transigido com Sodoma, não tinha muita autoridade em sua própria casa. Seus genros potenciais riram-se diante da piada engraçada dele, acerca de uma iminente destruição da cidade. Ló tinha falado sobre o *Senhor*. Sua conversação era piedosa, mas sua vida não era muito piedosa. Ele tinha perdido a força da influência. Portanto, seus avisos foram ignorados. Uma das histórias mais tristes ocorre quando, a um pai que não ensinou devidamente seus filhos, vem um momento de crise, quando os homens precisam de espiritualidade, e eles são vencidos no campo de batalha. Um pai deve três coisas a seus filhos: *Exemplo, exemplo, exemplo.* Se Ló tivesse dado bom exemplo aos seus familiares, seus genros potenciais teriam dado ouvidos a seus avisos. E, se não o ouvissem, então pelo menos isso não teria sido falha de Ló. "...sendo-lhe o Senhor misericordioso..." (vs. 16) são palavras que mostram a conclusão da questão. Ló obteve mais do que merecia da parte do favor divino, mas na grande hora da crise, apesar de seus frenéticos esforços, ele não conseguiu o respeito de todos ao seu redor.

19.15

וּכְמוֹ הַשַּׁחַר עָלָה וַיָּאִיצוּ הַמַּלְאָכִים בְּלוֹט לֵאמֹר קוּם קַח אֶת־אִשְׁתְּךָ וְאֶת־שְׁתֵּי בְנֹתֶיךָ הַנִּמְצָאֹת פֶּן־תִּסָּפֶה בַּעֲוֹן הָעִיר:

Ao amanhecer. Chegara a hora crítica. Agora a destruição viria prontamente, pois, quando Abraão levantou-se bem cedo e olhou na direção de Sodoma, ele viu a fumaça do cataclismo (Gn 19.27,28). A alvorada tinha começado e parecia que outro dia, como qualquer outro, tinha começado e terminaria normalmente. Subitamente, porém, em meio a gigantescas explosões, aquele foi o último dia para muita gente daquela região.

Ló tinha contado com a noite inteira para preparar-se para escapar. Em visita a seus genros potenciais, ele pregara uma mensagem de destruição. Ele era um profeta da condenação, mas pouquíssimos deram ouvidos às suas palavras.

Alguns eruditos pensam que as *duas filhas* deste versículo são diferentes das duas filhas do vs. 14, as quais seriam mulheres casadas e, ao que parece, pereceram junto com seus maridos incrédulos. Realmente, é difícil decidir qual a verdade da questão.

19.16

וַיִּתְמַהְמָהּ וַיַּחֲזִקוּ הָאֲנָשִׁים בְּיָדוֹ וּבְיַד־אִשְׁתּוֹ וּבְיַד שְׁתֵּי בְנֹתָיו בְּחֶמְלַת יְהוָה עָלָיו וַיֹּצִאֻהוּ וַיַּנִּחֻהוּ מִחוּץ לָעִיר:

Ló Foi Forçado a Sair de Sodoma. Ló titubeou na hora da crise. Ele esperava que teria um pouco mais de tempo para preparar-se e entrar em ação. Foi mister que os anjos agarrassem a ele e à sua esposa, pela mão, para forçá-los a sair de Sodoma. O autor sacro atribuiu certa razão para esse ato dos anjos: o Senhor mostrou-se misericordioso. Todos nós, ocasionalmente, dependemos da pura misericórdia de Deus. Tragédias são revertidas; julgamentos são suspensos. Seja como for, todos os *juízos* de Deus são temperados com o amor e a graça, pois não existe a *justiça nua,* que opera sem o concurso do amor. O juízo é um dedo da amorosa mão divina. Esse princípio foi bem ilustrado e comentado nas notas sobre Gênesis 18.23 ss., onde Abraão é pintado a barganhar com Yahweh, na esperança de evitar a destruição de Sodoma, em razão da existência de pessoas justas ali, embora tal número fosse ridiculamente pequeno. Ver especialmente as notas sobre o vs. 25.

"Ló continuava agarrado às suas riquezas, e não podia resolver se partiria dali, e assim, finalmente, os anjos tomaram-no pela mão e compeliram-no a desistir da cidade condenada" (Ellicott, *in loc.*). John Gill (*in loc.*) sugeriu que Ló pode ter-se demorado por estar orando por Sodoma, conforme Abraão também o fizera. Mas naquele instante a oração era inútil.

■ 19.17

וַיְהִי כְהוֹצִיאָם אֹתָם הַחוּצָה וַיֹּאמֶר הִמָּלֵט עַל־נַפְשֶׁךָ אַל־תַּבִּיט אַחֲרֶיךָ וְאַל־תַּעֲמֹד בְּכָל־הַכִּכָּר הָהָרָה הִמָּלֵט פֶּן־תִּסָּפֶה:

Salva a tua vida; não olhes para trás. As palavras eram urgentes, pois a situação era crítica. Não havia tempo para lamentações e para saudades do passado. Coisas dessa ordem só poderiam impedir a fuga para a segurança. *Ele não devia parar na campina*, pois a erupção vulcânica afetaria a área inteira, muito mais do que apenas as cidades da Pentápole (ver as notas sobre Gn 18.24). Tudo quanto um homem tem dará pela sua vida. Há ocasiões em que a única coisa que importa é continuar vivendo. De repente, Ló viu-se dentro de uma dessas ocasiões.

Não olhes para trás. Temos aqui uma lição moral. Uma correta dedicação pode significar, algumas vezes, um total abandono "ao que vier de beneficente", que poderia ser conquistado *se* não dedicássemos nossa vida ao princípio espiritual. Jesus prometeu que os que assim o fizerem serão grandemente galardoados, tanto nesta vida quanto na vindoura. Lucas 18.29,30.

Foge para o monte. Era o mesmo monte para onde os reis de Sodoma e Gomorra tinham fugido, após a batalha contra reis vindos do oriente (Gn 14.10).

■ 19.18

וַיֹּאמֶר לוֹט אֲלֵהֶם אַל־נָא אֲדֹנָי:

Assim não, Senhor meu! Temos aqui um breve versículo, mas prenhe de significado. Ló, embora em perigo de perder a vida, continuava lutando para ser um habitante da cidade. Ele não podia tolerar a ideia de lutar pela sobrevivência no monte solitário que dominava a região. Podemos pensar que, uma vez, a misericórdia divina o beneficiou. Foi-lhe concedido o que desejava. Ou, talvez, a questão fosse indiferente, e Ló tivesse feito uma escolha legítima. Seja como for, os intérpretes sorriem diante deste versículo. Ló, correndo um perigo mortal, ainda assim teve a coragem de disputar com o anjo do Senhor. Ló antecipava perigos no monte (vs. 19), depois de ter tido de enfrentar tantos perigos.

Senhor meu! O singular causa aqui algum problema. Mas podemos imaginar que Ló falava somente com um dos anjos, ou que o outro se tinha afastado. O autor sagrado não estava dando muita atenção a tais detalhes. Não é provável que *Yahweh* tivesse voltado à cena, depois de haver sido originalmente um dos três "homens" (Gn 18.33 em combinação com Gn 19.1).

Senhor. No hebraico temos aqui *Adon*, forma singular de *Adonai*. Ver as notas sobre Gênesis 15.2 acerca desse nome divino.

■ 19.19

הִנֵּה־נָא מָצָא עַבְדְּךָ חֵן בְּעֵינֶיךָ וַתַּגְדֵּל חַסְדְּךָ אֲשֶׁר עָשִׂיתָ עִמָּדִי לְהַחֲיוֹת אֶת־נַפְשִׁי וְאָנֹכִי לֹא אוּכַל לְהִמָּלֵט הָהָרָה פֶּן־תִּדְבָּקַנִי הָרָעָה וָמַתִּי:

Graça e Misericórdia. Ver no *Dicionário* sobre ambos esses assuntos. Ló reconheceu que não merecia os atos de bondade que lhe tinham sido feitos. Ver o vs. 16. A misericórdia do Senhor tinha poupado a sua vida. E assim agora Ló desejava depender pesadamente dessa *mesma misericórdia*, a fim de obter um pequeno favor.

Não posso escapar no monte. Alguns eruditos têm pensado que o problema de Ló era que ele pensava que não seria capaz de chegar até o monte, pois a erupção vulcânica poderia envolvê-lo antes que ele chegasse a uma distância segura. Outros supõem que ele esperava encontrar algum perigo oculto nas colinas, de tal modo que, depois de ter escapado da conflagração, acabaria vítima de alguma *outra* desgraça. Fosse como fosse, ele estava demais cansado para ir muito adiante, e queria interromper a fuga o mais cedo possível. Ou, então, queria, de algum modo, reiniciar a vida citadina que antes tivera. Não queria ser um criador de gado, em grandes espaços vazios.

■ 19.20

הִנֵּה־נָא הָעִיר הַזֹּאת קְרֹבָה לָנוּס שָׁמָּה וְהִיא מִצְעָר אִמָּלְטָה נָּא שָׁמָּה הֲלֹא מִצְעָר הִוא וּתְחִי נַפְשִׁי:

Uma cidade... pequena. A cidade em questão era Zoar (vs. 22), antes conhecida como Belá (Gn 14.2). Ofereço verbetes no *Dicionário* sobre ambos esses locais. Uma pequena cidade como aquela não deveria ser viciada como Sodoma. Ló poderia ter ali um novo começo. Parece que Zoar ficava localizada no extremo sul do mar Morto, uma região representada como completamente devastada pela conflagração (vs. 25). Os críticos pensam que isso reflete uma adição posterior à história original, que colocou uma cidade onde ela não poderia estar. Por outra parte, não há como sabermos até onde se espalhou a explosão vulcânica, e quais lugares exatos foram atingidos ou não. Os desastres naturais geralmente atingem e poupam de maneira totalmente inesperada. O vs. 21 dá-nos uma razão divina: Deus poupou o lugar. *Zoar* quer dizer "pequena", e seu nome provavelmente refletia as pequenas dimensões da cidade. Meu artigo sobre o assunto explora as várias localizações possíveis que têm sido sugeridas, além de vários outros detalhes relativos a esta passagem e a outras, onde Zoar é mencionada.

Um Pequeno Pedido. Esse pedido de Ló reveste-se de grande interesse humano. Quão frequentemente pedimos do Senhor alguma "coisa pequena", algum minúsculo item, muito importante para nós, embora, talvez, não tenha uma importância real. O anjo cedeu diante do desejo expresso por Ló. Assim também o Senhor dá-nos aquelas pequenas coisas por tanto desejadas, embora elas não façam grande diferença para nossa felicidade ou bem-estar. Isso faz parte da misericórdia e do amor de Deus, pois ele trata conosco como seus *filhos*.

■ 19.21

וַיֹּאמֶר אֵלָיו הִנֵּה נָשָׂאתִי פָנֶיךָ גַּם לַדָּבָר הַזֶּה לְבִלְתִּי הָפְכִּי אֶת־הָעִיר אֲשֶׁר דִּבַּרְתָּ:

Quanto a isso estou de acordo. No hebraico temos uma frase pitoresca: "ergui o teu rosto", dando a entender a ideia de aprovação. O rosto do anjo refletiu-se sobre a fisionomia de Ló, visando ao seu bem. John Gill (*in loc.*) disse que achamos aqui uma reverberação de um costume antigo: "...ergui o *teu* rosto... aludindo ao costume dos países orientais onde as pessoas, ao chegarem à presença de algum superior, costumavam prostrar-se rosto em terra; e então como sinal de *terem sido aceitas*... era-lhes ordenado que erguessem o rosto, pondo-se de pé diante de seus superiores".

■ 19.22

מַהֵר הִמָּלֵט שָׁמָּה כִּי לֹא אוּכַל לַעֲשׂוֹת דָּבָר עַד־בֹּאֲךָ שָׁמָּה עַל־כֵּן קָרָא שֵׁם־הָעִיר צוֹעַר:

Nada posso fazer, enquanto não tiveres chegado lá. Consideremos o poder da oração intercessória. Até aquele poderoso anjo do Senhor não estava autorizado a exercer o seu poder enquanto Ló não estivesse em segurança. Somente então ele poderia espalhar a destruição, executando assim a tarefa do julgamento divino.

As orações de Abraão mostravam-se altamente eficazes. Sodoma e outras cidades foram completamente devastadas. Mas o poder destrutivo não pôde tocar em Ló. Somente depois de ele haver chegado a Zoar é que a destruição se completou.

Tinha indagado Abraão, em Gênesis 18.25: "Não fará justiça o Juiz de toda a terra?" Parte dessa justiça consistiu em poupar Ló, embora ele mesmo não merecesse o livramento (Gn 19.16). Mas a dignidade de Abraão lançou uma capa de proteção sobre Ló e seus familiares, embora os seus bens materiais se tivessem perdido. Ele não conseguiu escapar totalmente ileso, antes, sofreu perdas.

Zoar. O lugarejo tornou-se um memorial do livramento de Ló. Ele residiu nessa "cidade pequena" por um breve período de tempo. Não foi aquela a sua mudança derradeira, porém. Ver o vs. 30. Viriam outras; mas por enquanto ele desfrutava a bênção do Senhor em seu novo lar.

■ 19.23

הַשֶּׁמֶשׁ יָצָא עַל־הָאָרֶץ וְלוֹט בָּא צֹעֲרָה׃

Ló Entrou em Zoar ao Romper o Dia. Isso não significa que ele chegou ali exatamente ao alvorecer. Logo, este versículo não contradiz o vs. 27, que mostra Abraão a olhar na direção de Sodoma, que fumegava "de madrugada". Tudo o que precisamos pensar é que a destruição de Sodoma ocorreu cedo pela manhã, e que, enquanto ainda era bem cedo, Ló conseguiu chegar em Zoar. Não sabemos dizer, porém, que distância havia entre Sodoma e Zoar. Os intérpretes judeus expunham vários cálculos, como 3 km, 6 km ou 8 km. Nesse caso, não há nenhum problema acerca dos horários dados ao longo da passagem.

Era uma bela manhã. O sol surgira no horizonte; o céu estava sem nuvens. Mas o juízo divino apanhara os habitantes de Sodoma inteiramente de surpresa. A maioria deles morreu na cama, antes de terem tempo de reagir. Para eles, a bela manhã trouxe morte súbita em suas asas; mas para Ló trouxe um notável livramento.

A DESTRUIÇÃO DE SODOMA E GOMORRA (19.24-38)

■ 19.24

וַיהוָה הִמְטִיר עַל־סְדֹם וְעַל־עֲמֹרָה גָּפְרִית וָאֵשׁ מֵאֵת יְהוָה מִן־הַשָּׁמָיִם׃

Enxofre e fogo, da parte do Senhor. Não há como dizer com exatidão o que aconteceu em Sodoma; mas reproduzo abaixo algumas opiniões dos estudiosos:

1. A ocorrência foi completa e absolutamente sobrenatural. Deus, a causa da intervenção, enviou fogo e enxofre sobre uma dada área, como se tivesse soltado uma bomba atômica divina ali. Não devemos ver aqui causas meramente sobrenaturais.
2. O evento foi *controlado,* quanto à sua *cronologia,* por Deus, a causa. Mas o Senhor utilizou-se de elementos naturais, como uma erupção vulcânica, a explosão dos poços de piche (por razões desconhecidas) etc.
3. O acontecimento, na realidade, foi natural, mas os autores que registraram a memória do acontecido *atribuíram-lhe* uma causa divina. É usual que os homens atribuam causas divinas a desastres naturais. Até as apólices de seguro falam sobre *atos de Deus* quando aludem a incêndios, inundações e outras calamidades naturais. Naturalmente, toda variedade de cristãos assume que Deus pode estar por trás de desastres naturais, que podem tornar-se maneiras de castigar pessoas pecaminosas, sejam indivíduos, sejam comunidades, ou mesmo nações inteiras.

   Sabemos que naquela região do mundo havia terremotos frequentes e alguma atividade vulcânica. A lava escaldante naturalmente dava início a incêndios secundários nos poços naturais de betume que existem na região. Assim sendo, havia fogo vindo de cima e fogo vindo de baixo. O enxofre e o salitre até hoje são produtos químicos naturais encontradiços nas margens do mar Morto.
4. O evento foi uma calamidade natural, mas *provocada* pela vontade divina, que fez acontecer exatamente o que aconteceu. Há evidências de que até a *psique humana coletiva* pode provocar desastres naturais, pois a terra reage diante dessas forças, em sentido positivo ou negativo. Há uma *ressonância* entre a mente humana e a natureza. Quanto mais, pois, a mente divina é capaz de provocar acontecimentos naturais.

Fogo e Enxofre. Esses elementos químicos são usados metaforicamente para indicar qualquer tipo de julgamento. Isaías 24.9; 30.33; Apocalipse 14.10; 19.20; 20.10; 21.8. Ver também Deuteronômio 29.23; Jó 18.15; Oseias 11.6 e Ezequiel 38.22.

Gomorra. Na presente narrativa, esta é a primeira vez em que essa cidade é mencionada. Ela já havia sido referida em Gênesis, fora desta conexão (Gn 10.19; 14.2 ss.). Já havia sido predito o juízo divino contra ela (Gn 13.10). Por várias vezes, noutros trechos bíblicos, Gomorra é referida como cidade que sofreu a grande destruição, juntamente com Sodoma (Dt 29.23; Is 13.19; Jr 23.14; 50.40; Mt 10.15; 2Pe 2.6; Jd 7). No *Dicionário* há um verbete detalhado sobre *Gomorra.*

O Senhor. Ou seja, *Yahweh,* associado aos dois anjos no tocante a este incidente (Gn 18.33 em confronto com Gn 19.1). Alguns estudiosos pensam que nessa palavra vemos o reflexo de uma aparição veterotestamentária do Logos, ou Filho de Deus, pelo que também pensam estar subentendida a triunidade, quando essa palavra aparece. Mas essa interpretação é um exagerado refinamento do texto.

■ 19.25

וַיַּהֲפֹךְ אֶת־הֶעָרִים הָאֵל וְאֵת כָּל־הַכִּכָּר וְאֵת כָּל־יֹשְׁבֵי הֶעָרִים וְצֶמַח הָאֲדָמָה׃

E subverteu aquelas cidades, como também a região inteira, de maneira tal que qualquer coisa que crescia no solo ou qualquer pessoa não poderia ter sobrevivido à calamidade. O versículo aponta para a destruição *absolutamente completa,* com a notável exceção de Ló e seus familiares. Mas embora tão completa, a destruição não atingiu Zoar, porque para ali Ló havia fugido (vs. 22). Isso posto, o julgamento de Deus é ao mesmo tempo completo e seletivo, dependendo de quem é justo e de quem não o é, e dependendo da influência ou não da oração. Por isso, indagamos por que alguns dentre o povo de Deus caem juntamente com este mundo corrupto, e chegam a atrair o juízo divino. Por que esses não fogem de uma sociedade ímpia? A corrupção externa, a bem da verdade, *apela* para a corrupção interior, e a perversão continua oculta na alma até mesmo das melhores pessoas.

Aquelas cidades. Isto é, a *Pentápole* (Gn 18.24), excetuando Zoar. Estrabão mencionou que naquela área tinha havido antes treze cidades, o que é bem possível. A Bíblia enfoca sua atenção sobre quatro delas, talvez as principais. Alguns estudiosos supõem que agora essa área esteja sob as águas mais rasas da ponta sul do mar Morto.

■ 19.26

וַתַּבֵּט אִשְׁתּוֹ מֵאַחֲרָיו וַתְּהִי נְצִיב מֶלַח׃

Estátua de sal. Uma pessoa sobrevivente acabou perecendo, a saber, a esposa de Ló. Ela continuava afagando Sodoma em seu coração, pelo que a sorte de Sodoma acabou por afetá-la. Esse acontecimento tornou-se proverbial, pois os homens costumavam dizer: "Lembrai-vos da mulher de Ló", quando advertiam outros a tirar Sodoma de seus corações, a fim de evitar um julgamento desnecessário. O trecho de Lucas 17.32 mostra-nos que esse provérbio continuava em uso nos dias de Jesus. Os críticos supõem que as estranhas formações de sal da região *sugeriram* ao autor do Gênesis a perda de um dos membros da família de Ló, ao transformar-se em uma coluna de sal. Isso teria dado ao relato outro efeito dramático. Mais provavelmente, uma ou mais pessoas que fugiam da área podem ter sido apanhadas pela calamidade que se espalhava, e o corpo delas transfigurou-se em formações estranhas. Entre essas, a esposa de Ló também foi apanhada. Mas também é possível que o caso dela tenha sido único.

A Mortífera Olhada para Trás. Com quanta facilidade os pecados e vícios anteriores retornam para capturar de novo suas vítimas impotentes! Existem emaranhados persistentes. As consequências do erro apegam-se às pessoas culpadas. Pessoas inocentes acabam sendo corrompidas. Olhando para trás, as pessoas tornam-se filhas do inferno mais do que já o eram por causa de seus lapsos. Essas circunstâncias foram pintadas metaforicamente pela fatal olhada para trás da esposa de Ló. O lar dela estava lá; seus bens materiais estavam lá; seus amigos estavam lá; seus prazeres estavam lá. Mas agora, *à frente* dela, só havia o deserto. Seus olhos volveram-se para trás; ela hesitou, e assim, pereceu.

A esposa de Ló não apenas se tinha *acostumado* com Sodoma. Ela amava aquele lugar. Não é fácil romper com um vício do passado. Os homens chegam a amar os seus pecados. Algumas pessoas insistem em olhar para seus erros passados. Ficam paralisadas de tanto se lamentarem. As coisas passadas adquirem um certo lustre conforme avançamos pelo futuro. Esse *lustre* pode chamar-nos de volta, quando o melhor para nós é precisamente onde nos achamos. Seja feita a vontade do Senhor!

A Estátua de Sal Os eruditos perdem seu tempo tentando explicar o que sucedeu exatamente à mulher de Ló. Nenhuma teoria científica foi apresentada, e nem alguém sabe deveras o que sucedeu. Alguns deles lançam a culpa sobre Deus: ele a teria transformado literalmente em sal, por decreto divino, em face de seu lapso. Outros veem no acontecido um fenômeno natural, mas tentam em vão explicar o seu *modus operandi*. Algumas vezes é fútil tentar descobrir as razões das coisas; e assim dizendo, julgo que esse é o caso do presente versículo. Os críticos, por sua vez, não acham dificuldade alguma. Eles simplesmente dizem que o episódio é lendário. Isso é ofensivo para os estudiosos conservadores, os quais tentam achar explicações diversas. Adam Clarke gasta uma página inteira de duas colunas sobre a questão. Disse John Gill (*in loc.*): "...uma coluna de sal — ela morreu instantaneamente, ou diretamente pela mão de Deus, ou pela chuva de enxofre e fogo; e o corpo dela foi transformado em uma substância metálica, uma espécie de sal, dura e durável, conforme disse Plínio, uma substância cortada das rochas, com a qual casas eram construídas". Josefo (com toda a seriedade) afirmou que a coluna particular de sal em que fora transmutada a esposa de Ló ainda podia ser vista em seus dias! (*Antiq.* 1.1 c. 11 sec. 4). Outros escritores, como Irineu e Tertuliano (e mais tarde, vários turistas importantes), passaram adiante a mesma incrível história, dizendo até mesmo onde essa coluna estava localizada. John Gill preparou uma coluna inteira de comentários, relatando tais crônicas, acompanhadas até de documentação!

Ellicott escreveu que *cones de sal* são comuns naquela área, e a Expedição Americana encontrou uma dessas colunas com doze metros de altura, perto de Usdum.

■ 19.27

וַיַּשְׁכֵּ֧ם אַבְרָהָ֛ם בַּבֹּ֖קֶר אֶל־הַמָּק֑וֹם אֲשֶׁר־עָ֥מַד שָׁ֖ם אֶת־פְּנֵ֥י יְהוָֽה׃

De madrugada. Abraão levantou-se para seu usual momento de devoção e adoração. Ele precisou caminhar por uma boa distância até o seu altar, pelo que se levantou bem cedo. Ou talvez o *lugar* referido seja aquele mencionado em Gênesis 18.22, o lugar onde ele tinha conversado com *Yahweh* acerca do iminente julgamento de Sodoma e Gomorra. O lugar tornara-se sagrado. Dali, ele podia avistar toda a campina do rio Jordão. Provavelmente, ficou surpreso e chocado ao ver a fumaça subindo. O juízo divino tinha sobrevindo! Teria falhado a sua intercessão? Ele não sabia o que tinha acontecido, visto que sua barganha com Yahweh ficara indecisa. Sim, Deus tinha feito uma provisão adequada para o livramento de Ló e seus familiares, mas Abraão ainda não sabia disso. Seu coração, pois, afundou de tanta preocupação. Mas logo Deus viria tratar de seu coração confrangido. A narrativa permite-nos imaginar a conclusão. Não nos é informado como Abraão foi ao encontro de Ló e como o idoso patriarca sentiu-se aliviado ao perceber que seu sobrinho tinha escapado e as suas orações tinham sido respondidas.

A devoção de Abraão tinha lançado uma capa protetora em redor de Ló. Isso envolve uma grande lição espiritual, porquanto a misericórdia e o amor de Deus são mais poderosos que a destruição e o julgamento!

■ 19.28

וַיַּשְׁקֵ֗ף עַל־פְּנֵ֤י סְדֹם֙ וַעֲמֹרָ֔ה וְעַֽל־כָּל־פְּנֵ֖י אֶ֣רֶץ הַכִּכָּ֑ר וַיַּ֗רְא וְהִנֵּ֤ה עָלָה֙ קִיטֹ֣ר הָאָ֔רֶץ כְּקִיטֹ֖ר הַכִּבְשָֽׁן׃

Ver o vs. 24 e suas notas quanto a teorias sobre a natureza do desastre que atingiu Sodoma, Gomorra e outras cidades da campina. Ver também sobre o vs. 25, que adiciona detalhes, bem como a identificação das cidades destruídas. Este versículo somente acrescenta uma nota sobre a intensidade do fogo, que era como "a fumarada de uma fornalha". Cf. Apocalipse 19.3. As muitas referências ao evento, em tempos posteriores, servem de testemunho quanto à natureza temível daquilo que sucedeu. Trata-se de um acontecimento histórico que nunca foi esquecido, e também é significativo que a *razão* para o fato também nunca foi esquecida. Tão grande iniquidade (Gn 13.13) não poderia ficar sem castigo severo. Ver as notas do vs. 24 quanto a referências sobre esse evento.

■ 19.29

וַיְהִ֗י בְּשַׁחֵ֤ת אֱלֹהִים֙ אֶת־עָרֵ֣י הַכִּכָּ֔ר וַיִּזְכֹּ֥ר אֱלֹהִ֖ים אֶת־אַבְרָהָ֑ם וַיְשַׁלַּ֤ח אֶת־לוֹט֙ מִתּ֣וֹךְ הַהֲפֵכָ֔ה בַּהֲפֹךְ֙ אֶת־הֶ֣עָרִ֔ים אֲשֶׁר־יָשַׁ֥ב בָּהֵ֖ן לֽוֹט׃

Este versículo repete dados que já tinham sido vistos e comentados em outros versículos. Lembra-nos que Ló foi livrado devido à *intercessão* de Abraão, o que foi descrito com riqueza de pormenores a partir de Gênesis 18.23. Isso mostra que as orações de Abraão foram respondidas, embora não exatamente como ele tinha desejado (que a destruição fosse totalmente evitada); mas em essência os "justos" (Ló e sua família) foram livrados dessa destruição. Ver no *Dicionário* o verbete chamado *Intercessão*. Ver também sobre *Oração*.

ORIGEM DE MOABE E DE AMOM (19.30-38)

Yahweh continuaria a ser o nome divino utilizado nesta seção, pelo que os críticos supõem que a fonte informativa seria J. Ver no *Dicionário* a teoria das fontes informativas múltiplas, chamada J.E.D.P.(S.).

O propósito principal desta seção é dar-nos alguma informação sobre origens. Aqui aprendemos que os moabitas e amonitas descendiam de Ló mediante um relacionamento incestuoso que ele teve com suas próprias filhas, devido a um período de embriaguez da parte dele. Ele teve sua participação na maldade. Sodoma continuava morando em seu coração, embora tivessem sido livrados daquele lugar pela misericórdia divina. Alguns eruditos pensam que o desastre que feriu Sodoma e as cidades próximas foi tão grande que chegou a ser comparável com o dilúvio, guardadas as devidas proporções. Pelo menos, quanto àquela pequena região do globo, foi um cataclismo realmente devastador. De fato, foi de tão grande alcance que as filhas de Ló sentiram que não poderiam conseguir marido, pelo que tiveram de usar seu próprio pai para perpetuar a raça.

Talvez outra finalidade desta seção tenha sido mostrar por que, posteriormente, houve tanta inimizade entre Israel, por um lado, e Moabe e Amom, por outro. Quanto a esse particular, ver Deuteronômio 32.31,32, onde lemos que esses povos eram agora tidos como *inimigos*. Fica implícito, embora não declarado, que o *incesto* (ver no *Dicionário*) era uma prática comum entre os povos daquela área. Sem dúvida, fazia parte da estrutura social de Sodoma e Gomorra. O próprio Abraão tinha-se casado com sua meia-irmã, Sara! Assim sendo, por que ficaríamos surpresos se outra forma de incesto também era comum (Gn 20.12)?

Alguns intérpretes supõem que o fato de os nomes das filhas de Ló não serem dados indica que ele, e não elas, tenha sido o iniciador de toda a triste história, embora isso não seja revelado no texto sagrado. Outros pensam que o detalhe da embriaguez de Ló não foi histórico, mas apenas uma invenção para encobrir o pecado dele. É difícil ver por que as pessoas pensam estar desculpadas de seus erros, somente por estes serem praticados estando elas sob o efeito (propositado) de bebidas alcoólicas. Universalmente, as pessoas conhecem o poder do álcool para perverter a conduta de uma pessoa. Portanto, ficar embriagado por si mesmo já consiste em um erro sério; e assim, como isso poderia servir de justificativa para a prática de outros males consequentes?

■ 19.30

וַיַּ֩עַל֩ ל֨וֹט מִצּ֜וֹעַר וַיֵּ֣שֶׁב בָּהָ֗ר וּשְׁתֵּ֤י בְנֹתָיו֙ עִמּ֔וֹ כִּ֣י יָרֵ֔א לָשֶׁ֖בֶת בְּצ֑וֹעַר וַיֵּ֙שֶׁב֙ בַּמְּעָרָ֔ה ה֖וּא וּשְׁתֵּ֥י בְנֹתָֽיו׃

Ló Abandona Zoar. Antes ele tinha desejado muito ir para aquela localidade, sendo ela uma cidade *pequena* (ver os vss. 19 ss.). Isso lhe fora concedido pelo anjo, com o resultado de que Zoar, embora estivesse na mesma área geral das outras cidades, não foi destruída. O texto não indica por quanto tempo Ló ficou em Zoar, nem *por que* ele partiu dali. Há muitas razões para as mudanças, como busca por uma melhor situação financeira, ou quando as pessoas não se sentem à vontade em um lugar, ou quando os vizinhos são implicantes, quando uma cidade tem sérias desvantagens etc. Fosse como fosse, Ló resolveu tentar a sorte nas montanhas (que antes ele tinha procurado evitar criteriosamente, vs. 30) e acabou indo residir em uma caverna. Não há que duvidar de que estamos tratando com uma tradição muito antiga. Os críticos pensam que várias tradições foram alinhavadas, e que o nome de Ló acabou ligado a elas. De acordo com essa teoria, o Ló da caverna não seria o mesmo Ló de Sodoma, nem seria ele parente de Abraão. Mas essa interpretação tem por base apenas uma conjectura, não havendo como prová-la. Uma estranha torção dessa teoria é aquela que diz que Ló, que antes fora um homem rico, com muito gado e outros animais domésticos, e com uma família de muitos membros, com muitos servos para tomarem conta de sua casa, aparece aqui reduzido a somente ele e suas duas filhas; e, então, os três acabam habitando em uma caverna. Mas de fato, quão grande foi a queda de Ló, resultante de seu envolvimento com Sodoma!

"Que contraste com a *civilização progressiva* (Lc 17.28) da cidade de Sodoma, que ele tinha abandonado" (Allen P. Ross, *in loc.*). "Fora um erro, em primeiro lugar, não se ter ele refugiado no monte; e agora ele errava de novo, por ter ido para ali" (Adam Clarke, *in loc.*).

A região de solos calcários da Palestina é pontilhada de cavernas, pelo que foi fácil para Ló encontrar ali um abrigo. Mas consideremos o contraste. Não fazia muito tempo, Abraão e Ló estavam prestes a entrar em disputa por serem ambos tão ricos que a região não podia sustentar os seus rebanhos (Gn 13.8 ss.). E agora vemos Ló, com suas duas filhas, vivendo em uma caverna!

Alguns têm identificado o local com En-Gedi. Josefo (*Antiq.* 1.6 c. 13 sec. 4) afirma que era a mesma caverna onde Davi (séculos depois) abrigou-se com seus seiscentos homens, nos montes de En-Gedi. Ver 1Samuel 24.3. Outros também identificaram os dois lugares como um mesmo lugar, mas não há como investigar a questão.

■ 19.31

וַתֹּ֧אמֶר הַבְּכִירָ֛ה אֶל־הַצְּעִירָ֖ה אָבִ֣ינוּ זָקֵ֑ן וְאִ֣ישׁ אֵ֤ין בָּאָ֨רֶץ֙ לָב֣וֹא עָלֵ֔ינוּ כְּדֶ֖רֶךְ כָּל־הָאָֽרֶץ׃

Não há homem na terra. A destruição de Sodoma tinha aniquilado com a população de toda aquela região, ao ponto em que não havia candidatos a marido. Os maridos potenciais das duas mulheres tinham perecido na destruição de Sodoma e Gomorra (Gn 19.14).

Está velho. Talvez 65 anos de idade, conforme opinavam alguns intérpretes judeus.

Segundo o costume de toda terra. Um eufemismo para o sexo e a reprodução, mediante meios normais, marido e mulher. Esse *costume* estava perdido para elas, em face das circunstâncias. Isso posto, resolveram agir contra tal costume e inventar seu próprio método: incesto com seu idoso pai! Alguns intérpretes supõem que o relato tenha sido contado a princípio como um ato de *heroísmo* por parte das duas mulheres, porquanto fizeram o que lhes foi possível para dar a Ló uma posteridade. Isso talvez fosse a concepção popular dos povos descendentes do ato, mas não é o ponto de vista da Bíblia.

■ 19.32

לְכָ֨ה נַשְׁקֶ֧ה אֶת־אָבִ֛ינוּ יַ֖יִן וְנִשְׁכְּבָ֣ה עִמּ֑וֹ וּנְחַיֶּ֥ה מֵאָבִ֖ינוּ זָֽרַע׃

Álcool e Sexo. Quantas vezes essas duas coisas andam juntas, neste mundo ímpio. Dessa vez, porém, a situação era desesperadora. Duas filhas fazem seu idoso pai embebedar-se a fim de terem filhos por meio dele. Ló, sobrinho de Abraão, livrado fazia ainda pouco tempo de um temível julgamento, pela misericórdia de Deus, agora cooperou para ficar embriagado! Presume-se que isso reflita um hábito, e não um mero acidente. Sodoma continuava pulsando no coração de Ló e de suas duas filhas.

Elas tentaram justificar o ato com vistas a uma suposta boa finalidade. Era considerado, na antiguidade, uma grande calamidade quando um homem não deixava posteridade. Era bom ter posteridade, pelo que um meio escuso foi sancionado para produzir um "bom" resultado. Trata-se da velha história que diz: "Façamos males para que venham bens", que sempre será um princípio maligno. Não obstante, podemos estar certos de que Deus tinha um plano para os moabitas e os amonitas, pelo que, uma vez mais, a vontade divina utilizou-se de más circunstâncias para que daí resultasse o melhor possível. Mas isso não justifica os meios errados, embora magnifique a graça e o poder de Deus.

Não somos informados de onde veio o vinho. Não é provável que o tenham trazido de Sodoma. Mas podemos supor que Ló começara a praticar alguma forma de atividade agrícola.

■ 19.33

וַתַּשְׁקֶ֧יןָ אֶת־אֲבִיהֶ֛ן יַ֖יִן בַּלַּ֣יְלָה ה֑וּא וַתָּבֹ֤א הַבְּכִירָה֙ וַתִּשְׁכַּ֣ב אֶת־אָבִ֔יהָ וְלֹֽא־יָדַ֥ע בְּשִׁכְבָ֖הּ וּבְקוּמָֽהּ׃

O Ousado Plano Funcionou. Nem sempre é bom obter êxito. A primogênita de Ló conseguiu o que desejava. Não somos informados sobre como ela teve tanta "sorte" que ficou grávida logo na primeira tentativa; e como sua irmã mais nova teve igual sorte na noite seguinte. O autor sacro não se importou muito com tais detalhes e especulações. Talvez o que foi feito aqui tenha sido repetido, mas o autor fala somente sobre a tentativa bem-sucedida.

Ló é desculpado pelo autor sagrado. Ele não fazia ideia do que estava acontecendo. Mas ficou embriagado a propósito. Ele tinha vivido em Sodoma, e sabia o que o álcool pode fazer. Ver no *Dicionário* o verbete *Alcoolismo*. Na verdade, não houve participante inocente do caso. Talvez Ló estivesse de luto por sua esposa, triste pela perda de todos os seus bens. Era uma vítima fácil, sozinho naquela caverna. Sua vida espiritual havia degenerado em meio à sua degenerada situação. John Gill (*in loc.*) mostrou-se cru aqui: "ele estava morto de bêbado". Mas vendo uma mulher com ele na cama, deitou-se com ela. Talvez, em seu estupor alcoólico, possa ter imaginado estar com sua esposa.

■ 19.34

וַֽיְהִי֙ מִֽמָּחֳרָ֔ת וַתֹּ֤אמֶר הַבְּכִירָה֙ אֶל־הַצְּעִירָ֔ה הֵן־שָׁכַ֥בְתִּי אֶ֖מֶשׁ אֶת־אָבִ֑י נַשְׁקֶ֨נּוּ יַ֜יִן גַּם־הַלַּ֗יְלָה וּבֹ֨אִי֙ שִׁכְבִ֣י עִמּ֔וֹ וּנְחַיֶּ֥ה מֵאָבִ֖ינוּ זָֽרַע׃

Um Segundo Sucesso Mau. A filha mais nova de Ló não queria sair derrotada por sua irmã mais velha. Se *ambas* ficassem grávidas, a posteridade de Ló seria mais numerosa. Tanto melhor! Se só uma delas ficasse grávida, pelo menos haveria posteridade para Ló. As mulheres aplicaram uma infalível matemática, e uma ciência exata.

Encorajando Outras Pessoas a Pecar. Já é ruim alguém pecar sozinho. E pior ainda é fazer outrem participar de nossos pecados. Sem dúvida, essa é uma lição dada pelo presente versículo. Ló ficou embriagado novamente. Parecia fácil demais! Ele podia ser intoxicado com grande facilidade. Tinha perdido sua fibra moral. Sodoma, ainda em seu coração, saíra-se vencedora.

■ 19.35

וַתַּשְׁקֶ֜יןָ גַּ֣ם בַּלַּ֧יְלָה הַה֛וּא אֶת־אֲבִיהֶ֖ן יָ֑יִן וַתָּ֣קָם הַצְּעִירָה֙ וַתִּשְׁכַּ֣ב עִמּ֔וֹ וְלֹֽא־יָדַ֥ע בְּשִׁכְבָ֖הּ וּבְקֻמָֽהּ׃

O Horrendo Pecado Gêmeo. Este caso pecaminoso é gêmeo daquele do vs. 33. O pecado foi agravado pela repetição imediata. Ló, novamente bêbado, e vendo outra mulher em sua cama, não teve a menor intenção de resistir. As filhas obtiveram sucesso completo. Algumas vezes é ruim obter sucesso.

Permitindo a Outras Pessoas Exercer Má Influência. Somos responsáveis por nossos próprios pecados e não podemos desculpar-nos em face da influência desses pecados sobre outras pessoas. Mas, ai do indivíduo que causa propositadamente a queda de outra pessoa.

■ 19.36

וַֽתַּהֲרֶ֛יןָ שְׁתֵּ֥י בְנֽוֹת־ל֖וֹט מֵאֲבִיהֶֽן׃

Gravidez. Ambas as filhas de Ló obtiveram sucesso, para sua grande satisfação. Mas na realidade, para vergonha delas. Um homem bom pode tornar-se culpado de crimes chocantes. Não nos esqueçamos de que Ló havia exposto suas filhas às imoralidades de Sodoma, pelo que ele compartilhou dos atos delas. Ele teve alguma culpa daquilo que elas agora eram. A ingestão excessiva de álcool leva aos crimes mais hediondos. E ele participou no incesto sem nenhum protesto. Era tremenda a falta de vergonha naquela caverna. "Os pecados e falhas de homens bons ficaram registrados para nossa admoestação e cautela, para que possamos evitar toda aparência de mal, vigiando para *não* cairmos, e nem ao menos nos mostrarmos presunçosos e autoconfiantes (1Co 10.12)" (John Gill, *in loc.*).

19.37

וַתֵּלֶד הַבְּכִירָה בֵּן וַתִּקְרָא שְׁמוֹ מוֹאָב הוּא
אֲבִי־מוֹאָב עַד־הַיּוֹם:

E lhe chamou Moabe. No *Dicionário* ver o artigo *Moabe, Moabitas*. Essa palavra vem do termo hebraico *meabh*, que significa "de um pai", ou seja, de Ló, pai do filho de sua filha primogênita. Alguns estudiosos informam-nos que a etimologia é incerta, e que aqui temos uma etimologia popular. Seja como for, a natureza incestuosa da gravidez já se acha inerente no sentido desse nome próprio. Os moabitas foram, finalmente, absorvidos pelas nações árabes.

Não imediatamente, mas gradualmente os moabitas foram-se tornando adversários de Israel. É possível que a etimologia popular do nome Moabe nos forneça a razão dessa animosidade. Afinal, conforme diz o próprio nome, eles procediam de um vergonhoso incesto. Não admira, pois, que terminassem sendo inimigos dos israelitas. Os dois povos irmãos, amonitas e moabitas, foram capazes de reduzir à obediência os aborígenes que residiam à margem oriental do mar Morto, estabelecendo pequenos reinos naquela área.

As opiniões acerca do significado da palavra "Moabe" incluem estas ideias: 1. De um pai; 2. indo para um pai (ou seja, tendo relação sexual com ele); 3. águas de um pai (e, nesse caso, não se deve pensar no incesto, mas talvez em um território bem regado por águas).

19.38

וְהַצְּעִירָה גַם־הִוא יָלְדָה בֵּן וַתִּקְרָא שְׁמוֹ בֶּן־עַמִּי הוּא
אֲבִי בְנֵי־עַמּוֹן עַד־הַיּוֹם: ס

E lhe chamou Ben-Ami. No hebraico, "filho de meu parente", o que faz lembrar que os amonitas originavam-se de uma relação incestuosa de Ló com uma de suas filhas. Ver no *Dicionário* o verbete *Amom (Amonitas)*. Tal como no caso dos moabitas, parece que devemos entender que a inimizade entre Israel e os amonitas teve começo no fato de que estes últimos tinham uma origem vergonhosa. Uma vez mais, os eruditos anunciam que a etimologia da palavra *Amom* é desconhecida, e que a etimologia que é dada no texto bíblico é uma explicação popular, talvez com um intuito polêmico. Tanto os moabitas quanto os amonitas acabaram sendo absorvidos pelos povos árabes.

Ao comentar sobre este versículo, Orígenes lembra-nos que um único ato pecaminoso não indica um coração pervertido, pois esta condição já se refere a um hábito. Em outras palavras, não deveríamos apressar-nos muito para julgar nossos semelhantes pelos seus *lapsos*. Tanto os moabitas quanto os amonitas foram idólatras quase desde o começo de sua história. Ver Juízes 11.4,22; Deuteronômio 23.3,4.

É nesse ponto do relato que Ló desaparece das páginas do Antigo Testamento; mas ele reaparece no Novo Testamento, em 2Pedro 2.7.

Cinco Grandes Motivos do Capítulo 19:
1. Juízos repentinos e poderosos caem sobre aqueles que persistem no pecado. O rico Ló acabou em uma caverna. Ele tinha compartilhado dos pecados de ímpios.
2. A lição moral é óbvia, sublinhada em Romanos 12.1,2 e 1João 2.15-17. A separação do mal e a comunhão com Deus resultam de uma vida transformada.
3. "Lembrai-vos da mulher de Ló", disse Jesus, em Lucas 17.32. Ela titubeou, saudosa da vida antiga, e pereceu. Não devemos desprezar os livramentos divinos, que nos libertam do mal. A misericórdia divina foi desprezada, e as consequências foram sérias.
4. Jesus mostrou que aqueles dotados de maior luz devem ser os primeiros a arrepender-se. Cafarnaum vira o poder do Messias, mas o rejeitou. Até os sodomitas, se tivessem tido as vantagens dos habitantes de Cafarnaum, se teriam arrependido diante da prédica de Jesus (Mt 11.23).
5. O julgamento divino envolve diversos níveis. Será mais tolerável para Sodoma do que para Cafarnaum, no dia do juízo, por causa da luz e da oportunidade sem-par dos moradores desta última (Mt 11.24). Ver no *Dicionário* o verbete *Julgamento de Deus dos Homens Perdidos*.

CAPÍTULO VINTE

SARA, ISAQUE E ISMAEL (20.1—23.20)
ABRAÃO E ISAQUE (20.1—21.7)

Ver o trecho paralelo (Gn 12.10-20). Alguns críticos pensam que o relato à nossa frente é uma *duplicação* da passagem mencionada. Isso significaria que ambos os relatos tiveram uma mesma origem, sendo apenas versões diferentes, e não dois incidentes históricos separados. Poucas são as diferenças, e talvez só quatro sejam importantes: 1. O Faraó era agora Abimeleque. 2. O Egito agora era Gerar. 3. Abraão encobriu sua mentira com uma meia-verdade: Sara era tanto sua esposa quanto sua meia-irmã. Esse item não figura na história do Egito. 4. Na primeira história, Abraão foi expulso do Egito. Nesta, ele foi favorecido. Contra tais suposições, os eruditos conservadores frisam que as experiências da vida tendem por repetir-se, e que mesmo um homem bom pode repetir por duas vezes um mesmo erro.

Na introdução a Gênesis 12.10 ofereço comentários que se aplicam aqui, pelo que não repito os detalhes. Os críticos pensam que o texto de Gênesis 12.10 ss. deriva da fonte *J*, e que o capítulo 20 deriva da fonte *E*. Ver no *Dicionário* o artigo chamado *J.E.D.P.(S.)* quanto às teorias sobre as fontes múltiplas do Pentateuco.

O propósito dos dois relatos é essencialmente o mesmo: Deus, sem dúvida, protege o povo do pacto, apesar de seus erros e dificuldades, e a despeito das ameaças externas. Ver as notas sobre o *Pacto Abraâmico*, em Gênesis 15.18. É um mau negócio enganar o próximo. É triste quando um incrédulo precisa repreender um santo. É triste quando Deus precisa iluminar o incrédulo para que este repreenda o crente. É triste o comentário sobre a vida espiritual de alguém quando Deus precisa livrar repetidamente a mesma pessoa do mesmo erro. As promessas de Deus demandam a separação do mal e da falsidade.

20.1

וַיִּסַּע מִשָּׁם אַבְרָהָם אַרְצָה הַנֶּגֶב וַיֵּשֶׁב בֵּין־קָדֵשׁ וּבֵין
שׁוּר וַיָּגָר בִּגְרָר:

Abraão Muda-se de Manre para Gerar. Abraão tinha vivido em Manre ou nas cercanias durante quinze a vinte anos. Essa localidade ficava na porção sul das terras cananeias. Ver as notas sobre *Carvalhais de Manre*, em Gênesis 13.18. O texto não nos explica a razão para essa mudança feita por Abraão. As sugestões incluem que ele não podia tolerar o escândalo que envolveu Ló (o nascimento de filhos por meio de suas filhas, Gn 19.30 ss.); que ele não aguentava o mau cheiro sulfúrico dos incêndios que prosseguiam na área de Sodoma; que ele recebeu alguma espécie de visão de Deus que o fez mudar-se dali (embora tal visão não tenha sido registrada); que Abraão era um seminômade que ficou vagueando por tempo considerável (o que talvez seja indicado em Gn 13.17,18).

A terra do Neguebe, entre Cades e Sur, onde ficava, conforme se aprende em Gênesis 16.7,14, Beer-Laai-Roi, localidade com a qual Isaque esteve associado (Gn 24.62; 25.11). No *Dicionário*, ver os artigos sobre *Cades-Barneia* e *Sur*. E ver as notas sobre *Beer-Laai-Roi*, em Gênesis 16.14. Alguns estudiosos pensam que a história original envolvia Isaque, e não Abraão, mas que acabou sendo transferida para a vida deste último. De novo, os eruditos conservadores indagam por que Isaque não poderia ter tido uma experiência similar à de seu pai.

O que Abraão fora em Hebrom, Isaque tornou-se em Beer-Laai-Roi, ou seja, um líder espiritual importante e cabeça do culto a Yahweh. Foi em Beer-Laai-Roi que houve a promessa divina de um *filho*. E isso também tinha ocorrido em Hebrom (Gn 18.9-14).

Gerar. No hebraico, "região", "lugar de pernoite". Era uma das principais cidades dos filisteus, localizada na fronteira sul da Filístia, não muito longe de Gaza. Ofereço um artigo detalhado sobre esse lugar, com todas as suas associações bíblicas, no *Dicionário*. Abraão mudou-se assim para o coração mesmo do território dos filisteus, ao mudar-se de Manre para ali. Ficava a cerca de 80 km ao sul de Hebrom.

20.2

וַיֹּאמֶר אַבְרָהָם אֶל־שָׂרָה אִשְׁתּוֹ אֲחֹתִי הִוא וַיִּשְׁלַח
אֲבִימֶלֶךְ מֶלֶךְ גְּרָר וַיִּקַּח אֶת־שָׂרָה:

Ela é minha irmã. Abraão tinha dito a mesma coisa no Egito. Ver Gênesis 12.13. No *Dicionário* ver o artigo chamado *Incesto*. O trecho de Gênesis 20.12 mostra que Sara era *meia-irmã* de Abraão, um detalhe não incluído no relato do capítulo 12, que ocorreu no Egito. Quase todos os elementos dos dois episódios são paralelos, pelo que os críticos creem tratar-se de uma *duplicação*, ou seja, os dois relatos procedem de uma mesma fonte histórica, e não de dois acontecimentos distintos na vida de Abraão. Ver as notas de introdução a Gênesis 20.1, quanto a argumentos. Outros eruditos acreditam que o episódio realmente ocorreu na vida de Isaque (Gn 26.1-11), e que a tradição foi adaptada para envolver a vida de Abraão. Os estudiosos conservadores creem na repetição de incidentes, e não em uma *combinação de tradições*. É difícil ver por que o autor faria tais incidentes serem aplicados ao grande patriarca Abraão, levando-o a mentir e a enganar, e até chegando a repetir a história, a menos que os incidentes realmente tenham sucedido.

Abimeleque, Rei de Gerar. A história similar sobre Isaque também teve o seu Abimeleque, o qual deve ser entendido como um homem diferente (Gn 26.1-11). Quatro homens desse nome figuram nas páginas da Bíblia. No hebraico, esse nome significa "pai do rei" ou "pai real" (*abi* significa "pai"). Ele foi um rei filisteu (um chefe de tribo) nos dias de Abraão (cerca de 2200 a.C.). Talvez esse nome se assemelhasse ao título Faraó, isto é, um título dos reis filisteus. Ele notou a beleza física de Sara e resolveu incluí-la em seu harém. Abraão não refreou a questão e salvou a sua vida, inventando a história de que Sara era sua irmã, e não sua mulher. Os chefes tribais da época faziam o que queriam em seus territórios, e era inútil esperar misericórdia da parte deles. Homens eram assassinados: mulheres eram violadas. Ver Gênesis 12.15 e Ester 2.3 quanto a essa questão.

Mas Deus Estabeleceu a Diferença. Yahweh avisou Abimeleque, em um sonho, do que estava sucedendo, pelo que Abimeleque terminou repreendendo Abraão, por havê-lo enganado. Deus ameaçara o rei filisteu com a morte, e o vs. 17 mostra que sua gente sofrera de esterilidade temporária. Os vss. 4 e 6 mostram que o rei ainda não mantivera relações sexuais com Sara, que assim foi poupada de ser contaminada. E embora Abimeleque tenha repreendido sarcasticamente Abraão (Gn 20.14,16), ainda assim deu-lhe escravos e animais (vs. 14), mostrando-se muito generoso para com Abraão (vs. 15). Faraó, rei do Egito, expulsou Abraão de seu país, fazendo contraste com a atitude de Abimeleque. Alguns anos depois, os servos de Abraão e os servos de Abimeleque entraram em desacordo por causa do poço de Berseba, além de outras coisas. Mas a disputa foi resolvida pacificamente.

Sara tinha cerca de 90 anos de idade na ocasião. Os intérpretes supõem que ela deve ter sido sujeita a um milagre de rejuvenescimento, a fim de ser mulher atrativa em idade tão avançada. Esse argumento é reforçado pelo fato de que ela foi capaz de gerar Isaque com essa idade.

■ 20.3

וַיָּבֹא אֱלֹהִים אֶל־אֲבִימֶלֶךְ בַּחֲלוֹם הַלָּיְלָה וַיֹּאמֶר לוֹ הִנְּךָ מֵת עַל־הָאִשָּׁה אֲשֶׁר־לָקַחְתָּ וְהִוא בְּעֻלַת בָּעַל׃

Em sonhos. Foi desse modo que Deus fez a revelação a Abimeleque. Ver no *Dicionário* o verbete *Sonhos*. *Elohim* é o nome divino aqui usado. Ver no *Dicionário* o verbete sobre esse nome divino. Com base nessa circunstância, os críticos supõem que a fonte *E* tenha sido usada. Ver no *Dicionário* o artigo *J.E.D.P.(S.)*. A alegada fonte informativa do capítulo 12 seria a fonte *J*. O relato paralelo (a respeito de Isaque) também contém o nome divino Yahweh (tal como no capítulo 12), e supostamente vem da fonte informativa *J*.

Vais ser punido de morte. Isso porque havia tomado Sara, esposa de Abraão. Aqui temos uma das principais lições da narrativa. O *Pacto Abraâmico* (ver no *Dicionário*) teria cumprimento, apesar de todas as dificuldades, internas e externas, o que seria garantido pelas medidas necessárias da misericórdia e da graça de Deus. O poder de Deus estaria por trás desse pacto; e as forças externas, como Abimeleque, não poderiam causar dano. Sara, que em breve seria mãe de Isaque (o filho prometido), praticamente nem ficou no harém de Abimeleque!

Ela tem marido. O patriarca havia mentido. Ellicott supunha que Abraão usava de vez em quando a mentira sobre sua "irmã", enquanto vagueava pela Palestina. Era a sua história padrão de proteção, e o que sucedeu aqui pode ter ocorrido por várias outras vezes, duas das quais ficaram registradas no livro de Gênesis.

O vs. 17 diz que Deus *curou* Abimeleque. Alguns eruditos pensam que ele estava sofrendo de impotência, e sua esposa de esterilidade. Talvez *ambos* estivessem sofrendo de esterilidade. O versículo mostra que se deu a *cura* para provar que havia algum problema que poderia ter inspirado a aquisição da bela Sara, talvez na tentativa de remediar a impotência e/ou esterilidade.

O Conhecimento de Deus. Ter conhecimento de Deus nunca se restringiu a alguma nação ou grupo de indivíduos. Abimeleque recebeu instruções diretas da parte de Elohim. O *Logos* manifesta-se universalmente, e não meramente através de uma nação ou de uma fé religiosa. Deus tem poder para unir os homens, posto que a longo prazo, e assim haverá de fazer, conforme vemos na questão do mistério da vontade de Deus (Ef 1.9,10). Ver no *Dicionário* o verbete *Mistério da Vontade de Deus*.

■ 20.4

וַאֲבִימֶלֶךְ לֹא קָרַב אֵלֶיהָ וַיֹּאמַר אֲדֹנָי הֲגוֹי גַּם־צַדִּיק תַּהֲרֹג׃

Matarás até uma nação inocente? O argumento de Abimeleque foi muito bom. *Ele* estava inocente. Naquele caso, Abraão é que era o culpado. O juízo de Deus haveria de o ferir e a sua gente, quando ele não tinha culpa do ludíbrio de que fora vítima, com seus resultados funestos? Como é óbvio, há aqui uma alusão à situação da destruição de Sodoma. Abraão tinha intercedido em favor de Sodoma, e baixara para dez o número de justos possíveis que ali morariam. Se houvesse dez pessoas justas na cidade, Deus não pouparia Sodoma por causa daqueles dez? *Sim*, tinha respondido Yahweh. Ver Gênesis 18.32. Portanto, temos aqui uma alusão a esse princípio.

Inocente. Provavelmente devemos entender que Abimeleque estava defendendo a retidão geral de seu povo. Eles não agiam como os habitantes de Sodoma. Eles eram inocentes, e não somente no que dizia respeito à presente circunstância de Sara ter sido separada de seu marido. Abimeleque não se tinha aproximado de Sara a fim de manter relações sexuais com ela, pelo que não havia razão para a ameaça divina. Alguns críticos textuais afirmam que a palavra *nação*, que lemos no texto, deveria ser substituída pela palavra *homem*, supondo que o rei tinha pleiteado somente em favor de *sua própria* inocência. Mas não há nenhum manuscrito que dê apoio a essa contenção.

O rei filisteu estava corretamente preocupado com o bem-estar de sua gente. E isso é uma lição que não pode ser esquecida nestes dias de tremenda corrupção, em que os governantes só se preocupam com o quanto poderão enriquecer, mediante a manipulação das finanças públicas.

■ 20.5

הֲלֹא הוּא אָמַר־לִי אֲחֹתִי הִוא וְהִיא־גַם־הִוא אָמְרָה אָחִי הוּא בְּתָם־לְבָבִי וּבְנִקְיֹן כַּפַּי עָשִׂיתִי זֹאת׃

Abimeleque ficou assustado diante da ameaça divina de morte. Ele argumentou que Abraão havia mentido (pois havia dito: "É minha irmã"). Mas Sara também havia mentido, dizendo sobre Abraão: "Ele é meu irmão". Tendo havido assim uma mentira dupla, que o tinha enganado, Abimeleque era inocente, por haver tomado a mulher de outro homem sem o saber. Havia nele integridade de coração e mãos inocentes. Ele não havia planejado alguma maldade; ele não havia praticado alguma maldade. As profecias de morte assustam-nos. Mas a oração é mais poderosa que a profecia, pelo que mesmo uma profecia de morte pode ser anulada.

Com sinceridade de coração. Abimeleque não tinha embalado maus propósitos, não estando interessado nem em violações sexuais nem em adultério. Buscava um casamento honroso. Alguns homens poderiam ter mãos manchadas de sangue. Mas ele mesmo era *inocente*, porquanto não praticara nenhuma maldade. Ele sabia o que era certo e agira de modo justo. Alguns seguem a lei da natureza e chegam até certo grau de retidão, conforme o capítulo 2 de Romanos supõe que pode ocorrer. Mas é possível que alguns filisteus tivessem mais do que isso, como esta mesma passagem parece indicar. A luz interior era fraca; mas talvez os filisteus também dispusessem da luz exterior, através de revelações e outras experiências místicas (Jo 1.9;

Rm 2.14,15; Mt 6.23). Ver no *Dicionário* o verbete intitulado *Misticismo*. Os homens podem entrar em contato com o ser divino, o que é uma das definições básicas do misticismo. Todas as fés religiosas estão alicerçadas sobre esse princípio.

Abraão era polígamo; mas Abimeleque também o era. Para os antigos, a poligamia era uma opção de matrimônio, e não um pecado.

"A verdadeira religião não está confinada a um lugar nem a um povo. Ela está espalhada, assumindo diversas formas, por toda a terra. Aquela que preenche a imensidão deixou um registro de si mesma em todas as nações e entre todos os povos sob os céus. Esteja ciente do espírito da intolerância, pois o fanatismo gera a ausência de caridade, e a ausência de caridade, julgamentos ríspidos; e em tal espírito, um homem pode pensar que está prestando um serviço a Deus quando tortura ou quando faz uma oferta queimada da pessoa, a quem sua mente limitada e coração enrijecido desonram com o nome de herege".

Adam Clarke, comentando sobre
o capítulo 20 de Gênesis

PEDRO TEVE UMA VISÃO

... lençol... contendo toda a sorte de quadrúpedes, répteis da terra, e aves do céu. E ouviu-se uma voz que se dirigia a ele: Levanta-te, Pedro, mata e come. Mas pedro replicou: De modo nenhum, Senhor, porque jamais comi cousa alguma comum e imunda. A voz lhe falou: AO QUE DEUS PURIFICOU NÃO CONSIDERES COMUM.

Atos 10.12-15

O APÓSTOLO PAULO RECEBEU UMA REVELAÇÃO

...desvendando-nos o mistério da sua vontade, segundo o seu beneplácito, que propusera em Cristo, de fazer convergir nele, na dispensação da plenitude dos tempos, todas as cousas.

Efésios 1.9,10

■ 20.6

וַיֹּאמֶר אֵלָיו הָאֱלֹהִים בַּחֲלֹם גַּם אָנֹכִי יָדַעְתִּי כִּי
בְתָם־לְבָבְךָ עָשִׂיתָ זֹּאת וָאֶחְשֹׂךְ גַּם־אָנֹכִי אוֹתְךָ
מֵחֲטוֹ־לִי עַל־כֵּן לֹא־נְתַתִּיךָ לִנְגֹּעַ אֵלֶיהָ:

O sonho continuou, havendo um interessante colóquio entre Elohim e Abimeleque. O argumento de inocência, apresentado pelo rei, foi reconhecido como um argumento justo, pois, na verdade, ele tinha boa consciência, sabia o que era certo e tinha agido certo. Suas intenções acerca de Sara eram nobres. Ademais, Elohim tinha feito *intervenção,* pelo que a virtude de Sara foi preservada. Não nos é dito *como* isso sucedeu. Talvez Abimeleque tenha sofrido impotência, conforme supõem alguns estudiosos. Deus tinha visto que Abimeleque não merecia morrer, porquanto teria sido muito sério se ele tivesse violado Sara, a princesa, a futura mãe do filho prometido por Deus.

■ 20.7

וְעַתָּה הָשֵׁב אֵשֶׁת־הָאִישׁ כִּי־נָבִיא הוּא וְיִתְפַּלֵּל בַּעַדְךָ
וֶחְיֵה וְאִם־אֵינְךָ מֵשִׁיב דַּע כִּי־מוֹת תָּמוּת אַתָּה וְכָל־
אֲשֶׁר־לָךְ:

Restitui. A solução era simples. Que Abimeleque devolvesse a mulher a seu marido, e cessariam todas as ameaças de punição. E o rei filisteu não hesitou em retirar o espinho.

Ele é profeta, e intercederá por ti. O autor sacro apresenta Abimeleque como quem *precisava* da intercessão de Abraão. As orações deste já tinham mostrado ser poderosas e eficazes, como no caso de Ló. Ver Gênesis 19.10 ss. e especialmente o vs. 22. O anjo destruidor *nada pôde* fazer enquanto Ló não se afastou de Sodoma. Houve uma proteção absoluta, por causa da intercessão de Abraão. Se Abraão orasse, o rei seria livrado da ameaça divina de morte, bem como de quaisquer problemas de impotência e esterilidade que tivessem atingido a ele e a sua casa (vs. 17).

Profeta. Por toda a história de Abraão temos visto quão grande era a espiritualidade dele, apesar de lapsos ocasionais. Ele tinha passado por poderosas experiências espirituais. Ver Gênesis 12.1 ss. e, especialmente, Gênesis 15.7 ss. É possível, portanto, que o autor sacro quisesse dizer-nos que Abraão era um profeta, segundo os padrões do Antigo Testamento. Ele era homem de grande energia espiritual e discernimento e capaz de proferir tanto ensino quanto declarações proféticas. Ver no *Dicionário* os artigos intitulados *Profecia*, *Profetas* e *Dom de Profecia*. Alguns eruditos, porém, pensam que os dias de Abraão eram cedo demais para terem surgido ainda *profetas*, pelo que essa palavra, aqui, significaria *homem de Deus*, um homem capaz de produzir maravilhas e instruir, mas não alguém que *predizia*. Os profetas eram homens que entravam em *êxtase*, o que é amplamente ilustrado no caso de Abraão. Posteriormente, homens capazes de profetizar preditivamente floresceram com suas experiências místicas, quando se tornaram figuras nacionais, voltadas para as tarefas de instruir e predizer o futuro, de modo benéfico para a nação de Israel.

A ameaça de morte continuava pairando sobre o rei filisteu e toda a sua família, ou mesmo sobre a nação (alguma praga poderia atingir a todos), *se* Sara não fosse devolvida a Abraão. Mas Abimeleque não precisava ser exortado. Ele estava pronto, disposto e ansioso para fazer o que era certo e remover assim a ameaça divina.

Profeta (no hebraico, *nabi*) tinha o sentido primário de quem *orava, exortava* e *suplicava*. Abraão era habilidoso na *intercessão* (ver a esse respeito no *Dicionário*). Mas era mais do que isso. Um *nabi* era um intercessor e um comunicador. Abraão tornou-se alguém capaz de predizer.

■ 20.8

וַיַּשְׁכֵּם אֲבִימֶלֶךְ בַּבֹּקֶר וַיִּקְרָא לְכָל־עֲבָדָיו וַיְדַבֵּר
אֶת־כָּל־הַדְּבָרִים הָאֵלֶּה בְּאָזְנֵיהֶם וַיִּירְאוּ הָאֲנָשִׁים
מְאֹד:

Levantou-se Abimeleque de madrugada. Ele não perdeu tempo. A situação requeria urgência. Sua admirável experiência mística (falar com Elohim em um sonho!) levou-o a modificar o curso dos acontecimentos. Primeiro comunicou a seus cortesãos tudo quanto tinha acontecido. E eles *acreditaram* prontamente no que ele dizia. E compartilharam de seu temor de drásticas consequências.

Muito atemorizados. Talvez todas as pessoas envolvidas tenham ficado muito apreensivas. Eles tinham ouvido falar sobre a destruição de Sodoma e Gomorra. O temor a Deus descera sobre o coração deles. Também devem ter sabido da participação de Abraão no acontecido. Daí ter-se tornado ele um homem respeitado e temido. Talvez esse *temor* tenha contribuído para tornar Abimeleque generoso com Abraão, apesar da vergonhosa conduta deste (vss. 15 e 16). Por qual outro motivo ele teria dado a Abraão todas aquelas coisas? Por certo o chefe filisteu não estava satisfeito com Abraão. Estava receoso de Elohim. Além disso, não seria um mal negócio manter feliz a Abraão, aquele poderoso chefe tribal. Isso fazia parte de uma política de boa vizinhança.

■ 20.9

וַיִּקְרָא אֲבִימֶלֶךְ לְאַבְרָהָם וַיֹּאמֶר לוֹ מֶה־עָשִׂיתָ לָּנוּ
וּמֶה־חָטָאתִי לָךְ כִּי־הֵבֵאתָ עָלַי וְעַל־מַמְלַכְתִּי חֲטָאָה
גְדֹלָה מַעֲשִׂים אֲשֶׁר לֹא־יֵעָשׂוּ עָשִׂיתָ עִמָּדִי:

Abimeleque, o pagão, repreendeu Abraão, o justo. Isso tem paralelo no capítulo 12 do Gênesis, onde Faraó fez a mesma coisa (Gn 12.18 ss.). Parece que Abimeleque também se sentiu advertido pelas circunstâncias adversas, que não eram nada naturais.

É triste quando um homem justo, dotado de toda a luz e de todo o conhecimento, é repreendido por alguém que é seu inferior espiritual, por estar laborando em erro. O autor sacro fornece-nos um relato pormenorizado. O rei falou com palavras sarcásticas e cortantes.

Ele não havia prejudicado ou ofendido em sentido algum Abraão. No entanto, havia sido prejudicado e ofendido. Não tinha pecado, e, no entanto, Abraão era culpado de mentira e de decepção. A conduta de Abraão tinha sido lamentável.

Todos os Religiosos São Hipócritas. Assim dizemos porque não vivem à altura do conhecimento que possuem, e também porque sempre apresentam diante de outras pessoas um quadro melhor do que aquele que eles realmente são. Todavia, esses hipócritas usualmente são melhores do que os ímpios, lá fora. Assim, no caso das pessoas religiosas há, pelo menos, algum progresso.

"...coisas que não deveriam ser feitas por *nenhum* homem, muito menos por um homem que professava ser religioso e piedoso" (John Gill, *in loc.*), ao explicar como Abimeleque "repreendera" Abraão.

■ 20.10

וַיֹּאמֶר אֲבִימֶלֶךְ אֶל־אַבְרָהָם מֶה רָאִיתָ כִּי עָשִׂיתָ אֶת־הַדָּבָר הַזֶּה:

O Que e Por Quê. A reprimenda do rei prosseguia. Ele queria saber *o que* Abraão tivera em mente ao cometer aquele erro, e *por que* agira daquele modo. O homem superior pendeu a cabeça, envergonhado, diante do homem inferior.

Que estavas pensando...? O original hebraico tem causado aqui alguns problemas. Nossa versão portuguesa procura contornar o problema, a exemplo de outras traduções, que dão mais uma interpretação do que uma tradução. No hebraico temos: "Que estavas vendo...?" Também há interpretações como: "Que maldade observaste em mim ou em meu povo que propositadamente tentaste prejudicar-me?" Ele e seus cidadãos tinham respeitado Abraão e sua esposa; eles não os tinham molestado ou prejudicado em coisa alguma. Portanto, *por que* Abraão agiu como agiu? Se Abraão tivesse notado abusos contra as mulheres, violações e assédios sexuais, então teria razão ao tentar proteger Sara daquela maneira duvidosa. Mas Abraão não tinha observado tais coisas entre aquele povo.

■ 20.11

וַיֹּאמֶר אַבְרָהָם כִּי אָמַרְתִּי רַק אֵין־יִרְאַת אֱלֹהִים בַּמָּקוֹם הַזֶּה וַהֲרָגוּנִי עַל־דְּבַר אִשְׁתִּי:

Não há temor de Deus neste lugar. Todas as motivações de Abraão eram subjetivas. Todavia, qualquer pessoa que percorresse a Palestina como Abraão tinha feito teria podido ver, em muitas ocasiões, atos imorais, deflorações e ataques sexuais contra mulheres. Assim sendo, Abraão deve ter dito "Esta é minha irmã", a fim de proteger-se de homens ímpios e desarrazoados, que poderiam querer matá-lo a fim de ficarem com ela. Ora, Abimeleque e sua gente eram uma exceção, e Abraão nada *tinha visto* fora de ordem entre eles. Mas, meditando, chegara a acreditar que havia perigos ali, como em tantos outros lugares que já tinha visitado. Portanto, perpetrou aquele ludíbrio.

Eles me matarão por causa de minha mulher. A velha história, que se tornara costume em muitos lugares. Nos interiores remotos do Brasil isso continua acontecendo com tanta frequência que há ali muito mais mulheres do que homens. Os homens são assassinados. E as mulheres se prostituem, de tal modo que os homens que sobrevivem ficam com muitas mulheres. Isso faz parte da depravação da alma humana. A civilização não ajuda muito aos seres humanos, quanto a esse ponto. Armas mais mortíferas têm permitido crimes mais horrendos.

A depravação das tribos cananeias era generalizada e proverbial. Mas em *Gerar* os padrões de moralidade eram mais elevados do que Abraão tinha imaginado.

■ 20.12

וְגַם־אָמְנָה אֲחֹתִי בַת־אָבִי הִוא אַךְ לֹא בַת־אִמִּי וַתְּהִי־לִי לְאִשָּׁה:

É também minha irmã. As palavras em seguida mostram que Sara era meia-irmã de Abraão. Eles eram filhos de um mesmo pai, mas não da mesma mãe. Ver no *Dicionário* o artigo intitulado *Incesto*. Naor, irmão de Abraão (Gn 11.26,27,29), tinha-se casado com uma sobrinha. As filhas de Ló não hesitaram em usar o próprio pai para que a linhagem dele não se extinguisse. Posteriormente, a legislação mosaica veio a condenar essas práticas, típicas de povos pagãos. Ver Levítico 18 e 19 quanto a detalhes sobre a questão. Meu artigo sobre o assunto entra em minúcias, incluindo informações sobre outros povos. Os intérpretes judeus preenchem aqui toda espécie de informações duvidosas, chegando a dar-nos os nomes das duas filhas de Terá (uma seria *Iona*, e a outra, *Teevita*; e esta última seria a mãe de Sara). Também dizem que a primeira esposa de Abraão falecera, e que então ele se casara de novo, com Sara. Mas se Abraão era polígamo, por que não o seu pai? Ver no *Dicionário* o artigo intitulado *Poligamia*.

Alguns eruditos têm pensado que Sara e Iscá eram dois nomes de uma única mulher (Gn 11.29). Mas esta última era *neta* de Terá. E se o presente versículo está correto, então essa noção de dois nomes de Sara não pode corresponder à verdade. Ou então, a palavra *filha* foi usada em um sentido frouxo, onde se deveria falar em neta. Mas o argumento de Abraão de que Sara era, realmente, sua *irmã*, nada significaria se, de fato, ela fosse *neta* de Terá.

Uma Meia-verdade é uma Mentira. A lógica de Abraão mostrou-se capenga neste ponto. Ele não apresentou nenhum argumento válido. Sara continuava sendo sua *mulher*, sem importar o que mais ela possa ter sido para ele.

■ 20.13

וַיְהִי כַּאֲשֶׁר הִתְעוּ אֹתִי אֱלֹהִים מִבֵּית אָבִי וָאֹמַר לָהּ זֶה חַסְדֵּךְ אֲשֶׁר תַּעֲשִׂי עִמָּדִי אֶל כָּל־הַמָּקוֹם אֲשֶׁר נָבוֹא שָׁמָּה אִמְרִי־לִי אָחִי הוּא:

Quando Deus me fez andar errante. Abraão se tinha lançado à vida de transumância ou seminomadismo por ordem do próprio Deus. Ver Gênesis 12.1 quanto a essa ordem divina. Nessa vida de seminômade, ele entrara em contato com muitos homens furiosos, sem dó, desvairados. Tornou-se inevitável que Sara fosse cortejada, e que a vida de Abraão vez por outra corresse perigo. Este versículo indica que Abraão enfrentara tal situação de quando em vez, embora isso só seja registrado por duas vezes (nos capítulos 12 e 20 de Gênesis). Assim, Abraão tinha criado uma medida protetora padronizada. Por onde iam, Sara chamava Abraão de "irmão" e ele a chamava de "irmã". E o plano vinha funcionando bem. Ele continuava vivo, embora de vez em quando Deus tivesse de fazer alguma intervenção para livrá-lo das consequências. Abraão vinha repetindo a mesma inverdade fazia cerca de trinta anos, desde que deixara Ur.

Deus ou Deuses? O nome divino, neste ponto, é Elohim, uma forma plural no hebraico. Esse nome divino assume a forma singular quando indica o Deus Supremo, mas às vezes é usado o plural quando está em foco a ideia de *deuses* pagãos. Neste versículo, o verbo está no plural, pelo que os tradutores sentem-se tentados a traduzir por "deuses". Várias explicações têm sido oferecidas: 1. Cristianização do texto — alguns estudiosos veem aqui a Trindade divina. 2. Outros veem aqui o passado formativo de Abraão, quando eram adorados *deuses*, os quais o teriam impelido a partir de Ur. 3. Ainda outros veem aqui um mero deslize da pena. O autor mostrou-se descuidado e usou um verbo no plural. 4. Ou, então, nem sempre era observada a regra fixa do verbo singular para *Deus* e do verbo plural para *deuses*, e um autor podia usar uma fórmula ou outra, sem nenhuma razão especial. O Pentateuco Samaritano preserva a forma singular, o que também se vê em Gênesis 35.7.

■ 20.14

וַיִּקַּח אֲבִימֶלֶךְ צֹאן וּבָקָר וַעֲבָדִים וּשְׁפָחֹת וַיִּתֵּן לְאַבְרָהָם וַיָּשֶׁב לוֹ אֵת שָׂרָה אִשְׁתּוֹ:

Abimeleque pagou com um grande despojo, como se ele, e não Abraão, tivesse praticado o erro. Por quê? Provavelmente porque ele *temia* (tendo sido ameaçado com a pena de morte, por Elohim), se não corrigisse a situação (ver o vs. 7). Em sua ansiedade, ele exagerou, presenteando Abraão com muitos animais, escravos e dinheiro (vs. 16). Além disso, permitiu que Abraão ficasse na região e escolhesse qualquer território que preferisse, tal como Abraão havia feito com Ló (Gn 13.8 ss.). Os homens fazem coisas estranhas quando estão com medo. Mas também devemos lembrar que Abraão era um poderoso chefe de clã, e que poderia causar muitas dificuldades para Abimeleque. Destarte, o rei "comprou" Abraão, pacificando a situação inteira. Acima de tudo, porém, Abimeleque devolveu *Sara* a Abraão, *incontaminada*.

Em contraste com o Faraó, que expulsara Abraão do Egito (Gn 12.20), Abimeleque mostrou-se muito generoso e permitiu que Abraão continuasse a ser seu vizinho.

Em minha opinião estão equivocados aqueles eruditos que supõem que o rei reconheceu que o que fizera era *errado*. Bem pelo contrário, o próprio Elohim concordou que Abimeleque agira com "sinceridade" (vs. 6).

■ 20.15

וַיֹּאמֶר אֲבִימֶלֶךְ הִנֵּה אַרְצִי לְפָנֶיךָ בַּטּוֹב בְּעֵינֶיךָ שֵׁב׃

A minha terra está diante de ti. Abraão foi convidado a pesquisar a terra, tal como Abraão fizera com Ló, o qual poderia escolher o território que quisesse. Desse modo, Abimeleque fez de Abraão um vizinho *pacífico*, e talvez por esse motivo ele tenha sido tão generoso. Ademais, Abimeleque e suas mulheres foram impedidos, por decreto divino, de produzir filhos (vs. 18), e agora ele queria que o profeta Abraão fizesse reverter a maldição. E, para isso, precisava da boa vontade do patriarca.

■ 20.16

וּלְשָׂרָה אָמַר הִנֵּה נָתַתִּי אֶלֶף כֶּסֶף לְאָחִיךְ הִנֵּה הוּא־לָךְ כְּסוּת עֵינַיִם לְכֹל אֲשֶׁר אִתָּךְ וְאֵת כֹּל וְנֹכָחַת׃

Dei mil siclos de prata. Isso em *adição* ao que já havia presenteado, ou, então, o que ele dera tinha esse valor em moedas de prata. Não há como calcular o valor dessas moedas, antes de tudo porque não sabemos qual era a moeda, e, em segundo lugar, porque é impossível fazer a correspondência com valores modernos. Mas mil moedas de *prata* seria um bom dinheiro em qualquer lugar.

O restante do versículo apresenta dificuldades de tradução, pois envolve expressões idiomáticas, com o resultado de que há diversas interpretações:

A teu irmão. Isso teria sido dito com *sarcasmo*. "Aqui está teu *irmão*. Estou te devolvendo a ele. Tu o chamas de irmão, mas na verdade ele é teu marido. Esse teu *irmão* deveria ser uma cortina protetora para ti, escondendo-te dos olheiros. Em lugar disso, ele te entregou a mim, para salvar o próprio pescoço!"

Ou, então, poderíamos interpretar essas palavras como: "Do dinheiro que dei a Abraão, teu irmão, os mil siclos de prata, toma algo e compra um véu para cobrir-te dos olhares cobiçosos daqueles que tentarem tirar-te de teu irmão". E esse véu também poderia ser usado para cobrir a vergonha de Sara, visto que ela também contribuíra para o ludíbrio.

Interpretação totalmente diferente é aquela que diz que o dinheiro foi dado a Abraão como *vindicação* de Sara, uma prova de que nada lhe sucedera de errado, e que ela continuava sendo uma esposa virtuosa. Diante de todos os presentes, pois, ela estava "justificada", aparecendo como mulher santa e pura, sem nenhuma culpa.

Justificada. Algumas traduções dizem estranhamente aqui "reprovada". Nesse caso, o discurso inteiro de Abimeleque (embora não bem compreendido por nós) teve a finalidade de ser uma *reprimenda* a Sara, por causa do papel que ela desempenhara no ludíbrio. Adam Clarke (*in loc.*) desesperou de entender o sentido das palavras de Abimeleque, e então comentou: "Entre os intérpretes praticamente não há concórdia aqui. O texto hebraico é muito obscuro, e cada intérprete o entende de uma maneira diversa".

■ 20.17

וַיִּתְפַּלֵּל אַבְרָהָם אֶל־הָאֱלֹהִים וַיִּרְפָּא אֱלֹהִים אֶת־אֲבִימֶלֶךְ וְאֶת־אִשְׁתּוֹ וְאַמְהֹתָיו וַיֵּלֵדוּ׃

E, orando Abraão. Ele era um "profeta" (ver notas no vs. 7), poderoso na *oração* e na *intercessão* (ver sobre ambos os assuntos no *Dicionário*). Agora a sua ajuda era necessária, e ele era o homem do momento. As mulheres não estavam gerando filhos. As mulheres tinham ficado estéreis (vs. 18) e, talvez, Abimeleque tenha ficado impotente. Assim, era mister que Abraão orasse pela *cura*, conforme este versículo deixa claro. John Gill (*in loc.*) pensa que doenças venéreas tinham infeccionado os homens e as mulheres, incapacitando-os para a reprodução, e que as orações de Abraão foram o meio de cura de tais doenças. Talvez apenas Abimeleque e suas concubinas estejam aqui em foco, embora a maldição possa ter-se generalizado por toda a população local. De qualquer modo, as orações de Abraão eram *eficazes*. A oração funciona, como bem o sabe qualquer pessoa espiritual.

■ 20.18

כִּי־עָצֹר עָצַר יְהוָה בְּעַד כָּל־רֶחֶם לְבֵית אֲבִימֶלֶךְ עַל־דְּבַר שָׂרָה אֵשֶׁת אַבְרָהָם׃ ס

O Senhor havia tornado estéreis todas as mulheres. Deus aplicou um juízo temporário a fim de tirar Sara do harém de Abimeleque. Na antiguidade, não gerar filhos era uma calamidade. Davi indicou que quanto mais crianças houvesse, melhor (Sl 127.5). *Doenças* (vs. 17) podem ter causado a esterilidade, até terem sido curadas as mulheres.

Adam Clarke (*in loc.*), ao encerrar seus comentários acerca deste capítulo, via uma lição no fato de que Abimeleque tinha comunhão com *Elohim*, não sendo um pigmeu espiritual, conforme poderíamos pensar: "A verdadeira religião não se limita nem a *um local* nem a *um povo*. Ela se espalha de várias formas pela terra inteira. Aquele que preenche a imensidão da criação deixou um registro de si mesmo em cada nação e entre todos os povos debaixo do céu. Cuidado com o espírito da intolerância, pois a atitude fanática produz a falta de amor; e a falta de amor produz juízos precipitados. E, com tal espírito, os homens podem pensar que estão prestando a Deus um serviço quando torturam alguém, fazendo de holocausto a pessoa a quem a mente preconceituosa e o coração duro desonram com o apelido de herege". Ver no *Dicionário* o verbete chamado *Tolerância*.

CAPÍTULO VINTE E UM

NASCIMENTO DE ISAQUE (21.1-7)

Os críticos supõem que as fontes informativas desta seção tenham sido J, E e P (S). Ver no *Dicionário* o artigo intitulado J.E.D.P.(S.). De acordo com esses críticos, presume-se que cada uma dessas fontes informativas fale de um lugar diferente onde Isaque teria nascido; ou, então, *se* ele foi uma figura histórica, não era filho de Abraão, embora lhe tenha sido dada essa posição, mediante o "entrelaçamento de várias tradições". De acordo com a Alta Crítica, o texto seria tão entrecortado neste ponto que os intérpretes têm feito objeção a ele, com base na ideia de que há poucas evidências em favor de tantos pronunciamentos. Os lugares de nascimento atribuídos a Isaque são: *J*, Beer-Laai-Roi; *E*, Berseba; *P (S)*, Quiriate-Arba, ou seja, Hebrom. A linha de raciocínio dos críticos é que a fonte *J* continua o material iniciado em Gênesis 20.1, portanto, onde estava Abraão na ocasião deve ter sido o lugar em que Isaque nasceu. A fonte *E*, presumivelmente, localizou o capítulo 20 após o incidente dos poços de Berseba (Gn 21), de forma que esse seria o lugar favorecido. Mas a fonte *P (S)* diria que Abraão residia somente em Hebrom, não registrando nenhuma de suas peregrinações, pelo que Hebrom teria sido o lugar onde Isaque nasceu, sem importar alguma menção específica. Independentemente de concordarmos ou não com tal informação, é bom saber o que os críticos dizem a respeito do texto sagrado.

A importância da seção à nossa frente não transparece nas controvérsias que a cercam. Antes, temos ali o cumprimento da profecia sobre o filho prometido, por meio de quem emergiria a nação de Israel e, por fim, o Messias. Aqui a linhagem messiânica ganha destaque. O Pacto Abraâmico (ver as notas em Gn 15.18) é mencionado em Gênesis por diversas vezes (12.1-4; 15.1-7; 17.1-8 e 18.18 ss.). Um fator fundamental desse pacto é a outorga miraculosa do filho prometido, Isaque. Durante muitos anos, Abraão e Sara aguardaram o cumprimento dessa promessa divina. Deus dispõe tanto de um método quanto de um cronograma, e as coisas sucedem no tempo *determinado*. Mas a espera pelos acontecimentos nos cansa e nos enferma o coração. Porém é grande a alegria quando tem cumprimento uma bendita profecia. Diz Provérbios 13.12: "A esperança que se adia faz adoecer o coração, mas o desejo cumprido é árvore de vida".

■ 21.1

וַיהוָה פָּקַד אֶת־שָׂרָה כַּאֲשֶׁר אָמָר וַיַּעַשׂ יְהוָה לְשָׂרָה כַּאֲשֶׁר דִּבֵּר:

Visitou o Senhor Sara como lhe dissera. Cerca de um ano depois, um tempo que havia sido previamente *estabelecido* (Gn 17.21) para o nascimento de Isaque. Seria mister um milagre, mas isso não era problema para o Senhor.

Visitou, garantindo que a concepção teria lugar, cumprindo assim a promessa feita. Cf. Gênesis 18.10 e as notas expositivas ali, que tratam da mesma questão. Em Gênesis 17.19 o nome divino é *Elohim*. Mas aqui é *Yahweh*. E os críticos veem nisso uma mudança de fonte informativa. Ver os comentários de introdução ao presente versículo.

Sara tinha 90 anos de idade quando Isaque nasceu; e Abraão tinha 100. Os Targuns comentam sobre a *maravilha* que Deus operou em favor de Sara, considerando sua idade e suas circunstâncias. Mas tudo aconteceu porque fazia parte do plano de Deus.

■ 21.2

וַתַּהַר וַתֵּלֶד שָׂרָה לְאַבְרָהָם בֵּן לִזְקֻנָיו לַמּוֹעֵד אֲשֶׁר־דִּבֶּר אֹתוֹ אֱלֹהִים:

Sara... deu à luz... no tempo determinado. Esse tempo *determinado* evidentemente é paralelo ao que se lê em Gênesis 18.14, "daqui a um ano", obedecendo ao cronograma de Deus. Outros sentidos, contudo, têm sido dados a essa expressão, conforme mostro nas notas sobre aquele versículo. Ver também sobre Gênesis 17.21 quanto ao *tempo* referido no texto. A vontade de Deus, às vezes, não somente traz o inesperado, mas também o que, para nós, é "impossível". As pessoas dotadas de espiritualidade reconhecem essas coisas. *Deus tinha falado,* e isso fez toda a diferença no caso de Sara.

■ 21.3

וַיִּקְרָא אַבְרָהָם אֶת־שֶׁם־בְּנוֹ הַנּוֹלַד־לוֹ אֲשֶׁר־יָלְדָה־לּוֹ שָׂרָה יִצְחָק:

O nome de Isaque. Ver no *Dicionário* o artigo detalhado sobre ele. Alguns intérpretes criam aqui pseudoproblemas. Abraão é quem dá aqui o nome a Isaque, e não a mãe dele, parecendo que esse era o costume. Também deu seu nome por ocasião do seu nascimento, e não de sua circuncisão, conforme era costumeiro. Mas quem pode dizer quais variações tiveram lugar, e agora refletem-se no texto? Afinal, Deus é quem tinha dado a Isaque o seu nome (Gn 17.19). *Isaque* significa "riso", envolvendo o riso de Abraão (Gn 17.17) e o riso de Sara (Gn 18.12). Seu nome, pois, tornou-se um memorial das suas dúvidas, mas também da sua alegria, pois rimo-nos de satisfação, e não somente por zombaria. Em Gênesis 21.6, Sara dá uma nova direção a seu riso. Diz ela ali que "Deus" a fizera rir-se, ou seja, de alegria. E todos quantos ouvissem falar sobre Isaque também haveriam de rir-se!

Isaque como Tipo. Ele tipifica várias coisas: 1. Ele era tipo da Igreja, composta pelos filhos espirituais de Abraão, em contraste com sua mera descendência física (Gl 4.28). 2. Ele era tipo de Cristo, o Filho prometido, obediente até a morte (Gn 22.1-10; Fp 2.5-8). 3. Ele era tipo de Cristo, como o Noivo de uma noiva chamada de longe (Gn 24). 4. Ele era tipo da nova natureza do crente, visto ter nascido mediante intervenção do Espírito de Deus (Gl 4.29).

Sara como Tipo. Ela era tipo da mulher livre, a Jerusalém lá de cima, a Igreja (Gn 17.15-19 e Gl 4.22-31).

■ 21.4

וַיָּמָל אַבְרָהָם אֶת־יִצְחָק בְּנוֹ בֶּן־שְׁמֹנַת יָמִים כַּאֲשֶׁר צִוָּה אֹתוֹ אֱלֹהִים:

Abraão circuncidou a seu filho. Isso sucedeu no oitavo dia de vida de Isaque, conforme tinha ficado determinado em Gênesis 17.12. Ver no *Dicionário* o verbete *Circuncisão*. O rito da circuncisão é descrito em Gênesis 17.9-14, onde ofereço comentários abundantes a respeito. A obediência estrita demandava a obediência imediata a esse mandamento. Abraão serviu a seu filho, dando-lhe o sinal do pacto. Senhor, ajuda-me a não falhar quanto a este meu filhinho. Ajuda-me a dar-lhe uma grande herança espiritual, e não apenas uma herança física. Ajuda-me a conferir a ele a espiritualidade, e não meras coisas materiais.

■ 21.5

וְאַבְרָהָם בֶּן־מְאַת שָׁנָה בְּהִוָּלֶד לוֹ אֵת יִצְחָק בְּנוֹ:

Cem anos. Costumamos dizer: "Antes tarde do que nunca". Mas Deus não opera dessa maneira. O centésimo ano de vida de Abraão tinha sido *determinado* por Deus como o *ano certo* do nascimento de Isaque. Outrossim, Deus deu a Abraão mais *75 anos* de vida, para que ele pudesse estar com seu filho, encaminhando-o na senda da retidão (Gn 25.7). Sara tinha 90 anos de idade quando deu à luz a Isaque, e viveu mais 37 anos. Assim, quem poderia queixar-se de ter tido um filho na idade avançada? Ver Gênesis 23.1. Oh, Senhor, concede-nos graça tal que possamos cumprir nossa missão, mesmo quando já formos de avançada idade! Abraão e Sara fizeram algo de especial em sua velhice. Oh, Senhor! Concede-nos tal graça.

Há Coisas Dignas de Ser Esperadas. Abraão e Sara tiveram de esperar por longos anos, antes que se cumprisse a promessa especial de Deus, por ocasião do nascimento de Isaque. Há coisas que são dignas de ser esperadas.

Vinte e cinco anos após ter partido de Harã, para dirigir-se à Terra Prometida, Abraão recebeu a dádiva daquele filho especial (ver Gn 12.4, quanto a uma indicação cronológica). Tinha 99 anos de idade quando recebeu a garantia absoluta desse nascimento, quando o *tempo* da promessa foi marcado (Gn 17.1,21). Os vss. 33 e 34 parecem indicar que o nascimento de Isaque ocorreu em Berseba, mas veja-se a controvérsia que gira em torno da questão na introdução ao primeiro versículo deste capítulo. Alguns eruditos dizem que essa localização é dada pela fonte informativa *E*, ao passo que a fonte *J* fala em Beer-Laai-Roi.

■ 21.6

וַתֹּאמֶר שָׂרָה צְחֹק עָשָׂה לִי אֱלֹהִים כָּל־הַשֹּׁמֵעַ יִצְחַק־לִי:

Deus me deu motivo de riso. A alusão é a Gênesis 17.17 e 18.12, o riso de derrisão e incredulidade. Agora o riso aparece como algo que fora provocado por Deus. A explicação dada por Sara serve para dizer-nos o que significa o nome *Isaque*. A alegria de Sara teria de ser compartilhada por outros, que também ririam de alegria, visto que uma promessa feita há muito tempo tinha sido cumprida. "O evento foi admirável e espantoso" (Ellicott, *in loc.*). As pessoas nunca poriam em ridículo uma mulher de 90 anos que tivera um filho. O riso das pessoas seria de alegria, e nunca de zombaria. Ver Lucas 1.28 quanto a uma situação similar. Isabel era idosa e estéril, mas tornou-se a mãe de João Batista. Outras pessoas regozijaram-se com ela, diante do inesperado benefício que ela recebera.

■ 21.7

וַתֹּאמֶר מִי מִלֵּל לְאַבְרָהָם הֵינִיקָה בָנִים שָׂרָה כִּי־יָלַדְתִּי בֵן לִזְקֻנָיו:

O Breve Poema de Sara. A alegria dela levou-a a escrever um pequeno poema. Quão admirável era que a idosa mulher estivesse dando de mamar a um bebê, para deleite de Abraão! A profecia, feita um ano antes, dizia: "Por este tempo, daqui a um ano". Sara havia-se rido de incredulidade. Mas logo essa circunstância tinha sido alterada. É grande a ocasião quando a derrota transmuta-se em súbita vitória.

Um filho? No original hebraico temos aqui *filhos,* no plural. E isso tem causado problemas para os intérpretes. Talvez Sara agora esperasse ter outros filhos, ou a expressão é de natureza poética, e o plural não significa mais de um filho.

■ 21.8

וַיִּגְדַּל הַיֶּלֶד וַיִּגָּמַל וַיַּעַשׂ אַבְרָהָם מִשְׁתֶּה גָדוֹל בְּיוֹם הִגָּמֵל אֶת־יִצְחָק:

Isaque cresceu, e foi desmamado. Isso deve ter ocorrido aos 3 anos de idade. Há tradições que falam em 2 anos de idade. 2Crônicas 31.16 e 2Macabeus 7.27 dão a entender que Isaque estava com 2 anos. Quando foi desmamado, Samuel tinha idade suficiente para ser deixado no tabernáculo, em companhia de Eli (1Sm 1.24).

Jerônimo informa que Isaque tinha 5 anos de idade ao ser desmamado (Question. in Genesis, fol. 68, tom. 3). Filo fala em 7 anos (Annal. Vit. Test. par. 9). O Alcorão (31.14) fixa o tempo certo de desmame aos 2 anos de idade.

Um grande banquete. A ocasião foi celebrada com festejos, algo comum na época entre os povos semitas. Sabemos que na Pérsia e na Índia também havia tal costume. Jarchi imaginava que os vizinhos "importantes" também foram convidados, como Abimeleque e Héber.

HAGAR E ISMAEL (21.9-21)

Sara permitiu que a brincadeira tola de uma criança arruinasse para ela o banquete. Ismael nascera quando Abraão estava com 86 anos de idade. Portanto, agora Ismael tinha cerca de 14 anos de idade. Ver Gênesis 16.16.

Uma pequena ocorrência causou uma grave questão. Um filho querido foi expulso de casa e foi forçado a ir para o deserto, por causa do ataque de ciúme de uma mulher. O vs. 11 mostra que Abraão chegou a agonizar por causa da questão, mas não conseguia suportar a fisionomia de Sara, distorcida pela ira. Paulo acusou Ismael de *perseguir* a Isaque. Mas parece que esse verbo foi escolhido para dar maior força à alegoria. Este texto nada revela sobre o que aconteceu. Ver as notas sobre o vs. 9, onde são ventiladas algumas ideias sobre a questão.

Os críticos veem nesta seção uma duplicação do trecho de Gênesis 16.1 ss., o que significa que eles supõem que a narrativa envolva duas fontes informativas diferentes, tendo sido alterados os detalhes do episódio. A fonte informativa E seria a base do capítulo 21, ao passo que a fonte J seria a base do capítulo 16. Sobre a teoria das fontes múltiplas do Pentateuco, ver no *Dicionário* o artigo chamado *J.E.D.P.(S.)*. Entretanto, os dois relatos são diferentes o bastante para que tenha apoio a ideia de que temos aí dois incidentes diferentes. Ambos os incidentes retratam Sara como mulher dura e vingativa. Mas ao menos o segundo desses incidentes dá-nos um motivo para a maneira de ela agir: alguma infração da etiqueta por parte de Ismael. Hagar haveria de angustiar-se no deserto, mas Sara não ligava nem um pouco. O anjo do Senhor precisou cuidar de Hagar e do garoto pela segunda vez. O vs. 14 é um trecho especialmente comovente. O grande Abraão preparou a farta provisão de pão e de um cântaro de água, e mandou embora o próprio filho! A história é dramática e consternadora. Porventura o amor alguma vez esteve em um nível tão baixo?

A Alegoria de Paulo. A alegoria formada por Paulo, a partir dessa narrativa, era tão consternadora para a sensibilidade dos judeus quanto a expulsão de Ismael para o deserto é consternadora para nós. Ali, *Sara* figura como um tipo dos crentes autênticos, a Igreja, composta principalmente por *gentios,* ao passo que Hagar simboliza a apóstata nação de Israel, descendente de Abraão, com a sua legislação (Gl 4.22 ss.).

21.9

וַתֵּרֶא שָׂרָה אֶת־בֶּן־הָגָר הַמִּצְרִית אֲשֶׁר־יָלְדָה לְאַבְרָהָם מְצַחֵק׃

O filho de Hagar... caçoava de Isaque. Visto que não nos é dito o que o menino (talvez com 14 anos de idade) estava fazendo, as tentativas para adivinhar são intermináveis e fúteis. Estaria ele caçoando da criança e de sua *idosa* mãe? Estaria lançando contra ele alguma flecha? Estaria ele imitando os gestos infantis e a fala tatibitate de Isaque? Estaria ele envolvido em alguma espécie de rito religioso dos pagãos, zombando do espiritual Isaque? Estaria ele ameaçando o menino menor com alguma coisa perigosa? A mesma palavra aqui traduzida por *caçoar* aparece como *rir-se,* no vs. 6, pelo que é claro que nada de sério estava sendo feito. Ismael não se tinha tornado culpado de algum crime ou violência. Estava meramente agindo como um garoto agiria em meio a uma festa. A Septuaginta e a Vulgata dizem aqui "brincando". Gesenius diz "dançando". Paulo, como interpretação, diz "perseguindo", mas esse comentário foi provocado pelas exigências de sua alegoria. Israel realmente vinha *perseguindo* a Igreja, e temos nisso o pano de fundo do verbo usado por Paulo. Ver no *Dicionário* os artigos intitulados *Hagar* e *Ismael.*

Talvez o autor sacro tencionasse dar-nos um jogo de palavras: aquele cujo nome significava *riso,* estava sendo alvo de *risotas.* Em certo sentido, Ismael transformou o riso de alegria de Sara em uma zombaria.

21.10

וַתֹּאמֶר לְאַבְרָהָם גָּרֵשׁ הָאָמָה הַזֹּאת וְאֶת־בְּנָהּ כִּי לֹא יִירַשׁ בֶּן־הָאָמָה הַזֹּאת עִם־בְּנִי עִם־יִצְחָק׃

Rejeita essa escrava e seu filho. Durante catorze anos, Ismael fora o herdeiro presuntivo de Abraão. Mas ele era apenas o filho de uma escrava. No entanto, legalmente falando, de acordo com os costumes da época, ele era *filho de Sara,* e não de Hagar. Mas a furiosa e iracunda Sara desconsiderou isso. Agora, mãe e filho eram somente objetos odiados e teriam de sofrer a ira da frenética Sara. Sara não se esqueceu de mencionar a palavra *herdeiro.* Não existiria competidor para Isaque. Sem dúvida, tinha havido uma quentíssima animosidade entre Hagar e Sara, durante todos aqueles anos. É inútil pensar que Hagar seria inocente. Quase sempre, em uma controvérsia, há dois lados. Fosse como fosse, definitivamente não havia lugar para Ismael naquele lar. Ele era inocente, mas teria de sofrer. Assim sucede quando governa o ódio, e não o amor.

Concubinato e Escravidão. Hagar era uma escrava. Talvez ela tenha sido dada a Abraão durante a permanência dele no Egito (Gn 12.10 ss.). O vs. 16 daquele capítulo mostra-nos que Faraó dera escravos a Abraão, entre outras *possessões.* Hagar era uma jovem bonita, boa para efeitos de reprodução, embora ninguém a amasse. Na ocasião anterior, Abraão não a protegera, mas apenas permitira que Sara fizesse o que lhe parecesse melhor (Gn 16.6). Ele tinha aprendido a amar Ismael, mas esse amor era débil e secundário. Sara agora continuava fazendo o que queria, embora seus desígnios fossem maus. Era comum que as escravas se tornassem concubinas. Poucas escravas eram muito respeitadas. "O exemplo dos patriarcas não deve ser aceito indiscriminada e servilmente, como se tivessem sido padrões permanentes do comportamento humano" (Cuthbert A. Simpson, *in loc.*). Ver no *Dicionário* os verbetes intitulados *Concubina* e *Escravo (Escravidão).*

"Antes Sara já havia maltratado Hagar (Gn 16.6); agora o filho de Hagar tinha maltratado o filho de Sara. Antes Sara havia feito Hagar, grávida, fugir (Gn 16.6); agora ela fazia fugir Hagar e seu filho adolescente" (Allen P. Ross, *in loc.*).

A Dificuldade Não Envolvia a Herança. Abraão era um homem rico. Isaque poderia ser favorecido, recebendo qualquer porcentagem das riquezas que Abraão desejasse dar-lhe. Isso não teria prejudicado Ismael quanto à *parte* que lhe cabia. Mas o destino fez Hagar e seu filho mudar-se para outro lugar, visto que nações distintas desceriam dela e de Ismael, a saber, as nações árabes. Maomé dizia-se descendente direto de Ismael. Outra descendência foi o ódio original entre os judeus e os árabes, que até hoje requeima, provocando morte e destruição a esses dois povos.

21.11

וַיֵּרַע הַדָּבָר מְאֹד בְּעֵינֵי אַבְרָהָם עַל אוֹדֹת בְּנוֹ׃

Pareceu isso mui penoso. Abraão tinha um certo afeto paternal por Ismael. Ele havia ignorado as hostilidades entre as duas mulheres, mas agora via-se forçado a ferir uma a fim de agradar a outra. Mas a tristeza de Abraão não causou arrependimento. Ele emudecia diante do olhar feroz e das palavras iracundas de Sara. O original hebraico diz: "isso pareceu excessivamente mau aos olhos de Abraão". Sim, era *mau.* A exigência de Sara era *injusta.* Sara estava perpetrando uma *grande injustiça.* Provavelmente, há muito ela desejava fazer o que agora estava fazendo, porquanto apenas estava esperando uma boa oportunidade. Os folguedos ainda acriançados de um adolescente foram-lhe a desculpa para dar vazão ao ódio guardado em seu coração.

Por causa de seu filho. Senhor, ajuda-me a não falhar com este meu filho. Mas Abraão, apesar de um afeto secundário por seu filho Ismael, dispôs-se a despedi-lo para o deserto da Arábia. E somente uma intervenção divina salvou a vida de Ismael (vs. 17 ss.).

21.12

וַיֹּאמֶר אֱלֹהִים אֶל־אַבְרָהָם אַל־יֵרַע בְּעֵינֶיךָ עַל־הַנַּעַר וְעַל־אֲמָתֶךָ כֹּל אֲשֶׁר תֹּאמַר אֵלֶיךָ שָׂרָה שְׁמַע בְּקֹלָהּ כִּי בְיִצְחָק יִקָּרֵא לְךָ זָרַע׃

Disse, porém, Deus. A situação era crítica, e fazia mister uma intervenção divina. O que Sara tencionava como um mal, e o que Abraão também interpretou como tal (por causa do que era, no tocante a Sara e às atitudes dela), Deus faria redundar em bem. Mas não era culpa de Sara, e podemos estar certos de que ela não antecipara que Deus faria aquela situação miserável redundar em bem. A traição de Judas tornou-se um bem, para a glória de Deus, mas nem por isso o Iscariotes foi justificado pelo que fez. Uma coisa encorajadora sobre o poder e a vontade de Deus é que ele pode reverter qualquer maldade. É assim que Deus anula a perversidade do homem. Mas nem por isso o homem pervertido é justificado. José foi vendido ao Egito pelos seus próprios irmãos. Foi um grande mal moral. Mas Deus reverteu a maldade, fazendo aquilo redundar em *bem*. Mas isso não quer dizer que os irmãos de José fossem inocentes.

A intervenção de Deus mostrou que o Senhor se preocupava tanto com Ismael quanto com Hagar, algo que a Sara faltava completamente, e do que Abraão compartilhava, mas somente no tocante a seu filho. Ninguém amava Hagar, exceto o próprio Deus.

Isaque Levaria Avante a Linhagem de Abraão, de um Modo Especial. Ismael não tinha participação nesse fato. O povo de Israel derivaria de Isaque. As nações árabes descenderiam de Ismael. Deus tinha um bom destino em reserva para ambos, mas seguindo veredas distintas. O Messias viria de Isaque. Mas o Messias seria o Salvador do *mundo inteiro*, e Deus ama o mundo todo (Jo 3.16). O povo de Israel seria favorecido entre as nações, mas com o intuito de tornar-se o veículo que aprimoraria a espiritualidade de todos os povos da terra. O Pacto Abraâmico (ver Gn 15.18 quanto a notas a respeito) operaria *por meio* de Israel, embora com o propósito de abençoar a *todas* as famílias da terra. Desse modo, Ismael, embora não viesse a ser o ancestral do Messias, ainda assim seria abençoado pelo Messias. Destarte, Ismael foi incluído no Pacto Abraâmico, posto que indiretamente. Esse pacto é *universal*, e não visa a beneficiar somente o povo de Israel.

21.13

וְגַם אֶת־בֶּן־הָאָמָה לְגוֹי אֲשִׂימֶנּוּ כִּי זַרְעֲךָ הוּא׃

Farei [dele] uma grande nação, por ser ele teu descendente. É como se Deus tivesse dito: "Não te preocupes com Ismael. Estou com ele e o abençoarei". É tremendo o fato de que Deus está por trás da fraqueza e da miséria humanas, fazendo-as redundar em bem, algo que o homem não é capaz de fazer. Podemos descansar sobre essa bondade. Ao nosso redor todos os dias ocultam-se perigos como aqueles que Ismael precisou enfrentar. Mas Deus está sempre presente conosco, a fim de proteger-nos, segundo é descrito com detalhes no Salmo 91. Ver as notas sobre Gênesis 17.20, onde a mesma promessa divina foi feita no tocante a Ismael, e cujas notas expositivas aplicam-se também a este versículo. Ismael geraria doze príncipes, dos quais descenderiam várias nações árabes. Ismael viveu por 137 anos. Portanto, ele teve uma longa vida, cheia de bênçãos e de esperança. Afinal, ele era *filho de Abraão*. Por outro lado, ele era um indivíduo que tinha seu próprio valor, seu próprio destino e sua própria dignidade. Uma única alma vale mais do que o mundo inteiro (Mc 8.36). Assim como a nação de Israel contava com doze patriarcas, assim também se daria com as nações árabes. O que Abraão foi para Israel, Ismael foi para os árabes. Desse modo, Ismael tinha seu devido lugar e dignidade, e Deus garantiu isso diante de Abraão para ajudá-lo naquele momento de crise.

Predestinação? O texto sugere eleição e predestinação. Ver no *Dicionário* artigos detalhados sobre essas duas doutrinas bíblicas.

21.14

וַיַּשְׁכֵּם אַבְרָהָם בַּבֹּקֶר וַיִּקַּח־לֶחֶם וְחֵמַת מַיִם וַיִּתֵּן אֶל־הָגָר שָׂם עַל־שִׁכְמָהּ וְאֶת־הַיֶּלֶד וַיְשַׁלְּחֶהָ וַתֵּלֶךְ וַתֵּתַע בְּמִדְבַּר בְּאֵר שָׁבַע׃

Uma Provisão Ridícula. Devemos contrastar Abraão com Deus. Ele estava expulsando uma mulher, que o tinha servido por muitos anos e lhe dera um filho! Também estava expulsando um *filho* que tinha estado com ele por catorze anos! E que foi que lhes deu? Um pouco de pão e um odre com água. Abraão era um homem rico. Ele poderia ter enviado com eles uma numerosa escolta, com amplas provisões, animais de carga e um guia, para conduzi-los a algum lugar específico, onde pudessem ficar em segurança. Em lugar disso, deu-lhes tão pouco que nos faz rir. Para onde se tinha ido o amor? Naquela hora, o amor falhou.

Aspectos de Falta de Coração. O relato à nossa frente envolve aspectos tão destituídos de sentimentos, uma tão grande ausência de compaixão humana, que alguns críticos têm posto em dúvida a sua autenticidade, preferindo pensar que se trata de uma lenda. Não podem acreditar que um homem da estatura espiritual de Abraão, apesar de sua esposa iracunda, possa ter feito o que o texto diz que ele fez. Alguns estudiosos conservadores, pendendo para o outro extremo, creem que Abraão agiu *baseado na fé*. Deus não tinha dito que cuidaria de Ismael (vss. 12 e 13)? Assim sendo, por que ele ficaria ansioso? Essa interpretação é sua própria refutação, pelo que nem me incomodo de comentá-la.

Pô-los às costas de Hagar. Hagar tinha tão pouca coisa. O que tinha podia levar sozinha, às costas. O texto talvez indique que o garoto também foi posto às costas dela. Nesse caso, a postura dela era estranha, pois ela não haveria de carregar o tempo todo um garoto adolescente.

E a despediu. Uma frase que aumenta o tom emocional da história. Escritores judeus pensavam que Abraão teria dado a Hagar uma carta de divórcio. Era o fim de todo relacionamento. Mas provavelmente não havia esse costume antes da legislação mosaica. Esses autores judeus, pois, mostraram ser tão destituídos de sentimento quanto Abraão, louvando-o por aquele ato e afirmando que Abraão despediu-os não só do lar e do sustento, mas também de qualquer esperança quanto ao mundo por vir.

Ela saiu, andando errante. Não tendo guia nem provisões, ela ficou vagueando pelo deserto de Berseba (ver a respeito no *Dicionário*), aguardando pela morte. Abraão decretara contra ela a pena de morte, até onde dizia respeito a ele. Somente Deus poderia reverter um mal daquela magnitude. A área fica a 30 km ou mais de Hebrom, no sul da Palestina. Talvez Abraão tenha pensado que o odre de água seria suficiente para eles chegarem até ao poço (vs. 19), mas ela errou o caminho e ficou vagueando, perdida. "Ela tinha sido despedida subitamente, pelo que não tinha plano nem propósito, mas ficou a vaguear de um lado para outro, até que o odre de água se acabou" (Ellicott, *in loc.*).

Pelo deserto de Berseba. Talvez indicando que foi nessa região que Isaque tinha nascido, conforme pensam alguns eruditos. Ver as notas de introdução ao primeiro versículo deste capítulo.

21.15

וַיִּכְלוּ הַמַּיִם מִן־הַחֵמֶת וַתַּשְׁלֵךְ אֶת־הַיֶּלֶד תַּחַת אַחַד הַשִּׂיחִם׃

O Menino é Abandonado para Morrer. A água acabou-se. Ismael começou a sentir-se fraco, sob a canícula, perdendo as energias. Estava morrendo. Hagar deixou-o sob um arbusto, não se sentindo capaz de testemunhar a morte dele. Mas os autores judeus continuam em seus ataques contra Hagar. Conforme eles disseram, Hagar teria vagueado enquanto praticava ritos idólatras, rindo-se de Ismael quando a água se acabou. Não existe ódio que se compare com o ódio religioso, o antigo e o moderno *Odium Theologicum* (ver a respeito no *Dicionário*).

Um dos arbustos. Talvez tenhamos aqui uma alusão ao pinheiro, ao carvalho-anão ou ao junipeiro, árvores típicas do deserto, que oferecem bem pequena sombra protetora dos raios do sol. Cf. Jó 30.7.

21.16

וַתֵּלֶךְ וַתֵּשֶׁב לָהּ מִנֶּגֶד הַרְחֵק כִּמְטַחֲוֵי קֶשֶׁת כִּי אָמְרָה אַל־אֶרְאֶה בְּמוֹת הַיָּלֶד וַתֵּשֶׁב מִנֶּגֶד וַתִּשָּׂא אֶת־קֹלָהּ וַתֵּבְךְּ׃

O Patético dos Patéticos. Uma mãe abandona seu filho; vai colocar-se a certa distância dele, para não vê-lo morrer; e chora. Mas Deus ouviu o pranto dela. Acredite que acima do ruído fútil do mundo, a oração mais débil pode ser ouvida assim mesmo. Impotente, a mãe tinha ficado esperando pela morte de seu filho querido. Entrementes, Abraão com seus amigos e servos, estava a banquetear-se, e Sara regozijava-se. Certo intérprete, para sua vergonha, chegou a escrever neste ponto que Hagar e Ismael foram *punidos* por Deus por causa da zombaria infantil de Ismael, e que era *bom* para eles aprenderem como era a vida sem as provisões de Abraão. Ademais, Deus tinha dito a Abraão que cuidaria deles, pelo que Abraão nada precisaria fazer. Isso faz-me lembrar de Tiago 2.15,16. Se um irmão estiver destituído de roupas e de alimentos, de que adiantaria dizer-lhe: "Aquece-te! Enche a barriga!" mas nada dar para ele? A fé sem suas obras está morta.

À distância de um tiro de arco. Cerca de 700 m, pois, segundo intérpretes judeus, dois tiros de arco cobriam uma milha romana (1421,58 m). Portanto, Hagar distanciou-se tanto de seu filho que não podia nem vê-lo nem ouvi-lo. "Ela não suportava ouvir seus grunhidos de morte, nem vê-lo nas agonias do último suspiro" (John Gill, *in loc.*). E a Septuaginta acrescenta: "e a criança clamou e chorou". O vs. 17 mostra que Ismael também estava chorando, porquanto lemos que foi a *voz* dele que Deus ouviu. Eram "francos soluços de tristeza" (Ellicott, *in loc.*).

■ 21.17

וַיִּשְׁמַע אֱלֹהִים אֶת־קוֹל הַנַּעַר וַיִּקְרָא מַלְאַךְ אֱלֹהִים ׀ אֶל־הָגָר מִן־הַשָּׁמַיִם וַיֹּאמֶר לָהּ מַה־לָּךְ הָגָר אַל־תִּירְאִי כִּי־שָׁמַע אֱלֹהִים אֶל־קוֹל הַנַּעַר בַּאֲשֶׁר הוּא־שָׁם׃

Daí onde está. Aquele local era sagrado. O anjo do Senhor apareceu à beira do poço de Berseba. O lugar até hoje é sagrado para os árabes. Ali Ismael chorou, e, segundo podemos imaginar, orou. Neste ponto, peço ao leitor que examine o último parágrafo das notas sobre Gênesis 20.18, acerca do qual Adam Clarke fornece-nos poderosa declaração contra a intolerância e pleiteia em favor da revelação e da graça universal de Deus para *todos* os povos. No *Dicionário* checar o verbete *Tolerância*.

O anjo de Deus. No trecho paralelo, Gênesis 16.7, temos a expressão "anjo de Yahweh". Mas aqui o original hebraico diz "anjo de *Elohim*". Por isso os críticos pensam que temos aqui uma duplicação, ou seja, duas histórias procedentes de uma fonte histórica comum, como versões do mesmo relato, uma da fonte *J* e outra da fonte *E*. Ver no *Dicionário* o artigo *J.E.D.P.(S.)* quanto à teoria das fontes múltiplas do Pentateuco. Ver também os verbetes *anjo* e *Deus, Nomes Bíblicos de*. Também oferecemos artigos separados sobre os títulos divinos *Elohim* e *Yahweh*.

Hagar continuava sendo membro da família de Abraão, embora tivesse sido abandonada; e o Deus dela continuava sendo Yahweh-Elohim, e ele continuava cuidando dela, mesmo que Abraão tivesse desistido. É reconfortante saber que *Deus,* afinal de contas, é o poder que nos protege e provê para nós, e que ele determina que as coisas sejam usadas em nosso favor. Deus importa-se até mesmo com a queda no chão de um humilde passarinho (Mt 10.29), e quanto mais não cuidaria de Hagar, de Ismael e de nós!

Teu toque tem ainda o poder antigo,
Nenhuma palavra tua cai por terra inútil;
Ouve nesta solene hora da noite,
E, em tua compaixão, cura-nos a todos.

Henry Twell

Céu. Ver as notas sobre Gênesis 11.4 e 22.15.

Não temas. Ainda que naquele horrendo deserto estivesse sozinha e sem suprimentos, sem água e com seu filho morrendo. Algumas vezes, não temos verdadeira razão para sermos assaltados pelo medo. Mas esta história mostra-nos que a provisão de Deus estava bem próxima. Havia um poço que Hagar não tinha encontrado. Deus lhe mostrou o caminho para lá (vs. 19). Talvez o *medo* seja a mais básica emoção humana negativa. O homem sente a solidão e impotência. O existencialismo tem explorado muito essa emoção, dizendo-nos que a natureza pespegou em nós uma piada cruel. Estaríamos sozinhos, impotentes e sem futuro. Ver sobre a filosofia do *Existencialismo* na *Enciclopédia de Bíblia, Teologia e Filosofia*. O amor de Deus cura o temor (1Jo 4.18).

"Deus está *em toda parte,* e pode ouvir os clamores dos homens, onde quer que eles estejam, e por mais desolada que seja a condição deles... Ele leva em conta a oração dos destituídos" (John Gill, *in loc.*). Deus encontrou Ismael sob o arbusto, e logo tomou-o pela mão e o conduziu até onde havia água.

■ 21.18

קוּמִי שְׂאִי אֶת־הַנַּעַר וְהַחֲזִיקִי אֶת־יָדֵךְ בּוֹ כִּי־לְגוֹי גָּדוֹל אֲשִׂימֶנּוּ׃

Ergue-te, levanta o rapaz, segura-o pela mão. Diz um antigo hino: "Senhor, segura a minha mão". Um pai segura seu filho pequeno pela mão e o conduz, o que é um ato de amor e proteção, um ato de amor e interesse pessoal. Hagar, pois, serviu de instrumento do interesse de Deus, e voltou ao arbusto. Tomando Ismael pela mão, ela disse: "Vem, há água aqui perto".

Literalmente, as palavras *segura-o pela mão* dizem: "fortalece nele a tua mão", ou seja, "segura-o com firmeza". E assim, conforme comentou Jerônimo, mãe e filho caminharam juntos, companheiros de jornada, sozinhos, embora realmente não estivessem sozinhos, pois Deus estava com eles. Era isso que competia a ela fazer na ocasião. E também deveria guiá-lo durante a vida inteira, pois ela seria sua fiel protetora e guia. Abraão tinha perdido o privilégio de proteger seu filho. Esse privilégio foi entregue a Hagar.

Eu farei dele um grande povo. Ver o trecho paralelo a este, em Gênesis 17.20 e no versículo 13 deste capítulo, onde dou notas sobre a questão. Mãe e pai tinham recebido a promessa da parte de Deus. A mãe prosseguiu; o pai preferira deixar-se ficar para trás.

■ 21.19

וַיִּפְקַח אֱלֹהִים אֶת־עֵינֶיהָ וַתֵּרֶא בְּאֵר מָיִם וַתֵּלֶךְ וַתְּמַלֵּא אֶת־הַחֵמֶת מַיִם וַתַּשְׁקְ אֶת־הַנָּעַר׃

Abrindo-lhe Deus os olhos. Essas palavras podem significar que os olhos dela tinham sido fechados por Deus, a fim de que, por meio da experiência testadora que se seguiria, ela pudesse aprender o valor de certas lições sobre o amor de Deus. O mais provável, porém, é que Hagar, em suas vagueações, não tinha mesmo encontrado o poço. Mas agora Deus mostrava-lhe o poço. Seja como for, o amor divino estava ali, e isso era o bastante. Ver no *Dicionário* o artigo chamado *Amor*.

Um poço de água. Provavelmente não uma cacimba, com água parada, mas uma fonte de água corrente. Esses poços eram extremamente importantes nos desertos da Palestina. Ver no *Dicionário* o verbete *Poço*. O suprimento de água estava bem próximo, mas não pudera ser achado. Foi necessária a intervenção divina para resolver o problema. A presença de Deus está sempre próxima de nós e é sempre benévola.

Miragens. Geralmente, as miragens enganam os sedentos perdidos nos desertos. Mas a presença de Deus satisfez cada necessidade de Hagar e Ismael. Existe o que é verdadeiro e o que é falso, o que é jubiloso e o que é desapontador. "Felizes são aqueles cujos olhos são abertos pelo Espírito e pela graça de Deus, para que vejam o poço das águas vivas, a fonte e a plenitude da graça que há em Cristo" (John Gill, *in loc.*).

Agora o odre estava de novo *cheio* de água. "... tendo sempre, em tudo, ampla suficiência, superabundeis em toda boa obra" (2Co 9.8).

■ 21.20

וַיְהִי אֱלֹהִים אֶת־הַנַּעַר וַיִּגְדָּל וַיֵּשֶׁב בַּמִּדְבָּר וַיְהִי רֹבֶה קַשָּׁת׃

Deus estava com o rapaz. Embora tivesse sido abandonado por seu pai, ele não fora abandonado *pelo Pai*. Antes, fortaleceu-se e prosperou no deserto, tornando-se arqueiro e caçador perito. A história revela-nos que atirar com o arco e a flecha era uma das habilidades especiais dos ismaelitas. Ele não foi para o Egito, onde tantos povos semitas tinham-se reunido, por causa de sua magnífica civilização. Nem se interessara pelas mundanas cidades cananeias.

Antes, Ismael tornou-se um seminômade no deserto, à semelhança de tantos membros das tribos árabes. E tornou-se o progenitor dos doze patriarcas das tribos árabes (Gn 17.20).

■ 21.21

וַיֵּ֖שֶׁב בְּמִדְבַּ֣ר פָּארָ֑ן וַתִּֽקַּֽח־ל֥וֹ אִמּ֛וֹ אִשָּׁ֖ה מֵאֶ֥רֶץ מִצְרָֽיִם׃ פ

Deserto de Parã. Ver sobre *El-Parã*, em Gênesis 14.6. Essa parte do deserto pertencia à Arábia Petrea, nas circunvizinhanças do monte Sinai. Encontramos três nomes desse lugar: *El-Parã, monte Parã* e *Parã.* Era um lugar que ficava ao sul da terra de Canaã, a oeste do território de Edom, onde os horeus habitavam, em Seir. El-Parã era o nome mais antigo de Elate, atualmente chamada *Eilat.*

Uma mulher da terra do Egito. Hagar é chamada de egípcia (ver o vs. 9). Provavelmente ela obteve esposa para Ismael dentre sua parentela daquele lugar, tal como Abraão mandou buscar uma esposa para Isaque (ver Gn 24), dentre a sua parentela (vs. 4). Autores judeus, como é usual, fornecem-nos pormenores de natureza duvidosa, dizendo que essa deveria ser a sua segunda esposa, depois de ter-se divorciado da primeira, cujo nome seria *Aishah.* Fontes informativas árabes também falam em Aishah. E esse também era o nome de uma das esposas de Maomé, sendo possível ter sido acrescentado às histórias inventadas a respeito de Ismael.

A DISPUTA DE ABRAÃO COM ABIMELEQUE (21.22-34)

A história de Abraão já ensejou que conhecêssemos Abimeleque. Ver Gênesis 20.2 ss. Ele tinha tomado Sara para ser membro de seu harém, pois fora enganado pela história constante de Abraão de que ela era sua irmã. Ao que parece, isso era continuamente alegado, a fim de salvar sua vida entre as tribos selvagens que ocupavam a Palestina, enquanto ele vagueava em sua vida de seminomadismo. Deus livrara Sara de ser contaminada, por meio de um sonho de advertência dado a Abimeleque. Um dos resultados da experiência foi que Abraão e Abimeleque tornaram-se bons vizinhos, quando este último permitiu que o patriarca hebreu habitasse em seu território (Gn 20.15).

De acordo com os críticos, a seção à nossa frente é uma combinação das fontes informativas *J* e *E.* Ver no *Dicionário* o artigo *J.E.D.P.(S.)* quanto à teoria das fontes informativas múltiplas do Pentateuco. Até bons vizinhos algumas vezes entram em conflito. Neste caso, o motivo foi um poço, mas não envolveu diretamente os dois chefes tribais, mas antes, seus subordinados. Como bons vizinhos que eram, a disputa foi resolvida pacificamente. Talvez uma das razões da inclusão do episódio no livro de Gênesis tenha sido simplesmente dizer: "Vejam, é assim que as pessoas deveriam viver em paz". Mas há ali inúmeros exemplos contrários a isso, envolvendo disputas, guerras e matanças. Algumas vezes as pessoas pareciam ser humanas, racionais e pacíficas, do que há alguns poucos exemplos.

O Homem dos Altares. Outra razão desta seção é mostrar-nos que Abraão, segundo o seu costume, erigia (ou consagrava) um altar a Deus, por onde quer que fosse. Isso também aconteceu em Berseba (vs. 33). Desse modo, a espiritualidade de Abraão continuava a ser ilustrada.

■ 21.22

וַֽיְהִי֙ בָּעֵ֣ת הַהִ֔וא וַיֹּ֣אמֶר אֲבִימֶ֗לֶךְ וּפִיכֹל֙ שַׂר־צְבָא֔וֹ אֶל־אַבְרָהָ֖ם לֵאמֹ֑ר אֱלֹהִ֣ים עִמְּךָ֔ בְּכֹ֥ל אֲשֶׁר־אַתָּ֖ה עֹשֶֽׂה׃

Abimeleque. Ver sobre esse homem no artigo detalhado no *Dicionário,* com esse título.

Ficol (Picol). Esse era o nome do principal auxiliar e provável comandante-em-chefe do exército de Abimeleque. Ele aparece no conflito do presente texto e também em Gênesis 26.26-31, onde Isaque se viu envolvido. Esse nome significa *boca de todos,* e parece que essa era a designação oficial do primeiro-ministro e comandante-em-chefe das forças armadas de Abimeleque. Ficol, pois, era o braço direito e principal conselheiro do rei filisteu. As tradições nada acrescentam ao nosso conhecimento, além do que nos é dito neste ponto.

Abraão tornara-se um poderoso chefe tribal, homem conhecido por sua espiritualidade. Os dois visitantes, vindos da tribo vizinha, reconheceram tanto o seu poder como as suas bênçãos espirituais. Assim, vieram a ele, desejando firmar um tratado, a fim de ser mantida a paz que os tinha preservado já fazia agora bastante tempo.

■ 21.23

וְעַתָּ֗ה הִשָּׁ֨בְעָה לִּ֤י בֵֽאלֹהִים֙ הֵ֔נָּה אִם־תִּשְׁקֹ֣ר לִ֔י וּלְנִינִ֖י וּלְנֶכְדִּ֑י כַּחֶ֜סֶד אֲשֶׁר־עָשִׂ֤יתִי עִמְּךָ֙ תַּעֲשֶׂ֣ה עִמָּדִ֔י וְעִם־הָאָ֖רֶץ אֲשֶׁר־גַּ֥רְתָּה בָּֽהּ׃

O Tratado de Lealdade Mútua. Abimeleque queria firmar um tratado a longo prazo, que chegasse, pelo menos, aos seus netos. Os homens são traiçoeiros. A Palestina era uma região onde havia muita crueldade, pilhagem e matança. Abraão era seu vizinho mais próximo, o qual cada vez mais ficava poderoso e próspero. Era um homem que podia dar muito trabalho. Os tratados, por sua vez, eram firmados para serem quebrados. Os homens não costumavam cumprir a palavra empenhada. Abimeleque, pois, queria um tratado de lealdade, a longo termo, que garantisse a paz e a boa vizinhança. Salientou que fora bondoso para com Abraão, devolvendo-lhe Sara, presenteando-o com muitos bens e permitindo-lhe escolher um território (Gn 20.14 ss.). Tendo-se mostrado generoso e bondoso, esperava agora idêntico tratamento da parte de Abraão, e queria sua promessa *por escrito,* em alguma espécie de tratado formal.

A *Lex Talionis.* Ou, seja, a regra da retaliação, dente por dente, olho por olho, tinha seu lado positivo: serviço bondoso por serviço bondoso, gentileza por gentileza, generosidade por generosidade. Ver no *Dicionário* o verbete intitulado *Lex Talionis.*

■ 21.24

וַיֹּ֖אמֶר אַבְרָהָ֑ם אָנֹכִ֖י אִשָּׁבֵֽעַ׃

Respondeu Abraão: Juro. Abraão estava de acordo com a proposta e não hesitou. Ele também tinha muito que ganhar com uma política de boa vizinhança. Reconheceu a correção dos argumentos de Abimeleque. Realmente, havia sido beneficiado graças à bondade do filisteu. A Abraão tinha sido prometida toda a terra de Canaã, dentro do Pacto Abraâmico (ver as notas sobre Gn 15.18), mas isso não teria cumprimento senão dentro de mais quatrocentos anos, de forma que o neto de Abimeleque não correria perigo.

■ 21.25

וְהוֹכִ֥חַ אַבְרָהָ֖ם אֶת־אֲבִימֶ֑לֶךְ עַל־אֹדוֹת֙ בְּאֵ֣ר הַמַּ֔יִם אֲשֶׁ֥ר גָּזְל֖וּ עַבְדֵ֥י אֲבִימֶֽלֶךְ׃

A Queixa de Abraão. Visto que Abimeleque queria paz e um tratado formal que assegurasse a concórdia, Abraão aproveitou a oportunidade para apresentar uma queixa. Ele tinha um poço que servos de Abimeleque haviam tomado à força. Não somos informados se os servos de Abraão reagiram com *violência* ou não. E o mais provável é que o poço tenha sido devolvido a Abraão, ou os dois encontraram uma maneira de compartilhar do bem. O texto não fornece pormenores, pelo que temos de contentar-nos com a nossa imaginação.

Pessoas pacíficas não têm dificuldades para resolver pequenas disputas. Essas pessoas resistem à tentação de ceder diante da cobiça.

Poços (cisternas). Esses eram fontes que jorravam, e eram um bem muito valorizado nos desertos da Palestina. Ver no *Dicionário* os artigos intitulados *Poço* e *Cisterna.* Eram sistemas que permitiam a continuação da vida. A água era escassa, e cavar um poço era uma tarefa cara e laboriosa.

Considerando o tamanho dos rebanhos de gado vacum e gado ovino de Abraão e Abimeleque, é possível que estivesse sendo disputado todo um sistema, e não um único poço.

■ 21.26

וַיֹּ֣אמֶר אֲבִימֶ֔לֶךְ לֹ֣א יָדַ֔עְתִּי מִ֥י עָשָׂ֖ה אֶת־הַדָּבָ֣ר הַזֶּ֑ה וְגַם־אַתָּ֞ה לֹא־הִגַּ֣דְתָּ לִּ֗י וְגַ֧ם אָנֹכִ֛י לֹ֥א שָׁמַ֖עְתִּי בִּלְתִּ֥י הַיּֽוֹם׃

Abimeleque Ignorava os Fatos. Ele não tinha baixado ordens quanto ao confisco do poço; algum subordinado seu tinha tomado a iniciativa, passando por cima da autoridade de seu senhor, e Abimeleque nem ao menos tinha ouvido falar na questão. Portanto, Abimeleque era inocente quanto a qualquer infração das regras de boa vizinhança. O texto cala-se sobre como a pendência foi resolvida, e cabe a nós imaginar a solução. Alguns intérpretes têm pensado que a visita de Abimeleque foi ocasionada pela questão sobre o poço, mas o próprio texto não nos fornece nenhum indício a esse respeito.

■ 21.27

וַיִּקַּח אַבְרָהָם צֹאן וּבָקָר וַיִּתֵּן לַאֲבִימֶלֶךְ וַיִּכְרְתוּ שְׁנֵיהֶם בְּרִית׃

Ovelhas e bois. Foi dado um presente a Abimeleque, como garantia de boas intenções da parte de Abraão. Esses animais tornaram-se um símbolo do tratado firmado. "Eu dou, tu recebes; tu dás, eu recebo". Essa é a essência da boa vontade que garante a vigência de um tratado. O presente de gado graúdo e miúdo também parece ter sido uma espécie de presente simbólico pela perda do poço ou sistema de poços. Ou, talvez, os dois, dali por diante, usariam, ambos, o sistema. Abraão, pois, afiançou por meio do presente que *ele mesmo* havia cavado o poço. Não estava mentindo. Talvez a questão das ovelhas e dos bois tenha envolvido alguma espécie de sacrifício religioso, que fazia parte integral do estabelecimento do acordo.

No hebraico temos a expressão *cortando um pacto,* talvez indicando alguma forma de sacrifício oferecido por Abraão, em Gênesis 15.10,17, onde os animais sacrificados foram cortados em bandas. Nesses sacrifícios, as pessoas que se compactuavam passavam pelas metades dos animais mortos. Ver as notas expositivas sobre aqueles versículos, que fornecem detalhes desse costume antigo. Por outra parte, um tipo de pacto estava em pauta quando era usada a expressão idiomática como "cortar um tratado".

■ 21.28

וַיַּצֵּב אַבְרָהָם אֶת־שֶׁבַע כִּבְשֹׂת הַצֹּאן לְבַדְּהֶן׃

Sete cordeiras do rebanho. Abraão tinha cavado aquele poço. Abimeleque acreditou nele e também deu um presente a Abraão, depois de ter recebido deste um presente, como uma espécie de "pagamento" ou "compensação" pelo poço. Os tratados são uma questão de dar e receber. Abraão não recebeu um documento formal de posse do poço. Bastava-lhe que Abimeleque concordasse quanto ao direito legítimo de propriedade. Obviando a necessidade de juramentos formais, disse o Senhor Jesus: "Seja, porém, a tua palavra: Sim, sim; não, não. O que disto passar, vem do maligno" (Mt 5.37).

■ 21.29

וַיֹּאמֶר אֲבִימֶלֶךְ אֶל־אַבְרָהָם מָה הֵנָּה שֶׁבַע כְּבָשֹׂת הָאֵלֶּה אֲשֶׁר הִצַּבְתָּ לְבַדָּנָה׃

Que significam as sete cordeiras...? Ou Abimeleque não sabia mesmo (pois os filisteus não usavam esse método de fazer pactos) ou, então, fez a pergunta por motivo de cortesia, dando a Abraão a oportunidade de declarar solenemente as condições do tratado. Seja como for, a recuperação do poço indicava a ratificação do tratado, caso em que as cordeiras serviam de sinal e garantia.

■ 21.30

וַיֹּאמֶר כִּי אֶת־שֶׁבַע כְּבָשֹׂת תִּקַּח מִיָּדִי בַּעֲבוּר תִּהְיֶה־לִּי לְעֵדָה כִּי חָפַרְתִּי אֶת־הַבְּאֵר הַזֹּאת׃

As Sete Cordeiras Serviram de Testemunho. Abraão havia cavado o poço. Abimeleque tinha crido nele e recebeu as sete cordeiras, para então devolvê-las como "pagamento" ou "compensação" pelo poço. Os tratados são uma questão de dar e receber. Abraão não recebeu um documento de posse do poço. Bastava que Abimeleque tivesse concordado sobre quem era o proprietário legítimo. Conforme disse Jesus, em Mateus 5.37, "Seja porém, a tua palavra: Sim, sim; não, não. O que disto passar, vem do maligno". E essas palavras dispensam a necessidade de juramentos.

■ 21.31

עַל־כֵּן קָרָא לַמָּקוֹם הַהוּא בְּאֵר שָׁבַע כִּי שָׁם נִשְׁבְּעוּ שְׁנֵיהֶם׃

Berseba. O termo hebraico *beer* quer dizer "poço", e *sheba* significa "juramento", estando também relacionado a *seba,* "sete". Ver no *Dicionário* o artigo intitulado *Berseba.* Robinson, o arqueólogo, afirmava ter achado o local exato desse poço, no wadi-es-Seba, cujo nome até hoje é preservado como Ber-es-Seba. Naquela área há dois poços de construção sólida, separados um do outro por um espaço de cerca de duzentos metros. Ambos são recobertos internamente por tijolos, e são alimentados por fontes de água perenes. O maior dos dois poços é deveras antigo, e suas paredes laterais superiores foram desgastadas pelas cordas usadas para puxar baldes de água. Muitos eruditos, porém, duvidam de que esses poços sejam dos dias de Abraão. Mas não há como provar a veracidade ou não dessa contenção.

■ 21.32

וַיִּכְרְתוּ בְרִית בִּבְאֵר שָׁבַע וַיָּקָם אֲבִימֶלֶךְ וּפִיכֹל שַׂר־צְבָאוֹ וַיָּשֻׁבוּ אֶל־אֶרֶץ פְּלִשְׁתִּים׃

O Acordo Fica Completo. Foi assim garantida a paz por algumas gerações, ficando estabelecida uma política de boa vizinhança. Os participantes retornaram cada qual a seu lar.

As terras dos filisteus. Ver as notas sobre o vs. 34. É bom que os irmãos habitem juntos, em paz.

■ 21.33

וַיִּטַּע אֶשֶׁל בִּבְאֵר שָׁבַע וַיִּקְרָא־שָׁם בְּשֵׁם יְהוָה אֵל עוֹלָם׃

Plantou Abraão tamargueiras. Ele levantava um altar e estabelecia um lugar de adoração e observância religiosa por onde quer que fosse. Ver Gênesis 12.7,8; 13.4,18; 22.9. Isaque seguiu o seu exemplo. Ver Gênesis 26.25. Ver no *Dicionário* o artigo intitulado *Altar.*

Tamargueiras. No hebraico, *eshel,* que aparece por três vezes no Antigo Testamento (aqui e em 1Sm 22.6; 31.13). Mas o vocábulo só é traduzido por "tamargueira" neste passo bíblico, nas outras ocorrências temos a tradução "arvoredo". O nome científico dessa planta arbustiva é *Tamarisk aphylla.* Na *Enciclopédia de Bíblia, Teologia e Filosofia* há um verbete intitulado *Tamargueira, Arbusto,* que o leitor pode examinar.

Os bosques são lugares aprazíveis, e eram plantados para prover lugares tranquilos para meditação e ritos religiosos. Mas muitos desses bosques, também conhecidos como *lugares altos,* posteriormente foram usados em Israel para efeito de ritos pagãos idolátricos. Ver no *Dicionário* sobre os *Lugares Altos.* Nesse tempo, Abraão erigiu um santuário em Berseba, onde iniciou a adoração a *Yahweh* (ver a respeito no *Dicionário*). Um nome divino diferente é usado aqui (explicado abaixo), embora continuasse sendo aquele um bosque e santuário de Yahweh. Mas aqui ele é intitulado *Senhor, Deus Eterno.* É possível que no local houvesse antes um centro de culto pagão, embora não possamos ter certeza quanto a isso. Os críticos supõem que o centro tenha sido realmente estabelecido por Isaque (Gn 26.19-33), supondo que a fonte J seria mais antiga que a fonte E. Se esse raciocínio está correto, a fonte informativa E atribuiria a obra a Abraão. Mas não há motivos para duvidarmos da exatidão histórica do relato do capítulo 21. Ver no *Dicionário* o artigo sobre a teoria das múltiplas fontes informativas do Pentateuco, intitulado *J.E.D.P.(S.).*

O culto a Yahweh foi-se ampliando a partir de Hebrom, até que chegou às mais diversas regiões da Palestina. Muito mais antiga que Abraão era a crença que havia entre antigas populações, de que lugares aprazíveis ou que causavam admiração eram lugares onde os poderes divinos se manifestavam preferencialmente. Cf. esta passagem com os *carvalhais de Manre* (Gn 13.18 e 18.1). Ver também, em Gênesis 23.17,18 e 35.27 e no *Dicionário,* acerca de *Manre.* Talvez Abraão tenha sido impelido a pensamentos mais profundos sobre as obras divinas naquele lugar, onde ele podia descansar e meditar. As árvores têm inspirado os poetas:

Uma árvore que olha para Deus o dia todo,
Que eleva seus braços de folhas para orar.

Joyce Kilmer

Senhor, Deus eterno. Temos aqui no hebraico, *Yahweh El Olam*. Nas Escrituras, o termo hebraico *olam* é usado para indicar coisas secretas ou ocultas (Lv 5.2; 2Rs 4.27; Sl 10.1). Também é empregado para falar de uma era ou de um tempo indefinido (Lv 25.32; Js 24.2). Daí originou-se a ideia de "eternidade", de tempo indefinido e interminável. No Novo Testamento, a palavra grega usada para traduzir o termo hebraico é *aion*. Quanto ao termo hebraico *El*, também já o analisamos. Fala de poder e autoridade. Deus é o poder eterno, o poder que a tudo controla. Ele é o Deus Todo-poderoso e Eterno, cuja autoridade não diminui nem se altera. Neste versículo, *El Olam* é adicionado a *Yahweh* (Senhor), servindo para falar de um de seus atributos. Ver no *Dicionário* os artigos *Deus, Nomes Bíblicos de,* e *Yahweh*. O título divino *Olam* figura aqui pela primeira vez na Bíblia. No grego, teríamos a combinação correspondente *Theós Aiônios*.

"O qual é de eternidade em eternidade... o Criador e sustentador do universo, bem como o preservador de todas as criaturas ali existentes..." (John Gill, *in loc.*).

■ 21.34

וַיָּגָר אַבְרָהָם בְּאֶרֶץ פְּלִשְׁתִּים יָמִים רַבִּים׃ פ

Morador. Como seminômade. Ver no *Dicionário* o verbete *Nômades*.

Na terra dos filisteus. Comentadores judeus disseram que essas jornadas de Abraão duraram 26 anos. O vs. 32 diz que Abimeleque, ao voltar de Gerar, retornou à "terra dos filisteus". Os filisteus estabeleceram-se em massa na Palestina, em cerca de 1200 a.C. Mas, antes mesmo dessa época, comerciantes marítimos estabeleceram-se nas costas mais orientais do Mediterrâneo, desde a época de Abraão (2166-1990 a.C.). Ver no *Dicionário* o artigo detalhado *Filisteus, Filístia*. A palavra moderna *Palestina* deriva-se do nome daquele povo. Essa palavra só começou a ser usada no século II a.C. Canaã era um nome alternativo e mais antigo para Palestina. O nome Fenícia, talvez derivado do vocábulo grego *phoinos*, significa "avermelhado", "queimado de sol", que pode ter-se originado na tintura púrpura ou avermelhada que era um dos principais produtos da região.

CAPÍTULO VINTE E DOIS

O SACRIFÍCIO DE ISAQUE (22.1-19)

Os críticos atribuem o relato à fonte *E*. Quanto à teoria das fontes múltiplas do Pentateuco, ver o verbete *J.E.D.P.(S.)*. Esta narrativa foi contada com graça excepcional, sendo um dos mais belos e comoventes episódios do Antigo Testamento. Ao mesmo tempo, tem servido de consternação para muitos intérpretes, por causa de seu *sacrifício humano*, que, embora não se tivesse concretizado, alegadamente foi ordenado pelo próprio Deus (vs. 2). Intérpretes como Orígenes pensavam tratar-se de uma alegoria (o que também pensavam sobre outras passagens *difíceis*), extraindo daí lições morais e espirituais, mas negando, peremptória e absolutamente, que Deus tivesse ordenado (como fato histórico) um sacrifício humano. Há aqui grande drama humano: O amado filho prometido, Isaque, que tanto demorara a chegar, e que vinha sendo aguardado fazia tanto tempo, agora, de súbito, precisava ser sacrificado, e pelo seu próprio pai. Os registros mostram que sacrifícios humanos eram coisa comum em Ur e cercanias nos dias de Abraão, e que, sem dúvida, esse teria sido um fator do pano de fundo histórico do relato. Alguns eruditos consideram o episódio uma lenda que foi adicionada a Gênesis a fim de demonstrar a grande dedicação de Abraão a Yahweh, não lhe negando nem mesmo a vida de seu filho, Isaque. A lição moral perene do relato é que não pode haver limite à dedicação espiritual e à obediência do homem, que deve incluir até o *sacrifício*. Outros estudiosos creem na autenticidade histórica do relato, mas dizem que Abraão, em sua dedicação total, *pensou* que Yahweh tinha ordenado o sacrifício, sem perceber que o impulso vinha dele mesmo, e não de Deus. Por outra parte, não podemos perder de vista o fato de que o autor de Gênesis compreendia que a questão tivera origem na ordem divina. E assim vai rolando a controvérsia. Mas esta não nos deveria cegar para as grandes lições morais e espirituais da narrativa. Ver no fim do vs. 14 um *sumário* de ideias sobre o problema do sacrifício humano, no que tange à história de Abraão.

■ 22.1

וַיְהִי אַחַר הַדְּבָרִים הָאֵלֶּה וְהָאֱלֹהִים נִסָּה
אֶת־אַבְרָהָם וַיֹּאמֶר אֵלָיו אַבְרָהָם וַיֹּאמֶר
הִנֵּנִי׃

Depois dessas cousas. Ou seja, após os incidentes em Berseba, onde Abraão erguera um centro de adoração (santuário) a *Yahweh, El Olam*. Ver 21.27 ss.

Pôs Deus Abraão à prova. Sem dúvida, foi o mais severo teste a que Abraão foi submetido (em toda a sua vida). Ele havia recebido Isaque da parte de Deus, mediante uma intervenção miraculosa, e após muitos anos de espera. Agora devia dá-lo de volta a Yahweh. Dizemos de forma negligente: "Deus dá e Deus tira". Mas chegado o tempo de Deus tirar-nos algo, nosso coração desmaia. E quando perdemos um filho querido, isso é quase demais para suportar. Mas se essa *perda* chegar a ser *causada* pelo pai, então a severidade da prova ultrapassa toda compreensão humana.

Ismael tinha sido mandado embora (Gn 21.12,13), e isso fora difícil para Abraão. Mas agora fora-lhe pedido algo pior: a morte de um filho querido. Uma coisa é *falar* em confiar em Deus e obedecer a ele. Mas é outra coisa *atender* ao Senhor na hora da prova e da tristeza.

Intermináveis sermões têm sido pregados sobre como Abraão tinha estatura espiritual suficiente para ser aprovado no teste. Somente um homem como Abraão poderia ter passado em um teste dessa natureza.

Quatro grandes crises da peregrinação espiritual de Abraão:

1. Deixar seu país e sua gente (Gn 12).
2. Separar-se de Ló e as provas que ocorreram por causa do envolvimento de Ló com o mundo (Gn 13.1-18).
3. O teste e a separação acerca de Ismael (Gn 21.9 ss.).
4. O sacrifício de Isaque, o mais severo dos quatro testes (Gn 22).

Cada um desses testes envolveu uma rendição do que lhe era querido e grande dor de coração. Mas tudo redundou em vitória final.

Deus. *Elohim, o Eterno*. Nenhum teste pode ser visto isoladamente. Existe um plano divino e uma dimensão eterna de todas as coisas. Confiamos nesse plano. Ver no *Dicionário* o verbete *Elohim*.

A Idade de Isaque. Não há como determinar sua idade na ocasião. Josefo dizia que ele tinha 25 anos; mas outros falam em 5 anos, e outros em 13. O Targum de Jonathan diz 36.

As Dez Tentações. Os intérpretes judeus distinguiam dez testes especiais de Abraão, observando que esse foi o último e mais severo de todos.

■ 22.2

וַיֹּאמֶר קַח־נָא אֶת־בִּנְךָ אֶת־יְחִידְךָ אֲשֶׁר־אָהַבְתָּ
אֶת־יִצְחָק וְלֶךְ־לְךָ אֶל־אֶרֶץ הַמֹּרִיָּה וְהַעֲלֵהוּ שָׁם
לְעֹלָה עַל אַחַד הֶהָרִים אֲשֶׁר אֹמַר אֵלֶיךָ׃

Teu filho, teu único filho. Naturalmente, isso nos faz lembrar o Filho unigênito de Deus, tipificado por Isaque.

Tipos Envolvidos Neste Texto:

1. *Abraão* é o Pai que sacrificou seu Filho como expiação pelo mundo inteiro (Jo 3.16).
2. *Isaque* é tipo de Cristo, obediente até a morte (Fp 2.5-8).
3. *O carneiro* é tipo da substituição, especificamente de Cristo, que foi oferecido como oferenda em nosso lugar (Hb 10.5-10).
4. *A ressurreição* foi tipificada na fé de Abraão de que Deus traria Isaque de volta à vida, se o sacrifício fosse levado a efeito (Hb 11.17-19).
5. *A fé que opera através de suas obras*, e é ilustrada por elas. Tiago utiliza-se deste trecho nessa demonstração, em Tiago 2.21-23.

Teu único filho. Abraão já tinha Ismael, mas Isaque era o único filho por meio de quem o pacto seria realizado. Ver sobre o *Pacto*

Abraâmico, em Gênesis 15.18. Ademais, Isaque era o único filho que Abraão tinha em sua companhia. Ismael já estava vivendo no deserto da Arábia.

Oferece-o. Ou seja, Isaque. Aqui Deus aparece a ordenar um sacrifício humano. Devemos lembrar que isso foi proibido terminantemente na legislação mosaica, por ser tido como a pior das abominações pagãs. Ver Levítico 18.21; 20.2,3. A pena de morte pairava sobre qualquer um que ousasse tão absurdo ato em Israel. Mas aqui Abraão, o pai de Israel, aparece prestes a cometer esse ato, e por ordem do próprio Deus. "Aqui há uma verdade que requer nossa reverência; mas há vestígios de ideias antigas que as consciências mais bem formadas deixaram há muito para trás. É como se em algum campo verdejante e frutífero, pronto para a colheita, alguém achasse ossos fossilizados de estranhas criaturas que antes caminhavam à face da terra. Temos aqui a história de Abraão e Isaque. E nela está embebido o fato de que antigamente não só os homens praticavam sacrifícios humanos, mas também faziam isso como se fosse uma ordem divina" (Cuthbert A. Simpson, *in loc.*). Alguns intérpretes pensam que a dificuldade inteira é aliviada pelo fato de que Deus estava apenas testando Abraão, pois não haveria de permitir que ele realizasse o ato. Outros aplicam aqui uma interpretação alegórica, como se o relato visasse a ensinar lições morais e espirituais, e não a um evento histórico. Alguns eruditos conservadores apenas ignoram o problema. Ver um *sumário* de ideias dos intérpretes, sobre a questão, no fim do vs. 14.

A teologia histórica e a arqueologia têm mostrado que em Ur e vizinhanças praticavam-se sacrifícios humanos para agradar aos deuses, nos dias de Abraão. A mesma coisa ocorria entre as tribos cananeias, vizinhas de Abraão. O rei de Moabe ofereceu em sacrifício um filho seu (2Rs 3.27). Ver detalhes sobre a questão, no verbete *Sacrifício Humano*.

Holocausto. O animal sacrificado era totalmente queimado como oferta de cheiro suave a Deus. Ver no *Dicionário* os artigos chamados *Ofertas Queimadas* e *Sacrifícios*.

Terra de Moriá. No hebraico, "(região) alta". Esse nome consiste em três elementos: *Men* (lugar); *ra'ah* (ver); e *Yah* (forma abreviada de *Yahweh*). Por isso é que alguns estudiosos dizem que o nome significa "visto por Yahweh" ou "escolhido por Yahweh". A palavra ocorre somente por duas vezes em todo o Antigo Testamento (Gn 22.2, para onde Abraão levou Isaque, a fim de oferecê-lo em sacrifício). Esse lugar ficava a três dias de viagem para quem partia da terra dos filisteus (Gn 21.34), a região de Gerar, mas podia ser visto a distância, devido à sua elevação (Gn 22.4). E também, em 2Crônicas 3.1, o local onde foi construído o templo de Salomão, a saber, o *monte de Moriá*, na eira de Ornã, o jebuseu, onde Deus apareceu a Davi (2Cr 3.1).

Vários problemas têm surgido no tocante a essa questão. Em primeiro lugar, o sul da Filístia não ficava a três dias de viagem desse lugar. Além disso, quando alguém caminhava para a área do templo, não podia vê-la a distância. A tradição samaritana ligava o monte Moriá ao monte Gerizim. A isso, outros retrucam dizendo que, em vista de o sul da Filístia ficar a cerca de 80 km de Jerusalém, poderiam ser necessários três dias de caminhada até a área onde, futuramente, foi construído o templo. Além disso, em Gênesis não está em evidência algum monte isolado, e, sim, toda uma região montanhosa, pelo que essa região é que seria visível a distância. Assim, se o monte Moriá, propriamente dito, não podia ser divisado a distância, as colinas circundantes podiam ser vistas. Josefo concordava com a identificação do monte Moriá como a área do templo (*Antiq.* I.12,1; VII.13,4), tal como o faz o livro dos Jubileus (18.13) e a literatura rabínica em geral. Atualmente, há no local uma mesquita islâmica, a mesquita de Omar.

■ 22.3

וַיַּשְׁכֵּם אַבְרָהָם בַּבֹּקֶר וַיַּחֲבֹשׁ אֶת־חֲמֹרוֹ וַיִּקַּח
אֶת־שְׁנֵי נְעָרָיו אִתּוֹ וְאֵת יִצְחָק בְּנוֹ וַיְבַקַּע עֲצֵי עֹלָה
וַיָּקָם וַיֵּלֶךְ אֶל־הַמָּקוֹם אֲשֶׁר־אָמַר־לוֹ הָאֱלֹהִים:

De madrugada. A fim de albardar o jumento e fazer outros preparativos para a viagem. Abraão estava de coração pesado. Mas fez todas as provisões necessárias, em obediência à ordem divina. Quanto a outras menções à *madrugada* em Gênesis, quando homens começavam a cuidar de seus afazeres, ver 19.27; 20.8; 24.25; 28.18; 31.55; 40.6.

"Todo preparativo para o sacrifício foi minuciosamente cuidado, como que para mostrar a calma com que Abraão se dispôs a obedecer. Chegou a levar a lenha já rachada, não porque em Moriá não houvesse lenha (vs. 13), mas a fim de que, ao chegarem ao destino, nada pudesse distrair seus pensamentos, e o sacrifício pudesse ser oferecido prontamente" (Ellicott, *in loc.*). "Uma jornada... silenciosa e difícil" (Allen P. Ross, *in loc.*).

Dois dos seus servos. Eles não são identificados, mas intérpretes judeus, sem base alguma, chamaram-nos Eliezer (ver Gn 15.2), que então já seria um homem idoso, e Ismael (que estava caçando no deserto da Arábia).

Isaque. O filho amado, que era o próprio sacrifício, e, sem sabê-lo, encaminhava-se para a sua execução. Incrível!

■ 22.4

בַּיּוֹם הַשְּׁלִישִׁי וַיִּשָּׂא אַבְרָהָם אֶת־עֵינָיו וַיַּרְא
אֶת־הַמָּקוֹם מֵרָחֹק:

Ao terceiro dia. Uma longa e cansativa viagem, feita de coração triste e com sombrias expectativas. Depois da longa jornada, avistaram o local do sacrifício. A região de Moriá ficava a cerca de 65 km de Berseba (onde Abraão residia). Hebrom ficava a 35 km de Berseba, e Jerusalém a 32 km. Viajar trinta e dois quilômetros em um dia não era coisa fácil na antiguidade.

Alguns eruditos veem sentidos místicos nesse informe, *terceiro dia*. Cf. Oseias 6.2. Jesus ressuscitou ao terceiro dia (Mt 17.23; 1Co 15.4). Assim, simbolicamente, Isaque ressuscitou naquele dia. Isaque transportava a madeira; Jesus carregou a sua cruz (Jo 19.17). Isaque foi amarrado; Jesus foi encravado na cruz (Mt 27.22). Moisés resolveu entrar no deserto caminho de três dias, a fim de oferecer sacrifício (Êx 15.22); Israel viajou três dias deserto adentro antes de achar água (Êx 15.22). Por três dias, a arca da aliança foi adiante do povo, em busca de um lugar de descanso (Nm 10.33). Ao terceiro dia, o povo de Israel deveria estar pronto a receber as leis de Deus (Êx 19.11). Depois de três dias, teriam de cruzar o rio Jordão (Js 1.11). Ao terceiro dia, Ester vestiu-se em sua roupagem real (Et 5.1). Podem ser achadas outras referências bíblicas, mas parece que neste texto não há nenhum sentido especial no terceiro dia.

Viu o lugar de longe. O próprio monte Moriá não podia ser avistado por quem caminhasse a pé apenas por três dias, tendo partido de Berseba, mas as colinas da região de Moriá podiam ser avistadas. Não precisamos exigir exatidão no relato.

Os Targuns dizem que o monte pôde ser identificado porque Deus fez uma coluna de fumaça subir dele, ou algum pilar de fogo, indicando uma manifestação divina, mas isso é fruto da imaginação.

■ 22.5

וַיֹּאמֶר אַבְרָהָם אֶל־נְעָרָיו שְׁבוּ־לָכֶם פֹּה עִם־הַחֲמוֹר
וַאֲנִי וְהַנַּעַר נֵלְכָה עַד־כֹּה וְנִשְׁתַּחֲוֶה וְנָשׁוּבָה אֲלֵיכֶם:

Iremos até lá. Abraão e Isaque seguiram sozinhos, a partir dali, deixando para trás os dois servos. Estes não podiam ser testemunhas do que estava prestes a acontecer.

Havendo adorado. Um rito religioso que ultrapassava a imaginação estava prestes a ter lugar. A garganta de Isaque seria cortada (o golpe mortal); seu corpo seria despedaçado; os pedaços do corpo seriam arrumados por sobre a lenha; e então tudo seria consumido no fogo, até tornar-se cinzas. Assim se consumaria o sacrifício de Isaque. Assim *adoravam* os povos antigos, uma espécie de sacrifício que Cristo eliminou para sempre na cruz. Aqui métodos primitivos gritam diante de nós, e alegramo-nos que tudo tenha ficado enterrado no passado. Verdadeiramente, chamar isso de *adoração* causa-nos *admiração*, segundo observou um comentador. O trecho de Hebreus 11.17,19 fala da ressurreição de Isaque, dando uma interpretação cristã ao episódio, embora o próprio texto não fale nesse tipo de expectativa por parte de Abraão. Antes, temos o drama de um sacrifício inacreditável, não-mitigado pela esperança, que tinha em mira apenas a obediência, severa e inflexível.

Voltaremos. Isso pode ser cristianizado sob a forma "depois da ressurreição de Isaque, voltaremos para junto de vós". Tremendo milagre! Mas nada disso fica entendido no próprio texto. Os intérpretes judeus não viam aqui a ideia de ressurreição, mas apenas afirmavam que Abraão disse isso "no espírito da profecia". O Espírito fê-lo ver um final feliz. Mas isso é improvável. Nada foi capaz de aliviar a dor daquele momento.

■ 22.6

וַיִּקַּח אַבְרָהָם אֶת־עֲצֵי הָעֹלָה וַיָּשֶׂם עַל־יִצְחָק בְּנוֹ וַיִּקַּח בְּיָדוֹ אֶת־הָאֵשׁ וְאֶת־הַמַּאֲכֶלֶת וַיֵּלְכוּ שְׁנֵיהֶם יַחְדָּו׃

A lenha... a colocou sobre Isaque. Isaque transportou a lenha; mas logo estaria em pedaços sobre ela. Tal como Jesus carregou a sua própria cruz (Jo 19.17), assim também Isaque levou a lenha de seu sacrifício. O cutelo cortaria a garganta de Isaque, e a fogueira transformaria seu corpo em uma tocha, até tê-lo reduzido a cinzas.

Um Tipo. A lenha pode indicar nossos pecados, postos sobre Jesus, o Cristo, ou, então, a cruz na qual ele foi crucificado.

É nesta altura da Bíblia que lemos pela primeira vez sobre o fogo e sobre facas, usados pelos homens, embora ambas as coisas desde muito antes de Abraão fossem conhecidas.

■ 22.7

וַיֹּאמֶר יִצְחָק אֶל־אַבְרָהָם אָבִיו וַיֹּאמֶר אָבִי וַיֹּאמֶר הִנֶּנִּי בְנִי וַיֹּאמֶר הִנֵּה הָאֵשׁ וְהָעֵצִים וְאַיֵּה הַשֶּׂה לְעֹלָה׃

Onde está o cordeiro...? Isaque estava familiarizado com sacrifícios de animais, e percebeu que lhes faltava alguma coisa. Faltava o *cordeiro*. É mister fazer provisão para qualquer tarefa a ser cumprida. Isaque não sabia como conseguir o item que faltava. Quem teria pensado em uma coisa tão horrível? Ver no *Dicionário* o artigo intitulado *Sacrifícios e Ofertas*. Os primeiros sete capítulos de Levítico são a principal fonte informativa sobre como, dentro da legislação mosaica, eram efetuados os sacrifícios, e quais animais eram tidos como legítimos como sacrifícios. Caim e Abel também tinham trazido sacrifícios e ofertas (Gn 4.4,5), pois, do ponto de vista da Bíblia, desde o começo, esses ritos religiosos e esse tipo de adoração já existiam. Todos os sacrifícios eram reputados como meras *sombras* de aspectos da missão e da obra remidora de Cristo (Hb 8.7; 10.1; ver também 9.13,14).

■ 22.8

וַיֹּאמֶר אַבְרָהָם אֱלֹהִים יִרְאֶה־לּוֹ הַשֶּׂה לְעֹלָה בְּנִי וַיֵּלְכוּ שְׁנֵיהֶם יַחְדָּו׃

Deus proverá... o cordeiro. Para *aquela* ocasião. Os intérpretes judeus consideram que Abraão falou como profeta, sabendo no seu subconsciente que Isaque seria poupado. Mas outros pensam que ele falou em tom de desespero, como se estivesse querendo dar a entender: "Tu, meu filho, és o sacrifício, conforme logo descobrirás. *Tu* és a provisão de Deus". Abraão já havia sido chamado de profeta (Gn 20.7, a única vez em que esse vocábulo é usado em Gênesis; ver as notas ali). Dotado de poderes especiais, incluindo a predição, ele podia ver em sua alma uma provisão divina especial que salvaria a vida de Isaque. Eruditos evangélicos pensam que ele também previu o *Cordeiro de Deus*, a provisão universal. Ver no *Dicionário* os verbetes *Ovelha* e *Cordeiro de Deus,* quanto a abundantes detalhes sobre essas questões. O Cordeiro de Deus seria o cumprimento final de todos os tipos e sombras que tinham sido dados antes (Hb 8.7; 10.1).

O texto ilustra a *fé resoluta* de Abraão e a *submissão* de Isaque, uma de suas grandes qualidades espirituais. Pai e filho seguiram "ambos juntos", mostrando que eles se equiparavam em suas virtudes espirituais.

O trecho de João 8.56 mostra-nos que Abraão fora capaz de prever a vinda do Messias. Os autores judeus dão grande crédito a Isaque, neste episódio. Sem dúvida, ele estava familiarizado com sacrifícios humanos, e eles supuseram que Isaque tenha *compreendido* que ele seria a vítima. Mas, conforme diz o Targum de Jerusalém, mesmo assim ele prosseguiu "com mente e coração tranquilo, submisso e bem-comportado".

■ 22.9

וַיָּבֹאוּ אֶל־הַמָּקוֹם אֲשֶׁר אָמַר־לוֹ הָאֱלֹהִים וַיִּבֶן שָׁם אַבְרָהָם אֶת־הַמִּזְבֵּחַ וַיַּעֲרֹךְ אֶת־הָעֵצִים וַיַּעֲקֹד אֶת־יִצְחָק בְּנוֹ וַיָּשֶׂם אֹתוֹ עַל־הַמִּזְבֵּחַ מִמַּעַל לָעֵצִים׃

Chegaram ao lugar, ou seja, onde o sacrifício ocorreria. Chegara o momento mais crítico. Três dias de caminhada tinham-nos trazido até aquele temível *lugar*, onde Isaque, o filho amado, seria sacrificado. O lugar foi o monte Moriá (ver o vs. 2 e suas notas). Davi e Salomão edificaram altares ali, tal como Abraão também o fez, naquele momento. Abraão erigia altares em todos os lugares onde chegava (Gn 12.7,8; 13.4,18). Ver no *Dicionário* o verbete intitulado *Altar*. Mas ali, no monte Moriá, estava o altar mais importante, o lugar onde seu filho querido, Isaque, seria sacrificado. Na antiguidade eram erigidos altares simples, feitos de terra ou de pedras.

Dispôs a lenha. A lenha que ele tinha posto sobre os ombros de Isaque.

Amarrou Isaque. Os animais sacrificados eram amarrados porque, percebendo o que estava sucedendo, sem dúvida ofereciam resistência. Mas Isaque, sendo jovem, muito mais forte que seu idoso pai, deve ter-se submetido voluntariamente. A cena é quase inconcebível! Os críticos rebelam-se neste ponto, não crendo que um homem da estatura espiritual de Abraão pudesse ter feito algo assim. E pensam que o relato é lendário. Mas outros simplesmente opinam que Abraão, apesar de todo o seu progresso espiritual, era produto de sua *época,* quando ainda havia sacrifícios humanos. Ver no *Dicionário* o verbete *Sacrifício Humano*. Os eruditos conservadores, por outra parte, olham em outra direção, não ousando contemplar Abraão a preparar-se para efetuar o sacrifício. Alguns chegam a temer comentar sobre o texto com maior profundidade. Ainda há aqueles que alegorizam todo o lance. Ver meus comentários de introdução ao primeiro versículo deste capítulo, bem como sobre outras ideias, no segundo versículo.

■ 22.10

וַיִּשְׁלַח אַבְרָהָם אֶת־יָדוֹ וַיִּקַּח אֶת־הַמַּאֲכֶלֶת לִשְׁחֹט אֶת־בְּנוֹ׃

E, estendendo a mão... para imolar o filho. Abraão *quase* concluiu o sacrifício. O cutelo chegou a ser erguido. Golpearia ele a garganta de Isaque, como era usual, ou atingiria ele o coração do rapaz? Fosse como fosse, seria um golpe mortal. E, então, Abraão deceparia o corpo de seu filho, o poria sobre a lenha e o consumiria a fogo sobre o tosco altar. Uma cena quase inimaginável!

"Ele brandia o cutelo na mão, pronto a cortar a garganta de seu filho, com um golpe final..." (John Gill, *in loc.*).

Senhor, disse eu,
Jamais eu poderia matar um meu semelhante;
Crime de tal grandeza cabe a um selvagem somente,
É o crescimento venenoso da mente maligna,
Ato alienado dos mais indignos.

Senhor, disse eu,
Jamais eu poderia matar um meu semelhante,
Um ato horrível de raiva sem misericórdia,
Punhalada irreversível de inclinações perversas,
Ato não imaginável de plano ímpio.
Disse o Senhor a mim:
Uma palavra sem afeto lançada contra vítima que odeias,
É um dardo abrindo feridas de dores cruéis.
A bisbilhotice corta o homem pelas costas,
Um ato covarde que não podes retirar.
Ódio no teu coração, ou inveja levantando sua horrível cabeça
É um desejo secreto de ver alguém morto.

Russell Champlin

■ 22.11

וַיִּקְרָא אֵלָיו מַלְאַךְ יְהוָה מִן־הַשָּׁמַיִם וַיֹּאמֶר אַבְרָהָם אַבְרָהָם וַיֹּאמֶר הִנֵּנִי׃

Do céu. Ver Gênesis 11.4 e 22.15; e, no *Dicionário*, o verbete intitulado *Céu*.

O anjo do Senhor. Até este ponto no livro de Gênesis já pudemos apreciar várias cenas de ministério angelical. Ver 16.7,9-11; 19.1,15; 21.17. Ver também Gênesis 22.15; 24.7,40; 28.12; 31.11; 32.1; 48.16. Ver no *Dicionário* o artigo geral chamado *anjo*. Não há que duvidar da existência de seres não-materiais, invisíveis e poderosos, os quais podem entrar em contato com homens no cumprimento de várias missões.

Até esta altura da narrativa, *Elohim* é o agente ativo do drama. Agora ele envia o seu anjo para impedir o sacrifício humano que estava prestes a ocorrer. O anjo chamou Abraão. Sua voz soou alta e clara. Abraão fez parar o movimento da mão. Ele estava ali para ouvir e obedecer, uma vez mais. Dessa vez, houve uma feliz obediência. E Isaque foi poupado de uma morte horrível.

anjo. Alguns pensam estar em foco uma aparição do *Logos* no Antigo Testamento, o qual sempre foi, é e será o único Mediador entre Deus e o homem (1Tm 2.5). Mas talvez essa opinião reflita uma exagerada cristianização do texto.

■ 22.12

וַיֹּאמֶר אַל־תִּשְׁלַח יָדְךָ אֶל־הַנַּעַר וְאַל־תַּעַשׂ לוֹ
מְאוּמָה כִּי עַתָּה יָדַעְתִּי כִּי־יְרֵא אֱלֹהִים אַתָּה וְלֹא
חָשַׂכְתָּ אֶת־בִּנְךָ אֶת־יְחִידְךָ מִמֶּנִּי׃

Não estendas a mão. Deus nunca tivera a intenção de que aquele ato terrível fosse levado à conclusão. Mas até então nem Abraão nem Isaque sabiam disso. Portanto, a *fé* de Abraão e a *submissão* de Isaque foram testadas supremamente.

Agora sei. Palavras com sentido antropomórfico, pois Deus não fica sabendo das coisas. Seu conhecimento foi apenas *confirmado* pelo ato de obediência de Abraão, uma obediência absoluta e inquestionável. Ver no *Dicionário* o artigo *Antropomorfismo*.

Temes Deus. O texto contém um jogo de palavras, mas que não transparece nas traduções. *Yere Elohim* (temes a Deus) é um jogo de palavras com *el yireh* (Deus verá), no vs. 14. Devemos entender isso como "Deus verá como o temes, e não perderás o teu galardão".

O sacrifício real, o *Cordeiro de Deus*, não foi poupado, como Isaque o foi, porquanto havia a imposição de uma necessidade divina. Em sua agonia, Jesus procurou escapar, mas não lhe foi permitido isso, conforme foi permitido a Isaque (Mt 26.39).

Abraão foi um tipo do Pai, que sacrificou; *Isaque* foi um tipo do Filho, que foi sacrificado, mostrando-se "obediente até à morte" (Fp 2.8). Considerado um *tipo*, o relato do sacrifício de Isaque é uma das mais importantes narrativas do Antigo Testamento. Muitos dados teológicos são abrangidos pelo incidente, segundo se vê no Novo Testamento.

Não me negaste... o teu único filho. De acordo com o anjo do Senhor, essa é a principal lição a ser extraída de todo o episódio. Abraão fez um *sacrifício supremo*, tendo o Senhor considerado que ele foi até as últimas consequências, embora Deus lhe tenha impedido de chegar à temível conclusão. E Isaque demonstrou uma *obediência suprema*, secundando a obediência de Abraão.

"Aquele que não poupou seu próprio Filho, antes, por todos nós o entregou..." (Rm 8.32). E agora, como não nos daria, juntamente com ele, todas as coisas? O ato de obediência de Abraão foi recompensado por uma nova reiteração do Pacto Abraâmico (Gn 22.15 ss.). O Filho maior de Abraão, o Messias, foi quem tornou realidade o cumprimento maior das dimensões espirituais do pacto.

■ 22.13

וַיִּשָּׂא אַבְרָהָם אֶת־עֵינָיו וַיַּרְא וְהִנֵּה־אַיִל אַחַר נֶאֱחַז
בַּסְּבַךְ בְּקַרְנָיו וַיֵּלֶךְ אַבְרָהָם וַיִּקַּח אֶת־הָאַיִל וַיַּעֲלֵהוּ
לְעֹלָה תַּחַת בְּנוֹ׃

Um carneiro preso pelos chifres. Eis aí o substituto previsto (vs. 8). Esse animal, como todos os animais sacrificados no Antigo Testamento, era tipo do Cordeiro de Deus. Em face dessa substituição, a vida de Isaque foi poupada. É devido a Cristo, nosso substituto, que todas as almas podem ser liberadas. A provisão de Deus foi adequada no caso de Isaque, e outro tanto quanto à missão remidora de Cristo, no que nos diz respeito.

Talvez o carneiro tivesse quatro chifres, um animal que ainda é comum no Oriente Médio. Devemos pensar em um animal selvagem, e não domesticado. Não foi por acaso que o animal estava ali. Houve um *desígnio divino* na questão, mesmo porque nada acontece por mero acaso. A providência divina é, portanto, uma das lições contidas no texto. Ver no *Dicionário* o artigo intitulado *Providência de Deus*.

Um Holocausto em Lugar de Isaque. Este versículo subentende a natureza vicária do sacrifício de Cristo, tão óbvia no Novo Testamento. A epístola aos Hebreus ensina-nos que tudo quanto aconteceu antes foi mero tipo e sombra de Cristo (ver Hb 8.7 e 10.1). Ver as notas em João 1.29, na *Enciclopédia de Bíblia, Teologia e Filosofia;* e ver no *Dicionário* o artigo intitulado *Cordeiro de Deus*. Ver também Romanos 8.32, onde "poupou" é tradução da mesma palavra grega usada na Septuaginta em Gênesis 22.2, *epheiso*.

A Provisão da Graça. Não foi Abraão quem trouxe o carneiro. O animal já estava ali. Logo, foi mister certa medida de graça divina para que a transação se completasse. Ver no *Dicionário* o verbete *Graça*.

■ 22.14

וַיִּקְרָא אַבְרָהָם שֵׁם־הַמָּקוֹם הַהוּא יְהוָה יִרְאֶה אֲשֶׁר
יֵאָמֵר הַיּוֹם בְּהַר יְהוָה יֵרָאֶה׃

O Senhor proverá. No hebraico, *Yahweh-jireh*. Ver no *Dicionário* os artigos sobre *Yahweh* e sobre vários outros nomes de Deus, isolados ou em suas combinações. Ver também o verbete *Deus, Nomes Bíblicos de*. O apelativo *Yahweh-jireh* significa "Deus verá". Quando estava prestes a sacrificar Isaque, Abraão usou esse nome, ou seja: "O Senhor verá e proverá um substituto para ser sacrificado em teu lugar, ó Isaque". Isso ocorreu no monte Moriá. Isto posto, alguns estudiosos têm insistido em que essa expressão pode dar a entender *ambas* as ideias de *ver* e de *prover*. Assim, Yahweh veria e interviria, o que serve de grande encorajamento para todos quantos nele confiam.

Um Provérbio Resultante. Os homens não se olvidaram daquela ocasião memorável, lembrete de um momento especial no monte Moriá, quando Deus interveio em favor de Abraão e Isaque. "No monte do Senhor se proverá", ou seja, é admirável que a providência divina possa ser aplicada a todos nós, em muitas oportunidades. Abraão viu grandes coisas, e nós também. No monte, pois, Deus fez uma *provisão* especial (conforme dizem algumas traduções, inclusive nossa versão portuguesa, ao passo que outras preferem destacar a ideia de "ver"). Essa provisão foi marcante, o que mostra que Yahweh está sempre próximo para prover-nos o necessário.

Proibição acerca de Sacrifícios Humanos. Deus *não permitiu* que se consumasse o sacrifício de Isaque. Portanto, dali por diante *nunca* mais se deveria tentar tal coisa. É possível que esse relato tenha sido *um* dos fatores que fez descontinuar todo sacrifício humano em Israel. Deus não permitiu que Abraão sacrificasse seu filho. Logo, ninguém deve agora fazer sacrifícios humanos. Seja como for, tornou-se terminantemente proibida essa prática. Ver Levítico 18.21 e 20.2,3.

Diz aqui a Septuaginta: "No monte, Yahweh será visto", ou seja, será visto a prover, a cuidar dos que lhe pertencem, a mostrar o seu poder. Isso, por sua vez, é cristianizado para indicar que, no monte Calvário, Deus completaria a sua provisão. Yahweh apareceria ali em favor dos homens. "Deus manifesto na carne, o Emanuel" (John Gill, *in loc.*).

Alguns intérpretes identificam o monte desta história com o monte Calvário. Isso seria uma coincidência notável, mas não há como examinar e comprovar a questão. Seja como for, há uma identificação espiritual, mesmo que talvez não haja uma identificação de localização topográfica.

Sumário de Interpretações acerca dos Sacrifícios Humanos, no que Tange a Este Texto:

1. *Um Relato Não-Histórico* (posição do ceticismo). A narrativa seria lendária e, naturalmente, conteria elementos (desagradáveis para nós) que faziam parte da cultura da época. Se o relato é *muito* antigo (o que é possível), então surgiu em uma época em que não se fazia objeção a sacrifícios humanos. De fato, isso era aprovado como um ato de adoração suprema.

2. *Um Relato Não-Histórico* (posição da Alta Crítica). O relato seria um dos muitos mitos que cercam a pessoa de Abraão, ainda que, provavelmente, ele tenha sido uma personagem histórica. Ele foi um *herói* dos hebreus, tal como Homero, em sua *Ilíada*, apresentou muitos heróis fictícios. Talvez *algum* material histórico tenha

sido *injetado* em tais lendas. Naturalmente, estão ali contidos alguns elementos contrários à nossa atitude espiritual, entre os quais a questão dos sacrifícios humanos.

3. *Um Relato Histórico Literal* (posição ultraconservadora). Deus, de fato, quer gostemos disso quer não, ordenou um sacrifício humano, e Abraão nada viu de errado nisso. O acontecimento foi uma ocorrência histórica real, ordenada por Deus.
4. *Um Relato Histórico Literal* (posição do voluntarismo). Aquilo que Deus determina é correto, não havendo razão para supormos que sua *vontade* corresponda necessariamente àquilo que *nós* pensamos que é certo. Deus faz o que bem quer, e aquilo que ele quer torna-se automaticamente correto — essa é a opinião do voluntarismo. Ver no *Dicionário* o artigo intitulado *Voluntarismo*.
5. *Posição Conservadora Modificada*. Essa posição tem assumido várias formas, a saber:
   a. Deus determinou o sacrifício, que foi um evento histórico. Desde o princípio, porém, Deus não queria que Abraão o consumasse. Logo, na verdade, nenhum sacrifício humano foi determinado. Tudo apenas serviu para testar a fé de Abraão.
   b. Deus ordenou o sacrifício a fim de dar-nos um tipo maravilhoso. Isaque serviu de tipo de Cristo; e Abraão serviu de tipo do Pai, que sacrificou seu Filho. Para que esses tipos fossem vívidos e poderosos, foi mister *permitir* que o ambiente cultural de Abraão suprisse um ingrediente essencial: a aceitação de sacrifícios humanos.
   c. *Uma alegoria literária* teria sido fornecida pelo autor do livro de Gênesis, a fim de ensinar importantes lições. Não precisamos pensar que temos aqui um evento histórico.
   d. *Uma não-interpretação, "deixa para lá"*. Vários autores conservadores preferem não comentar sobre o aspecto de sacrifício humano do relato, mas apenas extraem várias lições morais e espirituais do episódio. Algumas vezes é melhor não dissecar a Palavra de Deus.
6. *Sacrifícios Humanos São Proibidos*. Essa explicação pode encarar a história como histórica ou como não-histórica. De ambos os modos, o propósito central teria sido *proibir* sacrifícios humanos. Deus ordenara que Abraão oferecesse Isaque em sacrifício. Mas sua real intenção era *descontinuar o ato*, a fim de dar-nos uma lição objetiva. "Doravante, ponham isto na cabeça", Deus poderia ter dito. "Eu interrompi o ato, e vocês devem fazer a mesma coisa." Essa teria sido a instrução divina.
7. *A Teologia é Progressiva*. Qualquer interpretação sã deve levar em conta a progressão da teologia, que é um corpo crescente de conhecimentos revelados. Às vezes, o que é aceitável em um período fica ultrapassado em outro. Ver Lucas 9.54-56.

OUTRA CONFIRMAÇÃO DO PACTO ABRAÂMICO (22.15-19)

Não era possível que o autor sacro permitisse que o relato acima terminasse sem outra confirmação do Pacto Abraâmico (ver as notas a respeito em Gn 15.18). O ato de suprema obediência de Abraão mostrou que ele era digno, garantindo assim o cumprimento do pacto. Ademais, Isaque havia sobrevivido à terrível prova, sendo ele o filho prometido que nos faz lançar olhos para o Messias, o Filho maior de Abraão.

Reiterações do Pacto Abraâmico em Gênesis: 12.1-4; 13.14-17; 15.1-7; 17.1-8; 18.18 ss.; 22.15 ss.

■ 22.15

וַיִּקְרָא מַלְאַךְ יְהוָה אֶל־אַבְרָהָם שֵׁנִית מִן־הַשָּׁמָיִם:

Anjo do Senhor. Ver o vs. 11 deste capítulo quanto às muitas passagens de Gênesis que aludem ao ministério e atividade dos anjos. No *Dicionário* ver o artigo *anjo*.

Do céu. Não há doutrina definida ou detalhada do céu, no Antigo Testamento. Mas havia uma antiga crença de que Deus habitava "lá em cima", embora de forma indefinida. Os gregos tinham o seu Olimpo terrestre, o qual, com o tempo, passou a ser concebido como lugar que pairava acima da terra. O pensamento dos hebreus parece ter seguido uma progressão similar. Ver Gênesis 11.4 quanto a uma antiga instância do *céu* concebido como habitação de Deus. Estas notas também se aplicam ali. Ver também Gênesis 21.17. No *Dicionário* ver o artigo chamado *Céu*.

Pela segunda vez. A primeira vez figura no vs. 11, quando o anjo fez parar o sacrifício humano.

■ 22.16

וַיֹּאמֶר בִּי נִשְׁבַּעְתִּי נְאֻם־יְהוָה כִּי יַעַן אֲשֶׁר עָשִׂיתָ אֶת־הַדָּבָר הַזֶּה וְלֹא חָשַׂכְתָּ אֶת־בִּנְךָ אֶת־יְחִידֶךָ:

Jurei, por mim mesmo. O comentário de Hebreus 6.13, que aborda o Pacto Abraâmico e seu cumprimento certo, é: "... visto que não tinha ninguém superior por quem jurar, jurou por si mesmo". Hebreus 6.17 menciona o juramento confirmatório. Os juramentos são feitos "por" alguma coisa. Ver o detalhado artigo *Juramentos*, no *Dicionário*. A linguagem aqui é antropomórfica, visto que Deus não faz juramentos como os homens fazem. Ver o artigo *Antropomorfismo*, no *Dicionário*. Há uma determinação divina, e é a isso que o "juramento" feito por Deus se refere. Temos aí o único juramento divino mencionado nas Escrituras. A promessa do pacto, devido ao juramento divino, agora se tornava um pacto solene. Seu cumprimento triunfal pode ser visto no evangelho.

O filho único não foi negado ao Senhor. Abraão teria consumado o sacrifício se o anjo não tivesse feito intervenção; e isso foi considerado como se ele tivesse realizado o sacrifício. Um ato de suprema obediência provocou o juramento divino como uma confirmação absoluta.

Esse texto também visa a "encorajar outros a obedecer ao Senhor, em qualquer coisa que ele lhes ordene" (John Gill, *in loc.*).

"...os conselhos, estratagemas e poderes das trevas não seriam capazes de prevalecer nem de derrubar a verdadeira Igreja de Cristo (Mt 16.18), e, talvez, nosso Senhor tivesse em mira, nessa promessa, a Abraão e à sua posteridade espiritual" (Adam Clarke, *in loc.*).

■ 22.17

כִּי־בָרֵךְ אֲבָרֶכְךָ וְהַרְבָּה אַרְבֶּה אֶת־זַרְעֲךָ כְּכוֹכְבֵי הַשָּׁמַיִם וְכַחוֹל אֲשֶׁר עַל־שְׂפַת הַיָּם וְיִרַשׁ זַרְעֲךָ אֵת שַׁעַר אֹיְבָיו:

Deveras te abençoarei. No original hebraico a ideia é de que Deus *abençoaria continuamente* Abraão, o que é frisado mediante um acúmulo enfatizador de termos. Abraão seria abençoado temporal e espiritualmente, especificamente com as bênçãos alistadas no *pacto*.

O Acúmulo de Descrições. Como Abraão haveria de multiplicar-se? De três maneiras:
1. Como as estrelas (Gn 15.5, onde damos as notas a respeito; ver também Gn 26.4).
2. Como a areia da praia (repetido em Gn 32.12).
3. Como o pó da terra (Gn 13.16, onde damos as notas a respeito; esse aspecto é reiterado em Gn 28.14).

Várias nações são oriundas de Abraão. Israel, através de Isaque; e doze príncipes das nações árabes, por meio de Ismael. Ver Gênesis 17.20 e 25.13 ss., onde são alistados os povos. Várias nações árabes por meio de Quetura (Gn 25.1 ss.); os idumeus, por meio de Esaú (Gn 25.30; 36.10 ss.).

Este versículo acrescenta a promessa da conquista final da Terra Prometida, pois Israel não poderia ser preservado sem esse triunfo. Embora ainda se passassem cerca de quatrocentos anos até que essa promessa se cumprisse, o Pacto Abraâmico (notas em Gn 15.18) já havia previsto esse aspecto. Mas primeiro era mister que se completasse a iniquidade dos povos cananeus, e estes fossem destruídos mediante a justiça divina. Israel haveria de ser o instrumento desse juízo. Ver Gênesis 15.16 e suas notas sobre essa questão.

Possuirá a cidade dos seus inimigos. Os descendentes de Abraão haveriam de assediar as cidades dos povos cananeus, conquistando seus territórios. A "cidade", conforme temos em nossa versão portuguesa, segue de perto a Septuaginta; mas outras versões dizem aqui "portas". Podem estar em pauta as cidades fortificadas dos cananeus, ou, então, suas "autoridades constituídas". A expressão indica que os inimigos seriam completamente dominados. O portão de uma cidade era onde se fazia justiça, onde havia deliberações públicas e onde se exercia autoridade. Israel, pois, tomaria esses portões inimigos. Uma mesa seria servida a Israel, na presença de seus inimigos (ver Sl 23.5).

22.18

וְהִתְבָּרֲכוּ בְזַרְעֲךָ כֹּל גּוֹיֵי הָאָרֶץ עֵקֶב אֲשֶׁר שָׁמַעְתָּ בְּקֹלִי׃

Serão benditas todas as nações da terra. Essa é uma repetida provisão do Pacto Abraâmico. Ver as notas em Gênesis 12.3. O trecho de Gálatas 3.16 fornece a dimensão espiritual da promessa, fazendo-a aplicar-se aos descendentes espirituais de Abraão, a Igreja. Israel haveria de ser um *instrumento* de bênção universal, no sentido temporal e no sentido espiritual, e não como possuidor único da bênção. Isaque seria o perpetrador imediato do pacto, provendo a linhagem física apropriada para sua operação. Cristo, por sua parte, seria o cumpridor da dimensão espiritual e eterna do pacto.

Porquanto obedeceste. Abraão era o vaso apropriado do pacto, o que requeria dele obediência e persistência. A grande prova de sua obediência geral foi o fato de que ele não negou seu filho, Isaque, como sacrifício a Deus. Ele nada reteve para si mesmo, e não guardou para si nem mesmo o que ele tinha de mais precioso, seu filho Isaque.

22.19

וַיָּשָׁב אַבְרָהָם אֶל־נְעָרָיו וַיָּקֻמוּ וַיֵּלְכוּ יַחְדָּו אֶל־בְּאֵר שָׁבַע וַיֵּשֶׁב אַבְרָהָם בִּבְאֵר שָׁבַע׃ פ

Volta Jubilosa de Abraão e Isaque. De coração pesado eles tinham ido ao lugar do sacrifício. Mas retornavam agora com alegria, para aqueles que por eles estavam esperando (vs. 5). E todos os quatro retornaram a *Berseba* de onde haviam partido (ver 21.33 com 22.1). Ver as notas sobre *Berseba* em Gênesis 21.31 e no *Dicionário*. No capítulo seguinte, Abraão é visto em Hebrom, o que mostra que ele vivia uma vida de seminomadismo.

DESCENDENTES DE NAOR (22.20-24)

Abraão ouviu (não se sabe como) sobre seu irmão, Naor, que agora era chefe de uma numerosa família. Isso prepara-nos para a mensagem do capítulo 24, onde Abraão envia seu servo para obter noiva para Isaque, dentre a sua *parentela*. Abraão casara-se com Sara, sua meia-irmã (Gn 20.12). E Naor casara-se com sua sobrinha, Milca. Ela era filha de Harã, irmão de Naor e Abraão (Gn 11.29). Ver no *Dicionário* o artigo intitulado *Incesto*. É óbvio que a cultura dos dias de Abraão não tinha as mesmas ideias sobre o assunto que se desenvolveram mais tarde e tornaram-se parte da legislação mosaica. (Ver Lv 18 e 19 quanto às restrições mosaicas.)

22.20

וַיְהִי אַחֲרֵי הַדְּבָרִים הָאֵלֶּה וַיֻּגַּד לְאַבְרָהָם לֵאמֹר הִנֵּה יָלְדָה מִלְכָּה גַם־הִוא בָּנִים לְנָחוֹר אָחִיךָ׃

Milca. Ver as notas sobre ela em Gênesis 11.29.

Naor. Ver as notas a respeito dele em Gênesis 11.22, com adições em Gênesis 11.26 e 24.10.

"Esta breve crônica (vss. 20-24) parece ter sido introduzida com o propósito exclusivo de preparar o leitor para as transações relacionadas ao capítulo 24, e para mostrar o que a providência de Deus estava preparando, em um dos ramos da família de Abraão, uma esposa apropriada para seu filho, Isaque" (Adam Clarke, *in loc.*). Como é claro, em tipo, temos nisso um quadro da Igreja, a Noiva de Cristo (Ap 21.2; 22.17; Ef 5).

Naor teve *doze* filhos, oito por meio de suas esposas, e quatro por meio de concubinas. Ismael também teve *doze* filhos (25.13 ss.), e Jacó também teve *doze* filhos, oito por meio de suas duas esposas, e quatro por meio de duas concubinas. Portanto, havia grandes coincidências envolvidas em tudo isso. Nisso, os críticos veem um elemento mitológico, onde os "doze" figuram como uma espécie de número completo e místico para indicar descendentes. Mas não há motivo sério para duvidarmos da autenticidade do relato bíblico.

22.21

אֶת־עוּץ בְּכֹרוֹ וְאֶת־בּוּז אָחִיו וְאֶת־קְמוּאֵל אֲבִי אֲרָם׃

Uz. Nos dias do Antigo Testamento esse era um nome pessoal comum de pessoas e de localidades. Ver o artigo a respeito no *Dicionário*. Uma das pessoas com esse nome era filho de Naor e Milca, sendo ele irmão de Buz, o caçula. Uz significa "firmeza". A Septuaginta diz *Austitis,* apontando para uma parte do deserto da Arábia, nome do lugar onde ele nascera. Outro homem com esse nome, que figura na Bíblia, estabeleceu-se na parte oeste da Palestina, uma área que se tornou conhecida como *terra de Uz*. Essa era a terra de Jó. Foi o filho de Naor que deu seu nome a esse território. Ver o *Dicionário* quanto a detalhes sobre essa questão. Nada mais se sabe a respeito de Uz, filho de Naor, além daquilo que pode ser conjecturado pelos textos bíblicos. Ver Jó 1.1 e Jeremias 25.20.

Buz. Esse nome quer dizer *desprezo*. É nome de duas pessoas no Antigo Testamento. O segundo filho de Naor e Milca (Gn 22.21), irmão de Uz, viveu em torno de 1880 a.C. Sua descendência provavelmente estabeleceu-se na Arábia Petrea. Jeremias (25.3) anunciou julgamentos contra essa tribo, e o contexto do trecho sugere-nos uma localização no deserto da Arábia. O nome tribal era os buzitas. Ver sobre o outro Buz em 1Crônicas 5.14. O Eliú referido no livro de Jó, o buzita, talvez fosse descendente do Buz referido em Gênesis. Ver Jó 32.2,6. As tradições nada adicionam.

Quemuel. Três pessoas recebem esse nome no Antigo Testamento. No hebraico, significa "assembleia de Deus" ou "Deus, levanta-te". Era o terceiro filho de Naor, irmão de Abraão, o qual foi pai de seis filhos, o primeiro dos quais se chamava Arã, e o último, Betuel (Gn 22.21,23). Todas essas pessoas são de história desconhecida, exceto o último desses homens, o qual era pai de Labão e Rebeca (Gn 24.15). Arã foi o nome próprio que Quemuel deu a seu primogênito, mas visto que esse nome, no hebraico, também significa *Síria,* alguns intérpretes têm pensado erroneamente que os sírios são descendentes dele. Mas a Síria já constituía uma nação quando esse nome surgiu (em cerca de 1800 a.C.). Desse homem descendiam os camelitas, mencionados por Estrabão, uma tribo que vivia na margem direita do rio Eufrates.

Arã. Esse nome não deve ser confundido com os *arameus* (ver acerca deles no *Dicionário*). O Arã que foi ascendente daquele povo era filho de Sem (Gn 10.22,23). O Arã do presente texto era o filho primogênito de Quemuel. No hebraico, o nome quer dizer *cabra selvagem*. Nada se sabe sobre ele, salvo o que é sugerido neste texto.

22.22

וְאֶת־כֶּשֶׂד וְאֶת־חֲזוֹ וְאֶת־פִּלְדָּשׁ וְאֶת־יִדְלָף וְאֵת בְּתוּאֵל׃

Quésede. O nome é de sentido desconhecido no hebraico, mas ele era o quarto filho de Naor, irmão de Abraão. Não foi o ancestral dos antigos chasdim ou caldeus, mas talvez de uma pequena tribo de ladrões, que tinha esse nome e atacou as possessões de Jó (ver Jó 1.17). Coisa alguma se sabe sobre Quésede, nem as tradições nos esclarecem alguma coisa.

Hazo. No hebraico, *vidente*. Ele era um dos filhos de Naor e Milca. O nome veio a designar um dos clãs naoritas. Uma inscrição de Esar-Hadom tem o nome *Hazu,* o que faz os estudiosos pensar que, provavelmente, ela aponta para essa mesma gente. Talvez Hazo vivesse em Ur da Caldeia, ou em algum lugar próximo, em cerca de 2100 a.C. John Gill (*in loc.*) diz que ele se estabeleceu em Elymais, uma porção da moderna Pérsia, e uma cidade, chamada *Chuz*, deriva dele o nome. Os habitantes dali eram chamados chuzistanos; Estrabão chamou-os cosseanos.

Pildas. No hebraico, o nome é de sentido desconhecido, embora alguns arrisquem *chama*. Ele era um dos oito filhos de Naor, irmão de Abraão, e de Milca, esposa e sobrinha de Naor. Gênesis 22.22. Pildas viveu em cerca de 2080 a.C. Talvez seu nome seja cognato da palavra que significa *ferro*, quiçá com o significado de *força*. Alguns escritores árabes associam esse nome com Pars, filho de Pahla, talvez relacionado ao homem do texto à nossa frente.

Jidlafe. No hebraico, *chorão* ou *lacrimejante*. Era o nome do sétimo filho de Naor e Milca. Coisa alguma sabe-se sobre ele, exceto o que este texto nos sugere.

Betuel. No hebraico, *residência de Deus*. Era nome de um lugar e de uma pessoa, nas páginas do Antigo Testamento. Ver sobre a cidade em 1Crônicas 4.30. Foi o filho mais novo de Naor e sua esposa, Milca, e pai de Labão e Rebeca (Gn 22.22,23; 24.15,24; 25.20; 28.2,5). Os documentos da irmandade de Nuzu (*tuppi ahatuti*) explicam o importante papel desempenhado pelo irmão de Rebeca, Labão, no arranjo do casamento dela, junto ao servo de Isaque, papel esse que esperaríamos que fosse desempenhado por seu pai, Betuel. Josefo (*Antiq.* I.16.2) provavelmente equivocou-se ao dizer que o pai de Rebeca estava morto na ocasião, e que, por isso, as negociações foram dirigidas por Labão, irmão da noiva.

■ 22.23

וּבְתוּאֵ֖ל יָלַ֣ד אֶת־רִבְקָ֑ה שְׁמֹנָ֤ה אֵ֙לֶּה֙ יָלְדָ֣ה מִלְכָּ֔ה לְנָח֖וֹר אֲחִ֥י אַבְרָהָֽם׃

Rebeca. Ofereço um detalhado artigo sobre Rebeca, esposa de Isaque, no *Dicionário*, razão pela qual não repito aqui aquele material. O propósito central desta seção (vss. 20-24) torna-se agora patente. No capítulo 24 veremos a história de como Rebeca tornou-se noiva de Isaque. Ela é tipo da Igreja, a Noiva de Cristo, conforme comentei no vs. 20.

Estes oito. Naor teve esses oito filhos com sua esposa, Milca; e teve outros *quatro* por meio de Reumá, sua concubina, perfazendo assim o número mágico de *doze*. Quanto a esse número, no tocante aos relatos sobre Ismael, Naor e Jacó, ver o vs. 20. Alistei acima, começando pelo vs. 21, os nomes desses oito filhos, com um breve comentário sobre cada um deles.

■ 22.24

וּפִֽילַגְשׁ֖וֹ וּשְׁמָ֣הּ רְאוּמָ֑ה וַתֵּ֤לֶד גַּם־הִוא֙ אֶת־טֶ֣בַח וְאֶת־גַּ֔חַם וְאֶת־תַּ֖חַשׁ וְאֶת־מַעֲכָֽה׃ ס

Sua concubina. Ver no *Dicionário* o verbete *Concubina*.

Reumá. No hebraico, *pérola* ou *coral*. Ela era a concubina de Naor, cujos quatro filhos tornaram-se os ancestrais de tribos aramaicas que viviam ao norte de Damasco. Com a adição de seus quatro filhos, Naor alcançou um total de doze filhos. Ver o vs. 20 quanto aos doze filhos de Ismael, aos doze de Naor e aos doze de Jacó.

Tebá. No hebraico, *grande*. Ele era um dos filhos de Naor, irmão de Abraão, e Reumá, sua concubina. Uma tribo do mesmo nome descendia dele. Em 1Crônicas 18.8, seu nome aparece com a forma de *Tibate;* e no trecho paralelo, 2Samuel 8.8, ele é chamado *Betá,* que também seria o nome de um lugar, embora de localização desconhecida. Ele viveu em cerca de 1860 a.C.

Gaã. No hebraico, *queimar*. Era filho de Naor e sua concubina, Reumá. Seu nome também tem sido interpretado com o sentido de *negridão*. Coisa alguma se sabe sobre ele, exceto o que o presente texto sugere.

Taás. No hebraico, o sentido desse nome é desconhecido. Era filho de Naor e sua concubina, Reumá. Nada se sabe sobre ele além daquilo que diz o presente texto.

Maaca. Esse era um nome muito popular entre os hebreus, podendo indicar um homem ou uma mulher. E também era o nome de uma localidade. Dei um pormenorizado artigo sobre esse nome, no *Dicionário*. Era filho de Naor e sua concubina, Reumá. Não aparece em nenhuma outra literatura fora de Gênesis 22.24. Portanto, coisa alguma se sabe sobre ele, exceto o que podemos depreender deste texto. O nome significa *opressão* ou *depressão*.

CAPÍTULO VINTE E TRÊS

MORTE E SEPULTAMENTO DE SARA (23.1-20)

Os críticos atribuem essa passagem à fonte informativa *P*. Ver no *Dicionário* o artigo chamado *J.E.D.P.(S.)* quanto à teoria das fontes múltiplas do Pentateuco. Além de dar-nos a descrição da aquisição original da caverna de Macpela em Hebrom, para servir de local de sepultamentos para Abraão e sua família, a seção talvez seja uma polêmica para *provar* que esse lugar pertence à linhagem que descendia de Abraão, a saber, Israel. Essa afirmação talvez tenha sido feita contra os idumeus, que se tinham apossado de Hebrom, depois que seus anteriores habitantes haviam sido levados para o exílio no Egito, ou se tinham mudado mais para o norte.

É irônico que, atualmente, o lugar esteja sob o poder dos árabes, e que nenhuma outra das grandes fés religiosas possa entrar naquele lugar sagrado, embora possam sentar o pé no terreno em derredor. Ver no *Dicionário* o verbete chamado *Macpela*. Ali dou um artigo detalhado sobre o assunto, completo e com pano de fundo histórico. A autenticidade do relato é confirmada por seus vários paralelos nos costumes hititas e ugaríticos que a arqueologia tem descoberto.

■ 23.1

וַיִּהְי֖וּ חַיֵּ֣י שָׂרָ֑ה מֵאָ֥ה שָׁנָ֛ה וְעֶשְׂרִ֥ים שָׁנָ֖ה וְשֶׁ֣בַע שָׁנִ֑ים שְׁנֵ֖י חַיֵּ֥י שָׂרָֽה׃

Sara. A grande matriarca de Israel, mãe de Isaque, seu filho único, por meio de quem passa a linhagem messiânica. Ver o artigo detalhado chamado *Sarai, Sara,* no *Dicionário*. Ela atingiu os 127 anos de idade, 37 anos depois que deu à luz Isaque. Abraão viveu 75 anos após o nascimento de Isaque, ou seja, 48 anos mais depois do falecimento de Sara. A morte de Sara é mencionada de passagem, mas os arranjos para seu sepultamento e o próprio sepultamento ocupam quase todo o capítulo 23.

"A tristeza humana tem procurado imortalizar os nomes e perpetuar a memória de entes perdidos. Pensemos nas pirâmides do Egito. Assim também Abraão, embora não pudesse erigir tão grandioso monumento em honra de Sara, aparece aqui como quem pagou alto preço por uma caverna, onde poderia sepultá-la" (Cuthbert A. Simpson, *in loc.*).

Uma mesquita islâmica eleva-se hoje em dia sobre o local, razão pela qual o lugar tem sido imortalizado pelos descendentes de Ismael, uma estranha torção do destino! Aquela que expulsou o patriarca das tribos árabes, Ismael, agora descansa debaixo de uma mesquita árabe!

Sara é a *única mulher* cuja idade, por ocasião da morte, é mencionada na Bíblia, o que, sem dúvida, lhe serve de honraria (ver Is 51.2). Paulo honrou-a de modo especial quando, em uma alegoria, fez de Sara um tipo da Igreja de Cristo, a dimensão espiritual do Pacto Abraâmico (ver as notas a respeito em Gn 15.18). Sara teve permissão de ver Isaque tornar-se adulto, até a idade de 37 anos. Que assim seja sempre com aqueles que confiam no Senhor! Ver sobre a *desejabilidade* de uma longa vida, em Gênesis 5.21. Deus abençoou de forma especial Sara e Maria, esta, mãe de Jesus, dando-lhes filhos de um modo contrário às expectativas da natureza. Há qualquer coisa difícil demais para Deus? Apesar de que alguns milagres concordem com a natureza, se entendermos tudo quanto está implícito e existe potencialmente nesse termo, alguns milagres são intervenções divinas na natureza. Ver no *Dicionário* o verbete intitulado *Milagres*.

■ 23.2

וַתָּ֣מָת שָׂרָ֗ה בְּקִרְיַ֥ת אַרְבַּ֛ע הִ֥וא חֶבְר֖וֹן בְּאֶ֣רֶץ כְּנָ֑עַן וַיָּבֹא֙ אַבְרָהָ֔ם לִסְפֹּ֥ד לְשָׂרָ֖ה וְלִבְכֹּתָֽהּ׃

Quiriate-Arba. Esse é o nome antigo de Hebrom (ver no *Dicionário*). O nome significa *cidade dos quatro*, provavelmente devido à circunstância de que quatro chefes cananeus de certa feita tinham vivido ali, a saber, Arba, Sesai, Aimã e Talmai. Ver Juízes 1.10 e Josué 14.15. Mas outros eruditos chamam o local de uma *tetrápole,* supondo que, originalmente, quatro aldeias da área se tenham unido por meio de laços comuns políticos e militares. Intérpretes judeus falam em várias noções fantásticas, dizendo que quatro casais tinham sido sepultados ali: Adão e Eva; Abraão e Sara; Isaque e Rebeca; Jacó e Lia. A verdade da questão é que ninguém sabe de onde se originou tal nome. A área ficava a cerca de 35 km ao sul de Jerusalém, nos limites do Negueve, no território de Judá. No hebraico, *arba* significa "quatro" e Hebrom quer dizer "aliança" (Gn 13.18), pelo que pode ter havido um antigo acordo de alguma sorte, que deu à localidade o seu nome. Posteriormente foi edificada ali uma cidade, que adquiriu alguma importância. Calebe expulsou dali o povo que se apossara do lugar, quando Israel conquistou a Terra Prometida (Js 14.14). Hoje em dia há uma moderna mas pequena aldeia no local.

Canaã. Ver a esse respeito no *Dicionário*.

Veio. Abraão, que vivia como seminômade, tinha vários quartéis-generais onde costumava pernoitar. Tinha deixado Sara em Quiriate-Arba e estava cuidando de negócios em algum outro lugar, provavelmente em Berseba (22.19). Dali voltou a Hebrom, talvez ao ser informado da morte de Sara. O Targum de Jonathan diz que ele veio da adoração no monte Moriá. Também há outras conjecturas.

Lamentar Sara e chorar por ela. Não é fácil a proximidade da morte. Ver as notas sobre o vs. 19. O capítulo todo devota-se a mostrar como Abraão comprou um terreno caro, para prover um lugar de sepultamento apropriado para a família. E as dificuldades que ele teve de enfrentar para fazer a transação refletem o grande amor que ele tinha por Sara.

■ 23.3

וַיָּקָם אַבְרָהָם מֵעַל פְּנֵי מֵתוֹ וַיְדַבֵּר אֶל־בְּנֵי־חֵת לֵאמֹר:

Levantou-se... da presença de sua morta. Cabeça pendida, coração pesado de tristeza, uma cena que se repete interminavelmente neste mundo de lágrimas e tristezas. Ver Jó 2.12. Algumas vezes os que se lamentavam sentavam-se no chão, em sinal de pesar e de tristeza. Tendo prestado respeito, na presença do cadáver, Abraão estava livre para cuidar dos arranjos para o funeral. Tempos depois, o costume era o de que esse período de lamentação se prolongasse por vários dias. Este texto não dá a entender período tão longo. Ver Tobias 12.12; Isaías 47.1 e Gênesis 37.35. Ver no *Dicionário* o artigo detalhado chamado *Sepultamento, Costumes de*.

Filhos de Hete. Eram descendentes do filho de Canaã que tinha esse nome (notas em Gn 10.15). Eles eram hititas. Quanto a detalhes, ver no *Dicionário* o artigo *Hititas, Heteus*. Eles é que tinham tomado conta do território, e Abraão precisou negociar com eles acerca da caverna de Macpela (vs. 9). O reino dos hititas só se tornou um poderoso império no século XVI a.C., mas não há razão para pensarmos que eles não poderiam ter representantes em Hebrom, nos dias de Abraão. O centro da cultura deles ficava na porção central da Ásia Menor, moderna Turquia. No século XIV a.C., suas migrações e conquistas levaram-nos a várias partes da Palestina. Ver Êxodo 3.8,17; 23.23,28; Deuteronômio 7.1; 1Samuel 26.6; 2Samuel 11.3; Ezequiel 16.3. Os trechos de Gênesis 26.34 e 36.2 localizam os hititas no sul da Palestina. Este capítulo reflete leis e costumes dos hititas, os quais, embora codificados somente mais tarde, poderiam ter expressão desde antes dos dias de Abraão.

■ 23.4

גֵּר־וְתוֹשָׁב אָנֹכִי עִמָּכֶם תְּנוּ לִי אֲחֻזַּת־קֶבֶר עִמָּכֶם וְאֶקְבְּרָה מֵתִי מִלְּפָנָי:

Sou estrangeiro e morador. Abraão levava uma vida de semi-nomadismo, cuidando de rebanhos em vários pontos nevrálgicos da Terra Prometida. Como tal, ele não possuía um local fixo de sepultamento de sua família, nem até ali havia sentido falta de tal lugar. Ver Hebreus 11.13-16 e 1Pedro 2.11 quanto a reflexões destas palavras deste versículo, no Novo Testamento. No Novo Testamento, essas palavras são aplicadas à peregrinação *espiritual* de Abraão. Ele era forasteiro neste mundo, mas Deus havia preparado para ele uma cidade celeste que seria sua verdadeira pátria.

Dai-me a posse de sepultura. Os costumes antigos consideravam vergonhoso alguém ser sepultado na terra de outrem, e os cemitérios públicos eram evitados por todos quantos tinham dinheiro suficiente para isso. Abraão não haveria de sepultar Sara em um sepulcro entre os hititas. Ele queria seu próprio terreno, que pudesse servir para tal propósito.

Para que eu sepulte a minha morta. Se Sara tinha sido uma belíssima mulher, a idade avançada havia destruído tudo isso. Agora a morte havia alterado radicalmente a sua fisionomia, e a putrefação já tinha começado. Aquela que era agradável aos olhos por sua beleza física, agora era desagradável à vista. John Gill usa aqui o termo "repelente". Por isso, conforme diz o original hebraico, ela foi "tirada fora da vista", um triste comentário sobre o que a morte faz com nossos entes queridos. Todavia, assim dizendo, estamos falando sobre o corpo, e não sobre a alma, que é a pessoa real. Ver no *Dicionário* o verbete *Alma*. Ver também os artigos intitulados *Morte; Morte e Sepultamento*, e *Mortos, Estado dos*.

■ 23.5

וַיַּעֲנוּ בְנֵי־חֵת אֶת־אַבְרָהָם לֵאמֹר לוֹ:

Os hititas atenderam ao pedido de Abraão, oferecendo um lugar de sepultamento entre os seus sepulcros (vs. 6), o que não foi aceito por Abraão. Abraão viveu em paz com os hititas, em contraste com tempos posteriores, quando a conquista da Terra Prometida teve lugar.

■ 23.6

שְׁמָעֵנוּ אֲדֹנִי נְשִׂיא אֱלֹהִים אַתָּה בְּתוֹכֵנוּ בְּמִבְחַר קְבָרֵינוּ קְבֹר אֶת־מֵתֶךָ אִישׁ מִמֶּנּוּ אֶת־קִבְרוֹ לֹא־יִכְלֶה מִמְּךָ מִקְּבֹר מֵתֶךָ:

Tu és príncipe de Deus. Abraão era homem rico e possuidor de vários quartéis-generais. Era dono de muitas riquezas sob a forma de animais e dinheiro. Tinha até o seu próprio exército. Era respeitado e, provavelmente, temido, segundo se vê no pacto que Abimeleque firmou com ele (Gn 21.22 ss.). Além disso, era Abraão um homem pacífico, que nunca causou nenhuma dificuldade para os seus vizinhos. Isso posto, ele poderia pedir qualquer favor a um vizinho, esperando que o pedido fosse atendido. Mas, sendo rico, teria de pagar um elevado preço pela caverna de Macpela (vs. 9). O dinheiro sempre será um fator nas relações humanas. Os intérpretes judeus injetam no texto as palavras "poderoso príncipe de Deus", conforme se vê em nossa versão portuguesa, enfatizando a posição espiritual de Abraão, pois ele era um *profeta*, e não somente um poderoso príncipe (Gn 20.7). Esses intérpretes judeus pensavam que o adjetivo "poderoso" seria uma referência a *El*, o Deus poderoso.

Sepulta numa das nossas melhores sepulturas. Ele poderia ficar com qualquer sepulcro que tivesse escolhido. Coisa alguma foi dita no tocante a dinheiro, mas de acordo com a cortesia oriental, esse era um particular indispensável. Os hititas não *dariam* coisa algum a Abraão. Haveriam de falar em dinheiro uma vez que passassem as formalidades e cortesias. E quando chegaram a falar em dinheiro, cobraram caro, porque Abraão tinha dinheiro. Talvez eles relutassem em ter um estrangeiro que fosse possuidor de terras entre eles, mas essa relutância foi ultrapassada pelo respeito genuíno que tinham por Abraão e pelo desejo de agradar a um tão ilustre príncipe que residia entre eles.

■ 23.7

וַיָּקָם אַבְרָהָם וַיִּשְׁתַּחוּ לְעַם־הָאָרֶץ לִבְנֵי־חֵת:

... se inclinou. De acordo com uma típica cortesia oriental, o que se vê de novo no vs. 12. Não há razão para supormos que não havia respeito mútuo, e toda negociação se faz melhor dentro dessa atmosfera. Abraão tinha pedido um grande favor, que os hititas poderiam ter repelido. Mas descobriu que eles se mostraram amistosos e agradáveis. E assim mereciam o seu respeito.

■ 23.8

וַיְדַבֵּר אִתָּם לֵאמֹר אִם־יֵשׁ אֶת־נַפְשְׁכֶם לִקְבֹּר אֶת־מֵתִי מִלְּפָנַי שְׁמָעוּנִי וּפִגְעוּ־לִי בְּעֶפְרוֹן בֶּן־צֹחַר:

Um Pedido Especial. Abraão não queria uma sepultura entre os hititas. Ele queria ter seu próprio terreno e sepultura, onde Sara pudesse ser sepultada, e onde ele também pudesse ser sepultado, bem como seus descendentes. Quão estranho é que saibamos onde fica o terreno adquirido por Abraão, e que os filhos de Ismael agora são donos dele e até construíram ali uma mesquita! Ver as notas introdutórias ao primeiro versículo deste capítulo.

Efrom. Esse homem poderia resolver o problema. Ele tinha exatamente o terreno que interessava a Abraão. Há um detalhado artigo sobre esse homem, no *Dicionário*. Esse é o nome de várias pessoas e lugares no Antigo Testamento. Sob o ponto quarto, descrevi *Efrom, o heteu*. Até hoje a área é conhecida. Uma grande estrutura de pedra, dos islamitas, assinala o lugar. Os visitantes têm permissão de entrar no edifício, mas não de adentrar a caverna. Esse é um lugar considerado por demais sagrado para ser franqueado ao público.

Filho de Zoar. *Zoar* era nome de uma localidade, anotada longamente no *Dicionário*. E também é nome de três pessoas no Antigo Testamento. Uma delas é aquela deste versículo. Ele era o pai de Efrom, que figura neste texto. Seu nome serviu para identificar o Efrom específico sobre quem Abraão estava falando. Coisa alguma se sabe sobre ele, exceto o que é dito neste texto.

■ 23.9

וְיִתֶּן־לִ֗י אֶת־מְעָרַ֤ת הַמַּכְפֵּלָה֙ אֲשֶׁר־ל֔וֹ אֲשֶׁ֖ר בִּקְצֵ֣ה שָׂדֵ֑הוּ בְּכֶ֨סֶף מָלֵ֜א יִתְּנֶ֥נָּה לִ֛י בְּתוֹכְכֶ֖ם לַאֲחֻזַּת־קָֽבֶר׃

A caverna de Macpela. Ver no *Dicionário* o artigo chamado *Macpela*, quanto a detalhes abundantes sobre o local. Esse nome significa *dupla*, ao que parece descrição da formação da caverna. Ficava localizada em um extremo do terreno de propriedade de Efrom. Mas este não venderia somente a caverna, pelo que também exigiu que Abraão comprasse o terreno inteiro (vss. 11 e 15).

Preço de posse. Efrom ficava falando em *dar* (vss. 11 e 13), mas fazia isso somente para barganhar de forma polida. Finalmente, Abraão pagou um elevado preço. Os costumes requeriam que Abraão trouxesse à tona a questão monetária, e foi o que ele fez. No hebraico temos uma expressão que quer dizer "por plena prata", e, de fato, finalmente o terreno foi vendido em troca de peças de prata (vs. 15). Naqueles dias, o dinheiro era pago *por peso*, o que persiste até hoje no mercado de metais nobres, como o ouro e a prata.

■ 23.10

וְעֶפְר֥וֹן יֹשֵׁ֖ב בְּת֣וֹךְ בְּנֵי־חֵ֑ת וַיַּ֩עַן֩ עֶפְר֨וֹן הַחִתִּ֜י אֶת־אַבְרָהָ֗ם בְּאָזְנֵ֧י בְנֵי־חֵ֛ת לְכֹ֥ל בָּאֵ֥י שַֽׁעַר־עִיר֖וֹ לֵאמֹֽר׃

Sentando-se no meio dos filhos de Hete. Ou seja, vindo fazer parte do grupo que negociava. Jarchi observa que ele estava atuando como presidente do conselho, o homem principal, pelo menos *naquela* ocasião, visto que se tratava de uma questão de seu interesse vital.

Os que entravam pela porta. Lugar de negociações e transações judiciais. Ver no *Dicionário* o artigo intitulado *Portão*, em sua segunda seção. Efrom era homem importante em Quiriate-Arba (Hebrom), e sua palavra seria final. Abraão *precisava* de Efrom. Todos nós somos dependentes. Todos nós precisamos de outros que nos ajudem a cumprir nossos propósitos e missões. Deus envia-nos outros, quando deles precisamos. Ademais, ele nos envia a outros, quando eles precisam de nós. Isso posto, não temos motivo de orgulho. Servimos e somos servidos, no "dá e toma do amor". "Dessas assembleias, efetuadas na entrada das cidades, todo cidadão nascido livre tinha direito de participar, e as questões eram resolvidas por consenso. Visto que Efrom era o proprietário do terreno, sua aprovação era indispensável" (Ellicott, *in loc.*). Abraão pediu a ajuda dos concidadãos de Efrom, para que o convencessem (vs. 8); mas parece que isso nem foi necessário.

■ 23.11

לֹֽא־אֲדֹנִ֣י שְׁמָעֵ֔נִי הַשָּׂדֶה֙ נָתַ֣תִּי לָ֔ךְ וְהַמְּעָרָ֥ה אֲשֶׁר־בּ֖וֹ לְךָ֣ נְתַתִּ֑יהָ לְעֵינֵ֧י בְנֵי־עַמִּ֛י נְתַתִּ֥יהָ לָּ֖ךְ קְבֹ֥ר מֵתֶֽךָ׃

Dou-te... te dou. Por duas vezes, em uma única declaração, Efrom falou em dar, parecendo ansioso por agradar a Abraão. Não foi preciso alguém convencê-lo. Ele reiterou sua boa vontade; mas por trás disso ficava entendida a frase, "você paga", o que Abraão também estava disposto a fazer. Portanto, as negociações não foram trabalhosas, mas imediatas.

Na presença dos filhos do meu povo. Esses poderiam ter feito objeção à transação, mas terminaram sendo testemunhas voluntárias do negócio. "Compra e venda... presentes mútuos" (Ellicott, *in loc.*). Isso exprime a verdade de que certas coisas valem mais para nós do que o dinheiro, ao passo que, para aquele que está vendendo algo, o dinheiro vale mais do que o objeto posto à venda. Assim, em certo sentido, cada qual recebe um *presente*.

Dou-te o campo. Efrom jamais venderia somente a caverna. Só venderia a Abraão o campo inteiro, em uma das extremidades do qual estava a caverna. Supomos que tenha sido necessário negociar um terreno bastante extenso. Mas era um *campo*, e não uma cidade.

■ 23.12

וַיִּשְׁתַּ֙חוּ֙ אַבְרָהָ֔ם לִפְנֵ֖י עַ֥ם הָאָֽרֶץ׃

Inclinou-se Abraão. Isso já tinha acontecido no vs. 7, ver as notas expositivas. Esse sinal de respeito e gentileza era a maneira oriental de dizer "agradecido", e também de fazer petições. Antes inclinara-se Abraão para fazer o pedido; e agora inclinava-se de novo, em sinal de agradecimento. O passo seguinte consistiu em fixar o preço. Por motivo de cortesia, isso foi deixado para o último lugar. Abraão falava em dinheiro; Efrom falava em doar. No fim, entretanto, foi efetuada uma *transação* de compra e venda.

■ 23.13

וַיְדַבֵּ֨ר אֶל־עֶפְר֜וֹן בְּאָזְנֵ֤י עַם־הָאָ֙רֶץ֙ לֵאמֹ֔ר אַ֛ךְ אִם־אַתָּ֥ה ל֖וּ שְׁמָעֵ֑נִי נָתַ֜תִּי כֶּ֤סֶף הַשָּׂדֶה֙ קַ֣ח מִמֶּ֔נִּי וְאֶקְבְּרָ֥ה אֶת־מֵתִ֖י שָֽׁמָּה׃

Tu Dás e Eu Pago. A disposição de Efrom para doar a terra era igual à disposição de Abraão para pagar pela terra. Abraão estava debaixo da *polida necessidade* de transformar a *doação* de Efrom em um *recebe este dinheiro*. Efrom dava a impressão de que não lhe importava o dinheiro, mas esse era o propósito do diálogo, desde o começo. Quão moderno é esse pequeno costume antigo. Somos forçados a obrigar outros a receber algum dinheiro por um serviço prestado, mas em *seu coração* eles esperam receber algum pagamento em dinheiro.

A compra daquele terreno foi uma boa transação, afinal. Assim, ficou garantido que a posteridade de Abraão contaria com um lugar de sepultamento. Sua *compra* poderia tornar-se um motivo polêmico para povos posteriores que viessem a conquistar a região, enquanto o povo de Israel estivesse no exílio no Egito. Os descendentes de Edom conquistaram aquela área durante esse tempo.

■ 23.14

וַיַּ֧עַן עֶפְר֛וֹן אֶת־אַבְרָהָ֖ם לֵאמֹ֥ר לֽוֹ׃

Efrom respondeu, convencido pelo pedido de Abraão, além de estar disposto a negociar. É bom quando os argumentos são aceitos, em vez de provocarem hostilidade. Todo debate é bom, quando feito com espírito amistoso.

■ 23.15

אֲדֹנִ֣י שְׁמָעֵ֔נִי אֶרֶץ֩ אַרְבַּ֨ע מֵאֹ֧ת שֶֽׁקֶל־כֶּ֛סֶף בֵּינִ֥י וּבֵֽינְךָ֖ מַה־הִ֑וא וְאֶת־מֵתְךָ֖ קְבֹֽר׃

O Preço é Fixado: Quatrocentos *siclos* de prata. Devemos pensar em um certo peso. Ver o artigo *Dinheiro*, no *Dicionário*. Discuto sobre o *siclo* naquele artigo, em sua segunda seção, primeiro parágrafo. O peso do siclo, e, portanto, seu valor, foi variando com a passagem dos séculos, sendo impossível fazer qualquer comparação com os valores modernos. Considera-se que quatrocentos siclos representavam uma considerável soma, apesar de Efrom ter diminuído a importância da questão (ver as explicações abaixo).

Que é Isso entre Mim e ti? É como se Efrom tivesse dito: "Tu, Abraão, és um homem rico. E eu também. Assim, para que debater acerca de tão pequena quantia?" Ou, talvez, ele estivesse procurando diminuir o vulto do preço, querendo assegurar a Abraão que ele fizera uma boa *barganha*.

O vs. 16 mostra-nos que Abraão *pesou* a quantia pedida, pelo que é provável que não houve moedas que trocaram de mãos. E alguns estudiosos dizem que isso, realmente, não pode ter acontecido, pois ainda não se cunhavam moedas nos dias de Abraão.

■ 23.16

וַיִּשְׁמַ֣ע אַבְרָהָם֮ אֶל־עֶפְרוֹן֒ וַיִּשְׁקֹ֤ל אַבְרָהָם֙ לְעֶפְרֹ֔ן אֶת־הַכֶּ֕סֶף אֲשֶׁ֥ר דִּבֶּ֖ר בְּאָזְנֵ֣י בְנֵי־חֵ֑ת אַרְבַּ֤ע מֵאוֹת֙ שֶׁ֣קֶל כֶּ֔סֶף עֹבֵ֖ר לַסֹּחֵֽר׃

Chega-se a um Acordo. O peso em prata foi aquilatado, de acordo com valores correntes no mercado de então. Talvez o metal fosse moldado em pequenos lingotes, talvez indicando seu preço e qualidade. O negócio foi feito com boa ordem e decência, na presença de testemunhas. Os mercadores operavam em mercados fixos e em cidades específicas, mas muitos eram viajantes que passavam vendendo e comprando. Tinham conhecimento do valor da prata, um instrumento de trocas comum.

■ **23.17**

וַיָּקָם שְׂדֵה עֶפְרוֹן אֲשֶׁר בַּמַּכְפֵּלָה אֲשֶׁר לִפְנֵי מַמְרֵא
הַשָּׂדֶה וְהַמְּעָרָה אֲשֶׁר־בּוֹ וְכָל־הָעֵץ אֲשֶׁר בַּשָּׂדֶה
אֲשֶׁר בְּכָל־גְּבֻלוֹ סָבִיב׃

Macpela. No *Dicionário* apresentei um detalhado verbete sobre esse lugar. O termo significa *dupla*, talvez indicando um tipo de caverna dupla. O local é modernamente identificado como Haram el-Khalil, em Hebrom, sob o domínio árabe, considerado um lugar supremamente sagrado. A referência é incerta, visto que lemos que o campo ficava em Macpela, e não que Macpela ficava no campo. Diz a Vulgata latina: "o campo de Efrom, onde havia a caverna dupla". Esse é o sentido que os intérpretes dão à passagem, embora não seja exatamente o que diz o original hebraico. Talvez o autor sacro tenha produzido uma expressão desajeitada, ou então estivesse dizendo algo que não pudemos recuperar.

Manre. Ver as notas, no *Dicionário*, sobre esse lugar. Ver também *Manre, Carvalhais de,* em Gênesis 13.18. Modernamente o local chama-se Haram Ramet el Halil, cerca de 3 km ao norte de Hebrom. A caverna é o famoso santuário de *Harã*, pelo que os descendentes de *Ismael* edificaram uma mesquita muçulmana no local, uma estranha distorção do destino, considerando-se que Ismael, patriarca de tantas tribos árabes, havia sido expulso de casa por exigência de Sara.

O arvoredo. Era uma área arborizada, talvez com carvalhos, conforme se via em Manre. Um santuário em honra a Yahweh tinha sido estabelecido em Manre, que não ficava muito distante do cemitério de Abraão. Ver Gênesis 13.18 quanto a esse santuário. Santuários em honra a Yahweh antecederam a construção do tabernáculo (Êx 40.17). Quando esse evento teve lugar, havia uma unificação da adoração entre os hebreus.

Abraão recebeu toda aquela área, sendo ela um *campo*, e não uma área urbanizada. Tinha seu próprio pequeno bosque.

A Exatidão da Transação. Os limites do terreno foram cuidadosamente delineados, o preço foi fixado e pago, e tudo foi feito sob o olhar de testemunhas. Esses detalhes são harmônicos com o que se sabe sobre as negociações da época de Abraão, confirmadas por inúmeros tabletes de terracota que os arqueólogos têm podido desenterrar.

"A religião da Bíblia recomenda e inculca uma conduta ordeira, sem falar na pureza de coração e de vida" (Adam Clarke, *in loc.*). E ele também mencionou a maneira decente com que William Penn obteve as terras que agora formam o estado da Pensilvânia, tendo-as comprado dos indígenas americanos. Tendo feito um paralelo entre Abraão e William Penn, ele comentou: "Que os justos sejam eternamente lembrados!"

■ **23.18**

לְאַבְרָהָם לְמִקְנָה לְעֵינֵי בְנֵי־חֵת בְּכֹל בָּאֵי
שַׁעַר־עִירוֹ׃

A Propriedade Foi Transferida para Abraão. E isso foi testemunhado por muitas pessoas entre os hititas, que eram os dominadores da área. A transação foi *certificada no portão*, ou seja, pela autoridade devidamente constituída. "O desígnio da expressão é mostrar que a transação foi efetuada de *maneira pública*" (John Gill, *in loc.*). Não sabemos dizer se houve algum documento escrito na transação. As descobertas da arqueologia mostram que isso pode ter acontecido. O *portão* era o local onde se efetuavam transações legais.

■ **23.19,20**

וְאַחֲרֵי־כֵן קָבַר אַבְרָהָם אֶת־שָׂרָה אִשְׁתּוֹ אֶל־מְעָרַת
שְׂדֵה הַמַּכְפֵּלָה עַל־פְּנֵי מַמְרֵא הִוא חֶבְרוֹן בְּאֶרֶץ
כְּנָעַן׃

וַיָּקָם הַשָּׂדֶה וְהַמְּעָרָה אֲשֶׁר־בּוֹ לְאַבְרָהָם
לַאֲחֻזַּת־קָבֶר מֵאֵת בְּנֵי־חֵת׃ ס

Sepultou Abraão a Sara. Anos depois, ele mesmo foi sepultado ali (Gn 25.9), tal como o foram Isaque, Rebeca, Jacó e Lia (Gn 49.29-31; 50.13).

> Ai daquele que nunca vê
> As estrelas brilharem por entre os ciprestes!
> Os quais, sem esperança, sepultam seus mortos,
> Mas não olham para ver o romper do dia
> Brincando do outro lado das colinas!
>
> Whittier

O Antigo Testamento não atribui a Abraão a crença na imortalidade. Apesar dessa omissão, ele pode ter tido alguma fé na imortalidade, visto que esta era tão universal entre os povos antigos. O Novo Testamento faz adições à dimensão espiritual e eterna do Pacto Abraâmico. Ver Gênesis 15.18; Hebreus 11.14 ss. e Gálatas 3.16 ss.

Nós não nos deixamos vencer pela tristeza como aqueles que não têm esperança (1Ts 4.13). Ver também 1Coríntios 15.54,57, onde lemos que "Tragada foi a morte pela vitória". Ver no *Dicionário* o verbete intitulado *Alma*.

"Disse o rabino Josué: 'Meus filhos, sei que é impossível não lamentar, mas é proibido lamentar em demasia'. Por quê? Porque o grande sábio judeu sentia que nós, seres humanos, devemos pensar não somente sobre o passado, mas também sobre o futuro. Nossa religião ordena-nos ser servos da vida, enquanto estivermos vivos" (Joshua Loth Liebman, *Peace of Mind*).

Apresento vários artigos sobre a *Imortalidade,* na *Enciclopédia de Bíblia, Teologia e Filosofia.*

CAPÍTULO VINTE E QUATRO

ISAQUE (24.1— 26.35)

ISAQUE E REBECA CASAM-SE (24.1-67)

Os críticos pensam que as fontes informativas *J* e *E* estão por trás desta passagem. Ver o artigo *J.E.D.P.(S.)* quanto à teoria das fontes múltiplas do Pentateuco.

Casamentos mistos com parentes consanguíneos eram um costume comum no ambiente cultural dos dias de Abraão. Ele casou-se com uma meia-irmã (Gn 20.12), e seu irmão, Naor, casou-se com uma sobrinha (Gn 11.29). Os antigos não sentiam a mesma coisa sobre casamento e parentesco que nós sentimos. Esses casamentos consanguíneos mais tarde foram proibidos (Lv 18 e 20), e o que Abraão e Naor fizeram não teria sido permitido séculos mais tarde. De fato, esse costume passou a ser chamado de uma das abominações pagãs. Ver no *Dicionário* o artigo intitulado *Incesto*. Rebeca era sobrinha-neta de Abraão (Gn 22.20 ss.), pelo que Isaque era primo dela. Isso, naturalmente, estava dentro do grau de parentesco aceitável diante da legislação mosaica. Israel, já em sua terra, tinha ideias bem fixas e radicais sobre casamento com pagãos, mas vemos que Abraão e Sara já haviam manifestado tal atitude. Ademais, qual donzela poderia ser noiva melhor de Isaque do que alguém que era membro próximo da família?

O trecho de Gênesis 22.23 diz-nos que Betuel era pai de Rebeca. Mas Labão, irmão de Rebeca, tomou a frente nas negociações do casamento dela. Alguns estudiosos supõem que haja aqui alguma confusão de nomes, e que *Labão* é que deveria estar no texto. Mas Gênesis 28.5 diz que Labão era filho de Betuel. Ver o vs. 50.

O servo de Abraão recebeu a incumbência de obter uma *mulher* dentre a parentela de Abraão, para ser noiva de Isaque. Os vss. 5 e 8 dizem "a mulher", que pode dar a entender que Rebeca já era a candidata. Gênesis 24.7 parece indicar que Abraão já havia escolhido Rebeca por divina indicação e inspiração. Nada era deixado ao acaso. Pelo menos, o texto fala definidamente da orientação divina quanto à questão, mesmo que não tenha envolvido a escolha de uma determinada mulher. De fato, o casamento é questão tão importante que requer a orientação divina.

Labão e Milca atenderam ao pedido do servo acerca de Rebeca (mesmo sem a terem consultado previamente, vss. 50-54, mas nos vss. 57,58,60, a própria Rebeca toma a decisão). Os críticos atribuem os vs. 50-54 à fonte informativa *J*, e os outros versículos à fonte *E*, mas talvez tenhamos aí mera variação literária, e não supostas fontes informativas separadas.

Uma das polêmicas em torno da passagem é que *Israel* deveria provir da pura linhagem de Abraão, sem nenhuma contaminação pagã. O fato de que Isaque se casou com uma prima garantiu isso. É provável que o *Yahwismo* requeresse casamentos mistos entre pessoas da mesma raça e mentalidade, o que, posteriormente, tornou-se uma norma em Israel. Isso foi relaxado para permitir que pagãos convertidos viessem a fazer parte da comunidade. O monoteísmo foi resultado natural do Yahwismo, no que consistiu em significativo avanço religioso.

Os comentadores têm falado sobre o excelente estilo do relato, como ótima peça literária. "A história movimenta-se com facilidade, envolvendo valores humanos e provendo-nos um quadro fidedigno das condições da época em que adquiriu sua forma" (Walter Russell Bowie, *in loc.*).

As ideias-chave são a *providência de Deus,* que opera entre famílias e nações dentro de contextos religiosos e sociais, sem nenhum elemento estranho perturbador; a *provisão de Israel,* mediante uma linhagem não-contaminada de Abraão; o *amor leal* ao Pacto Abraâmico; e o *cumprimento das promessas divinas* no tocante ao Pacto Abraâmico (notas em Gn 15.18).

Divisões Naturais deste Capítulo:
1. A comissão para obtenção da noiva (24.1-9)
2. O encargo (24.10-27)
3. O sucesso (24.28,29)
4. O término da incumbência (24.60-67).

Tudo foi efetuado com *hesed* (lealdade e amor).

A Providência Opera por meio das Circunstâncias. Há um poder por trás daquilo que acontece. Nada sucede por mero acaso. Deus estava guiando a Abraão e a Eliezer (vs. 27; ver também os vss. 31 e 50,51). Não há milagres referidos no capítulo, mas sermos conduzidos por Deus na vida diária já é um milagre. O Pacto Abraâmico não é reiterado aqui, mas sabemos que estava sempre em foco. Estava tendo cumprimento pela providência de Deus. Através desse pacto, a própria humanidade, em sua inteireza, seria abençoada, pois o exclusivismo tornou-se universalidade. O poder divino evitou abortos: o servo poderia ter falhado (vss. 5-8), mas não falhou. Ele poderia ter deixado de perceber o sinal divino (vss. 14,21), mas não deixou. Labão poderia não ter cooperado (vss. 49-51), mas isso não aconteceu. Rebeca poderia ter-se negado a ficar noiva (vss. 54-58), mas não se negou. A orientação divina faz-nos singrar através de muitas vicissitudes e azares. Bendito seja o nome do Senhor! Deus cuida de nossas "possibilidades" e faz ocorrer a sua perfeita vontade.

"...a escolha da noiva para Isaque foi feita *por Deus*. O sinal confirmou isso. Labão também reconheceu o fato. Rebeca aceitou-o. Aqueles que querem fazer a vontade de Deus de modo obediente, sob oração, são guiados por Deus (Pv 3.5,6)" (Allen P. Ross, *in loc.*).

Capítulo 24 — Um Capítulo de Muitos Tipos
1. Abraão tipifica Deus Pai, que escolheu uma Noiva para seu Filho (Mt 22.2; Jo 6.44).
2. O servo tipifica o Espírito Santo, que sai em busca da Noiva (Jo 16.13,14).
3. O servo também tipifica o Espírito Santo, que traz a Noiva ao encontro do Noivo (At 13.4; 16.6,7; Rm 8.11; 1Ts 4.14-16).
4. O serviço prestado pelo servo, com a outorga de presentes, tipifica como o Espírito abençoa-nos com todas as bênçãos espirituais (Gl 5.22; 1Co 12.7-11).
5. Rebeca é tipo da Igreja, a eventual participante das bênçãos espirituais do Pacto Abraâmico (2Co 11.2; Ef 5.25-32).
6. Isaque é tipo de Cristo, o Noivo, embora ainda não visto pela Noiva, mas que é amado por ela, mediante o testemunho do servo (1Pe 1.8).
7. Isaque, também como tipo de Cristo, sairá ao encontro da Noiva, a fim de recebê-la para si mesmo (1Ts 4.14-16).

INSTRUÇÕES DE ABRAÃO A SEU SERVO (24.1-10)

■ **24.1**

וְאַבְרָהָם זָקֵן בָּא בַּיָּמִים וַיהוָה בֵּרַךְ אֶת־אַבְרָהָם בַּכֹּל׃

Era Abraão já idoso. Agora ele estava com cerca de 140 anos de vida, exibindo sinais de declínio físico. Viveria mais 35 anos (ver Gn 25.7)! Sara já tinha morrido, e ele era o único responsável por Isaque. Isaque aproximava-se dos 40 anos de idade, e era chegado o tempo de casar-se. Isso gerou um problema especial para Abraão. Ele mantinha relações cordiais com seus vizinhos, respeitando-os e sendo respeitado por eles, mas *casamento* já era outra história. Quanto a *isso*, ele precisaria recorrer à sua própria parentela, que morava a cerca de 750 km de distância. Somente assim a linhagem de Israel seria mantida livre de alianças envolventes e corruptoras. Toda essa sequência estava dentro do plano de Deus: Abraão-Isaque-Messias! Ver as notas anteriores, que destacam a *providência* de Deus (Introdução ao atual capítulo).

Deus Abençoou Abraão. Isso em todos os sentidos, temporal e espiritualmente, como um indivíduo e como cabeça de uma tribo crescente. Disse Aben Ezra: "Com vida longa, com riquezas e honras, com crianças e com todas as coisas desejadas pelos homens".

Depois do casamento de Isaque, Abraão ainda viveu por mais 35 anos, pelo que pôde ver Esaú e Jacó (seus netos) já na idade adulta. Deus, concede-nos tal graça!

■ **24.2**

וַיֹּאמֶר אַבְרָהָם אֶל־עַבְדּוֹ זְקַן בֵּיתוֹ הַמֹּשֵׁל בְּכָל־אֲשֶׁר־לוֹ שִׂים־נָא יָדְךָ תַּחַת יְרֵכִי׃

Seu mais antigo servo. Embora não seja dito aqui o seu nome, talvez fosse o mesmo *Eliezer* de Gênesis 15.2. Mas talvez ele fosse idoso demais, nessa época, para realizar o serviço pedido por Abraão. O fato é que esse era o servo de maior confiança de Abraão, o segundo em comando em sua casa. Se ele governava *tudo* quanto Abraão tinha, então era homem de total confiança. Esse servo tipifica o Espírito Santo, que veio buscar uma Noiva para Cristo. Ver a introdução a este capítulo quanto aos muitos tipos que há aqui. O Targum de Jonathan diz que o nome do servo era Eliezer, mas é provável que isso fosse apenas uma conjectura. Não há como calcular a idade de Eliezer por esse tempo, mas ele deveria ser mais ou menos da idade de Abraão, ou não muito mais jovem. Nesse caso, um homem mais jovem teria recebido a incumbência.

Põe a tua mão por baixo da minha coxa. Foi um juramento feito pelos *órgãos genitais,* onde se concentram os poderes procriadores do homem, os quais, por sua vez, são conferidos por Deus (ou pelos deuses ou forças divinas, tudo dependendo de quem estivesse usando esse tipo de juramento). No atual contexto, esse tipo de juramento fala da continuação da linhagem de Abraão por meio de Isaque, e, quanto a essa continuação, Abraão invocou Deus. A procriação estava envolvida *potencialmente,* o que mostra quão apropriado foi esse tipo de juramento, nessa ocasião.

Jacó requereu que José lhe jurasse, usando o mesmo tipo de juramento (Gn 47.29). Há aqui um eufemismo. O membro sexual masculino, no caso de Abraão, o pênis *circuncidado,* foi tocado, juntamente com outras partes genitais.

É óbvio que, nesse ato, está em pauta o pacto da *circuncisão* (ver as notas em Gênesis 17.10 ss. e o artigo com esse nome, no *Dicionário*). A linhagem circuncidada precisava ser respeitada na transação em pauta. Heródoto menciona que os joelhos de uma pessoa eram abraçados por seu subordinado, e alguns eruditos pensam que isso é tudo quanto está envolvido no presente caso, o que é altamente improvável, por não concordar com o fraseado envolvido.

24.3

וְאַשְׁבִּיעֲךָ בַּיהוָה אֱלֹהֵי הַשָּׁמַיִם וֵאלֹהֵי הָאָרֶץ אֲשֶׁר לֹא־תִקַּח אִשָּׁה לִבְנִי מִבְּנוֹת הַכְּנַעֲנִי אֲשֶׁר אָנֹכִי יוֹשֵׁב בְּקִרְבּוֹ׃

As Responsabilidades do Servo. Essas responsabilidades eram grandes (vs. 2) e incluíam a busca de uma noiva para Isaque. O juramento feito pelos órgãos genitais agora tornava-se um juramento feito pelo Senhor, o Deus do céu, diante de quem o servo tinha a responsabilidade de agir direito.

Os nomes divinos aqui usados são Senhor (*Yahweh*) e Deus (*Elohim*). Ver os artigos sobre esses nomes no *Dicionário*, bem como o verbete intitulado *Deus, Nomes Bíblicos de.*

Que Fossem Esquecidos os Cananeus. Não há que duvidar de que havia muitas moças bonitas entre os cananeus. Qualquer uma delas também se alegraria em casar-se dentro da ilustre família de Abraão. Ademais, elas estavam próximas. Ver o artigo *Canaã, Cananeus,* no *Dicionário.* Abraão mantinha relações amistosas com eles; ele os respeitava e era respeitado por eles. Mas casamento já pertencia a outro nível de coisas. Isso já requeria laços de família e o *Yahwismo,* a fé religiosa da família de Abraão. Outrossim, Abraão tinha em mente a pureza do Pacto Abraâmico (ver as notas sobre Gn 15.18). O povo de Israel estava sendo moldado.

Na introdução a este capítulo, mostrei que a família de Abraão estava compactamente interligada, mediante casamentos entre seus membros. Abraão queria que Isaque se casasse com uma prima (Rebeca), ou com outro membro da família, pelo menos tão próximo quanto ela.

Casamentos Mistos? O povo de Israel por certo continuou essa atitude de Abraão, embora tivesse mais tarde permitido que pagãos *convertidos* se tornassem parte integrante da comunidade religiosa. Isso sucedeu até no caso de Moisés, tendo havido muitos casamentos mistos entre israelitas e pessoas de outras raças, sobre essa base. Mas o *pai* decretava que o filho ou filha pertenciam a Israel. Nos dias bíblicos a ordem era esta: pai hebreu, filho hebreu — sem importar a que raça pertencesse a mãe. Os rabinos judeus, porém, inverteram a ordem, afirmando que alguém é judeu se sua mãe é judia, não importando a raça do pai. Se o critério deles fosse levado às últimas consequências, então os filhos de Jacó por meio de suas concubinas, Zilpa e Bila (Gade, Aser; Dã e Naftali), não poderiam fazer parte do povo de Israel!

Em nossos dias, o catolicismo romano tem-se mostrado adamantino sobre essa questão, fazendo da cerimônia de casamento um sacramento, ou seja, um meio de graça. Ademais, os filhos devem ser criados como católicos romanos, mesmo quando filhos de casamentos mistos. Talvez essa atitude distorça o que está envolvido na herança cristã, posto que possamos entender que há uma nobre intenção. O protestantismo, em todos os seus círculos conservadores e pentecostais, tem prosseguido nesse tipo de exclusivismo, salientando o trecho de 2Coríntios 6.14 ss., sobre o "jugo desigual". No que respeita ao casamento, é uma proibição obrigatória para todos os crentes. Por outra parte, os católicos e protestantes liberais não observam essa "distinção religiosa" quanto ao matrimônio. Como é óbvio, um casamento sem fé e sem convicções religiosas ressente-se da ausência de um elemento vital de fortalecimento, que empresta boas qualidades e durabilidade ao casamento. Um grande número de pais, em nome da liberdade, permite que seus filhos sofram toda forma de influências externas, algumas das quais *através* do matrimônio.

Abraão fez a questão estender-se até o aspecto racial, e não meramente religioso; mas, no caso de Israel, não estava em pauta apenas uma questão religiosa, e, sim, a formação do povo de Israel. Os racistas empregam passagens, como esta, como textos de prova de sua doutrina contrária ao casamento de pessoas de raças diferentes.

"A sanidade da vida individual e a estabilidade do casamento e do lar dependem daquilo que tiver sido dado por Deus. Conforme Abraão sabia, assim *deveríamos saber* que as grandes tradições de uma família e de uma cultura religiosa devem ser tratadas como uma custódia sagrada por sucessivas gerações" (Cuthbert A. Simpson, *in loc.*).

Senhor Deus. Ou seja, *Yahweh-Elohim,* conforme se vê também no vs. 7.

Do céu. Ver as explicações sobre essa expressão nas notas sobre Gênesis 11.4. Ver outros comentários a respeito no vs. 7 deste capítulo.

Paganismo na Família de Abraão? Terá (ver as notas sobre ele em Gn 11.24), sem dúvida nenhuma, tinha sido um homem idólatra.

E no início de sua vida, Abraão também seguira a idolatria. É provável que práticas idólatras continuassem exercendo seu poder na família de Betuel. Mas agora Abraão se tinha distanciado de tudo isso em sua promoção do Yahwismo, e ele não acharia dificuldades para treinar Rebeca, transformando-a em um digno membro da nova ordem. Formas de idolatria, contudo, persistiram na família patriarcal (Gn 31.19). Gradualmente, porém, a família foi-se afastando dessas normas e aproximando-se dos estritos princípios que a legislação mosaica formalizou. Ver Josué 24.2,15 quanto à idolatria de Terá.

24.4

כִּי אֶל־אַרְצִי וְאֶל־מוֹלַדְתִּי תֵּלֵךְ וְלָקַחְתָּ אִשָּׁה לִבְנִי לְיִצְחָק׃

Irás à minha parentela. Isso é definido no vs. 10, como a *Mesopotâmia,* e, mais especificamente, como *Arã,* a cidade de Naor. No hebraico temos "Aram-Naharaim", isto é, "Arã dos dois rios". Arã é nome que significa *terra alta,* embora se tenha tornado um título geral para toda a raça síria. Neste versículo, porém, está em foco aquela porção da Síria que jaz entre os rios Tigre e Eufrates. Ver no *Dicionário* o verbete *Mesopotâmia.* Arã era onde se tinha instalado a família de Harã, irmão de Abraão; e o próprio Abraão estivera ali por algum tempo, em companhia de seu pai, Terá. A família tinha vindo de *Ur,* na Caldeia. Ver no *Dicionário* o artigo *Arã (Arameus).* De Hebrom a Arã eram cerca de trinta dias de viagem. Ver Gênesis 29.4,5 quanto à residência de Labão, ali situada. Alguns pensam, contudo, que *Ur* está em pauta. Se o servo de Abraão não obtivesse sucesso em Arã, deveria ele ir até Ur?

Minha Parentela. Especificamente, onde habitavam Naor, irmão de Abraão, com seus familiares. Betuel, filho de Naor, era o pai de Rebeca, o que quer dizer que Rebeca era neta de Naor. Não há que duvidar de que alguns parentes continuavam habitando em Ur. Assim, se esse lugar é que está em foco, o servo de Abraão deveria ir até lá?

24.5

וַיֹּאמֶר אֵלָיו הָעֶבֶד אוּלַי לֹא־תֹאבֶה הָאִשָּׁה לָלֶכֶת אַחֲרַי אֶל־הָאָרֶץ הַזֹּאת הֶהָשֵׁב אָשִׁיב אֶת־בִּנְךָ אֶל־הָאָרֶץ אֲשֶׁר־יָצָאתָ מִשָּׁם׃

Rebeca Concordaria? Na introdução ao primeiro versículo deste capítulo, mostrei que vários obstáculos possíveis seriam ultrapassados. A possível relutância de Rebeca era um desses obstáculos. Os vs. 57,58 mostram que isso não sucedeu. A providência divina cuidou de todos os pormenores. O servo de Abraão tinha dois planos. O primeiro consistia em trazer a donzela. O segundo consistia em levar Isaque à Mesopotâmia, presumivelmente para residir ali. Talvez Rebeca preferisse ficar com sua mãe, embora casada com Isaque, o que, às vezes, acontece. Mas Abraão não demonstraria paciência com uma donzela que quisesse ficar com sua mãe, forçando Isaque a ir viver com ela ali (vs. 6). Graças a Deus quando nosso primeiro plano se concretiza, e não precisamos apelar para o segundo e inferior plano, ou mesmo para um terceiro, um quarto plano etc. Deus tinha chamado Abraão para *fora* daquela região, e agora o patriarca não permitiria que seu filho retornasse para lá. Ver o vs. 6 quanto a algumas das "razões" do raciocínio de Abraão.

24.6

וַיֹּאמֶר אֵלָיו אַבְרָהָם הִשָּׁמֶר לְךָ פֶּן־תָּשִׁיב אֶת־בְּנִי שָׁמָּה׃

Isaque Não Deveria Retornar Nem a Arã Nem a Ur. Deus tinha chamado a família para *fora* daqueles lugares. O Pacto Abraâmico deveria cumprir-se dentro da Terra Prometida. Isso não poderia suceder se Isaque retornasse às raízes ancestrais. Uma nova raça, distinta da de Naor, haveria de surgir na Terra Prometida, que fazia parte do Pacto Abraâmico. Portanto, a mulher com quem Isaque se casasse teria de ajustar-se aos planos divinos para a descendência de Abraão. O Senhor tinha um plano diferente para Naor e seus familiares. Algumas vezes é difícil determinar a vontade de Deus. Mas quanto a essa vontade, Abraão não tinha a menor dúvida. Ver no *Dicionário* o artigo *Vontade de Deus, Como Descobri-la.* Abraão tinha consciência de seu destino e missão.

Dois Princípios Deveriam Ser Seguidos: 1. Isaque não podia casar-se com mulher cananeia. 2. Isaque não podia regressar às suas raízes ancestrais.

■ 24.7

יְהוָה֙ אֱלֹהֵ֣י הַשָּׁמַ֔יִם אֲשֶׁ֣ר לְקָחַ֗נִי מִבֵּ֣ית אָבִי֮ וּמֵאֶ֣רֶץ מֽוֹלַדְתִּי֒ וַאֲשֶׁ֨ר דִּבֶּר־לִ֜י וַאֲשֶׁ֤ר נִֽשְׁבַּֽע־לִי֙ לֵאמֹ֔ר לְזַ֨רְעֲךָ֔ אֶתֵּ֖ן אֶת־הָאָ֣רֶץ הַזֹּ֑את ה֗וּא יִשְׁלַ֤ח מַלְאָכוֹ֙ לְפָנֶ֔יךָ וְלָקַחְתָּ֥ אִשָּׁ֛ה לִבְנִ֖י מִשָּֽׁם׃

O Senhor Deus Separa Abraão. Os nomes divinos aqui usados são *Yahweh-Elohim*, como no vs. 2, e uma vez mais é feita a observação de que ele é o Deus "do céu". Há notas sobre essa expressão em Gênesis 11.4. Não sabemos dizer com exatidão o que Abraão entendia sobre o "céu", mas é evidente que ele se referia a alguma dimensão não-humana, "lá em cima". Na antiga teologia dos hebreus, não há o menor indício de que essa dimensão era concebida como uma realidade imaterial, com seres imateriais como seus habitantes. A teologia desenvolve-se, de forma que detalhes como esses só apareceram mais tarde. Pelo menos, porém, Abraão fazia ideia de um "outro mundo", o mundo de Deus. No livro de Gênesis não aparece a doutrina explícita de que as pessoas, ao morrerem, vão para esse outro mundo, como seres imateriais e imortais. Essas noções também só entraram no pensamento dos hebreus bem mais tarde. A teologia cresce, conforme avança a revelação.

Yahweh-Elohim havia chamado Abraão para fora de sua terra e parentela. Ver Gênesis 12.1 ss. Portanto, seria altamente impróprio se Isaque voltasse para lá. A Terra Prometida deveria ser a cena de sua vida, bem como a pátria de seus descendentes (o povo de Israel). Isso fazia parte essencial do Pacto Abraâmico.

À tua descendência darei esta terra. Uma das provisões do Pacto Abraâmico, que é comentado em Gênesis 15.18. Deus não havia mudado de ideia, nem Abraão mudaria a sua posição. Logo, não poderia ser considerada para Isaque uma esposa que não estivesse disposta a vir para ele. Além disso, o servo não deveria ir a Ur para obter uma esposa para Isaque, se não a conseguisse em Arã.

O seu anjo. O contato de Abraão com anjos era frequente. Ele supôs que o anjo do Senhor acompanharia seu servo, em sua inquirição. Em outras palavras, a missão do servo não falharia. Ver Gênesis 18.3 ss.; 22.11,15 e, no *Dicionário*, o artigo intitulado *anjo*.

■ 24.8

וְאִם־לֹ֨א תֹאבֶ֤ה הָֽאִשָּׁה֙ לָלֶ֣כֶת אַחֲרֶ֔יךָ וְנִקִּ֕יתָ מִשְּׁבֻעָתִ֖י זֹ֑את רַ֣ק אֶת־בְּנִ֔י לֹ֥א תָשֵׁ֖ב שָֽׁמָּה׃

Desobrigado do teu juramento. Se a missão fracassasse, o servo não deveria ser tido como culpado. Ele deveria atirar-se à tarefa deixando com Deus o sucesso da sua missão.

Juramento. Descrito no vs. 2. Sob nenhuma circunstância, porém, Isaque deveria ser levado a Arã, sem importar a insistência de Rebeca ou de seus pais. Mas o que Abraão temia acabou não sucedendo, o que ocorre com a *maior parte* de nossos temores. O texto inteiro, bem como o juramento solene que foi feito, mostra com que ansiedade Abraão tomou a si a necessidade de obter uma esposa apropriada para Isaque. Várias culturas, antigas e modernas, têm seguido de perto esse método de obtenção de uma esposa. Por certo não é superior a esse o nosso moderno método de tentativa e fracasso, em que o romance e a paixão física parecem mais importantes do que tudo. Ver no *Dicionário* o verbete intitulado *Matrimônio*.

■ 24.9

וַיָּ֤שֶׂם הָעֶ֨בֶד֙ אֶת־יָד֔וֹ תַּ֛חַת יֶ֥רֶךְ אַבְרָהָ֖ם אֲדֹנָ֑יו וַיִּשָּׁ֣בַֽע ל֔וֹ עַל־הַדָּבָ֖ר הַזֶּֽה׃

Pôs o servo a mão... e jurou. Ver as notas sobre o vs. 2 quanto a uma completa descrição desse juramento. Aquilo que ali foi antecipado agora é declarado como realizado. O servo cumpriria com precisão todas as ordens de Abraão, e o anjo do Senhor o acompanharia, dando-lhe sucesso na tarefa (vs. 7). O servo falou sobre esse aspecto da questão, quando chegou em Arã, procurando cumprir a sua missão (vs. 40).

■ 24.10

וַיִּקַּ֣ח הָ֠עֶבֶד עֲשָׂרָ֨ה גְמַלִּ֜ים מִגְּמַלֵּ֤י אֲדֹנָיו֙ וַיֵּ֔לֶךְ וְכָל־ט֥וּב אֲדֹנָ֖יו בְּיָד֑וֹ וַיָּ֣קָם וַיֵּ֔לֶךְ אֶל־אֲרַ֥ם נַהֲרַ֖יִם אֶל־עִ֥יר נָחֽוֹר׃

As Provisões da Viagem. A viagem, de cerca de 750 km, tomaria cerca de trinta dias, de modo que era preciso muito material e víveres para a jornada ida e volta. Assim, *dez camelos* transportariam as pessoas e as coisas. Ele partiu como uma caravana, acompanhado por um certo número de homens, que ajudariam a proteger a caravana. Também levou presentes que seriam dados a Naor e seus familiares, um costume oriental que não poderia deixar de ser observado. Talvez isso é o que devamos entender com a palavra *bens*, que lemos neste versículo. Eram presentes enviados por seu senhor, Abraão, para membros de sua família. Provavelmente incluídos entre os bens havia o dote oferecido à noiva em perspectiva (vs. 22), visto que na antiguidade era costume dar um dote à noiva, em lugar de receber um dote da parte de seus pais.

Os *camelos* eram o mais comum meio de transporte no deserto, o que continua até hoje, na região em pauta. Ver no *Dicionário* o artigo intitulado *Camelo*. Acerca de Jó lemos que suas riquezas incluíam três mil camelos (Jó 1.3).

Demonstração de Riquezas. Alguns estudiosos pensam que o servo de Abraão levou um mostruário das riquezas de seu senhor. Sempre é bom casar-se dentro de uma família abastada, *se* outras condições também forem as condições certas. Ver o vs. 22.

Rumo da Mesopotâmia. Ver no *Dicionário* o verbete com esse título.

Para a cidade de Naor. Ou seja, *Arã* (acerca da qual examinar o *Dicionário*). Ver Gênesis 11.31; 12.4; 27.43.

O SERVO ENCONTRA-SE COM REBECA (24.11-27)

■ 24.11

וַיַּבְרֵ֧ךְ הַגְּמַלִּ֛ים מִח֥וּץ לָעִ֖יר אֶל־בְּאֵ֣ר הַמָּ֑יִם לְעֵ֣ת עֶ֔רֶב לְעֵ֖ת צֵ֥את הַשֹּׁאֲבֹֽת׃

A Chegada. O vs. 10 deixa entendido que fora feita a viagem de trinta dias. O vs. 11 já estaciona o servo de Abraão e sua caravana perto da cidade de *Arã*. Os camelos tinham passado dias sem beber água, pelo que era mister dar-lhes de beber fora ainda da cidade. Ver no *Dicionário* o verbete intitulado *Poço*. Fontes e poços de água eram e continuam sendo facilidades das mais importantes naquela terra sedenta. Ver também o artigo *Cisterna*, no *Dicionário*. Os camelos ajoelharam-se para beber, embora ainda não tivessem sido descarregados.

O Servo Esperou à Beira do Poço. Estando ali, fez ao Senhor um pedido especial (e muito difícil): que a própria jovem que deveria ser esposa de Isaque *viesse até ele, o servo* (vs. 14), para tirar água do poço. Puxar água era usualmente trabalho de mulheres. Cf. a história de Jesus e da mulher samaritana, à beira do poço, em João 4.6 ss.

Tarefas Femininas: tecer, moer a farinha, cozer o pão, cuidar das crianças e, usualmente, à tardinha, tirar água do poço para as necessidades do dia seguinte.

■ 24.12

וַיֹּאמַ֓ר יְהוָ֗ה אֱלֹהֵי֙ אֲדֹנִ֣י אַבְרָהָ֔ם הַקְרֵה־נָ֥א לְפָנַ֖י הַיּ֑וֹם וַעֲשֵׂה־חֶ֕סֶד עִ֖ם אֲדֹנִ֥י אַבְרָהָֽם׃

Ó Senhor... rogo-te que me acudas. Uma oração padrão daqueles que trabalham para o Senhor. Seu sucesso também seria o sucesso de seu senhor, Abraão, que o tinha enviado. Estavam ambos envolvidos na mesma missão. O servo por assim dizer orou: "Deus, dá-me sucesso, e *hoje mesmo*". Ele já vinha viajando fazia quatro semanas, e estava muito cansado. Quão grande seria a "bondade" de Deus se o poder divino facilitasse a tarefa, fazendo a donzela escolhida vir até ele, em lugar de ele ter de entrar na cidade e começar a inquirir sobre a casa de Naor.

Algumas vezes, queremos tomar atalhos. Ocasionalmente, um grande benefício simplesmente cai do céu sobre nós. E isso sempre nos deixa surpreendidos, embora tenhamos pedido diligentemente que isso acontecesse!

Bondade. Os benefícios divinos são dados como prova de bondade; e, então, devemos ser gratos ao Senhor. Usualmente Deus mantém-se oculto nas sombras, permitindo-nos usar nossos dons e habilidades. Ele quer ver o que podemos fazer com os poderes que já possuímos. Ocasionalmente, porém, é mister que ele intervenha em nossas vidas. É assim que opera o propósito divino.

Ó Senhor, Deus de meu senhor. Assim diz nossa versão portuguesa. Mas tradução melhor seria "Ó Senhor Deus de meu senhor..." (sem a vírgula entre "Senhor" e "Deus", pois o original hebraico diz *Yahweh-Elohim*). Esse era o Deus de Abraão, o patriarca considerado profeta e dotado de grande poder espiritual (Gn 20.7), cuja autoridade era maior que a do servo, dotado de comprovado poder diante de Deus.

24.13

הִנֵּה אָנֹכִי נִצָּב עַל־עֵין הַמָּיִם וּבְנוֹת אַנְשֵׁי הָעִיר יֹצְאֹת לִשְׁאֹב מָיִם׃

Eis que estou. O servo estava à beira do poço, e pedia para ser visto e que sua petição fosse ouvida. As mulheres estariam saindo da cidade, especialmente as *filhas* das donas de casa. Era apenas lógico esperar que a futura noiva de Isaque estivesse entre as donzelas. Portanto, que ela fosse trazida diretamente ao servo e fosse identificada na presença dele. O vs. 14 mostra *como* essa identificação teria de ser feita.

A decisão da escolha da noiva de Isaque foi deixada ao encargo do servo. Mas ele não estava muito certo quanto às suas habilidades, por isso apelou ao Senhor, para que o ajudasse. Ademais, o anjo do Senhor estava com ele, inspirando seus pensamentos e seus atos. Ver os vss. 7 e 40.

O texto expõe a contínua necessidade da interação das vontades divina e humana. Deus utiliza-se do livre-arbítrio humano sem destruí-lo, embora não saibamos explicar como isso pode suceder. Ver no *Dicionário* os artigos *Livre-Arbítrio* e *Vontade de Deus, Como Descobri-la*.

"...o caso aqui aludido é tal, que requeria uma orientação especial da parte de Deus; um caso em que as nossas faculdades racionais, sem o concurso da influência divina, não bastam... Planejemos, esquematizemos e labutemos como Eliezer, e então, mediante fé e oração intensa, entreguemos tudo à orientação e bênção de Deus" (Adam Clarke, *in loc.*, em excelente comentário, reconhecendo a necessidade de o homem fazer a *sua parte*, mas sempre requerendo também a ajuda e o poder de Deus).

O servo estava ao pé do *poço dos desejos*, mas deixou que seu desejo fosse energizado pela providência divina. Ver no *Dicionário* o artigo intitulado *Providência de Deus*.

"...desejando, esperando, aguardando..." (John Gill, *in loc.*).

24.14

וְהָיָה הַנַּעֲרָ אֲשֶׁר אֹמַר אֵלֶיהָ הַטִּי־נָא כַדֵּךְ וְאֶשְׁתֶּה וְאָמְרָה שְׁתֵה וְגַם־גְּמַלֶּיךָ אַשְׁקֶה אֹתָהּ הֹכַחְתָּ לְעַבְדְּךָ לְיִצְחָק וּבָהּ אֵדַע כִּי־עָשִׂיתָ חֶסֶד עִם־אֲדֹנִי׃

O Servo Pede um Sinal! Isso pode ser feito de uma forma errada, conforme Jesus salientou (Mt 12.38,39). Jesus não precisava de sinais. Sua espiritualidade e comunhão com Deus eram tais que ele mesmo era o sinal. Mas nós outros buscamos, ocasionalmente, sinais, no que somos acompanhados por muitos homens bons. Dizia minha mãe: "Há vezes em que podemos barganhar com Deus, mas de outras vezes não podemos". Porém, quando não sabemos quando é *sim* e quando é *não*, solicitamos um sinal, e tentamos barganhar com Deus. O servo de Abraão fez uma espécie de barganha com Deus, pedindo-lhe que o Senhor fizesse algo como demonstração de sua "bondade".

Um Sinal Difícil. Não somente a donzela certa deveria aparecer naquele momento, mas também deveria identificar-se da maneira como o servo pedira. Impossível, diríamos. Mas possível para Deus, se ele estivesse envolvido. Por isso é que lemos: "...para Deus não haverá impossíveis em todas as suas promessas" (Lc 1.37).

Como o servo de Abraão poderia reconhecer a donzela? "Mediante alguma aparência particular dela? Não. Havia um critério mais importante do que esse — o critério do espírito. A jovem que fosse dotada de discernimento mais imediato, a mais bondosa, a mais pronta para ajudar — *essa* seria a jovem que ele estava procurando... E exatamente assim a sua oração foi respondida" (Walter Russell Bowie, *in loc.*). Além disso, ela era muito *formosa de aparência* (vs. 16), e isso sempre ajuda!

24.15

וַיְהִי־הוּא טֶרֶם כִּלָּה לְדַבֵּר וְהִנֵּה רִבְקָה יֹצֵאת אֲשֶׁר יֻלְּדָה לִבְתוּאֵל בֶּן־מִלְכָּה אֵשֶׁת נָחוֹר אֲחִי אַבְרָהָם וְכַדָּהּ עַל־שִׁכְמָהּ׃

Saiu Rebeca. Há coisas que acontecem e são deveras admiráveis. Admiramo-nos diante de certas coisas que Deus faz. Todos quantos andam pela vereda espiritual passam por experiências como aquela do texto à nossa frente. Ali estava o dom de Deus. O servo recebeu o sinal, e com isso a sua missão foi grandemente *facilitada*. Oh, Senhor, facilita nossas missões! Concede-nos sinais e vitórias súbitas! "Quão admiravelmente a providência divina adaptou todas as circunstâncias à necessidade do caso..." (Adam Clarke, *in loc.*).

Betuel. Ver sobre esse homem no *Dicionário*. Ele era o oitavo e mais novo filho de Naor e Milca. Milca era sobrinha e esposa de Naor, pois era filha de Harã, irmão de Naor. Por conseguinte, Rebeca era prima de Isaque. Ver o artigo detalhado sobre *Rebeca*, no *Dicionário*. Ver as notas introdutórias ao primeiro versículo deste capítulo, quanto ao assunto de casamentos consanguíneos. Embora Rebeca fosse filha de um homem abastado, ela não desdenhava de serviços árduos.

24.16

וְהַנַּעֲרָ טֹבַת מַרְאֶה מְאֹד בְּתוּלָה וְאִישׁ לֹא יְדָעָהּ וַתֵּרֶד הָעַיְנָה וַתְּמַלֵּא כַדָּהּ וַתָּעַל׃

A moça era mui formosa de aparência, virgem. O primeiro ponto era uma vantagem; e o segundo era um *sine qua non* dentro da mentalidade dos hebreus. Assim, a palavra "moça" podia ser usada intercambiavelmente com a palavra "virgem", visto que uma donzela solteira automaticamente era considerada virgem. Naturalmente, havia exceções. Ver no *Dicionário* o artigo *Virgem (Virgindade)*. Temos aqui a primeira menção à palavra *virgem* usada na Bíblia. Uma palavra diferente desta é usada no vs. 43, no hebraico, ainda que em nossa versão portuguesa tenhamos a mesma palavra, "moça". Ver as notas ali. Rebeca tinha deveres por cumprir, e desincumbia-se deles com diligência, o tipo de moça que Isaque haveria de apreciar.

24.17

וַיָּרָץ הָעֶבֶד לִקְרָאתָהּ וַיֹּאמֶר הַגְמִיאִינִי נָא מְעַט־מַיִם מִכַּדֵּךְ׃

O servo saiu-lhe ao encontro, já suspeitando de que a sua oração tinha sido respondida. Por igual modo, o Espírito de Deus apressa-se ao encontro da Noiva de Cristo, para recolhê-la dentro da família divina. O servo de Abraão mostrou-se ousado, e pediu-lhe um pouco de água, o que ela atendeu alegremente (vs. 18).

A fé e as orações do servo de Abraão estavam pagando dividendos. David Livingstone foi um missionário pioneiro na África. Tal como todos nós, ele precisava buscar a vontade de Deus. Seu biógrafo anotou quão grande era a percepção dele, no desempenho de seus deveres: "Como ele conseguia isso? Em primeiro lugar, pela singeleza de seu coração... que atraía a luz! 'Se teu olho for luminoso, todo o teu corpo será iluminado'. Acresça-se que ele era bem claro e minucioso em suas orações. Finalmente, ele se mostrava muito cuidadoso ao averiguar todas as indicações providenciais que pudessem iluminar qual a vontade de Deus" (W. Garden Blaikie, *The Personal Life of David Livingstone*).

Josefo deu um toque de maior vivacidade à cena ao dizer que outras jovens que estavam à beira do poço se recusaram a dar de beber ao servo e a seus camelos. Em contraste com elas, Rebeca atendeu o servo e ainda repreendeu as outras donzelas pela negligência delas. O servo, pois, dirigiu-se diretamente a uma só moça, a moça certa.

24.18

וַתֹּאמֶר שְׁתֵה אֲדֹנִי וַתְּמַהֵר וַתֹּרֶד כַּדָּהּ עַל־יָדָהּ וַתַּשְׁקֵהוּ׃

... lhe deu de beber. O sinal estava adquirindo forma. Ela cumpriu prontamente a indicação de que era aquela que o servo de Abraão estava procurando. "...toda inocente, singela e gentil... tudo em Rebeca era encantador" (Walter Russell Bowie, *in loc.*).

Ela era dotada de formosura (vs. 16), era gentil (vs. 18), era diligente (vs. 19), era dotada de capacidade de decidir-se prontamente (vs. 58). Assim também, Isaque amou-a à primeira vista (vs. 67), e ao que tudo indica não se tornou polígamo, sendo um dos poucos homens que se contentou com uma só mulher. Ver no *Dicionário* os artigos *Poligamia* e *Monogamia*.

■ 24.19

וַתְּכַל לְהַשְׁקֹתוֹ וַתֹּאמֶר גַּם לִגְמַלֶּיךָ אֶשְׁאָב עַד אִם־כִּלּוּ לִשְׁתֹּת׃

Rebeca fez mais do que o esperado, pois também tirou água para os *dez* camelos do servo de Abraão, o que deve ter ocasionado considerável trabalho. Ver o vs. 10. Talvez ela tenha sido compelida a isso pelo anjo do Senhor (vs. 7), mas ela era espiritualmente sensível, e podia receber *prontamente* os apelos divinos. A oração do servo fora respondida. O *sinal* por ele pedido tornou-se tão óbvio que nenhum homem o teria perdido de vista.

■ 24.20

וַתְּמַהֵר וַתְּעַר כַּדָּהּ אֶל־הַשֹּׁקֶת וַתָּרָץ עוֹד אֶל־הַבְּאֵר לִשְׁאֹב וַתִּשְׁאַב לְכָל־גְּמַלָּיו׃

Apressando-se... correu. Enquanto o servo tudo contemplava, admirado, Rebeca trabalhava com afã. Aquele cavalheiro inglês, Adam Clarke, quase não podia acreditar ao ler os vss. 19 e 20. Que tipo de homem era aquele servo que ficava parado enquanto uma jovem fazia todo o trabalho? Ele não sabia do que deveria *admirar-se* mais — de Rebeca, que fazia todo o trabalho, ou do servo de Abraão, que a tudo observava preguiçosamente. Entrementes, os camelos não poderiam interessar-se menos por quem estivesse fazendo aquele trabalho, contanto que pudessem beber água.

■ 24.21

וְהָאִישׁ מִשְׁתָּאֵה לָהּ מַחֲרִישׁ לָדַעַת הַהִצְלִיחַ יְהוָה דַּרְכּוֹ אִם־לֹא׃

O homem a observava. O servo de Abraão estava *boquiaberto*. Ele quase não podia crer no que estava vendo. A jovem não parava de tirar água do poço, para dar de beber a todos os dez camelos. Adam Clarke queixou-se de novo ao chegar neste versículo. Eles eram *ambos* de uma estirpe diferente, decidiu ele. Ela, tão diligente! Ele, tão inativo! Por outro lado, o servo tinha acabado uma viagem de trinta dias, e estava exausto. Ademais, às mulheres cabia puxar água. O servo também estava admirado, mas *observava* tudo com atenção. O que ele poderia extrair daquela cena? O *sinal* que ele havia pedido estava brilhando bem diante de seus olhos. Ver o vs. 14 quanto ao sinal pedido.

Ele admirava-se dela ante "...a afabilidade... a cortesia... a humildade... a condescendência... a prontidão... a diligência... o labor... a celeridade dela" (John Gill, *in loc.*, que acabou concluindo que a providência de Deus estava atuando).

■ 24.22

וַיְהִי כַּאֲשֶׁר כִּלּוּ הַגְּמַלִּים לִשְׁתּוֹת וַיִּקַּח הָאִישׁ נֶזֶם זָהָב בֶּקַע מִשְׁקָלוֹ וּשְׁנֵי צְמִידִים עַל־יָדֶיהָ עֲשָׂרָה זָהָב מִשְׁקָלָם׃

O Servo Já Tinha Recebido a Sua Resposta. Foi até a carga que trouxera e dali apanhou alguns objetos de grande valor, o impressionante pendente de ouro e as pulseiras que ele tinha trazido para adornar a *mulher* que o Senhor havia providenciado. Apesar de não podermos calcular o valor daquelas joias, sabemos que elas eram de ouro, e que o autor mencionou seu *peso,* ou seja, o pendente, meio siclo, e as pulseiras, dez siclos. Essas pulseiras, muito provavelmente, eram usadas tanto nos pulsos quanto nos tornozelos. Ver no *Dicionário* o artigo *Joias e Pedras Preciosas*.

Os ornamentos femininos eram de oito tipos: 1. para a testa; 2. para o nariz; 3. para as orelhas; 4. para os braços; 5. para os dedos; 6. para o pescoço; 7. para o colo; 8. para os tornozelos. Ver Gênesis 24.22,47; Ezequiel 16.12; Provérbios 11.22; Isaías 3.21; Êxodo 32.2,3; Jó 42.11; Juízes 8.24. Os profetas sempre se queixavam da vaidade das mulheres (ver Is 3.17 ss.; 1Pe 3.3 ss.), mas elas não se corrigem.

Pendente. Devemos pensar em um pendente para o nariz, embora também fossem usados brincos (conforme se vê em algumas traduções). Mas o vs. 47 mostra que o pendente era para ser usado no nariz. As mulheres também dispunham de um enfeite para ser usado sobre a testa, com uma espécie de fita que o segurava no lugar. Tanto as mulheres egípcias quanto as mulheres judias usavam joias, incluindo pendentes no nariz. Algumas delas adornavam-se de pedras preciosas, encastoadas em ouro ou prata.

As *pulseiras* eram usadas nos pulsos e nos tornozelos, fabricadas com ouro ou prata, e, algumas vezes, com pedras preciosas engastadas. Jarchi e Jonathan alegorizavam as duas pulseiras, como se elas simbolizassem as tábuas da lei; e o peso delas, dez siclos, representariam os Dez Mandamentos da lei mosaica.

As mulheres persas e árabes também usavam joias.

O Tipo. O Espírito Santo confere ricos dons espirituais à Noiva de Cristo (Ef 4 e 1Co 12 e 13).

■ 24.23

וַיֹּאמֶר בַּת־מִי אַתְּ הַגִּידִי נָא לִי הֲיֵשׁ בֵּית־אָבִיךְ מָקוֹם לָנוּ לָלִין׃

De quem és filha? Essa era a pergunta crucial. Seria ela uma parenta de Abraão? Ele tinha as joias na mão, e estava pronto para dar-lhe ricos presentes. Seria ela a pessoa correta que deveria recebê-los?

Haverá... lugar? O servo de Abraão estava (quase) certo de que ela era parenta de Abraão e até já convidava a si mesmo para ficar hospedado no lugar. Isso seria muito conveniente para ele, visto que ainda tinha de negociar o casamento com os familiares de Rebeca.

■ 24.24

וַתֹּאמֶר אֵלָיו בַּת־בְּתוּאֵל אָנֹכִי בֶּן־מִלְכָּה אֲשֶׁר יָלְדָה לְנָחוֹר׃

Ela Era Sobrinha de Abraão. Era mais que uma mera coincidência. Era a resposta à sua oração. A neta-sobrinha de Abraão estava falando com o servo sobre membros da família que soavam familiares aos ouvidos dele. Todos os nomes que figuram neste versículo merecem artigos separados no *Dicionário*. Muitas coincidências são mais que meras coincidências. Por trás delas há algum propósito, algum misterioso *modus operandi* que não podemos perscrutar. Neste caso, porém, a resposta à oração do servo era tão óbvia que não permitia que nenhuma dúvida invadisse a mente do servo de Abraão. O texto não diz isso especificamente, mas é possível que, naquele momento, Rebeca tenha aceitado as joias mencionadas no vs. 22. Ela era dotada de todas as qualificações e era digna de receber aqueles emblemas de seu futuro casamento. Ver Gênesis 22.20-24 quanto à família de Naor.

■ 24.25

וַתֹּאמֶר אֵלָיו גַּם־תֶּבֶן גַּם־מִסְפּוֹא רַב עִמָּנוּ גַּם־מָקוֹם לָלוּן׃

Lugar para passar a noite. Rebeca garantiu ao servo que ele poderia alojar-se com sua família (de acordo com o pedido que ele fizera, vs. 23), e também que havia suprimento abundante para os camelos. A caravana inteira seria bem cuidada. Havia palha para os animais, e também pasto para eles se alimentarem. Naor era um homem rico e tinha acomodações para a caravana inteira. Rebeca sabia que seu pai se mostraria generoso, liberal e hospitaleiro. Ela não precisava ir verificar *se* o grupo poderia ser bem acolhido.

■ 24.26

וַיִּקֹּד הָאִישׁ וַיִּשְׁתַּחוּ לַיהוָה׃

... se inclinou o homem e adorou ao Senhor. Este é um dos melhores versículos de interesse humano de toda a Bíblia. Acerta no cérebro do homem espiritual como se fosse um malho. Ele estava ali. Uma grande vitória produz humildade e ação de graças imediata. O homem espiritual inclina a cabeça; lágrimas lhe descem pelo rosto e as palavras de agradecimento mostram-se profusas. Algumas vezes obtemos vitórias imediatas, sob a forma de respostas às nossas orações, conforme vemos neste texto. O servo de Abraão tinha partido em viagem fazia apenas dezessete dias, mas já havia obtido a sua resposta. Usualmente, porém, há uma luta de alguns anos, antes que venha a vitória. De outras vezes nossos corações enfermam, devido à demora (Pv 13.12), mas a alegria vem após a nossa lamentação.

"A fim de mostrar o profundo senso que ele tinha da *bondade* divina, e em *humilde* reconhecimento dos *favores* que ele havia recebido, ao ser providencialmente *dirigido...* ele adorou ao Senhor e lhe agradeceu..." (John Gill, *in loc.*).

A cena diante de nós faz-me lembrar de uma fotografia que vi, de certa feita, do presidente Juscelino Kubitschek, por ocasião da inauguração de Brasília. Sua cabeça estava pendida, uma das mãos lhe encobria a face, e ele chorava profusamente. Tinha chegado o grande momento; ele havia edificado a sua cidade; a vitória era dele. E naquele momento, proferiu estas palavras:

"Nestes últimos três anos, minhas forças físicas foram sobrecarregadas ao máximo. Subi tenso ao Planalto. Tudo despertava as minhas emoções: a cidade, as memórias de tudo quanto havia sucedido; os conflitos agora passados; o fervor emocional do povo; a contemplação do produto terminado. Ali estava ele, em todo o seu esplendor. Vivendo o tumulto das emoções, não fui capaz de controlar as contrações musculares que só vinham parar à altura de minha garganta. Quando os ponteiros do relógio marcavam vinte minutos do dia 21 de abril de 1960, e eu vi o espetáculo, e as cores que incendiavam o céu, olhando ao meu redor, vendo a multidão, com lágrimas nos meus olhos, não consegui controlar-me. Cobri meu rosto com a mão e, avassalado por tudo, chorei, as lágrimas rolando livremente pelas minhas bochechas".

Não há que duvidar de que uma das coisas que tornam a vida digna de ser vivida são aqueles momentos em que Deus avança e diz: "Eis a minha bênção; tu a buscaste; tu te tens esforçado por encontrá-la; ela é tua". Conheço um pastor que, em um grande momento de triunfo, exclamou: "Se eu tivesse vivido somente para ver *este* momento, para obter *esta* vitória, minha vida seria digna de ser vivida". Quando ele disse isso, ainda era jovem, e viveu mais de cinquenta anos depois daquele instante triunfal — e teve vários outros momentos assim.

■ 24.27

וַיֹּאמֶר בָּרוּךְ יְהוָה אֱלֹהֵי אֲדֹנִי אַבְרָהָם אֲשֶׁר לֹא־עָזַב חַסְדּוֹ וַאֲמִתּוֹ מֵעִם אֲדֹנִי אָנֹכִי בַּדֶּרֶךְ נָחַנִי יְהוָה בֵּית אֲחֵי אֲדֹנִי:

Bendito seja o Senhor Deus. Todo louvor cabia a *Yahweh-Elohim,* o Deus de seu senhor, Abraão. Era uma obra *dele,* e era agradável aos olhos do servo. Deus aplicara sua *misericórdia* à situação, e produzira alegria, nada deixando *desolado.* Ele tinha *guiado* o servo de Abraão pelo caminho, até chegar ao lugar *determinado,* a casa do *parente* de Abraão.

Todos os elementos necessários estavam presentes. Coisa alguma faltava. Deus havia desenvolvido tudo belamente, até os mínimos detalhes. E agora somente um insensato poderia dizer que tudo fora fruto do acaso. Mas nada acontece por mero acaso. "...Ele dirigiu todos os passos dele" (Adam Clarke, *in loc.*).

Não retirou a sua benignidade. Talvez haja uma alusão indireta à tristeza de Abraão face à morte de Sara (cap. 23). Mas essa tristeza havia sido revertida. Agora haveria o jubiloso casamento de Isaque, filho de Abraão e Sara, com a jovem escolhida por Deus. "...Ele não permite que seus fiéis fracassem" (John Gill, *in loc.*). O *caminho bendito,* a vereda aberta pelo Senhor Deus. Como é bom nos encontrarmos *nesse* caminho.

■ 24.28

וַתָּרָץ הַנַּעֲרָ וַתַּגֵּד לְבֵית אִמָּהּ כַּדְּבָרִים הָאֵלֶּה:

E a moça correu e contou aos da casa. Assim todos participaram da alegria do servo de Abraão. Aquele foi um dia muito especial para Rebeca e toda a sua família. Gostamos de partilhar de boas-novas, visto que isso aumenta a nossa própria alegria. Ademais, interessa-nos genuinamente a alegria alheia. O altruísmo é um fator genuíno da alma humana. Não fazemos tudo egoisticamente. Ver no *Dicionário* o verbete *Amor.* O termo aqui traduzido como "casa" é interessante, pois significa *casa (tenda) da mãe.* Em primeiro lugar, visto que reinava a poligamia, havia várias casas (tendas), mormente no caso de haver muitos filhos, de diversas mães. Os ricos tinham várias casas para suas diversas famílias. E, talvez, também haja aqui um indício de que Rebeca ansiava por mostrar as *joias* à sua mãe, que eram garantias de casamento, pois as mulheres é que se interessavam supremamente por tais objetos. Outro costume aqui refletido é que as mulheres tinham suas próprias casas (tendas). Elas não ficavam nas mesmas tendas que os homens. Ver Gênesis 24.27 quanto a outra indicação sobre isso.

■ 24.29

וּלְרִבְקָה אָח וּשְׁמוֹ לָבָן וַיָּרָץ לָבָן אֶל־הָאִישׁ הַחוּצָה אֶל־הָעָיִן:

Labão... correu. Este era irmão de Rebeca, aquele que tomou a frente nas negociações. Talvez Betuel já fosse muito idoso para correr até o poço. E deixou que seu filho o substituísse. O vs. 50 menciona Betuel. Alguns eruditos pensam que o Betuel daquele versículo seria algum irmão de Labão e Rebeca, e que teria o mesmo nome que seu pai. Mas isso não é provável, pois o autor sagrado nos teria informado que havia dois homens do mesmo nome, Betuel. Os críticos, por sua vez, dizem que "Betuel" é uma adição posterior ao texto, para arrendondar a história. Novamente, não precisamos acatar essa conjectura. Seja como for, é Labão (que anos depois se mostraria tão astuto com Jacó) quem ocupa nossa atenção no momento.

Labão. Ver o artigo detalhado sobre ele no *Dicionário.*

■ 24.30

וַיְהִי כִּרְאֹת אֶת־הַנֶּזֶם וְאֶת־הַצְּמִדִים עַל־יְדֵי אֲחֹתוֹ וּכְשָׁמְעוֹ אֶת־דִּבְרֵי רִבְקָה אֲחֹתוֹ לֵאמֹר כֹּה־דִבֶּר אֵלַי הָאִישׁ וַיָּבֹא אֶל־הָאִישׁ וְהִנֵּה עֹמֵד עַל־הַגְּמַלִּים עַל־הָעָיִן:

Labão Vê as Joias. Talvez o autor não tencionasse mostrar-se engraçado, mas vários comentadores têm notado como Labão viu *primeiro* as joias, e ficou bem impressionado. E somente *depois* ouviu a história. "Sem importar se o narrador teve ou não a intenção, o fato é que isso deu indicação de uma característica de Labão — e que ele haveria de demonstrar anos depois em seu trato com Jacó, um olho rápido para perceber algum lucro" (Walter Russell Bowie, *in loc.*). Vendo as joias, ele concluiu que o futuro sogro de Rebeca era um homem rico, generoso e liberal, uma boa pessoa para ter como membro da família. "...ele não seria um perdedor se acolhesse bondosamente o servo, a fim de entretê-lo generosamente" (John Gill, *in loc.*), o qual assim comentou sobre a cobiça de Labão, o que transparece em toda a narrativa a seu respeito. Por outra parte, provavelmente ele tinha um lado bom em sua personalidade, assim não devemos duvidar da sinceridade de sua hospitalidade.

■ 24.31

וַיֹּאמֶר בּוֹא בְּרוּךְ יְהוָה לָמָּה תַעֲמֹד בַּחוּץ וְאָנֹכִי פִּנִּיתִי הַבַּיִת וּמָקוֹם לַגְּמַלִּים:

Entra, bendito do Senhor. O nome divino aqui é *Yahweh.* O trecho de Josué 24.2 informa-nos das práticas idólatras da família de Terá. E Raquel (anos mais tarde), filha de Labão, procurou reter os ídolos do lar da família (Gn 31.19,34). Todavia, nada disso força a que o termo *Yahweh,* usado por Labão nesta ocasião, tenha sido uma glosa do autor sacro. Era possível alguém *combinar* a adoração a Yahweh com a veneração a ídolos, um sincretismo parecido com aquilo que tão frequentemente se vê no nosso Brasil. Não nos olvidemos de que o próprio Abraão, quando ainda vivia em Ur, era idólatra. Mas ele havia abandonado a idolatria. A família de Naor, contudo, não abandonou a idolatria com o mesmo grau com que o fizera Abraão.

A *mensagem* da declaração é que Labão era homem bastante perceptivo (excluindo-se a questão das joias) para entender que o servo de Abraão estava encarregado de uma *missão divina,* e que não estava em operação o mero acaso. Deus é quem tinha escolhido a noiva de Isaque. O sinal pedido e dado confirmava isso. Rebeca anuiria ao convite. Labão reconheceu a mão de Deus. A lição moral é que aqueles que procuram fazer a vontade de Deus com sinceridade, com oração, são realmente conduzidos pelo Senhor.

Ídolos do lar parece que ainda foram guardados por muitas pessoas, em Israel, por diversos séculos (ver Os 3.4), até que o Yahwismo, finalmente, veio a dominar toda a cena.

■ 24.32

וַיָּבֹא הָאִישׁ הַבַּיְתָה וַיְפַתַּח הַגְּמַלִּים וַיִּתֵּן תֶּבֶן וּמִסְפּוֹא לַגְּמַלִּים וּמַיִם לִרְחֹץ רַגְלָיו וְרַגְלֵי הָאֲנָשִׁים אֲשֶׁר אִתּוֹ׃

Então fez entrar o homem. Devemos pensar que o sujeito da frase é "Labão". O servo de Abraão fizera uma longa viagem bem-sucedida. Ele já havia achado a noiva de Isaque, pois a vontade de Deus revelou-se tão rapidamente. Mas ainda tinha de negociar com a família de Rebeca, pois, naquele tempo, nenhuma jovem tinha o poder de tomar sozinha uma decisão como essa. Mas a boa acolhida de que era alvo não deixou dúvidas sobre a mente do servo. Sua missão vinha sendo cumprida de forma esplêndida. Labão acolhera-o bem, estava cuidando de seus animais, e fizera-o sentir em casa.

Os camelos. "Esses foram os primeiros objetos de seus cuidados, pois um homem bom mostra-se misericordioso com os seus animais" (Adam Clarke, *in loc.*). Os camelos foram descarregados, e a forragem e o pasto serviriam para alimentar os animais.

Deu-se-lhe água para lavar os pés, obséquio estendido a todos os outros caravaneiros. Ver Gênesis 18.4; 19.2 e 43.24 quanto a esse antigo costume oriental. As pessoas usavam sandálias, e não sapatos fechados, e assim os pés precisavam ser lavados com frequência, mesmo quando a pessoa não precisava banhar o corpo inteiro. O lava-pés era uma importante parte da hospitalidade oriental; e Jesus tornou-o uma das ordenanças da Igreja (ver Jo 13), ainda que muitos grupos não a observem hoje em dia. Ofereço um detalhado artigo sobre o *Lava-Pés* na *Enciclopédia de Bíblia, Telogia e Filosofia.*

■ 24.33

וַיּוּשַׂם לְפָנָיו לֶאֱכֹל וַיֹּאמֶר לֹא אֹכַל עַד אִם־דִּבַּרְתִּי דְּבָרָי וַיֹּאמֶר דַּבֵּר׃

Primeiro, Falar; Depois, Comer. A hospitalidade de Labão estendeu-se ao grupo inteiro de caravaneiros. Mas o servo de Abraão ansiava por explicar a sua missão, antes mesmo de comer, pelo que Labão lhe deu permissão para tanto. A diligência na missão impunha isso. Além disso, o servo teria melhor apetite se primeiro cuidasse de seu dever, cumprindo outro aspecto de sua missão. *Lição moral:* "A minha comida consiste em fazer a vontade daquele que me enviou, e realizar a sua obra" (Jo 4.34).

■ 24.34

וַיֹּאמַר עֶבֶד אַבְרָהָם אָנֹכִי׃

Sou servo de Abraão. Uma declaração simples, mas profunda e surpreendente. Todos sabiam quem era Abraão, não só por ser membro da família, mas também por ter-se tornado poderoso príncipe e profeta.

Tipos Espirituais. Abraão era tipo de Deus Pai; Isaque, de Deus Filho; o servo de Abraão, do Espírito Santo; e Rebeca, tipo da Igreja. A missão do servo alude a como o Espírito Santo busca a Noiva, ocupando-se em tudo quanto está envolvido na condução de seres humanos aos pés de Jesus Cristo.

O servo conseguiu uma boa introdução para o seu discurso. Todos o ouviam atentamente.

■ 24.35

וַיהוָה בֵּרַךְ אֶת־אֲדֹנִי מְאֹד וַיִּגְדָּל וַיִּתֶּן־לוֹ צֹאן וּבָקָר וְכֶסֶף וְזָהָב וַעֲבָדִם וּשְׁפָחֹת וּגְמַלִּים וַחֲמֹרִים׃

As Riquezas de Abraão, a Bênção Divina. Outros trechos de Gênesis ressaltam a grande afluência de Abraão, atribuída à bênção de Deus.

Ver Gênesis 12.16; 13.2 (que diz que Abraão era "muito rico") e 20.14. O *propósito imediato* da recitação das riquezas de Abraão foi o de mostrar que Rebeca se estaria casando dentro de uma boa, estável e próspera família. Todos já sabiam da espiritualidade de Abraão, e isso era importante. O vs. 36 mostra-nos que *Isaque* era o herdeiro de Abraão e, como noivo de Rebeca, era um candidato excelente.

■ 24.36

וַתֵּלֶד שָׂרָה אֵשֶׁת אֲדֹנִי בֵן לַאדֹנִי אַחֲרֵי זִקְנָתָהּ וַיִּתֶּן־לוֹ אֶת־כָּל־אֲשֶׁר־לוֹ׃

Sara... lhe deu à luz um filho. Isaque, nascido de Sara, era o *herdeiro* único de Abraão, embora não fosse o único filho biológico deste. E Sara dera à luz Isaque, quando já era mulher *idosa,* o que mostra que, naquela época, o plano de Deus já era operante, pois o nascimento dele fora um milagre. Ela tinha 90 anos de idade quando do nascimento de Isaque (ver notas completas a respeito em Gn 21.1-3). Ver também Gênesis 17.15 ss. e o vs. 17, que diz que ela tinha 90 anos, pouco antes do nascimento de Isaque. Em um importante sentido, Isaque era o filho único de Abraão. Assim também, o antítipo de Isaque, Jesus Cristo, é o Filho especial de Deus, o seu Filho unigênito (Jo 3.16).

■ 24.37

וַיַּשְׁבִּעֵנִי אֲדֹנִי לֵאמֹר לֹא־תִקַּח אִשָּׁה לִבְנִי מִבְּנוֹת הַכְּנַעֲנִי אֲשֶׁר אָנֹכִי יֹשֵׁב בְּאַרְצוֹ׃

Os Cananeus Excluídos. A missão do servo de Abraão tinha um aspecto negativo. Ele não deveria buscar noiva para Isaque dentre as jovens cananeias. Isso já fora mencionado (vs. 3 deste capítulo), sendo essa a razão pela qual o servo tivera de vir a um lugar diferente e distante, como era Arã. Ver as notas, naquele versículo, sobre *Casamentos Mistos.*

O Jugo Desigual. Essa questão mereceu uma instrutiva citação de Adam Clarke: "...mesmo naqueles tempos primitivos dava-se atenção à posição e categoria na vida, como também ao fator educação, para que houvesse matrimônios compatíveis. Pessoas de hábitos diferentes, como também de princípios religiosos distintos, dificilmente são felizes se vierem a casar-se. Até mesmo os *pobres* e os *ricos* podem firmar melhores alianças matrimoniais do que os *religiosos* e os *profanos,* os *bem instruídos* e os *vulgares*. Uma pessoa pode ficar em jugo desigual com outra, em grande variedade de maneiras. *Levai as cargas uns dos outros* é um comando divino; mas onde não houver propriedade nas disposições, na educação, na capacidade mental etc., entre os cônjuges, então *um deles* será forçado a carregar a carga toda, e o resultado será uma interminável insatisfação".

■ 24.38

אִם־לֹא אֶל־בֵּית־אָבִי תֵּלֵךְ וְאֶל־מִשְׁפַּחְתִּי וְלָקַחְתָּ אִשָּׁה לִבְנִי׃

À casa de meu pai, e à minha família. Ver o vs. 4 quanto a notas a esse respeito. Naor, irmão de Abraão, e sua família, estão aqui em pauta. Ver Gênesis 22.20 ss. quanto à família em questão. A prima de Isaque, *Rebeca,* seria em breve visitada, embora ainda não o soubesse. *Alguns* casamentos são marcados no céu.

Família. Ou seja, uma subdivisão de uma tribo (Nm 1.18).

Esposa. Para Isaque, ao que tudo indica, a única que ele teve. Não se registra na Bíblia que ele se tenha tornado polígamo, que ele foi uma exceção à regra. Ver no *Dicionário* o artigo intitulado *Matrimônio.*

■ 24.39

וָאֹמַר אֶל־אֲדֹנִי אֻלַי לֹא־תֵלֵךְ הָאִשָּׁה אַחֲרָי׃

Temos aqui uma duplicação do vs. 5, onde a questão é comentada.

■ 24.40

וַיֹּאמֶר אֵלָי יְהוָה אֲשֶׁר־הִתְהַלַּכְתִּי לְפָנָיו יִשְׁלַח מַלְאָכוֹ אִתָּךְ וְהִצְלִיחַ דַּרְכֶּךָ וְלָקַחְתָּ אִשָּׁה לִבְנִי מִמִּשְׁפַּחְתִּי וּמִבֵּית אָבִי׃

Este versículo repete as ideias dos vss. 4 e 7, onde o leitor deve examinar as notas expositivas.

24.41

אָ֣ז תִּנָּקֶ֔ה מֵאָלָתִ֑י כִּ֥י תָב֖וֹא אֶל־מִשְׁפַּחְתִּ֑י וְאִם־לֹ֤א יִתְּנוּ֙ לָ֔ךְ וְהָיִ֥יתָ נָקִ֖י מֵאָלָתִֽי׃

Este versículo reitera as ideias dos vss. 2, 3 e 9, onde o leitor deve examinar as notas expositivas.

24.42

וָאָבֹ֥א הַיּ֖וֹם אֶל־הָעָ֑יִן וָאֹמַ֗ר יְהוָה֙ אֱלֹהֵי֙ אֲדֹנִ֣י אַבְרָהָ֔ם אִם־יֶשְׁךָ־נָּא֙ מַצְלִ֣יחַ דַּרְכִּ֔י אֲשֶׁ֥ר אָנֹכִ֖י הֹלֵ֥ךְ עָלֶֽיהָ׃

Este versículo repete as ideias dos vss. 11 e 12, onde o leitor deve examinar as notas expositivas.

24.43

הִנֵּ֛ה אָנֹכִ֥י נִצָּ֖ב עַל־עֵ֣ין הַמָּ֑יִם וְהָיָ֤ה הָֽעַלְמָה֙ הַיֹּצֵ֣את לִשְׁאֹ֔ב וְאָמַרְתִּ֣י אֵלֶ֔יהָ הַשְׁקִֽינִי־נָ֥א מְעַט־מַ֖יִם מִכַּדֵּֽךְ׃

Este versículo repete as ideias dos vss. 13 e 14, onde o leitor deve examinar as notas expositivas.

A moça. No hebraico, *almah*, "mulher jovem", mas com o sentido de "virgem", pois esperava-se de toda donzela que ela fosse virgem. Trata-se da mesma palavra usada em Isaías 7.14, traduzida por *virgem* (*párthenos*, no grego), em Mateus 1.23, e que tem dado margem a muita controvérsia. Ver no *Dicionário* o verbete *Virgem (Virgindade)*, e na *Enciclopédia de Bíblia, Teologia e Filosofia*, ver o artigo intitulado *Nascimento Virginal de Jesus*. Rebeca, a donzela virgem, tipifica a Igreja pura, a Noiva que o Espírito está buscando para Cristo (2Co 11.2; Ef 5.25 ss.). O termo hebraico envolvido, *almah*, literalmente significa "oculta", "escondida", talvez aludindo à proteção e reclusão a que as mulheres eram sujeitas no mundo antigo. Por extensão, tal mulher ainda não fora *descoberta* por nenhum homem. O termo hebraico aqui usado não é o mesmo do vs. 16, que é *bethulah*, vocábulo cognato ao verbo *separar*, ou seja, uma mulher separada, reclusa, e, por extensão, intocada, virgem.

24.44

וְאָמְרָ֣ה אֵלַ֔י גַּם־אַתָּ֣ה שְׁתֵ֔ה וְגַ֥ם לִגְמַלֶּ֖יךָ אֶשְׁאָ֑ב הִ֣וא הָֽאִשָּׁ֔ה אֲשֶׁר־הֹכִ֥יחַ יְהוָ֖ה לְבֶן־אֲדֹנִֽי׃

Este versículo reitera as ideias do vs. 14, onde damos notas expositivas.

24.45

אֲנִי֩ טֶ֨רֶם אֲכַלֶּ֜ה לְדַבֵּ֣ר אֶל־לִבִּ֗י וְהִנֵּ֨ה רִבְקָ֤ה יֹצֵאת֙ וְכַדָּ֣הּ עַל־שִׁכְמָ֔הּ וַתֵּ֥רֶד הָעַ֖יְנָה וַתִּשְׁאָ֑ב וָאֹמַ֥ר אֵלֶ֖יהָ הַשְׁקִ֥ינִי נָֽא׃

Este versículo reitera as ideias dos vss. 15,17, onde são dadas notas expositivas. No hebraico, mais literalmente, temos a tradução "antes de eu ter parado de falar em meu coração", o que transparece em nossa versão portuguesa. Logo, o servo de Abraão tinha orado silenciosamente. A oração silente, pois, é tão eficaz como a oração em voz alta, pois acima do tumulto deste mundo, a oração mais secreta pode ser ouvida pelo Senhor.

24.46

וַתְּמַהֵ֗ר וַתּ֤וֹרֶד כַּדָּהּ֙ מֵֽעָלֶ֔יהָ וַתֹּ֣אמֶר שְׁתֵ֔ה וְגַם־גְּמַלֶּ֖יךָ אַשְׁקֶ֑ה וָאֵ֕שְׁתְּ וְגַ֥ם הַגְּמַלִּ֖ים הִשְׁקָֽתָה׃

Este versículo repete as ideias dos vss. 18-20, onde o leitor deve examinar as notas expositivas.

24.47

וָאֶשְׁאַ֣ל אֹתָ֗הּ וָאֹמַר֙ בַּת־מִ֣י אַ֔תְּ וַתֹּ֗אמֶר בַּת־בְּתוּאֵל֙ בֶּן־נָח֔וֹר אֲשֶׁ֥ר יָֽלְדָה־לּ֖וֹ מִלְכָּ֑ה וָאָשִׂ֤ם הַנֶּ֙זֶם֙ עַל־אַפָּ֔הּ וְהַצְּמִידִ֖ים עַל־יָדֶֽיהָ׃

Este versículo repete as ideias dos vss. 22-24, onde o leitor deve examinar as notas expositivas. Aqui, porém, é dito especificamente que, naquele momento, ele entregou à donzela as joias que tinha trazido como mostruário de seu dote, ao passo que, nos vss. 22-24, esse detalhe é deixado ao leitor inferir. Também este versículo mostra estar em pauta um pendente *para o nariz*, e não um brinco, conforme dizem algumas traduções. Comentei sobre os tipos de joias que foram presenteadas, nas notas sobre o vs. 22.

24.48

וָאֶקֹּ֥ד וָֽאֶשְׁתַּחֲוֶ֖ה לַֽיהוָ֑ה וָאֲבָרֵ֗ךְ אֶת־יְהוָה֙ אֱלֹהֵי֙ אֲדֹנִ֣י אַבְרָהָ֔ם אֲשֶׁ֤ר הִנְחַ֙נִי֙ בְּדֶ֣רֶךְ אֱמֶ֔ת לָקַ֛חַת אֶת־בַּת־אֲחִ֥י אֲדֹנִ֖י לִבְנֽוֹ׃

Este versículo repete as ideias dos vss. 26 e 27, onde o leitor deve examinar as notas expositivas.

24.49

וְ֠עַתָּה אִם־יֶשְׁכֶ֨ם עֹשִׂ֜ים חֶ֧סֶד וֶֽאֱמֶ֛ת אֶת־אֲדֹנִ֖י הַגִּ֣ידוּ לִ֑י וְאִם־לֹ֕א הַגִּ֣ידוּ לִ֔י וְאֶפְנֶ֥ה עַל־יָמִ֖ין א֥וֹ עַל־שְׂמֹֽאל׃

A Proposta à Queima-Roupa. O servo de Abraão tinha tanta certeza de que o anjo do Senhor o havia conduzido à donzela certa que falou abruptamente. "Se vocês querem mesmo ser fiéis e leais a Abraão, entreguem-me a jovem!" Ele não estava atrás de alguma opinião. Mas esperava que fossem *benevolentes* e o ajudassem a conduzir Rebeca a Isaque.

Para a direita, ou para a esquerda. Ou seja, ele continuaria buscando uma noiva idônea para Isaque. Talvez, para começar, ele veria quais outras filhas estavam disponíveis, dentro da família de Naor. Por certo não estava pensando em conseguir uma noiva entre as famílias de Ló ou de Ismael, conforme tolamente têm pensado alguns estudiosos. O Targum de Jonathan interpreta aqui "para o sul ou para o norte", visto que essas direções também eram dadas como direita e esquerda. Mas na verdade essas palavras são uma expressão idiomática que significa "para qualquer lugar".

24.50

וַיַּ֨עַן לָבָ֤ן וּבְתוּאֵל֙ וַיֹּ֣אמְר֔וּ מֵיְהוָ֖ה יָצָ֣א הַדָּבָ֑ר לֹ֥א נוּכַ֛ל דַּבֵּ֥ר אֵלֶ֖יךָ רַ֥ע אוֹ־טֽוֹב׃

Responderam Labão e Betuel. Até este ponto, Labão tinha dirigido as negociações do lado da família. Mas agora manifestava-se o pai de Rebeca. Ele e Labão (irmão de Rebeca) concordaram imediatamente: "O Senhor está fazendo isso. Não podemos reclamar". Eles se submeteram à vontade de Deus sobre a questão, de maneira pronta e absoluta, sem questionamentos. Como é claro, provavelmente também se sentiam felizes porque Rebeca se casaria dentro de uma família tão ilustre (e rica).

"Uma vez mais, nos vss. 50 e 51, soa a nota dominante que ecoa por toda a narrativa, como o motivo de uma sinfonia — a nota da orientação de Deus" (Walter Russell Bowie, *in loc.*).

"Se nos maravilhamos diante da providência de Deus em todo o episódio, a responsabilidade humana também se evidencia" (Allen P. Ross, *in loc.*). De fato, o servo de Abraão fizera a sua parte; Rebeca não se mostrara hostil ao plano; seu pai e seu irmãos também cumpriram o seu dever, não pondo obstáculos. O *louvor* também se destaca no relato. É bom vermos as coisas correr tão bem, quando Deus é o poder que põe tudo em movimento, e isso evoca o louvor a Deus, em nosso coração.

Nesta narrativa há muitas reiterações, mas uma boa história tolera repetições. Quão frequentemente repetimos antigas histórias de coisas que nos são agradáveis!

Alguns intérpretes veem Labão e Betuel como irmãos, pensando que este último tinha o mesmo nome de seu pai, que talvez já tivesse morrido antes dessa ocasião. Isso explicaria o papel liderante de Labão nas negociações. Por outro lado, um pai, especialmente já idoso e senil, alegremente delegaria tais questões às mãos de seu filho mais velho.

Nada temos a dizer. Eles não sabiam o que manifestar, de positivo ou de negativo. Que fosse feita a vontade do Senhor. "A coisa toda era tão clara que eles não faziam nenhuma objeção" (John Gill, *in loc.*).

■ **24.51**

הִנֵּה־רִבְקָה לְפָנֶיךָ קַח וָלֵךְ וּתְהִי אִשָּׁה לְבֶן־אֲדֹנֶיךָ כַּאֲשֶׁר דִּבֶּר יְהוָה:

Toma-a, e vai-te. Estou supondo que isso não tenha sido fácil. Rebeca era amada na família, e também fazia muito trabalho, que agora teria de ser executado por outras mulheres. Representava um grande sacrifício dá-la como noiva, de forma tão repentina e absoluta. Porém, quem havia falado era o *Senhor*. Bendito seja o nome do Senhor! O servo de Abraão ansiava por voltar a Abraão. Obtivera uma vitória imediata e significativa. Haveria de forçar os camelos a andar mais ligeiro por todo o caminho de volta. Mas para Rebeca e para seus familiares, sem dúvida havia uma ponta de tristeza no coração, por causa da separação. Não é fácil nos separarmos de entes queridos, mesmo quando sabemos que, ocasionalmente, haveremos de encontrar-nos de novo com eles.

A Vontade de Deus Requer Sacrifício. O padrão da vida do crente não é o prazer. Algumas vezes sofreremos para cumprir a vontade de Deus. Contudo, podemos estar certos de que o sofrimento tem sua recompensa. Por outra parte, é motivo de júbilo conhecer e cumprir a vontade de Deus. A longo prazo, isso só pode redundar em bem. Vemos aqui Rebeca, que foi viver com a família de Abraão. Ela seria uma das honradas matriarcas de Israel. Esse destino devolveu, sob a forma de bênção, qualquer sacrifício pessoal que a sua família original possa ter tido de fazer, ao separar-se dela.

A família de Rebeca tentou negociar *dez dias* mais da presença dela, antes da separapão (vs. 55), mas o servo de Abraão não gostou da ideia. A decisão foi então deixada à própria Rebeca. E ela decidiu: "Vou imediatamente." E seus familiares respeitaram a sua vontade.

■ **24.52**

וַיְהִי כַּאֲשֶׁר שָׁמַע עֶבֶד אַבְרָהָם אֶת־דִּבְרֵיהֶם וַיִּשְׁתַּחוּ אַרְצָה לַיהוָה:

Prostrou-se em terra. Até aquele ponto, restava alguma dúvida quanto ao resultado final das negociações. Mas agora a vitória estava garantida, e isso fez o coração do servo de Abraão humilhar-se diante do Senhor e louvá-lo. Antes, ele se havia "inclinado" (vs. 26). Agora, porém, prostrava-se no chão, em agradecimento e adoração. Ele tinha recebido o privilégio de ser um instrumento especial nas mãos do Senhor, tendo obtido imediato e completo sucesso. Ver as notas sobre o vs. 26, onde o gesto é mais completamente explicado.

O que foi reconhecido pelo servo de Abraão? "A benignidade, a bondade, a fidelidade, a verdade, o poder e a providência de Deus" (John Gill, *in loc.*).

O louvor é um importante aspecto da espiritualidade, visto que reflete a reação do coração humano diante da bondade recebida. Ver no *Dicionário* o artigo *Louvor*.

■ **24.53**

וַיּוֹצֵא הָעֶבֶד כְּלֵי־כֶסֶף וּכְלֵי זָהָב וּבְגָדִים וַיִּתֵּן לְרִבְקָה וּמִגְדָּנֹת נָתַן לְאָחִיהָ וּלְאִמָּהּ:

Ricos presentes. Abraão demonstrara sua abastança e sua generosidade, e cada qual recebeu alguma coisa. Ele tinha esperado o sucesso e queria que todos se sentissem felizes. Aquilo que foi dado a Rebeca (vs. 22) parece ter sido uma parte adiantada do dote. Agora, porém, era entregue o dote propriamente dito. O Dicionário de Funk & Wagnall, em inglês, definiu a questão: "Um galardão pago por uma esposa". Assim, era uma espécie de troca com vistas à obtenção de uma esposa. E, significativamente, ele nos dá o trecho de Gênesis 34.12 como exemplo. Um dote também podia consistir nas propriedades ou possessões que uma esposa *trouxesse* a seu marido, conferido pelo sogro ao genro. Ver no *Dicionário* o verbete intitulado *Dote*.

Na atualidade impera a estranha circunstância em que o pai da noiva é que precisa pagar todas as despesas do casamento e da recepção, sem obter nenhum presente. Naturalmente, é o marido que acaba pagando pelas despesas pelo resto da vida. E alguns maridos dizem que vale a pena. Por outro lado, em muitas sociedades modernas, a esposa ganha algum dinheiro, e isso é um bom negócio para o marido. Seja como for, o dinheiro não deveria ser a consideração básica em nenhum casamento, embora, sem dúvida, não seja uma questão indiferente.

As Joias. Os objetos mencionados eram e continuam sendo itens que fazem parte das riquezas de uma família abastada. Havia joias de vários tipos, de ouro e de prata. Ver no *Dicionário* o artigo intitulado *Joias e Pedras Preciosas*. Essas joias foram presenteadas a Rebeca, juntamente com vestes caras, exatamente aquelas coisas em que as mulheres sempre estiveram interessadas. Ver no *Dicionário* o artigo *Vestimenta (Vestimentas)*. A sexta seção desse artigo alude especificamente às vestes femininas. Os dotes por muitas vezes incluíam uma importância em *dinheiro* (ouro e prata, avaliados por peso; e, posteriormente, como moedas). Mas isso não é aqui mencionado, embora pudesse estar incluído nos indefinidos *ricos presentes*.

Ricos presentes. Reflete uma palavra hebraica também usada em Deuteronômio 33.13-16, para indicar frutas e acepipes raros; ou plantas e flores de adorno, em Cântico dos Cânticos 4.16. Abraão, pois, tinha-lhes enviado presentes que eles apreciariam: dinheiro, vestes, joias, utensílios e objetos de decoração. Os dez camelos tinham vindo carregados de um autêntico tesouro.

■ **24.54**

וַיֹּאכְלוּ וַיִּשְׁתּוּ הוּא וְהָאֲנָשִׁים אֲשֶׁר־עִמּוֹ וַיָּלִינוּ וַיָּקוּמוּ בַבֹּקֶר וַיֹּאמֶר שַׁלְּחֻנִי לַאדֹנִי:

Depois comeram e beberam. Foi uma festa de despedida, ao mesmo tempo alegre e triste, conforme são quase todas as despedidas. O servo de Abraão recebera todas as respostas positivas que sua missão requeria para ser bem-sucedida. Não nos admiremos se ele se sentou e participou do banquete com grande apetite! Antes, porém, havia se recusado a provar qualquer coisa, enquanto não terminasse o negócio que tinha vindo efetuar (vs. 33).

Passaram a noite. Refestelando-se e adquirindo energias para os trinta dias de viagem de volta a Abraão. Quanto zelo demonstrou o servo. Trinta dias até a cidade de Labão; um único dia ali; e mais trinta dias de volta a Abraão. Ele era todo negócios, e pouco descanso.

Permiti que eu volte. Eles precisavam ajudá-lo a empacotar suas coisas, arrumar os camelos, preparar Rebeca etc., e isso tudo com a permissão e as bênçãos dos familiares da donzela. Feito isso, o servo partiria de volta a Abraão, sem tardança. Parecia querer surpreender a seu senhor. Ele fizera tudo em pouco tempo. A alegria irrompe com a alvorada. "...sem consultar suas próprias conveniências e prazeres, que ele poderia ter tido se demorasse um pouco mais... pois teria sido entretido de forma esplêndida" (John Gill, *in loc.*).

■ **24.55**

וַיֹּאמֶר אָחִיהָ וְאִמָּהּ תֵּשֵׁב הַנַּעֲרָ אִתָּנוּ יָמִים אוֹ עָשׂוֹר אַחַר תֵּלֵךְ:

Alguns dias, pelo menos dez. Curiosamente, assim disseram o *irmão* e a *mãe* de Rebeca, enquanto o pai ficou calado. Aqui os intérpretes novamente veem evidências de que Betuel, pai de Rebeca, já teria morrido, razão pela qual Labão dirigira toda a negociação. E os críticos opinam que o nome Betuel foi adicionado ao relato original, embora ele continuasse ausente, segundo tudo parece indicar, sendo este versículo um desses indícios. Ou, então, a omissão não teve nenhum propósito especial por parte do autor sagrado.

Dez Meses? Os intérpretes judeus, como Onkelos e Jonathan, afirmaram que era costume uma virgem dispor de doze meses para aprontar-se com ornamentos e outros artigos necessários para casar-se. Se um ano inteiro não bastasse, dez meses eram considerados suficientes. Esse tempo também serviria de período de ajustamentos psicológicos e de planejamento, uma espécie de noivado. Mas se isso é o que devemos pensar aqui, então é difícil imaginar por que o termo "dias" foi usado. De fato, há uma variante marginal que diz "meses". Talvez assim dissesse o original. Mas a Septuaginta também diz "dias", o que confirma que assim dizia o original hebraico. Mas a versão siríaca diz "meses", e a dúvida permanece.

24.56

וַיֹּאמֶר אֲלֵהֶם אַל־תְּאַחֲרוּ אֹתִי וַיהוָה הִצְלִיחַ דַּרְכִּי שַׁלְּחוּנִי וְאֵלְכָה לַאדֹנִי:

Não me detenhais. Nesse caso, toda demora deixaria adoentado o coração do servo (ver Pv 13.12). O Senhor havia feito *próspero* o seu caminho, e agora o servo não queria que empecilhos humanos impedissem o término imediato de sua missão. Ele era mensageiro de boas-novas, e queria dar alegria ao seu senhor. O propósito de Deus havia sido obtido sem medidas arbitrárias. A anuência humana havia cooperado com o propósito divino, embora o propósito divino tivesse determinado as condições. Ver as notas sobre o vs. 54 quanto à expressão "permiti que eu volte".

24.57,58

וַיֹּאמְרוּ נִקְרָא לַנַּעֲרָ וְנִשְׁאֲלָה אֶת־פִּיהָ:
וַיִּקְרְאוּ לְרִבְקָה וַיֹּאמְרוּ אֵלֶיהָ הֲתֵלְכִי עִם־הָאִישׁ הַזֶּה וַתֹּאמֶר אֵלֵךְ:

A Decisão Foi Transferida. Rebeca foi chamada para dizer o que *ela* queria. Apesar de não depender de uma jovem tomar decisão sobre o casamento, ainda assim ela poderia exercer alguma influência sobre aquela decisão. Ela já tinha resolvido casar-se com Isaque. O que restava determinar era o elemento tempo. O servo de Abraão tinha chegado apenas *ontem*. E ela partiria com ele *hoje* mesmo?

O Elemento Tempo. Esse é um fator muitas vezes problemático para nós. Os planos de Deus operam de acordo com um cronograma estrito. Precisamos nos ajustar a esse cronograma. Se o elemento tempo é plástico, então podemos modificá-lo por meio da oração. Em caso contrário, precisamos ajustar-nos ao tempo certo, quanto à coisa certa. Algumas vezes as coisas se demoram, e, então, podemos desesperar. Mas é admirável ver como as coisas acontecem no tempo *certo*.

Os estudiosos observam aqui sobre a *dignidade da mulher*. Mesmo naqueles dias, quando as mulheres tinham poucos direitos, havia algum respeito pela dignidade feminina. Sara por certo empurrava Abraão para onde ela queria, o que indica que ela tinha direitos e os exerce.

Ela respondeu: Irei. Rebeca não hesitou. Ela tinha sido arrebatada pela onda da vontade de Deus. O plano de Deus requeria pressa, e ela não fez objeção a isso. Tudo havia sido planejado providencialmente; e ela seria a última a servir de entrave. Além disso, seu coração ditava que ela fosse. As despedidas são experiências que nos testam profundamente. O coração se confrange. O que as pessoas matutam sobre *se* e *quando* pessoas queridas se verão novamente. Não há registro bíblico de que Rebeca tenha voltado ao lar paterno algum dia. Por outra parte, eram apenas trinta dias de viagem que os separavam, e não é mister supormos que a Bíblia registrou todos os acontecimentos.

24.59

וַיְשַׁלְּחוּ אֶת־רִבְקָה אֲחֹתָם וְאֶת־מֵנִקְתָּהּ וְאֶת־עֶבֶד אַבְרָהָם וְאֶת־אֲנָשָׁיו:

Despediram a Rebeca, sua irmã. Não testarei a paciência de meu leitor contando-lhe todas as vezes que minha família sofreu por motivo de separação, por causa do ideal espiritual. Mas posso dizer que por muitas vezes temos tido de passar por essa dura experiência: mãe de filho; filhos de mãe e de pai; irmão de irmão. Nosso coração se tem sentido rasgado, diante de automóveis, ônibus, trens e aviões. Os aeroportos têm sido cena de muitas lágrimas, embora também de ocasionais reuniões de família. Isso tudo não para ganhar dinheiro, nem para melhorar as condições de vida, mas para pôr em andamento o labor espiritual que nos tem servido de motivação constante. Apesar de tudo, muitas têm sido as vitórias, e não temos do que nos lamentar. Pois é aí que vemos onde o sacrifício se impõe: a dor da separação das despedidas entre os membros da família.

A sua ama. A separação tornou-se mais amena pela presença da ama de Rebeca, que foi com ela. Lemos em Gênesis 35.8 que o nome dessa ama era *Débora*. Ela fazia companhia à jovem desde o nascimento dela, e se tornara uma segunda mãe para ela. Quão querida ela foi, primeiro para Rebeca, e depois para Jacó, conforme podemos depreender da lamentação diante de sua morte (Gn 35.8). Débora foi sepultada ao pé do carvalho próximo de Betel. Desde então, o carvalho passou a chamar-se *Alom-Bacute,* "carvalho da lamentação". Essa mulher é mencionada somente aqui e naquela referência. Quanto à ama (uma espécie de escrava atendente) que as mulheres de alta classe recebiam ao se casarem, ver as notas expositivas em Gênesis 29.24.

24.60

וַיְבָרֲכוּ אֶת־רִבְקָה וַיֹּאמְרוּ לָהּ אֲחֹתֵנוּ אַתְּ הֲיִי לְאַלְפֵי רְבָבָה וְיִירַשׁ זַרְעֵךְ אֵת שַׁעַר שֹׂנְאָיו:

Abençoaram Rebeca. Talvez Labão amasse o dinheiro (vs. 30) e, de fato, anos depois, ele tentou enganar astuciosamente Jacó. Mas havia grande amor em sua família. Com uma bênção sincera e profética, ele e os demais membros da família despediram-se de Rebeca.

Compartilhando do Pacto Abraâmico. Rebeca tornou-se agente especial na continuação do pacto (ver as notas sobre Gn 15.18). Ela seria mãe de muitos milhões, ajudando assim a cumprir em parte a promessa feita a Abraão. Ela seria uma das matriarcas de Israel. Tanto os idumeus quanto os israelitas descendem dela, pelo que ela é uma das mães de nações.

A porta dos seus inimigos. A porta de uma cidade era o local onde se fazia justiça, onde se tomavam deliberações e era também o quartel do poder militar. Tão grandes seriam os descendentes de Rebeca que eles possuiriam a porta de seus inimigos. Também haveria uma mesa preparada diante deles, na presença de seus inimigos (ver Sl 23.5). Isso olha para a conquista do território de Israel, séculos mais tarde, a consolidação de sua pátria.

O trecho de Gênesis 22.17 promete especificamente que Abraão possuiria "a cidade dos seus inimigos". E assim a promessa deste versículo, feita a Rebeca mediante declaração profética, foi uma reafirmação da promessa originalmente feita a Abraão.

Os portões da cidade eram fortificados, pelo que, para tomar uma cidade, era mister primeiro derrotar os fortins que havia no portão ou portões das cidades. Os descendentes de Abraão assaltariam os portões das cidades de seus adversários, e tomariam os seus territórios. Israel obteria domínio absoluto sobre os inimigos.

24.61

וַתָּקָם רִבְקָה וְנַעֲרֹתֶיהָ וַתִּרְכַּבְנָה עַל־הַגְּמַלִּים וַתֵּלַכְנָה אַחֲרֵי הָאִישׁ וַיִּקַּח הָעֶבֶד אֶת־רִבְקָה וַיֵּלַךְ:

A Partida da Caravana. Rebeca e sua bagagem foram arrumadas sobre os camelos. Cada pessoa cumpriu sua parte nos preparativos para a viagem. Foram proferidas despedidas finais; as lágrimas fluíam; os caravaneiros partiram. Labão e seus familiares acompanharam com os olhos o comboio, até onde lhes foi possível; e, então, chegou um momento em que não mais podiam vê-los. Rebeca se fora, mas não estava perdida. De fato, ela havia sido encontrada. Agora era um honrado membro da família de Abraão, o que não era coisa de somenos! Chegado o tempo de meu filho mais velho ingressar na universidade, fui com ele até os Estados Unidos, e levei-o à faculdade onde ele deveria estudar. Estive naquela faculdade apenas por um dia, matriculei o meu rapaz e deixei tudo arrumado em seu quarto. Então chegou o momento. Havia um trem que me conduziria da pequena cidade onde estava a faculdade até Chicago. Fui com meu rapaz até a estação ferroviária. Chegou o trem. Entrei na composição. Meu rapaz estava de pé na estação. Do trem que partia, acenei-lhe adeus. Ali estava ele, desolado, perto da linha. Não havia pai nem mãe para estar com ele, muito menos irmão. Estava em um lugar estranho, entre estranhos. O trem ia a caminho de Chicago. Lágrimas foram vertidas, de forma quase descontrolada.

Mas lágrimas de alegria, em outra ocasião, haveriam de ser derramadas. Dessa vez, em Cambridge, no culto de graduação pelo Massachusetts Institute of Technology. Meu rapaz, o mesmo rapaz, receberia seu diploma de Mestre. Eu estava lá para participar da cerimônia, *meu rapaz* recebendo seu diploma de engenheiro urbanista de uma das maiores instituições científicas do mundo. Ele deu alguns passos para receber seu diploma. Era dele. A vitória tinha sido obtida. Não pude conter as lágrimas. Sim, tem havido momentos de tristeza e momentos de alegria e triunfo. Bendito seja o nome do Senhor!

■ 24.62

וְיִצְחָק֙ בָּ֣א מִבּ֔וֹא בְּאֵ֥ר לַחַ֖י רֹאִ֑י וְה֥וּא יוֹשֵׁ֖ב בְּאֶ֥רֶץ הַנֶּֽגֶב׃

Beer-Laai-Roi. Dou completas notas sobre esse lugar em Gênesis 16.14, por isso não repito aqui o material. Ali estava o poço onde Hagar chegou, quando fugia de Sara. Ali também Isaque se encontraria com Rebeca.

Terra do Neguebe. Ou seja, região do sul. Ver no *Dicionário* o artigo intitulado *Neguebe*.

O oásis ao redor do poço tornara-se o local da residência de Isaque (Gn 25.11). Ficava nas vizinhanças de Berseba (ver a esse respeito no *Dicionário*). Ali vivia Abraão, quando Sara faleceu (Gn 23.2). Cerca de 750 km separavam Harã de Berseba. A caravana precisaria talvez de trinta dias para chegar ao seu destino. E há estudiosos que pensam em uma viagem mais demorada ainda.

■ 24.63

וַיֵּצֵ֥א יִצְחָ֛ק לָשׂ֥וּחַ בַּשָּׂדֶ֖ה לִפְנ֣וֹת עָ֑רֶב וַיִּשָּׂ֤א עֵינָיו֙ וַיַּ֔רְא וְהִנֵּ֥ה גְמַלִּ֖ים בָּאִֽים׃

A meditar... ao cair da tarde. O trabalho do dia de Isaque tinha-se encerrado, e ele voltou a mente para as coisas espirituais. A *meditação* fazia parte de sua inquirição espiritual e de sua espiritualidade. Ver no *Dicionário* os artigos *Meditação* e *Desenvolvimento Espiritual, Meios do*. Não somos informados sobre *como* ele meditava. Há vários modos, mas todos eles dão ao espírito a oportunidade de comungar com o ser divino. Nestes nossos dias de frenética atividade, poucos têm tempo para se dedicar à meditação. Contudo, esse método de desenvolvimento espiritual sempre foi importante no Oriente, e assim continua a sê-lo, na Igreja Ortodoxa Oriental.

"Grande parte da vida moderna é como crianças que brincam em um carrossel. Elas exultam enquanto os cavalos sobem e descem e a música toca; mas quando tudo para com um ruído de freios, ao descerem, as crianças chegam somente onde tinham começado, pois não foram a lugar nenhum. Precisamos de mais pessoas como Isaque, homens que saibam meditar, que 'concentrem os seus pensamentos'" (Walter Russell Bowie, *in loc.*).

A Meditação Requer um Lugar Apropriado. Conheci uma jovem que impôs uma estranha condição para casar. Ela requeria de seu marido que, na casa deles, houvesse um lugar de meditação e oração, *exclusivamente* para isso. Ele acedeu. Não há muitas jovens como ela.

A Meditação Requer um Tempo Especial. O horário varia de acordo com cada indivíduo. Pode ser cedo pela manhã; outros preferem ao meio-dia; e outros à tardinha. A meditação não produz coisa alguma se não for regular e em relativa solidão. Há livros que ensinam o *modus operandi* da meditação. Há vários métodos. Cada indivíduo pode escolher o que é melhor para suas próprias necessidades e condições particulares.

Isaque encontrou-se com Rebeca no lugar de meditação que ele havia escolhido. O mais importante é que ali ele costumava encontrar-se com a *presença divina*. Isaque olhou e viu que a caravana se aproximava. Há algo de significativo no fato de que essa *contemplação* ocorreu exatamente no momento de meditação. Sem dúvida, ele vinculava a oração com a meditação. Estava chegando uma grande resposta à oração, para ele mesmo e para sua família. Isaque estivera naquele lugar por muitas vezes. Dessa vez, aconteceu algo de incomum e bendito. Sua noiva estava chegando.

A meditar. Não a orar, conforme alguns têm comentado. No hebraico, o verbo é raramente usado. O substantivo é usado em Salmo 104.34, onde nossa versão portuguesa diz "meditação", que poderíamos entender como *meditação religiosa*. Isso concorda com o caráter de Isaque, calmo e pacífico, um tipo do Cordeiro diante de seus algozes (ver Gn 22.7).

■ 24.64

וַתִּשָּׂ֤א רִבְקָה֙ אֶת־עֵינֶ֔יהָ וַתֵּ֖רֶא אֶת־יִצְחָ֑ק וַתִּפֹּ֖ל מֵעַ֥ל הַגָּמָֽל׃

Também Rebeca levantou os olhos. Tinha chegado para ela, igualmente, um grande momento. O momento de conhecer o seu noivo. Ao ver Isaque, "apeou do camelo". Fez isso para poder encaminhar-se na direção dele. Temos aqui, em tipo, a Igreja, ansiosa para sair ao encontro do Senhor. De acordo com uma perspectiva profética, ela já o via a distância. Isaque, entrementes, também caminhava na direção dela. Haveriam de encontrar-se a meio do caminho.

Até hoje é costumeiro, no Oriente, que um inferior desmonte e avance a pé até seu superior. Mas deveríamos pensar que Rebeca, naquele momento de exultação, estava obedecendo conscientemente a esse costume? De forma alguma! Ela queria mesmo era correr ao encontro de Isaque.

■ 24.65

וַתֹּ֣אמֶר אֶל־הָעֶ֗בֶד מִֽי־הָאִ֤ישׁ הַלָּזֶה֙ הַהֹלֵ֤ךְ בַּשָּׂדֶה֙ לִקְרָאתֵ֔נוּ וַיֹּ֥אמֶר הָעֶ֖בֶד ה֣וּא אֲדֹנִ֑י וַתִּקַּ֥ח הַצָּעִ֖יף וַתִּתְכָּֽס׃

Rebeca Tinha Sido Informada. Ela havia perguntado: "Quem é aquele homem que vem pelo campo ao nosso encontro?" E o servo tinha respondido: "Esse é o homem!" Então Rebeca observou um pequeno costume oriental. Ela pôs o véu, pois aproximar-se dele sem véu seria considerado uma desgraça. Ofereço um longo e detalhado artigo intitulado *Véu da Mulher*, na *Enciclopédia de Bíblia, Teologia e Filosofia*. John Gill (*in loc.*) informa-nos que algumas mulheres hebreias nunca mostravam o rosto diante de outras pessoas, nem mesmo diante de membros de suas próprias famílias. Mas parece que Rebeca não vinha usando um véu durante a viagem, pelo que, naquele momento, velou-se a fim de se encontrar com Isaque.

■ 24.66

וַיְסַפֵּ֥ר הָעֶ֖בֶד לְיִצְחָ֑ק אֵ֥ת כָּל־הַדְּבָרִ֖ים אֲשֶׁ֥ר עָשָֽׂה׃

O Servo Contou Tudo a Isaque. Foi exposta uma lição extraordinária de providência divina. Ver no *Dicionário* o artigo *Providência de Deus*. Não deve ter restado, na mente de Isaque, dúvida alguma quanto à propriedade de tudo quanto havia sido feito. Além disso, ele sentiu grande afeto imediato por sua noiva (vs. 67 — "Ele a amou"). Dessa forma, cumpriu-se o propósito de Deus, que afetava várias vidas de ambos os lados da família. Existem propósitos individuais e propósitos coletivos, e vemo-nos constantemente envolvidos em ambos esses propósitos.

■ 24.67

וַיְבִאֶ֣הָ יִצְחָ֗ק הָאֹ֙הֱלָה֙ שָׂרָ֣ה אִמּ֔וֹ וַיִּקַּ֧ח אֶת־רִבְקָ֛ה וַתְּהִי־ל֥וֹ לְאִשָּׁ֖ה וַיֶּאֱהָבֶ֑הָ וַיִּנָּחֵ֥ם יִצְחָ֖ק אַחֲרֵ֥י אִמּֽוֹ׃ פ

Até à tenda de Sara. Sara tinha tido a sua própria tenda. Lia e Raquel também teriam, cada qual, a sua tenda (Gn 31.33; ver também Gn 24.28). Havia dois fatores em operação. Em primeiro lugar, naqueles dias de poligamia, cada mulher tinha seu próprio aposento. Em segundo lugar, as mulheres não dormiam nem geralmente viviam na tenda do homem. O texto pode dar a entender que a tenda que fora de Sara tornava-se agora a tenda de Rebeca, embora o texto mesmo não especifique isso. Cabe a nós imaginar como Rebeca chegou a conhecer a Abraão, mas o servo, em triunfo e júbilo, deve ter-lhe contado tudo quanto tinha acontecido. Nos dias antigos, o material de escrita era escasso, e a escrita era laboriosa. Em consequência, os escritores deixavam muita coisa sem ser mencionada. Nada nos é dito sobre a cerimônia de casamento e sobre as festas próprias à ocasião, as quais, sem dúvida, foram elaboradas. Mas somos informados que agora Rebeca tinha sua própria tenda, sendo honrada por ficar com aquilo que tinha pertencido a Sara. Agora ela se tornava a matriarca da família. A nação de Israel estava começando a tomar forma.

Ele a amou. O relato deste capítulo 24 é uma elaborada história de amor, plena de tipos simbólicos, o que é ilustrado na introdução ao seu primeiro versículo. Há outras ideias sobre o tipo de *Isaque*, no *Dicionário*. Este capítulo encerra duas mensagens centrais: *amor* e *providência divina*. Sobre ambas as questões há artigos separados no *Dicionário*.

O amor é o alicerce e a maravilha da vida. O verdadeiro amor atinge a própria alma. O amor é uma expressão da alma, sempre que deixa de lado a sua expressão sexual. O amor liga um homem ao passado e ao futuro. Recebe uma expressão especial quando um homem encontra uma boa esposa. É próprio que a procriação se efetue em um ambiente de amor, pois então os filhos tornam-se objetos especiais do amor, além de a procriação ser um meio de dar prosseguimento à raça humana. Elizabeth Browning deixou-nos um poema que pode aplicar-se a alguns casais. Infelizmente a poucos casais, mas pelo menos, há nisso um ideal:

> Como te amo? Deixa-me dizer-te como.
> Amo-te na profundeza, largura e altura
> Onde chega a minha alma, mesmo fora da vista
> Até os confins do Ser e da Graça Ideal.
> Amo-te no nível de todos os dias,
> Na quietude, à luz do sol ou da vela.
> Amo-te livremente, como quem busca a retidão;
> Amo-te com pureza, como quem acaba de louvar.
> ... se Deus assim quiser, eu te amarei melhor após a morte.
> Elizabeth B. Browning

> O amor concede em um instante
> o que o trabalho árduo não consegue em uma era.
> Goethe

> Se quiseres ser amado, ama.
> Hecato

Foi Isaque consolado, no tocante à morte de Sara, sua mãe, o que tinha ocorrido cerca de três anos antes. A tristeza transmutara-se em alegria; o coração pesado, em bom ânimo; a dor da saudade, em consolação.

CAPÍTULO VINTE E CINCO

MORTE DE ABRAÃO E NASCIMENTO DOS FILHOS DE ISAQUE (25.1-34)

OS FILHOS DE QUETURA (25.1-6)

O *Pacto Abraâmico* (ver as notas em Gn 15.18) incluía a promessa de uma numerosa posteridade, pois Abraão seria o pai de muitas nações. O povo de Israel começou a ser formado através de Sara e de Rebeca. Os doze filhos de Jacó seriam os doze patriarcas dessa nação. Por meio de Ismael, igualmente, estariam sendo formadas várias nações árabes, igualmente através de doze patriarcas (ver Gn 17.20). Agora, neste capítulo, vemos outras nações árabes em seus primórdios, por meio de Quetura. No outro lado da família, Naor também teve *doze* filhos, que produziram outras tantas nações (Gn 22.20 ss.). Apesar de essas nações não terem ligação direta com Abraão, é um detalhe significativo para a família patriarcal. Importa notar que havia muitos ramos, muitas linhas de descendência, e o Antigo Testamento tem o cuidado de dizer-nos que todas essas linhagens estavam sob a bênção divina. É verdade que os vss. 5 e 6 indicam que os filhos das concubinas e das esposas secundárias de Abraão não se equiparavam com os da linhagem de Sara. Esses outros filhos receberam sinais do afeto de Abraão, mas não participavam da linhagem central, espiritual. O trecho de Gênesis 25.12 ss. fornece-nos a linhagem dos ismaelitas, descendentes de Abraão por meio de Hagar.

Tipos. *Isaque* tipifica os eleitos e o que Deus fará pelos salvos, quando os tornar participantes da natureza divina (2Pe 1.4), da plenitude de Deus (Ef 3.19) e da imagem do Filho, com sua natureza e atributos (Rm 8.29 ss.). *Ismael* tipifica os não-eleitos, os quais, embora separados dos eleitos e inferiores a estes quanto à glória final, serão *restaurados* (Ef 1.9,10). Quanto a esses conceitos explanados com abundância de detalhes, ver no *Dicionário* o artigo intitulado *Salvação;* e também os verbetes *Restauração* e *Mistério da Vontade de Deus*, na *Enciclopédia de Bíblia, Teologia e Filosofia*. Portanto, o amor de Deus se mostrará *verdadeiramente* triunfante, e não apenas potencialmente triunfante.

25.1

וַיֹּסֶף אַבְרָהָם וַיִּקַּח אִשָּׁה וּשְׁמָהּ קְטוּרָה:

Quetura. Ela era esposa de Abraão, e não meramente concubina, como o texto deixa claro. Sara havia morrido. Não havia razão pela qual Abraão não pudesse casar-se de novo. O nome dessa mulher significa *incenso*. Ela foi a segunda esposa de Abraão, embora 1Crônicas 1.32 a chame de *concubina*. Abraão e ela tiveram seis filhos, cujos nomes são dados neste texto, mais adiante. Provi um detalhado artigo sobre ela, no *Dicionário*. Ver também as notas introdutórias ao primeiro versículo deste capítulo, quanto a detalhes. Alguns estudiosos têm pensado que ela já era concubina de Abraão, *antes* mesmo da morte de Sara, pelo que o nascimento de alguns filhos deles pode ter ocorrido antes do falecimento de Sara. O fato de que Abraão continuou a gerar filhos, quase até o fim de sua vida, favorece a tese de alguns, de que ele foi *rejuvenescido* para que pudesse tornar-se pai de muitas nações, cumprindo assim uma das principais provisões do Pacto Abraâmico (ver as notas em Gn 15.18). Os trechos de Gênesis 17.16 ss. e 21.1 ss. por certo manifestam-se em favor da ideia do rejuvenescimento, como também a interpretação dada em Romanos 4.19.

Alguns eruditos têm identificado Hagar com Quetura, mas essa teoria não se harmoniza com vários textos que tratam das duas mulheres, nem com a informação que temos acerca de seus filhos. O vs. 6 fala em *concubinas* (no plural). Ver também 1Crônicas 1.32 e seu contexto, onde os descendentes das duas mulheres são distinguidos. A identidade deles explicaria como Abraão teve todos esses filhos, sendo ele um homem idoso e, presumivelmente, incapaz de gerar filhos *depois* de Isaque. Assim, Abraão os teria gerado *antes* da morte de Sara, conforme continua esse argumento, pelo que não os teria gerado em sua idade avançada, após o nascimento de Isaque. Porém, se a tese do rejuvenescimento concorda com a realidade dos fatos, isso já não constituiria problema.

As tradições acrescentam sobre Quetura, provavelmente de natureza fantasiosa, que ela era filha da rainha dos turcos e de linhagem real, uma importante princesa. O mais provável, entretanto, é que ela fosse apenas uma das escravas de Abraão, tal como fora o caso de Hagar.

25.2

וַתֵּלֶד לוֹ אֶת־זִמְרָן וְאֶת־יָקְשָׁן וְאֶת־מְדָן וְאֶת־מִדְיָן וְאֶת־יִשְׁבָּק וְאֶת־שׁוּחַ:

Zinrá. Esse nome poderia significar *célebre*, pois pode derivar de *zimra* (cântico, fama). Mas também pode derivar de *zemer* (cabra montês). Muitos estudiosos duvidam dessas derivações. Zinrá era filho de Abraão e Quetura. Abraão casou-se com Quetura após a morte de Sara. Quanto a Zinrá, muitos eruditos pensam que ele deixou sinais de sua passagem neste mundo. A localidade de Zabram, a oeste de Meca, na Arábia, que foi mencionada pelo geógrafo antigo, Ptolomeu, tem um nome relacionado ao nome de Zinrá, embora isso não seja evidente em português, e, talvez, derive do nome daquele filho de Abraão.

Abraão agora estava com cerca de 140 anos de idade. E, em face de seu rejuvenescimento, continuou a gerar filhos, por meio de uma nova esposa. Todos os filhos de Abraão e Quetura foram criados em algum ponto da Arábia Deserta. Plínio (*Hist. Nat.* liv.vi. c. 28) mencionou um povo chamado zamarenianos, os quais poderiam ser os descendentes de Zinrá.

Jocsã. No hebraico, *armador de ciladas* ou *passarinheiro*, nome do segundo filho de Abraão e Quetura. Seus filhos, Seba e Dedã, ao que tudo indica, foram os antepassados dos sabeus e dedanitas da Arábia Feliz (ver também 1Cr 1.32). Alguns estudiosos pensam que esses nomes devem ser identificados com o *Joctã* de Gênesis 10.25,26. Talvez os cataneanos fossem descendentes de Jocsã. As identificações são incertas, e quanto ao próprio Jocsã, não possuímos nenhuma informação.

Medã. No hebraico, *contenção*. Na Septuaginta, *Madiam*. Ele era filho de Abraão e Quetura (Gn 25.2; 1Cr 1.32). As tradições dizem que ele e seu irmão, Midiã, foram os ancestrais da tribo chamada *Midiã*, que se localizou a leste do mar Morto. Porém, essa ideia pode ter-se originado somente com base na similaridade dos nomes. Talvez essa palavra, Medã, esteja historicamente associada a Madã, um importante deus dos antigos povos árabes. Uma tribo envolvida com esse deus chamava-se 'Abd-Al-Madan, "adoradores de Madã". Parece que o Iêmen foi o principal centro dessa fé. Todavia, os descendentes de Quetura parecem ter-se multiplicado em lugares distantes do sul da Arábia, onde fica o atual Iêmen.

Midiã. No hebraico, *contenda*. Ele foi o quarto dos seis filhos de Abraão e Quetura (Gn 25.2; 1Cr 1.32). Os textos informam-nos que ele teve quatro filhos, mas essa é toda a informação que temos na Bíblia a respeito dele. Alguns estudiosos supõem que os descendentes de Medã e Midiã tenham-se misturarado formando uma única tribo, e que Jetro, sogro de Moisés, pertencia a essa tribo (Êx 3.1). Nesse caso, eles tornaram-se vizinhos poderosos de Israel (ver Jz 6—8). Identificações como essa, porém, são duvidosas.

Jisbaque. Seu nome também aparece como *Isbaque*, quinto filho de Abraão e Quetura. Não possuímos informações seguras a seu respeito, nem sobre seus descendentes. Talvez o ribeiro de Jaboque derive dele o seu nome. Até as tradições são silentes acerca dele.

Sua. Ver sobre esse nome no *Dicionário*. Três pessoas são assim chamadas no Antigo Testamento, mas há mais de um termo hebraico por trás do nome. Com o sentido de *depressão*, temos a referência a um filho de Abraão e Quetura (aqui e em 1Cr 1.32). Ele viveu por volta de 1800 a.C. Alguns estudiosos pensam poder ver reflexos do seu nome em lugares como *Sakkaia*, a leste de Basã, ou como *Sichan*, em Moabe, ou como *Siajcha*, a leste de Aila. Mas parece que isso se alicerça sobre meras conjecturas. Alguns supõem que os saceanos, que viviam perto de Betânia, na extremidade da Arábia Desértica (como quem vai para a Assíria), fossem um povo dele descendente. Talvez Bildade, o suíta, um dos "amigos" de Jó (Jó 2.11), fosse um seus descendentes.

■ **25.3**

וַיִּקְשָׁן יָלַד אֶת־שְׁבָא וְאֶת־דְּדָן וּבְנֵי דְדָן הָיוּ אַשּׁוּרִם וּלְטוּשִׁים וּלְאֻמִּים:

Os Filhos de Jocsã
Sabá. Seu nome também figura com a forma de *Seba*. Dou um artigo detalhado sobre esse nome, no *Dicionário*. Alude a várias pessoas do Antigo Testamento. Mais de uma palavra hebraica está por trás desse nome. A pessoa em questão, neste versículo, era filho de Jocsã e neto de Abraão e Quetura (ver também 1Cr 1.32). Viveu em torno de 1800 a.C. Nada se sabe a respeito dele. Sabá e Dedã também são chamados filhos de Raamá, filho de Cuxe (Gn 10.7). Isso posto, essas genealogias são geográficas, pelo menos em parte. Supomos que a mesma linhagem esteja em foco nos dois textos, e que os nomes foram trocados e, talvez, confundidos. Alguns estudiosos argumentam que houve aqui uma duplicação de nomes, e não uma troca.

Dedã. Várias pessoas recebem esse nome no Antigo Testamento. Ver no *Dicionário* sobre esse nome. Também havia mais de uma tribo de Dedã. Aquela referida neste versículo provinha de um filho de Jocsã, e, portanto, neto de Abraão e Quetura (ver também 1Cr 1.32). Ele tornou-se o fundador de várias tribos árabes, descritas em 1Crônicas 1.32. Assim, aprendemos que Seba e Dedã, tribos árabes, também eram midianitas (vs. 4) e descendentes de Abraão. Realmente, muitas nações eram oriundas de Abraão, em cumprimento às promessas que lhe foram feitas (ver Gn 12.2 e 17.4).

Os Filhos de Dedã
Os nomes dados poderiam ser de indivíduos ou nomes de tribos que descendiam de Dedã. Se eram nomes pessoais, então temos aqui bisnetos de Abraão.

Assurim. Um nome no plural. Talvez fosse o pai da tribo assim chamada, a qual deve ser distinguida dos assuritas ou asseritas (ver o artigo sobre eles). Eles descendiam de Abraão e Quetura, juntamente com os "letusim" e os "leumim", através de Dedã. Eles não têm nenhuma ligação com os assírios, apesar da similaridade de nomes. Todos esses três nomes estão no plural, o que sugere tribos, e não indivíduos. Onkelos interpretava-os como nome dos lugares onde habitavam, como em campos, tendas e ilhas, e Jonathan ben Uzziel chamou-os de mercadores, artífices e chefes de povos.

Letusim. No hebraico, *afiados*, por esmerilhamento, nome do segundo filho de Dedã, bisneto de Abraão. Ou, então, esse nome (que está no plural) poderia designar uma tribo, e não um homem. Os estudiosos não estão certos quanto às identidades específicas deles, mas pensam que habitavam na península do Sinai, em cerca de 2024 a.C.

Luemim. No hebraico, *povos*. O hebraico talvez indique uma tribo, e não um indivíduo. No caso de tratar-se de um homem, então ele era bisneto de Abraão e Quetura. Uma tribo árabe era assim chamada, mas os eruditos não conseguem achar a localização onde eles habitavam. Ptolomeu pensava que os *alumeotai* seriam a tribo em pauta (6.7, par. 24). Porém, outros pensam que os *alumeotai*, da parte central da Arábia, correspondem a *Almodade*. Nas inscrições deixadas pelos sabeus ocorrem as formas *l'mm* e *l'mym*.

■ **25.4**

וּבְנֵי מִדְיָן עֵיפָה וָעֵפֶר וַחֲנֹךְ וַאֲבִידָע וְאֶלְדָּעָה כָּל־אֵלֶּה בְּנֵי קְטוּרָה:

Os Filhos de Midiã, Netos de Abraão
Efá. Há três homens com esse nome no Antigo Testamento. O nome significa *trevas*, nome do filho mais velho de Midiã, que habitava na Arábia Petrea. Ele emprestou o seu nome a uma cidade (Gn 25.4; 1Cr 1.33). Essa cidade, com algum território ao seu redor, fazia parte de Midiã, na margem leste do mar Morto. Efá tinha relações de sangue com Abraão, por meio de Quetura. Isaías mencionou os jovens camelos de Midiã e Efá (60.6). As referências bíblicas aos descendentes de Efá mostram que eles estavam aparentados com os midianitas, com os ismaelitas e com a nação de Sabá, descendentes de Quetura.

Efer. Nome de três pessoas do Antigo Testamento. Significa *veado* no hebraico. Era o segundo filho de Midiã e irmão de Efá (aqui e em 1Cr 1.33). Estavam relacionados a Abraão por meio de Quetura. Abraão havia enviado esses seus descendentes mais para o oriente. Talvez houvesse vários clãs entre os midianitas, ou, então, esse nome pode ter sido usado frouxamente para indicar povos que não estavam racialmente ligados entre si. Seja como for, em tempos posteriores, alguns deles mostraram-se dispostos a ajudar a Israel (Êx 3.1), ao passo que outros, dentre eles, tornaram-se inimigos de Israel (Nm 31.2 ss.; Jz 6.1 ss.). Efer viveu entre 1900 e 1800 a.C.

Enoque. Nome de quatro pessoas do Antigo Testamento. Ver a respeito no *Dicionário*. O Enoque deste versículo era filho de Midiã e neto de Abraão por meio de Quetura. Foi um ancestral das tribos midianitas (aqui e em 1Cr 1.33).

Abida. No hebraico, *pai do julgamento* ou *juiz*. Era filho de Midiã, bisneto de Abraão e Quetura, relacionado aos outros nomes deste versículo, mas nada sabemos sobre ele, nem mesmo através das tradições.

Elda. No hebraico, *aquele que Deus chamou*. Era o quinto filho de Midiã, bisneto de Abraão e Quetura (aqui e 1Cr 1.32). Quetura foi mãe de diversos povos árabes. Não há informação sobre alguma tribo descendente de Elda. Provavelmente seus descendentes misturaram-se com as outras tribos, não restando deles nenhuma identidade separada.

■ **25.5**

וַיִּתֵּן אַבְרָהָם אֶת־כָּל־אֲשֶׁר־לוֹ לְיִצְחָק:

Isaque Era o Único Herdeiro. Abraão mostrou certa generosidade para com seus outros filhos (vs. 6), mas foi Isaque, o filho prometido e progenitor de Israel, que recebeu a maior parte dos bens. Como é óbvio, havia uma preferência de Abraão por Isaque. Todos os descendentes de Abraão, contudo, estão incluídos no Pacto Abraâmico (ver as notas a respeito em Gn 15.18). Mas o centro desse pacto é ocupado pela nação de Israel, a *primeira linhagem* dos descendentes de Abraão, destinada a ser a mestra do mundo.

■ **25.6**

וְלִבְנֵי הַפִּילַגְשִׁים אֲשֶׁר לְאַבְרָהָם נָתַן אַבְרָהָם מַתָּנֹת וַיְשַׁלְּחֵם מֵעַל יִצְחָק בְּנוֹ בְּעוֹדֶנּוּ חַי קֵדְמָה אֶל־אֶרֶץ קֶדֶם:

Filhos das concubinas. Conhecemos por nome Hagar e Quetura. Talvez tenha havido outras. Elas são chamadas tanto esposas (Gn 16.3 e 25.1) quanto concubinas (1Cr 1.32). Sabemos de sete filhos: Ismael, por meio de Hagar; e seis outros, por meio de Quetura, alistados e anotados no vs. 2. Mas pode ter havido outras concubinas e filhos, aos quais a Bíblia não deu atenção.

Deu ele presentes. Doações generosas, mas nada parecidas com o que Isaque recebeu. Esses filhos, netos e bisnetos foram, finalmente, enviados para longe de *Isaque*. Há um certo tom de competição, ou mesmo de hostilidade, nas palavras deste versículo. A posição e a autoridade de Isaque não podiam ser contestadas nem ameaçadas.

Ainda em vida. Não querendo arriscar-se a que, após a sua morte, Isaque viesse a perder a prioridade e a herança, e evitando assim a competição ou mesmo o desentendimento.

A terra oriental. Os lugares mencionados nas notas anteriores, sobre os vss. 3 e 4, a Arábia Desértica, a leste de Berseba, onde vivia Abraão, e, talvez, até incluindo partes da Mesopotâmia. Ver Juízes 6.3.

Um Costume. Há evidências de que persiste entre as tribos árabes o que Abraão fez. O filho mais velho era dotado com a herança da família, e mantinha o lar da família. Aos demais filhos eram dados presentes ou heranças menores, e, então, eles eram enviados para estabelecer-se em outros lugares. É claro que isso procurava evitar superpopulação em alguma área. Ver Lucas 15.12 quanto a um possível paralelo.

MORTE DE ABRAÃO (25.7-11)

Os críticos atribuem esta seção à fonte informativa *P (S)*. Ver no *Dicionário* o artigo chamado *J.E.D.P.(S.)*, quanto à teoria das fontes múltiplas do Pentateuco. Alguns deles veem uma contradição no fato de que Ismael é apresentado como quem estava presente e em relações amistosas com Isaque, por ocasião do sepultamento de Abraão. Mas por que pensaríamos que esse homem, embora despedido junto com sua mãe, não era grande o bastante para manter relações decentes com o outro lado da família, apesar do que tinha acontecido? Deve ter havido alguma intercomunicação, pois, de outra sorte, ele nem teria sabido da morte de Abraão. É bom quando os irmãos habitam juntos em unidade e paz (Sl 133.1). Abraão teve uma longa e rica vida, plena de bênçãos materiais e espirituais. Ele viu os primórdios da concretização do Pacto Abraâmico, mas até hoje isso continua tendo cumprimento, em sua maior dimensão espiritual (Gl 3.14,17 ss.). Ver as notas expositivas sobre esse pacto em Gênesis 15.18.

■ **25.7**

וְאֵלֶּה יְמֵי שְׁנֵי־חַיֵּי אַבְרָהָם אֲשֶׁר־חָי מְאַת שָׁנָה וְשִׁבְעִים שָׁנָה וְחָמֵשׁ שָׁנִים׃

Foram os dias. Esses dias estenderam-se a anos, e, então, ele chegou ao fim de sua vida física. A vida dos seres humanos não é medida em séculos, mas em humildes dias. Até os 175 anos de Abraão são considerados poucos.

A Brevidade da Vida. Consideremos os seguintes pontos: 1. A vida humana é como uma peregrinação (Gn 47.9). 2. É como um relato contado (Sl 90.9). 3. É como um navio veloz (Jó 9.26). 4. É medida aos palmos (Sl 39.5). 5. Termina como a remoção de uma tenda (Is 33.20). 6. É como um sonho (Sl 73.20). 7. É como um sono (Sl 90.5). 8. É como uma sombra (Ec 6.12). 9. É como um fio cortado pelo tecelão (Is 38.12). 10. É como uma flor que murcha (Jó 14.2). 11. É como água derramada (2Sm 14.14). 12. É como o vento que passa (Jó 7.7). 13. É como a erva e sua flor que o sol queima (Tg 1.11).

Cento e setenta e cinco anos. Um pequeno número de anos em contraste com os antediluvianos, mas uma longa vida em comparação com os tempos modernos. Para chegar a esse número de anos, foi mister que ele fosse rejuvenescido, o que também foi necessário para que Isaque, o filho prometido, pudesse nascer. Ver Gênesis 17.16 ss.; 21.1 ss. e Romanos 4.19. Destarte, a graça de Deus fez a provisão necessária para que Abraão pudesse viver tempo bastante a fim de obter todos os aspectos de sua missão até sua completa e perfeita fruição. Bendito o homem que recebe um tal favor! Senhor, permite-nos ser abençoados por ti. Ver em Gênesis 5.21 sobre a *Desejabilidade de uma Vida Longa*.

Quando Abraão faleceu, Isaque estava com 75 anos de idade; Jacó e Esaú com 15; e Ismael com 89. Visto que Abraão tinha 75 anos ao entrar na Terra Prometida, isso significa que ele viveu como seminômade pelo espaço de cem anos.

■ **25.8**

וַיִּגְוַע וַיָּמָת אַבְרָהָם בְּשֵׂיבָה טוֹבָה זָקֵן וְשָׂבֵעַ וַיֵּאָסֶף אֶל־עַמָּיו׃

Expirou Abraão. No hebraico temos a palavra *yigva*, "arquejar por ar", "deixar de respirar". Alguns pensam em "entregar o espírito", mas não há nenhum indício disso no hebraico. Ver também Gênesis 25.17; 35.19; 44.33; Jó 3.11; 10.18; 11.20; Lamentações 1.19. O Pacto Abraâmico (ver as notas sobre Gn 15.18) é reiterado por várias vezes no livro de Gênesis, embora não haja ali promessa de vida pós-túmulo, e nem mesmo no Antigo Testamento. A dimensão espiritual só aparece no Novo Testamento, segundo se vê em Gálatas 3.14,17 ss. e Hebreus 11.10,13,14. Os teólogos históricos dizem-nos que no Pentateuco não há alusão clara à alma ou à vida pós-túmulo, nem um destino positivo ou negativo da alma (céu ou inferno). A lei mosaica nunca prometeu a vida eterna aos que a observassem, nem ameaçou com o julgamento (após a vida terrena) aos desobedientes. Talvez na doutrina da imagem de Deus, em Gênesis 1.26,27, tenhamos um indício da alma; talvez em Enoque, o homem que andava com Deus e foi arrebatado para ele, sem passar pela morte física, tenhamos outro indício da existência da alma; e, talvez, na expressão deste versículo, "foi reunido ao seu povo", tenhamos outro indício da realidade da alma. Mas tudo isso são meros indícios, e não uma doutrina explícita. Coube a Cristo e à sua doutrina trazer-nos a verdadeira esperança do céu e uma verdadeira advertência quanto ao juízo eterno. A teologia mostra-se progressiva nas páginas da Bíblia, tal como outro conhecimento qualquer, e os instrumentos humanos da revelação vão obtendo uma visão cada vez mais clara do escopo das bênçãos divinas. Por que pensaríamoss que isso é estranho?

"Nem todos os homens, desde a queda, têm estado *sujeitos* à morte, mas todos a têm *merecido*, tendo perdido o direito às suas vidas, por causa do pecado. Jesus Cristo, que nasceu imaculado e nunca pecou, esse não perdeu o direito à própria vida" (Adam Clarke, *in loc.*), mas ele a deu gratuitamente por nós. Em Cristo temos a base da esperança da vida eterna.

Foi reunido ao seu povo. É provável que isso signifique apenas "foi reunido, na morte, aos seus ancestrais". Mas há eruditos que veem aqui uma promessa da vida pós-túmulo. "Ele foi ter com os seus antepassados, no lar celeste." Naturalmente, Jesus disse-nos que Abraão e os outros não estavam mortos, pelo que outros também poderiam ir para algum lugar de bênção eterna (Mt 22.32); mas isso já é uma compreensão que nos foi dada por Jesus. Ver uma expressão similar em Gênesis 15.15, que tem sido interpretada da mesma maneira que vemos aqui. Cf. Hebreus 11.16. Abraão não foi sepultado literalmente perto de seus antepassados, em algum lugar terreno, mas apenas figuradamente, na morte.

■ **25.9,10**

וַיִּקְבְּרוּ אֹתוֹ יִצְחָק וְיִשְׁמָעֵאל בָּנָיו אֶל־מְעָרַת הַמַּכְפֵּלָה אֶל־שְׂדֵה עֶפְרֹן בֶּן־צֹחַר הַחִתִּי אֲשֶׁר עַל־פְּנֵי מַמְרֵא׃

הַשָּׂדֶה אֲשֶׁר־קָנָה אַבְרָהָם מֵאֵת בְּנֵי־חֵת שָׁמָּה קֻבַּר אַבְרָהָם וְשָׂרָה אִשְׁתּוֹ׃

Sepultaram-no Isaque e Ismael. Onde? Na caverna de Macpela (ver o artigo a respeito no *Dicionário*). No capítulo 23 achamos o relato inteiro da compra do campo de *Efrom*, e como esse campo tornou-se possessão de Abraão e sua família. Não é explicado como Ismael pôde fazer-se presente. Deve ter havido *alguma* intercomunicação entre os ramos da família. Talvez, como alguns eruditos têm sugerido, houvesse um liame religioso que ultrapassava as questões raciais, e que era mais importante, pelo menos em algumas ocasiões solenes, que os conflitos vindos do passado. Tanto Isaque quanto Ismael faziam parte do Pacto Abraâmico. Sem dúvida havia ali algum laço espiritual. "O pacto que envolvia pai e filho ligava entre si as gerações subsequentes, em uma bênção contínua" (Walter Russell Bowie, *in loc.*). Ver as notas sobre *Manre, Carvalhos de*, em Gênesis 13.18; e, no *Dicionário*, os verbetes *Efrom; Zoar; Hititas* e *Manre*.

■ **25.11**

וַיְהִי אַחֲרֵי מוֹת אַבְרָהָם וַיְבָרֶךְ אֱלֹהִים אֶת־יִצְחָק בְּנוֹ וַיֵּשֶׁב יִצְחָק עִם־בְּאֵר לַחַי רֹאִי׃ ס

A Bênção do Pacto Passa a Isaque. "Ele é que levaria avante a promessa, até que se formasse a nação de Israel. Por outra parte, Isaque era um homem digno em si mesmo. A herança era dele; foram dados presentes aos seus meios-irmãos... mas quão pouco vemos nele da fé operante, da esperança paciente e do amor atuante! Somente um Abraão e somente um Cristo têm aparecido entre os homens. Tem havido alguns *imitadores* bem-sucedidos, mas deveria haver *muitos* deles" (Adam Clarke, *in loc.*).

Aqui termina a *toledoth* da seção de Terá (Gn 11.27—25.11), uma das grandes seções do livro. Nas notas sobre Gênesis 2.4 apresentei as onze gerações (no hebraico, *toledoth*) que, nesse livro, nos dão uma espécie de esboço cru desse primeiro livro da Bíblia.

O progenitor da nação de Israel foi escolhido, chamado, abençoado e com ele foi firmado um pacto especial, o Pacto Abraâmico (comentado em Gn 15.18). E o filho prometido, Isaque, levou adiante a linhagem e a bênção divina.

Beer-Laai-Roi. Há notas sobre esse local em Gênesis 24.62.

DESCENDENTES DE ISMAEL (25.12-18)

Temos aqui o oitavo *toledoth* dos onze que se acham no livro de Gênesis. De acordo com os críticos, esses versículos procedem da fonte informativa P(S). Ver no *Dicionário* o artigo *J.E.D.P.(S.)*, sobre a teoria das fontes múltiplas do Pentateuco.

Os ismaelitas habitavam no deserto sírio-árabe a leste de Edom e Moabe, e alguns deles (vs. 18) chegaram a estender-se até a fronteira com o Egito. Virtualmente não há registros históricos sobre esses povos, que ficaram de fora dos registros egípcios e assírios. Ismaelita tornou-se sinônimo virtual de *beduíno*, nome dado às tribos árabes seminômades que vagueavam pelo deserto, quase sem entrar em contato com a civilização externa a eles, sem ciências e sem artes próprias. Eles viviam lutando o tempo todo pela sobrevivência, e a fé religiosa deles nunca conseguiu desvencilhar-se da idolatria.

■ 25.12

וְאֵלֶּה תֹּלְדֹת יִשְׁמָעֵאל בֶּן־אַבְרָהָם אֲשֶׁר יָלְדָה הָגָר הַמִּצְרִית שִׁפְחַת שָׂרָה לְאַבְרָהָם׃

Os Toledoth de Ismael. Ver um sumário dos onze *toledoth* (gerações) do Gênesis em Gênesis 2.4. O autor sacro usou esse termo para prover uma espécie de esboço cru de seu livro. Tipicamente, nos livros antigos, não havia nem esboços nem índices. Não havia enciclopédias nem obras de referência que fornecessem material devidamente catalogado. Os escritos da Babilônia continham tipos de *colofons* com informações básicas tais quais título, data, número de série, declarações do conteúdo geral e conclusão. Algumas vezes eram dados os nomes do autor ou do escriba, mas parece que nenhum desses recursos foi tomado por empréstimo pelo autor do Gênesis. Ele criou a sua própria maneira de marcar as divisões principais de seu livro. O *toledoth* de Ismael (com uma breve genealogia) é a oitava divisão do Gênesis.

Filho de Abraão. Ver no *Dicionário* o artigo *Abraão*.

Hagar. Ver sobre ela no *Dicionário*.

Ismael. Ver sobre ele no *Dicionário*. Ismael era o filho primogênito de Abraão, o herdeiro presuntivo, até que foi substituído por Isaque e enviado para o deserto. Hagar era uma das *escravas* de Abraão, talvez adquirida enquanto ele esteve no Egito (Gn 12.10 ss.). Assim como houve doze patriarcas em Israel, e doze filhos de Naor (irmão de Abraão, ver Gn 22.20 ss.), assim também Ismael, o patriarca dos árabes, gerou doze príncipes árabes (Gn 25.16).

Ismael não desapareceu das páginas da história sagrada, nem ficou sem bênção, meramente por não pertencer à linhagem de Israel. Deus tinha um lugar e um destino reservado para ele. O Messias da linhagem de Isaque também seria o Salvador dos demais descendentes de Abraão, de fato, de todas as famílias da terra. Isso era uma das provisões do Pacto Abraâmico (notas a respeito em Gn 15.18).

Tipos. Assim como *Isaque* tipifica os eleitos, também *Ismael* representa os não-eleitos, que serão restaurados. Ver no *Dicionário* o artigo intitulado *Mistério da Vontade de Deus*; e, na *Enciclopédia de Bíblia, Teologia e Filosofia*, ver o verbete *Restauração*.

■ 25.13

וְאֵלֶּה שְׁמוֹת בְּנֵי יִשְׁמָעֵאל בִּשְׁמֹתָם לְתוֹלְדֹתָם בְּכֹר יִשְׁמָעֵאל נְבָיֹת וְקֵדָר וְאַדְבְּאֵל וּמִבְשָׂם׃

Os Filhos de Ismael

Nebaiote. Ele era o primogênito. No hebraico, esse nome significa *frutificação, fertilidade*. Ele foi um chefe tribal árabe. Ver também 1Crônicas 1.29. Houve doze desses chefes (vs. 16), que Jerônimo chamou de *phularchoi*, chefes de tribos, seguindo a analogia dos doze patriarcas das tribos de Israel. Há um povo cujo nome deriva do nome desse homem, até os tempos modernos. Uma das esposas de Esaú (Maalate; ver Gn 28.9; 36.3) era irmã de Nebaiote. As terras de Esaú ou Edom, finalmente, caíram sob o domínio dos descendentes de Nebaiote. Essa tribo era vizinha à região de Quedar. Ambos os nomes figuram nos registros de Assurbanipal, rei da Assíria (669—626 a.C.). Talvez os *nabateus* (ver no *Dicionário*) fizessem parte dessa tribo (embora alguns eruditos duvidem disso).

Quedar. Nome do homem e da tribo que descendia desse homem. Há um artigo detalhado a seu respeito no *Dicionário*, pelo que não repito aqui essa informação. O nome *Quedar* veio a indicar todas as tribos árabes dos ismaelitas, que, posteriormente, receberam o nome de *beduínos*.

Adbeel. Coisa alguma sabe-se sobre esse homem ou sobre alguma tribo dele descendente. Ptolomeu falou sobre os agubenos, que viviam perto da Arábia Feliz, o que poderia ser uma alusão aos descendentes de Adbeel. Seu nome significa *disciplinado, castigado*.

Mibsão. No hebraico, *fragrante*. Nome de duas pessoas nas páginas do Antigo Testamento. Ele foi o quarto filho de Ismael e um dos doze príncipes árabes. Ele é mencionado neste versículo e em 1Crônicas 1.29. Nada se sabe sobre ele, pessoalmente, nem sobre a tribo ou tribos que dele teriam descendido. Ele viveu em torno de 1800 a.C. Ver 1Crônicas 4.25 quanto a outra pessoa desse nome, no Antigo Testamento.

■ 25.14

וּמִשְׁמָע וְדוּמָה וּמַשָּׂא׃

Misma. No hebraico, *fama* ou *relatório*. Esse foi o nome de duas pessoas no Antigo Testamento. Era o quinto filho de Ismael (aqui e 1Cr 1.30). Talvez o nome tenha sido preservado no lugar chamado *Jebel Misma*, localizado entre Damasco e Jarife, ou, então, em um lugar com o mesmo nome, cerca de 240 km a leste de Taima.

Dumá. No hebraico, *silêncio*. Nome de um lugar e de uma pessoa no Antigo Testamento. Era o sexto filho de Ismael e neto de Abraão. Viveu em cerca de 1840 a.C. Presume-se que ele tenha sido o fundador de uma das tribos árabes. Seu nome veio a ser usado para indicar o principal distrito onde habitavam os seus descendentes. Ver também 1Crônicas 1.30. Dumat al Gandal parece identificar o local moderno. Esse lugar atualmente é um oásis, localizado a meio caminho entre o fundo do golfo Pérsico e o golfo de Ácaba. Inscrições reais, de origem assíria e babilônica, pertencentes aos séculos VII e VI a.C., referem-se à destruição de Adammatu, que parece ser uma referência a Dumá.

Massá. No hebraico, *carga, peso*. Ele era um dos filhos de Ismael (aqui e em 1Cr 1.30). É provável que seus descendentes fossem os *masani*, que Ptolomeu disse estarem radicados na parte oriental da Arábia, perto da fronteira com a Babilônia. Inscrições assírias mencionam juntos os povos de Massá, Tema e Nebaiote, que viveriam próximos uns dos outros. Nessas inscrições, Tema, ao que tudo indica, é a moderna *Teima*, que fica a nordeste de el'Ula, na parte noroeste da Arábia. Tema era irmão de Massá. Isaías, por sua vez, referiu-se a Dumá, um nome locativo derivado de outro irmão deles (21.11,12). Os irmãos mencionados foram os progenitores de populações que se estabeleceram na Arábia. Alguns acham que Agur e Lemuel (ver Pv 30.1 e 31.1) descendiam de Massá. Eles envolvem uma pequena parte da história dos povos árabes.

■ 25.15

חֲדַד וְתֵימָא יְטוּר נָפִישׁ וָקֵדְמָה׃

Hadade. Esse é o nome de seis pessoas no Antigo Testamento. Ver o *Dicionário* a esse respeito. O nome quer dizer *trovão*. O oitavo filho de Ismael tinha esse nome (aqui e em 1Cr 1.30). Ele viveu em cerca de 1750 a.C. Algumas traduções dizem Hadar, neste versículo, mas Hadade, em 1Crônicas 1.30, seguindo variantes textuais. Coisa alguma sabemos sobre esse homem ou sobre a tribo que descenderia dele. Talvez a cidade de Adra, na Arábia Petrea, preserve o seu nome.

Tema. No hebraico, *região sul* ou *queimadura de sol.* No Antigo Testamento esse é o nome de uma pessoa e de uma tribo. Tema era o nono filho de Ismael, cujos descendentes estabeleceram-se perto do golfo Pérsico. Viveu em torno de 1750 a.C. O povo dele descendente também é mencionado em Jeremias 25.23. A localidade onde eles habitavam é mencionada em Jó 6.19; Isaías 21.14 e Jeremias 25.23. Na primeira dessas referências, aprendemos que eles organizavam caravanas, o que significa que, provavelmente, eram um povo nômade, conforme sempre sucedeu aos descendentes de Ismael.

Jetur. No hebraico, *cercado.* Era o décimo filho de Ismael (aqui e em 1Cr 1.31). Uma tribo descendia dele, retendo o seu nome. Esse povo vivia a leste da área norte do rio Jordão. Alguns estudiosos têm identificado Jetur com os *itureanos,* no Novo Testamento. Ver sobre a *Itureia* na *Enciclopédia de Bíblia, Teologia e Filosofia.* O lugar é mencionado somente por Lucas (3.1).

Nafis. No hebraico, *refrigeração.* Era o décimo primeiro filho de Ismael (aqui e em 1Cr 1.31). Seu nome passou para os seus descendentes. Os rubenitas, gaditas e a meia-tribo de Manassés subjugaram-nos, juntamente com vários outros, conforme 1Crônicas 5.19. Daí por diante, nada mais diz a Bíblia acerca dessa gente, e a história secular faz total silêncio a respeito deles. No entanto, alguns pensam que o trecho de Esdras 2.50 alude a esse título, com o nome de "filhos dos nefuseus". Ver também Neemias 7.52.

Quedemá. No hebraico, *oriental.* Aparece como o filho mais novo de Ismael. Viveu em cerca de 1750 a.C. É mencionado somente aqui e em 1Crônicas 1.31. Foi ancestral e chefe de uma tribo de seu nome.

■ 25.16

אֵלֶּה הֵם בְּנֵי יִשְׁמָעֵאל וְאֵלֶּה שְׁמֹתָם בְּחַצְרֵיהֶם וּבְטִירֹתָם שְׁנֵים־עָשָׂר נְשִׂיאִם לְאֻמֹּתָם׃

Nomes... vilas... acampamentos. Provavelmente isso quer dizer que seus nomes foram sendo passados para os lugares que iam ocupando sucessivamente. Doze príncipes ou patriarcas originaram-se de Ismael, tal como havia doze patriarcas de Israel e doze filhos de Naor, irmão de Abraão (Gn 22.20 ss.). Eles viviam como nômades ou seminômades. Sua arte era primitiva, e não desenvolveram ciência. Mas não foram esquecidos por Deus. O trecho de Gênesis 17.20 encerra a profecia que o autor sagrado diz aqui que foi cumprida.

■ 25.17

וְאֵלֶּה שְׁנֵי חַיֵּי יִשְׁמָעֵאל מְאַת שָׁנָה וּשְׁלֹשִׁים שָׁנָה וְשֶׁבַע שָׁנִים וַיִּגְוַע וַיָּמָת וַיֵּאָסֶף אֶל־עַמָּיו׃

E morreu. O mesmo destino final atribuído a Abraão e a outros. Ver as notas em Gênesis 25.8. Até esse ponto da Bíblia não transparece a crença na vida pós-túmulo, o que só surgiu bem mais tarde. Todavia, há alguns indícios a esse respeito, mesmo no livro de Gênesis (ver 1.26,27, quanto ao homem criado *à imagem de Deus*).

Cento e trinta e sete. Bem menos anos que Abraão, mas ainda assim uma longa vida. Ver as notas em Gênesis 5.21 quanto à *Desejabilidade de uma Vida Longa,* e em Gênesis 25.8, quanto à *Brevidade da Vida.*

Ismael viveu ainda por 48 anos, depois da morte de Abraão. Mas então ele foi "reunido ao seu povo", a mesma expressão usada a respeito de Abraão, no oitavo versículo deste capítulo (ver as notas). Talvez haja nisso um indício sobre a vida pós-túmulo, embora signifique somente que ele "morreu", assumindo assim seu lugar entre os que já tinham morrido. Cristo trouxe a nós a dimensão eterna do Pacto Abraâmico. Ver Gálatas 3.14,17 ss.

■ 25.18

וַיִּשְׁכְּנוּ מֵחֲוִילָה עַד־שׁוּר אֲשֶׁר עַל־פְּנֵי מִצְרַיִם בֹּאֲכָה אַשּׁוּרָה עַל־פְּנֵי כָל־אֶחָיו נָפָל׃ פ

Havilá. Ver as notas sobre esse lugar em Gênesis 2.11.

Sur. Ver o verbete sobre esse lugar no *Dicionário.* As regiões de Havilá e Sur ficavam no centro-norte da Arábia (Havilá) e entre Berseba e o Egito (Sur). Essas populações eram hostis a seus irmãos e a Israel, neste caso posteriormente (Gn 16.12).

Como quem vai para a Assíria. Não indica que Sur ficava na rota para a Assíria, mas, antes, no *limite oriental* da região habitada pelos descendentes de Ismael.

... se estabeleceu fronteiro a todos os seus irmãos. Ou seja, entre os filhos de Quetura e a posteridade de Isaque, os primeiros a leste, e esta última, a oeste. Esses eram seus *irmãos,* e ele habitou *entre* eles, *separado* deles por fronteiras em ambos os lados. O trecho de Gênesis 16.12 diz essencialmente a mesma coisa.

GERAÇÕES (*TOLEDOTH*) DE ISAQUE (25.19-34)

Temos aqui o nono desses *toledoth,* ou seja, uma das divisões naturais do livro de Gênesis (ver as notas em Gn 2.4 quanto às doze divisões do livro, mediante esse termo geralmente traduzido por "gerações"). Com esse termo, o autor sagrado proveu uma espécie de divisão inexata de seu livro, em grandes seções. Aos livros antigos faltavam esboços, tabelas de conteúdo ou índices. Os críticos pensam que as fontes informativas J e P(S) contribuíram para esta seção, por meio de compilação. No *Dicionário* ver o artigo *J.E.D.P.(S.),* quanto à teoria de fontes informativas múltiplas do Pentateuco.

Esta seção conduz-nos a Jacó e Esaú, os irmãos gêmeos que competiam e chegaram a ser progenitores de duas nações distintas. Até hoje vemos reflexos disso, no conflito árabe-israelense. O nome de Jacó foi mudado para Israel, onde achamos o começo do *nome* da nova nação. Seus filhos tornaram-se os patriarcas da nova nação, e seus descendentes multiplicaram-se de forma incrível no Egito. Somente ao serem libertos da servidão egípcia foi que os israelitas reclamaram a posse do território que lhes fora prometido, tornando-se assim, finalmente, a nação que Deus havia prometido a Abraão. Há toda uma sequência: Israel-Árabes (em Sara e Hagar); Israel-Árabes (em Isaque e Ismael); Israel-Árabes (em Jacó e Esaú).

Uma das esposas de Esaú (Maalate) era irmã de Nebaiote, filho de Ismael. Assim, houve casamento misto aí. Ver Gênesis 28.9 e 36.3. Naturalmente, outras nações foram envolvidas como descendentes que se espalharam e ocuparam vários territórios.

■ 25.19

וְאֵלֶּה תּוֹלְדֹת יִצְחָק בֶּן־אַבְרָהָם אַבְרָהָם הוֹלִיד אֶת־יִצְחָק׃

Abraão gerou a Isaque. E foi este quem deu continuação ao Pacto Abraâmico (ver as notas a respeito em Gn 15.18). Agora *Isaque* é contrastado com *Ismael* (vs. 16). Os dois encabeçaram duas nações separadas. O autor *avançava na direção* de Israel, contando-nos como, dentro do propósito histórico, surgiu afinal essa nação, mediante gerações, separações e desenvolvimento gradual. Quando Esaú entrou no quadro, isso só serviu para aumentar o conflito. Embora fossem *gêmeos,* houve um processo de separação entre os dois.

■ 25.20

וַיְהִי יִצְחָק בֶּן־אַרְבָּעִים שָׁנָה בְּקַחְתּוֹ אֶת־רִבְקָה בַּת־בְּתוּאֵל הָאֲרַמִּי מִפַּדַּן אֲרָם אֲחוֹת לָבָן הָאֲרַמִּי לוֹ לְאִשָּׁה׃

Isaque... Rebeca. O autor passa em revista as indicações genealógicas do capítulo 24. Aquele capítulo mostra como o servo de Abraão foi até Arã para obter uma noiva para Isaque, dentre a família de Naor, irmão de Abraão. Rebeca era irmã de Labão, e seu pai foi Betuel. Todos os nomes que aparecem neste versículo são comentados ou *in loc.,* neste volume, ou no *Dicionário.*

Padã-Arã. Ver Gênesis 25.20. O mesmo que o território de Harã.

Casamentos Consanguíneos. Abraão casou-se com uma meia-irmã, Sara (Gn 20.12); Naor casou-se com uma sobrinha, Milca (Gn 11.29); Isaque casou-se com uma prima, Rebeca (Gn 24.47). No *Dicionário* ver o artigo *Incesto.* Como é óbvio, os antigos tinham ideias diferentes das nossas, quanto a essa questão.

"O casamento de Isaque com Rebeca, desse modo, vincularam-no ao país e à família nativa de Abraão, bem como aos arameus da parte noroeste da Mesopotâmia (cf. Gn 24.10), mais tarde conhecidos como sírios" (Allen P. Ross, *in loc.*).

O arameu... o arameu. Betuel e Labão eram descendentes de Arã (ver Gn 10.22,23). No siríaco, idioma de Harã, *padana* significava "arado" (1Sm 13.20), ou "junta de bois" (1Sm 11.7). E isso sugere que era uma área cultivada, próxima da cidade. Jacó foi chamado de "arameu" porque viveu por algum tempo naquele lugar (Dt 26.5).

■ 25.21

וַיֶּעְתַּר יִצְחָק לַיהוָה לְנֹכַח אִשְׁתּוֹ כִּי עֲקָרָה הִוא וַיֵּעָתֶר לוֹ יְהוָה וַתַּהַר רִבְקָה אִשְׁתּוֹ:

Isaque orou ao Senhor. Rebeca era estéril, tal como o fora Sara, antes dela; e a questão tornou-se motivo especial de orações. Ver Gênesis 24.63 quanto à vida de meditação e oração de Isaque. A oração funciona, e o homem espiritual não a dispensa. Ver no *Dicionário* o verbete *Oração*. O vs. 26 mostra que a esterilidade de Rebeca prolongou-se por vinte anos. Isaque tinha 40 anos de idade quando se casou (vs. 20), mas seus filhos gêmeos nasceram quando ele estava com 60 anos de idade.

Deus e a Esterilidade. Era questão séria uma mulher não poder ter filhos na antiguidade. E ainda era coisa mais séria quando o Pacto Abraâmico dependia da fertilidade. Deus teve de intervir por várias vezes: com Sara (Gn 15.2-6; 18.12-14); com Rebeca (este texto); com Raquel (Gn 29.31; 30.22,23). Posteriormente, com a mãe de Sansão (Jz 13.2-7); com Ana (1Sm 1.2-20); e com Isabel, no Novo Testamento (Lc 1.7-13). As pessoas assim envolvidas creram em um ato especial de Deus, para corrigir a situação.

Intervenções Divinas. Normalmente, Deus esconde-se nas trevas e espera para ver o que podemos fazer com nossos dotes naturais conferidos por ele, bem como com a nossa determinação espiritual. Mas há ocasiões em que as coisas ultrapassam nossa capacidade. Nesses casos, uma intervenção divina é conferida, para que possamos cumprir nossa missão. Ninguém é sempre bem-sucedido sozinho.

■ 25.22

וַיִּתְרֹצֲצוּ הַבָּנִים בְּקִרְבָּהּ וַתֹּאמֶר אִם־כֵּן לָמָּה זֶּה אָנֹכִי וַתֵּלֶךְ לִדְרֹשׁ אֶת־יְהוָה:

O Conflito Eterno. Sempre haverá conflito. O conflito árabe-israelense tem tido várias manifestações. Houve a luta entre Sara e Hagar, transferida para Isaque e Ismael. Hoje temos a luta entre os israelenses e os árabes, descendentes de Isaque e Ismael. Neste versículo o conflito dava-se no ventre de Rebeca, entre os *gêmeos*, Jacó e Esaú. O propósito divino sempre foi o de separar e desenvolver. Um propósito governava a linhagem Abraão-Isaque-Jacó. Outro propósito governava a linhagem Abraão-Ismael-Esaú. A linhagem de Rebeca, através de Jacó, produziu a nação de *Israel*. A outra linhagem produziu os ismaelitas e os edomitas, os quais, em considerável proporção, se mesclaram com várias nações árabes. Assim, Deus abençoou ambas as linhagens, mas de diferentes modos. Israel tornou-se mestra das nações e guardiã das revelações divinas, que culminaram no Messias, Jesus. Mas isso aconteceu a fim de que todas as nações viessem a ser abençoadas. O propósito de Deus é grandioso e amplo. Onde não redime, restaura, do que Isaque e Ismael são tipos. Ver uma nota sobre isso em Gênesis 25.12, último parágrafo. Ver o artigo *Restauração*, na *Enciclopédia de Bíblia, Teologia e Filosofia*. E, no *Dicionário*, ver *Mistério da Vontade de Deus*.

Por Quê? A luta no ventre de Rebeca era de natureza existencial. Rebeca indagava o que poderia estar sucedendo. Era apenas natural que ela tivesse consultado o Senhor (vs. 23). Adam Clarke lançou a culpa sobre "a primeira vez em que uma mulher engravida", mas a questão envolvia muito mais do que isso.

Fantasias têm embelezado o texto. Alguns intérpretes judeus dizem que Rebeca teria consultado Sem ou Melquisedeque, ou que ela teria ido a algum altar especial, como o de Betel ou o de Berseba, a fim de obter resposta. Isso é possível. As pessoas costumam visitar santuários quando enfrentam problemas graves. Ver Salmo 73.17 quanto a algo similar.

Lutavam. No hebraico, *esmagavam*. A violência predizia mais violência futura.

■ 25.23

וַיֹּאמֶר יְהוָה לָהּ שְׁנֵי גֹיִים בְּבִטְנֵךְ וּשְׁנֵי לְאֻמִּים מִמֵּעַיִךְ יִפָּרֵדוּ וּלְאֹם מִלְאֹם יֶאֱמָץ וְרַב יַעֲבֹד צָעִיר:

Duas nações. Os dois fetos já sentiam o destino, já estavam em conflito, já sentiam em si mesmos seus poderes regenerativos, prevendo duas nações em choque que deles descenderiam. Eles eram grandes demais para ficarem confinados em um lugar tão apertado. As profecias feitas pelos familiares de Rebeca (Gn 24.60) já estavam tomando forma.

Este versículo 23 parece ter tido origem em um antigo poema, ou ter originado um poema. Ellicott procurou dar-lhe um formato poético moderno:

> Duas nações há no teu ventre,
> Dois povos, nascidos de ti, se dividirão:
> Um povo será mais forte que o outro,
> E o mais velho servirá ao mais moço.

Dois filhos, totalmente diferentes um do outro, cresceriam e se tornariam homens em conflito; e homens em conflito se tornariam nações adversárias.

Os *edomitas* viriam de Esaú; os *israelitas* viriam de Jacó. Ver no *Dicionário* os artigos intitulados *Edom*, *Idumeus* e *Israel*. Esaú foi um habilidoso caçador, deleitando-se na vida ao ar livre; Jacó era homem comum que habitava em tendas e preferia uma vida pacífica, cuidando de suas vacas e de suas ovelhas.

Uso da Passagem por Paulo. As tradições judaicas concernentes a Esaú são muito severas, crivando-o de adjetivos pesados e enfatizando a sua impiedade, algo que não transparece em nenhuma passagem do Antigo Testamento que fala sobre ele. Paulo tirou proveito dessa apreciação adversa dos judeus acerca dele, utilizando-a em Romanos 9.10-13. Ali, Jacó representa os eleitos, e Esaú, os não-eleitos, um, amado, e outro, odiado. Felizmente, outros textos do Novo Testamento vão além dessa drástica avaliação e projeção, oferecendo esperança na missão mais ampla de Cristo. Ver Efésios 1.9,10 e 1Pedro 3.18—4.6. Ver as exposições nessas passagens no *Novo Testamento Interpretado*.

■ 25.24

וַיִּמְלְאוּ יָמֶיהָ לָלֶדֶת וְהִנֵּה תוֹמִם בְּבִטְנָהּ:

Gêmeos. Rebeca foi talvez a primeira mulher a saber, de antemão, que estava grávida de gêmeos, sem a ajuda do ultrassom. O decreto divino havia separado os gêmeos que lutavam, estando eles ainda no ventre materno, de acordo com propósitos e destinos. Estando assim separados, eles haveriam de cumprir seus propósitos diferentes na vida. O uso que Paulo faz desse fato, em Romanos 9.10-13, é radical. O propósito da eleição de Deus chega a separar pessoas de uma mesma família, incluindo *gêmeos*. Um era amado, e outro, aborrecido. No entanto, "Deus amou o mundo de tal maneira" (Jo 3.16), e foi isso que deu sentido à missão de Cristo. Ver na *Enciclopédia de Bíblia, Teologia e Filosofia* o verbete intitulado *Restauração*. E, no *Dicionário*, ver *Mistério da Vontade de Deus*.

Adam Clarke fornece-nos uma elaborada explicação da passagem à nossa frente, que foi usada por Paulo, onde esse erudito tenta negar a eleição individual, pois Clarke fazia o propósito eletivo de Deus envolver privilégios dados a raças da humanidade. E mesmo assim esses privilégios seriam condicionados à receptividade do homem. Essa é a forma tipicamente arminiana de abordar o problema. Ver no *Dicionário* os artigos *Eleição* e *Predestinação (Livre-Arbítrio)*, que tratam dos problemas teológicos aí envolvidos. Ver também o verbete *Polaridade, Princípio da,* quanto ao que considero a abordagem correta ao problema.

Isaque tinha pedido somente *um* filho. A providência divina foi pródiga e deu-lhe *dois*.

■ 25.25

וַיֵּצֵא הָרִאשׁוֹן אַדְמוֹנִי כֻּלּוֹ כְּאַדֶּרֶת שֵׂעָר וַיִּקְרְאוּ שְׁמוֹ עֵשָׂו:

O primeiro, ruivo, todo revestido de pelo. Essa é a descrição de Esaú. As condições físicas tinham significado. Ele era *ruivo* (no hebraico, *'adhmoni*), um jogo de palavras com *Edom,* que tem o mesmo sentido. *Peludo* é termo relacionado a *Seir*. Esaú foi o pai dos idumeus, que habitavam no monte Seir. Nesse caso, os nomes e a aparência física tinham seus significados, desde o começo. A aparência física de Esaú sugeria condições futuras do povo que dele derivaria. Os críticos pensam que as descrições foram criadas posteriormente, a fim de projetar as ideias mencionadas, mas não há motivo para duvidarmos da veracidade do relato bíblico.

Os intérpretes judeus são severos e lançam Esaú no ridículo, fazendo sua cor ruiva significar *sangue*, e acusando-o de morticínios insensatos, acerca do que o Antigo Testamento nada nos diz. A penugem ruiva de Esaú desenvolveu-se até tornar-se em pelos tão ásperos como os de um cabrito (Gn 27.16), servindo de sinal de sua natureza forte, vigorosa e (conforme alguns dizem) sensual.

■ 25.26

וְאַחֲרֵי־כֵן יָצָא אָחִיו וְיָדוֹ אֹחֶזֶת בַּעֲקֵב עֵשָׂו וַיִּקְרָא שְׁמוֹ יַעֲקֹב וְיִצְחָק בֶּן־שִׁשִּׁים שָׁנָה בְּלֶדֶת אֹתָם׃

Segurava... o calcanhar. Jacó já nasceu atacando seu irmão gêmeo. Os intérpretes veem nesse ato como ele haveria de suplantar seu irmão, arrebatando-lhe o direito de primogenitura. John Gill afirmava que esse ato indicava uma tentativa de Jacó de puxar de volta seu irmão, e nascer antes dele, tornando-se assim o primogênito e obtendo uma herança maior. Contudo, Esaú conseguiu nascer primeiro. Mas Jacó, mediante sua astúcia, haveria de ser o *primogênito*, se não por direito de nascimento, ao menos por direito de conquista.

Jacó. Esse nome significa "que ele (Deus) proteja", embora uma derivação popular diga "aquele que segura pelo calcanhar" ou "suplantador". O som das palavras hebraicas que formam o nome Jacó e o sentido sugerido são parecidos: "calcanhar" (no hebraico, *aqeb*) e "olhar por trás" (no hebraico, *aqab*).

Em uma forma composta, *Jacob-el*, o nome aparece nas listas de Tutmés III (século XV a.C.), antes mesmo da entrada de Israel na sua terra. Nessa forma, o nome parece significar "Deus alcança" ou "Jacó é Deus". Seja como for, o nome derivou-se de uma tradição pré-israelita. Ver os artigos detalhados no *Dicionário, Jacó* e *Esaú*.

Era Isaque de sessenta anos, na ocasião, o que significa que tinha esperado por um filho durante vinte anos, porquanto se casara aos 40 anos de idade (vs. 20).

A Providência Divina. O livro de Gênesis mostra-se insistente e enfático quanto a esse particular. Isso é novamente destacado na história do nascimento e do destino de Jacó e Esaú. O propósito divino levou-os a lutar desde o ventre materno, em antecipação a destinos desiguais. O propósito divino fê-los ter nascimentos e missões diferentes. Uma *intervenção divina* produzira seus nascimentos. Ver no *Dicionário* o verbete *Providência de Deus*.

JACÓ FURTA O DIREITO DE PRIMOGENITURA (25.27-34)

De acordo com os críticos, esta seção vem da fonte informativa J. Ver no *Dicionário* o verbete *J.E.D.P.(S.)*. A vida nômade era eivada de dificuldades. O direito de primogenitura, que oferecia algumas vantagens, era de grande valor para povos carentes. Era algo cobiçado, conforme o relato que temos aqui mostra claramente. Jacó não era o primogênito, mas, em vista de suas manipulações, acabou sendo o herdeiro. Ele saiu em segundo lugar do ventre materno, mas no decorrer da vida acabou obtendo a primazia. Se a sua astúcia é a explicação natural para essa inversão, o favor divino era a causa real. Deus usou para o bem as manipulações de Jacó, embora este fosse moralmente responsável por elas. O *Pacto Abraâmico* (ver as notas em Gn 15.18) dependia de Jacó ter nascido primeiro. E assim, apesar de ser verdade que, política e economicamente, os edomitas tenham conseguido organizar-se como nação antes de Israel, dotados de uma cultura mais estável, enquanto Israel passava lentamente do nomadismo para a vida sedentária, a relação ímpar de Israel com Yahweh foi o fator determinante. Daí surgiria o ofício de mestre universal, que desembocaria no Messias.

"Tristemente, coisas dotadas de grande valor espiritual, com frequência, são manuseadas de modo profano e astucioso. Algumas pessoas tratam com desdém as coisas espirituais e eternas, pois lhes parecem destituídas de valor. Mas outras pessoas, apesar de valorizarem grandemente essas coisas, fazem-nas servir a si próprias, mediante a astúcia e a manipulação. Esaú e Jacó são exemplos de ambos esses tipos" (Allen P. Ross, *in loc.*).

■ 25.27

וַיִּגְדְּלוּ הַנְּעָרִים וַיְהִי עֵשָׂו אִישׁ יֹדֵעַ צַיִד אִישׁ שָׂדֶה וְיַעֲקֹב אִישׁ תָּם יֹשֵׁב אֹהָלִים׃

Cresceram os meninos. Cada qual foi seguindo sua trilha diferente, apesar de terem ambos o mesmo pai e a mesma mãe. Conforme fora predito no oráculo (vs. 23), assim estava sucedendo a eles. Esaú era homem que vivia ao *ar livre*, um caçador exímio, um homem do campo. Sua natureza viril agradava a Isaque, que apreciava os pratos deliciosos preparados com a caça que Esaú apanhava. Entrementes, Jacó era homem quieto, que preferia ficar em casa, um homem *caseiro*, que gostava de cuidar de seus rebanhos de vacas e ovelhas. Rebeca apreciava mais esse estilo de vida, e assim Jacó tornou-se o seu favorito.

"O vigor físico dele [Esaú] não era a sua única virtude. Ele era homem de coração grande, que amava seu pai. Quando Isaque já estava idoso e cego, o rude Esaú sempre se mostrou gentil com seu pai, sempre pronto a atender tudo quanto este desejasse. Se Isaque manifestasse o desejo de comer alguma caça especial, Esaú saía atrás dela. Mas se Esaú mostrou-se descuidado quanto às vantagens do direito de primogenitura, não era descuidado quanto à bênção paterna. Portanto, que havia de errado com Esaú? Por que ele não desempenhou um papel decisivo na história espiritual do povo de Deus? Porque era homem que vivia somente para o momento imediato" (Walter Russell Bowie, *in loc.*).

"Ele perdeu de vista o amanhã porque se agarrava tão cobiçosamente ao dia de hoje" (*idem*).

Em contraste com isso, Jacó tinha o discernimento para perceber o valor do direito de primogenitura. Quanto à energia física, ele era o mais fraco dos dois, mas possuía uma visão espiritual mais clara. Embora estivesse errando em seus métodos, estava certo em sua teoria.

Os intérpretes judeus adornam a narrativa, fazendo Esaú (o homem do campo) parecer uma pessoa profana, ao passo que Jacó preferia ficar em casa, cultivando a sua vida espiritual, "na escola de Sem, buscando aprender a doutrina do Senhor, um estudante..." (assim fantasia o Targum de Jonathan).

■ 25.28

וַיֶּאֱהַב יִצְחָק אֶת־עֵשָׂו כִּי־צַיִד בְּפִיו וְרִבְקָה אֹהֶבֶת אֶת־יַעֲקֹב׃

Isaque amava a Esaú, pois este preparava apetitosas refeições para seu pai com suas caças, embora por certo também por outras razões. Esaú *servia* a Isaque. Dava uma atenção especial a seu pai. Procurava satisfazer às necessidades de Isaque.

Rebeca... amava a Jacó. Pois este estava sempre em casa, dando atenção às necessidades dela, sempre presente para dar e receber afeto. Divisões afetivas como essa sempre criam problemas nas famílias, e aquele que é mais amado nem sempre é o que mais merece amor. As crianças sentem-se preteridas quando não há demonstrações adequadas de amor por parte de seus pais, ou quando veem que são amadas menos do que outras crianças da mesma família. Alguma competição doméstica tem vantagens. Mas esse tipo de competição é prejudicial.

"Temos aí uma antiga prova de apego paterno *sem base* a um filho, em detrimento de outros... os interesses da família ficavam divididos, e a casa se punha em oposição a si mesma. Os frutos desse apego tolo sem base puderam ser vistos no futuro, no longo catálogo de males naturais e morais entre os descendentes de ambas as famílias" (Adam Clarke, *in loc.*).

■ 25.29

וַיָּזֶד יַעֲקֹב נָזִיד וַיָּבֹא עֵשָׂו מִן־הַשָּׂדֶה וְהוּא עָיֵף׃

Um cozinhado. O famoso (mas inútil) prato que Jacó costumava preparar. E Esaú, ao que parece sem ter obtido êxito na caça, ou muito apressado para preparar algo para si mesmo, acabou comendo, pelo qual pagou tão caro. Os prazeres do pecado são sempre atrativos, mas custam muito. Não devemos vender a própria alma em troca de uma mera sensação. Uma refeição comum precisa apenas de quinze minutos para ser consumida. Por esse prazer, tão fugaz, Esaú sofreu por toda a sua vida. O cozinhado era de lentilhas (vs. 34), e, talvez, fosse pouco mais que uma sopa. Fosse como fosse, não se parecia nada com os bifes que Esaú preparava para Isaque. No entanto, *naquele dia, aquele* prato de lentilha exercia uma estranha atração sobre Esaú. Ele estava por demais envolvido com o *apetite*, a base da maioria dos pecados. Alguns pecados sérios envolvem o zelo de obter algo que pouco vale, com a negligência de coisas de real valor.

Os intérpretes judeus novamente exageravam e preenchiam detalhes, como aquele que diz que o alimento preparado por Jacó era para os lamentadores, que tinham vindo lamentar a morte de Abraão, ou aquele outro que diz que Jacó e Esaú estavam ambos, na ocasião, com 15 anos.

■ 25.30

וַיֹּאמֶר עֵשָׂו אֶל־יַעֲקֹב הַלְעִיטֵנִי נָא מִן־הָאָדֹם הָאָדֹם הַזֶּה כִּי עָיֵף אָנֹכִי עַל־כֵּן קָרָא־שְׁמוֹ אֱדוֹם:

Esmorecido. Isso é dito por duas vezes no texto. Esaú estava fisicamente *fraco* naquele dia, e, em sua debilidade, fez algo precipitado. Assim foi e assim sempre será. Na nossa fraqueza, fazemos coisas que nosso bom senso diz que não devemos fazer.

Disse ele: "Dá-me um pouco desse cozinhado vermelho". As lentilhas são preparadas de modo bem parecido com o feijão, com azeite e alho, e facilmente se dissolvem, formando uma massa.

Edom. Ver sobre ele no *Dicionário*. Essa palavra significa *vermelho*. Esaú chegou a ser chamado *vermelho* por haver desejado tanto o cozinhado "vermelho". Seu apelido teve origem em seu maior erro.

"Jacó, vendo a cobiça e a fome corroedora de seu irmão, recusou-se a dar-lhe do alimento, enquanto Esaú não se dispôs a desfazer-se de sua alta e sagrada prerrogativa, que o tornava herdeiro da promessa divina" (Ellicott, *in loc.*).

■ 25.31

וַיֹּאמֶר יַעֲקֹב מִכְרָה כַיּוֹם אֶת־בְּכֹרָתְךָ לִי:

Vende-me... teu direito de primogenitura. Esaú nascera primeiro, mas aqui ele acaba por último (ver o vs. 25). Jacó nascera por último, mas aqui ele acaba em primeiro lugar. A cena faz-nos lembrar de Mateus 19.30: "...muitos primeiros serão últimos; e os últimos, primeiros". Jesus falava sobre o discipulado cristão. Alguns poucos deixavam tudo, a fim de segui-lo. Os fariseus e outros líderes religiosos (que tinham a primazia, aos olhos do povo) terminariam em último lugar. E pessoas que eram consideradas como nada, os seus humildes discípulos, terminariam em primeiro lugar. Está em foco a vida eterna (vs. 29). Desse modo, Esaú desprezou o seu direito de primogenitura, que incluía um aspecto espiritual, e não meros privilégios materiais. Ele buscou algo praticamente sem valor, sacrificando o que tinha valor em troca do que não o tinha.

Direito de primogenitura. Ver o artigo detalhado, *Primogênito*, no *Dicionário*.

Vantagens:

1. O filho primogênito de sexo masculino (e todos os animais assim nascidos) eram consagrados a Deus, o que comemorava o juízo de Deus que sobreveio aos primogênitos do Egito (Êx 13.2). Isso enfoca o privilégio espiritual. Ver Êxodo 22.29.
2. O filho primogênito recebia dupla porção da herança paterna (Dt 21.17). Mas isso podia ser vendido ou transferido, como no caso de Ismael e Isaque. Ver Gênesis 21.10 ss.; 25.31,32; Deuteronômio 21.15-17.
3. Antes da instituição formal do sacerdócio em Israel, o filho primogênito era o sacerdote da família, cuidando do culto e das práticas espirituais da família. Ver Números 3.12-18; 8.18; Gênesis 27.29.
4. Presumivelmente, o filho primogênito era dotado de superioridade política, social e moral, a *autoridade* da família, depois da morte do pai. Ver Gênesis 49.3.
5. O filho primogênito recebia uma bênção superior de seu pai, o que, segundo se concebia, tinha o poder de moldar os eventos futuros em favor desse filho. Isso foi enfatizado no grande afã de Esaú por receber a bênção de seu pai. Esaú só recebeu uma bênção secundária. Ver Gênesis 27.34 ss.
6. No caso desta passagem, supõe-se que também estavam em jogo as bênçãos do *Pacto Abraâmico* (ver as notas a respeito em Gn 15.18). Seja como for, as bênçãos maiores desse pacto passaram a fluir através de Jacó, pois a linhagem espiritual tornou-se Abraão--Isaque-Jacó. Jacó teria perdido esse privilégio, se não tivesse conquistado o direito de primogenitura? Quem sabe responder?

Quantas dessas provisões aplicavam-se aos dias de Abraão tem sido debatido pelos intérpretes. Alguns estudiosos pensam que a única coisa em jogo era o aspecto econômico; mas outros percebem a realidade da faceta espiritual. Em Hebreus 12.16, lemos que Esaú era um "profano," ou seja, alguém que não dá valor às coisas espirituais, mas somente às coisas materiais.

■ 25.32

וַיֹּאמֶר עֵשָׂו הִנֵּה אָנֹכִי הוֹלֵךְ לָמוּת וְלָמָּה־זֶּה לִי בְּכֹרָה:

Estou a ponto de morrer. Esaú, debilitado, estava desmaiando. Esaú exagerou seu estado, a fim de convencer-se da sua *necessidade* de ficar com o cozinhado vermelho. Enganou a si mesmo, em seu estado de debilidade física. O pecado sabe como enganar. Todas as maçãs do diabo têm vermes. Ele convenceu-se, com um argumento falaz, de que era tão bom quanto um *homem morto*, pelo que perderia qualquer vantagem que o direito de primogenitura pudesse dar-lhe. Era um homem jovem, mas ficou cego quanto ao futuro, por meio de uma *necessidade* presente que, na verdade, *não era necessária*. Esaú, pois, mostrou-se indiferente para com os valores espirituais e econômicos de seu direito de primogenitura, por ter agido em um momento de estupidez autoimposta.

Alguns eruditos procuram diminuir a estupidez de Esaú supondo que havia muita fome na época (com base em Gn 26.1 ss.) e a comida andava escassa. Assim, um prato de lentilhas poderia salvar-lhe a vida. Mas o texto sagrado não nos dá o menor indício disso.

■ 25.33

וַיֹּאמֶר יַעֲקֹב הִשָּׁבְעָה לִּי כַּיּוֹם וַיִּשָּׁבַע לוֹ וַיִּמְכֹּר אֶת־בְּכֹרָתוֹ לְיַעֲקֹב:

Jura-me... Ele jurou. O único *dinheiro* envolvido foi o cozinhado vermelho. Ademais, houve alguma espécie de acordo (verbal), confirmado por um juramento. Ver no *Dicionário* o verbete *Juramentos*. O texto permite-nos saber que tais juramentos eram considerados legais e obrigatórios. Em caso contrário, por certo Esaú teria tentado reverter a situação, ao voltar-lhe o bom senso.

E vendeu o seu direito de primogenitura. Em troca de nada; em um momento impulsivo; para obter algo sem valor, sacrificando o que era valioso; para satisfazer uma obsessão física; em um momento de desvario.

■ 25.34

וְיַעֲקֹב נָתַן לְעֵשָׂו לֶחֶם וּנְזִיד עֲדָשִׁים וַיֹּאכַל וַיֵּשְׁתְּ וַיָּקָם וַיֵּלַךְ וַיִּבֶז עֵשָׂו אֶת־הַבְּכֹרָה: ס

Lentilhas. No hebraico, *adashim*. Ver Gênesis 25.34; 2Samuel 17.28; 23.11 e Ezequiel 4.9. Forneço uma nota detalhada sobre esse alimento no *Dicionário*.

Esaú Obteve o Que Queria. Mas na verdade, *perdeu* o que realmente tanto desejou ter, mais tarde. Obteve uma vantagem material temporária, mas perdeu algo de muito mais valor, e jogou fora a sua herança espiritual. Não admira, pois, que o autor da epístola aos Hebreus tenha-o chamado de "profano" (Hb 12.16). Adam Clarke condenou Esaú, mas não se esqueceu de criticar seu *irmão desnaturado*, Jacó, que havia perpetrado a fraude. E assim Jacó adquiriu o direito de ser apelidado de *suplantador*. Por ocasião do nascimento dos gêmeos, Jacó tinha agarrado no calcanhar de seu irmão; e agora, tomava dele o seu direito de primogenitura. Ele tinha *reais* qualidades enganadoras, o que, talvez, fosse culpa de Rebeca. O trecho de Gênesis 27.6 ss. mostra que ela encorajou Jacó a perpetrar outra farsa. Apesar de suas qualidades (ver o capítulo 24), ela tinha algumas falhas sérias. Ela falhava em dar *bom exemplo* a seu filho. Muito pelo contrário, ela lhe dava um mau exemplo. E, naturalmente, não houve muita dificuldade para convencê-lo, pois já tinha o pecado distorcedor em seu íntimo.

Esaú Desprezou o seu Direito de Primogenitura. Ele se sentou para comer vorazmente, após seu tolo juramento; depois de encher a barriga, afastou-se, na inconsciência de seu gesto. Não se lamentou, não percebeu sua perda, não se entristeceu, não previu coisa alguma. Poderia ele ser o progenitor do Messias? Quem sabe? Seja como for, ele poderia ser mais do que era. Por outra parte, o resto do Antigo Testamento, se não mesmo as tradições judaicas e alguns poucos toques no Novo Testamento, falam bem a seu respeito. Portanto, deve ter havido algum desenvolvimento espiritual a partir daquele ponto.

O *Targum de Jerusalém* mostra-se especialmente severo com Esaú, alistando seus principais atos de estupidez, muito além do que diz o Antigo Testamento: Esaú desprezou sua participação no mundo vindouro e ele negou a ressurreição dentre os mortos. E o *Targum de Jonathan* adiciona a essa lista: Ele realizou atos idólatras; ele derramou sangue inocente; ele deflorou uma virgem no dia do desposório desta; ele negava a realidade da vida futura.

CAPÍTULO VINTE E SEIS

ISAQUE VAI A GERAR: RENOVAÇÃO DA PROMESSA (26.1-35)

O CASO QUE ENVOLVEU ISAQUE, REBECA E ABIMELEQUE (26.1-33)

Os críticos supõem que esta seção tenha vindo, essencialmente, da fonte informativa *J*, com algumas modificações baseadas em *E*. Ver no *Dicionário* o verbete *J.E.D.P.(S.)*. Eles pensam que essa seção é uma *duplicação* do relato de Gênesis 12.10-20 e 20.1-17 (que eles atribuem à fonte informativa *E*). Isso significa que eles creem ter havido uma narrativa original, provavelmente aquela ligada a Isaque, mas que também foi posteriormente aplicada a Abraão, *como se* este tivesse passado por uma experiência similar. O episódio ocorrido no Egito e aquele relacionado a Abimeleque também são considerados modificações, *tradições* que foram adicionadas com base à história seguinte, considerada a mais primitiva das três. Os eruditos conservadores, porém, veem em tudo isso apenas *repetições* naturais de eventos, e não duplicações de uma única fonte informativa, com vários adornos. Naturalmente, é verdade que os dois relatos são bastante similares. Para os conservadores, todavia, isso significa apenas que algo de parecido sucedeu na vida tanto de Abraão quanto de Isaque. Os Abimeleques envolvidos, de acordo com os críticos, refletiriam tradições diversas, envolvendo uma única pessoa. Em meio a controvérsias desse tipo, não nos devemos esquecer das importantes lições morais e espirituais aqui ensinadas. Notemos também que o *Pacto Abraâmico* (ver as notas sobre Gn 15.18) é repetido neste capítulo, pois suas promessas foram reiteradas a Isaque, que daria continuação à linhagem física e moral de Abraão. Está em foco o Messias, embora o Novo Testamento seja o documento que adicionou a compreensão espiritual das implicações do Pacto Abraâmico (ver Gl 3.14,17 ss.).

O PACTO ABRAÂMICO CONFIRMADO A ISAQUE (26.1-5)

Dou uma descrição detalhada do Pacto Abraâmico nas notas sobre Gênesis 15.18, incluindo sua dimensão neotestamentária, concretizada em Cristo. As repetições desse pacto, em vários graus de abrangência, aparecem nos seguintes trechos do Gênesis: 12.1-4; 13.14-17; 15.1-7; 17.1-8; 18.18 ss.; 22.15 ss.; 26.4,5; 28.3,4.

Essas referências acompanham a transferência do Pacto Abraâmico de Abraão para Isaque, e daí para Jacó. O autor sagrado, naturalmente, conduzia-nos ao desenvolvimento da nação de Israel, que estava destinada a ser a grande mestra do mundo, e da qual viria o Messias, com sua bênção para *todas as nações*. O propósito remidor estava operando de modo especial por meio de Abraão, e culminaria em seu Filho maior, o Messias. Ver Gálatas 3.14,17 ss.

■ 26.1

וַיְהִי רָעָב בָּאָרֶץ מִלְּבַד הָרָעָב הָרִאשׁוֹן אֲשֶׁר
הָיָה בִּימֵי אַבְרָהָם וַיֵּלֶךְ יִצְחָק אֶל־אֲבִימֶלֶךְ
מֶלֶךְ־פְּלִשְׁתִּים גְּרָרָה׃

Sobrevindo fome à terra. Isso tem paralelo em Gênesis 12.10, no que toca a Abraão. Ver a introdução a este capítulo, acima. Os críticos acreditam que o relato que se segue, neste capítulo, é a forma *original* de onde se desenvolveram relatos similares (Gn 12.10-20 e 20.1-17). Os eruditos conservadores veem nisso apenas acontecimentos similares, ocorridos na vida de Abraão e de Isaque, apesar de os pormenores serem muito semelhantes. Ver as notas sobre Gênesis 12.10 quanto a um desenvolvimento dessa circunstância da *fome*. Ver no *Dicionário* o artigo chamado *Fome*. Em Gênesis 12.10, vemos que foi a fome que empurrou Abraão ao Egito. O próprio autor sagrado lembra-nos de que Abraão teve uma experiência similar que envolveu fome.

Foi Isaque a Gerar. O paralelo fica em Gênesis 20.1, a alegada duplicação desta passagem. As descrições geográficas são mais elaboradas naquela seção. Ver as notas ali sobre a circunstância que é duplicada neste versículo. Abraão tinha ido a Gerar, onde conhecera Abimeleque; agora, Isaque ia a Gerar, onde conheceu (outro) Abimeleque. Abraão e Isaque mentiram ambos sobre a identidade de suas respectivas esposas, apresentando-as como irmãs, a fim de escaparem de possível assassinato às mãos de chefes tribais que não hesitariam em matar um homem para ficar com sua mulher. Ver no *Dicionário* os artigos intitulados *Filisteus*, *Filístia* e *Abimeleque*.

John Gill (*in loc.*) informa-nos que o incidente com Abraão sucedeu cem anos antes daquele registrado neste capítulo. Logo, é óbvio que está em pauta outro Abimeleque (talvez descendente do primeiro; ou, então, Abimeleque era um título real entre os filisteus, como Faraó o era no Egito).

Isaque chegou ali vindo de *Beer-Laai-Roi* (ver as notas a respeito em Gn 24.6), onde havia residido por muitos anos (Gn 24.62; 25.11). Ficava perto de Berseba (ver sobre este último lugar no *Dicionário*), talvez a 13 km de distância.

■ 26.2

וַיֵּרָא אֵלָיו יְהוָה וַיֹּאמֶר אַל־תֵּרֵד מִצְרָיְמָה שְׁכֹן
בָּאָרֶץ אֲשֶׁר אֹמַר אֵלֶיךָ׃

Apareceu-lhe o Senhor. Abraão, antes de Isaque, recebeu muitas visitas divinas, que seriam teofanias (ver a respeito no *Dicionário*), ou o *anjo* do Senhor (ver sobre *anjo* no *Dicionário*), ou alguma visita do *Logos* no Antigo Testamento, conforme outros supõem. Ver Gênesis 12.1; 15.1; 17.1; 18.1 e 22.11. O capítulo 15 de Gênesis é especialmente instrutivo quanto às muitas experiências místicas de Abraão. Ver no *Dicionário* o verbete chamado *Misticismo*. Em seu sentido básico, essa palavra dá a entender o contato com o *ser divino*, por meio de visões, sonhos, teofanias, o anjo do Senhor etc. Trata-se daquilo que algumas pessoas denominam experiências *espirituais*.

Ver Gênesis 24.63 quanto ao hábito que Isaque tinha de *meditar*. Assim, pois, ele levava avante a linhagem espiritual de Abraão, repetindo as experiências deste e promovendo seus mesmos ideais religiosos.

Não desças ao Egito. Seu paralelo é Gênesis 12.10, cujas notas devem ser examinadas pelo leitor. Mas ali, Abraão desceu ao Egito, o que aqui é proibido a Isaque. Alguns eruditos sugerem que os atos de Isaque, neste ponto, não foram isolados. Grandes contingentes de semitas estavam migrando para o Egito. A fome servia de inspiração adicional para essas migrações. Gerar não ficava na rota direta para o Egito, pelo que devemos imaginar aqui uma parada fora de rota, antes que houvesse surgido a ideia de Isaque descer ao Egito. De fato, ir a Gerar teria levado Isaque para o norte, e não para o sul. Assim sendo, Isaque foi a Gerar, e daí pretendia continuar viagem, mudando de direção e indo para o Egito.

Fica na terra. A Terra Prometida, prometida a Abraão, ou seja, a Palestina. Na emergência, a instrução dada a Isaque foi que ele não descesse ao Egito, mas permanecesse na Terra Prometida, onde seria ricamente abençoado. Ver o vs. 12 quanto ao cumprimento dessa promessa. Abraão tinha caído no erro de descer ao Egito, quando houve um período de escassez na Palestina, e passou por dificuldades. Faraó acabou por expulsá-lo do Egito, por causa do ludíbrio que tinha envolvido a identidade de Sara. Isaque foi advertido por inspiração divina para não cair no mesmo erro em que caíra Abraão. Contudo, em Gerar, ele repetiu *outro* dos erros de Abraão.

A Providência Divina. O livro de Gênesis reitera esse tema constantemente. O homem piedoso é dirigido pelo Senhor ao longo de seu caminho. Ver no *Dicionário* o verbete chamado *Providência de Deus*. A Bíblia, como um todo, tem um ponto de vista teísta, e não deísta. O teísmo ensina que Deus não somente criou, mas também agora guia, recompensa e castiga, estando interessado por todos os aspectos da vida humana. Mas o deísmo ensina que Deus, ou algum grande poder, pessoal ou impessoal, pode ter criado as coisas, somente para, em seguida, abandonar a sua criação aos cuidados das leis naturais. Ver no *Dicionário* os artigos intitulados *Teísmo* e *Deísmo*.

■ 26.3

גּ֧וּר בָּאָ֣רֶץ הַזֹּ֗את וְאֶֽהְיֶ֤ה עִמְּךָ֙ וַאֲבָרְכֶ֔ךָּ כִּֽי־לְךָ֣
וּֽלְזַרְעֲךָ֗ אֶתֵּן֙ אֶת־כָּל־הָֽאֲרָצֹ֣ת הָאֵ֔ל וַהֲקִֽמֹתִי֙
אֶת־הַשְּׁבֻעָ֔ה אֲשֶׁ֥ר נִשְׁבַּ֖עְתִּי לְאַבְרָהָ֥ם אָבִֽיךָ׃

Habita nela. Isaque deveria levar uma vida de seminomadismo, conforme fizera Abraão. Mas se ele não tinha residência fixa, Deus estaria sempre com ele, e sua presença garantiria a bênção e um suprimento abundante, apesar da fome que se espalhara pela região. Novamente é enfatizado o princípio da providência divina, anotado no versículo anterior. Essa circunstância leva-nos a outra reiteração do *Pacto Abraâmico*. Ver notas completas sobre esse pacto em Gênesis 15.18, e ver também os comentários de introdução ao primeiro versículo deste capítulo.

As Peregrinações de Abraão. Isso é visto em Gênesis 20.1 e 21.33,34. As jornadas de Jacó são referidas em Gênesis 32.4 e Salmo 105.23. Ver também Gênesis 24.3 quanto à própria declaração de Abraão a esse respeito. O trecho de Hebreus 11.9 expõe uma metáfora espiritual com base nessa questão, no tocante aos três, Abraão, Isaque e Jacó. Os homens espirituais são cidadãos da pátria celeste e nômades na terra, pois aqui não têm pátria permanente. Os patriarcas eram peregrinos, indo para onde houvesse maior abundância para os seus rebanhos de gado vacum e ovino.

Onde tocassem os seus pés seria *deles* algum dia, uma parte da promessa de terras do Pacto Abraâmico. Finalmente, haveriam de adquirir uma pátria. Isso fazia parte necessária do seu pacto, visto que uma *nação* (uma pátria) finalmente viria à existência, mas não antes da grande peregrinação no Egito, após cerca de quatrocentos anos.

Todas estas terras. Tais territórios, no momento, eram possuídos por várias tribos de filisteus, de cananeus e de outros povos hostis. Abraão jamais veria a concretização desse aspecto do Pacto Abraâmico. Ainda se passaria muito tempo, dentro da longa estrada da história de Israel. Mas a promessa que o Senhor lhe tinha feito servia de grande raio brilhante, que iluminava a estrada que se alargaria. Minhas notas sobre Gênesis 15.18 dão as *dimensões* do território prometido a Abraão.

A Bondade de Deus. Esta fazia parte da providência divina. Abraão havia descido ao Egito. Ali passara por tribulações, mas tinha sobrevivido. Isaque, porém, era agora proibido de entrar no Egito. A mente divina tinha razões para isso. Talvez ele não pudesse sobreviver à viagem, ou então, tivesse de enfrentar alguma grande dificuldade, que ele não poderia manusear. Algumas vezes são importantes as áreas geográficas. Não devemos ir a certos lugares, nem viver em certos lugares. Os *lugares* por onde vamos devem ser determinados pelo Senhor, e quanto a isso devemos buscar a *orientação* do Senhor!

O juramento que fiz a Abraão. A provisão do território, mencionada por diversas vezes em que o Pacto Abraâmico é reiterado. A promessa divina agora é transferida para Isaque, que era o instrumento escolhido para dar continuidade ao *desígnio* do Senhor.

■ 26.4

וְהִרְבֵּיתִ֤י אֶֽת־זַרְעֲךָ֙ כְּכוֹכְבֵ֣י הַשָּׁמַ֔יִם וְנָתַתִּ֣י לְזַרְעֲךָ֔
אֵ֥ת כָּל־הָאֲרָצֹ֖ת הָאֵ֑ל וְהִתְבָּרֲכ֣וּ בְזַרְעֲךָ֔ כֹּ֖ל גּוֹיֵ֥י
הָאָֽרֶץ׃

Todos os elementos aqui mencionados são reiterações das promessas feitas a Abraão.

Como as estrelas dos céus. Ver as notas sobre essa expressão em Gênesis 15.5 e 22.17.

Um Acúmulo de Metáforas. A descendência de Abraão se multiplicaria como:

1. As estrelas (notas em Gn 15.5).
2. A areia (notas em Gn 22.17 e 32.12).
3. O pó da terra (notas em Gn 13.16 e repetido em 28.14).

Várias nações descendiam de Abraão: Israel, através de Isaque e Jacó; doze príncipes de Ismael; várias nações árabes (Gn 17.20; 25.13 ss.), além de várias tribos árabes através de Quetura (Gn 25.1 ss.) e os idumeus, através de Esaú (Gn 25.30; 36.10 ss.).

... lhe darei todas estas terras. Ver as notas expositivas no vs. 3 deste capítulo.

Serão abençoadas todas as nações da terra. Afirmado e anotado em Gênesis 12.3; 18.18 e 22.18. O trecho de Gálatas 3.14 ss. fornece-nos a dimensão espiritual da promessa divina. Está em pauta a grandiosa promessa espiritual por meio do Messias, através do Filho maior de Abraão.

■ 26.5

עֵ֕קֶב אֲשֶׁר־שָׁמַ֥ע אַבְרָהָ֖ם בְּקֹלִ֑י וַיִּשְׁמֹר֙ מִשְׁמַרְתִּ֔י
מִצְוֹתַ֖י חֻקּוֹתַ֥י וְתוֹרֹתָֽי׃

Porque Abraão obedeceu. Isso repete o que se lê em Gênesis 22.18, onde a ideia é comentada. O incidente particular de obediência que aparece no texto é o sacrifício de Isaque, a prova suprema por que passou Abraão. Neste versículo, a obediência é generalizada para que indique os *mandamentos, os estatutos* e *as leis* de Deus. Tal delineamento parece falar sobre a legislação mosaica, dada séculos mais tarde, ou seja, parece ser uma reverberação daquela legislação posterior, tão abrangente em seu escopo. Os críticos usam este versículo para atribuir o Gênesis a uma data posterior. Ofereci material relativo à *data* da composição de Gênesis na segunda seção da introdução ao livro, intitulada *Composição*.

Acúmulo de Termos Legais. Esses referem-se aos preceitos e ordenanças morais, cerimoniais, civis e individuais que, dentro da cultura dos hebreus, vieram a cobrir todos os aspectos imagináveis da vida e do pensamento dos hebreus. Finalmente, uma canga mais pesada do que qualquer pessoa poderia suportar (At 15.10) foi acumulada sobre os judeus. Contudo, foi através da obediência à vontade de Deus, revelada em tais questões, que Abraão obteve essa aprovação divina, com todas as suas provisões.

ISAQUE LUDIBRIA: O CASO DE ABIMELEQUE (26.6-11)

Tal como Abraão fizera no Egito, Isaque também pespegou um ludíbrio em Gerar. São óbvios vários pontos paralelos entre o episódio que envolveu Abraão e este caso:

1. Houve fome (Gn 12.10).
2. Abraão foi ao Egito: Isaque planejou ir (12.11).
3. Houve uma permanência em Gerar (20.1).
4. As esposas foram chamadas de *irmãs* (12.12,13; 20.2,11,12).
5. A beleza feminina era uma questão problemática que exigia cautela (12.11,14).
6. Abimeleque não quis cometer adultério (20.4-7).
7. Uma possível sentença de morte seria imposta ao ofensor (20.3).
8. O inferior, Abimeleque, repreendeu ao superior (20.9,10). Faraó tinha repreendido a Abraão (12.18 ss.).
9. Em Gênesis 21.22 e 26.26, há um Ficol (Picol) envolvido.

Naturalmente, há diferenças nas três histórias. Ver a introdução a este capítulo quanto a comentários sobre a questão. Os críticos pensam que o relato original (relativo a Isaque) foi injetado na história de Abraão, embora não pertinente a este último. Os eruditos conservadores apenas creem que "a história se repete". Cerca de cem anos separaram os dois episódios, o do Egito e o de Gerar. Cf. Gênesis 12.11-20; 20.1-17 e 26.6-16.

■ 26.6

וַיֵּ֥שֶׁב יִצְחָ֖ק בִּגְרָֽר׃

Gerar. Ver no *Dicionário* o artigo sobre essa localidade. O trecho paralelo é Gênesis 20.1, que dá detalhes geográficos mais elaborados.

■ 26.7

וַיִּשְׁאֲל֞וּ אַנְשֵׁ֤י הַמָּקוֹם֙ לְאִשְׁתּ֔וֹ וַיֹּ֖אמֶר אֲחֹ֣תִי הִ֑וא כִּ֤י
יָרֵא֙ לֵאמֹ֣ר אִשְׁתִּ֔י פֶּֽן־יַהַרְגֻ֜נִי אַנְשֵׁ֤י הַמָּקוֹם֙ עַל־רִבְקָ֔ה
כִּֽי־טוֹבַ֥ת מַרְאֶ֖ה הִֽיא׃

É minha irmã. Ver os paralelos em Gênesis 12.13,19; 20.2,5,12. A última destas referências mostra que, no caso de Abraão, isso apontava para uma meia-verdade, visto que Sara era, de fato, sua meia-irmã. Mas Rebeca era prima de Isaque. Ver as notas introdutórias a este capítulo, quanto às várias relações de parentesco dentro da família de Abraão. A beleza de Sara fora enfatizada, tal como aqui é destacada a beleza de Rebeca, "porque era formosa de aparência". Ver Gênesis 12.14. O temor de Abraão e de Isaque de que uma mulher bonita poderia ser arrebatada por algum chefe tribal injusto, deixando o seu marido morto, era justificado, motivo pelo que foi escolhido um mal menor, uma mentira, para salvar a vida. Naturalmente, é claro que a virtude da esposa seria assim sacrificada. No caso de Sara, no Egito, nada é revelado se assim aconteceu com ela. Mas no caso de Rebeca, vemos no vs. 10 deste capítulo que nada lhe aconteceu. Mas no caso de Sara, com o *outro* Abimeleque (ver Gn 20.6), sua virtude também não foi posta a perigo.

Repetição de um Erro. Sob temores e pressões similares, Isaque caiu no mesmo lapso em que caíra Abraão. Uma mentira é algo dito com o intuito de enganar. Ver no *Dicionário* o artigo intitulado *Mentir (Mentiroso)*.

■ 26.8

וַיְהִי כִּי אָרְכוּ־לוֹ שָׁם הַיָּמִים וַיַּשְׁקֵף אֲבִימֶלֶךְ מֶלֶךְ פְּלִשְׁתִּים בְּעַד הַחַלּוֹן וַיַּרְא וְהִנֵּה יִצְחָק מְצַחֵק אֵת רִבְקָה אִשְׁתּוֹ׃

Por muito tempo. Esta narrativa não diz que Abimeleque tentou cortejar Rebeca imediatamente, o que sucedera com Sara no Egito e em Gerar (ver os caps. 12 e 20 de Gênesis). Passou-se muito tempo, e Isaque e Rebeca receberam permissão de habitar no país. Mas permanecia o perigo de algum outro homem tentar cortejar Rebeca. Essa é uma das principais diferenças entre este episódio que envolveu Isaque, e aquele primeiro, que envolveu Abraão.

Acariciava. Embora inocentes, tais carícias um homem não praticaria com sua própria irmã, a menos que houvesse um caso de incesto. Ver no *Dicionário* o artigo intitulado *Incesto*. No hebraico, esse verbo vem da mesma raiz de onde vem o nome próprio Isaque, pelo que, ao que parece, o autor sagrado quis fazer um jogo de palavras: "O acariciador acariciava". Adam Clarke (*in loc.*) falou sobre "liberdades e licenças" que um observador jamais esperaria ver entre um homem e sua irmã. Assim, a conclusão natural foi: "Ela é esposa dele!" E Abimeleque chegou sem dificuldades a essa conclusão. John Gill (*in loc.*) mostrou-se mais ousado que Clarke, pois comentou como Isaque e Rebeca estariam rindo e se abraçando, beijando-se com frequência *e coisas como essas*. Não era assim que se comportaria um irmão com sua irmã.

■ 26.9

וַיִּקְרָא אֲבִימֶלֶךְ לְיִצְחָק וַיֹּאמֶר אַךְ הִנֵּה אִשְׁתְּךָ הִוא וְאֵיךְ אָמַרְתָּ אֲחֹתִי הִוא וַיֹּאמֶר אֵלָיו יִצְחָק כִּי אָמַרְתִּי פֶּן־אָמוּת עָלֶיהָ׃

Isaque Desmascarado em Sua Mentira. Quase todas as mentiras acabam embaraçando ao mentiroso. Isaque foi apanhado nas teias que ele mesmo tecera. Abimeleque repreendeu-o e lhe perguntou "por que" ele tentara ludibriar acerca de sua mulher. Ver Gênesis 12.17 ss. e 20.6 ss. No primeiro caso, as muitas pragas que caíram sobre o Egito revelaram a Faraó que algo estava errado. Ele *deduziu* que a dificuldade girava em torno de Sara. No caso do outro Abimeleque, foi-lhe divinamente dado um *sonho* que revelou a verdade. Em ambos os casos, houve alguma severa repreensão, onde algum homem inferior repreendeu algum homem superior, o que comentei nas notas sobre Gênesis 20.9. Abimeleque, o pagão, repreendeu Abraão, o justo. Isso é ridículo, mas algumas vezes os crentes caem em erros ridículos. Neste capítulo, Abimeleque manteve certa distância. Não havia amizade, nem aliança, nem sinais de respeito. Os relatos diferem quanto a essas características. Mas a essência dos relatos é a mesma.

O Temor de Perder a Vida. Esse temor inspira-nos a quase qualquer ato. Os ricos sacrificam suas riquezas e propriedades adquiridas com grande labor para salvar a vida de um filho sequestrado, pois uma alma é mais preciosa do que todas as riquezas do mundo (Mc 8.36,37). Ninguém já chegou a odiar a sua própria vida, mas o amor lhe dá valor (Ef 5.29). E mesmo as pessoas mais altruístas amam e protegem sua própria vida, por causa do bem que podem fazer em favor do *próximo*.

■ 26.10

וַיֹּאמֶר אֲבִימֶלֶךְ מַה־זֹּאת עָשִׂיתָ לָּנוּ כִּמְעַט שָׁכַב אַחַד הָעָם אֶת־אִשְׁתֶּךָ וְהֵבֵאתָ עָלֵינוּ אָשָׁם׃

Que é isso que nos fizeste? Abimeleque preocupava-se com a culpa pelo adultério que poderia ter sido imposta a ele e à sua gente. Isso tem paralelo em Gênesis 12.17 ss., onde o mal, realmente, sobreveio a Faraó, por ter posto Sara entre as mulheres de seu harém; e também em Gênesis 20.3, onde Abimeleque pensou que a morte física poderia ser o resultado, *se* ele tivesse tocado em Sara; e também nos versículos 17 ss., onde foi mister que Abraão orasse para que a praga divina da infertilidade fosse suspensa de Abimeleque e seu povo, um juízo que pairava sobre eles porque Sara estava no harém daquele chefe.

Aqui e no capítulo 20, Abimeleque aparece como um pagão incomum, alguém que havia crescido até uma boa espiritualidade e se conduzia de acordo com isso. Nas notas sobre Gênesis 20.18, ver um significativo comentário de Adam Clarke acerca da questão.

O pecado expõe o pecador ao perigo, mesmo quando se trata do pecado de outrem. É preciso a vida inteira para que se aprenda a seriedade do pecado. Brincamos com o pecado, mas o pecado não brinca conosco.

Facilmente algum do povo teria abusado de tua mulher. Homens profanos vivem à cata de oportunidades de outra conquista sexual. Olhos cobiçosos tinham-se fixado em Rebeca, por ser ela uma mulher formosa, e seria apenas uma questão de tempo até alguém tê-la abordado. A palavra aqui traduzida por "facilmente" pode ser traduzida por "mais um pouco", o que parece indicar que já havia algum desígnio em operação, talvez uma iniciativa do próprio Abimeleque, do que resultaria um ato de adultério.

■ 26.11

וַיְצַו אֲבִימֶלֶךְ אֶת־כָּל־הָעָם לֵאמֹר הַנֹּגֵעַ בָּאִישׁ הַזֶּה וּבְאִשְׁתּוֹ מוֹת יוּמָת׃

Certamente morrerá. Foi imposta a pena de morte. O rei Abimeleque determinou: "Quem tocar nesta mulher morre!" A punição capital foi vinculada à questão. Isso é um paralelo da atitude que vemos em Gênesis 20.6 ss. (especialmente o vs. 9). O grande temor de Abimeleque era quanto ao juízo divino. E assim, temeroso, ele tomou providências drásticas para proteger Rebeca, a fim de que algum grande mal não viesse a derramar-se sobre o seu povo. Nisso, como se vê em muitos outros casos no livro de Gênesis, vemos a ênfase sobre a providência de Deus, o qual protege aqueles que lhe pertencem. Ver no *Dicionário* o artigo *Providência de Deus*.

A Ironia. O que Isaque deveria ter feito a fim de proteger sua mulher, isso acabou fazendo Abimeleque, o rei pagão.

Adultério e Pena de Morte. Na legislação mosaica, a pena imposta ao adultério era a morte. Ver no *Dicionário* o verbete intitulado *Adultério*. Antigas fontes históricas mostram que essa pena também havia entre os cananeus, ainda que fosse imposta com extrema raridade.

As Omissões. Os relatos dos capítulos 12 e 20 mostram que Abraão recebeu ricos presentes da parte de Faraó e de Abimeleque. No caso deste último, isso foi feito, pelo menos em parte, por temor à *ofensa* que poderia ter sido feita a Sara. Abimeleque queria alcançar o favor de Abraão, o profeta (vss. 7 e 14 ss.). A versão deste capítulo, porém, deixa de fora tudo isso, dizendo que Isaque conseguiu prosperar por sua própria indústria. Mas em todos os casos há paralelismo quanto à *prosperidade*.

■ 26.12

וַיִּזְרַע יִצְחָק בָּאָרֶץ הַהִוא וַיִּמְצָא בַּשָּׁנָה הַהִוא מֵאָה שְׁעָרִים וַיְבָרֲכֵהוּ יְהוָה׃

Isaque Semeou e Colheu Cem Vezes Mais. Ele obedecia a Deus, apesar de seus lapsos. E não desceu ao Egito, conforme lhe fora ordenado. Permaneceu onde a fome mostrava-se ameaçadora. É verdade que ele *semeou*. Cumpriu a sua parte, mas Deus é que lhe estava dando sucesso e prosperidade extraordinária. Nisso vemos uma lição.

Dificuldades para o Sucesso. Raramente obtemos bom êxito automática e facilmente. Colhemos em proporção direta à nossa semeadura, exceto se Deus nos der acima e além de nossos esforços. A história provê muitos exemplos inspiradores no que tange a essa questão. Entre os primeiros colonos daquilo que mais tarde tornou-se os Estados Unidos da América do Norte, estiveram os Peregrinos de Plymouth. Tiveram o infortúnio de chegar pouco antes de um rigoroso inverno. Não estavam preparados para isso, e boa parte do grupo morreu logo no primeiro inverno. Foram tentados a desistir da aventura, mas resistiram. Não poderiam prever a grande nação que se originaria de seus esforços. Hoje em dia, os curiosos visitam o cemitério onde ainda estão os ossos daqueles peregrinos. Quando alguém penetra naquele cemitério, tem a estranha sensação de que, sob os seus pés, estão os ossos daqueles que "chegaram primeiro" a esse grande país, séculos atrás. Muita coisa já sucedeu durante esse tempo, devido, em parte, à coragem daqueles primeiros peregrinos, que enfrentaram perigos e privações, mas não abandonaram o seu projeto. "A história teria sido diferente e mais pobre, caso eles não tivessem aguentado firme" (Walter Russell Bowie, *in loc.*). Pensemos no missionário em um posto solitário, que tivesse deixado para trás um país rico; pensemos em um professor de uma área rural que tentasse obter êxito em uma escola pobre e mal equipada; pensemos em um pastor que dirige uma igreja presumivelmente destituída de importância. Isaque enfrentava a fome, mas não desceu para o afluente e rico Egito. Todavia, em meio à necessidade, o plano divino continuava a operar, e, finalmente, Isaque prosperou acima de todas as expectativas. Por trás dele estava a mão invisível de Deus; invisível, mas *real*.

Cento por um. **Uma linguagem figurada que parece indicar a colheita máxima que alguém poderia esperar na Palestina (Mt 13.8), ainda que, noutros lugares, houvesse colheitas mais produtivas ainda.**

■ 26.13

וַיִּגְדַּל הָאִישׁ וַיֵּלֶךְ הָלוֹךְ וְגָדֵל עַד כִּי־גָדַל מְאֹד׃

Prosperou, ficou riquíssimo. Há muitas coisas que um homem, dedicado a Deus e correto, pode fazer por seu trabalho e em favor do próximo, se tiver dinheiro. Portanto, deem-nos dinheiro! Mas também deem-nos sabedoria. A cobiça arruína a tudo. A insensatez anula as boas intenções. Isaque ficou rico por haver obedecido a Deus e ficado longe do Egito (vss. 2 e 3). Algumas vezes, os piedosos obtêm dinheiro. O dinheiro corrompe, e os piedosos precisam, *antes de tudo*, de sabedoria e de espiritualidade. E, então, podemos receber dinheiro com *segurança*. O texto hebraico aqui é enfático: "...e o homem ficou *grande*; e ele continuou avançando, e ficou *grande*, até ficar *excessivamente grande*". Palavras simples, mas de profundo significado.

Grande "em possessões materiais, bem como em honra e glória entre os homens... assim era mister, pois Deus lhe deixara tudo quanto possuía, sendo ele muito rico em gado, ouro e prata, e visto que Isaque, *desde então* enriquecera mais ainda, sobretudo depois de haver chegado em Gerar, tendo-se tornado o maior homem do país, sim, maior que o próprio rei Abimeleque, conforme se depreende do vs. 16" (John Gill, *in loc.*), um comentário entusiasmado.

O autor salientou isso porque queria mostrar que vale a pena obedecer a Deus. Mas também ordenou a preparação para a partida de Isaque de Gerar. Isaque tornara-se homem importante demais para residir ali. Era uma ameaça para os seus vizinhos, e saiu dali antes que surgissem dificuldades mais sérias.

■ 26.14

וַיְהִי־לוֹ מִקְנֵה־צֹאן וּמִקְנֵה בָקָר וַעֲבֻדָּה רַבָּה וַיְקַנְאוּ אֹתוֹ פְּלִשְׁתִּים׃

Grande Acúmulo de Riquezas. O autor ilustra aqui a sua tese, algo que ele também havia feito no caso das riquezas de Abraão (Gn 13.2 e 20.14 ss.). Os tesouros antigos eram calculados com base no peso do ouro e da prata, com base no gado possuído, com base nas vestes e no número de escravos e servos. Isaque possuía todos os indicadores econômicos da abastança. "...se, na vida de um homem, há tanta atividade e abundância, deve haver pessoas envolvidas, bem como muito lucro para manter as atividades" (Ellicott, *in loc.*).

... **lhe tinham inveja.** Os vizinhos de Isaque permitiram que ele prosseguisse, mas logo Isaque haveria de enfrentar obstáculos. Os filisteus começaram a invejá-lo; tinham receio de seu poder; ele era um estrangeiro entre eles, e em breve começariam a tomar medidas para livrar-se dele (vss. 16 e 17). Ver no *Dicionário* o verbete chamado *Inveja*. Isaque, o homem rico, estava enfrentando os problemas que geralmente afetam os ricos.

DIFICULDADES POR CAUSA DOS POÇOS (26.15,16)

Esse episódio tem paralelo em Gênesis 21.25 ss., onde Abraão enfrentou dificuldades com Abimeleque, por causa do suprimento de água. Naquele caso, foi conseguida uma solução pacífica. Cem anos mais tarde, entretanto, de Isaque foi simplesmente solicitado que fosse embora. Abraão tinha escavado os poços e estes faziam parte da herança de sua família. Mas com a passagem do tempo, o respeito à propriedade foi diminuindo. A terra era "deles", e não de Isaque, pelo que o "estrangeiro" Isaque perdeu direito à terra. Sem dúvida, ele levou tudo quanto possuía, não tendo sido prejudicado de modo especial, excetuando a inconveniência de ter de encontrar um novo lugar onde lançar raízes. Mas para alguém que era um seminômade, isso era rotineiro.

■ 26.15

וְכָל־הַבְּאֵרֹת אֲשֶׁר חָפְרוּ עַבְדֵי אָבִיו בִּימֵי אַבְרָהָם אָבִיו סִתְּמוּם פְּלִשְׁתִּים וַיְמַלְאוּם עָפָר׃

... lhe entulharam todos os poços. Qual a importância dos poços? Ver no *Dicionário* os artigos intitulados *Poço* e *Cisterna*. Os patriarcas percorriam um território ressequido e sedento. Muitas pessoas e animais os acompanhavam. Daí a necessidade de água abundante. Aquele era um problema crítico.

"Os poços referidos no Gênesis têm nomes significativos, e estão ligados a eventos significativos:

1. *Beer-Laai-Roi*, 'poço daquele que vive e me vê' (Gn 16.14; 24.62; 25.11).
2. *Berseba*, 'poço do juramento do pacto' (Gn 21.25,33; 22.19; 46.1-5).
3. *Eseque*, 'contenda' (Gn 26.20).
4. *Sitna*, 'ódio' (Gn 26.21).
   Esses dois últimos poços, Eseque e Sitna, foram cavados por ordem do próprio Isaque. Depois, ele passou a viver perto dos antigos poços de seu pai.
5. *Reobote*, 'amplidão' (Gn 26.22)." (C. I. Scofield, *in loc.*).

"No Oriente, quem cavava um poço era considerado um benfeitor público; mas os filisteus entulharam os poços cavados por ordem de Abraão, provavelmente por pensarem que a propriedade que mantinha entre eles (embora confirmada pelo pacto entre ele e Abimeleque, Gn 21.32) era uma *intrusão* em seus direitos como povo que dominava o território. E também tornaram-se invejosos, diante do rápido progresso das riquezas de um estrangeiro, pelo que resolveram expulsar Isaque do meio deles" (Ellicott, *in loc.*).

■ 26.16

וַיֹּאמֶר אֲבִימֶלֶךְ אֶל־יִצְחָק לֵךְ מֵעִמָּנוּ כִּי־עָצַמְתָּ מִמֶּנּוּ מְאֹד׃

Aparta-te de nós. És grande demais para nós, e esta é a nossa terra. Deixa-nos em paz. Pelo menos, porém, não o atacaram nem tentaram matar a ele e aos membros de sua casa. A hostilidade deles, entretanto, era ameaçadora, portanto Isaque os atendeu na exigência deles. Isaque tinha buscado refúgio entre o povo de Abimeleque. Ele estava fugindo da fome. Deus o tinha abençoado materialmente de forma notável. A hospitalidade então desapareceu, e, havendo tantas ameaças pairando no ar, Isaque teve por bom alvitre ir-se embora. Existem começos que são fins. Precisamos de sabedoria para distinguir ambas as coisas.

"A *inveja* pública é um *ostracismo* que sujeita os homens a eclipses, quando eles ficam *grandes demais*" (Francis Bacon). Um Faraó posterior oprimiu o povo de Israel pela mesma razão.

■ 26.17

וַיֵּלֶךְ מִשָּׁם יִצְחָק וַיִּחַן בְּנַחַל־גְּרָר וַיֵּשֶׁב שָׁם׃

Isaque saiu dali. Agora Isaque pôs-se de novo em movimento. Os patriarcas de Israel eram seminômades. Eles viviam mudando-se de lugar para lugar. Não conseguiam grande cultura nem contribuíam para as artes e as ciências. Mas deixaram-nos uma grande herança espiritual. Isaque deixou a cidade de Gerar e foi acampar-se no vale de Gerar. Mas as dificuldades seguiram-no até ali. E, finalmente, regressou a Berseba (vs. 23). A hostilidade de seus vizinhos não o deixava sossegar.

Vale. No hebraico, *nahal*, um *wadi*, um leito de rio raso, que durante o verão fluía torrencialmente, mas secava durante a maior parte do ano. No leito desses wadis usualmente podia ser encontrada alguma água, ali depositada nos dias de chuva e de correnteza. Conforme revelou Josefo, o lugar não ficava longe de Gerar (*Antiq.* 1.1 c.18 sec. 2), embora não tenha dito qual a distância. Alguns traduzem aqui por "ribeiro de Gerar", mas na verdade estamos tratando com um lugar seco, com fluxos meramente periódicos de água, um típico *wadi* (ver sobre essa palavra no *Dicionário*).

■ **26.18**

וַיָּ֨שָׁב יִצְחָ֜ק וַיַּחְפֹּ֣ר ׀ אֶת־בְּאֵרֹ֣ת הַמַּ֗יִם אֲשֶׁ֤ר חָֽפְרוּ֙ בִּימֵי֙ אַבְרָהָ֣ם אָבִ֔יו וַיְסַתְּמ֣וּם פְּלִשְׁתִּ֔ים אַחֲרֵ֖י מ֣וֹת אַבְרָהָ֑ם וַיִּקְרָ֤א לָהֶן֙ שֵׁמ֔וֹת כַּשֵּׁמֹ֕ת אֲשֶׁר־קָרָ֥א לָהֶ֖ן אָבִֽיו׃

Os poços... de Abraão. Esses poços haviam sido entupidos pelos súditos hostis de Abimeleque, mas agora eram reabertos por Isaque. Ver as notas sobre o vs. 15 deste capítulo, quanto à importância dos poços na Palestina. Esses poços foram reabertos, mas receberam os mesmos nomes que Abraão lhes havia dado. Parece que Isaque tentou restabelecer o poder e a presença de Abraão naquele lugar, uma espécie de *reivindicação* de território. Mas Isaque estava deslocado, e não demorou a perceber isso. Isaque tinha *direitos* sobre aquele lugar e sobre seus poços, mas algumas vezes é mais conveniente nos esquecermos de nossos direitos.

Os mesmos nomes. Ver o vs. 15 deste capítulo quanto aos nomes desses poços, alguns deles muito significativos no relato do livro de Gênesis.

Um Autêntico Conservantismo. Sabiamente, Isaque respeitou o que Abraão havia realizado. A renovação dos poços de Abraão envolve uma parábola permanente. Isaque voltara aos *poços comprovados*, pertencentes a seu falecido pai. A juventude, em seu zelo pela novidade, pode esquecer que os caminhos antigos foram estabelecidos mediante muita labuta e sabedoria. Isso não diminui a importância das mudanças, quando necessárias, mas serve de palavra de cautela contra a radicalidade que rejeita todo o bem realizado por outros que viveram antes de nós. A vida não começa de novo a cada nova geração que entra em cena. A vida é uma continuação, alicerçada sobre fundamentos antigos. Precisamos tanto do novo quanto do velho. O novo não pode excluir o velho, e vice-versa. Precisamos de *alicerces*, embora também precisemos de *um novo edifício*. A juventude rebela-se em face de sua imaturidade. Os ultraconservadores temem qualquer mudança. Ambas as posições são extremas. "Nenhum de nós é infalível, nem mesmo os mais jovens!" (Jowett de Baliol). "Isaque era sábio o bastante para saber que aquilo que seu pai tinha descoberto ser bom, também era bom para ele" (Walter Russell Bowie, *in loc.*). Os poços dos pais são ricos em tradições e em sabedoria. Os poços dos jovens abrem novas perspectivas. Precisamos de ambos os tipos de poços. Os pioneiros abrem novas veredas. Aqueles que os seguem fazem essas veredas tornar-se autoestradas.

■ **26.19**

וַיַּחְפְּר֥וּ עַבְדֵֽי־יִצְחָ֖ק בַּנָּ֑חַל וַיִּ֨מְצְאוּ־שָׁ֔ם בְּאֵ֖ר מַ֥יִם חַיִּֽים׃

Um poço de água nascente. Isso equivale a dizer um poço com água *abundante*. Abraão tinha feito um bom trabalho. E agora Isaque tirava proveito disso. É bom quando podemos tirar proveito tanto do trabalho alheio quanto do nosso mesmo. Isso faz-nos lembrar das graças perenemente vivas do Espírito de Deus (Jo 4.10; 7.38), as quais se tornaram reais para nós mediante a missão messiânica de Jesus, o Filho de Deus.

Água nascente. Eram fontes de onde brotava água corrente (e não meros depósitos de água parada). Ver Levítico 14.5,50; 15.30; Números 19.17; Cântico dos Cânticos 4.15; João 4.10-14; 7.38; Apocalipse 21.6; 22.1. Devemos pensar aqui em alguma fonte *permanente,* que nunca cessava.

■ **26.20**

וַיָּרִ֜יבוּ רֹעֵ֣י גְרָ֗ר עִם־רֹעֵ֥י יִצְחָ֛ק לֵאמֹ֖ר לָ֣נוּ הַמָּ֑יִם וַיִּקְרָ֤א שֵֽׁם־הַבְּאֵר֙ עֵ֔שֶׂק כִּ֥י הִֽתְעַשְּׂק֖וּ עִמּֽוֹ׃

Contenda por Causa da Abundância. A água era escassa na região. Mas Isaque, subitamente, tinha muita água. E seus adversários não demoraram muito para tomar-lhe a fonte. "Essa água é nossa. Esta é a nossa terra. Vai para a tua terra, ó Isaque!"

Eseque. No hebraico, "contenda", visto que houve contenda por causa da água, entre os pastores de Isaque e os de Gerar. Ver o vs. 15 quanto aos nomes dos vários poços referidos no livro de Gênesis. O egoísmo está sempre presente. As nações fazem guerra em busca da abundância, para tomarem o que é de "outros", por puro egoísmo. As teorias econômicas estão alicerçadas sobre esse princípio de aquisição própria e de distribuição das riquezas. Alguns filósofos pensam que o egoísmo é a base de todo pensamento e ato humano. Apesar de isso certamente ser um exagero (o amor é um princípio vivo no homem), grande parte desta vida ocupa-se somente em obter cada qual para si mesmo, em detrimento de outros! O princípio moral da vida e a lição espiritual é que devemos aprender a amar; aprender a ser generosos; aprender a considerar o próximo. Esse é o princípio sobre o qual está fundamentada a missão salvífica de Jesus (Jo 3.16), sendo essa a grande prova da nossa espiritualidade (1Jo 4.7,8). Ver no *Dicionário* o artigo sobre o *Amor*.

■ **26.21**

וַֽיַּחְפְּרוּ֙ בְּאֵ֣ר אַחֶ֔רֶת וַיָּרִ֖יבוּ גַּם־עָלֶ֑יהָ וַיִּקְרָ֥א שְׁמָ֖הּ שִׂטְנָֽה׃

Sitna. No hebraico, "ódio". A desavença tornou-se em *ódio franco*, o pior dos princípios negativos, o equivalente satânico ao amor de Deus. Mas como é fácil, até para pessoas boas, "odiar", e isso em nome de uma justa indignação. Esse princípio, pelo lado negativo, é tão forte quanto o amor pelo lado positivo. Aqueles que devem saber o que estão dizendo informam que a possessão demoníaca é quase impossível sem o ódio. Assim, Deus é amor; e Satanás é ódio. Ver os dois artigos, no *Dicionário*, intitulados *Ódio* e *Odium Theologicum*. Satanás é cheio de *malícia*, a ponto de ser esse um de seus nomes. Os pastores de Gerar, pois, foram possuídos por um espírito diabólico, cheio de ódio, inveja, despeito e malícia. O ódio sempre acaba manifestando-se na forma de *perseguição*, de atos negativos, da mesma maneira que o amor sempre se manifesta por meio de atos de *bondade* e *generosidade*.

■ **26.22**

וַיַּעְתֵּ֣ק מִשָּׁ֗ם וַיַּחְפֹּר֙ בְּאֵ֣ר אַחֶ֔רֶת וְלֹ֥א רָב֖וּ עָלֶ֑יהָ וַיִּקְרָ֤א שְׁמָהּ֙ רְחֹב֔וֹת וַיֹּ֗אמֶר כִּֽי־עַתָּ֞ה הִרְחִ֧יב יְהוָ֛ה לָ֖נוּ וּפָרִ֥ינוּ בָאָֽרֶץ׃

Outra Mudança. Isaque não resistiu ao mal, obedecendo a um princípio que seria claramente ensinado por Jesus (Mt 5.39). Havia muito espaço para todos, e a bênção de Deus haveria de segui-lo a qualquer nova localização que escolhesse. E dessa vez, ele se afastou para longe da *contenda*.

Reobote. Esse nome significa "amplo", "espaço aberto". Tem sido modernamente identificado com o wadi Ruhaibeh, atualmente entulhado, mas originalmente uma fonte com cerca de 3,60 m de diâmetro, construída com pedras lavradas. Ficava a cerca de 64 quilômetros de Gerar. Naquele "espaço aberto", pois, Isaque encontrou paz e prosperidade, embora não tivesse sido seu pouso final. Havia muito espaço no deserto, e Deus abriu espaço para Isaque, ou seja, preparou um lugar pacífico para ele. Não se sabe dizer por quanto tempo ele se demorou ali, mas podemos estar certos de que foi um período de paz e prosperidade.

Há três lugares chamados *Reobote* nas páginas do Antigo Testamento, e forneço um verbete detalhado, com esse título, no *Dicionário*.

26.23

וַיַּ֥עַל מִשָּׁ֖ם בְּאֵ֥ר שָֽׁבַע׃

Subiu para Berseba. (Ver sobre essa localidade no *Dicionário*.) Isaque deixou o lugar onde encontrara paz e foi para Berseba, entre 32 e 40 km longe de Gerar. Dessa vez, ele não voltou para Beer-Laai-Roi, onde havia habitado antes por longo tempo, mas para o local de residência favorito de seu pai. Por assim dizer, ele estava retornando à terra de seu pai, onde também buscou a bênção de Deus. Essa mudança foi feita em meio a ansiedade e temor. Ele tinha enfrentado um longo período de contenda que poderia irromper sob a forma de guerra aberta. E buscara um contato com o Senhor no altar de Berseba (vs. 24). Ele e sua família já tinham vivido naquele lugar (Gn 21.33 e 22.19). Podemos supor que a escassez que o forçara a entrar no território de Abimeleque havia passado. Agora, era bom voltar para casa.

26.24

וַיֵּרָ֨א אֵלָ֤יו יְהוָה֙ בַּלַּ֣יְלָה הַה֔וּא וַיֹּ֕אמֶר אָנֹכִ֕י אֱלֹהֵ֖י אַבְרָהָ֣ם אָבִ֑יךָ אַל־תִּירָא֙ כִּֽי־אִתְּךָ֣ אָנֹ֔כִי וּבֵֽרַכְתִּ֗יךָ וְהִרְבֵּיתִ֤י אֶֽת־זַרְעֲךָ֙ בַּעֲב֖וּר אַבְרָהָ֥ם עַבְדִּֽי׃

Renovação do Pacto Abraâmico. Quanto ao *Pacto Abraâmico*, ver notas detalhadas em Gênesis 15.18; e, no *Dicionário*, o verbete *Pactos*, quarta seção.

O Encorajamento Divino. A misericórdia do Senhor deu a Isaque um forte motivo para renovar seu espírito. Em meio ao temor e à ansiedade, foi reafirmado o pacto, o que, sem dúvida, infundiu nova coragem em Isaque.

O Senhor. No hebraico, *Yahweh* (ver no *Dicionário*). Isaque teve uma experiência (espiritual) mística. Ver no *Dicionário* sobre o *Misticismo*. Pode ter sido uma teofania (ver sobre esse termo no *Dicionário*), o anjo do Senhor (ver sobre *anjo*), ou uma aparição do Logos, no Antigo Testamento. Fosse como fosse, a presença divina reafirmou o pacto, infundindo forças novas em Isaque.

Abraão, meu servo. Isso também foi dito acerca de outras personagens, como Moisés (Êx 14.31), Josué (Js 24.29), o povo de Israel (Is 41.8), e o Messias (Is 52.13). Era um título de altíssima honra. Isaque participava dessa honra e de seus benefícios, parcialmente por causa de sua própria dignidade, mas principalmente por ser filho e herdeiro de Abraão.

"Abraão, o homem heroico, Isaque, o homem inconspícuo, Jacó, o homem inconsistente — cada um deles participou da revelação da multifacetada luz divina, que brilha por meio das almas humanas remidas. Não existem muitas almas como a de Abraão. Mas elas têm um grande valor — são os pioneiros espirituais, os canais de novas revelações. Mas elas mesmas nunca podem constituir a sociedade. Deus também precisa manifestar-se no homem quieto, como Isaque" (Walter Russell Bowie, *in loc.*).

26.25

וַיִּ֤בֶן שָׁם֙ מִזְבֵּ֔חַ וַיִּקְרָ֖א בְּשֵׁ֣ם יְהוָ֑ה וַיֶּט־שָׁ֣ם אָהֳל֔וֹ וַיִּכְרוּ־שָׁ֥ם עַבְדֵֽי־יִצְחָ֖ק בְּאֵֽר׃

Levantou ali um altar. Quanto ao fato de que Abraão também levantava altares, ver Gênesis 12.7,8; 13.18; 22.9. Ver também, quanto a um período posterior, Gênesis 33.20 e 35.1,3,7. Há um detalhado artigo, chamado *Altar*, no *Dicionário*.

Os Essenciais da Vida. Temos aqui o altar, a tenda e o poço. Todas essas coisas são necessárias à vida neste mundo. Mas o *altar* tem a prioridade. "Buscai, pois, em primeiro lugar, o seu reino e a sua justiça, e todas estas cousas vos serão acrescentadas" (Mt 6.33). Todos os aspectos da existência têm origem em Deus. Viver é uma função dada por Deus, é uma dádiva de amor. Isaque, pois, armou a sua tenda.

> ...toda noite armo minha tenda portátil,
> um dia de marcha mais perto de casa.
>
> James Montgomery

A peregrinação prosseguiu (ver Hb 11.13). Isaque dispunha de seu poço, a fonte da vida. Minha alma anela pelo ribeiro de águas, o Deus sustentador (ver Sl 42.1). Jesus dá aos homens a água da vida (Jo 4.14). O profeta convidava os homens a vir às águas (Is 55.1). Cf. esta cena, a adoração de Abraão, em Berseba. O episódio com Abraão também envolveu tratos com Abimeleque. Aqui a questão do altar vem antes do surgimento de (outro) Abimeleque em cena (vs. 26 ss.).

TRATOS COM ABIMELEQUE; O PACTO (26.26-33)

Os críticos supõem que temos aqui uma duplicação de Gênesis 21.22-34, embora com algumas modificações na ordem de eventos, e com alguns detalhes diferentes. A história de Isaque, de acordo com alguns, seria mais antiga, mas teria sido injetada na vida de Abraão, de forma não-cronológica. Em ambos os casos temos Abimeleque e Ficol (Picol); mas no segundo relato devemos supor que ambos fossem descendentes das personagens da história relativa a Abraão. Cerca de cem anos separavam os dois eventos, embora os críticos neguem serem cenas diferentes. Os conservadores veem nisso apenas uma repetição natural de eventos, nas vidas de Abraão e Isaque, pois este passou por certas coisas que seu pai também havia experimentado, e com descendentes de pessoas que tinham estado em contato com Abraão. Supõem alguns que esta seção mescle as fontes informativas J e E. Ver o artigo *J.E.P.D.(S.)* quanto à teoria das fontes múltiplas do Pentateuco. Mas há críticos que aceitam a base histórica da narrativa, uma espécie de acordo entre os habitantes de Berseba e os filisteus vizinhos, incluindo a questão do poço, tão importante nas regiões desérticas. Ver no *Dicionário* os artigos *Poço* e *Cisterna*.

26.26

וַאֲבִימֶ֕לֶךְ הָלַ֥ךְ אֵלָ֖יו מִגְּרָ֑ר וַאֲחֻזַּת֙ מֵֽרֵעֵ֔הוּ וּפִיכֹ֖ל שַׂר־צְבָאֽוֹ׃

Abimeleque. Ver o artigo sobre esse nome no *Dicionário*, e também ideias adicionais sobre ele em Gênesis 20.2 e 21.22 ss. Quanto à ideia de tolerância religiosa, ver especialmente Gênesis 20.18.

Ausate. No hebraico, *possessão*. Ele era amigo de Abimeleque II, de Gerar, que cuidou dele em sua visita a Isaque (Gn 26.26). No seu caso, encontramos a primeira instância de uma personagem não-oficial, chamada *amigo* ou *favorito* do rei. No Brasil, Dom Pedro I teve o seu Chalaça, o seu valido. Provavelmente, ele agia como conselheiro do rei. Jerônimo, seguido por vários intérpretes, pensava que Ausate era o nome de um grupo de amigos, ou conselheiros, e não de um indivíduo isolado. Os Targuns dos judeus especulam quanto a uma *companhia*. A Septuaginta chama-o de *paraninfo*, um ajudante geral, ou, mais especificamente, aquele que conduzia a noiva até a casa do noivo. Mas esse sentido, como é óbvio, é estreito demais para o presente texto, embora alguns pensem que um paraninfo acompanhava Abimeleque por este ter-se casado recentemente.

Ficol (Picol). Ver Gênesis 21.22. Os críticos supõem que esteja em pauta uma só pessoa, a mesma que figurara no relato sobre Abraão (cap. 21) e agora viera tratar com Isaque. Ver as notas de introdução a este versículo, quanto à alegada *duplicação* envolvida. É possível que esteja em pauta outro Ficol, talvez um descendente daquele mencionado no capítulo 21. Ou, então, Ficol seria um *título* de algum comandante militar, que passava de um militar para outro.

O trecho de Gênesis 26.26 é paralelo ao de Gênesis 21.22, mas os relatos que se seguem são distintos. Nesse caso, há um paralelo com Gênesis 21.25, onde coincidem as questões dos poços e do pacto, na tentativa de obter condições de paz.

26.27

וַיֹּ֤אמֶר אֲלֵהֶם֙ יִצְחָ֔ק מַדּ֖וּעַ בָּאתֶ֣ם אֵלָ֑י וְאַתֶּם֙ שְׂנֵאתֶ֣ם אֹתִ֔י וַתְּשַׁלְּח֖וּנִי מֵאִתְּכֶֽם׃

Por que viestes a mim...? "Vós me expulsastes do vosso meio." As palavras de Isaque referiam-se aos maus-tratos que havia recebido em face de sua crescente abastança e poder (vs. 14), como também por causa dos vários incidentes que tinham envolvido poços (vss. 15 ss.). O vs. 16 registra especificamente o pedido para Isaque ir-se embora dentre os filisteus. E mesmo depois disso, Isaque continuara a ser molestado (vss. 20,21). O rei, ao que tudo indica, precisou decidir se teria paz ou se faria guerra. E resolveu manter a paz, um acontecimento raro. Isaque, o homem de paz, aceitou a abordagem pacífica e firmou um novo acordo, conforme os versículos seguintes o mostram.

26.28

וַיֹּאמְרוּ רָאוֹ רָאִינוּ כִּי־הָיָה יְהוָה עִמָּךְ וַנֹּאמֶר תְּהִי נָא אָלָה בֵּינוֹתֵינוּ בֵּינֵינוּ וּבֵינֶךָ וְנִכְרְתָה בְרִית עִמָּךְ:

O Senhor é contigo. Abimeleque havia estado a meditar sobre a pendência. E percebeu que estivera errado ao permitir (ou ordenar) que seus homens perseguissem Isaque. *Qualquer um* poderia notar que Deus estava dando prosperidade a Isaque. Ver os vss. 13 e 14. Seria um erro lutar contra Deus. Ademais, aquele que abençoasse a Abraão (e a Isaque) seria abençoado (Gn 12.3 e 27.29). Essa era uma das provisões do *Pacto Abraâmico* (ver as notas a respeito em Gênesis 15.18, bem como a quarta seção do artigo *Pactos*). Acresça-se que Isaque se tornara um homem rico e poderoso, e lutar contra ele poderia ocasionar muita perda sob a forma de propriedades e de homens. A paz era o curso mais *sábio*.

Senhor. No hebraico, *Yahweh*. Parece indicar que Abimeleque também estava envolvido no Yahwismo, ou, pelo menos, que tinha grande respeito pela fé de Isaque. Ver esse nome divino explicado no *Dicionário*.

Juramento. Um paralelo de Gênesis 21.23,24. Naquele texto, Abimeleque estivera preocupado com a sua *posteridade*, e não somente com um relacionamento presente. Esse aspecto desaparece no presente texto. Ver as notas no trecho paralelo, quanto a detalhes.

26.29

אִם־תַּעֲשֵׂה עִמָּנוּ רָעָה כַּאֲשֶׁר לֹא נְגַעֲנוּךָ וְכַאֲשֶׁר עָשִׂינוּ עִמְּךָ רַק־טוֹב וַנְּשַׁלֵּחֲךָ בְּשָׁלוֹם אַתָּה עַתָּה בְּרוּךְ יְהוָה:

Também não te havemos tocado. Sim, tinha havido perseguições e eles haviam entulhado os poços de Isaque. Mas não lhe fizeram nenhum dano físico. Poderiam ter atacado de surpresa Isaque e sua gente, eliminando todos. Em lugar disso, porém, tinham-no mandado embora sem nenhum dano físico. Esse foi um bom argumento. Novamente é aludida a incomum prosperidade de Isaque. Abimeleque quis tirar proveito disso.

"...sua prosperidade dava a entender que o Senhor o estava abençoando, contínua e constantemente... e isso induziria Abimeleque e os seus nobres a buscarem cultivar com ele amizade e boas condições de relacionamento" (John Gill, *in loc.*). Assim também, décadas depois, Labão quis ter Jacó por perto, porquanto era tão obviamente abençoado por Deus, e ele desejava compartilhar dessas bênçãos (Gn 30.27).

26.30

וַיַּעַשׂ לָהֶם מִשְׁתֶּה וַיֹּאכְלוּ וַיִּשְׁתּוּ:

O Acordo é Reafirmado. Houve uma festa para celebrar a confirmação do acordo que tinha sido feito com Abraão. Ver o trecho paralelo em Gênesis 21.22 ss. É tradicional que as pessoas se reúnam para festejar quando têm algo de significativo para celebrar. Até mesmo as formaturas acadêmicas são assim celebradas.

O "banquete" provavelmente incluiu um sacrifício especial, conforme também se vira em Gênesis 15.9 ss., onde a questão é comentada. Esse sacrifício serviu para confirmar, de modo solene e simbólico, o acordo.

26.31

וַיַּשְׁכִּימוּ בַבֹּקֶר וַיִּשָּׁבְעוּ אִישׁ לְאָחִיו וַיְשַׁלְּחֵם יִצְחָק וַיֵּלְכוּ מֵאִתּוֹ בְּשָׁלוֹם:

Juraram de parte a parte. Um contrato verbal obrigatório, testemunhado por todos os presentes, que ratificava o acordo. Provavelmente, os poços passariam a ser usados pelos homens de Isaque e pelos homens de Abimeleque. Isso evitou a guerra. E ambos os lados da questão puderam prosperar.

"Levantar-se cedo era o costume geral entre os primeiros habitantes do mundo, sendo essa uma das causas que contribuía para sua saúde e longevidade" (Adam Clarke, *in loc.*). Esse pequeno detalhe é mencionado com frequência no livro de Gênesis. Ver 19.2,27; 21.14; 22.3; 28.18 e 31.55.

ISAQUE EM BERSEBA (26.32,33)

Combinando este texto com os vss. 1-11 deste capítulo, veremos que Isaque migrara de Beer-Laai-Roi para Berseba, tendo feito uma pausa em Gerar. Assim, ele tinha associações com os altares desses dois lugares, santuários devotados a Yahweh. O vs. 33 informa-nos de que a própria Berseba recebera seu nome por causa de certas circunstâncias da vida de Isaque. Contudo, Gênesis 21.33, ao que parece, liga a fundação de Berseba a Abraão. Os críticos veem nisso o *alinhavo de tradições*, supondo que episódios atribuídos a Abraão na verdade tinham acontecido com Isaque, ou, em alguns casos, o contrário. Mas os eruditos conservadores encaram isso apenas como eventos similares na vida do pai e do filho. No tocante a Berseba, talvez Isaque tenha refeito o que Abraão tinha feito, pois os lugares mencionados eram importantes para ambos.

Uma lição que não podemos perder de vista é que o Yahwismo foi estabelecido na vida de Abraão e de Isaque, o que significa que uma nova fé religiosa estava lançando raízes, a qual se tornaria a fé da emergente nação de Israel. O monoteísmo dos israelitas estava tomando forma. Havia a unificação da nação sob um único Deus, um significativo acontecimento histórico e espiritual.

26.32

וַיְהִי בַּיּוֹם הַהוּא וַיָּבֹאוּ עַבְדֵי יִצְחָק וַיַּגִּדוּ לוֹ עַל־אֹדוֹת הַבְּאֵר אֲשֶׁר חָפָרוּ וַיֹּאמְרוּ לוֹ מָצָאנוּ מָיִם:

Nesse mesmo dia... lhe disseram: Achamos água. Ou seja, no dia em que Abimeleque e seus nobres partiram de volta. O sucesso veio de imediato, e a prosperidade estava aumentando. Quanto à importância de um bom suprimento de água nos lugares desérticos, ver no *Dicionário* os verbetes *Poço* e *Cisterna*.

Dois antigos poços foram descobertos em Berseba. Assim, não há certeza se o poço aqui mencionado seria um novo poço, ou, então, aquele que Abraão, cem anos antes, mandara cavar, mas que os filisteus tinham entulhado. Os críticos supõem que o poço em pauta fosse o poço de Isaque, mas que o episódio tenha sido transferido para a vida de Abraão, no capítulo 21 do Gênesis.

26.33

וַיִּקְרָא אֹתָהּ שִׁבְעָה עַל־כֵּן שֵׁם־הָעִיר בְּאֵר שֶׁבַע עַד הַיּוֹם הַזֶּה: ס

Seba. No hebraico, *juramento*, referindo-se ao pacto feito entre Isaque e Abimeleque, no dia em que essa água foi achada. Berseba, pois, significa "poço do juramento", e a cidade recebeu esse nome com base nessa circunstância.

Berseba. Ver o artigo detalhado sobre esse local no *Dicionário*. O trecho de Gênesis 21.31 dá-nos os mesmos pormenores acerca de nomes dados a lugares, como aqui; mas ali está em pauta a vida de Abraão, cem anos antes. Ver as notas introdutórias ao vs. 32 quanto a uma declaração sobre os problemas envolvidos. Os eruditos conservadores veem aqui renovação e confirmação. Os estudiosos liberais veem apenas mistura de tradições.

ESAÚ DESAGRADA A SEUS PAIS (26.34,35)

Esaú Era Homem de Decisões Erradas. Havia perdido seu direito de primogenitura da maneira mais ridícula (Gn 25.29 ss.). Em seguida, casou-se de uma maneira que seus pais não aprovavam e contra o bom senso. Ele escolheu suas noivas dentre as mulheres heteias, em vez de seguir o exemplo de Abraão e procurar esposa entre a sua gente (ver o capítulo 24). É significativo que ao relato da aquisição de uma noiva, por parte de Isaque, dera-se longa atenção. O fato de Esaú ser polígamo não era contrário à antiga moralidade; mas ter-se ele casado *fora* de seu clã foi um desastre. Isso não só complicava as heranças e a continuidade da tribo, mas também tinha implicações religiosas, pois trazia elementos indesejáveis à vida de todos. Dou notas minuciosas sobre essas questões em Gênesis 24.3, sob o título *Casamentos Mistos*, que faz uma aplicação moderna ao incidente. O que fica entendido nestes versículos é que Esaú (entre outras razões) não herdou a promessa por ter obtido *esposas estrangeiras*. Estes versículos, pois, são paralelos de Gênesis 25.21-24 e 27.1-40.

Há outras implicações nestes versículos. A nação de Israel estava sendo formada em Isaque e em Jacó. Por meio de Israel viria a revelação divina e a mensagem espiritual. E daí viria o Messias, o Filho maior de Abraão. Isso não poderia ser conseguido se houvesse mistura de sangue com os hititas, que nada tinham a ver com o propósito divino. Assim, Esaú perdeu o seu direito dentro desse propósito divino, ainda que nem por isso tenha sido esquecido por Deus. Deus tinha preparado para Esaú um caminho inferior, mas continuava com ele.

Neemias repreendeu severamente os judeus que se tinham casado com mulheres não-israelitas. Foram forçados divórcios (Ne 13.25). Os Macabeus, tempos depois, lutaram para preservar a identidade de Israel contra obstáculos avassaladores. No cristianismo, essa questão foi transferida para a fé religiosa, e não se resume a fatores raciais, porque, em Cristo, todas as nações são *uma* só (ver Gl 3.28). Isso foi uma mudança revolucionária, mas que só teve lugar depois que o Messias tinha vindo ao mundo, através da nação de Israel. Então o próprio Pacto Abraâmico assumiu suas dimensões maiores, espirituais e universais, e, de modo significativo, *todas as nações* foram unidas em torno desse pacto e abençoadas pelo Messias. Ver Gálatas 3.14 ss.

■ **26.34**

וַיְהִ֤י עֵשָׂו֙ בֶּן־אַרְבָּעִ֣ים שָׁנָ֔ה וַיִּקַּ֤ח אִשָּׁה֙ אֶת־יְהוּדִ֔ית בַּת־בְּאֵרִ֖י הַֽחִתִּ֑י וְאֶת־בָּ֣שְׂמַ֔ת בַּת־אֵילֹ֖ן הַֽחִתִּֽי׃

Quarenta anos de idade. Esaú, tal como seu pai, Isaque (Gn 25.20), casou-se com essa idade, provavelmente por mera coincidência.

Judite. No hebraico, *judia* ou *louvada*. Esse é o nome de duas pessoas no Antigo Testamento. Uma delas é esta esposa de Esaú. Ela era filha de Beeri, um heteu. Nada sabemos acerca dela exceto o que transparece neste texto. É possível que, através dessa união, Esaú quisesse aumentar seu poder de influência. Ou, talvez, ela apenas fosse uma bela garota.

A outra pessoa com esse nome é a personagem central do livro de Judite (que, a rigor, não faz parte do Antigo Testamento, por ser um dos livros apócrifos). Ofereço uma descrição mais completa desse livro na *Enciclopédia de Bíblia, Teologia e Filosofia*. Ver no *Dicionário* o verbete *Hitita*.

Basemate. Esse é o nome de três pessoas no Antigo Testamento. Ver sobre as três no *Dicionário*. No hebraico, esse nome significa *fragrante*. Uma das esposas de Esaú tinha esse nome. Ela era filha de Elom, um heteu ou hitita. *Ada*, outra das esposas de Esaú, provavelmente era irmã de Basemate (Gn 36.4). Mas alguns estudiosos identificam as duas como uma só supondo que a mesma mulher tivesse dois nomes. O trecho de Gênesis 36.3 diz que Basemate era filha de Ismael. Nenhuma solução foi ainda encontrada para essa discrepância, embora muitas tenham sido propostas. Há mesmo quem pense que Esaú se casou com duas jovens do mesmo nome, embora filhas de homens diferentes. Isso é possível, mas não pode ser provado. Mas a questão não se reveste de grande importância, ainda que haja aqui uma verdadeira discrepância. Seja como for, o trecho de Gênesis 36.2 nos dá uma lista mais longa de esposas de Esaú. Ver também Gênesis 28.9.

Elom. Três pessoas são assim chamadas no Antigo Testamento, e também uma cidade. Ver no *Dicionário*. O Elom do presente texto era pai de *Basemate*, uma das esposas de Esaú. Nada de significativo é sabido sobre esse homem, exceto o que depreendemos do texto. O significativo é que ele era visto como intruso na pureza da família de Abraão, e que ele e suas filhas foram causa de muita preocupação mental para Isaque e Rebeca. Ver a nota de introdução ao vs. 34.

O *Targum de Jonathan* assevera que Elom e seus familiares eram idólatras, com costumes contrários ao habitual na família patriarcal, e provavelmente isso é correto. Não se tratava apenas de uma questão racial. Esse Targum também destaca a rebeldia de Esaú quanto a esse particular. Isaque e Rebeca não lhe permitiram casar-se sem protesto. "Esaú estava longe de ser um homem espiritual, e suas esposas eram totalmente carnais" (Adam Clarke, *in loc.*). Esaú violou o princípio lançado por Abraão (Gn 24.3); perdeu seu direito à primogenitura e se pôs fora do escopo da promessa divina, da qual resultaria a vinda do Messias.

■ **26.35**

וַתִּהְיֶ֖יןָ מֹ֣רַת ר֑וּחַ לְיִצְחָ֖ק וּלְרִבְקָֽה׃ ס

Amargura de espírito. Temos aí a velha história de filhos que causam tristeza a seus pais, por causa de maus casamentos. Algumas vezes, os filhos ou as filhas têm razão, ao passo que seus pais são preconceituosos, eivados de falsos padrões. Mas usualmente os pais é que estão com a razão. No caso desses versículos, os casamentos de Esaú com as mulheres heteias só trouxeram confusão, visto que a idolatria e costumes pagãos lançavam o caos na família patriarcal.

"... essa conduta de Esaú apenas serviu para prepará-lo para sua rejeição final e para a perda de seu direito de primogenitura. Esses dois versículos (o anterior e o presente), com toda a razão, poderiam ser postos no começo do capítulo 27" (Ellicott, *in loc.*).

CAPÍTULO VINTE E SETE

JACÓ (27.1—36.43)

JACÓ TRAPACEIA O IRMÃO E OBTÉM A BÊNÇÃO DE SEU PAI (27.1-46)

Quanto a esta seção, os críticos veem uma mistura das fontes informativas *J* e *E*. Ver no *Dicionário* o artigo chamado *J.E.D.P.(S.)*, quanto à teoria das fontes múltiplas do Pentateuco. Observando o intercâmbio dos nomes divinos (Yahweh e Elohim), eles veem um padrão intrincado de mistura de fontes. Os eruditos conservadores, por sua vez, veem apenas o intercâmbio de nomes divinos por um único autor.

O relato bíblico informa-nos que Jacó (apesar de não ser o filho primogênito) obteve para si mesmo (com sua astúcia) o direito de primogenitura, que legalmente pertencia a seu irmão Esaú (o primogênito). Ver a nota detalhada sobre os direitos dos filhos primogênitos e suas vantagens, em Gênesis 25.31. Ver também, no *Dicionário*, o verbete *Primogênito*. Tal como em Gênesis 25.27-34, por extensão, esta seção conta por que Israel foi favorecido acima dos idumeus.

A Bênção Paterna. Havia algo de místico quando um pai abençoava seus filhos, onde havia profecias. Acreditava-se que um homem, em seu leito de morte, podia prever eventos significativos, e as pesquisas quanto às funções psíquicas confirmam isso. Quando desce a cortina da vida, sobe outra cortina. Naquele momento, a alma é liberada até certo ponto, podendo ver coisas que de outro modo estariam ocultas. O evento registrado neste capítulo teve um sentido especial, por estar envolvido o destino de nações, e não só de indivíduos. Ver o vs. 4 deste capítulo quanto a detalhes do poder da bênção de um homem moribundo.

Outra importante consideração é: "Como seria projetado o Pacto Abraâmico?" (ver as notas em Gn 15.18). "Qual dos netos levaria avante esse pacto?" O texto responde: *Jacó*. O texto mostra-nos o *modus operandi* dessa escolha, ainda que, sem dúvida, a vontade divina já houvesse determinado a questão.

■ **27.1**

וַיְהִי֙ כִּֽי־זָקֵ֣ן יִצְחָ֔ק וַתִּכְהֶ֥יןָ עֵינָ֖יו מֵרְאֹ֑ת וַיִּקְרָ֞א אֶת־עֵשָׂ֣ו ׀ בְּנ֣וֹ הַגָּדֹ֗ל וַיֹּ֤אמֶר אֵלָיו֙ בְּנִ֔י וַיֹּ֥אמֶר אֵלָ֖יו הִנֵּֽנִי׃

Isaque Velho e Cego. Chega o dia final de todo indivíduo. A juventude cede lugar à idade avançada, com todas as suas complicações. Lembro-me do dia em que me formei no colegial, faz quarenta anos, mas isso parece que foi ontem. Isaque, velho e cego, tinha passado a sua vida, prenhe de bênçãos, dignidade e abundância material. Agora o palco passava a ser preenchido por seus filhos. O que eles fariam? A vida deles estaria à altura da vida de seu pai? Levariam avante a tradição da família? Isaque, já cego, estava prestes a tomar uma importante decisão. Ele daria a sua bênção paterna. Estava prestes a fazer uma escolha errada, mas Deus haveria de corrigir as coisas. Usualmente, quando erramos, as coisas não correm bem. Ocasionalmente, um erro humano é usado por Deus, fazendo-o redundar em bem.

O homem reluta em enfrentar a brevidade da vida. Uma vida longa é desejável, o que comentei em Gênesis 5.21. No entanto, a brevidade da vida é uma realidade constante que precisamos enfrentar. E mesmo uma longa vida é muito breve. Comento sobre isso em Gênesis 25.7. Ouvimos falar de um homem que morreu sem deixar testamento e exclamamos: "Que estupidez!" Mas resta-nos alguma vontade final? Ninguém aprecia a morbidez de deixar no papel o que gostaria que fosse feito com suas coisas, depois da morte. Um diretor da British Broadcasting Corporation disse que tinha ouvido mais de seiscentos sermões pelo rádio, mas apenas *um* deles falava sobre a *morte*. É importante morrer bem e deixar nossas bênçãos para filhos e filhas. É importante passar adiante a nossa herança espiritual, e não apenas bens materiais. "Quantos pais têm um *testamento espiritual* que, acima de tudo mais, querem transmitir para os seus filhos?" (Walter Russell Bowie, *in loc.*).

O Material Conduziu ao Espiritual. Isaque gostava das caças que Esaú lhe trazia. Agora, pois, prestes a morrer, ele queria ter mais uma refeição deliciosa preparada por Esaú. Isaque comeria, abençoaria e morreria. Mas Jacó estava interessado na *bênção*, razão pela qual se fez presente, por insistência de Rebeca. A refeição redundaria em tristeza para Isaque e Esaú, e alegria para Rebeca e Jacó. Eram cumplicidades humanas que tinham produzido dissensão e separação, mas Deus estava fazendo valer a sua vontade em meio às tortuosidades humanas.

Abraão tivera de fazer a divisão entre Isaque e Ismael (Gn 21.11,12), embora ao preço de grande dor. Agora, Isaque enfrentava uma situação similar, entristecendo-se pelo que tinha de ser feito. Mas a providência divina estava operando, sendo este um dos principais temas do livro de Gênesis. Ver no *Dicionário* o verbete *Providência de Deus*.

Envelhecido. Agora Isaque estava com 137 anos, e Esaú e Jacó tinham cerca de 77, embora os intérpretes não concordem com essa exatidão. Mas Isaque continuou vivendo por muito tempo depois desse incidente, talvez quarenta anos, até a volta de Jacó de Padã-Arã. Ver Gênesis 35.27-29. Isaque faleceu aos 180 anos.

■ 27.2

וַיֹּאמֶר הִנֵּה־נָא זָקַנְתִּי לֹא יָדַעְתִּי יוֹם מוֹתִי:

Não sei o dia da minha morte. Embora longa, a vida é muito breve (ver as notas em Gn 25.7). Mas quando um homem está idoso (Isaque estava com 137 anos), estabelece-se uma nova maneira de pensar. Muitas pessoas começam a tomar vitaminas e aspirina, para combater (ou adiar) o inevitável. Ainda recentemente, vi uma dama tomar oito pílulas durante o almoço, e fui informado que, em *outras* refeições, ela tomava *mais* pílulas! Ela queixava-se de que as pílulas, que supostamente deveriam devolver a cor de seus cabelos, não estavam funcionando. De fato, afinal de contas, *nada dá certo*. Conforme dizia um amigo meu: "Você tenta impedir a morte tomando várias medidas; e, então, de súbito, pam! ela o apanha de alguma maneira inesperada". Isso é morbidez, exceto pelo fato de que Deus está conosco, e ele é o Senhor da vida e da morte. Precisamos depositar fé nesse fator. A imortalidade da alma é uma certeza. Ver no *Dicionário* o artigo *Alma*. É mais importante viver bem do que viver longamente.

Isaque estava envelhecido e cego. Talvez alguma enfermidade crônica tenha tomado conta dele. Logo, ele não sabia quantos *dias* ainda lhe restavam de vida. Por certo não esperava viver mais quarenta anos, mas a graça de Deus concedeu-lhe esse tempo. Senhor, concede-nos tal graça!

■ 27.3

וְעַתָּה שָׂא־נָא כֵלֶיךָ תֶּלְיְךָ וְקַשְׁתֶּךָ וְצֵא הַשָּׂדֶה וְצוּדָה לִּי צֵידָה

Aljava. Talvez tenhamos aqui uma tradução correta, posto que o termo hebraico correspondente seja duvidoso quanto ao seu sentido. Vem de uma palavra que significa "pendurar", provavelmente indicando algo que fica pendurado no ombro. Uma aljava é um receptáculo para flechas. Sua proximidade com a palavra *arco* facilita interpretarmos o seu significado.

Apanha para mim alguma caça. Esaú sempre servira bem a Isaque. Não podemos esquecer as boas qualidades que havia em Esaú. Sua especialidade era a caça, o que para ele era um meio de suprir-se de alimentos, sem falar no prazer da caça. Feliz é o homem que pode combinar o que ele faz para sobreviver com satisfação. Pouquíssimos têm esse privilégio. Ver Gênesis 25.27, que nos diz que Esaú era um *perito caçador*, um homem do campo, em contraste com Jacó, que preferia permanecer em sua tenda ou cuidando de seus rebanhos.

Caça. Não "veado", como dizem algumas traduções. Havia lebres, cabras monteses e outros animais selvagens para serem caçados, mas uma ou duas espécies de veado também eram possíveis. Rebeca tentou (e com sucesso) duplicar o gosto da caça possível com a carne dos cabritos (vs. 9).

■ 27.4

וַעֲשֵׂה־לִי מַטְעַמִּים כַּאֲשֶׁר אָהַבְתִּי וְהָבִיאָה לִּי וְאֹכֵלָה בַּעֲבוּר תְּבָרֶכְךָ נַפְשִׁי בְּטֶרֶם אָמוּת:

Comendo e Abençoando. Isaque fez uma espécie de acordo informal: uma boa refeição de carne em troca da bênção paterna. Ele apreciava aquela carne especial *e* amava Esaú, desejando que aquele fosse um dia feliz. Apesar de sua tristeza diante do casamento de Esaú com as mulheres heteias (Gn 26.34,35), sua atitude de pai não havia mudado. Ver sobre a *bênção paterna* nas notas de introdução ao primeiro versículo deste capítulo.

E te abençoe. Temos aí o poder da palavra de um homem moribundo. Isaque estava prestes a abençoar a seu filho mais querido, Esaú. E isso "de todo o coração", conforme o texto dá a entender. No hebraico temos aqui "e minha alma te abençoe". A palavra para "alma" (no hebraico, *nephesh*), naqueles dias, não tinha nenhuma conotação de substância ou entidade *imaterial* que sobrevive à morte do corpo. Essa foi uma ideia vinculada à alma em um período posterior da teologia dos hebreus. Ver no *Dicionário* o artigo chamado *Alma*. As palavras "antes que eu morra" dão a entender uma cena de leito de morte, embora Isaque tenha continuado a viver por mais quarenta anos, depois disso (ver o vs. 1, último parágrafo).

Parece que havia a crença de que a refeição o fortaleceria de tal modo que ele poderia transferir toda a sua força dinâmica para Esaú, na bênção que haveria de proferir. Havia a crença na *eficácia especial* das palavras ou da bênção final de um homem moribundo, conforme se vê também em Gênesis 48.10-20; 49.1-28; 50.24; Deuteronômio 33; Josué 23; 2Samuel 23.1-7; 1Reis 2.1-4; 2Reis 13.14-19. Pensava-se que essa palavra final de um homem moribundo aproximava-se da própria palavra divina, dotada de seu próprio poder e capacidade de cumprimento. Daí, essa palavra era buscada com diligência.

Acordos e Refeições. Parece que toda variedade de acordos eram feitos mediante uma "refeição conjunta", um símbolo de comunhão, que mostrava a boa vontade em qualquer acordo. Bênçãos e maldições faziam parte desses acordos. Alguns supõem que Isaque haveria de proferir algo parecido com um juramento, em um pacto, à semelhança do que Abraão também fizera. Isso talvez envolvesse uma refeição junto com Esaú. Mas este ponto parece exagerar as exigências do texto.

■ 27.5

וְרִבְקָה שֹׁמַעַת בְּדַבֵּר יִצְחָק אֶל־עֵשָׂו בְּנוֹ וַיֵּלֶךְ עֵשָׂו הַשָּׂדֶה לָצוּד צַיִד לְהָבִיא:

O Plano de Rebeca. Parecia ter sido por um golpe de sorte que Rebeca ouviu o pedido e a promessa de Isaque a Esaú. Ela também acreditava na eficácia da palavra e da bênção de um homem moribundo e ansiava por substituir Esaú por Jacó. Isso garantiria a este um destino superior. Mas também havia a possibilidade de o plano falhar, e de que Isaque, em sua ira (por haver sido enganado), viesse a proferir uma maldição contra Jacó (vs. 13). A maldição de um homem moribundo por certo seria tão potente quanto uma bênção sua. Jacó temia, mas Rebeca tinha um segundo plano. Se Jacó fosse desmascarado, ela tinha um segundo plano: ela sofreria a maldição, porquanto fora a instigadora do primeiro plano.

Esaú tinha partido para caçar, pelo que havia urgência nas ações. Era preciso agir agora; enganar agora; suplantar agora!

■ 27.6

וְרִבְקָה אָמְרָה אֶל־יַעֲקֹב בְּנָהּ לֵאמֹר הִנֵּה שָׁמַעְתִּי אֶת־אָבִיךָ מְדַבֵּר אֶל־עֵשָׂו אָחִיךָ לֵאמֹר:

Executando o Conluio. Rebeca traçou o plano ali mesmo; e logo o plano estava rolando; Jacó temia, mas cooperava.

A Dama Virtuosa Não Era Muito Virtuosa. O capítulo 24 pinta uma Rebeca virtuosa, bondosa e pronta a servir. Mas estes versículos mostram-na a instigar Jacó a um ato corrupto. Ela foi a causa de que seu marido, Isaque, fosse vítima de engodo e traição. E levou seu filho amado a realizar um ato lamentável, que dividiu a família e causou muito sofrimento. Jacó precisou enfrentar os quase 800 km de viagem até Padã-Arã, onde residia Labão, irmão de Rebeca. Ali Jacó ficaria durante vinte anos.

Devido a uma inexplicável omissão, não há registro algum da morte de Rebeca. Mas sabemos, em Gênesis 49.31, que ela foi sepultada na caverna de Macpela, sendo provável que tenha falecido antes de Isaque. Embora Deus tenha contornado a situação, fazendo que a bênção, por decreto divino, fosse dada a Jacó, ele não precisaria da ajuda de Rebeca para fazer isso. Deus dispõe de mais recursos do que ter de depender da astúcia de uma mulher.

■ 27.7

הָבִיאָה לִּי צַיִד וַעֲשֵׂה־לִי מַטְעַמִּים וְאֹכֵלָה וַאֲבָרֶכְכָה לִפְנֵי יְהוָה לִפְנֵי מוֹתִי:

Este versículo duplica os vss. 3 e 4, onde o leitor deve ver as notas expositivas. Aqui Rebeca usa o nome divino *Senhor* (no hebraico, *Yahweh*). A bênção seria "diante do Senhor", como é natural, embora Isaque não tenha falado especificamente nesse sentido. Talvez haja uma reminiscência, nessa palavra, do *Pacto Abraâmico*, feito entre Abraão e o Senhor. Isso deve ter fortalecido o apelo de Rebeca a seu filho, Jacó. Era como se ela tivesse dito: "Não percas a oportunidade de ser abençoado como o foi Abraão, e de participar de seu pacto!" Contudo, talvez isso seja injetar algo que não faz parte do texto sagrado.

■ 27.8

וְעַתָּה בְנִי שְׁמַע בְּקֹלִי לַאֲשֶׁר אֲנִי מְצַוָּה אֹתָךְ:

Vamos! Obedece! Põe em execução o plano que te estou dando. "A autoridade do afeto de uma mãe pode redundar no bem de um homem: mas se for mal utilizada, pode envolver esse homem no mal, e, então, ele terá de pagar um alto preço" (Walter Russell Bowie, *in loc.*). Ela forçou Jacó a tomar uma decisão que envolveu grande sofrimento, e isso durante vários anos dali por diante. Ela despertou a fúria de Isaque e forçou seu amado filho, Jacó, a dar início a um longo exílio. Isso criou uma rachadura na família, que não foi curada enquanto ela viveu. "Ela exigiu dele a obediência filial" (John Gill, *in loc.*). Mas aquela foi uma ocasião em que ele não deveria ter dado ouvidos à sua mãe.

■ 27.9

לֶךְ־נָא אֶל־הַצֹּאן וְקַח־לִי מִשָּׁם שְׁנֵי גְּדָיֵי עִזִּים טֹבִים וְאֶעֱשֶׂה אֹתָם מַטְעַמִּים לְאָבִיךָ כַּאֲשֶׁר אָהֵב:

Dois bons cabritos. Não eram os animais selvagens que Esaú haveria de trazer, mas Rebeca, decidida a enganar, conseguiria fazer uma boa imitação. Jacó tinha rebanhos e seria fácil arranjar os cabritos. Jarchi disse-nos que o gosto da carne de cabrito é parecido com a carne do veado ou do gamo, e assim, com um pouco de tempero, Isaque poderia ser enganado. O antílope seria um dos animais selvagens que Esaú haveria de caçar. Assim, se os cabritos fossem chamados de antílopes, Isaque não notaria a diferença. Pessoas enganadoras sempre têm seu estoque de cabritos, que podem substituir antílopes.

■ 27.10

וְהֵבֵאתָ לְאָבִיךָ וְאָכָל בַּעֲבֻר אֲשֶׁר יְבָרֶכְךָ לִפְנֵי מוֹתוֹ:

Para que a coma, e te abençoe. Ver o vs. 4 quanto ao poder da palavra de um homem moribundo, de acordo com as crenças antigas. Ali, dou uma lista de referências bíblicas ilustrativas. Rebeca fez o que ela pensou ser melhor para ela e para Jacó, o que ela presumia ser melhor para todos. Ela tinha razão quanto aos seus sentimentos, mas estava errada quanto aos seus métodos. Ela praticou o mal a fim de trazer o bem, uma antiga prática. O modo relativista de pensar diz: "O que funciona é bom". Na *Enciclopédia de Bíblia, Teologia e Filosofia*, ofereço artigos sobre o *Pragmatismo* e sobre o *Relativismo*, que ilustram as bases filosóficas dos atos de Rebeca, naquela ocasião.

■ 27.11

וַיֹּאמֶר יַעֲקֹב אֶל־רִבְקָה אִמּוֹ הֵן עֵשָׂו אָחִי אִישׁ שָׂעִר וְאָנֹכִי אִישׁ חָלָק:

Jacó Previu Possíveis Problemas. Isaque estava virtualmente cego, mas podia *tatear*. Seria inevitável que ele viesse a *tocar* em seu amado filho Esaú; e, então, o ludíbrio seria descoberto. É triste quando a inteligência é posta para trabalhar em favor do mal.

Jacó teve sentimentos corretos ao tentar evitar o conluio, mas seus sentimentos foram fracos demais para evitar isso. Ele tinha *mais medo* de ser apanhado do que de praticar o mal. Algumas pessoas pensam que o erro só ocorre quando a pessoa má é apanhada no ato. Em contraste com isso, Platão pensava que a pior coisa que pode acontecer a um homem é fazer ele uma maldade mas não vir a ser castigado por isso. Sob tal circunstância, a própria alma da pessoa se vê corrompida, e isso é pior do que qualquer retrocesso material.

■ 27.12

אוּלַי יְמֻשֵּׁנִי אָבִי וְהָיִיתִי בְעֵינָיו כִּמְתַעְתֵּעַ וְהֵבֵאתִי עָלַי קְלָלָה וְלֹא בְרָכָה:

O Logro Redundaria em Maldição. Se a trama fosse descoberta, Isaque ficaria consternado, para dizer-se o mínimo. E, então, poderia proferir uma maldição contra o enganador. Sem dúvida, a maldição de um homem moribundo seria tão potente quanto a sua bênção, pelo que consequências drásticas poderiam ser esperadas. De acordo com as crenças antigas (o que é ilustrado no quarto versículo deste capítulo), questões extremamente sérias estavam em jogo. Jacó seria o pior dos enganadores, por ter tirado proveito da cegueira e da enfermidade de seu idoso pai. "Maldito aquele que fizer o cego errar o caminho. E todo o povo dirá: Amém" (Dt 27.18).

■ 27.13

וַתֹּאמֶר לוֹ אִמּוֹ עָלַי קִלְלָתְךָ בְּנִי אַךְ שְׁמַע בְּקֹלִי וְלֵךְ קַח־לִי:

Caia sobre mim essa maldição. Rebeca estava disposta a sofrer uma maldição lançada por Isaque, seu marido, *se* o plano dela falhasse. Frederick W. Robertson, um dos maiores pregadores ingleses de todos os tempos, fez uma poderosa afirmação sobre a conduta de Rebeca nesse episódio: "Vemos aqui a idolatria da mulher: ela sacrificou seu marido, seu filho mais velho, todo princípio superior, sua própria alma, e tudo por uma *pessoa idolatrada*... Não nos enganemos. Ninguém jamais amou demais a filho, irmão ou irmã. O que compõe a idolatria não é a intensidade da afeição, mas sua interferência na verdade e no dever. Rebeca amou a seu filho mais do que à verdade... mais do que Deus... O único afeto verdadeiro é aquele que se subordina a um afeto maior... Comparemos, por exemplo, o amor de Rebeca por Jacó com o amor de Abraão por seu filho, Isaque. Abraão esteve prestes a sacrificar seu filho, por amor ao dever. Mas Rebeca sacrificou a verdade e o dever por amor a seu filho. Quem amou mais a seu filho? Quem teve o amor mais nobre?" (*Sermons on Bible Subjects*).

Assumindo as Consequências. Outro problema aqui era que Rebeca simplesmente estava *equivocada*. Não havia como tomar sobre si mesma algo que fosse dirigido contra Jacó. Isaque cuidaria para que Jacó recebesse o que merecia. Havia uma falha séria em seu raciocínio. Toda maldade está alicerçada sobre alguma falácia. Conforme disse Robertson: "Cuidado com os afetos que se importam mais com a felicidade do que com a honra".

Rebeca confiaria no oráculo divino que lhe fora dado por ocasião do nascimento de seus filhos? Nesse caso, talvez ela tivesse alguma razão por não acreditar que Jacó seria amaldiçoado. Ver Gênesis 25.23. Aquela profecia pode tê-la feito confiar no bom resultado do conluio. Há nisso um profundo mal: o uso da fé religiosa a fim de dar respaldo a um ato errado.

A Maldição da Situação. O plano funcionou. Isaque não amaldiçoou nem Jacó nem Rebeca. Mas a *situação* foi uma desgraça para ambos, e mãe e filho tiveram de separar-se. Jacó foi para o exílio. E a família de Isaque dividiu-se.

Poço Oriental, *Smith's Bible Dictionary*.

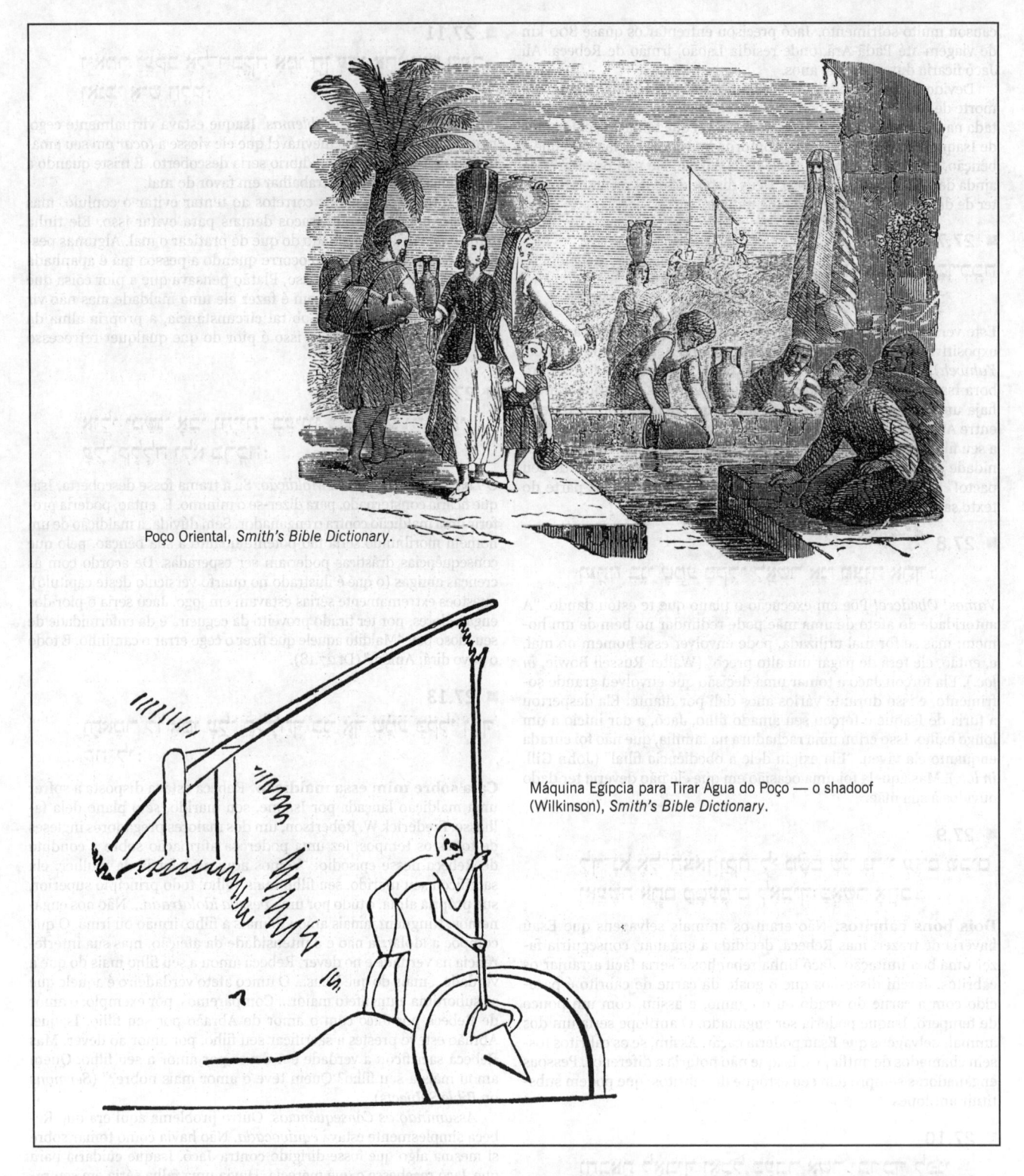

Máquina Egípcia para Tirar Água do Poço — o shadoof (Wilkinson), *Smith's Bible Dictionary*.

■ **27.14**

וַיֵּלֶךְ וַיִּקַּח וַיָּבֵא לְאִמּוֹ וַתַּעַשׂ אִמּוֹ מַטְעַמִּים כַּאֲשֶׁר אָהֵב אָבִיו:

Jacó Obedeceu ao Conselho Errado. A sua consciência ainda tentou, mas não conseguiu deter o plano. Ele obedeceu à voz de sua mãe. A maioria dos pecados ocorre porque obedecemos a alguma voz errada. Algumas vezes, essa voz é de um *amigo* ou *parente*. Há muitas pessoas prontas a encorajar-nos a praticar algum mal. Algumas pessoas regozijam-se em ver o mal de outrem; elas praticam o mal, encorajam à prática do mal e têm prazer no mal (Rm 1.32). Algumas vezes, a voz que nos instiga a fazer o mal é a voz das *circunstâncias*, quando somos encorajados a fazer aquilo que nos dê alguma vantagem imediata. É então que ignoramos os princípios. Mas também há uma voz corrupta que fala *dentro de nossa alma*. A corrupção interior está sempre conosco, impelindo-nos à maldade. Ver o sétimo capítulo de Romanos quanto a uma longa diatribe de Paulo contra a sua própria corrupção interior.

■ **27.15**

וַתִּקַּח רִבְקָה אֶת־בִּגְדֵי עֵשָׂו בְּנָהּ הַגָּדֹל הַחֲמֻדֹת אֲשֶׁר אִתָּהּ בַּבָּיִת וַתַּלְבֵּשׁ אֶת־יַעֲקֹב בְּנָהּ הַקָּטָן:

A melhor roupa de Esaú. Só o melhor traje serviria para a ocasião, visto que um *grande* ludíbrio estava sendo pespegado. A cena toda é doentia. Esaú estava fora, procurando servir a seu pai. Mas Rebeca, usando *as roupas dele*, separava um filho de seu pai e provocava tristeza geral. O odor característico de uma pessoa apega-se às suas vestes. E isso seria mais verdadeiro ainda no caso de um caçador, quando as roupas provavelmente não eram lavadas com frequência. Isaque estava quase cego, mas tinha bom olfato. Ele haveria de tocar e cheirar. Essas roupas quase certamente eram feitas de peles de animais. Todos os elementos necessários ao ludíbrio estavam presentes. Era impossível que falhasse. Contudo, ainda que tudo tivesse sido bem planejado, nada poderia purificar o mal da ação. Um pecado excelente continua sendo pecado. O cinema e a televisão glorificam pecados excelentes. As pessoas pecam com classe, e outras pessoas as admiram.

Esaú não guardaria suas roupas na tenda de Rebeca. Portanto, ela teve de ir até a tenda *dele*, ou à tenda de uma de suas mulheres, para conseguir a tal roupa. Ela precisou *roubar* a fim de dar apoio a seu plano.

Os intérpretes judeus perverteram o texto, ao dizerem que essa roupa de Esaú seria uma veste sacerdotal, supondo que Esaú costumava usá-la em suas práticas idólatras. Outra fábula dessas diz que Esaú havia roubado essa veste (que tinha pertencido a Adão), que havia sido usada por Ninrode, e que ele tivera de matar seu dono para ficar com a roupa.

■ **27.16**

וְאֵת עֹרֹת גְּדָיֵי הָעִזִּים הִלְבִּישָׁה עַל־יָדָיו וְעַל חֶלְקַת צַוָּארָיו׃

Com a pele dos cabritos. O fato de que Jacó não era homem peludo não constituía problema. Peles de animais imitariam a pele do cabeludo Esaú. Isaque talvez tocasse em suas mãos. Nesse caso, ele teria de tocar em pelos. Talvez passasse os braços em torno de seus ombros. Nesse caso, teria de sentir pelos. "Nos países de clima quente, a pele dos animais é muito menos espessa e peluda do que nos países de clima frio, e algumas espécies de cabras orientais são famosas por sua lã fofa e sedosa... Em Cântico dos Cânticos 4.1, os cabelos da esposa são comparados ao pelo das cabras" (Ellicott, *in loc.*). Cf. 1Samuel 19.13,16.

■ **27.17**

וַתִּתֵּן אֶת־הַמַּטְעַמִּים וְאֶת־הַלֶּחֶם אֲשֶׁר עָשָׂתָה בְּיַד יַעֲקֹב בְּנָהּ׃

A Provisão Fina. Rebeca já havia preparado a refeição com a carne dos cabritos. A imitação era excelente. Ela pôs a comida nas mãos de Jacó. E ele a aceitou de bom grado, apoiando e confirmando o ludíbrio. Eles eram cúmplices no engano; e as vítimas eram membros amados da própria família deles. Com frequência, é de nossos familiares que recebemos os golpes mais devastadores. Ver no *Dicionário* o verbete intitulado *Engano, Enganar*. "...nada disponhais para a carne, no tocante às suas concupiscências" (Rm 13.14).

■ **27.18**

וַיָּבֹא אֶל־אָבִיו וַיֹּאמֶר אָבִי וַיֹּאמֶר הִנֶּנִּי מִי אַתָּה בְּנִי׃

Jacó Fez a Parte que lhe Cabia. Rebeca fizera "bem" a sua parte. Jacó também teria um "bom" desempenho? Ele é que se aproximaria de Isaque; a ele cabia a finalização do plano. Sua mãe dependia dele para que o crime fosse perfeito! Ficamos muito chocados quando vemos, nos jornais ou na televisão, como alguns pais usam seus filhos na prática de crimes. No entanto, bem aqui, na Bíblia, uma das matriarcas de Israel envolveu-se nesse tipo de conduta! Jacó é visto aqui a seguir o truque sugerido por sua mãe, e isso com uma habilidade inescrupulosa. O vs. 20 nos entristece de modo especial. Jacó chegou a dizer que o Senhor o tinha ajudado.

Quem és tu, meu filho? Talvez Isaque tenha suspeitado de estar sendo ludibriado, ou, talvez, tivesse apenas querido ter certeza de que era Esaú, para que abençoasse a quem de direito. Essa pergunta foi repetida mais adiante (vs. 24). Isaque estava sendo cauteloso, pois queria que seu filho primogênito recebesse a bênção maior, conforme fazia parte do costume local. Ver no *Dicionário* o artigo *Primogênito*, e também as notas sobre Gênesis 25.31.

■ **27.19**

וַיֹּאמֶר יַעֲקֹב אֶל־אָבִיו אָנֹכִי עֵשָׂו בְּכֹרֶךָ עָשִׂיתִי כַּאֲשֶׁר דִּבַּרְתָּ אֵלָי קוּם־נָא שְׁבָה וְאָכְלָה מִצֵּידִי בַּעֲבוּר תְּבָרֲכַנִּי נַפְשֶׁךָ׃

Sou Esaú. Ver no *Dicionário* o verbete *Mentir (Mentiroso)*. Algumas pessoas mentem por puro esporte. A maioria mente para obter alguma vantagem. A mentira causa tristeza a outras pessoas, como neste caso. Isaque e Esaú ficariam vencidos pela tristeza. Esaú clamou com um amargo choro, e Isaque estremeceu (vss. 33 e 34). Mas a dor deles nada significou para Jacó e Rebeca. Sempre haverá angústia no pecado, quando estamos pecando, e somos capazes de esquecer esse aspecto da questão.

Jacó sabia o que Isaque havia dito a Esaú, e, segundo *parecia,* tinha satisfeito o desejo de Isaque. A evidência era avassaladora, mas falsa.

Assenta-te, e come. Os hebreus sentavam-se para comer, conforme nós fazemos. Os romanos é que se reclinavam. Ver no *Dicionário* o artigo *Refeições (Banquetes)*, quanto a completas informações e ilustrações. Cf. 1Samuel 20.25.

Calmet (*in loc.*) descreveu como Jacó usou de todos os artifícios a fim de enganar seu pai: 1. mediante suas palavras enganadoras; 2. mediante seus atos; 3. mediante suas roupas. Alguns intérpretes mostram-se ridículos aqui, procurando desculpar os atos de Jacó e Rebeca. Mas Deus não precisa de nossa ajuda para fazer concretizar os seus propósitos. Deus não se sente obrigado a nada, diante de nossas ofensas.

Para que me abençoes. Ver o vs. 4. Assim previa o acordo feito entre Isaque e Esaú. Primeiro, Esaú ofereceria uma refeição de carne de caça a seu pai; depois, Isaque abençoaria Esaú. Jacó apressou-se a mencionar essa parte do trato. Para isso ele estava ali.

■ **27.20**

וַיֹּאמֶר יִצְחָק אֶל־בְּנוֹ מַה־זֶּה מִהַרְתָּ לִמְצֹא בְּנִי וַיֹּאמֶר כִּי הִקְרָה יְהוָה אֱלֹהֶיךָ לְפָנָי׃

Como... a pudeste achar tão depressa...? O falso "Esaú" tinha feito tudo em pouquíssimo tempo. E isso deixara Isaque admirado. Mas Jacó atribuiu tudo ao Senhor, dando-lhe o crédito pela pseudo--realização. Quão fácil é atribuir ao Senhor as coisas mais triviais, por meio do teísmo popular. Os hebreus honravam de tal modo o nome divino que lavavam as mãos antes de escrevê-lo. Temiam proferir o nome *Yahweh,* pelo que criaram uma combinação dos nomes Yahweh e Adonai, tornando-o "Jeová", para terem um nome divino que pudessem pronunciar. Mas muitos crentes dizem de forma tão frívola: "Oh, meu Deus!" E isso por qualquer razão. Essa é uma maneira de tomar o nome de Deus em vão. Jacó tomou o nome de Deus em vão. Muitos religiosos modernos tornam-se culpados dessa frivolidade. Não honramos em nada ao Senhor quando dizemos: "O Senhor disse-me isto ou aquilo", para então falarmos de coisas banais nas quais o Senhor nunca se meterá. O teísmo (ver a respeito no *Dicionário*) exprime uma grande verdade, mas o teísmo popular, com frequência, é degradante. "A caçada foi providencial", disse Jacó de maneira ridícula. Faz-me lembrar do pregador que viu (de uma janela de sua casa) alguém abalroar seu carro, que estava estacionado diante da casa. E disse ele: "Não sei por que, Senhor, quiseste que o *teu* carro fosse destruído!" Um caso claro de teísmo popular.

"...outra falsidade. A refeição não havia sido preparada por Deus, mas por sua mãe..." (John Gill, *in loc.*). Assim também sucede a muitos de nós, que dizem: "O Senhor, o Senhor", como se fosse ele a causa de qualquer coisa que fantasiemos ou façamos. Deveríamos dizer, nesses casos: "Eu, eu, eu!"

Conforme pensam alguns estudiosos, talvez nessa pergunta de Isaque transpareça alguma suspeita da parte dele. Nesse caso, ele expressou a dúvida por quatro vezes (vss. 20, 21, 22 e 24).

■ **27.21**

וַיֹּאמֶר יִצְחָק אֶל־יַעֲקֹב גְּשָׁה־נָּא וַאֲמֻשְׁךָ בְּנִי הַאַתָּה זֶה בְּנִי עֵשָׂו אִם־לֹא׃

Chega-te aqui, para que eu te apalpe. Isaque queria confirmar se era mesmo Esaú. Mas Rebeca também tinha tomado providência para essa eventualidade. Uma maldade esperta continua sendo uma maldade. Isaque parece ter suspeitado, mas sua investigação nada descobriu de errado.

■ **27.22,23**

וַיִּגַּשׁ יַעֲקֹב אֶל־יִצְחָק אָבִיו וַיְמֻשֵּׁהוּ וַיֹּאמֶר הַקֹּל קוֹל יַעֲקֹב וְהַיָּדַיִם יְדֵי עֵשָׂו:

וְלֹא הִכִּירוֹ כִּי־הָיוּ יָדָיו כִּידֵי עֵשָׂו אָחִיו שְׂעִרֹת וַיְבָרֲכֵהוּ:

A voz é de Jacó. Os gêmeos, mais do que meros irmãos, têm vozes muito parecidas. Mas Isaque pôde perceber a diferença. Porém deu mais valor a seu toque do que a seu ouvido. Este versículo tornou-se o instrumento para expressar coisas que "parecem" ser uma coisa mas, na verdade, são outra, ou seja, casos dúbios que suscitam dúvidas. Livros escritos no nome de algum bom autor, mas que na realidade não foram escritos por ele, como os livros pseudepígrafos do Antigo e do Novo Testamento, "têm a voz de Jacó, mas as mãos de Esaú".

E o abençoou. A bênção aparece nos vss. 27-29, uma espécie de pequeno oráculo que descreve, em termos latos, as características e o futuro do homem abençoado. As crenças antigas supunham que a bênção ou a maldição de um homem moribundo (especialmente de um pai, ao abençoar seus filhos) tinham um poder especial e muito eficaz. Comentei sobre isso no quarto versículo deste capítulo.

Supomos que Isaque tivesse em mente as provisões do *Pacto Abraâmico* (ver as notas a respeito em Gn 15.18), e não apenas as coisas que ele proferiu na ocasião, embora o texto não nos diga isso.

■ **27.24**

וַיֹּאמֶר אַתָּה זֶה בְּנִי עֵשָׂו וַיֹּאמֶר אָנִי:

És meu filho Esaú mesmo? A dúvida de Isaque persistia. Isaque solicitou outra averiguação de identidade. Novamente Jacó mentiu, fazendo-se passar por seu irmão gêmeo, o que já tínhamos visto e comentado nos vss. 18 e 19. Jacó agora estava próximo do sucesso, mais ou menos como fazem os alegados "grandes" atletas que obtêm maior energia por meio de substâncias químicas proibidas. Nesses casos, os grandes tornam-se pequenos. "Ali estava Isaque, dando-nos pena por sua perturbação, procurando assegurar-se de que o filho diante de si era o Esaú que ele tanto amava. Também houve uma bênção dada para outro, até onde ia o desejo de Isaque, embora estivesse obedecendo ao destino" (Walter Russell Bowie, *in loc.*).

■ **27.25**

וַיֹּאמֶר הַגִּשָׁה לִּי וְאֹכְלָה מִצֵּיד בְּנִי לְמַעַן תְּבָרֶכְךָ נַפְשִׁי וַיַּגֶּשׁ־לוֹ וַיֹּאכַל וַיָּבֵא לוֹ יַיִן וַיֵּשְׁתְּ:

Carne e Vinho. Eles (Esaú e Isaque) tinham feito um acordo: primeiro Esaú ofereceria uma refeição a seu pai; e então Isaque abençoaria Esaú. Ver os vss. 3 e 4. Presumivelmente, *Esaú* tinha cumprido a sua parte, mas era um *falso Esaú* que agora aguardava ansiosamente pela bênção. O cego e enfermo Isaque sentou-se à mesa servida com a "caça". Seu coração estava apertado. Mas isso em nada importava a Jacó.

■ **27.26**

וַיֹּאמֶר אֵלָיו יִצְחָק אָבִיו גְּשָׁה־נָּא וּשְׁקָה־לִּי בְּנִי:

Dá-me um beijo, meu filho. O texto faz-nos lembrar a traição de Judas, que osculou a fim de trair a Jesus (Lc 22.48). Ver no *Dicionário* o verbete intitulado *Beijo*. O beijo era uma preparação solene para a doação de uma bênção: filho e pai juntos, o pai impelido para proferir o oráculo abençoador; a presença de Deus com ele, impulsionando-o; um filho a esperar anelantemente pela palavra, com a autoridade mesma da Palavra divina.

■ **27.27**

וַיִּגַּשׁ וַיִּשַּׁק־לוֹ וַיָּרַח אֶת־רֵיחַ בְּגָדָיו וַיְבָרֲכֵהוּ וַיֹּאמֶר רְאֵה רֵיחַ בְּנִי כְּרֵיחַ שָׂדֶה אֲשֶׁר בֵּרֲכוֹ יְהוָה:

Beijou... aspirou o cheiro. A ordem normal era: beijar e falar. Mas Isaque beijou, cheirou e falou. O cheiro do campo removeu suas dúvidas (expressas nos vss. 20, 21, 22 e 24). Estudos científicos recentes mostram que o sentido do olfato é mais forte (embora, com frequência, muito sutil) do que se supõe no homem, pois várias de suas reações são influenciadas por esse sentido. Como é claro, o que Isaque fez nada teve que ver com a ciência. Ele conhecia o cheiro do campo, e seu rapaz, Esaú, era um homem do *campo*, ao passo que seu outro rapaz, Jacó, cheirava mais a ovelhas. "Não o cheiro de ovelhas, mas do campo..." (John Gill, *in loc.*). Isaque pôde identificar o aroma do campo, com suas ervas fragrantes, flores e outras coisas agrestes. Certos aromas fazem parte da nossa nostalgia, bem como de nossa vida diária.

O cheiro do campo, que o Senhor abençoou. É dali que procede a frutificação necessária para sustentar a própria vida. Assim, Isaque deu início à sua bênção lembrando isso e desejando que seu filho, "Esaú", prosperasse de forma fragrante, tal como seus amados campos de caça eram lugares agradáveis e abençoados pelo próprio Deus.

■ **27.28**

וְיִתֶּן־לְךָ הָאֱלֹהִים מִטַּל הַשָּׁמַיִם וּמִשְׁמַנֵּי הָאָרֶץ וְרֹב דָּגָן וְתִירֹשׁ:

Deus te dê. A bênção teve a forma de um oráculo, e Deus estava por trás dela. A palavra de um homem moribundo era considerada dotada de grande poder, trazendo embutida em si o seu próprio poder de cumprimento. De fato, essa palavra era considerada dotada da autoridade da Palavra divina. Ver o vs. 4 e suas notas quanto a uma descrição dessa antiga crença. Bons pais, de todos os séculos, abençoam seus filhos de maneira formal ou informal, e, naturalmente, suas orações são respondidas. Se os estudos têm mostrado que a genética é um fator importantíssimo, e que as pessoas parecem seguir uma espécie de curso programado, também é verdade que "a oração muda as coisas" e "mais coisas são realizadas através da oração do que este mundo imagina". Ver no *Dicionário* os verbetes intitulados *Oração* e *Bênção*.

Do orvalho do céu. A umidade que causa o crescimento das plantas, o que garante a fertilidade e refrigera a alma. No vs. 39 vemos que Esaú recebeu mais ou menos a mesma coisa quanto a bênçãos temporais, mas Esaú seria subserviente a Jacó, ilustrando assim como Israel conquistaria e sujeitaria os idumeus. Ademais, as bênçãos espirituais por meio do Pacto Abraâmico seguiriam a linha Abraão-Isaque-Jacó, e ainda que o Messias viria abençoar *todas as nações*, através desse pacto, Esaú não seria alijado, embora só recebesse bênçãos secundárias. Todavia, a bênção primária foi dada para garantir a secundária; e em Cristo, o distante Filho de Isaque, todos seriam *um só* (Gl 3.14 ss.).

Da exuberância da terra. Uma terra fértil seria a herança, conferida por Deus. Um território fértil, com a regularidade da semeadura e da colheita, e com a bênção da abundância. A Terra Prometida tinha seus desertos, mas sempre houve territórios férteis para uma agricultura suficiente. O solo da Terra Prometida é naturalmente fértil, mas, além disso, haveria a bênção divina. As chuvas e o solo dali são adequados para uma agricultura abundante, embora seja mister o esforço humano para cuidar das plantações. O solo fértil e as chuvas são símbolos de abundância, nas Escrituras. Ver Deuteronômio 33.13,28; Miqueias 5.7; Zacarias 8.12. Se as chuvas escasseiam, isso leva à esterilidade do solo e à aflição dos homens (2Sm 1.21).

De trigo e de mosto. Os cereais necessários, mas também a satisfação dada por bons vinhos. Os estudos mostram que qualquer bebida alcoólica ingerida mata um certo número de células do cérebro. Mas pelo seu lado positivo, um pouco de bebida alcoólica por dia (com apropriada moderação) diminui a taxa de colesterol no sangue e atua como uma espécie de *calmante* natural. Essa combinação adiciona alguns anos à vida do indivíduo. Ver no *Dicionário* os artigos *Bebida Forte* e *Alcoolismo*. Pessoalmente, continuarei como total abstêmio, pois penso que os malefícios do álcool são maiores do que os seus benefícios. Mas que cada pessoa obedeça aos ditames de sua consciência!

27.29

יַֽעַבְד֣וּךָ עַמִּ֗ים וְיִֽשְׁתַּחֲו֤וּ לְךָ֙ לְאֻמִּ֔ים הֱוֵ֤ה גְבִיר֙ לְאַחֶ֔יךָ וְיִשְׁתַּחֲו֥וּ לְךָ֖ בְּנֵ֣י אִמֶּ֑ךָ אֹרְרֶ֣יךָ אָר֔וּר וּֽמְבָרֲכֶ֖יךָ בָּרֽוּךְ׃

Sirvam-te povos... sê senhor de teus irmãos. Este versículo fala a respeito do domínio sobre nações e sobre a própria família! Os idumeus haveriam de servir aos descendentes de Jacó. Este furtou as bênçãos que Isaque queria dar a Esaú. Não fora isso e poderíamos pensar que Israel é que seria subserviente aos idumeus. Todavia, a promessa é geral. Todos os povos vizinhos de Israel seriam sujeitos. Isso aconteceu, de fato, apenas por um breve período de tempo, especialmente através da conquista da Terra Prometida, e mais tarde, nos dias de Davi e Salomão. Os terríveis cativeiros não foram vistos por Isaque. Ver no *Dicionário* o artigo *Cativeiro (Cativeiros)*. Talvez a profecia tenha tido grande poder e olhado ao longo da estrada do tempo, até a restauração, quando Israel vier a tornar-se cabeça de todas as nações, um tema explorado por Isaías. Quanto a uma aplicação paulina deste versículo, ver Romanos 9.12.

Os filhos de tua mãe. Parte do *Pacto Abraâmico* (comentado em Gn 15.18) é que Abraão teria numerosa posteridade, tornando-se pai de muitas nações. Ele foi o pai de Isaque-Jacó-Israel, mas também de Ismael e dos doze patriarcas de nações árabes; e também de seis filhos com Quetura, que deram mais nações árabes; e, finalmente, da linhagem de Esaú, os edomitas ou idumeus, a qual também se arabizou por meio de casamentos. Mas onde quer que se achassem parentes de Jacó, sem importar de qual nação ou subdivisão da família de Abraão, todos estariam sujeitos a ele. Ver Salmo 2.12; Isaías 60 e Apocalipse 15.4 quanto a provisões ainda futuras que cumprirão as predições deste versículo.

Maldito... abençoado. Aquele que amaldiçoasse Jacó seria amaldiçoado, e aquele que o abençoasse seria abençoado. Isso também é uma provisão do Pacto Abraâmico (Gn 12.3). Naturalmente, não são mencionadas diversas das provisões daquele pacto, pois não temos aqui uma repetição do pacto, mas somente de *partes* dele, que subentendem o *todo*. Ver Gênesis 28.3,4 quanto a como o pacto foi transferido para Jacó.

Portanto, Jacó foi abençoado, mas Esaú perdeu a bênção. "...em um sentido, Rebeca e Jacó *venceram*, embora nada tivessem ganho que Deus não lhes teria dado de qualquer modo; e *perderam* muito" (Allen P. Ross, *in loc.*).

27.30

וַיְהִ֗י כַּאֲשֶׁ֨ר כִּלָּ֣ה יִצְחָק֮ לְבָרֵ֣ךְ אֶֽת־יַעֲקֹב֒ וַיְהִ֗י אַ֣ךְ יָצֹ֤א יָצָא֙ יַעֲקֹ֔ב מֵאֵ֥ת פְּנֵ֖י יִצְחָ֣ק אָבִ֑יו וְעֵשָׂ֣ו אָחִ֔יו בָּ֖א מִצֵּידֽוֹ׃

Chega Esaú. Este mostrara-se expedito em sua caçada; já a havia preparado, e agora chegava ansioso, à presença de seu pai. Porém, *era tarde demais*. "Quão dramático e comovente pode ser o livro de Gênesis!" (Walter Russell Bowie, *in loc.*). O retrato dos atos e das emoções humanas é simples mas profundo. Temos aqui uma história de favoritismo paterno; de como mãe e pai estavam divididos quanto a seus filhos; de como irmão estava separado de irmão; de como o ódio cresceu; de como um filho favorito foi mandado para o exílio; de como prevaleceram anos de miséria (em alguns aspectos da vida). Temos aqui a insensibilidade espiritual ligada com o crasso egoísmo. Mas o elemento amoral mais proeminente são o *ludíbrio* e a *mentira*. Ver no *Dicionário* os artigos *Engano, Enganar*, e *Mentir (Mentiroso)*.

Há ainda outra lição aqui, ou seja, podemos tentar forçar a vontade de Deus a se cumprir, *à nossa maneira* e em *nosso tempo*, quando um pouco de paciência deixaria tudo ao encargo do poder divino. Mas a vontade de Deus, quando o homem intervém, pode ser feita da maneira e no tempo errado. Deus tem seus próprios métodos e seu próprio cronograma.

27.31

וַיַּ֤עַשׂ גַּם־הוּא֙ מַטְעַמִּ֔ים וַיָּבֵ֖א לְאָבִ֑יו וַיֹּ֣אמֶר לְאָבִ֗יו יָקֻ֤ם אָבִי֙ וְיֹאכַל֙ מִצֵּ֣יד בְּנ֔וֹ בַּעֲבֻ֖ר תְּבָרֲכַ֥נִּי נַפְשֶֽׁךָ׃

Come da caça... para que me abençoes. Este versículo duplica o vs. 19, onde são comentados os itens, exceto pelo fato de que agora quem fala é Esaú, e não Jacó. A comida preparada por Esaú era carne genuína de uma caça apanhada no campo, através de um esforço honesto. Jacó trouxera apenas uma imitação. Os intérpretes judeus, que odiavam Esaú mas amavam Jacó, disseram que o primeiro havia abatido um *cão* e o trouxera a seu pai. Isso é ridículo, para dizermos o mínimo.

A Ironia. Esaú trouxe a caça genuína; Jacó, uma fraude. Essa fraude foi consumida por um pai faminto. A caça genuína ficou intocada.

27.32

וַיֹּ֥אמֶר ל֛וֹ יִצְחָ֥ק אָבִ֖יו מִי־אָ֑תָּה וַיֹּ֕אמֶר אֲנִ֛י בִּנְךָ֥ בְכֹרְךָ֖ עֵשָֽׂו׃

Sou Esaú. A voz era mesmo de Esaú. Dessa vez, Isaque não teve dúvidas. Não precisava fazer nenhuma investigação. Ele era Esaú, o filho amado de Isaque; era o filho primogênito; e a bênção deveria ter sido dada a ele. É verdade que tinha perdido a primogenitura mediante um ato tolo e deliberado, mas também havia-se esforçado muito para obter a bênção de seu pai, somente para perdê-la também.

27.33

וַיֶּחֱרַ֨ד יִצְחָ֣ק חֲרָדָה֮ גְּדֹלָ֣ה עַד־מְאֹד֒ וַיֹּ֡אמֶר מִֽי־אֵפ֡וֹא ה֣וּא הַצָּֽד־צַיִד֩ וַיָּ֨בֵא לִ֜י וָאֹכַ֥ל מִכֹּ֛ל בְּטֶ֥רֶם תָּב֖וֹא וָאֲבָרֲכֵ֑הוּ גַּם־בָּר֖וּךְ יִהְיֶֽה׃

Estremeceu Isaque de violenta comoção. A verdade bateu no cérebro de Isaque como um malho, e seu corpo frágil quase não pôde aguentar o golpe. E ficou tremendo da cabeça aos pés. É verdade que ele ficou vexado por haver sido enganado tão vergonhosamente; mas sua agonia derivava-se do fato de que seu filho favorito tinha perdido a bênção. Alguns eruditos pensam que foi então que ele percebeu que vinha resistindo à vontade do Senhor, e que o oráculo que Rebeca havia recebido antes do nascimento dos gêmeos era correto (Gn 25.23), embora nada disso venha à tona neste texto. Mas Isaque estava agora impotente para reverter o que havia sido feito.

"...estava chocado e espantado, tomado por tremores por todo o seu corpo, e, com terror e confusão mental, percebeu a astúcia de Jacó, e sentiu profunda consternação diante do fato de que Esaú havia perdido a bênção" (John Gill, *in loc.*).

27.34

כִּשְׁמֹ֤עַ עֵשָׂו֙ אֶת־דִּבְרֵ֣י אָבִ֔יו וַיִּצְעַ֣ק צְעָקָ֔ה גְּדֹלָ֥ה וּמָרָ֖ה עַד־מְאֹ֑ד וַיֹּ֣אמֶר לְאָבִ֔יו בָּרֲכֵ֥נִי גַם־אָ֖נִי אָבִֽי׃

Esaú... bradou com profundo amargor. Ele havia perdido novamente. Na primeira vez, sua insensatez fê-lo ser um perdedor, mas agora ele era inocente. Seu astucioso irmão, ajudado por uma mãe trapaceira, tinha-lhe aplicado um rijo golpe. Dizem que os homens não choram; mas Esaú chorou incontrolavelmente.

"As rodas do destino tinham ido longe demais! Esaú havia desprezado o seu direito de primogênito em um momento crítico, por sua própria escolha, e isso possibilitou o triunfo de Jacó. Havia sido pesado na balança do julgamento divino e fora achado em falta... ele nunca fora um homem mau, mas mostrava-se indiferente e desprezador quanto aos valores invisíveis (Hb 12.16)" (Walter Russell Bowie, *in loc.*). A Vulgata Latina diz aqui que ele *rugiu como um leão*, um toque pitoresco adicionado ao texto.

27.35

וַיֹּ֕אמֶר בָּ֥א אָחִ֖יךָ בְּמִרְמָ֑ה וַיִּקַּ֖ח בִּרְכָתֶֽךָ׃

E tomou a tua bênção. Jacó, o homem dos truques; o enganador e suplantador. Foi ele quem praticou um ato tão traiçoeiro. A bênção paterna não era a mesma coisa que o direito de primogenitura, embora, como seja óbvio, as duas coisas estivessem ligadas uma à outra. Todavia, ante a perda do direito de primogenitura, a causa de Esaú não estivera ainda perdida. A bênção poderia ser uma espécie de restauração do que fora perdido. Daí ele a ter buscado com tanto afã. É triste quando um presumível homem bom é identificado com um grande mal, quando finalmente se percebe que ele não era o que parecia ser. Naquele momento, ninguém teria nada de bom para dizer acerca de Jacó.

Os intérpretes judeus que tiveram coragem de comentar sobre o que Jacó fez, registraram: "Ele tomou [a bênção] com *sabedoria*".

27.36

וַיֹּאמֶר הֲכִי קָרָא שְׁמוֹ יַעֲקֹב וַיַּעְקְבֵנִי זֶה פַעֲמַיִם אֶת־בְּכֹרָתִי לָקָח וְהִנֵּה עַתָּה לָקַח בִּרְכָתִי וַיֹּאמַר הֲלֹא־אָצַלְתָּ לִּי בְּרָכָה׃

Não é com razão que se chama ele Jacó? Encontramos aqui um jogo de palavras que envolve o nome *Jacó*. A referência é a Gênesis 25.26. Ele era o "agarrador de calcanhares", pois já viera do ventre de sua mãe agarrado ao calcanhar de seu irmão, tentando ultrapassá-lo, assediando-o. Esaú tinha nascido primeiro; mas o astuto Jacó acabou recebendo a primogenitura. Esse nome, naturalmente, tem esse sentido apenas por etimologia popular; pois seu verdadeiro sentido é "que ele (Deus) proteja".

Tirou-me o direito... e agora usurpa. Embora Esaú tivesse *vendido* a Jacó seu direito à primogenitura, ainda assim o ato foi um *roubo*. Pois Jacó tirou proveito da fraqueza momentânea de seu irmão, de um pecado moral. Compete-nos ajudar os fracos, e não tirar vantagem deles (Rm 15.1).

Primogenitura. Ver no *Dicionário* o verbete intitulado *Primogênito*, como também ideias adicionais nas notas em Gênesis 25.31.

A bênção que era minha. Ela é dada com detalhes nos vss. 28 e 29. Essas grandes vantagens deveriam ser de Esaú, mas o destino, divinamente determinado, levou as coisas noutra direção. Não obstante, Esaú receberia uma bênção toda sua (vss. 39,40), posto que secundária, e com elementos negativos. O trecho de Hebreus 11.20 diz que Isaque abençoou Jacó e Esaú em um ato de *fé*, de modo que houve em tudo uma orientação espiritual. Estão envolvidos no caso certos aspectos do Pacto Abraâmico, conforme se vê no vs. 29.

Há um Grande Fundo de Bênçãos. Deus amou o mundo de tal maneira (Jo 3.16) que até os gentios viriam a participar das bênçãos do Pacto Abraâmico (Gl 3.14 ss.). A linhagem Abraão-Isaque-Jacó-Messias ocorreu não meramente para abençoar Israel, o descendente direto, mas para abençoar *todos, por meio de* Israel, que foi nação nomeada como mestra do mundo.

27.37

וַיַּעַן יִצְחָק וַיֹּאמֶר לְעֵשָׂו הֵן גְּבִיר שַׂמְתִּיו לָךְ וְאֶת־כָּל־אֶחָיו נָתַתִּי לוֹ לַעֲבָדִים וְדָגָן וְתִירֹשׁ סְמַכְתִּיו וּלְכָה אֵפוֹא מָה אֶעֱשֶׂה בְּנִי׃

... o constituí em teu senhor. Aquilo que Isaque teria gostado de dar a Esaú, já havia dado a Jacó. Ver o vs. 29, que é o âmago da bênção e contém todos os elementos mencionados neste versículo. Todos seriam subservientes a Jacó, não somente Esaú, mas até os seus futuros descendentes. Seriam reduzidos a confinamento e a taxas. Os idumeus tornaram-se servos de Davi (2Sm 8.13,14). Esses eram fatos que Esaú não poderia cancelar. Contudo, havia um raio de esperança para os seus descendentes (vs. 40); pois conseguiram romper "o jugo" imposto por Israel (2Rs 8.20-22 registra isso). De modo geral, porém, as coisas seriam difícílimas para Esaú e seus descendentes, por causa do predomínio de Israel.

27.38

וַיֹּאמֶר עֵשָׂו אֶל־אָבִיו הַבְרָכָה אַחַת הִוא־לְךָ אָבִי בָּרֲכֵנִי גַם־אָנִי אָבִי וַיִּשָּׂא עֵשָׂו קֹלוֹ וַיֵּבְךְּ׃

Tens uma única bênção, meu pai? Um apelo tocante escapou dos lábios de Esaú. Jacó teria ficado com tudo? Não restaria mais nenhuma bênção? Não admira que Esaú tenha odiado Jacó (vs. 41). O direito de primogenitura só podia pertencer a um filho. Todavia, mais do que um só filho seria abençoado. Mas, visto que Jacó dominaria tudo, Esaú não poderia esperar muita coisa. Esaú tentou escapar dessa triste sorte com *lágrimas*, e lágrimas genuínas.

"...nem haja algum impuro, ou profano, como foi Esaú, o qual, por um repasto, vendeu o seu direito de primogenitura. Pois sabeis também que, posteriormente, querendo herdar a bênção, foi rejeitado, pois não achou lugar de arrependimento, embora, com lágrimas, o tivesse buscado" (Hb 12.16,17).

27.39

וַיַּעַן יִצְחָק אָבִיו וַיֹּאמֶר אֵלָיו הִנֵּה מִשְׁמַנֵּי הָאָרֶץ יִהְיֶה מוֹשָׁבֶךָ וּמִטַּל הַשָּׁמַיִם מֵעָל׃

Traduções Radicalmente Diferentes. Bênção secundária de Esaú, de acordo com certas traduções, inclui as mesmas vantagens temporais dadas a Jacó, no tocante à fertilidade e à abundância, equivalentes ao vs. 28, onde a questão é anotada. Mas a nossa versão portuguesa (como também a versão inglesa RSV) diz aqui: "Longe dos lugares férteis da terra será a tua habitação, e sem orvalho que cai do alto". E isso indica que Esaú seria *privado* até mesmo dessas vantagens temporais. O território de Edom, ocupado por Esaú e seus descendentes, era uma região desértica, e isso se harmoniza com a ideia de privação. A história subsequente mostra-nos que Esaú chegou a *prosperar* (ver Gn 33.9 ss.). Aquele capítulo, incidentalmente, mostra-nos que o amor triunfou no fim (vs. 4). Mas a julgar pela bênção secundária de Esaú, parece que Isaque nada tinha de positivo, para todos os efeitos práticos, para dizer a seu filho desse nome.

27.40

וְעַל־חַרְבְּךָ תִחְיֶה וְאֶת־אָחִיךָ תַּעֲבֹד וְהָיָה כַּאֲשֶׁר תָּרִיד וּפָרַקְתָּ עֻלּוֹ מֵעַל צַוָּארֶךָ׃

Tua espada. Esaú seria homem cercado pela violência, e teria de matar a fim de sobreviver. Mas mesmo assim seria subserviente a Jacó. E outro tanto sucederia a seus descendentes. A história subsequente mostra-nos que isso não se aplicou diretamente a Jacó, mas aos seus descendentes. Davi acabou por subjugá-los (2Sm 8.13,14).

Servirás. Tal como no vs. 29, onde a questão é comentada. Embora fosse irmão gêmeo de Jacó, Esaú seria como um dos filhos de Ismael ou de Quetura.

Os idumeus tornaram-se um povo de incursionistas e saqueadores de caravanas. E isso envolvia o fato de que tinham de viver de sua espada. Todavia, também ocupavam um território hostil ao ser humano, e sempre tiveram de manter-se na defesa, envolvidos em guerras com chefes locais.

O trecho de 2Reis 8.20-22 mostra-nos que os idumeus escaparam temporariamente ao jugo de Jorão, rei de Judá, e isso não muito depois de terem sido derrotados por ele. A situação foi mais tarde revertida de novo, e Edom gozou de um período bastante longo de independência, embora nunca livre de tribulações. Ver no *Dicionário* o artigo *Edom, Idumeus*, quanto a uma nota detalhada que inclui a história geral deles.

Hircano, sobrinho de Judas Macabeu, conquistou o território deles, e eles continuaram subservientes. É uma curiosidade histórica o fato de que os Herodes eram descendentes de idumeus e tiveram um momento de glória nos dias em torno de Jesus, e mesmo depois dele. Ver o artigo sobre os *Herodes* na *Enciclopédia de Bíblia, Teologia e Filosofia*.

RESULTADOS DO ENGANO E DA MENTIRA (27.41-46)

27.41

וַיִּשְׂטֹם עֵשָׂו אֶת־יַעֲקֹב עַל־הַבְּרָכָה אֲשֶׁר בֵּרֲכוֹ אָבִיו וַיֹּאמֶר עֵשָׂו בְּלִבּוֹ יִקְרְבוּ יְמֵי אֵבֶל אָבִי וְאַהַרְגָה אֶת־יַעֲקֹב אָחִי׃

Passou Esaú a odiar Jacó. E não era para menos. Esaú planejava assassinar seu irmão, depois da morte de Isaque. Todavia, essa terrível ameaça acabou por dissipar-se. Jacó foi para o exílio. Esaú conseguiu prosperar. Anos mais tarde, os dois irmãos gêmeos encontraram-se sob condições amistosas (Gn 33.4). O amor triunfou no fim. Os dois irmãos puderam sepultar juntos Isaque (Gn 35.29).

Novamente, Rebeca exigiu de Jacó que obedecesse à sua voz. Mas agora ela o enviava ao exílio, para ele poder escapar com vida. Era para Jacó ficar fora somente por "alguns dias" (vs. 44), mas o astucioso Labão, irmão de Rebeca, conseguiu mostrar-se ainda mais esperto do que Jacó, que até então havia ultrapassado a todos em astúcia. E assim, o que seria alguns dias acabou somando cerca de vinte anos.

Rebeca perdeu o filho querido. Não se ouve mais falar em Rebeca até o seu sepultamento (Gn 49.31). Nem mesmo é relatada a sua morte. Ao que tudo indica, ela nunca mais viu seu filho, excetuando, como é óbvio, do outro lado da porta de Deus que chamamos de morte. Jacó e Rebeca tiveram ambos que pagar caro por sua duplicidade. Jacó não mais pôde enganar a Esaú. Antes, em várias oportunidades, foi enganado por Labão, seu tio por parte de mãe. A lei da colheita segundo a semeadura dominou toda a situação. Ver no *Dicionário* o artigo *Lei Moral da Colheita segundo a Semeadura*. Jacó ainda teria de aprender que ninguém obtém a bênção de Deus por meio do ludíbrio, mas obedecendo ao Senhor.

Vêm... os dias de luto por meu pai. Esaú planejou matar a Jacó, mas somente após a morte de Isaque. Enquanto isso, ele se conteria em sua profunda tristeza. Esaú pensava que Isaque não demoraria a morrer, mas passaram-se mais quarenta anos!

Filhos Pródigos e o Arrependimento. Hebreus 12.16,17 mostra-nos que Esaú buscou arrependimento e reversão, mas não os achou. Isso, naturalmente, não diz respeito à salvação de sua alma, mas somente aos seus privilégios terrenos. O relato neotestamentário do filho pródigo (Lucas 15) mostra-nos que há arrependimento em disponibilidade, mesmo nos casos mais extremos. O homem da história contada por Jesus era jovem, intempestivo e profano. No entanto, obteve lugar de arrependimento e subsequente restauração.

■ **27.42**

וַיֻּגַּ֣ד לְרִבְקָ֔ה אֶת־דִּבְרֵ֥י עֵשָׂ֖ו בְּנָ֣הּ הַגָּדֹ֑ל וַתִּשְׁלַ֞ח וַתִּקְרָ֤א לְיַעֲקֹב֙ בְּנָ֣הּ הַקָּטָ֔ן וַתֹּ֣אמֶר אֵלָ֔יו הִנֵּה֙ עֵשָׂ֣ו אָחִ֔יךָ מִתְנַחֵ֥ם לְךָ֖ לְהָרְגֶֽךָ׃

Algum Informante? Esaú continuou proferindo ameaças. Alguém (que não é identificado) contou a Rebeca os planos de Esaú. E, novamente, ela pressionou Jacó. E outra vez, ele obedeceu. Obteve assim a sua *sentença* por haver tratado com má-fé o seu irmão: teve de submeter-se ao exílio. É um ponto curioso da história, que foi *Rebeca* quem o forçou a cumprir a sentença, a qual, ao mesmo tempo, era uma sentença contra ela. Para Rebeca não foi coisa de somenos separar-se de seu filho querido, isto pelo resto de seus dias.

Consolo no Homicídio. Corrigir uma ofensa mediante a violência era a mentalidade de Esaú, e ele não estava fazendo segredo disso. Cada dia era um dia de homicídio potencial, e Rebeca tratou de evitar a tragédia. Em lugar da pena de morte, Jacó receberia uma pena de vinte anos de exílio. O que fora semeado agora começara a ser colhido: uma dolorosa separação; uma longa viagem ao desconhecido; a perda do próprio lar e da família. Todas as maçãs do diabo têm vermes.

■ **27.43**

וְעַתָּ֥ה בְנִ֖י שְׁמַ֣ע בְּקֹלִ֑י וְק֥וּם בְּרַח־לְךָ֛ אֶל־לָבָ֥ן אָחִ֖י חָרָֽנָה׃

Ouve o que te digo. Tal como no vs. 8, Jacó foi posto sob as ordens de sua mãe. Antes ele havia obtido o que queria, mas agora obtinha o que não queria. Estava sendo traçado um plano que concordava com os propósitos divinos; e Jacó estava sendo arrastado a ele, percebendo que não poderia agir de outro modo. Seu anterior sucesso, ao obedecer a Rebeca, fora doce; mas esse "sucesso" logo se tornou amargo, e agora era mister escapar à execução.

■ **27.44**

וְיָשַׁבְתָּ֥ עִמּ֖וֹ יָמִ֣ים אֲחָדִ֑ים עַ֥ד אֲשֶׁר־תָּשׁ֖וּב חֲמַ֥ת אָחִֽיךָ׃

Fica com ele alguns dias. Jacó acabou ficando mais de vinte anos com seu tio, Labão. Alguns eruditos chegam a falar em quarenta anos. E não há registro de que ele tenha visto novamente sua mãe. Cada pessoa colhe aquilo que semeia (Gl 6.7,8). Ver no *Dicionário* o artigo intitulado *Lei Moral da Colheita segundo a Semeadura*. Ver Gênesis 31.38 quanto a uma indicação cronológica. O exílio de Jacó faria Esaú acalmar-se, mas um elevado preço precisou ser pago em resultado do ludíbrio. Deus poderia ter feito as coisas acontecerem sem a ajuda de atos pecaminosos.

■ **27.45**

עַד־שׁ֨וּב אַף־אָחִ֜יךָ מִמְּךָ֗ וְשָׁכַח֙ אֵ֣ת אֲשֶׁר־עָשִׂ֣יתָ לּ֔וֹ וְשָׁלַחְתִּ֖י וּלְקַחְתִּ֣יךָ מִשָּׁ֑ם לָמָ֥ה אֶשְׁכַּ֛ל גַּם־שְׁנֵיכֶ֖ם י֥וֹם אֶחָֽד׃

O Tempo Cura. Pelo menos isso é o que alguns dizem. O tempo faria Esaú acalmar-se; e então Rebeca mandaria chamar Jacó de volta, ao ver que tudo voltara à normalidade em casa. Ela seria a juíza do tempo. Todavia, não lemos que algum dia ela tenha feito isso. Talvez o seu tempo de vida tenha sido curto, e não o tempo de vida de Isaque. No entanto, Jacó não demorou a ser absorvido na família de Labão; pois se tinha apaixonado por Raquel e se dispôs a fazer qualquer sacrifício por ela. Uma grande mudança ocorrera em sua vida, impedindo que ele voltasse prontamente para casa.

Os meus dois filhos. Ou seja, Esaú e Jacó. Se Esaú matasse Jacó, teria de sofrer as consequências, de acordo com a lei da vingança (Gn 9.6), e também perderia a própria vida. A morte de ambos os filhos era mais do que Rebeca poderia suportar. Ela deveria ter algum amor por Esaú, ao que parece. Estava disposta a rebaixar Esaú abaixo de Jacó, mas não queria perdê-lo.

"Aqueles que tentam santificar os *meios* através dos *fins* acabam perplexos e aflitos. Deus não dará seu apoio, nem mesmo a um culto à divindade, *exceto* se for feito à sua maneira" (Adam Clarke, *in loc.*).

■ **27.46**

וַתֹּ֤אמֶר רִבְקָה֙ אֶל־יִצְחָ֔ק קַ֣צְתִּי בְחַיַּ֔י מִפְּנֵ֖י בְּנ֣וֹת חֵ֑ת אִם־לֹקֵ֣חַ יַ֠עֲקֹב אִשָּׁ֨ה מִבְּנוֹת־חֵ֤ת כָּאֵ֙לֶּה֙ מִבְּנ֣וֹת הָאָ֔רֶץ לָ֥מָּה לִּ֖י חַיִּֽים׃

Aborrecida estou da minha vida. Rebeca estava enfrentando muitas angústias. Ela tinha manipulado o caso de Jacó e Esaú, com resultados desastrosos. Agora, Jacó iria para o exílio. E, então, suas noras (esposas de Esaú) mostraram ser tudo quanto já era esperado que fossem (ver Gn 26.34,35) — terríveis. Os hititas (ver sobre eles no *Dicionário*) tinham outros costumes e outra fé religiosa. Havia muitos fatores irritantes; não havia harmonia nem amor entre os membros da família. "... elas viviam vexando-a e aborrecendo-a com sua impiedade e idolatria, com sua irreligiosidade e conduta profana, com sua desobediência e contradição, com seu temperamento e sua conduta contrários" (John Gill, *in loc.*). George Hodges, de bom humor, disse acerca deste versículo: "Aquelas jovens de Hete me deixam preocupado quase até a morte". Mas para Rebeca a coisa não era engraçada, e surgiram dificuldades domésticas sérias, que corroíam a alma e vexavam a mente. Mais tarde, o povo de Israel, mediante a lei mosaica, teve de separar-se de elementos estrangeiros (embora sempre tenha havido muitos lapsos).

A Desculpa e a Razão. Algumas vezes, desculpas são meras desculpas; mas de outras vezes também são razões. Assim dava-se no caso à nossa frente. Rebeca expôs o seu caso a Isaque. "Envia Jacó à minha família, em Padã-Arã, para que ele consiga esposa ali. Eu não suportaria se ele também se casasse com alguma jovem heteia, conforme fez Esaú, e trouxesse mais dificuldades à nossa família." Desse modo, ela conseguiu a permissão de Isaque quanto ao afastamento de Jacó, salvando-lhe assim a vida, sem dizer qual a razão *real* pela qual ela queria que ele saísse de casa.

Este versículo atua como transição para a narrativa que envolve Jacó em sua associação com Labão, seu tio, ainda que, na Bíblia em hebraico, não haja interrupção entre o fim de nosso capítulo 27 e o começo de nosso capítulo 28.

A História Repete-se. Abraão tinha feito o que Rebeca promovia aqui. Ele tinha mandado buscar uma noiva para Isaque. E essa noiva tinha sido Rebeca. Ver a descrição sobre isso no capítulo 24 de Gênesis. Na introdução a esse capítulo, apresento notas sobre os casamentos *consanguíneos* entre os membros da família de Abraão. Abraão tinha-se casado com sua meia-irmã; Naor (irmão dele) casara-se com uma sobrinha. Isaque casara-se com uma prima. Raquel era a filha mais nova de Labão. E isso quer dizer que Jacó estava destinado a casar-se também com uma prima. E a outra esposa de Jacó, Lia, também era sua prima, sendo irmã de Raquel. As filhas de Labão eram mulheres bonitas, portanto ali era o lugar certo para Jacó buscar esposa!

Jacó partiu sob a bênção de seu pai, Isaque. Ele agora era o herdeiro das promessas divinas feitas originalmente a Abraão (Gn 28.3-5). Assim, ele deu continuidade à linhagem favorecida, de acordo com o *Pacto Abraâmico* (ver as notas a respeito em Gn 15.18).

CAPÍTULO VINTE E OITO

JACÓ FOGE PARA ARÃ E DEUS RENOVA A PROMESSA EM BETEL (28.1-22)

O PACTO ABRAÂMICO É ENTREGUE A JACÓ (28.1-4)

Os críticos pensam que a fonte *P (S.)* foi a base dos vss. 1-9 deste capítulo, e então a partir do vs. 10, até o fim, teria havido uma combinação de informações vindas das fontes *J* e *E*. Ver no *Dicionário* o artigo chamado *J.E.D.P.(S.)*. O capítulo 28 leva-nos de volta ao motivo do capítulo 24, ou seja, como os patriarcas hebreus não podiam misturar-se por casamento com os povos pagãos ao seu derredor. Estava sendo preparada uma linhagem especial para Israel, a nação por meio da qual operaria o Pacto Abraâmico. Ver a exposição sobre Gênesis 15.18, bem como o artigo chamado *Pactos*, quarta seção, no *Dicionário*.

O autor sacro estava interessado em demonstrar como havia uma linhagem firme e mantida desde Abraão, passando por Jacó, e daí até os doze patriarcas. A herança foi passando de geração em geração, isenta de elementos estrangeiros. Os casamentos de Esaú tinham entristecido seus pais (Gn 26.34,35; 27.46). Apesar de todas as suas falhas, Jacó seria diferente, pelo menos quanto a essa questão. Ele faria bons casamentos dentro da família patriarcal. Preservaria assim a fé e as tradições da família.

■ 28.1

וַיִּקְרָא יִצְחָק אֶל־יַעֲקֹב וַיְבָרֶךְ אֹתוֹ וַיְצַוֵּהוּ וַיֹּאמֶר לוֹ לֹא־תִקַּח אִשָּׁה מִבְּנוֹת כְּנָעַן:

Não tomarás esposa dentre as filhas de Canaã. Isaque, à semelhança de Abraão, antes dele, queria um casamento livre de influências pagãs, ensinadas por povos que circundavam a família patriarcal. Ver Gênesis 24.3,4 quanto ao ato e ao desejo de Abraão. Outro casamento, *dentro* da família, teria de ser contratado. Ver as notas de introdução aos capítulos 24 e 28 quanto a esse assunto. Ver explanações sobre a proibição de matrimônio com mulheres cananeias, em Gênesis 24.3. Os cananeus eram um povo mestiço, que incorporava dúzias de grupos e clãs, os quais haviam sido formados por tratados e casamentos mistos. Ver no *Dicionário* o verbete *Canaã, Cananeus*. E sobre *Casamentos Mistos*, as notas em Gênesis 24.3. A manutenção da pureza da linhagem e da lealdade à própria família era importante para Abraão e para os primeiros patriarcas hebreus. Os casamentos envolvem contatos próximos, modificações e transigências. As tradições misturam-se. Abraão queria uma única tradição, bem como o livre fluxo das provisões do seu pacto com Deus.

Jacó Deu Ouvidos ao Bom Conselho. Usualmente, os pais dão bons conselhos a seus filhos. Rebeca teve um lapso (Gn 27.6 ss.), mas agora o conselho que ela dera (reiterado por Isaque) era bom. Havia muitas jovens bonitas e saudáveis entre os cananeus, e elas viviam ali por perto. Mas Jacó encontraria suas esposas, Lia e Raquel, a cerca de 750 km de distância, em Padã-Arã.

Isaque Abençoa e Despede a Jacó. Assim começou uma dolorosa separação de membros da família. A bênção paterna acompanharia Jacó. Agora Jacó era o portador do Pacto Abraâmico, e Isaque lembrou Jacó desse fato. Vemos em Gênesis 26.4,5 que o Pacto Abraâmico havia sido confirmado por Deus com Isaque. Agora, seria confirmado com Jacó. Ver Gênesis 15.18 quanto a notas sobre as várias reiterações desse pacto, no livro de Gênesis.

Jacó tinha 77 anos de idade quando partiu para Harã, e Isaque estava com 137 anos. Jacó nascera quando Isaque estava com 60 anos. Ver Gênesis 27.1 quanto a notas sobre essa particularidade.

■ 28.2

קוּם לֵךְ פַּדֶּנָה אֲרָם בֵּיתָה בְתוּאֵל אֲבִי אִמֶּךָ וְקַח־לְךָ מִשָּׁם אִשָּׁה מִבְּנוֹת לָבָן אֲחִי אִמֶּךָ:

Padã-Arã. Ver sobre essa localidade as notas em Gênesis 25.20.

Betuel. Ver o *Dicionário* sobre esse homem, que era o pai de Rebeca.

Labão. Ver sobre ele o artigo no *Dicionário*. Ele era irmão de Rebeca, tio de Jacó, e pai de Lia e Raquel, com as quais Jacó estava destinado a casar-se. Ver as notas de introdução ao capítulo 24, quanto aos casamentos consanguíneos na família de Abraão. Ver no *Dicionário* o artigo chamado *Incesto*. Naqueles tempos, como parece claro, as atitudes sobre essa questão não eram iguais às refletidas na legislação mosaica (Lv 18 e 20), a qual proibia casamentos entre membros chegados de uma mesma família.

A missão de Jacó era essencialmente a mesma que tinha envolvido o servo de Abraão, que partira em busca de uma noiva para Isaque (Gn 24). Mas Jacó partiu para agir por si mesmo.

"Com alguns poucos acompanhantes de confiança, ele jornadearia até chegar à rota comum de caravanas, que passavam por Damasco e daí iam até Arã, e então, se juntaria a algum grupo de negociantes como escolta e companhia" (Ellicott, *in loc.*).

■ 28.3

וְאֵל שַׁדַּי יְבָרֵךְ אֹתְךָ וְיַפְרְךָ וְיַרְבֶּךָ וְהָיִיתָ לִקְהַל עַמִּים:

Renovação do Pacto Abraâmico. Ver notas completas a respeito em Gênesis 15.18, bem como o artigo *Pactos*, em sua quarta seção, no *Dicionário*.

Deus Todo-poderoso. No hebraico, *El-Shaddai*, um nome divino que é devidamente comentado em Gênesis 17.1. O Deus de poder e de suprimento acompanharia Jacó, cumprindo as provisões do pacto. Deus se mostraria *todo-suficiente* quanto a todas as suas necessidades, materiais e espirituais. Também não haveria falta de poder espiritual, o próprio poder de Deus. A providência divina, por igual modo, haveria de acompanhá-lo. Ver no *Dicionário* o verbete intitulado *Providência*.

Uma multidão de povos. A promessa de uma numerosa posteridade fora feita a Abraão. Ver as notas sobre isso em Gênesis 26.4. Jacó, pertencente à linhagem de Abraão, levaria avante esse propósito. Mais especificamente, a nação de *Israel* emergiria dessa linhagem, e, subsequentemente, o Messias, o Rei das nações, em quem *todos* os povos seriam *um só* (Gl 3.14 ss.).

Multidão. Ou seja, *assembleia* ou *congregação*, talvez indicando Israel como a congregação de Deus.

■ 28.4

וְיִתֶּן־לְךָ אֶת־בִּרְכַּת אַבְרָהָם לְךָ וּלְזַרְעֲךָ אִתָּךְ לְרִשְׁתְּךָ אֶת־אֶרֶץ מְגֻרֶיךָ אֲשֶׁר־נָתַן אֱלֹהִים לְאַבְרָהָם:

A Bênção Pertencia a Jacó. Essa bênção fora dada por Deus a Abraão (Gn 12.1-4; 13.14-17; 15.1-7; 17.1-8; 18.18 ss.). dele, foi transmitida para Isaque (Gn 26.4,5); e agora, de Isaque para Jacó. De Jacó, haveria de passar para os doze patriarcas; e daí para a nação de Israel. E o Messias viria da tribo de Judá, um dos filhos de Jacó. E do Messias seria estendida a bênção a todas as nações da terra (Gl 3.14 ss.).

A Terra Também Pertencia a Jacó. A Terra Prometida era outra provisão do Pacto Abraâmico. Essa questão é comentada em Gênesis 15.18, como primeiro ponto do citado pacto (ver as notas, em seu último parágrafo). Mas antes que Israel tomasse posse da Terra Prometida, teria de sofrer o cativeiro no Egito, o que perdurou por vários séculos. E também, antes que Israel pudesse entrar na Terra Prometida, os povos cananeus que ali habitavam teriam de atingir o limite suportável de sua iniquidade. Essa iniquidade teria de ser *cheia* (Gn 15.16). E então Israel entraria na Terra Prometida a fim de punir aqueles povos por sua iniquidade, tomando as terras dos que se tivessem tornado irreparavelmente maldosos. Dessa maneira, a conquista da Terra Prometida serviria à justiça de Deus, bem como ao cumprimento da promessa divina feita a Abraão.

Uma Pátria Celestial também havia sido prometida, não deste mundo (Hb 11.9,10,13,16); mas ficou reservado ao Novo Testamento falar claramente sobre essa dimensão espiritual do Pacto Abraâmico. Ver também Gálatas 3.15 ss.

■ **28.5**

וַיִּשְׁלַח יִצְחָק אֶת־יַעֲקֹב וַיֵּלֶךְ פַּדֶּנָה אֲרָם אֶל־לָבָן בֶּן־בְּתוּאֵל הָאֲרַמִּי אֲחִי רִבְקָה אֵם יַעֲקֹב וְעֵשָׂו:

A Partida. Somos poupados de acompanhar uma triste separação de membros da família patriarcal. Rebeca estava presente. A falta era dela. Ela havia planejado e ludibriado na questão da bênção de Esaú para Jacó (Gn 27.6 ss.). Tinha obtido sucesso em seu esquema, mas precisou pagar um alto preço por causa disso. Imaginara que Jacó ficaria fora de casa apenas alguns *poucos dias* (Gn 27.44), mas, na realidade, isso se prolongou por cerca de vinte anos ou mais; e ela nunca mais o viu. Ver no *Dicionário* o verbete intitulado *Lei Moral da Colheita segundo a Semeadura*.

Todos os nomes próprios que figuram neste versículo foram comentados algures, conforme se vê no vs. 2. O termo *arameu* é comentado em Gênesis 25.20, onde se descreve a pessoa de *Betuel*. No *Dicionário* ver sobre *Esaú*. Betuel era um *arameu* (ver *Arã, Arameus* no *Dicionário*). Algumas versões chamam-no de "sírio", porque Arã corresponde à Síria nos primeiros livros da Bíblia.

De Berseba a Padã-Arã eram cerca de 750 km, talvez uma viagem de vinte dias, mas não mais de trinta.

■ **28.6**

וַיַּרְא עֵשָׂו כִּי־בֵרַךְ יִצְחָק אֶת־יַעֲקֹב וְשִׁלַּח אֹתוֹ פַּדֶּנָה אֲרָם לָקַחַת־לוֹ מִשָּׁם אִשָּׁה בְּבָרֲכוֹ אֹתוֹ וַיְצַו עָלָיו לֵאמֹר לֹא־תִקַּח אִשָּׁה מִבְּנוֹת כְּנָעַן:

Esaú Busca o Favor Paterno por Meio de Novo Casamento. Ele tinha ignorado os protestos de seus pais acerca de seu casamento com mulheres hititas. Mas agora, vendo que Jacó havia ganho o favor deles, mediante sua obediência na questão do casamento, casou-se também com uma neta de Abraão, através de Ismael. Isso foi uma aliança melhor que os casamentos anteriores, mas ainda estava longe de agradar a seus pais. Ver o vs. 9.

Esaú já tivera de enfrentar vários reveses. Ele tinha perdido seu direito de primogenitura mediante uma grande bobagem; tinha perdido a bênção paterna por culpa do ludíbrio de Jacó; estava em contínuo desfavor diante de seus pais por causa de suas esposas heteias. Agora, procurava *melhorar* a sua situação, casando-se com uma neta de Abraão. Estava começando a perceber que ele mesmo era o culpado pela maioria de suas dificuldades, percepção essa que, para muitas pessoas, requer muitos anos para ser obtida. Parece que, da parte de Esaú, não havia nenhuma intenção de reverter as suas perdas, como, por exemplo, recuperar o seu direito de primogenitura. Ele apenas desejava melhorar sua má situação. É triste quando nos encontramos tentando melhorar uma segunda melhor opção.

■ **28.7**

וַיִּשְׁמַע יַעֲקֹב אֶל־אָבִיו וְאֶל־אִמּוֹ וַיֵּלֶךְ פַּדֶּנָה אֲרָם:

Jacó Obedeceu. Sua obediência fê-lo viajar a Betel, onde passaria por uma profunda experiência mística, que haveria de influenciá-lo pelo resto de seus dias. Agora estava no caminho certo. A obediência fê-lo progredir. E assim chegou em *Padã-Arã* (ver as notas a respeito em Gn 25.20), na casa de Labão, seu tio.

■ **28.8**

וַיַּרְא עֵשָׂו כִּי רָעוֹת בְּנוֹת כְּנָעַן בְּעֵינֵי יִצְחָק אָבִיו:

Isaque Era a Fonte da Bênção. Em consequência, Esaú passou a tentar agradar a seu pai. Deveria ter feito isso desde anos antes. O fator mais irritante era o seu casamento com mulheres de Canaã. E pensou que, se trouxesse uma neta de Abraão à sua tenda, isso haveria de ajudá-lo. Ver Gênesis 26.34,35 e 27.46, quanto ao desprazer de Isaque e Rebeca diante de suas noras por meio de Esaú.

■ **28.9**

וַיֵּלֶךְ עֵשָׂו אֶל־יִשְׁמָעֵאל וַיִּקַּח אֶת־מָחֲלַת בַּת־יִשְׁמָעֵאל בֶּן־אַבְרָהָם אֲחוֹת נְבָיוֹת עַל־נָשָׁיו לוֹ לְאִשָּׁה: ס

Ismael. Ver no *Dicionário* notas expositivas completas sobre ele.

Maalate. No hebraico, *enfermidade*. Era uma das esposas de Ismael. Ela era neta de Abraão, também chamada *Basemate*. Ver o artigo sobre ela no *Dicionário*, segundo ponto. Ao que parece, Esaú tinha duas esposas, ambas chamadas Basemate (ver Gn 26.34 e 36.17). Alguns estudiosos supõem que deva ter havido alguma confusão nos relatos, que duplicaram nomes. Mas não há razão para supormos que casar-se alguém com duas mulheres do mesmo nome fosse algo incomum nos dias de poligamia. Maalate (Basemate) era irmã de Nebaiote (Gn 28.9; 36.3). Maalate tornou-se mãe de *Reuel*, um chefe tribal idumeu (Gn 36.4,10,13; 1Cr 1.35,37).

Nebaiote. Ver as notas expositivas sobre esse irmão de Maalate em Gênesis 25.13. Não sabemos dizer se essa manobra de Esaú fez alguma diferença em sua situação. Pelo menos, ele foi sábio o bastante para tentar melhorar a situação que havia criado, ou que tinha sido criada contra ele por outras pessoas.

JACÓ VAI A BETEL (28.10-22)

Os críticos creem que esta seção é uma mistura das fontes informativas J e E. Ver o artigo *J.E.D.P.(S.)*, no *Dicionário*, quanto à teoria das fontes informativas múltiplas do Pentateuco.

Jacó, o enganador e suplantador, teve aprimorada a sua espiritualidade por meio dessa experiência mística em Betel, o seu contato e comunhão com o anjo do Senhor. Ver no *Dicionário* o artigo *anjo*. Naquele tempo, não sabemos se a teologia dos hebreus tinha avançado o bastante para conceber os anjos como seres imateriais. Pelo menos, porém, havia a crença nos anjos e no fato de que pertenciam a *outra* dimensão. Também não é claro até que ponto a teologia dos hebreus havia avançado no que tange ao *céu*, lugar da habitação de Deus, e, a julgar por este texto, também lugar da habitação de outros seres, como os anjos. Ofereço uma exposição sobre a crença dos antigos em um *céu*, em Gênesis 11.4. Naturalmente, continuamos não sabendo muita coisa sobre o *céu*, embora o Novo Testamento tenha acrescentado alguma informação. Ver no *Dicionário* o verbete chamado *Céu*. A falta de conhecimentos não pode obscurecer o ensino principal do presente episódio: Jacó obteve maior espiritualidade mediante uma experiência mística. Ver no *Dicionário* o artigo chamado *Misticismo*. Jacó passou por uma elevada experiência espiritual, que o transformou. Precisamos do toque místico em nossas vidas. Não basta ler a Bíblia e orar. Precisamos ter acesso à presença divina.

Na experiência de Jacó, temos outra reafirmação do *Pacto Abraâmico*. Jacó já havia recebido o pacto por meio de Isaque (Gn 28.3,4). Mas agora a escada dos anjos levava-o até a *presença* mesma de Deus. E ali foi-lhe reassegurado que tudo quanto fora prometido a Abraão era agora transferido para ele, e que o plano divino não haveria de falhar. Ver Gênesis 15.18 quanto a notas completas sobre o Pacto Abraâmico; e, no *Dicionário*, ver também o artigo *Pactos*, em sua quarta seção.

"Poucas passagens de todo o Antigo Testamento igualam-se a estes seis versículos em sua influência sobre o pensamento religioso. A visão de Jacó acerca da escada e dos anjos — quão incontáveis são as almas que têm sido iluminadas ao meditar a esse respeito! Ela reverbera em orações e hinos evangélicos. Philip Doddridge invocou o

>   Deus de Betel, por cuja mão
>   Teu povo continua sendo alimentado.

Um dos belos hinos no estilo "negro spiritual" diz como segue: "Subimos pela escada de Jacó". E adoradores sem conta têm entoado e continuarão entoando "Perto de ti, meu Deus". Os que buscam Deus identificam-se com o "peregrino", quando o sol se pusera, as trevas tinham descido e ele descansou a cabeça sobre "uma pedra". E desse mesmo pano de fundo é que vem a oração que diz:

>   Mas em meus sonhos, eu estava
>   Mais perto de ti, meu Deus, de ti,
>   Mais perto de ti!

Walter Russell Bowie, *in loc.*

A igreja na qual passei a infância e a juventude chamava-se *Betel*, e ali muitas almas foram transformadas. Enviou inúmeros pregadores e missionários, e durante anos foi a mais potente luz espiritual em Salt Lake City, no estado de Utah, nos Estados Unidos da América.

■ 28.10

וַיֵּצֵא יַעֲקֹב מִבְּאֵר שָׁבַע וַיֵּלֶךְ חָרָנָה׃

De Berseba... para Harã. Há notas sobre esses dois lugares, o primeiro no *Dicionário*; e o segundo em Gênesis 25.20, sob *Padã-Arã*. A viagem era de cerca de 750 km, e exigia vinte dias ou mesmo trinta de jornada. Jacó foi por motivo de obediência, conforme vimos no versículo 7. Primeiramente ele passaria por Betel, onde se encontraria com Deus e seria transformado. Ele deixou Berseba, e também os ludíbrios e fraudes. Chegou em Harã como um homem novo. Ainda teria de enfrentar reveses e tribulações. Em várias ocasiões mostrou-se um fraco. Mas agora estava diferente, tendo sido transformado em um vaso apropriado para tornar-se o progenitor da nação de Israel.

Embora a história de Jacó seja incluída dentro do *toledoth* (geração) de Isaque, começando em Gênesis 25.19 e indo até Gênesis 35.29, em um sentido real, também temos nela o *toledoth* de Jacó, tal como o *toledoth* de Terá era também o de Abraão (Gn 11.27-22.11). Com esse termo hebraico, o autor sagrado assinalou as doze seções do livro de Gênesis, a primeira delas sem essa palavra. Portanto, há onze *toledoth*, que assinalam as divisões mais gerais do livro. Ver a nota geral em Gênesis 2.4 sobre os *toledoth*.

■ 28.11

וַיִּפְגַּע בַּמָּקוֹם וַיָּלֶן שָׁם כִּי־בָא הַשֶּׁמֶשׁ וַיִּקַּח מֵאַבְנֵי הַמָּקוֹם וַיָּשֶׂם מְרַאֲשֹׁתָיו וַיִּשְׁכַּב בַּמָּקוֹם הַהוּא׃

Fê-la seu travesseiro, ou seja, de uma pedra. O viajante estava cansado da viagem. Com a cabeça apoiada sobre uma pedra, dormiu profundamente. O sol já se tinha posto na realidade, mas também metaforicamente. Seu passado estava todo para trás. Deus havia preparado uma experiência muito significativa, que teria notável influência pelo resto de sua vida. Recentemente li sobre um grande cientista do século XVII que, aos 57 anos, passou por uma experiência transformadora. Ele fizera grandes contribuições para a ciência. Mas de súbito começara a ter uma série de estranhos sonhos, cada um dos quais procurava dizer-lhe: "Este era o seu passado; mas veja quão defeituoso foi ele!" Então o homem caiu em um estado de transe por um período de cerca de dez horas. E quase no fim desse período, teve uma visão de Jesus, que lhe dizia: "Que vais fazer com a tua vida?" A sua velha vida, embora cheia de distinção, agora ficava no passado. Esse homem veio a tornar-se um grande líder espiritual, cujos ensinos e escritos ainda exercem influência sobre milhares de pessoas hoje em dia. Assim também, o Senhor apareceu a Jacó, em Betel, e lhe disse: "Que vais fazer com a tua vida?" E Jacó foi da pedra terrena para a escadaria celestial.

A certo lugar. Assim diz nossa versão portuguesa. Mas o original hebraico diz "ao lugar", mostrando que era um lugar definido, o lugar determinado para ele receber sua revelação divina, pois *estava sucedendo por acaso*.

Provavelmente, Jacó tinha tencionado chegar à cidade de Luz, a pouco menos de 80 km de Berseba. Tinha sido uma jornada e tanto para uma caminhada de um único dia. Por isso mesmo, teve de parar no lugar da revelação. Estava em algum ponto fora da cidade. Ver o vs. 19.

Já era sol-posto. Trata-se de uma bela provisão divina quando o sol se põe em alguma parte de nossa vida, para poder surgir no horizonte, projetando os seus raios sobre um novo começo e trazendo um novo dia.

John Gill (*in loc.*) manifestou pena de Jacó. Ele poderia ter apanhado um resfriado, dormindo sobre aquela pedra. Mas concluiu que, em todas as coisas, Jacó estava dentro da providência divina. Ver no *Dicionário* o artigo intitulado *Providência de Deus*.

■ 28.12

וַיַּחֲלֹם וְהִנֵּה סֻלָּם מֻצָּב אַרְצָה וְרֹאשׁוֹ מַגִּיעַ הַשָּׁמָיְמָה וְהִנֵּה מַלְאֲכֵי אֱלֹהִים עֹלִים וְיֹרְדִים בּוֹ׃

E sonhou. Sem sombra de dúvida, alguns sonhos são de natureza espiritual. Há muitos níveis de sonhos, alguns superficiais e outros profundos. Sonhar é uma dádiva divina, e podemos aprender muita coisa através dos sonhos, e isso em *muitas* ocasiões, mesmo que não todas as noites. Mas precisamos aprender sua linguagem e seus símbolos. No *Dicionário,* apresento um artigo detalhado sobre os *Sonhos*. Os jovens têm visões; os velhos têm sonhos (At 2.17). Há sonhos que valem como visões, e ambas essas coisas promovem a nossa espiritualidade. É significativo que os sonhos e as visões usem os mesmos símbolos.

Uma escada, cujo topo... Os pagãos tinham construído uma torre por meio da qual haviam tentado chegar ao céu. Mas fracassaram. Ver Gênesis 11.1-9. Pela graça de Deus, Jacó sonhou com uma escada, e ela levava ao céu. Era a escada de Deus, em contraste com a torre feita pelos homens. O lugar onde Jacó teve sua experiência ficava perto do alto de um cume, ao norte da moderna Beitin, local da antiga Betel.

Atingia. Os anjos do Senhor subiam e desciam por ela. Havia comunicação entre o céu e a terra. Isso ensinava que Deus se fez acessível para nós. Ver Romanos 5.2: Temos *acesso mediante a fé*. Efésios 2.18: Temos acesso pela agência do Espírito. Hebreus 4.16: Temos acesso como parte da herança espiritual que nos foi dada em Cristo. Ver no *Dicionário* o verbete chamado *Acesso*.

Esse incidente mostra que Deus ia com Jacó por onde quer que ele fosse. Mas sua vida foi dramaticamente transformada em Betel. A vida de Jacó seria caracterizada por acesso a Deus e por provisão divina. A providência de Deus o governava. A Jacó competia levar adiante o Pacto Abraâmico (vss. 13 e 14).

O céu e a terra estavam ligados por meio da provisão divina.

Alguns estudiosos percebem três estágios no sonho-visão de Jacó:
- No vs. 12: Havia acesso ao céu; havia intercomunicação.
- No vs. 13: O próprio Senhor estava no alto da escada, à disposição do homem. Ele é que reafirmava o Pacto Abraâmico diante de Jacó, garantindo sua provisão universal em favor do homem.
- No vs. 15: Deus estava com Jacó, a fim de cumprir todas as suas promessas. Jacó não sofreria carência nem fracassaria.

Uso que Jesus Fez Desta Passagem: "Em verdade, em verdade vos digo que vereis o céu aberto e os anjos de Deus subindo e descendo sobre o Filho do homem" (Jo 1.51). E isso porque em Cristo se manifestam a mensagem e a providência de Deus, visando ao bem do homem (Jo 1.1,8,9).

■ 28.13

וְהִנֵּה יְהוָה נִצָּב עָלָיו וַיֹּאמַר אֲנִי יְהוָה אֱלֹהֵי אַבְרָהָם אָבִיךָ וֵאלֹהֵי יִצְחָק הָאָרֶץ אֲשֶׁר אַתָּה שֹׁכֵב עָלֶיהָ לְךָ אֶתְּנֶנָּה וּלְזַרְעֶךָ׃

Perto dele estava o Senhor. Os anjos são meros servos do Senhor (*Yahweh*). Ver sobre esse nome divino no *Dicionário*. Jacó, peregrino e exausto, a dormir com a cabeça apoiada sobre uma pedra, súbita e inesperadamente obteve acesso ao próprio Senhor. Estava longe de casa, mas o Senhor estava com ele, transmitindo-lhe uma notável mensagem de esperança. Há uma ponte que transpõe o abismo entre o céu e a terra. Os homens espirituais sabem disso, mesmo que nunca tenham recebido uma visão confirmatória. Jacó não merecia receber uma visão da parte de Deus. Mas ele estava crescendo; era um homem do destino, em quem o propósito divino estava operando. Seus instintos eram infalíveis. Ele havia desejado intensamente o direito de primogenitura. Seus métodos tinham sido errados; mas ele estava crescendo.

Quando ficamos tão tristes que não poderíamos ficar mais tristes; quando choramos diante de alguma imensa perda, então nosso rosto brilha por causa da luz daquela escada que liga o céu à terra.

A Lição Eterna. O sonho-visão dado a Jacó simboliza a esperança de Israel, a esperança que os acompanhou desde Abraão, atravessando todo o Antigo Testamento, até culminar na pessoa do Messias, Jesus de Nazaré.

Cristo, *o caminho* (Jo 14.6), é a escada em sua dimensão maior. Ele é a ponte que liga o mundo imaterial ao mundo material (ver 1Tm 2.5).

O Senhor, Deus. No hebraico, *Yahweh-Elohim*. Ver sobre esses nomes divinos no *Dicionário*. Esses nomes divinos são aqui acumulados para efeito de ênfase.

Abraão. O Pacto Abraâmico foi firmado com ele: Gênesis 12.1-4; 13.14-17; 15.1-7; 17.1-8; 18.18 ss. e 22.15 ss.

Isaque. O pacto foi confirmado com Isaque (Gn 26.4,5,24).

Jacó. O pacto também foi confirmado com Jacó (Gn 27.29; 28.3,4,14).

Só há um Deus, com uma única promessa. E ele confirmava o mesmo pacto com a linhagem Abraão-Isaque-Jacó-Messias. Ver Gênesis 15.18 quanto ao Pacto Abraâmico, com ideias adicionais no artigo intitulado *Pactos*, em sua quarta seção.

A terra... eu ta darei. Por enquanto és um peregrino, estás longe de casa, e estás dormindo sobre uma pedra. Mas a *terra* onde estás te pertence, bem como tudo ao teu derredor. A provisão de uma pátria faz parte do Pacto Abraâmico. Ver Gênesis 15.18 quanto a essa dimensão do pacto, estabelecido entre Deus e Abraão.

■ 28.14

וְהָיָה זַרְעֲךָ כַּעֲפַר הָאָרֶץ וּפָרַצְתָּ יָמָּה וָקֵדְמָה וְצָפֹנָה וָנֶגְבָּה וְנִבְרְכוּ בְךָ כָּל־מִשְׁפְּחֹת הָאֲדָמָה וּבְזַרְעֶךָ:

Como o pó da terra. Várias expressões foram usadas para salientar o grande número de descendentes da linhagem Abraão-Isaque-Jacó. Várias nações procederiam de Abraão, e a grande nação de Israel, de Jacó. Essa era uma das provisões do Pacto Abraâmico. Nas notas sobre Gênesis 26.4, ver como outras nações descenderiam de Abraão. A expressão *o pó da terra* é comentada em Gênesis 13.16. Nas notas sobre este versículo alisto e comento outras metáforas usadas para exprimir a ideia de numerosa posteridade. Ver também Números 23.10.

Estender-te-ás. Em todas as direções da bússola. Se a Terra Prometida não era vasta, a julgar pelos padrões modernos, era bastante grande para a época. Em Gênesis 15.18 dou suas dimensões, nas notas expositivas. "...estender-te-ás como um dilúvio que chegará às extremidades da terra prometida, para todos os lados" (John Gill, *in loc.*).

Serão abençoadas todas as famílias da terra. Outra provisão do Pacto Abraâmico. Ver Gênesis 18.18; 22.18; e, sobre as dimensões espirituais da promessa divina, ver Gálatas 3.14 ss. e João 8.56-58. Uma bênção universal deveria provir de Abraão, através da *instrumentalidade* de Israel.

■ 28.15

וְהִנֵּה אָנֹכִי עִמָּךְ וּשְׁמַרְתִּיךָ בְּכֹל אֲשֶׁר־תֵּלֵךְ וַהֲשִׁבֹתִיךָ אֶל־הָאֲדָמָה הַזֹּאת כִּי לֹא אֶעֱזָבְךָ עַד אֲשֶׁר אִם־עָשִׂיתִי אֵת אֲשֶׁר־דִּבַּרְתִּי לָךְ:

A Contínua Presença. "De maneira alguma te deixarei, nunca jamais te abandonarei" (Hb 13.5). Jacó estava distante de casa, em um território desconhecido, sem nenhum amigo por perto; mas a presença divina estava com ele, e nunca o abandonaria.

... Te guardarei. Deus o acompanharia a fim de guardá-lo, protegê-lo e guiá-lo. Ver no *Dicionário* o artigo intitulado *Providência de Deus*. Haveria animais ferozes nos campos; haveria assaltantes nas estradas; haveria vizinhos hostis; o próprio Esaú seria um perigo imediato; Labão tiraria proveito de sua boa vontade; Jacó seria explorado e pressionado, mas a vitória lhe estava garantida.

... te farei voltar a esta terra. Para Jacó, essas palavras foram proféticas. A nação que dele se originaria passaria vários séculos no cativeiro, no Egito. Mas no tempo determinado por Deus (quando a taça da iniquidade dos cananeus estivesse repleta, Gn 15.16), *então* o povo de Israel estaria *de volta* àquela terra. Era mister que houvesse uma *pátria*, se Israel tivesse de ser uma grande nação. Isso fazia parte das provisões do pacto com Abraão. As dimensões da Terra Prometida aparecem em Gênesis 15.18, onde o leitor deve examinar as notas.

O Simbolismo de Betel. Ver a nota a esse respeito no vs. 19 deste capítulo.

■ 28.16

וַיִּיקַץ יַעֲקֹב מִשְּׁנָתוֹ וַיֹּאמֶר אָכֵן יֵשׁ יְהוָה בַּמָּקוֹם הַזֶּה וְאָנֹכִי לֹא יָדָעְתִּי:

Deus Está em Todos os Lugares. Mas fizera uma visita especial a Betel, embora Jacó não o tivesse notado logo. Era um local improvável, um deserto, uma terra seca e sedenta. Era um lugar ermo, sem nenhum oásis, nem vale sombreado. Era um lugar rochoso e estéril. Segundo todas as aparências, era um lugar abandonado por Deus. Ali Jacó era um fugitivo, tomado por temores e ansiedades. Mas foi *exatamente ali* que Deus quis manifestar a sua presença. A lição espiritual é clara. Em nosso lugar de necessidade, onde desesperamos e tememos, Deus acha-se presente. Jacó estava em um exílio castigador. Contudo, em seu sonho, ele viu não somente a natureza, mas também a porta do céu que se abria diante dele, e ouviu a voz do Senhor. No entanto, em sua solidão, quantos seres humanos dormem, mas não recebem nenhum sonho divino. Contudo, a presença está ali, se buscarem por ela (Mt 7.7). Deus manifestou-se a Jacó longe dos santuários onde ele estava acostumado a adorar. Mas Abraão, muitos anos antes, havia erigido um altar e um santuário em Betel, provavelmente não muito longe de onde Jacó agora estava. Ver Gênesis 12.8.

E eu não o sabia. "Tal como Maria, quando Jesus esteve pertinho dela, mas ela não o reconheceu (Jo 20.13)" (John Gill, *in loc.*).

■ 28.17

וַיִּירָא וַיֹּאמַר מַה־נּוֹרָא הַמָּקוֹם הַזֶּה אֵין זֶה כִּי אִם־בֵּית אֱלֹהִים וְזֶה שַׁעַר הַשָּׁמָיִם:

Um Lugar Temível. As experiências místicas de elevada ordem tanto aterrorizam quanto fazem exultar, ao mesmo tempo. O lugar de uma poderosa experiência espiritual causa espanto. Pelo menos alguns santuários de culto religioso têm sido estabelecidos por causa do fato de que, inicialmente, em tais lugares, houve alguma poderosa experiência espiritual. Mas esses lugares acabam sendo profanados com o comércio. Jacó estivera à porta do céu. E assim, aquele que ainda recentemente fora um enganador foi alcançado pela graça de Deus e transformado, por ser ele um instrumento especial do Senhor. Quando um homem é levado a reconhecer, de alguma forma dramática, que Deus, de fato, *veio estar dentro dele*, ele se admira disso; e ainda que até ali tenha sido um fracasso moral, experimenta momentos de arrebatamento e exultação. A visão é um momento de supremo triunfo, embora também seja um momento de humildade e de prestação de contas, quando a pessoa tem direito de corrigir-se diante de Deus.

A distância entre Deus e o homem é imensa. Algumas vezes, entretanto, a pessoa é levada até a própria porta do céu. Esaú havia infundido profundo medo em Jacó, e este fugira para escapar com vida. Mas isso não foi em comparação com o abalo que o sonho-visão trouxe agora a Jacó. Anos mais tarde, Jacó haveria de lutar com o anjo. A visão em Betel foi apenas um começo, e não um fim. Assim sucede com todas as experiências místicas autênticas. Elas fazem parte do caminho e ajudam-nos ao longo da caminhada; não são o caminho propriamente dito. Ver no *Dicionário* o artigo intitulado *Misticismo*.

A casa de Deus. Daí o local chamar-se, no hebraico, *Betel* (ver o vs. 19, onde aparecem notas expositivas). Ver Salmo 23.6, que diz: "Habitarei na casa do Senhor para todo o sempre". Provavelmente temos aí uma referência ao templo. Ver também 1Timóteo 3.15, onde o termo é aplicado à Igreja. Benditos são aqueles lugares e edificações associados à verdadeira fé religiosa! Deus está em toda a parte, mas resolve manifestar-se de maneira especial em certos lugares.

A porta dos céus. Não o próprio céu, mas o lugar de entrada ou *acesso* àquele lugar; o lugar de autoridade, a porta, o caminho. A própria visão ilustra esses elementos, conforme as notas dadas nos vss. 12 e 13, com referências a outras Escrituras. Ver no *Dicionário* o verbete *Portão*.

■ 28.18

וַיַּשְׁכֵּם יַעֲקֹב בַּבֹּקֶר וַיִּקַּח אֶת־הָאֶבֶן אֲשֶׁר־שָׂם מְרַאֲשֹׁתָיו וַיָּשֶׂם אֹתָהּ מַצֵּבָה וַיִּצֹק שֶׁמֶן עַל־רֹאשָׁהּ:

A Pedra Tornou-se uma Coluna. Jacó tomou a pedra que lhe servira de travesseiro e a transformou em um monolito espiritual. Essas pedras podiam ser encontradas em todos os santuários cananeus. Aquela usada por Jacó tornou-se uma espécie de altar tosco, sobre o qual ele ofereceu uma espécie de libação. Esses monolitos eram símbolos da presença de Deus, ou dos deuses, em certos lugares. Também serviam de *memoriais*, referindo-se a algum evento incomum ou sagrado, em algum local. Cf. este versículo com Gênesis 31.13,45; 33.20; Êxodo 24.4 e Josué 24.26. Uma pedra assim é mencionada em relação ao culto dos cananeus (Êx 34.13). Afinal, esses memoriais foram condenados como manifestações idólatras, o que se vê na última dessas referências. Nada existe de errado com os sinais físicos das aspirações ou crenças espirituais, contanto que não degenerem em alguma forma de idolatria. A dificuldade é que usualmente degeneram desse modo. Ver no *Dicionário* os artigos *Idolatria* e *Imagem de Escultura*. A legislação mosaica posterior mostrava-se enfática contra a manufatura de tais objetos. Ver Êxodo 20.4,5 e Deuteronômio 5.8.

A Pedra e os Mitos. Os homens não permitem que "aquela" pedra descanse em paz. A tradição tem inventado histórias fabulosas a respeito. Dizem-nos que aquela pedra exata foi levada a Jerusalém, e dali passou para a Espanha. Da Espanha foi para a Irlanda e, então, para a Escócia. Na Escócia, os reis escoceses transformaram-na em uma espécie de banqueta onde se sentavam quando eram coroados. Além disso, continua a lenda, Eduardo I mandou trazê-la para a abadia de Westminster, e ficou sob o trono onde o rei se sentava quando de seu coroamento. E agora a pedra, a mesma pedra de Jacó, está ali. Ridículo demais para considerarmos. E outros mitos têm sido inventados em torno da tal pedra, os quais nem me dou ao trabalho de trazer à baila.

Pedras Antigas. A pedra, Jacó transformou-a em um altar, seguindo um antigo costume. Talvez tenha derramado algum azeite sobre ela, ao mesmo tempo em que proferia uma oração. Os cananeus tinham um rito similar; os hindus ungem imagens e altares de pedra com azeite, perfume ou outros líquidos. Há uma referência em Homero (*Odyss*. lib. v. secs. 406-410) acerca de uma pedra. "O idoso homem levantou-se cedo, andou um trecho e se sentou sobre uma *pedra polida*, diante do portão de mármore; e o lúcido mármore foi feito brilhar com unguento, onde sentara-se, antigamente, Neleu, em um trono rústico." Pedras também eram ungidas na adoração a Saturno e a Júpiter. Altares feitos de uma única pedra vieram a ser adorados como se fossem divindades, de modo que a idolatria foi ficando cada vez pior. Essas pedras, altares e imagens de escultura eram derrubadas pelos hebreus (Lv 26.1; Dt 7.5 e 12.3).

28.19

וַיִּקְרָא אֶת־שֵׁם־הַמָּקוֹם הַהוּא בֵּית־אֵל וְאוּלָם לוּז שֵׁם־הָעִיר לָרִאשֹׁנָה׃

Betel. Ou seja, "casa de Deus". Comentei sobre essa localidade no *Dicionário*. Abraão havia erigido ali um altar, fazia muitas décadas. Ver Gênesis 12.8. É tolice imaginar que Jacó chegou precisamente ao mesmo lugar, embora tivesse chegado nas cercanias. O *Yahwismo* avançava mediante a elevação de tais altares, e também pela crescente iluminação espiritual que ia sendo dada à família de Abraão. Assim, os hebreus avançavam na direção de um monoteísmo formalizado (ver no *Dicionário* o artigo intitulado *Monoteísmo*).

Luz. Ver sobre esse lugar no *Dicionário*. Duas cidades eram assim chamadas no Antigo Testamento, aquela deste texto (perto de Betel), e uma cidade dos heteus, mencionada em Juízes 1.23-26. O trecho de Josué 16.3 faz a distinção entre Luz e Betel, talvez para mostrar que ali havia duas cidades, próximas uma da outra, ou, então, a Luz desta passagem pode ser referência a uma serra montanhosa, e não o nome de uma aldeia separada. Detalhes sobre esses particulares aparecem no *Dicionário*. Luz significa "amêndoa" ou "avelã", tipos de nozes que medravam naquela região em geral.

O Simbolismo de Betel. Ali havia acesso; ali estava a casa de Deus; ali os homens se encontravam com a presença divina. Para o crente, representa a realização espiritual, a comunhão e o acesso a Deus. Ver Efésios 1.17-23, que requer a presença divina. Os dispensacionalistas veem ali a nação de Israel, expulsa da Terra Prometida por motivo de iniquidade, embora retendo a promessa de restauração (Gn 28.15; Dt 30.1-10). Os *verdadeiros israelitas*, ou seja, discípulos de Cristo, têm sua Betel no discipulado cristão e nos seus privilégios. Ver João 1.47-51. Esses privilégios incluem revelações especiais, dadas por meio de Cristo. Em um sentido geral, Betel representa experiências místicas nas quais a *Presença de Deus* nos é conferida de alguma maneira especial. Deus pode manifestar-se e realmente manifesta-se ao homem, e de várias maneiras. Isso fala sobre o teísmo, em contraste com o deísmo. O teísmo entende que o Criador não abandonou a sua criação, mas faz-se presente a fim de guiar, julgar e recompensar os seres morais. O deísmo pensa que Deus (ou alguma força criadora, pessoal ou impessoal) trouxe as coisas à existência, mas em seguida abandonou a sua criação, deixando-a entregue ao governo das leis naturais. Ver no *Dicionário* os artigos *Teísmo* e *Deísmo*.

O Novo Nome. Naquela região antes medravam amêndoas. Tornou-se então a "casa de Deus". Do material, pois, passamos para o imaterial; e do terreno, para o celestial. Todo homem precisa de sua experiência tipo Betel. Ou melhor, todo homem precisa de muitas experiências tipo Betel, pois a espiritualidade nunca chega a um alvo final, mas vai avançando continuamente na direção das perfeições de Deus. Esse é um processo eterno, e não um acontecimento isolado.

Conta-se a história de um pescador e de sua esposa, que ilustra o texto. Um ministro chegou ao lar humilde do pescador. E perguntou: "Jesus Cristo vive aqui?" O ministro não perguntou se eles frequentavam a igreja, ou se liam a Bíblia ou se oravam de vez em quando. Mas perguntou: "Jesus Cristo vive aqui?" Essa é uma pergunta muito mais importante e vital, no caso de cada ser humano.

28.20

וַיִּדַּר יַעֲקֹב נֶדֶר לֵאמֹר אִם־יִהְיֶה אֱלֹהִים עִמָּדִי וּשְׁמָרַנִי בַּדֶּרֶךְ הַזֶּה אֲשֶׁר אָנֹכִי הוֹלֵךְ וְנָתַן־לִי לֶחֶם לֶאֱכֹל וּבֶגֶד לִלְבֹּשׁ׃

Um voto. A visão teve um poderoso efeito sobre Jacó, inspirando-o a fazer um voto ao Senhor. *Se* Deus estivesse com ele; *se* Deus o guardasse; *se* Deus suprisse todas as suas necessidades e *se* Deus o levasse de volta à casa de seu pai, *então* Yahweh seria o seu Deus. A visão deveria ter eliminado todas essas várias *condições*. Mas não podemos esquecer que Jacó era um caráter fraco, e somente agora começara a crescer. Ele proferiu suas condições na fraqueza, mas debaixo de uma crescente iluminação.

O tom de *barganha* do voto por certo indica a consternação do autor sagrado diante da pequenez de Jacó naquele momento. Jacó, porém, acabou sendo um dos maiores patriarcas de Israel. O homem pode crescer; o homem pode *mudar*. Um livro contém vários capítulos; cada capítulo leva mais adiante o assunto. Jacó tinha começado a avançar. Quem não barganha com Deus, até mesmo em torno de coisas triviais? Também estamos começando a crescer. Mas *Yahweh* é o nosso Deus. E isso garante tudo.

Historicamente falando, este versículo é importante. O Yahwismo estava tomando vulto. A família de Abraão havia começado na idolatria (Js 24.2). Não se pode edificar um templo em um único dia.

A oração de Jacó não foi muito profunda. Mas foi apenas um começo. Ele tentou barganhar com Deus. "Se Deus salvasse sua pele e o tornasse próspero, então ele daria a Deus o dízimo daquilo que Deus lhe desse. Uma oração *superficial*" (Walter Russell Bowie, *in loc.*). No entanto, Jacó voltara o rosto para o céu, talvez pela primeira vez na vida, com alguma seriedade.

Sua oração foi, essencialmente, *interesseira* e *egoísta*, conforme são quase todas as nossas orações. Ver Tiago 4.3.

Os *votos* tiveram um importante papel na história de Israel. Ver no *Dicionário* o artigo *Voto*. O primeiro voto que há nas Escrituras é esse voto de Jacó.

28.21

וְשַׁבְתִּי בְשָׁלוֹם אֶל־בֵּית אָבִי וְהָיָה יְהוָה לִי לֵאלֹהִים׃

As Raízes Atraem. Jacó já estava saudoso da casa paterna. Esaú estava desvairado de ira, pelo que Jacó precisara fugir. Desejava encontrar-se de novo com um Esaú pacífico, para que pudesse retornar. Ele escolheria sua noiva em Padã-Arã, e, então, voltaria, conforme sucedera no caso de seu pai Isaque, e de sua mãe, Rebeca. Mas a vontade de Deus haveria de detê-lo na casa de Labão por cerca de vinte anos. Finalmente, haveria de voltar. Deus tem o seu próprio *cronograma*. É impossível abrirmos uma porta espiritual antes do tempo certo. Todavia, é possível entrarmos *atrasados*. Contudo, as portas espirituais mais benditas são as que se abrem espontaneamente, *chegado o tempo certo*. Isso nos surpreende de cada vez, e quedamos admirados diante da graça divina. O homem espiritual sabe dessas coisas, mas quase sempre manifesta surpresa quando vê Deus agir *de novo*.

Mantém-nos na sua graça,
E guia-nos quando perplexos.

Livra-nos de todos os males,
Neste mundo e no outro.

Martin Rinkart

Jacó Orou. A vida inteira ensina-nos sobre o poder e a necessidade da oração. A oração funciona! Ver no *Dicionário* o verbete intitulado *Oração*.

■ 28.22

וְהָאֶ֣בֶן הַזֹּ֗את אֲשֶׁר־שַׂ֙מְתִּי֙ מַצֵּבָ֔ה יִהְיֶ֖ה בֵּ֣ית אֱלֹהִ֑ים
וְכֹל֙ אֲשֶׁ֣ר תִּתֶּן־לִ֔י עַשֵּׂ֖ר אֲעַשְּׂרֶ֥נּוּ לָֽךְ׃

O Altar de Betel. A pedra tornou-se o ponto focal do que havia acontecido. Tornou-se um altar tosco (ver no *Dicionário* o verbete *Altar*). Ali ainda não havia nenhuma cidade, embora uma pequena aldeia próxima fosse chamada Luz. O que havia ali agora, porém, era um memorial a *Yahweh*, estabelecido juntamente com um voto. Não há nenhum indício de que Jacó tenha reconstruído ou restabelecido o altar que Abraão havia erigido ali (Gn 12.8). Mas em algum lugar, naquela região em geral, ele agiu da mesma maneira que fizera Abraão, enfatizando a realidade espiritual com o seu ato, por mais imperfeita que tenha sido a sua oração.

Jacó *começou* assim a ser um homem por meio de quem podia fluir a mensagem espiritual. "Meditemos sobre a mensagem que procede das palavras de inúmeras grandes almas, tanto entre os místicos como quanto entre os santos militantes" (Walter Russell Bowie, *in loc.*).

"Ele leva-nos lentamente à sua câmara secreta. Ele confere-nos uma crescente constância em sua presença. E nós lhe agradecemos" (Thomas R. Kelly). Temos aqui êxtase, serenidade e segurança inabalável.

O dízimo. Provi um detalhado artigo sobre esse assunto, no *Dicionário*. A prática era anterior à legislação mosaica por muitos séculos, sendo um costume em várias antigas religiões. Ver Gênesis 14.20 quanto à primeira referência a essa prática, no Antigo Testamento, que envolveu Abraão e Melquisedeque.

Não somos informados sobre como Jacó gastaria esse dinheiro: talvez na forma de esmolas, sacrifícios e promoção do Yahwismo, com seus altares e ritos, ou mesmo mostrando-se generoso para com outras pessoas.

CAPÍTULO VINTE E NOVE

OS CASAMENTOS DE JACÓ EM ARÃ (29.1-30)

Os críticos veem um entretecido de tradições neste capítulo, atribuindo os vss. 1-14 à fonte informativa *J*, a maior parte dos vss. 15-30, à fonte *E*, e os vss. 29.31–30.24, a uma mescla das fontes *J* e *E*, com vários comentários e emendas editoriais. Ver no *Dicionário* o artigo intitulado *J.E.D.P.(S.)* quanto à teoria das fontes múltiplas do Pentateuco.

Jacó conheceu Raquel, sua esposa querida, no *Oriente* (vs. 1), a parte norte do deserto da Arábia, em Arã, terra natal de Labão, pai de Lia e Raquel. Labão era um arameu seminômade, neto de Naor, irmão de Abraão. Abraão havia deixado o lar da família, em Arã, e tinha entrado na Terra Prometida (Gn 12.4 ss.). Parte da família (oriunda de *Ur;* ver no *Dicionário*) permaneceu em Arã, a saber, Naor e seus descendentes. Havia algum contato entre os dois ramos da família. O servo de Abraão fora até Arã, que ficava cerca de 750 km de distância, o que requeria uma viagem de cerca de trinta dias, a fim de ali obter uma noiva para Isaque (cap. 24). Rebeca, a noiva, viajou até Berseba e foi absorvida na família de Abraão. Agora era a vez de Jacó entrar em contato com o ramo da família que ficara em Arã. Mas estava destinado a permanecer ali por cerca de vinte anos. Cada homem tem seu destino; cada pessoa tem seu cronograma. Jacó moveu-se em várias direções, durante a sua vida: para o sul, até Hebrom; para oeste, até Betel e Siquém; para o norte, até Arã; e, então, de volta para o sul. Em Siquém, ele se tornou o pai de José, e assim foi continuando a história dos patriarcas.

Tal como o servo de Abraão, Jacó encontrou-se com sua futura esposa perto de um poço, e ali teve início uma das mais inspiradoras histórias de amor de todos os tempos. Dessa vez, foi Jacó quem se ocupou em servir água, e não a mulher (Rebeca), conforme se vê na história paralela anterior. Jacó, tomado de grande emoção, osculou imediatamente a sua prima e, por ter tal mulher nos braços, chorou em voz alta.

O diálogo revelou o fato de que ela era sua prima (tal como na história anterior, Gn 24.47 ss.). Pormenores da história que se segue são similares ao relato do capítulo 24. Houve muito júbilo, e Jacó foi regiamente recebido. Isso armou o palco para os casamentos de Jacó, e para *ele* ser enganado, para variar. Sempre nos encontramos conosco mesmos, apesar de nossos pecados nos serem perdoados.

■ 29.1

וַיִּשָּׂ֥א יַעֲקֹ֖ב רַגְלָ֑יו וַיֵּ֖לֶךְ אַ֥רְצָה בְנֵי־קֶֽדֶם׃

Pôs-se Jacó a caminho. Ou seja, de Betel a Harã, cerca de 750 km. Ele deve ter gasto uns vinte dias, ou algo mais, para cobrir essa distância.

Oriente. Ou seja, a parte norte do deserto da Arábia. Mas tendo como ponto de partida a sua terra, era a direção nordeste. Já eram terras da Mesopotâmia, a leste da terra de Canaã (ver Is 9.11), pelo que é dada essa direção. O território para além do Eufrates era chamado *kedem* (oriental), nos escritos sagrados. Algumas vezes o território dos árabes também era assim designado.

■ 29.2

וַיַּ֞רְא וְהִנֵּ֧ה בְאֵ֣ר בַּשָּׂדֶ֗ה וְהִנֵּה־שָׁ֞ם שְׁלֹשָׁ֤ה עֶדְרֵי־צֹאן֙
רֹבְצִ֣ים עָלֶ֔יהָ כִּ֚י מִן־הַבְּאֵ֣ר הַהִ֔וא יַשְׁק֖וּ הָעֲדָרִ֑ים
וְהָאֶ֥בֶן גְּדֹלָ֖ה עַל־פִּ֥י הַבְּאֵֽר׃

Eis um poço. Presumivelmente, o mesmo diante do qual chegara o servo de Abraão, na missão para obter noiva para Isaque. Mas alguns estudiosos preferem pensar em outro poço. Ver Gênesis 24.11 e suas notas expositivas, como também, no *Dicionário*, os artigos chamados *Poço* e *Cisterna*. Poços e cisternas revestem-se de capital importância nas áreas desérticas. Há boa chance de que tenha sido feita, de modo positivo, a identificação do poço em pauta, o que comento nas notas sobre Gênesis 24.11. O capítulo 24 de Gênesis é uma espécie de tratado sobre a liderança divina. Ver no *Dicionário* o artigo *Providência Divina*. Neste capítulo 29 a ênfase sobre isso é atenuada, mas compreendemos essa verdade sem termos de ser continuamente lembrados a respeito.

Grande pedra. Não visava a impedir a saída da água da fonte perene. Antes, servia para impedir que alguma pessoa ou animal caísse no poço. Ou, então, impedia que entulho ou areia caísse na água, sujando-a.

■ 29.3

וְנֶאֶסְפוּ־שָׁ֣מָּה כָל־הָעֲדָרִ֗ים וְגָלֲל֤וּ אֶת־הָאֶ֙בֶן֙ מֵעַל֙ פִּ֣י
הַבְּאֵ֔ר וְהִשְׁק֖וּ אֶת־הַצֹּ֑אן וְהֵשִׁ֧יבוּ אֶת־הָאֶ֛בֶן עַל־פִּ֥י
הַבְּאֵ֖ר לִמְקֹמָֽהּ׃

Como Era Removida a Pedra? Vários homens rolavam a pedra para um lado. Aos animais dava-se água. Então a pedra era reposta em seu lugar. Uma tarefa laboriosa, mas necessária. Um homem rico como Labão, sem dúvida, dispunha de vários homens que fizessem esse trabalho. Era preciso mais de um homem para remover a pesada pedra. Talvez por isso as mulheres estivessem isentas desse trabalho. O relato do capítulo 24 não menciona uma pedra assim, além do que, ali, parece que Rebeca fez todo o trabalho, observada pelo servo de Abraão. Isso dá a entender que seria um poço diferente.

■ 29.4

וַיֹּ֥אמֶר לָהֶ֖ם יַעֲקֹ֑ב אַחַ֕י מֵאַ֖יִן אַתֶּ֑ם וַיֹּ֣אמְר֔וּ מֵחָרָ֖ן
אֲנָֽחְנוּ׃

Os Estranhos da Cidade de Labão. Não eram amigos de Jacó nem da família de Labão. Mas eram pastores, e, portanto, "irmãos de profissão". Jacó chamou-os de "irmãos" por querer ser amigável. E procurou saber se lhe poderiam dar alguma informação sobre Labão. De fato, eles conheciam Labão, além do fato de que em breve chegaria Raquel, filha de Labão, para dessedentar primeiro às suas ovelhas. Talvez isso não se devesse ao fato de que Raquel fosse mulher, mas sim de que Labão tivesse alguma prioridade sobre o uso do poço.

O Problema do Idioma. A família de Jacó era de Ur e falava um idioma semítico (o caldaico). Os habitantes de Arã também eram semitas, e havia muita intercomunicação entre os dois lugares. Isso posto, não há razão para pensarmos que houve entre Jacó e os naturais da região algum problema sério de linguagem. Talvez já existisse um hebraico primitivo, mas não era muito diferente dos outros idiomas semíticos. Ver Gênesis 31.47 quanto a alguma diferença de linguagem entre os dois ramos da família. Ver no *Dicionário* o artigo *Padã (Padã-Arã)*. Nossa versão portuguesa e outras dizem aqui *Harã*.

■ 29.5

וַיֹּאמֶר לָהֶם הַיְדַעְתֶּם אֶת־לָבָן בֶּן־נָחוֹר וַיֹּאמְרוּ יָדָעְנוּ׃

Labão. Dou um artigo detalhado sobre ele no *Dicionário*. Ele era sobrinho de Abraão, filho de Betuel e pai de Raquel. O texto chama-o aqui de "filho de Naor", mas isso indica uma designação frouxa para "neto". Talvez Betuel já tivesse falecido, e Naor fosse o mais bem conhecido patriarca da família. Seja como for, Labão era bem conhecido em Arã, e foi fácil para Jacó descobri-lo. Naor era o fundador daquele ramo da família, e o imigrante original chegado de Ur (da família de Terá). Portanto, seu nome continuava em evidência, e um seu neto podia ser chamado de *filho*.

■ 29.6

וַיֹּאמֶר לָהֶם הֲשָׁלוֹם לוֹ וַיֹּאמְרוּ שָׁלוֹם וְהִנֵּה רָחֵל בִּתּוֹ בָּאָה עִם־הַצֹּאן׃

Ele está bom? Labão estava em boa saúde, e o diálogo tocou primeiro em questões como essa, tal como em tempos modernos. Talvez esse termo também significasse *próspero*. Labão estava *bem* e estava em *boa situação*. No hebraico, temos *hashalom*, "em paz", que tem essas conotações.

Raquel. Esse é o único nome feminino pelo qual já tive preferência. Esse nome significa *ovelha*. Devia ser seu nome original, e não algum apelido adquirido em face de sua ocupação. Dou um artigo detalhado sobre ela no *Dicionário*. Por pura sorte, enquanto Jacó falava com os homens, Raquel chegou. Naturalmente, nada sucede por acaso. No trecho paralelo de Gênesis 24.42 ss., temos uma história elaborada e dramática sobre como *Deus trouxera* Rebeca para vir ao encontro do servo de Abraão. Se isso não aconteceu aqui, estamos acompanhando a mesma providência divina.

■ 29.7

וַיֹּאמֶר הֵן עוֹד הַיּוֹם גָּדוֹל לֹא־עֵת הֵאָסֵף הַמִּקְנֶה הַשְׁקוּ הַצֹּאן וּלְכוּ רְעוּ׃

É ainda pleno dia. O sol ainda estava alto no céu. Os animais abrigavam-se na pouca sombra que havia, esperando pela hora de receber água. Jacó pensou que era chegado o momento certo de tirar água, e indagou por que aquela demora. Mas é que havia uma rotina que os pastores costumavam observar. Reuniam-se os diversos rebanhos, incluindo o de Labão (guiado por Raquel). Ela tirava água para seus animais *primeiro*, e, então, os outros faziam a mesma coisa. Ou Labão era o proprietário do poço ou tinha alguma prioridade sobre eles, embora isso não seja explicado. Primeiro dessedentavam-se os animais, e então estes podiam ir pastar nos campos.

■ 29.8

וַיֹּאמְרוּ לֹא נוּכַל עַד אֲשֶׁר יֵאָסְפוּ כָּל־הָעֲדָרִים וְגָלֲלוּ אֶת־הָאֶבֶן מֵעַל פִּי הַבְּאֵר וְהִשְׁקִינוּ הַצֹּאן׃

Seja removida a pedra da boca do poço. Os pastores com os quais Jacó se encontrou não tinham autoridade para remover a pedra. Havia uma certa sequência de atos. É provável que eles fossem servos ou pastores de Labão, e tivessem de esperar por Raquel, a pastora. Ou, então, para evitar que a água se sujasse, a pedra era rolada quando *todos* os rebanhos se reuniam. E, então, começava o processo.

■ 29.9

עוֹדֶנּוּ מְדַבֵּר עִמָּם וְרָחֵל ׀ בָּאָה עִם־הַצֹּאן אֲשֶׁר לְאָבִיהָ כִּי רֹעָה הִוא׃

Chegou Raquel. Um grande momento pelo qual Jacó tanto esperara, e que foi divinamente arranjado para ele. Parece que ele *caíra* bem no meio dos acontecimentos, mas *Deus* providenciara o encontro. Raquel seria uma das matriarcas da nação de Israel. O versículo mostra-nos que Jacó não a conhecia ainda, mas o diálogo com os pastores (mencionado no vs. 6) permitiu que ele a reconhecesse quando ela chegou. E também é possível que um dos pastores tenha dito: "Eis aí Raquel".

As mulheres, ao que parece, não eram mantidas em reclusão e tão abrigadas como hoje se vê naquela parte do mundo, graças à influência do islamismo. Note-se também que, apesar de Labão ser um homem rico, não estava abaixo da dignidade de sua filha cuidar de ovelhas. Todo trabalho honesto é digno. Ver no *Dicionário* o artigo *Trabalho, Dignidade e Ética do*. "O trabalho honesto, longe de ser um descrédito, é uma honra para grandes e pequenos... que todo filho e toda filha aprendam que não é um descrédito manter-se alguém ativo, sempre que isso for mister, ainda que seja no labor mais humilde, mediante o qual os interesses da família sejam honestamente promovidos" (Adam Clarke, *in loc.*). Homero (*Ilíad.* vol. 1, vs. 313, 2:6 vs. 2) diz algo similar sobre os filhos do rei de Tebas, que cuidavam dos rebanhos dele.

■ 29.10

וַיְהִי כַּאֲשֶׁר רָאָה יַעֲקֹב אֶת־רָחֵל בַּת־לָבָן אֲחִי אִמּוֹ וְאֶת־צֹאן לָבָן אֲחִי אִמּוֹ וַיִּגַּשׁ יַעֲקֹב וַיָּגֶל אֶת־הָאֶבֶן מֵעַל פִּי הַבְּאֵר וַיַּשְׁקְ אֶת־צֹאן לָבָן אֲחִי אִמּוֹ׃

Tendo visto Jacó a Raquel. Ele a amou desde o começo, e imediatamente começou a trabalhar em favor dela, sem que tivesse sido feito qualquer pedido nesse sentido. Assim começou uma das mais comoventes histórias de amor de toda a literatura mundial.

Removeu a pedra. É provável que o texto signifique que ele, ao tomar a iniciativa, com a ajuda de outros, fez rolar a pedra. Ali estava Jacó, o irmão gêmeo mais fraco (não Esaú, o rapaz do campo), a rolar *sozinho* a grande pedra, se tivermos de entender literalmente a passagem. Como ele conseguiu esse feito? Ele simplesmente viu Raquel, e *qualquer* tarefa dali por diante se tornaria fácil. A partir do instante em que a viu, tornou-se um homem diferente. Começou imediatamente a servir, por amor.

Casamentos dentro da Família de Abraão. Abraão casara-se com sua meia-irmã (Gn 20.12). Naor, irmão dele, casara-se com uma sobrinha (Gn 11.29). Isaque casara-se com uma prima. E agora, Jacó se casaria com duas primas. Ver no *Dicionário* o artigo *Incesto*. As proibições da legislação mosaica, de tempos posteriores, não tinham aplicação durante os dias dos patriarcas hebreus. Ver Levítico 18 e 20. Rebeca era neta-sobrinha de Abraão (Gn 22.20 ss.). Portanto, temos aí uma família com bem apertados laços de parentesco, onde apenas Esaú fugiu da norma.

O Targum de Jonathan diz que Jacó rolou a pedra do lugar com *um só* braço, fazendo um trabalho que usualmente requeria vários homens. Jarchi diz que ele fez a tarefa com *facilidade*, como uma pessoa que removesse a tampa de uma panela. O amor realiza grandes coisas!

■ 29.11

וַיִּשַּׁק יַעֲקֹב לְרָחֵל וַיִּשָּׂא אֶת־קֹלוֹ וַיֵּבְךְּ׃

Primos que se Beijaram. John Gill (*in loc.*) escreveu: "o que ele fez com cortesia e civilidade". Um beijo em família. Mas qual homem que beijasse uma prima por mera cortesia levantaria sua voz e choraria? Houve no momento profunda emoção, resultante de um imediato e grande amor.

Jacó sentiu-se feliz ao término de sua jornada. Feliz diante da providência divina; feliz por estar entre seus parentes, visto que se encontrava tão longe de casa. Mas sua maior felicidade era ter conhecido Raquel. Adam Clarke comentou sobre o antigo costume social de oscularem-se as pessoas, como uma forma de saudação, além de mostrar quão iníquos e hipócritas são os homens corruptos, para quem o beijo se tornou algo sensual. Ver no *Dicionário* o artigo *Beijo*.

29.12

וַיַּגֵּד יַעֲקֹב לְרָחֵל כִּי אֲחִי אָבִיהָ הוּא וְכִי בֶן־רִבְקָה הוּא וַתָּרָץ וַתַּגֵּד לְאָבִיהָ:

Revelação dos Laços de Família. O filho de Rebeca encontra-se com a filha de Labão. Jacó e Raquel — uma das maiores histórias de amor que já foi contada. Raquel saiu correndo para contar a seu pai da chegada de Jacó. Isso é paralelo ao afeto demonstrado por Rebeca, em Gênesis 24.28.

Parente. Algumas versões dizem aqui, "irmão". Mais especificamente, ele era "sobrinho" de Labão. Ver Gênesis 13.8 e 29.5,15, quanto a esse uso frouxo do termo. Não há menção à mãe de Raquel, a qual talvez já tivesse falecido. Ou uma mulher mais jovem esteve envolvida, mas não foi mencionada.

29.13

וַיְהִי כִשְׁמֹעַ לָבָן אֶת־שֵׁמַע יַעֲקֹב בֶּן־אֲחֹתוֹ וַיָּרָץ לִקְרָאתוֹ וַיְחַבֶּק־לוֹ וַיְנַשֶּׁק־לוֹ וַיְבִיאֵהוּ אֶל־בֵּיתוֹ וַיְסַפֵּר לְלָבָן אֵת כָּל־הַדְּבָרִים הָאֵלֶּה:

Labão. Ver sobre ele no *Dicionário*. Labão veio correndo ao encontro de seu sobrinho, Jacó. Na ocasião, nenhum deles ainda sabia, mas Jacó haveria de servir fielmente a seu tio por cerca de vinte anos. Estes versículos antecipam os capítulos 30 e 31 do Gênesis. Os rebanhos de Labão seriam pastoreados pelo hábil Jacó. Sem importar seus defeitos, Jacó nunca foi um preguiçoso. Em contraste com os preguiçosos pastores de Labão (Gn 29.7,8), Jacó era ativo, zeloso e consciente.

Este versículo tem paralelo em Gênesis 24.29, onde Labão também correu até o poço, para saudar ao servo de Abraão. *Naquele* caso, ele primeiro vira e admirara as joias que o servo de Abraão havia trazido para Rebeca. *Neste* caso, ele admirava a Jacó, que seria um seu excelente empregado.

Fazia *setenta* anos que Rebeca, irmã de Labão, tinha partido de casa para ser *integrada* à família de Abraão. Dessa vez, sua família é que *integraria* um membro da família de Abraão. Parece que Labão tinha filhos e filhas mais jovens que Raquel, apesar de ser homem já de idade avançada. Talvez ele se tivesse casado com uma esposa mais jovem, não especificada. Há menção a filhos dele, em Gênesis 31.1.

Jarchi diz que Labão correu na esperança de receber outros presentes: dinheiro, joias etc., conforme sucedera por ocasião do noivado de Rebeca. Mas acolher Jacó para que este o servisse por vinte anos foi um ótimo presente. Não há razão para duvidarmos da sinceridade de sua hospitalidade. Todos os homens têm seus pontos fortes e fracos.

29.14

וַיֹּאמֶר לוֹ לָבָן אַךְ עַצְמִי וּבְשָׂרִי אָתָּה וַיֵּשֶׁב עִמּוֹ חֹדֶשׁ יָמִים:

És meu osso e minha carne. Um parente próximo, que ficou a descansar por trinta dias, com algum trabalho a fazer, mas abundante e bom alimento, um bom lugar para dormir, um leito confortável etc. *Mas* terminados aqueles trinta dias, Labão resolveu pô-lo *a trabalhar* (vs. 15), assalariado, naturalmente. Jacó fez a sua contraproposta. "Servirei, trabalharei, labutarei por *sete* anos, por Raquel" (vs. 18). Provavelmente ele já estava ocupado em sua profissão, cuidando das ovelhas de Labão, mas agora assumiria maiores responsabilidades, tornando-se um *empregado assalariado*, apesar do fato de ser parente próximo.

29.15

וַיֹּאמֶר לָבָן לְיַעֲקֹב הֲכִי־אָחִי אַתָּה וַעֲבַדְתַּנִי חִנָּם הַגִּידָה לִּי מַה־מַּשְׂכֻּרְתֶּךָ:

Irás servir-me de graça? Labão não era tão egoísta assim. Jacó já estava trabalhando, em troca de nada, excetuando cama e mesa. Labão propôs um *salário*. Mas Jacó respondeu: "Não um salário, mas Raquel". Podemos supor que ainda assim foi oferecido um salário pelos sete anos de trabalho, mas Raquel era o principal prêmio. Aquele *mês* dera a Labão oportunidade de observar Jacó a trabalhar. E ficou satisfeito com o que vira. E agora queria garantir seus serviços indefinidamente. É bom quando o serviço de um homem é apreciado. A tendência dos homens é depreciar e degradar, mas não foi o que Labão fez com Jacó.

Meu parente. Essa questão já foi comentada no vs. 12.

A Oportunidade de Jacó. A providência de Deus incluiu um *emprego* para Jacó, com um salário justo. Ver no *Dicionário* o artigo *Providência de Deus.*

29.16

וּלְלָבָן שְׁתֵּי בָנוֹת שֵׁם הַגְּדֹלָה לֵאָה וְשֵׁם הַקְּטַנָּה רָחֵל:

Duas filhas. Jacó, o enganador, estava a caminho de sofrer um tremendo logro. Por outra parte, visto que ele se casou com Lia e com Raquel quase ao mesmo tempo (ele teve de trabalhar por Raquel por mais sete anos, mas pôde casar-se com ela, uma semana após ter-se casado com Lia, vs. 28), em certo sentido, Jacó saiu ganhando. Naturalmente, ele precisou trabalhar durante catorze anos, pelo que Labão também recebeu uma boa vantagem. Lia era uma mulher de aparência comum, mas de belos olhos; e era uma pessoa digna. Não devemos esquecer que ela estava destinada a ser uma das matriarcas de Israel (um de seus filhos, Judá, é ancestral de Jesus). Raquel, por sua vez, era bonita e vivaz, uma *mulher muito bonita,* para dizermos o mínimo. E também estava destinada a ser uma das matriarcas de Israel. Portanto, Jacó nada tinha para queixar-se, ao mesmo tempo em que o propósito de Deus atuava sobre ele quanto a ambos os seus casamentos.

Lia. Ver sobre ela o artigo detalhado no *Dicionário*. O nome dela significa "labor" ou "cansaço", por razões desconhecidas. Mas, na antiguidade, tal como entre nós, os nomes eram, com frequência, escolhidos sem que se desse atenção ao seu significado.

29.17

וְעֵינֵי לֵאָה רַכּוֹת וְרָחֵל הָיְתָה יְפַת־תֹּאַר וִיפַת מַרְאֶה:

Os olhos baços. O adjetivo, no hebraico, significa *suaves, delicados, bonitos* ou *envergonhados* (rak). Poderíamos dizer apenas "bonitos". Lia tinha olhos bonitos, mas Raquel tinha tudo mais, bem feita de corpo, natureza vivaz, alguém que, naturalmente, atraía a atenção de todos, mormente dos homens que dão valor à *beleza* feminina. Lia tinha a personalidade um tanto apagada. Raquel brilhava. Onkelos supunha que a beleza de Lia se resumia a seus olhos, mas a beleza de Raquel manifestava-se em tudo. Ben Meleche referiu-se aos belos cabelos negros de Raquel, e de sua pele branca e de textura suave. Ela era o *prêmio,* o *bem* de que nos falou Salomão (ver Pv 18.22). Adam Clarke (*in loc.*) exagerou quanto a esse ponto, ao falar sobre a vaidade das mulheres *modernas,* estragadas por demasiada educação e atenção, ao passo que as mulheres *antigas* seriam, invariavelmente, o *bem* aludido por Salomão.

Ellicott reverte o sentido do adjetivo acerca dos olhos de Lia, fazendo-os "baços" (conforme faz nossa versão portuguesa) e sem graça, supondo que ela teria sofrido alguma forma de doença ocular na infância, por causa dos desertos arenosos. E outros intérpretes concordam com essa avaliação negativa da palavra hebraica envolvida, a qual pode ter tanto um sentido positivo quanto um sentido negativo. A julgar por um dos significados possíveis desse adjetivo hebraico, talvez o olhar de Lia fosse "pudico", "modesto". O contexto parece estar dizendo: "Lia tinha esta característica boa e notável — seus belos olhos. Mas Raquel tinha *muitas* características de beleza feminina".

O Messias é descendente de Lia, e não de Raquel. Ver as notas sobre o vs. 18 deste capítulo.

Formosa de porte e de semblante. Nossa versão destaca mais a impressão visual que se tinha de Raquel. Mas há intérpretes que opinam que o original hebraico diz que todos se sentiam atraídos por ela devido à sua personalidade atrativa. As traduções estão divididas quanto a essa questão.

29.18

וַיֶּאֱהַב יַעֲקֹב אֶת־רָחֵל וַיֹּאמֶר אֶעֱבָדְךָ שֶׁבַע שָׁנִים בְּרָחֵל בִּתְּךָ הַקְּטַנָּה:

Jacó amava Raquel. Naqueles dias em que já passara na casa de Labão, seu amor por Raquel se acentuara. Ver no *Dicionário* o artigo chamado *Amor*.

A Linhagem do Messias. Entre os filhos de Lia devemos destacar Judá, ancestral de Jesus. Assim, o Messias descendia não da bela Raquel, mas da comum Lia. A decisão divina sobre a questão, porém, nada teve a ver com o amor romântico de Jacó por Raquel, nem com a relativa negligência dele para com Lia. As decisões divinas dependem de coisas superiores a essas.

Trabalhando para Ganhar uma Esposa. A arqueologia e a literatura antiga confirmam o fato de que um homem podia obter esposa através do seu *trabalho*, de conformidade com um acordo que se fizesse entre o homem e o pai da jovem. Os estudiosos dizem que esse costume prevalece até hoje entre os árabes, embora apenas ocasionalmente. Uma esposa também podia ser comprada, conforme se vê em Gn 24.53. Essa *venda* era com frequência velada (de acordo com as sutilezas orientais), como se algum *presente* estivesse envolvido, que é o caso destacado no capítulo 24. O trecho de Gênesis 31.15 mostra-nos que Raquel e Lia consideravam-se *vendidas* por seu pai a Jacó. Assim, o *trabalho* efetuado por Jacó, durante catorze anos, não visou apenas a agradar a Labão, para obter as suas filhas como esposas, mas, antes, foi uma forma de compra.

■ 29.19

וַיֹּאמֶר לָבָן טוֹב תִּתִּי אֹתָהּ לָךְ מִתִּתִּי אֹתָהּ לְאִישׁ אַחֵר שְׁבָה עִמָּדִי:

Labão Não Demonstrou Entusiasmo. Pelo menos não abertamente, embora talvez a proposta lhe tenha agradado. O negócio era-lhe favorável. Mas ele ocultou o seu entusiasmo, se é que se entusiasmou. E disse: "Antes tu que outro homem!" Estou imaginando que foi um preço tremendo em troca de uma mulher. Contraste-se isso com os presentes que o servo de Abraão trouxera para obter Rebeca. Teria ele trazido joias e presentes equivalentes a sete anos de trabalho?

A arqueologia e as referências literárias antigas indicam que os povos daquela região preferiam ter casamentos entre parentes, o que sem dúvida estava acontecendo à família de Abraão.

■ 29.20

וַיַּעֲבֹד יַעֲקֹב בְּרָחֵל שֶׁבַע שָׁנִים וַיִּהְיוּ בְעֵינָיו כְּיָמִים אֲחָדִים בְּאַהֲבָתוֹ אֹתָהּ:

Serviu Jacó sete anos. Um longo tempo, de fato, mas, na mente e nos sentimentos de Jacó, tudo foi como *um dia*, porque a mulher por quem ele estava trabalhando era muito valiosa para ele. Assim acontece também com aqueles que têm algum grande projeto a realizar. O *entusiasmo* faz toda a diferença. Alguns dizem que a *perseverança* faz a diferença, mas é o entusiasmo que sempre está por trás da verdadeira perseverança.

Os eruditos supõem que Jacó estivesse com 57 anos de idade na época. Mas os patriarcas casavam-se tarde, por razões difíceis de precisar. Por certo não atingiam logo a maturidade e, devido à sua longa vida, não tinham pressa para casar, e nem os costumes sociais da época os pressionavam nessa direção. Assim, não temos regras fixas que guiem nosso raciocínio a respeito.

Sete anos. Para Jacó, esses anos passaram-se com rapidez, por amor a Raquel. Tudo quanto ele tinha passado era como "nada". Além disso, ele passava muitas "horas agradáveis" em conversa com Raquel. Assim, o tempo "passou-se rapidamente" (conforme comentou John Gill, *in loc.*).

■ 29.21

וַיֹּאמֶר יַעֲקֹב אֶל־לָבָן הָבָה אֶת־אִשְׁתִּי כִּי מָלְאוּ יָמָי וְאָבוֹאָה אֵלֶיהָ:

Já venceu o prazo. "Dá-me minha mulher", e assim, "cumpre a tua parte na negociação". Jacó havia dado por sua esposa um dote não com forma de dinheiro, mas com forma de trabalho. Mas aqueles anos de trabalho valiam muito, do ponto de vista monetário.

"Era chegado o tempo de ele ficar com ela" (John Gill, *in loc.*). Alguns intérpretes judeus pensam que ele estaria então com 84 anos de idade; mas a estimativa mais baixa é de 57 anos. Fosse como fosse, era chegado o tempo do casamento, de acordo com o negociado entre Jacó e Labão. O amor fez esse tempo parecer "poucos dias" (vs. 20). Mas acordos são acordos.

"É interessante que as esposas dos três primeiros patriarcas eram mulheres bonitas: Sara (Gn 12.11), Rebeca (Gn 24.15,16) e Raquel (29.17)" (Allen P. Ross, *in loc.*). A paixão de Jacó por Raquel não permitiria maior prazo.

■ 29.22

וַיֶּאֱסֹף לָבָן אֶת־כָּל־אַנְשֵׁי הַמָּקוֹם וַיַּעַשׂ מִשְׁתֶּה:

A Festa e a Farsa. Jacó encontrou em seu tio quem pudesse enganá-lo. Foi preparada uma grande festa, mas estava sendo planejada uma grande farsa. *Lia*, e não Raquel, é quem estava esperando casamento. Um costume local prevaleceria sobre o acordo feito. Labão tivera o cuidado de não revelar que seguiria *esse* costume local de dar, em casamento, primeiro a filha mais velha, nesse caso, Lia.

Uma festa assinalava ocasiões solenes, como pactos e casamentos, além de servir de ponto de contato social, mesmo que só estivesse em pauta uma questão de amizade, sem outro motivo especial. Ver no *Dicionário* o artigo *Refeições (Banquetes)*. Os banquetes também faziam parte das principais festividades religiosas dos judeus. Ver no *Dicionário* o verbete *Festas (Festividades) Judaicas*.

Com frequência, sacrifícios e ofertas acompanhavam os banquetes de casamento, visto que o matrimônio era considerado um contrato solene.

Todos os homens do lugar. Ou seja, de Padã-Arã. Foram convidados os homens de maior importância, além de seus amigos pessoais. Portanto, a festa foi um grande momento público, não envolvendo apenas a família imediata de Labão.

■ 29.23

וַיְהִי בָעֶרֶב וַיִּקַּח אֶת־לֵאָה בִתּוֹ וַיָּבֵא אֹתָהּ אֵלָיו וַיָּבֹא אֵלֶיהָ:

Lia Toma o Lugar de Raquel. Labão levou sua filha Lia, e não Raquel. De acordo com os costumes locais, ele agiu acertadamente. Mas também poderia ter feito a coisa certa da maneira certa, ou seja, com honestidade. Teria Jacó feito objeção, desde o princípio, se tivesse sabido que teria de trabalhar por *duas mulheres*, sete anos por cada uma? Provavelmente, não; mas também é possível que, quando a barganha fora feita, Labão não tivera a intenção de ser tão generoso. Todavia, *repreendido* por Jacó, também acabou entregando Raquel, uma semana mais tarde (vs. 27). De qualquer modo, o véu oriental usado pelas mulheres e a falta de iluminação no interior da tenda permitiram que Labão enganasse Jacó com sucesso. A noiva era trazida velada ao noivo (ver também Gn 24.65 e suas notas expositivas).

Cf. o caso de Jacó com o de Isaque. Isaque pôde ser enganado por estar cego, como se estivesse às escuras. Jacó também foi enganado devido às trevas. Onde houver ludíbrio, aí haverá também trevas espirituais.

O costume da época determinava que o noivo fosse deitar-se primeiro. Então a noiva era trazida até ele, usando véu. Somente no escuro o véu era tirado.

■ 29.24

וַיִּתֵּן לָבָן לָהּ אֶת־זִלְפָּה שִׁפְחָתוֹ לְלֵאָה בִתּוֹ שִׁפְחָה:

Para serva. As mulheres de círculos mais abastados recebiam uma "serva", conforme se viu no caso de Hagar e Sara. Na maior parte dos casos, essa serva era uma escrava. Por assim dizer, não se separava da dona da casa, acompanhando-a enquanto esta vivesse. Ela não tinha direitos próprios, exceto aqueles dados por sua *senhora*. Tão próxima era ela de sua senhora que poderia ter filhos do marido desta última, embora esses filhos, legalmente, fossem considerados filhos da *senhora*. Essa jovem, dada à *senhora* da casa, não era governada pelo homem. Todos os direitos sobre ela pertenciam à esposa (conforme se vê em Gn 16.6). Sara mostrou-se cruel com Hagar, mas Abraão não interveio, porque não tinha autoridade sobre a questão. Betuel tinha dado a Rebeca uma companhia dessas, Débora, além de outras escravas (Gn 24.61). A tradição judaica diz que Zilpa fora concubina de Labão. Mas isso é altamente improvável.

Zilpa. No hebraico, *terra baixa*. Era uma jovem escrava que foi dada por Labão a Lia, por ocasião do casamento desta com Jacó. Posteriormente, a pedido da própria Lia, tornou-se esposa secundária ou concubina de Jacó. Zilpa foi mãe de dois filhos, Gade e Aser (Gn 29.24; 30.9-13; 35.26; 37.2; 46.18). Ela viveu em torno de 1730 a.C. Assim, aquela humilde jovem tornou-se uma das matriarcas de Israel. Se as tradições judaicas estão certas, então Zilpa e Lia eram meias-irmãs, embora não haja como averiguar essa teoria. Parece improvável, contudo, que uma concubina de Labão tivesse vindo a ser uma concubina de Jacó, posto que sucedem coisas estranhas, e que o *incesto* (ver a respeito no *Dicionário*) não era algo que perturbava os antigos dos dias de Abraão.

■ **29.25**

וַיְהִי בַבֹּקֶר וְהִנֵּה־הִוא לֵאָה וַיֹּאמֶר אֶל־לָבָן מַה־זֹּאת עָשִׂיתָ לִּי הֲלֹא בְרָחֵל עָבַדְתִּי עִמָּךְ וְלָמָּה רִמִּיתָנִי:

Ao amanhecer viu que era Lia. A luz do dia revelou a fraude, mas era tarde demais. Agora chegara a vez de Jacó protestar veementemente por ter sido iludido, tal como Esaú reclamara ao ser enganado (Gn 27.35 ss.). Esaú se enchera de ódio e de vontade de matar seu irmão (Gn 27.41 ss.), o que dera azo para que Jacó fosse para o exílio. Jacó não pensou em assassinato, mas podemos estar certos de que bradou ao máximo, manifestando a sua indignação. O *acordo* havia sido desrespeitado. Jacó fizera a sua parte, mas Labão falhara. A luz do dia sempre revela as fraudes. A luz faz o pecado dispersar-se. John Gill pensa que o que sucedeu foi adultério (e também incesto), visto que Jacó se deitara com uma mulher que não era sua esposa, além de ser irmã da mulher com quem ele se casara. Mas Labão não via as coisas por esse ângulo. As pessoas definem as coisas de diferentes maneiras, mas isso não faz do pecado uma questão relativa. Jacó estava colhendo o que tinha semeado. Ver no *Dicionário* o verbete *Lei Moral da Colheita segundo a Semeadura*.

■ **29.26**

וַיֹּאמֶר לָבָן לֹא־יֵעָשֶׂה כֵן בִּמְקוֹמֵנוּ לָתֵת הַצְּעִירָה לִפְנֵי הַבְּכִירָה:

Um Costume Local. O conservantismo frustrou o bom senso. O *costume* foi observado, à revelia de qualquer outro fator. John Gill negou que houvesse algum costume assim, e nenhuma de minhas fontes informativas revela qualquer coisa. Mas este versículo o menciona, embora a arqueologia nada tenha descoberto. Adam Clarke encontrou um costume hindu dessa natureza, que ele chamou de "lei positiva". Se havia tal costume entre o povo de Labão, então ele enganou Jacó (no tocante a Raquel) desde o começo; ou, talvez, no decurso dos anos, pensou no golpe astucioso, tirando proveito de um costume, que ele valorizou mais que seu acordo com Jacó. E também enganou seus convidados, porque eles viram o casamento de Jacó e *Raquel*. Podemos supor que Lia também fez parte do conluio, ou, pelo menos, *obedeceu* à voz de seu pai, tal como Jacó havia obedecido à palavra de sua mãe, Rebeca, cooperando com o engano pespegado contra Isaque (Gn 27.8 ss.). Lia amava Jacó (Gn 30.15), e deve ter cooperado com satisfação.

Os Costumes Prevalecem. O conservantismo nem sempre está com a razão. Novas ideias, ainda que úteis, com frequência são tabus. As escolhas são limitadas por mentes limitadas. Alguns costumes precisam ser desafiados e alterados. Outros precisam ser testados e aprovados; novos costumes precisam ser introduzidos. O tempo permite crescimento, não meramente preservação. *A teologia desenvolve-se.*

A antiga ordem muda e cede lugar à nova
E Deus cumpre sua vontade de muitos modos.

Tennyson

■ **29.27**

מַלֵּא שְׁבֻעַ זֹאת וְנִתְּנָה לְךָ גַּם־אֶת־זֹאת בַּעֲבֹדָה אֲשֶׁר תַּעֲבֹד עִמָּדִי עוֹד שֶׁבַע־שָׁנִים אֲחֵרוֹת:

A Solução Fácil. Raquel também seria dada a Jacó, mas isso custaria a Jacó mais sete anos de serviço. Mas que significavam catorze anos de serviço, se ele veio a servi-la a vida toda?

Decorrida a semana desta. Ou seja, os sete dias de banquete do casamento (Jz 14.12 e Tobias 11.18). É difícil ver como aquela semana poderia ser de *Lia*, se todos os convidados tinham vindo para o casamento de *Raquel*. Mas a semana foi de Lia. Talvez não houvesse votos formais, como nas cerimônias de matrimônio modernas, e a jovem que entrasse na tenda de um homem, *essa* seria a sua esposa. Nesse caso, não houve nem adultério nem incesto. Nossa falta de conhecimento não nos permite dizer alguma coisa indiscutível sobre esse casamento de Jacó. Ver no *Dicionário* o artigo chamado *Matrimônio*, quanto ao que se sabe sobre o casamento na antiguidade.

"Infelizmente, *Jacó* não é o único crente que tem precisado de um *Labão* a fim de disciplina-lo" (Allen P. Ross, *in loc.*).

■ **29.28**

וַיַּעַשׂ יַעֲקֹב כֵּן וַיְמַלֵּא שְׁבֻעַ זֹאת וַיִּתֶּן־לוֹ אֶת־רָחֵל בִּתּוֹ לוֹ לְאִשָּׁה:

Labão lhe deu... Raquel. Esta custou a Jacó um dote maior (sob a forma de sete anos de trabalho), mas ele também não reclamou por essa parte. Ademais, de súbito ele tinha ganho *quatro* mulheres, que seriam as matriarcas da nação de Israel (vs. 29). A legislação mosaica proibia o casamento com uma irmã da primeira esposa (Lv 18.18), mas isso já pertenceu a uma época posterior. Se um homem podia casar-se com sua meia-irmã, como foi o caso de Abraão (Gn 20.12), então casar-se com duas mulheres que eram irmãs entre si, e primas do noivo, não pareceria coisa estranha. Ver no *Dicionário* o artigo intitulado *Incesto*.

A Grande Vitória. Jacó havia obtido uma grande vitória, pela qual também muito se tinha esforçado, com toda a paciência e perseverança, durante sete longos anos. O segredo da vitória é a perseverança inspirada pelo entusiasmo, bem como a paciência para esperar uma grande realização, mediante o trabalho árduo.

■ **29.29**

וַיִּתֵּן לָבָן לְרָחֵל בִּתּוֹ אֶת־בִּלְהָה שִׁפְחָתוֹ לָהּ לְשִׁפְחָה:

Bila. Juntamente com Lia, Jacó obtivera Zilpa; e agora, com Raquel, obtinha Bila. As duas servas não se tornaram de imediato suas concubinas, mas isso não demoraria muito. Abraão tinha ganho Hagar como concubina, pelo que vemos que estava envolvido um costume arraigado. Ver as notas sobre o vs. 24 quanto a maiores informações.

Bila era, nas páginas do Antigo Testamento, o nome tanto de uma pessoa quanto de uma cidade. Ver no *Dicionário*. Esse nome significa *terna* ou *timidez*. Ela veio a ser mãe de Dã e de Naftali (Gn 30.1-8; 35.25; 46.25; 1Cr 7.13). Embora fosse apenas uma serva, tornou-se uma das matriarcas da nação de Israel.

A FAMÍLIA DE JACÓ

Visto que o Messias procedeu da tribo de Judá, *Lia* foi a escolhida para dar continuidade à linhagem espiritual direta do Pacto Abraâmico (ver as notas sobre Gn 15.18).

■ **29.30**

וַיָּבֹא גַּם אֶל־רָחֵל וַיֶּאֱהַב גַּם־אֶת־רָחֵל מִלֵּאָה וַיַּעֲבֹד עִמּוֹ עוֹד שֶׁבַע־שָׁנִים אֲחֵרוֹת:

Jacó amava mais Raquel. As mulheres daquele tempo não pareciam ter ciúmes relativos aos privilégios sexuais. Mas mostravam-se sensíveis acerca de qual mulher era mais amada, conforme vemos em Gênesis 29.32. Ademais, era muito importante para a mulher que ela fosse fértil, pelo que havia competição quanto ao número de filhos que uma mulher desse a seu marido (Gn 30.1 ss.). O capítulo 30 mostra uma vívida competição entre Lia e Zilpa, por um lado, e Raquel e Bila, por outro lado. Qual das duas mulheres seria capaz de produzir mais filhos? Essa competição deu origem aos doze filhos, alistados no capítulo 30, os quais vieram a ser os patriarcas de Israel. Vemos aqui um drama comum da humanidade — o anelo humano por amor e reconhecimento. Esse reconhecimento inclui a questão de posição, motivo pelo qual essas questões sempre envolvem o orgulho. As pessoas dispõem-se a pagar um alto preço por essas coisas. Sementes amargas estavam sendo plantadas no seio da família patriarcal, devido à forte competição prevalente. É triste quando isso macula uma família. Neste mundo já há bastante dessa desgraça.

Raquel foi o primeiro amor de Jacó. Mas não foi a primeira a ficar grávida dele. Ademais, Lia teve seis filhos, ao passo que Raquel só teve dois. Mas Raquel sempre ocuparia o primeiro lugar no coração de Jacó. Ela morreu de parto, ao ter seu segundo filho, Benjamim. José, seu primeiro filho, seria o favorito de Jacó. E José teria uma carreira ilustre, posto que muito acidentada.

NASCIMENTO DOS FILHOS DE JACÓ (29.31—30.24)

Ver as notas no vs. 29 quanto a um gráfico que ilustra os filhos de Jacó. Os críticos atribuem essa seção a uma mistura das fontes informativas J e E. Ver no *Dicionário* o artigo *J.E.D.P.(S.)* quanto à teoria das fontes múltiplas do Pentateuco. Eles disputam a ordem dos nascimentos, e pensam não haver bases suficientes para essa ordem, supondo que as fontes não proviam tal ordem, o que não nos daria certeza quanto à cronologia. Os céticos creem que as origens se perderam, e tais listas são meras conveniências literárias, nada tendo a ver com uma história genuína. Os eruditos conservadores não veem razões para abandonar a exposição simples da Bíblia, supondo estarem elas fora de ordem. E se pode parecer que tudo quanto temos aqui é um cronograma das atividades sexuais de Jacó e suas quatro mulheres, contudo, o que o autor sagrado estava exibindo *cuidadosamente* era como *Israel*, como uma nação, teve seu começo: ela veio através da linhagem Abraão-Isaque-Jacó (por meio das quatro esposas deste último). Os doze filhos de Jacó tornaram-se os patriarcas de Israel, tal como, através de Ismael (antes desse tempo), seus doze filhos tinham-se tornado os doze patriarcas das nações árabes (Gn 17.20). Destarte, estava sendo cumprida a promessa feita a Abraão, de que ele seria pai de muitas nações, e, então, da *nação* de Israel. Através de Abraão-Isaque-Jacó-Lia-Judá veio afinal o Messias, provendo o necessário para a dimensão espiritual do Pacto Abraâmico (Gl 3.14 ss.). Ver as notas sobre o Pacto Abraâmico em Gênesis 15.18, com informações adicionais no artigo *Pactos*, em sua quarta seção, no *Dicionário*.

■ 29.31

וַיַּרְא יְהוָה כִּי־שְׂנוּאָה לֵאָה וַיִּפְתַּח אֶת־רַחְמָהּ וְרָחֵל עֲקָרָה׃

Lia era desprezada. Essas palavras são fortes, dando a entender que Jacó, a despeito de todo o progresso espiritual feito desde a sua visão em Betel, ainda tinha muito que crescer. *Maomé* permitiu que um homem tivesse várias esposas, e até que fizesse trocas entre elas, conforme seu bel-prazer. Mas a regra dizia: "Ama todas igualmente, e trata todas com igualdade". Joseph Smith (fundador do mormonismo) encorajou a poligamia por razões espirituais, embora dizendo que essa deveria ser seguida com senso de *responsabilidade*. Ver o verbete *Santos dos Últimos Dias (Mórmons)* na Enciclopédia de Bíblia, Teologia e Filosofia, e também o artigo *Poligamia*, no *Dicionário*. Jacó tinha quatro mulheres e gerou doze filhos e uma filha, mas permitiu que o *ódio* fosse incorporado ao seu sistema. O ódio é o oposto do amor, o princípio negro, tal como o amor é o poder e o princípio mais elevado da espiritualidade (1Jo 4.7 ss.). No ódio há trevas. No amor há luz. Ver no *Dicionário* os artigos *Amor* e *Ódio*.

A esposa menos favorecida por Jacó era a mais favorecida pelo Senhor. Cf. 1Samuel 1.2-5. Um dos motivos da teologia dos hebreus era que o Senhor protege e abençoa de modo especial uma esposa menos favorecida, tornando-a mais frutífera que outra esposa mais favorecida. Isso exibe sua atenção pela família e o desejo de reverter a fraqueza e o favoritismo humano.

Raquel era estéril. Quão estranho é que as três mulheres especialmente bonitas, Sara, Rebeca e Raquel, tenham passado por um período de esterilidade, o que requereu a ajuda divina para corrigir a situação. Sara fora estéril (Gn 11.30), mas tornou-se fértil (Gn 21.1 ss.); Rebeca também teve sua esterilidade revertida (Gn 25.21); e Raquel era estéril (Gn 29.31), mas tornou-se fértil (Gn 30.22). Em cada caso houve uma intervenção divina, visto que se acreditava que "herança do Senhor são os filhos" (Sl 127.3 ss.). A esterilidade, pois, era considerada uma maldição e um opróbrio (Gn 30.23). Se um casal não tivesse filhos, Deus não o estaria abençoando, por algum motivo.

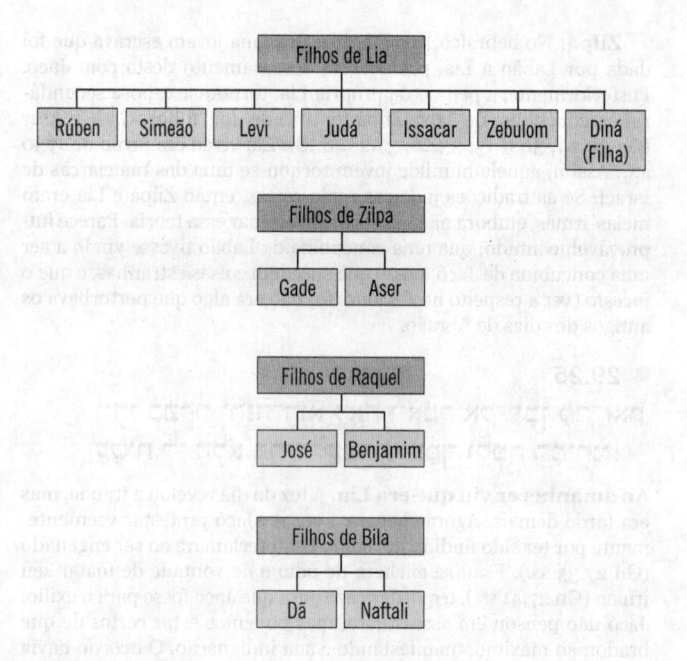

Filhos de Lia: Rúben, Simeão, Levi, Judá, Issacar, Zebulom, Diná (Filha)

Filhos de Zilpa: Gade, Aser

Filhos de Raquel: José, Benjamim

Filhos de Bila: Dã, Naftali

■ 29.32

וַתַּהַר לֵאָה וַתֵּלֶד בֵּן וַתִּקְרָא שְׁמוֹ רְאוּבֵן כִּי אָמְרָה כִּי־רָאָה יְהוָה בְּעָנְיִי כִּי עַתָּה יֶאֱהָבַנִי אִישִׁי׃

Lia Engravidou Primeiro. O primogênito de Jacó foi Rúben, sobre quem há um detalhado artigo no *Dicionário*. A derivação desse nome é incerta. Alguns pensam que vem de *reubhel*, "leão". Mas outros dizem que significa "Eis um filho!" Ele perdeu o direito à primogenitura (tal como sucedeu a Esaú, antes dele), por ter mantido relações sexuais com *Bila*, concubina de seu pai (Gn 35.22; 49.4). Grandes pecados continuavam assediando a "família patriarcal".

O Resultado Esperado. Jacó favorecia altamente Raquel, mas *desprezava* Lia. Visto que os filhos eram tão importantes, considerados uma bênção divina, Lia esperava que Rúben mudasse a mente de Jacó. Mas isso não funcionou. Temos aí a velha história do amor não correspondido. Labão, talvez com a cooperação de Lia, tinha enganado Jacó; e, talvez, por essa razão Jacó continuava a favorecê-la e amá-la menos (vs. 30 e 31). Por outra parte, não há como explicar como e por que um homem ama uma mulher, e em que direção sua paixão haverá de conduzi-lo.

■ 29.33

וַתַּהַר עוֹד וַתֵּלֶד בֵּן וַתֹּאמֶר כִּי־שָׁמַע יְהוָה כִּי־שְׂנוּאָה אָנֹכִי וַיִּתֶּן־לִי גַּם־אֶת־זֶה וַתִּקְרָא שְׁמוֹ שִׁמְעוֹן׃

Concebeu outra vez. O filho seguinte de Lia foi *Simeão*. Ver o artigo detalhado sobre ele, no *Dicionário*. Outro filho, outro patriarca de Israel. Lia era desprezada, mas era quem estava produzindo filhos. Cada novo filho renovava-lhe a esperança de que Jacó a amaria, favorecendo mais a ela que a Raquel. *Simeão* significa *prole de hiena* ou *prole de lobo*. Mas de acordo com a etimologia popular, *audição*. Isso porque Lia continuava orando por filhos, e Deus continuava a dar-lhe *ouvidos*.

O Instinto Básico. Reclamou Raquel: "Dá-me filhos, senão morrerei" (Gn 30.1). Propagar a espécie é algo básico na psique humana, uma parte de nossa herança genética. Mais do que isso, porém, estava envolvido. Estava envolvido o amor; a família é algo fundamental; o amor filial é básico para a vida humana.

■ 29.34

וַתַּהַר עוֹד וַתֵּלֶד בֵּן וַתֹּאמֶר עַתָּה הַפַּעַם יִלָּוֶה אִישִׁי אֵלַי כִּי־יָלַדְתִּי לוֹ שְׁלֹשָׁה בָנִים עַל־כֵּן קָרָא־שְׁמוֹ לֵוִי׃

Porque lhe dei à luz três filhos. Agora era a vez de *Levi*, sobre quem também há um artigo detalhado no *Dicionário*. dele se originaria a casta sacerdotal de Israel. Seu nome significa "boi selvagem", estando relacionado ao nome *Lia*, de sua mãe. Raízes primitivas da palavra podem ter significado "serpente" ou "leviatã" (ver Jó 3.8; Sl 74.14; 104.26; Is 27.1). De cada vez que lhe nascia um filho, aumentavam as esperanças de Lia. "*Agora* Jacó me favorecerá e amará". Mas isso nunca acontecia. Por outro lado, ela estava trazendo à existência a futura nação de Israel, pelo que havia júbilo e realização. Por meio de Lia teria cumprimento a *esperança messiânica*, e sua esperança estava tendo cumprimento de uma maneira melhor do que ela tinha em mente. Ver no *Dicionário* o verbete *Esperança Messiânica*.

Lia tinha preparado um cordão de três dobras (três filhos) para amarrar o coração de seu marido a ela; mas Jacó não se sentia preso a ela. De acordo com a compreensão dela quanto ao nome "Levi", esse nome queria dizer "união". Ela esperava que a corda ligasse Jacó a ela. Mas Jacó ignorava tudo.

■ 29.35

וַתַּהַר עוֹד וַתֵּלֶד בֵּן וַתֹּאמֶר הַפַּעַם אוֹדֶה אֶת־יְהוָה עַל־כֵּן קָרְאָה שְׁמוֹ יְהוּדָה וַתַּעֲמֹד מִלֶּדֶת׃

A Linhagem Messiânica. O quarto filho de Lia foi *Judá*, o progenitor da linhagem messiânica. Portanto, Lia estava tendo grande sucesso e privilégios, apesar da atitude de Jacó. Ver no *Dicionário* sobre *Judá*. A derivação desse nome é incerta, mas talvez venha de *hodh*, "ele (Deus) é majestático", ou "Deus seja louvado". Exclamara Lia: "Esta vez louvarei o Senhor. Daí o nome do quarto filho ser *Judá*. Lia já havia dado quatro filhos a Jacó, e estava ganhando disparado de sua irmã, Raquel, que até agora não tivera nenhum filho. Lia estava ocupando sua mente com ciúmes triviais. Mas estavam em jogo coisas muito mais importantes do que ela imaginava. É comum que nos mostremos triviais em meio a algo grandioso que ocorre ao nosso redor. A base é o egoísmo, que norteia a maior parte das pessoas.

Posteriormente, Lia teve mais dois filhos e uma filha (Gn 30.17-19).

"No registro do livro de Gênesis, o que mais importa não são as mulheres, mas o rol de filhos por elas gerados" (Walter Russell Bowie, *in loc.*).

CAPÍTULO TRINTA

Agora o autor sagrado voltava a sua atenção para Raquel, mas o começo do parágrafo fica em Gênesis 29.31, onde apresento os comentários de introdução a esta seção.

■ 30.1

וַתֵּרֶא רָחֵל כִּי לֹא יָלְדָה לְיַעֲקֹב וַתְּקַנֵּא רָחֵל בַּאֲחֹתָהּ וַתֹּאמֶר אֶל־יַעֲקֹב הָבָה־לִּי בָנִים וְאִם־אַיִן מֵתָה אָנֹכִי׃

Vendo Raquel que não dava filhos. Ver as notas sobre Gênesis 29.31 quanto à circunstância da esterilidade, que envolveu todas as três belas mulheres, Sara, Rebeca e Raquel. Porém Deus haveria de suspender esse vexame (vs. 23). Mas antes, a esposa menos favorecida (por seu esposo) seria a mulher mais favorecida por Deus (ver Gn 29.31 ss., com notas específicas sobre essa questão no vs. 31). Esse é um dos grandes motivos da teologia dos hebreus, pois cria-se que os filhos são dados por Deus (Sl 127.3; ver também o versículo seguinte, que enfatiza a origem divina dos filhos).

Teve ciúmes. Ver no *Dicionário* o artigo intitulado *Inveja*. O que era mais importante para as mulheres — filhos — estava sendo negado a Raquel. Entrementes, Lia não tivera só um filho, mas *quatro*. Raquel era a esposa mais amada (Gn 29.30). Mas de que lhe adiantava isso se não obtinha realização pessoal como mulher? Ela não se sentiria *feliz* enquanto não ganhasse o que sua irmã já havia ganho. O coração humano nunca se satisfaz, e está sempre à cata de alguma *vantagem*. O ciúme ou inveja é uma forma de ódio. Assim, Jacó desprezava Lia (Gn 29.31), e Raquel também a desprezava (Gn 30.1), e tudo isso consistia em uma maneira muito vergonhosa de a "família patriarcal" comportar-se.

A Morte Rondava por Perto. Disse Raquel: "Se as coisas continuarem como estão, acabarei morrendo". Não gerar filhos era, para as mulheres hebreias, a pior das calamidades, um *vexame* (vs. 23). Nessa situação, elas se sentiam aflitas. Uma forma espúria de imortalidade é a continuação do código genético de uma pessoa por meio de seus descendentes. Mas conforme comentou um de meus professores de filosofia, em uma de suas aulas: "Depois de algum tempo, isso fica velho". *Pessoalmente*, gostamos de viver por longos anos, e não meramente transferir nossos genes, que assim continuam existindo! Quanto ao período dos patriarcas hebreus há pouca evidência em favor da crença na imortalidade, embora haja indícios a respeito na doutrina da imagem de Deus, com a qual o homem foi criado (Gn 1.26,27). Talvez o grande anelo por filhos esteja envolvido no instinto humano da sobrevivência, se não no indivíduo, pelo menos na família ou na raça. Ver no *Dicionário* o artigo chamado *Alma*.

Bem à parte dessa possibilidade, Raquel estava pesadamente envolvida no instinto feminino da procriação, sem falar na ambição *pessoal* de ultrapassar sua irmã. Há riqueza na família. Isso é enfatizado pelo judaísmo. Em uma família bem formada, de acordo com a vontade de Deus, há bênção e desenvolvimento espirituais. No lar aprendemos lições valiosas. É ali que achamos nossas mais profundas expressões de amor, e o amor é a essência e a prova da espiritualidade. Ver 1João 4.7 ss. e, no *Dicionário,* o artigo intitulado *Amor*.

"...a inveja é a podridão dos ossos" (Pv 14.30; Ct 8.6).

"Há um provérbio oriental que diz que uma pessoa sem filhos é como uma pessoa morta" (Ellicott, *in loc.*). "Ela era uma esposa muito jovem e mimada" (*idem*).

"Dá-me filhos" talvez tenha sido um grito que incluía a ideia de que as orações intensas e persistentes de Jacó poderiam convencer Deus a torná-la fértil, conforme vários intérpretes judeus têm pensado.

■ 30.2

וַיִּחַר־אַף יַעֲקֹב בְּרָחֵל וַיֹּאמֶר הֲתַחַת אֱלֹהִים אָנֹכִי אֲשֶׁר־מָנַע מִמֵּךְ פְּרִי־בָטֶן׃

Acaso estou eu em lugar de Deus...? Jacó ficou irado. Ver no *Dicionário* o artigo *Ira dos Homens*. A ira é uma das obras da carne (Gl 5.20). "Como posso fazer aquilo que só Deus pode fazer?", indagou Jacó. O trecho de Gênesis 25.21 mostra que Deus concedeu fertilidade a Rebeca porque *Isaque* buscou o Senhor quanto a essa bênção, em suas orações. Talvez isso fosse o que Raquel desejava da parte de Jacó. "Deus não tem agido. Que poderei fazer. Sou eu *maior* do que Deus?" foi a resposta de Jacó.

O Targum de Jerusalém afirma que só há *uma chave* que Deus não entrega aos anjos (e, muito menos, aos homens), ou seja, essa questão da esterilidade. A fertilidade depende exclusivamente dele. Cf. este incidente com aquele que envolveu Abimeleque e Abraão. Deus fechou a madre das mulheres do clã de Abimeleque, quando Sara esteve sob ameaça de ser contaminada (Gn 20.18).

■ 30.3

וַתֹּאמֶר הִנֵּה אֲמָתִי בִלְהָה בֹּא אֵלֶיהָ וְתֵלֵד עַל־בִּרְכַּי וְאִבָּנֶה גַם־אָנֹכִי מִמֶּנָּה׃

Uma Medida Ditada pelo Desespero. "Não sirvo para gerar filhos; Bila terá de servir". A escrava era possessão exclusiva de Raquel. O que sucedesse a Bila seria creditado a Raquel. Uma criança que Bila desse à luz seria considerada legalmente pertencente a Raquel. O vs. 6 mostra que, efetivamente, o menino que Bila deu à luz foi considerado filho de Raquel. E esta teve grande alegria. Já era algo bom, mas não suficiente!

E eu traga filhos ao meu colo. Os intérpretes coçam a cabeça diante do que significariam essas palavras. Alguns pensam que o ato de dar à luz de algum modo era efetuado sobre os joelhos da dona da casa, algo bastante desajeitado de imaginar, e, talvez, até impossível de ser feito. Talvez o que temos aqui seja aludido em Gênesis 50.23, onde lemos que os filhos de Maquir, neto de José, este tomava "sobre seus joelhos". Talvez houvesse o costume de colocar uma criança recém-nascida sobre os joelhos, primeiro do pai e, então, da mãe, por meio de quem ela dera à luz em lugar de outra mulher. Simbolicamente, isso significaria que o pai e a mãe recebiam tal criança como sua. Um filho de Bila seria posto sobre os joelhos de Raquel, tornando-se legalmente dela. Talvez a cerimônia fosse usada em casos de adoção.

Nossa versão portuguesa prefere dar outra interpretação às palavras de Raquel: se Bila tivesse um filho, visto que esse seria de Raquel, esta última teria o direito de trazê-lo ao seu colo!

■ 30.4

וַתִּתֶּן־לוֹ אֶת־בִּלְהָה שִׁפְחָתָהּ לְאִשָּׁה וַיָּבֹא אֵלֶיהָ יַעֲקֹב׃

A Terceira Mulher de Jacó. O que fora apenas uma possibilidade era agora uma realidade. Um novo casamento foi consumado, e uma nova matriarca de Israel foi provida. A menção frequente de tal prática, no livro de Gênesis (ver o caso de Abraão e Hagar, em Gênesis 16.2), indica que esse deve ter sido um costume generalizado e bem aceito. Ver no *Dicionário* o verbete sobre *Bila*.

■ 30.5

וַתַּהַר בִּלְהָה וַתֵּלֶד לְיַעֲקֹב בֵּן׃

A Bênção Divina. De acordo com a concepção dos antigos, Deus havia abençoado Raquel por meio de sua escrava, pois agora ela perdera o estigma de não ter filhos. Além disso, ela tinha lavrado um tento contra Lia, que já possuía quatro filhos.

■ 30.6

וַתֹּאמֶר רָחֵל דָּנַנִּי אֱלֹהִים וְגַם שָׁמַע בְּקֹלִי וַיִּתֶּן־לִי בֵּן עַל־כֵּן קָרְאָה שְׁמוֹ דָּן׃

Deus me julgou. Em outras palavras, Deus tinha decidido em favor de Raquel. Não havia dúvidas morais quanto à prática. Raquel agradeceu a Deus por sua intervenção, o que melhorou um pouco a sua situação.

Também me ouviu a voz. Ou seja, Deus ouvira sua *oração*, que pedira um filho. Essa oração fora atendida de modo aceitável, embora não de forma ideal. Ver no *Dicionário* o artigo intitulado *Oração*.

Dã. Nesse caso, a etimologia é correta. Seu nome quer dizer "meu pai (Deus) é juiz". A palavra é uma forma teofórica de Abidã (cf. Nm 1.11). Dou um artigo detalhado sobre *Dã* no *Dicionário*. Ver Gênesis 29.29 quanto a um gráfico sobre a família de Jacó. Bila contribuiu com dois filhos: Dã e Naftali.

"Ela [Raquel] olhou para a criança como um presente de Deus, como um fruto de suas orações, e, em misericórdia para com ela, Deus agirá em seu favor..." (John Gill, *in loc.*).

■ 30.7

וַתַּהַר עוֹד וַתֵּלֶד בִּלְהָה שִׁפְחַת רָחֵל בֵּן שֵׁנִי לְיַעֲקֹב׃

Outro Sucesso. Se um é bom, dois é melhor. Bila deu à luz um segundo filho, ajudando Raquel a diminuir a diferença existente entre ela e Lia. Agora Jacó tinha seis filhos: quatro com Lia e dois com Bila.

■ 30.8

וַתֹּאמֶר רָחֵל נַפְתּוּלֵי אֱלֹהִים נִפְתַּלְתִּי עִם־אֲחֹתִי גַּם־יָכֹלְתִּי וַתִּקְרָא שְׁמוֹ נַפְתָּלִי׃

Com grandes lutas. Raquel estava empenhada em uma luta de vida ou morte com Lia, apostando quem daria mais filhos a Jacó. E agora achava que tinha "prevalecido", embora ainda estivesse perdendo por quatro a dois. A fim de comemorar a sua "vitória", deu a seu novo filho o nome de Naftali, *minha luta*. Mas Raquel ignorava totalmente o que realmente estava sucedendo, o nascimento de vários patriarcas de Israel. Sua visão míope só lhe mostrava que estava ganhando a batalha contra sua irmã.

Naftali. No hebraico, "minha luta". Dou um artigo detalhado sobre ele no *Dicionário*. Alguns dizem que esse nome vem de uma palavra hebraica que significa "torcer", "trançar". E talvez a ideia de luta se derive daí, por etimologia popular.

Uma Lição Moral. Todo conflito inútil não merece atenção por parte do homem espiritual. Mas as mentes pequenas deleitam-se em coisas dessa natureza, e chegam a pensar que estão prestando a Deus um serviço, com sua "defesa" da fé e com seus ataques a outras pessoas. Ver no *Dicionário* o artigo *Contendas*.

■ 30.9

וַתֵּרֶא לֵאָה כִּי עָמְדָה מִלֶּדֶת וַתִּקַּח אֶת־זִלְפָּה שִׁפְחָתָהּ וַתִּתֵּן אֹתָהּ לְיַעֲקֹב לְאִשָּׁה׃

Os Revides de Lia. Depois de ter dado à luz *quatro* filhos, Lia percebeu que sua irmã estava aproximando-se dela. Portanto, lançou mão da mesma tática que fora usada por Raquel. E chamou a ajuda de sua serva, Zilpa, para reforçar seu lado no conflito. E foi assim que Jacó ganhou sua quarta esposa. Lia não estava brincando. Ela e Zilpa ultrapassariam Raquel e Bila. Quão tola competição!

Zilpa. Esse nome quer dizer "abundância". Ela produziria filhos o bastante para manter Lia à frente de Raquel, frustrando assim as tentativas desta de furtar a glória daquela. Ver o artigo sobre *Zilpa* em Gênesis 29.24. Outros significados têm sido dados a esse nome, como "gota de mirra" ou "dignidade", neste último caso passando por um vocábulo árabe.

O pouco prestígio de Lia baixou mais ainda, sem dúvida, depois que deixou de ter filhos. Mais tarde, porém, teve mais dois filhos (vss. 17 e 18). Portanto, ela teve seis filhos ao todo. Juntando isso aos dois filhos de Zilpa, o total foram oito filhos, contra os quatro de Raquel e Bila.

■ 30.10,11

וַתֵּלֶד זִלְפָּה שִׁפְחַת לֵאָה לְיַעֲקֹב בֵּן׃
וַתֹּאמֶר לֵאָה בָּא גָד וַתִּקְרָא אֶת־שְׁמוֹ גָּד׃

Uma Tropa Estava a Caminho. Lia e Zilpa haveriam de dar toda uma tropa de filhos a Jacó, o que fica entendido no nome do filho *Gade*. As duas mulheres eram agora comandantes de tropas, avassalando a coitada da Raquel e sua serva, Bila. Estúpida competição! Dois ridículos *exércitos* estavam agora em conflito. A competição entre as duas irmãs assumira proporções monstruosas.

Gade. Há um detalhado artigo sobre ele no *Dicionário*. Se esse nome pode significar *tropa*, outros pensam que quer dizer *fortuna*. Mas Lia o interpretou como *tropa*, pelas razões acima explicadas. Adam Clarke diz-nos que pode estar em foco o deus falso de Isaías 65.11, talvez um planeta, como Júpiter, e que esse filho pode ter sido enviado pelo poder de tal divindade. Isso significaria que Lia continuava envolvida em alguma forma de idolatria. É possível que assim tenha sido, mas o próprio texto bíblico dificilmente indica tal coisa. Ela deu o crédito todo a *Elohim* (vss. 17 e 18). As versões dizem *afortunada* ou *sorte*, o que favorece aquela interpretação pagã, mas desnecessariamente. Nossa versão portuguesa, seguindo a versão inglesa RSV, diz "Afortunada!" Nesse caso, não haveria nenhuma referência pagã, mas apenas uma exclamação de *boa sorte*, por haver ela conseguido mais um filho.

■ 30.12

וַתֵּלֶד זִלְפָּה שִׁפְחַת לֵאָה בֵּן שֵׁנִי לְיַעֲקֹב׃

Outro Sucesso Ainda. A tropa (ou boa sorte) continuou aumentando. Zilpa continuou ajudando a causa de Lia. Mas com esse filho terminou a produção de Zilpa, provavelmente por decreto de Lia, que exercia controle sobre ela.

■ 30.13

וַתֹּאמֶר לֵאָה בְּאָשְׁרִי כִּי אִשְּׁרוּנִי בָּנוֹת וַתִּקְרָא אֶת־שְׁמוֹ אָשֵׁר׃

É a minha felicidade! Isso porque se tinha destacado naquilo que as mulheres mais desejam, gerar muitos filhos. Seu nome passaria pelos lábios de muitas mulheres, admiradas de ela haver gerado tantos filhos, os quais tentariam imitar o seu bom exemplo.

Aser. Esse nome significa *felicidade*, conforme vemos na primeira metade deste versículo. Lia tinha agora oito filhos, os quais constituíam sua felicidade e orgulho. Ver o artigo detalhado no *Dicionário* sobre *Aser*. A palavra *Asaru* foi encontrada nas inscrições de Seti I e de Ramsés II (cerca de 1400 a.C.). Ali designa uma região a oeste da Palestina. Mas alguns estudiosos pensam que originalmente apontava para o nome de uma deusa cananeia.

Lia estava bem à frente de sua irmã, oito a dois.

■ 30.14

וַיֵּלֶךְ רְאוּבֵן בִּימֵי קְצִיר־חִטִּים וַיִּמְצָא דוּדָאִים
בַּשָּׂדֶה וַיָּבֵא אֹתָם אֶל־לֵאָה אִמּוֹ וַתֹּאמֶר רָחֵל
אֶל־לֵאָה תְּנִי־נָא לִי מִדּוּדָאֵי בְּנֵךְ:

Achou mandrágoras no campo. Esse é o nome dado ao gênero de plantas *Atropa mandragora*, que amadurece em maio. A fruta é do tamanho de uma ameixa, redonda, amarela, com uma polpa mole. Pertence à família da batata. Na área do mar Mediterrâneo há três espécies de mandrágoras. Elas são plantas praticamente destituídas de caule, com grandes folhas dentadas e grandes raízes tipo tubérculo. As flores são coloridas desde o púrpura até o violeta pálido, ou mesmo branco, com corolas em formato de sino. A raiz é dupla, e, mediante uma vívida imaginação, tem o formato de um *corpo humano*, da cintura para baixo. Por *esse motivo*, várias lendas e superstições têm aparecido em torno dessa planta. Supunha-se que o fruto poderia ajudar a mulher a conceber, além do que teria propriedades afrodisíacas. Ver Gênesis 30.14 e Cântico dos Cânticos 7.13. Por esse motivo, o fruto tem sido chamado de *maçã do amor*, mas os árabes chamam-na de *maçã do diabo*. Sua parenta próxima, a beladona (*Atropa*), produz a atropina, uma importante droga medicinal. De acordo com Cântico dos Cânticos 7.13, a mandrágora tinha um aroma agradável. No entanto, as variedades hoje em dia conhecidas não têm um aroma assim, razão pela qual ou uma planta diferente está aqui em foco, ou até mesmo se trata de outra espécie.

Dá-me das mandrágoras. Este versículo é muito revelador, ligado ao versículo seguinte. Raquel desejou intensamente obter aquelas frutas. Se elas eram realmente afrodisíacas, então sua mente estava ocupada com ideias freudianas acerca daquela noite. Se a fruta era concebida como algo que ajudava a mulher a conceber, então queria experimentá-la com essa finalidade. É evidente que ela não queria as frutas meramente por seu gosto. Havia um *propósito* por trás de seu desejo. Além disso, vemos que Rúben vinha trazendo as mandrágoras à sua mãe. Logo, as duas irmãs estavam apelando para *elementos químicos* em sua luta para ver quem geraria mais filhos. Triste é dizê-lo, mas elas estavam equivocadas sobre a questão. As mandrágoras não ajudam na concepção, mas talvez intensifiquem o desejo sexual.

■ 30.15

וַתֹּאמֶר לָהּ הַמְעַט קַחְתֵּךְ אֶת־אִישִׁי וְלָקַחַת גַּם
אֶת־דּוּדָאֵי בְּנִי וַתֹּאמֶר רָחֵל לָכֵן יִשְׁכַּב עִמָּךְ
הַלַּיְלָה תַּחַת דּוּדָאֵי בְנֵךְ:

Fico com as mandrágoras; e tu ficarás com Jacó. Este versículo permite-nos ver claramente que Raquel, com sua beleza, havia conquistado todas as atenções sexuais de Jacó. Por isso mesmo, Lia agora acusou sua irmã de ter furtado o marido *dela*. Tendo-lhe furtado o maior, agora queria ficar até com o menor: as mandrágoras achadas por Rúben. Mas Raquel queria tanto as frutas que se dispôs a deixar que Jacó ficasse com Lia por *uma* noite. Mas parece que Lia ficou com algumas mandrágoras (embora o texto nada diga a esse respeito), para melhorar suas chances de engravidar naquela noite. Raquel ficou com o resto, e, sem dúvida, iria usá-las nas *outras* noites. A competição entre as duas, que já era ridícula, agora descera ao cúmulo das superstições.

■ 30.16

וַיָּבֹא יַעֲקֹב מִן־הַשָּׂדֶה בָּעֶרֶב וַתֵּצֵא לֵאָה לִקְרָאתוֹ
וַתֹּאמֶר אֵלַי תָּבוֹא כִּי שָׂכֹר שְׂכַרְתִּיךָ בְּדוּדָאֵי בְּנִי
וַיִּשְׁכַּב עִמָּהּ בַּלַּיְלָה הוּא:

Esta noite me possuirás. Lia não implorou apenas, mas *exigiu* que Jacó dormisse com ela naquela noite, e não hesitou em contar-lhe a barganha que fizera com Raquel, a qual controlava o harém. E informou Lia a Jacó: "Eu te aluguei por esta noite!" Jacó concordou, não tanto para agradar a Lia, mas porque negócio é negócio. Como era costume, as duas mulheres tinham, cada qual, a sua tenda. Assim, naquela noite, Jacó entrou na tenda de Lia. Adam Clarke (*in loc.*) supunha que as mulheres hebreias, cônscias do Pacto Abraâmico, ansiavam por aumentar o número de seus filhos, indo a quase qualquer extremo para cumprir suas funções reprodutoras. Mas parece que isso não somente exagera o texto, mas também espiritualiza o que dificilmente era espiritual.

■ 30.17

וַיִּשְׁמַע אֱלֹהִים אֶל־לֵאָה וַתַּהַר וַתֵּלֶד לְיַעֲקֹב בֵּן
חֲמִישִׁי:

Um Sucesso Espetacular. Lia teve apenas uma noite com Jacó, e eis que outro filho estava agora a caminho. John Gill pensava que ela deve ter obtido algumas *poucas* noites, mas o texto bíblico não diz isso. Antes, lemos aqui que foram as *orações* de Lia que lhe deram tão grande sucesso. Em todo o decorrer do relato, Deus recebe o crédito pela produtividade, o que veio a tornar-se um fator importante na teologia dos hebreus (Sl 127.3). Alguns eruditos trazem de novo à baila o Pacto Abraâmico (ver as notas em Gn 15.18), supondo que, de outra sorte, estaria abaixo da dignidade do autor sagrado registrar o relato dessa competição no texto bíblico. Outros pensam que o registro de tudo quanto sucedeu deveu-se ao senso de *humor* de Moisés. Descendentes das quatro mulheres (a nação de Israel) soltariam boas gargalhadas ao lerem como as duas irmãs competiam uma com a outra, e como os nomes de seus filhos foram dados segundo as circunstâncias do conflito.

■ 30.18

וַתֹּאמֶר לֵאָה נָתַן אֱלֹהִים שְׂכָרִי אֲשֶׁר־נָתַתִּי שִׁפְחָתִי
לְאִישִׁי וַתִּקְרָא שְׁמוֹ יִשָּׂשכָר:

Deus me recompensou. Essas palavras têm sido entendidas de várias maneiras. A alusão pode ter sido ao fato de que ela tinha "alugado Jacó" por aquela noite (vs. 16), e que isso fora aprovado por Deus, que permitiu a concepção. Ou, então, Lia estava reconhecendo que Deus era digno de louvor por tê-la *recompensado* (um sentido possível da palavra hebraica envolvida, refletido em nossa versão portuguesa). Ainda de acordo com outros estudiosos, pode ter havido um elemento profético nessa expressão. O texto de Gênesis 49.15 refere-se à tribo de Issacar, como quem se sujeitaria ao "trabalho servil". Mas parece que a primeira dessas explicações é a correta.

Issacar. Esse nome significa "homem de aluguel", por causa das circunstâncias acima explicadas. Há um detalhado artigo sobre ele no *Dicionário*.

A Razão de Lia para o Louvor. Ela acreditava que Deus a havia abençoado com outro filho, especificamente por haver dado Zilpa a Jacó, a fim de aumentar o número dos filhos. Isso John Gill considera *absurdo;* mas essa é a opinião de um cavalheiro inglês monógamo, e não de um homem polígamo e da primitiva sociedade hebreia. A razão dada por Lia pode indicar que ela tinha feito aquilo como um serviço prestado, e não voluntariamente. Pode ter envolvido algum sacrifício pessoal de sua parte.

Seja como for, agora ela tinha cinco filhos dela mesma, fora os dois filhos através de Zilpa, totalizando sete. O escore era sete a dois — um massacre!

■ 30.19

וַתַּהַר עוֹד לֵאָה וַתֵּלֶד בֵּן־שִׁשִּׁי לְיַעֲקֹב:

A Boa Onda. Quando a gente apanha uma onda favorável de "sorte", continua sobre a onda até que ela diminua. Lia tinha achado uma boa onda. Logo chegaria o seu sexto (e último) filho. Alguns estudiosos afirmam que Jacó, por essa altura dos acontecimentos, estaria dando mais atenção a Lia, não se apegando tão servilmente a Raquel. Isso talvez seja indicado pela breve chegada de outro filho de Lia.

■ 30.20

וַתֹּאמֶר לֵאָה זְבָדַנִי אֱלֹהִים אֹתִי זֵבֶד טוֹב הַפַּעַם
יִזְבְּלֵנִי אִישִׁי כִּי־יָלַדְתִּי לוֹ שִׁשָּׁה בָנִים וַתִּקְרָא
אֶת־שְׁמוֹ זְבֻלוּן:

Zebulom. Os sentidos dados a essa palavra são "presente", "dote" e "honra". Como mulher, provavelmente Lia estava pensando em termos de um *dote*. Ela havia recebido seu dote particular, agora que tinha seis filhos dela mesma, além dos dois de Zilpa. Com esse dote, ela poderia "comprar" o amor e a atenção de Jacó. Por assim dizer, ela lhe tinha pago um dote, em vez de Jacó ter de pagar um dote a Labão, a fim de tê-la como esposa. Jacó não tinha dinheiro para pagar um dote por Raquel, pelo que terminou servindo pelo espaço de catorze anos a Labão, dando-lhe trabalho em vez de dinheiro, o que concordava com certos costumes antigos. Agora Lia tinha seu próprio dote, com o qual poderia manipular as circunstâncias.

Permanecerá comigo meu marido, embora não com exclusividade. Isso seria esperar demais. Em um sentido *essencial,* porém, Jacó passava cada noite na tenda de Raquel.

■ 30.21

וְאַחַר יָלְדָה בַּת וַתִּקְרָא אֶת־שְׁמָהּ דִּינָה׃

Uma filha... Diná. Geralmente, as filhas não eram mencionadas nas genealogias. Mas Diná era uma pessoa em torno de quem haveria grande confusão, e o autor sagrado apresenta-nos aqui o seu nome. Mais adiante (cap. 34), ele contaria a triste história dela.

No hebraico, o nome dessa filha de Jacó quer dizer *julgada* ou *vingada*. Era filha de Jacó e Lia, e, portanto, irmã de Simeão, Levi, Rúben, Judá, Issacar e Zebulom. A história de Diná é um daqueles incríveis relatos do Antigo Testamento que demonstram a loucura dos atos e das paixões humanas.

Quando Jacó estava acampado nas vizinhanças de Siquém, Diná foi seduzida e violentada por um homem chamado *Siquém,* filho de Hamor, o chefe heveu da cidade. Siquém resolveu corrigir o seu erro, e pediu Diná em casamento. Isso pode ter sido inspirado por *amor,* ou, também, pelo *temor* do que lhe poderia acontecer, se não quisesse fazer justiça. Mas dois dos irmãos de Diná, Simeão e Levi, só quiseram consentir com o casamento se *todos* os homens habitantes da cidade se submetessem à circuncisão (o que, presumivelmente, os transformaria em israelitas, tornando viável o matrimônio). Porém, tudo não passava de um plano ardiloso da parte dos filhos de Jacó; pois, no terceiro dia após a operação da *circuncisão* (ver a respeito no *Dicionário*), quando as dores da circuncisão estavam em seu ponto máximo, Simeão e Levi (juntamente com tropas armadas, sem dúvida) atacaram a cidade e mataram todos os seus habitantes. Ver o capítulo 34 de Gênesis. O próprio Jacó lamentou e repeliu o ato (Gn 34.25-31). Diná voltou à casa paterna (onde, provavelmente, permaneceu solteira). Em cerca de 1950 a.C., ela foi levada com seu pai para o Egito (Gn 46.15).

Referências vindas dos tempos antigos dão-nos conta de que tais atos, contra as mulheres, eram considerados algo muito grave, embora também fossem bastante comuns. Uma irmã precisava ser vingada por seus irmãos, se ela não fosse mulher casada. Se fosse casada, então cabia ao marido tirar vingança por ela.

■ 30.22

וַיִּזְכֹּר אֱלֹהִים אֶת־רָחֵל וַיִּשְׁמַע אֵלֶיהָ אֱלֹהִים וַיִּפְתַּח אֶת־רַחְמָהּ׃

O Vexame de Raquel é Anulado. Quão ardentemente Raquel havia esperado por aquele momento. Ela já tinha dois filhos por intermédio de Bila (vss. 5-8), mas isso não podia comparar-se com a felicidade de ter seus próprios filhos. Uma vez mais, Deus recebe o crédito pela concepção. Agora, Deus se *lembrara* de Raquel. Até então ela fora deixada de fora do processo de procriação. Lia teve seis filhos; Zilpa, dois; Bila, dois; mas Raquel até então não tivera nenhum. E foi então que Deus lhe devolveu a fertilidade e lhe deu um filho, de nome *José,* o qual estava destinado a tornar-se o filho favorito de Jacó e o maior de todos os doze. E Raquel mais tarde teve ainda outro filho, Benjamim, acerca do qual não ouviremos senão já no capítulo 35. Por incrível que pareça, Raquel morreu de parto, ao dar à luz a Benjamim. Isso pôs fim à competição, e tornou-se uma dor permanente no coração de Jacó.

As três belas mulheres, Sara, Rebeca e Raquel sofreram todas de períodos de esterilidade, que foram revertidos por intervenção divina. Isso é comentado em Gênesis 29.31.

"A longa esterilidade de Raquel provavelmente a tinha humilhado e disciplinado. Isso a curou de sua anterior petulância, ela não mais confiava em *maçãs do amor,* mas antes, esperava que Deus a abençoasse com filhos. Deus ouviu as orações dela e lembrou-se dela. Cf. 1Samuel 1.19" (Ellicott, *in loc.*).

■ 30.23

וַתַּהַר וַתֵּלֶד בֵּן וַתֹּאמֶר אָסַף אֱלֹהִים אֶת־חֶרְפָּתִי׃

O Fim do Vexame. Deus retirou o *opróbrio* de Raquel. Visto que José nasceu entre seis e sete anos antes de Jacó deixar Padã-Arã, Raquel continuou estéril por um espaço de cerca de 26 anos. É grandioso quando problemas de muita duração finalmente são solucionados, ou quando bênçãos há muito esperadas finalmente são recebidas. A esperança adiada adoece o coração, mas quando o desejo é atendido, torna-se uma árvore de vida (Pv 13.12).

Deus me tirou o meu vexame. Raquel acusava a si mesma, porque estava falhando como mulher; e também era repreendida por Lia e por suas vizinhas. E talvez o próprio Jacó a repreendesse, apesar do grande amor que lhe tinha. Pois, naquele tempo, era uma calamidade uma mulher casada não ter filhos. Agora, porém, as mulheres fazem aborto!

■ 30.24

וַתִּקְרָא אֶת־שְׁמוֹ יוֹסֵף לֵאמֹר יֹסֵף יְהוָה לִי בֵּן אַחֵר׃

José. Filho primogênito de Raquel e favorito de Jacó, destinado a tornar-se o maior dos doze patriarcas. A história dele ocupa catorze capítulos no livro de Gênesis, um pouco mais do que o espaço devotado ao próprio Abraão. Dei um artigo detalhado sobre ele no *Dicionário*. Seu nome tem-se tornado um dos nomes masculinos mais comuns e um dos mais proeminentes da Bíblia. Ver sobre *José* na *Enciclopédia de Bíblia, Teologia e Filosofia*. Ver sobre José como tipo de Cristo nas notas sobre Gênesis 37.3

O nome dele significa *adição,* ou *a ser adicionado*. Raquel, tendo-o dado à luz, esperou que pudesse ter outro filho, depois dele. E essa antecipação foi finalmente concretizada na pessoa de *Benjamim* (Gn 35.18).

Não se fala aqui sobre a continuação da competição. É possível que Raquel, feliz com seu filho José, tenha perdido o ódio e o desejo de competir. Agora ela estava realizada como mulher; e também parece que não a preocupava o fato de que tinha tido um filho, ao passo que Lia tivera seis. Ademais, seu único filho veio a tornar-se o mais distinguido de todos os doze patriarcas. Conta-se a história dos animais da floresta que se jactavam do grande número de filhotes que eram capazes de produzir. Cada animal dizia: "Vejam quantos filhotes eu tenho". Então chegou a leoa, e disse: "Eu só tenho *um* filhote, mas ele é um *leão*". Assim também sucedeu a José, que foi um *leão*.

LABÃO FAZ NOVO PACTO COM JACÓ (30.25-43)

Chegara a vez de Jacó ganhar uma vitória. Os críticos pensam que esta seção é uma mescla das fontes informativas J e E. Ver no *Dicionário* o artigo J.E.D.P.(S.) quanto a informações sobre a teoria das fontes múltiplas do Pentateuco. Jacó tinha servido bem e por muito tempo, e agora estava insatisfeito com as suas condições e com o seu salário. Seu trabalho tinha enriquecido a Labão. Agora, ele queria uma parte para si mesmo. E assim foi firmado entre eles um acordo, baseado nas características genéticas dos rebanhos de que Jacó cuidava. Parece que um pouco de superstição ajudou-o a prosperar bem mais do que Labão; mas os eruditos teístas diriam que Deus estava operando em seu favor, mesmo que isso parecesse contrário à natureza. Embora Jacó fosse um patife, e Labão fosse outro, e um procurasse enganar ao outro, Jacó não era nenhum tolo. Ele confiava que seu sucesso, indiscutível até ali, não haveria de abandoná-lo, mesmo contra todas as expectativas. O próprio Labão precisou admitir que fora abençoado por causa de Jacó (vs. 27). O suposto poder de Jacó, mediante o seu truque com varas de álamo, aveleira e plátano (vs. 37), não interferiu no caminho de Deus. Deus vem ao encontro do homem onde ele se encontra, e abençoa-o se o seu coração for reto, mesmo que haja coisas que ele não possa aprovar. De fato, quem poderia ser ajudado por Deus, se ele ajudasse somente aos perfeitos? Naturalmente, havia o Pacto Abraâmico, no qual Jacó estava envolvido; e as promessas de Deus a Abraão faziam-no prosperar, embora, às vezes, ele laborasse em erro. E foi assim que Labão prosperou à custa de Jacó, o contrário do que tinha acontecido por muitos anos. Chegara a vez de Jacó obter um triunfo.

30.25

וַיְהִ֕י כַּאֲשֶׁ֛ר יָלְדָ֥ה רָחֵ֖ל אֶת־יוֹסֵ֑ף וַיֹּ֤אמֶר יַעֲקֹב֙ אֶל־לָבָ֔ן שַׁלְּחֵ֙נִי֙ וְאֵ֣לְכָ֔ה אֶל־מְקוֹמִ֖י וּלְאַרְצִֽי׃

Permite-me que eu volte ao meu lugar. As raízes de Jacó atraíam-no de volta. Finalmente, ele haveria mesmo de voltar. Mas continuaria por mais um pouco em Padã-Arã, com condições um tanto melhoradas. Mas então se abriria uma porta. É impossível alguém entrar por uma porta fechada, embora seja possível entrar tarde por uma porta aberta. Mas quando Deus abre uma porta, ela se abre miraculosa e automaticamente.

As mudanças são boas, mas somente quando ocorrem no *tempo certo*. E, então, podemos tirar proveito delas, com coragem e entusiasmo. Entrementes, sempre é bom quando nossas condições *melhoram*. Era isso que estava prestes a ocorrer com Jacó, e ele já estava psicologicamente pronto para uma mudança total. Todo homem bom é guiado pelo Senhor.

Minha terra. Jacó queria voltar a Berseba, onde ainda viviam seu pai e sua mãe. Jacó já estava no estrangeiro havia cerca de vinte anos, e agora queria retornar. Ver as notas em Gênesis 31.41, quanto ao tempo envolvido.

30.26

תְּנָ֞ה אֶת־נָשַׁ֣י וְאֶת־יְלָדַ֗י אֲשֶׁ֨ר עָבַ֧דְתִּי אֹֽתְךָ֛ בָּהֵ֖ן וְאֵלֵ֑כָה כִּ֚י אַתָּ֣ה יָדַ֔עְתָּ אֶת־עֲבֹדָתִ֖י אֲשֶׁ֥ר עֲבַדְתִּֽיךָ׃

Dá-me as mulheres, e meus filhos. Jacó tinha cumprido todos os seus deveres e mantido todos os acordos. Havia trabalhado catorze anos por Raquel e Lia, e ainda tinha ficado mais seis anos. Labão não possuía bases legais para queixar-se, nem tinha nenhum direito de detê-lo. Jacó não pediu para levar nada, embora, sem dúvida, levaria algo consigo. Ele tinha uma ampla herança, da parte de Isaque, por isso não enfrentava apertos econômicos.

Esposas de Jacó. Elas eram quatro: Lia, Raquel, Bila e Zilpa. Na época, ele tinha onze filhos. Somente Benjamim ainda não havia nascido.

30.27

וַיֹּ֤אמֶר אֵלָיו֙ לָבָ֔ן אִם־נָ֛א מָצָ֥אתִי חֵ֖ן בְּעֵינֶ֑יךָ נִחַ֕שְׁתִּי וַיְבָרֲכֵ֥נִי יְהוָ֖ה בִּגְלָלֶֽךָ׃

Fica comigo. Labão reconheceu assim que Jacó era um homem de Deus. Deus abençoa o homem justo, e isso sem falar na graça de Deus, que abençoa a todos, indistintamente. Os bons e os maus prosperam, e ambos podem padecer necessidade. Labão sabia que tinha prosperado desde a chegada de Jacó, e não queria perder *a fonte* de sua bênção. Assim, ansiava entrar em algum acordo com ele, a fim de que Jacó não fosse embora. É incrível que Jacó não tivesse um salário fixo. Agora, esse salário lhe era oferecido. Mas Jacó tinha ideias maiores do que um salário fixo. Ver no *Dicionário* o verbete chamado *Bênção*.

Tenho experimentado. A palavra hebraica aqui usada pode significar "tenho adivinhado". E assim alguns estudiosos a entendem aqui. Parece que Labão tinha consultado seus terafins ou posto em prática alguma forma de adivinhação, a fim de verificar o que era melhor para ele. E *Jacó* sempre aparecia como uma força positiva para seu bem-estar. Ver sobre os terafins ou ídolos do lar em Gênesis 31.19, bem como o artigo intitulado *Terafins*, no *Dicionário*. Ver o versículo seguinte quanto ao envolvimento da família de Terá na idolatria.

30.28

וַיֹּאמַ֑ר נָקְבָ֧ה שְׂכָרְךָ֛ עָלַ֖י וְאֶתֵּֽנָה׃

Fixa o teu salário. Não é com frequência que um patrão potencial dá um cheque em branco para alguém preencher à vontade. Alguns eruditos pensam que ele esperava que Jacó fixasse um preço baixo, pois sempre negociava, sempre buscava seus próprios interesses. Por outro lado, se Jacó era tão importante para Labão como o texto subentende, este poderia pagar-lhe um bom salário, e até estaria ansioso por pagá-lo, para não perder as bênçãos do Deus de Jacó, que também figurava entre as divindades que ele adorava (Gn 24.50). Terá (pai de Abraão e de Naor) estivera envolvido na idolatria (Js 24.2). Raquel não conseguira desvencilhar-se dessa prática (Gn 31.19).

30.29

וַיֹּ֣אמֶר אֵלָ֔יו אַתָּ֣ה יָדַ֔עְתָּ אֵ֖ת אֲשֶׁ֣ר עֲבַדְתִּ֑יךָ וְאֵ֛ת אֲשֶׁר־הָיָ֥ה מִקְנְךָ֖ אִתִּֽי׃

A Prova do Conhecimento. Jacó fizera Labão tornar-se um homem rico. Este tinha numerosos rebanhos, que eram antigos padrões de riqueza material. Mas pouco possuía, comparativamente, quando Jacó tinha chegado (vs. 30). Ninguém sabia mais dessas coisas que o próprio Labão, o que explica sua ansiedade por reter Jacó em sua companhia.

Quanto mais Jacó trabalhava, mais trabalho tinha para fazer, motivo pelo qual se vira em um círculo vicioso de trabalho-produção-mais trabalho. E agora queria que houvesse mudança em tudo isso, ou, então, como as coisas terminaram acontecendo, uma grande melhoria, capaz de torná-lo proprietário de *alguma coisa*.

30.30

כִּ֣י מְעַ֞ט אֲשֶׁר־הָיָ֨ה לְךָ֤ לְפָנַי֙ וַיִּפְרֹ֣ץ לָרֹ֔ב וַיְבָ֧רֶךְ יְהוָ֛ה אֹתְךָ֖ לְרַגְלִ֑י וְעַתָּ֗ה מָתַ֛י אֶעֱשֶׂ֥ה גַם־אָנֹכִ֖י לְבֵיתִֽי׃

O pequeno rebanho de Labão era antes tão pequeno que sua jovem filha, Raquel, era capaz de tomar conta dele (Gn 29.9). Ele tinha apenas um rebanho de ovelhas, mas agora era dono de vários rebanhos de ovelhas e de cabras.

Jacó Parecia Ter Muita Sorte. As palavras "minha vinda", neste versículo, literalmente são, no hebraico, *meu pé*. Aben Ezra conta um provérbio que dizia que algumas pessoas têm um pé com muita sorte, de tal modo que onde elas pisam, as coisas correm bem. Mas os negócios até então eram dominados por Labão. Agora Jacó queria que as coisas virassem também para seu lado, a fim de que ele viesse a tornar-se proprietário de alguma coisa, para poder cuidar melhor de sua família.

Provendo para a Própria Família. Jacó tinha quatro esposas e onze filhos; e agora, um pouco mais velho, começava a preocupar-se com a segurança de seus familiares. Para tanto, teria de começar a produzir para si mesmo e para eles. Quando um homem envelhece, começa a pensar sobre a *herança*. Ele queria deixar seus filhos sob circunstâncias econômicas razoáveis. Paulo fala sobre essa responsabilidade (2Co 12.14). Doravante, Jacó usaria suas habilidades e experiências em prol de sua família. Senhor, concede-nos tal graça! Ver 1Timóteo 5.4.

"...existem qualidades inspiradas pela religião — a integridade, a diligência, a fidelidade quanto aos deveres domésticos, tudo o que pode trazer, como resultado, bens deste mundo" (Walter Russell Bowie, *in loc.*). A ética dos puritanos via o sucesso nos negócios e nas finanças como parte das recompensas de Deus a um homem bom, mas exigia *trabalho*. Isso tornou-se conhecido como *ética do trabalho*, tão importante para a história do começo dos Estados Unidos da América, como até hoje. Ver no *Dicionário* o verbete chamado *Trabalho, Dignidade e Ética do*.

30.31

וַיֹּ֖אמֶר מָ֣ה אֶתֶּן־לָ֑ךְ וַיֹּ֤אמֶר יַעֲקֹב֙ לֹא־תִתֶּן־לִ֣י מְא֔וּמָה אִם־תַּֽעֲשֶׂה־לִּי֙ הַדָּבָ֣ר הַזֶּ֔ה אָשׁ֛וּבָה אֶרְעֶ֥ה צֹאנְךָ֖ אֶשְׁמֹֽר׃

Iniciativa Pessoal. Jacó não queria um salário fixo. Antes, tinha um plano de iniciativa pessoal. Ele extrairia o salário de seu próprio trabalho. Mas precisava da cooperação de Labão para pôr seu plano em execução. Se isso lhe fosse concedido, então continuaria a cuidar dos animais, como já lhe era usual, e garantiria a multiplicação e prosperidade dos rebanhos. Jacó queria passar de um virtual escravo para um *capitalista inovador*.

30.32,33

אֶעֱבֹ֨ר בְּכָל־צֹֽאנְךָ֜ הַיּ֗וֹם הָסֵ֨ר מִשָּׁ֜ם כָּל־שֶׂ֣ה ׀ נָקֹ֣ד וְטָל֗וּא וְכָל־שֶׂה־חוּם֙ בַּכְּשָׂבִ֔ים וְטָל֥וּא וְנָקֹ֖ד בָּעִזִּ֑ים וְהָיָ֥ה שְׂכָרִֽי׃

וְעָֽנְתָה־בִּ֤י צִדְקָתִי֙ בְּי֣וֹם מָחָ֔ר כִּֽי־תָב֥וֹא עַל־שְׂכָרִ֖י לְפָנֶ֑יךָ כֹּ֣ל אֲשֶׁר־אֵינֶנּוּ֩ נָקֹ֨ד וְטָל֜וּא בָּֽעִזִּ֗ים וְחוּם֙ בַּכְּשָׂבִ֔ים גָּנ֥וּב ה֖וּא אִתִּֽי׃

Os salpicados e malhados. No Oriente, a maior parte dos rebanhos de ovelhas compõe-se de cordeiros negros, ao passo que a maioria das cabras compõe-se de animais salpicados e malhados. Esses animais ficariam sendo de Labão. E os demais, de Jacó. É um tanto difícil acompanhar a proposta de Jacó. O que fica claro é que os animais de certa coloração, que formavam a maioria, seriam de Labão, e a minoria ficaria com Jacó. Assim, superficialmente, Labão ficaria com a vasta maioria dos rebanhos de ovelhas e de cabras. Se os antigos nada sabiam sobre genética, eram capazes de observar que os animais se reproduzem segundo suas respectivas espécies. Assim, a maioria continuaria a ser a maioria, e a minoria continuaria a ser a minoria. Em consequência, Labão ficou deleitado diante da proposta feita por Jacó. Jacó pareceu um tolo, ao propor tal negócio. Mas estava prestes a atirar-se a certa engenharia genética que faria mudar tudo.

O trecho de Gênesis 31.10-12 mostra que Jacó tivera um sonho revelador que lhe mostrara quais animais haveriam de multiplicar-se mais rapidamente.

Os vss. 32 e 35 parecem estar em contradição mútua, visto que aquilo que Jacó quisera para si mesmo (vs. 32), Labão (vs. 35) separou e entregou para seus próprios filhos. Podemos supor que lhes foram entregues para que ficassem bem guardados, a fim de serem entregues mais tarde a Jacó. Não há como determinar com exatidão o que foi feito, afinal. Mas a ideia básica é clara: os animais de cores em maioria ficaram com Labão; e os demais ficaram com Jacó.

30.34

וַיֹּ֥אמֶר לָבָ֖ן הֵ֑ן ל֖וּ יְהִ֥י כִדְבָרֶֽךָ׃

Seja conforme a tua palavra. Labão não precisou pensar duas vezes. A barganha proposta por Jacó parecia totalmente estúpida. Praticamente todos os animais ficariam com Labão, e alguns poucos animais, em minoria, ficariam com Jacó. No entanto, Jacó tinha traçado um plano que Labão não poderia antecipar. Desse modo, o humilde pastor passaria a perna no grande barão. O sonho de revelação de Jacó (não mencionado aqui, mas somente em Gn 31.10-12) tinha-lhe mostrado quais animais ele deveria escolher como seus. A providência divina, como sempre, estava por trás dos atos de Jacó.

30.35

וַיָּ֣סַר בַּיּוֹם֩ הַה֨וּא אֶת־הַתְּיָשִׁ֜ים הָֽעֲקֻדִּ֣ים וְהַטְּלֻאִ֗ים וְאֵ֤ת כָּל־הָֽעִזִּים֙ הַנְּקֻדּ֣וֹת וְהַטְּלֻאֹ֔ת כֹּ֥ל אֲשֶׁר־לָבָ֖ן בּ֑וֹ וְכָל־ח֖וּם בַּכְּשָׂבִ֑ים וַיִּתֵּ֖ן בְּיַד־בָּנָֽיו׃

Separação Imediata dos Animais. Labão não tardou a fazer a separação, conforme a proposta de Jacó, antes que este mudasse de ideia. Os animais que lhe cabiam foram entregues a seus próprios filhos, ainda que, por causa da aparente contradição com o vs. 32, Aben Ezra (e outros intérpretes) supusessem que esses animais tivessem sido entregues aos *filhos de Jacó*. Devemos entender, entretanto, que os animais foram separados para serem entregues a Jacó no momento certo. Ou, então, conforme alguns eruditos têm dito, o autor sagrado confundiu-se, dizendo que eles foram entregues aos filhos errados. Alguns estudiosos dizem que os filhos de Jacó ainda não tinham idade suficiente para cuidar dos animais, e a tarefa foi realmente entregue aos filhos de Labão. Não é fácil determinar o que, realmente, sucedeu.

30.36

וַיָּ֗שֶׂם דֶּ֚רֶךְ שְׁלֹ֣שֶׁת יָמִ֔ים בֵּינ֖וֹ וּבֵ֣ין יַֽעֲקֹ֑ב וְיַֽעֲקֹ֗ב רֹעֶ֛ה אֶת־צֹ֥אן לָבָ֖ן הַנּֽוֹתָרֹֽת׃

A Sábia Separação de Bens. Assim como houve uma separação dos animais, também foi mister fazer uma separação de espaços, para que não houvesse mistura de rebanhos. Ninguém poderia enganar, ficando com o que não era seu, ou vindo fazer furtos durante a noite. Além disso, os animais não deveriam fugir a fim de misturar-se. Todas as providências foram tomadas para garantir um resultado honesto, *exceto* pelo fato de que Jacó já havia traçado seu plano, sem nada dizer a respeito. Ele influenciaria o código genético dos animais (vs. 37 ss.). O espertalhão continuou com as suas espertezas.

30.37

וַיִּֽקַּֽח־ל֣וֹ יַֽעֲקֹ֗ב מַקַּ֥ל לִבְנֶ֛ה לַ֖ח וְל֣וּז וְעַרְמ֑וֹן וַיְפַצֵּ֤ל בָּהֵן֙ פְּצָל֣וֹת לְבָנ֔וֹת מַחְשֹׂף֙ הַלָּבָ֔ן אֲשֶׁ֖ר עַל־הַמַּקְלֽוֹת׃

E lhes removeu a casca. As várias varas que conseguiu dentre as várias espécies de plantas, por baixo da parte externa da casca, eram brancas. Portanto, ele raspou listras, deixando a parte branca mais interior fazendo contraste com a cor natural da casca. Em outras palavras, ele preparou varas *listradas*.

Álamo. Essa árvore é mencionada apenas por duas vezes na Bíblia (aqui e em Os 4.12), embora nesta última referência a nossa versão portuguesa diga "choupos". Na primeira referência, há menção à utilidade de sua madeira; e, na segunda, são mencionadas as ofertas feitas debaixo de suas sombras. Cientificamente, a árvore é chamada *Populus elba*, podendo atingir uma altura de 18 m. Produz boa sombra, devido à sua densa folhagem. As folhas são de cor cinza brilhante, brancas por baixo, o que explica o termo álamo prateado. Durante a primavera, os botões que produzem as flores emitem um odor fragrante. Bosques de álamos eram usados na adoração pagã, e, evidentemente, essa adoração incluía a queima de incenso debaixo das árvores (ver Is 65.3). Jacó utilizou-se de varas de álamo para tentar influenciar as ovelhas a produzir crias de determinado colorido. Naturalmente, há nisso uma certa dose de superstição, e se algo influenciou tal colorido, além dos fatores genéticos, temos de pensar em Deus.

Aveleira. Isto é, amêndoas. No hebraico, o nome significa *despertada*, porque florescia bem cedo no ano (aqui e em Gn 43.11; Nm 17.8; Ec 12.5; Jr 1.11). Trata-se da *Prunus Amygdalus communis*. Uma vore nativa da Síria e da Palestina. Por causa de sua inflorescência, é altamente ornamental. Talvez tenha sido introduzida no Egito quando José era o governador. Na Palestina, ela floresce já no mês de janeiro. As flores são róseas, e, algumas vezes, brancas, o que explica a sua analogia com um ancião encanecido (Ec 12.5). Sua beleza tem inspirado a decoração em trabalhos de entalhe, onde a amêndoa é retratada. Também parece ter sido a origem de um óleo valioso. *Simbolismo:* Deus cumpre prontamente as suas promessas (Jr 1.11,12).

Plátano. No hebraico, *armom* (aqui e em Ez 31.8). Há um plátano verdadeiro, das planícies da Palestina, o *Platanus orientalis*. Essa espécie pode ser achada especialmente nos sopés do monte Líbano. Produz cachos de flores, formando bolas arredondadas, em torno de uma haste comum. É árvore de grande porte e faz muita sombra, além de ser muito valorizada. O trecho de Eclesiastes 24.14 fala dela metaforicamente, como símbolo de grande estatura. Pode atingir mais de 50 m de altura, com um tronco bem grosso. Nas planícies mais ao sul, embora a árvore não cresça tanto, ainda assim é uma espécie impressionante.

A madeira do plátano é muito usada no fabrico de móveis, porquanto pode adquirir um acabamento lustroso. As folhas, com três e cinco lobos, com alguns dentes, algumas vezes chegam a 25 cm de comprimento, e têm mais ou menos a mesma largura. O fruto, de formato globular, fica pendurado em ramículos.

A família do plátano está distribuída pelo mundo inteiro, e espécies fósseis têm sido encontradas até nos tempos cenozoicos. O plátano é abundante ao longo de todos os cursos de água da Síria e da Mesopotâmia. O cedro do Líbano é posto em comparação com o plátano (Ez 31.8), por causa de sua imensa altura. *Armom*, nome hebraico do plátano, significa *liso* ou *nu*, designação essa derivada do fato de que a árvore perde a sua casca externa.

30.38

וַיַּצֵּ֗ג אֶת־הַמַּקְלוֹת֙ אֲשֶׁ֣ר פִּצֵּ֔ל בָּֽרְהָטִ֖ים בְּשִֽׁקֲת֣וֹת הַמָּ֑יִם אֲשֶׁר֩ תָּבֹ֨אןָ הַצֹּ֤אן לִשְׁתּוֹת֙ לְנֹ֣כַח הַצֹּ֔אן וַיֵּחַ֖מְנָה בְּבֹאָ֥ן לִשְׁתּֽוֹת׃

Engenharia Genética. Os antigos que lessem o episódio não duvidariam em crer que tal *sugestão* poderia levar os animais a produzir filhos com certos coloridos ou marcas. É inútil tentar dizer que o autor sagrado não acreditava nas implicações de sua própria narrativa. O conhecimento, científico ou teológico, *cresce*. E por que deveríamos pensar que isso é estranho? Logo, o que podemos chamar de *superstição* era o conhecimento científico da antiguidade. Os eruditos modernos dão o crédito de todo o ocorrido a Deus, o qual é concebido como aquele que influenciou o código genético dos animais, a fim de beneficiar Jacó.

Atos similares são registrados em outras obras literárias. Coloridos específicos em cães e cavalos supostamente eram obtidos por meio desse método (Oppian, *Kynegetics*, I, 327 ss., 353-356). Até mesmo criadores de gado, em certos países atuais do Oriente, tendem a preservar os cordeiros brancos rodeando suas gamelas de beber com uma variedade de objetos dessa cor.

Bebendo e Reproduzindo-se. As ovelhas e as cabras teriam de beber; teriam de vir à presença das varas preparadas por Jacó. Assim fazendo, elas viriam beber, olhariam para as varas e copulariam. E não demoraria a vir o resultado, com animais da cor desejada.

■ 30.39

וַיֶּחֱמוּ הַצֹּאן אֶל־הַמַּקְלוֹת וַתֵּלַדְןָ הַצֹּאן עֲקֻדִּים נְקֻדִּים וּטְלֻאִים׃

Sucesso. O extraordinário sucesso que Jacó obteve com suas esposas agora também afetava os seus animais. Presumimos que devamos entender que o Pacto Abraâmico não permitiria que Jacó empobrecesse. Havia uma grande força por trás dele. Ele seria "abençoado", sem importar onde se encontrasse. Mesmo quando caía em erros, esses redundavam em seu favor, embora não sem castigo (Hb 12.8).

A causa desse sucesso, no caso presente, não era o que ele pensava. Ele confiou em uma tola superstição, que era a ciência de sua época. Os resultados foram positivos, mas não eram produto de seu ato ridículo. Os antigos chineses já sabiam que toda vida na terra deriva-se do sol. Mas imaginavam que, quando ocorre um eclipse do sol, há um *dragão* que tenta engolir o sol. Para impedir isso, eles iniciavam uma cerimônia selvagem, com uma dança frenética, que, segundo pensavam, salvava o sol naqueles momentos de perigo. Assim, iniciado um eclipse, eles começavam sua dança louca. E assim continuavam, até que o sol emergisse de novo das sombras. O que eles faziam "funcionava", conforme pensavam. Mas a *causa* do reaparecimento do sol não era o que eles tinham imaginado.

John Gill conta a história de uma rainha etíope (portanto, negra) que conseguiu dar à luz um bebê *branco*, mediante o poder do pensamento, enquanto ela estava grávida. E, ao que parece, ele levou a sério essa *lenda*. E também mencionou outras superstições, de igual natureza, mas, por mais que tais instâncias sejam multiplicadas, nada disso nos convence.

■ 30.40

וְהַכְּשָׂבִים הִפְרִיד יַעֲקֹב וַיִּתֵּן פְּנֵי הַצֹּאן אֶל־עָקֹד וְכָל־חוּם בְּצֹאן לָבָן וַיָּשֶׁת־לוֹ עֲדָרִים לְבַדּוֹ וְלֹא שָׁתָם עַל־צֹאן לָבָן׃

A Separação. Os eruditos queixam-se, diante da obscuridade do texto hebraico aqui. Jacó separou os animais que lhe pertenciam, de acordo com certos coloridos, dos animais que pertenciam a Labão. Porém, não é claro o que, exatamente, esteve envolvido. Alguns têm a impressão de que ele usou um segundo artifício na sua engenharia genética. Ele parece ter usado os animais cujo colorido os fazia serem dele, como uma influência secundária. Os animais de Labão olhariam para os animais de Jacó, e não apenas para as varas. E mediante essa influência dupla, ao que se presume, ele obtinha os resultados desejados. Os animais de cores simples recebiam assim uma *dupla exposição*.

■ 30.41

וְהָיָה בְּכָל־יַחֵם הַצֹּאן הַמְקֻשָּׁרוֹת וְשָׂם יַעֲקֹב אֶת־הַמַּקְלוֹת לְעֵינֵי הַצֹּאן בָּרְהָטִים לְיַחְמֵנָּה בַּמַּקְלוֹת׃

Outro Artifício Ainda. Jacó dava atenção aos animais mais vigorosos, e expunha-os ao seu artifício (ou artifícios), de tal modo que, ao se reproduzirem, o resultado era o nascimento de animais deste ou daquele colorido. Mas os animais mais fracos não eram sujeitados a tal exposição, e assim, ao procriarem, davam filhotes que seriam de Labão. Os esquemas de Jacó estavam obtendo resultado.

Os adjetivos *forte e fraco*, no hebraico, querem dizer *presos e cobertos*. E alguns intérpretes judeus pensam que isso dizia respeito a estações do ano, ou a dois períodos de cio. "As ovelhas, na primavera, após a estação fria, são *presas,* isto é, ficam bem próximas umas das outras, e os cordeiros são *fortes* e saudáveis. E a palavra *cobertos* parece indicar que os animais se escondiam (Jó 23.9), pois eram *fracos*... As ovelhas nascidas no outono não têm grande valor, e Jacó as deixava ao sabor da natureza" (Ellicott, *in loc.*). Desse modo, Jacó influenciava os animais que nasciam durante a boa estação do ano, na época de sua reprodução, mas não os animais que nasciam durante a estação ruim do ano.

■ 30.42

וּבְהַעֲטִיף הַצֹּאן לֹא יָשִׂים וְהָיָה הָעֲטֻפִים לְלָבָן וְהַקְּשֻׁרִים לְיַעֲקֹב׃

Omissão. Os animais fracos não eram sujeitados aos artifícios de Jacó. Assim, não nasciam com as cores que os fariam pertencer ao rebanho dele. O autor sagrado, por sua vez, não pôs em dúvida moral esse artifício usado por Jacó. Mas não basta prosperar; nem basta ser ardiloso; e nem basta fazer funcionarem artifícios supersticiosos. O *amor* é que está com a razão. É errado alguém prosperar à custa de outrem, especialmente quando esse alguém dispõe dos *meios* para tanto, e, então, aplica esses meios. Ver no *Dicionário* o artigo intitulado *Amor*. Dificilmente Jacó estava fazendo contra Labão o que gostaria que Labão fizesse contra ele (Mt 7.12). Esse princípio do amor reflete "a lei e os profetas", ou seja, a essência da sua mensagem.

■ 30.43

וַיִּפְרֹץ הָאִישׁ מְאֹד מְאֹד וַיְהִי־לוֹ צֹאן רַבּוֹת וּשְׁפָחוֹת וַעֲבָדִים וּגְמַלִּים וַחֲמֹרִים׃

Enriquecimento por Meio da Astúcia. Jacó estava enriquecendo através de *peculato*. Ele terminou sendo o proprietário da maior parte dos rebanhos de ovelhas e de cabras. Labão viu-se reduzido a uma pobreza comparativa. Jacó exibia suas riquezas, mal ganhas. Alguém já disse que é uma virtude roubar de um ladrão. Se isso é verdade, então Jacó mostrou ser um homem virtuoso. Mediante suas manipulações, foi capaz de comprar muitos escravos e outros animais, que não estavam envolvidos na *experiência*. Agora ele tinha todos os emblemas da riqueza, aos olhos dos antigos, chegando a aproximar-se de Abraão (Gn 13.2). Deus havia dito que abençoaria (Gn 12.2) a linhagem de Abraão, por causa do pacto (ver a descrição do *Pacto Abraâmico* em Gn 15.18). Isso estava acontecendo. Mas Jacó laborava em erro ao usar os artifícios que aqui lemos, a fim de enriquecer.

Jacó podia vender grande quantidade de lã. Era um negociante. Havia demanda pelo produto, e ele dispunha de um bom suprimento. Também podia adquirir muitas outras coisas. Tinha seus camelos e comerciava com lugares distantes. Seus produtos eram enviados através das rotas de caravanas, e estava ganhando dinheiro no comércio internacional. Tornara-se um supernegociante, e compartilhava dos vícios dos ricos e abastados. Não admira, pois, que a fisionomia de Labão para com Jacó tenha mudado, em relação ao que fora antes (Gn 31.2).

CAPÍTULO TRINTA E UM

RETORNO DE JACÓ PARA A TERRA PROMETIDA (31.1—34.31)

Os críticos atribuem esta seção à fonte informativa *E,* excetuando os vss. 1 e 3, que pertenceriam à fonte *J*. Ver no *Dicionário* o artigo chamado *J.E.D.P.(S.)*, quanto à teoria das fontes múltiplas do Pentateuco.

Jacó havia chegado a vários *limites*. Em primeiro lugar, ele tinha ficado antipático aos olhos de Labão, mediante sua prosperidade desonesta, embora Labão tivesse concordado com o método sugerido por Jacó para dividir os animais (Gn 30.31 ss.). Em segundo lugar, ele era possuidor de tantos bens que não havia mais necessidade de ficar confinado ao território de Labão. Agora ele queria voltar a sua própria terra e região, Berseba. Tinham-se passado cerca de vinte anos. Provavelmente, depois desse tempo todo, Esaú não continuaria afagando suas intenções homicidas, a causa pela qual Jacó tivera de ir para o exílio (Gn 27.42 ss.). Jacó desejava muito uma mudança de área geográfica. A isso Sêneca chamava de "mudança de céu". Mas insistia em que aquilo de que precisamos é de uma mudança no coração, e não de uma mudança de ares (como nós dizemos). Por outra parte, algumas vezes somos conduzidos a uma diferente área geográfica, visto que nossa missão na vida leva-nos a nossas possibilidades e empreendimentos. Declarou Paulo a certa altura de sua vida: "Mas agora, não tendo já campo de atividade nestas regiões…" (Rm 15.23). E assim, ele mudou-se para uma nova área geográfica, a fim de que a sua missão pudesse prosperar em uma nova arrancada.

Se Jacó não foi exatamente um exemplo de "como devemos tratar o próximo", Labão também não o foi (vs. 7). Jacó contava com a ajuda divina para prosperar (vs. 9), bem como orientação espiritual (vss. 11 ss.). Por igual modo, dispunha do apoio de suas esposas em sua intenção de mudar-se de localidade (vs. 14-16). De acordo com *todas* as indicações, era chegado o tempo de ele mudar-se. É grandioso quando Deus nos dá uma *orientação clara*, e é precisamente isso que devemos pedir dele, sobretudo quando temos de tomar grandes decisões.

■ 31.1

וַיִּשְׁמַע אֶת־דִּבְרֵי בְנֵי־לָבָן לֵאמֹר לָקַח יַעֲקֹב אֵת כָּל־אֲשֶׁר לְאָבִינוּ וּמֵאֲשֶׁר לְאָבִינוּ עָשָׂה אֵת כָּל־הַכָּבֹד הַזֶּה:

Jacó se apossou de tudo. Os filhos de Labão iniciaram uma campanha de ódio. Para eles parecia claro que Jacó havia roubado as riquezas da família, deixando-os na miséria. Ele havia reduzido a zero a família de Labão. As dificuldades estavam fermentando. A violência poderia irromper a qualquer momento. Mas os erros de Labão não estavam sendo mencionados, o que é típico. Um argumento tenta ignorar certos elementos debilitadores. No entanto, o argumento deles era forte e convincente, e poderia causar repercussões sérias. Estavam como que dizendo: "Jacó, volta para casa!" Labão como que dizia: "Jacó, volta para casa!" E o próprio Senhor estava dizendo: "Jacó, volta para casa!" E Lia e Raquel secundavam: "Jacó, volta para casa!" Portanto, o que mais poderia suceder? Jacó voltaria para casa. Mas, a fim de desvencilhar-se de Labão, seria mister mais alguma manipulação.

A Mensagem do Texto. A providência divina é um fato, e ela nos guia pelo caminho. Essa é a convicção central de todo o livro de Gênesis. Apesar das faltas e falhas de Jacó, o propósito divino sempre controlou tudo em sua vida. O fato de Jacó ter voltado para sua terra foi outro capítulo na história de como Deus cuidava dele, dando-lhe alguma orientação especial necessária. Ver no *Dicionário* o artigo intitulado *Providência de Deus*.

Toda esta riqueza. As riquezas materiais sempre trazem sua fama e sua glória. Jacó havia roubado a glória da família de Labão, deixando-os envergonhados diante de seus vizinhos. O Targum de Jonathan explica que a queixa era de que Jacó tinha obtido toda a sua fama e boa reputação entre os homens por meio de seu tratamento errado para com Labão.

■ 31.2

וַיַּרְא יַעֲקֹב אֶת־פְּנֵי לָבָן וְהִנֵּה אֵינֶנּוּ עִמּוֹ כִּתְמוֹל שִׁלְשׁוֹם:

Labão Exige: "Jacó, Volta para Casa!" Um olhar para o rosto de Labão bastaria para mostrar que Jacó estava enfrentando momentos difíceis. Os familiares de Labão estavam sussurrando por trás de suas costas. Um crescente desprazer, que poderia terminar em conflito franco, era óbvio na expressão fisionômica de Labão. A situação estava deteriorando seriamente. Jacó mostrava-se atento para com os sinais desse desprazer.

"Deus estava agitando a situação" (Allen P. Ross, *in loc.*). Não demoraria muito para Jacó partir de volta à Terra Prometida.

O Lar

Ó, devem os exilados sempre lamentar;
E então, após muitos anos, retornar?
Condenados pelo injusto decreto da Sorte
A não mais ver nossa terra e nossas casas…
Virgílio, Ec. i. vs. 68

O lar é onde está o coração.
Plínio, o Velho, 23-79

Quando eu estava em casa, estava em um lugar melhor.
Shakespeare

Sê sempre tão humilde que não haja lugar como o teu lar.
John Howard Payne

Qual a ave que vagueia longe do seu ninho, tal é o homem que anda vagueando longe do seu lar.
Provérbios 27.8

Era necessário falar. A tribulação pairava no ar. Mas se Jacó não agisse, muitas outras palavras indignadas seriam ainda proferidas. Porém, havia no ar mais do que meras dificuldades. Havia preparativos para a partida. A vontade de Deus manifestava-se em meio aos acontecimentos. As circunstâncias cooperariam com a iluminação direta, garantindo o cumprimento do propósito divino.

■ 31.3

וַיֹּאמֶר יְהוָה אֶל־יַעֲקֹב שׁוּב אֶל־אֶרֶץ אֲבוֹתֶיךָ וּלְמוֹלַדְתֶּךָ וְאֶהְיֶה עִמָּךְ:

A Orientação Divina. O Senhor falou. Não nos é dito de que maneira. Mas o livro de Gênesis alude a certa variedade de maneiras.

1. Há uma resposta à oração por meio da intuição interna, das visões externas e da sequência das circunstâncias. Ver Gênesis 20.7 quanto ao poder das orações de Abraão. Ver Gênesis 24.42 ss.; 25.21; 28.20 ss. e 30.22 ss. quanto a outras instâncias de oração no Gênesis. No *Dicionário* ver o artigo *Oração*.
2. O *anjo* do Senhor pode dar-nos orientação. Ver exemplos disso em Gênesis 16.7 ss.; 21.17; 22.11 e 31.11. Nesta última referência, o anjo falou por meio de um sonho. Ver no *Dicionário* o artigo intitulado *anjo*.
3. Há visões que nos fornecem orientação, como se vê nos casos de Abraão (Gn 15.12 ss.) e de Jacó, em Betel (Gn 28.12 ss.). Um *sonho* pode conter uma visão. Ver no *Dicionário* os artigos *Sonhos* e *Visão (Visões)*.
4. Alguns intérpretes supõem que aparições do Logos no Antigo Testamento podem estar envolvidas em algumas aparições de Yahweh ou Elohim. Ver Gênesis 31.13. Ver no *Dicionário* os artigos *Misticismo* e *Vontade de Deus, como Descobri-la*. É um grande privilégio dispor da Bíblia para ser lida, e dali extrair princípios gerais que nos norteiam. Também é notável dispormos da agência da oração. Algumas vezes, entretanto, precisamos do toque divino mais direto, de alguma iluminação especial para saber o que nos convém fazer.

Os vss. 10-13 deste capítulo ou nos dão uma nova orientação ou nos dão mais detalhes acerca do que é dito nestes versículos. São detalhes preciosos. Algumas vezes precisamos de uma ajuda mais direta e específica quanto ao que devemos fazer. Se a providência de Deus nos provê graça para tomarmos o passo seguinte, algumas vezes, divisar uma praia distante ajuda-nos a dar o próximo passo. Deus mostrou a Jacó a praia distante: Berseba. E o passo seguinte consistiu em deixar a região de Labão. Algumas vezes precisamos de um sonho mandado por Deus, de uma visão iluminadora. Mas há ocasiões em que até precisamos da visita do anjo do Senhor.

Torna à terra de teus pais. As raízes de Jacó estavam-no chamando. Um novo propósito precisava ter início. Padã-Arã não podia continuar servindo de palco para o drama sagrado. Era mister que houvesse um novo palco. É um bem conhecido fenômeno psicológico que as pessoas de mais idade, ao ingressarem no último ou nos últimos ciclos de sua vida, desejem *voltar para casa*. Algumas vezes as circunstâncias permitem isso; outras vezes, não.

E à tua parentela. Ver Gênesis 12.1; 24.4,7. No caso de Jacó, provavelmente os que estavam em Berseba. A família patriarcal tinha-se instalado naquela área em geral. Mas havia outros membros da família em outros lugares, porquanto viviam como seminômades.

Jacó precisava de *encorajamento*. Ia enfrentar uma mudança drástica em sua vida. As pessoas de mais idade sentem maior dificuldade em dar início a coisas novas. Deixam-se envolver por muitos temores e ansiedades.

E eu serei contigo. Se partires, Esaú não te prejudicará. Labão não te poderá impedir. Farás uma viagem segura de retorno. E chegando lá, prosperarás. Terás uma nova vida de utilidade e bênção. Abençoarás outros e serás abençoado por outros. Nada perderás com essa mudança. Bem pelo contrário, tudo redundará para teu bem, e de todos quantos estiverem em tua companhia.

Jacó lembrou-se dessa mensagem, "eu serei contigo", quando, finalmente, precisou enfrentar Esaú (Gn 32.9). Ele temera inutilmente. Esaú acolheu-o de braços abertos e com amor fraterno. O tempo havia curado a ferida.

■ 31.4

וַיִּשְׁלַח יַעֲקֹב וַיִּקְרָא לְרָחֵל וּלְלֵאָה הַשָּׂדֶה אֶל־צֹאנוֹ׃

Lia e Raquel São Consultadas. Jacó havia recebido uma clara orientação divina. Agora, estava preparando-se para partir. Jacó enviou um filho (os Targuns dizem que foi Naftali), ou um servo, para convocar as suas duas esposas. Os três tinham estado juntos por longo tempo. Jacó não haveria de fazer a mudança sem primeiro consultar-se com elas. Elas eram vitais em sua vida. Ninguém da família imediata seria deixado para trás. "Jacó, como homem prudente que era e marido afetuoso, pensou que seria apropriado dar a conhecer às suas esposas o que estava sucedendo, avisando-as, de modo a nem deixá-las subitamente nem levá-las pela força" (John Gill, *in loc.*).

O Apelo de Jacó Ressaltou Três Pontos. 1. Labão tinha mudado de atitude para com Jacó, o que era causa de desconforto (vs. 5). 2. Labão tinha se mostrado repetidamente injusto em seus acordos com ele (vs. 7). 3. Jacó recebera recentemente uma orientação de Deus (vs. 11).

■ 31.5

וַיֹּאמֶר לָהֶן רֹאֶה אָנֹכִי אֶת־פְּנֵי אֲבִיכֶן כִּי־אֵינֶנּוּ אֵלַי כִּתְמֹל שִׁלְשֹׁם וֵאלֹהֵי אָבִי הָיָה עִמָּדִי׃

A Carranca de Labão. A fisionomia de Labão não era mais favorável a Jacó, como antes. Labão tinha mudado. Não há nenhuma menção aos igualmente irados filhos de Labão. O fator humano era contrário a Jacó, mas "o Deus de meu pai tem estado comigo". Assim, a promessa do vs. 3 é reiterada aqui. Este versículo repete a mensagem do segundo versículo, onde a questão é comentada. O Deus do pai de Jacó, Isaque, e de seu avô, Abraão, era o Deus *Yahweh*, que o estava guiando. O contexto usa ambos os nomes divinos, Yahweh e Elohim. Neste quinto versículo, o nome é *Elohim*. Ver sobre os nomes divinos no *Dicionário*.

■ 31.6

וְאַתֵּנָה יְדַעְתֶּן כִּי בְּכָל־כֹּחִי עָבַדְתִּי אֶת־אֲבִיכֶן׃

Com todo empenho tenho servido. A despeito de quaisquer outras possíveis faltas, Jacó não era preguiçoso. O registro bíblico confirma estas suas palavras. Não estava sendo injustiçado por ter servido mal. Antes, estavam *abusando* de sua bondade e operosidade. Suas esposas eram testemunhas tanto da operosidade de Jacó quanto das injustiças de Labão. Ver no *Dicionário* o artigo *Trabalho, Dignidade e Ética do*. Jacó havia servido por catorze anos por suas duas esposas, e mais seis anos extras.

■ 31.7

וַאֲבִיכֶן הֵתֶל בִּי וְהֶחֱלִף אֶת־מַשְׂכֻּרְתִּי עֲשֶׂרֶת מֹנִים וְלֹא־נְתָנוֹ אֱלֹהִים לְהָרַע עִמָּדִי׃

Um Salário Flutuante. O trecho de Gênesis 30.21 ss. parece indicar que Jacó havia trabalhado por todos aqueles anos sem salário fixo, e parece que não fora durante aqueles catorze anos que seu salário havia sofrido tantos reajustes (sempre para pior, naturalmente). Assim, a maioria dos eruditos supõe que, apesar da barganha que fora feita, Labão conseguira enganar Jacó, não lhe dando todos os animais das cores que tinham sido combinadas. Mas na verdade não há como determinar no que consistiu o ludíbrio, embora haja várias conjecturas a respeito. Alguns dizem que devemos entender aqui "dez números", e não *dez vezes*, o que envolvia (de alguma maneira desconhecida), o número de animais que lhe haviam sido entregues. A Septuaginta diz "dez cordeiros". Agostinho interpretou isso como o salário de cinco anos, como se Labão lhe tivesse negado os animais combinados por cinco anos, visto que as ovelhas produzem ninhadas duas vezes por ano, ou seja, *dez* ninhadas em *cinco* anos. Jarchi diz que Labão não fizera nenhuma modificação no trato durante o primeiro ano. Mas depois, vendo que as coisas lhe eram desfavoráveis, nos próximos cinco anos não observou o acordo, resultando disso as dez vezes em que cordeiros deveriam nascer. Naturalmente, o fato de que Jacó prosperou tão notavelmente mostra que, sem importar as tentativas de Labão, ele continuava saindo perdedor.

Deus Estava Controlando as Coisas. Apesar das diversas manipulações de Labão, Jacó ia prosperando cada vez mais, visto que a sua prosperidade dependia de Deus, e não de Labão ou de seus próprios esquemas.

■ 31.8,9

אִם־כֹּה יֹאמַר נְקֻדִּים יִהְיֶה שְׂכָרֶךָ וְיָלְדוּ כָל־הַצֹּאן נְקֻדִּים וְאִם־כֹּה יֹאמַר עֲקֻדִּים יִהְיֶה שְׂכָרֶךָ וְיָלְדוּ כָל־הַצֹּאן עֲקֻדִּים׃

וַיַּצֵּל אֱלֹהִים אֶת־מִקְנֵה אֲבִיכֶם וַיִּתֶּן־לִי׃

As Transferências dos Rebanhos. Labão merecia perder. Assim, o decreto divino determinou seu prejuízo. Por muitas vezes, os ímpios prosperam (Sl 73.12). E não suponhamos que Labão realmente empobrecera, apesar de suas queixas. Nesse caso, porém, o homem injusto sofreu perdas financeiras por causa de sua iniquidade.

Deus Estava Controlando o Código Genético. Labão continuava mudando de vez em quando de parecer. As condições da barganha viviam sendo mudadas. Mas cada vez que Labão fazia uma restrição ou estabelecia uma nova condição, o resultado, miraculosamente, saía em favor de Jacó. Em consequência, mais e mais animais eram adicionados aos rebanhos de Jacó. Além disso, ele tinha muito dinheiro para comprar camelos e abrir negociações com os caravaneiros. E também podia comprar muitos escravos, e agora já dispunha de um pequeno império. Ver Gênesis 30.43.

O vs. 19 mostra-nos que Labão ainda possuía rebanhos. Não havia empobrecido, mas já não era o homem rico que tinha sido. E estava sentindo isso no bolso. Entrementes, Jacó continuava dando crédito a Deus por seu sucesso.

■ 31.10

וַיְהִי בְּעֵת יַחֵם הַצֹּאן וָאֶשָּׂא עֵינַי וָאֵרֶא בַּחֲלוֹם וְהִנֵּה הָעַתֻּדִים הָעֹלִים עַל־הַצֹּאן עֲקֻדִּים נְקֻדִּים וּבְרֻדִּים׃

Um Sonho de Revelação. Somente neste ponto somos informados de que Jacó havia recebido uma experiência mística acerca da questão dos rebanhos. O trecho de Gênesis 30.32 ss. indica somente que ele fizera um negócio esperto, aparentemente usando sua razão, e não alguma revelação divina. Assim sendo, a questão das varas listradas foi somente uma medida de segurança. Ele acrescentou o artifício para garantir que o plano funcionaria. Seu sonho de revelação havia mostrado quais animais se multiplicariam mais. As varas eram apenas um artifício para garantir o resultado previsto em seu sonho.

■ 31.11

וַיֹּאמֶר אֵלַי מַלְאַךְ הָאֱלֹהִים בַּחֲלוֹם יַעֲקֹב וָאֹמַר הִנֵּנִי׃

E o anjo de Deus me disse. Isso foi feito por meio de um *sonho*, o que mostra que alguns sonhos são de natureza espiritual, comunicando alguma mensagem ou orientação divina. Ver no *Dicionário* o artigo detalhado intitulado *Sonhos*, que inclui informações sobre os sonhos espirituais. O trecho de Gênesis 31.3 indica como a *orientação divina* nos pode ser dada. Embora os anjos tenham sido relegados a uma era pré-científica, por parte dos céticos e críticos, não há razão para duvidarmos do fato de que existem seres invisíveis, imateriais, que entram em contato conosco e nos podem ajudar em nosso desenvolvimento espiritual. Ver no *Dicionário* os artigos *anjo* e *anjo da Guarda*.

Jacó. O anjo dirigira-se diretamente a Jacó, uma vez que a orientação angelical pode ser pessoal, pois os anjos da guarda realmente existem.

Eis-me aqui. Daí aprendemos que um homem pode corresponder a forças invisíveis orientadoras. O "eis-me aqui" é uma afirmação da validade das experiências místicas. Ver no *Dicionário* o artigo sobre o *Misticismo*. Precisamos de experiências espirituais, e não apenas orar e ler os documentos sagrados. Essas experiências podem conferir-nos direção em momentos necessários. Também ajudam em nosso *crescimento* espiritual. Ver no *Dicionário* o artigo *Desenvolvimento Espiritual, Meios do*.

Os compiladores do Pentateuco Samaritano, pensando ser estranho que a visão aqui mencionada não estivesse associada ao plano original da divisão dos rebanhos, transferem esse sonho para depois de Gênesis 30.36.

■ **31.12**

וַיֹּאמֶר שָׂא־נָא עֵינֶיךָ וּרְאֵה כָּל־הָעַתֻּדִים הָעֹלִים עַל־הַצֹּאן עֲקֻדִּים נְקֻדִּים וּבְרֻדִּים כִּי רָאִיתִי אֵת כָּל־אֲשֶׁר לָבָן עֹשֶׂה לָּךְ׃

Seleciona os Animais! O anjo revelara a Jacó *quais* animais (de quais cores) procriariam melhor. Isso posto, ele sabia quais animais deviam ser escolhidos, embora fosse contra a razão. A revelação por muitas vezes labora contra a razão humana, ou mesmo a ultrapassa, e é imprescindível para a determinação da vontade de Deus. Quando não dispomos de revelação, temos de depender da nossa razão, a qual também nos foi dada por Deus. Ver no *Dicionário* o artigo *Anti-intelectualismo*. Nenhum método de orientação espiritual é infalível, nem mesmo a revelação. Somente Deus é infalível, e o resto é alguma forma de idolatria. Ademais, nenhum modo de orientação espiritual pode permanecer de pé isoladamente. Precisamos de boa variedade de modos. Deus nos guia de muitas maneiras, por meio de muitos instrumentos.

Um Exagero. Aqueles que recebem experiências místicas (que podem chamar de espirituais, em contraste com intelectuais) com frequência desprezam e diminuem a importância da razão. Isso é um exagero. A razão também é um dom de Deus, e na maioria das vezes é útil na tomada de decisões. Meu artigo intitulado *Anti-intelectualismo* entra na questão. Mas a razão isolada não basta. Precisamos da presença divina em nossas vidas.

Labão Tinha de Perder. O anjo tinha observado tudo quanto Labão vinha fazendo contra Jacó. Mas chegara o dia da prestação de contas, e o poder divino garantiria que Labão seria castigado, perdendo grande parte das riquezas materiais que pensava obter. Um dos nossos vexames consiste em ter de ver os ímpios prosperar (Sl 73.12). Algumas vezes, porém, conforme se vê aqui, o castigo deles ocorre sob a forma de privação material.

■ **31.13**

אָנֹכִי הָאֵל בֵּית־אֵל אֲשֶׁר מָשַׁחְתָּ שָּׁם מַצֵּבָה אֲשֶׁר נָדַרְתָּ לִּי שָׁם נֶדֶר עַתָּה קוּם צֵא מִן־הָאָרֶץ הַזֹּאת וְשׁוּב אֶל־אֶרֶץ מוֹלַדְתֶּךָ׃

Eu sou o Deus de Betel. O anjo é que falara, mas como porta-voz de *Elohim*. Algumas expressões assim mostram o Logos em aparições veterotestamentárias, que era o Cristo em sua encarnação judaica, uma de suas várias missões. O *anjo* tinha falado, mas as palavras eram de Deus (cf. 1Ts 2.12 e Hb 1.1). Ver também Gênesis 28.13 quanto ao contexto original da visão de Betel. Aquela visão também fora dada a Jacó sob a forma de um sonho.

Os elementos deste versículo, a orientação divina dada em Betel, a coluna, a unção da coluna e o voto feito por Jacó são todos comentados em Gênesis 28.10 ss. Ver especialmente os vss. 18 e 19. O texto à nossa frente usa outra reiteração do *Pacto Abraâmico*, comentado em Gênesis 15.18, onde são mencionadas todas as suas ocorrências. Parte desse pacto garantia a Abraão e à sua linhagem que eles *prosperariam*. Ademais, Jacó deveria separar-se da família de Labão, para que se desenvolvesse uma nação distinta, Israel. Da nação de Israel viria o Messias, através da linhagem de Judá, um dos filhos de Lia. Logo, Jacó tinha de deixar a região de Labão. Era mister que ele voltasse à Terra Prometida. A prosperidade material fazia parte de sua herança no Senhor. Portanto, o que foi prometido na primeira visão, em Betel, estava operando em Jacó nesta outra ocasião, e o anjo fê-lo lembrar da primeira visão, a fim de fortalecer a sua fé e pô-lo a caminho de volta para casa.

"O mesmo anjo que aparecera a Jacó, em um sonho, no começo de seus anos de servidão, agora lhe aparece, no final desse período" (John Gill, *in loc.*).

■ **31.14**

וַתַּעַן רָחֵל וְלֵאָה וַתֹּאמַרְנָה לוֹ הַעוֹד לָנוּ חֵלֶק וְנַחֲלָה בְּבֵית אָבִינוּ׃

Há ainda para nós... herança...? Lia e Raquel estavam de pleno acordo. Elas não receberiam herança, por serem mulheres. Suas riquezas dependiam de estarem casadas com Jacó. Logo, se Jacó tivesse de se mudar, elas ansiavam ir com ele. Este versículo mostra-nos que as mulheres, na antiguidade, não recebiam herança. Posteriormente, em Israel, mulheres podiam ser herdeiras, mas somente se permanecessem dentro de suas tribos de origem, casando com homens da mesma linhagem. Portanto, até nesse caso a herança era condicional. E mesmo assim somente se seu pai não tivesse *filhos*. Ver Números 27.1-11. No *Dicionário*, apresentei um detalhado artigo sobre essas questões chamado *Herdeiro*.

■ **31.15**

הֲלוֹא נָכְרִיּוֹת נֶחְשַׁבְנוּ לוֹ כִּי מְכָרָנוּ וַיֹּאכַל גַּם־אָכוֹל אֶת־כַּסְפֵּנוּ׃

Como estrangeiras? Elas aludiram a *estrangeiros*, os quais podiam ser comprados e vendidos como escravos, e que não tinham direitos entre o povo do país adotivo. Labão tinha vendido suas filhas a Jacó. Os costumes antigos diziam que, se um homem não tivesse dinheiro, poderia trabalhar para obter esposa. Assim, Jacó trabalhara por catorze anos por Lia e Raquel, tendo-as *comprado* para todos os efeitos práticos. Ofereço detalhes sobre essa questão em Gênesis 29.18 e 20.

Considerando-se a maneira brutal com que as duas mulheres falaram acerca de seu pai, parece que, ultimamente, Labão se tinha tornado "mesquinho, interesseiro e autoritário, conservando na memória de suas filhas as *antigas* ofensas" (Ellicott, *in loc.*).

■ **31.16**

כִּי כָל־הָעֹשֶׁר אֲשֶׁר הִצִּיל אֱלֹהִים מֵאָבִינוּ לָנוּ הוּא וּלְבָנֵינוּ וְעַתָּה כֹּל אֲשֶׁר אָמַר אֱלֹהִים אֵלֶיךָ עֲשֵׂה׃

Toda a riqueza... é nossa. Elas se tinham casado com Jacó no regime de "comunhão de bens". O que Jacó adquirira era delas também. Elas haveriam de desfrutar disso enquanto vivessem, e, então, transmitiriam a herança aos seus filhos. Portanto, era melhor separarem-se, com seus bens, do ganancioso Labão. Jacó precisava encontrar uma maneira de ficar com tudo. Lia e Raquel também deram a Deus o crédito pela prosperidade de Jacó, e não se importavam em deixar Labão na pobreza.

Outro Elemento Importante. Elas acreditavam que Deus vinha dirigindo Jacó. Acreditavam na visão que ele tivera; que Deus estava com ele de uma maneira especial. Assim sendo, deram-lhe todo o apoio nas suas decisões, incluindo essa de voltar à Terra Prometida.

"Elas falaram bem, realmente. Elas deram a entender que ele deveria deixar a casa de seu sogro, voltando à terra de Canaã, conforme *Deus* lhe havia orientado; e mostraram que estavam dispostas a ir com ele" (John Gill, *in loc.*). Na verdade, elas estavam mais do que dispostas, estavam *ansiosas*.

JACÓ FOGE DE LABÃO (31.17-43)

31.17

וַיָּקָם יַעֲקֹב וַיִּשָּׂא אֶת־בָּנָיו וְאֶת־נָשָׁיו עַל־הַגְּמַלִּים׃

A Fuga. Deve ter havido consideráveis preparativos, antes da execução do plano. Primeiro, Jacó proveu o necessário para suas esposas e seus filhos. Então reuniu todos os seus bens. Raquel, por sua vez, furtou os ídolos do lar (terafins), pois quem tivesse esses objetos tinha o direito de reclamar a herança. E, finalmente, *fugiram* todos. Teria sido inútil conversar com Labão. Ele teria aprontado tropas armadas para impedir que se fossem. Ademais, provavelmente não seriam capazes de levar o que lhes pertencia.

Os críticos atribuem esta seção a uma mistura das fontes *J* e *E*. Ver no *Dicionário* o artigo *J.E.D.P.(S.)*, quanto à teoria das fontes múltiplas do Pentateuco. O plano foi executado com todo o cuidado. Não seria fácil fugir do astuto Labão. Enquanto Labão estava ausente, na tosquia das ovelhas, Raquel furtou os terafins (vs. 19). E, então, tirando proveito da ausência de Labão, eles fugiram (vs. 21 ss.). Naturalmente, passados uns dias, Labão partiu em perseguição a eles, e os alcançou em Gileade (vs. 23). Foram necessários sete dias para alcançá-los, pois Jacó partira com uma vantagem de três dias (vs. 23). Houve tremenda discussão, mas quando os espíritos finalmente se acalmaram, tudo foi reduzido a mais uma triste separação entre membros de uma família. Labão jamais veria de novo as suas duas filhas, Lia e Raquel. Embora fosse muito ambicioso, não lhe faltava afeto paternal.

Chegara a vez de Labão receber um sonho da parte de Deus. Foi avisado do mesmo a não dizer coisa alguma a Jacó, nem de bom nem de mau (vs. 24); e isso deve ter sido um dos fatores que *possibilitou* a separação amigável, *menos dolorosa*. Deus cuida de nós, mesmo quando temos de enfrentar a separação de membros de nossas famílias.

A fuga de Jacó tornou-se possível porque ele levava três dias de vantagem sobre Labão (Gn 30.36). Ele pudera planejar em paz. Mesmo assim, Labão conseguiu alcançá-lo.

31.18

וַיִּנְהַג אֶת־כָּל־מִקְנֵהוּ וְאֶת־כָּל־רְכֻשׁוֹ אֲשֶׁר רָכָשׁ מִקְנֵה קִנְיָנוֹ אֲשֶׁר רָכַשׁ בְּפַדַּן אֲרָם לָבוֹא אֶל־יִצְחָק אָבִיו אַרְצָה כְּנָעַן׃

Todo o seu gado e todos os seus bens. Jacó não quis deixar para trás coisa alguma. Todas as riquezas que acumulara tinham de ir com ele. Haveria de sair *forte*, e não fraco. Tinha chegado ali em fraqueza, mas tudo se havia revertido, devido às extraordinárias bênçãos de Deus que recebera em Padã-Arã. Saía dali vitorioso porque Deus providenciara em seu favor. Antigos intérpretes judeus adornaram esse texto, dizendo que Jacó possuía 5.500 cabeças de gado, e um número igualmente impressionante de outros animais domésticos. Também tinha muitos escravos e muita prata e muito ouro. Acima de tudo, levava consigo suas duas esposas, suas duas concubinas e seus onze filhos, sem sabermos quantas filhas, além de Diná. Era um pequeno povoado que se estava transferindo de Padã-Arã para Berseba, a cerca de 750 km de distância.

Jacó estava de volta à casa de seu pai. Isaque ainda estava vivo, mas provavelmente Rebeca já havia falecido. Não há registro de sua morte na Bíblia, embora haja uma referência tardia ao seu sepultamento (Gn 49.31).

31.19

וְלָבָן הָלַךְ לִגְזֹז אֶת־צֹאנוֹ וַתִּגְנֹב רָחֵל אֶת־הַתְּרָפִים אֲשֶׁר לְאָבִיהָ׃

O Furto dos Terafins. Por que nos deveríamos admirar de que a família de Labão ainda estivesse envolvida em alguma forma de idolatria? Muitos cristãos de hoje praticam a idolatria, e têm muito mais luzes que a família de Terá. O trecho de Josué 24.2 mostra-nos que Terá era idólatra. O próprio Abraão quase se envolveu em um sacrifício humano (Gn 22). Estamos tratando aqui com antigas formas religiosas que dificilmente podem satisfazer os padrões cristãos modernos. Antigos intérpretes judeus tentaram limpar o texto dizendo que Raquel furtou as imagens a fim de livrar da idolatria a casa de seu pai, mas isso não faz sentido. Ela pode ter crido que a *adivinhação,* mediante consulta aos ídolos, poderia ajudar Labão a seguir os fugitivos. Mas, sem dúvida, mais do que isso esteve envolvido.

Os ídolos do lar. Eram imagens de escultura, feitas em honra a diversas divindades, deuses da lareira, tal como hoje as pessoas põem ídolos em nichos, em suas casas. No vs. 30 são chamados *deuses* (no hebraico, *elohai*). 1Samuel 15.23 condena essa prática. Mas se a família de Labão ainda se apegava a essas práticas idólatras, também tinha consciência da adoração a Deus, conforme se vê em Gênesis 24.50. Uma parte dessa tradição em torno dos ídolos do lar ou terafins era que a sua posse garantia a transmissão da herança paterna ao possuidor. Logo, as imagens passavam de pai para filho, na linhagem da herança. Se assim realmente sucedia, é difícil ver como Raquel poderia ter esperado garantir a herança para Jacó, visto que Labão tinha tantos *filhos*. Ademais, no vs. 14 deste capítulo lemos que Raquel e Lia não esperavam receber nenhuma herança, sendo elas mulheres. Parece mais provável que Raquel cresse na eficácia de orações e ritos realizados diante dessas imagens, e quisesse a proteção e os benefícios que (alegadamente) esses terafins poderiam conferir. Tais ídolos eram postos nos lares a fim de protegê-los e trazer-lhes prosperidade. Algumas dessas imagens eram figurinhas representando deidades; outras tinham formato humano; algumas talvez fossem os signos do zodíaco; talvez algumas fossem usadas para efeito de adivinhação. O fato é que muitas pessoas as adoravam. Ver o artigo geral intitulado *Idolatria,* no *Dicionário*.

Os tabletes de Nuzi (século XV a.C.), associam esses ídolos do lar aos direitos de herança, mas não é provável que Raquel pensasse que eles pudessem garantir a herança para Jacó. Ver Ezequiel 21.21 quanto a adivinhações feitas por meio de imagens. Ver sobre *Nuzi,* no *Dicionário*.

31.20

וַיִּגְנֹב יַעֲקֹב אֶת־לֵב לָבָן הָאֲרַמִּי עַל־בְּלִי הִגִּיד לוֹ כִּי בֹרֵחַ הוּא׃

E Jacó logrou a Labão. Essa era a única maneira. Labão teria ficado furioso diante da ideia e teria usado quaisquer meios para reter Jacó e continuar a explorá-lo. Algumas vezes precisamos fazer coisas desagradáveis, porque somente elas funcionam. Labão não merecia nenhuma consideração especial. Seu tempo de opressão, porém, tinha passado. John Gill (*in loc.*) observou azedamente que Labão, apesar de todos os seus ídolos e de suas adivinhações, não recebera nenhuma previsão sobre a fuga de Jacó!

O arameu. Ver Gênesis 25.20, onde Betuel foi assim chamado, e ver no *Dicionário* o verbete *Arã (Arameu)*. Isso é repetido em Gênesis 28.5, onde ofereço notas adicionais.

Não lhe dando a saber que fugia. O hebraico tem aqui uma expressão idiomática que envolve a palavra que significa "coração". Mas segundo os especialistas no idioma, isso significa somente que a possibilidade de fuga nem tinha passado pela consciência de Labão, segundo se vê na maioria das traduções.

31.21

וַיִּבְרַח הוּא וְכָל־אֲשֶׁר־לוֹ וַיָּקָם וַיַּעֲבֹר אֶת־הַנָּהָר וַיָּשֶׂם אֶת־פָּנָיו הַר הַגִּלְעָד׃

E fugiu com tudo o que lhe pertencia. Repetição do que já fora dito no vs. 18, onde há notas expositivas.

Passou o Eufrates. Esse rio ficava entre a Mesopotâmia e a terra de Canaã. Ver no *Dicionário* o detalhado artigo sobre esse curso de água. Os críticos indagam *como* ele pode ter feito isso. Os eruditos conservadores têm sugerido um milagre, como se deu no mar Vermelho. O mais provável é que houvesse baixios que podiam ser vadeados, lugares bem conhecidos tanto por Jacó quanto por Labão.

Tomou o rumo da montanha de Gileade. Uma área montanhosa na fronteira da terra de Canaã, perto do Líbano. Esse nome foi dado à região um pouco *mais tarde,* com base na circunstância das pedras que foram postas ali como testemunho do pacto feito entre Jacó e Labão (vs. 45). No *Dicionário* há um artigo detalhado sobre esse lugar. Essa expressão significa "montanha de rocha". Era uma fronteira montanhosa que separava as tribos dos cananeus das tribos dos arameus.

■ 31.22

וַיֻּגַּד לְלָבָן בַּיּוֹם הַשְּׁלִישִׁי כִּי בָרַח יַעֲקֹב׃

No terceiro dia. Isso foi possível devido ao fato de que os rebanhos e possessões de Jacó e de Labão tinham sido separados por esse espaço (Gn 30.36). Não se sabe como essa consternadora notícia foi comunicada a Labão, mas podemos estar certos de que ele ficou furioso. Não tendo de transportar os bens, as crianças e os animais que Jacó precisou levar consigo, Labão não teve dificuldade para alcançar Jacó, apesar da vantagem de três dias de caminhada.

■ 31.23

וַיִּקַּח אֶת־אֶחָיו עִמּוֹ וַיִּרְדֹּף אַחֲרָיו דֶּרֶךְ שִׁבְעַת יָמִים וַיַּדְבֵּק אֹתוֹ בְּהַר הַגִּלְעָד׃

Sete dias de jornada. O que Jacó precisou cobrir no período de dez dias, Labão conseguiu fazer em sete. Ele tinha consigo um grupo armado. Seu propósito era ameaçador, e o que Esaú fora para Jacó, agora o era Labão. Somente uma intervenção divina impediu uma grande tragédia (vs. 24). Gileade ficava a cerca de 410 km de distância de Padã-Arã. Isso significa que Jacó conseguira cobrir dois terços da distância em dez dias. Caminhar cerca de 50 km por dia significa que ele havia instituído uma *marcha forçada*, por temor a Labão. Estava a talvez 250 km de casa quando Labão o alcançou.

■ 31.24

וַיָּבֹא אֱלֹהִים אֶל־לָבָן הָאֲרַמִּי בַּחֲלֹם הַלָּיְלָה וַיֹּאמֶר לוֹ הִשָּׁמֶר לְךָ פֶּן־תְּדַבֵּר עִם־יַעֲקֹב מִטּוֹב עַד־רָע׃

A Intervenção Divina. Jacó precisava de Deus para tirá-lo do apuro em que estava. Labão vinha com intenções homicidas. Qualquer tipo de violência poderia ter irrompido.

Deus Veio a Labão em um Sonho. Ver Gênesis 31.3 sob o título *A Orientação Divina*, quanto aos vários modos que Deus pode usar em suas instruções, além dos meios normais da razão humana e das circunstâncias. Os sonhos divinos são um desses meios. Ver no *Dicionário* o verbete *Sonhos*. Há vários níveis de sonhos, tal como há vários níveis de hipnose. Alguns sonhos são triviais. Outros sonhos transmitem poderosas mensagens. Alguns sonhos são divinamente inspirados, pois são espirituais. Os jovens têm visões; os velhos têm sonhos, que são equivalentes a visões (At 2.17). Ocasionalmente, nos sonhos, recebemos visões.

O sonho advertia Labão a que não prejudicasse Jacó, nem tivesse com ele algum diálogo tolo e violento, muito menos alguma atitude drástica. Ver Gênesis 24.50, onde é usada a mesma expressão. Ali significa: "Deus fez isso. Como podemos falar de modo a mudar a questão?" Para Labão, fazer qualquer coisa seria errado. Jacó era homem de Deus e estava voltando para casa para cumprir um novo destino. E a ordem divina dizia: "Deixa-o em paz!"

■ 31.25

וַיַּשֵּׂג לָבָן אֶת־יַעֲקֹב וְיַעֲקֹב תָּקַע אֶת־אָהֳלוֹ בָּהָר וְלָבָן תָּקַע אֶת־אֶחָיו בְּהַר הַגִּלְעָד׃

A Confrontação. Jacó e Labão acamparam ambos nas montanhas de Gileade. A confrontação estava preparada. Ambos estavam agora na mesma região, de ânimo muito exaltado. Se tivessem braços longos o bastante, já estariam atirando dardos um no outro. Mas Deus interviera, e isso para bem de ambos. No mínimo, Jacó perderia todos os bens que trazia; e talvez Labão até lhe arrebatasse suas esposas e seus filhos. Mas segundo as coisas sucederam, ele saiu *livre e rico*. Era uma obra de Deus, em consonância com o estipulado no Pacto Abraâmico (comentado em Gn 15.18). Jacó era o homem de Deus para aquele momento, e nenhum dano poderia sobrevir-lhe. Conforme disse Sócrates: "Nenhum dano pode ser sofrido por um homem bom". Nenhum dano *definitivo*, bem entendido, embora as vicissitudes da vida tragam muitos reveses e consternações.

■ 31.26

וַיֹּאמֶר לָבָן לְיַעֲקֹב מֶה עָשִׂיתָ וַתִּגְנֹב אֶת־לְבָבִי וַתְּנַהֵג אֶת־בְּנֹתַי כִּשְׁבֻיוֹת חָרֶב׃

Labão Repreende Jacó. Ele queria saber o "porquê" de tudo aquilo. E iniciou uma longa arenga. Parte de seu discurso dizia verdades, parte não. Teria ele realmente despedido Jacó com uma festa (vs. 27)? Na verdade, para Labão fora uma experiência dura perder as filhas e os netos, sem poder dar-lhes ao menos um ósculo de despedida (vs. 28). Labão era um safado, mas não destituído de afeto natural.

Como cativas pela espada? Labão deu a entender que Lia e Raquel tinham objetado à fuga, e foram forçadas a fazê-lo. Ele se mostrava por demais insensível para com os sentimentos delas, e não pôde antecipar quão ansiosa e voluntariamente tinham fugido (vss. 14-16). Sequestradores e ladrões é que carregam os membros de uma família. Jacó teria agido como um simples criminoso, segundo a estimativa de Labão.

■ 31.27

לָמָּה נַחְבֵּאתָ לִבְרֹחַ וַתִּגְנֹב אֹתִי וְלֹא־הִגַּדְתָּ לִּי וָאֲשַׁלֵּחֲךָ בְּשִׂמְחָה וּבְשִׁרִים בְּתֹף וּבְכִנּוֹר׃

A Grande Mentira. Não havia muita chance de que Labão tivesse se despedido de Jacó com alegria e com festa. As contendas sempre contêm suas grandes mentiras. O ânimo violento sempre exagera as pequenas coisas.

Tamboril. Ver no *Dicionário* sobre esse instrumento, no artigo intitulado *Música, Instrumentos Musicais.* Ver também o artigo geral *Música.* Na quarta seção do artigo sobre os instrumentos musicais, descrevi aqueles de cordas, de sopro e de percussão. O tamboril (no hebraico, *toph*) era similar ao *pandeiro* brasileiro, tangido com a mão. Era usado para acompanhar, ritmadamente, a música e a dança nas festividades e nos cortejos.

Harpa. Naquele mesmo artigo, em sua quarta seção, ver os instrumentos de *cordas*. A harpa é o primeiro instrumento musical mencionado na Bíblia (Gn 4.21). Como é óbvio, havia vários tipos de harpa, algumas delas mais parecidas com a guitarra do que com as harpas modernas.

■ 31.28

וְלֹא נְטַשְׁתַּנִי לְנַשֵּׁק לְבָנַי וְלִבְנֹתָי עַתָּה הִסְכַּלְתָּ עֲשׂוֹ׃

Por que não me permitiste beijar...? Temos aqui uma verdade. Quão amargo é para um homem perder as filhas e os netos, sem ao menos poder dar-lhes um beijo de despedida, nem poder dar-lhes a bênção paterna! Não há motivo para duvidarmos da sinceridade de Labão quanto a esse particular. Mas em outro sentido (metafórico), ele já se havia despedido delas por meio de anos de maus-tratos, não fazendo nenhuma provisão quanto ao futuro de suas filhas e de seus netos (vss. 14-16). Labão disse que o ato de Jacó, quanto a isso, fora "insensato". Por outra parte, somente um insensato esperto poderia ter escapado de Labão com todos os seus bens. Além disso, esse tolo estava sendo guiado por Deus.

■ 31.29

יֶשׁ־לְאֵל יָדִי לַעֲשׂוֹת עִמָּכֶם רָע וֵאלֹהֵי אֲבִיכֶם אֶמֶשׁ אָמַר אֵלַי לֵאמֹר הִשָּׁמֶר לְךָ מִדַּבֵּר עִם־יַעֲקֹב מִטּוֹב עַד־רָע׃

Poder... para vos fazer mal. Labão tinha encetado a perseguição com grande fúria, espada na mão. Alguém iria pagar um elevado preço pelo que tinha sucedido. Os amigos e vizinhos de Labão teriam-no congratulado por ter tirado a vida de Jacó. Mas Deus interveio por meio do sonho, conforme se vê nas notas sobre o vs. 24.

O Deus de vosso pai. Por certo essas palavras distinguem entre as divindades que ele adorava, e *o Deus* de Abraão, Isaque e Jacó. Contudo, isso não significa que Labão não incluísse *esse Deus* em seu panteão, conforme Gênesis 24.50 por certo indica. Labão tinha os seus *elohai* (vs. 19), e Jacó tinha o seu *Elohim* (vs. 29).

Não fales a Jacó nem bem nem mal. Essa expressão já foi comentada no vs. 24 deste capítulo.

A Mão de Deus e a Mão do Homem. Sem dúvida, a mão do homem realiza toda forma de males e ultrajes. Mas as coisas permanecem nas mãos de Deus, afinal. Pilatos pensava que podia fazer o que bem quisesse, mas Jesus o informou que a vontade de Deus é que prevalece (Jo 19.10,11). A palavra "poder", usada aqui por Labão, no hebraico é *el*, que algumas traduções dizem *El* (um nome de Deus), ou seja: "Minha mão é *el*, um deus para mim", como se Labão estivesse dando a Deus (ou a algum deus) o crédito pelo poder que ele tinha e poderia usar. Mas essa interpretação parece ser um exagero em cima do texto, mesmo que o forcemos a dizer isso.

Labão misturava o egoísmo e o amor em sua diatribe. Como todos nós, ele era uma mescla de bons e maus elementos.

Labão não usaria seu poder armado superior, mas queria que Jacó temesse e visse claramente o que poderia ter sofrido, não fora a advertência divina.

■ **31.30**

וְעַתָּה הָלֹךְ הָלַכְתָּ כִּי־נִכְסֹף נִכְסַפְתָּה לְבֵית אָבִיךָ לָמָּה גָנַבְתָּ אֶת־אֱלֹהָי:

Tens saudade da casa de teu pai. Labão entendia as saudades de casa, por parte de Jacó. Ver o vs. 2. Suas raízes o estavam atraindo. Mas acima de todos os "crimes" cometidos por Jacó, havia o pior de todos. Qual? Por que ele havia furtado os *deuses* (*elohai*) de Labão, ou seja, os ídolos do lar? O vs. 32 mostra que Jacó nada sabia sobre esse furto. Este versículo mostra o grande valor que Labão dava àquelas imagens. A fé religiosa de Labão havia sido violada. Isso pode ser comparado com a consternação, em todo o Brasil, quando houve a tentativa de danificar a imagem venerada na cidade de Aparecida. Sem dúvida, por trás dos ídolos, estavam as *divindades* que eram adoradas. Labão pensava em seres que poderiam sentir-se ofendidos diante do tratamento trivial dado às imagens. Ademais, Labão imaginava que elas lhe davam proteção e prosperidade, e talvez até meios de adivinhação. Ele havia sofrido uma *grande* perda, e lançava sobre Jacó a culpa por isso.

Jacó poderia *reivindicar* certas coisas que tinha levado consigo, como seus familiares e seus bens, mas não podia reivindicar os terafins da família de Labão. Portanto, tê-los tomado era puro furto. Jacó tornara-se culpado de um ato criminoso.

■ **31.31**

וַיַּעַן יַעֲקֹב וַיֹּאמֶר לְלָבָן כִּי יָרֵאתִי כִּי אָמַרְתִּי פֶּן־תִּגְזֹל אֶת־בְּנוֹתֶיךָ מֵעִמִּי:

A Resposta Veemente de Jacó. Agora era a vez de Jacó vergastar com palavras. O *temor* fizera-o fugir; mas isso era apenas *uma* das razões. Ele temia, e com razão, que o ganancioso Labão não lhe permitisse voltar para sua terra, mas confiscasse tudo pelo que ele trabalhara tanto. Visto que suas esposas eram *propriedade* sua, pela qual ele pagara catorze anos de labor, não há razão para supormos que elas também poderiam ter sido confiscadas.

Jacó ficou indignado diante dessa acusação de furto. Ele é que havia sido roubado. Ele nada trouxera consigo que não tivesse sido obtido por meio de muitos anos de trabalho diligente.

■ **31.32**

עִם אֲשֶׁר תִּמְצָא אֶת־אֱלֹהֶיךָ לֹא יִחְיֶה נֶגֶד אַחֵינוּ הַכֶּר־לְךָ מָה עִמָּדִי וְקַח־לָךְ וְלֹא־יָדַע יַעֲקֹב כִּי רָחֵל גְּנָבָתַם:

Os Deuses Furtados. Ver o vs. 19 e o artigo *Terafins*, no *Dicionário*, quanto a completas informações sobre esse assunto. Jacó negou peremptoriamente que tivesse furtado os ídolos, pois não sabia que Raquel os tinha furtado. E proferiu a sentença de morte contra aquela que tinha feito o ultraje.

Raquel Não Merecia Viver? Antigos intérpretes judeus acusam Raquel aqui. Supõem que ela morreu jovem, na hora do parto, por causa da maldição lançada por Jacó. Sua morte ficou registrada no capítulo 35. Mas uma palavra como aquela, dita por Jacó, teria tal poder, e Deus permitiria que algo tão trivial fosse a causa da morte de uma jovem mulher? Penso que não.

Uma Busca Autorizada. Jacó permitiu que Labão fizesse uma busca completa, para achar os ídolos ou qualquer outra coisa com que Jacó e sua gente pudessem ter ficado daquilo que não lhes pertencia. O teste empírico haveria de solucionar todos os problemas.

■ **31.33**

וַיָּבֹא לָבָן בְּאֹהֶל יַעֲקֹב וּבְאֹהֶל לֵאָה וּבְאֹהֶל שְׁתֵּי הָאֲמָהֹת וְלֹא מָצָא וַיֵּצֵא מֵאֹהֶל לֵאָה וַיָּבֹא בְּאֹהֶל רָחֵל:

A Busca, Tenda Após Tenda. Labão procurou nas tendas de todas as personagens principais, Jacó, Lia, Bila, Zilpa e, finalmente, Raquel. Não houve coisa que não tivesse sido revirada. Ele não confiou na palavra de ninguém. Ele tinha de averiguar pessoalmente. Ele vinha perseguindo os fugitivos por sete dias, e não tinha pressa. O fato de que ele entrou por *último* lugar na tenda de Raquel pode indicar que era dela que ele menos suspeitava, um toque irônico. Este versículo (tal como Gn 24.67) mostra-nos que cada mulher tinha a sua própria tenda.

■ **31.34**

וְרָחֵל לָקְחָה אֶת־הַתְּרָפִים וַתְּשִׂמֵם בְּכַר הַגָּמָל וַתֵּשֶׁב עֲלֵיהֶם וַיְמַשֵּׁשׁ לָבָן אֶת־כָּל־הָאֹהֶל וְלֹא מָצָא:

Raquel Era a Culpada. Isso já tinha sido adiantado no vs. 19. Ela tinha posto os terafins debaixo de sua sela, o que mostra quão pequenos eram esses objetos. Alguns eruditos veem nessa circunstância uma prova de que Raquel dificilmente veneraria tais ídolos. Alguém se sentaria sobre os seus próprios deuses? Mas o fato de que se dera ao trabalho de furtá-los mostra que os tinha em alta conta, talvez por razões religiosas, e não só por causa de uma questão de herança. Ela fez o que sentiu ser melhor para ocultar o furto, e o relato mostra que ela usara de grande astúcia.

■ **31.35**

וַתֹּאמֶר אֶל־אָבִיהָ אַל־יִחַר בְּעֵינֵי אֲדֹנִי כִּי לוֹא אוּכַל לָקוּם מִפָּנֶיךָ כִּי־דֶרֶךְ נָשִׁים לִי וַיְחַפֵּשׂ וְלֹא מָצָא אֶת־הַתְּרָפִים:

Não poder eu levantar-me. As palavras "as regras das mulheres" são um eufemismo para a menstruação, o que, posteriormente, tornava uma mulher *impura,* de acordo com as leis cerimoniais (Lv 15.19-23). De acordo com essa lei, também se tornava imunda qualquer coisa em que uma mulher se sentasse. Raquel adicionou uma mentira ao furto, e agiu de forma pragmática. "A verdade é aquilo que dá certo, aquilo que funciona." Labão continuou em sua busca, mas a mentira de Raquel impediu que ele fizesse sua busca exatamente onde estavam os terafins. Raquel fizera o possível para cumprir o seu desígnio. Uma de minhas fontes informativas diz que, com aquele ato contaminador, ela "reduziria a nada" os ídolos. Mas na verdade já "não valiam nada", pois não eram mesmo divindades.

É provavelmente verdadeiro que Labão não forçou Raquel a levantar-se, porque não suspeitaria jamais que ela teria sujeitado *os deuses* a uma tão grande humilhação. Ela não os tinha furtado para livrar Labão da idolatria, nem para impedir que ele os usasse em suas adivinhações para descobrir a rota da fuga (embora essa possa ter sido uma das razões). O mais provável é que os tenha furtado por querer ficar com a herança de seu pai. Além disso, porém, compartilhando de ideias idólatras, ela queria ter qualquer benefício que lhe provesse segurança, proteção e prosperidade, as razões mesmas pelas quais Labão tinha adquirido os terafins. Ver notas completas a respeito no vs. 19.

■ **31.36**

וַיִּחַר לְיַעֲקֹב וַיָּרֶב בְּלָבָן וַיַּעַן יַעֲקֹב וַיֹּאמֶר לְלָבָן מַה־פִּשְׁעִי מַה חַטָּאתִי כִּי דָלַקְתָּ אַחֲרָי:

Então se irou Jacó. Era uma justa indignação. O temor de Jacó agora era substituído por uma justa indignação. Sua resposta foi uma tirada de indignação. Seu discurso ocupa nada menos que sete versículos. Pessoas que têm queixas sempre trazem à lume o passado. Ele passou em revisão a excelente qualidade de seu trabalho e *sacrifício*, bem como a mesquinhez de Labão. O que estava sufocado em sua garganta, por todos aqueles vinte anos, enquanto ele sofria por causa dos atos abusivos de Labão, agora era posto para fora como um vômito. Mas a despeito das palavras duras de Jacó, Labão não mudou de mente. "Um homem convencido contra a própria vontade continua com a mesma opinião", conforme diz um antigo dito popular. E o vs. 43 mostra-nos que Labão não mudara de opinião. Por outra parte, a situação era irremediável, tanto que Labão preferiu partir para a assinatura de um solene pacto.

Qual é a minha transgressão? As pessoas costumam interpretar de maneiras diferentes as mesmas evidências. Jacó havia servido longa, dura e sacrificialmente a seu tio. Ele havia levado consigo os frutos de *seu* labor. Portanto, ele nada havia furtado. O vs. 43 mostra-nos que Labão não concordava com isso. Tudo quanto se podia ver naquele dia, como as mulheres, os animais, os bens etc., Labão considerava *seu*. Não havia como conciliar os dois pontos de vista, o de Jacó e o de Labão. Eles não acreditavam nas mesmas coisas, nem ao menos pensavam da mesma maneira.

■ **31.37**

כִּי־מִשַּׁשְׁתָּ אֶת־כָּל־כֵּלַי מַה־מָּצָאתָ מִכֹּל כְּלֵי־בֵיתֶךָ שִׂים כֹּה נֶגֶד אַחַי וְאַחֶיךָ וְיוֹכִיחוּ בֵּין שְׁנֵינוּ:

Que achaste...? A busca fora completa. Labão havia descoberto alguma coisa sua? Nesse caso, que a apresentasse diante de todos, para que a vissem e julgassem o caso. Mas nada tinha sido achado de furtado, nem mesmo o menor utensílio doméstico.

"O pecado constitucional de Labão era a cobiça; para ele, era um pecado arraigado, que governava toda a sua conduta" (Adam Clarke, *in loc.*). Sendo esse o caso, Labão jamais concordaria com a avaliação de Jacó. Tudo quanto era *visível* era, para Labão, evidência de que Jacó o tinha furtado (vs. 43).

■ **31.38**

זֶה עֶשְׂרִים שָׁנָה אָנֹכִי עִמָּךְ רְחֵלֶיךָ וְעִזֶּיךָ לֹא שִׁכֵּלוּ וְאֵילֵי צֹאנְךָ לֹא אָכָלְתִּי:

Vinte anos eu estive contigo. Divididos em catorze anos trabalhando para comprar Lia e Raquel, e, então, seis anos adicionais, envolvidos na questão da multiplicação dos rebanhos. Isso significa que, então, Jacó estaria com cerca de 97 anos. Ora, viveu ele até os 147 anos (Gn 47.28), portanto ainda lhe restavam cinquenta anos de vida. Podemos, pois, dizer, que Jacó viveu cinquenta anos *depois* daquela experiência com Labão. Ainda tinha um longo tempo para experimentar um tipo diferente de vida, mesmo que houvesse uma mistura de alegria e tristeza, de ganhos e perdas. Senhor, concede-nos tal graça!

Um Serviço Generoso. Jacó havia cuidado bem dos animais, de tal modo que nem ao menos tinham sofrido aborto. Não se tinha apossado gananciosamente dos animais de Labão, como alimento, para serem servidos em festas etc. Ele sempre se mostrara conservador, frugal e generoso com seu empregador. Os pastores podiam comer à vontade de seus rebanhos (Ez 34.3). Jacó sacrificara os pequenos prazeres da vida para não se mostrar desonesto em seu trabalho e em seu serviço.

■ **31.39**

טְרֵפָה לֹא־הֵבֵאתִי אֵלֶיךָ אָנֹכִי אֲחַטֶּנָּה מִיָּדִי תְּבַקְשֶׁנָּה גְּנֻבְתִי יוֹם וּגְנֻבְתִי לָיְלָה:

Sofri o dano. Os animais despedaçados por animais predadores não eram postos no passivo de Labão. Jacó sofria o dano diante de acontecimentos assim, o que nenhum pastor seria forçado a sofrer. Ademais, Jacó pagava por todos os animais que porventura fossem furtados.

"...uma arrebatadora descrição de um pastor (vss. 38-40), tão devotado a seu rebanho e tão esquecido de seus próprios interesses que não hesitava em sofrer qualquer prejuízo por causa de suas ovelhas" (Walter Russell Bowie, *in loc.*).

"...a lei de Deus determinava que um pastor não era forçado a devolver um animal que fosse despedaçado por alguma fera (Êx 22.10,13)" (Adam Clarke, *in loc.*). E podemos dizer que um costume similar prevalecia desde bem antes. Mas Labão mostrara-se cobiçoso que ignorava um costume consagrado e o bom senso, fazendo com (ou permitindo) que Jacó pagasse por prejuízos que não lhe eram devidos.

■ **31.40**

הָיִיתִי בַיּוֹם אֲכָלַנִי חֹרֶב וְקֶרַח בַּלָּיְלָה וַתִּדַּד שְׁנָתִי מֵעֵינָי:

Calor, Geada e Falta de Sono. Tudo isso Jacó teve de sofrer, sem nunca se queixar, e sem receber uma única expressão de "agradecimento" da parte de seu empregador. "Conheço as minhas ovelhas, e elas me conhecem a mim" (Jo 10.3,4). Grande assim era a dedicação de Jacó às suas ovelhas. Isso o distinguia de algum mero mercenário.

"De setembro a maio, no Oriente, as noites são usualmente frias, e a mudança de temperatura de grande calor durante o dia, até uma temperatura de quase zero grau, assim que o sol se põe, é muito prejudicial à saúde" (Ellicott, *in loc.*).

Em sua diligência, Jacó não hesitava em perder o sono quando os animais precisavam de cuidados especiais, ou quando as condições do tempo não permitiam que ele descansasse. Jacó tornou-se conhecido por sua dedicação, embora estivesse trabalhando para cuidar de animais que não lhe pertenciam.

■ **31.41**

זֶה־לִּי עֶשְׂרִים שָׁנָה בְּבֵיתֶךָ עֲבַדְתִּיךָ אַרְבַּע־עֶשְׂרֵה שָׁנָה בִּשְׁתֵּי בְנֹתֶיךָ וְשֵׁשׁ שָׁנִים בְּצֹאנֶךָ וַתַּחֲלֵף אֶת־מַשְׂכֻּרְתִּי עֲשֶׂרֶת מֹנִים:

Vinte anos. Catorze anos trabalhando por suas duas mulheres e mais seis anos cuidando dos rebanhos, para obter seu próprio rebanho, de acordo com um trato feito com Labão. Jacó reitera aqui a *longa duração* dos serviços por ele prestados. Ele tinha o direito de começar a amealhar algo para si mesmo. Porém, enquanto trabalhava tão fielmente, Labão, em sua ganância, continuava a tratá-lo com injustiça. Havia modificado o salário dele por *dez vezes*. Mas visto que ele não tinha salário fixo (Gn 30.31), essas modificações só podem ter envolvido o citado acordo. Enquanto os rebanhos de Jacó aumentavam cada vez mais, segundo o acordo feito (Gn 30.32 ss.), Labão continuava mudando as condições do acordo, ou, simplesmente, não cumpria o trato. Este versículo reitera o vs. 7, onde o leitor deve examinar as ideias acerca de como Labão pode ter alterado o salário de Jacó por dez vezes.

■ **31.42**

לוּלֵי אֱלֹהֵי אָבִי אֱלֹהֵי אַבְרָהָם וּפַחַד יִצְחָק הָיָה לִי כִּי עַתָּה רֵיקָם שִׁלַּחְתָּנִי אֶת־עָנְיִי וְאֶת־יְגִיעַ כַּפַּי רָאָה אֱלֹהִים וַיּוֹכַח אָמֶשׁ:

O Temor de Isaque. Isso foi dito porque Isaque continuava vivo, adorando ao augusto e temível Deus, diante de quem todos os homens deveriam tremer.

Deus me atendeu. Este versículo chega a ser amargo contra a ganância de Labão. Não fora Deus, e Labão não teria deixado *coisa alguma* para Jacó. Na verdade, algumas vezes precisamos de uma intervenção divina para sermos livrados de nossos inimigos. Ver no *Dicionário* o artigo chamado *Providência de Deus*. O nome divino, *Elohim*, foi o nome divino aqui usado, indicando o Deus de Abraão, de Isaque e, naturalmente, de Jacó, o que posteriormente se tornou uma fórmula: o Deus de Abraão, de Isaque e de Jacó. Jacó, porém, não mencionou o seu próprio nome, por humildade e por respeito à grandeza de Abraão e de Isaque. O acúmulo de *grandes nomes* entre os servidores do Deus de Israel era uma maneira de exaltar o verdadeiro Deus, contrastando-o com os deuses dos pagãos. Outrossim, esses nomes divinos fazem-nos lembrar o Pacto Abraâmico (ver as notas a respeito em Gn 15.18). *Elohim* é o nome pelo qual o Deus desse pacto é conhecido. Esse pacto levaria à formação da nação de Israel, e, posteriormente, à vinda do Messias, o Filho maior de Abraão, tal como Isaque fora o filho prometido. Ver as seguintes referências onde Deus é chamado de "Deus de Abraão, de Isaque e de Jacó": Êxodo 3.6,15; Mateus 22.32; Atos 7.32. Deus *de Israel* tornou-se uma expressão mais comum. Ver Juízes 5.3; 11.21; Rute 2.12; Salmo 41.13.

Repreendeu-te ontem à noite. Uma referência ao sonho que Deus havia dado a Labão, a fim de acalmá-lo e não deixar que ele fizesse algum mal contra Jacó (ver os vss. 24 e 29).

31.43

וַיַּעַן לָבָן וַיֹּאמֶר אֶל־יַעֲקֹב הַבָּנוֹת בְּנֹתַי וְהַבָּנִים בָּנַי
וְהַצֹּאן צֹאנִי וְכֹל אֲשֶׁר־אַתָּה רֹאֶה לִי־הוּא וְלִבְנֹתַי
מָה־אֶעֱשֶׂה לָאֵלֶּה הַיּוֹם אוֹ לִבְנֵיהֶן אֲשֶׁר יָלָדוּ:

Acalmado, Mas Não Convencido de Todo. A tirada acalmara Labão, mas não o convencera. E disse Labão, por assim dizer: "Que posso fazer por ti, ó Jacó, seu ladrãozinho? Olha ao teu redor. Tudo quanto vês contigo é meu, e tu o roubaste. Por outra parte, nossa amizade chegou ao fim, embora fosse errado para mim prejudicar minhas filhas e meus netos. Portanto, serei liberal contigo, embora não o mereças". A resposta de Labão refletia resignação, de mescla com uma sincera preocupação por suas filhas e por seus netos. O vs. 50 mostra quão genuíno era o seu interesse por eles. Recomendou fortemente a Jacó que cuidasse de suas filhas, não tomando outras esposas para si, e chegou a invocar Deus como testemunha e garantia dessas condições, favoráveis às suas filhas. Labão não estava combatendo a poligamia, mas percebia que, se Jacó tomasse mais mulheres, isso poderia prejudicar suas filhas, Lia e Raquel.

Possessões Materiais. Para que Jacó cuidasse bem de suas mulheres e de seus filhos, era mister que tivesse os meios pecuniários para tanto. Assim, Labão permitia que ele ficasse com tudo quanto tinha trazido, e não por ser homem generoso e preocupado com o bem-estar de sua gente, ainda que agora Lia e Raquel, e toda a sua prole, estivessem formando um ramo diferente de sua família. Labão havia perdido sua irmã, Rebeca, fazia muitos anos; e agora estava perdendo Lia, Raquel e seus netos, para nunca mais poder vê-los. Esse é o trauma que todos precisamos sofrer, embora em Cristo todos nós tenhamos segurança, a ponto de nunca se perder uma alma dentre os que pertencem ao povo de Deus.

O ACORDO DE JACÓ E LABÃO (31.44-55)

Os críticos atribuem esta seção a uma mistura das fontes *J* e *E*. Ver no *Dicionário* o artigo *J.E.D.P.(S.)* quanto à teoria das fontes informativas múltiplas do Pentateuco. Supõem eles que o propósito da fonte *J* era definir as fronteiras entre os israelitas a leste do Jordão e os arameus nômades. Labão, nesse caso, representaria esses nômades, ao passo que Jacó representaria a nação de Israel, aquela parte que ocupava a faixa de terras a leste do rio Jordão. E, alegadamente, a fonte *E* se preocuparia em narrar a fuga de Jacó, bem como o destino da futura nação de Israel na Terra Prometida, tudo resultante da fuga de Jacó. Isso posto, o acordo comemoraria uma separação amistosa entre dois povos em formação.

31.44

וְעַתָּה לְכָה נִכְרְתָה בְרִית אֲנִי וָאָתָּה וְהָיָה לְעֵד בֵּינִי
וּבֵינֶךָ:

Façamos aliança. Um acordo entre Jacó e Labão. E, se os eruditos estão com a razão, um acordo entre nações em formação, com o intuito de definir fronteiras. A *coluna* (vs. 45), nesse caso, seria um memorial do evento, assinalando simbolicamente uma separação amistosa de raças, condutiva à independência de Israel como um povo. "Aqui a tumultuosa história de Jacó e Labão chegou à sua conclusão mais pacífica e agradável" (Walter Russell Bowie, *in loc.*). O relacionamento entre os dois havia chegado às proporções de uma tempestade de verão, mas subitamente dissipou-se em nada; o céu tinha clareado, e o sol estava brilhando. Esse acordo fez as relações humanas voltar-se para Deus. Deus era testemunha; Deus era a garantia; Deus havia dado a ideia e o ideal.

Amizade mútua e segurança tinham sido buscadas e conseguidas, algo que não é fácil de obter neste mundo de ódio. Divergências e contendas passadas foram esquecidas, sob o sol de um novo dia.

"Esse tratado fronteiriço assinalou o rompimento com o Oriente, para a família de Israel" (Allen P. Ross, *in loc.*).

31.45

וַיִּקַּח יַעֲקֹב אָבֶן וַיְרִימֶהָ מַצֵּבָה:

O Memorial. Foi um momento solene quando Jacó erigiu a pedra que serviria de coluna. O passado estava enterrado. Vinte anos tinham-se tornado história. E agora Jacó voltava seu rosto para o oeste e para o sul. Havia um novo lar à sua espera, ali. Deus lhe dera paz. Um acordo amistoso o tinha libertado de seu passado.

A coluna serviu de marco, tal como aquela que ele tinha levantado em Betel (Gn 28.18,22). Assinalava um território, mas também assinalava a vida de Jacó. A coluna era um marco, mas também era um altar, apontando na direção de Deus, que contemplava tudo de modo favorável. Antigos inimigos tinham resolvido olvidar suas diferenças, e cada qual estava livre para seguir seu próprio caminho.

31.46

וַיֹּאמֶר יַעֲקֹב לְאֶחָיו לִקְטוּ אֲבָנִים וַיִּקְחוּ אֲבָנִים
וַיַּעֲשׂוּ־גָל וַיֹּאכְלוּ שָׁם עַל־הַגָּל:

Fizeram um montão. Isso complementou a coluna, como um emblema do acordo. Fizeram do montão uma mesa para festejarem, uma celebração do fim feliz do conflito. O banquete celebrou o pacto, pois foram momentos de regozijo. Cf. Gênesis 26.30, onde achamos o mesmo tipo de circunstância.

Labão e seus homens tinham vindo a fim de lutar e matar. Mas agora, juntamente com Jacó e seus companheiros, sentaram-se sobre o montão de pedras em uma conversação amistosa. Essa é a diferença quando Deus se faz presente.

31.47,48

וַיִּקְרָא־לוֹ לָבָן יְגַר שָׂהֲדוּתָא וְיַעֲקֹב קָרָא לוֹ גַּלְעֵד:

וַיֹּאמֶר לָבָן הַגַּל הַזֶּה עֵד בֵּינִי וּבֵינְךָ הַיּוֹם עַל־כֵּן
קָרָא־שְׁמוֹ גַּלְעֵד:

Jegar-Saaduta. Esse nome significa "montão do testemunho", o nome aramaico que Labão deu ao monte de pedras que erigira para servir de memorial do pacto firmado entre ele e Jacó quando, finalmente, se separaram. Jacó comemorou o ato, levantando uma coluna (vs. 47), que chamou de Galeede (ver abaixo), que também quer dizer "montão do testemunho". É provável que essa palavra, usada por Jacó, esteja vinculada à região chamada *Gileade*, porquanto naquela região é que foi firmada a aliança entre Jacó e Labão.

Galeede. No hebraico, *monte de testemunhas,* nome que Jacó deu à pilha de pedras que se tinha juntado como memorial do pacto firmado entre ele e Labão. Labão, em seu próprio idioma (aramaico), havia chamado a pilha de Jegar-Saaduta. Uma refeição comunal acompanhou o estabelecimento da aliança. O episódio ilustrou uma prática comum entre os antigos israelitas, quando se tratava de estabelecer acordos. Algumas vezes, uma *estela* servia ao mesmo propósito. Ver Gênesis 28.18; Josué 4.39; 22.26-28. É bem possível que o território da Transjordânia se chamasse Gileade por causa de algum acordo ali estabelecido. O sentido desse nome, *Gileade,* não está acima de dúvidas, mas alguns eruditos pensam relacionar-se ao nome *Galaade*.

31.49

וְהַמִּצְפָּה אֲשֶׁר אָמַר יִצֶף יְהוָה בֵּינִי וּבֵינֶךָ כִּי נִסָּתֵר
אִישׁ מֵרֵעֵהוּ:

Mispa. No aramaico, *torre de vigia.* Há seis localidades assim denominadas no Antigo Testamento. Esse nome podia indicar qualquer torre de vigia, sem especificar uma localização geográfica. Ver a explicação sobre esse termo no *Dicionário*. Neste texto, a palavra refere-se ao monte de pedras ou memorial erigido por Jacó e Labão, a fim de comemorar o acordo que fizeram. Foi nome dado ao montão por Labão, que adicionou o nome aos dois outros, o que é comentado no vs. 47. O acordo determinava que nem Jacó nem Labão ultrapassariam aquele marco, com o propósito de atacar o outro. Esse monumento foi levantado em Gileade (de acordo com muitos eruditos), a leste do rio Jordão. Posteriormente, tornou-se conhecido como *Mispa*, no hebraico. Desconhece-se o local exato hoje em dia, embora, ao que se presume, não fique distante do ribeiro de Jaboque, um tanto mais para o norte.

É possível que, além de servir de marco de fronteira, o monumento tivesse um valor sentimental. "Vigie o Senhor entre mim e ti, e nos julgue quando estivermos separados um do outro." Declarou Robert

Frost que "boas cercas fazem bons vizinhos", e isso parece ser a principal coisa envolvida. Popularmente, a expressão tem sido usada como equivalente a dizer: "Deus esteja conosco, enquanto estivermos separados. Embora separados, Deus está conosco e nos conserva em seu amor". Esse é um belo sentimento, mas não parece ser o que está envolvido no texto.

■ 31.50

אִם־תְּעַנֶּה אֶת־בְּנֹתַי וְאִם־תִּקַּח נָשִׁים עַל־בְּנֹתַי אֵין אִישׁ עִמָּנוּ רְאֵה אֱלֹהִים עֵד בֵּינִי וּבֵינֶךָ׃

Se maltratares as minhas filhas. Labão as tinha afligido (vs. 14 ss.), mas ansiava que Jacó não seguisse o seu mau exemplo. Algumas vezes falamos duramente contra aqueles pecados que nos derrotam, por sentirmos no íntimo o seu poder de prejudicar.

Outras mulheres. Labão não era contra a poligamia como uma instituição. Mas temia a competição que outras mulheres representariam contra Lia e Raquel. Isso poderia desviar a atenção de Jacó, levando-o a tratar com menor preocupação as suas quatro mulheres. Além disso, havia o problema da herança. O Alcorão permite que um homem tenha quatro mulheres, mas ele é forçado a tratá-las com igualdade. Dizem que isso nunca funciona, mas que é o ideal. Nos países árabes lemos sobre casos em que os parentes restringem o poder de um homem, para que não chegue a ter quatro mulheres. Assim também, aqui, Labão fazia dessa exigência, "não tomar outras mulheres", como parte do pacto. Ver no *Dicionário* o artigo intitulado *Poligamia*. O trecho de Levítico 18.18 encerra proibição similar. Um homem não podia casar-se com *duas irmãs* ao mesmo tempo. Isso veio a tornar-se uma espécie de incesto. Duas irmãs, sem dúvida, acabavam tornando-se *rivais* no lar, conforme é ilustrado no caso de Jacó. A rivalidade trazia contenção e ódio. Ver no *Dicionário* o artigo *Incesto*.

Não estando ninguém conosco. Essas palavras talvez indiquem que, quando o pacto foi firmado, todos os outros homens se tinham afastado, e que eles discutiram sozinhos sobre as condições. Ou, então, Labão quis dizer que não havia testemunhas e a única testemunha era o *Deus* Todo-poderoso, que garantiria o cumprimento dos termos do pacto, com as ameaças e os castigos necessários. Naturalmente, chegaria o tempo em que ninguém veria o que Labão e Jacó estavam fazendo, sem importar se houve alguma testemunha humana do pacto. Chegado *aquele tempo*, Deus seria o Juiz e o fiador do acordo.

Deus. No hebraico, *Elohim*, o qual garantiria tudo. Ele era o Deus de Abraão, Naor e Terá (vs. 53), e agora também é declarado ser o Deus de Jacó e de Labão. Assim, apesar de Labão querer seus ídolos, ao desejar firmar um acordo solene, invocou Elohim como testemunha.

■ 31.51

וַיֹּאמֶר לָבָן לְיַעֲקֹב הִנֵּה ׀ הַגַּל הַזֶּה וְהִנֵּה הַמַּצֵּבָה אֲשֶׁר יָרִיתִי בֵּינִי וּבֵינֶךָ׃

Este versículo reitera a mensagem dos vss. 45 e 46. Labão, ao apresentar os termos do acordo, apontou para a coluna que Jacó tinha erigido, bem como para o montão de pedras, e, de maneira solene, pediu que Jacó considerasse a seriedade do que estava envolvido. A coluna e o montão continuariam ali por muito tempo. Nenhum viajante haveria de dar-se ao trabalho de retirar a coluna ou o montão de pedras do lugar. Portanto, o pacto estaria em vigência por muito tempo, enquanto vivessem, no tocante a ambos.

■ 31.52

עֵד הַגַּל הַזֶּה וְעֵדָה הַמַּצֵּבָה אִם־אָנִי לֹא־אֶעֱבֹר אֵלֶיךָ אֶת־הַגַּל הַזֶּה וְאִם־אַתָּה לֹא־תַעֲבֹר אֵלַי אֶת־הַגַּל הַזֶּה וְאֶת־הַמַּצֵּבָה הַזֹּאת לְרָעָה׃

Testemunha. Este versículo repete essencialmente os vss. 48 e 49. Não se deve entender que nem Jacó nem Labão poderiam visitar um ao outro, embora não haja registro de que se tenham avistado no futuro. O que estava proibido é que ultrapassassem aquele marco, para cá ou para lá, com o intuito de *atacar*, de forma violenta ou para saquear. Talvez o acordo visasse a envolver os seus respectivos descendentes, pelo que foi um acordo firmado entre povos, e não somente entre dois indivíduos.

■ 31.53

אֱלֹהֵי אַבְרָהָם וֵאלֹהֵי נָחוֹר יִשְׁפְּטוּ בֵינֵינוּ אֱלֹהֵי אֲבִיהֶם וַיִּשָּׁבַע יַעֲקֹב בְּפַחַד אָבִיו יִצְחָק׃

O Deus. No hebraico, *Elohim*, o Deus de Abraão, Naor e Terá. O trecho de Josué 24.2 diz-nos que Terá fora um homem idólatra, o que significa que, no tempo dele, Abraão também estivera envolvido na idolatria. Abraão, porém, fora chamado para sair de seu lar, e, gradualmente, Elohim (um único Deus, devendo-se entender aqui, que, no hebraico, esse nome está no plural de exaltação) tornou-se o seu Deus. *Yahweh* também era um dos nomes divinos. Ver sobre ambos esses nomes no *Dicionário*. Se o nome divino usado neste texto, *Elohim*, pode ser traduzido por "deuses", até mesmo neste versículo, é muito mais provável que Labão aludia ao único verdadeiro Deus, dizendo que ele tinha sido o Deus de seus antepassados, e agora seu Deus e de Jacó.

Temor de seu pai Isaque. Ou seja, o Deus que inspirava temor e reverência em Isaque, que continuava vivo. Ver o vs. 42, onde faço a exposição dessa expressão. Não há razão para supormos que o autor quisesse distinguir o objeto do temor de Isaque do Deus dos seus antepassados, como se Labão tivesse jurado pelos *deuses*, e Jacó por Deus, embora alguns bons intérpretes tenham tomado a passagem nesse sentido.

Julgue entre nós. No hebraico, temos um substantivo no plural, "juízes", e não um verbo, "julgue". Isso parece reforçar a referência idólatra que, segundo alguns, Labão teria feito. Por outro lado, esse plural só ocorre devido à atração pelo plural, *Elohim*, sem nenhuma intenção especial.

■ 31.54

וַיִּזְבַּח יַעֲקֹב זֶבַח בָּהָר וַיִּקְרָא לְאֶחָיו לֶאֱכָל־לָחֶם וַיֹּאכְלוּ לֶחֶם וַיָּלִינוּ בָּהָר׃

E ofereceu Jacó um sacrifício. Sacrifícios e banquetes acompanhavam a feitura de acordos e alianças. Cf. Gênesis 26.30 ss. Alguns eruditos supõem que, originalmente, ingerir carne fosse algo restrito aos ritos religiosos, e somente mais tarde tenha passado a fazer parte do regime alimentar das pessoas. Nesse caso, desde o princípio, comer carne tinha a conotação de sacrifício e de acordo. Cf. isso com a festa da páscoa, ou com a Ceia do Senhor, de Jesus e seus discípulos. A eucaristia, na Igreja cristã, era originalmente celebrada com uma refeição comunal da Igreja, e isso veio a ser associado ao Novo Pacto.

Passaram a noite na montanha. Eles haviam tido um dia agitado, com tanta discussão e argumentação. Mas o acordo impusera a paz. Assim, passaram amigavelmente a noite na montanha, descansando para a continuação da viagem que teriam de reiniciar no dia seguinte, cada qual na direção oposta.

Entre eles ficaria a coluna e o montão de pedras, símbolos do acordo de paz que tinham firmado, tal como a estátua do Cristo foi levantada nos Andes, separando a Argentina do Chile, como símbolo de que ambos os países sempre manterão relações amistosas.

■ 31.55

Beijou... e os abençoou. Corações entristecidos assinalaram a despedida. Nunca mais Labão veria suas filhas e seus netos. Ele tinha suas falhas, mas amava os seus. E o amor, afinal, é a prova mesma e o grande teste da espiritualidade (1Jo 4.7 ss.).

Quão difícil é deixarmos ir os nossos filhos, o círculo familiar desmanchando-se para que se formem outros círculos familiares, e nós avançando em anos! Apesar das disputas, das mentiras, dos enganos e das astúcias, tudo termina da mesma maneira: mais uma daquelas dolorosas separações familiares como as que a minha própria família, com seus ramos internacionais, tem sofrido por tantas vezes.

O Relato Bíblico É Tão Humano. Houve alguns elementos religiosos distorcidos; manifestou-se a velha idolatria que tanto domina o coração humano, transformando os homens em tolos; houve mentiras, egoísmo e ludíbrios. No entanto, também houve amor. E cada um, à sua maneira, a despeito de seus defeitos, estava cumprindo o desígnio divino. Temos aqui uma cena em miniatura do próprio drama humano. A fim de estabelecer o acordo que fizeram, tiveram de invocar Deus como testemunha. Se Deus não for invocado como testemunha dos lances da vida humana, esta não terá sentido.

CAPÍTULO TRINTA E DOIS

O DRAMA DE JACÓ E ESAÚ (32.1—33.16)

JACÓ TEME A ESAÚ E PREPARA-SE PARA O ENCONTRO (32.1-23)

Os críticos atribuem esta seção a uma mistura das fontes informativas J e E. Ver no *Dicionário* o artigo intitulado *J.E.D.P.(S.)*, quanto à teoria das fontes múltiplas do Pentateuco.

A caminho de casa, Jacó teria de atravessar o território de Esaú, e não pensava que poderia evitar esse encontro. Haveria de tomar a rota comum, e não desviaria caminho para o deserto. Havia comunidades ao longo dessa rota. Daí o seu dilema. Jacó traçou planos de acordo com a razão humana, e esperou que sucedesse o melhor. Recebeu outra visita angelical que preparou a sua mente para a viagem e para o encontro, mas seu temor não parece ter sido aliviado por causa disso. Enviou mensageiros que preparassem o caminho. Mas eis que Esaú, com quatrocentos homens (um verdadeiro exército, para a época), estava vindo ao seu encontro. Ao ouvir isso, Jacó ficou angustiado. Seus pecados o estavam alcançando de novo. O que um homem semear, isso haverá de colher. Ele deveria ter-se descontraído, porém. Esaú não era homem que pudesse manter uma inimizade por mais de vinte anos. De fato, assim como as dificuldades de Jacó com Labão tinham terminado com tristes despedidas de membros de uma mesma família, assim seu encontro com Esaú terminaria como uma daquelas felizes reuniões familiares. A bênção do Senhor acompanhava a Jacó por onde quer que ele fosse. Senhor, concede-nos tal graça!

■ 32.1

וַיַּשְׁכֵּם לָבָן בַּבֹּקֶר וַיְנַשֵּׁק לְבָנָיו וְלִבְנוֹתָיו וַיְבָרֶךְ
אֶתְהֶם וַיֵּלֶךְ וַיָּשָׁב לָבָן לִמְקֹמוֹ׃

Anjos de Deus lhe saíram a encontrá-lo. Admiramo-nos das vezes em que os anjos acompanharam Jacó. Eu mesmo levo a sério a realidade desses seres invisíveis. Há muitas evidências em prol da existência dos anjos. Ver no *Dicionário* o artigo intitulado *anjo*. Provavelmente, na época de Jacó, eles não eram considerados seres imateriais, mas certamente eram tidos como seres de *outra* dimensão. Não são uma variedade diferente de seres humanos, nem mesmo aparentados.

Seja como for, os anjos sempre estavam prontos a proteger Jacó, a fim de tranquilizar-lhe a mente e infundir-lhe senso de segurança. Ele estava de volta em casa. Coisa alguma poderia impedi-lo ou prejudicá-lo ao longo do caminho. Ver Salmo 91.11,12 quanto às grandes promessas associadas aos seres angelicais. Eles são espíritos ministradores (Hb 1.14). Ver as seguintes referências às atividades dos anjos no Gênesis, até este ponto: 16.7,9-11; 19.1; 21.17; 22.11,15; 24.7,8,12 ss.,40; 31.11. Ver também Gênesis 32.24. Jacó passou por muitas experiências místicas, com ou sem a presença visível de anjos. Ver no *Dicionário* o artigo *Misticismo*. Consideremos a sua experiência em Betel (Gn 28.12 ss.), acompanhada por anjos. Ao que parece, todas as grandes mudanças em sua vida foram ajudadas pelo ministério angelical. De quanto carecemos da manifestação da presença divina para ajudar-nos! Não basta ler a Bíblia e orar. Precisamos do toque místico, *mormente* em períodos de crise e de decisão. Oh, Senhor, confere-nos tal graça!

"Neste ponto, o mundo invisível de Deus tocou abertamente no mundo visível de Jacó" (Allen P. Ross, *in loc.*).

■ 32.2

וַיַּעֲקֹב הָלַךְ לְדַרְכּוֹ וַיִּפְגְּעוּ־בוֹ מַלְאֲכֵי אֱלֹהִים׃

Maanaim. Ver no *Dicionário* o artigo sobre esse nome. No hebraico significa *acampamento duplo*. Esse foi o nome dado ao lugar quando Jacó, ao retornar de Padã-Arã, teve um encontro com anjos. Ao vê-los, Jacó exclamou: "Este é o acampamento de Deus". Literalmente, a palavra significa "dois exércitos". Talvez fossem compostos pelo grupo humano, que Jacó encabeçava, e pelo grupo dos anjos. Ou, talvez, o número dos anjos fosse tão grande que eles pareciam ser não um só, mas *dois* exércitos. O propósito do relato foi mostrar quão bem Jacó estava sendo acompanhado. Muito poder acompanhava Jacó. Ele mesmo avançava em fraqueza e temor. Esaú em breve haveria de encontrar-se com ele, levando-o a temer. Mas Deus estava controlando a situação. Jacó não sofreria dano, pois estava destinado a voltar para casa e iniciar ali uma nova missão. O *Pacto Abraâmico* garantia a sua segurança e o cumprimento de mais cinquenta anos de vida, prenhes de propósito. Ver sobre esse pacto nas notas em Gênesis 15.18 e sob o artigo *Pactos*, em sua quarta seção, no *Dicionário*. Assim também, os propósitos de Deus garantem a nossa vida e guiam-nos de um drama para outro. Jacó ainda tinha mais de um terço de sua vida para viver. Sua volta à Terra Prometida estava garantida.

"Quão frequentemente os anjos são mencionados na história da vida de Jacó! Anjos no sonho-visão da escada, em Betel; o sonho de um anjo que lhe dissera para deixar o território de Labão; anjos agora, que lhe saíram ao encontro, no caminho; a memória de um anjo quando, finalmente, ele impôs as mãos sobre os filhos de José, e disse: 'O anjo que me tem livrado de todo mal abençoe estes rapazes' (Gn 48.16)" (Walter Russell Bowie, *in loc*).

O nome *Maanaim* foi posteriormente dado a uma cidade que veio a pertencer à tribo de Gade. Ver 2Samuel 2.8; 17.24; 1Reis 4.14 e o artigo sobre esse lugar, no *Dicionário*.

■ 32.3

וַיֹּאמֶר יַעֲקֹב כַּאֲשֶׁר רָאָם מַחֲנֵה אֱלֹהִים זֶה וַיִּקְרָא
שֵׁם־הַמָּקוֹם הַהוּא מַחֲנָיִם׃ פ

Enviou mensageiros... a Esaú. Quando Jacó enganou seu pai, Isaque, e furtou a bênção (e então já havia arrebatado o direito de primogenitura), estava tratando somente com uma pessoa. Mas agora Esaú avançava contra ele à testa de um pequeno exército de quatrocentos homens. Jacó tinha muita razão para temer; mas ao mesmo tempo, nada tinha para temer, visto que todas as coisas estavam cooperando em conjunto para o seu bem. Antigos atritos tinham desaparecido. Esaú estava avançando de coração e de braços abertos. E assim, podemos dar graças, pois muitos de nossos piores temores na realidade nada representam, Deus já tomou conta das coisas. Os mensageiros nem tiveram tempo de entregar a mensagem reconciliadora de Jacó. Mas Deus já havia reconciliado os dois irmãos, um com o outro.

Terra de Seir. Ofereci um artigo detalhado sobre essa localidade, no *Dicionário*. Essa palavra significa *peludo, cabeludo*. Provavelmente havia ali muita vegetação, embora não mais atualmente. Seir ficava a muitos quilômetros de Maanaim, mas parece que Esaú, já por vários dias, avançava para onde estava Jacó; e assim, quando os mensageiros partiram, ele já não estava muito longe. Esse lugar ficava ao sul do mar Morto, e estendia-se até o golfo da Arábia (1Rs 9.26). Era um nome alternativo para Edom.

Edom. Ver um artigo detalhado sobre esse termo, no *Dicionário*. Essa palavra significa *vermelho*, uma alusão ao repasto vermelho que Jacó vendeu a Esaú, em troca do direito de primogenitura. Essa alcunha foi dada a Esaú (Gn 25.30) e passou dele para a terra em que fora habitar. Tornou-se um nome alternativo para Seir e para a Idumeia, além de designar a terra e seus habitantes, os descendentes de Esaú (Gn 25.20,21,30 e 32.3), ou, coletivamente, todos os idumeus (Nm 20.18,20,21; Am 1.6,11; Ml 1.4).

■ 32.4

וַיִּשְׁלַח יַעֲקֹב מַלְאָכִים לְפָנָיו אֶל־עֵשָׂו אָחִיו אַרְצָה
שֵׂעִיר שְׂדֵה אֱדוֹם׃

Uma Breve História. Os mensageiros foram enviados para contar a Esaú uma breve história da vida e dos atos de Jacó, desde que se tinham visto pela última vez, cerca de vinte anos antes. A linha central do recado dizia: "Sê amigável para comigo", ou seja, Jacó buscava as boas graças de seu irmão gêmeo (vs. 5). Era um apelo em favor de paz e de boas relações.

Jacó, o homem de muitas experiências místicas, homem de destino e de poder, o vaso central, em sua geração, do Pacto Abraâmico, por outra parte, era também *aquele homem* que havia cometido certos erros que ainda o perseguiam. Esse homem teria de sofrer as consequências de sua insensatez anterior. Ele havia defraudado seu irmão e, então, se afastara para uma distância segura de sua vítima. O passado, contudo, não poderia ser esquecido. Ele teria de se encontrar consigo mesmo, o "eu" que ele deixara para trás fazia muitos anos. A lei da colheita segundo a semeadura é muito poderosa. Ver no *Dicionário* o artigo *Lei Moral da Colheita segundo a Semeadura*. Mas Esaú, o irmão defraudado, mostrou-se moralmente superior a Jacó, e deixara de odiar. Agora, só queria ver de novo o seu amado irmão gêmeo. A graça de Deus estava atuando em seu coração.

Como peregrino morei. Jacó não havia residido com Labão de forma permanente. Fora ali apenas um peregrino. Agora estava voltando para casa. Os patriarcas de Israel foram peregrinos e forasteiros na terra (Hb 11.13). Jacó parece ter transmitido a ideia de que já havia sofrido o bastante às mãos de Labão, pelo que, por assim dizer, já havia pago a sua dívida. Isso posto, muito apreciaria se recebesse um tratamento bondoso às mãos de Esaú. Todos acabamos pagando as nossas dívidas, de uma maneira ou de outra.

■ **32.5**

וַיְצַו אֹתָם לֵאמֹר כֹּה תֹאמְרוּן לַאדֹנִי לְעֵשָׂו כֹּה אָמַר
עַבְדְּךָ יַעֲקֹב עִם־לָבָן גַּרְתִּי וָאֵחַר עַד־עָתָּה:

Volto Rico. Trabalhei muito; enriqueci; tenho vivido bem. Talvez isso indicasse que ele presentearia Esaú, a fim de suavizar a indignação deste. E acabou dando-lhe mesmo presentes (vss. 14 e 15). Seus presentes foram deveras generosos, mesmo porque seu temor era grande. Algumas vezes, os presentes são peitas disfarçadas, o que por certo ocorreu nesta ocasião.

Jacó não merecia a amizade de seu irmão, mas tinha esperança de poder comprá-lo. Bens materiais serviriam para corrigir as contas? Esaú também havia enriquecido, e por que se importaria com coisas materiais? Só queria oferecer perdão a seu irmão, como também acenar-lhe com a paz. A graça de Deus estava atuando.

■ **32.6**

וַיְהִי־לִי שׁוֹר וַחֲמוֹר צֹאן וְעֶבֶד וְשִׁפְחָה וָאֶשְׁלְחָה
לְהַגִּיד לַאדֹנִי לִמְצֹא־חֵן בְּעֵינֶיךָ:

Quatrocentos homens com ele. Fracassara a missão dos mensageiros enviados por Jacó. Esaú passara por eles com pressa, *aparentemente* de testa franzida, decidido a fazer o mal. A única informação que os mensageiros puderam captar fora que Esaú se encaminhava na direção de Jacó, com um pequeno exército de quatrocentos homens. Talvez ele tenha reunido tal força sem saber o que poderia esperar da parte de Jacó. Afinal, Jacó nunca fora conhecido como homem de negociações justas. Talvez Jacó estivesse atacando com um poderoso batalhão armado. Qual não deve ter sido a surpresa de Esaú ao averiguar que Jacó estava acompanhado somente de mulheres e crianças! (Gn 33.2).

"...uma consciência culpada não precisa de acusador. Mais cedo ou mais tarde, ela dirá a verdade" (Adam Clarke, *in loc.*).

■ **32.7**

וַיָּשֻׁבוּ הַמַּלְאָכִים אֶל־יַעֲקֹב לֵאמֹר בָּאנוּ אֶל־אָחִיךָ
אֶל־עֵשָׂו וְגַם הֹלֵךְ לִקְרָאתְךָ וְאַרְבַּע־מֵאוֹת אִישׁ עִמּוֹ:

Teve medo e se perturbou. Jacó trazia muitos bens, mas não estava equipado para a guerra. Por outra parte, Esaú parecia bem munido para guerrear. Conforme costumavam dizer os gregos quando as circunstâncias eram *impossíveis* de contornar: "Lança tudo ao cuidado dos deuses, e ora". E foi isso que Jacó fez.

A divisão de sua gente em dois grupos teve o propósito de diminuir as perdas e o derramamento de sangue. Enquanto um grupo fosse massacrado, o outro tentaria escapar. Jacó preparou-se para o pior, ao mesmo tempo que Deus o tinha preparado para receber o melhor. É grandioso quando Deus age além e acima do que esperamos.

"Ora, àquele que é poderoso para fazer infinitamente mais do que tudo quanto pedimos, ou pensamos, conforme o seu poder que opera em nós..." (Ef 3.20).

A angústia de Jacó era grande, apesar da visão dos anjos que ele tinha recebido. Deus o tinha encorajado, mas ele estava muito aflito, pois sua fé era fraca. Ele era um quadro do crente comum, conforme sucede à maioria de nós. E então, cada vez que Deus nos dá uma grande vitória, isso nos *surpreende* de novo.

■ **32.8**

וַיִּירָא יַעֲקֹב מְאֹד וַיֵּצֶר לוֹ וַיַּחַץ אֶת־הָעָם אֲשֶׁר־אִתּוֹ
וְאֶת־הַצֹּאן וְאֶת־הַבָּקָר וְהַגְּמַלִּים לִשְׁנֵי מַחֲנוֹת:

Minimizando as Perdas. Jacó havia virtualmente abandonado a esperança de paz e amor. Agora só procurava diminuir as perdas inevitáveis. Um de seus grupos talvez fosse massacrado, mas, enquanto isso, o outro grupo teria a oportunidade de escapar. Ele se havia olvidado do amor de Deus, o qual pode (e ocasionalmente assim realmente faz) mudar o coração dos homens. Estamos sempre em dificuldades e apertos, quando deixamos de lado o amor de Deus. A intenção de Jacó era apenas aplacar; mas Deus já havia aplicado o seu amor. "Fogem os perversos, sem que ninguém os persiga" (Pv 28.1).

Na mente de Jacó, todos os quatrocentos homens de Esaú vinham de espada desembainhada na mão. Na mente divina, entretanto, todos vinham de coração amistoso e de braços abertos, acolhedores. Eles eram uma comissão de boas-vindas, e não um exército destruidor.

A AFLITA ORAÇÃO DE JACÓ (32.9-12)

■ **32.9**

וַיֹּאמֶר אִם־יָבוֹא עֵשָׂו אֶל־הַמַּחֲנֶה הָאַחַת וְהִכָּהוּ וְהָיָה
הַמַּחֲנֶה הַנִּשְׁאָר לִפְלֵיטָה:

Deus de meu pai. Jacó havia traçado os seus planos, e esperava salvar parte de seu grupo. Na sua oração, porém, seu alvo foi *mais alto* do que isso. Todavia, esse alvo mais elevado só poderia ser atingido mediante o poder divino. Deus já havia feito o trabalho, mas como não sabia disso, Jacó orava insistentemente para que houvesse algum acontecimento especial. Ele teria de esperar até o dia seguinte, a fim de ver o resultado de suas orações, pois ainda teria de passar-se uma noite (vs. 13). Quanto à fórmula por muitas vezes repetida, "Deus de Abraão e de Isaque", à qual foi acrescentado mais tarde o nome de "Jacó", ver as notas sobre Êxodo 3.6. O *acúmulo* de nomes patriarcais, atrelados ao nome de Deus, compunha uma fórmula de monoteísmo e de poder. Era o Deus de Israel, conforme passou a ser chamado mais tarde. Esse acúmulo também emprestava apoio tradicional à nova fé, que se ia formando.

Deus dera ordens a Jacó para que retornasse à sua terra. E Jacó estava *obedecendo*. Portanto, Jacó estava recebendo a proteção divina, em face de sua obediência. Ademais, como poderia ter cumprimento o Pacto Abraâmico, se Jacó e seus filhos fossem dizimados em campo aberto? Ver Gênesis 31.13 quanto à ordem divina que lhe fora dada: "volta para a terra de tua parentela".

"A oração de Jacó... foi notável por sua combinação de grande intensidade com simplicidade de termos. Depois de dirigir-se a Deus como o *Elohim* de seus pais, ele se aproximou mais dele, chamando-o de *Yahweh*, o qual lhe havia ordenado pessoalmente que voltasse ao lugar onde nascera (Gn 31.13)" (Ellicott, *in loc.*).

E te farei bem. Deus daria proteção a Jacó, abençoando-o e conferindo-lhe poder, a fim de que fosse o elo que levasse avante a cadeia do Pacto Abraâmico, até que a nação de *Israel* se tornasse uma realidade. Uma vez mais, pois, é enfatizada a providência de Deus, algo que é tão conspícuo no livro de Gênesis. Ver no *Dicionário* o artigo *Providência de Deus*.

■ **32.10**

וַיֹּאמֶר יַעֲקֹב אֱלֹהֵי אָבִי אַבְרָהָם וֵאלֹהֵי אָבִי יִצְחָק
יְהוָה הָאֹמֵר אֵלַי שׁוּב לְאַרְצְךָ וּלְמוֹלַדְתְּךָ וְאֵיטִיבָה
עִמָּךְ:

Sou indigno. A maioria das orações pode ser iniciada por uma confissão de indignidade, pois essa é a condição humana geral. A Jacó já havia sido conferida, por repetidas vezes, a misericórdia divina, de mescla com alguma revelação da verdade. Grande propósito divino estava atuando em sua vida. Ele tinha visto muita coisa; esperava ver mais ainda, e, especificamente, a presença protetora de Deus, naquele instante, para que tudo não viesse a perder-se desnecessariamente.

O homem espiritual reconhece essas coisas. Quão frequentemente oramos, baseando nossas petições sobre as bênçãos passadas e sobre o poder já experimentado! Como foi o passado, tal será o futuro! Jacó tinha tido *ricas experiências*. Agora, orava fervorosamente, pedindo forças espirituais e a intervenção divina na sua presente emergência.

Atravessei este Jordão. Isso tinha acontecido cerca de vinte anos antes. Jacó reconheceu que, naquela ocasião, embora não tivesse companhia humana, *Deus* estivera com ele. E agora, considerasse Deus como ele se tornara dois grupos de pessoas e de animais. "É tudo devido à tua bênção, ó Senhor. Não permitas que agora tudo se acabe!"

"A mim, o menor de todos os santos, me foi dada esta graça..." (Ef 3.8). Mas, a despeito de sua indignidade, Jacó recebeu uma grande bênção. Tal como lhe acontecera no passado, assim continuaria a ser no futuro!

■ 32.11

קָטֹ֜נְתִּי מִכֹּ֤ל הַחֲסָדִים֙ וּמִכָּל־הָ֣אֱמֶ֔ת אֲשֶׁ֥ר עָשִׂ֖יתָ
אֶת־עַבְדֶּ֑ךָ כִּ֣י בְמַקְלִ֗י עָבַ֙רְתִּי֙ אֶת־הַיַּרְדֵּ֣ן הַזֶּ֔ה
וְעַתָּ֥ה הָיִ֖יתִי לִשְׁנֵ֥י מַחֲנֽוֹת׃

Livra-me... e as mães com os filhos. Em sua mente, Jacó imaginava a pior de todas as cenas: as mães impotentes a quererem salvar freneticamente seus filhinhos preciosos, do bronze sem misericórdia das armas de guerra.

"...Salmã destruiu Bete-Arbel no dia da guerra: as mães ali foram despedaçadas com seus filhos" (Os 10.14). Essa é a pior possibilidade em uma guerra — as mães e seus filhos sofrendo às mãos de homens ímpios e desarrazoados. O ódio é capaz de liberar a pior crueldade, a destruição inútil de famílias, em meio à barbárie e à selvageria.

■ 32.12

הַצִּילֵ֥נִי נָ֛א מִיַּ֥ד אָחִ֖י מִיַּ֣ד עֵשָׂ֑ו כִּֽי־יָרֵ֤א אָנֹכִי֙ אֹת֔וֹ
פֶּן־יָב֣וֹא וְהִכַּ֔נִי אֵ֖ם עַל־בָּנִֽים׃

O *Pacto Abraâmico*, aqui relembrado por Jacó, conferia-lhe esperança naquela hora. Ver Gênesis 28.3,4,14 e 31.3 quanto aos elementos reiterados, no que se aplicavam a Jacó. Quanto à metáfora da *areia do mar*, ver Gênesis 22.17 (a promessa feita a Abraão), que aqui Jacó reivindica com uma promessa feita a ele mesmo. Em Gênesis 22.17, exponho o acúmulo de metáforas sobre a multiplicação que poderia ser esperada em resultado daquele pacto. Ver as notas sobre esse pacto, em Gênesis 15.18. Ora, não poderia haver tal multiplicação dos descendentes de Abraão se agora Jacó e seus filhos fossem mortos. Jacó aplicou essa lógica em sua oração. A fidelidade de Deus faz-nos atravessar as horas mais terríveis.

■ 32.13

וְאַתָּ֣ה אָמַ֔רְתָּ הֵיטֵ֥ב אֵיטִ֖יב עִמָּ֑ךְ וְשַׂמְתִּ֤י אֶֽת־זַרְעֲךָ֙
כְּח֣וֹל הַיָּ֔ם אֲשֶׁ֥ר לֹא־יִסָּפֵ֖ר מֵרֹֽב׃

Tendo passado ali aquela noite. Jacó prepara-se para o encontro com Esaú, confiando em Deus e nos seus presentes, que haveria de dar a seu irmão no dia seguinte. Era um presente deveras generoso. Mas é melhor perder alguma propriedade do que perder a vida. Esaú havia ameaçado matá-lo (Gn 27.41), e agora parecia estar prestes a poder executar a ameaça. No entanto, *outra noite* haveria de intervir, antes do fatídico encontro (ver o vs. 21).

Onde Jacó Passou a Noite? Por certo, em Maanaim (vs. 1). "O presente que o homem faz alarga-lhe o caminho..." (Pv 18.16).

■ 32.14,15

וַיָּ֥לֶן שָׁ֖ם בַּלַּ֣יְלָה הַה֑וּא וַיִּקַּ֞ח מִן־הַבָּ֧א בְיָד֛וֹ מִנְחָ֖ה
לְעֵשָׂ֥ו אָחִֽיו׃

עִזִּ֣ים מָאתַ֗יִם וּתְיָשִׁים֙ עֶשְׂרִ֔ים רְחֵלִ֥ים מָאתַ֖יִם וְאֵילִ֥ים
עֶשְׂרִֽים׃

Um Magnífico Presente. Quinhentos e oitenta animais devem ter formado uma dádiva impressionante. Eram os melhores animais para alimentação, vestes e viagens. Animais domesticados formavam um aspecto importante das riquezas na antiguidade. E aquele que tivesse uma bela esposa e alguns animais considerava-se feliz. Jacó mostrou-se realmente generoso. A generosidade era uma maneira de alguém preservar a própria vida. No dizer de Adam Clarke (*in loc.*), foi um "presente principesco". Os animais presenteados poderiam ter sustentado uma família durante muito tempo, servindo de virtual pensão vitalícia para um criador de gado. O leite de camela era considerado uma delícia pelos habitantes de todas aquelas regiões. Uma camela produz leite continuamente durante muitos anos. Plínio explana que esse leite era misturado com três partes de água, tornando-se uma bebida muito saudável e saborosa (*Hist. Nat.* lib. xi cap. 41).

O Princípio Moral. Os erros praticados contra alguém precisam ser corrigidos por meio de *restituição*, sempre que isso estiver ao nosso alcance. E aquele que assim não o fizer não terá o direito de invocar a *misericórdia divina*, chegado o momento de necessidade. Ver no *Dicionário* o artigo intitulado *Reparação (Restituição)*. A restituição pode e deve ser um ato que demonstre um arrependimento genuíno. Ver Efésios 4.28. Ver no *Dicionário* o artigo *Arrependimento*.

Presentes

Mais bem-aventurado é dar que receber.

Atos 20.35

O que há de mais importante, em qualquer relacionamento, não é o que se obtém, mas o que se dá.

Eleanor Roosevelt

Ou qual dentre vós é o homem que, se porventura o filho lhe pedir pão, lhe dará pedra.

Mateus 7.9

O amor é o melhor de todos os presentes.

■ 32.16

גְּמַלִּ֧ים מֵינִיק֛וֹת וּבְנֵיהֶ֖ם שְׁלֹשִׁ֑ים פָּר֤וֹת אַרְבָּעִים֙
וּפָרִ֣ים עֲשָׂרָ֔ה אֲתֹנֹ֣ת עֶשְׂרִ֔ים וַעְיָרִ֖ם עֲשָׂרָֽה׃

Os Três Rebanhos. Ver os versículos imediatamente anteriores, quanto ao número e às espécies desses rebanhos. Há várias razões pelas quais os animais podem ter sido divididos em três rebanhos:

1. Seria mais fácil guiar os animais separados, do que se estivessem misturados uns com os outros.
2. Separados assim, formariam um presente mais impressionante, devido à sua boa ordem.
3. Acima de tudo, isso fazia parte de uma tática da parte de Jacó. Se Esaú continuasse irado, depois de falar com os servos de Jacó (divididos em sucessivos grupos), sua ira teria mais oportunidade de esfriar. Um esquema assim por certo teria abrandado um homem como Labão, que ficaria ocupado em contar os animais, na esperança de receber mais ainda. Esaú, porém, não era desse tipo (Gn 33.9). Antes, ele disse: "Tenho o bastante; não quero os teus animais."

Deixai espaço entre rebanho e rebanho. Isso faria com que os animais dessem a impressão de ser mais do que 580. Assim, a ira de Esaú iria abater-se cada vez mais.

■ 32.17,18

וַיִּתֵּן֙ בְּיַד־עֲבָדָ֔יו עֵ֥דֶר עֵ֖דֶר לְבַדּ֑וֹ וַיֹּ֤אמֶר אֶל־עֲבָדָיו֙
עִבְר֣וּ לְפָנַ֔י וְרֶ֣וַח תָּשִׂ֔ימוּ בֵּ֥ין עֵ֖דֶר וּבֵ֥ין עֵֽדֶר׃

וַיְצַ֥ו אֶת־הָרִאשׁ֖וֹן לֵאמֹ֑ר כִּ֣י יִֽפְגָשְׁךָ֞ עֵשָׂ֤ו אָחִי֙ וּשְׁאֵלְךָ֣
לֵאמֹ֔ר לְמִי־אַ֔תָּה וְאָ֣נָה תֵלֵ֔ךְ וּלְמִ֖י אֵ֥לֶּה לְפָנֶֽיךָ׃

Perguntas e Respostas. Por sua vez, a mesma coisa iria acontecendo aos líderes de cada rebanho. Haveria saudações; haveria perguntas acerca da *razão* daquele rebanho; haveria reafirmações do fato de que Esaú era o senhor de Jacó. Isso iria desgastando a indignação de Esaú. Depois das três séries de animais, viriam as mulheres com seus filhos, Raquel, e, finalmente, o próprio Jacó. Por essa altura, o caminho estaria preparado para o reencontro dos dois irmãos. "A ironia de tudo é que todas aquelas precauções eram desnecessárias" (Walter Russell Bowie, *in loc.*).

32.19

וְאָמַרְתָּ֕ לְעַבְדְּךָ֣ לְיַעֲקֹ֑ב מִנְחָ֥ה הִוא֙ שְׁלוּחָ֣ה לַֽאדֹנִ֣י לְעֵשָׂ֔ו וְהִנֵּ֥ה גַם־ה֖וּא אַחֲרֵֽינוּ׃

O terceiro sentido provável de os animais terem sido divididos em três rebanhos é que estes devem ter sido formados, o máximo possível, pela mesma espécie de animais. Ver o vs. 16 quanto às razões possíveis dessa divisão dos rebanhos. Os três rebanhos atuariam como uma introdução à chegada de Jacó (Gn 33.2,3). Mas antes dele mesmo, as mulheres e as crianças deveriam aparecer. Em seguida, Raquel, a esposa favorita, cuja vida Jacó queria preservar o máximo possível (Gn 33.2).

32.20

וַיְצַ֞ו גַּ֣ם אֶת־הַשֵּׁנִ֗י גַּ֚ם אֶת־הַשְּׁלִישִׁ֔י גַּ֚ם אֶת־כָּל־הַהֹ֣לְכִ֔ים אַחֲרֵ֖י הָעֲדָרִ֣ים לֵאמֹ֑ר כַּדָּבָ֤ר הַזֶּה֙ תְּדַבְּר֣וּן אֶל־עֵשָׂ֔ו בְּמֹצַאֲכֶ֖ם אֹתֽוֹ׃

Jacó vem vindo atrás de nós. Em outras palavras, Jacó não estava tentando evitar o encontro com Esaú. Ele estava chegando. Que Esaú tivesse paciência. Mas antes que houvesse seu encontro com Esaú, Jacó ainda teria de passar por outra poderosa experiência espiritual: a luta com o anjo. E isso haveria de alterar seu nome de Jacó (suplantador) para Israel (Deus Luta, ou Príncipe de Deus). Esaú haveria de encontrar um novo homem. Jacó, pois, haveria de prevalecer, apesar de seus truques e de suas manipulações. O melhor de tudo é que ele seria transformado mais ainda em conhecimento e em progresso espiritual. Jacó seria humilhado e castigado, antes que seu passivo pudesse ser eliminado. Esaú, homem superior a Jacó quanto a vários aspectos, haveria de esquecer-se do passado. E então, haveria unidade e harmonia.

Eu o aplacarei com o presente. Jacó confiava em seus presentes a fim de aplacar Esaú. Somente depois disso apareceria diante dele. Esperava ver um sorriso naquele rosto, o que lhe daria a entender que tudo estava bem. Mas tudo aconteceu melhor do que ele esperava. Ambos se atiraram um nos braços do outro, chorando comovidos. O amor fraternal mostrou ser mais forte do que o ódio. O hebraico diz aqui, literalmente, "eu cobrirei o rosto dele", uma expressão idiomática de difícil tradução. Não apareceriam as rugas de indignação no rosto de Esaú; o presente haveria de *encobri-las*, alterando a sua fisionomia. O amor cobre "multidão de pecados" (Tg 5.20).

32.21

וַאֲמַרְתֶּ֕ם גַּ֗ם הִנֵּ֛ה עַבְדְּךָ֥ יַעֲקֹ֖ב אַחֲרֵ֑ינוּ כִּֽי־אָמַ֞ר אֲכַפְּרָ֣ה פָנָ֗יו בַּמִּנְחָה֙ הַהֹלֶ֣כֶת לְפָנָ֔י וְאַחֲרֵי־כֵן֙ אֶרְאֶ֣ה פָנָ֔יו אוּלַ֖י יִשָּׂ֥א פָנָֽי׃

Ficou aquela noite no acampamento. Isso mostra que a apresentação dos presentes a Esaú tomou um dia inteiro. Veio *outra* noite. Ver o vs. 13 quanto à primeira noite, desde que o reencontro começara a ser preparado. Jacó tinha-se instalado perto do ribeiro do Jaboque, conforme vemos no vs. 22. Ele não sabia ainda, mas nesse local ele passaria por outra grande experiência espiritual. O anjo do Senhor o guiava, passo a passo. Oh, Senhor, concede-nos tal graça!

32.22

וַתַּעֲבֹ֥ר הַמִּנְחָ֖ה עַל־פָּנָ֑יו וְה֛וּא לָ֥ן בַּלַּֽיְלָה־הַה֖וּא בַּֽמַּחֲנֶֽה׃

As Preciosas Poucas Vidas. O círculo íntimo de Jacó, aqueles que lhe eram mais chegados, consistia em Lia, Raquel, as duas concubinas, Bila e Zilpa, e os seus onze filhos. Eram esses que faziam parte de sua família imediata, que estavam ao seu lado o tempo todo. Diná sem dúvida também estava presente, embora ela não seja especificamente mencionada. Isso posto, as preciosas poucas vidas totalizavam dezessete pessoas, incluindo Jacó. Cada homem tem seu círculo mais interior, e aí o amor doméstico deve manifestar-se mais forte.

O vau de Jaboque. Ou seja, o lugar onde o ribeiro podia ser atravessado. Há no *Dicionário* um artigo detalhado sobre esse rio. Esse ribeiro, quase um filete de água, descia dos montes da Arábia, passava perto da fronteira com os amonitas, regava a cidade de Rabá, e, então, passava entre Filadélfia e Gerasa, e, finalmente, desembocava no rio Jordão, perto do lago ou mar da Galileia, que ficava a quase 5 km dali, mais para o sul. Atualmente esse ribeiro chama-se wady Zerqa, nome que significa "torrente azul". Posteriormente, formou a fronteira entre as tribos de Manassés e Gade. No hebraico, o nome desse rio significa *fluir fora* ou *fluir adiante*.

Jacó tinha tido a sua Betel; mas agora teria o seu Jaboque, lugares associados a significativas experiências espirituais que lhe haviam transformado a vida. A transformação espiritual é um processo gradual e eterno. Ninguém chega a atingir, nesta vida, todo o seu potencial, mas estará sempre avançando nessa direção. E, sem dúvida, isso continuará ocorrendo até mesmo em nossa pátria celeste. A glorificação será um processo eterno. Ver na *Enciclopédia de Bíblia, Teologia e Filosofia* o artigo chamado *Transformação segundo a Imagem de Cristo*.

32.23

וַיָּ֣קָם ׀ בַּלַּ֣יְלָה ה֗וּא וַיִּקַּ֞ח אֶת־שְׁתֵּ֤י נָשָׁיו֙ וְאֶת־שְׁתֵּ֣י שִׁפְחֹתָ֔יו וְאֶת־אַחַ֥ד עָשָׂ֖ר יְלָדָ֑יו וַֽיַּעֲבֹ֔ר אֵ֖ת מַעֲבַ֥ר יַבֹּֽק׃

E fê-los passar o ribeiro. Do outro lado, o destino esperava por Jacó. O encontro fatídico com Esaú não poderia ser evitado. Jacó enviou à sua frente tudo quanto lhe era precioso. E, então, ele mesmo avançou. Confiando em Deus e nos seus presentes a Esaú, ele prosseguiu, o coração batendo forte, mas com esperança. Ansioso, mas sem desesperar. Havia feito tudo quanto podia, de acordo com a *razão*. E confiava em que Deus faria o resto.

Jacó tinha enviado suas esposas e rebanhos para a segurança, para o alto da serra ao sul. O profundo vale estava destinado a ser o palco de seu conflito solitário. Naquele ponto, a ravina tem entre 6,5 e 9,5 km de largura.

32.24

וַיִּקָּחֵ֕ם וַיַּֽעֲבִרֵ֖ם אֶת־הַנָּ֑חַל וַֽיַּעֲבֵ֖ר אֶת־אֲשֶׁר־לֽוֹ׃

Ficando ele só; e lutava. Para outros, foram momentos seguros. Mas Jacó tinha ficado sozinho. E, de súbito, viu-se mergulhado em outra profunda experiência espiritual. Oseias 12.4 mostra-nos que sua luta não foi apenas física, mas também espiritual. Como é óbvio, o vs. 26 deste capítulo indica a mesma coisa. Jacó pediu uma *bênção* antes de permitir que o "homem" se fosse. O vs. 28 mostra-nos que o homem era divino, e lemos no vs. 30: "Vi a Deus face a face".

A Identidade do Homem. Alguns eruditos creem que temos aí uma aparição do Logos, no Antigo Testamento, o qual, séculos depois, se manifestaria como Jesus de Nazaré, em uma fusão da natureza divina com a natureza humana. Mas quase todos os estudiosos concordam em que esteve envolvido um *anjo do Senhor*. Notemos que em Gênesis 18.2 os três *homens* foram logo identificados como *anjos* (Gn 19.1). A experiência de Jacó incluiu vários encontros com anjos. Quanto a encontros com anjos, no livro de Gênesis, até este ponto, ver 16.7,9-11; 19.1; 21.17; 22.11; 24.7; 28.12 ss.; 31.11; 32.1. Ver no *Dicionário* os artigos *anjo* e *Misticismo*. Em Gênesis 31.3, ver as notas sobre a *Orientação Divina*.

A Luta às Margens do Jaboque. No hebraico, "luta" (*abak*) e "Jaboque" têm sons similares. Parece que *abak* deriva-se do termo hebraico que significa *poeira*, porquanto os lutadores logo se veem envolvidos em uma nuvem de poeira. Na Grécia, os lutadores passavam pó no corpo.

Corporal ou Não-corporal? Os críticos dizem que todo o incidente foi apenas alegórico ou mitológico. Alguns eruditos conservadores debatem-se em torno da ideia de como um anjo pode assumir corpo físico, mesmo temporariamente, ou fingir ter um corpo que pode ser tocado e parece sólido. Nos tempos de Jacó, isso não constituía problema, já que os anjos não eram, provavelmente, concebidos como seres imateriais, embora fossem vistos como seres de *outra* dimensão, não sendo outra ordem de seres humanos. Apesar de haver muita evidência em favor de seres imateriais, e de esses seres poderem assumir corpo sólido, ou nos fazerem pensar que eles possuem corpos sólidos, restam ainda muitos mistérios em torno da questão, tal como há mistérios que circundam a própria vida. Logo, é inútil indagarmos quanto a essa questão. Simplesmente não sabemos como resolver tais problemas. Há um *intercâmbio* de energia e de matéria, sendo provável que *essa* realidade esteja por trás de tais fenômenos de uma maneira que não sabemos explicar.

Os intérpretes judeus explicavam de forma variada este texto: Foi uma visão (Maimônides); foi um fantasma (Josefo); foi tudo imaginário ou um anjo (Targum de Jônatas, que chama esse anjo de Miguel).

■ 32.25

וַיִּוָּתֵר יַעֲקֹב לְבַדּוֹ וַיֵּאָבֵק אִישׁ עִמּוֹ עַד עֲלוֹת הַשָּׁחַר׃

Vendo este que não podia com ele. Jacó era forte demais, e o anjo não conseguia prevalecer sobre ele, motivo pelo que lhe infligiu uma injúria física. Algum golpe mais violento deixou-o capenga, embora a natureza do golpe não seja determinada no texto. Poderia um homem continuar a lutar, com o osso da coxa fora de sua junta? Nesse caso, havia muita coragem em Jacó. Ellicott opinou que se tratava de uma *luxação*. Mas a despeito de seu tendão fora de lugar, ele continuava lutando. Ele não somente continuou lutando, mas também *prevaleceu*. Lembremo-nos de que isso tinha não somente um aspecto físico, mas também um aspecto espiritual. Assim, Jacó estava sendo transformado, e obteria uma bênção especial, acompanhada pela mudança de seu nome. Ele prevaleceu contra um *anjo;* mas não demoraria a prostrar-se até o chão, por sete vezes, diante de seu irmão, *Esaú* (Gn 33.3)!

Embora *incapacitado,* ele continuou lutando. Isso mostrava a determinação de Jacó. A *perseverança* é o mais importante elemento no sucesso em qualquer atividade. Mas por trás da perseverança deve haver entusiasmo. No grego, essa palavra significa, literalmente, "estar cheio de Deus".

■ 32.26

וַיַּרְא כִּי לֹא יָכֹל לוֹ וַיִּגַּע בְּכַף־יְרֵכוֹ וַתֵּקַע כַּף־יֶרֶךְ יַעֲקֹב בְּהֵאָבְקוֹ עִמּוֹ׃

Já rompeu o dia. Um novo dia estava raiando na vida de Jacó, um dia muito abençoado, ou, talvez, o mais abençoado de sua vida. A luta se prolongara por boa parte da noite; Jacó estava chegando à vitória; o alvorecer trouxe-lhe o triunfo. O lutador celeste desejou ir-se embora, mas Jacó era forte demais para ele, e só lhe permitiria ir-se se lhe desse uma *bênção divina*. Desse modo ficamos sabendo que Jacó acabou por entender que nada havia de ordinário naquela luta. Ele estava envolvido em outra poderosa experiência mística. Ao romper a alva, surgiu também um novo Jacó, agora chamado Israel. Ele ainda tinha temores. Haveria de prostrar-se diante de Esaú. Mas um grande marco espiritual havia sido atingido. O passado ficara no passado.

"Na combinação de bem e de mal que havia em Jacó, havia dois fatores de *nobreza* que o salvavam. O primeiro desses fatores era a consciência de que a vida tem um *significado divino...* e o segundo era a sua... *determinação*" (Walter Russell Bowie, *in loc.*).

É provável que o texto dê a entender que Jacó, para enfrentar essa luta, recebeu uma força *sobre-humana*. Foi-lhe permitido ultrapassar as suas próprias forças, uma provisão divina.

A pessoa derrotada precisava ceder diante das exigências da pessoa vitoriosa. Isso assegurou a bênção pedida por Jacó. Ele havia conseguido um extraordinário triunfo, por ter vencido um extraordinário adversário.

■ 32.27

וַיֹּאמֶר שַׁלְּחֵנִי כִּי עָלָה הַשָּׁחַר וַיֹּאמֶר לֹא אֲשַׁלֵּחֲךָ כִּי אִם־בֵּרַכְתָּנִי׃

Jacó. Esse fora seu nome, até aquele instante. Tal nome o havia caracterizado no passado. Ele havia sido o enganador, o astuto manipulador, o suplantador. Esse era o Jacó natural e carnal. Ele tinha sido um homem superficial, que ignorava a espiritualidade mais elevada, ao mesmo tempo que cultivava sua natureza mais baixa. Até ali ele tinha ignorado o impacto de seus pecados. Tinha prosperado materialmente, e até havia obtido alguma espiritualidade, mas continuava a ser apenas *Jacó*. "O agarrador de calcanhares fora apanhado" (Allen P. Ross, *in loc.*). Desse modo, fora envolvido em uma transação divina, e recebeu uma nova expressão de vida.

■ 32.28

וַיֹּאמֶר אֵלָיו מַה־שְּׁמֶךָ וַיֹּאמֶר יַעֲקֹב׃

Israel. O novo nome de Jacó. Os antigos, com frequência, mudavam de nome quando havia alguma profunda mudança na vida, ou quando esperavam que houvesse tal mudança. No livro de Gênesis já vimos os casos de Abrão (nome mudado para Abraão, ver Gn 17.5) e de Sarai (nome mudado para Sara, ver Gn 17.15).

Israel. É admirável o grande número de possíveis sentidos que os intérpretes dão a esse nome. Apresento abaixo apenas uma amostra:

1. "Deus luta". Essa é a etimologia popular, que também pode indicar o verdadeiro sentido do nome.
2. "Deus governa".
3. "Aquele que luta com Deus" (Os 12.3,4).
4. "Aquele que prevalece com Deus" (Os 12.3, de acordo com outra interpretação).
5. "Príncipe de Deus". Ver o termo hebraico *sar* (como se vê no nome de Sara), que significa "príncipe".
6. Por extensão, "príncipe de Deus que tem poder diante de Deus".
7. "Príncipe que prevalece diante de Deus".

Todos esses nomes têm aplicações espirituais e morais. Se os estudiosos do idioma hebraico não nos podem fornecer uma resposta *única*, pelo menos fica claro um ponto: o fraco Jacó tornou-se o poderoso Israel, aquele que lutara com um ser angelical e vencera, mediante um poder miraculoso; agora era um príncipe de Deus que poderia prevalecer diante de Deus e dos homens; tinha lutado contra disparidades impossíveis e tinha vencido. Deus lutaria *por meio dele* na futura nação de Deus, e essa nação venceria. O Messias viria ao mundo por intermédio dele, a fim de abençoar todas as nações, em consonância com o Pacto Abraâmico. Por meio desse pacto, todos os povos haverão de ter poder diante de Deus e de prevalecer.

O Novo Nome. Ver o artigo *Novo Nome e Pedra Branca* na Enciclopédia de Bíblia, Teologia e Filosofia. O novo nome indica aquela transformação em nós que nos torna capazes de atingir toda a nossa potencialidade espiritual, para sermos conformados segundo a imagem de Cristo de uma maneira especial e ímpar. Isso faz de nós aquilo que poderemos vir a ser espiritualmente, o que nos confere tremendas potencialidades.

O crente torna-se participante da natureza divina (2Pe 1.4). Ver na *Enciclopédia de Bíblia, Teologia e Filosofia* o verbete *Transformação segundo a Imagem de Cristo*.

"Os ideais que embalamos, os propósitos que mantemos, a capacidade que sentimos de atingir qualquer coisa mais excelente do que já pudemos atingir — todas essas coisas estão contidas naquele *novo homem* escrito sobre a pedra branca que todo homem tem o privilégio de usar sobre o seu peito" (Charles R. Brown, em seu livro, "What Is Your Name?" referindo-se ao trecho de Apocalipse 2.17).

> Cede a mim, pois sou fraco,
> Mas confiante no autodesespero;
> Fala a meu coração, fala de bênção;
> Sê conquistado por minha oração constante.
> Charles Wesley, em seu hino *Come,*
> *O Thou Traveler Unknown*

■ 32.29

וַיֹּאמֶר לֹא יַעֲקֹב יֵאָמֵר עוֹד שִׁמְךָ כִּי אִם־יִשְׂרָאֵל כִּי־שָׂרִיתָ עִם־אֱלֹהִים וְעִם־אֲנָשִׁים וַתּוּכָל׃

O Poder dos Nomes. Uma antiga superstição diz que há uma espécie de poder mágico nos nomes próprios. Até hoje, os exorcistas parecem obter maior êxito se conseguirem fazer o demônio proferir (e revelar) o seu nome. Parece que isso ajuda no exorcismo. Se isso pode ser exagerado, e se não sabemos o que Jacó tinha exatamente em sua mente, pelo menos neste versículo há provas de uma verdade eterna. Deus tem muitos nomes. Essa questão é revisada no artigo *Deus, Nomes Bíblicos de,* no *Dicionário.* Cada nome revela ou um atributo de Deus, ou alguma obra especial ou operação do ser divino. Jacó pensava que poderia obter maior poder se soubesse o nome daquele ser divino (o anjo, ver o vs. 24), obtendo grandes bênçãos, eficiência e poder em sua vida. Talvez até, em outras ocasiões, pudesse ter maior poder em suas orações ou encantamentos, mediante o uso desse nome. Os nomes eram concebidos como essência da personalidade e do caráter de uma pessoa, e não meros rótulos de pessoas. Ver o verbete *Nome,* na *Enciclopédia de Bíblia, Teologia e Filosofia.*

O poder divino apossara-se de Jacó, e Jacó apoderara-se do poder divino. Agora, queria saber como deveria chamar esse poder. Queria preservá-lo e usá-lo. A Bíblia conta a história de como Deus vai sendo descoberto pelo homem. As experiências místicas trazem até nós a *presença divina.* Há poder nessa presença. Precisamos estudar a Bíblia e orar, mas também precisamos de experiências pessoais com Deus. Aquele que tem essas experiências está em vantagem em relação ao que só tem argumentos.

Reversão da Idolatria. O anjo não revelou o seu nome, tal como, em outra ocasião, o mesmo Ser recusou-se a dizer seu nome a Manoá (Jz 13.18). Agora Jacó tornara-se Israel, e estava progredindo espiritualmente. Ele conhecia Elohim e Yahweh. Isso lhe bastava. Alguns pensam que não deveria ser-lhe revelado o nome de um anjo, o que poderia acrescentar um falso deus à sua teologia. Bastava-lhe saber que tinha lutado com o anjo e tinha vencido um poder divino, e que esse poder o havia abençoado. O anjo era divino, mas não Deus. Outros pensam que o nome do anjo não lhe foi revelado para que Jacó não pudesse dispor do poder de um anjo. Cf. Êxodo 3.13,14 e Juízes 13.17.

■ **32.30**

וַיִּשְׁאַל יַעֲקֹב וַיֹּאמֶר הַגִּידָה־נָּא שְׁמֶךָ וַיֹּאמֶר לָמָּה זֶּה תִּשְׁאַל לִשְׁמִי וַיְבָרֶךְ אֹתוֹ שָׁם׃

Peniel. Ver no *Dicionário* o artigo *Peniel (Penuel).* Esse termo hebraico significa "face de Deus" (ou "forma de Deus"). No Antigo Testamento, figura como nome de duas pessoas e de uma cidade. O local é o que aparece no presente texto. A sua localização exata ainda não foi identificada. Ficava em algum ponto a leste do rio Jordão, não longe de Sucote (Gn 33.17 e Jz 8.5,8). Posteriormente, foi edificada uma cidade com esse nome (Jz 8.8; 1Rs 12.25). Alguns afirmam que ficava a 6,5 km de Maanaim.

Jacó temia ver o rosto de Esaú, mas acabou vendo a face de Deus, por meio do anjo que lhe trouxe inesperada bênção e vitória. Esse tipo de visão era tido como potencialmente fatal, e, no entanto, Jacó recebeu permissão de viver e também de crescer espiritualmente em resultado da experiência. Ver Gênesis 16.13 e Êxodo 33.20 quanto a algo similar. Ver também Gênesis 28.19; 31.47 e 32.2. Ninguém jamais poderá ver Deus em sua verdadeira essência (Jo 1.18), mas ele tem sido visto de maneiras secundárias, figuradas e visionárias. Ver João 1.18 no *Novo Testamento Interpretado* quanto a completas explicações a respeito.

Penuel é uma forma alternativa do nome. Ele deixou o lugar onde lutara com Deus. Agora era Israel, e não mais Jacó. Alguns estudiosos pensam que foi nesse ponto que Jacó se converteu. Ele era um *novo homem* a caminho de um *novo lar.* Mas antes disso teria de encontrar-se com Esaú. Deus, porém, também cuidaria disso. Agora Jacó estava *aleijado,* e andava capengando. A marca da luta tinha ficado nele. Alguns supõem que Jacó tenha ficado permanentemente aleijado como lembrete. Talvez, mas não dispomos de informações sobre o assunto. Contava-se na família de meu pai (que trabalhava em uma estrada de ferro) a história de um empregado da estrada de ferro que vivia longe de Deus. Em um acidente, ele perdeu uma perna. Isso transformou a sua vida, e acabou produzindo a sua conversão. Seu aleijão tornou-se um lembrete permanente de sua "vitória".

■ **32.31**

וַיִּקְרָא יַעֲקֹב שֵׁם הַמָּקוֹם פְּנִיאֵל כִּי־רָאִיתִי אֱלֹהִים פָּנִים אֶל־פָּנִים וַתִּנָּצֵל נַפְשִׁי׃

"Após o toque deformador, a luta de Jacó tomou uma nova direção. Agora aleijado em suas forças naturais, tornou-se ousado na fé" (Allen P. Ross, *in loc.*).

■ **32.32**

וַיִּזְרַח־לוֹ הַשֶּׁמֶשׁ כַּאֲשֶׁר עָבַר אֶת־פְּנוּאֵל וְהוּא צֹלֵעַ עַל־יְרֵכוֹ׃

עַל־כֵּן לֹא־יֹאכְלוּ בְנֵי־יִשְׂרָאֵל אֶת־גִּיד הַנָּשֶׁה אֲשֶׁר עַל־כַּף הַיָּרֵךְ עַד הַיּוֹם הַזֶּה כִּי נָגַע בְּכַף־יֶרֶךְ יַעֲקֹב בְּגִיד הַנָּשֶׁה׃

O nervo do quadril. Para os judeus tornou-se proibido comer dessa parte de um animal, porque ali o anjo do Senhor tocara em Jacó e o deixara aleijado. Assim, essa parte do corpo sempre foi considerada um tanto sagrada; e esse sentimento foi transferido até para os animais que servissem de alimento. A proibição celebrava a experiência de Jacó, que era considerada uma importante experiência para Israel; pois a *Israel* é que Deus se tinha manifestado, tornando-o um Príncipe de Deus. Essa porção dos animais tornou-se um memorial da presença divina. "O que seria esse nervo, nem judeu e nem cristão são capazes de dizer, e isso nada acrescenta ao nosso conhecimento e nem a uma verdadeira compreensão do texto, além de multiplicar conjecturas" (Adam Clarke, *in loc.*). Esse erudito pensa que a parte que foi injuriada foi a *virilha.* A Vulgata diz que o nervo *encolheu,* o que é refletido em algumas traduções. Provavelmente isso indica que houve uma injúria permanente no caso de Jacó. Mas a Septuaginta diz aqui "amortecido", o que talvez indique uma injúria temporária.

Uma Espécie de Ordenança. No caso de Abraão, Deus impôs a circuncisão. No caso de Israel, certa parte do corpo de animais a serem consumidos foi vedada na alimentação, porquanto Deus havia infligido *outro tipo* de operação física em Jacó, por assim dizer.

John Gill pensa que a questão inteira envolve apenas uma *superstição,* além de informar-nos que na Mishna todo um capítulo foi dedicado a tratar da questão, proibindo que certa parte de um animal morto fosse comida. Ver no *Dicionário* o artigo chamado *Mishna.* Em certos círculos houve tanto exagero quanto à questão que os judeus se negavam a comer qualquer nervo da parte posterior do corpo de um animal, visto ser difícil identificar exatamente qual nervo estaria envolvido. Outros chegaram ao extremo de comer qualquer porção dos quartos traseiros de um animal, e não apenas os nervos daquela porção.

CAPÍTULO TRINTA E TRÊS

JACÓ ENCONTRA-SE COM ESAÚ (33.1-15)

Os críticos atribuem esta seção a uma combinação das fontes informativas *J* e *E.* Ver o artigo *J.E.D.P.(S.)* no *Dicionário* quanto a informações sobre a teoria das fontes múltiplas do Pentateuco. Conforme os críticos pensam, a continuação do uso do nome Jacó, em vez de Israel (Gn 32.28), deve-se a fontes múltiplas, uma ou outra das quais não levou em conta a mudança de nome.

Chegamos agora ao longamente esperado e temido encontro de Jacó com Esaú. O coração de Jacó havia sido transformado, e agora ele *anelava* por reconciliar-se com seu irmão. Ele havia preparado restituição, porque havia prejudicado a Esaú (os ricos presentes que lhe ofereceria; ver Gn 32.13 ss.). Mas Esaú não se mantivera rancoroso; e aquilo que Jacó tanto havia temido terminou por se tornar uma alegre reunião em família, com muito amor e respeito mútuo. Oh, Senhor, concede-nos tal graça! A providência de Deus continuava a cuidar de Jacó. Esse é um tema central ao longo do livro de Gênesis. Ver no *Dicionário* o artigo *Providência de Deus.*

■ **33.1**

וַיִּשָּׂא יַעֲקֹב עֵינָיו וַיַּרְא וְהִנֵּה עֵשָׂו בָּא וְעִמּוֹ אַרְבַּע מֵאוֹת אִישׁ וַיַּחַץ אֶת־הַיְלָדִים עַל־לֵאָה וְעַל־רָחֵל וְעַל שְׁתֵּי הַשְּׁפָחוֹת׃

Esaú se aproximava. Jacó levantou os olhos e viu a figura temida. Ali estavam Esaú e seu ameaçador exército de quatrocentos homens. A maior parte do que tememos nunca se materializa. Durante a Segunda Guerra Mundial, declarou o presidente Roosevelt, dos Estados Unidos da América: "Nada temos que temer, exceto o próprio temor".

Talvez os homens de Esaú tivessem chegado armados. Mas o próprio texto nada diz. No entanto, se tinham vindo armados, foi porque Esaú não sabia o que poderia esperar da parte de Jacó. Mas vendo que não havia perigo algum, e tendo passado pelos três rebanhos que Jacó havia preparado como um presente (Gn 32.13 ss.), abandonou de vez a ideia de atacar a Jacó e a seu grupo.

Mostrando-se à altura da transformação de Jacó, devido às experiências espirituais deste, Esaú sempre demonstrou um caráter superior. Assim sendo, por que ele foi aviltado? Simplesmente porque assim os livros pseudepígrafos o avaliaram, o que acabou sendo uma forma padronizada de os judeus o avaliarem. E isso foi transferido para o Novo Testamento (Rm 9.13; Hb 12.16). Mas se nos ativermos ao relato veterotestamentário a seu respeito, chegaremos à conclusão de que ele teve momentos de insensatez, como quando vendeu por quase nada o seu direito de primogenitura, mas também que, excetuando esses maus momentos, ele sempre se mostrou uma pessoa honrada. Esaú voltou a encontrar-se com Jacó quando os dois sepultaram a seu pai, Isaque (Gn 35.29), e assim os dois cumpriram os seus deveres filiais até o fim.

As Quatro Divisões. Temendo ainda o pior, Jacó tinha dividido seus filhos sob os cuidados de suas quatro mulheres. Ele haveria de enviar seus familiares em grupos distintos até a presença de Esaú, tal como havia feito com seus rebanhos (Gn 32.16). Parece que essa foi outra tentativa de aplacar Esaú, mediante adiamento. Ou talvez ele tenha pensado que, se Esaú chegasse a dizimar o primeiro grupo (liderado por uma de suas concubinas), então os outros três grupos pelo menos poderiam tentar escapar.

■ 33.2

וַיָּשֶׂם אֶת־הַשְּׁפָחוֹת וְאֶת־יַלְדֵיהֶן רִאשֹׁנָה וְאֶת־לֵאָה וִילָדֶיהָ אַחֲרֹנִים וְאֶת־רָחֵל וְאֶת־יוֹסֵף אַחֲרֹנִים׃

Uma Hierarquia. Em primeiro lugar apresentaram-se Bila e Zilpa, com seus respectivos filhos. Em seguida, Lia, com seus seis filhos e uma filha. Depois, Raquel e José. E, finalmente, Jacó. E isso pelas razões esclarecidas acima. E a *sequência* de apresentação, sem dúvida, evidenciava o amor e a preocupação variados de Jacó por cada grupo. Os mais chegados ele guardou para o fim, Raquel e José. Posteriormente, os filhos de José tornaram-se os favoritos de Jacó. Despedaçava o coração enviar um filho a uma situação de perigo, ao mesmo tempo em que retinha um filho mais amado para evitar aquele mesmo perigo, durante algum tempo. Essa foi a agonia que Jacó precisou enfrentar. "Ele mandou à frente a quem estimava menos" (Adam Clarke, *in loc.*).

■ 33.3

וְהוּא עָבַר לִפְנֵיהֶם וַיִּשְׁתַּחוּ אַרְצָה שֶׁבַע פְּעָמִים עַד־גִּשְׁתּוֹ עַד־אָחִיו׃

Jacó Mostra-se Humilde. Subitamente, encorajando-se, Jacó não obedeceu a todos os passos de seu plano, de ir apresentando aos poucos os seus entes queridos. Mas foi diretamente ao encontro de Esaú. Jacó aproximou-se dele humilde e contrito. Prostrou-se diante de seu irmão por *sete vezes*, embora ainda na noite anterior tivesse enfrentado o anjo do Senhor, lutando com ele a noite inteira e prevalecendo. Submeteu-se ao perigo, com fé no coração e uma oração nos lábios. Somente a ajuda de Deus poderia livrá-lo agora. Não tinha justificativa, e nenhuma virtude que pudesse apresentar como motivo para continuar vivo.

"Esse ato de prostrar-se, no Oriente, é feito dobrando o corpo para a frente, com os braços cruzados, a mão direita sobre o peito" (Ellicott, *in loc.*).

Prostrando-se, Jacó aproximou-se. De tantos em tantos passos, ele se prostrava. O orgulhoso suplantador, o enganador, o fugitivo, agora enfrentava os seus pecados, a situação que ele mesmo havia criado fazia muitos anos. Todos nós acabamos por nos encontrar conosco mesmos. Ver no *Dicionário* o verbete *Lei Moral da Colheita segundo a Semeadura.*

O Símbolo. Jacó era como um pecador contrito que se lança à misericórdia de Deus. E, tal como Jacó, o pecador é acolhido com um caloroso abraço, seus pecados perdoados. A comunhão tomara o lugar do temor.

■ 33.4

וַיָּרָץ עֵשָׂו לִקְרָאתוֹ וַיְחַבְּקֵהוּ וַיִּפֹּל עַל־צַוָּארָו וַיִּשָּׁקֵהוּ וַיִּבְכּוּ׃

A Magnanimidade de Esaú. Esaú não hesitou, mas correu ao encontro de Jacó. Quem tomou a iniciativa foi Esaú. Ele abraçou Jacó; e ambos choraram. Passaram-se cerca de vinte anos, desde que se tinham visto pela última vez. "Quão sincera e genuína foi essa conduta de Esaú, e, ao mesmo tempo, quão magnânimo! Ele sepultara todo o seu ressentimento e esquecera todas as ofensas" (Adam Clarke, *in loc.*). "Já tínhamos recebido antes (Gn 27.38) uma prova de que Esaú era homem de sentimentos calorosos; e agora vemos, de novo, como ele foi dominado por seus impulsos amorosos" (Ellicott, *in loc.*). Os antigos manuscritos dos hebreus tinham marcas aqui, para que o leitor notasse que algo de maravilhoso havia sucedido. Isso era interpretado positivamente por alguns, e negativamente por outros (como se Esaú tivesse sido um hipócrita nessa demonstração de afeto). Mas como é óbvio, seu amor era genuíno, e é bem possível que aquele sinal servisse para mostrar ao leitor um tão notável exemplo de amor fraternal, inesperado por parte de Jacó. Bastava de temor; bastava de medo. A graça de Deus havia resolvido o problema da maneira mais extraordinária. Ver no *Dicionário* o artigo intitulado *Amor*. O amor é a essência mesma e a prova da espiritualidade (1Jo 4.7 ss.).

■ 33.5

וַיִּשָּׂא אֶת־עֵינָיו וַיַּרְא אֶת־הַנָּשִׁים וְאֶת־הַיְלָדִים וַיֹּאמֶר מִי־אֵלֶּה לָּךְ וַיֹּאמַר הַיְלָדִים אֲשֶׁר־חָנַן אֱלֹהִים אֶת־עַבְדֶּךָ׃

Quanta Gente! "Quem são todas estas pessoas?", indagou Esaú. Embora separados por cerca de 750 km apenas, parece que nunca houvera intercomunicação entre os dois ramos da família de Isaque. Havia *quatro* mulheres e *doze* filhos (incluindo Diná), e Esaú estava querendo uma explicação. Os filhos eram reputados uma bênção do Senhor, a fertilidade era tida como grande vantagem, e famílias numerosas eram algo desejável (Sl 127.3). Em consequência, o grande número de filhos de Jacó mostrava a Esaú que o Senhor estava com seu irmão.

■ 33.6

וַתִּגַּשְׁןָ הַשְּׁפָחוֹת הֵנָּה וְיַלְדֵיהֶן וַתִּשְׁתַּחֲוֶיןָ׃

As servas. Ou seja, Bila e Zilpa, cada qual com seus dois filhos, foram apresentadas a Esaú. Elas cumprimentaram respeitosamente o irmão de seu marido, de quem eram cunhadas. Os filhos de Bila eram Dã e Naftali, e os de Zilpa eram Gade e Aser, todos os quatro destinados a tornar-se patriarcas de Israel, cabeças de tribos.

■ 33.7

וַתִּגַּשׁ גַּם־לֵאָה וִילָדֶיהָ וַיִּשְׁתַּחֲווּ וְאַחַר נִגַּשׁ יוֹסֵף וְרָחֵל וַיִּשְׁתַּחֲווּ׃

Lia e seus filhos. A primeira esposa de Jacó, Lia, a irmã mais velha de Raquel, apresentou-se com seus filhos: Rúben, Simeão, Levi, Judá, Issacar e Zebulom (seis filhos) e Diná (a filha). Esses filhos estavam destinados a ser chefes de outras tantas tribos que formariam uma parte da nação de Israel.

José e Raquel. Raquel tinha apenas um filho. Tempos depois, ela teria Benjamim, mas morreria do parto. José seria o filho favorito, e seus filhos seriam altamente estimados por Jacó. Por esse tempo, José estaria com 7 anos de idade. Não houve tribo de José, em Israel, mas Efraim e Manassés, filhos de José, tornaram-se cabeças de tribos, porquanto tinham sido adotados por Jacó como se fossem seus filhos (Gn 48.5). Estritamente falando, isso formaria treze tribos, mas apenas doze são formalmente consideradas (Êx 24.4; Js 4.2). Levi, embora filho, ocupou posição de medianeiro entre Yahweh e a nação de Israel, e não dispunha de território próprio.

Lia e Raquel, além de serem cunhadas de Esaú, eram também suas primas, pois Jacó, Raquel e Lia eram primos. Todos demonstraram o devido respeito por Esaú, cada grupo por sua vez, conforme Jacó os tinha disposto em ordem (ver Gn 33.1,2).

33.8

וַיֹּאמֶר מִי לְךָ כָּל־הַמַּחֲנֶה הַזֶּה אֲשֶׁר פָּגָשְׁתִּי וַיֹּאמֶר
לִמְצֹא־חֵן בְּעֵינֵי אֲדֹנִי:

Os Presentes. Jacó havia exagerado. Tinha separado 580 animais dos tipos mais valiosos para alimento, vestuário e viagens (Gn 32.14,15). Ele havia dividido esses animais em três grupos (Gn 32.19), cada um dos quais deveria aproximar-se em separado, dando tempo para Esaú esfriar a sua indignação (se ele continuasse irado e estivesse disposto a atacar). Foi preciso muito tempo para fazer passarem os presentes diante de Esaú. Tudo era um tanto misterioso. Por isso, agora Esaú desejava saber a *razão* daquilo tudo. O próprio Jacó explicou que se tratava de um presente para "lograr mercê" na presença de seu irmão, a pessoa a quem ele tanto havia ofendido. "Nos países orientais era comum levar presentes a amigos e, especialmente, a grandes homens, sempre que houvesse visitas. E todos os viajantes em geral testificam que assim continua sendo o costume, até estes nossos dias" (John Gill, *in loc.*).

33.9

וַיֹּאמֶר עֵשָׂו יֶשׁ־לִי רָב אָחִי יְהִי לְךָ אֲשֶׁר־לָךְ:

Guarda o que tens. Essas palavras de Esaú mostram o seu desinteresse pelos bens materiais. Sem importar quais fossem os defeitos de Esaú, ele não era ganancioso como Labão. Ele tinha o bastante. O Senhor Deus também o havia abençoado, podemos ter certeza. Os presentes de Jacó mostraram-se desnecessários. Esaú não precisava ser subornado, porquanto havia amor fraternal em seu coração.

> O amor concede em um momento
> O que o trabalho não faz em uma era.
>
> Goethe, *Torquato Tasso*

Os judeus e os árabes conferenciam interminavelmente, mas há entre eles matanças e vinganças de parte a parte, ao passo que um pouco de amor poderia resolver esses problemas em um único dia.

> Se quiseres ser amado, ama.
>
> Hecato, *Fragmentos*

O amor é a essência e a prova da espiritualidade (1Jo 4.7 ss.). Ver no *Dicionário* o artigo *Amor*.

No amor não existe medo; antes, o perfeito amor lança fora o medo (1Jo 4.18).

33.10

וַיֹּאמֶר יַעֲקֹב אַל־נָא אִם־נָא מָצָאתִי חֵן בְּעֵינֶיךָ
וְלָקַחְתָּ מִנְחָתִי מִיָּדִי כִּי עַל־כֵּן רָאִיתִי פָנֶיךָ כִּרְאֹת
פְּנֵי אֱלֹהִים וַתִּרְצֵנִי:

Mas Jacó insistiu. É um erro supormos aqui que Esaú queria receber os presentes, mas que, de acordo com a polidez e a maneira de barganhar dos orientais, foi obrigado a permitir que Jacó primeiro o *convencesse*. Esaú realmente não queria os bens materiais. Por outra parte, teria sido uma bofetada no rosto de Jacó não aceitar o que lhe era oferecido tão generosamente. Portanto, deixou-se convencer.

Vi o teu rosto. Jacó disse que a fisionomia de Esaú lhe parecera o semblante de Deus, como se tivesse visto o próprio Elohim. E, em certo sentido, isso era uma verdade. A bênção, os cuidados e a proteção de Elohim transpareciam no rosto de Esaú, e o coração de Jacó saltava-lhe no peito ao entender que suas orações haviam sido respondidas; e assim os seus temores chegaram ao fim. Quando amamos, não há motivos para termos medo de Deus. Antes, ele é o grande benfeitor de toda a humanidade, e seus decretos resultam em prosperidade e bem-estar. O texto fala sobre a providência de Deus, uma mensagem constantemente reiterada no livro de Gênesis. Ver no *Dicionário* o verbete *Providência de Deus*.

Talvez tenha havido alguma hipérbole na exclamação de Jacó sobre o semblante de Elohim, mas podemos estar certos de que o seu coração estava invadido pela alegria naquele momento.

O amor estampado no rosto de uma pessoa é um reflexo do semblante de Deus, porquanto Deus é a fonte de todo amor, seu manancial e garantia. Quando alguém ama e é amado, há algo de divino nisso; e quando buscamos o amor, buscamos a Deus, mesmo que não tenhamos consciência disso. O *amor* é, virtualmente, o único princípio que todas as filosofias e religiões aprovam de forma *unânime*. Nas religiões e filosofias mais avançadas, o amor é o princípio controlador e a grande inspiração. Não obstante, é *mais fácil odiar*. E muitos, embora donos de uma *teoria* correta, odeiam em nome do amor ou da espiritualidade.

33.11

קַח־נָא אֶת־בִּרְכָתִי אֲשֶׁר הֻבָאת לָךְ כִּי־חַנַּנִי אֱלֹהִים
וְכִי יֶשׁ־לִי־כֹל וַיִּפְצַר־בּוֹ וַיִּקָּח:

Aceitar Era Forçoso. Naquele tempo, no Oriente, rejeitar um presente era um ato de hostilidade. Já a aceitação era um ato de amizade. A última dúvida se Esaú queria causar dano ou não, e se Jacó havia achado mercê ou não, seria removida quando Esaú recebesse o presente de Jacó. Por isso, apesar de não querer o presente nem dele precisar, acabou por aceitá-lo. Nisso há toda uma lição espiritual. Deus oferece a sua salvação por meio da graça, mas ela não é eficaz enquanto a pessoa não a *aceita*. E, então, evapora-se a hostilidade entre o homem e Deus.

Ter Sorte. Ainda havia o envolvimento de outro fator. Era considerado um golpe de sorte receber um presente, e Deus era considerado a fonte de toda boa sorte. Ver 1Samuel 25.27; 30.26.

Compartilhando as Riquezas. A generosidade é um grande princípio ético. Ser generoso com os próprios bens é uma maneira de viver segundo a lei do amor. A generosidade faz parte da espiritualidade. O cristianismo de Tiago enfatiza a generosidade (Tg 2.14 ss.). Deus é a fonte de toda boa dádiva (Tg 1.17). Jacó, pois, queria *compartilhar* seus bens. Elohim, que lhe havia dado tantas bênçãos, jamais se mostraria pobre com ele. Continuaria a abençoar Jacó, para que este pudesse continuar compartilhando seus bens. Ver o detalhado artigo sobre *Liberalidade e Generosidade*, na *Enciclopédia de Bíblia, Teologia e Filosofia*.

Porque Deus amou o mundo de tal maneira que deu... (Jo 3.16).

33.12

וַיֹּאמֶר נִסְעָה וְנֵלֵכָה וְאֵלְכָה לְנֶגְדֶּךָ:

Eu seguirei junto de ti. Agora, Esaú e Jacó eram amigos, e Esaú propôs que viajassem juntos, até Seir (vs. 16). Mas suas veredas, que se tinham cruzado por tão pouco tempo, só haveriam de cruzar-se de novo até que os dois sepultassem Isaque, pai deles (Gn 35.29). Esaú, o mais extrovertido dos dois irmãos, queria prolongar o encontro. Mas Seir ficava fora da rota de Jacó. Ele estava seguindo em direção a Hebrom. E embora talvez tencionasse seguir após Esaú e visitá-lo em Seir (vs. 16), acabou não cumprindo a sua intenção. Se os dois homens tivessem examinado juntos os seus itinerários, teriam verificado que poderiam descer de Peniel a Hebrom (cerca de 160 km), permanecer ali por algum tempo (que é um lugar bem fora da rota), e, então, Esaú poderia ter ido sozinho até Seir, talvez viajando mais 160 km. Mas parece que Jacó não compartilhava do entusiasmo de Esaú quanto a uma viagem juntos. Além disso, ele estava ansioso por chegar *em casa*, após cerca de vinte anos "fora" de sua terra.

33.13

וַיֹּאמֶר אֵלָיו אֲדֹנִי יֹדֵעַ כִּי־הַיְלָדִים רַכִּים
וְהַצֹּאן וְהַבָּקָר עָלוֹת עָלָי וּדְפָקוּם יוֹם אֶחָד
וָמֵתוּ כָּל־הַצֹּאן:

As crianças e os animais novos não estavam fisicamente preparados para caminhar 160 km extras até Seir, e depois mais 160 km de volta a Hebrom. Era ótimo estar novamente com um irmão amigo, todos os antigos ferimentos cicatrizados; mas as crianças tinham prioridade. As razões de Jacó eram boas. Por outra parte, talvez seja verdade, conforme disse Cuthbert A. Simpson (*in loc.*), que Jacó "soltou um suspiro de alívio", quando Esaú dirigiu-se novamente ao deserto, sem que ninguém saísse prejudicado ou ferido. Seja como for, já tinha havido excitação suficiente para aquele dia, e Jacó, agora livre, tanto de Labão quanto de Esaú, sentia-se capaz de completar sua viagem de volta para *casa*. Estava apenas a cerca de 160 km dali. Quando um homem está voltando para casa, depois de uma longa ausência, é melhor não complicar o quadro.

O filho mais velho de Jacó, Rúben, deveria estar com 13 anos de idade, e José deveria ter 7 anos. Já estavam sofrendo muita tensão. A preocupação com os filhos é característica de um bom pai.

■ 33.14

יַעֲבָר־נָא אֲדֹנִי לִפְנֵי עַבְדּוֹ וַאֲנִי אֶתְנָהֲלָה לְאִטִּי
לְרֶגֶל הַמְּלָאכָה אֲשֶׁר־לְפָנַי וּלְרֶגֶל הַיְלָדִים עַד
אֲשֶׁר־אָבֹא אֶל־אֲדֹנִי שֵׂעִירָה׃

Eu seguirei... no passo do gado... e no passo dos meninos. Esaú poderia marchar rapidamente com seus homens armados. Mas Jacó seguiria lentamente com seus meninos e seus animais novos. E Jacó se encontraria com Esaú em *Seir* (ver o artigo detalhado sobre esse lugar no *Dicionário*; ver também as notas em Gn 14.6 e 32.3). Mas o encontro em Seir nunca aconteceu. "Posteriormente, ocorreram circunstâncias que tornaram impraticável ou mesmo impróprio o encontro. E descobrimos que posteriormente Esaú mudou-se para Canaã, e que ele e Jacó habitaram ali, juntos, por vários anos. Ver Gênesis 36.6,7" (Adam Clarke, *in loc.*). Depois de ter habitado em Canaã por algum tempo, Esaú regressou a Seir, porque ele e Jacó tinham ficado ricos demais para que a região pudesse suportar seus muitos animais.

"...ele se propôs a movimentar-se lentamente, como faria tanto um pai sábio, cuidadoso e terno com a sua família, quanto faria um pastor com o seu rebanho" (John Gill, *in loc.*).

■ 33.15

וַיֹּאמֶר עֵשָׂו אַצִּיגָה־נָּא עִמְּךָ מִן־הָעָם אֲשֶׁר אִתִּי
וַיֹּאמֶר לָמָּה זֶּה אֶמְצָא־חֵן בְּעֵינֵי אֲדֹנִי׃

Esaú Oferece Ajuda. Ele tinha homens fortes consigo. Queria deixar alguns deles para que ajudassem Jacó pelo caminho. Mas Jacó não via necessidade dessa ajuda, e deu-se por excusado. Jacó conhecia o caminho e não precisava de guias. As coisas estavam sob controle. Ele tinha encontrado *graça* diante de seu irmão. Feridas tinham sido curadas. Tinha havido uma completa reconciliação. Para ele, isso era suficiente, por isso declinou do oferecimento de ajuda por parte de Esaú. A benevolência de Esaú tinha sido suficiente para aquele encontro.

■ 33.16

וַיָּשָׁב בַּיּוֹם הַהוּא עֵשָׂו לְדַרְכּוֹ שֵׂעִירָה׃

Assim voltou Esaú... a Seir, esperando ver Jacó ali. Mas isso não sucedeu. Todavia, passaram juntos alguns anos em Canaã, sempre em um bom relacionamento (Gn 36.6,7). É bom quando antigas ofensas são reparadas e restituição é feita. Quantas disputas em família nunca são solucionadas, e os respectivos membros morrem com ódio no coração!

"Assim sendo, houve milagres na vida de Jacó e de Esaú. Em *Jacó*, Deus injetou o espírito de humildade e de generosidade. E Esaú foi transformado de um homem que buscava vingar-se para um homem que desejava reconciliar-se. Essas *mudanças* serviram de prova de que Deus havia dado a Jacó uma resposta à sua oração (32.11)" (Allen P. Ross, *in loc.*).

JACÓ EM SIQUÉM (33.17-20)

Os críticos atribuem esta pequena seção a uma combinação das fontes J, E e P(S.). Ver no *Dicionário* o artigo chamado J.E.D.P.(S.), quanto à teoria das fontes múltiplas do Pentateuco. *Sucote* (vs. 17) ainda não foi descoberta pela arqueologia, e o local é desconhecido, mas Juízes 9.28 indica que os filhos de Hamor formavam um dos clãs mais importantes de Siquém. Um terreno foi ali comprado e finalmente tornou-se o local do sepultamento de José (Js 24.32). Um santuário a Yahweh (para promover o Yahwismo) foi construído ali (vs. 20), razão pela qual evidentemente tornou-se outro centro da crescente nova fé. Jacó deve ter ficado ali por algum tempo, visto que lemos que ele se deu ao trabalho de construir ali uma casa, com acomodações para os seus animais (vs. 17). Finalmente, mudou-se para Hebrom, seu lar.

■ 33.17

וְיַעֲקֹב נָסַע סֻכֹּתָה וַיִּבֶן לוֹ בָּיִת וּלְמִקְנֵהוּ עָשָׂה סֻכֹּת
עַל־כֵּן קָרָא שֵׁם־הַמָּקוֹם סֻכּוֹת׃ ס

Sucote. Provi um detalhado artigo sobre esse local no *Dicionário*. Ver o segundo ponto do artigo. Outra cidade com esse nome, no Egito, também aparece em Êxodo 12.37. Esse termo significa *tendas*. Embora nada se saiba com certeza acerca da localização dessa cidade, em Canaã, ela tem sido tentativamente identificada com o Tell Akhsos ou com o Tell Deir'alla.

Nesse lugar, Jacó edificou uma *casa*, além de acomodações para seus animais. E com base nessa circunstância foi que o local recebeu sua designação. Isso indica que Jacó tencionava permanecer ali por algum tempo (não designado). Finalmente, porém, mudou-se para Hebrom, seu lar e seu alvo original. Não se sabe com certeza por que Jacó armou as tendas para seu gado, o que sem dúvida era algo incomum. Talvez quisesse protegê-los de animais predadores ou do mau tempo.

O Targum de Jerusalém diz que ele ficou ali por um ano; e Jarchi fala em dezoito meses. Mas ambas as informações são meras conjecturas.

■ 33.18

וַיָּבֹא יַעֲקֹב שָׁלֵם עִיר שְׁכֶם אֲשֶׁר בְּאֶרֶץ כְּנַעַן בְּבֹאוֹ
מִפַּדַּן אֲרָם וַיִּחַן אֶת־פְּנֵי הָעִיר׃

Chegou Jacó são e salvo à cidade de Siquém. Algumas traduções falam aqui em "Salém, uma cidade de Siquém". Mas a tradução correta é aquela que temos em nossa versão portuguesa. Aquelas traduções seguem a Septuaginta, a versão Siríaca Peshitta e a Vulgata. Se houve mesmo uma cidade chamada "Salém", então ela perdeu-se totalmente para nós, e nenhuma informação existe.

Siquém. No *Dicionário* ofereci um artigo detalhado sobre esse lugar. Era uma cidade que Hamor tinha construído, chamando-a pelo nome de seu filho. Trata-se da mesma Sicar de João 4.5. Jacó precisou atravessar o Jordão para chegar ao lugar, embora o texto não mencione o fato. O lugar ficava perto de Samaria. A palavra "Siquém" significa *ombro*. Não se sabe por que Hamor deu tal nome a um de seus filhos. Há informações sobre esse nome e sobre sua família em Gênesis 34; Josué 24.32 e Juízes 9.28. A cidade ficava a cerca de 32 km do rio Jordão, na terra de Canaã.

Jacó, a caminho de casa, foi conservado em segurança. Ele passou por Siquém (talvez tendo ficado ali por alguns anos), durante os quais Diná cresceu e se tornou donzela casadoura (Gn 34). Ele havia descido de Padã-Arã (Gn 25.20), lugar da residência de Labão. Tinha feito uma viagem de cerca de 750 km, e agora estava bem perto de casa. Mas antes de chegar, teria de passar pela desagradável experiência que envolveu a filha de Lia, Diná, única filha de Jacó mencionada em todo o Antigo Testamento. O relato figura no capítulo 34 do Gênesis. O incidente maculou tremendamente uma viagem que em tudo mais foi excelente, cheia de segurança e de alegria.

■ 33.19

וַיִּקֶן אֶת־חֶלְקַת הַשָּׂדֶה אֲשֶׁר נָטָה־שָׁם אָהֳלוֹ מִיַּד
בְּנֵי־חֲמוֹר אֲבִי שְׁכֶם בְּמֵאָה קְשִׂיטָה׃

A parte do campo... ele a comprou. A exemplo do que Abraão tinha feito (que comprara o campo de Macpela), um incidente narrado com detalhes no capítulo 23. Foi em Macpela que Sara e outros membros da família patriarcal foram sepultados. E o terreno agora comprado por Jacó tornou-se o lugar de sepultamento de José (Js 24.32). A compra feita por Jacó teve lugar cem anos após a compra feita por Abraão. Abraão tinha comprado seu terreno dos filhos de *Hete* ou hititas, e Jacó, dos filhos de Hamor.

Por cem peças de dinheiro. Não devemos pensar em moedas, uma invenção posterior, mas em um *peso*. Não há como traduzir o valor para termos modernos. O termo hebraico aqui usado é *qesitah*. Ver a *Enciclopédia de Bíblia, Teologia e Filosofia,* no artigo *Pesos e Medidas,* em seu quarto ponto, onde se lê que, talvez, fosse um lingote de prata com valor suficiente para comprar um cordeiro. Os amigos de Jó, quando ele se recuperou, deram-lhe cada qual uma quesita e um anel de ouro (Jó 42.11). Alguns intérpretes judeus supunham que Jacó tenha pago o terreno com cem *cordeiros*, embora não haja respaldo bíblico para isso. Estêvão (At 7.16) menciona o dinheiro dessa transação. Curiosamente, no livro de Atos, *Abraão* aparece como quem comprou esse terreno. Essa dificuldade é amplamente discutida no *Novo Testamento Interpretado*.

Hamor. Ver as notas em Gênesis 34.2.

33.20

וַיַּצֶּב־שָׁם מִזְבֵּחַ וַיִּקְרָא־לוֹ אֵל אֱלֹהֵי יִשְׂרָאֵל׃ ס

Levantou ali um altar. Apesar de suas boas qualidades, não se lê que Esaú tenha edificado algum altar. Abraão era um homem que levantava altares; e Jacó lhe seguia de perto as pisadas. Ver Gênesis 12.7; 13.4,18; 22.9; 26.25; 33.20; 35.1,3,7. O indivíduo voltado para as coisas materiais, ou mesmo o indivíduo bom que se satisfaz com sua vida comum, negligencia o lado espiritual de sua vida. Jacó, tal como seu avô, Abraão, distinguia-se por seu interesse espiritual e por suas experiências místicas (ver no *Dicionário* o verbete intitulado *Misticismo*). Ver também seus encontros com anjos, em Gênesis 28.12 ss.; 31.11; 32.24. Ver as notas sobre a *Adivinhação* em Gênesis 31.3. Ver no *Dicionário* os verbetes chamados *anjo* e *Altar*. Ele havia erigido um altar em Betel, após sua profunda experiência espiritual naquele lugar. Ver Gênesis 28.18 ss.

Deus, o Deus de Israel. No hebraico, *El-Elohe-Israel*. Isso antecedeu ao estabelecimento da confederação das doze tribos de Israel em Siquém, quando *El* (o nome semítico para *Deus*) foi substituído por *Yahweh*, o Deus de Israel (Js 20). Portanto, o Yahwismo estava em pleno desenvolvimento, e formava-se uma fé distintiva dos hebreus, o que é parcialmente indicado pelo uso de vários nomes divinos. Ver no *Dicionário* o artigo *Deus, Nomes Bíblicos de*.

A Permanência de Jacó em Siquém. Uma leitura casual do texto parece indicar que Jacó ficou em Siquém somente por uns poucos meses, mas, visto que Diná cresceu ali até chegar à idade própria de casar-se, devemos pensar antes em termos de alguns anos.

CAPÍTULO TRINTA E QUATRO

DINÁ É SEDUZIDA COM GRAVES CONSEQUÊNCIAS (34.1-31)

Os críticos atribuem esta seção (o capítulo inteiro) a uma combinação das fontes informativas *J* e *P(S)*. Ver no *Dicionário* o artigo intitulado *J.E.D.P.(S.)* quanto a informações sobre a teoria das fontes múltiplas do Pentateuco.

Diante de nós temos uma história de culpa e de insensatez. A culpa foi de Siquém, filho de Hamor; a insensatez foi de dois dos filhos de Jacó, que preferiram o homicídio ao casamento. Esta turbulenta história é uma daquelas estranhas mesclas de bem e de mal. Há muita comoção na violação de uma garota; e também há terror, assassínio e violência. Essa é a vida "crua", que a Bíblia nunca esconde de nós. Siquém cometeu um grande mal, mas procurou corrigir seu ato mediante o amor e o casamento. Mas a ira de dois dos irmãos de Diná transformou uma tragédia em uma tragédia maior ainda. As teias do pecado apanharam todos eles, causando desgraças para todos os lados. Temos nisso uma triste lição acerca do poder do pecado, o qual tratamos com tanta negligência. Dificilmente pecamos *sozinhos*. De alguma maneira, outras pessoas são envolvidas em nossos pecados ou em seus resultados. Duas tribos sofreram nessa oportunidade, porque um jovem permitiu-se ser arrebatado por suas paixões. A vida humana diária é repleta de paixões que avassalam, e a destruição torna-se descontrolada.

Havia fortes sentimentos contra casamentos com os cananeus, o que é ilustrado no capítulo 24 de Gênesis, onde o servo de Abraão viajou por cerca de 1.500 km (ida e volta), a fim de buscar uma noiva para Isaque. Outro tanto sucedeu a Jacó, o qual foi até Padã-Arã (por ordem de sua mãe, Rebeca), a fim de obter uma noiva dentre a família de Labão (Gn 29). Assim, se os irmãos de Diná continuaram com o espírito de Abraão acerca dessa questão (também ficaram indignados diante da violação de Diná), parece que o problema poderia ter sido solucionado sem a necessidade de apelar para o homicídio. Até Jacó ficou profundamente perturbado diante da "solução" violenta de Simeão e Levi (vs. 30).

A Amarga Colheita. "Jacó estava colhendo o que tinha plantado em seus anos maus (Gl 6.7,8)" (*Scofield Reference Bible, in loc.*). Ver no *Dicionário* o artigo intitulado *Lei Moral da Colheita segundo a Semeadura*.

34.1

וַתֵּצֵא דִינָה בַּת־לֵאָה אֲשֶׁר יָלְדָה לְיַעֲקֹב לִרְאוֹת בִּבְנוֹת הָאָרֶץ׃

Diná. Ver as notas sobre ela em Gênesis 30.21. Ela era a única filha de Jacó (por meio de Lia), de que se tem notícia na Bíblia. Sendo filha única, sem dúvida era muito amada por seu pai, por sua mãe e por seus irmãos. E esse sentimento sem dúvida foi um dos ingredientes na violência que resultou do defloramento da jovem.

Talvez Jacó e sua família já estivessem agora em Siquém por cerca de oito anos, conforme pensam alguns eruditos. Pelo menos Diná havia chegado à idade de casar-se, estando talvez com 14 anos.

Uma Visita Amigável. Diná saíra para visitar amigas. Foi um ato inocente. Os intérpretes imaginam daí mil coisas. Alguns chegam a objetar à *visita*, pensando que a família de Jacó deveria tê-la guardado melhor. Mas o registro do Gênesis mostra-nos que Abraão mantivera relacionamento amistoso com aqueles vizinhos, não havendo indicação alguma de que os patriarcas se separavam de seus vizinhos, exceto no tocante à questão do casamento. Alguns intérpretes (como Josefo) supõem que Diná tenha ido a uma festa dos cananeus, embora o texto faça silêncio a esse respeito. O Targum de Jonathan diz que ela estava curiosa para saber que tipos de vestes e de costumes as mulheres das circunvizinhanças usavam. Aben Ezra ajunta que ela foi sem o consentimento de seus pais, embora tais detalhes sejam meras conjecturas.

34.2

וַיַּרְא אֹתָהּ שְׁכֶם בֶּן־חֲמוֹר הַחִוִּי נְשִׂיא הָאָרֶץ וַיִּקַּח אֹתָהּ וַיִּשְׁכַּב אֹתָהּ וַיְעַנֶּהָ׃

Siquém, filho do heveu Hamor. Não dispomos de informes sobre esse homem, exceto o que podemos depreender do texto sagrado, embora as tradições adicionem detalhes duvidosos. "Ele era 'filho de Hamor, o heveu que desvirginou Diná, filha de Jacó e Lia, e foi morto por Simeão e Levi" (Gn 34; Js 24.32; Jz 9.28). Siquém viveu por volta de 1730 a.C. Hamor era um príncipe, portanto temos aqui o filho de um príncipe que se aproveitou de uma menina inocente, um ato de violência e sensualidade pelo qual ele precisou pagar muito caro. Seu pai era um *chefe*, e por isso Siquém pensava que poderia fazer o que bem entendesse, com impunidade.

Hamor. No hebraico, *asno*. Esse era o nome de um príncipe de Siquém, pai do jovem Siquém (nome que, de acordo com Josefo, significa rei). Siquém desvirginou Diná. Ela era a filha única de Jacó (Gn 34.2). Desse homem, Jacó tinha comprado um campo (Gn 33.19), que posteriormente serviu de lugar do sepultamento de José (Js 24.32). Atos 7.16 diz que a compra foi feita por Abraão. Discuto sobre o problema no *Novo Testamento Interpretado, in loc*. Hamor era um heveu. Ver a nota sobre os *heveus*, em Gênesis 10.17. O povo assim chamado descendia de Canaã, constituindo uma das várias populações que ocupavam o território de Canaã. Não temos nenhuma outra informação sobre Hamor além do que este texto nos sugere, exceto alguns poucos detalhes tradicionais duvidosos.

Humilhação e aflição era uma descrição judaica comum para a violação sexual de uma mulher.

34.3

וַתִּדְבַּק נַפְשׁוֹ בְּדִינָה בַּת־יַעֲקֹב וַיֶּאֱהַב אֶת־הַנַּעֲרָ וַיְדַבֵּר עַל־לֵב הַנַּעֲרָ׃

Sua alma se apegou a Diná. Não foi alguma paixão trivial. Siquém fez algo que não devia, mas quis corrigir o seu erro. Ver no *Dicionário* o artigo intitulado *Reparação (Restituição)*. Esse será sempre um sinal autêntico de arrependimento, requerido sempre que possível. Siquém quis reparar o seu ato errado mediante casamento. Ele estava apaixonado por Diná. Sua alma se tinha apegado a ela. Tinha errado gravemente, mas agora queria reparar o seu erro. *Implorou* que seu pai conseguisse Diná como sua esposa. Procurou corrigir seu erro falando ternamente com ela, na esperança de eliminar a desgraça dela e obter o seu amor. Ele tinha usado a força, mas agora tentava obter amor.

■ 34.4

וַיֹּאמֶר שְׁכֶם אֶל־חֲמוֹר אָבִיו לֵאמֹר קַח־לִי
אֶת־הַיַּלְדָּה הַזֹּאת לְאִשָּׁה׃

Um Pedido Especial. Siquém não estava apenas tentando melhorar uma situação errada, nem fingia amar a jovem Diná. Seus sentimentos eram tão profundos por Diná como os de Jacó por Raquel. Poderia ser outra grande história de amor, mas o pecado havia estragado tudo de forma irreparável.

"Siquém, como fazem muitos homens em qualquer tempo, havia cometido uma grande maldade, não de forma deliberada, mas através de um impulso súbito e da falta de autocontrole, que podem transformar um homem em um desvairado moral" (Walter Russell Bowie, *in loc.*). Conheci o filho de um pastor que, em uma súbita paixão, violentou uma mulher em um hospital, onde ele trabalhava. Em resultado de seu ato tresloucado, passou vários anos em uma prisão, enquanto seus familiares agonizavam por causa da questão.

O versículo 26 deste capítulo indica que houve algum progresso nas negociações, parecendo que ia haver casamento. Diná chegou a ficar na casa de Hamor, não se sabe dizer por quanto tempo.

■ 34.5

וְיַעֲקֹב שָׁמַע כִּי טִמֵּא אֶת־דִּינָה בִתּוֹ וּבָנָיו הָיוּ
אֶת־מִקְנֵהוּ בַּשָּׂדֶה וְהֶחֱרִשׁ יַעֲקֹב עַד־בֹּאָם׃

Quando soube Jacó. De coração confrangido, ele ouviu a notícia estarrecedora. E então transmitiu a péssima notícia a seus filhos. Naquele momento, Siquém era um homem morto, para todos os efeitos práticos.

Jacó poderia tentar vingar-se ou poderia mostrar-se moderado. Mas ele não era adversário à altura para os heveus. Aos irmãos de Diná caberia o dever de efetuar a vingança. Pacientemente, Jacó suportou sozinho toda a dor, sem acusar Lia por haver permitido que sua filha andasse à vontade pela vizinhança, e sem se deixar arrebatar pela ira.

■ 34.6

וַיֵּצֵא חֲמוֹר אֲבִי־שְׁכֶם אֶל־יַעֲקֹב לְדַבֵּר אִתּוֹ׃

Hamor. Ver as notas sobre esse homem em Gênesis 34.2. Na qualidade de pai de Siquém, ele tomou sobre si o dever de tentar acalmar as coisas, buscando conseguir Diná como esposa para seu filho. E tentou arranjar o casamento com Jacó, pai de Diná, conforme era costumeiro. E Hamor tomou a iniciativa, atendendo ao pedido de seu filho (vs. 4).

■ 34.7

וּבְנֵי יַעֲקֹב בָּאוּ מִן־הַשָּׂדֶה כְּשָׁמְעָם וַיִּתְעַצְּבוּ הָאֲנָשִׁים
וַיִּחַר לָהֶם מְאֹד כִּי־נְבָלָה עָשָׂה בְיִשְׂרָאֵל לִשְׁכַּב
אֶת־בַּת־יַעֲקֹב וְכֵן לֹא יֵעָשֶׂה׃

A Ira dos Filhos de Jacó. O costume dizia que os irmãos de uma jovem violentada deveriam vingar-se por ela; e agora eles ansiavam por cumprir o seu papel. Estavam revoltados e consternados, uma combinação de emoções que facilmente desandaria em violência.

Siquém praticara um desatino em Israel. Uma expressão muito usada no Antigo Testamento para indicar pecados de natureza sexual. Ver Deuteronômio 22.21; Juízes 19.23,24; 20.6,10; 2Samuel 13.12,13; Jeremias 29.23. A expressão é usada em Josué 7.15 para aludir à impiedade de Acã, ao ficar com certos objetos, por ocasião da captura de Jericó, contra uma estrita proibição divina.

Em Israel. O pessoal de Jacó, assim chamado, porque estes registros foram compilados quando Israel já era uma nação, e esse vocábulo foi aqui inserido como um anacronismo. *Quanto tempo* depois que Israel se tornara uma nação, não se sabe dizer. Os eruditos liberais escolhem uma data posterior, de acordo com a teoria das fontes múltiplas do Pentateuco, chamada *J.E.D.P.(S.).* Ver sobre esse assunto no *Dicionário*.

O que se não devia fazer. De acordo com qualquer julgamento da razão, da moralidade ou da civilidade, Siquém havia praticado algo grosseiro e cruel.

"Tolo é aquele que se recusa a reconhecer suas obrigações para com a comunidade à qual pertence. A insensatez, ato de um insensato, por conseguinte, é um ato criminosamente irresponsável, que contribui para a desintegração social e individual" (Cuthbert A. Simpson, *in loc.*).

Por nossas loucuras, que duram tanto,
Mantemos separada a terra do céu.
Edward Rowland Sill, *The Fool's Prayer*

■ 34.8

וַיְדַבֵּר חֲמוֹר אִתָּם לֵאמֹר שְׁכֶם בְּנִי חָשְׁקָה נַפְשׁוֹ
בְּבִתְּכֶם תְּנוּ נָא אֹתָהּ לוֹ לְאִשָּׁה׃

A alma de meu filho... está enamorada. Portanto, que Siquém e Diná se casassem, e todos ficassem em paz. Essa foi a mensagem simples e direta de Hamor. Mas havia obstáculos que ele não antecipara, sobretudo que o mal tinha de ser punido. Ademais, a família de Jacó não se casava com os cananeus, e essa atitude dificilmente se modificaria. Hamor tentou simplificar um problema complexo. Alguns problemas não têm solução fácil.

Peço-vos. Estão aqui em foco Jacó *e* seus filhos. Na antiguidade, os casamentos eram contratados entre os chefes das famílias, o que já vimos em Gênesis 24.50,51,55,59. Ver no *Dicionário* o artigo intitulado *Matrimônio*.

■ 34.9

וְהִתְחַתְּנוּ אֹתָנוּ בְּנֹתֵיכֶם תִּתְּנוּ־לָנוּ וְאֶת־בְּנֹתֵינוּ תִּקְחוּ
לָכֶם׃

Aparentai-vos conosco. Hamor pensava que era boa a ideia de casamentos entre os filhos de Israel e os cananeus. Ele estava propondo uma mescla de tribos, e não somente um casamento. Este seria apenas um começo. Haveria então uma cooperação de recursos, de natureza social e comercial, e todos se beneficiariam daí. Ele estava simplificando um problema complexo. Em primeiro lugar, deveria haver vingança pelo erro cometido; em segundo lugar, a família de Jacó, desde duas gerações atrás, não se casava com cananeus. Quando Esaú fizera isso, caíra em desfavor. Gênesis 26.34,35. Abraão fizera um grande esforço para evitar que Isaque se casasse com alguma donzela das tribos locais (Gn 24.3,4), e Jacó e Raquel e Lia tinham seguido esse exemplo (Gn 28.1 ss.). Posteriormente, tentando corrigir seu erro, Esaú casou-se com uma neta de Abraão, uma filha de Ismael.

Essa forma de exclusivismo passou para o povo de Israel, quando este se organizou como nação, ainda que a regra tenha sido violada por muitas vezes. Isso também tornou-se parte da lei de Moisés (Dt 7.3). No cristianismo prossegue o princípio, embora não sobre bases raciais. Deve haver compatibilidade *espiritual* entre os crentes (2Co 6.14 ss.). Antigas distinções raciais e nacionais foram obliteradas no cristianismo (Gl 3.28,29).

Filha Única. Por essa altura, Diná era filha *única* de Israel (Jacó). E teria sido um mau precedente se essa *única* filha se tornasse esposa de um cananeu.

■ 34.10

וְאִתָּנוּ תֵּשֵׁבוּ וְהָאָרֶץ תִּהְיֶה לִפְנֵיכֶם שְׁבוּ וּסְחָרוּהָ
וְהֵאָחֲזוּ בָּהּ׃

Paz e Comércio. Quando duas tribos habitam um mesmo território mas se hostilizam, os negócios e a prosperidade não somente empacam, como até são destruídos. A paz produz a prosperidade, pois as energias vitais de uma pessoa não são dilapidadas em atos violentos. Hamor sabia do que estava falando. A história das tribos daquela região era continuamente coalhada por sangue e violência. O vs. 23 mostra uma certa duplicidade. Hamor estava querendo vantagens para si mesmo e para sua gente, e não apenas um benefício mútuo para cananeus e israelitas. Ou, então, falou como falou a fim de garantir um acordo, na esperança de que ele redundasse em benefício mútuo, por fim.

Fim do Nomadismo. A família de Abraão seguia um regime de seminomadismo. O oferecimento de Hamor permitiria uma maneira de vida estável, voltada para a agricultura, as artes e as ciências. Eles seriam *donos de propriedades*, e não apenas criadores de gado, sempre vagueando. O esforço por *obter uma propriedade* sempre foi um dos principais motivos da vida humana. O fato de que a maioria dos homens nunca é capaz de prover *casa própria* para seus familiares (ou que precisam trabalhar por trinta anos para conseguirem essa provisão) demonstra a pobreza em que se debate a raça humana. As propostas de Hamor eram aparentemente honrosas, sábias e generosas. Ele estava oferecendo uma boa barganha, que operaria mediante casamentos mistos; mas também estava querendo simplificar um problema muito complexo.

■ 34.11

וַיֹּאמֶר שְׁכֶם אֶל־אָבִיהָ וְאֶל־אַחֶיהָ אֶמְצָא־חֵן בְּעֵינֵיכֶם וַאֲשֶׁר תֹּאמְרוּ אֵלַי אֶתֵּן׃

E o próprio Siquém disse. Portanto, o próprio Siquém fez adições ao que seu pai já havia proposto. Seu pai havia prometido muita coisa. Agora o próprio Siquém fez sugestões, aproveitando o ensejo para falar com Jacó e seus filhos. Ele *compraria* Diná por meio de um vultoso dote, tal como Jacó havia feito, porquanto havia trabalhado por catorze anos a fim de *adquirir* Lia e Raquel (Gn 29.20,27; 31.15). As atitudes de Siquém demonstraram o quanto ele amava Diná. Ele não estava negando coisa alguma.

■ 34.12

הַרְבּוּ עָלַי מְאֹד מֹהַר וּמַתָּן וְאֶתְּנָה כַּאֲשֶׁר תֹּאמְרוּ אֵלָי וּתְנוּ־לִי אֶת־הַנַּעֲרָ לְאִשָּׁה׃

Majorai de muito o dote. No hebraico, dote é *mohar.* Esse era o preço pago por uma noiva aos seus pais. Outros parentes da noiva também podiam esperar ganhar alguma coisa (Gn 24.53). Além disso, era usual que o noivo desse um ou mais presentes (no hebraico, *matthan*) à noiva. E, em outras ocasiões, o dote era dado inteiramente à noiva. Esse dote podia ser pago sob a forma de trabalho, o que ficou demonstrado no caso de Jacó.

A questão da sedução de donzelas foi regulamentada sob a legislação mosaica. Ver Êxodo 22.16,17. No *Dicionário* ver o artigo intitulado *Dote.*

■ 34.13

וַיַּעֲנוּ בְנֵי־יַעֲקֹב אֶת־שְׁכֶם וְאֶת־חֲמוֹר אָבִיו בְּמִרְמָה וַיְדַבֵּרוּ אֲשֶׁר טִמֵּא אֵת דִּינָה אֲחֹתָם׃

Responderam com dolo. Concordaram dos lábios para fora, mas em seu coração eles já haviam planejado o assassinato em massa. Esse plano estava baseado na ira e no desgosto, diante do estupro de Diná. A maioria dos homens de pouco precisa para sentir-se inspirada a enganar ao próximo. Basta um pouco de vantagem própria. Ver no *Dicionário* o artigo *Mentir (Mentiroso).* As palavras "com dolo" aqui usadas foram traduzidas por *com sabedoria,* por Onkelos, Jonathan e Jarchi, mas isso é uma distorção do texto sagrado.

■ 34.14

וַיֹּאמְרוּ אֲלֵיהֶם לֹא נוּכַל לַעֲשׂוֹת הַדָּבָר הַזֶּה לָתֵת אֶת־אֲחֹתֵנוּ לְאִישׁ אֲשֶׁר־לוֹ עָרְלָה כִּי־חֶרְפָּה הִוא לָנוּ׃

A Circuncisão é Exigida. Esse era o sinal externo do Pacto Abraâmico (ver Gn 17.10 e os artigos *Circuncisão* e *Pactos,* em sua quarta seção, no *Dicionário,* e também as notas expositivas em Gênesis 15.18 sobre o *Pacto Abraâmico*).

Isso nos seria ignomínia. Não ter sido circuncidado era não fazer parte do Pacto Abraâmico, e era desobedecer à aliança que Deus fizera com Abraão sobre essa questão. Nisso os filhos de Jacó estavam com a razão. "Mas fazer desse princípio santo uma capa para seus propósitos dolosos e assassinos era o cúmulo da iniquidade" (Adam Clarke, *in loc.*).

■ 34.15

אַךְ־בְּזֹאת נֵאוֹת לָכֶם אִם תִּהְיוּ כָמֹנוּ לְהִמֹּל לָכֶם כָּל־זָכָר׃

Circuncidando-se todo macho entre vós. Essa foi a condição imposta pelos filhos de Jacó aos homens da tribo de Hamor. Isso não lhes conferiria a fé de Abraão, mas removeria deles o estigma da incircuncisão. Mas talvez, na mente dos filhos de Jacó, isso nada lhes conferiria, pois, desde o começo, a questão inteira era um artifício.

■ 34.16

וְנָתַנּוּ אֶת־בְּנֹתֵינוּ לָכֶם וְאֶת־בְּנֹתֵיכֶם נִקַּח־לָנוּ וְיָשַׁבְנוּ אִתְּכֶם וְהָיִינוּ לְעַם אֶחָד׃

Seremos um só povo. Os casamentos mistos, depois de algum tempo, criariam um único povo. Todavia, a última coisa que os filhos de Jacó queriam era ser um só povo com os cananeus. Os filhos de Jacó falavam em tom razoável (vs. 18), mas a violência ocultava-se por trás de palavras agradáveis. Somente em Cristo é que todas as nações tornam-se *uma só* (Gl 3.28,29). O rito da circuncisão não pode fazer isso, nem casamentos mistos. Para que dois sejam um, é mister que haja unidade de alma, e não só de condições externas. Podemos entender, todavia, que os filhos de Jacó queriam dizer que, mediante a circuncisão, os cananeus se tornariam religiosamente orientados, o que os prepararia para aceitar as doutrinas e as práticas de Abraão, mas o próprio texto não aponta para nenhuma revolução dessa natureza. Mas para que entrar em detalhes sobre um plano ardiloso, que visava a enganar?

■ 34.17

וְאִם־לֹא תִשְׁמְעוּ אֵלֵינוּ לְהִמּוֹל וְלָקַחְנוּ אֶת־בִּתֵּנוּ וְהָלָכְנוּ׃

E nos retiraremos embora. "Se vocês não concordarem, partiremos daqui", ameaçaram eles. A ameaça era somente levar Diná dali; mas isso constituía uma grande ameaça, por causa do grande amor de Siquém por ela. O vs. 26 mostra-nos que Diná estava na casa de Siquém. Por que ela não havia retornado, não é explicado. É difícil crer que ela tivesse ficado ali retida à força. Talvez ela tivesse concordado em casar-se com Siquém, dependendo de negociações com seu pai, pelo que estava hospedada na casa de seu futuro sogro, até que as negociações tivessem sido concluídas.

"E retiraremos nossa filha à força." Esse é o fraseado do Targum de Jonathan, o que talvez indique que Diná estava sendo retida na casa de Hamor contra a sua vontade.

■ 34.18

וַיִּיטְבוּ דִבְרֵיהֶם בְּעֵינֵי חֲמוֹר וּבְעֵינֵי שְׁכֶם בֶּן־חֲמוֹר׃

Tais palavras agradaram. Hamor e Siquém não fizeram exigências descabidas, mas somente aquilo que contribuía para seu próprio interesse, não impondo condições impossíveis ou mesmo difíceis de cumprir.

É provável que o rito da circuncisão não fosse desconhecido à tribo de Hamor, e que até fosse encarado de modo favorável, embora não praticado por eles. Pelo menos, eles não se ofenderam nem sentiram repugnância. A circuncisão era praticada por muitos povos antigos, o que se vê no artigo sobre esse rito, no *Dicionário.*

■ 34.19

וְלֹא־אֵחַר הַנַּעַר לַעֲשׂוֹת הַדָּבָר כִּי חָפֵץ בְּבַת־יַעֲקֹב וְהוּא נִכְבָּד מִכֹּל בֵּית אָבִיו׃

Não tardou o jovem. Siquém não perdeu tempo. Mais tarde haveria necessidade de a tribo inteira concordar em receber o rito. Isso seria conseguido mediante um apelo indireto à cobiça deles (vs. 2), o que pode ter sido dito com seriedade ou não. Mas tudo não passava de outro ardil.

Era o mais honrado. Em um momento de desvario, ele havia desvirginado Diná. Mas fora de certos impulsos desastrosos, ele era, normalmente, o mais honrado elemento da tribo de seu pai. Portanto, ele cumpriu prontamente a parte que lhe cabia, começando a corrigir o erro para poder casar-se com Diná, por causa do grande amor que lhe votava.

34.20

וַיָּבֹא חֲמוֹר וּשְׁכֶם בְּנוֹ אֶל־שַׁעַר עִירָם וַיְדַבְּרוּ אֶל־אַנְשֵׁי עִירָם לֵאמֹר׃

À porta da sua cidade. Hamor e Siquém reuniram os anciãos da cidade a fim de discutir sobre a questão, exortando outros a concordar com o trato que tinham acabado de firmar com Jacó. Quanto a consultas e a negócios efetuados na *porta* de uma cidade, ver Gênesis 19.1 e 23.10. Ver também 2Samuel 15.2; Neemias 8.1; Salmo 69.12 e o artigo intitulado *Portão*, no *Dicionário*, sobretudo em sua segunda seção.

À porta. "Era ali que se efetuavam os tribunais de julgamento, bem como se resolviam todas as questões públicas acerca do interesse comum dos habitantes da cidade" (John Gill, *in loc.*).

34.21

הָאֲנָשִׁים הָאֵלֶּה שְׁלֵמִים הֵם אִתָּנוּ וְיֵשְׁבוּ בָאָרֶץ וְיִסְחֲרוּ אֹתָהּ וְהָאָרֶץ הִנֵּה רַחֲבַת־יָדַיִם לִפְנֵיהֶם אֶת־בְּנֹתָם נִקַּח־לָנוּ לְנָשִׁים וְאֶת־בְּנֹתֵינוּ נִתֵּן לָהֶם׃

Estes homens são pacíficos. Até ali, Jacó com seus familiares e os habitantes da região tinham sido bons vizinhos. Eram criadores de gado, seminômades, e não guerreiros. Coisa alguma tinham jamais furtado, nem provocado contenção alguma. Isso os recomendava para que se fizesse com eles um pacto de amizade e casamentos mistos, a fim de que os dois povos, os heveus e Israel (este ainda em formação), pudessem tornar-se *um só* povo. O território era *espaçoso* o bastante para ambos, fazendo contraste com o caso de Abraão e Ló, que precisaram separar-se (Gn 13.8 ss.), e também em contraste com a situação que, ainda recentemente, surgira entre Jacó e Esaú (Gn 36.7 ss.).

A Troca de Filhas. Ver as notas sobre os vs. 9 e 16 deste capítulo, quanto à questão dos casamentos mistos, que inclui a relutância dos membros da família de Abraão em misturar-se por casamento com as tribos cananeias, que viviam à sua volta. Nem os heveus nem a família de Jacó eram numerosos na época, e, conforme parecia a Hamor e a Siquém, seria benéfico para ambos os grupos que eles fortalecessem seus recursos humanos e materiais.

34.22

אַךְ־בְּזֹאת יֵאֹתוּ לָנוּ הָאֲנָשִׁים לָשֶׁבֶת אִתָּנוּ לִהְיוֹת לְעַם אֶחָד בְּהִמּוֹל לָנוּ כָּל־זָכָר כַּאֲשֶׁר הֵם נִמֹּלִים׃

Consentirão os homens em habitar conosco. Mas o acordo dependia da circuncisão dos homens heveus, sinal do Pacto Abraâmico. Pode-se presumir (embora o próprio texto sagrado nada diga a esse respeito) que os heveus haveriam de seguir a nova fé, que se estava desenvolvendo no Yahwismo. Ver os vss. 14 e 15 quanto a essa condição, que foi proposta de modo *ardiloso*. O assassinato em massa estava no coração dos filhos de Jacó, e não as ideias de incorporação e de unificação.

34.23

מִקְנֵהֶם וְקִנְיָנָם וְכָל־בְּהֶמְתָּם הֲלוֹא לָנוּ הֵם אַךְ נֵאוֹתָה לָהֶם וְיֵשְׁבוּ אִתָּנוּ׃

Seus animais não serão nossos? Os heveus estabeleceriam com os filhos de Israel uma aliança e, sendo mais numerosos que eles, haveriam de absorvê-los, incorporando Jacó e sua família. Desse modo, eles se tornariam heveus, e não israelitas. Assim, a barganha, que começara como estrada de duas mãos, terminaria *favorável* a eles. Este versículo mostra-nos que os heveus também estavam promovendo uma *armadilha,* tal como o tinham feito os filhos de Jacó, embora segundo um método pacífico, e não violento. Alguns eruditos, porém, pensam que essa declaração servia apenas de *isca,* para obter a cooperação de toda a comunidade dos heveus, não envolvendo nenhuma proposta séria de incorporação e dominação. Não há como saber o que eles, realmente, pretendiam. Mas se este versículo não contém um *ardil,* então as ideias do vs. 21 são aqui contraditas.

Consintamos. Com a dupla finalidade de manter a paz e de agradar o jovem Siquém, o mais honrado dentre os heveus, ao qual todos os heveus respeitavam (vs. 19).

34.24

וַיִּשְׁמְעוּ אֶל־חֲמוֹר וְאֶל־שְׁכֶם בְּנוֹ כָּל־יֹצְאֵי שַׁעַר עִירוֹ וַיִּמֹּלוּ כָּל־זָכָר כָּל־יֹצְאֵי שַׁעַר עִירוֹ׃

Houve Cooperação Geral. Todos os varões foram circuncidados, sem nenhuma exceção. O poder dos chefes asiáticos era quase absoluto, e os povos da região estavam acostumados a prestar *obediência passiva*. Além disso, haviam sido apresentados argumentos convincentes, e todos queriam honrar Siquém. Ninguém entre os heveus haveria de desapontá-lo.

34.25

וַיְהִי בַיּוֹם הַשְּׁלִישִׁי בִּהְיוֹתָם כֹּאֲבִים וַיִּקְחוּ שְׁנֵי־בְנֵי־יַעֲקֹב שִׁמְעוֹן וְלֵוִי אֲחֵי דִינָה אִישׁ חַרְבּוֹ וַיָּבֹאוּ עַל־הָעִיר בֶּטַח וַיַּהַרְגוּ כָּל־זָכָר׃

E mataram os homens todos. Foi uma matança completa. Lemos que somente Simeão e Levi estiveram ocupados nessa tarefa sangrenta. Isso indica que os heveus não eram numerosos. Os homicídios foram cometidos quando os súditos de Hamor mais estavam sofrendo. Portanto, o ardil foi seguido por traição. Muitos estudiosos pensam que só Simeão e Levi são mencionados por terem agido como *líderes* na matança, e não porque somente eles usaram da espada. Essa ideia é razoável, embora o texto sacro não explicite isso. Simeão, Levi e Diná tinham a mesma mãe (Lia); e foram eles dois, naturalmente, que assumiram a liderança no massacre. Rúben, que também era irmão de Diná, opunha-se ao derramamento de sangue (Gn 37.22), e provavelmente por isso mesmo não participou do morticínio. Em uma ocasião posterior, Jacó manifestou-se sobre o que acontecera naquele dia, em termos da mais decisiva desaprovação (Gn 49.5-7).

"Ainda que a provocação tenha sido muito grave (e sem dúvida assim foi), esse foi um ato sem paralelo de traição e de crueldade" (Adam Clarke, *in loc.*).

Josefo retrata os heveus como quem não só estava sofrendo por causa da recente operação da circuncisão, mas também como quem sofria devido às suas muitas festas e pesada ingestão de vinho. Nesse caso, mostraram-se vítimas fáceis.

"Assim, Siquém havia praticado um *desvario*, e tornara-se culpado do fato. Merecia ser castigado, e os filhos de Jacó estavam resolvidos a ser os agentes castigadores. Mas o que fizeram foi pior do que a ofensa original, mais cruel, mais odioso e mais arruinador. Seus detalhes feios ficaram registrados no relato bíblico, incluindo as palavras de ludíbrio calculado, e então a traição, e, finalmente, a matança sem dó" (Walter Russell Bowie, *in loc.*).

Simeão e Levi mostraram como homens carnais costumam defender o seu alegado direito de maneiras violentas e destrutivas, e também como homens radicais pretendem defender Deus e a verdade usando métodos irracionais e pecaminosos. Esses homens, estribando-se em uma alegada superioridade espiritual, golpeiam e queimam outros seres humanos.

34.26

וְאֶת־חֲמוֹר וְאֶת־שְׁכֶם בְּנוֹ הָרְגוּ לְפִי־חָרֶב וַיִּקְחוּ אֶת־דִּינָה מִבֵּית שְׁכֶם וַיֵּצֵאוּ׃

Os Alvos Centrais da Violência. Siquém merecia ser punido. Mas que dizer sobre o pai dele? E mereceria ele *esse* tipo de punição? O texto bíblico não esclarece por que Diná continuava na casa de Siquém. Também não há nenhum indício de que estivesse sendo forçada a isso. Talvez ela continuasse ali, esperando pelo resultado das negociações. Talvez estivesse envergonhada e temerosa de voltar à casa paterna. Ou, então, fora até ali, após ter sido feito o acordo em torno da circuncisão dos homens heveus.

"Siquém era o principal ofensor, e seu crime fora hediondo. Mas considerando que, em seguida, fez o quanto pôde para corrigir seu erro e para recompensar pela injúria causada, ele merecia outro tratamento; pelo menos, deveria ter-lhe sido demonstrada misericórdia" (John Gill, *in loc.*). Hamor talvez se tenha mostrado por demais indulgente com seu filho, mas dificilmente o ato era passível de morte.

■ **34.27**

בְּנֵי יַעֲקֹב בָּאוּ עַל־הַחֲלָלִים וַיָּבֹזּוּ הָעִיר אֲשֶׁר טִמְּאוּ אֲחוֹתָם׃

Os filhos de Jacó. Talvez isso aponte para todos os filhos de Jacó que tinham idade suficiente. Nem todos participaram do homicídio, mas todos participaram do saque.

Saquearam a cidade. A mente criminosa geralmente ofende de *três* maneiras: a. ela atenta contra a integridade física de outra pessoa; b. rouba; e c. o que não consegue roubar, destrói insensatamente. Simeão e Levi agiram como criminosos comuns. O saque sempre foi um corolário da guerra. Neste caso, fez parte da vingança. O autor sacro precisou de três versículos (vss. 27-29) para narrar os horrendos detalhes dos atos covardes e criminosos dos dois irmãos. E eles haveriam de tornar-se patriarcas de Israel!

Aos mortos. Somente um deles, Siquém, tinha cometido o crime de estupro, mas *todos* os heveus, indistintamente, foram considerados culpados pelos filhos de Jacó.

■ **34.28**

אֶת־צֹאנָם וְאֶת־בְּקָרָם וְאֶת־חֲמֹרֵיהֶם וְאֵת אֲשֶׁר־בָּעִיר וְאֶת־אֲשֶׁר בַּשָּׂדֶה לָקָחוּ׃

Levaram Tudo. A pilhagem foi completa. Moisés enumerou as várias coisas que eram tidas como valiosas, ou seja, as *riquezas* dos antigos, que se compunham principalmente de animais, vestes, terras, metais preciosos, vinhas e outras plantações. O que pôde ser levado, os filhos de Jacó levaram. Provavelmente também confiscaram suas terras, plantações e vinhas. O vs. 29 diz, "todos os seus bens".

■ **34.29**

וְאֶת־כָּל־חֵילָם וְאֶת־כָּל־טַפָּם וְאֶת־נְשֵׁיהֶם שָׁבוּ וַיָּבֹזּוּ וְאֵת כָּל־אֲשֶׁר בַּבָּיִת׃

O Terror. Não somente apossaram-se de "todos os bens" dos heveus, mas também levaram suas mulheres e suas crianças, e "limparam" as suas casas. O autor sagrado retratou os *feios detalhes* desse ato condenável em que se envolveram os patriarcas de Israel!

"Assim como Jacó desaprovou os atos injustos, cruéis, sanguinolentos e pérfidos de seus filhos, assim também, sem dúvida, deixou os cativos em liberdade, devolvendo-lhes seu gado e seus bens" (John Gill, *in loc.*, que assim expressou uma nobre esperança, da qual o texto sagrado nada fala).

■ **34.30**

וַיֹּאמֶר יַעֲקֹב אֶל־שִׁמְעוֹן וְאֶל־לֵוִי עֲכַרְתֶּם אֹתִי לְהַבְאִישֵׁנִי בְּיֹשֵׁב הָאָרֶץ בַּכְּנַעֲנִי וּבַפְּרִזִּי וַאֲנִי מְתֵי מִסְפָּר וְנֶאֶסְפוּ עָלַי וְהִכּוּנִי וְנִשְׁמַדְתִּי אֲנִי וּבֵיתִי׃

Jacó sob Suspeita. Quem confiaria nele de novo? Quem haveria de querer residir perto dele novamente? As pessoas nunca parariam de falar sobre Jacó e seus filhos traiçoeiros. Outros haveriam de querer tirar vingança. Jacó se veria apertado por todos os lados. Seus filhos haviam reagido exageradamente, para dizer o mínimo. E outros haveriam de reagir com exagero e em termos iguais.

"...por causa de sua ira desenfreada, eles [Simeão e Levi] haveriam, mais tarde, de ser deixados para trás, na bênção de Jacó (Gn 49.5-7)" (Allen P. Ross, *in loc.*).

Declarou Jacó: *"Maldito seja o seu furor, pois era forte, e a sua ira, pois era dura".*

Gênesis 49.7

Esses filhos de Jacó e seus descendentes, ao que parece, continuaram com seus atos violentos. O incidente que envolveu Siquém não foi um ato isolado. Jacó avaliou corretamente os seus atos, e corretamente falou contra eles, negando-lhes a sua bênção maior.

"Aquele ato de violência, que ameaçou as boas relações entre a família de Jacó e os cananeus, reflete eventos que forçaram Simeão e Levi a abandonar a área, e que levaram ao seu declínio em poder (Gn 49.5-7) (Notas da *Oxford Annotated Bible, in loc.*).

Cananeus. Ver no *Dicionário* o artigo *Canaã, Cananeus.*
Ferezeus. Ver no *Dicionário* o artigo *Perezeus (Ferezeus).*

■ **34.31**

וַיֹּאמְרוּ הַכְזוֹנָה יַעֲשֶׂה אֶת־אֲחוֹתֵנוּ׃ פ

Responderam. Os filhos de Jacó tinham um motivo justo para tirarem vingança. Mas não *para aquela vingança* que tinham efetuado.

Prostituta. Essa é a primeira menção à palavra, na Bíblia. Não há que duvidar de que a prostituição é uma das mais antigas profissões humanas, excetuando talvez a agricultura. Ver o artigo *Prostituta, Prostituição,* no *Dicionário*. O termo hebraico *zonah* indica uma mulher que se prostitui por dinheiro ou por alguma vantagem material. O trecho de Provérbios 7.10 ss. adverte contra esse mal. Diná era uma donzela inocente, e não deveria ter sido tratada como uma mulher de má vida. Talvez, conforme têm pensado alguns intérpretes judeus, ela tivesse ido a uma festividade pagã, estando deslocada de seu lugar apropriado. Ou, então, conforme têm pensado alguns escritores, Jacó e Lia não deveriam tê-la autorizado a ir. Fosse como fosse, ela não merecia o tratamento que recebeu da parte de Siquém. Ainda assim, a vingança praticada por seus irmãos foi diabólica e não há argumento que a possa justificar.

CAPÍTULO TRINTA E CINCO

RENOVAÇÃO DA PROMESSA DE BETEL (35.1-29)

JACÓ VOLTA A BETEL (35.1-15)

Os críticos atribuem esta seção a uma combinação das fontes informativas E e P(S). Ver no *Dicionário* o artigo *J.E.D.P.(S.),* quanto à teoria das fontes múltiplas do Pentateuco.

Jacó tinha permanecido por alguns anos em Siquém, talvez por causa de vantagens econômicas. Mas parece que foi preciso outra profunda experiência (mística) espiritual para fazê-lo voltar à sua terra, Hebrom (Gn 37.1). Voltaria para casa, mas antes faria uma parada em Betel, onde edificaria outro altar e receberia mais instruções divinas. Quase trinta anos antes, Jacó tinha feito um voto e uma promessa em Betel (Gn 28.20,21). Agora, ele deveria renovar seus votos e seus propósitos espirituais. Jacó havia completado um *ciclo,* indo de Berseba a Padã-Arã, e, então, voltou à área de Berseba ou Hebrom, lugares esses onde Abraão e Isaque tinham residido, os quais ficavam a cerca de 60 km um do outro. Ver Gênesis 28.10 quanto à partida de Jacó de Berseba. Jacó havia completado suas peregrinações pelo estrangeiro, e agora era instruído a voltar para casa, cena de uma nova missão.

"Dois temas percorrem o capítulo 35: *término* e *correção*. Temos aqui uma história de *término,* porque Jacó estava de volta à Terra Prometida, com sua família e com todas as suas riquezas; a vitória tinha sido ganha, o alvo tinha sido atingido, e a promessa tinha tido cumprimento. Mas também temos aqui uma história de *correção,* porquanto seus familiares não se tinham apegado completamente ao andar de acordo com a fé: ídolos tiveram de ser enterrados, e Rúben precisou ser disciplinado" (Allen P. Ross, *in loc.*).

Parece que Betel se tinha tornado um santuário, um lugar de peregrinação, e que era um dos centros da crescente nova fé, o *Yahwismo*.

■ **35.1**

וַיֹּאמֶר אֱלֹהִים אֶל־יַעֲקֹב קוּם עֲלֵה בֵית־אֵל וְשֶׁב־שָׁם וַעֲשֵׂה־שָׁם מִזְבֵּחַ לָאֵל הַנִּרְאֶה אֵלֶיךָ בְּבָרְחֲךָ מִפְּנֵי עֵשָׂו אָחִיךָ׃

Disse Deus. Isso pode ter ocorrido de várias maneiras: 1. por meio de um sonho; 2. mediante algum tipo de experiência mística ou extática, como uma visão; 3. através de uma experiência intuitiva; 4. ele vira o anjo do Senhor; 5. ou como uma manifestação do Logos, no Antigo Testamento. Por diversas vezes, no decorrer da vida de Jacó, a orientação divina lhe foi dada sob a forma de uma intervenção, por estar ele na linha do Pacto Abraâmico (ver as notas a respeito em Gn 15.18). Depois dele, Judá (filho de Lia) se tornaria o próximo elo na corrente que resultou no Messias. O que sucedia a Jacó, pois, era importante para o surgimento da nação de Israel e da linhagem messiânica. Daí por que ele foi homem de muitas visões e de uma iluminação divina específica, alguém que recebia uma orientação toda especial.

As palavras-chave, "disse Deus", são reiteradas por muitas vezes no livro de Gênesis, provendo um dos motivos mais centrais desse livro, o qual destaca continuamente a providência divina. Ver no *Dicionário* o verbete *Providência de Deus*. O nome divino, aqui usado, é *Elohim*, ao qual reservei um artigo no *Dicionário*. Ver também o artigo *Deus, Nomes Bíblicos de*.

Uma Obediência Tardia. Jacó tinha descido de Padã-Arã a fim de voltar para sua terra. Mas acabou demorando-se em Siquém, talvez por razões pecuniárias vantajosas. Então ocorreu o infeliz episódio que envolveu Diná, bem como a horrenda matança dos súditos de Hamor, pelos filhos de Jacó. Jacó poderia ter evitado esse triste lance de sua vida, se tivesse obedecido prontamente, voltando diretamente para sua terra, depois que deixara o território de Labão.

De Volta a Betel. Ver Gênesis 12.8; 13.3; 28.19 e 31.13 quanto a referências anteriores a Betel, neste primeiro livro da Bíblia. Ver o *Dicionário* quanto a essa localidade. Jacó tivera uma poderosa experiência mística ali, quando deixava sua terra para ir ter com Labão (Gn 28.11 ss.). Talvez o lugar se tivesse tornado um santuário e lugar de peregrinações. A volta de Jacó ao lugar foi uma espécie de volta às suas raízes espirituais. Foi ali que ele recebeu a confirmação do Pacto Abraâmico, e agora haveria de receber outra confirmação desse pacto. Muito provavelmente, Betel se tinha tornado um centro de promoção da nova fé, o *Yahwismo*. A fé messiânica estava em desenvolvimento, juntamente com a nação de Israel.

Agora, Jacó corria perigo em Siquém, motivo pelo qual era sábio, mesmo à parte de qualquer diretiva divina, abandonar aquele lugar. Jacó havia feito um voto solene em Betel, e embora se tivessem passado 42 anos desde então, ele não o esquecera (Gn 31.13). Jacó pode ter caído em um lapso em Siquém, mas nem por isso abandonara o seu propósito. Betel ficava a apenas 24 km de distância de Siquém. A indiferença de Jacó para com seu voto (pelo menos por algum tempo) pode ter sido a causa espiritual do incidente que envolveu Diná (Gn 34). Ver no *Dicionário* o artigo intitulado *Lei Moral da Colheita segundo a Semeadura*.

Jacó Tinha Fugido de Esaú. Jacó tinha deixado o lar paterno, em Berseba, por ter furtado de Esaú a bênção de Isaque, e correra o perigo de ser assassinado pelo indignado Esaú (Gn 27.43 ss.). Aquela tinha sido uma crise da qual Jacó escapara sem sofrer represálias, porquanto a presença do Senhor estava com ele. Cada marco importante de sua vida ficou assinalado pela presença de Deus.

35.2

וַיֹּאמֶר יַעֲקֹב אֶל־בֵּיתוֹ וְאֶל כָּל־אֲשֶׁר עִמּוֹ הָסִרוּ
אֶת־אֱלֹהֵי הַנֵּכָר אֲשֶׁר בְּתֹכְכֶם וְהִטַּהֲרוּ וְהַחֲלִיפוּ
שִׂמְלֹתֵיכֶם:

Disse Jacó à sua família. Foi o patriarca, sob orientação do Senhor, que exigiu que houvesse mudanças para melhor. E também foi ele quem disse: "Vamos a Betel". Deus estava transformando cada vez mais Jacó, para que ele pudesse avançar espiritualmente.

Lançai fora os deuses estranhos. Terá, pai de Abraão, tinha sido um homem idólatra (Js 24.2). Raquel furtara os terafins ou ídolos do lar de Labão (Gn 31.19). Assim, formas de idolatria prosseguiram paralelamente à adoração a Elohim, a despeito do surgimento gradual da nova fé, o *Yahwismo*. Porém, haveria de chegar o tempo de romper definitivamente com os costumes antigos. Esses costumes só morrem aos poucos, lentamente. A Reforma Protestante foi uma época em que certos segmentos da Igreja abandonaram certas formas de idolatria, embora novas formas não tivessem demorado a tomar o lugar das mais antigas. Ver no *Dicionário* o artigo intitulado *Idolatria*.

Purificai-vos, e mudai as vossas vestes. Isso serviu de símbolo da renovação espiritual que estava prestes a ocorrer. Houve um novo começo em Betel. Todo ser humano, sem importar quão espiritual já seja, e sem importar seus empreendimentos espirituais, precisa de renovações ocasionais, de novos votos, de um zelo renovado, de uma nova determinação, de novos projetos, de novos costumes e de novas ideias. É fácil para o homem ficar estagnado em velhos costumes, velhas ideias, velhas bases, velhas realizações. Algumas vezes, o que é *novo* requer uma mudança de localização geográfica, conforme foi o caso de Jacó, neste passo bíblico. Declarou Sêneca: "O que precisamos é de uma mudança de mentalidade, e não de uma mudança de ares (ou seja, de uma nova localização geográfica)". Todavia, algumas vezes o que é novo também requer uma mudança de ares.

Purificai-vos. Talvez indicando a necessidade de alguma espécie de rito purificador, o que, sem dúvida, fazia parte das práticas religiosas de Jacó. Um costume do hinduísmo é que as pessoas devem mudar de roupa antes de adorarem. As *roupas de trabalho* são trocadas por *roupas de adoração*.

As coisas aqui mencionadas foram institucionalizadas sob a legislação mosaica. Ver Êxodo 19.10; Juízes 8.24.

A *renúncia aos deuses estranhos* (Js 24.14-18,23) incluía os terafins ou ídolos do lar (Gn 31.19). É natural que *incorporemos* costumes e ideias à nossa religião. O sincretismo sempre fará parte da fé religiosa, e todos estamos envolvidos nessa prática, reconheçamos ou não esse fato. A fé religiosa no Brasil é um exemplo significativo de várias formas de sincretismo. Mas fatalmente chega o dia em que os estrangeirismos, injetados em nossa fé religiosa, precisam fenecer. As roupas precisam ser trocadas. Corpo, alma e espírito (mente) precisam ser purificados.

35.3

וְנָקוּמָה וְנַעֲלֶה בֵּית־אֵל וְאֶעֱשֶׂה־שָּׁם מִזְבֵּחַ לָאֵל
הָעֹנֶה אֹתִי בְּיוֹם צָרָתִי וַיְהִי עִמָּדִי בַּדֶּרֶךְ אֲשֶׁר
הָלָכְתִּי:

Subamos a Betel. Ver sobre esta localidade no *Dicionário*, quanto a explicações completas, e ver Gênesis 28.11 ss. quanto às experiências passadas de Jacó naquele lugar. Fora em Betel, nos dias de sua pior aflição, que ele teve o sonho-visão da escada cujo topo chegava ao céu, por onde subiam e desciam anjos de Deus. Jacó tinha erigido ali um altar naquele dia, jurando que se dedicaria ao Senhor. Mas isso havia acontecido muitos anos atrás. As primeiras intenções tinham-se tornado vagas. Ele tinha ido residir no território de Labão; mas, apesar disso, segundo se supõe, não havia abandonado a sua fé. Contudo, não se importara muito com a pureza da fé entre seus familiares, a ponto de tolerar a existência de ídolos. "E quando voltou à sua terra, não foi para Betel, e, sim, para Siquém, um lugar mais ameno" (Walter Russell Bowie, *in loc.*). Mas agora ele partia para Betel; agora partia para casa; agora haveria purificação e mudança. Se isso tivesse acontecido sete ou oito anos antes, talvez Diná tivesse sido poupada da desgraça pela qual passou, e nunca tivesse havido a matança de Hamor e sua gente, uma desgraça para Jacó e toda a sua família.

No dia da minha angústia. Uma alusão aos dias em que Esaú queria matá-lo, se tivesse permanecido em Berseba, por haver-lhe furtado a bênção de Isaque, por meio de um golpe astucioso (Gn 27.6 ss.). Jacó tinha fugido de Berseba em grande *angústia* de alma, mas não demorou a ser encorajado por meio de seu encontro com a presença divina, em Betel (Gn 28.11 ss.).

35.4

וַיִּתְּנוּ אֶל־יַעֲקֹב אֵת כָּל־אֱלֹהֵי הַנֵּכָר אֲשֶׁר בְּיָדָם
וְאֶת־הַנְּזָמִים אֲשֶׁר בְּאָזְנֵיהֶם וַיִּטְמֹן אֹתָם יַעֲקֹב תַּחַת
הָאֵלָה אֲשֶׁר עִם־שְׁכֶם:

Os deuses estrangeiros... e as argolas. Ou seja, os terafins que Raquel havia furtado (Gn 31.19), juntamente com os amuletos, os objetos mágicos (as argolas faziam parte da coleção). Alguns estudiosos dizem que não se tratava de argolas usadas pelas mulheres (e por alguns homens hoje em dia!), pois seriam argolas para serem postas nas imagens, ou então argolas especiais, usadas pelos idólatras quando se ocupavam em suas cerimônias, mediante as quais honravam certas divindades. O Targum de Jonathan alude às "argolas usadas nas orelhas dos habitantes da cidade de Siquém, que tinham formas parecidas com os seus ídolos". Nesse caso, na casa de Jacó tinham sido adotadas essas formas de idolatria. Alguns eruditos incluem aqui cartas astrológicas, mas a astrologia pertencia mais ao Egito e à Babilônia, requerendo habilidades matemáticas que a família de Jacó dificilmente possuiria.

Agostinho (*Epist.* 73) mencionou brincos (argolas) tanto de homens quanto de mulheres, que eram usados em certas formas de idolatria e de demonismo.

Aarão fabricou o bezerro de ouro a partir de brincos (e, sem dúvida, de outros objetos), segundo se lê em Êxodo 32.2-4, e a idolatria, eliminada em uma época, é renovada em outra. Israel nunca se viu inteiramente livre, nem está livre a Igreja atual, nem mesmo os crentes individuais.

Debaixo do carvalho. O próprio carvalho (ou um carvalhal) fora transformado em lugar de adoração idolátrica, onde presumivelmente se reuniam as divindades e onde poderiam ajudar os homens a resolver os seus problemas. É provável que esteja em pauta o carvalho ou carvalhal de Moré, o que é comentado nas notas sobre Gênesis 12.7. Ver também Deuteronômio 11.30. Alguns estudiosos não identificam os carvalhos de Gênesis 12.6,7 com o deste texto. Não há como ter certeza sobre a questão. O carvalho era uma árvore que "com frequência permanecia por muitos anos, antes de ser cortado e usado com propósitos religiosos; pois, como eram tidos em grande veneração, raramente eram cortados" (John Gill, *in loc.*).

■ **35.5**

וַיִּסָּעוּ וַיְהִי חִתַּת אֱלֹהִים עַל־הֶעָרִים אֲשֶׁר סְבִיבֹתֵיהֶם וְלֹא רָדְפוּ אַחֲרֵי בְּנֵי יַעֲקֹב:

O terror de Deus. Jacó e seus familiares fugiram, como que para poupar a vida, por haverem os filhos de Israel liquidado os heveus de Siquém. O trecho de Gênesis 34.30 mostra-nos que Jacó temia ataques, por ter-se tornado "odioso" aos olhos de seus vizinhos. Mas a providência de Deus havia trazido alguma forma de terror sobrenatural que impunha temor aos habitantes da região, os quais também não atacavam a Jacó. Cf. Gênesis 23.6 e 30.8. Quão frequentemente precisamos de *jornadas misericordiosas*, mediante a proteção de Deus. Senhor, concede-nos tal graça!

O *terror de Deus* é "uma expressão derivada da guerra santa (Êx 23.27; Js 10.10), e era um pânico misterioso que paralisava o inimigo" (*Oxford Annotated Bible*).

■ **35.6**

וַיָּבֹא יַעֲקֹב לוּזָה אֲשֶׁר בְּאֶרֶץ כְּנַעַן הִוא בֵּית־אֵל הוּא וְכָל־הָעָם אֲשֶׁר־עִמּוֹ:

Luz. Quanto a essa cidade ver o *Dicionário*. Esse era o nome antigo de *Betel* (no *Dicionário* também há um verbete com esse título). Ver as notas sobre Gênesis 28.19 sobre *Luz*.

Terra de Canaã. Ver no *Dicionário* o artigo intitulado *Canaã (Cananeus).* Ver Gênesis 23.19 quanto à experiência anterior de Jacó naquele lugar. O trecho de Juízes 1.26 mostra que os hititas ou heteus tinham ali um centro seu.

Em Betel, Jacó fora livrado de ataques por parte de seus inimigos, e agora estava passando para uma nova fase de sua vida. A obediência aos seus votos haveria de produzir um novo dia.

■ **35.7**

וַיִּבֶן שָׁם מִזְבֵּחַ וַיִּקְרָא לַמָּקוֹם אֵל בֵּית־אֵל כִּי שָׁם נִגְלוּ אֵלָיו הָאֱלֹהִים בְּבָרְחוֹ מִפְּנֵי אָחִיו:

E edificou ali um altar. Essa questão de altares tem grande importância no Gênesis. Ver Gênesis 8.20; 12.7,8; 13.4,18; 22.9; 26.25; 33.20; 35.1,3,7. No *Dicionário* ver o artigo *Altar*. Mais de quarenta anos antes, Jacó havia erigido um altar naquele lugar. Teria ele soerguido o mesmo altar, ou erigido um novo altar? Tal pergunta fica sem resposta.

El-Betel. No hebraico, *El-Beth-el*, ou seja, "o Deus da casa de Deus". Jacó havia sido admitido à casa de Deus, além de ter recebido as maravilhas de sua graça e providência, além de ter recebido os alicerces para a nova fé. Esse título Deus adotara para si mesmo (Gn 31.13). Ver no *Dicionário* os artigos *El* e *Deus, Nomes Bíblicos de Deus*.

Deus. No hebraico, *Elohim*. Ali o Senhor tinha aparecido a Jacó. Temos aqui um plural de majestade, que não tem por intuito apontar para o politeísmo.

■ **35.8**

וַתָּמָת דְּבֹרָה מֵינֶקֶת רִבְקָה וַתִּקָּבֵר מִתַּחַת לְבֵית־אֵל תַּחַת הָאַלּוֹן וַיִּקְרָא שְׁמוֹ אַלּוֹן בָּכוּת: פ

Morreu Débora. Ofereço um artigo detalhado sobre essa mulher, no *Dicionário*. Ela figura pela primeira vez na Bíblia, sem a menção de seu nome, em Gênesis 24.59. Ela foi uma escrava de Rebeca, que lhe fora dada para acompanhá-la, desde que viera para casar-se com Isaque. A história de Débora tinha começado em algum ponto não mencionado. Vinha acompanhando a jovem Rebeca, talvez desde o nascimento desta. Nunca se separaram. E, então, ela acompanhou a família patriarcal à Terra Prometida, e, talvez, tivesse sido incorporada à casa de Jacó. É estranho que não tenha sido registrada a morte de Rebeca (embora o seja o seu sepultamento, em Gn 49.31). No entanto, o autor sacro inseriu esta nota sobre a morte de Débora na história da segunda visita de Jacó a Betel. Por quê? Porque ela era amada por todos, porquanto era grande em sua posição humilde.

> ...ela está em sua sepultura, e oh!
> quanta diferença isso faz para mim.
>
> Wordsworth

Débora esteve com a família patriarcal por nada menos de duas gerações completas. Assim, fizera sua contribuição e cumprira a sua missão. Se Débora estivesse presente, talvez Raquel não tivesse morrido no parto de Benjamim.

A ama de Rebeca. Uma ama cuidava das mulheres e de seus filhos. "Quem poderia medir tudo quanto as amas têm dado para aqueles a quem têm amado e servido?" (Walter Russell Bowie, *in loc.*).

> Por longas noites tens ficado acordada
> Vigiando por causa de mim, tão indigna ...
> ... Como uma voz bondosa que fazia meus dias infantis se alegrarem!
>
> Robert Louis Stevenson

Uma ama ou enfermeira treinada é o coração mesmo dos cuidados médicos; elas recebem ordens e cuidam dos enfermos e dos moribundos. Essa ocupação tem-se profissionalizado, mas o espírito de serviço humilde (por muitas vezes com pagamento insuficiente) faz-se presente até hoje. Cuidar das pessoas, quando estão doentes e até infectadas, é um ato de amor, de obediência à lei do amor. Ver no *Dicionário* o artigo intitulado *Amor*.

Alom-Bacute. No hebraico, esse nome significa "carvalho do pranto". Era a árvore ao pé da qual Débora, a ama de Rebeca, foi sepultada (Gn 35.8), e, depois, Raquel. Alguns eruditos pensam que temos aqui alguma deslocação de material, e que a juíza Débora é que estaria em foco, ou seja, que o memorial era dela. Mas esse seria um erro grosseiro demais para um compilador ter feito. Pessoas humildes também têm um papel humilde a desempenhar no registro sacro. A fidelidade delas é relembrada, embora não trouxessem as marcas que os homens pensam que os grandes devem ter.

BETEL NOVAMENTE (35.9-15)

Alguns críticos veem aqui alguma "mistura de tradições", supondo que a história original de Betel (Gn 28.11 ss.) teria sido combinada (neste ponto) com elementos do relato sobre a luta de Jacó com o anjo (Gn 32.24 ss.), quando seu nome foi mudado de Jacó para Israel. Os estudiosos conservadores não veem por que *novas* experiências não poderiam conter elementos de *antigas* experiências. Seja como for, o material desta pequena seção é uma duplicação essencial de coisas sobre as quais já tínhamos comentado, incluindo certas provisões do Pacto Abraâmico (ver as notas em Gn 15.18). "Em Betel, Deus confirmou a promessa que tinha feito antes (Gn 32.28). A mudança do nome de Jacó serviu de prova da bênção prometida" (Allen P. Ross, *in loc.*).

35.9

וַיֵּרָא אֱלֹהִים אֶל־יַעֲקֹב עוֹד בְּבֹאוֹ מִפַּדַּן אֲרָם וַיְבָרֶךְ אֹתוֹ:

Vindo Jacó de Padã-Arã. Ou seja, a caminho de volta para casa, especificamente, em Betel (vss. 14 e 15). Sua experiência anterior em Betel teve lugar quando ele estava *indo* para Padã-Arã. E esta experiência ocorreu quando ele estava *saindo* dali. Ambas as ocasiões foram marcos em sua vida. Ver no *Dicionário* o artigo *Padã-Arã*.

Outra vez lhe apareceu Deus. Ver Gênesis 35.1 e suas notas quanto a modos possíveis de aparições de Deus. Jacó era homem de muitas experiências místicas. Ver no *Dicionário* o artigo *Misticismo*. A *presença de Deus* guiava Jacó em todos os marcos importantes de sua vida. A providência de Deus acompanhava Jacó de uma maneira especial. Ver no *Dicionário* o artigo *Providência de Deus*.

35.10

וַיֹּאמֶר־לוֹ אֱלֹהִים שִׁמְךָ יַעֲקֹב לֹא־יִקָּרֵא שִׁמְךָ עוֹד יַעֲקֹב כִּי אִם־יִשְׂרָאֵל יִהְיֶה שְׁמֶךָ וַיִּקְרָא אֶת־שְׁמוֹ יִשְׂרָאֵל:

E lhe chamou Israel. Ver Gênesis 32.28 quanto à mudança do nome de Jacó para *Israel*. Aquelas notas também falam sobre outras mudanças de nome no livro de Gênesis, que assinalaram grandes revoluções na vida das pessoas envolvidas. Ver também o artigo *Israel*, no *Dicionário*.

35.11

וַיֹּאמֶר לוֹ אֱלֹהִים אֲנִי אֵל שַׁדַּי פְּרֵה וּרְבֵה גּוֹי וּקְהַל גּוֹיִם יִהְיֶה מִמֶּךָּ וּמְלָכִים מֵחֲלָצֶיךָ יֵצֵאוּ:

O Deus Todo-poderoso. No hebraico, *Elohim El-Shaddai*. *Elohim* é um dos verbetes do *Dicionário*. Ver as notas sobre *El Shaddai*, em Gênesis 17.1. Ver também, no *Dicionário*, o verbete *Deus, Nomes Bíblicos de*. El-Shaddai é aquele que nos supre quanto a todas as necessidades, conforme parece ser uma das implicações desse nome. A primeira parte do nome, *El*, mostra que há poder capaz de fornecer um suprimento abundante. "O Senhor é meu Pastor; nada me faltará." As promessas são confirmadas. O nome divino, *El-Shaddai*, é aquele que prefacia a repetição do Pacto Abraâmico a Abraão (Gn 17.1 ss.). Esse mesmo Deus garantia agora, a Jacó, a continuação do pacto.

Multiplicação e Grandeza. Uma *companhia de nações* descenderia de Abraão, o que é dito por diversas vezes nas repetições do Pacto Abraâmico (ver as notas a respeito em Gênesis 15.18 e suas referências). Ver Gênesis 28.3, onde a expressão usada é "uma multidão de povos". Ali, a declaração faz parte da bênção dada a Jacó por Isaque. Ver as notas em Gênesis 26.4 quanto às muitas nações que descendem de Abraão. Além disso, *reis* descenderiam de Jacó, como Saul, Davi, Salomão etc. (cf. Gn 17.6), culminando no Rei-Messias, descendente de Judá, através de Lia, uma das esposas de Jacó. Nesse ponto, seria atingida a dimensão espiritual do pacto, de tal modo que aquilo que era bênção material se tornaria bênção espiritual, incluindo a questão da salvação da alma (Gl 3.14).

35.12

וְאֶת־הָאָרֶץ אֲשֶׁר נָתַתִּי לְאַבְרָהָם וּלְיִצְחָק לְךָ אֶתְּנֶנָּה וּלְזַרְעֲךָ אַחֲרֶיךָ אֶתֵּן אֶת־הָאָרֶץ:

A terra. A aquisição de um território pátrio era necessária para que se desenvolvesse a nação de Israel, o que levaria ao cumprimento maior do próprio pacto. As notas em Gênesis 15.18 mostram as dimensões desse território.

35.13

וַיַּעַל מֵעָלָיו אֱלֹהִים בַּמָּקוֹם אֲשֶׁר־דִּבֶּר אִתּוֹ:

Elevando-se do lugar. Provavelmente devemos pensar no "céu", em algum lugar acima da terra, como se vê em Gênesis 11.4; 21.17; 22.11,15; 28.12. Tendo-se manifestado, vindo dali, Deus agora para ali voltava. A *presença divina* algumas vezes manifesta-se aos homens de uma maneira que eles são capazes de compreender, pelo menos em parte, e de uma forma que possam suportá-la. Isso sucede mediante as experiências místicas como as visões, os sonhos, as visitas angelicais etc. Ver no *Dicionário* o artigo intitulado *Misticismo*.

Os trechos de Gênesis 17.22 e 18.33 têm a mesma expressão que se vê neste versículo. Deus "elevou-se de onde estava Abraão". Mas Gênesis 18.33 diz algo levemente diferente: "retirou-se o Senhor". Ver no *Dicionário* o verbete *Céu*.

35.14

וַיַּצֵּב יַעֲקֹב מַצֵּבָה בַּמָּקוֹם אֲשֶׁר־דִּבֶּר אִתּוֹ מַצֶּבֶת אָבֶן וַיַּסֵּךְ עָלֶיהָ נֶסֶךְ וַיִּצֹק עָלֶיהָ שָׁמֶן:

Este versículo é parecido com o de Gênesis 28.18 (ver as notas ali), exceto pelo fato de que aqui temos a primeira menção a uma *libação* na Bíblia. Provavelmente foram empregados vinho, água ou mesmo ambas as coisas. Mas alguns eruditos pensam que foi usado azeite. Também é possível que o "azeite" entornado em Gênesis 28.18 fosse uma libação, embora isso não seja dito especificamente. Ver no *Dicionário* o artigo geral *Sacrifícios e Ofertas*. Em III. D.2 desse artigo, apresento informações sobre as libações. As oferendas, como as deste versículo, reconheciam o poder divino e a visitação da presença divina. Era uma espécie de participação dos bens materiais de alguém, em reconhecimento da graça e do suprimento divino, na esperança de maior recebimento dessa graça e suprimento.

As libações eram algo comum em muitos países. As libações originais eram feitas com água, mas depois passou-se a usar o vinho. Ver Levítico 7.1. Gratidão e devoção eram expressas por meio desses atos. Ademais, sem dúvida, essas oferendas serviam de *pedidos* quanto à continuação do suprimento e do poder divinos junto ao adorador, por estar sendo reconhecida, por este, a presença divina. As libações, acima de tudo, eram atos de adoração que reconheciam a providência de Deus.

Colunas Memoriais. Naturalmente, essas colunas tornaram-se objetos venerados pelos descendentes dos patriarcas, motivo pelo qual a legislação mosaica veio a proibir tal prática. Ver Levítico 26.1 e Deuteronômio 16.22. Cerca de quarenta anos separavam as duas colunas erigidas por Jacó. Ele continuava a ser um homem de altares e de devoção espiritual.

Pedras ungidas são um item comentado em Gênesis 28.18. Dou ali informações sobre essa prática, conforme ela existia entre vários povos antigos, incluindo os cananeus.

35.15

וַיִּקְרָא יַעֲקֹב אֶת־שֵׁם הַמָּקוֹם אֲשֶׁר דִּבֶּר אִתּוֹ שָׁם אֱלֹהִים בֵּית־אֵל:

Esse lugar chamava-se Betel, pois o trecho é paralelo a Gênesis 28.17-19, onde damos notas expositivas. Ver também no *Dicionário* o artigo intitulado *Betel*. Betel tornou-se um dos santuários da nova religião, a fé de Abraão, um lugar de peregrinação do *Yahwismo*. Estava sendo formada a fé religiosa distintiva da nação de Israel.

MORTE DE RAQUEL; NASCIMENTO DE BENJAMIM (35.16-20)

Os críticos atribuem esta seção a uma combinação das fontes J e E. Ver no *Dicionário* o artigo chamado *J.E.D.P.(S.)*, quanto à teoria das fontes múltiplas do Pentateuco.

O fim da maior história de amor da história ocorreu com a morte inesperada e prematura de Raquel, a esposa amada de Jacó. Nasceu, contudo, o segundo filho dela, Benjamim. Isso deveria ter sido motivo de grande alegria. Em lugar disso, a agonia de Raquel, no parto, fê-la chamá-lo de *Benoni*, "filho de minha tristeza". Mas Jacó não permitiu que esse nome prevalecesse, e mudou o nome do menino para *Benjamim*, "filho da minha mão direita".

Precisamos de uma fé especial em Deus e na imortalidade que venha em nosso socorro, em momentos de evidente tragédia e tristeza. As circunstâncias da morte de Raquel talvez nos deem a única referência mais ou menos clara à crença na existência da alma durante o período patriarcal (vs. 18). Afirmamos acima que esse foi o *fim* de uma grande história de amor; mas a fé e a esperança aliam-se e dizem-nos que o amor nunca perde seus objetos amados, e um novo dia haverá de renovar todas as antigas relações pessoais. Talvez levemos por demais a sério as alegadas fronteiras do nascimento e da morte, pois a vida é um grande contínuo, e prosseguirá através de muitos ciclos.

■ 35.16

וַיִּסְעוּ מִבֵּית אֵל וַיְהִי־עוֹד כִּבְרַת־הָאָרֶץ לָבוֹא
אֶפְרָתָה וַתֵּלֶד רָחֵל וַתְּקַשׁ בְּלִדְתָּהּ׃

Efrata. Ver o artigo detalhado sobre esse local no *Dicionário*. Há dificuldades quanto à sua identificação, levando-se em conta trechos como 1Samuel 10.2 e Jeremias 31.5, que o localizam no território de Benjamim, e não de Judá, associado a Belém. O assunto tem sido intensamente debatido, mas sem nenhuma solução absoluta à vista. Meu artigo aborda a questão. Aqui e em Gênesis 48.7; Rute 4.11 e Miqueias 5.2, a localidade é identificada com Belém. Mas a outra tradição situa o local do sepultamento de Raquel em território benjamita, ao norte de Jerusalém.

Havendo ainda pequena distância. No hebraico, *kibrath*, um termo de significado incerto. Esse vocábulo também figura em Gênesis 48.7 e 2Reis 5.19, onde parece indicar uma certa medida. Os Targuns de Onkelos e de Jerusalém dão a entender que se tratava de uma medida com cerca de 1.600 m ou mesmo menos. O sepulcro tradicional de Raquel fica a cerca de 800 m de Belém.

Cujo nascimento lhe foi a ela penoso. "Em meio de dores darás à luz filhos" (Gn 3.16). Ver no *Dicionário* o artigo intitulado *Parto*, que inclui sentidos metafóricos da palavra na Bíblia. Estudos com as *Experiências Perto da Morte* (ver sobre esse assunto na *Enciclopédia de Bíblia, Teologia e Filosofia*) indicam que a morte é uma forma de nascimento, contendo elementos similares em seu mecanismo, além de ser a porta para uma nova fase da existência. Assim, ao morrer, Raquel nasceu de novo. Ademais, o nascimento é uma espécie de morte, se porventura é verdade, conforme diziam os pais alexandrinos da Igreja, que a preexistência da alma é um fato. Pois no nascimento a pessoa retorna ao lugar de tristeza, teste, enfermidade e morte. Os mortos são os verdadeiros vivos, e os vivos são os verdadeiros mortos.

■ 35.17

וַיְהִי בְהַקְשֹׁתָהּ בְּלִדְתָּהּ וַתֹּאמֶר לָהּ הַמְיַלֶּדֶת
אַל־תִּירְאִי כִּי־גַם־זֶה לָךְ בֵּן׃

Não temas. Confiamos que em todas as situações, incluindo as que são trágicas, Deus está no controle. O temor está real e constantemente presente conosco, não havendo como ser evitado. Mas trata-se de má interpretação das coisas que nos cercam.

Bons Resultados. Um filho poria fim ao temor. Um patriarca de Israel estava nascendo. Assim, em meio à tristeza, Deus estava cumprindo um grande propósito seu. É preciso *fé* (ver a respeito no *Dicionário*) para que alguém veja isso. E não ver isso não torna o propósito divino menos real.

Quando José nasceu, Raquel chamou-o por esse nome pois indica que "o Senhor adicionaria a ela outro filho". Assim, pela fé, ela previu a chegada de Benjamim (Gn 30.24). Talvez a parteira a tenha feito lembrar isso, encorajando Raquel com a sua própria predição.

Os Mistérios da Vida. Neste texto achamos um dos maiores mistérios da vida. Por que pai ou mãe perdem sua vida quando as crianças pequenas precisam deles para serem criadas? Buscamos razões para coisas assim, mas geralmente não as achamos. E assim usamos aquela expressão vaga: "Seja feita a vontade de Deus". Por enquanto, devemo-nos contentar em crer que o grande artista da vida nunca erra uma pincelada, nunca comete um equívoco. Há propósito em todas as coisas; coisa alguma sucede por mero acaso.

■ 35.18

וַיְהִי בְּצֵאת נַפְשָׁהּ כִּי מֵתָה וַתִּקְרָא שְׁמוֹ בֶּן־אוֹנִי
וְאָבִיו קָרָא־לוֹ בִנְיָמִין׃

Ao sair-lhe a alma. Para leitores cristãos, essas palavras soam como uma afirmação da crença na porção imaterial do homem, a qual deixa o corpo no momento da morte. Mas para um hebreu da época dos patriarcas, essas palavras teriam apenas o sentido de que "ela expirou". No Gênesis há doze repetições do Pacto Abraâmico, com graus variados de detalhes. Nenhuma delas promete a vida além-túmulo, ou a salvação, conforme hoje a entendemos. Ficou reservado à revelação em Cristo acrescentar a dimensão espiritual ao Pacto Abraâmico (Gl 3.6,7,14,29; Jo 8.39; Rm 4.16,17; 9.7,8). Por que pensaríamos ser estranho que a teologia se desenvolva? Cristo nos trouxe uma revelação muito superior, que inclui informações sobre a vida além-túmulo. Destaquei muito o tema da imortalidade na *Enciclopédia de Bíblia, Teologia e Filosofia*. Ver os vários artigos sob o título *Imortalidade* e *Experiências Perto da Morte*; e, no *Dicionário*, o verbete *Alma*. No Antigo Testamento, a começar pelos Salmos e pelos Profetas, aparecem versículos que aludem claramente à *alma*. Talvez o presente texto reflita essa crença, apesar de sua ausência geral durante o período patriarcal. Ademais, a doutrina da criação do homem à imagem de Deus (Gn 1.26,27) provavelmente nos dá um indício dessa doutrina. O termo hebraico, *naphshah*, posteriormente veio a indicar a alma imortal, mas neste versículo pode referir-se somente ao hálito ou respiração que cessa por ocasião da morte. Ver Eclesiastes 12.7 quanto a um fraseado similar, embora seja um trecho escrito, sem dúvida, com a alma imaterial e imortal em vista.

Benoni. Esse foi o nome que Raquel deu ao menino. Significa "filho da minha tristeza". Que poderia ser mais entristecedor para uma mulher do que morrer quando seu filho está nascendo, abandonando-o com relutância, para ser criado por outrem, ao mesmo tempo em que ela sai para enfrentar as incertezas e os mistérios do além?

Benjamim. Esse foi o nome que Jacó preferiu dar ao menino. Significa "filho de minha mão direita". O Salmo 80.17 também contém a expressão, onde significa um filho muito amado e favorecido pelo seu pai. O original hebraico diz algo como "filho de meu poder". Alguns intérpretes, todavia, creem que esse nome é de origem posterior, embora tenha sido injetado no texto neste ponto. Nesse caso, o sentido pode ser o de que ele estaria localizado à *direita*, isto é, ao *sul* de Efraim, o que corresponde à localização da tribo de Benjamim, de tempos posteriores. Ver o artigo detalhado sobre *Benjamim*, o homem e a tribo chamados por esse nome, no *Dicionário*.

Benjamim, um Tipo de Cristo. "Benjamim, 'filho de tristeza', para sua mãe, mas 'filho de minha mão direita', para seu pai, tornou-se assim um duplo tipo de Cristo. Como *Benoni*, ele foi o Servo Sofredor, por causa de quem uma espada trespassou o coração de sua mãe (Lc 2.35); e, como Benjamim, cabeça de uma tribo guerreira (Gn 49.17), firmemente unido a Judá, a tribo real (Gn 49.8-12; 1Rs 12.21), ele tornou-se tipo do vitorioso. É digno de nota que Benjamim era especialmente honrado entre os gentios (Gn 45.22)" (*Scofield Reference Bible, in loc.*).

■ 35.19

וַתָּמָת רָחֵל וַתִּקָּבֵר בְּדֶרֶךְ אֶפְרָתָה הִוא בֵּית לָחֶם׃

Assim morreu Raquel. A morte não pode pôr fim a nenhuma vida humana. Ver as notas sobre o vs. 16.

> Morte, não te orgulhes —
> Embora alguns te tenham
> chamado de poderosa e espantosa,
> Pois não és tal;
> Pois aqueles que pensas teres vencido,
> Não morrem...
>
> John Donne

Além das evidências teológicas e filosóficas, há atualmente boas evidências científicas em favor da existência da alma e de sua sobrevivência diante da morte biológica. Apresento vários artigos sobre essa questão na *Enciclopédia de Bíblia, Teologia e Filosofia*, no artigo intitulado *Imortalidade*. Ver outras referências no vs. 16.

"Esta breve descrição é deveras comovente. O amor de Jacó por Raquel tinha sido o mais resplendente fator de seu caráter; agora ela estava morta e ele precisava sepultá-la. Ele já tinha passado por muitas tristezas em sua vida. O pai dela o tinha enganado, fazendo-o casar-se primeiro com Lia; tinha havido os amargos anos de esterilidade. Então houve a alegria do nascimento de José (Gn 30.22-24). Mas agora o segundo filho, tão esperado que fora, custaria a vida de sua mãe... uma voz foi ouvida em Ramá, lamentação e choro amargo; era Raquel chorando por seus filhos (Jr 31.15)" (Walter Russell

Bowie, *in loc.*). Esse texto é referido em Mateus 2.16-18, onde é aplicado à matança dos inocentes.

Belém. Ver sobre essa cidade, no *Dicionário*, como também as notas sobre o trecho de Gênesis 35.16, sob *Efrata*, quanto às tradições conflitantes sobre o lugar onde Raquel morreu. Miqueias 5.2 diz "Belém Efrata", identificando os dois termos. Efrata era o nome mais antigo da localidade. Ver também Rute 4.11 e 1Crônicas 2.50,51. Quanto à tradição oposta, ver 1Samuel 10.2 e Jeremias 31.5.

■ 35.20

וַיַּצֵּב יַעֲקֹב מַצֵּבָה עַל־קְבֻרָתָהּ הִוא מַצֶּבֶת
קְבֻרַת־רָחֵל עַד־הַיּוֹם:

Uma coluna. Essa coluna serviu de memorial, como as que Jacó tinha levantado em Betel (Gn 28.18 e 35.14). Colunas memoriais tornavam-se objetos de adoração. Por essa razão, a legislação mosaica as proibiu (Lv 26.1; Dt 16.22). O local era conhecido nos dias de Samuel (1Sm 10.2). É provável que fosse uma mera pilha de pedras, ou, então, uma pedra grande posta numa de suas extremidades. Talvez essa prática fosse o mais antigo exemplo de monumentos e de pedras fúnebres que dominam quase universalmente nossos dias. A *coluna de Raquel* mostrada atualmente aos turistas, perto de Belém, em Israel, como é claro, não tem nenhuma conexão com a pedra erigida por Jacó.

Benjamim de Tudela afirmou que o monumento fora feito com doze pedras, mas não há como averiguar a palavra dele. As doze pedras correspondem aos doze filhos de Jacó, cujo número agora estava completo, tendo nascido Benjamim. Surgiram superstições em torno de supostos locais do sepultamento de Raquel. Naquela área em geral, mulheres costumam recolher pedras, na esperança de que isso lhes permita ter partos fáceis!

O INCESTO DE RÚBEN (35.21,22)

A breve seção de Gênesis 35.21,22a é atribuída pelos críticos à fonte *J*. Ver no *Dicionário* o artigo *J.E.D.P.(S.)*. Esta seção contém o relato sobre a insensatez de Rúben, que manteve relações sexuais com Bila, concubina de Jacó, um caso sério de incesto. As Escrituras não comentam sobre a questão, embora deva ter significado uma desgraça singular para todos os envolvidos. O trecho de Gênesis 49.3 ss. mostra que Rúben perdeu o seu privilégio de filho primogênito, por causa da questão. Ele era "impetuoso como a água", pois permitia que as suas paixões o expusessem ao ridículo.

■ 35.21

וַיִּסַּע יִשְׂרָאֵל וַיֵּט אָהֳלֹה מֵהָלְאָה לְמִגְדַּל־עֵדֶר:

Então partiu Israel. Agora esse nome tornara-se designação comum de Jacó, por todo o resto do livro de Gênesis.

Além da torre de Eder. As jornadas de Jacó levaram-no até esse lugar, e o vs. 22 mostra-nos que ele passou algum tempo ali. No hebraico, esse nome quer dizer "torre do rebanho", uma torre de vigia provavelmentee erigida para proteger os rebanhos. Ficava entre Belém e Hebrom. Foi ali que Jacó residiu temporariamente, após o falecimento de Raquel, e onde Rúben cometeu incesto com Bila (Gn 35.21,22). Nessa referência temos, no original hebraico, o nome *Midal-Eder*. O trecho de Miqueias 4.8 refere-se à torre do rebanho, quando alude à *colina de Sião*. Também era chamado Ofel, ou seja, *fortim*. Presumivelmente, essa torre ficava a cerca de 1,5 km de Belém. Tem-se dito ser o lugar onde os anjos apareceram aos pastores, por ocasião do nascimento de Jesus (Lc 2.8), mas isso é pura conjectura. O Targum de Jonathan afirma, curiosamente, que "esse é o lugar onde o Rei Messias haverá de manifestar-se no fim dos dias". Alguns situam essa torre a alguns quilômetros ao sul de Jerusalém. Quanto a todos os propósitos essenciais, o longo exílio de Jacó tinha terminado. Agora ele estava de volta à sua terra. Estava em *Sião*, a colina de Deus.

■ 35.22

וַיְהִי בִּשְׁכֹּן יִשְׂרָאֵל בָּאָרֶץ הַהִוא וַיֵּלֶךְ רְאוּבֵן
וַיִּשְׁכַּב אֶת־בִּלְהָה פִּילֶגֶשׁ אָבִיו וַיִּשְׁמַע יִשְׂרָאֵל
וַיִּהְיוּ בְנֵי־יַעֲקֹב שְׁנֵים עָשָׂר:

O Incesto Praticado por Rúben. Durante muitos anos, Jacó teve quatro esposas: Lia, Raquel, Bila e Zilpa. Dedicamos às três primeiras um verbete separado, no *Dicionário*. Quanto a Zilpa, ver as notas expositivas em Gênesis 29.24. Bila era a ama-escrava que Labão dera a Raquel. Mais tarde, ela tornou-se concubina de Jacó, tendo-lhe dado os filhos Dã e Naftali (Gn 30.1-8). É difícil imaginar que Bila tenha cooperado com esse "ultraje", conforme certo intérprete disse. Portanto, provavelmente o incesto esteve combinado com o estupro. Ver *Incesto*, no *Dicionário*, e *Estupro*, no artigo *Crimes e Castigos*, segunda seção, d. *Crimes Sexuais*, também no *Dicionário*.

Resultados. Rúben perdeu o seu direito de filho primogênito, tendo recebido uma bênção secundária da parte de Jacó (já moribundo), por ser "impetuoso como a água". Ver Gênesis 49.3 ss. Ver no *Dicionário* o verbete *Lei Moral da Colheita segundo a Semeadura*.

Alguns intérpretes judeus tentam justificar Rúben pelo que ele fez, como se fosse uma espécie de vingança. Ao que se presume, após a morte de Raquel, foi Bila (e não Lia, mãe de Rúben) que se tornou esposa favorita de Jacó. Assim, indignado, Rúben assaltou-a sexualmente. Mas isso não passa de fantasia. Alguns daqueles estudiosos chegam a dizer que Rúben meramente desarrumou o leito dela, sem tocar em seu corpo. Se isso fosse verdade, Rúben poderia ser desculpado, mas essa interpretação simplesmente não concorda com o texto e com o capítulo 49 do Gênesis.

Tribulação Adicionada a Tribulação. Jacó acabara de sofrer a perda de Raquel, que morrera de parto. E agora, seu filho primogênito violava outra esposa sua. O homem nasce para sofrer tribulações, assim como as fagulhas da fogueira sobem no ar (ver Jó 5.7). É como alguém já disse: "Parece que elas não sobem noutra direção". Tempos depois, Jacó queixou-se, diante de Faraó, que seus dias tinham sido "poucos e maus" (Gn 47.9), e um desses males sofridos havia sido o estupro de Bila.

Substituição? Alguns estudiosos, referindo-se a um antigo costume pagão, supõem que Rúben estivesse tentando substituir Jacó como cabeça do clã, apossando-se à força de uma de suas esposas. Nesse caso, a sua tentativa foi um tiro pela culatra. Pois fê-lo perder sua posição de filho primogênito, em lugar de promover a sua causa. Ver sobre os *doze filhos* de Jacó, nos comentários a partir do vs. 23 deste capítulo.

OS FILHOS DE JACÓ (35.23-26)

Os críticos atribuem esta seção à fonte *P(S)*. E a informação mais detalhada de Gênesis 29.31—30.24 eles atribuem a uma combinação das fontes *J* e *E*. Ver no *Dicionário* o artigo *J.E.D.P.(S.)* quanto à teoria das fontes múltiplas do Pentateuco. Os céticos creem que os relatos sobre os patriarcas são lendários, e qualquer lista de nomes seria uma invenção que emprestaria detalhes a essas lendas. Isso situaria o relato bíblico na mesma classe da *Ilíada* e da *Odisseia* de Homero. Quanto a isso, porém, não há nenhuma prova, mas mera hipótese. Os tempos referidos na Bíblia não são tão remotos que fique eliminada a exatidão histórica. Seja como for, temos diante de nós a fundação da nação de *Israel*, a nova nação. E não há que duvidar de que esse foi o propósito principal do autor sagrado, ao fornecer essa lista de nomes. Os patriarcas da nação em formação são arrolados. Outros trechos do livro de Gênesis preenchem detalhes acerca deles. Provi artigos separados sobre cada nome, as pessoas e as tribos envolvidas, no *Dicionário*.

■ 35.23

בְּנֵי לֵאָה בְּכוֹר יַעֲקֹב רְאוּבֵן וְשִׁמְעוֹן וְלֵוִי וִיהוּדָה
וְיִשָּׂשכָר וּזְבוּלֻן:

Lia. Ver sobre ela no *Dicionário*. Os filhos são arranjados de acordo com suas respectivas mães. Lia foi a primeira esposa de Jacó, e lhe deu seis filhos aqui mencionados, além de uma filha, Diná. Houve doze filhos de Jacó, ao todo (vs. 22). E esses tornaram-se conhecidos como os Doze Patriarcas, tal como Ismael teve doze filhos que se tornaram príncipes e patriarcas das nações árabes (Gn 25.13-16). Jesus escolheu doze apóstolos como seu círculo íntimo de discípulos, e esses tornaram-se, por assim dizer, os Doze Patriarcas da Igreja cristã. "Estritamente falando, houve *treze* tribos entre os hebreus, visto que Efraim e Manassés eram consideradas tribos (Gn 48.5,6). Porém, Levi não recebeu terras e, nas várias listas, um ou outro dos nomes é omitido, resultando nas doze tribos tradicionais. Ver Deuteronômio 33; Ezequiel 48 e Apocalipse 7.

A lista aqui provê as *primícias* de Israel. A colheita foi a nação propriamente dita.

O número *doze* tem seu significado, provavelmente indicando um corpo governante, ou a base de uma organização ou governo. Outros sentidos também são óbvios: há doze horas em um dia, e também doze horas em uma noite, formando ciclos completos de tempo. Há doze meses no ano, indicando a mesma coisa em escala mais ampla, e também há doze signos do zodíaco, a organização dos céus, embora esse ponto só seja mencionado na Bíblia como um conceito pagão. Esse número, pois, envolve o sentido de um clímax ou ponto culminante, e, nos sonhos e nas visões, pode ter exatamente esse sentido.

Os Filhos de Lia. Seis filhos são alistados aqui. Reservei artigos separados sobre cada um deles no *Dicionário*.

■ 35.24

בְּנֵי רָחֵל יוֹסֵף וּבִנְיָמִן׃

Os Filhos de Raquel. Ela deu à luz José e Benjamim, sobre os quais há artigos detalhados no *Dicionário*. Benjamim foi o único dos filhos de Jacó a nascer em Canaã ou Terra Prometida. De acordo com o vocabulário moderno, ele era um *sabra*, um israelita nascido no moderno Estado de Israel. Os demais nasceram em Harã, território de Labão, durante o tempo em que Jacó esteve exilado.

■ 35.25

וּבְנֵי בִלְהָה שִׁפְחַת רָחֵל דָּן וְנַפְתָּלִי׃

Os Filhos de Bila. Bila era ama-escrava de Raquel, e veio a tornar-se concubina de Jacó. Ela teve dois filhos, Dã e Naftali, sobre os quais dou artigos detalhados no *Dicionário*.

■ 35.26

וּבְנֵי זִלְפָּה שִׁפְחַת לֵאָה גָּד וְאָשֵׁר אֵלֶּה בְּנֵי יַעֲקֹב אֲשֶׁר יֻלַּד־לוֹ בְּפַדַּן אֲרָם׃

Os Filhos de Zilpa. Esta era ama-escrava de Lia, e veio também a tornar-se concubina de Jacó. Teve dois filhos, Gade e Aser, sobre os quais dou artigos detalhados no *Dicionário*.

Onze desses filhos nasceram em Padã-Arã (ver as notas a respeito em Gn 25.20), a região de Labão, para onde Jacó tinha ido em exílio, ao fugir de Esaú. A exceção foi Benjamim, que nasceu já no território de Canaã (Belém). Ver Gênesis 35.17-29. O autor não se importou em falar sobre a exceção (não nascido em Padã-Arã), devido a um pequeno lapso, ou porque ainda há pouco havia descrito o nascimento de Benjamim, já na terra de Canaã. Atualmente, a região de Labão fica na província de Diarbek, na Turquia Asiática.

A MORTE DE ISAQUE (35.27-29)

Os críticos atribuem esta seção à fonte P(S). As fontes J e E dariam uma cena preliminar de leito de morte de Isaque (Gn 27.1-40), o que poderia dar a entender que Isaque morreu pouco depois de Jacó fugir para a companhia de Labão. Mas, visto que sua morte é posta aqui, e que Jacó e Esaú são mencionados como presentes em seu sepultamento, devemos entender que Isaque sobreviveu, depois de haver estado às portas da morte, por mais de trinta anos. Ver o artigo chamado *J.E.D.P.(S.)*, no *Dicionário*, quanto à teoria das fontes múltiplas do Pentateuco.

O *toledoth* (gerações) de Jacó termina no vs. 29. Essa palavra hebraica era usada como uma espécie de indicação de divisão maior do livro de Gênesis. Há doze dessas divisões, mas a primeira grande divisão do livro não começa por essa palavra, visto que descreve a criação. Isso posto, o Gênesis, de acordo com sua divisão original, consiste em doze porções. Ver as notas sobre Gênesis 2.4 quanto a uma descrição completa da questão, incluindo como os livros antigos eram divididos em seções, faltando-lhes os esboços e os índices que hoje conhecemos.

■ 35.27

וַיָּבֹא יַעֲקֹב אֶל־יִצְחָק אָבִיו מַמְרֵא קִרְיַת הָאַרְבַּע הִוא חֶבְרוֹן אֲשֶׁר־גָּר־שָׁם אַבְרָהָם וְיִצְחָק׃

Veio Jacó a Isaque. Agora Jacó estava de volta a seu lar paterno. Parece que, depois de ele ter partido de Harã, passaram-se ainda cerca de quinze anos até chegar a Isaque. Seu exílio pode ter-se prolongado por nada menos de quarenta anos, ou, pelo menos, mais de trinta anos, de acordo com estimativas conservadoras. Jacó já estava de volta à terra de Canaã fazia cerca de dez anos, sendo provável que tivesse visitado a seu pai, embora isso não tenha ficado registrado, por razões desconhecidas. Rebeca, mãe de Jacó, não é mencionada, o que nos leva a pensar que já teria falecido. Se esse foi o caso, então Rebeca nunca mais viu a Jacó, depois que o mandara para a companhia de Labão, por temer os desígnios assassinos de Esaú (Gn 27.45 ss.). O sepultamento dela, porém, só é mencionado em Gênesis 49.31.

Manre. Ver sobre esse lugar no *Dicionário*.

Arba. No hebraico, "quatro". Talvez o quarto filho nascido a seu pai. Ele foi um dos ancestrais dos anaquins, e o maior herói da raça, um gigante, pai de Anaque. Foi dele que a cidade de Hebrom derivou seu primeiro nome, Quiriate-Arba, ou seja, "cidade de Arba" (Gn 35.27; Js 14.15; 15.13; 21.11). Ele foi o homem mais importante entre os anaquins (Js 14.15). Fundou a cidade de seu nome, no mesmo local onde veio a existir a cidade maior de Hebrom. Josué deu a Calebe a cidade de Hebrom como sua herança, por causa de sua confiança de que Deus o capacitaria a expulsar dali os gigantes (Js 14.6-15). Ver o artigo sobre *Anaque (Anaquins)*, no *Dicionário*.

Hebrom. Ver o artigo detalhado sobre esse lugar, no *Dicionário*. Este local era uma das paradas obrigatórias dos patriarcas, que levavam uma vida de seminomadismo. Ficava a cerca de 32 km de Belém e da torre de Eder, onde Jacó havia ficado por algum tempo. Mas é provável que ele já tivesse estado antes em Hebrom, alternando ocasionalmente entre os dois lugares. Abraão tinha feito de Hebrom uma de suas residências, e foi ali que Sara morrera (Gn 23.2). Ali a cidade é chamada por seu nome primitivo, *Quiriate-Arba*. Ver sobre esse lugar, no *Dicionário*.

A visita de Jacó a Hebrom, nesta oportunidade, provavelmente deveu-se ao fato de que ele tomou conhecimento de que Isaque estava às portas da morte.

■ 35.28

וַיִּהְיוּ יְמֵי יִצְחָק מְאַת שָׁנָה וּשְׁמֹנִים שָׁנָה׃

Uma Longa Vida. Isaque viveu até aos 180 anos. Viveu por cerca de quarenta anos depois de haver abençoado Jacó e Esaú. Agora Jacó estava com cerca de 120 anos de idade. José tinha cerca de 29 anos. Isaque viveu cinco anos mais que seu pai, Abraão.

Quanto à desejabilidade de uma longa vida, ver as notas sobre Gênesis 5.21.

Problemas de Cronologia. Parece que o texto envolve algum deslocamento cronológico. Consideremos o seguinte:

"Visto que Isaque tinha 60 anos quando seus filhos nasceram, Jacó estava com 120 anos por ocasião da morte de seu pai (que morreu com 180 anos). E tinha 130 anos quando compareceu diante de Faraó (Gn 37.2). Ora, visto que José tinha 17 anos quando foi vendido ao Egito (Gn 41.46), e visto que sete anos de abundância e mais dois anos de escassez já se haviam passado, antes de Jacó descer ao Egito, segue-se que o ato cruel, mediante o qual Jacó perdeu seu filho favorito, foi cometido cerca de doze anos *antes* da morte de Isaque" (Ellicott, *in loc.*). Portanto, o *registro* da morte de Isaque aparece *antes* de eventos que ainda seriam registrados, quando, na realidade, só ocorreu *depois* desses eventos.

■ 35.29

וַיִּגְוַע יִצְחָק וַיָּמָת וַיֵּאָסֶף אֶל־עַמָּיו זָקֵן וּשְׂבַע יָמִים וַיִּקְבְּרוּ אֹתוֹ עֵשָׂו וְיַעֲקֹב בָּנָיו׃ פ

Idades Comparadas. A duração da vida dos homens foi diminuindo paulatinamente. Os homens viviam em redor de 1000-900 anos (de Adão a Noé). Os homens viviam em redor de 600-200 anos (de Noé a Abraão). Os homens viviam em redor de 200-100 anos (durante a era patriarcal). Os teólogos culpam o pecado e sua crescente degradação como o motivo do declínio gradual mas radical da duração de vida dos homens. Finalmente, nos dias de Davi, a duração média de vida humana estabilizara-se em torno de setenta anos, o que prevalece, essencialmente, até hoje. Ver Salmo 90.10. Ver no *Dicionário* os artigos chamados *Morte* e *Sepultamento, Costumes de*.

A Solenidade da Morte. A história *foi* sempre a mesma, mudando apenas os nomes. Abraão morreu e foi sepultado por seus dois filhos, Isaque e Ismael. Isaque morreu e seus dois filhos vieram sepultá-lo. Assim a história vai-se repetindo. Chega o nosso tempo de enfrentarmos a morte; nossos filhos nos sepultam. Chega o tempo de nossos filhos morrerem; e seus filhos os sepultam. Portanto, esperamos em Deus e na imortalidade. Ver no *Dicionário* o artigo intitulado *Alma*. Apesar de ser desejável uma longa vida física, é ainda melhor possuir espiritualidade, o que nos pode fazer ultrapassar as crises da vida e atingir a pátria dos imortais.

Outra lição que aprendemos aqui é o poder da nação judaica em defesa da família. Jacó e Esaú arrostaram um período de hostilidade, mas isso terminou para sempre ao se reencontrarem no deserto, depois que Jacó deixara Harã (Gn 33). Agora, vemos novamente os dois juntos, no sepultamento de Isaque, sem dúvida, gozando de paz e harmonia. E, então, os dois continuaram a viver próximos um do outro, por algum tempo, sem nenhum atrito (ver Gn 36.5 ss.). Quando do funeral de Isaque, ambos prestaram honras à grande vida que o pai deles tinha vivido. Embora não tivesse sido um homem enérgico como Abraão, e apesar de não ter sido homem de muitas experiências místicas, conforme estava sendo Jacó, parece que ele foi um dos mais piedosos homens do período patriarcal. Ele passou por seus problemas, mas parece ter levado uma vida espiritual sem interrupções, sem grandes lapsos. Agora, pois, Jacó e Esaú exibiam ambos a sua lealdade e o seu respeito a Isaque.

"As *convicções* são oriundas das lealdades pessoais e das lealdades à família. A Bíblia, mais do que qualquer outro livro, mostra aos homens o que a lealdade pode significar, destacando, sobretudo, que a lealdade à família e às pessoas só pode ser algo doce quando se eleva até a contemplação a Deus" (Walter Russell Bowie, *in loc.*).

Esaú e Jacó, seus filhos, o sepultaram. Sem dúvida, na caverna de Macpela (ver sobre esse lugar no *Dicionário*), no terreno que Abraão havia adquirido como lugar de sepultamento, e onde tanto Abraão quanto Sara já tinham sido sepultados. Os restos de Isaque foram postos ao lado dos restos de sua esposa, Rebeca, conforme o costume da época exigia.

O VOO DO ESPÍRITO

A morte da querida Raquel

Então Raquel, ao sair-lhe a alma (porque morreu), chamou ao filho Benoni; mas seu pai lhe chamou Benjamim.
Assim morreu Raquel e foi sepultada no caminho de Efrata (que é Bete-Leém). E Jacó erigiu uma coluna sobre a sua sepultura; esta é a coluna da sepultura de Raquel até o dia de hoje.

Gênesis 35.18-20

O rio da vida que não tem fim

Entre o sono e o sonho,
Entre mim e o que há em mim,
E o que eu me suponho,
Corre um rio sem fim.

Passou por outras margens,
Diversas mais além,
Naquelas várias viagens
Que todo o rio tem.

Chegou onde hoje habito,
A casa que hoje sou.
Passa, se eu me medito;
Se desperto, passou.

E quem me sinto e morre
No que me diga a mim,
Dorme onde o rio corre,
Esse rio sem fim.

Fernando Pessoa

CAPÍTULO TRINTA E SEIS

OS DESCENDENTES DE ESAÚ (36.1-43)

OS EDOMITAS (36.1-19)

Esta seção, de acordo com os críticos, foi compilada à base das fontes J e P(S). Ver no *Dicionário* o artigo chamado *J.E.D.P.(S.)*, quanto a informações sobre a teoria das fontes múltiplas do Pentateuco. Achamos aqui valiosas informações sobre os edomitas ou idumeus, sem dúvida alicerçadas sobre registros antigos dos próprios edomitas.

O *TOLEDOTH* DE ESAÚ (36.1-8)

Temos aqui o nono *toledoth* (gerações) e a décima divisão do livro de Gênesis. Moisés dividiu seu livro em doze divisões gerais, e todas elas, com exceção da primeira, começam com um *toledoth* ou geração. Os livros antigos não continham divisões e índices, conforme vemos nos livros modernos. Damos informações completas, nas notas sobre Gênesis 2.4, quanto a esses *toledoth* e outras maneiras de dividir os livros antigos.

"A narrativa salienta dois pontos. *Primeiro*, os filhos de Esaú nasceram na terra de Canaã (vs. 5), antes de ele mudar-se para Seir (vs. 8). Isso faz contraste com Jacó, cujos filhos nasceram *fora* da terra de Canaã, para então mudarem-se para a terra de Canaã. *Segundo*, Esaú tornou-se *Edom*. De fato, por todo este capítulo, o leitor é lembrado do fato. Por certo Israel entenderia o significado disso, porquanto os israelitas sempre tiveram de lutar contra os edomitas, descendentes de Esaú (Gn 36.43)" (Allen P. Ross, *in loc.*).

Reinou, Finalmente, a Paz. Jacó tinha fugido para escapar com vida, depois de haver furtado a bênção de Isaque que estava destinada a Esaú (Gn 27.45 ss.). Ao voltar de Harã, cerca de vinte anos mais tarde, no caminho encontrou-se com Esaú. Jacó estava temeroso, mas tudo terminou bem. Esaú não mantinha rancor, e, surpreendentemente, manifestou profundo amor por seu irmão gêmeo (Gn 33). Por que o amor haveria de nos surpreender? No entanto, é mais fácil odiar e prejudicar do que amar e servir. A ordem cronológica dos relatos de Gênesis leva-nos a pensar que Esaú tinha ido para Seir, então regressara à terra de Canaã, e viveu ali, perto de Jacó, por algum tempo (Gn 36.6 ss.). Mas acabaram ambos tão ricos que precisaram separar-se, pois o território não conseguia sustentar os rebanhos de ambos ao mesmo tempo. E foi por isso que Esaú acabou voltando a Seir (cf. Gn 33.14 e 36.8).

■ **36.1**

וְאֵלֶּה תֹּלְדוֹת עֵשָׂו הוּא אֱדוֹם:

O Toledoth de Esaú. O autor sacro inicia onze das doze divisões do livro de Gênesis com a palavra hebraica *toledoth*. Ver as notas em Gênesis 2.4 quanto a explicações sobre essa antiga maneira de dividir um livro. Temos aqui a décima divisão do livro, e seu nono *toledoth*.

Esaú. Ver sobre ele no *Dicionário*. No passado, Rebeca havia recebido a revelação divina de que seus filhos gêmeos haveriam de encabeçar nações distintas e hostis (Gn 25.23).

Edom. Ver o artigo detalhado sobre esse nome, no *Dicionário*. O texto equipara Esaú e Edom. Ele foi o patriarca dos edomitas. Mas, se Jacó e Esaú mantiveram relações amistosas até o fim de suas vidas, seus descendentes viviam se guerreando.

A genealogia dos filhos de Esaú, que nasceram na terra de Canaã, aparece nos vss. 1-8 deste capítulo. A genealogia de seus netos, nascidos em Seir, está nos vss. 9-19. E a genealogia de Seir, o horeu, nos vss. 20-30. Esta geração foi adicionada porque as duas famílias, de Edom e de Seir, se misturaram, tornando-se uma só. Deus cumpriria as suas promessas a Esaú (Gn 24 e 27). Ele também estava destinado a tornar-se uma grande nação, uma subdivisão do *Pacto Abraâmico* (ver as notas a respeito em Gn 15.18).

■ **36.2**

עֵשָׂו לָקַח אֶת־נָשָׁיו מִבְּנוֹת כְּנָעַן אֶת־עָדָה בַּת־אֵילוֹן
הַחִתִּי וְאֶת־אָהֳלִיבָמָה בַּת־עֲנָה בַּת־צִבְעוֹן הַחִוִּי:

As Mulheres de Esaú. Os diferentes nomes dados às várias esposas de Esaú têm gerado para os eruditos mais dificuldade do que a questão merece. Não há como reconciliar os informes, nem é importante que haja reconciliação. Ver os informes sobre suas esposas em Gênesis 26.34; 28.9 e 36.2,3. Alguns estudiosos supõem que as listas não sejam completas individualmente, mas antes, que uma lista suplemente as outras, o que indicaria que Esaú tinha mais esposas do que qualquer lista isolada o indica. Outra maneira de reconciliar os dados bíblicos consiste em supormos que uma ou outra acabou morrendo, e, então, que começam a ser mencionadas outras mulheres, sem nenhuma alusão às que já tinham desaparecido de cena. Ainda outros eruditos creem que estão em pauta as mesmas mulheres, mas que elas são chamadas por nomes alternativos nas diversas listas.

Ada. No hebraico, *adorno, beleza*. Era uma das esposas de Esaú, filha de Elom, o heteu, e, talvez, a mesma Basemate da lista dada em Gênesis 26.34. Ela é a primeira esposa de Esaú a ser mencionada por nome, embora fosse sua terceira mulher. Alguns eruditos supõem que havia duas esposas com nomes diferentes, mas ambas filhas de Elom. Mas isso é apenas conjectura. O casamento de Esaú e Ada introduziu sangue cananeu na família de Abraão e chegou a influenciar a vida dos israelitas. Essa mulher foi ancestral de seis tribos idumeias (Gn 36.2-4,15,16).

Heteu. Ver no *Dicionário* o artigo *Hititas (Heteus)*.

Oolibama. No hebraico, *tenda da altura*. Algumas traduções grafam seu nome como Aolibama. Provavelmente foi a segunda das três esposas de Esaú. Ela viveu em torno de 1764 a.C. Na narrativa anterior, ela é chamada (segundo alguns eruditos dizem) *Judite* (Gn 26.34). Era neta de Zibeão, o heveu. É provável que seu nome original fosse Judite, e que, após casar-se, tenha recebido outro nome, um costume bastante comum na época. Foi matriarca de três tribos descendentes de Esaú.

Aná. No hebraico, *resposta*. Era filho ou filha de Zibeão, e também pai ou mãe de Oolibama, uma das esposas de Esaú (Gn 36.2,14,18,25; 1Cr 1.40 ss.). Era heveia, ou seja, da tribo dos heveus. O trecho de Gn 36.24 diz que ele ou ela era o mesmo Aná que achou as fontes termais no deserto, mas onde algumas traduções dizem "mulas", em vez de fontes termais. As traduções também variam quanto ao gênero dessas pessoas, embora não fosse provável que uma mulher pudesse cumprir as funções descritas no Antigo Testamento acerca de tal pessoa.

Elom. Nada se sabe sobre esse homem, exceto o que se entende por este texto. Era pai de Basemate, uma das esposas de Esaú (Gn 26.34). De acordo com alguns, em Gênesis 36.2, sua filha, Basemate, é chamada *Ada*. Mas em Gênesis 36.3 achamos outra Basemate, filha de Ismael e irmã de Nebaiote. Isso quer dizer que duas esposas de Esaú tinham o mesmo nome. É possível, pois, que a primeira tenha recebido o apelativo *Ada* a fim de ser distinguida da segunda. Mas ninguém pode, realmente, resolver esse enigma que circunda os nomes das mulheres de Esaú.

Zibeão. No hebraico, *ladrão, selvagem*. Ele era um heveu. Era o avô de Ada, uma das esposas de Esaú. Viveu em torno de 1800 a.C. Coisa alguma se sabe acerca dele, exceto o que se apreende neste texto. Ver Gênesis 36.20 quanto a outro homem com esse mesmo nome.

■ 36.3

וְאֶת־בָּשְׂמַת בַּת־יִשְׁמָעֵאל אֲחוֹת נְבָיוֹת:

Basemate. No hebraico, *fragrante*. Esse é o nome de várias mulheres que figuram no Antigo Testamento: 1. Uma das esposas de Esaú (Gn 26.34), filha de Elom, o heteu. Portanto, Esaú ignorou o mandamento divino que proibia que os membros da família escolhida se casassem com cananeus. Tal casamento causou tristeza em Isaque e Rebeca. *Ada*, outra das esposas cananeias de Esaú, provavelmente era irmã de Basemate. 2. Outra das esposas de Esaú. Ela era filha de Ismael e irmã de Nebaiote (Gn 36.3). Em Gênesis 28.6-9 ela também é chamada de *Maalate*. Esse novo casamento de Esaú ocorreu quando ele percebeu que o casamento de Jacó com uma jovem da parentela de Abraão havia agradado Isaque, redundando em bênção para Jacó. Essa mulher tornou-se a mãe de Reuel. Seus vários filhos com Esaú também tornaram-se figuras importantes em Edom. 3. A filha de Salomão também era chamada assim. Ver sobre ela em 1Reis 4.15.

Ismael. Ver sobre ele no *Dicionário*.

Nebaiote. No hebraico, *frutificação, fertilidade*. Esse era o nome do filho primogênito de Ismael (Gn 25.13; 1Cr 1.29). Ele foi um xeque, que Jerônimo chamava de *fúlarxos*, príncipe de uma das tribos ismaelitas. Eles continuaram a ser conhecidos por esse título, nas gerações que se seguiram (Gn 25.16; 17.20). Uma das esposas de Esaú, Maalate (também chamada *Basemate*), era irmã de Nebaiote (Gn 28.9; 36.3). Uma curiosidade histórica é o fato de que a terra de Esaú, *Edom*, finalmente caiu sob o controle da posteridade de Nebaiote. Esse clã árabe era vizinho do povo de Quedar. Ambos os nomes aparecem nos registros de Assurbanipal, rei da Assíria (669-626 a.C.). Ao que parece, eles foram os antepassados dos *nabateus* (ver no *Dicionário*). Todavia, alguns eruditos rejeitam essa teoria sobre bases filológicas.

■ 36.4

וַתֵּלֶד עָדָה לְעֵשָׂו אֶת־אֱלִיפָז וּבָשְׂמַת יָלְדָה
אֶת־רְעוּאֵל:

Elifaz. No hebraico, *Deus é vitorioso*. Uma figura de proa do livro de Jó (4.12-21), com notas expositivas ali e um artigo no *Dicionário*. Também era o nome de um filho de Ada, esposa de Esaú. Jerônimo identificou-o com a personagem do livro de Jó, concordando nisso com o Targum de Jonathan. Mas outros dizem que o homem do livro de Jó era neto do homem com esse nome, aqui referido. Na verdade, nada se sabe sobre ele, pelo que supomos que todas aquelas afirmações são meras conjecturas.

Reuel. Esse nome também tem sido transliterado como *Raguel*. Nome de seis homens que figuram na Bíblia. Ver no *Dicionário*. Esse nome quer dizer *amigo* ou *companheiro de Deus*. O homem com esse nome, neste texto, era filho de Basemate, filha de Ismael (Gn 36.3,4,10; 1Cr 1.35), e pai de Naate, Zerá, Samá e Mizá, chefes de clãs edomitas (Gn 36.13 e 1Cr 1.37).

■ 36.5

וְאָהֳלִיבָמָה יָלְדָה אֶת־יְעוּשׁ וְאֶת־יַעְלָם וְאֶת־קֹרַח
אֵלֶּה בְּנֵי עֵשָׂו אֲשֶׁר יֻלְּדוּ־לוֹ בְּאֶרֶץ כְּנָעַן:

Jeús. No hebraico, *forte, apressado* (e, talvez, *coletor*). É o nome de cinco pessoas que aparecem no Antigo Testamento. Um deles era o filho mais velho de Esaú e sua esposa, Oolibama. Gênesis 36.5,14,18; 1Crônicas 1.35. Ele nasceu na terra de Canaã; posteriormente, porém, tornou-se um dos chefes idumeus. Viveu em torno de 1800 a.C. Ver o *Dicionário* quanto aos outros homens com esse nome.

Jalão. No hebraico, *aquele que Deus oculta*. Era filho de Esaú e Oolibama, e veio a tornar-se um dos chefes dos idumeus (Gn 36.5,14,18; 1Cr 1.35). Viveu em cerca de 1800 a.C.

Coré. No hebraico, *calvo*. Esse é o nome de várias personagens do Antigo Testamento (ver o verbete *Coré*, no *Dicionário*). No que tange a este texto, temos o terceiro filho de Esaú e sua concubina cananeia, Oolibama (ver Gn 36.5,14,18; 1Cr 1.35). Ele nasceu na terra de Canaã, antes de Esaú partir para o monte Seir (Gn 36.5-9). Ali, Coré tornou-se cabeça de uma das tribos idumeias (Gn 36.18).

Na terra de Canaã. Parece que todos os filhos de Esaú nasceram ali; mas seus netos já nasceram em Seir (vs. 9-19). Em contraste com isso, todos os filhos de Jacó (com exceção de Benjamim) nasceram em Padã-Arã. São truques engraçados do destino. "Encontramos Esaú com um bando de homens armados, em Seir, quando da volta de Jacó de Padã-Arã para a Terra Prometida. Mas ele continuava residindo em Hebrom, com seu pai, Isaque, até que este faleceu, 22 anos mais tarde" (Ellicott, *in loc.*). À semelhança de Abraão e de outros patriarcas, Esaú parece que tinha várias residências, pois vivia como seminômade. Deixou Canaã e foi (permanentemente?) para Seir, levando consigo sua parte das riquezas de Isaque, além do muito que ele já havia acumulado pessoalmente. Isso deixou Jacó em Hebrom, sua terra, como continuador da linhagem de Isaque, a linhagem que se tornaria a nação de Israel, enquanto Esaú encabeçava tribos idumeias. Isso cumpriu a profecia que havia sido dada a Rebeca, em Gênesis 25.23.

■ 36.6

וַיִּקַּח עֵשָׂו אֶת־נָשָׁיו וְאֶת־בָּנָיו וְאֶת־בְּנֹתָיו וְאֶת־כָּל־
נַפְשׁוֹת בֵּיתוֹ וְאֶת־מִקְנֵהוּ וְאֶת־כָּל־בְּהֶמְתּוֹ וְאֵת
כָּל־קִנְיָנוֹ אֲשֶׁר רָכַשׁ בְּאֶרֶץ כְּנָעַן וַיֵּלֶךְ אֶל־אֶרֶץ
מִפְּנֵי יַעֲקֹב אָחִיו:

Levou Esaú. Temos aqui a partida definitiva de Esaú. Ele e Jacó tinham vivido anos em paz e amor fraternal, perto um do outro. Mas seus rebanhos tinham-se multiplicado tanto que se tornou prudente separarem-se. Assim, Esaú tomou sua parte da herança de Isaque, além do que havia amealhado ele mesmo, e mudou-se para Seir (vs. 8). A separação foi mais do que de bens e rebanhos. Também foi uma separação de povos, pois a Jacó coube dar continuidade à linhagem de Abraão, que resultaria na nação de Israel; e, por meio de Judá (um dos filhos de Lia), que resultaria no Messias. Esaú, por sua parte, tinha um destino diferente, tendo-se tornado patriarca de muitas tribos ou nações, conforme isso lhe havia sido prometido (dentro da bênção de Isaque, Gn 27.39 ss.). Estava assim tendo cumprimento a promessa, feita a Abraão, de que ele seria pai de muitas nações. Ver as notas em Gênesis 15.18 quanto ao *Pacto Abraâmico*, onde está incluída essa provisão. Esaú *voltou* a Seir (vs. 5).

■ 36.7

כִּי־הָיָה רְכוּשָׁם רָב מִשֶּׁבֶת יַחְדָּו וְלֹא יָכְלָה אֶרֶץ מְגוּרֵיהֶם לָשֵׂאת אֹתָם מִפְּנֵי מִקְנֵיהֶם׃

Dois Homens Muito Ricos. O fato de Jacó ter-lhe arrebatado a bênção paterna de primogenitura não impediu que Esaú se tornasse um homem rico. Jacó e Esaú tornaram-se *ambos* muito ricos, um sinal de bênção divina, de acordo com a mentalidade dos hebreus. As terras áridas têm um limite: quanto gado podem sustentar. A grande multiplicação de animais, e sua necessidade de comerem, acabou separando os dois irmãos. Essa era uma razão muito melhor que aquela outra, que os havia separado quando jovens. A primeira separação fora causada por ludíbrio e ódio. Esta segunda foi causada pelo fato de que se tinham tornado ricos demais. Neste caso, Jacó e Esaú repetiram o que tinha acontecido a Abraão e Ló (Gn 13.8 ss.). Maimônides supunha que Esaú tivesse ido antes em expedições de caça a Seir e, naturalmente, escolhera aquele lugar; mas sabemos que ele já tinha vivido ali (Gn 33.14,16).

■ 36.8

וַיֵּשֶׁב עֵשָׂו בְּהַר שֵׂעִיר עֵשָׂו הוּא אֱדוֹם׃

Monte de Seir. Ver notas completas sobre esse lugar no *Dicionário*. Ver também as notas em Gênesis 14.6 e 32.3 quanto a outras informações. A viagem feita por Esaú cobriu uma distância entre 80 e 160 km. Assim, a transferência de Esaú não se fez com dificuldade, mesmo considerando-se a época em que sucedeu. Esaú voltou assim para onde já tinha vivido (Gn 32.3).

Edom. Ver o artigo *Edom, Idumeus* no *Dicionário*. Seir era uma cadeia montanhosa do território de Edom.

■ 36.9

וְאֵלֶּה תֹּלְדוֹת עֵשָׂו אֲבִי אֱדוֹם בְּהַר שֵׂעִיר׃

O Toledoth de Esaú. Moisés usou a palavra hebraica *toledoth*, "gerações", a fim de designar as principais divisões do livro de Gênesis. Usou a palavra por onze vezes, embora haja doze divisões no livro, pois a história da criação (primeira divisão) não emprega essa palavra. Quanto a notas completas sobre a questão, ver Gênesis 2.4. Os versículos anteriores já nos deram os primórdios do presente *toledoth*, mas agora são dados os pormenores. Essa palavra já tinha sido usada no primeiro versículo deste capítulo. Temos aqui o nono *toledoth* do livro e a décima divisão do livro de Gênesis.

O Progenitor dos Edomitas. Ver no *Dicionário* o artigo intitulado *Edom, Idumeus*. De Abraão procedeu a linhagem que daria no Cristo: Isaque-Jacó-Judá. Esaú, irmão gêmeo de Jacó, originou um grupo separado de tribos que se desenvolveu em uma nação, cumprindo assim certa provisão do *Pacto Abraâmico* (ver as notas a respeito em Gn 15.18), que dizia que ele seria pai de muitas nações. Ismael, filho de Abraão e Hagar, por sua vez, haveria de iniciar outra linhagem com doze patriarcas árabes (Gn 17.20).

"Os filhos de Esaú também tiveram filhos. Assim, Esaú teve cinco filhos e dez netos (ou descendentes literais ou tribos fundadas por eles). Esaú teve onze netos, se Coré (vs. 16) tiver de ser incluído. O texto hebraico massorético alista-o aqui, mas não no vs. 11 nem em 1Crônicas 1.35. Ou, talvez, ele tenha morrido pouco depois de haver-se tornado um príncipe. Ou, então, a palavra Coré, em Gênesis 36.16, talvez seja um erro escribal, devido a uma ditografia com base no Coré do vs. 14" (Allen P. Ross, *in loc.*).

■ 36.10

אֵלֶּה שְׁמוֹת בְּנֵי־עֵשָׂו אֱלִיפַז בֶּן־עָדָה אֵשֶׁת עֵשָׂו רְעוּאֵל בֶּן־בָּשְׂמַת אֵשֶׁת עֵשָׂו׃

Todos os nomes pessoais que figuram aqui são repetições com base em versículos anteriores: Elifaz e Ada (vs. 2); Reuel e Basemate (vs. 3).

■ 36.11

וַיִּהְיוּ בְּנֵי אֱלִיפָז תֵּימָן אוֹמָר צְפוֹ וְגַעְתָּם וּקְנַז׃

Temã. No hebraico, *sul*. Ele foi neto de Esaú e de sua esposa heteia, Ada (Gn 36.11; 1Cr 1.36). Era filho mais velho do filho mais velho de Esaú. Tornou-se um dos chefes de Edom. Há estudiosos que pensam que devemos distinguir o Temã de Gênesis 36.11 daquele de Gênesis 36.42 (o primeiro, provavelmente, viveu em torno de 1700 a.C.; e o segundo, em torno de 1480 a.C.).

Omar. No hebraico, *falador*. Filho de Elifaz, filho de Esaú (Gn 36.15; 1Cr 1.36). Tornou-se cabeça de um dos clãs edomitas. Viveu em torno de 1700 a.C.

Zefô. No hebraico, *vigia, observador*. Um dos filhos de Elifaz, filho de Esaú, ou Edom, cujo nome aparece com a forma de Zefi, em 1Crônicas 1.36. Viveu em torno de 1700 a.C. Foi um dos chefes tribais dos idumeus.

Gaetã. No hebraico, *insignificante* ou *vale queimado*. Era um dos netos de Esaú, o quarto filho de Elifaz (Gn 36.11; 1Cr 1.36). Foi chefe de um clã edomita. Viveu em torno de 1700 a.C.

Quenaz. No hebraico, *caçador* ou *flanco*. Esse é o nome de três personagens do Antigo Testamento. O homem desse nome neste texto (e em 1Cr 1.36) foi um dos líderes dos idumeus, filho de Elifaz, neto de Esaú. Viveu em torno de 1700 a.C.

■ 36.12

וְתִמְנַע הָיְתָה פִילֶגֶשׁ לֶאֱלִיפַז בֶּן־עֵשָׂו וַתֵּלֶד לֶאֱלִיפַז אֶת־עֲמָלֵק אֵלֶּה בְּנֵי עָדָה אֵשֶׁת עֵשָׂו׃

Timna. No hebraico, *restrição*. Esse é o nome de duas mulheres e de dois homens nas páginas do Antigo Testamento. A mulher que aqui é mencionada era concubina de Elifaz, filho de Esaú. Ela viveu em torno de 1700 a.C. Ver no *Dicionário* o artigo intitulado *Concubina*.

Amaleque. No hebraico, *habitante do vale*. Era filho de Elifaz e de sua concubina, Timna, e neto de Esaú. Sucedeu Gaetã no governo de Edom, ao sul de Judá (Gn 36.12,16; 1Cr 1.36). Há uma referência aos amalequitas em Gênesis 14.7, onde Quedorlaomer (cerca de 1900 a.C.) e seus associados subjugaram os amalequitas e outros povos. Essa referência pode ser um anacronismo, embora seja possível que algum outro Amaleque (desconhecido) esteja ali em foco. Ou, então, esse termo pode ter sido usado para identificar a terra que mais tarde tornou-se a pátria dos descendentes amalequitas de Esaú. Em Números 24.20, Balaão refere-se a Amaleque como "o primeiro das nações", mas que viria a ser destruído. Isso não é uma alusão a tempos mais primitivos, mas apenas uma declaração de que os amalequitas seriam a primeira entre as nações a atacar Israel, quando do êxodo do Egito (Êx 17.8; Nm 14.45). Os edomitas apossaram-se do território dos horeus. No tempo do rei Ezequias, os últimos redutos amalequitas em Edom foram dispersos pelos simeonitas (1Cr 4.42,43).

Os filhos. Ou seja, netos de *Ada*, pois temos aqui um uso frouxo do termo *filho*.

■ 36.13

וְאֵלֶּה בְּנֵי רְעוּאֵל נַחַת וָזֶרַח שַׁמָּה וּמִזָּה אֵלֶּה הָיוּ בְּנֵי בָשְׂמַת אֵשֶׁת עֵשָׂו׃

Naate. No hebraico, *descanso, quietude*. No Antigo Testamento há três homens com esse nome. Em Gênesis 36.13, o primeiro dos quatro filhos de Reuel, filho de Esaú, que veio a ser um dos líderes dos edomitas. Ele viveu em torno de 1700 a.C.

Zerá. No hebraico, *rebento* ou *brilho*. Esse é o nome de sete homens que figuram no Antigo Testamento. Este era filho de Reuel, filho de Esaú. Tornou-se um chefe edomita (Gn 36.13; 1Cr 1.37; e também, talvez, em 1Cr 1.44, a menos que este versículo fale de outro Zerá, pai de um rei idumeu anterior, Joabe; cf. Gn 36.33). Viveu em cerca de 1700 a.C.

Samá. No hebraico, *fama, renome*. Nome de quatro pessoas do Antigo Testamento. No tocante a esta passagem, um filho de Reuel, filho de Esaú, por meio de Basemate, que era filha de Ismael. Foi chefe de uma tribo idumeia (Gn 36.13,17; 1Cr 1.37). Viveu em torno de 1700 a.C.

Mizá. No hebraico, *temor*. Nome do quarto e último filho de Reuel, filho de Esaú, e sua esposa, Basemate (Gn 36.13; 1Cr 1.37). Tornou-se chefe de um clã idumeu. Viveu em torno de 1700 a.C.

Filhos de Basemante. Ou seja, seus netos.

■ 36.14

וְאֵ֣לֶּה הָי֗וּ בְּנֵ֤י אָהֳלִֽיבָמָה֙ בַת־עֲנָ֣ה בַּת־צִבְע֔וֹן אֵ֖שֶׁת עֵשָׂ֑ו וַתֵּ֣לֶד לְעֵשָׂ֔ו אֶת־יְע֥וּשׁ וְאֶת־יַעְלָ֖ם וְאֶת־קֹֽרַח׃

Os nomes Oolibama, Aná e Zibeão já haviam sido mencionados no segundo versículo deste capítulo, onde são comentados.

Jeús. Nome de cinco pessoas do Antigo Testamento. Esse nome significa *forte, apressado*. No que toca ao presente texto, temos o filho mais velho de Esaú e sua esposa Oolibama, sobre o qual comentamos no vs. 5.

Jalão. Ver as notas no vs. 5 deste capítulo.

Coré. Ver as notas no vs. 5 deste capítulo.

Os nomes dos filhos de Oolibama foram repetidos, mas os nomes de seus netos não foram alistados, conforme se vê no caso das demais esposas de Esaú, mas por razões desconhecidas.

■ 36.15,16

אֵ֖לֶּה אַלּוּפֵ֣י בְנֵֽי־עֵשָׂ֑ו בְּנֵ֤י אֱלִיפַז֙ בְּכ֣וֹר עֵשָׂ֔ו אַלּ֤וּף תֵּימָן֙ אַלּ֣וּף אוֹמָ֔ר אַלּ֥וּף צְפ֖וֹ אַלּ֥וּף קְנַֽז׃

אַלּֽוּף־קֹ֛רַח אַלּ֥וּף גַּעְתָּ֖ם אַלּ֣וּף עֲמָלֵ֑ק אֵ֣לֶּה אַלּוּפֵ֤י אֱלִיפַז֙ בְּאֶ֣רֶץ אֱד֔וֹם אֵ֖לֶּה בְּנֵ֥י עָדָֽה׃

Os príncipes. Chefes tribais que se tornaram patriarcas de pequenas nações cujo progenitor era Esaú. O autor sacro forneceu-nos essa informação adicional para mostrar como os descendentes de Esaú desenvolveram-se em nações separadas, distintas dos descendentes de Jacó, que se tornou o patriarca de Israel, de acordo com a linhagem Abraão-Isaque-Jacó-Judá-Messias, a linhagem verdadeiramente real. Os nomes que já tínhamos visto se repetem aqui, mas agora neste contexto de identidades nacionais, distintas de Israel.

O termo hebraico aqui usado, traduzido por "príncipe", é *alluph*, o qual indica um chefe tribal ou príncipe, derivado de *eleph*, "mil". Cada *alluph* tornou-se o cabeça de uma tribo, com seu próprio distrito ou identificação geográfica.

Essa lista fornece-nos *catorze príncipes: sete*: por meio de Ada; quatro por meio de Basemate; e três por meio de Oolibama.

Príncipes da Linhagem Esaú-Ada-Elifaz (sete):

Temã. Ver as notas no vs. 11.
Omar. Ver as notas no vs. 11.
Zefô. Ver as notas no vs. 11.
Quenaz. Ver as notas no vs. 11.
Coré. Esse homem (ou outro do mesmo nome) é mencionado no vs. 5 como filho de Oolibama, informação essa que foi repetida no vs. 14. Ele era filho, e não neto de Esaú, motivo pelo qual alguns intérpretes falam aqui em deslocamento ou interpolação. Alguns deles pensam que a palavra foi incorretamente inserida pelo autor original; outros pensam em um erro escribal subsequente, por motivo de descuido. A versão samaritana não contém esse nome aqui, e não envolve uma interpolação. No entanto, outros eruditos pensam que esse *Coré* era mesmo neto de Esaú, por isso deve ser distinguido do Coré dos vs. 5 e 14. O trecho de 1Crônicas 1.35 não contém o nome, favorecendo a ideia de que realmente houve um erro escribal neste ponto. Nesse caso, na verdade não seriam sete os príncipes edomitas descendentes de Ada, e, sim, seis.

Gaetã. Ver as notas no vs. 11.
Amaleque. Ver as notas no vs. 12.
Filhos de Ada, ou melhor, netos de Edom que se tornaram príncipes ou chefes tribais.

■ 36.17

אֵ֗לֶּה בְּנֵ֤י רְעוּאֵל֙ בֶּן־עֵשָׂ֔ו אַלּ֥וּף נַ֨חַת֙ אַלּ֣וּף זֶ֔רַח אַלּ֥וּף שַׁמָּ֖ה אַלּ֣וּף מִזָּ֑ה אֵ֣לֶּה אַלּוּפֵ֤י רְעוּאֵל֙ בְּאֶ֣רֶץ אֱד֔וֹם אֵ֖לֶּה בְּנֵ֥י בָשְׂמַ֖ת אֵ֥שֶׁת עֵשָֽׂו׃

Príncipes da Linhagem Esaú-Basemate-Reuel (quatro):

Naate. Ver as notas no vs. 13.
Zerá. Ver as notas no vs. 13.
Samá. Ver as notas no vs. 13.
Mizá. Ver as notas no vs. 13.
Edom. Ver sobre este lugar no *Dicionário*. Os filhos de Esaú nasceram na terra de Canaã, em contraste com os filhos de Jacó, que nasceram no "estrangeiro", excetuando apenas Benjamim. Mas os netos de Esaú já nascerem em Edom e tornaram-se chefes tribais ali.

Filhos de Basemate. Ou seja, netos.

■ 36.18

וְאֵ֗לֶּה בְּנֵ֤י אָהֳלִֽיבָמָה֙ אֵ֣שֶׁת עֵשָׂ֔ו אַלּ֥וּף יְע֛וּשׁ אַלּ֥וּף יַעְלָ֖ם אַלּ֣וּף קֹ֑רַח אֵ֣לֶּה אַלּוּפֵ֞י אָהֳלִֽיבָמָ֛ה בַּת־עֲנָ֖ה אֵ֥שֶׁת עֵשָֽׂו׃

Príncipes da Linhagem Esaú-Oolibama (três).

Esses são filhos, e não netos de Esaú, como nos dois casos anteriores. Nessa linhagem, coisa alguma é dita sobre netos, embora eles também devam ter sido chefes de Edom. Talvez Oolibama pertencesse à proeminente família de Seir, e seus filhos tivessem tomado conta dos distritos e tribos dos horeus, os habitantes originais da região.

Jeús. Ver as notas no vs. 5.
Jalão. Ver as notas no vs. 5.
Coré. Ver as notas no vs. 5 (ver também o *Coré* do vs. 16, o que envolve uma certa confusão de nomes).
Filha de Aná. Ver o vs. 2 sobre *Aná*.

■ 36.19

אֵ֥לֶּה בְנֵי־עֵשָׂ֖ו וְאֵ֣לֶּה אַלּוּפֵיהֶ֑ם ה֖וּא אֱדֽוֹם׃ ס

Ele é Edom. De acordo com o autor sagrado, a nação compunha-se de catorze ou treze príncipes ou chefes tribais, cada um dos quais originador de uma nação.

OS HOREUS (36.20-30)

Os horeus não eram os mesmos hurrianos, conforme têm pensado alguns eruditos. Os hurrianos foram um povo não-semítico que se originou (até onde a história nos revela) na região montanhosa da Mesopotâmia. Nos séculos XV e XIV a.C., eles se espalharam tão geralmente pela Síria e pela Palestina que um nome egípcio alternativo para a terra de Canaã era *Khuru*, uma referência aos hurrianos. Ver os artigos detalhados, no *Dicionário*, intitulados *Horeus* e *Hurrianos*.

Os *horeus* eram também chamados, antigamente, *hori* e *horins*. Eles têm sido identificados com certos "habitantes das cavernas" (em nossa versão portuguesa, "enlaçados em cavernas", Is 42.22). Talvez haja nisso uma alusão a mineiros. Outros estudiosos, entretanto, pensam que esse nome está ligado ao termo egípcio *hurru*, uma designação de povos da região da Síria-Palestina. Esses povos, juntamente com Israel, figuram na estela de Meremptá, com data por volta de 1220 a.C. Essa palavra egípcia aponta para os hurrianos, um povo não-semita que fazia parte da população indígena da Síria, no século XVIII a.C., e também havia ocupado a área chamada Suburu, ou seja, a região do Eufrates: Habur-Tigre.

Sob a liderança do reino de Mitani, eles chegaram a ocupar uma posição dominante na Síria, no sul da Turquia e no leste da Assíria, desde cerca de 1550 a.C., até que os assírios conseguiram subjugá-los, em cerca de 1150 a.C. Essa gente aparece em tabletes em escrita cuneiforme, de Tell Taanach e de Siquém, bem como nas cartas de Tell el-Amarna, especificamente na carta de Arade-Hepa, de Jerusalém, e na carta hurriana de Tushrata a Amenhotepe IV, do Egito.

Todavia, alguns eruditos afirmam que as várias referências vetero-testamentárias existentes não se ajustam a esse povo. Por exemplo, os nomes pessoais dos *horeus,* conforme se vê em Gênesis 36.20-30, não se ajustam aos padrões hurrianos, mas, antes, parecem ser nomes tipicamente semitas. Ora, os hurrianos não eram um povo semita. E os predecessores dos idumeus, aparentemente, não foram hurrianos.

O nome *horeus* aparece em Gênesis 34.2 e Josué 9.7; e a Septuaginta retém ali esse nome. Quanto ao trecho de Isaías 17.9, tanto o texto massorético quanto a Septuaginta substituem o nome por outras formas. Por essas razões, alguns eruditos supõem que ali haja menção aos horeus ocidentais e aos horeus orientais, sabendo que estes últimos foram os antecessores dos idumeus, na região. Nesse caso, os horeus ocidentais não era semitas; mas os horeus orientais o eram. Aqueles do ocidente eram aparentados dos hurrianos, que aparecem nos textos extrabíblicos do segundo milênio a.C. Adicionemos a isso que a palavra, quando se refere aos horeus orientais, significa "habitantes das cavernas", ao passo que a etimologia do nome dos horeus ocidentais é obscura, aparentemente não relacionada ao outro nome, embora similar a ele.

O nome deles está relacionado ao termo hebraico "hor", que significa "monte" ou "caverna". Se eles não eram mineiros, então eram uma população primitiva que realmente residia em cavernas. Essa gente parece não estar relacionada em coisa alguma aos hurrianos; mas também não existem evidências arqueológicas que iluminem a cultura deles.

Os *horeus* migraram da Mesopotâmia em 2000 a.C. Ao que parece, eram povos aborígenes que habitavam em Edom antes de ali chegarem Esaú e seus descendentes, e cujas terras foram tomadas pelos idumeus. Foram incorporados por meio de casamentos mistos, motivo pelo qual a linhagem Abraão-Isaque-Esaú distanciou-se mais ainda da linhagem Abraão-Isaque-Jacó. A monarquia idumeia originou-se cerca de 150 anos antes daquela de Israel (Nm 20.14). Esaú era o irmão mais velho de Jacó; Edom era o reino mais antigo.

36.20

אֵלֶּה בְנֵי־שֵׂעִיר הַחֹרִי יֹשְׁבֵי הָאָרֶץ לוֹטָן וְשׁוֹבָל וְצִבְעוֹן וַעֲנָה:

São estes os filhos de Seir, o horeu. Eles são aludidos aqui, porque esse foi o povo que Esaú e seus filhos conquistaram e com os quais se misturaram, incorporando-os à linhagem racial de Esaú. Outros povos árabes também foram incorporados. Esaú casou-se com uma filha de Ismael (Gn 28.9). Isso posto, grande foi a mistura que acabou distinguindo claramente os descendentes de Esaú dos descendentes de Jacó. O Pacto Abraâmico estava assim tendo cumprimento. Abraão haveria de ser pai de *muitas* nações. Ver as notas completas a respeito dessa descrição em Gênesis 15.18. Ver Gênesis 14.6 quanto à primeira menção dos *horeus* na Bíblia.

Seir. Ver sobre ele no *Dicionário*. De acordo com certa tradição, que parece datar da penetração dos horeus na região de Seir (cerca de 2000 a.C.), o nome do lugar deriva-se do nome de um homem, Seir, um chefe horeu, que fundou a linhagem dos governantes horeus na área (Gn 36.20-30). Nada se sabe sobre esse homem, e alguns duvidam da historicidade das informações sugeridas pelo contexto.

Lotã. No hebraico, *cobertura.* Foi o filho mais velho de Seir (aqui e em 1Cr 1.38). Foi um chefe tribal idumeu (Gn 36.22,29; 1Cr 1.39), acerca de quem nada se sabe, a não ser o que se lê neste texto.

Sobal. No hebraico, *vagueação.* Nome de três homens das páginas do Antigo Testamento. No tocante ao presente texto, Sobal foi um filho de Seir, o horeu, chefe de um clã dos habitantes horeus de Edom (Gn 36.20,23,29; 1Cr 1.38,40). Ele viveu em torno de 1820 a.C.

Zibeão. No hebraico, *ladrão* ou *selvagem,* um filho de Seir, o horeu, e um dos cabeças de uma tribo (Gn 36.20,29; 1Cr 1.38). Alguns identificam esse homem com a pessoa anterior (vs. 2). Outros conjecturam que a diferença quanto ao gênero, nas versões antigas, deve-se ao fato de que duas pessoas diferentes, mas muito próximas uma da outra, eram chamadas pelo mesmo nome. Mas nada se sabe com certeza a esse respeito.

36.21

וְדִשׁוֹן וְאֵצֶר וְדִישָׁן אֵלֶּה אַלּוּפֵי הַחֹרִי בְּנֵי שֵׂעִיר בְּאֶרֶץ אֱדוֹם:

Disom. No hebraico, *antílope* ou *cabra montês*, nome de duas pessoas que figuram no Antigo Testamento. O homem deste texto foi o quinto filho de Seir, um líder de clã entre os horeus. Esaú e seus filhos tomaram suas terras e incorporaram os horeus na emergente nação de Edom. Gênesis 36.21,28,30; 1Cr 1.38,41. Viveu em torno de 1850 a.C.

Eser. Nas traduções também aparece com as formas de Ezer ou Ezar. No hebraico, esse nome quer dizer *ajuda.* É nome de seis pessoas nas páginas do Antigo Testamento. Aquele que figura neste texto era filho de Seir, o horeu, na terra de Edom, chefe de uma tribo (Gn 36.21,30; 1Cr 1.38). Três de seus filhos são mencionados em Gênesis 36.27 e 1Crônicas 1.42. Viveu em cerca de 1800 a.C.

Disã. No hebraico, *antílope* ou *cabra montês*. Forma alternativa do nome *Disom* (que aparece neste mesmo versículo). Nome do filho caçula do horeu Seir (Gn 36.21,28,30; 1Cr 1.38,42). Ele era líder de um clã dos horeus, descendentes de Seir, ou, talvez, filho direto dele. Esse povo, finalmente, foi expulso do lugar pelos idumeus (Dt 2.12).

36.22

וַיִּהְיוּ בְנֵי־לוֹטָן חֹרִי וְהֵימָם וַאֲחוֹת לוֹטָן תִּמְנָע:

Os Filhos de Lotã, netos de Seir, foram:

Hori. No hebraico, *habitante das cavernas.* Ver sobre ele no *Dicionário*. A pessoa referida neste versículo era um dos filhos de Lotã, filho de Seir e irmão de Homã (Hemã) (Gn 36.22; 1Cr 1.39). Viveu em torno de 1875 a.C.

Homã. No hebraico, *violento, furioso.* Seu nome também é transliterado como Hemã. Era filho de Lotã, filho mais velho de Seir (Gn 36.22; 1Cr 1.39). Viveu em torno de 1800 a.C.

Timna. No hebraico, *restrição.* Nome de quatro pessoas nas páginas do Antigo Testamento, dois homens e duas mulheres. Havia um homem desse nome que era um chefe tribal em Edom (vs. 40). Havia um filho de Elifaz, com esse nome (1Cr 1.36). Havia uma mulher com esse nome, que era concubina de Elifaz (Gn 36.12). E a pessoa que figura neste versículo era irmã de Lotã, e, portanto, filha de Seir. Ver também 1Crônicas 1.39. Não se sabe por que o nome dessa mulher figura na lista de filhos. Alguns estudiosos identificam-na com a concubina de Elifaz, do vs. 12. Nesse caso, talvez por esse motivo seu nome seja aqui repetido.

36.23

וְאֵלֶּה בְּנֵי שׁוֹבָל עַלְוָן וּמָנַחַת וְעֵיבָל שְׁפוֹ וְאוֹנָם:

Os Filhos de Sobal, netos de Seir, foram:

Alvã. No hebraico, *alto, sublime.* Ele era um dos chefes em Edom. Era filho de Sobal, um descendente de Seir (Gn 36.23; 1Cr 1.51). Talvez esse homem deva ser identificado com o Aliã referido em 1Crônicas 1.40. Viveu em torno de 1900 a.C.

Manaate. Ver no *Dicionário* o verbete *Manaate (Manaatitas)*. No hebraico, esse nome significa *lugar de descanso.* Esse nome indica um homem, uma cidade e, sob outra forma, uma tribo ou população. A pessoa assim chamada neste versículo era o segundo filho de Sobal, filho de Seir, o horeu (Gn 36.23; 1Cr 1.40). Era idumeu. Seir, o horeu, deu seu nome àquela porção da terra de Edom, a saber, o monte Seir. Ele viveu em cerca de 1800-1760 a.C.

Ebal. No hebraico, *despido* ou *pedra.* Era um dos filhos de Sobal (Gn 36.23; 1Cr 1.40). Era um chefe tribal. Viveu em torno de 1800 a.C.

Sefô. No hebraico, *beleza.* Ele foi um homem horeu, chefe em Edom, o quarto filho de Sobal e neto de Seir (Gn 36.23; 1Cr 1.40). Viveu em cerca de 1800 a.C.

Onã. Várias pessoas têm esse nome no Antigo Testamento. Esse nome significa *vigoroso.* Ver o *Dicionário* quanto a esse nome. O homem desse nome, neste versículo, foi o quarto filho de Sobal, e era neto de Seir (Gn 36.23; 1Cr 1.40). Viveu em torno de 1800 a.C.

36.24

וְאֵלֶּה בְנֵי־צִבְעוֹן וְאַיָּה וַעֲנָה הוּא עֲנָה אֲשֶׁר מָצָא אֶת־הַיֵּמִם בַּמִּדְבָּר בִּרְעֹתוֹ אֶת־הַחֲמֹרִים לְצִבְעוֹן אָבִיו:

Os Filhos de Zibeão, neto de Sobal, foram:

Aiá. No hebraico, *falcão* ou *grito do falcão*, um filho de Zibeão, filho de Seir, o horeu. Tornou-se o ancestral de um dos clãs de Edom (Gn 36.24; 1Cr 1.40).

Aná. No hebraico, *resposta*. Filho (ou filha) de Zibeão. Ver Gênesis 36.2. Ele ou ela achou *fontes termais* ou *mulas,* conforme dizem algumas traduções. Jerônimo dizia que essa palavra deriva-se do púnico, um idioma cognato do hebraico, onde significava "fontes termais". Contra a ideia de mulas temos a circunstância de que esse animal (cruzamento do cavalo e do jumento) ainda não era conhecido naquele tempo, na Palestina. Havia um certo número de fontes termais na região de Edom. Uma delas era chamada wady Zerka Maion, que poderia ser aquela fundada por Aná. Os estudiosos diferem quanto a vários pontos interpretativos, e isso é seguido pelas diversas versões. Aná tomava conta dos animais de seu pai e, em conexão com esse trabalho, evidentemente entrava em contato com fontes termais.

36.25

וְאֵלֶּה בְּנֵי־עֲנָה דִּשֹׁן וְאָהֳלִיבָמָה בַּת־עֲנָה׃

Os Filhos de Aná foram:

Disom. No hebraico, *cabra montês* ou *antílope*. Ele era filho de Aná, um chefe horeu, e neto de Seir. Sua irmã chamava-se Oolibama, que foi esposa de Esaú (Gn 36.25; 1Cr 1.41,42). O confronto entre Gênesis 36.21-30 e 1Crônicas 1.38-42 dá-nos a impressão de que o Disã mencionado em Gênesis 36.28 deveria ter seu nome grafado com a forma de Disom, e seria o mesmo filho de Aná. Ver as notas sobre o *Disom* de Gênesis 36.21. Este último parece que era tio daquele do presente versículo.

Oolibama. Ver o vs. 5. Naquele versículo, ela aparece como pertencente ao povo dos *heveus,* mas aqui, dos *horeus*. Talvez as duas estivessem ligadas por laços de casamento, com derivação semelhante, embora sejam duas mulheres diferentes, conforme alguns estudiosos supõem. Oolibama era neta ou bisneta de Seir (cf. vss. 2,14,18,25).

36.26

וְאֵלֶּה בְּנֵי דִישָׁן חֶמְדָּן וְאֶשְׁבָּן וְיִתְרָן וּכְרָן׃

Os Filhos de Disã, filho de Seir (vs. 21), foram:

Hendã. No hebraico, *agradável*. Era o filho mais velho de Disã (vs. 21), um dos filhos de Seir. Em 1Crônicas 1.41, é chamado *Hanrão*. Com a forma de Hendã, o nome aparece somente neste versículo. Viveu em torno de 1800 a.C.

Esbã. No hebraico, *herói sábio* ou *homem compreensivo*. Foi um chefe horeu, filho de Disã (Gn 36.26; 1Cr 1.41). Viveu em torno de 1800 a.C.

Itrã. No hebraico, *excelência* ou *procedimento*. Foi um homem horeu, filho de Disã e neto de Seir (Gn 36.26; 1Cr 1.41). À semelhança de seu pai, parece ter sido chefe de um dos clãs dos horeus (Gn 36.30). Viveu em cerca de 1850 a.C.

Querã. Não se sabe o que significa esse nome, embora alguns sugiram *união*. Ele foi um dos filhos de Disã, filho de Seir, o horeu (Gn 36.26; 1Cr 1.41). Viveu em cerca de 1850 a.C.

36.27

אֵלֶּה בְּנֵי־אֵצֶר בִּלְהָן וְזַעֲוָן וַעֲקָן׃

Os Filhos de Eser (vs. 21) foram:

Bilã. No hebraico, *terno*. Ele foi um horeu, um dos chefes em monte Seir, em Edom (Gn 36.27; 1Cr 1.42). Foi progenitor de um subclã em Edom. Viveu em torno de 1850 a.C.

Zaavã. No hebraico, *causador de temor* (Gn 36.27; 1Cr 1.42). Algumas vezes grafam o nome dele como Zavã. Era filho de Eser, um chefe de clã entre os horeus.

Acã. No hebraico, *torcido*. Era um dos filhos de Eser, filho de Seir (Gn 36.27). Em 1Crônicas 1.42 ele é chamado Jaacã.

36.28

אֵלֶּה בְנֵי־דִישָׁן עוּץ וַאֲרָן׃

Os Filhos de Disã (vs. 21).

Disã foi o último dos sete filhos de Seir, e não um filho de Aná (vs. 25).

Uz. No hebraico, *firmeza*. Era filho de Disã, da família de Seir, um dos antepassados dos horeus, da terra de Edom (Gn 36.28; 1Cr 1.42). Viveu em cerca de 1800 a.C.

Arã. No hebraico, *cabra selvagem*. Seu nome também aparece com a forma de Ara. Era filho de Disã e irmão de Uz (Gn 36.28; 1Cr 1.42). Alguns eruditos supõem que haja alguma conexão entre esse homem e um certo Orém, referido em 1Crônicas 2.25. Viveu em torno de 1850 a.C.

36.29

אֵלֶּה אַלּוּפֵי הַחֹרִי אַלּוּף לוֹטָן אַלּוּף שׁוֹבָל אַלּוּף צִבְעוֹן אַלּוּף עֲנָה׃

Os príncipes dos horeus. Chefes tribais de nações emergentes, que não governaram em sucessão, segundo ocorreu aos reis que se seguem (vss. 31 ss.). Antes, cada qual, em seu respectivo lugar, governou como contemporâneo dos vários clãs dos horeus. Esse povo misturou-se por casamento com descendentes de Esaú. E, com mais alguma mistura proveniente de populações árabes, formaram-se os idumeus (ver o vs. 20).

Lotã, Sobal, Zibeão, Aná. Todos esses nomes aparecem no vs. 20, e são ali anotados.

36.30

אַלּוּף דִּשֹׁן אַלּוּף אֵצֶר אַלּוּף דִּישָׁן אֵלֶּה אַלּוּפֵי הַחֹרִי לְאַלֻּפֵיהֶם בְּאֶרֶץ שֵׂעִיר׃ פ

Disom; Eser; Disã. Todos esses nomes aparecem no vs. 21, onde há notas expositivas a respeito deles. Juntamente com os que são mencionados no vs. 29, tinham seus territórios e seus clãs, sobre os quais governavam, todos eles juntos (misturados com descendentes de Esaú), como um estágio preliminar na formação do reino de Edom, que se organizou como tal cerca de 150 anos antes da organização da nação de Israel.

OS REIS DE EDOM (36.31-43)

São mencionados oito reis. Na hipótese de que cada um deles tenha governado uma média de vinte anos, a fundação da monarquia idumeia antecedeu a monarquia israelita por cerca de 150 anos. Esaú, irmão mais velho de Jacó, produziu o reino mais antigo. A organização da nação de Israel seguiu a linhagem de Jacó, o irmão mais novo de Esaú.

Parece seguro supormos que a organização da nação de Edom tenha seguido um modelo paralelo à de Israel. Edom passou do estágio de príncipes tribais (equivalentes aos *juízes,* vss. 20 ss.) e finalmente escolheram um rei que governasse a nação inteira. Não há certeza, todavia, de quando começou a linhagem real, sobre o tempo em que foram além do tempo de Jacó e de Esaú. Como é óbvio, seguiram-se vários outros reis em Edom. Alguns deles têm sido positivamente identificados, conforme vemos nas notas seguintes. Ver no *Dicionário* o artigo chamado *Edom, Idumeus,* quanto a detalhes sobre a história desse reino.

36.31

וְאֵלֶּה הַמְּלָכִים אֲשֶׁר מָלְכוּ בְּאֶרֶץ אֱדוֹם לִפְנֵי מְלָךְ־מֶלֶךְ לִבְנֵי יִשְׂרָאֵל׃

Os reis. "No cântico triunfal de Moisés, à beira do mar Vermelho, lemos ainda sobre os 'príncipes de Edom' (Êx 15.15). Mas quando Israel chegou nas fronteiras da terra deles, descobrimos que Edom já tinha um rei (Nm 20.14). Todavia, na lista dada aqui, nenhum rei sucede a seu pai. É provável que fossem monarcas súditos de outros, que surgiram em várias partes do país, durante um longo período de guerra civil, quando os horeus foram totalmente conquistados, afinal. Outro tanto sucedeu aos cananeus, na Palestina, sob as pesadas mãos de Saul e Salomão. No tempo dos príncipes idumeus também havia príncipes horeus, da raça de Seir, governando distritos aparentemente misturados com aqueles governados pelos descendentes de Esaú. Agora, porém, essa situação tinha desaparecido" (Ellicott, *in loc.*).

Antes que houvesse rei sobre... Israel. Provavelmente isso reflete um período posterior à era mosaica, quando o reino de Israel já havia sido organizado. Em Israel, o reino só começou cerca de quinhentos anos após a época de Moisés. Os críticos frisam este versículo, além de outros, para mostrarem a data relativamente tardia do Pentateuco. Ver no *Dicionário* o artigo intitulado *J.E.D.P.(S.)* quanto à teoria das fontes múltiplas do Pentateuco, bem como a introdução ao livro de Gênesis, acerca dos problemas atinentes à sua data. Os estudiosos conservadores *admitem* que alguns versículos, ou mesmo seções, de Gênesis são pós-mosaicos, e que foram então incorporados ao original, por Esdras ou algum outro autor. Não é adequado dizermos aqui que Moisés *profetizou* algo sobre o ainda distante reino de Israel, conforme os ultraconservadores explicam. Ver também Gênesis 48.20.

■ 36.32

וַיִּמְלֹךְ בֶּאֱדוֹם בֶּלַע בֶּן־בְּעוֹר וְשֵׁם עִירוֹ דִּנְהָבָה:

Bela. No hebraico, *devorador* ou *destruição*. Ele era filho de Beor, que reinou em Edom em cerca de 1600 a.C., na cidade de Dinagá, oito gerações antes de Saul (Gn 36.32; 1Cr 1.43). "Não Balaque, como diz a Septuaginta... Balaque, rei de Moabe. Nem Balaão... filho de Beor, que viveu mais tarde" (John Gill, *in loc*.). Todavia, alguns pensam que está em pauta Balaão, a quem o rei de Moabe alugou para amaldiçoar Israel. Ver Números 22.5. Se esse homem está aqui em vista, então temos, ato contínuo, reflexo de uma era bem anterior à época mosaica.

Beor. No hebraico, *tocha*. Esse era o nome do pai de Bela, o rei idumeu e pai do vidente Balaão (de tempos posteriores). E isso contribui para a confusão sobre a identidade do Bela do versículo presente.

Dinabá. No hebraico, *covil de ladrões*. Esse foi o nome de uma das cidades de Edom (Gn 36.32; 1Cr 1.43), capital de Bela. E também nome de um filho de Beor, rei de Edom, antes da formação da monarquia de Israel. Desconhece-se atualmente o local.

■ 36.33

וַיָּמָת בָּלַע וַיִּמְלֹךְ תַּחְתָּיו יוֹבָב בֶּן־זֶרַח מִבָּצְרָה:

Morreu Bela. Não há informações sobre os anos de sua vida, sobre quanto tempo ele governou, se ele teve filhos, e, se os teve, por qual razão o governo não passou às mãos de algum deles.

Jobabe. No hebraico, *uivo, clamor*. Há cinco pessoas com esse nome no Antigo Testamento. Neste texto temos um dos reis de Edom (Gn 36.33,34; 1Cr 1.44,45). Era filho de Zerá, de Bozra, e residia ali, tendo sido o segundo monarca da lista daqueles reis. A identificação desse homem com Jó (conforme faziam alguns antigos intérpretes judeus) é ridícula.

Zerá. No hebraico, *broto, rebento*. Esse é o nome de sete pessoas que figuram nas páginas do Antigo Testamento. Aquele do presente texto era o pai do segundo rei de Edom (Gn 36.33; 1Cr 1.44). Ele viveu em torno de 1670 a.C.

Bozra. No hebraico, *fortaleza*. Nome de uma cidade de Edom, residência de Jobabe, segundo rei de Edom (Gn 36.33; 1Cr 1.44). Ver também Isaías 34.6; Jeremias 49.13,22; Amós 1.12. A cidade tem sido identificada com a moderna Buseireh, localizada no início do wadi Hamayideh, em uma escarpa isolada, cercada por três lados por vales profundos. Fica a cerca de 48 km ao norte de Petra. Era a mais poderosa fortaleza do norte de Edom e controlava o acesso à Estrada do Rei, e, portanto, à Arabá, e ao porto de Eilate, no mar Vermelho. É possível que tenha funcionado como capital de Edom, pelo menos durante parte de sua história. Tornou-se famosa por causa de suas vestes tingidas (Is 63.1).

■ 36.34

וַיָּמָת יוֹבָב וַיִּמְלֹךְ תַּחְתָּיו חֻשָׁם מֵאֶרֶץ הַתֵּימָנִי:

Husão. No hebraico, *apressado*. Nome do rei de Edom que foi sucessor de Jobabe (Gn 36.34,35; 1Cr 1.45,46). A Septuaginta identifica-o com o Husá que aparece no livro de Jó, mas não há certeza quanto a isso. Viveu em torno de 1500 a.C.

Terra dos temanitas. Ou seja, terra dos sulistas, conforme explica o Targum de Jonathan, ou seja, a porção sul de Edom. A principal cidade dessa região era Temã, que derivava seu nome do *Temã* referido no vs. 11 deste capítulo. No *Dicionário* há um artigo detalhado sobre ele.

É evidente que a sucessão dos reis, em Edom, não passava de pai para filho, e, sim, de pessoa poderosa para pessoa poderosa.

■ 36.35

וַיָּמָת חֻשָׁם וַיִּמְלֹךְ תַּחְתָּיו הֲדַד בֶּן־בְּדַד הַמַּכֶּה אֶת־מִדְיָן בִּשְׂדֵה מוֹאָב וְשֵׁם עִירוֹ עֲוִית:

Hadade. No hebraico, *trovão*. Esse é o nome de seis pessoas, nas páginas do Antigo Testamento. O homem com esse nome, neste texto, foi um dos reis de Edom. Ele sucedeu a Husão. Seu pai chamava-se Bedade (Gn 36.35,36; 1Cr 1.30). Ele derrotou os midianitas na planície de Moabe, e fez da cidade de Avite a sua capital. Viveu em torno de 1500 a.C. Alguns eruditos, porém, identificam-no com o Hadade que se submeteu a Davi (1Rs 11.14-18), o que emprestaria a esta seção (e talvez a todo o livro de Gênesis) uma data posterior, pois o registro teria sido feito ao tempo da monarquia de Israel. Ver as notas sobre o vs. 31.

Bedade. No hebraico, *solitário*. Era o pai de Hadade, rei de Edom (Gn 36.35; 1Cr 1.46), que reinou bem antes que houvesse rei em Israel. Viveu em cerca de 1500 a.C.

Avite. No hebraico, *cabana* ou *vila*. Uma cidade dos idumeus. Era cidade de Hadade, filho de Bedade. Não se sabe hoje em dia onde ficava essa cidade. Ver Gênesis 35.36 e 1Crônicas 1.46.

A Batalha contra Midiã (o homem e o povo). Ver sobre *Midiã* no *Dicionário*. Três países, Moabe, Edom e Midiã, declararam-se em pé de guerra. Moabe ficava mais ao norte, e mais ao sul ficavam Edom e Midiã. Jarchi comentou que Midiã saiu para atacar Moabe, e os idumeus saíram em socorro de Moabe. Mas não se sabe quão exata é essa informação. Alguns têm identificado o Midiã deste texto com o homem desse nome que era filho de Abraão e Quetura (Gn 25.2), mas isso é um anacronismo.

■ 36.36

וַיָּמָת הֲדָד וַיִּמְלֹךְ תַּחְתָּיו שַׂמְלָה מִמַּשְׂרֵקָה:

Samlá. No hebraico, *veste*. Ele foi um dos reis de Edom (Gn 36.36,37; 1Cr 1.47,48). Originário de Masreca, sucedeu a Hadade, de Avite, como rei; e, por sua vez, foi sucedido por Saulo, de Reobote, que ficava perto do rio Eufrates. Samlá reinou antes que houvesse rei entre os israelitas.

Masreca. No hebraico, *vinhedo*. Nome de uma cidade da Idumeia, a cidade natal de Samlá, um rei idumeu (aqui e em 1Cr 1.47). A cidade tem sido identificada com o Jebel el-Mushrak, que fica a 35 km a sudoeste de Ma'an.

■ 36.37

וַיָּמָת שַׂמְלָה וַיִּמְלֹךְ תַּחְתָּיו שָׁאוּל מֵרְחֹבוֹת הַנָּהָר:

Saul. No hebraico, *solicitado* ou *esmoler*. Um rei súdito de Edom (Gn 36.37,38 e 1Cr 1.48,49). Reinou em Edom antes do começo do reino em Israel. Foi um dos oito desses reis idumeus.

Reobote. No hebraico, *lugares amplos*. Três lugares são assim chamados no Antigo Testamento. O local aludido aqui e em 1Crônicas 1.48 era uma cidade à beira do rio Eufrates (ver sobre esse rio no *Dicionário*). Ali nasceu Saul, um dos oito reis de Edom, que reinou cerca de 150 anos antes do começo do reino de Israel. Essa cidade não tem sido identificada, mas certamente não é a mesma cidade de Reobote do sul de Judá. Assur construiu uma cidade com esse nome (Gn 10.11), a qual poderia ser a cidade aqui enfocada. Mas a maioria dos estudiosos identifica essa cidade com Reobote-Ir, que merece um verbete no *Dicionário*, em seu terceiro ponto.

■ 36.38

וַיָּמָת שָׁאוּל וַיִּמְלֹךְ תַּחְתָּיו בַּעַל חָנָן בֶּן־עַכְבּוֹר:

Baal-Hanã. No hebraico, *Baal é gracioso*. Esse foi o nome de um dos reis de Edom, que reinou depois de Saul. Era filho de Acbor e sucedeu a Saul no trono idumeu. Foi por sua vez sucedido por Hadar (Gn 36.38; 1Cr 1.49,50).

Acbor. No hebraico, *rato*. Era pai de Baal-Hanã, rei dos idumeus (aqui e em 1Cr 1.49). Foi um dos oito reis que reinaram antes da organização do reinado em Israel.

■ 36.39

וַיָּמָת בַּעַל חָנָן בֶּן־עַכְבּוֹר וַיִּמְלֹךְ תַּחְתָּיו הֲדַר וְשֵׁם עִירוֹ פָּעוּ וְשֵׁם אִשְׁתּוֹ מְהֵיטַבְאֵל בַּת־מַטְרֵד בַּת מֵי זָהָב:

Hadar. No hebraico, *magnificência*. Foi um rei de Edom, cuja capital era Pau. Sua esposa chamava-se Meetabel. Foi um dos oito reis idumeus. Seu nome aparece com a forma de Hadade, em algumas traduções. Ele foi o último dos reis horeus que pavimentaram o caminho para a formação do reino de Edom, cerca de 150 anos antes do surgimento do reino de Israel. No hebraico, as letras *h* e *r* são parecidas, o que explica a confusão quanto à forma do nome desse homem.

Meetabel. No hebraico, *acossada por Deus*. Era esposa de Hadar (ou Hadade), rei de Edom (Gn 36.39; 1Cr 1.50). Deve ter vivido em torno de 1600 a.C. Por razões desconhecidas, ela é mencionada, ao passo que não são dados os nomes das esposas dos demais reis idumeus.

Matrede. No hebraico, *impulsionadora*. Era filha de Me-Zaabe. Foi sogra do rei Hadar (ou Hadade), de Edom (Gn 36.39; 1Cr 1.50). A Septuaginta faz dela um *filho* de Me-Zaabe, e a versão Siríaca Peshitta concorda com isso, talvez por empréstimo. Essa pessoa viveu algum tempo antes de 1620 a.C.

Me-Zaabe. No hebraico, *águas de ouro*. Foi pai ou mãe de Meetabel, que foi esposa de Hadar (ou Hadade), o último rei de Edom a ser mencionado nas Escrituras. Gênesis 36.39 e 1Crônicas 1.50. Não se sabe por que as duas mulheres deste versículo foram mencionadas, pois no caso dos demais reis idumeus não é mencionado nenhum nome feminino. Talvez esta informação tenha sido recolhida quando o rei em pauta ainda vivia, e por isso sabemos mais sobre ele e seus familiares do que no caso dos demais reis idumeus.

PRÍNCIPES DESCENDENTES DE ESAÚ — UMA SEGUNDA LISTA (36.40-43)

Estes versículos listam os nomes de príncipes descendentes de Esaú, os quais não governaram em todo o Edom, mas exerceram autoridade provincial ou tribal. As promessas feitas por meio de Isaque a Esaú foram assim cumpridas. Ele foi capaz de sacudir o jugo de Jacó de seu pescoço (Gn 27.39,40). Tornou-se um homem poderoso por seus próprios méritos, e teve uma missão separada, mas divinamente abençoada, que envolveu seus descendentes. Talvez tenha sido intenção do autor sacro dizer-nos que *depois dos oito reis* acima mencionados (vss. 31 ss.), então governaram esses príncipes provinciais. Mas é possível que eles tivessem governado contemporaneamente àqueles, e que não seja seguida aqui uma ordem cronológica. Seja como for, Esaú e Seir foram os progenitores de vários príncipes e reis, havendo casamentos mistos entre os seus respectivos descendentes. Em consequência disso, Edom tornou-se uma nação mista, que também incorporou várias populações árabes. Edom gozou de um desenvolvimento um tanto paralelo ao de Israel. Os príncipes idumeus equivaliam aos juízes; depois vieram os reis; e, finalmente, o reino estabelecido. Mas se houve casamentos mistos, os filhos de Esaú conquistaram os povos já residentes; e outro tanto sucedeu em Israel.

Alguns eruditos pensam que os nomes desses príncipes não apontam para homens reais, e, sim, que Edom, finalmente, se estabeleceu como onze *milhares*, pois a palavra em questão, "príncipes", também pode significar "mil". Nesse caso, os nomes são de divisões territoriais, e não de indivíduos. Mas, mesmo nesse caso, o mais provável é que tais nomes se originem de indivíduos reais. Todos os nomes que temos aqui são de descendentes de Esaú, e não de Seir. Nos vss. 40-43, achamos onze tribos, das quais apenas duas (Temã e Quenaz) retêm os nomes de filhos de Esaú. Acerca do resto sabe-se muito pouco. Nove pessoas deram seus nomes a nove distritos. O relato sugere que, tal como sucedeu aos juízes de Israel, prevalecia um certo caos e descentralização, onde "cada um fazia o que achava mais reto" (Jz 21.25).

Temos aqui uma segunda lista de nomes, sem dúvida preparada depois da primeira (vss. 15-19). É difícil determinar qual sua relação com os oito reis (vss. 31-39). Talvez, conforme pensam alguns eruditos, tenham governado *depois* daqueles; mas isso implicaria o fim de um tipo de reinado, do que não há nenhum indício no texto.

■ 36.40

וְאֵלֶּה שְׁמוֹת אַלּוּפֵי עֵשָׂו לְמִשְׁפְּחֹתָם לִמְקֹמֹתָם בִּשְׁמֹתָם אַלּוּף תִּמְנָע אַלּוּף עַלְוָה אַלּוּף יְתֵת:

Príncipes de Províncias

Timna. Uma concubina de Esaú era assim chamada (vs. 12). Mas um filho de Elifaz, e neto de Esaú, tinha esse nome também (1Cr 1.36). Contudo, o homem desse nome, neste versículo, foi outra pessoa. No hebraico, esse nome significa *restrição*. Ele foi um dos chefes edomitas, descendente de Esaú. Gênesis 36.40; 1Crônicas 1.51. Viveu em torno de 1500 a.C. Exercia autoridade tribal, pois não chegou a ser um dos reis de Edom. Ele preservava o nome de um dos filhos de Esaú, e era um dos dois. Os outros nove príncipes tinham nomes que desconhecemos (antes desse tempo), na genealogia de Esaú.

Alva. Ver Gênesis 36.23. Esse foi o nome de um príncipe de Edom, filho de Sobal e descendente de Seir. O nome significa, no hebraico, *alto, sublime*. O homem com esse nome, neste versículo, embora fosse descendente de Esaú, preservava um nome da família de Seir. Isso parece indicar que as famílias de Esaú e de Seir começaram a misturar-se por casamento.

■ 36.41

אַלּוּף אָהֳלִיבָמָה אַלּוּף אֵלָה אַלּוּף פִּינֹן:

Oolibama. Esse era o nome da segunda das três esposas de Esaú (Gn 36.2,25). Tal nome acabou sendo o apelativo de um dos príncipes de Edom, um descendente de Esaú. Sete nomes desta lista (vss. 40-43) não tinham sido dados em listas anteriores. Essa palavra significa *tenda da altura*. Os nomes desses príncipes, conforme têm sugerido alguns estudiosos, seriam nomes de territórios, e não de indivíduos. Mas indivíduos podem ter dado seus nomes aos territórios.

Pinom. No hebraico, *perplexidade*. Foi o nome do chefe de um dos clãs de Edom (Gn 36.41; 1Cr 1.52). Viveu em torno de 1440 a.C. O nome locativo *Punom*, que se refere a um centro idumeu de mineração de cobre, provavelmente tem a mesma raiz.

■ 36.42

אַלּוּף קְנַז אַלּוּף תֵּימָן אַלּוּף מִבְצָר:

Quenaz. No hebraico, *caçador* ou *flanco*. Foi um dos chefes territoriais, descendente de Esaú. Ver Gênesis 36.11 quanto ao nome de um filho de Elifaz e neto de Esaú. Esse foi um nome de família retido até tempos posteriores, como sucedeu aos nomes Timna e Oolibama. Mas estas foram esposas de Esaú, e não nomes de seus descendentes.

Temã. No hebraico, *sul, região sul*. Um dos nomes da família de Esaú, e um neto dele (Gn 36.11). Este homem foi um dos chefes de Edom, um príncipe tribal. Alguns identificam essas duas pessoas, mas provavelmente isso é um anacronismo. O primeiro parece ter vivido em torno de 1700 a.C., e o segundo, por volta de 1480 a.C. Portanto, temos nesse nome menção a dois descendentes de Esaú, nome esse retido por príncipes de tempos posteriores, além de dois nomes de suas esposas (Quenaz e Temã; Timna e Oolibama). Os outros sete nomes são novos.

Mibzar. No hebraico, *fortaleza*. Nome de um dos príncipes ou filarcas dos idumeus, descendentes de Esaú. Viveu em torno de 1925 a.C. (ou mesmo mais tarde). Ao que parece, deu seu nome a uma grande aldeia que ficava à sombra de Petra, a qual continuava existindo nos dias do historiador eclesiástico Eusébio. A forma grega do nome dessa aldeia era Mabsara.

■ 36.43

אַלּוּף מַגְדִּיאֵל אַלּוּף עִירָם אֵלֶּה אַלּוּפֵי אֱדוֹם לְמֹשְׁבֹתָם בְּאֶרֶץ אֲחֻזָּתָם הוּא עֵשָׂו אֲבִי אֱדוֹם: פ

Magdiel. No hebraico, *Deus é famoso*. Ele foi um chefe edomita (aqui e em 1Cr 1.54). Descendente de Esaú, viveu em torno de 1620 a.C.

Irã. No hebraico, *sábio*. Foi um dos príncipes que governaram algum território em Edom. Descendia de Esaú. Nada se sabe sobre ele exceto o que este versículo nos revela. Escritores judeus disseram que Edom tinha cem províncias, mas esse nome, como é provável, inclui vários períodos históricos ao todo. Em caso contrário, os onze príncipes destes versículos representam apenas um pequeno segmento do total.

Esaú, pai de Edom. A lista anterior indica aquelas províncias que derivavam seus nomes de descendentes de Esaú. Achamos um relato abreviado da posteridade de Esaú. Nada mais é dito sobre ele, depois disso, como o resto de sua vida, sua morte, ou algum outro detalhe. Termina aqui a história de Esaú. Autores judeus posteriores atribuíram-lhe um caráter muito pior do que o livro de Gênesis nos permite deduzir. De fato, apesar de seus pontos fracos e de tolices ocasionais, o livro de Gênesis o retrata sob luzes favoráveis. Naturalmente, não se lê que ele tenha chegado a erigir um altar, mas isso pode ser devido a uma omissão não-propositada do autor sagrado.

Uma tradição tola, cujo propósito é denegrir o caráter de Esaú, afirma que ele foi morto por ocasião dos funerais de Jacó, quando chegava com grande exército para impedir que Jacó fosse sepultado na caverna de Macpela. O ódio não sai fácil do coração dos homens (Shalshalet Hakabala fol. 5.1).

"Esaú foi um homem simples, generoso e honesto, pois não temos motivos, com base em qualquer coisa que transpareça de sua vida ou de suas ações, para pensarmos que ele foi um homem iníquo acima de outros homens de sua época; que ele era generoso e dotado de bom temperamento revela-se em toda a sua conduta para com seu irmão" (Dr. Shuckford).

CAPÍTULO TRINTA E SETE

JUDÁ E JOSÉ (37.1—50.26)

JOSÉ VENDIDO POR SEUS IRMÃOS E TRANSPORTADO PARA O EGITO (37.1-36)

Os críticos atribuem os vss. 1 e 2 deste capítulo à fonte *P(S)*, ao passo que o resto do capítulo pertenceria à fonte *J*. Ver no *Dicionário* o artigo chamado *J.E.D.P.(S.)*, quanto à teoria das fontes múltiplas do Pentateuco.

A história de um jovem de 17 anos de idade, que foi vendido como escravo, de nome José, prepara-nos para entender como foi que o povo de Israel (embora já estivesse na Terra Prometida a Abraão) acabou migrando para o Egito, onde se multiplicou, *no exílio*. A Moisés caberia, cerca de 250 anos mais tarde, tirar Israel desse exílio e conduzi-lo *de volta* à Terra Prometida.

Em contraste com os descendentes de Esaú, que se tornaram uma poderosa nação com seus muitos príncipes e reis (o que é registrado em Gn 36), Jacó continuou a ser visto em sua vida pastoril na terra de Canaã, rico, mas sem expandir-se extraordinariamente. A expansão só viria através de seus filhos, já no Egito, uma estranha distorção da sorte; e o reino de Israel só seria organizado quase oitocentos anos mais tarde. A prometida bênção espiritual estava exigindo grande paciência e perseverança.

"A história de José, no Egito, forma uma unidade literária sem igual no livro de Gênesis. O fato de que há elementos repetidos não prova que o material foi manuseado de acordo com duas tradições diversas, conforme têm sugerido muitos críticos (que falam sobre 'tradições alinhavadas'). A repetição é a marca d'água do estilo hebreu; serve para destacar a mensagem, conferindo-lhe uma ênfase múltipla. Um exemplo de repetição é a analogia entre as histórias de Jacó e de José. Ambas as narrativas começam com o pai sendo enganado e os filhos mostrando-se traiçoeiros (caps. 27 e 37). Ambas incluem um período de vinte anos de separação, e o irmão mais novo em uma terra estrangeira (cf. Gn 31.38; 37.2 e 41.46). Ambas concluem com reunião e reconciliação dos irmãos (Gn 33.1-15; 45.1-5)" (Allen P. Ross, *in loc.*). Na história, nada é mais evidente do que o fato de que a história se repete.

José tornara-se o favorito dos filhos de Jacó. O ciúme e o ódio fizeram o seu trabalho nefasto. Jacó havia perdido Raquel. Agora haveria de perder seu amado filho, José, embora Deus viesse a reverter a perda de maneira gloriosa. Deus é o Deus das perdas e das reversões.

Um dos principais temas deste capítulo é que os justos são chamados para sofrer. O caráter precisa ser submetido a teste. Mas também encontramos aqui a providência de Deus em sua ação infalível. Deus intervém na história da humanidade ao chegar o momento azado. Ver no *Dicionário* o verbete intitulado *Providência de Deus*.

■ **37.1**

וַיֵּשֶׁב יַעֲקֹב בְּאֶרֶץ מְגוּרֵי אָבִיו בְּאֶרֶץ כְּנָעַן׃

Habitou Jacó na terra. Tem prosseguimento, a partir deste ponto, a história de Jacó. Ela fora interrompida para que pudesse ser contada a história da posteridade e do destino de Esaú (Gn 36). A *terra*, com quase certeza, é Hebrom (vs. 14), uma das residências dos patriarcas. Eles eram *estrangeiros* e *peregrinos* na terra, pois viviam como seminômades e sempre em meio a populações potencialmente hostis. Eram intrusos na terra, de acordo com qualquer juízo, exceto o juízo divino. Sob Josué, foi mister lutar para conquistar o território e expulsar os habitantes, a fim de que Israel pudesse ter uma pátria. Ver o comentário da epístola aos Hebreus (11.13), quanto a essa questão da peregrinação do crente. Ver no *Dicionário* os artigos *Hebrom* e *Canaã, Cananeus*.

■ **37.2**

אֵלֶּה תֹּלְדוֹת יַעֲקֹב יוֹסֵף בֶּן־שְׁבַע־עֶשְׂרֵה שָׁנָה הָיָה רֹעֶה אֶת־אֶחָיו בַּצֹּאן וְהוּא נַעַר אֶת־בְּנֵי בִלְהָה וְאֶת־בְּנֵי זִלְפָּה נְשֵׁי אָבִיו וַיָּבֵא יוֹסֵף אֶת־דִּבָּתָם רָעָה אֶל־אֲבִיהֶם׃

A história de Jacó. A narrativa sobre ele tem continuação, após a interrupção do capítulo anterior de Gênesis. Mas agora essa história assume uma nova forma, destacando a pessoa de José, por causa de quem teria lugar o exílio do povo de Israel no Egito.

O *TOLEDOTH* (HISTÓRIA, GERAÇÕES) DE JACÓ (37.2—50.26)

Temos aqui a décima segunda e última divisão do livro de Gênesis provida pelo autor sacro. Aqui ele encabeçou a derradeira divisão que fez mediante a palavra hebraica *toledoth*. A primeira divisão, que narra a obra divina da criação, não contém essa palavra. Desse modo, ele proveu uma espécie de esboço cru para o seu livro. Os livros antigos não tinham sumário, nem esboços e nem índices, conforme vemos nos livros modernos. Assim, vários esquemas serviam para dividir os livros em seções. Essa questão é comentada nas notas sobre Gênesis 2.4, que fala das doze divisões do Gênesis mediante o mecanismo dos *toledoth* ou "gerações".

A falta de exatidão da maneira de o autor sagrado fazer suas divisões fica demonstrada pelo fato de que grande parte da história de Jacó já havia sido contada, e este *toledoth* nos fornece a parte da história de Jacó que se projeta por intermédio de José.

Tendo José dezessete anos. Há um artigo detalhado sobre ele no *Dicionário*. Sua história começa em Gênesis 30.24. Mas esta *toledoth* começa quando ele já tinha 17 anos de idade.

Apascentava os rebanhos. José era pastor, a mesma profissão de seu pai, como o eram os seus irmãos, os demais patriarcas de Israel. Ver no *Dicionário* o verbete *Pastor*.

Bila. Ver sobre ela no *Dicionário*. Seus filhos eram Dã e Naftali.

Zilpa. Ver sobre ela nas notas em Gênesis 29.34. Seus filhos eram Gade e Aser.

Trazia más notícias deles. Não se sabe quais seriam as denúncias, mas podemos entender que se deixavam envolver em alguma conduta inconveniente. Coisa alguma é dita aqui sobre Benjamim, o caçula, irmão por parte de pai e mãe de José. Temos aqui o caso de um irmão que espicaçava os outros irmãos e, naturalmente, com isso provocava os malfeitores e excitava seu ciúme e seu ódio, do que resultou o ato condenável de terem vendido José como mero escravo. Autores judeus, que não apreciam hiatos nos relatos, dizem-nos que eles negligenciavam seus rebanhos, praticando atos abomináveis de imundícia, comendo criaturas que eles mesmos haviam mutilado ou que as feras tinham atacado, ou porções proibidas das ovelhas, como suas caudas arrancadas etc. Fantasias tolas.

■ **37.3**

וְיִשְׂרָאֵל אָהַב אֶת־יוֹסֵף מִכָּל־בָּנָיו כִּי־בֶן־זְקֻנִים הוּא לוֹ וְעָשָׂה לוֹ כְּתֹנֶת פַּסִּים׃

Israel amava mais a José. O mesmo tipo de favoritismo que Rebeca e Isaque tinham demonstrado no tocante a Jacó e Esaú (Gn 25.28). O favoritismo dos pais sempre cria males. Quando José foi levado para o Egito, então o favoritismo de Jacó foi transferido para Benjamim (Gn 44.20). José e Benjamim eram naturalmente favorecidos, pois eram os filhos únicos da muito amada esposa Raquel, já falecida.

Filho da sua velhice. Era filho de sua esposa favorita, Raquel, gerado quando ele já estava com 91 anos de idade. Jacó tinha esperado, por 27 anos, um filho da parte de sua amada Raquel. Assim, quando José nasceu, isso constituiu um acontecimento especial. Ver Gênesis 30.22-24 quanto ao nascimento de José. O favoritismo materno tinha separado Jacó de sua mãe, Rebeca, e os dois nunca mais se viram (Gn 27.1—28.5). Esse favoritismo era *parte* da razão pela qual seus meios-irmãos mostravam-se tão invejosos, e por que ele terminou no Egito, após ter sido vendido como escravo.

Fez-lhe uma túnica talar de mangas compridas. Em lugar de "de mangas compridas", algumas traduções dizem "de muitas cores". Jerônimo ajunta que essa túnica chegava aos tornozelos. Mas alguns escritores judeus dizem até as palmas das *mãos*, dando a entender "mangas compridas". Adam Clarke (*in loc.*) supõe que se tratava de uma túnica branca com fímbrias púrpura, como a *toga paetexta* dos jovens romanos. O texto hebraico é obscuro, como é óbvio. A arqueologia tem mostrado que longas túnicas coloridas eram uma marca dos cativos jebuseus. Parece que eram feitas com retalhos de várias cores. Outros pensam que essa túnica era mais do que uma peça especial do vestuário de José; pois, conforme explicam, Jacó a teria dado a José como emblema do ofício sacerdotal que José estaria destinado a exercer na família. Talvez ele tenha assumido tal papel porque Rúben, o primogênito de Jacó, se havia desqualificado como primogênito por ter mantido relações sexuais com Bila, uma das concubinas de Jacó (Gn 35.22; cf. Gn 49.3 ss.). Mas essa interpretação é duvidosa, pois quem recebeu o direito de primogenitura foi Judá (o que fica implícito em Gn 49.8,9). Seja como for, a túnica era uma possessão preciosa, algo que os irmãos de José invejavam nele, por ser um sinal do favoritismo de Jacó (vs. 4).

José, um Tipo de Cristo. Apesar de isso não ser dito explicitamente nas Escrituras, há diversas analogias óbvias:

1. Ambos foram objetos especiais do amor paterno (Gn 37.3; Mt 3.17).
2. Ambos foram odiados por seus irmãos (Gn 37; Jo 15.25).
3. Ambos fizeram reivindicações de superioridade (Gn 37.8; Mt 21.37-39).
4. Seus irmãos conspiraram tanto contra um como contra o outro (Gn 37.18; Mt 26.3,4).
5. Em sua intenção, os irmãos de José tiraram-lhe a vida. Jesus perdeu a vida, na realidade, por exigência de seus irmãos (Gn 37.24; Mt 27.35-37).
6. Ambos foram vendidos em troca de peças de prata (Gn 37.28; Mt 26.15).
7. No caso de ambos houve túnicas envolvidas em sua traição e sofrimento (Gn 37.31; Jo 19.23).
8. Ambos tornaram-se motivo de bênçãos especiais para indivíduos e nações, e ambos obtiveram uma esposa gentílica (Gn 41.1-45; At 15; Ef 5.25-32).
9. Ambos se reconciliaram com seus irmãos (Gn 45.1-15; Dt 30.1-10; Os 2.14-18; Rm 11.1,15,25,26).

■ **37.4**

וַיִּרְאוּ אֶחָיו כִּי־אֹתוֹ אָהַב אֲבִיהֶם מִכָּל־אֶחָיו וַיִּשְׂנְאוּ אֹתוֹ וְלֹא יָכְלוּ דַּבְּרוֹ לְשָׁלֹם׃

Sendo Menos Amados, Eles Odiavam. O amor é o poder maior, na terra ou no céu. Ser alguém menos amado pode levá-lo ao ódio e a atos de destruição. Jacó via Raquel em José. Ademais, desde a infância, sem dúvida, José era dotado de um caráter espiritual e moral superior. E isso fez Jacó ver nele o que ele mesmo gostaria de ser, mas que não era. E assim, fixou-se em José; e seus meios-irmãos tinham plena consciência do fato. E assim, todo sinal de favoritismo paterno só servia para aumentar mais ainda o ódio deles.

Eles nunca falavam com José em termos pacíficos. A hostilidade era contínua. Nem ao menos tentavam disfarçar seu ânimo adverso. Isso transparecia na maneira de falar deles. Nem se mostravam corteses para com ele, nem o saudavam com o usual *shalom* (paz). Viviam esperando uma oportunidade para prejudicá-lo. E essa oportunidade não demorou muito. Ver no *Dicionário* os artigos *Amor, Ódio* e *Inveja*.

■ **37.5**

וַיַּחֲלֹם יוֹסֵף חֲלוֹם וַיַּגֵּד לְאֶחָיו וַיּוֹסִפוּ עוֹד שְׂנֹא אֹתוֹ׃

O Propósito Profético Atuava em José. A experiência psíquica mais comum é o sonho precognitivo. Ver no *Dicionário* o artigo *Sonhos*. As pesquisas modernas têm mostrado que *todas* as pessoas são capazes de prever, essencialmente, o seu futuro, nos sonhos, mas que a maioria das pessoas não se lembra de seus sonhos nem sabe interpretá-los corretamente. Como é claro, um sonho também pode ser um veículo espiritual, a exemplo da profecia (Jl 2.28; At 2.17). Assim, se todas as pessoas têm sonhos precognitivos, *algumas* pessoas têm sonhos precognitivos especiais que equivalem à profecia. Esses sonhos quase sempre envolvem outras pessoas, e não apenas o próprio indivíduo que sonha. O autor do livro de Gênesis mostrou ter grande respeito pelos sonhos espirituais. Ver Gênesis 20.3,6; 28.12; 31.10; 37.5,6,9,10; 40.5,8,9,16; 41.1,7,11,12,15,17,22,25,26,32 e 42.9. O *sonho-visão* de Jacó, acerca da escada que ia da terra ao céu, teve uma função similar ao das visões (Gn 28.12). Os símbolos usados nas visões e nos sonhos são idênticos. Em consequência, quem interpreta sonhos pode interpretar visões, e vice-versa.

José Sonhava e Seus Irmãos Odiavam. José e seus irmãos eram as tribos de Israel em potencial. Seus sonhos previam, em termos amplos, como José teria a ascendência, e como isso seria um fator determinante para que a nação de Israel tivesse início (no Egito). A superioridade de José daria a Israel uma oportunidade de multiplicar-se em paz. Sua presença no Egito atrairia o resto da família ao Egito. Em um desses sonhos, seus irmãos prostravam-se diante dele. Antes disso, porém, ele teria de passar por muitos testes severos, alguns deles provocados por seus próprios meios-irmãos. Seus sonhos proféticos, pois, penetravam por muitos anos futuro adentro. Os estudos sobre os sonhos demonstram que até sonhos precognitivos *comuns* podem perscrutar longe no futuro.

■ **37.6**

וַיֹּאמֶר אֲלֵיהֶם שִׁמְעוּ־נָא הַחֲלוֹם הַזֶּה אֲשֶׁר חָלָמְתִּי׃

Os Sonhos e a Sua Interpretação. Temos entre vinte e trinta sonhos por noite. Quando ocorre um sonho há um movimento característico dos olhos, chamado pelos especialistas de REM *(rapid eye movement,* movimento rápido dos olhos). Há cinco ou seis ciclos de sonhos a cada noite. Em experimentos em laboratório, muitos sonhos podem ser captados a cada noite, despertando-se a pessoa quando começa o REM. Sonhamos por um total de cerca de duas horas e meia a cada noite. Interessar-nos pelos sonhos, registrando-os e interpretando-os conduz a uma memória melhor de nossos sonhos. Este versículo mostra um interesse especial pelos sonhos e sua interpretação, o que mostra que os antigos reconheciam a importância dos sonhos. Conforme alguém já disse: "Nenhum sonho é por causa de nada". A maioria dos sonhos está ligada ao chamado *cumprimento de desejos.* Mas até mesmo esses sonhos preveem *como* os desejos *serão* satisfeitos. Outros sonhos estão ligados à *solução de problemas.* Todas as pessoas, a cada noite (ou a quase cada noite) têm sonhos psíquicos, e os sonhos sempre envolvem algo como ensino espiritual, encorajamento ou orientação. Sonhar pode ser uma herança divina, se pudermos aprender a lembrar e interpretar os nossos sonhos.

■ **37.7**

וְהִנֵּה אֲנַחְנוּ מְאַלְּמִים אֲלֻמִּים בְּתוֹךְ הַשָּׂדֶה וְהִנֵּה קָמָה אֲלֻמָּתִי וְגַם־נִצָּבָה וְהִנֵּה תְסֻבֶּינָה אֲלֻמֹּתֵיכֶם וַתִּשְׁתַּחֲוֶיןָ לַאֲלֻמָּתִי׃

Um Sonho de José. Os feixes de José adquiriam vida e agiam como se estivessem em uma breve peça teatral. O seu feixe ficava no centro do palco, enquanto os feixes de seus irmãos se inclinavam diante do dele. Esse sonho tomava coisas comuns da vida e as transformava em símbolos, algo constante nos sonhos. Há símbolos universais, compartilhados por pessoas de todas as raças. Um *filho*, por exemplo, aponta para o trabalho, para algum projeto ou para o ideal de realização do sonhador. A *idade* desse filho pode simbolizar o estágio do desenvolvimento em que se acha o projeto ou ideal. Um *veículo* pode significar uma maneira de realizar algo, ou, então, o próprio corpo do sonhador, o veículo de seu espírito. Uma *casa,* com frequência, aponta para o corpo ou para a vida da pessoa. Mas certos símbolos são especiais para o indivíduo que sonha com eles, e esses vão surgindo com base nas circunstâncias de sua vida.

Incidentalmente, esse sonho de José indica que a família de Jacó não se ocupava somente na criação de animais, mas também na agricultura. Ver também Gênesis 26.12 (quanto a Isaque) e 30.14. O sonho tirou proveito desse aspecto da vida de José.

Um Símbolo de Futuro Distante. O sonho de José contemplou o futuro distante e viu José a cuidar de questões agrícolas, no Egito, e como essa circunstância traria seus irmãos àquele país (porquanto haveria fome em Canaã). *Naquela* conjuntura, eles se submeteriam a ele. Os estudos modernos têm mostrado que um sonho pode capturar e realmente capta coisas que só acontecerão muitos anos mais tarde. Contudo, quando são precognitivos, sondam somente o futuro imediato. O discernimento humano profético *comum* (excetuando-se aqui a profecia espiritual) limita-se a um período de três anos, futuro adentro. Mas há exceções, mesmo incluindo pessoas comuns. Os estudos mostram que todas as pessoas tomam consciência de sua própria morte pelo menos com um ano de antecedência, ainda que estejam em plena saúde e venham a morrer por acidente. Os sonhos projetam essas previsões. Portanto, no último ano da vida de uma pessoa, muitos de seus sonhos simbolizam a aproximação da morte, embora a maioria das pessoas não tome consciência do fato.

O meu feixe. Antigos escritores judeus pensavam que esse item simbolizava o Messias. No Egito, José foi uma espécie de messiah ou ungido, além de ser tipo do Messias de Israel (ver as notas sobre o vs. 3, quanto a esse tipo). (Raya Mehimna em *Zohar*, em Gn fol. 87.2.) Ver Gênesis 42.1-3 e 50.12 quanto à cena que ainda ocorreria no Egito.

■ **37.8**

וַיֹּאמְרוּ לוֹ אֶחָיו הֲמָלֹךְ תִּמְלֹךְ עָלֵינוּ אִם־מָשׁוֹל תִּמְשֹׁל בָּנוּ וַיּוֹסִפוּ עוֹד שְׂנֹא אֹתוֹ עַל־חֲלֹמֹתָיו וְעַל־דְּבָרָיו׃

Reinarás... sobre nós? É interessante que os irmãos de José receberam uma interpretação instantânea e correta do sonho de José, o que indica que eles tinham certa prática quanto a essa atividade. O próprio fato de que o Gênesis menciona tantos sonhos (ver referências a respeito nas notas sobre o vs. 5) mostra a importância dos sonhos na mente dos antigos hebreus. Outro fato significativo revelado neste versículo é que a *verdade* pode fazer outras pessoas odiar e perseguir àqueles que a possuem. Muitas pessoas têm mente exígua, preferindo os seus erros a ter de enfrentar a verdade. A verdade requer *mudanças*, e nem todos os homens se dispõem a passar por essas mudanças. As pessoas temem as inovações. É mais cômodo ficar onde já se está, mesmo que isso sacrifique a verdade. Ver o artigo *Verdade*, no *Dicionário*.

■ **37.9**

וַיַּחֲלֹם עוֹד חֲלוֹם אַחֵר וַיְסַפֵּר אֹתוֹ לְאֶחָיו וַיֹּאמֶר הִנֵּה חָלַמְתִּי חֲלוֹם עוֹד וְהִנֵּה הַשֶּׁמֶשׁ וְהַיָּרֵחַ וְאַחַד עָשָׂר כּוֹכָבִים מִשְׁתַּחֲוִים לִי׃

Outro Sonho de José. Podemos estar certos de que a José foi dada toda uma série de sonhos, e não apenas dois. *Em breve* (embora estivesse então com apenas 17 anos) haveria de perder seu lar e ser levado para uma terra estranha, e ali passaria a viver como mero escravo. Todavia, um grande futuro jazia à sua frente, e chegaria a ser o primeiro-ministro do Egito. Mas quem teria pensado em tal coisa? Antes disso, contudo, deveria sofrer às mãos de homens maus e desarrazoados. Seus sonhos se acumularam e se mostraram urgentes, pois uma grande mudança haveria em breve de ter lugar em sua vida.

O sol, a lua e onze estrelas. Esses são símbolos universais. Os antigos pagãos criam que os corpos celestes são deuses ou habitações dos deuses. Os mitos astrológicos incorporaram essas crenças em seu sistema. E mesmo quando os homens vieram a crer que isso não é verdade, os corpos celestes continuaram a ser concebidos como dotados de poder sobre a vida dos homens. Ver no *Dicionário* o artigo chamado *Astrologia*. Há doze signos no zodíaco, e temos aqui José, um dos irmãos, e mais onze irmãos, formando o zodíaco hebreu, por assim dizer. "As constelações do zodíaco foram distinguidas entre as nações orientais desde tempos imemoriais" (Adam Clarke, *in loc.*). Não precisamos supor que José estivesse envolvido em astrologia. Os hebreus eram fracos quanto às ciências (incluindo a matemática), e assim dificilmente se interessariam pela astrologia. Os matemáticos desenvolveram astrologia, na Babilônia e no Egito. Contudo, a mente de José poderia ter usado símbolos comuns a esses estudos. As *estrelas* eram símbolos universais de *governantes*. O sol é o deus-pai, e a lua é a deusa-mãe, de acordo com as religiões antigas. Assim, nesse sonho, pai, mãe e onze filhos se submeteriam a um outro filho. No primeiro sonho, a mente de José empregou itens comuns a seu trabalho como símbolos. Mas, neste segundo sonho, sua mente tirou proveito da mente universal, extraindo dali símbolos universais. Ambos os atos são comuns nos sonhos.

Neste momento, tenho à minha frente o livro *How to Interpret Your Own Dreams* (Tom Chetwynd). Ele apresenta esses símbolos (embora não estivesse pensando nos sonhos de José), mas apenas com base em estudos científicos:

Lua e Sol
A *lua* representa o aspecto feminino, maternal — o oposto do *sol* (o qual representa, pelo menos algumas vezes, o aspecto masculino, o pai). O *meio-dia* representa a *masculinidade*. O sol personifica o deus-sol, uma figura autoritária, a força da vida. (Naturalmente, há muitos outros símbolos do sol e da lua. Exponho aqui apenas os que se aplicam ao sonho de José.) As *estrelas* ou planetas (os antigos não sabiam qual a diferença entre eles) circulariam em redor do sol, a figura central, como os filhos fazem com seu pai.

■ **37.10**

וַיְסַפֵּר אֶל־אָבִיו וְאֶל־אֶחָיו וַיִּגְעַר־בּוֹ אָבִיו וַיֹּאמֶר לוֹ מָה הַחֲלוֹם הַזֶּה אֲשֶׁר חָלָמְתָּ הֲבוֹא נָבוֹא אֲנִי וְאִמְּךָ וְאַחֶיךָ לְהִשְׁתַּחֲוֹת לְךָ אָרְצָה׃

O Sonho e a Repreenda. José estava excitado com seu sonho e não conseguiu evitar de contá-lo a seu pai e a seus irmãos. O próprio Jacó, apesar de ser homem que já tinha recebido muitas experiências místicas, incluindo sonhos muito significativos, repreendeu José por sua aparente arrogância. Mas pelo menos Jacó foi suficientemente sábio para reter no coração o episódio inteiro, levando-o a sério e buscando alguma forma de conhecimento intuitivo sobre o que esses sonhos de José estavam projetando. Jacó já havia tido muitos e importantes sonhos espirituais para desprezar os sonhos de José.

A Mãe. Raquel, mãe natural de José, já tinha morrido, pelo que não é nela que devemos pensar neste sonho. Provavelmente estava em foco Lia, sua mãe circunstancial. Mas Lia nunca veria a glória de José nem se inclinaria perante ele, visto que haveria de morrer em Hebrom (Gn 49.31). Nesses símbolos não podemos esperar perfeição, mas antes, uma mensagem geral. Entretanto, alguns sonhos são mortalmente exatos em seus *detalhes*. Assim sucederia aos sonhos de José, em seu quadro geral.

John Gill (*in loc.*) mencionou que era comum na interpretação de sonhos, no Egito e na Pérsia, que aquele que sonhasse que governava *sobre estrelas* haveria de governar muitos povos.

■ **37.11**

וַיְקַנְאוּ־בוֹ אֶחָיו וְאָבִיו שָׁמַר אֶת־הַדָּבָר׃

O Sábio e os Insensatos. O sábio Jacó reconheceu, instintiva e intuitivamente, que o sonho de José se revestia de magna importância. Jacó pouco disse, mas guardou o sonho em seu coração, como um tesouro. Grandes coisas estavam prestes a ocorrer. Os irmãos de José, em contraste com isso, diante de coisas momentosas que estavam às vésperas de acontecer, somente se incendiaram mais ainda, permitindo que o ódio tomasse conta de seu coração. O homem espiritual e sensível é sábio. Os que são dominados pelo ódio são insensatos. No caminho deles há somente destruição. Jacó estava esperando para ser testemunha de grandes coisas. Seus filhos, insensatos que eram, não viam nenhuma grandeza, apenas planejavam tirar a vida de José.

"Deus confirmou a escolha de Jacó, através de seu filho fiel, por meio de dois sonhos. As revelações divinas eram dadas de diferentes formas no Antigo Testamento. Ele usava sonhos quando o seu povo estava fora da Terra Prometida, isto é, estava em terras pagãs. Por meio de um sonho, Deus anunciou a Abraão a servidão egípcia de seus descendentes (Gn 15.13). Por meio de um sonho, Deus prometera proteção e prosperidade a Jacó, em seu exílio no território de Labão (Gn 28.12,15). E agora, por meio de dois sonhos, Deus predizia que José governaria a sua família" (Allen P. Ross, *in loc.*).

José estava prestes a entrar em um período de exílio, tal como sucedera a seu pai, Jacó, anos antes. Ambos esses homens de Deus foram encorajados por meio de sonhos, antes de seus respectivos exílios terem lugar.

JOSÉ VENDIDO COMO ESCRAVO (37.12-28)

A noite antecede ao dia, e assim também José não poderia evitar seu exílio. Seus traiçoeiros irmãos só não se tornaram fratricidas por intervenção do mais misericordioso, Rúben (vs. 21). Em vez de ser morto, José foi vendido como escravo, tal como Jacó, antes dele, por causa da ira de Esaú, tinha sido forçado a exilar-se junto a Labão, em Padã-Arã. Assim, a história estava-se repetindo. A *providência de Deus* (ver o verbete desse nome no *Dicionário*) cuidou de ambos os casos. Grandes vitórias esperavam por José — porém estas não ocorreriam de pronto, mas somente depois de muitos sofrimentos e vicissitudes boas e más.

■ 37.12

וַיֵּלְכוּ אֶחָיו לִרְעוֹת אֶת־צֹאן אֲבִיהֶם בִּשְׁכֶם:

Em Siquém. Ver sobre esse lugar no *Dicionário*. Apanha-nos de surpresa o fato de que Jacó tenha enviado seus filhos de volta a Siquém, cena do rapto de Diná e da matança dos súditos de Hamor (Gn 34). As coisas devem ter-se acalmado consideravelmente para que ele tenha tido a coragem de fazer tal coisa. Os críticos supõem certa deslocação histórica, pensando que a fonte informativa da história, J², dizia que Jacó e sua família continuavam residindo ali, não sabendo de outras histórias que já o faziam estar em Hebrom.

Siquém ficava a cerca de 80 km de Hebrom, e Dotã ficava mais 24 km para o norte (vs. 17). Portanto, de acordo com os padrões da época, estavam envolvidas consideráveis distâncias. Alguns estudiosos opinam que parte da razão para os filhos de Jacó terem sido enviados a Siquém foi *averiguar* se o território (presumivelmente bom para pasto) oferecia segurança ou não.

As riquezas de Jacó são ilustradas no texto. Por qual razão ele teria procurado terras de pastagem, distantes mais de 100 km de onde estava, a menos que possuísse grandes rebanhos e precisasse de muito espaço?

■ 37.13

וַיֹּאמֶר יִשְׂרָאֵל אֶל־יוֹסֵף הֲלוֹא אַחֶיךָ רֹעִים בִּשְׁכֶם לְכָה וְאֶשְׁלָחֲךָ אֲלֵיהֶם וַיֹּאמֶר לוֹ הִנֵּנִי:

Eis-me aqui. José estava disposto e pronto para ir em sua missão de misericórdia. Seus irmãos estavam ausentes, em Siquém. É provável que fizesse algum tempo que Jacó não recebia notícias da parte deles, e estivesse preocupado com o seu bem-estar. A José foi confiada então essa missão de averiguar como estavam as coisas. Isso armou o palco para uma história negra, de ódio e crueldade. Jacó não veria mais seu amado filho José por muitos anos, supondo, durante todo esse tempo, que José estivesse morto.

O lugar, Siquém, era perigoso, por causa dos incidentes descritos no capítulo 34. E Jacó queria ter certeza de que os seus filhos não tinham sido envolvidos por algum dano, pelo que a missão de José se revestia de considerável importância.

■ 37.14

וַיֹּאמֶר לוֹ לֶךְ־נָא רְאֵה אֶת־שְׁלוֹם אַחֶיךָ וְאֶת־שְׁלוֹם הַצֹּאן וַהֲשִׁבֵנִי דָּבָר וַיִּשְׁלָחֵהוּ מֵעֵמֶק חֶבְרוֹן וַיָּבֹא שְׁכֶמָה:

Os filhos e os rebanhos constituíam toda a riqueza de Jacó, ocupando toda a sua atenção. O bem-estar deles era da máxima importância para Jacó. Na vida de um homem, essas são as coisas mais importantes. Porém, havia uma falha fatal no paraíso de Jacó. Onze irmãos cultivavam o ódio em seu coração contra um irmão. Isso nos faz lembrar de como os irmãos de Jesus, por longo tempo, foram hostis a ele. Ver as notas sobre o vs. 3 quanto a José como um tipo de Cristo, o que inclui o presente item.

É irônico que os filhos de Jacó estivessem livres de perseguição dos habitantes de Siquém, por parte de quem tinham sido tão maltratados, ao passo que José, irmão deles, não estava seguro *entre seus irmãos*.

Diz o Targum de Jônatan: "Temo que os horeus tenham vindo e os tenham ferido, por haverem matado a Hamor e a Siquém, bem como aos habitantes daquela cidade".

■ 37.15

וַיִּמְצָאֵהוּ אִישׁ וְהִנֵּה תֹעֶה בַּשָּׂדֶה וַיִּשְׁאָלֵהוּ הָאִישׁ לֵאמֹר מַה־תְּבַקֵּשׁ:

Não Estavam Mais em Siquém. José não os encontrou nas proximidades de Siquém, onde Jacó pensara que estariam. Mas um certo homem dali, com quem José se encontrou, sabia que eles tinham ido para Dotã (vs. 17). Os escritores judeus consideram esse homem um *anjo* que estava com José para guiá-lo. Ver no *Dicionário* o artigo *anjo*. Mas o texto não indica nada de incomum. O homem pode ter sido um viajante (conforme sugeriu Aben Ezra), ou, então, alguém que arava o campo. Fosse como fosse, José encontraria ajuda para as coisas mais insignificantes, como parte das bênçãos diárias de Deus.

■ 37.16

וַיֹּאמֶר אֶת־אַחַי אָנֹכִי מְבַקֵּשׁ הַגִּידָה־נָּא לִי אֵיפֹה הֵם רֹעִים:

Dize-me onde. José pediu, e foram-lhe dadas orientações. Coisa pequena, mas importante para o momento. Tudo fazia parte de uma missão mais ampla. Nossas missões envolvem coisas pequenas e coisas grandes.

■ 37.17

וַיֹּאמֶר הָאִישׁ נָסְעוּ מִזֶּה כִּי שָׁמַעְתִּי אֹמְרִים נֵלְכָה דֹּתָיְנָה וַיֵּלֶךְ יוֹסֵף אַחַר אֶחָיו וַיִּמְצָאֵם בְּדֹתָן:

Vamos a Dotã. No hebraico, essa palavra significa *duas fontes* ou *festa dupla* (aqui e em 2Rs 6.13). Ficava cerca de 97 km ao norte de Jerusalém e a 105 km de Hebrom. Por ali passava uma rota de caravanas que ia da Síria ao Egito. A região era conhecida por sua excelente pastagem, e, naturalmente, esse fato atraíra até ali os irmãos de José. Essa cidade é deveras antiga, e muitas descobertas arqueológicas têm sido feitas ali. Ofereço um artigo detalhado sobre essa localidade, no *Dicionário*. Até hoje, os pastores vêm do sul da Palestina àquela região a fim de dar água e pasto a seus rebanhos. O arqueólogo Free encontrou noventa rebanhos na estrada que vem de Jerusalém.

Começam Dificuldades Sérias. Finalmente, José encontrou-se com seus traiçoeiros irmãos. Incidente tão corriqueiro em breve redundaria em uma tremenda aventura, com sua mistura de tristeza e alegria, derrota e triunfo.

José era um jovem diferente que atravessou o caminho de seus irmãos. Era diferente deles. E eles haveriam de puni-lo por causa disso. Com frequência, até mesmo em boas famílias, um filho que se destaque provoca a hostilidade de outros membros da família que não querem que ele cresça.

Os menos brilhantes podem desenvolver-se junto com os mais brilhantes; mas é mais fácil criticar e perseguir do que crescer, e, normalmente, as pessoas preferem o caminho da menor resistência. É tão possível a uma pessoa ser magnânima quanto ser maldosa; e ser *maldosa* concorda melhor com a natureza humana caída. É errado suprimir e distorcer uma personalidade por ser ela diferente. A perseguição, quase sempre, é produto de *mentes* inferiores. E mesmo quando não é assim, é sempre produto de *almas* inferiores.

■ 37.18

וַיִּרְאוּ אֹתוֹ מֵרָחֹק וּבְטֶרֶם יִקְרַב אֲלֵיהֶם וַיִּתְנַכְּלוּ אֹתוֹ לַהֲמִיתוֹ:

Conspiraram contra ele. Este versículo é um terror. José era *tão* odiado que o simples fato de *virem* de longe deixou-os irados, o rancor fervendo em seus corações. Se o encontrassem em um elevador (em tempos modernos), eles o teriam ignorado. Se o vissem caminhando por uma rua, teriam atravessado a rua para o outro lado. Se o vissem apanhar um ônibus, teriam esperado por outro.

"Entraram em entendimento e traçaram os mais astuciosos métodos que foram capazes de imaginar de tirar-lhe a vida, mas ocultar o homicídio" (John Gill, *in loc.*).

37.19

וַיֹּאמְר֖וּ אִ֣ישׁ אֶל־אָחִ֑יו הִנֵּ֗ה בַּ֛עַל הַחֲלֹמ֥וֹת הַלָּזֶ֖ה בָּֽא׃

Vem lá o tal sonhador! Isso eles disseram para lançar José no ridículo, desprezando o dom espiritual que Faraó haveria de respeitar e pelo qual o Egito seria salvo de uma fome calamitosa. O profeta José não era honrado entre seus irmãos, tal como Jesus não foi respeitado entre os seus (Mt 13.57). Quanto a essa e outras questões, José tipificava o Messias. Ver as notas sobre o vs. 3 deste capítulo quanto a José como tipo do Messias. No hebraico temos a expressão "senhor dos sonhos", uma frase escarninha em extremo. Eles tinham assassinado a muitos siquemitas para vingar a Diná, irmã deles (Gn 34.24-29), mas não consideravam o próprio irmão deles melhor do que os pagãos a quem tinham matado traiçoeiramente.

37.20

וְעַתָּ֣ה ׀ לְכ֣וּ וְנַֽהַרְגֵ֗הוּ וְנַשְׁלִכֵ֙הוּ֙ בְּאַחַ֣ד הַבֹּר֔וֹת וְאָמַ֕רְנוּ חַיָּ֥ה רָעָ֖ה אֲכָלָ֑תְהוּ וְנִרְאֶ֕ה מַה־יִּהְי֖וּ חֲלֹמֹתָֽיו׃

Matemo-lo... e diremos. Eles planejaram encobrir um homicídio com uma mentira. Ficamos boquiabertos diante do vil caráter dos irmãos de José, patriarcas de Israel. Somente a graça de Deus poderia insuflar alguma decência em tais indivíduos. Ver no *Dicionário* os artigos *Homicídio* e *Mentir (Mentiroso)*. Foi de uma maneira extremamente trivial que eles planejaram quebrar a dois princípios que, posteriormente, fariam parte dos Dez Mandamentos. Ver no *Dicionário* o verbete *Dez Mandamentos*. O relato é tão terrível, retratando com tão negras luzes o caráter daqueles homens, que alguns eruditos têm chegado a pensar que tudo não passa de uma lenda dramática, algo que realmente não pode ter acontecido. "Eles devem ter sido selvagens sem nenhum princípio!" (Adam Clarke, *in loc.*).

Numa destas cisternas. Escavações feitas para coletar a água da chuva, para efeitos agrícolas e para dessedentar os animais. Ver Jeremias 38.6. Os intérpretes judeus acusaram Simeão de ser o principal instigador do plano, supondo que esse motivo José mandou deixá-lo amarrado na prisão, no Egito (Gn 42.24). Mas não há como averiguar se essa informação está ou não com a razão.

37.21

וַיִּשְׁמַ֣ע רְאוּבֵ֔ן וַיַּצִּלֵ֖הוּ מִיָּדָ֑ם וַיֹּ֕אמֶר לֹ֥א נַכֶּ֖נּוּ נָֽפֶשׁ׃

Rúben Faz Objeção. Rúben conseguiu convencer os outros a não executarem o plano homicida contra José. O vs. 22 mostra que Rúben tinha planejado resgatar José, voltando mais tarde à cisterna, a fim de libertá-lo dali. Portanto, aquele que aparentemente havia estuprado Bila (uma das concubinas de Jacó) pelo menos tinha algum princípio moral. Ver Gênesis 35.22. Judá também pensou em poupar José, mas estava pensando mais em termos de dinheiro, e não em termos de misericórdia (vs. 26). Pelo menos, no caso de Rúben, houve um raio de luz que brilhou no quadro, em tudo mais, tenebroso. O caso de José ilustra a quais profundezas de depravação um homem é capaz de afundar-se.

Josefo pôs nos lábios de Rúben um longo e floreado discurso de defesa, ao explicar esta passagem. E, realmente, é quase certo que Rúben disse alguma coisa eloquente a seus irmãos, desviando do mal seus corações malignos.

37.22

וַיֹּ֨אמֶר אֲלֵהֶ֥ם ׀ רְאוּבֵן֮ אַל־תִּשְׁפְּכוּ־דָם֒ הַשְׁלִ֣יכוּ אֹת֗וֹ אֶל־הַבּ֤וֹר הַזֶּה֙ אֲשֶׁ֣ר בַּמִּדְבָּ֔ר וְיָ֖ד אַל־תִּשְׁלְחוּ־ב֑וֹ לְמַ֗עַן הַצִּ֤יל אֹתוֹ֙ מִיָּדָ֔ם לַהֲשִׁיב֖וֹ אֶל־אָבִֽיו׃

Lançai-o nesta cisterna. Pela providência divina, esta estava seca, pois, se assim não fora, ele se teria afogado. Rúben estava pensando na tristeza avassaladora que Jacó sofreria, diante da morte de José. Tinha apenas 17 anos e era o filho favorito de seu pai. Seu coração comoveu-se, e, então, apresentou um plano alternativo, que parecia decretar a morte de José (até onde os outros irmãos entenderiam a questão), mas daria a Rúben a oportunidade de reverter o curso das más ações dos seus irmãos. O trecho de Gênesis 42.21 dá-nos a patética mensagem de que José ficou angustiado e começou a implorar por sua vida, o que seus irmãos levaram tão pouco a sério. Eles estavam apanhados no vórtice de seus pecados. Ver no *Dicionário* o artigo *Lei Moral da Colheita segundo a Semeadura*. Kant baseou um argumento moral sobre a *necessidade* de recompensa ou de retribuição em favor da existência da alma e de sua sobrevivência diante da morte biológica. Em algum ponto, cada homem precisa encontrar-se consigo mesmo, quanto ao bem e quanto ao mal. Cada indivíduo deverá receber recompensa ou punição pelo que tiver praticado, pois, se assim não fora, então viveríamos em um mundo dominado pelo caos. Vendo que nem a recompensa nem o juízo são devidamente aplicados nesta esfera terrena, então deve haver uma "vida além" onde as contas serão devidamente pagas. Ver o artigo *Argumento Moral* na *Enciclopédia de Bíblia, Teologia e Filosofia*.

Talvez Rúben tenha pensado que poderia pagar algo da dívida de seu pecado, que cometera contra seu pai, contrabalançando o seu erro mediante um ato de bondade que seria vital para ele. Seja como for, o arrependimento (ver sobre a questão no *Dicionário*) deve incluir, sempre que possível, atos de reparação. Ver no *Dicionário* o verbete *Reparação (Restituição)*.

37.23

וַֽיְהִ֕י כַּֽאֲשֶׁר־בָּ֥א יוֹסֵ֖ף אֶל־אֶחָ֑יו וַיַּפְשִׁ֤יטוּ אֶת־יוֹסֵף֙ אֶת־כֻּתָּנְתּ֔וֹ אֶת־כְּתֹ֥נֶת הַפַּסִּ֖ים אֲשֶׁ֥ר עָלָֽיו׃

Uma Maldade Ansiosa por Manifestar-se. Os irmãos de José não hesitaram. Agarraram-no, tiraram-lhe a túnica preciosa, lançaram-no na cisterna e, ato contínuo, de corações insensíveis, sentaram-se para comer (vs. 25). Há pessoas más que são tão destituídas de consciência, que ficamos perplexos. Alguns dos mais graves pecados são praticados de maneira tão trivial e insensível.

"...para que sejamos *livres* dos homens perversos e maus; porque a fé não é de todos" (2Ts 3.2).

37.24

וַיִּ֨קָּחֻ֔הוּ וַיַּשְׁלִ֥כוּ אֹת֖וֹ הַבֹּ֑רָה וְהַבּ֣וֹר רֵ֔ק אֵ֥ין בּ֖וֹ מָֽיִם׃

Cisterna, vazia, sem água. Isso por providência divina. Ver no *Dicionário* o artigo *Providência de Deus*. As circunstâncias eram dificílimas. Talvez José tenha sido deixado totalmente despido, conforme pensavam alguns intérpretes judeus. Como quer que tenha sido, sua situação era desesperadora.

A Experiência na Cisterna. Todo homem, em algum tempo em sua vida e, provavelmente, por muitas vezes, tem a sua experiência na cisterna. Os pecados acham-se no abismo da degradação. Até homens espirituais sofrem reversões sérias que os deixam como que em uma cisterna. "Moral e espiritualmente... a alma do homem está em um buraco. A percepção do fato pode ocorrer como um choque abrupto. José, em um momento, caminhava sob a luz do dia, em sua túnica multicolorida; no momento seguinte, estava em uma cisterna, em meio à escuridão. Em um momento, parecia de nada precisar; no momento seguinte, já precisava de tudo. Assim acontece à alma humana. Da autossuficiência, pode ser imersa em total impotência e desesperadora necessidade de Deus. No entanto, no pior momento de José, havia forças *insuspeitas* que se movimentavam para libertá-lo... isso vemos no Salmo 40.2 (Walter Russell Bowie, *in loc.*):

> *Tirou-me de um poço de perdição,*
> *dum tremedal de lama;*
> *colocou-me os pés sobre uma rocha*
> *e me firmou os passos.*

O Targum de Jonathan diz que havia serpentes e escorpiões no fundo da cisterna, e Jarchi salientou que ali não havia água. Nesse caso, José morreria de sede, se alguma outra coisa não o matasse primeiro.

37.25

וַיֵּשְׁבוּ֮ לֶֽאֱכָל־לֶחֶם֒ וַיִּשְׂא֤וּ עֵֽינֵיהֶם֙ וַיִּרְא֔וּ וְהִנֵּה֙ אֹרְחַ֣ת יִשְׁמְעֵאלִ֔ים בָּאָ֖ה מִגִּלְעָ֑ד וּגְמַלֵּיהֶ֣ם נֹֽשְׂאִ֗ים נְכֹאת֙ וּצְרִ֣י וָלֹ֔ט הוֹלְכִ֖ים לְהוֹרִ֥יד מִצְרָֽיְמָה׃

Sentando-se para comer pão. Aqueles homens ímpios e desarrazoados, embora ouvindo os gritos de desespero de José (Gn 42.21), foram capazes de ficar sentados para comer pão. José não merecia ser posto na cisterna. Havia bondade essencial em sua pessoa, e, além disso, tinha uma grande missão a cumprir fora da cisterna. Mas o propósito de Deus atuava para tirá-lo da cisterna. E enquanto os seus irmãos comiam, naquele momento se aproximava uma caravana de ismaelitas, que, vindos de Gileade, se encaminhavam para o Egito. Isso livraria José de sua aflição momentânea. Esse foi o primeiro passo no desenvolvimento do plano maior. O propósito de Deus opera passo a passo, cada vez aproximando-se mais do seu cumprimento. José estava na trilha certa.

Dotã ficava localizada na rota das caravanas, por onde produtos vindos da Índia e da Ásia Ocidental eram levados ao Egito. "Visto o lado oriental de Canaã estava coberto pelo grande deserto da Arábia, as caravanas tinham de viajar em uma direção sudoeste até que, tendo vadeado o rio Eufrates, atravessassem de Tadmor a Gileade. Dali, a rota tomada conduzia os caravaneiros para além do Jordão, em Beisã, e daí, seguindo para o sul, avançavam até o Egito" (Ellicott, *in loc.*).

Ismaelitas. No vs. 36, eles são chamados "midianitas". Os Targuns e a versão siríaca dizem "árabes". Midiã era filho de Abraão e Quetura, e Ismael era filho de Abraão e Hagar. Eruditos antigos e modernos têm lutado com essas variantes, e alguns têm mesmo suposto que José foi vendido por mais de uma vez — de seus irmãos para os ismaelitas; dos ismaelitas para os midianitas — antes de ter chegado ao Egito. Por outra parte, havia uma mistura de povos, apesar de suas origens distintas, e provavelmente o autor sagrado não foi cuidadoso com o uso de adjetivos pátrios. Ver no *Dicionário* os artigos Ismael; Midiã, Midianitas; Arábia (Árabes) e Camelo.

Arômatas, bálsamo e mirra. No *Dicionário* provi artigos detalhados sobre os dois últimos desses três produtos. Quanto aos *arômatas*, está em pauta o tragacanto ou estoraque (Gn 30.37), ou seja, especiarias. Mas os estudiosos não concordam quanto à identificação exata dos itens envolvidos.

■ 37.26

וַיֹּאמֶר יְהוּדָה אֶל־אֶחָיו מַה־בֶּצַע כִּי נַהֲרֹג אֶת־אָחִינוּ וְכִסִּינוּ אֶת־דָּמוֹ׃

Judá Pensou em Termos de Dinheiro. De que adiantaria a morte insensata de seu meio-irmão? Ele queria ganhar algum dinheiro, e a aproximação da caravana dava-lhe oportunidade de negociar. Não estava interessado em mostrar dó. Nem aventou: "Sejamos misericordiosos com José". Mas sugeriu: "Vamos ganhar algum dinheiro com José". E assim, se José escapasse da morte, seria forçado, devido às mentiras deles, a sofrer a tristeza por uma pseudomorte, enfrentando anos de profunda tristeza. Mas que lhes importava isso? Eles dividiriam as vinte peças de prata (vs. 28). Essa era a sua consolação, enquanto José entraria em uma situação deveras desesperadora. Assim, José foi livrado de um grande mal, apenas para sofrer mal ainda maior. Mas Deus estava com ele, em todas as suas experiências. Nada acontece por mero acaso. Também não foi por coincidência que surgiu no horizonte a caravana, em um momento tão oportuno. Ver na *Enciclopédia de Bíblia, Teologia e Filosofia* o artigo intitulado *Coincidência Significativa*. Uma "coincidência" bem colocada pode ser uma pequena piada da providência divina que, através disso, diz: "Surpresa! Vê! Estou contigo!" Há poder por trás da providência divina, mas esse poder não se faz conspícuo, e somos apanhados de surpresa.

■ 37.27

לְכוּ וְנִמְכְּרֶנּוּ לַיִּשְׁמְעֵאלִים וְיָדֵנוּ אַל־תְּהִי־בוֹ כִּי־אָחִינוּ בְשָׂרֵנוּ הוּא וַיִּשְׁמְעוּ אֶחָיו׃

Pois é nosso irmão. Por essa razão, eles usaram de um pouco de misericórdia, mas de olho no dinheiro que ganhariam com a venda de José. Alegraram-se diante da alternativa que os poupou de praticarem o maior mal, e que também lhes daria um lucro pecuniário. Parecia-lhes uma perfeita (má) solução.

Operação Divina. Para os irmãos de José, aquele ato era, definitivamente, o *fim* do sonhador e de seus sonhos arrogantes. Na verdade, porém, tudo aquilo era apenas *parte necessária* do cumprimento de seus sonhos precognitivos. O plano não poderia dar certo se José não chegasse ao Egito. E assim, o que eles tinham planejado para o mal, Deus estava fazendo redundar para o bem, exatamente o que José disse muitos anos mais tarde (Gn 50.20). Esse *bem* operaria em favor não somente de José, de seus irmãos e da vindoura nação de Israel, mas igualmente de *muita gente* que seria beneficiada pela presença de José no Egito, pois seriam todos salvos de morrer por inanição.

■ 37.28

וַיַּעַבְרוּ אֲנָשִׁים מִדְיָנִים סֹחֲרִים וַיִּמְשְׁכוּ וַיַּעֲלוּ אֶת־יוֹסֵף מִן־הַבּוֹר וַיִּמְכְּרוּ אֶת־יוֹסֵף לַיִּשְׁמְעֵאלִים בְּעֶשְׂרִים כָּסֶף וַיָּבִיאוּ אֶת־יוֹסֵף מִצְרָיְמָה׃

Vinte siclos de prata. Siclo era um peso, e não uma moeda. Pesava cerca de 11,7 g. Multiplicando isso por vinte, temos pouco mais de 230 g de prata. O trecho de Levítico 27.5 mostra que esse era o valor de um escravo com menos de 20 anos de idade. Não há como calcular seu valor monetário, de acordo com padrões modernos. Jesus foi vendido por Judas Iscariotes por *trinta* moedas de prata (Mt 26.15). Ver o *Novo Testamento Interpretado, in loc.*, nessa passagem de Mateus. Portanto, José foi um tipo de Cristo, conforme se vê nas notas sobre o vs. 3 deste capítulo.

■ 37.29

וַיָּשָׁב רְאוּבֵן אֶל־הַבּוֹר וְהִנֵּה אֵין־יוֹסֵף בַּבּוֹר וַיִּקְרַע אֶת־בְּגָדָיו׃

Volta Rúben à Cisterna Vazia. Não nos é dito por que Rúben não estava comendo com os outros irmãos, nem para onde tinha ido, nem por que agora reaparecia na cena, somente para encontrar vazia a cisterna. Ele tinha planejado retirar José da cisterna e devolvê-lo ao seu pai (vs. 22). Mas seu plano fracassou; e assim, consternado, rasgou suas vestes, um antigo símbolo oriental de profunda consternação, tristeza ou ira. Ver no *Dicionário* o artigo *Vestimentas, Rasgar das*, quanto a detalhes sobre essa questão. Os intérpretes judeus dizem que Rúben se havia separado dos demais, tinha ido até um monte, e ali estivera esperando que os irmãos se fossem, para que viesse secretamente resgatar José. Rúben rasgara suas vestes, angustiado. Jacó faria a mesma coisa (vs. 34). Mas um novo dia haveria de raiar, a despeito da escuridão daquela noite.

■ 37.30

וַיָּשָׁב אֶל־אֶחָיו וַיֹּאמַר הַיֶּלֶד אֵינֶנּוּ וַאֲנִי אָנָה אֲנִי־בָא׃

Não está lá o menino. Teria ele desaparecido? Estaria morto? Agora, que poderia fazer Rúben? Suas perguntas refletiam sua consternação e perplexidade. Admiramo-nos diante do coração calejado de seus irmãos. Mas assim funcionavam as antigas mentes selvagens. Lemos as obras de Homero, a *Ilíada* e a *Odisseia*, e maravilhamo-nos diante do poder e da graça de sua literatura. De fato, tais obras são da mais fina arte poética. Contudo, o que elas refletem? Matanças e mais matanças, golpes de espada sem nenhuma misericórdia. E, então, indagamos se a cena moderna é melhor do que isso. Os homens agora liquidam grandes contingentes populacionais, e poucos sentem alguma repulsa ou remorso. Os nossos heróis continuam sendo os que mais matam, e a ciência devota-se a aprimorar os meios de matança. Davi foi chamado homem segundo o coração de Deus, e, no entanto, houve ocasiões em que mostrou ser um matador insensato e sem dó. Calvino iniciou uma denominação cristã, mas tornou-se culpado de *muitos* homicídios, banimentos e aprisionamentos dos que discordavam de sua doutrina. Ver o artigo intitulado *Calvino, João*, na *Enciclopédia de Bíblia, Teologia e Filosofia*.

Rúben era o irmão mais velho. Jacó haveria de reputá-lo responsável. Ele já havia cometido um grave erro ao forçar Bila, concubina de Jacó. Agora, essa calamidade seria adicionada à outra. No entanto, acima dos resultados que ele temia, Rúben sentia-se genuinamente devastado, diante da perda de José, ao qual chamou de *menino*, embora já tivesse 17 anos de idade.

■ 37.31

וַיִּקְחוּ אֶת־כְּתֹנֶת יוֹסֵף וַיִּשְׁחֲטוּ שְׂעִיר עִזִּים וַיִּטְבְּלוּ אֶת־הַכֻּתֹּנֶת בַּדָּם׃

A Fraude. José fora levado pelos ismaelitas. Mas agora era preciso fingir uma razão para a sua ausência. A túnica preciosa de José foi manchada com o sangue de um bode. Agindo como animais, culparam um animal pela pseudomorte. Eles praticavam *maldade após maldade*, em uma produção interminável. Um erro era coberto por outro. Um pecado acaba criando uma cadeia de pecados. Eles tinham cometido um crime contra José, e agora cometeriam um crime contra Jacó. Estavam envenenando seu relacionamento com seu próprio pai; e assim violaram sua posição de filhos.

"Maimônides pensava que uma das razões por que bodes por tantas vezes eram abatidos e usados como ofertas pelo pecado, sob a lei levítica, era relembrar os israelitas desse grande pecado cometido pelos seus patriarcas" (Ellicott, *in loc.*). Os Targuns de Jonathan e Jarchi observaram que o sangue de um bode é o mais parecido com o sangue humano, pelo que a fraude seria extremamente convincente em sua aplicação.

■ 37.32

וַיְשַׁלְּח֞וּ אֶת־כְּתֹ֣נֶת הַפַּסִּ֗ים וַיָּבִ֙יאוּ֙ אֶל־אֲבִיהֶ֔ם וַיֹּאמְר֖וּ זֹ֣את מָצָ֑אנוּ הַכֶּר־נָ֗א הַכְּתֹ֧נֶת בִּנְךָ֛ הִ֖וא אִם־לֹֽא׃

A túnica talar tornou-se um emblema de ludíbrio e de tristeza. Jacó tinha presenteado José com aquela túnica especial, como sinal de seu amor e favorecimento. Agora lhe era devolvida, pelos traiçoeiros irmãos de José, a fim de lhe partir o coração. E o ludíbrio prosseguiu, quando eles deram a entender que talvez a túnica pertencesse a José. Forçaram Jacó a identificá-la! "A mentira deles, uma vez pespegada, contaminou todas as relações dentro da família" (Walter Russell Bowie, *in loc.*). "Quanta deliberada crueldade para torturar os sentimentos do idoso pai, e assim esmagar a sua alma!" (Adam Clarke, *in loc.*). Lograram êxito, mas esse pecaminoso êxito haveria de enredá-los algum dia. Nem todo sucesso é bem-sucedido. Há supostos sucessos que são o mais doloroso tipo de fracasso. Platão disse que a pior coisa que pode suceder a um homem é que ele pratique o mal, mas nada sofra por isso. Se isso suceder, a alma desse homem aprenderá a tornar-se habitualmente corrupta.

■ 37.33

וַיַּכִּירָ֤הּ וַיֹּ֙אמֶר֙ כְּתֹ֣נֶת בְּנִ֔י חַיָּ֥ה רָעָ֖ה אֲכָלָ֑תְהוּ טָרֹ֥ף טֹרַ֖ף יוֹסֵֽף׃

É a túnica de meu filho. O coração do pai se partiu, e assim, em ato reflexo, Jacó rasgou suas vestes. A túnica preciosa, seu presente especial, tornou-se mensageira de agonia. Somos levados a relembrar a túnica inconsútil de Jesus, que se tornou objeto de um jogo, para se saber com qual soldado romano ela ficaria (Jo 19.23,24). Ambas as vestes tornaram-se emblemas de tristeza e de aparente derrota. "Assim como a túnica estava rasgada, assim também deve estar despedaçado o corpo de José, meu filho amado! E assim pensando, Jacó rasgou suas vestes" (Adam Clarke, *in loc.*).

"...imaginemos como, com o coração pulsando forte, com os membros trêmulos, com as mãos contorcendo-se, com os olhos vertendo lágrimas e com a voz claudicante, ele [Jacó] deve ter proferido essas palavras" (John Gill, *in loc.*).

■ 37.34

וַיִּקְרַ֤ע יַעֲקֹב֙ שִׂמְלֹתָ֔יו וַיָּ֥שֶׂם שַׂ֖ק בְּמָתְנָ֑יו וַיִּתְאַבֵּ֥ל עַל־בְּנ֖וֹ יָמִ֥ים רַבִּֽים׃

Jacó rasgou as suas vestes. Tal como Rúben tinha feito, e pela mesma razão (vs. 29). Ver no *Dicionário* o artigo *Vestimentas, Rasgar das.*

... se cingiu de pano-saco. Em lugar de suas vestes usuais, vestiu-se de uma roupa grosseira, símbolo apropriado de sua tristeza e consternação. Apresento um detalhado artigo, no *Dicionário*, sobre *Pano de Saco.* Provavelmente estão em pauta peles de animais. Ver também Gênesis 44.12; Jó 1.20 e 16.15.

Por muitos dias. Tantos, que em muito ultrapassaram o período do usual de luto. Jarchi falava em *22 anos*, até que também desceu ao Egito, e ali encontrou-se com José, vivo!

O trecho de Gênesis 45.26-28 nos dá alguma ideia da intensa tristeza que Jacó sofreu por causa da questão. Somente ao tomar conhecimento de que José estava vivo, foi que "reviveu-se-lhe o espírito" (Gn 45.27).

■ 37.35

וַיָּקֻמוּ֩ כָל־בָּנָ֨יו וְכָל־בְּנֹתָ֜יו לְנַחֲמ֗וֹ וַיְמָאֵן֙ לְהִתְנַחֵ֔ם וַיֹּ֕אמֶר כִּֽי־אֵרֵ֧ד אֶל־בְּנִ֛י אָבֵ֖ל שְׁאֹ֑לָה וַיֵּ֥בְךְּ אֹת֖וֹ אָבִֽיו׃

Reúne-se a Família de Jacó. Procuraram consolar Jacó, mas foi tudo inútil. Somente o tempo pode curar certas tristezas. Note-se aqui o plural, *todas as suas filhas.* Sem dúvida, havia ao menos duas. E Jacó deve ter tido várias filhas, embora somente Diná seja mencionada no livro. O Targum de Jonathan chama essas mulheres de esposas de seus filhos, mas não seria nada incomum se não tivessem sido mencionadas filhas.

Sepultura. No hebraico, *sheol* (que significa tanto sepultura quanto o "hades" do Novo Testamento). Mas não fica claro o que Jacó quis dizer, pois não se sabe até que ponto tinha evoluído a doutrina do *sheol*, nos dias de Jacó. Nos tempos mais primitivos, a teologia dos hebreus não incluía crença na alma imaterial e imortal. O *Pacto Abraâmico* (ver as notas a respeito em Gn 15.18) é repetido por cerca de doze vezes no Antigo Testamento, sem nunca fazer promessa de vida eterna no pós-túmulo. Quando o *sheol* veio a significar algo além da sepultura, indicava uma dimensão de sombras na qual havia uma quase não-existência, em que as sombras de homens (e não almas reais e inteligentes) flutuariam sem rumo. Essa doutrina era paralela à nossa teoria dos fantasmas, em contraste com os espíritos.

Com o tempo, porém, o *sheol* passou a ser concebido como o lugar das almas desencarnadas, boas e más. Esse lugar teria duas divisões, uma para as almas boas e outra para as almas más. O sheol seria uma espécie de gigantesca caverna subterrânea. Quanto a ideias de cosmologia dos hebreus, ver no *Dicionário* o artigo intitulado *Astronomia*, com um gráfico esclarecedor. Ver os artigos *Sheol* e seu equivalente grego, o *hades*. O Novo Testamento apresenta Cristo como quem teve uma missão salvífica no *sheol (hades)* (1Pe 3.18—4.6). Apresento um detalhado artigo sobre essa doutrina na *Enciclopédia de Bíblia, Teologia e Filosofia.*

Jacó, pois, parece não ter dado a entender mais do que o fato de que, algum dia, ao morrer, seguiria José à sepultura (o que corresponde à interpretação de nossa versão portuguesa). Ou ele pode ter dado a entender que, à semelhança de José, ele iria para a dimensão das sombras, onde as almas levavam uma vida de quase não-existência. Todavia, ele pode ter querido dizer se encontraria com José no lado bom do "sheol", para onde vão verdadeiras almas humanas. Mas o livro de Gênesis nunca nos fornece um conceito claro a respeito, não sendo provável que seja isso que está em pauta neste texto. Mas os intérpretes que cristianizam o texto dizem-nos que isso é o que está em pauta aqui.

■ 37.36

וְהַ֨מְּדָנִ֔ים מָכְר֥וּ אֹת֖וֹ אֶל־מִצְרָ֑יִם לְפֽוֹטִיפַר֙ סְרִ֣יס פַּרְעֹ֔ה שַׂ֖ר הַטַּבָּחִֽים׃ פ

Os midianitas. Eles são chamados ismaelitas no vs. 25, onde há notas expositivas sobre essa aparente discrepância. Talvez um adjetivo pátrio pudesse ser usado intercambiavelmente com o outro, visto que havia misturas raciais. Ou, então, "ismaelitas" fosse um termo genérico para indicar as nações de vida nômade no deserto. Ou, então, na opinião de alguns (embora com menores probabilidades), os ismaelitas tenham revendido José para os midianitas.

Potifar. No egípcio, esse nome é uma forma contraída de Potífera, que significa "aquele a quem Rá [o deus sol] deu". Gênesis 39.1-20. Ele era um oficial militar de Faraó. Os irmãos de José, filho de Jacó, tinham-no vendido para ser escravo. E José terminou ficando na casa de Potifar (sem dúvida, por ter sido comprado por ele). Ali, José mostrou ser um jovem dotado de honestidade, habilidade e ambição para melhorar. Foi assim que Potifar acabou fazendo dele o mordomo de sua casa, entregando-lhe grandes responsabilidades. Porém, a esposa de Potifar voltou os olhos para aquele notável jovem, e, em várias oportunidades, tentou seduzi-lo sexualmente. Mas José, sendo jovem temente a Deus, resistiu às tentativas. Desprezada, ela acusou-o de tentar fazer exatamente o que ela havia tentado. Parece que Potifar acreditou nela; ou então, pelo menos, querendo manter a tranquilidade doméstica, lançou José na prisão. A história é narrada no capítulo 39 de Gênesis. Isso aconteceu por volta de 1890 a.C. E nada mais é dito acerca de Potifar na Bíblia.

Na prisão, o carcereiro também reconheceu o valor de José, e terminou por entregar-lhe responsabilidades (Gn 40.3,4). Alguns estudiosos pensam que o carcereiro era o mesmo Potifar, mas a maioria dos eruditos rejeita a ideia.

CAPÍTULO TRINTA E OITO

JUDÁ E TAMAR (38.1-30)

A história de José é interrompida e, de súbito, é inserida a triste história que envolveu Judá. À primeira vista parece uma inserção bizarra; mas, após maior consideração, pode-se ver a lógica intrínseca. Indiretamente, somos informados de como Deus não se equivoca. O homem mais jovem (José) haveria de obter a ascendência sobre seu irmão mais velho, Judá, que aparentemente tinha tomado o lugar do primogênito, Rúben, depois de este haver violentado Bila, concubina de Jacó. Vemos como a bênção de Jacó a Rúben foi uma bênção menor, em Gênesis 49.1 ss. Judá é que tinha sugerido que os irmãos de José o vendessem aos ismaelitas, convencendo-os assim de que não deveriam tirar-lhe a vida (Gn 37.26,27).

Os críticos atribuem este capítulo à fonte *J*. Ver no *Dicionário* o artigo *J.E.D.P.(S.)* quanto à teoria das fontes múltiplas do Pentateuco.

Motivos principais deste capítulo:

1. A providência de Deus soergueu o irmão mais novo (ver o primeiro parágrafo). José asseguraria a sobrevivência de Israel em um período de crise.
2. Contra as ordens divinas e os costumes, Israel (em potencial) poderia ter-se misturado com os cananeus, mediante casamentos mistos. Alguns supõem que por essa razão Israel teve de passar vários séculos no Egito, desenvolvendo-se em uma nação, não sendo assim absorvido pelos povos cananeus. Gênesis 38.2 ss.
3. A perda de um marido traz grandes problemas (no livro de Tobias, a mulher assassina seu marido); e aqui, o Senhor matou o homem por causa de sua iniquidade (vs. 7). Os críticos pensam que Tamar e Sara (ou Tobias) refletem lendas tribais que floresceram na forma de histórias separadas.
4. Um incesto heroico. Tamar tomou as medidas necessárias para assegurar a justiça, por meio de um ato de incesto heroico. Ver os vss. 16 ss.
5. O relato talvez quisesse justificar a mistura de Israel com os cananeus. Seja como for, Tamar foi uma antiga ancestral de Jesus, o qual veio da tribo de Judá (Mt 1.3). Em Cristo, todos os povos se tornam irmãos dele (Gl 3.14).
6. A luta entre os irmãos gêmeos, em que um deles tornou-se superior ao outro. Cf. a história do nascimento de Esaú e Jacó (Gn 25.23 ss.). Ver os vss. 27-30, acerca dos gêmeos Perez e Zerá. Davi veio através da linhagem de Perez (Rt 4.18-22). Portanto, temos aqui a linhagem Judá-Perez-Davi, a linhagem real. Essa foi a linhagem que deu origem ao Messias.

■ 38.1

וַיְהִי֙ בָּעֵ֣ת הַהִ֔וא וַיֵּ֥רֶד יְהוּדָ֖ה מֵאֵ֣ת אֶחָ֑יו וַיֵּ֛ט עַד־אִ֥ישׁ עֲדֻלָּמִ֖י וּשְׁמ֥וֹ חִירָֽה׃

Por esse tempo. O autor inseriu, de modo um tanto desajeitado, o presente capítulo, interrompendo a história de José, conferindo uma vaga indicação cronológica. Muitos eruditos veem dificuldades na inserção de eventos neste ponto, crendo que não há como recuperar o tempo verdadeiro desses acontecimentos que envolveram Judá. A maioria dos eruditos pensa que tudo isso ocorreu muito antes da venda de José ao Egito. Adam Clarke situou os eventos deste capítulo logo depois da vinda de Jacó a Siquém (Gn 33.18), mas antes do episódio que envolveu Diná. Essa é uma opinião tão boa quanto outra qualquer. Para respaldar suas declarações, ele apresenta complicados cálculos cronológicos, dos quais prefiro poupar meu leitor.

Judá. Ver sobre esse nome no *Dicionário*, quanto a um artigo detalhado sobre ele. Sua linhagem levaria ao Messias, através de Tamar-Perez-Davi (ver a introdução a este capítulo, em seu sexto ponto).

Uma adulamita. Ou seja, *habitante de Adulão*, modernamente *Tell esh-Sheikh Madhkur*, a cerca de 19 km a sudoeste de Belém, no território de Judá. No hebraico, o nome dessa cidade significa *refúgio*, uma antiga cidade cananeia (Gn 38.1,12,20), em Judá (Js 12.15). Foi uma das aldeias fortificadas por Reoboão (ver 2Cr 11.7; Mq 1.15). Ela é mencionada terminado o exílio babilônico (Ne 11.30; 2Macabeus 12.38). Eusébio e Jerônimo afirmam que ela ficava a leste de Eleuterópolis, mas eles seguiram a quem confundia Adulão com Eglom. Nos dias de Josué, eram lugares diferentes, cada qual com seu rei (Js 12.12,15). Adulão era uma das cidades do vale ou da planície entre a região montanhosa de Judá e o mar Mediterrâneo. A julgar pela lista na qual seu nome aparece, talvez ficasse próximo à cidade filisteia de Gate. O local fica no caminho entre Laquis e Jerusalém. Ver também sobre a caverna de Adulão, em 1Samuel 22.1.

Hira. No hebraico, *esplendor*. Esse era o nome de um adulamita, amigo de Judá, segundo se vê em Gênesis 38.1,12. A Septuaginta diz "seu pastor", em lugar de "seu amigo". De fato, as palavras hebraicas envolvidas podem ser assim interpretadas. Todavia, preferimos "amigo". Nada se sabe sobre esse homem, além do que lemos neste texto. Alguns antigos intérpretes judeus erroneamente fazem-no ser o rei de Tiro, mas aquele homem viveu nos dias de Davi, e não nos dias de Judá. Outros chegam ao absurdo de dizer que ele era o marido da mãe de Nabucodonosor, e que viveu por 1.200 anos. Puras fantasias!

■ 38.2

וַיַּרְא־שָׁ֧ם יְהוּדָ֛ה בַּת־אִ֥ישׁ כְּנַעֲנִ֖י וּשְׁמ֣וֹ שׁ֑וּעַ וַיִּקָּחֶ֖הָ וַיָּבֹ֥א אֵלֶֽיהָ׃

Um cananeu. Ver no *Dicionário* o artigo *Canaã, Cananeus*.

Sua. No hebraico, *prosperidade*. Há três homens com esse nome, nas páginas do Antigo Testamento. A filha desse homem, cujo nome não é fornecido, tornou-se esposa de Judá. Ela é apenas chamada de cananeia. Ver Gênesis 38.2,12 e 1Crônicas 2.3. Viveu em torno de 1730 a.C. O nome dado aqui é o do pai da mulher de Judá, e não dela mesma (ver também o vs. 12).

Abandonando as Tradições da Família. Os relatos sobre Abraão (Gn 24) e sobre Jacó (Gn 27.46; 28.1 ss.) indicam que havia fortes sentimentos de família e tradições contra casamentos com as nações pagãs em derredor. O trecho de Gênesis 28.8,9 mostra que Esaú tomou Maalate como esposa, a fim de aplacar a Rebeca e Isaque, porquanto ela era descendente de Abraão (por meio de Ismael). Mas Judá desconsiderou essa tradição, e assim injetou na linhagem real, que haveria de resultar no Messias, antepassados gentios, cananeus. Ver Mateus 1.3 quanto a Tamar, na genealogia de Jesus. Talvez alguns não vejam isso com bons olhos, mas Deus cuidou disso providencialmente, visando a um bom resultado. Afinal, Cristo reúne em torno de si todas as nações (Gl 3.14), e isso em cumprimento de uma das disposições do Pacto Abraâmico (ver as notas sobre Gênesis 15.18, que são completas a esse respeito).

Alguns estudiosos supõem que uma das razões pelas quais Israel se desenvolveu no Egito, e, então, voltou a Canaã, tenha sido evitar sua assimilação pelas nações cananeias que viviam na terra de Canaã.

■ 38.3

וַתַּ֖הַר וַתֵּ֣לֶד בֵּ֑ן וַיִּקְרָ֥א אֶת־שְׁמ֖וֹ עֵֽר׃

Er. No hebraico, *vigia*. Três pessoas aparecem com esse nome no Antigo Testamento. Neste texto, trata-se do filho mais velho de Judá com uma mulher cananeia, que era filha de Sua (vs. 2). Er casou-se com Tamar. Mas, por causa de sua iniquidade, morreu prematuramente (vs. 7; Nm 26.19).

■ 38.4

וַתַּ֥הַר ע֖וֹד וַתֵּ֣לֶד בֵּ֑ן וַתִּקְרָ֥א אֶת־שְׁמ֖וֹ אוֹנָֽן׃

Onã. No hebraico, *vigoroso*. Três pessoas têm esse nome nas páginas do Velho Testamento (aqui e em Gn 46.12; Nm 26.19; 1Cr 2.3). Ele tornou-se mais bem conhecido devido a uma curiosa circunstância, que envolve o casamento levirato (ver no *Dicionário* o verbete *Casamento Levirato*). Depois da morte de Er, irmão mais velho de Onã, este último casou-se com a viúva daquele, Tamar. Ele tinha sexo com ela, mas evitava engravidá-la, derramando o sêmen no chão, naquela prática que, mais educadamente, se chama *coitus interruptus*. Dessa circunstância é que se deriva a expressão onanismo ou "pecado de Onã", ou seja, a masturbação. Apesar de o pecado de Onã não ter sido exatamente esse, podemos entender como as duas coisas vieram a ser associadas. Apesar de talvez alguns rirem-se do que lhes pode parecer uma ridícula circunstância, o trecho de Gênesis 38.10 diz-nos que o Senhor tirou a vida de Onã por causa disso. Todavia, não sabemos quais as circunstâncias dessa morte. Algumas pessoas têm argumentado que o *coitus interruptus* fica assim caracterizado como uma maneira pecaminosa de controle de gravidez. Mas o caso de Onã envolvia a lei do casamento levirato, e não o controle de gravidez, pelo que um caso não se aplica ao outro.

■ 38.5

וַתֹּסֶף עוֹד וַתֵּלֶד בֵּן וַתִּקְרָא אֶת־שְׁמוֹ שֵׁלָה וְהָיָה בִכְזִיב בְּלִדְתָּהּ אֹתוֹ:

Selá. No hebraico, *paz*. Esse é o nome de três pessoas no Antigo Testamento. No que tange ao Selá deste versículo, temos o filho caçula de Judá, com sua esposa cananeia, filha de Sua. De acordo com a lei do casamento levirato, ele lhe havia sido prometido, mas não lhe fora dado como marido. Originalmente, ela se casara com Er, o filho primogênito de Judá (Gn 38.2-5,14,26; 1Cr 2.3; 4.21). Mas ele morrera por juízo divino. Então Onã, o segundo filho de Judá, fora dado a Tamar, de acordo com a lei do casamento levirato. E este também morreu. Agora, chegara a vez de Selá cumprir o seu papel. Mas é evidente que Judá temia perder também o seu terceiro e último filho, pelo que ignorou aquela antiga lei sobre o matrimônio (Gn 38.11). E isso levou ao incesto heroico de Tamar, forçando Judá a fazer justiça e obedecer à lei.

Quezibe. No hebraico, *enganador, desapontador*. Era uma cidade das terras baixas de Judá, a sudoeste de Adulão. Quezibe existe até hoje, com o nome moderno de Tell el-Beidã (aqui e em Js 15.44, ali chamada *Aczibe*). Ver também Miqueias 1.14. O livro de 1Crônicas alude aos descendentes de Selá como associados a esse lugar. Nos dias de Jerônimo, era um lugar abandonado no deserto.

■ 38.6

וַיִּקַּח יְהוּדָה אִשָּׁה לְעֵר בְּכוֹרוֹ וּשְׁמָהּ תָּמָר:

Tamar tornara-se esposa de Er, o primogênito de Judá. Morrendo este, foi a vez de Onã. Ambos morreram por castigo divino. Então seria a vez de Selá, o filho caçula de Judá, casar-se com a cunhada. Mas Judá, temendo uma terceira morte, recusou-se a entregá-lo a ela, desobedecendo assim à lei do casamento levirato. Tamar significa *palmeira*. Quatro pessoas são assim chamadas. Há um detalhe verbete sobre esse nome, no *Dicionário*. A Tamar deste texto é a primeira da lista. Ela se tornou antepassada de Jesus, o Cristo (Mt 1.3; Lc 3.31-33).

Tamar executou um incesto cuidadosamente planejado (com Judá), forçando-o a fazer o que era de seu dever. E essa é a substância do presente capítulo. Ver no *Dicionário* o artigo intitulado *Incesto*.

■ 38.7

וַיְהִי עֵר בְּכוֹר יְהוּדָה רַע בְּעֵינֵי יְהוָה וַיְמִתֵהוּ יְהוָה:

O Senhor o fez morrer. Enfermidades súbitas e fatais ou acidentes fatais eram, com frequência, vistos, pelos antigos, como atos divinos. E foi o que se deu com Er. Existe "pecado para morte" (1Jo 5.16). Nessa referência, no *Novo Testamento Interpretado*, entro em detalhes sobre a questão. É triste que Judá tenha tido tal filho, mas algumas vezes isso sucede aos pais mais piedosos, o que Judá não era. Ele teve suas próprias dificuldades e lapsos. Ele é que tinha convencido seus irmãos a vender José aos ismaelitas (Gn 37.26,27). Antes disso, ele havia sido um dos filhos de Jacó que deve ter-se envolvido na matança dos súditos de Hamor (Gn 34.25), embora não tenha sido figura de proa. Além disso, ele havia quebrado a tradição da família de não se casar entre os cananeus, e Er fora o primeiro resultado disso. Talvez Er simplesmente tenha seguido as tradições pagãs do povo de sua mãe, tão contrárias às leis de Deus.

No Novo Testamento, há a história de Ananias e Safira (At 5), pelo que é melhor darmos atenção a tais coisas, em lugar de ridicularizá-las. Sabemos que os poderes demoníacos podem matar; e um homem espiritual haverá de orar todos os dias, pedindo proteção por causa desses poderes invisíveis e sinistros. O homem espiritual, contudo, dispõe de proteção própria, porquanto Deus cuida dos que lhe pertencem. Ao mesmo tempo, contudo, devemos usar os meios de proteção de que dispomos. A despeito de tudo, acidentes aparentemente ridículos e enfermidades arrebatam os piedosos, pelo que devemos deixar tudo nas mãos do Senhor. É melhor viver bem do que viver por muito tempo. Mas ainda é melhor viver bem e por longo tempo, e assim cumprir alguma missão digna. Ver Gênesis 5.21 quanto à desejabilidade de uma longa vida. Senhor, concede-nos tal graça e protege-nos!

■ 38.8

וַיֹּאמֶר יְהוּדָה לְאוֹנָן בֹּא אֶל־אֵשֶׁת אָחִיךָ וְיַבֵּם אֹתָהּ וְהָקֵם זֶרַע לְאָחִיךָ:

Chega a Vez de Onã. Judá determinou, e Onã cumpriu o seu papel. Talvez ele apenas quisesse satisfazer seu impulso sexual, e se tenha aproveitado da situação. Ou, querendo ser mais generosos com ele, poderíamos supor que, depois de ver-se naquela situação (ele não queria Tamar), tenha mudado de parecer quanto a ter filhos com ela, e tenha praticado o *coitus interruptus*.

Era trágico, segundo se pensava, quando um homem se casava mas não tinha filhos, de tal modo que sua linhagem desapareceria. A lei do matrimônio levirato (ver no *Dicionário* o verbete assim chamado) era um mecanismo mediante o qual essa tragédia era evitada. Se o próprio homem morria sem filhos, pelo menos sua linhagem prosseguia através de um seu irmão, seu parente mais próximo. Essa lei era antiga e generalizada, incluindo muitos povos, e não apenas Israel. Fica claro, com base neste texto, que irmãos convocados para cumprir esse dever com frequência recusavam-se a fazê-lo. Ver também Deuteronômio 25.5-10 e Rute 4.1-8. Esse mecanismo também preservava heranças dentro das famílias, e essa era uma importante questão da política tribal.

"Costumes similares existiam em certas regiões da Índia, da Pérsia e do Egito, e até hoje prevalecem entre os mongóis. Não foi a legislação mosaica que instituiu essa lei, mas apenas a regulamentou, confinando tais matrimônios aos casos nos quais um irmão falecia sem filhos, e permitindo que um seu irmão se casasse com a viúva, o que só poderia evitar sob uma penalidade... a desgraça" (Ellicott, *in loc.*).

■ 38.9

וַיֵּדַע אוֹנָן כִּי לֹּא לוֹ יִהְיֶה הַזָּרַע וְהָיָה אִם־בָּא אֶל־אֵשֶׁת אָחִיו וְשִׁחֵת אַרְצָה לְבִלְתִּי נְתָן־זֶרַע לְאָחִיו:

Todas as vezes que possuía a mulher. Essas palavras indicam uma série de atos, um hábito que se formara: ele sempre praticava o *coitus interruptus*. Motivo: ele não se interessava por gerar filhos para seu irmão. Antes queria seus próprios filhos. Tinha sido apanhado em uma armadilha que o deixava irritado, e na qual não via bom senso. Assim, Onã ofendia continuadamente a lei do casamento levirato.

John Gill *(in loc.)* informa-nos que somente o filho primogênito de um casamento assim era considerado filho do irmão falecido. Todos os demais seriam considerados filhos do seu pai natural. Isso mitigava a lei, mas Onã não se interessava por ela.

■ 38.10

וַיֵּרַע בְּעֵינֵי יְהוָה אֲשֶׁר עָשָׂה וַיָּמֶת גַּם־אֹתוֹ:

Outra Morte. A Bíblia diz que Er morreu por decreto divino; e agora Onã, o segundo filho de Judá, sofreu a mesma sorte. Novamente não há explicação sobre a morte; mas podemos supor alguma doença súbita e inesperada que o tenha atacado ou, então, algum acidente fatal. Ver as notas sobre o vs. 7 deste capítulo. Seu pecado consistia em desconsideração pela lei do casamento levirato. Talvez quisesse ficar com as propriedades de seu irmão, mas não quisesse assumir responsabilidade por isso. E, do ponto de vista teológico, ele poderia estar sendo usado na tentativa de interromper a linhagem que levaria ao Messias, visto que essa linhagem haveria de vir através da linhagem de Judá.

38.11

וַיֹּ֣אמֶר יְהוּדָה֩ לְתָמָ֨ר כַּלָּת֜וֹ שְׁבִ֧י אַלְמָנָ֣ה בֵית־אָבִ֗יךְ
עַד־יִגְדַּל֙ שֵׁלָ֣ה בְנִ֔י כִּ֣י אָמַ֔ר פֶּן־יָמ֥וּת גַּם־ה֖וּא כְּאֶחָ֑יו
וַתֵּ֣לֶךְ תָּמָ֔ר וַתֵּ֖שֶׁב בֵּ֥ית אָבִֽיהָ׃

Permanece viúva. Assim dissera Judá, pois temia que, mediante a morte, perderia seu terceiro e último filho. Era fácil supor que algum tipo de maldição estivesse ligado a Tamar. A desculpa dada foi que o próximo pretendente, Selá (ver o vs. 5), era jovem demais ainda. Mas mesmo quando chegou a uma idade suficiente (vs. 14), ele não foi dado a Tamar. Assim, estava armado o palco para a vingança de Tamar, por meio de incesto.

Em casa de teu pai. Ela voltou à casa paterna, fora de vista e no olvido. E Judá, ao que se pode presumir, pensou que estava livre da praga que ela representava. Porém, Tamar estava destinada a ser ancestral do Messias (Mt 1.3), pelo que coisa alguma poderia tirá-la da evidência e lançá-la no olvido. Ver Levítico 22.13 quanto ao costume de uma mulher voltar à casa de seu pai, ao perder o marido. Ver a história hipotética dos sete irmãos que se casaram com uma mesma mulher, em sucessão (Mt 22.25 ss.), que os inimigos de Jesus apresentaram como um dilema. Sem dúvida temos aí um caso impossível, mas Judá não pensava em perder seu terceiro e último filho, depois de ter perdido os dois mais velhos, o que lhe parecia uma piada.

O INCESTO HEROICO DE TAMAR (38.12-23)

38.12

וַיִּרְבּוּ֙ הַיָּמִ֔ים וַתָּ֖מָת בַּת־שׁ֣וּעַ אֵֽשֶׁת־יְהוּדָ֑ה וַיִּנָּ֣חֶם
יְהוּדָ֗ה וַיַּ֜עַל עַל־גֹּֽזֲזֵ֤י צֹאנוֹ֙ ה֚וּא וְחִירָ֣ה רֵעֵ֔הוּ
הָעֲדֻלָּמִ֖י תִּמְנָֽתָה׃

No correr do tempo. Sem dúvida, vários anos. O tempo muda tudo. A esposa de Judá morrera; e Selá crescera o bastante para casar-se (vs. 14). Mas Tamar continuava sem marido. A morte da esposa de Judá ocasionou primeiro consolação e, depois, alguma atividade para ajudar a esquecê-la. Judá foi examinar seu rebanho, em Timna. E isso o levou até à área onde residia Tamar, e esta traçou um plano para forçá-lo a fazer justiça.

Consolado Judá. Devemos pensar nas costumeiras cerimônias de lamentação. Um período de espera era observado (Jr 16.7).

Tosquiadores de suas ovelhas. A tosquia desses animais era acompanhada por festividades (1Sm 25.4-11; 2Sm 13.23-28). Logo, a ocasião seria excelente para um homem esquecer-se da perda de sua esposa, falecida pouco antes.

Timna. No hebraico, *partilha*. Nome de duas cidades e de quatro pessoas no Antigo Testamento. A cidade deste texto era uma cidade de Judá, atualmente conhecida como Tibné, cerca de 3 km a oeste de Bete-Semes, entre esta e Ecrom, e cerca de 16 km a oeste de Belém. É cidade mencionada por seis vezes no Antigo Testamento (Gn 38.12-14; Js 15.10,57; 2Cr 28.18). Visto que o nome dessa cidade é grafado, no hebraico, de duas maneiras diversas, alguns eruditos têm pensado que haveria duas cidades. Todavia, é muito difícil que tenha havido duas cidades diferentes dentro de uma área tão pequena como a que existia entre Bete-Semes e Ecrom. Ela ficava a 10 km de Adulão (vs. 1), onde Judá conheceu sua esposa, a filha do cananeu Sua. Adulão, ao que parece, era a cidade onde Tamar residia, porquanto foi ali que ela recebeu seu primeiro marido. Parece que Timna foi o lugar onde Judá residiu por algum tempo.

Hira. Ver as notas sobre o vs. 1 deste capítulo.

Adulamita. Ver as notas sobre o vs. 1 deste capítulo.

38.13

וַיֻּגַּ֥ד לְתָמָ֖ר לֵאמֹ֑ר הִנֵּ֥ה חָמִ֛יךְ עֹלֶ֥ה תִמְנָ֖תָה לָגֹ֥ז
צֹאנֽוֹ׃

Comunicaram a Tamar. Então Tamar resolveu agir. Ela sabia que Judá teria de passar pela estrada que levava a Timna. Assim, deixou a casa de seu pai, em Adulão, e preparou a sua armadilha.

38.14

וַתָּסַר֩ בִּגְדֵ֨י אַלְמְנוּתָ֜הּ מֵעָלֶ֗יהָ וַתְּכַ֤ס בַּצָּעִיף֙ וַתִּתְעַלָּ֔ף
וַתֵּ֙שֶׁב֙ בְּפֶ֣תַח עֵינַ֔יִם אֲשֶׁ֖ר עַל־דֶּ֣רֶךְ תִּמְנָ֑תָה כִּ֤י רָאֲתָה֙
כִּֽי־גָדַ֣ל שֵׁלָ֔ה וְהִ֕וא לֹֽא־נִתְּנָ֥ה ל֖וֹ לְאִשָּֽׁה׃

Despiu as vestes de sua viuvez. As viúvas usavam vestes especiais pelo resto da vida, conforme se depreende de Juízes 8.5; 10.3 e 2Samuel 14.2. Tamar mudou de roupa, vestindo-se como se fosse uma prostituta. As prostitutas também vestiam roupas características, que variavam de região para região. Ver Provérbios 7.10. Algumas prostitutas punham um véu que lhes cobria o rosto. Juvenal disse que a imperatriz Messalina cobria-se com um capuz noturno, ocultando seus cabelos negros debaixo de um boné amarelo, para que se parecesse com uma prostituta (Satry. 6). As prostitutas árabes velavam-se de uma maneira especial, para distinguir-se de outras mulheres. As prostitutas egípcias não usavam véu. As prostitutas cultuais que honravam Istar usavam véus característicos. (Ver as notas sobre o vs. 21). É provável que, originalmente, o uso do véu indicasse dedicação e humildade diante de alguma divindade, mas com o tempo, ao desenvolver-se a profissão das prostitutas cultuais, o véu tornou-se um símbolo da profissão. Istar era conhecida como a deusa velada, e suas devotas a imitavam. Talvez isso também explique o véu das noivas (Gn 24.65 e 29.23,25). Ver Ezequiel 16.25 quanto ao costume de as prostitutas sentarem-se à beira dos caminhos. Selá agora era homem feito, mas Judá não lhe fazia justiça.

Entrada de Enaim. No hebraico, *entrada dos dois olhos*. Temos aqui uma forma rara de dual no hebraico, talvez indicando uma fonte dupla, e não uma cidade. Todavia, poderia estar em pauta a cidade de Enã. Ver Josué 15.34. O local deve ter sido bem próximo de Timna, embora ainda não tenha sido identificado modernamente. A cidade parece haver adquirido seu nome com base nas fontes existentes na área.

38.15

וַיִּרְאֶ֣הָ יְהוּדָ֔ה וַֽיַּחְשְׁבֶ֖הָ לְזוֹנָ֑ה כִּ֥י כִסְּתָ֖ה פָּנֶֽיהָ׃

Ali estava ela, sentada à beira do caminho, velada como uma prostituta. Judá havia perdido sua esposa, e surgira a oportunidade de sexo. Portanto, não foi capaz de resistir à tentação.

O adultério era considerado uma questão séria, mas não o era fazer sexo com uma prostituta. Assim, o texto que ora consideramos não representa Judá como quem sentiu remorso por causa da questão. Os vss. 20 ss. mostram que ele não hesitou em revelar o que tinha feito. A preocupação dele era que a "prostituta" recebesse seu pagamento, e não que a questão fosse mantida em segredo. A moralidade muda. Certamente Paulo não pensava nesses termos. Ver 1Coríntios 6.16 ss.

Um Sacrifício? Provavelmente, o cabrito referido no vs. 17 foi dado para servir de sacrifício em um templo, pelo que Tamar deu a entender que era uma prostituta religiosa. Por outra parte, os animais domésticos eram uma forma antiga de riqueza material, e, talvez, isso fosse tudo quanto estivesse envolvido, ou seja, um cabrito como pagamento.

38.16

וַיֵּ֨ט אֵלֶ֜יהָ אֶל־הַדֶּ֗רֶךְ וַיֹּ֙אמֶר֙ הָֽבָה־נָּא֙ אָב֣וֹא אֵלַ֔יִךְ כִּ֚י
לֹ֣א יָדַ֔ע כִּ֥י כַלָּת֖וֹ הִ֑וא וַתֹּ֙אמֶר֙ מַה־תִּתֶּן־לִּ֔י כִּ֥י תָב֖וֹא
אֵלָֽי׃

A Triste Proposta. Não percebendo que estava falando com sua nora, Judá fez à mulher a sua proposta indecorosa, que foi imediatamente aceita. Era justamente para o que ela estava ali. Estava em um dia de sorte. Ele poderia ter passado por ela, sem notá-la. Era fácil demais para ser verdade. Ela acabou grávida, conforme tinha esperado (vs. 24). Sua sorte continuava.

38.17

וַיֹּ֕אמֶר אָנֹכִ֛י אֲשַׁלַּ֥ח גְּדִֽי־עִזִּ֖ים מִן־הַצֹּ֑אן וַתֹּ֕אמֶר
אִם־תִּתֵּ֥ן עֵרָב֖וֹן עַ֥ד שָׁלְחֶֽךָ׃

O Preço. Presumivelmente, o cabrito serviria para um sacrifício, pois Tamar poderia estar fazendo o papel de uma prostituta cultual, como se fosse devota de Istar, a deusa velada (vs. 14). Ou, então, o animal, que tinha um certo valor monetário, fosse o preço que ela pedia. Tudo envolvia um ludíbrio. Jacó tinha enganado Isaque, ao furtar a bênção de Esaú. Por sua vez, tinha sido enganado por Labão. Agora, Tamar usava de ludíbrio com Judá. Uma nora cananeia era capaz desse tipo de ato. Por outra parte, Judá a tinha enganado, prometendo-lhe seu terceiro filho como marido, de acordo com a lei do casamento levirato, mas não havia cumprido a sua promessa.

Um Penhor. A prostituição (ver a respeito no *Dicionário*) era um negócio honesto! O preço tinha de ser pago; caso não houvesse pagamento imediato, deveria haver um penhor adequado. No hebraico, a palavra correspondente é *erabon,* que indicava parte de um preço a ser pago, uma espécie de garantia. Paulo usou a palavra grega correspondente, *arrabon* (tomada por empréstimo dos idiomas semíticos), em 2Coríntios 1.22; Efésios 1.14. De acordo com Paulo, o Espírito Santo é a nossa garantia da vida eterna e da ressurreição gloriosa.

■ **38.18**

וַיֹּאמֶר מָה הָעֵרָבוֹן אֲשֶׁר אֶתֶּן־לָךְ וַתֹּאמֶר חֹתָמְךָ וּפְתִילֶךָ וּמַטְּךָ אֲשֶׁר בְּיָדֶךָ וַיִּתֶּן־לָהּ וַיָּבֹא אֵלֶיהָ וַתַּהַר לוֹ:

Que penhor te darei? Foram três coisas: o selo, o cordão e o cajado. Tamar não estava brincando. Esses itens eram insígnias de um homem de posição entre os hebreus. O *selo* (no hebraico, *chothemeth*) provavelmente era uma espécie de anel que deixava impressões sobre documentos acerca de negócios efetuados. A Septuaginta diz aqui *anel*, embora outras traduções concebam alguma espécie de joia ou de peça de metal que era usada suspensa ao pescoço, mediante o cordão mencionado. Mas algumas traduções dizem *bracelete*, em lugar do cordão. Ainda outras falam em uma *capa*. O sentido exato dessa palavra permanece em dúvida, embora a maioria das traduções modernas diga mesmo "cordão". "O selo era uma argola ou cilindro, geralmente suspenso em torno do pescoço por meio de um cordão, usado para estampar a 'assinatura' de seu proprietário" *(Oxford Annotated Bible)*. O *cajado,* que era uma espécie de bengala longa, e que os pastores usavam muito ornado, era um de seus instrumentos constantes. Heródoto (i.195) descreve um cajado babilônico e diz que era decorado com entalhes representando aves, flores e outras figuras. Alguns cajados eram tão preciosos que passavam de pai para filho (*Ilíada*, ii.101-107). Os cetros dos reis e de altos oficiais do governo desenvolveram-se a partir dos cajados.

Pode-se ver a estupidez de Judá ao entregar objetos pessoais tão altamente valorizados, a uma pseudoprostituta, confiando que ela haveria de devolvê-los quando recebesse o cabrito. Faltava-lhe integridade, mas esperava grande integridade de uma simples mulher de rua.

■ **38.19**

וַתָּקָם וַתֵּלֶךְ וַתָּסַר צְעִיפָהּ מֵעָלֶיהָ וַתִּלְבַּשׁ בִּגְדֵי אַלְמְנוּתָהּ:

Tudo Terminara. Tamar não poderia pensar menos em sensualidade, naquele momento. Seu propósito era muito mais elevado. Queria um marido, de acordo com a lei do casamento levirato. Forçara Judá a cumprir esse costume, conforme vemos nos versículos seguintes. Agora, trocava novamente de vestes (como fizera no vs. 14). Despiu a roupa típica de prostituta e vestiu de novo seus trajes de viuvez. Voltou à casa de seu pai e esperou o tempo certo do cumprimento de seu propósito. Estava com pressa. Nem ao menos esperou pelo mensageiro de Judá, que traria o cabrito. Um erro foi praticado para corrigir outro erro, o que será sempre um princípio duvidoso.

■ **38.20**

וַיִּשְׁלַח יְהוּדָה אֶת־גְּדִי הָעִזִּים בְּיַד רֵעֵהוּ הָעֲדֻלָּמִי לָקַחַת הָעֵרָבוֹן מִיַּד הָאִשָּׁה וְלֹא מְצָאָהּ:

Hira, o amigo adulamita de Judá, foi o mensageiro. (Ver o primeiro versículo deste capítulo.) Ele trouxe o cabrito. Judá não hesitou em enviá-lo, e fez seu amigo saber de tudo quanto sucedera. Se o adultério era considerado questão séria, valer-se de uma prostituta não era coisa grave, na mente dos antigos hebreus. John Gill diz que Hira guardou o segredo. Mas Gill estava pensando em termos da mentalidade inglesa do século XVIII. Ao que parece, o episódio fazia parte natural da vida, e parece que as prostitutas também deveriam fazer o que era direito, como parte de uma negociação contratada.

Tamar havia regressado à casa de seu pai, pelo que Hira não conseguiu terminar sua missão de entrega do cabrito. Judá, sem dúvida, ficou furioso diante disso. Mas sua grande humilhação não tardaria a ocorrer, uma questão muito mais séria do que ter perdido alguns de seus objetos pessoais, por mais preciosos que estes fossem para ele.

■ **38.21**

וַיִּשְׁאַל אֶת־אַנְשֵׁי מְקֹמָהּ לֵאמֹר אַיֵּה הַקְּדֵשָׁה הִוא בָעֵינַיִם עַל־הַדָּרֶךְ וַיֹּאמְרוּ לֹא־הָיְתָה בָזֶה קְדֵשָׁה:

A Procura Inútil. Podemos ter a certeza de que Hira fez o que pôde para reverter a desagradável circunstância, mas todas as suas indagações resultaram em nada. Os homens do lugar, que deveriam saber sobre qualquer prostituta que costumava sentar-se à beira do caminho, tinham certeza de que não aparecera por ali nenhuma meretriz.

A Prostituição Religiosa. Essa era uma prática generalizada entre os cananeus. Mulheres vendiam seu corpo em favor de santuários onde deuses e deusas eram honrados. O dinheiro assim recolhido era usado para a manutenção das instalações e dos ritos. Em Canaã, um desses cultos importantes era o de Istar, a deusa velada. Aos que ajudavam nesse culto era prometido sucesso nos negócios, fertilidade nos rebanhos e nas plantações, bem como segurança e boa saúde para seus familiares. Assim, qualquer pessoa que acreditasse nessas coisas ansiava por ajudar na prostituição religiosa dos santuários. Se Judá tivesse patrocinado uma daquelas meretrizes (embora sem sabê-lo), então agora teria a consciência de que tinha contribuído para a idolatria local, e não apenas perpetrado um ato de fornicação ou de incesto (pois a mulher era sua própria nora).

■ **38.22**

וַיָּשָׁב אֶל־יְהוּדָה וַיֹּאמֶר לֹא מְצָאתִיהָ וְגַם אַנְשֵׁי הַמָּקוֹם אָמְרוּ לֹא־הָיְתָה בָזֶה קְדֵשָׁה:

O Triste Relatório. Tendo feito tudo quanto estivera a seu alcance, Hira voltou a Judá para dar-lhe as más notícias. Não havia nenhuma meretriz esperando por um cabrito; de fato, por ali nem ao menos havia alguma prostituta. Isso tudo constituía um mistério. Mas em breve tudo ficaria esclarecido, deixando Judá em grande aperto (vss. 24 ss.).

■ **38.23**

וַיֹּאמֶר יְהוּדָה תִּקַּח־לָהּ פֶּן נִהְיֶה לָבוּז הִנֵּה שָׁלַחְתִּי הַגְּדִי הַזֶּה וְאַתָּה לֹא מְצָאתָהּ:

Para que não nos tornemos em opróbrio. Dizem aqui algumas traduções, "para que não fiquemos envergonhados", que dá no mesmo. Judá não estava preocupado com a vergonha envolvida em sua fornicação, e, sim, em tornar-se motivo de piadas por parte de seus conhecidos. "Você foi enganado por uma mera prostituta, seu tolo!", diriam eles. Para evitar isso, resolveu simplesmente deixar seus objetos de uso pessoal com a mulher. Afinal, todos eles poderiam ser substituídos. Da próxima vez, ele usaria de maior cautela. Há pessoas que pensam que o pecado só é pecado se for desmascarado. A vergonha ocorreria somente se o pecado fosse descoberto, e não em decorrência do próprio ato pecaminoso. Isso será sempre um princípio duvidoso. Mas a maioria das pessoas teme mais ser descoberta do que cometer um pecado. A maioria das pessoas religiosas dá a entender que é melhor do que realmente é. Isso significa que muitos religiosos são hipócritas (ver no *Dicionário* o artigo intitulado *Hipocrisia*). Esse fato, entretanto, não anula a espiritualidade, nem a sinceridade geral da parte de um crente.

TAMAR VINDICADA (38.24-30)

■ **38.24**

וַיְהִי כְּמִשְׁלֹשׁ חֳדָשִׁים וַיֻּגַּד לִיהוּדָה לֵאמֹר זָנְתָה תָּמָר כַּלָּתֶךָ וְגַם הִנֵּה הָרָה לִזְנוּנִים וַיֹּאמֶר יְהוּדָה הוֹצִיאוּהָ וְתִשָּׂרֵף:

Três meses mais tarde, Tamar já dava sinais de estar grávida, e imediatamente mandaram um recado a Judá, seu sogro. Ele estava muito envolvido na vida dela, pois tinha um filho (Selá) que já deveria ter-lhe sido dado como marido, de acordo com a lei do matrimônio levirato (ver sobre esse assunto no *Dicionário*). Mas ele não estivera nem estava disposto a cumprir essa lei, no caso de Tamar. Já havia perdido dois filhos com ela, e não queria arriscar-se a perder seu terceiro e último filho (ver os vss. 7,10,11).

Para que seja queimada. A morte na fogueira era a pena imposta, no Código de Hamurabi (157), quanto a casos de incesto com a própria mãe, e este versículo sugere que na antiga nação de Israel, que se estava formando, o adultério era punido desse modo. Segundo a lei mosaica, a execução por apedrejamento era a maneira usual (Dt 22.23,24; cf. Jo 8.5), ainda que, em casos especiais, fosse usada a execução na fogueira (Lv 21.9), como no caso em que a filha de um sacerdote fosse apanhada em flagrante adultério, ou que viesse a prostituir-se. Vemos aqui Judá, o hipócrita, pronto para mandar que sua própria nora fosse executada na fogueira. Quão humano é tudo isso! Mostramo-nos severos com os pecados alheios, mas lenientes com os nossos próprios pecados, mesmo que os nossos pecados sejam iguais aos de outras pessoas.

"Quão estranho que no próprio lugar onde o adultério era punido mediante a morte mais violenta, a prostituição a dinheiro, com propósitos religiosos, não fosse considerada um crime!" (Adam Clarke, *in loc.*).

Intérpretes judeus chegaram a aventar, com base na severidade da punição sugerida, que Tamar talvez pertencesse a uma linhagem sacerdotal, talvez sendo até descendente de Melquisedeque. Mas não há o menor indício bíblico quanto a isso.

O Poder da Morte. Este versículo indica que Judá, patriarca da sua família, tinha autoridade para mandar executar um de seus membros, se tivesse boas razões para isso, e nem precisava pedir autorização de alguma autoridade maior. Certas tribos árabes continuam exercendo essa espantosa autoridade, até os nossos próprios dias. Talvez tenha acontecido, conforme alguns eruditos sugerem, que Judá, ansioso por livrar seu filho Selá de ter de casar-se com aquela mulher de má sorte, se tenha alegrado em proferir a pena de morte, desvencilhando-se assim dela e solucionando o seu próprio problema pessoal.

■ **38.25**

הִוא מוּצֵאת וְהִיא שָׁלְחָה אֶל־חָמִיהָ לֵאמֹר לְאִישׁ
אֲשֶׁר־אֵלֶּה לּוֹ אָנֹכִי הָרָה וַתֹּאמֶר הַכֶּר־נָא לְמִי
הַחֹתֶמֶת וְהַפְּתִילִים וְהַמַּטֶּה הָאֵלֶּה׃

O Jogo de Poder de Tamar. Tamar havia executado algo tolo e arriscado. Agora, sua vida estava em perigo, mas ela tinha poder. Ela identificou o homem que era o pai de seu filho não-nascido por meio dos objetos que havia recebido dele: o selo, o cordão e o cajado. Ver as notas no vs. 18 quanto a comentários sobre esses objetos e sobre como Tamar conseguira adquirir tais objetos.

Uma Conduta Decente. Tamar não fez Judá cair em desgraça pública. Ela lhe enviou pessoalmente esses objetos. O Talmude chega a louvá-la por esse ato de misericórdia e discrição. O fato de que ela o tratou com gentileza fez Judá ansiar por corrigir toda a situação. A bondade pode levar ao arrependimento (Rm 2.4).

■ **38.26**

וַיַּכֵּר יְהוּדָה וַיֹּאמֶר צָדְקָה מִמֶּנִּי כִּי־עַל־כֵּן
לֹא־נְתַתִּיהָ לְשֵׁלָה בְנִי וְלֹא־יָסַף עוֹד לְדַעְתָּהּ׃

A Confissão. Judá não tentou escapar da dificuldade. Talvez ele tivesse a autoridade e a influência para escapar do ardil, mas já estava cansado de ludíbrios e de frutos maléficos.

Mais justa é ela do que eu. Judá não se referia aqui ao ato incestuoso, mas à sua relutância em dar Selá a Tamar como marido, em obediência à lei do matrimônio levirato. O ato arriscado e enganador de Tamar produziu os resultados que ela tinha desejado. Ela havia errado, mas não tão gravemente quanto Judá. Ou, talvez, fosse mais exato se Judá tivesse dito: "O meu erro foi maior que o erro dela". Alguns eruditos pensam que Tamar tentou entrar na bênção do Pacto Abraâmico, participando mesmo "da linhagem do Messias", como se ela tivesse agido sob o impulso de um nobre ideal. Mas tudo isso é fantasioso.

Quanto a Judá, ele cessou em seu pecado, não teve mais relações íntimas com sua nora, revertendo assim a maldição. Ver no *Dicionário* o artigo intitulado *Incesto*.

■ **38.27**

וַיְהִי בְּעֵת לִדְתָּהּ וְהִנֵּה תְאוֹמִים בְּבִטְנָהּ׃

Havia gêmeos. Ver a introdução a este capítulo, quanto aos principais motivos. Um deles é o incesto heroico de Tamar. Ela chegou a arriscar a vida para corrigir a situação. Outro motivo é a luta dos irmãos gêmeos, ainda no ventre de sua mãe (ver o quarto e o sexto ponto, sob o título *Motivos Principais deste Capítulo*). Ver a história um tanto similar que envolveu Esaú e Jacó (Gn 25.23 ss.). Naquele caso, o filho mais jovem acabou dominando o mais velho e sendo mais abençoado do que ele. Neste caso, Perez, o irmão mais velho, seria o dominante, vindo a participar da linhagem real (Judá-Perez-Davi), propiciando a vinda ao mundo do longamente esperado Messias. Houve rivalidade entre os descendentes de Perez e os de Zerá, os dois clãs de Judá (Nm 26.19-22), e isso fez parte daquilo que foi dito a Tamar, por ocasião do nascimento dos dois (vs. 27 ss.). De acordo com o trecho de Rute 4.18-22, Perez era antepassado de Davi, e essa era a linhagem principal de Judá.

■ **38.28-30**

וַיְהִי בְלִדְתָּהּ וַיִּתֶּן־יָד וַתִּקַּח הַמְיַלֶּדֶת וַתִּקְשֹׁר
עַל־יָדוֹ שָׁנִי לֵאמֹר זֶה יָצָא רִאשֹׁנָה׃
וַיְהִי כְּמֵשִׁיב יָדוֹ וְהִנֵּה יָצָא אָחִיו וַתֹּאמֶר מַה־פָּרַצְתָּ
עָלֶיךָ פָּרֶץ וַיִּקְרָא שְׁמוֹ פָּרֶץ׃
וְאַחַר יָצָא אָחִיו אֲשֶׁר עַל־יָדוֹ הַשָּׁנִי וַיִּקְרָא שְׁמוֹ
זָרַח׃ ס

Um pôs a mão fora. Como se estivesse querendo agarrar-se à vida, lutando para vencer Perez, seu irmão gêmeo. Zerá parecia um vencedor. Ele haveria de obter o direito de primogenitura, pelo que um fio encarnado foi atado em sua mão, para assinalá-lo como o primogênito. Mas então, recolheu de novo a mão, pelo que Perez acabou nascendo e tornando-se o primogênito.

Perez. No hebraico, *separação ou brecha*. Era irmão gêmeo de Zerá, assim chamado porque, quando seu irmão parecia que nasceria primeiro, subitamente fez uma brecha na vagina de Tamar e nasceu primeiro, adquirindo assim a posição de primogênito. Perez era filho de Judá, sogro de Tamar, a qual, mediante um truque, forçou-o a cometer um ato incestuoso, fazendo justiça, porque não lhe tinha dado como marido o seu terceiro filho, Selá. Os dois irmãos mais velhos de Selá, Er e Onã, tinham morrido misteriosamente. A narrativa inteira é contada neste capítulo do Gênesis.

Sendo o filho primogênito e tendo seu destino apropriado, Perez e seu clã prevaleceram sobre Zerá e seu clã (Gn 46.12; Nm 26.20; 1Cr 2.4). E tornou-se antepassado de Davi (Rt 4.18 ss.), e, por consequência, do Messias (Mt 1.3; Lc 3.33). A observação que se lê em Rute 4.12 refere-se ao relato deste capítulo do Gênesis. Ambos os relatos dizem respeito ao matrimônio levirato (ver no *Dicionário* o artigo *Matrimônio Levirato*). A história de Perez envolve-nos diretamente no *Pacto Abraâmico* (ver as notas a respeito em Gn 15.18), primeiro no concernente à grande posteridade de Abraão, e, em segundo lugar, acerca da linhagem específica Abraão-Isaque-Jacó-Judá-Perez, que produziu a linhagem real de Israel, e, daí, o rei Messias, que seria o agente da bênção a todas as nações (Gl 3.14).

Zerá. No hebraico, *broto, rebento ou brilho (Deus brilhou)*. No caso deste texto, está em pauta o filho de Judá que nasceu em resultado de seu incesto com Tamar, sua própria nora. Era irmão gêmeo de Perez. Este exerceu hegemonia sobre Zerá, o que se estendeu aos descendentes de ambos, que formaram os dois clãs da tribo de Judá. Há uma nota detalhada sobre *Zerá*, no *Dicionário*. Zerá é comentado no terceiro ponto do artigo que descreve as sete pessoas que aparecem com esse nome no Antigo Testamento.

CAPÍTULO TRINTA E NOVE

JOSÉ NA CASA DE POTIFAR (39.1-23)
José Lançado na Prisão. A história de José é aqui reiniciada, após ter sido interrompida pela história de Judá e Tamar, e pelo nascimento de Perez e Zerá (Gn 38). Os críticos atribuem este capítulo 39 à fonte J. Ver no *Dicionário* o artigo intitulado *J.E.D.P.(S.)* quanto à teoria das fontes múltiplas do Pentateuco.

Já vimos a menção a Potifar em Gênesis 37.36, onde há notas expositivas sobre ele. José, vendido como escravo pelos seus irmãos, foi revendido pelos ismaelitas a Potifar. Ao que parece, este era um oficial militar do Faraó. Os críticos creem que toda a narrativa tenha sido inventada, com base na lenda egípcia chamada História de Dois Irmãos. Apesar de admitirem similaridades, os eruditos conservadores opinam que é fantasioso e anti-histórico fazer este relato depender daquele. A lenda egípcia diz como segue: Bata, um homem solteiro, residia com seu irmão, Anúbis. A esposa deste incitou Bata a cometer adultério, mas ele repeliu os convites dela. Anúbis, chegando em casa, encontrou sua esposa marcada por ferimentos autoinfligidos, e ouviu as acusações dela contra o inocente Bata. No começo, Anúbis quis matar o próprio irmão, mas depois percebeu que sua esposa é que estava mentindo. Por isso, matou-a, e não o seu irmão. Os críticos frisam que temos aqui uma espécie de motivo universal: sua substância reaparece na literatura de muitos povos. Além disso, faz parte do drama diário, em qualquer época.

A história mostra-nos um caráter moral superior. Ele teve suas tentações, conforme sucede a todos nós; mas ele foi vitorioso. A vitória é originária do íntimo; deriva-se do caráter, e não das circunstâncias externas.

Cronologia
Antes de começarmos a considerar o capítulo 39, é instrutivo notarmos os dados cronológicos abaixo. As datas são um tanto especulativas, pois alguns eruditos divergem desses dados em nada menos de dois séculos:

Datas a.C. — Acontecimentos
- 1898 — José vendido como escravo ao Egito, com 17 anos de idade (Gn 37.2; 38.2,28).
- 1885 — José liberto da prisão para tornar-se primeiro-ministro aos 30 anos de idade (Gn 41.45).
- 1878 — Os sete anos de fome (antecedidos por sete anos de abundância) (Gn 41.47).
- 1876 — Jacó e sua família mudam-se para o Egito (Gn 45.6).
- 1446 — O êxodo. Israel esteve no Egito durante 430 anos (Êx 12.40).
- 971 — Começo do reinado de Salomão.
- 967 — Quarto ano do reinado de Salomão (1Rs 6.1).
- 966 Início da construção do templo de Jerusalém.

■ 39.1

וְיוֹסֵף הוּרַד מִצְרָיְמָה וַיִּקְנֵהוּ פּוֹטִיפַר סְרִיס פַּרְעֹה שַׂר הַטַּבָּחִים אִישׁ מִצְרִי מִיַּד הַיִּשְׁמְעֵאלִים אֲשֶׁר הוֹרִדֻהוּ שָׁמָּה׃

José. Ver a respeito dele no *Dicionário*.
Egito. Ver a respeito no *Dicionário*.
Potifar. Ver sobre ele em Gênesis 37.36.
Faraó. Ver sobre ele no *Dicionário*. O Faraó dos dias de José tem sido variegadamente identificado, devido ao fato de que não há certeza quanto à cronologia sobre a época. Uma das possibilidades é que esse Faraó foi Sesóstris II (1897-1879 a.C.). Ver no *Dicionário* o artigo *Faraó*, em seu terceiro ponto, *Os Faraós Mencionados na Bíblia*, número dois, quanto a várias tentativas de identificação.
Oficial. No hebraico, literalmente, *um eunuco*. A palavra deve ter sido usada por descuido, pois então ele seria um eunuco casado, o que não é provável. Desconhecem-se eunucos casados na história. Ou, então, eunuco tornou-se também título de algum cargo oficial, pois não parece que Potifar e sua esposa se tivessem casado por mera conveniência. Alguns eruditos dizem que a palavra eunuco, atribuída a Potifar, deriva-se de uma tradição, mas haveria outro Potifar, não-eunuco. E dois homens, com o mesmo nome, teriam sido confundidos, e, como é óbvio, não foi o Potifar eunuco que esteve envolvido no episódio do marido ciumento.

Disciplina e Caráter. A ascensão de José a uma posição de autoridade e de grandeza foi assinalada por eventos disciplinadores. Ele provou seu valor em cada um desses lances, pelo que não se elevou somente quanto ao poder político, mas também na espiritualidade. Tinha sido reduzido à condição de escravo, mas nem mesmo isso o havia abatido. E foi um escravo extraordinariamente bom, o que haveria de libertá-lo dessa condição. José brilhou em cada passo ao longo do caminho. Algumas vezes, ele brilhava mesmo em meio à adversidade e à tribulação.

Semeie-se um pensamento, colher-se-á um ato.
Semeie-se um ato, colher-se-á um caráter.
Semeie-se um caráter, colher-se-á um destino.

■ 39.2

וַיְהִי יְהוָה אֶת־יוֹסֵף וַיְהִי אִישׁ מַצְלִיחַ וַיְהִי בְּבֵית אֲדֹנָיו הַמִּצְרִי׃

O Senhor. No hebraico, *Yahweh*. Esse era o nome de Deus como formador da nação de Israel. Ver no *Dicionário* esse nome divino, como também o artigo *Deus, Nomes Bíblicos de*.

Veio a ser homem próspero. Suas circunstâncias difíceis tornavam-se oportunidades. O texto mostra-nos que José foi um homem do destino, e não apenas um homem de boa herança genética. O Senhor estava em seu destino. Eis a razão pela qual ele prosperava, mesmo contra toda a maldade de seus irmãos, ou contra a maldade da mulher de Potifar. José veio a tornar-se o mordomo da casa de Potifar. Seu caráter e sua honestidade foram percebidos de imediato, e ele começou a trabalhar para o bem da casa de seu senhor. O Senhor estava com ele, e ele estava destinado a ser o primeiro-ministro do Egito, e não apenas o mordomo da casa de Potifar. Em várias ocasiões críticas, José, exilado no Egito, não dispunha da ajuda de um único homem. Mas o poder de Deus estava por trás dele e também nele. Esse era o segredo de seu extraordinário sucesso. José era homem que mudava as circunstâncias, longe de ser vítima delas.

■ 39.3

וַיַּרְא אֲדֹנָיו כִּי יְהוָה אִתּוֹ וְכֹל אֲשֶׁר־הוּא עֹשֶׂה יְהוָה מַצְלִיחַ בְּיָדוֹ׃

Vendo Potifar. José era tão extraordinário que até mesmo o pagão Potifar teve de reconhecer a origem divina de seu caráter e poder. Assim, Potifar soube aproveitar os serviços de José, deixando-o ao encargo de toda a sua casa. A maioria dos escravos trabalhava duro nos campos, mas Potifar deu a José um trabalho em sua própria casa, como mordomo. Ver no *Dicionário* o artigo *Escravo, Escravidão*.

Cf. Gênesis 30.27, onde Labão percebeu que estava sendo abençoado porque Jacó estava com ele, e porque Jacó era abençoado pelo Senhor de maneira especial.

■ 39.4

וַיִּמְצָא יוֹסֵף חֵן בְּעֵינָיו וַיְשָׁרֶת אֹתוֹ וַיַּפְקִדֵהוּ עַל־בֵּיתוֹ וְכָל־יֶשׁ־לוֹ נָתַן בְּיָדוֹ׃

Logrou José mercê... a quem servia. Autores judeus disseram que José trabalhou por um ano na casa de Potifar. Nesse caso, houve tempo suficiente para observá-lo bem. Seu trabalho mereceu atenção especial, e, uma vez favorecido, trabalhava e servia ainda melhor. A arqueologia tem descoberto monumentos egípcios que exibem um supervisor munido de material de escrita, cuidando de todas as coisas da casa de seu senhor.

José servia "...voluntária, pronta, animada e fielmente" (John Gill, *in loc.*). Havia servos sujeitos a ele, e ele sabia como fazê-los trabalhar com fidelidade; a tranquilidade reinava porque José era competente.

■ 39.5

וַיְהִי מֵאָז הִפְקִיד אֹתוֹ בְּבֵיתוֹ וְעַל כָּל־אֲשֶׁר יֶשׁ־לוֹ וַיְבָרֶךְ יְהוָה אֶת־בֵּית הַמִּצְרִי בִּגְלַל יוֹסֵף וַיְהִי בִּרְכַּת יְהוָה בְּכָל־אֲשֶׁר יֶשׁ־לוֹ בַּבַּיִת וּבַשָּׂדֶה׃

Mordomo. Parece que a propriedade de Potifar era de difícil administração. Havia muitos deveres, muitos escravos, talvez até várias propriedades. Os deveres de Potifar, como oficial do exército, mantinham-no sempre ocupado fora de casa. Era mister que tivesse um homem bom que cuidasse de sua casa. José era esse homem. Além de ser um bom trabalhador, José era um bom capataz. Assim como Labão era abençoado por causa de Jacó, assim também Potifar recebia bênçãos do Senhor por causa de José. Cf. Gênesis 30.27. "A casa de Potifar era abençoada, e seus bens materiais se multiplicavam; ficou rico... e havia abundância de todas as coisas boas" (John Gill, *in loc.*). Na casa e no campo, ou seja, onde quer que Potifar tivesse alguma propriedade, José lá estava a fim de garantir sucesso e prosperidade.

■ 39.6

וַיַּעֲזֹב כָּל־אֲשֶׁר־לוֹ בְּיַד־יוֹסֵף וְלֹא־יָדַע אִתּוֹ מְאוּמָה כִּי אִם־הַלֶּחֶם אֲשֶׁר־הוּא אוֹכֵל וַיְהִי יוֹסֵף יְפֵה־תֹאַר וִיפֵה מַרְאֶה׃

A Insistência do Autor Sagrado. Moisés insistia sobre quão bem andavam as coisas: como José e seu senhor prosperavam; como José ficou encarregado de tudo; como tudo corria suavemente; e como José era "formoso de porte e de aparência". Mas este último detalhe apenas para introduzir a informação de que a esposa de Potifar, observando quão simpático era José, resolveu conquistá-lo sexualmente. Mas isso faria a casa vir abaixo, reduzindo José a zero, apodrecendo em uma prisão. Quão humano foi tudo! A boa sorte subitamente se transformaria em perda e tristeza. É como dizia uma antiga canção: "Voando alto em abril, derrubado por terra em maio".

Formoso de porte e de aparência. No hebraico, as mesmas palavras usadas para descrever Raquel (Gn 29.17, onde lemos, na nossa versão portuguesa: "formosa de porte e de semblante", onde o leitor deve examinar as notas expositivas). Podemos entender, pois, por que a esposa de Potifar não foi indiferente para com ele. Raquel tinha sido uma mulher muito bonita, e José derivava dela, geneticamente, a sua boa aparência física.

■ 39.7

וַיְהִי אַחַר הַדְּבָרִים הָאֵלֶּה וַתִּשָּׂא אֵשֶׁת־אֲדֹנָיו אֶת־עֵינֶיהָ אֶל־יוֹסֵף וַתֹּאמֶר שִׁכְבָה עִמִּי׃

A mulher de seu senhor. Foi aí que as dificuldades começaram, na casa de Potifar. Dois belos poemas em persa foram escritos sobre essa situação entre José e a esposa de Potifar. São fantasiosos, a bem da verdade, mas merecem atenção. De acordo com um desses poemas, o nome da mulher era Zuleika, e ela tinha a reputação de ser casta, virtuosa e excelente. Mas vendo todos os dias quão simpático era José, e como ele era um jovem extraordinário, foi tentada a conquistá-lo.

> Entendo, diante da beleza crescente,
> dia a dia, que José possuía,
> Que o amor irrompeu por baixo do véu
> da castidade de Zuleika.
>
> Ha Faz

O décimo segundo capítulo do Alcorão celebra as virtudes da beleza, da piedade e de certas ações, constituindo uma das mais belas peças literárias de qualquer país.

As mulheres egípcias não viviam reclusas nem usavam véu, o que explica a livre associação da esposa de Potifar com José. Um jovem inocente, como objeto das artes de alguma mulher sedutora, será sempre um tema constante de toda literatura, antiga e moderna. Assim, na literatura egípcia temos a lenda dos Dois Irmãos, bastante parecida com o relato sobre José. Ver a introdução ao presente capítulo.

Embora fosse escravo e não tivesse autoridade própria, José foi capaz de resistir ao assédio amoroso da poderosa mulher, o que serve para intensificar o drama e enfatizar a vitória do humilde José.

Sentindo-se cada vez mais atraída, até não aguentar mais de desejo, ela resolveu uma abordagem direta. Apesar de ser tradicional que os homens seduzam e as mulheres sejam seduzidas, algumas vezes acontece precisamente o contrário. Nesta nossa época em que as mulheres assumem encargos de responsabilidade no mundo dos negócios e da indústria, a sedução feminina vai-se tornando cada vez mais comum. Essa sedução feminina, tal como acontece com a sedução masculina, por muitas vezes envolve as pressões do trabalho ou das vantagens pecuniárias. "Ceda, e você terá grande futuro aqui. Não ceda, e você perderá o seu emprego", etc.

John Gill (*in loc.*) imaginava que José teve de arrostar considerável tentação de ceder aos apelos da mulher, mas prefiro pensar que ele não estava interessado. Há bem poucos homens como ele.

Padres e pastores por muitas vezes são alvo da sedução de mulheres perturbadas, ou, então, da parte de mulheres que são sexualmente atraídas pelo homem religioso, a pessoa ideal. Para essas mulheres, é interessante vê-los cair. Mais frequentemente, porém, são os padres ou pastores que estão sempre em contato com mulheres atrativas, por tê-las de aconselhar, devido aos problemas delas, que acabam cedendo à tentação de seduzi-las. O sexo é irracional.

■ 39.8

וַיְמָאֵן וַיֹּאמֶר אֶל־אֵשֶׁת אֲדֹנָיו הֵן אֲדֹנִי לֹא־יָדַע אִתִּי מַה־בַּבָּיִת וְכֹל אֲשֶׁר־יֶשׁ־לוֹ נָתַן בְּיָדִי׃

Ele, porém, recusou. Isso, apesar de ela tê-lo abordado por diversas ocasiões. A maioria dos homens consegue repelir por uma vez. José apelou, em sua recusa, para a grande responsabilidade que recebera como mordomo de tudo. Ele, em quem seu senhor havia confiado tanto, não haveria de desapontar essa confiança em troca de sexo. "Serei leal, pois há aqueles que confiam em mim", conforme diz um antigo hino evangélico. Todo privilégio tem sua própria carga de responsabilidade. José havia desenvolvido um caráter que era contrário à traição e ao engano. E assim, na hora da prova, permaneceu firme.

A História de Tomás de Aquino. Seus pais não queriam que ele se tornasse um homem religioso. Portanto, traçaram o plano de enviar-lhe uma bela jovem que o tentasse sexualmente. Eles tinham calculado que isso abateria sua resolução quanto às questões espirituais. Ela foi admitida em seu quarto, mas quando o homem percebeu o que ela estava tentando fazer, tomou um ferro em brasa da lareira e saiu atrás dela. A porta do quarto foi fechada ruidosamente por ela, e ele fez sobre a porta o sinal da cruz, com a ponta do ferro em brasa. Admite-se que há poucos homens como José e Tomás de Aquino. Contudo, aos homens é dada a oportunidade de crescer e de conquistar, e isso é garantido pela inquirição espiritual.

■ 39.9

אֵינֶנּוּ גָדוֹל בַּבַּיִת הַזֶּה מִמֶּנִּי וְלֹא־חָשַׂךְ מִמֶּנִּי מְאוּמָה כִּי אִם־אוֹתָךְ בַּאֲשֶׁר אַתְּ־אִשְׁתּוֹ וְאֵיךְ אֶעֱשֶׂה הָרָעָה הַגְּדֹלָה הַזֹּאת וְחָטָאתִי לֵאלֹהִים׃

O Benfeitor de José. Potifar tinha sido sempre o benfeitor de José, pois, apesar de ser um escravo, pudera prosperar sob tal condição. Materialmente, nada lhe faltava, além de honra e confiança. A mulher de seu senhor, pois, não era uma pessoa com quem José poderia manter intimidades.

Deus. O argumento final e mais forte de José foi o temor que ele tinha a Deus. Ninguém peca sozinho. Quase sempre, os pecados de um homem envolvem alguma outra pessoa, ou mesmo a fazem pecar. Ademais, ninguém peca sem afetar Deus, que estabeleceu as regras da conduta humana. Deus, no hebraico, neste ponto, é *Yahweh*. O vs. 2 diz que Yahweh estava com José. O resto de sua vida servia de comprovação desse fato. Ver no *Dicionário* o verbete sobre esse nome divino. José tinha consciência da presença de Yahweh, mesmo estando exilado e escravizado no Egito (Gn 40.8; 1Sm 12.13; Sl 41.4; 51.4 quanto a sentimentos similares). José não era homem indigno ou ingrato, o que ficaria subentendido se ele adulterasse (ver no *Dicionário* o artigo chamado *Adultério*) com a esposa de seu benfeitor. O Benfeitor final, todavia, é Deus (Tg 1.16), e benfeitores secundários são inspirados por Deus, na prática da lei do amor. Ver no *Dicionário* o artigo *Amor*.

Podemos contrastar José com Judá (Gn 38), o qual contratou os serviços de uma suposta prostituta de maneira tão casual. Teria Judá resistido à tentação a que José foi submetido?

39.10

וַיְהִ֕י כְּדַבְּרָ֥הּ אֶל־יוֹסֵ֖ף י֣וֹם ׀ י֑וֹם וְלֹא־שָׁמַ֥ע אֵלֶ֛יהָ לִשְׁכַּ֥ב אֶצְלָ֖הּ לִהְי֥וֹת עִמָּֽהּ׃

Insistência Diabólica. A mulher de Potifar tentava a José "todos os dias". Sem dúvida, ela tinha muitas oportunidades de ficar perto dele, ou mesmo sozinha com ele, enquanto o dono da casa estava fora, cuidando de seus muitos negócios e de seus deveres militares. É fácil alguém ser correto por algum tempo. Muitas conversões perduram apenas por algum tempo, se é que as podemos classificar de conversões. Mas José enfrentava, com contínua resistência, a insistência diabólica da mulher. Algo acabaria arrebentando. E foi o que aconteceu. Acusado falsamente por ela, José terminou encerrado em uma prisão. Isso foi o que ele obteve por ser correto. Mas outros episódios da história de José ainda seriam escritos, revertendo tudo isso. A resistência ou persistência espiritual desenvolve-se gradualmente, mediante o uso dos meios de desenvolvimento espiritual. Ver no *Dicionário* o verbete *Desenvolvimento Espiritual, Meios do*.

"A tentação era forte e enleadora, era intensa e frequente..." (John Gill, *in loc.*).

Para se deitar com ela, e estar com ela. Ambas essas expressões podem indicar a cópula carnal, mas a segunda pode indicar apenas um apelo para que José ficasse "em companhia dela". Se pudesse garantir sua companhia, em situações comprometedoras, talvez pudesse convencê-lo a fazer outras coisas.

39.11,12

וַיְהִי֙ כְּהַיּ֣וֹם הַזֶּ֔ה וַיָּבֹ֥א הַבַּ֖יְתָה לַעֲשׂ֣וֹת מְלַאכְתּ֑וֹ וְאֵ֨ין אִ֜ישׁ מֵאַנְשֵׁ֥י הַבַּ֛יִת שָׁ֖ם בַּבָּֽיִת׃

וַתִּתְפְּשֵׂ֧הוּ בְּבִגְד֛וֹ לֵאמֹ֖ר שִׁכְבָ֣ה עִמִּ֑י וַיַּעֲזֹ֤ב בִּגְדוֹ֙ בְּיָדָ֔הּ וַיָּ֖נָס וַיֵּצֵ֥א הַחֽוּצָה׃

Uma Determinação Diabólica. Certo dia, a mulher perdeu o controle. Todos os homens da casa estavam ausentes, e ela aproveitou o ensejo para fazer um esforço heroico de seduzir José. Ela o agarrou e insistiu. Ela o segurara por suas vestes e parecia disposta a deixá-lo despido. Mas ele dirigiu-se para a porta, deixando com ela as suas vestes.

Josefo fantasia dizendo que havia uma festa pública, motivo pelo qual não havia ninguém em casa, nem mesmo as mulheres. A esposa de Potifar fingiu-se adoentada e voltou para casa, sabendo que ali José estaria sozinho. E foi então que ela desfechou seu mais decisivo ataque de sedução. Em sua paixão, ela chegou a apelar para a violência, para todos os efeitos práticos.

39.13

וַיְהִי֙ כִּרְאוֹתָ֔הּ כִּֽי־עָזַ֥ב בִּגְד֖וֹ בְּיָדָ֑הּ וַיָּ֖נָס הַחֽוּצָה׃

As Vestes Incriminadoras. Em sua pressa para livrar-se do ataque da mulher, José deixou com ela as suas vestes externas. Isso deu à mulher humilhada a ideia de fingir que houvera uma tentativa de ataque sexual por parte de José. Irada por haver sido desprezada, ela inventou rapidamente uma história mentirosa, muito incriminadora contra José, como vingança contra ele.

O autor não se importa nem em explicar que peça de vestuário ele deixou com ela, pois usa o termo hebraico mais geral para vestes, *beged*, que não especifica que peça era. Nem explicou como ela encontrou homens para queixar-se, quando, no vs. 11, disse que não havia ninguém em casa. Mas ela pode ter esperado um pouco. Os intérpretes, por sua vez, inventam explicações desnecessárias, pois não gostam quando parece haver algum hiato nos informes bíblicos.

39.14

וַתִּקְרָ֞א לְאַנְשֵׁ֤י בֵיתָהּ֙ וַתֹּ֣אמֶר לָהֶ֣ם לֵאמֹ֔ר רְא֗וּ הֵ֤בִיא לָ֙נוּ֙ אִ֣ישׁ עִבְרִ֔י לְצַ֥חֶק בָּ֑נוּ בָּ֤א אֵלַי֙ לִשְׁכַּ֣ב עִמִּ֔י וָאֶקְרָ֖א בְּק֥וֹל גָּדֽוֹל׃

A mulher pediu socorro para que pudesse concretizar o seu plano de acusar José, com o apoio de supostas "testemunhas".

Este hebreu para insultar-nos. José seria um fingido. Parecia tão bonzinho; mas era apenas um lobo que só aguardava o momento propício para atacar. A pobre mulher teria se defendido com gritos. Era culpa de Potifar ter trazido para dentro de casa aquele estrangeiro, e por não ter tido sabedoria ou intuição suficiente para perceber quão perigoso era o escravo hebreu. Potifar a tinha exposto a um escravo estrangeiro de caráter vil. Foi assim que a paixão impura dela transformou-se em ódio, um fenômeno bastante comum nos jogos de sedução amorosa. A palavra "insulto" pode dar a entender "carícias". Se assim foi, então ela acusava José de contato físico impróprio. Pelo menos, ele seria culpado de agressividade.

39.15

וַיְהִ֣י כְשָׁמְע֔וֹ כִּֽי־הֲרִימֹ֥תִי קוֹלִ֖י וָאֶקְרָ֑א וַיַּעֲזֹ֤ב בִּגְדוֹ֙ אֶצְלִ֔י וַיָּ֖נָס וַיֵּצֵ֥א הַחֽוּצָה׃

Eu levantava a voz e gritava. Isso mostrou-se eficaz. E então, supostamente, assustado, José deixara suas vestes para trás. A vilã se tornara uma heroína, como com tanta frequência sucede em histórias de mentiras e fraudes. Era fácil ter a prova. Ela ficara com as vestes incriminadoras de José. Mas nem toda "evidência" parece ser o que é, e os fraudulentos sempre são capazes de apresentar provas forjadas.

39.16

וַתַּנַּ֥ח בִּגְד֖וֹ אֶצְלָ֑הּ עַד־בּ֥וֹא אֲדֹנָ֖יו אֶל־בֵּיתֽוֹ׃

Prossegue a Cena Teatral. A mulher guardou consigo as vestes de José, a fim de repetir a mentira na presença de seu marido. A evidência era falsa e tola, mas ela fazia boa ideia de que seu marido não duvidaria dela. A ira que isso gerou deve ter anulado quaisquer protestos de inocência que José tenha proferido.

39.17

וַתְּדַבֵּ֣ר אֵלָ֔יו כַּדְּבָרִ֥ים הָאֵ֖לֶּה לֵאמֹ֑ר בָּֽא־אֵלַ֞י הָעֶ֧בֶד הָֽעִבְרִ֛י אֲשֶׁר־הֵבֵ֥אתָ לָּ֖נוּ לְצַ֥חֶק בִּֽי׃

Veio ter comigo para insultar-me. Isso pode significar "ele me acariciou", ou seja, tomou liberdades físicas impróprias para um escravo, com a senhora da casa. Ele, um mero escravo, ousou abordar a esposa do dono da casa, um crime imperdoável. Mas também poderíamos entender que José foi acusado de tê-la insultado com "palavras e atos obscenos", contrários aos costumes de qualquer residência decente. O que ela queria dizer, como é óbvio, é que ele a tinha solicitado para propósitos sexuais, e isso de uma maneira crua.

39.18

וַיְהִ֕י כַּהֲרִימִ֥י קוֹלִ֖י וָאֶקְרָ֑א וַיַּעֲזֹ֥ב בִּגְד֛וֹ אֶצְלִ֖י וַיָּ֥נָס הַחֽוּצָה׃

Gritei... as vestes. Ela teria gritado, e ele teria deixado suas vestes, o que já havia sido dito nos vss. 14 e 15.

39.19

וַיְהִי֩ כִשְׁמֹ֨עַ אֲדֹנָ֜יו אֶת־דִּבְרֵ֣י אִשְׁתּ֗וֹ אֲשֶׁ֨ר דִּבְּרָ֤ה אֵלָיו֙ לֵאמֹ֔ר כַּדְּבָרִ֣ים הָאֵ֔לֶּה עָ֥שָׂה לִ֖י עַבְדֶּ֑ךָ וַיִּ֖חַר אַפּֽוֹ׃

As palavras de sua mulher. Potifar deu ouvidos à calúnia de sua mulher contra José. Se ele não acreditou nela, fingindo que acreditava, estava evitando um escândalo maior: sua mulher se tinha oferecido a um mero escravo!

... se lhe acendeu a ira. A intenção da mulher era que Potifar fizesse algo de drástico. Assim ela se vingaria do fato de ter sido repelida por José.

A indignação de Potifar foi tal que José não teve chance de defender-se. Ou se lhe foi dada tal oportunidade, sua defesa não pareceu convincente. "Essa foi a segunda vez que as vestes de José foram usadas como base de acusações falsas contra ele" (cf. Gn 37.31-33).

39.20

וַיִּקַּח אֲדֹנֵי יוֹסֵף אֹתוֹ וַיִּתְּנֵהוּ אֶל־בֵּית הַסֹּהַר מְקוֹם אֲשֶׁר־אֲסוּרֵי הַמֶּלֶךְ אֲסוּרִים וַיְהִי־שָׁם בְּבֵית הַסֹּהַר:

No cárcere. A punição usual seria a pena capital. Na história egípcia dos dois irmãos, a questão terminou com a morte da mulher ofensora. A punição menor, dada a José, de acordo com os intérpretes judeus, significou que Potifar acreditou em José, mas, a fim de poupar sua esposa de maior embaraço, sacrificou-o, embora por meio de um castigo mais brando do que seria de se esperar.

Dessa maneira, a coragem espiritual de José teve um mau resultado drástico. Todavia, esse resultado seria revertido quando o plano de Deus avançasse mais. Conforme Sócrates afirmava e a Bíblia confirma, nenhum mal pode atingir, de forma definitiva, um homem bom, piedoso.

"... a coragem espiritual é de natureza superior à coragem física, e é preciso uma sorte superior de coragem para alguém entrar em uma luta em que a pessoa já sabe que vai perder" (Edward L. Trudeau).

Os presos do rei. Provavelmente devem ser distinguidos dos prisioneiros comuns. Talvez fossem aqueles envolvidos em crimes políticos ou outros que ameaçassem o rei, os seus familiares, o reino, as forças militares etc. Essa prisão fazia parte do complexo de edifícios de que se compunha a residência de Potifar, visto ser ele um capitão da guarda real (Gn 40.3). Aquele versículo também revela que José fora confinado em um cárcere, quando então teve de enfrentar um período de grandes sofrimentos. O trecho do Salmo 105.18 indica que os pés de José foram presos com grilhões de ferro. No entanto, após algum tempo, José recebeu responsabilidades até mesmo na prisão (Gn 40.4).

O severo tratamento a que José foi submetido pode indicar que Potifar o considerava culpado. Por outro lado, as esposas de altos oficiais egípcios exerciam grande poder, pois elas também herdavam parte das riquezas desses oficiais, com as quais geralmente se casavam como fruto de arranjos entre famílias importantes. Isso posto, não teria sido fácil Potifar contradizer sua mulher. Foi mais fácil sacrificar José, o escravo hebreu.

39.21

וַיְהִי יְהוָה אֶת־יוֹסֵף וַיֵּט אֵלָיו חָסֶד וַיִּתֵּן חִנּוֹ בְּעֵינֵי שַׂר בֵּית־הַסֹּהַר:

O Senhor, porém, era com José. Na adversidade e na tristeza, tal como no triunfo e na alegria, em todas as vicissitudes da vida, o mesmo poder divino e a mesma presença divina.

"... há livramento de vitórias meramente aparentes. Isso pode parecer um paradoxo, mas é um fato claro. Com frequência, só achamos Deus quando paramos de pensar que já o encontramos, e só obtemos nossas vitórias espirituais quando rejeitamos a ideia de já termos vencido" (Walter Russell Bowie, in loc.). Pode-se comparar isso com a atitude expressa por Paulo em 2Timóteo. 3.12-14. O presente versículo reitera o segundo versículo deste capítulo, onde também é dito que o Senhor estava com José. José lograva tanto êxito por causa da presença divina. Era um homem do destino, e sua vereda era ordenada pelo Senhor, e até mesmo os seus passos (Sl 37.23).

E assim, na prisão, logo o carcereiro prestou atenção em José, reconhecendo as suas virtudes. E mesmo sendo um prisioneiro, recebeu responsabilidades.

39.22

וַיִּתֵּן שַׂר בֵּית־הַסֹּהַר בְּיַד־יוֹסֵף אֵת כָּל־הָאֲסִירִם אֲשֶׁר בְּבֵית הַסֹּהַר וְאֵת כָּל־אֲשֶׁר עֹשִׂים שָׁם הוּא הָיָה עֹשֶׂה:

O Carcereiro. Aquilo que José tinha sido na casa de Potifar, agora o era na prisão. Tudo passou a ser ali controlado por ele. Visto que os prisioneiros ali encerrados não eram prisioneiros comuns, por ser aquela a prisão especial do Faraó (vs. 20), a posição de José revestia-se de extrema responsabilidade.

Quando uma alma vai escalando pela montanha da vida, vai enfrentando pequenas colinas, mas tudo faz parte da grande ascensão. Assim também, na prisão, José foi obrigado a escalar uma colina pequena em sua subida ao poder no próprio Egito, onde haveria de tornar-se primeiro-ministro. O homem que titubeia diante de uma pequena colina dificilmente escalará a montanha.

39.23

אֵין שַׂר בֵּית־הַסֹּהַר רֹאֶה אֶת־כָּל־מְאוּמָה בְּיָדוֹ בַּאֲשֶׁר יְהוָה אִתּוֹ וַאֲשֶׁר־הוּא עֹשֶׂה יְהוָה מַצְלִיחַ: ס

Confiança Absoluta. Por assim dizer, José tomou de assalto a prisão. O carcereiro não se preocupava mais com nenhum detalhe atinente à vida no cárcere. Ele sabia que José agiria corretamente, por ser dotado de sabedoria e poder especiais. "O Senhor estava com ele", pelo que prosperou naquele lugar. José era dotado de graça, sabedoria e iluminação, qualidades espirituais essas que o distinguiam da vasta maioria dos homens. Naquele lugar tenebroso, José fazia sua luz brilhar. Ele era iluminado e iluminador. Ele contava com a chama de Deus, a qual jamais poderá ser apagada.

CAPÍTULO QUARENTA

JOSÉ NA PRISÃO (40.1-23)

A Interpretação dos Sonhos. Os críticos atribuem este capítulo 40 a uma combinação das fontes J e E, onde E seria a fonte básica. Ver no *Dicionário* o verbete *J.E.D.P.(S.)* quanto à teoria das fontes múltiplas do Pentateuco.

Faraó tinha suas razões para estar indignado contra dois de seus mais altos oficiais, a saber, o copeiro-chefe e o padeiro-chefe. E mandou detê-los "na casa do comandante da guarda", ou seja, no lugar onde ficavam detidos os "presos do rei" (Gn 39.20). Ora, José era o virtual supervisor dessa prisão, tal como fora o mordomo da casa de Potifar (Gn 39.22,23). E foi assim que entrou em contato com esses dois detidos especiais. Isso armou o palco para um importante acontecimento. Ao interpretar os sonhos tanto de um quanto de outro desses oficiais, que davam conhecimento prévio de seus futuros (sonhos precognitivos), o fato acabou levando José à atenção do Faraó, o qual ansiava por ter um intérprete profissional decente. E o rei do Egito achou esse homem na pessoa de José.

Sonhos. Se a maioria dos sonhos é expressão de desejos ou soluções de problemas, alguns sonhos, na verdade, preveem o futuro. Existem sonhos psíquicos e espirituais. No islamismo, os sonhos são considerados um dos ofícios da profecia, e sempre desempenharam papel importante naquela fé religiosa. Já tivemos ocasião de acompanhar alguns dos sonhos de José. Ver Gênesis 37.5-7,9, onde forneci alguma informação básica sobre os sonhos, incluindo a sua função espiritual. Ver no *Dicionário* o artigo *Sonhos*, que aborda essa questão de forma bastante pormenorizada.

O trecho de 1Samuel 28.6 mostra que os sonhos podem ser canais de comunicação divina. Um sábio intérprete de sonhos pode discernir o curso tanto de eventos pessoais quanto de eventos que envolvem nações (Gn 37.5-10; Dn 2.26-28), se for da vontade de Deus que o sonhador receba poderes espirituais dessa ordem. Seja como for, os sonhos servem de indicação para as pessoas, ou melhor, são uma dessas indicações.

Os sonhos e as visões giram em torno dos mesmos símbolos e podem ter funções idênticas (At 2.17). Os estudos científicos sobre os sonhos estão não apenas aumentando o nosso conhecimento sobre eles (temos uma média de vinte a trinta sonhos a cada noite), mas também nos estão permitindo interpretar e até mesmo empregar os sonhos para o nosso próprio bem. Em sua função mais alta, os sonhos são uma herança espiritual.

40.1

וַיְהִי אַחַר הַדְּבָרִים הָאֵלֶּה חָטְאוּ מַשְׁקֵה מֶלֶךְ־מִצְרַיִם וְהָאֹפֶה לַאֲדֹנֵיהֶם לְמֶלֶךְ מִצְרָיִם:

O mordomo. No hebraico, *mashkeh*. Os árabes e os persas chamam-no de *saki*. Devemos pensar aqui no "copeiro-chefe", o principal dos servos do Faraó. O Targum de Jonathan dá-nos a informação (provavelmente falsa) de que o erro desse homem foi a tentativa de envenenamento do rei; mas Jarchi pensava ter sido alguma coisa menor, como deixar cair alguma mosca, ou algum objeto estranho e pequeno, na taça do monarca. Visto que o homem não demorou a ser reabilitado (vs. 13), sem dúvida, alguma falha menor deve ter estado em pauta.

O termo hebraico *mashkeh* significa "quem dá de beber". Suco de uvas é a bebida que está em pauta no vs. 11. Ver no *Dicionário* o artigo intitulado *Mordomo*. Este versículo, porém, não diz qual teria sido a falha desse oficial.

O padeiro. A arqueologia tem demonstrado a existência e a importância desse ofício (Wilkinson, *Ancient Egyptians*, ii.38,39). Cozinhar e assar toda sorte de comestíveis tornou-se uma arte no Egito. A palavra hebraica *opheh*, aqui usada, indica um cozinheiro ou confeiteiro, e não apenas quem faz pães ou coisas similares. Ver no *Dicionário* os artigos chamados *Artes e Ofícios e Pão*.

Rei. Ou seja, o Faraó do Egito. Ver no *Dicionário* o verbete *Faraó*. Têm sido feitas tentativas para identificar esse Faraó dos dias de José. Mas as conclusões dos estudiosos têm sido as mais díspares possíveis. No artigo mencionado, ver sua seção III.2.

■ 40.2

וַיִּקְצֹף פַּרְעֹה עַל שְׁנֵי סָרִיסָיו עַל שַׂר הַמַּשְׁקִים וְעַל שַׂר הָאוֹפִים:

Indignou-se. Não somos informados sobre quais teriam sido as suas ofensas; mas foram graves o bastante para criar comoção. Faraó estava tão irado que mandou detê-los na prisão. Tudo quanto fazemos é importante. Cabe-nos fazer bem o trabalho que tivermos de realizar. A vida é uma escola de treinamento, onde aprendemos e pomos em prática o que aprendemos. O homem em questão tinha subido muito na escala dos valores sociais do Egito. Havia outros que trabalhavam sob suas ordens, e todos eles serviam diretamente ao rei. Responsabilidade gera entusiasmo; e o entusiasmo nos anima a fazer direito as coisas. Mas aqueles dois homens tinham-se deixado arrastar pela negligência, ou algo pior. Podem ter usado seu ofício para alguma tentativa criminosa. O fato é que eles estavam colhendo o resultado de seus erros. Ver no *Dicionário* o artigo *Lei Moral da Colheita segundo a Semeadura*.

■ 40.3

וַיִּתֵּן אֹתָם בְּמִשְׁמַר בֵּית שַׂר הַטַּבָּחִים אֶל־בֵּית הַסֹּהַר מְקוֹם אֲשֶׁר יוֹסֵף אָסוּר שָׁם:

No cárcere. Ali estava também José. Era a "prisão do rei" (ver Gn 39.20). O comandante da guarda era Potifar (sobre quem há notas expositivas em Gn 37.36). Potifar foi uma das personagens de maior vulto no capítulo 39. José tinha sido feito supervisor em sua casa, mas acabou caindo em desgraça por causa da calúnia da esposa de Potifar, que o acusou de uma tentativa de sedução. Ao que parece, a prisão fazia parte do complexo de edifícios da propriedade de Potifar. Sob ele trabalhava o carcereiro. Ver no *Dicionário* o verbete intitulado *Prisão*.

Mais tarde, viera José, que acabou tornando-se o supervisor da prisão. Ao que tudo indica, José não continuou encerrado em alguma masmorra, pois, de outra sorte, não poderia fazer seu trabalho de supervisor. O destino, agora, fazia o copeiro-chefe e o padeiro-chefe encontrar-se com José. A associação de José com aqueles acabou levando José à presença de Faraó. E isso terminou por fazer de José o primeiro-ministro do Egito. E, finalmente, isso o pôs em contato com seus irmãos, os quais chegaram ao Egito em busca de alimentos, em um período de escassez generalizada, anos mais tarde. Os irmãos de José e todos os seus familiares acabaram migrando para o Egito. E foi assim que a nação de Israel desenvolveu-se no Egito. E então, após quatro séculos, eles precisaram ser libertados. Moisés foi o homem escolhido por Deus para essa tarefa. Assim, destinos pessoais e nacionais estão interligados. Há um propósito por trás de todas as coisas que acontecem na vida de um homem piedoso. Seus passos são determinados pelo Senhor (Sl 37.23).

■ 40.4

|V4| וַיִּפְקֹד שַׂר הַטַּבָּחִים אֶת־יוֹסֵף אִתָּם וַיְשָׁרֶת אֹתָם וַיִּהְיוּ יָמִים בְּמִשְׁמָר:

A cargo de José. A José foi dada a tarefa específica de guardar os dois oficiais. Isso sugere que eles devem ter cometido alguma falta grave, pois, de outro modo, não haveria necessidade de segurança sob condições especiais. Temos aí a estranha circunstância de Potifar ter empregado os serviços de José, porquanto este permanecia digno de confiança, como nos tempos em que estivera na sua casa. Talvez ele não acreditasse que José era mesmo culpado do crime de que fora acusado por sua própria esposa. Ou, então, Potifar era um homem pragmático, fazendo o que lhe parecia melhor, o que dava melhores resultados, apesar de antecedentes desagradáveis.

Por algum tempo. Jarchi e Ben Gerson interpretavam isso como um ano, o que o hebraico pode, realmente, dar a entender. O Faraó reabilitou os dois oficiais no dia de seu aniversário natalício (vs. 20). E é possível também que a ofensa deles tenha ocorrido no ano anterior. Ele precisaria de serviços especiais, desses dois auxiliares, para as atividades daquele dia festivo.

■ 40.5,6

וַיַּחַלְמוּ חֲלוֹם שְׁנֵיהֶם אִישׁ חֲלֹמוֹ בְּלַיְלָה אֶחָד אִישׁ כְּפִתְרוֹן חֲלֹמוֹ הַמַּשְׁקֶה וְהָאֹפֶה אֲשֶׁר לְמֶלֶךְ מִצְרַיִם אֲשֶׁר אֲסוּרִים בְּבֵית הַסֹּהַר:

וַיָּבֹא אֲלֵיהֶם יוֹסֵף בַּבֹּקֶר וַיַּרְא אֹתָם וְהִנָּם זֹעֲפִים:

Sonhos Perturbadores. Certo dia, quando José veio cumprir seus deveres, encontrou, muito tristes e perturbados, os dois oficiais de Faraó. Por quê? Porque tinham tido o que sentiam ser sonhos significativos, mas não podiam entendê-los. Isso mostra quão importantes eram os sonhos para os povos antigos. Eles esperavam que seus sonhos se revestissem de significado; e davam valor a uma correta interpretação. Nenhum sonho é sonhado em troca de nada. A maioria apenas tenta satisfazer os nossos desejos, mediante compensação; outros tentam solucionar problemas do dia-a-dia (conferindo-nos discernimento). E também há aqueles sonhos que são espirituais e significativos. Os estudos mostram que nossa vida é totalmente projetada em nossos sonhos, incluindo o nosso futuro. Com frequência, isso indica somente que nossa mente está operando como um computador, procurando fazer "previsões calculadas", algumas das quais realmente têm cumprimento, ao passo que outras não se cumprem. Todavia, há aqueles sonhos precognitivos seguros, que não erram nem podem errar. Algumas vezes, nesses sonhos, aparece a personagem arquétipo de Jung, o Velho Sábio. Essa é uma figura profética. E ajuntou Jung: "Ele nunca mente". Portanto, devemos fazer o que ele diz.

Cada sonho tem seu próprio significado. Assim nos ensina este texto. Mas José precisava dizer exatamente que significado tinham os dois sonhos, o do copeiro-chefe e o do padeiro-chefe. A interpretação será sempre uma questão problemática. Aprendemos mediante o estudo e a experiência.

Muitos Sonhos. Ambos aqueles oficiais tinham tido, cada qual, o seu sonho. Cada qual se lembrava bem de seu sonho; mas podemos estar certos de que a mente deles tinha estado a examinar seus problemas, e assim devem ter ocorrido muitos sonhos. O padeiro-chefe haveria de ser executado dentro de três dias, e José deu uma interpretação exata e temível do sonho incomum do padeiro-chefe (vss. 18 ss.). Podemos estar certos de que ao padeiro foram dados vários sonhos precognitivos que anunciavam a sua morte próxima. Minha mãe começou a ter sonhos que prenunciavam a sua morte, desde vários anos antes de seu falecimento. Mas eu não lhe revelava o que esses sonhos significavam. Resolvi poupá-la dessa preocupação. Mas tais sonhos eram claros para mim.

■ 40.7

וַיִּשְׁאַל אֶת־סְרִיסֵי פַרְעֹה אֲשֶׁר אִתּוֹ בְמִשְׁמַר בֵּית אֲדֹנָיו לֵאמֹר מַדּוּעַ פְּנֵיכֶם רָעִים הַיּוֹם:

Por que tendes hoje, triste o semblante? Assim indagou José. A vida tem sentido, mas muitas pessoas continuam vendo apenas o caos. Mas há em tudo um desígnio, dado pela mente divina. É triste quando vivemos mas não sabemos a razão das coisas. A filosofia tornou-se uma disciplina da inquirição humana quando os homens começaram a perguntar "por quê?". A filosofia consegue dar-nos algumas respostas valiosas, embora não saiba dizer muito sobre origens, identidade e destino dos homens. A revelação divina, porém, tem sua maneira especial de prover respostas seguras, mormente sobre esses três particulares. Os sonhos são uma maneira de conferir revelações individuais (de cuja classe compartilham todos os chamados "dons espirituais"). A revelação divina geral, para todos, acha-se nos escritos sagrados colecionados na Bíblia. O homem que busca acha (Mt 7.8). Na verdade, a ignorância é uma condição lamentável. E todos nos achamos em um ou outro estágio dessa condição. Todavia, a ignorância não é o único fator negativo na vida dos homens. A falta de moral é algo ainda mais importante. Mas não há como negar que a ignorância é uma condição debilitadora, mormente quando se trata da ignorância sobre o desígnio de Deus para suas criaturas inteligentes, para não sermos muito severos em nossa apreciação.

40.8

וַיֹּאמְרוּ אֵלָיו חֲלוֹם חָלַמְנוּ וּפֹתֵר אֵין אֹתוֹ וַיֹּאמֶר אֲלֵהֶם יוֹסֵף הֲלוֹא לֵאלֹהִים פִּתְרֹנִים סַפְּרוּ־נָא לִי׃

Não pertencem a Deus as interpretações? Mas aquele que estuda, mormente as Escrituras Sagradas, pode aprender a interpretar, mediante a ajuda do Espírito Santo. Essa afirmação de José, sem dúvida, dá a entender que a interpretação de sonhos é uma função divinamente dada; e sabemos que há pessoas que recebem essa capacidade da parte do Espírito de Deus. Em minha família, os sonhos são repetidos e interpretados. Com frequência, um de meus filhos, que reside em Santos, chama-me pelo telefone e diz: "Papai, tive este sonho...". Então dou uma interpretação; e ele também diz alguma coisa. É admirável o quanto concordam as nossas interpretações, como também o quanto os sonhos desse meu filho são capazes de sondar o futuro imediato. Mantive um registro de seus sonhos, durante um período de cerca de três anos. Ele teve cerca de cinquenta sonhos precognitivos durante esse período. Alguns deles se cumpriram de maneira inesperada e espetacular. Mediante alguns desses sonhos, fui capaz de prever o dia da chegada de certas cartas, bem como o seu conteúdo geral. Acontecimentos importantes foram assim projetados. Naturalmente, ocorrências triviais também foram projetadas nesses sonhos.

Existem ainda sonhos psíquicos e espirituais, tal como há sonhos triviais. Mas alguns sonhos são tão incomuns tal como quem liga seu aparelho de rádio em alguma estação radiofônica estrangeira. Outros sonhos sondam o futuro, mas somente como cumprimento de desejos. Às vezes, desejamos tanto certas coisas que nossos sonhos as apresentam como já cumpridas, e isso sob forma literal ou simbólica. Tais sonhos, contudo, não anulam a realidade daqueles sonhos verdadeiramente significativos, que nos dão discernimento e orientação. Há vários níveis de sonhos, tal como há vários níveis de sono e de hipnose. Em um nível, os sonhos são freudianos; em outro nível, são meros cumprimentos de desejos; mas em um nível mais profundo, são espirituais, transmitindo-nos importantes verdades ou orientações.

Os Intérpretes. As sociedades antigas dispunham de intérpretes profissionais de sonhos, os quais trabalhavam em troca de um pagamento por seus serviços. Provavelmente, os dois oficiais de Faraó lamentaram o fato de que, estando eles na prisão, não podiam contratar os serviços de um profissional. Mas sabemos que existem pessoas que, em razão de serem espiritualmente dotadas por Deus, podem interpretar sonhos espirituais; e José era uma dessas pessoas. Os sonhos e suas respectivas interpretações, em Gênesis 37.4, bem como outros sonhos que ocorreram em seguida, ainda neste capítulo, impressionam-nos com a habilidade de José. De fato, esses sonhos e sua segura interpretação garantem a historicidade do relato. De outra sorte, o autor sagrado, se é que ele inventou esses relatos, foi, ele mesmo, um grande manipulador de símbolos e interpretações.

40.9

וַיְסַפֵּר שַׂר־הַמַּשְׁקִים אֶת־חֲלֹמוֹ לְיוֹסֵף וַיֹּאמֶר לוֹ בַּחֲלוֹמִי וְהִנֵּה־גֶפֶן לְפָנָי׃

Os Dois Oficiais Confiam em José. Creram no que José tinha dito. Deus dá a interpretação dos sonhos e, supondo que José era o homem espiritual que podia falar por Deus, o copeiro-chefe quis logo tirar vantagem da situação.

40.10

וּבַגֶּפֶן שְׁלֹשָׁה שָׂרִיגִם וְהִיא כְפֹרַחַת עָלְתָה נִצָּהּ הִבְשִׁילוּ אַשְׁכְּלֹתֶיהָ עֲנָבִים׃

O copeiro-chefe não se tinha esquecido de seu sonho, pelo que pôde fazer uma detalhada descrição. Como uma alegoria, cada item do sonho tinha um sentido específico. Se alguns desses detalhes estão presentes apenas para compor uma boa história, é admirável quantos elementos específicos têm significado nos sonhos. E esses elementos, em seu conjunto, fornecem muitas informações. Outrossim, a mente é muito sutil e há sentidos ocultos e inesperados nos símbolos. Alguns símbolos são universais e têm aplicação a muitos povos e culturas. Mas há símbolos individuais, baseados sobre a experiência de vida de cada pessoa. Um item pode significar mais de uma coisa. Por exemplo, um veículo pode significar o corpo da pessoa; mas também pode apontar para o trabalho dessa pessoa; ou pode significar alguma coisa específica que ajuda essa pessoa a fazer seu trabalho, ou seja, "o veículo da solução". A linguagem dos sonhos é não-verbal. Trata-se de uma linguagem sob a forma de quadros, uma espécie de linguagem primária, que antecede à comunicação verbal. A hipnose pode revelar o sentido desses símbolos, mesmo quando a pessoa, não hipnotizada, nega os sentidos revelados sob hipnose. Logo, há um fundo de símbolos ocultos que os sonhos vasculham, e que faz parte de nossa herança. Na maioria dos casos, porém, esses símbolos permanecem ocultos e sem uso, por causa de nossa ignorância. A linguagem dos sonhos, para as pessoas que nunca a estudaram, é um idioma estrangeiro. Daí precisarmos estudá-la tal como estudamos qualquer outra materna-língua?

O símbolo, neste caso, era uma videira, sobre a qual não há explicação alguma, mas sobre os seus ramos há uma explicação (vs. 12). A vinha indicava a vida em sua inteireza, que se expressa por meio de unidades, neste caso, dias. Cada ramo poderia significar qualquer período, como um mês, uma estação, um ano etc. Mas José sabia que estavam envolvidos "dias". Algumas vezes o discernimento intuitivo faz parte da interpretação. Não se deve pensar que está envolvido apenas um conhecimento teórico sobre os símbolos.

Cachos... uvas maduras. Cada dia produzia algo, relacionado ao trabalho do copeiro-chefe. O vs. 13 fornece uma interpretação vaga acerca da questão. O trabalho do homem prosseguiria. Ele haveria de espremer literalmente as uvas, para servir o seu suco a Faraó.

40.11

וְכוֹס פַּרְעֹה בְּיָדִי וָאֶקַּח אֶת־הָעֲנָבִים וָאֶשְׂחַט אֹתָם אֶל־כּוֹס פַּרְעֹה וָאֶתֵּן אֶת־הַכּוֹס עַל־כַּף פַּרְעֹה׃

O copo de Faraó. O veículo do trabalho do homem, no sonho, estava em sua mão. Ele estava cumprindo a sua função, ou seja, espremendo as uvas para a extraír-lhe o suco; e então servia a Faraó, tal como fizera antes. O vs. 13 nos dá uma interpretação desses símbolos literais. Alguns símbolos eram figurados (como os ramos); mas outros eram literais, projetando exatamente o que o copeiro-chefe estaria fazendo.

Plutarco (*Is. et Osir*, par. 6) afirmou que antes do tempo de Psamético (que inclui a época de José) os egípcios não bebiam vinho nem faziam libações de vinho; mas a arqueologia tem mostrado que ele se enganou nessa apreciação. Também há estudiosos que insistem em que os egípcios faziam vinho de cevada, e não de uvas. Porém, mesmo que os egípcios não cultivassem a videira (nos dias de José), ainda assim havia um intenso comércio com o estrangeiro, e a uva, sem dúvida, era um dos artigos importados pelo Egito. Além disso, é provável que a videira fosse cultivada, mesmo que em pequena escala.

Visto que o suco da uva não teria tempo de fermentar para tornar-se vinho, devemos pensar aqui em suco de uva; mas ainda assim não devemos pensar que os egípcios nunca permitiam a fermentação do suco da uva. Fermentado, o vinho teria um conteúdo de cerca de 8% de álcool, o que sucede a toda fermentação natural.

Heródoto (*Euterpe sive*, 1.2. c. 37) referiu-se a como os sacerdotes egípcios costumavam consumir vinho de uvas, para cujo fabrico as uvas eram espremidas de vários modos.

40.12

וַיֹּאמֶר לוֹ יוֹסֵף זֶה פִּתְרֹנוֹ שְׁלֹשֶׁת הַשָּׂרִגִים שְׁלֹשֶׁת יָמִים הֵם:

A Interpretação do Sonho. O decorrer da vida (a videira) produz períodos de tempo, os ramos. Nesse caso, por meio de discernimento espiritual, José sabia que estavam envolvidos dias, e não outras possíveis unidades de tempo, como semanas, meses, anos, estações do ano etc. É verdade que a interpretação dos sonhos pode incluir um discernimento psíquico ou espiritual, que ilumina os símbolos que são usados nos sonhos. Freud falava em elaborações secundárias. As descrições feitas posteriormente, elaborando um sonho, podem conter e realmente contêm informações que não transparecem logo no próprio sonho. Assim, quando um homem conta um sonho seu, de súbito pode compreender o que lhe estava sendo comunicado no sonho, além daquilo que esse sonho poderia indicar.

Um fenômeno paralelo é o da provocação de sonhos em outra pessoa. O enviador concentra seus pensamentos sobre certos objetos ou ideias, e procura enviar, por via telepática, o que ele quer que o recebedor sonhe. Em experiências controladas de laboratório, o que é enviado (por meios telepáticos) provoca no recebedor (que deve estar dormindo) não somente reflexos diretos daquilo que lhe está sendo enviado, mas também analogias por meio das quais vários sonhos podem ser criados. Os sonhos assim provocados não contêm, necessariamente, a informação exata enviada, mas elaborações nela baseadas, desenvolvendo-se sob muitas formas.

40.13

בְּעוֹד שְׁלֹשֶׁת יָמִים יִשָּׂא פַרְעֹה אֶת־רֹאשֶׁךָ וַהֲשִׁיבְךָ עַל־כַּנֶּךָ וְנָתַתָּ כוֹס־פַּרְעֹה בְּיָדוֹ כַּמִּשְׁפָּט הָרִאשׁוֹן אֲשֶׁר הָיִיתָ מַשְׁקֵהוּ:

.. te reabilitará. Sua cabeça inclinada seria novamente levantada, ou seja, ele seria solto da prisão. Na prisão, ele estava humilhado. Mas seria reabilitado à sua antiga ocupação de confiança, diante do Faraó.

Restauração. Aquilo que ele havia perdido temporariamente, haveria de recuperar. Seu período de provação tinha terminado.

Os Três Ramos representavam apenas três dias de espera. Algumas vezes, nossos sonhos cumprem-se prontamente, mas usualmente precisamos envidar esforços para que haja tal cumprimento. Intervenções divinas assinalam o caminho. Dias de aniversário natalício eram celebrações que liberalizavam (temporariamente) as mentes mais severas. O aniversário de Faraó haveria de impulsioná-lo a libertar alguns prisioneiros (vs. 20), e o copeiro-chefe seria uma dessas pessoas afortunadas.

40.14

כִּי אִם־זְכַרְתַּנִי אִתְּךָ כַּאֲשֶׁר יִיטַב לָךְ וְעָשִׂיתָ־נָּא עִמָּדִי חָסֶד וְהִזְכַּרְתַּנִי אֶל־פַּרְעֹה וְהוֹצֵאתַנִי מִן־הַבַּיִת הַזֶּה:

Lembra-te de mim. Foi como se José tivesse dito: "Estou te fazendo este favor. Estou predizendo um fim bom para tua tribulação. Quando fores reintegrado, diante do Faraó, lembra-te de mim. E ajuda-me a sair deste lugar terrível". Embora José tivesse sido elevado à posição de supervisor, continuava detido em um lugar miserável. Uma ave presa em uma gaiola, mesmo que se trate de uma bela gaiola, dificilmente pode sentir-se feliz. José era uma pessoa extraordinária; mas, apesar disso, o copeiro-chefe conseguiu esquecer-se dele (vs. 23). Mas após dois anos, quando o Faraó precisou de um intérprete, mas não pôde arranjar nenhum, então o copeiro-chefe lembrou-se de José (Gn 41.9 ss.).

Nunca prendi um animal. Até mesmo as aves e as feras são inteligentes o bastante para saber que, presas, estão em uma situação desesperadora. Os jardins zoológicos são prisões. Alguns homens são prisioneiros de sistemas de pensamento. O conhecimento, porém, liberta. Sistemas doutrinários estreitos também são prisões que escravizam seus prisioneiros voluntários, embora não passem de cativos. Quase todas as denominações religiosas promovem sistemas doutrinários bitolados. Seus sistemas atuam como portas e janelas. Abrem uma janela para alguma verdade, mas fecham as portas para outras verdades. É mister muito tempo para que um homem se liberte desse tipo de prisão.

40.15

כִּי־גֻנֹּב גֻּנַּבְתִּי מֵאֶרֶץ הָעִבְרִים וְגַם־פֹּה לֹא־עָשִׂיתִי מְאוּמָה כִּי־שָׂמוּ אֹתִי בַּבּוֹר:

Fui roubado da terra dos hebreus. Alguns críticos pensam que este versículo reflete uma tradição que diz que José foi sequestrado pelos ismaelitas, e não vendido a eles por seus irmãos. Todavia, não há motivo para considerarmos que uma das supostas fontes informativas do Gênesis teria de contradizer outras fontes, embora seus irmãos tenham levado a culpa disso, e não os ismaelitas (ou midianitas). O trecho de Gênesis 37.25 diz ismaelitas, ao passo que Gênesis 37.36 diz midianitas. Tento alguma espécie de reconciliação entre esses dois pequenos informes, nos citados versículos. Quando José diz aqui que fora "roubado", isso significa que ele estava inocente quanto a toda a questão. Ele sofreu um exílio forçado, que não merecia.

Hebreus. Esse vocábulo é usado pela primeira vez na Bíblia, no tocante a Abraão, em Gênesis 14.13, onde dou explicações a respeito. Abraão e seus descendentes vagueavam pela terra de Canaã, embora tivessem centros como em Hebrom, Siquém e Berseba, pois viviam em regime de seminomadismo. A terra não lhes pertencia, mas eles a tinham adotado. Mas pertenceria aos descendentes de Abraão, depois de sofrerem exílio e escravidão no Egito. E hoje em dia, novamente, está organizada a nação de Israel (desde maio de 1948).

Nesta masmorra. José começou seu período de aprisionamento em uma masmorra, a parte pior de uma prisão, reservada aos mais perigosos e desprezíveis criminosos, embora fosse inocente do "crime" de que o tinham acusado. Sendo inocente, ele merecia ser lembrado diante do Faraó, para que este ordenasse sua soltura daquele lugar miserável.

40.16

וַיַּרְא שַׂר־הָאֹפִים כִּי טוֹב פָּתָר וַיֹּאמֶר אֶל־יוֹסֵף אַף־אֲנִי בַּחֲלוֹמִי וְהִנֵּה שְׁלֹשָׁה סַלֵּי חֹרִי עַל־רֹאשִׁי:

O Padeiro Também Conta o seu Sonho. Quando o padeiro-chefe viu que José tinha entendido o sonho do copeiro-chefe, também quis contar seu sonho e receber a sua interpretação, sobretudo diante do fato de que o sonho de seu colega prometia uma mudança espetacular para melhor.

Três cestos de pão alvo. Os sonhos, com frequência, usam as coisas ordinárias da vida cotidiana, incluindo detalhes da ocupação diária do sonhador. Esse itens tornam-se símbolos de coisas importantes em nossa vida, e podem ser manipuladas nos sonhos. O vs. 18 mostra qual a interpretação dos cestos, que equivalem aos três ramos do sonho do copeiro-chefe (vs. 10). Há um detalhado artigo com ilustrações sobre os *Cestos*, no *Dicionário*. Os cestos aqui referidos provavelmente eram feitos de vime, com a casca retirada, o que lhes daria um colorido esbranquiçado. Nossa versão portuguesa, entretanto, indica que os pães é que eram alvos.

40.17

וּבַסַּל הָעֶלְיוֹן מִכֹּל מַאֲכַל פַּרְעֹה מַעֲשֵׂה אֹפֶה וְהָעוֹף אֹכֵל אֹתָם מִן־הַסַּל מֵעַל רֹאשִׁי:

Havia de todos os manjares. Por cima de todos os outros produtos, que enchiam os cestos, havia manjares deliciosos, preparados para serem consumidos pelo Faraó. Havia pães, pastéis, tortas, massas etc., uma agradável variedade de coisas que demonstravam a sua habilidade de confeiteiro.

Mas o padeiro-chefe, em seu sonho, ficou consternado ao ver que todo o seu labor era reduzido a nada porque vinham aves do céu e devoravam o que tinha sido preparado para o Faraó, deixando suas mãos vazias, sem nada para apresentar. Essa era a parte de mau agouro do sonho, e que determinava a sua interpretação. Nesse detalhe havia perda. O vs. 19 nos dá a interpretação do sonho.

40.18

וַיַּעַן יוֹסֵף וַיֹּאמֶר זֶה פִּתְרֹנוֹ שְׁלֹשֶׁת הַסַּלִּים שְׁלֹשֶׁת יָמִים הֵם׃

A interpretação é esta. José nem hesitou. Ele era muito habilidoso nessa questão de interpretação de sonhos. Além disso, ele dispunha da iluminação divina quanto à questão (vs. 8).

Os três cestos também simbolizavam três dias, tal como sucedera aos três ramos (vs. 12). O conteúdo dos cestos era produto de um dia de trabalho, ou seja, um dia.

40.19

בְּעוֹד שְׁלֹשֶׁת יָמִים יִשָּׂא פַרְעֹה אֶת־רֹאשְׁךָ מֵעָלֶיךָ וְתָלָה אוֹתְךָ עַל־עֵץ וְאָכַל הָעוֹף אֶת־בְּשָׂרְךָ מֵעָלֶיךָ׃

Faraó te tirará fora a cabeça. Há aqui um jogo de palavras humorístico. No caso do copeiro-chefe, este teria sua cabeça levantada, ou seja, seria reabilitado (vs. 13); em outras palavras, seria tirado da tristeza e da lamentação, para a alegria e a vitória, visto que seria restaurado. No caso do padeiro-chefe, todavia, ele seria decapitado. Após ser-lhe decepada, sua cabeça seria pendurada em uma árvore, mostrando escárnio à sua pessoa e aos seus direitos, em total desconsideração por sua vida. E, então, as aves viriam comer suas carnes, tal como tinham comido dos pães e outros produtos nos cestos. O trecho de 2Samuel 21.9,10 e outros registros antigos mostram que o corpo dos piores criminosos era deixado para ser devorado pelas aves. No Egito, decapitação e enforcamento eram modos de execução capital. O corpo era pendurado em uma árvore, por meio de ganchos, usualmente presos às mãos. Ver Lamentações 5.12.

40.20

וַיְהִי בַּיּוֹם הַשְּׁלִישִׁי יוֹם הֻלֶּדֶת אֶת־פַּרְעֹה וַיַּעַשׂ מִשְׁתֶּה לְכָל־עֲבָדָיו וַיִּשָּׂא אֶת־רֹאשׁ שַׂר הַמַּשְׁקִים וְאֶת־רֹאשׁ שַׂר הָאֹפִים בְּתוֹךְ עֲבָדָיו׃

No terceiro dia. Coincidente com o aniversário natalício de Faraó, correspondente aos símbolos dos três ramos e dos três cestos dos sonhos. Os sonhos precognitivos podem predizer dias e datas específicos, mormente quando os acontecimentos preditos não estão longe. Mas quanto mais distantes estiverem esses acontecimentos, mais obscuro se tornará o elemento tempo. Cf. a celebração do aniversário natalício de Herodes, em Mateus 14.6 ss.

Aniversário de nascimento de Faraó. Foi um dia festivo. Favorável à soltura de certos prisioneiros (cf. Jó 18.39). Alguns eruditos creem que, no Egito, esse não era um dia de execuções, e a fonte original da história dizia que tanto o copeiro-chefe quanto o padeiro-chefe foram soltos nesse dia. Mas isso labora contra a mensagem principal do capítulo, a interpretação dos sonhos, por parte de José, o que o fez chegar, finalmente, à presença de Faraó, um degrau para sua subida ao poder. A páscoa, entre os judeus, também era dia de libertação, e não de execução. Portanto, podemos supor aqui que o padeiro-chefe, por ser culpado de algum pecado grave, foi executado, ao passo que outros prisioneiros foram soltos, provavelmente como lição para outros criminosos potenciais.

Provavelmente, ambos os oficiais seriam submetidos a juízo. Mas nesse julgamento, um deles foi declarado inocente (o copeiro-chefe), ao passo que o outro foi condenado, quando sua culpa foi comprovada. As expressões usadas indicam que as predições de José foram cumpridas com exatidão.

40.21

וַיָּשֶׁב אֶת־שַׂר הַמַּשְׁקִים עַל־מַשְׁקֵהוּ וַיִּתֵּן הַכּוֹס עַל־כַּף פַּרְעֹה׃

Ao copeiro-chefe reintegrou. Sucedeu com ele exatamente o que seu sonho tinha previsto. O copo de Faraó foi posto de novo em sua mão, que ele passou a usar como veículo de sua ocupação. Ver os vss. 10 e 11. Alguns sonhos são vagos e cumprem-se em termos apenas gerais. Mas outros são tão precisos que até detalhes aparentemente secundários têm cumprimento. Este versículo dá a entender que o copeiro-chefe era inocente do alegado crime que o mandara à prisão. Se ele tinha cometido algum erro, este era muito leve. O trecho de Gênesis 41.9 subentende que ele teria feito alguma coisa errada, que lhe foi perdoada.

40.22

וְאֵת שַׂר הָאֹפִים תָּלָה כַּאֲשֶׁר פָּתַר לָהֶם יוֹסֵף׃

Ao padeiro-chefe enforcou. Conforme é dito no vs. 19. Seu cadáver ficou exposto às aves de rapina, em total desgraça e desconsideração pelo valor de uma vida humana. Ele fora condenado como culpado de algum ato de traição, de alguma maquinação contra a vida do Faraó, ou de algum outro crime hediondo. E assim as predições de José mostraram-se exatas, e isso preparou o caminho para sua ascensão ao poder no Egito, porquanto o Faraó lhe daria atenção, por ser ele um intérprete especialista de sonhos. Gênesis 41.11 ss.

40.23

וְלֹא־זָכַר שַׂר־הַמַּשְׁקִים אֶת־יוֹסֵף וַיִּשְׁכָּחֵהוּ׃ פ

dele se esqueceu. Existem pecados de comissão e de omissão. "... aquele que sabe que deve fazer o bem, e não o faz, nisso está pecando" (Tg 4.17). Alguns eruditos têm visto na situação uma pitada de humor. Muitas coisas que fazemos são pecaminosas. Há um sem-número de tentações. O pecado manifesta-se sob inúmeras variedades, e deixamo-nos arrastar para muitas delas. Mas mesmo que nos tornássemos perfeitos e não cometêssemos nenhum pecado, mas deixássemos de praticar o que é certo, também assim estaríamos pecando. O pecado é algo muito sério. Tudo quanto fazemos é importante. Nossa vida não consiste meramente em evitar os pecados ativos. Também devemos ser ativamente bons, prestativos, obedientes à lei do amor a Deus e ao próximo. Ver no *Dicionário* o artigo intitulado *Amor*.

José já havia sofrido duas traições: a primeira vez, às mãos de seus irmãos, que o tinham vendido como escravo; e a segunda vez, às mãos da esposa de Potifar, que o havia caluniado de tentativa de sedução. E agora, era novamente traído. Ele tinha feito o bem, mas o bem não lhe tinha sido retornado, embora tivesse feito ao copeiro-chefe o pedido especial de ser relembrado na presença do Faraó (vs. 14). Isso faz-nos lembrar dos dez leprosos que foram purificados por Jesus (Lc 17.11-19). Todos os leprosos tinham sido curados, mas somente um incomodou-se em voltar e agradecer ao Senhor.

A omissão do copeiro-chefe não foi maliciosa, como no caso dos pecados anteriores contra José; mas foi uma falha extremamente desiludidora e desanimadora. O copeiro-chefe havia recebido um imenso benefício, mas continuou vivendo casualmente, em seu esquecimento. "Os pecados de omissão são o nosso pior descrédito" (Walter Russell Bowie, *in loc.*). Isso porque são negações da lei do amor, a base e a prova da própria espiritualidade. 1João 4.7 ss. A espiritualidade não reside em algum credo, nem nas boas intenções que sempre temos. Precisamos realizar o que é bom. Devemos ser sensíveis e corresponder às necessidades alheias. É um erro prometer fazer algum bem, e, então, esquecer. Isso mostra superficialidade e falta de convicção. Nosso cérebro tem desenvolvidos completos sistemas de memórias, que visam principalmente ao nosso próprio interesse. E precisamos ser treinados cerebral e espiritualmente para sentirmos e reagirmos favoravelmente às necessidades de outras pessoas. Algumas vezes, o esquecimento ocorre de forma propositada. Praticar o bem parece-nos por demais trabalhoso quando se trata de ajudar a certas pessoas. Não temos tempo para elas. E então nos justificamos, dizendo: "Esqueci-me". Mas o que realmente desejamos dizer é: "Não estou interessado em você e em seus problemas". Além disso, existe aquela questão da gratidão, a qual deveria inspirar-nos a fazer o bem por outras pessoas, tal como outras pessoas nos têm feito o bem.

O copeiro-chefe esqueceu-se de José, mas Deus não. O Senhor estava com José (Gn 39.2,21). Não estava longe uma completa reversão da sorte. Algumas vezes, precisamos que Deus reverta a nossa sorte.

CAPÍTULO QUARENTA E UM

JOSÉ INTERPRETA OS SONHOS DO FARAÓ (41.1-37)

Os críticos atribuem esta seção a uma combinação das fontes informativas J e E, com algumas adições da fonte P(S). Ver no *Dicionário* o artigo *J.E.D.P.(S.)* quanto à teoria das fontes múltiplas do Pentateuco.

José já havia sido traído por duas vezes. Uma, por seus próprios irmãos, que o tinham vendido como escravo, razão pela qual ele fora levado ao Egito (Gn 37). Depois, pela mulher de Potifar, que o acusara falsamente de tentar seduzi-la (Gn 39). Por causa desse alegado crime, Potifar lançara José no cárcere, na prisão dos prisioneiros do rei, onde fora posto na masmorra. Mas sua condição melhorou quando o carcereiro percebeu as excelentes qualidades dele; e assim José tornou-se supervisor da prisão. Foi ali que veio a conhecer o copeiro-chefe e o padeiro-chefe de Faraó, e foi capaz de interpretar os sonhos que eles haviam tido. O primeiro seria libertado dentro de três dias, e o segundo seria executado dentro do mesmo prazo (Gn 40). A grande habilidade de José na interpretação de sonhos foi o fator que, afinal, o levou à presença do próprio Faraó. Destarte, a providência divina estava dirigindo a vida de José, pois essa circunstância era necessária para que ele chegasse à posição de autoridade que Deus tinha determinado para ele no Egito. E esse fator, por sua vez, foi necessário para que houvesse o começo da formação da nação de Israel, no Egito. Ver no *Dicionário* os artigos *Providência de Deus* e *Sonhos*.

Nos dias de Abraão, não poderia ser possuída ainda a Palestina (terra de Canaã). Antes disso, era mister que se enchesse a taça das iniquidades dos amorreus (Gn 15.16). Somente então o território poderia passar para a posse dos filhos de Israel. Ademais, casamentos mistos com cananeus pagãos haviam começado a ameaçar macular a pureza racial e de costumes dos filhos de Jacó (Gn 38). Portanto, ainda em seus primeiros passos, a nação de Israel, em formação, precisou descer ao Egito, onde sua identidade racial seria preservada. De outra sorte, a família de Jacó poderia acabar absorvida pelos vários grupos cananeus. Havia o Pacto Abraâmico a ser cumprido (ver as notas a respeito em Gn 15.18), e isso só poderia acontecer se fosse levantada uma nação que perpetuasse a linhagem de Abraão-Isaque--Jacó-Judá-Perez-Messias. Isso posto, a providência de Deus estava cuidando de todos os detalhes envolvidos. Nada estava acontecendo ao acaso.

José era um homem-chave dentro da providência divina. Foi enviado ao Egito (contra a sua vontade), a fim de preparar o caminho para os seus irmãos, os quais, no exílio, haveriam de tornar-se os patriarcas de Israel. Este capítulo 41 mostra-nos como, contra todas as probabilidades, José foi levantado à posição de grande autoridade no Egito, um aspecto essencial do plano divino.

■ 41.1

וַיְהִי מִקֵּץ שְׁנָתַיִם יָמִים וּפַרְעֹה חֹלֵם וְהִנֵּה עֹמֵד עַל־הַיְאֹר:

Passados dois anos completos, José continuava na prisão, servindo como supervisor. Mas ele permanecia em um estado miserável. O copeiro-chefe o tinha esquecido, mas não Deus. A habilidade de José como intérprete de sonhos abriria o caminho adiante dele. A interpretação de sonhos era importante para os egípcios, e intérpretes profissionais de sonhos ganhavam a vida exercendo sua atividade. "Então Deus usou dois sonhos para elevar José da miséria da prisão para o esplendor da corte. José tinha mostrado que era fiel a Deus, e, por conseguinte, apto para o serviço" (Allen P. Ross, *in loc.*).

Faraó. Ver no *Dicionário* o artigo com esse título, sobretudo em seu terceiro ponto, no qual se mostra como tem havido tentativas para identificar o Faraó que entrou em negociações com José.

Um sonho. Provi um detalhado artigo sobre os sonhos. Ver no *Dicionário* o artigo intitulado *Sonhos*. Ver também Gênesis 37.5 e 40.5, onde ofereço comentários e informações adicionais. Apesar de muitos sonhos estarem envolvidos apenas com o cumprimento de desejos (dando-nos mentalmente aquilo que desejamos intensamente), outros ocupam-se do solucionamento de problemas. E também há sonhos espiritualmente significativos.

Junto ao Nilo. Ver sobre esse rio no *Dicionário*. É natural que o grande rio do Egito fosse cena de um sonho dado ao Faraó. O sonho do Faraó foi-lhe dado pela providência divina. Antes de tudo, porque Deus, em um sentido, é o Pai de todos, interessado como está por toda a sua criação. E, secundariamente, porque José seria elevado a grande posição de autoridade, mediante a circunstância de sonhos dados a Faraó. Cf. a situação de Daniel, refletida nos sonhos de Nabucodonosor (Dn 2).

■ 41.2

וְהִנֵּה מִן־הַיְאֹר עֹלֹת שֶׁבַע פָּרוֹת יְפוֹת מַרְאֶה וּבְרִיאֹת בָּשָׂר וַתִּרְעֶינָה בָּאָחוּ:

Sete vacas... gordas. Elas estavam nédias e se alimentando, símbolo de abundância, conforme depreendemos da interpretação no vs. 29. Esse sonho do Faraó combinava o rio e as vacas, dois importantes elementos da civilização egípcia.

"Os sonhos do Faraó desenvolveram-se a partir de conceitos profundamente arraigados no pensamento egípcio. O rio Nilo, de onde provinham a fertilidade e a própria vida no Egito, era venerado na antiguidade como o pai dos deuses. Nas gravuras de entalhe egípcias, o touro era representação do Nilo, algumas vezes acompanhado por sete vacas. Assim, no labirinto do subconsciente de onde partem os sonhos, alguma premonição de desastre tomou forma na mente do Faraó... Faraó... estava à sombra de um portento que o deixara perplexo e deprimido" (Walter Russell Bowie, *in loc.*).

Sonhos Precognitivos. Temos entre vinte a trinta sonhos por noite. Alguns deles projetam o futuro. Estudos feitos em laboratório mostram isso de forma absoluta. Alguns deles podem prever "futuros possíveis", que podem vir a ter cumprimento ou não. Mas há alguns sonhos precognitivos que são incrivelmente exatos, contra todas as taxas de probabilidades. E há também sonhos espirituais, que são o outro lado da moeda das visões (Jl 2.28; At 2.17). No islamismo, os sonhos são considerados um aspecto do ofício profético; e isso concorda com o ensino bíblico.

Pastavam no carriçal. Ver sobre isso nas notas sobre o vs. 18. As vacas, consideradas consagradas a Ísis, eram em número de sete. O Ritual dos Mortos retratava sete vacas sagradas, juntamente com o touro divino. Temos aí o suprimento de nossas necessidades materiais caracterizado como algo divino, o que é uma percepção verdadeira, embora representada de uma maneira crua e supersticiosa.

■ 41.3

וְהִנֵּה שֶׁבַע פָּרוֹת אֲחֵרוֹת עֹלוֹת אַחֲרֵיהֶן מִן־הַיְאֹר רָעוֹת מַרְאֶה וְדַקּוֹת בָּשָׂר וַתַּעֲמֹדְנָה אֵצֶל הַפָּרוֹת עַל־שְׂפַת הַיְאֹר:

Sete vacas... magras. Elas eram, além de magras, feias à vista, doentias. Depois das vacas gordas, elas saíam de dentro do rio Nilo, e punham-se ao lado das primeiras. Os dois tipos de vacas eram assim postos em contraste, mostrando que primeiro haveria as vacas gordas, e, depois, as magras. Ver o vs. 27 quanto à interpretação dada por José. Um segundo sonho do Faraó revelava as mesmas coisas, posto que mediante símbolos diferentes (ver os vss. 6 ss.). Os sonhos ocorrem em séries. As mesmas coisas podem ser representadas por diferentes símbolos. Em uma única noite, podemos sonhar sobre uma mesma coisa mediante diferentes sonhos. Pessoalmente, tenho algumas vezes pedido que algum sonho particularmente vago e difícil de entender me seja dado de forma diferente, mais simples, usando símbolos que eu possa compreender com mais facilidade. Avizinhava-se do Egito, primeiro, abundância, e depois, escassez. E o uso devido da abundância ajudaria a nação inteira a atravessar galhardamente o período de escassez. É possível que o Faraó tenha tido vários sonhos relativos a isso, empregando uma certa variedade de símbolos. Aqueles que temos neste capítulo do Gênesis, porém, são os que Deus deu a Faraó e ficaram registrados por inspiração.

Os belos sonhos do livro de Gênesis vinculados aos patriarcas Abraão, Jacó e José mostram a autenticidade dos relatos, ou, então, temos de entender que o próprio autor sagrado foi especialista em sonhos e sua interpretação.

■ 41.4

וַתֹּאכַלְנָה הַפָּרוֹת רָעוֹת הַמַּרְאֶה וְדַקֹּת הַבָּשָׂר אֵת שֶׁבַע הַפָּרוֹת יְפֹת הַמַּרְאֶה וְהַבְּרִיאֹת וַיִּיקַץ פַּרְעֹה:

Um Espantoso Acontecimento. Enquanto o Faraó observa as cenas de seus sonhos, admirado e perplexo, subitamente ocorreu uma coisa chocante. As vacas magras e feias devoraram as vacas gordas e bonitas; e isso o fez acordar. Sonhamos em momentos de sono leve e de movimentos rápidos dos olhos (em inglês, usa-se a sigla REM para indicar esses períodos). Um sonho chocante por muitas vezes acorda a pessoa. Provavelmente, esse mecanismo ajuda-nos a memorizar nossos sonhos. As experiências com sonhos nos estão ajudando a relembrar os sonhos. Isso pode vir a resultar em uma perfeita memória sobre eles. Nesse caso, obteremos um valioso instrumento para entender a vida e para melhor conduzir a nossa vida diária. Sonhar, em sua faceta mais profunda, é uma herança espiritual.

Ver o vs. 7 quanto ao uso de elementos (símbolos) bizarros nos sonhos, por parte da mente subconsciente. Na estação quente, quando aparecem muitas moscas, as vacas entram no Nilo e submergem quase inteiramente, preferindo ficar entre as canas das margens. Depois de algum tempo ali, saem da água a fim de pastar.

■ 41.5

וַיִּישָׁן וַיַּחֲלֹם שֵׁנִית וְהִנֵּה שֶׁבַע שִׁבֳּלִים עֹלוֹת בְּקָנֶה אֶחָד בְּרִיאוֹת וְטֹבוֹת:

O Segundo Sonho de Faraó. Um novo conjunto de imagens projetou a mesma mensagem. Isso é comum nos sonhos. Algumas vezes, sonhos dados numa mesma noite são ligados por uma espécie de elo que nos confere entendimento. Uma mesma mensagem é assim projetada, posto que através de símbolos diferentes. Problemas especialmente difíceis podem provocar muitos sonhos, durante um bom período de tempo. É provável que o Faraó tenha recebido vários sonhos parecidos com os dois que figuram neste capítulo.

Sete espigas cheias e boas. Elas equivaliam às sete vacas gordas. Dessa vez os símbolos foram menos óbvios, pois quem já ouviu falar em espigas devorando outras espigas? Na verdade, porém, as vacas também não comem vacas, embora seja verdade que muitos animais devoram outros animais. Ver os vss. 26 e 27 quanto à interpretação dada por José.

"O trigo cultivado no Egito chama-se *Triticum compositum,* pois produz várias espigas que saem de uma mesma haste. A afirmação de Heródoto (ii.36) de que os egípcios reputavam uma desgraça achar trigo ou cevada não é comprovada pelas pinturas murais dos templos, especialmente no distrito de Tebas, que mostram que essa era a colheita principal naquele lugar" (Ellicott, *in loc.*).

■ 41.6

וְהִנֵּה שֶׁבַע שִׁבֳּלִים דַּקּוֹת וּשְׁדוּפֹת קָדִים צֹמְחוֹת אַחֲרֵיהֶן:

As sete espigas mirradas equivaliam às sete vacas magras. Quando soprava o vento oriental, proveniente do deserto da Arábia, nenhuma plantação podia resistir. O vento oriental funciona aqui como uma espécie de expressão geral para indicar todas as coisas capazes de prejudicar a colheita, como doenças, míldio, gafanhotos etc. Ver Êxodo 10.13; 14.21; Salmo 78.26; Ezequiel 17.10; Jonas 4.8. Ver especialmente Oseias 13.15 quanto ao poder destrutivo daquele vento. Na Palestina, os ventos prevalentes sopram do ocidente ou do oriente. E o vento oriental é precisamente o que sopra vindo de áreas desérticas. No Egito, porém, os ventos prevalentes sopram do sul ou do norte, mas o vento que sopra do sudeste, chamado "chamsin", é o que mais danifica as plantações. Os hebreus não tinham nomes para ventos que sopravam de certas direções, como sudoeste, nordeste etc., pelo que um vento vindo de sudeste era chamado de oriental. O destrutivo vento oriental era chamado na Palestina de *siroco.* Ver no *Dicionário* os artigos *Vento* e *Vento Oriental.*

■ 41.7

וַתִּבְלַעְנָה הַשִּׁבֳּלִים הַדַּקּוֹת אֵת שֶׁבַע הַשִּׁבֳּלִים הַבְּרִיאוֹת וְהַמְּלֵאוֹת וַיִּיקַץ פַּרְעֹה וְהִנֵּה חֲלוֹם:

Devoraram. Os sonhos têm uma certa "licença poética", pela qual podem indicar atos que nunca esperaríamos. Usualmente, quando sonhamos, não pensamos em quão tola é alguma ação. Ao despertarmos, porém, percebemos quão improváveis são certos sonhos. Mas os sonhos não buscam probabilidades, apenas comunicação. Muitas coisas esdrúxulas aparecem em nossos sonhos, tais como espigas de trigo que devoram outras espigas de trigo! Esse caráter estranho dos sonhos tem produzido a teoria de que os sonhos envolvem um período de loucura temporária. Mas isso ignora o valor de símbolos estranhos que podem enfatizar as coisas melhor do que símbolos mais realistas. O exagero é uma ferramenta da mente subconsciente, com seus emblemas bizarros. Entretanto, os símbolos bizarros são mais bem relembrados do que os símbolos realistas. A hipnose pode revelar-nos qual o sentido de símbolos estranhos. A mente subconsciente sabe qual o significado desses símbolos. Mas muitas pessoas que, sob o estado hipnótico, revelam os sentidos de símbolos incomuns, ao despertarem, com frequência negam que estes ou aqueles símbolos têm este ou aquele significado. Isso deve-se à natureza prosaica da mente consciente, que tem pouca imaginação.

■ 41.8

וַיְהִי בַבֹּקֶר וַתִּפָּעֶם רוּחוֹ וַיִּשְׁלַח וַיִּקְרָא אֶת־כָּל־חַרְטֻמֵּי מִצְרַיִם וְאֶת־כָּל־חֲכָמֶיהָ וַיְסַפֵּר פַּרְעֹה לָהֶם אֶת־חֲלֹמוֹ וְאֵין־פּוֹתֵר אוֹתָם לְפַרְעֹה:

Os magos. Há um artigo com esse nome na *Enciclopédia de Bíblia, Teologia e Filosofia.* Ver no *Dicionário* da presente obra o artigo sobre *Adivinhação.* Os magos do presente texto incluíam intérpretes profissionais de sonhos, alguns dos quais trabalhavam a serviço de reis. Muito provavelmente também estavam incluídos escribas sagrados, hábeis para escrever e ler os hieróglifos, alguns dos quais eram psíquicos ou místicos de alguma espécie, antigos médiuns, conhecedores das artes ocultas. Entre eles havia muitos indivíduos fraudulentos, talvez a maior porcentagem deles; mas aqui e ali era possível achar um verdadeiro psíquico. Também manifestavam-se poderes demoníacos; mas até hoje, quase tudo quanto sucede é natural e pertinente à natureza humana, embora de uma maneira não bem compreendida. Ver na *Enciclopédia* acima referida o artigo chamado *Parapsicologia.* E, no *Dicionário,* ver os verbetes *Demônios* e *Demonologia,* e um estudo mais completo a respeito nessa mesma enciclopédia. A astrologia (ver a respeito no *Dicionário*) fazia parte das sociedades mais sofisticadas, como a do Egito e a da Babilônia, e não há que duvidar que as pessoas mencionadas neste versículo eram praticantes da astrologia.

Todos os seus sábios. Outro grupo de estudiosos, homens conhecidos por sua sabedoria e conhecimento religioso, entre os quais havia alguns psíquicos, místicos e praticantes das artes ocultas. Sobre os sábios *(chacameyha),* Porfírio diz que eram adoradores de Deus e estudavam todos os ramos do conhecimento. Também sabe-se que eles dedicavam suas vidas ao estudo, à contemplação, à astronomia (antigamente chamada astrologia), à autopurificação, à matemática, à geometria, ao cântico de hinos e à adoração a diversas divindades, em tudo o que sentiam grande prazer. Eram amantes da sabedoria, e, em certo sentido, foram os primeiros filósofos.

Propósito. O autor sacro quis dar a entender que toda a sabedoria dos povos pagãos, incluindo as artes ocultas, era inferior à sabedoria da verdadeira religião de Israel. Cf. Êxodo 8.18,19; 9.11; Daniel 2.2-19; 5.8,15-28.

O Copo de Adivinhar. O próprio José usava meios de adivinhação. Gênesis 44.2,5. Talvez fosse uma espécie de crua bola de cristal, uma taça de prata que, uma vez cheia de água, funcionava como uma bola de cristal. Os eruditos cristãos surpreendem-se por encontrar coisas assim entre os hebreus; mas não podemos esquecer que eles, como um povo, também tinham seus métodos de adivinhação, posto que aprovados, por terem sido dados por Deus. Meu artigo intitulado *Adivinhação* (no *Dicionário*) dá ilustrações amplas sobre isso. Outrossim, a mente humana é capaz de algum feito dessa ordem, por meios naturais, apesar do fato de que, no caso de algumas pessoas, tudo acaba misturado com o demonismo.

No vs. 16, José dá a Deus o crédito por seus poderes, o que sucede à maioria dos místicos verdadeiros. Ver no *Dicionário* o artigo intitulado *Misticismo.* Por definição básica, o misticismo é o contato com algum poder superior (interior, como se vê no misticismo oriental; ou externo, como no misticismo ocidental). Qualquer experiência espiritual autêntica é mística, e os sonhos e as visões espirituais fazem parte de um franco misticismo, por ser resultado da presença e da influência do Espírito de Deus, através de dons espirituais etc. Há um misticismo falso, tanto quanto há um misticismo autêntico, conforme o artigo acima referido deixa claro. Há um misticismo natural e há um misticismo espiritual. Qualquer espírito humano, mesmo nesta vida, possui poderes místicos, que lhe pertencem somente por ser um espírito. Mas algumas vezes o Espírito de Deus manifesta-se através de um crente. Algumas vezes a presença divina torna-se um glorioso fato.

■ 41.9

וַיְדַבֵּר שַׂר הַמַּשְׁקִים אֶת־פַּרְעֹה לֵאמֹר אֶת־חֲטָאַי אֲנִי מַזְכִּיר הַיּוֹם:

Lembro-me hoje. Em meio ao que parecia um total fracasso, o copeiro-chefe veio em socorro de José. Vendo toda aquela agitação em torno de interpretação de sonhos, ele se lembrou de José. E fez, finalmente, o que deveria ter feito dois anos antes (vs. 1), e que José lhe havia pedido especificamente. Ver as notas sobre os pecados de omissão e de esquecimento, em Gênesis 40.23.

Uma Palavra de Agradecimento. O copeiro-chefe começou seu breve discurso com uma palavra de agradecimento, no sentido de que, embora tivesse cometido um erro, tinha sido perdoado e restaurado. Agora, procurava fazer reparação. Ver no *Dicionário* o artigo *Reparação (Restituição)*. Ver Gênesis 40.1-3 quanto ao encarceramento do copeiro-chefe e do padeiro-chefe, bem como sobre os ofícios daqueles dois homens.

■ 41.10

פַּרְעֹה קָצַף עַל־עֲבָדָיו וַיִּתֵּן אֹתִי בְּמִשְׁמַר בֵּית שַׂר הַטַּבָּחִים אֹתִי וְאֵת שַׂר הָאֹפִים:

Este versículo reitera os elementos de Gênesis 40.2,3, onde tais elementos são comentados. Ver as notas em Gênesis 39.20, quanto à *prisão do rei.*

■ 41.11

וַנַּחַלְמָה חֲלוֹם בְּלַיְלָה אֶחָד אֲנִי וָהוּא אִישׁ כְּפִתְרוֹן חֲלֹמוֹ חָלָמְנוּ:

Tivemos um sonho. Ver Gênesis 40.8 quanto a essa circunstância. Naquele texto, são registrados os sonhos dos dois homens, bem como a interpretação dada por José quanto a ambos os sonhos. Ver no *Dicionário* o artigo *Sonhos.* Deus emprega nossos sonhos. No caso de José, o interesse pelos sonhos e pela sua interpretação proveu a oportunidade da ascendência de José ao poder, no Egito.

■ 41.12

וְשָׁם אִתָּנוּ נַעַר עִבְרִי עֶבֶד לְשַׂר הַטַּבָּחִים וַנְּסַפֶּר־לוֹ וַיִּפְתָּר־לָנוּ אֶת־חֲלֹמֹתֵינוּ אִישׁ כַּחֲלֹמוֹ פָּתָר:

Um jovem hebreu. Temos aqui a quarta vez em que esse adjetivo pátrio é usado na Bíblia. Ver Gênesis 14.13; 39.14,17. Em Gênesis 14.13 forneço notas sobre esse adjetivo. Ver também, no *Dicionário,* o artigo intitulado *Hebreus (Povo).*

Servo do comandante da guarda, ou seja, de Potifar. Ver Gênesis 37.36. José tinha sido vendido como escravo a Potifar, sendo este um oficial militar de grande importância, pois servia diretamente ao Faraó. José tinha demonstrado ser possuidor de um caráter superior, e fora nomeado *supervisor* da casa de Potifar (Gn 39.3). O Senhor estava com José, pelo que, por onde quer que ele fosse, prosperava tanto ele quanto os que estivessem com ele. (Gn 39.2). Mas, devido a uma acusação caluniosa, José acabou sendo lançado na prisão, onde também veio a conhecer o copeiro-chefe e o padeiro-chefe, que também tinham sido encarcerados ali (Gn 39.17 ss.).

Ele no-los interpretou, a cada um segundo o seu sonho. As circunstâncias do incidente figuram em Gênesis 40.12 ss.

■ 41.13

וַיְהִי כַּאֲשֶׁר פָּתַר־לָנוּ כֵּן הָיָה אֹתִי הֵשִׁיב עַל־כַּנִּי וְאֹתוֹ תָלָה:

A Interpretação de Cada Sonho Foi Correta. O copeiro-chefe foi readmitido, mas o padeiro-chefe foi decapitado e pendurado em uma forca. Gênesis 40.18 ss. A exatidão de José como intérprete de sonhos qualificava-o para um trabalho que os melhores homens de Faraó não tinham podido fazer. Isso armou o palco para a ascensão de José como alto oficial do Egito. A nação de Israel haveria de desenvolver-se como nação em resultado disso. Os planos de Deus parecem tomar muito tempo para ter cumprimento, conforme os homens computam a passagem do tempo. Mas cada estágio desse plano é abençoado por Deus.

■ 41.14

וַיִּשְׁלַח פַּרְעֹה וַיִּקְרָא אֶת־יוֹסֵף וַיְרִיצֻהוּ מִן־הַבּוֹר וַיְגַלַּח וַיְחַלֵּף שִׂמְלֹתָיו וַיָּבֹא אֶל־פַּרְעֹה:

Mudança Determinada por Deus. Ali estava a divina intervenção. José foi libertado *às pressas* da prisão. Ele tinha querido que isso sucedesse dois anos antes (cf. Gn 40.14 e 41.1). Mas o tempo de Deus era diferente. Não sabemos dizer por que José foi deixado naquela terrível prisão por mais dois miseráveis anos. Mas Deus estava envolvido em todos aqueles acontecimentos. Os passos de um homem piedoso são determinados pelo Senhor (Sl 37.23). Ver no *Dicionário* o artigo *Providência de Deus.*

Ele se barbeou. Rapou totalmente a barba. Os egípcios tinham algo contra pelos no corpo. Era comum até raparem a cabeça. Heródoto (ii.36) adiantou que os egípcios só permitiam que seus cabelos crescessem (incluindo a barba) quando estavam de luto. Na Palestina, entre os vários povos que ali habitavam, a barba era tida como um adorno masculino, e até mesmo como sinal de sabedoria. Nos monumentos antigos somente cativos e escravos aparecem com barba. Os egípcios sempre traziam seus rostos bem barbeados. Ver no *Dicionário* o artigo intitulado *Barba.* Ver também o artigo *Cabelos,* que ilustra o fanatismo dos egípcios quanto a essa questão da remoção dos cabelos. Parece que os motivos dos egípcios eram alguma mania de higiene exagerada. Lemos que os sacerdotes egípcios mostravam-se fanáticos quanto a isso, rapando todo o pelo do corpo a cada três dias. Até as cabeças das crianças eram rapadas, mas sendo deixados cachos ao redor da cabeça, como decoração. Entretanto, as mulheres egípcias nunca rapavam os cabelos, nem mesmo quando de luto. Pelo menos, os egípcios davam seu voto de aprovação, reconhecendo a beleza da cabeleira feminina.

Mudou de roupa. A túnica multicolorida de José tinha sido manchada com sangue de um bode, quando seus irmãos quiseram dar a entender que ele morrera, para explicar a sua ausência (Gn 37.31). Tempos depois, José perdeu as suas vestes (provavelmente as mais externas) ao escapar da mulher de Potifar, que o atacara em um acesso de paixão (Gn 39.13), e essas vestes foram usadas como evidências contra ele (Gn 39.18). Mas agora lhe foram dadas *roupas novas,* quando sua nova vida, como alto oficial do Egito, estava prestes a começar. Ver também em Gênesis 41.42 quanto às vestes reais que José veio a usar. Essas vestes eram próprias de um senhor. O Senhor Deus estava com José. Não era coisa de somenos chegar ao palácio e à presença do próprio Faraó. Deus estava dirigindo todas as coisas. Contudo, era muito mais importante poder ficar de pé na presença de Deus, *aprovado.* José já tinha esse privilégio maior, e agora também lhe era conferido o privilégio menor.

■ 41.15

וַיֹּאמֶר פַּרְעֹה אֶל־יוֹסֵף חֲלוֹם חָלַמְתִּי וּפֹתֵר אֵין אֹתוֹ וַאֲנִי שָׁמַעְתִּי עָלֶיךָ לֵאמֹר תִּשְׁמַע חֲלוֹם לִפְתֹּר אֹתוֹ:

José Deveria Mostrar o seu Poder. Tudo mais tinha falhado; agora o poder de José seria submetido a teste. José negava que tivesse qualquer poder, atribuindo tudo a Deus (vs. 16). Isso também fazia parte da polêmica do autor sagrado, que estava mostrando que toda a mágica, conhecimento e devoção dos pagãos não se podiam comparar com o poder de um homem que conhecesse ao Deus de Israel. Aquilo que não pudera ser feito pelos místicos, psíquicos, médiuns e intérpretes profissionais de sonhos, Deus faria imediatamente, por meio de José. Ver as notas sobre o vs. 8 deste capítulo, quanto a detalhes.

■ 41.16

וַיַּעַן יוֹסֵף אֶת־פַּרְעֹה לֵאמֹר בִּלְעָדָי אֱלֹהִים יַעֲנֶה אֶת־שְׁלוֹם פַּרְעֹה:

Mas Deus. Quem daria a interpretação dos sonhos do Faraó seria Deus, e não José, conforme o Faraó tinha pensado. José cria no *teísmo*, e não no *deísmo*. O teísmo ensina que Deus não somente criou, mas também continua interessado pela sua criação. Deus acompanha a vida humana, recompensando e castigando, e também guiando os destinos. O deísmo, por sua vez, ensina que, embora exista um poder criador, pessoal ou impessoal, Deus abandonou a sua criação, deixando tudo ao encargo das leis naturais. Ver no *Dicionário* os artigos *Teísmo* e *Deísmo*.

O trecho de Gênesis 40.8 mostra que a interpretação dos sonhos pertence ao Senhor. Pelo menos, existem poderes internos e externos que podem ajudar qualquer dom espiritual. Os sonhos espirituais manifestam-se quando o poder de Deus faz-se presente. Além das informações gerais que forneço acerca dos *Sonhos*, no *Dicionário*, também teço comentários em Gênesis 37.5,9; 40.1-23; 41.1,2,7.

Todas as pessoas têm certos poderes psíquicos, como sonhos espirituais, incluindo os sonhos precognitivos. Mas há pessoas que têm uma espécie de previsão nacional ou mesmo internacional, podendo perceber o que sucederá em comunidades, cidades, nações, ou mesmo na comunidade das nações. José e Daniel eram homens dessa categoria.

Mediante a sua resposta, José "... levou (o rei) a esperar ajuda da parte de Deus, o único de quem deve proceder todo consolo, proteção e prosperidade" (Adam Clarke, *in loc.*).

■ 41.17,18

וַיְדַבֵּר פַּרְעֹה אֶל־יוֹסֵף בַּחֲלֹמִי הִנְנִי עֹמֵד עַל־שְׂפַת הַיְאֹר׃

וְהִנֵּה מִן־הַיְאֹר עֹלֹת שֶׁבַע פָּרוֹת בְּרִיאוֹת בָּשָׂר וִיפֹת תֹּאַר וַתִּרְעֶינָה בָּאָחוּ׃

Estes versículos repetem os elementos de Gênesis 41.1,2, onde são apresentadas notas expositivas.

Carriçal. No hebraico, uma palavra que ocorre somente aqui, no vs. 2 e em Jó 8.11, referindo-se à vegetação luxuriante que cresce ao longo de rios como o Nilo, ou a *Cyperus esculentus* dos botânicos, vulgarmente, capim do brejo.

■ 41.19

וְהִנֵּה שֶׁבַע־פָּרוֹת אֲחֵרוֹת עֹלוֹת אַחֲרֵיהֶן דַּלּוֹת וְרָעוֹת תֹּאַר מְאֹד וְרַקּוֹת בָּשָׂר לֹא־רָאִיתִי כָהֵנָּה בְּכָל־אֶרֶץ מִצְרַיִם לָרֹעַ׃

Este versículo contém os mesmos elementos que se vê em Gênesis 41.3,4, exceto pelo fato de que aqui é acrescentada a informação de que o Faraó nunca tinha visto animais tão disformes, em toda a terra do Egito. É fato que aquilo que Freud chamou de *elaboração secundária* (ou seja, adição de detalhes, quando se conta um sonho) pode contribuir para nosso conhecimento a respeito dos sonhos que temos. Ou pode também incluir o *discernimento intuitivo* quanto ao significado dos sonhos, quando os relatamos, embora tais pormenores não aparecessem no sonho propriamente dito. Um sonho provoca analogias e sugere veredas a serem seguidas, que podem não estar contidas nas imagens do próprio sonho. A imagem das vacas muito magras fê-las parecer *piores* ainda na elaboração secundária feita por Faraó, prevendo assim uma fome deveras severa.

■ 41.20

וַתֹּאכַלְנָה הַפָּרוֹת הָרַקּוֹת וְהָרָעוֹת אֵת שֶׁבַע הַפָּרוֹת הָרִאשֹׁנוֹת הַבְּרִיאֹת׃

Este versículo repete elementos do quarto versículo, onde o leitor deve ver as notas expositivas. Elementos bizarros em nossos sonhos chamam a nossa atenção e nos ajudam a lembrá-los. Os sonhos ultrapassam o que a mente prosaica imagina e, algumas vezes, entram no bizarro. Ver o vs. 7 quanto a comentários sobre detalhes inesperados e estranhos nos sonhos.

■ 41.21

וַתָּבֹאנָה אֶל־קִרְבֶּנָה וְלֹא נוֹדַע כִּי־בָאוּ אֶל־קִרְבֶּנָה וּמַרְאֵיהֶן רַע כַּאֲשֶׁר בַּתְּחִלָּה וָאִיקָץ׃

Seu aspecto continuava ruim. Apesar de terem comido as vacas gordas, o aspecto das vacas magras em nada melhorara. Este versículo repete os elementos do vs. 4, exceto por esse comentário adicional, feito pelo Faraó, mediante uma elaboração secundária. Isso indicava que coisa alguma poderia aliviar aquela fome. Se José não fizesse intervenção, haveria apenas vacas magras (fome e miséria), e nada poderia aliviar a escassez.

"Coisa alguma pode assinalar o excesso e a severidade de uma fome do que criaturas como o boi ou o hipopótamo comerem-se uns aos outros, mas sem nenhum efeito, continuando magros e disformes como antes" (Adam Clarke, *in loc.*).

Então despertei. Este versículo reitera a informação do vs. 5, onde os elementos componentes são comentados. Geralmente, os sonhos ocorrem mediante séries que tratam dos mesmos problemas, muitas vezes apresentados por intermédio de diferentes símbolos. Isso pode acontecer em uma única noite, ou, então, no período de vários dias, semanas, ou mesmo mais tempo.

■ 41.22

וָאֵרֶא בַּחֲלֹמִי וְהִנֵּה שֶׁבַע שִׁבֳּלִים עֹלֹת בְּקָנֶה אֶחָד מְלֵאֹת וְטֹבוֹת׃

Outro Sonho. Este versículo repete as informações que tinham sido dadas no quinto versículo deste capítulo, onde os elementos formadores foram comentados. Temos uma série de sonhos que tratam do mesmo problema, com frequência apresentado por meio de símbolos *diferentes*. Isso pode acontecer em qualquer noite, ou durante um período de dias, semanas ou mesmo mais tempo.

■ 41.23

וְהִנֵּה שֶׁבַע שִׁבֳּלִים צְנֻמוֹת דַּקּוֹת שְׁדֻפוֹת קָדִים צֹמְחוֹת אַחֲרֵיהֶם׃

Este versículo é igual ao vs. 6, com pequena variação de expressão. Ver as notas expositivas ali existentes. A descrição *secas* é aqui adicionada, no hebraico, uma palavra que significa *vazias*. Havia apenas talos e hastes, mas não grãos. No siríaco, a palavra cognata significa "rocha". Os grãos eram tão ressequidos que eram duros como pedras. O árabe indica que eram apenas *sombras*, e não a substância de hastes de gramíneas.

■ 41.24

וַתִּבְלַעְןָ הַשִּׁבֳּלִים הַדַּקֹּת אֵת שֶׁבַע הַשִּׁבֳּלִים הַטֹּבוֹת וָאֹמַר אֶל־הַחַרְטֻמִּים וְאֵין מַגִּיד לִי׃

Este versículo combina as informações dos vss. 7 e 8, onde o leitor deve examinar as notas expositivas. Só José tinha a capacidade de realizar a tarefa, razão pela qual não demorou a ser convocado.

■ 41.25

וַיֹּאמֶר יוֹסֵף אֶל־פַּרְעֹה חֲלוֹם פַּרְעֹה אֶחָד הוּא אֵת אֲשֶׁר הָאֱלֹהִים עֹשֶׂה הִגִּיד לְפַרְעֹה׃

O sonho... é apenas um. Embora os dois sonhos tivessem usado símbolos diferentes, tinham um só significado. Isso é comum nos sonhos. Em uma mesma noite, vários sonhos (dentre os vinte ou trinta que podemos ter a cada noite) podem projetar uma mesma mensagem, embora mediante símbolos diferentes. Ou, então, no decurso de certo período de tempo, dias, semanas, ou mesmo mais tempo, uma mesma revelação é dada. A linguagem dos sonhos dispõe de muitos recursos, e a variedade de símbolos utilizados reforça a mensagem e enfoca, sobre a mesma, a nossa atenção.

Deus. Novamente é enfatizada a origem espiritual de certos sonhos, segundo já se vira no vs. 16. Há estudos que mostram que se a maioria dos sonhos são meros cumprimentos de desejos, ou mecanismos de solucionamento de problemas, há sonhos verdadeiramente espirituais, e um sonho pode ser equivalente a uma visão (ver Jl 2.28; At 2.17). No *Dicionário* há um artigo chamado *Sonhos* em que há uma seção que trata dos sonhos espirituais. Se a maioria dos sonhos é bastante egoísta, pois trata somente do destino de indivíduos (além de algumas poucas pessoas próximas), alguns sonhos podem vasculhar até mesmo o destino de nações, conforme se vê neste texto e no segundo capítulo do livro de Daniel. Outro tanto sucede com as visões. No *Dicionário* ver o artigo chamado *Visão (Visões)*. Incidentalmente, aprendemos que Deus controla o destino das nações. Existe aquela providência divina que cuida de todas as coisas, pessoais e impessoais, sem falar no aspecto internacional e até cosmológico. Ver no *Dicionário* os artigos *Determinismo (Predestinação)* e *Livre-Arbítrio*. Ver também os verbetes *Precognição* e *Profecia*, na *Enciclopédia de Bíblia, Teologia e Filosofia*. Todos os seres humanos possuem poderes de precognição, mas Deus vê tudo quanto ainda está no futuro. E o homem, criado à sua imagem e semelhança, até certo ponto compartilha dessa qualidade. Os estudos sobre os sonhos mostram que todas as pessoas preveem o seu futuro em seus sonhos, havendo estudiosos que chegam ao extremo de dizer que todas as coisas são previstas nos sonhos, literal ou simbolicamente.

■ 41.26

שֶׁבַע פָּרֹת הַטֹּבֹת שֶׁבַע שָׁנִים הֵנָּה וְשֶׁבַע הַשִּׁבֳּלִים הַטֹּבֹת שֶׁבַע שָׁנִים הֵנָּה חֲלוֹם אֶחָד הוּא׃

O sonho é um só. Representado tanto pelas vacas gordas quanto pelas sete espigas saudáveis. Algumas vezes, os símbolos são confusos. Os sonhos envolvem símbolos diferentes, contando-nos a mesma história, e isso aclara muita coisa para nós. A mente subconsciente não se arrisca. Os sonhos transmitem para nós uma mesma mensagem por várias vezes e de várias maneiras. Temos sonhos no estágio leve do sono, de tal modo que um sonho significativo pode chocar-nos e despertar-nos, o que nos facilita lembrar dele.

■ 41.27

וְשֶׁבַע הַפָּרוֹת הָרַקּוֹת וְהָרָעֹת הָעֹלֹת אַחֲרֵיהֶן שֶׁבַע שָׁנִים הֵנָּה וְשֶׁבַע הַשִּׁבֳּלִים הָרֵקוֹת שְׁדֻפוֹת הַקָּדִים יִהְיוּ שֶׁבַע שְׁנֵי רָעָב׃

Sete anos... sete anos. Anos de fome e miséria, simbolizados pelas sete vacas magras e pelas sete espigas crestadas. José deixa aqui de lado os detalhes do sonho, que já eram conhecidos. Ele dá aqui a essência dos sonhos do Faraó. Os sonhos podem conter muitos *detalhes* significativos. Muitos sonhos não nos fornecem apenas uma *essência*. Esta é a *terceira* vez em que os sonhos do Faraó são mencionados para nós. Uma das características literárias do Pentateuco é que apela para as *repetições*. Temos nisso um item do estilo literário do autor sagrado, e não meramente um mecanismo para efeito de ênfase.

Há um interessante pequeno paralelo histórico do sonho do Faraó. Josefo narrou que *Arquelau*, filho de Herodes, sonhou com dez espigas de trigo, grandes e cheias, que foram devoradas por bois. Então procurou alguém que pudesse interpretar para ele o sonho. Finalmente, um essênio de nome Simão deu-lhe a resposta. As *espigas*, disse o essênio, eram *anos*, e os *bois* seriam mudanças radicais nas circunstâncias. E o homem disse que Arquelau ainda governaria por dez anos, mas então haveria mudanças, e ele seria tirado do governo e morreria. E assim sucedeu. (*Antiq*. 1.17 c. 15 sec. 3 e *Guerras dos Judeus* 1.2 c. 7 sec. 3).

Na interpretação de sonhos, no Egito, *vacas* passaram a significar anos, e o fato de esses animais serem gordos ou magros seriam anos bons ou ruins (conforme Grotius, extraído do *Oneirocritics* ou "intérprete de sonhos").

■ 41.28

הוּא הַדָּבָר אֲשֶׁר דִּבַּרְתִּי אֶל־פַּרְעֹה אֲשֶׁר הָאֱלֹהִים עֹשֶׂה הֶרְאָה אֶת־פַּרְעֹה׃

Deus manifestou... que ele há de fazer. Deus predisse o destino de nações. Alguns eventos são *necessários*, mas a maioria deles fica na dependência de nosso livre-arbítrio. E isso também aplica-se às nações. Ver os comentários sobre o vs. 25, onde dou várias referências a artigos sobre essas questões. No caso deste capítulo, catorze anos sucessivos foram revelados, mas a profecia preditiva pode sondar muito mais longe no futuro do que isso. A mesma coisa pode suceder com os sonhos e as visões. Excetuando o caso de pessoas extraordinárias, a previsão profética *natural* entre os seres humanos parece limitar-se a cerca de cinco anos, mas até mesmo no caso de pessoas comuns, ocasionalmente, são previstas coisas que penetram muito mais, futuro adentro.

Certas Coisas Sucediam a José de Duas em Duas. "Ele teve dois sonhos (Gn 37.5-7,9); sofreu dois períodos de aprisionamento (Gn 37.36; 39.20); houve dois sonhos na prisão (Gn 40.5-23); e agora havia dois sonhos do Faraó" (Allen P. Ross, *in loc.*).

■ 41.29

הִנֵּה שֶׁבַע שָׁנִים בָּאוֹת שָׂבָע גָּדוֹל בְּכָל־אֶרֶץ מִצְרָיִם׃

Repetições. O autor do Pentateuco deleitava-se com repetições. Isso fazia parte de seu estilo literário, e não era apenas um meio de ênfase. Neste capítulo, o relato dos sonhos do Faraó é repetido por três vezes, havendo dentro deles várias repetições. Assim, aqui é novamente frisado que haveria *sete anos bons*. Ver também o vs. 31. Os sete anos bons seriam excelentes; mas os sete anos maus seriam realmente maus. Mas nos primeiros sete anos de fartura haveria como remediar os últimos sete anos. Haveria superabundância, e não apenas suficiência. Em anos bons, o rio Nilo subia em seu nível cerca de 7,2 m, conforme disse Plínio (*Hist. Nat.* 1.5 c.9). Isso regava o solo e o fertilizava. Portanto, podemos supor que houve sete boas enchentes do Nilo, por sete anos consecutivos. Esses anos seriam atribuídos à bênção de Deus. Festas celebrariam a fertilidade e a abundância.

■ 41.30

וְקָמוּ שֶׁבַע שְׁנֵי רָעָב אַחֲרֵיהֶן וְנִשְׁכַּח כָּל־הַשָּׂבָע בְּאֶרֶץ מִצְרָיִם וְכִלָּה הָרָעָב אֶת־הָאָרֶץ׃

Sete anos de fome. A fome é um dos terrores da humanidade, pois as pessoas não podem encontrar alimentos básicos e começam a definhar. Ver no *Dicionário* o verbete *Fome*. Com frequência, essa questão aparece como um juízo divino. Algumas vezes, trata-se apenas de uma calamidade natural, parte do caos que apanha os homens sem que eles o queiram. Esse e outros desastres naturais fazem parte do *Problema do Mal* (ver no *Dicionário*). Mas também devemos pensar na desumanidade do homem contra o homem, além de enfermidades e morte, os males que fazem parte do grande problema do mal. Esse é um dos mais intrincados problemas da teologia e da filosofia. Por que os homens sofrem? Se o rio Nilo não se elevasse na sua cheia tanto quanto deveria, a fim de irrigar suas margens e fertilizá-las, ocorreria uma inevitável dificuldade. Plínio dizia (ver as notas sobre o vs. 29) que, se o Nilo não se elevasse pelo menos 5,5 m acima de seu nível usual, por ocasião da cheia, a fome seria o resultado. A providência de Deus estava por trás da cheia do Nilo. Ver no *Dicionário* o artigo *Providência de Deus*. Ver também o artigo chamado *Nilo*, quanto a informações sobre o local de onde provinha tanta água, além de outros detalhes interessantes. O Nilo era o manancial de vida no Egito, pois, não fora ele, o Sudão e o Egito seriam apenas uma parte do vasto deserto do Saara e da Arábia.

■ 41.31

וְלֹא־יִוָּדַע הַשָּׂבָע בָּאָרֶץ מִפְּנֵי הָרָעָב הַהוּא אַחֲרֵי־כֵן כִּי־כָבֵד הוּא מְאֹד׃

Não será lembrada a abundância. Primeiro haveria grande abundância; mas a escassez seria *maior*. A fome obliteraria não somente a abundância, mas até qualquer *memória* dela. As vacas magras haveriam de devorar as vacas gordas; as espigas mirradas haveriam de devorar as espigas cheias: *obliteração* era a palavra certa. Deus não somente havia previsto, mas também demonstrara uma *misericórdia* previdente. Isso ele demonstrou como uma dádiva aos homens, preparando o caminho para o desenvolvimento da nação de Israel no Egito, e isso porque os filhos de Jacó haveriam de apelar para o Egito, quando a fome apertasse (Gn 42.1 ss.). Ali chegando, haveriam de encontrar-se com José. Ali a família se reuniria de novo. Então os patriarcas se multiplicariam e iria surgindo a nação de Israel. Tudo isso era *necessário* por ser o destino de todas as partes envolvidas, tanto de Israel quanto do Egito. E isso mostra que Deus pode fazer o mal redundar em bem (Gn 50.20).

A providência divina se mostraria boa para *todas* as nações em redor do Egito, as quais iriam buscar ali o seu suprimento de alimentos, durante os sete anos de fome (Gn 41.56,57). A misericórdia de Deus é mais ampla do que pode ser medida pela mente humana. Havendo a intervenção divina, nem seria mister que o rio Nilo tivesse cheias normais. Os recursos do Senhor são ilimitados, para as necessidades espirituais e materiais. Ver no *Dicionário* o artigo *Misericórdia (Misericordioso).*

■ **41.32**

וְעַל הִשָּׁנוֹת הַחֲלוֹם אֶל־פַּרְעֹה פַּעֲמָיִם כִּי־נָכוֹן הַדָּבָר מֵעִם הָאֱלֹהִים וּמְמַהֵר הָאֱלֹהִים לַעֲשֹׂתוֹ:

Foi dúplice. Essa duplicação de sonhos serviu de indicação, para José, de que havia uma absoluta *determinação* divina por trás do que estaria sucedendo. É verdade que nem toda profecia *tem* de acontecer. Existem futuros possíveis, futuros prováveis e futuros determinados. Nem tudo *que deve acontecer* finalmente *acontece.* Um sonho pode prever um futuro provável. As circunstâncias mudam, nós mudamos as circunstâncias, e assim o que foi previsto pode até não acontecer. Todavia, há *alguns* acontecimentos divinamente determinados que *devem* acontecer e, *de fato,* acontecem. Portanto, excetuando esses acontecimentos, quanto aos demais podemos aplicar nosso livre-arbítrio. Além disso, essa divina determinação e o livre-arbítrio humano não são adversários, mas antes, agentes que *cooperam* para o nosso bem. A fome é um mal, mas redundou em bem naquele caso. Israel foi assim forçado a desenvolver-se no Egito. A predestinação divina opera em nosso favor, e não precisamos temê-la. Além disso, almas altamente evoluídas enfrentam eventos que elas mesmas determinaram, sempre sob o impulso da vontade de Deus, como é óbvio. Ver no *Dicionário* os artigos detalhados sobre *Determinismo (Predestinação); Livre-Arbítrio* e *Predestinação (Livre-Arbítrio).*

■ **41.33**

וְעַתָּה יֵרֶא פַרְעֹה אִישׁ נָבוֹן וְחָכָם וִישִׁיתֵהוּ עַל־אֶרֶץ מִצְרָיִם:

Um homem ajuizado e sábio. A sabedoria ditava que o Faraó criasse um *ministro* especial para cuidar dessa questão da abundância e da fome subsequente. Visto que a princípio haveria grande abundância de produção de alimentos, era mister muito planejamento e execução para encorajar o plantio, a colheita e o armazenamento. E então, visto que a fome seria severa, seria necessário contar com um homem especial que fizesse a distribuição do alimento antes armazenado, que acudisse não somente à população egípcia, mas até a outras nações em redor, que dependeriam do Egito para se sustentar durante os anos de escassez (Gn 41.56,57). Ora, para tal propósito, que homem mais sábio e mais orientado por Deus se poderia conseguir além do próprio José, que recebera de Deus o aviso e a sabedoria? O vs. 38 mostra que Faraó não hesitou quanto à nomeação de José. Uma tarefa especial requer um homem especial.

Devemos lembrar que José tinha previsto a sua própria elevação, em seus sonhos (Gn 37.5,7,9). Mas é provável que ele nem tivesse imaginado que isso ocorreria no Egito, e numa posição tão elevada quanto a de um primeiro-ministro. Deus mostra-se muito mais rico do que tudo aquilo que esperamos da parte dele (Ef 3.20).

■ **41.34**

יַעֲשֶׂה פַרְעֹה וְיַפְקֵד פְּקִדִים עַל־הָאָרֶץ וְחִמֵּשׁ אֶת־אֶרֶץ מִצְרַיִם בְּשֶׁבַע שְׁנֵי הַשָּׂבָע:

Um Primeiro-ministro e Seus Oficiais. O primeiro-ministro precisava de auxiliares aos quais pudesse delegar funções as mais diversas. Ele precisaria de uma comissão planejadora e de autoridades secundárias que pusessem o plano em execução. Assim acontece sempre com os projetos importantes. Há projetos que requerem um esforço de equipe.

A quinta parte dos frutos. Em tempos de abundância, 20% é muita coisa. Uma quinta parte de toda a produção seria recolhida sob a forma de impostos e taxas, e seria armazenada. Alguns estudiosos pensam aqui que uma quinta parte das terras aráveis seria usada na produção de alimentos durante o período futuro de fome. Mas o mais provável é que o governo recolheria um quinto de toda a produção de todas as áreas plantadas. Há eruditos que dizem que, na ocasião, o Faraó já estava recolhendo uma décima parte de toda a produção nos armazéns reais. Nesse caso, seriam armazenados três décimos de toda produção a cada ano, durante sete anos. E isso resultaria em um estoque equivalente a 210% acima da produção anual média, um estoque superabundante.

Visto que não se pode imaginar se durante os anos de fome a produção de alimentos atingiria a taxa zero, ou apenas cairia drasticamente, esse *excedente* representaria garantia de alimentos suficientes para os egípcios e até para as populações em redor, durante a escassez de alimentos de sete anos.

"Deus pode fazer-vos abundar em toda graça, a fim de que, tendo sempre, em tudo, ampla suficiência, superabundeis em toda boa obra" (2Co 9.8).

Oh, Deus, concede-nos tal graça!

■ **41.35**

וְיִקְבְּצוּ אֶת־כָּל־אֹכֶל הַשָּׁנִים הַטֹּבֹת הַבָּאֹת הָאֵלֶּה וְיִצְבְּרוּ־בָר תַּחַת יַד־פַּרְעֹה אֹכֶל בֶּעָרִים וְשָׁמָרוּ:

Ajuntem os administradores... e o guardem. Isso em todas as cidades. Era um esforço nacional, uma espécie de esforço de guerra em tempos de paz. O país inteiro seria mobilizado através dos administradores de José. A previsão é algo de maravilhoso. Isso faz parte da sabedoria dada por Deus, embora muitos a negligenciem. "Não havendo profecia o povo se corrompe..." (Pv 29.18). Todos os grandes projetos requerem previsão, visão clara e planejamento.

Debaixo do poder de Faraó. Ele exerceria controle sobre a operação inteira; mas estava debaixo da soberania divina, doador de todo dom útil e perfeito, segundo se aprende em Tiago 1.17.

"A Literatura de Sabedoria ensina que planejar sabiamente e com antecedência é um princípio básico da vida prática" (Allen P. Ross, *in loc.*).

"Notemos que... a sabedoria controladora de Deus não evoca alguma resignação fatalista, e, sim, um prático plano de ação" (*The Oxford Annotated Bible, in loc.*).

■ **41.36**

וְהָיָה הָאֹכֶל לְפִקָּדוֹן לָאָרֶץ לְשֶׁבַע שְׁנֵי הָרָעָב אֲשֶׁר תִּהְיֶיןָ בְּאֶרֶץ מִצְרָיִם וְלֹא־תִכָּרֵת הָאָרֶץ בָּרָעָב:

Para abastecer a terra nos sete anos da fome. Como se fosse um exército, em um ataque bem planejado. Deveriam ser construídos silos nas cidades. O Targum de Jonathan diz que cavernas naturais também foram usadas como depósitos. Justino, um escritor pagão, destacou a sabedoria de José em sua liderança, durante a crise (*Annal. Vet. Test.*, par. 25).

■ **41.37**

וַיִּיטַב הַדָּבָר בְּעֵינֵי פַרְעֹה וּבְעֵינֵי כָּל־עֲבָדָיו:

O conselho foi agradável. Reconheceu-se unanimemente que o plano era excelente, tanto por Faraó quanto por todos os seus ministros, de tal modo que o plano passou a ser executado imediatamente. E o primeiro passo consistiu na nomeação de José para o cargo de primeiro-ministro do Egito (vss. 38 ss.).

JOSÉ COMO GOVERNADOR DO EGITO (41.38-57)

Muitas vicissitudes, dificuldades e reversões tinham, finalmente, redundado na elevação de José no Egito. Olhando para trás, é fácil vermos agora como a mão de Deus estava controlando tudo; mas em meio à tribulação, as trevas podem nublar a nossa visão. Em seu conselho, Deus determinara que a nação de Israel deveria desenvolver-se no Egito. Sem dúvida, isso se devia a várias razões. Uma delas era a que os patriarcas de Israel precisavam ser livres de absorção por parte das nações cananeias. Outra razão era que os pecados dos amorreus precisavam primeiro encher a taça da justiça de Deus, antes de serem julgados. E parte desse juízo divino seria a perda do direito à terra de Canaã. Somente então os descendentes de Abraão poderiam conquistá-la. Ver Gênesis 15.16. O Pacto Abraâmico, pois, daria um passo mais na formação da nação de Israel, a qual seria o veículo da nova fé. Ver as notas sobre o *Pacto Abraâmico* em Gênesis 15.18. A providência de Deus (ver sobre esse assunto no *Dicionário*) estava cuidando de todas as coisas, passo a passo, embora vários séculos tenham sido consumidos no processo. E mais alguns séculos ainda teriam de se escoar até que a linhagem Abraão-Isaque-Jacó--Judá-Perez pudesse produzir o Messias, o qual viria a unificar todas as nações em torno de uma nova fé (Gl 3.14).

■ 41.38

וַיֹּאמֶר פַּרְעֹה אֶל־עֲבָדָיו הֲנִמְצָא כָזֶה אִישׁ אֲשֶׁר רוּחַ אֱלֹהִים בּוֹ:

Em quem há o Espírito de Deus? Os críticos salientam que os egípcios dificilmente poderiam ter falado nesses termos que exaltam a Deus. Essa expressão, "o Espírito de Deus", ocorre em muitos outros trechos do Antigo Testamento, mas isso em tempos posteriores. Ver Êxodo 31.3; Números 27.18; Ezequiel 36.27 etc. Por outra parte, achamos menção ao Espírito logo no primeiro capítulo do Gênesis (1.2). Para alguns, pois, o uso desta expressão, aqui, indica uma data posterior do livro, depois da época de Moisés. Mas para outros, indica um desenvolvimento teológico, desde bem cedo, acerca dessa Pessoa (ou força, como querem outros), que confere inspiração e iluminação. É difícil dizer quando esse conceito se generalizou entre os egípcios (injetado no politeísmo predominante naquele país). O Espírito de Deus também figura como um poder catastrófico que pode energizar um homem e torná-lo poderoso, espiritual ou mesmo fisicamente. Ver Juízes 6.34; 14.19; 1Samuel 11.6. O Espírito é também o poder que outorga arrebatamentos extáticos aos homens (Nm 11.25; 1Sm 10.6; Jl 2.28). Assim, a teologia referente ao *Espírito* foi crescendo até aos tempos do Novo Testamento, quando então assumiu ainda maiores proporções. Atos 2.17 toma as palavras de Joel 2.28, fazendo do Espírito Santo o inspirador do Pentateuco. Notemos que *Daniel* também foi elevado à posição de terceiro maior governante da Babilônia pelo poder do Espírito (Dn 5.7,16). Ele fez o que os *magos* da Babilônia não tinham podido fazer, porquanto isso já requeria o poder de Deus, embora o termo "Espírito" não seja especificamente usado naquele texto. Ver no *Dicionário* o artigo detalhado intitulado *Espírito de Deus*.

Ver o vs. 16. *Elohim* estava com José. O Faraó reconheceu a veracidade das reivindicações de José. Não somente ele interpretou habilmente os sonhos do rei, mas também exibiu notável sabedoria em seu conselho. Portanto, era apenas lógico que ele fosse o homem escolhido para a posição elevada de primeiro-ministro.

"Se os egípcios eram idólatras, ainda assim puderam reconhecer o Deus de José. E não devemos supor que eles só vieram a receber o conhecimento de Deus nessa oportunidade. O conhecimento sobre o verdadeiro Deus já existia no Egito desde muito antes" (Adam Clarke, *in loc.*).

Visto que a palavra hebraica *Elohim* está no plural, por isso mesmo alguns estudiosos têm traduzido esta frase por "o espírito dos deuses", dando ao trecho uma distorção politeísta, embora não privando José de sua influência para o bem, através de supostos *poderes divinos*. Os Targuns de Onkelos e de Jonathan pensam que a referência alude ao *espírito de profecia*.

■ 41.39

וַיֹּאמֶר פַּרְעֹה אֶל־יוֹסֵף אַחֲרֵי הוֹדִיעַ אֱלֹהִים אוֹתְךָ אֶת־כָּל־זֹאת אֵין־נָבוֹן וְחָכָם כָּמוֹךָ:

Ninguém há tão ajuizado e sábio como tu. José tinha tais qualidades por causa da ajuda divina. Ele era o homem de quem Faraó estava precisando. A palavra elogiosa que resultou da consulta de Faraó com seus ministros agora era comunicada ao próprio José. Justino ressaltou a notável sabedoria de José. O conselho deste foi considerado proveniente do próprio Deus (*Annal. Vet. Test.* par. 25).

■ 41.40

אַתָּה תִּהְיֶה עַל־בֵּיתִי וְעַל־פִּיךָ יִשַּׁק כָּל־עַמִּי רַק הַכִּסֵּא אֶגְדַּל מִמֶּךָּ:

Administrarás a minha casa. O palácio real, com seu complexo de edifícios, escritórios e muitos oficiais e servos. José, pois, administraria tudo e receberia ordens somente do próprio Faraó. Esse era o ofício de um primeiro-ministro. Parece estar em foco o cobiçado ofício que em egípcio chamava-se *t'ate*, "o segundo após o rei, na corte real" (Adolf Erman, *Life in Ancient Egypt*, pág. 87). Esse mesmo autor mostrou-nos (págs. 106, 107, 517, 518) que escravos sírios chegaram a ocupar esses elevados ofícios. Isso posto, não foi nada extraordinário que um semita, como José, tenha sido honrado desse modo. Muitos estudiosos pensam que tudo isso deve ter ocorrido durante o período em que os hicsos (ver sobre eles no *Dicionário*) exerceram hegemonia sobre o Egito. Isso deve ter ocorrido entre 1720 e 1550 a.C. Nessa época, o Egito estava sendo dirigido por um governo pró-semítico, que deve ter favorecido a um homem como José. Ver o artigo intitulado *Faraó*, em sua seção III.2, quanto a especulações quanto a quem teria sido o Faraó do Egito nos dias de José. Mas os estudiosos fazem variar muito as datas.

O homem espiritual reconhece que a pessoa que entra em contato com a presença divina recebe tremenda influência para o bem. Esse estímulo a inspira a pensamentos e atos do melhor naipe. José estava na crista da onda divina. Como é evidente, este é um dos aspectos do *misticismo* (ver no *Dicionário*). Surgem muitos abusos quando os homens buscam o toque divino, mas esses abusos não nos deveriam cegar para a realidade desse toque.

O hebraico é um tanto estranho aqui: "todo o meu povo *beijará* em tua boca". Isso equivale a dizer que todos obedeceriam e homenageariam a José (ver 1Sm 10.1; Sl 2.12). Mas há outras interpretações dessa expressão, como: "todo o meu povo se armará", ou seja, José se tornaria um comandante militar. Ou então, como opinou Jarchi, "todo o meu povo será alimentado por ti". Mas a primeira dessas possibilidades parece ser o que está aqui em foco. Cf. Salmo 105.21,22, onde se comenta a história de José.

■ 41.41

וַיֹּאמֶר פַּרְעֹה אֶל־יוֹסֵף רְאֵה נָתַתִּי אֹתְךָ עַל כָּל־אֶרֶץ מִצְרָיִם:

Sobre toda a terra do Egito. José obteve a cobiçada posição de *t'ate* (ver o vs. 40). Seus sonhos tiveram cumprimento naquele instante (ver Gn 37.5 ss.), mas muito acima de suas mais atrevidas expectações. Foi tudo uma realização divina, e essas realizações sempre ultrapassam nossas melhores expectativas.

"...àquele que é poderoso para fazer infinitamente mais do que tudo quanto pedimos, ou pensamos, conforme o seu poder que opera em nós..." (Ef 3.20).

■ 41.42

וַיָּסַר פַּרְעֹה אֶת־טַבַּעְתּוֹ מֵעַל יָדוֹ וַיִּתֵּן אֹתָהּ עַל־יַד יוֹסֵף וַיַּלְבֵּשׁ אֹתוֹ בִּגְדֵי־שֵׁשׁ וַיָּשֶׂם רְבִד הַזָּהָב עַל־צַוָּארוֹ:

O seu anel de sinete. Ver as notas a respeito em Gênesis 38.18. Naquele ponto, foi mencionado o anel ou selo de Judá. Ver também Ester 3.12; 8.8; 1Reis 21.8. Era um emblema de autoridade (Et 3.10; 8.2). Os documentos do governo real eram carimbados com esse anel de sinete, o que lhes conferia a autoridade do rei. Nos tempos dos romanos, somente os cavaleiros (ou elevados oficiais) podiam usar tais sinetes que também eram usados para identificar o sucessor de um monarca ou de outro elevado oficial do governo. O trecho de 1Macabeus 6.14,15 exibe um caso desses. O sinete era usado para deixar sua impressão sobre argila mole, a qual, uma vez seca, conservava ali o selo permanente de autoridade. José, por ter-lhe sido dado um desses anéis, tornou-se o representante oficial do Faraó. Agora ele podia tomar decisões próprias, a fim de fazer cumprir os decretos do rei.

Roupas de linho fino. José recebeu vestimentas feitas do mais excelente tecido, identificando-se assim com a realeza egípcia. Ver no

Dicionário o artigo chamado *Linho*. Ver o vs. 14 deste capítulo quanto a interessantes eventos da vida de José, que estiveram associados a vestuário. Temos agora a menção a mais uma mudança de roupas que assinalou significativa modificação em sua vida. O período de escravidão e encarceramento de José tinha-se prolongado por treze anos. Agora, chegara a sua exaltação. Ele tinha continuado fiel a Deus, na adversidade. E agora seria fiel, em posição de poder e autoridade.

Os sacerdotes levíticos, em Israel, receberam vestes feitas desse mesmo tipo de material, chamado *byssus* (ver Êx 39.28). O rei e os sacerdotes do Egito usavam vestes de linho fino (de cor branca). E visto que José veio a casar-se com a filha de um sacerdote egípcio, provavelmente ele mesmo foi arrolado na casta sacerdotal. Ver o vs. 45 deste capítulo.

Um colar de ouro. A arqueologia tem achado provas da autenticidade do uso desses itens, mencionados neste versículo. O colar ou corrente de ouro, usado em torno do pescoço, era uma identificação de realeza. Foram desenterrados objetos dessa natureza, com os mais elaborados desenhos, que têm sido copiados na moderna joalheria. Ver Daniel 5.16 quanto ao mesmo símbolo de autoridade e honra que foi proporcionado a Daniel. O colar de ouro podia ser dado como recompensa por serviços ou realizações extraordinários, como é o caso das medalhas de ouro nos jogos olímpicos.

■ 41.43

וַיַּרְכֵּב אֹתוֹ בְּמִרְכֶּבֶת הַמִּשְׁנֶה אֲשֶׁר־לוֹ וַיִּקְרְאוּ לְפָנָיו אַבְרֵךְ וְנָתוֹן אֹתוֹ עַל כָּל־אֶרֶץ מִצְרָיִם׃

Seu segundo carro. José recebeu o segundo carro mais nobre do Egito. Ao transitar naquele veículo, todos deveriam inclinar-se diante dele. Até hoje, os veículos são sinais de honra e "status", e os ricos sempre dispõem dos melhores veículos. No Egito, nos cortejos públicos e nas cerimônias oficiais, o segundo carro sempre seguia o carro do rei.

Clamavam diante dele: Inclinai-vos. Esta última palavra vem de um termo egípcio cujo sentido é desconhecido. Portanto, os intérpretes dão aqui uma mera conjectura. A tradução literal da expressão hebraica resultaria em algo como "atendente do pai". E isso, por sua vez, talvez queira dizer que José deveria ser considerado uma espécie de pai da nação, que merecia a atenção de seus súditos (filhos). Ademais, como pai que era, proveria o descanso e o bem-estar de seus filhos. Naturalmente, tudo isso é pura conjectura. Permanece indefinido o sentido daquele termo hebraico.

■ 41.44

וַיֹּאמֶר פַּרְעֹה אֶל־יוֹסֵף אֲנִי פַרְעֹה וּבִלְעָדֶיךָ לֹא־יָרִים אִישׁ אֶת־יָדוֹ וְאֶת־רַגְלוֹ בְּכָל־אֶרֶץ מִצְרָיִם׃

Uma Autoridade Delegada Mas Absoluta. O Faraó falaria e agiria por intermédio de José, e ninguém deveria questionar a sua palavra. De acordo com a doutrina egípcia, Faraó era o deus-homem, descendente de alguma divindade, dotado de autoridade absoluta, que fazia o que bem quisesse. Essa autoridade, pois, foi delegada a José.

Ninguém levantará mão ou pé. Nem mesmo atos triviais como esses (metaforicamente falando) podiam ser efetuados sem a licença do Faraó, por intermédio de José. As mãos e os pés são os agentes principais dos atos humanos, o que os torna símbolos aptos para atos de qualquer natureza.

■ 41.45

וַיִּקְרָא פַרְעֹה שֵׁם־יוֹסֵף צָפְנַת פַּעְנֵחַ וַיִּתֶּן־לוֹ אֶת־אָסְנַת בַּת־פּוֹטִי פֶרַע כֹּהֵן אֹן לְאִשָּׁה וַיֵּצֵא יוֹסֵף עַל־אֶרֶץ מִצְרָיִם׃

Zafenate-Paneia. A José foi dado um novo nome (egípcio). A mudança de nome, indicando alguma grande mudança na vida, para melhor, era uma prática comum entre os povos semitas. Neste livro de Gênesis já vimos isso por diversas vezes. Consideremos os casos que envolveram Abraão, Sara e Jacó (Gn 17.5,15; 32.28).

De acordo com os especialistas, esse nome egípcio quer dizer "fornecedor do nutrimento da vida". Outros preferem o sentido "revelador de segredos". E ainda outros, "tesouro de consolo glorioso". Mas a primeira possibilidade é a preferida pela erudição moderna. Todavia, alguns pensam que seu sentido é simplesmente desconhecido. Alguns estudiosos creem que o Faraó que deu essa alcunha a José foi o monarca hicso Afofis. No *Dicionário* há um detalhado artigo sobre esse homem, que o leitor deve examinar. Ver também o artigo *Faraó*, em III.2, quanto a tentativas de identificação do Faraó com quem José tratou.

A Esposa de José. A fim de integrar José ainda mais na sociedade egípcia, foi-lhe dada uma esposa egípcia, filha de um sacerdote do Egito.

Azenate. Em algumas traduções, seu nome é grafado como "Asenate". Em egípcio, esse nome talvez signifique *dedicada a Neite*. Neite era o nome egípcio da deusa Minerva. Ela era filha de Potífera, sacerdote de Om, a qual o rei do Egito deu como esposa a José. Ela tornou-se a mãe de Efraim e Manassés (Gn 41.45,50; 46.20). Uma lenda judaica relata como, ao casar-se com José, ela renunciou ao paganismo. O nome dela significaria, literalmente, "ela pertence a X", havendo várias especulações sobre qual deus ou deusa seria esse "X". Também poderia ser um nome de família, e não de alguma divindade. Tais nomes são bem confirmados pela arqueologia, durante os períodos do reino médio e dos hicsos (2100-1600 a.C.) da história do Egito. Esse período corresponde ao período patriarcal dos hebreus.

Potífera. Os críticos supõem que uma das fontes formativas do Gênesis o apresentava como o comandante da guarda, cuja esposa acusara falsamente a José; mas outra fonte diria que Potífera era o pai da esposa de José. Nesse caso, um único homem estaria em pauta, em meio à confusão. Ver no *Dicionário* o artigo *J.E.D.P.(S.)* quanto à teoria das fontes múltiplas do Pentateuco. Mas os eruditos conservadores falam em termos de outro homem, posto que com o mesmo nome. *Potífera* é uma forma variante de *Potifar*. Ver o artigo sobre essa forma do nome, quanto a explicações sobre seu significado, no *Dicionário*.

O segundo Potifar foi um sacerdote egípcio e pai de Azenate, esposa de José. Ver Gênesis 41.45,50; 46.20. Ele viveu em torno de 1870 a.C.

José casou-se com a filha de um sacerdote pagão. Provavelmente ele não tinha alternativa, embora isso tenha sido uma contradição com as tradições de sua família (ver Gn 24 e 28). Moisés, por sua vez, casou-se com a filha de um sacerdote dos midianitas. E isso mostra que o ideal de preservação racial dos hebreus não foi sempre observado. Visto que José era dotado de poderes psíquicos e espirituais, o fato de que lhe foi dada como esposa a filha de um sacerdote deve ter parecido uma escolha natural para Faraó. O Antigo Testamento não revela o quanto José se envolveu na religião egípcia. Sem importar isso, temos aí uma lição de *tolerância* que vai além daquilo que é requerido pela lei. Ver no *Dicionário* o artigo intitulado *Tolerância*.

Om. O nome dessa localidade vem do egípcio IWNW, "cidade da coluna". Esse nome significa *força*. Era o nome de uma cidade egípcia onde vivia Potífera, sogro de José. Potífera era um sacerdote egípcio, cuja filha, Azenate, veio a ser a esposa de José (Gn 41.45,50; 46.20). A antiga cidade de *Om* era capital da décima terceira província do Baixo Egito. Ficava localizada a cerca de 10 km do Cairo e a cerca de 5 km de Heliópolis (ver no *Dicionário*). Heliópolis era um centro, se não mesmo o grande *centro* da adoração a *Rá*, o deus-sol. Quanto a Om, não há registros arqueológicos sobre esse nome, antes do século X a.C.; mas isso não nos dá motivos para duvidarmos da autenticidade do registro histórico do Gênesis. Atualmente, a cidade está em ruínas, tendo recebido o nome árabe de Tell Hisn. A Septuaginta chama Om de Heliópolis, em Gênesis 41.45,50 e 46.20. O trecho de Êxodo 1.11 informa-nos que Om era uma das cidades construídas pelo trabalho de escravos israelitas. Heliópolis, como seu próprio nome indica, era a cidade dedicada ao deus-sol. É razoável supormos que todas as cidades egípcias participavam desse culto, embora houvesse um grande número de deuses e deusas. Ver no *Dicionário* o artigo intitulado *Egito*.

■ 41.46

וְיוֹסֵף בֶּן־שְׁלֹשִׁים שָׁנָה בְּעָמְדוֹ לִפְנֵי פַּרְעֹה מֶלֶךְ־מִצְרָיִם וַיֵּצֵא יוֹסֵף מִלִּפְנֵי פַרְעֹה וַיַּעֲבֹר בְּכָל־אֶרֶץ מִצְרָיִם׃

Era José da idade de trinta anos. José ainda era um homem bastante jovem ao atingir o seu zênite. Fora escravo e prisioneiro por treze anos. Mas aqueles anos duros, mediante a direção de Deus, levaram-no à exaltação, pois "o Senhor estava com José" (Gn 39.21; 41.38). José tinha 17 anos quando foi vendido por seus irmãos (Gn 37.2). Sua exaltação havia sido predita em seus sonhos (Gn 37.5,9), mas ninguém teria predito tanto assim: o segundo homem do Egito. Mas era assim que Deus estava fazendo as coisas sucederem. E em breve a fome forçaria Jacó e seus outros filhos a migrar para o Egito. A nação de Israel se desenvolveria ali. A linhagem Abraão-Isaque-Jacó-José haveria de produzir duas das doze tribos: Efraim e Manassés.

O Trabalho de José. Dando início a seu trabalho como primeiro-ministro, ele precisou fazer uma viagem de averiguação por todo o Egito, planejando como guardaria dois quintos de toda a produção do Egito, em antecipação aos sete anos de fome (vs. 34). Ele fez os contatos necessários com os oficiais locais, arranjando armazéns em todas as cidades. A produção era abundante. A bênção divina estava sobre eles, a ponto de terem consciência, com sete anos de antecipação, sobre como deveriam preparar-se para a severa fome que viria. Na verdade, algumas vezes, para darmos o passo seguinte, ajuda ver a praia distante.

■ **41.47**

וַתַּעַשׂ הָאָרֶץ בְּשֶׁבַע שְׁנֵי הַשָּׂבָע לִקְמָצִים׃

A terra produziu abundantemente. Nenhuma pessoa sentia falta de coisa alguma; todas as fazendas produziam generosamente. O Nilo vinha fertilizar fielmente as suas margens todos os anos (vs. 29). Por causa da previsão e da sabedoria de José, os egípcios estavam recolhendo muitos recursos que haveriam de sustentar não somente o próprio Egito, mas também outras nações, quando chegassem os anos de extrema escassez (Gn 41.57). Mas havia quem, em sua ignorância, não fizesse ideia das grandes dificuldades que teriam de ser enfrentadas.

■ **41.48**

וַיִּקְבֹּץ אֶת־כָּל־אֹכֶל שֶׁבַע שָׁנִים אֲשֶׁר הָיוּ בְּאֶרֶץ מִצְרַיִם וַיִּתֶּן־אֹכֶל בֶּעָרִים אֹכֶל שְׂדֵה־הָעִיר אֲשֶׁר סְבִיבֹתֶיהָ נָתַן בְּתוֹכָהּ׃

Este versículo fala sobre a concretização do que havia sido planejado, de acordo com os vss. 34 e 35, onde seus pontos principais são comentados. Além do cereal taxado pelo governo, provavelmente as autoridades compravam cereal a preços baixos, atingindo-se a superabundância referida no versículo seguinte.

■ **41.49**

וַיִּצְבֹּר יוֹסֵף בָּר כְּחוֹל הַיָּם הַרְבֵּה מְאֹד עַד כִּי־חָדַל לִסְפֹּר כִּי־אֵין מִסְפָּר׃

Até perder a conta. José mantinha registros cuidadosos de todo o cereal que estava armazenando, em unidades de peso. Mas o suprimento atingiu proporções de tal monta que os números perderam seu significado. Conseguiu-se assim um imenso suprimento que seria mais do que suficiente para os sete anos de fome que viriam, tanto para o Egito quanto para nações em redor (vs. 57). A expressão *como a areia do mar* já havia sido usada pelo autor sacro para expressar o grande número dos pósteros de Abraão. Ver Gênesis 22.17 e 32.12.

■ **41.50**

וּלְיוֹסֵף יֻלַּד שְׁנֵי בָנִים בְּטֶרֶם תָּבוֹא שְׁנַת הָרָעָב אֲשֶׁר יָלְדָה־לּוֹ אָסְנַת בַּת־פּוֹטִי פֶרַע כֹּהֵן אוֹן׃

Nasceram dois filhos a José, a saber, Manassés (vs. 51) e Efraim (vs. 52). No *Dicionário* ofereço artigos detalhados sobre eles e sobre as tribos das quais foram os patriarcas.

Assim sendo, dois dos patriarcas de Israel nasceram no Egito. Os outros patriarcas haveriam de juntar-se a eles quando Jacó e sua família descessem ao Egito, apertados pela fome. Os nomes dos filhos de José refletiam o suprimento abundante da providência divina. Ver os vss. 51 e 53. Esses dois filhos de José foram adotados por Jacó, em seu leito de morte, o que deu a eles o direito legal de se tornarem os progenitores de duas das tribos de Israel. Ver Gênesis 48.9 ss. quanto à história. Uma vez mais, a um irmão mais novo foi prometido um futuro mais resplendente.

Azenate. Ver as notas sobre ela no vs. 45.
Potífera. Ver as notas sobre ele no vs. 45.
Om. Ver o vs. 45.

■ **41.51,52**

וַיִּקְרָא יוֹסֵף אֶת־שֵׁם הַבְּכוֹר מְנַשֶּׁה כִּי־נַשַּׁנִי אֱלֹהִים אֶת־כָּל־עֲמָלִי וְאֵת כָּל־בֵּית אָבִי׃

וְאֵת שֵׁם הַשֵּׁנִי קָרָא אֶפְרָיִם כִּי־הִפְרַנִי אֱלֹהִים בְּאֶרֶץ עָנְיִי׃

Manassés. Ele era o primogênito de José. Há um detalhado artigo sobre esse homem e sobre a tribo que dele descendia, no *Dicionário*. Tornou-se cabeça de uma das tribos de Israel, em virtude de haver sido adotado por Jacó como se fosse um de seus filhos, o que é referido no vs. 50.

Efraim. Embora mais jovem, foi-lhe dada por Jacó a bênção maior, quando ele e seu irmão, Manassés, foram adotados por Jacó. Os descendentes de Efraim exerceram maior poder em Israel do que os descendentes de Manassés.

Os nomes dos filhos de José foram dados de acordo com a situação dele como *provedor* do Egito. *Manassés* significa "aquele que faz esquecer", porque os treze anos de servidão e aprisionamento de José eram agora coisas do passado, e tivera início uma nova vida. *Efraim* quer dizer "frutificação", porquanto ele nasceu durante os sete anos de abundância, que produziram o bastante para salvar milhares e milhares de pessoas da fome ameaçadora. A fome pessoal de José tinha terminado; agora estava desfrutando grande abundância, porque o Senhor estava com ele (Gn 39.2; 41.38).

Efraim, para efeito de ênfase, no hebraico está no dual, indicando que a prosperidade do tempo em que ele nasceu era realmente grande. John Gill via nisso uma bênção tanto *espiritual* quanto *material,* dada primeiramente a José, então a seus filhos, e, finalmente, a todas as pessoas a quem ele pôde servir.

■ **41.53**

וַתִּכְלֶינָה שֶׁבַע שְׁנֵי הַשָּׂבָע אֲשֶׁר הָיָה בְּאֶרֶץ מִצְרָיִם׃

Passados os sete anos de abundância. Agora tinham início os sete anos ruins. Conforme alguém já disse: "Tudo que é bom acaba". Por outra parte, no grande contínuo que é a vida, o sol nasce e põe-se por muitas vezes. Uma coisa puxa a outra. E nunca chega ao fim qualquer coisa substancial. Tudo é preservado e renovado por Deus, de acordo com o seu propósito. A fertilidade da terra depende da luz solar e da chuva; e a vida das pessoas também. Acima de tudo, há aquela dimensão superior, a espiritual. A luz do sol e a chuva são controladas por Deus, e a benevolência divina está por trás desses fenômenos naturais. Mas nossa mente pequena bloqueia esse conhecimento em momentos de crise, embora nos disponhamos a confessar que assim é, em momentos de prosperidade.

Deus sabe de tudo e cuida de tudo. A vida, com toda a sua variedade, ensina-nos essa lição. No entanto, ninguém a aprende de modo absoluto. Cada pessoa continua aprendendo pelo resto da vida.

■ **41.54**

וַתְּחִלֶּינָה שֶׁבַע שְׁנֵי הָרָעָב לָבוֹא כַּאֲשֶׁר אָמַר יוֹסֵף וַיְהִי רָעָב בְּכָל־הָאֲרָצוֹת וּבְכָל־אֶרֶץ מִצְרַיִם הָיָה לָחֶם׃

Os sete anos de fome. O temido acontecimento chegou, afinal. Mas o Egito estava preparado, graças à sabedoria e à espiritualidade de José. Outra lição difícil de ser aprendida é que precisamos da espiritualidade. A prosperidade material não basta. Outras terras, onde não havia nenhum "José", ficaram despreparadas e tiveram de sofrer horrores. Muitas pessoas pereceram de inanição. Crianças morreram por falta de alimentos. A falta de espiritualidade cobra o seu preço, que é alto, envolvendo até nossa vida física.

"As ocasiões em que a alma de Israel se elevou às suas mais nobres alturas foram, quase sempre, tempos em que as condições externas eram as mais negras: Moisés no deserto; Elias, ao voltar do monte Horebe; Isaías e Jeremias dentro da cercada cidade de Jerusalém... fazendo a nação sair do vale árido da miséria para a beira de um manancial (Sl 84.6). Paulo também foi capaz de destacar essa verdade até alturas heroicas, como quando escreveu acerca de sua decisão de permanecer e de enfrentar a adversidade em Éfeso: '... uma porta grande e oportuna para o trabalho se me abriu; e há muitos *adversários*' (1Co 16.9)" (Walter Russell Bowie, *in loc.*).

Naqueles sete anos, as águas do Nilo não subiam na cheia tanto quanto era mister para que houvesse suficiente fertilização do solo. Mas a seca também alcançou outros países em derredor, como a Arábia, a Palestina e a Etiópia. E o Egito, dependente como vivia do Nilo (ver as notas no vs. 29), mostrava-se especialmente vulnerável à seca. Bar-Hebraeus, em sua *Crônica* (par. 260), deu-nos uma noção do que costumava suceder ao Egito, nessas ocasiões. Ele diz que a cidade de Tânis (Zoã) tinha uma população de trezentos mil habitantes, que pagaram impostos no ano anterior a uma fome. Terminada a fome, havia menos de cem pessoas vivas na cidade. Amenemha III, em sua sabedoria, a fim de impedir catástrofes similares, construiu um sistema de diques, canais e eclusas, além de muitos reservatórios que acumulavam água despejada pelo Nilo, pouco a pouco. Também criou o lago artificial Moeris. Outro tanto foi feito modernamente na parte ocidental dos Estados Unidos da América, onde uma grande parte de seis Estados é desértica. Ao longo do rio Colorado, que nasce nas faldas das montanhas Rochosas, existem seis represas de dimensões consideráveis, e nenhuma gota de toda aquela água chega ao oceano, que fica a cerca de 1.900 km de distância das cabeceiras do rio. Toda aquela água é consumida ao longo do trajeto.

■ 41.55

וַתִּרְעַב֙ כָּל־אֶ֣רֶץ מִצְרַ֔יִם וַיִּצְעַ֥ק הָעָ֛ם אֶל־פַּרְעֹ֖ה לַלָּ֑חֶם וַיֹּ֨אמֶר פַּרְעֹ֤ה לְכָל־מִצְרַ֙יִם֙ לְכ֣וּ אֶל־יוֹסֵ֔ף אֲשֶׁר־יֹאמַ֥ר לָכֶ֖ם תַּעֲשֽׂוּ׃

Ide a José. Premidas pela fome e pela miséria, as pessoas, em massa, voltavam-se para José. A sabedoria que Deus lhe dera o tornava útil naquela hora, para satisfazer as necessidades das pessoas. Assim sucede com a missão de todo homem espiritual. Primeiramente ele é divinamente equipado. E, então, torna-se benéfico para as pessoas ao seu redor. Coisa alguma acontece por acaso. José havia armazenado três quintas partes de toda a produção do Egito. E agora isso seria o suficiente para a nação (e para outras nações igualmente) (vs. 57). Todo homem tem a responsabilidade de armazenar a sua *quinta parte*, ou seja, a sua preparação especial, para que possa servir com amor em tempos de necessidade. Ver no *Dicionário* o artigo intitulado *Amor*. Aquilo que temos nos é dado pelo plano divino, então, temos o dever de empregar isso no serviço ao próximo. Outrossim, é nossa responsabilidade *antecipar* qual bem poderíamos fazer aos nossos semelhantes, preparando-nos especificamente para isso, tal como José tinha previsto e se preparara para o futuro. Primeiro José previu; então fez preparativos; e, finalmente, distribuiu.

■ 41.56

וְהָרָעָ֣ב הָיָ֔ה עַ֖ל כָּל־פְּנֵ֣י הָאָ֑רֶץ וַיִּפְתַּ֨ח יוֹסֵ֜ף אֶֽת־כָּל־אֲשֶׁ֤ר בָּהֶם֙ וַיִּשְׁבֹּ֣ר לְמִצְרַ֔יִם וַיֶּחֱזַ֥ק הָרָעָ֖ב בְּאֶ֥רֶץ מִצְרָֽיִם׃

Fome sobre toda a terra. Não o globo terrestre inteiro, mas a *terra* conhecida pelo autor do livro de Gênesis, ou seja, o Egito, a Arábia, a Palestina e a Etiópia, as nações que pediriam socorro ao Egito (vs. 57). Não nos esqueçamos de que os antigos eram muito limitados em seus movimentos pelos meios de transporte deficientes. Se a Ásia Menor, a Grécia, a Itália e outras porções da Europa eram conhecidas pelos antigos dos dias de José, o Egito estava muito longe dessas nações para que elas lhe pedissem ajuda. Além disso, talvez nem soubessem da provisão que ali havia. E, por outra parte, talvez a fome não tivesse atingido essas outras regiões do globo.

■ 41.57

וְכָל־הָאָ֙רֶץ֙ בָּ֣אוּ מִצְרַ֔יְמָה לִשְׁבֹּ֖ר אֶל־יוֹסֵ֑ף כִּֽי־חָזַ֥ק הָרָעָ֖ב בְּכָל־הָאָֽרֶץ׃

E todas as terras vinham ao Egito. Havia abundância para todos quantos apelavam a José. Também nos devemos mostrar adequados para atender às necessidades dos que nos procuram. A provisão de José atingiu para além do Egito, ampliando-se às nações circunvizinhas, conforme é sugerido nas notas sobre o vs. 56. Cada indivíduo tem seu círculo de influência, começando pela sua família. Sem embargo, quão triste é quando um homem prejudica os membros de sua própria família, em lugar de servir-lhes de ajuda. E isso lhes anula a espiritualidade.

A Família de José sob a Fome, Lá Fora. Foi exatamente essa circunstância de comida *abundante* no Egito que acabou por trazer até ali os irmãos de José, a fim de que as predições divinas continuassem a ter cumprimento. E isso, por sua vez, contribuiria para que a nação de Israel se desenvolvesse no Egito, e não na terra de Canaã. Por isso mesmo, o vs. 57 deste capítulo prepara-nos para o relato do capítulo seguinte.

José, Tipo de Cristo. José supriu a necessidade das nações. Desse modo, Cristo foi tipificado por ele, pois Jesus seria o Salvador de todos os povos, porquanto ele haveria de estender as provisões do Pacto Abraâmico a todas as nações (ver Gl 3.14; e também Gênesis 15.18 quanto a notas expositivas sobre esse pacto). Ver também Gn 37.3 quanto a uma nota detalhada sobre José como um tipo de Cristo.

CAPÍTULO QUARENTA E DOIS

OS IRMÃOS DE JOSÉ VÃO AO EGITO PELA PRIMEIRA VEZ (42.1-38)

Este capítulo (estendendo-se até Gn 45.28) tem sido atribuído pelos críticos às fontes informativas J e E. Ver no *Dicionário* o artigo *J.E.D.P.(S.)* quanto a informações sobre a teoria das fontes múltiplas do Pentateuco.

José tinha preparado o caminho para o desenvolvimento da nação de Israel no Egito. Isso teria de ser assim por várias razões, algumas conhecidas e outras desconhecidas. Antes de tudo, a família patriarcal corria o perigo de ser absorvida pelas nações pagãs cananeias, perdendo desse modo sua identidade nacional. Judá, que recebera a primogenitura, já se tinha casado com uma mulher cananeia (Gn 38). E seus irmãos corriam perigo similar. Além disso, também era contra os planos de Deus para Israel desenvolver-se naquele tempo na Palestina. Os habitantes originais da região eram seus proprietários. Mas quando a iniquidade deles se tornasse tão grande que a sua taça se enchesse, então seriam julgados com a perda de seus territórios. E quem ficaria com estes seriam as tribos de Israel. Ver as notas sobre essa questão, em Gênesis 15.16. Pode parecer-nos ridículo que os patriarcas, depois de já estarem na terra de Canaã fazia tanto tempo (desde Abraão, cerca de trezentos anos antes), não pudessem permanecer ali, mas fossem forçados a descer ao Egito; mas não houve nenhum erro nisso. O plano divino não sofreu perda ou distorção por causa do cativeiro de Israel no Egito.

A fome predita pelos sonhos de Faraó (interpretados por José) forçou Jacó e os irmãos de José a migrar para o Egito. As habilidades de José como intérprete de sonhos, além de sua extraordinária sabedoria, levaram o Faraó a torná-lo o segundo homem em comando no Egito. Isso posto, cabia a Israel prosperar primeiramente no Egito. E embora viesse a surgir um Faraó que não conhecia a José, e embora Israel tivesse de entrar em servidão, nem por isso o plano de Deus seria frustrado ou sofreria prejuízo.

Os Cativeiros de Israel:

1. O *cativeiro egípcio*, que durou pouco mais de duzentos anos, talvez entre 1700 e 1500 a.C.
2. O *cativeiro assírio*, que começou em 722 A. C, no qual as dez tribos do norte foram levadas, para nunca mais voltarem, exceto, talvez, indivíduos isolados.
3. O *cativeiro babilônico*, que teve início em 597 a.C. e envolveu as duas tribos (sulistas) restantes, a saber, Judá e Benjamim. Desse

cativeiro, um remanescente retornou, setenta anos mais tarde. Esse remanescente tornou-se a base da continuação da nação de Israel na Terra Prometida.

4. O *cativeiro romano*, que começou em 132 d.C., quando Adriano esvaziou a Palestina de judeus. Isso continuou até maio de 1948, quando foi formado o moderno Estado de Israel.

Em todas essas catástrofes nacionais, o plano divino continuou operando sem nenhum empecilho. Veio o Messias, Jesus de Nazaré; e, mediante sua morte sacrifical, as provisões do *Pacto Abraâmico* (ver as notas a respeito em Gn 15.18) foram universalizadas (Gl 3.14). E foi desse modo que todas as nações da terra vieram a ser beneficiadas. E tudo isso sempre operou por meio da adversidade.

Mesmo na outorga original do Pacto Abraâmico, foi predito que Israel sofreria cativeiro no Egito (Gn 15.13). Portanto, coisa alguma acontece por mero acaso, e coisa alguma surpreende ao plano divino. O livro de Gênesis enfatiza continuamente a providência divina (ver sobre esse assunto no *Dicionário*).

■ 42.1

וַיַּרְא יַעֲקֹב כִּי יֶשׁ־שֶׁבֶר בְּמִצְרָיִם וַיֹּאמֶר יַעֲקֹב לְבָנָיו לָמָּה תִּתְרָאוּ׃

Uma Decisão Tomada por Jacó. Todo homem de Deus é um homem que sabe tomar decisões. Enquanto os irmãos de José olhavam uns para os outros, em perplexidade, sem saber o que fariam quanto à fome que tão de súbito os havia reduzido a nada, *Jacó tomou a decisão certa.* "Vão ao Egito!", ordenou ele, sabendo que lá havia prosperidade e abundância de víveres. Ele não fazia a mínima ideia de que era *seu próprio filho*, José, de sua amada Raquel, que tornara possível aquela prosperidade. Por igual modo, foi o próprio Filho de Deus quem tornou possível a prosperidade espiritual. Ver as notas em Gênesis 37.3 quanto a José como tipo de Cristo.

O Fato Era Bem Conhecido. Havia uma fome terrível e generalizada, sem nenhuma esperança de mudança. Mas nem todos interpretavam esse fato da mesma maneira. E nem todo homem agia da mesma maneira. Jacó, um homem de decisão, queria uma mudança. As mudanças para melhor produzem crescimento. Os inativos são engolidos por muitas fomes. Os pais que não têm visão quanto à educação de seus filhos deixam-nos na mediocridade. Há homens que preferem o caminho fácil, que não leva a lugar nenhum — por exemplo, o aluno que cola na escola; ou a alma que evita o desenvolvimento espiritual. Todos esses perdem-se em meio a vários tipos de fome.

Houve um período de fome nos dias de Abraão (Gn 12.10); houve outro período de fome nos tempos de Isaque (Gn 26.1). E agora havia esse período de fome, nos dias de Jacó. Ver no *Dicionário* o artigo intitulado *Fome*. Uma agricultura precária, uma região rodeada por desertos, e falta de conhecimento acerca de ciclos de condições atmosféricas produziam resultados devastadores na Palestina.

Em uma segunda estação de escassas chuvas, começariam a faltar alimentos, e não haveria mais pasto para os animais. Primeiramente, morriam os animais; em seguida, as crianças; e, por fim, os adultos. Enfermidades sempre resultam da desnutrição, e as fomes são seguidas por pragas que destroem muitos dos que conseguem sobreviver à inanição. Ver as notas sobre Gênesis 41.54 quanto a outras descrições dos horrores da fome.

■ 42.2

וַיֹּאמֶר הִנֵּה שָׁמַעְתִּי כִּי יֶשׁ־שֶׁבֶר בְּמִצְרָיִם רְדוּ־שָׁמָּה וְשִׁבְרוּ־לָנוּ מִשָּׁם וְנִחְיֶה וְלֹא נָמוּת׃

Tenho ouvido. As notícias se tinham espalhado. A sobrevivência estava em jogo. Todas as riquezas que Jacó tinha amealhado, e pelas quais trabalhara tanto, agora de nada lhe serviam. Mas pelo menos havia estas boas-novas: "Há alimentos no Egito". Isso acontecia por causa de José, o filho amado de Jacó, que assim tinha providenciado, mediante sua admirável previsão e sabedoria previdente. Dessa forma, Jacó chegou a entender o que era fundamental. Algumas vezes, o que realmente importa fica oculto em meio às coisas frívolas de que nos cercamos. O caráter de Jacó não era ideal, mas ele possuía lealdade e espiritualidade básica (com a ajuda de muitas experiências místicas), e também era homem capaz de tomar decisões. Jacó era dotado de uma força de caráter que sempre permitia que ele passasse por cima de tempos calamitosos. José era filho dele, e compartilhava das qualidades de seu pai, além de possuir outras também.

■ 42.3

וַיֵּרְדוּ אֲחֵי־יוֹסֵף עֲשָׂרָה לִשְׁבֹּר בָּר מִמִּצְרָיִם׃

Desceram dez dos irmãos. Para trás ficou somente Benjamim, que agora era o filho favorito de Jacó. Benjamim era irmão de José por parte de pai e mãe. Sua mãe era Raquel. Sem dúvida já tinham perecido muitos animais. Agora a vida humana estava sendo ameaçada, o que requeria providências imediatas. Cada um dos filhos de Jacó provavelmente levou em sua companhia alguns poucos servos. Logo, devemos pensar em um pequeno comboio, talvez uma caravana de camelos, que desceu ao Egito. Ainda restavam rebanhos (ver Gn 42.1) e também servos (ver comentário em Gn 46.5). E levaram consigo alguns vagões, para trazerem de volta provisões (Gn 45.21-23).

■ 42.4

וְאֶת־בִּנְיָמִין אֲחִי יוֹסֵף לֹא־שָׁלַח יַעֲקֹב אֶת־אֶחָיו כִּי אָמַר פֶּן־יִקְרָאֶנּוּ אָסוֹן׃

A Benjamim... não enviou. Ver o artigo detalhado sobre o filho caçula de Jacó, no *Dicionário*. Os vss. 36 ss. mostram que Benjamim tornara-se o filho favorito de Jacó, o qual lhe dava uma atenção toda especial.

Irmão de José. Essas palavras fazem-nos lembrar que Benjamim era irmão de José por parte de pai e mãe. Conforme Jacó pensava, Benjamim era o único filho de Raquel que tinha sobrevivido, pelo que ainda lhe parecia mais valioso. Com José teria acontecido uma tremenda desgraça. E Jacó não queria que isso se repetisse com Benjamim. Além disso, talvez ele ainda fosse bastante jovem, pelo que uma viagem ao Egito lhe seria muito pesada. Mas isso seria apenas uma das várias razões de Jacó.

■ 42.5

וַיָּבֹאוּ בְּנֵי יִשְׂרָאֵל לִשְׁבֹּר בְּתוֹךְ הַבָּאִים כִּי־הָיָה הָרָעָב בְּאֶרֶץ כְּנָעַן׃

Entre os que iam. Os que iam comprar víveres levavam seus jumentos, capazes de transportar bastante carga.

Os filhos de Israel. Devemos pensar aqui nos filhos literais de Jacó. Mas também podemos pensar em termos gerais, pessoas de sua casa. Foram em caravana, com muita outra gente da terra de Canaã. Assim, muitos grupos desceram juntos ao Egito, e não somente a gente de Jacó.

■ 42.6

וְיוֹסֵף הוּא הַשַּׁלִּיט עַל־הָאָרֶץ הוּא הַמַּשְׁבִּיר לְכָל־עַם הָאָרֶץ וַיָּבֹאוּ אֲחֵי יוֹסֵף וַיִּשְׁתַּחֲווּ־לוֹ אַפַּיִם אָרְצָה׃

José era governador. De acordo com a informação dada em 41.39 ss., José tinha sido nomeado segundo homem do governo egípcio (vss. 43,44). Ele havia obtido o cobiçado t'ate (segunda posição de comando, depois de Faraó). Ver Gênesis 41.40.

E se prostraram rosto em terra, perante ele. Assim foi o encontro deles com José. Os críticos frisam quão difícil era, para alguns poucos indivíduos comuns, vindos de Canaã, apresentarem-se diretamente ao poderoso José. Mas nenhuma história elaborada foi inventada para explicar o fato. Os eruditos conservadores falam ou em providência divina ou em um encontro casual. Talvez José viesse ocasionalmente até ali para vigiar as transações. E, então, em uma daquelas ocasiões, pela graça divina, houve o encontro entre José e seus irmãos.

Prostraram-se. Não somente por motivo de respeito a um elevado oficial, mas também por estarem em situação desesperadora. Alguma demonstração de humildade haveria de facilitar as transações. Assim tinha sido previsto no sonho de José: seus irmãos se prostrariam diante dele. Ver Gênesis 37.7,9. A reverência deles tinha sido projetada em ambos os seus sonhos. De súbito, os sonhos estavam tendo cumprimento, o que prosseguiria em outras ocasiões. Os sonhos de José foram cumpridos porque eles projetavam o futuro de um homem do destino. Outras pessoas tinham tomado todas as precauções, aplicando até mesmo violência e atos criminosos, na tentativa de impedir que os sonhos de José fossem cumpridos. Mas o destino estava acima deles. Alguns eventos são *necessários*. Ver no *Dicionário* os artigos intitulados *Determinismo (Predestinação); Predestinação e Livre-Arbítrio.* Alguns eventos podem acontecer ou não, pois são meramente potenciais. Apenas alguns poucos eventos são determinados de modo absoluto. Talvez uma pessoa possa viver por muitos anos sem que haja nenhuma ocorrência determinada pelo destino. Os eventos determinados atuam como guias para o padrão do destino. Os eventos determinados pelo destino e necessários ocorrem mediante o amor benévolo de Deus, e visam ao nosso bem, sendo mecanismos que *produzem* o bem. O próprio juízo (ver no *Dicionário*) redundará em bem, ainda que, por si mesmo, não seja algo desejável (ver 1Pe 4.6).

OS IRMÃOS DE JOSÉ NA PRISÃO (42.7-17)

José tratou de forma *áspera* com seus irmãos. É possível que, a despeito de sua grande espiritualidade, ele tenha tirado proveito do ensejo para tirar uma pequena vingança, uma inclinação humana natural. Mas alguns eruditos, pensando que José estaria acima disso, supõem que ele assim agiu a fim de controlar melhor os movimentos deles. A longo prazo, ele já tinha traçado um plano *benévolo!* Ele mandaria buscar todos os seus familiares para o Egito, onde cuidaria de todos eles. E estava especialmente interessado em seu irmão de pai e mãe, Benjamim. E assim, para forçar os outros irmãos a trazer Benjamim da próxima vez, ordenou que um deles, Simeão, ficasse detido no cárcere até que lhe trouxessem Benjamim. E assim o drama prossegue, ocupando vários capítulos, até a revelação final da identidade verdadeira de José, já no capítulo 45 de Gênesis. A narrativa é deveras emocionante, uma das mais belas e comoventes peças da literatura mundial.

■ 42.7,8

וַיַּרְא יוֹסֵף אֶת־אֶחָיו וַיַּכִּרֵם וַיִּתְנַכֵּר אֲלֵיהֶם וַיְדַבֵּר אִתָּם קָשׁוֹת וַיֹּאמֶר אֲלֵהֶם מֵאַיִן בָּאתֶם וַיֹּאמְרוּ מֵאֶרֶץ כְּנַעַן לִשְׁבָּר־אֹכֶל:

וַיַּכֵּר יוֹסֵף אֶת־אֶחָיו וְהֵם לֹא הִכִּרֻהוּ:

Reconheceu-os, porém não se deu a conhecer. José mostrou-se hostil e desconfiado, talvez pelas razões dadas na introdução aos vss. 7-17. José submeteu seus irmãos a um severo interrogatório. Quis saber se o pai deles (que também era seu pai) ainda estava vivo; e também se seu irmão menor continuava vivo. Ele haveria de fazer-lhes o bem, mas queria poder controlar-lhes os movimentos. Além disso, convinha que eles sentissem a crueldade envolvida em seus atos anteriores contra ele. Reconhecer e fazer reparação pelos nossos pecados é algo necessário. Ver no *Dicionário* o artigo intitulado *Reparação (Restituição).* Sem dúvida, o sentimento inicial de José deve ter sido de *indignação;* mas isso logo se abateu, cedendo lugar a outras emoções, mais nobres, mais em harmonia com o seu caráter nobre.

José reconheceu seus irmãos, mas não foi reconhecido por eles. Ele entendia o idioma deles, mas eles não entendiam o egípcio, que ele havia adquirido como novo idioma. Foi usado um *intérprete* (vs. 23), a fim de que ele não se desse a conhecer.

"Não o reconheceram porque agora estava falando em egípcio, estava vestido de linho branco, e tinha apenas 17 anos de idade quando fora vendido como escravo. Desde aquele tempo, a aparência de José havia mudado mais do que a deles" (Ellicott, *in loc.*). Fazia cerca de 22 anos, desde que o tinham visto pela última vez.

■ 42.9

וַיִּזְכֹּר יוֹסֵף אֵת הַחֲלֹמוֹת אֲשֶׁר חָלַם לָהֶם וַיֹּאמֶר אֲלֵהֶם מְרַגְּלִים אַתֶּם לִרְאוֹת אֶת־עֶרְוַת הָאָרֶץ בָּאתֶם:

Lembrou José dos sonhos que tivera. Nesses sonhos, os feixes de seus irmãos tinham-se inclinado diante de seu feixe; e o sol, a lua e onze estrelas prestavam-lhe homenagem. O que esses sonhos haviam projetado, agora tinha cumprimento. Ele tinha tido sonhos proféticos ou precognitivos. No *Dicionário* ver o artigo *Sonhos*, além de comentários adicionais em Gênesis 37.5,9; 40.5,12 e 41.2,25. Os estudos sobre os sonhos têm comprovado a realidade dos sonhos proféticos, ainda que a maioria dos sonhos seja mero cumprimento de desejos e mecanismo de solução de problemas.

Espionagem. José tinha um plano a ser cumprido, antes de revelar-se para os seus irmãos. Portanto, deteve-os por algum tempo (e Simeão por um pouco mais de tempo), na prisão, sob a acusação de espionagem, acusação essa que passaria por verdadeira, enquanto não trouxessem Benjamim, em comprovação do que lhe haviam dito. "A acusação de espionagem era natural, pois as fronteiras egípcias que davam frente para a terra de Canaã eram vulneráveis a ataques (Êx 1.10)" (*Oxford Annotated Bible, in loc.*).

Os pontos fracos da terra. Ou seja, os locais pouco protegidos, mais vulneráveis a ataques. Os hicsos que tinham subjugado o Egito eram semitas vindos da região da Palestina, e as tribos selvagens daquela área eram sempre encaradas com suspeita e temor. Visto que o Egito desfrutava de abundância — ao passo que na região da Palestina havia escassez —, poderia tornar-se um alvo especial de ataque. Muitos exércitos têm marchado e invadido outras terras por razões menores do que essa.

■ 42.10

וַיֹּאמְרוּ אֵלָיו לֹא אֲדֹנִי וַעֲבָדֶיךָ בָּאוּ לִשְׁבָּר־אֹכֶל:

Comprar alimentos. É como se os irmãos de José tivessem dito: "Meu senhor, somos apenas pobres aldeões famintos em busca de alimentos, e não oficiais comissionados por parte de alguma potência estrangeira". Observemos a humildade deles. José era o *senhor,* e eles os *escravos,* o que concordava com os sonhos dele (Gn 37.5 ss.). "Trataram-no com a maior reverência e submissão, chamando-o de seu senhor, cumprindo assim os sonhos dele" (John Gill, *in loc.*).

■ 42.11

כֻּלָּנוּ בְּנֵי אִישׁ־אֶחָד נָחְנוּ כֵּנִים אֲנַחְנוּ לֹא־הָיוּ עֲבָדֶיךָ מְרַגְּלִים:

Filhos de um mesmo homem. Se fossem espiões, dificilmente seriam todos filhos de *um* só homem. Antes, teriam sido escolhidos por suas qualidades de observação ou treinamento, visto que sua missão seria secreta, importante e muito perigosa. E mesmo que fossem filhos de um rei hostil, dificilmente esse rei teria enviado *tantos* de seus filhos ao mesmo tempo. O argumento deles era irretorquível; mas José só fingiu que creria se trouxessem o irmão menor deles, ao qual se referiram. As coisas estavam correndo conforme José queria. Em breve veria seu irmão menor, Benjamim, um gigantesco passo para a união da família toda no Egito.

Somos homens honestos. Ou seja, homens sinceros, verazes, e não espiões. Eles só queriam comprar cereais para alimentar suas famílias, e assim escapar da fome. Não estavam pensando em preparar o caminho para a conquista do Egito por parte de alguma potência estrangeira.

■ 42.12

וַיֹּאמֶר אֲלֵהֶם לֹא כִּי־עֶרְוַת הָאָרֶץ בָּאתֶם לִרְאוֹת:

Nada disso. Apesar de todos os protestos, José deu a entender que continuava desconfiado deles. José estava prolongando o drama pelas razões dadas no sétimo versículo (ver a introdução às notas sobre esse versículo). José exigiu uma prova, a presença de Benjamim. Isso seria outro passo para trazê-los ao Egito, o que estava de acordo com o plano de Deus (Gn 15.13).

Para ver os pontos fracos da terra. Isso repete o que já tinha sido dito no vs. 9, onde o leitor deve ver as notas.

■ 42.13

וַיֹּאמְרוּ שְׁנֵים עָשָׂר עֲבָדֶיךָ אַחִים אֲנַחְנוּ בְּנֵי אִישׁ־אֶחָד בְּאֶרֶץ כְּנָעַן וְהִנֵּה הַקָּטֹן אֶת־אָבִינוּ הַיּוֹם וְהָאֶחָד אֵינֶנּוּ:

Filhos de um homem. Repetição do invencível argumento do vs. 11, onde a questão é comentada.

O mais novo. Eles falavam sobre Benjamim, que ficara em Canaã, na companhia de Jacó. Essa era uma informação vital, que José queria receber. O vs. 4 mostra que ele não tinha sido enviado. Tornara-se o filho favorito de Jacó, após o desaparecimento de José; e agora Jacó temia que algo pudesse suceder de mal a ele. Ver as notas sobre aquele versículo, quanto a maiores detalhes.

Outro já não existe. Ou seja, era tido como *morto*. Eles tinham vendido *esse* (José) como escravo, talvez 22 anos antes, e não faziam ideia do que lhe teria sucedido. Portanto, apresentaram-no como morto. Pelo menos, valia tanto quanto um morto, sem nenhum contato com a família. O trecho de Atos 44.20 repete essa questão de José ser considerado *morto*.

■ **42.14**

וַיֹּאמֶר אֲלֵהֶם יוֹסֵף הוּא אֲשֶׁר דִּבַּרְתִּי אֲלֵכֶם לֵאמֹר מְרַגְּלִים אַתֶּם׃

Uma Acusação Repetida. "Sois espiões". E, se não o fossem, que o provassem, trazendo o irmão mais novo (vs. 15). Ver o vs. 9 quanto à questão da *espionagem*. A repetição era um estilo literário nítido do autor do Gênesis, que encontramos a cada página. Ver o vs. 7 sobre a razão pela qual ele falou severamente com eles, promovendo o prolongamento do drama. O vs. 8 tem ideias adicionais sobre essa questão. Alguns eruditos pensam que há uma contradição que foi detectada por José, encorajando-o a prosseguir o interrogatório. No vs. 11, eles tinham deixado Benjamim de fora da história. Agora eles *adicionavam* Benjamim ao seu relatório. Assim, mentirosos que eram, tiveram de corrigir sua exposição.

■ **42.15**

בְּזֹאת תִּבָּחֵנוּ חֵי פַרְעֹה אִם־תֵּצְאוּ מִזֶּה כִּי אִם־בְּבוֹא אֲחִיכֶם הַקָּטֹן הֵנָּה׃

Nisto sereis provados. Que os irmãos trouxessem Benjamim a José. José fez um juramento pela mais alta autoridade do Egito, *Faraó*, ao qual os egípcios honravam como o filho de uma divindade, ou seja, um ser divino-humano. Esse juramento equivalia ao juramento dos hebreus, "Tão certo como vive o Senhor" (Jz 8.19; 1Sm 14.39,45; 1Rs 17.1). Era comum alguém jurar pela vida do rei, mesmo em Israel, pois entre muitos povos, o monarca era considerado uma divindade. Ver 1Samuel 17.25; 2Samuel 14.19. Também se jurava pela vida de *Yahweh* (2Sm 15.21; 2Rs 2.2,4,6). Somente a moralidade superior do evangelho é que veio a proibir juramentos (Mt 5.33-37). Ver o artigo detalhado sobre os *Juramentos*, no *Dicionário*. Posteriormente, os romanos passaram a jurar pela vida, pela saúde ou pelo *gênio* (divindade guia) do imperador.

■ **42.16**

שִׁלְחוּ מִכֶּם אֶחָד וְיִקַּח אֶת־אֲחִיכֶם וְאַתֶּם הֵאָסְרוּ וְיִבָּחֲנוּ דִּבְרֵיכֶם הַאֱמֶת אִתְּכֶם וְאִם־לֹא חֵי פַרְעֹה כִּי מְרַגְּלִים אַתֶּם׃

Vós ficareis detidos. A severidade de José foi aumentando. Talvez ele estivesse deveras indignado, mas o seu propósito principal era manter o controle dos movimentos de seus irmãos e forçá-los a trazer Benjamim na próxima vez em que viessem ao Egito, e, por fim, a trazer Jacó. O plano divino estava-se desdobrando. Ver as notas sobre os vss. 7 e 8 quanto às razões que motivavam José.

Em primeiro lugar, ele propôs que todos eles ficassem presos, com a *única exceção* daquele que voltaria à terra de Canaã a fim de ir buscar Benjamim. No vs. 19, todavia, José reverte, por um ato misericordioso, o número dos que iriam à terra de Canaã, dizendo que apenas um ficaria na prisão, Simeão. E foi assim que as coisas sucederam. Simeão ficou preso (vs. 24). Os vss. 21 ss. mostram que os irmãos de José acusaram a si mesmos por seus atos anteriores, que causaram a José grande sofrimento. José agora lhes servia do próprio remédio, para que lhe sentissem o gostinho. Platão dizia que a pior coisa que pode acontecer a um homem é ele cometer um erro mas nada pagar por isso. Isso lhe corrompe a alma. Uma das leis universais inexoráveis é a *Lei Moral da Colheita segundo a Semeadura* (ver o artigo com esse título no *Dicionário*).

José não lhes ofereceu opção. Ele estava em posição de exigir; e foi exatamente o que fez. Não apenas a fim de que eles pudessem provar que não eram espiões, mas tendo em vista o propósito superior, conforme foi dito acima. Ele estava querendo que eles chegassem a uma certa conclusão mental. E a vontade divina atuava sobre tudo.

■ **42.17**

וַיֶּאֱסֹף אֹתָם אֶל־מִשְׁמָר שְׁלֹשֶׁת יָמִים׃

Três dias. Foi um breve período de encarceramento, mas eles não faziam ideia de quanto tempo isso perduraria. Isso lhes daria tempo para pensarem em seus pecados. Intranquilos e temerosos, eles ficaram mofando ali, na expectativa de possíveis maiores calamidades. Assim eles teriam tempo para conversar e escolher *aquele* que voltaria à terra de Canaã e traria Benjamim ao Egito (ver o vs. 16). Esse filho de Jacó levaria notícias verdadeiramente intranquilizadoras.

A ORDEM ACERCA DE BENJAMIM (42.18-25)

■ **42.18**

וַיֹּאמֶר אֲלֵהֶם יוֹסֵף בַּיּוֹם הַשְּׁלִישִׁי זֹאת עֲשׂוּ וִחְיוּ אֶת־הָאֱלֹהִים אֲנִי יָרֵא׃

Fazei o seguinte, e vivereis. Agora, José parecia abrandar em suas exigências. Se os seus irmãos o atendessem, poderiam viver em paz.

Pois temo a Deus. José adorava ao verdadeiro Deus, *Elohim*. Não faria sentido entendermos aqui o plural, *deuses*, embora a frase tivesse sido dita dentro de um pano de fundo egípcio, politeísta. Ver no *Dicionário* os artigos *Elohim* e *Deus, Nomes Bíblicos de*. Sentimentos espirituais ou realmente abrandaram o coração de José, ou, então, o coração de seus irmãos. O fato foi que agora a exigência de José era que apenas um dos irmãos ficasse detido, e os demais levassem mantimentos à terra de Canaã (ver os vss. 16 e 19).

"As palavras *temo a Deus,* neste contexto, postulam, por implicação, a existência de um padrão de moralidade internacional da qual Deus é o guardião. Idêntico pensamento sublinha o trecho de Gênesis 20.11, e, menos diretamente, as palavras finais de Gênesis 39.9" (Cuthbert A. Simpson, *in loc.*). Poderíamos pensar que os pagãos politeístas vez por outra voltavam ao monoteísmo, reconhecendo que algum grande Poder é o governador supremo, acima de muitos deuses e deusas.

É possível que José tivesse querido dar a entender que adorava ao mesmo Deus que eles (seus irmãos) adoravam, e, por motivo de reverência ao Deus deles, ele mitigaria a sua exigência anterior.

■ **42.19**

אִם־כֵּנִים אַתֶּם אֲחִיכֶם אֶחָד יֵאָסֵר בְּבֵית מִשְׁמַרְכֶם וְאַתֶּם לְכוּ הָבִיאוּ שֶׁבֶר רַעֲבוֹן בָּתֵּיכֶם׃

Nove dos irmãos voltariam à terra de Canaã, levando mantimentos; e um deles, Simeão, ficaria detido, até que os outros voltassem ao Egito, trazendo Benjamim. José sabia que assim Jacó poderia suportar melhor a prova, mas o vs. 36 mostra que até mesmo isso foi um golpe duro no ânimo do idoso patriarca. José tinha "morrido", Simeão ficaria detido no Egito, e agora estavam exigindo que ele desistisse de Benjamim. Toda essa questão envolvia considerável sofrimento para Jacó. Dessa vez, entretanto, Jacó sofreria por causa dos erros de seus filhos, e não por sua própria culpa. Trata-se da antiga história do sofrimento causado pelo pecado. Ninguém peca sozinho. Os pecados sempre enredam outras pessoas na mesma teia, e as tristezas são compartilhadas. Contudo, existe aquela providência de Deus que retifica todas as coisas, afinal.

Levai cereal. Assim, os irmãos de José cumpririam sua missão, aliviando a necessidade premente em suas casas.

José temia a Deus, e agiu com benevolência. Até mesmo a sua aparente dureza tinha por desígnio atingir a um bom propósito. Em contraste, sem nenhuma misericórdia, seus irmãos tinham-no vendido à servidão. Todavia, Deus estava controlando todas as coisas desde o início, fazendo redundar o bem dentre muitos erros humanos (Gn 50.20).

42.20

וְאֶת־אֲחִיכֶם הַקָּטֹן תָּבִיאוּ אֵלַי וְיֵאָמְנוּ דִבְרֵיכֶם וְלֹא תָמוּתוּ וַיַּעֲשׂוּ־כֵן:

Trazei-me vosso irmão mais novo. Isso reforça a exigência central, conforme se vê nas notas sobre o vs. 15. Isso provaria que eles tinham dito a verdade, ao declararem que eram todos filhos de um mesmo homem (vs. 11) e tinham um irmão mais jovem em casa (vs. 13). E isso demonstraria que eram homens *honestos* (ver o vs. 11), e não espiões disfarçados.

Uma vez que Benjamim estivesse no Egito, certamente Jacó também viria para aquele país. E isso fazia parte dos desígnios de José. Ele estava trabalhando em cima de um plano de *longo alcance*.

Até onde os irmãos de José entendiam, eles continuavam debaixo da sentença potencial de morte; portanto não tinham opção quanto à questão. Precisavam agir conforme *José* lhes ditava. Mas devido à crueldade deles, José fora forçado a ir para o Egito, vendido como escravo.

42.21

וַיֹּאמְרוּ אִישׁ אֶל־אָחִיו אֲבָל אֲשֵׁמִים אֲנַחְנוּ עַל־אָחִינוּ אֲשֶׁר רָאִינוּ צָרַת נַפְשׁוֹ בְּהִתְחַנְנוֹ אֵלֵינוּ וְלֹא שָׁמָעְנוּ עַל־כֵּן בָּאָה אֵלֵינוּ הַצָּרָה הַזֹּאת:

Na verdade, somos culpados. O primeiro passo na senda do arrependimento consiste em sentir o peso da própria culpa. Isso desperta o desejo de mudar; pois não existe arrependimento sem mudança. Ademais, sempre que possível, devemos fazer reparação. Ver no *Dicionário* os artigos *Arrependimento* e *Reparação (Restituição)*. Estavam provando do amargo remédio que haviam servido à força a José. Sentiam-se aflitos, tal como sucedera a ele. Este versículo revela a angústia de José e seus gritos pedindo misericórdia, que não foram atendidos, algo que não havia sido mencionado no primeiro relato (Gn 37.23).

José fora atribulado. Agora eles estavam sendo atribulados. Ver no *Dicionário* o artigo intitulado *Lei Moral da Colheita segundo a Semeadura*. José escutava as lamentações deles, e os compreendia. No entanto, usava um intérprete (vs. 23), *como se* não fosse capaz de entender o idioma deles.

Tinham-se passado 22 anos, desde que haviam vendido José como escravo; mas a consciência deles mostrava-se sensível, como se o tivessem vendido ainda no dia anterior. "Leitor, *teus* pecados ainda não *te* acharam? Ora a Deus para que ele retire o véu de cima de teu coração, conferindo-te profundo senso de culpa, que te force a fugir em busca de refúgio, da esperança que te é proposta no evangelho de Cristo" (Adam Clarke, *in loc.*).

Por um lado, os irmãos de José estavam sofrendo *injustamente*, como sucedera a José, 22 anos antes, pois, na verdade, não eram espiões. Por outro lado, sofriam *justamente*, em resultado de seus pecados de 22 anos atrás. Algumas vezes demora a cumprir-se a lei da colheita segundo a semeadura; mas fatalmente ela tem cumprimento, porque, de outra sorte, este mundo seria dirigido pelo caos, e não haveria um desígnio divino quanto a todas as coisas. Os irmãos de José recordaram-se dele, a implorar por misericórdia, preso no fundo da cisterna, e, então, de como fora vendido aos ismaelitas, pois eles tinham querido desvencilhar-se dele. Agora, encarcerados, temiam por seu futuro e reconheciam que estavam recebendo o que mereciam.

Emanuel Kant alicerçou um argumento racional e filosófico sobre essa circunstância, em favor da existência de Deus e da alma. A justiça nunca é plenamente servida nesta esfera terrena. Homens bons nunca obtêm aqui toda a recompensa que merecem, nem homens maus recebem aqui o devido castigo, condizente com seus crimes. Portanto, deve haver uma alma que sobreviva à morte física e possa recolher o devido fruto de seus atos (em alguma outra existência), seja esse fruto bom ou mau, da parte de um poder divino. E assim, sobre bases racionais, Kant mostrava que Deus e a alma certamente existem.

Os homens recebem em espécie. Conforme semearem, assim também colherão. Ver no *Dicionário* o artigo *Lex Talionis*.

42.22

וַיַּעַן רְאוּבֵן אֹתָם לֵאמֹר הֲלוֹא אָמַרְתִּי אֲלֵיכֶם לֵאמֹר אַל־תֶּחֶטְאוּ בַיֶּלֶד וְלֹא שְׁמַעְתֶּם וְגַם־דָּמוֹ הִנֵּה נִדְרָשׁ:

As Memórias de Rúben. Por ocasião da traição contra José, ele tinha mostrado a única luz que brilhara naquela situação em tudo mais negra. Rúben tinha impedido que os outros irmãos matassem José (Gn 37.21). Ele os convencera de que José deveria ser arriado na cisterna (Gn 37.22), porque seu plano era vir mais tarde e libertá-lo dali. E ficara consternado quando percebeu que José já havia sido tirado da cisterna, ao voltar de algum lugar onde tinha ido (Gn 37.29,30). Portanto, Rúben tinha o direito de lhes lembrar a maldade que haviam praticado, a qual ele tentara impedir, e também tinha o direito de mostrar que a agonia que agora sentiam era resultante de seus pecados passados.

Eles haviam violado um bom relacionamento com a família, a unidade básica da ordem social. Tinham causado dor a um irmão e ao pai de todos eles. Tinham rompido a confiança da família e sua unidade. Um egoísmo estúpido tinha inspirado seus atos brutais. Uma família funciona como uma sinfonia. Cada instrumento precisa estar em sintonia com os demais. Ninguém pode agir como bem quiser, trazendo desarmonia à casa inteira.

... se requer de nós o seu sangue. De novo é salientada a lei da colheita segundo a semeadura. Esse é um dos princípios básicos da espiritualidade. Outro princípio é a lei do amor. Ver no *Dicionário* os artigos intitulados *Lei Moral da Colheita segundo a Semeadura* e *Amor*. A menção ao *sangue* pressupunha que José havia realmente morrido como resultado da cadeia de eventos que eles tinham iniciado.

42.23

וְהֵם לֹא יָדְעוּ כִּי שֹׁמֵעַ יוֹסֵף כִּי הַמֵּלִיץ בֵּינֹתָם:

José os entendia. Mas eles não percebiam isso, porque ele estava usando um intérprete. O copta e o hebraico eram idiomas semíticos, mas não tão próximos um do outro que pudessem ser entendidos prontamente por quem falasse um ou outro. Algumas palavras seriam entendidas, mas não o bastante para ser entendido o sentido das frases. Evidências literárias indicam que o copta, o hebraico, o siríaco e os idiomas cananeus seriam entendidos de forma básica pelas pessoas que os falassem, mais ou menos como as línguas neolatinas de hoje, em que uma pessoa que fale uma delas pode mais ou menos acompanhar o sentido do que se diz em outra. Os dialetos, todavia, diferiam consideravelmente, podendo causar grandes problemas de entendimento.

... lhes falava por intérprete. Os Targuns de Jonathan e de Jerusalém dizem que esse intérprete teria sido Manassés, filho mais velho de José, que talvez falasse os dois idiomas, se José tivesse cuidado para ele aprender o hebraico no lar. Mas ele era jovem demais na época, pelo que a sugestão é improvável (Gn 41.50,51).

42.24

וַיִּסֹּב מֵעֲלֵיהֶם וַיֵּבְךְּ וַיָּשָׁב אֲלֵהֶם וַיְדַבֵּר אֲלֵהֶם וַיִּקַּח מֵאִתָּם אֶת־שִׁמְעוֹן וַיֶּאֱסֹר אֹתוֹ לְעֵינֵיהֶם:

Retirando-se deles, chorou. Embora fizesse o papel de um homem duro, seu coração era brando. Para que a vida tenha sentido, é mister haver bom relacionamento, começando pela família. José não somente estava salvando pessoas da inanição, mas também estava reunindo de novo a sua família. Falamos sobre *liberdade* do indivíduo, e isso reflete uma grande verdade. Mas também há necessidade de justiça e de amor, que governem todos os grupos sociais, a começar pela família. O egoísmo separa; o amor unifica.

Não havia amargura em José. Quão fácil é abrigar ódio e nutrir memórias de erros que nos tenham vitimado. José fora injustiçado, mas tinha o coração grande o bastante para esquecer o passado.

Tomou a Simeão. Simeão foi algemado, ou por ter-se apresentado voluntariamente como o irmão que ficaria detido no Egito, ou por ter sido o principal ofensor de José, ou, então, por esses fatores ou por qualquer outra combinação de fatores. Mas podemos estar certos de que ele não foi maltratado, porquanto era um hóspede, e não um autêntico prisioneiro. Os rabinos judeus, porém, interpretavam que Simeão é que teria amarrado José e agido como líder pensante do grupo de irmãos, motivo pelo qual agora sofria uma espécie de retaliação. A culpa de Simeão teria sido aprofundada por suas circunstâncias adversas, e isso o teria ajudado a arrepender-se. O homem foi algemado na presença dos outros, a fim de intensificar o senso de culpa de todos, pela mesma razão. Cf. Gênesis 43.30; 45.2,14; 50.1,17 quanto ao fato de que José chorou. Ver no *Dicionário* o artigo chamado *Lamentação*.

■ 42.25

וַיְצַו יוֹסֵף וַיְמַלְאוּ אֶת־כְּלֵיהֶם בָּר וּלְהָשִׁיב כַּסְפֵּיהֶם אִישׁ אֶל־שַׂקּוֹ וְלָתֵת לָהֶם צֵדָה לַדָּרֶךְ וַיַּעַשׂ לָהֶם כֵּן׃

Que lhes enchessem os sacos de cereal. O cereal saiu gratuito, porquanto José lhes devolveu o dinheiro. Assim, o cereal que tinham vindo comprar, ganharam de presente. Tinham provisões para a viagem de volta e mais alguns meses. Assim, José tornou-se tipo de Cristo, aquele que supre as necessidades espirituais de todos os homens, de todas as nações, como o Pão da Vida (Jo 6.48). Ver as notas sobre Gênesis 37.3, quanto a José como um tipo de Cristo. Em Cristo são supridas todas as nossas necessidades (Fp 4.19). A prata que José lhes devolveu, sem que tomassem logo conhecimento disso, produziu neles um grande *choque*, ao descobrirem o que tinha sucedido. Ficaram temerosos, não atinando o que Deus estaria fazendo com eles (vs. 28).

Os sacos. Mas eles não dispunham apenas de nove sacos. Os irmãos de José tinham trazido jumentos (vs. 26), pois dispunham-se a comprar grande quantidade de mantimentos (Gn 45.19). Esses sacos, provavelmente, eram feitos de lã, de grande tamanho, conforme até hoje se vê na Ásia Menor, usados para transportar víveres. No vs. 27 temos a palavra hebraica *sak*, tão parecida com os termos correspondentes em inglês e em português que é óbvio que essa palavra foi tomada por empréstimo, pelo hebraico, de alguma língua europeia. De fato, o dicionário mostra que essa foi a derivação do termo hebraico, explicando que significa "saco de pano, saco para cereais".

OS FILHOS DE JACÓ VOLTAM A CANAÃ (42.26-38)

■ 42.26

וַיִּשְׂאוּ אֶת־שִׁבְרָם עַל־חֲמֹרֵיהֶם וַיֵּלְכוּ מִשָּׁם׃

E carregaram o cereal. Os jumentos iam carregados com os vários tipos de receptáculos, os *keleyhem* (do vs. 25) e os *saks* (do vs. 27). Tinham chegado vazios, e agora voltavam cheios. E não haviam gasto um centavo sequer, o que é boa representação da abundante provisão que temos em Cristo. Notemos, igualmente, que eles nada *mereciam*, mas a *graça* divina se mostrara abundante. Ver no *Dicionário* o artigo intitulado *Graça*.

José lhes havia dado sinais secretos de boa vontade, mas eles não sabiam interpretá-los (vs. 27).

■ 42.27

וַיִּפְתַּח הָאֶחָד אֶת־שַׂקּוֹ לָתֵת מִסְפּוֹא לַחֲמֹרוֹ בַּמָּלוֹן וַיַּרְא אֶת־כַּסְפּוֹ וְהִנֵּה־הוּא בְּפִי אַמְתַּחְתּוֹ׃

Abrindo um deles o seu saco. Esta última palavra, no hebraico, é *sak*; ver as notas a respeito no vs. 25. Pensaram em alimentar os animais com o conteúdo dos sacos. Para admiração e consternação deles, entretanto, viram que seu dinheiro lhes havia sido devolvido. José, como já dissemos, lhes havia dado sinais secretos de boa vontade, mas eles não sabiam como interpretar o intuito dele. Essa boa vontade traduzia-se mediante ampla e mesmo abundante provisão.

"Deus pode fazer-vos abundar em toda graça, a fim de que, tendo sempre, em tudo, ampla suficiência, superabundeis em toda boa obra" (2Co 9.8).

Na estalagem. Na antiguidade, fazer uma viagem era um empreendimento perigoso. Havia piratas das estradas e elementos criminosos que patrulhavam os caminhos, buscando vítimas. Por isso, era sábio viajar em grupos. As estalagens antigas ofereciam alguma proteção. Em tempos posteriores, porém, as estalagens ficaram de tal modo infestadas de prostitutas que os cristãos preferiam hospedar-se na casa de outros cristãos, em suas viagens. Ver no *Dicionário* o artigo chamado *Hospedaria*, quanto a detalhes sobre as estalagens antigas. Esses lugares eram frequentados por numerosos caravaneiros. Havia ali atendentes que cuidavam dos animais, da provisão alimentar e de outros interesses dos viajantes. Adam Clark diz-nos que, naqueles tempos remotos, essas estalagens não valiam grande coisa, e não passavam de estruturas que podiam oferecer alguma proteção contra as intempéries, mas não muito mais que isso.

■ 42.28

וַיֹּאמֶר אֶל־אֶחָיו הוּשַׁב כַּסְפִּי וְגַם הִנֵּה בְאַמְתַּחְתִּי וַיֵּצֵא לִבָּם וַיֶּחֶרְדוּ אִישׁ אֶל־אָחִיו לֵאמֹר מַה־זֹּאת עָשָׂה אֱלֹהִים לָנוּ׃

Devolveram o meu dinheiro. Aqueles homens não mereciam aquilo, pelo que a *graça* estava fluindo. Mas na verdade, o que obteríamos se nos fosse dado apenas aquilo que merecemos? Ver Simeão ser algemado teve o seu impacto. Cada um deles lembrou-se do papel que tivera na venda de José como escravo. E agora, vendo a sua prata, e não sabendo *por que* ela estava ali, receberam outro choque, sentindo-se consternados. Em todos aqueles acontecimentos viram a presença de *Deus*, pelo que, ao menos nisso, tiveram um correto discernimento. Deus estava reunindo de novo a família de Jacó, para que a nação de Israel pudesse desenvolver-se no Egito. Ver a introdução ao presente capítulo quanto às razões para isso.

Deus. No hebraico, *Elohim*. Ver no *Dicionário* o artigo *Deus, Nomes Bíblicos de*. O uso dos vários nomes de Deus deu aos críticos a ideia equivocada de que o Pentateuco está alicerçado sobre várias fontes. Naturalmente, este é apenas um dos argumentos em prol dessa teoria. Ver no *Dicionário* o artigo intitulado *J.E.D.P.(S.)*, quanto à teoria das fontes múltiplas do Pentateuco.

O texto hebraico é bastante poético aqui: "e seus corações se derramaram, e eles tremeram cada qual para seu irmão". Faltou-lhes a coragem, e ficaram olhando uns para os outros, aterrados, procurando entender o enigma.

A providência divina fazia parte do quadro. Esse é um dos principais temas do Gênesis. Ver no *Dicionário* o verbete *Providência de Deus*. A verdade era que um *irmão* estava cuidando deles; mas essa era a última coisa que eles poderiam ter imaginado.

■ 42.29

וַיָּבֹאוּ אֶל־יַעֲקֹב אֲבִיהֶם אַרְצָה כְּנָעַן וַיַּגִּידוּ לוֹ אֵת כָּל־הַקֹּרֹת אֹתָם לֵאמֹר׃

De Novo em Canaã. Os nove filhos de Jacó contaram sobre *o homem severo do Egito*, que tinha retido a Simeão e exigido que o irmão mais novo lhe fosse apresentado, como prova de que não eram espiões. Quando Jacó ouviu o relatório, seu coração também "desmaiou". Suas perdas estavam aumentando, e agora o seu amado Benjamim devia ser levado a algum destino desconhecido. Não obstante, José não estava "usando de malícia com ninguém, mas de amor para com todos", conforme disse Abraão Lincoln de certa feita. Mas isso era disfarçado pelos modos severos com que José garantiria a chegada, em segurança, de sua família no Egito.

■ 42.30

דִּבֶּר הָאִישׁ אֲדֹנֵי הָאָרֶץ אִתָּנוּ קָשׁוֹת וַיִּתֵּן אֹתָנוּ כִּמְרַגְּלִים אֶת־הָאָרֶץ׃

... nos tratou como espiões. Ver o vs. 9 deste capítulo quanto a essa questão. O Egito era vulnerável nas fronteiras com a terra de Canaã, onde se concentravam tribos aguerridas, sempre dispostas a atacar. A acusação, pois, embora falsa, tinha suas razões de ser. O segundo homem do Egito falara duramente com eles, considerando-os mentirosos (vs. 12). Uma das características do autor sacro era a repetição. Talvez fosse apenas uma questão de estilo, embora talvez tenha servido ao propósito de ênfase. Portanto, começando por aqui, e até o vs. 35, temos uma reiteração de vários elementos, com pouca adição de fatos históricos. Somente a partir do vs. 36 a narrativa avança para novos desenvolvimentos.

■ 42.31

וַנֹּאמֶר אֵלָיו כֵּנִים אֲנָחְנוּ לֹא הָיִינוּ מְרַגְּלִים׃

Homens honestos. Eles não eram espiões, conforme se vê nas notas sobre o vs. 11.

■ 42.32

שְׁנֵים־עָשָׂר אֲנַחְנוּ אַחִים בְּנֵי אָבִינוּ הָאֶחָד אֵינֶנּוּ וְהַקָּטֹן הַיּוֹם אֶת־אָבִינוּ בְּאֶרֶץ כְּנָעַן:

Este versículo combina os vss. 11 e 13, onde os elementos são comentados. Este versículo abrevia aqueles dois outros.

■ 42.33

וַיֹּאמֶר אֵלֵינוּ הָאִישׁ אֲדֹנֵי הָאָרֶץ בְּזֹאת אֵדַע כִּי כֵנִים אַתֶּם אֲחִיכֶם הָאֶחָד הַנִּיחוּ אִתִּי וְאֶת־רַעֲבוֹן בָּתֵּיכֶם קְחוּ וָלֵכוּ:

Este versículo sumaria a narração anterior, deixando de lado a exigência original de José de que nove irmãos ficassem presos no Egito e um deles fosse buscar Benjamim (vs. 16). Deixa de lado o vs. 19, onde há elementos que são comentados. Que Simeão foi retido no Egito não é dito especificamente, mas fica apenas entendido, conforme mostra o vs. 36.

■ 42.34

וְהָבִיאוּ אֶת־אֲחִיכֶם הַקָּטֹן אֵלַי וְאֵדְעָה כִּי לֹא מְרַגְּלִים אַתֶּם כִּי כֵנִים אַתֶּם אֶת־אֲחִיכֶם אֶתֵּן לָכֶם וְאֶת־הָאָרֶץ תִּסְחָרוּ:

Trazei-me vosso irmão mais novo. Isso repete o vs. 15, onde os elementos são comentados.

E negociareis na terra. Essa ideia é uma adição ao que já fora dito. O segundo homem do Egito permitiria que eles negociassem, soltaria Simeão e creria que eles não eram espiões. A expressão poderia significar somente que eles teriam acesso ao suprimento alimentar do Egito, que José cuidaria de suas necessidades, e não que poderiam tornar-se negociantes no Egito.

■ 42.35

וַיְהִי הֵם מְרִיקִים שַׂקֵּיהֶם וְהִנֵּה־אִישׁ צְרוֹר־כַּסְפּוֹ בְּשַׂקּוֹ וַיִּרְאוּ אֶת־צְרֹרוֹת כַּסְפֵּיהֶם הֵמָּה וַאֲבִיהֶם וַיִּירָאוּ:

Este versículo repete as informações dadas nos vss. 27 e 28, exceto pelo fato de que agora Jacó também se consternou diante da devolução da prata. O Targum de Jonathan afirma que a principal razão do temor deles era que Simeão, estando ainda sob o poder do homem forte do Egito, poderia ser executado se eles fossem acusados de furto ou de terem ficado com a prata que deveria ter sido entregue ao supervisor. Fosse como fosse, consequências desconhecidas, após tantos acontecimentos bizarros, poderiam atingi-los com muitos males.

■ 42.36

וַיֹּאמֶר אֲלֵהֶם יַעֲקֹב אֲבִיהֶם אֹתִי שִׁכַּלְתֶּם יוֹסֵף אֵינֶנּוּ וְשִׁמְעוֹן אֵינֶנּוּ וְאֶת־בִּנְיָמִן תִּקָּחוּ עָלַי הָיוּ כֻלָּנָה:

Tendes-me privado de filhos. José estava morto (até onde pensavam seu pai e seus irmãos, vs. 22). Simeão estava preso, e poderia ser executado. E agora Benjamim seria mandado a um destino desconhecido, para ser entregue às mãos do homem forte do Egito. Jacó não era a causa daquelas calamidades. Ele culpou seus filhos por elas, e com toda a razão. Os atos deles tinham atingido a família na própria raiz, aquilo que eles deveriam ter prezado acima de tudo. Essas coisas eram "cargas pesadas que estavam apressando a morte de Jacó, pois eram mais do que ele era capaz de suportar" (Adam Clarke, *in loc.*).

Sem o conhecimento de Jacó, José estava vivo e exaltado no Egito, acima de todas as expectativas. Simeão estava sob custódia protetora. E tudo fazia um *bom* plano dar certo, e a família inteira em breve seria reunida. Deus trazia tudo sob controle. A avaliação tão pessimista de Jacó laborava em erro. Mas na experiência humana, essas avaliações são bem reais. Ver no *Dicionário* o artigo chamado *Problema do Mal*.

■ 42.37

וַיֹּאמֶר רְאוּבֵן אֶל־אָבִיו לֵאמֹר אֶת־שְׁנֵי בָנַי תָּמִית אִם־לֹא אֲבִיאֶנּוּ אֵלֶיךָ תְּנָה אֹתוֹ עַל־יָדִי וַאֲנִי אֲשִׁיבֶנּוּ אֵלֶיךָ:

Rúben disse a seu pai. Ao que parece, ele havia violentado uma das concubinas de seu pai, Bila (Gn 35.22 ss.). Esse tinha sido o seu grande pecado. Pelo lado melhor, porém, foi ele que pleiteou com sucesso para que a vida de José fosse poupada; foi ele que descera José em uma cisterna, na esperança de poder retirá-lo dali para ser entregue a Jacó (Gn 37.21,22). Foi também Rúben o primeiro a reconhecer que a calamidade havia atingido os irmãos, por terem maltratado José (Gn 42.22). Assim, se exceturarmos seu momento de desvario no tocante a Bila, ele aparece como o melhor dos filhos de Jacó, depois de José e Benjamim. Naqueles momentos de crise, ele tomara a peito a tarefa de convencer Jacó a que atendesse à exigência do homem forte do Egito, a fim de que toda a situação se endireitasse. Benjamim teria de descer com os nove irmãos ao encontro do homem forte do Egito, para provar que não eram espiões. No entanto, Jacó permanecia adamantino. Jacó não cedia, mas a fome ia aumentando (Gn 43.1). Voltar ao Egito tornava-se indispensável. Então Judá interveio e convenceu seu pai de ceder diante das exigências do homem forte do Egito.

Mata os meus dois filhos. Rúben não imaginava que Jacó fizesse algo tão irracional quanto isso, se a sua missão falhasse, mas falou isso em veemência retórica. Rúben havia tentado, mas falhara, para impedir a perda de José; mas agora estava resolvido a não falhar de novo.

■ 42.38

וַיֹּאמֶר לֹא־יֵרֵד בְּנִי עִמָּכֶם כִּי־אָחִיו מֵת וְהוּא לְבַדּוֹ נִשְׁאָר וּקְרָאָהוּ אָסוֹן בַּדֶּרֶךְ אֲשֶׁר תֵּלְכוּ־בָהּ וְהוֹרַדְתֶּם אֶת־שֵׂיבָתִי בְּיָגוֹן שְׁאוֹלָה:

Seu irmão é morto. Benjamim tinha outros meios-irmãos, mas José (presumivelmente morto) era seu único irmão de pai e mãe. Ambos eram filhos de Raquel, a mais amada das esposas de Jacó, já falecida. Em outro sentido, ele era "o único que restava" a Jacó, e era agora o seu *favorito*, embora isso seja dito em um sentido comparativo, e não absoluto. A perda de Benjamim significaria a morte de Jacó. Ele não seria capaz de resistir a tal golpe. Em consequência, recusava-se, absolutamente, a deixar Benjamim ir ao Egito. Todavia, a fome ia apertando mais e mais. E Judá tomou sobre si a responsabilidade de convencer Jacó. E Jacó acabou cedendo, devido ao peso da necessidade.

Uma nova calamidade ameaçava agora o idoso patriarca. A sua parcialidade paterna, que antes privilegiara José, depois fora transferida para Benjamim. As tragédias feriam precisamente onde repousava o seu favoritismo. Quando Jacó estava em companhia de Labão, sua principal preocupação era como tornar-se cada vez mais rico, mediante um trabalho árduo. Aos poucos, ele fora elevando os seus valores. Agora, seus filhos eram o seu mundo.

Com tristeza à sepultura. No hebraico, *sheol* (ver a respeito no *Dicionário*, e também comentários adicionais em Gn 37.35). O *sheol* envolve uma longa história de *desenvolvimento* teológico, como, de resto, acontece com a maioria das doutrinas da Bíblia. Dodd fornece-nos uma eloquente e comovente descrição da cena: "Coisa alguma pode ser mais terna e pitoresca do que as palavras do venerável patriarca. Pleno de afeto por sua amada Raquel, não podia separar-se de Benjamim, o único sinal restante daquele amor perdido, agora que José não mais existia (conforme ele pensava). Quase podemos contemplar o venerável e encanecido pai a pleitear com seus filhos, o amado filho Benjamim de pé ao seu lado, todos de fisionomia conturbada, diante da ânsia e do amor de Jacó, o que nos enche de dó. É difícil encontrar em qualquer autor, antigo ou moderno, uma descrição mais comovente".

José havia sido dado como perdido fazia 22 anos. Para Jacó, entretanto, parece que tudo tinha sucedido no dia anterior.

Deus se move de forma misteriosa
Para realizar as suas maravilhas.
Implanta seus passos no mar,
E cavalga por cima do tufão.

A incredulidade cega sempre erra,
E examina sua obra em vão;
Deus é o seu próprio intérprete,
E deixará tudo bem claro!

William Cowper

CAPÍTULO QUARENTA E TRÊS

OS IRMÃOS DE JOSÉ RETORNAM AO EGITO (43.1-34)

Os críticos atribuem este capítulo a uma combinação das fontes *J* e *E*. Ver no *Dicionário* o verbete intitulado *J.E.D.P.(S.)* quanto à teoria das fontes múltiplas do Pentateuco. Presumivelmente o material da fonte *J* contava apenas uma viagem mais simples dos filhos de Jacó ao Egito. Mas uma adição editorial, *E*, de acordo com esse ponto de vista, teria acrescentado outra viagem, mais comovente. Os eruditos conservadores, porém, não veem motivos para duvidar das duas viagens, mesmo que tenha havido combinação de fontes informativas. Seja como for, temos diante de nós uma notável peça de literatura, tão verossímil à experiência humana, tão plena de poder e emoção. Ainda recentemente, recebi uma carta de um notável pregador que me informava que a história de José é a sua passagem bíblica favorita, e até sentia alguma "inveja" de mim, porque eu tenho tido este privilégio de fazer uma exposição dela, ao mesmo tempo em que ele tem que permanecer ocupado em seus muitos deveres pastorais. A narrativa não nos permite esquecer a providência de Deus, sobre a qual escrevi um detalhado artigo, no *Dicionário*. O poder de Deus manifesta-se na história; sobrevieram dificuldades, mas a vitória, finalmente, se impôs.

Teu toque tem ainda o poder antigo,
Nenhuma palavra tua cai por terra inútil;
Ouve, nesta solene hora da noite,
E, em tua compaixão, cura-nos a todos.

Henry Twell, um hino, *At Even, When the Sun is Set*

"A fome prosseguia, e a família de Jacó precisava conseguir mais cereal. Dessa vez, sem embargo, Benjamim precisava ir ao Egito em companhia de seus outros irmãos. Judá tinha relembrado a Jacó que, sem Benjamim, o homem forte do Egito se negaria a recebê-los. Como é claro, Jacó relutava. Sua reprimenda ('Por que me fizestes este mal, dando a saber àquele homem que tínheis outro irmão?') foi apenas uma tentativa para escapar da decisão que teria de tomar. Era-lhe *forçoso* liberar a Benjamim, para que seus filhos pudessem voltar ao Egito" (Allen P. Ross, *in loc.*). Às vezes não há opções quanto a uma decisão que devemos tomar. Às vezes, todas as alternativas são difíceis. Contudo, Deus estava com Jacó e sua família, e nenhum dano definitivo os atingiria. Bem pelo contrário, havia um abundante suprimento divino que os esperava na *nova terra*. Oh, Senhor, concede-nos tal graça!

■ 43.1

וְהָרָעָב כָּבֵד בָּאָרֶץ:

A fome. Prossegue o drama iniciado no capítulo 42. Uma segunda viagem era necessária; os suprimentos da primeira viagem tinham-se esgotado; Simeão continuava preso; José continuava esperando pela volta de seus irmãos, com Benjamim, seu irmão de pai e mãe.

■ 43.2

וַיְהִי כַּאֲשֶׁר כִּלּוּ לֶאֱכֹל אֶת־הַשֶּׁבֶר אֲשֶׁר הֵבִיאוּ מִמִּצְרָיִם וַיֹּאמֶר אֲלֵיהֶם אֲבִיהֶם שֻׁבוּ שִׁבְרוּ־לָנוּ מְעַט־אֹכֶל:

Voltai. Não nos é dito por que a grande ansiedade de Jacó acerca de Simeão não fê-lo ordenar que seus filhos voltassem antes ao Egito. Simeão ficara detido no Egito (vss. 16,24). A ameaça da fome fê-lo exortar seus filhos a que descessem de novo ao Egito. Mas não levassem Benjamim. Havia muitos filhos, netos e servos — uma verdadeira comunidade, para nada dizermos quanto aos animais. A sobrevivência tornara-se o principal problema da vida.

■ 43.3

וַיֹּאמֶר אֵלָיו יְהוּדָה לֵאמֹר הָעֵד הֵעִד בָּנוּ הָאִישׁ לֵאמֹר לֹא־תִרְאוּ פָנַי בִּלְתִּי אֲחִיכֶם אִתְּכֶם:

Judá lhe respondeu. Ele tomou o lugar de Rúben como porta-voz (ver 42.7 ss.). Seu argumento foi que deveriam obedecer prontamente ao homem forte do Egito, e Benjamim deveria ir também. Sem ele, a viagem seria inútil. Rúben havia sido repelido fortemente. Talvez Judá tivesse melhor êxito diante de Jacó, adiciona aqui a Septuaginta, acerca de José, "o senhor da terra". Mas não havia como contornar a exigência dele. Sua vontade precisava ser obedecida, se a viagem tivesse de alcançar sucesso.

■ 43.4

אִם־יֶשְׁךָ מְשַׁלֵּחַ אֶת־אָחִינוּ אִתָּנוּ נֵרְדָה וְנִשְׁבְּרָה לְךָ אֹכֶל:

Se resolveres enviar conosco. Mas somente se Jacó cedesse, permitindo que Benjamim fosse também com os outros. Nenhum dos irmãos iria ao Egito, a menos que essa condição fosse atendida. Agora, Judá mostrava-se tão obstinado quanto Jacó. Para que desperdiçar tempo, energias e dinheiro, e passar pelas agruras da viagem, em um projeto inútil? Dispunham-se a fazer um grande sacrifício, mas não de forma estúpida.

■ 43.5

וְאִם־אֵינְךָ מְשַׁלֵּחַ לֹא נֵרֵד כִּי־הָאִישׁ אָמַר אֵלֵינוּ לֹא־תִרְאוּ פָנַי בִּלְתִּי אֲחִיכֶם אִתְּכֶם:

Se, porém... não desceremos. Eles não obedeceriam a seu pai. Há ocasiões em que a dureza tem de ser enfrentada com dureza. Obstinação contra obstinação. Algumas vezes, essa é a única decisão cabível, capaz de produzir bom resultado. Até onde Judá entendia, a viagem seria perigosa. Eles tinham sido acusados de ser espiões. Voltar para buscar suprimentos mas não levar o irmão caçula seria tido como má-fé e uma virtual confissão de que eram espiões, que preparavam o caminho para alguma invasão estrangeira.

■ 43.6

וַיֹּאמֶר יִשְׂרָאֵל לָמָה הֲרֵעֹתֶם לִי לְהַגִּיד לָאִישׁ הַעוֹד לָכֶם אָח:

Dando a saber àquele homem...? Este versículo é extremamente humano. Fazemos coisas que, *depois*, vemos que não deveríamos ter feito. Alguém já disse: "Olhar para o passado é melhor do que olhar para o futuro". Exigimos de outras pessoas mais do que elas podem fazer. Diante de maus resultados, esperamos de outras pessoas (tarde demais) uma sabedoria que não poderiam ter exercido no momento em que agiram. Como os irmãos de Jacó poderiam ter esperado qualquer resultado adverso ao dizerem ao homem forte do Egito que eles tinham um irmão menor, que havia ficado em casa? Tinham apresentado o *sábio* argumento de que *todos* eles eram filhos de um mesmo homem, eliminando assim toda a possibilidade de serem espiões enviados por algum rei estrangeiro. Nenhum rei enviaria todos os seus filhos a outro país, como espiões, mormente em uma missão perigosa. Um rei teria outras pessoas de confiança para enviar. E também não enviaria dez homens de uma vez, mas no máximo dois espiões peritos.

■ 43.7

וַיֹּאמְרוּ שָׁאוֹל שָׁאַל־הָאִישׁ לָנוּ וּלְמוֹלַדְתֵּנוּ לֵאמֹר הַעוֹד אֲבִיכֶם חַי הֲיֵשׁ לָכֶם אָח וַנַּגֶּד־לוֹ עַל־פִּי הַדְּבָרִים הָאֵלֶּה הֲיָדוֹעַ נֵדַע כִּי יֹאמַר הוֹרִידוּ אֶת־אֲחִיכֶם:

A Família Fora Vasculhada. Os filhos de Jacó haviam feito o que tinham sido forçados a fazer. O homem forte do Egito mostrara-se curioso quanto a tudo. Havia feito perguntas muito bem colocadas, pedindo informações. Responderam de acordo com essas perguntas, e não havia como antecipar que ele diria para trazerem o irmão caçula da próxima vez. As *disputas de família* usualmente são tão tolas como essa troca de exclamações. O trecho de Gênesis 42.13 parece indicar que tinham dado voluntariamente essa informações, e não mediante perguntas cruzadas. Mas o autor sacro não se preocupou em contar duas vezes a história exatamente do mesmo modo, com o que desagradou aos modernos harmonizadores.

Informações sobre as Condições de Vida e sobre a Parentela. Eles tinham sido interrogados quanto a eles mesmos, incluindo seu lugar de nascimento, seus laços de parentesco etc. (Gn 12.1; 24.4,7; 31.3). Eles não faziam ideia de que o homem forte do Egito estava pedindo informações sobre a sua *própria família*. Na verdade, ele estava perguntando: "Como vão as coisas lá em casa?" Ele já estava fora de casa fazia 22 anos, e essas informações eram importantíssimas para ele.

Os irmãos de José não poderiam ter previsto que uma informação sobre seu irmão caçula daria tanta dor de cabeça. Algumas vezes, os pais exigem coisas impossíveis da parte de seus filhos.

■ 43.8

וַיֹּאמֶר יְהוּדָה אֶל־יִשְׂרָאֵל אָבִיו שִׁלְחָה הַנַּעַר אִתִּי וְנָקוּמָה וְנֵלֵכָה וְנִחְיֶה וְלֹא נָמוּת גַּם־אֲנַחְנוּ גַם־אַתָּה גַּם־טַפֵּנוּ׃

Judá Assume a Responsabilidade. Há um ditado popular que diz: "Estar contigo é o mesmo que estares comigo". E com isso querem alguns dizer que podemos confiar em *algumas* pessoas tanto quanto em nossos pais. Judá seria pessoalmente responsável diante de Jacó, pois agiria com Benjamim como se fosse o seu próprio pai.

Envia o jovem comigo. Benjamim, por esse tempo, teria cerca de 30 anos de idade. O termo hebraico para "jovem" aplicava-se a uma pessoa de até 30 anos de idade. Esse termo mostra que Benjamim não era nenhuma criança; já era um adulto jovem. O termo hebraico para "jovem" envolvia certo sentido afetivo. Essa palavra hebraica foi usada para indicar tanto Rebeca (Gn 24.16) quanto Siquém (Gn 34.19).

Filhos favoritos costumam ser considerados crianças mais do que o normal. Assim, os pais podem referir-se a um filho adolescente chamando-o de "nosso bebê", por se terem acostumado a chamá-lo assim por muito tempo. E assim, ele permanece um *bebê* por mais tempo do que deveria. O trecho de Gênesis 46.21 informa-nos acerca dos filhos de Benjamim; mas não sabemos se isso se refere ao tempo em que ele foi para o Egito, ou se já foi ali que eles nasceram. Adam Clarke pensa que, nessa época, Benjamim teria 24 anos. John Gill calculava 32, porque seria sete anos mais novo que José, o qual agora teria cerca de 39 anos de idade. Para computar a idade de Benjamim, examinar as seguintes passagens do Gênesis: 30.22; 31.41; 35.18; 38.2; 41.46,53,54 e 50.6.

Pelo Bem de Todos. Benjamim seria, indiretamente, o salvador da família inteira, incluindo os *pequeninos* da casa de Jacó.

■ 43.9

אָנֹכִי אֶעֶרְבֶנּוּ מִיָּדִי תְּבַקְשֶׁנּוּ אִם־לֹא הֲבִיאֹתִיו אֵלֶיךָ וְהִצַּגְתִּיו לְפָנֶיךָ וְחָטָאתִי לְךָ כָּל־הַיָּמִים׃

A Garantia Seria o Próprio Judá. Este cuidaria de modo especial do jovem Benjamim, em vista da grande preocupação com que Jacó ficaria. Se algo de ruim sucedesse a Benjamim, Judá seria o culpado disso *para sempre*. Não é grande o consolo podermos culpar alguém em tempos de tragédia, mas Judá nada mais tinha que oferecer além disso. É verdade que ele não haveria de querer arcar com tal culpa, especialmente se fosse "para sempre", o que significa que seria muito cauteloso. Rúben havia-se apresentado como fiador de Benjamim, em troca de seus próprios filhos (Gn 42.37). Agora, a garantia dada por Judá, sob a pressão do momento, embora enfática, quase nada significava.

■ 43.10

כִּי לוּלֵא הִתְמַהְמָהְנוּ כִּי־עַתָּה שַׁבְנוּ זֶה פַעֲמָיִם׃

Quanto Tempo Perdido! Os filhos de Jacó já haviam perdido muito tempo precioso. Simeão mofava na prisão (vss. 16 e 24). E coisa alguma se ganhara com o adiamento. Já poderiam ter feito a segunda viagem e estar de volta, missão cumprida. O tempo é um de nossos mais preciosos bens. Dentro do tempo, podemos fazer coisas importantes para nossa vida e nosso destino. O tempo é sempre tão escasso, tão precioso. Por isso, não devemos dilapidá-lo. Todas as pessoas, contudo, precisam de algum tempo de lazer, a fim de reconquistar energias perdidas, mas ninguém tem o direito de entregar-se ao ócio.

O ócio é o refúgio das mentes débeis, como também o feriado dos idiotas.

Lord Chesterfield

Na civilização não há lugar para o ocioso.
Nenhum de nós tem direito ao lazer.

Henry Ford

Vai ter com a formiga, ó preguiçoso, considera os seus caminhos, e sê sábio.

Provérbios 6.6

Amas a vida? Então não desperdices o tempo, pois a vida é feita desse estofo.

Benjamim Franklin

Faz uso do teu tempo, não deixes escapar a oportunidade.

William Shakespeare

■ 43.11

וַיֹּאמֶר אֲלֵהֶם יִשְׂרָאֵל אֲבִיהֶם אִם־כֵּן אֵפוֹא זֹאת עֲשׂוּ קְחוּ מִזִּמְרַת הָאָרֶץ בִּכְלֵיכֶם וְהוֹרִידוּ לָאִישׁ מִנְחָה מְעַט צֳרִי וּמְעַט דְּבַשׁ נְכֹאת וָלֹט בָּטְנִים וּשְׁקֵדִים׃

Levai de presente a esse homem. Jacó acabou cedendo à exigência e ao bom senso. E providenciou um *presente* para ser oferecido ao homem forte do Egito, procurando suavizar um pouco o seu coração. Como é óbvio, o primeiro-ministro do Egito de nada carecia. De fato, ele era o provedor de populações inteiras ao redor. No entanto, gestos de gentileza têm o seu lugar e podem exercer um poderoso efeito. Por certo, não precisamos comprar a bondade de Deus. Mas os homens são diferentes de Deus. Jacó talvez não pudesse subornar o homem forte do Egito, mas talvez agradá-lo e suavizar um pouco a sua atitude. A compaixão de Deus é expressa muito antes de ao menos lhe pedirmos; mas a compaixão humana, às vezes, pode ser cultivada.

Busquei ao Senhor, e depois entendi:
Ele moveu minha alma para buscá-lo, buscando-me.

Autor desconhecido

Mas a compaixão humana usualmente não antecede os nossos pedidos.

Um Presente. Jacó enviava o *melhor* que havia na terra de Canaã. Há notas a respeito no vs. 26.

Bálsamo. Ver o artigo detalhado com esse nome no *Dicionário*. O bálsamo era uma resina, uma espécie de goma produzida por certas árvores (Jr 8.22). A região de Gileade era especialmente abundante em substâncias dessa natureza, as quais eram usadas na perfumaria e como medicamento. O citado artigo descreve várias dessas substâncias.

Mel. Ver o artigo detalhado com esse nome no *Dicionário*. A Palestina dispunha de abundante suprimento de mel dos campos. A Palestina era conhecida como a terra que manava "leite e mel" (Js 5.6).

Arômatas. Temos aqui uma alusão ao *estoraque*, ou outra goma similar, usada principalmente na perfumaria. Plínio diz que a Judeia produzia excelentes especiarias e plantas aromáticas. O Targum de Jarchi, porém, diz que aqui está em pauta a *cera de abelhas*.

Mirra. Ver o artigo detalhado com esse nome no *Dicionário*. Temos aqui um líquido que gotejava de uma árvore. Essa árvore é pequena, um arbusto espinhento que produz pequenos frutos, uma exsudação de certas plantas. As substâncias produzidas eram usadas principalmente na perfumaria. Era um dos ingredientes usados no óleo santo das unções (Êx 30.23). Foi um dos itens usados na preparação do corpo de Jesus para o seu sepultamento, segundo se vê em João 19.39.

Nozes de pistácia. Ver no *Dicionário* os artigos intitulados *Pistácia* e *Castanhas*. As nozes produzidas na Síria eram as melhores do mundo. Alguns eruditos, porém, preferem pensar aqui em tâmaras, ou, então, castanhas do terebinto. Seja como for, está em pauta alguma coisa boa de comer.

Amêndoas. Ver as notas em Gênesis 30.37 sobre esse produto, sob o título *Aveleira*. Na terra de Canaã havia amêndoas excelentes.

Os produtos enviados, embora não fossem nativos do Egito, eram produtos largamente importados. José facilmente teria acesso a eles. No entanto, o *presente* seria bem apreciado.

■ 43.12

וְכֶסֶף מִשְׁנֶה קְחוּ בְיֶדְכֶם וְאֶת־הַכֶּסֶף הַמּוּשָׁב בְּפִי אַמְתְּחֹתֵיכֶם תָּשִׁיבוּ בְיֶדְכֶם אוּלַי מִשְׁגֶּה הוּא׃

Dinheiro em dobro. Alguns pensam que isso incluía aquele que tinha sido (surpreendentemente) devolvido (Gn 42.27). E haveria igual quantia que também seria enviada. Mas há estudiosos que pensam que temos aqui somente uma *segunda soma* em dinheiro, suficiente para pagar os suprimentos comprados nessa segunda viagem. Porém, se os filhos de Jacó quisessem realmente agradar ao homem forte do Egito, então deveriam devolver-lhe o dinheiro referente à primeira compra, que fora posta na saca de cada um dos irmãos de José, ao retornarem à Palestina. E o vs. 22 mostra-nos que eles tentaram devolver esse dinheiro.

Naturalmente, não devemos pensar que esse dinheiro tivesse a forma de moedas, e, sim, de prata sob a forma de pó ou de lingotes. O versículo mostra que a "devolução" do dinheiro fazia parte do plano, no caso de ter sido posto nas sacas por "equívoco", ou seja, acidentalmente.

■ 43.13

וְאֶת־אֲחִיכֶם קָחוּ וְקוּמוּ שׁוּבוּ אֶל־הָאִישׁ׃

Levai também vosso irmão. Esse era o item mais precioso, o qual José receberia com maior alegria e senso de gratidão. Os valores mais preciosos são os próprios membros de uma família, diante dos quais todas as coisas materiais são reputadas como nada. No entanto, há homens que sacrificam seus familiares por amor a algum ganho material. Há homens que negligenciam suas famílias por causa de suas carreiras profissionais ou de algo que lhes dê prazer. Ver no *Dicionário* o artigo intitulado *Família*.

■ 43.14

וְאֵל שַׁדַּי יִתֵּן לָכֶם רַחֲמִים לִפְנֵי הָאִישׁ וְשִׁלַּח לָכֶם אֶת־אֲחִיכֶם אַחֵר וְאֶת־בִּנְיָמִין וַאֲנִי כַּאֲשֶׁר שָׁכֹלְתִּי שָׁכָלְתִּי׃

Deus Todo-poderoso vos dê misericórdia. Em nosso desespero, deixamos tudo nas mãos de Deus, em oração, quando as coisas se tornam descontroláveis para nós, e faltam-nos recursos próprios. O nome divino aqui usado é *El Shaddai*. Ver no *Dicionário* sobre esse nome, que é um artigo detalhado. Ver também as notas sobre Gênesis 17.1, onde esse é o nome divino usado em uma das reiterações do *Pacto Abraâmico*, e onde dou informações adicionais. Esse nome reaparece quando Deus confirmou esse pacto com Jacó (Gn 28.3). Ver as notas em Gênesis 15.18 sobre esse pacto. Deus é "todo suficiente", e haveria de exibir suas ternas misericórdias e uma viagem segura aos filhos de Jacó. Ele não perderia o seu amado filho caçula, Benjamim.

Sem filhos ficarei. *Deus*, "em cujas mãos está o coração de todos os homens, reis, príncipes, governadores, e até daqueles que são mais cruéis e empedernidos, violentos e severos" (John Gill, *in loc.*). Ele é quem cuidaria dos filhos de Jacó, nessa sua segunda viagem ao Egito.

> Feliz aquele que em modesta lida,
> Isento da ambição e da miséria,
> No regaço do amor e da virtude
> A vida passa. Mais feliz ainda
> Se, das turbas ruidosas afastado,
> À sombra do carvalho, entre os que adora,
> Sente a existência deslizar tranquila,
> Como as águas serenas do ribeiro;
> Mas que digo! Nem esse, infindos males,
> Comuns a todos, seu viver não poupam.
>
> Soares de Passos, Portugal

■ 43.15

וַיִּקְחוּ הָאֲנָשִׁים אֶת־הַמִּנְחָה הַזֹּאת וּמִשְׁנֶה־כֶּסֶף לָקְחוּ בְיָדָם וְאֶת־בִּנְיָמִן וַיָּקֻמוּ וַיֵּרְדוּ מִצְרַיִם וַיַּעַמְדוּ לִפְנֵי יוֹסֵף׃

Este versículo salta por cima de muitos pormenores da viagem. Eles partiram, levando consigo os presentes; e, uma vez mais, apresentaram-se a José. Benjamim estava bem; todos estavam bem; tudo tinha corrido bem. Quando dizemos que uma viagem "não teve novidades", queremos dizer que nada houve de especial, de bom ou de mau.

JOSÉ E BENJAMIM ENCONTRAM-SE (43.16-34)

■ 43.16

וַיַּרְא יוֹסֵף אִתָּם אֶת־בִּנְיָמִין וַיֹּאמֶר לַאֲשֶׁר עַל־בֵּיתוֹ הָבֵא אֶת־הָאֲנָשִׁים הַבָּיְתָה וּטְבֹחַ טֶבַח וְהָכֵן כִּי אִתִּי יֹאכְלוּ הָאֲנָשִׁים בַּצָּהֳרָיִם׃

Vendo José a Benjamim. Por muitas vezes, quando os membros de nossa família têm estado separados, por causa de nosso "pingue-pongue" internacional, temos sentido saudades, depois de meses sem nos vermos. Em aeroportos temos nos visto pela última vez; em aeroportos temos esperado por eles. E então, *ei-los ali*. E nosso coração salta de alegria. O maior sacrifício que um missionário enfrenta é quando se vê separado de membros de sua família. *José viu a Benjamim*. Fazia cerca de 22 anos desde que o tinha visto pela última vez, quando ele estava com cerca de 10 anos de idade. E embora agora já estivesse com cerca de 32 anos, José não teve dificuldade em reconhecê-lo. *José avistou Benjamim*. Foi um momento preciosíssimo. Os maiores valores são os que envolvem a família. José, pois, ordenou que se preparasse um banquete de recepção. Geralmente celebramos em torno de mesas servidas regiamente. Vamos a algum restaurante caro. Ou vamos ao lar de nossos filhos, e eles preparam alguma refeição especial. O coração sente-se jubiloso, e os diálogos fluem com facilidade. Estamos de novo reunidos. Um por todos e todos por um. Oh, Senhor, concede-nos tal graça!

Nessas ocasiões, nenhum dos membros da família é negligenciado, o círculo traçado pelo amor é amplo o bastante para acolher a cada um. Simeão foi solto da prisão (vs. 24)! Que momento grandioso deve ter sido para ele! — liberto da prisão, novamente unido a seus irmãos, naqueles momentos festivos.

Alguns estudiosos, antigos e modernos, têm declarado que há aqui uma inexatidão no texto, supondo que as classes mais abastadas e a casta sacerdotal seguiam um regime vegetariano. Mas a arqueologia não tem confirmado essa opinião. Os sacerdotes podiam consumir vacas e gansos, embora não carneiro, porco ou peixe. Mas esse banquete não envolvia nenhuma pessoa dessa casta. Faraó tinha seus rebanhos de gado vacum e ovino, sem dúvida também para alimentar-se deles.

■ 43.17,18

וַיַּעַשׂ הָאִישׁ כַּאֲשֶׁר אָמַר יוֹסֵף וַיָּבֵא הָאִישׁ אֶת־הָאֲנָשִׁים בֵּיתָה יוֹסֵף׃

וַיִּירְאוּ הָאֲנָשִׁים כִּי הוּבְאוּ בֵּית יוֹסֵף וַיֹּאמְרוּ עַל־דְּבַר הַכֶּסֶף הַשָּׁב בְּאַמְתְּחֹתֵינוּ בַּתְּחִלָּה אֲנַחְנוּ מוּבָאִים לְהִתְגֹּלֵל עָלֵינוּ וּלְהִתְנַפֵּל עָלֵינוּ וְלָקַחַת אֹתָנוּ לַעֲבָדִים וְאֶת־חֲמֹרֵינוּ׃

Para a casa de José. Os filhos de Jacó foram acolhidos na casa do próprio grande homem do Egito, embora estivessem *temerosos*. Talvez imaginassem que estavam sendo levados a algum ardil ou emboscada. Interpretaram totalmente errado o gesto de gentileza. Estavam sendo levados ali para o bem, e não para o mal, para serem servidos abundantemente, e não para sofrerem privação, para serem alvos de amor, e não de ódio. O problema do dinheiro não lhes saía da mente. Talvez agora fossem acusados de terem-no furtado. Mas na mente de José só se destacava a ideia de reunir-se com seus irmãos. Simeão tinha sido lançado no cárcere, por ocasião da primeira visita deles (Gn 42.24). Vê-lo *algemado* deve ter sido para todos eles uma experiência traumática. Talvez agora temessem ser algemados como ele o tinha sido, tendo de enfrentar um futuro desconhecido e incerto.

■ 43.19

וַיִּגְּשׁוּ אֶל־הָאִישׁ אֲשֶׁר עַל־בֵּית יוֹסֵף וַיְדַבְּרוּ אֵלָיו פֶּתַח הַבָּיִת׃

Mordomo. Ver no *Dicionário* o artigo detalhado sobre esse ofício. Esse homem não tinha autoridade independente, mas, talvez por ser o homem de maior confiança na casa, por delegação de José, os filhos de Jacó conseguissem influenciá-lo, para que este falasse com José e o tornasse mais favorável. O problema do dinheiro lhes estava perseguindo a mente, pelo que foram diretamente ao ponto, tentando explicar o que havia sucedido (vs. 20 ss.).

■ 43.20

וַיֹּאמְרוּ בִּי אֲדֹנִי יָרֹד יָרַדְנוּ בַּתְּחִלָּה לִשְׁבָּר־אֹכֶל׃

Eles eram apenas hebreus famintos, que procuravam evitar a inanição. Não eram desonestos (o dinheiro reaparecera misteriosamente), nem eram espiões (Gn 42.9).

"As aflições enviadas por Deus, e sob a sua direção, têm uma admirável tendência de nos humilhar a alma. Se os homens soubessem quão graciosos são os seus desígnios, quando envia alguma aflição, jamais haveriam de murmurar contra as dispensações da providência divina" (Adam Clarke, *in loc.*). Esse perceptivo comentário de Adam Clarke também pode ser aplicado até ao julgamento dos perdidos (ver 1Pe 4.6). Grande é o amor de Deus! Que ninguém o diminua! Todos os juízos e aflições mandados por Deus são *remediais*. É isso que devemos esperar do Deus cujo nome é *amor*. Pois a compaixão de Deus é mais vasta que o escopo da mente humana. Ver no *Dicionário* o verbete *Julgamento de Deus dos Homens Perdidos*.

■ 43.21

וַיְהִי כִּי־בָאנוּ אֶל־הַמָּלוֹן וַנִּפְתְּחָה אֶת־אַמְתְּחֹתֵינוּ וְהִנֵּה כֶסֶף־אִישׁ בְּפִי אַמְתַּחְתּוֹ כַּסְפֵּנוּ בְּמִשְׁקָלוֹ וַנָּשֶׁב אֹתוֹ בְּיָדֵנוּ׃

Este versículo reitera os elementos dos vss. 27 e 28 do capítulo 42, onde oferecemos notas expositivas. Ali podemos entender, e aqui nos é dito especificamente, que fora devolvido o peso *total* da prata. Agora eles tinham mais prata, capaz de pagar pela segunda compra de cereais. Isso servia de prova da honestidade deles.

Estalagem. Ver no *Dicionário* o verbete *Hospedaria*.

■ 43.22

וְכֶסֶף אַחֵר הוֹרַדְנוּ בְיָדֵנוּ לִשְׁבָּר־אֹכֶל לֹא יָדַעְנוּ מִי־שָׂם כַּסְפֵּנוּ בְּאַמְתְּחֹתֵינוּ׃

Trouxemos também outro dinheiro. Além daquele devolvido, este outro tinha o propósito de pagar por novo suprimento de alimentos. É claro que *alguém* tinha posto o dinheiro anterior nos sacos, mas eles não sabiam quem poderia ter sido. Na ansiedade deles, prestaram um completo relatório do que poderia ter sido algum equívoco ou descuido.

■ 43.23

וַיֹּאמֶר שָׁלוֹם לָכֶם אַל־תִּירָאוּ אֱלֹהֵיכֶם וֵאלֹהֵי אֲבִיכֶם נָתַן לָכֶם מַטְמוֹן בְּאַמְתְּחֹתֵיכֶם כַּסְפְּכֶם בָּא אֵלָי וַיּוֹצֵא אֲלֵהֶם אֶת־שִׁמְעוֹן׃

Paz seja convosco. Não havia *motivo* para temores, mas um coração que se sente culpado aproveita toda oportunidade para sentir-se desassossegado sob quaisquer circunstâncias. Sentiam-se culpados de um grave crime, e isso não permitia que se sentissem em paz. Ver no *Dicionário* o artigo detalhado com esse título, *Paz*.

O vosso Deus, e o Deus de vosso pai. Temos aqui uma referência clara a *Elohim* ou *Yahweh*, o Deus dos hebreus. O politeísmo eclético dos egípcios talvez tenha incluído até a adoração ao Deus dos hebreus, ao menos no caso de alguns egípcios. É provável, porém, que o autor sagrado tenha querido que entendêssemos que aquele mordomo de José havia sido treinado na fé dos hebreus, talvez até pelo próprio José. Ademais, o texto sagrado dá a entender que José havia informado aquele homem quanto ao caso que envolvia seus irmãos, e que também estava desempenhando um papel na charada. O nome divino aqui usado é *Elohim* (ver no *Dicionário*).

O vosso dinheiro me chegou a mim. Essa informação, dada pelo mordomo, aquietou-os. Ele *sabia* que eles não o tinham furtado; assim, podiam relaxar e esquecer os seus temores. *Deus* cuidara para que houvesse devolução. O agente dessa devolução, *José*, todavia, não foi mencionado. Que o incidente fosse chamado de uma obra divina. Era tudo quanto eles precisavam saber. Era parte dos deveres de um mordomo cuidar de todo dinheiro que entrasse ou saísse da casa.

E lhes trouxe fora a Simeão. Longe de algemá-los também, o longo encarceramento de Simeão subitamente chegou ao fim. Não se sabe dizer qual foi a duração desse aprisionamento, mas deve ter-se passado um tempo considerável, visto que José precisou perguntar deles se seu pai havia falecido entre as duas viagens (vs. 27).

"As palavras do mordomo novamente salientaram o motivo fundamental do relato: as operações da providência divina" (*Oxford Annotated Bible*). Ver no *Dicionário* o verbete *Providência de Deus*.

Isso aliviou a mente preocupada dos irmãos de José. Diz um antigo hino: "Trazei vossas cargas até a cruz, e deixai-as ali". José estava aplicando a lei do amor, a qual expele o medo (1Jo 4.18). Ver no *Dicionário* o artigo intitulado *Amor*.

■ 43.24

וַיָּבֵא הָאִישׁ אֶת־הָאֲנָשִׁים בֵּיתָה יוֹסֵף וַיִּתֶּן־מַיִם וַיִּרְחֲצוּ רַגְלֵיהֶם וַיִּתֵּן מִסְפּוֹא לַחֲמֹרֵיהֶם׃

Todas as providências foram tomadas em favor dos recém-chegados irmãos de José. O mordomo cuidou deles: deu-lhes água para matar-lhes a sede; seus pés foram lavados; os animais receberam provisões. Tudo isso fazia parte da hospitalidade oriental. Ver no *Dicionário* o artigo *Hospitalidade*. "Usualmente, isso era feito nos países orientais depois de uma viagem, ou quando alguém ia receber uma refeição, visando tanto ao refrigério quanto à higiene" (John Gill, *in loc.*).

■ 43.25

וַיָּכִינוּ אֶת־הַמִּנְחָה עַד־בּוֹא יוֹסֵף בַּצָּהֳרָיִם כִּי שָׁמְעוּ כִּי־שָׁם יֹאכְלוּ לָחֶם׃

Agora, satisfeitos, eles podiam apresentar as dádivas que tinham sido enviadas a José. Se o homem forte do Egito nutrisse más intenções contra eles, ou qualquer desejo de fazer-lhes o mal, por certo não se teria dado ao trabalho de mostrar-se tão acolhedor para com eles.

O presente. Este já havia sido descrito com pormenores em Gênesis 43.11 (ver as notas expositivas).

Ao meio-dia. Isso também fora dito no vs. 16. Nos países do Oriente, esse era o horário da principal refeição do dia, embora os romanos preferissem tomá-la ao cair da noite. Aquele versículo (16) também mostra que José havia dado ordens para que seus irmãos fossem convidados para a suntuosa refeição do meio-dia; mas talvez por ter falado em egípcio, não havia sido entendido. Alguém lhes transmitira o recado. "Os direitos de hospitalidade eram por demais sagrados para permitir que um convidado fosse tratado com perfídia" (Ellicott, *in loc.*). Em consequência, maravilha das maravilhas, o homem forte do Egito os tinha convidado para participarem daquela honrosa ocasião, ainda que, por enquanto, eles só pudessem ver tudo aquilo como um tremendo mistério. Misteriosa, igualmente, é a graça de Deus, que recolhe todos os pecadores penitentes em sua grande casa, a fim de festejarem juntamente com ele. Ver no *Dicionário* o verbete chamado *Graça*.

Maravilhosa graça de nosso amoroso Senhor,
Graça que ultrapassa nosso pecado e culpa...

Julia Johnson

■ 43.26

וַיָּבֹא יוֹסֵף הַבַּיְתָה וַיָּבִיאוּ לוֹ אֶת־הַמִּנְחָה אֲשֶׁר־בְּיָדָם הַבָּיְתָה וַיִּשְׁתַּחֲווּ־לוֹ אָרְצָה׃

Trouxeram-lhe para dentro o presente. Ele já era o *benfeitor* deles, e haveria de sê-lo ainda mais. Assim, pois, a graça de Deus demanda a nossa lealdade, o nosso serviço e o nosso amor. Devolvemos aquilo que podemos. A graça nos inspira às boas obras (Ef 2.10); e, quando servimos ao próximo, servimos ao Senhor (Mt 25.36 ss.). Notemos que eles presentearam José com o melhor que havia na terra de Canaã (vs. 11).

Dê de seu melhor ao Mestre,
Dê de sua força e de sua juventude.
Lance o ardor radiante e fresco de sua alma
Na batalha pela verdade.

Jesus deu o exemplo;
Ele não tinha medo.
Era jovem e corajoso;
Dê-lhe sua devoção leal.
Dê-lhe o melhor de si.

Sra. Charles Barnard

E prostraram-se perante ele. Encostando o rosto em terra, cumprindo assim os sonhos proféticos que José tivera talvez 24 anos atrás. Ver Gênesis 37.5-9. Cf. Gênesis 42.6.

■ 43.27

וַיִּשְׁאַל לָהֶם לְשָׁלוֹם וַיֹּאמֶר הֲשָׁלוֹם אֲבִיכֶם הַזָּקֵן אֲשֶׁר אֲמַרְתֶּם הַעוֹדֶנּוּ חָי׃

O fato de que José sentiu necessidade de indagar de novo acerca de seu pai, por ocasião desta segunda viagem de seus irmãos ao Egito, mostra-nos que se passara algum tempo entre a primeira e esta segunda viagem, pelo menos o bastante para José pensar que ele poderia ter morrido entre uma e outra. Na época, Jacó tinha cerca de 132 anos de idade. Ele haveria de viver até os 147 anos (Gn 47.28).

■ 43.28

וַיֹּאמְרוּ שָׁלוֹם לְעַבְדְּךָ לְאָבִינוּ עוֹדֶנּוּ חָי וַיִּקְּדוּ וַיִּשְׁתַּחוּ

Jacó continuava vivo, e só faleceria dentro de mais quinze anos, no Egito. E assim a nação de Israel haveria de desenvolver-se nesse país, até que surgisse Moisés (cerca de quatrocentos anos mais tarde), ou algo acima de duzentos anos, de acordo com a Septuaginta, para libertar Israel da servidão e conduzir a nação às fronteiras da terra de Canaã. Ver Gênesis 15.13. Os filhos de Israel só serviram, realmente, como escravos, no Egito, por cerca de 215 anos, e a Septuaginta deixa-se influenciar por esse fato, em seu cômputo do tempo.

E abaixaram a cabeça, e prostraram-se. Essa foi a segunda vez que o fizeram, em pouco tempo. Ver Gênesis 43.26.

■ 43.29

וַיִּשָּׂא עֵינָיו וַיַּרְא אֶת־בִּנְיָמִין אָחִיו בֶּן־אִמּוֹ וַיֹּאמֶר הֲזֶה אֲחִיכֶם הַקָּטֹן אֲשֶׁר אֲמַרְתֶּם אֵלָי וַיֹּאמַר אֱלֹהִים יָחְנְךָ בְּנִי׃

Identificação de Benjamim. Embora Benjamim tivesse apenas cerca de 10 anos quando fora visto pela última vez por José, ao que tudo indica, agora José pôde reconhecê-lo prontamente. Mas para certificar-se, fez a indagação, e a identificação lhe foi confirmada: "Este é Benjamim". Imediatamente, José proferiu uma bênção paternal sobre o rapaz. Ele chamou Benjamim de *filho*, como um superior faria a um inferior, de acordo com os antigos costumes orientais, embora isso não envolvesse nenhuma relação de sangue. Na época, Benjamim teria cerca de 32 anos de idade.

■ 43.30

וַיְמַהֵר יוֹסֵף כִּי־נִכְמְרוּ רַחֲמָיו אֶל־אָחִיו וַיְבַקֵּשׁ לִבְכּוֹת וַיָּבֹא הַחַדְרָה וַיֵּבְךְּ שָׁמָּה׃

Um Coração Extremamente Comovido. José sentiu profundo amor por seu irmão de pai e mãe, Benjamim, deixando-se vencer pela emoção. Sabendo que não poderia evitar o choro, ausentou-se do salão, a fim de não ser visto nem ouvido. O homem forte do Egito a chorar diante dos humildes hebreus sem dúvida teria sido uma cena estranha. José geralmente tinha ataques de choro ao ver-se tomado por profunda emoção. Ver Gênesis 42.24; 45.2,14 e 50.1,17.

■ 43.31

וַיִּרְחַץ פָּנָיו וַיֵּצֵא וַיִּתְאַפַּק וַיֹּאמֶר שִׂימוּ לָחֶם׃

Depois lavou o rosto. A fim de reduzir o aspecto congestionado e mostrar-se bem-arrumado, a fim de que a farsa pudesse ter prosseguimento. Lágrimas podem ser vertidas quando estamos tristes, ou quando estamos alegres. Pelo menos José estava de novo em companhia de seus irmãos, após uma espera de cerca de 24 anos. Seu objetivo, que era unificar sua família no Egito, estava prestes a realizar-se.

■ 43.32

וַיָּשִׂימוּ לוֹ לְבַדּוֹ וְלָהֶם לְבַדָּם וְלַמִּצְרִים הָאֹכְלִים אִתּוֹ לְבַדָּם כִּי לֹא יוּכְלוּן הַמִּצְרִים לֶאֱכֹל אֶת־הָעִבְרִים לֶחֶם כִּי־תוֹעֵבָה הִוא לְמִצְרָיִם׃

Separação. Os hebreus ficaram sentados em um lugar; e os egípcios em outro lugar. O autor mostra que os egípcios tinham um complexo de superioridade, pensando que estaria abaixo de sua dignidade comer com os humildes nômades hebreus da terra de Canaã. Mas é difícil ver como isso poderia estar sucedendo *ali*, pois o primeiro-ministro estava à mesa junto com os humildes. Por outro lado, José permitiu que as *convenções* prevalecessem, embora entre os dois grupos não houvesse animosidade. Alguns eruditos pensam que a separação devia-se à exaltada posição de José, e não porque os hebreus fossem desprezados. Outros lançam a culpa sobre o tipo de alimentação, pensando que os egípcios não comeriam as mesmas coisas que os hebreus consumiam. Ver o último parágrafo das notas sobre o vs. 16, quanto à questão.

Não dispomos de referência literária antiga alusiva a alguma desafeição entre os hebreus e os egípcios, mas Heródoto frisa uma clara aversão entre os egípcios e os gregos: "...nenhum egípcio, homem ou mulher, beijaria um grego na boca, nem usaria faca ou espeto, ou seja, uma faca que um grego tivesse usado para cortar qualquer coisa, ou espeto com que tivesse assado carne, ou vaso em que tivesse cozinhado algo, nem provaria da carne de um boi que tivesse sido cortada com a faca de um grego". Ademais, nem ao menos conversaria com uma pessoa de diferente fé religiosa (*Chaeremon* apud Porçhry, *de abstinentia*, o. 4, sec. 6). Se os egípcios tinham tais sentimentos sobre os gregos, é provável que também os transferissem aos hebreus. Mas é impossível dizer até que ponto os egípcios se mostrariam inflexíveis quanto a isso. "As leis de pureza ritual requeriam que os egípcios se separassem dos estrangeiros" (*Oxford Annotated Bible*).

■ 43.33

וַיֵּשְׁבוּ לְפָנָיו הַבְּכֹר כִּבְכֹרָתוֹ וְהַצָּעִיר כִּצְעִרָתוֹ וַיִּתְמְהוּ הָאֲנָשִׁים אִישׁ אֶל־רֵעֵהוּ׃

A Ordem Cronológica. José ia tirando surpresas do bolso, enquanto continuava em sua charada. Conhecendo seus irmãos e suas idades, ele os fez sentar-se à mesa em ordem cronológica, do mais velho para o mais novo. Seus irmãos não demoraram a perceber o feito, e lançaram olhares nervosos uns para os outros. Outro mistério para deixá-los atônitos.

E assentaram-se. "Nos monumentos, os egípcios sempre aparecem sentados para tomar suas refeições. Quanto ao costume dos hebreus, ver Gênesis 27.19. Os irmãos, ao verem-se colocados segundo sua ordem de idade, devem ter pensado que José possuía o poder da adivinhação, sobretudo quanto à *devida precedência*, uma questão da maior importância no Oriente" (Ellicott, *in loc.*).

E assim, ali estavam onze irmãos, sentados em fileira, segundo a ordem descendente de idade. Rúben em um dos extremos, e Benjamim no outro extremo. Não havia como isso pudesse ter ocorrido por mero acidente.

■ 43.34

וַיִּשָּׂא מַשְׂאֹת מֵאֵת פָּנָיו אֲלֵהֶם וַתֵּרֶב מַשְׂאַת בִּנְיָמִן
מִמַּשְׂאֹת כֻּלָּם חָמֵשׁ יָדוֹת וַיִּשְׁתּוּ וַיִּשְׁכְּרוּ עִמּוֹ׃

A porção de Benjamim. Este recebeu cinco vezes mais que os demais irmãos de José, o que era uma imensa parcialidade. Benjamim era o convidado de honra da ocasião. Todos os corações estavam leves; as nuvens negras, por enquanto, tinham passado. José ainda haveria de testá-los com o copo de prata (Gn 44.12) — a charada continuaria. Contudo, não havia razão para temores, pelo que celebraram comendo, bebendo e regozijando-se. O ódio os havia separado, mas agora o amor tornava a uni-los. José mostrava maior afeto a Benjamim, mas ainda tinha muita afeição a mostrar pelos demais, de tal modo que ninguém tinha motivo para queixas.

"Na Pérsia, na Arábia e na Índia há várias casas onde se apresentam vários pratos... um defronte de cada indivíduo ... de acordo com a magnificência de cada casa. Esse é o método entre os hindus. Os pratos não são servidos sobre a mesa, mas as porções são enviadas a cada pessoa, pelo dono da festa... Grandes homens sempre são servidos por si mesmos... e com maiores porções" (Sir John Chardin).

Ver em Gênesis 35.18 quanto a Benjamim como um tipo simbólico de Cristo.

CAPÍTULO QUARENTA E QUATRO

A FAMÍLIA DE JOSÉ NO EGITO (44.1—47.31)

BENJAMIM EM APARENTE PERIGO (44.1-34)

Os críticos atribuem este capítulo a uma mistura das fontes *J* e *E*. Ver no *Dicionário* o artigo *J.E.D.P.(S.)*, quanto à teoria das fontes múltiplas do Pentateuco.

José submeteu seus irmãos a um teste final, antes de revelar-lhes a sua verdadeira identidade. Novamente foi usado o ardil do dinheiro posto de volta em suas sacas. Os críticos veem isso com muita suspeita, pensando ser altamente improvável que José pudesse usar novamente o truque. Por isso, supõem que a história, tendo sido compilada à base de mais de uma fonte informativa, acabou contendo a duplicação da história sobre o dinheiro devolvido (ver também Gn 42.27).

Além disso, o precioso copo de prata (mediante o qual José supostamente adivinhava) foi posto no pacote de Benjamim. Assim, José submeteu seus irmãos não só a um grande embaraço, mas também a um teste extremamente duro. Depois de tudo ter chegado a grande harmonia e alegria, e de terem eles comido juntos um grande banquete, unidos uma vez mais, agora tudo era estragado por antigos temores e por renovadas ameaças. Eles tinham submetido José a muito desespero e consternação, quando o venderam como escravo ao Egito. Ali ele estivera na prisão e sofrera misérias durante anos. Agora era a vez de eles sofrerem dor, temor e consternação. Mas se José pôde, realmente, ter sentido alguma indignação, não era esse o fato que inspirava os seus atos. Antes, ele os estava disciplinando. Eles não poderiam escapar totalmente livres das consequências de seus atos anteriores. Ver no *Dicionário* o artigo *Lei Moral da Colheita segundo a Semeadura*.

Alguns estudiosos pensam que esse teste sondava o quanto eles se importavam com Benjamim, irmão por parte de pai e mãe de José. Se se preocupassem genuinamente com Benjamim, então José poderia perdoá-los por sua anterior falta de interesse por ele mesmo. Era mister sentirem compaixão pelo outro filho de Raquel. Talvez estivesse em jogo a participação deles no Pacto Abraâmico (ver as notas em Gn 15.18). Deus era poderoso para levantar a nação de Israel usando somente José, deixando os outros irmãos de lado. Fosse como fosse,

a repentina ameaça a Benjamim foi como uma lança que lhes tivesse atravessado o coração; e parece que essa era a verdadeira intenção de José. Deveriam ter mostrado tal interesse pessoal por José. Mas, na ocasião, excetuando-se Rúben, o coração deles tinha-se mostrado incapaz de sentir dó de José.

■ 44.1

וַיְצַו אֶת־אֲשֶׁר עַל־בֵּיתוֹ לֵאמֹר מַלֵּא אֶת־אַמְתְּחֹת
הָאֲנָשִׁים אֹכֶל כַּאֲשֶׁר יוּכְלוּן שְׂאֵת וְשִׂים כֶּסֶף־אִישׁ
בְּפִי אַמְתַּחְתּוֹ׃

Esta ordem ao mordomo. Ver sobre ele em Gênesis 43.19.

Enche de mantimento. Eles foram regiamente servidos. Assim, por um lado, José certificou-se de que todas as necessidades deles seriam supridas; e, por outro lado, armou para eles uma nova armadilha, que os submeteria a um teste final. Comentei sobre a natureza desse teste na introdução a este capítulo.

O dinheiro. Ou seja, a prata que eles tinham pago pelo cereal. Ver Gênesis 42.27 quanto ao mesmo truque no tocante à sua anterior viagem ao Egito. Ver a introdução a este capítulo quanto a essa questão.

■ 44.2

וְאֶת־גְּבִיעִי גְּבִיעַ הַכֶּסֶף תָּשִׂים בְּפִי אַמְתַּחַת הַקָּטֹן
וְאֵת כֶּסֶף שִׁבְרוֹ וַיַּעַשׂ כִּדְבַר יוֹסֵף אֲשֶׁר דִּבֵּר׃

O meu copo de prata. Há notas sobre esse objeto no vs. 5 deste capítulo. Não era apenas um copo de beber e um objeto caro, por ser feito de prata, mas também uma de suas "coisas favoritas", conforme diz uma canção popular. E, acima de tudo, um instrumento de adivinhação. Era um objeto muito valioso para ser furtado. Por isso mesmo, foi deixado no saco de Benjamim, para causar profunda consternação. "Benjamim furtou o copo de prata! E terá de pagar por esse crime!" José estava testando o interesse de seus irmãos por Benjamim, seu irmão por parte de pai e mãe. Eles não se tinham preocupado com José. Será que se preocupariam com Benjamim? Nesse caso, estariam fazendo reparação por seus antigos pecados. Ver no *Dicionário* o artigo intitulado *Reparação (Restituição)*. Isso será sempre um fator importante no arrependimento. Ver no *Dicionário* o artigo intitulado *Arrependimento*.

Talvez José tivesse uma segunda intenção. Ele deteria Benjamim no Egito, tal como fizera antes com Simeão, até que Jacó descesse ao Egito. Mas se isso fora sua intenção, o plano foi impedido quando Judá argumentou e se ofereceu para ficar como escravo de José (ver os vss. 16 ss., mormente o vs. 33).

■ 44.3

הַבֹּקֶר אוֹר וְהָאֲנָשִׁים שֻׁלְּחוּ הֵמָּה וַחֲמֹרֵיהֶם׃

Puseram pé na estrada *cedo pela manhã*, o que é conveniente para jornadear, quando o coração está leve, sentindo que a missão deles havia sido bem-sucedida. Mas sua paz e júbilo em pouco tempo seriam despedaçados, no desdobramento da charada armada por José.

■ 44.4

הֵם יָצְאוּ אֶת־הָעִיר לֹא הִרְחִיקוּ וְיוֹסֵף אָמַר לַאֲשֶׁר
עַל־בֵּיתוֹ קוּם רְדֹף אַחֲרֵי הָאֲנָשִׁים וְהִשַּׂגְתָּם וְאָמַרְתָּ
אֲלֵהֶם לָמָּה שִׁלַּמְתֶּם רָעָה תַּחַת טוֹבָה׃

Cidade. Não nos é dito que cidade teria sido essa, pelo que só nos resta imaginar. Alguns pensam em Tânis, a *Zoã* das Escrituras. Ver o artigo detalhado sobre esse lugar, no *Dicionário*. Nesse caso, a viagem de volta cobriria cerca de 560 km. Zoã tornou-se a capital dos dominadores hicsos do Egito (ver sobre esse povo no *Dicionário*).

E, alcançando-os. José enviou um destacamento atrás de seus irmãos. Seriam apanhados no ato da fuga, com os bens que tinham furtado. Seriam acusados de um ato estúpido, recompensando o bem com o mal. Ficariam atemorizados. Benjamim ficaria detido.

Há uma história similar em torno de *Esopo*. Os habitantes de Delfos puseram uma taça sagrada entre os pertences dele, e ele seguiu viagem, sem de nada desconfiar, na direção de Fócis. Correram atrás dele e o maltrataram. E trataram-no de forma sacrílega, acusando-o de ter "furtado" a taça (*Scholia ad Vespes Aristophanies*, par. 534).

■ 44.5

הֲלוֹא זֶה אֲשֶׁר יִשְׁתֶּה אֲדֹנִי בּוֹ וְהוּא נַחֵשׁ יְנַחֵשׁ בּוֹ הֲרֵעֹתֶם אֲשֶׁר עֲשִׂיתֶם׃

O Copo das Adivinhações. "Entre os asiáticos, adivinhar por meio de um copo vem prevalecendo desde tempos imemoriais" (Adam Clarke, *in loc.*). Esse autor informa-nos que a prática continuava em seus dias. Não se sabe como as pessoas adivinhavam mediante o uso de um copo. Mas é provável que, uma vez cheios de água ou de outro líquido cristalino, atuassem como cruas bolas de cristal (um método moderno favorito de adivinhação). Ellicott chamou esse instrumento de *taça*, sendo provável que fossem usados tanto copos quanto taças. "Adivinhar com o uso de um copo era comum no Egito, na antiguidade, como uma espécie de *clarividência*, quando o objeto era parcialmente cheio de água, o olhar do adivinho fixo sobre algum ponto, até que atingisse um estado de meio-transe, durante o qual a mente, liberta do controle da razão, passasse a agir como faz nos sonhos. O mesmo efeito pode ser produzido quando se olha atentamente para um globo ou um espelho, ou coisa semelhante. No vs. 15, José afirma que ele praticava essa arte. Embora atualmente usado como uma impostura, há uma base real na clarividência, o que seria inexplicável em uma época não-científica. A piedade e a bondade genuína de José não o elevavam acima das superstições próprias de sua época". Assim, Ellicott referiu-se à questão como algo *natural* e até mesmo explicável em termos científicos, embora isso não tivesse explicação nos dias de José.

O Copo de Adivinhar de José. Possíveis interpretações sobre a natureza desse objeto:

1. Os *céticos* vinculam todas essas práticas, antigas e modernas, à superstição, afirmando que coisa alguma pode, realmente, adivinhar o futuro ou obter informações extrassensoriais. A história de José apenas refletiria essa superstição.
2. Os *críticos* (de forma inteiramente negativa) dizem-nos que o relato inteiro de José é apenas uma invenção, de modo que certos detalhes, como o copo de adivinhar, não precisam de defesa, explicação ou condenação. Copos de adivinhar são próprios de superstições (uma prática que realmente existiu), mas é inútil tentarmos explicar tais coisas.
3. Os *críticos* (que creem na autenticidade do relato) criticam José por ter-se envolvido em práticas supersticiosas ou em bruxaria.
4. Os eruditos *ultraconservadores* admitem que havia adivinhação por meio de um copo, mas afirmam que os *egípcios* disseram que José esteve envolvido na prática, embora isso não fosse verdade. Esses ignoram o vs. 16 deste capítulo, onde José mesmo afirma que ele adivinhava com seu copo.
5. Alguns eruditos *conservadores* admitem que havia adivinhação por meio de um copo, e que José a punha em prática porque, como todos os homens, ele também foi produto de sua época (e de seu meio ambiente egípcio), a despeito de suas elevadas realizações espirituais e de sua excelência de caráter.
6. *O Ponto de Vista do Mistério.* "O que esses fatos sugerem? Uma verdade que as cruezas misturadas com ela não deveriam eclipsar, a saber, que existe uma dimensão de mistérios genuínos que jazem fora e em redor de nossa compreensão ordinária. Nas palavras de Hamlet:

   Há mais coisas no céu e na terra, Horácio,
   que são sonhadas em nossa vã filosofia.

   Hamlet, ato I, cena 5

   "As realidades em meio às quais se agita a vida não podem ser limitadas por uma definição rígida. Um senso de admiração é uma fonte da expansão da alma" (Walter Russell Bowie, *in loc.*). Mais adiante, todavia, ele lamentou a exploração de tais coisas, as quais não podem distinguir a verdade de uma *liga crua*.
7. *O Ponto de Vista sobre o Demonismo.* Todos os meios de adivinhação estão envolvidos, de uma forma ou de outra, com propriedades, ritos ou práticas demoníacas. Os conservadores simplesmente negam (contra as indicações do texto) que José pudesse ter-se envolvido em tais coisas. Os céticos insistem em que, se existem coisas como atividades demoníacas, e se essas atividades incluem as práticas adivinhatórias, então José esteve envolvido nelas.
8. *Meu Ponto de Vista.* Não somente José, mas até Israel, posteriormente, estiveram envolvidos em certas formas de adivinhação. Ver no *Dicionário* o artigo *Adivinhação*. Tais coisas, porém, podem ser *naturais*, segundo disse Ellicott. De fato, quase todas as formas de adivinhação, quando não fraudulentas (e há muitas desta categoria), são apenas manipulações dos poderes ocultos mas reais da mente humana. Atribuir o incomum, o estranho e o desconhecido somente aos poderes demoníacos é próprio de mentes desinformadas. Apesar de essas coisas *poderem ser* manipuladas por poderes demoníacos e por pessoas possuídas ou influenciadas por tais poderes, provavelmente a porcentagem maior dessas manifestações (quando são reais; e muitas não o são) consiste em fenômenos naturais. A crescente ciência da parapsicologia muito tem contribuído para elucidar esses fenômenos, ainda que, por enquanto, não haja certeza quanto ao seu *modus operandi*. Ver meu artigo chamado *Parapsicologia*, na *Enciclopédia de Bíblia, Teologia e Filosofia*. Formas superiores de *misticismo* (ver sobre esse assunto no *Dicionário*) não precisam depender de nenhum objeto físico.

Poderes mentais naturais são uma realidade, e todas as pessoas sonham com o futuro e obtêm outras informações por meios não-sensoriais, apenas com o poder da mente. Ver no *Dicionário* o artigo intitulado *Sonhos*. Resultados obtidos por meio de bolas de cristal e outros objetos são duvidosos, contendo o que é verdadeiro e o que é falso, o que é sério e o que é trivial; e isso é exatamente o que poderíamos esperar da parte da *mente natural*. De modo geral, podemos dizer que todos os resultados produzidos por tais meios são fracos demais, vacilantes, duvidosos e dificilmente podem ser atribuídos a frutos de elevadas inteligências. O homem espiritual sério apenas perde o seu tempo se der atenção a tais coisas, mesmo que elas sejam apenas naturais. Por outra parte, um homem espiritual e psiquicamente poderoso como o foi José, sem dúvida obterá resultados mais importantes e significativos do que a grande maioria dos homens. José não praticava nenhum mal ao usar esses métodos adivinhatórios; e é uma tolice condená-lo por esse motivo. Os próprios *apóstolos* usaram uma forma crua de adivinhação na escolha de outro *apóstolo*, em substituição a Judas Iscariotes. Ver Atos 1.26. Eles não cometeram nenhum pecado, mas o que fizeram também não foi muito inspirador. Estou imaginando que os apóstolos não demoraram a crescer e deixar para trás métodos como aquele, ao progredirem na sabedoria espiritual. O fato de que os apóstolos de Cristo praticaram certa forma de adivinhação mostra-nos que por certo Israel também assim o fazia, sem condenar tal atividade.

■ 44.6

וַיַּשִּׂגֵם וַיְדַבֵּר אֲלֵהֶם אֶת־הַדְּבָרִים הָאֵלֶּה׃

E lhes falou essas palavras. Os servos de José, tendo alcançado os seus irmãos, assediaram-nos com as palavras que José lhes tinha ordenado dizer, *como se eles fossem ladrões ingratos*.

■ 44.7

וַיֹּאמְרוּ אֵלָיו לָמָּה יְדַבֵּר אֲדֹנִי כַּדְּבָרִים הָאֵלֶּה חָלִילָה לַעֲבָדֶיךָ מֵעֲשׂוֹת כַּדָּבָר הַזֶּה׃

Inocência. Os irmãos de José, em sua resposta, declararam-se inocentes. A acusação era destituída de base, mas teriam de enfrentá-la com o coração apertado de temor. Estavam "aterrados diante da acusação que lhes estava sendo feita" (John Gill, *in loc.*).

■ 44.8

הֵן כֶּסֶף אֲשֶׁר מָצָאנוּ בְּפִי אַמְתְּחֹתֵינוּ הֱשִׁיבֹנוּ אֵלֶיךָ מֵאֶרֶץ כְּנָעַן וְאֵיךְ נִגְנֹב מִבֵּית אֲדֹנֶיךָ כֶּסֶף אוֹ זָהָב׃

Era fato claro que eles tinham *devolvido* o dinheiro que tão misteriosamente tinha aparecido em suas sacas, em sua primeira viagem (cf. Gn 42.27 e 43.20 ss.), de modo que era impossível que, depois de ter feito isso, agora tivessem coragem de furtar qualquer coisa de dentro da própria casa do homem forte do Egito. Os irmãos de José já tinham dado provas de sua honestidade.

44.9

אֲשֶׁ֨ר יִמָּצֵ֥א אִתּ֛וֹ מֵעֲבָדֶ֖יךָ וָמֵ֑ת וְגַם־אֲנַ֛חְנוּ נִהְיֶ֥ה לַאדֹנִ֖י לַעֲבָדִֽים:

Aquele dos teus servos. Talvez pudesse ser achado alguém que fizera algo tão condenável. E esse tal, como é lógico, não merecia continuar vivo; e os demais mereciam tornar-se escravos no Egito. Tal declaração foi feita na plena confiança de que nenhum deles seria achado culpado, que a busca nada acharia de furtado entre eles. A morte e a servidão seriam castigos severos demais para o crime de furto, mas eles propuseram para si mesmos a pena máxima para um crime (alegado) relativamente pequeno.

44.10

וַיֹּ֕אמֶר גַּם־עַתָּ֥ה כְדִבְרֵיכֶ֖ם כֶּן־ה֑וּא אֲשֶׁ֨ר יִמָּצֵ֤א אִתּוֹ֙ יִהְיֶה־לִּ֣י עָ֔בֶד וְאַתֶּ֖ם תִּהְי֥וּ נְקִיִּֽם:

"Vocês mesmos determinaram as condições do castigo. Mas elas são severas demais. Ficarei satisfeito com um único escravo." Assim José planejara dizer, talvez na esperança de trazer Benjamim de volta a ele, a fim de que Jacó se arriscasse a fazer a viagem de 560 km até o Egito (talvez até Zoã; ver o vs. 4). Os inocentes, porém, poderiam seguir viagem. Somente o irmão culpado se tornaria escravo na casa de José.

44.11

וַֽיְמַהֲר֗וּ וַיּוֹרִ֛דוּ אִ֥ישׁ אֶת־אַמְתַּחְתּ֖וֹ אָ֑רְצָה וַֽיִּפְתְּח֖וּ אִ֥ישׁ אַמְתַּחְתּֽוֹ:

Uma Busca Exaustiva. Os enviados de José examinaram as bagagens de cada homem, abrindo tudo, jogando tudo no chão. Isso nos faz lembrar da busca nas coisas de Jacó, por parte de Labão, quando ele procurava seus ídolos do lar (Gn 31.34 ss.). A astúcia de Raquel é que tinha salvo o dia, mas os irmãos de José não tinham chance de passar limpos nessa busca.

44.12

וַיְחַפֵּ֕שׂ בַּגָּד֣וֹל הֵחֵ֔ל וּבַקָּטֹ֖ן כִּלָּ֑ה וַיִּמָּצֵא֙ הַגָּבִ֔יעַ בְּאַמְתַּ֖חַת בִּנְיָמִֽן:

A busca começou pelo irmão mais velho até chegar ao irmão mais novo. E, boquiabertos, viram quando a boca do saco de Benjamim foi aberta e apareceu o precioso copo de prata do primeiro-ministro. Sem dúvida, o mordomo sabia a ordem de idade deles, com base na maneira como haviam sido colocados à mesa, durante o banquete na casa de José (Gn 43.33). O próprio mordomo tinha posto o copo de José ali (Gn 44.2), portanto sabia onde encontrá-lo. Mas iniciou o processo das buscas sucessivas para criar sensação, sabendo que o objeto procurado estava no saco do décimo primeiro homem, Benjamim.

44.13

וַֽיִּקְרְע֖וּ שִׂמְלֹתָ֑ם וַֽיַּעֲמֹס֙ אִ֣ישׁ עַל־חֲמֹר֔וֹ וַיָּשֻׁ֖בוּ הָעִֽירָה:

Então rasgaram as suas vestes. Tal como Jacó havia feito, quando, mentirosamente, lhe tinham informado da morte de José (Gn 37.34, onde o leitor deve examinar as notas, acerca desse costume). Ver também Jó 1.20. Ver no *Dicionário* o artigo *Vestimentas, Rasgar das*.

Empacotaram tudo de novo e voltaram à *cidade*, provavelmente Zoã (ver as notas no *Dicionário*, como também o vs. 4). Outros estudiosos pensam que essa cidade era Mênfis, que também merece um verbete no *Dicionário*.

O APELO DE JUDÁ; CORREÇÃO DE UM VELHO PECADO (44.14-34)

O interesse que demonstraram por Benjamim, deveriam ter demonstrado por José. "Não há muitas passagens em prosa, em qualquer literatura, que possa comparar-se em beleza e agudeza com este trecho" (Walter Russell Bowie, *in loc.*).

Homens Pecaminosos Podem Mudar. Os irmãos de José tinham mostrado ser homens bitolados, ciumentos, violentos e vingativos. No entanto, as amargas experiências da vida os tinham transformado para melhor. José os submetera a um severo teste, para que provassem um pouco do remédio amargoso que lhe haviam forçado a tomar. O discurso de Judá refletiu um autêntico arrependimento. Além disso, de forma vicária, isso deu aos irmãos de José uma oportunidade de fazerem reparação. Ver no *Dicionário* o artigo *Reparação (Restituição)*. A maldade que tinham praticado contra José, em seu ódio irracional, fora agora anulada pelo amor que demonstravam ter por Benjamim.

> O amor concede em um momento
> O que o trabalho não consegue em uma era.
>
> Goethe

"...havia um ar de grande candura e generosidade por todo o teor desse discurso; os sentimentos são tão ternos e afetuosos, as expressões tão apaixonadas, fluindo tão naturalmente de um coração sincero, que não nos admira que atingiram o coração de José, forçando-o a tirar a sua máscara" (Dodd, *in loc.*).

Adam Clarke ficou tão profundamente impressionado diante desta passagem que pensou que qualquer comentário que fizesse só poderia servir para "destruir a sua influência", pelo que deixou o texto sem nenhum comentário, até o começo do capítulo 45.

44.14

וַיָּבֹ֨א יְהוּדָ֤ה וְאֶחָיו֙ בֵּ֣יתָה יוֹסֵ֔ף וְה֖וּא עוֹדֶ֣נּוּ שָׁ֑ם וַיִּפְּל֥וּ לְפָנָ֖יו אָֽרְצָה:

Retornaram à casa de José, e, ao se depararem com ele, imediatamente prostraram-se, rostos em terra, conforme já tinham feito por diversas vezes antes. Ver Gênesis 42.6. Os sonhos de José estavam novamente tendo cumprimento. Ver Gênesis 37.7,9.

44.15

וַיֹּ֤אמֶר לָהֶם֙ יוֹסֵ֔ף מָֽה־הַמַּעֲשֶׂ֥ה הַזֶּ֖ה אֲשֶׁ֣ר עֲשִׂיתֶ֑ם הֲל֣וֹא יְדַעְתֶּ֔ם כִּֽי־נַחֵ֧שׁ יְנַחֵ֛שׁ אִ֖ישׁ אֲשֶׁ֥ר כָּמֹֽנִי:

José explicou: "Vocês foram descobertos por meio de adivinhação". Como é óbvio, isso não era verdade; mas José queria que eles quedassem admirados diante dele. Ele possuía poderes dos quais eles nem desconfiavam, e estavam tratando com um homem como nunca antes haviam encontrado. Ver o vs. 5 deste capítulo, quanto a notas detalhadas sobre o uso de um copo de prata, por parte de José, com propósitos de adivinhação. Este versículo contradiz aqueles eruditos que supõem que José não lançava mão de tais artifícios. No dizer de John Gill (*in loc.*), "... um homem tão sagaz e penetrante facilmente poderia conjecturar quem teriam sido as pessoas que tinham furtado o seu copo".

44.16

וַיֹּ֣אמֶר יְהוּדָ֗ה מַה־נֹּאמַר֙ לַֽאדֹנִ֔י מַה־נְּדַבֵּ֖ר וּמַה־נִּצְטַדָּ֑ק הָאֱלֹהִ֗ים מָצָא֙ אֶת־עֲוֺ֣ן עֲבָדֶ֔יךָ הִנֶּנּ֤וּ עֲבָדִים֙ לַֽאדֹנִ֔י גַּם־אֲנַ֕חְנוּ גַּ֛ם אֲשֶׁר־נִמְצָ֥א הַגָּבִ֖יעַ בְּיָדֽוֹ:

O Inigualável Apelo de Judá. Esse apelo mostra-nos o quão eloquentemente os irmãos de José tinham começado a dar valor aos verdadeiros valores da vida. Meus amigos, esses valores residem na vida que é vivida segundo a lei do amor. Essa é a questão mais notável, a prova mesma da espiritualidade (1Jo 4.7). Ver no *Dicionário* o artigo intitulado *Amor*. Sem amor, nada somos (1Co 13), mesmo que tenhamos todo conhecimento, que exercitemos dons miraculosos e façamos grandes doações aos pobres, como se fossem evidências de nossa espiritualidade. Antes, Judá tinha ajudado a vender José à servidão. Agora (vs. 33), ele pedia para ser lançado na prisão a fim de garantir a liberdade de seu irmão caçula, Benjamim. O amor tinha transformado seu coração duro. O trecho de 1Pedro 3.8 diz apenas "...sede ...compadecidos...". Esse é outro aspecto da lei do amor. Temos aqui uma espécie de sumário do discurso de Judá. O amor cobre uma multidão de pecados (Tg 5.20). E a fala de Judá mostra que ele já havia aprendido esse princípio. Deus havia *descoberto* a iniquidade deles acerca de José; mas agora, em Benjamim, esse pecado foi expiado. Eles tinham ignorado os gritos angustiados de José, quando o mandaram cativo para o Egito (Gn 42.21). Mas agora não queriam mais ouvir gritos de angústia, nem de Benjamim, nem de Jacó. Tinham aprendido a ser compadecidos.

■ 44.17

וַיֹּאמֶר חָלִילָה לִּי מֵעֲשׂוֹת זֹאת הָאִישׁ אֲשֶׁר נִמְצָא
הַגָּבִיעַ בְּיָדוֹ הוּא יִהְיֶה־לִּי עָבֶד וְאַתֶּם עֲלוּ לְשָׁלוֹם
אֶל־אֲבִיכֶם׃ פ

O homem em cuja mão foi achado o copo. No parecer de José, nenhum inocente seria punido. Somente *o homem* culpado. Esse se tornaria escravo de José. Os outros poderiam voltar para casa. Se José se tivesse mostrado tão duro de coração quanto eles tinham sido no passado, agora seriam todos encarcerados, embora fossem inocentes. Esse fato eles já tinham sido forçados a reconhecer. José estava sondando os sentimentos deles para com Benjamim. Haveriam de abandoná-lo à própria sorte, conforme tinham feito com ele, anos antes?

■ 44.18

וַיִּגַּשׁ אֵלָיו יְהוּדָה וַיֹּאמֶר בִּי אֲדֹנִי יְדַבֶּר־נָא עַבְדְּךָ
דָבָר בְּאָזְנֵי אֲדֹנִי וְאַל־יִחַר אַפְּךָ בְּעַבְדֶּךָ כִּי כָמוֹךָ
כְּפַרְעֹה׃

Então Judá. Judá começa aqui o seu discurso, que se prolonga até o fim deste capítulo, no vs. 34. Primeiro, ele pede a atenção de um superior, dotado de quase tanta autoridade quanto o próprio Faraó. Judá assumiu a postura de um suplicante. O poder de seu discurso provinha do fato de que ele dizia a *verdade,* e dizia a verdade em *amor.* A verdade e o amor, ligados um ao outro, tornam-se uma força poderosa. Judá terminou seu discurso de forma magnânima, oferecendo-se (embora inocente) para tomar o lugar de seu irmão mais novo. Quão profunda tinha sido a transformação de seu coração! Anos antes, ele havia enviado José, um jovem inocente, ao cativeiro, para logo em seguida comer, tão desinteressado estava pela sorte dele (Gn 37.25). Todavia, naquela oportunidade, tinha advogado pela vida de José, sugerindo que este fosse vendido como escravo (vs. 26), em vez de ser assassinado.

À verdade e ao amor, Judá juntara a *eloquência,* tendo sido a figura que brilhava naqueles momentos. "Ele mostrou sua verve, revestiu-se de coragem e aproximou-se do governador com grande liberdade e ousadia, e, de maneira eloquente, apresentou a José a sua causa" (John Gill, *in loc.*).

Não se acenda a tua ira. José tinha toda a razão para estar indignado; mas dessa vez tudo era fingido, e não real. E Judá pensou que lhe cumpria controlar-se, embora isso não fosse coisa fácil de fazer.

"...seu longo apelo... acha-se entre as mais excelentes e comoventes de todas as petições" (Allen P. Ross, *in loc.*).

■ 44.19

אֲדֹנִי שָׁאַל אֶת־עֲבָדָיו לֵאמֹר הֲיֵשׁ־לָכֶם אָב אוֹ־אָח׃

"O discurso de Judá, uma das peças da mais excelente prosa da antiga tradição israelita, sumariou e sintetizou toda uma sequência de acontecimentos" (*Oxford Annotated Bible, in loc.*).

Argumentando com Base em Relações de Família. Os valores mais importantes dos que se envolvem a família. Judá lembrou ao homem forte do Egito que ele mesmo indagara sobre os familiares dos irmãos, que tinham ficado na terra de Canaã, e que essa informação lhe havia sido dada. A preciosidade da família, pois, tornou-se a base de seu apelo. Gênesis 42.11 e 43.7.

■ 44.20

וַנֹּאמֶר אֶל־אֲדֹנִי יֶשׁ־לָנוּ אָב זָקֵן וְיֶלֶד זְקֻנִים קָטָן
וְאָחִיו מֵת וַיִּוָּתֵר הוּא לְבַדּוֹ לְאִמּוֹ וְאָבִיו אֲהֵבוֹ׃

Temos pai já velho. Jacó estava então com cerca de 130 anos de idade, e, ao que parecia, não lhe restava muito tempo de vida. Mas chegou aos 147 anos (Gn 47.9,28).

Um filho da sua velhice. Benjamim nasceu quando Jacó já era homem idoso, mas agora já estava com 32 anos de idade.

Cujo irmão é morto. Judá e seus irmãos pensavam que José não teria sobrevivido à provação a que o tinham forçado. Não o reconheciam porque não o viam fazia 24 anos.

Só ele ficou de sua mãe. Raquel tivera apenas dois filhos, José e Benjamim. Isso posto, Benjamim seria o único filho restante *daquele* casamento.

Seu pai o ama. Jacó nutria um afeto todo especial por Benjamim; e agora seria um crime privar o idoso homem de Benjamim, reduzindo este a um escravo. "Quiseste saber sobre a minha família. Considera o que digo e tem misericórdia desta família."

■ 44.21

וַתֹּאמֶר אֶל־עֲבָדֶיךָ הוֹרִדֻהוּ אֵלָי וְאָשִׂימָה עֵינִי עָלָיו׃

Trazei-mo. O próprio homem forte do Egito dera a ordem, e eles tinham obedecido e cumprido a sua parte. Ele não havia pedido; havia ordenado. Ele tinha forçado a questão. E eles tinham obedecido, apesar da relutância de Jacó. Judá ignorou o encarceramento de Simeão, não o mencionando. Ver Gênesis 42.34 quanto a essa demanda. Eles tinham provado que não eram espiões. E agora, Judá rogava que Benjamim não fosse reduzido à condição de escravo, em face de eles terem provado a sua inocência.

■ 44.22

וַנֹּאמֶר אֶל־אֲדֹנִי לֹא־יוּכַל הַנַּעַר לַעֲזֹב אֶת־אָבִיו
וְעָזַב אֶת־אָבִיו וָמֵת׃

Se deixar o pai, este morrerá. Esse seria o preço, se Benjamim ficasse retido no Egito. Jacó por certo morreria. A despeito do perigo de que Benjamim pudesse sofrer algum dano, eles tinham obedecido ao homem forte do Egito. Isso deveria valer alguma coisa. Os irmãos de José tinham feito Jacó sofrer, para atenderem José. Portanto, o caso de Benjamim merecia consideração por parte do primeiro-ministro do Egito.

■ 44.23

וַתֹּאמֶר אֶל־עֲבָדֶיךָ אִם־לֹא יֵרֵד אֲחִיכֶם הַקָּטֹן אִתְּכֶם
לֹא תֹסִפוּן לִרְאוֹת פָּנָי׃

Se. José impusera uma condição sem alternativa. Mostrara-se adamantino, sem apresentar razões para tanto. Judá e seus irmãos, entretanto, não sabiam que um plano benévolo estava sendo cumprido, que beneficiaria a família inteira de Jacó. Ver Gênesis 43.3 quanto à imposição feita por José.

■ 44.24

וַיְהִי כִּי עָלִינוּ אֶל־עַבְדְּךָ אָבִי וַנַּגֶּד־לוֹ אֵת דִּבְרֵי
אֲדֹנִי׃

Não tendo em sua companhia Simeão, que ficara na prisão (o que não foi aqui mencionado por Judá), eles tinham transmitido a Jacó a notícia consternadora. O trecho de Gênesis 43.3 ss. registra como essa notícia foi dada. Na ocasião, Judá também tinha sido o porta-voz. De fato, foi ele (depois que Rúben tinha tentado e falhado; ver Gn 42.37,38) quem finalmente conseguiu convencer Jacó a permitir a volta dos irmãos ao Egito, levando *Benjamim* em sua companhia.

■ 44.25

וַיֹּאמֶר אָבִינוּ שֻׁבוּ שִׁבְרוּ־לָנוּ מְעַט־אֹכֶל׃

Voltai. Antes de saber da condição da ida de Benjamim ao Egito, Jacó tinha dito prontamente que seus filhos voltassem ao Egito, em uma segunda viagem. E isso porque a fome era grande e eles precisavam urgentemente de suprimentos (Gn 43.1,2).

■ 44.26

וַנֹּאמֶר לֹא נוּכַל לָרֶדֶת אִם־יֵשׁ אָחִינוּ הַקָּטֹן אִתָּנוּ
וְיָרַדְנוּ כִּי־לֹא נוּכַל לִרְאוֹת פְּנֵי הָאִישׁ וְאָחִינוּ הַקָּטֹן
אֵינֶנּוּ אִתָּנוּ׃

Um Sine Qua Non. José havia imposto que, sem a presença de Benjamim, os filhos de Jacó não seriam recebidos em uma segunda viagem. Conforme ficara entendido, a presença de Benjamim provaria que não se tratavam de espiões, mas que eram de fato filhos de um mesmo homem, que seria agora idoso (Gn 42.11 ss.). Na verdade, porém, o que José mais queria era rever seu irmão por parte de pai e mãe, por causa do grande amor que lhe votava.

■ 44.27

וַיֹּ֛אמֶר עַבְדְּךָ֥ אָבִ֖י אֵלֵ֑ינוּ אַתֶּ֣ם יְדַעְתֶּ֔ם כִּ֥י שְׁנַ֖יִם יָֽלְדָה־לִּ֥י אִשְׁתִּֽי׃

Minha mulher me deu dois filhos. José e Benjamim, filhos da amada Raquel, eram precisamente aqueles (dentre um total de doze filhos) que o destino mais ameaçava. Primeiro, José foi despedaçado por um animal (segundo Jacó pensava); e agora, Benjamim. Ambos poderiam sofrer alguma sorte igualmente sinistra no Egito. Perder ambos seria mais do que um homem poderia suportar, especialmente um homem idoso, cuja vida já se aproximava do fim. Por Raquel, Jacó tinha trabalhado diligentemente por sete anos. Os dois filhos que tivera com ela eram especiais para Jacó.

José, o Leão. Em uma das fábulas de Esopo, os animais estavam vangloriando-se dos *muitos* filhotes que tinham. A leoa deu um passo à frente para falar e disse: "Tenho apenas um filhote; mas ele é um *leão*". José era o "leão" de Jacó; e, na ausência dele, Benjamim tomou o seu lugar.

■ 44.28

וַיֵּצֵ֥א הָאֶחָ֖ד מֵאִתִּ֑י וָאֹמַ֕ר אַ֖ךְ טָרֹ֣ף טֹרָ֑ף וְלֹ֥א רְאִיתִ֖יו עַד־הֵֽנָּה׃

O mal tinha sobrevindo a José, embora não do mesmo tipo que Jacó tinha pensado. Agora, não tendo visto José por 24 anos, ele o tinha como morto há muito, pois fora enganado por nove de seus filhos mais velhos. Gênesis 37.33 ss. Jacó não fazia a menor ideia do que tinha sucedido a José: que tinha sido vendido como escravo; tinha sido conduzido ao Egito; ali chegando, tinha sido encarcerado; e, subsequentemente, havia sido elevado a posição de imensa autoridade. É triste quando os pais não sabem o que sucede na vida de seus filhos, sem importar o que o destino tenha causado.

Um filho amado se perdera; e recentemente, o homem forte do Egito ameaçara o *outro* filho, Benjamim, que agora era o favorito de seu pai. Nesse detalhe, vemos um apelo à misericórdia.

■ 44.29

וּלְקַחְתֶּ֧ם גַּם־אֶת־זֶ֛ה מֵעִ֥ם פָּנַ֖י וְקָרָ֣הוּ אָס֑וֹן וְהֽוֹרַדְתֶּ֧ם אֶת־שֵׂיבָתִ֛י בְּרָעָ֖ה שְׁאֹֽלָה׃

Ver Gênesis 42.38 quanto a esse apelo. Aquele versículo contém todos os elementos do presente versículo, os quais são ali anotados. O *sheol* (aqui traduzido como "sepultura") cerca ameaçadoramente todos nós. A morte ronda. Mas o ensino bíblico sobre o *sheol-hades* tem um desenvolvimento na Bíblia, como sucede a todas as doutrinas ali ensinadas. Ver o artigo sobre *sheol* no *Dicionário*, além de notas adicionais em Gênesis 37.35. A perda de *um filho* já tinha sido difícil de suportar; a perda de *dois filhos* significaria a morte do idoso homem.

■ 44.30

וְעַתָּ֗ה כְּבֹאִי֙ אֶל־עַבְדְּךָ֣ אָבִ֔י וְהַנַּ֖עַר אֵינֶ֣נּוּ אִתָּ֑נוּ וְנַפְשׁ֖וֹ קְשׁוּרָ֥ה בְנַפְשֽׁוֹ׃

Visto a sua alma estar ligada com a alma dele. De acordo com Aristóteles, a amizade seriam dois corpos com uma só alma. Assim sucedia entre Jacó e Benjamim. Um jovem teve de aguentar a escravidão, por mais duro que isso fosse; mas o pai do jovem se desintegraria até o nada. Assim, o argumento de Judá foi o seguinte: "O que fizeres com este jovem automaticamente terá reflexos sobre seu pai, lá onde ele está". Onde manifesta-se um grande amor, aí manifestam-se grandes milagres. Judá estava pleiteando pelo milagre da soltura de Benjamim.

Se queres ser amado, ama.

Hecato

■ 44.31

וְהָיָ֗ה כִּרְאוֹת֛וֹ כִּי־אֵ֥ין הַנַּ֖עַר וָמֵ֑ת וְהוֹרִ֨ידוּ עֲבָדֶ֜יךָ אֶת־שֵׂיבַ֨ת עַבְדְּךָ֥ אָבִ֛ינוּ בְּיָג֖וֹן שְׁאֹֽלָה׃

Uma Execução de Família Inteira. Isso ocorreria se Jacó perdesse Benjamim. E isso seria forçado pelo homem forte do Egito mediante sua imposição inarredável. Judá, pois, pedia misericórdia. Ver no *Dicionário* o artigo *Misericórdia (Misericordioso)*. Um homem bom (em que Judá se tinha tornado) não gosta de infligir dor, nem mesmo a um animal, quanto menos a um pai amado. Ensinei a meus filhos a não infligir dor desnecessária a nenhum ser vivo.

■ 44.32

כִּ֤י עַבְדְּךָ֙ עָרַ֣ב אֶת־הַנַּ֔עַר מֵעִ֥ם אָבִ֖י לֵאמֹ֑ר אִם־לֹ֤א אֲבִיאֶ֨נּוּ֙ אֵלֶ֔יךָ וְחָטָ֥אתִי לְאָבִ֖י כָּל־הַיָּמִֽים׃

Teu servo se deu por fiador. Judá se apresentara como garantia por Benjamim, e fora a sua argumentação que tinha convencido Jacó a liberar Benjamim para a segunda viagem ao Egito (a 560 km de distância). Ver Gênesis 43.9, que contém todos os elementos deste versículo e comentários. O argumento de Judá redundaria em seu oferecimento para tomar o lugar de Benjamim como escravo, a fim de que este pudesse voltar ao seu pai (vs. 33). Nesse caso, Jacó sofreria, mas não tanto; ficaria angustiado, mas talvez de maneira suportável.

■ 44.33

וְעַתָּ֗ה יֵֽשֶׁב־נָ֤א עַבְדְּךָ֙ תַּ֣חַת הַנַּ֔עַר עֶ֖בֶד לַֽאדֹנִ֑י וְהַנַּ֖עַר יַ֥עַל עִם־אֶחָֽיו׃

"**Fico como escravo. Permite que Benjamim se vá.**" O argumento de Judá terminou com uma petição relativamente pequena. Ele não pediu liberdade para todos, mas somente para *aquele* cuja detenção causaria incalculável angústia por parte do pai de todos eles. E encerrou tudo com um pedido humilde, que envolvia sacrifício pessoal, um dos importantes elementos do viver segundo a lei do amor. No caso de José, Judá havia lançado seu irmão na cisterna, sem mostrar nenhuma piedade, e então, sentara-se para comer (Gn 37.25). Em seguida, poupara a vida de José, mas somente para vendê-lo como escravo. Mas tudo isso estava sendo revertido agora.

Assumindo a Própria Responsabilidade a Sério. Judá se dispunha a sacrificar-se a fim de cumprir a responsabilidade que tinha tomado sobre si mesmo, no tocante a Benjamim, diante de Jacó. Seu coração e sua alma estavam envolvidos em sua promessa. Agora ele nada poupava, nem mesmo a si próprio.

Reparação. O arrependimento requer reparação. Judá, em um ato de sacrifício, fez reparação por seu pecado contra José. Ver no *Dicionário* o artigo intitulado *Reparação (Restituição)*.

Judá, um Tipo de Cristo. Jesus nasceu através da linhagem Jacó-Lia-Judá. Ver Mateus 1.2. Judá, ao sacrificar a si mesmo com a finalidade de salvar a seu irmão, Benjamim, tornou-se um tipo de Cristo, o qual se sacrificou para salvar a seus irmãos, ou seja, todos os homens pelos quais ele morreu (Jo 3.16; 1Jo 2.2).

■ 44.34

כִּי־אֵיךְ֙ אֶֽעֱלֶ֣ה אֶל־אָבִ֔י וְהַנַּ֖עַר אֵינֶ֣נּוּ אִתִּ֑י פֶּ֚ן אֶרְאֶ֣ה בָרָ֔ע אֲשֶׁ֥ר יִמְצָ֖א אֶת־אָבִֽי׃

Este versículo brinda-nos com um *sumário minucioso* do discurso inteiro de Judá, terminando com um tom extremamente pungente. O trecho de 1Pedro 3.8 encerra as seguintes palavras: "...sede... compadecidos...". Judá, pois, havia aprendido essa importante lição. E o que havia aprendido, agora exibia diante do homem forte do Egito.

"...separar Benjamim de seu pai, mesmo que somente por algum tempo, seria um ato de extrema crueldade; e, em segundo lugar, seus irmãos receberiam não somente perdão, mas também amor" (Ellicott, *in loc.*). O *amor* acabou sendo vencedor, naquele dia, conforme logo veremos.

CAPÍTULO QUARENTA E CINCO

JOSÉ REVELA A SUA IDENTIDADE (45.1-28)

Os críticos atribuem esta seção a uma combinação das fontes *J* e *E*. Ver no *Dicionário* o artigo *J.E.D.P.(S.)*, quanto à teoria das fontes múltiplas do Pentateuco. Os vss. 7 e 8 fornecem uma minifilosofia da história: Deus está presente nas atividades dos homens; Deus reverte o mal, fazendo-o redundar em bem; os propósitos de Deus são benévolos. Ver, na *Enciclopédia de Bíblia, Teologia e Filosofia*, o artigo *Filosofia da História*. A base dessa filosofia é a Providência de Deus (que recebe um artigo no *Dicionário* desta obra). A história sobre José no Egito ilustra esse fato de modo soberbo. A Bíblia inteira ensina claramente o *teísmo*, em contraste com o *deísmo*. Ver no *Dicionário* sobre ambos esses termos. Deus não somente criou todas as coisas, mas também envolve-se em todos os aspectos da história humana, coletiva e individualmente. Ele galardoa os bons e castiga os maus.

"...os irmãos de José, ao vendê-lo aos ismaelitas, *sem querer* estavam cumprindo a vontade de Deus... Não obstante, permanece de pé a dificuldade moral de que um ato pecaminoso deliberado aparece como se tivesse sido praticamente causado por Deus" (Cuthbert A. Simpson, *in loc.*). Talvez seja melhor dizer que Deus usa o livre-arbítrio humano (mesmo quando este prefere fazer o que é errado) para o bem, sem destruí-lo, embora não saibamos dizer *como* isso possa acontecer.

"Esta passagem exibe o tema central da narrativa sobre José: os eventos eram dirigidos pela mão de Deus, e não pelos propósitos humanos" (*Oxford Annotated Bible, in loc.*).

■ 45.1

וְלֹא־יָכֹל יוֹסֵף לְהִתְאַפֵּק לְכֹל הַנִּצָּבִים עָלָיו וַיִּקְרָא הוֹצִיאוּ כָל־אִישׁ מֵעָלָי וְלֹא־עָמַד אִישׁ אִתּוֹ בְּהִתְוַדַּע יוֹסֵף אֶל־אֶחָיו׃

Fazei sair todos. José queria revelar-se somente aos seus familiares. Há coisas que pertencem somente ao círculo mais íntimo da família. Todos tiveram de sair da sala, exceto os seus irmãos. Chegara o momento da grande revelação. "Eu sou José!" Grandes lágrimas de alegria rolavam-lhe pelo rosto. Foram intensos momentos de emoção e júbilo. A família estava novamente reunida, em harmonia e amor. Já tinha havido expiação por antigos pecados; estavam estes perdoados e esquecidos. Fora feita *reparação*. Os irmãos de José tinham sido aprovados no teste. O amor que deveriam ter demonstrado por José, pelo menos fora demonstrado por Benjamim.

■ 45.2

וַיִּתֵּן אֶת־קֹלוֹ בִּבְכִי וַיִּשְׁמְעוּ מִצְרַיִם וַיִּשְׁמַע בֵּית פַּרְעֹה׃

Levantou a voz em choro. "Com uma explosão de emoção, José deu-se a conhecer a seus irmãos. Essa foi a terceira das cinco vezes em que chorou com seus irmãos (Gn 42.24; 43.30; 45.14; 50.17; cf. 50.1). Mas seus irmãos ficaram paralisados de medo, temendo que José ordenasse a morte deles. Nesta passagem, sentimentos fortes e um são espírito de juízo e de argumentação completaram a obra da reconciliação que, até agora, tinha exigido testes severos. Tudo aquilo fora tarefa para um homem sábio" (Allen P. Ross, *in loc.*).

Os egípcios o ouviam. "Os egípcios que estavam nos aposentos contíguos àquele onde José e seus irmãos estavam, ouviram seu choro em voz alta e muito daquilo que ele dizia; e logo a notícia reverberou até o palácio de Faraó, que talvez ficasse a grande distância" (John Gill, *in loc.*). Ver o vs. 16.

■ 45.3

וַיֹּאמֶר יוֹסֵף אֶל־אֶחָיו אֲנִי יוֹסֵף הַעוֹד אָבִי חָי וְלֹא־יָכְלוּ אֶחָיו לַעֲנוֹת אֹתוֹ כִּי נִבְהֲלוּ מִפָּנָיו׃

Ficaram atemorizados perante ele. Desse modo, nem conseguiam responder às perguntas de José acerca de Jacó, se ele ainda vivia ou não. Estavam esperando pelo pior. O homem contra quem tanto haviam abusado, quando ainda era um jovem, com apenas 17 anos de idade, agora, subitamente, os estava confrontando. Qual dose de misericórdia seria suficiente para aquela conjuntura?

"...estavam enfrentando algo pior que a punição. Estavam enfrentando a exposição de suas almas diante deles mesmos, uma revelação interior doentia... Eram homens culpados, culpados daquele tipo de pecado que ofende a decência mais elementar" (Walter Russell Bowie, *in loc.*).

Na *Odisseia* (l.xvi. ver. 186-288) de Homero há uma cena semelhante:

> Sou seu pai, por causa de quem tens levado
> uma vida miserável, oprimido pela violência.
> Dizendo-o, osculou seu filho, lágrimas em profusão,
> Contidas a muito custo, mas inequívocas.
> Telêmaco lançou-se ao pescoço do pai, e chorou.
> Ondas de tristeza agora invadiam pai e filho.
> Ali estavam eles, os rostos congestionados de pranto.

■ 45.4

וַיֹּאמֶר יוֹסֵף אֶל־אֶחָיו גְּשׁוּ־נָא אֵלַי וַיִּגָּשׁוּ וַיֹּאמֶר אֲנִי יוֹסֵף אֲחִיכֶם אֲשֶׁר־מְכַרְתֶּם אֹתִי מִצְרָיְמָה׃

Chegai-vos a mim. José convidou-os, reassegurando-lhes: "Eu sou José. Sou aquele irmão que vocês venderam. Mas tudo está bem agora. O bem triunfou". Destarte, Deus fez redundar o mal em bem. O odiado sonhador era agora o irmão amado. Com magnânima gentileza, José procurou tranquilizá-los. Ele os encorajou "de maneira bondosa e terna" (Jarchi). Ele havia perdoado e esquecido, tendo entendido toda a provação por que passara, que redundara em bem. Tratou seus irmãos conforme Deus nos trata, apesar de nossas transgressões e de nossos absurdos, de nossos erros propositados, de nossa arrogância tola. Eles haviam cauterizado a própria consciência. Agora, não mereciam consideração. Mas onde o amor se manifesta, ocorrem grandes milagres.

■ 45.5

וְעַתָּה אַל־תֵּעָצְבוּ וְאַל־יִחַר בְּעֵינֵיכֶם כִּי־מְכַרְתֶּם אֹתִי הֵנָּה כִּי לְמִחְיָה שְׁלָחַנִי אֱלֹהִים לִפְנֵיכֶם׃

Deus me enviou adiante de vós. O Espírito enviara José de antemão. Seus irmãos também tinham servido de instrumentos, embora não para o bem. Mas em tudo houvera uma missão divinamente determinada. A providência de Deus (ver sobre isso no *Dicionário*) fora a força impulsionadora. Havia a atuação de um poder predestinador. Deus usa o livre-arbítrio humano sem destruí-lo, embora não saibamos *como*. Ver no *Dicionário* os artigos *Determinismo (Predestinação); Predestinação* e *Livre-Arbítrio*.

Mas embora o poder divino estivesse guiando e arranjando as coisas, isso não eximia os irmãos de José de sua responsabilidade moral. É nesse ponto que entra o livre-arbítrio humano, pois, sem este, não poderia haver responsabilidade moral. Quase todas as doutrinas bíblicas têm dois polos. Assim, temos um Cristo divino-humano; o poder punidor-remediador de todo juízo divino; a predestinação *versus* o livre-arbítrio. Todas essas são verdades que precisam ser entendidas como polos de verdades maiores, que não foram delineadas. O globo terrestre também tem dois polos. Saber tudo sobre o polo sul não nos dá informações sobre o polo norte. Saber tudo sobre a predestinação não nos dá informações sobre o livre-arbítrio humano. Predestinação e livre-arbítrio são os dois polos de uma doutrina maior que envolve aquelas, mas sobre a qual nada nos foi dito. As teologias unilaterais ou unipolares, conforme as quisermos chamar, sempre erram, apesar do fato de terem muitos defensores fanáticos. Ver no *Dicionário* o artigo intitulado *Polaridade, Princípio da*.

O Propósito Era Benevolente. Os irmãos de José tencionavam destruir a vida, mas o poder de Deus transformou isso em preservação da vida. Assim é a graça de Deus e o poder por trás de *todos* os seus atos predestinadores. José foi levantado para salvar da fome aquela região do mundo.

A mente nobre anula a ira e mostra-se *anelante*, e não somente pronta, para perdoar e esquecer. Os irmãos de José tinham por intuito destruir a vida; mas Deus reverteu esse curso, salvando não só *uma* vida, mas *muitos milhares* de vidas, através daquela vida. Cf. o caso de Judas Iscariotes, que traiu Jesus. Ver sobre o vs. 8.

■ **45.6**

כִּי־זֶה שְׁנָתַיִם הָרָעָב בְּקֶרֶב הָאָרֶץ וְעוֹד חָמֵשׁ שָׁנִים אֲשֶׁר אֵין־חָרִישׁ וְקָצִיר׃

Dois anos... cinco anos. Muita gente ainda teria de ser salva da fome, porque dos sete anos de escassez se tinham passado apenas dois. Nesses dois anos, a *abastada* família de Jacó já tivera de fazer duas viagens ao Egito, em busca de suprimentos. Mas qual seria a situação dos *pobres*? A inanição estava cobrando alto, mas a sabedoria e a previsão de José (mediante a interpretação dos sonhos do Faraó, por parte de José) estavam salvando muitos milhares de vidas. Isso estava sucedendo não somente no Egito, mas também nas nações em redor, visto que o Egito se tinha tornado o armazém de vários povos, com vistas àquela emergência (Gn 41.57). Os irmãos de José tiveram o seu papel negativo nessa missão salvífica. Teriam de pagar por isso. Mas pelo menos sabemos que a iniquidade deles não havia entravado o desígnio de Deus, mas, antes, fazia parte desse desígnio.

Ver Gênesis 41.1-7 quanto aos sonhos de Faraó e os elementos envolvidos que prediziam os sete anos de fome. O rio Nilo não estava chegando ao nível certo, em tempo de cheia, e as suas várzeas, em decorrência disso, estavam perdendo muito de sua fertilidade. E, excluído o Nilo, grande território em volta consistia apenas em desertos.

■ **45.7**

וַיִּשְׁלָחֵנִי אֱלֹהִים לִפְנֵיכֶם לָשׂוּם לָכֶם שְׁאֵרִית בָּאָרֶץ וּלְהַחֲיוֹת לָכֶם לִפְלֵיטָה גְּדֹלָה׃

Para vos preservar a vida. José tinha sido enviado ao Egito em missão de misericórdia. Deus o havia mandado até ali (vs. 5); mas o Senhor tinha usado os iníquos irmãos de José como agentes. Uma vez no Egito, José mostrou ser o homem que deveria realizar a tarefa. A *posteridade* seria preservada, apesar do açoite da fome. A vida de todas as gerações subsequentes estava encerrada na vida dos irmãos de José — conforme José reconheceu aqui.

"Não é impossível que as palavras 'para vos preservar a vida por um grande livramento' aludam não somente à sobrevivência de Jacó e de sua família, diante da fome, mas também apontem para o livramento às margens do mar Vermelho" (Cuthbert A. Simpson, *in loc.*). Os críticos veem nessa declaração um reflexo histórico do livramento à beira do mar Vermelho, supondo eles que o livro teria sido escrito *após* aquele evento. Os eruditos conservadores, por sua parte, pensam que temos aqui um *indício* daquele acontecimento, embora a referência primária seja à fome no Egito, nos dias de José. Seja como for, *ambos* esses acontecimentos eram necessários para o cumprimento do *Pacto Abraâmico* (ver as notas a respeito em Gênesis 15.18), porquanto a nação de Israel viria à existência através da linhagem Abraão-Isaque-Jacó-patriarcas (estes últimos eram José e seus irmãos). Portanto, havia um grande propósito global em operação.

■ **45.8**

וְעַתָּה לֹא־אַתֶּם שְׁלַחְתֶּם אֹתִי הֵנָּה כִּי הָאֱלֹהִים וַיְשִׂימֵנִי לְאָב לְפַרְעֹה וּלְאָדוֹן לְכָל־בֵּיתוֹ וּמֹשֵׁל בְּכָל־אֶרֶץ מִצְרָיִם׃

Não fostes vós... e, sim, Deus. Por três vezes (vss. 5,7,8) José repetiu essa mensagem. O propósito e a obra de Deus foram introduzir José no Egito. Por muitas vezes, em seu exílio e sofrimentos, José deve ter-se consolado com essa certeza de fé. Aquele que é espiritual pode ver a mão de Deus atuando em todos os acontecimentos.

... me pôs por pai de Faraó. Parece que temos aqui um título honorífico conferido ao primeiro-ministro, pois seu trabalho, na realidade, era o de um pai, que cuidava de todos os filhos ou súditos do reino, entre os quais Faraó era o irmão mais velho. Ver 1Macabeus 11.32. "Os imperadores romanos chamavam de *pais* aos prefeitos do pretório, segundo se vê nas missivas de Constantino a Ablávio. E os *califas* davam a mesma alcunha aos seus primeiros-ministros" (Adam Clarke, *in loc.*). Ver Juízes 17.10 quanto a algo similar. Ver também Gênesis 41.43. José, no ofício de primeiro-ministro, combinava as funções de pai, senhor e governador, tendo-se tornado a segunda maior autoridade do Egito.

Seguindo a Luz. No livro *O Peregrino*, a personagem chamada Cristão recebeu a ordem, dada pelo evangelista, de fixar o olhar em uma luz que brilhava à distância. "Fixa teus olhos naquela luz e caminha diretamente para ela. Assim chegarás a um portão. E quando bateres nele, ser-te-á dito o que deverás fazer". Assim também, a providência de Deus pôs uma luz brilhante diante de José; e este, encaminhando-se na direção da luz, cumpriu a missão que Deus lhe dera.

■ **45.9**

מַהֲרוּ וַעֲלוּ אֶל־אָבִי וַאֲמַרְתֶּם אֵלָיו כֹּה אָמַר בִּנְךָ יוֹסֵף שָׂמַנִי אֱלֹהִים לְאָדוֹן לְכָל־מִצְרָיִם רְדָה אֵלַי אַל־תַּעֲמֹד׃

Desce a mim. Quando Jacó chegasse ao Egito, a sua família estaria toda reunida de novo. O plano que José tinha cultivado com tanto cuidado, mediante vários truques e por uma prolongada charada, que visava a reunir *toda* a sua família no Egito, onde havia abundância de víveres, estava perto de total cumprimento. Uma *terceira viagem* ao Egito era tudo quanto se fazia mister. Dessa vez, Jacó faria a viagem de 560 km, e haveria um final feliz para todos. E assim, como nação, Israel se desenvolveria no Egito. E, então, Moisés surgiria em cena como libertador, no tempo certo. Mas esse tempo só chegaria quando os habitantes da terra de Canaã tivessem enchido a taça de sua iniquidade. E, então, aquele território seria dado a Israel, como sua própria terra. Ver as notas em Gênesis 15.16 quanto a essa informação. Ademais, a família de Jacó corria o perigo de acabar absorvida pelos cananeus, e, se isso sucedesse, a nação de Israel seria eliminada ainda no berço. Portanto, era mister outro lugar de desenvolvimento. *Mas* ao chegar o tempo certo, os israelitas *voltariam* a Canaã, da qual se apossariam como sua terra. O desdobramento do *Pacto Abraâmico* (ver as notas em Gn 15.18) requeria todas essas providências.

■ **45.10**

וְיָשַׁבְתָּ בְאֶרֶץ־גֹּשֶׁן וְהָיִיתָ קָרוֹב אֵלַי אַתָּה וּבָנֶיךָ וּבְנֵי בָנֶיךָ וְצֹאנְךָ וּבְקָרְךָ וְכָל־אֲשֶׁר־לָךְ׃

Terra de Gósen. Ver no *Dicionário* um detalhado artigo sobre esse lugar. Essa área também era conhecida como "terra de Ramessés" (Gn 47.11), provavelmente por causa da cidade de Ramessés. Mais tarde, os israelitas foram forçados a fazer construções ali (Êx 1.11). Essa região ficava na margem oriental do rio Nilo, aparentemente começando um pouco ao norte de Mênfis e daí até as margens do mar Mediterrâneo. Nos dias de José, ao que parece, essa era uma região dotada de ricas pastagens, o que seria ideal para Jacó, seus servos e seu gado. Naquele lugar, Israel estaria convivendo com muitos outros imigrantes semitas. A palavra hebraica *geshem* (termo cognato de Gósen) significa "chuva", o que sugere um lugar bem irrigado. Ver Gênesis 47.1-12 e o artigo chamado *Gósen*, quanto a pormenores. Desse modo, Deus tinha preparado para Israel uma *pátria temporária*, e isso se ajustava à sua sempre presente providência. Sem dúvida, a ordem de ser dada a Jacó e sua família residência na terra de Gósen foi baixada pelo próprio Faraó, por meio de José. O desenvolvimento de Israel, como de resto do povo egípcio, ocorreria sob a supervisão de José, e isso cumpriria plenamente os sonhos precognitivos de José de que até Jacó estaria sujeito a ele (Gn 37.5,9).

■ **45.11**

וְכִלְכַּלְתִּי אֹתְךָ שָׁם כִּי־עוֹד חָמֵשׁ שָׁנִים רָעָב פֶּן־תִּוָּרֵשׁ אַתָּה וּבֵיתְךָ וְכָל־אֲשֶׁר־לָךְ׃

Aí te sustentarei. As palavras-chave foram: benevolência, nutrição, suprimento, comunhão — todas essas coisas dispensadas por José aos seus familiares. Assim sendo, José serviu de tipo de Cristo, o qual supre todas as necessidades de seus irmãos. Ver as notas em Gênesis 37.3 quanto a José como tipo de Cristo. Por ter sido maltratado, José poderia ter ficado amargo e vencido pela autodefesa. Longe disso, ele devotou-se a esforços generosos em favor de muita gente, incluindo os que o haviam ofendido. Isso é *espiritualidade*. Ver no *Dicionário* o artigo intitulado *Amor*.

Tu e tua casa. Cada um dos patriarcas tinha seu próprio grupo de dependentes. Não havia somente Jacó como dono de casa. Ele tinha filhos, netos, descendentes, servos etc. José estava assumindo uma pesada responsabilidade. Deus amou o mundo de tal maneira (Jo 3.16), e José imitava Deus, cercando-se de um grande círculo de entes queridos.

■ **45.12**

וְהִנֵּ֤ה עֵֽינֵיכֶם֙ רֹא֔וֹת וְעֵינֵ֖י אָחִ֣י בִנְיָמִ֑ין כִּי־פִ֖י הַֽמְדַבֵּ֥ר אֲלֵיכֶֽם׃

Vedes por vós mesmos. Todos eram *testemunhas oculares* de que José estava vivo, estava bem e estava próspero, e lhes oferecia uma nova terra de abundância. Assim, José convidou-os a contar o que tinham visto com seus próprios olhos. O testemunho dado por testemunhas oculares sempre é a mais poderosa forma de persuasão. Jacó não hesitou. Correu para ir ter com José, com a maior prontidão. Antes, porém, ele recebeu mais uma preciosa visão, que lhe deu a certeza de que aquilo era a coisa certa a fazer (Gn 46.1 ss.). Oh, Senhor, concede-nos tal graça! Essa visão reiterou as provisões fundamentais do Pacto Abraâmico, garantindo-lhe que ele não estava desobedecendo ao Senhor por descer ao Egito, embora antes lhe tivesse sido revelado que a Terra Prometida era a terra de Canaã. O propósito divino haveria de trazê-los de volta ao antigo lar, chegado o tempo determinado.

Sou eu mesmo quem vos fala. Assim dizia José em *hebraico*, sem a necessidade de intérprete, outra prova a ser apresentada a Jacó de que José estava vivo e seguro no Egito, onde era primeiro-ministro.

■ **45.13**

וְהִגַּדְתֶּ֣ם לְאָבִ֗י אֶת־כָּל־כְּבוֹדִי֙ בְּמִצְרַ֔יִם וְאֵ֖ת כָּל־אֲשֶׁ֣ר רְאִיתֶ֑ם וּמִֽהַרְתֶּ֛ם וְהוֹרַדְתֶּ֥ם אֶת־אָבִ֖י הֵֽנָּה׃

Anunciai... toda a minha glória. Os sonhos de José se haviam cumprido. O "sol, a lua e onze estrelas" (toda a sua família) prostravam-se diante dele, porque ele era o segundo homem de autoridade no Egito (Gn 41.43).

Apressai-vos. José queria que seus irmãos fossem buscar imediatamente a Jacó e tudo quanto era dele, pois anelava que sua família se reunisse novamente. E isso daria cumprimento cabal a seus sonhos proféticos. José tinha autoridade e tinha dinheiro. Mas acima de tudo tinha *amor*, extensivo a todos os seus parentes; e isso valia mais do que qualquer quantia em dinheiro.

■ **45.14**

וַיִּפֹּ֛ל עַל־צַוְּארֵ֥י בִנְיָמִֽן־אָחִ֖יו וַיֵּ֑בְךְּ וּבִ֨נְיָמִ֔ן בָּכָ֖ה עַל־צַוָּארָֽיו׃

Chorou... chorou também Benjamim. José abraçou Benjamim, seu irmão de pai e mãe, filho, como ele, de Raquel, a esposa amada de Jacó. José, vencido por forte emoção, expressava a mesma mediante suas lágrimas, segundo se vê em Gênesis 42.24; 43.30; 45.14; 50.17. Quando os homens obtêm algum elevado ofício, ou *crescem* ou *incham*. José cresceu. Ele não havia perdido a preciosa virtude do amor. Não estava usando sua autoridade para perseguir. Ele cresceu, ousando acreditar em seus sonhos. E sua fé foi recompensada ricamente. Até mesmo aquilo que tinha perdido, agora recuperava. Seus irmãos também não mais tinham ódio no coração. Logo, todos eles haviam crescido espiritualmente.

■ **45.15**

וַיְנַשֵּׁ֥ק לְכָל־אֶחָ֖יו וַיֵּ֣בְךְּ עֲלֵהֶ֑ם וְאַ֣חֲרֵי כֵ֔ן דִּבְּר֥וּ אֶחָ֖יו אִתּֽוֹ׃

José beijou a todos. Nenhum de seus irmãos estava fora de sua afeição fraterna. Todos eles faziam parte de sua família. E expressou seu amor a todos eles. Esses atos graciosos abriram o coração de todos eles. Dissipou-se o temor em suas mentes, e iniciaram uma vívida conversação. José tinha acolhido todos os seus irmãos no círculo de seu amor. Traçara em redor de si um círculo espaçoso bastante para conter todos eles. O círculo de ódio, que seus irmãos tinham traçado, excluindo José, agora era substituído pelo círculo de amor.

■ **45.16**

וְהַקֹּ֣ל נִשְׁמַ֗ע בֵּ֤ית פַּרְעֹה֙ לֵאמֹ֔ר בָּ֖אוּ אֲחֵ֣י יוֹסֵ֑ף וַיִּיטַב֙ בְּעֵינֵ֣י פַרְעֹ֔ה וּבְעֵינֵ֖י עֲבָדָֽיו׃

Foi agradável a Faraó. Os registros egípcios mostram que o Egito acolhia asiáticos que quisessem estabelecer-se ali, em períodos de fome. No caso da família de José, isso foi facilitado pelo fato de que José era o grande benfeitor do Egito. Mas o texto diz que a vinda dos irmãos de José "foi agradável" ao Faraó, e não somente que ele deu sua permissão. José e seus familiares gozavam do bem-estar do governante máximo do Egito. Muitas décadas depois, essa boa vontade se perdeu. O trecho de Êxodo 1.8 diz-nos que subiu ao trono um Faraó que não conhecia José. Os tempos mudaram para pior. Contudo, esse *pior* seria a força que faria o povo de Israel sair do Egito, voltando a Canaã, de acordo com o plano de Deus. Mas nos dias de José, isso ainda estava no distante futuro. A boa vontade do Faraó ajudou os irmãos de José a voltar à terra de Canaã carregados de bons suprimentos (vs. 19), providos do "melhor do Egito" (vs. 18). Essa boa vontade talvez se tenha manifestado porque o próprio Faraó poderia provir da terra de Canaã (ou seus antepassados), se ele, porventura, era um dos reis hicsos, também denominados "reis pastores", que não eram originários do Egito. Ver no *Dicionário* o artigo intitulado *Hicsos*.

■ **45.17**

וַיֹּ֤אמֶר פַּרְעֹה֙ אֶל־יוֹסֵ֔ף אֱמֹ֥ר אֶל־אַחֶ֖יךָ זֹ֣את עֲשׂ֑וּ טַֽעֲנוּ֙ אֶת־בְּעִ֣ירְכֶ֔ם וּלְכוּ־בֹ֖אוּ אַ֥רְצָה כְּנָֽעַן׃

Faraó Baixa Ordens Urgentes. Ele estava entusiasmado em seu oferecimento de ajuda e de terras, e apressou José para que fizesse prontamente a transferência de Jacó e seus familiares para o Egito. O Faraó estava satisfeito, entusiasmado, inclinado à generosidade. As evidências circunstanciais da mudança eram fortes. Sempre buscamos luzes para podermos fazer mudanças importantes, ou mesmo circunstanciais. O trecho de Gênesis 46.2 ss. mostra que Jacó recebeu uma visão iluminadora que lhe forneceu algumas instruções acerca de evidências circunstanciais. Ver no *Dicionário* o artigo *Vontade de Deus, Como Descobri-la*.

■ **45.18**

וּקְח֧וּ אֶת־אֲבִיכֶ֛ם וְאֶת־בָּתֵּיכֶ֖ם וּבֹ֣אוּ אֵלָ֑י וְאֶתְּנָ֣ה לָכֶ֗ם אֶת־טוּב֙ אֶ֣רֶץ מִצְרַ֔יִם וְאִכְל֖וּ אֶת־חֵ֥לֶב הָאָֽרֶץ׃

Vinde para mim. O Faraó convidou todos os parentes de José a virem ao Egito. O número de pessoas era grande, pois os filhos de Jacó já tinham filhos, e várias famílias tinham assim de ser transportadas. O trecho de Êxodo 1.5 parece indicar que o número de pessoas foi de setenta (ver sobre os seus nomes em Gn 46.8-27). O trecho de Deuteronômio 10.22 também dá esse número. Porém, esse era apenas o número de varões, sem falar em mulheres e crianças, além de muitos escravos. Portanto, o número total era bem maior.

Foram dadas as melhores terras do Egito à família de José. Ver no *Dicionário* o artigo intitulado *Gósen*, e também as notas sobre o vs. 16 deste capítulo. Era um território bem regado e fértil, um lugar ideal para os pastores com seus rebanhos. Os israelitas comeriam "da fartura da terra". Eles teriam animais bem alimentados, o mais excelente cereal, além das riquezas do Egito, através de importações.

■ **45.19**

וְאַתָּ֥ה צֻוֵּ֖יתָה זֹ֣את עֲשׂ֑וּ קְחוּ־לָכֶם֩ מֵאֶ֨רֶץ מִצְרַ֜יִם עֲגָל֗וֹת לְטַפְּכֶם֙ וְלִנְשֵׁיכֶ֔ם וּנְשָׂאתֶ֥ם אֶת־אֲבִיכֶ֖ם וּבָאתֶֽם׃

Carros. Um comum meio de transporte de pessoas e mercadorias em uma terra plana como era o Egito. Há vários tipos de tais veículos retratados em monumentos antigos. O mais comum era aquele de duas rodas, puxado por bois. As carruagens do Faraó e de seus oficiais eram puxadas por cavalos. Em Gênesis 41.43, lemos que a José foi dado o *segundo carro* do Egito. Os veículos cedidos pelo Faraó aos irmãos de José serviriam para levar suprimentos, mas também para transportar mulheres e crianças em grande estilo. Ver no *Dicionário* o artigo *Carruagem*. Ver também *Carro*. Esses dois artigos incluem informações sobre os veículos usados no Egito. Ver as notas sobre o vs. 15, quanto ao *número* de pessoas que foram transportadas para o Egito.

■ 45.20

וְעֵינְכֶם אַל־תָּחֹס עַל־כְּלֵיכֶם כִּי־טוּב כָּל־אֶרֶץ מִצְרַיִם לָכֶם הוּא׃

Não vos preocupeis. Que os parentes de José deixassem seus pertences na terra de Canaã, pois no Egito poderiam substituir facilmente todos os objetos. Isso facilitaria a viagem deles para o Egito, pois não teriam de transportar bagagem. E, chegados ao Egito, teriam à sua disposição todos os objetos de uso pessoal de que precisassem. Quão bom é alguém ser capaz de viajar desimpedido, porque no novo lar há abundantes móveis, implementos e objetos de uso pessoal. Oh, Senhor, concede-nos tal graça!

Os parentes de José, sem dúvida, tinham os instrumentos próprios de sua atividade pastoril, além de instrumentos agrícolas. Mas não teriam de preocupar-se em transportar tais coisas para o Egito, porque instrumentos novos lhes seriam providos, ao chegarem.

No Egito havia de tudo: "Coisas boas, alimentos e todo o necessário para as pessoas, para os rebanhos e *tudo* o que viessem a precisar para seu serviço" (John Gill, *in loc.*).

■ 45.21

וַיַּעֲשׂוּ־כֵן בְּנֵי יִשְׂרָאֵל וַיִּתֵּן לָהֶם יוֹסֵף עֲגָלוֹת עַל־פִּי פַרְעֹה וַיִּתֵּן לָהֶם צֵדָה לַדָּרֶךְ׃

Os filhos de Israel fizeram assim. Eles aceitaram as instruções dadas pelo Faraó. Havia provisões para eles como nunca teriam imaginado. É melhor termos bens do que não os termos. Havia provisões para a ida e a vinda, e mais provisões esperando por todos.

"Deus pode fazer-vos abundar em toda graça, a fim de que, tendo sempre, em tudo, ampla suficiência, superabundeis em toda boa obra" (2Co 9.8).

■ 45.22

לְכֻלָּם נָתַן לָאִישׁ חֲלִפוֹת שְׂמָלֹת וּלְבִנְיָמִן נָתַן שְׁלֹשׁ מֵאוֹת כֶּסֶף וְחָמֵשׁ חֲלִפֹת שְׂמָלֹת׃

Também Foram Supridas Vestes. As vestes dos viajantes ficavam em farrapos. Tempos de fome não permitem que se gaste dinheiro com roupas novas. Portanto, foram-lhes supridas roupas novas. O irmão favorito, Benjamim, recebeu cinco *mudas* de roupa além de muito dinheiro em forma de prata. Ele era o irmão mais querido, embora os outros fossem todos queridos. Ver no *Dicionário* os artigos intitulados *Vestimenta (Vestimentas)* e *Dinheiro*. Vestes figuravam entre as riquezas dos antigos, que também eram itens de presentes a serem oferecidos. Os governos estrangeiros muniam seus embaixadores tanto de dinheiro quanto de vestes. Tais coisas também eram dadas como recompensas e honrarias (Jz 14.12,19; Ap 6.11; ver também Gn 41.42). José havia sido assim honrado por seu pai. Seus irmãos ganhavam agora roupas novas, aparentemente duas mudas, para que, enquanto uma fosse usada, a outra estivesse sendo lavada. Algumas traduções dizem aqui "vestes festivais" (conforme lemos em nossa versão portuguesa). Portanto, eram as melhores vestes que podiam ser obtidas no Egito. Mas em outras traduções, essas vestes aparecem como meras "mudas de roupa".

■ 45.23

וּלְאָבִיו שָׁלַח כְּזֹאת עֲשָׂרָה חֲמֹרִים נֹשְׂאִים מִטּוּב מִצְרָיִם וְעֶשֶׂר אֲתֹנֹת נֹשְׂאֹת בָּר וָלֶחֶם וּמָזוֹן לְאָבִיו לַדָּרֶךְ׃

Dez jumentos carregados. Jacó, lá na Terra Prometida, não foi esquecido. A generosidade do Faraó ampliou-se a ele também.

Do melhor do Egito. Alimentos especiais, preservados pela melhor técnica do Egito. Havia também vestes e dinheiro (conforme fora dado a Benjamim), e tudo em grande abundância, pois foram necessários nada menos de *vinte animais* para levar todos os presentes. Era o tipo de presentes que um rei daria a outro rei, com o intuito claro de impressionar. Ademais, tudo foi dado por causa de José, que vinha servindo tão bem à corte e ao povo do Egito. Alguns intérpretes têm embelezado o texto, alistando toda forma de produtos agrícolas que eram nativos do Egito.

■ 45.24

וַיְשַׁלַּח אֶת־אֶחָיו וַיֵּלֵכוּ וַיֹּאמֶר אֲלֵהֶם אַל־תִּרְגְּזוּ בַּדָּרֶךְ׃

Não contendais pelo caminho. Isso porque as grandes viagens são cansativas, irritantes, e deixam as pessoas de ânimo explosivo. Além disso, poderiam continuar lançando a culpa pelos maus-tratos a José uns sobre os outros, pois os acontecimentos recentes os tinham tornado sensíveis diante das memórias que tinham. Rúben havia repreendido aos outros por esse motivo (Gn 42.21,22), e talvez ele continuasse a recriminá-los pelo caminho. Visto que os membros de uma família vivem juntos, isso gera tensões entre eles, o que pode explodir sob a forma de hostilidade aberta, ou até mesmo rancor, nos casos mais extremos. Além disso, Benjamim não deveria tornar-se alvo de inveja, por haver sido favorecido por José acima dos demais irmãos (vs. 22). Ver no *Dicionário* os verbetes intitulados *Inimizade* e *Ódio*.

■ 45.25

וַיַּעֲלוּ מִמִּצְרָיִם וַיָּבֹאוּ אֶרֶץ כְּנַעַן אֶל־יַעֲקֹב אֲבִיהֶם׃

A viagem de 560 km foi completada sem nenhum incidente, e chegaram ao acampamento de Jacó. A missão deles fora cumprida da maneira mais inesperada e soberba, e estavam trazendo as melhores notícias que Jacó poderia ouvir. Jacó estava então em *Hebrom*, um dos centros que os patriarcas de Israel haviam estabelecido. Ver sobre essa localidade no *Dicionário*.

■ 45.26

וַיַּגִּדוּ לוֹ לֵאמֹר עוֹד יוֹסֵף חַי וְכִי־הוּא מֹשֵׁל בְּכָל־אֶרֶץ מִצְרָיִם וַיָּפָג לִבּוֹ כִּי לֹא־הֶאֱמִין לָהֶם׃

José ainda vive. Apesar das invenções odiosas que tinham criado; apesar de José ter sido vendido como escravo; apesar das dificuldades imensas que José tivera de arrostar na prisão; a despeito das calúnias feitas contra ele pela esposa de Potifar; apesar dos perigos que ele tinha enfrentado durante aqueles últimos 24 anos; e a despeito da fome — sim, José continuava vivo! A vontade e o poder de Deus tinham-no feito atravessar incólume a todas as suas tribulações, anulando todos os perigos e retrocessos. O autor sagrado salienta de novo aqui um de seus temas favoritos, a *providência de Deus* (ver o *Dicionário* quanto a esse assunto).

O coração lhe ficou como sem palpitar. As boas-novas eram "grandes demais e boas demais para serem verdadeiras" (John Gill, *in loc.*). "... a notícia apoderou-se dele com tal impacto que ele teve um meio-desmaio" (Adam Clarke, *in loc.*). O original hebraico diz "o coração lhe esfriou". A notícia deixou Jacó de tal modo chocado que sua pressão sanguínea caiu de súbito. O choque deixou-o entorpecido.

■ 45.27

וַיְדַבְּרוּ אֵלָיו אֵת כָּל־דִּבְרֵי יוֹסֵף אֲשֶׁר דִּבֶּר אֲלֵהֶם וַיַּרְא אֶת־הָעֲגָלוֹת אֲשֶׁר־שָׁלַח יוֹסֵף לָשֵׂאת אֹתוֹ וַתְּחִי רוּחַ יַעֲקֹב אֲבִיהֶם׃

Havendo-lhe eles contado todas as palavras de José. E toda aquela maciça quantidade de presentes, transportada por vinte animais de carga, servia de evidência comprobatória do que eles diziam a Jacó. A glória de José, no Egito, inspirava agora um discurso eloquente por parte de seus irmãos. Benjamim vinha sobrecarregado com seus ricos presentes; todos exibiam suas vestes majestáticas que Faraó lhes havia presenteado. As evidências eram mais do que convincentes. E Jacó, cujo espírito ficara adormecido diante das notícias inesperadas, teve sua mente iluminada pelo raiar da verdade gloriosa: José estava vivo e era o primeiro-ministro do Egito, e agora mandava buscar seu pai.

"*Luz Brilhante na Alvorada*. Assim devem ter parecido a Jacó as notícias a respeito de José, irrompendo como a glória do mais glorioso amanhecer, fazendo dissipar as nuvens ao fim de uma longa e tenebrosa noite... Mas o que mais comovia Jacó não eram os carros transbordantes de presentes, e sim o fato de que 'ainda vive meu filho José'. Isso lhe bastava. Era quase inacreditável. Jacó veria novamente a seu amado José, antes de morrer. Agora, porque José estava vivo, Jacó também *viveria*. E, então, estaria pronto para o seu *nunc dimittis*" (Walter Russell Bowie, *in loc.*).

■ 45.28

וַיֹּאמֶר יִשְׂרָאֵל רַב עוֹד־יוֹסֵף בְּנִי חָי אֵלְכָה וְאֶרְאֶנּוּ בְּטֶרֶם אָמוּת׃

Basta. Agora Jacó sentia que estava realizado. Nada mais poderia pedir. A graça de Deus manifestara-se poderosamente em sua vida. E de nada mais precisava. Nada mais queria. "José ainda vive." Agora já não lhe restavam muitos anos de idade. Mas que importava? Jacó veria *José* novamente, antes de morrer.

"Ninguém pode penetrar nessa cena; as palavras, as circunstâncias, tudo envolvia sentimentos insondáveis, indescritíveis" (Adam Clarke, *in loc.*).

Mas a Jacó restava mais tempo do que ele pensava. Viveu no Egito por dezessete anos, antes de falecer. Jacó viveu um total de 147 anos. Isso posto, estava com 130 anos quando desceu ao Egito (Gn 47.28).

CAPÍTULO QUARENTA E SEIS

JACÓ NO EGITO (46.1—48.22)

VIAGEM DE JACÓ AO EGITO (46.1-7)

Os críticos atribuem esta seção a uma combinação das fontes *J* e *E*. Ver no *Dicionário* o artigo intitulado *J.E.D.P.(S.)* quanto à teoria das fontes múltiplas do Pentateuco. Temos aqui outro dos grandes marcos da vida de Jacó, um passo importante na formação de Israel como nação. Abraão havia sido avisado de antemão acerca dessa questão, a qual dificilmente poderia ter sido antecipada sem alguma iluminação divina. Seus descendentes teriam de sofrer um período de quatrocentos anos de exílio e provação (Gn 15.13). Israel, em desenvolvimento, continuaria no exílio até que os pecados dos habitantes de Canaã preenchessem a taça do destino. Então o juízo de Deus haveria de feri-los, e eles perderiam seus territórios. E essa terra seria dada a Israel, como sua pátria (Gn 15.16). Esse seria o primeiro dentre quatro grandes exílios previstos para o povo de Israel, a saber: 1. o exílio *egípcio*, quando Israel estivesse em formação; 2. o exílio *assírio*, quando se perderam quase totalmente dez das tribos; 3. o exílio *babilônico*, quando se perderam quase totalmente duas tribos (Judá e Benjamim), mas das quais voltou um remanescente, proveniente de Levi e de todas as demais tribos; 4. o exílio *romano*, a começar em 132 d.C. (quando todos os judeus foram expulsos da Palestina e dispersos em várias direções). Foi então que os judeus se dividiram em três grupos principais: judeus asquenazitas (que foram para países da Europa central e oriental); judeus sefarditas (que ficaram em países em torno do Mediterrâneo, além das ilhas britânicas); judeus orientais (que ficaram na região da Arábia para o oriente, até o Japão). Esse quarto exílio começou a ser revertido com a formação do Estado de Israel, em maio de 1948, graças aos esforços do movimento sionista, iniciado por idealistas judeus do século XIX. Mas nem todos os judeus concordam com o sionismo, do que é prova o fato de que a maior parte dos judeus continua longe da Palestina até hoje. Assim, tem prevalecido sempre a providência de Deus. Ver no *Dicionário* o artigo *Providência de Deus*.

Apesar de todos os exílios, vicissitudes e perseguições, tem prevalecido o *Pacto Abraâmico*. Esse pacto é renovado na passagem à nossa frente. Ver as notas a respeito em Gênesis 15.18. Uma das provisões desse pacto era a necessidade de um território pátrio, onde Israel pudesse viver como nação, e não apenas como tribos nômades. Com base nessa situação, viria a primeira revelação, e, finalmente, o Cristo, descendente de Judá. E, então, Cristo haveria de abençoar todas as nações da terra (Gl 3.14), por meio do evangelho. Antes, porém, Israel teria de *residir temporariamente* em Gósen, no Egito.

■ 46.1

וַיִּסַּע יִשְׂרָאֵל וְכָל־אֲשֶׁר־לוֹ וַיָּבֹא בְּאֵרָה שָּׁבַע וַיִּזְבַּח זְבָחִים לֵאלֹהֵי אָבִיו יִצְחָק׃

De Hebrom a Berseba. Ver no *Dicionário* os artigos sobre esses dois lugares. Jacó precisava tomar uma decisão muito importante. Era certo deixar a terra de Canaã, onde Abraão tinha habitado? Deixá-la não prejudicaria as provisões do Pacto Abraâmico? Como esse pacto poderia ter cumprimento se a nação de Israel se formasse no Egito? Jacó buscou luzes. E assim sendo, ele foi a Berseba e ofereceu sacrifícios a *Yahweh*, o Deus de seu pai, Isaque. Ele estava voltando às suas raízes e buscando respostas. Em Berseba Deus havia aparecido a Abraão (Gn 21.33) e depois a Isaque (Gn 26.23). Esse lugar tinha um santuário, um centro do Yahwismo. Era um lugar apropriado para buscar iluminação a respeito da séria decisão que ele teria de tomar. O próprio Faraó tinha-lhe enviado ricos presentes, convidando-o a vir ao Egito (Gn 45.17 ss.). José achava-se no Egito, e Jacó gostaria muito de ir para perto dele. Mas existem coisas mais importantes do que estar na companhia de um filho amado, como fazer a vontade de Deus, sem importar qual seja essa vontade. Mas se alguém puder estar com um filho amado, ao mesmo tempo em que estiver fazendo a vontade de Deus, tal pessoa será duplamente abençoada. A Jacó, pois, foi dada *essa* bênção.

Berseba ficava a apenas 26 km de Hebrom, assim o santuário ficava perto, e Jacó sentiu-se impelido a buscar orientação ali.

Deus de seu pai. No hebraico, *Elohim*. Ver no *Dicionário* o artigo sobre esse nome divino, como também *Deus, Nomes Bíblicos de*.

■ 46.2

וַיֹּאמֶר אֱלֹהִים לְיִשְׂרָאֵל בְּמַרְאֹת הַלַּיְלָה וַיֹּאמֶר יַעֲקֹב יַעֲקֹב וַיֹּאמֶר הִנֵּנִי׃

Em visões de noite. Algumas vezes as visões são dadas por meio de sonhos, mas é provável que aqui devamos entender a presença divina ou uma *teofania* (ver a esse respeito no *Dicionário*). Para receber uma orientação iluminadora, *algumas vezes* precisamos do toque místico, da iluminação vinda do alto. Oh, Senhor, concede-nos tal graça! Ver no *Dicionário* o verbete intitulado *Vontade de Deus, Como Descobri-la*. Jacó era homem de muitas experiências místicas, mediante as quais a presença divina lhe era conferida de variados modos. Ver no *Dicionário* o artigo chamado *Misticismo*. Ao que parece, cada movimento *importante* de Jacó era acompanhado por alguma elevada experiência espiritual, que lhe conferia orientação e poder. Ver Gênesis 28.11 ss. Quando ia para a companhia de Labão, Jacó tivera a visão da escada que ia dar no céu. Na oportunidade, foi renovado através dele o Pacto Abraâmico (Gn 31.3,11). Quando voltava para Canaã, depois de ter estado com Labão por vinte anos, recebeu outra iluminação direta (Gn 32.1 ss.). Depois de ter-se separado de Labão, já a caminho de Canaã, Jacó recebeu outra experiência mística iluminadora (Gn 35.1). E, então, foi instruído a ir a Betel, habitar ali e erigir um altar. Foi aí que ele se desfez de certos ídolos (sem dúvida, alguns trazidos por Raquel), quando houve uma renovada dedicação ao Senhor.

Eis-me aqui. A resposta da alma à presença de Deus, a prova da consciência da presença divina. A vida espiritual consiste em mais do que estudo, leitura da Bíblia, oração e meditação. Precisamos, *igualmente*, do toque místico, a presença de Deus conosco, que nos ilumina o caminho.

"A descida ao Egito, que teria tão decisiva significação para a história da nação de Israel, teve motivo não só no desejo de Jacó ver seu filho perdido fazia tanto tempo (Gn 45.28), mas também na revelação divina dada nas *visões da noite*" (*Oxford Annotated Bible, in loc.*). Ver a introdução a este capítulo, onde essa ideia é abordada.

46.3

וַיֹּאמֶר אָנֹכִי הָאֵל אֱלֹהֵי אָבִיךָ אַל־תִּירָא מֵרְדָה
מִצְרַיְמָה כִּי־לְגוֹי גָּדוֹל אֲשִׂימְךָ שָׁם׃

Eu sou Deus, o Deus de teu pai. No hebraico, *El, Elohim*. Ver no *Dicionário* os artigos intitulados *El* e *Elohim*. *El* indica poder, e *Elohim* é o Deus Supremo e Poderoso, o plural majestático de El.

"Essa foi a última revelação conferida a Jacó. Depois dessa revelação não há mais registro de outro evento sobrenatural, até a visão da sarça ardente (Êx 3.4). Jacó deveria migrar para o Egito, pois ali os seus descendentes se multiplicariam até se tornarem uma nação. A presença e a bênção de Deus haveriam de acompanhar a ele e a seus descendentes, e, finalmente, haveriam de trazê-los de volta à Terra Prometida. Para o próprio Jacó, além disso, foi dada a promessa de que José cuidaria dele em seu leito de enfermidade e estaria em sua companhia, por ocasião de sua morte" (Ellicott, *in loc.*).

Naturalmente, em seu leito de morte, Jacó profetizou acerca de seus filhos (Gn 49), um acontecimento *inspirado*, mediante o qual Jacó foi capaz de prever, em termos gerais, o futuro dos descendentes de seus filhos, e de dar instruções e bênçãos especiais, que fariam suas vidas diferir das de outras pessoas.

Lá eu farei de ti uma grande nação. O *Pacto Abraâmico* (ver as notas sobre Gn 15.18) não falharia meramente porque Israel se desenvolveria no Egito. Bem pelo contrário, as duzentas ou trezentas pessoas (possíveis) que poderiam ter descido ao Egito (como o núcleo original da nação de Israel) seriam abençoadas de modo especial por Deus. Deus as protegeria; a nação se desenvolveria, porque o poder de Deus estava com ela.

Temos aqui outra reiteração do Pacto Abraâmico, em seu mais básico elemento, a grande nação oriunda de Abraão. Alisto em Gênesis 15.18 as treze repetições desse pacto, no livro de Gênesis. Cada uma dessas ocorrências frisa alguns poucos itens, embora não o pacto em todos os seus aspectos.

46.4

אָנֹכִי אֵרֵד עִמְּךָ מִצְרַיְמָה וְאָנֹכִי אַעַלְךָ גַם־עָלֹה
וְיוֹסֵף יָשִׁית יָדוֹ עַל־עֵינֶיךָ׃

Eu descerei contigo. A *presença divina se* faria patente até mesmo no exílio no Egito. Ao mesmo tempo, havia aquela promessa a longo prazo de um futuro livramento do exílio egípcio. Ver a introdução ao presente capítulo quanto aos *quatro* exílios de Israel. O Pacto Abraâmico incluía o exílio no Egito (Gn 15.13), mas também a eventual libertação desse exílio, no tempo determinado (Gn 15.16).

O Toque Pessoal. José era o filho amado de Jacó, do qual estava separado fazia 24 anos. Jacó ainda viveria por bons dezessete anos no Egito, em companhia de José, e, então, faleceria. Jacó desceu ao Egito quando estava com 130 anos, e viveria 147 anos. Ver Gênesis 47.28. José estaria perto dele quando morresse e fecharia os seus olhos. José "prestaria a ele esse último serviço" (John Gill, *in loc.*). Portanto, Jacó nada teria que temer, nada do que se lamentar; nenhuma ansiedade para vexá-lo, se chegasse a descer ao Egito para ali viver pelo resto de sua vida.

E te farei tornar a subir, certamente. Não devemos pensar aqui no cadáver de Jacó, o qual foi trazido de volta a Macpela, sepultado onde já estavam os corpos de Abraão, Sara, Lia e Isaque, pai de Jacó. Antes, devemos pensar na promessa a longo prazo de que, finalmente, a nação de Israel seria tirada do Egito.

Um de meus filhos queridos teve um sonho perturbador a respeito de minha morte. Ele sonhou que eu era um homem idoso, meus cabelos totalmente encanecidos. Estávamos nas proximidades de uma grande universidade. Ele voltou do campus e me encontrou morto, ao que parecia, por um ataque de coração. Quando ele me contou o sonho, eu lhe disse: "Por que você está preocupado? Esse é um bom sonho. Viverei até tornar-me um homem idoso, pois meus cabelos estavam totalmente brancos. Morrerei de súbito, de um colapso cardíaco, o que significa que não passarei dias sofrendo. Além disso, eu não gostaria de estar em outra companhia, ao morrer, do que na sua". Ao ler o texto bíblico à nossa frente, lembro-me desse sonho de meu filho. José, o amado filho de Jacó, estaria com ele até o fim. Não haveria queixas, nem lamentações, nem faltaria coisa alguma. Foi assim que Jacó foi encorajado a *ir* para o Egito.

46.5

וַיָּקָם יַעֲקֹב מִבְּאֵר שָׁבַע וַיִּשְׂאוּ בְנֵי־יִשְׂרָאֵל אֶת־יַעֲקֹב
אֲבִיהֶם וְאֶת־טַפָּם וְאֶת־נְשֵׁיהֶם בָּעֲגָלוֹת אֲשֶׁר־שָׁלַח
פַּרְעֹה לָשֵׂאת אֹתוֹ׃

Então se levantou Jacó. Ele já havia recebido a sua resposta, que lhe foi dada no santuário em Berseba. E assim, com toda confiança, preparou-se para descer ao Egito. Reencontrar-se com seu filho amado, José, inspirava a sua mente. Seu alquebrado corpo de 130 anos de idade movimentou-se com lepidez e renovada energia.

Os carros enviados pelo Faraó (Gn 45.19) facilitaram em muito a viagem. Ver no *Dicionário* os artigos chamados *Carro* e *Carruagem*.

Coisa alguma é dita acerca das esposas de Jacó. É possível que todas elas já tivessem morrido por esse tempo. Mas havia várias famílias a serem transportadas, com seus filhos e netos. O vs. 27 mostra que havia setenta homens, pelo que o grupo inteiro deve ter consistido em duzentas a trezentas pessoas ao todo, se incluirmos os servos e servas que faziam parte das casas. Temos aí o núcleo que daria início à nação de Israel no Egito. Os varões são alistados, a começar pelo versículo oito.

46.6

וַיִּקְחוּ אֶת־מִקְנֵיהֶם וְאֶת־רְכוּשָׁם אֲשֶׁר רָכְשׁוּ בְּאֶרֶץ
כְּנַעַן וַיָּבֹאוּ מִצְרַיְמָה יַעֲקֹב וְכָל־זַרְעוֹ אִתּוֹ׃

O seu gado e os bens. Mas não certos itens como móveis, instrumentos agrícolas etc., visto que o Faraó os tinha encorajado a viajar sem bagagem, porquanto receberiam implementos novos no Egito (ver Gn 45.20). É melhor ser abastado do que não ser abastado. Apesar da escassez de alimentos, Jacó ainda era dono de muitos bens.

Toda a sua descendência. Os setenta nomes masculinos que aparecem na lista (vs. 27). Eram várias famílias com seus respectivos filhos e netos. Deus faria grandes coisas, a partir daquele dia de pequenos começos.

46.7

בָּנָיו וּבְנֵי בָנָיו אִתּוֹ בְּנֹתָיו וּבְנוֹת בָּנָיו וְכָל־זַרְעוֹ
הֵבִיא אִתּוֹ מִצְרַיְמָה׃ ס

Toda a sua descendência. Informações a serem supridas nas listas que aparecem em seguida (vss. 8-27). Quando Jacó desceu ao Egito, estava com 130 anos de idade, 115 anos depois de a promessa ter sido feita a Abraão (Gn 12.1-4). Na verdade, os israelitas não estiveram cativos no Egito por 430 anos. Apenas cerca de 250 desses anos foram realmente passados em cativeiro. Essas são cifras aproximadas dadas pela Septuaginta. Ver as notas em Gênesis 15.13.

Suas filhas e as filhas de seus filhos. O elemento feminino da família de Jacó fica assim vago, porque, usualmente, as mulheres não eram nomeadas nas genealogias. Ver Gênesis 37.36.

A FAMÍLIA DE JACÓ (46.8-27)

Este texto tem paralelo em Deuteronômio 10.22, que fala em *setenta* homens. A tradição arredondou o número de homens a setenta, que alguns estudiosos supõem ser mera aproximação, ao passo que outros pensam em um número simbólico, e não real, de descendentes de Jacó.

"Esta seção, vinda de uma tradição sacerdotal distinta, contém uma lista de descendentes de Jacó, com base no número tradicional de setenta (vs. 27; ver Êx 1.5; Dt 10.22). A maioria dos nomes dos líderes ancestrais de clãs aparece na lista sacerdotal do capítulo 26 de Números... o número *setenta* inclui José e seus dois filhos, que lhe tinham nascido no Egito, além do próprio Jacó" (*Oxford Annotated Bible, in loc.*).

Enquanto a exposição prosseguir, irei fazendo comparações com as genealogias de Números e de 1Crônicas, que abordam os mesmos indivíduos. O vs. 26 diz que o número daqueles que viajaram ao Egito foi de 66. Mas o versículo 27 dá o número setenta, porém, como o grande *total*, ou seja, incluindo os filhos e netos que *já* estavam no Egito.

Cálculos

Filhos e netos de Lia (vs. 15)	33
Filhos e netos de Zilpa (vs. 18)	16
Filhos e netos de Raquel (vs. 22)	14
Filhos e netos de Bila (vs. 25)	7
Diná, uma filha de Jacó	1
	71
Er e Onã morreram em Canaã (vs. 12)	
José e dois filhos já estavam no Egito (vs. 20); portanto	5
Aqueles que migraram para o Egito, na companhia de Jacó (vs. 26)	66
Os que já estavam no Egito	4
Grande total (vs. 27)	**70**

Esse total de setenta pessoas era o núcleo da nação de Israel que se desenvolveu no Egito. O trecho de Atos 7.14 dá o número de 75 pessoas. Ver uma discussão a respeito em *O Novo Testamento Interpretado*. As tradições e os números variam um pouco. A Septuaginta também fala em 75 pessoas, pelo que sabemos que Estêvão (At 7.14) seguiu a Septuaginta, e não o texto hebraico massorético.

■ **46.8**

וְאֵלֶּה שְׁמוֹת בְּנֵי־יִשְׂרָאֵל הַבָּאִים מִצְרַיְמָה יַעֲקֹב וּבָנָיו בְּכֹר יַעֲקֹב רְאוּבֵן:

Jacó. Ver o artigo detalhado sobre ele no *Dicionário*.

Rúben. O filho primogênito de Jacó. Ver o artigo sobre ele no *Dicionário*, como também Gênesis 29.32.

■ **46.9**

וּבְנֵי רְאוּבֵן חֲנוֹךְ וּפַלּוּא וְחֶצְרוֹן וְכַרְמִי:

Enoque. Ele era o filho mais velho de Rúben (Gn 46.9; Êx 6.14; 1Cr 1.33). Seus descendentes eram chamados *enoquitas* (Nm 26.5). O sentido desse nome é incerto, embora alguns opinem "iniciado" ou "ensino".

Palu. No hebraico, *distinguido*, um dos filhos de Rúben (Gn 46.9; Êx 6.14; Nm 26.5,8), talvez o mesmo Pelete de Números 16.1. Seus descendentes são chamados *paluítas*, em Números 26.5.

Hezrom. No hebraico, *cercado* ou *murado*, um dos filhos de Rúben (Gn 46.9; Êx 6.14; 1Cr 4.1; 5.3). Ele foi o fundador de uma família conhecida por seu nome (Nm 26.6).

Carmi. No hebraico, *frutífero* ou *nobre*, um dos filhos de Rúben (Gn 46.9; Êx 6.14; Nm 26.6; 1Cr 5.3). Foi o fundador da família dos *carmitas*.

■ **46.10**

וּבְנֵי שִׁמְעוֹן יְמוּאֵל וְיָמִין וְאֹהַד וְיָכִין וְצֹחַר וְשָׁאוּל בֶּן־הַכְּנַעֲנִית:

Simeão. Ver a seu respeito no *Dicionário*.

Jemuel. No hebraico, *dia de Deus*. Era filho de Simeão (Gn 46.10; Êx 6.15). Em Números 26.12 e 1Crônicas 4.24 ele é chamado *Nemuel*.

Jamim. No hebraico, *mão direita* ou *lado direito*. Um dos filhos de Simeão (Gn 46.10; Êx 6.15). Seus descendentes são chamados *jaminitas*, em Números 26.12.

Oade. No hebraico, *unidade*. Era filho de Simeão (Gn 46.10; Nm 26.12-14; 1Cr 4.24,25). Veio a ser cabeça de um dos clãs de Israel.

Jaquim. No hebraico, *ele (Deus) estabelecerá*. Era filho de Simeão, pai dos *jaquinitas* (Gn 46.10; Êx 6.15; Nm 26.12). Também é chamado *Jaribe* (ver no *Dicionário* a seu respeito).

Zoar. No hebraico, *pequeno*. Filho de Simeão, pai de um dos clãs de Israel. Em Números 26.13 e 1Crônicas 4.24, ele é chamado *Zerá*.

Saul. No hebraico, *pedido*, filho de Simeão, filho de uma mulher cananeia (Gn 46.10; Êx 6.15; 1Cr 4.24). Foi cabeça de um clã chamado *saulitas* (Nm 26.13).

■ **46.11**

וּבְנֵי לֵוִי גֵּרְשׁוֹן קְהָת וּמְרָרִי:

Levi. Ver sobre esse nome no *Dicionário*.

Gérson. Um nome de origem não-hebraica, cujo sentido é desconhecido, embora possa estar relacionado ao termo hebraico que significa *expulsar* ou *fugitivo*. Era o filho mais velho de Levi (Gn 46.11; 1Cr 6.16,17,20,43,62,71).

Coate. No *Dicionário* há um detalhado artigo chamado *Coate, Coatitas*. Seu nome significa *assembleia*.

■ **46.12**

וּבְנֵי יְהוּדָה עֵר וְאוֹנָן וְשֵׁלָה וָפֶרֶץ וָזָרַח וַיָּמָת עֵר וְאוֹנָן בְּאֶרֶץ כְּנַעַן וַיִּהְיוּ בְנֵי־פֶרֶץ חֶצְרוֹן וְחָמוּל:

Judá. Ver no *Dicionário* o artigo detalhado sobre ele e sua tribo.

Er. Ver Gênesis 38.3,7 e suas notas.

Onã. Ver Gênesis 38.4 e suas notas.

Er e Onã morreram em Canaã, pelas razões explicadas nas notas em Gênesis 38.3,4,7. Portanto, não estavam entre aqueles que migraram para o Egito.

Selá. Ver sobre ele no *Dicionário*, segundo ponto. Ver também Gênesis 38.5.

Perez. Ver Gênesis 38.27-29. Por meio dele veio o Messias, na linhagem Abraão-Isaque-Jacó-Judá-Perez-Davi.

Zerá. Ver sobre ele no *Dicionário*, terceiro ponto. Era o irmão gêmeo de Perez. Sobre Zerá há notas adicionais em Gênesis 38.27-29.

Hezrom. Era filho de Perez. Não deve ser confundido com o Hezrom, que era filho de Rúben (vs. 9). Este Hezrom (do vs. 12) foi antepassado de Davi e de Jesus (Gn 46.12; Rt 4.18).

Hamul. No hebraico, *compadecido, poupado*. Era um dos filhos de Perez (Gn 46.12; 1Cr 2,5). Era cabeça de um clã que tinha o seu nome, os *hamulitas* (Nm 26.21).

■ **46.13**

וּבְנֵי יִשָּׂשכָר תּוֹלָע וּפֻוָּה וְיוֹב וְשִׁמְרוֹן:

Issacar. Ver no *Dicionário* a nota detalhada sobre ele.

Tola. Ver o artigo sobre esse nome, no *Dicionário*. Esse era o nome de um dos filhos de Issacar, e foi um dos juízes da tribo de Issacar (Jz 10.1).

Puva. No hebraico, *boca, sopra*. Nome do segundo filho de Issacar (Gn 46.13; Nm 26.23; 1Cr 7.1). Os descendentes dele são chamados *puvitas*, em Números 26.23.

Jó. No hebraico, *retorno*; mas segundo outros, *odiado*. Foi o terceiro filho de Issacar (Gn 46.13). Em Números 26.24 e 1Crônicas 7.1, é chamado *Jesube*. A forma hebraica desse nome é *'yyob*, conforme se vê nos Textos de Execração, guardados em Berlim, onde há referência a um certo príncipe que governou na área de Damasco, na Síria. Há outras menções antigas a esse nome, como nas cartas de Tell el-Amarna. Alguns afirmam que a forma original do nome significava *onde está meu pai*.

Sinrom. No hebraico, *vigia, guarda*. Nome de um dos filhos de Issacar e neto de Jacó (Gn 46.13; 1Cr 7.1). Foi o cabeça epônimo da família dos *sinronitas* (Nm 26.24).

■ **46.14**

וּבְנֵי זְבֻלוּן סֶרֶד וְאֵלוֹן וְיַחְלְאֵל:

Zebulom. Ver no *Dicionário* o detalhado artigo sobre ele. A genealogia de Zebulom não aparece nos livros de Crônicas.

Serede. No hebraico, *escape, livramento*. Nome do filho mais velho de Zebulom (Gn 46.14; Nm 26.26). Foi o antepassado da família dos *sereditas*.

Elom. No hebraico, *forte* ou *carvalho*, o segundo dos três filhos de Zebulom (Gn 46.14). Foi cabeça da família dos *elonitas* (Nm 26.26). Encontrava-se entre aqueles que desceram ao Egito em companhia de Jacó.

Jaleel. Um filho (ou descendente, na opinião de alguns) de Zebulom, mencionado em Gênesis 46.14. Ver também Números 26.26, onde é mencionado o clã dos *jaleelitas*.

■ **46.15**

אֵלֶּה בְּנֵי לֵאָה אֲשֶׁר יָלְדָה לְיַעֲקֹב בְּפַדַּן אֲרָם וְאֵת דִּינָה בִתּוֹ כָּל־נֶפֶשׁ בָּנָיו וּבְנוֹתָיו שְׁלֹשִׁים וְשָׁלֹשׁ:

A Posteridade de Lia. Dela originavam-se 33 descendentes de Jacó, estando ela mesma incluída nesse número, por ter sido uma das quatro esposas desse patriarca. Ver o gráfico na introdução às notas sobre Gênesis 46.8-27. Ela fez a maior contribuição numérica para os filhos de Jacó. Seis dos filhos dela e de Jacó se tornaram patriarcas de Israel. Ver o artigo detalhado sobre ela no *Dicionário*.

Diná. Ver notas expositivas completas sobre ela em Gênesis 30.21. Foi a única filha de Jacó a ser mencionada por nome, embora devesse haver outras (ver Gn 46.7).

Padã-Arã. A região onde vivia Labão, tio de Jacó. Ver as notas sobre esse lugar em Gênesis 25.20.

■ 46.16

וּבְנֵי גָד צִפְיוֹן וְחַגִּי שׁוּנִי וְאֶצְבֹּן עֵרִי וַאֲרוֹדִי וְאַרְאֵלִי׃

Gade. Ver o artigo detalhado sobre ele e sua tribo, no *Dicionário*.

Zifiom. Um filho de Gade, cuja família é mencionada em Números 26.15, como os *zifionitas*. Os estudiosos têm dado três sentidos possíveis desse nome, *cuidadoso, serpente* ou *escuro*.

Hagi. No hebraico, *festivo*. Nome do segundo filho de Gade (Gn 46.16; Nm 26.15). Foi fundador da família que se tornou conhecida pelo nome de *hagritas* (1Cr 11.38), embora nossa versão portuguesa diga ali apenas "Mibar, filho de Hagri".

Suni. No hebraico, *afortunado*. Um dos sete filhos de Gade, filho de Jacó (Gn 46.16; Nm 26.15). Tornou-se o antepassado dos *sunitas*.

Esbom. Algumas traduções dizem *Ezbom*. No hebraico, esse nome quer dizer *esplendor*. Foi um chefe de um dos clãs de gaditas. Talvez seja o Ezbom chamado *Ozni*, em Números 26.16.

Eri. No hebraico, *vigia* ou *despertamento*. Era o quinto filho de Gade, filho de Jacó. Foi o progenitor dos *eritas* (aqui e em Nm 26.16).

Arodi. No hebraico, *asno selvagem*. Era filho de Gade (aqui e Nm 26.17). Foi antepassado de um clã chamado dos *aroditas*.

Areli. No hebraico, *heroico*. Um dos filhos de Gade (aqui e em Nm 26.17). Foi o ancestral da família dos *arelitas*.

■ 46.17

וּבְנֵי אָשֵׁר יִמְנָה וְיִשְׁוָה וְיִשְׁוִי וּבְרִיעָה וְשֶׂרַח אֲחֹתָם וּבְנֵי בְרִיעָה חֶבֶר וּמַלְכִּיאֵל׃

Aser. Ver no *Dicionário* o artigo sobre esse filho de Jacó e sobre a tribo que dele descende.

Imna. Algumas traduções grafam seu nome como Imná. No hebraico, esse nome significa *Deus restrinja*. Era o filho mais velho de Aser e fundador da família que trazia o seu nome (1Cr 7.30).

Isvá. No hebraico, *plano*. Nome do segundo filho de Aser, filho de Jacó e Zilpa (aqui e em 1Cr 7.30).

Isvi. No hebraico, *igual*. Era o terceiro filho de Aser (aqui; em Nm 26.44 e 1Cr 7.30). Foi fundador de uma família que tomou seu nome, os *isvitas* (Nm 26.44).

Berias. No hebraico, *proeminente* ou *mau*. Nome do último dos filhos de Aser, e pai de Héber e Malquiel (aqui e 1Cr 7.30). Seus descendentes são chamados *beriitas*, em Números 26.44,45.

Sera. No hebraico, *abundante*. Era filha de Aser (cujos descendentes chegaram a ser um clã; e, por essa razão, embora ela tenha sido uma mulher, seu nome aparece nesta genealogia). (Aqui e 1Cr 7.30.) Juntamente com seus irmãos, Imna, Isvá, Isvi e Berias, ela foi para o Egito em companhia de seu avô, Jacó.

Héber. No hebraico, *sócio*. Ele era filho de Berias, que era da tribo de Aser (aqui e em 1Cr 7.31). O nome tribal, *heberitas*, deriva-se desse nome. (Ver Nm 26.45.)

Malquiel. No hebraico, *Deus é rei*. Nome de um filho de Berias, o qual, por sua vez, era filho de Aser (aqui e 1Cr 7.31). Seus descendentes, os *malquelitas*, são mencionados em Números 26.45.

■ 46.18

אֵלֶּה בְּנֵי זִלְפָּה אֲשֶׁר־נָתַן לָבָן לְלֵאָה בִתּוֹ וַתֵּלֶד אֶת־אֵלֶּה לְיַעֲקֹב שֵׁשׁ עֶשְׂרֵה נָפֶשׁ׃

A Posteridade de Zilpa. Alistados acima, com um total de dezesseis pessoas. Ver o gráfico nas notas introdutórias a Gênesis 46.8-27. Ver no *Dicionário* o artigo intitulado *Zilpa*. Essas dezesseis pessoas eram Gade e seus sete filhos; Aser e seus quatro filhos, dois netos e Sera.

Os filhos de Zilpa eram Gade e Aser. Os demais eram descendentes mais distantes.

■ 46.19

בְּנֵי רָחֵל אֵשֶׁת יַעֲקֹב יוֹסֵף וּבִנְיָמִן׃

Ver no *Dicionário* os detalhados artigos intitulados *Raquel, José* e *Benjamim*.

■ 46.20

וַיִּוָּלֵד לְיוֹסֵף בְּאֶרֶץ מִצְרַיִם אֲשֶׁר יָלְדָה־לּוֹ אָסְנַת בַּת־פּוֹטִי פֶרַע כֹּהֵן אֹן אֶת־מְנַשֶּׁה וְאֶת־אֶפְרָיִם׃

Filhos de José

Manassés. Ver o detalhado artigo sobre ele e sua tribo, no *Dicionário*.

Efraim. Ver o detalhado artigo sobre ele e sua tribo, no *Dicionário*.

Azenate. Era a esposa egípcia de José; ver as notas sobre ela em Gênesis 41.45.

Potífera. Pai de Azenate. Ver as notas sobre ele em Gênesis 41.45.

Om. Ver as notas sobre essa cidade em Gênesis 41.45.

Os dois filhos de José nasceram no Egito, e foram os elementos originais da nação de Israel, no Egito, que tiveram de esperar pela chegada da família, vinda da terra de Canaã, e que a presente genealogia está descrevendo.

■ 46.21

וּבְנֵי בִנְיָמִן בֶּלַע וָבֶכֶר וְאַשְׁבֵּל גֵּרָא וְנַעֲמָן אֵחִי וָרֹאשׁ מֻפִּים וְחֻפִּים וָאָרְדְּ׃

Filhos de Benjamim

Bela. No hebraico, *devorado* ou *destruição*. Esse foi o nome de quatro pessoas no Antigo Testamento (ver no *Dicionário*). Neste texto, temos o filho mais velho de Benjamim, cabeça da família dos *belaítas*, dentre a qual Eúde foi o mais notável. Ver Gênesis 46.21; Números 26.38.

Bequer. No hebraico, *primogênito, jovem*. Talvez até *camelo novo*. Era o segundo filho de Benjamim, filho de Jacó e Raquel (Gn 46.21). Descendia, pois, da esposa favorita, Raquel. Como seus descendentes, podemos enumerar Saul e Seba. Este último encabeçou uma revolta contra Davi (2Sm 20).

Asbel. No hebraico, *homem de Baal*. Um dos filhos de Benjamim (Gn 46.21; Nm 26.28; 1Cr 8.1). Era o progenitor da família dos *asbelitas*.

Gera. Um filho de Bela e neto de Benjamim, o qual foi um dos doze patriarcas de Israel. Ver 1Crônicas 8.3,5,7. Aqui, ele aparece como um dos irmãos de Bela, e, portanto, filho de Benjamim. Em 1Crônicas 7.7, o nome Uzi figura no lugar de Gera. Há estudiosos que pensam que a passagem de 1Crônicas 8.3,5,7 não alude somente a um homem com esse nome, e, sim, a *dois*, ou mesmo *três*. Neste caso, há um Gera mencionado no terceiro versículo, outro no começo do quinto versículo, e ainda um terceiro Gera, no sétimo versículo, que seria o pai de Uzá e Aiúde. As genealogias não são exatas nessas várias passagens, não havendo como ter certeza acerca das relações declaradas.

Naamã. No hebraico, *deleite*. O segundo filho de Bela, filho de Benjamim (Gn 46.21). Era cabeça da família dos *naamitas* (Nm 26.40). Aqui, lemos que ele era filho de Benjamim. Os vários trechos envolvidos (Gn 46; Nm 26.28-40; 1Cr 7.6; 8.1-5) não concordam em tudo quanto à parentela dos *filhos* de Benjamim. Em Números, os filhos dele são cinco. No Gênesis, dez. Portanto, nesses trechos estamos tratando com filhos e netos. Ao que parece, Naamã foi exilado por Bela, seu pai (1Cr 7.7), ou então, nessa passagem, o seu nome aparece como Uzi.

Eí. No hebraico, *unidade* ou *fraternal*, ou mesmo *amigo de Yahweh*. Era filho de Benjamim (Gn 46.21). Foi cabeça de uma das famílias de benjamitas. Em Números 26.38 ele é chamado *Airã*. Em 1Crônicas 7.12, *Aer*. E em 1Crônicas 8.6, *Eúde*. Tão grande número de variantes, quanto a um único nome, dá a entender que houve cópias faltosas envolvendo o texto, em diversos manuscritos.

Rôs. No hebraico, *cabeça, chefe*. Era o sétimo filho de Benjamim (Gn 46.21). Seu nome é omitido na lista de Números 26.38-40, e talvez seja o mesmo *Rafa* de 1Crônicas 8.1-5.

Mupim. No hebraico, *ondas*. Era um dos filhos de Benjamim (Gn 46.21). Em 1Crônicas 7.12,15, ele é chamado *Sufã*, em Números 26.39 e Sefufá em 1Crônicas 8.5. Foi um dos catorze descendentes de Raquel que pertencia à colônia original dos filhos de Jacó no Egito.

Hupim. Chamado *Hufã*, em Números 26.39. Um dos filhos de Benjamim. Ver Gênesis 46.21; 1Crônicas 7.12.

Arde. No hebraico, *fugitivo*. Era filho de Bela e neto de Benjamim (Gn 26.21; Nm 26.40). Ele aparece como filho de Benjamim, no livro de Gênesis. Em Números 26.38,39, há uma lista de *cinco* filhos; e, no versículo seguinte (vs. 40), *Arde* aparece como filho de Bela. Portanto, a lista mistura filhos e netos de Benjamim.

■ **46.22**

אֵלֶּה בְּנֵי רָחֵל אֲשֶׁר יֻלַּד לְיַעֲקֹב כָּל־נֶפֶשׁ אַרְבָּעָה עָשָׂר׃

A Posteridade de Raquel. Ver a introdução a Gênesis 46.8-27 quanto a um gráfico sobre a posteridade de Jacó. O lado da família que descendia de Raquel contribuiu com catorze pessoas: José e seus dois filhos; e Benjamim e seus dez (filhos ou netos).

■ **46.23**

וּבְנֵי־דָן חֻשִׁים׃

Dã. Ver o detalhado artigo sobre ele e sua tribo, no *Dicionário*.

Husim. No hebraico, *apressados*. Era um dos filhos de Dã (Gn 46.23). Em Números 26.42, o nome dele aparece com a forma de Suã. Os livros de Crônicas não contêm genealogias sobre essa linhagem. Pode ter havido mais filhos e descendentes desconhecidos.

■ **46.24**

וּבְנֵי נַפְתָּלִי יַחְצְאֵל וְגוּנִי וְיֵצֶר וְשִׁלֵּם׃

Naftali. Ver o artigo detalhado sobre esse homem e sua tribo, no *Dicionário*.

Jazeel. No hebraico, *Deus confere*. Esse era o nome do primogênito de Naftali (Gn 46.24). Foi o fundador da família dos jazeelitas (Nm 26.48).

Guni. No hebraico, *protegido*. Era o segundo filho de Naftali, fundador da família dos gunitas (aqui; Nm 26.48; 1Cr 7.13). Sua família veio a tornar-se parte da tribo de Gade que herdou Gileade.

Jezer. No hebraico, *formação*. Era o terceiro filho de Naftali (aqui; Nm 26.49; 1Cr 7.13). Foi o fundador da casa dos jezeritas.

Silém. No hebraico, *recompensa*. Era o quarto filho de Naftali (aqui). Foi o fundador da família dos silemitas (Nm 26.49; 1Cr 7.13). Ver também sobre *Salum*.

■ **46.25**

אֵלֶּה בְּנֵי בִלְהָה אֲשֶׁר־נָתַן לָבָן לְרָחֵל בִּתּוֹ וַתֵּלֶד אֶת־אֵלֶּה לְיַעֲקֹב כָּל־נֶפֶשׁ שִׁבְעָה׃

A Posteridade de Bila. Ela era concubina de Jacó. Contribuiu com um total de sete pessoas, alistadas acima (vss. 23-24). Ver a introdução a Gênesis 46.8-27 quanto a um gráfico. Os filhos dela foram Dã e Naftali. Esse número de sete pessoas consegue-se adicionando a Dã e Naftali o filho único de Dã e os quatro filhos de Naftali.

"Excetuando Benjamim, as demais genealogias não apresentam dificuldades maiores. Variações na grafia dos nomes são por demais comuns, para causar surpresa; nomes seriam omitidos posteriormente, sempre que alguma família deixasse de contar com representantes. Assim, é provável que ninguém tivesse voltado do cativeiro, dentre a tribo de Dã, com uma genealogia autêntica. Por essa razão, nenhuma menção é feita a eles nos livros de Crônicas. A grande confusão verificada na genealogia de Benjamim resultou, naturalmente, da ruinosa guerra narrada nos capítulos 20 e 21 do livro de Juízes. Mas quando essa tribo produziu um rei, houve cuidado para remediar, tanto quanto possível, a destruição de documentos causada por aquele conflito; e a genealogia do oitavo capítulo de 1Crônicas é a linhagem real do rei Saul" (*Ellicott, in loc.*).

■ **46.26**

כָּל־הַנֶּפֶשׁ הַבָּאָה לְיַעֲקֹב מִצְרַיְמָה יֹצְאֵי יְרֵכוֹ מִלְּבַד נְשֵׁי בְנֵי־יַעֲקֹב כָּל־נֶפֶשׁ שִׁשִּׁים וָשֵׁשׁ׃

Ver a introdução a Gênesis 46.8-27, quanto a uma explicação sobre os vários totais dados nas genealogias, e como esses totais foram obtidos. Os eruditos não concordam sobre como o total de 66 foi obtido, em contraste com os setenta do vs. 27. Mas as 76 pessoas foram aquelas que vieram de Canaã para o Egito. E as setenta pessoas são o número total, as 66 mais as quatro que já estavam com José, no Egito. Outros estudiosos dizem que o total de 76 teria sido obtido mediante a omissão de Jacó, José e seus dois filhos. Porém, assim o total chegaria a 71, e não a setenta, conforme mostrei na introdução ao oitavo versículo deste capítulo. Assim, um modo diferente foi usado para perfazer esse total de 71 baixar para 66, o que também mostro ali.

A Septuaginta, por sua parte, adiciona os nomes de cinco netos (ao vs. 20), conseguindo assim um total de setenta e cinco (no vs. 27). Estêvão (ver At 7.14) seguiu esse cômputo.

■ **46.27**

וּבְנֵי יוֹסֵף אֲשֶׁר־יֻלַּד־לוֹ בְמִצְרַיִם נֶפֶשׁ שְׁנָיִם כָּל־הַנֶּפֶשׁ לְבֵית־יַעֲקֹב הַבָּאָה מִצְרַיְמָה שִׁבְעִים׃ פ

O número total obtido pelo texto hebraico é de setenta; e na introdução ao vs. 8 deste capítulo, mostrei como isso foi feito. Nas notas sobre o vs. 26 ofereço outras ideias a respeito. Para exemplificá-las, a Septuaginta indica um total de 75 pessoas.

Visto que essas genealogias abordam apenas os membros masculinos dos vários ramos da família de Jacó, podemos supor que, se as mulheres e crianças fossem acrescentadas, sem falar nos escravos e em várias outras pessoas agregadas às casas, o núcleo original da nação de Israel, que se estava formando no Egito, poderia envolver duzentas pessoas ou mesmo mais. Esse total de setenta, pois, deve ser um total representativo ou ideal, e não um total matemático. Nesse caso, é difícil dizer quanta gente realmente veio da terra de Canaã para o Egito. O fato é que, a partir desse núcleo de setenta homens, desenvolveu-se a nação de Israel no Egito.

O NÚCLEO DE ISRAEL EM GÓSEN (46.28—47.12)

Os críticos atribuem esta seção a uma mistura das fontes *J, E* e *P(S)*. Assim, eles supõem que várias fontes tenham contribuído com alguma informação sobre a narrativa de como Israel se tornou uma nação no Egito. Ver o artigo chamado *J.E.D.P.(S.)* no *Dicionário*, quanto à teoria das fontes múltiplas do Pentateuco.

Os céticos pensam que a formação da nação de Israel perdeu-se nas brumas da história, e são meras lendas as tentativas para recompor essa história.

Os eruditos conservadores, porém, não encontram motivos para duvidar da autenticidade essencial da história. O livro de Êxodo mostra-nos que Israel, então como uma pequena nação de cerca de dois milhões de pessoas, estava vivendo entre os egípcios (Êx 1.15-19; 3.12). Quanto ao número de homens, ver Números 1.46, onde lemos acerca de talvez seiscentos mil varões. Mas isso envolvia somente homens de 20 anos de idade para cima, capazes de ir à guerra.

Embora no cativeiro, Israel foi capaz de conservar a sua identidade. E isso continua até o presente, apesar das mais adversas condições. Destarte, o Pacto Abraâmico continua em vigor. Um território pátrio de Israel é uma das provisões desse pacto. E assim, sob Moisés, a nação de Israel foi libertada do cativeiro. E, sob Josué, a nação de Israel conquistou a Terra Prometida. Mas isso só pôde ocorrer depois que os habitantes de Canaã encheram sua taça de iniquidade. Foi então que Deus os julgou, e os filhos de Israel apossaram-se daquele território. Ver Gênesis 15.16, quanto a notas sobre essa informação. Ver também as notas sobre Gênesis 15.18, acerca do Pacto Abraâmico.

■ **46.28**

וְאֶת־יְהוּדָה שָׁלַח לְפָנָיו אֶל־יוֹסֵף לְהוֹרֹת לְפָנָיו גֹּשְׁנָה וַיָּבֹאוּ אַרְצָה גֹּשֶׁן׃

Judá. Ver o artigo sobre ele e sua tribo, no *Dicionário*.

Terra de Gósen. Ver a respeito no *Dicionário*. Esse lugar tem sido identificado com o wadi Tumilat. José não instalou seus irmãos no populoso vale do rio Nilo, mas em um local relativamente isolado, onde pudessem manter a sua identidade. Essa era uma condição indispensável para o desenvolvimento de Israel como nação, no Egito. Ver a introdução a esta seção, anteriormente.

Os egípcios eram, essencialmente, um povo agrícola, ao passo que Jacó e seus filhos eram pastores (ver o vs. 34). Os egípcios abominavam a vida pastoril e os criadores de gado, conforme aquele versículo esclarece. Portanto, nessas atitudes nacionais já estavam embutidas as sementes da divisão e da controvérsia. Finalmente, porém, essa situação explodiria sob a forma de conflito franco, e Israel seria escravizado, quando subisse ao trono um Faraó que "não conhecera José" (Êx 1.8).

Judá recebeu a incumbência de abrir caminho, arranjando o necessário para o encontro entre Jacó e seu filho José, além de preparar a mudança da família inteira para o Egito.

■ **46.29**

וַיֶּאְסֹר יוֹסֵף מֶרְכַּבְתּוֹ וַיַּעַל לִקְרַאת־יִשְׂרָאֵל אָבִיו
גֹּשְׁנָה וַיֵּרָא אֵלָיו וַיִּפֹּל עַל־צַוָּארָיו וַיֵּבְךְּ עַל־צַוָּארָיו
עוֹד:

José... subiu ao encontro de Israel, seu pai. Embora quase todos os lances da vida de uma pessoa dependam de suas próprias decisões, há alguns eventos fixos dos quais depende todo o arcabouço da vida. Jacó e seu amado filho, José, não se viam fazia agora entre 22 e 24 anos. Mas o destino, determinado por Deus, fê-los encontrar-se novamente. É verdade que esse mesmo destino já os havia separado, mas o amor nunca perde os que lhe pertencem. O destino, uma vez mais, pusera José no comando do Egito, de modo que a providência de Deus (ver a esse respeito no *Dicionário*) estava cuidando de tudo e de todos. Ver também, no *Dicionário*, os artigos *Determinismo; Predestinação* e *Livre-Arbítrio*.

Carro. Ver no *Dicionário* o verbete com esse título, e também sobre *Carruagem*. José tinha, à sua disposição, o segundo carro do Egito, conforme se vê em Gênesis 41.43.

Lançou-se-lhe ao pescoço. Ver sobre esse gesto em Gênesis 45.14. Os estudiosos disputam se Jacó abraçou-se ao pescoço de José, tomando a iniciativa, ou se foi justamente o contrário. Nenhum dos dois ficou observando formalidades, nenhum dos dois ficou observando convenções sociais. Mas cada qual se atirou nos braços um do outro. Essa é uma cena que muito se repete em aeroportos, estações ferroviárias e portos marítimos, até os nossos próprios dias, reunindo famílias. Cf. Lucas 15.20. O amor une corações chegados. Temos bons motivos para crer que esses são laços eternos, e não somente laços que perduram por alguns poucos anos, nesta esfera terrestre. Certas almas pertencem umas às outras, como se deu com Jacó, Raquel e José.

Chorou assim longo tempo. José era homem emotivo e demonstrava suas emoções fortes mediante acessos de choro. Ver Gênesis 42.24; 43.30; 45.2,14,15. Da última vez em que Jacó tinha visto seu amado filho José, este tinha apenas 17 anos. Poucos dias depois, foi-lhe dada a falsa notícia da morte de José, que teria sido devorado por alguma fera. Jacó tinha vivido sob essa tenebrosa ilusão por mais de duas dezenas de anos. Agora, porém, raiava um novo dia, espantando tão horrendo pesadelo. Não há palavras que possam descrever as emoções que devem ter tomado conta da alma de Jacó e de José, naqueles instantes de reencontro. Foram momentos sagrados para pai e filho.

■ **46.30**

וַיֹּאמֶר יִשְׂרָאֵל אֶל־יוֹסֵף אָמוּתָה הַפָּעַם אַחֲרֵי רְאוֹתִי
אֶת־פָּנֶיךָ כִּי עוֹדְךָ חָי:

Já posso morrer. Jacó tinha agora mais idade do que José teria ao falecer (José morreu com 110 anos), porquanto estava com 130 anos. E ainda viveria mais dezessete anos. Ver Gênesis 47.28. Embora ainda lhe restasse algum tempo para viver no Egito, em seu coração Jacó sentia que já tinha vivido o bastante. Pois estava novamente em companhia do seu José, o seu filho querido, ao qual havia dado como morto fazia mais de duas décadas. Alguns homens morrem prematuramente, em meio às suas carreiras, quando muito ainda precisam fazer. A Jacó foi dada a graça de completar jubilosamente a sua carreira. Ele havia feito tudo quanto lhe competia, e não teria mais de enfrentar lutas. Oh, Senhor, concede-nos tal graça! Ver as notas sobre Gênesis 5.21, quanto à desejabilidade de uma longa vida. Cf. Lucas 15.23,24,32. Ver também algo similar aos sentimentos de Jacó com aqueles do idoso Simeão, em Lucas 2.29. O grande anelo da alma de Jacó lhe havia sido proporcionado. Para ele, a morte não parecia mais ameaçadora.

■ **46.31**

וַיֹּאמֶר יוֹסֵף אֶל־אֶחָיו וְאֶל־בֵּית אָבִיו אֶעֱלֶה
וְאַגִּידָה לְפַרְעֹה וְאֹמְרָה אֵלָיו אַחַי וּבֵית־אָבִי
אֲשֶׁר בְּאֶרֶץ־כְּנַעַן בָּאוּ אֵלָי:

Havia chegado no Egito a família de José. Agora, o Faraó precisava ser notificado, visto que José era diretamente responsável diante do rei. Ademais, a família de José tinha chegado ao Egito a convite do próprio Faraó (Gn 45.17 ss.). Não há certeza acerca de onde o Faraó teria o seu palácio. Tudo depende de quem teria sido o Faraó dos dias de José. Ver Gênesis 44.4, quanto à vaga cidade, que a maioria dos estudiosos identifica como Zoã, descrita no *Dicionário* no verbete desse nome. Zoã era a capital dos Faraós hicsos. Ver sobre os *Hicsos,* no *Dicionário*. Tendo saído ao encontro de Jacó e de seus irmãos, em Gósen, agora voltaria para transmitir ao Faraó a notícia da chegada deles.

■ **46.32**

וְהָאֲנָשִׁים רֹעֵי צֹאן כִּי־אַנְשֵׁי מִקְנֶה הָיוּ וְצֹאנָם וּבְקָרָם
וְכָל־אֲשֶׁר לָהֶם הֵבִיאוּ:

Os homens são pastores. Essa era a profissão dos filhos de Jacó, ao passo que os egípcios das classes superiores eram, em sua maioria, agricultores. Pessoas dessas profissões quase sempre entram em choque; e assim também sucedia nos dias de José, conforme se vê no vs. 34. Este versículo mostra que Jacó já havia exercido ambas essas profissões. Apesar da fome, ele ainda possuía muito gado. Os irmãos de José trouxeram todos os seus animais. Assim, dispunham de riquezas suficientes para iniciar a sua vida na nova pátria. Oh, Senhor, concede-nos tal graça! Ver no *Dicionário* o artigo intitulado *Pastor*. Os egípcios também tinham ovelhas (Gn 47.16,17), mas o pastoreio desses animais era deixado aos cuidados de pessoas de classes inferiores.

José trouxe um grupo de pastores ao Egito. Mas ele não se envergonhava de seus familiares. Os egípcios, pelo menos a maioria deles, haveriam de tolerá-los por causa de José, mas as sementes do conflito já estavam implantadas nessas atitudes nacionais opostas. José teve o cuidado de não perturbar os costumes e as preferências dos egípcios (cf. Gn 41.14 e 43.32). O Faraó acolheu amistosamente todos, apesar das diferenças (Gn 47.1 ss.).

O vs. 34, como é evidente, representa José a dizer ao Faraó que eles eram criadores de gado, o que não parecia repelente para os egípcios. Teria José deixado de lado a menção à profissão de pastores, mostrando-se assim diplomático? Fosse como fosse, o trecho de Gênesis 47.3 mostra-nos que os irmãos de José não foram tão diplomáticos.

■ **46.33,34**

וְהָיָה כִּי־יִקְרָא לָכֶם פַּרְעֹה וְאָמַר מַה־מַּעֲשֵׂיכֶם:
וַאֲמַרְתֶּם אַנְשֵׁי מִקְנֶה הָיוּ עֲבָדֶיךָ מִנְּעוּרֵינוּ
וְעַד־עַתָּה גַּם־אֲנַחְנוּ גַּם־אֲבֹתֵינוּ בַּעֲבוּר תֵּשְׁבוּ
בְּאֶרֶץ גֹּשֶׁן כִּי־תוֹעֲבַת מִצְרַיִם כָּל־רֹעֵה צֹאן:

O Problema da Ocupação. José tinha sido bem recebido no Egito. Mas ele, ao que parece, não estava certo se seu pai, pastor, e seus irmãos seriam igualmente acolhidos, porquanto a ocupação deles não era vista com bons olhos pelos egípcios. Criadores de gado e pastores de ovelhas sempre se entenderam mal. Além disso, os egípcios desprezavam os pastores. Apesar de os egípcios também terem ovelhas (Gn 47.16,17), o cuidado desses animais era deixado nas mãos de pessoas menos privilegiadas, e até mesmo de mulheres. A nação de Israel, em formação, pois, residiria na terra de Gósen, um tanto isolada da corrente principal da vida egípcia. Ainda assim, José preocupava-se com a mistura dos dois povos. Portanto, permitiu que eles contassem uma "mentirinha" acerca de sua ocupação. É verdade que eles eram criadores de gado, mas também eram desprezados pastores de ovelhas.

Os monumentos egípcios representam os cananeus e os hebreus como pessoas em estado degradado, sempre vestindo roupas esfarrapadas, desarrumados, barbados. Não seria fácil fazer conviver os sofisticados e cultos egípcios, que tinham desenvolvido em alto grau tanto as ciências quanto as artes, e os pastores aldeões e seminômades recém-chegados da terra de Canaã. Os eruditos que não gostam de usar aqui a palavra *mentira*, preferem o termo *diplomacia*. Mas uma boa parte da diplomacia consiste em mentiras sofisticadas. O trecho de Gênesis 47.3 mostra que cinco dos irmãos de José podiam fazer o papel de diplomatas, e deram uma resposta diplomática à pergunta feita pelo Faraó, quando este indagara sobre a profissão deles: "Os teus servos somos pastores de rebanho, assim nós como nossos pais".

Apesar da preocupação de José, seus irmãos pastores foram bem recebidos (ver o capítulo 47). Os hicsos eram chamados "reis pastores", pelo que essa profissão fazia parte da história deles, e isso pode ter suavizado o caminho para uma integração pacífica de povos.

Alguns estudiosos pensam que as ovelhas e outros animais eram considerados sagrados pelos egípcios. Portanto, os hebreus ofendiam os egípcios quando sacrificavam esses animais. Mas essa atitude só veio a surgir mais tarde. O trecho de Gênesis 43.16,32 mostra que o sacrifício e o consumo desses animais eram coisa comum no Egito, nos dias de José. Talvez a casta sacerdotal do Egito adorasse a tais animais; e para eles o sacrifício dessas espécies animais fosse uma abominação. Mas a declaração bíblica parece geral, e não que houvesse abominação somente aos olhos da classe sacerdotal.

CAPÍTULO QUARENTA E SETE

O trecho de Gênesis 47.1-12 faz parte da seção maior, que tem início em Gênesis 46.28. Portanto, a introdução que há ali aplica-se aos doze primeiros versículos deste capítulo. Ver também os comentários introdutórios a Gênesis 47.1, que também devem ser levados em conta.

■ 47.1

וַיָּבֹא יוֹסֵף וַיַּגֵּד לְפַרְעֹה וַיֹּאמֶר אָבִי וְאַחַי וְצֹאנָם וּבְקָרָם וְכָל־אֲשֶׁר לָהֶם בָּאוּ מֵאֶרֶץ כְּנָעַן וְהִנָּם בְּאֶרֶץ גֹּשֶׁן׃

José Fora Autorizado. E isso pelo próprio Faraó, para que trouxesse ao Egito Jacó e seus outros filhos. Trariam ao Egito tudo quanto lhes pertencia. E se instalariam na fértil terra de Gósen, que lhes fora cedida. Ver Gênesis 45.17 ss. O grupo, de talvez duzentas pessoas ao todo, chegou. Setenta dessas pessoas eram homens (Gn 46.27). Agora, o núcleo da nação de Israel em formação estava no Egito. Mas não demoraria muito para que aquilo que se iniciara como uma ocupação pacífica e autorizada se transformasse em um cativeiro forçado. Quanto aos quatro cativeiros de Israel, ver as notas introdutórias a Gênesis 46.1. E o vs. 6 deste capítulo mostra que o Faraó deu seu consentimento oficial para que Jacó e sua gente ocupassem aquela extremo norte do Egito. Enquanto José vivesse, essa seria a situação da nação de Israel. Mas quando José fechou os olhos, as hostilidades não demoraram a rebentar. Israel acabou sendo escravizado. E mais tarde, depois de cerca de dois séculos de asperezas, Moisés tornou-se o libertador. Ver Êxodo 1.8.

Terra de Gósen. Ver o artigo detalhado sobre esse lugar, no *Dicionário*. Esse território (modernamente wadi Tumilat), era "um longo e estreito vale que levava do coração do delta do Nilo até terminar a sucessão dos lagos amargosos". Skinner, *in loc.*). Ali seria a pátria temporária de Israel, que continuaria longe da Terra Prometida por quase três séculos (segundo os cálculos da Septuaginta). Era uma região ideal de pastagens, bem irrigada, pelo que era, realmente, parte das melhores terras do Egito (vs. 6).

■ 47.2

וּמִקְצֵה אֶחָיו לָקַח חֲמִשָּׁה אֲנָשִׁים וַיַּצִּגֵם לִפְנֵי פַרְעֹה׃

Cinco dos seus irmãos. Esses irmãos de José acompanharam-no em uma entrevista com Faraó, preliminar à ocupação da terra de Gósen. Não sabemos qual critério José usou nessa escolha. Alguns dizem que ele usou o critério da boa aparência física. Outros falam em líderes militares potenciais. Mas outros pensam que José escolheu os de aparência mais pobre, a fim de que o Faraó não se sentisse tentado a transformá-los em soldados. O mais provável é que José queria impressionar ao Faraó, e deve ter escolhido os irmãos mais brilhantemente intelectuais, de aparência física mais apresentável. O Targum de Jonathan diz-nos que esses irmãos foram Zebulum, Dã, Naftali, Gade e Aser. Mas Jarchi alude a Rúben, Simeão, Levi, Issacar e Benjamim. Como é óbvio, temos aí meras conjecturas.

Um detalhe interessante é que o número cinco aparece por repetidas vezes nessa narrativa (Gn 43.34; 45.22 e aqui). Talvez esse número tivesse algum significado especial para o autor sacro, embora isso esteja perdido para nós; ou, então, talvez tenhamos nesse detalhe mera coincidência.

■ 47.3

וַיֹּאמֶר פַּרְעֹה אֶל־אֶחָיו מַה־מַּעֲשֵׂיכֶם וַיֹּאמְרוּ אֶל־פַּרְעֹה רֹעֵה צֹאן עֲבָדֶיךָ גַּם־אֲנַחְנוּ גַּם־אֲבוֹתֵינוּ׃

Somos pastores de rebanho. As palavras seguintes, "assim nós como nossos pais", mostram que essa ocupação vinha sendo seguida pelos hebreus desde o começo da raça. José havia instruído seus irmãos para que respondessem "criadores de gado", o que feriria menos os melindres egípcios. Mas esses seus cinco irmãos não se mostraram muito diplomáticos. Ver as notas sobre Gênesis 46.34 quanto às atitudes dos egípcios acerca desse particular. Tanto entre os egípcios quanto entre os hebreus, as profissões eram hereditárias. A profissão de um homem era geralmente seguida por seus filhos, com raras exceções. O Faraó estava naturalmente interessado em saber que tipo de pessoas ocupariam as vizinhas terras de Gósen.

■ 47.4

וַיֹּאמְרוּ אֶל־פַּרְעֹה לָגוּר בָּאָרֶץ בָּאנוּ כִּי־אֵין מִרְעֶה לַצֹּאן אֲשֶׁר לַעֲבָדֶיךָ כִּי־כָבֵד הָרָעָב בְּאֶרֶץ כְּנָעַן וְעַתָּה יֵשְׁבוּ־נָא עֲבָדֶיךָ בְּאֶרֶץ גֹּשֶׁן׃

A Apologia. Eles fizeram uma síntese da razão pela qual tinham vindo para o Egito — a fome, o ressecamento das pastagens etc. Não eram espiões, conforme José os havia acusado a princípio (ver as notas sobre Gn 42.9). O Egito era vulnerável aos ataques por suas fronteiras orientais. E já havia sofrido invasões cananeias vindas daquela direção. Portanto, sem entrar em detalhes, os irmãos de José disseram a Faraó que eram "homens honestos", sem motivos ulteriores, pois seriam bons súditos de Faraó.

Viemos para habitar nesta terra. Na verdade, eles não planejavam ficar ali senão até que a crise de escassez terminasse. E, então, queriam voltar à terra de Canaã. Porém, seus descendentes teriam de enfrentar ali mais de duzentos anos de cativeiro (segundo os cálculos da Septuaginta). O rio Nilo garantiria bons pastos na terra de Gósen (ver Gn 41.2 quanto às notas expositivas a respeito). Mas, segundo pensavam, quando o regime de chuvas se normalizasse, eles voltariam à sua própria terra. Infelizmente, as circunstâncias os forçariam a permanecer no Egito mais do que estavam pensando, e seriam escravizados até que aparecesse a liderança de Moisés.

A necessidade era premente, pelo que rogaram a permissão de residir na terra de Gósen, a própria região que lhes havia sido designada.

■ 47.5

וַיֹּאמֶר פַּרְעֹה אֶל־יוֹסֵף לֵאמֹר אָבִיךָ וְאַחֶיךָ בָּאוּ אֵלֶיךָ׃

A Família de José Tinha Chegado. Isso harmonizava-se com os desejos de José e com o encorajamento dado pelo Faraó (Gn 45.17 ss.). A entrevista com Faraó firmou toda a questão. O rei ficara satisfeito com a veracidade e as intenções dos familiares de José; no Egito havia espaço suficiente para eles, pelo que poderiam começar a instalar-se na terra de Gósen.

47.6

אֶרֶץ מִצְרַיִם לְפָנֶיךָ הִוא בְּמֵיטַב הָאָרֶץ |H|‏ |V6|
הוֹשֵׁב אֶת־אָבִיךָ וְאֶת־אַחֶיךָ יֵשְׁבוּ בְּאֶרֶץ גֹּשֶׁן וְאִם־
יָדַעְתָּ וְיֶשׁ־בָּם אַנְשֵׁי־חַיִל וְשַׂמְתָּם שָׂרֵי מִקְנֶה עַל־
אֲשֶׁר־לִי׃

No melhor da terra. A terra de Gósen, como já vimos (ver no *Dicionário* sobre essa região; e também as notas sobre Gn 45.10). O nome "Gósen" não tem sido encontrado nos registros egípcios, mas à região eles davam o nome de "distrito de Ramessés" (vs. 11; cf. Êx 1.11). Era uma região fértil, perto do delta oriental do rio Nilo, um território ideal para criação de gado. O moderno wadi Tumilat assinala o local antigo. Ver no *Dicionário* o verbete chamado *Ramessés*. A área recebeu nome com base no Faraó Ramsés II. Ver as notas sobre Êxodo 1.8,11. Ele reinou em torno de 1290-1224 a.C. Ver as notas sobre Êxodo 1.8 quanto a informações sobre o novo regime, do Faraó que não conhecera José.

Chefes do gado. Os irmãos de José teriam a oportunidade de prosseguir em sua profissão, mas também poderiam ser supervisores do gado de Faraó, naquela área. "...os irmãos de José seriam nomeados supervisores... dos interesses domésticos do Faraó, ao passo que José superintenderia os interesses do Estado" (Adam Clarke, *in loc.*).

Este versículo parece dar-nos a entender que a criação de ovelhas (como também a de gado vacum) já era uma realidade entre os egípcios, na terra de Gósen; mas é provável que somente pessoas de baixa classe se ocupassem de tais atividades, o que não contradiz o que lemos em Gênesis 46.34.

47.7

וַיָּבֵא יוֹסֵף אֶת־יַעֲקֹב אָבִיו וַיַּעֲמִדֵהוּ לִפְנֵי פַרְעֹה
וַיְבָרֶךְ יַעֲקֹב אֶת־פַּרְעֹה׃

A Entrevista de Jacó com Faraó. Jacó era o venerável patriarca hebreu. É interessante vermos como Jacó abençoou ao Faraó. Sem dúvida, os hebreus deviam favores, e o Faraó merecia ser abençoado. Contudo, é curioso ver como aquele idoso hebreu, por assim dizer, assumiu uma posição de superioridade sobre a autoridade máxima do Egito, e, então, o tratou como um filho, e não como um superior. "... Jacó havia atingido uma idade que lhe emprestava grande dignidade. Pois, para os egípcios, 120 anos era o limite máximo da longevidade. Agora Jacó estava com 130 anos de idade, e o Faraó tratou-o com imenso respeito, aceitando por duas vezes a sua bênção. Por certo não devemos pensar aqui em uma mera saudação... É provável que o Faraó se tenha prostrado diante de Jacó, como uma personagem venerável, tendo recebido dele uma bênção formal" (Ellicott, *in loc.*).

47.8

וַיֹּאמֶר פַּרְעֹה אֶל־יַעֲקֹב כַּמָּה יְמֵי שְׁנֵי חַיֶּיךָ׃

Quantos são os dias... da tua vida? Essa foi a pergunta formulada pelo Faraó, admirando-se do vigor do idoso Jacó, o qual, na verdade, ainda viveria por mais dezessete anos (Gn 47.28). Talvez o Faraó nunca tivesse visto um homem de tanta idade, em toda a sua vida, e não pôde sopitar a curiosidade.

47.9

וַיֹּאמֶר יַעֲקֹב אֶל־פַּרְעֹה יְמֵי שְׁנֵי מְגוּרַי שְׁלֹשִׁים וּמְאַת
שָׁנָה מְעַט וְרָעִים הָיוּ יְמֵי שְׁנֵי חַיַּי וְלֹא הִשִּׂיגוּ אֶת־יְמֵי
שְׁנֵי חַיֵּי אֲבֹתַי בִּימֵי מְגוּרֵיהֶם׃

A Breve-Longa Vida Difícil de Jacó. Ver as notas sobre Gênesis 5.21 quanto à desejabilidade de uma longa vida. Qualquer vida longa é, na verdade, uma breve-longa vida. A própria vida não depende do período de manifestação nesta esfera terrena. A vida é um grande contínuo, que se amplia para muito além do alcance da imaginação humana. No entanto, essa minúscula porção da existência do homem, que tem alguma importância neste mundo, é muito breve, de acordo com qualquer cálculo. Jacó já estava com 130 anos, e o Faraó admirou-se desse fato. No entanto, realmente, isso era um minúsculo segmento do tempo. Por conseguinte, mais importa que nos volvamos para os interesses da alma, cuja existência é realmente longa, pois a alma não morre. Ver no *Dicionário* o artigo intitulado *Alma*. Por outra parte, é melhor vivermos por muitos anos do que vivermos por poucos anos. E ainda é melhor vivermos bem do que vivermos por muito tempo. Mas o melhor de tudo é vivermos bem e longamente.

Minhas peregrinações. Toda vida humana neste mundo é uma peregrinação. Esforçamo-nos tanto por possuir uma casa; mas dentro de bem poucos anos, essa casa e seu terreno passam para alguma outra pessoa. A casa, assim sendo, mostra ser mais permanente do que seu proprietário. Ver o trecho de Hebreus 11.13, quanto ao fato de que os patriarcas eram meros estrangeiros e peregrinos na terra. Jacó viveu por muitos anos; e, não obstante, descreveu seus dias como poucos e maus. Ele era um homem de avançada idade, e o Faraó admirou-se disso. Mas Jacó não foi capaz de atingir a longevidade de seu avô, Abraão, que chegou aos 175 anos, e de seu pai, Isaque, que atingiu os 180 anos. Ver Gênesis 25.7 e 35.28.

Poucos e maus foram os dias. Jacó havia sofrido aflições com Labão, temores da parte de Esaú, exílio, trabalho forçado em Padã-Arã. Ademais, sua filha, Diná, fora violentada; seus filhos tinham exterminado os siquemitas; Raquel havia morrido de parto; e José tinha estado desaparecido por mais de vinte anos. Naturalmente, Jacó também obtivera muitas vitórias, que ele não se deu ao trabalho de enumerar. De fato, a balança de sua vida pendia mais para bons momentos do que para maus momentos. Mas o idoso homem, cansado daquela viagem de 560 km, desde Canaã ao Egito, naquele momento lembrou-se apenas do lado mau de sua vida. É tendência de pessoas idosas, cujas artérias cerebrais se esclerosaram, mostrarem-se cheias de ansiedades e pessimismos. De fato, a ciência diz-nos que muitas pessoas idosas "perdem a capacidade de ser felizes".

"Mesmo uma vida longa pode ser desperadamente curta. Todo homem, conforme envelhece, sente que seus anos se sucedem cada vez mais rápido... Aquilatada pelos intensos desejos, pelos anelos, pelas lamentações, pelas esperanças e pelas ambições não-cumpridas, a vida lhes parece tão fugidia como a chama de uma vela, que se apaga ao sopro repentino de uma lufada de vento... No fim, a vida entra em grande decadência. Isso pode ser simbolizado por Hamlet, que se pôs de pé sobre seu sepulcro, segurando na mão o próprio crânio" (Walter Russell Bowie, *in loc.*).

"Espero poder encontrar tempo para pensar, quando estiver morrendo: 'Alegro-me de ter vivido quando e onde vivi. Foi um bom espetáculo'" (J. B. S. Haldane, *Living Philosophies*, pág. 330).

Por alguns momentos, Jacó se deixou afundar em autocompaixão e remorso, e estranhamente, exatamente quando Deus lhe dava sua maior alegria, seu reencontro com José. Podemos contrastar isso com Albert Einstein, que escreveu: "Os ideais que sempre resplandeceram diante de mim, enchendo-me com a alegria de viver, são a bondade, a beleza e a verdade" (extraído de *Living Philosophies*, pág. 4, de J. B. S. Haldane).

47.10

וַיְבָרֶךְ יַעֲקֹב אֶת־פַּרְעֹה וַיֵּצֵא מִלִּפְנֵי פַרְעֹה׃

Antes de despedir-se, Jacó fez uma pausa e abençoou ao Faraó pela segunda vez. Ver o vs. 7. Ele estava realmente agradecido pelo que o Faraó tinha feito por José e por toda a descendência de Abraão. Essas bênçãos paternas eram tidas como dotadas de grande poder. Jacó fora um homem de notável poder espiritual, a despeito de suas fraquezas e falhas, e sua bênção, não há que duvidar, seria benéfica ao Faraó. O Espírito de Deus garantiria isso.

47.11

וַיּוֹשֵׁב יוֹסֵף אֶת־אָבִיו וְאֶת־אֶחָיו וַיִּתֵּן לָהֶם אֲחֻזָּה
בְּאֶרֶץ מִצְרַיִם בְּמֵיטַב הָאָרֶץ בְּאֶרֶץ רַעְמְסֵס כַּאֲשֶׁר
צִוָּה פַרְעֹה׃

Estabeleceram-se Jacó e os seus no melhor da terra, a região de Gósen ou terra de Ramessés. Este versículo reitera elementos que já haviam sido comentados em Gênesis 45.18 e 47.1,4,6. Ver também Êxodo 1.11 quanto a outras notas. No *Dicionário* ver os artigos intitulados *Ramsés* e *Ramessés*. Talvez Ramessés fosse uma faixa da terra de Gósen. Mas é provável que a cidade assim chamada só tenha vindo à existência mais tarde (tendo recebido seu nome do *Faraó Ramsés II*, ao qual dedicamos um artigo no *Dicionário*). E então Moisés, ao escrever o relato, tenha usado o nome mais recente da cidade. Essa cidade "era o centro de uma terra rica, fértil e bela, descrita como a mansão da felicidade, onde todos, ricos e pobres, viviam igualmente em meio à paz e à abundância" (Canon Cook, *Exursus on Egyptian Words*, pág. 487).

■ 47.12

וַיְכַלְכֵּל יוֹסֵף אֶת־אָבִיו וְאֶת־אֶחָיו וְאֵת כָּל־בֵּית אָבִיו לֶחֶם לְפִי הַטָּף׃

E José sustentou de pão. Todos os seus irmãos, cunhadas, seus sobrinhos, o seu pai, os escravos, uma companhia de duzentas pessoas ou mesmo mais, visto que só de varões havia setenta (Gn 46.27). Nada lhes faltava, em meio à terrível fome que grassava por todos os países em redor. O autor sagrado novamente frisa a providência de Deus (ver a esse respeito no *Dicionário*). José era o instrumento usado, e Deus era o manancial de todas as bênçãos (ver Tg 1.17). Naturalmente, todos os membros da família de Jacó trabalhavam, provendo o necessário para si mesmos. José, porém, era a fonte da oportunidade que eles haviam tido de viver em uma terra onde imperava a abundância, onde podiam trabalhar com grande proveito.

José, um Tipo de Cristo. "Deus pode fazer-vos abundar em toda graça, a fim de que, tendo sempre, em tudo, ampla suficiência, superabundeis em toda boa obra" (2Co 9.8). "... o meu Deus, segundo a sua riqueza em glória, há de suprir em Cristo Jesus, cada uma de vossas necessidades" (Fp 4.19). Ver as notas sobre Gênesis 37.3 sobre José como um tipo simbólico de Cristo.

A POLÍTICA AGRÁRIA DE JOSÉ (47.13-26)

Os críticos atribuem esta seção às fontes *J* e *E*. Ver no *Dicionário* o artigo intitulado *J.E.D.P.(S.)* quanto à teoria das fontes múltiplas do Pentateuco.

"José vendeu trigo aos egípcios até que o dinheiro deles se esgotou, após o que, no segundo ano da fome, eles tiveram de vender suas terras ao Faraó, ficando assim reduzidos à servidão, visto que a única base da liberdade pessoal, em um estado como o antigo Egito, era a posse de terras" (Cuthbert A. Simpson, *in loc.*). Detalhes como esse indicam a grande severidade da fome, que provocou mudanças sociais extremas. Ver no *Dicionário* o artigo intitulado *Escravo, Escravidão*. Também foi imposta uma pesada taxa de 20% (vs. 24). Mas tais providências mostraram-se eficazes, e assim os egípcios sobreviveram, ao passo que, em terras ao derredor, as pessoas morriam como moscas. Entrementes, prosperava a nação de Israel, em formação (vs. 27), parecendo que os israelitas conseguiam prosperar melhor do que os egípcios. Mas dentro de algum tempo, eles seriam escravos de um Faraó diferente; e isso prosseguiria até que Moisés os libertasse.

■ 47.13

וְלֶחֶם אֵין בְּכָל־הָאָרֶץ כִּי־כָבֵד הָרָעָב מְאֹד וַתֵּלַהּ אֶרֶץ מִצְרַיִם וְאֶרֶץ כְּנַעַן מִפְּנֵי הָרָעָב׃

Não havia pão. A escassez era tão severa que não havia alimentos básicos. Em toda aquela região do mundo não havia víveres, exceto no Egito. José era o salvador do povo. Todos quantos se socorriam dele recebiam alimentos em abundância. Ver as notas sobre Gênesis 37.3 quanto a José como tipo de Cristo. O povo "desfalecia" metafórica e literalmente, por causa da fome. Ver no *Dicionário* o artigo chamado *Fome*.

Desfalecia o povo. Alguns traduzem aqui por "enfurecia-se o povo", como se todos estivessem enlouquecidos, cometendo muitos crimes, invadindo armazéns de víveres, coisas essas que, geralmente, sucedem quando o povo não tem o que comer. Conforme disse Aben Ezra, entraram em um tumulto. Havia grande tensão no Egito. Mas a situação ali não tinha ficado fora de controle, graças ao previdente José.

■ 47.14

וַיְלַקֵּט יוֹסֵף אֶת־כָּל־הַכֶּסֶף הַנִּמְצָא בְאֶרֶץ־מִצְרַיִם וּבְאֶרֶץ כְּנַעַן בַּשֶּׁבֶר אֲשֶׁר־הֵם שֹׁבְרִים וַיָּבֵא יוֹסֵף אֶת־הַכֶּסֶף בֵּיתָה פַרְעֹה׃

José arrecadou todo o dinheiro. José vendeu tanto cereal que, virtualmente, adquiriu tanto o Egito quanto a terra de Canaã. Toda essa imensa quantia em dinheiro passou para o Faraó, guardado em seu tesouro. O povo não tinha alimentos; e agora também não tinha dinheiro; e os egípcios em breve perderiam todas as suas terras. O relato destaca o espírito previdente de José, sua capacidade para negociar, seu propósito perseverante, e seu excelente trabalho como administrador. Terminado o dinheiro do povo, José passou a aceitar o gado deles como moeda (vs. 17). Em outras palavras, o povo ficou reduzido a comer somente. Tudo mais, eles perderam. O vs. 21 mostra-nos que José chegou mesmo a relocar pessoas, sem dúvida, de acordo com a lei da sobrevivência. Os eruditos críticos e liberais, como também alguns conservadores, criticam essas medidas severas que ignoravam todos os direitos individuais. Não nos podemos olvidar, todavia, de que a terra estava em uma espécie de estado de guerra, onde os direitos dos indivíduos precisavam ser sacrificados em prol da sobrevivência da maioria. Em contraste com isso, o comunismo reduz os povos à servidão econômica (o Estado torna-se dono de tudo), em nome da prosperidade, e isso sobre bases permanentes. Ademais, as medidas impostas por José eram temporárias, dependentes da crise, e não tinham o intuito de servir de lei permanente. É provável que, dentre todos os Faraós do Egito, aquele dos dias de José fosse o que acumulou mais riquezas, e isso em meio a um terrível período de sete anos de fome.

■ 47.15

וַיִּתֹּם הַכֶּסֶף מֵאֶרֶץ מִצְרַיִם וּמֵאֶרֶץ כְּנַעַן וַיָּבֹאוּ כָל־מִצְרַיִם אֶל־יוֹסֵף לֵאמֹר הָבָה־לָּנוּ לֶחֶם וְלָמָּה נָמוּת נֶגְדֶּךָ כִּי אָפֵס כָּסֶף׃

Tendo-se acabado... o dinheiro. O povo gastou todo o dinheiro que possuía, incluindo tudo quanto havia poupado, meramente para comprar alimentos. Mas agora, não havia mais recursos monetários. John Gill pensava que o dinheiro se acabou aí pelo quinto ano de fome. Ver Gênesis 45.6. Aguentaram enquanto foi possível. Não tinham mais dinheiro para comprar alimentos. E agora? Era mister venderem o seu gado (vs. 16). José os faria pagar. Não distribuiria gratuitamente os alimentos que tinham sido armazenados, em troca de nada. José mostrava-se severo; mas a crise exigia tais medidas.

■ 47.16

וַיֹּאמֶר יוֹסֵף הָבוּ מִקְנֵיכֶם וְאֶתְּנָה לָכֶם בְּמִקְנֵיכֶם אִם־אָפֵס כָּסֶף׃

Em troca do vosso gado eu vos suprirei. Animais domésticos faziam parte das riquezas dos antigos. Portanto, era apenas lógico que seus animais fossem trocados por alimentos. Ora, isso dava-se até em períodos de abundância, e não só de escassez. E assim, o gado dos egípcios tornou-se propriedade do Faraó, e todos aqueles animais foram incorporados aos rebanhos do rei. Esse gado serviria de garantia contra a fome, se esta continuasse. Em tempos de fome, é impossível cuidar do gado. Se os animais não fossem entregues aos cuidados de José, haveriam de adoecer, morreriam de inanição e seriam extintos. Ver 1Reis 18.5,6.

■ 47.17

וַיָּבִיאוּ אֶת־מִקְנֵיהֶם אֶל־יוֹסֵף וַיִּתֵּן לָהֶם יוֹסֵף לֶחֶם בַּסּוּסִים וּבְמִקְנֵה הַצֹּאן וּבְמִקְנֵה הַבָּקָר וּבַחֲמֹרִים וַיְנַהֲלֵם בַּלֶּחֶם בְּכָל־מִקְנֵהֶם בַּשָּׁנָה הַהִוא׃

Estavam envolvidos os seguintes animais: vacas, ovelhas, cavalos e jumentos. Alguns intérpretes pensam que os reis hicsos foram os introdutores do cavalo no Egito. Nesse caso, isso serviria de confirmação da teoria de que José viveu durante a dinastia dos faraós hicsos. Ver no *Dicionário* o artigo intitulado *Hicsos*. Visto que havia "ovelhas", isso significa que a profissão de pastores era exercida no Egito, a despeito dos comentários adversos em Gênesis 46.34. Visto que os monumentos egípcios não estampam ovelhas, acredita-se que esse animal tenha sido introduzido no Egito ainda mais tarde que o cavalo.

Aquele ano. Os bens sob a forma de animais serviram somente para comprar alimentos pelo espaço de um ano. Por essa altura, os egípcios tinham perdido o seu próprio corpo e as suas terras (vs. 18), uma declaração estarrecedora, para dizermos o mínimo. No entanto, em nosso querido Brasil, muita gente conta somente com seu corpo; e um número impressionante de mulheres vende o seu corpo.

■ **47.18**

וַתִּתֹּם֮ הַשָּׁנָ֣ה הַהִוא֒ וַיָּבֹ֨אוּ אֵלָ֜יו בַּשָּׁנָ֣ה הַשֵּׁנִ֗ית וַיֹּ֤אמְרוּ לוֹ֙ לֹֽא־נְכַחֵ֣ד מֵֽאֲדֹנִ֔י כִּ֚י אִם־תַּ֣ם הַכֶּ֔סֶף וּמִקְנֵ֥ה הַבְּהֵמָ֖ה אֶל־אֲדֹנִ֑י לֹ֤א נִשְׁאַר֙ לִפְנֵ֣י אֲדֹנִ֔י בִּלְתִּ֥י אִם־גְּוִיָּתֵ֖נוּ וְאַדְמָתֵֽנוּ׃

No ano próximo. Não o segundo ano de fome, e, sim, o ano seguinte àquele em que os egípcios perderam o seu gado.

O nosso corpo e a nossa terra. Só lhes restava isso. A situação era intolerável. O vs. 21 mostra-nos que José transferia corpos humanos. Ver as notas naquele versículo quanto a uma possível explicação do que isso significaria.

Isso sucedeu no sexto ano da fome, já perto do fim do período de escassez. Sem embargo, acabaram perdendo suas terras. No ano seguinte, as chuvas seriam abundantes e o Nilo inundaria normalmente as suas margens. Tão perto e, no entanto, tão longe.

■ **47.19,20**

לָ֧מָּה נָמ֣וּת לְעֵינֶ֗יךָ גַּם־אֲנַ֙חְנוּ֙ גַּ֣ם אַדְמָתֵ֔נוּ קְנֵֽה־אֹתָ֥נוּ וְאֶת־אַדְמָתֵ֖נוּ בַּלָּ֑חֶם וְנִֽהְיֶ֞ה אֲנַ֤חְנוּ וְאַדְמָתֵ֙נוּ֙ עֲבָדִ֣ים לְפַרְעֹ֔ה וְתֶן־זֶ֗רַע וְנִֽחְיֶה֙ וְלֹ֣א נָמ֔וּת וְהָאֲדָמָ֖ה לֹ֥א תֵשָֽׁם׃

וַיִּ֨קֶן יוֹסֵ֜ף אֶת־כָּל־אַדְמַ֤ת מִצְרַ֙יִם֙ לְפַרְעֹ֔ה כִּֽי־מָכְר֤וּ מִצְרַ֙יִם֙ אִ֣ישׁ שָׂדֵ֔הוּ כִּֽי־חָזַ֥ק עֲלֵהֶ֖ם הָרָעָ֑ב וַתְּהִ֥י הָאָ֖רֶץ לְפַרְעֹֽה׃

Compra-nos a nós e a nossa terra. Tendo vendido suas terras em troca de comida, agora perdiam também os seus direitos individuais, porque acabaram vendendo-se como escravos de Faraó. "Se o Senhor não edificar a casa, em vão trabalham os que a edificam" (Sl 127.1). O autor sacro, que com tanta frequência enfatiza a providência de Deus no livro de Gênesis (ver no *Dicionário* sobre esse assunto), mostra-nos agora o outro lado da moeda. Sem o Senhor, os homens são reduzidos ao estado de miserabilidade. Por assim dizer, eles dispõem de uma antiprovidência, que os deixa em abjeta pobreza, física e espiritual. Sem o Senhor, os homens tornam-se escravos de suas circunstâncias, marionetes do destino. Já esmagados, eles se tornam agricultores que, de seu, só têm o seu trabalho, sem terras. E, no caso em pauta, eles ainda tinham de pagar 20% de toda a sua produção. Ver o vs. 24. A descrição indica condições extremas, as quais, segundo podemos imaginar, foram sendo revertidas pouco a pouco, quando a fome terminou.

Toda a terra do Egito para Faraó. O Egito inteiro agora pertencia ao Faraó. Só havia um proprietário de tudo. O próprio José era apenas seu primeiro-ministro. Condições de monarquia absoluta nunca foram tão absolutas como naqueles dias. Naturalmente, o Faraó era um monarca benévolo. A maioria das ditaduras e das monarquias absolutas são benévolas somente visando aos seus próprios interesses, conforme a história tem demonstrado repetidamente. Todos os governos totalitários são malignos, mesmo os que se mostram mais brandos, visto que são afrontas à liberdade humana, a mais preciosa de todas as possessões. Homens como Hitler e Stalin têm seguido sofregamente o exemplo do Faraó, mas sem a benevolência deste e sem que o motivo seja a escassez. Outrossim, tentam esses governos tornar permanente aquilo que o Faraó determinou apenas para um tempo de crise. Sabemos como Hitler e Stalin terminaram, em seus planos diabólicos. O valor do ser humano, como indivíduo, está acima de qualquer ideologia totalitária. Ver Marcos 8.36,37.

■ **47.21**

וְאֶ֨ת־הָעָ֔ם הֶעֱבִ֥יר אֹת֖וֹ לֶעָרִ֑ים מִקְצֵ֥ה גְבוּל־מִצְרַ֖יִם וְעַד־קָצֵֽהוּ׃

De uma a outra extremidade da terra do Egito. Houve um transporte estratégico de pessoas. Por essa altura, as pessoas tinham perdido o controle sobre seu próprio corpo. José, pois, começou a transferi-los de um lugar para outro. Como não nos são dadas explicações a respeito, várias conjecturas têm sido apresentadas: 1. Provavelmente, isso era feito no interesse de concentrar pessoas nos lugares de maior produtividade, longe dos pontos de maior perigo. A existência de água abundante, sem dúvida, servia de fator decisivo. 2. A fim de evitar assembleias ilegais e tumultuosas, que preanunciavam revoltas, as quais podem ocorrer em tempos de tensão social. 3. Se as pessoas estivessem distantes dos lugares que antes tinham sido seus, teriam menos saudades, e poderiam mostrar-se mais produtivas em outros lugares: um fator psicológico. 4. Concentrando gente perto dos silos, ou de certos locais onde houvesse maior quantidade de alimentos. Isso pouparia tempo e dinheiro, na questão do transporte de cereais.

■ **47.22**

רַ֞ק אַדְמַ֤ת הַכֹּֽהֲנִים֙ לֹ֣א קָנָ֔ה כִּי֩ חֹ֨ק לַכֹּהֲנִ֜ים מֵאֵ֣ת פַּרְעֹ֗ה וְאָֽכְל֤וּ אֶת־חֻקָּם֙ אֲשֶׁ֨ר נָתַ֤ן לָהֶם֙ פַּרְעֹ֔ה עַל־כֵּ֕ן לֹ֥א מָכְר֖וּ אֶת־אַדְמָתָֽם׃

A terra dos sacerdotes. A classe sacerdotal era privilegiada. Essa casta nada estava sofrendo. Os sacerdotes egípcios eram tidos em alta conta pelos faraós. Ensinava-se que os faraós eram divinos, descendentes de deuses, e, portanto, semideuses. Assim, o espírito religioso era um fator importante no Egito, talvez a espinha dorsal de tudo. José, pelo poder de Deus, havia predito a abundância e a escassez que se seguiria. Portanto, Deus estava por trás de ambas as condições. José se casara com a filha de um sacerdote. Ver Gênesis 41.45. Essa classe era privilegiada e tinha grande poder. Prevalecia no Egito uma religião oficial, e o Estado lhe dava todo o apoio. Temos aqui o primeiro exemplo bíblico de uma religião sustentada pelo Estado. Heródoto, em uma época bem posterior, informa-nos como os sacerdotes do Egito não precisavam fazer despesas com coisa alguma, porquanto tudo lhes era suprido pelo governo. Seus pratos favoritos eram gansos e ovelhas (Euterpe, sive. 1.2 c. 37). Diodoro Sículo (Bibliothec. 1.1 par. 47) diz que o Egito estava dividido em três castas principais, e a primeira delas era a dos sacerdotes, que eram sustentados pelo governo e ganhavam grandes proventos. Nos dias de Josué, eles comiam à mesa do rei, e mantinham para si mesmos suas terras e suas riquezas.

■ **47.23,24**

וַיֹּ֤אמֶר יוֹסֵף֙ אֶל־הָעָ֔ם הֵן֩ קָנִ֨יתִי אֶתְכֶ֥ם הַיּ֛וֹם וְאֶת־אַדְמַתְכֶ֖ם לְפַרְעֹ֑ה הֵֽא־לָכֶ֣ם זֶ֔רַע וּזְרַעְתֶּ֖ם אֶת־הָאֲדָמָֽה׃

וְהָיָה֙ בַּתְּבוּאֹ֔ת וּנְתַתֶּ֥ם חֲמִישִׁ֖ית לְפַרְעֹ֑ה וְאַרְבַּ֣ע הַיָּדֹ֡ת יִהְיֶ֣ה לָכֶם֩ לְזֶ֨רַע הַשָּׂדֶ֧ה וּֽלְאָכְלְכֶ֛ם וְלַאֲשֶׁ֥ר בְּבָתֵּיכֶ֖ם וְלֶאֱכֹ֥ל לְטַפְּכֶֽם׃

O Plantio das Terras do Faraó. José provia os meios para a produção, e quatro quintos do que se produzia era a porção dos agricultores arrendados. Isso é uma porcentagem muito melhor do que aquela que os modernos agricultores arrendados desfrutam, por exemplo, no Brasil, onde a taxa é de metade da produção. Antes de José, o Egito era uma monarquia limitada. Mas, com ele, tornou-se uma monarquia absoluta. Talvez o poder do Faraó para cobrar taxas fosse antes limitado; mas agora tornara-se absoluto.

As três castas do Egito, de acordo com Diodoro Sículo, eram as seguintes:
1. A casta sacerdotal.
2. A corte, a família e as propriedades do rei.
3. Os súditos, o exército, o povo comum e todas as classes profissionais. Dentro desse sistema, o poder do Faraó era grande, embora limitado. Nos dias de José, somente a casta sacerdotal foi capaz de manter alguma independência.

As taxas agrárias de 20% não eram escorchantes, considerando-se que era o único imposto, por assim dizer, um imposto unificado. Os governos modernos cobram muito mais do que isso, especialmente se considerarmos os impostos ocultos.

47.25

וַיֹּאמְרוּ הֶחֱיִתָנוּ נִמְצָא־חֵן בְּעֵינֵי אֲדֹנִי וְהָיִינוּ עֲבָדִים לְפַרְעֹה:

A vida nos tens dado! Isso disseram os egípcios a José. José salvou-os da morte certa, dando-lhes tudo de quanto precisavam para sobreviver. Ver José como um tipo de Cristo, em Gênesis 37.3. "Fontes históricas egípcias testificam que esse sistema feudal do Egito foi introduzido entre 1700 e 1500 a.C. O narrador não tencionava sancionar o absolutismo, mas somente elogiar José por sua sabedoria, como libertador do povo" (*Oxford Annotated Bible, in loc.*). Em troca dos benefícios providos por José, eles se tornaram escravos voluntários do Faraó. Ver no *Dicionário* o artigo intitulado *Escravo (Escravidão)*.

47.26

וַיָּשֶׂם אֹתָהּ יוֹסֵף לְחֹק עַד־הַיּוֹם הַזֶּה עַל־אַדְמַת מִצְרַיִם לְפַרְעֹה לַחֹמֶשׁ רַק אַדְמַת הַכֹּהֲנִים לְבַדָּם לֹא הָיְתָה לְפַרְעֹה:

Uma Lei Perpétua. O autor sagrado olhou de volta pelos corredores do tempo, quem sabe quantos séculos, e informou que a lei dos 20% de taxas, dos dias de José, continuava em vigor. Dependendo da data do livro de Gênesis (ou de suas fontes informativas), essa lei continuou a vigorar entre duzentos e setecentos anos. É provável que o povo egípcio tenha recuperado as suas terras, conforme foram voltando tempos de abundância alimentar, mas a taxa de um quinto sobre a produção agrícola prosseguiu. No entanto, os sacerdotes continuaram isentos de qualquer taxação, de modo que não perderam nem seus privilégios nem seus bens.

PROSPERIDADE DE ISRAEL E BÊNÇÃOS DE JACÓ (47.27—48.22)

O Faraó havia cedido à nação de Israel, em formação, o melhor das terras do Egito, em reconhecimento por tudo quanto José tinha feito (ver Gn 47.6). Foi assim que as duzentas pessoas que faziam parte da família de Jacó (havia entre eles setenta varões, ver Gn 46.27) conseguiram prosperar mais do que os próprios egípcios. Ao que tudo indica, os filhos de Israel retiveram a posse de suas terras (em contraste com os egípcios, ver Gn 47.19) e também não foram transportados de um lado para outro (ver Gn 47.21). Portanto, podemos dizer que os israelitas estavam em tão privilegiada situação quanto a casta sacerdotal do Egito (Gn 47.26). Esse foi outro sinal da providência de Deus, e a esse respeito no *Dicionário*. Além de assegurar-nos da extraordinária bênção dada à nação de Israel em formação, mesmo em tempos de tão grande tensão social, o autor sacro descreve como Jacó abençoou José, seu filho amado, bem como os dois filhos deste, nascidos no Egito. Em seguida, Moisés apresenta-nos a bênção de Jacó aos seus outros filhos (Gn 49). Para o amado filho de Jacó, José, Moisés reservou um espaço maior, e, segundo podemos presumir, a bênção maior. Essas bênçãos paternas eram tidas em alta conta, porquanto haveria poder espiritual por trás delas, garantindo o seu cumprimento (ver as notas sobre Gn 27.4).

Os críticos atribuem esta seção à combinação das fontes informativas *P(S.), J* e *E*. Ver no *Dicionário* o artigo chamado *J.E.D.P.(S.)* quanto à teoria das fontes múltiplas do Pentateuco.

47.27

וַיֵּשֶׁב יִשְׂרָאֵל בְּאֶרֶץ מִצְרַיִם בְּאֶרֶץ גֹּשֶׁן וַיֵּאָחֲזוּ בָהּ וַיִּפְרוּ וַיִּרְבּוּ מְאֹד:

Prosperidade na Terra de Gósen. A nação de Israel, que se estava formando, tal como a casta sacerdotal do Egito, parece ter sofrido pouco durante os anos de escassez. Ver os comentários introdutórios sobre esta seção. Israel possuía terras, animais domesticados, prata, ouro, todos os bens desta vida, ao passo que outros se tornavam escravos (Gn 47.19). Além disso, multiplicaram-se grandemente, o que significa que a vontade de Deus se estava cumprindo, na formação da nação de Israel. Pela época do Êxodo, o número de israelitas, contando homens, mulheres e crianças, chegaria a cerca de dois milhões (um aumento de dez mil vezes). Ver Números 1.46. O número de varões com mais de 20 anos de idade, que podiam servir como militares, era de cerca de seiscentos mil. Isso posto, o número total de israelitas seria de, no mínimo, dois milhões, e, mais provavelmente, três milhões.

O Pacto Abraâmico provia a multiplicação e a prosperidade de Israel. Ver as notas em Gênesis 15.18, quanto a esse pacto. Parte disso é que esse crescimento inicial teria lugar no exílio (ver Gn 15.13). Finalmente, porém, os israelitas seriam restaurados à Terra Prometida (a Palestina), quando seus habitantes originais enchessem sua taça de iniquidade e, então, sofressem o castigo divino, e seu território lhes fosse tomado (ver Gn 15.16). O cronograma de Deus não sofreria nenhuma reversão.

47.28

וַיְחִי יַעֲקֹב בְּאֶרֶץ מִצְרַיִם שְׁבַע עֶשְׂרֵה שָׁנָה וַיְהִי יְמֵי־יַעֲקֹב שְׁנֵי חַיָּיו שֶׁבַע שָׁנִים וְאַרְבָּעִים וּמְאַת שָׁנָה:

Este é o versículo que dá a Jacó a idade total de 147 anos, o que não foi repetido por ocasião de sua morte, conforme é costumeiro no livro de Gênesis. Desses 147 anos, dezessete ele viveu no Egito. Foram anos bons. Jacó estava com seu amado filho, José, o qual fora dado como morto por quase 25 anos, até descobrir que não era assim. Podemos supor, com toda a razão, que pai e filho tiveram dezessete anos maravilhosos de companheirismo. Jacó faleceu quando estava com 147 anos; e José morreu aos 110 anos de idade. Logo, ambos tiveram vida longa, com muitas vitórias. Ver as notas em Gênesis 5.21 quanto à desejabilidade de uma vida longa.

Idades Comparadas:
1. Os antediluvianos: De Adão a Noé. Esses viviam entre novecentos e mil anos.
2. De Noé a Abraão: entre duzentos e seiscentos anos.
3. Os patriarcas: entre cem e duzentos anos.
4. Padrão bíblico posterior: setenta anos (Sl 90.10).

47.29

וַיִּקְרְבוּ יְמֵי־יִשְׂרָאֵל לָמוּת וַיִּקְרָא לִבְנוֹ לְיוֹסֵף וַיֹּאמֶר לוֹ אִם־נָא מָצָאתִי חֵן בְּעֵינֶיךָ שִׂים־נָא יָדְךָ תַּחַת יְרֵכִי וְעָשִׂיתָ עִמָּדִי חֶסֶד וֶאֱמֶת אַל־נָא תִקְבְּרֵנִי בְּמִצְרָיִם:

Aproximando-se, pois, o tempo. Jacó sentiu em seu corpo o enfraquecimento causado pela morte que se aproximava, e convocou José para abençoá-lo. Ele abençoaria e adotaria Manassés e Efraim, os quais se tornariam cabeças de tribos da nação de Israel. Portanto, estavam acontecendo coisas importantes.

Ponhas a mão debaixo da minha coxa. Provavelmente temos aí um eufemismo para tocar no pênis circuncidado, sinal externo do Pacto Abraâmico. Ver no *Dicionário* o artigo intitulado *Circuncisão*. Ofereço notas completas sobre esse tipo de juramento, em Gênesis 24.2.

Jacó havia prosperado no Egito. Mas sua pátria era a Terra Prometida. Ali tinham residido seus ancestrais, pelo que ele desejava ser sepultado naquele local, provavelmente tendo em mente as provisões do Pacto Abraâmico, ou seja, aquela seria a terra que eles possuiriam. Além disso, Jacó tinha razões sentimentais para querer ser sepultado ali, juntamente com seu pai, com seu avô e com Lia, uma de suas esposas. O sepultamento de Jacó ali haveria de atrair os seus descendentes de volta à terra de Canaã.

47.30

וְשָׁכַבְתִּי עִם־אֲבֹתַי וּנְשָׂאתַנִי מִמִּצְרַיִם וּקְבַרְתַּנִי בִּקְבֻרָתָם וַיֹּאמַר אָנֹכִי אֶעֱשֶׂה כִדְבָרֶךָ:

No lugar da sepultura deles, ou seja, a caverna de Macpela. Ver no *Dicionário* o verbete *Macpela*, local onde foram sepultados Abraão, Isaque, Rebeca, Lia e Jacó. Os ossos de José também foram levados até ali, por Moisés (Êx 13.19), tendo sido sepultados em Siquém (Js 24.32). Por conseguinte, havia dois lugares de sepultamento dos patriarcas de Israel: um perto de Hebrom, e o outro perto de Siquém. Jacó estava dando ao povo de Israel um símbolo, quando foi assim sepultado na Terra Prometida. Algum dia, haveriam de voltar à sua terra, como parte do Pacto Abraâmico — e assim a história haveria de seguir seu curso divinamente determinado. Jacó tinha motivos sentimentais para querer ser sepultado na Terra Prometida, embora suas razões fossem além disso. José fez um solene juramento de que cumpriria o desejo de seu pai. E muitos anos depois, os próprios ossos de José foram transportados para fora do Egito. Outro símbolo que clamava: Voltai para casa, israelitas!

■ 47.31

וַיֹּאמֶר הִשָּׁבְעָה לִי וַיִּשָּׁבַע לוֹ וַיִּשְׁתַּחוּ יִשְׂרָאֵל עַל־רֹאשׁ הַמִּטָּה: פ

E ele jurou-lhe. José cumpriu seu juramento, transportando o corpo de Jacó para ser sepultado na Terra Prometida. Jacó foi sepultado na caverna de Macpela. Ver Gênesis 50.13. O juramento foi feito mediante o gesto do toque na coxa (ver Gn 24.2).

... se inclinou sobre a cabeceira da cama. De exaustão, apoiando-se enquanto conversava com José. Lemos em Hebreus 11.21: "... apoiado sobre a extremidade do seu bordão, adorou". Essa descrição é tão diferente do que temos aqui que os harmonistas imaginam que isso sucedeu em outra ocasião, que não esta. Mas erram mais ainda os estudiosos que dizem que Jacó tornou-se culpado de alguma forma de idolatria, supondo que a ponta superior de seu bordão teria alguma forma de imagem ali gravada, e Jacó a teria adorado! Mas isso eles dizem a fim de se justificarem de sua própria forma de "idolatria cristã". Ver as notas sobre Hebreus 11.21 no *Novo Testamento Interpretado,* que ventila a questão com pormenores. A Septuaginta e a versão Siríaca traduziram a forma que a epístola aos Hebreus seguiu. O vocábulo hebraico, sem seus sinais vocálicos (o alfabeto hebraico tem 22 letras, todas elas consoantes), pode significar *cama* ou *cajado*, e isso explica a variante. Os sinais vocálicos foram adicionados posteriormente, pelos massoretas (ver, no *Dicionário*), donde provém a ambiguidade.

CAPÍTULO QUARENTA E OITO

O capítulo 48 não introduz nenhuma nova seção. Dá continuidade à seção iniciada em Gênesis 47.27. Ver a introdução àquele versículo, quanto a comentários sobre o conteúdo e as alegadas fontes sobre a seção, que inclui a totalidade do capítulo 48.

JACÓ ABENÇOA SEUS FILHOS (48.1—49.28)

■ 48.1

וַיְהִי אַחֲרֵי הַדְּבָרִים הָאֵלֶּה וַיֹּאמֶר לְיוֹסֵף הִנֵּה אָבִיךָ חֹלֶה וַיִּקַּח אֶת־שְׁנֵי בָנָיו עִמּוֹ אֶת־מְנַשֶּׁה וְאֶת־אֶפְרָיִם:

Teu pai está enfermo. Isso já havia sido antecipado pelo autor sagrado, em Gênesis 47.29, talvez por meio de uma fonte separada. Agora, outra fonte do mesmo livro dá sua contribuição, passando a narrar a questão de como Jacó abençoou seus filhos e seus dois netos, Manassés e Efraim (filhos de José).

José e Seus Filhos. Esses ocupam a porção maior da bênção dada por Jacó, em termos de espaço, pois José era não somente o seu filho mais amado, mas também o que se elevou a um maior poder espiritual e temporal. As genealogias do capítulo 46 têm, como propósito central, não apenas informar-nos sobre quem eram os filhos de Jacó, mas também revelar-nos quem eram esses filhos de José, que chegaram a ocupar a elevada posição de chefes de tribos em Israel. Foi através dessas tribos que Israel veio a tornar-se uma nação. Essa nação dispunha de doze patriarcas, ou, então, de treze, conforme um outro cômputo. Ver no *Dicionário* os verbetes intitulados *Israel, Constituição de;* e *Israel, História de.*

Manassés. Ver o artigo detalhado sobre esse homem e a tribo dele derivada, no *Dicionário*.

Efraim. Ver no *Dicionário* o artigo detalhado sobre ele e sua tribo. No primeiro capítulo de Números, a tribo de Levi, que não se tornou possuidora de um território na Terra Prometida, foi excluída da lista das doze tribos. Ver Números 1.49. José não dispunha de uma tribo chamada tribo de José, e, sim, de duas, através de seus dois filhos.

E assim, chegamos a doze tribos (José e Levi são deixados fora dos cálculos, mas Manassés e Efraim foram incluídos).

A história perante nós significa que os dois filhos de José foram adotados por Jacó, tornando-se patriarcas legítimos de Israel que produziram tribos.

■ 48.2

וַיַּגֵּד לְיַעֲקֹב וַיֹּאמֶר הִנֵּה בִּנְךָ יוֹסֵף בָּא אֵלֶיךָ וַיִּתְחַזֵּק יִשְׂרָאֵל וַיֵּשֶׁב עַל־הַמִּטָּה:

Este versículo quase certamente é paralelo de Gênesis 47.31, e é ou um relato reformulado do mesmo incidente, com base em uma fonte diferente, que agora ficou fazendo parte da bênção conferida aos filhos de Jacó, ou, então, veio de uma fonte informativa diferente, que incluía material extra. Ver no *Dicionário* o artigo *J.E.D.P.(S.),* quanto à teoria das fontes múltiplas do Pentateuco. Alguns intérpretes veem José comparecendo diante do leito de enfermidade de Jacó por duas vezes, mas isso é menos provável. Outros atribuem Gênesis 47.31 à fonte *P(S)*, ao passo que Gênesis 48.2 teria origem na fonte *E*. Seja como for, a narrativa das horas (ou dias) finais de Jacó tem prosseguimento. A bênção de um pai a seus filhos era considerada muito poderosa, fazendo cumprir-se as profecias ou promessas ali contidas. Ver Gênesis 27.4 quanto a detalhes sobre essa questão. As notas naquele ponto aludem à crença na eficácia especial das palavras de um homem moribundo.

■ 48.3

וַיֹּאמֶר יַעֲקֹב אֶל־יוֹסֵף אֵל שַׁדַּי נִרְאָה־אֵלַי בְּלוּז בְּאֶרֶץ כְּנָעַן וַיְבָרֶךְ אֹתִי:

O Deus Todo-poderoso. No hebraico, *El Shaddai*, um nome divino acerca do qual comentei nas notas sobre Gênesis 17.1. Esse nome destaca o Deus poderoso que é a origem de todo suprimento. Foi El Shaddai que apareceu a Abraão e firmou com ele o seu pacto (Gn 17.1), e também aquele que apareceu a Jacó quando este foi a Betel (Luz), após ter voltado de sua permanência de vinte anos em Padã-Arã.

Assim, a adoção de Manassés e Efraim, por parte de Jacó, e a bênção deste a eles, tiveram por base a promessa divina que lhe fora feita em Betel ou Luz (Gn 35.9-13). Foi assim que Manassés e Efraim assumiram posição como agentes pessoais do Pacto Abraâmico. Ver as notas sobre esse pacto em Gênesis 15.18. Ver no *Dicionário* os verbetes *Luz (Cidade)* e *Betel*. Jacó tinha recebido orientação especial por meio de certa variedade de experiências místicas, em cada encruzilhada importante de sua vida. Ver no *Dicionário* os artigos chamados *Misticismo* e *Vontade de Deus, Como Descobri-la*. Deus apareceu a Jacó quando este ia a Padã-Arã e quando dali voltava (Gn 28.10-19 e 35.6-12). Não temos certeza de a qual desses dois incidentes (ou se a ambos) o presente texto se refere. As mesmas promessas divinas foram feitas em ambas as ocasiões.

■ 48.4

וַיֹּאמֶר אֵלַי הִנְנִי מַפְרְךָ וְהִרְבִּיתִךָ וּנְתַתִּיךָ לִקְהַל עַמִּים וְנָתַתִּי אֶת־הָאָרֶץ הַזֹּאת לְזַרְעֲךָ אַחֲרֶיךָ אֲחֻזַּת עוֹלָם:

Reiteração das Promessas. Há quinze repetições do Pacto Abraâmico só no livro de Gênesis, e dou uma lista delas nas notas sobre Gênesis 15.18. Todas as promessas do presente versículo estão contidas nas várias confirmações desse pacto. Itens básicos eram a grande multiplicação dos filhos de Israel e o território que serviria de pátria deles. Há comentários sobre essas questões em Gênesis 15.18 e 28.14. Várias metáforas foram usadas para ilustrar a grande posteridade de Abraão, como o "pó da terra", as "estrelas do céu" etc. Dei notas sobre esse pormenor em Gênesis 13.16. Ver também Números 23.10. Ver também as notas sobre Gênesis 35.11, no tocante a Jacó e às promessas feitas a ele. A posteridade de Jacó incluiria as nações que viriam por meio da linhagem Abraão-Isaque-Jacó-Judá-Davi-Messias. Através de Jacó seriam transmitidos os aspectos espirituais do Pacto Abraâmico (ver Gl 3.14).

48.5

וְעַתָּ֡ה שְׁנֵֽי־בָנֶיךָ֩ הַנּוֹלָדִ֨ים לְךָ֜ בְּאֶ֣רֶץ מִצְרַ֗יִם
עַד־בֹּאִ֥י אֵלֶ֛יךָ מִצְרַ֖יְמָה לִי־הֵ֑ם אֶפְרַ֙יִם֙ וּמְנַשֶּׁ֔ה
כִּרְאוּבֵ֥ן וְשִׁמְע֖וֹן יִֽהְיוּ־לִֽי׃

Os teus dois filhos... são meus. Com essas palavras, Jacó adotou os dois filhos de José. E assim, mediante essa declaração de Jacó, Manassés e Efraim tornaram-se legítimos cabeças de tribos, entre as doze tribos de Israel. Não havia nenhuma tribo de José. Levi, embora tivesse formado uma tribo, que se tornou a tribo sacerdotal, não recebeu terras, e não figura como uma das tribos, no primeiro capítulo de Números, onde aparece o esquema das doze tribos. Desse modo, pensamos em doze tribos, ainda que, estritamente falando, tenha havido treze (se incluirmos a de Levi). Ver Números 1.47.

Manassés e Efraim. Eles nasceram no Egito, mas isso não impediu que seus descendentes se tornassem duas das doze tribos. Cidadãos nascidos no estrangeiro ainda assim são cidadãos. Os dois filhos de José, como Rúben e Simeão, que eram filhos de Jacó, tornaram-se filhos, e não netos de Jacó, para todos os propósitos legais. Alguns eruditos imaginam que a menção desses outros filhos significa que Efraim se tornaria agora primogênito de Jacó (em substituição a Rúben, por haver violentado Bila — Gênesis 35.22 — e Manassés se tornaria o segundo filho, na ordem de precedência. Por isso Jacó os teria abençoado antes dos outros filhos. Ao que tudo indica, o vs. 12 refere-se a alguma espécie de cerimônia de adoção.

48.6

וּמוֹלַדְתְּךָ֛ אֲשֶׁר־הוֹלַ֥דְתָּ אַחֲרֵיהֶ֖ם לְךָ֣ יִהְי֑וּ עַ֣ל שֵׁ֧ם
אֲחֵיהֶ֛ם יִקָּרְא֖וּ בְּנַחֲלָתָֽם׃

"Com base em Gênesis 50.23, deduzimos que José, provavelmente, não teve outros filhos além de Manassés e Efraim. Mas se teve outros filhos, não deveriam ser contados como cabeças de tribos, mas somente como filhos de Manassés ou Efraim, figurando apenas como chefes de famílias" (Ellicott, *in loc.*). Qualquer outro filho que José chegasse a ter, além daqueles dois, seria considerado dele, reputado como neto de Jacó, dentro da hierarquia de poder no seio da nação de Israel. É como se Jacó tivesse dito: "Estes dois são meus filhos; quaisquer outros serão teus filhos, isto é, meus netos".

48.7

וַאֲנִ֣י ׀ בְּבֹאִ֣י מִפַּדָּ֗ן מֵ֩תָה֩ עָלַ֨י רָחֵ֜ל בְּאֶ֤רֶץ כְּנַ֙עַן֙ בַּדֶּ֔רֶךְ
בְּע֕וֹד כִּבְרַת־אֶ֖רֶץ לָבֹ֣א אֶפְרָ֑תָה וָאֶקְבְּרֶ֤הָ שָּׁם֙ בְּדֶ֣רֶךְ
אֶפְרָ֔ת הִ֖וא בֵּ֥ית לָֽחֶם׃

Raquel Tinha Morrido Prematuramente. Isso posto, Jacó não tivera oportunidade de ter outros filhos por intermédio dela. Raquel teve apenas dois filhos; e, em consequência, Jacó compensou essa deficiência ao adotar Manassés e Efraim, os dois filhos de José. Portanto, legalmente, ele passou a ter quatro filhos através de sua amada Raquel.

Jacó sepultou Raquel em Belém, porquanto, sem o recurso do embalsamamento, não havia como levá-la até Macpela. Ver no *Dicionário* os artigos *Efrata* e *Belém*. O trecho de Miqueias 5.2 combina os nomes Belém-Efrata.

Lia, por meio de seus filhos, foi a progenitora de seis das tribos (se contarmos Levi). Raquel foi a progenitora de três (Benjamim, Efraim e Manassés). E as duas concubinas de Jacó, Bila e Zilpa, foram progenitoras de quatro (duas cada). Isso dá um total de treze tribos. Mas se eliminarmos Levi (que veio a tornar-se a tribo sacerdotal, destituída de território), teremos doze tribos.

48.8

וַיַּ֥רְא יִשְׂרָאֵ֖ל אֶת־בְּנֵ֣י יוֹסֵ֑ף וַיֹּ֖אמֶר מִי־אֵֽלֶּה׃

Quem são estes? Jacó, quase cego, não podia ter certeza sobre quem eram os dois adolescentes à sua frente. E assim, precisou fazer essa indagação. Temos aí um estranho paralelo com a cegueira de Isaque, que chegou a confundir Jacó e Esaú (Gn 27.1 ss.). A diferença entre os dois casos é que, no primeiro, houve logro, o que não sucedeu aqui. O intuito foi distinguir entre os dois filhos de José, porquanto, pelo Espírito, ele estava prestes a abençoar Efraim (o mais novo) mais do que a Manassés (o primogênito). Ver os vss. 17 ss.

48.9

וַיֹּ֤אמֶר יוֹסֵף֙ אֶל־אָבִ֔יו בָּנַ֣י הֵ֔ם אֲשֶׁר־נָֽתַן־לִ֥י אֱלֹהִ֖ים
בָּזֶ֑ה וַיֹּאמַ֕ר קָֽחֶם־נָ֥א אֵלַ֖י וַאֲבָרֲכֵֽם׃

Meus filhos, que Deus me deu aqui. Os filhos são dádivas divinas a seus pais, de acordo com Salmo 127.3, e merecem nossa bênção contínua. Isso é um fato, e não um mero sentimento entre os antigos hebreus. Logo, grande é a nossa responsabilidade diante de nossos filhos. Devemos ser pessoas aptas para abençoar no nome de Deus. Pais profanos produzem filhos profanos.

Para que eu os abençoe. Não de forma trivial, pois queria dar-lhes a bênção paterna-patriarcal, dependente do impulso do Espírito de Deus, que tornaria essa bênção eficaz. Os antigos hebreus pensavam, e com toda a razão, que a bênção ou a maldição de um homem moribundo eram extremamente poderosas. Ver as notas sobre essa questão em Gênesis 27.4.

48.10

וְעֵינֵ֤י יִשְׂרָאֵל֙ כָּבְד֣וּ מִזֹּ֔קֶן לֹ֥א יוּכַ֖ל לִרְא֑וֹת וַיַּגֵּ֤שׁ אֹתָם֙
אֵלָ֔יו וַיִּשַּׁ֥ק לָהֶ֖ם וַיְחַבֵּ֥ק לָהֶֽם׃

E ele os beijou e os abraçou. Os pais costumam dizer: "Quando eu tiver criado meus filhos, então poderei descansar". Para sua grande surpresa, porém, sentem tão grande amor por seus netos que acabam mostrando-se paternais com eles, adotando a mesma atitude de afeto, interesse e ansiedade que tinham nutrido por seus filhos. De fato, é admirável com que profundidade e prontidão aprendemos a amar nossos netos. Assim foi que Jacó osculou e afagou seus dois netos, através de José, como se fossem seus próprios filhos, e também os adotou como seus (vs. 5). O vs. 12, ao que parece, alude a alguma forma de cerimônia de adoção.

48.11

וַיֹּ֤אמֶר יִשְׂרָאֵל֙ אֶל־יוֹסֵ֔ף רְאֹ֥ה פָנֶ֖יךָ לֹ֣א פִלָּ֑לְתִּי וְהִנֵּ֨ה
הֶרְאָ֥ה אֹתִ֛י אֱלֹהִ֖ים גַּ֥ם אֶת־זַרְעֶֽךָ׃

Graça Acima de Toda a Expectativa. Jacó, que havia "perdido" José cerca de quarenta anos antes, de súbito o recuperara, e não somente vivo, mas também elevado à posição de segunda autoridade do Egito. E passou dezessete bons anos em companhia de José, no Egito. Acresça-se a isso que agora era capaz de beijar e abraçar os dois filhos de José, seus netos queridos, a fim de abençoá-los e adotá-los como seus. Deus é bondoso. Oh, Senhor, concede-nos tal graça!

Israel. O nome de Jacó foi modificado pelo Senhor Deus para Israel (ver Gn 32.18 e suas notas expositivas). "Essas expressões envolvem muita delicadeza e ternura. Jacó sentia-se amplamente recompensado por sua longa tristeza e por suas tribulações" (Adam Clarke, *in loc.*).

48.12

וַיּוֹצֵ֥א יוֹסֵ֛ף אֹתָ֖ם מֵעִ֣ם בִּרְכָּ֑יו וַיִּשְׁתַּ֥חוּ לְאַפָּ֖יו אָֽרְצָה׃

Tirando-os dentre os joelhos de seu pai. É provável que esse gesto fosse o sinal de adoção. Os rapazinhos tinham sido postos entre seus joelhos; e assim ele os adotou. Ver o vs. 5. José prostrou-se até o chão, um gesto de reverência a Deus, como que buscando iluminação a fim de saber criar corretamente os seus dois preciosos filhos, e buscando o poder divino para cumprimento de sua tarefa paterna. Sua reverência, como é óbvio, também teve por alvo Jacó, seu pai e instrumento da bênção divina.

Vemos aqui o segundo homem do Egito, homem dotado de imensa autoridade, a homenagear seu pai. E isso ele fazia com toda a razão, porquanto Jacó se tornara o grande patriarca de Israel. Basicamente, porém, Jacó tinha sido um bom pai, inteiramente à parte de sua elevação espiritual na sua idade avançada, merecendo o mais profundo respeito de todos os seus filhos. Ver Êxodo 20.12, quanto ao mandamento de honrar pai e mãe.

No Egito, costumava-se honrar profundamente os pais, conforme disse Heródoto (*Euterpe*, c. 80): "Pois se uma pessoa mais jovem encontra-se com alguém de mais idade, imediatamente desvia-se do caminho para abrir-lhe passagem; e, quando uma pessoa idosa entra em um aposento, os jovens levantam-se de seus assentos".

■ 48.13,14

וַיִּקַּח יוֹסֵף אֶת־שְׁנֵיהֶם אֶת־אֶפְרַיִם בִּימִינוֹ מִשְּׂמֹאל יִשְׂרָאֵל וְאֶת־מְנַשֶּׁה בִשְׂמֹאלוֹ מִימִין יִשְׂרָאֵל וַיַּגֵּשׁ אֵלָיו׃

וַיִּשְׁלַח יִשְׂרָאֵל אֶת־יְמִינוֹ וַיָּשֶׁת עַל־רֹאשׁ אֶפְרַיִם וְהוּא הַצָּעִיר וְאֶת־שְׂמֹאלוֹ עַל־רֹאשׁ מְנַשֶּׁה שִׂכֵּל אֶת־יָדָיו כִּי מְנַשֶּׁה הַבְּכוֹר׃

A Reversão das Bênçãos. Era muito natural que José posicionasse seus filhos de forma que Manassés ficasse à mão direita de Jacó, por ser ele o primogênito. E assim, igualmente, a mão esquerda de Jacó repousaria sobre a cabeça de Efraim, que era o filho mais novo, para que ele recebesse a bênção menor. Mas Jacó, voluntária e conscientemente, reverteu a situação, cruzando os braços, para que a bênção maior fosse dada a Efraim.

Essa foi a terceira vez em que um filho menor recebeu a bênção principal. Na primeira vez, isso aconteceu ao próprio Jacó, que era o filho mais novo em relação a seu irmão, Esaú, mas recebeu a bênção primária (mediante ludíbrio), Gênesis 27. Na segunda vez, houve o caso do irmão gêmeo potencial que, no derradeiro momento, perdeu a batalha pelo nascimento, e nasceu em segundo lugar. Isso aconteceu com Perez e Zerá. Ver Gênesis 38.28,29. Perez, pois, tornou-se o ancestral de Jesus Cristo, e não Zerá. Ver as notas sobre aqueles dois versículos. Perez, sendo potencialmente o segundo, obteve a posição de primogênito.

"...ele [Jacó] discerniu que o irmão mais novo receberia bênçãos divinas superiores, e assim cruzou os braços ou mudou a posição dos dois irmãos, impondo sua mão direita sobre Efraim, e sua mão esquerda sobre Manassés" (John Gill, *in loc.*). O original hebraico envolve uma curiosa expressão idiomática que diz: "ele fez suas mãos compreender". E daí vem a tradução da Vulgata Latina: "fecit suas manus inteligere". E vários dos pais da Igreja, em seus escritos, perpetuaram essa expressão idiomática.

A Imposição de Mãos. Trata-se de um modo comum de conferir uma bênção. Esta é a primeira vez em que é mencionada na Bíblia a imposição de mãos. Daqui por diante, todavia, esse gesto de transmissão de bênção vai-se tornando comum. Ver Números 27.18,23; Deuteronômio 34.9; Mateus 19.3,15; Atos 6.6; 1Timóteo 4.14.

Reversão de Acordo com a Vontade de Deus. Ver Romanos 9.11. Ver no *Dicionário* os artigos *Predestinação* e *Determinismo (Predestinação)*. Podemos ter certeza de que essas preferências tiveram suas razões de ser. Não foram arbitrárias. Mas geralmente não sabemos dizer por que Deus assim determinou. Aqueles que creem na preexistência da alma (com ou sem a reencarnação) acham que as razões para essas coisas estão na história prévia da alma de cada um. João Batista foi cheio do Espírito (tornando-se assim um vaso escolhido) desde antes do nascimento (Lc 1.15); e Paulo foi chamado para sua missão divina antes mesmo de ter nascido (Gl 1.15). A preexistência da alma talvez explique o que poderiam, de outro modo, parecer casos inexplicáveis, com base em alguma vontade divina arbitrária. Algumas pessoas não apreciam mistérios capazes de ser sondados pela razão e simplesmente preferem deixar essas questões aos cuidados da vontade de Deus, por mais vaga que seja essa expressão. Naturalmente, no presente texto, não estamos tratando da salvação. Contudo, a vontade de Deus envolve todas as coisas, podendo, às vezes, ser explicada, embora com alguma frequência não tenha explicação. Pessoalmente, não apelo para o voluntarismo (ver a esse respeito no *Dicionário*), como se fosse uma resposta para tais problemas.

■ 48.15

וַיְבָרֶךְ אֶת־יוֹסֵף וַיֹּאמַר הָאֱלֹהִים אֲשֶׁר הִתְהַלְּכוּ אֲבֹתַי לְפָנָיו אַבְרָהָם וְיִצְחָק הָאֱלֹהִים הָרֹעֶה אֹתִי מֵעוֹדִי עַד־הַיּוֹם הַזֶּה׃

E abençoou a José. Provavelmente tanto em sentido individual como através de seus dois filhos, dos quais procederiam duas tribos de Israel, ao passo que nenhuma tribo teria o nome de José.

O Deus. Ou seja, *Elohim*. Ver o verbete sobre esse nome divino no *Dicionário*, como também *Deus, Nomes Bíblicos de*. Ele fora o Deus adorado por Abraão e Isaque, como o era agora por Jacó, tendo este nome sido adicionado à expressão: "O Deus de Abraão, Isaque e Jacó". Ver Gênesis 28.13; 31.42; 32.9 e Êxodo 3.6. Ver Gênesis 32.9 quanto a notas adicionais sobre o Deus dos patriarcas. O monoteísmo dos hebreus era fortalecido por meio do uso desses nomes de Deus.

O Suprimento Inexaurível. O Deus dos patriarcas nunca abandonou Jacó. "Nada é mais característico no livro de Gênesis do que a maneira como o conceito de Deus é sempre vinculado com algo mais amplo do que o indivíduo. Ele é o Deus que reivindica a lealdade particular de cada pessoa; mas ele também é o seu Deus, porque também fora o Deus de seus antepassados" (Walter Russell Bowie, *in loc.*). Por essa exata razão foi que o Pacto Abraâmico foi reafirmado diante de cada um dos descendentes de Abraão. Ver as notas em Gênesis 15.18, onde expus comentários sobre esse pacto, o qual é reiterado por quinze vezes só no livro de Gênesis.

Em cuja presença andaram. Uma metáfora para o curso geral da vida, frequente em muitas obras de ética. O ato de andar consiste em uma série de meias-quedas, organizadas com o propósito de avançar. O andar, pois, é um propósito constante que escapa da mera chance. De fato, coisa alguma acontece por acaso. Ver no *Dicionário* o artigo *Andar*, onde essa metáfora é explanada.

... me sustentou. Outras traduções dizem aqui *me orientou*. Seja como for, tanto a sustentação quanto a orientação são elementos vitais na vida espiritual.

"Jacó estava chegando ao limiar da eternidade, e sua fé estava firmada inabalavelmente em Deus. Ele via que sua vida dependera de uma série de atos misericordiosos de Deus. E assim como ele se tinha mostrado afetuoso, atento, previdente e bondoso para com seu filho mais impotente, assim também Deus se mostrara para com ele, alimentando-o por toda a sua longa vida! Percebeu ele que devia tudo, até a menor porção de alimento, que havia recebido, à misericórdia e à bondade de Deus" (Adam Clarke, *in loc.*).

■ 48.16

הַמַּלְאָךְ הַגֹּאֵל אֹתִי מִכָּל־רָע יְבָרֵךְ אֶת־הַנְּעָרִים וְיִקָּרֵא בָהֶם שְׁמִי וְשֵׁם אֲבֹתַי אַבְרָהָם וְיִצְחָק וְיִדְגּוּ לָרֹב בְּקֶרֶב הָאָרֶץ׃

"Jacó invocou Deus por meio de uma tríplice descrição: 1. O Deus na presença de quem seus antepassados tinham andado (Gn 17.1; 24.40). 2. O Deus que o tinha sustentado (literalmente, "pastoreado", Sl 23.1), por toda a sua vida. 3. O Deus que o tinha redimido de todo mal (Is 48.20) (*Oxford Annotated Bible, in loc.*).

O anjo. Ver Gênesis 16.7; 31.11. Deus dispõe de seus agentes. Ver no *Dicionário* o verbete *anjo*. O ministério dos anjos é uma realidade. Ofereci notas adicionais a respeito em Gênesis 16.7, incluindo o ministério angelical que figura no livro de Gênesis.

Que me tem livrado. Não está aqui em pauta a redenção espiritual, e, sim, o livramento contínuo de toda tribulação e mal. Ver no *Dicionário* o artigo intitulado *Redenção*. Como é claro, Jacó fora redimido espiritualmente, mas não é isso que está em pauta neste versículo. Jacó participava da bênção interminável e eterna de Deus. O Senhor era o seu Pastor (Sl 23.1); ele vinha sendo sustentado (Is 40.11); ele era a ovelha achada (Lc 15.4). Ver também Jeremias 31.10 e Ezequiel 34.12. Os remidos ouvem a voz do Senhor e são guiados por ele (Jo 10).

Abençoe estes rapazes. Porquanto neles teria continuação o nome de Abraão. Neles se multiplicaria a posteridade dele, conforme o Pacto Abraâmico garantia. Ver sobre o Pacto Abraâmico nas notas acerca de Gênesis 15.18, que inclui a informação sobre a provisão de uma numerosíssima posteridade e sobre as metáforas usadas para expressar isso pelo autor do livro de Gênesis.

Dessa forma, foi reafirmado o Pacto Abraâmico diante de Manassés e Efraim, sendo esta a décima quinta menção a esse pacto no livro de Gênesis.

O Goel ou Redentor. Temos aqui um vocábulo hebraico que aparece neste ponto pela primeira vez na Bíblia. As traduções geralmente traduzem-no por "anjo", o que também sucede em nossa versão portuguesa. No *Dicionário* o leitor deve examinar o verbete intitulado *Goel*. Diremos aqui apenas que um goel era um parente mais próximo que tinha o dever de redimir a seu parente, que se endividara e ficara sujeito à escravidão a outrem. Jesus é o nosso goel ou Redentor. Ele é o nosso parente mais próximo, e, com o seu sangue, nos redimiu de nossos pecados.

"A partir daquele momento, Efraim e Manassés passaram a ter os mesmos direitos e privilégios que os demais filhos de Jacó. Mas como filhos de José eles jamais teriam possuído tais direitos e privilégios" (Adam Clarke, *in loc.*).

Seja neles chamado o meu nome. A vida de Abraão seria perpetuada através dos dois filhos de José (juntamente com outros filhos de Jacó). Nesse período remoto ainda não era expressa claramente a crença na imortalidade pessoal da alma. Isso ocorreu mais tarde, nos Salmos e nos Profetas. Mas a expressão "imagem de Deus" (Gn 1.26,27) antecipava esse conceito, embora ainda em um estágio preliminar. O Pacto Abraâmico não continha a dimensão espiritual da alma, até que Cristo a adicionou (ver Gl 3.14). Ver no *Dicionário* o artigo chamado *Alma*.

■ **48.17,18**

וַיַּ֣רְא יוֹסֵ֗ף כִּי־יָשִׁ֨ית אָבִ֧יו יַד־יְמִינ֛וֹ עַל־רֹ֥אשׁ אֶפְרַ֖יִם וַיֵּ֣רַע בְּעֵינָ֑יו וַיִּתְמֹ֣ךְ יַד־אָבִ֗יו לְהָסִ֥יר אֹתָ֛הּ מֵעַ֥ל רֹאשׁ־אֶפְרַ֖יִם עַל־רֹ֥אשׁ מְנַשֶּֽׁה׃

וַיֹּ֧אמֶר יוֹסֵ֛ף אֶל־אָבִ֖יו לֹא־כֵ֣ן אָבִ֑י כִּי־זֶ֣ה הַבְּכֹ֔ר שִׂ֥ים יְמִינְךָ֖ עַל־רֹאשֽׁוֹ׃

Descruzando os Braços de Jacó. O costume demandava que um filho primogênito recebesse dupla porção da herança paterna, como também a bênção maior. Ver no *Dicionário* o artigo intitulado *Primogênito*. José pensou que seu pai estava enganado, por estar quase cego, ao dar ao neto mais novo, Efraim, a bênção maior. Acontece que Jacó, fisicamente, estava quase cego, mas sua visão espiritual era perfeita. Na verdade, não estava equivocado. Ver os comentários sobre o vs. 14 sobre a vontade determinante de Deus. Algumas vezes, a vontade de Deus reverte as coisas, anulando as expectativas humanas. Porém, podemos estar certos de que essa vontade está sempre por trás do que é justo e harmônico com o amor. Deus não promove a injustiça ou o ódio. Sua vontade nunca é arbitrária, mesmo quando ela é misteriosa.

Deus conta com seus instrumentos de poder e atua eficazmente. Jacó contava com a presença do anjo de Deus a seu lado (vss. 15,16). Ele recebera iluminação, e isso foi transmitido desde Abraão, passando pela sua linhagem escolhida, e agora chegava a Efraim, deixando Manassés em segundo lugar. "O que Deus faz na vida de um homem é muito maior do que o próprio homem poderia realizar. É como se um anjo real estivesse o tempo todo ao lado daquele homem... Sabemos que Deus faz todas as coisas redundar em bem, em favor daqueles que o amam (Rm 8.28)" (Walter Russell Bowie, *in loc.*).

Põe a tua mão direita. A mão direita era o emblema do poder e da bênção, da retidão e da eficácia. "Até mesmo nos céus, a mão direita de Deus é o lugar da mais exaltada dignidade... José falou aqui movido por seus afetos naturais... mas Jacó agiu conforme a influência do Espírito Santo" (Adam Clarke, *in loc.*). Ver Mateus 26.54; Marcos 16.19; Atos 2.33; Apocalipse 2.1 e 5.1.

■ **48.19**

וַיְמָאֵ֣ן אָבִ֗יו וַיֹּ֨אמֶר֙ יָדַ֤עְתִּֽי בְנִי֙ יָדַ֔עְתִּי גַּם־ה֥וּא יִֽהְיֶה־לְּעָ֖ם וְגַם־ה֣וּא יִגְדָּ֑ל וְאוּלָ֗ם אָחִ֤יו הַקָּטֹן֙ יִגְדַּ֣ל מִמֶּ֔נּוּ וְזַרְע֖וֹ יִהְיֶ֥ה מְלֹֽא־הַגּוֹיִֽם׃

Seu irmão menor será maior do que ele. Jacó reiterou que sabia o que estava fazendo. Sua iluminação, por ocasião da aproximação da morte, tinha-lhe segredado a quem deveria propiciar a bênção superior. "Séculos mais tarde, Efraim tornou-se a tribo líder do reino do norte, Israel, muito superior à tribo de Manassés, conforme Jacó havia predito" (Allen P. Ross, *in loc.*). O trecho de Números 26.34,37 fornece-nos seus números respectivos. Manassés contava com maior número, mas Efraim tinha maior poder e posição. Manassés, porém, sofreu uma divisão em dois segmentos, o que tornou a tribo politicamente insignificante. Josué pertencia à tribo de Efraim. Ver as notas sobre o vs. 13, quanto a esse assunto de um irmão mais novo, às vezes, ser superior a um irmão mais velho.

As Normas de Deus. Tanto nas famílias quanto nas nações, Deus tem o seu homem, colocando-o à frente de outros em sua própria família, apesar de condições genéticas e ambientais similares. Assim, Abel foi preferido acima de Caim; Sem, acima de Jafé; Abraão, acima de Naor; Isaque, acima de Ismael; Jacó, acima de Esaú; Moisés, acima de Arão; Davi, acima de seus irmãos.

■ **48.20**

וַיְבָ֨רֲכֵ֜ם בַּיּ֣וֹם הַהוּא֮ לֵאמוֹר֒ בְּךָ֗ יְבָרֵ֤ךְ יִשְׂרָאֵל֙ לֵאמֹ֔ר יְשִֽׂמְךָ֣ אֱלֹהִ֔ים כְּאֶפְרַ֖יִם וְכִמְנַשֶּׁ֑ה וַיָּ֥שֶׂם אֶת־אֶפְרַ֖יִם לִפְנֵ֥י מְנַשֶּֽׁה׃

A Superbênção. Tão grande foi a bênção recebida por Efraim e Manassés que, nos anos posteriores, essa bênção se tornaria proverbial. E um israelita dizia a outro: "Sê tu abençoado, em tão grande medida quanto Deus abençoou Efraim e Manassés". A versão inglesa *Revised Standard Version* brinda-nos com uma boa tradução, a qual nos ajuda a entender melhor o texto: "Por meio de vós Israel proferirá bênçãos. Deus te torne como Efraim...". E assim, em anos subsequentes, as bênçãos proferidas pelos israelitas seguiam o estilo e o fraseado das bênçãos de Jacó sobre seus filhos. Ver Hebreus 11.21. O Targum de Jonathan estipula que as bênçãos deviam incluir os nomes de Efraim e Manassés, supondo que isso lhes emprestaria maior poder. Assim é que os judeus piedosos costumam dizer, quando abençoam a um filho: "Deus te faça como a Efraim e a Manassés". E quando abençoam uma filha, dizem: "Deus te faça como Sara e Rebeca".

■ **48.21**

וַיֹּ֤אמֶר יִשְׂרָאֵל֙ אֶל־יוֹסֵ֔ף הִנֵּ֥ה אָנֹכִ֖י מֵ֑ת וְהָיָ֤ה אֱלֹהִים֙ עִמָּכֶ֔ם וְהֵשִׁ֣יב אֶתְכֶ֔ם אֶל־אֶ֖רֶץ אֲבֹתֵיכֶֽם׃

Depois disse Israel. Neste ponto, esse nome alude à nação de Israel, e não a Jacó. A observação foi feita séculos depois, quando Israel já existia como nação. Cf. isso com Gênesis 36.31, quando é mencionado o tempo em que começou a haver reis em Israel. Os eruditos conservadores afirmam que temos aqui uma profecia, e não história. Mas os críticos céticos não aceitam esse parecer.

Tanto Jacó quanto José seriam levados para fora do Egito. Primeiramente, o corpo de Jacó seria transportado pelo próprio José, a fim de ser sepultado em Macpela. Em segundo lugar, Moisés transportaria os ossos de José para fora do Egito, sepultando-os em Siquém. Ver Gênesis 50.4-14 e Josué 24.32. Essa era a verdade da questão. Mas este versículo quase certamente indica que Jacó esperava que José visse o dia em que seria capaz de retornar fisicamente vivo à terra de Canaã. Jacó, pois, não antecipava um longo exílio da nação de Israel em formação, no Egito, embora essa informação desde há muito tivesse sido dada a Abraão (ver Gn 15.13). Jacó era dotado de discernimento profético, mas não foi capaz de ver com precisão a cronologia envolvida. A profecia procede de um mundo onde não corre o tempo, sendo por isso difícil percebermos as datas exatas. Ou, então, quando estão envolvidas profecias a longo prazo, passam-se décadas ou mesmo séculos. Mas alguns estudiosos pensam que Jacó se referia à nação de Israel, a qual procederia em parte de José (Efraim e Manassés, e os outros filhos de Jacó), mas isso é menos provável. As impacientes expectativas de Jacó simplesmente não se cumpriram.

■ **48.22**

וַאֲנִ֞י נָתַ֧תִּֽי לְךָ֛ שְׁכֶ֥ם אַחַ֖ד עַל־אַחֶ֑יךָ אֲשֶׁ֤ר לָקַ֙חְתִּי֙ מִיַּ֣ד הָֽאֱמֹרִ֔י בְּחַרְבִּ֖י וּבְקַשְׁתִּֽי׃ פ

Este versículo alude à conquista de Siquém, por parte de Jacó, mediante ação militar. No dizer de Cuthbert A. Simpson (*in loc.*): "Esse evento deve ter sido registrado pela fonte *E*, antes do trecho de Gênesis 33.20, a qual, conforme foi sugerido acima, fala da construção de um monumento para comemorar a vitória". E esse mesmo autor prosseguiu a fim de supor que outras fontes informativas, como *J*, apresentavam a conquista da terra, por parte de Jacó, feita através de meios pacíficos, quando ele comprou terras nas proximidades (Gn 33.19). Ver no *Dicionário* o artigo intitulado *J.E.D.P.(S.)*, quanto à teoria das fontes múltiplas do Pentateuco. Os Targuns de Jonathan e de Jarchi pensam que este versículo refere-se a Siquém. Alguns estudiosos creem que há uma alusão à matança efetuada por seus filhos (e assim, indiretamente, por Jacó). Mas essa opinião é duvidosa (porquanto Jacó repeliu o feito de seus filhos, ver Gn 49.5-7), embora não seja impossível. Menos provável, e até mesmo ridícula, é a opinião daqueles que dizem que a espada de Jacó era o seu dinheiro, como se houvesse aqui uma referência metafórica. Outra conjectura é que estão em pauta dois acontecimentos diferentes. Jacó, em primeiro lugar, teria comprado a terra; mas depois vieram os amorreus para se apossarem dela, e, então, foi mister que Jacó a defendesse pela força. É curioso que foi ali, em Siquém, que foram enterrados os ossos de José!

Este versículo revela-nos que aquela terra foi dada a José como parte de sua herança. Ver João 4.5; quanto a uma referência neotestamentária a este versículo, onde lemos que José herdou esse terreno.

"Jacó, de espírito exultante, embora fosse, acima de tudo, um homem pacífico e tímido, dentre toda a sua vida, aludiu somente a esse seu único feito militar" (Ellicott, *in loc.*).

CAPÍTULO QUARENTA E NOVE

JACÓ ABENÇOA SEUS FILHOS E MORRE (49.1-33)

Os críticos atribuem esta seção a uma mescla das fontes *P(S)* e *J*. O poema é atribuído a *J*. Ver no *Dicionário* o artigo intitulado *J.E.D.P.(S.)*, quanto à teoria das fontes múltiplas do Pentateuco. Os críticos supõem que o poema se tenha originado de certo número de oráculos originais e independentes que pertenceriam às tribos (de um período posterior), os quais um redator teria coligido, transformando-os em bênção de Jacó para seus filhos. Os eruditos conservadores, todavia, rejeitam essa fragmentação, como também a ideia de que se trata de uma compreensão tardia, e não de uma previsão.

A bênção foi dada mediante discernimento profético e iluminação divina, prevendo, em lances bem amplos, a história de cada tribo de Israel, dali por diante. O Pacto Abraâmico (ver as notas a respeito em Gn 15.18) garantiria o sucesso de cada tribo como uma unidade formadora de Israel, porquanto essa nação deveria desenvolver-se de acordo com o plano divino. Israel se tornaria o agente por meio do qual Deus daria sua mensagem que beneficiaria todas as nações. O Messias levaria essa mensagem à sua plena fruição, tornando-a eficaz para todos os povos (ver Gl 3.14).

■ **49.1,2**

וַיִּקְרָא יַעֲקֹב אֶל־בָּנָיו וַיֹּאמֶר הֵאָסְפוּ וְאַגִּידָה לָכֶם
אֵת אֲשֶׁר־יִקְרָא אֶתְכֶם בְּאַחֲרִית הַיָּמִים׃

הִקָּבְצוּ וְשִׁמְעוּ בְּנֵי יַעֲקֹב וְשִׁמְעוּ אֶל־יִשְׂרָאֵל אֲבִיכֶם׃

Começo do Oráculo. A natureza inerente e a vida de cada patriarca seriam o fator determinante de como cada tribo (descendente dele) se desenvolveria. Nesse conceito temos uma espécie de genética espiritual, e não somente de genética física. Além disso, por trás de tal desenvolvimento havia o propósito divino, que se manifesta mediante a sua providência. Ver no *Dicionário* o artigo chamado *Providência de Deus*. Destinos os mais variados seriam concretizados em consonância com as qualidades morais, como também de acordo com as qualidades espirituais. Este capítulo lança um rápido vislumbre das operações de Deus no tocante a Israel. A fidelidade seria um fator importante. Haveria muitas debilidades e falhas, mas a vontade de Deus acabaria por triunfar, finalmente; de outra sorte, o Pacto Abraâmico redundaria em fracasso. Ver a introdução à atual seção.

Nos dias vindouros. O poema em seguida é apresentado como uma profecia. John Gill diz que "os dias vindouros significam dali por diante, até a vinda do Messias, o qual figura na profecia". Vemos aqui uma espécie de galeria de tipos humanos, bons e maus, e também indiferentes; mas o propósito divino atuaria através de todos os elementos, cumprindo um propósito. Deus usa o livre-arbítrio humano, mas sem destruí-lo, embora não saibamos dizer como isso pode acontecer. Ver no *Dicionário* os artigos *Determinismo (Predestinação); Predestinação* e *Livre-Arbítrio*.

O Poder das Palavras de um Homem Moribundo. Os hebreus acreditavam que as palavras de um homem moribundo revestiam-se de poder todo especial. E isso seria tanto mais verdade no caso de um dos patriarcas de Israel. Ver as notas sobre Gênesis 27.4 quanto a detalhes dessa crença.

■ **49.3**

רְאוּבֵן בְּכֹרִי אַתָּה כֹּחִי וְרֵאשִׁית אוֹנִי יֶתֶר שְׂאֵת
וְיֶתֶר עָז׃

Rúben. Ver sobre ele e sua tribo no *Dicionário*. Ele era *o filho primogênito de Jacó*. Mas por haver violentado Bila, concubina de seu pai, perdeu aquele direito, o qual foi transferido para Efraim (conforme alguns pensam) ou para Judá (de acordo com outros). Ver o artigo *Primogênito*, no *Dicionário*, quanto aos direitos e privilégios dessa condição. Como primogênito e devido a qualidades inerentes, ele tinha vários pontos excelentes. Mas perdeu essa posição por seu momento de desvario no tocante a Bila. O território da tribo de Rúben ficava a leste do mar Morto. Essa era uma das tribos liderantes; mas ainda no começo de sua história os rubenitas foram engolfados pelos moabitas (Jz 5.15,16; Dt 33.6). E foi assim que, finalmente, como tribo, Rúben não seria "o mais excelente" (vs. 4).

Excelências. "...dignidade, poder, autoridade na família, proeminência sobre seus irmãos, uma dupla porção dos bens, sucessão no governo, e, conforme é comumente entendido em todos os Targuns, o exercício do sacerdócio" (John Gill, *in loc.*). Se (vs. 4) ele não tivesse pecado como pecou, teria obtido essas excelências.

"É um claro fato histórico que nenhum rei, juiz ou profeta, até onde ficou registrado, teve origem na tribo de Rúben" (Ellicott, *in loc.*).

■ **49.4**

פַּחַז כַּמַּיִם אַל־תּוֹתַר כִּי עָלִיתָ מִשְׁכְּבֵי אָבִיךָ אָז
חִלַּלְתָּ יְצוּעִי עָלָה׃ פ

Impetuoso como a água. Destarte, ele não se mostraria excelente, a despeito de todas as suas vantagens. Não deveríamos olvidar seus atos de misericórdia, quando ele tentou impedir seus irmãos que queriam prejudicar José (Gn 37.22,29). Ele era forte quanto à misericórdia e ao amor, e esse ponto não deve ser deduzido dele. Mas era homem moralmente fraco e permitia que suas paixões o dominassem, a ponto de haver atacado sexualmente Bila (Gn 35.22). Digo aqui atacado, porque não é provável que Bila, concubina de Jacó por muitos anos, tenha consentido o ato. Seu ato desvairado custou caríssimo a Rúben. Sua tribo herdou sua fraqueza moral e instabilidade.

José, nas pessoas de Efraim e Manassés, ao que tudo indica, recebeu a dupla porção do direito de primogenitura, de tal maneira que o ato de abençoar veio a ser ligado à menção aos dois filhos de José. Ver as notas sobre Gênesis 48.20, quanto a essa informação.

■ **49.5**

שִׁמְעוֹן וְלֵוִי אַחִים כְּלֵי חָמָס מְכֵרֹתֵיהֶם׃

Simeão e Levi. Ver os artigos sobre eles e suas tribos respectivas no *Dicionário*. Havia a tribo de Levi, que era a décima terceira tribo. No entanto, os levitas perderam sua condição oficial de tribo, quando lhes foi vedado ter um território, a fim de que pudessem tornar-se a tribo sacerdotal. Ver Números 1.47 ss. José não teve uma tribo com seu nome, mas teve duas tribos, uma em nome de Efraim, e outra em nome de Manassés, ambos seus filhos. Por conseguinte, dos doze filhos de Jacó, dez deles produziram tribos oficiais. A essas foram adicionadas as tribos de Efraim e Manassés, aos quais Jacó adotara como seus próprios filhos. Isso completou o número de doze tribos. Ver as notas sobre Gênesis 48.5,9, quanto a essa adoção.

"Simeão e Levi aparecem aqui juntos por terem liderado o ataque contra os siquemitas com armas de violência (Gn 34.25-30). Levi, que antes formava uma tribo, acabou tornando-se uma classe sacerdotal (Êx 32.26-29; Dt 10.8,9). Simeão, com a passagem do tempo, foi absorvido pela tribo de Judá" *(Oxford Annotated Bible, in loc.).*

Jacó Condenou a Violência. No decurso de sua vida inteira, Jacó envolveu-se somente em uma aventura militar (Gn 48.22); e isso por pura necessidade. Observemos que três versículos foram dedicados a essa questão. Jacó falou com veemência contra a violência. A violência produziu efeitos negativos a longo prazo entre as tribos que descendiam daqueles homens violentos. Ver no *Dicionário* os artigos *Paz* e *Amor*.

■ 49.6

בְּסֹדָם אַל־תָּבֹא נַפְשִׁי בִּקְהָלָם אַל־תֵּחַד כְּבֹדִי כִּי
בְאַפָּם הָרְגוּ אִישׁ וּבִרְצֹנָם עִקְּרוּ־שׁוֹר׃

Poeticamente, o patriarca continuou vergastando as atitudes violentas. Ele invoca sua própria alma, sua vida interior e as suas intenções, a nada terem a ver com os conselhos secretos vis dos violentos. Sua honra não deveria ser maculada mediante a união com os tais; mediante o contato com as matanças e atos destrutivos de tais pessoas. Por inspiração, o texto nos fornece um juízo moral, do ponto de vista divino, contra os atos violentos de Simeão e Levi. Ambas as tribos deles descendentes posteriormente foram dispersas. Simeão desintegrou-se, e suas terras foram engolfadas pela tribo de Judá e a própria tribo foi absorvida (Js 19.1,9). No entanto, visto que a tribo de Levi tornou-se a tribo sacerdotal, acabou ficando com uma parte melhor (Js 21).

No seu conselho. No hebraico temos o termo *sod*, "tapetezinho", ou seja, o colchão fino dos orientais. Duas pessoas que se sentassem em tal colchão estariam em comunhão íntima, em liga, por assim dizer. Jacó não queria participar da liga violenta deles.

Mataram homens. Traiçoeiramente, eles mataram muitos, quando estes não podiam defender-se — um ato insensato e repelente.

Jarretaram touros. Simeão e Levi não somente destruíram vidas humanas, mas também aleijaram animais e destroçaram coisas, em seu furor descontrolado. Alguns pensam que o autor sagrado falava aqui metaforicamente, indicando Siquém, a quem teriam torturado e matado sem nenhum sinal de misericórdia.

Algumas versões dizem aqui "escavaram uma parede". Isso se deve a uma confusão entre as palavras hebraicas *shor,* "boi," e *shur,* "parede". Se a menção é mesmo a uma parede, então devemos pensar não na muralha da cidade de Siquém, o que seria um feito demasiado para dois homens, e, sim, em alguma parede da casa de Hamor, pai de Siquém. O episódio que causou tantos crimes está registrado no capítulo 34 de Gênesis.

■ 49.7

אָרוּר אַפָּם כִּי עָז וְעֶבְרָתָם כִּי קָשָׁתָה אֲחַלְּקֵם בְּיַעֲקֹב
וַאֲפִיצֵם בְּיִשְׂרָאֵל׃ ס

Furor... ira. O furor deles era "forte", e a ira deles era "dura". Ambas as atitudes negativas mereciam uma maldição.

Esta passagem "... parece atribuir o quase completo desaparecimento das tribos que tinham os seus nomes ligados a uma guerra fratricida entre eles. Simeão, em tempos históricos, tornou-se apenas um clã dentro da tribo de Judá... e da tribo de Levi restou somente o sacerdócio" (Cuthbert A. Simpson, *in loc.*).

Jacó estava com a razão, pois, quando, em sua indignação, declarou: "Vós me afligistes e me fizestes odioso entre os moradores desta terra..." (Gn 34.30).

"Em qualquer nação, quando os homens se alcoolizam com o poder e deixam à solta a violência, pode repetir-se o pecado mortal de Simeão e Levi, o qual deve ser denunciado e, se não houver arrependimento, leva fatalmente à condenação" (Walter Russell Bowie, *in loc.*).

Eles tinham tratado o próprio irmão deles, José, da mesma maneira sem dó (Gn 42.21).

Dividi-los-ei... e os espalharei. Haveriam de receber o mesmo tratamento que tinham dado a outros. Ver no *Dicionário* o artigo intitulado *Lei Moral da Colheita segundo a Semeadura.* "No deserto, os simeonitas diminuíram de 59.300 para 22.000 (Gn 26.14). E após a conquista da terra de Canaã eles estavam tão débeis que apenas quinze cidades lhes foram alocadas, e mesmo assim elas estavam dispersas dentro do território de Judá. E foi assim que acabaram mesclando-se e foram absorvidos, embora alguns se tenham retirado, tornando-se nômades no deserto de Parã. No caso de Levi, entretanto, a maldição foi transformada em uma bênção, em face da fidelidade da tribo em uma ocasião muito testadora (Êx 37.26-28)" (Ellicott, *in loc.*).

"Levi não recebeu herança, exceto 48 cidades espalhadas por diferentes partes da terra de Canaã" (Adam Clarke, *in loc.*). Estritamente falando, Levi deixou de ser uma tribo quando se tornou uma classe sacerdotal. Ver Gênesis 49.5.

■ 49.8

יְהוּדָה אַתָּה יוֹדוּךָ אַחֶיךָ יָדְךָ בְּעֹרֶף אֹיְבֶיךָ יִשְׁתַּחֲווּ
לְךָ בְּנֵי אָבִיךָ׃

A Exaltação de Judá. A tribo de Judá obteria vitórias sobre inimigos externos e internos, e exerceria poder sobre as demais tribos. Foi exatamente o que sucedeu nos dias de Davi. Salomão deu início a um período de paz, tendo vencido guerras com forças estrangeiras, e a capital da nação continuou sendo Jerusalém (desde os dias de seu pai, Davi). Os críticos supõem que as informações dadas neste versículo nos ajudem a datar a escrita do livro de Gênesis, ou seja, após a época de Davi. Mas os eruditos conservadores entendem que temos aqui uma profecia sobre a liderança da tribo de Judá.

... te louvarão. Portanto, temos aqui um jogo de palavras com o nome de Judá, que significa louvor. "Louvor será louvado." Ver Josué 14.11; 15.1; Juízes 1.1,2 quanto a vitórias militares decisivas dessa tribo. Ver também Sl 18.40. O leão era o emblema da tribo de Judá. Ver Números 2.3; Ezequiel 1.10. Davi obteve notáveis vitórias. Ele era da tribo de Judá. Ver 1Crônicas 14.16. O Messias é o Leão da tribo de Judá (Ap 5.5).

... se inclinarão a ti. Judá produziu certo número de reis, obtendo assim a posição suprema e sendo reverenciado pelas outras tribos. O Rei Messias culminou a linhagem em sua glória máxima. As maiores bênçãos foram reservadas para Judá e para José. Essas tribos descendiam dos grandes patriarcas, e a história encarregou-se de exibir suas qualidades. José foi um dos grandes heróis de Israel; e não menos heroico foi Davi, da linhagem de Judá. Grande é aquela nação cujos heróis são realmente grandes homens, não meramente em seus feitos militares, mas também em justiça e na espiritualidade.

A excelência que deveria caber a Rúben terminou sendo de Judá. Ver no *Dicionário* o verbete sobre *Judá,* o homem e a tribo.

Judá é a única tribo que se tem projetado até os tempos modernos. As tribos do norte, Israel, perderam-se para sempre por ocasião do cativeiro assírio. Devem ter ficado apenas alguns remanescentes daquelas tribos no reino do sul, Judá. Terminado o cativeiro babilônico, foi um remanescente de Judá (com traços de outras tribos, mormente Benjamim e Levi) que repovoou a Terra Santa. Em consequência, essa tribo vem atravessando os séculos do longo cativeiro romano, que começou em 132 d.C. E foram descendentes desse cativeiro que estabeleceram o moderno sionismo (fins do século XIX), que redundou na formação do Estado de Israel (em maio de 1948).

No Apocalipse, temos previsão de uma reorganização futura das tribos de Israel, durante o período da Tribulação, estendendo-se pelo milênio adentro. Ver Apocalipse 7.1-8. Interessante é observar que ali a tribo de Efraim é chamada "José" (a tribo de Manassés é uma tribo distinta da tribo de José), a tribo de Levi torna-se uma tribo com todos os direitos, e a tribo de Dã não é mencionada. Nessa reorganização, a tribo de Judá ocupa o primeiro lugar.

■ 49.9

גּוּר אַרְיֵה יְהוּדָה מִטֶּרֶף בְּנִי עָלִיתָ כָּרַע רָבַץ
כְּאַרְיֵה וּכְלָבִיא מִי יְקִימֶנּוּ׃

Judá é leãozinho. Nessa metáfora achamos uma ilustração do vigor juvenil e do poder dessa tribo. O leão cresce alimentando-se de presas, sendo o rei das savanas, motivo pelo qual os outros animais se lhe sujeitam.

Deita-se como leão, e como leoa. É a leoa que caça, por ser mais lépida, embora o leão é que fique com "a parte do leão". O leão é um animal muito feroz, e ninguém ousa despertá-lo ou agitá-lo, por causa de sua força e ferocidade. A fim de proteger seus filhotes, a leoa tem uma natureza ainda mais irritável que o macho da espécie, pelo que é mais fácil despertar-lhe a violência. O leão é o rei dos animais, e isso ajusta-se bem como ilustração de Judá em sua excelência e predomínio sobre outras criaturas. No Apocalipse, temos um dos títulos do Messias, "o leão da tribo de Judá" (Ap 5.5). Isso lhe garante vitória sobre todos os inimigos, como protetor dos justos. Comparar essas duas últimas linhas com Números 24.9, um trecho quase idêntico, provavelmente uma citação de outro poema.

Os filhos de Jacó usavam um sinete pendurado ao pescoço. Cada sinete tinha seu emblema (ver Gn 38.18), e podemos supor que o emblema da tribo de Judá era o leão. A comparação de Judá com o leão pode ter sido sugerida por essa circunstância.

■ 49.10

לֹא־יָסוּר שֵׁבֶט מִיהוּדָה וּמְחֹקֵק מִבֵּין רַגְלָיו עַד
כִּי־יָבֹא שִׁילֹה וְלוֹ יִקְּהַת עַמִּים׃

O cetro. Ou seja, o cajado do dirigente (Nm 24.17), símbolo de autoridade tribal e real. Tratava-se de um cajado adornado com entalhes e transferido de pai para filho. Ver Gênesis 38.18, sobre o cajado de Judá. A princípio, esse emblema apontava para organização tribal e autoridade, e, então, veio a indicar domínio nacional. Muitos reis surgiram dentre a tribo de Judá, começando por Davi, e chegando até o Messias, o Rei eterno.

Até que venha Siló. Os intérpretes não concordam quanto ao sentido da palavra Siló, nem quanto ao seu emprego neste ponto. Mas todos pensam que temos aqui uma antiga predição e expectativa messiânica; porém não se sabe em qual sentido exato devemos entender essa predição. Siló era nome de uma cidade da tribo de Efraim, e não da tribo de Judá, assim o texto não pode indicar que o poder permaneceria com Judá até que o Messias chegasse à cidade de Siló. No *Dicionário*, provi um artigo detalhado sobre *Siló*, onde apresento três interpretações principais, além de algumas interpretações secundárias. Ofereço aqui um breve sumário dessas ideias:

1. Não está em foco a cidade de Siló, em Efraim.
2. Talvez devamos entender *Siló* como um substantivo próprio, um título do Messias. Esse título significa "pacífico" ou "pacificador". Se essa é a verdadeira interpretação, então temos aqui o Messias como o Príncipe da Paz (Is 9.6).
3. Ou o termo pode ser entendido como um adjetivo, ligado ao substantivo "cetro". Ou seja, temos aqui a frase "o cetro, a quem pertence". Nesse caso, o sentido seria que o cetro não se apartaria de Judá até que fosse dado, tornando-se possessão daquele que deveria vir, e a quem realmente pertence. Isso significa que o poder real persistiria em Judá até que viesse o Messias, a quem realmente pertencia a autoridade. Se essa é a interpretação correta, então o versículo é um paralelo de Ezequiel 21.26, onde virtualmente a mesma expressão refere-se à *coroa*. Cf. Isaías 11.1-9.
4. Ou, então, devemos entender como "até Siló", embora essa fosse uma localidade de Efraim, o que significaria que o domínio do Messias se ampliaria a todas as tribos e lugares. Siló foi um centro de fé religiosa em Israel. O Messias substituiria todas as formas religiosas, unificando-as.

Todos concordam que temos aqui uma declaração messiânica (e os críticos dizem que foi adicionada ao texto em algum tempo posterior, quando essa expectativa se tornara comum). Mas de que maneira e com qual sentido exato, não podemos estar certos.

■ 49.11

אֹסְרִי לַגֶּפֶן עִירֹה וְלַשֹּׂרֵקָה בְּנִי אֲתֹנוֹ כִּבֵּס בַּיַּיִן
לְבֻשׁוֹ וּבְדַם־עֲנָבִים סוּתֹה

Fertilidade e Abundância. Isso deveria caracterizar a carreira do Messias, do que a vinha e a uva são símbolos. O suco da uva seria tão abundante que suas vestes seriam lavadas nele. Um viajor, que estivesse chegando, cansado e sujo, poderia amarrar seu jumento a uma videira a fim de lavar suas vestes sujas no suco da uva, tão abundante ele seria. Grande prosperidade, pois, foi prometida a Judá, culminando no bem-estar que o Messias traria.

Sangue de uvas. Devemos entender aqui "sangue" como o suco da uva, pois no Oriente a uva vermelha é mais apreciada do que a uva branca. Portanto, essa abundância seria acompanhada por classe, estilo, excelência. "Certas regiões do território de Judá eram famosas por seus vinhos primorosos, especialmente Engedi (ver Ct 1.14)".

Os intérpretes cristãos pensam que a "jumenta" é aqui um símbolo dos povos gentílicos. Nesse caso, está em foco a missão universal de Cristo. Ele estenderia sua prosperidade a todos os povos; e o próprio Novo Testamento serve de ilustração disso. Seja como for, a maior parte dos Targuns e os antigos intérpretes judeus viam este versículo por um prisma messiânico. Ver Isaías 53.1; Apocalipse 19.16; Eclesiastes 39.31 e 50.16.

■ 49.12

חַכְלִילִי עֵינַיִם מִיָּיִן וּלְבֶן־שִׁנַּיִם מֵחָלָב׃ פ

Não devemos pensar aqui em intoxicação alcoólica, e, sim, em abundância, uma metáfora um tanto desajeitada. Os olhos dos membros da tribo de Judá seriam avermelhados de vinho: abundância, mas enfatizada de uma forma diferente, a mensagem do versículo anterior. Por igual modo, o outro alimento básico, o leite, também seria abundante, de tal modo que os dentes dos judaítas seriam brancos de tanto tomarem leite. A Vulgata diz "brilhante" em vez de vermelho, e isso é uma interpretação, ou mesmo uma tradução direta. Alguns estudiosos pensam que a interpretação verdadeira é a seguinte: "Seus olhos serão mais resplendentes do que o vinho; seus dentes mais brancos do que o leite". Tal opulência é predita no que concerne ao milênio (Is 61.6,7; 65.21-25; Zc 3.10). Todavia, alguns pensam que esse versículo não chega a envolver o milênio em seu alcance. De qualquer modo, as bênçãos em Cristo são riquíssimas, e essas bênçãos vêm através de Judá a sua tribo.

■ 49.13

זְבוּלֻן לְחוֹף יַמִּים יִשְׁכֹּן וְהוּא לְחוֹף אֳנִיֹּת וְיַרְכָתוֹ
עַל־צִידֹן׃ ס

Zebulom. Ver no *Dicionário* quanto a esse homem e à sua tribo. Essa tribo merece apenas um versículo, ao contrário de Judá e José (vss. 22 ss.). Zebulom ocuparia uma posição geográfica favorável, com acesso ao mar Mediterrâneo, o que lhe produziria riquezas. Sua expansão levaria a tribo às fronteiras com Aser (ver o vs. 20).

Sidom. Ver as notas sobre esse lugar, em Gênesis 10.15. "Zebulom e Issacar... sugariam a abundância dos mares" (Ellicott, *in loc.*). Sidom, um porto marítimo, daria acesso à abundância.

■ 49.14

יִשָּׂשכָר חֲמֹר גָּרֶם רֹבֵץ בֵּין הַמִּשְׁפְּתָיִם׃

Issacar. Ver no *Dicionário* o artigo sobre esse homem e sobre a tribo dele derivada. Essa tribo mereceu uma profecia breve e não muito lisonjeira. Como um jumento forte, ela seria forçada a carregar *duas* cargas (uma de cada lado), o que significa que seria sujeitada a trabalho forçado em favor de *outros*, uma virtual tribo escravizada. Os críticos veem nessas declarações certo escárnio, alusivo à submissão confortável de Issacar ao domínio estrangeiro, ao preço de sua liberdade pessoal. Essa tribo, por grande parte de sua história, mostrou-se subserviente aos cananeus. "Seu verdadeiro caráter era preguiçoso, inativo e lugar-comum, e Jacó comparou-a a um jumento forte. Os homens da tribo serviriam apenas de burro de carga, como se fossem um cavalo de puxar carroça, atado a duas cargas" (Ellicott, *in loc.*). Não havia altos ideais nem luta pela excelência em Issacar.

■ 49.15

וַיַּרְא מְנֻחָה כִּי טוֹב וְאֶת־הָאָרֶץ כִּי נָעֵמָה וַיֵּט שִׁכְמוֹ
לִסְבֹּל וַיְהִי לְמַס־עֹבֵד׃ ס

O Repouso Era Bom e a Terra Era Deliciosa. Assim, deleitosamente, Issacar continuaria vivendo sem tensões, desfrutando uma vida amena, embora laboriosa, sem nenhuma grande crise, sem ter de tomar decisões, sem ter de lutar. O quadro pintado pelo autor é o de um povo situado em uma rica região agrícola, de produção abundante, mas trabalhando para outros, vergado sob o trabalho, a fim de poder manter uma vida geralmente próspera e amena.

Essa tribo possuía o vale de Esdrelom (Jezreel), bem como os frutíferos montes de Gilboa, um lugar fértil, embora sujeito a invasões por parte de potências estrangeiras.

Tributos. Essa tribo teria de pagar um preço para poder manter sua vida confortável. Ver no *Dicionário* o verbete chamado *Tributo*.

■ 49.16

דָּן יָדִין עַמּוֹ כְּאַחַד שִׁבְטֵי יִשְׂרָאֵל:

Dã. Ver no *Dicionário* o artigo sobre esse homem e a tribo que ele originou. Dã haveria de tornar-se uma tribo autossuficiente, dotada de autodeterminação, que julgaria causas entre seu povo. Há nisso um jogo de palavras, pois a palavra hebraica para *Dã* significa "julgamento". Alguns estudiosos veem aqui alguma alusão a Sansão (Jz 13.2; 15.20), o qual julgou o povo de Israel por vinte anos. Nesse caso, Dã é aqui visto como quem julgaria a nação inteira, por algum tempo.

■ 49.17

יְהִי־דָן נָחָשׁ עֲלֵי־דֶרֶךְ שְׁפִיפֹן עֲלֵי־אֹרַח הַנֹּשֵׁךְ עִקְּבֵי־סוּס וַיִּפֹּל רֹכְבוֹ אָחוֹר:

Embora possuidora da capacidade de autogovernar-se e até mesmo de julgar e prover justiça para toda a nação de Israel, Dã haveria de escolher métodos traiçoeiros, conforme faz uma serpente à beira do caminho, que, sem dó, pica as patas do pobre cavalo que por ali passa. Nos dias dos juízes, Dã foi a primeira tribo a aceitar a idolatria (Jz 18.30). Dã era uma tribo que atraiçoava a justiça, esquecida do Juiz de todos. Alguns eruditos pensam que a alusão aqui é à espertezia nas táticas de guerra, que Dã haveria de usar. Talvez haja uma referência a *Cerastes,* uma serpente difícil de divisar, por causa de seu colorido. Diodoro Sículo (*Bibliothec.* 1.3 par. 183) dizia que essa serpente tinha uma picada mortífera. Ver o capítulo 18 do livro de Juízes quanto a uma ilustração deste versículo. "Fica entendido que essa tribo faria a maior parte de suas conquistas mediante a astúcia e o estratagema, e não por seu valor próprio" (Adam Clarke, *in loc.*). Ver também Juízes 16.26-30 quanto a esse aspecto do caráter da tribo.

■ 49.18

לִישׁוּעָתְךָ קִוִּיתִי יְהוָה:

Esta excelente declaração consiste em uma ejaculação incorporada de súbito no texto (os críticos dizem que se trata de uma "glosa ejaculatória" posterior). Os intérpretes têm procurado encontrar sua conexão com os versículos anteriores e posteriores. Mas parece que temos aqui um *suspiro* de Jacó, uma espécie de gemido interior. Entre suas predições atinentes a seus filhos, algumas eram boas e outras eram más; algumas delas encorajavam, e outras desencorajavam. E então, de repente, seu espírito elevou-se ao Senhor, fonte originária de tudo quanto é bom (Tg 1.17). É como se ele tivesse dito: "Abençoa-nos, Senhor, em meio a todas essas vicissitudes da vida, a fim de que meu filho amado possa resistir a tudo por quanto terá de passar. Dá-nos a *tua* salvação, a *tua* graça, acima de todas essas dificuldades". Jacó convocou a si mesmo e a seus filhos para reconhecerem sua dependência ao Senhor, que haveria de livrá-los de todos os seus apertos e de assegurar-lhes bem-estar. Alguns eruditos pensam aqui na esperança messiânica, que faria a história de Israel atingir seu ponto culminante, a redenção segundo os termos de Ana (Lc 2.38).

A víbora que pica subitamente (vs. 17) talvez tenha feito a mente de Jacó volver-se para o Senhor. Estamos cercados de males por toda parte, e carecemos da proteção e da orientação divina. Oh, Senhor, concede-nos tal graça! Satanás está sempre pronto para morder o calcanhar (Gn 3.15), mas o Senhor está sempre presente para esmagar a cabeça da serpente.

■ 49.19

גָּד גְּדוּד יְגוּדֶנּוּ וְהוּא יָגֻד עָקֵב: ס

Gade. Ver no *Dicionário* o artigo sobre esse homem e sobre a tribo dele derivada. Uma única frase é dada a respeito dessa tribo: finalmente, haverá a vitória! Mas antes, seria acometida por guerrilheiros. Essa sequência de acontecimentos é importante para todos os homens, e tão comum na experiência humana. "Uma alusão aos ataques frequentes vindos do deserto, contra a região de Gileade, a leste do rio Jordão, onde se estabeleceu a tribo de Gade" (Cuthbert A. Simpson, *in loc.*). Aqui também há um jogo de palavras, porquanto, no hebraico, *Gade* significa "fortuna", "sorte". Embora cercados por tropas hostis, os gaditas teriam a boa sorte de, finalmente, as vencerem. Ver Josué 1.12-18; 4.12,13; 22.1-4, quanto às vicissitudes enfrentadas por essa tribo. Ver também Juízes 10.7,8; cap. 11 e Jeremias 49.1.

Venceriam, Afinal. "Os gaditas, juntamente com os rubenitas e a meia-tribo de Manassés, venceram os hagarenos e os árabes... e habitaram nos territórios antes ocupados por aqueles. E assim foi, até o cativeiro das dez tribos do norte (1Cr 5.18 ss.)" (John Gill, *in loc.*).

■ 49.20

מֵאָשֵׁר שְׁמֵנָה לַחְמוֹ וְהוּא יִתֵּן מַעֲדַנֵּי־מֶלֶךְ: ס

Aser. Ver no *Dicionário* sobre esse homem e a tribo dele proveniente.

Pão será abundante... delícias reais. Devemos pensar aqui em grande abundância, soprando para todos quantos tivessem necessidade, além de finos acepipes. O território que coube à tribo de Aser, ao norte do monte Carmelo, era um lugar extraordinariamente fértil. Ver Deuteronômio 33.24. Essas terras eram uma faixa costeira entre o monte Carmelo e a Fenícia, uma região que produzia muito alimento e *delícias reais.* O vale de Aser era chamado de "vale da gordura". Começava a cerca de 8 km de Ptolemaida e chegava ao mar da Galileia, em uma extensão de cerca de 16 km. Alimentos próprios para reis eram ali produzidos. O rei Salomão contava com intendentes que iam até ali em busca de provisões de boca (1Rs 4.16). E alguns estudiosos veem aqui uma referência histórica àquele fato, e não uma previsão sobre ele. Um dos sentidos possíveis do nome Aser é *feliz* ou *abençoado*, o que subentende sua posterior abundância de víveres.

■ 49.21

נַפְתָּלִי אַיָּלָה שְׁלֻחָה הַנֹּתֵן אִמְרֵי־שָׁפֶר: ס

Naftali. Ver no *Dicionário* o artigo sobre esse homem e a sua tribo.

Gazela solta. Liberdade e fertilidade são as ideias destacadas aqui. "Palavras formosas", de acordo com certas traduções, aparece como "gazelas formosas". Talvez a referência seja ao terebinto, cujo topo é belo e verdejante (conforme diz a Septuaginta). Isso também poderia referir-se à expansão territorial (Dt 33.23). A mente solta alude à liberdade, vitalidade, energia, atividade desimpedida. Adam Clarke (*in loc.*) afirma que devemos pensar aqui em uma prole numerosa, por parte das famílias da tribo de Naftali. Dos quatro filhos de Naftali, Jazeel, Guni, Jezer e Silém (Gn 46.24), no decurso de 250 anos, havia 53.400 homens em idade e com capacidade de ir à guerra, o que era incomum no tocante à produção de descendentes. Ver Números 1.42.

Palavras. Se temos aqui a correta compreensão do texto hebraico, isso poderia referir-se a uma inteligência lúcida, capaz de guiar seus exércitos ou realizar outros propósitos, pacíficos. Também poderia haver uma tendência às letras, por parte dos homens da tribo. Os intérpretes cristãos veem nessas "palavras formosas" a pregação eventual do evangelho, as boas-novas de Deus a todos os homens, que haveriam de reboar por toda a nação de Israel, resultante da realização do Messias, Jesus de Nazaré.

■ 49.22

בֵּן פֹּרָת יוֹסֵף בֵּן פֹּרָת עֲלֵי־עָיִן בָּנוֹת צָעֲדָה עֲלֵי־שׁוּר:

José. Embora ele não viesse a produzir nenhuma tribo com seu nome, contribuiria com duas tribos, através de seus filhos Efraim e Manassés. José (e seus descendentes) receberam longa e detalhada bênção, paralela à de Judá. Judá e José foram os únicos que receberam um pronunciamento mais detalhado por parte de Jacó.

Os críticos veem nessa bênção dada a José uma adição posterior ao poema original, cujo intuito visava a salientar a preeminência das tribos descendentes de seus filhos (o que se vê em Gn 48.20 ss., em uma pequena seção separada do resto, que serve de introdução às demais bênçãos). Os conservadores, porém, não veem motivos para pôr em dúvida o fluxo natural das bênçãos, nem a sua integridade original. A "casa de José" foi dividida nas tribos de Manassés e de Efraim, conforme se vê em Deuteronômio 33.13-17.

Ramo frutífero. Esse ramo dividiu-se em dois ramículos (Efraim e Manassés), o que produziu uma prosperidade incomum. José teve mais descendentes do que qualquer de seus outros irmãos. Ver Números 1.32-34. Havia mais de setenta mil homens com idade e habilidades para ir à guerra. Está em foco a frutificação geral, material e espiritual, igualmente, e não mera posteridade. José era o filho preferido de Jacó, aquele que mais produziu, atingindo o lugar mais alto de honra e poder.

Junto à fonte. Haveria abundante suprimento de água, de tal modo que os ramos da tribo cresceriam bem, frutificando com abundância, trepando por cima do muro — tudo isso é símbolo de fertilidade, abundância e produção. Cf. Salmo 1.3. Essa trepadeira, plantada à beira de águas, produziu seus frutos com abundância, e suas folhas não se ressecavam.

■ 49.23

וַיְמָרֲרֻהוּ וָרֹבּוּ וַיִּשְׂטְמֻהוּ בַּעֲלֵי חִצִּים׃

Os frecheiros lhe dão amargura. Adversários violentos e cheios de ódio tentaram exterminar José. Entre esses estavam seus próprios irmãos, no passado; em seguida, a esposa de Potifar. E podemos supor que, como homem forte do Egito, ele tinha inimigos postados em lugares importantes. Mas, apesar de todos os esforços desses adversários, ele foi mantido seguro e em prosperidade. O Targum de Jonathan afirma que os magos do Egito o invejavam e lhe causaram dificuldades. Nos dias de seus filhos e suas tribos, no Egito, houve ataques da parte de inimigos, e eles tiveram de enfrentar tempos difíceis, quando os desastres os teriam engolfado, não fora a *proteção divina*.

O autor sagrado compara José a um guerreiro, poderoso demais para os seus inimigos, embora o atacassem à distância, por serem *frecheiros* que lhe atiravam, com grande ódio, os seus dardos inflamados.

■ 49.24

וַתֵּשֶׁב בְּאֵיתָן קַשְׁתּוֹ וַיָּפֹזּוּ זְרֹעֵי יָדָיו מִידֵי אֲבִיר יַעֲקֹב מִשָּׁם רֹעֶה אֶבֶן יִשְׂרָאֵל׃

"A vitória na batalha foi experiência tida por Josué, Débora e Samuel, todos eles pertencentes à tribo de Efraim; e também por Gideão e Jefté, ambos da tribo de Manassés" (Allen P. Ross, *in loc.*).

Deus estava com José de modo muito especial, conforme a série de nomes divinos dados aqui indica claramente:

Poderoso de Jacó. Ver as notas sobre o *Deus Todo-poderoso*, em Gênesis 17.1, o Deus de Abraão, de Isaque e de Jacó, o qual também era seu Deus, pleno de força, que entregou armas de guerra nos braços de José. No hebraico, temos aqui *El Shaddai*, nome sobre o qual ofereço um artigo detalhado no *Dicionário*, e notas expositivas em Gênesis 17.1. Ver também, no *Dicionário*, o artigo *Deus, Nomes Bíblicos de*.

Pastor. O Senhor é imortalizado como o "Pastor" no Salmo 23 e no capítulo 10 de João. José, como pastor, protegia suas ovelhas e provia o necessário para elas. Isso ele fazia com amor e com interesse constante. Essa era a sua profissão e a sua paixão. Assim também, Deus é o nosso Pastor: são enfatizados aqui suprimento abundante e proteção. Ver no *Dicionário* o verbete intitulado *Pastor*. Os eruditos cristãos veem em tudo isso uma referência messiânica. Jesus Cristo cuida de seu rebanho, formado por judeus e gentios regenerados, os quais estão nele.

Pedra de Israel. Temos aqui um emblema de poder e proteção, uma base inabalável em períodos atribulados. Ver Deuteronômio 32.4 ss. (especialmente os vss. 15,18,30); 1Samuel 2.2; 2Samuel 23.3; Salmo 18.2; 89.26; 1Coríntios 10.4. Nessa última referência, no *Novo Testamento Interpretado*, ofereci uma nota detalhada. Ver no *Dicionário* os artigos intitulados *Rocha* e *Rocha Espiritual*. "Rocha eterna, foi na cruz, que morreste tu, Jesus." Assim diz um antigo hino evangélico.

■ 49.25

מֵאֵל אָבִיךָ וְיַעְזְרֶךָּ וְאֵת שַׁדַּי וִיבָרְכֶךָּ בִּרְכֹת שָׁמַיִם מֵעָל בִּרְכֹת תְּהוֹם רֹבֶצֶת תָּחַת בִּרְכֹת שָׁדַיִם וָרָחַם׃

Pelo Deus de teu pai. Ver Gênesis 24.12 e 28.13 quanto ao Deus de Abraão; Gênesis 48.16, quanto ao Deus de Abraão e Isaque; e Êxodo 3.6,16, quanto ao Deus de Abraão, Isaque e Jacó. O acúmulo de patriarcas, leais à aliança com o mesmo Deus, assinala o distintivo *monoteísmo* (ver no *Dicionário*) que foi desenvolvido pelos hebreus. E esse Deus era o Deus de poder e provisão. A ideia de todo-poder, que figura no versículo anterior, é aqui repetida.

Bênçãos dos altos céus. Tanto as bênçãos *temporais*, como a chuva, o orvalho, o sol, condições atmosféricas favoráveis para a fertilização do solo, quanto as bênçãos *espirituais*, como orientação, proteção e favor divino, que fazem o crente cumprir com êxito a sua missão neste mundo.

Bênçãos das profundezas. Ou seja, do oceano subterrâneo (Gn 1.2,6), que os antigos consideravam uma fonte de fertilidade. Ver sobre *Astronomia*, no *Dicionário*, quanto à visão do cosmos por parte dos hebreus antigos, com um diagrama. Ademais, das profundezas brotavam os mananciais, as fontes de águas, que manariam do oceano subterrâneo. Alguns eruditos incluem aqui a ideia das minas e dos minerais, produtos que podem ser extraídos do subsolo e são fontes de prosperidade material.

Bênçãos dos seios e da madre. Está em pauta a fertilidade humana. As tribos de Efraim e Manassés tornaram-se muito numerosas e poderosas (ver Nm 1.32-34). O número dos descendentes de José era maior que o número de descendentes de qualquer outro de seus irmãos. "Efraim e Manassés se haviam multiplicado tanto nos dias de Josué, que um único e comum território não teria sido suficiente para eles. Ver sobre a queixa deles, em Josué 17.14" (Adam Clarke, *in loc.*).

■ 49.26

בִּרְכֹת אָבִיךָ גָּבְרוּ עַל־בִּרְכֹת הוֹרַי עַד־תַּאֲוַת גִּבְעֹת עוֹלָם תִּהְיֶיןָ לְרֹאשׁ יוֹסֵף וּלְקָדְקֹד נְזִיר אֶחָיו׃ פ

Jacó havia prosperado muito mais que seu pai, Isaque, e mesmo mais que o seu avô, Abraão. Suas riquezas perdurariam para sempre, como duradouros são os *montes eternos*, que não se desgastam com o passar dos séculos. Sua posteridade perduraria por eras incontáveis, futuro afora, ultrapassando os céus e a terra, que desapareceriam em decadência. *José* haveria de herdar essa herança eterna e riquíssima. Quando falamos nas realidades *espirituais*, então podemos tomar essas palavras em sentido *literal*, e não apenas poético.

Essas bênçãos extraordinárias repousariam sobre a cabeça de José como se fossem uma coroa, porque havia sido mandado ao Egito, tornando-se a segunda autoridade dali, recebendo domínio sobre os seus irmãos. E tal como fora *distinguido* deles fisicamente, em glória terrestre, assim também, na bênção divina, continuaria a distinguir-se deles.

"A bênção ancestral ultrapassava até mesmo a majestade e a fertilidade das colinas de Efraim" (*Oxford Annotated Bible*, *in loc.*).

No Targum de Jerusalém, a palavra *montes* é interpretada como se indicasse Abraão e Isaque, ao passo que *colinas* seria uma alusão a Sara, Rebeca, Raquel e Lia. As bênçãos dadas a José, pois, seriam superiores às bênçãos que haviam sido dadas àqueles notáveis santos do passado.

José como Tipo de Cristo. Essa palavra de exaltação, na verdade, foi endereçada à pessoa de Cristo, aqui simbolizado por José. Ver as notas sobre Gênesis 37.3 sobre José como tipo de Cristo.

■ 49.27

בִּנְיָמִין זְאֵב יִטְרָף בַּבֹּקֶר יֹאכַל עַד וְלָעֶרֶב יְחַלֵּק שָׁלָל׃

Benjamim. Ver no *Dicionário* o verbete sobre esse homem e sua tribo. Benjamim seria um guerreiro incansável, arrasador e irresistível. Ele foi "elogiado em face de seus hábitos predatórios e seu cometimento na guerra. A diferença entre essa caracterização (que encontra apoio nos capítulos 19—21 de Juízes), e o conceito de Benjamim, na história de José, pode ser percebida. Na última linha parece haver uma alusão à coragem de Saul (cf. 2Sm 1.25)" (Cuthbert A. Simpson, *in loc.*). Consideremos os cruéis benjamitas de Juízes 20, bem como os feitos de Saul, um benjamita, em 1Samuel 9.1,2; 19.10 e 22.17. De certa feita, contando somente com 26.000 homens, ele derrotou um exército inimigo de quatrocentos mil homens (ver Jz 20.15-25). Alguns dos pais da Igreja aplicaram essa profecia, indiretamente, ao apóstolo Paulo (um benjamita), o qual, antes de converter-se, participou da matança de pessoas inocentes. Mas depois, em um sentido espiritual, ele continuou sendo um guerreiro, em favor do bem, e, quase sozinho, levantou a Igreja cristã no mundo gentílico. Alguns eruditos veem Benjamim como um tipo de Cristo, o qual, como um guerreiro, esmaga os inimigos e os poderes das trevas (ver Cl 2.15 e Ap 19.11,15).

■ **49.28**

כָּל־אֵלֶּה שִׁבְטֵי יִשְׂרָאֵל שְׁנֵים עָשָׂר וְזֹאת אֲשֶׁר־דִּבֶּר לָהֶם אֲבִיהֶם וַיְבָרֶךְ אוֹתָם אִישׁ אֲשֶׁר כְּבִרְכָתוֹ בֵּרַךְ אֹתָם׃

As doze tribos de Israel. Doze é o nome governamental. Na verdade, porém, as tribos eram treze, se incluirmos Levi. Mas essa tribo ficou destituída de terras e tornou-se a classe sacerdotal em Israel. Ver Números 1.47 ss. Além disso, apesar de José ter sido um dos patriarcas, não houve uma tribo com seu nome. Antes, ele gerou Efraim e Manassés, os quais se tornaram chefes de duas tribos. Isso posto, o número de descendentes de José foi maior do que o número de descendentes de qualquer de seus irmãos (Nm 1.32-34). Assim, temos onze filhos de Jacó como tribos; tirando Levi, ficam dez tribos; adicionando Efraim e Manassés, ficam doze. Mas Jacó abençoou a catorze, porque, embora não tivesse uma tribo com seu nome, no sentido estrito, José recebeu a bênção maior e mais longa; e Levi, embora mais tarde se tivesse tornado a classe sacerdotal, não sendo oficialmente considerado uma tribo, também foi abençoado.

No livro de Juízes, vemos as tribos essencialmente autônomas, como se fossem estados de uma frouxa federação ou comunidade. Sob Davi, as tribos foram unificadas, uma situação que prosseguiu até a divisão da nação em duas, nos dias de Reoboão, neto de Davi: o reino do norte (dez das tribos), chamado Israel; e o reino do sul (duas das tribos), chamado Judá. Somente esse reino do sul se tem projetado até os tempos modernos. O moderno Estado de Israel consiste em um núcleo formado pelas tribos de Judá e Benjamim, com um elemento regular de Levi, além de *salpicos* de todas as outras tribos.

Ver no *Dicionário* estes artigos: *Tribo (Tribos) de Israel; Tribos, Localização das e Israel, Constituição*. E nos Artigos Introdutórios Gerais, ver *Israel, História de*.

MORTE DE JACÓ E JOSÉ (49.29—50.26)

A MORTE DE JACÓ (49.29-33)

Os críticos atribuem esta breve seção a uma mescla das fontes informativas *P(S)* e *J*. Ver no *Dicionário* o artigo intitulado *J.E.D.P.(S)*, quanto à teoria das fontes múltiplas do Pentateuco. A longa e produtiva vida desse patriarca chegou ao fim. Ele pôde ver todos os seus filhos bem criados, bem-educados e ocupados em suas respectivas missões. Oh, Senhor, concede-nos tal graça! Foram-lhe conferidas longa vida e muita atividade, até o fim. Foi-lhe concedido o privilégio de ver sua própria missão efetuada, levada à plena fruição. Assim sendo, ao mesmo tempo em que ia abençoando outros, foi extraordinariamente abençoado ele mesmo. Os oráculos que ele apresentou, à semelhança daqueles de Noé, olhavam profeticamente para o futuro destino de seus filhos e da nação que estavam produzindo. Jacó foi capaz de ver a mão do Senhor atuando em tudo. Jacó foi homem acostumado a ver a *providência de Deus* (ver no *Dicionário* a esse respeito).

■ **49.29**

וַיְצַו אוֹתָם וַיֹּאמֶר אֲלֵהֶם אֲנִי נֶאֱסָף אֶל־עַמִּי קִבְרוּ אֹתִי אֶל־אֲבֹתָי אֶל־הַמְּעָרָה אֲשֶׁר בִּשְׂדֵה עֶפְרוֹן הַחִתִּי׃

Na caverna. Em *Macpela* (vs. 30). No *Dicionário* há um detalhado artigo sobre esse lugar.

Efrom. Ver no *Dicionário* o verbete sobre esse homem.

O heteu. Na história profana, os heteus são conhecidos como *hititas*. Ver no *Dicionário* o verbete intitulado *Hititas, Heteus*. Ver a história da compra dessa caverna (e do campo em torno dela), no capítulo 23 de Gênesis.

Um dos instintos da idade avançada é a pessoa voltar às suas raízes. Quando a morte se aproxima, é um instinto humano comum querer ser sepultado na terra do nascimento. "É como se a solidão da morte fosse, até certo ponto, vencida, e como se o laço com o passado formativo fosse refeito. Isso empresta um aspecto sacrossanto ao lugar de sepultamento de uma pessoa" (Walter Russell Bowie, *in loc.*).

Eu me reúno ao meu povo. Ver as notas sobre essa expressão em Gênesis 25.8,17. Ver também Gênesis 35.29, bem como o vs. 33 deste capítulo. Nisso pode haver um indício da crença na vida pós-túmulo, uma doutrina que, na época, ainda não fora desenvolvida na teologia dos hebreus, e só começou a ter expressão clara nos Salmos e nos Profetas. Ver no *Dicionário* o artigo intitulado *Alma*, bem como, na *Enciclopédia de Bíblia, Teologia e Filosofia*, os vários artigos sobre a questão da Imortalidade.

Com meus pais. O vs. 31 nos mostra quais pessoas foram sepultadas na caverna de Macpela.

■ **49.30,31**

בַּמְּעָרָה אֲשֶׁר בִּשְׂדֵה הַמַּכְפֵּלָה אֲשֶׁר עַל־פְּנֵי־מַמְרֵא בְּאֶרֶץ כְּנַעַן אֲשֶׁר קָנָה אַבְרָהָם אֶת־הַשָּׂדֶה מֵאֵת עֶפְרֹן הַחִתִּי לַאֲחֻזַּת־קָבֶר׃

שָׁמָּה קָבְרוּ אֶת־אַבְרָהָם וְאֵת שָׂרָה אִשְׁתּוֹ שָׁמָּה קָבְרוּ אֶת־יִצְחָק וְאֵת רִבְקָה אִשְׁתּוֹ וְשָׁמָּה קָבַרְתִּי אֶת־לֵאָה׃

Campo de Macpela. Ver sobre esse lugar no *Dicionário*. Curiosamente, as Escrituras não registram a morte de Rebeca. Supomos que, pelo tempo em que Jacó voltou do território de Labão, ela já tinha morrido. Estes versículos revelam-nos, porém, que ela também estava sepultada na caverna da família. As outras pessoas ali sepultadas foram Abraão, Sara, Isaque e Lia. Mas José, que morreu e foi embalsamado no Egito, foi sepultado em Siquém, tendo sido os seus ossos transportados por Moisés para fora do Egito. Ver Josué 24.32.

Sepultamentos em Macpela. Sara (Gn 23.19); Abraão (25.8,9); Isaque (35.27-29); Rebeca (49.31); Lia (49.31) e Jacó (50.13).

Manre. Ver Gênesis 13.18 quanto a notas sobre esse homem e lugar.

■ **49.32**

מִקְנֵה הַשָּׂדֶה וְהַמְּעָרָה אֲשֶׁר־בּוֹ מֵאֵת בְּנֵי־חֵת׃

O terreno foi comprado para tornar-se sepulcro da família. Curiosamente, os árabes é que possuem atualmente o local, com sua caverna, conforme explico no artigo intitulado *Macpela*.

■ **49.33**

וַיְכַל יַעֲקֹב לְצַוֹּת אֶת־בָּנָיו וַיֶּאֱסֹף רַגְלָיו אֶל־הַמִּטָּה וַיִּגְוַע וַיֵּאָסֶף אֶל־עַמָּיו׃

Terminara a Missão de Jacó. Jacó terminou de proferir suas bênçãos e suas ordens. Tudo estava bem. Não havia do que se lamentar, e coisa alguma precisava ainda ser feita. Oh, Senhor, concede-nos tal graça!

E expirou. Provavelmente, uma tradução correta. A King James Version fala aqui em "fantasma", mas a Revised Standard Version também fala em "expirar". Este versículo não indica necessariamente que o espírito imaterial de Jacó abandonou o seu corpo, embora alguns entendam a questão por esse prisma. Cf. Gênesis 25.8,17; 35.29. No caso da morte de Raquel (Gn 35.18), "saiu-lhe a alma" e alguns eruditos também pensam que isso indica uma alma imaterial. No hebraico, a palavra *alma* pode indicar apenas a respiração ou o princípio vital que anima o corpo vivo. Todavia, com a passagem do tempo, a palavra hebraica *nephesh* veio a indicar a alma imortal e imaterial, que pode viver fora do corpo físico. Embora possa haver laivos de crença na imortalidade, na antiga teologia dos hebreus (na época dos patriarcas), naquele tempo a doutrina ainda não se tinha desenvolvido o bastante. Tal desenvolvimento só ocorreu mais tarde. Ver no *Dicionário* o verbete chamado *Alma*; e na *Enciclopédia de Bíblia, Teologia e Filosofia*, ver o verbete *Imortalidade*.

Foi reunido ao seu povo. Ver as notas sobre essa expressão, no vs. 29 deste capítulo.

CAPÍTULO CINQUENTA

FATOS FINAIS: SEPULTAMENTO DE JACÓ E MORTE DE JOSÉ (50.1-26)

O SEPULTAMENTO DE JACÓ (50.1-21)

Os críticos atribuem esta seção a uma combinação das fontes *J*, *E* e *P(S)*. Ver no *Dicionário* o artigo intitulado *J.E.D.P.(S.)*, quanto à teoria das fontes múltiplas do Pentateuco.

Por motivo de necessidade, Jacó deixou sua terra natal e migrou para o Egito. Suas raízes o atraíam de volta à Terra Prometida, mas ele não dispunha de meios para retornar. Por isso deu ordens para que seu corpo fosse transportado e sepultado na caverna de Macpela, que era a sepultura que a família havia comprado. José jurou a seu pai que cumpriria esse pedido. Isso *simbolizava* o livramento final da nação de Israel da servidão egípcia, depois do aparecimento de uma dinastia de Faraós que não havia conhecido José (Êx 1.8). Séculos mais tarde, os ossos de José também seriam transportados para serem sepultados em Siquém (Js 24.32). Quando Moisés conduziu o povo de Israel para fora do Egito, essa nação já consistia em talvez três milhões de pessoas (com mais de seiscentos mil homens em armas, Nm 1.46). Desse modo, o Pacto Abraâmico continuava atuante. A terra de Canaã seria o território pátrio de Israel, mas *não por enquanto*. Por enquanto, era mister que Israel ficasse no exílio-servidão no Egito (Gn 15.13), até que os habitantes originais da Terra Prometida fossem expulsos dali, ao encherem a taça de sua iniquidade (Gn 15.16). Ver as notas sobre o *Pacto Abraâmico* em Gênesis 15.18.

■ 50.1

וַיִּפֹּל יוֹסֵף עַל־פְּנֵי אָבִיו וַיֵּבְךְּ עָלָיו וַיִּשַּׁק־לוֹ:

José... chorou. Embora fosse homem de grande valor, José era emotivo e chorava em momentos de crises positivas ou negativas. Ver Gênesis 42.24; 43.30; 45.2,14; 50.17. Na verdade, é solene o momento da morte de um de nossos pais. Eu estava ao lado do leito de minha mãe, quando ela faleceu. Usei aqueles momentos para orar e dar instruções ao seu espírito para que seguisse a *luz* que lhe apareceria. Ver na *Enciclopédia de Bíblia, Teologia e Filosofia* o verbete chamado *Experiências Perto da Morte,* que indica o que está envolvido na morte e nos ajuda a orientar a uma pessoa cuja morte se aproxima. Também nos faz pensar no breve tempo que separa a morte de um dos pais e a morte de seu filho. Convém, pois, que usemos esse breve tempo de modo sábio, de forma a contribuir para o bem da causa do Senhor e de nossos semelhantes. Coisa alguma é destituída de importância, e coisa alguma ocorre por mero acaso. A lei do amor é o guia de toda a autêntica espiritualidade. Logo, devemos aprender sobre como devemos viver, cada vez melhor, em consonância com essa lei. O conhecimento da revelação bíblica também é importante, pois é um dos pilares da espiritualidade. Ver no *Dicionário* os artigos *Amor* e *Conhecimento Espiritual*.

Osculando os Mortos. Trata-se de um costume realmente antigo. Assim os povos antigos homenageavam os seus mortos e se despediam deles. Também exprimia amor pelos entes queridos falecidos. Era uma explosão final de emoção, que tentava dissipar a melancolia da separação. Um gesto de desespero, que só produzia um efeito psicológico nos vivos.

Um Mito Antigo. Alguns povos antigos (embora não os hebreus) imaginavam que a alma sai pela boca da pessoa moribunda. Assim, se alguém encostasse a boca na boca de um moribundo, a alma deste poderia ser capturada e retida pela pessoa viva. "César Augusto morreu nos beijos de Lívia; Drúsio nos abraços e beijos de César" (John Gill, *in loc.*).

■ 50.2

וַיְצַו יוֹסֵף אֶת־עֲבָדָיו אֶת־הָרֹפְאִים לַחֲנֹט אֶת־אָבִיו וַיַּחַנְטוּ הָרֹפְאִים אֶת־יִשְׂרָאֵל:

Que embalsamassem a seu pai. No *Dicionário* há um detalhado artigo a esse respeito, chamado *Embalsamar (Embalsamamento)*. Esse era um antigo costume dos egípcios, embora fosse praticado na antiguidade por outros povos também, até mesmo nas Américas. Os egípcios lamentavam a morte de um rei por 72 dias. Jacó foi chorado por setenta dias, sem dúvida uma elevadíssima honra. Ver no *Dicionário* o artigo *Sepultamento, Costumes de*.

O embalsamamento de uma pessoa tinha dois motivos: esse era um costume que afetava as pessoas das classes mais altas entre os egípcios. Jacó tornou-se um homem de grande prestígio no Egito, sem dúvida por causa de José, embora também por suas qualidades pessoais e por sua sabedoria. Uma segunda razão, neste caso, é que o corpo de Jacó seria transportado à Terra Prometida, logo, precisava ser preservado. Raquel tinha morrido e sido sepultada em Belém (e não na caverna-túmulo da família, em Macpela), porque o seu corpo não fora embalsamado (Gn 35.19,20).

■ 50.3

וַיִּמְלְאוּ־לוֹ אַרְבָּעִים יוֹם כִּי כֵּן יִמְלְאוּ יְמֵי הַחֲנֻטִים וַיִּבְכּוּ אֹתוֹ מִצְרַיִם שִׁבְעִים יוֹם:

Quarenta dias. O processo de embalsamamento era demorado. Todos os tecidos do corpo precisavam absorver certas substâncias químicas. Diodoro Sículo informa que, após trinta dias de processamento, o corpo era entregue à família a fim de ser sepultado (*Biblioth.* 1.1 par. 82). O embalsamamento do corpo de Jacó precisou de quarenta dias. A isso se acrescentaram trinta dias de lamentação, completando setenta dias. Arão foi chorado por trinta dias (Nm 20.29; ver também Dt 34.8).

Setenta dias. Os reis do Egito eram chorados por 72 dias, conforme estamos informados. Talvez Jacó tenha sido chorado somente por setenta dias para que não igualasse às honrarias prestadas a um monarca; ou, então, o autor sagrado arredonda aqui o número de dias.

Heródoto (ii.86) referiu-se a setenta dias como o período ocupado pelo processo de embalsamamento. Mas esse era o prazo observado em Tebas, e não em Mênfis (ou Zoã), onde estava José. É possível que esse período variasse de lugar para lugar. O período usual de lamentação, em Israel, era de trinta dias, conforme vimos acima.

■ 50.4

וַיַּעַבְרוּ יְמֵי בְכִיתוֹ וַיְדַבֵּר יוֹסֵף אֶל־בֵּית פַּרְעֹה לֵאמֹר אִם־נָא מָצָאתִי חֵן בְּעֵינֵיכֶם דַּבְּרוּ־נָא בְּאָזְנֵי פַרְעֹה לֵאמֹר:

A Solicitação Indireta. José, durante aquele período de lamentação, não podia aproximar-se do Faraó. Usava vestes de luto, não fizera a barba, talvez seus cabelos estivessem desalinhados, e trazia na fisionomia os sinais de profunda tristeza. Por essa razão, usou mediadores para que apresentassem sua petição acerca do transporte do corpo de Jacó à terra de Canaã, para que ali fosse sepultado. Cf. Ester 4.2.

■ 50.5

אָבִי הִשְׁבִּיעַנִי לֵאמֹר הִנֵּה אָנֹכִי מֵת בְּקִבְרִי אֲשֶׁר כָּרִיתִי לִי בְּאֶרֶץ כְּנַעַן שָׁמָּה תִּקְבְּרֵנִי וְעַתָּה אֶעֱלֶה־נָּא וְאֶקְבְּרָה אֶת־אָבִי וְאָשׁוּבָה:

No meu sepulcro. Os críticos pensam que este versículo reflete uma tradição diferente acerca do lugar de sepultamento de Jacó, a saber, um túmulo escavado na rocha por ele mesmo, em algum lugar a *leste* do rio Jordão (vs. 10). Mas vemos em Gênesis 49.30 e 50.13 que o lugar de sepultamento era em Macpela (ver no *Dicionário*). Os críticos pensam que duas fontes informativas diferentes sobre o episódio foram entretecidas, e escapou essa pequena discrepância de terem sido mencionados dois lugares diversos. Macpela ficava em *Hebrom*, perto da extremidade sul do mar Morto. Mas a maioria dos eruditos não percebe o problema, e também não comenta sobre o assunto. Se realmente há aqui um pequeno erro, este não se reveste de importância, e somente os céticos e os ultraconservadores se sentirão perturbados. Ver no *Dicionário* o artigo chamado *J.E.D.P.(S.)*, quanto à teoria das fontes múltiplas do Pentateuco. Alguns pensam que o vs. 10 apenas menciona um ponto de parada, mas outros pensam que ali é mencionado o lugar do sepultamento. Mas quando seguimos um mapa, vemos que a viagem ao lugar mencionado no vs. 10 levou a um desvio para longe do destino, Hebrom. Por que José se desviou do caminho? Assim sendo, permanece de pé o problema. Contudo, ninguém se sente perturbado diante disso, exceto os radicais da esquerda ou da direita.

■ 50.6

וַיֹּאמֶר פַּרְעֹה עֲלֵה וּקְבֹר אֶת־אָבִיךָ כַּאֲשֶׁר הִשְׁבִּיעֶךָ:

Permissão Real. Sem hesitar, o Faraó permitiu que José se ausentasse para cumprir a tarefa de sepultar seu pai, supondo, conforme ele disse (vs. 5), que voltaria. E foi assim que José cumpriu o *voto* feito a Jacó (Gn 47.29 ss.). Para os antigos era importante ter sepultamentos decentes, mormente no caso de um venerável pai. E assim tiveram cumprimento os desejos de José e seu juramento.

■ 50.7

וַיַּעַל יוֹסֵף לִקְבֹּר אֶת־אָבִיו וַיַּעֲלוּ אִתּוֹ כָּל־עַבְדֵי פַרְעֹה זִקְנֵי בֵיתוֹ וְכֹל זִקְנֵי אֶרֶץ־מִצְרָיִם:

A Viagem. Talvez essa viagem tenha coberto 650 km, contando o desvio à eira de Atade (vs. 10). José fez a viagem acompanhado por várias pessoas liberadas pelo Faraó, a fim de acompanhá-lo, juntamente com muitas pessoas das famílias dos demais irmãos de José. Subiram *oficiais* do Faraó, ou seja, cortesãos de prestígio. Além disso, parece que havia um destacamento militar, como medida protetora.

Oficiais. Podemos pensar em figuras civis e militares, governantes de províncias e de cidades. Eram alguns dos homens mais influentes do Egito, os quais mostraram grande respeito por Jacó e por seu filho, José.

■ 50.8

וְכֹל בֵּית יוֹסֵף וְאֶחָיו וּבֵית אָבִיו רַק טַפָּם וְצֹאנָם וּבְקָרָם עָזְבוּ בְּאֶרֶץ גֹּשֶׁן:

Toda a casa de José, e seus irmãos. Foram os vários ramos da família de Jacó, deixando no Egito somente as crianças pequenas e os que não poderiam enfrentar jornada tão exaustiva. Fazia cerca de 39 anos desde que José tinha visitado sua terra natal. Aquela foi a primeira viagem que ele fez naquela direção, desde que tinha sido vendido como escravo, quando ainda estava com 17 anos de idade. Assim, um grupo relativamente pequeno entrou em Canaã. Mas alguns poucos séculos mais tarde, toda a nação de Israel, composta, talvez, por três milhões de pessoas, estaria fazendo aquela viagem, o grande assunto do segundo livro da Bíblia, o livro de *Êxodo*.

Deixaram Seus Bens. Devemos pensar aqui em seus animais domésticos e seus pequeninos, tudo o que mostrava que não tinham intuito de permanecer ali. Mas ainda não tinha chegado o tempo de Israel tomar conta da terra de Canaã.

■ 50.9

וַיַּעַל עִמּוֹ גַּם־רֶכֶב גַּם־פָּרָשִׁים וַיְהִי הַמַּחֲנֶה כָּבֵד מְאֹד:

Tanto carros como cavaleiros acompanharam o cortejo, provavelmente incluindo um destacamento militar do Faraó, de tal modo que, juntando todas as pessoas, havia um *grandíssimo* cortejo. Provavelmente foi o maior cortejo fúnebre que os hebreus já tinham visto, ultrapassando somente pelo sepultamento dos Faraós. "O cortejo fúnebre de Jacó deve ter sido verdadeiramente grandioso... esse homem foi honrado por um lamento nacional e um funeral nacional... tudo foi feito por motivo de respeito a José. Assim seja. Mas *por que* José era tão respeitado? Porque ele havia conquistado nações... e havia triunfado sobre os inimigos do Egito? NÃO! Mas porque havia salvo as vidas de muitos homens" (Adam Clarke, *in loc.*, que nos fornece assim uma ótima lição espiritual).

■ 50.10

וַיָּבֹאוּ עַד־גֹּרֶן הָאָטָד אֲשֶׁר בְּעֵבֶר הַיַּרְדֵּן וַיִּסְפְּדוּ־שָׁם מִסְפֵּד גָּדוֹל וְכָבֵד מְאֹד וַיַּעַשׂ לְאָבִיו אֵבֶל שִׁבְעַת יָמִים:

Eira de Atade. Não há certeza se esse nome se refere a um *indivíduo* em cuja eira os filhos de Jacó e os egípcios que os acompanhavam realizaram o ato final de solene despedida de Jacó, ou se se trata de uma referência à própria *eira*, como um lugar *espinhento*, que é o significado da palavra em hebraico. Seja como for, posteriormente, o local foi chamado Abel-Mizraim, ou seja, "lamentação dos egípcios" (Gn 50.10,11). O lugar é declarado como *além do Jordão*, isto é, a margem *oriental*. Porém, a rota ocidental do Egito até Hebrom era pela margem ocidental desse rio. Isso cria o problema acerca do local do sepultamento de Jacó, conforme discuti no vs. 5. Ter ido até a eira de Atade teria sido um desvio considerável, se o propósito da viagem foi o de ir a Hebrom, onde estava localizada a caverna de Macpela. Naturalmente, pode ter havido alguma razão (não declarada por Moisés) para esse desvio da rota. O texto não diz especificamente que a viagem à eira de Atade foi para sepultar Jacó. Entendemos isso no texto, e, talvez, corretamente. O ponto, porém, não tem importância, exceto para os críticos, que gostam de encontrar defeitos nas Escrituras, ou, então, para os ultraconservadores, que querem achar harmonia a qualquer preço, mesmo que seja com prejuízo da verdade. Em favor da ideia do sepultamento ali temos o fato de que este versículo diz que eles choraram e se lamentaram por sete dias. Se não sepultaram Jacó ali, por que pararam por *tanto tempo* a fim de se lamentar?

Jerônimo localizava o local como Goren-Atade, que ficava entre o rio Jordão e Jericó; mas parece que ele errou de local por alguns quilômetros, pois realmente ficava no lado ocidental do Jordão. Cerca de 80 km separavam esse lugar de Hebrom. O lugar não era muito distante de Jericó, a bem da verdade, mas não há como determinar com precisão o local.

■ 50.11

וַיַּרְא יוֹשֵׁב הָאָרֶץ הַכְּנַעֲנִי אֶת־הָאֵבֶל בְּגֹרֶן הָאָטָד וַיֹּאמְרוּ אֵבֶל־כָּבֵד זֶה לְמִצְרָיִם עַל־כֵּן קָרָא שְׁמָהּ אָבֵל מִצְרַיִם אֲשֶׁר בְּעֵבֶר הַיַּרְדֵּן:

Os Cananeus Admiraram-se. O imenso cortejo poderia ser um exército invasor! Mas não era, porquanto tratava-se de um grande cortejo fúnebre que indicou, aos habitantes do lugar, que alguma figura importante tinha falecido. Vendo o grande cortejo e ouvindo seu choro e lamentação, deram um nome ao lugar:

Abelmizraim. Ou seja, *prado do Egito*. Esse era o nome da eira onde estacou o cortejo de Jacó, a caminho de Hebrom. Ali foram levados a efeito sete dias de lamentação (Gn 50.10,11). A palavra *ebel* significa "luto". O texto do Gênesis, acima mencionado, leva-nos a entender que assim deveríamos interpretar o nome, embora haja aqui um óbvio jogo de palavras, devido à similaridade entre os vocábulos *abel*, "prado", e *ebel*, "luto". O local era chamado de *eira de Atade*, antes de os cananeus lhe darem o outro nome. As letras consoantes das duas palavras hebraicas são idênticas, a saber, 'bl, mas a vocalização era diferente, produzindo assim um jogo de palavras. Ver outros nomes compostos que incorporavam a palavra *abel*, "prado", em Números 33.49; Juízes 7.22; 11.33; 2Samuel 20.15; 2Crônicas 16.4.

■ 50.12

וַיַּעֲשׂוּ בָנָיו לוֹ כֵּן כַּאֲשֶׁר צִוָּם:

Este versículo atua como pequena introdução da matéria que se segue. Jacó tinha feito José jurar que o sepultaria na terra de Canaã, na caverna de Macpela (Gn 47.29 ss.). Esse pedido agora era atendido, sendo esse o assunto desta seção (Gn 50.1-13). Este versículo, pois, é uma espécie de conclusão, posta no começo e não no fim de uma seção.

■ 50.13

וַיִּשְׂאוּ אֹתוֹ בָנָיו אַרְצָה כְּנַעַן וַיִּקְבְּרוּ אֹתוֹ בִּמְעָרַת שְׂדֵה הַמַּכְפֵּלָה אֲשֶׁר קָנָה אַבְרָהָם אֶת־הַשָּׂדֶה לַאֲחֻזַּת־קֶבֶר מֵאֵת עֶפְרֹן הַחִתִּי עַל־פְּנֵי מַמְרֵא:

Na caverna do campo de Macpela. Ver o artigo detalhado sobre esse lugar no *Dicionário*. Ver o vs. 5 quanto a uma possível ambiguidade sobre o lugar onde Jacó foi sepultado, com notas adicionais no vs. 10. O trecho de Gênesis 49.29 ss. fornece outros detalhes sobre a questão, incluindo os nomes das pessoas ali sepultadas, além de outros nomes, mencionados neste versículo. A história original aparece no capítulo 23. Ver também Gênesis 25.9.

■ 50.14

וַיָּ֨שָׁב יוֹסֵ֤ף מִצְרַ֙יְמָה֙ ה֣וּא וְאֶחָ֔יו וְכָל־הָעֹלִ֥ים אִתּ֖וֹ
לִקְבֹּ֣ר אֶת־אָבִ֑יו אַחֲרֵ֖י קָבְר֥וֹ אֶת־אָבִֽיו׃

José Cumpriu a Sua Promessa a Faraó. José fez a viagem de 1.300 km, ida e volta. Agora estava de novo no Egito, onde, anos mais tarde, haveria de morrer e ser embalsamado (ver Gn 50.26). José prosseguiu em sua missão salvífica até o fim. Sua grandeza consistia em servir ao próximo. Ver os vss. 7-9, quanto ao *grande cortejo* que tinha ido ao sepultamento de Jacó, e que agora tinha voltado ao Egito.

O PRIMEIRO-MINISTRO PERDOA (50.15-21)

Jacó agora estava morto, e os seus filhos que tinham cometido injustiças contra José pensaram que isso alteraria a atitude deste. A consciência deles continuava a atormentá-los. Mas os temores deles não tinham fundamento. A espiritualidade de José não dependia de Jacó estar vivo ou morto. Deus é que era seu guia e inspiração, a origem de sua espiritualidade, e não seu pai.

■ 50.15

וַיִּרְא֤וּ אֲחֵֽי־יוֹסֵף֙ כִּי־מֵ֣ת אֲבִיהֶ֔ם וַיֹּ֣אמְר֔וּ ל֥וּ
יִשְׂטְמֵ֖נוּ יוֹסֵ֑ף וְהָשֵׁ֤ב יָשִׁיב֙ לָ֔נוּ אֵ֚ת כָּל־הָ֣רָעָ֔ה אֲשֶׁ֥ר
גָּמַ֖לְנוּ אֹתֽוֹ׃

Vingança? "Algumas vezes é mais difícil para o homem que pecou acreditar que foi perdoado, do que o é para o ofendido perdoar a ofensa. José havia dado a seus irmãos as mais comoventes e inequívocas evidências da magnanimidade com que ele tinha posto *para trás de si todo o passado*" (Walter Russell Bowie, *in loc.*).

A consciência registra a criminalidade e, quando se torna mais sensível para com os erros cometidos, sempre canta a horrenda canção dos pecados passados, e isso reiteradamente. O remorso é bom, mas também pode tornar-se mórbido. O perdão dos pecados deveria restaurar a correta perspectiva. O remédio para o remorso é, em primeiro lugar, a *reparação,* sempre possível. Ver no *Dicionário* o artigo *Reparação (Restituição).* Além disso, sempre que *isso* for possível, devemos fazer boas obras que contrabalancem a maldade praticada antes. Isso tem um efeito curador, pois, afinal, o amor "cobre multidão de pecados" (Tg 5.20). Ver no *Dicionário* o verbete *Perdão.*

> Aquele que comete um erro de pronto sente
> pesar em sua mente o fardo de sua culpa.
>
> Juvenal, Sat. xiii.1

■ 50.16

וַיְצַוּ֕וּ אֶל־יוֹסֵ֖ף לֵאמֹ֑ר אָבִ֣יךָ צִוָּ֔ה לִפְנֵ֥י מוֹת֖וֹ לֵאמֹֽר׃

Mandaram dizer a José. Deve ter sido por motivo de temor que os irmãos de José não foram falar pessoalmente com ele, mas usaram de um mensageiro. José era uma grande e poderosa figura, uma alta autoridade. E embora, na qualidade de seus irmãos, eles tivessem acesso à sua presença, preferiram o caminho psicologicamente mais fácil, utilizando-se de um intermediário para que pleiteasse por eles. O primeiro argumento deles foi que o próprio *Jacó* tinha apelado em prol do perdão a eles. Jacó era homem sábio e pode ter antecipado possíveis ocorrências após a sua morte. Ele já tinha visto muitos atos traiçoeiros durante a sua vida, e deve ter pensado que, apesar de ser improvável, *José* poderia querer tirar vingança de seus irmãos tão injustos. Se José era o filho favorito de Jacó, isso não quer dizer que Jacó não amasse seus outros filhos. E tinha-se preocupado com o bem-estar deles.

Alguns eruditos supõem que os irmãos de José disseram uma mentira. Mas a sabedoria e a previsão de José serviriam de garantia contra isso; e José já havia exercido por muitas vezes esses dons, conforme ia crescendo em espiritualidade. José previu um *possível* desastre, e agiu a fim de impedir tal coisa.

O mensageiro não foi identificado pelo autor sagrado, e é inútil qualquer especulação a respeito. Alguns intérpretes judeus dizem que o mensageiro foi Bila, ou, então, *um* dos irmãos de José. É possível que algum parente chegado estivesse envolvido nisso, visto que se tratava de uma questão de família. Rúben, aquele que tinha agido em defesa de José, quando os outros haviam planejado matá-lo (Gn 37.21), seria um bom advogado.

■ 50.17

כֹּֽה־תֹאמְר֣וּ לְיוֹסֵ֗ף אָ֣נָּ֡א שָׂ֣א נָ֠א פֶּ֣שַׁע אַחֶ֤יךָ וְחַטָּאתָם֙
כִּי־רָעָ֣ה גְמָל֔וּךָ וְעַתָּה֙ שָׂ֣א נָ֔א לְפֶ֥שַׁע עַבְדֵ֖י אֱלֹהֵ֣י
אָבִ֑יךָ וַיֵּ֥בְךְּ יוֹסֵ֖ף בְּדַבְּרָ֥ם אֵלָֽיו׃

Perdoa. Perdoar as ofensas é uma das grandes qualidades da espiritualidade. Para muitas pessoas, é mais fácil odiar do que amar. Há homens que exprimem seu ódio por meio da teologia, exatamente aquilo que deveria promover o amor. Teologias indignas do nome avultam por trás do ódio. A teologia da maior parte dos homens parece ser indigna. A relutância em perdoar usualmente tem base em alguma forma de egoísmo. *Eu* fui ofendido; *eu* odeio; *eu* me vingarei; *eu* serei justificado por meu ato. Jesus, acima de todos, ensinou a lei do perdão, a qual, afinal de contas, é uma subcategoria da lei do amor. Um ofensor deve ser perdoado setenta vezes sete, ou seja, de forma ilimitada. Ver Mateus 18.22. Ver no *Dicionário* os artigos *Perdão* e *Amor*. José era homem por demais espiritual para estar abrigando o rancor em seu coração. "A antiga dívida tinha sido perdoada fazia muito", no dizer de um certo hino.

Servos do Deus de teu pai. Não há razão para duvidar aqui da sinceridade dos irmãos de José, nem para minimizar o progresso espiritual que eles haviam obtido. Deus é o grande perdoador de pecados, aquele que perdoa os pecados da humanidade inteira. Ele fez propiciação pelos pecados de cada homem (1Jo 2.2), através de seu Filho. Mas todos os homens são injustiçados, vez por outra, por *outros* homens. E esses injustiçados são convocados a seguir o exemplo divino. Os irmãos de José tinham abandonado seus antigos caminhos e se tinham tornado servos do mesmo Deus que era adorado por Abraão, Isaque, Jacó e José. Parece que temos aqui o tipo de apelo que Rúben faria (Gn 42.37 ss.). Mas também podemos pensar em Judá (Gn 43.3 ss.).

As palavras do recado apelaram para a piedade e para o amor filial de José, servindo de poderoso argumento em prol do perdão. Destarte, conseguiram tocar seu coração, levando-o a chorar.

José chorou. Apesar de sua elevada posição social e política, José era homem dotado de coração terno. O autor sacro registrou várias oportunidades em que ele verteu lágrimas, de tristeza ou de alegria. Ver Gênesis 42.24; 43.30; 45.2,14 e 50.1. Dessa vez, José chorou diante do medo desnecessário de seus irmãos, sentindo piedade deles. Também se emocionou diante da genuína demonstração de arrependimento deles. O passado estava curado. Deus havia endireitado tudo quanto estivera torto. Foi uma grande vitória moral e espiritual, e José celebrou a vitória com lágrimas.

■ 50.18

וַיֵּלְכוּ֙ גַּם־אֶחָ֔יו וַֽיִּפְּל֖וּ לְפָנָ֑יו וַיֹּ֣אמְר֔וּ הִנֶּ֥נּֽוּ לְךָ֖
לַעֲבָדִֽים׃

Vieram também seus irmãos. Primeiramente, enviaram um mensageiro (vs. 16). Mas tomando conhecimento de que tudo ia bem e que nada tinham para temer, eles foram fazer uma visita pessoal a José. E, diante dele, repetiram o que já haviam feito antes, *prostrando-se diante dele*. Só que desta vez manifestaram o seu agradecimento, em lugar de implorarem misericórdia. Ver Gênesis 42.6-9. Os sonhos precognitivos de José cumpriram-se assim (ver Gn 37.5-10).

■ 50.19

וַיֹּ֧אמֶר אֲלֵהֶ֛ם יוֹסֵ֖ף אַל־תִּירָ֑אוּ כִּ֛י הֲתַ֥חַת אֱלֹהִ֖ים
אָֽנִי׃

Não temais. "José olhava para os eventos da vida de um ponto de vista tão sublime que ele se elevava acima da atmosfera escura das paixões humanas" (Walter Russell Bowie, *in loc.*). José era infenso à vingança. A Deus pertence a vingança, conforme ele mesmo declara: "A mim me pertence a vingança; eu retribuirei, diz o Senhor" (Rm 12.19). Alguns intérpretes pensam que isso significa que José não recebeu a homenagem de seus irmãos, estando eles de rosto em terra, como se ele fosse uma divindade. Embora isso possa ter acontecido, não parece que seja esse o sentido do texto.

Os juízes, algumas vezes, eram chamados, no grego, *elohim*, "deuses", porquanto exerciam direitos divinos para impor a justiça ou tirar vingança (Êx 21.6; 22.8,9; 1Sm 2.25). Mas José preferiu não agir como se fosse Deus. E deixou nas mãos dele o passado.

■ 50.20

וְאַתֶּ֕ם חֲשַׁבְתֶּ֥ם עָלַ֖י רָעָ֑ה אֱלֹהִים֙ חֲשָׁבָ֣הּ לְטֹבָ֔ה לְמַ֗עַן עֲשֹׂ֛ה כַּיּ֥וֹם הַזֶּ֖ה לְהַחֲיֹ֥ת עַם־רָֽב׃

Deus Fez o Mal Redundar em Bem. Este é um dos melhores versículos do livro de Gênesis. Aponta para um dos temas centrais do livro, a *providência de Deus* (ver o artigo com esse título no *Dicionário*). Deus usa o livre-arbítrio humano sem destruí-lo, embora não saibamos dizer como. Ver no *Dicionário* os artigos seguintes: *Determinismo (Predestinação); Predestinação e Livre-Arbítrio*. O ponto de vista de Deus é superior ao nosso. Aquilo que nos parece paradoxo, não o é para ele. Deus está acima das paixões humanas e das vicissitudes da vida humana. Aquilo que os homens fazem tendo em vista o mal, Deus faz redundar em nosso bem. Temos o exemplo clássico de Judas, o qual traiu a Jesus porque ele assim *quis* fazer. Sem dúvida, isso foi um *mal*. Mas o resultado foi a expiação feita por Jesus, e esse foi o *bem* em que Deus fez redundar o mal. Ver as notas em Mateus 26.24 no *Novo Testamento Interpretado*. Ao interpretarmos tais questões, precisamos aplicar o princípio da Polaridade (ver acerca desse princípio no *Dicionário*). Ver Gênesis 45.7 quanto a uma declaração similar, com notas adicionais. Os irmãos de José tinham agido querendo tirar a vida de José; mas Deus interveio, e o que era para o mal terminou servindo para *salvar* muitas vidas.

José, o Salvador. José foi um tipo de Cristo em sua missão salvífica. Ver as notas sobre Gênesis 37.3, quanto a José como tipo de Cristo.

Os decretos de Deus estão por trás de seu amor, e assim o *bem* tem cumprimento. O próprio *julgamento* redunda em bem (1Pe 4.6), por ser remedial, e não meramente punitivo. Ver as notas sobre esse versículo de 1Pedro, no *Novo Testamento Interpretado*. E, no *Dicionário*, ver o verbete *Julgamento de Deus dos Homens Perdidos*.

■ 50.21

וְעַתָּה֙ אַל־תִּירָ֔אוּ אָנֹכִ֛י אֲכַלְכֵּ֥ל אֶתְכֶ֖ם וְאֶֽת־טַפְּכֶ֑ם וַיְנַחֵ֣ם אוֹתָ֔ם וַיְדַבֵּ֖ר עַל־לִבָּֽם׃

Não temais... eu vos sustentarei. Os irmãos de José nada tinham que temer da parte de seu grande benfeitor, cuja tarefa era nutrir seus irmãos e os familiares destes. Isso nos faz lembrar as palavras de Jesus no Sermão da Montanha, onde ele mostra as intenções bondosas de nosso Pai, o qual cuida até mesmo de seus mais humildes filhos. Ver Mateus 6.25 ss.

Consolo em Lugar de Temor. José consolou seus irmãos, e removeu os temores deles. Temos aí um irmão que agiu como se fosse um pai amoroso. Se Jacó pudesse contemplar a cena, lá do céu, teria sorrido. Quão bom é que irmãos vivam em paz (Sl 133.1). "Assim também fazem Deus e seu Cristo, diante de pecadores que se desviam (Is 40.1,2)" (John Gill, *in loc*.). "Falai ternamente a Jacó."

MORTE DE JOSÉ (50.22-26)

Chegou também o tempo de José morrer. Pouco tempo separou a morte do pai da morte do filho. Mas Deus esteve com ambos. Nada há para temer, nada há para lamentar diante da morte. Os críticos atribuem esta pequena seção a uma combinação das fontes *J* e *E*. Ver no *Dicionário* o artigo chamado *J.E.D.P.(S.)* quanto à teoria das fontes múltiplas do Pentateuco. Somos aqui lembrados da morte de um dos maiores patriarcas, o qual só perdia em importância para Abraão, mas que, em certos aspectos, até lhe foi superior. Nenhum dos outros descendentes de Abraão chegou tão longe, tão alto e a uma espiritualidade tão profunda, até que veio o Messias. José viveu o bastante para ver seus trinetos através de Manassés, tendo atingido os 110 anos de idade.

■ 50.22

וַיֵּ֤שֶׁב יוֹסֵף֙ בְּמִצְרַ֔יִם ה֖וּא וּבֵ֣ית אָבִ֑יו וַיְחִ֣י יוֹסֵ֔ף מֵאָ֥ה וָעֶ֖שֶׂר שָׁנִֽים׃

A Casa de Israel em Formação no Egito. Esse é um fato que o autor sagrado vinha enfatizando desde o capítulo 46 do Gênesis; e também vinha salientando a vida de José no Egito, como preparação para essa circunstância, desde o capítulo 39 desse livro. Esses fatos foram revelados a Abraão em uma das reiterações do *Pacto Abraâmico*. Ver as notas sobre esse pacto em Gênesis 15.18, e sobre o exílio no Egito em Gênesis 15.13. Isso armou o palco para o livramento de Israel pela agência de Moisés, o próximo grande passo do plano divino: a volta à Terra Prometida. Que Israel teria seu próprio território pátrio também fazia parte das provisões do Pacto Abraâmico.

Viveu cento e dez anos. Essa informação sobre José é reiterada no vs. 26. Ver as notas sobre Gênesis 47.28 quanto às idades comparadas dos antediluvianos, dos patriarcas hebreus e da era do reino. José viveu por toda a sua vida no Egito, excetuando apenas os seus primeiros dezessete anos de vida. Viveu por treze anos na casa de Potifar e na prisão, até chegar aos 30 anos de idade, quando foi apresentado ao Faraó. Moisés transportou os ossos de José, do Egito à Terra Prometida, os quais foram sepultados em Siquém (ver Êx 13.19; Js 24.32; Hb 11.22).

■ 50.23

וַיַּ֤רְא יוֹסֵף֙ לְאֶפְרַ֔יִם בְּנֵ֖י שִׁלֵּשִׁ֑ים גַּ֗ם בְּנֵ֤י מָכִיר֙ בֶּן־מְנַשֶּׁ֔ה יֻלְּד֖וּ עַל־בִּרְכֵּ֥י יוֹסֵֽף׃

Até à terceira geração. Em outras palavras, ele viu seus trinetos, através de Efraim, e seus netos, por meio de Manassés. Efraim e Manassés foram *adotados* como filhos de Jacó (Gn 48.5,6). Isso é indicado pela mesma expressão que se vê no fim deste versículo, "tomou sobre seus joelhos". Essa expressão parece indicar mais do que meramente pôr as crianças no colo, dando a entender uma cerimônia simples de adoção. Ver as notas em Gênesis 48.12, quanto a uma elaboração da ideia. O hebraico diz, literalmente, "nasceram sobre seus joelhos". Cf. Gênesis 30.3 quanto à mesma situação, mas envolvendo duas mulheres. Esses descendentes não se tornariam tribos, mas seriam cabeças notáveis de famílias, dentro das duas tribos de Efraim e Manassés, recebendo privilégios especiais enquanto José vivesse. Afetuosos laços de família são indicados aqui. Os netos se tornaram objetos especiais de amor para José, como costuma acontecer.

Maquir. No hebraico, *vendido*. Neste texto, é o único dos netos de José a ter seu nome mencionado. Foi fundador da família dos maquiritas, os quais subjugaram Gileade e receberam aqueles territórios, quando a Terra Prometida foi dividida, após a conquista. (Ver Nm 32.39,40; Js 17.1.) Houve mesmo um tempo em que o nome *Maquir* era aplicado à tribo inteira de Manassés. (Ver Jz 5.14.) O trecho de Josué 13.29-31 mostra-nos como a tribo de Manassés foi dividida. Metade da família de Maquir mudou-se para a região da Transjordânia, e a outra metade ficou com a meia-tribo de Manassés, a oeste do rio Jordão (vs. 31). Visto que um neto de Maquir, Zelofeade, teve somente filhas, foi feito um arranjo especial acerca da questão das heranças. A filha de Maquir tornou-se esposa de Hezrom e mãe de Segube (1Cr 2.21). Dessa maneira, ficou garantida a continuação da linhagem masculina. Ver também Números 27.1; 36.1; Josué 13.31 e 1Crônicas 2.23.

■ 50.24

וַיֹּ֤אמֶר יוֹסֵף֙ אֶל־אֶחָ֔יו אָנֹכִ֖י מֵ֑ת וֵֽאלֹהִ֞ים פָּקֹ֧ד יִפְקֹ֣ד אֶתְכֶ֗ם וְהֶעֱלָ֤ה אֶתְכֶם֙ מִן־הָאָ֣רֶץ הַזֹּ֔את אֶל־הָאָ֕רֶץ אֲשֶׁ֥ר נִשְׁבַּ֛ע לְאַבְרָהָ֥ם לְיִצְחָ֖ק וּֽלְיַעֲקֹֽב׃

O Êxodo Antecipado. José soube por inspiração que a nação de Israel, que estava em formação, no tempo certo escaparia do Egito e voltaria à terra de Canaã. Essa ideia antecipa o segundo livro do Pentateuco, o *Êxodo*. A terra de Canaã era a pátria de Abraão, Isaque e Jacó (mas de José o foi por apenas dezessete anos). Fazia parte do Pacto Abraâmico (ver as notas em Gn 15.18) que esse território fosse dado à nação de Israel. Isso, como é óbvio, só teria lugar após o êxodo do Egito, e também depois que os pecados dos habitantes originais da Terra Prometida atingissem seu ponto máximo, fazendo-os merecer ser expulsos da terra. Ver Gênesis 15.13,16. No *tempo determinado* por Deus, Israel seria trazido de volta à sua terra, e não no tempo escolhido pelos homens. Os planos de Deus têm seu próprio cronograma, e Deus é aquele que abre e fecha portas.

A Bênção Paterna. Devemos entender este versículo como uma bênção paterna, a essência da mensagem que José transmitiu em seu leito de morte. Ver Gênesis 27.4 quanto ao poder das palavras de um homem moribundo, palavras essas tidas como dotadas de poder preditivo e de auto-realização. Essa bênção dada por José reiterou uma importante provisão do *Pacto Abraâmico*. Até este ponto, portanto, já vimos dezesseis repetições completas ou parciais desse concerto, no livro de Gênesis. As menções a essa reiteração do pacto são alistadas nas notas sobre Gênesis 15.18.

Deus certamente vos visitará. Uma vez mais, é frisado um dos temas constantes do livro de Gênesis, a *providência de Deus* (ver a respeito no *Dicionário*). Essa visitação divina reverteria o cativeiro egípcio de Israel.

■ 50.25

וַיַּשְׁבַּע יוֹסֵף אֶת־בְּנֵי יִשְׂרָאֵל לֵאמֹר פָּקֹד יִפְקֹד אֱלֹהִים אֶתְכֶם וְהַעֲלִתֶם אֶת־עַצְמֹתַי מִזֶּה׃

O Juramento Duplicado. Tal como Jacó fizera José jurar que o levaria e o sepultaria em Macpela, na terra de Canaã (ver as notas sobre Gn 47.29-31), assim também agora José solicitou a mesma coisa da parte de seus irmãos. O primeiro juramento foi cumprido no caso de Jacó (Gn 50.7-13). E, nos dias de Moisés, este segundo juramento teve cumprimento no caso de José (Êx 13.19; Js 24.32; Hb 11.22). Em símbolo, esse juramento prometia o futuro livramento de Israel da servidão egípcia e o consequente êxodo (que é o grande tema do livro de Êxodo), sem falarmos no cumprimento de mais um pormenor do *Pacto Abraâmico* (ver as notas em Gn 15.18), que envolve a promessa de uma pátria (na terra de Canaã) para a nação de Israel. Foi isso que José destacou aqui, iluminado mediante *a fé* que tinha recebido de Deus, conforme lemos em Hebreus 11.22. Por essa e por outras razões foi que ele se tornou um dos grandes heróis da fé.

■ 50.26

וַיָּמָת יוֹסֵף בֶּן־מֵאָה וָעֶשֶׂר שָׁנִים וַיַּחַנְטוּ אֹתוֹ וַיִּישֶׂם בָּאָרוֹן בְּמִצְרָיִם׃

Morreu José. Ele estava então com 110 anos de idade. Abraão faleceu aos 175 anos (Gn 25.7); Isaque aos 180 anos (Gn 35.28); Jacó aos 147 (Gn 47.28). Ver as notas sobre Gênesis 47.28 quanto às idades comparativas dos antediluvianos, dos patriarcas e dos homens da era do reino.

José nasceu quando Jacó estava com 91 anos de idade (Gn 37.3), assim, quando do falecimento de Jacó, José estava com 56 anos. Isso significa que José viveu mais cinquenta e quatro anos após a morte de Jacó.

Embalsamaram-no. Tal como tinha sido feito com Jacó. Ver as notas sobre Gênesis 50.3 como também o verbete *Embalsamar (Embalsamamento)*, no *Dicionário*.

E o puseram num caixão. Ver no *Dicionário* o artigo chamado *Sepultamento, Costumes de*. A arqueologia tem descoberto muitos desses caixões mortuários no Egito, intactos, com os corpos bem preservados. Portanto, não admira que Moisés tenha podido levar os ossos de José para fora do Egito, embora isso tenha ocorrido cerca de duzentos anos após a morte de José (Êx 13.19; Js 24.32). José foi sepultado em Siquém, conforme aprendemos nessa referência do livro de Josué.

Os estudiosos têm destacado a maneira lúgubre como se encerra o livro de Gênesis. Não aparece uma única declaração sobre a imortalidade da alma. Sabemos, porém, que essa doutrina se desenvolveu e foi expressa mais tarde, na teologia dos hebreus, já no tempo dos Salmos e dos Profetas. Mas mesmo ali a doutrina ainda está a meio caminho. Apesar de no Antigo Testamento haver alusões a essa verdade, coube ao Novo Testamento confirmar essa doutrina hebraico-cristã.

Muito antes disso, todavia, essa doutrina era honrada e ensinada pelas religiões orientais e até pela filosofia. Uma excelente passagem de Platão aparece em sua obra *Phaedo*. Quando Sócrates estava prestes a beber a taça de cicuta, Crito indagou como ele queria que seu corpo fosse enterrado. E a resposta de Sócrates foi: "Como vocês quiserem. Vocês sepultarão somente o meu corpo" (*Phaedo*, II, 263-264). Esse diálogo fornece-nos vários argumentos racionais e decisivos sobre a imortalidade da alma. Ver na *Enciclopédia de Bíblia, Teologia e Filosofia* o verbete intitulado *Imortalidade*, onde exponho vários artigos sobre o assunto, incluindo um deles escrito do ponto de vista científico. Ver também no *Dicionário* o verbete *Alma*.

Os egípcios acreditavam na imortalidade da alma, como também na reencarnação. Sua prática de embalsamamento talvez tivesse algo a ver com isso, tal como a ressurreição veio a ser associada à imortalidade, dentro da tradição judaico-cristã. Maior do que todas as pirâmides, que eram gigantescos túmulos faraônicos, maior do que os monumentos em honra aos mortos, avulta a simples sobrevivência da alma diante da morte biológica. Ver na *Enciclopédia de Bíblia, Teologia e Filosofia* o artigo *Experiências Perto da Morte*, quanto a evidências científicas em prol da existência da alma.

A alma dos homens acha-se nas mãos de Deus. E a influência da alma de cada homem prossegue nesta plana terrestre. Ao morrer, cada ser humano deixa uma espécie de herança, boa ou má, que prossegue na vida daqueles que lhe eram próximos. Mas a vida é o *Grande Continuum*, e incontáveis outras biografias terão de continuar sendo escritas. José continua vivo até hoje, e quem sabe quantas outras missões deve ter ele realizado em outras esferas.

Existe aquele *maldito caixão mortuário*, mas também existe aquela *alma bendita*. Esta última é que conta a verdadeira história de um homem.

Deus estava presente em nosso começo (Gn 1.26,27), mas também se faz presente em nosso fim.

> Deus esteja no meu fim,
>   tal como no meu começo.
>
>   Sarum Primer, 1558

O corpo inerte de José terminou em um caixão, no Egito. Muito mais importante do que isso, contudo, é o fato de que José viveu segundo a lei do amor, antes de morrer. Destarte ele desenvolveu a sua espiritualidade e pôde salvar muitas vidas. Ademais, o fato de que José continua vivo, junto do Senhor, faz nossa mente desviar-se para longe daquele caixão no Egito.

O livro de Gênesis, pois, termina com o registro da morte de um grande homem. Porém, visto que o Gênesis é o livro dos princípios, podemos encarar essa morte como um novo princípio. Todos os fins são instrumentais, servindo também de novos princípios. Espera por nós aquela Pátria Celeste, tipificada pela terra de Canaã. Aquela pátria é a residência final da alma remida; é o domínio de Deus.

> Quando este mundo passageiro desaparecer;
> Quando houver descido além, o sol brilhante;
> Quando estivermos com Cristo, na glória,
> Contemplando a história terminada da vida,
> Então, Senhor, conhecerei bem,
> Mas só então, o quanto eu te devo.
>
>   M'Cheyne

ÊXODO

O Livro da Redenção

Disse ainda o Senhor: Certamente vi a aflição do meu povo, que está no Egito, e ouvi o seu clamor por causa dos seus exatores. Conheço-lhe o sofrimento.

Êxodo 3.7

40 | Capítulos
1.213 | Versículos

INTRODUÇÃO

O livro de Êxodo, segunda seção da Torá, é chamado em hebraico de We'ele, ou às vezes, Shemoth, nomes derivados de suas palavras iniciais "Estes são os nomes" ou, mais abreviadamente, "nomes dos", pois esta seção da Torá começou com os nomes dos patriarcas que desceram do Egito. Em português, o termo *êxodo* é a forma latinizada que se derivou da Septuaginta, versão grega do Antigo Testamento (ex — fora + hodos — caminho = "saídas").

ESBOÇO

I. Composição
   1. Autoria e Data
   2. Relação com o Restante do Pentateuco
   3. Ponto de Vista Literário
II. Historicidade
III. Quatro Áreas Salientadas
   1. Redenção dos Hebreus da Terra do Egito
   2. Estabelecimento do Pacto
   3. A Lei
   4. O Culto
IV. Conteúdo
V. Seção Legal
   1. As Leis Dadas Antes do Sinai
   2. Os Dez Mandamentos
   3. O Livro do Pacto
   4. Regulamentações para o Tabernáculo e Estabelecimento do Sacerdócio
   5. O Decálogo Ritual
VI. Milagres
VII. Bibliografia

I. COMPOSIÇÃO

1. Autoria e Data. Semelhantemente ao que ocorre nos outros livros do Pentateuco, a questão da autoria de Êxodo divide os estudiosos em duas classes: a. a do ponto de vista conservativo e b. a da escola crítica.

   a. Ponto de Vista Conservativo. Os conservativos reivindicam que Êxodo, tanto quanto o Pentateuco como um todo, foi escrito por Moisés. Eles admitem que talvez Moisés tenha usado fontes antigas, orais ou escritas, mas a despeito disso é o único autor dos cinco primeiros livros da Bíblia. Os que mantém essa opinião suportam seu ponto de vista com base nas seguintes passagens de Êxodo: 1. Duas vezes o livro declara que Deus falou para Moisés escrever (17.14; 34.27); 2. uma vez o livro diz que Moisés escreveu (24.4); 3. Cristo declarou que Moisés escreveu (Jo 5.46,47); 4. Em Marcos 7.10, Cristo atribuiu também Êxodo 20.12 e 21.17 a Moisés; 5. Em Marcos 12.26 Jesus se refere ao "livro de Moisés", contudo os conservadores admitem que neste trecho talvez Jesus estivesse referindo-se à tradição judaica que atribuía a Moisés a responsabilidade pelo conteúdo do livro. A autoria mosaica implicaria uma data provavelmente no século XIII a.C.
   b. Ponto de Vista Crítico. Os críticos afirmam que Êxodo é resultado da compilação dos documentos J.E.D. e P.(S.) (ver o artigo correspondente no *Dicionário*) em que cada um desses documentos consistia em uma narrativa e numa série de leis.

O documento J é constituído de narrativas judaicas antigas, e seu autor revela interesse pelo reino judaico e seus heróis (850 a.C.). A palavra Yahweh (Jeová) é usada neste documento para referir-se a Deus.

O documento E contém as antigas narrativas afraemitas originadas por volta de 750 a.C. O escritor de E demonstra interesse pelo reino do Norte de Israel e por seus heróis. Ele emprega o vocábulo *Eloim* em lugar de Yahweh (Jeová) para referir-se a Deus.

O documento D, também chamado Código Deuteronômico, foi encontrado no templo em 621 a.C. Esse documento aborda o fato de que o amor é a razão mesma do servir, e salienta a doutrina de um único altar.

O Código sacerdotal ou documento *P(S)* originou-se por volta de 500 a.C., todavia sua redação prorrogou-se até o sec. IV. a.C. Esse documento evidencia uma preferência por números e genealogias, distinguindo-se dos outros também quanto a seu ponto de vista sacerdotal e ritualístico.

Os críticos esclarecem que as fontes de Êxodo, além de distintas entre si, datam de um período bastante posterior aos eventos narrados. Eles acentuam também que o livro não só revela o trabalho de diferentes indivíduos, mas de diferentes escolas de registros históricos. Cada documento tem seu ponto de vista individual, assim como cada evangelho sinótico apresenta sua própria visão da vida de Cristo. Certo erudito disse que o livro de Êxodo era como uma grande sinfonia, a qual se pensou produzir uma harmonia uníssona, mas agora tem sido demonstrado que, em virtude de seus elementos intensamente discordes entre si, a harmonia produzida é ainda mais rica.

2. Relação com o Restante do Pentateuco. A narrativa de Êxodo está intimamente relacionada com a de Gênesis, pois continua a história dos descendentes dos patriarcas do ponto em que Gênesis 50 parou, embora um tempo considerável tenha passado entre a morte de José e os primeiros eventos de Êxodo (1.7 ss.), período durante o qual o povo de Israel fora levado a posição de servidão. Depois de descrever a emigração do Egito, o livro relata a entrega da lei e da construção do tabernáculo. As regras para o sacrifício que seguem formam a primeira parte de Levítico. Êxodo não é tanto um livro independente quanto uma porção arbitrariamente definida de uma seção do Pentateuco que abrange três livros. A divisão entre Êxodo e Levítico é semelhante àquela entre 1 e 2Samuel ou entre 1 e 2Reis.

3. Ponto de Vista Literário. Como obra literária, Êxodo é inferior a Gênesis, embora algumas qualidades similares de estilo narrativo intenso e vigoroso estejam evidentes em certas porções. A despeito de algumas incertezas, este livro constitui valiosa fonte de história política e cultural. O conteúdo de Êxodo está dividido em partes quase iguais entre narrativa e seção legal. Os primeiros 19 capítulos são quase inteiramente narrativos, com exceção de pequenas seções legais, a saber, 12.14-27, 42-49; 13.1-16. O restante do livro trata solidamente da lei, com exceção do capítulo 24, que descreve o reconhecimento do pacto, e dos capítulos 32—34, que descrevem a rebelião do povo, a intercessão de Moisés e a renovação do pacto.

II. HISTORICIDADE

Grandes são os problemas de historicidade, rota percorrida e data do êxodo. Embora os pesquisadores não tivessem descoberto nenhuma prova contemporânea direta desse evento, uma série de evidências indiretas tem ajudado a esclarecer muitos detalhes. Os primeiros 12 capítulos descrevem principalmente as ocorrências da última parte do segundo milênio a.C. no Egito. Os eventos dos capítulos restantes aconteceram na península do Sinai. Um tratamento mais detalhado, concernente a história, localidade geográfica e cronologia é apresentado no presente artigo.

Nesta seção, limitamo-nos a apresentar um breve sumário de alguns aspectos importantes ressaltados pelos peritos no assunto:
1. Embora considerável porção reflita aspectos da vida e história, escassos são os detalhes que poderiam indicar o tempo preciso dos eventos narrados. Em nenhuma ocasião o rei do Egito é mencionado pelo nome. "Faraó" ou "rei do Egito" são as duas formas empregadas para referir-se a esse governante. Acreditava-se que a data do êxodo poderia ser determinada caso fosse descoberto que o Faraó morreu afogado. Todavia, esse detalhe não tem sido esclarecido, e o texto de Êxodo nem mesmo indica que o rei necessariamente morreu afogado, mas somente que sofreu grande derrota, seus carros de guerra e sua carruagem afundaram, e seus capitães favoritos se afogaram.
2. A declaração de Êxodo 1.8, "Entrementes se levantou novo rei sobre o Egito, que não conhecera a José", sugere fortemente que a expulsão dos hicsos ocorreu no período entre a morte de José e o nascimento de Moisés. Neste caso, seria fácil entender por

que o novo rei teria uma atitude hostil em relação àqueles que ele associava aos hicsos, que também eram asiáticos e dominaram o Egito durante um considerável período de tempo.

3. A referência às cidades de Pitom e Ramessés em Êxodo 1.11 tem sido apontada como prova de que os eventos descritos não poderiam ter ocorridos até a 19ª dinastia, considerando que os primeiros reis que levaram o nome Ramsés pertenciam àquela dinastia. Contudo, é possível que os nomes originais tenham sido substituídos no texto pelos nomes conhecidos posteriormente. A despeito do fato de que os Ramsés não reinaram até a 19ª dinastia, poderia ter existido uma cidade com o nome Ramessés, pois o culto do deus RE ou RA alcançou proeminência em muitos períodos da história egípcia antiga e "mss" era um sufixo comum para nomes pessoais.

4. A opressão egípcia é descrita como muito severa. Comprovando este fato, abundantes evidências do período da 18ª e 19ª dianastia ilustram a crueldade dos egípcios em relação aos escravos e estrangeiros. O sinal hieroglífico representativo de um estrangeiro é a figura de um homem atado e com um ferimento sangrento na cabeça. Tal sinal é usado até mesmo em conexão com nomes de honrados reis estrangeiros com quais os egípcios faziam acordos. Portanto, há evidências de crueldade dos egípcios em relação aos estrangeiros, às quais ajuntam os eventos relatados no início de Êxodo. No passado pensava-se que as grandes pirâmides do Egito eram resultado do trabalho dos hebreus durante a opressão, contudo essa ideia não é pertinente: as pirâmides provavelmente foram levantadas pelo menos mil anos antes da época do êxodo.

5. Pesquisadores questionam a historicidade do êxodo e do evento do mar Vermelho, com base no fato de que as ruínas do Egito antigo não mencionam tais ocorrências. Essa objeção, todavia, baseia-se numa concepção errônea da natureza da arqueologia egípcia. Muitos dos registros cotidianos e das ruínas das casas do Egito antigo estão debaixo da bacia de água no Delta, a região onde a maioria das pessoas viveu. Embora abundantes, as ruínas do Egito antigo consistem principalmente em sepulcros e monumentos construídos no deserto para celebrar conquistas e vitórias egípcias. Derrotas como a partida dos israelitas e o insucesso do Faraó em recapturá-los dificilmente resultariam na construção de monumentos.

6. Outras questões são levantadas em relação à historicidade do livro de Êxodo, tais quais: a. Êxodo 1.5 declara que o número de pessoas que desceu para o Egito era setenta, contudo estudiosos observam que esse é um número meramente aproximado. b. A historicidade do capítulo 1 tem sido questionada com base no fato de que uma grande multidão, tal qual a dos israelitas, requeria mais do que duas parteiras para salvar a vida dos meninos hebreus. Por outro lado, deve-se observar que a passagem não afirma que havia somente duas parteiras. c. Há algumas objeções em relação à história de Moisés narrada no capítulo 2. Alguns estudiosos sugerem que a história do salvamento de Moisés através do cesto de junco seja uma cópia da história de Sargon que também fora salvo através de um barco. Outros observam que a história de Sargon é de origem mesopotâmica e dificilmente teria servido de base para uma história egípcia. Além disso, para as comunidades que viviam às margens do rio, esse incidente pode ser comparado ao de uma criança sendo abandonada na porta de uma casa atualmente e a existência de histórias com esse tema poderia ser perfeitamente independente. d. Aparentemente há uma contradição em relação ao nome do sacerdote de Midiã, que é chamado de Reuel em Êxodo 2.18 e de Jetro em Êxodo 3.1. Segundo os críticos, esses nomes devem ter pertencido a documentos diferentes, e o uso de ambos comprova a combinação desses documentos.

III. QUATRO ÁREAS SALIENTADAS

1. **Redenção dos Hebreus da Terra do Egito.** O livramento dos israelitas do poder opressivo do Faraó é um dos aspectos acentuados, pois esse fato condicionou a mente dos israelitas para as eras vindouras e estabeleceu um débito permanente de gratidão para com aquele que os livrou da escravidão. Metaforicamente esse livramento salienta a importância da redenção da escravidão do pecado na vida de todo aquele que é remido por intermédio de Cristo, representado pelo cordeiro pascal (Êx 12.1-14).

2. **Estabelecimento do Pacto.** O pacto fundamentou-se no fato de que Deus, tendo redimido seu povo, tinha o direito de esperar dele aliança e lealdade. (Referências à redenção, sobre a qual o pacto se baseia: 19.4-6; 20.2; 22.21; 23.9-15). Para Deus, os remidos se tornaram o povo de seu pacto, e ele prometeu protegê-los e dirigi-los. Em troca, eles deveriam obedecer à sua lei.

3. **A Lei.** A declaração do pacto inicia-se com o grande sumário da lei moral dos Dez Mandamentos e apresenta a seguir várias leis importantes para a vida daqueles que são destinados a formar uma nação santa e um povo consagrado a Deus.

4. **O Culto.** Este tema é referido em Êxodo 3.5,6 e nas regras da Páscoa no capítulo 12, que estabeleceram na mente das gerações subsequentes a natureza da redenção de Deus e a necessidade de participação individual e pessoal. A questão de reverência é tratada especialmente nos capítulos 25—31, que descrevem os preparativos para a construção do tabernáculo e a separação dos sacerdotes, e no relato da construção do tabernáculo nos capítulos 35—40.

IV. CONTEÚDO
A. Os Hebreus no Egito (1.1—12.36)
1. A opressão (1.1-22)
   a. Os descendentes de Jacó no Egito (1.1-14)
   b. Moisés nos é apresentado (1.15-22)
2. Preparação dos representantes de Deus (2.1—4.31)
   a. Nascimento e educação de Moisés (2.1-10)
   b. Moisés mata um egípcio e foge para Midiã (2.11-22)
   c. Moisés é chamado por Deus (2.23—3.22)
   d. Deus concede poderes a Moisés (4.1-17)
   e. Moisés regressa ao Egito (4.18-31)
3. Tentativas de sair do Egito (5.1—7.13)
   a. Moisés e Arão falam ao Faraó (5.1-5)
   b. O Faraó intensifica a opressão (5.6-14)
   c. Moisés, rejeitado por Israel e encorajado por Deus (5.15—6.13)
   d. Genealogias de Moisés e Arão (6.14-27)
   e. Moisés fala novamente ao Faraó (6.28—7.3)
4. As dez pragas (7.14—11.10)
   a. As águas tornam-se sangue (7.14-25)
   b. Rãs (8.1-15)
   c. Piolhos (8.16-19)
   d. Moscas (8.20-32)
   e. Peste nos animais (9.1-7)
   f. Úlceras nos homens e nos animais (9.8-12)
   g. Chuva de pedras (9.13-35)
   h. Gafanhotos (10.1-20)
   i. Trevas (10.21-29)
   j. A morte dos primogênitos é anunciada (11.1-10)
5. A instituição da Páscoa (12.1-28)
6. Realização da décima praga: morte dos primogênitos (12.29-36)

B. Os Hebreus no Deserto (12.37—18.27)
1. A saída dos israelitas do Egito (12.37-51)
   a. Consagração dos primogênitos (13.1-16)
   b. Deus guia o povo pelo caminho (13.17-22)
2. O Faraó tenta reconquistar Israel (14.1—15.21)
   a. Perseguição contra Israel (14.1-14)
   b. Travessia do mar (14.15-25)
   c. Os egípcios perecem no mar (14.26-31)
   d. Hino de vitória (15.1-21)
3. Experiências no deserto (15.22—18.27)
   a. As águas amargas tornam-se doces (15.22-27)
   b. Deus manda o maná (16.1-36)
   c. A água da rocha de Refidim (17.1-7)
   d. Amaleque ataca os israelitas (17.8-16)
   e. Jetro visita e aconselha Moisés (18.1-27)

C. Os Hebreus no monte Sinai (19.1—40.38)
1. Estabelecimento do pacto divino (19.1—24.11)
   a. Preparação para o pacto (19.1-25)
   b. Os Dez Mandamentos (20.1-17)
   c. O temor do povo (20.18-21)
   d. Leis acerca dos altares (20.22-26)

e. Leis acerca de escravos (21.1-11)
f. Leis acerca da violência (21.12-36)
g. Leis acerca da propriedade (22.1-15)
h. Leis civis e religiosas (22.16-31)
i. O testemunho falso e a injúria (23.1-5)
j. Deveres dos juízes (23.6-9)
k. O ano de descanso (23.10,11)
l. O sábado (23.12,13)
m. As três festas (23.14-19)
2. Promessas divinas (23.20-33)
3. A aliança de Deus com Israel (24.1-11)
4. Deus dá instruções no monte (24.12—31.18)
   a. Moisés e os anciãos sobem ao monte (24.12-18)
   b. Direções para a construção do tabernáculo (25.1—27.21)
   c. Direções quanto ao sacerdócio (28.1—29.46)
   d. Instruções suplementares (30.1—31.18)
5. Idolatria do povo (32.1—33.23)
   a. O bezerro de ouro (32.1-6)
   b. A ira de Deus (32.7-10)
   c. Moisés intercede pelo povo (32.11-24)
   d. Moisés manda matar os idólatras (32.25-29)
   e. A segunda intercessão de Moisés (32.30-35)
   f. O anjo de Deus guiará o povo (33.1-23)
6. Restabelecimento do pacto (34.1—35.3)
   a. As segundas tábuas da lei (34.1-9)
   b. A Lei. Desdobramento do Décalogo (34.12-28)
   c. As três festas (34.18-28)
   d. O rosto de Moisés resplandece (34.29-35)
   e. O sábado (35.1-3)
7. Construção do tabernáculo (35.4—40.38)
   a. Ofertas para o tabernáculo (35.4-29)
   b. Obreiros para o tabernáculo (35.30—36.7)
   c. As partes do tabernáculo (36.8—38.20)
   d. O custo do tabernáculo (38.21-31)
   e. As vestes dos sacerdotes (39.1-31)
   f. Os utensílios do tabernáculo são terminados e apresentados (39.32-43)
   g. Deus manda Moisés levantar o tabernáculo (40.1-15)
   h. O tabernáculo é levantado (40.16-33)
   i. Manifestação divina de aprovação (40.34-38)

V. SEÇÃO LEGAL

As leis do livro de Êxodo têm como objetivos principais: a. estabelecer regras detalhadas para a conduta das pessoas em muitas situações, originando ordem e justiça entre os homens; e b. regular o relacionamento dos redimidos com Deus. Outros códigos de lei têm sido descobertos, alguns bem mais antigos que o de Êxodo, a saber: Código de Hamurabi, rei da Babilônia, encontrado em 1901 (XVIII a.C.) — um código sumérico cerca de dois séculos mais antigo, e um outro babilônico mais velho ainda; o Código Hitita (XIV a.C.) e as Leis Assírias (XII). Um exame da natureza desses códigos em relação a Êxodo demonstra que uma diferença principal entre esses códigos e Êxodo é o fato de que os outros códigos são estritamente seculares, exceto quando ocasionalmente mencionam os privilégios ou responsabilidades dos sacerdotes. Êxodo, por outro lado, é pesadamente religioso: inclui regras para sacrifícios, festivais anuais e outros serviços religiosos.

Algumas semelhanças são também encontradas entre as leis de Êxodo e as de certos códigos, como, por exemplo, a existência de dois tipos de lei, casuística e apodíctica, nos códigos Hititas e nas leis da Ásia Menor.

As leis casuísticas, também chamadas leis de sentença, referem-se a situações específicas, e formulam uma sentença à qual o criminoso deve ser submetido em tais situações. Estas leis geralmente iniciam com a partícula "se" introduzindo a descrição geral da situação.

Ocasionalmente a partícula "se" ocorre, acrescentando detalhes mais específicos da situação e introduzindo juntamente uma declaração da pena apropriada. As leis *apodícticas* consistem em declarações categóricas sobre os crimes, geralmente sem se referir à pena, como nos Dez Mandamentos, mas também acrescentando-a em certas ocasiões e simplesmente terminando a declaração com a frase "ele será morto", ou precedendo-a com a frase "amaldiçoado seja aquele que...". Albrecht Alt, o estudioso que sugeriu a divisão das leis do Antigo Testamento nesses dois tipos, é de opinião que as leis casuísticas do Pentateuco foram extraídas das leis cananitas, enquanto as leis apodícticas são de origem especificamente judaica. Alegando que ambos os tipos de leis são encontrados também nos tratados hititas e nas leis da Ásia Menor, Mendenhall refuta essa declaração. As porções seculares das leis indicam contatos com as leis de períodos anteriores; contudo, segundo os conservatistas, esse fato não coloca em questão a autenticidade das leis recebidas por Moisés.

As seções legais de Êxodo são extensivas e detalhadas. Os principais grupos são: 1. As leis dadas antes do Sinai. 2. Os Dez Mandamentos. 3. O Livro do Pacto. 4. Regulamentações para o tabernáculo e estabelecimento do sacerdócio. 5. O Decálogo Ritual.

1. As leis dadas antes do Sinai compreendem a lei da páscoa, a lei da consagração dos primogênitos e a lei do maná. Em Êxodo 12.3-13 o Senhor deu ordens explícitas quanto à cerimônia da páscoa e em Êxodo 12.13-49 e 13.1-16 estabeleceu regras permanentes a respeito do grande festival anual e da consagração dos primogênitos. A lei do maná, em Êxodo 16.16; 23.33, estava relacionada à necessidade imediata de regular a arrecadação e o uso da comida.

2. Os Dez Mandamentos, também chamados Decálogo (em hebraico, as Dez Palavras), estão contidos em Êxodo 20.1-17, e são repetidos com pequenas diferenças em Deuteronômio 5.6-21. O caráter especial dos Dez Mandamentos, dizem os estudiosos bíblicos, reside: a. no fato de que eles foram "escritos pelo dedo de Deus" nas tábuas de pedra (Êx 31.18; 32.16; Dt 9.10) e b. no fato de que foram recitados para a nação de Israel como um todo. Isso está implícito em Êxodo 20.18,19 (ver o artigo assim intitulado no *Dicionário*) e é explicitamente declarado em Deuteronômio 5.4.

Os Dez Mandamentos distinguem-se das outras seções legais quanto a seu caráter sintético e formal de apresentar as leis. Esta seção consiste em um sumário das leis éticas, com poucos detalhes explicativos. Pena nenhuma é mencionada para a infração dos mandamentos.

A questão da originalidade dos Dez Mandamentos tem sido motivo de controvérsia entre os eruditos. Wellhausen e outros críticos afirmam que os Dez Mandamentos representam uma forma desenvolvida de lei, que dificilmente teria existido até o tempo do último reino israelita. A diferença de redação entre o mandamento de Sabá em Êxodo 20.8-11, e sua contrapartida em Deuteronômio 5.12-15, indica que o mandamento original era ou mais longo, incluindo assim ambas as formas, ou mais resumido, sendo apresentado portanto em forma de sinóptico. Os que acreditam na plena inspiração das Escrituras afirmam que os Dez Mandamentos incluem todas as palavras de ambas as passagens.

Quanto à *enumeração dos mandamentos*, há três formas principais: 1. a enumeração de Josefo (*Antiq.* III.c.6, sec. 5); 2. a enumeração do Talmude; e 3. a enumeração de Agostinho. A maioria das igrejas protestantes não-luteranas e a igreja grega seguem a enumeração de Josefo. A igreja católica romana e a maioria dos luteranos seguem a enumeração de Agostinho.

A disposição dos mandamentos nas tábuas tem sido motivo de polêmica: 1. Agostinho sugeriu que os três primeiros mandamentos estavam na primeira tábua, e os outros sete na segunda; 2. Calvino sugeriu que quatro estavam na primeira e seis na segunda; 3 Filo e Josefo afirmaram explicitamente que havia cinco mandamentos em cada tábua.

3. O Livro do Pacto corresponde à porção de Êxodo 20.22 a 23.33. Essas leis abordam uma variedade de assuntos religiosos, morais, comerciais e humanitários. O Livro do Pacto inicia-se com uma reiteração da advertência contra a idolatria e segue com instruções sobre tipos de altares (Êx 20.24-26). Princípios humanitários proporcionam o tema para a próxima seção, na qual são tratados problemas de relacionamento entre mestre e servo, preservação de propriedade, compensação de danos pessoais e preservação de direitos de propriedade. Esta seção acrescenta ainda mandamentos específicos contra imoralidade, bestialismo, espiritismo, hostilidade ao fraco e oprimido etc.

O Livro do Pacto consiste basicamente em leis casuísticas, contudo seu propósito não é o de fornecer um conjunto completo de leis para todos os diferentes tipos de problemas que possam eventualmente surgir, e, sim, indicar o tipo de punição que deve ser efetuado em algumas situações comuns.

4. Regulamentações para o tabernáculo e o estabelecimento do sacerdócio estão contidas entre Êxodo 25.1 e 31.17. Durante os quarenta dias e quarenta noites que Moisés permaneceu no monte, o Senhor deu-lhe instruções quanto ao sistema israelita de adoração. Planos para a construção do tabernáculo, bem como de sua mobília e utensílios, foram estabelecidos com precisão. Segue uma descrição do uso e da natureza dos implementos usados pelos sacerdotes, tais como: a bacia de bronze para as sagradas abluções, e a preparação do perfume e do óleo sagrados (Êx 30.17-38).

Depois de seguidas as instruções desses versos, homens contemplados com o Espírito de Deus eram apontados para construir o tabernáculo e toda a sua mobília (31.1-2). As descrições do santuário, do sacerdócio e da forma do culto são seguidas por aquelas dos tempos e períodos sagrados (31.12 ss.). Sobre tempos sagrados há aqui referência somente ao sábado, e outros regulamentos são apresentados no que concerne às suas origens. A preparação do tabernáculo devia ter começado quando Deus entregou a Moisés as tábuas da lei, se o seu progresso não tivesse sido interrompido pelo ato de idolatria por parte do povo, e pelo seu consequente castigo pela ofensa, o que é o tema da narrativa nos capítulos 32—35. Contrária e em oposição a tudo o que tinha sido feito por Jeová para Israel e na presença de Israel, a terrível apostasia deste último se manifesta da maneira mais melancólica, como um ominosamente significante fato profético, que é incessantemente repetido na história de gerações subsequentes. A narrativa disso está intimamente ligada aos relatos precedentes da misericórdia e gratuita fidelidade de Jeová de um lado, e a descarada ingratidão de Israel do outro, intimamente associadas. Esta conexão forma a ideia central de toda a história da teocracia. Somente após a narrativa desse significativo evento é que o relato sobre a construção e o término do tabernáculo pode proceder (35—40). Tal relato se torna mais circunstancial à medida que o assunto mesmo ganha maior importância.

Acima de tudo, é fielmente demonstrado que tudo fora executado segundo os mandamentos de Jeová. Na História descritiva de Êxodo um plano fixo de conformidade com os princípios apresentados antes, é consistente e visivelmente carregado — através de todo o livro, dando-nos assim a mais certa garantia da unidade de ambos: livro e autor.

5. O Decálogo Ritual consiste em um grupo de leis dado em Êxodo 34.10-28. Alguns dos Dez Mandamentos e algumas das ordenanças religiosas do Livro do Pacto são repetidos neste trecho, exceto as leis casuísticas. A relação do Decálogo Ritual aos textos paralelos é um assunto polêmico. A teoria de que esta passagem é mais antiga do que os Dez Mandamentos propriamente ditos é bastante aceita.

VI. MILAGRES

O livro de Êxodo descreve um dos grandes períodos de miraculosa intervenção divina nas Escrituras. Os milagres deste livro podem ser classificados em três grupos: 1. milagres que provaram aos israelitas que Moisés tinha sido realmente enviado por Deus; 2. o milagre das pragas que caíram sobre o Egito como castigo; 3. milagres de providência e proteção divina no deserto. O milagre da sarça ardente, primeiro incidente de ordem sobrenatural do livro de Êxodo, não pertence a nenhum desses três grupos. Nesse incidente, Deus comunicou-se particularmente com Moisés, revelando-lhe sua missão.
1. Entre os milagres que provaram a autenticidade da missão de Moisés, estão: a. a transformação da vara em serpente e vice-versa; b. o fenômeno da mão de Moisés que repentinamente se tornou leprosa e foi restaurada em seguida; c. o fenômeno da transformação da água em sangue.
2. Com exeção da décima, as pragas do Egito até certo ponto consistiram em fenômenos que poderiam ocorrer naturalmente naquela região. Contudo, quatro aspectos peculiares dessas pragas provam o caráter sobrenatural desses fenômenos, a saber: a. a intensidade — foram fenômenos extremamente severos; b. a aceleração — aconteceram num curto período de tempo; c. a especificação — a terra de Gósen não foi atingida por certas pragas; d. a predição — Moisés podia prever quando a praga ocorreria.

O caráter miraculoso da décima praga consistiu na intervenção divina fornecendo instruções aos israelitas sobre como proceder para que a vida de seus primogênitos fosse poupada.
3. Entre os milagres de proteção e *providência divina* no deserto estão: a. a travessia do mar Vermelho; b. a coluna de nuvem durante o dia, e a coluna de fogo à noite, que guiaram o povo de Israel no deserto; c. a provisão de água em Mara e Refidim; d. provisão de alimento: codornizes e maná; e. a entrega dos Dez Mandamentos.

VII. BIBLIOGRAFIA
ALB AM ANET BA E C I IB IOT NAP NOT WBC WES S

Cronologia dos Patriarcas
As datas variam, de acordo com os cálculos dos eruditos, em até 200 anos. E as versões, como a Septuaginta, também variam nessa proporção.

2166 a.C.	Nascimento de Abraão (Gn 11.26)
2066 a.C.	Nascimento de Isaque (Gn 21.5)
2006 a.C.	Nascimento de Jacó (Gn 25.26)
1991 a.C.	Morte de Abraão, aos 175 anos (Gn 25.7)
1915 a.C.	Nascimento de José (Gn 30.23,24)
1898 a.C.	José vendido ao Egito com 17 anos (Gn 37.2,28)
1886 a.C.	Isaque morre aos 180 anos (Gn 35.28)
1876 a.C.	Jacó muda-se para o Egito, aos 130 anos (José estava com 39 anos) (Gn 47.9)
1859 a.C.	Jacó morre aos 147 anos (17 anos depois de entrar no Egito) (Gn 47.28)
1805 a.C.	José morre aos 110 anos (Gn 50.26)

Idade Comparada dos Antediluvianos, dos Patriarcas e da Era do Reino

De Adão a Noé:	900-1.000 anos
De Noé a Abraão:	200-600 anos
Os Patriarcas:	100-200 anos
Era do reino:	70 anos em média

Eventos do Gênesis que levaram ao Êxodo
- Os sonhos de José prediziam sua ascensão ao poder (Gn 37.5-10)
- Os invejosos irmãos de José vendem-no ao Egito (Gn 37.27 ss.)
- No Egito, José é lançado na prisão (Gn 39)
- José é favorecido pelo Faraó mediante a interpretação de sonhos (Gn 41)
- José torna-se a segunda autoridade do Egito (Gn 41.42 ss.)
- A fome força Jacó e sua família a migrar de Canaã para o Egito (Gn 46)
- Israel em formação ocupa a terra de Gósen, uma região do Egito (Gn 47)
- Israel, como pequena nação, é escravizada por um Faraó que não conhecera a José (Êx 1)
- Aparecimento de Moisés (Êx 2)
- Israel, ao sair do Egito, conta com 3 milhões de pessoas (600 mil homens de guerra) (Nm 1.46)

Ao Leitor
Historicidade do Livro de Êxodo. Ver a segunda seção da *Introdução*. Não há nos registros egípcios nenhuma informação da saída de um grande número de pessoas que tenha deixado o Egito. É possível que grandes derrotas não fossem historicamente registradas. Mas várias linhas de arcabouço histórico (ver as notas sobre Êx 1.8) apontam para a 19ª dinastia (cerca de 1350—1200 a.C.) como o tempo provável do êxodo, embora os eruditos divirjam muito quanto a essas datas. O livro de Gênesis atribui uma razão espiritual para o êxodo. O Pacto Abraâmico (ver as notas em Gn 15.18) tinha de ser cumprido, e parte desse cumprimento seria que a nação de Israel

teria como pátria o território que Deus dera a Abraão, a saber, a terra de Canaã. Mas este lugar não poderia ser conquistado enquanto não terminasse o exílio de Israel no Egito, e enquanto os pecados dos habitantes originais de Canaã não tivessem chegado ao seu clímax. Mas, então, as populações cananeias seriam julgadas com a perda de suas terras. E a nação de Israel, livre da escravidão no Egito, seria a executora desse juízo. Ver Gênesis 15.13,16.

As duas grandes seções do livro de Êxodo são: 1. A emancipação de Israel e seu retorno do exílio (Êx 1—18). 2. As vagueações de Israel pelo deserto (Êx 19—40). Moisés passa a ser aqui o herói do momento. Depois de Abraão, se não mesmo acima dele, Moisés surgiu como a maior figura isolada da história de Israel. Foi Moisés quem desenvolveu os alicerces espirituais de Israel, tendo sido ele o doador da Lei, a maior contribuição espiritual do povo de Israel. Ver no *Dicionário* o detalhado artigo intitulado *Moisés*.

Citações de Êxodo no Novo Testamento
- *Mateus:* 5.21 (Êx 20.13); 5.27 (Êx 20.14); 5.38 (Êx 21.24); 15.4 (Êx 20.12; 21.17); 19.18 (Êx.20.13-16); 19.19 (Êx 20.12); 22.32 (Êx 3.6); 26.28 (Êx 24.8)
- *Marcos:* 7.10 (Êx 20.12); 7.10 (Êx 21.17); 10.19 (Êx 20.12-16); 12.26 (Êx 3.6); 14.24 (Êx 24.8)
- *Lucas:* 2.23 (Êx 13.12); 18.20 (Êx 20.12-16); 20.37 (Êx 3.6); 22.20 (Êx 24.8)
- *João:* 6.31 (Êx 16.4); 19.36 (Êx 12.46)
- *Atos:* 3.13 (Êx 3.6); 4.24 (Êx 20.11); 7.6 ss. (Êx 2.22); 7.7 (Êx 3.12); 7.15 (Êx 1.6); 7.17 (Êx 1.7 ss.); 7.19 (Êx 1.9 ss.); 7.19 (Êx 1.18); 7.20 (Êx 2.2); 7.21 (Êx 2.5); 7.21 (Êx 2.10); 7.23 (Êx 2.11); 7.24 (Êx 2.12); 7.27 ss. (Êx 2.13 ss.); 7.29 (Êx 2.15,22); 7.30 (Êx 3.3); 7.32 (Êx 3.6); 7.33 (Êx 3.5); 7.34 (Êx 2.24; 3.7 ss. 10); 7.35 (Êx 2.14); 7.36 (Êx 7.3); 7.40 (Êx 32.1,23); 7.41 (Êx 32.4,6); 7.44 (Êx 25.1,40); 7.51 (Êx 33.3,5); 13.17 (Êx 6.1,6); 4.15 (Êx 20.11); 23.5 (Êx 22.28)
- *Romanos:* 7.7 (Êx 20.14,17); 9.15 (Êx 33.19); 9.17 (Êx 9.16); 9.18 (Êx 7.3; 9.12; 14.4,17); 13.9 (Êx 20.13 ss. 17)
- *1Coríntios:* 5.7 (Êx 12.21); 10.7 (Êx 32.6); 11.25 (Êx 24.8)
- *2Coríntios:* 3.3 (Êx 31.18; 34.1); 3.7,10,13,16 (Êx 34.29 ss.; 34 ss); 3.18 (Êx 24.17); 8.15 (Êx 16.18)
- *Efésios:* 6.2 ss. (Êx 20.12)
- *Hebreus:* 8.5 (Êx 25.40); 9.20 (Êx 24.8); 9.23 (Êx 2.2); 9:24 (Êx 2.11); 9.28 (Ex12.21 ss.); 12.19 (Êx 19.16); 12.20 (Êx 19.12 ss.)
- *Tiago:* 2.11 (Êx 20.13 ss.)
- *1Pedro:* 2:9 (Êx 19.5 ss.; 23.22)
- *Apocalipse:* 1.4 (Êx 3.14); 1.6 (Êx 19.6); 1.8 (Êx 3.14); 3.5 (Êx 32.33); 4.1 (Êx 19.16,24); 4.5 (Êx.19.16); 4.8 (Êx 3.14); 5.10 (Êx 19.6); 8.5 (Êx 19.16); 8.7 (Êx 9.24); 8.8 (Êx 7.19); 9.3 ss. (Êx 10.12,15); 11.6 (Êx 7.17,19); 11.15 (Êx 15.18); 11.17 (Êx 3.14); 11.19 (Êx 19.16); 14.7 (Êx 20.11); 15.3 (Êx 15.1); 15.3 (Êx 34.10); 15.5 (Êx 40.34); 15.8 (Êx 40.34 ss.); 16.2 (Êx 9.9 ss); 16.3 (Êx 7.20); 16.4 (Êx 7.20); 16.5 (Êx 3.14); 16.10 (Êx 10.22); 16.13 (Êx 8.3); 16.18 (Êx 19.16); 16.21 (Êx 9.24)

EXPOSIÇÃO
CAPÍTULO UM

OS HEBREUS NO EGITO (1.1—12.36)

A OPRESSÃO (1.1-22)

OS DESCENDENTES DE JACÓ NO EGITO (1.1-14)

"São estes os nomes" é o título do livro de Êxodo no hebraico. O nome *Êxodo* vem da Septuaginta (tradução do Antigo Testamento hebraico para o grego), e veio a ser o nome desse livro por ser o seu tema principal. Os editores sacerdotes usavam regularmente as genealogias como um artifício para prover a história da nação de Israel e da humanidade. Esta lista contém o mesmo conteúdo geral e a mesma ordem que aparece em Gênesis 35.23-26, ficando assim ligados os livros de Gênesis e de Êxodo. Assim, o livro de Êxodo é uma sequência do livro de Gênesis. Os hebreus seminômades tornaram-se a nação agrícola de Israel. Houve aquele pequeno começo em que setenta homens com suas famílias vieram para o Egito, para dar início à futura nação de Israel. Desse minúsculo começo foi que emergiu a grande nação de Israel. Ao tempo do êxodo, Israel tornara-se uma nação de talvez três milhões de pessoas, dentre as quais havia seiscentos mil homens de *guerra*. Ver Números 1.46.

Os críticos atribuem o livro de Êxodo a várias fontes informativas que um editor-compilador teria reunido. Ver no *Dicionário* o artigo *J.E.D.P.(S.)* quanto à teoria das fontes múltiplas do Pentateuco. Ver a primeira seção da Introdução ao Êxodo, intitulada *Composição*. Os críticos atribuem a presente seção às fontes *P(S), J* e *E*.

■ 1.1

וְאֵלֶּה שְׁמוֹת בְּנֵי יִשְׂרָאֵל הַבָּאִים מִצְרָיְמָה אֵת יַעֲקֹב אִישׁ וּבֵיתוֹ בָּאוּ׃

Os nomes. Como sucedeu que o povo de Israel acabou escravizado no Egito? O autor sacro diz que houve um núcleo em torno do qual se formou a nação. Esse núcleo era formado por aqueles que desceram, com Jacó, da terra de Canaã ao Egito, os quais, então, se reuniram a José e sua família, que já estavam no Egito. Isso nos faz lembrar da história de José (sem que ela tenha de ser repetida). Ver anteriormente *Eventos do Gênesis que Levaram ao Êxodo*. Os *nomes* é a palavra que encabeça, como título, o nome deste livro, na Bíblia hebraica.

"A despeito da opressão, os descendentes de Abraão multiplicaram-se e prosperaram, em cumprimento à promessa divina (Gn 12.2; 15.5). Os vs. 1-7 são um paralelo de Gênesis 35.23-26 e 50.26" (*Oxford Annotated Bible, in loc.*). Ver as notas em Gênesis 15.18 sobre o *Pacto Abraâmico*. Esse pacto prometia um território pátrio para os filhos de Israel, terminado o exílio no Egito (Gn 15.13,16). De acordo com os cálculos do arcebispo Ussher, os eventos cobertos pelo livro de Êxodo abrangem um período de 216 anos.

■ 1.2

רְאוּבֵן שִׁמְעוֹן לֵוִי וִיהוּדָה׃

Rúben, Simeão, Levi e Judá. Há artigos detalhados sobre esses homens, com suas respectivas tribos, no *Dicionário*. Lia teve seis filhos, que aqui aparecem na ordem em que foram nascendo. Quatro neste versículo e dois no versículo seguinte, juntamente com Benjamim, que já era filho de Raquel. Esta lista tem paralelo em Gênesis 35.23, onde temos a genealogia dos filhos de Jacó.

■ 1.3

יִשָּׂשכָר זְבוּלֻן וּבִנְיָמִן׃

Issacar, Zebulom e Benjamim. Temos aqui mais dois filhos de Lia e um de Raquel. Ver no *Dicionário* os artigos detalhados sobre esses homens. A lista tem paralelo em Gênesis 35.24, mas não menciona Raquel e José. Este figura no vs. 4, como quem já se achava no Egito. Não há menção aos seus filhos, porquanto também já estavam no Egito. E devemos compreender que José e seus familiares também faziam parte do núcleo da nação de Israel que se foi formando no Egito.

■ 1.4

דָּן וְנַפְתָּלִי גָּד וְאָשֵׁר׃

Dã e Naftali, Gade e Aser. Ver no *Dicionário* os verbetes sobre esses homens e suas respectivas tribos. Essa lista tem paralelo em Gênesis 35.25,26, mas não especifica as mães desses homens (Bila, dos dois primeiros; e Zilpa, dos dois últimos).

■ 1.5

וַיְהִי כָּל־נֶפֶשׁ יֹצְאֵי יֶרֶךְ־יַעֲקֹב שִׁבְעִים נָפֶשׁ וְיוֹסֵף הָיָה בְמִצְרָיִם׃

Todas as pessoas... foram setenta. O trecho de Gênesis 46.8-27 nos dá esse mesmo número de *varões*, mas alista cuidadosamente os seus nomes. Deuteronômio 10.22 repete a mesma informação. A Septuaginta fala em 72 nomes; e Estêvão, em Atos 7.14, usa esse mesmo número, por haver empregado a versão da Septuaginta, e não o original hebraico, algo comum para os autores e outras personagens do Novo Testamento. Ver as notas sobre essa questão em Gênesis 46.27, e sobre Atos 7.14 no *Novo Testamento Interpretado*. Além dos setenta varões, havia as mulheres, as crianças e os escravos, as várias *casas* ou famílias que compunham a totalidade da comunidade — a nação de Israel em formação. Talvez estivessem envolvidas entre duzentas e trezentas pessoas. Mediante concubinas, outras pessoas, fora dos familiares imediatos, viram-se envolvidas na multiplicação, o que propiciou uma rápida multiplicação dos descendentes de Abraão no Egito.

Alguns estudiosos creem que o número setenta é simbólico e representativo, e não absoluto, e pode ter havido muitos outros varões que não foram mencionados.

■ 1.6

וַיָּמָת יוֹסֵף וְכָל־אֶחָיו וְכֹל הַדּוֹר הַהוּא:

José e toda aquela geração morreram, ou seja, os patriarcas originais, o núcleo da nação de Israel, de acordo com o caminho de todos os homens. Não havia mais testemunhas oculares. Seus descendentes continuaram a multiplicar-se, a prosperar, até se tornarem uma grande nação. E, então, foram sujeitados à servidão. Ver Gênesis 50.21. "A morte, que parece tão trágica como um incidente individual, é a condição para todo progresso. José morreu, como também morreram as ricas memórias do serviço que ele havia prestado" (J. Edgar Park, *in loc.*). Então *Moisés* tornou-se o herói que ocupou o centro do palco, o novo instrumento especial dos propósitos de Deus.

■ 1.7

וּבְנֵי יִשְׂרָאֵל פָּרוּ וַיִּשְׁרְצוּ וַיִּרְבּוּ וַיַּעַצְמוּ בִּמְאֹד מְאֹד וַתִּמָּלֵא הָאָרֶץ אֹתָם: פ

Grande Posteridade e Grande Prosperidade. Uma das provisões do *Pacto Abraâmico* falava na grande posteridade de Abraão, a qual desfrutaria abundância de riquezas materiais. Ver as notas sobre Gênesis 15.18 quanto a uma descrição detalhada desse pacto e suas provisões.

Aumentaram muito. No hebraico, "enxamearam", como se fossem insetos a zumbir em razão de seu grande número. Ver Gênesis 7.21. Houve extraordinária multiplicação; e foi precisamente isso que assustou os egípcios, levando-os a subjugar a grande massa que aumentava mais e mais.

Israel se desenvolvera, impondo sua própria identificação e seu poder. Havia muitos jovens em idade de serviço militar. A situação tornara-se explosiva. A hostilidade egípcia tinha sido assim despertada.

A terra se encheu. Ou seja, a *terra de Gósen* (ver sobre ela no *Dicionário*), a região que o Faraó havia concedido à família de Jacó (Gn 45.10). Ela era também chamada terra de *Ramessés* (Gn 47.11), aquela porção do Egito que Faraó Ramsés II, mais tarde, desenvolveu, construindo ali muitas cidades. O tempo que se escoou entre Gênesis 50.26 e Êxodo 1.7 foi, talvez, de cem anos. Uma posteridade numerosa fazia parte do Pacto Abraâmico desde sua versão original (Gn 12.1-3). A nação de Israel haveria de formar-se; receberia seu próprio território; e, então, ser-lhe-iam conferidas sua constituição nacional e suas leis.

■ 1.8

וַיָּקָם מֶלֶךְ־חָדָשׁ עַל־מִצְרָיִם אֲשֶׁר לֹא־יָדַע אֶת־יוֹסֵף:

José É Esquecido. O tempo passa; os eventos mudam; o que é importante acaba esquecido; novas fatos ocupam o palco. Uma coisa que é certa na vida é a *mudança*.

Novo rei. O Faraó que tinha favorecido a José provavelmente era um dos reis *hicsos* (ver sobre eles no *Dicionário*). Aquela foi uma dinastia de *invasores* semitas, e não de nativos camitas. Na história, eles são conhecidos como reis pastores. O Egito, porém, acabou libertando-se dos estrangeiros. Talvez o novo rei tenha sido o primeiro monarca forte da 19ª Dinastia, Ramsés II. Ele representava uma *nova era*. Os intérpretes não concordam quanto à cronologia nem quanto à questão dos reis do Egito mencionados nos livros de Gênesis e Êxodo. Ver o artigo intitulado *Faraó*, em sua terceira seção, *Os Faraós Mencionados na Bíblia,* na *Enciclopédia de Bíblia, Teologia e Filosofia*. José tinha sido uma grande bênção para o Egito. Agora, porém, Israel tornara-se uma ameaça aos olhos dos egípcios. Ramsés II reinou de 1290 a 1224 a.C. Na esperança de recuperar seu perdido império asiático, os faraós mudaram sua capital de Tebas, conforme tinha sido na 18ª Dinastia, para o delta do rio Nilo.

ISRAEL ESCRAVIZADO (1.9-14)

■ 1.9

וַיֹּאמֶר אֶל־עַמּוֹ הִנֵּה עַם בְּנֵי יִשְׂרָאֵל רַב וְעָצוּם מִמֶּנּוּ:

A Mudança de Poder. O Faraó que tinha agraciado a José dera a Jacó e a toda a sua família o *melhor* da terra (Gn 47.6). Mas os filhos de Israel multiplicaram-se como moscas (vs. 7). Assim, o que antes fora bom agora tinha azedado. A política de boa vizinhança estava ultrapassada. Havia vários grupos minoritários no Egito, mas Israel parecia fora do controle dos egípcios. O texto português diz que o povo de Israel agora era mais numeroso que os egípcios, e isso provocava nos egípcios o temor de uma conquista vinda de dentro. Assim também, a Alemanha, devastada por ocasião da Primeira Grande Guerra (1914-1918), no breve período de apenas pouco mais de vinte anos, tornou-se uma ameaça para o mundo inteiro. Mas no caso germânico não havia apenas uma questão numérica; havia também um grande poder militar, manuseado com maestria por alguns poucos mas bem treinados homens. Israel estava instalado perto de uma das fronteiras do Egito, e poderia pôr-se a serviço de alguma potência estrangeira. Portanto, os egípcios sentiam que era chegado o momento de agir e prevenir um desastre nacional.

■ 1.10

הָבָה נִתְחַכְּמָה לוֹ פֶּן־יִרְבֶּה וְהָיָה כִּי־תִקְרֶאנָה מִלְחָמָה וְנוֹסַף גַּם־הוּא עַל־שֹׂנְאֵינוּ וְנִלְחַם־בָּנוּ וְעָלָה מִן־הָאָרֶץ:

Ele se ajunte com os nossos inimigos. Os estrategistas egípcios imaginavam uma força inimiga invasora, à qual os filhos de Israel poderiam aliar-se. Isso exigia uma ação *preventiva astuciosa*. E decidiram que a melhor medida seria sujeitar os israelitas à *escravidão*, pois isso reduziria a zero a ameaça potencial de Israel. A história registra muitas invasões de povos contra o Egito, como os árabes (que finalmente conquistaram o Egito, predominando ali até hoje), pois os coptas, apesar de serem semitas misturados com camitas, não eram árabes), sem falar nos filisteus, nos sírios e nos hititas. Os grandes programas de construção eram efetuados no mundo antigo com a ajuda do labor forçado imposto a escravos. Salomão introduziu esse tipo de atividade no reino unido (1Rs 5.13,14; 9.15). Mas foi precisamente essa política opressiva que apressou a divisão de Israel em dois blocos: o do norte, Israel, e o do sul, Judá (1Rs 12.18). O programa traçado fazia dos egípcios supervisores, embora os israelitas tivessem querido cooperar (Êx 5.14).

■ 1.11

וַיָּשִׂימוּ עָלָיו שָׂרֵי מִסִּים לְמַעַן עַנֹּתוֹ בְּסִבְלֹתָם וַיִּבֶן עָרֵי מִסְכְּנוֹת לְפַרְעֹה אֶת־פִּתֹם וְאֶת־רַעַמְסֵס:

Feitores de obras. Os israelitas foram reduzidos ao trabalho forçado, como escravos. Os feitores de obras eram supervisores egípcios, mas entre capatazes secundários pelo menos havia alguns hebreus (Êx 5.14). As *cargas* consistiam em trabalho físico pesado, além de imposições econômicas, como taxas e impostos.

Pitom. No idioma egípcio, esse nome significa *mansão de Atom*. Era uma cidade do Egito, uma cidade-armazém. Ficava localizada na porção nordeste do Egito, embora sua localização exata permaneça um mistério. Dei um detalhado artigo sobre esse lugar no *Dicionário*. Pelo menos sabe-se que ficava situada no moderno wadi Tumilat, que liga o rio Nilo ao lago Timsah.

Ramessés. No egípcio, *Pr-R'mss*, ou seja, *propriedade do rei Ramsés*. Foi uma cidade-residência das Dinastias 19ª e 20ª, no delta do rio Nilo. Ali trabalharam os hebreus, de onde também partiram por ocasião do êxodo. O local da Pi-Ramessés egípcia tem sido muito debatido na egiptologia: em *Tânis* (no hebraico, *Zoã*, que vide); ao sul do lago Menzalé, ou perto de *Qantir*, a cerca de 27 km um pouco mais para o sudoeste. Em ambos os locais têm sido encontrados consideráveis restos de objetos da época daquele Faraó, embora o último desses locais nunca tenha sido plenamente escavado. Pesados os prós e os contras, todavia, tudo leva a crer que devemos identificar Ramessés com a moderna Quantir, incluindo o importante fator de que ela está na rota do êxodo dos israelitas. Ver no *Dicionário* o verbete *Êxodo (o Evento)*. Durante a 18ª Dinastia, a capital do Egito foi transferida de Tebas para aquele local, na esperança de que assim o Egito recuperaria ao menos parte de sua glória perdida. Os Faraós Sete I (1308-1290) e Ramsés II (1290-1224) estiveram envolvidos nessa mudança de capital.

Outros Labores? Josefo, o historiador judeu, ajunta que o povo de Israel também ajudou a construir algumas das pirâmides, o que é perfeitamente possível, apesar de não contarmos com informações indiscutíveis a esse respeito. (Ver *Antiq*. lib. ii. cap. ix. sec. 1.) E Filo disse algo similar.

■ **1.12**

וְכַאֲשֶׁר֙ יְעַנּ֣וּ אֹת֔וֹ כֵּ֥ן יִרְבֶּ֖ה וְכֵ֣ן יִפְרֹ֑ץ וַיָּקֻ֕צוּ מִפְּנֵ֖י בְּנֵ֥י יִשְׂרָאֵֽל׃

Quanto mais os afligiam, tanto mais se multiplicavam. Os israelitas mostravam-se extremamente resistentes. Mais aflição, mais resistência, mais multiplicação, mais ameaças da parte dos egípcios. Estes já não sabiam o que fazer, havendo grande *inquietação* entre eles, pois parecia que o problema não teria solução. Mas, em futuro próximo, Moisés haveria de ser o pior pesadelo dos egípcios. Para o autor sacro, a *aflição* era uma espécie de sinal adverso, pois vencer as adversidades é uma prova de caráter forte. "Havia algo de esquisito e enervante nesse povo" (J. Coert Ryllararsdam, *in loc.*).

"Esse resultado não era *natural*. Só podemos atribuí-lo à *providência* de Deus, mediante a qual a ferocidade do homem foi forçada a louvá-lo" (Ellicott, *in loc.*). Ver no *Dicionário* o artigo *Providência de Deus*.

"...como a água que irrompe e se espalha, assim aumentavam em número os israelitas, cada vez mais, por toda a região... quando a Igreja de Deus tem sido mais violentamente perseguida, o número de convertidos aumenta, e os santos, sob a aflição, crescem na graça, na fé, no amor, na santidade, na humildade, na paciência, na paz e na alegria. Ver Atos 12.1,2,12,24; Romanos 5.3-5" (John Gill, *in loc.*).

■ **1.13**

וַיַּעֲבִ֧דוּ מִצְרַ֛יִם אֶת־בְּנֵ֥י יִשְׂרָאֵ֖ל בְּפָֽרֶךְ׃

Com tirania. O trabalho forçado foi intensificado, embora não estivesse produzindo os efeitos desejados. Mas, devido à falta de alternativas, o antigo método continuou sendo empregado, posto que ainda com maior rigor, a ponto da tirania. O labor dos filhos de Israel era exaustivo; a servidão deles era amarga. Crueldade era a palavra de ordem dos capatazes egípcios. Heródoto descreve uma cena similar em sua *Hist*. ii.158. O Faraó Neco destruiu cerca de 120 mil de seus súditos através de trabalhos forçados. "Esse tipo de crueldade contra os escravos, de ferocidade, de falta de sentimentos e de dureza de coração foi algo proibido aos filhos de Israel (Lv 25.43,46)" (Adam Clarke, *in loc.*). Apesar dessa proibição, no entanto, Salomão caiu no erro de agir como tinham feito os egípcios (1Rs 5.13). E isso acabou sendo uma das causas da separação do reino unido em dois reinos: Israel, ao norte, e Judá, ao sul (1Rs 12.18).

■ **1.14**

וַיְמָרְר֨וּ אֶת־חַיֵּיהֶ֜ם בַּעֲבֹדָ֣ה קָשָׁ֗ה בְּחֹ֙מֶר֙ וּבִלְבֵנִ֔ים וּבְכָל־עֲבֹדָ֖ה בַּשָּׂדֶ֑ה אֵ֚ת כָּל־עֲבֹ֣דָתָ֔ם אֲשֶׁר־עָבְד֥וּ בָהֶ֖ם בְּפָֽרֶךְ׃

A ideia de *tirania* é reiterada (ver o versículo anterior). Havia trabalho forçado nos campos, nos projetos de construção. Havia *dura servidão*, e os direitos pessoais não eram respeitados — o que sempre acontece em todas as opressões. Normalmente, a história tem sido escrita por elementos das classes altas, girando em torno dos feitos de reis e príncipes; essas histórias estão cheias de atos de violência, ódio e opressão. Mas o livro de Êxodo relata a história de homens comuns que estavam sendo oprimidos; e, em lugar de elogiar os opressores, diz a verdade sobre eles.

"Os egípcios criaram uma boa variedade de maneiras para oprimir os israelitas; pois forçavam-nos a cavar grande número de canais para o rio, ou a erigir muralhas para suas cidades ou a levantar moles para conter as águas do Nilo, impedindo que o rio extravasasse para além de suas margens. Também obrigaram os filhos de Israel a edificar pirâmides, com o que queriam desgastá-los", disse Josefo em *Antiq*. (liv.ii. cap. ix. sec. 1). Cf. Deuteronômio 11.10.

Filo esclareceu que alguns israelitas trabalhavam com o barro, moldando-o em tijolos, ao passo que outros colhiam e transportavam palha e outro material para ser misturado à massa. Alguns filhos de Israel serviam em casas; outros, nos campos, outros cavando canais, e ainda outros transportando cargas" (*De Vita Mosis*, 1.1 par. 608).

MOISÉS NOS É APRESENTADO (1.15-22)

As Parteiras Poupam os Recém-Nascidos. Os egípcios esperavam não somente quebrar o ânimo do povo de Israel, mas também impedir a sua multiplicação. A matança em massa dos infantes israelitas, às mãos das parteiras de Israel, foi um plano cruel e ousado que tencionava levar à humilhação e ao fim o povo de Deus do passado. Os planos dos egípcios passavam de medida opressiva para medida opressiva. E é em conexão com o episódio que envolveu as parteiras hebreias que a história de Moisés acaba por ser-nos apresentada. Moisés foi um dos poucos meninos hebreus salvos da matança.

■ **1.15**

וַיֹּ֙אמֶר֙ מֶ֣לֶךְ מִצְרַ֔יִם לַֽמְיַלְּדֹ֖ת הָֽעִבְרִיֹּ֑ת אֲשֶׁ֨ר שֵׁ֤ם הָֽאַחַת֙ שִׁפְרָ֔ה וְשֵׁ֥ם הַשֵּׁנִ֖ית פּוּעָֽה׃

O rei. Ou seja, o Faraó. Ver no *Dicionário* o artigo *Faraó*, sobretudo em sua terceira seção, que fala sobre os faraós ligados com a Bíblia. Ver o vs. 8 deste capítulo quanto a ideias adicionais. A ordem para serem mortos os nascituros do sexo masculino dentre os hebreus foi expedida diretamente por Faraó, sob a forma de um decreto nacional. Sem dúvida, as parteiras hebreias que não cumprissem a ordem poderiam esperar ser punidas, talvez até por execução capital. O Faraó não tinha apenas feito uma sugestão.

Parteiras hebreias. A primeira vez que aparece a palavra "parteira", na Bíblia, é em Gênesis 14.13. Ver também Gênesis 35.17; 41.12. Provi um artigo detalhado sobre elas, no *Dicionário*. Ver ali, igualmente, o verbete chamado *Hebreus (Povo)*. Esse adjetivo pátrio indica um povo nômade, porque esse era o estilo de vida dos primeiros hebreus. No livro de Êxodo, todavia, esse termo atua como um sinônimo de Israel, embora os israelitas fossem apenas um dos grupos hebreus.

Sifrá. No hebraico, *beleza*. Ela era uma das duas parteiras hebreias, a quem o Faraó, rei do Egito, ordenou que matassem todos os *meninos* que nascessem aos israelitas (Êx 1.15). Ela viveu em torno de 1570 a.C.

Puá. No hebraico, *sopro, declaração*. Um termo cognato de *esplêndido*. No Antigo Testamento, esse é o nome de dois homens e de uma mulher. A mulher desse nome, que aparece neste versículo, era uma das duas parteiras (mencionadas por nome) que receberam ordens, da parte do Faraó, para matar todos os meninos que nascessem aos filhos de Israel. Essa foi uma tentativa de reduzir a população de Israel, no Egito, a fim de impedir uma possível revolta dos israelitas.

Não há no texto nenhuma indicação da razão pela qual as duas parteiras foram citadas por nome, nem por que havia duas delas. Talvez fossem mulheres de alguma reputação, que serviam como exemplos de toda a classe das parteiras. Alguns eruditos supõem que havia alguma espécie de organização ou guilda de parteiras, e que essas duas mulheres eram as administradoras da organização.

■ **1.16**

וַיֹּ֗אמֶר בְּיַלֶּדְכֶן֙ אֶת־הָֽעִבְרִיּ֔וֹת וּרְאִיתֶ֖ן עַל־הָאָבְנָ֑יִם אִם־בֵּ֥ן הוּא֙ וַהֲמִתֶּ֣ן אֹת֔וֹ וְאִם־בַּ֥ת הִ֖יא וָחָֽיָה׃

Quando servirdes de parteira. Embora nossa versão portuguesa assim não diga, o original hebraico contém uma palavra de difícil tradução, *obnayim*, que literalmente significa "duas crianças". Algumas traduções dizem aqui "banqueta". Parece que está em pauta algum tipo de assento onde as parturientes se sentavam para dar à luz seus filhos. Nossa versão portuguesa omite a menção a esse objeto, fosse ele qual fosse. Alguns eruditos pensam em dois apoios, talvez feitos até de pedra, sobre os quais a mulher se sentava. Uma posição sem dúvida incômoda. Mas a verdade é que até hoje não se achou ainda posição confortável para a mulher assumir, na hora do parto. A arqueologia tem provado que as mulheres egípcias davam à luz na posição sentada. E é bem provável que as mulheres hebreias lhes tivessem seguido o exemplo. Ver Jeremias 18.3, onde essa palavra também aparece, traduzida em nossa versão portuguesa por "rodas".

As parteiras hebreias deveriam matar os *meninos* hebreus assim que nascessem. Mas às *meninas* deveriam deixar em vida.

Da opressão ao genocídio. Todos os meninos hebreus deveriam ser mortos assim que nascessem. As meninas seriam facilmente absorvidas na sociedade egípcia. Cf. essa matança com a matança dos inocentes, promovida por Herodes, o Grande (Mt 2.16 ss.). Cf. isso com a história do genocídio de seis milhões de judeus a mando de Hitler, na Alemanha nazista, o qual queria criar um mundo dominado por uma suposta *raça ariana pura*. Qualquer povo que perca sistematicamente os seus meninos, mesmo que possa ficar com suas meninas, não demorará a entrar em extinção. Portanto, nenhum golpe contra a nação de Israel em formação, no Egito, foi tão bem calculado para atingir o povo de Deus. Um plano verdadeiramente satânico.

■ **1.17**

וַתִּירֶאןָ הַמְיַלְּדֹת אֶת־הָאֱלֹהִים וְלֹא עָשׂוּ כַּאֲשֶׁר דִּבֶּר
אֲלֵיהֶן מֶלֶךְ מִצְרָיִם וַתְּחַיֶּיןָ אֶת־הַיְלָדִים׃

As parteiras... temeram a Deus. As parteiras hebreias ouviram e assentiram com a cabeça (a fim de salvarem a própria vida). Mas, na hora crítica, poupavam da morte os meninos. Humanidade, misericórdia e temor a Deus foram, para elas, motivos mais poderosos que o da autopreservação. O temor a Deus e a misericórdia fazem parte da verdadeira religiosidade.

Humor. Yahweh frustou o plano genocida do Faraó. Foram baixadas ordens de uma origem ainda superior às do Faraó, o próprio trono do Altíssimo. Assim, Israel continuou a multiplicar-se e a prosperar, apesar de todos os planos do Faraó e suas ordens genocidas.

Quando Israel finalmente partiu do Egito, segundo disse Moisés, os israelitas pediram "emprestadas" coisas dos egípcios. E quando Arão tentou desculpar-se diante de Moisés sobre por que fizera um bezerro de ouro, Arão lançou culpa sobre o fogo, dizendo: "e eu o lancei no fogo, e saiu este bezerro" (Êx 32.24), como se ele tivesse ficado tão admirado quanto qualquer outra pessoa. Portanto, há bastante humor no livro de Êxodo. Mas podemos estar certos de que, no tocante às parteiras, a questão era tão mortiferamente séria quanto uma questão de vida e morte. Alguns estudiosos pensam que neste versículo há alguma indicação de que também estavam envolvidas parteiras egípcias, e não apenas hebreias. O fato foi que as parteiras, como uma classe, responderam "sim" ao Faraó, mas agiram com um "não", no que toca ao decreto real da matança dos meninos hebreus.

■ **1.18**

וַיִּקְרָא מֶלֶךְ־מִצְרַיִם לַמְיַלְּדֹת וַיֹּאמֶר לָהֶן מַדּוּעַ
עֲשִׂיתֶן הַדָּבָר הַזֶּה וַתְּחַיֶּיןָ אֶת־הַיְלָדִים׃

Por que... deixastes viver os meninos? "Por que vocês desobedeceram às minhas ordens e agiram de modo contrário ao que eu tinha ordenado?" Assim perguntou o Faraó. Tratava-se de algo que não podia ser ocultado. O vs. 19 dá uma resposta ridícula em que o Faraó dificilmente poderia ter acreditado. Mas não lemos que ele tenha mandado castigar as parteiras. Talvez o autor sacro tenha querido poupar-nos dos detalhes sangrentos da vingança. Ver Ezequiel 16.4 quanto a itens envolvidos no antigo processo de nascimento.

■ **1.19**

וַתֹּאמַרְןָ הַמְיַלְּדֹת אֶל־פַּרְעֹה כִּי לֹא כַנָּשִׁים הַמִּצְרִיֹּת
הָעִבְרִיֹּת כִּי־חָיוֹת הֵנָּה בְּטֶרֶם תָּבוֹא אֲלֵהֶן הַמְיַלֶּדֶת
וְיָלָדוּ׃

Mais Humor. Ver as notas sobre o vs. 17 quanto à humorística situação. As parteiras defenderam-se com uma mentira ridícula: as mulheres hebreias são tão vigorosas que elas têm filhos antes de as parteiras chegarem, e estas já encontravam a criança nascida. Mas, ainda que isso fosse verdade, nada impediria que as parteiras assassinassem, com pouco trabalho, os meninos hebreus, com pouco tempo de nascidos. Alguns estudiosos supõem que estaria envolvido em tudo isso um "esperto uso dos fatos", ou seja, talvez o que as parteiras disseram até ocorria com certa frequência; mas o fato é que o autor sagrado contou aqui uma pequena piada. Ver uma demonstração de vívido humor em Gênesis 29.26. Vários eruditos fazem grande esforço na tentativa de ilustrar como algumas mulheres dão seus filhos à luz, com grande facilidade, especialmente entre as classes laboriosas. Apesar de alguns casos poderem ser apresentados como comprovação disso, temos aí meras exceções, e não a regra do que acontece no ato do parto.

■ **1.20**

וַיֵּיטֶב אֱלֹהִים לַמְיַלְּדֹת וַיִּרֶב הָעָם וַיַּעַצְמוּ מְאֹד׃

Deus fez bem às parteiras. Elas negaram-se a praticar uma imensa maldade, e Deus as abençoou. E assim Israel aumentou mais ainda em número e em poder por certo período de tempo. Por quanto tempo, o autor sagrado não nos informa. Mas o tempo passava, e o problema do Faraó ia apenas se acentuando, deixando-o vexado. Deus estava ganhando em cada "round" da luta. Uma de minhas fontes informativas diz que Deus abençoou àquelas mulheres, *apesar* de suas mentiras. Mas outros supõem que mentiras capazes de salvar vidas não se revestem de maldade. Obedecer a Deus, e não aos homens, sempre será dever dos homens (Atos 5.29).

A *providência de Deus* é um dos temas principais do livro de Êxodo, tal como no livro de Gênesis. Ver os comentários sobre esse assunto no *Dicionário*.

■ **1.21**

וַיְהִי כִּי־יָרְאוּ הַמְיַלְּדֹת אֶת־הָאֱלֹהִים וַיַּעַשׂ לָהֶם
בָּתִּים׃

Ele lhes constituiu família. Essa tradução é uma interpretação. O hebraico diz "fez-lhes casas", dando a entender que os outros israelitas, vendo o bom serviço que elas tinham prestado, construíram casas para elas. Mas alguns estudiosos dão ao Faraó o crédito: ele as teria posto dentro de casas, para que pudessem ser mais bem controladas. Todavia, o mais provável é que temos aqui uma alusão à *fertilidade*. Aquelas boas mulheres, ao ajudarem os casais israelitas, por não obedecerem às ordens de Faraó, foram abençoadas juntamente com suas respectivas famílias.

Este versículo amplia a ideia da *bênção divina*, referida no vs. 20. Como Deus poderia recompensar *melhor* àquelas mulheres? Conferindo-lhes filhos delas mesmas.

■ **1.22**

וַיְצַו פַּרְעֹה לְכָל־עַמּוֹ לֵאמֹר כָּל־הַבֵּן הַיִּלּוֹד הַיְאֹרָה
תַּשְׁלִיכֻהוּ וְכָל־הַבַּת תְּחַיּוּן׃ ס

Tirania Redobrada. Visto que o decreto dado às parteiras não funcionou, agora o Faraó deu ordens à sua própria gente para que se desvencilhasse dos pestíferos hebreus, lançando seus filhos de sexo masculino no Nilo, para que se afogassem. Entre outras coisas, o autor sagrado nos está dizendo aqui que a perseguição contra Israel *tinha de chegar a um ponto culminante* para que o povo de Israel fosse forçado a sair do Egito. Sem a perseguição, Israel teria se contentado em permanecer em uma região tão fértil. Somente a adversidade poderia fazê-los *querer* partir dali. Assim, quanto *pior* se tornasse a pressão exercida pelo Faraó, tanto *melhor* para o plano divino. Ver no *Dicionário* o artigo sobre o rio *Nilo*.

Quando Israel estava prestes a partir, por causa da opressão, então seria provido o agente da libertação, *Moisés*. Deus tem uma *cronologia* em seu plano eterno, e também conta com os meios, humanos e outros, para satisfazer a essa cronologia.

Infanticídio. Esse crime, tão chocante para os ouvidos cristãos, tem uma história muito rica. Sua contraparte moderna é o *aborto*. Todos estamos familiarizados com a *exposição às intempéries* de crianças, nos tempos antigos, especialmente no caso de meninas, que eram deixadas ao léu a fim de morrerem, marcando-se um certo prazo. Se uma criança chegasse a resistir a tão cruel tratamento, então é que os deuses queriam que ela vivesse. Mas visto que usualmente a criancinha morria, chegava-se à conclusão de que os deuses não queriam sua sobrevivência.

"Em Esparta, o Estado decidia se uma criança viveria ou morreria. Em Atenas, uma lei de Sólon deixava essa decisão ao encargo dos pais. Em Roma, a regra era que os infantes eram mortos, a menos que seus pais fizessem intervenção, declarando que sua vontade era que a criança vivesse. Os sírios ofereciam crianças não-queridas a Moloque, em sacrifício. Os cartagineses sacrificavam-nas a Melcarte" (Ellicott, *in loc.*). Visto que o rio Nilo era considerado um tanto divino, lançar crianças ali era um ato encarado como sacrifício feito aos poderes divinos. O rio Nilo vivia cheio de crocodilos, e as crianças ali lançadas serviam de comida para os répteis, e assim seus corpinhos não poluíam o rio.

CAPÍTULO DOIS

PREPARAÇÃO DOS REPRESENTANTES DE DEUS (2.1—4.31)

NASCIMENTO E EDUCAÇÃO DE MOISÉS (2.1-10)

Os intérpretes alegóricos, como Orígenes, veem neste trecho a continuação do conflito entre os poderes malignos e divinos, entre Satanás e Deus, e onde os grupos humanos envolvidos eram somente instrumentos dessa luta. Paulo temia esses elevados poderes da maldade, e entendia que eles fazem intervenções na vida diária do homem (ver Ef 6.12 ss.). Havia um conflito entre Deus e o Faraó, este último o agente humano das forças malignas. O relato da sobrevivência de Moisés e sua subsequente elevação à grandeza (algo que tinha acontecido a José, antes dele, mas com apoio de um Faraó, e não contra ele), alude ao propósito e aos poderes remidores de Deus. Foi assim que o êxodo (o evento) tornou-se um símbolo da redenção da alma. Ver no *Dicionário* os artigos intitulados *Êxodo (o Evento)* e *Redenção*.

■ 2.1

וַיֵּלֶךְ אִישׁ מִבֵּית לֵוִי וַיִּקַּח אֶת־בַּת־לֵוִי׃

Casa de Levi. Ver no *Dicionário* o artigo sobre Levi e sua tribo. A tribo de Levi era uma tribo genuína. Mas, nos dias de Moisés, Deus decidiu que ela não receberia território, que não seriam contados os homens da tribo e que estes se tornariam uma classe sacerdotal e seriam dispersos entre as outras tribos, deixando assim de ser uma tribo no sentido estrito do termo. Ver Números 1.47 ss. Além disso, José não contava com uma tribo que trouxesse o seu nome. Mas seus dois filhos, Efraim e Manassés, tornaram-se cabeças de tribos. Isso nos deixa com as doze tribos de Israel. Ver no *Dicionário* o artigo *Tribo (Tribos de Israel)*. Alguns eruditos supõem que desde o começo Levi foi uma casta sacerdotal e não uma tribo. Ver Êxodo 32.26-29; Deuteronômio 10.8,9; Números 18.21; Juízes 17.7; 18.3,14-31. Mas parece melhor supormos que, ainda no começo de sua história, a tribo de Levi tenha deixado de ser uma tribo por ter-se tornado a classe sacerdotal em Israel.

Moisés era levita por parte de pai e de mãe. O decreto do Faraó pôs em perigo a vida de Moisés; mas Deus estava com ele. Os nomes de seus pais não são dados aqui, mas aparecem em Êxodo 6.20: seu pai chamava-se Anrão, e sua mãe, Joquebede, a qual era tia de Anrão. Ver no *Dicionário* o artigo intitulado *Incesto*. O capítulo 18 de Levítico proibia casamentos consanguíneos (e, no presente caso, ver Lv 18.12), mas isso pertence a uma data posterior. Os pais de Moisés também tiveram dois outros filhos: Miriã (Êx 15.20), que era a criança mais velha, e Arão, irmão mais velho de Moisés (Êx 7.7). O trecho de Êxodo 2.2 parece fazer de Moisés o filho primogênito, mas nada nos proíbe de pensar que Arão simplesmente não foi mencionado ali. Os críticos pensam que Arão aparece como o filho primogênito em uma das fontes informativas, e que Moisés aparece como tal, em outra das fontes. Ver no *Dicionário* o artigo intitulado *J.E.D.P.(S.)* quanto à teoria das fontes múltiplas do Gênesis. Moisés tinha 80 anos de idade quando ocorreu o êxodo (Êx 7.7), o que, ao parecer, ocorreu no começo do governo do Faraó Tutmés I (1526—1512 a.C.), ou então no fim do governo de Amenhotep I (1545—1526 a.C.). Contudo, os eruditos não concordam quanto à identificação dos faraós. Ver na *Enciclopédia de Bíblia, Teologia e Filosofia,* em sua terceira seção, o artigo *Faraó,* quanto aos faraós mencionados na Bíblia.

Uma Introdução Simples. "Notemos a extrema simplicidade desse anúncio, e comparemos com isso as lendas elaboradas com que as religiões orientais comumente circundam o nascimento daqueles que são reputados seus fundadores, como Thoth, Zoroastro e Orfeu. Até o nome do homem é aqui omitido, como destituído de importância" (Ellicott, *in loc.*).

■ 2.2

וַתַּהַר הָאִשָּׁה וַתֵּלֶד בֵּן וַתֵּרֶא אֹתוֹ כִּי־טוֹב הוּא וַתִּצְפְּנֵהוּ שְׁלֹשָׁה יְרָחִים׃

Deu à luz um filho. Seu nome não é dado, conforme vimos no fim do comentário sobre o vs. 1. Moisés nos é apresentado com grande simplicidade e humildade. Mas ainda não ouvimos falar em Arão. Teria ele sido escondido? Alguns eruditos insistem em que Moisés é aqui apresentado como o filho primogênito; mas Êxodo 7.7 dá essa posição a Arão. Ao que presumem os críticos, isso se deveria a diferentes *fontes* informativas deste livro, segundo já dissemos nas notas sobre o vs. 1. Alguns têm sugerido que Arão e Miriã eram filhos mediante outro casamento (Êx 15.20; Nm 12.1), mas essa é uma solução *ad hoc*. Outros pensam que as outras crianças já haviam sido adotadas por outros pais, por alguma razão desconhecida, ou que os pais de Moisés teriam se separado por algum tempo, depois voltaram a unir-se, e então geraram Moisés. Mas essas também são explanações *ad hoc*. Outra possibilidade é que Miriã e Arão tivessem nascido antes do decreto do Faraó de serem sacrificados os meninos israelitas. Assim, na família, somente Moisés foi ameaçado pelo decreto real.

Era formoso. Todas as crianças, para seus pais, são bonitinhas; mas talvez Moisés *realmente fosse* formoso. As tradições e lendas adornam a questão neste ponto. Os judeus afirmam que ele era como um anjo de Deus. O trecho de Atos 7.20 comenta sobre a beleza de Moisés.

Por três meses. Os pais de Moisés esconderam-no o máximo que puderam. Sem dúvida as casas das famílias israelitas eram vasculhadas pelos homens do desesperado Faraó. Eventualmente, sua existência chegaria à atenção de alguma autoridade, ou até mesmo um vizinho qualquer poderia jogá-lo no rio Nilo, em obediência ao decreto do Faraó (Êx 1.22). O trecho de Hebreus 11.23 diz que esse ato dos pais de Moisés foi um *ato de fé*.

Moisés, Tipo de Cristo. Ver no *Dicionário* o artigo geral intitulado *Moisés*. A sétima seção daquele artigo aponta a algumas maneiras pelas quais Moisés tipificava Cristo, sobretudo como: 1. um líder; 2. um profeta; 3. um legislador. E adiciono aqui alguns detalhes sobre a questão:

1. Moisés, tal como Cristo, foi divinamente escolhido (Êx 3.7-10; At 7.25; Jo 3.16).
2. Ambos foram rejeitados por Israel (Êx 2.11-15; At 7.25; 18.8; 28.17 ss.; Jo 1.11).
3. Durante seus períodos de rejeição, obtiveram ambos uma esposa gentílica (Êx 2.16-21; Mt 12.14-21; Ef 5.30-32).
4. Ambos tornaram-se libertadores de Israel (Êx 4.29-31; Rm 11.24-26; At 15.14-17).
5. Ambos tiveram os mesmos ofícios: como profetas (Atos 3.22,23); como advogados (Êx 32.31-35; 1Jo 2.1,2); como líderes ou reis (Dt 33.4,5; Is 55.4; Hb 11.27).
6. Um contraste: Moisés era apenas um servo na casa de outrem; Cristo era Filho adulto em sua própria casa (Hb 3.5,6).

■ 2.3

וְלֹא־יָכְלָה עוֹד הַצְּפִינוֹ וַתִּקַּח־לוֹ תֵּבַת גֹּמֶא וַתַּחְמְרָה בַחֵמָר וּבַזָּפֶת וַתָּשֶׂם בָּהּ אֶת־הַיֶּלֶד וַתָּשֶׂם בַּסּוּף עַל־שְׂפַת הַיְאֹר׃

Um cesto de junco. Era perigoso deixar o infante à margem do Nilo, onde enxameavam insetos, onde ele ficaria exposto ao tempo e onde havia animais predadores. Porém, mais perigoso ainda era conservá-lo em casa. Portanto, de coração apreensivo, os pais de Moisés deixaram-no aos cuidados de Deus. A providência de Deus não haveria de desapontá-los. Ver no *Dicionário* o artigo *Providência de Deus*. Algumas vezes, somos chamados a fazer escolha entre duas alternativas aparentemente más. Para tanto, precisamos de fé, e, além disso, *Deus* precisa operar em nosso favor.

O futuro *grande homem*, por essa altura dos acontecimentos, era tão pequenino que pôde ser posto em um pequeno cesto feito de junco e deixado à beira do rio. Ninguém lhe daria atenção, exceto os seus pais. Mas por trás de tudo havia um poder que frustraria os inimigos de Deus. "A sorte dos séculos dependia da vida de outro minúsculo bebê, perseguido e caçado por aqueles que lhe procuravam tirar a vida (Mt 2.13-23)" (J. Edgar Park, *in loc.*).

No carriçal. Entre as hastes de papiro, uma planta muito comum das margens do Nilo. O Faraó queria que os infantes hebreus fossem lançados no rio, a fim de morrerem afogados e serem destruídos. Curiosamente, esse pequeno menino foi salvo ao ser dessa forma escondido nas margens do rio. Os desígnios do Faraó viram-se assim frustrados.

■ 2.4

וַתֵּתַצַּב אֲחֹתוֹ מֵרָחֹק לְדֵעָה מַה־יֵּעָשֶׂה לוֹ:

Sua irmã. Ou seja, *Miriã* (cujo nome só nos é dado em Êx 15.20). Ela ficou vigiando. Uma situação de puro desespero. Somente a graça divina daria proteção ao menino indefeso. Mas Deus tinha posto sua mão na situação. A filha do Faraó haveria de tomar conta do menino. Este receberia uma educação de primeira classe e cresceria cercado dos mais altos privilégios. Mas os pais do pequeno Moisés não sabiam disso, portanto tiveram de confiar no Senhor.

Esse incidente da vida de Moisés tem paralelo no nascimento de Sargão, de Agade (Robert William Roberts, editor, *Cuneiform Parallels to the Old Testament*, pág. 136). Transcrevemos aqui um trecho dessa obra:

Minha mãe vestal me concebeu, em segredo deu-me à luz;
Pôs-me num cesto de juncos, com pixe fechou a tampa;
Lançou-me no rio, que não se elevou acima de mim.
O rio me levou, até Akki, o irrigador, e me carregou.
Akki, o irrigador... me elevou,
Akki, o irrigador, como seu filho... me criou.
Akki, o irrigador, como seu jardineiro me nomeou.

Os críticos veem nisso um paralelo *próximo*, uma fonte da história de Moisés. Os eruditos conservadores não acham difícil crer que duas coisas similares podem ter sucedido a duas pessoas diferentes da história.

Dizia Milton: "Também servem os que só se põem de pé, esperando" (do soneto *On His Blindness*), e esse foi o caso de Miriã, aqui. Era tempo de orar, o que sem dúvida fizeram os pais de Moisés. Pouco conhecemos sobre as leis que governam a oração e seu poder, mas na oração há *poder*. Ver Lamentações 3.26. Jesus disse que o Pai cuida até dos humildes pardais (Mt 10.29). Assim, Moisés estava plenamente seguro no carriçal. Mas os pais de Moisés não sabiam que aquilo daria certo. E tiveram de confiar.

■ 2.5

וַתֵּרֶד בַּת־פַּרְעֹה לִרְחֹץ עַל־הַיְאֹר וְנַעֲרֹתֶיהָ הֹלְכֹת עַל־יַד הַיְאֹר וַתֵּרֶא אֶת־הַתֵּבָה בְּתוֹךְ הַסּוּף וַתִּשְׁלַח אֶת־אֲמָתָהּ וַתִּקָּחֶהָ:

A filha de Faraó. Ver as notas sobre Êxodo 1.8 e 2.1 quanto a conjecturas sobre quem seria esse Faraó. Ver também no *Dicionário* o artigo *Faraó*, em sua terceira seção, quanto aos faraós ligados ao Antigo Testamento. As tradições judaicas fantasiam a história, dizendo que a filha do Faraó era leprosa, mas, ao tirar o cesto de dentro da água, ficou curada. A arqueologia desenterrou o mural de uma antiga sinagoga em Dura-Europos que retrata a cena deste versículo. As mentes estavam ligadas. A mente da mãe de Moisés; a mente da princesa egípcia; a mente do infante Moisés. As *coincidências* não ocorrem por acaso. Nada sucede por acidente. Deus estava envolvido em tudo aquilo. "Com frequência não podemos ver nenhum sentido ou razão na maneira como as coisas sucedem a outras pessoas, mas conforme envelhecemos vamos vendo uma espécie de providência na maneira como as coisas têm acontecido conosco mesmos... Somos por demais adolescentes, espiritualmente falando, para chegarmos àquela fé que Jesus possuía, mas percebemos que há algo ali que podemos seguir de longe" (J. Edgar Park, *in loc.*).

As Donzelas Perderam a Oportunidade. Elas estavam por demais preocupadas em obedecer ao decreto do Faraó. Mas a princesa não teve medo, e, por isso, a recompensa foi dela.

Josefo chamou essa princesa pelo nome de Thermuthis, adicionando elementos fabulosos à história. Esses elementos tornam-se uma leitura agradável, mas são distantes da realidade. A princesa foi à beira do rio tomar banho, sem dúvida um lugar onde as mulheres estavam acostumadas a fazê-lo. Talvez a mãe de Moisés o tenha deixado propositadamente onde as mulheres egípcias costumavam ir, na esperança de que alguma delas usasse de misericórdia. E foi precisamente o que aconteceu.

■ 2.6

וַתִּפְתַּח וַתִּרְאֵהוּ אֶת־הַיֶּלֶד וְהִנֵּה־נַעַר בֹּכֶה וַתַּחְמֹל עָלָיו וַתֹּאמֶר מִיַּלְדֵי הָעִבְרִים זֶה:

O menino chorava. O choro de um infante derrete o coração de qualquer mulher, e também da maioria dos homens. Nada existe tão impotente quanto um infante humano, o qual, por tanto tempo, se mostra tão dependente. A princesa teve *compaixão*, embora soubesse muito bem que o menino era um hebreu. Mas o amor não faz as distinções que o ódio faz. O choro da criança representava o choro do mundo inteiro que Deus amou, pois os homens, diante de Deus, nada mais são do que infantes impotentes. Alguns homens, por meio de sua teologia, fazem esses "infantes" ser odiados e destruídos, em vez de ser tirados das águas perigosas. Mas o amor de Deus é suficiente para todos (Jo 3.16), e houve provisão para *todos* (1Jo 2.2; 1Pe 4.6). Assim como a princesa estendeu a mão e salvou o bebê, assim também o longo braço da provisão divina *realmente* acode a todos os homens, e não apenas potencialmente. Não bastava que, *potencialmente*, a princesa pudesse tirar Moisés das águas. Foi mister tirar Moisés das águas, ou nada mais teria sentido. A providência de Deus mostra-se claramente evidente na natureza e em todos os aspectos da vida humana. Portanto, permitamos que flua o amor de Deus.

■ 2.7

וַתֹּאמֶר אֲחֹתוֹ אֶל־בַּת־פַּרְעֹה הַאֵלֵךְ וְקָרָאתִי לָךְ אִשָּׁה מֵינֶקֶת מִן הָעִבְרִיֹּת וְתֵינִק לָךְ אֶת־הַיָּלֶד:

Uma das hebreias que sirva de ama. A provisão divina continuava. Moisés, salvo do rio, agora precisava de uma ama. Não há necessidade que Deus não supra; não há emergência que ele não resolva. Foi procurada uma mulher *hebreia*, porque o menino era *hebreu*. Coisa alguma acontece por mero acaso. E a irmã conseguiu uma *mãe hebreia* para o menino. Assim, terminou de súbito o pesadelo. A provisão em favor da criança apareceu mais cedo do que se esperava. O trecho de Hebreus 11.23 diz-nos que foi *pela fé* que o menino tinha sido ocultado. E, sem dúvida, oração ligada à fé. Nessa combinação há poder. O *destino* de Moisés exigia uma longa série de vitórias, muitas delas impossíveis, segundo a mente humana. "Sabemos que todas as cousas cooperam para o bem daqueles que amam a Deus, daqueles que são chamados segundo o seu propósito" (Rm 8.28). "Que ninguém nos diga que é ridículo orar a um Pai amoroso por aquelas coisas pelas quais tanto nos esforçamos por obter" (J. Edgar Park, *in loc.*). Oh, Senhor, concede-nos tal graça.

Os Targuns e Josefo falam sobre várias tentativas sem êxito de obter uma ama entre as egípcias, antes de a própria mãe de Moisés ser convocada para desempenhar esse serviço. Não podemos ter certeza quanto a esse pormenor, mas podemos estar certos de que o poder de Deus se manifesta na vida humana.

■ 2.8

וַתֹּאמֶר לָהּ בַּת־פַּרְעֹה לֵכִי וַתֵּלֶךְ הָעַלְמָה וַתִּקְרָא אֶת־אֵם הַיָּלֶד:

A mãe do menino. Ver as notas sobre Êxodo 2.1 quanto a informações sobre a mãe de Moisés. Somente em Êxodo 6.20 ficamos sabendo o seu nome, Joquebede. Damos também ali informes sobre o pai de Moisés. "Em uma vívida exibição do controle de Deus sobre os eventos, a mãe de Moisés foi reunida à sua criança — o que foi *legalmente* sancionado no lar, *apesar* do edito de Faraó (Êx 1.22) — e ela chegou a ser *remunerada* pelos seus serviços! (Êx 2.9)" (John D. Hannah, *in loc.*).

As Mulheres da Providência Divina. Neste ponto, Moisés foi rodeado por um círculo de mulheres protetoras: as parteiras; a mãe de Moisés; a irmã de Moisés; a filha de Faraó; e, sem dúvida, várias auxiliares da casa de Faraó, que receberam tarefas visando o benefício do garotinho.

■ **2.9**

וַתֹּאמֶר לָהּ בַּת־פַּרְעֹה הֵילִיכִי אֶת־הַיֶּלֶד הַזֶּה
וְהֵינִקִהוּ לִי וַאֲנִי אֶתֵּן אֶת־שְׂכָרֵךְ וַתִּקַּח הָאִשָּׁה הַיֶּלֶד
וַתְּנִיקֵהוּ׃

Pagar-te-ei o teu salário. Algumas vezes, as orações precisam de algum tempo para lograr resultado. Começam a tomar forma, que não entendemos. Ocasionalmente, nossas orações são respondidas prontamente, quando isso está de acordo com a vontade do Senhor. Seja como for, em meio ao pior temporal, a oração mais tranquila é ouvida pelo Senhor. Há tão pouco tempo, a mãe de Moisés, com o coração pesado, depositou seu precioso filhinho às margens do rio Nilo, orando para que houvesse em favor dele alguma forma de milagre. E então, quando menos esperava, a resposta estava dada; e Joquebede veio viver na casa do Faraó, a fim de cuidar de seu próprio filho. E ainda seria paga por isso! Que ninguém nos venha dizer que é ridículo orarmos a um Pai amoroso. O homem espiritual sabe dessas coisas.

E o criou. "Entre os antigos hebreus, tal como na atual maneira de pensar dos árabes, a solidariedade étnica é estabelecida pelo ato de amamentar um infante. Os israelitas orgulhavam-se diante da noção de que o menino foi criado pela sua própria mãe, e que foi *adotado* por uma princesa do Egito" (J. Coert Rylaarsdam, *in loc.*). O libertador precisava pertencer tanto ao Egito quanto a Israel.

■ **2.10**

וַיִּגְדַּל הַיֶּלֶד וַתְּבִאֵהוּ לְבַת־פַּרְעֹה וַיְהִי־לָהּ לְבֵן
וַתִּקְרָא שְׁמוֹ מֹשֶׁה וַתֹּאמֶר כִּי מִן־הַמַּיִם מְשִׁיתִהוּ׃

Adoção de Moisés pela Princesa. Com a passagem do tempo, averiguou-se que Moisés não era um menino ordinário. Veio a ter duas mães: sua mãe natural, que foi quem o criou, e sua mãe adotiva, a princesa egípcia, que o adotou oficialmente como seu próprio filho. É lindo quando uma criança tem *duas* mães, pois há tantas crianças que não têm ao menos uma. O trecho de Atos 7.22 conta que Moisés foi educado nas escolas do Egito, tendo absorvido toda a sabedoria dos egípcios. Filo nos dá uma informação similar. Moisés recebeu uma educação de primeira classe como parte de sua preparação para a missão que lhe competiria realizar. Finalmente, depois de quarenta anos, Moisés repudiou a sua herança egípcia, porquanto, em sua vida, já havia ultrapassado aquele estágio preparatório (Hb 11.24,25). Mas durante os primeiros quarenta anos, tal educação lhe era necessária, tendo-lhe sido útil para o resto de seus dias, embora ele não quisesse viver como egípcio.

Filo dizia que a princesa egípcia era uma mulher casada, mas sem filhos, e que corrigiu essa falha da natureza ao adotar Moisés (*De Vita Mosis*, c. 1 par. 604 e 605). Artafanos ajunta a isso que o marido da princesa era homem revestido de grande autoridade no Egito, que governava o Egito na região que ficava ao norte de Mênfis (Apud Euseb. *Praepar. Evan.* 1.9 c. 27, par. 432).

Sendo o menino já grande. Sem dúvida depois de desmamado. O menino cresceu de forma extraordinária, física e espiritualmente. Josefo via nessas palavras algo de extraordinário (*Antiq. Jud.* ii.9 par. 6). Moisés era um vaso escolhido para uma elevada missão; e desde o começo deu sinais disso.

Esta lhe chamou Moisés. Ver no *Dicionário* o artigo detalhado sobre ele. Muito provavelmente, esse nome vem do egípcio *Mes*, que significa "filho" ou "criança". A forma hebraica desse nome, com som semelhante, *Mosheh*, quer dizer "tirado", uma referência ao modo como foi tirado do Nilo, talvez também prevendo a "retirada" para fora do Egito, quando o êxodo tivesse lugar.

Um Tipo de Cristo. Quanto a Moisés como tipo de Cristo, ver as notas em Êxodo 2.2.

MOISÉS MATA UM EGÍPCIO E FOGE PARA MIDIÃ (2.11-22)

MOISÉS UNE-SE A SEU POVO (2.11-15)

Moisés, embora educado no Egito, não se deixou absorver por essa cultura. Sua missão requeria uma educação assim desde seus mais verdes anos, mas havia outros fatores em operação. Desde bem cedo, Moisés mostrou ser homem dotado de visão, espírito de sacrifício e determinação. Só um homem assim poderia livrar os israelitas do exílio no Egito. Ele observou a pesada servidão deles, e teve compaixão de seu povo. E, ao defender um compatriota hebreu, matou o egípcio atacante. Foi um ato lamentável, que não pode ser justificado. No entanto, apesar de sua ação precipitada, o propósito de Deus prosseguiu em sua vida, tal como Paulo tinha um registro de mortes em seu passado. Os caminhos de Deus estão acima dos nossos, e os vasos especiais, apesar de acidentes de percurso, finalmente triunfam.

Os eventos descritos nos vs. 11-14 deste capítulo cobrem um período de cerca de quarenta anos. Mas aqui o autor sagrado condensou seu relato, fornecendo-nos apenas a essência das coisas.

■ **2.11**

וַיְהִי בַּיָּמִים הָהֵם וַיִּגְדַּל מֹשֶׁה וַיֵּצֵא אֶל־אֶחָיו וַיַּרְא
בְּסִבְלֹתָם וַיַּרְא אִישׁ מִצְרִי מַכֶּה אִישׁ־עִבְרִי מֵאֶחָיו׃

Perseguição e Cargas Pesadas. Além do trabalho pesado, os hebreus estavam sendo maltratados. Moisés observou isso, e seu coração voltou-se para o seu povo. Nesse ponto de sua vida, Moisés percebeu qual seria a sua tarefa. Mas segundo nossa maneira de computar, seria preciso muito tempo para que essa tarefa tivesse início. Ele teria de passar quarenta anos internado no deserto. Era preciso muita preparação. No caso de sua mãe, o propósito de Deus teve cumprimento imediato. Mas, no caso do próprio Moisés, foi necessário um longo período de preparação. O cronograma de Deus teria cumprimento, e ninguém poderia apressar esse cronograma.

Talvez um capataz egípcio estivesse exigindo do israelita mais do que este poderia produzir; e então o capataz apelou para a força bruta. Sem dúvida, houve espancamentos para forçar o escravo a trabalhar mais do que o seu sistema podia suportar. Em um caso claro de injustiça. Havia um "tratamento injusto" (ver At 7.24). Os egípcios não estavam entre as nações mais cruéis, mas havia abuso de poder.

Sendo Moisés já homem. Ou seja, quando ele já estava com quarenta anos de idade (At 7.23), ou seja, no fim do primeiro de seus três ciclos de vida, os quarenta anos em que esteve sob a influência da educação e da cultura do Egito. Haveria de passar no exílio, em Midiã, outros quarenta anos. E haveria de tornar-se profeta no terceiro desses ciclos de quarenta anos. Moisés morreu com 120 anos de idade (Dt 34.7). Seu destino, pois, incluía três ciclos distintos. Há vezes em que as coisas funcionam assim na vida das pessoas.

■ **2.12**

וַיִּפֶן כֹּה וָכֹה וַיַּרְא כִּי אֵין אִישׁ וַיַּךְ אֶת־הַמִּצְרִי
וַיִּטְמְנֵהוּ בַּחוֹל׃

Matou o egípcio. Isso seguia o princípio de "vida por vida" (Êx 21.23), uma espécie de defesa em favor da vida, embora o texto não diga que o egípcio estava prestes a tirar a vida do israelita. Moisés exagerou, não havendo como desculpar o crime. Uma de minhas fontes informativas fala em uma "ultrajante" combinação de precipitação e prudência. Moisés agiu por sua própria autoridade, mostrando uma audácia singular. Mas a coragem audaciosa, por si só, não é uma virtude. O diabo é audaz; resolveu enfrentar o próprio Deus. Mas isso não faz dele um ser justo.

Conta-se como David Livingstone se sentiu revoltado diante do tratamento brutal dado aos escravos em um mercado árabe de escravos. Muitos homicídios sem base estavam sendo cometidos contra os escravos, sem motivos suficientes. E Livingstone confessou que sua primeira reação foi "atirar nos assassinos com sua pistola" (*Encyclopaedia Brittanica*, em seu artigo sobre *Livingstone*). Mas a vingança vem do Senhor, e não deve provir de algum indivíduo. A *lei* promove a vingança divina; e a vindicação que não ocorre, a vontade de Deus cuida disso, afinal. Não há erro que não venha a ser corrigido. Ver Romanos 13.1 ss. e 12.19. A violência parece inevitável, pelo menos em algumas ocasiões, mas ela sempre envolve um erro. Muitos pais castigam seus filhos tomados por uma ira violenta, usualmente por causa de alguma inconveniência trivial que sofreram.

"Os comentadores judeus geralmente apreciavam o ato [de Moisés], ou mesmo elogiavam-no como uma ação patriótica e heroica. Mas sem dúvida foi um feito precipitado, efetuado em um espírito indisciplinado" (Ellicott, *in loc.*).

■ 2.13

וַיֵּצֵא בַּיּוֹם הַשֵּׁנִי וְהִנֵּה שְׁנֵי־אֲנָשִׁים עִבְרִים נִצִּים וַיֹּאמֶר לָרָשָׁע לָמָּה תַכֶּה רֵעֶךָ׃

Provocação. Moisés ocultara as evidências de seu crime; mas a questão não terminou com o egípcio sepultado na areia. No dia seguinte, Moisés tentou interromper uma briga entre dois hebreus. Mas acabou sabendo, da parte de um dos antagonistas, que seu ato *homicida* tinha sido visto e, sem dúvida, discutido entre os observadores. Isso significava que, em breve, a história inteira seria descoberta, e Moisés passaria a ser caçado pela justiça do Faraó. Talvez o hebreu tencionasse matar ao outro; mas afinal isso foi o que *Moisés* tinha feito. Ver 2Samuel 14.6. A desintegração social e psicológica havia tomado conta do escravizado povo de Israel, e eles estavam abusando uns dos outros. O espírito de Moisés, pois, vexava-se diante do que via entre sua própria gente. Seu coração estava sendo preparado, mas um longo tempo seria necessário até tornar-se o instrumento devido do poder de Deus. Ver Atos 7.26 quanto ao paralelo neotestamentário deste versículo.

■ 2.14

וַיֹּאמֶר מִי שָׂמְךָ לְאִישׁ שַׂר וְשֹׁפֵט עָלֵינוּ הַלְהָרְגֵנִי אַתָּה אֹמֵר כַּאֲשֶׁר הָרַגְתָּ אֶת־הַמִּצְרִי וַיִּירָא מֹשֶׁה וַיֹּאמַר אָכֵן נוֹדַע הַדָּבָר׃

O autor sacro segredava aqui que não chegara ainda o tempo de Moisés receber autoridade. Os israelitas ainda não estavam preparados; o próprio Moisés também não estava preparado. Moisés era um príncipe no Egito, por ser filho adotivo da filha do Faraó, e seu pai adotivo sem dúvida era também homem de grande autoridade (vs. 10). Para os hebreus, porém, ele nada significava. Não lhe cabia decidir quem estava com a razão e quem estava errado, ainda que, posteriormente, ele se tivesse tornado o grande legislador a quem todo o povo de Israel devia obediência. No Antigo Testamento, a justiça (no hebraico, *mishpat*) não era um conhecimento positivo nem um princípio metafísico, como se dá com a filosofia ética. Era a lei imposta pelo *Deus vivo*. Os atos potencialmente altruístas de Moisés, sua preocupação com os oprimidos, não foram bem acolhidos, e isso deve ter parecido difícil para o *jovem Moisés* (então com 40 anos de idade). Uma lição que devemos aprender de início é não esperar aplausos. A maioria das pessoas teme as verdades recém-descobertas que ameaçam os dogmas tradicionais.

O Erro Fatal de Moisés. Moisés tinha aplicado a violência; tinha assassinado; tinha perdido o respeito dos outros. Agora seria preciso muito tempo para ele vencer essa situação.

■ 2.15

וַיִּשְׁמַע פַּרְעֹה אֶת־הַדָּבָר הַזֶּה וַיְבַקֵּשׁ לַהֲרֹג אֶת־מֹשֶׁה וַיִּבְרַח מֹשֶׁה מִפְּנֵי פַרְעֹה וַיֵּשֶׁב בְּאֶרֶץ־מִדְיָן וַיֵּשֶׁב עַל־הַבְּאֵר׃

Moisés fugiu da presença de Faraó. Este estaria agora ouvindo a notícia ou em breve a ouviria, de que Moisés matara um egípcio. E então mandaria executar Moisés. Nisso consistia o maior temor de Moisés. E assim Moisés fugiu para seu exílio de quarenta anos, na terra de Midiã, o segundo grande ciclo de sua vida. Ver o vs. 11. Ele começara a tornar-se uma figura ameaçadora, intervindo onde não devia, agitando o povo. Alguns intérpretes veem neste texto um esforço abortado de emancipação. Mas o autor sacro apresenta o episódio como um simples passo na preparação divina do caminho de seu servo. Este precisava internar-se no deserto por quarenta anos. Tudo isso fazia parte de sua preparação.

Terra de Midiã. Ver no *Dicionário* o artigo *Midiã, Midianitas*. Moisés fugiu na direção sudeste, afastando-se de onde vivia talvez 400 km. Midiã tinha sido um dos filhos de Abraão e Quetura (Gn 25.1-6). Assim, os midianitas eram parentes distantes de Moisés, uma tribo árabe que vivia na região ao sul do Sinai e na porção noroeste da Arábia. Esse deserto diferia muito da favorecida região de Gósen, no Egito, que era onde estava o grosso da população israelita. Ver Gênesis 45.10. Os midianitas eram seminômades. Seu centro ficava às margens do golfo de Ácaba. O local tradicional do monte Sinai ficava naquela região. Os nabateus, muito provavelmente, foram os sucessores dos midianitas na região, tendo sido os que edificaram a famosa cidade de Petra (ver a respeito no *Dicionário*).

Junto a um poço. Local muito valorizado em uma terra ressequida. Ver no *Dicionário* os artigos intitulados *Poço* e *Cisterna*. Moisés armou sua tenda nas imediações. Havia perdido sua exaltada posição de filho da filha do Faraó, e agora era tão sem importância quanto antes era importante.

■ 2.16

וּלְכֹהֵן מִדְיָן שֶׁבַע בָּנוֹת וַתָּבֹאנָה וַתִּדְלֶנָה וַתְּמַלֶּאנָה אֶת־הָרְהָטִים לְהַשְׁקוֹת צֹאן אֲבִיהֶן׃

O sacerdote de Midiã. A Septuaginta dá aqui o seu nome, *Jetro*. Mas o original hebraico só dá esse nome em Êxodo 3.1. E o vs. 18 deste capítulo dá outro nome desse homem, *Reuel*. Em Êxodo 18.12, Jetro é chamado "sogro" de Moisés. Mas em Números 10.29 e Juízes 4.11 esse homem é chamado Hobabe. Em Números 10.29, Hobabe figura como *filho* de Reuel, e este último aparece ali como *sogro* de Moisés. Os eruditos têm-se esforçado por explicar essas discrepâncias. Naturalmente, vemos que Jetro e Reuel são nomes diferentes de um mesmo indivíduo. Ou, então, um poderia ser o pai do outro. Não há como resolver nitidamente a questão. Assim, alguns eruditos pensam que Reuel era o pai de Jetro, e para eles essa é a maneira mais lógica de explicar o problema. Ofereço artigos separados sobre cada um desses nomes, onde aparecem detalhes sobre o problema, além de informações de cunho geral.

Talvez Reuel (e/ou Jetro) fossem reis-sacerdotes, a exemplo de Melquisedeque, e talvez promovessem alguma forma de fé religiosa que era conhecida por seu ancestral mais remoto, Abraão.

Sete filhas, as quais vieram a tirar água. Às mulheres geralmente cabia essa tarefa. Ver outras instâncias disso, que envolveram Rebeca e Raquel (ver Gn 24.13 ss. e 29.2 ss.). Assim também aqui as sete filhas do sacerdote de Midiã ocupavam-se no trabalho de puxar água para os animais. Outro encontro, à beira de um poço, resultou em um casamento divinamente arranjado, conforme o autor sagrado nos quis fazer saber. Os costumes orientais nada viam de pejorativo na filha de um chefe ou sacerdote ocupar-se desse tipo de trabalho.

■ 2.17

וַיָּבֹאוּ הָרֹעִים וַיְגָרְשׁוּם וַיָּקָם מֹשֶׁה וַיּוֹשִׁעָן וַיַּשְׁקְ אֶת־צֹאנָם׃

Moisés... as defendeu. As filhas do sacerdote não foram bem acolhidas. Antes, foram postas a correr por certos pastores locais hostis. Mas Moisés defendeu-as e em seguida ajudou-as a tirar água para seus rebanhos. Essa foi a *terceira vez* em que Moisés tentou ajudar outras pessoas em necessidade (ver Êx 2.12,13). Nas duas vezes anteriores, o resultado havia sido desastroso. Mas dessa vez o resultado foi positivo. O texto, pois, apresenta Moisés como um libertador, o que, finalmente, ele acabou sendo para todo o povo de Israel. Moisés figura aqui como homem dotado de mente e de corpo vigorosos, pois, de outra sorte, não teria sido capaz de pôr em fuga o grupo de pastores fanfarrões, sem entrar em mais dificuldades. Talvez derrubar o líder deles tenha sido suficiente.

■ 2.18

וַתָּבֹאנָה אֶל־רְעוּאֵל אֲבִיהֶן וַיֹּאמֶר מַדּוּעַ מִהַרְתֶּן בֹּא הַיּוֹם׃

Por que viestes hoje mais cedo? Com a ajuda de Moisés, as filhas do sacerdote puderam terminar mais cedo do que o comum o seu trabalho. E isso surpreendeu a Reuel, pai delas. Suas perguntas levaram-no a Moisés, que dentro em pouco seria o marido de uma de suas filhas, Zípora (vs. 21). O nome dela significa *passarinho*. Ver no *Dicionário* o verbete intitulado *Reuel (Raguel)*. Ver também sobre *Jetro*, e sobre o problema concernente ao fato de que ambos são chamados "sogro" de Moisés. Ver as notas sobre o vs. 16. O Targum de Jonathan chama Reuel de "pai do pai", e esse parece ser o modo mais provável de resolver esse problema de nomes próprios. É possível que aqueles pastores hostis vez por outra atacassem as filhas do sacerdote de Midiã, fazendo-as chegar tarde na maioria dos dias. Mas uma vez que eles tinham sido tirados da cena, e com a ajuda de Moisés, elas puderam terminar mais cedo a tarefa do dia.

2.19

וַתֹּאמַרְןָ אִישׁ מִצְרִי הִצִּילָנוּ מִיַּד הָרֹעִים וְגַם־דָּלֹה דָלָה לָנוּ וַיַּשְׁקְ אֶת־הַצֹּאן׃

Um egípcio. Seu sotaque o denunciava. Adam Clarke mostrou como um *egípcio* não teria podido pronunciar as consoantes guturais do árabe, como a do nome Reuel, que no hebraico aparece como Raguel. E afirmou que ouvir um árabe pronunciar esse nome soaria como se ele estivesse *gargarejando*. Moisés era um benfeitor que procurava ajudar às pessoas. Essa é uma característica de muitos dos líderes que Deus levanta. Mas há muitos supostos líderes que só sabem prejudicar seus semelhantes, fazendo isso em nome de Deus.

2.20

וַיֹּאמֶר אֶל־בְּנֹתָיו וְאַיּוֹ לָמָּה זֶּה עֲזַבְתֶּן אֶת־הָאִישׁ קִרְאֶן לוֹ וְיֹאכַל לָחֶם׃

Reuel não demorou a perceber que ali estava um bom genro em perspectiva. Afinal, ele tinha sete filhas para casar. E perguntou delas: "Por que deixastes lá o homem?" E logo elas o convidaram para vir comer na casa delas. Quantos romances têm começado na mesa de jantar? Reuel e suas filhas sentaram-se ali, e perto estava o simpático homem vindo do Egito. Zípora lançava olhares sobre Moisés; e Moisés lançava olhares sobre Zípora; e logo teve início um romance que ninguém poderia frear, tal como não se pode impedir a maré dos oceanos.

2.21

וַיּוֹאֶל מֹשֶׁה לָשֶׁבֶת אֶת־הָאִישׁ וַיִּתֵּן אֶת־צִפֹּרָה בִתּוֹ לְמֹשֶׁה׃

Moisés Achou Lar Longe de Casa. Mudou-se para a casa de Reuel e começou a ajudá-lo em seu trabalho. Zípora, o *passarinho*, estava sempre por perto. E não demorou para Moisés perceber o quanto precisava de uma mulher.

Zípora. No hebraico temos a forma feminina de *zipor*, "passarinho". Ela era uma das sete filhas de Jetro (Reuel), sacerdote de Midiã (Êx 2.21,22). Ela foi a primeira esposa de Moisés, mãe de Gérson e Eliezer (Êx 2.22; 18.3,4). Viveu por volta de 1500 a.C., embora os eruditos variem disso por nada menos de duzentos anos.

Quando Moisés voltou de Midiã ao Egito, Zípora e os filhos do casal acompanharam-no. No caminho de volta, Yahweh repreendeu Moisés, ou porque ele não se circuncidara antes de casar-se, ou porque não havia circuncidado um de seus filhos. Assim, com muita relutância e protesto, Zípora obedeceu a seu marido, circuncidando seu filho. Ao que parece, ela tocou em Moisés com a pele do prepúcio, que pingava sangue, e declarou: "Esposo sanguinário!" E isso por causa da operação, que era muito dolorosa. Ela e seus dois filhos posteriormente retornaram a Jetro (Êx 18.2-4). E nunca mais se ouve falar em Zípora nas páginas da Bíblia. Filo afirmou que Moisés casou-se com 77 anos de idade (*Vita Mosis*, fol. 9.1). Mas outros estudiosos datam esse casamento em muito antes disso.

2.22

וַתֵּלֶד בֵּן וַיִּקְרָא אֶת־שְׁמוֹ גֵּרְשֹׁם כִּי אָמַר גֵּר הָיִיתִי בְּאֶרֶץ נָכְרִיָּה׃ פ

Gérson. Esse nome é de procedência estrangeira, tomado por empréstimo pelo vocabulário dos hebreus. Seu significado é incerto: talvez venha do hebraico *garas*, "expulsar". Portanto, pode significar *fugitivo*. Ver Êxodo 2.22. Todavia, a palavra pode ser corruptela de uma forma estrangeira original, envolvendo um jogo de palavras de alguma sorte. Seja como for, esse nome designa três pessoas do Antigo Testamento. Uma delas foi o filho mais velho de Moisés, dos dois que lhe nasceram na terra de Midiã. Sua mãe era Zípora. O outro filho de Moisés chamava-se Eliezer (ver Êx 2.22 e 18.3,4). Esses dois homens foram simples levitas, ao passo que os filhos de seu tio, Arão, desfrutaram todos os privilégios próprios do sacerdócio, brandindo muito maior autoridade (1Cr 23.15). Ao que parece, Moisés era imune ao nepotismo, uma atitude rara entre os líderes e os políticos. A Bíblia informa-nos somente quanto ao nascimento de Gérson, à sua circuncisão e à sua genealogia. Seu nome veio a ser vinculado a um dos clãs levitas. Ver Êxodo 24.24-26. Ele viveu em torno de 1500 a.C., mas os estudiosos diferem nada menos de duzentos anos quanto a isso.

Embora nada seja especificado quanto a isso neste livro de Êxodo, Moisés atirou-se à árdua tarefa de ser pastor de ovelhas em uma terra árida, durante quarenta anos. Uma das vantagens dessa ocupação é que ele obteve um valioso conhecimento das condições locais da área do Sinai, onde, anos mais tarde, estaria conduzindo o povo de Israel. Ver Atos 7.30.

MOISÉS É CHAMADO POR DEUS (2.23—3.22)

O PACTO ABRAÂMICO É TRANSMITIDO A MOISÉS (2.23-25)

Os anos de preparação, os quarenta anos em que Moisés viveu internado no deserto (At 7.30), cumpriram-se. Estava morto o Faraó do qual Moisés havia fugido. Agora ia começar o terceiro e último estágio da vida de Moisés. Ele tinha vivido por quarenta anos no Egito (Êx 2.14). Tinha vivido por quarenta anos no deserto de Midiã. E agora viveria por quarenta anos como líder de Israel, como o libertador. A maior parte das informações de que dispomos sobre a sua vida diz respeito a esses quarenta anos finais.

O libertador precisava ser um participante especial do Pacto Abraâmico, no qual é prometida uma pátria para o povo de Israel. A peregrinação e o exílio de Israel no Egito não poderiam mesmo perdurar para sempre. Os pecados dos habitantes da Terra Prometida deveriam chegar ao seu ponto culminante; e então o juízo divino tiraria deles aqueles territórios, entregando-os aos descendentes de Abraão. Ver as notas sobre Gênesis 15.13,16. Em Gênesis 15.18 dou notas detalhadas sobre o *Pacto Abraâmico*, reiterado por nada menos de dezesseis vezes no livro de Gênesis.

Havia morrido o Faraó do Egito (Seti I ou Ramsés II). Mas isso em nada alterou as condições do povo de Israel, que continuava encurvado sob pesada servidão. Seus clamores, porém, subiram a Deus (vs. 23). Chegara o tempo de Deus agir. Esse ato divino requeria a presença de um ator central, Moisés.

Os críticos atribuem esta seção a uma combinação das fontes informativas J, E e P(S). Ver no *Dicionário* o artigo intitulado *J.E.D.P.(S.)* quanto à teoria das fontes múltiplas do Pentateuco.

2.23

וַיְהִי בַיָּמִים הָרַבִּים הָהֵם וַיָּמָת מֶלֶךְ מִצְרַיִם וַיֵּאָנְחוּ בְנֵי־יִשְׂרָאֵל מִן־הָעֲבֹדָה וַיִּזְעָקוּ וַתַּעַל שַׁוְעָתָם אֶל־הָאֱלֹהִים מִן־הָעֲבֹדָה׃

Decorridos muitos dias. Os quarenta anos durante os quais Moisés esteve internado no deserto (At 7.30). Ver as notas de introdução a esta seção. O plano de Deus tem sua própria cronologia (ver Gn 15.13,16). Agora Moisés estava preparado, ao fim dos dois primeiros ciclos de quarenta anos cada (Êx 2.14; Atos 7.30). Os próximos quarenta anos veriam ele como o grande libertador de Israel. O rei egípcio que tinha ameaçado sua vida estava agora morto. Ver na *Enciclopédia de Bíblia, Teologia e Filosofia*, o artigo chamado *Faraó*, em sua terceira seção, onde aparecem os faraós vinculados à Bíblia. Mas como já dissemos, a morte daquele Faraó em nada modificara as condições de vida do povo de Israel. Israel continuava escravizado, sem nenhuma perspectiva de mudança. Israel gemia e clamava debaixo de suas cargas; e Deus ouviu esse clamor, e preparou-se para libertar o seu povo.

O trecho de Êxodo 7.7 dá-nos a idade de Moisés nessa época, a saber, 80 anos. O terceiro e maior ciclo da vida de Moisés ia começar em breve.

2.24

וַיִּשְׁמַע אֱלֹהִים אֶת־נַאֲקָתָם וַיִּזְכֹּר אֱלֹהִים אֶת־בְּרִיתוֹ אֶת־אַבְרָהָם אֶת־יִצְחָק וְאֶת־יַעֲקֹב׃

O Pacto Abraâmico. O cronograma de Deus requeria vários acontecimentos: o exílio e a servidão no Egito; os pecados dos cananeus teriam de chegar a seu ponto culminante, a fim de que um justo juízo divino viesse a privá-los de suas terras (Gn 15.13-16); Moisés teria de cumprir um período de quarenta anos de exílio no deserto (Êx 2.15; At 7.30). Mas uma vez satisfeitos todos esses itens, o cronograma divino passaria para o passo seguinte: a chamada de Moisés. E esta levaria o Pacto Abraâmico a um novo degrau. Ver em Gênesis 15.18 as notas completas que damos ali sobre esse pacto. Uma de suas principais estipulações era que Israel haveria de ter seu próprio território pátrio. Isso requereria que Israel fosse livrado de sua escravidão no Egito.

"Êxodo 2.24,25 é um eixo na narrativa. A supressão, a escravidão e a morte são temas dominantes no trecho de Êxodo 1.1—2.23. Daqui por diante, a ênfase recairá sobre as ideias de *livramento* e *triunfo*. Deus, em seu poder soberano, estava preparado para agir em consonância com as suas promessas a fim de livrar e preservar o seu povo" (John D. Hanna, *in loc.*).

2.25

וַיַּרְא אֱלֹהִים אֶת־בְּנֵי יִשְׂרָאֵל וַיֵּדַע אֱלֹהִים׃ ס

O Favor Divino. Agora a graça de Deus passa a ocupar uma posição forte, evidente e eficaz. Ver no *Dicionário* o artigo intitulado *Providência de Deus*.

Deus. No hebraico, *Elohim*. Ver as notas sobre esse nome divino no *Dicionário*, bem como o artigo geral *Deus, Nomes Bíblicos de*.

O vs. 7 deste terceiro capítulo do Êxodo menciona o favor divino especial que estava prestes a entrar em ação, com base no amor de Deus e na compaixão dele por seu povo oprimido.

CAPÍTULO TRÊS

CHAMADA E COMISSÃO DE MOISÉS (3.1 — 4.17)

O Pacto Abraâmico foi confirmado a Moisés (Êx 2.24). Ele foi nomeado para tornar-se um instrumento especial desse pacto, passando a desempenhar um papel cêntrico para tirar Israel do Egito e fazê-lo voltar à Terra Prometida. Jacó e seus filhos, ao fugirem da seca na terra de Canaã, desceram ao Egito para estarem em companhia de José (ver Gn 46—50). Isso armou o palco para o exílio e a escravidão naquele país. Agora, essa situação seria revertida, e o cronograma de Deus estava avançando para uma fase nova. Ver Gênesis 15.13,16 e as notas sobre o *Pacto Abraâmico* em Gênesis 15.18.

Os críticos pensam que esta seção é uma mescla das fontes informativas J, E e P(S). Ver no *Dicionário* o artigo intitulado *J.E.D.P.(S.)* quanto à teoria das fontes múltiplas do Pentateuco.

Moisés era considerado o maior de todos os profetas de Israel (Êx 34.10); e outros ainda o exaltavam mais do que isso (Nm 12.6,7). Seja como for, ele foi o homem escolhido por Deus para aquele momento crítico. Foi mister que ele recebesse uma autoridade e um poder real, e isso lhe foi concedido pela presença de Deus, que começou quando da teofania que lhe foi outorgada. Isso faz-nos lembrar da chamada de Isaías (Is 6).

A seção à nossa frente consiste em *três divisões*:
1. Confrontação com Deus (Êx 3.1-12)
2. Instruções (Êx 3.13-22)
3. Queixas de Moisés (Êx 4.1-17)

3.1

וּמֹשֶׁה הָיָה רֹעֶה אֶת־צֹאן יִתְרוֹ חֹתְנוֹ כֹּהֵן מִדְיָן וַיִּנְהַג אֶת־הַצֹּאן אַחַר הַמִּדְבָּר וַיָּבֹא אֶל־הַר הָאֱלֹהִים חֹרֵבָה׃

Apascentava Moisés o rebanho. Moisés sentia-se satisfeito no deserto, enquanto ajudava a cuidar do rebanho de seu sogro. Não havia excitações, mas também não havia ameaças nem necessidades. Tinha tudo o de que precisava, com sua pequena família: sua esposa e seus dois filhos. Mas o plano de Deus em breve haveria de agitar a sua vida, preparando-o para uma importantíssima missão. Por igual modo, séculos depois, Davi também foi arrancado de suas ocupações pastoris para cumprir um notável destino.

Jetro. Em Êxodo 2.18, o nome do sogro de Moisés aparece como *Reuel*. Ver as notas em Êxodo 2.16-18 quanto ao problema da aparente confusão de nomes próprios. Talvez Reuel fosse o pai de Jetro. Provi artigos detalhados sobre ambos (ou sobre os diferentes nomes de um só homem) no *Dicionário*.

O lado ocidental do deserto. Essa era a estreita faixa de terra fértil que ficava por trás da planície arenosa, estendendo-se desde a serra do Sinai até as praias do golfo Elanítico.

Horebe. Chamado algures de "monte de Deus". Cuidando de seu rebanho, Moisés acabou chegando a esse lugar. E ali, inesperadamente, teve um encontro com a presença de Deus. Parece que Horebe era o nome de toda a cadeia montanhosa que havia naquela área. O Sinai era apenas uma parte dessa cadeia, posteriormente conhecido como Jebel Musa. Ver no *Dicionário* o artigo intitulado *Horebe*. Alguns estudiosos opinam que *Horebe* e *Sinai* eram os nomes de dois picos da serra em pauta. E Horebe, nesse caso, veio a ser conhecido como "monte de Deus" porque foi ali que Deus apareceu a Moisés.

3.2

וַיֵּרָא מַלְאַךְ יְהוָֹה אֵלָיו בְּלַבַּת־אֵשׁ מִתּוֹךְ הַסְּנֶה וַיַּרְא וְהִנֵּה הַסְּנֶה בֹּעֵר בָּאֵשׁ וְהַסְּנֶה אֵינֶנּוּ אֻכָּל׃

O anjo do Senhor. Temos aqui uma designação frouxa para uma *teofania* (ver a esse respeito no *Dicionário*). Uma verdade constante do livro de Gênesis, e agora também do livro de Êxodo, é que Deus chama seus vasos ou instrumentos especiais mediante profundas experiências místicas. Jacó teve muitas dessas experiências. Ver no *Dicionário* o verbete intitulado *Misticismo*. Ver Gênesis 12.1 e 15.1 ss. quanto às experiências de Abraão; e ver Gênesis 28.12 ss. quanto a uma dessas experiências de Jacó. É uma bênção dispormos das Escrituras e de outros livros espirituais para os lermos e estudarmos. É grande podermos orar, o veículo da petição e do poder espiritual. É notável dispormos do meio da meditação, pelo qual podemos dar ouvidos à voz de Deus. Mas *também* precisamos do toque místico em nossa vida, a aproximação da presença de Deus, que nos ilumina e orienta.

Senhor. No hebraico, *Yahweh*. Ver no *Dicionário* sobre esse nome divino, como também o artigo *Deus, Nomes Bíblicos de*. Encontramos aqui o grande tetragrama dos israelitas, YHWH.

Numa chama de fogo. Um dos *símbolos* da presença de Deus. Devemos entender aqui alguma forma de luz e manifestação resplandecente, e não chamas de fogo físico, embora parecido com isso. Esse é um elemento comum nas experiências místicas. Cf. Êxodo 19.18.

Sarça. A manifestação divina girou em tornou de um arbusto, uma sarça. Foi uma visão misteriosa, que Moisés se apressou a investigar (vs. 3). "Moisés foi visitado pelo Deus vivo" (J. Coert Rylaarsdam, *in loc.*).

Zoroastro asseverou que, em um monte onde tinha ido meditar e estudar, teve uma visão de que o monte inteiro havia sido envolvido por chamas divinas. Algo similar foi noticiado por Ésquilo. E há muitos paralelos nas crônicas religiosas.

3.3

וַיֹּאמֶר מֹשֶׁה אָסֻרָה־נָּא וְאֶרְאֶה אֶת־הַמַּרְאֶה הַגָּדֹל הַזֶּה מַדּוּעַ לֹא־יִבְעַר הַסְּנֶה׃

A sarça não se queima. Um estranhíssimo fenômeno, que fez Moisés voltar-se naquela direção, a fim de investigá-lo. No começo, não percebeu que estava em meio a uma espécie de manifestação divina, o que por muitas vezes ocorre nos estágios iniciais de todas as experiências místicas. Além de ser um estranho fenômeno, capaz de atrair a atenção, a ocorrência provavelmente tinha por intuito indicar que o homem pode aproximar-se da chama de Deus sem sofrer dano, e, de fato, é convidado a fazê-lo. Todavia, os homens temem o

Apascentava Moisés o rebanho de Jetro, seu sogro, sacerdote de Midiã; e, levando o rebanho para o lado ocidental do deserto, chegou ao monte de Deus, a Horebe.
Êxodo 3.1

Horebe significa *deserto*, *sequidão* (Êx 3.1; 17.6; Dt 1.2,6 etc). Alguns supõem que Horebe fosse o nome do pico menor do monte Sinai, de onde alguém poderia descer na direção sul. Outros estudiosos supõem que esse nome designasse a cadeia inteira da qual o Sinai era apenas um cume específico.

Ser divino, especialmente porque isso requer *muito* da parte deles, a saber, sua própria vida. Os homens preferem dedicar-se a si mesmos, satisfazendo os interesses do corpo físico e buscando somente as realidades temporais.

Moisés ficou atônito e *acolhedor* diante da aproximação do Ser divino. Ele reagiu favoravelmente ao mistério; mostrou ser um inquiridor que estava prestes a fazer uma grande descoberta.

Possíveis Símbolos da Sarça:
1. O poder divino, o qual se aproxima do homem como se fosse uma chama, sem causar nenhum dano ao homem.
2. Israel sob aflição, mas sem ser consumido.
3. Acesso a Deus por meio das experiências místicas.
4. Todos os crentes, que podem ser tentados e provados, mas nunca esquecidos ou consumidos.
5. A disponibilidade da presença divina por parte dos homens.
6. A necessidade da visitação divina, visando o bem da alma, bem como sua iluminação e orientação.
7. Os cuidados de Deus, que provê o necessário para os que lhe pertencem. Ver no *Dicionário* o artigo intitulado *Teísmo*. Deus não abandonou a sua criação, conforme estipula o *Deísmo* (ver no *Dicionário*).

■ **3.4**

וַיַּרְא יְהוָה כִּי סָר לִרְאוֹת וַיִּקְרָא אֵלָיו אֱלֹהִים מִתּוֹךְ הַסְּנֶה וַיֹּאמֶר מֹשֶׁה מֹשֶׁה וַיֹּאמֶר הִנֵּנִי:

Senhor... Deus. Esses nomes, no hebraico, são respectivamente *Yahweh* e *Elohim*. Ver no *Dicionário* sobre esses nomes, como também o verbete *Deus, Nomes Bíblicos de*. A teofania (ver a esse respeito no *Dicionário*) manifestou-se na sarça e na voz divina que chamou Moisés. A presença divina chamou e Moisés respondeu. Temos aí uma eterna lição espiritual que toda a humanidade precisa aprender. Moisés ficou atônito e *acolhedor* diante da presença de Deus. Isaías, diante da presença do Senhor, caiu em confissão, sentindo necessidade de absolvição. Embora essa atitude não seja aqui mencionada, trata-se de uma atitude comum nas experiências espirituais poderosas.

Moisés, Moisés. A voz divina manifestou-se pessoal, dirigindo-se a Moisés por seu nome. A vontade de Deus envolve cada indivíduo, chamando cada qual a uma missão especial. Deus conhece os que lhe pertencem, tal como diz o ensino sobre o Bom Pastor (Jo 10) e o trecho do Salmo 23. Deus manifesta-se individualmente, e não coletivamente. "O Senhor conhece o seu povo um por um, chamando-o por seu nome. A repetição do nome [Moisés, Moisés] indica familiaridade e um afeto veemente por ele" (John Gill, *in loc.*).

■ **3.5**

וַיֹּאמֶר אַל־תִּקְרַב הֲלֹם שַׁל־נְעָלֶיךָ מֵעַל רַגְלֶיךָ כִּי הַמָּקוֹם אֲשֶׁר אַתָּה עוֹמֵד עָלָיו אַדְמַת־קֹדֶשׁ הוּא:

Não te chegues... tira as sandálias. Aqueles eram momentos solenes, em um lugar sagrado, o que requeria a maior reverência da parte de Moisés. Moisés deveria descalçar seus *nealim*, provavelmente uma espécie de sandálias. Em todos os países orientais havia o costume de descalçar-se por ocasião do culto, o que tem persistido até hoje entre os persas, árabes e outros povos. Juvenal (*Sat.* vi. ver 158) mencionou esse costume. O trecho de Josué 5.15 alude ao mesmo costume. "Até hoje, os judeus vão às suas sinagogas descalços, no dia da expiação" (John Gill, *in loc.*). Os sacerdotes da deusa Diana serviam-na descalços (Slin. *Polyhistor.* c. 16; Estrabão, 1.12, par. 370).

Terra santa. Um lugar sagrado que posteriormente deu a Horebe o nome de "monte de Deus" (vs. 1). No mundo antigo, tal como hodiernamente, formavam-se santuários em torno das aparições de algum poder divino, neste ou naquele lugar. Dois ou três crentes, reunidos em adoração cristã, podem esperar contar com a presença de Cristo (Mt 18.20). Moisés chegou àquele local porque era um bom lugar de pasto para seus rebanhos. Mas este acabou revestindo-se de uma importância muito maior do que Moisés tinha esperado.

Calçados. Ver no *Dicionário* o artigo com esse nome.

■ **3.6**

וַיֹּאמֶר אָנֹכִי אֱלֹהֵי אָבִיךָ אֱלֹהֵי אַבְרָהָם אֱלֹהֵי יִצְחָק וֵאלֹהֵי יַעֲקֹב וַיַּסְתֵּר מֹשֶׁה פָּנָיו כִּי יָרֵא מֵהַבִּיט אֶל־הָאֱלֹהִים:

Uma Acumulação de Títulos. O Deus de vários patriarcas prové a continuação da adoração ao mesmo Deus, desde Abraão até Moisés. Todos eles tinham o mesmo Deus e a mesma herança espiritual, e também compartilhavam do mesmo *pacto* (ver Êx 2.24 e Gn 15.18 quanto a uma completa descrição). Esse acúmulo de títulos também empresta *dignidade* e *admiração* diante do Ser divino. Pois o Deus daqueles patriarcas era grandioso. E agora Moisés haveria de contemplar algo dessa grandeza, operante na saída do povo de Israel do Egito. Ver as notas sobre Gênesis 26.4. Ver também Êxodo 3.15,16,20; 15.2 e 18.4.

Criação, aliança e redenção têm sua origem no único Deus dos patriarcas. Existe um *continuum* divino.

Jesus usou esse texto para provar a imortalidade da alma e a ressurreição contra os saduceus céticos. Ver Marcos 12.26,27.

Moisés escondeu o rosto. Provavelmente por trás de sua capa externa, conforme fez Elias (1Rs 19.13). Ele estava *com medo*, algo bastante comum nas experiências místicas, porquanto envolvem forças poderosas com as quais não costumamos tratar na vida diária. Tememos o desconhecido e qualquer poder imprevisível. Por isso mesmo foi que Jacó exclamou: "Quão temível é este lugar!" (Gn 28.17).

Este texto pode ser comparado com algo similar, em Êxodo 33.1,20; João 1.18. A teofania, ou seja as manifestações visíveis de Deus, por mais temível que possa ser, não envolve a essência divina propriamente dita, a qual permanece misteriosa.

A AUDIÊNCIA DIVINA (3.7—4.17)

Agora a revelação divina toma a forma de *instrução*. Aquilo que é místico tem seus efeitos práticos, seus resultados. Todas as realidades espirituais produzem efeitos práticos, para nós e para outras pessoas. Não somos iluminados por motivo de mera curiosidade. Compete-nos agir com base na iluminação recebida. A lei do amor manifesta-se em tudo, e deveria direcionar todas as nossas ações. Ver no *Dicionário* o artigo intitulado *Amor*. Moisés deveria agir em prol do amado povo de Deus, sim, amado por Deus e pelo próprio Moisés.

3.7

וַיֹּאמֶר יְהוָה רָאֹה רָאִיתִי אֶת־עֳנִי עַמִּי אֲשֶׁר
בְּמִצְרָיִם וְאֶת־צַעֲקָתָם שָׁמַעְתִּי מִפְּנֵי נֹגְשָׂיו כִּי יָדַעְתִּי
אֶת־מַכְאֹבָיו:

Vi a aflição do meu povo. O povo de Israel chamava a atenção de Deus, conforme já vimos em Êxodo 2.25. Era chegado o momento certo de agir. A Terra Prometida deveria passar para o poder de Israel, após o exílio no Egito, e depois que a culpa dos cananeus chegasse ao seu ponto culminante. Ver Gênesis 15.13,16. Deus cuida de seu povo. Por certo essa é a mensagem central do evangelho. Deus amou de tal maneira que deu (Jo 3.16), e uma provisão universal foi feita (1Jo 2.2). Ver no *Dicionário* o artigo *Misericórdia (Misericordioso)*. Deus sabia da situação aflitiva de seu povo, e não podia tolerá-la. Ver Êxodo 3.7-9 e cf. Êxodo 2.24. E assim, foi planejada a *libertação*.

Exatores. Temos aqui uma palavra diferente da que é empregada em Êxodo 1.11, onde nossa versão portuguesa diz "feitores". Mas ambos os termos implicam um tratamento cruel. Os "exatores" não eram apenas capatazes. Tinham-se tornado opressores; e era com eles que os escravos tinham de tratar todos os dias. Deus sabia o quanto os israelitas sofriam fisicamente, o quanto a mente deles se sentia aflita e o quanto seu espírito se sentia desolado. Pareciam abandonados a uma sorte pior do que poderiam suportar. Mas a vontade soberana de Deus estava prestes a reverter tudo isso.

3.8

וָאֵרֵד לְהַצִּילוֹ מִיַּד מִצְרַיִם וּלְהַעֲלֹתוֹ מִן־הָאָרֶץ
הַהִוא אֶל־אֶרֶץ טוֹבָה וּרְחָבָה אֶל־אֶרֶץ זָבַת חָלָב
וּדְבָשׁ אֶל־מְקוֹם הַכְּנַעֲנִי וְהַחִתִּי וְהָאֱמֹרִי וְהַפְּרִזִּי
וְהַחִוִּי וְהַיְבוּסִי:

Por isso desci. Cf. Gênesis 11.5 onde Deus *desceu* para verificar a situação na torre de Babel, e então lançou uma maldição sobre ela. Deus desceu de seu *céu* (Gn 11.4; 19.24; 21.17; 22.11). É provável que, na teologia mais antiga dos hebreus, a descida de Deus fosse concebida como algo literal. Mais tarde, porém, a expressão passou a ser usada em sentido figurado. Ver 1Reis 8.27; Salmo 137.7-16; Provérbios 15.3. Até hoje usamos os verbos "descer" e "subir" ao referir-nos ao inter-relacionamento entre os céus e a terra. Metaforicamente, o termo indica "pôr a própria presença em disponibilidade e realizar alguma obra", ou mesmo consolar, iluminar, punir, recompensar, intervir etc. Esta descida de Deus serve de expressão dos cuidados divinos, com o intuito de remover o terror imposto pelos egípcios. Deus estava prestes a fazer *intervenção*.

Subir daquela terra. A Terra Prometida era uma das promessas do Pacto Abraâmico, sobre a qual comento com detalhes em Gênesis 15.18. As descrições mais comuns diziam que a Terra Prometida era um lugar repleto de riquezas naturais, ou de "leite e mel". Havia trechos de grande fertilidade, mas também havia porções desérticas. De acordo com os padrões antigos, era um território espaçoso, de cerca de 725 km de norte a sul, enquanto de largura tinha entre 96 e 192 km. Sua área era mais ou menos a de um dos estados brasileiros, muito pequeno de acordo com os padrões modernos. Mas devemos lembrar que Moisés conduziu apenas cerca de três milhões de pessoas até fronteiras da Terra Prometida. Ver Números 1.46, onde se lê que havia seiscentos mil homens capazes de pegar em armas. Logo, para aquele número de pessoas, havia espaço abundante.

A expressão *terra que mana leite e mel* talvez já fosse proverbial, embora a encontremos somente aqui pela primeira vez na Bíblia. Ver as referências no fim deste parágrafo. Em Homero (*Ilía*. ix. ver. 141) temos a ideia de que a terra era como um *seio* que manava leite. Ver também Virgílio (*Aen*. ib. iii. vs. 95). "Leite e mel, alimentos que tornam um território um paraíso aos olhos de populações seminômades" (*Oxford Annotated Bible, in loc*.). Essa expressão também aparece em Números 13.27; 14.8; 16.13,14; Levítico 20.24; Deuteronômio 6.3; 11.9; 27.3; 31.20; Josué 5.6; Jeremias 11.5; 32.22; Ezequiel 20.6,15.

Um Território com Vários Povos. O autor sacro alista seis tribos ou pequenas nações diferentes. Ver notas sobre todos esses povos no *Dicionário*. Algumas vezes, o termo *cananeus* podia indicar todos esses diferentes povos. E em Gênesis 15.16, o termo *amorreus* serve ao mesmo propósito. Aquele versículo afirma que a terra não podia tornar-se propriedade dos descendentes de Abraão enquanto os pecados dos cananeus não enchessem a taça. O juízo divino, porém, tiraria deles os seus territórios, que passariam para a posse do povo de Israel. O vs. 13 daquele mesmo capítulo do Gênesis mostra-nos que o exílio de Israel no Egito deveria ter lugar antes que a Terra Prometida pudesse ser conquistada pelos filhos de Israel. E foi assim que, no cronograma de Deus, uma vez passados esses dois eventos e suas condições, o Senhor começaria a providenciar quanto à saída de Israel do Egito, e então Israel tomaria conta da Terra Prometida. Cf. a menção dos povos aqui referidos com os trechos de Êxodo 3.17; 13.5; 23.23; 33.2; 34.11.

3.9

וְעַתָּה הִנֵּה צַעֲקַת בְּנֵי־יִשְׂרָאֵל בָּאָה אֵלָי וְגַם־רָאִיתִי
אֶת־הַלַּחַץ אֲשֶׁר מִצְרַיִם לֹחֲצִים אֹתָם:

Este versículo é uma repetição essencial das ideias e expressões de Êxodo 2.25 e 3.7, onde damos as notas expositivas. Deus desceu para fazer *intervenção* (vs. 8). Isso reflete o *teísmo* (ver a respeito no *Dicionário*). Deus não apenas criou, mas também se faz presente e intervém; ele muda o curso da história; ele galardoa os bons e castiga os maus. Isso é contrastado com o *deísmo* (ver a respeito no *Dicionário*), que diz que Deus ou alguma força criativa abandonou a sua criação e a relegou às leis naturais. A *repetição* é um hábito de estilo literário do autor do Pentateuco.

3.10

וְעַתָּה לְכָה וְאֶשְׁלָחֲךָ אֶל־פַּרְעֹה וְהוֹצֵא אֶת־עַמִּי
בְנֵי־יִשְׂרָאֵל מִמִּצְרָיִם:

O Propósito Divino. Agora Moisés era enviado de volta ao Egito, não como um filho exilado da filha do Faraó, mas como um representante dos hebreus. Era chegada a *plenitude do tempo* para a libertação dos filhos de Israel. Deus haveria de valer-se da audácia e da autoridade natural de Moisés, paralelamente a seu profundo senso de justiça, adicionaria a isso o seu próprio poder, e faria dele um libertador. Quanto a Moisés como tipo de Cristo, ver as notas sobre Êxodo 2.2. Há várias conjecturas sobre qual Faraó estaria envolvido nesses eventos. Ver no *Dicionário* o artigo intitulado *Faraó*, em sua terceira seção, quanto aos faraós da Bíblia.

MOISÉS RECEBE INSTRUÇÕES DIVINAS (3.11-22)

Instrução e treinamento vieram antes do serviço. Quanto mais instrução e treinamento recebermos, melhor haveremos de servir. O primeiro obstáculo que tinha de ser vencido eram aqueles do próprio Moisés. Em seguida, seria mister convencer aos hebreus da viabilidade do plano. E, finalmente, o Faraó teria de ser forçado a concordar.

3.11

וַיֹּאמֶר מֹשֶׁה אֶל־הָאֱלֹהִים מִי אָנֹכִי כִּי אֵלֵךְ אֶל־
פַּרְעֹה וְכִי אוֹצִיא אֶת־בְּנֵי יִשְׂרָאֵל מִמִּצְרָיִם:

Quem sou eu para ir...?

Moisés Apresentou Quatro Objeções. 1. Inadequação pessoal (3.11). 2. A autoridade de Deus (investida em seu nome) entregue a Moisés diante de Israel (3.13). 3. As dúvidas de Israel acerca da comissão e da autoridade recebida por Moisés da parte de Deus (4.1). 4. A falta de eloquência de Moisés (4.10).

Moisés iniciou suas queixas falando sobre suas próprias inadequações. O augusto Faraó nem lhe daria ouvidos. É como se Moisés tivesse dito: *Domine, non sum dignus.* "Os homens mais aptos para grandes missões geralmente são os que se julgam mais despreparados. Quando Deus chamou Jeremias para ser um profeta, sua resposta foi: Ah! Senhor Deus! Eis que não sei falar; porque não passo de uma criança (Jr 1.6). Ambrósio lutou muito para não ser nomeado arcebispo de Milão. Agostinho relutou em aceitar a missão na Inglaterra. Anselmo temia aceitar a liderança da igreja nos dias maus de Rufo" (Ellicott, *in loc.*).

Durante quarenta anos (At 7.30), Moisés tinha sido um humilde pastor no deserto. Estaria ele agora preparado para ir falar pessoalmente com o Faraó? O Faraó tinha grande poder e um exército bem equipado. E o que tinha Moisés?

3.12

וַיֹּ֙אמֶר֙ כִּֽי־אֶֽהְיֶ֣ה עִמָּ֔ךְ וְזֶה־לְּךָ֣ הָא֔וֹת כִּ֥י אָנֹכִ֖י שְׁלַחְתִּ֑יךָ בְּהוֹצִֽיאֲךָ֤ אֶת־הָעָם֙ מִמִּצְרַ֔יִם תַּֽעַבְדוּן֙ אֶת־הָ֣אֱלֹהִ֔ים עַ֖ל הָהָ֥ר הַזֶּֽה׃

Resposta à Primeira Objeção. Moisés não era apenas Moisés; ele era o Moisés em quem Deus estava cumprindo o seu propósito. Esse é um segredo universal de homens verdadeiramente grandes. Eles são *capacitados* mediante a presença e o poder divino. O projeto era de Deus, e não de Moisés. Moisés seria apenas um instrumento. Naturalmente, suas habilidades naturais e seu conhecimento seriam usados no plano. Ele não seria apenas uma marionete.

O sinal. Temos aqui uma garantia dada por Deus, como se fora uma promessa, de que o plano teria êxito, de tal modo que, ao sair do Egito, o povo de Israel serviria a Deus naquele monte santo, o monte de Deus, *Horebe*, ou Sinai. E isso teve cumprimento, como é lógico. A lei foi concedida ali, e Israel tornou-se uma nova espécie de nação, uma teocracia.

A Moisés foi dado entender que o êxodo seria um empreendimento *teocêntrico*, envolvendo um sentido *cósmico*, o que significa que só o poder divino poderia realizar o feito.

Alguns eruditos pensam que o sinal foi a sarça ardente (vs. 3,4); mas isso é menos provável. Ver Êxodo 24.4,5 quanto ao cumprimento do sinal, em comparação com Isaías 37.30, outro acontecimento da mesma natureza.

3.13

וַיֹּ֨אמֶר מֹשֶׁ֜ה אֶל־הָֽאֱלֹהִ֗ים הִנֵּ֨ה אָנֹכִ֣י בָא֮ אֶל־בְּנֵ֣י יִשְׂרָאֵל֒ וְאָמַרְתִּ֣י לָהֶ֔ם אֱלֹהֵ֥י אֲבוֹתֵיכֶ֖ם שְׁלָחַ֣נִי אֲלֵיכֶ֑ם וְאָֽמְרוּ־לִ֣י מַה־שְּׁמ֔וֹ מָ֥ה אֹמַ֖ר אֲלֵהֶֽם׃

A Segunda Objeção. Israel não daria crédito ao radical Moisés, que falava em visões e comissões dadas pelo Deus de Abraão. Haveriam de considerá-lo um visionário louco. Não o veriam como uma autoridade. Faltava a Moisés a autoridade divina, de acordo com sua própria estimativa, e o povo de Israel não demoraria a perceber isso. Moisés teria a tarefa de convencer o povo de Israel de que tinha falado com Deus e tinha recebido sua comissão.

Qual é o seu nome? De acordo com a Bíblia, o nome de uma pessoa indica o seu caráter. Moisés, pois, estava reivindicando uma *nova revelação*, e isso requereria um *novo nome divino* para dar-lhe respaldo. Isso pode ser comparado com a história do novo nome de Jacó, Israel (Gn 32.27 ss.). "Cria-se nos dias antigos que a essência de uma pessoa se concentrava em seu nome" (*Oxford Annotated Bible*, sobre Gn 32.27). Um novo nome é um novo "eu". No caso de Moisés, o novo nome indicava uma nova revelação de Deus, um novo propósito.

Neste versículo está envolvido muito mais do que a ideia de o Deus de Israel ser identificado mediante um nome, em contraposição aos muitos nomes que eram adorados no Egito, conforme alguns eruditos têm interpretado.

3.14

וַיֹּ֤אמֶר אֱלֹהִים֙ אֶל־מֹשֶׁ֔ה אֶֽהְיֶ֖ה אֲשֶׁ֣ר אֶֽהְיֶ֑ה וַיֹּ֗אמֶר כֹּ֤ה תֹאמַר֙ לִבְנֵ֣י יִשְׂרָאֵ֔ל אֶֽהְיֶ֖ה שְׁלָחַ֥נִי אֲלֵיכֶֽם׃

Eu sou o que sou. O Targum de Jonathan interpreta aqui: "Eu sou aquele que é e que será". O que é indiscutível é que esse nome está alicerçado sobre o verbo *ser* (no hebraico, *hayah*). Mas o texto hebraico comporta mais de uma interpretação. Alguns dizem: "Eu sou porque sou", dando a entender a vida independente ou *necessária* de Deus, em contraste com a vida de todos os seres criados, que é derivada e dependente. Ou então Deus é exatamente o que ele é, o poder supremo, imutável. Naturalmente, o tetragrama dos hebreus, YHWH (Yahweh), vem da mesma raiz. Assim, o nome deste versículo seria uma espécie de manipulação dessa raiz. Esse nome indicaria o Ser eterno e pessoal de Deus, além de sua atuação e presença no mundo. Talvez a manipulação daquela raiz tivesse tido o propósito de ficar ambígua, visto que o nome Yahweh, por si mesmo, inspira admiração e espanto. Cf. Apocalipse 1.4,8; 4.8; 11.17.

Atributos ou condições de Deus, implícitos nesse nome: autoexistência; eternidade; imutabilidade; constância; fidelidade. No templo de Apolo, em Delfos, foi encontrada uma inscrição que dizia: *eimi* (no grego, "eu sou"). O trecho de João 8.58 alude ao presente texto, e isso refere-se à eternidade do Logos e à sua união com Deus Pai. "Eu sou... e além de mim não há Deus" (Is 44.6). Temos aí uma declaração contrária ao politeísmo, o que provavelmente também está entendido no *Eu Sou* do presente texto. Seja como for, o novo nome de Deus indicava uma nova revelação. O projeto de Deus estava por trás dessa nova revelação.

3.15

וַיֹּאמֶר֩ ע֨וֹד אֱלֹהִ֜ים אֶל־מֹשֶׁ֗ה כֹּֽה־תֹאמַר֮ אֶל־בְּנֵ֣י יִשְׂרָאֵל֒ יְהוָ֞ה אֱלֹהֵ֣י אֲבֹתֵיכֶ֗ם אֱלֹהֵ֨י אַבְרָהָ֜ם אֱלֹהֵ֥י יִצְחָ֛ק וֵאלֹהֵ֥י יַעֲקֹ֖ב שְׁלָחַ֣נִי אֲלֵיכֶ֑ם זֶה־שְּׁמִ֣י לְעֹלָ֔ם וְזֶ֥ה זִכְרִ֖י לְדֹ֥ר דֹּֽר׃

Um Reforço do argumento contra a segunda objeção (vs. 13), aparece naquele versículo. O vs. 14 fornece-nos esse novo nome. E agora, este versículo fornece nomes divinos tradicionais que Israel haveria de conhecer e compreender. Isso posto, o novo nome estava ligado aos nomes anteriores, estando em pauta o mesmo Deus. *Yahweh Elohim* é o mesmo Deus que o "Eu Sou". Assim, as antigas revelações, comuns na fé dos hebreus, não destoavam do novo nome, que estava sendo dado por intermédio de Moisés. Ver sobre esses nomes no *Dicionário*, como também o artigo intitulado *Deus, Nomes Bíblicos de*. Moisés estava trazendo uma nova revelação, mas que não contradizia as revelações anteriores, mas, antes, complementava-as.

O Deus dos Patriarcas. Cf. Êxodo 3.6 e ver as notas ali. O título acumulado (dos vários patriarcas) provê o elo de ligação que havia entre Abraão e Moisés. Tudo fazia parte de um único propósito, embora estejam em pauta diferentes estágios do plano divino. O vs. 16 reforça isso com a expressão "Deus de vossos pais". Ver também Êxodo 4.5, que combina as expressões dos vs. 15 e 16. Ver Êxodo 29.42; 31.16 e Levítico 3.17, quanto à *perpetuidade* esperada.

3.16

לֵ֣ךְ וְאָֽסַפְתָּ֞ אֶת־זִקְנֵ֣י יִשְׂרָאֵ֗ל וְאָמַרְתָּ֤ אֲלֵהֶם֙ יְהוָ֞ה אֱלֹהֵ֤י אֲבֹֽתֵיכֶם֙ נִרְאָ֣ה אֵלַ֔י אֱלֹהֵ֧י אַבְרָהָ֛ם יִצְחָ֥ק וְיַעֲקֹ֖ב לֵאמֹ֑ר פָּקֹ֤ד פָּקַ֙דְתִּי֙ אֶתְכֶ֔ם וְאֶת־הֶעָשׂ֥וּי לָכֶ֖ם בְּמִצְרָֽיִם׃

Os anciãos. Estão aqui em foco os líderes e conselheiros, embora não se saiba qual a natureza exata desses líderes. Não sabemos dizer se o Faraó permitia alguma autonomia ao povo de Israel; e, se a permitia, até onde ela ia. Mas este versículo entende que havia alguma autonomia, pelo menos sob a forma de autoridades delegadas. Os vss. 16 e 17 repetem a mensagem essencial dos vss. 7 e 8, de acordo com o estilo literário de repetição, usado pelo autor sagrado, tão evidente no Pentateuco. Talvez devamos pensar em chefes de tribos, que teriam alguma autoridade, apesar de seu estado de servidão.

O Deus de vossos pais. Esses pais são os patriarcas. Esse Deus é referido aqui e no vs. 15. Ele era o enviador, e Moisés era o enviado. O antigo e o novo combinavam-se para conferir a Moisés a sua autoridade.

... me apareceu. Isto é, na sarça ardente (Êx 3.3 ss.). Moisés foi instruído a revelar essa elevada experiência espiritual que lhe conferiu sua comissão divina, aos líderes de Israel. Eles haveriam de saber que os homens de Deus são conduzidos desse modo, e isso fortaleceria a Moisés.

... vos tenho visitado. Em primeiro lugar, Deus já os tinha visitado com o seu favor divino (vs. 7). E então visitaria-os de novo, em sua aparição a Moisés, representante deles. E mais tarde, de forma mais evidente ainda, sua visitação maior ocorreria, revertendo a situação de miséria em que os filhos de Israel se achavam. A manifestação maior da visitação divina ocorreria no próprio êxodo. Ver no *Dicionário* o artigo *Êxodo (o Evento)*. A primeira indicação de sua visita foi quando ele olhou do céu e teve compaixão deles (vs. 7 e 8), do que resultaram outras visitas. O *amor* estava na base dessa visitação em suas várias fases. Isso posto, a redenção humana é inspirada pelo amor (Jo 3.16), mostrando-se eficaz para com todos (1Jo 2.2). Ver no *Dicionário* o artigo intitulado *Redenção*. Destarte, Moisés tornou-se um *tipo* de Cristo, em Êxodo 2.2.

José havia predito essa visitação divina. Ver Gênesis 50.24.

> Tu és! Oculto em teu segredo,
> Quem poderá sondá-lo?
> Profundo, tão profundo,
> Quem poderá achá-lo!
>
> Michael Sachs

Assim também Deus, de forma misteriosa, estava cumprindo o seu plano remidor. Ele já tinha o seu homem; e agora realizaria os seus milagres. Estava em desdobramento uma das maiores histórias que já foram contadas.

■ 3.17

וְאֹמַ֗ר אַעֲלֶ֣ה אֶתְכֶם֮ מֵעֳנִ֣י מִצְרַיִם֒ אֶל־אֶ֤רֶץ הַֽכְּנַעֲנִי֙ וְהַ֣חִתִּ֔י וְהָֽאֱמֹרִי֙ וְהַפְּרִזִּ֔י וְהַחִוִּ֖י וְהַיְבוּסִ֑י אֶל־אֶ֛רֶץ זָבַ֥ת חָלָ֖ב וּדְבָֽשׁ׃

Este versículo é uma virtual reiteração do vs. 8, incluindo a lista exata dos povos que seriam expulsos da terra de Canaã. Ver as notas ali. Quanto à "aflição" que os israelitas estavam sofrendo no Egito, ver também Gênesis 15.13; Êxodo 1.11,12; 3.7.

■ 3.18

וְשָׁמְע֖וּ לְקֹלֶ֑ךָ וּבָאתָ֡ אַתָּה֩ וְזִקְנֵ֨י יִשְׂרָאֵ֜ל אֶל־מֶ֣לֶךְ מִצְרַ֗יִם וַאֲמַרְתֶּ֤ם אֵלָיו֙ יְהוָ֞ה אֱלֹהֵ֤י הָֽעִבְרִיִּים֙ נִקְרָ֣ה עָלֵ֔ינוּ וְעַתָּ֗ה נֵֽלֲכָה־נָּ֞א דֶּ֣רֶךְ שְׁלֹ֤שֶׁת יָמִים֙ בַּמִּדְבָּ֔ר וְנִזְבְּחָ֖ה לַֽיהוָ֥ה אֱלֹהֵֽינוּ׃

Irás, com os anciãos de Israel. Os líderes formariam uma frente unida. A primeira vitória de Moisés seria que os anciãos de Israel (ver o vs. 16) concordariam com o seu plano. Alguns representantes do povo estavam destinados a ajudar Moisés em seus esforços por convencer o Faraó. Isso não seria fácil porquanto, por muitos anos, ele desfrutara a vantagem de contar com o trabalho escravo dos filhos de Israel. E esse trabalho era sempre importante em grandes projetos públicos, como os que estavam em andamento no Egito. "A predição sobre a acolhida que seria dada pelos anciãos preparou o caminho da exibição de fidelidade por parte de Moisés (4.1-16)" (J. Coert Rylaarsdam, *in loc.*).

O Senhor, o Deus dos hebreus. No hebraico temos aqui os nomes divinos *Yahweh Elohim*. Esses são os nomes divinos tradicionais dos hebreus (ver o vs. 15). Os egípcios eram um povo extremamente religioso, embora politeísta. Talvez o Faraó se mostrasse sensível a um apelo que envolvesse uma diretiva divina. Não se tratava apenas de uma greve ou de um movimento social. Era um projeto divino, o qual deveria ser apresentado ao Faraó. Essa expressão reflete o monoteísmo (ver acerca disso no *Dicionário*). De cada vez em que o Faraó fazia alguma concessão, as demandas eram aumentadas (Êx 10.9-11). O propósito era demonstrar a onipotência de Deus, contra uma crescente teimosia e endurecimento de Faraó. Ver no *Dicionário* o artigo *Atributos de Deus*. A expressão "o Deus dos hebreus" também figura em Êxodo 5.3; 7.16; 9.1,13 e 10.3.

Caminho de três dias. Moisés deveria começar com um pedido pequeno e razoável, uma breve jornada com propósitos religiosos, que o Faraó poderia entender facilmente. Moisés, todavia, não revelou seu real intuito, seus planos a longo prazo: a total redenção do povo de Israel do exílio no Egito. Alguns supõem que a distância comparativamente grande a que Israel iria, a fim de *sacrificar*, tinha por finalidade evitar as objeções dos egípcios ao sacrifício de animais sagrados. Talvez, por esse tempo, tais ideias já tivessem penetrado na teologia dos egípcios. Ao sair do Egito, finalmente, Israel foi até ao monte Sinai, para o que precisou de três meses (Êx 19.1), embora fosse fazendo pausas ao longo do caminho. Essa pequena viagem de três dias seria feita na direção do Sinai, mas não seria feita nenhuma tentativa de chegar a *Horebe*, "o monte de Deus" (Êx 3.1).

■ 3.19

וַאֲנִ֣י יָדַ֔עְתִּי כִּ֠י לֹֽא־יִתֵּ֥ן אֶתְכֶ֛ם מֶ֥לֶךְ מִצְרַ֖יִם לַהֲלֹ֑ךְ וְלֹ֖א בְּיָ֥ד חֲזָקָֽה׃

O rei do Egito não vos deixará ir. Em vez de permitir a caminhada de três dias, o Faraó reagiria de forma radical à sugestão, e aumentaria a carga de trabalho dos escravos israelitas. Ver Êxodo 5.4 ss. Às vezes, um bom projeto começa lentamente, ou mesmo chega a falhar a princípio. Mas se Deus está presente, haverá provisão para o sucesso, afinal. A recusa do Faraó tinha sido claramente prevista, mas mesmo assim era mister fazer o esforço. Aquilo era apenas um começo, apenas uma introdução. Conforme fosse aumentando a obstinação do Faraó, também aumentaria a pressão divina, até que, por fim, haveria uma notável vitória. O episódio indica um modelo de persistência. Nenhum projeto de importância pode lograr êxito sem que, primeiramente, haja *entusiasmo*. E, em segundo lugar, deve haver *persistência*.

■ 3.20

וְשָׁלַחְתִּ֤י אֶת־יָדִי֙ וְהִכֵּיתִ֣י אֶת־מִצְרַ֔יִם בְּכֹל֙ נִפְלְאֹתַ֔י אֲשֶׁ֥ר אֶֽעֱשֶׂ֖ה בְּקִרְבּ֑וֹ וְאַחֲרֵי־כֵ֖ן יְשַׁלַּ֥ח אֶתְכֶֽם׃

Estenderei a minha mão. Deus aplicaria o seu poder ao caso, incluindo muitos milagres e sinais que não poderiam ser equivocadamente interpretados. Ver também Êxodo 6.1; 13.14,16; 32.11; Deuteronômio 4.34; 5.15; 6.21; 7.8,19; 9.26; 11.2; 26.8 quanto à "poderosa mão" de Deus em operação. Haveria doze *sinais maravilhosos*, ou seja, as pragas divinamente produzidas, que demonstrariam o poder de Deus.

Ferirei o Egito. O Faraó não daria ouvidos à razão. Somente a força poderia levá-lo a ceder. Haveria dez pragas distintas, causadas pela intervenção divina na natureza. Ver no *Dicionário* o artigo intitulado *Teísmo*. Mãos se *estenderiam* para ajudar, salvar ou danificar. A mesma mão estendida que ajudaria Israel danificaria o Egito. Coisas novas aconteceriam. Ninguém, incluindo o Faraó, seria capaz de duvidar da natureza divina do que estava prestes a acontecer. Assim, eventualmente ele daria liberdade aos filhos de Israel, mas não antes de um *conflito instrutivo*.

■ 3.21

וְנָתַתִּ֛י אֶת־חֵ֥ן הָֽעָם־הַזֶּ֖ה בְּעֵינֵ֣י מִצְרָ֑יִם וְהָיָה֙ כִּ֣י תֵֽלֵכ֔וּן לֹ֥א תֵלְכ֖וּ רֵיקָֽם׃

Eu darei mercê. A vitória seria tão decisiva que os egípcios ansiariam por deixar o povo de Israel ir-se embora, pois quereriam livrar-se das pragas e das aflições. Mas este versículo também indica que o Espírito de Deus daria aos egípcios um espírito de generosidade, levando-os a doar muitas coisas úteis a Israel, para a jornada. Os egípcios, de coração esclerosado, se mostrariam generosos para com os israelitas. Esse foi um benefício que o povo de Israel dificilmente esperaria receber.

> *...àquele que é poderoso para fazer infinitamente mais do que tudo quanto pedimos ou pensamos, conforme o seu poder que opera em nós.*
>
> Efésios 3.20

O trecho de Êxodo 12.35,36 mostra o cumprimento dessa promessa. Na Igreja primitiva, a *espoliação* dos egípcios tornou-se um símbolo de como a nova fé deveria apropriar-se da herança cultural do mundo grego (ver Agostinho, *On Christian Doctrine*, II.40).

Houve uma predição direta no trecho de Gênesis 15.14 sobre as circunstâncias descritas nos vs. 20 e 21 deste capítulo (ver também Êx 12.35,36). Deus tiraria o povo de Israel do Egito, e isso em meio à abundância e à prosperidade, e não em abjeta necessidade.

■ 3.22

וְשָׁאֲלָ֨ה אִשָּׁ֤ה מִשְּׁכֶנְתָּהּ֙ וּמִגָּרַ֣ת בֵּיתָ֔הּ כְּלֵי־כֶ֛סֶף וּכְלֵ֥י זָהָ֖ב וּשְׂמָלֹ֑ת וְשַׂמְתֶּ֗ם עַל־בְּנֵיכֶם֙ וְעַל־בְּנֹ֣תֵיכֶ֔ם וְנִצַּלְתֶּ֖ם אֶת־מִצְרָֽיִם׃

A Espoliação dos Egípcios
1. Os egípcios, para se verem livres de Israel, seriam generosos.
2. Ou então, no coração dos egípcios haveria um genuíno espírito de generosidade.
3. Ou então este versículo contém um certo *humor*. Israel *pediria* coisas; mas essa petição soaria como *exigências* a um povo vergado pelo senso de perda, e os israelitas estariam como que *furtando* coisas daqueles. Alguns estudiosos veem aqui uma predição de *saque* virtual do Egito, por parte dos israelitas que estavam saindo do país.

A Reparação. Sem importar como as coisas ocorressem, seriam consideradas uma reparação parcial pelos males e privações sofridos pelos filhos de Israel. Ver no *Dicionário* o artigo chamado *Reparação (Restituição)*, que é o princípio básico tanto para a justiça (como se vê no caso presente) quanto para o verdadeiro arrependimento (como se dá em todos os casos individuais). Ver Êxodo 11.2,3 e 12.35,36 quanto ao cumprimento da antecipação que se vê neste versículo.

E despojareis os egípcios. Sem importar se as coisas fossem tiradas à força de um povo aterrorizado, ou se houvesse da parte deste povo cooperação e generosidade, os filhos de Israel obteriam uma prodigiosa quantidade e variedade de coisas valiosas. O ouro e a prata ganhos seriam mais tarde utilizados na construção do tabernáculo (Êx 35.5,22).

CAPÍTULO QUATRO

DEUS CONCEDE PODERES A MOISÉS (4.1-17)

Os críticos atribuem esta seção a uma combinação das fontes *J*, *E* e *P(S)*. Ver no *Dicionário* o artigo *J.E.D.P.(S.)* quanto à teoria das fontes múltiplas do Pentateuco.

Moisés tinha recebido o informe de que era participante do *Pacto Abraâmico* (Êx 2.24). Tinha recebido o *novo nome* de Deus que impressionaria Israel com sua autoridade (Êx 3.14). Tinha recebido muitas promessas de sucesso (Êx 3.16 ss.), a começar pelos anciãos de Israel, o que culminaria com o resgate de Israel da servidão no Egito. Agora, porém, ele precisava receber poderes divinos, sendo esse o tema da seção à nossa frente. Esses poderes seriam *miraculosos*, porquanto somente milagres de Deus poderiam conseguir o livramento de Israel. Ver as notas sobre o *Pacto Abraâmico* em Gênesis 15.18, como também os vss. 13 e 16 daquele capítulo.

O texto que se segue destaca mais duas *objeções* feitas por Moisés. Ver Êxodo 3.11 quanto às três objeções de Moisés, com suas respectivas referências. Agora, era mister que Moisés autenticasse sua autoridade diante dos anciãos de Israel (Êx 4.1); e também deveria haver alguma provisão para que ele se comunicasse bem, pois não era homem eloquente (Êx 4.10). Deus cuidou paciente e eficazmente dos temores de Moisés. Mas quem não teria tais temores se tivesse de enfrentar o Faraó e uma tarefa aparentemente impossível? Deus deu a Moisés poderes miraculosos (vss. 3,5-9) a fim de mostrar-lhe que o projeto divino contaria com o poder de Deus, que se manifestaria através dele.

No Egito florescia uma mágica superstíciosa. Mas não devemos supor que Moisés participasse dessas artes mágicas. Foi-lhe dado o poder divino, e não um poder mágico. Alguns estudiosos liberais atribuem esse relato a meras noções supersticiosas. O homem espiritual, porém, sabe que existem milagres. Ver no *Dicionário* o artigo intitulado *Milagres*.

■ **4.1**

וַיַּ֤עַן מֹשֶׁה֙ וַיֹּ֔אמֶר וְהֵן֙ לֹֽא־יַאֲמִ֣ינוּ לִ֔י וְלֹ֥א יִשְׁמְע֖וּ בְּקֹלִ֑י כִּ֣י יֹֽאמְר֔וּ לֹֽא־נִרְאָ֥ה אֵלֶ֖יךָ יְהוָֽה׃

Eis que não crerão. Moisés referia-se aos anciãos de Israel (ver os vss. 5 e 21). Além disso, o Faraó também não daria crédito à simples palavra de Moisés. Era mister que ele se tornasse um Moisés dotado de poderes miraculosos, para que seu testemunho fosse *eficaz*. Os milagres sempre foram úteis para efeito de autenticação. Mas também servem de veículos da misericórdia divina. Cf. Atos 7.22. Moisés possuía toda a sabedoria do Egito, mas agora estava munido de muito mais do que isso. Agora também fora divinamente dotado, o que o distinguia dos mágicos do Egito.

"Os milagres cristalizam-se em torno de certas crises do trato de Deus com o homem" (Ellicott, *in loc.*).

As *palavras* têm grande valor. Algumas vezes, porém, é mister adicionar *obras*. E mais ocasionalmente ainda, deve haver *obras milagrosas* se os propósitos de Deus tiverem de cumprir-se.

■ **4.2,3**

וַיֹּ֧אמֶר אֵלָ֛יו יְהוָ֖ה מַזֶּ֣ה בְיָדֶ֑ךָ וַיֹּ֖אמֶר מַטֶּֽה׃

וַיֹּ֨אמֶר֙ הַשְׁלִיכֵ֣הוּ אַ֔רְצָה וַיַּשְׁלִכֵ֥הוּ אַ֖רְצָה וַיְהִ֣י לְנָחָ֑שׁ וַיָּ֥נָס מֹשֶׁ֖ה מִפָּנָֽיו׃

Uma vara. Provavelmente era um cajado comum. Mas logo a vara seria transformada em uma serpente. A habilidade dos mágicos egípcios aparentemente incluía a capacidade de hipnotizar uma serpente, fazendo-a tornar-se rígida. E assim os mágicos eram capazes de segurar na mão uma serpente hipnotizada, para admiração dos circunstantes. Era um truque de mágico. Mas fazer um pedaço de madeira transformar-se realmente em uma serpente era coisa totalmente diversa.

Os céticos pensam que temos aqui uma exibição de antigas artes mágicas, aprendidas no Egito por Moisés. Os mágicos são capazes de fazer coisas deveras admiráveis, embora tudo não passe de ilusão. Mas quando Moisés *fugiu* da serpente, não havia nela nenhuma ilusão! Os egípcios usavam de ilusão e imitação. Moisés, porém, realizava feitos reais extraordinários. Essa era a diferença vital entre o antigo Moisés e o novo Moisés. Ver no *Dicionário* o artigo *Serpentes (Serpentes Venenosas)*. Se os críticos veem apenas um elemento supersticioso nessa questão da "vara", podemos estar certos de que havia ali poder, por causa do poder que Yahweh tinha atribuído a Moisés. Assim também a coroa de um rei não tem, em si mesma, nenhuma autoridade. Trata-se apenas de um símbolo dessa autoridade. A vara de Moisés era apenas um objeto de madeira. Mas pareceu bem a Yahweh agir quando Moisés brandia aquela vara. Esta tornara-se emblema do poder divino nele investido, que funcionava sempre que isso se tornava necessário. Ver Êxodo 4.17 quanto a notas adicionais sobre a vara. Ver o gráfico nas notas sobre Êxodo 7.14.

O Primeiro Milagre. Temos aqui o primeiro milagre a ser registrado na Bíblia. Os intérpretes judeus ornavam o texto com toda espécie de descrição pavorosa sobre as serpentes venenosas. Filo, porém, realmente exagerou nos comentários, ao dizer que a serpente era, de fato, um enorme *dragão* (*De Vita Mosis*, 1.1 614).

■ **4.4**

וַיֹּ֤אמֶר יְהוָה֙ אֶל־מֹשֶׁ֔ה שְׁלַח֙ יָֽדְךָ֔ וֶאֱחֹ֖ז בִּזְנָב֑וֹ וַיִּשְׁלַ֤ח יָדוֹ֙ וַיַּ֣חֲזֶק בּ֔וֹ וַיְהִ֥י לְמַטֶּ֖ה בְּכַפּֽוֹ׃

Pega-lhe pela cauda. Moisés fugiu de medo, mas a voz de Deus ordenou-lhe que não tivesse medo e segurasse a serpente pela cauda, o que não exigia pequena coragem! Moisés obedeceu e, para seu espanto, a serpente transformou-se de novo em uma simples vara. Esse ato final foi necessário para mostrar a Moisés que aquilo que tinha acontecido *não* era apenas uma ilusão. *Moisés* tinha que ver, antes de tudo, a autenticidade do poder divino, antes que pudesse convencer os outros a esse respeito.

Metáforas. O que os intérpretes judeus dizem aqui, embora interessante, é totalmente inútil. A serpente é concebida como o diabo, ao qual Moisés aprendeu a controlar. Além disso, seus *três estados* ilustrariam a vida de Israel: primeiro Israel floresceria no Egito, sob José (a serpente como uma vara); então Israel seria escravizado (a serpente adquire vida e torna-se perigosa); e, então, Israel seria libertado (a serpente volta a ser uma vara, sem nenhum dano).

Os intérpretes cristãos veem *Cristo* aqui: a vara, sua força; ele foi lançado por terra em sua humilhação; finalmente, foi-lhe restaurado o poder. Mas outros eruditos pensam mais no *ministério de Moisés*: a princípio, em conforto e em paz; então, em perigo; finalmente, foram-lhes devolvidas a paz e a vitória.

A fé triunfou sobre o mero instinto. O instinto de Moisés consistiu em fugir da serpente. *Mediante a fé*, porém, foi capaz de vencer isso e segurar a serpente pela cauda. Por igual modo, ele seria capaz de domar a serpente, ou seja, o Faraó.

4.5

לְמַעַן יַאֲמִינוּ כִּי־נִרְאָה אֵלֶיךָ יְהוָה אֱלֹהֵי אֲבֹתָם
אֱלֹהֵי אַבְרָהָם אֱלֹהֵי יִצְחָק וֵאלֹהֵי יַעֲקֹב׃

Para que creiam. Os milagres *autenticam* a fé, e esse tem sido sempre o uso da fé. Este versículo faz-nos voltar aos nomes divinos que figuram com tanta importância neste texto. Ver o novo nome dado a Moisés para autenticação de sua missão (Êx 3.14). Em seguida, Moisés levou a Israel os nomes tradicionais de Yahweh e Elohim, associando-se ao propósito que tinha operado através dos patriarcas (Êx 3.15). E isso é repetido neste versículo. Ver Êxodo 3.13 quanto ao poder existente no nome de uma pessoa, de acordo com uma antiga crença.

Para que [eles] creiam. Esse "eles" (oculto em nossa versão portuguesa) refere-se aos anciãos de Israel, cuja cooperação com Moisés seria um *sine qua non* do projeto divino. O vs. 21, porém, aplica a questão aos egípcios.

"Sem o dom de milagres, nem Moisés teria persuadido os israelitas, nem os apóstolos teriam convertido o mundo" (Ellicott, *in loc.*).

4.6,7

וַיֹּאמֶר יְהוָה לוֹ עוֹד הָבֵא־נָא יָדְךָ בְּחֵיקֶךָ וַיָּבֵא יָדוֹ
בְּחֵיקוֹ וַיּוֹצִאָהּ וְהִנֵּה יָדוֹ מְצֹרַעַת כַּשָּׁלֶג׃

וַיֹּאמֶר הָשֵׁב יָדְךָ אֶל־חֵיקֶךָ וַיָּשֶׁב יָדוֹ אֶל־חֵיקוֹ
וַיּוֹצִאָהּ מֵחֵיקוֹ וְהִנֵּה־שָׁבָה כִּבְשָׂרוֹ׃

O Segundo Milagre Autenticador. O primeiro milagre, Moisés exibiu diante dos egípcios (Êx 7.10 ss.). Mas este segundo milagre não foi efetuado diante do Faraó, pelo menos até onde vai o registro sagrado. Mas *talvez* o vs. 30 tencione dizer que assim aconteceu.

A mão estava leprosa. Ver no *Dicionário* o artigo chamado *Lepra, Leproso*. No Oriente, essa era uma doença comum, ainda que outras enfermidades, e não somente a doença de Hansen, fossem chamadas por esse nome. Ver uma de suas mãos leprosa deve ter assustado Moisés mais ainda do que a serpente. Um mágico poderia fingir tal acontecimento, escondendo algo em sua capa que se apegasse à sua mão como se fosse pele leprosa. Mas um homem que realmente ficasse com uma mão leprosa, mesmo que por alguns segundos apenas, certamente teria consciência do fato. Deus é aqui visto como aquele que pode curar doenças incuráveis. Moisés deve ter passado do horror para o alívio. Essa foi outra lição objetiva de poder. Esse poder foi posto à sua disposição. O primeiro sinal talvez não fosse convincente; mas o segundo sem dúvida convenceria (vs. 8).

Josefo, ao que parece, pensava que Moisés também tinha usado esse segundo sinal, embora isso não seja registrado na Bíblia. Os egípcios chamavam os hebreus de "leprosos", talvez porque Moisés lhes tinha mostrado esse sinal. Ver *Contra Ap.* i.26.

A modalidade esbranquiçada de lepra era considerada a pior, incurável. Ver Levítico 13.3,4; Números 12.10. Alguns antigos escritores registraram que o povo de Israel foi expulso do Egito porque entre eles havia tão grande número de leprosos que os egípcios não queriam contato com eles. Assim disseram Tácito (*Hist.* 1.5 c.3) e Trogo (*Justino e Trogo*, 1.36 c.2).

4.8

וְהָיָה אִם־לֹא יַאֲמִינוּ לָךְ וְלֹא יִשְׁמְעוּ לְקֹל הָאֹת
הָרִאשׁוֹן וְהֶאֱמִינוּ לְקֹל הָאֹת הָאַחֲרוֹן׃

O Segundo Sinal. O sinal da mão leprosa, que era curada, foi o mais estonteante, garantindo que a Moisés se daria crédito. Ver no *Dicionário* o artigo *Sinal (Milagre)*. Diz literalmente o hebraico, "a voz do sinal". Tal sinal daria uma mensagem clara e convincente. Naturalmente, há milagres falsos, ou seja, milagres por trás dos quais falam vozes malignas. As pessoas também dão ouvidos a esses "falsos sinais". Um milagre não serve de prova indiscutível de correção. No caso de Moisés, entretanto, eram esperados resultados positivos.

4.9

וְהָיָה אִם־לֹא יַאֲמִינוּ גַּם לִשְׁנֵי הָאֹתוֹת הָאֵלֶּה וְלֹא
יִשְׁמְעוּן לְקֹלֶךָ וְלָקַחְתָּ מִמֵּימֵי הַיְאֹר וְשָׁפַכְתָּ הַיַּבָּשָׁה
וְהָיוּ הַמַּיִם אֲשֶׁר תִּקַּח מִן־הַיְאֹר וְהָיוּ לְדָם בַּיַּבָּשֶׁת׃

O Terceiro Sinal. Jesus transformou água em vinho (Jo 2). Esse foi o seu primeiro milagre. Moisés transformou água em sangue. Potencialmente, esse foi o seu terceiro milagre. Uma vez mais, não há registro bíblico de que ele tenha usado esse "milagre-sinal", tal como no caso do segundo (vss. 6,7). "O Deus da fé bíblica é Senhor do mundo que ele mesmo criou. O Deus que controla até os demônios não é alguém que possa ser lisonjeado pelos homens; antes, ele impõe ao homem a responsabilidade e chama-o para que entre em compromisso sério" (J. Coert Rylaarsdam, *in loc.*). Visto que os egípcios consideravam o rio Nilo como uma fonte de vida, e alguns chegavam mesmo a pensar que esse rio era divino, Moisés, ao transformar suas águas em sangue, mostraria ser controlador até mesmo *daquilo* que era tão reverenciado pelos egípcios. O vs. 30 deste capítulo pode significar que os vários sinais (todos eles) foram realizados, embora nada de específico seja dito a respeito. Seja como for, o resultado foi a *crença*, conforme fora prometido a Moisés. Mais tarde, quando Arão feriu as águas do Nilo com sua vara, estas se transformaram em sangue (Êx 7.17-21). Milagres com sangue aparecem entre os milagres e os juízos apocalípticos (Ap 8.7; 11.6; 16.4).

O rio Nilo era considerado sagrado e vital para a vida humana no Egito. Se Moisés foi capaz de poluir ou causar dano às suas águas, então é que os egípcios tinham encontrado nele um respeitável adversário. A libertação de Israel seria o resultado final do dramático conflito.

ARÃO TORNA-SE O PORTA-VOZ (4.10-16)

Moisés ainda tinha uma objeção final. O homem que comparecesse diante do Faraó deveria ser não somente poderoso, mas também um orador eloquente, pois seria necessário *convencer* o monarca. Mas Moisés falava de forma lenta e trabalhosa. Como poderia ser vencida essa falha? Arão, irmão de Moisés, desempenharia o papel de porta-voz, pois era orador eloquente.

As Objeções de Moisés são comentadas inicialmente nas notas sobre Êxodo 3.11. Jeremias apresentou um protesto semelhante ao que achamos aqui (ver Jr 1.6). Moisés tinha grandes dotes naturais, mas não era perfeito, e tinha os seus pontos fracos. Falar não era um seu ponto forte. Por outro lado, era um dos pontos fortes de Arão. Moisés parece que gaguejava em momentos de crise; mas Arão, não. Portanto, trabalhariam muito bem como uma equipe.

4.10

וַיֹּאמֶר מֹשֶׁה אֶל־יְהוָה בִּי אֲדֹנָי לֹא אִישׁ דְּבָרִים אָנֹכִי
גַּם מִתְּמוֹל גַּם מִשִּׁלְשֹׁם גַּם מֵאָז דַּבֶּרְךָ אֶל־עַבְדֶּךָ כִּי
כְבַד־פֶּה וּכְבַד לָשׁוֹן אָנֹכִי׃

Moisés conta aqui uma breve piada, ao que tudo indica. *Em resultado* de sua conversa com Yahweh Elohim, ele não melhorou nem um pouco quanto à questão da fala, embora tivessem acontecido *outras* coisas importantes. De fato, quanto à eloquência ele estava onde sempre esteve, lento de língua, desajeitado na expressão. Deus mostra-se suficiente em meio às nossas deficiências, das quais todos nós participamos. Ver 1Coríntios 1.27 quanto a esse tema.

"O melhor trabalho é feito por aqueles que pensam que não são capazes de fazê-lo. Mas fracassa o indivíduo dotado de todas as vantagens, dotes e segurança. De algum modo, esse é bom por demais na fala, bem traquejado socialmente, por demais robusto, muito seguro de si (Êx 32.21-24). Toda *grande coisa* é feita apesar de *alguma coisa*... o homem humilde, com a ajuda de Deus, sempre pode fazer melhor do que ele pensava que poderia (2Co 12.9; 1Co 9.27; Sl 118.22), quase tão bem quanto Deus tinha desejado que ele fizesse (Gn 18.14; Mt 19.26)" (J. Edgar Park, *in loc.*).

Estêvão disse que Moisés era "poderoso em palavras" (At 7.22), mas isso deve referir-se ao efeito total de seus discursos diante do Faraó, com a ajuda de Arão.

4.11

וַיֹּאמֶר יְהוָה אֵלָיו מִי שָׂם פֶּה לָאָדָם אוֹ מִי־יָשׂוּם אִלֵּם אוֹ חֵרֵשׁ אוֹ פִקֵּחַ אוֹ עִוֵּר הֲלֹא אָנֹכִי יְהוָה׃

Causas Secundárias. A teologia dos hebreus era fraca quanto às *causas secundárias*. Assim sendo, tudo era atribuído à *causa primária*, ou seja, Deus. Assim, o vs. 11 apresenta várias perguntas que abordam a questão das causas secundárias, para em seguida atribuí-las também a Deus. Deus é quem faz um homem ser pesado de língua, ou que o faz surdo, mudo ou cego. Portanto, se Deus fez tais coisas, também tem o poder de reverter essas condições. Moisés foi convocado a depender da provisão divina quanto às suas deficiências. Cf. Deuteronômio 32.39.

4.12

וְעַתָּה לֵךְ וְאָנֹכִי אֶהְיֶה עִם־פִּיךָ וְהוֹרֵיתִיךָ אֲשֶׁר תְּדַבֵּר׃

Apesar da promessa específica de que, em momentos de crise, Moisés falaria com eloquência, ele resistiu. O texto inteiro é antropomórfico, conforme é ilustrado no vs. 14, onde é dito que Deus se *irou*. Os homens, ao buscarem saber como é Deus, atribuem a ele suas próprias qualidades, em um grau máximo. Ver no *Dicionário* o artigo *Antropomorfismo*.

O texto faz-nos lembrar o trecho de Mateus 10.19,20. Os *mártires* não devem apresentar sua defesa de antemão. Em um momento de crise, ser-lhes-ia dado o que deveriam dizer. Este texto, sem embargo, tem sido ridiculamente aplicado a todo discurso público religioso, o que dá licença aos pregadores preguiçosos a não se preparar. Usualmente, porém, tudo quanto Deus põe na boca dos *preguiçosos* é ar quente. Este texto e o de Mateus 10.19,20, aplicado ao discurso público normal por meio do qual os oradores esperam que, de cada vez, alguma espécie de inspiração divina lhes seja conferida, são apenas uma muleta para os preguiçosos e despreparados. A prova disso é que aquelas chamadas *declarações divinas*, dadas espontaneamente, invariavelmente são mais pobres em conteúdo e força de expressão do que aquilo que John Gill, ou algum outro erudito, *escreveu* muito tempo atrás. Isso não significa, todavia, que Deus não seja capaz de inspirar. Ele pode fazer isso, e assim o faz. Mas há muitos indivíduos ridículos que supostamente falam em lugar de Deus, que soam mais como crianças frenéticas do que como porta-vozes de Deus.

4.13

וַיֹּאמֶר בִּי אֲדֹנָי שְׁלַח־נָא בְּיַד־תִּשְׁלָח׃

Envia Algum Outro. Essa foi a incrível resposta de Moisés, e imediatamente depois de ter sido capacitado a realizar milagres estupendos. Ora, se essa foi a atitude de Moisés, em uma ou outra ocasião, então podemos esperar falhar de forma lamentável, vez por outra, sem nos tornarmos culpados em demasia.

Aqueles que espiritualizam o texto pensam que *Cristo* seria a personagem que deveria ser corretamente enviada em lugar de Moisés. Em certo sentido, isso é uma verdade, mas dificilmente é o que é aqui antecipado. "Moisés quis dar a entender que realizaria a tarefa, se Deus *insistisse*; mas que seria muito melhor se Deus enviasse outrem" (Ellicott, *in loc.*).

4.14

וַיִּחַר־אַף יְהוָה בְּמֹשֶׁה וַיֹּאמֶר הֲלֹא אַהֲרֹן אָחִיךָ הַלֵּוִי יָדַעְתִּי כִּי־דַבֵּר יְדַבֵּר הוּא וְגַם הִנֵּה־הוּא יֹצֵא לִקְרָאתֶךָ וְרָאֲךָ וְשָׂמַח בְּלִבּוֹ׃

... se acendeu a ira do Senhor. Temos aqui uma expressão antropomórfica. Ver no *Dicionário* o artigo *Antropomorfismo*. Por que o Senhor se irou? Não porque Moisés estava sendo humilde demais. Antes, estava demonstrando *incredulidade* e porque, naquele momento, preferia sacrificar sua grande missão e privilégio em troca de conforto pessoal. A maioria dos homens não se dispõe a sacrificar-se muito em favor de Deus e do bem. A maioria dos homens é egocêntrica.

O Substituto. O texto apresenta Deus a raciocinar com Moisés, cedendo diante de suas objeções e limitações, e, por assim dizer, concordando com as *suas* condições. Todos nós procuramos tratar com Deus dessa maneira, mas isso é uma ilusão. A sugestão divina foi que, em lugar de substituir Moisés, haveria de reforçá-lo no ponto de sua fraqueza. *Arão*, irmão de Moisés, homem que a mente divina sabia ser eloquente (pois, afinal de contas, Deus o havia criado desse modo, vs. 11), seria um reforço para garantir o sucesso do projeto divino. Fosse como fosse, conforme minha mãe costumava dizer: "Algumas vezes podemos barganhar com Deus, mas de outras vezes, não". Ademais, o homem espiritual sabe que, algumas vezes, o melhor dos homens precisa ser fortalecido em seus pontos fracos, a fim de não fracassar. Deus lembra-se de que somos apenas pó. (Sl 103.14).

A Elevação de Arão. Esse foi um dos fatores que o qualificou para sua obra de sumo sacerdote, e qualificou a sua tribo, a dos levitas, a ocupar o ofício sacerdotal. Arão tornou-se o porta-voz de Moisés. Neste versículo, Arão é chamado de *levita*. Alguns críticos pensam que essa afirmação tenha sido feita a fim de conferir a Arão e à sua tribo a autoridade sacerdotal, mediante um texto de prova bíblico que favorece tal autoridade. O autor sagrado estaria aqui firmando os levitas como uma ordem sacerdotal autorizada, mediante uma palavra divina.

... se alegrará em seu coração. Provavelmente essas palavras indicam que Arão se sentiria feliz em participar do projeto de libertação, a despeito de seus perigos, e não apenas que se alegraria por ver Moisés, ao qual talvez já não visse por algum tempo, que não é aqui designado.

4.15

וְדִבַּרְתָּ אֵלָיו וְשַׂמְתָּ אֶת־הַדְּבָרִים בְּפִיו וְאָנֹכִי אֶהְיֶה עִם־פִּיךָ וְעִם־פִּיהוּ וְהוֹרֵיתִי אֶתְכֶם אֵת אֲשֶׁר תַּעֲשׂוּן׃

Duas Bocas Falariam pelo Senhor. Foi formada uma equipe: o líder e o sacerdote. E isso se ajustava bem ao propósito divino. "Um bom sermão sempre é melhor do que aquilo que o pregador escreveu, melhor do que toda a sua meditação. Algo acontece no púlpito que ultrapassa tudo quanto ele se preparou para dizer" (J. Edgar Park, *in loc.*).

"Moisés fornecia a ele [Arão] a matéria, e este vertia tudo em palavras, e *ambos* eram instruídos e influenciados pelo Senhor" (John Gill, *in loc.*).

Foi assim que Arão foi exaltado. Ele era o irmão mais velho (Êx 6.20), e brandia a vara sagrada dos milagres (Êx 7.9,10,19,20; 8.5,6; 16.17). Contudo, o profeta era superior ao sacerdote.

4.16

וְדִבֶּר־הוּא לְךָ אֶל־הָעָם וְהָיָה הוּא יִהְיֶה־לְּךָ לְפֶה וְאַתָּה תִּהְיֶה־לּוֹ לֵאלֹהִים׃

A Hierarquia de Poderes. Deus-Moisés-Arão: o Ser Supremo, o profeta, o sacerdote. Arão também foi revestido de grande autoridade, segundo se vê no final dos comentários sobre o vs. 15. Mas essa autoridade era delegada por Moisés. O fraseado aqui é especialmente forte: Deus era o Deus de Moisés; Moisés era o deus de Arão. Assim, desde o começo ficou claro que não haveria conflito entre os dois irmãos. Quando, posteriormente, Arão fabricou o bezerro de ouro, isso foi uma rebeldia definida e uma transferência de autoridade; mas na maior parte do tempo, a hierarquia de poderes funcionava bem.

Ele te será por boca. Não o cérebro que dirige, mas a boca que fala. Moisés era homem, principalmente, de poder. Sua grande debilidade (falta de eloquência) seria contrabalançada mediante a intervenção de Arão. Arão era o intérprete de Moisés. Ele não compunha a mensagem, mas tão somente a expressava. Arão era o grande mestre, habilidoso na comunicação, mas cuja mensagem era a de seu irmão. Os juízes de Israel que se sentavam na cadeira de Moisés eram chamados *deuses*, porquanto agiam em favor de Deus. Assim se dava também com Arão. Ver Salmo 82.1,6.

4.17

וְאֶת־הַמַּטֶּה הַזֶּה תִּקַּח בְּיָדֶךָ אֲשֶׁר תַּעֲשֶׂה־בּוֹ אֶת־הָאֹתֹת׃ פ

Esta vara. Símbolo de autoridade, instrumento por meio do qual Deus atuava. Nas mãos de Moisés, tornava-se um poder. Não era como a varinha dos mágicos, que enganavam os homens com suas ilusões. Provavelmente tratava-se de um cajado de pastor. Estava envolvido nas maravilhas a serem realizadas no Egito.

Varas de Poder. Havia o cajado de Baco; e também o cajado de Mercúrio, que era o porta-voz dos deuses. Homero apresentava Mercúrio a tomar de seu cajado a fim de operar milagres, quase nos mesmos termos que vemos neste versículo. Ver *Odisseia* lib. xxiv. vs. 1. O paralelo é tão próximo que alguns pensam que Homero tomou a ideia por empréstimo do livro de Gênesis, ou que o livro de Gênesis tomou por empréstimo uma ideia de Homero. O Hermes de Cilene chamava as almas com sua varinha de ouro. Virgílio copiou Homero e suas varas de poder (*Aeneid.* lib. iv. 242). Até hoje, os mágicos profissionais têm suas varinhas com as quais realizam truques. Os céticos pensam que algo assim trabalhava no caso de Moisés, mas os conservadores veem nisso apenas um símbolo do poder que operava através de Moisés, o poder de Yahweh.

MOISÉS REGRESSA AO EGITO (4.18-31)

Moisés foi chamado, instruído e dotado de poder para a sua missão. E agora voltou o rosto na direção do temível Faraó, e, com firme propósito no coração e confiança na missão que Deus lhe dera, partiu para a cena onde se mostraria ativo. Deixando sua "terra", naturalmente ele precisou despedir-se daqueles que deixava para trás, principalmente seu sogro, *Jetro*, e outros parentes por casamento. Ele tinha morado em Midiã pelo espaço de quarenta anos — o segundo dos três ciclos de sua vida. Esse número, "quarenta", simboliza os "testes" pelos quais passamos. Ver no *Dicionário* os artigos intitulados *Quarenta* e *Numerologia*. Os últimos quarenta anos de vida de Moisés seriam passados no cumprimento da missão para a qual ele tinha sido cuidadosamente preparado. Ver Êxodo 2.11 e suas notas quanto aos três ciclos de quarenta anos cada, na vida de Moisés.

■ **4.18**

וַיֵּלֶךְ מֹשֶׁה וַיָּשָׁב אֶל־יֶתֶר חֹתְנוֹ וַיֹּאמֶר לוֹ אֵלְכָה נָּא וְאָשׁוּבָה אֶל־אַחַי אֲשֶׁר־בְּמִצְרַיִם וְאֶרְאֶה הַעוֹדָם חַיִּים וַיֹּאמֶר יִתְרוֹ לְמֹשֶׁה לֵךְ לְשָׁלוֹם:

Jetro. Tanto *Reuel* quanto *Jetro* são chamados de sogro de Moisés. Ver Êxodo 2.16,18 e os artigos sobre ambos quanto a completas explicações sobre essa questão, até onde ela pode ser explicada. Moisés despediu-se de seu sogro, embora sem revelar, na oportunidade, qual a verdadeira razão de sua viagem, dizendo apenas que tinha de ver novamente os seus irmãos, ou seja, os *hebreus*. A vontade de Deus, antes de sua execução, fora revelada ao profeta e libertador Moisés. Haveria tempo para explicações e comunicações posteriores. Moisés tinha servido corretamente Jetro, e não houve objeção ante a sua partida. De fato, Jetro abençoou Moisés. Ele bem que precisava de toda a bênção que pudesse receber, visto que, segundo os padrões humanos, estava ocupado em uma missão impossível. Para Deus, todavia, os *impossíveis são possíveis* (Mt 17.20).

"Os laços tribais eram apertados, e exigiam que se pedisse permissão para viajar, pois mesmo uma ausência temporária requeria o curso de ação apropriado, mesmo que não fosse necessário" (Ellicott, *in loc.*).

■ **4.19**

וַיֹּאמֶר יְהוָה אֶל־מֹשֶׁה בְּמִדְיָן לֵךְ שֻׁב מִצְרָיִם כִּי־מֵתוּ כָּל־הָאֲנָשִׁים הַמְבַקְשִׁים אֶת־נַפְשֶׁךָ:

Ver Mateus 2.19,20 quanto a um paralelo na vida de Jesus. Ver em Êxodo 2.2 quanto a Moisés como um *tipo* de Cristo. *Todos*, embora esteja no plural, tem em mente principalmente a pessoa de Faraó. Ver na *Enciclopédia de Bíblia, Teologia e Filosofia*, o artigo intitulado *Faraó*, em sua terceira seção, onde se tenta identificar os faraós mencionados na Bíblia. Moisés era um "fugitivo da justiça", porquanto havia matado um egípcio quando defendia outro hebreu (Êx 2.15 ss.). Mas mortas agora as principais autoridades do Egito, Moisés podia reiniciar sua tarefa de libertador. Mas a sua missão em breve haveria de identificá-lo como um revolucionário radical, e sua vida também se tornaria muito miserável. Moisés, todavia, estava pronto para o que viesse, e desceu ao Egito com bom ânimo e cheio de esperança.

O Faraó tinha falecido; os homens de seu governo, também; e outro tanto sucedia a *todos* quanto poderiam lembrar-se de Moisés. Moisés, pois, teve um novo começo, iniciando-se assim o terceiro de seus três ciclos de quarenta anos cada. Ver as notas introdutórias ao vs. 18.

■ **4.20**

וַיִּקַּח מֹשֶׁה אֶת־אִשְׁתּוֹ וְאֶת־בָּנָיו וַיַּרְכִּבֵם עַל־הַחֲמֹר וַיָּשָׁב אַרְצָה מִצְרָיִם וַיִּקַּח מֹשֶׁה אֶת־מַטֵּה הָאֱלֹהִים בְּיָדוֹ:

A sua mulher e a seus filhos. Somente um filho, até este ponto, fora mencionado por nome (Êx 2.22). Zípora também estava disposta a partir (vs. 25). O trecho de Êxodo 18.5 dá a entender que Moisés deixou para trás sua esposa e seus dois filhos. O trecho de Êxodo 18.2-4 procura conciliar a discrepância. Parece que ela foi com Moisés, mas então, foi mandada de volta com os filhos à casa de Jetro, por razões de segurança. Os *filhos* são Gérson e Eliezer, sobre os quais há verbetes no *Dicionário*.

Levava na mão a vara de Deus. Ver sobre esse objeto nas notas sobre o vs. 17. Quanto ao uso desse objeto, ver Êxodo 7.20; 8.6,17; 9.23; 10.13; 14.16; 17.5 e Números 20.9.

■ **4.21**

וַיֹּאמֶר יְהוָה אֶל־מֹשֶׁה בְּלֶכְתְּךָ לָשׁוּב מִצְרַיְמָה רְאֵה כָּל־הַמֹּפְתִים אֲשֶׁר־שַׂמְתִּי בְיָדֶךָ וַעֲשִׂיתָם לִפְנֵי פַרְעֹה וַאֲנִי אֲחַזֵּק אֶת־לִבּוֹ וְלֹא יְשַׁלַּח אֶת־הָעָם:

Todos os milagres. Três poderes específicos tinham sido dados a Moisés: transformar a vara em uma serpente, e de novo em uma vara; fazer sua mão ficar leprosa, para então curá-la; transformar água em sangue. Esses prodígios são comentados nas notas sobre os vss. 3,4,6,7,9. Eram milagres autenticadores e convincentes, a serem exibidos diante dos anciãos de Israel e diante do Faraó (ver Êxodo 4.1, onde estão em foco tanto os anciãos quanto Faraó).

Eu lhe endurecerei o coração. O relato sobre o duro coração do Faraó, que resistiu a tantos dos desafios de Moisés, tem-se tornado um campo de batalha teológica na controvérsia entre o determinismo divino e o livre-arbítrio humano. Dou amplas informações sobre essa questão, expondo ambos os seus lados, nos seguintes artigos do *Dicionário*: *Determinismo (Predestinação); Predestinação (e Livre-Arbítrio)* e *Livre-Arbítrio*. E na *Enciclopédia de Bíblia, Teologia e Filosofia* ver o artigo *Reprovação*. Deus usa o livre-arbítrio humano sem destruí-lo, embora não saibamos dizer *como*. Precisamos interpretar essas controvérsias do ponto de vista da *polaridade*. Tanto a predestinação quanto o livre-arbítrio são verdades ensinadas nas Escrituras, como polos de uma doutrina mais ampla, da mesma forma que o globo terrestre tem dois polos. Ensinar somente uma dessas verdades é ensinar uma teologia unilateral. Ver no *Dicionário* o artigo chamado *Polaridade*, um útil instrumento a ser aplicado a tais paradoxos. É *fácil* ensinar somente a predestinação; também é *fácil* ensinar somente o livre-arbítrio, mas ambos esses lados devem ser ensinados por nós. A salvação requer uma intervenção divina; o livre-arbítrio é necessário para que o homem possa ser moralmente responsabilizado. Essas duas verdades são legítimas, fazendo parte de uma doutrina mais ampla, embora seja muito *difícil* ensinar ao menos como isso pode ser verdade. É difícil ensinar aquela doutrina mais ampla, que engloba ambos os lados da questão. A Bíblia ensina tanto a divindade quanto a humanidade do Logos. Em doutrinas assim, parece haver alguma contradição. Mas são polos de alguma verdade maior. As Escrituras ensinam o juízo como retribuição; e também ensinam o juízo como um remédio (1Pe 4.6). Devemos esforçar-nos por ensinar aquela doutrina maior que contém ambas essas ideias. Ver no *Dicionário* o artigo chamado *Julgamento de Deus dos Homens Perdidos*.

Cf. este versículo com Êxodo 8.15,32 e 9.34. O fato de que Deus endureceu o coração do Faraó, pelo lado da doutrina da predestinação, paradoxalmente, foi também o exercício da própria vontade livre do Faraó. Mas não sabemos dizer *como* isso pode ter acontecido. Judas estava destinado a trair a Jesus Cristo; mas isso Judas fez de sua livre e espontânea vontade, por causa de sua perversidade interior e de seu coração corrompido (Mt 26.24). Mas como esses dois fatores interagiram, não sabemos determinar.

A dureza do coração do Faraó é atribuída *a Deus* em Êxodo 4.21; 7.3; 9.12; 10.1,20,27; 14.4,8. E também é atribuída ao próprio *Faraó*, em Êxodo 8.15,32; 9.34. E também é atribuída ao *próprio coração* do rei em Êxodo 7.13,22; 9.7,35. Em consequência, a polaridade e o paradoxo fazem parte das expressões das próprias Escrituras. Três modos diversos da mesma operação são salientados; mas não sabemos dizer como essas coisas podem ser. É uma desgraça histórica ridícula que crentes individuais, igrejas e denominações se tenham dividido em torno dessa doutrina. Também é ridículo que os estudiosos defendam um ou outro polo de uma doutrina que, na verdade, tem dois polos. Ver Romanos 9.17 ss e suas notas expositivas quanto ao uso que Paulo fez desta passagem.

■ 4.22

וְאָמַרְתָּ אֶל־פַּרְעֹה כֹּה אָמַר יְהוָה בְּנִי בְכֹרִי יִשְׂרָאֵל׃

Israel é meu filho. Temos aqui a exaltação da nação de Israel. Além de ser o filho amado de Yahweh, era seu *primogênito*, o filho privilegiado, aquele dotado do direito de primogenitura e todas as vantagens daí advindas. Ver no *Dicionário* o artigo intitulado *Primogênito*. O Egito havia aprisionado aquele filho exaltado, e agora teria de pagar o preço por seu erro e perseguição. Se o filho primogênito não fosse libertado, então teriam de morrer todos os filhos primogênitos do Egito (vs. 23), uma temível predição, a qual, devido à ignorância de Faraó, acabou tornando-se realidade.

"Um filho *primogênito* entre as nações, uma posição proeminente com base na adoção e na eleição divinas (Jr 31.9; Os 11.1)" (*Oxford Annotated Bible, in loc.*).

Ver o trecho de Romanos 8.14-17 quanto a uma aplicação espiritual da ideia contida neste versículo, e ver também Romanos 9—11 quanto aos privilégios de Israel, mormente os vss. 9.4 ss.

■ 4.23

וָאֹמַר אֵלֶיךָ שַׁלַּח אֶת־בְּנִי וְיַעַבְדֵנִי וַתְּמָאֵן לְשַׁלְּחוֹ הִנֵּה אָנֹכִי הֹרֵג אֶת־בִּנְךָ בְּכֹרֶךָ׃

A liberação do *filho* primogênito de Deus poderia ter salvo os *primogênitos* do Egito. Faraó, entretanto, calculou mal, mediu exageradamente o seu próprio poder e subestimou o Deus de Israel. Assim, reteve o *primogênito* de Deus no cativeiro, e, por esse motivo, perdeu seus próprios filhos *primogênitos*. Cf. Êxodo 11.5 e 12.29-34 quanto à outra advertência, seguida pelo terrível cumprimento da ameaça. "O corolário da filiação de Israel é a paternidade de Deus" (J. Coert Rylaarsdam, *in loc.*). Ver no *Dicionário* o verbete chamado *Paternidade de Deus*. *Um* filho mantido na servidão significou *muitos* filhos mortos.

CIRCUNCISÃO DE MOISÉS E SEU FILHO (4.24-26)

A *circuncisão* era o sinal do Pacto Abraâmico (Gn 17.10 ss.). Moisés, em seu exílio no Egito, e enquanto cuidava de ovelhas, na terra de Midiã, tinha negligenciado essa questão. Alguns críticos supõem que esta minúscula seção representa uma tradição diferente no que toca à circuncisão, como se ela tivesse começado com Moisés, e não com Abraão, e se houvesse duas tradições acerca da origem da circuncisão em Israel. Mas é melhor pensarmos em termos de *renovação* e não em termos de origem, neste ponto. A circuncisão era uma prática deveras antiga, que acabou misturada com assuntos religiosos, sendo muito difícil que tenha começado com Moisés. Em alguns lugares, a circuncisão era efetuada na puberdade, como uma espécie de rito de iniciação de entrada na vida adulta. Neste passo bíblico, porém, temos a circuncisão tanto de um adulto quanto de um infante. Ver no *Dicionário* o artigo geral sobre esse assunto. Minhas notas sobre Gênesis 17.10 ss. mostram como esse rito tornou-se parte importante da fé de Yahweh, bem como o sinal do *Pacto Abraâmico* (ver as notas detalhadas a respeito em Gn 15.18). Alguns eruditos veem aqui a circuncisão somente do filho de Moisés, e não do próprio Moisés também.

■ 4.24

וַיְהִי בַדֶּרֶךְ בַּמָּלוֹן וַיִּפְגְּשֵׁהוּ יְהוָה וַיְבַקֵּשׁ הֲמִיתוֹ׃

Encontrou-o o Senhor, e o quis matar. Provavelmente por algum meio como doença, acidente ou algo como um ataque demoníaco, como o anjo destruidor. Moisés foi subitamente apanhado por algum poder, interior ou exterior, físico ou espiritual, que foi considerado uma ameaça à vida de Moisés. O trecho de Gênesis 38.7 diz que Deus matou *Er* por ser ele maligno. Ver as notas ali quanto a explicações. Moisés mostrara-se negligente quanto ao sinal do Pacto Abraâmico (ver a introdução a esta seção, acima), pelo que ficou sujeito a um ataque espiritual. Os povos antigos acreditavam que um ataque súbito demoníaco (ou espiritual) podia ser evitado mediante a execução de algum rito. Assim, aqui, a circuncisão, efetuada por Zípora, foi a medida saneadora.

Moisés e seus familiares, estando de viagem para o Egito, provavelmente se hospedaram em alguma estalagem (ver no *Dicionário* o artigo chamado *Hospedaria*). Subitamente, Moisés viu-se debaixo de ataque. Dotada de mente alerta, Zípora evitou a tragédia. Cf. a história do anjo que puxou da espada contra Balaão (Nm 22.23 ss.).

■ 4.25

וַתִּקַּח צִפֹּרָה צֹר וַתִּכְרֹת אֶת־עָרְלַת בְּנָהּ וַתַּגַּע לְרַגְלָיו וַתֹּאמֶר כִּי חֲתַן־דָּמִים אַתָּה לִי׃

Uma pedra aguda. Provavelmente uma lasca de obsidiana, que ela usou como faca, realizando o rito da circuncisão, presumivelmente em Moisés e em um de seus filhos (por que em um só, não se sabe). Ademais, o texto não diz especificamente que Moisés também foi circuncidado, mas parece que isso ficou entendido. Os críticos veem alguma confusão no relato, visto que Moisés é chamado, no hebraico, *chathan*, um termo que pode ser traduzido por "noivo". Isso poderia ser uma referência ao rito efetuado pelo próprio Moisés na noite do casamento deles. Isso pode ter sido feito para afastar algum ataque espiritual que não permitia que Moisés consumasse o casamento. E, então, ainda conforme pensam os críticos, mais tarde uma fonte informativa envolveu um filho de Moisés, e não o próprio Moisés, e o termo "noivo" foi deixado desajeitadamente na narrativa. Os eruditos conservadores, porém, pensam que isso é exagerar a importância de uma pequena evidência. Afinal, o termo hebraico *chathan* também pode significar "marido" (usado por duas vezes no Antigo Testamento, nesse sentido) e até mesmo "genro" (usado por dez vezes no Antigo Testamento, nesse sentido). Há um relato, em Tobias 6.13—8.17, de natureza parecida.

Lançou-o aos pés de Moisés. As palavras "de Moisés" são uma interpretação, de acordo com a maioria dos eruditos; mas outros pensam que os pés eram do anjo destruidor, como se fosse um ato aplacador, para evitar novos ataques. Os Targuns de Jonathan e de Jerusalém dão essa interpretação, dizendo que isso foi feito a fim de *pacificá-lo*. Embora tivesse realizado um ato heroico, Zípora ficou desgostosa diante de todo aquele sangue, lançando a culpa de tudo sobre seu marido.

■ 4.26

וַיִּרֶף מִמֶּנּוּ אָז אָמְרָה חֲתַן דָּמִים לַמּוּלֹת׃ פ

O ataque cessou (sem importar a sua natureza), quando o rito foi efetuado em Moisés ou em seu filho. Os Targuns falam sobre o anjo do Senhor como quem ficou satisfeito com a oferenda, o prepúcio lançado aos seus pés. O sinal do Pacto Abraâmico era agora uma posse de Moisés e de sua família. Também não nos é informado como Zípora sabia o que fazer.

Esposo sanguinário. Tal como no versículo anterior. "Talvez tenha sido nessa ocasião que Zípora e os filhos do casal voltaram a Jetro (Êx 18.2,3). A súbita enfermidade de Moisés serviu de advertência de que ele precisava obedecer totalmente a Deus e cumprir a sua missão" (John D. Hannah, *in loc.*).

ARÃO E MOISÉS ENCONTRAM-SE (4.27-31)

Arão Foi Convocado em Favor da Causa. A mensagem divina lhe foi transmitida. Agora estava formada a equipe. O projeto divino tinha seus dois representantes; os anciãos também aceitaram o plano e passaram a cooperar. As coisas estavam em pleno andamento. Mas havia muitos obstáculos a serem vencidos. Seria uma tarefa difícil.

■ 4.27

וַיֹּאמֶר יְהוָה אֶל־אַהֲרֹן לֵךְ לִקְרַאת מֹשֶׁה הַמִּדְבָּרָה וַיֵּלֶךְ וַיִּפְגְּשֵׁהוּ בְּהַר הָאֱלֹהִים וַיִּשַּׁק־לוֹ׃

No monte de Deus. Ou seja, *Horebe*, não distante do Sinai. Ver no *Dicionário* sobre esse nome, e também as notas em Êxodo 3.1. O encontro com Arão foi cordial, segundo estava predito (vss. 14-17). Encontraram-se onde Moisés tinha visto a sarça a arder. Ver também Êxodo 18.5 e 24.13. Alguns eruditos veem aqui alguma forma de milagre de transporte, ou, então, um encontro visionário de almas, e não um encontro físico, mas o texto sagrado não indica tais coisas. Pelo menos, parece que o encontro foi divinamente dirigido, a menos que entendamos que Moisés tinha mandado um recado a Arão, dizendo-lhe que ia chegar, o que não foi mencionado pelo autor sagrado. O vs. 14 mostra-nos que Arão já estava a caminho, embora o relato não nos diga *por quê*. Nem sempre os autores satisfazem à curiosidade de seus leitores quanto a pequenos detalhes.

O beijou. Ver Gênesis 33.4; 45.14,15. Essa era a comum saudação oriental, equivalente a nosso aperto de mãos. Assim testificou Heródoto (*Hist.* i.134). Ver no *Dicionário* o artigo *Beijo*.

■ 4.28

וַיַּגֵּד מֹשֶׁה לְאַהֲרֹן אֵת כָּל־דִּבְרֵי יְהוָה אֲשֶׁר שְׁלָחוֹ וְאֵת כָּל־הָאֹתֹת אֲשֶׁר צִוָּהוּ׃

Todas as palavras. A Arão foi prestado um completo relatório da situação; a ele caberia ser o porta-voz da divina e miraculosa comissão. Moisés encontrou uma mente acolhedora e um espírito alerta em Arão. Moisés transmitiu a capacidade que recebera para realizar os *três sinais* de Yahweh (Êx 4.4-9). O que Jetro não podia saber (vs. 18), foi dito a Arão.

■ 4.29

וַיֵּלֶךְ מֹשֶׁה וְאַהֲרֹן וַיַּאַסְפוּ אֶת־כָּל־זִקְנֵי בְּנֵי יִשְׂרָאֵל׃

Ajuntaram todos os anciãos. E assim explicaram as grandes coisas que, tão recentemente, haviam acontecido: comunicaram-lhes a mensagem divina; encorajaram-nos a entrar em ação; deram provas de que Yahweh estava por detrás do plano de libertação. É provável que os anciãos fossem chefes de tribos, e alguns deles tivessem recebido autoridade delegada, sob supervisão egípcia. Ver Êxodo 3.16.

■ 4.30

וַיְדַבֵּר אַהֲרֹן אֵת כָּל־הַדְּבָרִים אֲשֶׁר־דִּבֶּר יְהוָה אֶל־מֹשֶׁה וַיַּעַשׂ הָאֹתֹת לְעֵינֵי הָעָם׃

Falou todas as palavras... fez os sinais. Negócios sérios estavam sendo discutidos. Mas palavras, embora bonitas, não seriam o bastante. Foi mister Moisés realizar os *sinais* que Deus lhe tinha dado. Ver os vss. 4-9 deste capítulo quanto aos *três sinais*. Algumas vezes exercemos fé sem nenhuma evidência visível. De outras vezes, ajuda *ver*. Deus toma as devidas providências, no tempo próprio, de acordo com as *nossas necessidades*. Isso faz parte das operações da graça e da misericórdia.

■ 4.31

וַיַּאֲמֵן הָעָם וַיִּשְׁמְעוּ כִּי־פָקַד יְהוָה אֶת־בְּנֵי יִשְׂרָאֵל וְכִי רָאָה אֶת־עָנְיָם וַיִּקְּדוּ וַיִּשְׁתַּחֲווּ׃

E o povo creu... e o adoraram. As palavras foram *eficazes;* os sinais mostraram-se *absolutos*. Seguiu-se a fé. Os anciãos ficaram convictos de que Moisés dizia a verdade, tendo recebido uma genuína comissão divina. Perceberam que o Deus de Abraão estava novamente fazendo intervenção na história humana, e que eles seriam os beneficiários. A história do povo de Israel lhes tinha ensinado que podiam esperar intervenções divinas. Ver no *Dicionário* o verbete *Teísmo*. Deus não somente criou, para então abandonar o Seu universo ao sabor das leis naturais, conforme postula o *deísmo* (ver no *Dicionário*). De fato, Deus está sempre presente, pronto a recompensar ou castigar, a guiar e a iluminar.

Adoraram. Não a Moisés, como se este fosse um recém-descoberto deus-herói, mas ao Deus de Moisés, *Yahweh*, o Deus dos hebreus. Ver sobre esse nome divino no *Dicionário*. Esse ato de adoração demonstrou quão dispostos estavam e quanta ansiedade tinham de participar do plano divino de libertação.

CAPÍTULO CINCO

TENTATIVAS DE SAÍDA DO EGITO (5.1—7.13)

MOISÉS E ARÃO FALAM AO FARAÓ (5.1-5)

O Faraó era um homem idólatra e despótico. Reagiu às demandas de Moisés exibindo ambos esses defeitos. De imediato ficou claro que a tarefa consumiria muito tempo e muita luta. Duas qualidades são necessárias para alguém realizar um grande projeto: *entusiasmo* e *persistência*. O Faraó haveria de testar Moisés quanto a esses dois pontos. Seria necessário muito sacrifício pessoal. Para obterem livramento, os escravos sacrificam tudo mais (cf. Fp 3.8). Os escravos do pecado, por igual modo, enfrentam o sacrifício de seus antigos caminhos, tendo de adotar um caminho totalmente novo. O mesmo se dá com a dedicação do crente ao Senhor (Rm 12.1,2).

Moisés teria de enfrentar a cólera do Faraó, bem como a insatisfação de sua própria gente. Coisa alguma funcionaria com suavidade.

■ 5.1

וְאַחַר בָּאוּ מֹשֶׁה וְאַהֲרֹן וַיֹּאמְרוּ אֶל־פַּרְעֹה כֹּה־אָמַר יְהוָה אֱלֹהֵי יִשְׂרָאֵל שַׁלַּח אֶת־עַמִּי וְיָחֹגּוּ לִי בַּמִּדְבָּר׃

Uma Petição Humilde. Moisés estava sondando a situação, como um lutador de boxe que não mostra o seu jogo logo no primeiro *round*. E fez uma petição humilde: queria apenas licença para uma breve jornada deserto adentro, a fim de realizar um ato religioso. Não disse claramente, mas deixou implícito, que traria o povo de Israel de volta depois de três dias (vs. 3). Talvez, porém, estivesse planejando continuar caminhando, efetuando assim um êxodo rápido, o que solucionaria a escravidão com um golpe simples e astucioso.

Faraó. Alegadamente filho de uma divindade, versado no folclore politeísta, era profundo conhecedor de verdades religiosas. Mas nunca tinha ouvido falar em *Yahweh*, o Deus dos hebreus, e não se dispunha a fazer nenhuma concessão a uma divindade estrangeira (e, para ele, falsa).

"Era absurdo que ele entregasse Israel a uma divindade que nem ao menos conhecia. A ironia do drama que se segue é que *esse* foi o próprio Deus que, progressivamente, despiu o Faraó de todas as coisas" (J. Coert Rylaarsdam, *in loc.*). O *homem deificado* seria derrotado miseravelmente no seu conflito contra o verdadeiro Deus. E assim sucedeu.

O Targum de Jonathan diz: "Não encontrei o nome de Yahweh escrito no livro dos anjos. Não tenho medo dele".

O Senhor Deus. No hebraico, *Yahweh Elohim*, dois nomes tradicionais do Deus dos hebreus. Ver no *Dicionário* esses dois nomes divinos, como também o artigo *Deus, Nomes Bíblicos de*.

Deixa ir o meu povo. Esse é o tema central bem como o grito de guerra do livro de Êxodo. Cf. Êxodo 4.22,23. O povo de Israel era o *filho* primogênito de Yahweh, um *filho* privilegiado. Se não fossem libertados, pereceriam todos os filhos primogênitos do Egito.

Uma festa no deserto. Não foi especificada a natureza dessa festa. Os israelitas cumpririam seus deveres religiosos diante de seu Deus. E então, presumivelmente, voltariam ao Egito. A viagem *ao deserto* talvez tivesse sido planejada para impedir a indignação dos egípcios que seriam testemunhas do sacrifício de animais que eles reputavam sagrados. Pelo menos, Moisés pode ter apresentado essa desculpa como razão *pela qual* ele queria uma saída até algum deserto.

O IMPÉRIO EGÍPCIO

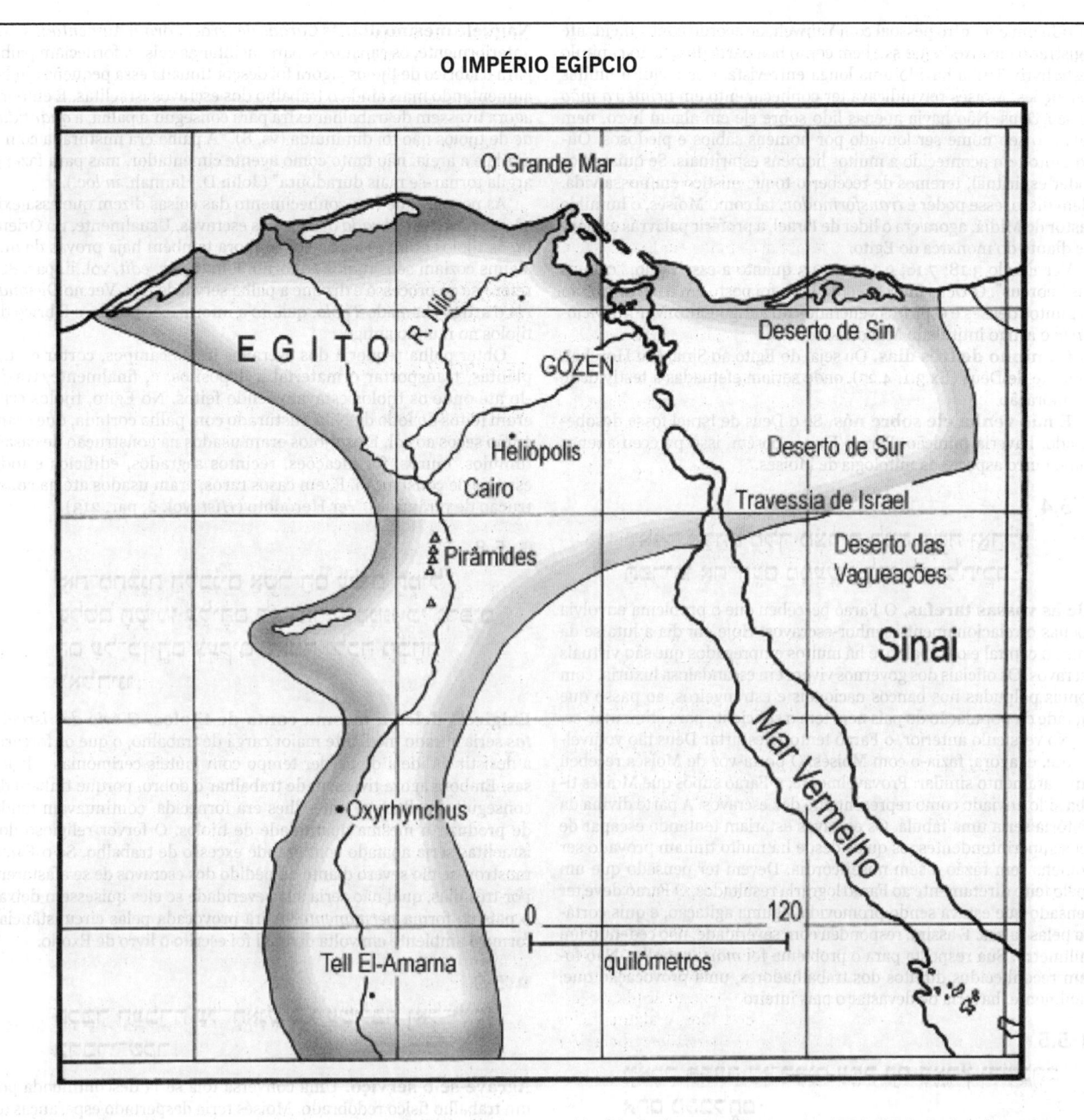

Israel foi formado como uma nação no exílio egípcio e terminou sua história antiga no exílio romano (132 d.C.). Os impérios dos seis poderes, vizinhos de Israel, causavam opressão e, em muitos casos, deportações daquela nação. Ciro foi a única exceção. Seu decreto gentil possibilitou a Judá voltar do exílio babilônico. Esse fato estendeu a história de Israel por mais sete séculos, até os tempos romanos.

O Egito há muito havia voltado a ser uma potência mundial, criando uma das maiores civilizações conhecidas pelo homem, passando por pelo menos dez dinastias, quando Abraão, o nômade, entrou na Palestina. A primeira dinastia egípcia iniciou-se em cerca de 3100 a.C. Abraão viveu por volta de 1900 a.C.

■ 5.2

וַיֹּאמֶר פַּרְעֹה מִי יְהוָה אֲשֶׁר אֶשְׁמַע בְּקֹלוֹ לְשַׁלַּח אֶת־יִשְׂרָאֵל לֹא יָדַעְתִּי אֶת־יְהוָה וְגַם אֶת־יִשְׂרָאֵל לֹא אֲשַׁלֵּחַ:

Não conheço o Senhor. Faraó não poderia mesmo ter respondido de outra maneira. Primeiramente, porque nenhum perdido conhece o Senhor Deus, como uma experiência pessoal. Porquanto está morto em seus pecados. E, em segundo lugar, porque Deus estava endurecendo o coração do Faraó, ao passo que o Faraó também endurecia, por sua vez, o seu próprio coração, conforme por tantas vezes se lê a respeito de todo este incidente longamente historiado. Por conseguinte, o Faraó falou de tal modo que exprimiu o seu caráter distorcido e a realidade de seu estado espiritual.

■ 5.3

וַיֹּאמְרוּ אֱלֹהֵי הָעִבְרִים נִקְרָא עָלֵינוּ נֵלֲכָה נָּא דֶּרֶךְ שְׁלֹשֶׁת יָמִים בַּמִּדְבָּר וְנִזְבְּחָה לַיהוָה אֱלֹהֵינוּ פֶּן־יִפְגָּעֵנוּ בַּדֶּבֶר אוֹ בֶחָרֶב:

O Deus dos hebreus. No hebraico, *Elohim*. Também chamado *Yahweh* (vs. 2). Deus é quem havia baixado a ordem. Moisés afirmava ter tido um encontro pessoal com Yahweh, de acordo com o incidente registrado em Êxodo 3.2 ss., bem como boa parte do quarto capítulo deste livro. Tinha havido uma longa entrevista, que incluíra muitas instruções. Moisés reivindicava ter conhecimento em *primeira mão* de seu Deus. Não havia apenas lido sobre ele em algum livro, nem ouvira o seu nome ser louvado por homens sábios e piedosos. Outro tanto tem acontecido a muitos homens espirituais. Se quisermos poder espiritual, teremos de receber o toque místico em nossa vida. Além disso, esse poder é *transformador,* tal como Moisés, o humilde pastor de Midiã, agora era o líder de Israel, a proferir palavras exigentes diante do monarca do Egito.

Ver Êxodo 3.18; 7.16; 9.1,13 e 10.3 quanto a esse título, "o Deus dos hebreus". O Deus único e verdadeiro foi posto em confronto com os muitos deuses e espíritos venerados no antigo Egito. Ver no *Dicionário* o artigo intitulado *Monoteísmo.*

Caminho de três dias. Ou seja, do Egito ao Sinai (ou Horebe), o monte de Deus (Êx 3.1; 4.27), onde seriam efetuadas a festividade e a adoração.

E não venha ele sobre nós. Se o Deus de Israel fosse desobedecido, haveria punição. Para o Faraó, porém, isso pareceu apenas como outro aspecto da mitologia de Moisés.

■ 5.4

וַיֹּאמֶר אֲלֵהֶם מֶלֶךְ מִצְרַיִם לָמָּה מֹשֶׁה וְאַהֲרֹן תַּפְרִיעוּ אֶת־הָעָם מִמַּעֲשָׂיו לְכוּ לְסִבְלֹתֵיכֶם׃

Ide às vossas tarefas. O Faraó percebeu que o problema envolvia apenas o relacionamento senhor-escravos. Hoje em dia a luta se dá entre o capital e o trabalho, e há muitos empregados que são virtuais escravos. Os oficiais dos governos vivem em escandalosa luxúria, com contas polpudas nos bancos nacionais e estrangeiros, ao passo que metade da população do país nem tem o suficiente para alimentar-se.

No versículo anterior, o Faraó tentou descartar Deus tão voluvelmente, e, agora, fazia-o com Moisés. O porta-voz de Moisés recebeu um tratamento similar. Provavelmente, o Faraó supôs que Moisés tinha sido enviado como representante dos escravos. A parte divina da história seria uma fábula. Os escravos estariam tentando escapar de seus superintendentes, os quais desde há muito tinham provado ser homens sem razão e sem misericórdia. Devem ter pensado que um apelo feito diretamente ao Faraó lograria resultados. O Faraó deve ter pensado que estava sendo promovida alguma agitação, e quis cortá-la pelas raízes. E assim, respondeu com severidade, não cedendo um milímetro. Sua resposta para o problema foi *mais trabalho.* Não foram reconhecidos direitos dos trabalhadores, uma provocação que, finalmente, haveria de devastar o país inteiro.

■ 5.5

וַיֹּאמֶר פַּרְעֹה הֵן־רַבִּים עַתָּה עַם הָאָרֶץ וְהִשְׁבַּתֶּם אֹתָם מִסִּבְלֹתָם׃

A *greve* havia deixado ociosa praticamente toda a população. A produtividade estancara, a um custo incalculável! As palavras do Faraó foram um recado indireto a seus oficiais, salientando o dano causado por aquele atrevido Moisés.

O povo da terra já é muito. Em algumas traduções lemos aqui: "O povo da terra está preguiçoso". Mas isso requer leve emenda textual, a qual, contudo, pode estar com a razão.

Se os escravos descansassem de seus labores, isso significaria "torná-los mais numerosos ainda" (John Gill, *in loc.*). O outro decreto do Faraó, ordenando que os meninos hebreus fossem afogados no rio Nilo, falhara miseravelmente, e o problema tinha apenas aumentado. Ver Êxodo 1.22.

O FARAÓ INTENSIFICA A OPRESSÃO (5.6-14)

■ 5.6,7

וַיְצַו פַּרְעֹה בַּיּוֹם הַהוּא אֶת־הַנֹּגְשִׂים בָּעָם וְאֶת־שֹׁטְרָיו לֵאמֹר׃

לֹא תֹאסִפוּן לָתֵת תֶּבֶן לָעָם לִלְבֹּן הַלְּבֵנִים כִּתְמוֹל שִׁלְשֹׁם הֵם יֵלְכוּ וְקֹשְׁשׁוּ לָהֶם תֶּבֶן׃

Naquele mesmo dia. *As Cargas de Israel Foram Aumentadas.* Se, anteriormente, os capatazes, para facilitar as coisas, forneciam palha para o fabrico de tijolos, agora foi descontinuada essa pequena ajuda, aumentando mais ainda o trabalho dos escravos israelitas. E embora agora tivessem de trabalhar extra para conseguir a palha, a *quantidade* de tijolos não foi diminuída (vs. 8). "A palha era misturada com a argila e a areia, não tanto como agente cimentador, mas para fazer a argila tornar-se mais duradoura" (John D. Hannah, *in loc.*).

As pessoas que têm conhecimento das coisas dizem que essa exigência deve ter *dobrado* o labor dos escravos. Usualmente, no Oriente, os tijolos eram secos ao sol, embora também haja provas de que alguns coziam seus tijolos ao forno. Filo (*Oper. edit.* vol. ii. par. 86) refere-se ao processo e diz que a palha servia de liga. Ver no *Dicionário* o artigo chamado *Tijolo,* quanto a informações sobre o fabrico de tijolos no mundo antigo.

Obter palha requeria dos escravos ir aos campos, cortar certas plantas, transportar o material a depósitos, e, finalmente, trazê-lo até onde os tijolos estavam sendo feitos. No Egito, tijolos crus eram feitos do lodo do Nilo misturado com palha cortada, que eram então secos ao sol. E os tijolos eram usados na construção de casas, túmulos, muros, fortificações, recintos sagrados, edifícios e toda espécie de construção. E, em casos raros, eram usados até na construção de pirâmides. Ver Heródoto (*Hist.* vol. 2, par. 213).

■ 5.8

וְאֶת־מַתְכֹּנֶת הַלְּבֵנִים אֲשֶׁר הֵם עֹשִׂים תְּמוֹל שִׁלְשֹׁם תָּשִׂימוּ עֲלֵיהֶם לֹא תִגְרְעוּ מִמֶּנּוּ כִּי־נִרְפִּים הֵם עַל־כֵּן הֵם צֹעֲקִים לֵאמֹר נֵלְכָה נִזְבְּחָה לֵאלֹהֵינוּ׃

Exigireis deles a mesma conta de tijolos. O ócio dos *israelitas* seria curado mediante maior carga de trabalho, o que os forçaria a desistir da ideia de perder tempo com inúteis cerimônias religiosas. Embora agora tivessem de trabalhar o dobro, porque tinham de conseguir a palha que antes lhes era fornecida, continuavam tendo de produzir a mesma quantidade de tijolos. O fervor religioso dos israelitas seria abafado com grande excesso de trabalho. Se o Faraó mostrou-se tão severo diante do pedido dos escravos de se afastarem por três dias, qual não seria sua severidade se eles quisessem deixar o país de forma *permanente?* A ira provocada pelas circunstâncias forma o ambiente em volta do qual foi escrito o livro de Êxodo.

■ 5.9

תִּכְבַּד הָעֲבֹדָה עַל־הָאֲנָשִׁים וְיַעֲשׂוּ־בָהּ וְאַל־יִשְׁעוּ בְּדִבְרֵי־שָׁקֶר׃

Agrave-se o serviço. Uma conversa tola seria descontinuada por um trabalho físico redobrado. Moisés teria despertado esperanças de libertação no coração dos israelitas, mediante "palavras mentirosas" (ver Êx 4.30). Também é possível que o Faraó tenha percebido que a jornada de três dias, deserto adentro, fosse apenas um ardil para que partissem do Egito de forma permanente.

Um Paralelo Histórico. Abaixo transcrevemos um trecho do segundo capítulo do terceiro volume da obra de Carlyle, *Past and Present:*

"Uma pobre viúva irlandesa, tendo seu marido falecido em um dos becos de Edimburgo, saiu com seus três filhos, destituída de todo e qualquer recurso, para pedir ajuda da Instituição de Caridade daquela cidade. Naquele lugar... não a atenderam; e então foi sendo rejeitada de lugar em lugar onde ia, recebendo sempre o mesmo tratamento. Suas forças lhe faltaram, e ela caiu doente com febre tifoide. Ela morreu, mas infectou o beco com a enfermidade, de tal modo que outras dezessete pessoas também vieram a falecer. Mas ela havia dito: "Eu sou irmã de vocês, ajudem-me. Vocês precisam ajudar-me. Eu sou irmã de vocês, osso do osso de vocês. Deus nos criou. Vocês precisam ajudar-me". Mas eles tinham respondido: "Não. É impossível. Não és nossa irmã". Mas ela provou que era irmã deles quando o tifo também matou a muitos deles. Eram irmãos dela, embora o negassem. A criatura humana já desceu tanto para que ficasse provado alguma coisa?"

■ 5.10,11

וַיֵּצְאוּ נֹגְשֵׂי הָעָם וְשֹׁטְרָיו וַיֹּאמְרוּ אֶל־הָעָם לֵאמֹר כֹּה אָמַר פַּרְעֹה אֵינֶנִּי נֹתֵן לָכֶם תֶּבֶן׃

אַתֶּם לְכוּ קְחוּ לָכֶם תֶּבֶן מֵאֲשֶׁר תִּמְצָאוּ כִּי אֵין נִגְרָע מֵעֲבֹדַתְכֶם דָּבָר׃

Assim diz Faraó. Foi transmitido aos oficiais egípcios o recado de Faraó; e estes falaram aos escravos. Estes dois versículos repetem os elementos dos vss. 7 e 8, onde são comentados. Os escravos teriam de cortar e picar a palha, transportá-la, guardá-la, trazê-la, e, então, misturá-la à massa com que eram fabricados os tijolos. Portanto, o trabalho deles dobrou. Confusão e espancamentos se seguiriam (vs. 14), porque era impossível manter a taxa de produtividade sob tais condições.

■ 5.12,13

וַיָּפֶץ הָעָם בְּכָל־אֶרֶץ מִצְרָיִם לְקֹשֵׁשׁ קַשׁ לַתֶּבֶן׃

וְהַנֹּגְשִׂים אָצִים לֵאמֹר כַּלּוּ מַעֲשֵׂיכֶם דְּבַר־יוֹם בְּיוֹמוֹ כַּאֲשֶׁר בִּהְיוֹת הַתֶּבֶן׃

O povo se espalhou. A palha era procurada por todo o Egito. Havia muito trabalho somente para conseguir a palha. Esse trabalho era tão árduo quanto o trabalho de fabricar tijolos. Os capatazes mostravam-se exigentes e cruéis, e o Egito transformou-se em um virtual acampamento de trabalhos forçados. Os superintendentes egípcios queriam que os escravos produzissem sua *tarefa de cada dia* tal como faziam antes de terem de conseguir eles mesmos a palha.

"Mantinham-nos sob pressão e aperto no trabalho, requerendo a mesma produtividade que havia antes" (John Gill, *in loc.*).

■ 5.14

וַיֻּכּוּ שֹׁטְרֵי בְּנֵי יִשְׂרָאֵל אֲשֶׁר־שָׂמוּ עֲלֵהֶם נֹגְשֵׂי פַרְעֹה לֵאמֹר מַדּוּעַ לֹא כִלִּיתֶם חָקְכֶם לִלְבֹּן כִּתְמוֹל שִׁלְשֹׁם גַּם־תְּמוֹל גַּם־הַיּוֹם׃

A questão toda redundou em violência. Os capatazes dentre os filhos de Israel eram espancados pelos superintendentes egípcios. E a isso era adicionada a insultuosa pergunta de por que não tinham terminado a tarefa de cada dia, como antes. Podemos facilmente imaginar que os israelitas oravam a Yahweh para que fizesse vingança. Quando oramos, quase sempre desejamos obter respostas imediatas. E enquanto esperamos pela resposta, parece-nos que o moinho de Deus moe com enervante lentidão.

"Aqueles que nos ofendem geralmente são punidos na terra pela injustiça que praticaram; mas com grande frequência não nos é dada a satisfação de saber o que lhes aconteceu. Ao que parece, fica resolvido que os injuriadores serão punidos, mas que os injuriados não terão o prazer de ver cumprido o seu desejo de vingança" (Trollope). Ver no *Dicionário* o verbete *Lei Moral da Colheita segundo a Semeadura*.

MOISÉS, REJEITADO POR ISRAEL E ENCORAJADO POR DEUS (5.15—6.13)

OS CAPATAZES APELAM AO FARAÓ (5.15-21)

Os capatazes (israelitas) chegaram a concluir que até os escravos têm certos direitos, e que, talvez, Faraó reconhecesse esse fato. Devem também ter pensado que os superintendentes egípcios estariam agindo por conta própria. Mas logo descobririam que sua miséria fora determinada pelo próprio Faraó. Entrementes, a causa de Moisés sofria detrimento, porquanto estava perdendo o apoio de seu próprio povo, apesar dos milagres que lhes havia mostrado, a fim de convencê-los de seu chamamento divino (Êx 4.29 ss.). Não havia que duvidar de que o Faraó se saíra vencedor no primeiro *round*; mas ainda restavam muitos *rounds* à frente. Homens ímpios e desarrazoados tornam insuportável a vida de seus semelhantes. Mas há poder na espiritualidade, e perdas a curto prazo podem tornar-se vitórias a longo prazo.

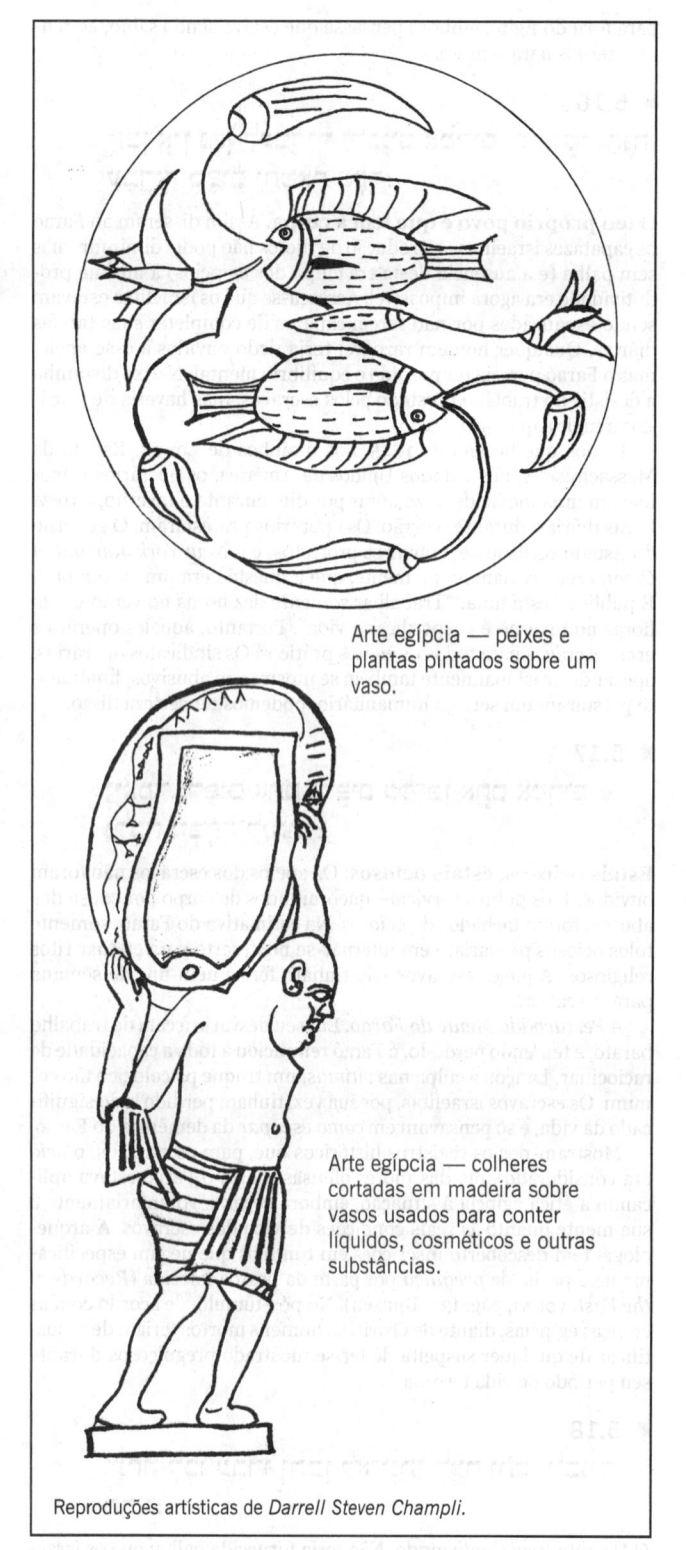

Arte egípcia — peixes e plantas pintados sobre um vaso.

Arte egípcia — colheres cortadas em madeira sobre vasos usados para conter líquidos, cosméticos e outras substâncias.

Reproduções artísticas de *Darrell Steven Champli*.

■ 5.15

וַיָּבֹאוּ שֹׁטְרֵי בְּנֵי יִשְׂרָאֵל וַיִּצְעֲקוּ אֶל־פַּרְעֹה לֵאמֹר לָמָּה תַעֲשֶׂה כֹה לַעֲבָדֶיךָ׃

Clamaram a Faraó. Não tiveram pejo de fazer um apelo pungente, porquanto sua situação era insuportável. "Os limites do homem são a oportunidade de Deus" (John Flavel). Todas as coisas estavam cooperando para o bem dos israelitas. Pois se Moisés haveria de sofrer uma rejeição temporária (Êx 5.20 ss.), as coisas estavam ficando tão ruins que o livramento, sem importar por quais meios, se tornaria, em breve, uma necessidade absoluta. O Faraó estava forçando Israel para *fora* do Egito, embora pensasse que estava sendo sábio, ao tentar retê-los para sempre.

■ 5.16

תֶּ֤בֶן אֵ֣ין נִתָּן֙ לַעֲבָדֶ֔יךָ וּלְבֵנִ֖ים אֹמְרִ֣ים לָ֑נוּ עֲשׂ֔וּ וְהִנֵּ֧ה עֲבָדֶ֛יךָ מֻכִּ֖ים וְחָטָ֥את עַמֶּֽךָ׃

O teu próprio povo é que tem a culpa. Assim disseram ao Faraó os capatazes israelitas. A produção de tijolos não podia diminuir, mas sem palha (e a ausência desta era culpa dos egípcios) a mesma produtividade era agora impossível. Acresça-se que os israelitas estavam sendo espancados por não serem capazes de completar suas tarefas diárias. Qualquer homem razoável teria dado ouvidos a esse apelo, mas o Faraó parecia ter perdido o equilíbrio mental. Não se dispunha a desistir do trabalho prestado pelos escravos, mas haveria de forçá-los a fugir a qualquer preço.

Lemos que no ano de 1845, nos moinhos de Lowell, Estado de Massachusetts, nos Estados Unidos da América, os operários trabalhavam uma média de onze horas por dia, durante o inverno, e treze horas diárias, durante o verão. Os operários protestaram. O governo do Estado recusou-se a ouvir os protestos, e o *New York Journal of Commerce* proclamou, piamente, que a questão era um caso moral. E publicou esta nota: "Trabalhar *somente* dez horas no verão e *oito* horas no inverno é desperdiçar a vida". Portanto, aqueles operários eram escravos para todos os efeitos práticos. Os sindicatos operários, apesar de ocasionalmente também se mostrarem abusivos, finalmente prestaram um serviço humanitário, podemos ter certeza disso.

■ 5.17

וַיֹּ֛אמֶר נִרְפִּ֥ים אַתֶּ֖ם נִרְפִּ֑ים עַל־כֵּן֙ אַתֶּ֣ם אֹֽמְרִ֔ים נֵלְכָ֖ה נִזְבְּחָ֥ה לַֽיהוָֽה׃

Estais ociosos, estais ociosos. Os apelos dos escravos não foram ouvidos. E os pobres serviçais, quebrantados de corpo por causa dos abusos, foram tachados de *ociosos*. Na estimativa do Faraó, somente tolos ociosos pensariam em internar-se no deserto para efetuar ritos religiosos. Aqueles escravos não tinham férias nem fins de semana para descansar.

A Perturbada Mente do Faraó. Em seu desvario à cata de trabalho barato, e temendo perdê-lo, o Faraó renunciou a toda a capacidade de raciocinar. Lançou a culpa nas *vítimas*, um truque psicológico tão comum. Os escravos israelitas, por sua vez, tinham perdido todo significado da vida, e só pensavam em *como escapar* da demência do Faraó.

Mostram-nos os registros históricos que, para os egípcios, o *ócio* era considerado uma das piores ofensas. Logo, o Faraó estava aplicando a ética egípcia à situação, embora cegasse voluntariamente a sua mente quanto às reais condições de vida dos escravos. A arqueologia tem descoberto inscrições em túmulos que negam especificamente a pecha de *preguiça* por parte da pessoa falecida (*Records of the Past*, vol. vi, pág. 137, Bunsen). No pós-túmulo, de acordo com as crenças egípcias, diante de Osíris, os homens mortos teriam de se justificar de qualquer suspeita de ter-se mostrado preguiçosos durante seu período de vida terrena.

■ 5.18

וְעַתָּה֙ לְכ֣וּ עִבְד֔וּ וְתֶ֖בֶן לֹא־יִנָּתֵ֣ן לָכֶ֑ם וְתֹ֥כֶן לְבֵנִ֖ים תִּתֵּֽנוּ׃

O Decreto Real Confirmado. Não seria fornecida palha; que os israelitas a obtivessem; e que produzissem a mesma quantidade de tijolos. Ver o decreto original, no vs. 8 deste capítulo, onde damos notas expositivas a respeito.

■ 5.19

וַיִּרְא֞וּ שֹֽׁטְרֵ֧י בְנֵֽי־יִשְׂרָאֵ֛ל אֹתָ֖ם בְּרָ֣ע לֵאמֹ֑ר לֹא־תִגְרְע֥וּ מִלִּבְנֵיכֶ֖ם דְּבַר־י֥וֹם בְּיוֹמֽוֹ׃

Desaparecera toda a esperança. A situação era insustentável. A vida tinha perdido o sentido. Era inútil esperar justiça ou misericórdia. "...servidão... miséria... aflição..." (John Gill, *in loc.*). "Fora-se o último farrapo de dignidade, segurança e esperança" (J. Coert Rylaarsdam, *in loc.*).

■ 5.20

וַֽיִּפְגְּעוּ֙ אֶת־מֹשֶׁ֣ה וְאֶֽת־אַהֲרֹ֔ן נִצָּבִ֖ים לִקְרָאתָ֑ם בְּצֵאתָ֖ם מֵאֵ֥ת פַּרְעֹֽה׃

Moisés e Arão estavam esperando pelos representantes do povo de Israel, os capatazes que estavam tendo uma audiência com o Faraó, para ouvirem o relatório que trariam. Havia uma expectativa doentia, doentia porque era inútil dialogar com o tresloucado Faraó, conforme Moisés e Arão já tinham descoberto quando tentavam dialogar com ele.

■ 5.21

וַיֹּאמְר֣וּ אֲלֵהֶ֔ם יֵ֧רֶא יְהוָ֛ה עֲלֵיכֶ֖ם וְיִשְׁפֹּ֑ט אֲשֶׁ֧ר הִבְאַשְׁתֶּ֣ם אֶת־רֵיחֵ֗נוּ בְּעֵינֵ֤י פַרְעֹה֙ וּבְעֵינֵ֣י עֲבָדָ֔יו לָֽתֶת־חֶ֥רֶב בְּיָדָ֖ם לְהָרְגֵֽנוּ׃

Olhe o Senhor... e vos julgue. Assim disseram os capatazes israelitas. Chegaram a invocar a Deus como juiz. A sentença divina (conforme estavam certos os capatazes) seria que Moisés e Arão tinham produzido toda a miséria que tanto os aflige. O Faraó teria ficado *indignado* por causa da sugestão tola de Moisés e de Arão que os israelitas se internassem no deserto caminho de três dias. E apesar de os capatazes não terem sido encarcerados, a vida dos escravos tinha sido reduzida a frangalhos. A violência poderia irromper a qualquer instante. Os superintendentes egípcios tinham espadas nas mãos; o Faraó poderia apelar para a execução em massa. "Temor e desespero" eram as palavras que descreveriam bem a sorte dos israelitas. Moisés e Arão tinham posto a espada nas mãos de seus inimigos.

... nos fizestes odiosos. Ou "mal cheirosos", conforme a palavra hebraica também pode ser traduzida. Aos olhos do Faraó, agora eles eram vis e repelentes. Cf. a ideia de "mau cheiro" com os trechos de Gênesis 34.30; 1Samuel 13.4; 2Samuel 10.6. O *Papyr. Anastas.* (i.27,7) diz algo semelhante. Agora as *espadas* poderiam aparecer na cena, a fim de manter a ordem. E provavelmente não temos aí mera metáfora, mas uma negra realidade.

■ 5.22

וַיָּ֧שָׁב מֹשֶׁ֛ה אֶל־יְהוָ֖ה וַיֹּאמַ֑ר אֲדֹנָ֗י לָמָ֤ה הֲרֵעֹ֙תָה֙ לָעָ֣ם הַזֶּ֔ה לָ֥מָּה זֶּ֖ה שְׁלַחְתָּֽנִי׃

Então Moisés, tornando-se ao Senhor. Moisés apresentou diante de Deus a sua queixa. Diz um antigo hino: "Leva tua carga ao Senhor, e deixa-a com ele". Tão amarga foi a queixa de Moisés que ele reconheceu a alegada verdade daquilo que o *povo* tinha dito, e passou a lançar a culpa sobre Deus. É muito fácil lançarmos a culpa sobre Deus. O *problema do mal* (ver a esse respeito no *Dicionário*) abala-nos a vida. Clamamos procurando saber "a razão" de nosso sofrimento, e as respostas que obtemos não são satisfatórias. E, então, a culpa pelo sofrimento humano é lançada sobre Deus. É verdade que Moisés aprendeu que aquela derrota inicial era, na verdade, uma *primeira vitória* disfarçada. Deus castigaria Faraó por causa do que ele estava fazendo. Em outras palavras, as maldades do Faraó provocariam a ira divina, e *esse* seria, afinal, o poder que libertaria o povo de Israel, e não os pobres discursos que Moisés e os capatazes israelitas poderiam fazer. Naquela conjuntura, meras palavras nada resolviam. A mão divina feriria os ofensores.

Moisés estava à cata de uma solução rápida para um problema dificílimo. Ele tinha esperado fazer Israel sair do Egito com o simples ardil de levar o povo ao deserto num caminho de três dias (Êx 5.3), e, então, simplesmente desaparecer. Mas o truque não deu certo. O Faraó percebeu a artimanha. Moisés estava agora sem novas ideias. Mas o plano divino tinha muitas outras provisões guardadas na algibeira.

■ 5.23

וּמֵאָ֞ז בָּ֤אתִי אֶל־פַּרְעֹה֙ לְדַבֵּ֣ר בִּשְׁמֶ֔ךָ הֵרַ֖ע לָעָ֣ם הַזֶּ֑ה וְהַצֵּ֥ל לֹא־הִצַּ֖לְתָּ אֶת־עַמֶּֽךָ׃

Pois desde que me apresentei a Faraó. *Moisés* começou a *duvidar* da autenticidade de seu chamamento. E, pior ainda, ele não tinha visto sua ideia operar como um passe de mágica, e, daí, presumiu que a Deus não restavam recursos. Aquilo que Deus tinha prometido, não havia cumprido. Há um antigo hino que alude à ansiedade causada pela "oração não respondida". Nossa visão é muito míope. Nossa paciência é praticamente nula. Grandes vitórias jazem por trás do horizonte. Mas nas trevas não podemos enxergá-las, e ficamos a nos lamentar em meio às sombras. E então, quando ocorre alguma grande vitória, ficamos atônitos. Exclamou Jesus: "Homens de pequena fé"! (Mt 6.30; 8.26; 14.31; 16.8). Quão bem e quão frequentemente essas palavras se aplicam a nós. Por outra parte, nenhum projeto divino entra em colapso, somente porque os homens são fracos. O poder de Deus sempre se manifesta quando se torna necessário.

CAPÍTULO SEIS

RENOVAÇÃO DA COMISSÃO DE MOISÉS (6.1-9)

Alguns críticos pensam que os versículos à nossa frente apresentam a chamada e a comissão de Moisés do ângulo da fonte informativa *P(S)*, não sendo apenas uma repetição daquilo que já fora dito (com reforços). Ver Êxodo 3.2 ss. Os conservadores veem nisso apenas uma reiteração. Ver no *Dicionário* o artigo *J.E.D.P.(S.)* quanto à teoria das fontes múltiplas do Pentateuco.

A renovação da comissão foi dada a Moisés no Egito. A comissão original tinha sido dada no Sinai ou no monte Horebe, o monte de Deus (Êx 3.1).

Uma das principais lições que precisamos aprender é que antigas derrotas tornam-se instrumentos: são os *meios* pelos quais, por fim, poderemos chegar à vitória. A opressão faraônica havia aumentado muito, e isso provocara o Senhor à ira. A paciência de Deus estava no fim. Em breve ele haveria de atingir o ofensor. O dia de o Faraó pagar por seus crimes estava cada vez mais próximo. Ver no *Dicionário* o artigo intitulado *Lei Moral da Colheita segundo a Semeadura*. Esta seção também serve de demonstração da contínua providência de Deus. Ver no *Dicionário* os verbetes *Providência de Deus* e *Teísmo*.

■ 6.1

וַיֹּאמֶר יְהוָה אֶל־מֹשֶׁה עַתָּה תִרְאֶה אֲשֶׁר אֶעֱשֶׂה לְפַרְעֹה כִּי בְיָד חֲזָקָה יְשַׁלְּחֵם וּבְיָד חֲזָקָה יְגָרְשֵׁם מֵאַרְצוֹ: ס

Agora verás. Deus repassava agora as promessas que tinha feito ao povo de Israel, além de ameaçar Faraó. Ambos esses fatores eram necessários para o divino projeto de redenção de seu povo.

"Agora precisamos continuar a confiar no Senhor. A religião consiste em continuar a confiar em Deus, depois de termos envidado nossos esforços ao máximo... Moisés tinha feito o melhor ao seu alcance e estava desencorajado diante dos resultados; mas fizera o máximo que podia. Deus disse que, para ele, isso poderia parecer um adiamento desnecessário, mas ele precisaria somente confiar em Deus, o qual entraria em ação quando chegasse o *momento oportuno*" (J. Edgar Park, *in loc.*).

Por mão poderosa. Haveria a intervenção divina, sem a qual Israel simplesmente nunca seria posto em liberdade. "A *mão poderosa*... o poder soberano, aplicado de maneira súbita e com força" (Adam Clarke, *in loc.*). A mão de Deus se mostraria tão poderosa que o Faraó em breve haveria de "deixá-los ir-se". Seria alto demais o preço a ser pago, se ele quisesse reter o trabalho escravo.

■ 6.2

וַיְדַבֵּר אֱלֹהִים אֶל־מֹשֶׁה וַיֹּאמֶר אֵלָיו אֲנִי יְהוָה:

Eu sou o Senhor. A presença de Deus continuava com Moisés. Por muitas vezes, vemos a presença divina, nos primeiros livros da Bíblia. Toda decisão e mudança importante que os homens de Deus precisam enfrentar são acompanhadas pela presença de Deus: ou sob a forma do anjo do Senhor (ver no *Dicionário* o verbete *anjo*); ou sob a forma de uma teofania (ver sobre isso no *Dicionário*); ou sob a forma de um sonho (ver as notas sobre Gn 28.12; 31.10). Ver também, no *Dicionário* o artigo intitulado *Sonhos*. Não basta tomarmos conhecimento acadêmico das realidades espirituais, ler a Bíblia, orar e meditar. Precisamos do toque místico em nossas vidas. Ver no *Dicionário* o artigo intitulado *Misticismo*.

Senhor. No hebraico, *Yahweh*. Ver no *Dicionário* o artigo sobre esse nome divino, e também *Deus, Nomes Bíblicos de*. *Yahweh* era o nome divino que identificava a nova religião. Ver Êxodo 3.14. "Eu sou o Senhor" é expressão repetida por quatro vezes nos vss. 2-8 deste capítulo. Ver as notas sobre Êxodo 3.14 quanto ao novo nome, *Eu Sou*, que se deriva da mesma raiz que o nome divino Yahweh. Para os antigos, o nome de uma pessoa representava o seu caráter e poder, bem como as suas características e habilidades inerentes. Portanto, o nome divino estava por trás do projeto de livramento de Israel da servidão no Egito. Havia um potencial apropriado para esse projeto.

■ 6.3

וָאֵרָא אֶל־אַבְרָהָם אֶל־יִצְחָק וְאֶל־יַעֲקֹב בְּאֵל שַׁדָּי וּשְׁמִי יְהוָה לֹא נוֹדַעְתִּי לָהֶם:

Apareci a Abraão. Conforme se vê em Gênesis 17.1, onde aparece pela primeira vez na Bíblia o nome *El Shaddai* (ver abaixo). A comissão dada a Moisés estava ligada à história dos patriarcas de Israel. Cabia a Moisés dar continuidade ao plano divino, à história sagrada que tinha começado com aqueles. Este trecho do versículo tem paralelo em Êxodo 3.15. A comissão outorgada a Moisés estava vinculada à missão dos patriarcas. No caso presente, são nomeados Abraão, Isaque e Jacó, e não meramente Abraão.

O Deus Todo-poderoso. No hebraico, *El Shaddai*. Esse era um antigo nome de Deus, que significa "o todo-suficiente", embora outras ideias existam sobre o seu significado. Ver a respeito no *Dicionário*, como também em Gênesis 17.1. Esse nome não era usado exclusivamente pelo povo de Israel. Ver Jl 1.15 e Deuteronômio 32.17. Deuses estrangeiros e poderes destrutivos também podiam ser chamados assim. Jó usou esse nome por 31 vezes (Jó 5.17 e outros trechos).

O Senhor. No hebraico, *Yahweh*. De acordo com este versículo, um nome mediante o qual Deus não se manifestara aos patriarcas. Essa declaração tem deixado os estudiosos perplexos. Os trechos de Êxodo 13.3; 17.2 e outros contêm esse nome. Os críticos supõem que essa declaração é oriunda da fonte informativa *P(S)*, ao passo que, em outras fontes, o nome Yahweh era conhecido entre os patriarcas como um nome divino. Ver no *Dicionário* o artigo chamado *J.E.D.P.(S.)* quanto à teoria das fontes múltiplas do Pentateuco. Os críticos veem nisso apoio para sua teoria de fontes múltiplas, supondo que o nome Yahweh (J seria a fonte do nome) seria um nome divino usado por outra fonte informativa, mais tardia. Nesse caso, o aparecimento do nome *Yahweh*, nos relatos sobre os patriarcas, deveria ser visto como inserções feitas por algum editor, em narrativas antigas, e não algo nativo a essas narrativas. Para Adão, o nome de Deus era *Elohim;* para Abraão, era *Adonai*; para Moisés, era *Yahweh*. Mas o culto a Yahweh foi estabelecido muito antes de Moisés, assim a confusão permanece de pé. Seja como for, o autor sacro diz-nos aqui que podemos chamar Deus de *El-Shaddai* ou de *Yahweh*, pois, em ambos os casos, nos estaremos referindo ao *mesmo único Deus*. Esse *Deus único* guiara a Abraão; e agora estava guiando a Moisés. Ver no *Dicionário* o artigo intitulado *Monoteísmo*.

Os eruditos conservadores opinam que o próprio Moisés inseriu o nome *Yahweh* nos relatos anteriores (ver Gn 2.4; 3.14; 9.1-9 etc.). Adam Clarke escreveu toda uma página de duas colunas tentando explicar como *Yahweh* já era um nome divino nos dias dos patriarcas, tendo achado esse nome até mesmo em outras culturas semíticas do mundo antigo. Mas lemos aqui que não foi assim que as coisas sucederam. Clarke não chegou a nenhum resultado definitivo, e é precisamente aí que nos encontramos, fazendo-lhe companhia.

Observou John Gill (*in loc.*): "Isso não deve ser entendido em um sentido *absoluto*; pois é certo que ele se fizera conhecer por Abraão, Isaque e Jacó por esse nome: Gênesis 15.6-8; 26.2,24; 28.13. Mas *comparativamente*... Ele não era tão bem conhecido por aqueles, por esse nome, do que era conhecido pelo outro nome [El Shaddai]". Uma boa tentativa, mas não o suficiente.

Este versículo tem sido alistado em favor da chamada *hipótese quenita*, ou seja, de que Moisés aprendeu esse nome divino, *Yahweh*, bem como as práticas religiosas ligadas a esse nome, da parte dos midianitas, entre os quais permaneceu, com seu sogro, durante quarenta anos, na terra de Midiã. Ver Êxodo 18.1 e suas notas introdutórias, bem como as notas em Êxodo 18.12 onde a questão é mais amplamente ventilada.

■ 6.4

וְגַ֨ם הֲקִמֹ֤תִי אֶת־בְּרִיתִי֙ אִתָּ֔ם לָתֵ֥ת לָהֶ֖ם אֶת־אֶ֣רֶץ כְּנָ֑עַן אֵ֛ת אֶ֥רֶץ מְגֻרֵיהֶ֖ם אֲשֶׁר־גָּ֥רוּ בָֽהּ׃

Estabeleci a minha aliança. O *Pacto Abraâmico* (ver as notas a respeito em Gn 15.18) reunia em um bloco toda a nação de Israel, a começar por Abraão, estendendo-se aos demais patriarcas, até Moisés, e, finalmente, a todo o povo de Israel. No livro de Gênesis, esse pacto é reiterado por dezesseis vezes, em várias conexões e graus de plenitude. Uma das principais provisões dessa aliança era que Israel teria um território pátrio. Mas antes que esse território lhes pudesse ser dado, deveria haver um período de exílio no Egito, ao mesmo tempo em que os habitantes originais da terra de Canaã teriam de preencher a sua taça de iniquidade. Quando essa taça estivesse cheia, então Deus os julgaria, e um dos resultados desse juízo é que os cananeus perderiam seus territórios. E, então, o povo de Israel se apossaria deles. Ver Gênesis 15.13,16. Ver Êxodo 2.24 quanto a como Deus lembrou o seu pacto com Abraão, e, por essa razão, tinha levantado Moisés para ser o libertador.

A terra em que habitaram como peregrinos. Ver Gênesis 17.8 e 23.4. "Abraão, Isaque e Jacó ocupavam a terra de Canaã por mera concessão; tinham *permissão* de ocupá-la, porque ela não lhes pertencia, mas foi-lhes dado esse direito por aqueles que realmente a possuíam. Esse território pertencia às nações cananeias, aos hititas, e outros (Gn 20.15; 23.3-20)" (Ellicott, *in loc.*). Ver também Hebreus 11.13.

■ 6.5

וְגַ֣ם ׀ אֲנִ֣י שָׁמַ֗עְתִּי אֶֽת־נַאֲקַת֙ בְּנֵ֣י יִשְׂרָאֵ֔ל אֲשֶׁ֥ר מִצְרַ֖יִם מַעֲבִדִ֣ים אֹתָ֑ם וָאֶזְכֹּ֖ר אֶת־בְּרִיתִֽי׃

Ouvi o gemido dos filhos de Israel. Deus estava agindo por misericórdia. Este versículo repete a mensagem de Êxodo 2.24. A compaixão de Deus, em combinação com considerações acerca do Pacto Abraâmico, levaram-no a levantar Moisés para que libertasse Israel. Ver também Êxodo 3.7-9, que afirma enfaticamente a misericórdia divina. Deus é aqui apresentado como o misericordioso cumpridor de sua promessa. Nenhuma palavra dita por ele pode cair por terra; nenhuma situação fica fora de seu controle; nenhuma tristeza está acima de sua cura. A *justiça divina* provocou a intervenção divina por meio de Moisés. A lei da colheita segundo a semeadura cuidaria de Faraó.

■ 6.6

לָכֵ֞ן אֱמֹ֥ר לִבְנֵֽי־יִשְׂרָאֵל֮ אֲנִ֣י יְהוָה֒ וְהוֹצֵאתִ֣י אֶתְכֶ֗ם מִתַּ֙חַת֙ סִבְלֹ֣ת מִצְרַ֔יִם וְהִצַּלְתִּ֥י אֶתְכֶ֖ם מֵעֲבֹדָתָ֑ם וְגָאַלְתִּ֤י אֶתְכֶם֙ בִּזְר֣וֹעַ נְטוּיָ֔ה וּבִשְׁפָטִ֖ים גְּדֹלִֽים׃

Reiteração da Mensagem Divina. Moisés deveria anunciar ao povo a mesma mensagem anterior. Agora *Yahweh* a tinha reiterado. Um grande livramento estava surgindo no horizonte, e esse livramento contava com o poder de Deus.

... vos resgatarei com braço estendido. O poder de Deus haveria de manifestar-se, e a tarefa da libertação seria cumprida. Ver em Êxodo 3.20 as notas sobre a poderosa *mão* de Deus. Ver Êxodo 3.10 quanto à declaração do propósito divino de libertação.

Com grandes manifestações de julgamento. Esses juízos seriam dois: 1. Mediante uma longa série de prodígios que produziriam confusão e destruição, culminando na décima praga mediante a qual pereceriam todos os primogênitos do Egito. Ver Êxodo 12.28 ss. Assim teria cumprimento o que fora dito em Êxodo 4.22,23. Ou o filho *primogênito* (Israel) de Yahweh seria libertado, ou teriam de morrer todos os primogênitos do Egito. 2. Haveria o grande milagre de destruição na travessia do mar Vermelho (Êx 14).

A Recompensa Perversa do Faraó:

> Quer alguém durma, ande ou esteja à vontade,
> A Justiça, invisível e muda, lhe segue os passos,
> Ferindo sua vereda, à direita e à esquerda,
> Pois todo erro nem a noite esconderá!
> O que fizeres, de algum lugar, Deus te vê.
> E pensas que a retribuição jaz remota, longe dos mortais?
> Bem perto, invisível, sabe muito bem a quem deve ferir.
> Mas tu não sabes a hora quando, rápida e repentinamente,
> Ela virá e varrerá da terra aos iníquos.
>
> Ésquilo

Ver no *Dicionário* o artigo chamado *Retribuição*.

■ 6.7

וְלָקַחְתִּ֨י אֶתְכֶ֥ם לִי֙ לְעָ֔ם וְהָיִ֥יתִי לָכֶ֖ם לֵֽאלֹהִ֑ים וִֽידַעְתֶּ֗ם כִּ֣י אֲנִ֤י יְהוָה֙ אֱלֹ֣הֵיכֶ֔ם הַמּוֹצִ֣יא אֶתְכֶ֔ם מִתַּ֖חַת סִבְל֥וֹת מִצְרָֽיִם׃

Compare as declarações deste versículo com Êxodo 19.5,6 e Deuteronômio 7.6. Uma nação havia sido escolhida para tornar-se o veículo da mensagem espiritual e para produzir o Messias. Mas o *mundo* é o objeto dessa mensagem (Jo 3.16; 1Jo 2.2). Deus era e sempre será o Deus de todas as nações (Sl 67.4). Todos os povos são aceitos por ele (Atos 10.35; ver também Mateus 8.5-13; Lc 7.2-10; At 10.1-33). Confronte a escolha de Abraão, em Gênesis 17.7,8, cujas notas expositivas se aplicam a este versículo. A providência de Deus (ver sobre esse assunto no *Dicionário*) é multifacetada. Ela opera *através* de Israel e beneficia a todas as demais nações, e não somente a nação de Israel.

Demonstrando a Natureza de Deus. Esse é um dos propósitos do livramento de Israel da servidão no Egito. Deus seria exaltado; seu poder seria exibido; sua justiça, comprovada; sua misericórdia mostrada; e sua vingança seria provada contra os injustos, especialmente contra Faraó. Uma pessoa é conhecida por meio de seus *atos*.

■ 6.8

וְהֵבֵאתִ֤י אֶתְכֶם֙ אֶל־הָאָ֔רֶץ אֲשֶׁ֤ר נָשָׂ֙אתִי֙ אֶת־יָדִ֔י לָתֵ֣ת אֹתָ֔הּ לְאַבְרָהָ֥ם לְיִצְחָ֖ק וּֽלְיַעֲקֹ֑ב וְנָתַתִּ֨י אֹתָ֥הּ לָכֶ֛ם מוֹרָשָׁ֖ה אֲנִ֥י יְהוָֽה׃

A Promessa sobre a Terra. Temos aí uma das principais *provisões* do Pacto Abraâmico, que demonstrei nas notas sobre Gênesis 15.18. Cf. Gênesis 15,16 e 16.22.

Jurei. No hebraico, "levantei minha mão", em um gesto que indicava o ato de fazer um juramento (Gn 16.22). Yahweh é que fizera essa promessa (ver Êx 6.3). "Sendo Deus um Ser imutável e eterno, certamente haveria de dar a terra a eles" (Ellicott, *in loc.*).

■ 6.9

וַיְדַבֵּ֥ר מֹשֶׁ֛ה כֵּ֖ן אֶל־בְּנֵ֣י יִשְׂרָאֵ֑ל וְלֹ֤א שָֽׁמְעוּ֙ אֶל־מֹשֶׁ֔ה מִקֹּ֣צֶר ר֔וּחַ וּמֵעֲבֹדָ֖ה קָשָֽׁה׃ פ

Mas eles não atenderam a Moisés. Era como nós diríamos: "É bom demais para ser verdade". Em sua miséria, Israel, nessa oportunidade, não foi capaz de exercer fé na promessa renovada de Deus. Eles tinham crido nos dois recados anteriores (Êx 3.18 e 4.31), mas as coisas tinham *piorado*, levando para baixo a fé deles. E as dúvidas deles fizeram Moisés duvidar de suas próprias habilidades (vs. 12). O primeiro anúncio tinha-os deixado exultantes; mas o fracasso inicial deixou-os deprimidos. Usualmente, a realidade não depende de nossa fé. Algumas vezes, a fé consiste em crer em algo que não corresponde à realidade vigente. Mas também existem aquelas ocasiões em que não cremos na realidade dos fatos. Certo profeta afirmou que, em tempos de tristeza, não devemos esperar que nossa fé seja vigorosa. Somos apenas pó (Sl 103.14). Mas a nossa fé acaba voltando.

Ânsia de espírito. No hebraico temos a expressão "respiração curta". Estavam todos tão deprimidos que simplesmente não podiam confiar. Exercer fé era mais do que eles poderiam fazer.

A INADEQUAÇÃO DE MOISÉS (6.10,11)

■ 6.10,11

וַיְדַבֵּר יְהוָה אֶל־מֹשֶׁה לֵּאמֹר׃
בֹּא דַבֵּר אֶל־פַּרְעֹה מֶלֶךְ מִצְרָיִם וִישַׁלַּח
אֶת־בְּנֵי־יִשְׂרָאֵל מֵאַרְצוֹ׃

Ver Êxodo 6.10-13,28,30. A missão foi renovada por ordem divina, repetindo um recado anterior. Moisés tinha de ir a Faraó e tinha de repetir: "Deixa ir os filhos de Israel". Em Êxodo 4.22,23, lemos que o *filho primogênito* de Deus tinha de ser solto da escravidão. Em Êxodo 5.1 lemos: "Deixa ir o meu povo".

Esta seção em geral prepara-nos para a escolha formal de Arão como companheiro e porta-voz de Moisés. Entrementes, é dada uma genealogia autenticadora, que mostra que Moisés e Arão tinham as credenciais históricas apropriadas para seus ofícios e missões.

Notemos que agora Moisés abandonou a *artimanha* da breve jornada de três dias (Êx 5.1-3). Agora, Moisés exigia total emancipação. Ele entrava no segundo *round* como se tivesse ganho o primeiro com grande vantagem. Enfrentou o Faraó, que lhe dera uma surra, e apresentou exigências ainda mais radicais. A primeira carga de Moisés até parecia leve; pois agora sua carga era verdadeiramente pesada.

■ 6.12

וַיְדַבֵּר מֹשֶׁה לִפְנֵי יְהוָה לֵאמֹר הֵן בְּנֵי־יִשְׂרָאֵל
לֹא־שָׁמְעוּ אֵלַי וְאֵיךְ יִשְׁמָעֵנִי פַרְעֹה וַאֲנִי עֲרַל
שְׂפָתָיִם׃ פ

Os filhos de Israel não me têm ouvido. Eles o haviam repelido. E como o Faraó haveria de ouvi-lo? Moisés era um hebreu; os hebreus tinham-no rejeitado. Já tinham lutado o bastante. E como o perdedor Moisés poderia enfrentar o Faraó e seus exércitos? Nem ao menos ele pudera enfrentar com sucesso a sua própria gente!

Não sei falar bem. No hebraico temos a expressão "tenho lábios incircuncisos". Mas nossa versão portuguesa dá aqui a correta interpretação do hebraico. Moisés frisou sua fala pesada, tal como fizera em Êxodo 4.10 ss. Naquela passagem, Arão foi-lhe dado como porta-voz, para contrabalançar a deficiência. Agora o relato volta à mesma questão, e devemos entender que Arão tornava-se então o porta-voz formal de Moisés, mas alguns eruditos pensam que Moisés se queixou de sua inadequação moral e espiritual, e não somente de sua dicção pesada.

■ 6.13

וַיְדַבֵּר יְהוָה אֶל־מֹשֶׁה וְאֶל־אַהֲרֹן וַיְצַוֵּם
אֶל־בְּנֵי יִשְׂרָאֵל וְאֶל־פַּרְעֹה מֶלֶךְ מִצְרָיִם
לְהוֹצִיא אֶת־בְּנֵי־יִשְׂרָאֵל מֵאֶרֶץ מִצְרָיִם׃ ס

Arão e Moisés recebem agora a tarefa. Em Arão havia uma força que não existia em Moisés. Um suplementaria o outro. Mas a autoridade permaneceria com Moisés (Êx 4.16). Este versículo revê, de modo breve, o que é dado com maiores detalhes em Êxodo 7.1-9. Ver também os vss. 28-30 deste capítulo.

GENEALOGIAS DE MOISÉS E ARÃO (6.14-27)

À primeira vista, essa genealogia parece deslocada. Mas devemo-nos lembrar que as conexões de família eram questões importantes para aqueles que recebiam alguma missão especial. Assim, no primeiro capítulo de Mateus e no terceiro capítulo de Lucas temos a genealogia de Jesus, a qual mostra que, como filho de Davi, ele tinha o direito de ser o Rei dos judeus. Moisés era descendente direto de Abraão. Arão tornou-se o representante da ordem sacerdotal. A genealogia de Arão mostra-nos, portanto, que o sacerdote desempenhava um papel ativo na fundação da nação de Israel, tendo participação crítica em suas primeiras vitórias. Os vss. 26 e 27 nos dão a razão do autor sagrado para injetar aqui as genealogias: Moisés e Arão, instrumentos da libertação de Israel, eram descendentes de Abraão, o fundador da nação. Juntamente com a chamada especial de Deus, que lhes foi feita, havia o fator autenticador de serem ambos descendentes de Abraão.

GENEALOGIA DE ABRAÃO A MOISÉS

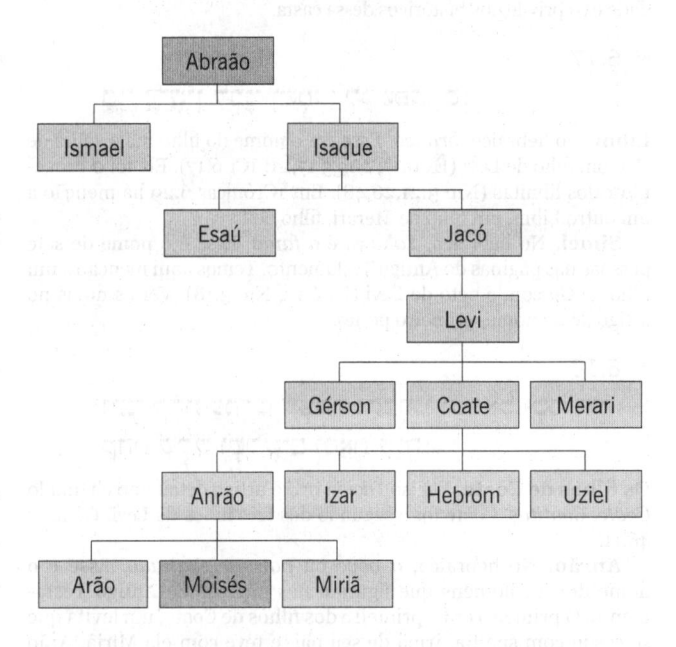

Abraão
├── Ismael
└── Isaque
    ├── Esaú
    └── Jacó
        └── Levi
            ├── Gérson
            ├── Coate
            │   ├── Anrão
            │   │   ├── Arão
            │   │   ├── Moisés
            │   │   └── Miriã
            │   ├── Izar
            │   ├── Hebrom
            │   └── Uziel
            └── Merari

■ 6.14

אֵלֶּה רָאשֵׁי בֵית־אֲבֹתָם בְּנֵי רְאוּבֵן בְּכֹר יִשְׂרָאֵל
חֲנוֹךְ וּפַלּוּא חֶצְרוֹן וְכַרְמִי אֵלֶּה מִשְׁפְּחֹת רְאוּבֵן׃

Os chefes das famílias. Temos aqui informes que se repetem essencialmente no vs. 25, pelo que a expressão encima e encerra a genealogia. Essa genealogia é representativa, e não exaustiva. "O propósito da genealogia de Arão e Moisés é traçar a *linhagem sacerdotal* a partir de Levi, filho de Jacó, e daí até Arão, e, então, passando pelo terceiro filho de Arão, Eleazar, até Fineias (Nm 3)". E nisso os críticos veem uma espécie de defesa da fonte informativa *P(S)*, que teria origem sacerdotal, indicando a legitimidade dos sacerdotes pertencentes a essa linhagem. Ver no *Dicionário* o artigo *J.E.D.P.(S.)* quanto à teoria das fontes múltiplas do Pentateuco.

Os nomes deste versículo, que pertencem à casa de Rúben, são os mesmos nomes que aqueles dados em Gênesis 46.9, onde há notas expositivas sobre cada um deles.

■ 6.15

וּבְנֵי שִׁמְעוֹן יְמוּאֵל וְיָמִין וְאֹהַד וְיָכִין וְצֹחַר וְשָׁאוּל
בֶּן־הַכְּנַעֲנִית אֵלֶּה מִשְׁפְּחֹת שִׁמְעוֹן׃

Os filhos de Simeão. Ver as notas sobre Gênesis 46.10. Os mesmos nomes e na mesma ordem são dados aqui. Ver também os artigos separados sobre esses nomes, no *Dicionário*.

■ 6.16

וְאֵלֶּה שְׁמוֹת בְּנֵי־לֵוִי לְתֹלְדֹתָם גֵּרְשׁוֹן וּקְהָת וּמְרָרִי
וּשְׁנֵי חַיֵּי לֵוִי שֶׁבַע וּשְׁלֹשִׁים וּמְאַת שָׁנָה׃

Os nomes dos filhos de Levi. Ver Gênesis 46.11, onde esses nomes aparecem na mesma ordem. Este versículo, porém, adiciona a idade de Levi quando morreu, a saber, 137 anos, por ser o patriarca da linhagem sacerdotal, bem como a principal personagem que o autor sagrado queria destacar na genealogia. Dos seus três filhos, Coate seria o transmissor da linhagem sacerdotal. No terceiro capítulo de Números é elaborado o mesmo padrão que vemos aqui, a fim de mostrar o papel dos vários ramos da família, no serviço do tabernáculo. "Arão e Moisés estavam quatro gerações distantes de Jacó. É significativo que a linhagem não continuou por meio de Moisés, mas por meio de Arão. O genealogista queria mostrar que a classe sacerdotal teve um papel ativo na fundação da nação" (J. Coert Rylaarsdam, *in loc.*).

Gérson, Coate e Merari. Ver os verbetes sobre esses homens no *Dicionário*. A idade de Levi (137 anos) ao morrer foi dada por ser ele o originador da casta sacerdotal em Israel, e este capítulo frisa a autoridade e os privilégios históricos dessa casta.

6.17

בְּנֵי גֵרְשׁוֹן לִבְנִי וְשִׁמְעִי לְמִשְׁפְּחֹתָם׃

Libni. No hebraico, *branco*. Esse era o nome do filho mais velho de Gérson, filho de Levi (Êx 6.17; Nm 3.17,21; 1Cr 6.17). Ele foi o progenitor dos libnitas (Nm 3.21,26,48). Em 1Crônicas 6.29 há menção a um outro Libni, um filho de Merari, filho de Levi.

Simei. No hebraico, *Yahweh é a fama*. Esse é o nome de sete pessoas nas páginas do Antigo Testamento. Temos aqui menção a um filho de Gérson, e neto de Levi (Êx 6.17; Nm 3.18). Ver as notas no artigo desse nome, primeiro ponto.

6.18

וּבְנֵי קְהָת עַמְרָם וְיִצְהָר וְחֶבְרוֹן וְעֻזִּיאֵל וּשְׁנֵי חַיֵּי קְהָת שָׁלֹשׁ וּשְׁלֹשִׁים וּמְאַת שָׁנָה׃

Os filhos de Coate. Ver no *Dicionário* o artigo detalhado chamado *Coate, Coatitas*. Coate foi o segundo dos três filhos de Levi. Gênesis 46.11.

Anrão. No hebraico, *o povo* ou *parente exaltado*. Esse é o nome de três homens que figuram nas páginas do Antigo Testamento. O primeiro era o primeiro dos filhos de Coate, um levita que se casou com sua tia, irmã de seu pai, e teve com ela Miriã, Arão e Moisés (Êx 6.18,20; Nm 3.19; 26.59). Os anrameus eram seus descendentes, encarregados de deveres especiais no tabernáculo, no deserto. Anrão morreu aos 137 anos de idade, provavelmente antes do êxodo.

Jizar. As traduções também grafam seu nome como *Izar*. No hebraico, *unguento*. Esse é o nome de duas pessoas no Antigo Testamento. Temos aqui um neto de Levi, segundo filho de Coate (Êx 6.18,21; Nm 3.19; 16.1; 1Cr 6.2,18). Em 1Crônicas 6.22, Aminadabe aparece em lugar de Izar, como filho de Coate e pai de Coré. Muitos estudiosos pensam que se trata de um erro de transcrição, visto que no vs. 38 reaparece o nome Izar, como deve ser. Seus descendentes tornaram-se conhecidos como os *izaritas*. Viveu em torno de 1440 a.C.

Hebrom. No hebraico, *comunidade, aliança*. Nome de dois homens aludidos no Antigo Testamento. Temos aqui o terceiro filho de Coate, neto de Levi e irmão mais novo de Anrão, o qual foi o pai de Moisés e de Arão (Êx 6.18; Nm 3.19; 1Cr 6.2,18; 23.12,19). Seus descendentes são chamados *hebronitas* em Números 3.27 e em outras referências bíblicas.

Uziel. No hebraico, *Deus é força*. Esse é o nome de seis personagens do Antigo Testamento. Ver sobre esse nome no *Dicionário*, sob o primeiro ponto.

Coate viveu por 133 anos. Sua idade é mencionada (ao passo que nada é dito sobre a idade dos outros), por ser ele figura importante da casta sacerdotal. A preocupação central da genealogia foi exaltar o prestígio e a autoridade da tribo sacerdotal de Levi. Dos três filhos de Levi, Coate foi o continuador da linhagem. Essa linhagem, segundo é apresentada por este texto, passa através dos descendentes de Arão, e não através de Moisés.

6.19

וּבְנֵי מְרָרִי מַחְלִי וּמוּשִׁי אֵלֶּה מִשְׁפְּחֹת הַלֵּוִי לְתֹלְדֹתָם׃

Os filhos de Merari. Esses foram apenas dois, a saber:

Mali. No hebraico, *fraco, enfermiço*. Há dois homens com esse nome no Antigo Testamento. Aqui achamos o filho mais velho de Merari, neto de Levi (Êx 6.19; Nm 3.20; 1Cr 6.19; 23.21; 24.26; Ez 8.18,19). Mali teve três filhos: Libi (1Cr 6.29), Eleazar e Quis (1Cr 23.21; 24.58). Seus descendentes eram conhecidos como malitas (Nm 3.33; 26.28). Foi-lhes outorgado um serviço específico, juntamente com os musitas (mesma referência), seus irmãos, a saber, o de carregarem as armações e outras peças do tabernáculo e de seu equipamento (Nm 4.31-33).

Musi. No hebraico, *sensível*. Nome de um dos filhos de Merari, o qual, por sua vez, era filho de Coate (Êx 6.19; Nm 3.20; 1Cr 6.19,47; 23.21,23; 24.26,30). O clã que descendia de Musi tornou-se conhecido como os *musitas* (Nm 3.33; 26.58).

6.20

וַיִּקַּח עַמְרָם אֶת־יוֹכֶבֶד דֹּדָתוֹ לוֹ לְאִשָּׁה וַתֵּלֶד לוֹ אֶת־אַהֲרֹן וְאֶת־מֹשֶׁה וּשְׁנֵי חַיֵּי עַמְרָם שֶׁבַע וּשְׁלֹשִׁים וּמְאַת שָׁנָה׃

Anrão. Ver as notas sobre o vs. 18, quanto a esse nome.

Joquebede. No hebraico, *glorificada por Deus* ou *Yahweh é a glória*. Esse era o nome de uma filha de Levi, irmã de Coate, esposa de Anrão, mãe de Miriã, Arão e Moisés (Êx 6.20; Nm 26.59). Alguns eruditos põem em dúvida o sentido desse nome, que parece ser composto com o nome divino Yahweh (ver no *Dicionário*). Isso eles alegam porque estão convencidos de que o uso do nome divino, Yahweh, vem da época de Moisés. Há evidências, porém, de que esse nome realmente pré-datava os dias de Moisés, e que era usado entre os povos semitas antigos. Ver o artigo sobre *Jetro*. Em Êxodo 6.20 está registrado que Joquebede era irmã de Anrão, pelo que era *tia* de seu próprio marido. Visto que casamentos entre parentes assim chegados foram posteriormente proibidos (Lv 18.12), várias tentativas têm sido feitas para aliviar a situação de *incesto*. Mas essas tentativas são inúteis, visto que há provas claras de tais relações de sangue em outros casos. Abraão casou-se com Sara, sua meia-irmã (Gn 20.12). A Septuaginta faz de Joquebede uma prima de Anrão, mas isso somente reflete uma antiga modificação no texto sagrado. Expus um estudo detalhado sobre as incidências de incesto no Antigo Testamento, na introdução ao capítulo 18 do livro de Levítico. Ver também, no *Dicionário*, o artigo intitulado *Incesto*. Os costumes sociais se modificam, e há ensinos bíblicos que têm acompanhado essas mudanças. A revelação é progressiva, e não fixa e estagnada. Coisas que antes não eram consideradas erradas passavam a ser consideradas erradas, acompanhando o progresso da iluminação espiritual, *e* vice-versa.

Anrão viveu até ao 137 anos. E esse detalhe é mencionado por ter sido ele o pai de Arão e Moisés.

6.21

וּבְנֵי יִצְהָר קֹרַח וָנֶפֶג וְזִכְרִי׃

Os filhos de Jizar. Esses filhos foram três, a saber:

Corá. Seu nome também é grafado como *Caré*. No hebraico, *calvo*. Nome de cinco pessoas do Antigo Testamento. O do presente texto aparece no *Dicionário* no quinto lugar, onde há notas detalhadas a respeito.

Nefegue. No hebraico, *rebento*. Nome de dois homens que aparecem no Antigo Testamento. Ele era filho de Izar ou Jizar, filho de Coate. Só é mencionado aqui em todo o Antigo Testamento. Viveu em torno de 1491 a.C.

Zicri. No hebraico, *renomado*. Nada menos de doze homens figuram no Antigo Testamento com esse nome. O homem do presente texto era filho de Izar ou Jizar, neto de Levi. Zicri só é mencionado aqui em todo o Antigo Testamento. Ver sobre ele no *Dicionário*.

6.22

וּבְנֵי עֻזִּיאֵל מִישָׁאֵל וְאֶלְצָפָן וְסִתְרִי׃

Os filhos de Uziel. Esses filhos foram três, a saber:

Misael. No hebraico, *quem é o que Deus é?* ou *quem é como Deus?* Ele foi o primeiro dos filhos de Uziel a ser chamado por nome. Uziel era irmão de Anrão, pai de Moisés. Por conseguinte, Misael era primo de Moisés. Moisés ordenou-lhe que transportasse os cadáveres de Nadabe e Abiú, depois da transgressão e do pecado deles (Lv 10.4). Isso ocorreu por volta de 1439 a.C.

Elzafã. No hebraico, *protegido por Deus*. Ele era filho de Uziel, um levita que descendia de Coate e primo de Moisés. Ajudou a remover os corpos mortos de Nadabe e Abiú do santuário, onde tinham morrido, depois de terem oferecido incenso proibido (aqui e Lv 10.4).

Sitri. No hebraico, *Yahweh é proteção*. Era neto de Coate e filho de Uziel. Também era primo de Moisés. Só é mencionado aqui em todo o Antigo Testamento. Viveu em cerca de 1530 a.C.

6.23

וַיִּקַּח אַהֲרֹן אֶת־אֱלִישֶׁבַע בַּת־עַמִּינָדָב אֲחוֹת נַחְשׁוֹן
לוֹ לְאִשָּׁה וַתֵּלֶד לוֹ אֶת־נָדָב וְאֶת־אֲבִיהוּא אֶת־
אֶלְעָזָר וְאֶת־אִיתָמָר׃

Família de Arão:
Eliseba. No hebraico, *Deus é jurador* ou *aliança de Deus*. O nome corresponde a *Isabel*, no Novo Testamento. Era esposa de Arão e mãe de toda a família sacerdotal de Israel. Era filha de Aminadabe e irmã de Naasom, e, portanto, da tribo de Judá. Ver Êxodo 6.23. Ela teve quatro filhos: Nadabe, Abiú, Eleazar e Itamar. Os dois primeiros perderam a vida por castigo do Senhor (Nm 3.4). Os dois últimos tiveram descendentes que ocuparam o ofício sumo sacerdotal em diferentes épocas da história de Israel. Eleazar foi o sucessor imediato de Arão (Nm 20.25-28).

Aminadabe. No hebraico, *meu parente é generoso* ou *meu parente é nobre*. Esse é o nome de quatro homens que figuram no Antigo Testamento. Há um artigo detalhado sobre esses homens no *Dicionário*, onde o Aminadabe deste texto aparece em primeiro lugar.

Naassom. No hebraico, *oráculo* ou *encantador*. (Aqui e em Nm 2.3; 7.12-17; Mt 1.4; Lc 3.32). Dentro da genealogia de Jesus, Naassom é chamado de filho de Aminadabe. Foi um dos chefes da tribo de Judá, ao tempo do êxodo. E quando das vagueações de Israel pelo deserto, ele foi o líder dessa tribo. Naassom, sem dúvida, foi homem dotado de considerável autoridade. Sua irmã, Eliseba, casou-se com Arão. A linhagem de Eliseba inclui nomes como Salma, Boaz, Obede, Jessé e Davi (Rt 4.20 ss.; 1Cr 2.10 ss.). Sendo um dos antepassados de Davi, naturalmente ele aparece como um dos ancestrais de Jesus, o Cristo.

Nadade. No hebraico, *liberal* ou *bem-disposto*. Há quatro homens com esse nome nas páginas do Antigo Testamento. Ver sobre esse nome no *Dicionário*. O homem que aparece neste texto é o primeiro da lista naquele verbete.

Abiú. No hebraico, *de quem Deus é pai*. Há um artigo detalhado sobre esse nome, no *Dicionário*.

Eleazar. No hebraico, *Deus é ajudador*. Há nove homens com esse nome no Antigo Testamento. Aquele que figura aqui é o primeiro da lista no artigo com esse nome, no *Dicionário*.

Itamar. No hebraico, *ilha das palmeiras*. Esse era o nome do quarto filho de Arão, irmão mais velho de Moisés. Ele foi consagrado ao sacerdócio juntamente com seus irmãos (aqui e Nm 3.2,3). Sabemos que a propriedade do tabernáculo foi deixada aos seus cuidados (Êx 38.21), e que ele supervisionava a atuação das seções levíticas de Gérson e Merari (Nm 4.28); mas à parte disso, não temos informações mais específicas.

Itamar e seus descendentes ocuparam a posição de sacerdotes *comuns*, até que o sumo sacerdócio passou para essa família na pessoa de Eli. Entretanto, são desconhecidas as causas dessa transferência de sumo sacerdócio. Abiatar, deposto por Salomão, foi o último sumo sacerdote dessa linhagem, quando então o ofício reverteu à linhagem de Eleazar, na pessoa de Zadoque (1Rs 2.35).

Os dois irmãos mais velhos de Itamar, Nadabe e Abiú, foram executados a mando do Senhor por terem oferecido fogo estranho sobre o altar (Lv 10; Nm 3.4; 26). Quando Israel vagueava pelo deserto, ele era líder dos levitas (Êx 38.21), e também dos gersonitas (Nm 4.28) e dos meraritas (Nm 4.33; 7.8). O trecho de Esdras 8.2 mostra que a família de Itamar sobreviveu como um clã distinto, terminado o cativeiro babilônico.

6.24

וּבְנֵי קֹרַח אַסִּיר וְאֶלְקָנָה וַאֲבִיאָסָף אֵלֶּה מִשְׁפְּחֹת
הַקָּרְחִי׃

Os filhos de Corá. Seus filhos também foram três, a saber:

Assir. No hebraico, *cativo*. Ele foi um levita, filho de Corá (aqui e em 1Cr 6.22).

Elcana. No hebraico, *Deus se apossou* ou *Deus criou*. Há oito homens com esse nome no Antigo Testamento. Ver no *Dicionário* o artigo detalhado sobre esse nome. O Elcana deste texto é o número um da lista daquele artigo.

Abiasafe. No hebraico, *pai da colheita*. Ele era o mais jovem dos três filhos do levita Corá (só é mencionado aqui). Viveu depois de 1740 a.C. O nome Abiasafe pode aplicar-se a uma divisão dos levitas, descendentes de Corá. Em 1Crônicas, Abiasafe é alistado entre os porteiros, embora seja incerta a identificação. Entre os descendentes notáveis dele figura o profeta Samuel, filho de Elcana (1Sm 1.1).

6.25

וְאֶלְעָזָר בֶּן־אַהֲרֹן לָקַח־לוֹ מִבְּנוֹת פּוּטִיאֵל לוֹ
לְאִשָּׁה וַתֵּלֶד לוֹ אֶת־פִּינְחָס אֵלֶּה רָאשֵׁי אֲבוֹת הַלְוִיִּם
לְמִשְׁפְּחֹתָם׃

Eleazar. Ver o vs. 23 e o artigo *Eleazar*, no *Dicionário*.

Putiel. No hebraico, *afligido por Deus (El)*. Esse foi o nome do pai da esposa de Eleazar, o sacerdote. Essa mulher, cujo nome não é dado aqui, foi mãe de Fineias (ver abaixo). Eleazar era filho de Arão.

Fineias. No hebraico, *oráculo*. Nome de três homens que figuram no Antigo Testamento. Há um detalhado artigo sobre as pessoas desse nome, no *Dicionário*. E o primeiro nome daquela lista corresponde ao Fineias deste texto.

Os Levitas. Esta genealogia enfatiza a origem, a posição, a prioridade social e a autoridade da classe sacerdotal de Israel, juntamente com a autoridade de Moisés e Arão, como os antigos líderes que, orientados pelo poder de Deus, efetuaram o êxodo, pondo fim ao exílio egípcio de Israel.

O que há de estranho nesta genealogia é que nela os descendentes de Moisés não aparecem. Isso não se devia ao fato de que Moisés era homem humilde, mas porque o propósito central do material aqui apresentado é o de autenticar a classe sacerdotal. Os críticos pensam que esse material foi preservado pela fonte informativa *P(S)*. Ver no *Dicionário* o artigo *J.E.D.P.(S.)* quanto à teoria das fontes múltiplas do Pentateuco.

6.26

הוּא אַהֲרֹן וּמֹשֶׁה אֲשֶׁר אָמַר יְהוָה לָהֶם הוֹצִיאוּ
אֶת־בְּנֵי יִשְׂרָאֵל מֵאֶרֶץ מִצְרַיִם עַל־צִבְאֹתָם׃

As Credenciais de Arão e Moisés. As genealogias eram importantes aos olhos dos hebreus. Os dois grandes líderes, um dos quais foi o originador da classe sacerdotal de Israel, aparecem assim como quem é dotado de autoridade histórica e de prestígio, por meio da genealogia acima. Por conseguinte, entendemos que foi Yahweh quem os levantou e lhes conferiu autoridade.

O nome de Arão aparece aqui não por ser ele o mais velho, mas porque a genealogia dada acima tinha enfatizado a importância da casta sacerdotal, da qual ele era o antepassado histórico.

Segundo as suas hostes. Essa declaração mostra que o povo de Israel marchou para fora do Egito em ordem, agrupado em clãs. Algumas traduções, em lugar de "hostes" ou "exércitos", dizem "famílias", mais de acordo com o original hebraico. Alguns estudiosos supõem que os clãs se organizaram quase como batalhões, preparados para a batalha, e, talvez, armados. Essa expressão reaparece em Êxodo 7.4 e 12.17,21.

6.27

הֵם הַמְדַבְּרִים אֶל־פַּרְעֹה מֶלֶךְ־מִצְרַיִם לְהוֹצִיא
אֶת־בְּנֵי־יִשְׂרָאֵל מִמִּצְרָיִם הוּא מֹשֶׁה וְאַהֲרֹן׃

São estes, Moisés e Arão. Os mesmos que tinham tido coragem de enfrentar o Faraó com suas exigências atrevidas. O autor reforça sua autenticação da autoridade e da proeminência histórica dos dois.

"Nos vss. 20 e 26, Arão é mencionado antes de Moisés por ser o irmão mais velho. Mas em Êxodo 6.27, o nome de Moisés aparece em primeiro lugar, porque tinha maior responsabilidade no êxodo."

MOISÉS FALA DE NOVO AO FARAÓ (6.28—7.13)

"Após a inserção da nova genealogia, foram adicionados os vss. 28-30 para lembrar o leitor sobre o que tinha sido dito antes" (J. Coert Rylaarsdam, *in loc.*). Essa segunda convocação divina é bem parecida com a primeira, havendo as mesmas demandas e a mesma reação favorável da parte de Moisés.

6.28,29

וַיְהִ֗י בְּי֨וֹם דִּבֶּ֧ר יְהוָ֛ה אֶל־מֹשֶׁ֖ה בְּאֶ֥רֶץ מִצְרָֽיִם׃ פ

וַיְדַבֵּ֧ר יְהוָ֛ה אֶל־מֹשֶׁ֥ה לֵּאמֹ֖ר אֲנִ֣י יְהוָ֑ה דַּבֵּ֗ר אֶל־פַּרְעֹה֙ מֶ֣לֶךְ מִצְרַ֔יִם אֵ֛ת כׇּל־אֲשֶׁ֥ר אֲנִ֖י דֹּבֵ֥ר אֵלֶֽיךָ׃

Todos os elementos desses dois versículos são vistos no texto anterior. Ver a exposição dos vss. 2,6,8,10 e 11 deste capítulo.

Algumas vezes, precisamos ser relembrados de nossa missão, por assim dizer, uma segunda comissão, especialmente quando já fizemos uma tentativa honesta mas abortada de cumprir as exigências divinas. A espiritualidade não depende de uma vitória em um golpe único. O caminho da vitória está salpicado de pequenas derrotas e vitórias por um longo período de tempo.

6.30

וַיֹּ֥אמֶר מֹשֶׁ֖ה לִפְנֵ֣י יְהוָ֑ה הֵ֤ן אֲנִי֙ עֲרַ֣ל שְׂפָתַ֔יִם וְאֵ֕יךְ יִשְׁמַ֥ע אֵלַ֖י פַּרְעֹֽה׃ פ

A objeção que aparece no vs. 12 é aqui repetida. Ver as notas expositivas naquele ponto.

CAPÍTULO SETE

Este capítulo, até o seu sétimo versículo, continua o assunto iniciado em Êxodo 6.28. Enfatiza aquilo que já pudemos ver, a nomeação de Arão (vss. 1-7); o equipamento dado a Moisés e a Arão (vss. 8-13); as revelações iniciais do poder divino, necessário ao êxodo (Êx 7.14—18.27). Deus multiplicou seus sinais e prodígios, além de desferir as terríveis dez pragas contra o Egito (Êx 7.14—11.10). A poluição da *linha de vida* do Egito, o rio Nilo, foi o primeiro golpe contra a arrogância do Egito.

7.1

וַיֹּ֤אמֶר יְהוָה֙ אֶל־מֹשֶׁ֔ה רְאֵ֛ה נְתַתִּ֥יךָ אֱלֹהִ֖ים לְפַרְעֹ֑ה וְאַהֲרֹ֥ן אָחִ֖יךָ יִהְיֶ֥ה נְבִיאֶֽךָ׃

... te constituí como deus sobre Faraó. Este versículo reitera os elementos essenciais de Êxodo 4.16, exceto o fato de que agora Moisés seria "como deus sobre Faraó", e não para Arão. A boca de Arão, naquele versículo, agora é substituída pela palavra "profeta". Ver no *Dicionário* os artigos intitulados *Profecia, Profetas e o Dom da Profecia*. Já vimos a chamada e a comissão de Arão, no quarto capítulo deste livro. Isso é repetido para efeito de ênfase, agora que a segunda tentativa de convencer ao Faraó estava prestes a ocorrer. A primeira tentativa havia terminado em fracasso. Ver o quinto capítulo de Êxodo quanto a essa história.

O Faraó dispunha de seus manhosos *magoi*, os seus mágicos e sábios. Mas ele nunca tivera visto um poder espiritual como aquele que podia perceber na face de Moisés. Moisés seria como um deus para ele, algo insondável, acima da compreensão humana. Mesmo assim, seria preciso bastante tempo para esse poder mostrar-se eficaz. O Faraó mostraria ser um homem verdadeiramente teimoso.

Este versículo dá a resposta à objeção feita por Moisés, em Êxodo 6.30.

7.2

אַתָּ֣ה תְדַבֵּ֔ר אֵ֖ת כׇּל־אֲשֶׁ֣ר אֲצַוֶּ֑ךָּ וְאַהֲרֹ֤ן אָחִ֙יךָ֙ יְדַבֵּ֣ר אֶל־פַּרְעֹ֔ה וְשִׁלַּ֥ח אֶת־בְּנֵֽי־יִשְׂרָאֵ֖ל מֵאַרְצֽוֹ׃

Tu falarás tudo o que eu te ordenar. Deus exigiu obediência absoluta. Seria preciso bastante tempo. Haveria muitas ordens; muitos movimentos; muitas estratégias. Arão desempenharia seu papel de orador principal. A mensagem seria a mesma: "Deixa que meu povo saia". Deus tinha um *filho*, o seu primogênito, que deveria ser tirado do Egito, pondo fim ao longo exílio que os israelitas sofreram ali. Ver sobre essa metáfora em Êxodo 4.22,23. Arão era o porta-voz de Moisés (Êx 4.16). Tanto Moisés quanto Arão falariam com Faraó (Êx 5.1). Mas aqui Arão é o único porta-voz.

7.3

וַאֲנִ֥י אַקְשֶׁ֖ה אֶת־לֵ֣ב פַּרְעֹ֑ה וְהִרְבֵּיתִ֧י אֶת־אֹתֹתַ֛י וְאֶת־מוֹפְתַ֖י בְּאֶ֥רֶץ מִצְרָֽיִם׃

Endurecerei o coração de Faraó. Ver Êxodo 4.21 quanto a todas as implicações desta declaração. A notória obstinação de Faraó é enfatizada em Êxodo 3.19 e 4.21. E a *razão* disso é declarada no quinto versículo deste capítulo, onde o leitor deve examinar as notas expositivas.

O Faraó não teria permissão de facilitar as coisas para Moisés. Moisés estava aprendendo. O Faraó também estava aprendendo. Lições importantes estavam sendo ensinadas. Haveria um sinal após outro, um prodígio após outro, mas o Faraó não cederia *enquanto* o propósito divino não tivesse total cumprimento. Estava acontecendo *mais* do que meramente a retirada de Israel do Egito.

Os meus sinais e as minhas maravilhas. Esses prodígios seriam *didáticos*. Ver no *Dicionário* o verbete chamado Sinal (Milagre).

7.4

וְלֹֽא־יִשְׁמַ֤ע אֲלֵכֶם֙ פַּרְעֹ֔ה וְנָתַתִּ֥י אֶת־יָדִ֖י בְּמִצְרָ֑יִם וְהוֹצֵאתִ֨י אֶת־צִבְאֹתַ֜י אֶת־עַמִּ֤י בְנֵֽי־יִשְׂרָאֵל֙ מֵאֶ֣רֶץ מִצְרַ֔יִם בִּשְׁפָטִ֖ים גְּדֹלִֽים׃

Porei a minha mão. A pesada mão de Deus seria descarregada contra o Egito. A derrota do Faraó seria, ao mesmo tempo, a derrota dos deuses falsos do Egito. Cada uma das dez pragas seria um golpe dado pela mão de Deus.

As minhas hostes. Em algumas traduções, mais de acordo com o original hebraico, lemos aqui "famílias". Ver as notas sobre essa expressão em Êxodo 6.26.

O meu povo. Ver essa expressão em Êxodo 3.7,10; 8.1; 9.13; 10.3 etc. Israel era o povo *pertencente* a Deus, em razão do Pacto Abraâmico (ver as notas sobre esse pacto em Gn 15.18).

Os Números Envolvidos. O trecho de Números 1.46 mostra-nos que havia cerca de seiscentos mil homens capazes de pegar em armas, em Israel, por ocasião do êxodo. Isso indica que o total do povo de Israel deveria ser de cerca de três milhões de pessoas. Talvez esse povo tivesse sido organizado em unidades quase militares, conforme a palavra "hoste", aqui usada, dá a entender. É possível mesmo que os israelitas tivessem saído armados do Egito, preparados para combater contra os egípcios, se estes saíssem ao seu encalço.

7.5

וְיָדְע֤וּ מִצְרַ֙יִם֙ כִּֽי־אֲנִ֣י יְהוָ֔ה בִּנְטֹתִ֥י אֶת־יָדִ֖י עַל־מִצְרָ֑יִם וְהוֹצֵאתִ֥י אֶת־בְּנֵֽי־יִשְׂרָאֵ֖ל מִתּוֹכָֽם׃

Eu sou o Senhor. No original hebraico temos aqui o nome divino *Yahweh*. Este deveria ser conhecido pelo mundo todo, destacando-se sobretudo que ele é o Deus único; que ele favorece Israel e opera através desse povo; que os deuses do Egito são falsos; que todos os povos devem prestar lealdade a esse Deus único. O Faraó não sabia quem era *Yahweh* (Êx 5.1-2), e não queria obedecer aos seus mandamentos. Os muitos sinais, milagres e pragas serviriam de vívidas lições teológicas quanto à identidade e o poder de *Yahweh*. Ver o artigo detalhado sobre esse nome divino no *Dicionário*, como também os artigos Deus, Nomes Bíblicos de e Monoteísmo.

"O Egito era a maior monarquia do mundo inteiro. Agora essa monarquia estava no máximo de seu resplendor. Dentre todas as formas de politeísmo existentes, a forma egípcia era a mais famosa; e os seus deuses devem ter parecido, não somente para os egípcios, mas para todas as nações circundantes, os mais poderosos. Lançar esses deuses no descrédito era lançar no descrédito o politeísmo em geral" (Ellicott, *in loc.*).

7.6

וַיַּ֥עַשׂ מֹשֶׁ֖ה וְאַהֲרֹ֑ן כַּאֲשֶׁ֨ר צִוָּ֧ה יְהוָ֛ה אֹתָ֖ם כֵּ֥ן עָשֽׂוּ׃

Deus exigira obediência absoluta (7.2), e esta tinha sido dada. A vida de quase todos nós é como um saquinho de bolinhas de gude misturadas. Há as brilhantes e as escuras, todas elas misturadas no mesmo saco. Fazemos o que é correto; fazemos o que é errado; fazemos coisas bem-feitas; fazemos coisas malfeitas; temos sucesso; fracassamos. Moisés e Arão, quando faziam seu melhor, conseguiam fazer *tudo* para agrado do Senhor. Mas Moisés, em suas dúvidas, tinha iniciado sua carreira um tanto capengante, com uma longa série de objeções. O quarto capítulo do Êxodo conta-nos essa história. Agora, porém, tudo isso estava relegado ao passado. A preparação de Moisés fora completa e eficaz.

■ 7.7

וּמֹשֶׁה֙ בֶּן־שְׁמֹנִ֣ים שָׁנָ֔ה וְאַֽהֲרֹ֕ן בֶּן־שָׁלֹ֥שׁ וּשְׁמֹנִ֖ים שָׁנָ֑ה בְּדַבְּרָ֖ם אֶל־פַּרְעֹֽה׃ פ

Os Ciclos da Vida de Moisés. Houve três desses grandes ciclos, cada qual de quarenta anos. Ver Deuteronômio 34.7 e cf. Atos 7.23. Moisés faleceu com 120 anos de idade, e esses 120 anos foram divididos em três períodos: 1. Durante seus primeiros quarenta anos, ele viveu e foi educado no Egito, sob o favor de Faraó, tendo sido adotado como filho da filha de Faraó (At 7.23; Êx 2.9,10). 2. Então, ao defender um compatriota israelita, Moisés matou um egípcio (Êx 2.11). E isso forçou-o a fugir para Midiã, onde ficou exilado voluntariamente, no deserto, durante quarenta anos, como um pastor, trabalhando para Jetro, seu sogro. 3. Este versículo mostra-nos que ele *agora iniciava* seu terceiro e último ciclo de vida, aos 80 anos de idade. E passaria a maior parte desse terceiro período em outro deserto, vagueando em várias direções, mas sem nunca entrar na Terra Prometida — grande ironia!

Arão era três anos mais velho que Moisés. As tradições judaicas informam que Miriã, por esse tempo, estava com oitenta e sete anos. Ver Êxodo 2.4 quanto ao fato que ela já era uma garota quando Moisés nasceu. Arão morreu com 123 anos (Nm 33.39).

Profetas Idosos. Nos Targuns há comentários sobre o fato de que Moisés e Arão foram, realmente, os únicos profetas de grande idade. "Os monumentos egípcios estampam casos de oficiais ativamente empregados em suas funções depois que tinham feito cem anos de idade" (Ellicott, *in loc.*).

■ 7.8,9

וַיֹּ֤אמֶר יְהוָה֙ אֶל־מֹשֶׁ֣ה וְאֶֽל־אַהֲרֹ֔ן לֵאמֹֽר׃

כִּי֩ יְדַבֵּ֨ר אֲלֵכֶ֤ם פַּרְעֹה֙ לֵאמֹ֔ר תְּנ֥וּ לָכֶ֖ם מוֹפֵ֑ת וְאָמַרְתָּ֣ אֶֽל־אַהֲרֹ֗ן קַ֧ח אֶֽת־מַטְּךָ֛ וְהַשְׁלֵ֥ךְ לִפְנֵֽי־פַרְעֹ֖ה יְהִ֥י לְתַנִּֽין׃

O primeiro *sinal* dado em Êxodo 4.3-9, que agora se cumpria. A questão é amplamente comentada em Êxodo 4.3,4. Os mágicos do Faraó foram capazes de fazer a mesma coisa, por meio de truques ou do poder de Satanás (vs. 11). O fato de que as serpentes dos mágicos foram devoradas pela serpente de Arão não impressionou ao Faraó, o qual, de acordo com o que tinha sido predito, endureceria seu coração (vs. 13). Esses milagres já tinham sido realizados, a fim de convencer o povo de Israel (Êx 4.30). É interessante ser testemunha de um milagre, de algum prodígio desejado pelos curiosos (Lc 23.8). Os milagres podem operar como sinais convincentes, embora, com frequência, também sirvam de medidas da misericórdia e do amor de Deus entre os homens. Ver no *Dicionário* os verbetes *Sinal (Milagre)* e *Milagres*.

Vara. Provavelmente o cajado de pastor, ou alguma forma de bengala ou insígnia, que servia de instrumento de poder. Naturalmente, os mágicos, com seus truques, faziam outro tanto. Ver as notas sobre Êxodo 4.2,3. Agora a vara foi chamada *de Arão*, porquanto Moisés a havia entregue a ele.

Ela se tornará em serpente. Não a mesma palavra que fora usada em Êxodo 4.3 (*nahash*), e, sim, *tanin*, "monstro". Mas aqui este termo é usado como sinônimo daquele. Todavia, alguns intérpretes veem nisso um aumento de poder como produto do milagre.

"Mercúrio, o mensageiro dos deuses... aparece como quem brandia um *caduceu*, uma vara ou varinha com serpentes torcidas ao longo dela" (John Gill, *in loc.*).

■ 7.10

וַיָּבֹ֨א מֹשֶׁ֤ה וְאַהֲרֹן֙ אֶל־פַּרְעֹ֔ה וַיַּ֣עֲשׂוּ כֵ֔ן כַּאֲשֶׁ֖ר צִוָּ֣ה יְהוָ֑ה וַיַּשְׁלֵ֨ךְ אַהֲרֹ֜ן אֶת־מַטֵּ֗הוּ לִפְנֵ֥י פַרְעֹ֛ה וְלִפְנֵ֥י עֲבָדָ֖יו וַיְהִ֥י לְתַנִּֽין׃

A Ordem é Cumprida. O plano foi posto em execução. Moisés e Arão obtiveram audiência com o Faraó. A vara de Arão transformou-se em uma serpente. Isso já tinha sido feito com sucesso diante dos anciãos de Israel (Êx 4.30,31). Naquele caso, o resultado fora a crença; mas no caso de Faraó, o resultado foi apenas mais obstinação e dureza de coração (vs. 13). Este versículo retém o termo hebraico *tanin*, usado no versículo anterior, mas uma palavra diferente daquela de Êxodo 4.3. Talvez devamos pensar em mera sinonímia, embora alguns estudiosos vejam um aumento de poder no milagre e em seu resultado, pois agora teria sido produzido alguma espécie de monstro. É inútil especular quanto ao tipo de serpente ou de outro animal que poderia estar em foco.

A *vara*, trazida de Horebe (Êx 3.2), passou das mãos de Moisés para as de Arão, e tornou-se um instrumento de poder. Ver as notas sobre Êxodo 7.14, que ilustram seu uso por meio de um gráfico.

O Dragão. Em apoio ao aumento do poder do milagre, os intérpretes têm salientado os outros usos da palavra hebraica *tanin*, em Salmo 54.13; Isaías 27.1; 51.9; Josué 7.12, onde parece estar em pauta algum corpulento animal aquático ou anfíbio. Gênesis 1.21 diz ali *baleia*. Assim, alguns supõem que teria sido agora produzido algum dragão ou crocodilo!

■ 7.11

וַיִּקְרָא֙ גַּם־פַּרְעֹ֔ה לַחֲכָמִ֖ים וְלַֽמְכַשְּׁפִ֑ים וַיַּעֲשׂ֨וּ גַם־הֵ֜ם חַרְטֻמֵּ֥י מִצְרַ֛יִם בְּלַהֲטֵיהֶ֖ם כֵּֽן׃

Fizeram também o mesmo. Essa foi uma duplicação fraudulenta. Os milagres nunca devem ser tomados como *prova* de uma doutrina ou justiça, visto que pode haver falsos milagres, produzidos pela fraude ou até mesmo por poderes demoníacos (2Ts 2.9 fala sobre os "sinais e prodígios da mentira" do futuro anticristo). Ver também Mateus 7.22,23, um trecho que mostra que milagres fraudulentos (reais, mas não produzidos por Deus) podem ser produzidos até mesmo por *falsos* discípulos de Cristo. O trecho de 2Timóteo 3.8 alude a como Janes e Jambres fizeram oposição a Moisés. Ver o *Novo Testamento Interpretado* onde a questão é ventilada. Ver também sobre os nomes desses opositores na *Enciclopédia de Bíblia, Teologia e Filosofia*.

Com as suas ciências ocultas. Há um misticismo autêntico e há um misticismo falso. Ver no *Dicionário* os três artigos relacionados a este texto: *Misticismo*; *Encantador* e *Magia*.

O Targum de Jonathan, ao comentar sobre este texto, sublinha os nomes de Janes e Jambres. Josefo considerava-os sacerdotes. Provavelmente, pertenciam à classe sacerdotal egípcia (*Antiq*. 1.2 c. 13, sec. 3).

Alguns mágicos possuem poderes miraculosos. Outros apenas usam truques. No Egito, os *khakamim* (sábios), os *makashshephim* (murmuradores de encantamentos) e os *khartumim* (escribas sagrados) tinham grande prestígio. Boa parte do *Ritual dos Mortos* era constituída por encantamentos e fórmulas mágicas. Aceitava-se que os encantamentos podem produzir ou curar enfermidades, ajudar pessoas, fazer o mal às pessoas, afastar ataques demoníacos ou de animais, obter presciência quanto ao futuro, ajudar as almas dos mortos no mundo inferior etc. Ver no *Dicionário* o verbete *Encantamento de Serpentes*.

■ 7.12

וַיַּשְׁלִ֙יכוּ֙ אִ֣ישׁ מַטֵּ֔הוּ וַיִּהְי֖וּ לְתַנִּינִ֑ם וַיִּבְלַ֥ע מַטֵּֽה־אַהֲרֹ֖ן אֶת־מַטֹּתָֽם׃

A *duplicação* do feito, pelos mágicos egípcios, foi o bastante para o Faraó rejeitar a autoridade de Moisés, apesar de a serpente (ou dragão) de Arão ter devorado as serpentes dos mágicos. Para o coração endurecido e para a mente incrédula, nenhum sinal é suficiente. Para o crente, são dispensáveis os sinais.

O poder superior de Deus foi claramente exibido. Os deuses do Egito e seus agentes humanos foram derrotados, mas o Faraó

AS DEZ PRAGAS DO EGITO

Pragas	Advertências	Modo	Divindades Atacadas	Reações
Primeiro Ciclo				
1. O Nilo torna-se sangue	(Êx 7.15-18)	Vara usada (7.19)	Ápis, deus-boi; Ísis, deusa do Nilo	Recusa (7.22,23)
2. Rãs	(Êx 8.2-6)	Vara usada (8.5,6)	Hequet, deusa do nascimento, que tinha cabeça de rã	Promessas falsas (8.8)
3. Piolhos	Nenhuma advertência	Vara usada (8.16,17)	Set, deus do deserto	Recusa (8.19)
Segundo Ciclo				
4. Moscas	(Êx 8.20-23)	Sem vara	Rá, deus-sol; Uatchit, simbolizado pela mosca	Promessas falsas de sacrifício (8.25)
5. Morte do gado	(Êx 9.1-5)	Sem vara	Hactor, deusa de cabeça de vaca;	Recusa (9.7)
6. Úlceras	Nenhuma advertência	Sem vara	Ápis, deus-boi; Sekhmet, deusa das doenças; Sunu, deus da peste	Recusa (9.12)
Terceiro Ciclo				
7. Saraiva	(Êx 9.18-35)	Vara usada (9.22,23)	Nut, deus-céu; Osíris, deus da agricultura	Promessas falsas (9.28)
8. Gafanhotos	(Êx 10.3-13)	Vara usada (10.12,13)	Nut, deus-céu; Osíris, deus da agricultura	Os homens podiam ir (10.11)
9. Trevas	Nenhuma Advertência	Vara usada (10.21,22)	Rá, deus-sol; Nut, deus-céu	Pessoas, mas não animais, podiam ir (10.24)
Juízo Definitivo				
10. Morte dos primogênitos	(Êx 11.4-8)		Min, deus da reprodução; Hequet, deusa do nascimento; Ísis, protetora de crianças	O Faraó pediu que o povo fosse embora (12.31,32)

continuava insistindo em montar um cavalo morto. Foi assim ilustrada a *soberania de Deus* (ver no *Dicionário* o verbete com esse nome).

Os mágicos podem ter sido Janes e Jambres da tradição hebreia. Ver também 2Timóteo 3.8 e os comentários no *Novo Testamento Interpretado* sobre esse trecho.

■ **7.13**

וַיֶּחֱזַק לֵב פַּרְעֹה וְלֹא שָׁמַע אֲלֵהֶם כַּאֲשֶׁר דִּבֶּר יְהוָה: פ

O coração de Faraó se endureceu. De outra sorte, o Faraó teria anuído prontamente à ordem divina. O trecho de Êxodo 7.5 nos dá uma razão conspícua para isso. Deus estava demonstrando o seu poder, exaltando o seu nome, derrotando deuses falsos, instalando nos corações a verdadeira fé e a espiritualidade, exibindo a sua soberania, provocando uma revolução espiritual. Nada disso poderia ocorrer se o Faraó tivesse recuado pronta e facilmente. Muitas lições ainda seriam dadas. Estava em desdobramento um plano divino, e não apenas a libertação da servidão no Egito.

Em Êxodo 4.21 apresento notas completas sobre os problemas teológicos e morais envolvidos na história do coração endurecido do Faraó. Também aludo ali a artigos que examinam esse problema por vários ângulos. O livro de Êxodo atribui o endurecimento do coração do Faraó tanto ao próprio homem como a Deus; e essa questão também é comentada, com referências bíblicas apropriadas, em Êxodo 4.21. Deus se utiliza da vontade humana sem destruí-la, embora não saibamos dizer *como* isso ocorre.

Como o Senhor havia dito. Essa dureza de coração por parte do Faraó havia sido antecipada e predita (Êx 7.3). Isso deu margem a que o Senhor multiplicasse os seus sinais, os quais são descritos em Êxodo 7.14—18.27, as dez pragas e os prodígios subsequentes, como aqueles às margens do mar Vermelho.

AS DEZ PRAGAS (7.14—11.10)
Deus Revela Seu Poder Multifacetado (7.14—18.27)

Ver no *Dicionário* o artigo *Pragas do Egito*. Yahweh e o Faraó engalfinharam-se em luta: o sagrado e o profano; o veraz e o mentiroso. Dessa luta resultariam efeitos benéficos e prejudiciais. Levado pelo temor, o Faraó (Êx 5.15-21) descartou seus poderes racionais e se tornou um desvairado, espalhando destruição no Egito, por causa de sua dureza de coração. Moisés e Arão eram instrumentos divinamente escolhidos. Deus sempre tem seu homem para cada missão específica. A *providência de Deus* (ver sobre ela no *Dicionário*) é um dos temas principais por todo o Pentateuco. A *soberania de Deus* (ver a esse respeito no *Dicionário*) também precisava ser não apenas demonstrada (Êx 7.5) mas também *firmada*. O Deus desconhecido, *Yahweh*, precisava tornar-se universalmente conhecido, começando primeiramente por Israel, e, então, pelo Egito (o reino mais poderoso da época), e, finalmente, pelo resto do mundo. Jesus, o Cristo, tornaria universalmente conhecido a esse Deus desconhecido, de forma toda especial, mediante sua missão salvavífica universal.

Os críticos atribuem esta seção a uma combinação das fontes informativas *J*, *E* e *P(S)*. Ver no *Dicionário* o verbete intitulado *J.E.D.P.(S.)* quanto à teoria das fontes múltiplas do Pentateuco.

As *dez pragas*, ao que parece, tiveram lugar durante um período de nove meses. Foram agrupadas em três unidades de *três* pragas. E a décima praga — a morte dos primogênitos — foi a praga culminante. Foram dez milagres didáticos. "As dez pragas podem ter ocorrido por um período de cerca de nove meses. A primeira delas ocorreu quando o rio Nilo estava na enchente (julho-agosto). A sétima praga (Êx 9.13), em janeiro, quando florescia a cevada e o linho. Os ventos prevalentes do oriente, em março e abril, teriam trazido os gafanhotos, que foi a oitava praga (Êx 10.13). E a décima praga (Êx 11 e 12) teria ocorrido em abril, o mês da instituição da páscoa. Deus estava julgando os deuses do Egito (havia muitos deles). Ver Êxodo 12.2; 18.11; Números 33.4" (John D. Hannah, *in loc.*).

Ver no *Dicionário* o artigo intitulado *Pragas do Egito*.

PRIMEIRA PRAGA: AS ÁGUAS TORNAM-SE SANGUE (7.14-25)

■ 7.14

וַיֹּאמֶר יְהוָה אֶל־מֹשֶׁה כָּבֵד לֵב פַּרְעֹה מֵאֵן לְשַׁלַּח הָעָם׃

O coração de Faraó está obstinado. Mas agora ele começaria a *colher* o que tinha semeado. Ver no *Dicionário* o artigo *Lei Moral da Colheita segundo a Semeadura*. Ver Êxodo 4.21 quanto a notas completas sobre o problema teológico envolvido na questão do coração endurecido, por atuação divina. A vontade de Deus usa e manipula a vontade humana sem destruí-la, embora não saibamos dizer *como* isso sucede. O Faraó endureceu seu próprio coração, e Deus endureceu o coração do Faraó, conforme se vê em Êxodo 4.21. Este versículo repete a mensagem de Êxodo 6.1. Os atos divinos tornavam-se agora *milagres didáticos*, mediante os quais a vontade de Deus seria efetuada, sem importar o que o homem desejasse.

Lei Moral da Colheita Segundo a Semeadura

Quando eu chegar ao fim do meu caminho
Quando eu descansar no fim do dia da vida,
Quando "bem-vindo" eu ouvir Jesus dizer;
Oh, isso será a aurora para mim!

Semeai um hábito, e colhereis um caráter;
Semeai um caráter, e colhereis um destino.
Semeai um destino, e colhereis Deus.

Prof. Huston Smith

*Não vos enganeis; de Deus não se zomba;
pois aquilo que o homem semear, isso também ceifará.*

Gálatas 6.7

■ 7.15

לֵךְ אֶל־פַּרְעֹה בַּבֹּקֶר הִנֵּה יֹצֵא הַמַּיְמָה וְנִצַּבְתָּ לִקְרָאתוֹ עַל־שְׂפַת הַיְאֹר וְהַמַּטֶּה אֲשֶׁר־נֶהְפַּךְ לְנָחָשׁ תִּקַּח בְּיָדֶךָ׃

Um Milagre de Retaliação. As águas do rio Nilo ficaram poluídas. Os egípcios tinham jogado crianças hebreias nas águas daquele rio. Agora o rio revoltava-se, espalhando destruição pelo Egito inteiro. Ver Êxodo 1.22. A primeira praga foi também a que durou por mais tempo, sete dias (vs. 25). Não provocou tanta destruição como as que se seguiram, mas era repelente ao extremo.

Uma advertência justa tinha sido feita (vs. 15-18). Mas o Faraó, com seu coração endurecido e estupeficado, rejeitou-a. Pela providência divina, o encontro entre Moisés (e Arão) e Faraó teve lugar às margens do próprio Nilo, onde ficaria claro que o fenômeno era real, e não algum truque da natureza: foi produzido pelo poder de Deus, investido em seus representantes. O Faraó seria *testemunha ocular* do prodígio, embora isso não o comovesse. Ele imaginaria alguma explicação *natural* para o fenômeno. O Nilo, além de ser lugar onde os egípcios se banhavam, e onde havia abluções religiosas, era também o local de festividades e celebrações. De qualquer modo, o Faraó estaria presente para ver o acontecimento. Aben Ezra pensava que o Faraó se fez presente a fim de observar até onde as águas do rio subiriam, pois o Nilo estava em regime de cheia, o que era importante para a sobrevivência do povo egípcio. A linha de vida do Egito, de súbito, tornou-se uma linha de morte. Muitos egípcios concebiam esse rio como se fosse uma divindade, pelo que ritos religiosos eram efetuados às suas margens. Talvez fosse costume do Faraó participar deles. O *deus* Nilo seria humilhado diante dos olhos do rei. Ver Êxodo 4.2 quanto à *vara* usada pelos servos de Deus.

■ 7.16

וְאָמַרְתָּ אֵלָיו יְהוָה אֱלֹהֵי הָעִבְרִים שְׁלָחַנִי אֵלֶיךָ לֵאמֹר שַׁלַּח אֶת־עַמִּי וְיַעַבְדֻנִי בַּמִּדְבָּר וְהִנֵּה לֹא־שָׁמַעְתָּ עַד־כֹּה׃

O Senhor, o Deus dos hebreus. No hebraico, *Yahweh-Elohim*. Ver no *Dicionário* sobre esses nomes divinos. O *Eu Sou* tinha entrado em ação (Êx 3.14). Yahweh estava prestes a atingir o deus Nilo, diante dos olhos do próprio Faraó. O Faraó nunca tinha ouvido falar em Yahweh (Êx 5.2). Mas agora encontrar-se-ia com ele face a face.

"Deixa ir o meu povo" foi a expressão usada, conforme se comenta sobre Êxodo 5.1.

O Deus dos hebreus. Cf. Êxodo 3.18 (onde damos as notas expositivas a respeito), como também Êxodo 5.3; 9.1,13 e 10.3.

Para que me sirva. Os filhos de Israel deveriam ser liberados da servidão, e isso com um propósito, a saber, promover o culto de Yahweh, e, finalmente, tornar conhecidos o seu nome e o seu poder entre todas as nações. O *monoteísmo* (ver a esse respeito no *Dicionário*) estava em ascensão, e, finalmente, triunfaria.

■ 7.17

כֹּה אָמַר יְהוָה בְּזֹאת תֵּדַע כִּי אֲנִי יְהוָה הִנֵּה אָנֹכִי מַכֶּה בַּמַּטֶּה אֲשֶׁר־בְּיָדִי עַל־הַמַּיִם אֲשֶׁר בַּיְאֹר וְנֶהֶפְכוּ לְדָם׃

Águas do rio... se tornarão em sangue. Isso por *fiat* divino. O juízo de Deus foi despejado contra o próprio rio, seus tributários, e mesmo qualquer vaso que contivesse água (vs. 19).

Eu sou o Senhor. Portanto, ele tinha o poder de derrotar o "deus" Nilo e todos os deuses falsos do Egito, além de ter autoridade de impor a sua vontade (vs. 16).

A Explicação Natural. O rio Nilo assumia uma coloração avermelhada quando suas águas estavam no seu nível máximo, por causa de partículas vermelhas de barro ou por causa de minúsculos organismos que tomavam conta do rio nessas ocasiões. Essa explicação é inteiramente tola. Isso não serviria de sinal para o Faraó, nem pressionaria a alguma coisa.

Contraste com Jesus. O milagre efetuado por Moisés foi destrutivo. O milagre de Jesus, que transformou água em vinho, foi benéfico para todos. Ver João 2. Mas ambos os prodígios serviram aos propósitos de Deus, pois até os juízos divinos são meios que produzem o arrependimento. Até o julgamento dos perdidos tem um propósito restaurador. Ver 1Pedro 4.16 e, no *Dicionário*, o artigo *Julgamento de Deus dos Homens Perdidos*.

■ 7.18

וְהַדָּגָה אֲשֶׁר־בַּיְאֹר תָּמוּת וּבָאַשׁ הַיְאֹר וְנִלְאוּ מִצְרַיִם לִשְׁתּוֹת מַיִם מִן־הַיְאֹר׃ ס

Os peixes. Esses não sobreviveram, nem os homens ousavam beber das águas do rio. As águas do rio Nilo se avermelham, ao chegar ele ao nível máximo. Até hoje "são usadas no Egito as palavras *águas vermelhas*, quando o solo vermelho dos montes da Abissínia o tingem" (J. Coert Rylaarsdam, *in loc.*). Mas nem por isso esse rio fica então *poluído*. Contudo, as águas do rio tornam-se suficientemente venenosas para matar os peixes. As explicações naturais falham, a menos que se possa demonstrar que, por alguma razão desconhecida, antigamente o rio Nilo ficava poluído por causas naturais. Todavia, não se dispõe de nenhuma informação sobre tal acontecimento. Pela *segunda* vez o poder de Yahweh venceu o poder dos mágicos egípcios. A serpente de Arão havia devorado as serpentes dos mágicos (Êx 7.12). Agora, o fenômeno do Nilo poluído não podia ser reproduzido pelo repertório dos truques dos mágicos egípcios. O vs. 22, contudo, mostra que eles conseguiram imitar o fenômeno, mas nada tão vasto como a poluição de um rio inteiro.

■ 7.19

וַיֹּאמֶר יְהוָה אֶל־מֹשֶׁה אֱמֹר אֶל־אַהֲרֹן קַח מַטְּךָ וּנְטֵה־יָדְךָ עַל־מֵימֵי מִצְרַיִם עַל־נַהֲרֹתָם עַל־יְאֹרֵיהֶם וְעַל־אַגְמֵיהֶם וְעַל כָּל־מִקְוֵה מֵימֵיהֶם וְיִהְיוּ־דָם וְהָיָה דָם בְּכָל־אֶרֶץ מִצְרַיִם וּבָעֵצִים וּבָאֲבָנִים׃

Toma a tua vara. Ver Êxodo 4.2 quanto à vara de poder, bem como o gráfico nas notas sobre o vs. 14 deste capítulo, onde se vê seu uso, em relação às dez pragas do Egito.

Sobre as águas do Egito. Todas as águas existentes no Egito foram afetadas: o Nilo com seus tributários, qualquer lago ou lagoa, e até qualquer água contida nos vasos que alguém tivesse em sua casa, em cisternas, em tanques etc. O milagre foi verdadeiramente grande. Não lemos *onde* os mágicos egípcios encontraram água para duplicar o milagre (embora em minúsculas proporções) (vs. 22). Fosse como fosse, o que fizeram foi algo muito pequeno, proporcionalmente, mas o Faraó não deu atenção à diferença. Seu coração estava tão embotado que nada podia perceber. Ver no *Dicionário* o artigo *Vaso, Receptáculo.* O Egito não dispõe de água corrente, salvo as águas do Nilo e seus afluentes. Qualquer outra água tem de ser obtida em poços ou fontes. Os vss. 19 e 24 mostram que o autor sagrado tinha conhecimento do sistema hidráulico do Egito.

■ **7.20**

וַיַּעֲשׂוּ־כֵן מֹשֶׁה וְאַהֲרֹן כַּאֲשֶׁר צִוָּה יְהוָה וַיָּרֶם בַּמַּטֶּה וַיַּךְ אֶת־הַמַּיִם אֲשֶׁר בַּיְאֹר לְעֵינֵי פַרְעֹה וּלְעֵינֵי עֲבָדָיו וַיֵּהָפְכוּ כָּל־הַמַּיִם אֲשֶׁר־בַּיְאֹר לְדָם׃

Levantando a vara. A vara era um instrumento eficaz. Ver Êxodo 4.2 quanto a notas sobre esse instrumento. Foi usado em alguns dos dez prodígios: no primeiro, segundo, terceiro, oitavo e, talvez, nono. Ver o gráfico nas notas sobre Êxodo 7.14. Esses prodígios atacavam deuses e deusas específicas do Egito, e, de modo geral, o politeísmo do Egito. Isso também aparece ilustrado no gráfico. Esse primeiro prodígio foi franco, e, sem dúvida, bem anunciado de antemão. O Faraó e seus oficiais, como talvez muitas outras pessoas, foram testemunhas oculares. O poder de Yahweh começava a ser demonstrado em grande estilo, tão visível, tão poderoso, tão convincente. O rio Nilo morreu, a fim de que o povo de Israel pudesse viver.

Deus e a Bondade São Atacados. Em primeiro lugar, o próprio rio Nilo era considerado uma divindade. Além disso, Hapi (também chamado *Ápis*) era o deus-boi, aquele associado bem de perto ao Nilo. E *Khnum*, o deus-carneiro, era o guardião do Nilo.

"Por trás das pragas, das catástrofes e dos infortúnios havia a *causa real* da dificuldade: a dureza do coração do tirano" (J. Coert Rylaarsdam, *in loc.*).

■ **7.21**

וְהַדָּגָה אֲשֶׁר־בַּיְאֹר מֵתָה וַיִּבְאַשׁ הַיְאֹר וְלֹא־יָכְלוּ מִצְרַיִם לִשְׁתּוֹת מַיִם מִן־הַיְאֹר וַיְהִי הַדָּם בְּכָל־אֶרֶץ מִצְרָיִם׃

O rio cheirou mal. Isso sucedeu ao rio que era tido como um deus, associado a outros deuses. É provável que os egípcios pensassem que os poderes malignos poderiam vencer temporariamente o bem, assim a fé em suas divindades não pôde ser abalada. A água é vital à vida, e era o símbolo mesmo da vida. Ver no *Dicionário* o artigo intitulado *Água,* quanto a informações gerais e quanto a explicações da metáfora. A vitalidade do Egito havia recebido um golpe muito severo; era uma situação de emergência, uma calamidade nacional.

O renascimento de Osíris, o deus da terra, dependia de águas limpas e de bom suprimento. E assim, foi posto em dúvida até o destino dessa divindade.

■ **7.22**

וַיַּעֲשׂוּ־כֵן חַרְטֻמֵּי מִצְרַיִם בְּלָטֵיהֶם וַיֶּחֱזַק לֵב־פַּרְעֹה וְלֹא־שָׁמַע אֲלֵהֶם כַּאֲשֶׁר דִּבֶּר יְהוָה׃

Os magos... fizeram também o mesmo. O autor sacro não nos revela como eles acharam água para a experiência, nem o ponto se reveste de importância, exceto para os céticos. Talvez o vs. 24 nos dê a resposta: as *cisternas.* Os mágicos encontraram pequena quantidade de água e transformaram-na em sangue, mediante o poder satânico, ou, então, mediante algum truque, fizeram-na parecer sangue. O trecho de 2Tessalonicenses 2.11 mostra que alguns homens preferem acreditar na mentira. E Apocalipse 22.15 mostra que alguns homens *amam* a mentira. O coração endurecido do Faraó inclinava-o a crer na mentira e amá-la. Por igual modo, existem *milagres da mentira* (2Ts 2.9), ou seja, *sinais* que comunicam uma mensagem falsa para aqueles que anelam por acreditar nela.

■ **7.23**

וַיִּפֶן פַּרְעֹה וַיָּבֹא אֶל־בֵּיתוֹ וְלֹא־שָׁת לִבּוֹ גַּם־לָזֹאת׃

O Faraó, aparentemente *indiferente* para com o grande milagre que acabara de ver, voltou para casa como se nada tivesse sucedido, o coração endurecido como sempre. Pois aqueles que são "convencidos contra sua vontade, continuam da mesma opinião". O coração endurecido do Faraó não recebeu nenhuma *impressão,* apesar da fortíssima pressão de um prodígio notável.

A Vontade de Não Crer. Homens de fé são acusados de ter a "vontade de crer". E eles creem, a despeito de quão pouca evidência tenham para a sua fé. De fato, algumas vezes a fé consiste em crer naquilo que *não* corresponde aos fatos. Por outra parte, os céticos e alguns críticos têm "a vontade de não crer". E, então, não há acúmulo de evidência, sem importar sua qualidade, que possa fazê-los crer. Ofereci na *Enciclopédia de Bíblia, Teologia e Filosofia* dois artigos sobre essa questão, intitulados: *Vontade de Crer* e *Vontade de Não Crer.* Agostinho agradecia a Deus por ter sido livrado da *armadilha* do ceticismo. Sempre é melhor crer demais do que crer de menos. É melhor ter uma mente por demais aberta do que por demais fechada.

■ **7.24**

וַיַּחְפְּרוּ כָל־מִצְרַיִם סְבִיבֹת הַיְאֹר מַיִם לִשְׁתּוֹת כִּי לֹא יָכְלוּ לִשְׁתֹּת מִמֵּימֵי הַיְאֹר׃

Todos os egípcios cavaram. Essa foi a medida salvadora. Eles fizeram poços e cisternas, pois o julgamento de Deus (temperado com a misericórdia) tinha deixado intactas as camadas freáticas. Pelo menos esses depósitos subterrâneos não foram atingidos pela praga. Os deuses do Egito tinham falhado; mas o povo tinha uma válvula de escape. Escavaram poços. A justiça retributiva não deixou o povo totalmente destituído. O propósito do castigo divino era remediar, e não destruir. Entendemos que quase todos os poços escavados ao longo do rio Nilo obtêm sucesso. Ali a água do rio acumula-se no subsolo das suas margens.

■ **7.25**

וַיִּמָּלֵא שִׁבְעַת יָמִים אַחֲרֵי הַכּוֹת־יְהוָה אֶת־הַיְאֹר׃ פ

Este versículo serve de introdução ao oitavo capítulo. De fato, este parágrafo continua um pouco dentro do oitavo capítulo. Aqui é introduzida a informação de que, após o milagre da poluição das águas, dentro de somente sete dias, Moisés recebeu instruções de voltar ao Faraó e fazer um novo protesto. Presumivelmente, as águas foram livradas da poluição, embora o texto sagrado não esclareça isso. Filo (*De Vita Mosis,* 1.1 par. 617) diz-nos que o Faraó solicitou que Moisés suspendesse a praga, e Moisés assim fez. Dentro do plano divino, porém, a primeira praga só cessou a fim de abrir espaço para a segunda, que viria logo em seguida.

CAPÍTULO OITO

SEGUNDA PRAGA: AS RÃS (8.1-15)

Ver no *Dicionário* o verbete intitulado *Pragas do Egito.* Devido ao seu coração embotado e à sua percepção amortecida, o Faraó conseguiu ignorar o grande milagre das águas poluídas (Êx 7.15-25). Filo diz que o Faraó pediu que Moisés suspendesse a praga; mas mesmo que essa informação seja correta, ele o fez motivado pelo egoísmo, e não como reconhecimento do poder de Yahweh. E Moisés e Arão tiveram de continuar solicitando que fosse dado livramento ao povo de Israel. Mas a entrevista com o Faraó não logrou êxito. Não é mister que seja repetida a informação sobre a dureza de coração do monarca; mas isso fica entendido. Ver as notas completas em Êxodo 4.21 sobre a questão: o lado divino e o lado humano.

Os críticos atribuem esta seção a uma mistura das fontes *P(S)* e *J.* Ver no *Dicionário* o artigo *J.E.D.P.(S.)* quanto à teoria das fontes múltiplas do Pentateuco.

O Faraó estava colhendo o que tinha semeado. Ver no *Dicionário* o artigo *Lei Moral da Colheita segundo a Semeadura.*

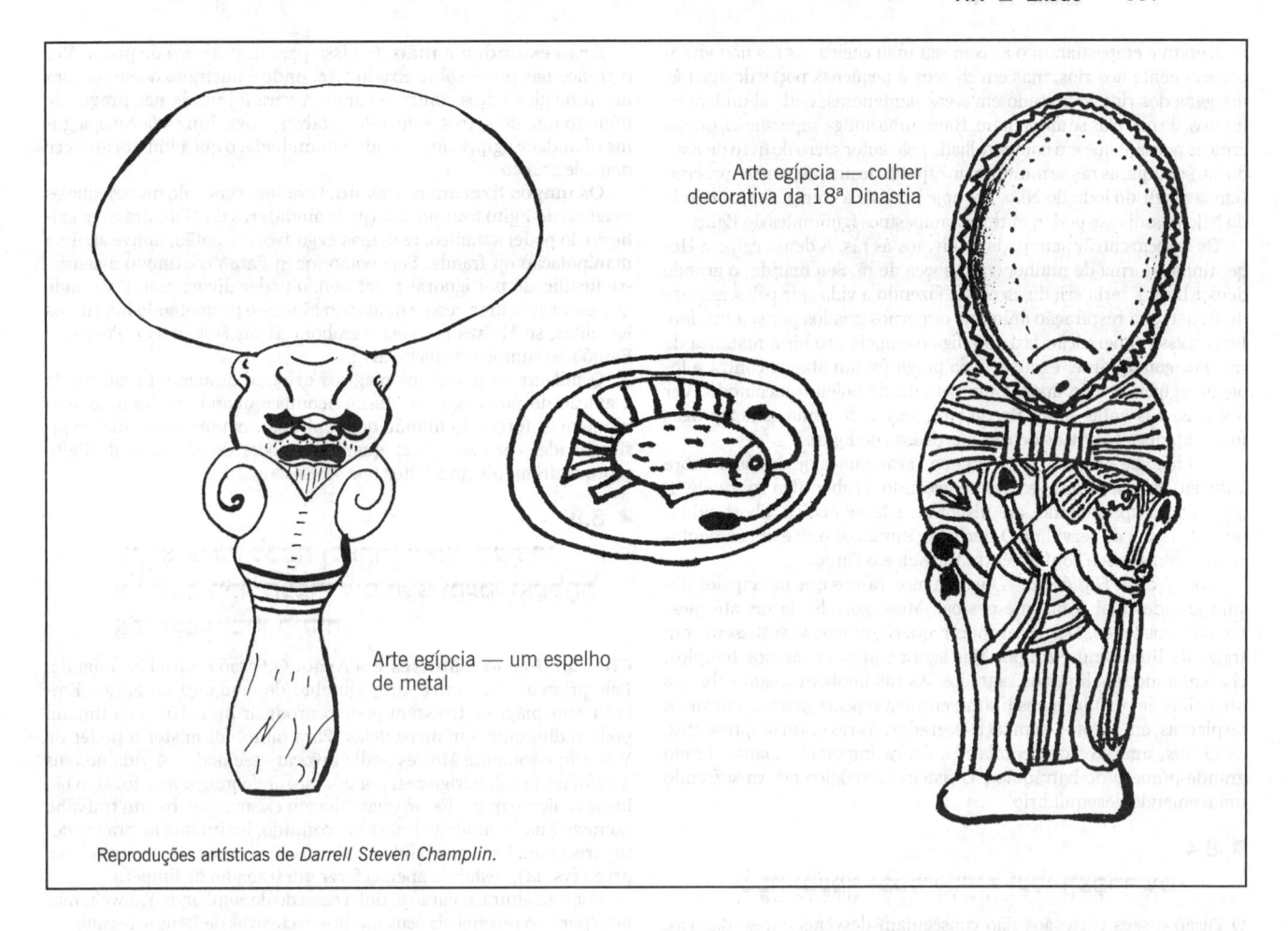

Arte egípcia — colher decorativa da 18ª Dinastia

Arte egípcia — um espelho de metal

Reproduções artísticas de *Darrell Steven Champlin*.

■ **8.1**

וַיֹּאמֶר יְהוָה אֶל־מֹשֶׁה בֹּא אֶל־פַּרְעֹה וְאָמַרְתָּ אֵלָיו
כֹּה אָמַר יְהוָה שַׁלַּח אֶת־עַמִּי וְיַעַבְדֻנִי׃

Este versículo é essencialmente igual a Êxodo 7.2, onde as notas deveriam ser consultadas. Continuava o conflito entre Yahweh e Faraó. Yahweh haveria de ganhar em todos os *rounds*, mas o Faraó não se daria por vencido. Ver também Êxodo 4.16 quanto a outro versículo parecido. Devemos entender que o Faraó continuava de coração empedernido, mesmo quando isso não é dito especificamente. "Deus, mostrando grande misericórdia pelo Faraó e pelos egípcios, anunciou de antemão os grandes males que tencionava fazer cair sobre eles, se continuassem em sua obstinação" (Adam Clarke, *in loc.*).

Deixa ir o meu povo. Isso já havia sido dito ou ainda seria dito em Êxodo 5.1; 7.16; 8.20; 9.1 e 10.3. Deus tinha um *filho primogênito* no exílio, o povo de Israel, e exigia que esse povo fosse libertado (ver Êx 4.22,23 e suas notas expositivas).

■ **8.2**

וְאִם־מָאֵן אַתָּה לְשַׁלֵּחַ הִנֵּה אָנֹכִי נֹגֵף אֶת־כָּל־גְּבוּלְךָ
בַּצְפַרְדְּעִים׃

Castigarei com rãs. No hebraico, *tesephardea*, um termo que figura em três trechos no Antigo Testamento (Êx 8.2-9,11-13; Sl 78.45 e 105.30). No grego, a palavra é *bátraxos*, que ocorre somente em Apocalipse 16.13.

No Antigo Testamento, essa palavra ocorre em conexão com uma das dez pragas que houve no Egito, ao passo que, no Novo Testamento, o sentido é metafórico (isto é, espíritos malignos). Tais rãs procederão da boca do dragão, da boca da besta ou anticristo e da boca do falso profeta.

Diversos tipos de rãs, do gênero *Rana*, eram nativos do vale do rio Nilo, e uma ou mais dessas espécies poderiam ter causado a praga mencionada em Êxodo. Tais rãs atingem um comprimento de cerca de sete centímetros, o que significa que são pequenas. A rã verde é comestível, mas tais batráquios eram considerados imundos pelos egípcios e pelos israelitas. O rio Nilo, por ocasião da primeira praga, ficou severamente poluído, sendo essa a causa provável do aparecimento das rãs, que saíram das águas marginais daquele rio, para invadirem os campos.

Nos lugares quentes e secos, as rãs desidratam-se e morrem rapidamente, o que resulta na putrefação, com seus odores desagradáveis e sua ameaça à saúde das pessoas. É uma ironia que as rãs se mostrem muito úteis no controle da multiplicação de insetos, e algumas das pragas que se seguiram à praga das rãs devem ter sido causadas pelos insetos, pelo menos em parte. Portanto, uma coisa conduzia à outra, em uma série de desastres, atribuídos à indignação de Deus contra os egípcios. Seja como for, é uma doutrina bíblica comum aquela que diz que a natureza revolta-se contra a pecaminosidade dos homens, e que eles se revoltam somente para seu próprio prejuízo. Por essa razão, pois, é que aqueles juízos divinos caíram sobre os egípcios.

Normalmente, as rãs permanecem perto dos rios, mas nessa ocasião elas tiveram o impulso de invadir todos os lugares concebíveis. Deus poderia lançar contra os egípcios qualquer tipo de animal, como leões, crocodilos etc. Mas ele preferiu a humilde rã, e insetos como os piolhos e as moscas. As pragas eram extremamente incômodas, mas menos ameaçadoras à vida do que outras que poderiam ter sido mandadas. Finalmente, os primogênitos dos egípcios foram mortos. E foi essa última praga que, finalmente, abrandou o coração esclerosado do Faraó.

■ **8.3**

וְשָׁרַץ הַיְאֹר צְפַרְדְּעִים וְעָלוּ וּבָאוּ בְּבֵיתֶךָ וּבַחֲדַר
מִשְׁכָּבְךָ וְעַל־מִטָּתֶךָ וּבְבֵית עֲבָדֶיךָ וּבְעַמֶּךָ
וּבְתַנּוּרֶיךָ וּבְמִשְׁאֲרוֹתֶיךָ׃

Por onde estivessem os egípcios, ali estavam as rãs com seu incessante coaxar. Havia uma quantidade prodigiosa dos batráquios, os quais morreram e empestiaram o ar com seu mau cheiro. As rãs não vivem propriamente nos rios, mas em charcos e pequenas poças de água às margens dos rios, sobretudo em áreas pantanosas, onde abundam os insetos, de que elas se alimentam. Havia uma antiga superstição, que os críticos pensam que era compartilhada pelo autor sacro do livro de Êxodo, ou seja, que as rãs se multiplicam espontaneamente, sem se procriarem, a partir do lodo do Nilo. Até hoje persiste a crença de que o lodo do Nilo possui esse poder, entre os campesinos ignorantes do Egito.

Os egípcios atribuíam poderes divinos às rãs. A deusa egípcia Heqet tinha a forma de mulher com cabeça de rã. Seu marido, o grande deus Khnum, teria criado as coisas fazendo a vida sair pelas narinas de Heqet. Sua respiração animaria os corpos criados por seu marido. Essa crassa superstição fazia a religião egípcia proibir a matança de rãs. Por conseguinte, essa segunda praga foi um ataque contra a teologia egípcia, e não apenas um período de nojento incômodo. Ver o gráfico nas notas sobre Êxodo 7.14, acerca de como as dez pragas foram ataques contra os deuses e as deusas do Egito.

O trecho de Êxodo 5.2 mostra que Faraó nunca ouvira falar sobre Yahweh. Agora, porém, estava começando a saber algo sobre ele. E continuaria aprendendo, até dispor-se a fazer justiça, libertando o povo de Israel da servidão. O trecho de Romanos 9.17 é um comentário paulino sobre o conflito entre Yahweh e o Faraó.

Uma Nação Higiênica. A história mostra-nos que os egípcios davam grande valor à higiene pessoal. Mas agora havia rãs até mesmo em seus leitos. Dos sacerdotes requeria-se que se vestissem com trajes de linho fino e limpo. Mas agora saltavam rãs nos templos, chapinhando nos líquidos sagrados. As rãs também caíam sobre os utensílios de cozinha e nos pratos; entravam pelas gavetas, em vasos de plantas, em esgotos e em taças sagradas. As rãs eram onipresentes.

O *íbis*, uma ave que comia rãs, ficava impotente diante de tão grande número de batráquios. O sistema ecológico estava sofrendo um tremendo desequilíbrio.

■ **8.4**

וּבְכָה וּבְעַמְּךָ וּבְכָל־עֲבָדֶיךָ יַעֲלוּ הַצְפַרְדְּעִים׃

O Faraó e seus cortesãos não conseguiam desvencilhar-se das rãs. Usualmente, o poder e o dinheiro podem afastar as pragas que acossam os pobres. Mas as incansáveis rãs não poupavam as donzelas dengosas e os cavalheiros conhecedores das finuras palacianas. Os fornos dos pobres, os buracos feitos no solo e todos os lugares estavam repletos de rãs; mas outro tanto acontecia no palácio real e nas mansões dos nobres. As camas dos pobres estavam cobertas de rãs; mas outro tanto se via nos leitos dos ricos. Rãs subiam pelas paredes das cabanas humildes; mas as paredes do palácio real também eram escaladas pelas rãs.

■ **8.5-7**

וַיֹּאמֶר יְהוָה אֶל־מֹשֶׁה אֱמֹר אֶל־אַהֲרֹן נְטֵה אֶת־יָדְךָ בְּמַטֶּךָ עַל־הַנְּהָרֹת עַל־הַיְאֹרִים וְעַל־הָאֲגַמִּים וְהַעַל אֶת־הַצְפַרְדְּעִים עַל־אֶרֶץ מִצְרָיִם׃

וַיֵּט אַהֲרֹן אֶת־יָדוֹ עַל מֵימֵי מִצְרָיִם וַתַּעַל הַצְפַרְדֵּעַ וַתְּכַס אֶת־אֶרֶץ מִצְרָיִם׃

וַיַּעֲשׂוּ־כֵן הַחַרְטֻמִּים בְּלָטֵיהֶם וַיַּעֲלוּ אֶת־הַצְפַרְדְּעִים עַל־אֶרֶץ מִצְרָיִם׃

Competição com Rãs. A vara de poder (ver Êx 4.2) que era de Moisés foi novamente entregue a Arão, para ser usada. E teve lugar o grande prodígio da multiplicação de rãs. As rãs surgiam em todos os lugares, onde quer que houvesse alguma água: rio, poça, lago, charco, riacho. Embora as rãs prefiram ficar por perto de onde há água, onde também há insetos que lhes servem de alimento, aquelas rãs marcharam terra adentro em quantidades prodigiosas. O número delas tornou-se tão grande que não havia espaço bastante em seu habitat natural. As rãs tornaram-se como a areia do mar, e o *íbis*, pássaro que consome rãs, de estômago repleto, ficava a olhar, incapaz de consumir tantos batráquios. O pecado do homem perturba todas as coisas, incluindo até o equilíbrio ecológico.

Arão estendeu a mão. Fez isso para usar a *vara* de poder. Ver o gráfico nas notas sobre Êxodo 7.14, onde é ilustrado o uso da vara nos prodígios feitos contra o Faraó. A vara foi usada nas pragas de número um, dois, três, sete, oito e, talvez, nove. Em cada caso, alguma divindade egípcia foi atacada e humilhada, o que também aparece naquele gráfico.

Os magos fizeram o mesmo. O sétimo versículo mostra que os mágicos do Egito fizeram sair (mais ainda!) rãs do Nilo. Era uma exibição do poder satânico, real, mas negativo; ou, então, houve alguma manipulação ou fraude. Seja como for, o Faraó continuou a sentir-se justificado por ignorar a Yahweh, o poder divino real. É verdade que ele armou uma cena, chamando Moisés e prometendo libertar os israelitas, se Moisés mandasse embora as rãs (vss. 8 ss.). Porém, o Faraó não cumpriu a sua palavra.

O milagre negativo dos mágicos egípcios aumentou mais ainda a aflição do povo egípcio! Assim acontece quando os homens manipulam as forças do mundo dos espíritos, sem uma autêntica espiritualidade. Ver Êxodo 7.22 quanto ao poder de os magos do Egito reproduzirem milagres feitos por Moisés.

■ **8.8**

וַיִּקְרָא פַרְעֹה לְמֹשֶׁה וּלְאַהֲרֹן וַיֹּאמֶר הַעְתִּירוּ אֶל־יְהוָה וְיָסֵר הַצְפַרְדְּעִים מִמֶּנִּי וּמֵעַמִּי וַאֲשַׁלְּחָה אֶת־הָעָם וְיִזְבְּחוּ לַיהוָה׃

Chamou Faraó a Moisés e a Arão. O Faraó estava abrandando. Pela primeira vez houve um vislumbre de mudança no Faraó. Embora seus mágicos tivessem podido produzir *mais rãs,* não tinham podido diminuir o número delas. Para tanto, foi mister o poder de Yahweh; e somente Moisés podia invocar esse poder. A vida no país não foi posta sob perigo real por essa segunda praga; mas foi algo tão inconveniente que o Faraó quase deixou escapar seu barato trabalho escravo. Sua insanidade retornou, contudo, assim que as pragas desapareceram. Uma mortalidade em massa, entre as rãs, acabou com a praga (vs. 14), restando apenas fazer um trabalho de limpeza.

Por essa altura, o Faraó já tinha cessado de zombar de Yahweh; mas nem por isso reconhecia seus direitos exclusivos de Deus soberano.

Resultados: o Faraó reconheceu o Senhor (Yahweh); agora o rei dependia do *seu* poder, e não do poder de seus deuses falsos. Também reconheceu a missão e a autoridade de Moisés e Arão: eles podiam orar e reverter a praga. E o Faraó fez uma promessa solene de que permitiria a partida de Israel, talvez uma promessa sincera no momento. Mais tarde, porém, o Faraó voltou atrás em sua palavra, uma vez livre da pressão exercida pela praga.

■ **8.9**

וַיֹּאמֶר מֹשֶׁה לְפַרְעֹה הִתְפָּאֵר עָלַי לְמָתַי אַעְתִּיר לְךָ וְלַעֲבָדֶיךָ וּלְעַמְּךָ לְהַכְרִית הַצְפַרְדְּעִים מִמְּךָ וּמִבָּתֶּיךָ רַק בַּיְאֹר תִּשָּׁאַרְנָה׃

Digna-te dizer-me quando. Moisés permitiu que o Faraó determinasse o *tempo* da soltura. É como se ele tivesse dito ao rei: "Dize-me quando mandarei embora as rãs". E então ele levaria o pedido do Faraó à presença de Yahweh. Não haveria nenhuma coincidência nem explicação natural. O Faraó baixaria a ordem; Moisés transmitiria a ordem; Yahweh entraria em ação. Haveria uma óbvia reação em cadeia, e Deus estaria à frente de tudo, como a causa eficiente. Nada acontece por mero acaso. Ver os trechos de Mateus 8.13 e 15.28 quanto a algo similar.

Diz literalmente o texto hebraico, que algumas traduções preservaram: "Gloria-te em mim", que equivale a "tu mesmo escolhe" e parece ser uma frase de cortesia tipicamente oriental. É como se Moisés tivesse dito: "Submeto-me à tua vontade". Modernamente, diríamos "às ordens", como *se* a outra pessoa estivesse no controle das coisas.

■ **8.10,11**

וַיֹּאמֶר לְמָחָר וַיֹּאמֶר כִּדְבָרְךָ לְמַעַן תֵּדַע כִּי־אֵין כַּיהוָה אֱלֹהֵינוּ׃

וְסָרוּ הַצְפַרְדְּעִים מִמְּךָ וּמִבָּתֶּיךָ וּמֵעֲבָדֶיךָ וּמֵעַמֶּךָ רַק בַּיְאֹר תִּשָּׁאַרְנָה׃

Ele respondeu: Amanhã. Essa foi a ordem do Faraó; Moisés a transmitiu a Yahweh, e assim sucedeu. Não havia como alguém dizer: "Tudo aconteceu por mera coincidência". O próprio Faraó tinha determinado o prazo, e, misteriosa e completamente, assim ocorreu.

Talvez chamemos de coincidências muitas coisas que não são tais. Algum poder arranja as coisas de modos curiosos! Ver na *Enciclopédia de Bíblia, Teologia e Filosofia*, o artigo *Coincidência Significativa*.

O *fato* do súbito desaparecimento (mortalidade em massa) das rãs (vs. 13) apontava para o senhorio de Yahweh.

"Coisa alguma poderia ser prova tão decisiva de que essa praga foi um acontecimento sobrenatural do que o fato que ao Faraó foi permitido determinar o tempo em que ela seria removida" (Adam Clarke, *in loc.*). As rãs simplesmente *estavam mortas* de súbito. Nenhum processo natural poderia ter feito isso.

■ **8.12,13**

וַיֵּצֵא מֹשֶׁה וְאַהֲרֹן מֵעִם פַּרְעֹה וַיִּצְעַק מֹשֶׁה אֶל־יְהוָה עַל־דְּבַר הַצְפַרְדְּעִים אֲשֶׁר־שָׂם לְפַרְעֹה:

וַיַּעַשׂ יְהוָה כִּדְבַר מֹשֶׁה וַיָּמֻתוּ הַצְפַרְדְּעִים מִן־הַבָּתִּים מִן־הַחֲצֵרֹת וּמִן־הַשָּׂדֹת:

O Senhor fez conforme a palavra de Moisés. Deus tinha investido em Moisés, e suas orações mostravam-se eficazes. "Muito pode, por sua eficácia, a súplica do justo" (Tg 5.16). Ademais, Moisés recebera uma missão divina, e tudo quanto estivesse envolvido nessa missão tinha sido determinado pelo Senhor. Portanto, não nos devemos admirar que Deus tenha removido as mesmas rãs que ele fizera multiplicar-se de forma tão extraordinária. Houve um extermínio de rãs; e agora restava somente fazer a limpeza do Egito. Ver no *Dicionário* o artigo *Oração*.

O Faraó estava sendo submetido a teste. Ele mesmo havia marcado o dia da remoção das rãs. Não havia como aquilo ser mera coincidência. A paciência de Yahweh manifestou-se naqueles momentos. O Faraó já tivera muitas oportunidades de arrepender-se e mudar suas ações. Geralmente é assim que os pecadores agem. O Faraó havia experimentado os seus próprios recursos. Seus mágicos tinham multiplicado ainda mais as rãs (vs. 7), mas não tinham conseguido livrar-se delas. Os recursos dos pecadores não dão certo. Eles precisam apelar para o poder de Deus.

■ **8.14**

וַיִּצְבְּרוּ אֹתָם חֳמָרִם חֳמָרִם וַתִּבְאַשׁ הָאָרֶץ:

Montões e montões. Os corpos mortos das rãs eram um inconveniente muito grande. Talvez o fogo pudesse resolver o problema. O Egito estava momentaneamente livre, mas não por muito tempo, porque a causa do drama todo — a dureza de coração de Faraó — em nada havia mudado. Talvez os montões de rãs mortas tenham sido a causa, ou, pelo menos, a causa contribuinte, para a grande multiplicação de insetos que constituiria a terceira e a quarta praga, dos piolhos e das moscas (Êx 8.16 ss. e 8.20 ss.).

Uma semelhante praga de rãs é mencionada por Eustácio (*Com. in Hom. Il.* par. 35), que teve lugar na Paeônia e na Dardânia. O mau cheiro emitido pelas rãs, depois que estas morreram em massa, era tão insuportável que as pessoas simplesmente abandonaram a região até que o mau cheiro sumisse.

■ **8.15**

וַיַּרְא פַּרְעֹה כִּי הָיְתָה הָרְוָחָה וְהַכְבֵּד אֶת־לִבּוֹ וְלֹא שָׁמַע אֲלֵהֶם כַּאֲשֶׁר דִּבֶּר יְהוָה: ס

Faraó... continuou de coração endurecido. Foi um triunfo da estupidez. Ao ver que o Egito estava livre, imaginou que tudo terminaria naquele ponto. Ele não se dispunha a perder o trabalho escravo prestado pelos filhos de Israel. Por isso, recuou quanto à promessa que fizera. Lemos aqui que *o próprio* Faraó endureceu seu coração. Em outros trechos do livro de Êxodo lemos que *Deus* endureceu o coração dele. Dei uma nota completa sobre isso (incluindo referências aos artigos que tratam dos problemas teológicos envolvidos, no *Dicionário*), em Êxodo 4.21. Alguma impressão fora feita sobre sua mente (vs. 8), mas não o bastante para mudar seu coração. Sua contínua obstinação aumentava sua culpa, cada vez mais. O pecador à vontade diante de seu pecado é um pecador obstinado. O trecho de Êxodo 7.14 mostra-nos que Yahweh tinha predito a resistência do Faraó.

A TERCEIRA PRAGA: OS PIOLHOS (8.16-19)

■ **8.16**

וַיֹּאמֶר יְהוָה אֶל־מֹשֶׁה אֱמֹר אֶל־אַהֲרֹן נְטֵה אֶת־מַטְּךָ וְהַךְ אֶת־עֲפַר הָאָרֶץ וְהָיָה לְכִנִּם בְּכָל־אֶרֶץ מִצְרָיִם:

Ver no *Dicionário* o artigo *Pragas do Egito*. Os críticos atribuem esta seção à fonte informativa *P(S)*. Ver no *Dicionário* o artigo *J.E.D.P.(S.)* quanto à teoria das fontes múltiplas do Pentateuco.

Entre os estudiosos não há consenso quanto ao inseto envolvido nesta praga. Assim, as traduções nos dão várias conjecturas: mosquitos, carrapatos, piolhos, pulgas etc. Um certo tipo de mosquito, transmissor da febre dengue, é um açoite terrível em países do Oriente Próximo e Médio, e vários eruditos pensam que esse era o inseto envolvido nesta terceira praga. Assim como o lodo do rio Nilo havia produzido, espontaneamente, uma prodigiosa quantidade de rãs (Êx 8.3), assim também o pó da terra produzia o inseto que causava a terceira praga. Visto que o pó da terra tem um número praticamente infinito, ninguém pode calcular o número de insetos que o chão produziu.

O Faraó estava colhendo o que tinha semeado. Ver no *Dicionário* o artigo *Lei Moral da Colheita segundo a Semeadura*. A terceira praga sobreveio sem aviso prévio. Ver o gráfico nas notas sobre Êxodo 7.14, quanto ao elemento mais importante de cada praga, bem como os deuses que elas atacavam. *Set*, o deus do deserto, talvez tenha sido a divindade humilhada nesta terceira praga.

Ver no *Dicionário* os artigos *Piolho* e *Mosquito* (Piolho, Carrapato), os quais explicam o grande poder de multiplicação de alguns insetos que podem ter estado envolvidos na terceira praga. Heródoto (*Hist.* ii.95) descreveu uma terrível praga de mosquitos que houve no Egito. "Desde os tempos antigos, mosquitos e mosquitos ferroadores têm sido pragas do Egito, especialmente no outono. O Nilo, ao começar a baixar suas águas, deixa poças de água estagnada, onde os insetos se multiplicam" (*Oxford Annotated Bible, in loc.*).

■ **8.17**

וַיַּעֲשׂוּ־כֵן וַיֵּט אַהֲרֹן אֶת־יָדוֹ בְמַטֵּהוּ וַיַּךְ אֶת־עֲפַר הָאָרֶץ וַתְּהִי הַכִּנָּם בָּאָדָם וּבַבְּהֵמָה כָּל־עֲפַר הָאָרֶץ הָיָה כִנִּים בְּכָל־אֶרֶץ מִצְרָיִם:

Arão estendeu a mão com sua vara. Ver as notas sobre isso em Êxodo 4.2. As pragas de números um, dois, três, sete, oito e, talvez, nove, foram desfechadas com o uso da vara de Moisés. As partículas de poeira levantaram-se do solo sob a forma de minúsculas criaturas vivas. O milagre não foi uma multiplicação natural mas incomum de insetos. Cf. Êxodo 8.3, onde lemos que o lodo do rio produziu rãs em prodigiosa quantidade. "Em um país poeirento como o Egito, essa multiplicação é um exagero que desafia toda compreensão" (J. Edgar Park, *in loc.*).

Os egípcios eram um povo muito higiênico. Os seus sacerdotes ufanavam-se por usarem roupas limpas, de linho puro, e também em sua higiene pessoal. Eles tomavam banhos frequentes e rapavam todos os pelos do corpo. Mas agora estavam sendo atacados por insetos ferroadores, aos quais, sem dúvida, consideravam insetos imundos.

■ **8.18**

וַיַּעֲשׂוּ־כֵן הַחַרְטֻמִּים בְּלָטֵיהֶם לְהוֹצִיא אֶת־הַכִּנִּים וְלֹא יָכֹלוּ וַתְּהִי הַכִּנָּם בָּאָדָם וּבַבְּהֵמָה:

Porém não o puderam. Os mágicos fracassaram pela primeira vez. Antes, eles haviam falhado em parte. Haviam multiplicado as rãs, mas não puderam removê-las (Êx 8.7). Mas no caso desta terceira praga de insetos, eles se mostraram absolutamente impotentes, de nada adiantando seus truques ou o poder satânico. Provavelmente, devemos entender que o próprio Yahweh impediu que esse poder satânico se manifestasse, e agora tomaram consciência disso (vs. 19). Algo de incomum estava sucedendo, e prontamente reconheceram o fato. "Se os mágicos agiam mediante agentes espirituais, neste caso descobrimos que a esses agentes foi estabelecido um limite além do qual não podiam ultrapassar; pois *tudo* no universo age sob a *direção* e o *controle* do Todo-poderoso" (Adam Clarke, *in loc.*).

■ 8.19

וַיֹּאמְר֤וּ הַֽחַרְטֻמִּים֙ אֶל־פַּרְעֹ֔ה אֶצְבַּ֥ע אֱלֹהִ֖ים הִ֑וא וַיֶּחֱזַ֤ק לֵב־פַּרְעֹה֙ וְלֹֽא־שָׁמַ֣ע אֲלֵהֶ֔ם כַּאֲשֶׁ֖ר דִּבֶּ֥ר יְהוָֽה׃ ס

Isto é o dedo de Deus. Alguns estudiosos pensam que essa expressão deveria ser traduzida por "o dedo de deus", por suporem que os mágicos não tinham em mente especificamente a Yahweh. O termo hebraico envolvido é *Elohim* (ver a respeito no *Dicionário*) que pode ser entendido como alusivo ao verdadeiro Deus ou a *deuses*, e o próprio vocábulo hebraico não nos indica como devemos compreendê-lo. Seja como for, os mágicos reconheceram que estava atuando algum poder divino, superior a tudo quanto já tinham visto, que não se submetia ao controle deles. Talvez Yahweh, a quem o Faraó não quisera reconhecer (Êx 5.2), estivesse começando a ser reconhecido.

Dedo de Deus. Ver também Êxodo 31.18; Deuteronômio 9.10; Salmo 8.3; Lucas 11.20. É indicado um poder divino que atua sobre circunstâncias específicas. Deus põe seu dedo sobre certas circunstâncias que as modificam. Fazemos nossos atos e nossas realizações por meio de nossos dedos.

O coração do Faraó *estava endurecido*, e isso pela sua vontade perversa e teimosa, ou, então, por parte de Deus. Ambas as coisas aparecem como verdades, no livro de Êxodo. Ver as notas sobre Êxodo 4.21 sobre essa questão, que inclui comentários sobre os problemas teológicos envolvidos. As rãs fizeram o Faraó hesitar (Êx 8.8 ss.). Mas os insetos não exerceram nenhum efeito sobre ele. Ele estava disposto a sofrer a dor a fim de reter seu trabalho escravo, prestado pelos israelitas, tão vital para seus projetos de construção.

A QUARTA PRAGA: AS MOSCAS (8.20-32)

Ver no *Dicionário* o artigo *Pragas do Egito*. Os críticos atribuem esta seção à fonte informativa *J*. Ver no *Dicionário* o artigo chamado *J.E.D.P.(S.)* quanto à teoria das fontes múltiplas do Pentateuco.

O drama tem a sua variedade. Assim como as operações do diabo podem fazer muitos exércitos marchar, assim também o poder de Deus pode atuar de muitas formas variadas. O Faraó continua ali com seu coração endurecido, embotado, insensível e teimoso. Assemelhava-se a um lutador de boxe que já tivesse perdido a luta, mas ainda esperava por algum golpe de sorte que lhe desse a vitória. Mas isso não haveria de suceder. Quanto mais ele estrebuchasse, mais seria espancado. E isso continuaria até que os primogênitos de todos os egípcios fossem mortos pelo anjo vingador. E esse seria o xeque-mate que o Faraó sofreria, e do qual não mais se recuperaria. Ver Êxodo 11.4-8.

■ 8.20

וַיֹּ֨אמֶר יְהוָ֜ה אֶל־מֹשֶׁ֗ה הַשְׁכֵּ֤ם בַּבֹּ֙קֶר֙ וְהִתְיַצֵּב֙ לִפְנֵ֣י פַרְעֹ֔ה הִנֵּ֖ה יוֹצֵ֣א הַמָּ֑יְמָה וְאָמַרְתָּ֣ אֵלָ֗יו כֹּ֚ה אָמַ֣ר יְהוָ֔ה שַׁלַּ֥ח עַמִּ֖י וְיַֽעַבְדֻֽנִי׃

"Essa quarta praga dá início ao segundo ciclo de três juízos. Isso evidencia-se mediante a frase *pela manhã* (vs. 20; cf. Êx 7.15; 9.13). Tal como nas três primeiras pragas, essas três novas pragas restringiram-se aos egípcios (ver Êx 8.22)" (John D. Hannah, *in loc.*). Ver o gráfico nas notas sobre Êxodo 7.14 que fornecem as características básicas das pragas bem como os deuses que estavam combatendo. Essa praga foi iniciada mediante uma nova entrevista com o Faraó, portanto teve seu aviso prévio apropriado e misericordioso.

Moisés e Arão deveriam sair de novo ao encontro do Faraó, às margens do rio Nilo, conforme vimos em Êxodo 7.15. Os versículos são praticamente iguais, logo as notas ali existentes são aplicáveis aqui também.

Deixa ir o meu povo. Ver as notas sobre essa expressão em Êxodo 5.1. Ver também Êxodo 8.1; 9.1 e 10.3.

O alvo a longo prazo do poder das pragas era levar o Faraó a libertar Israel de sua escravidão. E o propósito a curto prazo era exaltar a Yahweh (ver as notas a respeito em Êx 7.5).

■ 8.21

כִּ֣י אִם־אֵינְךָ֮ מְשַׁלֵּ֣חַ אֶת־עַמִּי֒ הִנְנִי֩ מַשְׁלִ֨יחַ בְּךָ֜ וּבַעֲבָדֶ֧יךָ וּֽבְעַמְּךָ֛ וּבְבָתֶּ֖יךָ אֶת־הֶעָרֹ֑ב וּמָ֨לְא֜וּ בָּתֵּ֤י מִצְרַ֙יִם֙ אֶת־הֶ֣עָרֹ֔ב וְגַ֥ם הָאֲדָמָ֖ה אֲשֶׁר־הֵ֥ם עָלֶֽיהָ׃

Enxames de moscas. A quarta praga só esperava pela reação do Faraó para sobrevir ou não. Seria acompanhada por um sinal especial. A terra de *Gósen*, a região onde Israel habitava, seria totalmente poupada da praga, e ninguém encontraria uma razão natural para isso. Ver o vs. 22. Embora tivesse a oportunidade de arrepender-se (cf. Êx 8.2 e 9.2), o Faraó perdia todas as oportunidades. Portanto, estava colhendo o que havia semeado. Ver no *Dicionário* o artigo intitulado *Lei Moral da Colheita segundo a Semeadura*.

Grandes enxames de moscas haveriam de cobrir o Egito. A ideia é de grandes *massas em movimento*. As moscas e outros insetos se acumulariam tanto no ar, no solo e por toda parte que "moscas" seria outro nome virtual para "Egito" (ver Is 7.18; 18.1). A enchente e a vazante do rio Nilo, que provocavam poças de água estagnada, favoreciam essa multiplicação; e os prodígios estavam aumentando o terror do povo egípcio. A putrefação das rãs tinha favorecido a grande multiplicação de insetos. Talvez as moscas fossem as moscas de cão (*musca canina*), conhecidas por suas mordidas dolorosas. Assim explicou Filo (*De Vita Mosis* 1.1 par. 622).

O deus egípcio atacado por essa praga pode ter sido Rá, o deus-sol, e/ou Uatchit, o deus-mosca. O deus *Anúbis* era adorado sob a forma de um cão ou de uma *kunomuia* (palavra grega para *mosca de cão*). Esse era o principal inseto dessa quarta praga, que faria os egípcios relembrar seu deus-cão. A Septuaginta imagina que as *kuonomuia* estavam envolvidas, e assim traduziu o termo grego que aparece neste texto.

■ 8.22,23

וְהִפְלֵיתִי֩ בַיּ֨וֹם הַה֜וּא אֶת־אֶ֣רֶץ גֹּ֗שֶׁן אֲשֶׁ֤ר עַמִּי֙ עֹמֵ֣ד עָלֶ֔יהָ לְבִלְתִּ֥י הֱיֽוֹת־שָׁ֖ם עָרֹ֑ב לְמַ֣עַן תֵּדַ֔ע כִּ֛י אֲנִ֥י יְהוָ֖ה בְּקֶ֥רֶב הָאָֽרֶץ׃
וְשַׂמְתִּ֣י פְדֻ֔ת בֵּ֥ין עַמִּ֖י וּבֵ֣ין עַמֶּ֑ךָ לְמָחָ֥ר יִהְיֶ֖ה הָאֹ֥ת הַזֶּֽה׃

A terra de Gósen. Aqui e em Êxodo 9.4,26 é dito especificamente que Israel foi poupado do efeito das pragas. É provável que outro tanto tenha ocorrido quanto a cada uma das dez pragas, embora somente neste ponto sejamos informados sobre como Israel foi poupado.

O Faraó da época de José tinha dado ao povo de Israel aquela região do Egito como lugar de habitação. Ver Gênesis 45.10 e 46.28. Ver no *Dicionário* o artigo *Gósen*, quanto a amplos detalhes. Essa área foi poupada da praga das moscas, e isso serviu de sinal para o Faraó, de que algo divino estava envolvido na questão. Não havia explicação natural de por que aquela parte do país escapou dessa praga. A terra de Gósen, isentada da praga, mostraria que só Yahweh era o verdadeiro e único Deus. Cf. o sinal do tosão de Gideão (Jz 6.36-40). "A terra de Gósen só pode ter sido algum trecho do delta oriental, um trecho de terreno em nada diferente do resto do Egito — baixo, plano, bem irrigado, fértil. A natureza não estabelecia nenhuma distinção entre ela e as demais regiões, onde residiam os egípcios. Portanto, a isenção da terra de Gósen das pragas por si mesma seria um milagre manifesto" (Ellicott, *in loc.*).

Separarei a terra de Gósen. Deus faria descer uma rede invisível, que separaria Gósen do resto do Egito. As moscas não poderiam ultrapassar para além da rede. Essa circunstância seria um *sinal* da intervenção de Yahweh. A palavra aqui traduzida por "distinção" em outros lugares é traduzida por "redenção". Em outras palavras, a provisão divina seria uma espécie de redenção mundana de Israel, de uma praga, mas que indicava o favor divino que haveria de redimir o povo de Israel de outras maneiras, incluindo o êxodo que em breve teria lugar. Ver também Êxodo 9.4,26; 10.23; 12.12,13.

8.24

וַיַּ֤עַשׂ יְהוָה֙ כֵּ֔ן וַיָּבֹא֙ עָרֹ֣ב כָּבֵ֔ד בֵּ֥יתָה פַרְעֹ֖ה וּבֵ֣ית עֲבָדָ֑יו וּבְכָל־אֶ֧רֶץ מִצְרַ֛יִם תִּשָּׁחֵ֥ת הָאָ֖רֶץ מִפְּנֵ֥י הֶעָרֹֽב׃

O que foi apenas ameaçado no vs. 21, aqui torna-se uma realidade. Nem todas as pragas foram anunciadas de antemão. Ver o gráfico nas notas sobre o vs. 7.14 quanto a um sumário dos elementos principais. As pragas de números três, seis e nove não foram anunciadas previamente.

"Esse inseto, o *kakerlaque* (*Blata orientalis*), realmente enche a terra e molesta homens e animais; consome toda forma de material, devasta o interior e é muito mais perigoso que os mosquitos, visto que também destruiu a propriedade dos egípcios" (Kalisch, *in loc.*).

Ver o Salmo 78.45 quanto a um comentário a respeito. A vara de poder (ver Êx 7.19; 8.5,6,16 etc.) não foi usada nesta praga. Foi um golpe divino direto.

Moscas e Deuses. Nos tempos antigos não havia inseticidas nem conhecimento capaz de reduzir as moscas, mesmo porque havia menor atenção dada às medidas de higiene e as sociedades eram essencialmente agrícolas. Por isso, os insetos podiam multiplicar-se à vontade. Assim, os deuses acabavam misturados com essa questão de moscas. *Baalzebube* era o deus das moscas; *Hércules* era o exterminador das moscas; *Muagrus*, dos eleanos, castigava as pessoas através de moscas; *Júpiter* expelia as moscas; *Uatchit*, uma divindade egípcia, era associada às moscas.

8.25,26

וַיִּקְרָ֣א פַרְעֹ֔ה אֶל־מֹשֶׁ֖ה וּֽלְאַהֲרֹ֑ן וַיֹּ֗אמֶר לְכ֛וּ זִבְח֥וּ לֵאלֹהֵיכֶ֖ם בָּאָֽרֶץ׃

וַיֹּ֣אמֶר מֹשֶׁ֗ה לֹ֤א נָכוֹן֙ לַעֲשׂ֣וֹת כֵּ֔ן כִּ֚י תּוֹעֲבַ֣ת מִצְרַ֔יִם נִזְבַּ֖ח לַיהוָ֣ה אֱלֹהֵ֑ינוּ הֵ֣ן נִזְבַּ֞ח אֶת־תּוֹעֲבַ֥ת מִצְרַ֛יִם לְעֵינֵיהֶ֖ם וְלֹ֥א יִסְקְלֻֽנוּ׃

O Faraó Propõe Transigências. Ver Êxodo 10.11. Essas propostas eram quatro: 1. Podem adorar, mas permaneçam no Egito (Êx 8.25). 2. Vão, mas não se distanciem do Egito (8.28). 3. Vão, mas deixem seus filhos e suas possessões no Egito. 4. Vão, deixem seu gado no Egito, mas podem levar seus filhos (10.24).

Quando este versículo é posto em confronto com o vs. 26, parece que o Faraó daria algum dia permissão para Israel sair do Egito. Parece que ele baixaria o equivalente a um edito de tolerância. Poderiam efetuar seus ritos religiosos *dentro* das fronteiras do Egito. *Yahweh* seria então reconhecido como *um* dos deuses oficiais do Egito, entre tantos. Naturalmente, isso não era aceitável para Moisés. Os papiros elefantinos mostram que os egípcios, posteriormente, reagiram com violência à adoração efetuada por Israel (A. E. Cowley, *Aramaic Papyri of the Fifth Century B. C.*). Quase todos os sacrifícios de animais, feitos por Israel, lhes pareciam repelentes. Assim, o proposto edito de tolerância do Faraó foi um grande passo aos seus olhos, embora não fosse suficiente, na opinião de Moisés.

Provavelmente, o Faraó teria permitido que Israel exercesse autonomia religiosa em Gósen, mas não fora daquele território. Somente ali Israel não ofenderia aos egípcios; mas devemos supor que mesmo ali havia uma população mista, e tentativas de execução (por apedrejamento) poderiam ter lugar. Os egípcios consideravam que o boi era um animal sagrado para o deus Ré (Ápis), ao passo que a vaca representava a deusa egípcia, Hator. Portanto, sacrifícios desses animais seriam considerados blasfêmias.

Diodoro Sículo (*Bibliothec.* 1.1 par. 75) deu notícias da violência de uma turba de egípcios ao verem uma mulher matar um gato, um animal que para eles era sagrado. "O Egito tinha fortíssimos tabus contra as práticas religiosas dos estrangeiros (Gn 43.32)" (*Oxford Annotated Bible, in loc.*).

Apedrejamento. Essa era uma antiga forma de execução capital. Ver no *Dicionário* o verbete com esse nome. Era a forma de execução em certos casos de incesto (ver a introdução ao capítulo 18 de Levítico, onde apresento um gráfico).

8.27

דֶּ֚רֶךְ שְׁלֹ֣שֶׁת יָמִ֔ים נֵלֵ֖ךְ בַּמִּדְבָּ֑ר וְזָבַ֙חְנוּ֙ לַיהוָ֣ה אֱלֹהֵ֔ינוּ כַּאֲשֶׁ֖ר יֹאמַ֥ר אֵלֵֽינוּ׃

Temos de ir caminho de três dias ao deserto. Desse modo a exigência dos líderes de Israel foi renovada. Antes, essa demanda tinha sido repelida (Êx 3.18 e 5.3 ss.). Ver notas completas a respeito, nesses versículos. Pode-se presumir que a jornada de três dias era apenas um ardil. Isso daria a Israel um bom começo, de tal modo que dali poderiam escapar completamente. Pode-se pensar que sairiam armados, organizados quase como um exército, formado como batalhões (ver Êx 6.26 e 7.4), talvez para evitar um ataque da parte do exército egípcio.

8.28

וַיֹּ֣אמֶר פַּרְעֹ֗ה אָנֹכִ֞י אֲשַׁלַּ֤ח אֶתְכֶם֙ וּזְבַחְתֶּ֞ם לַיהוָ֤ה אֱלֹֽהֵיכֶם֙ בַּמִּדְבָּ֔ר רַ֛ק הַרְחֵ֥ק לֹא־תַרְחִ֖יקוּ לָלֶ֑כֶת הַעְתִּ֖ירוּ בַּעֲדִֽי׃

As Quatro Transigências Propostas pelo Faraó. Ver as notas em Êxodo 8.25 e 10.11. A segunda delas é a que aparece neste versículo: "Vão, mas não se afastem muito do Egito na adoração de vocês". Essa transigência tinha um óbvio sentido metafórico. A Igreja permanece no Egito e adota as aspirações, as maneiras e até a música do mundo, ficando assim anulada a sua espiritualidade. Na quarta das transigências propostas, a ideia era que a Igreja não se radicalizasse demais, mas ficasse sempre nas proximidades do Egito (ver Êx 10.24).

O pedido foi tentativamente conferido, mas com o reparo de que Israel não se afastasse do Egito, algo menos do que os três dias de jornada solicitados. Naturalmente, o Faraó suspeitava de um ardil, e queria ter certeza de que poderia atirar suas tropas contra o povo de Israel em fuga, se seus espiões o informassem que eles estavam procurando escapar. Somente o desespero poderia ter impelido o Faraó, de coração empedernido, a fazer tal proposta. O Faraó sem dúvida tinha conhecimento das antigas associações de Israel com a terra de Canaã, e daí suspeitava que o objetivo real dos israelitas era o retorno àquela terra. Originalmente, ele tinha suspeitado das intenções de Moisés (Êx 5.8), e essas suspeitas não se apagavam em sua mente.

8.29

וַיֹּ֣אמֶר מֹשֶׁ֗ה הִנֵּ֨ה אָנֹכִ֜י יוֹצֵ֤א מֵֽעִמָּךְ֙ וְהַעְתַּרְתִּ֣י אֶל־יְהוָ֔ה וְסָ֣ר הֶעָרֹ֗ב מִפַּרְעֹ֛ה מֵעֲבָדָ֥יו וּמֵעַמּ֖וֹ מָחָ֑ר רַ֗ק אַל־יֹסֵ֤ף פַּרְעֹה֙ הָתֵ֔ל לְבִלְתִּי֙ שַׁלַּ֣ח אֶת־הָעָ֔ם לִזְבֹּ֖חַ לַֽיהוָֽה׃

Moisés não confiava no Faraó, e o Faraó não confiava em Moisés; e ambos tinham razões para desconfiar um do outro. Essa exigência do Faraó, de os israelitas "não irem longe", mostrava sua falta de confiança em Moisés. E Moisés referiu-se abertamente à duplicidade do Faraó. Até aquele ponto, o Faraó nada tinha feito que inspirasse confiança. Mas apesar dos motivos óbvios de desconfiança, *Yahweh* ofereceu ao Faraó outra oportunidade. No caso da praga das rãs, o Faraó não havia cumprido a sua promessa (vs. 15). E, naturalmente, o rei repetiria agora sua atitude (vs. 32).

Amanhã. O livramento ocorreria no prazo designado, o que também já havia sucedido no caso da praga das rãs (vss. 9,10). Em ambos os casos, "amanhã" foi o tempo determinado para o Egito livrar-se de duas das pragas.

O Faraó, em certos momentos parecido com o rei-filósofo imaginado por Platão, mostrava ser um modelo de excelência e honestidade. Ele era reputado filho de um deus, um ser divino. Não obstante, foi necessário que Moisés o repreendesse por causa de sua astúcia e desonestidade. O Faraó estava apenas agindo como um político astuto, pois os políticos não mudaram até hoje.

8.30

וַיֵּצֵ֥א מֹשֶׁ֖ה מֵעִ֣ם פַּרְעֹ֑ה וַיֶּעְתַּ֖ר אֶל־יְהוָֽה׃

Moisés cumpriu sua parte na barganha. Como representante de Yahweh, Moisés rogou ao poder divino do Altíssimo que cancelasse a terrível praga das moscas. Moisés tinha essa autoridade, não por causa de quem ele era, mas por haver sido investido por Deus de autoridade e por ter recebido uma comissão e uma missão divina. Cf. o caso de Simão, o mago (At 8.24).

8.31

וַיַּעַשׂ יְהוָה כִּדְבַר מֹשֶׁה וַיָּסַר הֶעָרֹב מִפַּרְעֹה מֵעֲבָדָיו וּמֵעַמּוֹ לֹא נִשְׁאַר אֶחָד׃

A resposta de Deus foi, naturalmente, positiva, e houve um notável milagre de remoção, tal como antes houvera um notável milagre de multiplicação de moscas, por *fiat* divino. Elas vieram e se foram através da palavra divina, porque ali estava o poder de Deus.

"Quão poderosa é a oração!" (Adam Clarke, *in loc.*). Ver no *Dicionário* o artigo intitulado *Oração*. Ao representante de Yahweh foi dado pleno poder, e ele pôde até mesmo *ditar* como a resposta seria dada! É lindo quando obtemos imediatas e poderosas respostas às nossas orações. Seja feita a vontade de Deus. Senhor, proporciona-nos essa graça!

8.32

וַיַּכְבֵּד פַּרְעֹה אֶת־לִבּוֹ גַּם בַּפַּעַם הַזֹּאת וְלֹא שִׁלַּח אֶת־הָעָם׃ פ

Ainda esta vez endureceu Faraó o coração. Algumas vezes lemos que *ele mesmo* endureceu seu coração, como aqui; mas de outras vezes, lemos que *Deus* endureceu o coração do Faraó. Assim, a vontade divina e a vontade humana cooperam uma com a outra. Deus usa do livre-arbítrio humano, sem destruí-lo, embora não saibamos explicar *como*. Ver Êxodo 4.21 quanto a notas completas sobre essa questão e sobre os problemas suscitados acerca da teologia que circunda o determinismo *versus* o livre-arbítrio.

Paradoxalmente, o endurecimento do coração do Faraó, por parte de Deus, era o exercício do livre-arbítrio do Faraó. Todavia, não sabemos explicar *como* isso sucede.

Uma vez mais, o Faraó quebrou sua promessa. Ver o vs. 15. Prevaleceu de novo a *estupidez*. Seu embotamento espiritual era refletido em sua falha moral, mediante "o orgulho e a ambição" (John Gill, *in loc.*).

CAPÍTULO NOVE

A QUINTA PRAGA: PESTE NOS ANIMAIS (9.1-7)

Ver no *Dicionário* o artigo *Pragas do Egito*. Ver o gráfico em Êxodo 7.14 que apresenta os principais elementos de cada praga. Esta quinta praga também foi anunciada de antemão, tal como foram as de números um, dois, quatro, sete, oito e dez. Mas não foi usada a vara de poder, conforme se viu nas pragas de números quatro e seis. Vários deuses egípcios foram atacados e humilhados por esta praga. *Hator* era a deusa com cabeça de vaca; *Ápis* era o deus-touro, símbolo de fertilidade.

Os críticos atribuem esta seção à fonte *J*. Ver no *Dicionário* o artigo chamado *J.E.D.P.(S.)* quanto à teoria das fontes múltiplas do Pentateuco.

Novamente, "amanhã" foi o prazo marcado para início da quinta praga. Mas aqui (em contraste com as pragas das rãs e das moscas), o prazo dizia respeito ao começo da praga, e não a quando uma praga seria descontinuada (Êx 8.10,29).

O Faraó estava colhendo o que tinha semeado. Ver no *Dicionário* o artigo *Lei Moral da Colheita segundo a Semeadura*.

9.1

וַיֹּאמֶר יְהוָה אֶל־מֹשֶׁה בֹּא אֶל־פַּרְעֹה וְדִבַּרְתָּ אֵלָיו כֹּה־אָמַר יְהוָה אֱלֹהֵי הָעִבְרִים שַׁלַּח אֶת־עַמִּי וְיַעַבְדֻנִי׃

Apresenta-te a Faraó. Teria início outro estágio da missão divina de Moisés. Este versículo é virtualmente igual aos outros que introduzem avisos sobre a vinda de pragas. Ver Êxodo 7.2 e 8.1. Quanto às palavras "Deixa ir o meu povo", ver Êxodo 5.1; 7.16; 8.1,20 e 10.3. Ver também Êxodo 4.16 quanto a outro versículo similar. Moisés era o porta-voz de Deus. Uma das características literárias do autor do Pentateuco é a repetição. Deus tinha um filho primogênito no exílio, o povo de Israel, e chegara o tempo de ser liberado desse exílio. Ver Êxodo 4.22,23.

O Deus dos hebreus. Ver acerca dessa expressão nas notas sobre Êxodo 3.18; 5.3; 7.16; 9.13 e 10.3. O nome divino aqui usado é Elohim, que tem um artigo no *Dicionário*. Mas *Yahweh* (ver também no *Dicionário*) era o nome distintivo de Deus que estava sendo introduzido no Egito. Ver sobre isso em Êxodo 5.2,3, onde, como aqui, *Yahweh* é chamado "o Deus dos hebreus".

Para que me sirva. Uma nova adoração; uma nova fé religiosa; um passo a mais na direção da fé de Israel, mais tarde consolidada na lei. O monoteísmo é a ideia suprema dessa fé; e o Messias era o passo gigantesco da revelação divina que estava sendo antecipado.

9.2,3

כִּי אִם־מָאֵן אַתָּה לְשַׁלֵּחַ וְעוֹדְךָ מַחֲזִיק בָּם׃
הִנֵּה יַד־יְהוָה הוֹיָה בְּמִקְנְךָ אֲשֶׁר בַּשָּׂדֶה בַּסּוּסִים בַּחֲמֹרִים בַּגְּמַלִּים בַּבָּקָר וּבַצֹּאן דֶּבֶר כָּבֵד מְאֹד׃

Morte entre os Animais. Foi pronunciada uma grande mortandade entre os animais. Ver o gráfico nas notas sobre Êxodo 7.14, que dá os elementos principais das pragas, muitos dos quais se repetiram. O aviso prévio foi feito no caso das pragas de números um, dois, quatro, cinco, sete, oito e dez. Divindades egípcias foram atacadas em cada praga, para provar que somente Yahweh é Deus. Ver no gráfico. Na praga da mortandade entre os animais, estiveram sob ataque a deusa de cabeça de vaca, Hator, e o deus-touro, Ápis, símbolo da fertilidade. Outros *animais sagrados* também haveriam de perecer. Ver Êxodo 8.25,26 quanto a detalhes que dizem respeito a esta questão.

É impossível determinar que tipo de enfermidade ou enfermidades esteve envolvido. A sugestão mais comum dos eruditos é o *antraz*. Trata-se de uma doença altamente infecciosa e causa febre alta. É causada pelo *Bacillus anthracis* e provoca muitas pústulas. A doença ataca tanto os animais quanto o homem. Essa doença, além de outras, poderia ser consequência das condições resultantes de pragas anteriores. O antraz é uma enfermidade propagada pelas moscas e pelos mosquitos.

Além de ser economicamente desastrosa, a destruição de animais domésticos também era humilhante, religiosamente falando, por causa dos mitos egípcios sobre animais sagrados. Além de estarem sob ataque os deuses Hator e Ápis, também estava sob alvo Khnum, o deus-carneiro. Enquanto a ira de Deus espalhava a mortandade, os animais domesticados dos israelitas seriam poupados (Êx 9.4; cf. Êx 8.22,23 quanto a uma proteção semelhante).

Os camelos. Alguns estudiosos pensam que a menção a esse animal é um anacronismo, pois pensa-se que esse animal, na época de Moisés, ainda não era domesticado no Egito (século XIII a.C.). É verdade que os monumentos egípcios daquele período não exibem esse animal, mas parece haver algumas referências literárias. Ademais, o camelo era usado em outros lugares como besta de carga. Jacó, muito antes de Moisés, era possuidor de muitos camelos (Gn 30.43). Há muitas menções ao camelo no capítulo 24 de Gênesis. Portanto, se o camelo não era então popularmente domesticado no Egito, é razoável supormos que haveria, ao menos, alguns deles naquele país.

9.4

וְהִפְלָה יְהוָה בֵּין מִקְנֵה יִשְׂרָאֵל וּבֵין מִקְנֵה מִצְרָיִם וְלֹא יָמוּת מִכָּל־לִבְנֵי יִשְׂרָאֵל דָּבָר׃

Proteção Dada a Israel. Enquanto no Egito os animais eram mortos em massa, na terra de Gósen (dada a Israel para ali habitar) os animais eram protegidos por uma barreira protetora (redenção) de Yahweh, de tal maneira que nenhum animal era atingido pelas pragas. Temos aqui ideias e palavras que já tinham ocorrido em Êxodo 8.22,23, sobre a praga das moscas, cujas notas também se aplicam aqui. Em Êxodo 8.22,23, temos a primeira menção à relação entre Israel e as pragas do Egito. Devemos supor que, em cada uma e em todas essas pragas, o povo de Israel foi protegido, embora isso não seja especificamente dito. Ver também Êxodo 9.26; 10.23; 12.12,13.

O vs. 7 mostra-nos que Faraó observou que o povo de Israel estava a salvo das pragas, mas nem mesmo um sinal tão óbvio fê-lo acordar.

9.5

וַיָּ֥שֶׂם יְהוָ֖ה מוֹעֵ֣ד לֵאמֹ֑ר מָחָ֗ר יַעֲשֶׂ֧ה יְהוָ֛ה הַדָּבָ֥ר הַזֶּ֖ה בָּאָֽרֶץ׃

O Senhor designou certo tempo. "Amanhã" a praga teria início. E isso adicionava força à circunstância. A *precisão* do começo da praga agiria como sinal de que Yahweh era a força por trás das pragas. Já vimos esse fator em operação. Ver Êxodo 8.10,29 (o momento exato em que alguma praga cessou).

9.6

וַיַּ֨עַשׂ יְהוָ֜ה אֶת־הַדָּבָ֤ר הַזֶּה֙ מִֽמָּחֳרָ֔ת וַיָּ֕מָת כֹּ֖ל מִקְנֵ֣ה מִצְרָ֑יִם וּמִמִּקְנֵ֥ה בְנֵֽי־יִשְׂרָאֵ֖ל לֹא־מֵ֥ת אֶחָֽד׃

Todo o rebanho. Não sobrou nenhuma cabeça de gado dos egípcios. Mas nos vss. 10,20,21 lemos que havia animais vivos entre os egípcios. Os intérpretes debatem-se diante desse item secundário, e supõem uma destas três possibilidades: 1. A palavra "todo", neste versículo, é uma hipérbole. 2. A palavra "todo" é uma declaração exagerada e frouxa, que o autor sagrado logo adiante contradisse. 3. A palavra "todo" significa todo o rebanho que estava nos campos. O gado guardado em estábulos etc. sobreviveu. O terceiro versículo, de fato, aponta para essa noção do gado "nos campos".

Seja como for, a praga foi devastadora, atacando uma pedra fundamental das mais importantes da economia nacional, e produzindo grande consternação em uma sociedade essencialmente agrícola, mas que também dependia muito de seu gado.

9.7

וַיִּשְׁלַ֣ח פַּרְעֹ֔ה וְהִנֵּ֗ה לֹא־מֵ֛ת מִמִּקְנֵ֥ה יִשְׂרָאֵ֖ל עַד־אֶחָ֑ד וַיִּכְבַּד֙ לֵ֣ב פַּרְעֹ֔ה וְלֹ֥א שִׁלַּ֖ח אֶת־הָעָֽם׃ פ

O fato de que os israelitas foram poupados tornou-se um fato conspícuo, que o Faraó não pôde ignorar. Isso deve ter-se tornado motivo da conversação entre todos os egípcios, motivo de alegria para Israel, mas da mais profunda consternação para os egípcios. Porém, apesar dos vários sinais, o Faraó não se deixou abalar em sua obstinação.

Os Três Sinais. 1. Foi determinado um tempo específico para início da praga. Nenhuma coincidência estaria envolvida. 2. O gado dos israelitas seria poupado. 3. A praga foi generalizada, muito pior do que qualquer outra que podia ser relembrada. Como era óbvio, tratava-se de um juízo divino. O Faraó viu os sinais, mas conseguiu ignorá-los.

O coração de Faraó se endureceu. Ou por ele mesmo, ou por atuação de Yahweh, ou por ambos. Ver notas completas sobre essa questão, incluindo referência aos artigos que abordam os problemas teológicos envolvidos, nas notas sobre Êxodo 4.21. Os textos diferem, algumas vezes dizendo que o Faraó endurecia seu próprio coração, e algumas vezes dizendo que Yahweh o endurecera. Ver Romanos 9.17, onde Paulo reporta-se ao problema referente ao endurecimento do coração de Faraó.

SEXTA PRAGA: ÚLCERAS NOS HOMENS E NOS ANIMAIS (9.8-12)

Ver no *Dicionário* o artigo intitulado *Pragas do Egito*. Ver as notas em Êxodo 7.14 quanto a um gráfico que alista os principais e reiterados elementos das pragas. Cada praga atacava e humilhava uma ou mais das divindades egípcias. Neste caso, foram: *Sekhmet*, a deusa que supostamente tinha poder sobre as enfermidades e se tornou impotente aos olhos dos egípcios; *Sunu*, o deus da pestilência, que foi visto, no mínimo, menos poderoso do que Yahweh; e *Ísis*, a deusa da cura, que aparecia destituída de qualquer poder.

Os críticos atribuem este material à fonte informativa *P(S)*. Alguns deles supõem que essa praga foi apenas a versão de *P(S)* da quinta praga. Quanto a Êxodo 9.1, a fonte informativa seria *J*. Ver o artigo *J.E.D.P.(S.)* no *Dicionário*, quanto à teoria das fontes múltiplas do Pentateuco.

No Egito, as doenças de pele eram comuns nos homens e nos animais. Mas a *magnitude* dessas pragas distinguiram-nas de todas as pragas comuns. Essa praga não foi anunciada, conforme se vê nos casos das pragas *terceira* e *nona*. Pelo menos por algum tempo, a vida humana foi diretamente ameaçada.

9.8

וַיֹּ֨אמֶר יְהוָ֜ה אֶל־מֹשֶׁ֣ה וְאֶֽל־אַהֲרֹ֗ן קְח֤וּ לָכֶם֙ מְלֹ֣א חָפְנֵיכֶ֔ם פִּ֖יחַ כִּבְשָׁ֑ן וּזְרָק֥וֹ מֹשֶׁ֛ה הַשָּׁמַ֖יְמָה לְעֵינֵ֥י פַרְעֹֽה׃

Mãos cheias de cinza de forno. As cinzas, lançadas ao vento, haveriam de espalhar-se por toda parte, o que serviu de sinal da natureza generalizada da praga. Cf. como as rãs, em quantidades prodigiosas, levantaram-se da lama do rio Nilo, por geração espontânea (Êx 8.3), e também como os piolhos surgiram por geração espontânea do pó do solo (Êx 8.16,17).

Os fornos crus, para derreter metal ou para cozinhar (como aqueles para cozer o pão), usavam madeira como combustível. E produziam muita cinza. Ver as notas sobre 2Samuel 12.31 e, no *Dicionário*, o verbete *Fornos de Tijolos*.

As *cinzas*, neste caso, agiram como a *vara*, em outros casos. Ver o gráfico nas notas sobre Êxodo 7.14, quanto ao uso ou não da vara de poder, por Moisés ou Arão. Os egípcios, naturalmente temerosos das pragas, incluíam em seu panteão a deusa *Skehmet*, com cabeça de leão; *Sunu*, o deus das pragas; e *Ísis*, a deusa da cura. Devem ter apelado para todas essas e outras divindades. O sistema teológico inteiro do Egito foi humilhado pelas diversas pragas, porquanto Yahweh estava sendo exaltado para tornar-se universalmente conhecido (ver as notas sobre Êx 7.5).

Diante de Faraó. Talvez na presença literal do Faraó, enquanto este observava; ou, então, na sua presença, metaforicamente, porquanto saberia do ato por meio de seus resultados. Mas o vs. 10 indica estar em foco a presença literal do rei. Sem importar, porém, exatamente como tenha sido, o monarca do Egito era *testemunha ocular* de vários daqueles prodígios.

9.9

וְהָיָ֣ה לְאָבָ֔ק עַ֖ל כָּל־אֶ֣רֶץ מִצְרָ֑יִם וְהָיָ֨ה עַל־הָאָדָ֜ם וְעַל־הַבְּהֵמָ֗ה לִשְׁחִ֥ין פֹּרֵ֛חַ אֲבַעְבֻּעֹ֖ת בְּכָל־אֶ֥רֶץ מִצְרָֽיִם׃

Por toda a terra do Egito. As úlceras haveriam de generalizar-se por todo o Egito. As úlceras eram alguma forma de doença da pele que os estudiosos tentam especificar. Os animais que porventura tivessem escapado da quinta praga agora eram vitimados por uma nova desgraça. Os *homens* estavam sendo agora, pela primeira vez, atacados, sendo suas vidas ameaçadas por uma doença repelente. A severidade das pragas iria se agravando cada vez mais, até que todos os filhos primogênitos do Egito fossem executados.

Uma única úlcera, em uma pessoa, já é motivo de consternação; mas quando um homem é coberto de úlceras, a sua miséria torna-se tão grande que a morte é preferível. Cf. Deuteronômio 28.27.

O Faraó estava colhendo o que tinha semeado. Ver no *Dicionário* o artigo *Lei Moral da Colheita segundo a Semeadura*.

9.10

וַיִּקְח֞וּ אֶת־פִּ֣יחַ הַכִּבְשָׁ֗ן וַיַּֽעַמְדוּ֙ לִפְנֵ֣י פַרְעֹ֔ה וַיִּזְרֹ֥ק אֹת֛וֹ מֹשֶׁ֖ה הַשָּׁמָ֑יְמָה וַיְהִ֗י שְׁחִין֙ אֲבַעְבֻּעֹ֔ת פֹּרֵ֕חַ בָּאָדָ֖ם וּבַבְּהֵמָֽה׃

... se apresentaram a Faraó. Provavelmente indicando que ele tinha sido testemunha ocular do prodígio anterior. A natureza específica da ocorrência não permitiria a suposição de que tivera lugar alguma coincidência calamitosa. O Faraó foi avisado de antemão de forma enfática e dramática. O vento espalhou as cinzas, e, imediatamente as úlceras passaram a afligir homens e animais (aqueles que tinham escapado da quinta praga).

A praga aqui descrita era *extraordinária*. As úlceras não eram comuns. Orosius exagerou (se possível) o terror da situação, ao asseverar que "todas as pessoas viram-se afligidas por pústulas, e que essas pústulas rebentavam com dores atormentadoras, delas saindo vermes". Cf. Apocalipse 16.2 quanto a uma praga similar do futuro.

9.11

וְלֹא־יָכְלוּ הַחַרְטֻמִּים לַעֲמֹד לִפְנֵי מֹשֶׁה מִפְּנֵי הַשְּׁחִין
כִּי־הָיָה הַשְּׁחִין בַּחַרְטֻמִּם וּבְכָל־מִצְרָיִם׃

Os magos. Essa classe de charlatães egípcios ficava cada vez mais desacreditada. A diminuição de seus poderes fez parte da progressão das pragas. Os mágicos tinham reproduzido a transformação de água em sangue (Êx 7.22); tinham reproduzido a praga das rãs (Êx 8.7). Mas não tinham conseguido reproduzir a praga dos piolhos (Êx 8.18). Naquela altura, eles reconheceram o "dedo de Deus" nas pragas (Êx 8.19). E agora, em Êxodo 9.11, não somente pararam de tentar imitar os milagres, mas eles mesmos se tornaram vítimas da praga das úlceras. Yahweh, pois, havia ganho a batalha contra os poderes sinistros. E em breve haveria uma completa vitória sobre os opositores que já jaziam caídos no pó.

"Mesmo que os mágicos não tenham sido destruídos por esse horrendo juízo divino, pelo menos abandonaram a liça, e não mais contenderam contra os mensageiros de Deus" (Adam Clarke, *in loc.*).

Ver Deuteronômio 28.27 quanto a pragas como essa das úlceras do Egito.

9.12

וַיְחַזֵּק יְהוָה אֶת־לֵב פַּרְעֹה וְלֹא שָׁמַע אֲלֵהֶם כַּאֲשֶׁר
דִּבֶּר יְהוָה אֶל־מֹשֶׁה׃ ס

O Senhor endureceu o coração de Faraó. Aqui, "Senhor" é *Yahweh*. Algumas vezes, o texto diz que o Faraó endurecia o seu próprio coração; de outras vezes, lemos que Yahweh é quem endurecia o coração do Faraó. Os fatores divino e humano interagem. Deus usa o livre-arbítrio humano sem destruí-lo, embora não saibamos dizer *como* isso acontece. Comento sobre essa questão de forma pormenorizada (aludindo a artigos que abordam os problemas teológicos envolvidos), nas notas sobre Êxodo 4.21. As notas dadas ali oferecem as várias referências sobre essa questão do endurecimento do coração do Faraó.

SÉTIMA PRAGA: CHUVA DE PEDRAS (9.13-35)

Ver no *Dicionário* o artigo *Pragas do Egito*.

Os Céus Estavam Irados. Agora as pragas mexiam com os próprios céus. Os críticos atribuem esta seção à fonte J, excetuando sua conclusão (vs. 35), que eles atribuem à fonte P(S). Ver no *Dicionário* o verbete *J.E.D.P.(S.)*, quanto à teoria das fontes múltiplas do Pentateuco. Tal como em outras pragas, e, talvez, como em *todas* elas (embora isso não seja dito), lemos que o povo de Israel, na terra de Gósen, nada sofreu com a praga da saraiva.

Vários deuses e deusas do Egito estavam sendo atacados pelas pragas. Yahweh continuava a humilhar o panteão egípcio. *Nut*, a deusa do céu, não foi capaz de fazer parar a saraiva. *Osíris*, o deus da fertilidade e das plantações, não pôde defender o Egito. *Set*, o deus das tempestades, não parou a saraiva. O nome e o poder de Yahweh tinham-se tornado universais. Ver Êxodo 7.15.

O Faraó estava colhendo o que havia semeado. Ver no *Dicionário* o artigo *Lei Moral da Colheita segundo a Semeadura*.

Esta sétima praga deu início ao *terceiro ciclo* dos prodígios. Ver as notas sobre Êxodo 7.14 quanto a um gráfico ilustrativo desses ciclos, além de outros itens comuns a essas pragas. As pragas de números sete, oito e nove (o terceiro ciclo) foram as mais severas até então. Mas depois viria a *décima* praga, o golpe de morte, a morte dos filhos primogênitos do Egito.

Os *quatro* elementos proeminentes desta longa seção são os seguintes: 1. Instruções dadas a Moisés (Êx 9.13-19). 2. O poder destruidor da sétima praga (vss. 20-26). 3. O discurso de Moisés diante do Faraó (vss. 27-32). 4. Apesar de tudo, o Faraó prosseguiu em sua teimosia e estupidez (vs. 33-35).

9.13

וַיֹּאמֶר יְהוָה אֶל־מֹשֶׁה הַשְׁכֵּם בַּבֹּקֶר וְהִתְיַצֵּב לִפְנֵי
פַרְעֹה וְאָמַרְתָּ אֵלָיו כֹּה־אָמַר יְהוָה אֱלֹהֵי הָעִבְרִים
שַׁלַּח אֶת־עַמִּי וְיַעַבְדֻנִי׃

Levanta-te pela manhã cedo. Tal como se viu em Êxodo 7.15 e 8.20. Esse projeto requeria um começo desde bem cedo. O sol se levantaria e traria um novo dia, mas, para o Egito, um dia doloroso.

Apresenta-te a Faraó. Como em Êxodo 8.20. Agora, Moisés era como um *deus* para Faraó (Êx 7.1).

O Deus dos hebreus. Como em Êxodo 3.18; 5.3; 9.1 e 10.3. Ver as notas em Êxodo 9.1. *Elohim-Yahweh,* o Deus que o Faraó não conhecia (Êx 5.2), era agora bem conhecido e havia reduzido a pó o panteão dos egípcios (ver a introdução à presente seção). Ver os artigos sobre ambos os nomes divinos no *Dicionário,* bem como o artigo *Deus, Nomes Bíblicos de*.

Deixa ir o meu povo. Como em Êxodo 5.1; 7.14,16; 8.1,8,20; 9.1; 10.3. Em Êxodo 4.23, lemos "deixa ir meu filho", porquanto Israel era o povo primogênito de Deus, embora estivesse no exílio, no Egito. Essa condição seria revertida, e as provisões do Pacto Abraâmico seriam cumpridas. Israel deveria ter um território pátrio. Ver sobre o Pacto Abraâmico nas notas sobre Gênesis 15.18, que incluem essa questão do território pátrio.

Para que me sirva. Ver as notas a respeito em Êxodo 9.1.

9.14

כִּי בַּפַּעַם הַזֹּאת אֲנִי שֹׁלֵחַ אֶת־כָּל־מַגֵּפֹתַי
אֶל־לִבְּךָ וּבַעֲבָדֶיךָ וּבְעַמֶּךָ בַּעֲבוּר תֵּדַע כִּי
אֵין כָּמֹנִי בְּכָל־הָאָרֶץ׃

Sobre o teu coração. Provavelmente, essas palavras indicam apenas que as pragas seriam extremamente convincentes, antes que os primogênitos do Egito fossem executados. O *coração* do Faraó é que estava esclerosado. Assim, *todas* aquelas pragas tinham por finalidade abrandá-lo.

"...(o coração do Faraó) agora seria amolecido pela repetição de golpe após golpe, até que, finalmente, haveria de ceder, humilhando-se debaixo da poderosa mão de Deus, e ele consentiria com a partida de todo o povo de Israel, com seus rebanhos, seus bens e todos os seus pequeninos" (Ellicott, *in loc.*).

O Conhecimento Universal de Deus. Este versículo deve ser comparado com Isaías 11.9, que diz: "...porque a terra se encherá do conhecimento do Senhor, como as águas cobrem o mar".

Ver Êxodo 7.5 quanto a uma menção específica às pragas, como um meio de produzir esse resultado (o conhecimento de Deus) entre os egípcios. Conhecer a Deus é um conhecimento remidor, se for recebido como tal. Em caso contrário, tal conhecimento produz juízo e retrocesso. Cf. Romanos 9.17.

9.15

כִּי עַתָּה שָׁלַחְתִּי אֶת־יָדִי וָאַךְ אוֹתְךָ וְאֶת־עַמְּךָ בַּדָּבֶר
וַתִּכָּחֵד מִן־הָאָרֶץ׃

Os Versículos Reveladores. Os vss. 15 e 16 deste capítulo devem ser comparados com o livro de Jonas. Ali a misericórdia de Deus envolvia o bem-estar do gado (Jn 4.11, versículo final do livro), para nada dizermos sobre pessoas. Assim, o Senhor enviou o seu profeta, a fim de *poupá-los*. Aqui, no livro de Êxodo, o profeta do Senhor foi enviado para proferir uma maldição que afligiria a terra e reduziria o Egito a ruínas. Ver os artigos contrastantes, no *Dicionário*, intitulados *Ira de Deus* e *Amor*. Os homens gostam de ver nisso uma contradição. Mas, afinal, todos os julgamentos de Deus têm natureza, sendo dedos da amorosa mão divina. Os juízos de Deus, por mais severos que sejam, têm por finalidade realizar o bem, atuando como missões de misericórdia. Portanto, que venham os julgamentos de Deus! Ver o artigo *Julgamento de Deus dos Homens Perdidos*, na *Enciclopédia de Bíblia, Teologia e Filosofia*.

Além disso, precisamos lembrar que homens duros merecem um julgamento severo. Os juízos de Deus são duros o bastante para que possam cumprir seus propósitos. O Faraó era o próprio modelo de um tirano duro e obstinado. Em consequência, o julgamento a que foi submetido concordava com a natureza dele.

"Assim sendo, Deus fez aquele ímpio monarca saber que por causa de sua providência especial foi que ele e seu povo já não tinham sido destruídos pelas pragas *anteriores*. Mas Deus o havia preservado com o propósito precípuo de que Yahweh tivesse outras oportunidades de manifestar-se como o único verdadeiro Deus" (Adam Clarke, *in loc.*).

9.16

וְאוּלָם בַּעֲבוּר זֹאת הֶעֱמַדְתִּיךָ בַּעֲבוּר הַרְאֹתְךָ אֶת־כֹּחִי וּלְמַעַן סַפֵּר שְׁמִי בְּכָל־הָאָרֶץ:

Este versículo tem-se tornado um campo de batalha que ruge entre o determinismo divino e o livre-arbítrio humano. Paulo ajuntou-se à batalha, citando-o em Romanos 9.17. No *Novo Testamento Interpretado* ofereço, nessa referência, um detalhado comentário sobre essa questão. Mesmo que o texto do livro de Êxodo não esteja falando sobre a salvação da alma, seu uso no capítulo 9 de Romanos sugere que essa noção está ali embutida. No Pentateuco não existe doutrina expressa da imortalidade da alma, embora alguns poucos versículos possam ser entendidos como trechos que ensinam essa doutrina. O Pacto Abraâmico (ver as notas em Gn 15.18) não promete vida além-túmulo. Ficou aos cuidados do Novo Testamento *adicionar* esse aspecto ao Pacto Abraâmico. Portanto, não havia como o autor do livro de Êxodo estar contemplando o julgamento além-túmulo. Entretanto, visto que a questão se vê envolvida nesse assunto, no Novo Testamento, precisamos comentar sobre o milenar conflito entre o determinismo (predestinação, eleição) e o livre-arbítrio.

Para começar, é mister afirmar que esse problema é essencialmente insolúvel. Se aceitarmos apenas um dos polos, talvez ensinemos o livre-arbítrio humano, esquecendo-nos da soberania de Deus, ou vice-versa. Seguir um desses dois polos e olvidar o outro é defender uma teologia infantil. Todas as grandes doutrinas envolvem-nos em paradoxos. Nesses casos, cumpre-nos seguir o princípio da polaridade. Devemos examinar ambos os lados dessas doutrinas, como também ensinar ambos e não nos preocupar com reconciliações impossíveis, até que nosso conhecimento espiritual avance para muito além do que possuímos hoje. As *crianças teológicas* tornam-se fanáticas, defendendo um ou outro lado de certas questões complexas, mas negligenciando o lado oposto. Muitas batalhas teológicas insensatas têm ocorrido em torno desse paradoxo do determinismo divino *versus* livre-arbítrio humano. A ira casa-se ao ódio, e esse par prejudicial é exibido em cortejo, diante das igrejas ou sob a forma de livros. Homens de ar maduro, porém, revelam como a *maturidade* tem-nos arrancado de pontos de vista radicais, que negligenciam essas verdades polares. Os homens limitam sua própria mente e o seu Deus, mediante suas estreitas teologias. E a teologia unilateral sempre será usada para promover o ódio e as divisões.

Ver no *Dicionário* os seguintes artigos: *Determinismo (Predestinação); Predestinação (Livre-Arbítrio); Livre-Arbítrio; Eleição*. Ver especialmente o artigo *Polaridade, Princípio da*. E ver o verbete *Paradoxo* na *Enciclopédia de Bíblia, Teologia e Filosofia*. Os teólogos sistemáticos abominam os paradoxos. Eles se julgam capazes de ajustar tudo dentro de seus pequenos sistemas. E o que não conseguem ajustar, rejeitam; e assim lançam em opróbrio a Palavra de Deus. Quão leviana e tolamente essas pequenas teologias distorcem as Escrituras, fazendo-as ensinar *menos* do que ensinam, ou fazendo-as ensinar o que não ensinam. *Todas* as teologias sistemáticas tornam-se culpadas disso, em maior ou menor grau.

Este versículo frisa o ensino bíblico da *soberania de Deus* (ver a esse respeito no *Dicionário*). Outros trechos enfatizam o seu amor universal. Não há nisso nenhuma contradição. A soberania de Deus está por trás de seu amor, embora ao longo do caminho ele possa semear a destruição, com vistas à restauração *final*. O vs. 19 apresenta-nos o amor de Deus. O ímpio Faraó foi advertido a abrigar sua gente e seus animais.

Reprovação. Ver na *Enciclopédia de Bíblia, Teologia e Filosofia* os artigos intitulados *Reprovação* e *Reprovado*.

As pragas, até este ponto, aparentemente se tinham mostrado ineficazes. O Faraó em nada havia mudado. Mas a verdadeira razão da aparente ineficácia das pragas era que a soberania de Deus primeiro precisava ser demonstrada. Em toda essa questão não havia nenhum laivo de fraqueza por parte de Deus, embora houvesse muita paciência divina.

9.17

עוֹדְךָ מִסְתּוֹלֵל בְּעַמִּי לְבִלְתִּי שַׁלְּחָם:

O Faraó continuava insistindo em exaltar-se. Ele tinha suas divindades, mas era o objeto real de sua adoração. O Deus estrangeiro, Yahweh, tinha-o deixado impressionado, mas todas as lições objetivas haviam sido ignoradas. As coisas teriam de ficar muito piores, antes que o Faraó pudesse ser sacudido de sua modorra espiritual.

"Uma vez firmadas, as tiranias e as opressões têm uma espécie de vida natural que *precisa* seguir seu curso. Em meio a esse processo... Deus manifesta o seu poder" (J. Edgar Park, *in loc.*).

Quanto à questão de *deixar ir o povo de Deus*, ver as notas sobre Êxodo 9.13, onde apresento uma lista de referências sobre a questão.

9.18

הִנְנִי מַמְטִיר כָּעֵת מָחָר בָּרָד כָּבֵד מְאֹד אֲשֶׁר לֹא־הָיָה כָמֹהוּ בְּמִצְרַיִם לְמִן־הַיּוֹם הִוָּסְדָה וְעַד־עָתָּה:

Amanhã por este tempo. Tal como em Êxodo 9.5, foi marcado o tempo exato, quanto ao começo e ao fim da praga. A finalidade disso era eliminar qualquer ideia de coincidência. O *tempo* da praga era conhecido. Essa praga foi predita, e o Faraó e sua gente foram advertidos com clareza. As pragas de números um, dois, quatro, cinco, sete, oito e dez foram avisadas de antemão. Ver as notas sobre Êxodo 7.14 quanto a um gráfico que ilustra os diversos elementos comuns das pragas.

A Tempestade Sobrenatural. As pessoas que têm conhecimento adiantam-nos que chuvas pesadas, tempestuosas, no baixo Egito não são incomuns, ainda que sejam comparativamente raras. Os tufões são ali bastante raros; e, quando caem, não são muito violentos. Pode haver chuvas de novembro a março, mas sempre sem produzir nenhum prejuízo. Essa tempestade de Deus, entretanto, sem dúvida foi um evento sobrenatural, e foi reconhecido como tal pelo Faraó (ver os vss. 20 e 27).

"...uma tempestade furiosíssima e sem precedente histórico (Êx 9.18; cf. o vs. 24)" (John D. Hannah, *in loc.*). Ver no *Dicionário* o verbete *Saraiva*. A saraiva é uma das armas naturais de Deus. É comum na Palestina (ver Sl 18.12,13; 78.48; 105.32). Vários autores sagrados mencionam a saraiva como um dos juízos de Deus (Is 28.2,17; Ez 38.22; Hc 2.17; Ap 8.7,11; 11.19; 16.21).

9.19

וְעַתָּה שְׁלַח הָעֵז אֶת־מִקְנְךָ וְאֵת כָּל־אֲשֶׁר לְךָ בַּשָּׂדֶה כָּל־הָאָדָם וְהַבְּהֵמָה אֲשֶׁר־יִמָּצֵא בַשָּׂדֶה וְלֹא יֵאָסֵף הַבַּיְתָה וְיָרַד עֲלֵהֶם הַבָּרָד וָמֵתוּ:

Certa Medida de Misericórdia. O Faraó e os egípcios deveriam "procurar abrigo", conforme Deus os convidou a fazer. Deus não estava interessado em matanças inúteis. O propósito do Senhor era abrandar o Faraó e fazer Israel sair do Egito. E também mostrar sua soberania e tornar conhecido o seu nome. Isso poderia ser feito sem uma matança generalizada.

Uma grande parte do Egito ficava inundada, a cada ano, pelo rio Nilo, e essa condição perdurava por vários meses. Durante esse tempo, era mister proteger os animais, em lugares seguros. Assim sendo, os egípcios já dispunham de tais abrigos para o gado (o que sobrava dele), retirando-o do campo até que passasse a tempestade.

9.20,21

הַיָּרֵא אֶת־דְּבַר יְהוָה מֵעַבְדֵי פַּרְעֹה הֵנִיס אֶת־עֲבָדָיו וְאֶת־מִקְנֵהוּ אֶל־הַבָּתִּים:

וַאֲשֶׁר לֹא־שָׂם לִבּוֹ אֶל־דְּבַר יְהוָה וַיַּעֲזֹב אֶת־עֲבָדָיו וְאֶת־מִקְנֵהוּ בַּשָּׂדֶה: פ

Quem dos oficiais de Faraó temia a palavra. Isso fala de *iluminação*. Por serem tão incomuns as pragas, elas não podiam ser atribuídas ao mero acaso. Alguns egípcios já haviam tido suas mentes iluminadas, e estavam prontos e dispostos a dar ouvidos a Yahweh, agindo de acordo com os avisos divinos. Mas *outros* egípcios eram como o Faraó, impressionados, mas não convencidos. Esses não tomaram nenhuma providência para proteger a si mesmos e aos seus animais, apesar da evidência de que era mister dar ouvidos às advertências de Moisés. Assim também, nos tempos do evangelho, "houve alguns que ficaram persuadidos pelo que ele dizia; outros, porém, continuaram incrédulos" (At 28.24). O texto de Êxodo não fala sobre prosélitos ao culto de Yahweh, mas apenas do bom senso de ouvir uma voz que avisara com toda a razão no passado.

9.22

וַיֹּאמֶר יְהוָה אֶל־מֹשֶׁה נְטֵה אֶת־יָדְךָ עַל־הַשָּׁמַיִם וִיהִי בָרָד בְּכָל־אֶרֶץ מִצְרָיִם עַל־הָאָדָם וְעַל־הַבְּהֵמָה וְעַל כָּל־עֵשֶׂב הַשָּׂדֶה בְּאֶרֶץ מִצְרָיִם׃

Estende a mão para o céu. Isso significa que ele brandiu de novo a vara de poder (vs. 23). Esse gesto acompanhou as pragas de números um, dois, três, sete, oito e talvez nove. Ver o gráfico nas notas sobre Êxodo 7.14 quanto aos elementos principais das pragas, vários dos quais se repetiram. Ver as notas sobre a vara de poder em Êxodo 4.2. Tempestades violentas sempre destroem as plantações. As tempestades, como aquela aqui descrita, devastavam todas as coisas vivas, os seres humanos, os animais e a vida vegetal. No vs. 25 deste capítulo temos mais descrições a respeito.

9.23

וַיֵּט מֹשֶׁה אֶת־מַטֵּהוּ עַל־הַשָּׁמַיִם וַיהוָה נָתַן קֹלֹת וּבָרָד וַתִּהֲלַךְ אֵשׁ אָרְצָה וַיַּמְטֵר יְהוָה בָּרָד עַל־אֶרֶץ מִצְרָיִם׃

A vara de poder entrou em ação, como nos casos de outras pragas, alistadas no vs. 22. A vara era um emblema do poder divino, e não algo que tinha poder em si mesmo, da mesma forma que uma coroa é um emblema de autoridade, embora não tenha poder em si mesma.

Seguiu-se uma tempestade espetacularmente violenta. O fogo corria ao rés do chão, com ruídos parecidos com *coriscos* e *relâmpagos*. Muita coisa tem sido escrita sobre esse tipo de tempestade. Esse tipo de tempestade existe, embora seu mecanismo seja pouco conhecido. Artapano (Apude Euséb. *Praepar. Evan.* 1.9 c. 27, pars. 435 e 436) descreveu a violência desse tipo de tempestade, adicionando que ela é acompanhada por terremotos. Uma tempestade gigantesca nivelou tudo no Egito. Ellicott (século XIX) comentou sobre essas *bolas de fogo,* atualmente chamadas *bolas de coriscos.* Esse fenômeno tem sido observado ao longo da história, embora não se saiba ainda como ele acontece.

9.24

וַיְהִי בָרָד וְאֵשׁ מִתְלַקַּחַת בְּתוֹךְ הַבָּרָד כָּבֵד מְאֹד אֲשֶׁר לֹא־הָיָה כָמֹהוּ בְּכָל־אֶרֶץ מִצְרַיִם מֵאָז הָיְתָה לְגוֹי׃

Este versículo repete os elementos da predição sobre a saraiva, no vs. 18, onde damos notas expositivas. Tempestades violentas eram e continuam sendo praticamente desconhecidas no Egito. Mas eram e continuam sendo comuns na Palestina. Os críticos pensam que, para efeito de dramatização, houve uma transferência de um caso da Palestina para o Egito. Mas não há nenhuma razão para supormos que coisas incomuns não podem acontecer na natureza. De fato, coisa alguma é tão cheia de surpresas quanto a própria natureza. Essa praga é aqui chamada de "chuva de pedras", mas o mais provável é que houve algum tremendo distúrbio nas condições atmosféricas. Houve inundações e manifestações elétricas de assustadoras proporções. Uma das profecias sobre os *últimos dias* alude a tempestades aterrorizantes, acontecimentos espantosos na natureza. Cf. Ezequiel 1.4. Ver também Apocalipse 8.5; 11.19 e 16.21 quanto a descrições similares à do livro de Êxodo.

9.25

וַיַּךְ הַבָּרָד בְּכָל־אֶרֶץ מִצְרַיִם אֵת כָּל־אֲשֶׁר בַּשָּׂדֶה מֵאָדָם וְעַד־בְּהֵמָה וְאֵת כָּל־עֵשֶׂב הַשָּׂדֶה הִכָּה הַבָּרָד וְאֶת־כָּל־עֵץ הַשָּׂדֶה שִׁבֵּר׃

Tudo quanto havia no campo. A agricultura é a fonte de toda vida, animal e humana. O sistema agrícola do Egito foi totalmente devastado. Os efeitos do desastre haveriam de fazer-se sentir por longo tempo. Os poucos animais domesticados que tinham sobrevivido às pragas anteriores agora foram atingidos pesadamente por esta praga, excetuando, naturalmente, os que haviam sido abrigados por algumas poucas pessoas prudentes (vs. 20).

9.26

רַק בְּאֶרֶץ גֹּשֶׁן אֲשֶׁר־שָׁם בְּנֵי יִשְׂרָאֵל לֹא הָיָה בָּרָד׃

Somente na terra de Gósen. Ver no *Dicionário* o verbete intitulado *Gósen.* Era ali que estava o povo de Israel. Essa região foi poupada. Devemos entender que isso também sucedeu no caso de todas as pragas, embora não seja declarado no caso de cada praga. Ver também Êxodo 8.22,23 quanto à exceção, bem como notas ali existentes sobre a questão. Ver Êxodo 9.4; 10.23; 12.12,13. Não havia nenhuma explicação natural sobre como aquela região do Egito foi isentada da ira divina. Ver no *Dicionário* o artigo intitulado *Ira de Deus.* Portanto, a própria isenção tornou-se um *sinal* de que o poder divino é que estava operando, e o mero acaso nada tinha que ver com o que sucedia. De fato, nada ocorre por mero acaso. Ver na *Enciclopédia de Bíblia, Teologia e Filosofia* o artigo *Coincidência Significativa.*

"...por muitas vezes, os ímpios dão-se melhor quando o povo de Deus convive entre eles" (John Gill, *in loc.*). Alguns egípcios foram poupados na devastação, por terem israelitas como vizinhos, sobretudo no caso desta praga. Alguns egípcios chegaram a salvar seus bens e animais, obedecendo à palavra de aviso de Moisés.

9.27

וַיִּשְׁלַח פַּרְעֹה וַיִּקְרָא לְמֹשֶׁה וּלְאַהֲרֹן וַיֹּאמֶר אֲלֵהֶם חָטָאתִי הַפָּעַם יְהוָה הַצַּדִּיק וַאֲנִי וְעַמִּי הָרְשָׁעִים׃

Esta vez pequei. A moralidade da situação começou, finalmente, a raiar no cérebro obtuso do Faraó. Escravizar um povo é um grande erro; a perseguição e a opressão são injustiças cometidas contra outras pessoas. O trabalho e a dor impostos a outras pessoas, por meios violentos, são outros erros. De fato, o Faraó e seu povo tinham *pecado,* e agora estavam pagando por esse motivo. A palavra *pecado* tem saído de moda, mas isso não significa que não represente uma condição autêntica dos seres humanos. Jesus veio para salvar *pecadores,* não somente pessoas que têm seus problemas. Ver no *Dicionário* o artigo chamado *Pecado.* Cf. Êxodo 10.16. O Faraó arrependeu-se apenas temporariamente, conforme fazem tantas pessoas. Tempos difíceis e perigos produzem uma espécie superficial de arrependimento, mas que logo reverte à impiedade quando as condições melhoram.

Yahweh não somente foi reconhecido neste ponto, mas também foi reconhecida a sua santidade. Deus é justo; e julga de maneira justa; e julga com justiça os ímpios. Todos esses fatores foram reconhecidos pelo Faraó. Sua recém-despertada sensibilidade levou-o a fazer uma promessa generosa, mas, visto que seu coração não fora transformado, ele voltou atrás em sua decisão, terminada a tempestade.

A tempestade prosseguiu, sem dar sinal de que chegaria ao fim. Em meio a tudo isso, o Faraó convocou Moisés para que este usasse seus poderes e fizesse a praga cessar. Em troca, o Faraó fez outra promessa falsa.

"...o terror da morte tinha tomado conta do Faraó; o ruído ribombante da tempestade zunia em seus ouvidos; os relâmpagos coriscavam diante de seu rosto; a saraivada batia sobre o seu palácio e contra as janelas e as paredes. Ele estava extremamente assustado, e isso forçou da parte dele a confissão que temos aqui" (John Gill, *in loc.*).

9.28

הַעְתִּירוּ אֶל־יְהוָה וְרַב מִהְיֹת קֹלֹת אֱלֹהִים וּבָרָד וַאֲשַׁלְּחָה אֶתְכֶם וְלֹא תֹסִפוּן לַעֲמֹד׃

Eu vos deixarei ir. O grito de guerra tinha sido: "Deixa meu povo ir". Ver as notas em Êxodo 9.1 quanto a uma lista de trechos onde ocorre essa expressão. Ver também Êxodo 4.22,23 quanto a notas sobre o *filho* exilado de Yahweh, que precisava ser solto da servidão. Faraó, finalmente, admitiu essa possibilidade, e não estabeleceu nenhuma condição, exceto que terminasse o destrutivo temporal.

Os filhos de Israel haviam sido denunciados como ociosos e preguiçosos (Êx 5.8,17), o que, no Egito, era considerado um grande pecado. Agora a culpa pelas perturbações sociais foi posta onde ela cabia: sobre os *opressores,* e não sobre os oprimidos.

■ 9.29

וַיֹּאמֶר אֵלָיו מֹשֶׁה כְּצֵאתִי אֶת־הָעִיר אֶפְרֹשׂ אֶת־כַּפַּי
אֶל־יְהוָה הַקֹּלוֹת יֶחְדָּלוּן וְהַבָּרָד לֹא יִהְיֶה־עוֹד
לְמַעַן תֵּדַע כִּי לַיהוָה הָאָרֶץ׃

A *vara de poder*, que provocara a praga, se mostraria eficaz em sua remoção. Ver as notas em Êxodo 4.2 quanto a essa vara. *A terra é do Senhor*, e ele pode fazer o que bem lhe aprouver, tanto afligir com pragas quanto removê-las. Ver no *Dicionário* o artigo intitulado *Soberania de Deus*. O coração do Faraó fora especificamente endurecido a fim de que fosse exibida a soberania de Deus, e a fim de que seu nome se tornasse conhecido entre os povos. Ver as notas sobre Êxodo 7.5. O fato do *nome* de Deus tornar-se *conhecido* indica que a promoção do culto a Yahweh se propagaria e se tornaria eficaz, e que os povos seriam espiritualmente aprimorados. Conhecer o Senhor é ser beneficiado.

Em saindo eu da cidade. Os Targuns revelam que essa cidade era Zoã, também chamada Tânis. Ver o Salmo 78.12, que menciona *Zoã* especificamente. Ver sobre essa cidade no *Dicionário*. A cidade era extremamente idólatra, e Moisés saiu dela para livrar-se de quaisquer más influências. Além disso, ele precisava estar a sós com Yahweh, para realizar outro prodígio.

■ 9.30

וְאַתָּה וַעֲבָדֶיךָ יָדַעְתִּי כִּי טֶרֶם תִּירְאוּן מִפְּנֵי יְהוָה
אֱלֹהִים׃

Ainda não temeis. A confissão de pecado, por parte do Faraó, não procedera de um coração contrito, mas apenas de um cérebro aterrorizado. Assim, Moisés sabia que a resolução do Faraó e sua promessa de deixar os filhos de Israel sair do Egito eram superficiais e temporárias. *Yahweh* era temido por causa do que ele era capaz de fazer. Mas não era temido em fé e adoração religiosa. Não havia lealdade a ele, do fundo do coração.

O remorso do Faraó era egoísta, e não fruto de humilhação pessoal. Ele buscava alguma vantagem para si mesmo, e não obter uma justa solução para o problema. Ele haveria de reter o trabalho-escravo tão barato, até que fossem executados os filhos primogênitos do Egito. Ver Êxodo 11.4 ss.

■ 9.31,32

וְהַפִּשְׁתָּה וְהַשְּׂעֹרָה נֻכָּתָה כִּי הַשְּׂעֹרָה אָבִיב וְהַפִּשְׁתָּה
גִּבְעֹל׃

וְהַחִטָּה וְהַכֻּסֶּמֶת לֹא נֻכּוּ כִּי אֲפִילֹת הֵנָּה׃

Estes versículos revelam-nos como foi que *alguns* produtos agrícolas escaparam. Alguma coisa tinha sobrado para ser comida pelos gafanhotos (Êx 10.15) e para o consumo humano; mas quantas pessoas morreram, e quantas sobreviveram, isso não nos é revelado. Calamidades nacionais como as das pragas do Egito, naturalmente reduzem consideravelmente a população, para nada dizermos sobre os pobres animais, que se mostram indefesos diante de tais desastres. Algumas plantas, por ainda serem novas, e por serem flexíveis, não foram partidas. Mas ainda que tivessem sofrido dano, logo brotariam de novo. A falta de *maturidade* as tinha poupado. Mas as plantas já desenvolvidas foram devastadas. Cerca de um mês escoa-se entre as primeiras e as últimas colheitas. O trigo e o centeio não foram prejudicados, por não estarem ainda crescidos. "Uma saraivada pouco dano pode produzir em uma plantação nesse estágio. Mesmo que seus talos ainda flexíveis recebam algum dano, tornam a crescer depois" (J. Edgar Park, *in loc.*).

■ 9.33

וַיֵּצֵא מֹשֶׁה מֵעִם פַּרְעֹה אֶת־הָעִיר וַיִּפְרֹשׂ כַּפָּיו
אֶל־יְהוָה וַיַּחְדְּלוּ הַקֹּלוֹת וְהַבָּרָד וּמָטָר לֹא־נִתַּךְ
אָרְצָה׃

O que fora prometido no vs. 29, agora estava cumprido. Ver as notas sobre aquele versículo. Moisés retirou-se para os campos, onde ficou sozinho, livre para agir, sem ser perturbado, e imediatamente, ao fazer seu rogo ao Senhor, a praga cessou. A soberania de Yahweh foi assim novamente demonstrada. Deus age a fim de destruir; e também age para restaurar — e faz ambas as coisas com amor.

Ver algo similar em Tiago 5.17,18, o poder de Elias sobre os elementos da natureza.

■ 9.34

וַיַּרְא פַּרְעֹה כִּי־חָדַל הַמָּטָר וְהַבָּרָד וְהַקֹּלֹת וַיֹּסֶף
לַחֲטֹא וַיַּכְבֵּד לִבּוֹ הוּא וַעֲבָדָיו׃

Tornou a pecar. Visto que o seu arrependimento (vs. 27) era egoísta e superficial, o Faraó reconheceu a Yahweh, mas não por motivo de espiritualidade. Ele só queria escapar aos juízos divinos. Sua mente embotada pensou que, uma vez cessada a terrível tempestade, Yahweh não mais perturbaria o Egito. Não fazia ideia de que o pior ainda estava por vir. Moisés, porém, havia antecipado essa reversão (vs. 30), porque o registro das ações passadas do Faraó não era favorável. O Faraó foi julgado por seus atos. Até uma criança torna-se conhecida por suas ações (Pv 20.11).

Semeie um pensamento — colha um ato.
Semeie um ato — colha um hábito.
Semeie um hábito — colha um caráter.
Semeie um caráter — colha um destino.

Prof. Huston Smith

Ao clarear o novo dia, o Faraó voltou às suas trevas mentais e espirituais. Contudo, a misericórdia de Deus permitiu-lhe mais oportunidades.

■ 9.35

וַיֶּחֱזַק לֵב פַּרְעֹה וְלֹא שִׁלַּח אֶת־בְּנֵי יִשְׂרָאֵל כַּאֲשֶׁר
דִּבֶּר יְהוָה בְּיַד־מֹשֶׁה׃ פ

Faraó... não deixou ir os filhos de Israel. Um coração endurecido prevaleceu. A Bíblia mostra-nos que algumas vezes o Faraó endurecia seu próprio coração. De outras vezes, judicialmente, Deus endurecia o coração do Faraó. Ou, então, a expressão pode ser indireta como neste versículo, "seu coração estava endurecido". Deus usa o livre-arbítrio humano sem destruí-lo, embora não saibamos dizer *como* isso pode ser. Ver as notas em Êxodo 4.21 quanto a notas completas sobre a questão do endurecimento do coração de Faraó, com todos os problemas teológicos envolvidos.

Desobediência. A obstinação e a estupidez mental do Faraó, apesar de tantas evidências iluminadoras, tornaram-se proverbiais. O Faraó foi assim levado a desobedecer ao Poder Supremo. Isso só pode resultar na autodestruição. Neste mundo há muitos que se autodestroem.

Uma Espiritualidade Fingida. O Faraó havia exibido uma fagulha de espiritualidade. O arrependimento deveria levar à reparação (vs. 27). Mas assim que aquela fagulha se apagou, o velho coração empedernido do Faraó de novo se manifestou. Quão fácil é para nós criticarmos a outros, mas quão grande é a corrupção interior que nos torna um bando de pequenos faraós, dotados de uma espiritualidade fingida. Até nossa fé e nosso culto religioso podem tornar-se meios de *autoglorificação*. Um missionário usa a blasfema música "rock" a fim de atrair uma multidão. Ele é glorificado porque é um *grande* pregador, capaz de falar a *muitas* pessoas! Um pastor é glorificado devido ao *número* de seus convertidos, por ter-se mostrado *tão* eficiente. O sucesso espiritual tem sido usado para glorificar homens, e depois nos pomos a indagar qual terá sido a verdadeira medida de sucesso autêntico. Os dons espirituais são usados para efeito de *ostentação*. E depois indagamos quão espirituais teriam sido, realmente, esses dons.

CAPÍTULO DEZ

OITAVA PRAGA: OS GAFANHOTOS (10.1-20)

A paciência de Deus continuou a manifestar-se e a adiar. Ainda seriam necessárias mais três pragas para que Faraó anuísse e o êxodo de Israel da servidão se tornasse um fato. Os críticos atribuem esta seção à fonte informativa *J*, com algumas adições provenientes da fonte *E*. Ver no *Dicionário* o artigo *J.E.D.P.(S.)* quanto à teoria das fontes múltiplas do Pentateuco. Ver o gráfico nas notas sobre Êxodo 7.14 quanto aos elementos básicos das pragas, incluindo os elementos que se repetem. Os vss. 7-11 introduzem uma nova guinada nos relatos. O Faraó, pressionado pelos seus conselheiros, resolveu tentar negociar uma solução. Mas, ao assim fazer, ficou aquém das exigências impostas por Moisés, e ofereceu uma *terceira* transigência. Ver as notas nos vss. 10 e 8.25 quanto a essas três transigências. A entrevista com Moisés terminou em uma discussão acalorada. Não se chegou a nenhum acordo. E o Faraó ficou indignado diante das demandas de Moisés. Moisés e Arão foram expulsos à força da presença do Faraó. O Faraó não tinha aprendido a lição, e, assim, precipitou-se de cabeça na sua autodestruição. O Egito, porém, já estava arruinado (vs. 7).

Ver no *Dicionário* o artigo *Praga de Gafanhotos*, quanto a uma explicação sobre o extraordinário poder de destruição dessa praga. Ver também o artigo *Pragas do Egito*.

Divisões do Trecho: 1. Instruções dadas a Moisés (vss. 1-6). 2. Debate com o Faraó (vss. 7-11). 3. Destruição produzida pelos gafanhotos (vss. 12-15). 4. O Faraó humilhado, embora ainda duro de coração (vss. 16-20).

Semeando e Colhendo. Em todas as pragas do Egito, o Faraó apenas colheu o que havia semeado. Ver no *Dicionário* o artigo intitulado *A Lei Moral da Colheita segundo a Semeadura*.

■ **10.1**

וַיֹּאמֶר יְהוָה אֶל־מֹשֶׁה בֹּא אֶל־פַּרְעֹה כִּי־אֲנִי הִכְבַּדְתִּי אֶת־לִבּוֹ וְאֶת־לֵב עֲבָדָיו לְמַעַן שִׁתִי אֹתֹתַי אֵלֶּה בְּקִרְבּוֹ:

Este versículo reitera elementos que já tínhamos visto na narrativa sobre as pragas:

1. A comissão de Moisés (Êx 3.7 ss.).
2. Moisés enviado ao Faraó para apresentar um apelo (Êx 7.10; 8.1,20; 9.1; 10.1 e 11.4 ss.).
3. O coração duro do Faraó. Ver uma nota de sumário em Êx 4.21.
4. Os sinais, ou seja, milagres didáticos, as pragas. Ver sobre os vários sinais constantes no livro de Êxodo em 4.9,17,28,30; 7.3; 8.23; 10.1,2; 13.9; 31.13,17.

Usualmente, a observação sobre o endurecimento do coração do Faraó ocorre no fim de cada lance. Mas aqui antecede e acompanha a este lance (vs. 20). Deus "zombou" dos egípcios (conforme dizem algumas traduções, no vs. 2). Isso seria algo que os pais viveriam repetindo para seus filhos, visando à exaltação de Yahweh (vs. 2).

Esta praga foi avisada de antemão, tal como o tinham sido as pragas de números um, dois, quatro, cinco e sete. Ver o gráfico nas notas sobre Êxodo 7.14 quanto à repetição de elementos e informações gerais sobre as pragas.

Aliados no Endurecimento de Coração. O Faraó contava com colegas de pecaminosidade, embora ele fosse o maior de todos. Mas seus ministros compartilhavam de seu embotamento espiritual, sem dúvida, também por decreto divino e por uma vontade humana pervertida. Ver Romanos 1.32 quanto à companhia de pecadores que não somente pecam, mas também deleitam-se diante dos pecados alheios e chegam a elogiar os pecadores pelos erros que estes cometem. Vemos em Êxodo 10.7 ss. que foi feita uma tentativa de barganha, depois que os ministros do Faraó convenceram-no a fazer a tentativa. Alguma luz transpareceu, mas não o bastante para contrabalançar a cegueira natural (e sobrenatural).

■ **10.2**

וּלְמַעַן תְּסַפֵּר בְּאָזְנֵי בִנְךָ וּבֶן־בִּנְךָ אֵת אֲשֶׁר הִתְעַלַּלְתִּי בְּמִצְרַיִם וְאֶת־אֹתֹתַי אֲשֶׁר־שַׂמְתִּי בָם וִידַעְתֶּם כִּי־אֲנִי יְהוָה:

Zombei dos egípcios. Isso Deus fez em prol de seus *filhos*, pois Israel era um filho primogênito no exílio, e tal situação não podia mais continuar, apesar da oposição da maior potência da terra, no momento, o Egito. Yahweh demorava-se, não por motivo de fraqueza, mas a fim de ter tempo para pintar, em um quadro eterno, o poder que seria exibido diante de Israel, por todas as gerações vindouras.

"Aqueles que experimentam as misericórdias de Deus estão na obrigação de transmitir essas memórias do que Deus fez às gerações futuras. A gratidão natural se encarregaria desse tipo de ação. Mas a fim de que esse *dever* não fosse negligenciado, aos israelitas esse dever foi constantemente *imposto*. (Êx 12.26,27; 13.14,15; Dt 32.7; Js 4.6)" (Ellicott, *in loc.*).

■ **10.3**

וַיָּבֹא מֹשֶׁה וְאַהֲרֹן אֶל־פַּרְעֹה וַיֹּאמְרוּ אֵלָיו כֹּה־אָמַר יְהוָה אֱלֹהֵי הָעִבְרִים עַד־מָתַי מֵאַנְתָּ לֵעָנֹת מִפָּנָי שַׁלַּח עַמִּי וְיַעַבְדֻנִי:

O Senhor, o Deus dos hebreus. No hebraico, o nome de Deus é aqui *Yahweh-Elohim*. Esse nome combinado de Deus foi muito usado pelo autor sacro, conforme mostro em uma lista de referências, nas notas sobre Êxodo 9.13. Em Êxodo 9.1 apresentei comentários explicativos sobre esse nome divino.

Deixa ir o meu povo. Demanda muito repetida pelo autor sagrado. Ver a lista dessas petições no livro de Êxodo, nas notas sobre Êxodo 9.13.

A Persistência da Malignidade. A voz divina indagou *por quanto tempo* o Faraó continuaria em sua estupidez moral e espiritual. O Faraó não tinha dado ouvidos à voz de Deus, que já há tanto tempo vinha falando com ele. Ver as notas sobre o *duro coração* do Faraó em Êxodo 4.21. "Tivesse o Faraó cedido *antes*, e as mesmas finalidades graciosas teriam sido acompanhadas por *outros* meios" (Adam Clarke, *in loc.*).

■ **10.4**

כִּי אִם־מָאֵן אַתָּה לְשַׁלֵּחַ אֶת־עַמִּי הִנְנִי מֵבִיא מָחָר אַרְבֶּה בִּגְבֻלֶךָ:

Amanhã trarei gafanhotos. Por várias vezes, "amanhã" foi o tempo designado para começar ou terminar alguma praga. Os prazos assim marcados mostravam que as pragas tinham origem em decretos divinos, e não por mero acaso, por propósito divino, e não por algum acidente natural. Ver sobre essa designação de tempo, "amanhã", em Êxodo 8.10,23; 9.5,6,18.

Praga de Gafanhotos. Sob esse título, ofereço um artigo detalhado e informativo sobre esse tipo de praga, no *Dicionário*. Provemos ali informes científicos sobre como essa praga desenvolve-se e é desfechada. A isso adiciono alguns detalhes, neste ponto:

"Um enxame de gafanhotos, que atravessou o mar Vermelho, em 1889, segundo estimativas, cobria um espaço de mais de 5.000 Km². Em Chipre, em 1881, estatísticas oficiais noticiaram que cerca de 1.300 toneladas de ovos de gafanhotos foram destruídas. Enxames de gafanhotos, tangidos pelo vento, têm sido encontrados em pleno oceano, a quase 2.000 km distantes da terra. Os árabes até hoje são atacados por gafanhotos que o vento traz de muito longe. Eles protegem os cachos de tâmaras com envoltórios de folhas secas; e depois vingam-se das hordas destruidoras derrubando-as com ramos de palmeiras, para então tostar os gafanhotos ao fogo e comê-los. 'Bons e gostosos', gritam eles, quando trazem os gafanhotos que apanharam, para fazer um banquete" (J. Coert Rylaarsdam, *in loc.*).

■ **10.5,6**

וְכִסָּה אֶת־עֵין הָאָרֶץ וְלֹא יוּכַל לִרְאֹת אֶת־הָאָרֶץ וְאָכַל אֶת־יֶתֶר הַפְּלֵטָה הַנִּשְׁאֶרֶת לָכֶם מִן־הַבָּרָד וְאָכַל אֶת־כָּל־הָעֵץ הַצֹּמֵחַ לָכֶם מִן־הַשָּׂדֶה:

וּמָלְאוּ בָתֶּיךָ וּבָתֵּי כָל־עֲבָדֶיךָ וּבָתֵּי כָל־מִצְרַיִם אֲשֶׁר לֹא־רָאוּ אֲבֹתֶיךָ וַאֲבוֹת אֲבֹתֶיךָ מִיּוֹם הֱיוֹתָם עַל־הָאֲדָמָה עַד הַיּוֹם הַזֶּה וַיִּפֶן וַיֵּצֵא מֵעִם פַּרְעֹה:

O pouco que tinha restado seria aniquilado pelos enxames de gafanhotos. O trecho de Êxodo 9.32 mostra que o trigo e o centeio haviam escapado à devastação pela saraiva. Alguns animais também haviam sido protegidos pelos egípcios que tinham dado crédito aos avisos de Moisés (Êx 9.20). Mas coisa alguma e ninguém poderiam resistir aos milhões de gafanhotos.

"O que a praga anterior de saraiva não tinha destruído — o trigo, o centeio (9.32) e o fruto (10.15), além de outros tipos de vegetação (10.12,15) — agora seria devorado pelos gafanhotos. Tal como as rãs (8.3,4) e as moscas (8.21,24), os gafanhotos podiam entrar nas *casas* das pessoas. Tal como a saraiva (9.18), a invasão dos gafanhotos não teve precedentes no Egito (10.6; cf. o vs. 14)" (John D. Hannah, *in loc.*). Ver os trechos de Joel 1.7 e 2.3 quanto à descrição de outra extraordinária praga de gafanhotos. O Targum de Onkelos descreve como as hordas "cobriram o sol da vista" das pessoas, pois impediam que seus raios iluminassem a terra. A praga movimentava-se como uma grande onda aérea que ia escurecendo tudo.

Um Paralelo Moderno. Pouco depois de os pioneiros mórmons terem chegado ao vale do lago Salgado (onde fundaram a cidade de Salt Lake City, Estado de Utah), uma grande praga de gafanhotos invadiu sua primeira safra, ameaçando a sobrevivência deles. Eles oraram e Deus mandou grandes revoadas de gaivotas, que comiam gafanhotos e os vomitavam, comiam e vomitavam (por muitas e muitas vezes). E foi assim que as gaivotas impediram o desastre. Posteriormente, a gaivota foi proclamada ave representativa do estado de Utah, e até hoje, é proibido por lei matar uma gaivota no Estado de Utah.

Joel diz que os gafanhotos ficaram percorrendo a cidade para lá e para cá, subindo pelas paredes, entrando pelas janelas. Burckhardt, um viajante de nossos dias, foi testemunha de uma praga de gafanhotos, e disse: "Eles avassalaram a província de Jedda de tal maneira que, depois de destruírem as plantações, penetraram aos milhares nas residências, devorando tudo, até mesmo os objetos de couro". Kalisch disse que os gafanhotos não somente roem o couro, mas até mesmo a madeira.

■ 10.7

וַיֹּאמְרוּ עַבְדֵי פַרְעֹה אֵלָיו עַד־מָתַי יִהְיֶה זֶה לָנוּ לְמוֹקֵשׁ שַׁלַּח אֶת־הָאֲנָשִׁים וְיַעַבְדוּ אֶת־יְהוָה אֱלֹהֵיהֶם הֲטֶרֶם תֵּדַע כִּי אָבְדָה מִצְרָיִם:

Alguma Luz Raia na Mente dos Servos do Faraó. Eles o exortaram a ceder diante das exigências de Moisés. O Egito estava destruído, mas o imbecilizado Faraó continuou agindo como se nada tivesse acontecido. A sugestão de que fosse feita a vontade do povo de Israel acabou degenerando em um debate feroz (vs. 10,11). Haveria ainda duas outras pragas. Todas as maçãs do diabo têm vermes. O trabalho escravo que o Faraó queria usar a qualquer custo saiu-lhe mais caro do que valia.

Progressão. Os mágicos foram os primeiros a reconhecer "o dedo do Senhor" naquilo que estava acontecendo (8.19). Então, algumas poucas pessoas abrigaram seu gado, por serem sábias o bastante para atender os avisos sobre a saraivada que se aproximava (Êx 9.20). Agora, alguns poucos dentre os próprios conselheiros do Faraó admitiam a sua derrota, aconselhando-o a livrar-se do problema (Êx 10.7).

Yahweh-Elohim foi reconhecido, sendo esse um dos motivos principais das pragas (Êx 6.7). Ver esses nomes divinos anotados no *Dicionário*. Ver também ali, o verbete *Deus, Nomes Bíblicos de*. Os egípcios não tinham rejeitado o seu panteão, e estavam muito longe do monoteísmo (ver a esse respeito no *Dicionário*), mas tinham conseguido obter alguma iluminação.

■ 10.8

וַיּוּשַׁב אֶת־מֹשֶׁה וְאֶת־אַהֲרֹן אֶל־פַּרְעֹה וַיֹּאמֶר אֲלֵהֶם לְכוּ עִבְדוּ אֶת־יְהוָה אֱלֹהֵיכֶם מִי וָמִי הַהֹלְכִים:

Quais são os que hão de ir? "Por insistência de seus impressionados cortesãos, o Faraó tentou negociar antes do prazo fatal de 24 horas (9.5). E sugeriu que fossem *somente os homens*, visto que *varões adultos* poderiam participar de ritos religiosos (23.17; 34.23; Dt 16.16)" (*Oxford Annotated Bible, in loc.*).

Naturalmente, o Faraó desconfiou que estava tratando com um conluio. Moisés dissera que aproveitaria os três dias de afastamento com propósitos religiosos. Isso não exigiria a ausência das mulheres, das crianças e dos animais. Moisés também não havia dito que não retornaria; mas essa era a ideia por trás de toda a proposta. Tendo saído do Egito, a fim de adorar, os israelitas simplesmente desapareceriam no deserto. O Faraó, pois, queria garantir a permanência de Israel, ao mesmo tempo em que permitiria alguns poucos dias de descanso, para propósitos religiosos. Moisés, porém, não aceitaria esse arranjo de transigência. O pedido original era uma viagem de três dias (Êx 3.18 e 5.3). O trecho de Êxodo 8.8 dá a entender que não fora estabelecido nenhum limite de tempo. O vs. 9 deste capítulo mostra-nos que todas as dúvidas foram removidas. Todo o povo de Israel sairia; ninguém e coisa alguma ficaria para trás.

■ 10.9

וַיֹּאמֶר מֹשֶׁה בִּנְעָרֵינוּ וּבִזְקֵנֵינוּ נֵלֵךְ בְּבָנֵינוּ וּבִבְנוֹתֵנוּ בְּצֹאנֵנוּ וּבִבְקָרֵנוּ נֵלֵךְ כִּי חַג־יְהוָה לָנוּ:

Evacuação Total e Afastamento Permanente. Essas duas coisas faziam parte da proposta de Moisés. Essa era a palavra final. A exigência absoluta de Moisés foi amargamente rejeitada pelo Faraó, e assim ele prosseguiu com o conflito insensato e inútil. O vs. 10 reflete puro sarcasmo. Moisés poderia ir, e isso com a bênção do Faraó! No Egito, era costume que as crianças participassem das festividades (Heródoto, *Hist.* ii.60), mas isso não ocorria entre o povo de Israel, onde as atividades religiosas eram mais formais, limitadas à participação dos homens adultos.

Vastos números de animais domésticos estavam envolvidos. Israel havia prosperado na terra de Gósen, e seus rebanhos de gado vacum e ovino eram imensos por aquela altura dos acontecimentos. Ver Êxodo 12.38 quanto a uma vaga declaração sobre a vastidão dos rebanhos possuídos por Israel. Portanto, o êxodo prometia ser um empreendimento realmente grandioso. Coisa alguma poderia ficar para trás (vs. 26).

■ 10.10

וַיֹּאמֶר אֲלֵהֶם יְהִי כֵן יְהוָה עִמָּכֶם כַּאֲשֶׁר אֲשַׁלַּח אֶתְכֶם וְאֶת־טַפְּכֶם רְאוּ כִּי רָעָה נֶגֶד פְּנֵיכֶם:

Este versículo é sarcasmo puro. O Faraó como que disse: "Vão, com a minha bênção!" Na realidade, porém, ele esperava que a proposta de jornada, feita por Moisés, não fosse acompanhada pela proteção divina (pois o mal iria *adiante* deles), da mesma maneira que sua permissão não era sincera. As palavras "tendes conosco más intenções", de acordo com algumas traduções, aparecem como "o mal está à vossa frente". As cerimônias religiosas, referidas por Moisés, seriam uma mera desculpa; mas o ardil não daria certo. Na verdade, Moisés não tinha nenhuma intenção de voltar ao Egito, após ter-se internado três dias de viagem pelo deserto. Ver o vs. 11 quanto às *quatro* propostas de transigência feitas pelo Faraó.

"Que vosso Deus esteja convosco tão certamente quanto eu permitirei que vades" (Adam Clarke, *in loc.*). Até onde dizia respeito ao Faraó, nenhuma dessas coisas seria possível.

■ 10.11

לֹא כֵן לְכוּ־נָא הַגְּבָרִים וְעִבְדוּ אֶת־יְהוָה כִּי אֹתָהּ אַתֶּם מְבַקְשִׁים וַיְגָרֶשׁ אֹתָם מֵאֵת פְּנֵי פַרְעֹה: פ

As Quatro Propostas de Transigência do Faraó:

1. Vão, adorem, mas fiquem no Egito a fim de adorar (8.25). Sempre será assim. A Igreja é tolerada, contanto que se mundanize. Muitos crentes não querem ser *diferentes*. Assim sendo, trazem o mundo para dentro da Igreja. O mesmo estilo de música que se usa nas dancerterias está sendo usado nas igrejas. A mesma moda de vestes usada no mundo é usada pelos membros das igrejas. Não há separação de ideias e de costumes. Ver na *Enciclopédia de Bíblia, Teologia e Filosofia* os artigos *Separação do Crente* e *Mundanismo*.

2. Vão, mas *não longe* do Egito. Ver Êxodo 8.28. Não se mostrem radicais em sua separação. Preservem seu acesso ao Egito e aos seus deleites.

3. Vão, mas deixem no Egito seus filhos e possessões (Êx 10.11). Sejam crentes espirituais, mas não criem seus filhos na espiritualidade. Eles precisam das provisões sociais do Egito, como posição

e riquezas. Precisam de empregos respeitáveis no Egito, isentos de radicalismos que os tornariam diferentes diante de seus amigos.
4. Vão, mas deixem no Egito suas propriedades e seus bens (vs. 24 deste capítulo, onde comento sobre a questão).

"A *terceira* transigência, proposta pelo Faraó, se aplicada aos crentes, talvez tenha sido a mais sutil de todas. Até os pais mais piedosos desejam prosperidade e posição secular para seus filhos" (*Scofield Reference Bible, in loc.*).

A terceira proposta permitia que os homens fossem, mas as mulheres, crianças e bens ficariam no Egito, garantindo assim a *volta* dos homens ao Egito. Mas o grito de guerra: "Deixa meu povo ir" (ver a lista de suas ocorrências nas notas sobre Êx 9.13) não deixava margem para nenhuma transigência.

E os expulsaram. Fracassara redondamente a tentativa de negociação, e o Faraó mandou tirar de sua presença, por meios violentos, Moisés e Arão. O mal parecia ter prevalecido; o resultado é que haveria maior aflição ainda no Egito. Continuaria a colheita do mal que fora semeado.

■ 10.12

וַיֹּאמֶר יְהוָה אֶל־מֹשֶׁה נְטֵה יָדְךָ עַל־אֶרֶץ מִצְרַיִם בָּאַרְבֶּה וְיַעַל עַל־אֶרֶץ מִצְרָיִם וְיֹאכַל אֶת־כָּל־עֵשֶׂב הָאָרֶץ אֵת כָּל־אֲשֶׁר הִשְׁאִיר הַבָּרָד׃

O uso da *vara de poder* (ver as notas em Êx 4.2) também esteve envolvido nesta oitava praga. Chegara o dia seguinte, e o plano de Deus teve cumprimento conforme tinha sido predito (vs. 4). Moisés estendeu sua mão (como em Êx 9.22 e 10.21). "Primeiramente em uma direção, e, depois em outra, apontando em todas as direções, dando a entender que a praga dos gafanhotos sobreviria ao território egípcio inteiro" (John Gill, *in loc.*).

■ 10.13

וַיֵּט מֹשֶׁה אֶת־מַטֵּהוּ עַל־אֶרֶץ מִצְרַיִם וַיהוָה נִהַג רוּחַ־קָדִים בָּאָרֶץ כָּל־הַיּוֹם הַהוּא וְכָל־הַלָּיְלָה הַבֹּקֶר הָיָה וְרוּחַ הַקָּדִים נָשָׂא אֶת־הָאַרְבֶּה׃

O *vento oriental* trouxe os enxames de gafanhotos; e, quando o vento mudou de direção, tornou-se um vento ocidental que levou os gafanhotos na direção do mar Vermelho (vs. 19). O vento que soprava do deserto da Arábia chama-se *siroco*, o qual trouxe as hordas devastadoras de gafanhotos. Ver no *Dicionário* o artigo Vento Oriental. A deusa do céu dos egípcios, *Nut*, não foi capaz de proteger os egípcios. *Osíris*, o deus egípcio da fertilidade, não pôde impedir a destruição das plantações. Portanto, esta oitava praga também atacou o panteão egípcio, tal como se deu com cada uma das pragas anteriores. Ver o gráfico nas notas sobre Êxodo 7.14, que ilustra a questão. Os críticos veem aqui apenas um fenômeno natural; e alguns eruditos conservadores só veem milagre na agência do vento, que trouxe os gafanhotos ao Egito. Por outra parte, periodicamente *multiplicam-se* grandes hordas de gafanhotos, mas nunca atacam com prazos marcados, nem passam com prazos marcados. Ver no *Dicionário* o artigo chamado *Praga de Gafanhotos*, quanto a essas questões.

■ 10.14

וַיַּעַל הָאַרְבֶּה עַל כָּל־אֶרֶץ מִצְרַיִם וַיָּנַח בְּכֹל גְּבוּל מִצְרָיִם כָּבֵד מְאֹד לְפָנָיו לֹא־הָיָה כֵן אַרְבֶּה כָּמֹהוּ וְאַחֲרָיו לֹא יִהְיֶה־כֵּן׃

Um Caso Singular. Embora o Egito já tivesse passado por muitos ataques de gafanhotos, e era razoável esperar outras dessas pragas, nunca houve praga como *aquela* que ocorreu quando Moisés estendeu a sua mão sobre o Egito. Foi uma operação singular de Deus, com um propósito singular, a saber, a saída do povo de Israel do Egito, onde estava escravizado. Outro tanto foi dito sobre a praga da saraiva (Êx 9.24).

... por toda a terra do Egito... Nos bosques, nas pastagens, nos campos, nos jardins, nos pomares, eles devoravam, exceto na terra de Gósen" (John Gill, *in loc.*). Os intérpretes têm-se divertido com isso.

Plínio (*Hist.* 1.11 c. 29) falou com seriedade que aqueles gafanhotos tinham cerca de noventa centímetros de comprimento; e John Gill, ao citar um relato proveniente de Milão, aludiu a uma espécie de gafanhotos com um metro e oitenta centímetros de comprimento, mais com semelhança de ratos do que com semelhança de gafanhotos.

■ 10.15

וַיְכַס אֶת־עֵין כָּל־הָאָרֶץ וַתֶּחְשַׁךְ הָאָרֶץ וַיֹּאכַל אֶת־כָּל־עֵשֶׂב הָאָרֶץ וְאֵת כָּל־פְּרִי הָעֵץ אֲשֶׁר הוֹתִיר הַבָּרָד וְלֹא־נוֹתַר כָּל־יֶרֶק בָּעֵץ וּבְעֵשֶׂב הַשָּׂדֶה בְּכָל־אֶרֶץ מִצְרָיִם׃

Cobriram a superfície de toda a terra. O número de gafanhotos era tão impressionante que não se via o solo, pelo que este parecia ter a cor dos gafanhotos. Leo Africano (*Desc. Africae* 1.2 par. 117) conta que foi testemunha de uma praga tão espessa de gafanhotos que não se podia ver o solo. Tal praga devastou a província francesa de Carpintania. Ali, não escapou uma só árvore, nem vinha, nem floresta e nem pomar. A terra inteira ficou desnudada de vegetação. Mas somente o juízo da quinta trombeta do Apocalipse pode comparar-se com a praga descrita no livro de Êxodo. Ver Apocalipse 9.1-11.

O Egito era famoso por sua produção de frutas, como figos, uvas, azeitonas, amoras, romãs, tâmaras, ameixas, maçãs, pêssegos, numerosas demais para serem aqui mencionadas. Nada restou. Este versículo faz-nos lembrar da devastação efetuada pela *saraiva*. O pouco que tinha sobrado daquela praga, agora ficou destruído. Ver Êxodo 9.22. Ver os comentários bíblicos a respeito, em Salmo 105.32,33.

■ 10.16

וַיְמַהֵר פַּרְעֹה לִקְרֹא לְמֹשֶׁה וּלְאַהֲרֹן וַיֹּאמֶר חָטָאתִי לַיהוָה אֱלֹהֵיכֶם וְלָכֶם׃

Então se apressou Faraó. Algumas pessoas nunca aprendem. Sócrates pensava que, se um homem *realmente soubesse* o que é melhor para ele, jamais agiria para prejuízo próprio. Assim, a educação seria uma parte importante da prática ética, pois precisaríamos de *educação* para fazer aquilo que é certo. Algumas vezes, isso funciona. Mas o Faraó era homem dotado de uma mente pervertida. Ele continuaria a agir contra seus próprios interesses. Ele sabia fazer aquilo que o projetava, de cabeça, na autodestruição. Existe aquilo que se tem chamado de desvario do pecado. O Faraó só mudava de parecer o tempo bastante para aliviar a premência das situações em que se via. Mas logo retrocedia para suas antigas atitudes, como um alcoólatra que sempre volta à garrafa, sem importar quantas vezes tome a resolução de parar de beber.

"Ele (Faraó) cada vez mais desistia de depender de sua posição de divindade, em tempos de tribulação. Nessas ocasiões, procurava fazer uso de Deus para que este lhe fizesse voltar a tempos melhores" (J. Edgar Park, *in loc.*).

Pequei contra o Senhor... e contra vós outros. Ele já havia admitido algo parecido no caso da saraivada (Êx 9.27). Mas o arrependimento só é genuíno quando seguido por reparação, sempre que isso é possível. O Faraó poderia ter feito reparação permitindo que os escravos israelitas saíssem do Egito para a liberdade. Ver no *Dicionário* o verbete *Reparação (Restituição)*. Pecamos voluntariamente, mas, então, não queremos sofrer consequências negativas. Pecamos, mas não queremos fazer reparação. Esses são fatores da psique do homem natural ou mesmo do crente carnal. Faraó reconheceu que seu pecado era contra Yahweh *e* contra o povo de Israel. A maioria dos pecados é cometida contra Deus e contra nossos semelhantes.

O Faraó talvez tenha sentido remorso e certo senso momentâneo de remorso, mas logo em seguida descobrimos que o que o tinha assaltado e que o inspirara a agir era o *medo*.

■ 10.17

וְעַתָּה שָׂא נָא חַטָּאתִי אַךְ הַפַּעַם וְהַעְתִּירוּ לַיהוָה אֱלֹהֵיכֶם וְיָסֵר מֵעָלַי רַק אֶת־הַמָּוֶת הַזֶּה׃

Peço-vos que me perdoeis o pecado. O orgulhoso monarca chegou a pedir perdão de Deus e dos homens, e, *naquele* momento, talvez tivesse sido sincero. Mas não basta alguém ser sincero *por um breve* momento. O arrependimento real requer que se faça reparação *e* que se mude de ação. Ver no *Dicionário* o artigo detalhado chamado *Arrependimento*.

Esta vez ainda. Quão humana foi essa atitude do Faraó. Por quantas vezes todos nós, atribulados, buscamos a graça e o favor especial de Deus, embora totalmente desmerecidos, "esta vez ainda", como se nunca mais fizéssemos a mesma coisa tola. É conforme minha mãe costumava dizer: "Algumas vezes, podemos barganhar com Deus; de outras vezes, não". Assim sendo, o Faraó tentou barganhar, e Deus cooperou com ele. A terrível praga de gafanhotos terminou tão de súbito quanto havia começado, tangida por um poderoso vento ocidental, que levou os insetos para o mar Vermelho (vs. 19). Uma resposta tão pronta, dada à petição do Faraó, deveria tê-lo transformado. Mas ele não era do tipo de homem que se deixa transformar pela bondade de Deus.

"Que caso estranho! Que tremenda série de abrandamentos e endurecimentos, de pecado e de arrependimento!" (Adam Clarke, *in loc.*).

■ **10.18,19**

וַיֵּצֵא מֵעִם פַּרְעֹה וַיֶּעְתַּר אֶל־יְהוָה:

וַיַּהֲפֹךְ יְהוָה רוּחַ־יָם חָזָק מְאֹד וַיִּשָּׂא אֶת־הָאַרְבֶּה וַיִּתְקָעֵהוּ יָמָּה סּוּף לֹא נִשְׁאַר אַרְבֶּה אֶחָד בְּכֹל גְּבוּל מִצְרָיִם:

As orações intercessórias de Moisés mostravam-se eficazes de cada vez. Ver também as notas sobre Êxodo 8.28 e 9.33. Ver no *Dicionário* os verbetes intitulados *Oração* e *Intercessão*.

O Senhor fez soprar. Um fortíssimo vento ocidental arrastou os gafanhotos para fora do Egito. Deus é capaz e está disposto a reverter nosso infortúnio, quando lhe rogamos que o faça. A oração do justo mostra-se *eficaz* (Tg 5.16). O mar Vermelho foi o cemitério dos gafanhotos. Sempre poderá haver um mar Vermelho que atue em nosso socorro, quando nosso coração busca honestamente a Deus. "Quando Israel escapou da servidão, jazia diante deles um mar. O Senhor estendeu sua poderosa mão e fez afastar-se lateralmente o mar", diz um antigo hino. Assim também, algum tempo depois desta oitava praga, o mar Vermelho serviu de última *barreira* que se interpunha entre o povo de Israel e sua libertação final. O poder divino estava presente para remover aquela barreira. Um dos principais temas do Pentateuco é a *providência de Deus*.

Mar Vermelho. Ver no *Dicionário* o artigo detalhado com esse nome. Plínio (*Hist. Nat.* 1.11 c. 29) alude a uma circunstância parecida, em que uma grande praga de gafanhotos terminou por meio de um vento incomum. Jerônimo fornece informação similar sobre uma praga dessas, na Palestina (*Comentário* sobre Jl 2.20).

■ **10.20**

וַיְחַזֵּק יְהוָה אֶת־לֵב פַּרְעֹה וְלֹא שִׁלַּח אֶת־בְּנֵי יִשְׂרָאֵל: פ

O Senhor, porém, endureceu o coração de Faraó. Os vários textos que falam sobre o coração duro do Faraó olham a questão por dois ângulos: algumas passagens dizem que o próprio Faraó endureceu seu coração; mas outras revelam que Yahweh produziu esse endurecimento. Mas ainda outros trechos põem o verbo na voz passiva, sem mencionar nenhum agência específica: o coração do Faraó "se endureceu". Dei notas completas sobre isso e sobre as questões teológicas envolvidas na questão, em Êxodo 4.21. Deus usa o livre-arbítrio humano sem destruí-lo, embora não saibamos explicar *como* isso possa suceder. Nas notas sobre Êxodo 4.21 refiro-me a diversos artigos que abordam esse problema.

NONA PRAGA: AS TREVAS (10.21-29)

O Faraó continuava colhendo o que havia semeado. Ver no *Dicionário* os verbetes *Lei Moral da Colheita segundo a Semeadura* e *Pragas do Egito*.

Os críticos atribuem esta seção a uma combinação das fontes informativas E e J. Ver no *Dicionário* o artigo chamado *J.E.D.P.(S.)* quanto à teoria das fontes múltiplas do Pentateuco.

Essa nona praga ocorreu mediante o uso da vara de poder (ver as notas em Êx 4.2), como sucedeu no caso das pragas de números um, dois, três, sete e oito. Não houve aviso prévio, como na terceira e na sexta praga, e somente três pragas ocorreram sem informação anterior, exigindo arrependimento. Ver as notas em Êxodo 7.14 quanto a um gráfico que dá informações gerais sobre as pragas como um todo, incluindo elementos repetidos. Conforme anoto no vs. 23, as pragas desfaziam do *panteão egípcio*.

O pecado e a obstinação dos homens são dignos de ser observados. Somente o poder de Deus pode reverter o ciclo do permitido e do proibido, do sim e do não, que embala o coração instável dos homens. Ver o capítulo 7 de Romanos quanto à exposição de Paulo sobre esse assunto conturbador.

Os críticos veem aqui apenas um acontecimento natural, posto que exagerado, como todas as demais pragas do Egito. Todas elas, porém, envolveram algo insondável, que ultrapassava a imaginação dos homens.

■ **10.21**

וַיֹּאמֶר יְהוָה אֶל־מֹשֶׁה נְטֵה יָדְךָ עַל־הַשָּׁמַיִם וִיהִי חֹשֶׁךְ עַל־אֶרֶץ מִצְרָיִם וְיָמֵשׁ חֹשֶׁךְ:

Esta praga não foi avisada com antecedência, e a vara de poder foi usada, conforme mencionamos e comentamos na introdução a este parágrafo. Vários eruditos veem aqui algum acontecimento natural. Consideremos os cinco pontos abaixo:

1. A praga pode ter sido um acontecimento *local*, devido a uma tremenda tempestade de poeira, tão intensa que obscureceu o sol por muito tempo. O vento quente, chamado *khamsin*, que sopra da banda do deserto, especialmente durante a primavera (março a maio), algumas vezes traz tanta areia e pó que o ar se escurece e a respiração torna-se difícil.
2. Outros veem aqui uma ocorrência *cósmica*. Algumas vezes, a terra passa por uma espécie de poeira proveniente do espaço sideral, de tal modo que acontecem períodos imprevisíveis de trevas. Visto que a órbita da terra leva o nosso planeta pelo espaço, as coisas acabam voltando ao normal. Dou um artigo na *Enciclopédia de Bíblia, Teologia e Filosofia* intitulado *Escuridão Sobrenatural*, a qual oferece algumas explicações possíveis.
3. Alguns estudiosos pensam que é inútil tentar encontrar explicações naturais, locais ou cósmicas, deixando tudo no terreno do que é *miraculoso*, misterioso.
4. Podemos eliminar com segurança algum mero eclipse do sol, visto que isso não demora muito, e que os egípcios, habilidosos na astrologia, não somente saberiam de sua ocorrência com grande antecedência, como também disporiam de meios matemáticos para explicar o fenômeno.
5. As interpretações *metafóricas* também falham. Não houve apenas trevas espirituais (Sabedoria de Salomão 17.1—18.4), mas também alguma espécie de trevas físicas, as quais, naturalmente, tiveram lições espirituais a ensinar.

O paralelo neotestamentário é Lucas 23.44. No *Novo Testamento Interpretado* ofereço comentários detalhados nessa referência bíblica.

Trevas que se possam apalpar. Metaforicamente, trevas tão absolutas que podiam ser *sentidas*. Ou então, literalmente, as trevas eram produzidas por *poeira e areia*, algo tangível.

■ **10.22**

וַיֵּט מֹשֶׁה אֶת־יָדוֹ עַל־הַשָּׁמָיִם וַיְהִי חֹשֶׁךְ־אֲפֵלָה בְּכָל־אֶרֶץ מִצְרַיִם שְׁלֹשֶׁת יָמִים:

Por três dias. Curiosamente, as trevas que envolveram a crucificação de Jesus duraram *três horas*. Ver no vs. 21 quanto a *cinco* possíveis interpretações sobre essas trevas. Cf. o quinto juízo das taças, em Apocalipse 16.10.

■ **10.23**

לֹא־רָאוּ אִישׁ אֶת־אָחִיו וְלֹא־קָמוּ אִישׁ מִתַּחְתָּיו שְׁלֹשֶׁת יָמִים וּלְכָל־בְּנֵי יִשְׂרָאֵל הָיָה אוֹר בְּמוֹשְׁבֹתָם:

Os egípcios não podiam ver, mas podiam *tatear* (vs. 21), talvez indicando algum agente físico que causava as trevas, como a *areia* ou a *poeira*. Contra isso, porém, temos o fato de que não há nenhuma descrição acerca de tais agentes físicos. Se essas trevas fossem resultantes de outra grande *tempestade* (como a saraivada), é provável que o autor sagrado tivesse explicado isso.

Na terra de Gósen, onde habitava Israel, o sol brilhava. Portanto, uma vez mais, de nada adiantam explicações naturais de nenhum tipo. Uma grande tempestade de poeira teria poupado a terra de Gósen? Nenhum eclipse solar poderia afetar o Egito inteiro, menos a terra de Gósen. Cf. Êxodo 8.22,23; 9.4,26; 12.12,13.

O trecho do Salmo 78.49 sugere o poder de anjos destrutivos envolvidos nesta nona praga, a menos que essa referência diga respeito à morte dos primogênitos do Egito, a décima praga.

O panteão egípcio foi novamente atacado. O deus-sol, *Rá*, mostrou-se impotente contra as trevas; *Horus*, o deus associado ao sol, não conseguiu resistir. *Nut,* a deusa do céu, não podia fazer o sol iluminar o Egito.

■ **10.24**

וַיִּקְרָ֨א פַרְעֹ֜ה אֶל־מֹשֶׁ֗ה וַיֹּ֙אמֶר֙ לְכוּ֙ עִבְד֣וּ אֶת־יְהֹוָ֔ה רַ֛ק צֹאנְכֶ֥ם וּבְקַרְכֶ֖ם יֻצָּ֑ג גַּֽם־טַפְּכֶ֖ם יֵלֵ֥ךְ עִמָּכֶֽם׃

Temos aqui a quarta *transigência* proposta pelo Faraó. Ver as notas completas sobre a questão das *propostas* ou *condições* do Faraó, para permitir a saída de Israel do Egito, em Êxodo 10.11. Ela dizia: "Vão, mas deixem no Egito os seus bens". Esses bens incluíam os meios para oferecer sacrifícios, os animais. O gado deixado para trás ajudaria os egípcios a se ressarcir dos prejuízos sofridos, especialmente dos efeitos das pragas quinta e sexta (morte do gado e grande saraivada). Esses juízos divinos, porém, não tinham por finalidade ser aliviados. O Faraó e sua gente estavam recebendo o que mereciam. Alguns estudiosos pensam que outro propósito do Faraó era forçar Israel a voltar voluntariamente ao Egito, visto que não poderiam ir muito longe (sendo em número de cerca de três milhões de pessoas), sem o *sustento* representado pelos animais. Se o povo de Israel tomasse a decisão de voltar, então o *Faraó* não poderia ser acusado, além do que, presumivelmente, não haveria mais pragas.

As *crianças* dos israelitas também poderiam ir, algo que o Faraó não quis permitir, de acordo com sua terceira proposta de transigência (ver Êx 10.11). As referências às quatro transigências são estas: Êxodo 8.25,28; 10.11 e aqui.

■ **10.25,26**

וַיֹּ֣אמֶר מֹשֶׁ֔ה גַּם־אַתָּ֛ה תִּתֵּ֥ן בְּיָדֵ֖נוּ זְבָחִ֣ים וְעֹל֑וֹת וְעָשִׂ֖ינוּ לַיהֹוָ֥ה אֱלֹהֵֽינוּ׃

וְגַם־מִקְנֵ֜נוּ יֵלֵ֣ךְ עִמָּ֗נוּ לֹ֤א תִשָּׁאֵר֙ פַּרְסָ֔ה כִּ֚י מִמֶּ֣נּוּ נִקַּ֔ח לַעֲבֹ֖ד אֶת־יְהֹוָ֣ה אֱלֹהֵ֑ינוּ וַאֲנַ֣חְנוּ לֹֽא־נֵדַ֗ע מַֽה־נַּעֲבֹד֙ אֶת־יְהֹוָ֔ה עַד־בֹּאֵ֖נוּ שָֽׁמָּה׃

Nem uma unha ficará. Tudo aquilo pelo que os israelitas tinham trabalhado tanto por adquirir, durante todas as gerações em que tinham residido na terra de Gósen, deveria ser levado por eles para fora do Egito. Moisés deu a razão *religiosa* para tanto. Durante sua peregrinação terrestre, a caminho da Terra Prometida, eles teriam a necessidade de fazer sacrifícios de animais. Coisa alguma é dita acerca da necessidade de se alimentarem do gado; mas isso também era importante, como é claro. Portanto, havia razões tanto materiais quanto espirituais para eles *nada* deixarem no Egito. Sempre haverá bons motivos para nada deixarmos no Egito, e em favor de cortarmos ligações com o mundanismo e a transigência. Ver na *Enciclopédia de Bíblia, Teologia e Filosofia* os artigos *Mundanismo* e *Separação do Crente*.

As Estatísticas sobre Israel. O trecho de Números 1.46 mostra que os varões israelitas capazes de pegar em armas eram um pouco mais de seiscentos mil. Isso significa que todo o povo de Israel, com as mulheres e as crianças, deve ter sido de cerca de três milhões, na época do êxodo. Alimentar tão grande número de pessoas era um problema dos maiores, e quarenta anos de vagueação pelo deserto provocaram muitos momentos críticos. A presença dos animais era vital para a sobrevivência deles.

■ **10.27**

וַיְחַזֵּ֥ק יְהֹוָ֖ה אֶת־לֵ֣ב פַּרְעֹ֑ה וְלֹ֥א אָבָ֖ה לְשַׁלְּחָֽם׃

Yahweh, uma vez mais, endureceu o coração do Faraó. Algumas vezes, a Bíblia diz que o Faraó endureceu o seu próprio coração; de outras vezes, é dito que isso foi feito pelo Faraó; e ainda de outras vezes, é usada a voz passiva, "o coração de Faraó se endureceu", sem nenhuma elaboração específica sobre *como* isso sucedeu. Dou notas completas sobre a questão, incluindo referências àqueles artigos, no *Dicionário*, que abordam os problemas teológicos envolvidos, em Êxodo 4.21.

Entendemos, através do texto, que o Faraó *teria deixado* Israel deixar o Egito nessa ocasião, *se* Yahweh não o tivesse impedido. A décima praga já havia sido predestinada por decreto divino. Havia nela um propósito divino a cumprir. Tratava-se de um daqueles eventos *necessários*. A maioria dos acontecimentos não é necessária; ocasionalmente, porém, ocorre algo inevitável. Na vida das pessoas talvez ocorra um acontecimento necessário por ano, ou mesmo a cada dois ou três anos. Ao indivíduo cabe manipular o resto com seu livre-arbítrio, de acordo com os ditames de seu destino e de seu bem-estar espiritual. É possível que pessoas altamente espirituais escolham seus próprios eventos necessários, ao passo que a pessoas menos espirituais esses eventos sejam ditados.

■ **10.28,29**

וַיֹּֽאמֶר־ל֥וֹ פַרְעֹ֖ה לֵ֣ךְ מֵעָלָ֑י הִשָּׁ֣מֶר לְךָ֗ אַל־תֹּ֙סֶף֙ רְא֣וֹת פָּנַ֔י כִּ֗י בְּי֛וֹם רְאֹתְךָ֥ פָנַ֖י תָּמֽוּת׃

וַיֹּ֥אמֶר מֹשֶׁ֖ה כֵּ֣ן דִּבַּ֑רְתָּ לֹא־אֹסִ֥ף ע֖וֹד רְא֥וֹת פָּנֶֽיךָ׃ פ

Aversão Mútua. Moisés resolveu que nunca mais falaria com o Faraó, embora isso tenha acontecido uma vez mais. Ver Êxodo 12.31 que descreve mais uma confrontação entre os dois. Por sua parte, o Faraó resolveu nunca mais ver Moisés, dizendo que *se* o visse de novo seria apenas para ordenar a seus auxiliares que o matassem à espada. Em vão o Faraó tinha tentado apresentar suas *quatro transigências*. Moisés recusara-se a aceitar *quaisquer* condições ou sugestões. A situação tinha-se desintegrado do modo mais absoluto. Um mal final começava agora a delinear-se. Haveria uma vasta destruição de vidas humanas.

"Mediante esse discurso, parece que Moisés não teve medo do Faraó e suas ameaças, mas antes, chegou a fustigá-lo. Foi a essa destemerosa disposição de Moisés, nessa ocasião, que um escritor sagrado referiu-se, em Hebreus 11.27.

Os *harmonistas* procuram eliminar a suposta contradição entre o vs. 28 deste capítulo e o trecho de Êxodo 12.31, dizendo que o Faraó e Moisés *nunca mais se encontraram,* mas que o Faraó enviou mensageiros para transmitirem a sua mensagem a Moisés. Contudo, o ponto não é importante.

CAPÍTULO ONZE

DÉCIMA PRAGA: A MORTE DOS PRIMOGÊNITOS É ANUNCIADA (11.1-10)

O Faraó teria de colher o que tinha semeado. Ver no *Dicionário* os artigos *Lei Moral da Colheita segundo a Semeadura* e *Pragas do Egito*.

Os críticos atribuem esta seção a uma mistura das fontes informativas E, J e P(S). Ver no *Dicionário* o verbete J.E.D.P.(S.) quanto à teoria das fontes múltiplas do Pentateuco.

"A praga final foi uma obra de Deus do começo ao fim. Moisés precisava apenas instruir Israel de que o fim estava próximo e dizer-lhes o que deveriam fazer. Em total derrota, o Faraó realmente aprovaria a partida de Israel e buscaria sua expulsão do Egito" (J. Edgar Park, *in loc.*).

Foi dado o *aviso* a Faraó (Êx 11.4 ss.), tal como nas pragas de números um, dois, quatro, cinco, sete e oito. Um terrível mal estava iminente. A morte dos primogênitos seria obra do anjo da morte, um agente de Yahweh (Êx 12.12,23,29). Ver menções ao anjo da morte, o *destruidor,* em 2Samuel 24.16; Isaías 37.36. Ver também Hebreus 11.28. Ver as notas em Êxodo 7.14 quanto a um gráfico que dá os principais elementos das pragas, incluindo os que se repetem do começo ao fim.

"Por causa dos três ciclos de três pragas cada, o Egito jazia arruinado. Deus havia demonstrado seu grande poder, mostrando quão impotentes eram os deuses egípcios. E ao devastar economicamente a nação, de forma tão total, Deus havia injetado temor no coração da população. Ele tinha feito os egípcios anelar pela remoção dos israelitas, embora o Faraó ainda tivesse de ser mais humilhado do que já havia sido. A décima praga traria tremenda consternação a *todas* as famílias do Egito, por causa de seus filhos primogênitos mortos. Essa décima praga resultaria na liberação do povo de Deus" (John D. Hannah, *in loc.*).

Abusando do Panteão Egípcio. O deus egípcio da reprodução, *Min*, não teve poder para impedir a morte do que, supostamente, lhe tinha sido entregue. *Heget,* deusa que ajudava as mulheres na hora do parto, perderia seu fruto. *Ísis,* deusa da proteção às crianças, falharia totalmente em seu alegado ofício. Até mesmo o filho primogênito do Faraó, que os egípcios tinham como uma *divindade,* não resistiria ao anjo *destruidor.*

■ **11.1**

וַיֹּאמֶר יְהוָה אֶל־מֹשֶׁה עוֹד נֶגַע אֶחָד אָבִיא
עַל־פַּרְעֹה וְעַל־מִצְרַיִם אַחֲרֵי־כֵן יְשַׁלַּח אֶתְכֶם
מִזֶּה כְּשַׁלְּחוֹ כָּלָה גָּרֵשׁ יְגָרֵשׁ אֶתְכֶם מִזֶּה

O Grito de Guerra de Israel. Desde o começo esse grito tinha sido "Deixa ir o meu povo" (ver as referências nas notas sobre Êx 9.13). Yahweh, o Deus dos hebreus, produziria esse evento há muito antecipado. Quanto a esse nome divino, ver também as notas sobre Êxodo 9.13. Agora, porém, o verbo "deixar" transmuta-se no verbo "expulsar". O Faraó havia oferecido *quatro* transigências (ver as notas a respeito em Êx 10.11). Mas agora, *incondicionalmente,* Israel partiria do Egito, e isso por *instância* do próprio Faraó. Assim sendo, a obra de Yahweh seria completa. Ver sobre esse nome divino no *Dicionário.* Ver também o verbete *Deus, Nomes Bíblicos de.*

O Faraó seria forçado a libertar os escravos, e isso sem nenhuma reserva de qualquer sorte. É triste quando as pessoas são forçadas a agir direito, porque só assim podem escapar ao devido castigo, por motivos de autoajuda e autopromoção.

"...sem nenhuma exceção ou limitação eles sairiam, eles mesmos, suas esposas, seus filhos, seus rebanhos. Levariam tudo quanto era deles, sem nenhuma restrição e sem terem de observar nenhum tipo de condição... a soltura deles era ilimitada e incondicional" (John Gill, *in loc.*).

■ **11.2**

דַּבֶּר־נָא בְּאָזְנֵי הָעָם וְיִשְׁאֲלוּ אִישׁ מֵאֵת רֵעֵהוּ וְאִשָּׁה
מֵאֵת רְעוּתָהּ כְּלֵי־כֶסֶף וּכְלֵי זָהָב׃

O Egito é Despojado. Alguns estudiosos sorriem diante do verbo "peça", ("fala"), usado aqui. Eles preferem pensar que Israel *despojou* um Egito aterrorizado, ou seja, os israelitas saquearam à força o país. Seja como for, essa palavra nada significa, porquanto não havia a menor intenção de fazer *devolução.* Algumas traduções dizem aqui "peça emprestado", o que já não representa uma tradução tão boa, pois a outra tradução está mais de acordo com o original hebraico. O terceiro versículo deste capítulo fala sobre o *favor* que Deus demonstrou para com Israel naqueles momentos críticos, quando estavam sendo recolhidos suprimentos para o êxodo. Seja como for, estava ocorrendo uma *reparação.* O povo de Israel havia sido explorado por várias gerações. Tudo quanto agora estavam levando, mereciam-no, podemos estar certos disso. Ver no *Dicionário* o artigo *Reparação (Restituição).* A reparação faz parte necessária do arrependimento, sempre que isso é possível.

Há muito havia sido prometido que Israel não sairia do Egito de *mãos vazias* (Êx 3.21,22). Seria feita reparação por ordem de Yahweh. Diz claramente o livro de Jubileus (48.18), que Israel *saqueou* o Egito. Sabedoria de Salomão (10.17) refere-se à questão como uma *recompensa* que Israel obteve por seu *trabalho escravo.*

As Coisas Pedidas. Essas coisas foram joias, prata e ouro, ao que as versões adicionaram vestes, vasos e qualquer coisa valiosa que pudesse ser negociada com os habitantes do deserto.

■ **11.3**

וַיִּתֵּן יְהוָה אֶת־חֵן הָעָם בְּעֵינֵי מִצְרָיִם גַּם הָאִישׁ מֹשֶׁה
גָּדוֹל מְאֹד בְּאֶרֶץ מִצְרַיִם בְּעֵינֵי עַבְדֵי־פַרְעֹה וּבְעֵינֵי
הָעָם׃ ס

Favor da parte dos egípcios. Deus estava por trás da provisão. E isso era o bastante. Ver no *Dicionário* o artigo intitulado *Providência de Deus.* Esse é um dos principais temas do Pentateuco.

O imenso prestígio de Moisés ajudou. Além disso, os egípcios deveriam estar aterrorizados quando esse "pedido" teve lugar. "Os milagres que o Faraó e seus servos já tinham visto, sem dúvida, tinham-nos impressionado com a sabedoria e o poder de Moisés. Caso este não parecesse, na opinião deles, um homem extraordinário, a quem seria muito perigoso molestar, naturalmente podemos concluir que desde há muito a violência lhe teria sobrevindo" (Adam Clarke, *in loc.*).

"Deus pode fazer-vos abundar em toda graça, a fim de que, tendo sempre, em tudo, ampla suficiência, superabundeis em toda boa obra" (2Co 9.8).

Aos olhos dos oficiais de Faraó, e... do povo. Moisés era universalmente conhecido no Egito, um homem temido e respeitado. O povo admirava-o. Para eles, Moisés tinha-se tornado um *deus,* tal como o era para Faraó (Êx 7.1). Isso facilitou a provisão para que cada israelita recolhesse presentes da parte de seus vizinhos egípcios. Deus sempre facilita a nossa provisão, e ela é sempre suficiente e, com frequência, *abundante.*

■ **11.4**

וַיֹּאמֶר מֹשֶׁה כֹּה אָמַר יְהוָה כַּחֲצֹת הַלַּיְלָה אֲנִי יוֹצֵא
בְּתוֹךְ מִצְרָיִם׃

O Senhor. Yahweh tinha-o informado. Cerca da meia-noite, o anjo da morte, o destruidor (Êx 12.23), iniciaria a sua missão destrutiva. Todas as pragas anteriores seriam como nada em comparação com a décima. Israel seria poupado (vs. 7); seus primogênitos nada sofreriam.

O Faraó tinha, no Egito, a reputação de ser um deus, uma encarnação de *Rá,* o deus-sol. A mitologia egípcia contava a história de como, a cada noite, o deus-sol precisava lutar e vencer os poderes das trevas, sob a forma do deus-serpente, *Apófis.* A cada noite era obtida a vitória. Mas *naquela* noite, à meia-noite, o poder das trevas, Rá, seria derrotado, e isso do ponto de vista dos egípcios.

Os vss. 1 e 3 deste capítulo formam um parêntese. O vs. 4 dá continuação ao diálogo de Êxodo 10.29. O Faraó tinha sido advertido pela última vez. Moisés disse ao Faraó que os dois nunca mais se veriam face a face. Antes, o Faraó teria de enfrentar Yahweh, sob a forma de seu anjo vingador. E o Faraó em breve haveria de querer ver Moisés novamente (Êx 12.31).

■ **11.5**

וּמֵת כָּל־בְּכוֹר בְּאֶרֶץ מִצְרַיִם מִבְּכוֹר פַּרְעֹה הַיֹּשֵׁב
עַל־כִּסְאוֹ עַד בְּכוֹר הַשִּׁפְחָה אֲשֶׁר אַחַר הָרֵחָיִם וְכֹל
בְּכוֹר בְּהֵמָה׃

Nenhum filho primogênito, humano ou animal, seria poupado. Agora a ameaça era de uma destruição deveras devastadora. "A morte dos primogênitos simboliza a derrota imposta por Deus ao Egito, mediante o triunfo sobre os seus deuses. De acordo com o pensamento dos hebreus, os primogênitos representavam o todo. O domínio sobre o Egito, como uma entidade independente, chegara ao fim. Seus deuses estavam mortos" (J. Edgar Park, *in loc.*).

Os Animais aos quais os Egípcios Adoravam Também Estavam Mortos. Visto que os primogênitos eram do sexo *masculino,* as meninas escaparam completamente. Mas o orgulho e as esperanças de cada família giravam em torno do amado *filho* primogênito. Ele representava a continuação da linhagem, o transmissor da herança. Portanto, nenhuma aflição pior poderia ser imaginada do que a morte em massa dos filhos primogênitos.

Nenhuma família egípcia escaparia à calamidade que atingiria em cheio o deus-sol do Faraó, desde a humilde criada que, subitamente, perderia seu querido primeiro filho, até o próprio rei, desde o menor até o maior; desde o mais pobre até o mais rico; desde os culpados até os inocentes.

11.6

וְהָיְתָה צְעָקָה גְדֹלָה בְּכָל־אֶרֶץ מִצְרָיִם אֲשֶׁר כָּמֹהוּ
לֹא נִהְיָתָה וְכָמֹהוּ לֹא תֹסִף:

Haverá grande clamor. Deve ter sido algo como os clamores dos povos por ocasião do retorno de Cristo, quando os homens clamarão aos montes e às rochas que caiam sobre eles para escondê-los. Esses clamarão e rogarão, mas será muito tarde. Será o clamor dos idólatras. Na décima praga do Egito, pois, Yahweh obteve uma espécie de vitória escatológica, pois a ameaça egípcia terminou subitamente, e a nação de Israel viu-se libertada de um momento para outro, tal como acontece à alma individual que é liberada da condenação do pecado mediante o poder e a graça de Deus.

As lamúrias em voz alta dos lamentadores impressionam aqueles que visitam os países do Oriente Próximo e Médio, pois nada pode comparar-se a isso, no mundo ocidental. Heródoto, ao descrever as lamentações dos soldados persas, por ocasião dos funerais de Masistius, afirmou: "A Beócia inteira ressoava com o clamor deles" (*Hist.* ix.24). A arqueologia tem desenterrado monumentos egípcios que retratam cenas de lamentação pelos mortos. Ali vemos pessoas a arrancar os cabelos, a se sujar de poeira e a bater sobre o peito.

As Calamidades e as Pessoas. Uma das mais difíceis questões que a teologia e a filosofia têm tido de enfrentar é o problema do sofrimento. Por que os homens sofrem? Há aqueles casos claros em que o pecado é a causa do castigo divino. Mas há casos que não são assim tão transparentes. E que dizer sobre os desequilíbrios da própria natureza, quando muitas pessoas inocentes ficam aleijadas ou são mortas? A resposta do voluntarismo — "Deus assim quis; Deus é soberano" — não é suficiente. Ver no *Dicionário* os artigos intitulados *Voluntarismo* e *Problema do Mal*.

11.7

וּלְכֹל בְּנֵי יִשְׂרָאֵל לֹא יֶחֱרַץ־כֶּלֶב לְשֹׁנוֹ לְמֵאִישׁ
וְעַד־בְּהֵמָה לְמַעַן תֵּדְעוּן אֲשֶׁר יַפְלֶה יְהוָה בֵּין
מִצְרַיִם וּבֵין יִשְׂרָאֵל:

Nem ainda um cão rosnará. Se em Israel nem esse tipo de ameaça se manifestaria, quanto menos alguma ameaça maior. Provavelmente temos aí um dito popular, que o autor sacro incorporou neste ponto à narrativa. O trecho de Josué 10.21 tem algo semelhante, "... não havendo ninguém que movesse a sua língua contra os filhos de Israel". Em Israel, pois, haveria um pacífico silêncio. Os cães ladram com tanta facilidade, diante do menor ruído. Os cães latem à noite sem motivo. Mas em Israel a paz seria tão completa que nem mesmo seriam ouvidos os cães a ladrar durante a noite, para perturbar as pessoas. Talvez haja aqui alusão ao fenômeno bem conhecido de que, de alguma maneira, os cães pressentem a aproximação da morte, especialmente de seus donos, reagindo aqueles animais com seus latidos e ganidos. No Egito, pois, os cães devem ter passado uma noite intranquila, mas não na terra de Gósen, onde estava Israel. Todavia, a referência aqui é antes à ameaça de cães, que ladram e rosnam, mas não passam disso. Literalmente, diz o original hebraico, "aguçará a língua", ou seja, ameaçará. *Anúbis* era o deus-cão do Egito. Nenhuma divindade, nem mesmo essa, poderia fazer mal algum a Israel. É possível que, dessa maneira, o autor tenha feito uma referência indireta a essa questão.

Havia mais de *três milhões* de israelitas por ocasião do êxodo. Ver os comentários a respeito nas notas sobre Êxodo 10.25. Mas apesar desse grande número de pessoas, que a qualquer noite poderia sofrer as mais diversas aflições, *naquela* noite, quando morreriam os filhos primogênitos dos egípcios, haveria a maior tranquilidade na terra de Gósen, ocupada pelos filhos de Israel.

O Senhor fez distinção. Foi feita uma divisão. Tal como em *todas* as outras pragas, nenhum dano ou malefício sobreveio ao povo de Israel. Ver Êxodo 8.22,23 quanto a essa expressão. Ver também as notas em Êxodo 9.24 e 26, onde também lemos que Israel foi poupado diante das pragas.

11.8

וְיָרְדוּ כָל־עֲבָדֶיךָ אֵלֶּה אֵלַי וְהִשְׁתַּחֲוּוּ־לִי לֵאמֹר צֵא
אַתָּה וְכָל־הָעָם אֲשֶׁר־בְּרַגְלֶיךָ וְאַחֲרֵי־כֵן אֵצֵא וַיֵּצֵא
מֵעִם־פַּרְעֹה בָּחֳרִי־אָף: ס

E se inclinarão perante mim. Seria a humilhação final. O Faraó tinha recebido tantas oportunidades de mudar, mas nunca o fizera. Portanto, acendeu-se a ira de Moisés, ou, conforme diz o hebraico, "aqueceu-se". O Faraó e todos os seus oficiais, que tão estupidamente tinham compartilhado de sua dureza de coração (Êx 10.1), agora compartilhariam da humilhação, diante da morte de todos os primogênitos do Egito. Cf. a indignação dos apóstolos diante da dureza das pessoas de seus dias (Mt 10.14; Lc 9.5). "A vida de Moisés tinha sido ameaçada; havia-lhe sido ignominiosamente negado o seu direito de ter uma audiência com o rei acerca do futuro (10.28). Sob tais circunstâncias, tinha razões para irar-se" (Ellicott, *in loc.*). Ver Êxodo 12.31-33 quanto ao cumprimento da predição que consta neste versículo.

11.9

וַיֹּאמֶר יְהוָה אֶל־מֹשֶׁה לֹא־יִשְׁמַע אֲלֵיכֶם פַּרְעֹה
לְמַעַן רְבוֹת מוֹפְתַי בְּאֶרֶץ מִצְרָיִם:

Por Que Se Endurecia o Coração do Faraó? Algo de sobrenatural estava acontecendo. O Faraó tornara-se incapaz de agir corretamente. Ele tinha pervertido sua própria vontade; e, judicialmente, a vontade divina lhe tinha endurecido o coração. Tudo isso havia acontecido, a fim de que as "maravilhas", os sinais miraculosos (as pragas) redundassem na exaltação de Yahweh (Êx 7.5), e Israel fosse liberado incondicionalmente, após séculos de servidão. As maravilhas, pois, precisaram ser *multiplicadas* (todas as dez pragas tiveram de seguir seu curso) *e* deveria haver ainda o livramento miraculoso na travessia do mar Vermelho, a fim de que os efeitos desejados tivessem um cumprimento absoluto. O trecho de Êxodo 7.3 dá-nos a mesma mensagem acerca dessa multiplicidade de sinais miraculosos.

11.10

וּמֹשֶׁה וְאַהֲרֹן עָשׂוּ אֶת־כָּל־הַמֹּפְתִים הָאֵלֶּה לִפְנֵי
פַרְעֹה וַיְחַזֵּק יְהוָה אֶת־לֵב פַּרְעֹה וְלֹא־שִׁלַּח
אֶת־בְּנֵי־יִשְׂרָאֵל מֵאַרְצוֹ: פ

Os Cinco Fatores:

1. Tinha sido predito que os sinais miraculosos não teriam resultado imediato. Teria de passar-se algum tempo; era mister realizar certo propósito. Ver Êxodo 4.21.
2. As vontades divina e humana cooperaram a fim de que se produzisse um resultado negativo contra os egípcios, embora não saibamos dizer *como* isso sucedeu. Ver Êxodo 7.3.
3. Até este ponto, o relato bíblico nos contou nove desses sinais miraculosos, e agora faltava mais um. E, então, haveria o livramento miraculoso na travessia do mar Vermelho, com a destruição do exército do Faraó, ou seja, dois sinais miraculosos extras, intimamente ligados um ao outro.
4. Nesse longo processo de avisos e desobediências, o nome de Yahweh se tornaria conhecido. E tudo redundaria em uma súbita e completa vitória (Êx 7.5).
5. O endurecimento do coração do Faraó prosseguiria até que o propósito divino tivesse cabal cumprimento. Ver as notas sobre essa questão em Êxodo 4.21, onde há referências a artigos existentes no *Dicionário*, que comentam sobre os problemas teológicos envolvidos.

"Os atos de Deus, por meio de sinais poderosos, atingiam agora o seu clímax. Agora Deus tomaria posse do povo de Israel" (J. Edgar Park, *in loc.*).

CAPÍTULO DOZE

YAHWEH TOMA POSSE DE ISRAEL (12.1 — 3-16)

A INSTITUIÇÃO DA PÁSCOA (12.1-28)

Artigos a Serem Consultados. Provi artigos detalhados sobre as três festividades mencionadas nesta seção. Ver no *Dicionário* os artigos *Páscoa; Pães Asmos* e *Primogênito*, que incluem a questão da dedicação especial. Ver as notas sobre Êxodo 13.2, quanto à própria instituição, onde há informações adicionais.

Os críticos atribuem os vss. 1-20 deste capítulo à fonte *P(S)*, ao passo que os vss. 21-28 pertenceriam à fonte *J*. Mas o vs. 29 voltaria a pertencer a *P(S)*, e o vs. 31, tornaria à fonte *J*. Logo, teríamos aqui uma grande mescla de material, uma compilação feita por um autor compilador. Ver no *Dicionário* o artigo *J.E.D.P.(S.)* quanto à teoria das fontes informativas múltiplas do Pentateuco.

Antes de reiniciar o relato concernente à última praga, a décima – a morte dos primogênitos do Egito –, o autor tomou tempo para introduzir uma série de regras atinentes a *três* das observâncias sócio-cúlticas do povo de Israel: a páscoa, os pães asmos e a dedicação dos primogênitos. É possível que esses importantes ritos e práticas antecedessem o êxodo, tendo sofrido todos eles várias modificações e elaborações em tempos posteriores. Todos os três eventos vieram a fazer parte das comemorações do êxodo de Israel do Egito, quando foram libertados de sua servidão já duas vezes centenária. Todos esses eventos contribuíam para proclamar a lealdade de Israel a Yahweh, bem como o avanço do Yahwismo como uma nova fé religiosa.

A Alta Crítica supõe que as três instituições tiveram histórias distintas e, originalmente, elas eram bem diferentes da forma que, finalmente, adquiriram. E então, por ocasião do *êxodo*, essas três instituições foram unificadas. Posteriormente ainda, tornaram-se festividades em honra a Yahweh, que serviam para consolidar Israel em sua fé religiosa.

Aqui e em Deuteronômio 15.19—16.8, essas três festas aparecem como um bloco único; mas é provável que isso se deva a um desenvolvimento da história posterior, que agora não mais podemos deslindar. Seja como for, do ângulo da Bíblia, essas três festas formavam um todo, embora cada qual tivesse sua importância para destacar os feitos de Deus em prol de Israel, apontando para o significado do grande livramento de Israel por atos divinos. Ver as notas sobre Êxodo 12.43 quanto à *páscoa* como um símbolo de Cristo.

■ 12.1,2

וַיֹּ֤אמֶר יְהוָה֙ אֶל־מֹשֶׁ֣ה וְאֶֽל־אַהֲרֹ֔ן בְּאֶ֥רֶץ מִצְרַ֖יִם לֵאמֹֽר׃

הַחֹ֧דֶשׁ הַזֶּ֛ה לָכֶ֖ם רֹ֣אשׁ חֳדָשִׁ֑ים רִאשׁ֥וֹן הוּא֙ לָכֶ֔ם לְחָדְשֵׁ֖י הַשָּׁנָֽה׃

Disse o Senhor. A iluminação divina é afirmada acerca da instituição da páscoa. Isso nos ensina, posto que indiretamente, o *teísmo*. Deus comunica-se com os homens e faz intervenções na história humana. O *deísmo*, por sua parte, ensina que talvez tenha havido um Deus criador (mas que pode ter sido uma força cósmica ou poder criador, pessoal ou impessoal), que logo em seguida abandonou a sua criação e a deixou aos cuidados das leis naturais. O *teísmo*, porém, ensina que houve um poder criativo (sem dúvida, pessoal), que jamais abandonou a sua criação, mas continua a guiá-la, impondo justiça, mediante a recompensa aos justos e o castigo dos injustos. Ver sobre ambos esses termos no *Dicionário*. A Bíblia é uma obra eminentemente teística. Parte do teísmo consiste na ideia da revelação (ver no *Dicionário* o artigo intitulado *Revelação-Inspiração*). Deus pode revelar-se por meio de experiências místicas externas e poderosas (ver no *Dicionário* o artigo intitulado *Misticismo*). Ou, então, o Senhor pode utilizar-se de sonhos, visões etc. Ou Deus pode mesmo enviar-nos o seu anjo. "Havendo Deus, outrora, falado muitas vezes, e de muitas maneiras, aos pais, pelos profetas, nestes últimos dias nos falou pelo Filho..." (Hb 1.1,2). Ver no *Dicionário* os seguintes artigos: *Profecia, Profetas e o Dom de Profecia; Sonhos; Visão (Visões)* e *anjo*.

O primeiro mês do ano. Haveria um novo começo. O costume babilônico era começar o ano pelo que é agora o nosso outono. Lemos em Êxodo 34.22 que Israel começaria seu ano no que, no outro hemisfério da terra, era o outono (nossa primavera). Portanto, Israel agora alinhava-se ao costume babilônico, posto que por motivos independentes. A páscoa, que fazia Israel lembrar-se de sua libertação da servidão egípcia, assinalaria uma nova era, portanto a páscoa marcava o *começo* do ano. Ver o artigo detalhado intitulado *Calendário Judaico (Bíblico)*, como um dos artigos gerais na introdução a este comentário, vol. I, seção sétima.

"*Este mês* refere-se a Nisã (março-abril), o qual, no calendário eclesiástico pós-exílico, marcava o começo dos meses (ver Lv 23.5,23-25 e as notas ali). De acordo com o calendário agrícola mais antigo, o ano novo começava no outono (Êx 22; 23.16; 34.22)" (*Oxford Annotated Bible, in loc.*).

Os acontecimentos aqui registrados ocorreram no sétimo mês do ano civil, que começava em setembro-outubro. Mas o ano religioso passou a *começar* nesse tempo. Dotado de um novo calendário, o povo de Israel recebia uma nova identidade, como o povo favorecido por Deus, a caminho de volta à Terra Prometida. Dessa maneira teria cumprimento certo aspecto do *Pacto Abraâmico* (ver as notas a respeito em Gn 15.18), porquanto Israel teria um território pátrio.

"Doravante, Israel teria dois anos, um civil e outro sagrado (Josefo, *Antiq. Jud.* i.3, par. 3). O ano civil começava no mês de Tisri, no outono, ao encerrar-se a colheita; e o ano sagrado começava no mês de Abibe (mais tarde chamado Nisã), seis meses antes" (Ellicott, *in loc.*).

■ 12.3

דַּבְּר֗וּ אֶֽל־כָּל־עֲדַ֤ת יִשְׂרָאֵל֙ לֵאמֹ֔ר בֶּעָשֹׂ֖ר לַחֹ֣דֶשׁ הַזֶּ֑ה וְיִקְח֣וּ לָהֶ֗ם אִ֛ישׁ שֶׂ֥ה לְבֵית־אָבֹ֖ת שֶׂ֥ה לַבָּֽיִת׃

Congregação de Israel. Ver as notas sobre Êxodo 16.1.

Aos dez deste mês. Dia da instituição e observância da páscoa. Ver no *Dicionário* o artigo intitulado *Páscoa* quanto a completos detalhes sobre essa festa religiosa, em sua história e significado. A páscoa era uma observância de cada família, e o cordeiro pascal era a figura central. No livro de Deuteronômio o caráter doméstico é substituído por um feriado religioso nacional. Finalmente, tornou-se um dos sacrifícios efetuados no templo. Ver Ezequiel 45.21-25; Levítico 23.5; Ed 6.19,20; 2Crônicas 30; 35.1-19; Jubileus 49.

As orientações aqui dadas, a escolha do cordeiro no décimo dia do primeiro mês etc., de acordo com a *Mishna* (ver a respeito no *Dicionário*), aplicavam-se somente ao rito original, o qual sofreu modificações em tempos posteriores.

Um cordeiro. No hebraico, *seh*, filhote da ovelha ou da cabra. Ambos os filhotes eram usados durante a páscoa, mas acabou prevalecendo, por costume, o cordeiro, de acordo com uma antiga tradição. Quanto ao tipo envolvido, ver o artigo intitulado *Cordeiro de Deus*.

Segundo a casa dos pais. A nação de Israel estava organizada por famílias, clãs, tribos e príncipes. Essa observância era importante para as famílias, e, então, para a nação, em todas as suas expressões. Um cordeiro era selecionado para cada família, a menos que esta fosse muito pequena, quando então duas famílias podiam reunir-se para celebrar juntas a páscoa. Estavam envolvidas razões econômicas (ver o vs. 4).

■ 12.4

וְאִם־יִמְעַ֣ט הַבַּיִת֮ מִהְיֹ֣ת מִשֶּׂה֒ וְלָקַ֣ח ה֗וּא וּשְׁכֵנ֛וֹ הַקָּרֹ֥ב אֶל־בֵּית֖וֹ בְּמִכְסַ֣ת נְפָשֹׁ֑ת אִ֚ישׁ לְפִ֣י אָכְל֔וֹ תָּכֹ֖סּוּ עַל־הַשֶּֽׂה׃

Compartilhando a Páscoa. Sacrificar um cordeiro era um evento econômico avantajado. Uma família ou casa pequena podia compartilhar um cordeiro com outra família. Josefo diz-nos que dez pessoas era o número mínimo de uma casa (*Guerras*, vi.9.3). Esse número tornou-se o padrão para a organização de uma congregação ou minissinagoga judaica. Quando duas famílias se uniam para celebrar a festa, elas ficavam separadas no aposento, de costas uma para a outra, e assim era preservada a *unidade doméstica*, apesar da cooperação. Um cordeiro pascal precisava ser consumido inteiro, e uma família dificilmente poderia fazer isso em uma única refeição. Ver Êxodo 12.10. Nenhuma pessoa podia comer sozinha do cordeiro pascal. A festa não tinha valor no caso de uma pessoa isolada. Era uma festa doméstica, uma observância comunal. A espiritualidade sempre se manifesta melhor em um esforço grupal, o que não isenta o indivíduo de outras práticas e observâncias solitárias, mas o convida a participar do espírito de comunidade.

Por aí calculareis quantos bastem. Em outras palavras, cada cordeiro seria morto para um certo número de pessoas, as quais, juntas, deveriam observar a páscoa.

12.5

שֶׂה תָמִים זָכָר בֶּן־שָׁנָה יִהְיֶה לָכֶם מִן־הַכְּבָשִׂים
וּמִן־הָעִזִּים תִּקָּחוּ׃

O cordeiro será sem defeito. Não poderia haver nenhum tipo de defeito físico, deformação, enfermidade etc. Como é óbvio, isso fala da impecabilidade do Cordeiro de Deus. Ver 1Pedro 1.19 e João 1.29. Ver na *Enciclopédia de Bíblia, Teologia e Filosofia* o verbete *Impecabilidade de Jesus*. Ver no *Dicionário* o artigo *Páscoa, Cordeiro da*, quanto a completas descrições e simbolismos da páscoa.

Macho de um ano. Ou um animal que já tivesse completado seu primeiro ano de vida, ou que ainda estivesse dentro de seu primeiro ano de vida, sem ter ainda atingido essa idade. A Septuaginta fala em um ano completo, o que tem levado a maioria dos estudiosos a pensar em uma idade exata do animal a ser sacrificado. Mas há quem suponha que a prática original fosse abater um cordeiro ainda bem novo, talvez com apenas algumas semanas de nascido. Uma vida preciosa era sacrificada com esse propósito religioso. Todas as vidas preciosas pertencem a Deus Pai; e é sua responsabilidade cuidar de todas elas. Oh, Senhor, concede-nos tal graça!

Um cordeiro ou um cabrito. Portanto, originalmente, qualquer desses filhotes podia ser usado, embora depois fosse tradicional servir um cordeiro. Os Targuns mostram que a preferência era dada ao cordeiro, embora também se usasse, ocasionalmente, um cabrito.

12.6

וְהָיָה לָכֶם לְמִשְׁמֶרֶת עַד אַרְבָּעָה עָשָׂר יוֹם לַחֹדֶשׁ
הַזֶּה וְשָׁחֲטוּ אֹתוֹ כֹּל קְהַל עֲדַת־יִשְׂרָאֵל בֵּין
הָעַרְבָּיִם׃

Décimo quarto dia. O animal a ser sacrificado era separado do rebanho no décimo dia do mês, e, então, guardado para o sacrifício por *quatro dias*. Os rabinos alistam *quatro* coisas supostamente derivadas dessa exigência, a qual acabou não sendo preservada senão no começo da história de Israel, a saber: 1. Originalmente, os cordeiros foram consumidos na terra de Gósen, na residência de cada família israelita. 2. O cordeiro era separado no décimo dia do primeiro mês. 3. O sangue do cordeiro abatido era usado para lambuzar ambas as ombreiras e a verga da porta de entrada de cada casa. 4. O cordeiro era comido às pressas.

Quando foi descontinuada a exigência acerca do décimo dia, naturalmente também foi eliminada a exigência referente ao décimo quarto dia. Talvez aquele período intermediário de quatro dias desse ao povo tempo amplo para que as pessoas se certificassem de que o animal não tinha defeito. *Essa* questão não podia ser tratada de modo superficial. Em tipo, de acordo com alguns intérpretes, isso mostra Cristo preservado em sua infância, enquanto estava sendo preparado para sua missão expiatória.

Todo o ajuntamento da congregação de Israel. No começo, isso indicava que cada família cumpriria o seu dever religioso. Todas as famílias, em seu conjunto, formavam a congregação de Israel. Posteriormente, passou a haver um sacrifício comunal, quando a questão se tornou parte da adoração no templo. Os chefes de família reuniam-se em um só lugar para efetuar o sacrifício comunal. Os críticos veem aqui uma referência a esse costume posterior, e não à forma primitiva da observância. A Mishna entende que três grupos de famílias entravam sucessivamente no átrio do templo, para matar os cordeiros escolhidos. Nesse caso, para preservar a exigência original de que o sangue fosse aspergido, os chefes de família formavam uma espécie de brigada com baldes, apanhando o sangue dos animais sacrificados e, então, aplicando-o às ombreiras e às vergas das portas de cada casa. Ou, então, o sangue era derramado ao pé do altar, que assim veio a substituir, posteriormente, as portas de entradas das residências.

No crepúsculo da tarde. Era o horário do sacrifício. Logo, tratava-se de uma festa noturna, celebrada durante o tempo da lua cheia (vs. 8; ver também Is 30.29). De acordo com a ortodoxia judaica, o abate do animal ocorria ao aproximar-se a noite. A Mishna diz-nos que era apropriada qualquer hora depois do meio-dia para esse abate. Os samaritanos, os caraítas e os saduceus especificavam o crepúsculo, antes de as trevas absolutas cobrirem a terra. A prática original por certo era consumir o cordeiro pascal durante a noite.

Josefo explanou que, em seus dias, o sacrifício tinha lugar entre a nona e a décima primeira horas (entre as 15 horas e as 17 horas, *Guerras*, 1.6, sec. 3). Jesus foi crucificado à hora nona (Mt 26.17). Ver no *Dicionário* o artigo chamado *Vigílias*.

12.7

וְלָקְחוּ מִן־הַדָּם וְנָתְנוּ עַל־שְׁתֵּי הַמְּזוּזֹת וְעַל־הַמַּשְׁקוֹף
עַל הַבָּתִּים אֲשֶׁר־יֹאכְלוּ אֹתוֹ בָּהֶם׃

Tomarão do sangue. Ou seja, aquela porção do sacrifício que, de acordo com a antiga crença, destinava-se ao poder divino. Ver Levítico 1.5. Originalmente, o sangue foi aplicado às ombreiras e à verga da porta de cada casa, ou seja, a parte mais santa e dedicada da casa (Lv 21.6; Dt 6.9). No dia da matança dos primogênitos no Egito, isso atuou como uma medida protetora contra o anjo destruidor, que, vendo o sangue aplicado, passaria por sobre a casa assim protegida. Ver os vss. 22 e 23 deste capítulo, como também Êxodo 4.24, e as notas expositivas ali existentes.

No *Dicionário* ver os artigos *Sangue* e *Expiação* (quanto a este seus pontos quinto e sexto). Ver também ali os verbetes *Expiação* e *Expiação pelo Sangue*. E na *Enciclopédia de Bíblia, Teologia e Filosofia* ver o artigo *Expiação pelo Sangue de Cristo*.

Alguns estudiosos supõem que o uso do sangue, conforme aparece na primeira páscoa, realmente antecedeu o evento, como um rito antigo que apelava aos poderes divinos em busca de proteção contra forças espirituais malignas, para que fosse preservada a paz na família. A *porta*, como entrada que dava acesso à casa, seria o lugar lógico onde era aplicado o sangue protetor.

Vida ou Morte. O mesmo anjo destruidor (o anjo de Yahweh) que matou os primogênitos do Egito também foi o anjo protetor de Israel. Assim foi e assim será sempre: escolhemos como o Poder Divino haverá de relacionar-se conosco. No caso dos israelitas, o cordeiro era morto em lugar dos filhos primogênitos, o que aponta para o poder vicário do sacrifício de Cristo.

Talvez o sangue também simbolizasse um *laço* que congregava a família e a comunidade, tendo-se tornado assim um sinal do pacto que todos eles compartilhavam com Yahweh. Ver as notas sobre o *Pacto Abraâmico* em Gênesis 15.18.

Expiação. O sangue do cordeiro pascal fazia uma expiação simbólica pelos membros da família que se protegesse com o sangue aplicado à porta de sua casa. Isso os protegeu da ira divina que estava à solta naquela noite. Ver no *Dicionário* o verbete intitulado *Ira de Deus*.

12.8

וְאָכְלוּ אֶת־הַבָּשָׂר בַּלַּיְלָה הַזֶּה צְלִי־אֵשׁ וּמַצּוֹת
עַל־מְרֹרִים יֹאכְלֻהוּ׃

A carne assada no fogo. Alguns têm pensado que o rito, antes de fazer parte da páscoa, consistia em comer carne crua. Mas essa prática teria sido descontinuada por Israel. O trecho de Deuteronômio 16.7 parece sugerir que carne cozida era uma alternativa para a carne assada. A proibição ao consumo de sangue não permitia que a carne fosse comida crua. A Mishna diz que o cordeiro era assado mediante o uso de um espeto de madeira de romãzeira, que atravessava a carcaça. Não eram permitidos nem metais e nem grelhas. Em suas condições primitivas, no deserto, o povo de Israel podia assar o cordeiro com mais facilidade do que usar qualquer outra forma de cozimento. Posteriormente, porém, os cordeiros eram cortados em pedaços e cozidos (1Sm 2.14,15).

Com pães asmos. Ver no *Dicionário* o verbete *Pães Asmos*. Ver as notas sobre o vs. 15 quanto ao rito com os pães asmos, a segunda comemoração vinculada à observância original. A terceira comemoração era a dedicação dos filhos primogênitos (Êx 13.2). Ver as notas de introdução à atual seção quanto a comentários sobre a combinação dos três eventos em um só, na páscoa original. No *Dicionário* há notas sobre cada um desses eventos.

"Originalmente, o *matzoth*, a festa dos pães asmos, era distinto da páscoa" (J. Coert Rylaarsdam, *in loc.*). Porém, havia uma festa preliminar e primitiva dos pães asmos, em conjunção com a páscoa. Todos esses ritos desenvolveram-se em tempos posteriores, e todos eles, em alguma forma primitiva, provavelmente antecederam o evento do êxodo e da páscoa.

Ervas amargas. Ver no *Dicionário* o artigo *Ervas Amargas*. Essas ervas simbolizavam os sofrimentos de Israel antes de sua libertação, e, como tipo, apontavam para os sofrimentos de Cristo. A *Mishna* (*Pesahim*, 2.6) dá os ingredientes necessários, sobre os quais comentamos no artigo acima referido.

■ 12.9

אַל־תֹּאכְלוּ מִמֶּנּוּ נָא וּבָשֵׁל מְבֻשָּׁל בַּמָּיִם כִּי
אִם־צְלִי־אֵשׁ רֹאשׁוֹ עַל־כְּרָעָיו וְעַל־קִרְבּוֹ׃

A carne do cordeiro não podia ser comida crua, por causa do sangue. Ver no *Dicionário* o artigo intitulado *Sangue* quanto a informações sobre esse ponto. Ver Gênesis 9.4; Levítico 3.8; 7.26 quanto a essa proibição e suas razões. Intérpretes judeus chegaram a debater se o animal deveria ser assado com suas pernas dobradas dentro ou fora da carcaça. Isso parecia importante para eles, embora para nós seja algo inteiramente sem valor. Fato é que o cordeiro deveria ser assado sem que nenhum osso fosse quebrado (vs. 46; cf. com a experiência de Jesus, em Jo 19.32-36). As *entranhas* deveriam ser tiradas, limpadas cuidadosamente, e repostas em seu lugar.

"Justino Mártir disse que o animal era preparado para ser usado mediante o uso de dois espetos de madeira, um perpendicular e outro transverso, formando uma espécie de cruz, o que, sem dúvida, tipifica mui aptamente o Cristo crucificado" (Ellicott, *in loc.*).

O fato de que o cordeiro tinha de ser preparado e consumido *inteiro* apontava para a obra divina completa e perfeita, o perfeito sacrifício expiatório de Cristo.

■ 12.10

וְלֹא־תוֹתִירוּ מִמֶּנּוּ עַד־בֹּקֶר וְהַנֹּתָר מִמֶּנּוּ עַד־בֹּקֶר
בָּאֵשׁ תִּשְׂרֹפוּ׃

Coisa alguma podia restar do cordeiro pascal; mas, se porventura sobrasse, isso teria de ser consumido no fogo, sem sobrar nenhuma porção da carne. A razão disso é que coisa alguma do *sacrifício sagrado* podia ser consumida com propósitos profanos, como almoçar no dia seguinte. Ademais, ao escapar do Egito para o deserto, Israel não seria capaz de levar consigo almoços extras. Tinham de caminhar o mais desimpedidos que fosse possível. Talvez a totalidade do sacrifício (o seu uso por inteiro) tipificasse Cristo em sua completa pessoa divino-humana, o qual realizou um sacrifício perfeito, uma expiação sem o mínimo defeito. Cristo cumpriu a sua missão nos papéis de Profeta, Sacerdote e Rei, e isso de modo perfeito.

Ademais, era um sacrifício noturno que não permitia que nada sobrasse até a luz do dia seguinte.

A Jornada Próspera. Na literatura clássica há um paralelo geral deste versículo do livro de Êxodo. Catão referiu-se a um certo G. Albidius que queimou todos os vestígios de seu sacrifício por motivo da *propter viam*, ou seja, uma viagem apropriada e próspera, que ele faria no dia seguinte. Cumprir de modo absoluto o sacrifício era reputado como algo que agradava aos deuses, que então concederiam uma jornada próspera (*Macrobius*, Saturn. lib. ii.2).

■ 12.11

וְכָכָה תֹּאכְלוּ אֹתוֹ מָתְנֵיכֶם חֲגֻרִים נַעֲלֵיכֶם בְּרַגְלֵיכֶם
וּמַקֶּלְכֶם בְּיֶדְכֶם וַאֲכַלְתֶּם אֹתוֹ בְּחִפָּזוֹן פֶּסַח הוּא
לַיהוָה׃

Comê-lo-eis à pressa. Essa foi a instrução final. Israel estava com pressa para deixar para trás a servidão. O cordeiro pascal era comido estando as pessoas em pé, de sandálias e as vestes cingidas. Esses eram sinais externos da pressa que eles sentiam, por ordem de Deus. Esse foi um dos quatro elementos que não prosseguiram na observância da páscoa em tempos posteriores. Ver as notas sobre Êxodo 12.6 quanto a isso. O cajado e as sandálias eram objetos que as pessoas usavam *fora* da casa. Assim, apesar de estarem ainda dentro de suas casas, eles estavam preparados para *sair* delas, prontos para a jornada. Comiam vestidos para viajar. Já tinham estado no Egito por tempo bastante. Um novo lar e um novo destino esperavam por eles.

As sandálias usualmente eram *tiradas* por ocasião das festividades e dias santos. Ver Gênesis 18.4,5; Lucas 7.44; João 13.5. Na páscoa, porém, essa situação era revertida. O *cajado* era companhia constante dos viajantes, seu apoio e ajuda, e, ocasionalmente, sua defesa contra algum animal ou bandido que porventura atacassem. Ver Salmo 23.4.

A páscoa. A palavra hebraica equivalente deriva-se de um termo que significa "coxear" ou "saltar" (2Sm 4.4; 1Rs 18.21,26). Mas aponta para o fato de que o anjo destruidor passou por cima das casas protegidas pelo sangue do cordeiro, aplicado às ombreiras e verga da porta (Êx 12.23). Ver no *Dicionário* o artigo detalhado intitulado *Páscoa*. Ver o *Novo Testamento Interpretado* em 1Coríntios 5.7 quanto a "Cristo, nossa páscoa".

Temos aqui o primeiro uso da palavra *páscoa* na Bíblia. Alguns pensam que a palavra é de origem egípcia e significaria então "abrir as asas para proteger", mas a maioria dos estudiosos prefere o sentido do hebraico. Ver os vs. 24-27 quanto ao fato de que a páscoa foi fatal para os egípcios, mas serviu de livramento para o povo de Israel.

■ 12.12

וְעָבַרְתִּי בְאֶרֶץ־מִצְרַיִם בַּלַּיְלָה הַזֶּה וְהִכֵּיתִי
כָל־בְּכוֹר בְּאֶרֶץ מִצְרַיִם מֵאָדָם וְעַד־בְּהֵמָה
וּבְכָל־אֱלֹהֵי מִצְרַיִם אֶעֱשֶׂה שְׁפָטִים אֲנִי יְהוָה׃

Este versículo prediz o que acabou acontecendo, segundo se vê nos vss. 24-27, dizendo-nos *por que* a festa foi chamada "páscoa", conforme já foi explicado nas notas sobre o vs. 11, e descrito com abundância de detalhes no verbete *Páscoa*, no *Dicionário*. As nove pragas anteriores tinham ferido gravemente o Egito, tinham-no virtualmente esmagado; mas coisa alguma comparou-se ao golpe desfechado pela décima praga. Yahweh, por meio de seu anjo destruidor (vs. 23), passaria por cima do povo de Israel, poupando-lhe as vidas. Mas, ao passar pelo Egito, foram destruídas muitas vidas, a vida de todos os filhos primogênitos, dos seres humanos e dos animais. Foi uma passagem *pelo* Egito, com o fim de destruí-lo.

Os Deuses Egípcios Foram Julgados. Nas notas sobre Êxodo 7.14 dou um gráfico que ilustra quais deuses foram humilhados a cada praga. Este versículo contém uma declaração genérica. O panteão egípcio inteiro sofreria um golpe devastador por ocasião da décima praga, sem prejuízo, naturalmente, dos danos causados pelas pragas anteriores.

Min, o deus egípcio da reprodução, teria roubado o seu fruto; *Heqet*, deusa protetora das mulheres por ocasião do parto, perderia a guerra contra a destruição dos primogênitos; *Ísis*, a deusa protetora das crianças, se mostraria impotente diante do anjo destruidor. O filho primogênito do Faraó, embora considerado um *deus*, morreria juntamente com todos os demais filhos primogênitos dos egípcios, por mais humildes que estes fossem.

Alguns autores, como Artapano (Apude Euseb. *Praepar. Evan.* 1.9 c.27 par. 436), associaram abalos sísmicos ao êxodo, imaginando que os templos egípcios ruíram; e Justino Mártir pensava que Moisés ordenara o furto dos ídolos egípcios, tirando-os do Egito, o que somente aumentou a consternação dos idólatras. (*E. Trogo*, 1.36, c. 2).

Naquela noite. Essa décima praga, tal como as anteriores, ocorreu e terminou em um preciso momento, que fora previsto. Cf. o *amanhã* referido nas outras pragas: Êxodo 8.10,23,29; 9.5,6,18; 10.4. Está em pauta o décimo quinto dia do mês de Nisã, visto que o décimo quarto dia daquele mês assinalou o início da páscoa. Ver os vss. 3 e 6.

■ 12.13

וְהָיָה הַדָּם לָכֶם לְאֹת עַל הַבָּתִּים אֲשֶׁר אַתֶּם שָׁם
וְרָאִיתִי אֶת־הַדָּם וּפָסַחְתִּי עֲלֵכֶם וְלֹא־יִהְיֶה בָכֶם נֶגֶף
לְמַשְׁחִית בְּהַכֹּתִי בְּאֶרֶץ מִצְרָיִם׃

"Quando eu vir o sangue, passarei por vós". Assim também diz um antigo hino evangélico. O sangue atuou como um *sinal* para o anjo destruidor (o anjo de Yahweh, vs. 23), para que não ferisse o primogênito *daquela* casa. "O sangue aspergido sobre as portas das casas dos israelitas serviu de proteção diante da morte, quando Deus destruiu os primogênitos. Do verbo hebraico *pasah* ("passar por cima"), vem o substantivo, a designação dessa festividade religiosa, a "páscoa" (no hebraico, *pesah*). Assim como o sangue de um animal era o meio de escapar da morte e ser livrado, assim também o sangue de Cristo é o meio de redenção dos crentes (Rm 5.9; Ef 1.7)" (John D. Hannah, *in loc.*).

Não haverá entre vós praga destruidora. O povo de Israel foi poupado das pragas. Ver Êxodo 8.22,23; 9.4,26; 10.23.

■ 12.14

וְהָיָה֩ הַיּ֨וֹם הַזֶּ֤ה לָכֶם֙ לְזִכָּר֔וֹן וְחַגֹּתֶ֥ם אֹת֖וֹ חַ֣ג לַֽיהוָ֑ה לְדֹרֹ֣תֵיכֶ֔ם חֻקַּ֥ת עוֹלָ֖ם תְּחָגֻּֽהוּ׃

Este dia vos será por memorial. Os israelitas nunca deveriam olvidar-se do dia de seu livramento nacional. Deus fez a distinção entre o crente e o incrédulo, e isso é refletido na festa da *páscoa*, sobre a qual ofereço um artigo detalhado no *Dicionário*. Ver também ali o artigo geral intitulado *Festas (Festividades) Judaicas*. A festa dos pães asmos (vss. 15-20) acabou associada à páscoa, como se fosse uma só celebração, junto com a dedicação dos primogênitos (Êx 13.2). Ver a introdução a esta seção (no vs. 1), quanto a uma descrição sobre essa união de festas. Outras *ordenanças permanentes* também faziam parte da legislação dos hebreus. Ver Êxodo 27.21; 28.43; 29.9; 30.21; Levítico 16.29,31,34; 23.14,21,41. A festa de sete dias dos pães asmos era uma espécie de continuação natural da páscoa, que era festa de um único dia, ainda que, provavelmente, fosse uma celebração separada. A páscoa dos hebreus prossegue, em um sentido espiritual, na Ceia do Senhor dos cristãos (1Co 5.7,8). Essa associação fez a festa *perpétua* dos hebreus tornar-se a *eterna* festa cristã.

PÃES ASMOS (12.15-20; 13.3-10)

Ver no *Dicionário* o detalhado artigo intitulado *Pães Asmos*. Às informações dadas naquele artigo, adiciono aqui algumas poucas ideias. Ver a introdução às notas sobre Êxodo 12.1 quanto à associação das três comemorações: a páscoa, os pães asmos e a dedicação dos primogênitos.

Provavelmente, a festa dos pães asmos era celebrada por ocasião da colheita da cevada. Mas acabou tornando-se uma festa anual, ligada à páscoa, como uma espécie de continuação natural, com a duração de sete dias. Essas duas festas acabaram sendo conhecidas por um nome só, *mazzoth*. Nesta os *pães asmos* não figuram separados da páscoa, mas como uma continuação. Todavia, o trecho de Levítico 23.6 faz a distinção entre elas. Números 28.17 informa-nos que começava no dia 15 do mês de nisã. Mas no *primeiro dia*, quando era removido todo fermento da casa, era, naturalmente, o décimo quarto dia, o dia da páscoa. Ver as notas sobre Êxodo 12.3,6 quanto às designações de tempo. Nisã (nosso março-abril) tornou-se o primeiro mês do recém-instituído ano religioso, ao passo que era o sétimo mês do antigo ano civil. Ver as notas sobre o vs. 2 quanto a essa informação.

■ 12.15

שִׁבְעַ֤ת יָמִים֙ מַצּ֣וֹת תֹּאכֵ֔לוּ אַ֚ךְ בַּיּ֣וֹם הָרִאשׁ֔וֹן תַּשְׁבִּ֥יתוּ שְּׂאֹ֖ר מִבָּתֵּיכֶ֑ם כִּ֣י ׀ כָּל־אֹכֵ֣ל חָמֵ֗ץ וְנִכְרְתָ֞ה הַנֶּ֤פֶשׁ הַהִוא֙ מִיִּשְׂרָאֵ֔ל מִיּ֥וֹם הָרִאשֹׁ֖ן עַד־י֥וֹם הַשְּׁבִעִֽי׃

Sete dias. Uma continuação natural da páscoa. Ver a introdução (acima) a esta seção, quanto a informações gerais.

Logo ao primeiro dia. Provavelmente o dia 14 de nisã, o dia da páscoa, que nesse caso seria considerado o primeiro dia dos *pães asmos* (ver a esse respeito no *Dicionário*).

Tirareis o fermento. O fermento, na Bíblia, é símbolo de pecado e corrupção moral. E isso era levado muito a sério, pois qualquer um que ousasse comer pão fermentado, durante aqueles oito dias, era *cortado* do meio do povo. Isso pode apontar para punição capital ou exclusão. Ver Gênesis 17.14 e suas notas expositivas.

Aqueles que fossem protegidos pelo sangue do cordeiro também deveriam estar isentos de qualquer corrupção do pecado, simbolizado pelo fermento. Aqueles eram dias de santificação e de cultivo espiritual, e coisa alguma poderia interferir nessa dedicação.

Originalmente, talvez, a ausência de fermento se devesse à preparação para a saída às pressas (vss. 34 e 39; Dt 16.3). Mas o fermento tem um efeito corruptor (Êx 23.18; Mt 16.6; 1Co 5.7). *Ritualmente*, o fermento acabou sendo visto como uma substância impura (Lv 1.22), capaz de contaminar toda uma colheita. Ver na *Enciclopédia de Bíblia, Teologia e Filosofia* os artigos chamados *Fermento* e *Fermento e Seus Simbolismos*.

■ 12.16

וּבַיּ֤וֹם הָרִאשׁוֹן֙ מִקְרָא־קֹ֔דֶשׁ וּבַיּוֹם֙ הַשְּׁבִיעִ֔י מִקְרָא־קֹ֖דֶשׁ יִהְיֶ֣ה לָכֶ֑ם כָּל־מְלָאכָה֙ לֹא־יֵעָשֶׂ֣ה בָהֶ֔ם אַ֚ךְ אֲשֶׁ֣ר יֵאָכֵ֣ל לְכָל־נֶ֔פֶשׁ ה֥וּא לְבַדּ֖וֹ יֵעָשֶׂ֥ה לָכֶֽם׃

Ao primeiro dia. Pode estar em pauta o dia da páscoa (Êx 12.3,6), ou o dia *seguinte*, que assinalava uma nova celebração. Os estudiosos aceitam ambas as possibilidades. Seja como for, estão em foco os dias 14 ou 15 do mês de nisã. O primeiro e o último dias dos *pães asmos* eram assinalados por reuniões especiais e comemorações. Nenhum trabalho podia ser feito (pelo que era uma espécie de sábado ou dia de descanso). Eram oferecidos holocaustos. A combinação páscoa-pães asmos tornou-se uma espécie de rito sacrificial. Tal como a páscoa, os pães asmos também deveriam ser um *estatuto perpétuo* (vs. 17; cf. o vs. 14). Ver Levítico 23.6 quanto ao primeiro dia dos pães asmos, e o dia 15 do mês de abibe (antigo nome do mês de nisã). Talvez fossem usadas as trombetas de prata para esse propósito (Nm 10.2). Algo similar aconteceria no último dia. A regra que proibia *todo tipo de trabalho*, provavelmente, aplicava-se somente a esses dois dias. Ver Levítico 23.7,8. Podia ser preparado o alimento, como podiam-se fazer certos trabalhos domésticos. Mas no sábado regular não se permitia nem mesmo isso.

■ 12.17

וּשְׁמַרְתֶּם֮ אֶת־הַמַּצּוֹת֒ כִּ֗י בְּעֶ֙צֶם֙ הַיּ֣וֹם הַזֶּ֔ה הוֹצֵ֥אתִי אֶת־צִבְאוֹתֵיכֶ֖ם מֵאֶ֣רֶץ מִצְרָ֑יִם וּשְׁמַרְתֶּ֞ם אֶת־הַיּ֥וֹם הַזֶּ֛ה לְדֹרֹתֵיכֶ֖ם חֻקַּ֥ת עוֹלָֽם׃

Essa festa, combinada com a páscoa, era um memorial do livramento da servidão no Egito. Israel saiu do Egito formando *hostes*, talvez em formação quase-militar, preparada para a batalha, se necessário fosse. Mas alguns eruditos veem nisso apenas uma referência ao grande número de companhias postas em ordem, *conforme* se faz com os exércitos. Já vimos esse termo usado em Êxodo 6.26, onde apresentei comentários a respeito. O trecho de Deuteronômio 16.1 mostra que eles saíram "de noite", provavelmente ao crepúsculo do dia.

■ 12.18

בָּרִאשֹׁ֡ן בְּאַרְבָּעָה֩ עָשָׂ֨ר י֤וֹם לַחֹ֙דֶשׁ֙ בָּעֶ֔רֶב תֹּאכְל֖וּ מַצֹּ֑ת עַ֠ד י֣וֹם הָאֶחָ֧ד וְעֶשְׂרִ֛ים לַחֹ֖דֶשׁ בָּעָֽרֶב׃

Designações de Tempo. *Primeiro mês* (nisã, correspondente aos nossos março-abril) do calendário religioso recém-instituído (que era o sétimo mês do calendário civil, ver Êx 12.2). *Dia 14* (ver Êx 12.3,6). Contava-se à partir daí uma semana, até terminar o vigésimo primeiro dia, à tarde (os judeus iniciavam e terminavam o dia às 18 horas). Durante todos esses dias, os israelitas não podiam provar fermento. Para Israel, isso assinalava uma *nova era*. Tinha começado a marcha de volta à Terra Prometida, pelo que todos os dias eram contados a partir daquele evento, tal como agora todos os eventos retrocedem até Cristo, com as nossas designações de datas como a.C. e d.C.

"Essa longa abstinência de fermento denota que a vida toda daqueles que são israelitas deveria, realmente, ser sem dolo, hipocrisia e malícia, mas, antes, deveria ser vivida em sinceridade e verdade" (John Gill, *in loc.*).

À tarde... até a tarde. Ou seja, no término do dia 14 e no começo do dia 15 do mês de nisã, pois os hebreus computavam seus dias das 18 horas às 18 horas, ao passo que os computamos das 24 horas às 24 horas. Ver no *Dicionário* o artigo intitulado *Dia*.

■ 12.19

שִׁבְעַ֣ת יָמִ֔ים שְׂאֹ֕ר לֹ֥א יִמָּצֵ֖א בְּבָתֵּיכֶ֑ם כִּ֣י ׀ כָּל־אֹכֵ֣ל מַחְמֶ֗צֶת וְנִכְרְתָ֞ה הַנֶּ֤פֶשׁ הַהִוא֙ מֵעֲדַ֣ת יִשְׂרָאֵ֔ל בַּגֵּ֖ר וּבְאֶזְרַ֥ח הָאָֽרֶץ׃

Era feita uma busca exaustiva, garantindo, de modo absoluto, que na casa não havia nenhum fermento. E também ninguém ousaria trazer fermento para o interior de uma casa, ou cozer pães fermentados. Ver as notas sobre o vs. 15 quanto ao simbolismo do fermento; e ver também o artigo *Pães Asmos*, quanto a completas explicações a esse respeito. Estamos informados que essa observância da ausência de fermento tornou-se uma das práticas religiosas mais escrupulosamente observadas em Israel. Aquele que violasse esse estatuto era *cortado*, ou seja, excluído. Essa expressão, porém, também podia significar punição capital (ver Lv 20.3). Mas parece que nunca houve execuções por *esse* motivo. Seja como for, a pessoa que transgredisse *deixava de existir* aos olhos dos israelitas, mesmo que não fisicamente.

Phillips Brooks pregou um sermão que se tornou famoso. Nesse sermão ele falava sobre o "mistério da iniquidade", salientando que a *maldade* parece mais contagiosa do que a *bondade*, aludindo à propagação e vitalidade do mal como um tipo de *fermento* moral.

O peregrino. Provavelmente devemos pensar aqui em *convertidos* à fé judaica. Mas também é possível que essa lei fosse tão radicalmente observada que não se permitia a *ninguém* ter fermento em sua casa, durante esse tempo, sem importar se a pessoa estava ligada ou não à fé dos hebreus. Bastaria que a pessoa estivesse *perto* de Israel para que fosse forçada a não ter fermento em casa, sob o risco de graves consequências.

O natural da terra. Sem dúvida, está aqui em foco a Palestina. E isso indica que esse versículo foi escrito retrospectivamente em relação à instituição da regra, por alguém que já vivia *na* Terra Prometida. Os críticos agarram-se a este versículo, e a outros semelhantes, para provar a data de escrita posterior do livro de Êxodo e de todo o Pentateuco. Ver a introdução ao livro de Êxodo quanto a comentários sobre a data de sua composição, em I.1.

■ 12.20

כָּל־מַחְמֶצֶת לֹא תֹאכֵלוּ בְּכֹל מוֹשְׁבֹתֵיכֶם תֹּאכְלוּ מַצּוֹת׃ פ

Foi baixada uma terminante proibição quanto à presença de fermento, sem importar se sob a forma de pão ou de qualquer outro alimento preparado. Essa declaração reforçava o que já havia sido dito. Ver as notas sobre os vss. 15 e 19. Os hebreus não comiam, *ordinariamente*, pão sem fermento, conforme Tácito chegou a supor (*Hist.* 1.5 c.4). Mas eles mostravam-se radicais acerca de certos tempos de abstinência.

Ver o trecho de Êxodo 13.3-10 quanto a versículos adicionais e descrições sobre os *Pães Asmos*. Os críticos pensam que a fonte informativa desse trecho seja a fonte *D*.

A PÁSCOA (12.21-28)

O autor sagrado voltou agora à descrição da páscoa e sua situação histórica. Os críticos atribuem esta seção à fonte *J*. Ver o artigo intitulado *J.E.D.P.(S.)*, no *Dicionário*, quanto à teoria das fontes múltiplas do Pentateuco.

Apresentei uma introdução geral ao assunto, na introdução aos comentários sobre Êxodo 12.1. Os críticos atribuem o trecho de Êxodo 12.1ss. à fonte *P(S)*, pensando que o texto diante de nós provém de uma tradição mais antiga.

■ 12.21

וַיִּקְרָא מֹשֶׁה לְכָל־זִקְנֵי יִשְׂרָאֵל וַיֹּאמֶר אֲלֵהֶם מִשְׁכוּ וּקְחוּ לָכֶם צֹאן לְמִשְׁפְּחֹתֵיכֶם וְשַׁחֲטוּ הַפָּסַח׃

Moisés transmitiu sua informação aos *anciãos* (cabeças de tribo), a fim de que pudessem implementar a instituição da páscoa e fazer preparativos gerais para a saída do Egito.

As instruções em Êxodo 1.3 foram endereçadas a toda a congregação de Israel, e agora, através de representantes. Os críticos veem uma distinção nas *diferentes* orientações, entre as fontes informativas *P(S)* e *J*.

Um cordeiro para cada família, conforme se vê no vs. 3, ou um cordeiro para mais de uma família, se estas fossem pequenas, quando então mais de uma família participava de um só cordeiro, conforme se vê no vs. 4. Coisa alguma deveria restar para uso profano ou supersticioso (vs. 10). A outra fonte informativa, *P(S)* (se aquela teoria é verdadeira), daria detalhes sobre os preparativos para a saída que esta seção não menciona. Temos aqui instruções sobre a aplicação do sangue (vs. 22). Ver 1Coríntios 5.7 quanto a Cristo como a nossa páscoa.

■ 12.22

וּלְקַחְתֶּם אֲגֻדַּת אֵזוֹב וּטְבַלְתֶּם בַּדָּם אֲשֶׁר־בַּסַּף וְהִגַּעְתֶּם אֶל־הַמַּשְׁקוֹף וְאֶל־שְׁתֵּי הַמְּזוּזֹת מִן־הַדָּם אֲשֶׁר בַּסָּף וְאַתֶּם לֹא תֵצְאוּ אִישׁ מִפֶּתַח־בֵּיתוֹ עַד־בֹּקֶר׃

Um molho de hissopo. O hissopo era um arbusto de raminhos apropriados para aspergir líquidos em rituais religiosos. Ver Levítico 14.4,6; Números 19.6,18. Ver detalhes completos sobre o hissopo e seus usos no artigo chamado *Hissopo*, no *Dicionário*. É possível que alguns povos antigos (incluindo os hebreus) associassem poderes mágicos ao hissopo, embora não haja o menor indício de tal coisa no texto. O modo de proceder provável, de acordo com J. Edgar Park (*in loc.*), mencionado neste versículo, seria este: "O cordeiro era abatido no limiar, e seu sangue era aspergido em um local rebaixado, talvez feito com esse propósito. H. Oorte referiu-se a miniaturas que retratavam a aspersão de sangue dessa maneira" ("Oud-Israels Paaschfeest", *Theologiish Tijdschrift*, xlii, 1908, págs. 489-490).

Nossa versão portuguesa, a par com outras traduções, fala aqui em *bacia*, em lugar de um receptáculo para o sangue. Porém, no hebraico, "bacia" e "limiar" são palavras homógrafas, ainda que muitos estudiosos prefiram pensar aqui em "limiar", e não em "bacia". A Septuaginta e Jerônimo, entre outros, também preferiram a tradução *limiar*, neste versículo.

O Targum de Jonathan refere-se ao *vaso de barro* que era usado para recolher o sangue, onde era mergulhado o ramo de hissopo. As referências literárias mostram-nos que os povos pagãos da época tinham costumes similares.

As ombreiras e a verga da porta eram aspergidas com o sangue do cordeiro. Alguns veem nisso uma cruz, mas talvez imaginem demais. Seja como for, o hissopo foi associado à crucificação. Ver João 19.29 e 1Coríntios 5.7.

Nenhum de vós saia da porta da sua casa. A proteção contra o anjo destruidor estava do lado de dentro de cada casa, e não do lado de fora. Do lado de fora poderia ser perigoso, e Moisés não podia garantir a segurança de ninguém do "lado de fora".

■ 12.23

וְעָבַר יְהוָה לִנְגֹּף אֶת־מִצְרַיִם וְרָאָה אֶת־הַדָּם עַל־הַמַּשְׁקוֹף וְעַל שְׁתֵּי הַמְּזוּזֹת וּפָסַח יְהוָה עַל־הַפֶּתַח וְלֹא יִתֵּן הַמַּשְׁחִית לָבֹא אֶל־בָּתֵּיכֶם לִנְגֹּף׃

Yahweh seria o agente da morte, como também o agente da vida, em uma única noite, dependendo do sangue que fosse aspergido nas ombreiras e na verga da porta de cada casa. O Senhor passaria por todo o Egito; e a casa que não estivesse protegida pelo sangue seria atingida pelo anjo da morte, o anjo destruidor, agente de Yahweh, que o acompanhava. Alguns eruditos veem aqui uma antiga crença sobre poderes demoníacos que atuariam sob as ordens de Deus, algo parecido com uma ameaça feita por Paulo, em 1Coríntios 5.5, onde um homem incestuoso, que convivia com sua madrasta, foi ameaçado com a morte, administrada por Satanás, por delegação de Deus. O trecho de Hebreus 11.28 refere-se a este versículo, e também fala sobre o anjo *destruidor*. Ver 2Samuel 24.16 e Isaías 37.36, e suas notas expositivas, acerca do anjo da morte.

O Targum de Jonathan refere-se ao destruidor como um "anjo". Ver no *Dicionário* o artigo *anjo*. Cf. 2Reis 19.35, onde o anjo da morte efetuou grande matança em uma única noite, entre o exército assírio.

■ 12.24

וּשְׁמַרְתֶּם אֶת־הַדָּבָר הַזֶּה לְחָק־לְךָ וּלְבָנֶיךָ עַד־עוֹלָם׃

Estatuto... para sempre. Aconteceu algo de grandioso que foi o golpe final de Deus, a fim de libertar o povo de Israel. Portanto, tal ocorrência deveria ser lembrada perpetuamente pelos israelitas. Já vimos ideia similar no vs. 14, no tocante à páscoa, e no vs. 17, no tocante aos pães asmos. Os críticos pensam que a nota procede da fonte *J*, ao passo que os vss. 14 e 17 procederiam da fonte *P(S)*. O fato é que Deus requeria perpetuidade. Assim, até hoje, para os judeus nada é mais importante do que a celebração da páscoa.

12.25

וְהָיָה כִּי־תָבֹאוּ אֶל־הָאָרֶץ אֲשֶׁר יִתֵּן יְהוָה לָכֶם
כַּאֲשֶׁר דִּבֵּר וּשְׁמַרְתֶּם אֶת־הָעֲבֹדָה הַזֹּאת׃

Na terra. A Palestina, como um dos aspectos do Pacto Abraâmico. Ver Gênesis 15.18 quanto a esse pacto. Uma de suas principais provisões era um território pátrio. Isso fora prometido desde o começo a Abraão. Primeiramente, haveria um período de escravidão no Egito (Êx 15.13). Então os habitantes originais da terra de Canaã (Terra Prometida, para os israelitas) teriam que encher sua taça de iniquidade. Somente o povo de Israel poderia entrar na sua Terra Prometida. Ver Gênesis 15.16. A páscoa celebraria a última das dez pragas contra o Egito, o que levaria Israel a ser libertado. Ainda haveria a confrontação no mar Vermelho, o que seria um milagre de livramento para Israel, e de destruição para o exército do Egito. Em seguida, haveria quarenta anos de vagueação pelo deserto. Finalmente, sob a liderança de Josué, os filhos de Israel entrariam na Terra Prometida, a qual, todavia, só seria conquistada inteiramente após longo período de guerras. Esse território tinha sido a região onde Abraão habitou temporariamente, com seus descendentes (Isaque, Jacó e os filhos deste e alguns netos).

Uma vez na Terra Prometida, a páscoa continua a ser celebrada como memorial do poder libertador e da graça de Yahweh. O sentido dessa celebração deveria ser ensinado às sucessivas gerações de descendentes de Abraão (Êx 12.26,27; 13.14,15).

12.26,27

וְהָיָה כִּי־יֹאמְרוּ אֲלֵיכֶם בְּנֵיכֶם מָה הָעֲבֹדָה הַזֹּאת
לָכֶם׃

וַאֲמַרְתֶּם זֶבַח־פֶּסַח הוּא לַיהוָה אֲשֶׁר פָּסַח עַל־בָּתֵּי
בְנֵי־יִשְׂרָאֵל בְּמִצְרַיִם בְּנָגְפּוֹ אֶת־מִצְרַיִם וְאֶת־בָּתֵּינוּ
הִצִּיל וַיִּקֹּד הָעָם וַיִּשְׁתַּחֲווּ׃

Os filhos veriam seus pais observando os ritos próprios da páscoa, e, por curiosidade, perguntariam a *razão* da celebração. Isso daria aos pais a oportunidade de explicar cada detalhe. O rito deveria ser efetuado no aniversário precioso da libertação. O ano religioso começaria no mês de nisã, o mês da libertação. Esses detalhes emprestariam ao rito um vívido sentido para todas as gerações futuras. Assim, a páscoa teria um propósito didático. Havia uma espiritualidade a ser cultivada, porquanto Yahweh tinha agido por sua graça, ao dar a Israel liberdade e um território pátrio. As provisões do Pacto Abraâmico seriam recitadas, e isso redundaria em unidade quanto aos propósitos e expressões nacionais.

Ver no *Dicionário* o artigo *Educação no Antigo Testamento*, e, na *Enciclopédia de Bíblia, Teologia e Filosofia*, o verbete chamado *Educação Cristã*.

Em Cristo, a páscoa recebeu um novo significado (1Co 5.7). Cristo seria *o Cordeiro de Deus* (ver no *Dicionário*), do qual o cordeiro comido na páscoa servia de tipo. Em Cristo, os gentios viriam a participar do Pacto Abraâmico, o qual, desse modo, adquiriria sentidos universais e espirituais que nunca tinham sido destacados durante a história do povo de Israel. Ver Gálatas 3.14 ss.

A Ceia do Senhor (ver o artigo com esse nome na *Enciclopédia de Bíblia, Teologia e Filosofia*, como também o artigo chamado *Eucaristia*) tornou-se um memorial cristão da páscoa. Há dias realmente diferentes de outros. São dias que servem de marcos, que devem ser relembrados, porquanto fazem uma diferença vital na vida das pessoas. A páscoa era um desses dias; a Ceia do Senhor é uma certa continuidade cristã dessa ideia, com novos simbolismos, naturalmente.

O povo se inclinou, e adorou. Inclinaram a cabeça porque estavam dominados pela emoção de estarem vivendo um grande evento histórico, o que para eles indicava o início de uma nova dispensação, onde se destacavam o poder e a graça de Deus. *Naquele dia*, o povo de Israel tinha sido libertado. *Naquele dia*, começaram sua jornada para a conquista da Terra Prometida. Gratidão e devoção deveriam ser resultados da identificação com aquele evento de um passado distante, em que cada geração se identificaria com os sentimentos da geração de Moisés.

12.28

וַיֵּלְכוּ וַיַּעֲשׂוּ בְּנֵי יִשְׂרָאֵל כַּאֲשֶׁר צִוָּה יְהוָה אֶת־מֹשֶׁה
וְאַהֲרֹן כֵּן עָשׂוּ׃ ס

Como o Senhor ordenara... assim fizeram. Houve obediência até aos menores detalhes, por parte do povo que tinha sido instruído através de Moisés e Arão. Os anciãos do povo (vs. 21) partiram para suas respectivas tribos cuidando para que tudo fosse observado e para que se fizessem preparativos finais para a saída do Egito. Os ritos da páscoa e dos pães asmos foram fielmente levados a efeito.

DÉCIMA PRAGA: MORTE DOS PRIMOGÊNITOS EGÍPCIOS (12.29-36)

Cumpria-se agora o *último juízo divino* contra o Egito. Ver no *Dicionário* o artigo *Pragas do Egito*. O Faraó estava colhendo o que tinha semeado. Ver no *Dicionário* o artigo chamado *Lei Moral da Colheita segundo a Semeadura*. Os críticos atribuem esta seção à combinação das fontes informativas P(S) e J. Ver no *Dicionário* o artigo J.E.D.P.(S.) quanto à teoria das fontes múltiplas do Pentateuco.

Yahweh tinha exigido a soltura de seu filho primogênito, o povo de Israel (Êx 4.22). Essa exigência não foi atendida pelo Faraó e seus ministros, e, então, foi feita a predição de que morreriam os filhos primogênitos do Egito (Êx 4.23). Foi uma espécie de *lex talionis* (ver a esse respeito no *Dicionário*).

Esta seção narra como teve cumprimento a última das dez pragas. Ver a antecipação sobre ela em Êxodo 11.4-8. O grande clamor de angústia dos egípcios simbolizou a completa desintegração do orgulho humano, o golpe final contra a arrogância (ver Is 2.12-22; Jl 2.6). O pacto da páscoa manteve o povo de Israel em segurança.

12.29

וַיְהִי בַּחֲצִי הַלַּיְלָה וַיהוָה הִכָּה כָל־בְּכוֹר בְּאֶרֶץ
מִצְרַיִם מִבְּכֹר פַּרְעֹה הַיֹּשֵׁב עַל־כִּסְאוֹ עַד בְּכוֹר
הַשְּׁבִי אֲשֶׁר בְּבֵית הַבּוֹר וְכֹל בְּכוֹר בְּהֵמָה׃

À meia-noite. A matança teve lugar, tal como tinha sido predito (Êx 11.4). A maior parte das pessoas estava dormindo. Mas foram despertadas pelos gritos de agonia dos filhos primogênitos. O autor poupa-nos de detalhes que nos deixariam de estômago embrulhado. Mas o que ele chega a dizer já é nauseante.

Todos os primogênitos. Isso mostra quão completo foi o castigo divino. O filho primogênito mais distinguido era o filho do próprio Faraó, considerado um deus. O menos distinguido pode ter sido algum pobre prisioneiro, algum criminoso encerrado em uma masmorra. Quem se importaria com a morte do tal? Contudo, isso fazia parte do trabalho absolutamente completo do anjo da morte (o destruidor, vs. 23).

O Targum de Jonathan observa como o povo egípcio estava dormindo pacificamente, sem suspeitar da calamidade que se aproximava. O golpe veio como um golpe súbito, talvez acompanhado por um grande estrondo.

Todos os primogênitos dos animais. O reino animal irracional também foi atingido. O que sobrara desses animais, nas outras dez pragas, agora se via novamente dizimado. Ver as notas sobre Êxodo 11.5 quanto à predição acerca da décima praga do Egito.

12.30

וַיָּקָם פַּרְעֹה לַיְלָה הוּא וְכָל־עֲבָדָיו וְכָל־מִצְרַיִם
וַתְּהִי צְעָקָה גְדֹלָה בְּמִצְרָיִם כִּי־אֵין בַּיִת אֲשֶׁר
אֵין־שָׁם מֵת׃

Mortes Súbitas dos Primogênitos. Os primogênitos não morreram de forma tranquila. Houve choros e gemidos, e cada família egípcia se acordou. Algum terror tinha avançado, golpeado e tirado a vida dos primogênitos. Não sabemos dizer que tipo de ataque foi esse do anjo destruidor (vs. 23), mas sabemos que não foi algo silente e gentil. "Fez-se grande clamor no Egito", e em breve os egípcios entenderam que outra imensa praga tinha ferido a sua gente. Praticamente em cada família havia pranto e angústia, a começar pela casa real e daí até o casebre do mais humilde aldeão. Entrementes, o povo de Israel estava seguro, mediante a proteção do sangue do cordeiro pascal aplicado às portas de suas residências, o sangue do acordo.

"As mortes tiveram lugar à meia-noite, na hora mais lúgubre, em meio às trevas mais espessas. Visto que vários dias se tinham seguido desde o aviso acerca da décima praga, os egípcios se tinham deixado dominar por um falso senso de segurança. E agora, de chofre, a calamidade desabara sobre eles; e o clamor dos egípcios foi deveras grande... A visitação é, no mais das vezes, atribuída ao próprio Yahweh (Êx 4.23; 11.4; 12.12,27,29; 13.15), mas no vs. 23 é atribuída ao anjo *destruidor*... E, neste ponto, é atribuída a alguma agência angelical... tal como em 2Samuel 24" (Ellicott, *in loc.*).

Apesar de que as pragas podem sobrevir de repente, ceifando muitas vidas, era óbvio que a décima praga não foi alguma praga ordinária. Era *seletiva*, ferindo somente os filhos primogênitos; tinha sido *predita* com precisão; tinha *poupado* os israelitas; e também tinha ferido os primogênitos dos *animais*. Sem dúvida alguma, era algo sobrenatural.

"Nenhum outro povo do mundo mostrava-se tão expressivo em suas lamentações quanto os egípcios... eles açoitavam-se, batiam-se, feriam-se e uivavam em seu excesso de tristeza. Quando um parente qualquer morria, as pessoas saíam da casa, corriam para a rua e uivavam da forma mais lamentável e fanática. Ver Diodoro Sículos (*Lib.* 1) e Heródoto (*Hist.* ii. c.85,86)" (Adam Clarke, *in loc.*).

"Isso apresenta-nos uma vívida memória da fúria de Deus contra os pecadores, e o preço imenso cobrado pelo pecado. Como era patente, uma *mão poderosa* tinha compelido o Faraó a deixar sair o povo de Deus! (Êx 3.19)" (John D. Hannah, *in loc.*). Ver no *Dicionário* o verbete *Ira de Deus*.

■ **12.31,32**

ויקרא למשה ולאהרן לילה ויאמר קומו צאו מתוך
עמי גם־אתם גם־בני ישראל ולכו עבדו את־יהוה
כדברכם׃

גם־צאנכם גם־בקרכם קחו כאשר דברתם ולכו
וברכתם גם־אתי׃

A Convocação de Moisés e Arão. Essa chamada dos dois líderes de Israel provavelmente foi feita mediante um mensageiro, que trataria diretamente com eles. Dificilmente sobrava ânimo ao Faraó para entrevistar-se com Moisés, naquela hora tão delicada. Irados, o Faraó e Moisés tinham concordado que não mais se entrevistariam (Êx 10.28,29). Em *desgosto mútuo*, eles não mais queriam ter um encontro.

Nenhuma Transigência Foi Proposta Desta Vez. Ver as notas em Êxodo 10.11 quanto às *quatro* transigências que o Faraó tinha proposto em ocasiões anteriores. Agora, o Faraó rendia-se incondicionalmente. Não houve mais conversa em Israel sobre sair somente para uma *jornada de três dias*, a fim de adorar (Êx 3.18; 5.3; 8.27); não houve mais proposta para que Israel ficasse no Egito a fim de adorar (Êx 8.25); não se falou mais em Israel ir somente até certa distância (Êx 8.28); não houve mais condição para os israelitas deixarem no Egito seus filhos e possessões (Êx 10.11); nem suas propriedades e animais domesticados (Êx 10.24). De fato, o Faraó queria os israelitas total e finalmente fora do Egito. Sua relutância tinha mudado em ansiedade para que o povo de Israel fosse libertado.

"O obstinado governante reconheceu que Yahweh é o Senhor" (J. Edgar Park, *in loc.*). Ver Êxodo 6.7 quanto ao reconhecimento de Israel desse fato; e ver Êxodo 7.5 quanto ao reconhecimento desse fato por parte dos egípcios.

E abençoai-me também a mim. O fato de que o Faraó pedia agora a bênção de Moisés mostra-nos até que ponto de humilhação e contrição ele havia descido. O arrogante tirano jazia de costas no chão, derrotado. O terrível destruidor, que acabara de matar seu filho querido, talvez tivesse alguma bênção para o rei. Patético! Agora o Faraó anelava pela bênção daqueles a quem havia desprezado tão ardentemente (Êx 5.4; 10.28). O monarca tinha nas mãos a capacidade de permitir a vida ou de impor a morte; mas agora estava reduzido a esmolar. Antes tinha sido considerado uma divindade; mas agora estava provado que nisso ele era apenas um farsante.

■ **12.33**

ותחזק מצרים על־העם למהר לשלחם מן־הארץ
כי אמרו כלנו מתים׃

Todos morreremos. Exprimiam assim o seu medo da morte. E isso fez os egípcios expelir virtualmente os israelitas do Egito. Meneto (cerca de 250 a.C.) referiu-se à expulsão de Israel do Egito sob a alegação de serem um povo repelente. É possível que tenhamos aí um comentário sobre este versículo, embora possa também ter-se baseado sobre alguma fonte informativa independente. Os egípcios facilitaram a partida dos israelitas, doando-lhes muitos bens e riquezas (vs. 33-36).

■ **12.34**

וישא העם את־בצקו טרם יחמץ משארתם צררת
בשמלתם על־שכמם׃

Provisões Básicas. Os israelitas muniram-se de massa de trigo para a sua primeira refeição no deserto. E também levaram amassadeiras, ou seja, bacias de madeira, que podiam ser usadas para o fabrico do pão. Sua partida súbita não lhes permitiu levarem pão normal, ou seja, levedado. Mas a cena também fez parte da observação da festa dos *pães asmos* (ver sobre isso no *Dicionário*, e comentários na introdução a Êx 12.1). Os israelitas partiram quando ainda estava escuro (Dt 16.1), provavelmente pouco antes do alvorecer. Cf. o vs. 39.

■ **12.35**

ובני־ישראל עשו כדבר משה וישאלו ממצרים
כלי־כסף וכלי זהב ושמלת׃

A Expoliação dos Egípcios. Isso havia sido predito bem antes, como parte necessária do êxodo. Ver Êxodo 3.21,22 e 11.2,3, onde aparecem notas completas sobre a questão, visto que o ponto já tinha sido mencionado nesses dois trechos, sobretudo no capítulo 11 do Êxodo. A curiosa tradução, "pediram emprestado", mesmo que seja possível com base no hebraico, seria um pequeno toque de humor do autor sacro. Alguns eruditos pensam que houve, realmente, um *saque*, mas que Moisés abrandou na narrativa, para que parecesse que os egípcios se mostraram generosos. Tinham medo de perder a vida, e, naquele momento, eram vítimas fáceis diante de qualquer tipo de aproveitamento.

Desde os dias de Abraão, quando foi firmado o Pacto Abraâmico (ver as notas a respeito em Gn 15.18), o exílio e a subsequente libertação tinham sido preditos. Ver Gênesis 15.13,14. Este texto conta como essa servidão chegou ao fim, e como Israel começou a voltar para a sua Terra Prometida. A Abraão foi revelado que seus descendentes sairiam do Egito levando "grandes riquezas". Isso incluía tanto o que eles haviam acumulado na terra de Gósen, como o que agora os egípcios lhes tinham doado. Sem dúvida isso serviu de reparação. Os ex-escravos mereciam tudo quanto tinham adquirido. Ver no *Dicionário* o artigo intitulado *Reparação (Restituição)*.

■ **12.36**

ויהוה נתן את־חן העם בעיני מצרים וישאלום
וינצלו את־מצרים׃ פ

Generosidade e Saque. A combinação desses dois atos permitiu que Israel extraísse grandes riquezas dos aterrorizados egípcios. Uma pessoa fará quase qualquer coisa para salvar a sua vida. Os egípcios julgaram-se pouco mais do que *pessoas mortas* (vs. 33), pois Moisés poderia desfechar uma praga de modo súbito e generalizado. Assim, os antes escravizados israelitas receberam o seu *salário*, a paga pelas muitas décadas de cativeiro e trabalho árduo. "Israel arrancou deles suas riquezas e bens, suas possessões mais valiosas" (John Gill, *in loc.*). Artapano (apud Euseb. *Praepar. Evan.* 1.9 c. 27, par. 436) falou sobre as bacias de madeira, sobre ricos tesouros e sobre vestes que os israelitas receberam da parte dos egípcios, e a esse testemunho, Ezequiel, autor de tragédias teatrais, adicionou a sua palavra (apud Euseb., *idem*, c. 29, par. 443).

ÊXODO

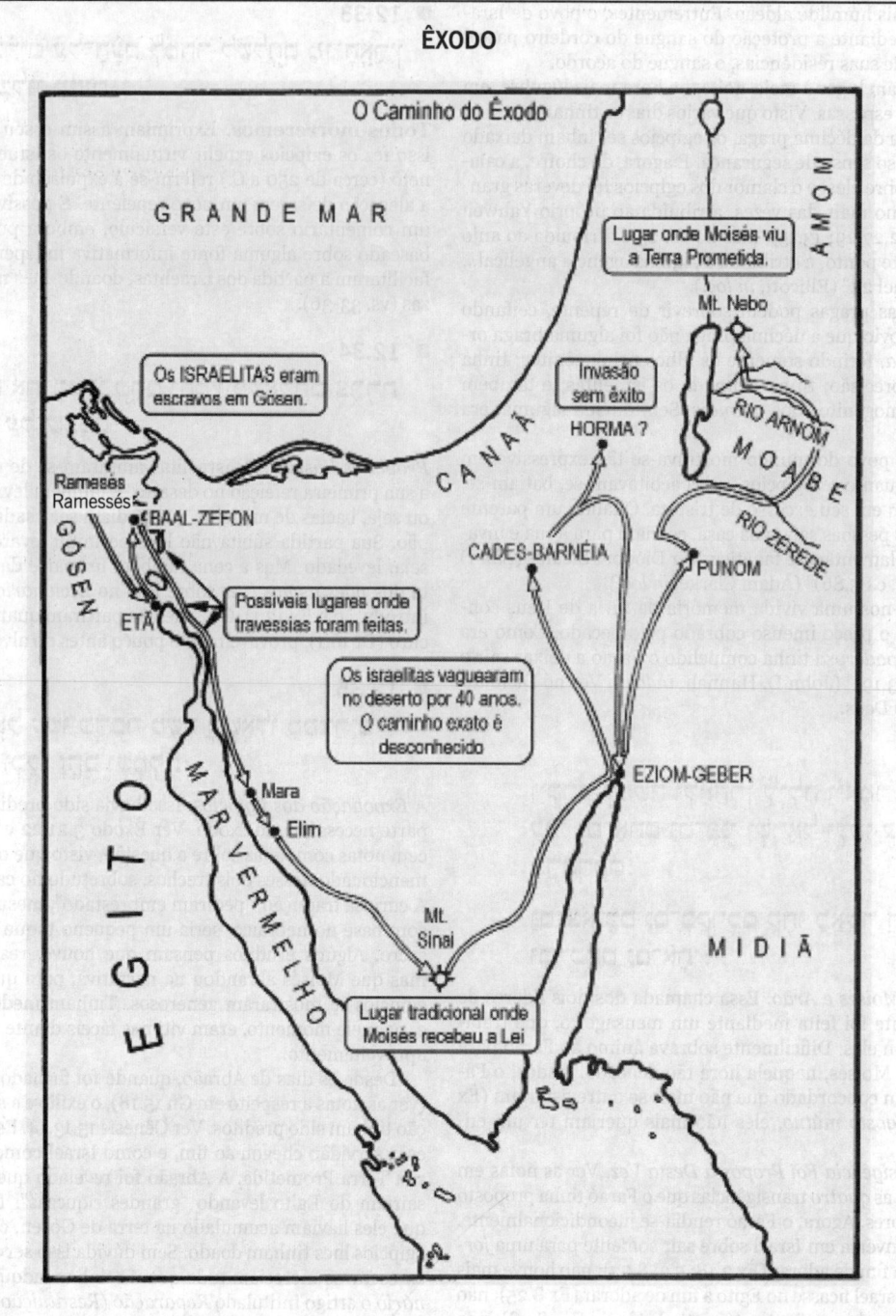

O Caminho do Êxodo

[Mapa mostrando: GRANDE MAR, CANAÃ, MOABE, AMOM, EGITO, GÓSEN, MAR VERMELHO, MIDIÃ, RIO ARNOM, RIO ZEREDE, com locais: Ramessés, Baal-Zefon, Etã, Mara, Elim, Mt. Sinai, Cades-Barnéia, Punom, Eziom-Geber, Mt. Nebo, Horma. Notas: "Os ISRAELITAS eram escravos em Gósen."; "Lugar onde Moisés viu a Terra Prometida."; "Invasão sem êxito"; "Possíveis lugares onde travessias foram feitas."; "Os israelitas vaguearam no deserto por 40 anos. O caminho exato é desconhecido"; "Lugar tradicional onde Moisés recebeu a Lei"]

O termo português "êxodo" vem do grego "*eksodos*" (saída). Na Bíblia, a palavra é usada em sentido especializado, aludindo à saída de Israel do Egito, após um longo período de servidão. Dali o povo de Israel partiu para a Terra Prometida. A história é figura da *redenção*. Mas é um acontecimento histórico, com considerável confirmação.

Esse evento assinalou o nascimento de Israel como nação, como também a instituição da teocracia e a dispensação da lei.

OS HEBREUS NO DESERTO (12.37—18.27)

A SAÍDA DOS ISRAELITAS DO EGITO (12.37-51)

Finalmente, ocorrera o grande acontecimento. Ver no *Dicionário* o artigo intitulado *Êxodo, o Evento,* quanto a descrições completas. Ofereço ali um mapa que traça a provável rota tomada pelos filhos de Israel. Os críticos atribuem esta seção a uma combinação das fontes P(S) e J. Ver no *Dicionário* o artigo chamado *J.E.D.P.(S.)* quanto à teoria das fontes múltiplas do Pentateuco.

Somos informados de que primeiramente os hebreus saíram de Ramessés (ver as notas sobre Êx 1.11) e chegaram a Sucote (Êx 13.20).

Foram necessários três meses de caminhada para chegarem ao Sinai. Eles seguiram um roteiro muito usado pelos que viajavam até a Palestina (Êx 13.17). Tell el-Maskhuta é o local da antiga Sucote. Imediatamente a leste daquele lugar fica o lago Timsah, e tanto ao norte como ao sul dali há áreas pantanosas que o povo de Israel precisou atravessar, a fim de encontrar seu caminho para a liberdade.

■ 12.37

וַיִּסְעוּ בְנֵי־יִשְׂרָאֵל מֵרַעְמְסֵס סֻכֹּתָה כְּשֵׁשׁ־מֵאוֹת אֶלֶף
רַגְלִי הַגְּבָרִים לְבַד מִטָּף׃

Ramessés. Ver notas descritivas sobre essa localidade, em Êxodo 1.11.

Sucote. Ver no *Dicionário* um detalhado artigo sobre esse lugar.

Cerca de seiscentos mil a pé. Moisés especificou, "somente de homens, sem contar mulheres e crianças". Essa estatística concorda, em termos gerais, com o trecho de Números 1.46. Mas ali o número é especificado como de homens de guerra, em idade de serviço militar. Se levarmos em conta as mulheres, as crianças e o "misto de gente" (vs. 38), ou seja, os que não eram descendentes de Abraão, então havia uma multidão de pelo menos três milhões de pessoas. Os críticos veem um grande exagero nesse número, pensando que a terra de Gósen não poderia ter sustentado tão grande número de pessoas, e que a manipulação e o sustento de tão grande número de pessoas, no deserto, durante quarenta anos, teriam sido impossíveis. Os eruditos conservadores, por sua vez, supõem que, para Deus, não há problemas sem solução.

"Se Moisés não contasse com a prova mais cabal de sua missão divina, ele jamais ter-se-ia posto à testa de tão imenso número de pessoas, as quais, não fosse a providência divina mais eficaz e especial, teriam simplesmente perecido por falta de alimentos" (Adam Clarke, *in loc.*).

Tipologia. O êxodo, sem a menor dúvida, serve de tipo da redenção do pecado e sua servidão, de que desfrutamos. Dou informações sobre isso no artigo geral do *Dicionário*, intitulado *Êxodo (o Evento)*, em sua quarta seção.

■ **12.38**

וְגַם־עֵ֥רֶב רַ֖ב עָלָ֣ה אִתָּ֑ם וְצֹ֣אן וּבָקָ֔ר מִקְנֶ֖ה כָּבֵ֥ד מְאֹֽד׃

Um misto de gente. Essa expressão, sem dúvida, aponta para não-israelitas de diversas procedências, alguns deles prosélitos, mas outros, não. Nem todos queriam viver no Egito, e um grande número de pessoas deve ter tirado proveito da oportunidade para partir. Também devemos pensar que nem todos os escravos, no Egito, compunham-se de israelitas; e muitos desses devem ter resolvido sair também do Egito, unindo forças com Israel.

"Esse misto de gente, que representa membros de igreja não-convertidos, serviu para Israel de um fator de debilidade, naquele tempo como agora (ver Nm 11.4-6). Tinha havido uma *manifestação* do poder divino, e muitas pessoas deixaram-se atrair, embora sem mudança de coração. Cf. Lucas 14.25-27" (*Scofield Reference Bible, in loc.*).

Uma grande massa de animais domésticos também foi levada do Egito, fruto de anos de acúmulo. Lembremo-nos de que as pragas em nada haviam afetado os bens de Israel, deixando seus rebanhos intactos. Essa grande quantidade de animais contribuiu para sustentar, no deserto, a três milhões de pessoas. O Targum de Jonathan computa o número de animais como dois milhões e quatrocentas mil cabeças de gado. Mas parece que temos aí um exagero, resultando em um animal para cada pessoa, mais ou menos. Mas tudo não passa de conjectura.

■ **12.39**

וַיֹּאפ֨וּ אֶת־הַבָּצֵ֜ק אֲשֶׁ֨ר הוֹצִ֧יאוּ מִמִּצְרַ֛יִם עֻגֹ֥ת מַצּ֖וֹת כִּ֣י לֹ֣א חָמֵ֑ץ כִּֽי־גֹרְשׁ֣וּ מִמִּצְרַ֗יִם וְלֹ֤א יָֽכְלוּ֙ לְהִתְמַהְמֵ֔הַּ וְגַם־צֵדָ֖ה לֹא־עָשׂ֥וּ לָהֶֽם׃

Bolos asmos. Ver a esse respeito no *Dicionário*. Parece que o povo de Israel, em sua pressa, não somente não teve tempo para deixar a massa fermentar, mas também não conseguiu cozer a massa senão quando os israelitas chegaram a Sucote, cerca de 65 km distante de Ramessés. Ver o vs. 34. Mas a provisão alimentar estava presente, como importante parte das coisas tiradas dos egípcios, visto que, juntamente com a páscoa, tinha sido instituída, pelo menos formalmente, a festa dos *pães asmos*. Sem o fermento, o pão dura muito mais tempo. Por essa razão, os viajantes, em suas jornadas pelo deserto, preferem levar pão sem fermento. Esse tipo de pão é comumente consumido pelos árabes, os quais o preparam misturando farinha de trigo e água, para então cozer os pães em fornos primitivos.

No deserto, o pão pode ser cozido sobre brasas. Os fornos são desejáveis, mas não necessários com esse propósito.

■ **12.40**

וּמוֹשַׁב֙ בְּנֵ֣י יִשְׂרָאֵ֔ל אֲשֶׁ֥ר יָשְׁב֖וּ בְּמִצְרָ֑יִם שְׁלֹשִׁ֣ים שָׁנָ֔ה וְאַרְבַּ֥ע מֵא֖וֹת שָׁנָֽה׃

Quatrocentos e trinta anos. Esse número tem sido muito disputado. Ver o número redondo em Gênesis 15.13, quatrocentos; e cf. as repetições no Novo Testamento, em Atos 7.6 e Gálatas 3.17. As versões dão aqui 215 anos. Temos aqui, na Septuaginta, uma glosa, "e em Canaã", ou seja, *antes* da entrada de Jacó e sua família no Egito. Isso dá a entender que boa parte daqueles quatrocentos anos foi passada em Canaã, e não no exílio egípcio. Dou notas completas sobre essa questão em Gênesis 15.13 e, no *Novo Testamento Interpretado*, em Atos 7.6.

De modo geral, podemos dizer que os eruditos não concordam quanto ao começo e ao fim desse período de quatrocentos ou de 430 anos; nem quanto ao tempo em que os filhos de Israel estiveram no Egito. Mas a questão não se reveste de importância capital, excetuando-do para dois grupos extremados: aqueles que querem obter harmonia a qualquer preço; e os céticos, que se deleitam em encontrar problemas em qualquer referência bíblica que possa ser posta sob discussão. Minhas notas em Gálatas 3.17 mostram que os intérpretes hebreus, desde os dias mais remotos, tinham diferentes métodos (e cronologias) para tentar calcular a duração desse período. A declaração de Paulo, em Gálatas 3.17, inicia esse período nos tempos de Abraão, e não no Egito. Outros iniciam a contagem com o nascimento de Isaque, e ainda outros, com o nascimento de Ismael. "Paulo (Gl 3.17) seguiu a cronologia que aparece em alguns manuscritos da Septuaginta, em Êxodo 12.40, de acordo com a qual os 430 anos incluem a jornada dos patriarcas na Palestina e no Egito. Por outra parte, o texto hebraico de Êxodo 12.40 refere-se aos 430 anos, envolvendo somente a jornada no Egito" (*Oxford Annotated Bible*, comentando sobre Gálatas 3.17).

■ **12.41**

וַיְהִ֗י מִקֵּץ֙ שְׁלֹשִׁ֣ים שָׁנָ֔ה וְאַרְבַּ֥ע מֵא֖וֹת שָׁנָ֑ה וַיְהִ֗י בְּעֶ֙צֶם֙ הַיּ֣וֹם הַזֶּ֔ה יָצְא֛וּ כָּל־צִבְא֥וֹת יְהוָ֖ה מֵאֶ֥רֶץ מִצְרָֽיִם׃

As hostes do Senhor. O povo de Israel, que partiu organizado do Egito, após ter-se cumprido aquele tempo de 430 anos. O substantivo "hostes" só pode aludir aos *grupos* que saíram do Egito, em forma ordeira, dando a entender que Israel, em ordem quase-militar, saiu do Egito, pronto para defender-se. O termo já havia sido usado antes. Ver Êxodo 3.26; 7.4; 12.17,51.

O dia da saída do Egito foi o dia décimo quinto do mês de nisã (nosso março-abril), o *começo* do ano religioso, embora já fosse o sétimo mês do ano civil. Ver as notas em Êxodo 12.2. Ver também o artigo *Calendário Judaico*, em sua seção sétima, no primeiro volume desta obra, nos *Artigos Introdutórios*.

Os israelitas saíram do Egito *à noite* (Dt 16.1), provavelmente pouco antes do alvorecer. As hostes foram saindo uma após outra, lideradas por seus respectivos anciãos ou chefes tribais. Dirigiram-se primeiramente a Sucote, cerca de 65 km dali.

■ **12.42**

לֵ֣יל שִׁמֻּרִ֥ים הוּא֙ לַֽיהוָ֔ה לְהוֹצִיאָ֖ם מֵאֶ֣רֶץ מִצְרָ֑יִם הֽוּא־הַלַּ֤יְלָה הַזֶּה֙ לַֽיהוָ֔ה שִׁמֻּרִ֛ים לְכָל־בְּנֵ֥י יִשְׂרָאֵ֖ל לְדֹרֹתָֽם׃ פ

Esta noite. A páscoa era uma festividade noturna. Israel deveria lembrar para sempre aquela noite, celebrando anualmente a festa da páscoa. Ver no *Dicionário* o verbete *Páscoa*. A *perpetuidade* dessa observância fazia parte integrante da ideia da páscoa (Êx 8.14 e 12.14), bem como dos *pães asmos* (12.17). Idêntica perpetuidade faz parte da ideia da contraparte cristã, a Ceia do Senhor (ver 1Co 11.23-26).

■ **12.43**

וַיֹּ֤אמֶר יְהוָה֙ אֶל־מֹשֶׁ֣ה וְאַהֲרֹ֔ן זֹ֖את חֻקַּ֣ת |V43| הַפָּ֑סַח כָּל־בֶּן־נֵכָ֖ר לֹא־יֹ֥אכַל בּֽוֹ׃

Regras Atinentes à Páscoa. A páscoa era uma festividade fechada. Três pontos principais devem ser notados: 1. Homens incircuncisos não podiam participar dela (vs. 43). 2. Todos os prosélitos plenos deveriam ser admitidos (vss. 48,49). 3. Nenhum osso do cordeiro pascal deveria ser quebrado (vs. 46).

A Páscoa como Tipo de Cristo. Ver o artigo geral da *Enciclopédia de Bíblia, Teologia e Filosofia*, sob o título *Páscoa*, como também o *êxodo* como tipo da redenção, incluído naquele artigo, e no artigo *Êxodo (o Evento)*. Às informações dadas ali, adiciono aqui as seguintes observações:

1. O cordeiro deveria ser sem nenhum defeito, escolhido quatro dias antes, como período de verificação (Êx 12.56). No caso de Jesus, o antítipo, ver Lucas 11.53,54; João 8.46 e 18.38.
2. O cordeiro era morto (Êx 12.6; Jo 12.24; 18.38).
3. O sangue do cordeiro era aplicado (Êx 12.7; Jo 3.36).
4. Isso conferia proteção (Êx 12.13; 1Jo 1.7; Hb 10.10,14).
5. A festa tipificava Jesus como o Pão da Vida (Mt 26.26,27; 1Co 11.23-26).
6. Nenhum osso do cordeiro pascal podia ser quebrado (Êx 12.46; Jo 19.32-36).

Ver trechos bíblicos como Êxodo 12.1-28; João 1.29; 1Coríntios 5.7 e 1Pedro 1.18,19.

Acerca da participação no cordeiro pascal, havia sete condições:

Primeira Condição:
Nenhum estrangeiro comerá dela. Estava em pauta um não-hebreu, incircunciso, e não algum prosélito, sem importar se vivesse com Israel, perto de Israel ou longe de Israel. O vs. 48 mostra como um prosélito podia participar da páscoa.

■ 12.44

וְכָל־עֶבֶד אִישׁ מִקְנַת־כָּסֶף וּמַלְתָּה אֹתוֹ אָז יֹאכַל בּוֹ:

Segunda Condição:
Todo escravo comprado por dinheiro. Alguém comprado por um hebreu e devidamente circuncidado, que presumivelmente se tivesse tornado um prosélito. Esse escravo não podia ser um hebreu, pois nenhum hebreu podia ser mantido como escravo por outro hebreu. Fica entendido que tal escravo teria dado o seu consentimento para participar da páscoa. Ver no *Dicionário* o artigo chamado *Circuncisão*, rito que servia de sinal do Pacto Abraâmico. Ver também Gênesis 17.13,27 bem como suas notas expositivas; ver também o artigo *Pacto Abraâmico*, sobre Gênesis 15.18. Ver igualmente os vss. 48 e 49 deste capítulo. Os escravos *nascidos* nas casas das famílias hebreias eram automaticamente circuncidados, se fossem meninos, na tenra infância. Aos escravos *comprados* em idade adulta, dava-se-lhes o direito de escolha.

■ 12.45

תּוֹשָׁב וְשָׂכִיר לֹא־יֹאכַל בּוֹ:

Terceira Condição:
O estrangeiro. Isso repete a condição do vs. 43, mas talvez a distinção fosse que aqui esse estrangeiro estivesse vivendo em Israel apenas temporariamente, e não fosse um residente no país. Nesse caso, este versículo especifica um tipo de estrangeiro, ao passo que o vs. 43 nos dá a regra geral para qualquer estrangeiro, residente ou não, que não fosse circuncidado nem seguisse a religião dos hebreus.

Quarta Condição:
O assalariado. Alguém que trabalhasse para um israelita mas não tivesse sido circuncidado nem seguisse a religião dos hebreus. Esse também não podia participar da páscoa. Esse *assalariado* não era um escravo, nem fazia parte permanente da casa. Ele não seria obrigado a participar, nem mesmo podia fazê-lo, ainda que o quisesse. Naturalmente, tratar-se-ia de um estrangeiro, motivo pelo qual, automaticamente, era-lhe vedada a participação.

■ 12.46

בְּבַיִת אֶחָד יֵאָכֵל לֹא־תוֹצִיא מִן־הַבַּיִת מִן־הַבָּשָׂר
חוּצָה וְעֶצֶם לֹא תִשְׁבְּרוּ־בוֹ:

Quinta Condição:
Cada cordeiro pascal era consumido por uma só casa. Ou seja, um cordeiro sacrificado não podia ser partido para que partes dele fossem comidas por mais do que os membros de uma família. Todavia, se uma família ou casa fosse muito pequena, uma família podia participar do cordeiro em companhia de outra, também pequena, e na mesma casa. Ver as notas sobre Êxodo 12.3,4. Era mister que houvesse *unidade em torno do cordeiro pascal*. O animal tinha de ser comido por inteiro. O que, porventura, sobrasse, teria de ser consumido no fogo (ver Êx 12.10). Coisa alguma do cordeiro pascal podia ser usado para finalidades profanas ou supersticiosas.

Sexta Condição:
Nem lhe quebrareis osso nenhum. O animal precisava ser assado inteiro (Êx 12.9; cf. Jo 19.32-36).

■ 12.47

כָּל־עֲדַת יִשְׂרָאֵל יַעֲשׂוּ אֹתוֹ:

Sétima Condição:
A páscoa era uma festividade universal: todos os filhos de Israel estavam na obrigação de observá-la. Não era uma questão de escolha ou de expediente. Era uma obrigação absoluta para todos os hebreus, a fim de que houvesse uma vívida e perpétua memória daquilo que Deus tinha feito por ocasião do êxodo (Êx 12.14). Um gentio só podia participar da páscoa se se tivesse tornado membro da congregação de Israel. Nesse caso, era seu privilégio e direito religioso participar da páscoa.

■ 12.48

וְכִי־יָגוּר אִתְּךָ גֵּר וְעָשָׂה פֶסַח לַיהוָה הִמּוֹל לוֹ
כָל־זָכָר וְאָז יִקְרַב לַעֲשֹׂתוֹ וְהָיָה כְּאֶזְרַח הָאָרֶץ
וְכָל־עָרֵל לֹא־יֹאכַל בּוֹ:

Se algum estrangeiro. Temos aqui *explicações* acerca das condições primeira a quarta. Essas condições não eram absolutas, *se* alguém fosse circuncidado, tornando-se assim um prosélito, ou seja, um israelita por religião, embora não por raça. Nesse caso, o estrangeiro tornava-se participante do Pacto Abraâmico, podendo participar da páscoa. Tal pessoa estava sob *uma só lei*, a saber, aquela que governava Israel (vs. 49). Nesse caso, tornava-se como um natural da terra, como um israelita, parte da congregação de Israel, embora não fosse da raça dos hebreus. Estava em foco o "misto de gente" que saíra do Egito juntamente com o povo de Israel (Êx 12.38) e com quaisquer outros que estivessem em situação similar.

■ 12.49

תּוֹרָה אַחַת יִהְיֶה לָאֶזְרָח וְלַגֵּר הַגָּר בְּתוֹכְכֶם:

A mesma lei. No hebraico, "lei" é *torah*. Ver no *Dicionário* o artigo *Torah*. Esse nome aponta para a lei de Deus, conforme ela se acha na mente divina, a qual foi parcialmente revelada e concretizada no decálogo, na legislação mosaica como um todo, e, finalmente, no Antigo Testamento em geral. No tocante à *lei*, antes da legislação sob forma escrita, temos uma *instância* da mesma na lei que governava a páscoa. Por conseguinte, a *lei*, neste caso, é um fragmento da LEI. E esse fragmento regulamentava como e por quem a páscoa deveria ser observada. Os gentios poderiam participar, se assim quisessem fazê-lo, se se tornassem israelitas por religião. Outro tanto sucede no cristianismo, no caso de pessoas que se convertem ao evangelho (ver Ef 2.19; 3.5,6; Gl 3.14 ss.).

Temos aqui o primeiro uso do famoso termo hebraico, *torah*, em toda a Bíblia. Deriva-se de um vocábulo hebraico que significa "dirigir", "liderar", "guiar". Logo, está em foco um regulamento, um ensino, um preceito orientador. A *torah* tornou-se um *sistema* de regras que revelavam a vontade divina, na lei mosaica; mas também será sempre mais do que isso, porquanto Deus nunca revela tudo quanto ele sabe. Os judeus ortodoxos supõem que a Torah escrita contém, em forma germinal, todas as leis divinas, mas isso é esperar demais da parte do Pentateuco. Essa palavra acabou indicando os cinco primeiros livros da Bíblia, o Pentateuco, os cinco livros escritos por Moisés;

mas nesse caso temos um uso restrito do termo. Ver o artigo *Torah*, no *Dicionário*, quanto a maiores detalhes.

12.50

וַיַּעֲשׂוּ כָּל־בְּנֵי יִשְׂרָאֵל כַּאֲשֶׁר צִוָּה יְהוָה אֶת־מֹשֶׁה וְאֶת־אַהֲרֹן כֵּן עָשׂוּ׃ ס

A obediência foi completa, pelo que fluíram as bênçãos divinas. A páscoa foi observada de acordo com as instruções que tinham sido dadas. Participaram da festa somente as pessoas qualificadas. Outro tanto ocorre nos tempos do evangelho de Cristo, o qual é a nossa páscoa. 1Coríntios 5.7. Ver também Efésios 2.19; 3.5,6.

12.51

וַיְהִי בְּעֶצֶם הַיּוֹם הַזֶּה הוֹצִיא יְהוָה אֶת־בְּנֵי יִשְׂרָאֵל מֵאֶרֶץ מִצְרַיִם עַל־צִבְאֹתָם׃ פ

Naquele mesmo dia. Depois da páscoa, cedo na manhã seguinte, quando ainda não havia nascido o sol (Dt 16.1). Ver Êxodo 12.17,18 quanto a versículos similares e quanto ao *dia* envolvido. Ver acerca de *hostes*, em Êxodo 6.26; 7.4; 12.17,21 e 13.18. Os filhos de Israel saíram do Egito sob forma ordeira, formando hostes, de acordo com suas tribos e clãs, encabeçados por seus líderes, como se fossem um *exército*. O trecho de Êxodo 13.18 revela-nos que eles saíram "arregimentados", ou seja, preparados para entrar em batalha, se isso se tornasse necessário.

CAPÍTULO TREZE

CONSAGRAÇÃO DOS PRIMOGÊNITOS (13.1-16)

Ver o artigo geral intitulado *Primogênito*, que inclui informações sobre a ordenança instituída por ocasião da páscoa. Muitos estudiosos supõem que as três festas, a páscoa, os pães asmos e a consagração dos filhos primogênitos, foram antecipadas antes de serem instituídas as festas formais, o que só teria sido feito mais tarde. E então, no tempo da páscoa, tornaram-se, por assim dizer, uma única instituição. Ver as notas introdutórias sobre Êxodo 12.1 quanto a isso; e ver também as notas detalhadas sobre cada uma dessas festividades, no *Dicionário*.

Os críticos atribuem o material acerca da dedicação dos primogênitos à fonte *P(S)*. Ver no *Dicionário* o artigo *J.E.D.P.(S.)* quanto à teoria das fontes múltiplas do Pentateuco.

Os Primogênitos. Há um relato mais pormenorizado sobre a *dedicação dos primogênitos* em Números 3.11-13,40-51; 18.15,16. A mensagem especial desse rito é que Israel e todos os seus bens pertencem a Deus, e que os *filhos primogênitos*, o que havia de mais precioso entre o povo de Israel, *representava* a nação toda. O Egito perdera os seus primogênitos e, como uma contra-análise, essa festa de dedicação terminou por ser vinculada àquele evento. Assim, o que o Egito perdera, Israel preservou, mediante a graça protetora de Deus. O anjo da morte (o destruidor) passara por cima das residências dos israelitas, por estarem protegidos pelo sangue aspergido em suas portas (Êx 12.23). A calamidade histórica relembrava a Israel as suas bênçãos; e, como ato de gratidão, os primogênitos de Israel foram dedicados ao Senhor. Se Yahweh tem o melhor, também tem todo o restante. Em tempos posteriores, quando entrou em vigor a legislação mosaica, os levitas tornaram-se uma bênção especial e um meio de serviço, uma espécie de *primogênitos sacerdotais*. Para propósitos sacerdotais, essa tribo assumiu a função dos primogênitos-sacerdotes de cada família em Israel. Mesmo assim, ser um filho primogênito, em Israel, envolvia muitos privilégios especiais, incluindo a liderança espiritual da família, após o pai da família. Ver Números 3.40-51 quanto à substituição dos primogênitos pela tribo de Levi, para propósitos sacerdotais.

"Como compensação por haver poupado os filhos *primogênitos* de Israel, no tempo do êxodo, o Senhor declarou que todos os filhos primogênitos dos homens e dos animais lhe pertenciam. Isso não envolvia a morte deles, mas apenas o seu serviço, por toda a vida. Outro desenvolvimento desse princípio foi o arranjo por meio do qual a tribo de Levi coube servir ao Senhor, como uma substituição por todos os primogênitos das outras tribos" (Eugene H. Merill, comentando sobre Nm 3.40).

13.1,2

וַיְדַבֵּר יְהוָה אֶל־מֹשֶׁה לֵּאמֹר׃

קַדֶּשׁ־לִי כָל־בְּכוֹר פֶּטֶר כָּל־רֶחֶם בִּבְנֵי יִשְׂרָאֵל בָּאָדָם וּבַבְּהֵמָה לִי הוּא׃

Disse o Senhor a Moisés. Houve instruções divinas a respeito da *dedicação dos primogênitos,* tal como tinham sido dadas instruções acerca da *páscoa* e dos *pães asmos,* segundo vemos em Êxodo 12.1-20. A terceira das festas, essa *dedicação* (comentada na introdução a este capítulo), era uma extensão dos requisitos divinos atinentes à páscoa. Ver as notas introdutórias sobre Êxodo 12.1. Os primogênitos de Israel, poupados pelo destruidor (Êx 12.23), deveriam agora ser entregues a Yahweh, a fim de servi-lo de modo especial. A gratidão requer dedicação e prestação de serviços.

Consagra-me. Por meio de algum rito e mediante um reconhecimento contínuo, da parte de todos os primogênitos dos homens e dos animais, em Israel. O trecho de Números 3.40-51 indica que, posteriormente, a casta sacerdotal, composta pela tribo de Levi, tomou o lugar dos primogênitos quanto a serviços religiosos especiais, posto que os filhos primogênitos tivessem preservado seus privilégios especiais. Ver no *Dicionário* o artigo intitulado *Primogênito*. Os filhos primogênitos eram separados (santificados) para prestarem um serviço religioso especial.

"De acordo com uma crença antiga, a dedicação dos primogênitos dos homens e dos animais a Deus, o doador da fertilidade, era algo necessário para o aumento contínuo e para o bem-estar (Êx 22.29,30; Lv 27.26,27; Nm 3.13; 8.17,18; 18.15)" (*Oxford Annotated Bible, in loc.*). Até hoje os judeus observam esse rito e, usualmente, celebram-no ao décimo terceiro dia após o nascimento da criança. Tornou-se um *memorial* do fato de que Deus poupou os filhos primogênitos de Israel, diante do destruidor que tirou a vida dos filhos primogênitos dos egípcios.

Tipos. A *Igreja* é o primogênito da nova dispensação, sendo separada para Deus, para prestar-lhe um serviço especial, não para propósitos egoísticos, mas para o bem coletivo de toda a humanidade, porquanto Deus amou o mundo de tal maneira (Jo 3.16) e preparou uma completa provisão em favor da humanidade (1Jo 2.2). *Cristo* é o Filho primogênito do Pai. Ver no *Dicionário* o artigo intitulado *Primogênito,* em sua terceira seção. Ver Hebreus 12.23 quanto à Igreja como um *primogênito*. Ver Romanos 8.29 e Colossenses 1.15,18 quanto a Cristo como o Filho primogênito de Deus.

COMENTÁRIOS SOBRE A PÁSCOA E OS PÃES ASMOS (13.3-10)

Nos versículos 11-16 deste capítulo temos a continuação da questão da dedicação dos filhos primogênitos de Israel. Mas em meio a isso encontramos um retorno a informes sobre a *páscoa* e os *pães asmos*, instituições sobre as quais há artigos detalhados no *Dicionário*, e também nas notas sobre Êxodo 12.1-20.

Os críticos atribuem esta seção dos vss. 3-10, a um editor deuterômico, a alegada fonte informativa *D*. Ver no *Dicionário* o artigo *J.E.D.P.(S.)* quanto à teoria das fontes múltiplas do Pentateuco. A lei sobre os pães asmos é apresentada junto com um suplemento homilético. "Ele supunha (vs. 4) que Moisés publicou a lei no dia mesmo da partida para fora do Egito (cf. 12.2,3). Chamou o mês do êxodo por seu nome pré-exílico, *abibe* (Êx 12.2). A observância do rito servia de sinal comparável ao do uso das filactérias e da memorização da Torah (vs. 9; Dt 6.4-9)" (J. Edgar Park, *in loc.*).

13.3

וַיֹּאמֶר מֹשֶׁה אֶל־הָעָם זָכוֹר אֶת־הַיּוֹם הַזֶּה אֲשֶׁר יְצָאתֶם מִמִּצְרַיִם מִבֵּית עֲבָדִים כִּי בְּחֹזֶק יָד הוֹצִיא יְהוָה אֶתְכֶם מִזֶּה וְלֹא יֵאָכֵל חָמֵץ׃

Todos os elementos que constam neste versículo foram anotados em outros lugares. Ver Êxodo 12.23-27. Ver também Êxodo 12.17 quanto aos *pães asmos* como uma ordenança comemorativa perpétua.

Um Memorial. 1. Visto que aquele mês se tornou o primeiro dos meses religiosos dos hebreus, apesar de ser o sétimo mês civil deles, havia rememorização anual daqueles acontecimentos. 2. Mediante a observância da páscoa e dos pães asmos, essas memórias seriam fixadas ainda mais na mente dos hebreus. 3. Os adultos israelitas deviam narrar o sentido dessas comemorações à sua posteridade (vss. 14,15).

■ 13.4

הַיּוֹם אַתֶּם יֹצְאִים בְּחֹדֶשׁ הָאָבִיב׃

Abibe. Esse era o nome pré-exílico do primeiro mês do calendário religioso dos israelitas. *Nisã* era o nome primitivo desse mesmo mês. Esse mês passou a marcar o início do ano religioso, embora fosse o sétimo mês do calendário civil. Ver Êxodo 12.2.

A palavra hebraica *abib*, aqui transliterada por *abibe*, significa "grão verde" ou "verdejante". Falava sobre aquele mês quando o trigo deita grãos, ainda verdes, mostrando-se frutífero. Era um mês de mutações, visto que na verdade pertencia ao dia da lua cheia que se seguia ao equinócio do inverno. Esse nome foi usado até os tempos do cativeiro babilônico, quando foi então substituído pelo nome *nisã*. Cf. Neemias 2.1; Ester 3.7. Por sua vez, *nisã* significa "começo", ou seja, o mês em que começava o ano religioso.

■ 13.5

וְהָיָה כִי־יְבִיאֲךָ יְהוָה אֶל־אֶרֶץ הַכְּנַעֲנִי וְהַחִתִּי וְהָאֱמֹרִי וְהַחִוִּי וְהַיְבוּסִי אֲשֶׁר נִשְׁבַּע לַאֲבֹתֶיךָ לָתֶת לָךְ אֶרֶץ זָבַת חָלָב וּדְבָשׁ וְעָבַדְתָּ אֶת־הָעֲבֹדָה הַזֹּאת בַּחֹדֶשׁ הַזֶּה׃

Este versículo é virtualmente idêntico ao de Êxodo 3.8, onde apresento as notas expositivas. O número completo das nações cananeias era de sete, embora sejam aqui mencionadas apenas cinco. As outras duas eram a dos ferezeus e a dos girgaseus. Cf. Josué 1.4; 1Reis 10.29 e 2Reis 7.6. Ver também Êxodo 3.17, que contém a lista das nações dadas aqui. O *Pacto Abraâmico* prometia um território pátrio. Ver as notas sobre esse pacto em Gênesis 15.18. O povo de Israel, liberto do Egito, tomaria as terras dos povos alistados. Esse era o destino dos filhos de Israel, porque assim ditara a vontade do Senhor. Uma vez que se apossassem daqueles territórios, deveriam continuar as festas da páscoa, dos pães asmos e da dedicação dos primogênitos.

■ 13.6

שִׁבְעַת יָמִים תֹּאכַל מַצֹּת וּבַיּוֹם הַשְּׁבִיעִי חַג | V6 HnG | לַיהוָה׃

Ver Gênesis 12.6 quanto aos elementos deste versículo. Este versículo não menciona o primeiro dia feriado. O primeiro e o último dos dias dessa festa eram uma espécie de sábados durante os quais nenhum trabalho manual podia ser feito, tornando-se dias de comemoração especial. Os judeus referiam-se ao sétimo dia (o dia 21 de abibe) como dia da travessia do mar Vermelho, quando ocorreu o grande milagre final do êxodo. Ver no *Dicionário* o artigo intitulado *Êxodo (o Evento)*.

■ 13.7

מַצּוֹת יֵאָכֵל אֵת שִׁבְעַת הַיָּמִים וְלֹא־יֵרָאֶה לְךָ חָמֵץ וְלֹא־יֵרָאֶה לְךָ שְׂאֹר בְּכָל־גְּבֻלֶךָ׃

Este versículo repete as informações dadas em Êxodo 12.15, e onde apresentamos as notas expositivas. Essa lei era observada de forma tão rígida que até os que estivessem em Israel somente de passagem eram exortados a se desfazer de qualquer fermento que houvesse em suas casas, para que Israel não fosse contaminado.

■ 13.8

וְהִגַּדְתָּ לְבִנְךָ בַּיּוֹם הַהוּא לֵאמֹר בַּעֲבוּר זֶה עָשָׂה יְהוָה לִי בְּצֵאתִי מִמִּצְרָיִם׃

Valor Educacional dessas Comemorações. As gerações futuras de **israelitas deviam ser ensinadas quanto ao passado, pois a história é um mestre muito especial, se assim lhe permitirmos ser.** Ver Êxodo 12.26,27 quanto a uma elaborada declaração que tem esse mesmo sentido. Cf. Deuteronômio 5.2,3. É assim enfatizada a importância da educação das crianças quanto àquilo que pertence ao Senhor. Ver no *Dicionário* o artigo *Educação no Antigo Testamento;* e na *Enciclopédia de Bíblia, Teologia e Filosofia,* ver o artigo *Educação Cristã*.

■ 13.9

וְהָיָה לְךָ לְאוֹת עַל־יָדְךָ וּלְזִכָּרוֹן בֵּין עֵינֶיךָ לְמַעַן תִּהְיֶה תּוֹרַת יְהוָה בְּפִיךָ כִּי בְּיָד חֲזָקָה הוֹצִאֲךָ יְהוָה מִמִּצְרָיִם׃

Será... por memorial. Ver Êxodo 12.27 quanto aos itens a serem lembrados. Havia *testemunhas oculares* das pragas miraculosas do Egito que participaram da festa original da páscoa, dos pães asmos e da dedicação dos primogênitos, as três festividades sintetizadas em uma só. Ver sobre as duas primeiras notas no *Dicionário;* a terceira delas é comentada na introdução a Êxodo 13.1. Entretanto, chegaria o dia em que ninguém poderia dizer: "Eu vi!" E, então, seria mister dizer: "Eu creio, porque *eles* viram!" O texto mostra o valor de certos feriados e dias santos, algo que os evangélicos virtualmente abandonaram. É bom lembrar eventos significativos do passado relacionado à vida da Igreja, se isso não redundar em motivos de excesso e de práticas idolátricas.

Os Sinais e Sua Substância. Ver também as notas sobre Êxodo 13.16. Versículos como esse à nossa frente deram origem ao uso das filactérias na comunidade judaica. Não bastava ter alguma festa ocasional a fim de lembrar aquele passado brilhante. Eles punham memoriais (as filactérias) sobre suas testas. Ver na *Enciclopédia de Bíblia, Teologia e Filosofia* o artigo sobre as *Filactérias*. Muitos judeus davam tal valor a essas coisas que o espírito delas, as realidades tipificadas, se perdia em meio ao formalismo e ao legalismo. Ver na *Enciclopédia de Bíblia, Teologia e Filosofia* o artigo *Legalismo*. As filactérias continham certos trechos bíblicos chaves que não podiam ser mesmo esquecidos. Ver o vs. 16 deste capítulo, e também Deuteronômio 6.4-9; 11.13-21. Jesus referiu-se às filactérias em Mateus 23.5, a fim de ilustrar como os homens dão valor às externalidades da religião, exibindo-as como sinais de religiosidade, embora o coração deles continue longe de Deus. As filactérias também eram usadas por muitos como uma espécie de poder contra os maus espíritos. Assim diz o Targum sobre Cântico dos Cânticos 8.3. É mais fácil drapejar uma bandeira ao vento ou proferir algumas palavras patrióticas do que realmente servir à pátria por meio do trabalho honesto. O sectarismo e as controvérsias teológicas (ou denominacionais) são filactérias modernas que muitos homens exibem para outros; mas tais coisas, com frequência, nada têm de espiritualidade genuína. Os homens usam seus credos na testa; mas a essência pode andar longe de seu coração.

■ 13.10

וְשָׁמַרְתָּ אֶת־הַחֻקָּה הַזֹּאת לְמוֹעֲדָהּ מִיָּמִים יָמִימָה׃ ס

De ano em ano. A *perpetuidade* é aqui imposta, o que já foi anotado em Êxodo 12.24, no tocante à páscoa, e em Êxodo 12.17, no tocante aos pães asmos. Agora não está em vista a ordem relativa às filactérias, conforme imaginavam tolamente alguns intérpretes judeus, conforme se vê no Targum de Jonathan.

■ 13.11

וְהָיָה כִּי־יְבִאֲךָ יְהוָה אֶל־אֶרֶץ הַכְּנַעֲנִי כַּאֲשֶׁר נִשְׁבַּע לְךָ וְלַאֲבֹתֶיךָ וּנְתָנָהּ לָךְ׃

Uma das características do Pentateuco é a repetição. Isso foi feito mediante a compilação de várias fontes informativas que continham material similar, de acordo com o parecer dos críticos. Sem importar quem foi o autor, não há que duvidar que foram usadas diversas fontes informativas, e essas mesmas fontes continham material repetitivo. Assim, este versículo reitera o vs. 5, sem a elaboração sobre as várias nações que ocupavam a Palestina. Esse quinto versículo, por sua vez, é essencialmente igual ao trecho de Êxodo 3.8, onde dou as notas a respeito. Êxodo 3.17 repete uma vez mais o material. A provisão de um território pátrio para Israel fazia parte integrante do Pacto Abraâmico, o qual é repetido, com vários graus de plenitude, por dezesseis vezes no livro de Gênesis. Ver as notas em Gênesis 15.18.

Neste ponto, a repetição da promessa sobre o território pátrio é associada à festa da dedicação dos primogênitos, e procede, de acordo com os críticos, da fonte informativa D. Ver o artigo *J.E.D.P.(S.)* no *Dicionário* quanto à teoria das fontes múltiplas do Pentateuco.

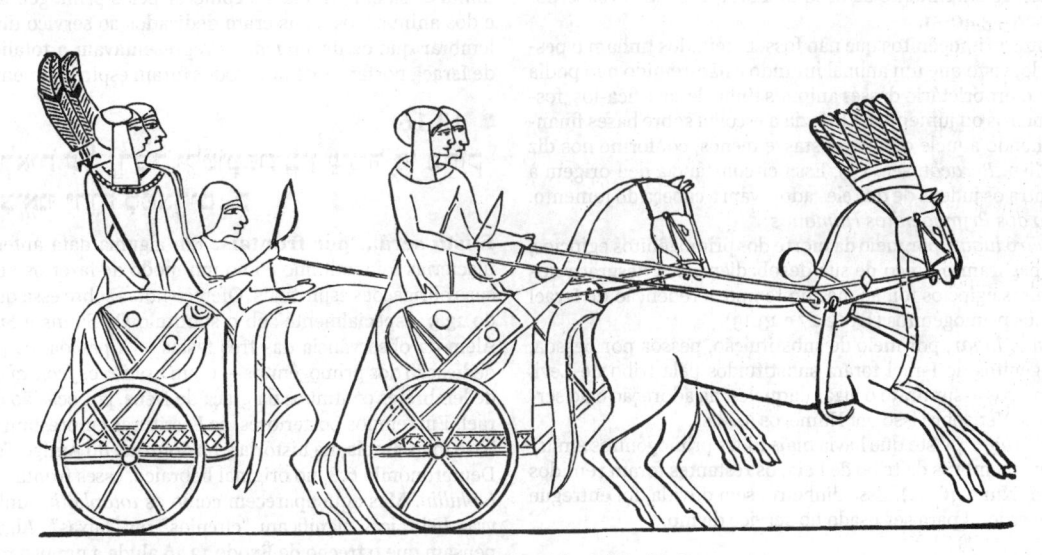

Os Príncipes Egípcios e Seus Carros (WILKINSON), *Smith's Bible Dictionary*.

Tropas Egípcias Avançam para a Guerra (WILKINSON) *Smith's Bible Dictionary*.

Uma vez na Terra Prometida, a festa da dedicação (vs. 12 ss.) deveria ser observada entre aqueles outros ritos.

■ 13.12

וְהַעֲבַרְתָּ כָל־פֶּטֶר־רֶחֶם לַיהוָה וְכָל־פֶּטֶר שֶׁגֶר בְּהֵמָה אֲשֶׁר יִהְיֶה לְךָ הַזְּכָרִים לַיהוָה׃

Este versículo repete o vs. 2, onde são dadas as notas expositivas. Ver a explicação geral sobre a *Dedicação dos Primogênitos*, nas notas introdutórias sobre Êxodo 13.1. Ver também no *Dicionário* o artigo chamado *Primogênito*.

Todos os animais que Israel tinha domesticado e usado estiveram envolvidos na lei dos primogênitos. *Pertenciam ao Senhor*, ou seja, eram preservados para fins de sacrifício. Visto que o *jumento* pertencia aos animais imundos, não podia ser usado no serviço do Senhor, mas seu proprietário podia usá-lo como quisesse, embora tivesse de ser *remido*, conforme se vê nas notas sobre o vs. 13. Os animais limpos, entretanto, não precisavam ser remidos (Nm 18.17).

■ 13.13

וְכָל־פֶּטֶר חֲמֹר תִּפְדֶּה בְשֶׂה וְאִם־לֹא תִפְדֶּה וַעֲרַפְתּוֹ וְכֹל בְּכוֹר אָדָם בְּבָנֶיךָ תִּפְדֶּה׃

Primogênito da jumenta. Parece que Israel não tinha camelos em quantidade suficiente. E os cavalos só vieram a ser domesticados pelos israelitas um tanto mais tarde. Portanto, era o jumento (existente em Israel em grandes números) o animal muito usado como transporte e labor. No entanto, era considerado um animal imundo. Juntamente com outros animais (Nm 18.15), o jumento tinha de ser remido, o que significa que não podia ser usado nos sacrifícios; mas, uma vez remido, podia ser usado como animal de transporte ou de carga, por seu proprietário. Ver no *Dicionário* o artigo intitulado *Asno*.

"Os animais imundos, dentre os quais o asno é típico (Lv 11; Dt 14), podiam ser remidos mediante a sua substituição por um cordeiro. Nos primeiros tempos, surgiu o costume de substituir um ser humano primogênito por um animal (Êx 34.19,20; cf. Gn 22.13), embora persistissem sacrifícios humanos (1Rs 16.34; 2Rs 16.3; Ez 20.26; Mq 6.7)" (*Oxford Annotated Bible, in loc.*).

O cordeiro era sacrificado porque o jumento, um animal imundo, não podia ser usado com propósitos de sacrifício. Assim, o cordeiro substituía o jumento nos sacrifícios; e, mediante essa transação, o jumento ficava livre para viver e trabalhar para seu proprietário. Primogênitos humanos eram, de fato, sacrificados em países gentílicos, como também até em Israel (Lv 20.3). Isso veio a ser proibido em Israel, dentro da legislação mosaica. Posteriormente, os primogênitos de Israel, consagrados ao serviço divino, foram liberados desse serviço, devido ao surgimento da tribo de Levi como a tribo sacerdotal. Ver Números 3.40-51.

Os jumentos primogênitos que não fossem remidos tinham o pescoço quebrado, visto que um animal imundo e não-remido não podia viver. Assim, o proprietário desses animais tinha de sacrificá-los, fossem eles carneiros ou jumentos. Ele fazia a escolha sobre bases financeiras, escolhendo aquele que lhe custasse menos, conforme nos diz a Mishna (Misn. *Beracot*. sec. 1,5). Essa circunstância deu origem à acusação contra os judeus de que eles adoravam a cabeça do jumento.

Redenção dos Primogênitos Humanos:

1. Em *primeiro lugar*, por meio da morte dos primogênitos egípcios, os quais pagaram o preço de sua desobediência. A desgraça dos primogênitos egípcios foi, ao mesmo tempo, a redenção de Israel e seus filhos primogênitos (Êx 12.27 e 13.15).
2. Em *segundo lugar*, por meio de substituição, pessoa por pessoa, os primogênitos de Israel foram substituídos pela tribo de Levi, cujos membros assumiram o lugar daqueles, na adoração e no serviço a Deus. Ver sobre isso em Números 3.44 ss.
3. Em *terceiro lugar*, visto que havia mais filhos primogênitos em Israel do que membros da tribo de Levi, os restantes foram remidos a dinheiro (Nm 3.46 ss.). Esse dinheiro, sem dúvida, foi entregue à casta sacerdotal para ser usado no serviço divino.

■ 13.14

וְהָיָ֞ה כִּֽי־יִשְׁאָלְךָ֥ בִנְךָ֛ מָחָ֖ר לֵאמֹ֣ר מַה־זֹּ֑את וְאָמַרְתָּ֣ אֵלָ֔יו בְּחֹ֣זֶק יָ֗ד הוֹצִיאָ֧נוּ יְהוָ֛ה מִמִּצְרַ֖יִם מִבֵּ֥ית עֲבָדִֽים׃

Este versículo é uma repetição quase exata do trecho de Êxodo 12.26,27, onde aparecem as notas expositivas. Temos aqui uma aplicação à páscoa, mas na verdade havia aplicação a todas as três festividades: a páscoa, os pães asmos e a dedicação dos primogênitos. Ver as notas sobre Êxodo 13.8, quanto ao *valor didático* dessas três festas. Aquele versículo aplica o memorial aos pães asmos.

Assim sendo, temos os *memoriais* seguintes: da páscoa (Êx 12.26,27); dos pães asmos (3.8); e da dedicação dos primogênitos (13.14). Todas as três eram festas educativas, um dos motivos de sua *perpetuidade*. Ver Êxodo 12.17,24 e 13.10, onde essa ideia é aplicada a todas as três festas.

■ 13.15

וַיְהִ֗י כִּֽי־הִקְשָׁ֣ה פַרְעֹה֮ לְשַׁלְּחֵנוּ֒ וַיַּהֲרֹ֨ג יְהוָ֤ה כָּל־בְּכוֹר֙ בְּאֶ֣רֶץ מִצְרַ֔יִם מִבְּכֹ֥ר אָדָ֖ם וְעַד־בְּכ֣וֹר בְּהֵמָ֑ה עַל־כֵּן֩ אֲנִ֨י זֹבֵ֜חַ לַֽיהוָ֗ה כָּל־פֶּ֤טֶר רֶ֙חֶם֙ הַזְּכָרִ֔ים וְכָל־בְּכ֥וֹר בָּנַ֖י אֶפְדֶּֽה׃

As dez pragas tivera por motivo convencer o Faraó a deixar o povo de Deus sair do Egito. Mas o Faraó só permitiu isso quando os primogênitos do Egito tinham sido mortos. Ver no *Dicionário* o verbete *Pragas do Egito*, e ver o gráfico nas notas sobre Êxodo 7.14 quanto a um sumário de itens envolvidos. O autor sagrado enfatizou o fato de que foi preciso muito trabalho, da parte de Yahweh, para que o povo de Israel fosse libertado. Isso não ocorreu com facilidade nem espontaneamente. Daí por que a gratidão de Israel deveria ser ainda mais profunda, em face da graça e dos benefícios recebidos. A redenção custou caro, a própria vida de Jesus Cristo. Ver na *Enciclopédia de Bíblia, Teologia e Filosofia* o artigo intitulado *Redenção*.

Animais primogênitos eram sacrificados no serviço divino. Mas os primogênitos dos homens, em contraste com o que se praticava no paganismo gentílico, não eram sacrificados, e, sim, dedicados ao serviço de Deus. Posteriormente, esse serviço foi transferido para a tribo sacerdotal de Levi, conforme se vê nos comentários sobre o vs. 13. Fica entendido, neste versículo, que os primogênitos humanos de Israel não eram sacrificados porque os primogênitos humanos do Egito foram sacrificados pelo destruidor (ver Êx 12.23). Ver as notas sobre o vs. 13 quanto aos *três modos* de redenção dos primogênitos.

Este versículo, naturalmente, antecipa a questão que foi formalizada na legislação mosaica, especificamente no trecho de Números 3.44 ss.

Sacrifício por Sacrifício. Visto que Yahweh sacrificou muita coisa para libertar a nação de Israel, assim também Israel deveria sacrificar muita coisa em gratidão, a começar pelos primogênitos dos homens e dos animais, os quais eram dedicados ao serviço divino. Devemos lembrar que os *primogênitos* representavam a totalidade da nação de Israel, portanto, de fato, *todos* foram espiritualmente sacrificados.

■ 13.16

וְהָיָ֤ה לְאוֹת֙ עַל־יָ֣דְכָ֔ה וּלְטוֹטָפֹ֖ת בֵּ֣ין עֵינֶ֑יךָ כִּ֚י בְּחֹ֣זֶק יָ֔ד הוֹצִיאָ֥נוּ יְהוָ֖ה מִמִּצְרָֽיִם׃ ס

E isto será... por frontais. Em alguma data anterior, o uso das filactérias foi instituído como um modo de fazer os homens lembrar suas obrigações espirituais. Ofereço notas sobre essa questão em Êxodo 13.9, especialmente sob o subtítulo Os *Sinais e Sua Substância*. Além da observância das três festas — a páscoa, os pães asmos e a dedicação dos primogênitos — eram usados os *frontais*, que serviriam de lembretes contínuos da graça de Deus, por ocasião do êxodo de Israel. Em tempos posteriores, as Escrituras emprestam à questão uma base mais ampla, na história e na doutrina do Antigo Testamento. Em Deuteronômio 6.8, no original hebraico, esses frontais são chamados *tephillin*. Mas aqui aparecem como as *totaphoth*. Ambas essas palavras hebraicas significam "círculos" ou "faixas". Alguns estudiosos pensam que o trecho de Êxodo 13.16 alude a um uso metafórico, pois não estariam em pauta objetos literais. Mas sem dúvida, o livro de Deuteronômio refere-se a objetos literais.

Trechos Bíblicos Escritos nos Frontais. Essas passagens eram quatro: 1. Êxodo 13.2-10 (as três festas relembradas). 2. Êxodo 13.11-16 (a repetição das três festas). 3. Deuteronômio 6.4-9, que inclui a famosa passagem: "Ouve, Israel, o Senhor nosso Deus é o único Senhor". 4. Deuteronômio 11.13-21 (os principais mandamentos da lei: "Ama o Senhor teu Deus de todo o teu coração e de toda a tua alma"). A filactéria tinha quatro compartimentos, contendo esses quatro trechos bíblicos. Essa questão dá-nos uma ideia da religião judaica, em muitos aspectos genuína, mas em outros fingida e formalista.

"Em todas as eras o homem é obrigado a considerar a *si mesmo* como se *ele* mesmo estivesse saindo da servidão do Egito, pelo que é dito: ele *nos* tirou dali" (Maimônides, *De Vita Mosis* 1.1 par. 627).

DEUS GUIA O POVO PELO CAMINHO (13.17-22)

Um dos principais temas do Pentateuco inteiro é a *providência de Deus* (ver no *Dicionário* sobre esse assunto). Uma instância especial disso é a história de como Deus conduziu Israel para fora do Egito até o deserto, e ali preservou Israel, com vistas à entrada final na Terra Prometida. A rota mais curta atravessava o território dos filisteus na direção de Berseba e do Neguebe. Esse caminho seguia ao longo das margens do Mediterrâneo e era uma estrada militar utilizada pelos egípcios. Em sua sabedoria, Yahweh guiou Israel por um caminho diferente, a saber, na direção sudeste, aproximando-se do Sinai, evitando qualquer confrontação possível com potências estrangeiras, incluindo o Egito. Não se sabe qual foi a rota exata, mas no artigo que há no *Dicionário*, chamado *Êxodo (o Evento)*, sugiro o que se sabe sobre a questão. Também provi um mapa ilustrativo. Israel, ao confrontar-se com dificuldades, poderia ter retrocedido, especialmente se irrompesse guerra aberta. O vs. 18 diz-nos que Israel saiu armado para a batalha, uma frase acerca de cujo sentido os estudiosos não concordam. Algum método de resistência tinha sido provido. Israel não seria uma mosca morta no deserto.

■ 13.17

וַיְהִ֗י בְּשַׁלַּ֣ח פַּרְעֹה֮ אֶת־הָעָם֒ וְלֹא־נָחָ֣ם אֱלֹהִ֗ים דֶּ֚רֶךְ אֶ֣רֶץ פְּלִשְׁתִּ֔ים כִּ֥י קָר֖וֹב ה֑וּא כִּ֣י ׀ אָמַ֣ר אֱלֹהִ֗ים פֶּֽן־יִנָּחֵ֥ם הָעָ֛ם בִּרְאֹתָ֥ם מִלְחָמָ֖ה וְשָׁ֥בוּ מִצְרָֽיְמָה׃

Cobri quase todas as informações atinentes a este versículo na introdução anterior. Dificuldades encontradas no caminho poderiam ter feito Israel voltar ao Egito, incluindo algum ataque aberto por parte dos egípcios ou por parte de outro inimigo. Deus escolheu aquele roteiro que consolidaria as vantagens obtidas, ao levar o povo de Israel em segurança, ao deserto. Uma vez ali, outros planos poderiam ser feitos com antecedência. Mas Israel acabou vagueando por muitos anos, devido à sua incredulidade, pensando que lhe faltavam forças para enfrentar os formidáveis adversários que possuíam a Terra Prometida.

O autor sagrado, pois, frisa aqui a *orientação divina*, uma questão de grande importância para todo homem espiritual.

Filisteus. Ver no *Dicionário* o verbete intitulado *Filisteus (Filístia)*. Israel estava prestes a trocar um poderoso inimigo (o Egito), por vários inimigos menores, embora ainda assim temíveis (na Palestina). O termo "filisteus" é aqui usado em sentido geral, levando-nos a pensar em *todos* os adversários que enfrentariam Israel, embora sete nações cananeias distintas estivessem envolvidas. Ver as notas sobre Êxodo 3.5 e 13.5.

A rota que passava pelo mar Vermelho faria os israelitas passarem por Tânis e daí até Pelusium. Dali a Rhinocolura, então a Gaza, Asquelom e Asdode, cidades dos filisteus. A distância até a Terra Prometida, mediante essa rota, era apenas de 320 km, e poderia ter sido coberta em menos de um mês. Porém, uma longa provação jazia à frente: quarenta anos de vagueação pelo deserto. Nos dias de Josué, os filisteus tinham cinco cidades fortes: Gaza, Asquelom, Asdode, Gate e Ecrom (Js 13.3), e o povo de Israel não estava preparado para enfrentar esse poder ao tempo do êxodo. O Egito pode ter parecido um bom lugar para os cansados israelitas, quando os filisteus lançaram-se contra eles, com seus carros de combate e armas as mais variadas. Os filisteus eram dotados de grande *poder de fogo*, conforme se diz atualmente.

13.18

וַיַּסֵּב אֱלֹהִים אֶת־הָעָם דֶּרֶךְ הַמִּדְבָּר יַם־סוּף
וַחֲמֻשִׁים עָלוּ בְנֵי־יִשְׂרָאֵל מֵאֶרֶץ מִצְרָיִם:

Deus fez o povo rodear. O roteiro pelo litoral teria sido fácil e rápido de percorrer, e teria seguido uma rota firmada há muito tempo. Mas também teria sido perigoso. Assim sendo, na providência de Deus (ver no *Dicionário* o artigo *Providência de Deus*), o Senhor conduziu os filhos de Israel por uma rota mais difícil, mais longa, embora mais segura. Apesar de não se saber o caminho exato que eles fizeram (os lugares mencionados têm localização duvidosa para nós), apresento o que se sabe sobre esse assunto no artigo intitulado *Êxodo (o Evento)*, no *Dicionário*.

A rota seguida passava pelo mar Vermelho, forçando Israel a fazer uma travessia perigosa. Ver no *Dicionário* o artigo *mar Vermelho* quanto a detalhes sobre a questão e quanto a informações gerais. A Septuaginta diz aqui "mar de juncos". "*O mar*, conhecido no hebraico como 'mar de juncos', não era o próprio mar Vermelho, e, sim, um corpo de águas rasas, um pouco mais ao norte, talvez a área do lago Timsah" (*Oxford Annotated Bible*, comentando sobre Êx 14.2). O lago Timsah fica a cerca de 80 km ao norte do mar Vermelho, não havendo nenhuma ligação de águas entre esse lago e o mar Vermelho.

Por que o "mar de juncos", e não o mar Vermelho? Consideremos estes sete argumentos:

1. No hebraico, o termo usado significa junco de "papiro". O mar Vermelho (golfo de Suez) não tem juncos.
2. O golfo de Suez fica ao sul de Pi-Hairote e Migdol, localidades mencionadas ao longo da rota seguida (Êx 14.2).
3. A área onde Israel se acampou era pantanosa, algo que não ocorre ao longo das margens do mar Vermelho.
4. Do *mar* mencionado, Israel seguiu para o leste ou sudeste, internando-se no deserto de Sur (Êx 15.22), também conhecido como deserto de Etã (Nm 33.8), na parte noroeste da península do Sinai.
5. O lago que o Senhor amaldiçoou poderia ter sido o lago Balah, a cerca de 16 km ao norte do lago Timsah, ou o próprio lago Timsah.
6. A Septuaginta deu origem ao nome mar Vermelho, que não é uma boa tradução do texto hebraico envolvido. Da Septuaginta, esse erro passou para outros idiomas e para milhões de lições de Escola Dominical e sermões.
7. Alguns eruditos especulam que o antigo leito do mar Vermelho estendia-se até a área do lago Timsah, e, naqueles tempos, só havia um corpo de água, agora dividido em lago Timsah e mar Vermelho. Mas parece que isso é apenas um esforço da imaginação a fim de adaptar-se aos tradutores da Septuaginta, para não termos de ir à Escola Dominical e dizer que não esteve em foco, realmente, o mar Vermelho.

Arregimentados. Isso pode significar, organizados como se fossem um exército pronto para entrar em batalha, se necessário, ou então, apenas divididos em grupos, cada qual liderado por seu líder, *como* um exército. Êxodo 6.26; 7.4; 12.17,51. A tradução inglesa RSV diz aqui, "equipados para a batalha", o que é possível como tradução, embora não necessariamente. O hebraico indica um plural do número *cinco*, o que pode apontar para cinco grupos, ou mesmo para cinquenta grupos.

13.19

וַיִּקַּח מֹשֶׁה אֶת־עַצְמוֹת יוֹסֵף עִמּוֹ כִּי הַשְׁבֵּעַ הִשְׁבִּיעַ
אֶת־בְּנֵי יִשְׂרָאֵל לֵאמֹר פָּקֹד יִפְקֹד אֱלֹהִים אֶתְכֶם
וְהַעֲלִיתֶם אֶת־עַצְמֹתַי מִזֶּה אִתְּכֶם:

Levou Moisés consigo os ossos de José. O corpo de José havia sido embalsamado, de acordo com a arte dos egípcios (Gn 50.26). Ele tinha ordenado que seu corpo fosse transportado para a terra de Canaã quando os israelitas retornassem à Terra Prometida (Gn 50.25), e Moisés não se esqueceu de honrar essa petição do patriarca. Os estudiosos têm especulado sobre *como* Moisés sabia onde estavam os ossos de José; mas o autor sagrado não satisfaz nossa curiosidade. A remoção do corpo de José foi um evento significativo e simbólico. Não teria sido correto para um patriarca como José, mormente da estatura dele, ter sido deixado no Egito. Simbolicamente, convinha que seu corpo terminasse sepultado na Terra Prometida. Também podemos *supor* que foram removidos os ossos de todos os doze filhos de Jacó, embora isso também fique ao encargo de nossa imaginação. Estêvão, todavia, afirmou que isso foi feito (At 7.15,16), pois, sem dúvida, havia uma firme tradição judaica nesse sentido. Esses foram sepultados em Siquém, no sepulcro que Abraão tinha comprado por uma soma de dinheiro dos filhos de Hamor, pai de Siquém. Ver o *Novo Testamento Interpretado* quanto a notas completas sobre essa questão. O texto não diz que os ossos dos outros patriarcas também foram junto com os ossos de José. O próprio José, porém, ainda em vida, sem dúvida teria cuidado da questão desses *outros* corpos.

13.20

וַיִּסְעוּ מִסֻּכֹּת וַיַּחֲנוּ בְאֵתָם בִּקְצֵה הַמִּדְבָּר:

De Sucote. Ver sobre esse lugar no *Dicionário*. Esse foi o primeiro ponto de parada, depois que Israel saiu do Egito, a cerca de 80 km de seu ponto de partida. Ver as notas sobre Êxodo 12.37 quanto a detalhes. Dali foram a *Etã*, ao que tudo indica ao outro lado do mar de Juncos, no deserto de Sur (ou Etã). Ver Êxodo 15.22 e Números 33.8. Ver sobre Etã no *Dicionário*, no seu quarto ponto. A distância de Sucote era entre 8 e 16 km, na direção sudoeste. Mas os eruditos localizavam o local de modo variado. Seja como for, não ficava longe, embora sua localização exata seja problemática.

Ao chegarem em Etã, os israelitas estavam à beira do deserto por onde haveriam de vaguear durante quarenta anos.

13.21

וַיהוָה הֹלֵךְ לִפְנֵיהֶם יוֹמָם בְּעַמּוּד עָנָן לַנְחֹתָם הַדֶּרֶךְ
וְלַיְלָה בְּעַמּוּד אֵשׁ לְהָאִיר לָהֶם לָלֶכֶת יוֹמָם וָלָיְלָה:

Coluna de nuvem... coluna de fogo. A coluna de nuvem servia para proteger os israelitas do calor do dia e para guiá-los pelo caminho; a de fogo conferia-lhes calor, conforto e orientação durante a noite. Ver no *Dicionário* o artigo intitulado *Colunas de Fogo e de Nuvem*. Há várias interpretações a esse respeito: naturalística, mitológica e sobrenatural. O autor continuava a salientar a *providência de Deus* — questão importantíssima do Pentateuco, abordada no *Dicionário* com esse título. Conforme diz um antigo hino: "Deus guia seus filhos ao longo do caminho".

As *nuvens* eram emblema da presença de Deus com os filhos de Israel, de dia e de noite. Deus nunca está distante, embora para nós possa parecer assim. Algumas vezes, Israel jornadeava durante a noite, a fim de evitar o calor estorricante do deserto. Ver Números 9.21.

O Senhor. Chamado de anjo do Senhor em Êxodo 14.19 e 23.20. Ver no *Dicionário* o artigo *anjo*. Alguns eruditos cristãos veem no anjo do Senhor uma manifestação veterotestamentária do Logos. Ver 1Coríntios 10.9. A nuvem representa Cristo (Ap 10.1). Os estudiosos usam muito a sua imaginação, ao tentarem descrever o que isso significaria. Assim, eles dizem que o *fogo* era a lei esfogueada, um presente protetor que Deus teria usado para envolver os seus filhos. Cristo é a Luz, não nos devemos olvidar. Uma excessiva cristianização dos textos do Antigo Testamento, com frequência, nos desvia da correta interpretação. Mas se considerarmos que esses detalhes eram *simbólicos* apenas, não encontraremos dificuldades. Cf. Salmo 105.39 e Isaías 45; e ver Números 9.16-18.

"A coluna era, ao mesmo tempo, um sinal e um guia. Quando a nuvem se movia de lugar, o povo a seguia. Quando a nuvem estacava, o povo parava e se acampava (Êx 40.36-38)" (Ellicott, *in loc.*).

■ **13.22**

לֹא־יָמִישׁ עַמּוּד הֶעָנָן יוֹמָם וְעַמּוּד הָאֵשׁ לָיְלָה לִפְנֵי הָעָם׃ פ

Nunca se apartou... a nuvem. Vemos aí a constância do Senhor. Desde o começo, a nuvem acompanhou os filhos de Israel, enquanto estiveram fora da Terra Prometida. "Isso prosseguiu até terem atravessado o deserto e chegado às fronteiras da terra de Canaã, quando ela não mais era necessária; e então a nuvem os deixou; pois, quando atravessaram o rio Jordão, a *arca* ia adiante deles (Js 3.6)" (John Gill, *in loc.*). Cf. Êxodo 40.38; Números 9.16 e 10.34.

O texto sagrado é valioso quanto a sentidos metafóricos e simbólicos, visto que, em cada geração, pessoas espirituais precisam da constante orientação de Deus. Outrossim, algumas vezes essa orientação assume uma forma miraculosa. Os milagres continuam ocorrendo. Ver no *Dicionário* o artigo intitulado *Milagres*.

CAPÍTULO CATORZE

O FARAÓ TENTA RECONQUISTAR ISRAEL (14.1—15.21)

PERSEGUIÇÃO CONTRA ISRAEL (14.1-14)

Houve uma crise na fronteira (vss. 1-14). A *providência de Deus* (ver a esse respeito no *Dicionário*) controlava as coisas, mas isso não significava que não houvesse dificuldades. Algumas vezes, a orientação divina é franca e óbvia. Então podemos andar durante o dia sem nenhuma perturbação. De outras vezes, somos deixados a fazer o que podemos, e Deus como que se oculta nas trevas, permitindo-nos usar os nossos próprios recursos. Vez por outra, ele faz intervenção, quando vê que estamos avassalados. As *intervenções* divinas fazem parte dessa orientação divina. O homem espiritual sabe dessas coisas. No entanto, somos chamados a aprender, crescer e agir, como se agíssemos por nós mesmos. Nisso há crescimento. Quando Deus amarra os cordões de nossos sapatos, nada aprendemos. Os filhos precisam aprender a agir por si mesmos. Mas algumas vezes papai precisa intervir e ajudar. O *teísmo* exprime a verdade dos fatos, e não o *deísmo*. O teísmo ensina que Deus não somente criou, mas também mostra-se ativo em sua criação, orientando, recompensando o bem e punindo o mal. O deísmo, por outro lado, ensina que alguma força criativa abandonou o universo, deixando-o aos cuidados das leis naturais. Ver no *Dicionário* sobre ambos esses termos. O teísmo não remove o crescimento natural obtido mediante a vontade do homem, quando este se dedica à inquirição espiritual.

■ **14.1,2**

וַיְדַבֵּר יְהוָה אֶל־מֹשֶׁה לֵּאמֹר׃

דַּבֵּר אֶל־בְּנֵי יִשְׂרָאֵל וְיָשֻׁבוּ וְיַחֲנוּ לִפְנֵי פִּי הַחִירֹת בֵּין מִגְדֹּל וּבֵין הַיָּם לִפְנֵי בַּעַל צְפֹן נִכְחוֹ תַחֲנוּ עַל־הַיָּם׃

Yahweh novamente instruiu o líder, Moisés, conforme se vê por toda a narrativa. Periodicamente, achamos um versículo como Êxodo 14.1, que introduz novas seções. Cf. Êxodo 4.1,2,10; 5.1; 6.1; 7.1; 8.1; 9.1; 10.1; 11.1; 12.1 e 13.1. Esses versículos frisam tanto o teísmo como a providência de Deus, conforme comentamos na introdução a este versículo, acima.

Pi-Hairote. Ver a respeito desse local no *Dicionário*. Ver também o artigo *Êxodo (o Evento)*, que descreve a rota seguida por Israel, onde também há um mapa que sugere o roteiro, embora haja muitas dúvidas quanto a localizações exatas. Esse local ficava perto de Baal-Zefom (Êx 14.2,9), mas este último também é um lugar de localização duvidosa. Alguns pensam que ficava às margens do mar Mediterrâneo. O artigo referido dá informações onde isso é possível, e especula quando isso é necessário. O lugar ficava perto do *mar de Juncos*, e não dos mares Vermelho e Mediterrâneo (mar Grande, conforme diziam os antigos).

Migdol. Ver a respeito no *Dicionário*. Os nomes, na opinião de alguns eruditos, sugerem que a rota tomada por Israel levou-os primeiro ao mar Grande, e que somente depois voltaram na direção sudoeste. Mas na verdade está em pauta o mar de Juncos, e não o mar Grande ou Mediterrâneo.

O mar. Não identificado, mas pode estar em vista ou o mar Grande ou o mar Vermelho, ou mesmo um dos lagos (Timsah ou Balah). Dou abundantes informações sobre *Migdol*, no artigo mencionado, que contém as especulações.

Quanto ao *mar* deste versículo, ver notas completas sobre Êxodo 14.22, onde discuto o problema do *mar de Juncos* em contraste com o *mar Vermelho*, e opto pelo mar de Juncos como aquele que está aqui em vista. Além disso, precisamos explicar o que significava esse *mar*. Os intérpretes modernos supõem que está em pauta um dos lagos (Timsah ou Balah).

■ **14.3**

וְאָמַר פַּרְעֹה לִבְנֵי יִשְׂרָאֵל נְבֻכִים הֵם בָּאָרֶץ סָגַר עֲלֵיהֶם הַמִּדְבָּר׃

Israel estava enfrentando dificuldades que o texto não define. A saída do Egito tinha criado problemas. Talvez, conforme alguns eruditos sugerem, tivesse havido uma tentativa malsucedida de cruzar o mar de Juncos. A palavra "desorientados" poderia significar que o Faraó tinha ouvido que Israel tomou uma rota diferente daquela que se poderia esperar, e assim ele pensou que algo de errado estava sucedendo com os planos. Talvez até sugira que Israel se tinha atolado na área pantanosa das proximidades do lago Timsah. Nesse caso, ele teria sido encorajado a sair com seu exército e tentar reverter todo o processo do êxodo.

Israel tinha-se saído vencedor a cada *round*. E talvez o Faraó tenha pensado que era hora de ganhar um *round*. Outros estudiosos sugerem que os nomes dos lugares mencionados (no vs. 2) na verdade eram fortalezas egípcias, e que Israel tinha sido forçado a retroceder. Isso os teria deixado em uma armadilha entre as fortalezas e o mar de Juncos, e, *aparentemente*, uma presa fácil ao exército que o Faraó poderia lançar contra eles.

■ **14.4**

וְחִזַּקְתִּי אֶת־לֵב־פַּרְעֹה וְרָדַף אַחֲרֵיהֶם וְאִכָּבְדָה בְּפַרְעֹה וּבְכָל־חֵילוֹ וְיָדְעוּ מִצְרַיִם כִּי־אֲנִי יְהוָה וַיַּעֲשׂוּ־כֵן׃

Yahweh injetou no coração do Faraó que prosseguisse em seu desvario. Afinal, as moscas tinham desaparecido, não havia mais rãs nem saraivada, e os corações feridos dos egípcios, por causa da morte dos primogênitos, estavam sarando. Nesse caso, por que não tentar fazer Israel parar? Os filhos de Israel estavam desorientados e apanhados em uma armadilha, e, *dessa vez*, o Faraó obteria uma vitória. Dou uma nota detalhada sobre o endurecimento do coração do Faraó, em Êxodo 4.21. Algumas vezes é dito que o *Faraó* endureceu seu próprio coração; de outras vezes, *Yahweh* é que teria endurecido o coração do Faraó; e ainda de outras vezes, o agente do endurecimento é deixado indistinto, de tal modo que o coração do Faraó *se endurecia* (voz passiva). Deus usa a vontade do homem sem destruí-la, embora não saibamos dizer *como* isso pode acontecer. Minhas notas aludem aos problemas teológicos envolvidos.

Serei glorificado. Isso através do fato de que seu nome seria mais conhecido (ver as notas em Êx 7.5), e mediante a derrota definitiva de todas as divindades egípcias. Ver as notas em Êxodo 7.14 quanto a um gráfico que ilustra quais deuses foram derrotados pelas pragas particulares. O Faraó nunca tinha ouvido falar em Yahweh (Êx 5.2), mas agora sabia bem de seu poder.

"O sucesso da estratégia de Israel, interpretada pela fé, proveu a Yahweh a ocasião para confirmar sua vitória sobre o Faraó e libertar o povo de Israel. Beer e Eissfeldt corretamente salientaram a estratégia bem calculada envolvida naquele movimento" (J. Edgar Park, *in loc.*).

Israel contava com cerca de seiscentos mil homens capazes de trabalhar no pesado, sem contar as mulheres que podiam ser postas a trabalhar (ver Nm 1.46), e o Faraó não queria enfrentar o futuro, com todo o seu programa de edificações, sem dispor de trabalho escravo barato. Portanto, partiu atrás do povo de Israel, em uma aventura inútil e desastrosa para os egípcios.

■ 14.5

וַיֻּגַּד לְמֶלֶךְ מִצְרַיִם כִּי בָרַח הָעָם וַיֵּהָפֵךְ לְבַב
פַּרְעֹה וַעֲבָדָיו אֶל־הָעָם וַיֹּאמְרוּ מַה־זֹּאת עָשִׂינוּ
כִּי־שִׁלַּחְנוּ אֶת־יִשְׂרָאֵל מֵעָבְדֵנוּ׃

Por Quê? Assim que os terrores das pragas foram esquecidos, foram capazes de perguntar um estúpido *por quê*. Os egípcios, aterrorizados, tinham expulsado os israelitas do Egito, temendo ter o mesmo fim que seus filhos primogênitos. Chegaram mesmo a doar-lhes muitas riquezas (Êx 12.31 ss.).

"Quando lemos artigos e livros sobre o arrependimento, impressiona-nos a dificuldade de distinguir entre um Faraó disposto a permitir que o povo de Israel se fosse, por estar *temeroso* de mais pragas, e um Faraó que realmente estava *arrependido* de sua crueldade tirânica" (J. Coert Rylaarsdam, *in loc.*). Um indivíduo assustado arrepende-se mais ou menos do mesmo jeito que um rato reage, aterrorizado, diante de um gato. O homem realmente arrependido reage como uma criança que percebe que ofendeu seu pai. O verdadeiro arrependimento é o primeiro passo para o crescimento espiritual. O falso arrependimento é apenas a tentativa de escapar das consequências da própria maldade.

O grande motivo para a perseguição contra Israel era o *dinheiro*. Mais de seiscentos mil trabalhadores escravos seriam perdidos pela economia egípcia. Ver Números 1.46 quanto ao número dos filhos de Israel. O Faraó estava à cata de dinheiro, mas acabou sofrendo uma perda devastadora, sob a forma de vidas e equipamentos perdidos.

■ 14.6,7

וַיֶּאְסֹר אֶת־רִכְבּוֹ וְאֶת־עַמּוֹ לָקַח עִמּוֹ׃

וַיִּקַּח שֵׁשׁ־מֵאוֹת רֶכֶב בָּחוּר וְכֹל רֶכֶב מִצְרָיִם
וְשָׁלִשִׁם עַל־כֻּלּוֹ׃

Seiscentos carros escolhidos. Eram carros de combate. Isso sem contar quantos outros carros. Capitães militares lideraram no ataque! O próprio Faraó se pôs à testa do exército, com seu próprio carro de combate. Ver no *Dicionário* os artigos chamados *Carro* e *Carruagem*.

Capitães. No hebraico, *três* ou *terceiro*. Os veículos de combate do Egito eram tripulados por somente dois homens, assim é melhor traduzir por *tripulação*, em vez de dizer "os três", ou seja, os três homens que geralmente tripulavam os carros de combate de outros países. Posteriormente, os carros de combate dos assírios e dos hititas tornaram-se espaçosos o suficiente para transportar três homens. Um deles dirigia o veículo, outro era o escudeiro, e o terceiro, naturalmente, era quem atirava as flechas e dardos. É possível que o hebraico, aqui, reflita esta última circunstância.

Josefo diz que o número de militares egípcios era de cerca de cinquenta mil cavaleiros, além de duzentos mil infantes (*Ant.* 1.2 c. 15 sec. 3), mas não temos como averiguar esses dados. Ezequiel, o autor de tragédias teatrais, fala em *um milhão*, um número fantástico (Apud Hottinger Smegma, pág. 464).

Ramsés II testificou que uma força de dois mil e quinhentos carros de combate foi lançada contra ele pelos inimigos hititas (*Registros do Passado*, vol. ii, pág. 69,71), o que mostra que os seiscentos carros deste texto estava dentro do escopo dos exércitos antigos. Os "trinta mil carros", referidos em 1Samuel 13.5, devem conter algum erro numérico.

■ 14.8

וַיְחַזֵּק יְהוָה אֶת־לֵב פַּרְעֹה מֶלֶךְ מִצְרַיִם וַיִּרְדֹּף
אַחֲרֵי בְּנֵי יִשְׂרָאֵל וּבְנֵי יִשְׂרָאֵל יֹצְאִים בְּיָד רָמָה׃

O perpétuo coração duro do Faraó sofreu ainda maior endurecimento. Ver Êxodo 4.21 quanto a essa questão, bem como o vs. 4 deste capítulo. Israel tinha saído do Egito em atitude de *desafio*, conforme dão a entender algumas traduções, ou, então, *com mão descoberta*, ou seja, sem nenhum segredo, conforme diz o Targum de Onkelos. Ver Êxodo 12.33. Eles partiram com *arrogância*, e o Faraó saiu em perseguição deles para arrancar-lhes a arrogância.

Os filhos de Israel saíram afoitamente. Algumas traduções dizem aqui "saíram por meio de mão erguida", aparentemente indicando a mão erguida de Yahweh. Israel contava com a proteção e o poder de Deus (Êx 3.19; 6.1; 14.31). A ideia contida em nossa versão portuguesa, porém, parece ser que a saída de Israel do Egito deu-se de forma atabalhoada, sem um planejamento prévio suficiente; e isso parece completar a ideia do terceiro versículo deste capítulo, onde o Faraó comenta que Israel estava "desorientado".

■ 14.9

וַיִּרְדְּפוּ מִצְרַיִם אַחֲרֵיהֶם וַיַּשִּׂיגוּ אוֹתָם חֹנִים עַל־הַיָּם
כָּל־סוּס רֶכֶב פַּרְעֹה וּפָרָשָׁיו וְחֵילוֹ עַל־פִּי הַחִירֹת
לִפְנֵי בַּעַל צְפֹן׃

A perseguição prosseguiu até Pi-Hairote, perto de Baal-Zefom, quando, finalmente, Israel foi alcançado. Ver no *Dicionário* sobre essas localidades, e ver também as notas sobre o segundo versículo deste capítulo. O texto situa definidamente essas cidades (fortalezas?) do Egito perto do local onde houve a travessia do *mar de Juncos* (não mar Vermelho; ver as notas sobre Êx 13.8 e 14.1,2). Parece que esses lugares ficavam próximos do lago Timsah ou do lago Balah, a cerca de 80 km ao norte do mar Vermelho. Alguns eruditos não concordam com essa avaliação, preferindo pensar em uma rota ao longo do mar Mediterrâneo, mas isso parece altamente improvável.

O exército do Faraó consistia, sem dúvida, em cavalaria, infantaria e carros de combate, conforme era comum entre os exércitos antigos. E diante dessa força armada, o povo de Israel entrou em pânico.

■ 14.10,11

וּפַרְעֹה הִקְרִיב וַיִּשְׂאוּ בְנֵי־יִשְׂרָאֵל אֶת־עֵינֵיהֶם
וְהִנֵּה מִצְרַיִם נֹסֵעַ אַחֲרֵיהֶם וַיִּירְאוּ מְאֹד וַיִּצְעֲקוּ
בְנֵי־יִשְׂרָאֵל אֶל־יְהוָה׃

וַיֹּאמְרוּ אֶל־מֹשֶׁה הֲמִבְּלִי אֵין־קְבָרִים בְּמִצְרַיִם
לְקַחְתָּנוּ לָמוּת בַּמִּדְבָּר מַה־זֹּאת עָשִׂיתָ לָּנוּ לְהוֹצִיאָנוּ
מִמִּצְרָיִם׃

Os filhos de Israel clamaram ao Senhor. O terror tomou conta deles, enquanto o poderoso exército egípcio se aproximava rapidamente. E os filhos de Israel deixaram a questão aos cuidados de Yahweh, em oração. No pânico em que caíram, puseram a queixar-se amargamente, lamentando que tivessem aceito o plano do êxodo.

A Murmuração de Israel. O mar estava à frente deles, e o exército do Faraó aproximava-se rapidamente por trás. A fé fugiu de todos os israelitas naqueles momentos. Essa foi a primeira das *murmurações de Israel* no deserto, o que é um tema constante do livro de Êxodo. Ver também Êxodo 15.24; 16.2,3; 17.3; 32.1-4,25; Números 11.4-6; 12.1,2; 14.2,3; 16.13,14; 20.2-13; 21.4,5. Nada tinham para elogiar os labores de Moisés, que os tinha trazido em segurança até ali, mas puderam mostrar-se sarcásticos. O Egito não tinha *sepulcros em número suficiente*, e essa teria sido a razão pela qual Moisés teria trazido os filhos de Israel ao deserto. Melhor seria ter permanecido na servidão. Moisés tinha-lhes feito um grande *mal*, de acordo com o **parecer dos murmuradores**.

Qualquer pessoa que tente fazer alguma coisa é vítima de observações mordazes, a seu respeito e de seu trabalho. Sempre haverá o ciúme profissional em operação; sempre haverá aqueles que ficam *atônitos* diante dos erros que cometemos, e *amargos* diante de nosso sucesso. Assim, sem importar se tivermos êxito ou não, as mesmas palavras de reprovação serão proferidas.

Jeremias (2.1-3) desligou-se conspicuamente da tradição judaica das rebeldias e murmurações no deserto.

O Targum de Jonathan, comentando sobre essa passagem, diz: "Os *ímpios* daquela geração disseram a Moisés...".

O temor distorceu as memórias e despertou as paixões negativas dos israelitas. O próprio tempo distorce a memória e faz as pessoas pensar nos "dias passados" como melhores ou piores do que de fato foram.

■ 14.12

הֲלֹא־זֶה הַדָּבָר אֲשֶׁר דִּבַּרְנוּ אֵלֶיךָ בְמִצְרַיִם לֵאמֹר
חֲדַל מִמֶּנּוּ וְנַעַבְדָה אֶת־מִצְרָיִם כִּי טוֹב לָנוּ עֲבֹד
אֶת־מִצְרַיִם מִמֻּתֵנוּ בַּמִּדְבָּר:

Lembrando o Pior. Alguns israelitas foram capazes de relembrar aquele dia, já distante, quando rejeitaram, no começo, a missão de Moisés, antes dos vários sinais convincentes que ele apresentara, e que convenceram, primeiramente os anciãos do povo, e, então, o povo em geral. Ver Êxodo 5.21 e 6.9. Eles esqueceram-se, convenientemente, da admiração que os tinha levado a *adorar* a Yahweh, o Deus operador de prodígios (Êx 12.27). E acusaram Moisés de havê-los *enganado*. Se ele fosse sábio a metade do que fingia ser, teria sido capaz de prever a calamidade que acabaria atingindo os filhos de Israel.

"A repreenda era injusta e desmerecida, mas faz parte da natureza humana lançar tais repreensões em tempos de perigo ou dificuldades" (Ellicott, *in loc.*).

■ 14.13

וַיֹּאמֶר מֹשֶׁה אֶל־הָעָם אַל־תִּירָאוּ הִתְיַצְּבוּ וּרְאוּ
אֶת־יְשׁוּעַת יְהוָה אֲשֶׁר־יַעֲשֶׂה לָכֶם הַיּוֹם כִּי אֲשֶׁר
רְאִיתֶם אֶת־מִצְרַיִם הַיּוֹם לֹא תֹסִפוּ לִרְאֹתָם עוֹד
עַד־עוֹלָם:

Este versículo brinda-nos com uma das mais admiráveis declarações do livro de Êxodo: *Não temais; aquietai-vos e vede o livramento do Senhor que hoje vos fará...*

Em cada vida há momentos em que nada resolve, senão uma *intervenção divina*. Ocasionalmente, todas as pessoas atingem esse ponto quando falham os recursos pessoais e até mesmo os recursos de outras pessoas. A salvação não descansa, finalmente, naquilo que somos e podemos fazer, pois só se satisfaz com o poder da redenção. Algumas vezes, a intervenção divina ocorre dentro dos acontecimentos históricos, conforme se vê no presente caso, quando toda uma nação se viu envolvida. Mas a intervenção divina também ocorre na vida dos indivíduos. Se quisermos *crescer*, usualmente somos forçados a fazer coisas por nós mesmos, de acordo com os recursos que tivermos desenvolvido, usando nossa razão e inteligência, nossa capacidade de planejar e nossas energias. No mais das vezes, entretanto, o próprio "eu" fala, e os recursos humanos são inadequados. E é *então* que ocorre a intervenção divina.

> Quando Israel saiu da escravidão,
> Havia diante deles um mar;
> O Senhor estendeu sua poderosa mão,
> E fez rolar o mar para trás.
>
> H. J. Zelley

Hoje. Assim diz o texto. O exército egípcio aproximava-se rapidamente, parecendo tão ameaçador. Mas "hoje" mesmo tudo aquilo terminaria. Nunca mais os filhos de Israel veriam aqueles rostos distorcidos, aquelas ameaças, aquela brutalidade. "Hoje" é o dia da redenção. Sim, naquele mesmo dia, aquele exército feroz seria reduzido a uma massa de cadáveres a boiar nas águas revoltas e lamacentas (vs. 30).

■ 14.14

יְהוָה יִלָּחֵם לָכֶם וְאַתֶּם תַּחֲרִישׁוּן: פ |HB V14|

O Senhor pelejará por vós. O nome divino aqui usado é *Yahweh*. Moisés convidou os israelitas a esperar por um milagre, que aconteceria naquele mesmo dia. Foram palavras extremamente animadoras, talvez fáceis de ser ditas, mas que somente o poder divino poderia concretizar. Uma das grandes frustrações espirituais com que um homem espiritual pode defrontar-se é a sua própria impotência. Ele profere palavras grandiosas de poder espiritual, mas vê tão pouca coisa acontecendo. Se sinais e milagres não devem ser buscados por causa da excitação que eles proveem —pois a espiritualidade é muito mais do que isso —, um *milagre* bem colocado aumenta nossa fé e nossas forças espirituais. O *registro* da ocorrência nos confere fé. Por quantas vezes o Senhor providencia em nosso favor, de maneira significativa e especial. Israel podia olhar para trás e ver quantas pragas miraculosas tinham-nos livrado do Egito. Seria demais esperar *mais um* milagre? No entanto, de cada vez em que *mais um* milagre tem lugar, somos apanhados de surpresa. É verdade que soltamos um "aleluia!" em voz alta, mas, logo depois de despertada, nossa fé volta à sua normalidade, e novamente começamos a esperar, não muito encorajados.

TRAVESSIA DO MAR (14.15-25)

O Milagre Estava Prestes a Ocorrer. Chegara o tempo determinado por Deus (Jo 7.8). O grande momento não tardaria mais; o êxodo se tornaria irreversível. Muitos perigos ameaçariam o povo de Israel, antes que ele entrasse na Terra Prometida. Mas agora o *Egito* se tornaria algo do passado. O prolongado exílio chegara ao fim, a servidão sobre a qual Abraão tinha sido avisado (Gn 15.13). Os eventos no mar de Juncos foram uma intervenção histórica do poder de Deus, e isso garantia a posse final da Terra Prometida e o cumprimento do Pacto Abraâmico (ver as notas a respeito em Gn 15.18). No tempo certo, o Messias surgiria dentre a tribo de Judá, e assim as provisões do pacto haveriam de envolver os gentios, e grandes dimensões espirituais se tornariam uma realidade adicionada ao Pacto Abraâmico (ver Gl 3.14 ss.).

A natureza, a história e o poder de Deus aliaram-se às margens do mar de Juncos. Deus opera através da história; ele age por meio da natureza; mas também opera acima de ambas essas coisas, oferecendo-nos surpresas vindas das suas mãos. O evento remidor do mar de Juncos tornou-se a base mesma da existência da nação de Israel. Foi um acontecimento poderoso e espantoso. Esse evento foi, para o Antigo Testamento, o que Jesus, o Cristo, foi para o Novo Testamento — um ato revelador e redentor de Deus. Sim, porque Deus conferiu tão grande graça aos homens.

■ 14.15

וַיֹּאמֶר יְהוָה אֶל־מֹשֶׁה מַה־תִּצְעַק אֵלָי דַּבֵּר
אֶל־בְּנֵי־יִשְׂרָאֵל וְיִסָּעוּ:

Dize aos filhos de Israel que marchem. Eles estavam clamando; mas deviam entrar em ação! Devemos orar sem cessar (1Ts 5.17), mas há momentos em que a ação é mais importante do que a oração, pelo menos *naquele* momento. De outras vezes, a *resposta* já nos foi dada. Mas em nossa miopia, não a vemos ainda. No caso que ora consideramos, o poder de Deus estava *presente*, já tinha entrado em *operação*. Agora, o que se fazia mister era que Israel marchasse para atravessar o mar de Juncos. Quando molhassem seus pés, então o ato miraculoso de Deus se tornaria evidente e operante.

Uma excelente citação de George Meredith ilustra este texto: "Quando o homem fica convencido de que está fazendo o que Deus mandou, quanto pode esperar que as forças naturais obedeçam à sua vontade? Duas respostas religiosas têm sido dadas a essa pergunta. No decorrer da história, santos têm crido que, sob a inspiração divina, há *ocasiões* em que são capacitadas a alterar e mesmo vencer o curso da natureza. E em todos os séculos sempre houve aqueles que acreditam que as leis da natureza são constantes, não havendo *exceções* à regra nem mesmo para o crente, para melhor ou para pior, mesmo nos momentos mais críticos".

Ambas essas ideias, naturalmente, dizem uma verdade. E é a vontade de Deus, em sua graça, sabedoria e misericórdia, que determina o que ocorrerá em cada caso particular.

> Sentimos que nada somos, pois tudo és tu e em ti;
> Sentimos que algo somos, isso também vem de ti;
> Sabemos que nada somos — mas tu nos ajudas a ser algo.
> Bendito seja o teu nome — Aleluia!
>
> *The Human* Cry Alfred Lord Tennyson

14.16

וְאַתָּ֞ה הָרֵ֣ם אֶֽת־מַטְּךָ֗ וּנְטֵ֧ה אֶת־יָדְךָ֛ עַל־הַיָּ֖ם
וּבְקָעֵ֑הוּ וְיָבֹ֧אוּ בְנֵֽי־יִשְׂרָאֵ֛ל בְּת֥וֹךְ הַיָּ֖ם בַּיַּבָּשָֽׁה׃

E tu, levanta a tua vara. Ver o uso dessa vara de poder no caso das pragas de números um (Êx 7.19), dois (8.5,6), três (8.16,17), sete (9.22,23), oito (10.12,13), nove (10.21,22). Ver as notas a respeito em Êxodo 4.2. A vara usada por Moisés agora produziria, nas mãos de Deus, mais um prodígio necessário, a fim de concretizar a missão de redimir Israel do Egito.

Conta-se a história do rei Canuto, que superestimava os seus poderes. Ele mandou colocar o trono real na praia do mar, e sentiu-se ofendido diante da maré alta. E, então, gritou: "Tu, ó mar, ordeno-te que não avances mais meu reino adentro, nem ouses molhar os pés de teu soberano senhor". Mas o mar nem ouviu nem obedeceu à sua voz, e continuou a subir, pois era maré alta. Enquanto a água subia, o monarca, de súbito, parece ter adquirido maior sabedoria, e começou a convidar seus súditos a considerar o fraco e frívolo poder de um rei.

Essa é a diferença que faz quando Deus está ou não presente. Moisés, munido da vara conferida por Deus, alterava o rumo dos acontecimentos naturais.

Moisés, estendendo a vara por sobre as águas, esperou as consequências. Grandes coisas já tinham acontecido antes. O poder de Deus operaria e se mostraria suficiente para aquela causa que parecia perdida?

14.17

וַאֲנִ֗י הִנְנִ֤י מְחַזֵּק֙ אֶת־לֵ֣ב מִצְרַ֔יִם וְיָבֹ֖אוּ אַחֲרֵיהֶ֑ם
וְאִכָּבְדָ֤ה בְּפַרְעֹה֙ וּבְכָל־חֵיל֔וֹ בְּרִכְבּ֖וֹ וּבְפָרָשָֽׁיו׃

Endurecerei o coração dos egípcios. Por muitas vezes já topamos com alguma declaração equivalente, na narrativa sobre o êxodo. A ideia aqui salientada é a de corações perpetuamente empedernidos. Há notas expositivas completas sobre a questão do endurecimento do coração do Faraó em Êxodo 4.21, onde levo em conta os problemas teológicos envolvidos. Algumas vezes é dito que *Deus* endurecera o coração de Faraó; de outras vezes, que o próprio Faraó endurecia seu coração; e, ainda de outras vezes, é usada a voz passiva, o coração do Faraó *se endurecia*, sem que se determine o agente desse endurecimento. Nas notas sobre Êxodo 4.21 mostro referências bíblicas com esses três sentidos. Ver também Êxodo 14.4 quanto às razões desse contínuo endurecimento divino, elementos repetidos neste versículo. Yahweh haveria de ser *glorificado*, seu nome se tornaria bem conhecido, e o panteão egípcio seria lançado no descrédito. Dou notas sobre a palavra *glorificar*, em Êxodo 14.4 e 7.5. Ver também o gráfico nas notas sobre Êxodo 7.14, onde mostramos quais divindades egípcias foram derrotadas em cada uma das pragas.

O Faraó voltava agora à carga, momentaneamente, com sua estúpida ideia de subjugar Israel de qualquer maneira, pois não queria perder o concurso do trabalho escravo do povo de Israel, por razões econômicas e por mero orgulho. O embotamento do Faraó não tinha fim. Sua alma perturbada não conhecia descanso de seu desvario. Trata-se do quadro de um pecador impenitente, o qual, sem importar o quê, segue o seu curso insano. Muitos de nossos problemas só podem ser resolvidos mediante soluções divinamente dadas.

14.18

וְיָדְע֤וּ מִצְרַ֙יִם֙ כִּי־אֲנִ֣י יְהוָ֔ה בְּהִכָּבְדִ֖י בְּפַרְעֹ֑ה בְּרִכְבּ֖וֹ
וּבְפָרָשָֽׁיו׃

A Glória de Yahweh. A glória do Senhor estava em jogo, conforme este versículo repete, e o obstinado Faraó dava espaço para Deus mostrar a sua glória. Em sua arrogância, o rei havia afirmado não conhecer a Yahweh (Êx 5.2). As pragas do Egito tornaram bem conhecido o nome de Deus, e seu poder tornou-se dolorosamente óbvio. A *destruição* final, fatal e completa do exército egípcio, por meio das forças da natureza controladas por Deus, seria dada por um golpe definitivo. E, então, o panteão egípcio jazeria no pó e, juntamente com tais deuses, o Faraó e seus exércitos. Raiaria um novo dia, em que o nome de Yahweh se tornaria conhecido de mar a mar, tal como os raios do sol espantam as trevas que encobrem a terra. Sob a luz resplendente do sol, estaria Israel, definitivamente livre da servidão. A injustiça e a crueldade do Faraó desapareceriam nas sombras de uma memória distante.

14.19

וַיִּסַּ֞ע מַלְאַ֣ךְ הָאֱלֹהִ֗ים הַהֹלֵךְ֙ לִפְנֵי֙ מַחֲנֵ֣ה יִשְׂרָאֵ֔ל
וַיֵּ֖לֶךְ מֵאַחֲרֵיהֶ֑ם וַיִּסַּ֞ע עַמּ֤וּד הֶֽעָנָן֙ מִפְּנֵיהֶ֔ם וַֽיַּעֲמֹ֖ד
מֵאַחֲרֵיהֶֽם׃

O *anjo do Senhor* e a *coluna* de nuvem e fogo representavam ambos a presença de Yahweh, porquanto eram manifestações de sua presença e de seu poder. Ver no *Dicionário* os artigos intitulados *anjo; Coluna de Fogo e Nuvem* e *Teofania*. Deus dispõe de muitos agentes. "O mensageiro angelical passou da vanguarda para a retaguarda das hostes, a fim de proteger Israel dos egípcios que avançavam" (John D. Hannah, *in loc.*). "Tal como na noite da páscoa (Êx 12.42), Deus montou guarda sobre o seu povo" (J. Edgar Park, *in loc.*). As interpretações cristianizadoras fazem esse anjo ser uma manifestação do *Logos* nos dias do Antigo Testamento.

Os intérpretes judeus tentavam inutilmente identificar esse anjo. Alguns falavam sobre o anjo Miguel (como *Pirke Eliezer*, c. 42); e outros tinham outras opiniões. O Targum de Jonathan supre, neste ponto, vários ataques que Israel teria sofrido pela retaguarda, com dardos e flechas, mísseis inflamados de vários tipos, mas como a nuvem envolveu o povo de Israel, escondendo-os e camuflando-os de qualquer ataque eficaz. A proteção divina, de qualquer modo, é o tema deste versículo. Isso fazia parte da *providência de Deus* (ver as notas a respeito no *Dicionário*).

14.20

וַיָּבֹ֞א בֵּ֣ין ׀ מַחֲנֵ֣ה מִצְרַ֗יִם וּבֵין֙ מַחֲנֵ֣ה יִשְׂרָאֵ֔ל וַיְהִ֤י
הֶֽעָנָן֙ וְהַחֹ֔שֶׁךְ וַיָּ֖אֶר אֶת־הַלָּ֑יְלָה וְלֹא־קָרַ֥ב זֶ֛ה אֶל־זֶ֖ה
כָּל־הַלָּֽיְלָה׃

A Dupla Atuação. A nuvem se interpôs entre os dois grupos humanos. Para os egípcios, produziu trevas; para Israel, luz. E nenhum dos grupos podia passar para o lado do outro. Era uma *barreira divina*, eficaz e temível. Foi assim que Israel passou a noite, acampado em paz e segurança. Ver no *Dicionário* o artigo chamado *anjo da Guarda*. "A religião, tal como a ciência, toma as forças na vida que se estão desperdiçando, a fim de transformá-las em poder. Transforma a preocupação em oração; a depressão em humildade; o orgulho em ação de graças; transforma chamas devoradoras e fumaça em colunas de proteção ou em anjos guardiães" (J. Coert Rylaarsdam, *in loc.*).

A Divisão. Já pudemos observar as divisões divinas que permitiam que o Egito sofresse horrores, ao passo que Israel desfrutava de paz e segurança, no caso das dez pragas. Ver Êxodo 8.23; 9.4,26; 10.23 e 12.12,13.

14.21

וַיֵּ֨ט מֹשֶׁ֣ה אֶת־יָדוֹ֮ עַל־הַיָּם֒ וַיּ֣וֹלֶךְ יְהוָ֣ה ׀ אֶת־הַיָּ֡ם
בְּר֣וּחַ קָדִים֩ עַזָּ֨ה כָּל־הַלַּ֜יְלָה וַיָּ֥שֶׂם אֶת־הַיָּ֖ם לֶחָרָבָ֑ה
וַיִּבָּקְע֖וּ הַמָּֽיִם׃

Um forte vento oriental. Esse vento soprou durante a noite toda, como se fosse um tufão. Foi um fenômeno temível. Seu propósito foi o de dividir as águas em duas massas, preparando um caminho para Israel cruzar o mar de Juncos (ver as notas sobre Êx 13.18, onde as notas explanam por que devemos pensar no *mar de Juncos*, e não no *mar Vermelho*). Deus já havia usado ventos como seus agentes, como na praga dos gafanhotos. Os gafanhotos tinham sido trazidos pelo *vento oriental* (Êx 10.13), e em seguida foram removidos pelo *vento ocidental* (Êx 10.19). Ver as notas sobre Êxodo 10.13 quanto a uma explicação sobre o vento oriental. Naturalmente, devemos entender que se tratava de um vento soprado pelo poder de Deus. Não era um vento qualquer. Nenhum vento poderia fazer o que lemos aqui. Por essa razão, os céticos duvidam do relato inteiro. Algumas vezes, entretanto, Deus faz intervenção além de todas as nossas expectativas, que ultrapassam os poderes da natureza. Ver Salmo 66.6 e 106.9.

Explicações naturais são oferecidas pelos céticos e pelos estudiosos liberais. Abordei em parte essa questão, na introdução ao livro de Êxodo, seções segunda e sexta. Consideremos estes quatro pontos:

1. Quanto ao próprio êxodo, a ausência de registros egípcios contemporâneos tem levado alguns eruditos a supor que, se houve algum tipo de êxodo ou de êxodos do Egito, o texto não relata direito *como* isso sucedeu, nem *por quanto tempo*. Alguns eruditos pensam em migrações, violentas e não-violentas, quando populações semitas saíram dali em ondas, e não como um único acontecimento. O grande número de pessoas, sugerido em Números 1.46 (o que requer que pelo menos três milhões de pessoas estivessem envolvidas no êxodo), é considerado um número exagerado pelos tais.

2. O *modus operandi* miraculoso do êxodo, conforme os céticos e os liberais, seria adorno da parte de autores (ou compiladores) posteriores, que tomaram relatos sobre eventos naturais, injetando neles um elemento sobrenatural. Se uma saída ou mais de povos semitas do Egito teve lugar, com a ajuda de várias catástrofes naturais, acredita-se que tais coisas foram exageradas, assumindo proporções miraculosas ou mágicas, tal como vemos nos relatos que circundam as origens do povo grego, nos escritos de Homero. Ali, os deuses também tinham livre acesso às vidas humanas e controlavam os atos dos seres humanos. E os gregos tomavam muito a sério esses relatos, pois os escritos de Homero eram a Bíblia dos gregos.

3. Há um grande valor na *parábola* e na *alegoria* religiosa, mesmo quando incorporam mitos. Todos os estudiosos concordam quanto a esse ponto; mas alguns insistem em que algumas vezes acontecem coisas realmente grandiosas, que podem incluir um elemento miraculoso.

4. Os eruditos *conservadores* não veem nenhum problema com o fator miraculoso, e salientam que há períodos na história quando esse fator se faz mais evidente do que em outros, e, em nossos próprios tempos, ainda ocorrerão milagres da mais elevada ordem. O êxodo foi um importante período de crise na história de Israel, portanto atos especiais de Deus foram necessários naquele período. Os dias de Jesus também foram um tempo de crise para o mundo inteiro, e milagres especiais foram necessários para aquele tempo. Ver no *Dicionário* o artigo chamado *Milagres*, o qual mostra como esses milagres ainda continuam bem presentes entre nós. Ver na *Enciclopédia de Bíblia, Teologia e Filosofia* o artigo sobre *Satia Sai Baba*, um homem que faz *prodígios*, a despeito do que possamos pensar acerca de sua teologia e do que ele diz sobre si mesmo.

Exercendo Fé:
1. Algumas vezes, a fé consiste em confiar naquilo que é *verdadeiro* e *vital* à vida.
2. De outras vezes, a fé crê naquilo que não é verdadeiro, mas que se *faz* vital por *algumas* pessoas.
3. De outras vezes, a fé consiste em crer naquilo que não é histórica ou cientificamente verdadeiro, mas que tem *valor* como uma parábola ou alegoria.

Seja como for, tenha fé, pois sempre será melhor acreditar demais do que acreditar pouco. Isso não debilita a investigação, mas essa atitude pode ajudar-nos a não prejudicar as ovelhas às quais faltam sofisticação mental ou espiritual. Por outra parte, a verdade é uma aventura, portanto nos devemos aventurar, *se* tivermos de *avançar* no conhecimento, e não meramente extrair valor de vários tipos de fé. Nesse avanço, algumas vezes pode ser vantajoso que os *pioneiros* não apliquem certas formas de fé de que *outras pessoas* tenham necessidade.

■ 14.22

וַיָּבֹ֧אוּ בְנֵֽי־יִשְׂרָאֵ֛ל בְּת֥וֹךְ הַיָּ֖ם בַּיַּבָּשָׁ֑ה וְהַמַּ֤יִם לָהֶם֙ חֹמָ֔ה מִֽימִינָ֖ם וּמִשְּׂמֹאלָֽם׃

As águas lhes foram qual muro. O vento que soprara a noite inteira deixou uma estrada seca pela qual os israelitas fizeram a travessia. Esses muros, de um lado e de outro, eram elevados e pareciam ameaçadores, mas não prejudicavam aos que fizeram a travessia. Mas também tinham a sinistra tarefa de destruir o exército egípcio que por ali também avançaria. Dois muros, embora ameaçadores, *protegeram* a vereda, mediante a qual os filhos de Israel conseguiram escapar dos egípcios.

O Lago Timsah. Talvez a região do *mar de Juncos* (ver a respeito em Êx 13.18) contivesse muitas áreas pantanosas, com poças de água de pouca profundidade. É verdade que ventos fortes, algumas vezes, têm o poder de afastar temporariamente a água de algum lugar; e essa água volta ao seu lugar ao cessar a ventania. Estamos informados de que quase anualmente esse fenômeno tem lugar, quando sopram ventos da primavera vindos do golfo Pérsico, na maré alta. Os críticos veem nesse fenômeno, conhecido e comum, a base deste relato bíblico. O autor teria exagerado o fenômeno natural, transformando-o em um acontecimento miraculoso, por meio de sua vívida imaginação. Também sugerem que, enquanto Israel avançava terra seca adentro (conforme diz o relato bíblico), um exército egípcio viu-se atolado com seus cavalos e carros de guerra no meio do lamaçal! Ademais, ao retroceder a maré, parando o vento, a água voltou a fechar-se. Assim, águas rasas envolveram o exército atolado na lama. Apesar de não ter havido perdas de vida, conforme eles ainda dizem, a ação foi eficiente. Israel pôde prosseguir livre, ao passo que o exército egípcio ficou retido no meio da lama. Ver no vs. 21 quanto a meus vários comentários sobre a questão da natureza miraculosa *ou* quase miraculosa da narrativa, onde apresento minhas avaliações.

"A vitória divina alicerçou-se sobre um fenômeno natural" (*Oxford Annotated Bible, in loc.*). Os eruditos conservadores asseveram: "A vitória divina baseou-se sobre um fenômeno sobrenatural". Em meio às controvérsias, não deveríamos perder de vista o elemento mais importante: há redenção e livramento para os pecadores. Deus interveio na história, especialmente através da pessoa de Jesus Cristo, para prover redenção e livramento. Ver no *Dicionário* o artigo intitulado *Redenção*.

■ 14.23

וַיִּרְדְּפ֤וּ מִצְרַ֙יִם֙ וַיָּבֹ֣אוּ אַחֲרֵיהֶ֔ם כֹּ֚ל ס֣וּס פַּרְעֹ֔ה רִכְבּ֖וֹ וּפָרָשָׁ֑יו אֶל־תּ֖וֹךְ הַיָּֽם׃

Os egípcios, que os perseguiam. Foi uma perseguição insensata, pois levou o exército do Faraó precisamente à área perigosa, onde Yahweh estava realizando outro sinal prodigioso. Os egípcios nada haviam aprendido de todas as anteriores maravilhas destruidoras. Tinham mesmo esquecido seus queridos filhos primogênitos, que agora se decompunham em suas sepulturas. E em breve haveriam de juntar-se a eles na morte. Era chegada a hora da vingança final; mas mentes embotadas e destituídas de entendimento, embora previamente instruídas, nada percebiam.

■ 14.24

וַֽיְהִי֙ בְּאַשְׁמֹ֣רֶת הַבֹּ֔קֶר וַיַּשְׁקֵ֤ף יְהוָה֙ אֶל־מַחֲנֵ֣ה מִצְרַ֔יִם בְּעַמּ֥וּד אֵ֖שׁ וְעָנָ֑ן וַיָּ֕הָם אֵ֖ת מַחֲנֵ֥ה מִצְרָֽיִם׃

Na vigília da manhã. Ou seja, entre as 3 horas da madrugada e o alvorecer. Ver no *Dicionário* o verbete *Vigílias*.

Yahweh era o verdadeiro inimigo do Egito, e isso ficou provado por muitas vezes. Ver as notas em Êxodo 8.19 e 12.31,32. Mas o coração dos pecadores vive tão calejado que age contra aquilo que eles sabem. Sócrates supunha que o homem que *soubesse realmente* o que era melhor para ele jamais faria aquilo que lhe fosse prejudicial. Mas a experiência mostra que a conduta ética não segue o mero conhecimento das coisas. Os homens agem de modo contrário aos seus próprios interesses, devido à perversão de seu caráter. Existe certa tendência suicida, certo *impulso* interior que leva os homens a praticar muitas coisas próximas da loucura, e isso, algumas vezes, resulta em autodestruição.

Os Egípcios Cruzam o Mar no Escuro. Para Israel havia a luz divina, sob a forma da coluna de fogo. Mas o exército egípcio avançou em meio às trevas. Ver o vs. 20. Cf. outra derrota noturna dos egípcios em Êxodo 11.4,5.

Yahweh *perturbou* os egípcios conforme se lê no vs. 25. O *Targum de Jonathan* diz que a coluna de fogo projetou brasas vivas contra os egípcios, além de uma tremenda saraivada. O *Targum de Jerusalém* alude a toda espécie de tempestade que irrompeu da coluna, contra os egípcios. Artapano (Apud Euseb. *Praep. Evan.* 1.9 c. 27, par. 436) afirmou que Yahweh feriu-os por meio de raios, e muitos egípcios morreram no local.

■ 14.25

וַיָּ֗סַר אֵ֚ת אֹפַ֣ן מַרְכְּבֹתָ֔יו וַֽיְנַהֲגֵ֖הוּ בִּכְבֵדֻ֑ת וַיֹּ֣אמֶר
מִצְרַ֗יִם אָנ֙וּסָה֙ מִפְּנֵ֣י יִשְׂרָאֵ֔ל כִּ֣י יְהוָ֔ה נִלְחָ֥ם לָהֶ֖ם
בְּמִצְרָֽיִם׃ פ

O autor sagrado foi menos dramático do que os autores antigos que citamos acima, acerca de *como* Yahweh atacou os egípcios. Ele fez emperrar as rodas de seus carros de guerra, ao se atolarem e quebrarem na lama, de tal modo que os cavalos somente a custo podiam puxá-los. Assim, aqueles veículos, que davam tão nítida vantagem dos egípcios sobre os israelitas, acabaram sendo prejudiciais para os primeiros. Onde homens a *pé* podiam avançar, ainda que trabalhosamente, carros de combate e cavalos não podiam fazê-lo. Quem estava a pé podia avançar mais ligeiro do que os cavaleiros ou os que dirigiam os carros de combate.

Com seus carros de combate atolados na lama, subitamente os egípcios perceberam que Yahweh estava de novo contra eles, lutando ao lado de Israel. Entenderam que sua causa estava perdida, e tencionaram abandonar imediatamente a empreitada. Há projetos que precisam ser abandonados.

O Targum de Jonathan diz que as pedras da saraivada atingiram as rodas dos carros de guerra, despedaçando-as. Jarchi diz que fogo desceu do céu queimou as rodas.

OS EGÍPCIOS PERECEM NO MAR (14.26-31)

■ 14.26

וַיֹּ֤אמֶר יְהוָה֙ אֶל־מֹשֶׁ֔ה נְטֵ֥ה אֶת־יָדְךָ֖ עַל־הַיָּ֑ם וְיָשֻׁ֤בוּ
הַמַּ֙יִם֙ עַל־מִצְרַ֔יִם עַל־רִכְבּ֖וֹ וְעַל־פָּרָשָֽׁיו׃

A mão e a vara de Moisés novamente se estenderam, para que os muros de água do mar voltassem a fechar-se, tal como, pouco tempo antes, esse mesmo ato tinha feito abrir-se as águas do mar (vs. 16). Ver as notas sobre esse versículo acerca da vara de poder.

Israel já havia chegado do outro lado, em segurança; e foi *o poder de Yahweh*, e não alguma mudança na direção do vento que selou a sorte horrenda das forças egípcias. Se tudo fosse apenas um processo natural, seriam necessárias várias horas para que as águas voltassem ao seu lugar, talvez com a ajuda de um vento de direção contrária, como no caso dos gafanhotos (ver o vs. 21).

■ 14.27

וַיֵּט֩ מֹשֶׁ֨ה אֶת־יָד֜וֹ עַל־הַיָּ֗ם וַיָּ֨שָׁב הַיָּ֜ם לִפְנ֥וֹת
בֹּ֙קֶר֙ לְאֵ֣יתָנ֔וֹ וּמִצְרַ֖יִם נָסִ֣ים לִקְרָאת֑וֹ וַיְנַעֵ֧ר יְהוָ֛ה
אֶת־מִצְרַ֖יִם בְּת֥וֹךְ הַיָּֽם׃

Ao romper da manhã. Existe algo de profundamente significativo no fato de que a destruição do exército egípcio teve lugar quando ainda escuro (vss. 24), ao mesmo tempo em que a luz de Deus iluminava o povo de Israel, e, *ao romper da manhã*, tudo tinha voltado à calma. Israel, uma vez mais, fora livrado. O poder destruidor que os tinha perseguido, e isso pelo espaço de várias gerações, agora estava totalmente destruído. Temos aí um vívido e poético retrato da própria redenção da alma. Luz em meio às trevas; destruição em meio às trevas; paz, alegria e luz ao romper da manhã. Isso posto, Deus proveu um *novo dia*, uma nova era. Acabara de ser lançado um grande marco da história.

> Quando a noite termina e as sombras passam,
> E o alvorecer eterno expele os cuidados terrenos;
> No Lar de Deus, descansarei afinal...
>
> A. H. Ackley

O mar... retomou a sua força. E isso com efeitos devastadores para os militares egípcios. Os egípcios tentaram fugir, mas foi tudo em vão. O grande exército egípcio foi derrotado, sem que os israelitas tivessem tido de atirar contra eles uma única flecha. Assim, esse milagre destrutivo foi o mais potente de todos, chegando mesmo a ultrapassar, em poder de destruição, o golpe aplicado pelo anjo da morte, que em um único momento tirou a vida de todos os filhos primogênitos do Egito. Ver no *Dicionário* o verbete *Pragas do Egito*. Mas nossa curiosidade, se o Faraó pereceu ou não na ocasião, não é satisfeita. O que sabemos é que cessou, de uma vez por todas, a ameaça egípcia contra o povo de Israel, o qual, doravante, podia iniciar a conquista da Terra Prometida.

■ 14.28

וַיָּשֻׁ֣בוּ הַמַּ֗יִם וַיְכַסּ֤וּ אֶת־הָרֶ֙כֶב֙ וְאֶת־הַפָּ֣רָשִׁ֔ים לְכֹל֙
חֵ֣יל פַּרְעֹ֔ה הַבָּאִ֥ים אַחֲרֵיהֶ֖ם בַּיָּ֑ם לֹֽא־נִשְׁאַ֥ר בָּהֶ֖ם
עַד־אֶחָֽד׃

Embora já estivesse em terra seca e segura, o povo de Israel prosseguiu caminho, ao passo que os egípcios agonizavam, arrebatados pelas águas encrespadas do mar. Uma vez mais, pois, fora feita uma *distinção* entre o Egito e Israel. Ver as notas sobre Êxodo 14.20, último parágrafo. Josefo informa-nos de que o exército egípcio contava com cinquenta mil cavalarianos e duzentos mil infantes. Não sobrou um sequer deles. Os carros de combate que tinham usado, e que deveriam tê-los ajudado a obter a vitória, ficaram atolados na lama; e o armamento pesado que os soldados egípcios transportavam impediu que escapassem das águas que, de súbito, voltaram ao seu lugar. O próprio estratagema dos egípcios conduziu-os mais depressa à morte.

■ 14.29

וּבְנֵ֧י יִשְׂרָאֵ֛ל הָלְכ֥וּ בַיַּבָּשָׁ֖ה בְּת֣וֹךְ הַיָּ֑ם וְהַמַּ֤יִם לָהֶם֙
חֹמָ֔ה מִֽימִינָ֖ם וּמִשְּׂמֹאלָֽם׃

Este versículo reitera o que se lê no vs. 22, onde as notas expositivas a respeito devem ser examinadas, exceto pelo fato de que aqui é dito que a travessia de Israel, a pé enxuto, tinha sido um completo sucesso.

■ 14.30

וַיּ֨וֹשַׁע יְהוָ֜ה בַּיּ֥וֹם הַה֛וּא אֶת־יִשְׂרָאֵ֖ל מִיַּ֣ד מִצְרָ֑יִם
וַיַּ֤רְא יִשְׂרָאֵל֙ אֶת־מִצְרַ֔יִם מֵ֖ת עַל־שְׂפַ֥ת הַיָּֽם׃

Israel viu os egípcios mortos. Os cadáveres dos soldados egípcios flutuavam sobre as águas e foram lançados à praia, servindo de horrendo testemunho do poder de Yahweh, que assim pôs fim à arrogância do Egito. Quem quer que tenha contemplado a cena, sem dúvida, jamais pôde esquecê-la. O relato deveria ser transmitido de geração em geração; e assim, os israelitas de gerações futuras poderiam dizer: "Eu vi, porque meus antepassados viram".

Josefo ajunta que os israelitas se armaram com muitos instrumentos de guerra que os egípcios tinham trazido. Agora, pois, os israelitas estavam mais bem preparados para as muitas batalhas que os esperariam no seu futuro (*Antiq.* 1.2 c. 16, sec. 6).

■ 14.31

וַיַּ֨רְא יִשְׂרָאֵ֜ל אֶת־הַיָּ֣ד הַגְּדֹלָ֗ה אֲשֶׁ֨ר עָשָׂ֤ה יְהוָה֙
בְּמִצְרַ֔יִם וַיִּֽירְא֥וּ הָעָ֖ם אֶת־יְהוָ֑ה וַיַּֽאֲמִ֙ינוּ֙ בַּֽיהוָ֔ה
וּבְמֹשֶׁ֖ה עַבְדּֽוֹ׃ פ

Flutuando Junto com as Circunstâncias. Ainda recentemente, os israelitas murmuravam contra Moisés (Êx 14.10). As murmurações do povo de Israel tornaram-se um dos temas mais constantes deste livro e do de Números, conforme vemos nas referências daquele versículo. "O povo, com frequência, flutuava entre a confiança e o espírito queixoso, entre a fé e a incredulidade (Êx 4.31; 5.21; 14.10-12,31; 15.24; 16.2-4; 17.2,3)" (John D. Hannah, *in loc.*). Cf. a adoração referida neste versículo e aquela referida em Êxodo 12.27. Temor e admiração levaram a outro ato de confiança e a outra aceitação da autoridade e da missão de Moisés. Mas não seria a última vez em que Israel teria de ser *arrastado de volta* a essa atitude. Por antecipação, admiramo-nos de como a fé dos israelitas poderia novamente cair em decadência. Mas então examinamos a nossa própria fé e descobrimos a resposta. Grandes coisas do passado não nos garantem a fé no futuro. Não obstante, vamos crescendo sem parar.

CAPÍTULO QUINZE

HINO DE VITÓRIA (15.1-21)

Surpreendentemente, boa poesia tem caracterizado as raças humanas, antigas e modernas, as que vivem na barbárie e as civilizadas. De algum modo, o espírito humano é capaz de elevar-se acima de seus limites, quando a mente criativa é liberada nas composições poéticas. E mais surpreendente ainda é o fato de que mesmo cenas da maior violência sejam tão belamente descritas. Aquele que já leu obras de Homero maravilha-se diante da graça e da beleza de sua poesia, mesmo quando ele descreve as cenas mais bárbaras. Diante de nós, pois, temos esse tipo de poesia. Yahweh, o grande Destruidor, reduziu a nada o inimigo de Israel, e, em meio a grande matança, livrou o seu povo e exaltou o seu nome. Sócrates observou a habilidade e inspiração dos poetas, mas queixou-se de que, quando queria explicar seus *discernimentos*, com frequência, eles se mostravam mais deficientes do que qualquer pessoa que lesse as suas linhas. A mente humana é capaz de inspiração e transcendência, e a poesia é um dos meios pelos quais essa inspiração e transcendência recebem expressão. Assim também na Bíblia, um livro inspirado pelo Espírito de Deus, não nos deveríamos admirar ao achar ótimos exemplares de obras poéticas.

O poema diante de nós é espontâneo e afogueado, mas exibe considerável planejamento e habilidade literária. Ensina a regra universal de Yahweh e como o povo de Israel achou posição privilegiada por andar segundo essa regra. O poema é uma espécie de hino que se tornou grande expressão de louvor e fervor religioso.

"A ode distingue-se de composições similares posteriores por meio de sua grande simplicidade de linguagem, e de um arranjo mais livre de arranjo rítmico. Temos ali o usual *paralelismo de cláusulas* da poesia dos hebreus, com suas três variedades de estilo antitético, sintético e sinônimo. Mas a cadência regular da composição é interrompida por uma frequência incomum de estâncias em tríadas, e o paralelismo é menos exato do que aquele que se vê em tempos posteriores" (Ellicott, *in loc.*).

"Antigas histórias poéticas comemoravam grandes e extraordinárias demonstrações de providência, de coragem, de força, de fidelidade, de heroísmo e de piedade" (Adam Clarke, *in loc.*).

"Os gemidos e clamores dos israelitas (Êx 14.10-12) transmutaram-se em adoração, conforme foram conduzidos por Moisés (Êx 15.1-18), e pela sua irmã, Miriã (vss. 19-21), em louvores triunfais ao Senhor" (John H. Hannah, *in loc.*).

15.1

אָז יָשִׁיר־מֹשֶׁה וּבְנֵי יִשְׂרָאֵל אֶת־הַשִּׁירָה הַזֹּאת לַיהוָה וַיֹּאמְרוּ לֵאמֹר אָשִׁירָה לַיהוָה כִּי־גָאֹה גָּאָה סוּס וְרֹכְבוֹ רָמָה בַיָּם׃

Então entoou Moisés. O poema, na verdade, é um hino. São aqui combinados dois cânticos, ambos celebrando o livramento de Israel por intervenção de Yahweh, diante do mar de Juncos (cap. 14). O cântico de Moisés (vss. 1-18) foi introduzido mediante a citação de um antigo cântico de Miriã (vs. 21).

Há *três* cânticos atribuídos a Moisés no Antigo Testamento. Este, o de Deuteronômio 31.22 e o Salmo 90. "Os deuses das nações pagãs continuavam sendo concebidos como existentes (nas mentes dos pagãos), mas Yahweh mostrava-se superior a todos eles quanto ao poder. Temos aí um grande passo na direção da fé que só aceita a existência de um Deus verdadeiro (vs. 11). Tal como todos os cânticos patrísticos, este poema fala sobre triunfos nacionais" (J. Coert Rylaarsdam, *in loc.*).

O cântico começa comemorando o principal fato destacado no capítulo 14: o exército egípcio foi derrotado e destruído no mar, mediante um poderoso ato de Yahweh. Ver as notas sobre Êxodo 12.26 ss. quanto a descrições.

Uma completa redenção tipificada no livramento efetuado no mar de Juncos, e celebrada neste hino, exalta o livro de Êxodo como um hino de redenção, ensinando-nos várias lições:

1. A redenção deve-se inteiramente a Deus (Êx 3.7,8; Jo 3.16).
2. A redenção é efetuada pelo poder de Deus (Êx 6.6; 13.14; Rm 8.2).
3. A redenção é feita mediante o sangue (Êx 12.13,23,27; 1Pe 1.18,19).
4. Tudo isso nos faz lembrar da redenção que há em Cristo (Rm 8.2; Ef 2.2).

Ver no *Dicionário* o verbete chamado *Redenção*. Cristo também nos livrou de um adversário temível, o diabo.

Tertuliano alegorizou esta passagem, fazendo os egípcios representar os inimigos espirituais que os crentes precisam enfrentar durante sua vida neste mundo; o Faraó seria o deus falso; os cavalarianos do Faraó seriam o poder de Satanás; os inimigos de Israel, os inimigos da alma (*Contr. Marcion.* 1.4 c. 20).

15.2

עָזִּי וְזִמְרָת יָהּ וַיְהִי־לִי לִישׁוּעָה זֶה אֵלִי וְאַנְוֵהוּ אֱלֹהֵי אָבִי וַאֲרֹמְמֶנְהוּ׃

Achamos aqui uma citação extraída de Isaías 12.2 e de Salmo 118.14, embora alguns estudiosos afirmem que o que se deu foi precisamente o contrário, porquanto tentam assim preservar a data mais antiga do livro de Êxodo. Os críticos acham nisso outra razão para datarem o livro de Êxodo (e todo o resto do Pentateuco) em uma data posterior.

Este é o meu Deus... o Deus de meu pai. Um paralelismo, típico da poesia hebraica. *Yahweh* tinha derrotado todo o panteão do Egito, conforme ilustrei no gráfico das notas sobre Êxodo 7.14. Vemos ali que cada praga atingiu certos deuses falsos dos egípcios. Desse modo, Yahweh é celebrado no cântico. E ele também era o mesmo Deus dos patriarcas. Ver sobre isso em Êxodo 3.6,13,15; 4.5. Ver também Gálatas 4.6.

Ele me foi por salvação. Originalmente, a ideia é que Deus livrara os israelitas do poder do Faraó, estando em foco o livramento do exílio egípcio, a preservação de Israel no episódio do mar de Juncos, o tema mesmo do capítulo 14 do livro de Êxodo.

Os filhos de Israel entraram pelo meio do mar em seco; e as águas lhes foram qual muro à sua direita e à sua esquerda. Os egípcios, que os perseguiam, entraram atrás deles...
Voltando as águas, cobriram os carros e os cavalarianos de todo o exército de Faraó.

Êxodo 14.22,23,28,31

E Israel viu o grande poder que o Senhor exercitara... e confiaram no Senhor.

REDENÇÃO

- Definida: 1Co 6.20
- Por Cristo: Mt 20.28; Gl 3.13
- Por seu sangue: At 20.28
- Da ligação da lei: Gl 4.5
- Da praga da lei: Gl 3.13
- Do poder do túmulo: Sl 49.15
- Para justificação: Rm 3.24
- Para adoção como filhos: Gl 4.4,5
- Ela [a redenção] é preciosa: Sl 49.8
- Para transformação à imagem de Cristo: Rm 8.29
- Para participação na natureza divina: 2Pe 1.4

Somente mais tarde, já no tempo dos Salmos e dos Profetas, foi que a salvação da alma passou a ser expressa pela teologia dos hebreus. Ver no *Dicionário* o artigo intitulado *Salvação*.

Portanto, eu o louvarei. No coração, nas reuniões da assembleia de Israel, em lugares especiais de culto. Jarchi e vários Targuns dão esse sentido de louvor a essas palavras, o que transparece em muitas traduções modernas. Mas Onkelos e Aben-Ezra falam em "preparar uma habitação para Yahweh". É verdade que o original hebraico pode suportar essa tradução. Mas a regra de paralelismo, na poesia dos hebreus, favorece a tradução que temos aqui, porquanto isso faz paralelo com a ideia de "exaltação", que aparece no fim deste versículo.

15.3

יְהוָה אִישׁ מִלְחָמָה יְהוָה שְׁמוֹ׃

Homem de guerra. Moisés usou aqui uma metáfora militar. Foi *Yahweh* quem produziu os milagres de destruição (ver o artigo *Pragas do Egito*, no *Dicionário*); foi Yahweh quem, no mar de Juncos, fez o exército egípcio perecer, e levou Israel a atravessar o mar a pé enxuto. Assim sendo, Yahweh é um guerreiro que confere vitória ao seu povo, em tempos de aflição.

"...o *homem* não participa ativamente *nessa* vitória" (Adam Clarke, *in loc.*). Ver no *Dicionário* os artigos chamados *Yahweh* e *Deus, Nomes Bíblicos de*. Foi Yahweh quem se tornou conhecido por causa dos prodígios efetuados no Egito, embora o Faraó tivesse dito que não o conhecia (Êx 5.2), mas que acabou conhecendo de forma forçada (Êx 7.5).

A Septuaginta diz aqui "esmagador de guerra", e o Pentateuco Samaritano diz "poderoso em batalha". Cf. Salmo 24.8.

Os intérpretes cristãos fazem-nos meditar sobre o trecho de Efésios 6.10, onde Paulo elabora uma metáfora militar e aplica a questão aos conflitos do crente com as forças do mal, externa e internamente, bem como alude à vitória que obtemos em Cristo, o qual é nosso Comandante.

■ 15.4

מַרְכְּבֹת פַּרְעֹה וְחֵילוֹ יָרָה בַיָּם וּמִבְחַר שָׁלִשָׁיו טֻבְּעוּ בְיַם־סוּף׃

Os vss. 4-10 recitam os feitos poderosos de Yahweh no mar de Juncos. Ver Salmo 78.12,13. Este versículo comemora o que foi descrito em Êxodo 14.17,24-28. A expressão já havia aparecido como introdução ao hino-poema, no vs. 1 deste capítulo. Os dez prodígios libertadores foram todos grandes em seus efeitos, visando ao bem comum. Mas o clímax de todos esses prodígios foi a intervenção divina no mar de Juncos, pelo que esse é o item mais celebrado neste poema. Cf. Apocalipse 1.18. Ver Êxodo 14.7 quanto aos "capitães". A *elite* das forças armadas do Faraó pereceu porque estava resolvida a realizar uma missão desvairada, que somente Yahweh era capaz de fazer estancar.

■ 15.5

תְּהֹמֹת יְכַסְיֻמוּ יָרְדוּ בִמְצוֹלֹת כְּמוֹ־אָבֶן׃

Desceram às profundezas. Embora o mar de Juncos (ou, então, os lagos Timsah ou Bilah) fosse pouco profundo, e embora fosse chamado de *mar*, suas águas, mediante um "fiat" divino, elevaram-se formando muros (Êx 14.22,28). Poeticamente, as águas rasas do mar de Juncos são comparadas às profundezas do *sheol*, ameaçando morte e destruição, temível para os que ali se viram mergulhados. Ver as notas sobre Êxodo 13.18 quanto ao *mar de Juncos*, e não *mar Vermelho* (uma variante introduzida pela Septuaginta). "...como uma pedra de moinho, foram tomados por um anjo e lançados no mar, sofrendo ruína irrecuperável" (John Gill, *in loc.*). Cf. Apocalipse 18.21.

■ 15.6

יְמִינְךָ יְהוָה נֶאְדָּרִי בַּכֹּחַ יְמִינְךָ יְהוָה תִּרְעַץ אוֹיֵב׃

A tua destra. A mão que representa poder e posição de honra, uma metáfora comum nas Escrituras. Ver Êxodo 15.12; Salmo 16.8,11; 18.35; 21.6; 45.4; 73.23; 110.1; Mateus 25.34; 26.64; Colossenses 3.1; Hebreus 1.3; 1Pedro 3.22; Apocalipse 1.16.

Yahweh, o homem de guerra (vs. 3), o Deus dotado da poderosa mão direita, aponta para uma metáfora antropológica. Ver no *Dicionário* o artigo *Antropomorfismo*.

■ 15.7

וּבְרֹב גְּאוֹנְךָ תַּהֲרֹס קָמֶיךָ תְּשַׁלַּח חֲרֹנְךָ יֹאכְלֵמוֹ כַּקַּשׁ׃

Yahweh exibiu seu poder no Egito, mediante as dez pragas (ver no *Dicionário* o artigo *Pragas do Egito*), e também no mar de Juncos. Ele espalhou destruição e assim livrou Israel de sua longa servidão aos egípcios. Foi depois de libertados que puderam iniciar sua marcha de volta à Terra Prometida. Nenhum homem poderia ter feito isso. Este versículo introduz, em termos gerais, o que se segue, de forma detalhada, nos vss. 8 ss. A ira do Senhor reduziu os formidáveis inimigos de Israel a nada, como se fossem restolho ou palha, que os israelitas tinham usado na massa para fabricar tijolos no Egito.

Elementos Enumerados:
1. Surgimento súbito dos ventos, uma força eficaz (vs. 8).
2. As águas acumulam-se em montões (vs. 8).
3. A arrogância dos egípcios não demoraria a ser humilhada (vs. 8).
4. Um segundo vento começa a soprar (vs. 9).
5. A volta das águas ao seu lugar, o que destruiu o exército egípcio (vs. 6).

Cf. Isaías 27.4; 51.24; Apocalipse 6.17.

■ 15.8

וּבְרוּחַ אַפֶּיךָ נֶעֶרְמוּ מַיִם נִצְּבוּ כְמוֹ־נֵד נֹזְלִים קָפְאוּ תְהֹמֹת בְּלֶב־יָם׃

O Vento Oriental É Mencionado (Êx 14.21). Foi como um grande resfolegar das narinas de Yahweh, o qual demonstrou sua ira como se fosse um cavalo de batalha a relinchar. Ver Salmo 18.15. Houve algo de extraordinário naquele vento oriental, algo diferente de todo vento oriental que já havia soprado. Aquele vento foi impulsionado pelo poder de Deus. Tinha uma missão especial a realizar. Tal vento tinha um poder elevador e congelador, de tal modo que as águas se tornaram meio de escape para Israel, mas meio de destruição para o exército egípcio. Cf. 2Tessalonicenses 2.8 no tocante ao esperado anticristo. Ver também Hebreus 3.10. Encontramos aqui mais antropomorfismos poéticos. Ver no *Dicionário* o verbete chamado *Antropomorfismo*.

■ 15.9

אָמַר אוֹיֵב אֶרְדֹּף אַשִּׂיג אֲחַלֵּק שָׁלָל תִּמְלָאֵמוֹ נַפְשִׁי אָרִיק חַרְבִּי תּוֹרִישֵׁמוֹ יָדִי׃

O inimigo dizia. Os egípcios tinham-se mostrado arrogantes ao tentarem cumprir sua desvairada missão destruidora. Ver Êxodo 14.6 ss. Em pouquíssimo tempo já haviam esquecido todas as perdas que tinham sofrido. Israel tinha saído do Egito com muitas riquezas, quase todas *doadas* pelos egípcios (Êx 3.22; 11.2; 12.35,36). Antes, o povo de Israel estava reduzido à condição de escravo, mas tinha partido do Egito *enriquecido*. O arrogante exército egípcio, porém, saiu atrás dos israelitas, inclinado a matar e saquear. Ao avistarem o exército egípcio, os israelitas tinham ficado transidos de medo, e se puseram a clamar e a queixar-se, a duvidar e a desesperar (Êx 14.10 ss.). Naquele momento, nenhum homem poderia tê-los salvado. Foi mister outra intervenção divina, sob pena de a causa de Deus ter-se visto frustrada.

LIBERTAÇÃO

Assim o Senhor livrou Israel naquele dia da mão dos egípcios; e Israel viu os egípcios mortos na praia do mar. E viu Israel o grande poder que o Senhor exercitara contra os egípcios; e o povo temeu ao Senhor, e confiaram no Senhor, e em Moisés, seu servo.

Êxodo 14.30,31

O canto do livre

Liberdade é o modo escrito
No céu, na terra e no mar!
Di-lo a fera no seu grito,
E as aves cruzando o ar;
Di-lo o vento da procela,
A vaga que se encapela
E nos espaços a estrela
Em seu contínuo girar.
Di-lo tudo! Mas ainda
Mais livre me criou Deus
Que os astros da altura infinda,
Os ventos e os escarcéus.
Eu tenho mais liberdade
Desta alma na imensidade,
Pois tenho nela a vontade,
Tenho a razão, luz dos céus.

Soares de Passos

Já esquecidos das perdas sofridas, os egípcios começaram a indignar-se, a ponto de desejarem destruir os israelitas. E enviaram seu exército com espadas desembainhadas, armados de dardos, seus cavalos resfolegando, seus carros de combate ribombando, seus soldados gritando por vingança.

■ 15.10

נָשַׁפְתָּ בְרוּחֲךָ כִּסָּמוֹ יָם צָלֲלוּ כַּעוֹפֶרֶת בְּמַיִם אַדִּירִים׃

Sopraste com o teu vento. A destruição foi súbita. Sem a mínima cautela, eles se lançaram às águas, seguindo Israel pela vereda em seco. De repente, porém, os muros de água desabaram sobre eles, e o vento soprou-os ao total esquecimento, e afundaram como chumbo ao fundo do mar. O poder de Yahweh manifestou-se nos ventos e nas águas, e *esse* poder avassalou e destruiu totalmente o inimigo. Nenhum homem poderia ter feito tal coisa. Cf. essa destruição súbita com o quadro profético sobre o fim (1Ts 5.3). O sopro do vento, que fez as águas desabar sobre os egípcios, não foi mencionado no relato do capítulo 14, mas ajusta-se bem a ele, tal como no caso da praga dos gafanhotos, quando o vento oriental soprou e trouxe os gafanhotos, e, então, soprou o vento ocidental, e os levou para o mar (Êx 10.13,19).

Afundaram-se como chumbo. Um testemunho pessoal, dito por alguém que ficara impressionado diante da cena (vs. 5). Quão inesperadamente tudo sucedeu! Cf. Apocalipse 18.21.

■ 15.11

מִי־כָמֹכָה בָּאֵלִם יְהוָה מִי כָּמֹכָה נֶאְדָּר בַּקֹּדֶשׁ נוֹרָא תְהִלֹּת עֹשֵׂה פֶלֶא׃

Ó Senhor. Yahweh havia derrotado todo o panteão egípcio nas dez pragas, e, uma vez mais, no mar de Juncos. Ver o gráfico nas notas sobre Êxodo 7.14, que ilustra como cada praga humilhou uns tantos deuses ou deusas do Egito. Alguns pensam que aqui *deuses* são mencionados como divindades reais, posto que inferiores, sobre cujos poderes triunfou Yahweh, o verdadeiro Deus. Mais provavelmente, temos aqui uma expressão da consciência monoteísta, de acordo com a qual esses deuses eram apenas imaginários, figuras fictícias criadas pelos homens. Ver no *Dicionário* os artigos chamados *Deuses Falsos; Monoteísmo* e *Providência de Deus.* É patente que Deus fez sua providência prevalecer durante todo o episódio.

"Este segmento do hino (vss. 11,12) aparece sob a forma de uma *indagação negativa,* um artifício litúrgico comum (cf. Sl 35.10; 71.19; 89.7-9; 113.5,6). Estes versículos revelam como a fé generalizara o evento sobre o qual repousa. Visto que Yahweh se mostrara Senhor de Faraó, ele está acima de todos os *deuses*" (J. Coert Rylaarsdam, *in loc.*).

Glorificado em santidade. A ênfase recai sobre o aspecto moral. O Faraó e suas hostes serviram de emblemas dos tiranos cruéis e barbáricos que, por tanto tempo, cometeram injustiças contra o povo de Deus. Foi apenas apropriado, pois, que a *ira de Deus* (ver a esse respeito no *Dicionário*) retificasse, finalmente, toda a questão. Cf. Salmo 86.8.

Maravilhas. As dez *pragas destruidoras* e o golpe definitivo do mar de Juncos, exterminando o exército egípcio. Israel tinha confiado no poder miraculoso de Deus. Ocasionalmente, Deus fazia intervenção em favor de Israel, como medidas necessárias, a fim de dar livramento ao seu povo.

Deus pode fazer melhor certas coisas através do julgamento do que através de qualquer outro meio. Contudo, esses juízos são medidas remediadoras: sempre têm algum propósito benéfico em mente, como atos disciplinadores severos e duros. A cruz do Calvário também foi um juízo, severo e terrível, mas visando a um *bom propósito,* de alcance universal. É o que acontece a todos os juízos impostos por Deus. Até mesmo a descida de Cristo ao hades teve um bom propósito. Ver na *Enciclopédia de Bíblia, Teologia e Filosofia* o artigo *Descida de Cristo ao Hades.* Ver no *Dicionário* o verbete *Julgamento de Deus dos Homens Perdidos.*

■ 15.12

נָטִיתָ יְמִינְךָ תִּבְלָעֵמוֹ אָרֶץ׃

Estendeste a tua destra. O braço de Deus é todo-poderoso. Ver as notas sobre o vs. 6 deste capítulo quanto à *destra* ou mão direita de Deus, a mão que representava poder, privilégio, provisão e glória. A *terra* tragou os egípcios, talvez uma referência ao *sheol* (ver sobre esse lugar no *Dicionário*), ou à sepultura, lugar de total destruição. Em outras palavras, do fundo do mar, eles passaram para o *sheol*. Contudo, não é provável que devamos ver aqui uma alusão direta a essa prisão da alma, naquele período tão remoto. Mais tarde, entre os israelitas, concebia-se que as almas vão para o *sheol*, por ocasião da morte física. Essa doutrina passou por um desenvolvimento, o que sucede à maior parte das proposições teológicas, conforme fica demonstrado naquele artigo. É provável que devamos entender aqui que a destruição total, iniciada pelas águas, terminou quando a terra do fundo do mar tragou os cadáveres dos egípcios como sua sepultura final. A metáfora é um tanto desajeitada, embora muito poderosa e impressionante.

Alguns estudiosos veem aqui um acontecimento *físico,* e não um quadro metafórico acerca do *sheol*. Nesse caso, teria havido um terremoto, que abriu uma fenda na terra, para onde desceram os cadáveres dos soldados egípcios. Ou, então, as águas do mar finalmente levaram seus corpos até a praia, e, então, eles foram sepultados por outros em valas comuns. Parece que o Salmo 77.18 indica que houve um terremoto associado ao evento, ou, então, também devemos entender metaforicamente todas essas descrições. Ou algo tão simples como o *lodo* do fundo do mar pode estar em foco. Esse lodo recebeu os cadáveres, como se fosse sepultura. Ou, finalmente, as *próprias águas* do mar são aqui pintadas como *se fossem* sepulcros, porquanto tiveram essa função, na ocasião.

■ 15.13

נָחִיתָ בְחַסְדְּךָ עַם־זוּ גָּאָלְתָּ נֵהַלְתָּ בְעָזְּךָ אֶל־נְוֵה קָדְשֶׁךָ׃

Guiaste o povo. Vemos aí o amor benevolente de Deus, em favor de Israel, ao mesmo tempo em que os ofensores egípcios pereceram em seus sepulcros de água. Ver no *Dicionário* o verbete chamado *Amor*. A mensagem do Novo Testamento é superior: "Deus amou o mundo de tal maneira..." (Jo 3.16). O livro de Jonas é o João 3.16 do Antigo Testamento. Para Deus, os pagãos pareciam importantes o suficiente para ele ter-lhes enviado um profeta de Israel; e até os rebanhos da Assíria eram importantes aos seus olhos (Jn 4.11). Por outro lado, a ira de Deus é um dedo de sua mão amorosa, conforme explico nas notas sobre o vs. 11, acima. Se a missão de Cristo alcançou os *desobedientes* dos dias de Noé, sem dúvida também alcançou os desobedientes e arrogantes do Egito. Ver 1Pedro 3.18—4.6 e o artigo intitulado *Descida de Cristo ao Hades,* na *Enciclopédia de Bíblia, Teologia e Filosofia*.

Que salvaste. Naquele período tão remoto, estava em foco, acima de tudo, a libertação de Israel da servidão egípcia, e a subsequente entrada na Terra Prometida. O acontecimento histórico, porém, tornou-se um tipo de redenção espiritual. Ver no *Dicionário* o artigo *Redenção*.

... o levaste à habitação da tua santidade. Os filhos de Israel foram conduzidos por Deus da servidão no Egito à liberdade. A redenção foi *de* um estado *para* outro, tal como a redenção espiritual é da servidão ao pecado para a salvação eterna da alma.

Habitação da tua santidade. Um termo um tanto vago aqui e que tem recebido diversas interpretações:

1. Aquele lugar, no deserto ou em *qualquer* outra localização, onde os homens viessem a adorar, sentindo a presença de Deus: o lugar de adoração e ação de graças.
2. Ou está em foco a inteira *Terra Prometida*, como uma referência metafórica. Ver Salmo 78.54; Jeremias 10.25; 25.30.
3. Ou, então, está em pauta, especificamente, o *monte Sião,* o que poderia ser uma visão retroativa, por parte do autor sagrado, que tinha consciência do que viria após a vagueação no deserto. O vs. 17 deste capítulo certamente sugere essa interpretação. Alguns eruditos aceitam essa terceira interpretação, mas pensando que temos aqui uma *profecia* do que ainda viria a acontecer. Ver Salmo 78.6-69. Mas, se temos aqui uma visão retroativa, então a forma final do poema só teve lugar nos dias de Salomão.

■ 15.14

שָׁמְעוּ עַמִּים יִרְגָּזוּן חִיל אָחַז יֹשְׁבֵי פְּלָשֶׁת׃

As notícias se espalhariam, lançando o terror no coração dos inimigos de Israel. O próprio povo de Israel quedou-se admirado e temeroso, diante das obras de Yahweh.

Os povos. Muito provavelmente, temos aqui menção às tribos cananeias que habitavam na Palestina, conforme são alistadas em Êxodo 13.5 e outros trechos bíblicos. Ver as notas expositivas nessa referência. O autor sagrado escreveu tendo em vista a futura conquista da Terra Prometida; ou, então, olhando de volta a ela. Conforme alguns eruditos, ele sabia da conquista da Palestina, portanto este versículo seria pós-mosaico. Ou então, segundo outros insistem, ele previu, profeticamente, essa conquista, em consonância com o Pacto Abraâmico (Gn 15.16). O *Pacto Abraâmico,* comentado em Gênesis 15.18, prometia um território pátrio para Israel.

■ 15.15

אָז נִבְהֲלוּ אַלּוּפֵי אֱדוֹם אֵילֵי מוֹאָב יֹאחֲזֵמוֹ רָעַד נָמֹגוּ כֹּל יֹשְׁבֵי כְנָעַן׃

Ouvindo falar sobre o escape miraculoso de Israel da servidão egípcia, os habitantes da Palestina ficariam *predispostos* a temer (Dt 2.25; Js 2.9-11; 5.1). Edom e Moabe fizeram tudo para evitar que Israel atravessasse seus territórios (Nm 20.18-21; 21.13). Os habitantes da terra de Canaã não se renderam simplesmente, sem oferecer resistência, embora já estivessem virtualmente derrotados. Em seu fervor, o poeta foi além do que a história nos diz. Sobre os "príncipes de Edom", ver Gênesis 36.15, onde é usada a mesma expressão. Os eruditos liberais pensam que o autor sagrado escreveu esses versículos como um historiador, ao passo que os conservadores preferem pensar em uma declaração profética. O vs. 17 quase certamente alude ao monte Sião, o que aponta para um tempo bem posterior ao da morte de Moisés, talvez o tempo do ano 1000 a.C., o tempo de Salomão.

■ 15.16

תִּפֹּל עֲלֵיהֶם אֵימָתָה וָפַחַד בִּגְדֹל זְרוֹעֲךָ יִדְּמוּ כָּאָבֶן עַד־יַעֲבֹר עַמְּךָ יְהוָה עַד־יַעֲבֹר עַם־זוּ קָנִיתָ׃

Espanto e pavor. Por três vezes (vss. 14-16), o autor sacro enfatiza o terror que os povos sentiriam ao tomarem conhecimento de que eles mesmos, tal como sucedera aos egípcios, teriam de enfrentar Israel, liderado por Yahweh.

Pela grandeza do teu braço. A mesma ideia que temos em Êxodo 15.6, exceto pelo fato de que ali a menção é à "destra" do Senhor. O autor continua usando expressões antropomórficas. Ver no *Dicionário* o artigo *Antropomorfismo.*

Até que passe o teu povo. Os israelitas atravessaram o deserto e o rio Jordão. Ou, então, está em pauta sua entrada na Terra Prometida. Talvez devamos apenas pensar na *fronteira,* que foi cruzada pelos filhos de Israel.

O povo que adquiriste. Ou seja, os remidos da servidão no Egito. Esse é o tema central do livro de Êxodo. Ver no *Dicionário* o artigo *Redenção.* Todo o episódio da redenção de Israel retrata a redenção da alma.

■ 15.17

תְּבִאֵמוֹ וְתִטָּעֵמוֹ בְּהַר נַחֲלָתְךָ מָכוֹן לְשִׁבְתְּךָ פָּעַלְתָּ יְהוָה מִקְּדָשׁ אֲדֹנָי כּוֹנְנוּ יָדֶיךָ׃

Tu os introduzirás. Os verbos postos no futuro, como aqui, parecem indicar que o autor sagrado falava como profeta, e não retroativamente, como historiador. E isso é um ponto a favor da data anterior do Êxodo e, por via de consequência, do Pentateuco.

No monte da tua herança. Provavelmente está em foco a totalidade da Terra Prometida, uma região montanhosa que, na intenção de Deus, já pertencia ao seu povo de Israel. Interpretando a passagem do ponto de vista cristão, devemos pensar no Reino de Deus, mormente na época do milênio, quando esse Reino (tendo como capital Jerusalém) se tornar a concretização de muitos aspectos do Pacto Abraâmico. No simbolismo bíblico, um "monte" é metáfora do reino de Deus. Ver Isaías 2.2; Daniel 2.35,44,45 etc. E isso parece confirmado pelo que diz o versículo seguinte.

No santuário. Temos aí um dos alvos da reentrada do povo de Israel na Terra Prometida, e não ainda um fato realizado. Mas, como se trata de algo decretado por Deus, "as mãos de Deus" já tinham "estabelecido" tal resultado. Metaforicamente, no milênio e no estado eterno, Deus será o santuário de seu povo (Ap 21.2-4). Teremos aí a concretização de todo o imenso drama da criação e do plano de redenção.

■ 15.18

יְהוָה ׀ יִמְלֹךְ לְעֹלָם וָעֶד׃ |H: |V18|

O Senhor reinará. Devemos pensar aqui que isso se concretizaria na teocracia em Israel, no coração dos piedosos, durante o milênio e, finalmente, no estado eterno. Cf. Salmo 10.16; 29.10; 145.13; 146.10; Lucas 1.31,33; Apocalipse 11.15 e 22.5. O hino de louvor a Deus, em comemoração à vitória do Senhor sobre os inimigos de Israel, termina neste versículo.

"As palavras expressam o domínio eterno de Deus não somente sobre o mundo, mas também sobre [e com a Igreja]; não somente sob a lei, mas também sob a graça do evangelho; não somente quanto ao tempo, mas também quanto à eternidade" (Adam Clarke, *in loc.*).

■ 15.19

כִּי בָא סוּס פַּרְעֹה בְּרִכְבּוֹ וּבְפָרָשָׁיו בַּיָּם וַיָּשֶׁב יְהוָה עֲלֵהֶם אֶת־מֵי הַיָּם וּבְנֵי יִשְׂרָאֵל הָלְכוּ בַיַּבָּשָׁה בְּתוֹךְ הַיָּם׃ פ

Este versículo reitera o que já havia sido dito em Êxodo 14.29,30 e 15.1, onde o leitor deve examinar as notas. Funciona como uma espécie de síntese do significado do poema inteiro de Moisés. Ver também o vs. 16. Este versículo serve de introdução ao cântico de Miriã, que se segue e faz conexão com o trecho final em prosa do capítulo 14. Talvez se trate de uma adição feita por um editor, a fim de fazer a ligação entre o poema de Moisés e o poema de Miriã. Fornece-nos a mensagem essencial do livro de Êxodo: a redenção de Israel da servidão egípcia, mediante o grandioso prodígio do mar de Juncos, o qual levou à plena fruição os milagres anteriores das dez pragas.

■ 15.20

וַתִּקַּח מִרְיָם הַנְּבִיאָה אֲחוֹת אַהֲרֹן אֶת־הַתֹּף בְּיָדָהּ וַתֵּצֶאןָ כָל־הַנָּשִׁים אַחֲרֶיהָ בְּתֻפִּים וּבִמְחֹלֹת׃

A profetisa. Essa é a primeira ocorrência desse vocábulo na Bíblia. Ver a respeito no *Dicionário,* como também os verbetes intitulados *Profecia, Profetas* e *Dom de Profecia.* Como profetisa, Miriã não era necessariamente alguém que predizia o futuro, mas alguém dotado de autoridade no culto a Yahweh, como auxiliar de seu irmão, Moisés. Talvez ela tenha sido investida de autoridade especial como líder das mulheres de Israel. Nós a vemos aqui a dirigir o coro feminino que efetuou uma dança comemorativa da vitória sobre o exército egípcio. Podemos supor que outras funções religiosas parecidas eram dirigidas por ela. Ver Miqueias 6.4 e 1Samuel 18.6,7.

Miriã. Ver o artigo detalhado sobre ela, no *Dicionário.*

Um tamborim. Ver no *Dicionário* o artigo *Música e Instrumentos Musicais,* que inclui comentários sobre esse instrumento musical de percussão.

Com danças. Ver sobre essa atividade um artigo no *Dicionário,* chamado *Dança.* Disse-me pessoalmente, de certa feita, um oficial judeu: "O povo de Israel é um povo de música, vinho e dança". Nos cultos religiosos de Israel, a dança aparece como um dos elementos, posto que não obrigatoriamente, pois sempre se tratava de uma manifestação espontânea.

A menção ao tamborim faz-nos lembrar que os hinos litúrgicos, com frequência, mencionam esse instrumento, segundo se vê nos cabeçalhos de vários dos Salmos da Bíblia. Ver Salmo 33, 92, 98 e 150, como exemplos disso.

Outras Profetisas Mencionadas na Bíblia. Ver Juízes 4.4; 2Reis 22.1; Isaías 8.3; Lucas 2.36. As diaconisas ocupavam posto similar, mas não idêntico (Rm 16.1). Em Israel (tal como na Igreja cristã) havia o ofício ou dom de profetisas. Mas às mulheres era vedado o ofício sacerdotal. Sem dúvida isso deveria servir-nos de precedente quanto ao Novo Testamento. Em certos grupos evangélicos modernos encontramos "pastoras". Mas isso está inteiramente fora de ordem, em face das Escrituras Sagradas. Ver 1Timóteo 2.12.

15.21

וַתַּ֥עַן לָהֶ֖ם מִרְיָ֑ם שִׁ֤ירוּ לַֽיהוָה֙ כִּֽי־גָאֹ֣ה גָּאָ֔ה ס֥וּס
וְרֹכְב֖וֹ רָמָ֥ה בַיָּֽם׃ ס

Este versículo é igual a Êxodo 15.1, que introduz o cântico de Moisés. Muitos eruditos supõem que, originalmente, tenha sido extraído do cântico de Miriã, a fim de introduzir o hino combinado dos dois.

Seja como for, os dois hinos-poemas vieram a ser vinculados. Mas talvez desde o começo tenha sido assim. Ver notas completas sobre isso em Êxodo 15.1. Alguns pensam que este versículo opera como uma espécie de *refrão*, uma síntese do que Moisés já havia dito, mostrando as ideias prioritárias da composição.

"O cântico de Miriã, um dos mais antigos duos poéticos do Antigo Testamento, provavelmente foi composto por uma testemunha ocular do evento" (*Oxford Annotated Bible, in loc.*).

ÁGUAS AMARGAS TORNAM-SE DOCES (15.22-27)

As dez pragas (ver no *Dicionário* o artigo intitulado *Pragas do Egito*) prepararam o caminho. Mas a vitória no mar de Juncos foi o acabamento final da obra divina de libertação do povo de Israel, depois de sua longa servidão ao Egito. Em tudo quanto sucedeu, pois, Yahweh desvendou o seu poder e senhorio (ver Êx 15.2,3). Desse modo, a nova fé estava crescendo e tornando-se conhecida de todas as nações próximas. O Sinai e a legislação mosaica dariam continuação a esse processo de desenvolvimento, como grande pedra de alicerce da Nova Fé. Mediante tipos e profecias, o Messias estava sendo descrito, preparando o caminho para a universalização da Nova Fé no cristianismo. Desse modo, o *Pacto Abraâmico* (ver as notas a respeito em Gn 15.18) envolveria em seu escopo os povos gentílicos, e a Igreja cristã haveria de adicionar dimensões espirituais àquele pacto. Ver Gálatas 3.14 ss.

O texto que se segue ilustra o fato de que, embora redimida do Egito, a nação de Israel ainda teria de atravessar muitas derrotas e vexames que quase tiveram o poder de anular tudo quanto tinha sido realizado. "A peregrinação pelo deserto, com seus temores e suas crises, ensinou aos escritores sagrados que o cumprimento do propósito de Israel, no êxodo, foi um cumprimento *mediante a fé*. Portanto, há um aspecto de responsabilidade humana em toda essa narrativa" (J. Edgar Park, *in loc.*).

15.22

וַיַּסַּ֨ע מֹשֶׁ֤ה אֶת־יִשְׂרָאֵל֙ מִיַּם־ס֔וּף וַיֵּצְא֖וּ אֶל־מִדְבַּר־
שׁ֑וּר וַיֵּלְכ֧וּ שְׁלֹֽשֶׁת־יָמִ֛ים בַּמִּדְבָּ֖ר וְלֹא־מָ֥צְאוּ מָֽיִם׃

Saíram para o deserto. Com o coração repleto de louvores, o povo de Israel dispôs-se a enfrentar o deserto. Suas duras experiências ocasionalmente haveriam de ameaçar-lhes a fé e reduzi-los a um povo queixoso e murmurador. A seção à nossa frente (Êx 15.22—19.1) descreve as jornadas dos israelitas desde o mar dos Juncos até o monte Sinai. O resto do livro de Êxodo (caps. 19—40) descreve como Deus tratou com o seu povo, estando ali acampado, antes de partir para novos lances.

mar Vermelho. Isso está de acordo com a Septuaginta, e não com o original hebraico, que diz *mar de Juncos*. Ofereço notas completas a respeito em Êxodo 13.18. Ver no *Dicionário* o artigo chamado *mar Vermelho*.

O deserto de Sur. Fica na parte norte da península do Sinai; também aparece com o nome de deserto de Etã (Nm 33.8). Dou um artigo detalhado chamado *Sur*, no *Dicionário*. Já encontramos menção a esse deserto em Gênesis 16.7; 20.1 e 25.18.

E não acharam água. Aqueles que não vivem em desertos ou nas proximidades não entendem a gravidade do problema de falta de água. O rio Colorado, que tem suas cabeceiras nas montanhas Rochosas, no Estado de Colorado, antes desaguava no oceano Pacífico, depois de atravessar os Estados americanos de Colorado, Utah, Nevada e parte do México. Mas hoje em dia nenhuma gota desse rio chega ao oceano. Seis represas entesouram toda a sua água. Os antigos também contavam com represas e cisternas, sem falar nos poços que escavavam. Felizmente, a par com a escassez de água, os desertos sempre abrigam populações muito rarefeitas. Não podem suportar mesmo muita gente. Assim, metaforicamente, os desertos representam escassez e aridez espiritual.

Os três dias de viagem provavelmente não levaram os israelitas a mais de 80 km de distância, e esses três dias submeteram-nos ao teste da falta de água. Imaginemos o problema de conseguir água para três milhões de pessoas! (Ver Nm 1.46). Se havia seiscentos mil homens que podiam pegar em armas, deve ter havido no mínimo três milhões de pessoas. E isso sem falar nos animais domesticados.

A Rota Seguida. Não há como termos certeza sobre o trajeto exato que os israelitas seguiram. No artigo chamado *Êxodo (o Evento)* provi uma sugestão, com a ajuda de um mapa.

"Em tempos de necessidade, quando sua fé era submetida a teste, Israel recebeu sinais dos cuidados e da proteção do Senhor" (*Oxford Annotated Bible, in loc.*).

15.23

וַיָּבֹ֣אוּ מָרָ֔תָה וְלֹ֣א יָֽכְל֗וּ לִשְׁתֹּ֥ת מַ֙יִם֙ מִמָּרָ֔ה כִּ֥י מָרִ֖ים
הֵ֑ם עַל־כֵּ֥ן קָרָֽא־שְׁמָ֖הּ מָרָֽה׃

Chegaram a Mara. Poços e fontes de água salobra são frequentes nas regiões desérticas. Os israelitas, ao encontrarem água imprópria para uso humano, chamaram-na de "amarga", significado da palavra hebraica *mara*. "O extremo amargor do gosto da água das fontes da extremidade sul do deserto de Sur é confirmado por todos os que por ali viajam. Há diversas dessas fontes. Aquela que modernamente se chama de Ain Howqrah é a mais copiosa, e não de águas tão amargas como as outras" (Ellicott, *in loc.*).

Essa foi a sexta parada de Israel, durante suas vagueações pela península do Sinai, depois do êxodo (Êx 15.23,24; Nm 33.8). As águas do lugar eram amargosas, o que explica tal locativo. No entanto, miraculosamente, Moisés tornou-as boas para o consumo humano (por orientação divina), após ter lançado nelas certa árvore. Acredita-se que a fonte seja aquela que atualmente se chama 'Ain Howqrah, a cerca de 76 km a sudeste de Suez e a cerca de 11 km das margens do mar Vermelho. Alguns estudiosos identificam-na com *Cades*. Foi esse o primeiro acampamento de Israel, depois que atravessaram o mar Vermelho (ou melhor, o mar de Juncos). O povo de Israel caminhou por três dias, deserto de Sur adentro, após aquela travessia, até chegar a Mara. Alguns estudiosos não creem ser possível uma identificação *exata* dessa localidade.

Tipologia. "Essas águas amargas ficavam bem no caminho por onde o Senhor estava conduzindo Israel, e representam as provações que o povo de Deus precisa enfrentar, provações essas que são didáticas, e não punitivas. A *árvore* simboliza a cruz (Gl 3.13), que se tornou doce para Cristo, como expressão da vontade do Pai (Jo 18.11). Quando aceitamos nossas *maras* com a atitude dele, lançamos a *árvore* em nossas águas (Rm 5.3,4)" (*Scofield Reference Bible, in loc.*).

15.24

וַיִּלֹּ֧נוּ הָעָ֛ם עַל־מֹשֶׁ֥ה לֵּאמֹ֖ר מַה־נִּשְׁתֶּֽה׃

E o povo murmurou. Essa é a segunda vez, desde o momento do êxodo, que os filhos de Israel murmuraram. O pecado de murmuração tornou-se um dos temas secundários do livro de Êxodo. Ver Êxodo 14.10 quanto a notas sobre a questão, com referências às várias instâncias de murmuração de Israel.

Que havemos de beber? A murmuração, embora pecaminosa, tinha base em *fatos*. Não havia água para eles beberem. Eles tinham um motivo para murmurar, mas a murmuração se deveu à falta de fé na provisão divina, que haveria de vir, ainda que fosse por meio de um *milagre*.

"Eles eram tremendamente privilegiados; mas as dificuldades prontamente induziram-nos a impugnar Moisés (Êx 14.10-12; 16.2; 17.3; Nm 14.2; 16.11,41)" (John D. Hannah, *in loc.*).

"Achavam-se em estado de profunda degradação mental, devido à sua longa e opressiva vassalagem, pois não tinham firmeza de caráter. Ver Êxodo 13.17" (Adam Clarke, *in loc.*).

15.25

וַיִּצְעַ֣ק אֶל־יְהוָ֗ה וַיּוֹרֵ֤הוּ יְהוָה֙ עֵ֔ץ וַיַּשְׁלֵךְ֙ אֶל־הַמַּ֔יִם
וַֽיִּמְתְּק֖וּ הַמָּ֑יִם שָׁ֣ם שָׂ֥ם ל֛וֹ חֹ֥ק וּמִשְׁפָּ֖ט וְשָׁ֥ם נִסָּֽהוּ׃

O Medicamento Homeopático. A árvore amarga fez as águas amargas se tornarem doces, mediante uma intervenção divina, e não porque a árvore propriamente dita tivesse algum poder. Nesse caso, a árvore agiu como a vara de Moisés, um símbolo das operações de Yahweh. Houve um ritual mágico em que pareceu haver um ato mágico; mas no texto sagrado não há o menor indício de que Moisés fosse mágico. Cf. esse texto com 2Reis 2.21. "Acreditava-se que as folhas ou as cascas de certas árvores tinham propriedades mágicas para adoçar a água" (*Oxford Annotated Bible, in loc.*).

Negligenciando a Árvore Curadora. Pouquíssimas pessoas interessam-se por fazer o amargo tornar-se doce, por acalmar as águas tempestuosas, por fazer o ódio transformar-se em amor. Mas há meios para isso, especialmente na vida daqueles que são verdadeiramente espirituais, que curam situações perturbadas e amargas. Muitos dos chamados homens espirituais acabam tornando as coisas mais amargas ainda do que são, e ainda imaginam estar prestando a Deus um serviço.

> Lá fora, nos caminhos e desvios da vida,
> Muitos estão cansados e tristes;
> Leva a luz do sol onde as trevas dominam,
> Alegrando assim aos tristes.
> ...
> Faz de mim uma bênção.
> Que Jesus brilhe em minha vida.
>
> Ira B. Wilson

Tipologia. Ver a tipologia aqui envolvida, nas notas sobre o vs. 24. Alguns veem na árvore lançada às águas um símbolo da *cruz de Cristo*.

Ali os provou. Em outras palavras, Yahweh deixou um teste no caminho deles, para verificar o quanto eles haviam aprendido a confiar, depois de terem recebido tantas lições objetivas sobre a vida espiritual, incluindo feitos miraculosos. Ver o artigo chamado *Tipologia* quanto a um comentário sobre os testes na vida a que os crentes espirituais estão sujeitos.

SUA EXPERIÊNCIA DE MAR VERMELHO

Tem chegado a sua experiência de mar Vermelho,
Onde a despeito de todos os seus esforços
Não encontra caminho para fora?
Então espere e confie no Senhor com uma fé serena,
Até a noite de seu receio passar.
Ele mandará o vento para amontoar as águas.
Então dirá para a sua alma: "Siga em frente!"
Será a mão dele que mostrará o caminho,
Enquanto as águas ameaçam aos lados,
Aí nenhum inimigo pode tocar você,
E nenhum mar afogá-lo.

Na vigia da manhã, abaixo das nuvens do alto,
Verá o Senhor somente.
Quando ele guiar você para uma terra desconhecida,
Seus receios passarão como seus inimigos passaram.
Cantará os louvores dele num lugar melhor,
Um lugar que a mão divina preparou.

Annie Johnson Flint

Fique tranquila, minha alma,
O Senhor defende sua causa.
Carregue, pacientemente, sua cruz de aflição e dor.
Deixe para Deus ordenar e providenciar.
Em todas as mudanças fiel ficará ele.
Fique tranquila, minha alma,
Seu Amigo celestial guiará através de caminhos espinhosos
para um fim jubiloso.
Fique tranquila, minha alma, quando mudanças e lágrimas
passarem,
todos nós, salvos e seguros, estaremos juntos, afinal.

Katherina Von Shlegel

■ 15.26

וַיֹּאמֶר אִם־שָׁמוֹעַ תִּשְׁמַע לְקוֹל ׀ יְהוָה אֱלֹהֶיךָ וְהַיָּשָׁר בְּעֵינָיו תַּעֲשֶׂה וְהַאֲזַנְתָּ לְמִצְוֹתָיו וְשָׁמַרְתָּ כָּל־חֻקָּיו כָּל־הַמַּחֲלָה אֲשֶׁר־שַׂמְתִּי בְמִצְרַיִם לֹא־אָשִׂים עָלֶיךָ כִּי אֲנִי יְהוָה רֹפְאֶךָ׃ ס

O Propósito da Provação. Quando Yahweh-Elohim falava, o povo de Israel deveria ouvir e *obedecer*. A coisa a ser obedecida era a Lei determinada por ele, uma referência à legislação mosaica, por antecipação profética (conforme alguns dizem). Ou, então, o autor sacro, depois de ter sido baixada aquela legislação, aplicou-a ao povo, naquele estágio primitivo. Ver entre os artigos gerais desta obra, no primeiro volume, em sua quarta seção, o verbete *Lei no Antigo Testamento*. Ver no *Dicionário* os artigos chamados *Lei, Função da* e *Lei Cerimonial e Moral*.

Deus Cura. Deus cura aos que lhe são obedientes. Entre as bênçãos da espiritualidade achamos a bênção da cura física. O autor sagrado temia as enfermidades próprias do Egito, incluindo suas diversas doenças endêmicas. Ver o artigo *Pragas do Egito*, no *Dicionário*. Ele queria que os israelitas não fossem inoculados por essas doenças. Cf. Números 21.4-9; Deuteronômio 7.15; 28.27,60; Salmo 103.3. Yahweh desafiou o seu povo a evitar as pragas do Egito, para que aprendessem bem as lições que ele lhes estava dando. Ver na *Enciclopédia de Bíblia, Teologia e Filosofia* os verbetes *Cura* e *Cura pela Fé*.

O Fato de Deus. Tomamos conhecimento das coisas através de vários meios. Nem tudo quanto existe e pode ser descrito se faz mediante o método científico. Sabemos por meio dos sentidos físicos, da razão, da intuição e das experiências místicas. Nunca foi provada a ideia de que conseguimos romper a barreira do conhecimento somente através das experiências científicas, de laboratório. Ver no *Dicionário* o artigo chamado *Misticismo*. Algumas vezes, a presença de Deus nos é revelada. Yahweh passou e adoçou aquelas águas amargas.

"Sem importar quão elevado esteja um indivíduo em sua posição social, na igreja, na política ou na ciência, se esse indivíduo fizer qualquer pronunciamento sobre qualquer assunto, os cientistas pedem-lhe *evidências comprobatórias*. Quando não há evidências além das declarações pessoais, passadas ou presentes, ou 'revelações' ou sonhos da 'voz de Deus', os cientistas não lhe dão nenhuma atenção, exceto perguntar: 'Como chegaram a essa conclusão?'" ("Science and the Supernatural", *The Scientific Monthly*, lix, 1944).

Existem *experiências* da alma humana que não estão sujeitas à investigação científica. Ver na *Enciclopédia de Bíblia, Teologia e Filosofia* o verbete sobre *Saya Sai Baba*. Ver no *Dicionário* o artigo intitulado *Milagres*.

■ 15.27

וַיָּבֹאוּ אֵילִמָה וְשָׁם שְׁתֵּים עֶשְׂרֵה עֵינֹת מַיִם וְשִׁבְעִים תְּמָרִים וַיַּחֲנוּ־שָׁם עַל־הַמָּיִם׃

Chegaram a Elim. No hebraico, *árvores*. Nome da segunda parada, onde Israel acampou no deserto, quando vagueava pelo Sinai, antes de entrar na terra de Canaã (aqui e em Nm 33.9). Os israelitas ficaram naquele lugar pelo espaço de um mês (Êx 16.1). O local contava com dez fontes de água e setenta palmeiras, o que explica o nome que recebeu. Portanto, era um pequeno mas aprazível oásis, embora o povo de Deus estivesse a caminho de algo muito melhor. Desconhece-se a localização exata de Elim, visto que o próprio monte Sinai ainda não foi identificado de modo absoluto. Se a localização tradicional está correta, isto é, a porção inferior da península do Sinai, então Elim é um dos oásis nos *wadis*, ao longo da rota principal que penetra naquela região. O local talvez fique dentro do wadi *Gharandel*. Mas se o monte Sinai não ficava nas proximidades dessa região, segue-se daí que não há como localizarmos Elim. Alguns têm conjecturado que Elim deve ser identificada com Eilate, referida em 1Reis 9.26, no começo do golfo de Ácaba, perto de Ezion-Geber. Porém, isso não concorda com o que se lê em Números 33.36, que indica que aquela área foi atingida por Israel bem mais tarde da jornada. Alguns eruditos dizem que o nome do lugar significa *deuses* ou *terebintos*. Nesse caso, ao que parece era um local sagrado, mas em honra a qual deus ou com qual propósito, não podemos dizê-lo.

Se o lugar correspondia a *Gharandel*, então isso foi uma sorte para os israelitas, visto que os wadis próximos, Useit, Ethal e Tayibeh (Shuweikah) ofereciam boa pastagem, todos eles férteis e com água abundante.

CAPÍTULO DEZESSEIS

DEUS MANDA O MANÁ (16.1-36)
Outro milagre em favor de Israel, dessa vez de sustentação. Acabamos de ver (cap. 15) como foi provida água potável em Mara. Agora estava começando a ser dado um suprimento alimentar que duraria muito tempo. Água e pão são duas grandes metáforas para indicar o sustento espiritual. E assim, a história de Israel continua a instruir-nos quanto às realidades espirituais. No *Dicionário* dou um detalhado artigo intitulado *Maná*. Ver também o artigo chamado *Água*, que ventila sobre os usos metafóricos da água. Os eruditos cristãos veem aqui alusão a Jesus como o Pão da Vida. Dou um artigo detalhado sobre esse assunto na *Enciclopédia de Bíblia, Teologia e Filosofia*, chamado *Pão da Vida, Jesus como*. Ver também, na mesma obra, o artigo *Maná Escondido*, uma provisão de Cristo referida em Apocalipse 2.17, e que talvez até seja um dos títulos do Cristo.

■ 16.1

וַיִּסְעוּ מֵאֵילִם וַיָּבֹאוּ כָל־עֲדַת בְּנֵי־יִשְׂרָאֵל
אֶל־מִדְבַּר־סִין אֲשֶׁר בֵּין־אֵילִם וּבֵין סִינָי
בַּחֲמִשָּׁה עָשָׂר יוֹם לַחֹדֶשׁ הַשֵּׁנִי לְצֵאתָם
מֵאֶרֶץ מִצְרָיִם:

Partiram de Elim. Ver sobre esse lugar em Êxodo 15.27.

A congregação dos filhos de Israel. Ver sobre essa expressão em Êxodo 12.3,6,19,47; 16.1,2,9,10,22; 17.1; 27.21; 28.43; 29.4,10,11,30,32,42,44 etc. A nação inteira, por meio de suas tribos, organizadas como se fossem uma congregação, está em vista. Era uma comunidade religiosa que se preparava para tornar-se uma nação teocrática.

Deserto de Sim. Ver no *Dicionário* o verbete sobre essa localidade. Dezenove desertos diferentes são mencionados no Antigo Testamento; e esse é um deles. Os estudiosos não concordam quanto à sua localização exata.

Aos quinze dias do segundo mês. O ano religioso começava no mês de abibe (mais tarde chamado nisã). Ver Êxodo 13.4; 23.15; 34.18. O segundo mês era chamado *ijar*, correspondente aos nossos meses de abril-maio, e falava sobre a beleza das flores da primavera. Israel saiu do Egito no décimo quinto dia do mês de nisã (abibe) e agora já era o décimo quinto dia do mês de ijar. Portanto, um mês tinha-se passado, desde que Israel saíra do Egito.

■ 16.2

וַיִּלּוֹנוּ כָּל־עֲדַת בְּנֵי־יִשְׂרָאֵל עַל־מֹשֶׁה וְעַל־אַהֲרֹן
בַּמִּדְבָּר:

Toda a congregação dos filhos de Israel murmurou. Parece que isso acontecia periodicamente, a ponto de tornar-se um dos temas secundários dos livros de Êxodo e Números. Ver as notas a respeito em Êxodo 14.11. Dou ali uma lista de referências à questão.

O Targum de Jonathan informa-nos que a massa que Israel tinha trazido do Egito agora se acabara, causando falta de suprimentos de boca. "É comum que, quando as coisas não andam tão bem quanto se deseja, as pessoas, na igreja ou no estado, murmurem contra seus governantes, eclesiásticos ou civis, lançando contra eles toda a culpa" (John Gill, *in loc.*).

Até este ponto, já vimos três casos de *murmuração*: 1. O de Pi-Hairote, quando o terrível exército egípcio ameaçava a existência do povo de Israel (Êx 14.11,12). 2. O de Mara, quando terminou o suprimento de água e as águas do lugar eram amargosas (Êx 15.24). 3. O do deserto de Sim, o texto presente, quando terminou o suprimento de alimentos.

"Aqueles pobres hebreus eram tanto escravos quanto pecadores, e eram capazes dos atos mais maldosos e desgraçados" (Adam Clarke, *in loc.*).

■ 16.3

וַיֹּאמְרוּ אֲלֵהֶם בְּנֵי יִשְׂרָאֵל מִי־יִתֵּן מוּתֵנוּ בְיַד־יְהוָה
בְּאֶרֶץ מִצְרַיִם בְּשִׁבְתֵּנוּ עַל־סִיר הַבָּשָׂר בְּאָכְלֵנוּ
לֶחֶם לָשֹׂבַע כִּי־הוֹצֵאתֶם אֹתָנוּ אֶל־הַמִּדְבָּר הַזֶּה
לְהָמִית אֶת־כָּל־הַקָּהָל הַזֶּה בָּרָעָב: ס

Morrido pela mão do Senhor. Devemos pensar aqui em morte natural, por motivo de idade avançada. Mas é possível que eles estivessem aludindo às pragas que devastaram o Egito, causando imensas perdas de vidas humanas. Neste caso, a queixa era deveras amarga. Eles preferiam ter morrido sob o castigo de Yahweh do que morrer de fome no deserto. A queixa era particularmente estúpida porque, havendo todos aqueles animais entre eles, eles poderiam tê-los sacrificado para servirem de alimento. Não havia perigo de morrerem de inanição, apesar do fato de que não havia mais farinha de trigo.

Panelas de carne. Embora escravos, no Egito tinham tido muita comida para consumir, para nada dizermos sobre os acepipes que eles poderiam preparar por si mesmos. "Os murmuradores vagabundos preferiam o alimento condimentado das panelas de carne do Egito à liberdade precária no deserto" (*Oxford Annotated Bible, in loc.*).

O trecho de Números 11.5 dá-nos alguma ideia da variedade de alimentos de que Israel tinha desfrutado no Egito, muita verdura e boa variedade de carnes, além de muitas frutas.

"A falta de pão fez o povo de Israel esquecer-se de sua terrível sorte no Egito, fazendo-os pensar apenas na comida que tinham, e assim porem em dúvida os motivos verdadeiros de seu líder" (John D. Hannah, *in loc.*).

■ 16.4

וַיֹּאמֶר יְהוָה אֶל־מֹשֶׁה הִנְנִי מַמְטִיר לָכֶם לֶחֶם
מִן־הַשָּׁמָיִם וְיָצָא הָעָם וְלָקְטוּ דְּבַר־יוֹם בְּיוֹמוֹ
לְמַעַן אֲנַסֶּנּוּ הֲיֵלֵךְ בְּתוֹרָתִי אִם־לֹא:

Farei chover do céu pão. Ver no *Dicionário* o artigo chamado *Maná*, quanto às várias teorias sobre a natureza dessa substância. As palavras "do céu" informam-nos sobre a crença dos antigos israelitas acerca da origem do maná.

"*O Alicerce Histórico*. Um suco doce, pegajoso, tipo mel, exsuda em pesadas gotas, em maio ou junho, de um arbusto encontrado no deserto perto de onde os israelitas estavam acampados. Dissolve-se sob o calor do sol, depois de ter caído sobre o solo com a forma de grãos. Tem o sabor do mel. Trata-se de um suco natural daquele arbusto; mas os árabes acreditavam que caía do céu, juntamente com o orvalho. Samuel Johnson, em seu dicionário, disse: 'Apenas ultimamente o mundo ficou convencido sobre o erro de pensar que o maná era um *aéreo*, cobrindo as árvores durante a estação de maná'" (J. Coert Rylaarsdam, *in loc.*). Josefo (*Antiq.* iii 1.6) referiu-se à natureza aérea do fenômeno. No *Dicionário* apresentei outras ideias e interpretações.

Colherá diariamente. É provável que desse versículo se tenha originado a petição da oração do Pai Nosso: "...o pão nosso de cada dia dá-nos hoje..." (Mt 6.11). Metaforicamente, temos expressado a necessidade da nutrição espiritual *diária*, a leitura e o estudo dos documentos sagrados, da oração, da meditação etc. sobre uma base diária regular.

Cada pessoa só podia recolher maná suficiente para aquele dia. O maná não podia ser guardado para o dia seguinte. Se o fosse, apareciam bichos e ele se corrompia (vs. 20). Essa necessidade *diária* de provisão testava a fé de Israel no poder de Yahweh prover para eles o necessário. Alguns intérpretes insistem sobre a natureza absolutamente miraculosa do maná, assim a provisão diária de maná foi um milagre contínuo, durante quase quarenta anos.

■ 16.5

וְהָיָה בַּיּוֹם הַשִּׁשִּׁי וְהֵכִינוּ אֵת אֲשֶׁר־יָבִיאוּ וְהָיָה מִשְׁנֶה
עַל אֲשֶׁר־יִלְקְטוּ יוֹם יוֹם: ס

Ao sexto dia. Uma exceção à regra sobre a colheita do maná ocorria no sexto dia da semana. Naquele dia era recolhida dupla porção, para que houvesse suprimento para o sábado (ver no *Dicionário* o artigo *Sábado*), quando não se podia fazer nenhum trabalho manual. Essa questão é expandida nos vss. 22-30. Alguns veem aqui um milagre de dupla provisão do maná. As pessoas recolheriam a quantidade normal, de todos os dias; mas inexplicavelmente o maná tornava-se o dobro em quantidade. Além disso, no sexto dia, desceria do céu dupla porção de maná, para atender às necessidades da sexta-feira e do sábado.

■ 16.6

וַיֹּאמֶר מֹשֶׁה וְאַהֲרֹן אֶל־כָּל־בְּנֵי יִשְׂרָאֵל עֶרֶב וִידַעְתֶּם כִּי יְהוָה הוֹצִיא אֶתְכֶם מֵאֶרֶץ מִצְרָיִם׃

À tarde. Em um horário, especificado *de antemão*, haveria outro milagre. Isso nos faz lembrar dos prazos específicos que Deus estabelecera para o início e o fim de cada praga, o que comprovava que elas tinham origem divina. Ver Êxodo 8.10,23; 9.5; 10.4. Esse *outro* milagre seria a provisão divina de *carne* (vs. 8), ou seja, de *codornizes* (vs. 12,13). Deus faria com que uma grande revoada de codornizes enchesse o acampamento de Israel, e os israelitas poderiam alimentar-se à vontade de um alimento pelo qual não tinham feito trabalho algum.

Isso serviria ainda de outra prova de que Yahweh, em seu multifacetado poder, os tirara do Egito, resgatando-os de uma servidão já secular, e continuava a protegê-los no deserto.

■ 16.7,8

וּבֹקֶר וּרְאִיתֶם אֶת־כְּבוֹד יְהוָה בְּשָׁמְעוֹ אֶת־תְּלֻנֹּתֵיכֶם עַל־יְהוָה וְנַחְנוּ מָה כִּי תַלִּינוּ עָלֵינוּ׃

וַיֹּאמֶר מֹשֶׁה בְּתֵת יְהוָה לָכֶם בָּעֶרֶב בָּשָׂר לֶאֱכֹל וְלֶחֶם בַּבֹּקֶר לִשְׂבֹּעַ בִּשְׁמֹעַ יְהוָה אֶת־תְּלֻנֹּתֵיכֶם אֲשֶׁר־אַתֶּם מַלִּינִם עָלָיו וְנַחְנוּ מָה לֹא־עָלֵינוּ תְלֻנֹּתֵיכֶם כִּי עַל־יְהוָה׃

Pela manhã. A glória do Senhor haveria de manifestar-se mediante a provisão de *maná*. À tarde, aquela mesma glória haveria de evidenciar-se por meio da provisão das codornizes, tal como os israelitas dispunham da coluna de nuvem *durante o dia*, a fim de guiá-los, e da coluna de fogo, *durante a noite*, com o mesmo propósito, provendo-lhes calor e iluminação.

As vossas murmurações. Os milagres da manhã e da tarde mostrariam o que as murmurações de Israel significavam: uma ofensa contra Yahweh, uma demonstração de incredulidade quanto ao seu poder e quanto às suas promessas. Em segundo lugar, eram ofendidos Moisés e Arão. Ver as notas sobre essas murmurações em Êxodo 14.10. Essas murmurações tornaram-se um tema secundário dos livros de Êxodo e Números, porquanto demonstravam que a fé dos israelitas estava debilitando-se.

Todas as necessidades dos filhos de Israel eram supridas de maneira "bondosa, abundante, maravilhosa... da parte de um Deus gracioso e misericordioso" (John Gill, *in loc.*).

■ 16.9,10

וַיֹּאמֶר מֹשֶׁה אֶל־אַהֲרֹן אֱמֹר אֶל־כָּל־עֲדַת בְּנֵי יִשְׂרָאֵל קִרְבוּ לִפְנֵי יְהוָה כִּי שָׁמַע אֵת תְּלֻנֹּתֵיכֶם׃

וַיְהִי כְּדַבֵּר אַהֲרֹן אֶל־כָּל־עֲדַת בְּנֵי־יִשְׂרָאֵל וַיִּפְנוּ אֶל־הַמִּדְבָּר וְהִנֵּה כְּבוֹד יְהוָה נִרְאָה בֶּעָנָן׃ פ

A glória do Senhor apareceu na nuvem. Esse foi outro sinal divino dado a Israel. Além dos sinais da manhã (o maná) e da tarde (as codornizes), que cuidaram das necessidades físicas dos filhos de Israel, outro sinal seria dado, com vistas a eliminar a murmuração e a falta de fé que essa murmuração demonstrava. Haveria uma manifestação especial da *presença* de Yahweh. O povo contemplaria a glória de Yahweh, embora não visse diretamente a sua pessoa, o que alguns têm pensado tanto ser impossível quanto inevitavelmente fatal. Mas poderiam ver a glória de Deus em uma nuvem, tal como Moisés, em ocasião posterior, foi capaz de ver Deus pelas costas (Êx 33.23), uma metáfora para alguma espécie de manifestação similar à que temos neste texto. Em outras palavras, o povo receberia uma experiência mística. Ver no *Dicionário* o artigo *Misticismo*. Cf. João 1.18, que afirma enfaticamente que ninguém jamais viu Deus. Manifestações são vistas; a presença de Deus é percebida por alguma forma de mecanismo celestial; mas a essência da deidade é invisível para o homem.

No judaísmo posterior e nos Targuns, a palavra hebraica *shekinah* (ver a respeito no *Dicionário*) é usada para indicar a presença de Deus que se pode manifestar aos homens. Precisamos muitíssimo do toque divino, da visão de Deus! Não basta ler a Bíblia e orar. Há um poder no toque divino; há iluminação nessa visão. Precisamos tanto de poder quanto de iluminação. Ver no *Dicionário* o artigo intitulado *Iluminação*.

> Teu toque tem ainda o poder antigo!
> Nenhuma palavra tua cai por terra inútil;
> Ouve, nesta solene hora da noite,
> E, em tua compaixão, cura-nos a todos.
>
> Henry Twell

Cf. este texto com Êxodo 40.34; Números 14.10,22; 16.19 e Ezequiel 11.23.

Alguns eruditos veem aqui uma manifestação do Logos no Antigo Testamento, porque ele é a Luz do mundo (Jo 1.4; 8.12). Ver no *Dicionário* os artigos chamados *Luz, Metáfora da* e *Luz, Deus como*.

Alguns eruditos pensam que tudo quanto está aqui em pauta é a *coluna de nuvem*, embora uma visão particular e especial dela. Ver as notas sobre Êxodo 13.21 e o artigo chamado *Coluna de Fogo e Nuvem*, no *Dicionário*. Mas este texto parece apresentar algo *novo*, e não uma maneira diferente de ver alguma coisa antiga e já bem conhecida.

■ 16.11,12

וַיְדַבֵּר יְהוָה אֶל־מֹשֶׁה לֵּאמֹר׃

שָׁמַעְתִּי אֶת־תְּלוּנֹּת בְּנֵי יִשְׂרָאֵל דַּבֵּר אֲלֵהֶם לֵאמֹר בֵּין הָעַרְבַּיִם תֹּאכְלוּ בָשָׂר וּבַבֹּקֶר תִּשְׂבְּעוּ־לָחֶם וִידַעְתֶּם כִּי אֲנִי יְהוָה אֱלֹהֵיכֶם׃

Continua aqui a explicação divina, provendo o *porquê* das várias manifestações. Essas manifestações foram três: o maná; as codornizes; a visão especial da presença de Deus. Todas elas visavam impressionar aquele povo murmurador com o poder, a provisão e a presença de Yahweh. Elas ocorriam pela manhã e à tarde. Em momento algum, os israelitas ficavam sem a presença e as operações de Yahweh. Há uma extensa narração sobre as codornizes, em Números 11.1-35. A refeição dos israelitas, que incluía carne, usualmente era à tarde, e isso fazia parte de uma provisão especial.

Os famintos encheriam seus estômagos, e o desejo de murmurar desapareceria. E, então, os filhos de Israel diriam "O Senhor está conosco" e também "Ele é o nosso Deus". Um dos principais problemas espirituais do homem é a tão evidente falta de poder espiritual. Se as provisões de Deus estão sempre à nossa disposição, deve haver aqueles momentos especiais em que o poder de Deus se manifesta. Sem dúvida, isso faz bem à fé. Ver no *Dicionário* o artigo *Milagres*.

■ 16.13

וַיְהִי בָעֶרֶב וַתַּעַל הַשְּׂלָו וַתְּכַס אֶת־הַמַּחֲנֶה וּבַבֹּקֶר הָיְתָה שִׁכְבַת הַטַּל סָבִיב לַמַּחֲנֶה׃

À tarde subiram codornizes. A comum *Tetrao coturnix* é uma ave muito abundante no Oriente Próximo e Médio. Essa ave migra regularmente da Síria e da Arábia, durante o outono, a fim de passar o inverno na África Central. E então, na primavera, as codornizes retornam em grandes números. O trecho de Números 11.31 diz-nos que o vento as tangeu do mar. As codornizes chegaram exaustas, tornando-se presas fáceis para os israelitas (Nm 11.32). Ver no *Dicionário* o artigo chamado *Codorniz*.

Diodoro Sículo (*Hist.* ii.60) conta algo similar. "Os habitantes da Arábia Petrea costumavam armar longas redes, estendendo-as perto da costa marítima por grande distância; e, dessa maneira, apanhavam grande quantidade de codornizes, que costumavam vir do mar".

Josefo informa-nos que as codornizes eram um pássaro muito comum naquela área (*Antiq*. 1.3 c.1 sec. 5).

O orvalho. Era considerado o agente mediante o qual o maná descia do céu. Ver as notas sobre o vs. 4 quanto a essa ideia dos antigos. O orvalho servia de emblema da graça e da provisão de Deus. Ver Oseias 14.5,6.

16.14

וַתַּעַל שִׁכְבַת הַטָּל וְהִנֵּה עַל־פְּנֵי הַמִּדְבָּר דַּק מְחֻסְפָּס דַּק כַּכְּפֹר עַל־הָאָרֶץ:

Quando o orvalho desaparecia, eis que ficava o *maná* (ver a respeito dessa substância no *Dicionário*), descrito como se fosse flocos, branco como a geada. Seu gosto era como de bolos de mel (vs. 31). A Septuaginta compara o maná a sementes de coentro (vs. 31), uma pequena substância branca e achatada.

Dou uma explicação sobre esse fenômeno nas notas sobre o vs. 4. Uma outra, oferecida pela *Oxford Annotated Bible, in loc.*, diz o seguinte: "Esta descrição (ver também o vs. 31 e Nm 11.7-9) corresponde bem de perto à excreção *orvalho de mel* de dois insetos que se alimentam dos raminhos da tamargueira". Vários estudiosos insistem em que pode ser achada uma explicação natural para o maná.

Ver em Apocalipse 2.17 menção ao *maná escondido*, que aparece ali como provisão de Cristo e até como sua própria pessoa. Ver a introdução a Êxodo 16.1, onde ofereço várias interpretações metafóricas e referências a artigos que desenvolvem esse tema.

16.15

וַיִּרְאוּ בְנֵי־יִשְׂרָאֵל וַיֹּאמְרוּ אִישׁ אֶל־אָחִיו מָן הוּא כִּי לֹא יָדְעוּ מַה־הוּא וַיֹּאמֶר מֹשֶׁה אֲלֵהֶם הוּא הַלֶּחֶם אֲשֶׁר נָתַן יְהוָה לָכֶם לְאָכְלָה:

Que é isto? Assim exclamaram os atônitos israelitas diante do *maná*. E esse é o sentido da palavra hebraica *maná*. Eles nunca antes tinham visto aquele fenômeno. Moisés explicou que se tratava de "pão do céu". E assim pensou-se que se tratava de um fenômeno *aéreo* (ver as notas sobre o vs. 4). No hebraico, a palavra correspondente ao pronome relativo português "que" não era originalmente essa. *Man* (um pronome) veio a ser usado somente no aramaico posterior e no siríaco. Por conseguinte, alguns estudiosos supõem que *man* (a palavra usada neste texto, no original hebraico) era de origem egípcia, que a etimologia popular adaptou para que funcionasse como um pronome hebraico. A Septuaginta grafa essa palavra como *manna*, e essa forma passou para as traduções.

Alguns interpretam *man* como "presente", supondo que esse termo provenha de *manan*, "dar". A verdadeira etimologia permanece obscura. A ideia de um *presente* foi cristianizada para falar do *dom inefável* de 2Coríntios 9.15.

16.16

זֶה הַדָּבָר אֲשֶׁר צִוָּה יְהוָה לִקְטוּ מִמֶּנּוּ אִישׁ לְפִי אָכְלוֹ עֹמֶר לַגֻּלְגֹּלֶת מִסְפַּר נַפְשֹׁתֵיכֶם אִישׁ לַאֲשֶׁר בְּאָהֳלוֹ תִּקָּחוּ:

As *instruções* quanto ao uso do maná eram específicas: 1. Era mister recolhê-lo *diariamente*, exceto no sexto dia da semana, quando se recolhia dupla porção, para atender às necessidades do sexto e do sétimo dia, pois não se podia fazer trabalho braçal no sábado (vs. 5). 2. Cada homem recolhia o seu próprio maná; mas ver o quinto ponto. 3. A quantidade que cada homem recolhia era um ômer, equivalente a cerca de um quilograma. 4. O maná não podia ser guardado para o dia seguinte (vs. 20). 5. Se houvesse pessoas confinadas às suas tendas, sem importar por qual razão estivessem ali, então a porção delas deveria ser recolhida por outrem, e, então, levada até àquelas pessoas. Alguns eruditos pensam que essa regra (para os que se achavam recolhidos às suas tendas) indica que cada chefe de família recolhia maná para toda a sua tenda, ou seja, para a *sua família*. Nesse caso, o recolhimento do maná era feito pelos chefes de família, e não por cada pessoa, individualmente.

16.17,18

וַיַּעֲשׂוּ־כֵן בְּנֵי יִשְׂרָאֵל וַיִּלְקְטוּ הַמַּרְבֶּה וְהַמַּמְעִיט:

וַיָּמֹדּוּ בָעֹמֶר וְלֹא הֶעְדִּיף הַמַּרְבֶּה וְהַמַּמְעִיט לֹא הֶחְסִיר אִישׁ לְפִי־אָכְלוֹ לָקָטוּ:

Assim o fizeram os filhos de Israel. Diferentes apetites causavam diferentes quantidades de maná recolhido. Mas ninguém passava fome. Cada qual tinha exatamente o que era mister para suas necessidades. Paulo citou esse versículo em 2Coríntios 8.15 a fim de ilustrar a necessidade de os crentes compartilharem uns com os outros. Os crentes gentios aliviaram a necessidade dos santos pobres de Jerusalém. O suprimento de Deus é suficiente para todos, mas requer que compartilhemos uns com os outros.

Este versículo ilustra um dos temas principais do Pentateuco: a *providência de Deus* (ver a esse respeito no *Dicionário*). Esse é um dos ramos do ensino do *teísmo* (ver também esse artigo no *Dicionário*). Metaforicamente, este versículo ensina a necessidade de provisão *diária* para o crescimento e as necessidades espirituais. Ver no *Dicionário* o artigo intitulado *Desenvolvimento Espiritual, Meios do*.

16.19,20

וַיֹּאמֶר מֹשֶׁה אֲלֵהֶם אִישׁ אַל־יוֹתֵר מִמֶּנּוּ עַד־בֹּקֶר:

וְלֹא־שָׁמְעוּ אֶל־מֹשֶׁה וַיּוֹתִרוּ אֲנָשִׁים מִמֶּנּוּ עַד־בֹּקֶר וַיָּרֻם תּוֹלָעִים וַיִּבְאַשׁ וַיִּקְצֹף עֲלֵהֶם מֹשֶׁה:

Eles, porém, não deram ouvidos. A ganância e a falta de fé estragaram o maná. As pessoas, em tempos de guerra, armazenam pão velho, mesmo quando gozam de tempos de abundância relativa. A mente humana, em sua *ansiedade*, não põe muita fé nas palavras de Jesus acerca de como Deus cuida até dos *passarinhos*, quanto mais de *nós* (Mt 10.29); e também ignora seu conselho para não andarmos ansiosos sobre o dia de amanhã, porquanto o *Pai* sabe o de que precisamos, e nos supre essas coisas (Mt 6.34). Conta-se a história de como um missionário evangélico tentou ensinar a oração do Pai Nosso a uma nativa africana. Mas ela não passava além das palavras "Pai nosso". Ao ser indagada por que fazia isso, ela retrucou: "Porque se Deus é meu Pai, então isso é tudo o que preciso saber".

Aqueles que ansiavam pelo dia de amanhã, entre os israelitas, guardaram o *maná*; e o resultado foi que o alimento se estragou e atraiu vermes. Isso provocou Moisés à ira, porque tinham agido contra as suas ordens (vs. 16), exibindo falta de fé na providência de Deus, a qual se mostrara *tão evidente* e tão poderosa na vida dos israelitas. A provisão recolhida no sexto dia, para sobrar para o sábado, não criou vermes (vs. 24), porque isso tinha sido ordenado por Deus. Paulo ensinou-nos que é correto os pais entesourarem para os filhos (ver 2Co 12.14). Recentemente, ouvi um sermão que recomendava que poupemos 10% de tudo quanto ganharmos para o futuro. Soube de um missionário que se recusava a comprar uma casa; e assim teve de alugar casas por muitos anos, até se aposentar. Mas me disse que aquilo que tinha gasto com aluguéis teria dado para comprar mais de uma casa. Todavia, ele resolveu que, por uma questão de fé, não *compraria*. Até certo ponto foi uma tolice, uma fé mal colocada! Este texto não nos ensina a *não* poupar. Mas ensina-nos que, quando Deus nos dá uma ordem específica, para testar a nossa fé, não devemos agir contra essa ordem, mesmo quando, em nossa *previsão*, agiríamos contra a tal ordem.

O texto à nossa frente também ensina que, algumas vezes, Deus nos testa quanto a essa questão de provisões *materiais* necessárias. Nem sempre os testes envolvem questões espirituais.

O costume, no Oriente Próximo e Médio, era cozer um pão fresco a cada dia; e isso era uma necessidade, visto que o clima quente e úmido de muitos lugares fazia o pão embolorar rapidamente.

Deus providenciou o necessário para Israel pelo espaço de quarenta anos (vs. 35), o que foi uma provisão admirável, que ilustra amplamente a providência de Deus, um dos temas principais do Pentateuco inteiro.

16.21

וַיִּלְקְטוּ אֹתוֹ בַּבֹּקֶר בַּבֹּקֶר אִישׁ כְּפִי אָכְלוֹ וְחַם
הַשֶּׁמֶשׁ וְנָמָס׃

Este versículo reitera os elementos dos vss. 16,18,19, acerca do recolhimento *diário* do maná. Mas acrescenta o pequeno detalhe de que o sol *dissolvia* a substância. Sem o calor, o maná era duro, e podia ser pilado e moído em um moinho (Nm 11.8).

A INSTITUIÇÃO PÓS-ÊXODO DO SÁBADO (16.22-30)

Não há como defender a ideia de que somente neste ponto da história de Israel foi instituído o sábado. O sábado já era uma instituição muito antiga (Gn 29.27; Jz 4.14; 14.12; 2Rs 4.23; 11.5-7; Is 1.13; Am 8.5). Mas *nesse tempo* a sua observância continuou em um *novo* contexto histórico. É provável que o sábado já viesse sendo observado pelos hebreus de antes de Moisés de maneira *formal,* embora sem as muitas regras que vieram acompanhar a guarda sabática. Havia um sábado babilônico (o *sapattu,* talvez um termo cognato do hebraico *sabbath*), que se revestia de valor religioso. Porém, as coisas eram diferentes na observância babilônica, pois esse dia era considerado um tempo em que governava o mal. Todo trabalho cessava e as pessoas ficavam muito nervosas sobre a questão inteira. Originalmente, o sábado era vinculado ao culto lunar, mas finalmente foi separado das fases da lua, passando a ser uma observância semanal. Não é provável que a questão do *maná* tenha feito o sábado ser reinaugurado. Antes, essa questão simplesmente foi *associada* ao sábado, visto que esse dia especial de descanso proibia o trabalho de recolhimento do maná. Ver no *Dicionário* o artigo chamado *Sábado*.

16.22

וַיְהִי ׀ בַּיּוֹם הַשִּׁשִּׁי לָקְטוּ לֶחֶם מִשְׁנֶה שְׁנֵי הָעֹמֶר
לָאֶחָד וַיָּבֹאוּ כָּל־נְשִׂיאֵי הָעֵדָה וַיַּגִּידוּ לְמֹשֶׁה׃

Ao sexto dia colheram pão em dobro. Isso porque era proibido colher maná no dia de sábado. Portanto, na média, no sexto dia colhiam-se dois ômeres de maná. Este versículo repete o que se lê no vs. 16, onde aparecem as notas a respeito.

Contaram-no a Moisés. Ao que parece, o autor sacro queria que entendêssemos que os anciãos ou dirigentes do povo se *surpreenderam* sobre como o recolhimento foi o dobro do que se recolhera nos dias anteriores, como se houvesse algo de miraculoso sobre a questão. *Ou, então,* o versículo apenas diz que os anciãos do povo tiveram o cuidado de informar Moisés de que suas ordens tinham sido cumpridas, visto que se tinha indignado tanto com eles por haverem desobedecido às suas ordens, guardando o maná para o dia seguinte (vs. 20).

Congregação. Uma palavra comum para referir-se a Israel como uma nação-igreja, uma teocracia. Ver os comentários em Êxodo 16.1.

Os vss. 26 e 27 dão-nos a espantosa informação de que nenhum maná apareceu no sábado, o que destacou o elemento miraculoso do maná.

Elementos do Milagre do Maná:

1. O maná caiu fielmente por seis dias, e uma dupla porção caiu no sexto dia.
2. Não apareceu de modo nenhum no sétimo dia, o dia de sábado.
3. O maná não podia ser guardado à noite, para o dia seguinte, embora o "maná" natural possa ser guardado por prolongados períodos de tempo.

16.23

וַיֹּאמֶר אֲלֵהֶם הוּא אֲשֶׁר דִּבֶּר יְהוָה שַׁבָּתוֹן
שַׁבַּת־קֹדֶשׁ לַיהוָה מָחָר אֵת אֲשֶׁר־תֹּאפוּ אֵפוּ וְאֵת
אֲשֶׁר־תְּבַשְּׁלוּ בַּשֵּׁלוּ וְאֵת כָּל־הָעֹדֵף הַנִּיחוּ לָכֶם
לְמִשְׁמֶרֶת עַד־הַבֹּקֶר׃

Não Se Podia Cozinhar em Dia de Sábado. Esse era um dia de descanso e de culto religioso a Yahweh. Este versículo mostra que a observância do sábado já tinha sido formalmente instituída, com suas várias provisões e demandas já em vigor. A questão do maná simplesmente foi incorporada na observância do sábado, com duas *novas regras,* em adição a uma longa lista de outras regras, já existentes.

Acúmulo de Regras. A Mishna acrescentou um surpreendente número de regras atinentes à preparação de alimentos em dia de sábado. As coisas já eram bastante elaboradas na legislação mosaica. Os intérpretes e as autoridades dos judeus nunca se cansavam de fazer adições. Jesus condenou essas adições tradicionais. Ver Mateus 12.1ss e 23.4. O primeiro concílio ecumênico, de Jerusalém, declarou que tais cargas, criadas pelo antigo judaísmo, eram pesadas demais para serem suportadas (At 15.10). O crente goza de liberdade em Cristo (Mt 11.29,30). Conforme diz um antigo hino: "Deixa tuas cargas com o Senhor, e deixa-as com ele".

Cozer no forno... cozer em água. Esse verbo ilustra o fato de que estava em pauta muito mais do que simplesmente o maná. *Todos* os alimentos deveriam ser preparados com antecedência, a fim de serem consumidos em dia de sábado, e nenhum alimento devia ser guardado para ser preparado em dia de sábado.

Posteriormente, as regras acerca do sábado tornaram-se parte do *decálogo* (Êx 20.8-11). Ver no *Dicionário* o verbete chamado *Dez Mandamentos.*

16.24

וַיַּנִּיחוּ אֹתוֹ עַד־הַבֹּקֶר כַּאֲשֶׁר צִוָּה מֹשֶׁה וְלֹא הִבְאִישׁ
וְרִמָּה לֹא־הָיְתָה בּוֹ׃

Guardaram-no até pela manhã seguinte. Era evidente que havia uma *provisão miraculosa* de maná. Este não apareceu sobre o solo para ser recolhido no sábado. Ademais, no sexto dia houve dupla porção de maná. Ver as notas sobre o vs. 22 quanto aos elementos do milagre; e ver no *Dicionário* o artigo chamado *Maná,* quanto a explicações naturais do fenômeno. Ver a introdução ao primeiro versículo deste capítulo quanto a lições metafóricas e espirituais relacionadas ao maná.

Moisés usou a questão do maná para restabelecer a observância do sábado. Muito provavelmente, isso já vinha sendo observado de maneira formalizada. E é possível que, nessa ocasião, o sábado tenha sido *reinaugurado.* No mínimo, Moisés *reforçou* a necessidade de o sábado ser observado juntamente com a questão do maná.

16.25

וַיֹּאמֶר מֹשֶׁה אִכְלֻהוּ הַיּוֹם כִּי־שַׁבָּת הַיּוֹם לַיהוָה
הַיּוֹם לֹא תִמְצָאֻהוּ בַּשָּׂדֶה׃

O sábado é do Senhor. Ou seja, era um dia de culto religioso, adoração, meditação e práticas religiosas. Mas sem trabalho manual; sem cozimento de alimentos; sem recolhimento de maná nos campos. Afinal, o maná não estava ali para ser recolhido, no dia de sábado. Estava sendo preparado o caminho para a entrada do sábado no decálogo (Êx 20.8-11). Depois disso, inúmeras regras adicionais viriam complicar a questão, até tornar-se uma carga muito difícil de ser levada.

16.26

שֵׁשֶׁת יָמִים תִּלְקְטֻהוּ וּבַיּוֹם הַשְּׁבִיעִי שַׁבָּת לֹא
יִהְיֶה־בּוֹ׃

Seis dias de recolhimento de maná; seis dias de trabalho (Êx 20.8); mas no sétimo dia, descanso (Êx 20.10). Ao homem foi ordenado trabalhar. Aquele que cai no ócio por seis dias, não presta um serviço a Deus se observa um dia de comemorações e serviços religiosos. Por outra parte, aquele que nada faz senão trabalhar, mas esquece-se de seus deveres religiosos, está trabalhando em demasia.

"Na civilização não há lugar para o ocioso. Nenhum de nós tem direito ao lazer" (Henry Ford).

    Ausência de ocupação não é descanso.
    A mente vazia é uma mente desassossegada.

William Cowper

Ver Provérbios 6.6.

16.27

וַיְהִי בַּיּוֹם הַשְּׁבִיעִי יָצְאוּ מִן־הָעָם לִלְקֹט |V27|
וְלֹא מָצָאוּ׃ ס

Em Israel, indivíduos cobiçosos ignoraram tudo quanto Moisés tinha dito. Talvez algumas pessoas tivessem comido grandes quantidades de maná, e ainda queriam mais. Eram glutões, o que é um pecado que muitos ignoram, pois quase todas as pessoas comem demais. Ver na *Enciclopédia de Bíblia, Teologia e Filosofia* o artigo chamado *Glutão*, quanto a uma diatribe contra esse pecado. Ver Deuteronômio 21.20; Provérbios 23.20,21; 28.7; Mateus 11.19; Lucas 7.34; Tt 1.12. Na mesma obra ver o verbete chamado *Vício*.

Também é possível que houvesse pessoas que não comiam demais, mas que não tinham fé suficiente e queriam ter certeza de que não sofreriam escassez de maná. E talvez alguns saíram ao campo para colher o maná, a fim de testar o que Moisés tinha dito. Ele dissera: "Ninguém deve sair a colher o maná". Mas eles retorquiram: "Será isso verdade?" E os curiosos saíram a campo, a fim de verificar se havia ou não maná. Seja como for, sem importar qual a reação das pessoas, as que saíram à cata do maná "não o acharam". E assim averiguaram a veracidade da declaração de Moisés. Foi um pequeno serviço de comprovação, embora ninguém haveria de aprovar os que assim agiram. "Os infiéis ficaram desapontados" (J. Edgar Park, *in loc.*).

■ 16.28

וַיֹּאמֶר יְהוָה אֶל־מֹשֶׁה עַד־אָנָה מֵאַנְתֶּם לִשְׁמֹר מִצְוֹתַי וְתוֹרֹתָי׃

Eles tinham quebrado tanto a fé quanto o sábado. Fizeram aquilo que era proibido, uma forma de trabalho manual. Dessarte, demonstraram sua falta de confiança na provisão divina, a despeito de todas as maravilhas que já haviam testemunhado.

"O narrador tinha um claro *interesse didático*. O cuidado protetor de Deus manifestou-se em prol daqueles que guardaram as leis sabáticas, o que foi confirmado pelo duplo suprimento de maná. Mas agora, como então, alguns se recusam a guardar os mandamentos, ou seja, não exercem fé na revelação do êxodo" (J. Edgar Park, *in loc.*).

A forte ênfase da narrativa sobre o sábado mostra-nos que o sábado havia caído em desuso. Agora, precisava ser instalado de novo, e a questão acerca do maná deu a Moisés a oportunidade de fazer isso.

■ 16.29

רְאוּ כִּי־יְהוָה נָתַן לָכֶם הַשַּׁבָּת עַל־כֵּן הוּא נֹתֵן לָכֶם בַּיּוֹם הַשִּׁשִּׁי לֶחֶם יוֹמָיִם שְׁבוּ אִישׁ תַּחְתָּיו אַל־יֵצֵא אִישׁ מִמְּקֹמוֹ בַּיּוֹם הַשְּׁבִיעִי׃

Este versículo repete o que já se havia dito antes. Ver os vss. 4, 16 e 19. Moisés instalou novamente o sábado, e reforçou a questão ao não permitir que as pessoas saíssem ao campo para recolher o maná, sob hipótese nenhuma. Ele não queria que os israelitas fossem tentados. No campo, haveriam de começar a procurar ao redor, para ver se havia caído algum maná durante a noite.

A lei dada aqui foi grandemente exagerada por judeus de épocas posteriores. Alguns tomavam essa regra ao pé da letra. Como se fossem cadáveres, mantinham-se em qualquer posição que estivessem quando o sábado começava! Talvez alguns nem engolissem a saliva ou piscassem os olhos. Essa aderência estúpida e servil ao mandamento, todavia, era repudiada pela maioria. Assim, havia a jornada de um sábado, o que permitia que as pessoas fossem até o lugar de adoração, uma forma de trabalho. Ver no *Dicionário* o artigo *Jornada de um Sábado*. O Targum de Jonathan permitia que um homem caminhasse até dois mil côvados, aproximadamente um quilômetro, o que era suficiente para uma pessoa chegar ao local de adoração, e/ou fazer outros movimentos necessários para outros propósitos.

Conta-se a história de certo rabino, de nome Salomão, o qual, por acidente, caiu em um lamaçal justamente quando o sábado estava começando. Ele ficou ali e recusou-se a permitir que alguém o tirasse dali, até que o sábado terminou. Os fanáticos sempre erram, embora se julguem os mais piedosos dentre os homens. Alguns homens confundem o fanatismo com a espiritualidade genuína, e o legalismo com a sabedoria.

■ 16.30

וַיִּשְׁבְּתוּ הָעָם בַּיּוֹם הַשְּׁבִעִי׃

Descansou o povo. Este versículo diz-nos que Moisés firmou esse ponto e reforçou o descanso em dia de sábado. Ninguém ousou desobedecer, pelo menos por algum tempo. Quanto a esse particular, os israelitas deram um *exemplo* de obediência para todas as gerações seguirem. Lendo entre as linhas, vemos aqui uma espécie de reforço da antiga lei referente ao sábado, uma reinauguração da prática para os israelitas de depois do êxodo.

■ 16.31,32

וַיִּקְרְאוּ בֵית־יִשְׂרָאֵל אֶת־שְׁמוֹ מָן וְהוּא כְּזֶרַע גַּד לָבָן וְטַעְמוֹ כְּצַפִּיחִת בִּדְבָשׁ׃

וַיֹּאמֶר מֹשֶׁה זֶה הַדָּבָר אֲשֶׁר צִוָּה יְהוָה מְלֹא הָעֹמֶר מִמֶּנּוּ לְמִשְׁמֶרֶת לְדֹרֹתֵיכֶם לְמַעַן יִרְאוּ אֶת־הַלֶּחֶם אֲשֶׁר הֶאֱכַלְתִּי אֶתְכֶם בַּמִּדְבָּר בְּהוֹצִיאִי אֶתְכֶם מֵאֶרֶץ מִצְרָיִם׃

O Memorial do Maná. O maná ficou ligado ao sábado, tornando-se um memorial por seu próprio direito, uma lição objetiva da providência miraculosa de Deus. Assumiu seu lugar entre os outros memoriais, como as três festas: a páscoa, os pães asmos e a dedicação dos primogênitos (ver as notas a respeito delas em Êxodo 12.1 e 13.1). Há no *Dicionário* um artigo separado sobre cada uma dessas festas. O memorial do maná não recebeu um dia especial de celebração, mas compartilhou das comemorações do sábado. *Além disso,* um ômer de maná foi guardado diante da arca da aliança, algum tempo mais tarde, a fim de conservar um lembrete bem fresco do milagre na memória do povo de Israel. Este versículo não fala sobre a guarda do maná diante da arca, mas parece que foi isso o que o autor sagrado tinha em mente. Ou, então, conforme outros pensam, Moisés previu profeticamente o que seria feito no futuro. Não nos é dito, porém, como o maná foi guardado e exibido, antes da arca ter vindo à existência. Todavia, a palavra "Testemunho", que aparece no vs. 34 deste capítulo, quase certamente é uma alusão à arca da aliança. Assim sendo, devemos entender que aquilo que foi feito, em forma preliminar, mais tarde foi formalizado, quando o receptáculo para o maná foi posto diante da arca da aliança, no tabernáculo (a tenda armada no deserto). Essa tenda foi depois incorporada, em sua essência, no templo de Jerusalém.

Coentro. No hebraico, *gad*, um termo que figura apenas por duas vezes na Bíblia: Êxodo 16.31 e Números 11.7. O coentro é uma semente aromática redonda. A planta do coentro (*Coriandrum sativum*) medra nativa na Palestina e em países circunvizinhos. Suas sementes são globulares, e, quando secas, são agradáveis ao paladar e ao olfato. Podem ser salpicadas com açúcar, tornando-se uma espécie de confeito. As sementes de coentro eram usadas para dar sabor aos alimentos. Estamos informados de que as partículas do maná tinham o formato de sementes de coentro. Modernamente, usa-se o coentro para dar maior sabor ao gim, ou, então, para dar certo sabor aos doces ou ao pão.

O maná era *branco* (conforme se lê no vs. 14) e tinha gosto como de mel, tornando-o apropriado para o alimento ou para ser adicionado a outros alimentos. O trecho de Números 11.8 diz-nos que o gosto era como de "bolos amassados com azeite". "Os bolos e bolos folhados, usados pelos egípcios, pelos gregos e por outros povos antigos, como oferendas, ordinariamente compunham-se de farinha de trigo, azeite e mel. De acordo com uma tradição judaica (cf. o livro de Sabedoria 16.20,21), o gosto do maná variava de acordo com o desejo de quem o comia, podendo ser 'temperado conforme o gosto de cada homem'" (Ellicott, *in loc.*).

■ 16.33

וַיֹּאמֶר מֹשֶׁה אֶל־אַהֲרֹן קַח צִנְצֶנֶת אַחַת וְתֶן־שָׁמָּה מְלֹא־הָעֹמֶר מָן וְהַנַּח אֹתוֹ לִפְנֵי יְהוָה לְמִשְׁמֶרֶת לְדֹרֹתֵיכֶם׃

Um ômer cheio de maná. Esse memorial é descrito como "de ouro", na Septuaginta, que foi posto diante da arca da aliança (vs. 34), no *tabernáculo* (ver a respeito no *Dicionário*). Ver detalhes sobre isso nas notas sobre os vss. 31,32. O Targum de Jonathan chama-o "de barro", e outros chamam-no "de cobre". O trecho de Hebreus 9.4 concorda com a Septuaginta.

O Filósofo e a Pedra. Um bem conhecido filósofo costumava levar uma pedra no bolso. Um dia, remexendo no bolso em busca de um lápis, acabou tirando dali a pedra. Alguém lhe perguntou: "Que é isso?" E ele informou à pessoa que um dia, seu filho pequeno lhe havia dado a pedra como um presente especial. Nada havia de especial na pedra, mas para o menino ela era especial. Por isso, também tornou-se especial para o pai, e ele a levou no bolso por muitos e muitos anos. É bom nos lembrarmos daquilo que é precioso e sagrado, podendo haver algum objeto físico que sirva de lembrete acerca disso. Eu mesmo tenho uma pequena pedra, tirada da baía de Plymouth Rock, onde abicou na praia o navio vindo da Inglaterra ao chegar em território do que haveria de ser os Estados Unidos da América do Norte. Guardo essa pedra no meu guarda-roupa, para lembrar-me daquele grande evento histórico (Plymouth Rock é a São Vicente dos Estados Unidos).

16.34

כַּאֲשֶׁר צִוָּה יְהוָה אֶל־מֹשֶׁה וַיַּנִּיחֵהוּ אַהֲרֹן לִפְנֵי הָעֵדֻת לְמִשְׁמָרֶת׃

Testemunho. Cf. Números 17.10. A *arca,* com as tábuas da lei em seu interior, que ficava na tenda do testemunho (o tabernáculo), está aqui em foco. O autor sagrado comete aqui um pequeno anacronismo, por antecipação. Não nos informa como essa jarra era guardada antes de ser posta no tabernáculo. Ver as notas em Números 17.8 quanto à "tenda do Testemunho". Aprendemos em Números 17.10 que a vara de Arão foi posta diante da arca. O trecho de Hebreus 9.4 diz que tanto a vara quanto o maná foram postos *dentro* da arca, uma pequena (provavelmente por descuido) discrepância do autor daquele livro. Ver no *Novo Testamento Interpretado* sobre Hebreus 9.4, quanto a uma explicação sobre o problema. Os harmonistas supõem que durante parte de sua história a arca continha a vara e o maná, mas isso parece ser uma daquelas instâncias de harmonia a qualquer preço. A questão, todavia, só tem importância para os fanáticos, os céticos e os ultraconservadores.

Estritamente falando, o Testemunho refere-se às duas tábuas da lei (Êx 25.16; 31.18; 32.15; 34.29), postas dentro da arca da aliança. Ver 2Crônicas 5.10 quanto à enfática declaração de que nada havia na arca, exceto as duas tábuas da lei.

Deus *testificou* aos homens no tocante à sua vontade. Sua própria santidade precisa ser duplicada nos homens. Ele lhes revelou a sua mente. Ver no *Dicionário* o artigo chamado *Dez Mandamentos*.

16.35

וּבְנֵי יִשְׂרָאֵל אָכְלוּ אֶת־הַמָּן אַרְבָּעִים שָׁנָה עַד־בֹּאָם אֶל־אֶרֶץ נוֹשָׁבֶת אֶת־הַמָּן אָכְלוּ עַד־בֹּאָם אֶל־קְצֵה אֶרֶץ כְּנָעַן׃

Quarenta anos. Todo o período de testes no deserto. Ver no *Dicionário* os artigos intitulados *Quarenta* e *Número (Numeral, Numerologia)*. O prolongado período de tempo durante o qual o maná continuou sendo dado como pão ao povo salienta a grandiosidade do milagre. Foi uma provisão a longo termo, que durou o tempo exato da necessidade. Vemos nisso a *providência de Deus* (ver sobre isso no *Dicionário*).

> Por tanto tempo teu poder me abençoou,
> E por certo continuará a me guiar.
> John Henry Newman, *"Lead, Kindly Light"*

O autor sacro contempla de volta o evento, depois da terra de Canaã já haver sido conquistada. E alguns eruditos frisam este detalhe como um anacronismo, uma prova de autoria não-mosaica. Os eruditos conservadores supõem que um editor posterior adicionou o detalhe. Esse editor poderia ter sido Esdras, o escriba; mas isso não nega que o volume maior do livro (e do Pentateuco) tenha sido escrito por Moisés. Ver um problema similar em Êxodo 15.17, onde Sião, sem dúvida, está em vista, o que situa a composição daquele versículo depois dos dias de Salomão.

16.36

וְהָעֹמֶר עֲשִׂרִית הָאֵיפָה הוּא׃ פ

Ômer. Essa antiga medida é aqui mencionada porque foi designada, no vs. 16, como a quantidade média que um homem comia a cada dia. Assim, deveria ser a quantidade que cada homem deveria recolher diariamente. Essa medida era decerto de um quilograma, pelo que o *efa* (também mencionado neste versículo) teria cerca de dez quilogramas. Provavelmente essa pequena informação também tenha sido uma adição posterior, feita por algum editor familiarizado com o sistema de pesos e medidas que Israel veio a adotar.

CAPÍTULO DEZESSETE

A ÁGUA DA ROCHA, EM REDIFIM (17.1-7)

A *providência de Deus* (ver a respeito no *Dicionário*) continua a ser um dos temas básicos do livro de Êxodo. Israel, agora fora do Egito, e tendo ultrapassado as crises preliminares da água e da alimentação, agora enfrentava novos problemas que requeriam a provisão de Yahweh. Em primeiro lugar, a água *de novo* (ver Êx 15.23) tornou-se um problema (Êx 17.1-7). Também tiveram de enfrentar inimigos e obter vitórias em batalha (vss. 8-16). Essa é a segunda das três narrativas que envolvem a questão sede (ver também Nm 20.1-13). Assim, encontramos as localizações Mará-Massá (15.22); Massá-Meribá (17.7) e Meribá-Cades (Nm 20.1 ss.). Alguns críticos têm pensado que todos os três relatos dependeriam de uma única fonte informativa, envolvendo um só acontecimento, mas que outras mãos o multiplicaram. Mas um povo que vagueou pelo deserto durante quarenta longos anos sem dúvida precisou enfrentar muitas crises de falta de água. Quanto ao tema, predomina o aspecto de desobediência e murmuração. O primeiro relato pinta o Senhor a prover a Israel uma lei ou estatuto mediante o qual a fidelidade deles seria submetida a teste. O segundo ilustra o espírito de rebeldia dos filhos de Israel. O terceiro relata a própria falta de fé de Moisés. Algumas vezes, as pessoas são testadas quanto à área das suas necessidades básicas. Os mais abastados são testados quanto a outras áreas. Mas *todos* os crentes são testados de uma maneira ou de outra. Um aspecto inerente a esses testes é o *desenvolvimento,* sendo esse o próprio alvo colimado pelos testes a que o Senhor nos submete.

17.1

וַיִּסְעוּ כָּל־עֲדַת בְּנֵי־יִשְׂרָאֵל מִמִּדְבַּר־סִין לְמַסְעֵיהֶם עַל־פִּי יְהוָה וַיַּחֲנוּ בִּרְפִידִים וְאֵין מַיִם לִשְׁתֹּת הָעָם׃

Toda a congregação. Esta última palavra ocorre por repetidas vezes, em várias combinações. Ver as notas a respeito em Êxodo 16.1.

Deserto de Sim. Ver as notas sobre esse deserto no *Dicionário*. Ver também as notas em Êxodo 16.1, que é a primeira ocorrência do termo na Bíblia. Dezenove desertos são mencionados no Antigo Testamento. Não se conhece a localização exata do deserto de Sim. Mas há várias conjecturas.

Segundo o mandamento. A orientação do Senhor era óbvia a cada passo ao longo do caminho dos filhos de Israel. Eles viajavam por decreto e orientação divina. Nada havia de fortuito quanto aos movimentos deles, e até o momento exato das partidas e das chegadas era direcionado. Esse é o ideal para todos os crentes. Quanto a isso, precisamos buscar e saber qual a vontade de Deus. Ver no *Dicionário* o artigo chamado *Vontade de Deus, como Descobri-la*.

Refidim. Provi um detalhado artigo sobre esse lugar no *Dicionário*. Também não se sabe sua localização exata, embora ficasse na região em torno de Cades (Nm 20.1), perto do monte Horebe. "Os amalequitas (vs. 8), que atacaram Israel aqui, viviam nessa área do Neguebe e na extremidade sul da península, onde uma antiga tradição acerca do Sinai tem levado exploradores a procurar por esse ponto de parada" (J. Edgar Park, *in loc.*).

"Refidim, tradicionalmente, é atualmente identificada como o wadi Refayld, perto do Jebel Musa, suposto local do monte Sinai" (John D. Hannah, *in loc.*).

17.2

וַיָּ֤רֶב הָעָם֙ עִם־מֹשֶׁ֔ה וַיֹּ֣אמְר֔וּ תְּנוּ־לָ֥נוּ מַ֖יִם וְנִשְׁתֶּ֑ה וַיֹּ֤אמֶר לָהֶם֙ מֹשֶׁ֔ה מַה־תְּרִיבוּן֙ עִמָּדִ֔י מַה־תְּנַסּ֖וּן אֶת־יְהוָֽה׃

Dá-nos água. Essa foi a segunda das três reclamações de Israel, no deserto, pedindo água. Ver as notas introdutórias ao primeiro versículo deste capítulo. O povo achou falta em Moisés, mas este lhes apontou *Yahweh*, aquele que proveria água para eles. Moisés julgou a questão como falta de fé, como um ato que "tentava a Yahweh", considerando todas as provisões miraculosas que já tinham ocorrido. Ver as notas dadas em Êxodo 15.22, quanto a ideias concernentes ao problema da falta de água, em tais lugares.

O povo de Israel usou essa questão para desafiar o direito de liderança de Moisés. O povo irou-se, estando pronto a apedrejar Moisés, a menos que ele conseguisse água, prontamente (vs. 4).

17.3

וַיִּצְמָ֨א שָׁ֤ם הָעָם֙ לַמַּ֔יִם וַיָּ֥לֶן הָעָ֖ם עַל־מֹשֶׁ֑ה וַיֹּ֗אמֶר לָ֤מָּה זֶּה֙ הֶעֱלִיתָ֣נוּ מִמִּצְרַ֔יִם לְהָמִ֥ית אֹתִ֛י וְאֶת־בָּנַ֥י וְאֶת־מִקְנַ֖י בַּצָּמָֽא׃

Murmurou contra Moisés. A murmuração dos filhos de Israel é um tema muito repetido nos livros de Êxodo e de Números. Ver as notas em Êxodo 14.10, onde há referências a todos os incidentes dessa natureza. O ato implicava falta de fé e rebeldia, além de ser um desafio à liderança de Moisés.

Para nos matares de sede. Israel escapou a várias ameaças à vida inerentes nas pragas (ver no *Dicionário* o artigo *Pragas do Egito*). Porém, tendo fugido do Egito, continuou a enfrentar perigos mortíferos no deserto, assim realmente precisava da proteção e das provisões de Yahweh, não menos do que se estivesse no Egito. Este versículo reitera a declaração de Êxodo 14.10-12. Naquele caso, o exército egípcio prometera efetuar um extermínio do povo de Israel, e os israelitas imediatamente preferiram voltar à escravidão, no Egito, tendo lançado a *culpa* sobre Moisés, por havê-los libertado.

Heródoto (*Hist.* iii.26) conta sobre um exército inteiro que morreu no deserto, por falta de água. Navios têm perdido sua tripulação por motivo de sede, havendo "água, água por toda parte, mas nem uma gota para beber".

A fé religiosa por muitas vezes nos leva até uma rocha, estéril e seca, onde não há água. Podemos falar em apelar para nossos próprios recursos, ou para outras coisas que as pessoas dizem. Mas há ocasiões em que *Deus* precisa intervir, pois, de outra sorte, nada será conseguido. O Senhor está ou não entre nós? Essa é uma pergunta vital. Os testes tendem por ensinar-nos, embora pelo método difícil, que Deus está sempre presente, pronto para ajudar-nos.

Nossos rebanhos? Os vastos rebanhos de Israel tornavam quase impossível a tarefa de conseguir água para os animais, e só Yahweh poderia conseguir tal feito. Tipicamente, os desertos são pouco povoados. Mas Moisés lançou ao deserto uma nação inteira, os homens e seus animais domésticos, e isso provocou crise em cima de crise.

17.4

וַיִּצְעַ֤ק מֹשֶׁה֙ אֶל־יְהוָ֣ה לֵאמֹ֔ר מָ֥ה אֶעֱשֶׂ֖ה לָעָ֣ם הַזֶּ֑ה ע֥וֹד מְעַ֖ט וּסְקָלֻֽנִי׃

Só lhe resta apedrejar-me. Esse era o método mais comum de execução capital em Israel. Também havia a execução na fogueira (Lv 20.14). Ao que parece, os corpos dos executados por apedrejamento eram então consumidos nas chamas. Ver no *Dicionário* os artigos intitulados *Apedrejamento* e *Punição Capital*. Diante das águas amargosas de Mara (Êx 15.23), o povo queixou-se amargamente, mas não houve nenhuma iniciativa para apedrejar Moisés. Assim sendo, as coisas estavam piorando e o teste estava cada vez mais difícil de enfrentar.

O apedrejamento era uma espécie de linchamento aprovado, a fim de livrar a nação de pecadores ou criminosos perigosos (1Sm 30.6). De súbito, Moisés tornou-se uma *persona non grata*. Cf. Êxodo 8.26, onde os israelitas temeram que os egípcios pudessem apedrejá-los.

Pessoas culpadas de várias formas de incesto eram apedrejadas. Ver o gráfico ilustrativo nas notas sobre Levítico 17.14.

17.5

וַיֹּ֨אמֶר יְהוָ֜ה אֶל־מֹשֶׁ֗ה עֲבֹר֙ לִפְנֵ֣י הָעָ֔ם וְקַ֥ח אִתְּךָ֖ מִזִּקְנֵ֣י יִשְׂרָאֵ֑ל וּמַטְּךָ֗ אֲשֶׁ֨ר הִכִּ֤יתָ בּוֹ֙ אֶת־הַיְאֹ֔ר קַ֥ח בְּיָדְךָ֖ וְהָלָֽכְתָּ׃

Os Anciãos de Israel e a Vara de Moisés. Quanto a essa vara, ver Êxodo 4.2. Ver as notas sobre Êxodo 7.14, que ilustram o uso da vara quanto à questão das pragas. Essa vara agora faria esguichar água da rocha. Ver Êxodo 7.17,20, quando Moisés bateu nas águas do Nilo com a vara. Em resultado, as águas do Nilo transformaram-se em sangue, e esse foi o prodígio da primeira praga do Egito. E outras pragas vieram em seguida. Agora Moisés esperava outro grande milagre, porquanto o mesmo Yahweh continuava a dar orientação.

Os anciãos de Israel estavam presentes para testemunharem o milagre, levando o povo a ter confiança quanto às provisões e à proteção de Yahweh, o qual estava sempre com eles.

Cada um desses prodígios tinha seu papel didático; cada um deles ajudava Israel a crescer; muitas lições repetidas foram necessárias para que houvesse crescimento na graça. Ver no *Dicionário* o artigo *Desenvolvimento Espiritual, Meios de*. O toque místico figura entre esses meios. Algumas vezes precisamos da evidência da *presença de Deus* entre nós.

17.6

הִנְנִ֣י עֹמֵד֩ לְפָנֶ֨יךָ שָּׁ֥ם ׀ עַֽל־הַצּוּר֮ בְּחֹרֵב֒ וְהִכִּ֣יתָ בַצּ֗וּר וְיָצְא֥וּ מִמֶּ֛נּוּ מַ֖יִם וְשָׁתָ֣ה הָעָ֑ם וַיַּ֤עַשׂ כֵּן֙ מֹשֶׁ֔ה לְעֵינֵ֖י זִקְנֵ֥י יִשְׂרָאֵֽל׃

Estarei ali diante de ti. Yahweh postar-se-ia diante de Moisés, quando chegasse o momento de realizar o milagre. Temos aí um impressionante e eficaz antropomorfismo. Ver no *Dicionário* o artigo chamado *Antropomorfismo*. Mas isso não quer dizer que o poder de Deus não estivesse presente; tão somente a linguagem humana encontra dificuldades para exprimir coisas dessa natureza.

A rocha em Horebe. Ver no *Dicionário* acerca desse monte. Ouvimos a seu respeito desde o começo do livro de Êxodo. Ver Êxodo 3.1, onde ofereço notas adicionais. Foi ali que, inesperadamente, manifestou-se a presença do Senhor.

O termo *Horebe* parece que designava a inteira serra montanhosa da qual o Sinai fazia parte. Talvez Horebe e Sinai fossem apenas picos de uma mesma serra. Em Êxodo 19.1, lemos que Israel acampou no Sinai. Ver ali as notas expositivas. Refidim (vs. 1) ficava perto do Sinai.

Lendas foram criadas acerca da rocha que produziu água. O *Targum de Onkelos*, ao comentar sobre o trecho de Números 21.17, dá-nos a declaração espantosa de que essa rocha, em seguida, seguia sempre o povo de Israel, sempre pronta para suprir água. Paulo, em 1Coríntios 10.4, conforme alguns pensam, referiu-se a essa tradição com seriedade. Ver notas completas sobre essa questão no *Novo Testamento Interpretado, in loc*. Seja como for, há uma referência neotestamentária metafórica que faz a Rocha ser o próprio Cristo. Talvez haja nisso um indício da atuação do Logos, antes de sua encarnação, no deserto, em favor de Israel. Ver no *Dicionário* o artigo intitulado *Rocha Espiritual*, com comentários adicionais sobre 1Coríntios 10.4, no *Novo Testamento Interpretado*.

Por nada menos de três vezes, Moisés, a mando de Deus, fez sair água da rocha: em Refidim (Êx 17.6); em Cades (Nm 20.11), e à beira do poço de Beer (Nm 21.16).

A Rocha, um Tipo de Cristo:

1. Ela se tornou um emblema de Cristo, em suas qualidades doadoras de vida, pois a água é essencial à vida (1Co 10.4). A Rocha (Cristo) manou água livremente.
2. Um povo inteiro, embora indigno, ainda assim bebeu, mediante a graça de Deus (Êx 17.6; Ef 2.1-6).
3. A água era gratuita (Jo 4.10; Rm 6.23; Ef 2.8).
4. A água era abundante (Sl 105.41; Jo 3.16; Rm 5.10).
5. A água estava próxima, de fácil acesso (Rm 10.8).
6. Os israelitas tiveram apenas de exercer vontade, para tomarem da água (Is 55.1).
7. A Rocha (Cristo) foi ferida, e dela manou o Espírito Santo, o qual é simbolizado pela água. Ver no *Dicionário* o artigo *Água*; ver também João 7.38.

As *explicações naturalísticas* incluem aquilo que aponta para o fato de que a água jaz abaixo da superfície calcária da região do Sinai, e que Moisés, por mero acidente, acertou um ponto de saída da água, ao bater na rocha, fazendo o líquido esguichar até a superfície. Moisés teria feito apenas o trabalho de um rabdomante, com a sua vara!

■ 17.7

וַיִּקְרָא שֵׁם הַמָּקוֹם מַסָּה וּמְרִיבָה עַל־רִיב בְּנֵי יִשְׂרָאֵל וְעַל נַסֹּתָם אֶת־יְהוָה לֵאמֹר הֲיֵשׁ יְהוָה בְּקִרְבֵּנוּ אִם־אָיִן׃ פ

Massá. Esse vocábulo significa "teste" ou "tentação". A alusão é ao fato de que ali os israelitas tentaram Yahweh (vs. 2). Essa palavra é traduzida por "flagelo" em Jó 9.23, e por "tentação" em Deuteronômio 4.34; 7.19; 29.3 e Salmo 95.8. Essa palavra também refere-se ao fato de que Israel foi testado pela sede, no deserto, e, então, foi fortalecido na fé, devido ao resultado favorável do incidente.

Meribá. Essa palavra significa "ralhar" ou "querelar" (sua raiz é *rib* ou *rub*). A referência é como o povo repreendeu Moisés, entrando em caloroso debate com ele (vss. 3,4), chegando ao extremo de querer apedrejá-lo.

As águas de Meribá têm sido identificadas com Cades, em Números 20.13. Os dois termos (Massá e Meribá) tornaram-se sinônimos da "dureza de coração" e da "infidelidade" de Israel. Ver Deuteronômio 6.16; 9.22; 33.8; Salmo 95.8.

"Está o Senhor no meio de nós, ou não?" Essa foi a pergunta desafiadora deles, pois duvidavam de que Yahweh de fato estivesse entre eles, ou que Moisés tivesse recebido autoridade da parte dele. Assim, tentaram a Yahweh e querelaram com Moisés. A pergunta feita por eles, fosse como fosse, foi uma pergunta crítica para toda e qualquer fé religiosa. Não existe verdadeira espiritualidade sem a presença do Senhor. Moisés, pois, teve de provar que a presença de Deus estava entre eles. De que provas dispomos? Meros credos não são suficientes. Crer em credos também não basta.

"Meribá era uma das fontes que havia em Cades (Nm 20.13; 27.14; Dt 32.51). Mara (Êx 15.23) e Massá, como é evidente, eram fontes que havia em um mesmo oásis. Algumas tradições, relativas ao trecho de Êxodo 15.23–18.27, falam em um oásis ao sul de Berseba (ver Nm 13.26 e suas notas)" (*Oxford Annotated Bible, in loc.*). Esses nomes, em um contexto diferente, designam fontes de água.

> Fonte tu de toda bênção,
> Vem o canto me inspirar;
> Dons de Deus, que nunca cessam,
> Quero em alto som louvar.
> Oh! ensina o novo canto
> Dos remidos lá dos céus.
> Ao teu servo e ao povo santo
> Para Te louvarmos, bom Deus!
>
> Robert Robinson

AMALEQUE ATACA OS ISRAELITAS (17.8-16)

■ 17.8

וַיָּבֹא עֲמָלֵק וַיִּלָּחֶם עִם־יִשְׂרָאֵל בִּרְפִידִם׃

Amaleque. Israel teve de passar por vários testes. Houve o ataque do exército egípcio, no início da saída de Israel (Êx 14.23 ss.); houve fome e sede (15.23; cap. 16; 17.1 ss.); e agora havia o ataque dos amalequitas, uma crise militar, típica do que poderia ter reduzido o povo de Israel a nada, antes mesmo de eles entrarem na Terra Prometida. A história ilustra um antigo e contínuo atrito entre Israel e Amaleque. Mas Moisés, erguendo as mãos, fez Israel prevalecer, enquanto Josué liderava as forças de Israel. A liderança e o poder de Moisés, uma vez mais, e de uma maneira diferente, foram ilustrados e confirmados; e isso foi um assunto importante aos olhos do autor do Pentateuco. Ver as notas sobre *Amaleque*, em Gênesis 36.12. Ver no *Dicionário* o artigo chamado *Amalequitas*. Os amalequitas eram aparentados dos idumeus (descendentes de Esaú, irmão de Jacó), conforme se vê em Gênesis 36.12. Através de vários séculos, eles estiveram em campanha militar permanente contra Israel. Meu artigo é bastante detalhado, mostrando o que se sabe acerca deles no que tange a Israel.

Eles foram alistados entre os povos que ocupavam a terra de Canaã e que Israel precisava expulsar dali. Ver Números 13.29; 14.25,43,45. Viviam ao norte de Cades, o que consideravam "seu" oásis, lugar de muita água e de refrigério. É possível que a batalha aqui mencionada tenha girado em torno de Cades.

■ 17.9

וַיֹּאמֶר מֹשֶׁה אֶל־יְהוֹשֻׁעַ בְּחַר־לָנוּ אֲנָשִׁים וְצֵא הִלָּחֵם בַּעֲמָלֵק מָחָר אָנֹכִי נִצָּב עַל־רֹאשׁ הַגִּבְעָה וּמַטֵּה הָאֱלֹהִים בְּיָדִי׃

Josué. Ele é aqui mencionado sem nenhuma introdução. Ver no *Dicionário* o artigo detalhado a seu respeito. Josué era da tribo de Efraim, filho de um homem chamado Num, e estava na décima geração depois de José. Foi um militar de considerável valor, o que explica sua participação em lides militares desde o começo. Mais tarde, foi entregue a ele a tarefa de fazer Israel realmente entrar na Terra Prometida. O trecho de Êxodo 33.11 mostra-nos que ele era auxiliar pessoal de Moisés e seu braço direito. O poder espiritual, entretanto, estava com Moisés, o qual ergueu a vara acima da cabeça, para garantir a vitória de Josué sobre os amalequitas. Mas a Josué coube dirigir as forças armadas de Israel.

A vara de Deus. Era a vara de poder (ver as notas em Êx 4.5,17). Ver também o gráfico nas notas sobre Êxodo 7.14, que ilustram seu uso em relação às pragas do Egito. Os críticos veem nessa vara a varinha dos mágicos ou conjuradores. Os antigos acreditavam na possibilidade de derrotar alguém mediante juramentos e maldições. Ver Números 22.6. Alguns pensam que o vs. 16 deste capítulo é um exemplo da essência de uma maldição ou juramento. Os eruditos conservadores, como é óbvio, objetam a explicações dessa ordem, embora admitam que tais coisas faziam parte das crenças de povos antigos, porquanto veem neste incidente outro exemplo do poder de Yahweh, o verdadeiro poder que havia por trás de Moisés. Temos em Êxodo 17.5 um uso mais recente da vara, com a qual Moisés feriu a rocha em Horebe, da qual esguichou água para dessedentar o povo de Israel e seus rebanhos.

■ 17.10

וַיַּעַשׂ יְהוֹשֻׁעַ כַּאֲשֶׁר אָמַר־לוֹ מֹשֶׁה לְהִלָּחֵם בַּעֲמָלֵק וּמֹשֶׁה אַהֲרֹן וְחוּר עָלוּ רֹאשׁ הַגִּבְעָה׃

Moisés, Arão e Hur. Eles subiram ao topo do monte para acompanhar a batalha e *garantir a vitória* de Israel.

Hur. Dispomos somente de três menções bíblicas diretas a esse homem: aqui, no vs. 12 deste capítulo, e em Êxodo 24.14. Mas seus filhos também são mencionados: Êxodo 31.2; 35.30 e 38.22. Quando Moisés subiu ao monte Sinai a fim de receber as tábuas da lei, Arão e Hur foram deixados entre o povo para manterem a ordem em Israel, durante a ausência do líder. Ao que tudo indica, Hur era "a terceira autoridade", e, sem dúvida, foi um dos mais poderosos anciãos de Israel. Ver Êxodo 24.14.

Outros indivíduos com esse nome figuram no Antigo Testamento. Ver no *Dicionário* o verbete *Hur*. Josefo diz que o Hur deste texto era marido de Miriã, irmã de Moisés; mas não há como averiguar se essa informação está correta ou não. Ver *Antiq.* iii.2.4. Alguns autores judeus, porém, faziam dele um filho de Miriã (*Pirke Eliezer*, c. 45; *Shalshalet Hakabala*, fol. 7.1).

■ 17.11

וְהָיָה כַּאֲשֶׁר יָרִים מֹשֶׁה יָדוֹ וְגָבַר יִשְׂרָאֵל וְכַאֲשֶׁר יָנִיחַ יָדוֹ וְגָבַר עֲמָלֵק׃

Quando Moisés levantava a mão. Com as mãos erguidas na horizontal, sua figura formava uma espécie de cruz. Assim, o sinal da cruz pode ter sido antecipado nesse gesto de Moisés. Seja como for, a figura da cruz era empregada por muitos povos antigos. Na Índia, na China, no Egito, na Grécia, entre os gauleses, no México e, entre os índios americanos, os dakotas, a cruz era um antigo símbolo pré-cristão. A barra horizontal da cruz pode representar encruzilhadas ou lugares de dúvida e decisão. Assim também a vara de Moisés, um cajado de pastor, simbolizava diversas coisas. Símbolos são importantes, mas há exageros quando os símbolos tomam o lugar das realidades representadas.

Um Símbolo da Oração. O direito prevalece quando oramos. O errado prevalece quando os homens se mostram omissos na oração. Ver no *Dicionário* os artigos intitulados *Oração* e *Intercessão*. As poderosas mãos de Moisés já se tinham tornado um símbolo para o seu povo. A fé de Israel ia crescendo em todos esses incidentes. De fato, conforme alguém já disse, "o maior milagre de Deus foi a fé de Israel".

Vitória e derrota ocorriam em fluxos e em ciclos. Quando as mãos de Moisés estavam erguidas, a vitória era obtida; mas quando elas caíam de pesadas, a derrota dos israelitas se evidenciava. Assim também, a vitória e a derrota ocorrem em nossa vida, por muitas vezes dependendo de nosso uso ou negligência dos recursos espirituais. Esse uso ou negligência normalmente depende de como valorizamos ou desprezamos os meios de desenvolvimento espiritual. Ver no *Dicionário* o artigo chamado *Desenvolvimento Espiritual, Meios do*.

Moisés tornou-se conhecido como homem cujas orações eram poderosamente eficazes. Sua fama cresceu mesmo entre os escritores pagãos (Apud Euseb. *Praepar. Evang.* 1.9 c.8, par. 411). Isso também foi enfatizado em vários dos Targuns dos judeus. Cf. 1Timóteo 2.8, provavelmente uma alusão a este versículo.

> E visto que ele me ordena buscar sua face,
> Crer em sua Palavra e confiar em sua graça,
> Lançarei sobre ele todos os meus cuidados,
> Confiadamente, na doce hora da oração.
>
> W. W. Walford

■ **17.12**

וִידֵי מֹשֶׁה֙ כְּבֵדִ֔ים וַיִּקְחוּ־אֶ֛בֶן וַיָּשִׂ֥ימוּ תַחְתָּ֖יו וַיֵּ֣שֶׁב עָלֶ֑יהָ וְאַהֲרֹ֨ן וְח֜וּר תָּֽמְכ֣וּ בְיָדָ֗יו מִזֶּ֤ה אֶחָד֙ וּמִזֶּ֣ה אֶחָ֔ד וַיְהִ֥י יָדָ֛יו אֱמוּנָ֖ה עַד־בֹּ֥א הַשָּֽׁמֶשׁ׃

Arão e Hur sustentavam-lhe as mãos. Assim a vitória era garantida. Moisés fatigava-se e precisava de ajuda alheia. E isso mostra como nenhum homem pode realizar qualquer tipo de missão significativa sem a ajuda de outros. Vemos neste versículo a ideia de apoio sob a forma de oração, bem como a cooperação voluntária de outros, nos projetos. A ajuda de Arão e Hur determinou o sucesso. Cf. 1Reis 18.42. Nas Escrituras, a mão e o braço são emblemas de poder (Gn 31.29; Mq 2.1). Sem dúvida, esse foi o caso neste lance histórico. Houve algo de "intrinsecamente eficaz" no que aqueles três fizeram, e não apenas simbólico.

Alguns estudiosos pensam que os braços de Moisés foram mantidos estendidos na *horizontal*, o que formaria um sinal da cruz, conforme sugerimos nas notas sobre o vs. 11, acima. Talvez o sinal de Caim (Gn 4.15) e a marca posta sobre as testas dos potencialmente salvos (Ez 9.4) também fossem cruzes. Os três homens mostraram-se totalmente dependentes a Yahweh, pois Israel era seu *filho* primogênito (Êx 4.22); e era em favor desse "filho" que aqueles homens realizaram aquela tarefa.

As mãos de Moisés eram pesadas. Conforme alguém comentou: "Não nos cansamos do trabalho, e, sim, no trabalho". E, então, precisamos apelar para a ajuda alheia. Quase todos os projetos são esforços de equipe, se tiverem alguma dimensão e importância. Sozinhos, dificilmente conseguimos alguma coisa.

■ **17.13**

וַיַּחֲלֹ֧שׁ יְהוֹשֻׁ֛עַ אֶת־עֲמָלֵ֥ק וְאֶת־עַמּ֖וֹ לְפִי־חָֽרֶב׃ פ

Entrementes, Josué, o jovem militar, mostrou-se eficaz em seu papel, tal como aqueles homens de mais idade se mostraram na tarefa deles. Aqueles que laboram na seara espiritual não estão em competição uns contra os outros. Há muitas formas diferentes de tarefas, visto que o trabalho é feito por aqueles dotados para fazerem coisas *diferentes*. O corpo humano tem muitas funções, mas os membros não vivem em competição entre si. Antes, cooperam visando o bem coletivo. Ver Romanos 12.4 ss e suas notas quanto a essa metáfora. O capítulo 12 de 1Coríntios reitera essa ilustração.

Na ocasião, a vitória de Israel foi total; mas através dos séculos, muitas outras vitórias sobre o inimigo se fariam necessárias. Ver o artigo sobre os *amalequitas*, no *Dicionário*, onde a narrativa toda é dissecada.

■ **17.14**

וַיֹּ֨אמֶר יְהוָ֜ה אֶל־מֹשֶׁ֗ה כְּתֹ֨ב זֹ֤את זִכָּרוֹן֙ בַּסֵּ֔פֶר וְשִׂ֖ים בְּאָזְנֵ֣י יְהוֹשֻׁ֑עַ כִּֽי־מָחֹ֤ה אֶמְחֶה֙ אֶת־זֵ֣כֶר עֲמָלֵ֔ק מִתַּ֖חַת הַשָּׁמָֽיִם׃

Escreve isto para memória num livro. Ali só havia uma mensagem: os amalequitas teriam de ser totalmente obliterados. O trecho de Deuteronômio 25.18 fornece-nos a razão. Foram os amalequitas que atacaram primeiro Israel, procurando pôr fim ao "filho" de Yahweh, antes mesmo de Israel poder chegar à Terra Prometida. Por conseguinte, acima de todos os outros povos, eles seriam obliterados, conforme tinham querido fazer com Israel. Os amalequitas, pois, representavam *todas* aquelas nações que então ocupavam a terra de Canaã. Fazia parte do *Pacto Abraâmico* (ver as notas sobre Gn 15.18, a esse respeito) que Israel deveria entrar na posse da Terra Prometida. E, então, as tribos nômades de Israel se transformariam em uma nação fixa em seu próprio território. O Messias haveria de surgir dentre essa nação, e assim as provisões do Pacto Abraâmico seriam espiritualizadas e universalizadas (Gl 3.14 ss.). E qualquer povo que tentasse impedir os propósitos de Yahweh quanto a seu filho primogênito, Israel, teria de sofrer as consequências de seu atrevimento (Êx 4.22).

"Os oráculos de Balaão (Nm 24.14) repetiram essa predição. Visto haver mitigado o fio cortante do mandamento, em *um* pequeno detalhe, Saul perdeu o favor de Yahweh (1Sm 15)... Davi lembrou-se da injunção divina (1Sm 27.8; 30.1). O último remanescente dos amalequitas parece ter sido aniquilado nos dias de Ezequias, cerca de cinco séculos mais tarde (1Cr 4.41-43). Anotar por escrito um mandamento aumenta a duração de sua validade" (J. Edgar Park, *in loc.*).

Para memória num livro. Já existiam livros muito antes de Moisés (Gn 5.1; Nm 21.4). Descobertas arqueológicas no Egito têm mostrado quão abundantes eram ali os livros, desde muito antes da legislação mosaica. Alguns eruditos têm pensado que esse *livro* foi uma espécie de começo do Pentateuco. Mas é impossível provar ou não essa contenção. Ver no *Dicionário* o artigo chamado *Livro (Livros)* quanto a informações sobre os livros antigos. Neste versículo, pois, temos o primeiro registro acerca de uma obra escrita na Bíblia.

Repete-o a Josué. Foi Josué quem deu início aos efeitos dessa tremenda maldição, tendo recebido a responsabilidade primária de pô-la em execução em *seus* dias. Ver sobre a escrita de Moisés nas notas sobre Êxodo 24.4.

Hei de riscar totalmente a memória. Temos aí a feitura de uma espécie de pacto sacrificial, uma maldição divina que finalmente seria absoluta, embora se tivessem passado séculos para que se cumprisse cabalmente.

■ **17.15**

וַיִּ֥בֶן מֹשֶׁ֖ה מִזְבֵּ֑חַ וַיִּקְרָ֥א שְׁמ֖וֹ יְהוָ֥ה ׀ נִסִּֽי׃

Um altar. Moisés erigiu um altar especial, que comemorava a vitória sobre os filhos de Amaleque. Ele o chamou de *Yahweh nissi,* que significa "sinal" ou "bandeira de Yahweh". O *sinal* mostrou-se intrinsecamente eficaz, cumprindo todas as suas intenções. Por isso mesmo, Josefo ajuntou que o sentido desse título é *Yahweh é aquele que faz coisas para mim* (Antiq. iii.2.5). Isso, por sua vez, significa que Yahweh é o *Senhor-Conquistador*. Por assim dizer, Yahweh foi a *bandeira* sob a qual Israel lutava, a garantia de vitória de que Israel dispunha. O nome de Deus é exibido por aqueles que trabalham para ele; e, na força desse nome, eles vencem. Moisés erigiu um altar para preservar a memória da intervenção divina em favor de Israel. Não se sabe dizer, entretanto, se esse altar visava receber holocaustos, ou se era apenas um monumento memorial.

Muitos outros altares tinham sido levantados antes ou foram levantados depois, mas somente esse altar de Moisés, e aquele levantado por Jacó (chamado *El-Eohe-Israel*), segundo se lê em Gênesis 38.20, receberam nomes. Ver no *Dicionário* o artigo chamado *Altar,* quanto a maiores informações sobre essa questão.

O livro e o altar, pois, sancionaram a *guerra santa*, garantindo a vitória final ao povo de Israel.

17.16

וַיֹּאמֶר כִּי־יָד עַל־כֵּס יָהּ מִלְחָמָה לַיהוָה |H| V16|
בַּעֲמָלֵק מִדֹּר דֹּר: פ

O Senhor jurou. Essa é uma tradução possível de um trecho difícil no original hebraico. Outras traduções dizem: "uma mão sobre a bandeira do Senhor" ou "sobre o trono" (conforme diz a maioria dos Targuns). Ou, então, conforme dizem outras traduções: "a mão dos amalequitas está contra o trono de Yahweh".

De geração em geração. Na verdade, o conflito continuou por cerca de cinco séculos. Ver as notas sobre o vs. 14 deste capítulo. O artigo sobre os *amalequitas* demonstra isso de modo vívido. Yahweh era o inimigo verdadeiro dos amalequitas, embora ele viesse a usar de agentes humanos diversos, de geração em geração. Cada geração devia renovar os votos feitos por Josué e a intenção de lutar contra Amaleque, conforme foi escrito naquele livro (vs. 14), dependendo do poder simbolizado por aquele altar (vs. 15). Isso asseguraria a continuidade do povo de Israel, necessário para a concretização do Pacto Abraâmico, conforme vemos nas notas sobre Êxodo 17.14. Precisamos relembrar a selvageria das tribos antigas que tinham ocupado a terra de Canaã. Somente uma contínua e resoluta guerra poderia manter uma nação naqueles dias antigos. E mesmo a despeito de tanto esforço, primeiramente as dez tribos do norte, e depois as duas tribos do sul, foram levadas para o exílio, de tal modo que somente um pequeno remanescente da tribo de Judá restava nos dias de Jesus. E, então, em 132 d.C., Adriano, imperador de Roma, enviou esse pequeno remanescente ao pior e mais longo de todos os exílios, o exílio romano, do qual outro pequeno remanescente sobreviveu, a fim de retornar ao território de Israel, já no século XX, em maio de 1948. Por isso mesmo, Israel sempre teve de se defender violentamente de vizinhos violentos, inclinados a expulsá-los da sua Terra Prometida. Algum dia, a evolução espiritual do homem haverá de fazê-lo ultrapassar toda essa selvageria. Mas isso está longe de acontecer, mesmo em nosso século XXI. Ver no *Dicionário* o verbete chamado *Cativeiro (Cativeiros)*.

CAPÍTULO DEZOITO

JETRO VISITA E ACONSELHA A MOISÉS (18.1-27)

Moisés estava enfrentando problemas administrativos. Uma sábia palavra de conselho da parte de Jetro, sogro de Moisés, ajudou a aliviar a tensão. O fato de que toda uma seção (que constitui um capítulo da Bíblia) é devotada à questão mostra-nos a sua importância. Para os eruditos, esta seção também reveste-se de importância por ser o principal texto de prova da chamada *hipótese dos queneus*. A essência dessa hipótese é que não somente o nome de *Yahweh*, o Deus de Israel, mas também muitos aspectos do culto e da vida social dos israelitas derivavam-se do clã midianita dos queneus, ao qual pertencia Jetro, sogro de Moisés. Moisés passou quarenta anos com Jetro. Seria apenas lógico pensar que Moisés trouxe consigo muitas ideias e práticas de seus quarenta anos de vida no deserto, onde trabalhava para Jetro. Ver Êxodo 2.18 ss. e cap. 3. Ver no *Dicionário* o artigo sobre *Jetro*. Ele é chamado *Reuel* em Êxodo 2.18 e Números 10.29. Há uma possível confusão de nomes que aquele meu artigo tenta solucionar. Ver também sobre *Reuel (Raguel)*, segundo item.

"O sacerdote de Midiã celebrou uma refeição sagrada e aconselhou Moisés acerca da administração da lei" (*Oxford Annotated Bible, in loc.*).

Muitos eruditos conservadores, buscando singularidade para Israel, supõem que Moisés poderia ter tomado por empréstimo apenas detalhes triviais de alguém, pois sua real fonte de informação e prática seria a revelação divina.

Moisés teve uma grande *confrontação* com os amalequitas (Êx 17); mas com Jetro ele teve uma *confraternização*. Aumentando os problemas de Israel, aumentaram também os problemas de Moisés. Jetro tinha muita experiência por haver administrado as questões de sua tribo, e assim detinha o "know-how" capaz de ajudar Moisés. Muitos pequenos ditadores do mundo cristão fariam bem em tomar nota da solução que este capítulo oferece para os deveres administrativos.

18.1

וַיִּשְׁמַע יִתְרוֹ כֹהֵן מִדְיָן חֹתֵן מֹשֶׁה אֵת כָּל־אֲשֶׁר
עָשָׂה אֱלֹהִים לְמֹשֶׁה וּלְיִשְׂרָאֵל עַמּוֹ כִּי־הוֹצִיא יְהוָה
אֶת־יִשְׂרָאֵל מִמִּצְרָיִם:

Jetro. Ver sobre ele o artigo no *Dicionário*, e consultar as notas introdutórias sobre este capítulo, quanto a outras ideias, bem como sobre a essência deste capítulo. Ver Êxodo 2.18 ss. e o cap. 3 quanto à longa permanência de quarenta anos de Moisés em companhia de Jetro. Ver sobre a *Hipótese dos Queneus* nas notas introdutórias a este capítulo.

Como o Senhor trouxera Israel do Egito. Não tinha sido pequena a realização de Moisés: tirar Israel do Egito. Jetro entendeu que seu genro se tinha transformado em um grande homem, e lhe fez uma visita de cortesia. Veio cheio de boas sugestões para ajudar Moisés naquele estágio de sua missão. Deus sempre envia alguém para ajudar-nos, quando nossas missões atingem algum ponto crítico. Achamos um orientador, um conselheiro, um socorredor financeiro, algum cooperador ou companheiro de tarefas. Nossas missões são importantes. Tudo quanto fazemos é importante, e encontramos ajudantes divinamente designados, quando deles precisamos. Alguns nos ajudam a tomar decisões certas; outros nos ajudam a realizar projetos importantes; ainda outros nos orientam em momentos críticos de nossas vidas.

18.2

וַיִּקַּח יִתְרוֹ חֹתֵן מֹשֶׁה אֶת־צִפֹּרָה אֵשֶׁת מֹשֶׁה אַחַר
שִׁלּוּחֶיהָ:

Os vss. 2-4 recapitulam questões que já tinham sido abordadas. Ver Êxodo 2.22; 4.20,25. O trecho de Êxodo 4.20 adianta que Moisés tinha levado para o Egito sua mulher e seus filhos. A continuação do relato não diz que ele a enviou de volta a seu pai, mas podemos supor que ele fez isso como medida de segurança. Muitos homens enviam para lugar seguro esposa e filhos, na esperança de chamá-los uma vez cessadas as hostilidades. As tradições posteriores dos judeus dizem que, a pedido de Arão, Moisés enviou sua esposa e seus filhos de volta a Jetro. E mais tarde Jetro, supondo que as dificuldades maiores de Israel tinham passado, devolveu-lhe a esposa.

Zípora. Ver o artigo sobre ela no *Dicionário*, bem como as notas sobre Êxodo 2.21.

18.3

וְאֵת שְׁנֵי בָנֶיהָ אֲשֶׁר שֵׁם הָאֶחָד גֵּרְשֹׁם כִּי אָמַר גֵּר
הָיִיתִי בְּאֶרֶץ נָכְרִיָּה:

Moisés e Zípora tinham dois filhos:

Gérson. Esse era o nome de um dos filhos de Moisés. Ver informações sobre ele em Êxodo 2.22, em notas que incluem o sentido desse nome, refletindo as circunstâncias de Moisés quando Gérson nasceu.

18.4

וְשֵׁם הָאֶחָד אֱלִיעֶזֶר כִּי־אֱלֹהֵי אָבִי בְּעֶזְרִי וַיַּצִּלֵנִי
מֵחֶרֶב פַּרְעֹה:

Eliezer. Ver no *Dicionário* o artigo sobre esse nome (apelativo de várias pessoas referidas na Bíblia), no seu terceiro item. É provável que ele tenha sido a criança que Zípora circuncidou no deserto, conforme o registro de Êxodo 4.25. Gérson teve um filho, e, nos dias de Davi, havia muitos descendentes dele (1Cr 23.27). Esse nome quer dizer "Deus é a minha ajuda". "Não há certeza se Moisés lhe deu esse nome antes de separar-se dele, em alusão ao fato de ter escapado do Faraó, que tinha procurado matá-lo (Êx 2.15), ou se lhe deu esse nome quando o recebeu de volta, em alusão a seu recente escape do exército egípcio que foi destruído às margens do mar Vermelho" (Ellicott, *in loc.*). Sem importar como tenha sido, Moisés deu esse nome a seu filho como comemoração por haver escapado da *espada* do Faraó, em alguma ocasião não-especificada.

"É difícil a uma mulher ser esposa de um homem famoso. Ninguém parecia dar atenção a Zípora e aos filhos dela, depois de os três serem mencionados no vs. 6. As melhores esposas parecem gostar das coisas dessa maneira, para que possam desfrutar (como um segredo por demais sagrado para ser profanado pelo conhecimento comum) a verdade de seu real poder... Nada mais se sabe acerca de Zípora. Mas o Talmude diz, com uma imaginação muito criativa, que Moisés apelou primeiramente para as *mulheres*, quando precisava fazer o povo obedecer à lei, pois Moisés costumava dizer: 'Adão nunca teria pecado se Deus tivesse dado instruções a Eva, e não a Adão'. E isso mostra o quanto ele tinha aprendido de Zípora a sabedoria e o tato demonstrados pelas mulheres" (J. Coert Rylaarsdam, *in loc.*).

■ 18.5

וַיָּבֹא יִתְרוֹ חֹתֵן מֹשֶׁה וּבָנָיו וְאִשְׁתּוֹ אֶל־מֹשֶׁה
אֶל־הַמִּדְבָּר אֲשֶׁר־הוּא חֹנֶה שָׁם הַר הָאֱלֹהִים:

A Reunião da Família. Yahweh cuidou para que Moisés fosse recompensado, de muitas maneiras, pela missão que estava cumprindo. Jetro tinha cuidado da esposa e dos filhos de Moisés em tempos de emergência. Uma das muitas recompensas que Moisés recebeu foi que sua esposa e seus filhos lhe foram devolvidos. A batalha fora ganha; e agora a família estava de novo reunida. O sacrifício tinha pago dividendos. Havia alegria em Israel, naqueles dias. Talvez a verdade seja que Moisés deu a seu segundo filho o nome de Eliezer, "minha ajuda é Deus", em comemoração à vitória e à alegria de todos.

monte de Deus. Talvez indique aqui toda a serra montanhosa que incluía o monte Sinai, embora também possa estar em foco o próprio monte Sinai. Encontramos esse nome primeiramente no capítulo 19 do Êxodo. Contudo, o trecho de Êxodo 19.1 indica uma chegada naquele tempo. Alguns supõem que as vagueações de Israel os tenham levado novamente àquele lugar, embora essa chegada não seja mencionada. Ou, então, o autor sagrado não se mostrou cuidadoso quanto a localizações exatas em certos pontos de sua narrativa. O lugar onde residia Jetro, em Midiã, não ficava longe do Sinai, mas talvez a uns dois dias de viagem apenas. O monte pode ser o monte *Horebe*, e não o Sinai. Mas não é importante precisarmos o local exato desse encontro, e nem uma pequena discrepância (se é que existe alguma) teria alguma importância.

■ 18.6

וַיֹּאמֶר אֶל־מֹשֶׁה אֲנִי חֹתֶנְךָ יִתְרוֹ בָּא אֵלֶיךָ וְאִשְׁתְּךָ
וּשְׁנֵי בָנֶיהָ עִמָּהּ:

Duas Maravilhosas Surpresas. Jetro, sabedor da importância dos laços de família, de súbito apareceu diante de Moisés com sua esposa e filhos. Podemos imaginar como o coração de Moisés saltou de satisfação, ao vê-los! Ninguém é feito de pedra para não se alegrar em um momento desses.

Mandou dizer a Moisés. De acordo com nossa versão portuguesa e a Revised Standard Version, em inglês, Jetro mandou a seu genro um recado. Não sabemos quem foi enviado com o recado. Ademais, as Escrituras nada dizem sobre a esposa e os filhos de Moisés após este breve incidente. E, assim sendo, a ideia de *alegria* é a última coisa que podemos deduzir do encontro de Moisés com sua esposa e seus filhos. De acordo com Jarchi e outros intérpretes judeus, *aquele* que foi enviado com o recado era apenas um mensageiro, e esse parece ser o caso.

■ 18.7

וַיֵּצֵא מֹשֶׁה לִקְרַאת חֹתְנוֹ וַיִּשְׁתַּחוּ וַיִּשַּׁק־לוֹ וַיִּשְׁאֲלוּ
אִישׁ־לְרֵעֵהוּ לְשָׁלוֹם וַיָּבֹאוּ הָאֹהֱלָה:

Inclinou-se e o beijou. A etiqueta oriental requeria isso da parte de Moisés. Hóspedes honrados eram assim saudados (Gn 18.2; 19.1). Mas podemos estar certos de que as medidas de Moisés foram espontâneas e sinceras. Ele era um grande líder; mas, guardadas as devidas proporções, Jetro também era um homem importante. Ademais, quando se trata de questões de família, não há necessidade de muitas formalidades. A família é a unidade cujos membros devem viver em amor e harmonia, e não em competição. As pessoas de idade avançada eram respeitadas em um grau que não é comum em nossa moderna sociedade ocidental.

Beijou. Uma comum saudação oriental, mesmo entre dois homens, e mesmo entre pessoas sem nenhum vínculo de sangue. Ver no *Dicionário* o artigo intitulado *Beijo*. Esse costume passou para os tempos do Novo Testamento, e foi praticado na Igreja. Ver Romanos 16.16; 1Coríntios 16.20; 2Coríntios 13.12; 1Tessalonicenses 5.26; 1Pedro 5.14.

Indagando pelo bem-estar um do outro. No hebraico, *paz*. "Está tudo em paz?" Assim se indagava, quando se queria saber sobre o bem-estar geral, a saúde e a felicidade de outrem.

Entraram na tenda. Alguns intérpretes judeus, sem nenhuma razão, pensam que aqui os dois entraram no tabernáculo, mas isso envolveria um anacronismo, pois só mais tarde foi erigido o tabernáculo. Antes, Moisés e seu sogro entraram na tenda pessoal de Moisés, onde seria correto haver uma reunião entre parentes.

■ 18.8

וַיְסַפֵּר מֹשֶׁה לְחֹתְנוֹ אֵת כָּל־אֲשֶׁר עָשָׂה יְהוָה לְפַרְעֹה
וּלְמִצְרַיִם עַל אוֹדֹת יִשְׂרָאֵל אֵת כָּל־הַתְּלָאָה אֲשֶׁר
מְצָאָתַם בַּדֶּרֶךְ וַיַּצִּלֵם יְהוָה:

Contou Moisés... tudo. Quanta coisa ele tinha para relatar! Tantos testes tinham sido arrostados; quantos perigos haviam sido evitados; quantas vitórias tinham sido ganhas. As reuniões de família, usualmente, começam com longas conversas que entram noite adentro, até que alguém diz: "Vamos continuar a conversa amanhã!" Pois a mente acaba cansando-se e o espírito se estonteia diante de tanta conversa e troca de informações.

A recitação dos atos divinos do Deus de Israel, sob a forma de prosa ou de poesia, era uma prática padronizada na antiga nação de Israel. Não há como exagerarmos o espírito religioso dos hebreus, que se manifesta praticamente em tudo.

■ 18.9

וַיִּחַדְּ יִתְרוֹ עַל כָּל־הַטּוֹבָה אֲשֶׁר־עָשָׂה יְהוָה
לְיִשְׂרָאֵל אֲשֶׁר הִצִּילוֹ מִיַּד מִצְרָיִם:

Alegrou-se Jetro. O sogro de Moisés sentiu-se feliz ao ouvir tudo quanto seu genro lhe contava, e como sua empreitada tinha obtido tanto êxito. A Septuaginta diz aqui: "admirou-se". E se talvez isso não corresponda ao que diz o original hebraico, sem dúvida reflete bem a situação. Se Yahweh já era antes o Deus de Jetro, agora, mais do que nunca, era o seu Deus, diante das obras poderosas que Moisés lhe atribuíra. O livramento das mãos da maior potência mundial da época só podia mesmo ser explicado em termos do miraculoso.

■ 18.10

וַיֹּאמֶר יִתְרוֹ בָּרוּךְ יְהוָה אֲשֶׁר הִצִּיל אֶתְכֶם מִיַּד
מִצְרַיִם וּמִיַּד פַּרְעֹה אֲשֶׁר הִצִּיל אֶת־הָעָם מִתַּחַת
יַד־מִצְרָיִם:

"Os midianitas, descendentes de Abraão e Quetura, reconheciam o verdadeiro Deus; e os israelitas, com toda a razão, podiam unir-se a eles em atos de adoração" (Ellicott, *in loc.*). A *hipótese dos queneus* (ver as notas de introdução ao primeiro versículo deste capítulo e os comentários adicionais sobre o vs. 12) parte da ideia de que o nome Yahweh, um dos nomes do Deus Altíssimo, originou-se entre os queneus. Sem importar se temos aí uma verdade ou não, o fato de os queneus também serem descendentes de Abraão pelo menos lhes emprestava certas formas e ideias religiosas comuns aos israelitas. O fato de que os filhos de Israel usavam *nomes divinos* que também eram usados entre outros povos semitas tem sido confirmado pela arqueologia. Ver no *Dicionário*, os artigos *Deus*, *Nomes Bíblicos de* e *Yahweh*.

■ 18.11

עַתָּה יָדַעְתִּי כִּי־גָדוֹל יְהוָה מִכָּל־הָאֱלֹהִים כִּי בַדָּבָר
אֲשֶׁר זָדוּ עֲלֵיהֶם:

Sei que o Senhor é maior que todos os deuses. Jetro, pois, bendisse a Yahweh. No entanto, tomou a posição henoteísta. Em outras palavras, embora possa haver muitos deuses (reais), só há um Deus no que nos diz respeito. Ou, então, devemos pensar na hipótese politeísta, que permitia uma hierarquia de divindades, embora exaltasse algum deles mais do que os demais. Ver no *Dicionário* o artigo chamado *Deus,* onde achamos as ideias-padrão acerca da divindade. Ver na *Enciclopédia de Bíblia, Teologia e Filosofia* o artigo *Henoteísmo.* Seja como for, a vida e os feitos de Moisés convenceram Jetro quanto ao grande poder e glória de Yawweh. Ele se estava aproximando do *monoteísmo* (ver a respeito no *Dicionário*), ponto ao qual a teologia de Israel já chegara desde os dias de Abraão. Ver também, no *Dicionário,* o artigo chamado *Teísmo.* De acordo com essa posição, Deus não somente criou, mas também faz-se presente em sua criação, guiando, abençoando os bons e castigando os maus, exigindo obediência. Ele é o Deus cujas pisadas podem ser encontradas nas areias do tempo. Um pagão pode vir a reconhecer o verdadeiro Deus, súbita ou gradualmente, conforme se vê em Daniel 3.28 e 2Reis 5.15-17. Porém, o caso à nossa frente parece envolver bem mais do que isso. Alguns estudiosos apelam para a *hipótese dos queneus* (ver a introdução ao primeiro versículo deste capítulo, bem como o vs. 12), em busca de uma resposta. Mas outros rejeitam essa posição por achá-la muito radical.

■ **18.12**

וַיִּקַּח יִתְרוֹ חֹתֵן מֹשֶׁה עֹלָה וּזְבָחִים לֵאלֹהִים וַיָּבֹא אַהֲרֹן וְכֹל זִקְנֵי יִשְׂרָאֵל לֶאֱכָל־לֶחֶם עִם־חֹתֵן מֹשֶׁה לִפְנֵי הָאֱלֹהִים:

Tomou holocausto e sacrifícios para Deus. Embora a iniciativa tenha sido de Jetro, ele e Moisés fizeram essas oferendas sagradas. E isso tem dado margem a diversas interpretações, a saber:
1. Não há necessidade de nenhuma teoria radical como a hipótese dos queneus. Os descendentes de Abraão (Moisés por meio de Jacó; e Jetro por meio de Quetura, esposa de Abraão) naturalmente compartilhavam certas bases em sua fé e em suas práticas religiosas, incluindo a lealdade a Yahweh, em um grau ou outro. O vs. 11 mostra-nos que a lealdade de Jetro a Yahweh era parcial, compartilhada com outras divindades, mas que agora essa lealdade se *desenvolvia* na direção do monoteísmo.
2. Portanto, não houve de surpreendente por achar Jetro, um sacerdote midianita, a oferecer sacrifícios a Yahweh, por ter agido tão maravilhosamente em favor de Moisés, seu genro. Parentes celebravam as festas religiosas e ofereciam juntos sacrifícios sem examinar as teologias uns dos outros, para verificar quão compatíveis seriam entre si.
3. A celebração, embora tivesse sido feita seriamente em honra a Yahweh, também envolveu muita cortesia e tolerância religiosa. Ver 2Reis 5.18,19 quanto a algo similar.
4. Talvez seja um exagero supor que, por essa altura, Jetro se tenha *convertido* ao Yahwismo. O mais provável é que seu sacerdócio incluísse o Yahwismo o tempo todo, mas que agora lhe enfatizaria ainda mais, embora, não necessariamente, com exclusão total de outros deuses.
5. Provavelmente é um exagero (mesmo levando em conta a hipótese dos queneus) pensarmos que Jetro foi quem instruíra Moisés sobre a maneira apropriada de oferecer sacrifícios a Yahweh. Afirmar tal coisa é exagerar as intenções do vs. 12, que exibe apenas um rito religioso comunal em cooperação, e não que Jetro tenha *instruído* Moisés acerca de tais questões.
6. Lemos em Êxodo 6.3: "...pelo meu nome, o Senhor [Yahweh], não lhes fui conhecido...". E isso pode indicar que foi Moisés quem introduziu esse nome divino ao povo de Israel, e que esse nome já era conhecido entre os queneus. Na Bíblia, o nome Yahweh é usado desde o trecho de Gênesis 2.4, imediatamente depois da história da criação, pelo que a declaração de Êxodo 6.3 tem perturbado a muitos estudiosos. Se o nome Yahweh só começou a ser usado no tempo do êxodo, então para que figure desde Gênesis 2.4, isso só pode ter acontecido porque o autor sacro *injetou* no texto, e não que, realmente, já estivesse sendo usado desde os dias de Adão, ou mesmo desde os dias de Abraão. Várias outras "injeções" ocorreram ao longo dos livros sacros, pois Yahweh é um nome divino que continua aparecendo no texto da Bíblia, antes do êxodo. Alguns eruditos afirmam que o que realmente sucedeu foi a dominação gradual do Yahwismo sobre outras crenças religiosas dentro da teologia dos hebreus, até que, finalmente, na época de Moisés, o Yahwismo passou a *predominar.* Isso não requereria ter sido tomado por empréstimo de Jetro, nem que o próprio Jetro tenha participado da propagação do nome cada vez mais famoso de Yahweh.

"A verdadeira religião não se confina a algum lugar geográfico ou a algum povo. Espalhou-se por toda a terra, de várias maneiras. Aquele que preenche a imensidão deixou um registro sobre si mesmo em todas as nações e entre todos os povos debaixo do céu. Cuidado com o espírito da intolerância! Pois o preconceito produz a falta de amor, e a falta de amor leva ao juízo descarindoso; e, nessa atitude, um homem pode pensar que está prestando a Deus um serviço quando tortura ou oferece um holocausto à pessoa a quem sua mente estreita e seu coração duro tem desonrado com o apelido de herege" (Adam Clarke, no fim de seus comentários sobre o vigésimo capítulo do Gênesis).

Ver no *Dicionário* o artigo intitulado *Holocausto.*

■ **18.13**

וַיְהִי מִמָּחֳרָת וַיֵּשֶׁב מֹשֶׁה לִשְׁפֹּט אֶת־הָעָם וַיַּעֲמֹד הָעָם עַל־מֹשֶׁה מִן־הַבֹּקֶר עַד־הָעָרֶב:

A Nomeação de Juízes. A chamada *hipótese dos queneus* (ver as notas sobre o vs. 12) presume que os midianitas ensinaram a Moisés dois pontos: 1. A adoração a Yahweh. 2. Como deveriam ser arranjadas as questões judiciais. Dei informações sobre aquela teoria nas notas introdutórias a este capítulo e sobre o vs. 12. Fica claro no texto que Jetro tinha algumas boas ideias sobre como delegar autoridade, e que compartilhava com Israel da adoração a Yahweh (embora não com a exclusão de outros deuses), mas isso não justifica as várias contenções da hipótese dos queneus.

Moisés estava sobrecarregado de trabalho, o que era óbvio para todos, menos para ele mesmo. Sua função era comparável ao de um xeque beduíno que se assenta para julgar e resolver os problemas de todos os membros de sua tribo. Ver 2Samuel 15.1-6. E a carga de trabalho de Moisés ia aumentando cada vez mais, conforme Israel crescia. Ele era a única autoridade, uma espécie de combinação de funções seculares e religiosas. Naqueles tempos antigos, em Israel, não se fazia distinção entre autoridades civis e autoridades religiosas. "Escravos não podem ser transformados em santos da noite para o dia" (J. Coert Rylaarsdam, *in loc.*). Portanto, não se passava um dia sem que Moisés tivesse de ouvir muitas queixas e causas. Não havia condições de cidade grande, que complicam e geram crimes; mas o crime reside no coração do ser humano. Além disso, algumas vezes as coisas saem erradas, a despeito de boas intenções.

Talvez houvesse muito barulho na tenda do vizinho, e alguém não pudesse dormir. Um homem qualquer estava tentando seduzir a mulher de outro. Um homem feriria seu semelhante de maneira acidental ou propositada. Havia disputas em torno de bens materiais, incluindo animais domésticos. Na natureza humana não há muita coisa nova, mesmo quando mudam as circunstâncias e o meio ambiente.

■ **18.14**

וַיַּרְא חֹתֵן מֹשֶׁה אֵת כָּל־אֲשֶׁר־הוּא עֹשֶׂה לָעָם וַיֹּאמֶר מָה־הַדָּבָר הַזֶּה אֲשֶׁר אַתָּה עֹשֶׂה לָעָם מַדּוּעַ אַתָּה יוֹשֵׁב לְבַדֶּךָ וְכָל־הָעָם נִצָּב עָלֶיךָ מִן־בֹּקֶר עַד־עָרֶב:

Por que te assentas só...? Moisés tinha tanto para fazer que não podia dar muita atenção a seu sogro. Jetro tinha um sistema melhor, que já vinha funcionando fazia anos. E assim sendo, sentiu-se encorajado a sugeri-lo a Moisés. Um dos problemas dos chefes é a delegação de autoridade, e se esse chefe é um *pequeno césar,* então os seus problemas apenas se agravam. Jetro, sendo um chefe e um sacerdote midianita, tinha suas sessões diárias, mas não tomava para si mesmo todo o trabalho.

Perguntou Jetro a Moisés: "Que é isto que fazes ao povo?" Lá estavam os israelitas, impacientes e formando longas filas, como aqueles que precisam depender do INSS. Moisés estava exaurindo a si mesmo e ao povo.

18.15,16

וַיֹּאמֶר מֹשֶׁה לְחֹתְנוֹ כִּי־יָבֹא אֵלַי הָעָם לִדְרֹשׁ אֱלֹהִים:

כִּי־יִהְיֶה לָהֶם דָּבָר בָּא אֵלַי וְשָׁפַטְתִּי בֵּין אִישׁ וּבֵין רֵעֵהוּ וְהוֹדַעְתִּי אֶת־חֻקֵּי הָאֱלֹהִים וְאֶת־תּוֹרֹתָיו:

A Liderança Divina. Moisés, o legislador, antes da outorga da lei (ver Êx 19), estava legislando de acordo com princípios divinos. Ele não tomava nenhuma decisão secular. Ele sempre procurava fazer brilhar uma luz espiritual, até mesmo sobre as questões mais corriqueiras, triviais. Quando as pessoas brigavam, ele procurava aplicar a sabedoria divina à situação. Talvez houvesse precedentes para solução de certas questões, mas até mesmo esses tinham sido firmados pelas mesmas formas de considerações espirituais. Moisés estava funcionando como vidente e profeta. Ver 1Samuel 9.9 e 22.15. Os profetas posteriores também foram videntes (ver 1Rs 22.8; 2Rs 3.11; 8.8; 22.14). As decisões do juiz-profeta-vidente eram aceitas como a palavra de Deus, presumivelmente inspiradas. Seu trabalho não consistia apenas em julgar alternativas pragmáticas. Moisés era o representante de Deus diante do povo de Israel (Êx 18.19).

18.17

וַיֹּאמֶר חֹתֵן מֹשֶׁה אֵלָיו לֹא־טוֹב הַדָּבָר אֲשֶׁר אַתָּה עֹשֶׂה:

"Você está fazendo as coisas da maneira errada", afirmou Jetro. Como é óbvio, ele deve ter concordado que Moisés tinha tanto a autoridade quanto a sabedoria para o seu trabalho. Mas é possível fazer o que é certo da maneira errada. Os argumentos de Moisés em favor de seus atos eram bons (vss. 15,16), mas não expressavam um problema central que estava envolvido: a fadiga. Moisés estava exaurindo as suas forças e a paciência do povo.

18.18

נָבֹל תִּבֹּל גַּם־אַתָּה גַּם־הָעָם הַזֶּה אֲשֶׁר עִמָּךְ כִּי־כָבֵד מִמְּךָ הַדָּבָר לֹא־תוּכַל עֲשֹׂהוּ לְבַדֶּךָ:

Desfalecerás, assim tu, como este povo. Havia fadiga coletiva, em resultado do que Moisés estava fazendo. Ele precisava aprender a delegar autoridade, resolvendo somente as questões mais difíceis, como fazem os juízes das cortes supremas. Moisés estava administrando justiça com sabedoria e sinceridade, mas não estava agindo de maneira pragmática. Estava exibindo um esforço hercúleo elogiável, em total altruísmo, qualidades essas necessárias em todos os grandes líderes. Mas uma devida delegação de autoridade também é uma das qualidades dos líderes.

"A carga era demasiada para os seus ombros, e as suas forças não eram suficientes. Não podia continuar fazendo sozinho aquele trabalho. Jetro estava preocupado com a saúde de Moisés, e não apenas com a dignidade de sua posição. Conta-se uma história sobre Deioces, rei dos medos, que agia mais ou menos a exemplo de Moisés. Escusava-se de seu esforço demasiado afirmando que isso era necessário para que o povo o visse com frequência, ou acabariam tendo a ideia de que ele não era um ser humano como eles (Heródoto, *Hist.* i.99).

18.19,20

עַתָּה שְׁמַע בְּקֹלִי אִיעָצְךָ וִיהִי אֱלֹהִים עִמָּךְ הֱיֵה אַתָּה לָעָם מוּל הָאֱלֹהִים וְהֵבֵאתָ אַתָּה אֶת־הַדְּבָרִים אֶל־הָאֱלֹהִים:

וְהִזְהַרְתָּה אֶתְהֶם אֶת־הַחֻקִּים וְאֶת־הַתּוֹרֹת וְהוֹדַעְתָּ לָהֶם אֶת־הַדֶּרֶךְ יֵלְכוּ בָהּ וְאֶת־הַמַּעֲשֶׂה אֲשֶׁר יַעֲשׂוּן:

Jetro iniciou suas sugestões acerca de *mudanças* garantindo que Moisés poderia prosseguir com seu trabalho espiritual, como sempre havia feito. Continuaria sendo o profeta-mestre-educador, e homem de Deus como sempre. Continuaria sendo o representante de Deus, procurado pelos israelitas para lhes administrar justiça. Ele nada sacrificaria do bem que estava fazendo. Mas faria tudo isso melhor e com maior eficiência.

"Moisés seria o representante do povo diante de Deus (vs. 19), como também mestre deles; mas a maior parte das questões judiciais deveriam ser deixadas ao encargo de outros" (John D. Hannah, *in loc.*).

Cumpria-lhe: 1. Instruir o povo em todas as ordenanças da fé religiosa. 2. Ensinar ao povo a lei moral. 3. Frisar os deveres que outros deveriam cumprir. 4. Cuidar para que o povo trabalhasse corretamente. Ele estabeleceria os princípios gerais e permitiria que outros os aplicassem.

Deus seja contigo. A fim de dirigi-lo nas mudanças que Jetro estava propondo. Assim Moisés obteria pleno sucesso. Jetro deixou claro que só queria o bem de seu genro, mesmo que suas propostas provocassem mudanças radicais no tocante a como Moisés deveria fazer o seu trabalho.

18.21

וְאַתָּה תֶחֱזֶה מִכָּל־הָעָם אַנְשֵׁי־חַיִל יִרְאֵי אֱלֹהִים אַנְשֵׁי אֱמֶת שֹׂנְאֵי בָצַע וְשַׂמְתָּ עֲלֵהֶם שָׂרֵי אֲלָפִים שָׂרֵי מֵאוֹת שָׂרֵי חֲמִשִּׁים וְשָׂרֵי עֲשָׂרֹת:

"Moisés deveria tratar de casos sem precedente legal, que requeriam um oráculo especial (cf. Dt 17.8-13). Os casos ordinários seriam manuseados por líderes leigos (Nm 11.16-22; 24.25) ou por juízes nomeados (cf. Dt 16.18-20)" (*Oxford Annotated Bible, in loc.*).

As *qualificações* dos ajudantes escolhidos fazem-nos lembrar das qualificações dos anciãos e diáconos da Igreja (Tt 1.7 ss.). Essas são qualidades *espirituais*. Quando um homem tem essas qualidades, então pode *aprender* outras capacidades, que se aplicam estritamente às questões seculares. Precisavam ser homens *verazes*, sinceros, livres de falsos motivos. Teriam de ser juízes imparciais, que buscassem razões espirituais e morais em seus julgamentos. Teriam de abominar a *cobiça*, não desejando coisas para si mesmos nem se mostrando parciais. Uma vez que *tais* homens fossem achados, então seriam feitos cabeças de vários grupos: de milhares, de centenas e de dezenas, uma espécie de autoridade ascendente, uma espécie de sistema hierárquico, onde Moisés apareceria no alto, como juiz supremo. Essa organização é, essencialmente, aquela que predomina nas forças armadas das nações civilizadas, mas adaptada ao campo civil. Cf. 1Samuel 22.7.

Devemos entender que os tribunais de apelo formam um poder ascendente. Paralelamente, devemos entender que os casos julgados também deveriam ser dispostos em importância ou dificuldade ascendente. O homem com autoridade sobre *dez* cuidaria de questões mais chãs. O homem com autoridade sobre *mil* teria maior autoridade e julgaria os casos mais sérios, da mesma forma que um general tem maior autoridade do que um sargento. Mas cada homem teria uma autoridade absoluta para seu próprio tipo de problemas. Um homem de menor autoridade poderia transferir para outro, de maior autoridade, qualquer caso que não pudesse resolver. Assim, um caso poderia chegar até Moisés.

18.22

וְשָׁפְטוּ אֶת־הָעָם בְּכָל־עֵת וְהָיָה כָּל־הַדָּבָר הַגָּדֹל יָבִיאוּ אֵלֶיךָ וְכָל־הַדָּבָר הַקָּטֹן יִשְׁפְּטוּ־הֵם וְהָקֵל מֵעָלֶיךָ וְנָשְׂאוּ אִתָּךְ:

Em todo tempo. Ou seja, constantemente, sem lapsos e sem férias. Todas as questões menores seriam resolvidas sem que Moisés ao menos tomasse conhecimento delas. As questões realmente difíceis eram levadas à atenção de Moisés. Talvez a expressão signifique "sobre bases diárias". Os juízes não deveriam julgar apenas duas vezes por semana, para então cuidarem de seus próprios negócios nos outros dias. O sistema de Jetro, bastante complicado, chegou ao fim quando Israel entrou na Terra Prometida, quando então foi adotado um sistema mais simples. Os eruditos têm calculado que talvez houvesse treze mil juízes em Israel, incluindo todos os níveis do sistema, de acordo com o sistema de Jetro. Quanto aos chefes de mil ver Números 1.17-46, bem como as notas sobre Êxodo 18.17.

18.23

אִם אֶת־הַדָּבָר הַזֶּה תַּעֲשֶׂה וְצִוְּךָ אֱלֹהִים וְיָכָלְתָּ עֲמֹד וְגַם כָּל־הָעָם הַזֶּה עַל־מְקֹמוֹ יָבֹא בְשָׁלוֹם׃

E assim Deus to mandar. Jetro não se mostrou dogmático quanto às suas sugestões. Ele sujeitou-as ao parecer de Yahweh sobre a questão, pois calculou que Moisés não aceitaria o que Jetro dissesse sem a aprovação divina. Mas *se* o sistema fosse adotado, seria um meio para conferir descanso a Moisés e ao povo de Israel. Moisés gozaria de melhor saúde, teria mais energias físicas, e o povo viveria em *paz*, mediante um sistema superior. Os casos seriam julgados prontamente, as decisões não demorariam. Haveria um sistema de apelos diante de decisões. Questões poderiam ser transferidas para autoridades maiores, ou mesmo para Moisés, quando isso fosse necessário. Justeza produziria a paz; a prontidão dos processos judiciais evitaria as queixas e os sentimentos amargos.

De acordo com o autor sagrado, a *aprovação divina* às sugestões de Jetro era algo necessário, visto que sua convicção era a de que tudo quanto Moisés fazia era inspirado por Yahweh. Ele teria seus instrumentos humanos, mas coisa alguma seria posta em prática sem a autoridade divina.

18.24,25

וַיִּשְׁמַע מֹשֶׁה לְקוֹל חֹתְנוֹ וַיַּעַשׂ כֹּל אֲשֶׁר אָמָר׃

וַיִּבְחַר מֹשֶׁה אַנְשֵׁי־חַיִל מִכָּל־יִשְׂרָאֵל וַיִּתֵּן אֹתָם רָאשִׁים עַל־הָעָם שָׂרֵי אֲלָפִים שָׂרֵי מֵאוֹת שָׂרֵי חֲמִשִּׁים וְשָׂרֵי עֲשָׂרֹת׃

Moisés, ouvindo os conselhos de Jetro, pôs em ação o método de seu sogro. O vs. 25 repete os números dados no vs. 21. É provável que os anciãos de cada tribo, conhecendo as qualificações das pessoas de suas respectivas tribos, tenham sido postos a trabalhar na seleção de oficiais, ao passo que os próprios anciãos retiveram sua autoridade como oficiais maiores do sistema.

O *Targum de Jonathan* informa-nos os números envolvidos: seiscentos chefes de mil; seis mil chefes de cem; doze mil chefes de cinquenta; sessenta mil chefes de dez. Jarchi e o Talmude falam no mesmo sentido. A soma total, no Talmude, sobre o sistema coletivo, é de setenta e oito mil homens. Esses números estão baseados no trecho de Números 1.46, mas vários intérpretes não concordam com isso, como Aben Ezra. E não dispomos de meios para saber se esses cálculos estão ou não com a razão.

18.26

וְשָׁפְטוּ אֶת־הָעָם בְּכָל־עֵת אֶת־הַדָּבָר הַקָּשֶׁה יְבִיאוּן אֶל־מֹשֶׁה וְכָל־הַדָּבָר הַקָּטֹן יִשְׁפּוּטוּ הֵם׃

Este versículo reitera as informações que já nos haviam sido dadas no vs. 22. A *repetição* é um estilo literário do autor do Pentateuco, usado com grande frequência.

18.27

וַיְשַׁלַּח מֹשֶׁה אֶת־חֹתְנוֹ וַיֵּלֶךְ לוֹ אֶל־אַרְצוֹ׃ פ

Este versículo informa-nos simplesmente da partida de Jetro, de volta à sua terra. Mas o trecho de Números 10.29-32 diz que Moisés tentou convencer Jetro a permanecer com Israel e servir de guia no deserto. Então o trecho de Números 10.29,32 reitera o ponto. Moisés continuou insistindo. Jetro participaria da herança na Terra Prometida. Nada nos é dito se Jetro se deixou persuadir ou não. O fato é que não mais ouvimos falar a seu respeito novamente; e isso parece indicar que ele resolveu não aceitar o oferecimento de Moisés. Ele repeliu a primeira proposta (Nm 10.30), sendo provável que tenha continuado em sua atitude. Cada indivíduo tem seu próprio destino, e é impossível evitá-lo. Nem sempre temos o consolo de contarmos com nossos entes queridos por perto. De fato, o destino por muitas vezes separa os membros de uma família, deixando cada membro individual em um lugar diferente, fazendo algo diferente.

O *Targum de Jonathan,* julgando que devemos entender aqui que Jetro se converteu ao Yahwismo, mostra-o a evangelizar o seu próprio povo, a fim de orientá-lo quanto à adoração a Yahweh. Pelo menos é verdade que os queneus e os recabitas, descendentes de Jetro, em tempos posteriores, tornaram-se prosélitos da fé dos hebreus e passaram a viver entre eles (Jz 1.16; 1Cr 2.55; Jr 35.2).

CAPÍTULO DEZENOVE

OS HEBREUS NO MONTE SINAI (19.1—40.38)

ESTABELECIMENTO DO PACTO DIVINO (19.1—24.11)

PREPARAÇÃO PARA O PACTO (19.1-25)

Agora os israelitas tinham chegado ao monte Sinai (ver no *Dicionário* o artigo chamado *Sinai, monte*). Ali eles permaneceram, pelo resto dos eventos registrados no trecho compreendido entre Êxodo 19.1 e Números 10.10. Estiveram ali pelo período de onze meses e seis dias, desde o décimo quinto dia do terceiro mês de seu primeiro ano de jornadas (ver Êx 12.2,6 e 19.1) até ao vigésimo dia do segundo mês de seu segundo ano de jornadas (Nm 10.11). Ao receber a lei de Moisés, o povo de Israel tornou-se uma virtual teocracia, ganhando assim a característica *distintiva* que fez deles o povo de *Israel*. Desse modo, o *Pacto Abraâmico* estava adquirindo novas dimensões. Israel era agora a nação consagrada à lei, porquanto aquilo que o evangelho é para a Igreja, a lei o é para Israel. Ver as notas sobre Gênesis 15.18 acerca desse pacto, onde muitos detalhes são explicados. Somente em Cristo o Pacto Abraâmico receberia ainda maiores dimensões e espiritualidade do que recebeu com Moisés. Ver Gálatas 3.14 ss.

A redenção da servidão ao Egito tinha sido completa; muitos milagres tinham levado Israel até àquela parada prolongada, no Sinai. Naquele lugar, um novo pacto seria estabelecido que tornaria Israel a nação distintiva em que ela se tornou. A lei de Moisés era a constituição de Israel, a base do Estado teocrático, sob Yahweh, o Deus único e verdadeiro. Ficou assim estabelecido, de modo absoluto, o *monoteísmo*, se porventura isso já não tinha acontecido antes. Ver sobre o *Monoteísmo* no *Dicionário*.

QUINTA DISPENSAÇÃO: A LEI

Essa dispensação estendeu-se desde o momento em que a lei foi dada, no Sinai, até a vinda de Cristo, quando, em sua expiação, ele trouxe a nova dispensação, na qual vivemos. Portanto, essa quinta dispensação durou do êxodo à cruz. A história de Israel, doravante, em um certo sentido, tornou-se uma prolongada violação da lei mosaica. Não obstante, ela produziu seu efeito didático, além do que tornou extremamente necessária e óbvia a *necessidade* da nova dispensação, a era do evangelho da graça. Os testes de Israel terminaram nos cativeiros: o cativeiro assírio e o cativeiro babilônio (ver sobre ambos no *Dicionário*). Mas a dispensação da lei, propriamente dita, só terminou com Cristo. "A lei e os profetas vigoraram até João Batista; desde esse tempo vem sendo anunciado o evangelho do reino de Deus..." (Lc 16.16).

Elementos Importantes da Quinta Dispensação:

1. Qual era a situação dos homens no começo da dispensação da lei (Êx 19.1-4).
2. As responsabilidades do homem (Êx 19.5,6; Rm 10.5).
3. A falha do homem (2Rs 17.7-17; Lc 21.20-24).
4. Julgamento do homem, por haver falhado (2Rs 17.1-6,20; 25.1-11; Lc 21.20-24). Ver no *Dicionário* os verbetes intitulados *Dispensação (Dispensacionalismo)* e *Lei no Antigo Testamento*, em sua quarta seção, Lei.

O PACTO MOSAICO

Elementos:
1. Foi firmado com Israel, no Sinai.
2. Consistia em três divisões: (a) Os *mandamentos*, que expressavam a vontade justa de Deus (Êx 20.1-26). (b) Os *estatutos*, que governavam a vida social de Israel (Êx 21.1—24.11). (c) As *ordenanças*, que governavam a vida religiosa de Israel (Êx 24.12—31.18). Essas três divisões compunham a lei de Moisés (ver Mt 5.17,18). De acordo com a avaliação do Novo Testamento, o todo

formava uma espécie de ministério da condenação, porquanto nenhum homem é capaz de observar à risca essa lei complexa e muito abrangente, à qual os rabinos não cessavam de adicionar, por via de interpretação, novos elementos, meramente tradicionais, e, portanto, inválidos. Ver Marcos 7.1-23; 2Coríntios 3.7-9. O crente do Novo Testamento não vive debaixo da lei, porquanto ela era um pacto condicional de obras, que fracassava em seu intuito devido à corrupção humana inerente, a qual impede o homem de cumprir a sua parte naquele pacto. O crente em Jesus Cristo está sob o incondicional Pacto da Graça (Rm 3.21-27; 6.14,15; Gl 2.16; 3.10-14,16-18; 4.21-31; Hb 10.11-17). Ver as notas no *Novo Testamento Interpretado* sobre o novo pacto, em Hebreus 8.8, onde há explicações completas a respeito.

3. Portanto, a terceira coisa que deve ser dita aqui é que a lei mosaica não formava um pacto permanente, embora continue sendo adotada pela fé judaica, sem falar em vários grupos cristãos, como os Adventistas do Sétimo Dia. Trata-se de um dos *vícios* dos sistemas religiosos a suposição de que aquilo que eles entendem é o fim da revelação. Deus, porém, está sempre ativo, e novas revelações, que lançam no obsoletismo as revelações antigas, serão sempre uma possibilidade. Sem isso não poderia haver crescimento e progresso espirituais. A própria essência da espiritualidade consiste em crescimento e progresso.

4. *A questão do acesso.* A dispensação da lei foi uma promessa que não pôde, realmente, entrar em vigor. O acesso foi limitado desde o seu começo (ver sobre o vs. 12). A corrupção inerente do homem e suas falhas não lhe permitiam aproximar-se da presença de Deus. Em Cristo, porém, temos pleno acesso (Hb 9.24; 10.19 ss.). Os crentes, na qualidade de filhos de Deus, passam a participar da *natureza divina* em um sentido real, posto que secundário. Ver no *Dicionário* o verbete chamado *Acesso*. E na *Enciclopédia de Bíblia, Teologia e Filosofia*, ver o artigo *Transformação Segundo a Imagem de Cristo*. Ver as notas sobre 2Pedro 1.4 no *Novo Testamento Interpretado*.

Outras Observações Importantes sobre o Pacto do Sinai:

1. A ideia do pacto divino repousa sobre a fé na *revelação*. Moisés não compôs o pacto à partir de sua própria sabedoria e experiência como juiz. Ver no *Dicionário* os artigos *Revelação; Revelação das Escrituras* e *Revelação Geral e Natural*. Nos Artigos Introdutórios, no primeiro volume desta obra, ver sobre *Escrituras*, em sua primeira seção.
2. A revelação dada no Sinai foi um fato objetivo para o povo de Israel, bem como a pedra fundamental dessa nação.
3. Esse pacto tornou-se o instrumento para que Israel se tornasse uma nação ímpar, diferente de todas as outras. Foi a resposta de Israel à liberdade da servidão ao Egito.
4. Yahweh enviou a sua teofania (ver a respeito no *Dicionário*), para trazer a lei. Achamos nisso o *teísmo* (ver no *Dicionário*). Deus não somente criou, mas também permanece imanente em sua criação, guiando, recompensando o bem, castigando o mal e tornando conhecida a sua vontade. Ver também sobre o *deísmo*, que supõe que Deus abandonou a sua criação, deixando-a entregue às leis naturais.
5. Os *Dez Mandamentos* (ver no *Dicionário*) eram o maior elemento isolado da lei, um código de ética humana, mostrando os deveres do homem para com Deus e para com os seus semelhantes humanos.
6. O *sinal* do pacto mosaico era o *sábado*, conforme aprendemos em Êxodo 31.13 ss. Ver também Êxodo 16.23; 20.8 e, no *Dicionário* o artigo chamado *Sábado*. O sinal do Pacto Abraâmico era a circuncisão (ver Gn 17.9 ss.).

■ 19.1

בַּחֹ֙דֶשׁ֙ הַשְּׁלִישִׁ֔י לְצֵ֥את בְּנֵֽי־יִשְׂרָאֵ֖ל מֵאֶ֣רֶץ מִצְרָ֑יִם בַּיּ֣וֹם הַזֶּ֔ה בָּ֖אוּ מִדְבַּ֥ר סִינָֽי׃

Foram necessários três meses para que Israel chegasse ao Sinai, depois de haver escapado da servidão no Egito. Na ocasião, um grande acontecimento esperava por eles, *o pacto sinaítico*. Ver no *Dicionário* o artigo com esse título. Comentei exaustivamente sobre essas questões na introdução a este capítulo.

No terceiro mês. Ou seja, no terceiro mês do calendário religioso, que tinha início na páscoa, no mês de abibe (nisã). Ver Êxodo 13.4. Entre os israelitas também havia um calendário civil. O terceiro mês do calendário religioso chamava-se sivã, correspondente ao nosso mês de maio. Ver no *Dicionário* o artigo chamado *Calendário Judaico*, em sua sétima seção.

O Targum de Jonathan diz que a chegada de Israel ao Sinai ocorreu 45 dias depois da partida do Egito, presumivelmente cinco dias antes da lei ter sido dada, ou seja, no sexto dia do mês de sivã. No primeiro dia desse mês, eles chegaram ao Sinai, e ali acamparam-se. No dia seguinte, Moisés subiu ao monte em sua entrevista com Yahweh ou com sua teofania. No terceiro dia, ele reuniu os anciãos do povo (vs. 7), e lhes declarou as palavras de Deus. Três dias mais tarde, que foi o sexto dia do mês de sivã, foi dada a lei aos anciãos do povo, e, deles, para todos os israelitas. A exatidão desses cálculos, porém, dificilmente pode ser averiguada.

Sinai. Ver no *Dicionário* o artigo intitulado *Sinai, monte*. Quanto a informações cronológicas, ver o primeiro parágrafo da introdução a este capítulo 19.

■ 19.2

וַיִּסְע֣וּ מֵרְפִידִ֗ים וַיָּבֹ֙אוּ֙ מִדְבַּ֣ר סִינַ֔י וַֽיַּחֲנ֖וּ בַּמִּדְבָּ֑ר וַיִּֽחַן־שָׁ֥ם יִשְׂרָאֵ֖ל נֶ֥גֶד הָהָֽר׃

O autor sacro oferece aqui uma pequena digressão a fim de lembrar-nos os movimentos de Israel após a partida de Refidim (Êx 17.1) para o Sinai. O Sinai foi um dos pontos de parada, onde Israel deveria permanecer por onze meses e seis dias, conforme mostrei no primeiro parágrafo da introdução a este capítulo.

A identidade do monte aparece como lugar bem conhecido, ou, pelo menos, identificado com alguma precisão, quando Moisés escreveu o relato. Mas para nós a localização exata está perdida para sempre, embora haja um bom número de conjecturas, as quais discuto no artigo sobre o assunto (no *Dicionário*). Foi ali, ou bem perto dali (em *Horebe*; ver no *Dicionário*), que Moisés recebeu seu sinal e comissão originais (Êx 3.12). Fica entendido que Yahweh se manifestava ali de maneira especial, tal como os gregos pensavam que o Olimpo era a residência de deuses. Assim, Moisés subiu ao monte cheio de *expectativa*, em busca de uma entrevista com o Senhor. O autor liga a cena da sarça ardente (cap. 3) com a cena deste capítulo. Chegara o momento de outra grande revelação.

■ 19.3

וּמֹשֶׁ֥ה עָלָ֖ה אֶל־הָאֱלֹהִ֑ים וַיִּקְרָ֨א אֵלָ֤יו יְהוָה֙ מִן־הָהָ֣ר לֵאמֹ֔ר כֹּ֤ה תֹאמַר֙ לְבֵ֣ית יַעֲקֹ֔ב וְתַגֵּ֖יד לִבְנֵ֥י יִשְׂרָאֵֽל׃

Visto que se esperava que naquele lugar Yahweh se revelaria, isso deu a Moisés esperança de receber outra revelação divina. Não sabemos se ele esperava qualquer coisa tão grande quanto a outorga da lei. É provável que a magnitude da revelação tenha-o surpreendido.

Suas expectativas foram justificadas. Ele tinha caminhado pouca distância quando, de súbito, fez-se ouvir a voz de Yahweh. Talvez fosse o seu anjo (ver a respeito no *Dicionário*) ou uma teofania (também comentada ali). A mediação angelical da lei tornou-se uma constante na tradição. Quanto a isso, ver Gálatas 3.19 e as notas no *Novo Testamento Interpretado*. O trecho de Atos 7.38 (dentro do discurso de Estêvão) diz-nos que a voz foi a de um anjo, o qual serviu, portanto, de agente de Yahweh. Alguns eruditos pensam aqui em termos de alguma manifestação veterotestamentária do Logos, apontando para trechos como Gênesis 16.7; 17.13 e Êxodo 3.2 como outras instâncias desse tipo de manifestação.

■ 19.4

אַתֶּ֣ם רְאִיתֶ֔ם אֲשֶׁ֥ר עָשִׂ֖יתִי לְמִצְרָ֑יִם וָאֶשָּׂ֤א אֶתְכֶם֙ עַל־כַּנְפֵ֣י נְשָׁרִ֔ים וָאָבִ֥א אֶתְכֶ֖ם אֵלָֽי׃

O anjo de Yahweh lembrou Moisés acerca dos prodígios passados e de tantas notáveis vitórias, usando uma metáfora colorida sobre as asas do anjo que tinha trazido Israel até o lugar onde eles estavam no momento. Deus mostrara-se poderoso e fiel, e agora estava prestes a revelar-se de maneira gloriosa, que haveria de consolidar Israel como uma nação (teocracia), uma nação destinada a ensinar o mundo antigo. Se as coisas fossem feitas corretamente, então Israel se tornaria uma propriedade peculiar de Deus. Ver Êxodo 4.22, onde Israel é chamado de *filho* de Deus. Esse precioso *filho* também era uma *propriedade*. Haveria de ser firmada uma aliança, conforme comentei nas notas introdutórias deste capítulo e no artigo intitulado *Pactos*, no *Dicionário*. Esse pacto haveria de elevar Israel a uma posição de grande distinção entre as nações.

Ver a metáfora das asas de um anjo, em Deuteronômio 32.11,12, bem como o uso que faz dessa metáfora o trecho de Apocalipse 12.14 ss. "Quando os filhotes de águia estão aprendendo a voar, a águia mãe voa por baixo deles, com as asas abertas, a fim de ampará-los" (John D. Hannah, *in loc.*).

E vos cheguei a mim. Em outras palavras, o povo de Israel fora levado até Deus e até aquele lugar de bênção, e dali culminaria a outorga da lei. Dentro da experiência de Israel, primeiro houve a presença de Deus, e depois a outorga da lei. Yahweh tinha anulado totalmente a servidão dos israelitas ao Egito, e estava preparando uma revelação singular e uma grande experiência espiritual para o povo de Israel no deserto.

A interpretação dos Targuns diz aqui: "Eu vos trouxe à doutrina da minha lei".

Sobre a Inspiração. "A pessoa não somente busca, mas também ouve uma voz. Algo lhe é dado de detrás do véu. Como um relâmpago, torna-se claro o pensamento, destacando-se claro como o dia... Não se trata de um ato de vontade do indivíduo quando se derrama sobre o indivíduo a liberdade e o poder da divindade. Fatos tornam-se palavras, as leis atuantes da vida aprendem a falar da tua parte... Essa é a minha experiência de inspiração" (Nietzsche's Werke, xv, págs. 90 e 91).

O PACTO MOSAICO

Propósitos

- Tornar Israel uma nação distinta.
- Fazer avançar a causa espiritual em todo o Israel.
- Codificar os princípios espirituais e a lei nos mandamentos, julgamentos e ordenanças.
- Trazer um estágio novo, mas não final, de conhecimento e crescimento espiritual.
- Ampliar o acesso a Deus, mas não fornecer um estágio final de acesso. Nenhum avanço é final, nem perfeito.
- Suprir revelações em um período crítico da história.
- Dar uma ideia melhor da conduta humana ideal, mas não uma declaração final de como ela deveria ser. Todas as declarações são parciais e fazem parte do avanço, não representando um final em si mesmas.
- Os Dez Mandamentos foram o maior elemento do pacto, mas também não representavam uma declaração final.

Avanços do Novo Testamento

- Cristo foi o Segundo Legislador, o novo Moisés. (Mt 5—7)
- O pacto de Cristo fez avançar o conhecimento espiritual e transferiu a base da lei para a graça (Ef 2.8,9).

Em Cristo, o homem é espiritualizado, passando a compartilhar da natureza divina, algo que não é previsto no Pacto Mosaico (Rm 8.29; 1Jo 3.2; Cl 2.9,10).

Agora, pois, se diligentemente ouvirdes a minha voz, e guardardes a minha aliança, então sereis a minha propriedade peculiar dentre todos os povos: porque toda a terra é minha. (Êx 19.5)

Sem misericórdia morre pelo depoimento de duas ou três testemunhas quem tiver rejeitado a lei de Moisés. Todavia, o meu justo viverá pela fé, e: Se retroceder, nele não se compraz a minha alma. (Hb 10.28,38)

O sinal do Pacto Mosaico era manter o sábado como um dia de descanso e louvor. O sinal do novo pacto é a atividade incessante para comemorar a ressurreição.

■ 19.5

וְעַתָּה אִם־שָׁמוֹעַ תִּשְׁמְעוּ בְּקֹלִי וּשְׁמַרְתֶּם אֶת־בְּרִיתִי וִהְיִיתֶם לִי סְגֻלָּה מִכָּל־הָעַמִּים כִּי־לִי כָּל־הָאָרֶץ׃

Embora *toda* a terra pertença a Yahweh, ainda assim ele escolheu um filho e uma propriedade peculiar (Êx 4.22; 19.5). Essa propriedade assumiu essa natureza ao guardar o pacto da lei. Encontramos nisso o âmago mesmo do judaísmo. "A obediência era o papel central a ser desempenhado por Israel. Essa obediência seria expressa basicamente mediante a fé e a lealdade... 'Diligentemente ouvirdes' provavelmente devem ser palavras entendidas como 'obedecer à lei'. Israel haveria de ser uma propriedade peculiar de Deus (Dt 7.7; 14.2; 26.18). Esse termo, aplicado ao povo de Israel, sempre se refere à comunidade eleita. Outro tanto se dá com o equivalente grego no Novo Testamento (Tt 2.14; 1Pe 2.9; Ef 1.14). A *liberdade* de Deus, ao escolher Israel, a pura graça envolvida no ato, é um ponto salientado pela declaração 'porque toda a terra é minha'." (J. Edgar Park, *in loc.*). Ver no *Dicionário* vários artigos cabíveis aqui, como *Eleição; Determinismo (Predestinação); Predestinação (e Livre-Arbítrio)* e *Livre-Arbítrio*.

Minha Propriedade Peculiar. Os israelitas seriam uma nação altamente valorizada por Deus, o veículo da mensagem divina entre as nações, uma nação abençoada e que abençoaria as outras. Ver Deuteronômio 7.6; 14.2; 26.18; Salmo 135.4; Malaquias 3.17. Eles seriam uma luz para os gentios (Sl 67.4; Lc 1.79; Jo 1.4; At 13.47).

As *nações* do mundo têm contribuído com várias coisas para a humanidade: a Grécia trouxe os fundamentos da filosofia; Roma trouxe o direito romano e a organização política; a Inglaterra tem ensinado a tolerância e o jogo limpo; os Estados Unidos da América do Norte são o grande mestre e inspirador do ideal de liberdade. Mas a lei, a Torah, foi a grande contribuição do povo de Israel. Declarou o rabi Hija: "Considerai quão maior é a Torah do que o mundo. Para dar o mundo ao mundo, Deus precisou apenas de sete dias; mas precisou de quarenta dias para dar ao mundo a Torah" (*The Life of Moses*, tr. S. H. Guest).

■ 19.6

וְאַתֶּם תִּהְיוּ־לִי מַמְלֶכֶת כֹּהֲנִים וְגוֹי קָדוֹשׁ אֵלֶּה הַדְּבָרִים אֲשֶׁר תְּדַבֵּר אֶל־בְּנֵי יִשְׂרָאֵל׃

Reino de sacerdotes. Não que todos os israelitas fossem sacerdotes dentro de Israel, conforme se dá com todos os crentes (1Pe 2.5,9; Ap 1.6; 5.10). A ideia é que cada israelita, por haver recebido a lei de Moisés, seria um sacerdote *para as outras nações*, como instrumento de instrução espiritual. No que tocava a outras nações, todos os israelitas eram levitas. Todo o povo de Israel tinha um tipo de sacerdócio, pois era o administrador da Torah.

Nação santa. Isso por haver recebido, mediante revelação divina, a lei de Deus. Isso a tornava possuidora do supremo código moral que revelava a vontade de Deus. Esse código incluía como os homens podem tornar-se santos como Deus é santo (Lv 20.26). O "filho" de Deus (Êx 4.22) foi capacitado a adquirir a santidade do Pai, por meio do *pacto* firmado mediante a agência de Moisés. Ver no *Dicionário* o verbete intitulado *Santidade*. O ensino neotestamentário de que a lei não produziu aquilo que tencionava (conforme Paulo explicou tão vigorosamente no capítulo 7 da epístola aos Romanos) não é antecipado aqui. Pensava-se então que possuir a lei conferia os meios de adquirir a verdadeira santidade aos seus possuidores.

■ 19.7

וַיָּבֹא מֹשֶׁה וַיִּקְרָא לְזִקְנֵי הָעָם וַיָּשֶׂם לִפְנֵיהֶם אֵת כָּל־הַדְּבָרִים הָאֵלֶּה אֲשֶׁר צִוָּהוּ יְהוָה׃

Yahweh estava prestes a fazer sua grande revelação, a outorga da lei, que seria a base do novo pacto, e que assumiria lugar ao lado do Pacto Abraâmico. Esse seria o próximo grande salto para a frente para o povo de Israel tornar-se uma nação teocrática. Moisés, pois, trouxe consigo a proposta feita por Yahweh. Ele estava à espera de um povo bem disposto e entusiasta, que entraria no pacto com zelo e sinceridade. Yahweh estava esperando pelo "Faremos!" do povo de Israel. Seria um pacto de *profundas* consequências, no qual a própria santidade de Deus lhes seria revelada, e então requerida da parte dos israelitas. Ninguém podia subscrever de modo irrefletido aquele pacto. Mas nos dias do Novo Testamento, os israelitas proclamavam: "Esse pacto é duro demais para nós!" E assim, buscava-se ocasião para uma nova lei, a lei da liberdade, em Cristo Jesus. Ver Atos 15.10; Gálatas

3.21; Tiago 1.25; 2.12. Ver no *Dicionário* o artigo intitulado *Lei, Função da*, o qual fornece a avaliação cristã acerca do pacto da lei. Ver também o artigo chamado *Lei do Antigo Testamento*, em sua quarta seção, e os verbetes *Lei Cerimonial e Moral* e *Lei e o Evangelho*. Na introdução a este capítulo, ver sobre o *Pacto Mosaico*.

Os anciãos do povo. Estão em foco os chefes de tribo que eram canais de comunicação entre Moisés e os israelitas. Ver também Êxodo 4.29; 12.21; 17.5,6; 18.2; 24.14 etc.

■ **19.8**

וַיַּעֲנוּ כָל־הָעָם יַחְדָּו וַיֹּאמְרוּ כֹּל אֲשֶׁר־דִּבֶּר יְהוָה נַעֲשֶׂה וַיָּשֶׁב מֹשֶׁה אֶת־דִּבְרֵי הָעָם אֶל־יְהוָה:

Tudo o que o Senhor falou, faremos. Isso eles disseram em um forte momento de entusiasmo, embora ignorando as imensas dimensões do acordo, impossíveis para as limitações da natureza pecaminosa do homem.

Devemos imaginar aqui uma *consulta* maciça e completa, do que resultou uma decisão unânime. O pacto da lei não foi imposto, embora nenhum homem fizesse ideia da carga pesadíssima que se dispusera a carregar. Cf. Deuteronômio 5.28,29. "Não houve qualquer hesitação, nem diversidade de opinião, e nem autodesconfiança. Em face dos grandes privilégios que lhes estavam sendo oferecidos, todos mostraram-se bem dispostos... No calor e brilho de seus sentimentos, nem lhes ocorreu quão difícil era uma obediência perfeita" (Ellicott, *in loc.*).

■ **19.9**

וַיֹּאמֶר יְהוָה אֶל־מֹשֶׁה הִנֵּה אָנֹכִי בָּא אֵלֶיךָ בְּעַב הֶעָנָן בַּעֲבוּר יִשְׁמַע הָעָם בְּדַבְּרִי עִמָּךְ וְגַם־בְּךָ יַאֲמִינוּ לְעוֹלָם וַיַּגֵּד מֹשֶׁה אֶת־דִּבְרֵי הָעָם אֶל־יְהוָה:

O anjo ou a teofania (ver sobre ambos os fenômenos no *Dicionário*) não se manifestou visualmente, mas apenas audivelmente. Os israelitas foram testemunhas do fenômeno, pelo que a fé deles seria inspirada pela mensagem que estava prestes a ser transmitida. A *nuvem escura* poderia ser a mesma "coluna de nuvem" (ver a respeito no *Dicionário*), mas o mais provável é que se tratasse de um fenômeno diferente. As manifestações divinas em meio a nuvens que ocultavam a presença de Deus, mas ainda assim davam uma imagem visível, aparecem com frequência nas páginas do Antigo Testamento. Ver Êxodo 40.31; 1Reis 8.10,11; e, no Novo Testamento, ver Mateus 17.5 e Apocalipse 10.1. Devemos entender aqui uma *nuvem mística*, algum objeto visível e quiçá luminoso, e não uma nuvem feita de vapor d'água. Assim também, a segunda vinda do Senhor, por ocasião do arrebatamento da Igreja, ocorrerá em meio a uma nuvem (1Ts 4.17; cf. Ap 1.7).

Creiam sempre em ti. Essa manifestação se revestiria de tão grande poder e a mensagem seria tão convincente que as muitas lições objetivas que Yahweh estava dando aos israelitas, fazia já algum tempo, viriam à sua fruição. A fé deles se fortaleceria, como seria de esperar, e isso de uma vez para sempre. Deus é luz, e essa luz acomoda-se aos homens por meio da luz. Ver Salmo 92.2. Deus revela-se por meio de espessas trevas (2Cr 6.1). Até mesmo a luminosidade que permaneceu sobre o rosto de Moisés, depois de haver ele conversado com Yahweh, foi demais para o povo suportá-la (Êx 34.33-35). Assim sendo, Deus condescende com os homens quando entra em contato com eles. Não obstante, essa manifestação divina reduzida seria tão gloriosa que haveria de inspirar uma fé duradoura.

■ **19.10**

וַיֹּאמֶר יְהוָה אֶל־מֹשֶׁה לֵךְ אֶל־הָעָם וְקִדַּשְׁתָּם הַיּוֹם וּמָחָר וְכִבְּסוּ שִׂמְלֹתָם:

Medidas Preparatórias. Aquele não seria um contato ordinário, pelo que também não poderia ser recebido de maneira ordinária. A primeira condição imposta foi a da higiene física. A santificação é uma questão interna e externa. A higiene física cuidou da parte externa; mas havia a parte interna, do coração. Pecados foram confessados e perdoados. Não somos informados se houve ritos religiosos. Seja como for, os israelitas achavam-se em um estado de santa expectação.

Quanto às lavagens levíticas de roupas (e, sem dúvida, de corpos), ver Levítico 11.25,28,40; 13.6,34,58; 14.8,9,47; 15.5,22. Heródoto disse algo similar ao descrever certos costumes dos egípcios (*Hist.* ii.37); Homero também testifica nesse mesmo sentido (*Odis.* iv.1, par. 759).

Outras condições incluíam a manutenção de respeitável distância do monte, e abstinência sexual (vss. 12-15).

■ **19.11**

וְהָיוּ נְכֹנִים לַיּוֹם הַשְּׁלִישִׁי כִּי בַּיּוֹם הַשְּׁלִישִׁי יֵרֵד יְהוָה לְעֵינֵי כָל־הָעָם עַל־הַר סִינָי:

O terceiro dia. A ênfase recai sobre a distância que há entre Deus e o homem; essa distância evidenciou-se pelo período de três dias de santificação física e espiritual. Deus é santo, e o homem não atinge a santidade do Senhor. Mesmo após santificarem-se, os israelitas não podiam aproximar-se da presença de Deus, embora Deus pudesse avizinhar-se deles naquele grau que o homem pode tolerar. Há uma diferença inerente e permanente entre o homem e Deus. Jesus, em sua missão universal, encurtou essa distância; e a nossa glorificação haverá de ir encurtando para sempre a mesma, até que o homem venha a participar da vida e da essência mesma de Deus, embora sempre em um sentido finito, pois haverá um enchimento eterno da plenitude de Deus nos remidos. Visto que há uma infinitude para preencher o finito, deverá haver um enchimento infinito. Ver na *Enciclopédia de Bíblia, Teologia e Filosofia* o artigo chamado *Transformação Segundo a Imagem de Cristo*, quanto a notas detalhadas sobre esse conceito. A noção do Novo Testamento acerca da lei é que se a mesma promete uma via de aproximação da presença divina, ela termina por distanciar o homem mais ainda de Deus, por causa da corrupção inerente do homem, que o leva a atos pecaminosos, condenáveis. Por isso mesmo, Deus tinha planejado que o sistema da graça, trazido pela missão de Jesus Cristo (ver Jo 1.16,17), seria finalmente instaurado, face à inutilidade da lei. Os remidos, pois, haverão de receber, experimentalmente, a essência e a natureza divinas. Como filhos de Deus que somos, já recebemos dessa natureza do Pai, conforme ela se manifesta na pessoa do Filho. A lei era impotente para realizar isso. A lei teve por propósito mostrar que *algum outro método* — que não o do merecimento humano — se fazia necessário para concretizar essa poderosa realização divina da redenção. Ver 2Pedro 1.4 nas notas do *Novo Testamento Interpretado*.

"Somente aqueles que se têm preparado de forma especial podem abordar a deidade. Era mister remover todo vestígio de imundícia ritual (vss. 14,15; 1Sm 7.3; 21.5; Am 4.12; Mt 22.11,12)" (J. Cort Rylaarsdam, *in loc.*). Isso é ilustrado no fato de que nós, ao nos aproximarmos da Ceia do Senhor, somos convidados a *nos examinarmos a nós mesmos*, a fim de removermos todas aquelas coisas que poderiam impedir a comunhão com o Senhor. Ver 1Coríntios 11.28.

■ **19.12**

וְהִגְבַּלְתָּ אֶת־הָעָם סָבִיב לֵאמֹר הִשָּׁמְרוּ לָכֶם עֲלוֹת בָּהָר וּנְגֹעַ בְּקָצֵהוּ כָּל־הַנֹּגֵעַ בָּהָר מוֹת יוּמָת:

Nem mesmo a purificação dava direito do homem aproximar-se de Deus. Mas a presença de Deus podia achegar-se ao homem na medida possível. Os filhos de Israel nem ao menos podiam tocar no terrível monte sobre o qual Yahweh se estava manifestando, pois disso resultaria a morte súbita. Moisés precisou *marcar limites*, impor restrições. Isso tudo tipificava a lei, em contraste com a graça, de acordo com a qual nos é provido um livre acesso (Hb 9.24; 10.19 ss.). Ver no *Dicionário* o artigo chamado *Acesso*. E mesmo ao ser erigido o templo de Jerusalém, seu próprio plano arquitetônico falava em separação. Só o sumo sacerdote podia penetrar no Santo dos Santos, e isso apenas uma vez por ano. Só os sacerdotes podiam entrar no santuário, a fim de oficiar. O povo ficava confinado aos seus átrios, à distância. Mas todas essas divisões e separações foram derrubadas por Cristo, e a própria Igreja tornou-se o templo (Ef 2.19 ss.); e o Espírito de Deus veio habitar nesse templo.

"O estabelecimento de barreiras, de modo que o povo não pudesse aproximar-se do monte (vs. 21), reflete a visão antiga da santidade como um poder misterioso e ameaçador com que o monte *estava carregado* (ver Êx 3.6 e suas notas; 1Sm 6.6-9)" (*Oxford Annotated Bible, in loc.*). Cf. Levítico 6.27-38.

É um sentimento digno de louvor quando entoamos o hino "Mais Perto Quero Estar, Meu Deus de ti". Mas o povo de Israel, dos dias de Moisés, não dispunha de provisão adequada para isso tornar-se realidade.

Será morto. Ver as notas sobre o versículo seguinte.

■ 19.13

לֹא־תִגַּע בּוֹ יָד כִּי־סָקוֹל יִסָּקֵל אוֹ־יָרֹה יִיָּרֶה
אִם־בְּהֵמָה אִם־אִישׁ לֹא יִחְיֶה בִּמְשֹׁךְ הַיֹּבֵל הֵמָּה
יַעֲלוּ בָהָר:

Se um homem ou animal chegasse a tocar no monte, e não ocorresse morte repentina, tal pessoa ou animal deveria ser executado imediatamente, ou mediante *apedrejamento* (ver a esse respeito no *Dicionário*) ou ao ser traspassado por uma lança ou espada. Isso mostra a *distância* que era mister manter de Yahweh, embora o propósito de Cristo seja precisamente o contrário: aproximar os homens de Deus, e não distanciá-los dele, conforme vimos nas notas sobre o vs. 12.

Quando soar longamente a buzina. Ao que tudo indica, temos aqui a trombeta mística de Yahweh, e não algum instrumento tocado pelo homem, embora alguns pensem que Moisés tocou a buzina. O sonido da buzina convocaria os homens para se avizinharem, mas não demais. Cf. a trombeta do Senhor que nos convocará todos juntos, ao céu (1Co 15.52). Ver Hebreus 12.19 ss. quanto a um comentário e aplicação do Novo Testamento daquilo que lemos aqui. Não nos temos aproximado do temível monte de Deus, mas do monte Sião, a cidade do Deus vivo. Nós temos acesso à *nova Jerusalém* e podemos participar da *reunião festa,* em vez de tremermos de medo. Ver 2Samuel 6.15, a trombeta que soava com finalidades de adoração.

O abate de animais ocorria para efeito de alimentação; ou quando se tornavam perigosos para o homem (Êx 21.28); quando ficavam poluídos (Lv 20.15); quando um animal primogênito não fosse resgatado (Êx 13.13); ou então por ocasião de algum dos muitos sacrifícios do antigo pacto, conforme vemos no livro de Levítico.

■ 19.14

וַיֵּרֶד מֹשֶׁה מִן־הָהָר אֶל־הָעָם וַיְקַדֵּשׁ אֶת־הָעָם
וַיְכַבְּסוּ שִׂמְלֹתָם:

Ordens Cumpridas. Aquilo que foi exigido no tocante à santificação foi devidamente atendido (vs. 10). A lavagem das vestes naturalmente incluía a lavagem dos corpos, conforme vemos no constante testemunho dos Targuns. A higiene física era necessária como símbolo da purificação da alma. Eram necessárias a santificação interior e a santificação externa.

■ 19.15

וַיֹּאמֶר אֶל־הָעָם הֱיוּ נְכֹנִים לִשְׁלֹשֶׁת יָמִים אַל־תִּגְּשׁוּ
אֶל־אִשָּׁה:

Não vos chegueis a mulher. A abstinência sexual também tinha sido imposta, como preparação para a manifestação de Yahweh no monte. Nem os casais podiam ter contato sexual, quanto menos formas pecaminosas desse contato! Cf. 1Samuel 21.4,5; 1Coríntios 7.5. Era sentimento geral dos antigos que uma certa imundícia cerimonial estava vinculada mesmo ao ato sexual mais casto. Ver também Heródoto (*Hist.* i.189; ii.64) e Hesíodo (*Op. et D.,* 11. 733-744) e Porfírio (*De Abstinentia,* iv.7). Ver Levítico 15.18. A legislação indiana antiga, *Meno,* v.63, incluía uma provisão similar. Os psicólogos divertem-se diante dessa questão. O homem tem um sentimento inerente de que, de algum modo, o sexo, no casamento ou fora dele, é pecaminoso, ou, pelo menos, indesejável diante de certas situações. Mas talvez seja apenas embaraçoso. A partir desses sentimentos, a par daqueles de pessoas de mentalidade religiosa (acerca da inferioridade inerente ao estado marital, em relação ao celibato), surgiu o *celibato* como um estado supostamente superior para quem queira atingir a espiritualidade. Ver no *Dicionário* o artigo chamado *Celibato.* Talvez esses sentimentos sejam oriundos da ideia de que o sexo, aquela questão física *crassa* (e o que poderia ser mais físico do que o ato sexual?), deve ser algo contrário ao espírito, capaz de, pelo menos, debilitá-lo. É curioso que Platão, ao atribuir razões pelas quais os seres humanos (antes espíritos preexistentes) chegaram a *encarnar-se,* teria sido

que eles, observando os animais a copularem, tiveram a curiosidade de experimentar o sexo. Em Platão haveria outros fatores na encarnação, principalmente fatores morais, porquanto, na queda, os homens (espíritos) entraram na *prisão* do corpo físico, como algo que mereciam devido à sua degradação moral.

Seja como for, os *místicos* informam-nos que, com base em considerações vibracionais (cada pessoa teria uma vibração, uma expressão da energia vital), é melhor abster-se do sexo quando estamos em meio a uma busca espiritual especial. Assim seria porque esse ato físico *rebaixa* as vibrações espirituais da pessoa. Talvez tenhamos aí uma realidade. Quem sabe? Algum dia, a ciência talvez venha a dispor de meios para averiguar quão certa ou não está essa teoria. Como teoria, porém, ela nos dá uma *razão* para a abstinência que é mencionada neste versículo.

Isso significa que em tempos de jejum, por exemplo, quando o indivíduo busca iluminação especial ou avanço espiritual, seria melhor este abster-se não somente de alimentos, mas também de sexo. Por extensão, um homem intensamente espiritual faria bem em esquecer-se totalmente do sexo, pelo menos na opinião de alguns. Isso nos empurraria ao celibato, um ideal (mas ver 1Tm 4.1-5), embora não fácil de ser conseguido. Todavia, Paulo referiu-se a uma abstinência temporária, por razões *espirituais* (1Co 7.5), e isso parece dar apoio à *ideia* dos místicos, embora não confirme a razão específica que eles oferecem.

Os sacerdotes do Egito, quando prestes a realizar algum serviço especial, abstinham-se do sexo (Apud Porphy., *de Abstinentia,* em uma declaração feita por *Chaeremon*). Por vários dias havia abstinência sexual, e também era seguida uma certa dieta. Temos algo de similar no *Alcorão,* iv.5. Assim sendo, esse sentimento era bastante universal.

■ 19.16

וַיְהִי בַיּוֹם הַשְּׁלִישִׁי בִּהְיֹת הַבֹּקֶר וַיְהִי קֹלֹת וּבְרָקִים
וְעָנָן כָּבֵד עַל־הָהָר וְקֹל שֹׁפָר חָזָק מְאֹד וַיֶּחֱרַד
כָּל־הָעָם אֲשֶׁר בַּמַּחֲנֶה:

As Temíveis Manifestações Divinas. O povo pôs-se a tremer, quando essas manifestações começaram, ao terceiro dia. Apareceu a *nuvem mística* (antecipada no vs. 9, onde há notas expositivas a respeito), como também relâmpagos e trovões, provavelmente de natureza natural e sobrenatural; e, finalmente, houve o sonido da trombeta de Yahweh (também antecipada, conforme vemos no vs. 13 deste capítulo). Este versículo ensina quão espantosa é a presença de Deus, mas também ensina como o homem, naqueles tempos, *precisava* manter distância de Deus, fazendo contraste com a nossa era do evangelho, na qual o ideal mais alto dos homens é tentar aproximar-se o máximo possível de Deus. Ver as notas sobre o vs. 12, quanto a implicações práticas e teológicas.

A metáfora é de uma violentíssima tempestade. Mas não nos devemos limitar à dimensão natural para explicar o versículo à nossa frente. Ver Juízes 5.4,5; Isaías 2.12-22; Salmo 29 quanto à natureza espantosa da presença de Deus. O texto à nossa frente ensina-nos que o pacto mosaico estava firmado sobre uma evidente autenticação. Yahweh autenticou a sua aproximação e o seu pacto mediante uma tempestade que nenhuma pessoa que a viu poderia esquecer. Cf. Isaías 6.1-5. Posteriormente, em Israel, a trombeta convocava homens à guerra (Jz 3.27; 1Rs 1.34). Mas a trombeta original de Israel foi a de Yahweh, que convocou homens a participarem das provisões do pacto firmado no Sinai. Deus anunciou assim a sua própria vinda. Cf. Mateus 24.31; 1Coríntios 15.52 e 1Tessalonicenses 4.16.

■ 19.17

וַיּוֹצֵא מֹשֶׁה אֶת־הָעָם לִקְרַאת הָאֱלֹהִים מִן־הַמַּחֲנֶה
וַיִּתְיַצְּבוּ בְּתַחְתִּית הָהָר:

A situação requeria que houvesse um *mediador.* E só havia um homem apto para isso, a saber, Moisés, que tinha estado em contato com Yahweh por longo tempo. Moisés subiu ao monte (vs. 20), e, descendo, ordenou que os sacerdotes também se mantivessem afastados (vs. 22). O povo todo precisava guardar distância, sob pena de morte súbita, causada pelo poder de Deus que se manifestava naquele lugar (vs. 21).

Moisés subiu ao monte e voltou por três vezes, conforme vemos em Êxodo 19.3,7; 19.8,9 e 19.20,25.

Os filhos de Israel podiam aproximar-se do monte, mas não tocar no mesmo. Podiam contemplar a evidência, mas não a presença divina, exceto sob forma mui velada. Não estavam preparados para ver a grande Luz, mas somente a nuvem escura. Assim é que, conforme os homens crescem espiritualmente, lhes é facultado maior acesso a Deus. Ver o contraste oferecido em Hebreus 9.24; 10.19 ss. e ver os comentários sobre o vs. 12 deste capítulo.

■ **19.18**

וְהַר סִינַי עָשַׁן כֻּלּוֹ מִפְּנֵי אֲשֶׁר יָרַד עָלָיו יְהוָה בָּאֵשׁ וַיַּעַל עֲשָׁנוֹ כְּעֶשֶׁן הַכִּבְשָׁן וַיֶּחֱרַד כָּל־הָהָר מְאֹד׃

Este versículo amplia as informações dadas no vs. 16. Os críticos veem aqui uma grande tempestade, acompanhada por erupções vulcânicas; mas o autor sagrado queria que nós víssemos aqui apenas fenômenos naturais, e, sim, a grandiosidade da presença de Yahweh.

O Senhor descera sobre ele. Yahweh é aqui descrito como quem havia *descido* sobre o monte. O terceiro versículo mostra que o Senhor, do monte, chamou Moisés. O Senhor estava envolto em chamas, e daí vinha a fumaça. Cf. os versículos que dizem que Deus *desceu do céu* ou *está no céu*, algum lugar acima da terra: Gênesis 11.4 (onde há notas sobre a questão); Gênesis 11.5 ("desceu"); Gênesis 21.17; 22.15; Atos 7.49; 2Coríntios 12.2; Colossenses 1.5; 1Tessalonicenses 4.16; Apocalipse 3.12. Ver no *Dicionário* o artigo intitulado *Céu*.

Quanto à *fumaça* que acompanhava a presença divina, cf. Isaías 6.4; Jl 2.30; Hebreus 3.3. Essas são metáforas que descrevem algo que desconhecemos, algumas vezes envolvendo questões escatológicas. Os homens anelam por ver a presença divina, mas esta lhes é negada por uma questão de necessidade. Contudo, Deus está em todos os lugares ao mesmo tempo, e, em *visões*, podemos vê-lo na calma da noite, quando as atividades humanas cessam temporariamente. Ver na *Enciclopédia de Bíblia, Teologia e Filosofia* o artigo chamado *Mysterium Tremendum*.

O monte tremia grandemente. Seria um terremoto, como reflexo da presença e do poder de Deus? Ver no *Dicionário* o artigo chamado *Terremoto*. Cf. 1Reis 19.11-13 e Apocalipse 16.18.

■ **19.19**

וַיְהִי קוֹל הַשּׁוֹפָר הוֹלֵךְ וְחָזֵק מְאֹד מֹשֶׁה יְדַבֵּר וְהָאֱלֹהִים יַעֲנֶנּוּ בְקוֹל׃

A trombeta de Yahweh (ver as notas a respeito no vs. 13) tinha um sonido aterrador. Soava muito alto e por muito tempo, e somente quando Moisés falou o sonido foi substituído pela voz de Yahweh. No sonido havia poder, mas só havia sentido na voz. Cf. 1Reis 19.11-13. Lemos em Hebreus 12.21 que Moisés confessou: "Sinto-me aterrado e trêmulo!" E alguns estudiosos vinculam essas palavras àquilo que Moisés diz neste versículo. Nesse caso, a voz de Deus acalmou os temores de Moisés, conferindo-lhe uma mensagem de boas-vindas.

■ **19.20**

וַיֵּרֶד יְהוָה עַל־הַר סִינַי אֶל־רֹאשׁ הָהָר וַיִּקְרָא יְהוָה לְמֹשֶׁה אֶל־רֹאשׁ הָהָר וַיַּעַל מֹשֶׁה׃

Yahweh *desceu* ao cume do monte, o que já tinha sido dito, em termos gerais, no vs. 18. Foi ao topo do monte, pois, que Deus chamou Moisés. "Moisés foi convidado a entrar na nuvem que pairava sobre o cume do monte. Mas nem bem entrou na presença divina quando Yahweh disse-lhe para voltar e avisar ao povo que não ultrapassassem o limite para tentar ver o Senhor" (J. Edgar Park, *in loc.*). Quão perigoso era o monte já foi descrito nas notas sobre o vs. 13. Para os israelitas, o monte ameaçava com morte súbita, ou da parte da presença divina, ou por execução capital, contra quem fizesse o que tinha sido proibido. Esse acesso foi permitido somente a Moisés e Arão (vs. 24).

"A experiência do Sinai teve por desígnio instilar no povo o senso de reverência por Deus. A reverência é aquela atitude indefinível de espírito com a qual uma alma nobre reage diante da grandeza" (J. Coert Rylaarsdam, *in loc.*). Ouvimos música grandiosa; contemplamos uma pintura artística; ou ideias profundas nos são apresentadas. E, então, sentimos reverência. Ver no *Dicionário* o artigo *Reverência pela Vida*.

■ **19.21**

וַיֹּאמֶר יְהוָה אֶל־מֹשֶׁה רֵד הָעֵד בָּעָם פֶּן־יֶהֶרְסוּ אֶל־יְהוָה לִרְאוֹת וְנָפַל מִמֶּנּוּ רָב׃

Antes de dar prosseguimento à revelação do pacto do Sinai, Moisés recebeu a incumbência de proteger o povo do poder que havia sido liberado. Para eles teria sido fatal se vissem a presença de Deus. Na verdade, trata-se de um conceito muito perceptivo. Existem verdades que as massas não podem ouvir e nem compreender. Se ouvissem, o coração lhes falharia. Mas em havendo desenvolvimento espiritual, chegariam a ponto de poder ouvir com entendimento. Mas algumas das almas menos desenvolvidas são precisamente aquelas que se mostram mais ruidosas acerca de seu pouco conhecimento; e, por muitas vezes, escudam suas teologias deficientes com o ódio, e não com o amor. Havia coisas que eram ensinadas nas escolas dos rabinos que não eram ensinadas nas sinagogas. Existem cordeiros a proteger que ainda não estão preparados para a carne pesada (Hb 5.12-14). Uma das responsabilidades de um mestre cristão consiste em proteger os cordeiros que, por enquanto, ainda não podem digerir mensagens mais profundas. Algumas verdades, ditas a certos indivíduos, prejudicam mais do que as mentiras abertas. Cf. 1Samuel 6.19. Ver também Hebreus 12.28,29, que se aplica diretamente a este texto.

■ **19.22**

וְגַם הַכֹּהֲנִים הַנִּגָּשִׁים אֶל־יְהוָה יִתְקַדָּשׁוּ פֶּן־יִפְרֹץ בָּהֶם יְהוָה׃

Também os sacerdotes. Até eles corriam perigo! Alguns deles, julgando-se pessoas altamente espirituais, poderiam ousar tentar ver a Yahweh. No entanto, ainda não estavam preparados para tanto, conforme o parecer do próprio Yahweh. Portanto, Moisés foi comissionado a proteger também os sacerdotes. Os *sacerdotes*, neste ponto, não pertenciam à ordem posterior dos levitas; mas não há razão para pensarmos que já não existia algum tipo de sacerdócio em Israel, talvez o sacerdócio dos primogênitos, ou, quem sabe, dos cabeças de famílias em combinação com os primogênitos. Os sacerdotes precisaram *santificar-se* (segundo vemos no vs. 10, onde há notas expositivas), a fim de não sofrerem dano. Talvez houvesse outros modos e ritos a serem empregados no caso deles. Ansiedade exagerada e preparação inadequada tinham causado outras mortes, quando os israelitas tinham manuseado questões sagradas, e isso poderia ocorrer de novo. Ver 2Samuel 6.6-8.

■ **19.23**

וַיֹּאמֶר מֹשֶׁה אֶל־יְהוָה לֹא־יוּכַל הָעָם לַעֲלֹת אֶל־הַר סִינָי כִּי־אַתָּה הַעֵדֹתָה בָּנוּ לֵאמֹר הַגְבֵּל אֶת־הָהָר וְקִדַּשְׁתּוֹ׃

Marca limites. Sem dúvida havia alguma espécie de barreira, provavelmente física, como alguma cerca ou bloqueio, em torno do monte, a começar pelo lugar onde Moisés subira ao monte, para que os israelitas pudessem ver as manifestações divinas a uma distância segura, embora sem entrarem em contato com o próprio monte. Ver o vs. 13 quanto à proibição, em defesa da segurança das pessoas e da santidade de Deus. O monte era terra santa, onde as massas populares ainda não podiam pisar.

Havia marcos físicos. E isso apontava para o acesso espiritual. O que foi feito na ocasião, no tocante ao monte, mais tarde foi duplicado quanto ao tabernáculo e, mais tarde ainda, quanto ao templo de Jerusalém, os quais, em sua estrutura, apontavam para vários níveis de acesso a Deus. Ver no *Dicionário* o verbete chamado *Acesso*.

O monte Foi Santificado. Em outras palavras, foi separado para que ali houvesse a manifestação divina, sem a profanação da presença de pessoas, que nada tinham para fazer no próprio monte. As próprias pessoas foram santificadas (vs. 10), que nem ao menos poderiam ter-se aproximado do monte. Há um grande abismo entre o divino e o humano. E a missão de Cristo teve por finalidade transpor esse abismo (ver as notas sobre o vs. 12).

19.24

וַיֹּאמֶר אֵלָיו יְהוָה לֶךְ־רֵד וְעָלִיתָ אַתָּה וְאַהֲרֹן
עִמָּךְ וְהַכֹּהֲנִים וְהָעָם אַל־יֶהֶרְסוּ לַעֲלֹת אֶל־יְהוָה
פֶּן־יִפְרָץ־בָּם:

As idas e vindas de Moisés, na ocasião, não são fáceis de serem seguidas, mas parece que ele esteve por três vezes no cume do monte, e voltou. Ver Êxodo 19.3,7; 19.8,9 e 19.20,25. Ele estava recebendo comunicações divinas e guardando o caminho ainda não-preparado. Este versículo repete as proibições relativas aos sacerdotes (vs. 22) e ao povo em geral (vss. 12,13 e 24). É reiterado o aviso sobre o perigo de ultrapassar as barreiras postas para ver a Yahweh, o que já havia sido mencionado nos vss. 21 e 22. A *repetição* faz parte do estilo literário do autor sagrado, para efeito de ênfase ou não. Moisés foi bem-sucedido quanto às advertências que fez. Nenhum indivíduo, por motivo de curiosidade, obstinação ou embotamento mental ousou irromper a barreira e tentou aproximar-se da visão. Arão, ajudante especial de Moisés, compartilhou da visão mais próxima de Deus, porquanto também estava preparado para tal acesso.

19.25

וַיֵּרֶד מֹשֶׁה אֶל־הָעָם וַיֹּאמֶר אֲלֵהֶם: ס

Moisés Recebera a Mensagem. O capítulo 20 do livro de Êxodo dá-nos o decálogo, os Dez Mandamentos, a essência da legislação mosaica e a base do pacto mosaico.

O Targum de Jonathan comenta sobre este ponto: "Vinde e recebei a lei, as dez palavras", ou seja, os Dez Mandamentos.

CAPÍTULO VINTE

OS DEZ MANDAMENTOS (20.1-17)

A história da outorga do *decálogo* dá continuação à seção que tem início em Êxodo 19.1. Naquele ponto, ofereço uma introdução detalhada sobre questões incluídas no pacto mosaico, o qual foi o *quinto* pacto. (Ver no *Dicionário* o artigo chamado *Pactos*). Foi também a *quinta* dispensação. Ver no *Dicionário* o verbete *Dispensação (Dispensacionalismo)*. A expressão "todas estas palavras" (vs. 1) provavelmente tem por intuito incluir os itens até o fim do capítulo 25, onde encontramos as ordenanças do santuário. Especificamente, porém, está em foco o *decálogo*, as Dez Palavras. Essas *Dez Palavras*, em sua primitiva forma hebraica, consistem em dez breves frases, quase todas elas com apenas duas palavras. Vários adornos seguiram-se no Pentateuco. Cf. Êxodo 34.18; Deuteronômio 4.13; 10.1.

Sempre houve acordo de que havia *dez* palavras. Mas há incerteza sobre como podemos chegar a esse número específico (alguns textos dão mais itens do que dez). As *Dez Palavras* foram ditas diretamente ao povo de Israel (vs. 21). Posteriormente, Moisés foi convocado ao monte a fim de receber as duas tábuas da lei, onde estavam inscritas as Dez Palavras (Êx 24.12; cf. 34.1,27,28). Todo o resto da legislação mosaica foi dado indiretamente ao povo, por meio de Moisés (vs. 22; 21.1; 24.3; 25.1). Moisés registrou por escrito *tudo* isso, as palavras de Deus e os estatutos (Êx 24.3). Portanto, encontramos aqui uma complexa narrativa sobre detalhes que não são fáceis de acompanhar, embora a sua essência seja bastante clara.

"*Os Dez Mandamentos*, epítome dos deveres do homem para com Deus e para com seus semelhantes" (*Oxford Annotated Bible, in loc.*). As *Dez Palavras* estavam divididas em duas partes: a primeira, com *quatro mandamentos* atinentes ao relacionamento dos israelitas *com Deus;* a outra parte, com *seis mandamentos*, envolve o relacionamento entre homem e homem, tudo governado pela vontade de Deus.

A quinta dispensação, o Pacto do Sinai, foi um dos grandes eventos espirituais da história, tanto secular quanto religiosa. O poder dessa legislação tem afetado quase cada ser humano, em todos os lugares. As interpretações cristãs, porém, opõem-se aos tremendos encargos impostos por essa legislação. Ver Romanos 3.20; Gálatas 3.11. Ver os argumentos de Paulo sobre a justificação, em Romanos 4.3,22; 5.1; Gálatas 2.16; 3.6,21. Era mister demonstrar a pecaminosidade (Rm 3.19,20), mas essa revelação não justificava àquele que *tentava* cumprir as exigências da lei.

Partes da Lei Mosaica:
1. O decálogo (Êx 20.1-21).
2. O livro da aliança com suas ordenanças civis e religiosas (Êx 20.22—24.11).
3. Os regulamentos cerimoniais (Êx 24.12—31.18).

Provi no *Dicionário,* em favor do leitor, um artigo bem detalhado e bem pesquisado sobre os *Dez Mandamentos,* o qual acrescenta muito aos comentários que há neste ponto, e que o leitor precisa averiguar.

20.1

וַיְדַבֵּר אֱלֹהִים אֵת כָּל־הַדְּבָרִים הָאֵלֶּה לֵאמֹר: ס

Então falou Deus. Ele foi o poder *revelador*. A legislação mosaica é oriunda da inspiração divina. Comentei longamente sobre isso na introdução ao capítulo 19. Ver no *Dicionário* os seguintes artigos: *Revelação (Inspiração; Revelação Natural* e *Inspiração)* e *Escrituras,* em sua primeira seção, *Bíblia.*

Deus é um Deus teísta, ou seja, ele não abandonou a sua criação. Antes, faz-se presente na mesma, recompensando ou castigando e fazendo conhecida a sua vontade. Ver no *Dicionário* o artigo *Teísmo*. Contrastar isso com o *Deísmo*, também comentado no *Dicionário*.

Uma outra versão dos Dez Mandamentos aparece em Deuteronômio 5.6-21, com diferenças mínimas. Ver outra versão em Êxodo 34.10-29. A ordem dos mandamentos difere em diferentes textos e versões. Os Dez Mandamentos não eram novos, e, sim, uma seleção inspirada e apta, dentre uma grande massa de ensinos morais e espirituais, compartilhados por muitos povos. Essa seleção foi divinamente inspirada e guiada. Essa seleção é uma breve síntese de ensinos espirituais e morais essenciais, em relação a Deus e em relação aos homens. Os judeus nunca cessaram de expandir o material, em todas as áreas concebíveis da vida humana, por meio de analogia e, algumas vezes, por meio de uma vívida imaginação. E assim, a massa legislativa tornou-se tão complexa que ninguém seria capaz de suportá-la (At 15.10).

Todas estas palavras. Provavelmente com o intuito de introduzir todas as três porções da lei mosaica, incluindo o capítulo 31, embora mais especificamente as *Dez Palavras,* o decálogo. Ver a introdução aos capítulos 19 e 20 quanto a notas completas sobre esse material. Ver também no *Dicionário* o artigo chamado *Dez Mandamentos*.

20.2

אָנֹכִי יְהוָה אֱלֹהֶיךָ אֲשֶׁר הוֹצֵאתִיךָ מֵאֶרֶץ מִצְרַיִם
מִבֵּית עֲבָדִים:

Yahweh foi o autor do livramento de Israel da servidão ao Egito. O autor sacro alude à informação dada antes, nos capítulos 1—17, ou seja, os destrutivos prodígios das dez pragas (ver no *Dicionário* o artigo *Pragas do Egito*), além do livramento no mar de Juncos (ver sobre isso em Êx 13.22). O Deus libertador também era o legislador. O povo de Israel, agora livre, entrava em um novo pacto, o pacto mosaico (ver as notas introdutórias ao capítulo 19). O pacto mosaico foi o quinto dos *pactos* (ver sobre esse título no *Dicionário*). Esse pacto deu início à quinta dispensação, a era durante a qual Israel tornou-se uma nação distintiva por causa de seu código legal superior e divinamente inspirado. Ver no *Dicionário* o artigo chamado *Dispensação (Dispensacionalismo).*

Quanto à ideia de que a lei mosaica exprime o caráter moral de Deus, cf. Levítico 11.44,45; 19.2. Isso entra em choque com o *Voluntarismo* (ver a respeito no *Dicionário*), que diz que algo é direito somente porque assim Deus decreta. Bem pelo contrário, Deus é possuidor daquela santa natureza que serve de exemplo para os homens, visto que aquilo que Deus determina é santo *em si mesmo*, e não meramente por causa de alguma vontade caprichosa de Deus.

Israel era o filho primogênito de Deus (Êx 4.22), e um filho precisa ter a mesma natureza moral de seu pai. Cf. a declaração de Jesus em Mateus 5.48: "Portanto, sede vós perfeitos como perfeito é o vosso Pai celeste".

A Gratidão Requer Obediência. O povo libertado de Israel deveria reconhecer o ato libertador de Yahweh, correspondendo a isso mediante a obediência à lei mosaica. Vemos o mesmo conceito em

Romanos 2.4, onde lemos que a bondade de Deus leva os homens ao arrependimento.

Alguns intérpretes judeus faziam deste segundo versículo o *primeiro mandamento*. Mas na verdade temos aqui uma espécie de prefácio aos *Dez* Mandamentos, que são alistados em seguida.

■ 20.3

לֹא יִהְיֶה־לְךָ אֱלֹהִים אֲחֵרִים עַל־פָּנָי׃

Primeiro Mandamento:
Não terás outros deuses. Temos aqui a regra do *monoteísmo* (ver a respeito no *Dicionário*). Neste ponto, o monoteísmo substitui todas as outras possíveis noções de Deus. Todavia, não basta *acreditar* na existência de um Deus. Esse Deus único precisa ser reconhecido e obedecido como a autoridade moral de todos os atos humanos. Também só há um Deus no atinente à questão da adoração e do serviço espirituais. O Deus único merece toda honra. Isso labora contra o *panteísmo* e todo o seu caos. Ver no *Dicionário* os artigos *Deuses Falsos* e *Dez Mandamentos*. Este último adiciona muitas informações àquilo que comentamos aqui. Ver também Êxodo 23.13.

A nação de Israel estava cercada por povos que eram leais a um número impressionante de divindades. As pragas do Egito tinham mostrado que só Yahweh é Deus (ver Êx 5.2 e 6.7). Há uma profunda verdade na ideia de que um homem só pode adorar a um Deus. Jesus abordou essa questão em Mateus 6.24. Os homens adoram aquelas coisas que lhes parecem importantes, incluindo o dinheiro. Há deuses externos e internos. Mas todos eles são deuses falsos.

Os vss. 4-6 descrevem e ampliam o *primeiro mandamento*. Os católicos-romanos e os luteranos (e também muitos intérpretes judeus) pensam que esses versículos formam, *conjuntamente*, o primeiro mandamento. Mas a maioria dos outros grupos protestantes e evangélicos faz desses versículos um mandamento distinto.

Yahweh é um Deus zeloso que não tolera rivais (vs. 5; 34.14). Naturalmente, temos nisso uma linguagem antropomórfica. Ver no *Dicionário* o artigo *Antropomorfismo*. Divindades rivais seriam algo contrário ao caráter *único* de Deus. E um deus que não é único não é o verdadeiro Deus. Ver os vss. 22,23. A desobediência ao primeiro mandamento foi a principal razão dos cativeiros (ver a esse respeito no *Dicionário*) que, finalmente, Israel sofreu.

■ 20.4

לֹא תַעֲשֶׂה־לְךָ פֶסֶל וְכָל־תְּמוּנָה אֲשֶׁר בַּשָּׁמַיִם מִמַּעַל וַאֲשֶׁר בָּאָרֶץ מִתַּחַת וַאֲשֶׁר בַּמַּיִם מִתַּחַת לָאָרֶץ׃

Segundo Mandamento:
Não farás para ti imagem. Os críticos tentam provar uma data posterior do livro de Êxodo assegurando-nos que essa proibição contra as imagens realmente pertence à época do profeta Oseias. Conforme eles dizem, talvez seja verdade que esse mandamento não se ajustava ao que estava ocorrendo em Israel nos dias de Moisés, onde, sem dúvida, havia muitos ídolos e imagens, alguns deles até representações de Yahweh, e outros representando outros deuses. Entretanto, esse raciocínio é falaz. O *primeiro mandamento* proíbe o politeísmo, e a idolatria e o uso de imagens promoviam cultos politeístas. Portanto, o primeiro mandamento também combate o uso de ídolos. Por motivos assim é que muitos intérpretes pensam que os vss. 4-6 deste capítulo fazem parte do primeiro mandamento.

Os vss. 4-6, para a maioria dos grupos protestantes (com a exceção dos luteranos), constituem o *segundo mandamento*. É proibido o fabrico de qualquer imagem de escultura. As imagens *tendem* ou mesmo *promovem* formas várias de politeísmo, e isso fora estritamente proibido no *primeiro mandamento*. Além disso, as imagens de escultura, tal como o próprio politeísmo, destroem a natureza ímpar de Yahweh, além de injetarem elementos estranhos no pensamento e na adoração religiosos. Ver no *Dicionário* o verbete chamado *Idolatria*. Grandes segmentos da cristandade têm uma espécie de subpoliteísmo no uso de imagens e na veneração dos "santos". Digo aqui "subpoliteísmo" porque, *acima* do mesmo, reservam uma adoração especial a Deus. O que temos, nesses casos, é uma forma de sincretismo onde o antigo politeísmo alia-se ao monoteísmo. A cristandade, ao entrar em contato com culturas pagãs, inventou várias formas de sincretismo, pelo que desobedecem de forma crassa ao primeiro e ao segundo mandamentos. Ver na *Enciclopédia de Bíblia, Teologia e Filosofia* o verbete *Veneração dos Santos*.

Imagem de escultura. No hebraico temos uma só palavra, *pesel*, palavra que significa "esculpir". Originalmente, o termo significava um objeto esculpido, mas acabou significando qualquer tipo de imagem, representação de qualquer objeto, no céu ou na terra. Ver Isaías 30.22; 40.19; 44.10; Jeremias 10.4. Havia as imagens fundidas, feitas em moldes, feitas à mão, em lugar de serem esculpidas. Ver os mandamentos específicos contra as imagens fundidas, em Êxodo 20.23 e 34.17. O primeiro e o segundo mandamentos proibiam qualquer forma de representação idólatra, e a adoração a essas formas.

No tabernáculo havia a representação de *querubins*. Mas a figura jamais foi adorada ou venerada pelos filhos de Israel. Se o tivesse sido, sem dúvida teria sido destruída. Ver Êxodo 25.18,19. Yahweh, por sua vez, jamais foi representado entre os israelitas por meio de qualquer imagem de escultura. Tal representação teria sido um sacrilégio de primeira grandeza. E nem outros deuses foram jamais representados por meio de imagens pelos israelitas, a não ser pelos idólatras entre eles. Mas tais imagens detratavam do caráter único de Yahweh.

Os *egípcios* adoravam toda espécie de objetos, como aves, répteis e figuras celestes imaginárias. E não hesitavam em representar tais supostas divindades por meio de imagens. Esse tipo de atividade foi proibida aos filhos de Israel. A tripla designação, "em cima nos céus, nem embaixo na terra, nem nas águas debaixo da terra", para os antigos, apontava para a criação inteira.

A Idolatria de Todos Nós. Para todos nós há certas coisas às quais damos grande atenção, ao ponto de transformá-las em ídolos. Existem ídolos da mente, e não apenas de madeira, de pedra ou de metal. Ídolos comuns incluem possessões, dinheiro, sexo, fama, posição social e poder.

■ 20.5

לֹא־תִשְׁתַּחֲוֶה לָהֶם וְלֹא תָעָבְדֵם כִּי אָנֹכִי יְהוָה אֱלֹהֶיךָ אֵל קַנָּא פֹּקֵד עֲוֹן אָבֹת עַל־בָּנִים עַל־שִׁלֵּשִׁים וְעַל־רִבֵּעִים לְשֹׂנְאָי׃

A *adoração* às imagens de escultura é proibida no *segundo mandamento*. Adoração somente ao zeloso Yahweh (Êx 34.14; Dt 5.9; 6.15; 32.16,21; Js 24.19). O povo de Deus pertence exclusivamente a ele, e só deviam prestar-lhe lealdade, não imitando os povos circunvizinhos, que contavam com extensos panteões. A idolatria e o uso de imagens eram considerados uma tão grave iniquidade que foram ameaçados poderosos juízos de Deus contra os idólatras, envolvendo até a quarta geração dos mesmos. Os descendentes desses idólatras não podiam escapar ao desprazer de Yahweh, para quem mil anos é como se fosse um dia (2Pe 3.8; Sl 90.4). Podemos ter certeza de que os juízos de Deus são justos, e envolvem os filhos dos idólatras porque geralmente *participam* dos pecados de seus pais. Mas em casos de inocência, esses juízos eram suspensos. Todavia, persistiam circunstâncias adversas, criadas anteriormente. Ademais, existe aquela *genética espiritual* que transmite atitudes e costumes de pais para filhos etc., provocando assim a ira divina. Ver Ezequiel 18.20 quanto à responsabilidade de cada *indivíduo*, o outro lado da moeda. Ver também Números 14.18 e Deuteronômio 5.9 quanto a trechos paralelos deste versículo.

Alguns eruditos supõem que itens como os querubins (Êx 25.18,19), a arca (Nm 10.35,36), os terafins (Jz 18.14), a estola sacerdotal (Jz 8.26,27) e a serpente de metal (Nm 21.8,9) na verdade constituíam ídolos e imagens em Israel, pois Israel estava mais próximo dos pagãos do que a maioria dos estudiosos gosta de admitir. Mas outros negam que os israelitas adorassem a esses objetos. Serviam apenas a propósitos ilustrativos no culto, não se tornando nunca objetos de adoração. O argumento do primeiro grupo de eruditos tem por objetivo dar apoio à ideia de que o segundo mandamento era de origem posterior, e que acabou acrescentado à lista dos mandamentos. Por outro lado, se os objetos acima mencionados não eram objetos de adoração, então tal argumento rui por terra.

20.6

וְעֹשֶׂה חֶסֶד לַאֲלָפִים לְאֹהֲבַי וּלְשֹׁמְרֵי מִצְוֹתָי׃ ס

Faço misericórdia. Misericórdia para com os obedientes. Ezequiel 18.20 mostra o princípio da justiça. Os justos recebem misericórdia e bênção da parte de Deus. Mas a misericórdia estende-se a *mil gerações*, o que mostra que a misericórdia é um princípio muito mais poderoso do que o da aplicação da justiça. Seja como for, não há qualquer contradição, visto que a ira de Deus é uma medida de disciplina que promove a causa do amor. Ver no *Dicionário* o artigo *Julgamento de Deus dos Homens Perdidos*.

Julgamento Temporal. No Pentateuco não há qualquer ensino sobre um juízo divino pós-túmulo, um inferno para os ímpios e um céu para os piedosos. A noção da existência da alma não entrou claramente no pensamento dos hebreus senão já nos Salmos e nos Profetas. Assim sendo, a lei de Moisés nunca ameaça os homens com o julgamento da alma, e nem jamais promete a bem-aventurança celestial para os obedientes. A teologia dos hebreus mostrava-se deficiente quanto a esse particular, deficiência essa que foi corrigida pela doutrina cristã. Ver no *Dicionário* o verbete *Alma*.

Para os antigos hebreus, observar os mandamentos era uma medida doadora de vida. Ver Deuteronômio 5.33. Mas não é prometida qualquer vida além-túmulo. Contudo, mais tarde, o judaísmo acrescentou essa ideia. O cristianismo mostrou a falência total da lei como medida salvífica. Ver Gálatas 3.21. É precisamente aí que temos a grande e fundamental diferença entre o judaísmo e o cristianismo. Qual era o intuito da lei, afinal?

OS DEZ MANDAMENTOS

Propósitos e Intenções

1. Substituir o henoteísmo pelo monoteísmo. Isso não envolve a mera crença em Deus, mas, sim, a dedicação a Deus, em obediência.
2. A aniquilação da idolatria, a base falsa da espiritualidade, com dedicação correspondente ao único Deus.
3. Contra toda a profanação, respeitar o sagrado e o divino.
4. Manter um dia especial na imitação do Criador; um tempo para descanso e reflexão.
5. Respeitar os pais, que são os representantes de Deus e mediadores da família. A família é a principal unidade da sociedade e nela a espiritualidade deve ser cultivada em primeiro lugar.
6. Respeitar toda a vida humana.
7. Proteger a família através da conduta sexual correta.
8. Cultivar a honestidade com o dinheiro e como perspectiva de vida.
9. O uso correto da língua, evitando enganar e mentir.
10. Respeitar as propriedades de outros; a propriedade privada é um ideal que não pode ser infringido.

A Lei e a Vida

A lei foi dada para trazer a vida (Dt 4.1; 5.33; 6.2; Ez 20.11).

Esse fato foi interpretado como bem-estar físico no Pentateuco, mas, posteriormente, a teologia judaica transformou-o na promessa de vida eterna.

20.7

לֹא תִשָּׂא אֶת־שֵׁם־יְהוָה אֱלֹהֶיךָ לַשָּׁוְא כִּי לֹא יְנַקֶּה
יְהוָה אֵת אֲשֶׁר־יִשָּׂא אֶת־שְׁמוֹ לַשָּׁוְא׃ פ

Terceiro Mandamento:
Abusos contra o nome de Deus. Vários desses abusos eram e continuam sendo possíveis:

1. *O trivial*. Até mesmo crentes exclamam, descuidadamente: "Ó meu Deus!" E até mesmo crentes piedosos falam de modo frívolo acerca do Senhor, como se ele fosse apenas um bichinho de estimação. Combato essa forma ridícula de teísmo de acordo com a qual qualquer pensamento ou ato trivial é lançado na conta do Senhor. Trata-se de uma forma de autoexaltação. Pois *se* o grande Deus está conosco em questões tão pequenas, então quão importantes *nós somos*. Em contraste com isso, os israelitas piedosos nem ao menos pronunciavam o nome divino Yahweh, mas corrompiam-no de alguma forma, para não se tornarem culpados de estarem tomando o nome de Deus em vão.
2. *Nas artes mágicas e nos juramentos*. Como nas conjurações e nos ritos pagãos. Ver Gênesis 32.27,29. O nome de Yahweh não podia ser usado em tais atividades.
3. O nome de Yahweh não podia ser misturado com os nomes de divindades pagãs, como se fizesse parte de algum panteão gentílico.
4. A proibição do uso do nome divino incluía a ideia de empregar o nome de Deus para invocar os mortos. O nome de Yahweh não podia ser misturado à *bruxaria*.
5. O nome de Yahweh não podia ser usado nos *juramentos falsos*, como se a veracidade de uma pessoa pudesse ser apoiada pelo grande Deus (Lv 19.12).
6. Embora o texto sagrado não o diga especificamente, temos aqui um mandamento contra toda espécie de *profanação* por meio de palavras, incluindo ou não os nomes divinos. O texto por certo subentende o uso devido da língua, em questões tanto sagradas quanto seculares. Ver na *Enciclopédia de Bíblia, Teologia e Filosofia* o artigo intitulado *Linguagem, Uso Apropriado de*. O abuso da fala desonra a Deus.

"Maldições e juramentos devem-se ao desejo de impressionar os outros. A maneira mais fácil de chocar outra pessoa e chamar sua atenção é o uso de alguma coisa sagrada ou nome santo. Mas o efeito desgasta-se quase imediatamente, e a blasfêmia passa a ser apenas um hábito inconveniente, expressando impotência e fraqueza de caráter" (J. Coert Rylaarsdam, *in loc.*).

Ameaças. Nenhuma punição é imposta aqui aos faltosos, mas fica entendido que o homem que usasse indevidamente o nome de Yahweh não escaparia do devido castigo.

20.8

זָכוֹר אֶת־יוֹם הַשַּׁבָּת לְקַדְּשׁוֹ׃

Quarto Mandamento:
Lembrando o sábado, a fim de mantê-lo santo. O sábado era um dia de descanso e de observâncias espirituais. No *Dicionário* há um artigo detalhado sobre o *Sábado*. Ver também na *Enciclopédia de Bíblia, Teologia e Filosofia* os artigos chamados *Sabatismo* e *Observância de Dias Especiais*. Ambos esses artigos abordam a questão que indaga se o sábado é obrigatório para a Igreja cristã. Se Paulo admitia que podemos observar dias especiais, ele jamais obrigou outros cristãos a fazerem o mesmo. A Igreja, ou suas várias denominações, têm o direito de observar o domingo como se fosse um sábado ou descanso, embora não haja muito para recomendar essa circunstância, sobretudo se isso for feito em uma atitude *legalista*. Ver sobre o *legalismo* na *Enciclopédia de Bíblia, Teologia e Filosofia*. É elogiável que a Igreja tenha dedicado um dia da semana (o domingo) para adoração e culto religiosos especiais, comemorando a ressurreição de Cristo. Mas isso não transforma o domingo em um "sábado cristão".

A primeira *espiritualização* do versículo à nossa frente consistiu em afirmar enfaticamente a necessidade que temos de observâncias religiosas comunais, em um esforço grupal como uma igreja ou uma denominação, visando a honrar a Deus com o nosso tempo, de maneira sistemática e planejada. É bom observarmos pelo menos um dia por semana para essa finalidade e para descansar do trabalho secular.

O sábado foi instituído antes da lei mosaica. Ver Gênesis 2.3. Nessa referência, apresentei notas sobre a questão, incluindo a necessidade de descanso e adoração, além da necessidade de trabalhar nos outros seis dias da semana. Os reformadores do século XVI, ao ab-rogarem teologicamente o sábado, substituíram-no pelo domingo; mas fizeram deste um sábado para todos os propósitos práticos. A medida pode ter sido prática, mas não exibiu uma boa teologia. O sábado é uma contribuição distinta da religião dos hebreus. Era o sinal do pacto mosaico. Mas, sob a graça, na qual estamos, não há qualquer necessidade desse sinal, pelo que não há nenhum preceito ou exemplo de guarda do sábado por parte da Igreja cristã. Antes, a guarda do sábado aparece como um sinal de infantilidade espiritual ou mesmo de erro teológico. Ver Gálatas 4.10 e suas notas no *Novo Testamento Interpretado*.

Ver na *Enciclopédia de Bíblia, Teologia e Filosofia* o artigo *Domingo, Dia do Senhor*, quanto ao que o domingo é e não é. Ver Atos 20.7 e 1Coríntios 16.2.

A *desobediência* a esse quarto mandamento traria juízo contra os israelitas desobedientes, a saber, a *punição capital* (ver sobre esse título na *Enciclopédia de Bíblia, Teologia e Filosofia*, e também Êx 31.15; Nm 15.22-36).

Para o santificar. Em outras palavras, como um descanso santificado (Êx 16.23), em que os israelitas deveriam aproveitar a oportunidade para dedicarem-se ao culto e ao serviço religiosos. A provisão principal era o descanso, e podemos presumir que eles aproveitavam o ensejo para finalidades religiosas. Posteriormente, na sinagoga, sem dúvida assim acontecia. Ver também Êxodo 20.11; 23.12 e Deuteronômio 5.14,15.

Tipo. O descanso do sábado era tipo do futuro *descanso* do crente, em Jesus Cristo, ou seja, a salvação eterna. Ver Hebreus 4.1,3-5,8-11. Ver no *Dicionário* o verbete *Salvação*.

COMO JESUS LIDOU COM OS DEZ MANDAMENTOS

O Segundo Moisés

- Moisés trouxe uma lei que fazia avançar a causa espiritual.
- Jesus, o segundo Moisés, fez avançar a compreensão espiritual da lei.
- Essa circunstância prega contra qualquer tipo de estagnação no conhecimento e na qualidade espiritual.
- A espiritualidade e a verdade são buscas eternas e repletas de aventura. Como há um infinito a ser preenchido, também o preenchimento deve ser infinito.

Pontos Específicos

- O único Deus, para Jesus se tornou Pai (Mt 6.19).
- A idolatria se manifesta de diversas formas, não meramente diante de um ídolo de pedra e de metal. Todas as formas de idolatria devem ser evitadas (Mt 6.17).
- Não é suficiente evitar a blasfêmia. É necessário tornar o nome divino um nome sagrado em nossa conduta (Mt 6.9).
- O sábado foi feito para o homem (Mc 2.27).
- Todas as pessoas, não meramente os nossos pais, devem ser honradas (Mt 12.50).
- O ódio e a raiva são assassinatos espirituais (Mt 5.22).
- O adultério é do coração e não meramente um ato premeditado (Mt 5.28).
- Não é suficiente evitar roubar. É necessário também ser liberal em doações (Mt 5.42).

■ 20.9,10

שֵׁ֤שֶׁת יָמִים֙ תַּֽעֲבֹ֔ד וְעָשִׂ֖יתָ כָּל־מְלַאכְתֶּֽךָ׃

וְי֙וֹם֙ הַשְּׁבִיעִ֔י שַׁבָּ֖ת ׀ לַיהוָ֣ה אֱלֹהֶ֑יךָ לֹֽא־תַעֲשֶׂ֣ה כָל־מְלָאכָ֡ה אַתָּ֣ה ׀ וּבִנְךָֽ־וּ֠בִתֶּ֠ךָ עַבְדְּךָ֤ וַאֲמָֽתְךָ֙ וּבְהֶמְתֶּ֔ךָ וְגֵרְךָ֖ אֲשֶׁ֥ר בִּשְׁעָרֶֽיךָ׃

Seis dias trabalharás. Temos aqui um mandamento positivo: Trabalha! O sábado era não somente um tempo em que se descansava do trabalho regular semanal. Depois de um trabalho de uma semana, o homem imitava a Deus, o qual, segundo se vê em Gênesis 2.2,3, após seis dias de criação, descansou ao sétimo dia. Por isso mesmo, o sábado é o sétimo dia da semana, pois ninguém pode descansar depois de nada ter feito. Mas a Igreja primitiva, no primeiro dia da semana, rememorava a ressurreição de Cristo. Isso posto, o domingo, ou primeiro dia da semana, está baseado em uma ideia inteiramente diversa da do sábado judaico. As notas que dou em Gênesis 2.2,3 são bastante completas, e devem ser lidas em conexão com esta passagem. Quanto a outros trechos bíblicos ligados ao sábado, ver Êxodo 16.22-30; 31.15; Números 15.32-36 e Deuteronômio 5.15.

A ordem principal do quarto mandamento era *não trabalhar*. E isso aplicava-se tanto aos seres humanos quanto aos animais. A moral desse mandamento é que o homem estava *imitando* aquilo que Deus fizera, terminada a obra da criação. O versículo seguinte a este deixa isso claro, sendo um empréstimo diretamente feito do segundo capítulo do Gênesis. Deus deixara um exemplo que precisava ser seguido de perto. Não há no mandamento qualquer explicação sobre o que se deveria fazer com o tempo livre; mas a história toda do judaísmo demonstra que era um tempo para ser devotado à meditação e a outros exercícios espirituais.

Na Babilônia, o sábado era tido como um dia de mau presságio; mas o judaísmo reverteu completamente tal noção pagã. No Egito, nos dias da servidão de Israel, não havia dia de descanso para o povo de Deus ao fim de cada semana; e assim, após o livramento, foi reinstalado o sábado entre os israelitas.

O sábado era também uma espécie de lembrete semanal da páscoa, tal como o dia do Senhor, no Novo Testamento, é um memorial da morte e da ressurreição de Cristo. No Egito, a Israel só cabia trabalhar, trabalhar; uma vez liberto, o povo de Israel pôde novamente gozar de um dia de descanso por semana, em imitação a Deus, que descansou no sétimo dia da criação.

Vemos em Deuteronômio 5.15 que ao sábado foi dada uma razão *humanitária*. Homens e animais, depois de seis dias de trabalho, precisavam *descansar*. Israel tinha vivido servilmente no Egito, onde não tinha descanso. Um homem, ao descansar, também deveria conceder descanso a seus dependentes (incluindo os escravos) e aos seus animais. Os estrangeiros também tinham o direito de um dia de descanso semanal em Israel.

Há um certo número de *proibições individuais* que envolvem tipos de trabalho, e que nos servem de instrução: 1. Não se podia recolher o maná (Êx 16.26). 2. Não se podia acender fogo (Êx 35.3). 3. Não se podia ajuntar lenha para acender fogo (Nm 15.36). Em consequência, até coisas aparentemente triviais eram incluídas nessa proibição. Contudo, também havia algumas *exceções*: Os sacerdotes não cessavam seu trabalho. Uma vida em perigo podia ser resgatada (Mt 12.5,11). Nos dias dos Macabeus, entretanto, começaram a surgir atitudes extremadas. Tornou-se proibido até mesmo a autodefesa (1Macabeus 2.32-38; 2Macabeus 5.25,26 e 6.11). Jesus não era um guardador extremado e ridículo do sábado, conforme fica ilustrado no capítulo 12 de Mateus.

■ 20.11

כִּ֣י שֵֽׁשֶׁת־יָמִים֩ עָשָׂ֨ה יְהוָ֜ה אֶת־הַשָּׁמַ֣יִם וְאֶת־הָאָ֗רֶץ אֶת־הַיָּם֙ וְאֶת־כָּל־אֲשֶׁר־בָּ֔ם וַיָּ֖נַח בַּיּ֣וֹם הַשְּׁבִיעִ֑י עַל־כֵּ֗ן בֵּרַ֧ךְ יְהוָ֛ה אֶת־י֥וֹם הַשַּׁבָּ֖ת וַֽיְקַדְּשֵֽׁהוּ׃ ס

Natureza Obrigatória do Sábado. Neste versículo aprendemos que a guarda do sábado estava alicerçada sobre o *exemplo divino* (Gn 2.2,3), como também sobre um *mandamento divino* (Êx 20.9-11). O trecho de Êxodo 20.11 repete essencialmente o que se lê em Gênesis 2.2,3, onde ofereço notas expositivas. Esse dia pertence a Deus. Ele o havia santificado. Sua grande obra criativa tinha sido terminada e era "boa". E o sábado era uma espécie de comemoração desse fato, tendo-se tornado assim um dia especial em si mesmo. Ver também Êxodo 31.17. "Deus separou esse dia de todos os demais dias da semana, santificando-o para uso e serviço sagrados, obrigando o seu povo a cessar todo trabalho durante o mesmo, a fim de poder dedicar-se aos exercícios religiosos, como ouvir e ler as Escrituras, orar, louvar etc., e ele abençoava esse dia com a sua presença (John Gill, *in loc.*).

Terminam aqui os quatro mandamentos que mostram deveres do homem para com Deus. Doravante, veremos seis mandamentos que falam das relações entre homem e homem.

■ 20.12

כַּבֵּ֥ד אֶת־אָבִ֖יךָ וְאֶת־אִמֶּ֑ךָ לְמַ֙עַן֙ יַאֲרִכ֣וּן יָמֶ֔יךָ עַ֚ל הָאֲדָמָ֔ה אֲשֶׁר־יְהוָ֥ה אֱלֹהֶ֖יךָ נֹתֵ֥ן לָֽךְ׃ ס

Quinto Mandamento:
Os *quatro* primeiros mandamentos da lei mosaica tratam dos deveres do homem para com Deus. Os últimos *seis* tratam dos relacionamentos humanos. Por isso mesmo, as tábuas do testemunho, onde tinham sido inscritos os mandamentos, eram duas. Essas duas tábuas da lei incorporavam todas as atitudes apropriadas aos seres humanos.

Honrar aos próprios progenitores não somente é uma forma de piedade do mais alto calibre, como também é uma regra social de suprema importância, pois os conflitos domésticos naturalmente têm reflexos sobre a sociedade como um todo. Visto que os pais atuam como representantes de Deus, ocupando o lugar de Deus no seio da família, este *quinto* mandamento, na realidade, é uma aplicação dos dois primeiros mandamentos. Assim, honrar a Yahweh implica honrar aos pais. A solidariedade familiar jamais poderá tornar-se um fato nos lugares onde houver filhos desobedientes, que tentem impingir sua voluntariedade às expensas dos pais. Dentro do contexto hebreu, honrar os próprios pais era uma parte vital da existência, tão vital quanto a respiração. Um filho que ousasse ferir seus pais sofria a pena de morte (Êx 21.15). Idêntico castigo cabia a quem amaldiçoasse qualquer de seus pais (Êx 21.17). Somente os zombadores insensatos rejeitariam esse princípio de respeito pelos próprios pais, e o fim deles é triste (Pv 30.17).

Paulo reitera esse mandamento em Efésios 6.1-3. Todavia, o apóstolo também frisou sabiamente a responsabilidade dos pais para com seus filhos (vs. 4). E lembrou que o quinto mandamento é o primeiro mandamento que envolve uma promessa, ou seja, que os filhos obedientes serão abençoados com uma vida longa e feliz (Ef 6.3). Nesse ponto, Paulo citou o trecho de Deuteronômio 5.16. Quanto ao ponto de vista neotestamentário ver a completa exposição sobre esse mandamento em Efésios 6.1 ss., no *Novo Testamento Interpretado*.

A punição capital (ver a esse respeito no *Dicionário*) era imposta no caso de *quatro crimes*, mencionados em Êxodo 21.12-17 (que vide). Entre esses queremos destacar aqui a quebra do sexto mandamento (o homicídio; Êx 21.12,14) e a quebra do quinto mandamento (os abusos contra os pais; Êx 21.17).

Entre certas tribos indígenas do rio Negro, no Estado do Amazonas, Brasil, somente dois atos são tidos como aquilo que chamamos de pecados, ou seja, atos errados: abusar de qualquer modo da própria mãe e furtar. Entre eles, esses atos são considerados piores do que o homicídio, o qual, entre eles, é tão comum que deixou de ser censurado. Assim sendo, o código de ética daqueles indígenas incorpora somente o quinto e o oitavo mandamentos do decálogo mosaico.

Aristóteles pensava que as relações entre filho e progenitor são análogas àquelas que existem entre o homem e Deus (*Ethics, Nic.* vii.12 par.5). O confucionismo alicerça toda a sua moralidade sobre as relações entre pais e filhos. Os egípcios enfatizavam a questão a ponto de ameaçarem a uma má vida pós-túmulo aos filhos que fossem desobedientes a seus pais (apud Lenormant, *Histoire Ancienne*, vs. 1, pág. 343 s.).

Interessante é notar que se os egípcios prometiam uma boa vida pós-túmulo aos filhos obedientes, o código mosaico só prometia uma boa vida neste mundo, uma vida longa e abençoada, mas nenhuma promessa de vida pós-túmulo, o que é típico no Pentateuco. Se existem alguns indícios sobre uma vida para além da morte biológica (como na doutrina do homem como partícipe da imagem divina; Gn 1.26,27), essa doutrina só passou a ser destacada formalmente, no Antigo Testamento, nos Salmos e nos Profetas. Ver no *Dicionário* o artigo intitulado *Alma*. E ver na *Enciclopédia de Bíblia, Teologia e Filosofia* o verbete intitulado *Imortalidade* (que contém vários artigos).

■ **20.13**

לֹא תִּרְצָח׃ ס

Sexto Mandamento:
Esse mandamento proíbe o *homicídio*. Ver no *Dicionário* o verbete *Punição Capital*. O Antigo Testamento *justificava*, contudo, certas formas de homicídio. Um escravo podia ser morto sem que seu proprietário fosse punido (Êx 21.21). Quem invadisse uma casa podia ser morto, sem sanções contra quem lhe tirasse a vida (Êx 22.2). O sexto mandamento não proibia os sacrifícios de animais. Matar alguém, durante as batalhas, não era considerado um crime (Dt 20.1-4). É possível que, em alguns casos, fosse permitida a *eutanásia* (segundo nos é sugerido em 1Sm 31.4,5). Presume-se que o suicídio era proibido, embora não seja especificamente mencionado. De fato, os trechos de 1Samuel 17.23 e 31.4,5 até podem ser usados como defesa de alguns casos de suicídio. Ver na *Enciclopédia de Bíblia, Teologia e Filosofia* os artigos intitulados *Eutanásia* e *Suicídio*.

A *eutanásia*, quando aprovada, é a mais conspícua exceção ao sexto mandamento. A lei proíbe o abuso da propriedade por meio do furto (Êx 20.15, o *oitavo mandamento*). Ora, a vida de um homem é sua mais preciosa possessão, bem como o veículo de que ele precisa para cumprir o desígnio divino em sua vida. Portanto, o homicídio insulta Deus, e não somente o homem, porquanto interfere no propósito de Deus que se está cumprindo nos homens. Desde os dias do Antigo Testamento, tem aumentado o respeito pela vida humana; mas o homem está ainda muito longe de ter um autêntico respeito pela sacralidade da vida humana. Os homens chamam de *justas* certas guerras. Mas é muito raro que ocorra uma guerra dessas. Há ocasiões em que se torna imprescindível guerrear contra os psicopatas, como certamente foi Hitler, a fim de serem *salvas* muitas vidas. Mas mesmo assim, muitas vítimas inocentes são ceifadas, até mesmo por parte dos chamados poderes *justos*. Ficamos perplexos diante das chamadas matanças justas, que, presumivelmente, teriam sido impulsionadas por Yahweh.

O trecho de Mateus 5.21,22 expande o sexto mandamento para que inclua o ódio, a inveja, a má vontade e o assassinato de caráter. A ira indevida e pensamentos maliciosos, que se expressem em palavras ou ações, devem ser compreendidos como implicações desse sexto mandamento.

Homicídio e Punição Capital
Punição capital é, obviamente, uma forma de *homicídio*, e o Antigo Testamento não meramente permite este ato, mas o exige como vingança contra certos crimes. Crimes que exigiram punição capital incluíram homicídio premeditado (Êx 20.13; Gn 9.6); violência contra os pais (Êx 21.15); sequestro (Êx 21.16; Dt 24.7); abuso verbal contra os pais (Êx 21.17). O quinto mandamento foi justamente contra este ato (Êx 20.12). Tal *desrespeito* era considerado uma forma de homicídio dos pais, embora não matasse literalmente.

Em alguns casos, a punição capital podia ser evitada mediante negociação com os parentes da vítima. Eram eles quem decidiam que *multa* seria exigida. Provavelmente tais multas eram pesadas. Ver Êxodo 21.30 para um exemplo deste tipo de negociação. O primeiro assassino, Caim, que matou seu irmão Abel, foi exilado por Yahweh, mas esta forma de punição não achou lugar na legislação mosaica.

HOMICÍDIO

A Lei de Moisés
Não matarás.
Êxodo 20.13

Não aceitareis resgate pela vida do homicida, que é culpado de morte: antes será ele morto.
Números 35.31

A Lei de Jesus
Ouvistes que foi dito aos antigos: Não matarás; e: Quem matar estará sujeito a julgamento. Eu, porém, vos digo que todo aquele que [sem motivo] se irar contra seu irmão estará sujeito a julgamento; e quem proferir um insulto a seu irmão estará sujeito a julgamento do tribunal.
Mateus 5.21,22

*Oh, Deus, que carne e sangue fossem tão baratos!
Que os homens viessem a odiar e a matar,
Que os homens viessem a silvar e a cortar,
Com línguas de vileza... por causa de...
"Teologia".*

Russell Norman Champlin

20.14

לֹא תִּנְאָף׃ ס

Sétimo Mandamento:
Contra o adultério. No artigo geral, no *Dicionário*, intitulado *Dez Mandamentos*, ofereço notas detalhadas sobre essa questão que devem ser lidas em conjunto com as deste versículo. Assim como os filhos devem honrar seus pais (Êx 20.12), e como os pais devem honrar seus filhos (Ef 6.4), assim também os cônjuges devem honrar-se mutuamente. Isso faz parte de uma estrutura social que prospera, pelo que faz parte da segunda tábua dos Dez Mandamentos. Desse modo fica salvaguardada a solidariedade da família. A poligamia sempre fez parte da sociedade hebreia, pelo que ter mais de uma esposa, ou ter uma esposa e várias concubinas não era algo proibido pelo sétimo mandamento. Antes, o que era condenado era a sedução da *esposa* de outro homem, ou (em casos mais raros) a sedução, por parte de uma mulher, do marido de outra mulher. Ver no *Dicionário* o artigo intitulado *Poligamia*.

O trecho de Mateus 5.27 ss. elabora aquilo que constitui o adultério, mostrando-nos que está envolvido mais do que atos sexuais ilícitos. Existe aquele adultério da mente, de que nenhum homem ou mulher escapa. Ver também Hebreus 13.4 e Levítico 20.10.

O que está implícito no adultério ou no sétimo mandamento? O Grande Catecismo de Westminster, respondendo à pergunta 139, elabora:

"O adultério, a fornicação, o estupro, o incesto, a sodomia, as paixões desnaturais, a imaginação impura, a impureza nos propósitos e nos afetos, a linguagem imoral, os olhares sensuais, o comportamento imodesto, as vestes imodestas, os casamentos ilegítimos, a tolerância de bordéis ou de qualquer tipo de prostituição, o indevido adiamento no casamento, o divórcio, a separação ou deserção do cônjuge, a preguiça, a glutonaria, o alcoolismo, as gravuras, as danças, as peças teatrais e qualquer outra coisa que excite ou promova pensamentos impuros".

"O sétimo mandamento trata a família como uma unidade social. Seu real interesse é a *sacralidade* do matrimônio. Somente por implicação envolve a gama inteira da moralidade sexual" (J. Edgar Park, *in loc.*).

"Esse mandamento adverte contra a ditadura do corpo físico" (J. Coert Rylaarsdam, *in loc.*).

O código de Hamurabi (artigo 157) requeria a pena de morte na fogueira para esse tipo de pecado. O trecho de Levítico 20.10 requeria execução por apedrejamento. Ver no *Dicionário* o artigo *Apedrejamento*. Ver também Deuteronômio 23.22-24.

20.15

לֹא תִּגְנֹב׃ ס

Oitavo Mandamento:
Respeito pela propriedade alheia. O ser humano tem o direito de possuir coisas. E uma vez que as possua, não pode ser privado delas por parte de quem quer que seja. Fica entendido, contudo, que tal ser humano entrou na possessão de suas coisas de maneira honesta, pois, em caso contrário, ele já roubou tais coisas de alguém, quebrando assim o oitavo mandamento. O comunismo oficializou o furto de propriedade privada por parte do *estado*, mediante o decreto de alguns poucos mandamentos. O ladrão às vezes apenas furta sub-repticiamente, mas muitas vezes também rouba mediante a violência, incluindo à mão armada. Neste último caso há violência física, mas todo furto ou roubo é um ato egoísta.

Por muitas vezes, as coisas que as pessoas possuem foram adquiridas em troca de trabalho árduo e longo. É contra a natureza privar um homem daquilo que ele chegou a possuir mediante trabalho e sacrifício pessoal. Os impostos, embora decretados oficialmente, também podem ser exorbitantes e pecaminosos, como modos ilegítimos de que os governantes se valem para lesar os governados. Logo, taxas excessivas devem ser classificadas como quebras do oitavo mandamento. E também há uma maneira *passiva* de fazer a mesma coisa. Devemos mostrar-nos generosos, compartilhando com outros de nossos valores monetários. Se assim não fizermos, então estaremos furtando o que deveria ser dado a pessoas menos afortunadas do que nós.

Dificilmente pode ser mantida uma *sociedade estável* quando os ladrões fazem o que bem entendem. A desonestidade, em todas as suas formas, é um grande mal social, custando aos governos um alto preço na tentativa de controlá-la. Como já dissemos, há formas violentas e não-violentas de roubo, como também há formas particulares e públicas. E também há desonestidades individuais e coletivas.

A *sacralidade da propriedade* fica implícita no oitavo mandamento.

Alguns estudiosos ampliam esse mandamento, por implicação, para o que envolvem os danos causados pela maledicência e pelos ataques verbais contra outrem.

> Boa fama, em homem ou mulher,
> É a joia imediata de suas almas.
> Quem me furta a bolsa, furta ninharias,
> Mas quem me furta o bom nome,
> Furta-me daquilo que não o enriquece,
> Mas realmente me empobrece.
> Apud Adam Clarke, poeta inglês desconhecido

20.16

לֹא־תַעֲנֶה בְרֵעֲךָ עֵד שָׁקֶר׃ ס

Nono Mandamento:
Parece que o objetivo central deste mandamento é a proteção ao sistema judicial. Os tribunais seriam inúteis se os homens chegassem ali para mentir. Se tiver de ser feita uma acusação contra outra pessoa, e se o acusado tiver de defender-se, a verdade terá de ser dita por ambas as partes, sob pena da justiça *naufragar*. Mas esse mandamento também se aplica a questões individuais. A sociedade em geral perturba-se quando as pessoas saem a espalhar mentiras e calúnias sobre seus semelhantes. Ver no *Dicionário* o artigo intitulado *Mentir (Mentiroso)*. O trecho de Êxodo 23.1 condena o falso testemunho em nível pessoal. Ver Deuteronômio 19.16-20, que requeria juízo apropriado contra falsas testemunhas que perturbavam o sistema judicial. A linguagem e os fatos devem concordar entre si. Ver Deuteronômio 13.14; 17.4; 22.20; Jeremias 9.5; Salmo 9.5; 15.2; Provérbios 12.19; 14.25; 22.21. A verdade precisa ser dita com o tempero do amor (Ef 4.15). Algumas vezes, as meias verdades prejudicam mais do que as mentiras francas. O *amor*, porém, guarda-nos tanto da mentira aberta quanto das meias verdades.

A *mentira artística* vem sendo aprovada desde os tempos mais antigos, conforme muitos eruditos supõem. Ver o caso de Labão (Gn 29.21-27), e o caso um tanto anterior de Jacó (Gn 27.6-36). Por outro lado, a luz que brilhou por meio de Moisés por certo condenava qualquer tipo de mentira ou abuso de linguagem.

Antes de Falar

> Faz tudo passar diante de três portas de ouro:
> As portas estreitas são, a primeira: É Verdade?
> Em seguida: É Necessário? Em tua mente
> Fornece uma resposta veraz. E a próxima
> É a última e mais difícil: É Gentil?
> E se tudo chegar, afinal, aos teus lábios,
> Depois de teres passado por essas três portas,
> Então poderás relatar o caso, sem temeres
> Qual seja o resultado de tuas palavras.
> Beth Day

20.17

לֹא תַחְמֹד בֵּית רֵעֶךָ לֹא־תַחְמֹד אֵשֶׁת רֵעֶךָ וְעַבְדּוֹ
וַאֲמָתוֹ וְשׁוֹרוֹ וַחֲמֹרוֹ וְכֹל אֲשֶׁר לְרֵעֶךָ׃ פ

Décimo Mandamento:
Contra todas as formas de *cobiça*. De acordo com muitos eruditos, esse é o décimo dos mandamentos mosaicos. Mas os luteranos e os católicos romanos pensam que o primeiro mandamento incorpora os vss. 3-6. E assim, neste ponto, eles fazem o vs. 17 desdobrar-se em dois mandamentos, para ser conseguido o número *dez*. Na Septuaginta, neste versículo e em Deuteronômio 5.21, a *esposa* é mencionada antes de casar, para que haja um mandamento específico para que não se cobice a mulher do próximo, ao passo que fica criado um décimo mandamento, relativo à cobiça acerca dos bens materiais do próximo. No *Dicionário* há um artigo detalhado chamado *Cobiça*, que

inclui as injunções neotestamentárias sobre a questão. Meu artigo ali também fornece notáveis exemplos bíblicos de cobiça. Neste ponto, no tocante ao décimo mandamento, aprendemos que a lei aplica-se não somente aos atos, mas também aos sentimentos e intenções do coração. Em outras palavras, a lei envolvia sentimentos interiores, e não apenas *atos* externos. O sétimo mandamento proíbe o sexo com a mulher de outro homem; e o décimo mandamento proíbe o *desejo* disso. Neste ponto, a lei aproxima-se da abordagem feita por Jesus a respeito, em Mateus 5.21 ss. Todos os *pensamentos* devem ser levados ao cativeiro a Cristo (2Co 10.5). Se o oitavo mandamento proíbe o roubo, o décimo proíbe até mesmo o desejo de roubar.

Por conseguinte, o décimo mandamento opera como uma espécie de limiar das noções neotestamentárias sobre essas mesmas questões. O Novo Testamento repete dez dos mandamentos, deixando de fora aquele atinente ao sábado. Mas o dia do Senhor ou domingo, embora não seja um sábado ou descanso, envolve as implicações espirituais do mandamento relativo ao sábado, enaltecendo e iluminando o sentido espiritual do sábado.

No artigo do *Dicionário* chamado *Dez Mandamentos*, em sua sétima seção, dou informações acerca de como o Novo Testamento incorpora, manuseia, expande e espiritualiza os mandamentos mosaicos. Também dou ali informações sobre a proposta função da lei da perspectiva do Novo Testamento. Ver também no *Dicionário* o artigo *Lei, Função da*.

Como Jesus Manuseou a Lei Mosaica

A Lei Mosaica	O Ensino de Jesus
1. Um só Deus	1. Nosso Pai (Mt 6.9)
2. Nada de imagens	2. Formas desnecessárias (Mt 6.7)
3. Nada de blasfêmias	3. Santificado seja o teu nome (Mt 6.9)
4. O homem para o sábado	4. O sábado para o homem (Mc 2.27)
5. Honrar os pais	5. Honrar a todos (Mt 12.50)
6. Nada de homicídios	6. Nada de ira e ódio (Mt 5.22)
7. Nada de adultério	7. Nada de desejo impuro (Mt 5.28)
8. Nada de furtos	8. Dar gratuitamente (Mt 5.42)
9. Nada de mentiras	9. Nada de juramentos (Mt 5.34)
10. Nada de cobiça	10. Cobiçar a justiça (Mt 5.6)

O TEMOR DO POVO (20.18-21)

Esta seção dá continuação à história sobre a teofania (ver no *Dicionário* os verbetes intitulados *Teofania* e *Anjos*), iniciada no capítulo 19, mas que foi interrompida pela lista dos Dez Mandamentos. Ela descreve os efeitos que o aparecimento de Yahweh exerceu sobre o povo.

20.18

וְכָל־הָעָם רֹאִים אֶת־הַקּוֹלֹת וְאֶת־הַלַּפִּידִם וְאֵת קוֹל הַשֹּׁפָר וְאֶת־הָהָר עָשֵׁן וַיַּרְא הָעָם וַיָּנֻעוּ וַיַּעַמְדוּ מֵרָחֹק׃

Este versículo é uma espécie de sumário de Êxodo 19.16-19. O povo reagiu tremendo e temendo, retrocedendo de espanto (Êx 19.16). A questão do sonido de trombeta, dos relâmpagos e da fumaça é repetida, sobre o que comentamos na passagem anterior. Os israelitas mantiveram distância, conforme lhes fora ordenado, receando por suas vidas (Êx 19.13,16,21,24,25). Espanto e respeito são termos-chave no culto e na adoração espirituais, mas o *terror* pode resultar de poderosas experiências místicas. Ver no *Dicionário* o verbete intitulado *Misticismo*.

20.19

וַיֹּאמְרוּ אֶל־מֹשֶׁה דַּבֵּר־אַתָּה עִמָּנוּ וְנִשְׁמָעָה וְאַל־יְדַבֵּר עִמָּנוּ אֱלֹהִים פֶּן־נָמוּת׃

O povo de Israel havia concordado em receber a visita de Yahweh e a sua lei (Êx 19.7,8), mas não estava preparado para o que sucedeu. Em seu terror, nem ao menos quiseram ouvir a voz de Yahweh, que julgaram que lhes seria fatal. Assim, preferiram que *Moisés* atuasse como intermediário, transmitindo-lhes tudo quanto lhe fosse dito e exigido por parte do Senhor. E foi assim que por pedido do povo de Israel, e não somente por chamada divina, Moisés tornou-se o mediador da lei e de sua interpretação. "Deus é, ao mesmo tempo, extremamente parecido e extremamente diferente do homem. Sua palavra é a espada do Espírito" (J. Edgar Park, *in loc.*).

Os homens temem, para em seguida deixarem de temer. E isso lhes é prejudicial (Êx 32). Cf. Deuteronômio 5.16-20 quanto às manifestações divinas no Sinai, e cf. Deuteronômio 5.24-27 quanto às palavras e pedidos do povo, ditas com maiores pormenores. Ver no *Dicionário* o artigo *Mediação (Mediador)*.

20.20

וַיֹּאמֶר מֹשֶׁה אֶל־הָעָם אַל־תִּירָאוּ כִּי לְבַעֲבוּר נַסּוֹת אֶתְכֶם בָּא הָאֱלֹהִים וּבַעֲבוּר תִּהְיֶה יִרְאָתוֹ עַל־פְּנֵיכֶם לְבִלְתִּי תֶחֱטָאוּ׃

A essência da explicação dada por Moisés foi a seguinte: "Não temais, porque a manifestação foi para o vosso bem". De fato, o incidente inteiro foi um outro *sinal* (Êx 15.25), ao lado de outros que já tinham sido dados, embora mais importante quanto à sua implicação total. Essas manifestações produziram um grande benefício, levando o povo a receber aquele benefício em um apropriado espírito de humildade. A lei foi dada para coibir vários tipos de pecados, favorecendo certos atos positivos. A forma da manifestação ajudaria o povo a obedecer a ambos os tipos de mandamentos, os negativos e os positivos. As atitudes internas determinam os atos externos.

20.21

וַיַּעֲמֹד הָעָם מֵרָחֹק וּמֹשֶׁה נִגַּשׁ אֶל־הָעֲרָפֶל אֲשֶׁר־שָׁם הָאֱלֹהִים׃ פ

Deus ocultou-se em sua nuvem; os israelitas postaram-se a respeitável distância; Moisés aproximou-se da nuvem a fim de receber mais instruções. Cf. Êxodo 19.9, onde é apresentada a *nuvem*. Dou ali notas expositivas sobre a questão. O pedido do povo de dispor de um mediador foi assim honrado. O temível Yahweh estava a uma distância segura; apesar disso, porém, a mensagem divina chegou até eles, por intermédio de Moisés.

LEIS ACERCA DOS ALTARES (20.22-26)

A lei mosaica tinha sua essência no *decálogo* (20.3-18). Agora começaria a grande *multiplicação* de preceitos. Virtualmente o resto do Pentateuco oferece-nos aspectos dessa multiplicação, e a tradição judaica procurou aumentar mais ainda essa multiplicação de preceitos. O conceito da lei era o conceito do judaísmo. A fim de iniciar essa multiplicação, foi usado o segundo mandamento (Êx 20.4-6). Isso é uma verdade porque, sem o caráter ímpar de Yahweh, as leis não teriam qualquer sentido especial. Ver os vss. 22,23. Os mandamentos repousavam sobre o próprio caráter de Yahweh, e foi Deus quem lhes deu autoridade.

20.22

וַיֹּאמֶר יְהוָה אֶל־מֹשֶׁה כֹּה תֹאמַר אֶל־בְּנֵי יִשְׂרָאֵל אַתֶּם רְאִיתֶם כִּי מִן־הַשָּׁמַיִם דִּבַּרְתִּי עִמָּכֶם׃

Os israelitas tinham pedido que Moisés atuasse como mediador entre Deus e eles mesmos (vs. 19), quando Moisés já estava atuando nessa capacidade. Yahweh instruiu Moisés para que transmitisse ao povo a sua palavra, e assim teve início a multiplicação dos Dez Mandamentos básicos; e essa multiplicação, mediante a interpretação, nunca terminou para o judaísmo. Yahweh enviava a sua mensagem do *seu céu,* o que significa que estamos falando em termos de *revelação* (ver a esse respeito no *Dicionário*). As coisas ditas pelo Senhor seriam posteriormente formuladas nas Escrituras (ver os Artigos Introdutórios no primeiro volume desta obra, em sua primeira seção).

O fato de que a voz de Yahweh era ouvida por Moisés servia de motivo para o povo de Israel obedecer, pois as palavras subiam acima da compreensão imediata deles. Quanto à descida de Yahweh do céu, ver Êxodo 19.18, onde damos referências.

■ 20.23

לֹא תַעֲשׂוּן אִתִּי אֱלֹהֵי כֶסֶף וֵאלֹהֵי זָהָב לֹא תַעֲשׂוּ לָכֶם׃

Este versículo, em um sentido restrito (pois menciona somente imagens de prata e de ouro, fundidas ou de escultura), é uma expressão do *segundo mandamento,* que já vimos nos vss. 4-6, e onde há notas expositivas a respeito. O decálogo estava alicerçado sobre a revelação do único e inigualável Yahweh, o único Deus. Assim, a multiplicação de preceitos que se segue também se baseou sobre isso, ou seja, que não haveria outros deuses para dar instruções e orientar os filhos de Israel quanto à verdadeira adoração. No culto do povo de Israel, não havia lugar para quaisquer tipos de imagens, fundidas ou esculpidas. Yahweh não tolerava rivais. Coisa alguma podia ser permitida que tendesse a debilitar ou destruir a unidade da ideia divina. O politeísmo, pois, era tido como um poder destrutivo. O tipo certo de monoteísmo foi um avanço que teve lugar na teologia do povo de Israel. Platão mostrou estar na direção certa, em seu diálogo intitulado *Leis,* e ali ele disse muitas coisas de valor. Mas a Israel foi dada uma visão superior sobre toda essa questão, a qual é compartilhada pelo cristianismo e outras fés. Israel foi libertado do politeísmo egípcio e avançou para o monoteísmo (ver a esse respeito no *Dicionário),* depois de libertado, no deserto.

■ 20.24

מִזְבַּח אֲדָמָה תַּעֲשֶׂה־לִּי וְזָבַחְתָּ עָלָיו אֶת־עֹלֹתֶיךָ וְאֶת־שְׁלָמֶיךָ אֶת־צֹאנְךָ וְאֶת־בְּקָרֶךָ בְּכָל־הַמָּקוֹם אֲשֶׁר אַזְכִּיר אֶת־שְׁמִי אָבוֹא אֵלֶיךָ וּבֵרַכְתִּיךָ׃

Um altar de terra me farás. Ver no *Dicionário* o artigo chamado *Altar,* quanto àquilo que se sabe sobre os altares antigos. Os vss. 24 e 25 dão as regras mais básicas quanto à ereção de altares. Essas provisões foram incorporadas à lei mosaica e à prática diária. Por isso mesmo, os críticos creem que essas provisões foram projetadas a partir de práticas tradicionais que já existiam em Israel, pelo que haveria aqui um pequeno anacronismo. Por outro lado, aquilo que chegou a ser uma prática nos dias de Moisés sem dúvida estava baseado em práticas anteriores. Portanto, não há contradição alguma.

Em primeiro lugar, temos o altar de terra, feito ao ar livre. Não eram permitidos degraus nesses altares. Mas havia uma tendência para localizar Deus, dando-lhe um ponto de manifestação, sendo essa a função principal dos altares. Visto que os altares eram simples e fáceis de erguer, permitiam um uso generalizado. Um indivíduo, uma família ou um clã podiam levantar um altar, que se tornava então o símbolo de sua prática religiosa, onde também prestavam o seu culto. Ver acerca de altares em trechos como Gênesis 8.20; 12.7; 13.4; 22.9; 26.25; 33.20 e 35.1,3,7. Temos aí menção a altares individuais de antigos patriarcas. Presumivelmente, alguns dos preceitos acerca da ereção de altares foram incorporados na prática mosaica.

Teus holocaustos. Quanto a esse tipo de sacrifício, ver o *Dicionário.* O animal sacrificado era totalmente consumido no fogo. Assim sendo, o animal inteiro era oferecido a Yahweh. dele nada era consumido pelos homens. Deus era assim honrado, comemorando-se o seu suprimento generoso. As ofertas pelo pecado tornaram-se parte dessa prática, até que chegaram a dominar toda a prática.

Tuas ofertas pacíficas. Ver no *Dicionário* o artigo geral intitulado *Sacrifícios e Ofertas.* Ver ali o ponto D. *Ofertas de Comunhão,* entre as quais estavam as *ofertas pacíficas.* Tais oferendas selavam os laços de fraternidade, mas também apontavam na direção de Deus. As *ofertas pacíficas* falam de comunhão restaurada, após a expiação dos pecados e o recebimento do perdão. Todas as demais ofertas de comunhão eram variantes das ofertas pacíficas (Lv 7.11-36).

O nome de Deus era relembrado ao pé do altar, pois até ali Deus descia a fim de abençoar. O povo de Israel esperava a presença de Deus em seus altares. Antes da construção do tabernáculo (e depois, do templo), o *altar* era o lugar especial da manifestação da presença divina. Isso é amplamente ilustrado nas referências dadas acima.

■ 20.25

וְאִם־מִזְבַּח אֲבָנִים תַּעֲשֶׂה־לִּי לֹא־תִבְנֶה אֶתְהֶן גָּזִית כִּי חַרְבְּךָ הֵנַפְתָּ עָלֶיהָ וַתְּחַלְלֶהָ׃

Se me levantares um altar de pedras. Esses eram altares mais duráveis. Era permitido o uso de pedras não-lavradas (Js 8.30; 1Rs 18.31). Cf. Deuteronômio 27.5,6 e 1Macabeus 4.47 quanto a um período posterior. Os altares posteriores tinham chifres ou pontas nas quatro esquinas superiores (1Rs 1.50,51). Finalmente, surgiram altares ainda mais elaborados (1Rs 27.1-8; Ez 43.13-17). Mas as instruções mosaicas originais requeriam simplicidade de construção. "Altares levantados com arte elaborada e plataformas elevadas, dotadas de degraus, eram comuns na adoração pagã aos deuses falsos" (John D. Hannah, *in loc.*).

O Uso de Instrumentos Poluía. Assim nos diz este versículo, visto que isso fazia os *altares* tornarem-se o polo de atração, em lugar de ser destacado o propósito da existência dos altares. Os altares erigidos por Salomão não obedeciam às regras originais. Esses altares eram feitos de ouro e de bronze (1Rs 7.48; 8.64). Altares elaborados glorificavam seus construtores, tal como grandes templos glorificam aqueles que os levantam. Coisas iam ficando assim cada vez mais excelentes, ao mesmo tempo em que a adoração a Yahweh ia sendo negligenciada. Na Igreja cristã cessaram os sacrifícios de animais; mas hoje em dia prevalecem o orgulho humano e o culto tipo entretenimento.

■ 20.26

וְלֹא־תַעֲלֶה בְמַעֲלֹת עַל־מִזְבְּחִי אֲשֶׁר לֹא־תִגָּלֶה עֶרְוָתְךָ עָלָיו׃ פ

Nem subirás por degrau ao meu altar. Isso por motivo de modéstia. Circunstantes curiosos veriam os sacerdotes a subir pelos degraus e poderiam enxergar suas vestes íntimas, ou talvez mais. As pessoas, desse modo, dificilmente continuariam pensando em Deus, enquanto vissem um sacerdote subindo pelos degraus. Esse pequeno versículo mostra-nos que o corpo humano atrai a atenção dos seres humanos, e que as vestes são essenciais. Pode parecer ridículo dar tanta importância à carne humana, da qual todos compartilhamos. Infelizmente, porém, alguma *corrupção interior* faz com que seja mais sábio nos encobrirmos. Ver na *Enciclopédia de Bíblia, Teologia e Filosofia* os artigos chamados *Nu, Nudez* e *Nudismo,* quanto a discussões sobre esse problema. As vestes dos sacerdotes levíticos procuravam resolver o problema da nudez. O altar de Ezequiel (43.17) ignora essa questão dos degraus; mas no templo de Herodes havia uma rampa de aproximação ao altar, embora não degraus, em respeito à antiga regra. O trecho de Êxodo 24.42,43 mostra-nos que as vestes usadas pelos sacerdotes tornaram-se tais que a exposição do corpo humano deixou de ser um problema de modéstia. Talvez por isso foi que Salomão não hesitou em construir degraus em seu altar.

A adoração idólatra era com frequência acompanhada pela nudez e mesmo pela orgia (Maimônides, *Middot,* c. 3 sec. 3). E talvez por isso tenha sido feita aquela proibição atinente a degraus, nos altares dedicados a Yahweh.

CAPÍTULO VINTE E UM

LEIS ACERCA DE ESCRAVOS (21.1-11)

Ver a introdução geral à seção (da qual o presente texto faz parte), nas notas introdutórias ao capítulo 19 do Êxodo. O *decálogo* original formava a essência da legislação mosaica, mas o resto do livro de Êxodo comenta sobre a grande *multiplicação* de leis e preceitos, que abordavam todo aspecto concebível da vida humana, individual e coletiva. As ordenanças dadas devem ser entendidas como precedentes normativos, ou seja, regras originais que deveriam governar toda concepção acerca das leis que aparecem em seguida.

21.1

וְאֵלֶּה הַמִּשְׁפָּטִים אֲשֶׁר תָּשִׂים לִפְנֵיהֶם׃

São estes os estatutos. As questões relativas à escravidão, que passariam a ser descritas, encontraram lugar dentro do código civil. Essa legislação era considerada sagrada e divinamente inspirada, pelo que não se podia evitar obedecer-lhe. Algum tipo de justiça e de equidade teria que ser aplicado à escravidão. As decisões judiciais futuras teriam que obedecer ao espírito destes estatutos. Surgiriam situações em que teria de ser aplicada a legislação *por analogia*. Cf. Deuteronômio 15.12-18. Os estatutos dados aqui refletem costumes de uma comunidade tipicamente agrícola (Êx 22.5,6), e o seu conteúdo é bastante parecido com outros códigos legais de povos antigos daquela região do mundo.

21.2

כִּי תִקְנֶה עֶבֶד עִבְרִי שֵׁשׁ שָׁנִים יַעֲבֹד וּבַשְּׁבִעִת יֵצֵא לַחָפְשִׁי חִנָּם׃

Se comprares um escravo hebreu. A preocupação aqui era com um possível escravo israelita, e não estrangeiro. No caso deste, aplicavam-se outros estatutos, menos favoráveis. Quando um hebreu precisava de dinheiro, tendo dívidas a pagar, podia vender-se como escravo. Também era possível escravizar à força um hebreu, embora isso deva ter acontecido com pouca frequência. Ver 2Reis 4.1 e Levítico 25.39. Um hebreu podia ser forçado à servidão por motivo de dívida, conforme mostra a primeira dessas duas referências. O caso mais triste era que um hebreu (ainda menor de idade) podia ser vendido por seus pais como escravo, quando precisassem de dinheiro (Ne 5.2). O valor de um homem que servisse por seis anos era ridiculamente pequeno (vs. 32). Infeliz também era o fato de que se um escravo hebreu servia por seis anos, na Babilônia um nativo servia apenas por três anos. Mas na maioria dos outros aspectos, as leis hebreias eram mais humanas que a legislação babilônica (código de Hamurabi, 117). O trecho de Deuteronômio 15.18, onde é usado o termo "metade", talvez reflita conhecimento sobre a prática babilônica. Um escravo, se fosse severamente ferido, obtinha uma espécie de licença médica (vss. 26,27). Em tempos posteriores, mesmo que um escravo tivesse servido somente por um ano, a lei do jubileu libertava a ele e a todos os demais escravos (Lv 25.39-41).

Os vss. 7-11 incluem a questão das escravas.

Como um Hebreu Podia Tornar-se Escravo de Outro Hebreu. 1. Por causa de crime grave (Êx 22.3). 2. Por causa de dívida (Lv 25.39). 3. Por ser vendido por seu pai (Ne 5.5).

A Escravidão. Ver no *Dicionário* o artigo intitulado *Escravo, Escravidão*. Ficamos desolados quando vemos a escravidão ser regulamentada, e não eliminada, no Antigo e no Novo Testamentos. Que a escravidão tenha existido sob *qualquer* forma (apesar de algumas provisões humanitárias), mostra a baixa natureza espiritual dos povos antigos, a despeito de quaisquer outras vantagens que tenham tido. A *lei do amor* é o maior de todos os conceitos (ver todo o capítulo 13 de 1Coríntios). O amor é a prova mesma da espiritualidade (1Jo 4.7-12). A escravidão é uma afronta ao amor, mesmo nos casos onde imperava bastante humanidade e leniência.

O texto à nossa frente não alude à escravidão de estrangeiros em Israel ou de prisioneiros de guerra. Estão em pauta somente escravos *hebreus*. Havia circunstâncias especiais segundo as quais um hebreu podia tornar-se um escravo. Ele podia vender-se à escravatura por motivo de dívida. Nesse caso, havia regras sobre como cuidar de tais casos, conforme se vê nos versículos que se seguem. Visto que, eventualmente, um escravo hebreu tinha que ser posto em liberdade, e visto que nada é dito sobre escravos estrangeiros, podemos presumir que havia uma legislação limitada ao benefício de escravos hebreus. Um tratamento humano era requerido, mas um escravo não podia pensar em liberdade enquanto não chegasse o sétimo ano. Meu artigo sobre o assunto fornece detalhes sobre toda a questão, e o leitor deve examinar o mesmo quanto a informações que não aparecem nesta exposição.

21.3,4

אִם־בְּגַפּוֹ יָבֹא בְּגַפּוֹ יֵצֵא אִם־בַּעַל אִשָּׁה הוּא וְיָצְאָה אִשְׁתּוֹ עִמּוֹ׃

אִם־אֲדֹנָיו יִתֶּן־לוֹ אִשָּׁה וְיָלְדָה־לוֹ בָנִים אוֹ בָנוֹת הָאִשָּׁה וִילָדֶיהָ תִּהְיֶה לַאדֹנֶיהָ וְהוּא יֵצֵא בְגַפּוֹ׃

Sua mulher. Se um escravo hebreu se tivesse casado durante seu período de escravatura, então sairia sozinho ao ser libertado, no sétimo ano. Se já fosse casado antes de tornar-se escravo, sua mulher também seria libertada. O trecho de Deuteronômio 15.13,14 mostra que um escravo libertado tinha o direito de receber certas coisas básicas, como gado, cereais e vinho, uma espécie de compensação. Os versículos não falam em filhos, mas é óbvio que, uma vez livre, levava consigo os seus filhos. E o quarto versículo nos dá a horrenda informação de que se fosse dada uma esposa a um escravo, durante seu período de escravidão, esta ficaria retida pelo senhor mesmo quando o homem fosse libertado. Isso mostra que tal mulher e seus filhos eram tidos apenas como uma propriedade. Além disso, parece haver certa contradição com Deuteronômio 15.13,14, onde se lê que um escravo libertado podia levar consigo certas possessões. Por que não sua esposa e seus filhos? Que possessões mais *básicas* poderia ter um homem além de sua esposa e de seus filhos? Alguns eruditos, por isso mesmo, salientam que *leis posteriores*, como aquela de Deuteronômio, tornaram-se mais humanas.

"Naqueles tempos, não havia tal coisa como labor livre, no seu sentido moderno. Os escravos e as escravas eram meras propriedades de seu *senhor*. Também não devemos esquecer que esposas e filhos *nascidos livres* também estavam sob a autoridade do dono da casa. Ele podia vender seus próprios filhos a outro israelita, tal como podia vender seus escravos" (J. Coert Rylaarsdam, *in loc.*).

Em face disso, os estatutos que tratam das questões relativas às esposas e aos filhos eram leis sobre a *propriedade,* e não leis de direito civil.

Jarchi observou aqui que a *mulher* em pauta teria que ser uma mulher cananeia, pois uma mulher hebreia, tal como um homem hebreu, era posta em liberdade após seis anos de serviço escravo. Esse tipo de casamento não era legal, seja como for. Mas o texto sagrado não diz o que Jarchi comentou. A questão permanece em dúvida. Isso é assim especialmente em face do fato de que o quarto versículo não diz que a mulher dada ao homem era uma *escrava,* embora alguns intérpretes tenham pensado assim. Se o fosse, então o mais provável é que fosse uma mulher estrangeira, a menos, naturalmente, que tivesse sido vendida, o que era perfeitamente possível, segundo já vimos. Vamos imaginar que o pai da mulher a tivesse vendido, e que ela fosse hebreia. Nesse caso, ela se teria tornado propriedade de outro homem. Então, se ela fosse dada a outro hebreu, também vendido como escravo, teria ele o direito de levá-la consigo, ao obter sua liberdade? Penso que não. E é precisamente o que diz o vs. 7.

21.5

וְאִם־אָמֹר יֹאמַר הָעֶבֶד אָהַבְתִּי אֶת־אֲדֹנִי אֶת־אִשְׁתִּי וְאֶת־בָּנָי לֹא אֵצֵא חָפְשִׁי׃

O amor poderia prender um homem a uma escrava com quem ele se tivesse casado; o amor também pode prender sentimentalmente um homem a seus filhos. Nesse caso, chegado o tempo de um homem escravo ser posto em liberdade, ele poderia rejeitar a sua libertação a fim de manter unida a sua família. Nesse caso, que sucederia? A brutal provisão da lei mosaica não era que ele poderia negociar sua liberdade, envolvendo na mesma sua mulher e seus filhos. Bem pelo contrário, *todos* eles se tornariam escravos oficiais, para sempre, sem possibilidade de redenção, embora fossem hebreus, a menos que pensemos que então se aplicaria também a eles a lei do sétimo ano, quando, finalmente, seriam libertados!

Este versículo também dá margem ao caso de amizade profunda de um escravo por seu senhor. É comum que os prisioneiros a longo termo se acostumem de tal modo à sua horrenda vida que, mesmo quando podem receber a liberdade, eles a rejeitam. Para eles parece mais fácil permanecer na prisão, uma entidade conhecida, do que, uma vez libertados, procurar emprego e lutar por vencer na vida por conta própria. Outro tanto sucedia na escravidão. Embora o trabalho fosse duro, pelo menos havia segurança. Alguns homens pagam um elevado preço por sua segurança pessoal. Por outra parte, um homem pode amar um Senhor benévolo, e assim decidir tornar-se seu escravo permanente. Nesse caso, ao homem era permitido, por lei, fazer um contrato de escravatura permanente, dotado da chancela oficial religiosa e civil.

Dentro da sociedade hebreia, era recomendado aos senhores que tratassem seus escravos hebreus como se fossem servos alugados, ou seja, com maior humanidade e com maior respeito do que se conferia aos escravos estrangeiros. Portanto, havia margem para que se estabelecessem relações de amizade entre um senhor e um seu escravo, se essas recomendações fossem observadas. Ver Levítico 25.39,40,46.

■ 21.6

וְהִגִּישׁוֹ אֲדֹנָיו אֶל־הָאֱלֹהִים וְהִגִּישׁוֹ אֶל־הַדֶּלֶת אוֹ אֶל־הַמְּזוּזָה וְרָצַע אֲדֹנָיו אֶת־אָזְנוֹ בַּמַּרְצֵעַ וַעֲבָדוֹ לְעֹלָם: ס

Juízes. Algumas traduções dizem aqui "deuses", e não sem certa razão. A palavra usada no original hebraico é *elohim*, pelo que há uma intenção divina provável nessa referência. Assim, levar alguém aos "deuses" talvez queira dizer levá-lo diante do altar de Deus, no lar, onde o pacto seria firmado.

O altar doméstico em questão seria o altar da família ou do clã. O ato de furar a orelha teria de ser feito contra a ombreira da porta da casa do proprietário, o que nos faz lembrar do sacrifício da páscoa (Êx 12.22). Esse rito de furar a orelha seria um ato doméstico, religioso e social, um contrato legal.

Este versículo é a única alusão, no Antigo Testamento, à marcação de escravos. Em outras culturas, os escravos eram marcados como se fossem animais. Na Babilônia, os escravos tinham seus cabelos cortados de uma maneira peculiar (código de Hamurabi, 226), e um escravo rebelde tinha uma de suas orelhas decepadas (lei 282).

A ombreira sagrada da porta atuava como se fosse um altar da família, para todos os efeitos práticos. Talvez nos tempos mais remotos, esses ritos fossem efetuados na presença dos deuses da família, onde todos se sentavam em redor de seus altares particulares. Esse vestígio da idolatria talvez tenha persistido, apesar do monoteísmo oficial de Israel. Ver no *Dicionário* o artigo intitulado *Terafins*.

"Abrir os ouvidos" tornou-se uma expressão que passou a indicar um escravo perpétuo (Sl 40.6). Esse costume de furar a orelha também se podia achar em outras sociedades. Juvenal mencionou esse costume em conexão com a Síria (*Satry.* 1).

■ 21.7

וְכִי־יִמְכֹּר אִישׁ אֶת־בִּתּוֹ לְאָמָה לֹא תֵצֵא כְּצֵאת הָעֲבָדִים:

Os vss. 7-11 alistam os direitos das escravas ou das concubinas (cf. Dt 15.12,17).

Uma escrava hebreia, vendida à escravatura por seu pai, não tinha o direito de ser solta ao fim de seis anos. Mas isso foi modificado posteriormente (Dt 15.17). O mais provável é que ela viria a tornar-se uma concubina de algum hebreu, uma esposa secundária. Seu estado social aviltado não encorajaria um homem livre a casar-se com ela como sua principal esposa. Mas ela poderia obter sua liberdade sob circunstâncias especiais, conforme ficou especificado nos vss. 8 a 11.

"Por muitas vezes, escravas tornavam-se concubinas ou esposas secundárias (Gn 16.3; 22.24; 30.3,9; 36.12; Jz 8.31; 9.18). Alguns israelitas pensavam ser mais vantajoso suas filhas tornarem-se concubinas de vizinhos abastados do que se tornarem esposas de homens da própria classe social delas" (John D. Hannah, *in loc.*). Naturalmente, por muitas vezes havia em tudo isso algum nobre motivo. A jovem simplesmente valia dinheiro, e estava acostumada a ganhá-lo.

"O direito de vender crianças como escravos era tido, nos tempos antigos, como algo inerente à *patria potestas*, e era praticado em muitas nações (Heródoto, *Hist.* v.6; Heyne, *Opusc.* vol. iv. pág. 125). As mulheres hebreias podiam reivindicar sua liberdade ao fim de seis anos, se assim o quisessem (Dt 15.17)" (Ellicott, *in loc.*). Notemos, todavia, que essa norma de Deuteronômio é posterior, olhando para além do que se antecipava no texto presente. A possibilidade de libertação é sugerida no livro de Deuteronômio, embora isso não seja dito abertamente.

■ 21.8

אִם־רָעָה בְּעֵינֵי אֲדֹנֶיהָ אֲשֶׁר־לֹא יְעָדָהּ וְהֶפְדָּהּ לְעַם נָכְרִי לֹא־יִמְשֹׁל לְמָכְרָהּ בְּבִגְדוֹ־בָהּ:

Um senhor de escravos hebreu podia acolher uma escrava em seu harém. Mais tarde, poderia resolver que fizera um erro, ou, então, que simplesmente se cansara dela. Nesses casos, ela tinha alguns direitos. Ela poderia ser remida por um membro de sua família, e assim reverter, mediante dinheiro, a sua condição de escrava. O Targum de Jonathan supunha que o pai de uma escrava é quem deveria redimi-la, por ter sido ele quem a vendera; mas o texto sacro não faz essa restrição. Talvez qualquer homem hebreu, resolvendo que queria vê-la livre, ou como sua concubina, quisesse comprar a liberdade dela. Mas uma escrava hebreia não podia ser revendida a estrangeiros. Sua cidadania hebreia não permitia tal ultraje. Já fora ultrajada o suficiente. Em primeiro lugar, seu próprio pai a tinha vendido! Depois o seu senhor, tendo-a tomado como sua concubina, acabara rejeitando-a! Agora, ela tinha alguns direitos. E um deles era que não podia ser revendida a um senhor estrangeiro. Por outro lado, o versículo não proíbe que uma escrava assim fosse revendida a outro hebreu, o que significa que a miséria dela podia tornar-se algo perpétuo. Sempre que ocorre a *escravidão* não há muito que se possa fazer para corrigir a situação, tornando-a moralmente aceitável, sem importar quão "humanas" sejam as leis regulamentadoras. A escravatura, por si mesma, é ultrajante.

Pode-se presumir que uma escrava podia ser redimida por um parente próximo (Lv 25.47-54); mas a passagem não limita as possibilidades a isso. Na Babilônia, a concubina de um homem casado podia ser vendida mesmo depois que lhe tivesse dado filhos (código de Hamurabi, 119).

Deslealdade para com ela. Ele, como marido dela, terminou por não oficializar o casamento secundário; estava apenas satisfazendo seu apetite sexual, e, então, se cansara dela, sem nenhuma razão provocada por ela. E assim, não tinha cumprido as esperanças do pai da jovem no tocante a ela.

■ 21.9

וְאִם־לִבְנוֹ יִיעָדֶנָּה כְּמִשְׁפַּט הַבָּנוֹת יַעֲשֶׂה־לָּהּ:

Trata-la-á como se tratam as filhas. Teria de haver direitos iguais. Uma escrava hebreia podia ter a boa sorte de obter direitos iguais às de outras mulheres hebreias, se chegasse a casar-se com um dos filhos de seu senhor. Nesse caso, seu senhor tinha que tratá-la como se fazia com as filhas hebreias. Nesse caso, ela se tornaria uma mulher livre. Casar-se com "o filho do senhor" deve ter sido um desejo arraigado das escravas hebreias, embora um alvo conseguido por bem poucas delas! A maioria delas acabava seguindo algum outro curso lamentável. Mas aquelas que obtivessem essa boa sorte tornavam-se esposas primárias, e não concubinas, a menos, naturalmente, que o filho em foco quisesse tomar uma escrava como sua concubina. As provisões básicas para uma esposa eram: alimento, vestuário e os direitos normais do casamento, inclusive o sexual. Esses *três* direitos precisavam ser observados (vs. 11; cf. 1Co 7.3, onde Paulo fala sobre "o que lhe é devido").

■ 21.10

אִם־אַחֶרֶת יִקַּח־לוֹ שְׁאֵרָהּ כְּסוּתָהּ וְעֹנָתָהּ לֹא יִגְרָע:

Se o filho do senhor de uma escrava se casasse com esta, mas mais tarde tomasse outra esposa, os direitos da escrava não poderiam ser diminuídos. Tão somente ela se tornaria parte de um casamento plural, e tudo continuaria como era usual. Embora tivesse sido uma escrava, não podia ser lançada fora. Naturalmente, em tempos de divórcio (prática essa iniciada bem cedo na história dos hebreus) ela ou qualquer outra mulher podia ser rejeitada; mas havia leis que regulamentavam isso.

■ 21.11

וְאִם־שְׁלָשׁ־אֵלֶּה לֹא יַעֲשֶׂה לָהּ וְיָצְאָה חִנָּם אֵין כָּסֶף: ס

Os intérpretes não concordam exatamente com as *três coisas* que estão em vista aqui. O vs. 11 talvez esteja reiterando os três deveres dos maridos, aludidos no vs. 10, a saber, alimentos, vestuário e os direitos maritais. *Ou, então*, as três coisas em pauta eram as maneiras por que um dono de casa podia dispor de uma escrava que tivesse comprado, pondo assim fim à servidão dela: (a) ele podia tomá-la como concubina; (b) ele podia permitir que outro hebreu a tomasse como concubina, mediante pagamento de dinheiro; e (c) ele podia dá-la como esposa a um filho seu. Se ele não fizesse qualquer dessas três coisas, então ela ficava automaticamente emancipada, sem que houvesse qualquer transação financeira.

Se aquelas três possibilidades é que estão em pauta, então presume-se que o homem que deixasse de tratar uma sua escrava como esposa ou concubina, por não lhe haver dado as três provisões básicas (alimento, vestuário e direitos maritais), só por isso a emancipava, e ela não precisava ser comprada (ou redimida) por outrem. Bons intérpretes assumiam uma ou outra dessas interpretações. Mas em favor da ideia de que estão em foco os privilégios do casamento, pode-se observar que a outra interpretação requer virtualmente que a mulher fosse emancipada, de uma forma ou de outra, ou sendo absorvida na casa mediante casamento, ou por libertação, *no caso do casamento não ocorrer*. Mas isso parece laborar contra o sétimo versículo, a menos que aquele versículo queira dizer: "ela será certamente libertada, de uma forma ou de outra, mas não à maneira de escravos masculinos".

LEIS ACERCA DA VIOLÊNCIA (21.12-36)

No tocante a esta seção, ver no *Dicionário* os artigos intitulados *Homicídio* e *Punição Capital*. Os vss. 12-17 tratam dos crimes capitais; e os vs. 18 ss. abordam os crimes não-capitais. Estão envolvidos animais, e não somente pessoas. Do começo ao fim encontramos paralelos ao código de Hamurabi, o que pode indicar algum *empréstimo* em uma direção ou em outra. Faz-se a distinção entre atos intencionais e não-intencionais, conforme se vê em quase todos os códigos legais. A justiça era ágil, mas a fim de prevenir o ridículo, era garantido o direito de asilo, até que as questões pudessem ser devidamente julgadas. Cf. Números 35.12; Deuteronômio 4.41-43; 19.1-13; Josué 20. O asilo mais antigo era o altar. E também havia cidades de refúgio (não consideradas nesta seção). Ver no *Dicionário* o artigo *Cidades de Refúgio*. Os vss. 22-25 fornecem-nos uma detalhada descrição sobre a *lex talionis*, ou seja, a punição de acordo estrito com o crime cometido. Ver no *Dicionário* o artigo *Lex Talionis*. A punição de acordo com o crime tinha a vantagem de não permitir castigos excessivos. Esta seção também inclui a proteção à propriedade privada.

Quatro Crimes que Requeriam Punição Capital:
1. Homicídio premeditado, vss. 12,14; ver o sexto mandamento, Êxodo 20.13; Gênesis 9.6.
2. Violência física contra os pais, Êxodo 21.15.
3. Sequestro, vs. 16; Deuteronômio 24.7.
4. Abuso verbal contra os próprios pais, Êxodo 21.17. Ver Êxodo 20.12, onde isso aparece como o quinto mandamento. Tal desrespeito era considerado como se fosse homicídio.

■ 21.12

מַכֵּה אִישׁ וָמֵת מוֹת יוּמָת׃

Quem matasse outrem propositadamente deveria ser morto. Ver no *Dicionário* os verbetes *Punição Capital* e *Homicídio*. Essa era a lei fundamental; mas também havia outros atos criminosos que requeriam execução capital, conforme vimos nas notas introdutórias. Era uma aplicação da *lei de Talião* (ver no *Dicionário* o artigo *Lex Talionis*). Matar outra pessoa era proibido pelo sexto mandamento (Êx 20.13). Provi um poema ilustrativo sobre o homicídio, tanto o real quanto o moral, nas notas sobre Êxodo 20.13. O código de Hamurabi (206) também requeria execução capital nesses casos.

Nos primeiros tempos, a execução era reputada uma espécie de oferta pacífica feita à alma da pessoa assassinada. Pode ou não haver nisso alguma verdade. Hodiernamente, a punição capital é combatida por muitos com base no argumento de que ela não *coíbe* o crime. Mas certos crimes clamam por *justiça*, e não somente por alguma medida preventiva. Joseph Smith estava com a razão ao dizer que certos crimes só são expiados pela execução capital. Além disso, há a questão do que é bom para a alma. Uma alma pode saldar certas grandes dívidas se pagar por seus crimes mediante a execução capital. Sob julgamento, a alma sofre uma certa taxa de sofrimento. E isso pode ser aliviado por meio de algum pagamento pessoal de dívidas incorridas por motivo de pecados ou mesmo de crimes. Ilustrei esses princípios no artigo intitulado *Punição Capital*.

Modo de Execução Capital. Usualmente, essa ocorria por meio de *apedrejamento* (ver a esse respeito no *Dicionário*); mas também havia a execução na *fogueira* (Lv 20.14; 21.9). Há evidências em favor da ideia de que pessoas executadas por apedrejamento eram então queimadas na fogueira. Nos tempos mais antigos, a execução era efetuada pelos parentes da pessoa assassinada. Esses parentes eram conhecidos como "vingadores do sangue". Uma cidade onde ocorria um assassínio precisava purificar-se mediante a execução do culpado (Êx 20.5). A punição tem um aspecto remedial, mas isso pode dizer respeito à alma, e não apenas à pessoa física. Ver Gênesis 9.6 quanto a uma lei antiquíssima. No entanto, Caim, o primeiro homicida, foi condenado a uma pena perpétua, e não à execução capital. E assim Caim passou seus dias na maior miséria, pelo crime que cometera. (Gn 4.13). A legislação original (Gn 9.6) dá-nos uma razão divina para a punição capital. O homem, criado como foi à imagem de Deus, quando é assassinado, representa um tremendo *ultraje*. E esse ultraje precisa ser punido mediante um ato radical. Ver no *Dicionário* o artigo chamado *Vingador do Sangue*.

■ 21.13

וַאֲשֶׁר לֹא צָדָה וְהָאֱלֹהִים אִנָּה לְיָדוֹ וְשַׂמְתִּי לְךָ מָקוֹם אֲשֶׁר יָנוּס שָׁמָּה׃ ס

Este versículo descreve um homicídio não-intencional, aqui atribuído como um *ato de Deus*, conforme se diz até hoje. O sentimento geral é que a morte de um ser humano não pode ocorrer por acaso; e assim, quando alguém mata a outrem acidentalmente, a vontade de Deus, ainda que tal admissão seja desagradável, é considerada como uma força atuante. Talvez a pessoa morta fosse culpada de algum pecado grave. Quanto ao homicida não-intencional, era provido algum lugar de asilo. A princípio era o *altar*; e, mais tarde, houve as *cidades de refúgio* (ver a respeito no *Dicionário*). Um homicida não podia ser atacado se estivesse em uma cidade de refúgio. Era mister que se esperasse pelo julgamento (Nm 35.22-25). Ali ele estava a salvo do vingador de sangue, ou seja, membros da família do morto, os quais, de acordo com a lei e com os costumes da época, estavam na obrigação de se vingarem. É possível que, originalmente, qualquer altar servisse de lugar de refúgio; depois, apenas certos altares exerceriam tal função. O código de Hamurabi protegia o homicida não-intencional (leis 206 e 207), mas sem o mecanismo dos lugares de refúgio, provavelmente porque os vingadores de sangue não faziam parte do sistema de punição. Ver Deuteronômio 4.41 ss. e 19.1 ss. quanto a como os lugares de refúgio posteriormente foram limitados a seis cidades em todo o território de Israel. Conflitos entre famílias ou indivíduos causavam muitos linchamentos. Mas na sociedade babilônica, tinha-se descontinuado a prática dos conflitos de família. Ver no *Dicionário* o artigo *Vingador de Sangue*.

Em certos lugares do mundo essas pendências de sangue entre famílias continuam até hoje, não oficialmente mas como um costume arraigado. É o caso do nordeste brasileiro, onde as vinganças e contravingagens prosseguem, às vezes, por várias gerações, causando um sem-número de assassinatos.

■ 21.14

וְכִי־יָזִד אִישׁ עַל־רֵעֵהוּ לְהָרְגוֹ בְעָרְמָה מֵעִם מִזְבְּחִי תִּקָּחֶנּוּ לָמוּת׃ ס

Um assassino intencional, em seu desespero para evitar o castigo, podia correr até um altar, a exemplo do homicida não-intencional. Mas as testemunhas competentes podiam ir até o altar, onde o executariam. Ver as notas sobre o vs. 13 quanto ao altar como um asilo e, mais tarde, quanto às cidades de refúgio. Os anciãos da comunidade determinavam a culpa (Dt 21.1-9; 1Rs 21.8 ss.; Nm 35.22-25). Se no julgamento fosse averiguado que o réu era um homicida não-intencional, é possível que ele tivesse de pagar uma multa, uma espécie de compensação pelo dano feito, embora não perdesse a vida. Ver o vs. 30, que se aplica a uma situação diferente, embora, por analogia, se aplicasse ao caso presente.

Em outras sociedades, o indivíduo que se tivesse refugiado em um lugar sagrado, podia escapar de vez, embora culpado, porquanto havia um certo escrúpulo em executar tal homem. (Ver Heródoto, *Hist.* v. 71,72; Tucídides i.126; Plutarco, *Vit. Sol.* par. 12). Na sociedade hebreia, porém, não havia tal escrúpulo.

21.15

וּמַכֵּה אָבִיו וְאִמּוֹ מוֹת יוּמָת:

Aquele que cometesse o ultraje de espancar um de seus pais (ou de amaldiçoá-lo, vs. 17) era executado (ver no *Dicionário*). Ver também a introdução ao vs. 12 quanto aos quatro crimes sujeitos à execução capital. Temos a tendência de dar pouco valor a palavras que não resultam em ações. Mas a mentalidade dos hebreus sobre o assunto era muito severa quando palavras pesadas eram dirigidas por alguém a um de seus progenitores. Jesus ensinou quão importante é que usemos de linguagem correta, em Mateus 5.22 e seu contexto. Ver na *Enciclopédia de Bíblia, Teologia e Filosofia* o artigo chamado *Linguagem, Uso Apropriado da*.

21.16

וְגֹנֵב אִישׁ וּמְכָרוֹ וְנִמְצָא בְיָדוֹ מוֹת יוּמָת: ס

Quem raptar a alguém. Na antiguidade, o crime aqui destacado era aquele atualmente conhecido como *sequestro*. Mas naquele tempo fazia-se isso, no mais das vezes, não para cobrar uma importância dos parentes da vítima, em troca de sua libertação, e, sim, a fim de vendê-la como escrava. Contudo, também sequestrava-se com vistas ao recebimento de um resgate. O código de Hamurabi (14) também reputava o rapto ou sequestro como um crime capital, em que o culpado pagava com a perda da própria vida. O trecho de Deuteronômio 24.7 diz especificamente que o rapto de um hebreu geralmente se dava com a finalidade de vendê-lo como escravo. Ver no *Dicionário* o artigo *Escravo, Escravidão*. Até onde ia a lei, esse tipo de escravidão não era permitido. O trecho de Êxodo 21.2-11 regulamenta a escravidão entre os hebreus, quando um hebreu se tornava escravo de outro hebreu. Mas quando alguém tornava-se um *negociante* de escravos, se fosse apanhado, era executado. O texto sagrado não diz especificamente tal coisa, mas quase sempre essa atividade envolvia venda de hebreus como escravos a estrangeiros, ou em mercados estrangeiros. Assim ocorria porque um hebreu denunciaria a seu explorador, se permanecesse em território de Israel.

O sequestro é um crime contra a pessoa, e, quanto à sua gravidade, anda bem perto do crime de homicídio, por privar a vítima de seu bem mais precioso na vida, a *liberdade*. Além disso, causa angústia entre os parentes da vítima. Trata-se de um dos mais esmagadores dos infortúnios, causando muitos males psicológicos à vítima e a toda a sua família. Josefo narrou quão fácil era um homem livre ser sequestrado e vendido como escravo. Guerras sangrentas também eram efetuadas para efeito de sequestrar pessoas para serem vendidas como escravas. Uma alta porcentagem de escravos era obtida por ocasião de guerras ou ataques súbitos, efetuados especificamente com *esse* propósito. Quão atrozes são os crimes dos homens contra os seus semelhantes!

21.17

וּמְקַלֵּל אָבִיו וְאִמּוֹ מוֹת יוּמָת: ס

Quem amaldiçoar. Aos filhos compete obedecer e temer a seus pais. Ver Deuteronômio 21.18-21. Na antiga sociedade babilônica, o crime de ferir um dos progenitores era punido decepando-se uma das mãos do ofensor. Maomé tomou essa lei e transformou-a em castigo contra o roubo. Ver o código de Hamurabi (195).

Os pais eram vistos como representantes de Deus na casa. Injuriar verbal ou fisicamente a um progenitor era tido como uma ofensa contra a pessoa de Deus. Honrar aos pais era a essência do *quinto mandamento*. Ver a exposição sobre Êxodo 20.12. Portanto, os abusos verbais ou físicos estavam diretamente envolvidos na quebra de um dos dez mais importantes conceitos morais. O quinto mandamento da lei mosaica envolvia uma promessa especial feita aos obedientes. Uma vida longa e feliz era prometida aos filhos obedientes. A execução dos culpados desse crime usualmente era por apedrejamento. Ver no *Dicionário* o artigo *Apedrejamento*.

A Seriedade das Maldições. Devemo-nos lembrar que os antigos hebreus acreditavam que as maldições envolvem poderes especiais. Assim, a maldição lançada por um filho podia prejudicar grandemente a seus pais, de acordo com essa crença. Assim, uma maldição era uma injúria física em potencial, de acordo com a antiga mentalidade dos hebreus. Isso explica a razão da severidade do castigo contra esse tipo de pecado.

CRIMES NÃO-CAPITAIS (21.18-32)

Ver a introdução a esta seção, incluída nos comentários anteriores ao vs. 12 deste capítulo.

21.18,19

וְכִי־יְרִיבֻן אֲנָשִׁים וְהִכָּה־אִישׁ אֶת־רֵעֵהוּ בְּאֶבֶן אוֹ בְאֶגְרֹף וְלֹא יָמוּת וְנָפַל לְמִשְׁכָּב:

אִם־יָקוּם וְהִתְהַלֵּךְ בַּחוּץ עַל־מִשְׁעַנְתּוֹ וְנִקָּה הַמַּכֶּה רַק שִׁבְתּוֹ יִתֵּן וְרַפֹּא יְרַפֵּא: ס

Se dois brigarem. Os homens brigam em favor daquilo que é certo ou para se divertirem. Um dos esportes que mais paga a seus atletas é o boxe. Na verdade, há uma certa arte no boxe, a despeito de sua extrema violência. Também é verdade que os homens entram em luta por causa de qualquer tipo de disputa, como em torno de dinheiro, de mulheres, de propriedades ou de ofensas sofridas. Sem importar a causa, os homens *sempre brigarão*. Logo, a legislação mosaica precisou regulamentar tais conflitos. Em meio a uma briga, um homem pode entusiasmar-se em demasia, e tentará matar seu adversário. Este versículo ignora essa possibilidade e supõe que toda briga envolve culpa por parte de ambos os lados. Por outra parte, não podemos ficar indiferentes diante das brigas, pelo que temos que impor alguma forma de *penalidade*. Onde há alguma penalidade, diminui a incidência de casos daquilo sobre o que incide a penalidade.

Se, em uma briga, um dos contendores tiver de guardar o leito, então a questão já se tornou séria. Se um dos contendores recolhe-se ao leito por pouco tempo, e, então, se levanta, aparentemente sem maus efeitos decorrentes da experiência, então a vida continuaria como é usual. Mas se um dos contendores tiver de recolher-se ao leito e ser tratado por médicos, então alguma *compensação* teria de ser paga. A antiga sociedade dos hebreus era um tanto avessa aos médicos, pelo que o tratamento necessário era efetuado pelos membros da família ou por vizinhos. Ver na *Enciclopédia de Bíblia, Teologia e Filosofia* o artigo intitulado *Medicina (Médicos)*. O ofensor tinha então que pagar alguma espécie de multa, ao adversário ferido, pelo tempo perdido, como também para cobrir qualquer despesa de tratamento.

21.20,21

וְכִי־יַכֶּה אִישׁ אֶת־עַבְדּוֹ אוֹ אֶת־אֲמָתוֹ בַּשֵּׁבֶט וּמֵת תַּחַת יָדוֹ נָקֹם יִנָּקֵם:

אַךְ אִם־יוֹם אוֹ יוֹמַיִם יַעֲמֹד לֹא יֻקַּם כִּי כַסְפּוֹ הוּא: ס

E o ferido morrer. Nesses dois versículos, é tratado o caso da morte provocada contra um escravo. O *sexto mandamento*, contra o homicídio, requeria a pena de morte contra o culpado. Mas havia exceções. Uma delas era a morte de um escravo. Ver as notas em Êxodo 20.13 quanto ao sexto mandamento e acerca dessa exceção.

A matança de um escravo produziu fatores opostos que se entrechocavam. Por um lado, a morte de um escravo exigia punição capital, de acordo com as demandas do sexto mandamento, por ser ele um *homem*. Por outro lado, um escravo era uma *propriedade*, e os direitos de propriedade pareciam proteger o homicida, que, ao mesmo tempo, era o *proprietário* do escravo. Como poderia ser resolvida a questão? O homicida precisava ser punido; mas essa punição era abrandada para assumir a forma de uma *multa*, em vez de punição capital. Mas se um escravo ferido conseguisse sobreviver por dois ou três dias ao espancamento sofrido, mesmo que viesse a morrer, seu senhor já teria sido castigado, mediante a *perda* de sua propriedade. E essa perda equivalia à multa proposta. Portanto, vemos que, em Israel, a morte provocada de um escravo não era considerada uma questão séria. E podemos pensar assim até mesmo em relação à matança de um escravo hebreu.

Se um escravo fosse ferido por seu proprietário, mas então se recuperasse, *nenhuma pena* era imposta ao proprietário. Na verdade, não se dava grande valor ao ser humano, antes da lei mosaica. Minhas fontes informativas não me dão qualquer informação sobre essa questão dentro do código de Hamurabi, embora houvesse uma lei acerca dos escravos, o que é mencionado nas notas sobre os vss. 26 e 27 deste capítulo.

21.22

וְכִֽי־יִנָּצ֣וּ אֲנָשִׁ֗ים וְנָ֨גְפ֜וּ אִשָּׁ֤ה הָרָה֙ וְיָצְא֣וּ יְלָדֶ֔יהָ וְלֹ֥א יִהְיֶ֖ה אָס֑וֹן עָנ֣וֹשׁ יֵעָנֵ֗שׁ כַּֽאֲשֶׁ֨ר יָשִׁ֤ית עָלָיו֙ בַּ֣עַל הָֽאִשָּׁ֔ה וְנָתַ֖ן בִּפְלִלִֽים׃

E ferirem mulher grávida. Está aqui em pauta uma briga entre homens que resultasse no ferimento de uma mulher grávida. Supostamente, tal mulher tentara separar os contendores. Um caso como esse mereceu atenção especial dentro da legislação mosaica. Cf. Deuteronômio 25.11. Mas se a mulher interferisse a fim de defender seu marido, e agarrasse o adversário por seus órgãos sexuais (presumivelmente infligindo-lhe um ferimento sério), então o castigo dela seria que uma de suas mãos seria decepada! Irmãos e irmãs, a lei mosaica era muito séria. Era mister que houvesse a intervenção da graça divina, em algum ponto!

E se o homem que lutava contra um marido chegasse a ferir uma mulher grávida, provocando um aborto, então o culpado teria que pagar uma multa, de acordo com um valor imposto pelo marido. No entanto, os juízes teriam que aprovar a quantia estipulada pelo marido. Se o vs. 23 prossegue a fim de mostrar maus resultados que seguiriam a isso, então parece que se tal mulher fosse morta em meio à briga, o culpado teria que ser executado. Mas alguns eruditos pensam que o vs. 23 deve ser ligado ao que vem em seguida, e não com este versículo, e daí pensam que visto que o homem matou acidental e/ou não-intencionalmente a mulher, tal homem não deveria ser executado. Nesse caso, as leis do homicídio involuntário (vs. 13) entravam em efeito. Talvez, se a mulher também viesse a morrer, então deveria ser imposta uma *multa mais pesada,* a fim de corrigir toda a situação. Na verdade, porém, os intérpretes judeus não chegaram nunca a um acordo quanto a esse ponto.

21.23-25

וְאִם־אָס֖וֹן יִהְיֶ֑ה וְנָתַתָּ֥ה נֶ֖פֶשׁ תַּ֥חַת נָֽפֶשׁ׃

עַ֚יִן תַּ֣חַת עַ֔יִן שֵׁ֖ן תַּ֣חַת שֵׁ֑ן יָ֚ד תַּ֣חַת יָ֔ד רֶ֖גֶל תַּ֥חַת רָֽגֶל׃

כְּוִיָּה֙ תַּ֣חַת כְּוִיָּ֔ה פֶּ֖צַע תַּ֣חַת פָּ֑צַע חַבּוּרָ֕ה תַּ֖חַת חַבּוּרָֽה׃ ס

A Lei de Talião. Ver no *Dicionário* o artigo intitulado *Lex Talionis*. Temos aqui a declaração clássica da retaliação olho por olho, dente por dente. Nesse caso, a punição era de acordo com a natureza do crime cometido, de maneira a mais literal possível. Ver também Levítico 24.19,20 e Deuteronômio 19.21 quanto a notas expositivas sobre essa lei. Tal lei provia uma retaliação em proporções exatas, evitando-se assim os exageros.

O termo "dano" (vs. 23) talvez aluda de volta ao vs. 22: um homem, em briga com outro homem, viria a ferir a mulher grávida deste, que viera em seu socorro. Se o ferimento não provocasse somente aborto, mas também a morte da mulher, então a lei determinava "vida por vida", a primeira declaração geral da *lex talionis*. E o culpado era executado. Nesse caso, a palavra "dano" aponta para a morte da mulher. Embora o culpado tivesse matado a mulher sem intenção de fazê-lo, visto ter a mulher grávida e seu filho ainda não-nascido, o caso se agravava tanto que passava a ser considerado como assassinato intencional.

Mas há estudiosos que pensam que o vs. 23 dá início a uma nova seção. Nesse caso, não há qualquer vinculação com o vs. 22. E, assim sendo, "vida por vida" passa a aludir à ideia de homicídio não-intencional, já discutido nas notas sobre o vs. 12, ideia que seria aqui considerada de maneira geral. Por conseguinte, a *lex talionis* começaria por crimes que merecessem punição capital.

Bons intérpretes têm visto a questão por um ângulo ou por outro. Mas mesmo que o vs. 22 esteja em pauta, a expressão "vida por vida" deve ser entendida como uma declaração geral de que o homicídio intencional precisava ser punido com a execução do culpado.

Alguns estudiosos cristãos pensam que o aborto é um *homicídio,* pois pensam que o texto presente indica que o aborto envolve a punição capital do culpado. Mas isso dificilmente concorda com o vs. 22. Se a mulher não fosse ferida, então o simples aborto (nesse caso, provocado) era punível mediante mera multa. Ver na *Enciclopédia de Bíblia, Teologia e Filosofia* o verbete intitulado *Aborto.* O aborto provocado será sempre considerado um crime sério. Mas se tem de ser classificado ou não como uma homicídio envolve uma complicação difícil de resolver.

A *lex talionis* é mais antiga que a legislação mosaica, e vestígios dessa antiga lei podem ser encontrados em muitas culturas e em muitos antigos códigos legais.

Olho por olho... A *lex talionis* requeria uma *retaliação exata.* A vantagem dessa lei é que ela evitava exageros na aplicação da punição. Neste versículo são enfocadas porções específicas do corpo humano: olho, dente, mão, pé. Se alguém prejudicasse um dente de outrem, seu dente seria prejudicado; se prejudicasse um pé, seu pé sofreria dano idêntico.

Mas também devemos ver neste versículo um uso metafórico. Os crimes precisam ser punidos com *precisão,* e não de forma leniente e nem exagerada. Tais castigos poderiam nada ter a ver com membros literais do corpo humano. Este versículo condena a leniência geral que caracteriza nosso moderno sistema judicial. Os vss. 26 e 27 voltam à questão dos escravos; e nesse caso, não havia aplicação da *lex talionis,* porque os escravos eram considerados propriedades, pelo que a lei era mais branda em seus castigos nos casos de ferimentos produzidos contra escravos. Os escravos não eram tratados como iguais e nem possuíam direitos iguais às pessoas livres. Mas entre seres humanos livres, a lei tinha aplicação estrita.

A *lex talionis* produziu a mutilação generalizada de muitas pessoas, porquanto impunha a aplicação da punição em proporções exatas aos danos causados em alguém. Por essa e outras razões, posteriormente buscaram-se alternativas para a *lex talionis*. E, então, a leniência na aplicação das penas veio a tornar-se a regra geral. Essa leniência, por sua vez, pode tornar-se tão acentuada que o criminoso nem mais chega a sentir o peso do castigo. De fato, em alguns países, como em nosso Brasil, chega-se a pensar que os direitos humanos, evocados em defesa dos culpados, esquecem totalmente as vítimas dos criminosos. Agora, espera-se que o pêndulo da justiça comece a pender de novo, paulatinamente, na direção contrária, e que os direitos das vítimas passem a ser melhor reconhecidos.

Jarchi e outros intérpretes judeus informam-nos que, quando a pena imposta era a perda de um olho, tal pena começou a ser substituída por uma multa correspondente ao *preço de um olho.*

A lei era regulamentada pelos anciãos que atuavam como juízes. Não era permitida a retaliação individual, da parte de pessoas particulares. Fica entendido, embora não seja dito francamente, que tais injúrias tinham sido infligidas *a propósito.* Não obstante, é perfeitamente possível que até mesmo danos infligidos acidentalmente eram cobertos pela *lex talionis*. Essa lei, embora aparentemente uma boa medida para assegurar a justiça, na prática permitia muitos abusos e absurdos. Como um *princípio,* entretanto, nos ministra uma lição necessária.

Queimadura... ferimento... golpe. Qualquer tipo de dano que um homem possa provocar em outro deveria ser castigado com um dano similar. Os Targuns dos judeus de novo pensam que a interpretação deve ser metafórica. Ou seja, uma *justa* retaliação deveria ser aplicada por meio de multas, como "o preço de uma queimadura" (Targum de Jonathan), ou coisa parecida. As Doze Tábuas da primitiva legislação romana continham itens assim. Favorino objetava à aplicação literal da retaliação. Como se poderia fazer um ferimento em alguém que correspondesse, exatamente, ao ferimento que se fizera contra alguém? (Apud. Gell. *Noct. Attic.* 1.20 c. 1). Na primitiva sociedade romana, os castigos eram negociados. Quando não se podia chegar a um acordo, então era aplicada a literalidade. Josefo falou em dinheiro pago pelo ferimento feito em um olho (*Antiq.* 1.4 c. 33,35).

21.26,27

וְכִֽי־יַכֶּ֨ה אִ֜ישׁ אֶת־עֵ֥ין עַבְדּ֛וֹ אֽוֹ־אֶת־עֵ֥ין אֲמָת֖וֹ וְשִֽׁחֲתָ֑הּ לַֽחָפְשִׁ֥י יְשַׁלְּחֶ֖נּוּ תַּ֥חַת עֵינֽוֹ׃ ס

וְאִם־שֵׁ֥ן עַבְדּ֛וֹ אֽוֹ־שֵׁ֥ן אֲמָת֖וֹ יַפִּ֑יל לַֽחָפְשִׁ֥י יְשַׁלְּחֶ֖נּוּ תַּ֥חַת שִׁנּֽוֹ׃ פ

A *Lex Talionis* não se aplicava aos humildes escravos, hebreus ou não. Se um homem fosse propriedade de outrem, havia para ele alguma proteção. Se um homem maltratasse um seu escravo, corria o perigo de perdê-lo, pelo que sofreria uma perda *financeira* porque também teria que comprar outro escravo. Danos sérios sofridos por um escravo podiam resultar em sua libertação. Provavelmente, muitos escravos anelavam por ser feridos gravemente, para que pudessem ser libertados. Os Targuns diziam que os membros principais do corpo são 24, e aplicavam a lei que temos à nossa frente a esses membros principais. Esses membros incluíam os dedos e os artelhos.

Na Babilônia, se uma *terceira* pessoa ferisse o escravo de outro homem, tinha que pagar uma multa ao proprietário, mas o próprio escravo não recebia qualquer compensação (código de Hamurabi, 199).

"Se essa lei não ensinava humanidade aos proprietários de escravos, pelo menos ensinava-lhes a cautela, pois um golpe inesperado podia privá-los dos futuros serviços de seus escravos, pelo que o *interesse próprio* forçava-os a usarem de cuidado no manuseio dos escravos" (Adam Clarke, *in loc.*).

■ **21.28,29**

וְכִי־יִגַּח שׁוֹר אֶת־אִישׁ אוֹ אֶת־אִשָּׁה וָמֵת סָקוֹל יִסָּקֵל
הַשּׁוֹר וְלֹא יֵאָכֵל אֶת־בְּשָׂרוֹ וּבַעַל הַשּׁוֹר נָקִי׃

וְאִם שׁוֹר נַגָּח הוּא מִתְּמֹל שִׁלְשֹׁם וְהוּעַד בִּבְעָלָיו וְלֹא
יִשְׁמְרֶנּוּ וְהֵמִית אִישׁ אוֹ אִשָּׁה הַשּׁוֹר יִסָּקֵל וְגַם־בְּעָלָיו
יוּמָת׃

Se algum boi chifrar. Os animais podem ser perigosos aos seres humanos, mesmo quando domesticados. O proprietário de gado era responsável pelos danos físicos causados por seus animais. O *boi* é aqui usado como ilustração, mas devemos entender qualquer outro animal. Também no código de Hamurabi (250-252) o boi é usado como ilustração. Mas se um animal não tivesse nunca atacado um ser humano, seu proprietário não precisaria pagar uma multa em caso de dano físico contra alguém. Tão somente o proprietário era acusado de *negligência*. E mesmo que não fosse acusado de negligência, ainda assim sofria a perda do animal, o qual teria de ser *apedrejado*. Essa maneira de abater o animal não permitia que seu sangue fosse devidamente drenado, pelo que não podia ser usado na alimentação dos israelitas. Se seu dono se tivesse mostrado negligente, então teria perdido o animal e enfrentado a pena de morte. Mas este último aspecto podia ser negociado mediante o pagamento de uma pesada multa, paga ao parente mais próximo (vs. 30). De acordo com as leis gregas e romanas, um boi perigoso era identificado amarrando-se feno em seus chifres, para que, ao vê-lo, as pessoas se mantivessem distantes dele (Plutarco, em *Crasso*; Horácio, *Sermão* 1, Satry. 4). Ver no *Dicionário* o artigo intitulado *Sangue*, que inclui a proibição do uso de sangue como alimento.

■ **21.30**

אִם־כֹּפֶר יוּשַׁת עָלָיו וְנָתַן פִּדְיֹן נַפְשׁוֹ כְּכֹל
אֲשֶׁר־יוּשַׁת עָלָיו׃

A punição capital podia ser evitada mediante negociação com os parentes da vítima. Eles decidiriam qual a quantia da multa. Essa quantia era usada como *resgate* pela vida da vítima. Podemos supor que essa multa era pesada, visto que o homem teria de enfrentar o sentimento de vingança de uma família irada. Talvez a provisão do vs. 22 tivesse aplicação aqui. *Juízes* arbitrariam o caso, se as partes envolvidas não chegassem a um acordo decente. Vários escritores judeus disseram que os juízes mediavam a questão toda, o que provavelmente reflete a prática resultante de abusos. Os *herdeiros* da pessoa morta recebiam o dinheiro. Se uma mulher tivesse sido a vítima, então o dinheiro ficava com a família do pai dela. Se um homem fosse morto, o dinheiro ficava com sua família imediata.

■ **21.31**

אוֹ־בֵן יִגָּח אוֹ־בַת יִגָּח כַּמִּשְׁפָּט הַזֶּה יֵעָשֶׂה לּוֹ׃

Pode-se fazer a distinção entre quanto custaria pagar o resgate se um filho ou uma filha fossem mortos. Uma filha poderia custar um pouco menos, por mais ridículo que isso nos possa parecer. Seja como for, pessoas *menores de idade* eram incluídas nessa lei. O Targum de Jonathan fazia essa lei aplicar-se somente a crianças hebreias, mas parece que originalmente a sua aplicação era universal, aplicando-se também a filhos de estrangeiros que vivessem em Israel.

■ **21.32**

אִם־עֶבֶד יִגַּח הַשּׁוֹר אוֹ אָמָה כֶּסֶף שְׁלֹשִׁים שְׁקָלִים
יִתֵּן לַאדֹנָיו וְהַשּׁוֹר יִסָּקֵל׃ ס

Se o boi chifrar um escravo, e este viesse a morrer, então o animal era apedrejado e não se podia consumir sua carne (como no vs. 29). Mas o proprietário do animal, negligente ou não (conforme é explicado no vs. 29), não podia ser executado. Simplesmente precisava pagar o preço de um escravo, trinta moedas de prata. Esse era o preço de mercado de um escravo. Desse modo, o senhor do escravo morto poderia obter outro escravo, e ninguém haveria de chorar muito porque um escravo havia sido morto. O código de Hamurabi incluía a mesma provisão. Contudo, o escravo tinha algum valor como pessoa, pois, de outra sorte, o boi não teria que ser apedrejado. Mas isso não servia de grande consolo.

Traído por Judas, o Senhor Jesus Cristo foi vendido por trinta moedas de prata (Mt 26.15; sobre isso comentei longamente no *Novo Testamento Interpretado, in loc.*). Não há como calcular quanto valeriam essas moedas de prata em termos modernos. Nos tempos do Novo Testamento, poderíamos calcular o preço envolvido, que poderia ser ganho por um trabalhador comum (o salário mínimo), em 120 dias de trabalho. Em outras palavras, um homem que ganhasse um salário modesto poderia ter de trabalhar por 120 dias a fim de adquirir tal importância. Mas é impossível calcular quanto valeriam, nos dias do Antigo Testamento, aquelas trinta moedas de prata.

Seja como for, a questão concernente a Jesus nos ministra uma lição espiritual. Jesus pagou um preço incalculável para poder libertar eternamente os pecadores; e até escravos foram igualmente postos em liberdade na cruz do Calvário.

■ **21.33,34**

וְכִי־יִפְתַּח אִישׁ בּוֹר אוֹ כִּי־יִכְרֶה אִישׁ בֹּר וְלֹא יְכַסֶּנּוּ
וְנָפַל־שָׁמָּה שּׁוֹר אוֹ חֲמוֹר׃

בַּעַל הַבּוֹר יְשַׁלֵּם כֶּסֶף יָשִׁיב לִבְעָלָיו וְהַמֵּת
יִהְיֶה־לּוֹ׃ ס

Um Outro Tipo de Negligência (ver o vs. 29) consistia em cavar uma cova que se tornaria um perigo para pessoas e animais que por ali passassem. A *cova* em foco poderia ser uma cisterna ou um poço, algo tão necessário que, sem dúvida, covas abertas eram algo frequente em qualquer redondeza. Ver no *Dicionário* os artigos intitulados *Cisterna* e *Poço*. A lei original era que o escavador negligente teria de substituir o animal perdido. Posteriormente, uma multa passou a ser paga, correspondente ao valor do animal. A carcaça do animal passava a pertencer ao homem negligente. É provável que, na antiguidade, o animal pudesse ser consumido como alimento, o que reduzia a perda. Depois, entretanto, quando foi proibida a ingestão de sangue, tal animal não podia ser comido, porque seu sangue não fora devidamente drenado. Ver Deuteronômio 14.21 quanto ao fato provável de que estrangeiros ou forasteiros na Terra Prometida não precisavam sujeitar-se a tais regras. O vs. 34 quase por certo projeta a ideia de que o animal podia ser comido, pois, de outra sorte, que vantagem haveria para a pessoa negligente ficar com a carcaça do animal? *Talvez* devamos entender que a necessidade de sepultar o animal morto (uma carga adicional) recaía sobre o culpado. Ver no *Dicionário* o artigo geral intitulado *Sangue*, que inclui proibições do uso do sangue como alimento. Ver essa proibição em Gênesis 9.4; Levítico 3.8 e 7.26.

Alguns eruditos pensam que a carcaça ficava com o proprietário, e não com o ofensor. Nesse caso, poderíamos somente pensar que sua carne era usada na alimentação. Mas outros estudiosos têm sugerido que o *couro* do animal podia ser usado, embora não a carne do mesmo. Isso reconciliaria a passagem com as referências onde a ingestão de sangue é proibida.

O animal morto será seu. Essas leis refletiam uma cultura agrícola, e também de criadores de gado. Nessas sociedades, animais domésticos eram os principais itens de propriedade. Outras perdas de propriedade ou abusos contra a propriedade tinham que ser compensados por atos *análogos*, visto que não havia leis específicas. Assim, o *decálogo* original (os Dez Mandamentos) foi submetido a um incrível desdobramento de leis e preceitos, alguns análogos e outros novos. Quanto a isso, ver a introdução ao capítulo 19 do livro de Êxodo.

■ 21.35

וְכִי־יִגֹּף שׁוֹר־אִישׁ אֶת־שׁוֹר רֵעֵהוּ וָמֵת וּמָכְרוּ אֶת־
הַשּׁוֹר הַחַי וְחָצוּ אֶת־כַּסְפּוֹ וְגַם אֶת־הַמֵּת יֶחֱצוּן׃

Temos aqui a *matança não-negligente* de um animal, por parte de outro animal. O animal matador, porém, não tinha história de violência contra outros animais. Nesse caso, seria mister fazer uma divisão cuidadosa dos prejuízos. O animal que matara o outro deveria ser vendido; e o dinheiro apurado deveria ser dividido em partes iguais. E o animal morto também deveria ser dividido, para servir como alimento, ou para que seu couro fosse vendido e o dinheiro apurado fosse dado aos dois proprietários envolvidos, em partes iguais (ver os comentários sobre os vss. 33,34). Desse modo os dois proprietários compartilhavam igualmente do prejuízo. Essa lei, naturalmente, tinha variantes. Se o boi morto tivesse maior preço que o boi matador, quando o boi morto fosse vendido, então o dono do boi matador teria que pagar a diferença de valor ao outro homem. Desse modo, a *justiça* era servida mediante uma sábia (e não literal) interpretação da lei.

■ 21.36

אוֹ נוֹדַע כִּי שׁוֹר נַגָּח הוּא מִתְּמוֹל שִׁלְשֹׁם וְלֹא
יִשְׁמְרֶנּוּ בְּעָלָיו שַׁלֵּם יְשַׁלֵּם שׁוֹר תַּחַת הַשּׁוֹר וְהַמֵּת
יִהְיֶה־לּוֹ׃ ס

Encontramos aqui o caso da *matança negligente* de um animal por parte de outro. O animal matador já tinha uma história de violência contra outros animais, mas seu proprietário nada fizera. Nesse caso, o proprietário do animal mal-humorado simplesmente tinha que pagar o preço total do animal morto, e a carcaça do animal morto também ficava com o proprietário que tinha sofrido o prejuízo. E o animal morto podia servir como alimento ou seu couro podia ser usado, conforme se vê nas notas sobre os vss. 33 e 34.

CAPÍTULO VINTE E DOIS

LEIS ACERCA DA PROPRIEDADE (22.1-15)

Ver a introdução geral ao capítulo 19 do Êxodo, que também tem aplicação aqui. O *decálogo* (os Dez Mandamentos) era a base do sistema judicial dos hebreus. Mediante aplicação, analogia e *multiplicação*, acabou surgindo todo um complexo sistema judicial ao qual conhecemos como legislação mosaica.

A seção que ora ventilamos (Êx 22.1-15) começa com as leis referentes ao furto. Esse ato pecaminoso é tratado de modo breve (vss. 1-4), sendo especificados somente três variedades: (1) Invasão de domicílio; (2) furto sem conversão em dinheiro; (3) furto com conversão em outros valores. Os princípios de devolução variavam desde o dobro até cinco vezes mais, dependendo do que era furtado e das circunstâncias do ato. Podia-se resistir à força a um invasor de domicílio, ou mesmo matá-lo (à noite), sem que isso importasse em culpa, embora não durante o dia. No caso de resistência à noite havia um caso de homicídio justificável, uma exceção ao sexto mandamento. Ver no *Dicionário* o artigo chamado *Homicídio*, bem como notas sobre o sexto mandamento, em Êxodo 20.13. Um ladrão que fosse pobre demais e não pudesse fazer restituição era simplesmente vendido como escravo.

Essas leis eram rigorosas, e seu intuito era coibir o furto. O código de Hamurabi era mais severo ainda, conforme vemos nos meus comentários mais abaixo.

Portanto, a legislação mosaica defendia vigorosamente *o direito à propriedade*.

■ 22.1

כִּי יִגְנֹב־אִישׁ שׁוֹר אוֹ־שֶׂה וּטְבָחוֹ אוֹ מְכָרוֹ חֲמִשָּׁה
בָקָר יְשַׁלֵּם תַּחַת הַשּׁוֹר וְאַרְבַּע־צֹאן תַּחַת הַשֶּׂה׃

Se alguém furtar. Temos aqui um caso de furto complicado. Em outras palavras, um homem furtava não por ser pobre, mas com o propósito de comer ou vender o animal. Havia algo de especialmente desagradável quando um homem matava um animal que tivesse furtado, e, pior ainda, quando o vendia. Se um homem se tornasse culpado de tal coisa, teria que devolver ao dono cinco bois por um boi furtado, e quatro ovelhas por uma ovelha furtada. Cf. 2Samuel 12.4. Nessa passagem a Septuaginta fala em *sete* animais devolvidos para cada animal furtado. O código de Hamurabi era ainda mais exigente. A taxa de restituição podia subir até trinta animais para cada animal furtado, e nunca era menor do que dez animais para cada animal furtado!

No extremo oeste norte-americano, os ladrões de cavalos eram executados, o que significa que ali a lei ainda era mais dura que o código de Hamurabi. Os cavalos eram o bem supremo. Outros animais eram menos valorizados.

A pesada compensação tinha por intuito deter o furto. Não é fácil impedir a ação de um ladrão astucioso, porquanto exprime corrupção interior em seus atos, e não apenas a esperança de ser menos pobre. Essa corrupção vai crescendo a tal ponto que o ladrão termina sendo também um homicida.

O boi tinha mais valor que a ovelha por ser um animal útil no trabalho pesado, e não somente por causa de sua carne e de seu couro. Os homens dependiam do boi nas lides do campo, de tal modo que sem esse animal indivíduos e até comunidades inteiras acabavam reduzidas a uma abjeta pobreza. Em consequência, o furto de um boi era vigorosamente combatido pela legislação mosaica.

Os antigos persas exigiam a restituição de quatro animais para cada animal furtado (Lib. Sheddar, apud *Hyde Relig. Vet. Pers.*, pág. 472). Pesadas retaliações tinham por escopo defender o direito à propriedade. Na antiga nação de Israel, os animais domésticos representavam as principais propriedades das *massas*. Somente os abastados possuíam coisas como ouro, prata, casas ornamentadas, carruagens etc.

■ 22.2

אִם־בַּמַּחְתֶּרֶת יִמָּצֵא הַגַּנָּב וְהֻכָּה וָמֵת אֵין לוֹ דָּמִים׃

Supõe-se aqui, como é costume dos ladrões, que eles atacariam à noite. Ninguém podia saber quais seriam suas intenções. Talvez abrigassem ideias homicidas no coração, e não somente o furto, pelo que poderiam matar alguém para obter o que quisessem. Portanto, era permitido defender a própria residência de um ladrão que a invadisse durante a noite. Um israelita tinha o direito de matar um ladrão invasor apanhado no ato da invasão. Ver as notas sobre o *sexto mandamento*, em Êxodo 20.13, que incluem informações sobre o *homicídio justificável*. Ver também no *Dicionário* o artigo intitulado *Homicídio*.

Não será culpado do sangue. Este versículo reconhece o direito de defesa do lar contra arrombadores e invasores. A palavra hebraica aqui traduzida por "arrombando" dá a noção do ato de *escavar uma parede*, sem importar se de uma casa ou de uma cidade. O ato, pois, era premeditado e potencialmente violento. Tal homem ficava sem o direito da proteção divina, por haver quebrado o código social. Não mais podia ser considerado um membro da sociedade. Antes, tornara-se um inimigo do bem público.

■ 22.3

אִם־זָרְחָה הַשֶּׁמֶשׁ עָלָיו דָּמִים לוֹ שַׁלֵּם יְשַׁלֵּם אִם־אֵין
לוֹ וְנִמְכַּר בִּגְנֵבָתוֹ׃

Por sua vez, um ladrão que atacasse durante o dia não era tido como um homicida em potencial, pelo que não deveria ser morto. Nesse caso, se fosse ferido, quem o ferisse seria considerado culpado de sangue.

Quem o feriu será culpado do sangue. Só podemos entender essas palavras como indicação de que um ladrão não podia ser ferido se atacasse durante o dia, e que quem o matasse seria culpado de homicídio e teria de ser executado. Os intérpretes, contudo, tentam evitar essa implicação, havendo aqueles que chegam a fazer emendas no texto para evitar essa conclusão lógica. Realmente, essa distinção entre ladrões que atacam à noite e ladrões que atacam de dia parece forçada demais. Talvez os ladrões hebreus não fossem tão perigosos quanto os modernos. Ou, então, devemos pensar que os ladrões que atacam de dia seriam o que hoje chamamos de descuidistas, que furtam pequenos objetos ou pequenas importâncias em dinheiro.

Outros intérpretes pensam que a *culpa do sangue* deve ser atribuída ao ladrão. Assim, um ladrão que atacasse de dia seria culpado, pelo que deveria ser punido, embora não executado. Quem o surpreendesse, pois, não deveria executá-lo. Nesse caso, não é dito o que sucederia a quem matasse um ladrão que atacasse de dia. Mas extrair tal sentido do texto sagrado requer uma incrível manipulação do hebraico original.

Fará restituição total. De acordo com os estatutos baixados: Se alguém furtasse um boi ou uma ovelha e, então, vendesse o animal furtado, teria que restituir cinco bois ou quatro ovelhas, conforme o caso. Mas se não os tivesse vendido, então teria de restituir dois animais para cada animal furtado. E fica entendido, embora não especificado, que outros animais furtados teriam que ser restituídos em dobro.

■ 22.4

אִם־הִמָּצֵא תִמָּצֵא בְיָדוֹ הַגְּנֵבָה מִשּׁוֹר עַד־חֲמוֹר
עַד־שֶׂה חַיִּים שְׁנַיִם יְשַׁלֵּם: ס

Pagará o dobro. Achamos aqui a lei da restituição em dobro. A propriedade furtada não havia sido vendida. Continuava na casa do ladrão, pronta a ser devolvida. O caso era fácil e simples. Nesse caso, o ladrão restituía em *dobro*. Caso não tivesse como fazer essa dupla restituição, então era reduzido à posição de escravo, para pagar pelo que tinha furtado, e mais alguma coisa, para aprender a abandonar tal vida de desonestidade. Os antigos persas requeriam uma quádrupla restituição. O código de Hamurabi era muito severo, requerendo até o máximo de trinta vezes mais do que o furtado, e nunca menos de dez vezes mais! A lei de Sólon, entre os gregos, também requeria uma dupla restituição (A. Gell. 1. 11. c.18). As restituições acima do valor furtado tinham por intuito impor uma pesada pena sobre a vida do ladrão, com propósitos refreadores e reformadores.

■ 22.5

כִּי יַבְעֶר־אִישׁ שָׂדֶה אוֹ־כֶרֶם וְשִׁלַּח אֶת־בְּעִירֹה וּבִעֵר
בִּשְׂדֵה אַחֵר מֵיטַב שָׂדֵהוּ וּמֵיטַב כַּרְמוֹ יְשַׁלֵּם: ס

Continuavam as leis acerca dos abusos contra a propriedade. Dar pasto aos animais custava dinheiro. Assim, talvez alguém achasse ser medida de esperteza fazer seus animais pastarem em terreno alheio. Mas isso também poderia ocorrer acidentalmente. Em ambos os casos estaria ocorrendo um pequeno furto. A restituição era cobrada da *melhor* parte da propriedade do ofensor, embora não se fale aqui em porcentagem. O código de Hamurabi (55 e 56) também condenava tais atos. Os ofensores tinham que pagar *multas*. Os intérpretes judeus também levavam em conta o dano que um animal poderia fazer enquanto estivesse solto no terreno de um vizinho qualquer. O ofensor também devia pagar por esses danos. Portanto, era punida a invasão de terreno alheio. Desse modo, a legislação mosaica defendia tanto o direito à propriedade quanto a integridade da propriedade.

■ 22.6

כִּי־תֵצֵא אֵשׁ וּמָצְאָה קֹצִים וְנֶאֱכַל גָּדִישׁ אוֹ הַקָּמָה אוֹ
הַשָּׂדֶה שַׁלֵּם יְשַׁלֵּם הַמַּבְעִר אֶת־הַבְּעֵרָה: ס

Se irromper fogo. Há pessoas que gostam de fogo. Crianças e adultos podem sentir-se fascinados pelas chamas. Há pessoas que fazem queimadas para limpar terrenos de escombros ou troncos caídos; mas existem aqueles que provocam incêndios por pura diversão doentia. Um homem que estivesse limpando num seu terreno mediante queimada podia perder o controle das chamas, destruindo assim as plantações de um de seus vizinhos. Isso acontecia (e até hoje acontece) com tanta frequência que a legislação mosaica precisou controlar tal abuso.

Uma negligência que causa prejuízo precisava ser punida. Assim, o ofensor de um incêndio desses teria que pagar pelo dano causado pelo fogo. Se um homem fizesse provisão para impedir a propagação das chamas, como levantar um muro com pelo menos 1,20 m de altura que separasse seu terreno do terreno contíguo, e mesmo assim o vento fizesse espalhar as chamas a esse outro terreno, então não era considerado culpado. Por igual modo, se as chamas saltassem por cima de uma estrada ou de um curso de água, não seria considerado culpado. Nesse caso, o incêndio era tido como um ato de Deus (*Bartenora* em Misn. Gittin. c. 5 sec. 1).

■ 22.7,8

כִּי־יִתֵּן אִישׁ אֶל־רֵעֵהוּ כֶּסֶף אוֹ־כֵלִים לִשְׁמֹר וְגֻנַּב
מִבֵּית הָאִישׁ אִם־יִמָּצֵא הַגַּנָּב יְשַׁלֵּם שְׁנָיִם:
אִם־לֹא יִמָּצֵא הַגַּנָּב וְנִקְרַב בַּעַל־הַבַּיִת אֶל־הָאֱלֹהִים
אִם־לֹא שָׁלַח יָדוֹ בִּמְלֶאכֶת רֵעֵהוּ:

Guarda de objetos de valor. Talvez um homem estivesse em viagem. Deixara algum dinheiro em casa e temia ladrões que poderiam tirar proveito de sua ausência. Como medida de segurança, entregara o dinheiro a um vizinho. Para sua consternação, o dinheiro foi roubado. Ou, então, o vizinho, cedendo à tentação, apossara-se do dinheiro e lançara a culpa sobre supostos ladrões. O homem que perdera o dinheiro poderia tentar descobrir a verdade, fazendo seu vizinho ser interrogado pelos juízes. Presumimos que se esse vizinho fosse culpado, então teria de fazer restituição em *dobro*. Mas se tal vizinho não fosse culpado de qualquer ato errado, não teria que fazer restituição do dinheiro roubado (vs. 11). E ao homem que perdera o dinheiro só restaria falar sobre sua má sorte, esperando que o futuro lhe fosse mais sorridente.

Também havia o problema das *falsas reivindicações*. Um homem poderia dizer que entregara certa importância a um vizinho, sem que isso fosse verdade. Casos assim teriam que ser julgados. Os juízes decidiriam, e *juramentos* seriam exigidos de ambas as partes (vs. 11). Supostamente, *Yahweh* haveria de *castigar* àquele que tivesse jurado falsamente, pelo que um homem com qualquer sensibilidade espiritual seria cauteloso quanto a questões assim. Há alguma evidência de que tais casos também podiam ser resolvidos por meio de *oráculos*. O oráculo diria quem estava dizendo a verdade. Todavia, o próprio texto silencia totalmente sobre essa possibilidade. Ver no *Dicionário* o verbete *Oráculos*.

Na Babilônia, a questão era regulamentada de forma mais completa. Aquele que ficasse encarregado da guarda de bens alheios munia-se de testemunhas e de uma espécie de contrato de inventário, garantindo assim a sua honestidade (código de Hamurabi 122). Ver 1Reis 8.31,32 quanto a *juramentos* geralmente feitos nessas ocasiões.

■ 22.9

עַל־כָּל־דְּבַר־פֶּשַׁע עַל־שׁוֹר עַל־חֲמוֹר עַל־שֶׂה
עַל־שַׂלְמָה עַל־כָּל־אֲבֵדָה אֲשֶׁר יֹאמַר כִּי־הוּא
זֶה עַד הָאֱלֹהִים יָבֹא דְּבַר־שְׁנֵיהֶם אֲשֶׁר יַרְשִׁיעֻן
אֱלֹהִים יְשַׁלֵּם שְׁנַיִם לְרֵעֵהוּ: ס

Propriedade Questionável e Negócios Fraudulentos. Este versículo parece levar em conta ambas essas possibilidades. Dois homens se diziam donos de um mesmo valor, como um animal ou qualquer outra coisa. Ou, então, um homem deixara um seu animal sob a guarda de outrem, e este outro acabava dizendo: "Este animal é meu". Ou, então, um homem, tendo perdido alguma coisa, acabava encontrando-a na posse de outra pessoa. Aquele que se apossara indevidamente da propriedade alheia não confessava voluntariamente o que tinha feito. Em todos os casos assim, a causa era levada à apreciação dos juízes, para que houvesse uma decisão justa. Alguém estaria faltando com a verdade. E o mentiroso, uma vez descoberto, tinha que pagar em dobro, para que aprendesse a não mentir e/ou furtar. Logo, este versículo cobre casos de custódia traída. Quem recebesse de um vizinho algo valioso teria de usar de um cuidado razoável com o que fora deixado sob sua custódia. E se fosse achado negligente, violando a confiança que nele manifestara o seu vizinho, então teria que lhe fazer restituição em dobro.

ATI ■ Êxodo   477

■ 22.10,11

כִּֽי־יִתֵּן֩ אִ֨ישׁ אֶל־רֵעֵ֜הוּ חֲמ֨וֹר אוֹ־שׁ֥וֹר אוֹ־שֶׂ֛ה וְכָל־בְּהֵמָ֖ה לִשְׁמֹ֑ר וּמֵ֛ת אוֹ־נִשְׁבַּ֥ר אוֹ־נִשְׁבָּ֖ה אֵ֥ין רֹאֶֽה׃

שְׁבֻעַ֣ת יְהוָ֗ה תִּהְיֶה֙ בֵּ֣ין שְׁנֵיהֶ֔ם אִם־לֹ֥א שָׁלַ֛ח יָד֖וֹ בִּמְלֶ֣אכֶת רֵעֵ֑הוּ וְלָקַ֥ח בְּעָלָ֖יו וְלֹ֥א יְשַׁלֵּֽם׃

Se alguém der a seu próximo a guardar. Continua a exposição de casos de custódia traída. Um animal entregue a outra pessoa, para ser guardado, era morto, ferido ou perdia-se. Ou a pessoa com quem o animal fora deixado alegava alguma dessas coisas acerca do animal, sem que isso fosse verdade, mas antes, apossara-se indevidamente do animal. A *verdadeira negligência* deveria ser punida, e os juízes determinariam qual a verdadeira natureza do caso. Todo furto teria de ser corrigido mediante restituição; e haveria um juramento em nome de Yahweh. Os juízes resolveriam se houvera furto ou não. Se aquele que tivesse guardado o animal provasse a sua inocência (por não ser culpado nem de desonestidade e nem de negligência), então sairia livre e não teria que pagar qualquer multa. Mas se houvesse razoável suspeita de furto, então haveria restituição. Em casos assim, a questão não dependia de confissão ou de falta de confissão, pois os juízes tinham autoridade para resolver quem estava dizendo a verdade, impondo aquilo que se julgasse justo, apesar de protestos que poderiam ser feitos. A perda poderia ter ocorrido por causa de furto (da parte do guardador), de acidente ou de má sorte. Os juízes, em cada um desses casos, decidiriam como resolver as queixas.

"O caso de animais deixados sob a guarda de outros repousava sobre o mesmo princípio relativo a bens deixados sob custódia de alguém. Todavia, leva-se em conta o fato de que animais podem morrer, ser feridos ou se perderem. Morte ou ferimento, por causas naturais, não envolviam qualquer obrigação" (J. Edgar Park, *in loc.*). Por outra parte, a negligência por parte do guardador requeria restituição.

■ 22.12

וְאִם־גָּנֹ֥ב יִגָּנֵ֖ב מֵעִמּ֑וֹ יְשַׁלֵּ֖ם לִבְעָלָֽיו׃

Se de fato lhe for furtado. O homem que deixara seu animal sob custódia de outro homem diria a este: "Por que você não teve cuidado com o meu animal?" O guardador poderia responder: "Não é culpa minha que o animal foi roubado. Não sou responsável pelos atos de algum ladrão". Temos aqui a explicação do modo de proceder em casos assim. O homem que recebera o animal é o responsável, porque deveria ter tomado providências cabíveis para proteger o animal e evitar que o mesmo fosse furtado. E se o animal fosse morto, ferido ou se perdesse, então a responsabilidade teria que ser determinada pelos juízes. Mas todo furto seria reputado um claro caso de negligência por parte dos guardadores.

■ 22.13

אִם־טָרֹ֥ף יִטָּרֵ֖ף יְבִאֵ֣הוּ עֵ֑ד הַטְּרֵפָ֖ה לֹ֥א יְשַׁלֵּֽם׃ פ

Outros Casos Duvidosos. Voltamos aqui para os tipos de casos dados nos vss. 10 e 11. Um homem poderia deixar um seu animal com um vizinho, e, então, uma fera poderia matar o animal. Se o guardador pudesse demonstrar, por meio de testemunhas e por partes da carcaça, que havia acontecido, então seria considerado inocente, pois quem poderia controlar os atos, digamos, de um leão? O caso só se tornaria *duvidoso* se não pudessem ser apresentadas provas de que o animal havia sofrido um desastre inevitável. Os intérpretes judeus complicavam um tanto essa lei ao dizerem que se *certos tipos* de animais matassem o animal guardado, então o guardador estaria livre. Esses animais eram o leão, o urso e o lobo. Nenhum homem poderia ser tido como responsável por atos *dessas* feras. Mas se o animal guardado fosse morto por um gato, uma raposa, um cão ou um furão, animais menores e menos perigosos, então o guardador teria que pagar pelo prejuízo. Presumivelmente, poderia ter impedido a ação *daqueles* animais. (Misn. *Bava Metzia*, c. 7, sec. 9). Nos casos onde não houvesse testemunhas, e nem carcaça, então a questão ficava na dependência de juramentos (vs. 11).

■ 22.14,15

וְכִֽי־יִשְׁאַ֥ל אִ֛ישׁ מֵעִ֥ם רֵעֵ֖הוּ וְנִשְׁבַּ֣ר אוֹ־מֵ֑ת בְּעָלָ֥יו אֵין־עִמּ֖וֹ שַׁלֵּ֥ם יְשַׁלֵּֽם׃

אִם־בְּעָלָ֥יו עִמּ֖וֹ לֹ֣א יְשַׁלֵּ֑ם אִם־שָׂכִ֣יר ה֔וּא בָּ֖א בִּשְׂכָרֽוֹ׃ ס

Se alguém pedir emprestado. Um homem poderia pedir emprestado um animal de seu vizinho. Talvez para fins de reprodução, ou para fazer algum trabalho. Talvez o animal tivesse sido *alugado*. O animal seria alugado por certa quantia em dinheiro, ou em troca de algum outro valor. Se o animal fosse ferido ou morto, e o proprietário não estivesse presente (para dar sua proteção ao animal), então quem o tivesse tomado por empréstimo teria de fazer restituição. Mas se o proprietário do animal estivesse presente no momento do incidente (podendo ter ajudado a impedir a ocorrência), então quem tivesse tomado o animal por empréstimo não precisaria fazer restituição. Ele já havia pago algo para usar o animal, e o que tivesse pago seria suficiente para o caso.

Os autores judeus davam outra interpretação que parece lançar alguma luz sobre estes versículos. Se um homem pedisse por empréstimo um animal de um vizinho, e o dono do animal viesse a trabalhar com seu animal, e algum dano fosse sofrido por esse animal, então não haveria responsabilidade por parte de quem o tomara por empréstimo. Digamos que o homem estava arando com a ajuda de seu animal, e estava recebendo dinheiro por isso. Se o animal morresse teria de contentar-se com o dinheiro que contratara e não poderia exigir restituição pelo animal. (*Maimon.* et *Barbenera*, Misn. *Bava, Metzia*, c. 8, sec. 1).

Ainda há uma terceira interpretação. Quem pedira o animal por empréstimo estava usando outro homem, contratado para fazer o trabalho com o animal (esse homem, fique claro, não era o proprietário). Se algum acidente atingisse o animal, então seu valor seria tirado do salário do homem contratado e, presumivelmente, entregue a quem o tivesse dado por empréstimo.

Alguns intérpretes limitavam o vs. 14 ao ato de *empréstimo*, sem que qualquer preço estivesse envolvido. E então limitam o vs. 15 ao ato de *tomar por empréstimo* um animal. Em casos simples de animais dados por empréstimo, então aquele que o tomasse por empréstimo seria responsável e teria de fazer restituição, se algo acontecesse ao animal. Em casos de animais tomados por empréstimo, visto que já havia sido pago dinheiro, aquele que o tomasse por empréstimo nada teria que pagar. Essa interpretação pode conter alguma verdade, mas não explica bem a questão envolvida, conforme mostrei acima.

LEIS CIVIS E RELIGIOSAS (22.16-31)

CONTRA A SEDUÇÃO DE VIRGENS (22.16,17)

Ver a introdução geral a Êxodo 19.1, que tem aplicação aqui. O *decálogo* original (ver no *Dicionário* o verbete *Dez Mandamentos*) serviu de base para a grande *multiplicação* de estatutos e preceitos que se veem por toda a legislação mosaica. De fato, esse desdobramento do decálogo é que constituiu a legislação mosaica, cuja exposição termina no livro de Deuteronômio, com intercalação de muitas porções históricas. Ver no *Dicionário* o artigo *Lei no Antigo Testamento*, seção IV, Lei.

A lei concernente à sedução de virgens conclui a seção anterior (as leis atinentes à propriedade), visto que a esposa e os filhos de um homem eram considerados sua propriedade. Mas essa lei também dá início à seção seguinte, por fazer parte de importantes leis civis, e não meramente da lei da propriedade. Uma filha virgem valia dinheiro para o seu pai, pois, ao casar-se ela, ele receberia bens e dinheiro por ela. Uma vez deflorada, porém, qual seria o valor dela? Já não teria mais valor, embora tivesse valor para outras coisas; mas nenhum pai haveria de querer perder o valor potencial de uma filha, só porque algum sujeito resolveu seduzi-la.

■ 22.16,17

וְכִֽי־יְפַתֶּ֣ה אִ֗ישׁ בְּתוּלָ֛ה אֲשֶׁ֥ר לֹא־אֹרָ֖שָׂה וְשָׁכַ֣ב עִמָּ֑הּ מָהֹ֛ר יִמְהָרֶ֥נָּה לּ֖וֹ לְאִשָּֽׁה׃

אִם־מָאֵן יְמָאֵן אָבִיהָ לְתִתָּהּ לוֹ כֶּסֶף יִשְׁקֹל כְּמֹהַר הַבְּתוּלֹת: ס

Em Israel, de uma jovem solteira sempre se esperava que fosse virgem. Por isso, a palavra hebraica para indicar *mulher jovem* (no hebraico, *alma*) também indicava virgem. Assim sendo, se uma mulher fosse solteira, automaticamente esperava-se que ela fosse uma virgem. Assim, se um homem seduzisse uma jovem solteira, teria deflorado uma donzela. Nesse caso, o homem poderia corrigir seu erro casando-se com ela, e dando a seu pai um dote compensador. Ver no *Dicionário* o artigo *Dote*, quanto a esse costume em Israel.

Contudo, se o pai da jovem não quisesse que sua filha tivesse um relacionamento com tal homem, ele tinha o poder de impedir o casamento. Nada é dito aqui se o sedutor não quisesse casar-se. É de presumir, nesse caso, que ele teria de pagar um pesado dote. De qualquer modo, a fim de impedir o casamento, o *dote* era a chave para a liberação do culpado. Nesse caso, o pai receberia o dinheiro e o homem ficaria livre.

Essa lei deve ter sido *altamente eficiente*. Um homem não seduziria levianamente uma jovem, porque: 1. Ele estaria forçando um casamento que talvez não quisesse. 2. Ele terminaria tendo de pagar o dote, se não quisesse casar-se com a jovem. 3. Se não agradasse ao pai da jovem, e este não quisesse o casamento de sua filha, então o sedutor teria que pagar o dote e ainda perderia a jovem, uma dupla derrota. Essa situação deve ser contrastada com os costumes modernos onde o sedutor não paga nada e onde o casamento é usado como chamariz, pois se uma jovem se deixar seduzir, o culpado nada pagará por seu erro.

O trecho de Deuteronômio 22.28 diz-nos que o preço que um sedutor teria de pagar era de *cinquenta* peças de prata, quase o dobro do preço de um escravo (ver Êx 21.32). Isso não representava muito dinheiro para um homem abastado, mas para um homem comum, era um preço elevado. Dentro do código assírio (A55), a questão era resolvida de igual maneira como se vê aqui, com a diferença de que o preço pago, em casos de sedução, era *três vezes maior* que o dote dado por ocasião do casamento.

Nos modernos países ocidentais, não há mais qualquer pena aplicável a casos de sedução. Em alguns casos, a *honra da família* procura forçar o casamento; mas esses casamentos forçados são precários. Casais que não se combinam já são tão abundantes que parece uma tolice forçar a um mau casamento por motivo de sedução. Ademais, a promiscuidade sexual anda tão comum hoje em dia que seria quase impossível provar que a jovem seduzida era, realmente, virgem.

Nesses versículos da Bíblia, fica entendido que uma não-virgem não tinha qualquer *valor de mercado*, pelo que não havia qualquer sanção legal contra um homem que seduzisse uma mulher não-virgem. Mas se um homem seduzisse uma virgem que estivesse noiva (ver também Dt 22.23), então tanto o sedutor quanto a seduzida seriam apedrejados. Mas se o caso tivesse envolvido violência sexual, então o homem era apedrejado, mas sua vítima ficava livre.

■ 22.18

מְכַשֵּׁפָה לֹא תְחַיֶּה: ס

A feiticeira. Ver informações completas a respeito no verbete *Feitiço, Feiticeiro*, no *Dicionário*. Nessa atividade espúria mais mulheres do que homens se envolviam, o que explica o termo no gênero feminino, neste versículo. A feitiçaria era tida como uma forma agravada de idolatria. Em primeiro lugar, havia aqueles *deuses* que estavam por detrás dos encantamentos das feiticeiras. Em segundo lugar, conforme se pensava, uma feiticeira ou bruxa estava ativamente envolvida com demônios (os deuses), a fim de realizar os seus propósitos.

Tudo isso fazia-se em competição a Yahweh, como violenta ruptura do proposto monoteísmo de Israel (ver no *Dicionário* os verbetes intitulados *Monoteísmo* e *Idolatria*). Ver Êxodo 22.20; 1Samuel 28; Jeremias 7.18; 44.15 quanto a como mulheres se envolviam nessas artes chamadas negras. Contudo, os trechos de Deuteronômio 18.10; Malaquias 3.5 e 28.3 mencionam feiticeiros. Essa forma de idolatria, talvez mais do que quaisquer outras, envolvia a *adivinhação* (ver a esse respeito no *Dicionário*). A despeito de todas as proibições, Israel nunca esteve livre desse problema; e algumas formas de feitiçaria foram incorporadas na fé religiosa de Israel, de uma maneira *aprovada*, segundo demonstro naquele citado artigo.

A feitiçaria usualmente consiste em uma forma religiosa que envolve ritos supersticiosos que tentam controlar os deuses e espíritos e prever o futuro. Porém, algumas vezes está envolvida mais do que a mera superstição. Muitos feiticeiros tentam prejudicar ou mesmo matar oponentes, reais ou imaginários. Esse é o fator que até hoje faz da bruxaria uma prática especialmente repelente. Grande parte da feitiçaria moderna é da modalidade chamada *branca*, a qual supostamente não envolve práticas odiosas e prejudiciais, pois até prega o amor ou a fraternidade entre os homens. Mas até hoje existe a modalidade da feitiçaria chamada *negra*.

As feiticeiras, em Israel, eram condenadas à *punição capital* (ver a respeito no *Dicionário*). Cf. o vs. 20.

Uma *aplicação moderna* das demandas do presente versículo, que levou as bruxas a serem executadas na fogueira ou perseguidas durante a Idade Média, na Europa e mesmo na Nova Inglaterra, ou parte norte-oriental dos Estados Unidos da América do Norte, está completamente fora de ordem, sendo essa opressão tão *ultrajante* quanto todos os ultrajes feitos pelas feiticeiras.

■ 22.19

כָּל־שֹׁכֵב עִם־בְּהֵמָה מוֹת יוּמָת: ס

A Bestialidade. Está em pauta aqui o coito com animais. Isso era visto pela lei mosaica como uma perversão tão grande que os culpados desse pecado não podiam continuar vivendo, mas antes, eram condenados à morte, provavelmente por apedrejamento. Ver no *Dicionário*, com esse título, um verbete com plenas informações sobre o assunto.

O Relatório Kinsey revelou que, nas áreas rurais, uma porcentagem assombrosa de homens se envolvem com atos de bestialidade, chegando a 40 ou 50% de toda a população, em certas áreas. E embora apenas 2% das mulheres se envolvam com atos dessa natureza, ainda assim o número de casos é muito alto. Cf. este texto com Levítico 20.15,16; Deuteronômio 27.21. As leis dos hititas continham proibições similares (II.187,199,200A). Mas o código de Hamurabi não menciona a questão.

Heródoto (*Hist.* ii.46) mencionou a prática entre os egípcios. E em Levítico 18.24, aprendemos que os cananeus eram dados à bestialidade. "O mais abominável dos crimes tornara-se ali lugar comum" (Adam Clarke, *in loc.*).

■ 22.20

זֹבֵחַ לָאֱלֹהִים יָחֳרָם בִּלְתִּי לַיהוָה לְבַדּוֹ:

Sacrifícios Ilegítimos. Sacrificar a deuses (ver no *Dicionário* o artigo intitulado *Idolatria*) requeria a pena de morte. Só Yahweh merecia a adoração dos seres humanos, incluindo a oferta de sacrifícios. Leis como essa tinham por intuito aniquilar totalmente quaisquer vestígios de idolatria em Israel. Mas a tarefa não era fácil. Os violadores sofriam o interdito sagrado (no hebraico, *herem*) e eram destruídos. Ver Deuteronômio 13.13-18. Este preceito está ligado ao *primeiro mandamento* (ver Êx 20.3,23). Execuções sagradas eram estendidas a cativos de guerra (1Sm 15.8 ss.). Seria muito prejudicial para o povo de Israel contar com a presença de idólatras.

Nos tempos modernos, este versículo tem servido de justificativa para guerras religiosas, em perseguições intermináveis que refletem apenas ódio e preconceito sectarista. Os deuses de uma religião são os demônios de outra religião; e em todo esse conflito o que mais sofre é a liberdade religiosa. Ver na *Enciclopédia de Bíblia, Teologia e Filosofia* os verbetes intitulados *Liberdade Religiosa* e *Tolerância*. É um erro estúpido tentar aplicar preceitos do Antigo Testamento aos tempos modernos. Isso não quer dizer que não devamos evitar os males aqui combatidos, mas longe de nós aquela violência! Jesus proibiu as execuções sagradas (ver Jo 8.53 ss.). A lei do amor, sob a dispensação do evangelho, tem por intuito *convencer*, e não matar as pessoas.

■ 22.21

וְגֵר לֹא־תוֹנֶה וְלֹא תִלְחָצֶנּוּ כִּי־גֵרִים הֱיִיתֶם בְּאֶרֶץ מִצְרָיִם:

Não afligirás o forasteiro. Temos aqui destacados os direitos dos estrangeiros em Israel. As pessoas receiam as coisas diferentes. O temor inspira a perseguição contra as pessoas e coisas que parecem diferentes. Os estrangeiros têm costumes diferentes, e isso os assinala como alvos da perseguição. Está especificamente em pauta aqui o *ger*, ou seja, o residente permanente que veio do estrangeiro, alguém que não é indígena ao lugar, e nem está ligado à população por laços étnicos. Ver Êxodo 23.9 quanto à mesma proibição, instrutiva porque o povo de Israel é assim lembrado que foi *ger* no Egito, onde os descendentes de Abraão foram tão cruelmente perseguidos. "Não faças a outros o que os egípcios fizeram contra ti". Presumivelmente o forasteiro, alguém que apenas estava de passagem em Israel, deveria receber tratamento igualmente humano.

"*A misericórdia mais ampla.* A injunção sempre reiterada de que Israel se mostrasse misericordioso para com os estrangeiros, as viúvas etc., testifica acerca das condições de miséria em que viviam os fracos e os incapazes em Israel. A base para essa caridade é de natureza religiosa, o que também sucedia em muitos códigos antigos, o que sugere que é historicamente verdadeiro que mais bem tem sido feito no mundo por aqueles que amam Deus do que por aqueles que amam somente o homem... Conforme Kierkegaard vivia insistindo, é quando contemplamos a Deus que tudo quanto é humano torna-se realmente humano" (J. Coert Rylaarsdam, *in loc.*).

"A justaposição de leis contra a opressão com leis acerca de três crimes do pior tipo parece ter o intuito de indicar que a opressão se acha entre os pecados mais odiosos aos olhos de Deus" (Ellicott, *in loc.*).

"Porque sou misericordioso", protesta o Senhor no vs. 27 deste capítulo. Assim sendo, ele requeria compaixão da parte do povo de Israel. Ver no *Dicionário* o artigo intitulado *Amor*.

■ 22.22

כָּל־אַלְמָנָה וְיָתוֹם לֹא תְעַנּוּן׃

Há algo que dá pena no caso de uma criança sem pais ou de uma mulher que perdeu o marido. E tanto mais na sociedade antiga, onde as mulheres tinham tão pouco meio de vida; e quantos homens desejavam casar-se com uma viúva, perdida a flutuar em uma sociedade indiferente? Portanto, a legislação mosaica tinha alguma provisão em favor das viúvas. Ver Deuteronômio 10.18,19. Não era completa essa provisão, mas ao menos, mantinha-as em vida. Acima de tudo, de acordo com a lei, ninguém podia perseguir ou afligir pessoas assim destituídas. O famoso código de Hamurabi conclui jactando-se que, com a ajuda dos deuses, ficava garantido que os poderosos não oprimiriam os fracos, e que se faria justiça às viúvas e aos órfãos. As leis romanas determinavam um guardião para cuidar de mulheres solteiras, facilmente exploradas por indivíduos inescrupulosos. E as viúvas não se saíam melhor do que as mulheres solteiras; e, se as viúvas tivessem filhos pequenos, pior ainda. Alguém ou alguma coisa tinha de proteger tais pessoas dos urubus morais.

Ver Deuteronômio 24.19-21 e Levítico 19.9,10 quanto a provisões específicas acerca das necessidades alimentares dos pobres. Ver também Dt 14.28,29 e 16.11-14 quanto a outras provisões. O trecho de Êxodo 23.11,12 menciona ainda uma outra provisão quanto às necessidades básicas dos tais.

■ 22.23

אִם־עַנֵּה תְעַנֶּה אֹתוֹ כִּי אִם־צָעֹק יִצְעַק אֵלַי שָׁמֹעַ אֶשְׁמַע צַעֲקָתוֹ׃

Yahweh prometeu ouvir o clamor dos oprimidos, e no caso dos órfãos e das viúvas, seus opressores seriam pesadamente castigados por ato divino. Devemos lembrar o poder que as *maldições* exercem sobre a mente dos hebreus. Para eles, as maldições não eram meras palavras, mas revestiam-se do potencial de prejudicar e até matar. Os vss. 23 e 24 atuam como uma espécie de maldição divina contra os opressores dos fracos. Contudo, nos dias de Jesus eram os líderes religiosos hipócritas os maiores opressores dessas pessoas carentes (ver Mt 23.14). Ver estas referências que contêm avisos contra os opressores dos fracos: Jeremias 5.28; 7.6; 22.3,17; Zacarias 7.20; Malaquias 23.14. Historicamente falando, a espada dos assírios, dos babilônios e dos romanos vingava-se dos opressores dos fracos.

■ 22.24

וְחָרָה אַפִּי וְהָרַגְתִּי אֶתְכֶם בֶּחָרֶב וְהָיוּ נְשֵׁיכֶם אַלְמָנוֹת וּבְנֵיכֶם יְתֹמִים׃ פ

A maldição de Yahweh surpreendeu os opressores quando os assírios e os babilônios varreram a Terra Santa, mas deve ter havido outros castigos mais imediatos. As muitas guerras de Israel deixaram muitos órfãos e muitas viúvas. E muitos dos homens mortos haviam sido opressores dos fracos. Ver no *Dicionário* o artigo intitulado *Cativeiro (Cativeiros)*. "Deus é o protetor dos indefesos aos olhos da lei: os estrangeiros (ou forasteiros), os órfãos, as viúvas e os pobres" (*Oxford Annotated Bible, in loc.*).

■ 22.25

אִם־כֶּסֶף תַּלְוֶה אֶת־עַמִּי אֶת־הֶעָנִי עִמָּךְ לֹא־תִהְיֶה לוֹ כְּנֹשֶׁה לֹא־תְשִׂימוּן עָלָיו נֶשֶׁךְ׃

Empréstimos sem Juros. Um dos benefícios desfrutados pelos pobres, em Israel, é que eles podiam fazer empréstimos sem ter de pagar juros. Eu mesmo tenho emprestado dinheiro a muitas pessoas, e quase nunca pedi de volta o capital, quanto menos os juros. Há algo de obsceno nisso de cobrar juros. No entanto, para algumas pessoas, a cobrança de juros tornou-se um investimento financeiro. Nesses casos, a taxa de juros deve ser justa, e não exorbitante. O fato de que a lei de Moisés precisou regulamentar a questão mostra-nos que, com frequência, as taxas de juros eram extorsivas. Cf. este texto com Levítico 25.35-38; Deuteronômio 15.8-11; 23.19,20. Havia estatutos, é claro, que regulamentavam o empréstimo de dinheiro entre os hebreus. Essas leis, todavia, não se aplicavam aos "estrangeiros". Nesses casos, a *bondade pessoal* de um indivíduo teria de contrabalançar a tendência natural para a cobiça. A lei não fazia exigências. Ver no *Dicionário* o artigo chamado *Crédito, Credor*.

Um Jogo de Palavras. No hebraico, o termo "usura" é *neshech*, relacionado ao verbo *nashach*, "morder". Uma expressão em português fala em "dar uma mordida" em alguém, quando uma pessoa quer pedir dinheiro por empréstimo de alguém, sem verdadeira necessidade, valendo-se de uma relação de parentesco ou de amizade, como quando um jovem pede dinheiro de seu pai somente para ter o que gastar. Para os pobres, ser vítima da usura era como ser picado por uma serpente. Alguns fariseus amavam o dinheiro, e não titubeavam em explorar o próximo (Lc 16.14).

■ 22.26

אִם־חָבֹל תַּחְבֹּל שַׂלְמַת רֵעֶךָ עַד־בֹּא הַשֶּׁמֶשׁ תְּשִׁיבֶנּוּ לוֹ׃

Se... tomares em penhor. Uma pessoa paupérrima praticamente não tinha nada para dar como garantia pelo empréstimo pedido. As vestes de uma pessoa, nesse caso, podiam ser sua possessão mais valiosa, digamos a capa externa. Nesse caso, tal capa podia ser dada como penhor. Mas a capa só poderia ser retida até o cair do sol, porquanto o indivíduo pobre provavelmente teria de usá-la para aquecer-se durante a noite. Cf. Deuteronômio 24.10-13; Jó 22.6. Nesse caso, provavelmente o costume era que, a *cada dia*, a capa era entregue àquele que fizera o empréstimo, mas *à noite*, a capa era devolvida ao seu dono, a fim deste poder proteger-se do frio.

■ 22.27

כִּי הִוא כְסוּתֹה לְבַדָּהּ הִוא שִׂמְלָתוֹ לְעֹרוֹ בַּמֶּה יִשְׁכָּב וְהָיָה כִּי־יִצְעַק אֵלַי וְשָׁמַעְתִּי כִּי־חַנּוּן אָנִי׃ ס

A capa era uma possessão valiosa, não somente por ser um artigo bastante caro, mas também porque era continuamente usada para obtenção de conforto físico e proteção. Logo, revestia-se de um valor utilitário, e não tanto monetário. Como poderia um homem dormir se tiritasse de frio? A capa externa era a resposta. E quem emprestasse dinheiro a um homem pobre podia tirar-lhe também esse pequeno conforto. Bastava que o pobre fosse relembrado, a cada dia, de que estava em dívida, quando tivesse de entregar novamente a sua capa na manhã seguinte. O próprio Yahweh haveria de ouvir os clamores de uma pessoa que fosse explorada, como no caso de órfãos e de viúvas (vss. 23,24). Essa proibição, pois, adicionava o tempero da compaixão nos negócios financeiros entre indivíduos.

■ 22.28

אֱלֹהִים לֹא תְקַלֵּל וְנָשִׂיא בְעַמְּךָ לֹא תָאֹר׃

Contra a Blasfêmia e os Insultos. Algumas traduções dizem aqui *deuses*, em lugar de *Deus*. No primeiro caso, então muito provavelmente devemos pensar nos governantes civis ou autoridades de qualquer tipo. No hebraico, o termo usado é *elohim*, um termo que está no plural, e a referência mais provável é ao Deus de Israel. Ver no *Dicionário* o artigo que explica o sentido dessa palavra. O que *não* pode estar em vista são os *deuses falsos* e os ídolos dos pagãos. Cf. Levítico 24.15,16; 2Samuel 16.9; 1Reis 2.8,9; 21.10. A blasfêmia era punida por meio do apedrejamento. Amaldiçoar um governante também era tido como crime capital, pelo menos durante o período monárquico em Israel (2Sm 16.9; 1Rs 2.8,9).

A Septuaginta, a Vulgata Latina e vários intérpretes judeus, incluindo Josefo (*Antiq. Jud.* iv.8, par. 10), dizem aqui *deuses*. E a isso Josefo acrescentou que os israelitas tinham tanto cuidado para não ofender a divindade que se abstinham até de amaldiçoar os deuses dos pagãos. Mas se assim se dava com alguns israelitas, há provas abundantes em contrário. Ver 1Reis 18.27; Salmo 115.4-8; 135.15-18; Isaías 41.29; 44.9-20; Jeremias 10.11-15. "Os deuses dos pagãos eram *insultados* uniformemente com o maior escárnio" (*Ellicott, in loc.*).

Os governantes eram considerados representantes de Deus, pelo que podiam ser chamados de *elohim*. Mas nem *Elohim* e nem os *elohim* podiam ser vilipendiados. Esse estatuto, pois, combatia a rebeldia e a sedição, defendendo a paz e o respeito às autoridades civis. Lembremo-nos que Israel vivia sob uma *teocracia*, por meio da lei mosaica. *Essa* forma de governo exigia o devido respeito pelas autoridades. Ver no *Dicionário* o artigo chamado *Teocracia*.

■ 22.29

מְלֵאָתְךָ וְדִמְעֲךָ לֹא תְאַחֵר בְּכוֹר בָּנֶיךָ תִּתֶּן־לִי׃

Achamos aqui o costume das partilhas nas sociedades agrícolas. A casta sacerdotal sobreviveria sustentada pelas demais castas, para que se dedicasse totalmente aos seus serviços religiosos. Esse sistema das "primícias" acabou sendo substituído pelo sistema dos "dízimos". Ver no *Dicionário* o verbete chamado *Dízimo*. Ver as notas em Deuteronômio 14.22; 26.1-12 quanto a detalhes da lei das primícias.

O primogênito de teus filhos. Ver no *Dicionário* o artigo intitulado *Primogênito*, além de notas adicionais acerca dessa instituição nas notas sobre Êxodo 12.1 e nas notas introdutórias sobre Êxodo 13.1,2. Na época da páscoa, eram combinadas *três* festividades: a páscoa, os pães asmos e as leis sobre os primogênitos. O trecho de Números 3.40-51 mostra-nos como, posteriormente, os primogênitos de Israel foram substituídos pela casta sacerdotal, que se ocuparia do culto religioso especial e formal. "De acordo com as crenças antigas, a consagração dos primogênitos dos homens e dos animais a Deus, como o doador da fertilidade, era algo necessário para uma contínua prosperidade e bem-estar (Êx 22.29,30; Lv 27.26,27; Nm 3.13; 8.17,18; 18.15)" (*Oxford Annotated Bible*, sobre Êx 13.1). Até hoje os judeus observam a instituição sobre os primogênitos ao décimo-terceiro dia de vida de um primeiro filho. Isso tornou-se um *memorial* de como Deus poupou os primogênitos de Israel, face ao Destruidor, que matou os primogênitos dos egípcios. Naturalmente, temos aqui um tipo de Cristo, o Primogênito da nova dispensação, o qual foi separado para ocupar-se de sua missão especial, em benefício de toda a humanidade. Ver João 3.16; 1João 3.3. Ver também Hebreus 12.23 quanto à Igreja como os primogênitos; e também Romanos 8.29 e Colossenses 1.15,18 acerca de Cristo como o Primogênito.

Formas de redenção, mediante as quais a lei dos primogênitos se cumpriu, são mencionadas em Êxodo 12.1,2,11-16. Ver as notas sobre a *redenção dos primogênitos* em Êxodo 13.13.

"Os filhos eram dedicados a Deus aos oito dias de idade, quando era pago o dinheiro da redenção (Êx 13.13). Os filhotes primogênitos do gado vacum e do gado ovino eram sacrificados" (John D. Hannah, *in loc.*). É possível que o costume mais primitivo entre os semitas também envolvesse sacrifícios humanos, e não meramente de animais. Dessa forma radical, pois, primogênitos humanos eram consagrados a Deus ou aos deuses. Essa prática foi descontinuada entre os filhos de Israel, e assim os primogênitos humanos eram remidos a fim de não serem executados. Essa redenção importava em uma total consagração a Deus para prestação de serviços religiosos, ou, por assim dizer, era uma *morte* para o mundo. Ver Ezequiel 20.26 e Miqueias 6.7 quanto a referências ao antigo costume da execução dos filhos primogênitos em honra a alguma divindade.

■ 22.30

כֵּן־תַּעֲשֶׂה לְשֹׁרְךָ לְצֹאנֶךָ שִׁבְעַת יָמִים יִהְיֶה עִם־אִמּוֹ בַּיּוֹם הַשְּׁמִינִי תִּתְּנוֹ־לִי׃

Esse mesmo estatuto requeria que os filhotes machos primogênitos da vaca e da ovelha fossem oferecidos a Deus em seu oitavo dia de vida. Essa oferenda tomava a forma de uma refeição sacrificial da qual Yahweh participava (embora sob forma invisível). "A provisão de que isso deveria ser feito ao oitavo dia de vida do animal impossibilita que esse rito e a páscoa sejam confundidos como se fossem um rito só. Os primogênitos de todos os animais, exceto da vaca e da ovelha, podiam ser remidos (Nm 18.15-17)" (J. Coert Rylaarsdam, *in loc.*). Ver Levítico 22.27. As mães desses filhotes podiam ficar com os mesmos, para nutri-los. Mas dentro de oito dias, tais filhotes eram sacrificados. Os meninos israelitas eram circuncidados ao oitavo dia de vida; mas os filhotes daqueles animais eram mortos e comidos. Feliz foi o dia em que Cristo veio e anulou todas essas antigas leis, elevando o entendimento dos homens e as suas práticas religiosas a um novo patamar.

Na prática, os animais eram sacrificados a Deus até o seu trigésimo dia de vida (Misn. *Trumot*, c. 3 sec. 6).

■ 22.31

וְאַנְשֵׁי־קֹדֶשׁ תִּהְיוּן לִי וּבָשָׂר בַּשָּׂדֶה טְרֵפָה לֹא תֹאכֵלוּ לַכֶּלֶב תַּשְׁלִכוּן אֹתוֹ׃ ס

Homens consagrados. Aqueles que obedecessem a todas as leis dadas, sem qualquer reserva, assim identificando-se com Yahweh e suas revelações, através da legislação mosaica. Está em vista principalmente a santidade ritual e cúltica, mas deve-se supor que algo de vital também fora feito para modificar para melhor a natureza espiritual desses homens.

Carne dilacerada. Um antigo costume dos pastores era não comer carne de animais mortos pelas feras. Para eles, isso era um *tabu*. A legislação mosaica dava uma razão para isso. Os animais mortos assim não tinham seu sangue drenado de sua carne como era devido. Ver no *Dicionário* o artigo intitulado *Sangue*. Dou ali informações sobre essa questão da proibição da ingestão de sangue. A ingestão de sangue tornava uma pessoa cerimonialmente impura, ou seja, ritualmente, *não santificada*. Ver Levítico 7.24-27; 17.15 quanto à proibição atinente ao sangue, à carne de animais despedaçados por feras e à gordura. Os violadores eram *cortados*: executados ou expulsos? Provavelmente está em pauta a execução por apedrejamento. Ver no *Dicionário* o verbete intitulado *Apedrejamento*.

Essa carne era servida aos *cães*. Em Israel não se permitia que estrangeiros ou forasteiros comessem carne com o seu sangue. Para os israelitas, isso era uma abominação. O primeiro concílio da Igreja frisou que até os gentios que se converteessem deveriam abster-se de comer sangue. Ver Atos 15.20,29. Acreditava-se que a *vida* está no sangue, de alguma maneira misteriosa, mas sem que estivessem falando sobre a alma. Ver Levítico 17.11. De acordo com essa crença, no sangue acha-se um princípio vital e, para a mente dos hebreus, comer sangue era uma blasfêmia, pois Deus era o autor desse princípio vital. E não se podia profanar o sangue tornando-o um artigo da alimentação humana.

CAPÍTULO VINTE E TRÊS

O TESTEMUNHO FALSO E A INJÚRIA (23.1-5)

Ver a introdução geral à seção de Êxodo 19.1, cujas notas se aplicam também aqui. O *Decálogo* (ver no *Dicionário* sobre os *Dez Mandamentos*) foi sendo desdobrado em muitos estatutos e preceitos, diretamente ou por analogia, até tornar-se uma grande massa de leis, a totalidade das quais se tornou a legislação mosaica. Ver nos Artigos Introdutórios, no primeiro volume desta obra, o artigo *Lei no Antigo Testamento*, em sua quarta seção, *Lei*. Parte desse desdobramento teve lugar na seção à nossa frente. O próprio Pentateuco, em certo sentido, é o desdobramento ou multiplicação do princípio da lei, conforme Moisés o consolidou. Os vss. 1-9 desta seção expandem o nono mandamento (dado e anotado em Êx 20.16). Na comunidade teocrática deveria haver uma justiça imparcial. Israel não podia perverter a justiça, visto que a justiça vem de Yahweh, o Deus justo. As leis foram dadas a fim de criar *atitudes morais* e não meramente impor certas proibições. Aquele que não exibe uma atitude moral apropriada não se importará em cumprir as imposições da lei. Isso equivale a dizer que é mister que, primeiramente, o indivíduo tenha a lei implantada em seu coração, antes que queira fazer o que é certo. Nos vss. 1-9, sem embargo, não são mencionadas penalidades, ainda que, sem dúvida, houvesse penas previstas. Antes, há ensinos morais cujo intuito é tocar nos corações humanos.

■ 23.1

לֹא תִשָּׂא שֵׁמַע שָׁוְא אַל־תָּשֶׁת יָדְךָ עִם־רָשָׁע לִהְיֹת עֵד חָמָס: ס

O nono mandamento (ver as notas em Êx 20.16) é aqui repetido em sua essência e forma. Ver Deuteronômio 19.16-21 quanto a penas aplicadas a tais atos. Deveria ser aplicada a *Lex Talionis* (Dt 19.21). Ver no *Dicionário* sobre essa lei. Não devemos receber, nem dar crédito, nem promover falso testemunho, pessoal ou formalmente, em tribunal. Ver no *Dicionário* o verbete *Mentir (Mentiroso)*. Minhas notas incluem um excelente poema ilustrativo quanto à veracidade com que devemos falar. Ver na *Enciclopédia de Bíblia, Teologia e Filosofia* o artigo *Linguagem, Uso Apropriado da*.

■ 23.2

לֹא־תִהְיֶה אַחֲרֵי־רַבִּים לְרָעֹת וְלֹא־תַעֲנֶה עַל־רִב לִנְטֹת אַחֲרֵי רַבִּים לְהַטֹּת:

Não seguirás a multidão. Existe a injustiça coletiva. Quão fácil é que um indivíduo, influenciado pela psicologia de multidão, venha a praticar um ato de injustiça; ou, então, sob influência externa, venha a entrar em um tribunal e prestar falso testemunho contra um homem inocente. Este versículo proíbe tais atos, e assim aplica a essência espiritual do nono mandamento. Um homem deve ter a coragem de agir com independência, prestando testemunho ou agindo em harmonia com suas próprias convicções. A vontade da multidão, sem essa independência, pode ser confundida com a justiça. O Salmo 15 é uma espécie de comentário detalhado desses princípios. Há um ditado popular que diz: "A voz do povo é a voz de Deus". Mas isso reflete apenas uma farsa. Jó ufanou-se de que ele não temia as multidões (Jó 31.34). Davi queixou-se da multidão injusta que o vexara (Sl 3.6). Os profetas sempre tiveram que se opor às multidões. Ver Mateus 7.13,14: a opinião popular conduz à destruição. O homem verdadeiramente espiritual usualmente torna-se impopular, exatamente por esse motivo.

■ 23.3

וְדָל לֹא תֶהְדַּר בְּרִיבוֹ: ס

Nem com o pobre serás parcial. Usualmente, o *favoritismo* é provocado pelo interesse próprio. Os ricos são dotados de poder. Como "dinheiro é direito", conforme muitos pensam, quem é rico está sempre com a razão. Trasímico, um antigo filósofo sofista da Grécia, disse: "quem tem poder está com o direito". O dinheiro fala alto, e ninguém consegue escapar da potente voz das riquezas. Os criminosos ricos escapam com sentenças leves, ou mesmo sem qualquer sentença; mas os ofensores pobres dificilmente escapam à condenação. Deus não respeita pessoas (Dt 10.17; At 10.34). Ver o *ser humano*, que não se caracteriza especialmente por sua piedade.

Parcial. Parece ser esse o sentido do termo hebraico original correspondente, indicando o caso oposto do que foi indicado acima. Um homem pobre poderia provocar a compaixão de um juiz, o qual julgaria então em favor do pobre, apesar deste ser culpado. Porém, em vista disso não parecer harmonizar-se à experiência humana comum, alguns eruditos têm proposto emendas ao texto. Uma delas entende que a palavra *pobre* significa *grande*, o que, no hebraico, exige apenas uma pequena alteração na palavra em pauta. Mas o vs. 6 retorna à ideia do homem *pobre*, afirmando o outro lado da moeda: abusos contra o homem pobre. Isso posto, parece que o ensino aqui é que o fato de um homem ser rico ou pobre em nada deveria influenciar a aplicação da justiça — se pobre, não deveria ser nem favorecido e nem prejudicado (ver a justaposição existente nos vss. 3 e 6 deste capítulo).

■ 23.4

כִּי תִפְגַּע שׁוֹר אֹיִבְךָ אוֹ חֲמֹרוֹ תֹּעֶה הָשֵׁב תְּשִׁיבֶנּוּ לוֹ: ס

Se encontrares... lho reconduzirás. Está aqui em pauta a questão de uma propriedade perdida. A mente humana não regenerada supõe que qualquer objeto perdido automaticamente pertence àquele que o achou. Dificilmente os homens fazem anúncios dizendo que algo foi achado e está à disposição de seu legítimo proprietário. Um motorista em São Paulo, Brasil, chegou a ser entrevistado por mais de uma vez, pela televisão, por ter achado e procurado devolver uma pasta cheia de dinheiro, ao seu proprietário. Mas quantos motoristas de táxi retêm o dinheiro achado e esquecem a entrevista pela televisão! Conheço um homem que só cometeu um deslize em sua vida no que tange a dinheiro. Um caixa de banco lhe deu dinheiro a mais ao descontar um cheque, e o homem, embora tivesse percebido o equívoco do outro, nada disse. Mas tendo sido sempre um homem honesto no tocante a dinheiro, sentiu remorso por esse ato, durante muitos anos a fio. Mas quem se preocupa com pequenas coisas assim? Afinal, os bancos sempre têm muito dinheiro. Quando um caminhão carregado sofre um acidente e a mercadoria se espalha pela estrada, a população que mora nas imediações atira-se à carga como um bando de abutres, para pilhar os bens. E alguns ainda comentam: "Mas por que não? A companhia perdeu muito dinheiro!"

Na antiga sociedade agrícola de Israel, o jumento era um animal de valor inferior ao de um boi. Mesmo assim, era valioso. Se viesse a perder-se, seu dono, sem dúvida, o procuraria por toda a parte; mas em muitos casos não o achava, porque alguém teria achado o animal e o teria ocultado. E a única coisa que o proprietário poderia fazer em um caso assim seria resolver que teria mais cuidado na próxima vez. Uma perda material pode entristecer o coração de um ser humano. A propriedade alheia, pois, deve ser respeitada pelo homem espiritual. O amor requer uma atitude responsável. Ver Deuteronômio 22.1-4.

A lei expressa neste versículo mostra-se sensível para com as necessidades humanas, pois até mesmo o jumento de um *inimigo* precisa ser devolvido, quanto mais se fosse de outro homem qualquer! Agir de modo benévolo é melhor do que ficar mais rico. Qualquer indivíduo espiritual reconhece isso.

■ 23.5

כִּי־תִרְאֶה חֲמוֹר שֹׂנַאֲךָ רֹבֵץ תַּחַת מַשָּׂאוֹ וְחָדַלְתָּ מֵעֲזֹב לוֹ עָזֹב תַּעֲזֹב עִמּוֹ: ס

O homem espiritual deve mostrar-se bondoso até mesmo para com um *animal* de um inimigo, para nada dizer acerca do próprio inimigo. Assim, se perceber que o animal está sobrecarregado sob o peso da carga, ao ponto de não poder erguer-se, deve ajudar o pobre animal. Com isso concordam as palavras de Jesus: "Amai os vossos inimigos e orai pelos que vos perseguem" (Mt 5.44). Entrementes, achamos difícil ao menos *tolerar* nossos inimigos e vizinhos!

"*Misericórdia pelo homem e pelos animais*. Este capítulo todo extravasa de gentileza e consideração pelo próximo, ao encarecer o amor até aos inimigos de uma pessoa (vss. 4,5), o que mostra que Mateus 5.42 estava refletindo uma escola de pensamento e uma doutrina antiga, que ensinam que devemos mostrar consideração até mesmo pelos animais. E isso, por sua vez, mostra-nos que as famosas últimas palavras do livro de Jonas não são sui generis. E também nos faz lembrar a inclusão de animais na cena histórica de Belém" (J. Coert Rylaarsdam, *in loc.*).

Conheço um homem que sente a compulsão de libertar insetos apanhados em alguma situação difícil, na água ou em construções humanas. Assim, por exemplo, ele abre uma janela e permite que escape uma borboleta; ou cuida para que um passarinho engaiolado seja posto em liberdade. Nosso Pai celeste interessa-se até por um insignificante pardal (Mt 10.29). Faz parte da espiritualidade ter compaixão até mesmo das mais insignificantes criaturas de Deus. Em contraposição, é uma das características das culturas primitivas deleitar-se na tortura de animais.

DEVERES DOS JUÍZES (23.6-9)

Ver a introdução ao primeiro versículo deste capítulo quanto a comentários que se aplicam também a esta breve seção.

23.6

לֹא תַטֶּה מִשְׁפַּט אֶבְיֹנְךָ בְּרִיבֽוֹ׃

Não perverterás o julgamento. Isso condena o favoritismo. Um homem pobre nem deveria ser favorecido (vs. 3), em face de compaixão mal aplicada da parte de um juiz, e nem deveria sofrer abuso por ser homem sem influência e de pequena importância na sociedade (vs. 6). Ver as notas sobre isso no vs. 3, que também se aplicam aqui. Os pobres também faziam parte integrante da teocracia de Israel. E os juízes, poderosos e temidos aos olhos dos homens, eram pessoas como outras quaisquer, aos olhos de Deus. Ver Deuteronômio 24.17; 27.19; Jeremias 5.28. Deus é o Juiz de todos, o protetor dos pobres, defensor ágil das viúvas, aquele que se compadece dos órfãos (Êx 22.22-24).

23.7

מִדְּבַר־שֶׁקֶר תִּרְחָק וְנָקִי וְצַדִּיק אַל־תַּהֲרֹג כִּי לֹא־אַצְדִּיק רָשָֽׁע׃

Falsa acusação. Os caluniadores e outros que gostam de acusar falsamente o próximo deveriam ser considerados indivíduos desprezíveis. Os israelitas, pois, são aqui advertidos a não aceitar denúncia de maneira leviana. As acusações deveriam ser sopesadas, comprovadas por evidências. Um juiz responsável não deveria permitir que um cidadão fosse prejudicado por um processo legal injusto e descabido. Sob nenhuma circunstância Deus justifica o homem desonesto e violento que se lança a campo para prejudicar seus semelhantes. Portanto, os juízes deveriam agir segundo o exemplo divino, e não segundo as perversões humanas. A fim de agradar um homem rico, um juiz pode tomar partido em favor do tal, prejudicando um homem inocente com multa, prisão ou mesmo uma sentença de morte. Se isso viesse a acontecer, tal juiz deveria ser tido como tão maligno quanto o caluniador. Deus jamais inocentará um juiz que assim agir; e todo juiz deveria cuidar para não ficar sujeito à maldição de Yahweh. Ver Êxodo 22.23,24 quanto a notas sobre essa maldição.

23.8

וְשֹׁחַד לֹא תִקָּח כִּי הַשֹּׁחַד יְעַוֵּר פִּקְחִים וִֽיסַלֵּף דִּבְרֵי צַדִּיקִֽים׃

Suborno não aceitarás. O dinheiro tem poder. Um homem rico pode obter uma decisão favorável da justiça humana por haver comprado um juiz, uma prática universal e quase invencível. Ver no *Dicionário* o artigo intitulado *Suborno* e as notas expositivas sobre 1Samuel 12.3. O suborno *cega* os oficiais (Dt 16.19). Até os sábios se deixam peitar, quando o dinheiro flui abundante. Era mister que a legislação mosaica se manifestasse contra a *venda* da chamada justiça. A *Magna Carta* da Inglaterra (art. xxxiii) proibiu a *venda da justiça*. Heródoto (*Hist.* v.25) diz como o suborno era pesadamente punido. Josefo (*Cont. Ap.* ii.27) informa-nos que um juiz que aceitasse suborno podia ser executado, o que chegou mesmo a acontecer em Israel. Passagens como 1Samuel 8.3; Salmo 26.10; Provérbios 27.23; Isaías 1.23; 5.23; Miqueias 3.9-11 mostram que esse crime muito perturbou a aplicação da justiça em Israel. Esse foi um dos pecados que levaram Deus a punir a nação com os cativeiros. Ver no *Dicionário* o verbete intitulado *Cativeiro (Cativeiros)*, bem como as notas expositivas em Miqueias 3.9-11.

23.9

וְגֵר לֹא תִלְחָץ וְאַתֶּם יְדַעְתֶּם אֶת־נֶפֶשׁ הַגֵּר כִּי־גֵרִים הֱיִיתֶם בְּאֶרֶץ מִצְרָֽיִם׃

Não oprimirás o forasteiro. Este versículo reitera, em sua essência, a lei acerca do *ger*, o que já vimos nas notas sobre Êxodo 22.21, lembrando Israel que eles também tinham sido estrangeiros no Egito, onde sofreram grandes injustiças, e que não deveriam imitar tais atos no tocante a quem fosse forasteiro em seus territórios.

Todos os povos exibem alguma xenofobia, mas alguns povos são especialmente xenófobos (os chineses, por exemplo, que sempre acolhem mal os estrangeiros, em suas terras). As pessoas suspeitam e temem aquilo que lhes parece diferente. Até mesmo o novo garoto que veio morar no quarteirão sofre alguma pressão dos outros garotos, como se fosse um rito de iniciação. Há países onde são decretadas leis prejudiciais aos estrangeiros, e em casos extremos, essas leis fazem parte da constituição escrita.

A perseguição contra estrangeiros pode assumir uma forma privada ou pública. Os tribunais de justiça não deveriam mostrar-se parciais para com os estrangeiros. E nem devem ser parciais os indivíduos. Israel tinha experimentado na própria pele o que significa essa intolerância, pelo que jamais deveria participar de tal atitude.

O ANO DE DESCANSO (23.10,11)

Ver a introdução a Êxodo 19.1. O *decálogo* (os *Dez Mandamentos*; ver no *Dicionário* a respeito) foi sendo expandido, até tornar-se uma imensa massa que passou a ser conhecida como *legislação mosaica*. Assim há muitas leis, algumas desenvolvidas por analogia, mas outras novas, todas obrigatórias em Israel. Entre elas destacamos aquelas que diziam respeito a dias santos. Por ocasião da páscoa, foi iniciado um calendário sagrado; e nisã, o mês da páscoa, tornou-se o primeiro mês desse calendário religioso. Esse calendário também tinha seus dias sagrados, incluindo o sábado. E aqui topamos com o sétimo ano, quando as terras de plantio eram deixadas em descanso. Ver sobre o *Calendário Judaico* nos Artigos Introdutórios, no primeiro volume desta obra, em sua sétima seção.

23.10,11

וְשֵׁשׁ שָׁנִים תִּזְרַע אֶת־אַרְצֶךָ וְאָסַפְתָּ אֶת־תְּבוּאָתָֽהּ׃

וְהַשְּׁבִיעִת תִּשְׁמְטֶנָּה וּנְטַשְׁתָּהּ וְאָכְלוּ אֶבְיֹנֵי עַמֶּךָ וְיִתְרָם תֹּאכַל חַיַּת הַשָּׂדֶה כֵּן־תַּעֲשֶׂה לְכַרְמְךָ לְזֵיתֶֽךָ׃

A Terra Pertence a Deus e merece descansar, tanto quanto as pessoas. Isso fazia parte do calendário cúltico. Ver também Êxodo 34.18-26; Levítico 23.1-44; Deuteronômio 16.1-17. Ver Levítico 25.2-7 quanto a um paralelo a esta seção.

Alguns eruditos supõem que o sábado agrícola, em benefício da terra, *a princípio* visava a restaurar-lhe a fertilidade, com base em observações que tal prática propiciava colher. Depois, a prática tornou-se associada ao culto religioso que promovia a fertilidade. Mas outros estudiosos pensam que o oposto é que exprime a verdade. *Primeiramente* teria aparecido a prática religiosa do descanso da terra, em honra a deuses da fertilidade; e só depois o ano sabático se teria tornado uma prática agrícola regular. Isso sucedeu quando se observou que a prática aumentava a fertilidade da terra. Em Israel, parece que *ambos* esses aspectos da prática foram combinados dentro da legislação mosaica; e, então, Yahweh, a fonte de toda forma de vida, tornou-se o objeto honrado.

O costume de deixar a terra descansar por um ano tem sido descoberto entre vários povos primitivos. Tais terras produziam algum cereal, sem qualquer cultivo, devido a sementes deixadas naturalmente ali no ano anterior. Aos pobres permitia-se fazer a colheita desse cereal não-cultivado; e o que os pobres não colhessem, era deixado como forragem para os animais. O trecho de Levítico 25.2-7 mostra que todas as terras agricultáveis de Israel eram deixadas a descansar ao mesmo tempo. É provável que a prática incluísse o armazenamento de cereal produzido em anos anteriores, e não apenas a colheita de cereal espontaneamente produzido, sem qualquer cultivo formal. Todavia, essa lei só passou a ser regularmente observada já nos dias dos Macabeus. O trecho de Levítico 26.34,35 parece entender uma observância irregular. Posteriormente, a liberação de devedores e de escravos, ao fim de seis anos de servidão, correspondia ao ano sabático, o sábado da terra. Ver Deuteronômio 15.2; Neemias 10.31 e Êxodo 21.2.

Essa prática, tão eficaz para a restauração da fertilidade, foi uma espécie de primeiro degrau com vista ao desenvolvimento de uma agricultura científica!

Propósitos Possíveis dessa Lei: 1. Propósitos humanitários: os pobres podiam colher o que a terra produzisse espontaneamente. 2. Propósitos cúlticos: Yahweh era honrado pelo descanso da terra, como o originador de todo suprimento alimentar. 3. Ficava assim provada a obediência a uma outra lei ainda. 4. A fertilidade do solo era um dos resultados da prática. 5. Uma observância religiosa mais acentuada, visto que o pesado trabalho agrícola era bastante aliviado (ver Dt 31.10-13).

O SÁBADO (23.12,13)

Ver a seção geral introduzida em Êxodo 19.1. O *decálogo* (os *Dez Mandamentos)* foi submetido a uma grande expansão ou *multiplicação* de preceitos ou estatutos. Alguns desses preceitos foram reiterados; mas também foram criadas novas leis mediante o processo de analogia; e novas leis foram adicionadas. Nesta minúscula seção temos uma reiteração do *quarto mandamento,* amplamente comentado nas notas sobre Êxodo 20.8, pelo que não precisamos repeti-las aqui. Dou ali várias referências a artigos que abordam a questão.

■ 23.12

שֵׁ֤שֶׁת יָמִים֙ תַּעֲשֶׂ֣ה מַעֲשֶׂ֔יךָ וּבַיּ֥וֹם הַשְּׁבִיעִ֖י תִּשְׁבֹּ֑ת לְמַ֣עַן יָנ֗וּחַ שׁוֹרְךָ֙ וַחֲמֹרֶ֔ךָ וְיִנָּפֵ֥שׁ בֶּן־אֲמָתְךָ֖ וְהַגֵּֽר׃

O quarto mandamento, acerca do sábado, é aqui reiterado. Ver as notas sobre Êxodo 20.8, que se aplicam aqui. Neste ponto achamos um motivo humanitário: o descanso é algo necessário para os homens e os animais; mas o vs. 13 mostra que a adoração e a piedade também estão em pauta, pois o mandamento original era a *santificação* do sábado. Sem dúvida, estava em destaque mais do que a mera santidade cúltica, conseguida por meio da obediência à lei do descanso. Ver também Êxodo 20.11 quanto a outros comentários sobre os propósitos do sábado ou descanso. Até os estrangeiros, residentes ou forasteiros em Israel, tinham de observar o sábado. Era um feriado nacional realmente obrigatório.

O sábado semanal é aqui repetido em conjunto com o sétimo ano, o sábado agrícola. Ambos faziam parte do mesmo sistema de observâncias cúlticas. Esse sistema de descansos culminava no ano do jubileu (ver Lv 25.8-13).

■ 23.13

וּבְכֹ֛ל אֲשֶׁר־אָמַ֥רְתִּי אֲלֵיכֶ֖ם תִּשָּׁמֵ֑רוּ וְשֵׁ֨ם אֱלֹהִ֤ים אֲחֵרִים֙ לֹ֣א תַזְכִּ֔ירוּ לֹ֥א יִשָּׁמַ֖ע עַל־פִּֽיךָ׃

Este versículo provê uma conclusão para a série anterior de admoestações, incluindo aquela relativa ao sábado. Todas as provisões e leis procediam de Yahweh, com exclusão de culto a qualquer outra divindade, a ponto de nomes de deuses pagãos nem ao menos poderem ser pronunciados. Ver no *Dicionário* o verbete intitulado *Deuses Falsos*. O culto a Yahweh era assinalado por um exclusivismo extremo. Alguns intérpretes judeus diziam que "jurar por deuses falsos" é o que está aqui em foco, mas este mandamento parece ser mais geral do que isso. O desprezo pelas divindades imaginárias dos homens devia ser demonstrado mediante a nem sequer serem mencionados os seus nomes. Moisés mencionou outros deuses, como Baal (Nm 22.41), Baal-Peor (Nm 25.3,5), Camos (Nm 21.29) e Moloque (Lv 20.2-5; 23.21), mas apenas para condenar a veneração aos mesmos. Essa proibição era uma extensão lógica do *primeiro mandamento*, o que é amplamente comentado em Êxodo 20.3.

"...do nome de outros deuses... nem se ouça de vossa boca. Não deveriam jurar por eles; nem deveriam fazer votos com base neles; e, tanto quanto possível, nem deveriam proferir os seus nomes, sobretudo com prazer e deleite, demonstrando qualquer honra e reverência por eles, mas antes, deveriam repudiá-los e detestá-los" (John Gill, *in loc.*).

AS TRÊS FESTAS (23.14-19)

O *decálogo* (os *Dez Mandamentos;* ver no *Dicionário*), desdobrado em inúmeros preceitos e estatutos, tornou-se a legislação mosaica. Ver as notas de introdução a Êxodo 19.1 quanto a essa legislação e seu desenvolvimento. A páscoa combinava três festividades: a páscoa propriamente dita, os pães asmos e a consagração dos primogênitos. O texto à nossa frente repete a necessidade da observância dos pães asmos, da festa da sega dos primeiros frutos e festa da colheita. Essas eram as três festas básicas, indispensáveis, ao longo de cada ano do calendário religioso dos israelitas. Como é óbvio, a festa dos pães asmos era celebrada em conjunto com a páscoa, sem importar se isso é mencionado especificamente ou não. Ver no *Dicionário* o artigo intitulado o *Calendário Judaico*, que lista todas essas festas. Ver também no *Dicionário* o artigo intitulado *Festas (Festividades) Judaicas*.

■ 23.14-16

שָׁלֹ֣שׁ רְגָלִ֔ים תָּחֹ֥ג לִ֖י בַּשָּׁנָֽה׃

אֶת־חַ֣ג הַמַּצּוֹת֮ תִּשְׁמֹר֒ שִׁבְעַ֣ת יָמִים֩ תֹּאכַ֨ל מַצּ֜וֹת כַּאֲשֶׁ֣ר צִוִּיתִ֗ךָ לְמוֹעֵד֙ חֹ֣דֶשׁ הָֽאָבִ֔יב כִּי־ב֖וֹ יָצָ֣אתָ מִמִּצְרָ֑יִם וְלֹא־יֵרָא֥וּ פָנַ֖י רֵיקָֽם׃

וְחַ֤ג הַקָּצִיר֙ בִּכּוּרֵ֣י מַעֲשֶׂ֔יךָ אֲשֶׁ֥ר תִּזְרַ֖ע בַּשָּׂדֶ֑ה וְחַ֤ג הָֽאָסִף֙ בְּצֵ֣את הַשָּׁנָ֔ה בְּאָסְפְּךָ֥ אֶֽת־מַעֲשֶׂ֖יךָ מִן־הַשָּׂדֶֽה׃

As três festas anuais indispensáveis que Israel tinha de guardar, e que exigiam a presença de todos os varões de Israel, para que delas participassem plenamente, eram as seguintes:

1. *Pães Asmos.* Ver sob esse título no *Dicionário*. Essa festa foi instituída juntamente com a páscoa e a consagração dos primogênitos. Todas elas eram celebradas no mês de nisã, o primeiro mês do calendário religioso de Israel. Ver Êxodo 12.1, em suas notas introdutórias; em Êx 12.8 e 15 há comentários adicionais. Os pães asmos eram celebrados em conjunto com a páscoa, como se fossem uma única festa, pelo que a menção de uma delas sempre inclui, naturalmente, a outra.

   Depois da menção aos sábados, tanto os semanais quanto o descanso anual da terra (Êx 23.11,12), são aludidas as três festas anuais, obrigatórias para todos os varões de Israel. Ver Êx 23.18; 34.25; Deuteronômio 16.16. A princípio, essas observâncias eram levadas a efeito em vários centros ao mesmo tempo, mas especialmente no tabernáculo. Mas por fim essas observâncias foram todas centralizadas no templo de Jerusalém.

   Ninguém podia ir a essas festas de *mãos vazias*, ou seja, sem as devidas ofertas de primícias da colheita da cevada. Essas festas eram uma espécie de uma semana de ações de graça nacionais. Israel agradecia então pelo fato de ter sido liberto da servidão no Egito e de ter recebido boas coisas da parte de Yahweh.

2. *Festa das Semanas.* Ver a respeito no *Dicionário*. Neste trecho, essa festividade é chamada de "Sega dos Primeiros Frutos". Era uma celebração de começo de colheita, em que os israelitas agradeciam pela provisão divina para cada necessidade deles. Ver Êxodo 34.22; Deuteronômio 16.10,16. Isso tinha lugar durante a primavera (mês de junho), no começo mesmo da colheita do trigo (Êx 34.22). No Novo Testamento, essa festa é chamada de *Pentecoste* (At 2.1; 1Co 16.8).

3. *Festa dos Tabernáculos.* Ver a esse respeito no *Dicionário*. Essa festa é chamada neste texto por seu nome mais antigo, *Festa da Colheita*. Tinha lugar durante o outono (setembro-outubro). Essa festa ocorria no fim do ano agrícola. Ver as notas sobre a *Festa dos Tabernáculos* em Levítico 23.33-36; Deuteronômio 16.13-15; 31.10.

■ 23.17

שָׁלֹ֣שׁ פְּעָמִ֖ים בַּשָּׁנָ֑ה יֵרָאֶה֙ כָּל־זְכ֣וּרְךָ֔ אֶל־פְּנֵ֖י הָאָדֹ֥ן ׀ יְהוָֽה׃

Três vezes no ano. Essas três festas, acima descritas, eram regulares e obrigatórias, envolvendo todos os varões de Israel. No começo havia vários centros de celebração, mas finalmente tudo passou a girar em torno de Jerusalém, o que é explicado e ilustrado nos artigos separados sobre essas festas. Antes da construção do templo, quando o povo de Israel ainda se achava no deserto, essas festas foram celebradas em outros lugares, como é lógico.

"...todos estão na obrigação de comparecer, exceto os surdos e mudos, os tolos, as crianças pequenas... as mulheres, os servos, os escravos, os aleijados, os cegos, os enfermos e os homens idosos que já não conseguem pôr-se de pé" (Misn. *Chagigah*, c. 1, sec. 1).

■ 23.18

לֹֽא־תִזְבַּ֥ח עַל־חָמֵ֖ץ דַּם־זִבְחִ֑י וְלֹֽא־יָלִ֥ין חֵֽלֶב־חַגִּ֖י עַד־בֹּֽקֶר׃

Cf. os vss. 18 e 19 com Êxodo 34.24,25, onde são dadas instruções similares. É reiterada a questão dos pães asmos, por razões explicadas no artigo mencionado, conforme se vê em Êxodo 12.1 (notas de introdução) e em Êxodo 12.8,15.

Nem ficará gordura. Essa era exatamente a parte de um sacrifício que era queimada sobre o altar. Presume-se que a páscoa original não incluía esse item, porque foi apenas um sacrifício de sangue. Não podia restar gordura porque o cordeiro pascal precisava ser totalmente consumido antes do raiar do dia (Êx 34.25), comemorando a saída apressada mas final de Israel do Egito. Não podiam restar vestígios do cordeiro pascal. Israel tinha saído do Egito; a transação fora completada; Yahweh tinha realizado uma obra final e perfeita. O cordeiro pascal tinha que ser consumido por inteiro. Se sobrassem fragmentos, estes tinham que ser queimados.

■ **23.19**

רֵאשִׁית בִּכּוּרֵי אַדְמָתְךָ תָּבִיא בֵּית יְהוָה אֱלֹהֶיךָ
לֹא־תְבַשֵּׁל גְּדִי בַּחֲלֵב אִמּוֹ׃ ס

À casa do Senhor. Supõe-se que aqui esteja em pauta o tabernáculo, o principal centro da celebração das três festas, enquanto Israel continuou no deserto. Essa *casa* passou a ser o templo de Jerusalém, posteriormente, já nos dias de Salomão. Ver Êxodo 34.26 e Deuteronômio 23.18.

Não cozerás o cabrito. Essa proibição foi baixada por vários motivos:

1. Os cananeus costumavam sacrificar cabritos dessa maneira, e isso não deveria ser imitado por Israel.
2. Evitava-se assim uma crueldade simbólica. Esse método de cozimento envolvia um abate sem misericórdia, pelo que dificilmente poderia haver forma mais cruel de abater um animal. Cozer o animalzinho no leite de sua própria mãe era um ultraje, uma crueldade sem limites. Tal ultraje precisava ser evitado em Israel. Os textos ugaríticos (*Birth and the Gods*, 1.14) mencionam um cabrito sacrificado que foi cozido em leite. E um cordeiro foi assado na manteiga. Israel devia evitar as práticas pagãs. O possível meio de *sustento*, o leite, não deveria tornar-se um meio de destruição.
3. A revelação bíblica requeria que o povo de Israel fosse diferente, em consonância com normas ditadas por Yahweh.
4. *O Leite Mágico.* De acordo com a informação dada por alguns estudiosos, o leite usado para nele cozinhar-se um cabrito era utilizado pelos pagãos para aspergir os campos, as árvores, os jardins etc., em busca da bênção da fertilidade e da produção, que seria dada pelos deuses. Israel não deveria adotar fórmulas mágicas.

PROMESSAS DIVINAS (23.20-33)

A seção final das leis do pacto consiste em promessas, avisos e lembretes, uma espécie de discurso de despedida. Esse discurso foi feito quando Israel partiu da península do Sinai rumo a Canaã. Israel estava na obrigação de obedecer ao anjo do Senhor (vs. 22), e, nessa obediência, o povo seria levado até à sua herança territorial. Nenhum acordo podia ser firmado com os cananeus, habitantes originais da região. O Pacto Abraâmico (ver as notas sobre Gn 15.18) estava tendo cumprimento. Israel teria de ter seu território pátrio. Isso não poderia suceder enquanto os cananeus continuassem ocupando a Terra Prometida, o que estava prestes a chegar ao fim, devido à sua excessiva iniquidade (ver Gn 15.16).

■ **23.20**

הִנֵּה אָנֹכִי שֹׁלֵחַ מַלְאָךְ לְפָנֶיךָ לִשְׁמָרְךָ בַּדָּרֶךְ
וְלַהֲבִיאֲךָ אֶל־הַמָּקוֹם אֲשֶׁר הֲכִנֹתִי׃

Eu envio um anjo diante de ti. Era o anjo do Senhor. Ver no *Dicionário* o verbete intitulado *anjo*. Deus fazia-se presente com seu povo, mediante o seu anjo representante. Essa foi a primeira e grande promessa e provisão da comunidade espiritual. Já havia uma orientação especial sob a forma da nuvem de fogo (Êx 13.21). Mais tarde, seria dada outra orientação, a arca (Nm 10.33). Grandes provisões acompanham grandes projetos. O anjo do Senhor é o próprio Senhor, para todos os propósitos práticos (Êx 14.19; ver Gn 16.7). Alguns eruditos cristãos veem neste versículo uma manifestação veterotestamentária do Logos. Alguns intérpretes judeus pensavam que esse anjo seria Moisés. Mas está em pauta algum agente especial de Yahweh, um notável ser que ajudaria Israel a cumprir as exigências de Yahweh. Uma impressionante citação de Filo diz que o *Logos* era esse ser (*De Migratione Abraham*, par. 415). "Ele (Deus) usou o Logos divino como o guia que mostrava o caminho..." Como é claro, Filo personalizou aqui o Logos como o anjo de Deus, e esteve bem perto de entender que o Cristo encarnou-se como manifestação do Logos (ver Jo 1.1,14). Alguns intérpretes judeus, contudo, preferiam pensar no arcanjo Miguel ou em algum outro poderoso ser angelical.

■ **23.21**

הִשָּׁמֶר מִפָּנָיו וּשְׁמַע בְּקֹלוֹ אַל־תַּמֵּר בּוֹ כִּי לֹא יִשָּׂא
לְפִשְׁעֲכֶם כִּי שְׁמִי בְּקִרְבּוֹ׃

Guarda-te diante dele. Era mister demonstrar o máximo respeito para com o anjo. O nome de Yahweh estava nele, e ele era o agente plenamente autorizado do propósito e do poder de Yahweh. Se necessário, ele seria severo. "A presença de Deus é personificada aqui, pelo que Deus referiu-se ao anjo na terceira pessoa do singular. Estava coberto de poder e autoridade" (J. Coert Rylaarsdam, *in loc.*). Toda transgressão seria tratada com a devida e apropriada punição por parte dele. Um empreendimento muito sério estava sendo efetuado, e a presença de Deus não toleraria lapsos.

■ **23.22**

כִּי אִם־שָׁמֹעַ תִּשְׁמַע בְּקֹלוֹ וְעָשִׂיתָ כֹּל אֲשֶׁר אֲדַבֵּר
וְאָיַבְתִּי אֶת־אֹיְבֶיךָ וְצַרְתִּי אֶת־צֹרְרֶיךָ׃

"Há um corinho que diz: No lado da vitória, no lado da vitória, não me ameaça o inimigo, nem me alarma o temor, no lado da vitória". Deus faz-se adversário daqueles que se fazem Seus inimigos. O texto faz-nos lembrar a eloquente passagem paulina de Romanos 8.31 ss.: "Se Deus é por nós, quem será contra nós?" Nenhum poder do céu ou da terra é capaz de causar dano ao homem bom, pelo menos em um sentido final. Israel haveria de enfrentar um bom número de inimigos formidáveis. E somente o poder de Deus poderia dar a eles a vitória que obtiveram. Quão fácil é nos esquecermos de quão *carentes* somos, espiritualmente falando. Mas a presença de Deus é a chave para qualquer realização verdadeira e permanente. A vitória pertence ao Senhor. Os obedientes compartilham dessa vitória.

■ **23.23**

כִּי־יֵלֵךְ מַלְאָכִי לְפָנֶיךָ וֶהֱבִיאֲךָ אֶל־הָאֱמֹרִי וְהַחִתִּי
וְהַפְּרִזִּי וְהַכְּנַעֲנִי הַחִוִּי וְהַיְבוּסִי וְהִכְחַדְתִּיו׃

A Formidável Lista dos Adversários. Seis dos sete inimigos tradicionais de Israel são mencionados neste ponto. Ficam de fora somente os girgaseus. Mas a Septuaginta e algumas versões acrescentam esse povo para que a lista pareça completa. Todos os povos mencionados neste versículo são ventilados no *Dicionário*, mediante artigos separados. Ver Êxodo 3.8 quanto a uma lista parcial desses povos. Ver também alusão a esses povos em Êxodo 3.17; 13.5; 33.2 e 34.11. As notas em Êxodo 3.8 são aplicáveis a este versículo.

Eu os destruirei. No hebraico a ideia é de total aniquilamento. Era impossível que Israel ocupasse o território junto com esses povos. Estes seriam aniquilados devido a seus pecados, pois agora eles tinham enchido a taça de sua iniquidade. A perda de seus territórios fazia parte do juízo divino contra eles (Gn 15.16).

■ **23.24**

לֹא־תִשְׁתַּחֲוֶה לֵאלֹהֵיהֶם וְלֹא תָעָבְדֵם וְלֹא
תַעֲשֶׂה כְּמַעֲשֵׂיהֶם כִּי הָרֵס תְּהָרְסֵם וְשַׁבֵּר תְּשַׁבֵּר
מַצֵּבֹתֵיהֶם׃

Não adorarás os seus deuses. Teria de haver total descontinuação das práticas religiosas dos cananeus, juntamente com a expulsão deles da Terra Prometida. Yahweh seria adorado única e exclusivamente. Temos aí uma espécie de aplicação prática das demandas do *primeiro mandamento* (ver as notas em Êx 20.3). Israel não só não deveria adorar os deuses pagãos, mas também deveria destruir de uma vez por todas os seus ídolos. De outra sorte, os filhos de Israel seriam corrompidos pela *idolatria* (ver a esse respeito no *Dicionário*).

E isso teve que ser feito por diversas vezes, depois que o povo de Israel entrou na posse da Terra Prometida.

"...despedacem-nos total e inteiramente, espatifem todas as suas estátuas de ouro, de prata, de bronze, de madeira, de pedra ou de qualquer outro material de que sejam feitos. Nenhum ídolo deve ser poupado, de modo que não reste vestígios dos mesmos... para que possa haver uma estrita aderência ao verdadeiro Deus, bem como a adoração a ele" (John Gill, *in loc.*). Cf. Êxodo 34.13; Deuteronômio 7.5.

Antes os destruirás totalmente. Somente o completo desaparecimento da idolatria permitiria que se adorasse como é devido a Yahweh. A adoração ao Senhor não permite adoração rival. Fica assim condenado o vício religioso de muitos povos, chamado ecletismo.

■ 23.25

וַעֲבַדְתֶּ֗ם אֵ֚ת יְהוָ֣ה אֱלֹֽהֵיכֶ֔ם וּבֵרַ֥ךְ אֶֽת־לַחְמְךָ֖ וְאֶת־מֵימֶ֑יךָ וַהֲסִרֹתִ֥י מַחֲלָ֖ה מִקִּרְבֶּֽךָ׃

Tirará do vosso meio as enfermidades. Talvez possamos entender essas "enfermidades" em um sentido espiritual ou religioso. Cf. Êxodo 15.24-26; Deuteronômio 7.15; 28.27,60. Mas o mais provável é que a alusão aqui seja às *enfermidades físicas*. Yahweh impusera muitas pragas aos egípcios. Pela graça de Deus, Israel havia escapado. Esse escape prosseguiria se os israelitas se mostrassem obedientes. As pragas antigas varriam um número impressionante de vítimas, e, numa época em que nem se sonhava com os antibióticos, os povos ficavam à mercê de Deus quando surgia o látego das pragas. Deus haveria de curar todas as enfermidades que porventura surgissem entre os filhos de Israel (Sl 103.3). Nesse trecho de Salmos, o bem-estar material também é ligado à boa saúde espiritual. A intervenção divina miraculosa cura tanto a mente quanto o corpo. O anjo de Deus promete aqui essa intervenção.

Ele abençoará o vosso pão e a vossa água. Em outras palavras, Deus daria as provisões físicas adequadas quanto a essas duas questões básicas, se o povo de Israel fosse obediente ao Senhor... saúde, longevidade e abundância" (John D. Hannah, *in loc.*). Todavia, conspícua por sua ausência é a promessa da vida após a morte física. Essa doutrina só passou a ser claramente mencionada na teologia dos hebreus no tempo dos Salmos e dos Profetas. Naturalmente, ela foi consagrada nos ensinos de Jesus e seus apóstolos. Ver no *Dicionário* o artigo intitulado *Alma*; e na *Enciclopédia de Bíblia, Teologia e Filosofia* o artigo *Imortalidade* (que se desdobra em diversos verbetes).

■ 23.26

לֹ֥א תִהְיֶ֛ה מְשַׁכֵּלָ֥ה וַעֲקָרָ֖ה בְּאַרְצֶ֑ךָ אֶת־מִסְפַּ֥ר יָמֶ֖יךָ אֲמַלֵּֽא׃

A fertilidade foi prometida a homens e animais; as fêmeas não abortariam. "Os abortos, os nascimentos prematuros e a esterilidade, quando excedem a certa média, sempre foram considerados pelos antigos como sinais do desfavor divino, e ritos expiatórios especiais eram criados para tentar estacar esses fenômenos" (Ellicott, *in loc.*). Quanto à *desejabilidade de uma longa vida* ver Gênesis 5.21 e suas notas expositivas. Ver também Salmo 55.23; 90.10; Jó 5.26; 42.16,17; 1Reis 2.3-11; Isaías 65.20 e Efésios 6.3.

■ 23.27

אֶת־אֵֽימָתִי֙ אֲשַׁלַּ֣ח לְפָנֶ֔יךָ וְהַמֹּתִי֙ אֶת־כָּל־ |V27 |H ‎ הָעָ֔ם אֲשֶׁ֥ר תָּבֹ֖א בָּהֶ֑ם וְנָתַתִּ֧י אֶת־כָּל־אֹיְבֶ֛יךָ אֵלֶ֖יךָ עֹֽרֶף׃

Enviarei o meu terror. Isso fazia parte da preparação divina para que Israel pudesse enfrentar uma temível plêiade de adversários, de acordo com o vs. 23, as sete nações cananeias hostis. Essas nações seriam psicologicamente debilitadas pelo temor divino, antes mesmo que o povo de Israel atingisse as fronteiras de Canaã. Isso não eliminaria a necessidade de guerrear, mas facilitaria a conquista militar, ficando assim garantida a vitória, não sem esforço, mas *através do mesmo*. Já vimos antes esse tema, em Gênesis 15.14-18, onde o comentamos com maiores detalhes. Nesse contexto, ver Josué 2.9-11 e Salmo 18.39,40. Ver em Gênesis 35.5 os comentários sobre o terror divinamente infundido.

■ 23.28

וְשָׁלַחְתִּ֥י אֶת־הַצִּרְעָ֖ה לְפָנֶ֑יךָ וְגֵרְשָׁ֗ה אֶת־הַחִוִּ֛י אֶת־הַֽכְּנַעֲנִ֥י וְאֶת־הַחִתִּ֖י מִלְּפָנֶֽיךָ׃

Enviarei vespas. Talvez em sentido literal, conforme sucedeu no caso das pragas do Egito. Porém, vários eruditos preferem pensar aqui em um sentido metafórico. Assim, os exércitos invasores de Israel seriam como iracundos enxames de vespas, e os adversários fugiriam de diante deles, com suas ferroadas mortais. Embora houvesse sete distintas nações inimigas, os *heveus* e *cananeus* representavam todas as sete. O autor sagrado não se deu ao trabalho de apresentar de novo a lista de nações adversárias (ver o vs. 23). Ver acerca de *vespas* também em Josué 24.12 e Deuteronômio 7.20.

■ 23.29

לֹ֧א אֲגָרְשֶׁ֛נּוּ מִפָּנֶ֖יךָ בְּשָׁנָ֣ה אֶחָ֑ת פֶּן־תִּהְיֶ֤ה הָאָ֙רֶץ֙ שְׁמָמָ֔ה וְרַבָּ֥ה עָלֶ֖יךָ חַיַּ֥ת הַשָּׂדֶֽה׃

Num só ano. A vitória não seria obtida tipo guerra relâmpago, e isso pela razão explicada neste versículo. Todavia, o triunfo seria tal que somente a *ajuda divina* seria capaz de explanar. Ainda assim, a vitória não foi completa, pois as próprias Escrituras indicam que Israel nunca expulsou de todo as populações cananeias, e nem jamais conseguiu conquistar todo o território que fora prometido a Abraão. Ver as notas sobre o *Pacto Abraâmico* em Gênesis 15.18 quanto aos territórios a serem conquistados.

Os eruditos liberais pensam que a questão foi romantizada às expensas da exatidão histórica. O que é fato é que é impossível reconstituir uma cronologia exata de toda a campanha militar de Israel; mas essa reconstituição não tem nenhuma importância especial. "Se Deus lhes tivesse dado toda a Terra Prometida prontamente, em lugar de fazê-lo pouco a pouco (Jz 1), toda a região teria ficado desolada, dominada pelas feras, antes do povo de Israel pudesse estabelecer-se na terra e cultivá-la" (John D. Hannah, *in loc.*). Por isso mesmo, a conquista precisou ser *gradual*, permitindo que os israelitas fossem tomando o lugar das populações indígenas deslocadas. Se o território ficasse desocupado por algum tempo, as feras ocupariam o espaço abandonado. Isso seria evitado por uma conquista paulatina.

Ao que parece, a conquista da Terra Prometida ocupou sete panos (que alguns estudiosos sugerem como cerca de 1406-1399 a.C.). Os eruditos conservadores não duvidam que a conquista tenha tomado todo esse tempo. Mas o ponto não se reveste de maior importância, exceto para os céticos e para os ultraconservadores, que precisam achar apoio a qualquer preço para seus sistemas de crenças.

■ 23.30

מְעַ֥ט מְעַ֛ט אֲגָרְשֶׁ֖נּוּ מִפָּנֶ֑יךָ עַ֚ד אֲשֶׁ֣ר תִּפְרֶ֔ה וְנָחַלְתָּ֖ אֶת־הָאָֽרֶץ׃

Pouco a pouco. A conquista da terra de Canaã ocorreu lentamente, por motivos já avançados, no vs. 29. Todavia, a conquista não foi completa, no sentido de que nem todos os habitantes cananeus foram expulsos e nem todo o território prometido a Abraão foi ocupado. Ver as notas sobre Gênesis 15.18 quanto ao *Pacto Abraâmico*. Cf. Juízes 2.21-23 e 3.1-6, onde essas razões são reiteradas. A desobediência por parte dos israelitas também contribuiu para essa conquista parcial da terra de Canaã. Não foi apenas uma questão de conveniência. A multiplicação do povo de Israel permitiu que a Terra Prometida fosse razoavelmente bem ocupada, mas as sete nações cananeias nunca foram totalmente expulsas. E quando Israel titubeou, em razão de desobediência e de idolatria, então vieram forças militares de fora, da Assíria e da Babilônia, que reduziram a nação de Israel a nada. Assim sendo, tendo derrotado os adversários que havia na terra de Canaã, os israelitas sucumbiram diante de forças vindas de fora da terra de Canaã. Ver no *Dicionário* o artigo *Cativeiro (Cativeiros)*.

■ 23.31

וְשַׁתִּ֣י אֶת־גְּבֻלְךָ֗ מִיַּם־סוּף֙ וְעַד־יָ֣ם פְּלִשְׁתִּ֔ים וּמִמִּדְבָּ֖ר עַד־הַנָּהָ֑ר כִּ֣י ׀ אֶתֵּ֣ן בְּיֶדְכֶ֗ם אֵ֚ת יֹשְׁבֵ֣י הָאָ֔רֶץ וְגֵרַשְׁתָּ֖מוֹ מִפָּנֶֽיךָ׃

As Fronteiras da Terra Prometida. Nas notas sobre Gênesis 15.18 mostrei as dimensões da Terra Prometida, dada a Abraão no Pacto Abraâmico, que excediam ligeiramente às fronteiras determinadas neste ponto. O território deveria estender-se do mar Vermelho ao mar Mediterrâneo (chamado aqui de mar dos filisteus, porquanto servia de um dos limites de seu território). O Eufrates é o rio oriental mencionado. O deserto ficava ao sul. Portanto, as fronteiras da Terra Prometida eram as seguintes:

1. O mar Vermelho (mar de Ácaba), a fronteira sudeste.
2. O deserto: a fronteira sul.
3. O rio Eufrates: a fronteira norte (nordeste).
4. O mar Mediterrâneo: a fronteira oeste.

A maior parte desse território foi ocupada durante o reinado de Salomão (1Rs 4.21), embora permanecessem bolsões das sete nações cananeias que não foram conquistados. Ver Deuteronômio 11.24 e os comentários sobre Deuteronômio 1.7. A presença de povos estrangeiros sempre significou uma ameaça para Israel. Pactos proibidos foram firmados (Js 9.3-15; ver Êx 34.12). Contudo, a longo termo, os inimigos *externos* (primeiro a Assíria e depois a Babilônia) desmantelaram a nação de Israel. Ver 1Reis 4.21,24 e 2Crônicas 9.26 quanto às dimensões atingidas, que correspondem às dimensões referidas neste versículo. Os estudiosos liberais pensam que o autor sagrado foi alguém que já sabia o que tinha acontecido, pois estaria apenas escrevendo história, e não um profeta que estivesse predizendo o que viria a acontecer no futuro. Mas os eruditos conservadores preferem ver a profecia em ação.

■ 23.32

לֹא־תִכְרֹת לָהֶם וְלֵאלֹהֵיהֶם בְּרִית:

O plano não podia ser devidamente cumprido se Israel firmasse um pacto com as nações cananeias. Portanto, as sete nações tinham que ser totalmente expulsas, em face do grande acúmulo de seus pecados, por causa dos quais perderiam seus respectivos territórios. Ver Gênesis 15.16. Algo paralelo sucedeu nos Estados Unidos da América do Norte. Muitos congressistas se opuseram à marcha para o oeste. Certo congressista comentou: "Que faremos com todas aquelas intermináveis montanhas?" Mas a voz da sabedoria acabou prevalecendo. O sentimento mais sábio foi o de evitar a *fragmentação de território* que tinha havido na Europa, com seus conflitos constantes entre muitas nações, apinhadas no continente europeu.

A ordem dada aos israelitas foi de não entrarem em qualquer acordo que tendesse por manter próximas as populações cananeias. Ver também as notas sobre Êxodo 34.12 quanto a isso. Mas essa ordem foi por muitas vezes ignorada. Ver Josué 9.3-15.

A proibição constante neste versículo tinha uma natureza, *antes de tudo*, espiritual, visto que a proximidade da idolatria só poderia corromper o Yahwismo. Em *segundo lugar*, havia uma razão prática. Uma grande nação dificilmente poderia desenvolver-se em meio a sete nações contrárias. Em *terceiro lugar*, essa proibição concordava com o julgamento divino contra o pecado excessivo daquelas sete nações.

■ 23.33

לֹא יֵשְׁבוּ בְּאַרְצְךָ פֶּן־יַחֲטִיאוּ אֹתְךָ לִי כִּי תַעֲבֹד אֶת־אֱלֹהֵיהֶם כִּי־יִהְיֶה לְךָ לְמוֹקֵשׁ: פ

Nas notas sobre o versículo anterior dei as *razões* pelas quais Israel não podia firmar acordos com as sete nações cananeias que eram os ocupantes originais da Terra Prometida, mas como essa proibição divina foi vez por outra desobedecida. Este versículo dá-nos a razão espiritual contra tais tratados. A *idolatria* (ver a esse respeito no *Dicionário*) logo haveria de transtornar a nação de Israel, furtando-a de seu caráter distintivo. A *teocracia* seria reduzida a nada. Ver no *Dicionário* o artigo chamado *Teocracia*. Somente uma nação unida e livre de assédios poderia cumprir aquele plano espiritual a que Deus a destinara. A história subsequente de Israel provou a exatidão da declaração deste versículo. Os pecados de Israel finalmente provocaram os *cativeiros*. Assim sendo, a corrupção interior produziu destruição vinda de fora. Ver Juízes 1.27-36; 2.11-13; 3.5-7 quanto à confusão produzida por maus vizinhos. Ver Êxodo 34.12 quanto a uma afirmação paralela.

CAPÍTULO VINTE E QUATRO

A ALIANÇA DE DEUS COM ISRAEL (24.1-11)

Ver a introdução ao capítulo 19, onde começa a seção que inclui este material. Uma *teofania* (ver a respeito no *Dicionário*) inaugurou o Pacto Mosaico. A presença de Deus manifestou-se e as condições do pacto foram aplicadas. Assim, temos as *leis* dos capítulos 20—23, o *desdobramento* do *decálogo* (os *Dez Mandamentos;* ver no *Dicionário*). Essas *leis* eram as *condições* do Pacto Mosaico. Teve assim início a quinta dispensação, com o estabelecimento do Pacto Mosaico. Há comentários sobre ambas as coisas nas notas de introdução a Êxodo 19.1, juntamente com outras questões importantes ligadas a isso.

O texto à nossa frente fala da *ratificação* do pacto. Os israelitas deveriam deixar-se guiar pelo decálogo e pelas ordenanças (a multiplicação que compõe a inteira legislação mosaica). Ver no *Dicionário* o artigo *Lei no Antigo Testamento*, em sua quarta seção, Lei. O povo de Israel precisava concordar e ratificar o pacto. Isso requeria a presença dos representantes do povo, os *anciãos*, juntamente com os líderes principais, ou seja, Moisés, Arão, Nadabe e Abiú. O povo concordou com tudo e prometeu obediência (vs. 3). Foi erigido um altar (vs. 3), e foram feitos os sacrifícios apropriados (vss. 5,6). Foi novamente prometida a obediência (vs. 7). O povo foi aspergido com sangue, e o Pacto Mosaico veio a ser ratificado com sangue, o que era uma questão séria em Israel (vs. 8). A Moisés e aos demais grandes líderes da nação foi dada uma visão especial de Deus (vs. 10). Essa visão também foi dada aos anciãos (vs. 11). Ato contínuo, foram dados os Dez Mandamentos gravados em tábuas de pedra (vss. 12 ss.). Esse complicado ritual tornou Israel uma nação distinta, consagrada a Yahweh, uma nova nação por meio da qual poderia ter cumprimento o Pacto Abraâmico. Essa nação seria o veículo do aparecimento do Messias, o qual universalizaria as provisões das promessas de Deus a Abraão (ver Gl 3.8 ss.).

■ 24.1

וְאֶל־מֹשֶׁה אָמַר עֲלֵה אֶל־יְהוָה אַתָּה וְאַהֲרֹן נָדָב וַאֲבִיהוּא וְשִׁבְעִים מִזִּקְנֵי יִשְׂרָאֵל וְהִשְׁתַּחֲוִיתֶם מֵרָחֹק:

Sobe ao Senhor. Era mister subir novamente ao monte. O grupo que subiria seria constituído por Moisés, Arão, Nadabe, Abiú e setenta anciãos de Israel, líderes tribais. Nadabe e Abiú eram os outros dois filhos de Arão, que já nos tinham sido apresentados em Êxodo 6.23. Ver acerca de todos os nomes aqui mencionados no *Dicionário*. Ver Levítico 10.1 ss. quanto à morte deles por haverem oferecido fogo profano no tabernáculo.

Os *anciãos* eram os representantes do povo, pelo que temos aqui uma espécie de ação democrática representativa na ratificação do Pacto Mosaico (ver a respeito as notas introdutórias em Êx 19.1). Todos ficaram a respeitável distância, por motivo de segurança, e somente Moisés pôde chegar perto de Yahweh, conforme nos mostra o vs. 2. Ver as notas sobre Êxodo 19.3 ss. quanto a outras subidas e descidas no Sinai, por Moisés, em cenas similares às do presente texto. Na primeira subida, Moisés recebeu a lei; na segunda, foram ratificados e registrados os Dez Mandamentos, sobre tábuas de pedra. Quanto aos *anciãos*, ver Êxodo 3.16; 4.29; 12.21; 17.5; 18.12; 19.7.

■ 24.2

וְנִגַּשׁ מֹשֶׁה לְבַדּוֹ אֶל־יְהוָה וְהֵם לֹא יִגָּשׁוּ וְהָעָם לֹא יַעֲלוּ עִמּוֹ:

Só Moisés se chegará. Isso por ser ele o único que estava espiritualmente preparado para aproximar-se da presença de Yahweh. As descrições são as mesmas que vemos em Êxodo 19.10 ss. No vs. 13, vemos que Josué foi em companhia de Moisés. Gradações de preparação espiritual e de santidade estabeleciam a diferença na distância da abordagem. Os despreparados poderiam ser consumidos. Até mesmo os preparados estremeceram. Ver no *Dicionário* o verbete chamado *Desenvolvimento Espiritual, Meios do*.

24.3

וַיָּבֹא מֹשֶׁה וַיְסַפֵּר לָעָם אֵת כָּל־דִּבְרֵי יְהוָה וְאֵת
כָּל־הַמִּשְׁפָּטִים וַיַּעַן כָּל־הָעָם קוֹל אֶחָד וַיֹּאמְרוּ
כָּל־הַדְּבָרִים אֲשֶׁר־דִּבֶּר יְהוָה נַעֲשֶׂה׃

Este versículo é essencialmente igual a Êxodo 19.8, onde os filhos de Israel prometeram plena obediência a Deus. Ver as notas ali.

Todas as palavras do Senhor. Estão aqui em pauta os *Dez Mandamentos* (ver a esse respeito no *Dicionário*).

Todos os estatutos. Ou seja, as adições e multiplicações dos Dez Mandamentos. Ver Êxodo 20.23—23.33 quanto ao desdobramento preliminar. O Pentateuco inteiro é uma espécie de desdobramento dos Dez Mandamentos originais. Nas Dez Palavras e nas ordenanças temos a legislação mosaica. Ver nos Artigos Introdutórios, no primeiro volume desta obra, o artigo *Lei no Antigo Testamento*, em sua quarta seção, *Lei*. Ver a expressão "o livro da aliança" (Êx 24.7) quanto a uma referência geral à lei mosaica.

Respondeu a uma voz. O povo respondeu com entusiasmo e unanimemente. Dispuseram-se a realizar o impossível, de acordo com ensino do Novo Testamento (At 15.10; Rm 3.19 ss.). A lei tinha por intuito *fechar a boca*, e não justificar. Mas é ridículo supormos que os hebreus perceberam isso e assim chegaram a crer. Ver Deuteronômio 5.32,33 quanto à atitude dos israelitas. *Fazer era viver.* Eles não anteciparam que a obediência à lei era impossível, de tal modo que, se quisessem viver espiritualmente, teriam de depender do novo pacto, aquele que tem Cristo por centro. Ademais, devemos lembrar que na lei não havia qualquer promessa de vida pós-túmulo, e nem castigo pela maldade e vida eterna pela bondade, em alguma existência da alma. Essa doutrina só começou a ser mencionada claramente nos Salmos e nos Profetas, embora houvesse indícios da mesma desde antes, como na doutrina da imagem de Deus (Gn 1.26,27).

24.4

וַיִּכְתֹּב מֹשֶׁה אֵת כָּל־דִּבְרֵי יְהוָה וַיַּשְׁכֵּם בַּבֹּקֶר וַיִּבֶן
מִזְבֵּחַ תַּחַת הָהָר וּשְׁתֵּים עֶשְׂרֵה מַצֵּבָה לִשְׁנֵים עָשָׂר
שִׁבְטֵי יִשְׂרָאֵל׃

Moisés escreveu. O quê? Todas as comunicações de Yahweh, que vieram a fazer parte do Pentateuco. Moisés não deve ter escrito em hebraico bíblico, que então ainda estava em desenvolvimento, mas em alguma forma semítica anterior. Moisés, criado na corte de Faraó, era homem educado e sabia escrever, ainda que alguns críticos duvidem disso. O alfabeto hebraico foi criado antes dos dias de Moisés. Ver no *Dicionário* o artigo *Alfabeto (Escrita)*. Devemos pensar em um hebraico antiquíssimo, anterior ao hebraico do Antigo Testamento. Talvez a distância fosse algo similar àquela entre o inglês de Chaucer e o inglês moderno, ou entre o grego de Homero e o grego de Platão. Ver também Êxodo 17.14, e, no *Dicionário*, o verbete *Livro (Livros)*.

Foi erigido um *altar*, segundo se vê em Êxodo 20.25, ao qual foram acrescentadas as *doze colunas*, talvez pedras alongadas postas de pé. Representavam as doze tribos de Israel. Yahweh apareceu no altar; e o povo foi representado pelas doze colunas, ou seja, as duas partes envolvidas no pacto e sua ratificação. Cf. Gênesis 28.18. Ver também Josué 4.3,9,20 quanto a algo similar. A Septuaginta diz aqui somente *pedras*, em lugar de "colunas". Ver Deuteronômio 12.3 quanto à proibição e destruição de colunas usadas nos ritos pagãos.

24.5

וַיִּשְׁלַח אֶת־נַעֲרֵי בְּנֵי יִשְׂרָאֵל וַיַּעֲלוּ עֹלֹת וַיִּזְבְּחוּ
זְבָחִים שְׁלָמִים לַיהוָה פָּרִים׃

Foram oferecidos sacrifícios de acordo com a dignidade da situação.

Holocaustos. Ver a esse respeito no *Dicionário*. Ver também Êxodo 10.25; 18.12 e 20.24 quanto a esse tipo de oferenda. A última dessas referências também aparece no contexto da outorga da lei, sendo virtualmene igual ao versículo presente.

Sacrifícios pacíficos. Ver também Êxodo 20.24. Naquele ponto há referências ao artigo geral que fala sobre os sacrifícios e ofertas, e onde estão incluídos os tipos de sacrifícios mencionados neste versículo.

Alguns jovens dos filhos de Israel. Esses agiram como se fossem sacerdotes. Posteriormente foi instituído um sacerdócio formal, proveniente da tribo de Levi. Ver no *Dicionário* o artigo *Sacerdotes e Levitas*. Aqueles jovens foram escolhidos dentre os *primogênitos* distinguidos (ver a respeito deles no *Dicionário*), que formavam o sacerdócio primitivo em Israel. Ou, então, esses jovens foram selecionados dentre os anciãos mais jovens, conforme se vê no primeiro versículo deste capítulo.

24.6

וַיִּקַּח מֹשֶׁה חֲצִי הַדָּם וַיָּשֶׂם בָּאַגָּנֹת וַחֲצִי הַדָּם זָרַק
עַל־הַמִּזְבֵּחַ׃

Metade do sangue. Metade do sangue dos sacrifícios, que havia sido posto em receptáculos, a ser usado para aspergir o povo (vs. 8). A outra metade foi aspergida sobre o altar. Temos aí o rito da ratificação, selado a sangue. Por muitas vezes, o sangue fala de expiação; e, talvez, essa ideia esteja incluída no rito, embora a noção principal tenha sido a ratificação feita pelas duas partes interessadas: Yahweh, representado pelo altar, e o povo de Israel, que foi aspergido.

Entre vários povos antigos havia pactos de sangue. Algumas vezes, o sangue dos sacrifícios era sorvido pelas partes envolvidas no acordo. "Deus e o povo uniram-se em sagrado companheirismo. Houve uma refeição sagrada (vss. 9-11), que também servia de meio comum de estabelecimento dessa comunhão. Provavelmente devemos pensar aqui em uma forma mais antiga, e que a aspersão do sangue simbolizava aquilo que se fazia mais antigamente, ou seja, o sangue era bebido" (J. Coert Rylaarsdam, *in loc.*). A aversão de Israel ao uso de sangue como alimento não permitiria que eles bebessem do sangue. Ver no *Dicionário* o artigo chamado *Sangue*, quanto às regras e referências. Ver também Atos 15.29 no *Novo Testamento Interpretado* quanto a amplas notas sobre essa questão. Ver Gênesis 9.4; Levítico 3.17; 7.26 quanto a essa proibição. Ver Levítico 17.11 quanto à ideia misteriosa da vitalidade existente no sangue, uma das razões da proibição do uso de sangue na alimentação do povo de Israel.

24.7

וַיִּקַּח סֵפֶר הַבְּרִית וַיִּקְרָא בְּאָזְנֵי הָעָם וַיֹּאמְרוּ כֹּל
אֲשֶׁר־דִּבֶּר יְהוָה נַעֲשֶׂה וְנִשְׁמָע׃

O livro da aliança. A alusão é àquilo que Moisés havia escrito (vs. 4), as *palavras* (os Dez Mandamentos e as ordenanças, as adições originais aos dez mandamento). As ideias são frisadas nas notas sobre o vs. 3. Esses materiais, como é óbvio, posteriormente vieram a fazer parte de nosso *Pentateuco* (ver a respeito no *Dicionário*). Esse documento foi salpicado com sangue (Hb 9.19), santificado para uso como legislação divina, a ser adicionada conforme a lei foi sendo ampliada às mãos de Moisés e outros profetas. O pacto mosaico, pois, foi ratificado por meio de sangue. O texto presente não diz que Moisés aspergiu o livro; e isso tem-se tornado fulcro de controvérsias, visto que o autor da epístola aos Hebreus adicionou essa pequena informação. Essa questão é discutida detalhadamente no *Novo Testamento Interpretado*.

O Livro da Aliança é Lido Diante do Povo. Moisés já havia exposto uma versão oral desse livro (vs. 3). A escrita e a leitura do livro tornaram o ato ainda mais claro e mais obviamente obrigatório, como um registro escrito para ser guardado e honrado. Ver também sobre o "livro da aliança" em Josué 24.25,26. O terceiro versículo deste capítulo registra como o povo aceitou a aliança incondicionalmente. Este versículo repete essa informação. Houve uma aceitação após a exposição oral, e outra, após a leitura do documento escrito. Cf. Deuteronômio 5.26-29.

24.8

וַיִּקַּח מֹשֶׁה אֶת־הַדָּם וַיִּזְרֹק עַל־הָעָם וַיֹּאמֶר הִנֵּה
דַם־הַבְּרִית אֲשֶׁר כָּרַת יְהוָה עִמָּכֶם עַל כָּל־הַדְּבָרִים
הָאֵלֶּה׃

O *primeiro pacto* foi ratificado com sangue, conforme nos diz o autor da epístola aos Hebreus (9.18). Ele aludiu à aspersão com sangue do livro, do povo, da tenda e dos vasos usados na adoração. O relato original, no livro de Êxodo, não menciona esses detalhes. É provável que o ato original não tivesse incluído todos esses diversos atos de aspersão, mas que outros atos idênticos os tenham incluído. Ver Hebreus 9.19, no *Novo Testamento Interpretado,* quanto a informações sobre essa questão.

Por que sangue? Por ser uma substância sagrada, a *vida* da carne (Lv 17.11), o mais precioso líquido que poderia ser usado como veículo de ritos religiosos sérios. Como é natural, o sangue de Cristo foi assim retratado simbolicamente, o sangue que possibilitou o segundo pacto, o Pacto da Graça. Ver as notas sobre Hebreus 9.25 ss. quanto a esse ensino e suas aplicações. Ver no *Dicionário* os verbetes *Sangue* e *Expiação pelo Sangue;* e na *Enciclopédia de Bíblia, Teologia e Filosofia* o artigo *Expiação pelo Sangue de Cristo.*

Quanto à expressão *sangue da aliança,* ver também Mateus 26.28; 1Coríntios 11.25. O conceito antigo era que o pacto de sangue mostrava-se eficaz no estabelecimento da comunhão entre Deus e os homens (ver Lv 1.5 e as suas notas expositivas). O sangue era a sede misteriosa da vida, pelo que, ao ser vertido, havia um sacrifício de *vida por vida,* ou seja, uma vida em benefício de outra. O sangue é o preço da redenção, conforme é prefigurado na história do êxodo (Êx 12 e 13).

E o aspergiu sobre o povo. Ou seja, sobre alguns de seus representantes, os sacerdotes oficiantes, alguns dos anciãos e, talvez, as doze colunas que representavam as doze tribos de Israel. Ver no *Dicionário* o artigo chamado *Pactos.*

■ **24.9,10**

וַיַּעַל מֹשֶׁה וְאַהֲרֹן נָדָב וַאֲבִיהוּא וְשִׁבְעִים מִזִּקְנֵי יִשְׂרָאֵל׃

וַיִּרְאוּ אֵת אֱלֹהֵי יִשְׂרָאֵל וְתַחַת רַגְלָיו כְּמַעֲשֵׂה לִבְנַת הַסַּפִּיר וּכְעֶצֶם הַשָּׁמַיִם לָטֹהַר׃

As Testemunhas. Testemunhas especiais, aquelas enumeradas no primeiro versículo deste capítulo, que aqui aparecem como os escolhido para ver Yahweh (vs. 10). Alguns críticos supõem que temos aqui uma *segunda versão* da ratificação da qual o povo não fez parte, pois foi representado pelas testemunhas enumeradas. "Moisés, o mediador do pacto, foi acompanhado pela família sacerdotal, Arão, Nadabe e Abiú (Êx 6.14-25; Lv 10.1-3)" (*Oxford Annotated Bible, in loc.*). A maioria dos intérpretes, entretanto, vê aqui um acontecimento ou manifestação especial, que fazia parte da história anterior de ratificação. Ninguém pode ver Deus em sua *essência* (ver Êx 33.11,20; Jo 1.18), embora possa ser visto em visão mística, em sua teofania (ver a esse respeito no *Dicionário*), ou na pessoa de seu anjo (ver a esse respeito no *Dicionário*). Ver a exposição sobre essa questão em João 1.18, no *Novo Testamento Interpretado.*

Esses versículos contêm várias referências às antigas noções dos hebreus acerca de Deus e sua residência, e que J. Edgar Park (*in loc.*) aplicou como segue:

"Eles viram o Deus de Israel. Não contemplaram face a face alguma figura (Êx 33.20). Mas olharam para o alto e viram um pavimento de pedras de safira, onde os pés de Deus supostamente estariam apoiados. Deus pôde ser imaginado entronizado sobre as águas que estavam por cima da cúpula do céu (Sl 29.10). A presença de Deus era tão real que foi como se os céus se tivessem 'aberto'" (Êx 1.1). A cena da Transfiguração, no Novo Testamento, parece-se bastante com esse relato (Mt 17.5). Naquela presença sagrada, os nobres de Israel sentiram-se seguros. Israel era santo em virtude do pacto. A presença não era a essência de Deus, mas compartilhava de sua forma de vida. Ver no *Dicionário* o artigo intitulado *Astronomia,* quanto aos antigos conceitos dos hebreus acerca da natureza do cosmos. Dou um desenho ilustrativo ali, para ajudar nosso entendimento. Os eruditos conservadores, como é natural, pensam que essas questões todas são simbólicas, e que não devemos pensar aqui em um crasso sentido literal; mas os hebreus antigos, em sua cosmologia, ao que tudo indica aceitavam literalmente essas descrições.

Antropomorfismo. A fim de descrever Deus, o homem é forçado a utilizar-se de expressões antropomórficas, pois sua linguagem é antropomórfica. Por conseguinte, o Mysterium Tremendum permanece misterioso porque a linguagem humana é falha. Ver no *Dicionário* o artigo *Antropomorfismo.* E na *Enciclopédia de Bíblia, Teologia e Filosofia* ver o verbete *Mysterium Tremendum.*

Safira. Ver o artigo detalhado sobre essa pedra preciosa no *Dicionário.*

"...era o *lapis-lazuli,* uma pedra de azul profundo, salpicada de partículas brilhantes e douradas de piritas ferrosas, um lindo símbolo dos céus... Os antigos davam-lhe grande valor, uma das sete pedras postas sobre o peito dos monarcas babilônicos. Quase todas as minhas fontes mostram artigos egípcios de luxo feitos dessa pedra" (J. Coert Rylaarsdam, *in loc.*). Cf. Isaías 6.1 e Ezequiel 1.1,26-28.

■ **24.11**

וְאֶל־אֲצִילֵי בְּנֵי יִשְׂרָאֵל לֹא שָׁלַח יָדוֹ וַיֶּחֱזוּ אֶת־הָאֱלֹהִים וַיֹּאכְלוּ וַיִּשְׁתּוּ׃ ס

Não houve dano para aqueles que tiveram a visão, como alguém poderia ter esperado (ver Êx 20.19-21). Havia segurança para aqueles que estivessem preparados para receber a visão. Os despreparados tiveram que ficar a respeitável distância. A comunhão com a presença foi selada pela refeição sagrada. "Eles regozijaram-se em seus sacrifícios, aceitos de boa vontade", disse *Onkelos* sobre este versículo. Cf. Gênesis 16.13; 33.30. Ver Juízes 13.22,23 acerca de alguém ter visto a presença de Deus mas ter sobrevivido.

Os escolhidos dos filhos de Israel. Os mesmos "anciãos" do vs. 1, onde dou várias referências a eles. Quando da outorga da lei houve algum *acesso* a Deus, mas muito longe daquilo que ocorre dentro do evangelho de Cristo. Ver no *Dicionário* o artigo chamado *Acesso.*

DEUS DÁ INSTRUÇÕES NO MONTE (24.12—31.18)

MOISÉS E OS ANCIÃOS SOBEM AO MONTE (24.12-18)

■ **24.12**

וַיֹּאמֶר יְהוָה אֶל־מֹשֶׁה עֲלֵה אֵלַי הָהָרָה וֶהְיֵה־שָׁם וְאֶתְּנָה לְךָ אֶת־לֻחֹת הָאֶבֶן וְהַתּוֹרָה וְהַמִּצְוָה אֲשֶׁר כָּתַבְתִּי לְהוֹרֹתָם׃

Sobe a mim ao monte. Por assim dizer, Moisés subiu até o Santo dos Santos de Deus. Em breve, o Santo dos Santos celeste seria representado no tabernáculo (ver no *Dicionário* o artigo com esse nome). Ele tinha ouvido oralmente a lei e a tinha transmitido ao povo de Israel. Também havia recebido e lido diante do povo o *livro da aliança* (ver as notas sobre isso nos vss. 4 e 7). E agora haveria de receber o *autógrafo,* ou seja, os Dez Mandamentos (ver no *Dicionário* sobre os *Dez Mandamentos*), escritos pelo próprio dedo de Deus.

Nomes Dados às Tábuas:

1. Tábuas de pedra (Êx 31.18).
2. As duas tábuas de pedra (Êx 34.1,4).
3. Tábuas da aliança (Dt 9.9,15).
4. Tábuas do testemunho (Êx 24.29; 31.18; 32.15).

Deus escreveu e exprimiu tanto o seu caráter quanto o seu desejo de comunicar-se. O homem foi instruído como deveria aproximar-se do caráter de Deus em seu desenvolvimento espiritual, ao obedecer e incorporar em seu coração toda a vontade de Deus. Os mandamentos destinavam-se ao ensino e à instrução, provendo uma orientação espiritual eficaz.

O texto diante de nós descreve uma experiência mística da primeira ordem. Ver no *Dicionário* o artigo chamado *Misticismo.* Tomamos conhecimento das coisas mediante a percepção dos sentidos (empirismo), mediante a razão (racionalismo) e mediante a *intuição.* Mas também podemos aprender muitas coisas espirituais por meio das experiências místicas, nos termos descritos no artigo mencionado. Ver na *Enciclopédia de Bíblia, Teologia e Filosofia* os artigos intitulados *Conhecimento e a Fé Religiosa,* que fornece detalhes sobre essas quatro maneiras de se tomar conhecimento das coisas, e *Ensino.* A revelação divina tem por intuito *ensinar,* conforme afirma o versículo à nossa frente.

O texto à nossa frente (mas não aquele de Êx 31.18) não diz que os Dez Mandamentos davam importância às *pedras,* embora devamos compreender isso. Mas Deuteronômio 5.22 contém uma declaração direta nesse sentido. Ver também Êxodo 34.28 quanto a uma declaração direta sobre isso no livro de Êxodo.

24.13

וַיָּקָם מֹשֶׁה וִיהוֹשֻׁעַ מְשָׁרְתוֹ וַיַּעַל מֹשֶׁה אֶל־הַר הָאֱלֹהִים׃

Josué. Agora o seu nome foi adicionado à lista dos ministros especiais, sendo-nos apresentado pela primeira vez como uma espécie de braço direito de Moisés, só perdendo em destaque para Arão. Há um detalhado artigo sobre ele no *Dicionário*. Este versículo não diz especificamente que Josué também subiu ao monte a fim de entrevistar-se com Yahweh, embora essa ideia fique entendida. A Septuaginta diz que Josué também subiu ao monte. Arão e outros ficaram no acampamento, encarregados da direção das coisas; mas quando o povo errou no tocante ao bezerro de ouro, somente Arão foi considerado responsável (Êx 32).

Josué era o auxiliar pessoal de Moisés, que andava em sua companhia e lhe prestava toda forma de serviços, talvez até de guarda-costas. Sem dúvida estava entre os amigos de maior confiança de Moisés. Mais tarde, tornou-se o principal comandante militar de Israel, bem como o sucessor de Moisés, que acabou introduzindo o povo de Israel na Terra Prometida. Portanto, ele serviu de tipo de Cristo, uma questão amplamente explicada no artigo a respeito dele. Ver *Josué (Livro)*, em sua nona seção, *Tipologia*, no *Dicionário*.

24.14

וְאֶל־הַזְּקֵנִים אָמַר שְׁבוּ־לָנוּ בָזֶה עַד אֲשֶׁר־נָשׁוּב אֲלֵיכֶם וְהִנֵּה אַהֲרֹן וְחוּר עִמָּכֶם מִי־בַעַל דְּבָרִים יִגַּשׁ אֲלֵהֶם׃

Na ausência de Moisés e de Josué, Arão ficava encarregado de tudo, e Hur era seu assistente especial. Ver Êxodo 17.10 quanto à primeira menção a Hur, onde também apresentei as notas sobre ele. Hur é mencionado somente por três vezes na Bíblia. Parece que ele era a terceira autoridade. Provavelmente ele era um dos setenta anciãos de Israel. Arão e Hur (e seus delegados) tomariam o lugar de Moisés, executando todos os deveres como líderes e juízes.

24.15

וַיַּעַל מֹשֶׁה אֶל־הָהָר וַיְכַס הֶעָנָן אֶת־הָהָר׃

A lei já havia sido dada, mas agora o decálogo (os *Dez Mandamentos*; ver a respeito no *Dicionário*) deveria ser dado em forma escrita sobre tábuas de pedra, compostas pelo próprio Yahweh. O autor sacro fez uma detalhada e elaborada descrição dessa questão que alguns eruditos pensam ser um relato distinto da outorga da lei, e não apenas uma parte da mesma. Não sabemos o que sucedeu a Josué quando Moisés subiu ao monte e penetrou na nuvem mística. É provável que ele tenha ficado para trás, pois somente Moisés era o homem escolhido para aquela hora crítica. Ver Êxodo 19.9,16; 34.5 e 40.34 quanto à *nuvem* de Yahweh. Provavelmente devemos entender aqui uma nuvem mística, um modo de manifestação divina, e não uma nuvem de vapor d'água. Ver 1Tessalonicenses 4.17 quanto à "nuvem" em que a Igreja será arrebatada, e que anotei amplamente no *Novo Testamento Interpretado, in loc.*

24.16

וַיִּשְׁכֹּן כְּבוֹד־יְהוָה עַל־הַר סִינַי וַיְכַסֵּהוּ הֶעָנָן שֵׁשֶׁת יָמִים וַיִּקְרָא אֶל־מֹשֶׁה בַּיּוֹם הַשְּׁבִיעִי מִתּוֹךְ הֶעָנָן׃

A nuvem e a glória de Yahweh manifestaram-se no monte em um glorioso espetáculo, antes da voz divina dirigir-se a Moisés. Foi um período de preparação e espera antecipatória. Algumas grandes experiências místicas são projetadas com alguns dias de antecedência, e aqueles que as experimentam recebem um período de preparação, conforme nos indica o texto presente. Ver no *Dicionário* o artigo *Misticismo*. Presume-se que Moisés ocupou aqueles seis dias em oração e meditação, em preparação espiritual para o evento que em breve haveria de ter lugar. Antes da outorga dos Dez Mandamentos, sobre as duas tábuas de pedra, a teofania (ver a esse respeito no *Dicionário*) haveria de introduzir material acerca dos sacerdócios, que constituem os capítulos 25–31 do livro de Êxodo.

Alguns eruditos pensam que a nuvem é a mesma *shekinah* (ver a esse respeito no *Dicionário*). Outros estudiosos, talvez com menor razão, chamam-na de nuvem que conduzia Israel (Êx 13.21).

24.17

וּמַרְאֵה כְּבוֹד יְהוָה כְּאֵשׁ אֹכֶלֶת בְּרֹאשׁ הָהָר לְעֵינֵי בְּנֵי יִשְׂרָאֵל׃

O autor sagrado adiciona detalhes sobre a manifestação da glória do Senhor. Não foi algum acontecimento ordinário: a nuvem não foi uma nuvem comum. Ela exprimia a glória do Senhor bem como o seu fogo consumidor. Esta descrição é essencialmente idêntica àquela de Êxodo 19.16,18, embora menos detalhada. A primeira subida de Moisés ao monte (Êx 19) foi acompanhada por manifestações similares. A segunda subida (Êx 24.12 ss.) foi descrita com menos detalhes. Mas em ambas as subidas, o povo precisou manter-se à distância, por motivo de segurança (ver Êx 19.13,21 ss.). Além disso, esteve envolvida a questão de um *acesso* merecido. A maioria dos homens não está espiritualmente preparada para aproximar-se da presença de Deus. Há gradações de acesso, tal como há gradações de espiritualidade. Ver no *Dicionário* o artigo chamado *Acesso*. Em Cristo, temos um acesso completado, ao passo que em Moisés havia apenas um acesso preliminar.

Uma grande luz, como de uma grande conflagração, rebrilhou no monte por todo o tempo em que Moisés esteve ausente, e isso à plena vista do acampamento dos israelitas, perto do monte Sinai. É possível que os israelitas, pensando que Moisés tinha sido consumido em meio ao espetáculo divino, tenham caído em desespero, voltando-se assim para a idolatria.

24.18

וַיָּבֹא מֹשֶׁה בְּתוֹךְ הֶעָנָן וַיַּעַל אֶל־הָהָר וַיְהִי מֹשֶׁה בָּהָר אַרְבָּעִים יוֹם וְאַרְבָּעִים לָיְלָה׃ פ

Moisés, sem temer coisa alguma, devido à graça divina, não hesitou em entrar na nuvem, pelo que ascendeu ao monte a fim de entrevistar Yahweh.

Quarenta dias e quarenta noites. Na Bíblia há diversos períodos de *quarenta dias*, e todos eles revestem-se de um sentido especial. Há um artigo sobre essa questão. Ver no *Dicionário* o artigo chamado *Quarenta*. Usualmente, esse número indica um período de teste e preparação especial. O trecho de Deuteronômio 9.9 diz-nos que Moisés, durante todo esse tempo, nada comeu e nem bebeu. Foi espiritualmente sustentado. Esse fenômeno tem sido conhecido como experiência de pessoas especialmente santificadas, as quais, pelo menos durante algum tempo, podem passar sem os meios físicos ordinários de sustento. Há uma espécie de sustento espiritual desconhecido, acerca do qual não dispomos nem de descrições e nem de definições, mas tão somente sabemos que esse fenômeno, ocasionalmente, pode acontecer.

"...algo maior do que nós mesmos tem estado em operação em nós e através de nós. Assim foi a experiência de Moisés. O povo de Israel tinha avançado muito: estavam em segurança, fora do Egito; e agora estavam nos primeiros estágios de uma organização, tendo escapado de diversos desastres. Eu jamais poderia ter feito tal coisa por mim mesmo. A ti, Yahweh, é toda a minha gratidão e lealdade!" (J. Coert Rylaarsdam, *in loc.*, ao citar o livro *The Green Pastures*, de Connelly).

"Tanto o seu corpo quanto a sua alma foram sustentados pela presença revigoradora de Deus... Assim também Elias jejuou por quarenta dias e quarenta noites, sustentado pelo mesmo poder (1Rs 19.8)" (Adam Clarke, *in loc.*). Cf. também a experiência de Jesus, em Mateus 4.2, que envolveu outro período de quarenta dias.

CAPÍTULO VINTE E CINCO

DIREÇÕES PARA A CONSTRUÇÃO DO TABERNÁCULO (25.1—27.21)

Ver a planta, um gráfico do tabernáculo, nas notas de introdução a Êxodo 26.1.

Moisés subiu no monte Sinai por duas vezes, a fim de entrevistar Yahweh e para receber a lei. A primeira subida ficou registrada em

Êxodo 19; e a segunda, em Êxodo 24. A lei foi dada, primeiramente, sob forma oral; e mais tarde foi escrita no livro da aliança (Êx 24.4,7). Em seguida, os Dez Mandamentos (ver a respeito no *Dicionário*) foram escritos sobre tábuas de pedra pelo próprio Yahweh. Antes de sermos informados de que Moisés recebeu as tábuas de pedra (ver Êx 24.12 quanto aos vários nomes que lhes são dados no Pentateuco), há uma longa seção que inclui questões relativas aos sacerdotes (capítulos 25—31). Parte disso é a seção que temos à frente, as instruções acerca da ereção do tabernáculo e dos materiais que deveriam ser usados. Preparei um artigo detalhado sobre o *Tabernáculo*, que o leitor poderá examinar no *Dicionário*. Aquele artigo fornece todas as informações básicas, incluindo a questão dos tipos, que tem sido grandemente exagerada por certos eruditos cristãos.

O capítulo 32 reinicia a narrativa interrompida no fim do capítulo 24. Moisés desceu do monte com as duas tábuas de pedra, e descobriu que o povo de Israel já havia caído no pecado de idolatria, e que *Arão* estava liderando tal culto! Geralmente sucede que fracos e fortes se misturam na revolta contra Deus. Moisés estivera no monte, em companhia de Yahweh, recebendo a lei (o forte), ao passo que Arão, à distância, liderava o povo em sua idolatria (os fracos). O ser humano, individual ou coletivamente, é uma mescla de elementos fortes e fracos. Paulo sentia-se desolado diante dessa condição humana (ver o capítulo 7 da epístola aos Romanos). O homem espiritual fica desolado pelo mesmo motivo, mas o crescimento espiritual prossegue, apesar dos retrocessos, internos e externos.

Poderíamos considerar o relato anterior como uma descrição de como a *Igreja primitiva* foi organizada, com base na tradição judaico-cristã. A tenda era o lugar onde Deus e o homem podiam encontrar-se. A tenda, pois, está prenhe de simbolismos importantes no que tange a essa questão. A tenda, também chamada tabernáculo, era uma estrutura portátil que Israel transportou em suas vagueações pelo deserto, durante quase quarenta anos.

A tenda era a casa de Deus. Quanto a vários detalhes era similar às residências orientais dos mais abastados. Essas residências orientais tinham um lavatório convenientemente colocado perto da entrada, a fim de que aqueles que entrassem, incluindo visitantes, pudessem lavar suas mãos e seus pés (Gn 18.4; 43.24; Jo 13.5). Isso prefigurava o trecho de Tito 3.5. Também havia candeeiros (Zc 4.2), a mesa onde eram servidas as refeições, e vários compartimentos, incluindo os mais interiores, que não eram franqueados aos visitantes. Mas a primeira Igreja de Deus era uma tenda, símbolo da transitoriedade que exigiu, finalmente, a construção do templo de Jerusalém, uma edificação permanente. E isso contemplava o futuro, quando o homem seria esse templo, a habitação do Espírito. Ver Efésios 2.19 ss.

As Cinco Declarações acerca do tabernáculo, com sua estrutura e seus móveis e utensílios. O livro de Êxodo contém muitas repetições, uma característica literária do autor sagrado, o que se evidencia claramente nessas cinco declarações: 1. Yahweh baixou instruções acerca da ereção do tabernáculo e do culto ali efetuado (Êx 25—31). 2. Em seguida, há descrições de como o trabalho de construção *foi feito*, sob a supervisão de Bezaleel e Aoliabe (Êx 36.1—39.32). Praticamente foi repetida a totalidade dos capítulos 25 a 31. 3. Então há outra repetição da massa de informações, depois de Moisés ter recebido todo o trabalho feito e ter aprovado o mesmo (Êx 39.33-43). 4. Então Yahweh deu instruções acerca da montagem do tabernáculo. 5. Finalmente, a montagem foi realizada, descrita com muitas repetições (Êx 40.16-33). E o tabernáculo, já montado, foi abençoado pela presença de Yahweh (Êx 40.34-38).

■ 25.1

וַיְדַבֵּר יְהוָה אֶל־מֹשֶׁה לֵּאמֹר:

Disse o Senhor. A mensagem de Yahweh antecedeu a escrita e a entrega das tábuas de pedra, pelo que os capítulos 25—31 de Êxodo dão-nos coisas pertinentes ao culto religioso, a começar pelas instruções acerca da ereção do tabernáculo. Ver as notas introdutórias a Êxodo 25 quanto a detalhes sobre como a agenda à nossa frente ajusta-se à narrativa geral. Moisés deveria comunicar-se oralmente com o povo, acerca de sua revelação divina. Moisés não tinha inventado coisa alguma. Cf. Êxodo 3.2,7; 4.1,2; 5.1; 6.1; 7.1; 8.1; 9.1; 10.1; 11.1; 12.1; 13.1; 14.1; 16.11; 19.3; 20.2,5; 24.1,3 e aqui. A partir deste ponto, há inúmeras referências similares, conforme vai sendo dado o material da revelação divina.

Deveria ser levantado o santuário do Senhor, o tabernáculo (vs. 8). Ver no *Dicionário* o artigo chamado *Tabernáculo* quanto a informações detalhadas, incluindo a questão dos tipos. Quanto a essa questão ver, especialmente, a seção décima, *Significação Espiritual do Tabernáculo*.

■ 25.2

דַּבֵּר אֶל־בְּנֵי יִשְׂרָאֵל וְיִקְחוּ־לִי תְּרוּמָה מֵאֵת כָּל־אִישׁ אֲשֶׁר יִדְּבֶנּוּ לִבּוֹ תִּקְחוּ אֶת־תְּרוּמָתִי:

Que me tragam oferta. Várias oferendas faziam-se necessárias. A edificação da primeira congregação da tradição judaico-cristã exigiu generosas oferendas por parte do povo, porque o deserto não dispunha de recursos próprios para tal edificação. Grande parte seria derivada das coisas que os egípcios tinham dado aos israelitas, mediante uma generosidade forçada. Ver Êxodo 3.22; 11.2. Além disso, cumpre-nos lembrar que os israelitas haviam amealhado muitas riquezas por si mesmos, no Egito, apesar da opressão a que tinham sido sujeitados. Moisés, pois, exortou o povo de Israel a sacrificar parte dessas riquezas em favor da ereção do santuário portátil, o tabernáculo.

As ofertas seriam *voluntárias*, inspiradas pela generosidade espiritual. Ver Êxodo 35.29. A gratidão inspira o homem à generosidade. Fazer parte de algo maior do que o próprio indivíduo abre o seu coração para a generosidade. Posteriormente, quando o templo foi renovado (1Rs 12.4,5), ofertas voluntárias novamente acudiram à necessidade. Deus ama a quem dá com alegria (2Co 9.7).

"A ereção de santuários é uma das melhores ocasiões para os homens mostrarem sua gratidão a Deus, dando-lhe algo que lhe pertence, abundante e liberalmente" (Ellicott, *in loc.*).

■ 25.3

וְזֹאת הַתְּרוּמָה אֲשֶׁר תִּקְחוּ מֵאִתָּם זָהָב וָכֶסֶף וּנְחֹשֶׁת:

Ouro, prata e bronze. Três metais preciosos, alistados segundo a ordem de seu valor. Todos os três metais, do mais dispendioso ao mais barato, serviriam para o fabrico de itens do templo. Cf. a metáfora de Paulo sobre os materiais de edificação na vida espiritual (1Co 3.12 ss.). Os homens mais pobres, que não pudessem doar nem ouro e nem prata, podiam dar cobre. Cada dádiva teria sua utilidade; e cada indivíduo seria abençoado por dar o que pudesse.

Israel Tinha Recursos Próprios: Aquilo que eles tinham tomado dos egípcios (Êx 3.22; 11.2). Também devemos pensar no que eles tinham acumulado durante o exílio, e também o que haviam tomado dos amalequitas como despojo (Êx 17). Ver em Êxodo 35.22,24 o que seria possível amealhar. O ferro não é mencionado, pois esse metal seria limitado ao fabrico de instrumentos agrícolas e armas de guerra. Há vários artigos sobre os metais mencionados, no *Dicionário*. A tenda, um lugar pacífico, não precisaria de um metal usado em matanças.

Tipos. Os eruditos cristãos exageram sobre a questão dos tipos envolvidos no tabernáculo. Dou apenas alguns exemplos disso. Os materiais e suas cores recebem sentidos simbólicos: o ouro (a deidade em suas manifestações, e até mesmo a deidade de Cristo, Jo 1.1,14). A prata (a redenção, Êx 30.12-16; 38.27). O bronze (julgamento, como foi o caso do altar e da serpente de bronze, Nm 21.6-9). Na décima seção do artigo intitulado *Tabernáculo*, no *Dicionário*, apresentei aqueles tipos que considero válidos e mais importantes. Mas outros tipos podem ter algum valor e validade.

■ 25.4

וּתְכֵלֶת וְאַרְגָּמָן וְתוֹלַעַת שָׁנִי וְשֵׁשׁ וְעִזִּים:

Azul e púrpura e carmesim. Essas cores também têm recebido sentidos simbólicos: azul, a cor celeste, a espiritualidade. A púrpura, a realeza. O carmesim, os sacrifícios; e, naturalmente, em Cristo, essas cores teriam sentidos, e não somente no tabernáculo. Ofereci artigos na *Enciclopédia de Bíblia, Teologia e Filosofia* sobre as três cores mencionadas neste texto. Ver no *Dicionário* o artigo geral chamado *Cores*. Esse artigo é detalhado e inclui símbolos espirituais e psíquicos relacionados às cores.

Linho fino. Ver no *Dicionário* o verbete *Linho*. O linho fino era um produto egípcio, usado em vestes dispendiosas ou para envolver múmias. Os sacerdotes de Israel usavam vestes feitas de linho.

A PLANTA DO TABERNÁCULO

O Tabernáculo foi construído de tal modo que Israel, ao andar pelo deserto, podia carregar sua *igreja*, montando-a e desmontando-a, como necessário, em suas repetidas jornadas.

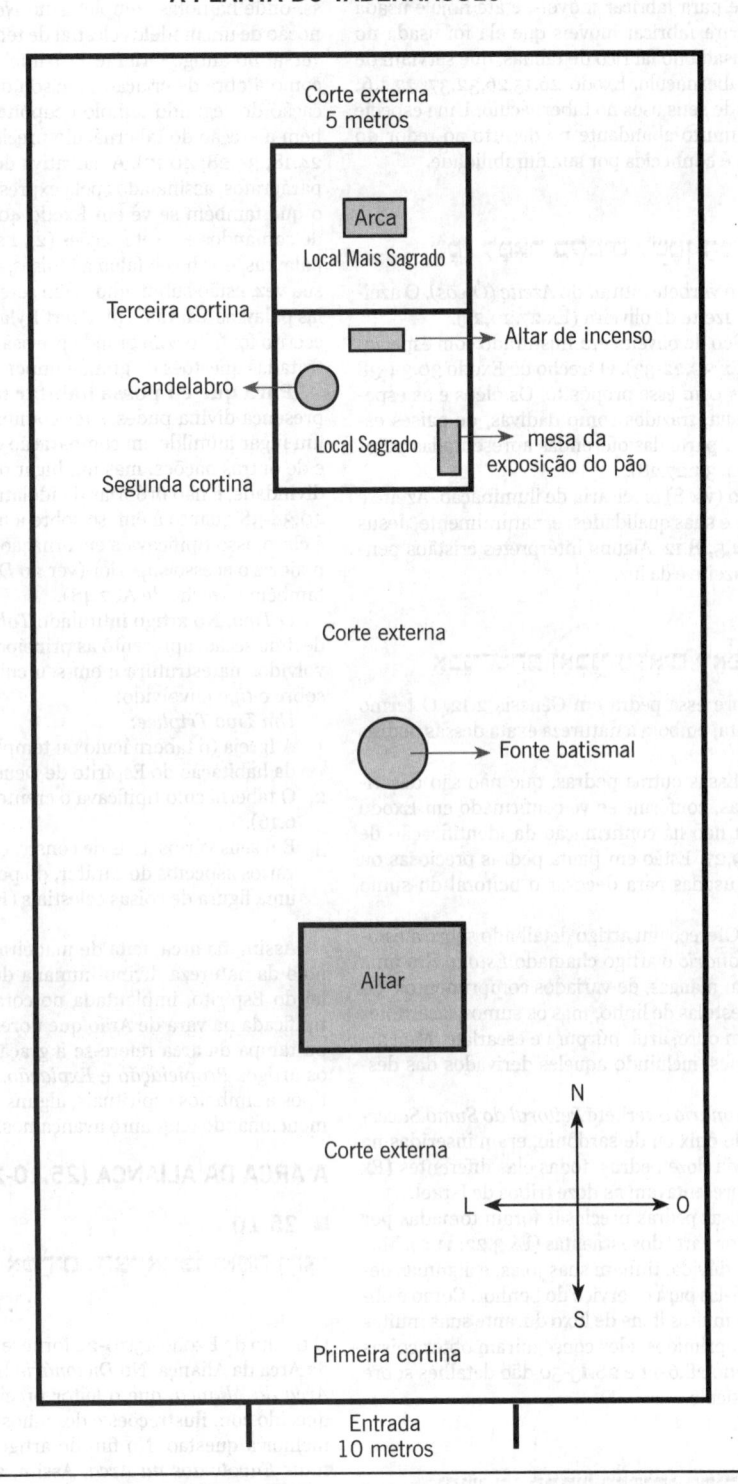

Corte externa
5 metros

Arca
Local Mais Sagrado

Terceira cortina

Altar de incenso

Candelabro

Local Sagrado — mesa da exposição do pão

Segunda cortina

Corte externa

Fonte batismal

Altar

N
L — O
S

Corte externa

Primeira cortina

Entrada
10 metros

Pelos de cabra. Ver o artigo sobre esse material, nas notas sobre Êxodo 26.14. Cf. Êxodo 35.25,26. Os pelos de cabra eram usados no fabrico de um tecido muito durável, usado para cobrir tendas e fazer vestes das mais resistentes. O material foi usado para encobrir o tabernáculo (Êx 26.7-14).

■ 25.5

וְעֹרֹת אֵילִם מְאָדָּמִים וְעֹרֹת תְּחָשִׁים וַעֲצֵי שִׁטִּים:

Peles de carneiros. No hebraico, *or*, indicando peles de carneiros tingidas de vermelho, usadas como a quarta cobertura do tabernáculo (aqui e em Êx 26.14; 36.19; 37.7,23; 39.34). Peles de carneiros, tratadas com azeite, até hoje, são usadas pelos pastores do Oriente Próximo. Elas fornecem uma boa proteção contra o vento e a chuva. Os sírios continuam tingindo essas peles de vermelho, esfregando-as com um corante dessa cor. Então com essas peles são fabricados sapatos e sandálias.

Peles de animais marinhos. Ver o artigo sobre esse material no *Dicionário*. Esse material também foi usado para cobrir a arca da aliança, quando os israelitas se punham em marcha (Nm 4.6 ss.; ver também Ez 16.10). No artigo mencionado, forneci detalhes a respeito.

Madeira de acácia. Apresentei um detalhado artigo sobre esse material no *Dicionário*. Essa madeira era chamada, no hebraico, *sitim*. Era madeira excelente para fabricar móveis, e até hoje é usada com essa finalidade. Foi para fabricar móveis que ela foi usada no tabernáculo. Também foi usada no fabrico de tábuas, que serviam de suportes das paredes do tabernáculo. Êxodo 26.15,26,32,37; 27.1,6; 30.1; 35.7 quanto a alguns de seus usos no tabernáculo. Uma espécie de madeira de acácia era muito abundante no deserto ao redor do monte Sinai. Essa madeira é conhecida por sua durabilidade.

■ 25.6

שֶׁמֶן לַמָּאֹר בְּשָׂמִים לְשֶׁמֶן הַמִּשְׁחָה וְלִקְטֹרֶת הַסַּמִּים׃

Azeite. Ver no *Dicionário* o verbete intitulado *Azeite (Óleos)*. O azeite usado nas lâmpadas era azeite de oliveira (Êx 27.20,21).

O óleo de unção. O óleo de oliveira era misturado com especiarias para efeito de unção (Êx 30.22-33). O trecho de Êxodo 30.34-38 alista as especiarias usadas com esse propósito. Os óleos e as especiarias eram, com frequência, trazidos como dádivas, de países estrangeiros, visto que faziam parte das ofertas apresentadas pelos líderes do povo de Israel (Êx 34.27,28).

O santuário a ser erigido (vs. 8) precisaria de iluminação. Azeite e luz falam do Espírito Santo e suas qualidades, e, naturalmente, Jesus é a luz do mundo. João 1.4,5; 8.12. Alguns intérpretes cristãos pensam nesse simbolismo do azeite e da luz.

■ 25.7

אַבְנֵי־שֹׁהַם וְאַבְנֵי מִלֻּאִים לָאֵפֹד וְלַחֹשֶׁן׃

Pedras de ônix. Ver sobre essa pedra em Gênesis 2.12. O termo *ônix* depende da Septuaginta, embora a natureza exata dessas pedras seja incerta.

Pedras de engaste. Essas outras pedras, que não são descritas, foram realmente usadas, conforme se vê confirmado em Êxodo 28.15-20. Mas ali também não há confirmação da identificação de tais pedras. Cf. Êxodo 35.9,27. Estão em pauta pedras preciosas ou semipreciosas, que foram usadas para decorar o peitoral do sumo sacerdote.

A estola sacerdotal. Ofereço um artigo detalhado sobre a *estola* (cobertura). Ver no *Dicionário* o artigo chamado *Estola*. Era uma peça ajustada ao corpo, sem mangas, de variados comprimentos. Os sacerdotes levitas usavam estolas de linho, mas os sumos sacerdotes tinham estolas bordadas em ouro, azul, púrpura e escarlate. Meu artigo adiciona muitos detalhes, incluindo aqueles derivados das descobertas arqueológicas.

O peitoral. Ver no *Dicionário* o verbete *Peitoral do Sumo Sacerdote*. Duas pedras, talvez de ônix ou de sardônio, eram inseridas na estola. Mas no peitoral havia doze pedras, todas elas diferentes (Êx 28.17-20). Essas pedras representavam as doze tribos de Israel.

Muito provavelmente essas pedras preciosas foram tomadas por empréstimo dos egípcios, por parte dos israelitas (Êx 3.22; 11.2). Mas as mulheres israelitas, sem dúvida, tinham suas joias, e algumas delas estariam dispostas a doá-las para o serviço do Senhor. Como é óbvio, Israel tinha acumulado muitos itens de luxo durante suas muitas décadas no Egito. Embora oprimidos, eles conseguiram obter coisas de valor. Os trechos de Êxodo 28.6-12 e 28.13-50 dão detalhes sobre os itens referidos neste versículo.

■ 25.8,9

וְעָשׂוּ לִי מִקְדָּשׁ וְשָׁכַנְתִּי בְּתוֹכָם׃

כְּכֹל אֲשֶׁר אֲנִי מַרְאֶה אוֹתְךָ אֵת תַּבְנִית הַמִּשְׁכָּן וְאֵת תַּבְנִית כָּל־כֵּלָיו וְכֵן תַּעֲשׂוּ׃ ס

Um santuário. Ou seja, o *tabernáculo* (ver a respeito no *Dicionário*), lugar onde a presença de Deus poderia manifestar-se de modo especial. O termo *santuário* refere-se à inteira área sagrada fechada, incluindo o átrio. Foram baixadas instruções divinas quanto à sua construção (Êx 25.9,40; 26.30; 27.8). Deus foi o seu arquiteto. O trecho de 1Crônicas 28.19 diz-nos que houve algum modelo divino envolvido na estrutura, e que os judeus tolamente imaginaram que havia um tabernáculo paralelo mais elevado, no próprio céu, e que foi *copiado* do tabernáculo terrestre. Essa ideia, parecida com a dos universais e os particulares de Platão, é ventilada em Hebreus 9.23 ss, onde há notas completas no *Novo Testamento Interpretado*. "A noção de um modelo celestial de templos, objetos de culto e leis é universal no antigo Oriente Próximo" (J. Edgar Parke, *in loc.*). "Assim como a obra de criação precisou de sete dias, e assim como a edificação do segundo templo ocupou sete anos (1Rs 6.38), assim também a ereção do tabernáculo precisou de sete meses (cf. Êx 19.1 ss.; 24.18; 34.28; 40.17). A narrativa de Êxodo 39.1-31 divide-se em sete parágrafos, assinalados pela expressão 'e Yahweh ordenou a Moisés'; o que também se vê em Êxodo 40.17-32. O editor arranjou a série de comandos em sete seções (25.1 ss.), cada qual começando com as palavras 'e Yahweh falou a Moisés, dizendo'. Algumas das seções, por sua vez, estão subdivididas em sete partes, cada qual começando pelas palavras 'e farás'". (J. Coert Rylaarsdam, *in loc.*). Assim, o registro escrito foi feito com grande previsão e execução, visto estarem sendo tratadas questões de grande importância.

Para que eu possa habitar no meio deles. Um lugar onde a presença divina pudesse ter comunhão com os homens, na verdade um lugar humilde em comparação com as riquezas do culto do Egito e de outras nações, mas um lugar onde havia reais manifestações da divindade, e não próprias da idolatria. Ver também Êxodo 29.42-46; 40.34-38 quanto à ênfase sobre a habitação entre os homens. Como é claro, isso tipificava a encarnação do Logos (Jo 1.1,14), a habitação maior e o acesso superior (ver no *Dicionário* o verbete *Acesso*, como também o trecho de At 7.48).

O Tipo. No artigo intitulado *Tabernáculo*, no *Dicionário,* em sua décima seção, apresento as principais lições espirituais e os tipos envolvidos na estrutura e em seu culto. Adiciono aqui algumas notas sobre o *tipo* envolvido:

Um Tipo Tríplice:
1. A Igreja (o tabernáculo ou templo do Novo Testamento) é o lugar da habitação do Espírito de Deus (Êx 25.8; Ef 2.19-22).
2. O tabernáculo tipificava o crente individual, por igual modo (2Co 6.16).
3. Em seus vários itens de construções e de mobiliário, representava vários aspectos do caráter, do poder e das graças de Cristo, sendo uma figura de coisas celestiais (Hb 9.23,24).

Assim, na arca, feita de madeira revestida de ouro, temos o símbolo da natureza divino-humana de Cristo. Sua lei tem paralelo na lei do Espírito, implantada no coração do crente. A ressurreição é tipificada na vara de Arão que floresceu (Nm 17.10). O propiciatório ou tampa da arca refere-se à graça da expiação. Ver no *Dicionário* os artigos *Propiciação* e *Expiação*. Podem ser vistos muitos outros tipos e símbolos espirituais, alguns deles de caráter dúbio, e que vou mencionando enquanto avançamos.

A ARCA DA ALIANÇA (25.10-22)

■ 25.10

וְעָשׂוּ אֲרוֹן עֲצֵי שִׁטִּים אַמָּתַיִם וָחֵצִי אָרְכּוֹ וְאַמָּה וָחֵצִי רָחְבּוֹ וְאַמָּה וָחֵצִי קֹמָתוֹ׃

O trecho de Êxodo 25.10-22 fornece uma longa e detalhada descrição da Arca da Aliança. No *Dicionário* há um detalhado artigo intitulado *Arca da Aliança*, que o leitor precisa examinar. Esse artigo é enriquecido com ilustrações e desenhos, que ajudam o leitor a visualizar melhor a questão. No fim do artigo, apresento os *Símbolos Espirituais Envolvidos na Arca*. Assim, as notas sobre os vss. 10-22 são suplementares.

"Tudo começava pela arca, a qual, no tabernáculo terminado, foi posta no Santo dos Santos, por motivo de *revelação*. Deus começa por si mesmo, e, então, estende-se na direção do homem, tal como, na *adoração*, o adorador começa por si mesmo e então, estende-se na direção de Deus, no Santo dos Santos. A mesma ordem é seguida nas ofertas levíticas (Lv 1—5). Ao *aproximar-se*, o homem começa no altar de bronze, tipo da cruz, onde, no fogo do julgamento, fez-se expiação" (*Scofield Reference Bible, in loc.*).

Ver o diagrama que mostra o *plano* do tabernáculo, no começo da exposição sobre o capítulo 26 do Êxodo. O leitor poderá observar, por meio desse diagrama, a localização exata dos vários itens do tabernáculo.

"Foram descritos vários itens do mobiliário do tabernáculo (Êx 25.10-40), antes da descrição do próprio tabernáculo (Êx 26), por causa de sua maior importância, pois o tabernáculo servia para proteger esse mobiliário. O mais importante desses itens do tabernáculo foi descrito em primeiro lugar. Era a única peça posta dentro do segundo compartimento do tabernáculo, o Santo dos Santos" (John D. Hannah, *in loc.*).

Seus Nomes. No hebraico, a arca tem o sentido de *caixa* ou *cofre*.
1. Arca (Êx 25.10).
2. Arca do testemunho (vs. 22).
3. Arca da aliança do Senhor (Nm 10.33; Dt 10.8; 21.9,26).
4. Pelo nome de Deus (1Cr 13.6).

SIMBOLISMOS DO TABERNÁCULO

1. Da igreja como a habitação de Deus através do Espírito: Êx 25.8; Ef 2.19-22
2. Do crente: 2Co 6.16
3. Uma figura das coisas nos céus: Hb 9.23,24
4. O propiciatório, o trono de Deus; seu lugar de manifestação: Gn 3.24; Ez 1.6; Rm 3.15
5. A encarnação de Cristo: Cl 1.19
6. Graus de acesso a Deus, simbolizados por suas três cortinas e compartimentos internos. As divisões foram anuladas em Cristo: Hb 10.10 ss.
7. A auto-revelação divina e o progresso em revelação: Ap 21.3. A revelação traz a salvação como seu maior benefício.
8. O tabernáculo era o centro da vida de Israel. As tribos acampavam ao redor dele. Quando substituiu o tabernáculo, o Templo se tornou o centro da atenção de Israel. Na época no Novo Testamento, o Espírito transforma cada pessoa em um templo e ali habita.

Dimensões: No primeiro parágrafo do artigo chamado *Arca da Aliança,* dou as dimensões da arca no padrão metro, para os leitores de língua portuguesa. Ver no *Dicionário* acerca desses detalhes de todos os itens envolvidos.

A arca foi feita de *madeira de acácia*, o que abre um verbete no *Dicionário*. Ver também o vs. 5 do presente capítulo. Os eruditos evangélicos veem nisso a *humanidade* de Cristo tipificada. A madeira de acácia, uma espécie vegetal típica do deserto, é um tipo apropriado de Cristo em sua humanidade, como raiz que brota de uma terra seca (Is 53.2).

■ 25.11

וְצִפִּיתָ אֹתוֹ זָהָב טָהוֹר מִבַּיִת וּמִחוּץ תְּצַפֶּנּוּ וְעָשִׂיתָ עָלָיו זֵר זָהָב סָבִיב:

De ouro puro. A arca era forrada por dentro e por fora com uma beirada de ouro. A *bordadura de ouro* parece ter tido a forma de um cabo tipo corda ou faixa, que circundava a caixa a meia altura, ou talvez, em uma das extremidades. Os eruditos evangélicos veem no ouro um símbolo da deidade de Cristo, o aspecto mais preciso e esplêndido de sua pessoa. Cf. Cântico dos Cânticos 5.10-16. Quanto à *bordadura*, que uma versão traduz como "coroa", comentou Ellicott, *in loc*: "Uma tira ou borda de ouro ao redor do extremo superior da caixa. O objeto provavelmente tinha por finalidade guardar o *kapporeth*, ou lugar da expiação".

■ 25.12

וְיָצַקְתָּ לּוֹ אַרְבַּע טַבְּעֹת זָהָב וְנָתַתָּה עַל אַרְבַּע פַּעֲמֹתָיו וּשְׁתֵּי טַבָּעֹת עַל־צַלְעוֹ הָאֶחָת וּשְׁתֵּי טַבָּעֹת עַל־צַלְעוֹ הַשֵּׁנִית:

Quatro argolas de ouro. Essas argolas foram postas nos *cantos* da arca. Alguns eruditos preferem pensar nos *pés* da arca (de acordo com uma outra tradução do texto hebraico). Essas argolas serviam para transportar facilmente a arca, pois havia varas para serem enfiadas nessas argolas (vss. 13,14). Assim sendo, talvez a arca tivesse quatro *pés*, onde também havia argolas; ou, então, essas argolas tivessem sido postas nos quatro *cantos*, e os varais passavam por dentro dessas argolas, tudo dependendo de como traduzirmos o texto hebraico envolvido. Os *pés* podem ter sido apenas uma referência aos quatro *cantos inferiores*, e não a pés colocados ali. Nesse caso, os varais passavam por baixo da arca, através de argolas, e não nos cantos superiores da mesma.

■ 25.13,14

וְעָשִׂיתָ בַדֵּי עֲצֵי שִׁטִּים וְצִפִּיתָ אֹתָם זָהָב:

וְהֵבֵאתָ אֶת־הַבַּדִּים בַּטַּבָּעֹת עַל צַלְעֹת הָאָרֹן לָשֵׂאת אֶת־הָאָרֹן בָּהֶם:

Os dois varais eram feitos de madeira de acácia e recobertos de ouro. Esses varais passavam pelas argolas que havia ou nos cantos superiores ou nos cantos inferiores da arca, mais provavelmente nos cantos inferiores. Os varais foram fixados nas argolas, provendo uma maneira fácil de transportar a arca. A arca não era usada para ser levada em processões, conforme faziam os egípcios e outros povos antigos, em suas práticas idólatras, quando expunham seus ídolos em cortejo religioso. Antes, os dois varais serviam tão somente para transporte da arca, enquanto Israel se locomovia pelo deserto.

Os eruditos cristãos veem os ministros de Cristo tipificados nessas argolas, que proviam um meio de transporte. Também eram enriquecidos com madeira e metal preciosos, o que representaria os seus dons espirituais.

Quando a arca foi posta no seu lugar de descanso, no Santo dos Santos do templo de Jerusalém, suas varas podiam ser vistas desde o Lugar Santo (1Rs 8.8). Alguns estudiosos veem nisso as atividades e grande nobreza de Yahweh, o Deus de ação e de transformação.

■ 25.15

בְּטַבְּעֹת הָאָרֹן יִהְיוּ הַבַּדִּים לֹא יָסֻרוּ מִמֶּנּוּ:

Os varais ficarão nas argolas. Aquela era a sua posição fixa, pois faziam parte integral da estrutura, não sendo apenas apêndices para facilitar o transporte da arca. Alguns estudiosos veem nisso a mobilidade do culto a Yahweh; mas muitos evangélicos veem nisso a permanência dos ministros de Cristo e o uso contínuo de seus dons, no serviço prestado ao Senhor. Os povos antigos dispunham de suas caixas sagradas, onde guardavam os seus ídolos. Alguns pagãos concebiam a arca como um deus de Deus (1Sm 4.6,7). No entanto, apenas representava o poder ou atuação de Yahweh.

Podia-se tocar nos varais quando o transporte da arca se fazia necessário. Mas tocar na arca propriamente dita podia ser fatal (2Sm 6.6,7). Isso alude à solenidade do poder divino, representado pela arca.

■ 25.16

וְנָתַתָּ אֶל־הָאָרֹן אֵת הָעֵדֻת אֲשֶׁר אֶתֵּן אֵלֶיךָ:

O Testemunho. Este deveria ser posto no interior da arca. Devemos entender que esse testemunho eram as duas tábuas da lei. Ver Êxodo 24.12 quanto aos vários títulos conferidos ao *decálogo*, ou seja, os *Dez Mandamentos*. Ver também, no *Dicionário*, sobre os *Dez Mandamentos*. Ver Êxodo 25.21 e Deuteronômio 10.2. Os povos antigos depositavam seus ídolos em caixas que consideravam sagradas, mas Israel guardara na arca a Palavra do Senhor. Essa lei era o testemunho da santidade de Deus e contra o pecado (Dt 31.25). A arca veio a ser conhecida como Arca da Aliança por causa da presença das duas tábuas da lei, ali guardadas (Êx 25.22; 26.34; 30.6,26; Nm 4.4; 7.89; Js 4.16). Ver o vs. 10 deste capítulo quanto aos vários nomes dados à arca.

O *testemunho* era a veracidade de Yahwismo, as justas exigências do Senhor: contra qualquer outra forma de culto; contra a idolatria; em favor da santidade e contra o pecado. Essa era a essência da legislação mosaica. Ver nos Artigos Introdutórios, no primeiro volume desta obra, aquele intitulado *Lei no Antigo Testamento*, em sua quarta seção, *Lei*.

O trecho de Hebreus 9.4,5 adiciona itens, dentro da arca, sobre os quais o Antigo Testamento nada indica. Isso talvez reflita uma situação posterior, que nunca foi registrada por escrito. Alguns eruditos pensam que houve um erro por parte do autor daquela epístola. A questão é longamente comentada no *Novo Testamento Interpretado, in loc*. O autor da epístola aos Hebreus fala sobre o maná e a vara de Arão.

OS MÓVEIS NO TABERNÁCULO

Item	Referências	Simbolismos
1. A arca e sua tampa (Propiciatório)	Êx 25.10-22; 37.1-9	A cobertura: a expiação, esconder o pecado. A arca: a presença de Deus; o local de sacrifício; perdão dos pecados; o local de revelação
2. A mesa e seu pão	Êx 25.23-30; 37.17-24	O pão do céu: alimentação espiritual e suprimento das necessidades espirituais
3. O candelabro	Êx 25.31-39; 37.17-24	A iluminação espiritual; o Espírito como o iluminador; um guia para o caminho
4. O altar de incenso	Êx 30.1-10; 37.25-28	A intercessão do Espírito; as operações do Espírito
5. O altar de ofertas queimadas	Êx 27.1-8; 39.1-7	Expiação; perdão; reconciliação
6. A fonte batismal	Êx 30.17-21; 38.8	A limpeza do pecado; a purificação

SIMBOLISMOS E CONTRASTES

• A *arca* continha a lei que condenava. A expiação de Cristo anulou o pecado.

Eis o cordeiro de Deus que tira o pecado do mundo!
João 1.29

• A *mesa* e seu pão eram símbolos da alimentação espiritual dada de modo preliminar.

Não foi Moisés quem vos deu o pão do céu. O verdadeiro pão do céu é meu Pai quem vos dá.
João 6.32

• O *candelabro* simbolizava a luz de Deus, mas Cristo ilumina a todos os que vêm a este mundo.

A verdadeira luz... ilumina a todo homem.
João 1.9

• Os sacrifícios foram feitos *ad infinitum*, mas Cristo ofereceu o sacrifício perfeito e final.

Nessa vontade é que temos sido santificados, mediante a oferta do corpo de Jesus Cristo, uma vez por todas.
Hebreus 10.10

■ 25.17

וְעָשִׂיתָ כַפֹּרֶת זָהָב טָהוֹר אַמָּתַיִם וָחֵצִי אָרְכָּהּ וְאַמָּה וָחֵצִי רָחְבָּהּ:

Um propiciatório. Há um detalhado artigo sobre esse item, no *Dicionário*. O propiciatório era a tampa da arca da aliança, uma chapa sólida de ouro, cujas dimensões aproximadas eram 1,11 m x 0,67 m. Formando uma única peça com essa chapa, havia dois querubins, um de frente para o outro, com asas abertas, que se tocavam no alto, e que encimavam o propiciatório (Êx 25.17,22). No hebraico temos o termo *kapporeth*, "sede da misericórdia", em português geralmente traduzido por "propiciatório", ou seja, o lugar onde Deus se mostrava propício ao homem. O propiciatório provia tanto uma tampa para a arca como também era o lugar onde o sangue do sacrifício anual era posto. Ali era o lugar onde, *por meio de sangue*, os pecados de Israel eram *cobertos*, ou seja, expiados (Lv 16.2,13-15). Era o objeto mais sagrado do Santo dos Santos; era o próprio trono de Yahweh" (J. Coert Rylaarsdam, *in loc.*).

Naturalmente, Cristo é a nossa propiciação, pelo que a tampa da arca era um tipo dele mesmo e de sua expiação, efetuada no Calvário. Ver no *Dicionário* os artigos intitulados *Expiação* e *Propiciação*.

No dia da expiação, uma vez por ano, era sobre o propiciatório que o sumo sacerdote aspergia o sangue (Lv 16.1-20; Êx 30.10). Portanto, temos aí um símbolo do Cordeiro de Deus (Jo 1.29), o qual fez expiação por nossos pecados (Rm 3.25; Hb 9.11-14), por meio de seu sangue (1Pe 1.18,19).

Por assim dizer, o propiciatório era o estrado do trono do Senhor (1Cr 28.2; Sl 132.70), e era considerado o lugar onde Yahweh se encontrava com o representante sacerdotal do povo de Israel (vs. 22).

O propiciatório era feito de uma só peça de ouro puro, sem a menor dúvida o mais valioso e precioso item isolado do tabernáculo, o que mostra a grande importância dada ao mesmo. Tem-se calculado que pesava 300 kg de ouro, o que é uma prodigiosa quantidade de ouro!

■ 25.18

וְעָשִׂיתָ שְׁנַיִם כְּרֻבִים זָהָב מִקְשָׁה תַּעֲשֶׂה אֹתָם מִשְּׁנֵי קְצוֹת הַכַּפֹּרֶת:

Dois querubins de ouro. Ver no *Dicionário* o artigo *Querubim*. O fabrico das imagens dos dois querubins do tabernáculo foi uma exceção à regra de que não fosse feita qualquer imagem de escultura por parte de Israel. Ver no *Dicionário* estes três artigos: *Imagem de Escultura; Imagem Esculpida (Fundida)* e *Idolatria*. Alguns estudiosos cristãos têm-se apegado a esse fato para justificar o uso de imagens na Igreja. Entretanto, devemos lembrar que sob nenhuma hipótese os querubins eram adorados ou venerados, o que já não se dá com as imagens usadas na cristandade. Portanto, não há qualquer analogia. As imagens dos querubins eram as guardiãs simbólicas do recinto sagrado. Ver Gênesis 3.24; Ezequiel 28.14 quanto ao trabalho dos querubins, aqueles seres angelicais. Ver no *Dicionário* o verbete *anjo*. Os querubins, quando representados, usualmente tinham rostos humanos e corpos de animais. Os dois querubins formavam uma só peça com o propiciatório e, por assim dizer, sombreavam a presença divina, simbolicamente contida na arca.

Em alguns países, a arqueologia tem descoberto figuras aladas, como grifos, touros e outros animais, alguns deles com rostos humanos, que serviam de decoração de santuários sagrados. Os querubins indicavam rapidez (voavam, graças às suas asas) e força. O artigo sobre os querubins, no *Dicionário*, fornece detalhes sobre a questão em sua quarta seção, *Aparência dos Querubins*. Seu ponto quinto é intitulado *Usos no Templo de Jerusalém*. Seu ponto sétimo indica as funções das diversas ordens angelicais. E seu ponto oitavo, seus *Sentidos Simbólicos*. Deviam assemelhar-se aos anjos alados na presença de Deus (1Sm 4.4; Sl 80.1; 99.1; Is 37.16). Também havia querubins bordados nas cortinas que cobriam o tabernáculo (Êx 26.1-6), bem como no véu que separava o Lugar Santo do Santo dos Santos (Êx 26.31-33). Serviam de adornos do trono de Deus, pelo que falavam de sua presença e de seu poder protetor. Os eruditos cristãos veem a união e a comunhão com Cristo, tipificadas, bem como a presença e o acesso a Deus, que Cristo nos confere. Quanto a muitos outros artigos atinentes, ver o artigo sobre esses seres e suas representações, no *Dicionário*.

■ 25.19

וַעֲשֵׂה כְּרוּב אֶחָד מִקָּצָה מִזֶּה וּכְרוּב־אֶחָד מִקָּצָה מִזֶּה מִן־הַכַּפֹּרֶת תַּעֲשׂוּ אֶת־הַכְּרֻבִים עַל־שְׁנֵי קְצוֹתָיו:

Alguns supõem que os querubins da arca não eram duas imagens separadas, e, sim, duas imagens formadas da mesma massa de ouro, formando parte do próprio propiciatório (a tampa sólida da arca). Mas é difícil imaginar o que isso significaria exatamente. Seja como for, os querubins foram formados de frente um para o outro, como se pairassem por sobre o propiciatório.

■ 25.20

וְהָיוּ הַכְּרֻבִים פֹּרְשֵׂי כְנָפַיִם לְמַעְלָה סֹכְכִים בְּכַנְפֵיהֶם עַל־הַכַּפֹּרֶת וּפְנֵיהֶם אִישׁ אֶל־אָחִיו אֶל־הַכַּפֹּרֶת יִהְיוּ פְּנֵי הַכְּרֻבִים:

Os querubins estavam de rostos voltados um para o outro e tinham asas estendidas por cima, como um símbolo de proteção, sombreamento e comunhão. Jarchi diz-nos que entre os rostos dos querubins e o propiciatório havia um espaço de dez palmos (cerca de 70 cm). "Nas figuras egípcias de Ma, uma das asas aparece em posição estendida, ao passo que a outra é baixada, caindo por detrás da figura" (Ellicott, *in loc.*). As figuras contemplavam o propiciatório, de frente uma para a outra, pelo que o olhar se dirigia na direção do trono de Yahweh, o lugar onde o sangue do sacrifício anual era aspergido.

■ 25.21

וְנָתַתָּ אֶת־הַכַּפֹּרֶת עַל־הָאָרֹן מִלְמָעְלָה וְאֶל־הָאָרֹן תִּתֵּן אֶת־הָעֵדֻת אֲשֶׁר אֶתֵּן אֵלֶיךָ:

O propiciatório era a tampa da arca, bem como o lugar onde era aspergido o sangue do sacrifício anual. Dentro da arca foi posto o *testemunho*, ou seja, as duas tábuas de pedra que continham os Dez Mandamentos. Já pudemos comentar sobre isso, detalhadamente, em Êxodo 25.16. O propiciatório é mencionado e comentado em Êxodo 25.17. Assim, o presente versículo é uma virtual repetição dos vss. 16 e 17.

■ 25.22

וְנוֹעַדְתִּי לְךָ שָׁם וְדִבַּרְתִּי אִתְּךָ מֵעַל הַכַּפֹּרֶת מִבֵּין שְׁנֵי הַכְּרֻבִים אֲשֶׁר עַל־אֲרוֹן הָעֵדֻת אֵת כָּל־אֲשֶׁר אֲצַוֶּה אוֹתְךָ אֶל־בְּנֵי יִשְׂרָאֵל: פ

A função do tabernáculo propriamente dito era prover um lugar de comunhão entre Yahweh e seu povo (Êx 33.7-11); e isso agora é dito especificamente acerca da arca, o lugar específico da expiação e, portanto, da comunhão. Era tanto íntimo quanto transcendente. O sumo sacerdote de Israel podia vir ao seu encontro como representante do povo, embora apenas uma vez a cada ano. A presença de Deus manifestava-se, mas os homens tinham que esperar pelo tempo marcado, e isso sucedia raramente. Ver no *Dicionário* o artigo intitulado *Acesso*, quanto à estrada superior que Cristo abriu na nossa dispensação do evangelho.

O testemunho (as tábuas de pedra) e os seus mandamentos eram o testemunho prestado pela arca. Por conseguinte, a arca era um lugar de instrução. Também podemos supor que a presença de Deus comungava e se comunicava diretamente com o sumo sacerdote, transmitindo-lhe quaisquer instruções que fossem importantes para os filhos de Israel. Assim sendo, a arca tornou-se um lugar de ensino e iluminação, e não apenas um lugar onde era oferecido um sacrifício anual.

Era ali que se via a *shekinah* (ver a respeito no *Dicionário*), uma manifestação visível e gloriosa da presença de Yahweh. Deus falava ali (Êx 29.42) por meio da voz divina, ou por meio do *Urim e Tumim* (ver a esse respeito no *Dicionário*). Finalmente, na pessoa de Jesus Cristo, o próprio homem tornou-se o lugar desse encontro, ao tornar-se, mediante a regeneração, o templo do Espírito (Ef 2.17 ss.). A comunhão com Deus, no tabernáculo, comparativamente falando, ainda era um tanto *distante*. Mas todos nós, da nova dispensação da graça, fomos *aproximados* do Senhor (ver Hb 10.19 ss.).

A MESA (25.23-30)

■ 25.23

וְעָשִׂיתָ שֻׁלְחָן עֲצֵי שִׁטִּים אַמָּתַיִם אָרְכּוֹ וְאַמָּה רָחְבּוֹ וְאַמָּה וָחֵצִי קֹמָתוֹ:

A mesa. Neste ponto, o leitor precisa examinar dois artigos do *Dicionário*: 1. *mesa*, seção 11, *Mesas Rituais*. 1. *mesa dos Pães da Proposição ou da Presença*. Dou aí uma detalhada descrição da *mesa* do texto presente. 2. *Pães da Proposição*, um artigo bem detalhado que provê toda a informação a respeito da questão.

Medidas da mesa. Essas dimensões eram, aproximadamente, 1 m de comprimento, 0,5 m de largura e 75 cm de altura. Era feita da preciosa *madeira de acácia* (ver a esse respeito no *Dicionário*), recoberta de ouro (vs. 24), o que tem feito alguns estudiosos cristãos verem a humanidade e a deidade de Cristo.

Os *pães da proposição* eram postos sobre essa mesa (vs. 30), servindo eles de símbolo de Cristo, o pão da vida, onde aparecem as notas expositivas a respeito.

■ 25.24

וְצִפִּיתָ אֹתוֹ זָהָב טָהוֹר וְעָשִׂיתָ לּוֹ זֵר זָהָב סָבִיב:

De ouro puro a cobrirás. Assim diz o original hebraico, ao passo que a Septuaginta exagera e diz que a mesa foi feita de ouro puro, à semelhança do propiciatório. "Algumas vezes a mesa era chamada de 'mesa de ouro puro' (Lv 24.6), por causa do ouro puro com o qual ela era recoberta" (J. Edgar Park, *in loc.*).

A mesa tinha uma *bordadura de ouro*, ou seja, uma beirada de ouro, evidentemente feita para impedir que os pães postos sobre a mesa escorregassem pela beira da mesa e se contaminassem em contato com o solo. Esse item poderia ser aquele do vs. 25, onde são dados outros detalhes. Mas alguns eruditos supõem que naquele versículo está em pauta alguma forma de beirada separada. A *bordadura* do vs. 24 aparentemente era uma estrutura elevada que percorria toda a beirada da mesa, em seus quatro lados.

■ 25.25

וְעָשִׂיתָ לּוֹ מִסְגֶּרֶת טֹפַח סָבִיב וְעָשִׂיתָ זֵר־זָהָב לְמִסְגַּרְתּוֹ סָבִיב:

Moldura ao redor. Temos aqui outra beirada ou moldura. "A representação da mesa dos pães da proposição, no arco de Tito, em Roma, dá-nos a melhor ideia dessa *moldura*. Era uma barra chata a meio caminho entre a parte superior e a parte mais inferior da mesa, ligando as quatro pernas entre si, mantendo-as assim no lugar. Seu ornamento de ouro deve ter servido somente como enfeite" (Ellicott, *in loc.*). Os especialistas judeus não concordam quanto à natureza exata e a posição dessa moldura, e talvez Ellicott tenha expressado a questão melhor do que ninguém.

■ 25.26,27

וְעָשִׂיתָ לּוֹ אַרְבַּע טַבְּעֹת זָהָב וְנָתַתָּ אֶת־הַטַּבָּעֹת עַל אַרְבַּע הַפֵּאֹת אֲשֶׁר לְאַרְבַּע רַגְלָיו:

לְעֻמַּת הַמִּסְגֶּרֶת תִּהְיֶיןָ הַטַּבָּעֹת לְבָתִּים לְבַדִּים לָשֵׂאת אֶת־הַשֻּׁלְחָן:

Quatro argolas de ouro. O mesmo tipo de provisão para o transporte da arca foi feito para a mesa (ver os vss. 12-14). A palavra "cantos", uma vez mais, tal como no caso da arca, poderia indicar os quatro cantos superiores ou, então, que estavam na parte mais inferior das pernas da mesa. Mas no caso da mesa, é dito especificamente que tais argolas estavam nos pés da mesa. Assim, a mesa era transportada mediante varais postos dentro de argolas que estavam nas extremidades inferiores das pernas da mesa. Por conseguinte, é provável que houvesse o mesmo arranjo no caso da arca. Portanto, havia uma argola no fim inferior de cada perna da mesa. Os varais postos ali facilitavam o transporte da mesa. Israel, ao locomover-se pelo deserto, jamais se desfazia da mesa. A mesma era carregada elevada sobre os ombros dos homens que a transportavam, conforme é retratado nas gravuras do arco de Tito.

■ 25.28

וְעָשִׂיתָ אֶת־הַבַּדִּים עֲצֵי שִׁטִּים וְצִפִּיתָ אֹתָם זָהָב וְנִשָּׂא־בָם אֶת־הַשֻּׁלְחָן:

Os varais eram feitos de madeira de acácia recoberta de ouro, tal como os varais da arca (Êx 25.13, cujas notas aplicam-se aqui também). Todavia, não é dito aqui que os varais deveriam ser fixados permanentemente às argolas da mesa, conforme se via no caso da arca (vs. 15); mas alguns estudiosos supõem que assim também ocorria no caso da mesa. Josefo, entretanto, diz-nos que esses varais eram removíveis, para que não impedissem os sacerdotes de cumprirem seus deveres relativos à mesa (*Antiq.* 1.3 c.6 sec. 6).

■ 25.29

וְעָשִׂ֤יתָ קְּעָרֹתָיו֙ וְכַפֹּתָ֔יו וּקְשׂוֹתָ֖יו וּמְנַקִּיֹּתָ֑יו אֲשֶׁ֥ר יֻסַּ֖ךְ בָּהֵ֑ן זָהָ֥ב טָה֖וֹר תַּעֲשֶׂ֥ה אֹתָֽם׃

Os Utensílios da mesa. Além dos pães da proposição, havia vários outros itens, a saber, os vasos sagrados (1Rs 7.48; Nm 4.7), o pano azul que servia de toalha; certos pratos (talvez para conter os próprios pães da proposição); os recipientes para incenso e as taças para as libações. Os intérpretes não chegam a um acordo quanto a esses detalhes. Ademais, os vários versículos que abordam a questão não mostram exatamente os mesmos objetos. No entanto, além dos pães da proposição devemos pensar ao menos na toalha azul e nos vasos para incenso e para libações. Os vasos são simbolizados pela taça isolada sobre a mesa, na representação existente no arco de Tito. Esses vasos eram usados para a oferenda de vinho que acompanhava o pão; mas é evidente que havia mais pratos e taças do que aquela representação romana indica.

Libações. Ver no *Dicionário* o artigo chamado *Libação*. Eram oferendas líquidas.

■ 25.30

וְנָתַתָּ֧ עַֽל־הַשֻּׁלְחָ֛ן לֶ֥חֶם פָּנִ֖ים לְפָנַ֥י תָּמִֽיד׃ פ

Os pães da proposição. Ver o artigo detalhado sobre os mesmos no *Dicionário*. Os pães da proposição eram doze, e não levavam fermento em sua fórmula (o que é confirmado por Josefo, em *Antiq.* 3.6.6). Os pães eram exibidos sobre a mesa existente no Lugar Santo, um sobre outro, formando duas pilhas de seis pães em cada pilha. Esses pães simbolizavam as doze tribos de Israel (Lv 24.8). Também representavam a unidade nacional (1Rs 18.31,32).

O uso original desses pães, no mundo pagão, era o oferecimento de alimentos aos deuses. Em Israel, fazia-se uma oferenda a Yahweh, em reconhecimento de que *dele* procede toda provisão, pelo que essa oferenda falava de gratidão pelas provisões divinas.

Tipo: O Pão da Vida. Cristo é aquele que nutre a vida do crente como um crente-sacerdote (1Pe 2.9; Ap 1.5,6). O maná era símbolo do pão da vida (Jo 6.33-58). Jesus é a espiga de trigo (Jo 12.24), moído no moinho do sofrimento (Jo 12.27). Apresentei um bem detalhado artigo na *Enciclopédia de Bíblia, Teologia e Filosofia* intitulado *Pão da Vida, Jesus Como*.

"O ato de comer os pães, por parte dos sacerdotes (Lv 24.9), demonstrava que a comunhão espiritual sustenta a vida espiritual" (John D. Hannah, *in loc.*).

"O pão sagrado (1Sm 21.4,6) era exposto diante de Deus como uma oferenda sacrificial (Nm 4.7; Lv 24.5-9; 1Cr 9.32; Mt 12.4)" (*Oxford Annotated Bible, in loc.*).

O CANDEEIRO (25.31-40)

■ 25.31

וְעָשִׂ֥יתָ מְנֹרַ֖ת זָהָ֣ב טָה֑וֹר מִקְשָׁ֞ה תֵּעָשֶׂ֤ה הַמְּנוֹרָה֙ יְרֵכָ֣הּ וְקָנָ֔הּ גְּבִיעֶ֥יהָ כַּפְתֹּרֶ֖יהָ וּפְרָחֶ֑יהָ מִמֶּ֥נָּה יִהְיֽוּ׃

Ver no *Dicionário* o detalhado artigo intitulado *Candeeiro de Ouro*. Ver também o artigo *Menorah*. O candeeiro de ouro foi posto no Lugar Santo do tabernáculo, do outro lado da mesa dos pães da proposição. Quando o templo de Jerusalém, construído por Salomão, ficou pronto, para o mesmo foram preparados *dez* candeeiros de ouro. Mas no segundo templo de Jerusalém, por razões desconhecidas, havia apenas um candeeiro. Meu artigo expõe o resto das informações disponíveis, incluindo os tipos ou símbolos do candeeiro. Como tipo de Cristo, esse objeto era significativo, porquanto toda luz natural era excluída do tabernáculo, sendo essa a *única luz* que iluminava a casa de Deus. Cristo brilha por meio dos sete Espíritos de Deus, o alter-ego de Cristo (Is 11.2; Hb 1.9; Ap 1.4). Ver também João 1.4. Ver na *Enciclopédia de Bíblia, Teologia e Filosofia* o verbete intitulado *Luz do Mundo, Cristo Como a*. Em um sentido secundário, a Igreja é o candeeiro de ouro (Ap 1.12-20). Em cada sinagoga há uma imitação do *menorah* (o candeeiro), o que ali simboliza, entre outras coisas, o espírito iluminador e inextinguível do judaísmo. Ver no *Dicionário* o artigo chamado *Sete Candeeiros*, quanto a notas expositivas completas sobre os significados simbólicos do candeeiro de ouro.

Em Zacarias 4.1-14, o candeeiro aparece como o sinal da presença de Deus entre o seu povo. Se a luz do candeeiro chegasse a apagar-se, isso era considerado como um mau presságio de desastre iminente (ver 2Esdras 10.22). Originalmente, o candeeiro talvez só fosse aceso à noite, conforme podemos inferir de Êxodo 27.21 e 30.8; mas em tempos posteriores, ali havia um fogo perene, conforme Josefo nos informa (*Antiq.* III.8.3).

Meu artigo no *Dicionário*, intitulado *Candeeiro de Ouro*, fornece todos os detalhes de sua construção, pelo que não repito aqui esse material. O candeeiro era formado de uma única peça de ouro, pelo que não havia partes separadas. Ver o artigo *Templo de Jerusalém*, que contém uma ilustração do candeeiro, com outros itens desse objeto sagrado.

■ 25.32

וְשִׁשָּׁ֣ה קָנִ֔ים יֹצְאִ֖ים מִצִּדֶּ֑יהָ שְׁלֹשָׁ֣ה ׀ קְנֵ֣י מְנֹרָ֗ה מִצִּדָּהּ֙ הָאֶחָ֔ד וּשְׁלֹשָׁה֙ קְנֵ֣י מְנֹרָ֔ה מִצִּדָּ֖הּ הַשֵּׁנִֽי׃

O artigo do *Dicionário*, chamado *Candeeiro de Ouro*, fornece todas as descrições desse objeto cúltico, com seu presumível simbolismo. O candeeiro tinha seis ramos, além da projeção vertical bem no meio, pelo que havia *sete lâmpadas,* que simbolizavam o Espírito Santo em sua perfeita iluminação, como o alter ego da manifestação do Logos em Jesus Cristo. Temos nisso a luz sobrenatural em sua abundância. Nenhuma luz natural penetrava no tabernáculo. A lâmpada consumia azeite de oliveira, um dos símbolos do Espírito. Ver no *Dicionário* o artigo chamado *Azeite*. Esse item, bem como os outros que figuram no texto, aparece representado no arco de Tito, em Roma. Reland supervisionou uma réplica exata desse modelo, em 1710. E, então, as presumíveis descrições exatas têm sido postas à disposição dos eruditos da Bíblia e outros interessados. Ver Êxodo 30.7,8 e 1Reis 7.49 quanto à função iluminadora do candeeiro. Ver também Levítico 7.20-31; 24.3,4. Os sacerdotes de Israel ministravam diante do candeeiro pela manhã e à noitinha. Posteriormente, o candeeiro era mantido perenemente aceso.

■ 25.33

שְׁלֹשָׁ֣ה גְ֠בִעִים מְֽשֻׁקָּדִ֞ים בַּקָּנֶ֣ה הָאֶחָד֮ כַּפְתֹּ֣ר וָפֶרַח֒ וּשְׁלֹשָׁ֣ה גְבִעִ֗ים מְשֻׁקָּדִ֛ים בַּקָּנֶ֥ה הָאֶחָ֖ד כַּפְתֹּ֣ר וָפָ֑רַח כֵּ֚ן לְשֵׁ֣שֶׁת הַקָּנִ֔ים הַיֹּצְאִ֖ים מִן־הַמְּנֹרָֽה׃

Uma Peça Decorativa. No artigo do *Dicionário* intitulado *Templo de Jerusalém*, há uma representação do candeeiro. E em um outro artigo do mesmo *Dicionário*, chamado *Candeeiro de Ouro*, há descrições a seu respeito.

"Havia três taças ou cálices, com o formato de amêndoas, em cada um dos seis ramos, que continham o azeite que alimentava as chamas do candeeiro... ou para apanhar o pavio queimado que caía de cada lâmpada. E também havia *maçanetas*, as quais, de acordo com o sentido da palavra no hebraico, tinham o formato de uma romã; e também havia uma flor, que o Targum de Jonathan interpreta como *lírio*. E nas Escrituras servem ambos de emblemas dos santos dotados dos dons e das graças do Espírito" (John Gill, *in loc.*). Os mesmos ornamentos havia em cada um dos ramos do candeeiro.

■ 25.34

וּבַמְּנֹרָ֖ה אַרְבָּעָ֣ה גְבִעִ֑ים מְשֻׁקָּדִ֔ים כַּפְתֹּרֶ֖יהָ וּפְרָחֶֽיהָ׃

Temos aqui a descrição da *coluna vertical* do candeeiro, que ficava bem no meio. Os ramos que partiam dessa coluna central tinham apenas três cálices, ao passo que essa coluna central exibia quatro desses cálices, devido ao seu comprimento maior. Quanto ao desenho, porém, essas decorações eram sempre as mesmas.

■ 25.35

וְכַפְתֹּר תַּחַת שְׁנֵי הַקָּנִים מִמֶּנָּה וְכַפְתֹּר תַּחַת שְׁנֵי הַקָּנִים מִמֶּנָּה וְכַפְתֹּר תַּחַת־שְׁנֵי הַקָּנִים מִמֶּנָּה לְשֵׁשֶׁת הַקָּנִים הַיֹּצְאִים מִן־הַמְּנֹרָה׃

"De acordo com Jarchi, do meio da maçaneta (que se parecia com uma romã, embora outros pensem que se parecia com uma maçã) havia dois ramos que saíam de seus dois lados, aqui e ali; de tal modo que indicavam que a altura do candeeiro era de dezoito larguras da mão (cerca de 1,25 m): essa cláusula é repetida por duas vezes no versículo, indicando que devia haver uma maçaneta sob cada um dos três ramos de um lado, e sob cada um dos três ramos do outro lado. Pois segue-se que havia *seis ramos que procediam do candeeiro,* ou seja, do tronco do candeeiro, conforme se vê no vs. 32" (John Gill, *in loc.*).

■ 25.36

כַּפְתֹּרֵיהֶם וּקְנֹתָם מִמֶּנָּה יִהְיוּ כֻּלָּהּ מִקְשָׁה אַחַת זָהָב טָהוֹר׃

Tudo será duma só peça. Vemos aí as ideias de unidade e perfeição. Todas essas intrincadas decorações eram feitas em uma só peça de ouro, cuidadosamente trabalhada em todo o seu desenho, conforme foi exigido pela palavra de Yahweh. O candeeiro não era uma armação composta de várias peças, então soldadas; era tudo uma única peça batida feita de uma única massa de ouro.

■ 25.37

וְעָשִׂיתָ אֶת־נֵרֹתֶיהָ שִׁבְעָה וְהֶעֱלָה אֶת־נֵרֹתֶיהָ וְהֵאִיר עַל־עֵבֶר פָּנֶיהָ׃

Sete lâmpadas. Cada ramo tinha uma lâmpada; e também havia a haste central, que era encimada por uma lâmpada, pelo que havia sete lâmpadas ao todo. Temos aqui um símbolo dos sete Espíritos de Deus em operação, o alter ego de Cristo (Ap 4.50), e, em segundo lugar, os dons e graças dos ministros de Cristo, de acordo com as operações cristãs. Originalmente, temos a luz perfeita de Yahweh que iluminava a sua casa, a congregação de Israel. Ver no *Dicionário* o artigo chamado *Sete Candeeiros* quanto ao seu pleno significado simbólico.

Para alumiar defronte dele. Ou seja, para projetar luz sobre o lado oposto do tabernáculo, onde estava a mesa com os pães da proposição, onde também estariam os sacerdotes. Parece que essa é a razão específica do candeeiro, que era a única fonte luminosa para iluminar qualquer atividade que ocorresse no tabernáculo. As sete lâmpadas eram suficientes para iluminar o ambiente onde os sacerdotes oficiavam. Nenhum serviço divino pode sobreviver sem a luz do Espírito. Uma importante parte da espiritualidade é a *iluminação.* Não nos basta ler a Bíblia e orar. Precisamos da iluminação do Espírito a fim de crescermos espiritualmente. Ver no *Dicionário* o artigo intitulado *Iluminação*.

■ 25.38

וּמַלְקָחֶיהָ וּמַחְתֹּתֶיהָ זָהָב טָהוֹר׃

Suas espevitadeiras. Instrumentos com o formato de pinças que eram usadas para aparar os pavios das lâmpadas. Provavelmente eram usadas para aparar os pavios e ajustá-los.

Seus apagadores. Algumas versões dizem aqui *pratos*. Outros pensam que eram bandejas para sustentar as lâmpadas. Mas outros pensam em receptáculos de azeite. Ainda outros opinam que eram bandejinhas para aparar os fragmentos de pavios queimados, cortados das lâmpadas. E, finalmente, há aqueles que pensam que eram objetos para apagar as lâmpadas, com o que concorda a nossa versão portuguesa.

Jarchi informa-nos que as *espevitadeiras* eram como garfos, usados para tirar os pavios de dentro do azeite e instalá-los nas lâmpadas. E os *apagadores,* segundo ele nos diz, eram pequenos receptáculos tipo taça, onde eram postos os pavios queimados das lâmpadas. Ben Gersom e Lyra pensam que eram vasos cheios de água, onde eram postos os pavios queimados, e onde a água os apagava.

■ 25.39

כִּכָּר זָהָב טָהוֹר יַעֲשֶׂה אֹתָהּ אֵת כָּל־הַכֵּלִים הָאֵלֶּה׃

Um talento de ouro puro. Um talento pesava cerca de 50 kg. Todo esse ouro foi usado no fabrico do candeeiro e seus acessórios, um objeto de grande valor, verdadeiramente! Simbolicamente, temos aqui um quadro da preciosidade da iluminação espiritual. Ver o artigo intitulado *Pesos e Medidas,* no primeiro volume desta obra, nos Artigos Introdutórios, em sua sétima seção.

■ 25.40

וּרְאֵה וַעֲשֵׂה בְּתַבְנִיתָם אֲשֶׁר־אַתָּה מָרְאֶה בָּהָר׃ ס

Tudo faças segundo o modelo. Assim são as construções divinas. "Os antigos acreditavam que os templos terrenos e seu equipamento para o culto eram feitos segundo *modelos* ou *protótipos* de originais celestes (vs. 9; 26.30; 27.80" (*Oxford Annotated Bible, in loc.*). Este versículo repete a fórmula do vs. 9, onde dei notas detalhadas sobre as ideias envolvidas. A repetição dessa fórmula assinala o fim de uma seção.

CAPÍTULO VINTE E SEIS

O TABERNÁCULO (26.1-37)

A TENDA (26.1-14)

Dois artigos que provi para o leitor haverão de ajudá-lo a compreender melhor a construção, os materiais e os propósitos do tabernáculo: *Tabernáculo* e *Templo de Jerusalém*. Esses artigos, além de oferecerem informações detalhadas também apresentam várias ilustrações.

A tenda sagrada era o Lar do Senhor, a primeira congregação, da qual foram tomados por empréstimo vários itens e práticas usadas nas sinagogas posteriores, bem como nas igrejas cristãs. Visto que esses artigos, no *Dicionário,* são bastante completos, com críticas e contra-argumentos, sobre questões disputadas, não abordo novamente esses detalhes aqui.

A seção décima do artigo chamado *Tabernáculo* dá os sentidos espirituais do mesmo. Adicionei a essa informação, em Êxodo 25.9, notas sobre como a estrutura do tabernáculo foi um *tipo tríplice.* Os eruditos cristãos acham inúmeros subtipos nos itens e materiais usados naquela estrutura, e tenho comentado sobre esse ponto conforme a exposição tem avançado. Ver a introdução em Êxodo 25.1, onde as informações dadas aplicam-se à seção à nossa frente.

■ 26.1

וְאֶת־הַמִּשְׁכָּן תַּעֲשֶׂה עֶשֶׂר יְרִיעֹת שֵׁשׁ מָשְׁזָר וּתְכֵלֶת וְאַרְגָּמָן וְתֹלַעַת שָׁנִי כְּרֻבִים מַעֲשֵׂה חֹשֵׁב תַּעֲשֶׂה אֹתָם׃

Dez cortinas. Havia dez painéis, cada qual com cerca de 1,80 m de largura. Esses painéis eram interligados mediante uma espécie de envoltório interno que compunha o interior da tenda. Esse envoltório interno era feito de linho. A outra cobertura era feita de pelos de cabra (vs. 70). Querubins foram artisticamente bordados no linho, emprestando um sentido decorativo. Artífices habilidosos foram usados para ser conseguido tal efeito. O envoltório interior era cerca de 45 cm mais curto que o exterior. Tinha dez painéis, enquanto o exterior tinha onze. Minha ilustração no artigo chamado *Tabernáculo* dá ao leitor alguma noção da aparência do tabernáculo *acortinado*. A quarta seção desse artigo trata do arcabouço, das coberturas, do átrio, do altar, do lavatório e do santuário propriamente dito. Cf. 1Reis 6.29.

As cores, azul, púrpura e carmesim, aparecem e são comentadas em Êxodo 25.4.

Os *querubins* eram figuras muito usadas como decoração no tabernáculo. Ver as notas sobre Êxodo 25.18. Os desenhos bordados eram uma arte conhecida por vários povos antigos, bem desenvolvida no Egito, onde os israelitas provavelmente aprenderam tal arte. Ver Heródoto, *Hist.* iii.47; Plínio, *Hist. Natural,* viii.48.

"O tabernáculo revestia-se de grande importância para a vida nacional de Israel. Simbolizava o trato de Deus com eles (Êx 25.8; 29.45) e era o lugar onde ele vinha ao encontro dos líderes da nação (Êx 29.42), bem como o povo de Israel (Êx 29.43). A glória de Deus manifestava-se no tabernáculo (Êx 40.35). Ademais, era o centro visível da adoração a Deus por parte da recém-estabelecida teocracia. O tabernáculo prefigurava Cristo, sobre o qual é dito que ele *armou tenda* entre nós (Jo 1.14)" (John D. Hannah, *in loc.*).

Nomes do Tabernáculo:
1. Tabernáculo ou tenda (Êx 26.9).
2. Santuário ou lugar santo (Êx 25.8).
3. Tenda (Êx 26.7,11-14,36).
4. Tenda da congregação (Êx 27.21 — algumas versões dizem aqui "tenda do encontro").
5. Tabernáculo do testemunho (Nm 9.15; ver sobre *Testemunho*, em Êx 25.16).

Tipos. Eruditos cristãos veem no material das cortinas uma alusão à excelência da natureza humana de Cristo; nos querubins, a sua natureza e os seus poderes divinos. Nas diversas cores, as graças e os poderes do Espírito Santo. A cor branca representa o pecado branqueado no sangue de Cristo etc. Neste versículo, contudo, as espiritualizações são precárias.

■ 26.2

אֹ֣רֶךְ ׀ הַיְרִיעָ֣ה הָֽאַחַ֗ת שְׁמֹנֶ֤ה וְעֶשְׂרִים֙ בָּֽאַמָּ֔ה וְרֹ֙חַב֙ אַרְבַּ֣ע בָּֽאַמָּ֔ה הַיְרִיעָ֖ה הָאֶחָ֑ת מִדָּ֥ה אַחַ֖ת לְכָל־הַיְרִיעֹֽת׃

O comprimento. Neste versículo começam a ser dadas as dimensões do tabernáculo. A fim de cobrir um espaço com cerca de 9 m de largura com um telhado, cujos dois lados deveriam encontrar-se em ângulos retos, a cobertura de uma tenda teria que ter quase exatamente 28 côvados de comprimento. "As cortinas tinham cerca de 1,80 m de largura e 12,80 m de comprimento. Quando as longas beiradas das cinco cortinas eram unidas, a nova cortina formada tinha cerca de 9,15 m de largura por 12,80 m de comprimento. Unida essa cortina grande às outras cinco cortinas, as dez cortinas (unidas mediante cinquenta laçadas de ouro nas beiradas de cada um dos dois conjuntos, postos lado a lado) mediam 18,30 m de largura por 12,80 m de comprimento. A largura de 18,30 m (dez cortinas com cerca de 1,80 m de largura cada) permitia então que as cortinas cobrissem o topo do tabernáculo (cerca de 13,70 m de largura), bem como a parte posterior (cerca de 4,60 m). Os 12,80 m (comprimento de cada cortina) estendiam-se por cima do tabernáculo (4,60 m de largura) para então descer por cada lado (com 4,60 m de altura) até cerca de 45 cm (um côvado) acima do chão" (John D. Hannah, *in loc.*).

Os estudiosos debatem-se com os números e as diferentes ideias que são expostas sobre como toda a construção foi montada. Mas o que achamos aqui é um relato razoável, embora não absolutamente completo.

■ 26.3-5

חֲמֵ֣שׁ הַיְרִיעֹ֗ת תִּֽהְיֶ֙יןָ֙ חֹֽבְרֹ֔ת אִשָּׁ֖ה אֶל־אֲחֹתָ֑הּ וְחָמֵ֤שׁ יְרִיעֹת֙ חֹֽבְרֹ֔ת אִשָּׁ֖ה אֶל־אֲחֹתָֽהּ׃

וְעָשִׂ֜יתָ לֻֽלְאֹ֣ת תְּכֵ֗לֶת עַ֣ל שְׂפַ֤ת הַיְרִיעָה֙ הָֽאֶחָ֔ת מִקָּצָ֖ה בַּחֹבָ֑רֶת וְכֵ֤ן תַּעֲשֶׂה֙ בִּשְׂפַ֣ת הַיְרִיעָ֔ה הַקִּ֣יצוֹנָ֔ה בַּמַּחְבֶּ֖רֶת הַשֵּׁנִֽית׃

חֲמִשִּׁ֣ים לֻֽלָאֹ֗ת תַּעֲשֶׂה֮ בַּיְרִיעָ֣ה הָאֶחָת֒ וַחֲמִשִּׁ֣ים לֻֽלָאֹ֗ת תַּעֲשֶׂה֙ בִּקְצֵ֣ה הַיְרִיעָ֔ה אֲשֶׁ֖ר בַּמַּחְבֶּ֣רֶת הַשֵּׁנִ֑ית מַקְבִּילֹת֙ הַלֻּ֣לָאֹ֔ת אִשָּׁ֖ה אֶל־אֲחֹתָֽהּ׃

O texto sagrado não especifica como os cinco painéis separados de cada metade eram unidos, mas as duas *metades* eram justapostas uma à outra (pois tinham um mesmo comprimento). As *cinquenta* laçadas de azul, opostas uma à outra, tiveram que ser costuradas. As laçadas eram dadas em colchetes, mantendo assim ligadas as duas metades da cortina, uma à outra. Alguns eruditos têm sugerido que cinco cortinas (que formavam metade da cobertura total) eram costuradas às outras cinco, formando uma só unidade (embora composta por cinco painéis). Nesse caso, haveria duas peças bordadas com cerca de 14 m de comprimento e 10 m de lagura. "A emenda central da cobertura completa ficava diretamente por cima do véu que separava o Lugar Santo do Santo dos Santos" (J. Edgar Park, *in loc.*).

■ 26.6

וְעָשִׂ֕יתָ חֲמִשִּׁ֖ים קַרְסֵ֣י זָהָ֑ב וְחִבַּרְתָּ֙ אֶת־הַיְרִיעֹ֜ת אִשָּׁ֤ה אֶל־אֲחֹתָהּ֙ בַּקְּרָסִ֔ים וְהָיָ֥ה הַמִּשְׁכָּ֖ן אֶחָֽד׃ פ

Cinquenta colchetes de ouro. As laçadas eram dadas nesses cinquenta colchetes, unindo assim as duas cortinas para formarem *uma só*, conferindo unidade ao tabernáculo. Os intérpretes cristãos veem nisso a unidade dos membros do corpo místico de Cristo. É provável que, na mente dos hebreus, estivesse em pauta a unidade de todo o povo de Israel, em sua adoração ao Deus único, Yahweh. O monoteísmo (ver a respeito no *Dicionário*) era assim confirmado, e esse Deus único era contrastado com todos os deuses imaginários, conforme era exigido no *primeiro mandamento* (ver Êx 20.3).

■ 26.7

וְעָשִׂ֙יתָ֙ יְרִיעֹ֣ת עִזִּ֔ים לְאֹ֖הֶל עַל־הַמִּשְׁכָּ֑ן עַשְׁתֵּֽי־עֶשְׂרֵ֥ה יְרִיעֹ֖ת תַּעֲשֶׂ֥ה אֹתָֽם׃

Pelos de cabra eram fiados, e daí se fazia um pano forte e duradouro. Em alguns casos, as próprias peles eram costuradas e usadas como cobertura. Parece que os eruditos preferem o primeiro emprego como aquele que está em foco neste texto. Jarchi diz que eram usados os pelos mais finos e mais macios dos pelos de cabra, os quais eram fiados pelas mulheres. E é isso que está em foco em Êxodo 35.26. Uma *segunda cobertura* foi produzida à base desse material, que se tornou o lado *externo* do tabernáculo. O processo aqui descrito era comum entre os árabes, pois, na verdade, era o material padrão das tendas dos beduínos. Onze (em lugar de dez) cortinas foram feitas, visto que a cobertura externa haveria de precisar de um pouco mais de espaço do que a cobertura interna.

"...um material negro, resistente à água, até hoje usado pelos beduínos no fabrico de tendas. Eram mais longas do que as cortinas interiores (13,65 m, em vez de 12,80 m), de forma a tocarem no chão, nas laterais do tabernáculo (vs. 13). Isso ocultava à visão as cores brilhantes das cortinas internas bem como as peças mais preciosas do mobiliário do tabernáculo" (John D. Hannah, *in loc.*).

Os eruditos cristãos, esforçando-se por encontrar algum simbolismo em cada item do tabernáculo, têm sugerido que a cobertura de pelos de cabras representa a humanidade de Cristo, a natureza humana, mais grosseira que a divina, sujeita à dor e à tristeza (embora não ao pecado), a qual abrigava, por assim dizer, a sua natureza divina.

■ 26.8

אֹ֣רֶךְ ׀ הַיְרִיעָ֣ה הָֽאַחַ֗ת שְׁלֹשִׁים֙ בָּֽאַמָּ֔ה וְרֹ֙חַב֙ אַרְבַּ֣ע בָּֽאַמָּ֔ה הַיְרִיעָ֖ה הָאֶחָ֑ת מִדָּ֣ה אַחַ֔ת לְעַשְׁתֵּ֥י עֶשְׂרֵ֖ה יְרִיעֹֽת׃

Dimensões das Cortinas. A largura das cortinas de pelos de cabras era igual à das cortinas de linho, mas elas tinham cerca de 0,90 m mais de comprimento (ver o vs. 2), a fim de que pudessem chegar a tocar no chão, nas laterais do tabernáculo, ao passo que as cortinas de linho, internas, ficavam com suas pontas longe do chão cerca de 0,45 m.

■ 26.9

וְחִבַּרְתָּ֞ אֶת־חֲמֵ֤שׁ הַיְרִיעֹת֙ לְבָ֔ד וְאֶת־שֵׁ֥שׁ הַיְרִיעֹ֖ת לְבָ֑ד וְכָפַלְתָּ֙ אֶת־הַיְרִיעָ֣ה הַשִּׁשִּׁ֔ית אֶל־מ֖וּל פְּנֵ֥י הָאֹֽהֶל׃

"A *largura* adicional era dobrada sobre si mesma nas extremidades, dando uma espécie de debrum ao teto, defronte da estrutura"

(Ellicott, *in loc.*). O sexto painel da metade da frente era *dobrado* diante da tenda (cf. Êx 28.16). Mas não foi explicado como se fazia essa dobra. Havia duas cortinas combinadas, uma composta por seis painéis, e a outra composta por cinco painéis. Provavelmente elas eram costuradas uma à outra, tal como sucedia às cortinas de linho (Êx 26.3). A cortina dobrada na beira tornava-se a entrada do tabernáculo, uma espécie de véu, o que Jarchi comparou ao véu de uma noiva, ao encobrir o rosto. A entrada do tabernáculo estava voltada na direção *leste*, conforme mostro na planta do tabernáculo, acima.

■ 26.10

וְעָשִׂ֜יתָ חֲמִשִּׁ֣ים לֻֽלָאֹ֗ת עַ֣ל שְׂפַ֤ת הַיְרִיעָה֙ הָֽאֶחָ֔ת הַקִּֽיצֹנָ֖ה בַּחֹבָ֑רֶת וַחֲמִשִּׁ֣ים לֻֽלָאֹ֗ת עַ֚ל שְׂפַ֣ת הַיְרִיעָ֔ה הַחֹבֶ֖רֶת הַשֵּׁנִֽית׃

Este versículo reitera as informações dos vss. 4 e 5, onde a questão aplica-se às cortinas de linho. As notas daqueles versículos aplicam-se aqui. As laçadas eram feitas de estofo *azul*; mas essa informação não é repetida aqui, pelo que não sabemos se nesta cortina externa as laçadas eram de cor azul, ou negras, ou de qualquer outra cor. É provável que as laçadas fossem feitas de pelos de cabras, retendo sua cor natural, sem serem tingidas. É provável que as laçadas mencionadas nos vss. 4 e 5 fossem feitas de linho, do mesmo material das cortinas internas, que eram tingidas de azul.

■ 26.11

וְעָשִׂ֛יתָ קַרְסֵ֥י נְחֹ֖שֶׁת חֲמִשִּׁ֑ים וְהֵבֵאתָ֤ אֶת־הַקְּרָסִים֙ בַּלֻּ֣לָאֹ֔ת וְחִבַּרְתָּ֥ אֶת־הָאֹ֖הֶל וְהָיָ֥ה אֶחָֽד׃

Este versículo repete as informações do vs. 6, exceto que ali os colchetes eram feitos de ouro, e aqui foram feitos de bronze, mas a função era a mesma. As notas dali aplicam-se aqui. A cobertura externa também era *una*, tal como a cobertura interior, o que já foi comentado quanto ao vs. 6. A cobertura externa, de material mais grosseiro, porquanto precisaria resistir às intempéries, naturalmente teria de ser unificada por meio de um metal mais forte que o ouro.

■ 26.12

וְסֶ֙רַח֙ הָעֹדֵ֔ף בִּירִיעֹ֖ת הָאֹ֑הֶל חֲצִ֤י הַיְרִיעָה֙ הָעֹדֶ֔פֶת תִּסְרַ֕ח עַ֖ל אֲחֹרֵ֥י הַמִּשְׁכָּֽן׃

Meia cortina era deixada pendurada sobre o lado leste, sendo então dobrada para formar uma espécie de entrada do tabernáculo. Outra metade também sobrava no lado oposto (oeste). Parece, a julgar pelo fraseado do versículo, que essa meia cortina (no lado ocidental) apenas ficava pendurada, sem ser dobrada pelo meio, em contraste com a meia cortina que ficava na parte da frente do tabernáculo.

■ 26.13

וְהָאַמָּ֨ה מִזֶּ֜ה וְהָאַמָּ֤ה מִזֶּה֙ בָּעֹדֵ֔ף בְּאֹ֖רֶךְ יְרִיעֹ֣ת הָאֹ֑הֶל יִהְיֶ֨ה סָר֜וּחַ עַל־צִדֵּ֧י הַמִּשְׁכָּ֛ן מִזֶּ֥ה וּמִזֶּ֖ה לְכַסֹּתֽוֹ׃

As cortinas feitas de pelos de cabra tinham cerca de 0,90 m mais de comprimento do que as cortinas internas, de linho, uma de um lado e outra de outro, como resultado desciam mais do que as cortinas de linho, provavelmente tocando no chão, a fim de impedir que entrasse qualquer luz natural no interior da tenda.

■ 26.14

וְעָשִׂ֤יתָ מִכְסֶה֙ לָאֹ֔הֶל עֹרֹ֥ת אֵילִ֖ם מְאָדָּמִ֑ים וּמִכְסֵ֛ה עֹרֹ֥ת תְּחָשִׁ֖ים מִלְמָֽעְלָה׃ פ

De pelos de carneiros. Outra cobertura para a tenda, a fim de protegê-la das intempéries, essa feita de pelos de carneiros. Alguns estudiosos pensam que essa cobertura adicional tão somente cobria a cumeeira do tabernáculo, protegendo-a da chuva. Alguns intérpretes judeus viam essa cobertura como se fosse apenas um *telhado*, mas outros pensam em uma cobertura absoluta, perfazendo uma *terceira* cobertura completa. Alguns pensam que a cobertura de pelos de carneiro era uma e que a cobertura de pelos de cabra era outra. Nesse caso, haveria quatro coberturas no total: a de linho, a de pelos de cabra, a de pelos de carneiros, e outra de pelos de cabra. No caso dessa quarta cobertura, algumas traduções falam em peles de texugo. Ainda outros estudiosos opinam que a *terceira* cobertura era feita de pelos de carneiro *e* de pelos de cabras (ou de pele de texugo), ao passo que não se deveria pensar em uma quarta cobertura. No caso da pele de texugo, algumas versões preferem peles de *animais marinhos,* que alguns eruditos interpretam como se fosse o peixe-boi.

Os eruditos cristãos veem nessas várias coberturas protetoras um símbolo da provisão e da proteção divinas, espiritualizando isso para apontar para a retidão de Cristo, que nos foi conferida como uma cobertura, que nos oculta os pecados.

A ESTRUTURA DE MADEIRA (26.15-30)

Ver no *Dicionário* o artigo intitulado *Tabernáculo, Materiais de Construção etc.*, em seu primeiro ponto, *Arcabouço,* que fornece descrições sobre a estrutura de madeira que sustentava as cortinas. As dimensões da estrutura são dadas ali.

■ 26.15

וְעָשִׂ֥יתָ אֶת־הַקְּרָשִׁ֖ים לַמִּשְׁכָּ֑ן עֲצֵ֥י שִׁטִּ֖ים עֹמְדִֽים׃

As paredes do tabernáculo não eram sólidas, e, sim, feitas de cortinas (descritas em Êx 26.1 ss.), estendidas sobre um arcabouço de madeira. Esse arcabouço formava uma espécie de armação em treliça, à qual as cortinas eram fixadas. Josefo disse que as tábuas tinham cerca de 7,5 cm de espessura, postas a cada 60 cm. (*Antiq.* 3.6.3). Eram ao todo 48 tábuas, recobertas de ouro. Essas tábuas eram feitas de madeira de acácia (conforme as notas que aparecem no *Dicionário*).

Tipo. Os intérpretes cristãos veem na madeira de acácia um tipo da humanidade de Cristo, ao passo que no ouro que recobria as tábuas veem a deidade de Cristo. Cristo, em sua humanidade, era como uma raiz saída de terra seca. A madeira de acácia, ao menos uma de suas espécies, medrava abundante no deserto perto do Sinai. Ver Isaías 53.2 quanto a Cristo como a raiz. Alguns estudiosos veem nas tábuas um indício de crentes individuais que servem de coluna no templo espiritual de Deus (Ap 3.12; Gl 2.9; 1Tm 3.15).

■ 26.16

עֶ֧שֶׂר אַמּ֛וֹת אֹ֥רֶךְ הַקָּ֖רֶשׁ וְאַמָּה֙ וַחֲצִ֣י הָֽאַמָּ֔ה רֹ֖חַב הַקֶּ֥רֶשׁ הָאֶחָֽד׃

O arcabouço de madeira tinha estas dimensões aproximadas: 13,70 x 13,70 x 4,60 m. Cada tábua tinha cerca de 4,50 m de comprimento e 0,68 m de largura. Josefo diz que entre uma tábua e outra havia um espaço de cerca de 60 cm. O comprimento das tábuas, postas em pé na vertical, dá-nos a altura aproximada do próprio tabernáculo, uma estrutura baixa de não mais de 5 m de altura. Essa armação de madeira protegia as cortinas e dava estabilidade à estrutura inteira, pois, de outra sorte, um vento forte poderia derrubar o tabernáculo. Josefo também diz que as tábuas tinham 7,5 cm de espessura (*Antiq.* 1.3 c.6, sec. 3), o que significa que essas tábuas eram pesadas.

■ 26.17

שְׁתֵּ֣י יָד֗וֹת לַקֶּ֙רֶשׁ֙ הָֽאֶחָ֔ד מְשֻׁ֨לָּבֹ֔ת אִשָּׁ֖ה אֶל־אֲחֹתָ֑הּ כֵּ֣ן תַּעֲשֶׂ֔ה לְכֹ֖ל קַרְשֵׁ֥י הַמִּשְׁכָּֽן׃

Dois encaixes. O original hebraico indica "mãos", parecendo que devemos entender como se fossem *pinos* (projeções). Esses encaixes permitiam ligar uma tábua à outra. Eram colocados a intervalos regulares. Alguns estudiosos chamam esses pinos de *anéis cruzados*. Mas os intérpretes não concordam quanto à natureza dos mesmos, exceto que era alguma espécie de provisão que vinculava as tábuas uma à outra, formando um todo. E alguns eruditos supõem que as *travessas* (vs. 26) eram usadas para ligar os encaixes das tábuas.

■ 26.18

וְעָשִׂ֥יתָ אֶת־הַקְּרָשִׁ֖ים לַמִּשְׁכָּ֑ן עֶשְׂרִ֥ים קֶ֖רֶשׁ לִפְאַ֥ת נֶ֥גְבָּה תֵימָֽנָה׃

O TABERNÁCULO NO DESERTO

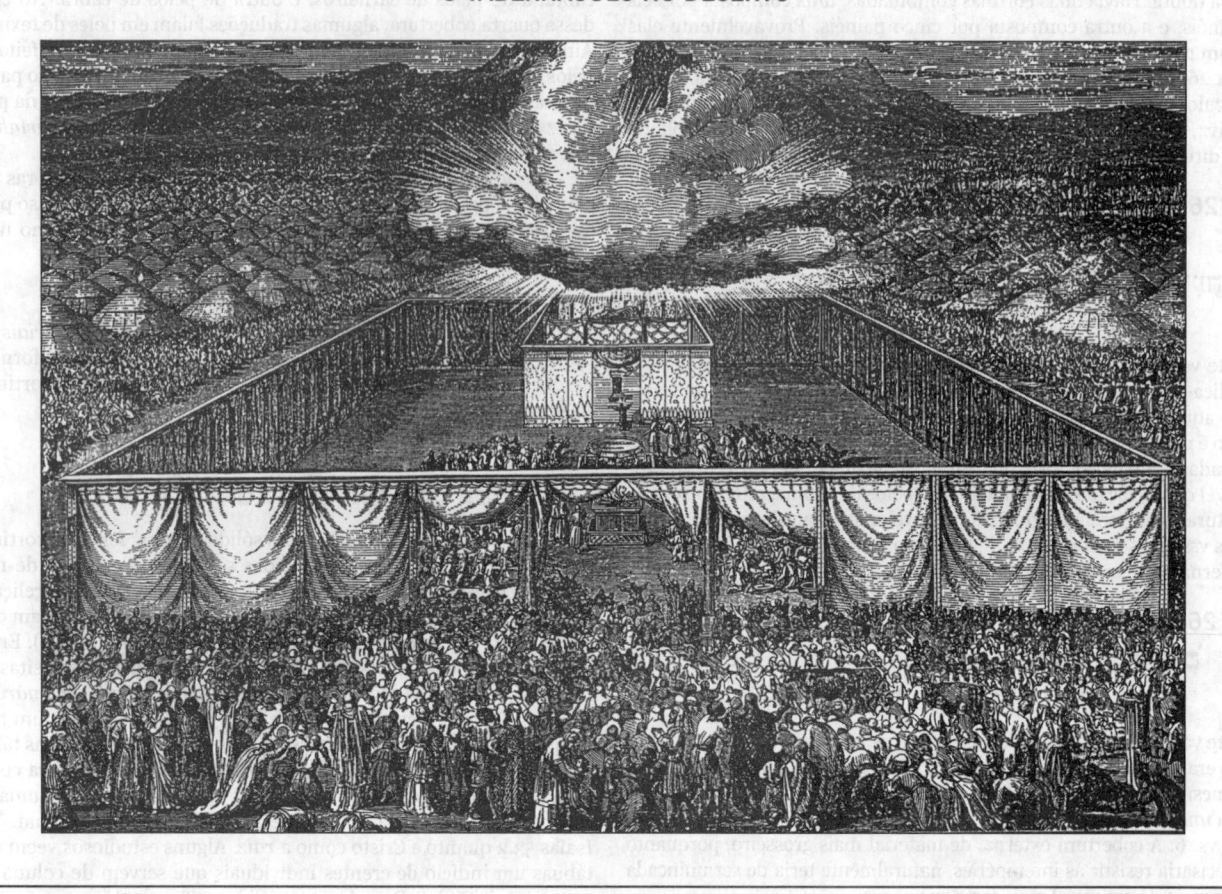

Richard Laurence, *The Book of Enoch*, 1821.

TABERNÁCULO DESCOBERTO

ALTAR DO HOLOCAUSTO E ALTAR DE INCENSO

Para a banda do sul. Visto que o tabernáculo tinha a frente voltada para o oriente, a parede voltada para o sul era a parede direita. "Quarenta e oito painéis foram usados ao todo, vinte para o lado sul, vinte para o lado norte, seis para o lado oeste (as costas do tabernáculo) e mais um painel nas esquinas, para o lado leste. Esse painel na frente servia para dar uma estabilidade extra à tenda. Os painéis também eram mantidos no lugar por uma série de *travessas* (cinco de cada um dos dois lados e nas costas. Essas travessas eram mantidas no lugar por argolas de ouro colocadas horizontalmente (vss. 26-30)" (John D. Hannah, *in loc.*). O vs. 20 fala sobre um segundo lado (o lado norte), e fornece os mesmos detalhes.

■ **26.19**

וְאַרְבָּעִים אַדְנֵי־כֶסֶף תַּעֲשֶׂה תַּחַת עֶשְׂרִים הַקְּרָשׁ שְׁנֵי אֲדָנִים תַּחַת־הַקֶּרֶשׁ הָאֶחָד לִשְׁתֵּי יְדֹתָיו וּשְׁנֵי אֲדָנִים תַּחַת־הַקֶּרֶשׁ הָאֶחָד לִשְׁתֵּי יְדֹתָיו:

Cada tábua tinha duas bases, com dois pinos (ou "mãos", no hebraico). Os intérpretes diferem sobre como se fazia a junção. Sem podermos ver um modelo operante, não há como visualizar exatamente o que está em pauta. Essas bases formavam uma espécie de alicerce do tabernáculo, e eram feitas de prata (vs. 21). Não somos informados sobre como essas bases eram unidas, mas, sem dúvida, foi empregado algum sistema de travessas cruzadas. O que encontramos aqui é uma espécie de alicerce portátil, no qual as tábuas, com seus pinos, se ajustavam. Isso emprestava firmeza ao conjunto. Ver o vs. 24 quanto ao arranjo das *travessas*. O vs. 26 deste capítulo diz-nos que as travessas eram feitas de madeira de acácia.

Os intérpretes evangélicos veem nessas travessas complexas um símbolo de como a igreja se interliga firmemente parte com parte, e como cresce (a metáfora é mudada) para formar um templo santo (Ef 2.21). Quanto à *prata* como tipo da *redenção,* ver os comentários sobre o vs. 25 deste capítulo.

■ **26.20**

וּלְצֶלַע הַמִּשְׁכָּן הַשֵּׁנִית לִפְאַת צָפוֹן עֶשְׂרִים קָרֶשׁ:

Este versículo repete a informação dada no vs. 18, exceto que aqui é aludido o lado norte, em lugar do lado sul. Ver as notas sobre aquele versículo.

■ **26.21**

וְאַרְבָּעִים אַדְנֵיהֶם כָּסֶף שְׁנֵי אֲדָנִים תַּחַת הַקֶּרֶשׁ הָאֶחָד וּשְׁנֵי אֲדָנִים תַּחַת הַקֶּרֶשׁ הָאֶחָד:

Os estudiosos cristãos veem na *prata* um tipo da redenção eterna. Ver Êxodo 25.1. O tabernáculo inteiro estava fundamentado sobre bases de prata, excetuando as bases das cortinas do portão, o caminho de acesso ao tabernáculo (Êx 27.17).

Este versículo repete o que se lê no vs. 19. Novamente somos informados de que as bases eram feitas de prata. Cada base pesava um talento de prata (Êx 38.25,27). Ver no *Dicionário* o artigo *Pesos e Medidas,* em sua seção sétima. Um talento de prata era um peso correspondente a 34 kg. No tabernáculo, pois, quase quatro toneladas de prata e mais de uma tonelada de ouro foram usadas, se calcularmos baseados no trecho de Êxodo 38.21 ss. São cálculos assim que levam os críticos a supor que muito do que é dito a respeito do tabernáculo também pode ser dito acerca do templo de Jerusalém, e que as informações sobre este último foram aplicadas ao tabernáculo. Seja como for, aprendemos quão gigantesca era a tarefa de transportar essa estrutura, com todo o seu mobiliário, de um local para outro, pelo deserto, durante tantos anos.

■ **26.22**

וּלְיַרְכְּתֵי הַמִּשְׁכָּן יָמָּה תַּעֲשֶׂה שִׁשָּׁה קְרָשִׁים:

Para o ocidente. Estão em pauta os fundos do tabernáculo (que eram também os fundos do Santo dos Santos). Essa parte posterior tinha paredes similares àquelas das duas laterais, exceto que a medida era de apenas 4,60 m, em lugar de 13,70 m. Nos fundos havia seis tábuas, incluindo aquelas das esquinas, que fortaleciam a estrutura. A extensão dos seis painéis totalizava cerca de 4,10 m. O vs. 16 dá as dimensões das tábuas, o que provavelmente também se aplica às tábuas do lado oriental.

■ **26.23**

וּשְׁנֵי קְרָשִׁים תַּעֲשֶׂה לִמְקֻצְעֹת הַמִּשְׁכָּן בַּיַּרְכָתָיִם:

Duas tábuas para os cantos. Essas duas tábuas, ao que parece, eram uma espécie de contrafortes para fortalecer as esquinas, de tipo e formato diferente das outras tábuas. Algumas traduções dizem aqui *postes.* O hebraico original dá a entender estruturas para esquina (Ez 41.22). Mas sem poderem contemplar um modelo, os intérpretes não concordam sobre o que está exatamente em pauta. Porém, sem importar como eram essas duas tábuas, visavam fortalecer as esquinas, onde as tábuas formavam um ângulo reto.

Os intérpretes cristãos pensam que essas tábuas simbolizam Cristo como aquele que uniu judeus e gentios (ou mesmo todos os membros do corpo místico de Cristo, o templo do Espírito), tornando-o *um só corpo* (Gl 3.28; Ef 2.17 ss.).

■ 26.24

וְהָיוּ תֹאֲמִים מִלְּמַטָּה וְיַחְדָּו יִהְיוּ תַמִּים עַל־רֹאשׁוֹ
אֶל־הַטַּבַּעַת הָאֶחָת כֵּן יִהְיֶה לִשְׁנֵיהֶם לִשְׁנֵי הַמִּקְצֹעֹת
יִהְיוּ:

"As tábuas dos cantos eram ligadas às demais tábuas (das paredes) em dois lugares, em cima e embaixo, por meio de argolas. As travessas mencionadas nos vss. 26-29 deste capítulo passavam por essas argolas" (Ellicott, *in loc.*).

■ 26.25

וְהָיוּ שְׁמֹנָה קְרָשִׁים וְאַדְנֵיהֶם כֶּסֶף שִׁשָּׁה עָשָׂר אֲדָנִים
שְׁנֵי אֲדָנִים תַּחַת הַקֶּרֶשׁ הָאֶחָד וּשְׁנֵי אֲדָנִים תַּחַת
הַקֶּרֶשׁ הָאֶחָד:

Havia dezesseis bases, duas para cada uma das tábuas de esquina, e doze para as seis tábuas entre elas. Ver o vs. 19, onde a mesma coisa é dita sobre as paredes e como seus painéis eram juntados. "As *bases*, na realidade, formavam os alicerces portáteis do tabernáculo. Essas bases tinham encaixes para as duas *mãos* (projeções ou pinos) de cada tábua" (John Gill, *in loc.*). Ao todo havia 96 bases no tabernáculo. Os intérpretes cristãos veem nisso um tipo de Cristo como o fundamento da Igreja (ver 1Co 3.11 ss.).

■ 26.26,27

וְעָשִׂיתָ בְרִיחִם עֲצֵי שִׁטִּים חֲמִשָּׁה לְקַרְשֵׁי
צֶלַע־הַמִּשְׁכָּן הָאֶחָד:

וַחֲמִשָּׁה בְרִיחִם לְקַרְשֵׁי צֶלַע־הַמִּשְׁכָּן הַשֵּׁנִית וַחֲמִשָּׁה
בְרִיחִם לְקַרְשֵׁי צֶלַע הַמִּשְׁכָּן לַיַּרְכָתַיִם יָמָּה:

Quinze travessas deviam ser feitas de madeira de acácia, recoberta de ouro. Essas travessas eram usadas para reunir as tábuas umas às outras. Essas travessas passavam por dentro de argolas de ouro, horizontalmente. Eram cinco para o lado norte, cinco para o lado sul e cinco para os fundos (lado oeste), que também eram os fundos do Santo dos Santos.

"*Travessas* de madeira ou de ferro eram usadas para fechar por dentro os portões das cidades muradas (Dt 3.5). Neste caso, passavam através de argolas de ouro, talvez afixadas pelo lado de fora do arcabouço (J. Edgar Park, *in loc.*).

"A *travessa do meio*, em cada um dos lados, estendia-se de um extremo a outro do tabernáculo (vs. 28). Mas as quatro travessas mais acima e mais abaixo eram mais curtas, talvez copulando, provavelmente, metade das tábuas de cada lado" (Ellicott, *in loc.*). Alguns estudiosos supõem que as travessas eram colocadas pelo lado de dentro do tabernáculo, posto que outros preferem pensar no *lado de fora.*

Tem sido levantada a questão se as tábuas eram feitas de uma única peça de madeira, ou se eram feitas de peças mais curtas, mas juntadas uma à outra. Josefo (*Antiq.* 1.3 c.6 sec.3) diz-nos que eram feitas de unidades menores, ligadas umas às outras. Os comprimentos das tábuas indicam que unidades menores, ligadas umas às outras, provavelmente tiveram de ser preparadas.

■ 26.28

וְהַבְּרִיחַ הַתִּיכֹן בְּתוֹךְ הַקְּרָשִׁים מַבְרִחַ מִן־הַקָּצֶה
אֶל־הַקָּצֶה:

A fim de emprestar um reforço especial, uma *travessa do meio* estendia-se de uma extremidade à outra das paredes. Mas essa travessa provavelmente era formada de peças. Ver os comentários sobre os vss. 26 e 27, em seu terceiro parágrafo, quanto a pormenores. Alguns eruditos pensam que havia quatro travessas, além da travessa do meio, ou seja, duas acima desta e duas abaixo desta, de menor comprimento. Mas outros supõem que só havia três travessas ao todo. Neste caso, a travessa do meio percorria todo o comprimento da parede, além de uma travessa acima dela e de outra travessa abaixo, ambas de menor comprimento. Josefo dizia que essas travessas eram colocadas pelo lado de fora do tabernáculo (*Antiq.* 1.3 c.6 sec.3).

■ 26.29

וְאֶת־הַקְּרָשִׁים תְּצַפֶּה זָהָב וְאֶת־טַבְּעֹתֵיהֶם תַּעֲשֶׂה
זָהָב בָּתִּים לַבְּרִיחִם וְצִפִּיתָ אֶת־הַבְּרִיחִם זָהָב:

Todo o material do arcabouço do tabernáculo era de madeira de acácia, recoberta de ouro. O material era o mesmo, tanto no caso das tábuas como no caso das travessas, conforme este versículo deixa claro. As argolas eram de ouro, o que também ocorria no caso da arca (Êx 25.12) e da mesa (Êx 25.16). O tabernáculo usava cerca de quatro toneladas de prata e mais de uma tonelada de ouro (ver os comentários sobre Êx 26.21).

Os intérpretes cristãos veem nesses dois materiais tipos simbólicos da humanidade e da deidade de Cristo. Cristo é o tabernáculo de Deus que veio habitar entre os homens, o veículo de nossa comunhão com o Senhor. Ver as notas sobre o vs. 23.

■ 26.30

וַהֲקֵמֹתָ אֶת־הַמִּשְׁכָּן כְּמִשְׁפָּטוֹ אֲשֶׁר הָרְאֵיתָ בָּהָר: ס

Este versículo repete a mensagem que já nos fora dada em Êxodo 25.9 e 40, onde comentei sobre a questão. Aqui o termo "modelo" traduz uma outra palavra em hebraico, *mishpat,* "padrão", mas isso não altera a substância da declaração. Ver Hebreus 8.5 quanto a uma referência do Novo Testamento a este contexto e versículo. Ver também Hebreus 9.23 ss.

O VÉU INTERIOR (26.31-35)

■ 26.31

וְעָשִׂיתָ פָרֹכֶת תְּכֵלֶת וְאַרְגָּמָן וְתוֹלַעַת שָׁנִי וְשֵׁשׁ מָשְׁזָר
מַעֲשֵׂה חֹשֵׁב יַעֲשֶׂה אֹתָהּ כְּרֻבִים:

A palavra hebraica aqui usada para *véu* ocorre por 24 vezes no Antigo Testamento, sempre referindo-se ao tipo de véu ou tela que separava o Lugar Santo do Santo dos Santos. Ao que parece, era decorado de acordo com o estilo do envoltório mais interior do tabernáculo, e era trabalho de artífices do mais alto gabarito. Ver o primeiro versículo deste capítulo. Provi um detalhado artigo sobre esse item no *Dicionário,* chamado *Véu (no Tabernáculo e no Templo).* Esse artigo nos fornece a essência das informações conhecidas sobre a questão e possibilita uma exposição mais breve desta seção. Quanto aos *Tipos e Simbolismos* das três cortinas, ver as notas sobre Êxodo 27.16.

O Tipo Duplo

1. O véu representava um acesso limitado e seletivo. Somente o sumo sacerdote, e somente uma vez por ano, podia passar para além do véu para entrevistar a Yahweh. Mas em Cristo, o qual é a Porta (Jo 10.9), o *acesso* (ver a esse respeito no *Dicionário*) foi franqueado a todos os homens (Hb 6.19,20; 9.11,12; 10.19,20).
2. O véu também era tipo do corpo humano de Cristo (Mt 26.27; 27.50; Hb 10.20), o qual foi rasgado (na crucificação) para prover-nos acesso a Deus. O véu do templo, por ocasião da morte de Cristo, foi rasgado ao meio por uma mão divina, invisível. Foi aberto um novo caminho para a justificação, visto que, por meio das obras da lei, nenhuma carne poderia ser justificada (Rm 3.20; Hb 9.8). É provável que os sacerdotes dos dias de Jesus tenham costurado o rasgão e tenham continuado a usar o véu, como se nada tivesse acontecido. Estavam cegos para com o *novo caminho* que tinha sido aberto. Metaforicamente, esse véu remendado é o *galacianismo,* que faz o pecador que foi justificado em Cristo

retornar à lei, quanto à justificação e quanto à santificação, ou, então, como uma norma de vida, assim debilitando o ofício do Espírito. Ver Gálatas 1.6-9.

As *descrições* do véu, dadas aqui no vs. 31, são comentadas no artigo *Véu*, no *Dicionário*. Ver Êxodo 26.36 e suas notas expositivas quanto às *Três Cortinas do Tabernáculo*.

■ 26.32

וְנָתַתָּה אֹתָהּ עַל־אַרְבָּעָה עַמּוּדֵי שִׁטִּים מְצֻפִּים זָהָב
וָוֵיהֶם זָהָב עַל־אַרְבָּעָה אַדְנֵי־כָסֶף׃

Uma vez mais temos a madeira de acácia recoberta de ouro, os materiais usados na arca (Êx 25.12), na mesa (Êx 25.16) e nas tábuas e travessas das paredes (Êx 26.29). Ver os comentários sobre o vs. 15 deste capítulo quanto a esses materiais.

As *quatro colunas de madeira de acácia* podem ter sido colunas verdadeiras, e não meros postes de tendas. Provavelmente tinham as mesmas dimensões e foram colocadas a distâncias iguais umas das outras, como também devem ter sido ligadas umas às outras, no topo, mediante alguma espécie de estrutura, como uma viga. Juntamente com o véu, formavam uma espécie de tela. Essa tela agia como uma porta que separava o Lugar Santo do Santo dos Santos. Parece que as quatro colunas tinham a mesma altura que as tábuas, a saber, cerca de 4,60 m (vs. 16). O próprio véu ficava suspenso por meio de ganchos de ouro, postos no topo das quatro colunas de madeira de acácia e desciam até o nível do chão, sem deixar qualquer espaço vago. As colunas repousavam sobre bases de prata (cf. vs. 19). O Santo dos Santos tinha cerca de 15 m de lado, pois era quadrado. Portanto, o véu, posto à frente do Santo dos Santos, tinha cerca de 15 m de largura e cerca de 5 m de altura.

■ 26.33

וְנָתַתָּה אֶת־הַפָּרֹכֶת תַּחַת הַקְּרָסִים וְהֵבֵאתָ שָׁמָּה
מִבֵּית לַפָּרֹכֶת אֵת אֲרוֹן הָעֵדוּת וְהִבְדִּילָה הַפָּרֹכֶת
לָכֶם בֵּין הַקֹּדֶשׁ וּבֵין קֹדֶשׁ הַקֳּדָשִׁים׃

"Os *colchetes* com os quais as duas metades das coberturas interna e externa eram ligadas uma à outra (vs. 6,11), ficavam imediatamente sobre o véu" (J. Edgar Park, *in loc.*).

O véu que dividia o Lugar Santo do Santo dos Santos ficava pendurado exatamente por baixo dos colchetes de ouro que ligavam as cinco cortinas uma à outra; pois que cinco cortinas formavam os lados do Lugar Santo, e outras cinco formavam os lados do Santo dos Santos. Mas havia a seguinte diferença: o Lugar Santo tinha 10 m de lado, e as cinco cortinas ligadas entre si tinham essa largura. E as outras cinco cortinas encobriam os 5 m do Santo dos Santos. Os intérpretes lutam para visualizar como esse arranjo foi feito, mas não conseguem uma ideia clara do conjunto.

■ 26.34

וְנָתַתָּ אֶת־הַכַּפֹּרֶת עַל אֲרוֹן הָעֵדֻת בְּקֹדֶשׁ הַקֳּדָשִׁים׃

A *arca* já foi descrita com detalhes (Êx 25.10 ss., que o leitor precisa examinar). Essa elaborada e rica peça do mobiliário do tabernáculo (ver no *Dicionário* o artigo *Arca da Aliança*) era o único item posto no Santo dos Santos. Dentro da arca havia o *testemunho* (ver as notas a respeito em Êx 16.34), ou seja, as duas tábuas de pedra da lei. O trecho de Hebreus 9.4 também põe ali o pote de maná e a vara de Arão que floresceu. Quanto ao problema criado por essas *adições* (desconhecidas no Antigo Testamento), ver o *Novo Testamento Interpretado, in loc.* O propiciatório era a *tampa de ouro* da arca, o lugar onde era aspergido o sangue do sacrifício. Ver Êxodo 25.17 ss. quanto a descrições, como também, no *Dicionário*, o artigo *Propiciatório*.

■ 26.35

וְשַׂמְתָּ אֶת־הַשֻּׁלְחָן מִחוּץ לַפָּרֹכֶת וְאֶת־הַמְּנֹרָה
נֹכַח הַשֻּׁלְחָן עַל צֶלַע הַמִּשְׁכָּן תֵּימָנָה וְהַשֻּׁלְחָן
תִּתֵּן עַל־צֶלַע צָפוֹן׃

Agora o autor sagrado menciona os dois itens postos *do lado de fora* do Santo dos Santos, do outro lado do véu. Eram dois itens postos no Lugar Santo. Ele deixou de mencionar o *altar de incenso, de ouro* (Êx 30.6; 40.26), que ficava defronte do véu, mas dentro do Lugar Santo. Ele já tinha descrito, com detalhes, os dois itens agora mencionados: o *candeeiro* (Êx 25.31 ss.) e a *mesa* dos pães da proposição (Êx 25.23 ss.). Ver no *Dicionário* os artigos *Candeeiro* e *mesa*, II.1. A informação adicionada neste versículo é apenas a *localização* desses dois itens. O candeeiro ficava no lado sul (esquerdo), e a mesa ficava no lado norte (direito). A entrada ficava para o lado leste, o que significa que o tabernáculo estava voltado nessa direção. O Santo dos Santos ficava no lado oeste, a extremidade dos fundos da estrutura. Por *esquerda* e *direita* devemos entender as direções para aqueles que entrassem no santuário e avançassem na direção do Santo dos Santos. Ver a planta do tabernáculo, mais acima.

A CORTINA DO LUGAR SANTO (26.36,37)

וְעָשִׂיתָ מָסָךְ לְפֶתַח הָאֹהֶל תְּכֵלֶת וְאַרְגָּמָן וְתוֹלַעַת
שָׁנִי וְשֵׁשׁ מָשְׁזָר מַעֲשֵׂה רֹקֵם׃

וְעָשִׂיתָ לַמָּסָךְ חֲמִשָּׁה עַמּוּדֵי שִׁטִּים וְצִפִּיתָ אֹתָם זָהָב
וָוֵיהֶם זָהָב וְיָצַקְתָּ לָהֶם חֲמִשָּׁה אַדְנֵי נְחֹשֶׁת׃ ס

O tabernáculo contava com *três* cortinas divisórias: 1. Aquela que dividia o átrio, defronte da tenda, do espaço exterior (Êx 27.16; 35.17). 2. A cortina destes versículos, que separava o Lugar Santo do átrio. 3. Aquela que separava o Lugar Santo do Santo dos Santos (Êx 26.31 ss.).

Um reposteiro. A cortina aqui referida não era tão rica como aquela que tapava a entrada do Santo dos Santos. Nessa cortina não havia figuras bordadas, como se via naquela outra. Mas era feita dos mesmos materiais básicos e tinha as mesmas cores. Tinha o mesmo tipo de estrutura que se via diante do Santo dos Santos, com a única exceção de que era equipada com cinco colunas, em lugar de quatro (ver Êx 26.32). As suas bases eram feitas de bronze, e não de ouro. Não nos é fornecida qualquer razão dessa diferença quanto às bases, embora seja razoável supormos que o prestígio do Santo dos Santos exigia uma decoração mais magnificente.

Quanto aos *tipos e simbolismos* das três cortinas, ver as notas em Êxodo 27.16.

CAPÍTULO VINTE E SETE

O ALTAR DE BRONZE (27.1-8)

As orientações quanto à ereção do tabernáculo não apresentam os artigos a serem manufaturados na ordem em que poderíamos esperar. Se tivéssemos de entrar pelo lado oriental do tabernáculo, primeiramente entraríamos atravessando a cortina exterior; então encontraríamos o altar dos holocaustos; em seguida, o lavatório; depois a segunda cortina que servia de entrada para o Lugar Santo; então veríamos o candeeiro, no lado esquerdo, e a mesa dos pães da proposição, no lado direito (respectivamente os lados sul e norte); então encontraríamos o altar do incenso, antes da terceira cortina, que vedava a entrada do Santo dos Santos. Dentro desse ambiente fechado, encontraríamos somente a arca da aliança; e, abrindo a arca, acharíamos as tábuas de pedra da lei.

No entanto, a ordem apresentada pelo autor é como segue: a arca, a mesa, a lâmpada (cap. 25, todos os três itens); as cortinas ou cobertura interior do tabernáculo inteiro; as duas outras coberturas, aquela feita de pelos de cabra, mais por dentro, e aquela feita de pelos de carneiro, ou de peles de animais marinhos, mais por fora; o véu que fechava o Santo dos Santos, o véu que fechava o Lugar Santo (tudo isso no cap. 26); o altar dos holocaustos; o átrio do tabernáculo (cap. 27); instruções miscelâneas acerca do azeite, das vestes sacerdotais, da estola, do peitoral, da sobrepeliz, do diadema, do turbante e da túnica; as vestes dos filhos de Arão; a consagração dos sacerdotes; as regras sobre o pão e várias cerimônias; a oferta pelo pecado e as ofertas queimadas (caps. 28,29—35); e, então, somente em Êxodo 29.36 ss. é que encontramos regras sobre as ofertas queimadas; e, em Êxodo 30.1-10, finalmente, encontramos o altar do incenso, que não fora mencionado no cap. 26; e, em derradeiro lugar, encontramos a bacia de bronze, mencionada em Êxodo 30.17-21, que esperaríamos muito antes disso, se o autor sacro tivesse seguido os itens na ordem em que realmente apareciam no tabernáculo. O artigo que há no *Dicionário*, intitulado *Tabernáculo,* apresenta descrições detalhadas sobre essa estrutura, com todos os seus materiais e tipos simbólicos.

■ 27.1

וְעָשִׂ֥יתָ אֶת־הַמִּזְבֵּ֖חַ עֲצֵ֣י שִׁטִּ֑ים חָמֵשׁ֩ אַמּ֨וֹת אֹ֜רֶךְ וְחָמֵ֧שׁ אַמּ֣וֹת רֹ֗חַב רָב֤וּעַ יִהְיֶה֙ הַמִּזְבֵּ֔חַ וְשָׁלֹ֥שׁ אַמּ֖וֹת קֹמָתֽוֹ׃

Farás também o altar. Está em pauta o altar das ofertas queimadas ou altar dos holocaustos, no átrio externo, entre a primeira cortina e a bacia de bronze. Não deve ser confundido com o altar do incenso, que era bem menor e ficava no Lugar Santo, defronte da terceira cortina, e que só é descrito em Êxodo 30.1-10.

O altar dos holocaustos, aqui descrito, ficava na metade oriental do átrio. Era feito de madeira de acácia recoberta de *bronze* (influência fenícia, na opinião de alguns estudiosos). Suas dimensões eram 2,5 x 2,5 x 1,5 m. Tinha chifres que se projetavam nas pontas, bem como argolas e varas que lhe facilitavam o transporte. Mas não dispunha de topo, e, talvez, contasse com uma armação gradeada de metal, cheia de terra, o que explica como podia resistir ao fogo ali aceso.

O outro altar do tabernáculo era o do incenso, bem menor, cujas dimensões eram 0,5 x 0,5 x 1 m. Era feito de madeira de acácia recoberta de ouro. Também tinha quatro chifres, nas pontas, e uma borda de ouro, com argolas e varas para ser transportado. Simbolizava nossas orações e intercessões (Lv 16.12).

"O objeto central do átrio era o altar das ofertas queimadas (ou altar dos holocaustos), onde ocorria o principal culto sacrificial... Era recoberto de bronze (1Rs 8.64)" (*Oxford Annotated Bible, in loc.*).

Esse altar também era chamado de *altar de bronze* (Êx 38.30; 39.39). Cf. com o altar de bronze do templo de Salomão (1Rs 8.64; 2Rs 16.10-15; 2Cr 4.1). Com o nome de altar das *ofertas queimadas*, em algumas versões, ver Êxodo 30.28 e Levítico 4.7,10,18; mas nossa versão portuguesa chama-o somente de altar do holocausto.

Tipo.

O altar de bronze tipificava a cruz de Cristo, onde Jesus se ofereceu como holocausto a Deus, sem mancha e nem defeito, como expiação pelo pecado. Ver Hebreus 9.14.

Esse altar tinha o dobro da altura do propiciatório. A expiação propicia nossa salvação e glorifica a Deus (Jo 17.40). Ver no *Dicionário* o artigo intitulado *Expiação.*

Os santuários tinham como objeto cúltico central um altar. Ver no *Dicionário* o artigo geral *Altar*. Cf. Êxodo 5.1-3; 8.25-28; 12.27; 17.12; 20.24-26. Os sacrifícios eram um evento cúltico central dos povos antigos, fazendo santuários e altares serem indispensáveis.

Será quadrado o altar. A maioria dos altares antigos era quadrado no topo, embora houvesse altares circulares e quadrangulares, que têm sido desenterrados pela arqueologia. É possível que, para alguns povos, a forma quadrada simbolizasse a *perfeição,* embora os gregos representassem a perfeição mediante o círculo. Alguns poucos altares circulares têm sido encontrados, e até um na Mesopotâmia, de forma triangular; mas o *quadrado* era o formato mais comum.

■ 27.2

וְעָשִׂ֣יתָ קַרְנֹתָ֗יו עַ֚ל אַרְבַּ֣ע פִּנֹּתָ֔יו מִמֶּ֖נּוּ תִּהְיֶ֣יןָ קַרְנֹתָ֑יו וְצִפִּיתָ֥ אֹת֖וֹ נְחֹֽשֶׁת׃

Quatro chifres. As pontas nos quatro cantos superiores do altar deveriam fazer parte do mesmo, como uma só peça. Os materiais eram madeira e bronze. O bronze é o metal que simboliza o julgamento. O sangue das ofertas pelo pecado era aplicado a essas pontas ou chifres (Êx 29.12). Esse altar também funcionava como lugar de asilo onde um homicida não-intencional poderia obter refúgio temporário, até que o seu caso fosse julgado pelas autoridades devidas. Ver 1Reis 1.50; 2.28.

Se algum daqueles quatro chifres se quebrasse, o altar deixaria de ser um altar válido (Am 3.14). Os cananeus tinham seus altares de bronze, sendo possível que a ideia tenha sido tomada por empréstimo dos cananeus, embora o altar fosse dedicado a Yahweh e ao novo caminho do *monoteísmo* (ver a esse respeito no *Dicionário*).

Os chifres deveriam ser cobertos de sangue por ocasião da consagração dos sacerdotes (Êx 29.1; Lv 8.14,15; 9.9), como também no dia da expiação (Lv 16.18). Ver no *Dicionário* o artigo intitulado *Sacrifícios e Ofertas*.

"As vítimas eram amarradas aos chifres (Sl 118.27); os criminosos agarravam-se aos mesmos (1Rs 1.50); e sobre esses chifres era besuntado o sangue das ofertas pelo pecado, com o propósito de fazer expiação (Êx 29.12; Lv 8.15)" (Ellicott, *in loc.*). Ver no *Dicionário* o artigo intitulado *Expiação.*

■ 27.3

וְעָשִׂ֤יתָ סִּֽירֹתָיו֙ לְדַשְּׁנ֔וֹ וְיָעָיו֙ וּמִזְרְקֹתָ֔יו וּמִזְלְגֹתָ֖יו וּמַחְתֹּתָ֑יו לְכָל־כֵּלָ֖יו תַּעֲשֶׂ֥ה נְחֹֽשֶׁת׃

Far-lhe-ás também. Há aqui menção a vários recipientes. As *cinzas*, as incrustações de gordura queimada que se acumulavam sobre o altar, eram removidas sempre que Israel preparava-se para viajar (Nm 4.13). Mas de acordo com alguns estudiosos, diariamente. Essas cinzas eram guardadas temporariamente a leste do altar, em alguma espécie de urna ou pote (Lv 1.16). Mas depois os sacerdotes se livraram das mesmas, levando-as ao campo, juntamente com outro material parecido, sobras dos sacrifícios (Lv 4.12; 6.10,11). Os sacerdotes dispunham de *pás* para fazer esse trabalho de limpeza; e também bacias para receber o sangue dos animais sacrificados (Êx 24.6). Esse sangue era vertido das bacias ao pé do altar, em um gesto de sacrifício. E também dispunham de garfos, uma espécie de ganchos para arranjar os pedaços das vítimas sobre o altar. Esses instrumentos, todavia, podiam ser usados com outros propósitos, conforme vemos em 1Samuel 2.13.

Os *braseiros* eram alguma espécie de vaso usado para carregar as brasas retiradas do altar de bronze para serem postas sobre o altar do incenso (Lv 16.12). Esses braseiros pertenciam, realmente, ao altar do incenso. Todos os vasos ou acessórios do altar eram feitos de *bronze,* metal que simbolizava o julgamento.

■ 27.4

וְעָשִׂ֤יתָ לּוֹ֙ מִכְבָּ֔ר מַעֲשֵׂ֖ה רֶ֣שֶׁת נְחֹ֑שֶׁת וְעָשִׂ֣יתָ עַל־הָרֶ֗שֶׁת אַרְבַּע֙ טַבְּעֹ֣ת נְחֹ֔שֶׁת עַ֖ל אַרְבַּ֥ע קְצוֹתָֽיו׃

Uma grelha de bronze. Era uma espécie de peneira (Am 9.9) ou chapa de bronze com perfurações. Essas perfurações permitiam que o sangue drenasse dos sacrifícios e fosse recolhido embaixo. Mas outros estudiosos pensam que a grelha era um instrumento que captava qualquer coisa que caísse do altar, protegendo os pés dos sacerdotes que ali trabalhassem. Ao que parece, ficava localizada à meia altura do altar (vs. 5), ou seja, a cerca de 75 cm do topo do altar para baixo. Mas não há informações quanto à sua largura. Mas nesse item havia argolas de bronze onde eram enfiadas varas, possibilitando o transporte do altar, conforme também sucedia no caso da arca e da mesa dos pães da proposição. Êxodo 25.12,26.

■ 27.5

וְנָתַתָּ֣ה אֹתָ֗הּ תַּ֛חַת כַּרְכֹּ֥ב הַמִּזְבֵּ֖חַ מִלְּמָ֑טָּה |V5 |H וְהָיְתָ֣ה הָרֶ֔שֶׁת עַ֖ד חֲצִ֥י הַמִּזְבֵּֽחַ׃

Dentro do rebordo. Talvez fosse uma espécie de borda, no alto do altar, ou, então, uma estrutura similar mas à meia altura do altar, imediatamente acima da grelha. Alguns pensam que esse rebordo substituía os degraus proibidos (Êx 20.26). Mas visto que esse altar era tão baixo, não havia necessidade de degraus para o mesmo. Talvez fosse apenas uma espécie de cinto ornamental que circundava o altar. Logo abaixo dessa estrutura ficava a *grelha* descrita no versículo anterior.

■ 27.6,7

וְעָשִׂ֤יתָ בַדִּים֙ לַמִּזְבֵּ֔חַ בַּדֵּ֖י עֲצֵ֣י שִׁטִּ֑ים וְצִפִּיתָ֥ אֹתָ֖ם נְחֹֽשֶׁת׃

וְהוּבָ֥א אֶת־בַּדָּ֖יו בַּטַּבָּעֹ֑ת וְהָי֣וּ הַבַּדִּ֗ים עַל־שְׁתֵּ֛י צַלְעֹ֥ת הַמִּזְבֵּ֖חַ בִּשְׂאֵ֥ת אֹתֽוֹ׃

Os varais. Havia varais para transporte da arca, da mesa e do altar, de tal modo que o povo de Israel, em suas vagueações pelo deserto, podia carregar o equipamento do tabernáculo e montá-lo na parada seguinte. Os varais aqui mencionados correspondem aos outros, com a exceção do fato de que eram recobertos de bronze, e não de ouro. Ver Êxodo 25.13,28.

■ **27.8**

נָב֥וּב לֻחֹ֖ת תַּעֲשֶׂ֣ה אֹת֑וֹ כַּאֲשֶׁ֨ר הֶרְאָ֥ה אֹתְךָ֛ בָּהָ֖ר כֵּ֥ן יַעֲשֽׂוּ׃ ס

O fundo do altar era *oco*; mas ao ser instalado, o espaço podia ser cheio de pedras ou terra. O Targum de Jonathan (e também outros escritores judeus) informa-nos sobre como o altar podia ser assim enchido de terra. E os intérpretes cristãos veem nesse espaço vazio o esvaziamento de Cristo em sua missão terrena (Fp 2.7,8; 2Co 8.9), de tal modo que nele pudéssemos enriquecer; mas parece que temos aqui um notável exagero nessa questão de tipologia.

O ÁTRIO DO TABERNÁCULO (27.9-19)

O *átrio* era um grande retângulo cujas medidas aproximadas eram 23 m x 46 m. A tenda, que ficava dentro desse átrio, ocupava apenas uma área de apenas 4,60 m x 13,80 m. Isso posto, a área maior do terreno do tabernáculo (ver a ilustração sobre o tabernáculo) era ocupada pelo átrio externo. O átrio continha o altar dos holocaustos e a bacia de bronze. Acabamos de dar a descrição do altar (Êx 27.1 ss.), mas a *bacia de bronze* só é descrita em Êxodo 30.17-21. O resto era espaço aberto.

■ **27.9**

וְעָשִׂ֕יתָ אֵ֖ת חֲצַ֣ר הַמִּשְׁכָּ֑ן לִפְאַ֣ת נֶֽגֶב־תֵּימָ֗נָה קְלָעִ֤ים לֶֽחָצֵר֙ שֵׁ֣שׁ מָשְׁזָ֔ר מֵאָ֥ה בָֽאַמָּ֖ה אֹ֑רֶךְ לַפֵּאָ֥ה הָאֶחָֽת׃

O átrio era uma área sagrada que tinha sua própria entrada de pouco mais de 9 m de largura (a saber, a primeira cortina); mas as áreas mais sagradas ainda eram o Lugar Santo e o Santo dos Santos, na segunda metade posterior do átrio. Todos os templos que foram construídos na história de Israel tiveram um átrio semelhante. Alguns desses templos tiveram mais de um átrio, representando vários níveis de acesso. Assim, no templo de Herodes, havia o átrio dos gentios e o átrio das mulheres. Ver no *Dicionário* o artigo intitulado *Templo de Jerusalém,* onde isso é ilustrado e explicado.

Quanto às dimensões do átrio, ver os vss. 9,13,18 deste capítulo. Havia uma parede exterior de linho, sustentada por vinte colunas no lado sul, vinte colunas no lado norte e dez colunas no lado oeste, e nas quais ficava pendurada. Essas colunas ficavam apoiadas sobre bases de bronze, e as colunas tinham ganchos onde as cortinas ficavam penduradas (vss. 10,11,17).

Cortinas de linho. O átrio era franqueado a todos os israelitas (Lv 1.3). Embora essas cortinas fossem feitas de linho fino, as cortinas propriamente ditas pareciam ser de um material mais resistente. A Septuaginta traduz o termo hebraico aqui usado como *velas,* porquanto parece estar em foco um tecido mais grosseiro, tipo tecido de vela de embarcação, em contraste com o tecido muito mais fino dos véus do Lugar Santo e do Santo dos Santos.

■ **27.10**

וְעַמֻּדָ֣יו עֶשְׂרִ֔ים וְאַדְנֵיהֶ֥ם עֶשְׂרִ֖ים נְחֹ֑שֶׁת וָוֵ֧י הָעַמֻּדִ֛ים וַחֲשֻׁקֵיהֶ֖ם כָּֽסֶף׃

Este versículo repete a informação que já vimos acerca de estruturas similares no Lugar Santo e no Santo dos Santos (Êx 26.18 ss.), exceto que aqui os materiais usados eram prata e bronze, em lugar de ouro e prata. Podemos pensar que as colunas foram construídas tal como as do Lugar Santo e do Santo dos Santos. Ver Êxodo 26.32,37, mas os materiais empregados eram mais baratos. Para cada lado, vinte colunas deveriam ser usadas, cada qual a cerca de 2,30 m uma da outra. Os escritores judeus, todavia, parecem confusos. Alguns pensam que as colunas eram feitas de madeira (talvez de acácia), mas o texto as designa "bronze". Josefo também falou em bronze (*Antiq.* 1.3 c.6 sec.2). O autor sagrado não nos confere descrições precisas, pelo que não podemos ser por demais positivos acerca das questões ventiladas nestes versículos. Os *ganchos* talvez fossem diferentes daqueles do resto da estrutura do tabernáculo. Jarchi descreveu-os como ganchos de tendas, ou seja, com uma das extremidades recurva e estendendo-se um pouco para cima.

Suas vergas. Alguns pensam em fios de prata que serviriam para amarrar; mas outros dizem que eram varas de conexão que sustentavam as cortinas.

■ **27.11**

וְכֵ֨ן לִפְאַ֤ת צָפוֹן֙ בָּאֹ֔רֶךְ קְלָעִ֖ים מֵ֣אָה אֹ֑רֶךְ וְעַמֻּדָ֣יו עֶשְׂרִ֗ים וְאַדְנֵיהֶ֥ם עֶשְׂרִ֛ים נְחֹ֖שֶׁת וָוֵ֧י הָֽעַמֻּדִ֛ים וַחֲשֻׁקֵיהֶ֖ם כָּֽסֶף׃

Temos aqui as medidas do lado mais longo de um retângulo, a saber, cerca de 46 m. Ao longo dessa medida, haveria vinte colunas de ambos os lados, o lado norte (direita) e o lado sul (esquerda). Ver a ilustração sobre a planta do tabernáculo, mais acima. O tabernáculo era voltado de frente para o *oriente*. O Santo dos Santos ficava na extremidade ocidental do tabernáculo.

■ **27.12,13**

וְרֹ֣חַב הֶֽחָצֵר֮ לִפְאַת־יָם֒ קְלָעִ֖ים חֲמִשִּׁ֣ים אַמָּ֑ה עַמֻּדֵיהֶ֣ם עֲשָׂרָ֔ה וְאַדְנֵיהֶ֖ם עֲשָׂרָֽה׃

וְרֹ֣חַב הֶחָצֵ֗ר לִפְאַ֛ת קֵ֥דְמָה מִזְרָ֖חָה חֲמִשִּׁ֥ים אַמָּֽה׃

A extremidade *ocidental* era o lado onde ficava o Santo dos Santos. Formava o lado mais curto do retângulo do átrio, com cerca de 23 m de cada lado, pois formava um quadrado. Tendo a metade do comprimento dos outros lados, precisava apenas de dez colunas. A construção, contudo, era como a do Lugar Santo. Como é óbvio, o lado *oriental* (a entrada) do átrio também tinha cerca de 23 m de largura.

■ **27.14,15**

וַחֲמֵ֨שׁ עֶשְׂרֵ֥ה אַמָּ֛ה קְלָעִ֖ים לַכָּתֵ֑ף עַמֻּדֵיהֶ֣ם שְׁלֹשָׁ֔ה וְאַדְנֵיהֶ֖ם שְׁלֹשָֽׁה׃

וְלַכָּתֵף֙ הַשֵּׁנִ֔ית חֲמֵ֥שׁ עֶשְׂרֵ֖ה קְלָעִ֑ים עַמֻּדֵיהֶ֣ם שְׁלֹשָׁ֔ה וְאַדְנֵיהֶ֖ם שְׁלֹשָֽׁה׃

Descrição da extremidade oriental:

Primeira Cortina

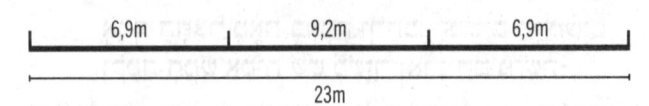

6,9m	9,2m	6,9m

23m

A primeira cortina tinha 9,20 m de comprimento; e de cada lado, havia 6,90 m. Havia cortinas ao longo desses 23 m, mas os 9,20 m no meio foram feitos de tal modo que havia uma entrada que conduzia ao átrio. Havia ainda duas outras cortinas; a segunda antes do Lugar Santo, e a terceira antes do Santo dos Santos. Já pudemos descrever isso nas notas sobre Êxodo 26.31 e 36.

As duas partes da cortina de 6,90 m cada parte (em ambos os lados da entrada) estavam penduradas em três colunas, tal como o resto das cortinas, embora as bases fossem feitas de bronze (vs. 17). As colunas ficavam a cerca de 2,30 m uma da outra. Havia um total de dez colunas na extremidade leste do tabernáculo, o mesmo número que havia na sua extremidade oeste (vs. 12).

■ **27.16**

וּלְשַׁ֨עַר הֶֽחָצֵ֜ר מָסָ֣ךְ ׀ עֶשְׂרִ֣ים אַמָּ֗ה תְּכֵ֧לֶת וְאַרְגָּמָ֛ן וְתוֹלַ֥עַת שָׁנִ֖י וְשֵׁ֣שׁ מָשְׁזָ֑ר מַעֲשֵׂ֖ה רֹקֵ֑ם עַמֻּדֵיהֶם֙ אַרְבָּעָ֔ה וְאַדְנֵיהֶ֖ם אַרְבָּעָֽה׃

Um reposteiro de vinte côvados. Temos aí a primeira cortina, que dava entrada para o átrio. Essa cortina ficava apoiada sobre quatro colunas, o mesmo número que havia na cortina do Santo dos Santos. Portanto, temos: 1. A *primeira* cortina (sobre quatro colunas, Êx 27.12). 2. A *segunda* cortina (sobre cinco colunas, Êx 26.36). 3. A *terceira* cortina (sobre quatro colunas, Êx 26.32). A palavra hebraica usada para indicar a cortina da entrada do átrio é a mesma palavra usada para indicar os véus do Lugar Santo e do Santo dos Santos, embora estas últimas sejam chamadas "véus", em português. Talvez porque o tecido dessas últimas fosse mais fino que o tecido da primeira. Mas no hebraico é usado um vocábulo diferente para indicar as demais cortinas do átrio, indicando um tecido mais grosseiro (ver o vs. 9). Logo, quando alguém olhava para a extremidade oriental podia notar uma diferença na textura e no desenho dos tecidos, quando comparados com a seção do meio (a entrada), e com as duas partes a cada um dos lados dessa entrada.

Tipos e Simbolismos. As cortinas indicavam graus variados de acesso, pois cada uma delas servia de porta que permitia que alguém por ali entrasse, com exclusividade. Todo o povo de Israel (mas nenhum gentio) podia penetrar pela primeira cortina. Os sacerdotes, a cada dia, podiam passar pela segunda cortina. Mas somente o sumo sacerdote, e assim mesmo apenas uma vez por ano, podia entrar pela terceira cortina. Ver no *Dicionário* o verbete chamado *Acesso,* acerca de como Cristo, em sua missão messiânica, proveu completo acesso a todos até ao Santo dos Santos, ou seja, até à presença mesma de Deus.

■ 27.17

כָּל־עַמּוּדֵי הֶחָצֵר סָבִיב מְחֻשָּׁקִים כֶּסֶף וָוֵיהֶם כֶּסֶף וְאַדְנֵיהֶם נְחֹשֶׁת׃

Todas as colunas. Aqui se fala sobre todas as colunas ao redor do átrio. Essas colunas eram sessenta: vinte ao norte, vinte ao sul (vss. 10 e 11), e dez a oeste e dez a leste (vss. 12,14-16). Mas todas essas colunas eram construídas do mesmo modo, e dos mesmos materiais. Tinham ganchos de prata e bases de bronze. As *vergas de prata* (que alguns eruditos chamam de varas) serviam para segurar as cortinas às colunas. As colunas propriamente ditas eram, provavelmente, de madeira de acácia, tal como as colunas do Lugar Santo e do Santo dos Santos (Êx 26.32). Parece que o vs. 10 deste capítulo diz que essas colunas eram de bronze, e não de madeira de acácia; e os intérpretes judeus não concordam entre si quanto a esse particular. Ver as notas expositivas sobre aquele versículo. Não aparece a palavra "acácia" naquele versículo, mas ela pode ter sido deixada de fora pelo autor sagrado, que assim cometeu um pequeno esquecimento. Ou então, a palavra *bronze* aplica-se tanto às colunas quanto às suas bases.

■ 27.18

אֹרֶךְ הֶחָצֵר מֵאָה בָאַמָּה וְרֹחַב חֲמִשִּׁים בַּחֲמִשִּׁים וְקֹמָה חָמֵשׁ אַמּוֹת שֵׁשׁ מָשְׁזָר וְאַדְנֵיהֶם נְחֹשֶׁת׃

O átrio terá cem côvados de comprido. As dimensões do átrio são dadas aqui. No sistema métrico, essas dimensões são: 23 x 46 m. A altura da cerca em redor era de cerca de 2,30 m, o que significa que a cortina externa do tabernáculo, que fechava o átrio, era bastante baixa. No entanto, era alta o bastante para impedir que os curiosos olhassem para dentro do átrio, estando eles do lado de fora do mesmo. Em contraste, a altura das paredes internas do Lugar Santo e do Santo dos Santos era de cerca de 4,60 m.

■ 27.19

לְכֹל כְּלֵי הַמִּשְׁכָּן בְּכֹל עֲבֹדָתוֹ וְכָל־יְתֵדֹתָיו וְכָל־יִתְדֹת הֶחָצֵר נְחֹשֶׁת׃ ס

Todas as suas estacas. Visto que as tendas não dispõem de alicerces, precisam de estacas enfiadas no solo, para lhes darem estabilidade. Essas estacas, postas a intervalos regulares, esticam cordas. Portanto, as tendas ficam cercadas por estacas e suas respectivas cordas. E é assim que esse tipo de estrutura portátil não requer alicerces.

O fato de que todos os vasos do tabernáculo eram feitos de bronze tem suscitado cinco diferentes interpretações:

1. Esse "todos" é *absoluto*; mas isso contradiz Êxodo 25.38, onde lemos que alguns vasos eram feitos de ouro.
2. O termo "todos" aplica-se a todos os vasos existentes no *átrio*.
3. A palavra "todos" aplica-se somente às *estacas*. Nesse caso, pois, o fraseado é um tanto capenga, pois o termo "bronze" parece aplicar-se a todos os vasos, e não apenas às estacas.
4. A referência seria aos utensílios do altar dos holocaustos, pelo que este versículo seria uma repetição do terceiro versículo deste capítulo.
5. A referência aponta para aqueles utensílios usados para levantar ou desmanchar o tabernáculo, como os martelos, as varas, as argolas, as estacas etc., embora o autor sagrado não se tenha dado ao trabalho de chamar cada item pelo seu nome.

Os intérpretes, antigos e modernos, não concordam quanto a essa questão. Mas ela não tem importância maior.

O AZEITE PARA O CANDELABRO (27.20,21)

O tabernáculo inteiro era resultado das ofertas voluntárias do povo de Israel, e isso incluía os materiais providos para a construção e até mesmo o azeite para alimentar as chamas do candelabro ou candeeiro. A tenda era o templo de Israel no deserto; e o povo de Israel tinha a responsabilidade tanto de erigi-la quanto de mantê-la.

■ 27.20

וְאַתָּה תְּצַוֶּה אֶת־בְּנֵי יִשְׂרָאֵל וְיִקְחוּ אֵלֶיךָ שֶׁמֶן זַיִת זָךְ כָּתִית לַמָּאוֹר לְהַעֲלֹת נֵר תָּמִיד׃

Lâmpada acesa continuamente. Ver no *Dicionário* vários artigos: *Luz, a Metáfora da; Luz, Deus Como; Azeite (Óleos); Candeeiro.* Essa determinação serve para introduzir o que se segue, as instruções para os sacerdotes, suas vestes e funções. Um dos principais deveres dos sacerdotes era acender e manter limpo o candelabro, com suas sete lâmpadas. Originalmente, parece que essa manutenção se dava diariamente; mais tarde, porém, as lâmpadas eram mantidas acesas continuamente. Essa continuidade é refletida neste versículo, e alguns estudiosos pensam que assim sucedia mesmo no começo.

O Tipo. O azeite é símbolo do Espírito Santo (Jo 3.34; Hb 1.9). Cristo é a Luz do mundo (Jo 8.12), e o seu agente é o Espírito Santo, o seu alter ego. No tabernáculo houve aquela iluminação sobrenatural da *shekinah* (ver a respeito no *Dicionário*), que iluminou o Santo dos Santos. E também havia aquela luz artificial fornecida pelo candelabro, no Lugar Santo. Agora, esses dois lugares tornaram-se *um só* (Mt 27.50,51; Hb 9.6-8; 10.19-21). A luz do Logos e a luz do Espírito são uma só luz. O homem espiritual avança na luz que lhe é fornecida (1Jo 1.7). Todos os seres humanos são iluminados por Cristo (Jo 1.4). Na luz há vida, conforme vemos nessa mesma referência bíblica. Uma vez cheios do Espírito Santo, andamos em plena luz (Ef 5.18).

O candelabro, posto no Lugar Santo, indicava o fato de que "Deus está presente", e que a sua presença nos outorga iluminação espiritual. A glória *shekinah*, no Santo dos Santos, significa que o homem espiritual é alguém que recebe uma iluminação especial, um acesso maior a Deus. Ver no *Dicionário* o artigo intitulado *Acesso.*

O azeite era *puro*, o que indica que a luz de Deus é pura, e que os puros são aqueles que lhe dão acolhida.

■ 27.21

בְּאֹהֶל מוֹעֵד מִחוּץ לַפָּרֹכֶת אֲשֶׁר עַל־הָעֵדֻת יַעֲרֹךְ אֹתוֹ אַהֲרֹן וּבָנָיו מֵעֶרֶב עַד־בֹּקֶר לִפְנֵי יְהוָה חֻקַּת עוֹלָם לְדֹרֹתָם מֵאֵת בְּנֵי יִשְׂרָאֵל׃ ס

... as conservarão em ordem. O candelabro requeria atenção permanente, e aos sacerdotes de Israel cabia essa manutenção. Uma lei especial governava essa manutenção. Era uma luz indispensável, indicando a santa iluminação divina. Enquanto o tabernáculo/templo estivesse em funcionamento, os sacerdotes deveriam mantê-lo. Mas chegou o dia em que o sistema falhou; e, então, coube às sinagogas o dever de manter essa luz, em muitos milhares de lugares diferentes, e não em um único lugar central de adoração. Muitas milhares de lamparinas eram mantidas continuamente acesas. Uma instituição antiga tinha desaparecido, mas seus valores haviam sido preservados.

Uma lâmpada acesa é o mais excelente símbolo da presença espiritual e contínua de Deus. Para os hebreus, a *luz* era o primogênito de Deus, porquanto Deus dissera: "Haja luz". A luz é a mais tênue e mais imaterial substância que se conhece, que nenhuma forma de idolatria é capaz de duplicar. No santuário de Israel, a luz precisava ser mantida acesa dia e noite, e Josefo disse que isso sucedia tanto no tabernáculo quanto no templo (*Antiq.* iii.7, par. 7). Ver as notas em Êxodo 29.42 sobre a *perpetuidade* do tabernáculo e seus ritos.

Arão e seus filhos. Em outras palavras, o sacerdócio aarônico, que haveria de tomar o lugar do sacerdócio dos primogênitos (Nm 18.15 ss.). Ver no *Dicionário* o verbete intitulado *Sacerdotes e Levitas*. Ver as notas sobre Êxodo 25.27,28 quanto a detalhes do trabalho de manutenção do candelabro, bem como dos utensílios usados nessa manutenção.

"Tenda (tabernáculo) da congregação, o lugar da inteira congregação de Israel, visto que o tabernáculo era a igreja de Israel". Ver Êxodo 28.43; 29.4; 30.16; 31.7; 33.7; 38.8; 39.32; 40.2,29; Levítico 1.1 etc. Ver as notas expositivas adicionais sobre Levítico 1.1.

CAPÍTULO VINTE E OITO

DIREÇÕES PARA O SACERDÓCIO (28.1—29.46)

OS SACERDOTES E SUAS VESTES (28.1-43)

O fato de que Arão e seus filhos tinham um monopólio do sacerdote é aqui referido quase incidentalmente, como se soubéssemos disso o tempo todo. Naturalmente, a época refletida é a de Moisés. Arão era o sumo sacerdote e o tabernáculo requeria um elaborado sistema de manutenção — o sacerdócio aarônico. As descrições das vestes e das funções dos sacerdotes correspondem às do período pós-exílico (ver Ec 45.6-24 e 50.1-24). E os críticos pensam que temos aqui um reflexo desse período mais recente. Os eruditos conservadores, por sua vez, pensam que essas práticas já tinham começado nos dias de Moisés, com *projeções* para épocas subsequentes.

O termo *sumo sacerdote* só começou a ser usado após o exílio babilônico; e aqui o título é conferido a Arão, porque essa tinha sido a sua função original, embora ela não fosse chamada por esse nome. Ver sumo sacerdote (2Cr 19.11; 24.11; Ed 7.5); príncipe da casa de Deus (1Cr 9.11). Na época dos hasmoneus, o sumo sacerdote tornou-se uma poderosa figura política, mas foi então que o ofício sofreu várias corrupções. Funções sacerdotais existiam em uma religião de tendências predominantemente reconciliadoras; de outra sorte, elas nem seriam necessárias. Os sacerdotes aarônicos eram mediadores do *Pacto Mosaico* (ver as notas a respeito na introdução a Êx 19.1). O sumo sacerdote destacava o conceito da necessidade que o homem tem de reconciliar-se com Deus (Êx 33.12-23). Arão mediava as graças e dons de Yahweh ao povo de Israel. Mas foi através de Moisés que Arão havia recebido seu ofício e sua autoridade. Ver no *Dicionário* o artigo chamado *Sacerdotes e Levitas*.

Modos de Servir dos Sacerdotes. Queimar o incenso sobre o altar de ouro duas vezes por dia; fazer a manutenção do candelabro; fazer a manutenção da mesa dos pães da proposição; oferecer sacrifícios sobre o altar dos holocaustos; abençoar o povo. Além desses deveres, também havia funções civis, descritas em Números 5.5-31; Deuteronômio 19.17; 21.5. Também estavam encarregados de ensinar (Dt 17.9,11; 33.8,10) e de animar e exortar o povo em momentos de crise (Dt 20.2-4).

■ **28.1**

וְאַתָּה הַקְרֵב אֵלֶיךָ אֶת־אַהֲרֹן אָחִיךָ וְאֶת־בָּנָיו אִתּוֹ
מִתּוֹךְ בְּנֵי יִשְׂרָאֵל לְכַהֲנוֹ־לִי אַהֲרֹן נָדָב וַאֲבִיהוּא
אֶלְעָזָר וְאִיתָמָר בְּנֵי אַהֲרֹן׃

Arão e seus filhos tornaram-se uma classe sacerdotal. Todos os sacerdotes eram levitas, mas nem todos os levitas eram sacerdotes. Havia funções e deveres maiores e menores. Ver a descrição dos deveres no parágrafo anterior, e também em Êxodo 13.2,12,13; 22.29; 34.19,20; Levítico 27.27; Números 3.12,13,41,45; 8.14-17; 18.15; Deuteronômio 15.19.

Vir para junto de ti. Em outras palavras, *consagrar*, pois Moisés é que dava a Arão e seus filhos a autoridade original deles. Os sacerdotes tinham vestes que ilustravam os poderes, os privilégios e a dignidade de seu ofício; e neste capítulo 28 são descritas as vestes sacerdotais.

Nadabe, Abiú, Eleazar e Itamar. No *Dicionário* há artigos sobre cada um desses nomes, que o leitor deve examinar. Arão pode ter tido outros filhos, não mencionados, sendo presumível que esses outros também receberam funções sacerdotais de alguma espécie.

"O ofício sacerdotal, na verdade, estava circunscrito às famílias de Eleazar e Itamar. Eleazar tornou-se sumo sacerdote em razão da morte de Arão (Nm 20.28). Foi sucedido por seu filho, Fineias, que era o sumo sacerdote no tempo de Josué (Js 22.13) e mais tarde (Jz 20.28). Em data posterior, mas sob circunstâncias desconhecidas, o sumo sacerdócio passou para a linhagem de Itamar, à qual Eli pertencia" (Ellicott, *in loc.*). Ver no *Dicionário* o artigo chamado *Sumo Sacerdote*. Arão era tipo de Cristo em sua função de *Sumo Sacerdote*, ideia essa inclusa no artigo sobre o assunto.

■ **28.2**

וְעָשִׂיתָ בִגְדֵי־קֹדֶשׁ לְאַהֲרֹן אָחִיךָ לְכָבוֹד וּלְתִפְאָרֶת׃

Vestes sagradas. Descritas ao longo deste capítulo 28, distinguindo os sacerdotes dos demais israelitas. E teriam que ser confeccionadas de tal modo que refletissem glória (eles serviam a Yahweh, e assim tinham uma função grandiosa) e beleza (deveria haver considerável senso estético que refletisse a dignidade de seu ofício). Essas vestes distintivas conferiam aos sacerdotes acesso ao Lugar Santo. Aqueles que não tivessem tais vestes não podiam ingressar ali.

Tipos:
1. Arão era tipo de Cristo como Sumo Sacerdote, o que é explicado no artigo *Sumo Sacerdote*.
2. Os filhos de Arão, os sacerdotes, representavam várias funções sacerdotais de Cristo, como também de todos os crentes, os quais são um reino de sacerdotes. Provi um longo e detalhado artigo, na *Enciclopédia de Bíblia, Teologia e Filosofia*, intitulado *Sacerdotes, Crentes Como*.
3. As vestes distintivas dos sacerdotes fazem-nos lembrar coisas com que o Espírito de Deus nos cobre: a retidão, as graças e os dons de Cristo. Alguns eruditos veem nessas vestes um emblema da natureza humana de Cristo.

A arqueologia e as referências literárias indicam como muitos povos antigos conferiam vestes distintivas a seus sacerdotes. A dignidade do ofício inspirava tal coisa. A arte sempre esteve relacionada à religião, manifestando-se sob a forma de arquitetura e vestuário, como também imagens, pinturas e outros objetos que se tornam parte do culto religioso.

Em Israel, as vestes sacerdotais só eram usadas quando os sacerdotes cumpriam as suas funções religiosas (Êx 35.19). Essas vestes eram confeccionadas com a maior arte e excelência possível (Êx 28.3) e eram feitas com os mesmos materiais do véu interior do tabernáculo (vss. 6,8,15,33,39,42).

■ **28.3**

וְאַתָּה תְּדַבֵּר אֶל־כָּל־חַכְמֵי־לֵב אֲשֶׁר מִלֵּאתִיו רוּחַ
חָכְמָה וְעָשׂוּ אֶת־בִּגְדֵי אַהֲרֹן לְקַדְּשׁוֹ לְכַהֲנוֹ־לִי׃

Todos os homens hábeis. Os artífices que seriam encarregados da construção do tabernáculo e de seus móveis, utensílios e demais adendos teriam que ser homens capazes. Nenhuma pessoa profana teve permissão de confeccionar as vestes dos sacerdotes. Não se sabe quantas pessoas estiveram envolvidas nessa confecção. Não são fornecidos nomes; mas é indicado indiretamente que eram pessoas sábias e espirituais, que trabalhavam por detrás dos bastidores. Receberam o privilégio especial de providenciar as vestes distintivas dos sacerdotes. Também eram pessoas aptas em suas tarefas respectivas, além de serem consagradas no espírito. Para a mente dos hebreus, o *coração* era a sede do conhecimento e dos afetos; e os corações dos artífices escolhidos tinham de ter conhecimento relacionado às suas habilidades, bem como afeto espiritual para bem empregarem tal conhecimento.

Deus aparece aqui como a fonte do conhecimento e da sabedoria. Ele é o originador de todo bem e de todo dom perfeito (Tg 1.17). Temos aí um reflexo do *teísmo* (ver a esse respeito no *Dicionário*), e não do *deísmo* (ver também no *Dicionário*).

28.4

וְאֵ֣לֶּה הַבְּגָדִ֞ים אֲשֶׁ֣ר יַעֲשׂ֗וּ חֹ֤שֶׁן וְאֵפוֹד֙ וּמְעִ֔יל וּכְתֹ֥נֶת תַּשְׁבֵּ֖ץ מִצְנֶ֣פֶת וְאַבְנֵ֑ט וְעָשׂ֨וּ בִגְדֵי־קֹ֜דֶשׁ לְאַהֲרֹ֥ן אָחִ֛יךָ וּלְבָנָ֖יו לְכַהֲנוֹ־לִֽי׃

As Seis Peças do Vestuário. As seis peças distintivas das vestes do sumo sacerdote são mencionadas neste versículo. O resto do capítulo descreve esses itens de forma detalhada. Os crentes também dispõem de suas vestes (ou armadura) distintivas, próprias para o conflito espiritual em que estão envolvidos (ver Ef 6.10 ss.). Oferendas de estofo azul e linho fino torcido foram feitas, tudo de modo voluntário, aos artífices, que passaram a empregar suas habilidades à confecção das vestes sacerdotais.

A lista de itens não inclui o turbante de Arão (que figura nos vs. 36-38), e também os calções curtos (vs. 42). Não se sabe dizer por qual motivo foram deixados fora da lista, mas o mais provável é que isso tenha acontecido por mero esquecimento do autor sagrado, na preparação da lista de itens. Nada é dito sobre como os pés dos sacerdotes eram calçados, mas o mais provável é que usassem simples sandálias. Ver no *Dicionário* o artigo *Sacerdotes, Vestimentas dos*, que fornece informações sobre a questão das vestes sacerdotais, com algumas ilustrações que ajudam a visualizar melhor essas vestes.

Quanto a tipos e símbolos presumíveis dessas peças do vestuário sumo sacerdotal, ver o artigo acima mencionado, no parágrafo intitulado *Alguns Presumíveis Símbolos Dessas Peças*.

28.5

וְהֵם֙ יִקְח֣וּ אֶת־הַזָּהָ֔ב וְאֶת־הַתְּכֵ֖לֶת וְאֶת־הָֽאַרְגָּמָ֑ן וְאֶת־תּוֹלַ֥עַת הַשָּׁנִ֖י וְאֶת־הַשֵּֽׁשׁ׃ פ

Foram usados materiais especiais, a saber: ouro, estofo azul, púrpura, carmesim e linho fino, as cores dos véus usados no Lugar Santo e no Santo dos Santos. Ver Êxodo 26.1,31,36. A isso foram acrescentadas pedras de ônix e várias outras pedras preciosas (Êx 28.9,17-21).

28.6

וְעָשׂ֖וּ אֶת־הָאֵפֹ֑ד זָ֠הָב תְּכֵ֨לֶת וְאַרְגָּמָ֜ן תּוֹלַ֧עַת שָׁנִ֛י וְשֵׁ֥שׁ מָשְׁזָ֖ר מַעֲשֵׂ֥ה חֹשֵֽׁב׃

A estola sacerdotal. No hebraico, *ephod*, palavra que significa "cobertura". Há um artigo detalhado a esse respeito, no *Dicionário*, intitulado *Estola*, que inclui informes arqueológicos, que o leitor precisa examinar. Os sacerdotes levíticos usavam estolas de linho, mas o sumo sacerdote dispunha de estolas bordadas em ouro, azul, púrpura e carmesim. Uma estola especial era usada quando dos pronunciamentos do sumo sacerdote, em seus oráculos. Essa estola ficava pendurada no interior do templo (1Sm 21.9).

Alguns estudiosos supõem que o *ephod* foi a mais antiga das vestes sacerdotais. Naturalmente, havia um uso anterior ao tabernáculo, e que era um artigo comum entre as vestes de povos não-israelitas. Talvez houvesse nisso simbolismos místicos; nesse caso, porém, não nos é dito quais poderiam ter sido esses sentidos simbólicos.

28.7

שְׁתֵּ֧י כְתֵפֹ֣ת חֹֽבְרֹ֗ת יִֽהְיֶה־לּ֛וֹ אֶל־שְׁנֵ֥י קְצוֹתָ֖יו וְחֻבָּֽר׃

A *estola* dispunha de duas peças para os ombros, as *ombreiras*, que talvez também protegessem as costas. O artigo *Sacerdotes, Vestimentas dos* ilustra esse item. Havia laços que prendiam as peças uma à outra, formando uma única peça com frente e costas. Era uma espécie de malha sem mangas (Êx 39.4). As peças eram unidas por duas pedras, que atuavam como se fossem botões (vs. 12). Alguns intérpretes diziam que as duas peças eram costuradas uma à outra (Maimônides, *Hilchot Cafe Hamikdash*, c. 9, sec. 9). Nesse caso, as duas pedras eram meros adornos.

28.8

וְחֵ֤שֶׁב אֲפֻדָּתוֹ֙ אֲשֶׁ֣ר עָלָ֔יו כְּמַעֲשֵׂ֖הוּ מִמֶּ֣נּוּ יִהְיֶ֑ה זָהָ֗ב תְּכֵ֧לֶת וְאַרְגָּמָ֛ן וְתוֹלַ֥עַת שָׁנִ֖י וְשֵׁ֥שׁ מָשְׁזָֽר׃

O cinto de obra esmerada. Ver no *Dicionário* o artigo *Cinto*. O cinto do sumo sacerdote era altamente decorativo, completo com bordados (cf. Êx 28.39 e 39.29). Além de deixar no lugar peças de roupa, em torno do corpo, o cinto tinha sentidos místicos. O material (linho) do cinto era da mesma cor e do mesmo estilo do véu do santuário, servindo de indício de que as vestes do sumo sacerdote mostravam ser ele o administrador do santuário, em suas diversas funções sacerdotais. Ver o artigo geral intitulado *Sacerdotes, Vestimentas dos*. O cinto apertava a estola em torno da cintura (Lv 8.7). O cinto fazia parte inseparável da estola e era feito do mesmo material que esta.

28.9,10

וְלָ֣קַחְתָּ֔ אֶת־שְׁתֵּ֖י אַבְנֵי־שֹׁ֑הַם וּפִתַּחְתָּ֣ עֲלֵיהֶ֔ם שְׁמ֖וֹת בְּנֵ֥י יִשְׂרָאֵֽל׃

שִׁשָּׁה֙ מִשְּׁמֹתָ֔ם עַ֖ל הָאֶ֣בֶן הָאֶחָ֑ת וְאֶת־שְׁמ֞וֹת הַשִּׁשָּׁ֧ה הַנּוֹתָרִ֛ים עַל־הָאֶ֥בֶן הַשֵּׁנִ֖ית כְּתוֹלְדֹתָֽם׃

Duas pedras de ônix. Ver as notas sobre essa pedra em Gênesis 2.12. Cf. Êxodo 25.7. Em cada uma dessas pedras foram gravados os nomes de seis das tribos de Israel, alistadas segundo a ordem de idade dos patriarcas que deram nomes às tribos. E na mesma ordem foram gravados os nomes sobre as doze pedras preciosas do peitoral (vss. 17-21). As pedras enfatizavam o prestígio das doze tribos, como também os deveres que os sacerdotes tinham de servir bem Israel, ou seja, o povo *inteiro*, a congregação de Deus. "...assim sendo, quando Arão entrava no tabernáculo, apresentava os nomes das tribos de Israel na presença de Deus (vs. 12)" (John D. Hannah, *in loc.*).

Os Nomes por Ordem de Nascimento: Uma das duas pedras de ônix continha os nomes: Rúben, Simeão, Levi, Judá, Dã e Naftali. E a outra continha os nomes: Gade, Aser, Issacar, Zebulom, José e Benjamim. Mas alguns autores judeus sugeriram outros arranjos de nomes.

Os eruditos também discordam quanto à identidade dessas duas pedras. Alguns opinam em favor da esmeralda ou do berilo. Josefo (*Antiq.* 3.7 par. 5) dizia que essas pedras eram o ônix e a sardônica. Têm sido encontradas muitas pedras dessa qualidade, sendo uma pedra comum na joalheria.

28.11,12

מַעֲשֵׂ֣ה חָרַשׁ֮ אֶבֶן֒ פִּתּוּחֵ֣י חֹתָ֗ם תְּפַתַּח֙ אֶת־שְׁתֵּ֣י הָאֲבָנִ֔ים עַל־שְׁמֹ֖ת בְּנֵ֣י יִשְׂרָאֵ֑ל מֻסַבֹּ֛ת מִשְׁבְּצ֥וֹת זָהָ֖ב תַּעֲשֶׂ֥ה אֹתָֽם׃

וְשַׂמְתָּ֞ אֶת־שְׁתֵּ֣י הָאֲבָנִ֗ים עַ֚ל כִּתְפֹ֣ת הָאֵפֹ֔ד אַבְנֵ֥י זִכָּרֹ֖ן לִבְנֵ֣י יִשְׂרָאֵ֑ל וְנָשָׂא֩ אַהֲרֹ֨ן אֶת־שְׁמוֹתָ֜ם לִפְנֵ֧י יְהוָ֛ה עַל־שְׁתֵּ֥י כְתֵפָ֖יו לְזִכָּרֹֽן׃ ס

Essas pedras eram lapidadas em forma de roseta e incrustadas em ouro, sob a forma de *selos*. "Eram símbolos de autoridade e dedicação, em todo o mundo antigo (Gn 41.42; Jr 22.24; Ag 2.23). O papel de Arão como sacerdote, e a sua autoridade, dependiam do pacto da graça de Yahweh. Ele apresentava diante do Senhor os nomes das tribos de Israel. Israel era o fulcro de interesse de seu serviço" (J. Coert Rylaarsdam, *in loc.*). "Os sinetes... como os do Egito, em sua maioria eram anéis... mas os da Babilônia eram cilíndricos..." (Ellicott, *in loc.*).

Lapidação de Pedras Preciosas na Antiguidade. As pedras preciosas de maior dureza (na escala de 1, talco, a 10, diamante), ou seja, a esmeralda, a safira, o topázio, o rubi e o diamante, que eram tão duras que desafiavam os antigos lapidadores, de tal modo que aparecem com menor frequência, eram menos usadas que as pedras de dureza menor (na mesma escala, 6 ou 7 pontos de dureza), que atualmente chamamos de pedras semipreciosas, como o ônix, o jaspe, o lapis-lazuli, o sárdio, o berilo, e o cristal de rocha. Ver no *Dicionário* o artigo chamado *Joias e Pedras Preciosas*.

As pedras de ônix gravadas ficavam sobre os ombros da estola sacerdotal, talvez funcionando como se fossem botões ou colchetes, juntando as duas peças da estola. Ou, então, na opinião de outros intérpretes antigos, as duas peças eram costuradas uma à outra, e aquelas pedras eram meras peças decorativas e simbólicas, sem exercer qualquer outra função na estola sacerdotal. As variadas pedras do peitoral também continham nomes, cada pedra um nome de tribo, pelo que havia um duplo lembrete do povo de Israel, ao qual o sumo sacerdote servia.

O PEITORAL (28.13-30)
Ver no *Dicionário* o artigo *Judaísmo,* onde o *peitoral* das vestes sumo sacerdotais é ilustrado.

■ **28.13,14**

וְעָשִׂיתָ מִשְׁבְּצֹת זָהָב:

וּשְׁתֵּי שַׁרְשְׁרֹת זָהָב טָהוֹר מִגְבָּלֹת תַּעֲשֶׂה אֹתָם מַעֲשֵׂה עֲבֹת וְנָתַתָּה אֶת־שַׁרְשְׁרֹת הָעֲבֹתֹת עַל־הַמִּשְׁבְּצֹת: ס

As pedras do peitoral eram engastadas em garras de ouro. Cf. o vs. 11. Eram semelhantes aos engastes das duas pedras de ônix das ombreiras da estola sacerdotal. Havia *duas correntes de ouro* (vs. 14) que serviam ao propósito de suspender o peitoral a partir das ombreiras. Essas correntes não foram confeccionadas à maneira moderna, como elos entrelaçados, e, sim, eram como fios de ouro torcidos à moda de cordas, um trabalho artístico e complicado. Essas correntes estavam presas aos engastes das duas pedras de ônix. Ver os vss. 22-28 deste capítulo quanto a outras informações sobre a questão.

Os arqueólogos têm descoberto essas correntes de ouro em várias culturas antigas, incluindo a egípcia, sendo perfeitamente possível que esses vários tipos de arte do ourives, empregados na construção do tabernáculo e em sua decoração, tivessem sido aprendidos pelos israelitas enquanto estavam no exílio, no Egito.

■ **28.15**

וְעָשִׂיתָ חֹשֶׁן מִשְׁפָּט מַעֲשֵׂה חֹשֵׁב כְּמַעֲשֵׂה אֵפֹד תַּעֲשֶׂנּוּ זָהָב תְּכֵלֶת וְאַרְגָּמָן וְתוֹלַעַת שָׁנִי וְשֵׁשׁ מָשְׁזָר תַּעֲשֶׂה אֹתוֹ:

O peitoral do juízo. Há um detalhado artigo sobre esse item, no *Dicionário*. Assim, as descrições que damos aqui são abreviadas. O artigo no *Dicionário* intitula-se *Peitoral do Sumo Sacerdote*. Aquele artigo inclui vários simbolismos do peitoral. O espaço devotado a essa parte do vestuário do sumo sacerdote mostra a grande importância que o autor sagrado dava à mesma. Era feita do mesmo material que a estola (cf. o vs. 6). Tinha as dimensões 46 x 23 cm. Mas como era dobrado ao meio, tornava-se um quadrado com 23 cm de lado. Doze diferentes pedras preciosas eram engastadas em garras de ouro. Os nomes das tribos de Israel foram gravados ali, um nome em cada pedra. Assim, os nomes das tribos de Israel sobre as duas pedras de ônix (seis nomes em cada pedra), e os nomes dessas mesmas tribos aqui (um nome em cada pedra), formavam um duplo lembrete, diante de Deus, acerca do povo de Israel, em favor de quem o sumo sacerdote oficiava. E fitas azuis prendiam o peitoral de encontro ao peito do sumo sacerdote, das extremidades inferiores para baixo, mediante argolas de ouro, de tal modo que o peitoral nunca se separava da estola, quando o sumo sacerdote oficiava.

A sequência dos nomes dos filhos de Israel provavelmente seguia a mesma ordem que havia nas duas pedras de ônix, conforme se vê no vs. 9 deste capítulo.

No hebraico, a palavra para "peitoral" é *hoshen,* termo que significa *objeto belo.* Portanto, tanto na construção do tabernáculo quanto em tudo quanto dizia respeito ao mesmo, predominava o senso estético. O peitoral atuava como bolsinha para o Urim e o Tumim, sendo essa a sua principal *finalidade*. Por isso mesmo, há estudiosos que pensam que o peitoral era uma espécie de algibeira, embora também tivesse usos simbólicos, conforme já mencionei. Deixo que o leitor examine o resto das descrições no citado artigo do *Dicionário*. Cf. o habilidoso trabalho que essa peça exigiu com o que se vê em Êxodo 26.1,31; 28.6, pois em ambos os casos temos a mesma técnica e as mesmas cores empregadas.

■ **28.16**

רָבוּעַ יִהְיֶה כָּפוּל זֶרֶת אָרְכּוֹ וְזֶרֶת רָחְבּוֹ:

Quadrado e duplo. Parece que os hebreus associavam o formato geométrico quadrado à ideia de *perfeição* (ver Êx 27.1). Os gregos, por sua vez, faziam tal associação com a figura geométrica do círculo. Os altares antigos tinham um topo de forma quadrada. Mas havia altares circulares. Podemos pensar que a ideia de perfeição estava associada a ambas essas formas. Também foi achado um altar de formato triangular no topo, na Mesopotâmia; e havia altares de formato retangular. Mas o quadrado era a forma mais comum.

Lemos que o peitoral era *quadrado* e *duplo*, porque sendo um retângulo de 46 x 23 cm, era dobrado ao meio, para formar uma espécie de bolsa com aproximadamente 23 cm de lado. É provável que um dos lados da peça dobrada fosse costurada, como também a parte de cima, deixando um bolso lateral. Os egípcios faziam peitorais bastante fortes, duplos, de linho, e o estilo desses peitorais egípcios bem pode ter sido copiado neste caso. Maimônides (*Hamikdash*, c. 9, sec. 6) disse que o pano tinha 46 cm de comprimento antes de ser dobrado ao meio. Cf. o formato quadrado da nova Jerusalém, símbolo da Igreja de Cristo em sua glória (Ap 21.16). Parecem estar envolvidas nisso as ideias de firmeza, força, beleza simétrica e perfeição.

■ **28.17**

וּמִלֵּאתָ בוֹ מִלֻּאַת אֶבֶן אַרְבָּעָה טוּרִים אָבֶן טוּר אֹדֶם פִּטְדָה וּבָרֶקֶת הַטּוּר הָאֶחָד:

Quatro ordens de pedras. Cada fileira continha três pedras diferentes, o que resultava em doze pedras. Nessas doze pedras foram gravados os nomes das doze tribos de Israel, provavelmente seguindo a ordem de nascimento dos patriarcas, conforme já foi dito no vs. 9 deste capítulo. As pedras de ônix das ombreiras da estola sacerdotal também foram gravadas, cada uma, com os nomes de seis das tribos de Israel (Êx 28.11,12). Mas a *função* das pedras era a mesma: relembrar o sumo sacerdote do povo ao qual servia, ao entrar no Santo dos Santos. Ver as notas sobre o vs. 29 deste capítulo quanto a maiores explicações desse detalhe. Cf. isso com Apocalipse 21.19,20 onde há uma lista similar de pedras preciosas, que faziam parte da ornamentação dos alicerces da nova Jerusalém. Cf. também a lista de pedras preciosas em Ezequiel 28.13.

Há uma considerável dificuldade na identificação dessas pedras antigas com as pedras modernas, chamadas por esses nomes. Os antigos não dispunham de ferramentas capazes de trabalhar devidamente com as pedras preciosas de maior dureza, embora soubessem lapidar e gravar bem pedras de menor dureza. Ver as notas sobre o vs. 11 deste capítulo. No entanto, a arqueologia tem achado joias feitas até mesmo com as pedras preciosas de maior dureza. A despeito disso, permanece de pé o problema de identificação. O artigo existente no *Dicionário,* chamado *Joias e Pedras Preciosas* menciona e descreve as doze pedras mencionadas na lista que temos à nossa frente. Várias dessas pedras recebem artigos separados. Ver a quarta seção daquele artigo.

Primeira Ordem:

Sárdio. Ver no *Dicionário* o artigo com esse nome. No hebraico o nome é *odem;* no grego, *sardion*. No Antigo Testamento, ver aqui; Êxodo 39.10 e Ezequiel 28.13. No Novo Testamento, ver Apocalipse 4.3; 21.20. Trata-se de uma variedade translúcida de sílica (dióxido de sílica), muita fina. Mediante uma luz projetada sobre ela, torna-se marrom ou marrom alaranjado, mas de um vermelho profundo mediante luz diretamente incidente. Trata-se de uma variedade de calcedônia (dureza sete). Portanto, uma pedra semipreciosa. Na visão de João, essa pedra decorava o sexto fundamento das muralhas de Jerusalém (Ap 21.20).

Topázio. Ver informações adicionais no artigo desse nome, no *Dicionário*.

Carbúnculo. Ver informações adicionais no artigo desse nome, no *Dicionário*.

■ **28.18**

וְהַטּוּר הַשֵּׁנִי נֹפֶךְ סַפִּיר וְיָהֲלֹם:

Segunda Ordem:

Esmeralda. Ver informações adicionais no artigo desse nome, no *Dicionário*.

Safira. Ver informações adicionais no artigo desse nome, no *Dicionário*.

Diamante. Ver informações adicionais no artigo desse nome, no *Dicionário*.

■ **28.19**

וְהַטּוּר הַשְּׁלִישִׁי לֶשֶׁם שְׁבוֹ וְאַחְלָמָה׃

Terceira Ordem:

Jacinto. Ver informações adicionais no artigo desse nome, no *Dicionário*.

Ágata. Ver informações adicionais no artigo desse nome, no *Dicionário*.

Ametista. Ver informações adicionais no artigo desse nome, no *Dicionário*.

■ **28.20**

וְהַטּוּר הָרְבִיעִי תַּרְשִׁישׁ וְשֹׁהַם וְיָשְׁפֵה מְשֻׁבָּצִים זָהָב יִהְיוּ בְּמִלּוּאֹתָם׃

Quarta Ordem:
Berilo. Ver informações adicionais no artigo desse nome, no *Dicionário*.

Ônix. Ver informações adicionais no artigo desse nome, no *Dicionário*.

Jaspe. Ver informações adicionais no artigo desse nome, no *Dicionário*. As pedras "berilo" e "jaspe", a exemplo do "sárdio", também receberam artigos separados no *Dicionário*. E o "ônix" é comentado nas notas sobre Gênesis 2.12. Ver também Êxodo 28.9.

O autor sagrado repetiu a informação de que cada pedra teria seu próprio engaste de ouro (ver o vs. 13). Assim, o nome de cada tribo recebia uma atenção e uma honra individuais no peitoral do sumo sacerdote; e este podia e devia lembrar a cada qual, em separado, e a todos eles, individualmente, quando estivesse ocupado em seus deveres sagrados (ver o vs. 29).

■ **28.21**

וְהָאֲבָנִים תִּהְיֶיןָ עַל־שְׁמֹת בְּנֵי־יִשְׂרָאֵל שְׁתֵּים עֶשְׂרֵה עַל־שְׁמֹתָם פִּתּוּחֵי חוֹתָם אִישׁ עַל־שְׁמוֹ תִּהְיֶיןָ לִשְׁנֵי עָשָׂר שָׁבֶט׃

Esculpidas como sinetes. A gravação dos nomes das doze tribos de Israel seguiria o mesmo procedimento efetuado no caso das duas pedras de ônix (vss. 10,11), sendo de presumir que os nomes seguiriam a mesma ordem, ou seja, a sequência cronológica do nascimento dos patriarcas que deram às tribos os seus nomes. Essa ordem presumível aparece nas notas sobre o vs. 9 deste capítulo. No caso das pedras de ônix, havia apenas duas, cada qual com seis nomes. Mas no caso das pedras do peitoral, cada qual ostentava um nome. Também supõe-se que as ordens ou fileiras, de uma a quatro, seguiria essa mesma ordem, pelo que a primeira ordem teria os nomes de Rúben, Simeão e Levi, e assim por diante. Todavia, vários outros arranjos têm sido sugeridos, pelo que a questão ficou em dúvida.

Adam Clarke (*in loc.*) sugeriu um arranjo de acordo com os filhos de Lia; depois de Bila, depois de Zilpa, e, finalmente, de Raquel, em lugar de um arranjo cronológico. Mas devemos admitir que Adam Clarke escudou-se sobre vários eruditos judeus que haviam falado nesse arranjo. John Gill, em contraste, seguiu a ordem de nascimentos, conforme se vê nos vss. 9-10 deste capítulo. Também é possível que o nome de Levi não estivesse incluído, sob pena de terem de ser gravados treze nomes, a menos que, em lugar de Efraim e Manassés, houvesse somente o nome de José. Não havia uma tribo de José, e, sim, duas tribos que descendiam de seus dois filhos, Efraim e Manassés. Levi, por sua vez, tornou-se uma casta sacerdotal, tendo perdido sua distinção e herança tribal (ver Nm 1.47 ss.). E assim, se deixarmos de fora Levi, mas adicionarmos Efraim e Manassés, chegaremos ao número "doze". A lista de Adam Clarke inclui Levi e José, mas deixa de fora Manassés e Efraim. Não há certeza sobre como determinar exatamente quais nomes foram incluídos, e nem qual o método seguido.

■ **28.22**

וְעָשִׂיתָ עַל־הַחֹשֶׁן שַׁרְשֹׁת גַּבְלֻת מַעֲשֵׂה עֲבֹת זָהָב טָהוֹר׃

Correntes como cordas. O autor sacro volta aqui à informação dada no vs. 14 deste capítulo, onde há notas expositivas. Ver o artigo do *Dicionário*, *Sacerdotes, Vestimentas dos*, onde dou um desenho representando o sumo sacerdote com todos os seus paramentos. Essa gravura ajuda-nos a visualizar a questão. O item no lado superior esquerdo é a *estola*. "Das duas correntes de ouro puro (vs. 14) pendia a algibeira (o peitoral). Para cada corrente havia uma argola de ouro no canto superior da algibeira. A outra extremidade de cada corrente de ouro ficava presa a uma das pedras de ônix, na parte frontal das duas ombreiras" (J. Coert Rylaarsdam, *in loc.*). Portanto, o peitoral ficava fixado em seu lugar, mediante a ajuda de duas correntes de ouro, presas às ombreiras, e também mediante a ajuda de dois laços azuis, de sua extremidade inferior para baixo.

Obra trançada de ouro puro. Como cordas (conforme se vê no começo deste mesmo versículo). Não eram correntes formadas por elos, conforme se vê nas correntes modernas, e, sim, fios torcidos de ouro, como se faz com cordas ou fios.

■ **28.23-25**

וְעָשִׂיתָ עַל־הַחֹשֶׁן שְׁתֵּי טַבְּעוֹת זָהָב וְנָתַתָּ אֶת־שְׁתֵּי הַטַּבָּעוֹת עַל־שְׁנֵי קְצוֹת הַחֹשֶׁן׃

וְנָתַתָּה אֶת־שְׁתֵּי עֲבֹתֹת הַזָּהָב עַל־שְׁתֵּי הַטַּבָּעֹת אֶל־קְצוֹת הַחֹשֶׁן׃

וְאֵת שְׁתֵּי קְצוֹת שְׁתֵּי הָעֲבֹתֹת תִּתֵּן עַל־שְׁתֵּי הַמִּשְׁבְּצוֹת וְנָתַתָּה עַל־כִּתְפוֹת הָאֵפֹד אֶל־מוּל פָּנָיו׃

Duas argolas de ouro. Essas argolas foram postas nas extremidades superiores do peitoral. Nessas argolas ficavam presas as correntes de ouro que desciam das ombreiras. Desse modo, as correntes de ouro uniam as *argolas* às *pedras de ônix* da estola (vss. 13,14 deste capítulo).

■ **28.26-28**

וְעָשִׂיתָ שְׁתֵּי טַבְּעוֹת זָהָב וְשַׂמְתָּ אֹתָם עַל־שְׁנֵי קְצוֹת הַחֹשֶׁן עַל־שְׂפָתוֹ אֲשֶׁר אֶל־עֵבֶר הָאֵפֹד בָּיְתָה׃

וְעָשִׂיתָ שְׁתֵּי טַבְּעוֹת זָהָב וְנָתַתָּה אֹתָם עַל־שְׁתֵּי כִתְפוֹת הָאֵפוֹד מִלְּמַטָּה מִמּוּל פָּנָיו לְעֻמַּת מֶחְבַּרְתּוֹ מִמַּעַל לְחֵשֶׁב הָאֵפוֹד׃

וְיִרְכְּסוּ אֶת־הַחֹשֶׁן מִטַּבְּעֹתָו אֶל־טַבְּעֹת הָאֵפֹד בִּפְתִיל תְּכֵלֶת לִהְיוֹת עַל־חֵשֶׁב הָאֵפוֹד וְלֹא־יִזַּח הַחֹשֶׁן מֵעַל הָאֵפוֹד׃

Havia duas outras argolas de ouro, nas duas extremidades inferiores do peitoral, pelo *lado de dentro*. Então um laço azul (vs. 28) prendia o peitoral à estola sacerdotal, puxando-o para baixo. De acordo com o vs. 27, parece que havia outras duas argolas de ouro, que também contribuíam para prender o peitoral no seu lugar. Embora haja alguma dúvida, entre os intérpretes, quanto a como entender exatamente esse arranjo, parece que os laços azuis (provavelmente feitos de linho) prendiam as argolas duas a duas. A localização exata de todo esse conjunto tem deixado os intérpretes confusos. O que é claro, pelo menos para alguns, é que as correntes de ouro ligavam o peitoral à estola sacerdotal (na parte de baixo).

No vs. 28 de nossa versão portuguesa a impressão que se tem é que esse arranjo de argolas, duas a duas, era ligado por fitas azuis, sobre o cinto da estola.

Obra esmerada. Nenhuma outra peça do vestuário do sumo sacerdote era confeccionada com maior arte e esmero do que o cinto da estola sacerdotal. Sobre esse item já se comentou no vs. 8 deste capítulo. O artigo do *Dicionário*, chamado *Sacerdotes, Vestimentas dos,* tem um desenho sobre esse item. O cinto apertava a estola em torno da cintura do sumo sacerdote (Lv 8.7).

■ 28.29

וְנָשָׂא אַהֲרֹן אֶת־שְׁמוֹת בְּנֵי־יִשְׂרָאֵל בְּחֹשֶׁן הַמִּשְׁפָּט עַל־לִבּוֹ בְּבֹאוֹ אֶל־הַקֹּדֶשׁ לְזִכָּרֹן לִפְנֵי־יְהוָה תָּמִיד׃

Arão levará os nomes dos filhos de Israel... sobre o seu coração. Estava em pauta um serviço eminentemente espiritual. Arão era o representante de Israel diante de Deus, e nunca deveria olvidar-se do fato, em sua mente e em seu coração. As palavras "sobre o seu coração" aparecem por três vezes, não meramente para fornecer-nos uma localização, mas também um sentimento. Arão deveria fazer seu trabalho de todo o *coração.* Os sacerdotes operavam como intermediários, como intercessores e como mestres. Os vss. 12 e 21 mostram-nos que as pedras (as de ônix, que eram duas, sobre as ombreiras, e as doze pedras sobre o peitoral) traziam os nomes das doze tribos de Israel. Em favor delas é que ele trabalhava, e estavam sempre *diante* dele nas próprias vestes que vestia, bem como *dentro* de seu coração. Há informes de que Charles Spurgeon conhecia por nome cada membro de sua vasta congregação, e que tinha tal conhecimento porque sempre procurava manter contato com os mesmos. Ele era um pastor de ovelhas.

■ 28.30

וְנָתַתָּ אֶל־חֹשֶׁן הַמִּשְׁפָּט אֶת־הָאוּרִים וְאֶת־הַתֻּמִּים וְהָיוּ עַל־לֵב אַהֲרֹן בְּבֹאוֹ לִפְנֵי יְהוָה וְנָשָׂא אַהֲרֹן אֶת־מִשְׁפַּט בְּנֵי־יִשְׂרָאֵל עַל־לִבּוֹ לִפְנֵי יְהוָה תָּמִיד׃ ס

O Urim e o Tumim. Há um artigo detalhado sobre essas pedras (ou o que quer que elas tenham sido) no *Dicionário.* Há muitas opiniões quanto à natureza desses objetos e quanto à sua utilidade. Talvez a *Oxford Annotated Bible (in loc.)* esteja com a razão ao dizer apenas que eram *sortes* por meio das quais o sumo sacerdote (ao lançá-las) tomava decisões oraculares. Portanto, serviriam de meios de oráculo, mediante os quais o sumo sacerdote obtinha decisões ou informações, conforme vemos em Números 27.21; Deuteronômio 33.8 e 1Samuel 28.6. Os apóstolos usaram sortes a fim de determinar a importante questão da substituição de Judas Iscariotes como apóstolo (At 1.26); e é possível que o precedente para isso fosse o exemplo dado pelos próprios antigos sumos sacerdotes de Israel.

Também há quem pense que o Urim e o Tumim fossem diamantes através dos quais o sumo sacerdote, talvez mediante auto-hipnose, era capaz de entrar em estado de transe, quando então entrava em contato com a mente de Yahweh. Seja como for, estava em foco uma forma de *adivinhação* (ver a esse respeito no *Dicionário*). O artigo chamado *Urim e Tumim,* no *Dicionário,* expõe a essência de tudo quanto se sabe acerca desses objetos, embora ninguém tenha podido determinar, com exatidão, no que consistiriam os mesmos. Entretanto, é bem sabido o propósito com que eram usados.

Tipos. Visto que temos à nossa frente um modo de iluminação espiritual, o Urim e o Tumim simbolizavam a luz que nos é conferida pelo Espírito de Deus, o grande Iluminador.

A SOBREPELIZ DA ESTOLA SACERDOTAL (28.31-35)

Chegamos agora a uma peça distinta do vestuário do sumo sacerdote, que não deve ser confundida com a estola. Era uma peça diferente (no hebraico, *meil),* que era uma roupa interior, sobre a qual eram vestidas a estola e o peitoral. Somente o sumo sacerdote usava uma sobrepeliz.

■ 28.31-35

וְעָשִׂיתָ אֶת־מְעִיל הָאֵפוֹד כְּלִיל תְּכֵלֶת׃

וְהָיָה פִי־רֹאשׁוֹ בְּתוֹכוֹ שָׂפָה יִהְיֶה לְפִיו סָבִיב מַעֲשֵׂה אֹרֵג כְּפִי תַחְרָא יִהְיֶה־לּוֹ לֹא יִקָּרֵעַ׃

וְעָשִׂיתָ עַל־שׁוּלָיו רִמֹּנֵי תְּכֵלֶת וְאַרְגָּמָן וְתוֹלַעַת שָׁנִי עַל־שׁוּלָיו סָבִיב וּפַעֲמֹנֵי זָהָב בְּתוֹכָם סָבִיב׃

פַּעֲמֹן זָהָב וְרִמּוֹן פַּעֲמֹן זָהָב וְרִמּוֹן עַל־שׁוּלֵי הַמְּעִיל סָבִיב׃

וְהָיָה עַל־אַהֲרֹן לְשָׁרֵת וְנִשְׁמַע קוֹלוֹ בְּבֹאוֹ אֶל־הַקֹּדֶשׁ לִפְנֵי יְהוָה וּבְצֵאתוֹ וְלֹא יָמוּת׃ ס

"Por baixo da estola, o sumo sacerdote deveria usar uma sobrepeliz azul, sem mangas, que descia até a altura de seus joelhos e que era reforçada por um colarinho, a 'abertura debruada' que é mencionada no vs. 32 deste capítulo. Não tinha costura alguma e era ornada de romãs de cor azul, púrpura e carmesim; e, entre as romãs, campainhas de ouro, em sucessão. As campainhas, ao tilintarem, permitiam que o povo ouvisse o sumo sacerdote enquanto ministrasse em favor deles. Somente um sacerdote devidamente paramentado podia entrar no Lugar Santo. Se o sumo sacerdote desconsiderasse essa instrução, ao entrar no Santo dos Santos, disso resultaria a sua morte (ver o vs. 35 deste capítulo)" (John D. Hannah, *in loc.*).

Por conseguinte, a sobrepeliz era uma espécie de camisola ou túnica frouxa, que descia do pescoço até abaixo dos joelhos. Era vestida como se veste uma roupa de malha, com uma abertura para a cabeça que permitia esse modo de vestir (vs. 32). Josefo informa-nos que não dispunha de mangas. Não havia outro enfeite na sobrepeliz senão na parte mais inferior, onde havia uma barra com romãs e campainhas alternadas. As romãs eram apenas uma decoração, mas as campainhas realmente tilintavam (vs. 35).

Tipos e Símbolos. As romãs (vss. 33 e 34) provavelmente representavam frutificação. As campainhas falavam de *testemunho.* As campainhas davam um sonido que anunciava que o sumo sacerdote estava oficiando em segurança. Talvez também indicassem a ideia de *proteção,* porque o sumo sacerdote era protegido por Yahweh enquanto as campainhas soassem. E também devemos pensar na ideia de *aprovação,* pois o sumo sacerdote não seria protegido se o seu trabalho não fosse aprovado por Deus.

"Campainhas e romãs, um sonido doce e um gosto doce, e também um bom texto sobre o qual se pode pregar como a igreja deve ser um belo e aprazível lugar"(J. Coert Rylaarsdam, *in loc.*). Isso pode ser contrastado com muitas igrejas modernas, com sua música mundana, com seus instrumentos de percussão, com seus cultos barulhentos e cheios de confusão.

"A romã era um ornamento favorito na Assíria, embora não no Egito. Em Josué 7.21, ficamos sabendo que artigos produzidos na Babilônia eram transportados por comerciantes até a Síria, em uma data não muito distante da época de Moisés, de onde podemos concluir que também circulavam na Arábia e no Egito" (Ellicott, *in loc.*). Ver no *Dicionário* o verbete intitulado *Romã.*

O vs. 35 deste capítulo dá a entender que era perigoso estar na presença de Yahweh, e que somente um homem altamente preparado, dotado de elevado caráter espiritual, ousaria entrar no Santo dos Santos do tabernáculo. Ver o vs. 36. Tal homem precisava ser dotado de santidade pessoal. As *vestes* do sumo sacerdote só podiam protegê-lo se ele fosse o homem certo para vesti-las. Um homem profano, mesmo que vestisse os trajes de sumo sacerdote, pereceria se entrasse no Santo dos Santos. Quanto a outras ameaças de morte contra aqueles que abusassem das regras atinentes ao tabernáculo, ver Êxodo 30.20,21.

O Targum de Jonathan calcula que havia um total de 71 campainhas e romãs na fímbria da sobrepeliz do sumo sacerdote. Maimônides pensou em um total de setenta e duas. Clemente de Alexandria, entretanto, pensou em um total de nada menos de 366. Seja como for, havia muitas campainhas que emitiam seu som. E isso faz-nos lembrar do testemunho de Cristo e de seu evangelho, que soa até os confins da terra.

As campainhas e as romãs foram postas alternadamente — uma campainha, uma romã, uma campainha, uma romã — dando a entender testemunho e fruto; ou, então, luz e fruto, palavras-chaves da expressão espiritual.

LÂMINA, MITRA E TÚNICA (28.36-39)

Esses itens são apresentados em sequência diferente, em Êxodo 39.27-29.

28.36

וְעָשִׂיתָ צִּיץ זָהָב טָהוֹר וּפִתַּחְתָּ עָלָיו פִּתּוּחֵי חֹתָם קֹדֶשׁ לַיהוָה:

A Lâmina de Ouro. As instruções acerca da feitura da lâmina de ouro e sua colocação na mitra figuram em Êxodo 39.30,31. A lâmina de ouro era o equivalente a um diadema ou uma coroa. A palavra hebraica envolvida significa *brilho* (cf. Sl 132.18). O sumo sacerdote também adquiria qualidades principescas e, com o tempo, tornou-se a maior autoridade civil, e não apenas religiosa. A inscrição que havia nessa lâmina: "Santidade ao Senhor", indica que ele era um instrumento espiritual especial, usado por Yahweh para beneficiar o povo, um instrumento dotado de elevada espiritualidade e piedade pessoal. Essa lâmina era colocada sobre a mitra de linho, tornando-se sua parte mais conspícua. O sumo sacerdote trabalhava para efetuar reconciliação, expiação e sacrifício, pelo que era um mediador de santidade. Portanto, era mister que fosse possuidor dessa virtude. A lâmina de ouro também simbolizava o resplendor real (Ez 21.26; Zc 3.5). Logo, era rei e sacerdote, um tipo de Cristo e dos crentes. E a lâmina de ouro era uma maneira de transmitir essa ideia. Israel foi chamado para ser uma nação santa e reino de sacerdotes (Êx 19.6). Ver Apocalipse 1.6 quanto à mesma coisa dita a respeito dos crentes do Novo Testamento.

28.37

וְשַׂמְתָּ אֹתוֹ עַל־פְּתִיל תְּכֵלֶת וְהָיָה עַל־הַמִּצְנָפֶת אֶל־מוּל פְּנֵי־הַמִּצְנֶפֶת יִהְיֶה:

A lâmina de ouro era fixada à mitra com uma fita azul, feita de linho, na parte da frente, pelo que era o item mais importante da mitra, que chamava a atenção de todos quantos o vissem.

O *sumo sacerdote* precisa ser possuidor de várias qualidades, simbolizadas por essa lâmina, a saber:
1. Santidade pessoal.
2. Dedicação a Yahweh e ao seu serviço.
3. Devia ministrar em suas funções sacerdotais.
4. Devia ensinar o povo.
5. Devia atuar como mediador que oferecia um santo sacrifício expiatório.
6. Devia ser capaz de resolver questões difíceis com o Urim e o Tumim (ver sobre isso no *Dicionário*).

Este versículo deve ser comparado a Êxodo 39.31. É provável que as duas extremidades da lâmina fossem perfuradas, facilitando sua fixação à mitra.

A Mitra. Os sacerdotes não usavam suas vestes sacerdotais quando não estavam oficiando. Mas quando estavam oficiando suas vestes especiais eram imprescindíveis. O sumo sacerdote, quando oficiava, jamais podia estar sem a sua mitra e sua respectiva lâmina de ouro. A *mitra* (uma espécie de turbante) provavelmente era uma peça para ser usada na cabeça. No hebraico, a palavra indica algo enrolado, pelo que sem dúvida era feita assim, com tecido de linho. Em Ezequiel 21.31, a mitra é um emblema real, e algo similar é dito em Zacarias 3.5. No *Dicionário* há um artigo detalhado intitulado *Mitra*.

28.38

וְהָיָה עַל־מֵצַח אַהֲרֹן וְנָשָׂא אַהֲרֹן אֶת־עֲוֹן הַקֳּדָשִׁים אֲשֶׁר יַקְדִּישׁוּ בְּנֵי יִשְׂרָאֵל לְכָל־מַתְּנֹת קָדְשֵׁיהֶם וְהָיָה עַל־מִצְחוֹ תָּמִיד לְרָצוֹן לָהֶם לִפְנֵי יְהוָה:

O sumo sacerdote, em sua qualidade de mediador, levava a iniquidade do povo de Israel, em seu ato expiatório em favor do mesmo. Temos aí um tipo direto. Ele mostrava como Cristo seria o Cordeiro de Deus, que tiraria os pecados do mundo (Jo 1.29). O artigo intitulado *Sumo Sacerdote* explica todas as funções e tipo envolvidos no ofício sumo sacerdotal. As *cousas santas* eram as ofertas trazidas pelo povo. O sumo sacerdote apresentava essas ofertas a Yahweh.

É verdade que essas oferendas estavam contaminadas, devido à sua associação com as pessoas, que são pecaminosas; mas o sumo sacerdote, em seu ofício de intermediário, purificava e santificava essas oferendas para poderem ser devidamente usadas. Ele fazia as oferendas serem santas e eficazes. Ver Isaías 53.4,12 e 1Pedro 2.24 em conexão com este versículo.

"Segui... a santidade, sem a qual ninguém verá o Senhor" (Hb 12.14). E o sumo sacerdote demonstrava esse princípio no uso que fazia do turbante com sua lâmina de ouro, onde estavam gravadas as palavras "Santidade ao Senhor", em suas funções sumo sacerdotais.

"...pessoas e serviços do povo de Deus tornam-se aceitáveis diante dele através da santidade e da retidão de Cristo, o qual está sempre na presença do Senhor, sempre comparecendo no céu em favor do povo; aquele que é o Cordeiro de Deus, a quem sangue, retidão e sacrifício são sempre dirigidos, com vistas à remoção de todas as formas de pecado deles" (John Gill, *in loc.*).

28.39

וְשִׁבַּצְתָּ הַכְּתֹנֶת שֵׁשׁ וְעָשִׂיתָ מִצְנֶפֶת שֵׁשׁ וְאַבְנֵט תַּעֲשֶׂה מַעֲשֵׂה רֹקֵם:

A Túnica. Essa era uma longa peça do vestuário do sumo sacerdote, que era usada por baixo da estola colorida. Os israelitas comuns também usavam túnicas, mas no vestuário do sumo sacerdote a túnica tinha um desenho e um significado especiais. Essa túnica era tecida formando um padrão quadriculado, feita de linho fino (ver Êx 39.27). Esse versículo indica que os filhos de Arão (que também eram sacerdotes) também usavam esse tipo de túnica, talvez até do mesmo desenho e cor. Tinha mangas justas e chegava quase aos pés da pessoa. Sem dúvida, aparecia por baixo da estola. Ver informações quanto ao seu uso nas notas sobre Levítico 8.7.

Maimônides diz que eram necessários cerca de 8 m de tecido para confeccionar a túnica. E embora o sumo sacerdote e os sacerdotes usassem o mesmo tipo de túnica, a maneira de enrolar a veste no corpo era algo diferente. Ver *Cele Hamik* c. 8 sec. 16. Jarchi ajunta que a túnica tinha perfurações, imitando os engastes de pedras de ônix que apareciam nos ombros (ver Jarchi 11,12). É presumível que houvesse pedras preciosas engastadas na túnica, embora o Antigo Testamento faça silêncio quanto a isso.

O Cinto. Esse era um *cinto interno*. Com base em Êxodo 39.29, parece que esse item era feito de linho fino torcido, com as cores azul, púrpura e carmesim, para parecer-se com a estola em seu material e em suas cores (vs. 6). As cores eram bordadas no material por meio de fios dessas cores. Era usado imediatamente sobre a túnica mas por baixo da estola sacerdotal (Lv 8.7). É provável que um observador não pudesse ver esse cinto. Porém, é possível que suas pontas aparecessem por baixo da estola. Era uma espécie de cinta, usada em torno da cintura, e cujas pontas ficavam penduradas. Todas essas peças do vestuário do sumo sacerdote eram feitas com esmero, adicionando beleza e dignidade à pessoa do sumo sacerdote (vs. 40).

AS VESTES DOS SACERDOTES (28.40,41)

28.40

וְלִבְנֵי אַהֲרֹן תַּעֲשֶׂה כֻתֳּנֹת וְעָשִׂיתָ לָהֶם אַבְנֵטִים וּמִגְבָּעוֹת תַּעֲשֶׂה לָהֶם לְכָבוֹד וּלְתִפְאָרֶת:

Parece que as *túnicas* e as *cintas* dos sacerdotes comuns eram idênticas àquelas usadas pelo sumo sacerdote. Mas os sacerdotes usavam na cabeça *tiaras*, e não a mitra tipo cone, que era peça usada somente pelo sumo sacerdote. Essas *tiaras* são indicadas por uma palavra hebraica diferente. Cf. Levítico 8.13. O termo hebraico dá a entender uma espécie de cobertura tipo cúpula elevada. O termo hebraico é *gabia*, que pode significar *taça* ou *bacia*. "...tiaras simples, que se ajustavam sobre a cabeça, como aquelas usadas comumente no Egito" (Ellicott, *in loc.*).

Para glória e ornamento. Era servido o senso estético, porquanto as coisas de Deus revestem-se de sua dignidade e beleza. Destacava-se assim a glória de Yahweh investida no homem. Ver as notas sobre Êxodo 28.31, que se aplicam aqui. Os estudiosos cristãos veem nessas palavras tipos relativos a Cristo e ao seu reino de sacerdotes (os crentes, Apocalipse 1.6).

28.41

וְהִלְבַּשְׁתָּ אֹתָם אֶת־אַהֲרֹן אָחִיךָ וְאֶת־בָּנָיו אִתּוֹ
וּמָשַׁחְתָּ אֹתָם וּמִלֵּאתָ אֶת־יָדָם וְקִדַּשְׁתָּ אֹתָם
וְכִהֲנוּ לִי׃

E os ungirás, consagrarás e santificarás. Esse texto ensina-nos que Moisés, sem dúvida, era o líder que determinava as coisas, pelo que ele mesmo consagrou seu irmão, Arão, e os filhos deste, para seu trabalho sacerdotal. A *consagração* deles vinha da parte de Yahweh, por meio de Moisés. Isso foi simbolizado pelo ato de Moisés ter vestido Arão e seus filhos. Ele, como representante de Yahweh, *vestiu* os sacerdotes para o trabalho que deviam fazer, da mesma forma que Cristo, nosso Sumo Sacerdote, reveste-nos com sua própria retidão e atributos. E assim podemos ser irmãos do Filho do Deus bendito, filhos de Deus que estão sendo conduzidos à glória (ver Hb 2.10). "Esse ato de Moisés, que os vestiu, sob a autoridade de Deus, foi uma solene investidura no ofício que ocupariam... e dali por diante eles tinham o direito de exercer seu ofício, vestidos de seus trajes sem os quais não podiam nunca oficiar" (John Gill, *in loc.*). Cf. esse texto com Levítico 8.6-30.

O ato de *ungir* (provavelmente com azeite de oliveira) fez parte do rito de consagração, e isso representava o dom e os ofícios do Espírito, que haveriam de acompanhar Arão e seus filhos em suas funções sacerdotais. Ver Êxodo 29.7-9 quanto a descrições que se aplicam a este versículo. Ver também Êxodo 39.1,24 e 2Crônicas 13.9.

28.42

וַעֲשֵׂה לָהֶם מִכְנְסֵי־בָד לְכַסּוֹת בְּשַׂר עֶרְוָה מִמָּתְנַיִם
וְעַד־יְרֵכַיִם יִהְיוּ׃

Os Calções de Linho. Esses calções iam da cintura às coxas. Nos tempos antigos, esse item era a única peça específica dos sacerdotes, parelelamente à estola sacerdotal (cf. Êx 20.26; 2Sm 6.12-19). No Egito, essa peça era a marca distintiva dos sacerdotes. A função dos calções era encobrir a nudez dos sacerdotes. Um sacerdote não podia ministrar exibindo seu corpo. A *modéstia* teria que caracterizar o serviço sacerdotal, algo que muitas mulheres se esquecem hoje em dia, em nossas igrejas. Os sacerdotes e as sacerdotisas do paganismo com frequência ocupavam-se em atos que chocavam as pessoas moralmente sensíveis, como a prostituição sagrada e os ritos de fertilidade. Mas o serviço prestado pelos sacerdotes de Israel não podia caracterizar-se por atos dessa natureza.

28.43

וְהָיוּ עַל־אַהֲרֹן וְעַל־בָּנָיו בְּבֹאָם אֶל־אֹהֶל
מוֹעֵד אוֹ בְגִשְׁתָּם אֶל־הַמִּזְבֵּחַ לְשָׁרֵת בַּקֹּדֶשׁ
וְלֹא־יִשְׂאוּ עָוֹן וָמֵתוּ חֻקַּת עוֹלָם לוֹ וּלְזַרְעוֹ
אַחֲרָיו׃ ס

A falta de decência no serviço de um sacerdote levítico podia resultar na morte do mesmo. Portanto, ele precisava usar os calções da decência, em todas as suas ministrações. Se um sacerdote se mostrasse carnavalesco em sua conduta, era condenado. Talvez a referência aqui seja a todas as peças do vestuário de um sacerdote. Todas elas eram necessárias para o decoro devido no tabernáculo. Mas talvez haja aqui alusão somente aos calções, embora todas as demais peças do vestuário fossem indispensáveis. O vs. 35 deste capítulo mostra como a impropriedade podia ser condenada mediante a morte.

CAPÍTULO VINTE E NOVE

A CONSAGRAÇÃO DOS SACERDOTES (29.1-42)

O parágrafo que aqui se inicia continua a seção geral começada em Êxodo 28.1, onde são dadas notas introdutórias. Os sacerdotes tinham que ser consagrados a seu ofício, e a Bíblia nos dá longas descrições dessa consagração. Já vimos tal afirmação em Êxodo 28.21 e suas notas expositivas.

29.1

וְזֶה הַדָּבָר אֲשֶׁר־תַּעֲשֶׂה לָהֶם לְקַדֵּשׁ אֹתָם |Hom| V1|
לְכַהֵן לִי לְקַח פַּר אֶחָד בֶּן־בָּקָר וְאֵילִם שְׁנַיִם
תְּמִימִם׃

Deve-se comparar o modo de consagração aqui descrito e a consagração do templo de Jerusalém, em 1Reis 8.1-11; 2Crônicas 5.4-14. A ordem de apresentação de Levítico 8.1-9.24 difere daquela do nosso texto. Ver o artigo geral, no *Dicionário*, chamado *Ordenar (Ordenação)*, cuja segunda seção diz respeito ao Antigo Testamento.

O Método Apresentado no Texto:
1. Ablução (vs. 4).
2. Investidura (vss. 5-9).
3. Unção (vs. 7).
4. Sacrifício (vss. 10-23).
5. Enchimento da mão (vs. 24).

Todos esses atos tinham seus respectivos significados, funções e tipos, como a ablução (eliminação de toda iniquidade); a investidura (revestimento de autoridade, santidade e virtudes espirituais etc.); e o enchimento da mão (colocação, nas mãos dos sacerdotes, de oferendas de agradecimento; ver abaixo as notas sobre o segundo versículo deste capítulo). A questão toda é uma parábola muito significativa.

O primeiro versículo deste capítulo fala sobre os animais que deveriam ser sacrificados (ver os vss. 10-23): um novilho, como oferta pelo pecado (vss. 10-14); um carneiro, usado como holocausto (vss. 15-18); ao passo que um outro carneiro seria usado como sacrifício de consagração. Era imprescindível a perfeição nesses animais (ver Êx 12.5). Ver no *Dicionário* o artigo intitulado *Ofertas*, além de outros onde essa palavra figura. Ver também *Sacrifícios e Ofertas*.

29.2

וְלֶחֶם מַצּוֹת וְחַלֹּת מַצֹּת בְּלוּלֹת בַּשֶּׁמֶן וּרְקִיקֵי מַצּוֹת
מְשֻׁחִים בַּשָּׁמֶן סֹלֶת חִטִּים תַּעֲשֶׂה אֹתָם׃

Pães asmos... bolos asmos... obreias asmas. A *fermentação* era encarada como um processo de corrupção, pelo que o pão ritual não levava fermento. Também havia bolos misturados com azeite, bem como as obreias sobre as quais era derramado azeite. As obreias eram tortas muito finas, em contraste com os bolos, que eram grossos. No Oriente, o azeite de oliveira era comumente usado com bolos e outros artigos de pastelaria, aqui mencionados. O trigo era o cereal usado no fabrico desses três tipos de pão ou bolo mencionados. Esses itens eram usados para *encher as mãos* (vs. 23,24), que então eram usadas como *ofertas movidas* diante de Yahweh em gratidão por sua provisão, simbolizada pelo pão. Ato contínuo, eram queimados com os outros itens, e o total torna-se uma oferenda feita a Yahweh (vs. 25).

O mesmo pão de trigo e os bolos eram usados como ofertas pacíficas, conforme se vê na descrição em Levítico 7.12. Essas oferendas eram chamadas também de ofertas de cereal, pelo que esse tipo de oferta tornou-se uma parte integral do rito de consagração dos sacerdotes.

29.3

וְנָתַתָּ אוֹתָם עַל־סַל אֶחָד וְהִקְרַבְתָּ אֹתָם בַּסָּל
וְאֶת־הַפָּר וְאֵת שְׁנֵי הָאֵילִם׃

O pão e os bolos eram postos em cestas e trazidos juntamente com os animais até a cena da consagração. O fraseado do texto poderia indicar que esses itens eram postos em uma cesta *com os animais*, mas em Israel não havia homem forte o bastante para trazer as cestas se contivessem três animais nas mesmas! Por conseguinte, o texto significa "paralelamente aos animais", e não nas mesmas cestas com eles. Os intérpretes cristãos veem nisso o ministério do evangelho com suas várias provisões, no qual o próprio Cristo é o pão da vida e é quem ministra ao povo.

29.4

וְאֶת־אַהֲרֹן וְאֶת־בָּנָיו תַּקְרִיב אֶל־פֶּתַח אֹהֶל מוֹעֵד
וְרָחַצְתָּ אֹתָם בַּמָּיִם׃

Moisés, pois, deveria trazer os homens a serem consagrados, a saber, Arão e seus filhos, e lavá-los ritualmente à entrada (primeira cortina) do tabernáculo. Ver a extremidade oriental do tabernáculo, comentada e ilustrada em Êxodo 27.14. Ninguém podia entrar no Lugar Santo ou no Santo dos Santos, senão *depois* de terminados os vários atos de ordenação, que começavam com a lavagem. Naturalmente, os intérpretes cristãos veem aqui, em símbolo, o batismo. A lavagem a ter lugar era do corpo inteiro (cf. Jo 13.10; Hb 10.22), e não somente das mãos e dos pés (Êx 30.19-21). Primeiramente havia uma *lavagem por inteiro*, e depois uma lavagem menor. Naturalmente o método usado era o da imersão, mesmo que não disponhamos de um texto de prova a respeito. O Targum de Jonathan diz-nos que essa lavagem foi realizada em quarenta grandes receptáculos, cheios de água extraída de mananciais correntes, e que esses receptáculos eram grandes o bastante para que o corpo inteiro dos sacerdotes fosse imerso. Jarchi também alude a como o corpo inteiro de cada sacerdote foi mergulhado na água. A lavagem mesma era um emblema da corrupção retirada, para que a santidade pudesse ser derramada sobre os sacerdotes.

Temos aqui a primeira menção bíblica à ablução cerimonial. A água é um símbolo natural da pureza e de um agente natural de purificação. Outros povos antigos também tinham seus ritos de purificação. Quanto ao Egito, ver Heródoto (*Hist.* ii.37); quanto à Pérsia, ver Zendavesta (viii par. 271); quanto à Grécia ver *Jew and Gentile*, livro de Dollinger, vol. 1, pág. 220; e quanto à Itália, ver *Dictionary of Greek and Roman Antiquity*, pág. 719. Ver 2Coríntios 7.11 em conexão com a passagem à nossa frente.

■ **29.5,6**

וְלָקַחְתָּ אֶת־הַבְּגָדִים וְהִלְבַּשְׁתָּ אֶת־אַהֲרֹן אֶת־הַכֻּתֹּנֶת וְאֵת מְעִיל הָאֵפֹד וְאֶת־הָאֵפֹד וְאֶת־הַחֹשֶׁן וְאָפַדְתָּ לוֹ בְּחֵשֶׁב הָאֵפֹד׃

וְשַׂמְתָּ הַמִּצְנֶפֶת עַל־רֹאשׁוֹ וְנָתַתָּ אֶת־נֵזֶר הַקֹּדֶשׁ עַל־הַמִּצְנָפֶת׃

Temos aqui a *investidura*, ou seja, a colocação das diversas peças do vestuário sobre as quais já comentamos. Esse aspecto ocupa os vss. 5-9. É curioso que essas peças foram sendo vestidas na ordem inversa de sua apresentação, acima. Já se comentou sobre cada uma dessas peças, mas faremos ainda alguns comentários adicionais, à medida em que isso se fizer necessário.

Ver as notas sobre o primeiro versículo quanto aos *cinco passos* da consagração, dentre os quais a investidura é um desses passos.

A túnica (ver Êx 28.39). Por ser a peça mais em contato com a pele, era mister vesti-la primeiro. Ver também Levítico 8.7-9, onde aparecem mais detalhes sobre a investidura, e onde a mesma divide-se em *nove* estágios.

O cinto interior (ver Êx 28.39).
A sobrepeliz (ver Êx 28.31).
A estola (ver Êx 28.6).
O cinto de obra esmerada (ver Êx 28.8).
O peitoral (Êx 28.15).
O Urim e o Tumim, dentro da algibeira do peitoral (Êx 28.30).
A mitra ou turbante (ver Êx 28.37).
A lâmina de ouro, na parte frontal da mitra (ver Êx 28.36).

■ **29.7**

וְלָקַחְתָּ אֶת־שֶׁמֶן הַמִּשְׁחָה וְיָצַקְתָּ עַל־רֹאשׁוֹ וּמָשַׁחְתָּ אֹתוֹ׃

A unção foi o *terceiro passo*, depois dos dois primeiros: apresentação das oferendas próprias, de cereais e de animais; e a investidura. Ver o artigo detalhado, no *Dicionário*, intitulado *Unção*. O azeite era perfumado (Êx 30.22-33), e, então, era derramado sobre a cabeça do sacerdote (Sl 133.2). Este versículo fala apenas sobre a unção do sumo sacerdote; mas os trechos de Êxodo 28.41; 30.30 e 40.15 incluem todos os sacerdotes nesse ato. O azeite simbolizava o Espírito Santo; e ninguém pode realizar um serviço espiritual sem a unção e o poder do Espírito. Ver no *Dicionário* o artigo chamado *Azeite (Óleos)*. O azeite simbolizava nomeação e poder, quando usado na unção. "Essa unção denota a investidura de Cristo em seu ofício eterno, o qual foi ungido desde a eternidade (Pv 8.22), sendo-lhe conferido sem medida o Espírito, dentro do tempo" (John Gill, *in loc.*). O artigo chamado *Unção* inclui a dimensão cristã sobre a questão.

■ **29.8,9**

וְאֶת־בָּנָיו תַּקְרִיב וְהִלְבַּשְׁתָּם כֻּתֳּנֹת׃

וְחָגַרְתָּ אֹתָם אַבְנֵט אַהֲרֹן וּבָנָיו וְחָבַשְׁתָּ לָהֶם מִגְבָּעֹת וְהָיְתָה לָהֶם כְּהֻנָּה לְחֻקַּת עוֹלָם וּמִלֵּאתָ יַד־אַהֲרֹן וְיַד־בָּנָיו׃

A investidura dos sacerdotes comuns era algo mais simples:
- *Túnica* (ver Êx 28.40).
- *Cinto* (ver Êx 28.40).
- *Tiara* (ver Êx 28.40).

O autor sagrado abreviou a exposição. Ele não mencionou a unção dos sacerdotes comuns, ou porque não houve tal na cerimônia original, ou, então, para não ser repetitivo. Mas outras passagens, como Êxodo 28.41; 30.30 e 40.15 mostram que os sacerdotes comuns também foram ungidos.

Esses sacerdotes, filhos (e mais tarde, descendentes) de Arão, eram auxiliares do sumo sacerdote, e tinham de ser devidamente consagrados e comissionados. Enquanto o judaísmo perdurasse, deveriam prosseguir as leis atinentes ao sacerdócio. O judaísmo moderno cumpre em tipo, símbolo e cerimonial esses ofícios; mas não há como continuá-los em um sentido literal, pois qual judeu pode saber se é descendente ou não de Arão? Ademais, não existe mais o templo de Jerusalém, e nem o cerimonial que antes se processava no mesmo. Portanto, falhou a *perpetuidade* esperada. Mas então veio Cristo e substituiu todas essas coisas por algo melhor. Portanto, tal falha tinha sido mesmo antecipada dentro do plano de Deus. Essas coisas serviram bem em sua própria época.

AS OFERTAS PELO PECADO E AS OFERTAS QUEIMADAS (29.10-18)

Já foi apresentado o detalhado artigo chamado *Sacrifícios e Ofertas*, que descreve a questão inteira. Além disso, sob o título *Ofertas*, provi vários artigos sobre as ofertas específicas.

Os vss. 10-14 descrevem o sacrifício do novilho. Os animais e o material para as ofertas de cereal já tinham sido trazidos até a entrada do tabernáculo (vss. 1-3). Agora, o novilho era separado para ser sacrificado. Era a *oferta pelo pecado*, realizada em certas ocasiões importantes, em favor tanto de indivíduos quanto em favor da comunidade inteira. A maior dessas ocasiões era o dia da expiação. Mas havia outras oportunidades, em dias festivos, como a semana da páscoa (Ez 46.22,23). Um novilho era oferecido como sacrifício pelo pecado em favor dos sacerdotes (Lv 4.1-12). O sumo sacerdote realizava o mais central desses sacrifícios, mas no caso presente foi Moisés quem ofereceu o sacrifício em favor do sumo sacerdote, o qual, por ser homem, também tinha a necessidade de ter seu pecado removido, para que estivesse apto para cumprir os deveres de seu ofício. Também foi feito um sacrifício pelo pecado em favor dos sacerdotes, e pelas mesmas razões.

■ **29.10**

וְהִקְרַבְתָּ אֶת־הַפָּר לִפְנֵי אֹהֶל מוֹעֵד וְסָמַךְ אַהֲרֹן וּבָנָיו אֶת־יְדֵיהֶם עַל־רֹאשׁ הַפָּר׃

Porão as mãos sobre a cabeça dele. Desse modo, identificavam-se com o novilho. Assim, o que acontecia ao novilho, acontecia, em tipo e espiritualmente, ao sacerdote. O salário do pecado é a morte. O sangue faz expiação. Temos aqui uma ideia vicária, tal como Cristo, o Cordeiro de Deus que foi morto, tira o pecado do mundo (Jo 1.29). A imposição de mãos apontava para a transferência dos pecados do sacerdote para o novilho. A morte do animal punha fim à questão. Cf. Levítico 16.21,22. Ver no *Dicionário* o artigo chamado *Expiação*. Ver Levítico 4.4,15,24,29,33; 16.21. O animal, por ter ficado simbolicamente com os pecados do homem, era maldito; mas a sua morte e o derramamento de seu sangue deixavam o homem em liberdade. Ver Gálatas 3.13 quanto à aplicação cristã desses fatos.

29.11

וְשָׁחַטְתָּ אֶת־הַפָּר לִפְנֵי יְהוָה פֶּתַח אֹהֶל מוֹעֵד:

Imolarás o novilho. O animal agora era maldito. Seu sangue tinha que ser derramado, para que morresse. O homem tinha-se identificado com o animal mediante a imposição de mãos. Portanto, o que sucedesse ao animal, em tipo, sucedia a ele. O homem morria para os seus pecados, tal como requer o trecho de Romanos 6.23. Cf. Apocalipse 5.6,12; 13.8, que nos fornece a aplicação cristã do caso. Cf. Levítico 16.21,22. O abate do animal teve lugar no lado norte (lado direito; Lv 1.11) do altar. E, então, houve a cerimônia de sacrifício sobre o próprio altar.

29.12

וְלָקַחְתָּ מִדַּם הַפָּר וְנָתַתָּה עַל־קַרְנֹת הַמִּזְבֵּחַ בְּאֶצְבָּעֶךָ וְאֶת־כָּל־הַדָּם תִּשְׁפֹּךְ אֶל־יְסוֹד הַמִּזְבֵּחַ:

Tomarás do sangue do novilho. Ver no *Dicionário,* quanto a detalhes sobre a questão diante de nós, o artigo *Expiação Pelo Sangue.* E quanto à aplicação cristã, ver na *Enciclopédia de Bíblia, Teologia e Filosofia* o verbete chamado *Expiação Pelo Sangue de Cristo.*

O sangue do animal sacrificado era posto sobre os chifres do altar. Quanto a esses *chifres,* ver as notas em Êxodo 27.2. No dia da expiação, o sangue também era posto sobre os chifres do altar. As notas em Êxodo 27.2 fornecem alguns detalhes. A *virtude* do altar, segundo se aceitava, residia sobretudo nos chifres. Um fugitivo da justiça se agarrava a essa parte de um altar, para não ser atingido pelo vingador do sangue (1Rs 1.50; 2.28). Algum sangue era posto sobre os chifres, e o resto do sangue (que tinha sido recolhido em baldes, quando o animal fora abatido) era atirado à base do altar (Lv 4.7,18,30,34). As descrições que há em Levítico 4.5,17 dão-nos as regras concernentes às ofertas normais pelo pecado. O sacerdote mergulhava um dedo no sangue e ungia os chifres do altar; e, então, aspergia o sangue por sete vezes, diante do *terceiro véu,* aquele que separava o Lugar Santo do Santo dos Santos. "O sangue servia de *cobertura* para o pecado acerca do qual o sacrifício estava sendo feito, sem importar se esse pecado fosse especificado ou não (Lv 4.26,35). Servia de sinal do perdão" (J. Edgar Parkey, *in loc.*). Ver no *Dicionário* o artigo intitulado *Perdão.* E nas notas sobre o vs. 35, ver sobre a *eficácia* dos sacrifícios cruentos.

29.13,14

וְלָקַחְתָּ אֶת־כָּל־הַחֵלֶב הַמְכַסֶּה אֶת־הַקֶּרֶב וְאֵת הַיֹּתֶרֶת עַל־הַכָּבֵד וְאֵת שְׁתֵּי הַכְּלָיֹת וְאֶת־הַחֵלֶב אֲשֶׁר עֲלֵיהֶן וְהִקְטַרְתָּ הַמִּזְבֵּחָה:

וְאֶת־בְּשַׂר הַפָּר וְאֶת־עֹרוֹ וְאֶת־פִּרְשׁוֹ תִּשְׂרֹף בָּאֵשׁ מִחוּץ לַמַּחֲנֶה חַטָּאת הוּא:

Coisa alguma, em absoluto, podia ser comida da oferta pelo pecado. Certas porções do animal eram queimadas sobre o próprio altar (vs. 13), e outras porções eram queimadas fora do acampamento (vs. 14). Assim como o animal era totalmente consumido a fogo, assim também o homem ficava totalmente livre de seu pecado. Certas porções *gordurosas* que se encontravam no interior da carcaça do animal, como aquelas que lhe encobriam as entranhas, o fígado e os rins, eram queimadas sobre o altar.

Os intérpretes esforçam-se para explicar por que a *gordura* era tão altamente valorizada nas ofertas. Ao que parece, a gordura era considerada uma delícia, e, portanto, algo próprio para ser sacrificado. Outros estudiosos, porém, sugerem que era queimada sobre o altar porque facilmente era totalmente consumida pelas chamas, ao passo que outras porções resistiam mais ao fogo. Em outras palavras, a gordura era facilmente consumível, e seria difícil queimar até desaparecerem certas porções mais grosseiras da carcaça do animal. Além disso, certos valores simbólicos eram emprestados à gordura: 1. É o *melhor* que o homem tem a oferecer. 2. Ou, pelo contrário, representava a natureza *carnal* do homem, a qual precisava ser subjugada mediante o sacrifício.

As *entranhas* talvez apontem, simbolicamente, para a corrupção interior do homem (o que Paulo tanto fustigou no capítulo 7 da epístola aos Romanos).

O redenho do fígado. A membrana que cobre a porção superior do fígado, que alguns chamam de "apêndice". Essa era outra porção que facilmente podia ser consumida no fogo, razão pela qual era posta sobre o altar.

A carne, a pele e os excrementos. Sendo essas as porções mais grosseiras do animal, eram consumidas a fogo fora do arraial. Portanto, o animal era totalmente consumido, um tipo de Cristo e de sua absoluta morte expiatória em nosso favor (1Jo 2.2). Ver Hebreus 13.11,12, quanto à aplicação cristã da questão desses restos do animal sacrificado serem consumidos fora do acampamento.

Este texto deve ser comparado com o trecho de Levítico 4.11,12,21. O *animal inteiro,* por ser um sacrifício pelo pecado, era considerado impuro, servindo somente para ser queimado. No caso de todos os demais sacrifícios, certas porções do animal sacrificado podiam ser comidas pelos sacerdotes e pelos adoradores. "No caso de sacrifícios ligados aos cultos regulares do santuário, aqueles que eram oferecidos em ocasiões festivas e em favor do povo todo, os animais eram abatidos, esfolados e cortados em pedaços pelos sacerdotes... certas porções eram comidas pelos sacerdotes e por aquele que trouxera o animal a ser sacrificado" Unger, *Dictionary,* sobre *Sacrifícios.* Ver Levítico 8.31 e Êxodo 29.32 e suas notas expositivas.

29.15

וְאֶת־הָאַיִל הָאֶחָד תִּקָּח וְסָמְכוּ אַהֲרֹן וּבָנָיו אֶת־יְדֵיהֶם עַל־רֹאשׁ הָאָיִל:

Um carneiro. Dois carneiros eram sacrificados. Esse era o primeiro. O outro animal era trazido até a entrada do tabernáculo (vss. 1,3); e agora era sacrificado. O sacrifício de um carneiro era comum em outros casos, e também era requerido na consagração de sacerdotes. Era uma oferenda de louvor e dedicação, e não um sacrifício pelo pecado, o que fora coberto pelo sacrifício do novilho. Alguns estudiosos, porém, pensam que havia uma dupla oferta pelo pecado, por meio de um novilho e por meio de um carneiro.

Havia *imposição de mãos* sobre o carneiro, tal como no caso do novilho (vs. 10). Alguns pensam que o sentido dessa imposição era o mesmo que no caso do novilho, embora outros estudiosos pensem que a razão disso era outra, ou seja, símbolo de louvor e dedicação. Ellicott é daqueles que veem uma diferença entre esses dois sacrifícios. Disse ele: "Novamente, identificando-se com o animal (via imposição de mãos), tal como no vs. 10, mas com um *propósito diferente. Em seguida,* transfeririam seus pecados para a vítima; e *agora,* eles reivindicavam uma parte na dedicação da vítima a Deus, oferecendo-se e tornando-se, eles mesmos, 'um aroma agradável' em oferta queimada ao Senhor" (Ellicott, in loc.). Ver o vs. 18.

Tomarás um carneiro. Mediante esse segundo carneiro é que se processava, realmente, a consagração dos sacerdotes, ou seja, a autoridade para eles exercerem o sacerdócio. Ver os vss. 19 ss, mas especialmente o vs. 22.

29.16

וְשָׁחַטְתָּ אֶת־הָאָיִל וְלָקַחְתָּ אֶת־דָּמוֹ וְזָרַקְתָּ עַל־הַמִּזְבֵּחַ סָבִיב:

O mesmo modo de proceder era usado no abate desse carneiro, como se fazia com o novilho (ver o vs. 11). Mas em vez de seu sangue ser aspergido sobre os chifres do altar (vs. 12), era aspergido em torno do altar. Portanto, a oferta pelo pecado e a oferta de louvor e consagração diferiam um pouco em seu modo de proceder. A aspersão do sangue provavelmente era feita mediante o uso de um ramo de hissopo, comumente usado para essa finalidade. Todavia, *alguns* intérpretes, apesar do fraseado diferente, supõem que tudo quanto está em pauta aqui é que o sangue era vertido ao pé do altar, tal como no caso do novilho (vs. 12). Não há como ter certeza quanto a esse modo de proceder, mas uma oferenda diferente provavelmente envolvia um modo de proceder diferente. Outros estudiosos pensam que tudo quanto era requerido era que todos os quatro lados do altar fossem aspergidos com sangue (conforme *Middoth,* iii.2).

Dessa maneira, o sangue era aplicado de forma plena, e o sacrifício mostrava-se totalmente eficaz.

29.17

וְאֶת־הָאַ֔יִל תְּנַתֵּ֖חַ לִנְתָחָ֑יו וְרָחַצְתָּ֤ קִרְבּוֹ֙ וּכְרָעָ֔יו וְנָתַתָּ֥ עַל־נְתָחָ֖יו וְעַל־רֹאשֽׁוֹ׃

A divisão do animal em pedaços separados facilitava sua queima sobre o altar. Se o animal não fosse assim despedaçado, poderia ficar queimando por muito tempo, sem ser consumido. Heródoto (*Hist.* ii.40) menciona tal prática entre os egípcios, havendo evidências de que os gregos e os romanos também usavam essa prática no tocante aos animais oferecidos em holocausto.

A lavagem apontava para a pureza, em um sentido simbólico. Todos os pedaços do animal, em seu conjunto, indicavam uma completa dedicação, uma oferenda sem qualquer defeito ou falta. Os estudiosos cristãos veem as ideias de perfeição e de algo completo na morte expiatória de Cristo, e, subsequentemente, a necessidade dessas mesmas ideias no sacrifício vivo do crente (Rm 12.1,2).

29.18

וְהִקְטַרְתָּ֤ אֶת־כָּל־הָאַ֨יִל֙ הַמִּזְבֵּ֔חָה עֹלָ֥ה ה֖וּא לַיהוָ֑ה רֵ֣יחַ נִיח֔וֹחַ אִשֶּׁ֥ה לַיהוָ֖ה הֽוּא׃

A oferta queimada requeria que o carneiro todo fosse consumido a fogo. Yahweh aspiraria o aroma e ficaria satisfeito. E isso significava, metaforicamente, que o sacerdote estava louvando ao Senhor e dedicando-se ao serviço do tabernáculo. Ver no *Dicionário* o artigo chamado *Holocausto,* quanto a completos detalhes sobre os vários tipos de ofertas queimadas.

Aroma agradável. Ver Gênesis 8.21 e suas notas expositivas. Era noção comum entre os antigos que os deuses e poderes celestes, em geral, deleitavam-se diante do odor dos sacrifícios de animais. Alguns eruditos pensam que os hebreus compartilhavam de tais crenças no período mais antigo de sua história, representado pelo texto à nossa frente; mas outros acham que devemos entender metaforicamente essa questão. Cf. Levítico 1.9. Metaforicamente, a expressão indica a *aceitação* das oferendas. Ver o uso da ideia em Efésios 5.2, onde a questão é obviamente metafórica. A oferta de Cristo, o Cordeiro de Deus, foi uma oferenda *fragrante,* ou seja, aceitável diante de Deus.

29.19

וְלָקַחְתָּ֖ אֵ֣ת הָאַ֣יִל הַשֵּׁנִ֑י וְסָמַ֨ךְ אַהֲרֹ֧ן וּבָנָ֛יו אֶת־יְדֵיהֶ֖ם עַל־רֹ֥אשׁ הָאָֽיִל׃

Tomarás o outro carneiro. O terceiro animal. O *primeiro* animal sacrificado, nos ritos de consagração de sacerdotes, era o novilho, uma oferta pelo pecado (ver os vss. 10 ss.). O *segundo* animal sacrificado era o primeiro carneiro, oferecido como oferta de louvor e consagração (vs. 15). O *terceiro* animal sacrificado era o segundo carneiro. Esse carneiro era oferecido como sacrifício de consagração do sacerdote. Ver o vs. 22. O trecho de Levítico 8.22 chama esse animal de "o carneiro da consagração". Era consagrado a Deus; e o homem que o tinha oferecido era assim também cerimonialmente consagrado a Deus. Seu sangue era usado, juntamente com o azeite, tendo em vista a consagração dos sacerdotes (vss. 20,21). Suas porções mais sagradas foram postas por Moisés nas mãos dos sacerdotes, de tal modo que eles ofereciam com elas a sua primeira oferenda a Deus. Ver os vs. 22-24. Era uma espécie de ato coroador da cerimônia. Tudo isso fazia parte da consagração de sacerdotes. Ver os vários estágios do ritual de consagração nas notas sobre o primeiro versículo deste capítulo.

O segundo carneiro chegou a ser chamado de "carneiro do enchimento", porque estava associado ao último estágio do rito, "o enchimento das mãos" do sacerdote com as oferendas de cereais (vss. 23-25). Tudo isso simbolizava a autoridade, a graça, os dons e os poderes próprios do ofício sacerdotal.

29.20

וְשָׁחַטְתָּ֣ אֶת־הָאַ֗יִל וְלָקַחְתָּ֤ מִדָּמוֹ֙ וְנָתַתָּ֡ה עַל־תְּנ֣וּךְ אֹזֶן֩ אַהֲרֹ֨ן וְעַל־תְּנ֜וּךְ אֹ֤זֶן בָּנָיו֙ הַיְמָנִ֔ית וְעַל־בֹּ֤הֶן יָדָם֙ הַיְמָנִ֔ית וְעַל־בֹּ֥הֶן רַגְלָ֖ם הַיְמָנִ֑ית וְזָרַקְתָּ֧ אֶת־הַדָּ֛ם עַל־הַמִּזְבֵּ֖חַ סָבִֽיב׃

Os intérpretes veem vários sentidos na aplicação do sangue, bem como nos lugares onde o sangue era posto:

1. O sangue era posto em lugares estratégicos, dando a entender, metaforicamente, uma aplicação *completa*, ou seja, uma completa consagração.
2. Especificamente: *A ponta da orelha direita.* Um sacerdote era alguém que devia estar preparado para ouvir tudo quanto Yahweh ordenasse, a fim de cumprir suas ordens. *O polegar das suas mãos direitas.* Um sacerdote devia estar preparado para fazer tudo quanto Yahweh ordenasse, visto que as mãos são o instrumento de ação. *O polegar dos seus pés direitos.* Um sacerdote devia andar pelos caminhos de Yahweh, pois caminhar é aquilo que fazemos com os nossos pés.
3. É possível que, originalmente, tais ritos tivessem por intuito prover completa proteção contra os ataques de poderes demoníacos sinistros, falando assim sobre uma plena proteção divina, diante de qualquer mal.

"...sem dúvida estava em foco a intenção de que eles deveriam dedicar todas as suas capacidades a Deus" (Adam Clarke, *in loc.*).

O sangue era então aspergido sobre o altar, como no caso do primeiro carneiro (ver o vs. 16). Ficava assim simbolizada a total aplicação do sangue, exibindo a total eficácia do sacrifício.

29.21

וְלָקַחְתָּ֞ מִן־הַדָּ֨ם אֲשֶׁ֥ר עַֽל־הַמִּזְבֵּחַ֮ וּמִשֶּׁ֣מֶן הַמִּשְׁחָה֒ וְהִזֵּיתָ֤ עַֽל־אַהֲרֹן֙ וְעַל־בְּגָדָ֔יו וְעַל־בָּנָ֛יו וְעַל־בִּגְדֵ֥י בָנָ֖יו אִתּ֑וֹ וְקָדַ֥שׁ הוּא֙ וּבְגָדָ֔יו וּבָנָ֛יו וּבִגְדֵ֥י בָנָ֖יו אִתּֽוֹ׃

A unção das vestes de Arão e de seus filhos sacerdotes foi feita com *azeite* (ver a esse respeito no *Dicionário*) e com *sangue.* Não se sabe se o sangue foi misturado ou não com o azeite. O fato é que assim elas foram consagradas. Ver no *Dicionário* o artigo intitulado *Unção,* quanto às cerimônias envolvidas sobre essa questão. O vs. 7 já havia falado sobre a unção com azeite, mas temos aqui um outro tipo, em adição àquele. Portanto, o culto de consagração incluía dois tipos. Os estudiosos cristãos veem nisso a unção dos crentes em Cristo, a outorga de autoridade e de graças para cumprirem sua missão. Como é claro, dispomos do poder e dos dons do Espírito, representados no azeite, bem como dos poderes justificadores e santificadores de Cristo, representados no sangue. Ver Salmo 45.8 e Apocalipse 7.14. Nessa dupla unção, alguns eruditos veem a justificação e a santificação simbolizadas. O trecho de Levítico 8.30 parece indicar apenas uma unção, e alguns críticos pensam que o vs. 21 deste capítulo foi uma adição posterior feita sobre o relato original.

29.22

וְלָקַחְתָּ֣ מִן־הָ֠אַיִל הַחֵ֨לֶב וְהָֽאַלְיָ֜ה וְאֶת־הַחֵ֣לֶב ׀ הַֽמְכַסֶּ֣ה אֶת־הַקֶּ֗רֶב וְאֵ֨ת יֹתֶ֤רֶת הַכָּבֵד֙ וְאֵ֣ת ׀ שְׁתֵּ֣י הַכְּלָיֹ֗ת וְאֶת־הַחֵ֨לֶב֙ אֲשֶׁ֣ר עֲלֵהֶ֔ן וְאֵ֖ת שׁ֣וֹק הַיָּמִ֑ין כִּ֛י אֵ֥יל מִלֻּאִ֖ים הֽוּא׃

A gordura. Ver as notas sobre o uso da gordura para propósitos de sacrifícios, no vs. 13. As porções mencionadas neste versículo eram as mesmas comumente usadas nas ofertas pacíficas (Lv 3.9-11). O termo *cauda gorda* indica a cauda larga e pesada que caracteriza as ovelhas orientais. Heródoto (*Hist.* iii.113) disse algo similar.

Redenho do fígado. A membrana que encobre a porção superior do fígado, que alguns chamam de "apêndice". Ver Levítico 4.8-10.

A coxa direita. Usualmente era a porção que ficava com o sacerdote, para comê-la (vs. 27; Lv 7.31,32). Somente o holocausto ou oferta queimada era totalmente consumido no fogo. Em todas as outras modalidades de sacrifício uma parte era deixada inteira para consumo dos sacerdotes, e por aqueles que tivessem trazido esses sacrifícios.

O carneiro da consagração. Ou seja, o terceiro animal a ser sacrificado. Esses animais eram: o novilho, o primeiro carneiro e o segundo carneiro. Cada qual tinha sua própria finalidade, conforme é explicado nas notas sobre o vs. 19. O animal era dedicado a Deus; e o sacerdote, ao oferecer o animal, consagrava-se em sentido simbólico por meio do animal sacrificado. Um sacerdote precisava mostrar-se entusiasta e dedicado a seus labores; e o terceiro animal sacrificado simbolizava exatamente isso. Um sacerdote era alguém que pertencia de corpo e alma a Yahweh. Essa era a razão mesma de sua vida. Conforme disse Paulo, "...para mim o viver é Cristo..." (Fp 1.21), exprimindo o espírito dessa consagração. Essa atitude fazia parte essencial da *consagração* dos sacerdotes, como uma espécie de intenção confirmadora do propósito do rito.

O termo hebraico aqui traduzido por *consagração* significa, literalmente, "da consagração", resultando nas últimas palavras deste versículo, "o carneiro da consagração", que tem ligações com o que se lê no vs. 24 deste capítulo. As mãos dos sacerdotes eram cheias com as ofertas de cereais, representando a sua inauguração nas lides sacerdotais. Essas ofertas de cereais, além de certas porções do carneiro da consagração, eram oferecidas sobre o altar; e o resto era comido pelos sacerdotes. Portanto, esse carneiro estava vinculado à ideia do "encher as mãos", conforme foi explicado nas notas sobre os vss. 24 e 25.

■ 29.23

וְכִכַּר לֶחֶם אַחַת וְחַלַּת לֶחֶם שֶׁמֶן אַחַת וְרָקִיק אֶחָד
מִסַּל הַמַּצּוֹת אֲשֶׁר לִפְנֵי יְהוָה:

Um pão, um bolo de pão azeitado e uma obreia. Temos aqui as *ofertas movidas*. Esses itens confeccionados de cereais (descritos no vs. 2) faziam parte das ofertas movidas. "Algo dos órgãos do segundo carneiro, um pão, um bolo e uma obreia (bolos assmos bem finos) foram entregues a Arão e seus filhos como uma *oferta movida* diante do Senhor. O movimento que se fazia, em que pese nossa versão portuguesa que diz, "de um lado para outro" (vs. 24), não era da esquerda para a direita e da direita para a esquerda, e, sim, para frente e para trás, para frente e para trás, na direção do altar. Com esse gesto, o sacerdote dava a entender que a oferta estava sendo dada a Deus. E então esses mesmos itens eram queimados sobre o altar" (John D. Hannah, *in loc.*). O movimento servia para atrair, por assim dizer, a atenção de Deus, como se se pedisse que ele aceitasse a oferta. A oferenda era feita daquelas coisas que são necessárias para o homem, pelo que esse sacrifício também era uma ação de graças pelo suprimento recebido, em reconhecimento diante daquele que nos supre de tudo quanto é bom (Tg 1.17).

"Os objetos mencionados formavam a *oferenda de cereais*, que sempre acompanhava as ofertas pacíficas" (Ellicott, *in loc.*).

A adoração, em certo sentido, consiste em reconhecer a Deus, como aquele que é o Provedor, o Juiz e o Salvador. Todos os sacrifícios e todas as ofertas enfatizavam uma ou outra dessas qualidades. Ver no *Dicionário* o artigo intitulado *Adoração*.

■ 29.24

וְשַׂמְתָּ הַכֹּל עַל כַּפֵּי אַהֲרֹן וְעַל כַּפֵּי בָנָיו וְהֵנַפְתָּ אֹתָם
תְּנוּפָה לִפְנֵי יְהוָה:

O enchimento das mãos era parte importante de qualquer final de culto de ordenação sacerdotal. As porções a serem queimadas eram primeiramente postas nas mãos dos sacerdotes. Simbolismos: 1. Deus nos deu tudo, e devemos usar bem aquilo que recebemos da parte dele. Temos os seus dons (Tg 1.17), e uma vida a ser-lhe consagrada. 2. O sacerdote era assim autorizado a realizar seu serviço espiritual, utilizando aquilo que lhe fora dado. Assim sendo, devolvia o que lhe fora dado sob a forma de dedicação a Yahweh. 3. Além disso, era prerrogativa dos sacerdotes viverem do altar, ou seja, comer certa porção das ofertas para seu sustento físico, excetuando-se somente o caso das ofertas pelo pecado, que eram totalmente queimadas, porquanto essas ofertas eram tidas como contaminadas pelo pecado, que tinha que ser destruído. A porção que cabia ao sacerdote era movida diante do Senhor, conforme já foi destacado nas notas sobre o vs. 23. Essa lei foi o começo do conceito de que um ministro do evangelho deve viver do evangelho, para que possa ser um obreiro de tempo integral. Ver 1Coríntios 9.13,14 no *Novo Testamento Interpretado* quanto a plenas explicações sobre essa questão. Cf. 1Samuel 2.12-17. *Encher as mãos* (tradução literal do hebraico) era uma antiga expressão para indicar ser investido nas prerrogativas sacerdotais (Jz 17.5; 1Rs 13.33). Ver sobre as ofertas movidas com detalhes, em Levítico 7.29-36. Ver também os vss. 23 e 26 deste capítulo, quanto a outras informações.

■ 29.25

וְלָקַחְתָּ אֹתָם מִיָּדָם וְהִקְטַרְתָּ הַמִּזְבֵּחָה
עַל הָעֹלָה לְרֵיחַ נִיחוֹחַ לִפְנֵי יְהוָה אִשֶּׁה
הוּא לַיהוָה:

Os itens que os sacerdotes receberam (no momento de suas mãos serem cheias) foram então devolvidos a Moisés, e, então, foram postos sobre o altar, a fim de serem consumidos no fogo. Mas a *coxa direita* (vs. 22) sempre ficava com os sacerdotes, para que se alimentarem, e outro tanto se dava com o peito (vs. 26). Dessa maneira, os sacerdotes sobreviviam, vivendo do altar, conforme mostrei na exposição do versículo anterior. A *gordura* (ver o vs. 13) era a porção principal das ofertas queimadas.

De agradável aroma. Há notas a esse respeito no vs. 18 deste capítulo. Yahweh, ao sentir o aroma do sacrifício, *aceitava* tanto a oferenda quanto o sacerdote que a tinha oferecido.

■ 29.26

וְלָקַחְתָּ אֶת־הֶחָזֶה מֵאֵיל הַמִּלֻּאִים אֲשֶׁר לְאַהֲרֹן
וְהֵנַפְתָּ אֹתוֹ תְּנוּפָה לִפְנֵי יְהוָה וְהָיָה לְךָ לְמָנָה:

O peito do carneiro. Essa parte era do sacerdote, ao que vários intérpretes adicionam a coxa direita. E alguns eruditos dizem tudo o mais (na maioria dos sacrifícios), exceto a gordura. Ver as notas sobre o vs. 24 quanto à porção dos sacerdotes e o sentido que isso tinha no que toca a como os ministros deviam viver do altar. Uma vez fossem movidos os itens, então uma parte era queimada sobre o altar, enquanto outra porção ficava com os sacerdotes. Desse modo recebia Yahweh e recebiam os sacerdotes; Yahweh dava e os sacerdotes também davam, ficando assim cumprida a lei do amor. Cf. este versículo com Levítico 7.29-34 e 10.14. Naquela primeira ocasião, Moisés, como sacerdote oficiante, por ocasião da cerimônia de consagração, recebeu uma porção. Posteriormente, os sacerdotes é que recebiam essa porção.

■ 29.27

וְקִדַּשְׁתָּ אֵת חֲזֵה הַתְּנוּפָה וְאֵת שׁוֹק הַתְּרוּמָה אֲשֶׁר
הוּנַף וַאֲשֶׁר הוּרָם מֵאֵיל הַמִּלֻּאִים מֵאֲשֶׁר לְאַהֲרֹן
וּמֵאֲשֶׁר לְבָנָיו:

O peito e a coxa direita são aqui especificamente mencionados como porções dadas aos sacerdotes. "A oferta movida indica o ato de mover o sacrifício para a frente e para trás, diante do altar, simbolizando a *apresentação* da dádiva a Deus e o *recebimento de volta* como uma porção" (Oxford Annotated Bible, *in loc.*). Verdadeiramente, é dando que recebemos. Esse é um fato bem conhecido, assim como uma lei espiritual bem comprovada. Ver as notas sobre o vs. 23 quanto às ofertas movidas, e ver também o artigo intitulado *Sacrifícios e Ofertas*, no *Dicionário*, onde são abordados os diferentes tipos de sacrifícios e ofertas, e onde são ventilados os propósitos dos mesmos.

■ 29.28

וְהָיָה לְאַהֲרֹן וּלְבָנָיו לְחָק־עוֹלָם מֵאֵת בְּנֵי יִשְׂרָאֵל כִּי
תְרוּמָה הוּא וּתְרוּמָה יִהְיֶה מֵאֵת בְּנֵי־יִשְׂרָאֵל מִזִּבְחֵי
שַׁלְמֵיהֶם תְּרוּמָתָם לַיהוָה:

Yahweh impôs aqui uma *obrigação perpétua*. Os sacerdotes *deveriam* viver do altar. O povo de Israel estava na obrigação de desincumbir-se desse dever. Disso dependia a continuação do sacerdócio levítico. Nenhum homem poderia cuidar de ovelhas, no campo, e também trabalhar no tabernáculo. Yahweh queria obreiros de *tempo integral* nas atividades espirituais. Oh, Deus, concede-nos tal graça! O trecho de Êxodo 28.29,30 mostra que o trabalho dos sacerdotes devia prosseguir *continuamente*. Os sacerdotes deviam estar sempre ocupados com seus deveres sagrados, e outros deviam sustentá-los materialmente. Ver no *Dicionário* o verbete chamado *Ofertas Movidas*.

29.29

וּבִגְדֵי הַקֹּדֶשׁ אֲשֶׁר לְאַהֲרֹן יִהְיוּ לְבָנָיו אַחֲרָיו לְמָשְׁחָה בָהֶם וּלְמַלֵּא־בָם אֶת־יָדָם׃

As vestes santas deviam passar de pai para filho, até o tempo em que, de velhas, devessem ser substituídas. Os filhos, ao receberem as vestes santas, dariam continuação à obra do sacerdócio. Assim sendo, o ofício tornou-se hereditário, até que Cristo viesse substituir o sistema inteiro com ele mesmo e seus discípulos, os reis-sacerdotes (Ap 1.6). Cf. Números 2.26,28. Santidade e dedicação simbólicas estavam vinculadas a essas vestes sacerdotais, pelo que essas vestes permitiam a continuação da linhagem sacerdotal.

A *consagração* do sumo sacerdote fazia-se por meio de uma espécie de investidura que incluía o ato de vestir as vestes sacerdotais de seu pai. Mas não somos informados sobre o que sucedia no caso dos sacerdotes simples. Cf. 2Reis 2.13,14. Entendemos que os sumos sacerdotes subsequentes não passavam por elaborados ritos sacrificiais para serem ordenados, conforme sucedeu no caso de Arão. Os elementos da consagração eram: O ato de vestir as vestes; a unção; um período de espera de sete dias (vs. 30). Eleazar recebeu as vestes de seu pai (Nm 20.28), e assim, a regra baixada aqui foi aplicada segundo foi requerido. As tradições judaicas afirmam que essa lei foi sempre aplicada. Havia um rito de unção, conforme o versículo presente deixa claro; mas parece que não havia ritos sacrificiais. Ver no *Dicionário* o artigo chamado *Unção*.

29.30

שִׁבְעַת יָמִים יִלְבָּשָׁם הַכֹּהֵן תַּחְתָּיו מִבָּנָיו אֲשֶׁר יָבֹא אֶל־אֹהֶל מוֹעֵד לְשָׁרֵת בַּקֹּדֶשׁ׃

Outra parte do rito de transferência da autoridade sacerdotal consistia no *período de sete dias*, durante os quais o filho vestia as vestes sacerdotais de seu pai. Esse período era um período de consagração (vs. 35), e como parte integrante da instalação de um novo sumo sacerdote. Somente depois desse período é que ele assumia os seus deveres.

"O sacerdote, em sua consagração, durante sete dias e sete noites ficava à entrada do tabernáculo, mantendo a vigília do Senhor. Ver Levítico 8.33. O número *sete* era considerado o número da perfeição, pelos hebreus; esse número é, com frequência, usado para denotar o término, o cumprimento, a plenitude ou a perfeição de alguma coisa" (Adam Clarke, *in loc.*).

29.31

וְאֵת אֵיל הַמִּלֻּאִים תִּקָּח וּבִשַּׁלְתָּ אֶת־בְּשָׂרוֹ בְּמָקֹם קָדֹשׁ׃

"Na oferta pacífica, depois que as porções do altar e do sacerdote tinham sido dadas (vs. 27), os adoradores que tinham trazido o sacrifício deviam consumir o resto no recinto sagrado, enquanto estavam em estado de pureza ritual (Lv 7.15-21). O sacerdote cozia a carne para eles (1Sm 2.13). Neste caso, Moisés atuou como sacerdote, e o sacrifício foi trazido a Arão e seus filhos (cf. Lv 8.31). O *ato de cozer* é geralmente considerado método mais antigo que o *ato de assar* (cf. 12.18; Dt 16.7)" (J. Coert Rylaarsdam, *in loc.*). Cf. Levítico 8.31 e Ezequiel 46.19-34. O cozimento era efetuado à entrada do tabernáculo, onde também era comida a carne. Além disso, o que restasse dos cereais (ver os vss. 2 e 3) era comido juntamente com a carne, conforme somos informados em Levítico 8.31. Qualquer coisa que não fosse então comida tinha que ser queimada (vs. 34).

29.32

וְאָכַל אַהֲרֹן וּבָנָיו אֶת־בְּשַׂר הָאַיִל וְאֶת־הַלֶּחֶם אֲשֶׁר בַּסָּל פֶּתַח אֹהֶל מוֹעֵד׃

O banquete combinava a carne do carneiro com o conteúdo da cesta com seus produtos de cereais (ver o vs. 2). Desse modo, os sacerdotes comiam do altar, ou seja, eram sustentados materialmente pelos subprodutos de seu labor. Ver notas sobre isso no vs. 24 deste capítulo.

Os intérpretes cristãos veem neste versículo o sustento espiritual que Cristo oferece aos seus discípulos, sendo ele o Pão da Vida. Sua carne foi oferecida por nós em seu ato expiatório. Ver no *Dicionário* o artigo chamado *Expiação*.

À porta da tenda da congregação. Talvez esteja em foco simplesmente o *átrio* onde o povo comum podia entrar e circular. Mas no caso da ordenação de sacerdotes, nenhum leigo podia entrar no átrio e nem participar do cerimonial (vs. 33).

29.33

וְאָכְלוּ אֹתָם אֲשֶׁר כֻּפַּר בָּהֶם לְמַלֵּא אֶת־יָדָם לְקַדֵּשׁ אֹתָם וְזָר לֹא־יֹאכַל כִּי־קֹדֶשׁ הֵם׃

A expiação. Os eruditos têm feito uma clara distinção entre os *tipos* de sacrifício feitos: o novilho (pelo pecado); o primeiro carneiro (para a consagração); e o segundo carneiro (para a ordenação e a dedicação). Ver os vss. 11, 15 e 19, respectivamente, no que tange a esses três sacrifícios. Apesar de poder sustentar essas distinções, a palavra *expiação* neste caso, no que se aplica à cerimônia inteira, dá a entender que o sacrifício dos dois carneiros também *incluía* a ideia de *expiação*, e não somente no caso do novilho. Alguns eruditos, porém, não aceitam a palavra *expiação* em seu sentido ordinário, e referem-se somente às ofertas pacíficas como "coberturas". Mas é difícil ver o que poderia estar sendo coberto, senão o pecado. Seguiam-se sete dias mais de ofertas sacrificiais como *expiação*, em que um novilho era oferecido a cada dia (vss. 36,37). Portanto, é difícil perceber um sentido diferente dessa palavra no vs. 33, senão aquele sentido tencionado em outras porções do contexto. A preocupação com a expiação pelo pecado era realmente grande na mente dos hebreus! Adam Clarke suspirou de alívio ao observar que todas aquelas mortes de animais foram substituídas por Cristo, em sua morte única, pondo fim aos sacrifícios sangrentos do Antigo Testamento.

O estranho não comerá. Não se deve entender aqui os estrangeiros, os que não eram hebreus, e, sim, os leigos, estranhos ao culto de consagração de sacerdotes. O Targum de Jonathan traduz esse vocábulo como "profano", isto é, uma pessoa que não estivesse apta para participar da cerimônia, mesmo que fosse um israelita. O rito limitava-se à família de Arão.

29.34

וְאִם־יִוָּתֵר מִבְּשַׂר הַמִּלֻּאִים וּמִן־הַלֶּחֶם עַד־הַבֹּקֶר וְשָׂרַפְתָּ אֶת־הַנּוֹתָר בָּאֵשׁ לֹא יֵאָכֵל כִּי־קֹדֶשׁ הוּא׃

Se sobrar alguma cousa. *Fragmentos santos* do banquete, sem importar se animais ou vegetais (cereais), não podiam ser deixados abandonados, para serem profanados. Logo, o que quer que sobrasse precisava ser queimado. Isso pode ser comparado com as instruções acerca da páscoa, que requeriam a mesma coisa. Ver Êxodo 12.10. Aquilo que fosse devotado a um uso sagrado não podia ser comido por algum passante, por um cão ou por outro animal qualquer. Alguns cristãos têm seguido isso em espírito, fazendo os elementos da Ceia ou eucaristia serem consumidos ou destruídos, para nada restar para ser usado em sentido comum.

29.35,36

וְעָשִׂיתָ לְאַהֲרֹן וּלְבָנָיו כָּכָה כְּכֹל אֲשֶׁר־צִוִּיתִי אֹתָכָה שִׁבְעַת יָמִים תְּמַלֵּא יָדָם׃

וּפַר חַטָּאת תַּעֲשֶׂה לַיּוֹם עַל־הַכִּפֻּרִים וְחִטֵּאתָ עַל־הַמִּזְבֵּחַ בְּכַפֶּרְךָ עָלָיו וּמָשַׁחְתָּ אֹתוֹ לְקַדְּשׁוֹ׃

Por sete dias os consagrarás. Esse era o período necessário para a instalação dos sacerdotes. A lavagem cerimonial, a investidura e a unção (vss. 29,30) tinham lugar no primeiro dia. Seguiam-se então sacrifícios repetidos a cada dia. Enquanto isso estivesse em processo, os sacerdotes tinham que permanecer no átrio (Lv 8.33). Uma vez terminado esse prazo, então os sacerdotes estavam autorizados a iniciar seu serviço sagrado. O capítulo 8 de Levítico não menciona qualquer *oferta pelo pecado* (o que, afinal, tinha tido lugar no sacrifício do novilho e dos dois carneiros); e sua presença aqui, de acordo com alguns críticos, é apenas uma adição posterior, feita por algum editor. Esses críticos pensam que essas oferendas adicionais, no tocante à consagração de sacerdotes, são anacrônicas. Nesse caso, as adições teriam sido feitas por um editor que tentou reconciliar a questão com as descrições que se veem em Ezequiel 43.18-27.

Sete dias. Sete era o número da perfeição. Ver as notas sobre Êxodo 29.30. A ideia de perfeição, simbolizada pelo número sete, vem da história da criação em *sete dias* (Gn 1 e 2). Ver no *Dicionário* os artigos intitulados *Número (Numeral, Numerologia)* e *Números na Bíblia*. Quanto ao sacrifício do novilho, ver as notas sobre os vss. 11-14 deste capítulo. O texto não repete a informação sobre o sacrifício dos dois carneiros.

E o ungirás para consagrá-lo. Está em pauta o *altar*. O altar era ungido mediante a aspersão do azeite santo por sete vezes sobre o mesmo. O altar era assim *consagrado* para os serviços santos que os sacerdotes tinham a realizar. O altar era um lugar do tabernáculo onde Yahweh se manifestava mais claramente.

A Eficácia do Sangue. Ver as notas sobre isso no vs. 12 deste capítulo. No *Dicionário* ver os artigos *Sangue* e *Expiação pelo Sangue*. Ver Levítico 1.5. "O sangue, a sede do mistério da vida (Êx 17.11; Dt 12.23; Gn 9.4) era considerado como particularmente sagrado diante de Deus. Portanto, com base no princípio do sacrifício de vida por vida, o derramamento de sangue era eficaz para perdão de pecados e para a reconciliação do homem com Deus. O ato de derramar o sangue ao pé do altar simbolizava a participação de Deus na cerimônia de expiação (Êx 24.6-8)" (*Oxford Annotated Bible*, sobre Lv 1.5).

■ **29.37**

שִׁבְעַת יָמִים תְּכַפֵּר עַל־הַמִּזְבֵּחַ וְקִדַּשְׁתָּ אֹתוֹ וְהָיָה הַמִּזְבֵּחַ קֹדֶשׁ קָדָשִׁים כָּל־הַנֹּגֵעַ בַּמִּזְבֵּחַ יִקְדָּשׁ׃ ס

Sete dias farás expiação. As ofertas de sangue continuavam, tal como a unção com azeite (vs. 36). Desse modo, o altar tornava-se um lugar consagrado e santo, e qualquer oferenda ali posta era considerada automaticamente santa e aceitável a Yahweh. Cf. Ageu 2.11,12. Ver também Mateus 23.19. Os intérpretes cristãos veem Cristo como o antítipo desse altar santificado. Todos quantos entram em contato com ele são transformados. Ver os últimos parágrafos das notas sobre Êxodo 30.26-28 quanto à ideia do *toque santo*.

OS SACRIFÍCIOS DIÁRIOS (29.38,39)

■ **29.38,39**

וְזֶה אֲשֶׁר תַּעֲשֶׂה עַל־הַמִּזְבֵּחַ כְּבָשִׂים בְּנֵי־שָׁנָה שְׁנַיִם לַיּוֹם תָּמִיד׃

אֶת־הַכֶּבֶשׂ הָאֶחָד תַּעֲשֶׂה בַבֹּקֶר וְאֵת הַכֶּבֶשׂ הַשֵּׁנִי תַּעֲשֶׂה בֵּין הָעַרְבָּיִם׃

No vs. 38 deste capítulo passamos a tratar dos *sacrifícios diários*, deixando para trás os sacrifícios e os ritos efetuados na consagração dos sacerdotes. A passagem (vss. 38-42) tem paralelo no trecho de Números 28.3-8. Durante o período pré-exílico havia dois sacrifícios oferecidos a cada dia. Pela manhã, era sacrificado um carneiro; à tardinha, havia uma oferta de cereais. Ver 2Reis 16.15. Esse costume acabou firmemente estabelecido, pelo que quando alguém aludia à *minhah* (oferta de cereais) falava em um sinônimo de "à noitinha" (1Rs 18.29,36; Dn 9.21). No templo ideal e restaurado de Ezequiel, ambas essas oferendas seriam feitas pela manhã (Ez 46.18-25). As instruções do versículo diante de nós determinavam que um cordeiro fosse sacrificado pela manhã *e* à noitinha. E ambas essas oferendas eram combinadas com outros tipos de ofertas. Parece que a oferta de cereais acabou perdendo sua natureza independente, passando a ser combinada com os sacrifícios de animais.

Ver Êxodo 12.5 e suas notas quanto às qualificações e características do cordeiro a ser sacrificado. Parece que em diferentes períodos da história de Israel, costumes levemente diferentes foram seguidos no que toca ao horário em que esses sacrifícios eram feitos.

Esses sacrifícios contínuos naturalmente diziam respeito à ideia de expiação, pois os pecados precisam ser perdoados diariamente. Mas também faziam o povo de Israel lembrar-se de sua necessidade de dedicar-se diariamente a Yahweh. As ofertas de cereais, por sua vez, enfatizavam a necessidade dos israelitas mostrarem-se agradecidos àquele que lhes provia todas as formas de boas dádivas (ver Tg 1.17).

■ **29.40**

וְעִשָּׂרֹן סֹלֶת בָּלוּל בְּשֶׁמֶן כָּתִית רֶבַע הַהִין וְנֵסֶךְ רְבִיעִת הַהִין יָיִן לַכֶּבֶשׂ הָאֶחָד׃

Oferendas de carnes e ablações deviam acompanhar os holocaustos — sinais da gratidão que devemos a Deus em face de sua proteção e cuidados, de sua misericórdia perpétua e de sua bondade. Assim, *a cada dia*, a fonte de todo bem era reconhecida e louvada. Ver no *Dicionário* o artigo intitulado *Gratidão*. "...as ofertas diárias continham artigos básicos da dieta diária do povo: carne, farinha de trigo, azeite e vinho. Essas oferendas diárias (bem como o sacrifício de dedicação dos dois carneiros, vss. 18 e 25) eram agradáveis ao Senhor. Por igual modo, o sacrifício de Cristo, que se ofereceu a si mesmo, na cruz, foi como 'oferta e sacrifício a Deus em aroma suave' (Ef 5.2)" (John D. Hannah, *in loc.*).

Um efa. Um efa era uma décima parte do hômer. Um hômer era o equivalente a 189 litros, ou seja, 18,9 litros. E a oferta de cereais era uma décima parte de um efa, ou seja, o equivalente a 1,89 litros.

Um him de azeite. O *him* era o equivalente a 3,15 litros. A libação diária era uma quarta parte disso, ou seja, cerca de 0,79 litro. Era usada diariamente essa quantidade de azeite e de vinho nessas oferendas. Ver o artigo *Pesos e Medidas*, no primeiro volume desta obra, nos *Artigos Introdutórios*, em sua sétima seção.

■ **29.41**

וְאֵת הַכֶּבֶשׂ הַשֵּׁנִי תַּעֲשֶׂה בֵּין הָעַרְבָּיִם כְּמִנְחַת הַבֹּקֶר וּכְנִסְכָּהּ תַּעֲשֶׂה־לָּהּ לְרֵיחַ נִיחֹחַ אִשֶּׁה לַיהוָה׃

Este versículo indica que o sacrifício vespertino do segundo cordeiro deveria ser feito depois do sacrifício do primeiro cordeiro, feito pela manhã. Logo, as instruções dos vss. 38-40 deste capítulo têm aplicação aqui.

Libação. Não nos são dadas informações sobre como eram utilizadas essas libações. Josefo (*Antiq.* iii.9, par. 4) disse que a libação era derramada sobre o altar. Outros estudiosos dizem que uma parte dessas libações também pertencia aos sacerdotes, tal como acontecia a uma parte das demais ofertas. Ver Levítico 2.2,3 e suas notas quanto à participação dos sacerdotes nessas oferendas.

De aroma agradável. O que lemos aqui é repetição do que já tinha sido dito no vs. 18 deste capítulo, onde há notas expositivas a respeito. Ver também o vs. 25 onde a expressão é reiterada, o que significa que a expressão foi usada por três vezes neste capítulo (Êx 29.18,25,41).

■ **29.42**

עֹלַת תָּמִיד לְדֹרֹתֵיכֶם פֶּתַח אֹהֶל־מוֹעֵד לִפְנֵי יְהוָה אֲשֶׁר אִוָּעֵד לָכֶם שָׁמָּה לְדַבֵּר אֵלֶיךָ שָׁם׃

De acordo com os conceitos hebreus, os sacrifícios revestiam-se de extrema importância, e deveriam continuar por todas as gerações. Mas Yahweh estava interessado em manter comunhão com os homens, e não apenas nos sacrifícios que eles poderiam oferecer-lhe. Deus pode ser imanente, embora, em sua essência, seja transcendente. Logo, diante do altar de sacrifícios pode haver comunhão e desenvolvimento espiritual.

Por vossas gerações. Deus ordenara e estava esperando perpetuidade. Os hebreus não antecipavam um fim eventual de seu sistema religioso. Quanto a isso, ver também Êxodo 12.14,17; 16.32,33; 27.21; 29.42; 30.8,10,21,32; 31.13,16; 40.15. Ver Êxodo 31.16 quanto a outras notas sobre essa noção de *perpetuidade*.

À porta da tenda da congregação. Ou seja, diante do *altar* de bronze, perto dessa porta (ver o vs. 4 e suas notas expositivas). Ver Êxodo 27.1-8 quanto a plenas descrições e comentários sobre esse altar.

■ **29.43**

וְנֹעַדְתִּי שָׁמָּה לִבְנֵי יִשְׂרָאֵל וְנִקְדַּשׁ בִּכְבֹדִי׃

Ali virei aos filhos de Israel. O companheirismo de Yahweh com Moisés e os sacerdotes também seria desfrutado pelo povo em geral;

pois era em favor do povo, afinal de contas, que o tabernáculo e todas as suas funções visavam a beneficiar. A glória de Yahweh manifestava-se no tabernáculo, e isso santificaria todo o arraial de Israel, pois a tenda não era apenas um lugar onde os pecados do povo seriam cobertos mediante os sacrifícios. No hebraico, as palavras "para que por minha glória sejam santificados" são um tanto dúbias, pelo que têm recebido várias interpretações. Alguns pensam que o objeto da frase seja o tabernáculo inteiro; outros, somente a porta, ou seja, o altar. Nossa versão portuguesa aponta para todo o povo de Israel. A Septuaginta, a versão siríaca e o Targum de Onkelos dizem aqui "eu serei santificado", fazendo a referência ser ao próprio Yahweh.

A *shekinah* (ver a respeito no *Dicionário*) deve estar em pauta, quando aqui se fala em "glória". Mas também pode estar em pauta a glória de Deus em geral, sem indicar, de modo específico, o seu modo de manifestação. Cf. este versículo com Êxodo 40.34,35; Levítico 9.24; 1Reis 8.10,11; 2Crônicas 5.13,14; 7.2.

■ 29.44

וְקִדַּשְׁתִּי אֶת־אֹהֶל מוֹעֵד וְאֶת־הַמִּזְבֵּחַ וְאֶת־אַהֲרֹן וְאֶת־בָּנָיו אֲקַדֵּשׁ לְכַהֵן לִי׃

Visto que este versículo diz que o *tabernáculo* devia ser santificado, podemos entender que o vs. 45 refere-se a alguma outra coisa que *também* deveria ser santificada. Como é óbvio, o autor sacro poderia estar repetindo a informação do vs. 43, visto que a repetição de dados é um de seus mais característicos hábitos literários. Notemos também que o altar devia ser santificado, além de Arão e seus filhos (o sacerdócio). Isso posto, este versículo profere uma santificação (separação para o serviço sagrado) que envolvia tudo e todos quantos estavam ligados ao tabernáculo.

Está em pauta algo mais do que a consagração *formal*. Temos aqui a ideia da presença de Yahweh, sendo esse o fator que realmente santificava o tabernáculo e todo o povo de Israel. Era mister que houvesse uma santidade em espírito, e não mera santidade formal, por meio de ritos. "Deus haveria de santificar continuamente o sacerdócio levítico por meio de seu Santo Espírito com eles, em seus atos ministeriais e até em suas atividades diárias, se eles procurassem servi-lo" (Ellicott, *in loc.*).

■ 29.45

וְשָׁכַנְתִּי בְּתוֹךְ בְּנֵי יִשְׂרָאֵל וְהָיִיתִי לָהֶם לֵאלֹהִים׃

É significativo que Yahweh tenha prometido sua presença real, e não apenas uma presença simbólica, no tabernáculo. O tabernáculo seria um lugar de encontro com o povo de Israel, em sentido real, e não apenas em símbolo ou tipo. Todas as questões espirituais deviam ter valor real e duradouro, ajudando o homem a manter comunhão com Deus; e, através dessa comunhão, o homem pode ser transformado espiritual e moralmente. Assim, se pode haver um lugar especialmente apto para a adoração divina, como uma igreja, um templo, um edifício, um salão etc., deve haver um altar consagrado a Deus, no coração humano. O propósito de Deus não é formal, é vital.

"Ele seria o Deus deles; o seu Deus da aliança; o seu Rei; o governo deles seria teocrático; ele seria o Deus e Pai deles, por adoção nacional. Da parte dele, eles poderiam esperar todas as coisas boas, a contínua obediência deles" (John Gill, *in loc.*).

■ 29.46

וְיָדְעוּ כִּי אֲנִי יְהוָה אֱלֹהֵיהֶם אֲשֶׁר הוֹצֵאתִי אֹתָם מֵאֶרֶץ מִצְרַיִם לְשָׁכְנִי בְתוֹכָם אֲנִי יְהוָה אֱלֹהֵיהֶם׃ פ

E saberão. Temos aqui a ideia de iluminação divina. A verdadeira comunhão com Deus e a sua presença próxima devem significar que aqueles que são assim beneficiados haverão de *reconhecer* a origem dessas bênçãos. Ver no *Dicionário* o artigo intitulado *Iluminação*.

O poder divino que eles reconheciam, e que transmitiam, era o mesmo poder que tinha realizado os milagres do êxodo. Ver no *Dicionário* o verbete intitulado *Êxodo*. "O propósito de Deus no êxodo é afirmado aqui como a base desse relacionamento gracioso, que o programa de adoração sacrificial deixa entendido" (J. Edgar Park, *in loc.*).

Deus descera até uma tenda, armada no deserto, para que sua presença e sua vontade fossem conhecidas entre os homens. Isso, naturalmente, faz-nos lembrar da encarnação do Logos, o Cristo, assim nomeado em sua missão neste mundo. Ver João 1.1,14. Ver na *Enciclopédia de Bíblia, Teologia e Filosofia* o artigo *Encarnação de Cristo*.

Cf. este versículo com Salmo 3.12 e 94.15. Ver também Efésios 2.22 quanto à Igreja como local da habitação de Deus. Ver também Gálatas 4.6 e Colossenses 1.27,28 quanto às aplicações cristãs dos ensinos do versículo à nossa frente.

CAPÍTULO TRINTA

INSTRUÇÕES SUPLEMENTARES (30.1—31.18)

Os críticos atribuem as instruções à nossa frente a um período posterior; mas os eruditos conservadores não veem razão para separá-las da massa de informes dada antes. O autor não se preocupou em seguir qualquer ordem específica de apresentação. Assim, o altar do incenso foi descrito depois de todas as demais peças do mobiliário e depois de terem sido dadas instruções detalhadas sobre o modo de oferecer os sacrifícios. Não há razão que possamos atribuir a essa ordem, mas deixamos esse problema com o autor sagrado, que talvez tivesse nisso algum propósito; mas também é possível que ele não estivesse interessado em qualquer ordem especial de apresentação.

A religião dos cananeus incluía o uso de incenso em seus ritos, e alguns supõem que esse costume foi tomado por empréstimo pelos hebreus. Esses supõem que esse aspecto do culto foi adicionado ao cerimonial posterior dos hebreus. Os trechos de Levítico 16.12 e Números 16.6,7 aludem à queima de incenso, sendo provável que essa prática fosse anterior à existência de um altar formal com essa finalidade. Evidências em prol do altar de incenso só aparecem posteriormente, e alguns estudiosos têm sugerido que esse item só passou a fazer parte do ritual no segundo templo de Jerusalém. Os conservadores creem que o texto diante de nós serve de prova do uso desse altar desde os dias de Moisés, o que nega que esta passagem seja uma adição tardia. Não há muitas evidências objetivas acerca da questão. Ellicott (*in loc.*) fala da posição estranha ocupada pelo material sobre o altar do incenso, mas não via razão para suspeitar de um deslocamento de texto ou de uma adição posterior. "Que o incenso alinhava-se entre as oferendas que Deus requeria que lhe fossem oferecidas é algo que figura desde Êxodo 25.6. Sua preciosidade, sua fragrância e seu evidente poder de elevar-se sob a forma de nuvens até o céu, levou à sua utilização nos ritos religiosos de muitas nações. Os sacerdotes egípcios aparecem continuamente, nos monumentos, com incensários nas mãos, onde, é de presumir-se, eles ofereciam incenso... Heródoto afirma que os babilônios consumiam anualmente mil talentos de incenso na festa de Belo (*Hist.* i.183). É bem conhecido o fato de que os gregos e os romanos usavam incenso."

■ 30.1

וְעָשִׂיתָ מִזְבֵּחַ מִקְטַר קְטֹרֶת עֲצֵי שִׁטִּים תַּעֲשֶׂה אֹתוֹ׃

O altar de incenso. Ver o artigo detalhado sobre este assunto no *Dicionário* que inclui sua *tipologia*. Seus materiais de construções, dimensões, provisões para transporte e significados são comentados no artigo, permitindo um tratamento mais abreviado aqui. O leitor perceberá que as descrições do presente texto são semelhantes às de 25.1-30, onde anotações detalhadas são oferecidas.

O altar de incenso era um móvel como todos os outros itens do tabernáculo; era feito dos mesmos materiais do *altar de bronze*, mas recebeu uma camada superior diferente. Era comparativamente pequeno, sendo 1 ½ pés quadrados (= 45 cm) e somente 3 pés de altura (= 90 cm). Tinha chifres como o grande altar e podia ser facilmente transportado, sendo que tinha argolas de ouro para receber varas de transporte. Israel, marchando através do deserto, levava o tabernáculo e todos os seus móveis, de lugar em lugar. O *modus operandi* da construção do tabernáculo e de suas peças permitia um transporte fácil, que falava de *impermanência*.

Tipologia. "O altar de incenso era um tipo de Cristo, nosso intercessor (Jo 17.17-26; Hb 7.25); através dele nossas orações ascendem a Deus (Hb 13.15; Ap 8.3,4). O altar simboliza nossos sacrifícios, louvores e adoração (Hb 13.15)" (*Scofield Reference Bible, in loc.*).

30.2

אַמָּה אָרְכּוֹ וְאַמָּה רָחְבּוֹ רָבוּעַ יִהְיֶה וְאַמָּתַיִם קֹמָתוֹ מִמֶּנּוּ קַרְנֹתָיו:

Dimensões. Tinha aproximadamente meio metro de lado e um de altura, com pontas em forma de chifres nos quatro cantos. Os chifres foram esculpidos nos cantos do altar, não sendo peças separadas embutidas, seguindo o mesmo modo de construção do grande altar (ver 27.2). Os chifres foram tipos de pináculos que se elevavam dos cantos, apontando para o céu. Foram itens decorativos e simbólicos. A oração sobe para o céu com a fumaça do incenso.

Côvado. Aproximadamente 18 polegadas (= 45 cm).

30.3

וְצִפִּיתָ אֹתוֹ זָהָב טָהוֹר אֶת־גַּגּוֹ וְאֶת־קִירֹתָיו סָבִיב וְאֶת־קַרְנֹתָיו וְעָשִׂיתָ לּוֹ זֵר זָהָב סָבִיב:

Os materiais empregados foram os mesmos utilizados na construção da arca e da mesa. Ver 25.10-22,23-30. Foi posicionado na frente da arca, mas no lado oposto da terceira cortina que fechava o Lugar Mais Santo do Lugar Santo. Ver a ilustração da *Planta do Tabernáculo* em 25.1 e compare-se com 40.5.

Bordadura de ouro. Também falado da mesa (25.24), sendo de construção semelhante àquele item. A borda elevada não deixava que as coisas colocadas em cima escorregassem e caíssem no chão, contaminando-as. A peça também servia de ornamentação.

30.4

וּשְׁתֵּי טַבְּעֹת זָהָב תַּעֲשֶׂה־לּוֹ מִתַּחַת לְזֵרוֹ עַל שְׁתֵּי צַלְעֹתָיו תַּעֲשֶׂה עַל־שְׁנֵי צִדָּיו וְהָיָה לְבָתִּים לְבַדִּים לָשֵׂאת אֹתוֹ בָּהֵמָּה:

Este versículo, aqui relacionado ao altar de incenso, é essencialmente igual àquele que descreve o grande altar (27.4), a mesa (25.26) e a arca (25.12), mas o altar precisava somente de duas (quatro?) argolas, sendo um objeto relativamente pequeno e de fácil transporte. Todas as peças do tabernáculo tinham de ser portáteis. Ver o artigo *Tabernáculo*, no *Dicionário*, que dá informações gerais sobre seus móveis.

Duas argolas. Possivelmente significando duas de cada lado, totalizando quatro. Este versículo talvez possa ser igual a 27.4. Aparentemente, todos os móveis tinham quatro argolas, uma provisão padronizada. O texto fala somente de *duas*, aqui, mas talvez o escritor esperasse que seus leitores entendessem *duas de cada lado*.

30.5

וְעָשִׂיתָ אֶת־הַבַּדִּים עֲצֵי שִׁטִּים וְצִפִּיתָ אֹתָם זָהָב:

Varais. As mesmas instruções se aplicam à arca (25.13), à mesa (25.28) e ao grande altar (27.6). Ver as explicações deste item nos versículos mencionados. Talvez houvesse uma diferença no tamanho dos varais por causa de variação de peso dos móveis transportados, mas, se assim o era, o escritor não nos informa.

30.6

וְנָתַתָּה אֹתוֹ לִפְנֵי הַפָּרֹכֶת אֲשֶׁר עַל־אֲרֹן הָעֵדֻת לִפְנֵי הַכַּפֹּרֶת אֲשֶׁר עַל־הָעֵדֻת אֲשֶׁר אִוָּעֵד לְךָ שָׁמָּה:

Porás o altar defronte do véu... isto é, ante a terceira cortina que separava o Lugar Mais Santo do Lugar Santo. O sumo sacerdote, aproximando-se do Lugar Mais Santo, passaria pelo altar de incenso antes de abrir a cortina para entrar no *Santuário*. Somente alguns passos separavam este altar da arca.

O altar de incenso era chamado *altar áureo* em contraste com o grande altar de bronze (ver 38.30; 39.39). Ver, também, 40.23-26 para informação sobre o posicionamento dos móveis. O altar estava situado ante a arca, mas fora da terceira cortina que fechava o Lugar Mais Santo. O escritor do livro de Hebreus (9.4) colocou este altar erradamente dentro do próprio Santuário. Ver anotações completas sobre esse problema na exposição de Hebreus 9.4, no *Novo Testamento Interpretado*.

Seu posicionamento mostrava que esse altar tinha uma relação próxima com o propiciatório. Sua função de intercessão preparava os adoradores para se beneficiarem da expiação que só ocorreria no Santo dos Santos.

Onde me avistarei contigo. O Intercessor estava falando sobre o lugar da intercessão. Yahweh encarnou-se em Cristo, o qual é o nosso Intercessor. Cf. essa declaração com Êxodo 25.22; 29.42,43.

Josefo situava o altar do incenso diretamente entre a mesa dos pães da proposição e o candelabro, e não adiantado, como mostram os diagramas do plano do tabernáculo. (*Antiq.* 1.3 c. 6 sec. 8). E outros intérpretes judeus concordavam com essa disposição.

No dia da expiação, o sumo sacerdote tomava incenso tirado do altar do incenso e o levava ao interior do Santo dos Santos (Lv 16.12,13).

30.7,8

וְהִקְטִיר עָלָיו אַהֲרֹן קְטֹרֶת סַמִּים בַּבֹּקֶר בַּבֹּקֶר בְּהֵיטִיבוֹ אֶת־הַנֵּרֹת יַקְטִירֶנָּה:

וּבְהַעֲלֹת אַהֲרֹן אֶת־הַנֵּרֹת בֵּין הָעַרְבַּיִם יַקְטִירֶנָּה קְטֹרֶת תָּמִיד לִפְנֵי יְהוָה לְדֹרֹתֵיכֶם:

Assim como havia sacrifícios matinais e vespertinos (Êx 29.40,41) e assim como esses sacrifícios deveriam ser perpétuos e infalíveis, por todas as gerações do povo de Israel (Êx 29.42), assim também se dava no tocante à queima de incenso, manhãs e tardes, por todas as gerações do povo de Israel. Ver Êxodo 29.42 acerca da perpetuidade desses ritos. Dou ali uma lista de referências sobre a questão. "A queima de incenso, juntamente com os cuidados com as lâmpadas, tornaram-se um dever diário, de manhã e à tardinha, em que se atarefavam os sacerdotes em serviço ativo. Esse serviço foi organizado sobre uma base de rotatividade, no templo posterior" (J. Edgar Park, *in loc.*). Ver no *Dicionário* o detalhado artigo intitulado *altar de incenso*, quanto a detalhes completos sobre sua natureza, uso e simbolismo. Há notas adicionais sobre o mesmo em Êxodo 30.1.

Os ingredientes do incenso aparecem em Êxodo 30.34,35, onde há notas sobre a questão. Ver Salmo 141.2; Lucas 1.10; Apocalipse 5.8; 8.3,4, pois o incenso é emblema da oração. Em Êxodo 30.1 há notas expositivas sobre os tipos envolvidos nesse altar. Ver Lucas 1.9 quanto à questão de como os sacerdotes serviam em um regime de rotatividade, de acordo com sortes.

As lâmpadas. *Os Cuidados com as Lâmpadas e sua Limpeza.* Está aqui em foco o candelabro com suas sete lâmpadas. O ritual envolvia o cuidado com essas lâmpadas, após o que se queimava o incenso, como se os dois deveres formassem uma única tarefa. O sacerdote aparava os pavios e fazia qualquer outro serviço que fosse necessário nas lâmpadas. Apagaria os pavios que estivessem terminando, e os substituiria por novos; supriria o azeite necessário; e apararia os pavios e limparia os apagadores. Ver Êxodo 27.20,21 quanto ao azeite das lâmpadas. Ver Êxodo 25.31-40 quanto às lâmpadas e aos cuidados pelas mesmas.

30.9

לֹא־תַעֲלוּ עָלָיו קְטֹרֶת זָרָה וְעֹלָה וּמִנְחָה וְנֵסֶךְ לֹא תִסְּכוּ עָלָיו:

Não oferecereis sobre ele. Não se podia abusar do altar do incenso utilizando-o com outro propósito além daquele a que se destinava. Nenhum incenso estranho ou diferente podia ser queimado sobre o mesmo. A fórmula para o incenso precisava ser rigidamente observada. Ver as notas sobre os vss. 34 e 35 quanto a essa fórmula. O culto precisava seguir as regras, bem como aquele que dera as regras, Yahweh.

O altar do incenso não era nem o altar dos sacrifícios e nem o altar das libações. Essas duas últimas funções cabiam ao altar de bronze ou altar grande (Êx 27.1-8). Os dois serviços não podiam ser misturados. O altar do incenso tinha sua própria função diferente e importante, mas não estava preparado para esses outros tipos de serviço.

30.10

וְכִפֶּ֤ר אַהֲרֹן֙ עַל־קַרְנֹתָ֔יו אַחַ֖ת בַּשָּׁנָ֑ה מִדַּ֞ם חַטַּ֣את
הַכִּפֻּרִ֗ים אַחַ֤ת בַּשָּׁנָה֙ יְכַפֵּ֤ר עָלָיו֙ לְדֹרֹ֣תֵיכֶ֔ם
קֹֽדֶשׁ־קָֽדָשִׁ֥ים ה֖וּא לַיהוָֽה׃ פ

Sangue era aplicado aos chifres do altar uma vez por ano, para propósitos de santificação, e não sacrificiais. No *Dia da Expiação* (ver sobre o mesmo no *Dicionário*), descrito longamente em Levítico 16, o sumo sacerdote tomava em um incensário brasas acesas tiradas do altar de bronze, e entrava no Santo dos Santos. Mas nesse trecho de Levítico não há menção ao altar do incenso, pelo que alguns eruditos pensam que isso representa uma tradição mais antiga do que aquela que temos diante de nós. Mas aqui temos sangue tirado dos sacrifícios e levado ao altar do incenso, a fim de ungir seus quatro chifres. É claro que isso veio a tornar-se parte do ritual da *expiação*, embora também aponte para a santificação do altar, para ser usado continuamente, por todo um ano dali por diante. Portanto, temos aqui uma espécie de rito anual de santificação, por assim dizer, uma rededicação. O dia designado para isso era o décimo dia do sétimo mês. Ver Levítico 16.18.

Sangue era aplicado às pontas do altar; e também era salpicado por sete vezes sobre o altar. Destarte, o altar ficava santificado, apto para uso cerimonial. Pelo menos, pensa-se que esse ato, realizado no caso do altar de bronze, era idêntico ao que se fazia no caso do altar do incenso.

O RECENSEAMENTO (30.11-16)

Yahweh prosseguia em suas instruções acerca da ereção do tabernáculo, e acerca de seu equipamento e seus serviços, tudo através da iluminação divina. Entre essas instruções contavam-se aquelas sobre o recenseamento a ser feito. O dinheiro recolhido dos recenseados reverteria para o "serviço da tenda da congregação" (vs. 16). Os sacerdotes viviam do altar, comendo certas porções dos sacrifícios feitos ali, com exceção única dos holocaustos, que eram inteiramente consumidos nas chamas. Ver Êxodo 29.22,27 e Levítico 7.31,32. Mas um homem não faz somente comer. Os sacerdotes precisavam vestir-se e ter outras coisas necessárias à vida diária. Essa taxação, pois, seria feita para que os sacerdotes pudessem devotar-se, por *tempo integral*, às suas tarefas religiosas. Oh, Deus, concede-nos tal graça! Um recenseamento precisava ser feito a fim de se saber de quanto dinheiro se disporia, mas também para se saber qual a taxa de crescimento numérico de Israel. Outra razão dessa contagem era saber qual seria o tamanho do exército de Israel (Nm 1). Ademais, esse dinheiro seria aplicado à construção e manutenção do tabernáculo, seus equipamentos etc. (Ver Êx 38.27,28).

30.11,12

וַיְדַבֵּ֥ר יְהוָ֖ה אֶל־מֹשֶׁ֥ה לֵּאמֹֽר׃

כִּ֣י תִשָּׂ֞א אֶת־רֹ֥אשׁ בְּנֵֽי־יִשְׂרָאֵל֮ לִפְקֻדֵיהֶם֒ וְנָ֨תְנ֜וּ אִ֣ישׁ
כֹּ֧פֶר נַפְשׁ֛וֹ לַיהוָ֖ה בִּפְקֹ֣ד אֹתָ֑ם וְלֹא־יִהְיֶ֥ה בָהֶ֛ם נֶ֖גֶף
בִּפְקֹ֥ד אֹתָֽם׃

"O recenseamento, relatado no primeiro capítulo de Números, originalmente teve fins militares. Temendo que a ira de Deus se manifestasse contra o recenseamento (2Sm 24), o povo pagou uma taxa (cf. 2Cr 24.6,9; Mt 17.24-27), como um *resgate* ou *expiação* (vs. 16)" (*Oxford Annotated Bible, in loc.*). O capítulo 24 de 2Samuel apresenta uma situação parecida. Em seu orgulho, Davi mandou fazer o recenseamento do povo para saber quão poderoso exército Israel era capaz de convocar. Fazer um recenseamento, pois, era considerado cometer uma infração contra as prerrogativas divinas. Yahweh era o árbitro exclusivo do destino de seu povo. Além disso, Davi exibiu uma estúpida arrogância e orgulho naquilo que fez. Portanto, uma praga sobreveio ao povo.

No caso presente, como precaução contra a possível ira divina, foi cobrada uma taxa, redimindo cada homem que a pagasse, livrando-o assim de qualquer punição celeste. O dinheiro assim recolhido seria usado para sustento dos sacerdotes, como também para manter o tabernáculo, seu equipamento etc.

"Sempre que era feito um recenseamento (ver Nm 1), cada homem israelita de 20 anos para cima pagava uma taxa para ajudar a manter o tabernáculo e seu funcionamento. Essa taxa era considerada um resgate (Êx 30.12), porque seu pagamento garantia proteção contra as pragas. Isso ajudava a motivar cada varão a pagar a taxa. Era esta tida como uma expiação, como uma cobertura para o pecado" (John D. Hannah, *in loc.*).

Ao falar a respeito de pragas, não nos devemos olvidar que tais pragas podiam proceder do próprio Yahweh, porquanto coisa alguma era deixada ao encargo do acaso, e nem de meras causas naturais.

30.13

זֶ֣ה ׀ יִתְּנ֗וּ כָּל־הָעֹבֵר֙ עַל־הַפְּקֻדִ֔ים מַחֲצִ֥ית הַשֶּׁ֖קֶל
בְּשֶׁ֣קֶל הַקֹּ֑דֶשׁ עֶשְׂרִ֤ים גֵּרָה֙ הַשֶּׁ֔קֶל מַחֲצִ֣ית הַשֶּׁ֔קֶל
תְּרוּמָ֖ה לַיהוָֽה׃

O siclo do santuário (ver Lv 27.25; 56.15; Números 3.47; 18.16; Ez 45.12) tinha por base o mais antigo padrão de medições dos fenícios ou dos próprios hebreus. Era mais pesado que o subsequente siclo babilônico, que passou a ser usado em tempos pós-exílicos. O vs. 13 esforça-se por explicar que estava em vista o peso mais antigo e de maior valor. As palavras adicionais, "este siclo é de vinte geras" (Lv 27.25; Nm 3.47 etc.), constituem uma tentativa para interpretar a quantia requerida em confronto com os pesos babilônicos posteriores, visto que a *gera* era uma unidade babilônica. Isso significa que tal adição provavelmente foi feita no período pós-exílico, e que dificilmente deve ter sido feita pelo próprio autor sagrado. A única alternativa (de acordo com muitos críticos) é que o trecho pertence, realmente, a um período posterior. Ver Êxodo 38.24.

Siclo. Ver no *Dicionário* o artigo geral chamado *Dinheiro*. O *siclo* é mencionado e descrito na seção IV.c desse artigo. Nos dias de Moisés, desconheciam-se as moedas, e os pesos e as medidas flutuavam enormemente. O "siclo do santuário" designava um peso em metal, e não uma moeda, nos dias do tabernáculo. Todas as ofertas deviam ser calculadas a partir desse siclo (Lv 27.25). Mas é impossível determinar qual seria o seu valor, em comparação com o sistema monetário moderno.

Gera. Esse peso, de conformidade com Maimônides, pesava tanto quanto dezesseis espigas de cevada, pelo que o *siclo* valia vinte vezes mais do que isso. Era um peso de prata. Quanto a outras informações a respeito ver Êxodo 38.25,26. O peso de 320 espigas de cevada era considerável, e metade disso (vs. 15) evidentemente era uma boa quantia em dinheiro. Sem dúvida alguma, muitos homens israelitas só pagaram tal quantia por temerem ser atingidos por alguma praga, se não pagassem tal taxa (vs. 12).

30.14

כֹּ֗ל הָעֹבֵר֙ עַל־הַפְּקֻדִ֔ים מִבֶּ֛ן עֶשְׂרִ֥ים שָׁנָ֖ה וָמָ֑עְלָה
יִתֵּ֖ן תְּרוּמַ֥ת יְהוָֽה׃

Somente varões de 20 anos de idade para cima tinham que pagar essa taxa. Isso significa que só estavam nessa obrigação aqueles que podiam trabalhar e ganhar um salário. Pelo menos, temos aí uma medida misericordiosa. As mulheres, as crianças, os sacerdotes e os escravos estavam isentos. No primeiro capítulo do livro de Números, a estipulação de varões com 20 anos para cima indica homens que podiam entrar na guerra. Muitos eruditos imaginam que o recenseamento historiado no primeiro capítulo de Números é o mesmo referido nesta passagem. Nesse caso, o arrolamento teve múltiplos propósitos. Ver Números 1.20,46.

Entre os hebreus uma pessoa era considerada adulta ao completar 20 anos de idade, e, então, ficava sujeita ao serviço militar e a outras responsabilidades (Nm 1.3; 2Cr 25.5). Era também nessa idade que os levitas davam início a seu serviço sacerdotal no santuário (2Cr 23.24-27; 2Cr 31.17; Ed 3.8).

30.15

הֶֽעָשִׁ֣יר לֹֽא־יַרְבֶּ֗ה וְהַדַּל֙ לֹ֣א יַמְעִ֔יט מִֽמַּחֲצִ֖ית הַשָּׁ֑קֶל
לָתֵת֙ אֶת־תְּרוּמַ֣ת יְהוָ֔ה לְכַפֵּ֖ר עַל־נַפְשֹׁתֵיכֶֽם׃

A taxa não foi cobrada de acordo com as riquezas de cada um. Antes, foi igual para todos, em contraste com os sistemas modernos de taxação, que penalizam os ricos, dando a entender que possuir dinheiro é um pecado. O dinheiro era para o serviço de Yahweh, devendo ser dado de boa mente, algo muito difícil de conseguir. Além disso, se alguém não desse de boa mente, pelo menos daria movido pelo *temor*, pois se alguém não contribuísse, pragas lhe sobreviriam. Assim sendo, ele pagava o resgate por sua vida *física* (e não por sua alma imaterial), ao obedecer a essa taxação. A imposição de uma taxa única poupava uma montanha de escrituração e fiscalização. Se fosse usado outro critério de taxação, as pessoas diriam que ganhavam menos do que realmente ganhavam, a fim de baixar a taxa. Nem sempre o que é simples é justo. Podemos supor que a quantia cobrada estava ao alcance do varão israelita médio de 20 anos, mesmo que alguém tivesse má vontade no coração, não querendo mostrar-se generoso para com o serviço prestado a Yahweh. Ver na *Enciclopédia de Bíblia, Teologia e Filosofia* o artigo intitulado *Impostos*.

Até mesmo um esmoler teria que pagar a taxa. Ele teria que separar uma parte das esmolas recebidas, vender suas vestes ou fazer o que fosse necessário para pagá-la. Todos eram remidos de Yahweh; todos tinham que pagar.

■ 30.16

וְלָקַחְתָּ֞ אֶת־כֶּ֣סֶף הַכִּפֻּרִ֗ים מֵאֵת֙ בְּנֵ֣י יִשְׂרָאֵ֔ל וְנָתַתָּ֤ אֹתוֹ֙ עַל־עֲבֹדַ֣ת אֹ֣הֶל מוֹעֵ֔ד וְהָיָ֨ה לִבְנֵ֤י יִשְׂרָאֵל֙ לְזִכָּר֔וֹן לִפְנֵ֥י יְהוָ֖ה לְכַפֵּ֥ר עַל־נַפְשֹׁתֵיכֶֽם׃ פ

Três razões são aqui alistadas, justificando aquela taxação. As pessoas precisam de muitas razões para se disporem a pagar impostos, e o temor de medidas severas por parte do governo parece ser a principal dessas razões. Essas razões foram as seguintes:

1. Era mister um *resgate* para que Deus não enviasse pragas contra os ofensores (vs. 12). Talvez sua ira já se tivesse acendido porque fora feito um recenseamento (conforme a sugestão de 2Sm 24). A contribuição de uma taxa para o tabernáculo e para o sacerdócio poderia impedir uma explosão da ira divina. De acordo com a mentalidade dos hebreus, desastres naturais, sem um envolvimento divino, eram coisas simplesmente inconcebíveis. Ver as notas sobre Êxodo 30.11 quanto a outras ideias.
2. Dinheiro para a adoração divina e para os sacerdotes foi uma *segunda* razão para a taxação. Há notas detalhadas sobre isso nos vss. 11 e 12. Assim também os políticos dizem em nossos dias: "O dinheiro é canalizado para boas causas", embora a maior parte desse dinheiro termine em contas particulares de bancos suíços. Mas podemos ter a certeza de que isso não sucedeu em Israel, sob Moisés.
3. Um *memorial*. O dinheiro brilharia diante dos olhos dos israelitas, e eles seriam lembrados da bondade de Deus e da aliança que firmara com eles, tal como as gemas nas ombreiras da estola do sumo sacerdote e no peitoral lembrariam os filhos de Israel de como eles eram queridos e protegidos pelo Senhor. As coisas construídas no tabernáculo, com base naquele dinheiro, serviriam de testemunhas de como o dinheiro fora bem usado.

Os primeiros valores obtidos por aquela taxação foram usados no fabrico das bases de prata do santuário, no véu e nos ganchos de prata e nas colunas.

A BACIA DE BRONZE (30.17-21)

O autor sagrado não acompanhou qualquer sequência discernível na sua apresentação do equipamento do tabernáculo. Assim, após ter falado sobre a taxa a ser cobrada, volta a falar sobre um item do mobiliário da tenda. E assim foi baixada a ordem para que se fizesse a *bacia de bronze*. No tabernáculo, armado no deserto a mando de Deus (vs. 17), havia uma bacia de bronze no átrio, entre o altar dos holocaustos e a tenda (Êx 30.17,21; 38.8; 40.30-32), onde Arão e seus filhos lavavam as mãos e os pés, antes de entrarem na tenda da congregação, ou quando ministravam diante do altar. O simbolismo desse objeto é patente. Jesus sumariou a questão quando disse a Pedro: "Se eu não te lavar, não tens parte comigo" (Jo 13.8).

Tipo. "A bacia era um tipo de Cristo, o qual nos lava de toda contaminação e de toda mácula, ruga ou coisa semelhante (Jo 13.2-10;

Ef 5.25-27). É significativo que os sacerdotes não podiam entrar no Lugar Santo, depois de terem servido diante do altar de bronze, enquanto não tivessem lavado suas mãos e seus pés" (*Scofield Reference Bible, in loc.*).

■ 30.17,18

וַיְדַבֵּ֥ר יְהוָ֖ה אֶל־מֹשֶׁ֥ה לֵּאמֹֽר׃

וְעָשִׂ֜יתָ כִּיּ֥וֹר נְחֹ֛שֶׁת וְכַנּ֥וֹ נְחֹ֖שֶׁת לְרָחְצָ֑ה וְנָתַתָּ֣ אֹת֗וֹ בֵּֽין־אֹ֤הֶל מוֹעֵד֙ וּבֵ֣ין הַמִּזְבֵּ֔חַ וְנָתַתָּ֖ שָׁ֥מָּה מָֽיִם׃

"No templo de Salomão havia um grande tanque de forma circular, com cerca de 13,70 m de circunferência, conhecido como *mar de fundição* (1Rs 7.23-36). Era inteiramente feito de bronze e repousava sobre as figuras de doze bois. De acordo com 2Crônicas 4.6, o *mar* servia para as abluções dos sacerdotes" (J. Edgar Park, *in loc.*). Não há certeza sobre até que ponto a antiga bacia de bronze assemelhava-se à versão mandada fazer por Salomão, mas é bem provável que a bacia de bronze dos dias de Moisés fosse algo bem mais modesto. Os críticos, por sua parte, duvidam até mesmo de sua existência, pensando que escritores posteriores fizeram o mar de fundição retroceder dos dias de Salomão para os dias de Moisés. Ver no *Dicionário* o artigo chamado *Mar de Fundição (de Bronze)*. O texto presente, em contraste com o resto dos itens do tabernáculo, fornece-nos poucos detalhes e não dá as dimensões da bacia de bronze. O trecho de Êxodo 38.8 adianta que as mulheres providenciaram o material necessário para esse item, pois contribuíram com seus espelhos de bronze. Portanto, a bacia de bronze importou em um sacrifício para muitas pessoas.

As lavagens feitas na bacia de bronze, tal como se dava com todos os demais ritos efetuados no tabernáculo, deviam ser efetuadas de modo perpétuo, por *todas as gerações*. Ver as notas sobre isso em Êxodo 29.42, quanto a uma lista de referências sobre a questão.

As abluções litúrgicas dos israelitas influenciaram de modo profundo tanto o cristianismo quanto o islamismo.

Água se fazia mister para as lavagens dos sacerdotes e de certas partes das vítimas sacrificadas (Êx 29.27; Lv 1.8,13), como também para limpeza do próprio altar, para nada dizermos sobre o chão para onde escorria todo aquele sangue dos animais sacrificados.

Seu suporte de bronze. A bacia de bronze provavelmente tinha o formato de um grande vaso ou urna, e estava apoiada sobre um pedestal. Vasos dessa natureza têm sido achados, com relativa abundância, pelos arqueólogos.

A bacia de bronze é o último item do tabernáculo a ser descrito. Ficava entre o altar dos holocaustos e a entrada do Lugar Santo, entrada essa tapada pelo segundo véu. Ver a ilustração sobre a planta do tabernáculo, nas notas sobre Êxodo 26.1. Naturalmente, tanto o altar dos holocaustos quanto a bacia de bronze ficavam no átrio. Era essencial que a bacia ficasse próxima do altar, a fim de que os sacerdotes pudessem lavar as mãos e os pés antes de entrarem no Lugar Santo, depois de terem oferecido sacrifícios sobre o altar.

■ 30.19

וְרָחֲצ֛וּ אַהֲרֹ֥ן וּבָנָ֖יו מִמֶּ֑נּוּ אֶת־יְדֵיהֶ֖ם וְאֶת־רַגְלֵיהֶֽם׃

A lavagem de mãos e pés era necessária por razões *físicas* e *espirituais*. Era mister que entrassem fisicamente limpos no Lugar Santo, ao passarem pela segunda cortina. Talvez acabassem de realizar um sacrifício sobre o altar de bronze. Então teriam andado pelo átrio, cujo chão era de terra. Não teriam de tomar um banho de corpo inteiro, mas apenas lavar as mãos e os pés, que mais certamente se teriam sujado de sangue e de poeira. Ademais, não poderiam adentrar o Lugar Santo sem uma lavagem ritual e simbólica das mãos e dos pés. Cf. isso com João 13.10. Os sacerdotes egípcios lavavam-se duas vezes durante o dia, pela manhã, e duas vezes à noite, de acordo com Heródoto (*Euterpe sive.* 1.2 c. 37). Santidade de conduta (pés) e santidade de ações (mãos) era algo simbolizado por essas lavagens rituais.

"O altar falava da salvação por meio da oferta pelo pecado; e a bacia de bronze falava da santificação, que é algo progressivo e contínuo" (John D. Hannah, *in loc.*).

30.20

בְּבֹאָ֞ם אֶל־אֹ֤הֶל מוֹעֵד֙ יִרְחֲצוּ־מַ֔יִם וְלֹ֖א יָמֻ֑תוּ א֣וֹ בְגִשְׁתָּ֤ם אֶל־הַמִּזְבֵּ֙חַ֙ לְשָׁרֵ֔ת לְהַקְטִ֥יר אִשֶּׁ֖ה לַיהוָֽה:

Para que não morram. Essas palavras dão a entender que Yahweh haveria de julgá-los com a pena de morte, se deixassem de obedecer às suas ordens quanto a esse particular. Estavam ocupados em um serviço santo, servindo a Yahweh e aproximando-se dele. Não podiam estar sujos, nem física e nem espiritualmente. A morte também era ameaçada por motivo de outras infrações das regras atinentes ao serviço santo. Ver Êxodo 28.35,43. "Não é exatamente fácil perceber por que a pena de morte foi ameaçada contra a negligência acerca de certas observâncias cerimoniais, mas não acerca de outras. Entretanto, a ablução era algo tão fácil e, provavelmente, estabelecida como uma prática, fazia tanto tempo, que omiti-la só poderia indicar um *desrespeito intencional* para com Deus" (Ellicott, *in loc.*).

Quando se chegarem ao altar. Os sacerdotes deviam lavar-se antes de oferecerem algum sacrifício, e, sem dúvida, depois de terem-no oferecido, para então entrarem no Lugar Santo.

"Isso dá-nos conta da necessidade de termos corações puros e mãos limpas, para que nos aproximemos do altar de Deus, se quisermos participar da adoração pública, e, em particular, para orarmos com mãos limpas, erguidas para o alto (1Tm 2.8; Sl 26.6)" (John Gill, *in loc.*). Este texto deve ser comparado com Tito 3.5, que nos dá uma versão cristianizada dessa necessidade.

30.21

וְרָחֲצ֤וּ יְדֵיהֶם֙ וְרַגְלֵיהֶ֔ם וְלֹ֖א יָמֻ֑תוּ וְהָיְתָ֨ה לָהֶ֧ם חָק־עוֹלָ֛ם ל֥וֹ וּלְזַרְע֖וֹ לְדֹרֹתָֽם׃ פ

Este versículo repete a injunção sobre as lavagens, e, então, adiciona a ordem agora familiar de que esse rito deveria prosseguir perpetuamente, por todas as gerações dos filhos de Israel. Outro tanto tem sido dito a respeito de vários aspectos do culto efetuado no tabernáculo. Em Êxodo 29.42, alisto várias referências e faço várias observações sobre essa questão. Vemos aqui a repetição da ameaça de morte, feita pela primeira vez, no versículo anterior. Ver Hebreus 12.14 quanto a uma aplicação cristã.

O ÓLEO DA SANTA UNÇÃO (30.22-33)

O autor alude aqui, com detalhes, à preparação e ao uso do azeite santo. Bastaria isso para mostrar-nos a importância que a questão tinha para ele. Era mister uma preparação elaborada, e qualquer erro quanto a isso tornava *estranho* o azeite, impróprio para uso no tabernáculo. Esse óleo era usado para ungir a tenda e seus móveis e utensílios (Êx 30.26-29) e também os sacerdotes (vs. 30). Tinha uma fórmula ímpar, e um uso especial que requeria toda a cautela. Nos países do Oriente dava-se grande valor às especiarias. Heródoto (*Hist.* 107-112) mencionou cinco produtos especiais muito valorizados. Dois deles parecem ser idênticos aos que vemos na lista abaixo, neste texto. O *azeite* (ver a esse respeito no *Dicionário*) era misturado com especiarias e fluidos aromáticos, e a mistura era usada em todas as modalidades de ritos simbólicos, e também para unções de cura, tanto em Israel quanto na maioria dos países do Oriente Próximo. Esse óleo era usado na consagração de sacerdotes, reis e profetas. Objetos do tabernáculo também foram ungidos com esse óleo (Êx 29.36). O leproso curado era restaurado à comunhão com a congregação por meio da unção com azeite (Lv 14.14-17). Ver no *Dicionário* o detalhado artigo chamado *Unção*. Esse artigo nos dá os sentidos simbólicos e espirituais da unção, bem como os seus usos literais. O azeite da unção era tipo do Espírito Santo, o qual unge os homens para que prestem serviço espiritual (ver At 1.8), embora haja outros simbolismos envolvidos.

30.22,23

וַיְדַבֵּ֥ר יְהוָ֖ה אֶל־מֹשֶׁ֥ה לֵּאמֹֽר׃

וְאַתָּ֣ה קַח־לְךָ֮ בְּשָׂמִ֣ים רֹאשׁ֒ מָר־דְּרוֹר֙ חֲמֵ֣שׁ מֵא֔וֹת וְקִנְּמָן־בֶּ֥שֶׂם מַחֲצִית֖וֹ חֲמִשִּׁ֣ים וּמָאתָ֑יִם וּקְנֵה־בֹ֖שֶׂם חֲמִשִּׁ֥ים וּמָאתָֽיִם׃

Toma das mais excelentes especiarias. Temos aqui a composição do azeite santo. Em Israel era questão muito séria como esse azeite era preparado e usado. Devia ser resguardado de qualquer profanação, e somente os sacerdotes sabiam como prepará-lo com exatidão. Era usado para propósitos e para pessoas específicos. Um homem comum não podia ser ungido com o óleo santo. As mais finas especiarias eram tão valiosas quanto o ouro. Podiam ser usadas como presentes mais seletos, sendo dados até à realeza (1Rs 10.2,10,15). Todos os elementos mencionados nos vss. 22-24 são comentados no *Dicionário*. Ver os verbetes separados: *Mirra, Cinamomo; Cálamo Aromático; Cássia* e *Azeite*.

Siclos... siclos... siclos. Ver as notas sobre o vs. 13 deste capítulo, onde essa palavra é explicada quanto ao seu valor. Se adicionarmos todas as quantidades aqui dadas (incluindo as do vs. 25), teremos um peso de pouco mais de 50 kg, incluindo cerca de 6 litros de azeite. Está aqui em pauta o antigo siclo (fenício), que pesava cerca de 112 gramas.

30.24

וְקִדָּ֕ה חֲמֵ֥שׁ מֵא֖וֹת בְּשֶׁ֣קֶל הַקֹּ֑דֶשׁ וְשֶׁ֥מֶן זַ֖יִת הִֽין׃

Cássia. Todos os ingredientes do azeite da unção recebem um artigo separado no *Dicionário*. Quanto a todos esses ingredientes o *siclo* era a unidade de peso usada, o que foi anotado em Êxodo 30.13.

Him. Quanto a essa medida, ver as notas sobre Êxodo 29.40.

30.25

וְעָשִׂ֣יתָ אֹת֗וֹ שֶׁ֚מֶן מִשְׁחַת־קֹ֔דֶשׁ רֹ֥קַח מִרְקַ֖חַת מַעֲשֵׂ֣ה רֹקֵ֑חַ שֶׁ֥מֶן מִשְׁחַת־קֹ֖דֶשׁ יִהְיֶֽה׃

O óleo sagrado. Ou seja, a mistura de azeite de oliveira com as várias especiarias acima mencionadas, em suas medidas exatas, conhecidas somente pelos sacerdotes. Era um produto *composto* que incorporava especiarias tão valiosas quanto o ouro. Uma vez preparado, tornava-se um líquido especial de unção. Ver no *Dicionário* o artigo chamado *Unção*. O peso total dos ingredientes pode ser calculado em ligeiramente acima de 50 kg, e o volume do azeite era de cerca de 6 kg. Era misturado por um apotecário especialista. As especiarias não podiam ser misturadas de maneira crua ou inexata. Ver no *Dicionário* o artigo intitulado *Perfumista*. Os intérpretes judeus dizem-nos que as essências eram primeiramente extraídas dos materiais naqueles pesos respectivos, e, então, essas essências eram misturadas com o azeite.

Na introdução ao vs. 22, vemos o azeite como um *tipo*. "Simbolizava o Santo Espírito de Deus e as suas graças, aquele óleo de alegria com que Cristo e o seu povo são ungidos; e essa é a razão que nos ensina todas as coisas. Ver Salmo 45.7; Isaías 61.1,3; Atos 10.38; 1João 2.20,27. Essa unção espiritual é comparada a essas várias especiarias e ao azeite de oliveira por causa de seu perfume e por causa de sua natureza animadora e reavivadora... por seu valor e preciosidade, e acerca da qual há um certo peso e medida, posto que Cristo tenha sido ungido sem medida" (John Gill, *in loc.*).

30.26-29

וּמָשַׁחְתָּ֥ ב֖וֹ אֶת־אֹ֣הֶל מוֹעֵ֑ד וְאֵ֖ת אֲר֥וֹן הָעֵדֻֽת׃

וְאֶת־הַשֻּׁלְחָן֙ וְאֶת־כָּל־כֵּלָ֔יו וְאֶת־הַמְּנֹרָ֖ה וְאֶת־כֵּלֶ֑יהָ וְאֵ֖ת מִזְבַּ֥ח הַקְּטֹֽרֶת׃

וְאֶת־מִזְבַּ֧ח הָעֹלָ֛ה וְאֶת־כָּל־כֵּלָ֖יו וְאֶת־הַכִּיֹּ֥ר וְאֶת־כַּנּֽוֹ׃

וְקִדַּשְׁתָּ֣ אֹתָ֔ם וְהָי֖וּ קֹ֣דֶשׁ קָֽדָשִׁ֑ים כָּל־הַנֹּגֵ֥עַ בָּהֶ֖ם יִקְדָּֽשׁ׃

As coisas que deviam ser ungidas ou santificadas por meio do azeite da unção são alistadas nesses quatro versículos. Tal azeite não podia ser usado para ungir pessoas comuns (vs. 32), mas os sacerdotes podiam usá-lo. Cf. Êxodo 40.9-11 quanto a outras instruções acerca do assunto, embora mais breves em sua natureza. A unção do próprio tabernáculo é mencionada aqui, mas era a presença de Deus que realmente ungia. Ver no *Dicionário* o artigo chamado *Shekinah*. A nuvem que representava a presença de Deus é frisada como aquilo que realmente santificara o santuário (Êx 40.34-38).

Uma Lista Completa. A lista de objetos a serem ungidos, preparada pelo autor sacro, é todo-inclusiva. Todos os vasos e utensílios do tabernáculo deviam ser ungidos com o óleo santo. "O tabernáculo e todo o seu conteúdo foram, primeiramente, consagrados; em seguida, os sacerdotes (vs. 30). No tabernáculo, a consagração teve início pela *arca* no Santo dos Santos. Daí passou-se para o Lugar Santo... e, finalmente, passando-se para fora do segundo véu, chegou-se ao átrio externo, onde foi aspergido o óleo santo sobre o altar de bronze e a bacia de bronze" (Ellicott, *in loc.*). Cf. esta passagem com Levítico 8.10,11. A arca foi o primeiro item a ser mencionado, na construção dos móveis e utensílios do tabernáculo (Êx 25.10-22), e esse foi também o primeiro item a ser ungido. A importância capital do item provavelmente estava sendo destacada mediante ambos os atos.

Todo o que tocar nelas será santo. Os sacerdotes foram ungidos, ficando entendido que eles eram homens espirituais, pois, de outro modo, não teriam recebido a incumbência que receberam. Assim sendo, podemos pensar que eles faziam seu trabalho dotados de espiritualidade. Portanto, devemos entender aqui que, por baixo da unção com azeite santo, havia uma espécie de santificação ou santificação mística e que constituía a verdadeira unção deles. Entretanto, outros eruditos pensam que a questão deve ser entendida apenas metaforicamente. Todavia, sempre fez parte do ensino místico que os objetos podem absorver e emitir poderes espirituais. Isso já foi dito a respeito do altar de bronze (Êx 29.37).

■ **30.30**

וְאֶת־אַהֲרֹן וְאֶת־בָּנָיו תִּמְשָׁח וְקִדַּשְׁתָּ אֹתָם לְכַהֵן לִי׃

Um homem comum (que não fosse sacerdote) não podia profanar o azeite da unção usando-o para efeitos medicinais ou estéticos (vs. 32). Mas os sacerdotes eram ungidos com o mesmo. Já vimos sobre a unção dos sacerdotes, nas notas sobre Êxodo 29.7, onde há notas expositivas sobre esse ponto. No artigo *Unção*, no *Dicionário*, há muitos outros detalhes. Um sacerdote não estava apto para seu serviço enquanto não fosse ungido, e outro tanto se dá com qualquer obreiro no campo espiritual. São necessárias tanto a chamada quanto a preparação. O Espírito Santo deve fazer-se presente, pois do contrário nada de espiritual resultará. O Espírito Santo confere-nos dons, os quais tornam-se eficazes mediante a sua unção. "Geração após geração, os descendentes dos sacerdotes haveriam de herdar o ofício e ser firmados no mesmo mediante a unção sagrada" (J. Edgar Park, *in loc.*). Cf. Levítico 8.10,11. Entre outras coisas, a unção era emblema do ensino divino. Os sacerdotes, entre os seus muitos deveres, estavam incumbidos de ensinar o povo. A unção do Espírito leva-nos a *saber* as coisas do Espírito. Nessa unção existe *iluminação*. Ver 1João 2.20,27. Uma vez iluminados, procuramos iluminar a outras pessoas.

■ **30.31**

וְאֶל־בְּנֵי יִשְׂרָאֵל תְּדַבֵּר לֵאמֹר שֶׁמֶן מִשְׁחַת־קֹדֶשׁ יִהְיֶה זֶה לִי לְדֹרֹתֵיכֶם׃

Nas vossas gerações. O relato acerca do tabernáculo enfatiza repetidamente a necessidade de continuação, de perpetuidade, pois os ritos e os costumes deveriam prolongar-se por todo o tempo, geração após geração. Os hebreus não antecipavam o fim de seu sistema de adoração, supondo-o perfeito e final, por haver sido dado por Yahweh. Quase todas as religiões supõem que com elas terminam as revelações religiosas e que Deus estagnou nelas. Mas o cristianismo levou a fé religiosa a um novo estágio, e sem dúvida, haverá ainda outros estágios e avanços, no estado eterno, conforme o Espírito levar adiante o plano divino. Os homens pouco sabem sobre isso, mas a última coisa que Deus poderia fazer seria estagnar. Provi em Êxodo 29.42 uma lista de referências que enfatizam a esperada perpetuidade do tabernáculo e seu cerimonial.

Parte das responsabilidades dos sacerdotes levíticos era preservar a fórmula do óleo da unção, não permitindo que o mesmo fosse alterado ou corrompido. E esse óleo santo também não podia ser usado para fins profanos.

■ **30.32**

עַל־בְּשַׂר אָדָם לֹא יִיסָךְ וּבְמַתְכֻּנְתּוֹ לֹא תַעֲשׂוּ כָּמֹהוּ קֹדֶשׁ הוּא קֹדֶשׁ יִהְיֶה לָכֶם׃

O óleo sagrado nem podia ser manufaturado e nem podia ser usado por homens comuns. O trecho de Êxodo 31.11 mostra-nos que aos sacerdotes cabia a preparação do óleo da unção. Entre eles havia apotecários habilitados. Ver no *Dicionário* o verbete chamado *Perfumista*. Um sacerdote não podia dar um pouco desse óleo santo à sua esposa, e nem a algum vizinho ou amigo. Também não podia ensinar a fórmula de sua fabricação a quem não fosse sacerdote. Se tal coisa fosse feita, o óleo santo automaticamente se tornaria profano.

As festividades e os entretenimentos incluíam comumente alguma forma de unção (ver Sl 23.5; Lc 7.46). O óleo preparado pelos sacerdotes não podia ser usado nessas ocasiões. Mas outros óleos perfumados podiam ser usados para esse mister. Nenhum outro óleo podia ter os mesmos ingredientes que o óleo santo, mesmo que fosse em proporções diferentes. Nenhum óleo *similar* ao óleo santo podia ser preparado, a fim de que permanecesse sem igual, não podendo ser confundido com qualquer outra composição do perfumista.

Um Ensino Espiritual. Pode haver muitas *imitações* da unção do Espírito. Há fogo estranho e óleo estranho. Jesus ensinou essa mesma verdade usando termos diferentes, em Mateus 7.21 ss. Cf. 1João 4.1.

■ **30.33**

אִישׁ אֲשֶׁר יִרְקַח כָּמֹהוּ וַאֲשֶׁר יִתֵּן מִמֶּנּוּ עַל־זָר וְנִכְרַת מֵעַמָּיו׃ ס

Será eliminado do seu povo. A profanação do azeite da unção era tida como um crime, e tão grave que o indivíduo que ousasse fazer isso seria *eliminado*. Alguns eruditos veem nisso a ideia de exclusão, mas o mais provável é que está em pauta a execução (talvez por apedrejamento). Ver no *Dicionário* o artigo chamado *Apedrejamento*. Em diversas oportunidades foi imposta a pena de morte contra os sacerdotes que não cumprissem corretamente as suas ordens no tocante aos ritos do tabernáculo. Ver Êxodo 28.35,43; 30.20,21. Se um sacerdote podia morrer por motivo de profanação, quanto mais um homem do povo.

Ou dele puser sobre um estranho, ou seja, quem não fosse sacerdote. Não está primariamente em foco um gentio, ainda que, obviamente, neste último caso o ato também seria considerado um crime. Salomão foi ungido com o azeite santo, mas a ameaça de morte não foi executada, e isso por razões desconhecidas (1Rs 1.39).

O INCENSO SAGRADO (30.34-38)

A partir deste ponto deixamos para trás o santo óleo da unção e passamos para a fórmula do incenso sagrado. Este trecho adiciona algumas informações sobre o altar do incenso, descrito em Êxodo 30.1-10. Tal como no caso do óleo santo, o incenso era um elemento importante que requeria instruções específicas quanto a seu preparo e um uso restrito. "Ainda que originalmente a fumaça do incenso possa ter simbolizado a assimilação dos dons da deidade, uma vez queimado sobre o altar, não demorou muito para tornar-se emblema das orações dos fiéis (Sl 141.2; Ap 5.8; 8.3,4)" (J. Edgar Park, *in loc.*). Ver a introdução a Êxodo 30.1 e as notas sobre aquele versículo quanto a informações sobre esse altar e seus simbolismos.

■ **30.34**

וַיֹּאמֶר יְהוָה אֶל־מֹשֶׁה קַח־לְךָ סַמִּים נָטָף וּשְׁחֵלֶת וְחֶלְבְּנָה סַמִּים וּלְבֹנָה זַכָּה בַּד בְּבַד יִהְיֶה׃

A *composição* do incenso sagrado incluía os itens mencionados neste versículo, a saber, *quatro*. No *Dicionário*, no tocante a cada um desses ingredientes, há um artigo detalhado. Esses ingredientes são: estoraque, onicha, gálbano e incenso puro.

"A fórmula do incenso, tanto quanto a fórmula do óleo santo (vss. 22,23), era um segredo guardado pelos sacerdotes. O *estoraque* era um óleo tipo mirra. A *onicha* era uma especiaria extraída de um molusco encontrado no mar Vermelho. O *gálbano* era uma resina aromática extraída de plantas asiáticas. E o *incenso puro* era uma goma resinosa extraída de certas árvores" (*Oxford Annotated Bible, in loc.*).

Arômatas. Temos aqui a tradução de uma raiz hebraica que significa "cheirar". Eram usados esses quatro ingredientes em proporções iguais, mas nenhuma quantidade é especificada, como se dá no caso do óleo santo.

Quase todo incenso usado no mundo antigo era uma única substância aromática simples. O incenso usado por Israel destacava-se devido à sua composição sem igual. Josefo (*Guerras,* v. 5 par. 5) diz-nos que o incenso usado no templo de Jerusalém compunha-se de treze ingredientes. E se ele estava com a razão, então a fórmula do incenso sagrado foi modificada com a passagem do tempo.

■ **30.35**

וְעָשִׂיתָ אֹתָהּ קְטֹרֶת רֹקַח מַעֲשֵׂה רוֹקֵחַ מְמֻלָּח טָהוֹר קֹדֶשׁ׃

A composição do incenso sagrado era entregue a um especialista, provavelmente um sacerdote preparado como perfumista. Ver no *Dicionário* o artigo *Perfumista.*

Temperado com sal. Era adicionado o cloreto de sódio ao incenso sagrado, como também aos sacrifícios (Lv 2.13). Ver no *Dicionário* o verbete intitulado *Sal.* Alguns eruditos pensam que esse elemento fazia o incenso soltar uma fumaça branca, que talvez fosse simbólica. Mas outros estudiosos veem um simbolismo no próprio sal. O sal é um condimento e um preservativo. Os crentes devem ser o sal da terra (Mt 5.13). Os árabes encaravam o sal, o condimento usado em tantos alimentos, como um símbolo de companheirismo. O sal é um elemento de valor, pelo que a palavra *salário* vem de "sal", visto que o soldo dos soldados era em parte pago sob a forma de sal. Para alguns intérpretes, o sal aponta para *graças* ou *virtudes.* Muitos sentidos simbólicos do sal têm sido sugeridos, mas não podemos ter certeza sobre o que estaria na mente do autor sagrado, se é que havia no sal, assim aplicado, algum simbolismo consciente para ele. Também não sabemos qual virtude ou função o sal poderia acrescentar à fórmula do incenso sagrado.

■ **30.36**

וְשָׁחַקְתָּ מִמֶּנָּה הָדֵק וְנָתַתָּה מִמֶּנָּה לִפְנֵי הָעֵדֻת בְּאֹהֶל מוֹעֵד אֲשֶׁר אִוָּעֵד לְךָ שָׁמָּה קֹדֶשׁ קָדָשִׁים תִּהְיֶה לָכֶם׃

Uma parte dele reduzirás a pó. É evidente que o material era guardado em forma seca, em pedaços relativamente grandes. Conforme se fizesse necessário, eram destacados pedaços, que eram então pulverizados e utilizados. Alguns pedaços deviam ser postos continuamente diante da arca da aliança, ou sobre o *altar de ouro* (onde se oferecia o incenso), ou talvez à base do mesmo. Sem dúvida, isso representava a necessidade de contínua oração e intercessão. Pedaços do mesmo eram pulverizados e queimados sobre o altar do incenso ou no incensário. As palavras "diante do Testemunho" não apontam para *dentro* do Santo dos Santos, sobre a arca. Antes, devemos pensar *diante* da terceira cortina, mas ainda assim no Lugar Santo. Ver a expressão *Testemunho,* em Êxodo 16.34. A referência é às duas tábuas da lei, postas dentro da arca da aliança, a qual, acima de todas as demais coisas, prestava testemunho da vontade de Yahweh quanto ao povo de Israel.

■ **30.37**

וְהַקְּטֹרֶת אֲשֶׁר תַּעֲשֶׂה בְּמַתְכֻּנְתָּהּ לֹא תַעֲשׂוּ לָכֶם קֹדֶשׁ תִּהְיֶה לְךָ לַיהוָה׃

O incenso não podia ser preparado para uso privado. Destinava-se absoluta e exclusivamente para uso no tabernáculo, porque era santo para Yahweh. Aquele incenso não podia ser usado para finalidades profanas. Não podia ser emprestado, vendido ou distribuído em qualquer sentido. Outro tanto deve ser dito acerca do azeite da unção (Êx 30.32).

■ **30.38**

אִישׁ אֲשֶׁר־יַעֲשֶׂה כָמוֹהָ לְהָרִיחַ בָּהּ וְנִכְרַת מֵעַמָּיו׃ ס

Uma maldição pesava sobre o homem que abusasse do incenso sagrado, utilizando-o para qualquer finalidade privada ou profana. A mesma coisa é dita acerca do óleo da unção (vs. 33), onde comento sobre a questão. A palavra "eliminado" muito provavelmente refere-se à pena de morte, à execução provável por meio de apedrejamento. Ou talvez a ideia aqui seja que o próprio Yahweh, mediante alguma enfermidade ou acidente, faria o ofensor morrer. Ver no *Dicionário* o artigo intitulado *Apedrejamento.*

"O que é aqui condenado é fazer da adoração um *mero prazer* para o homem natural, sem importar se trata-se de um prazer sensual, como uma bela música, agradável de ouvir, ou a eloquência, que meramente deleita a mente natural. Cf. João 4.23,24" (*Scofield Reference Bible, in loc.*). Trata-se de uma importante observação. Quanto esse conceito é necessário hoje em dia na Igreja, onde uma música tipo "rock and roll" é constantemente usada para atrair multidões, e um entretenimento mundano tomou o lugar da adoração solene. A Igreja tornou-se um navio de espetáculos, e não um barco salva-vidas.

CAPÍTULO TRINTA E UM

NOMEAÇÃO DE BEZALEL E AOLIABE (31.1-11)

A obra do Senhor requer especialistas em várias áreas, visto que o ministério é muito diversificado, tal como um corpo humano compõe-se de muitos membros, cada qual com a sua função específica. Ver na *Enciclopédia de Bíblia, Teologia e Filosofia* o artigo intitulado *Corpo de Cristo.* Cada membro tem sua própria função e está dotado para essa função. Aristóteles pensava que a *virtude* é uma função especializada, e a missão de um ser humano neste mundo cumprir-se-ia através da realização da virtude, em seu cultivo e uso.

Bezalel (vs. 1) e *Aoliabe* (vs. 6) foram homens especiais, dotados de habilidades necessárias para assumirem a liderança na construção do tabernáculo e seus móveis e utensílios. Eles foram os homens de Deus para aquele momento, capazes de cumprir aquela tarefa. Cada indivíduo tem seu próprio papel e seu momento próprio, de acordo com os ditames da vontade divina. Ver na *Enciclopédia de Bíblia, Teologia e Filosofia* o artigo *Dons Espirituais.*

■ **31.1,2**

וַיְדַבֵּר יְהוָה אֶל־מֹשֶׁה לֵּאמֹר׃

רְאֵה קָרָאתִי בְשֵׁם בְּצַלְאֵל בֶּן־אוּרִי בֶן־חוּר לְמַטֵּה יְהוּדָה׃

Por mandato divino, certos *homens* foram nomeados para a tarefa de erigir o tabernáculo, com seus móveis e utensílios, tal como a mesma orientação divina proveu a ideia de sua construção, com todos os seus intrincados detalhes.

Bezalel. Um famoso artífice, filho de Uri (Êx 31.2; 35.30; 36.1,2; 37.1; 38.22), ao qual Yahweh encarregou da construção da arca (e de outros objetos do tabernáculo) no deserto. A seu cargo estava todo o trabalho em metais, madeira e pedras, e ele atuou como supervisor geral da construção (Êx 31.1-5). Pertencia à tribo de Judá, descendente de Perez, através de Hezrom e Uri (1Cr 2.5; 18.20). Além de sua habilidade como artífice, o Senhor também lhe deu o impulso de ensinar a sua arte a outros (Êx 35.34). Viveu em cerca de 1490 a.C. 1Crônicas 2.18-20 traça sua ascendência a Calebe. O clã de Calebe, originalmente uma unidade distinta (Jz 1.11-15,20; 1Sm 30.14) foi finalmente absorvido pela tribo de Judá.

■ **31.3,4**

וָאֲמַלֵּא אֹתוֹ רוּחַ אֱלֹהִים בְּחָכְמָה וּבִתְבוּנָה וּבְדַעַת וּבְכָל־מְלָאכָה׃

לַחְשֹׁב מַחֲשָׁבֹת לַעֲשׂוֹת בַּזָּהָב וּבַכֶּסֶף וּבַנְּחֹשֶׁת׃

E o enchi do Espírito de Deus. Bezalel era mais que um mero artífice. Um homem pode ser muito capaz em sua arte, sem ser um homem espiritual. Mas o artífice que Deus escolheu para dirigir a ereção do tabernáculo era homem espiritual, cheio de sabedoria, intelectual e espiritualmente qualificado. Sua tarefa não era comum. Era um empreendimento espiritual. Seu conhecimento foi posto a serviço da espiritualidade, onde temos a situação ideal. Os dois grandes esteios da espiritualidade são o amor e o conhecimento, nessa ordem.

Bezalel possuía inúmeras habilidades. Mas a sua espiritualidade também era multifacetada. O conhecimento é uma dádiva divina (vs. 6); o trabalho é nobre quando efetuado em defesa de uma causa boa. Cf. Eclesiastes 38.24,34.

> O magnificente templo de Deus, onde ele brilha em toda a sua glória, é o intelecto.
> O seu dom, para aqueles que ali adoram é a capacidade.
>
> J. Coert Rylaarsdam, *in loc.*

> Conhecer é poder.
>
> Francis Bacon

> A ignorância é uma maldição de Deus; o conhecimento são as asas com que voamos até o céu.
>
> Shakespeare

> Na civilização não há lugar para o ocioso. Nenhum de nós tem direito ao lazer.
>
> Henry Ford

Em todo artifício. Temos aí a ideia de versatilidade. Bezalel trabalhava bem em um bom número de coisas. Mostrar interesse por muitos campos de atividade é um sinal de inteligência. "A habilidade artística é um dom divino, um dom preciosíssimo, melhor empregado quando posto ao serviço direto de Deus, sempre utilizado em subordinação à sua vontade, como um empreendimento que se aprimora, que se eleva, que se refina, e jamais como uma força corruptora" (Ellicott, *in loc.*). Todos os dons vêm de Deus (Tg 1.17), e deveriam ser usados como um encargo sagrado. Bezalel dispunha da rara combinação da versatilidade e da destreza, o que apenas fomentava os seus poderes criativos; e esses poderes foram dedicados ao serviço divino.

Em Homero (*Odisseia* 1.vi vers. 232) encontramos uma ideia semelhante:

> Como que por algum artista, a quem Vulcano deu
> Sua habilidade divina, palpita uma estátua viva;
> Ensinado por Palas, moldou o admirável molde,
> E sobre a prata derramou o ouro fundido.

Ver Provérbios 8.12.

■ **31.5**

וּבַחֲרֹשֶׁת אֶבֶן לְמַלֹּאת וּבַחֲרֹשֶׁת עֵץ לַעֲשׂוֹת בְּכָל־מְלָאכָה׃

Outras Habilidades de Bezalel. Além de sua habilidade de trabalhar com vários metais, esse homem também sabia lapidar pedras preciosas e entalhar madeira. Na sociedade hebreia, era responsabilidade de um pai dar a seus filhos uma profissão, instruindo-o quanto a alguma habilidade que ele pudesse empregar na sociedade, e assim *ganhar a vida.* Toda pessoa precisa ter algo para vender. Bezalel era superdotado quanto a isso, enquanto outros estavam afundados em sua miséria.

As *pedras* aqui aludidas foram aquelas que seriam usadas no peitoral do sumo sacerdote, e não o mármore para a construção do templo, embora Bezalel talvez também tivesse tal aptidão. Madeira de acácia foi usada na construção do tabernáculo, da arca, da mesa dos pães da proposição, das colunas etc. Bezalel talvez tenha ficado sobrecarregado de trabalho; mas é melhor viver sobrecarregado de trabalho do que entregar-se à preguiça e passar fome.

Miguelângelo foi arquiteto, pintor e escultor. Teodoro de Samos (cerca de 600 a.C.) foi arquiteto, artífice em metais e gravador de pedras. Assim sendo, existem homens dotados de muitas habilidades, um sinal de inteligência, mas também de diligência no aprendizado e na aplicação dos conhecimentos. Uma inteligência especial é um dom de Deus. Mas mesmo um homem dotado de inteligência mediana pode fazer maravilhas, se tiver a coragem de aprender e trabalhar. E também existe aquela disposição e aquele poder da *vontade,* sem o que mesmo o homem mais inteligente pouco produz. Metade da realização de qualquer projeto consiste no *entusiasmo.* A experiência mostra que o poder da vontade faz parte da nossa herança genética, mas mesmo um homem com pouca força de vontade pode fortalecer-se quanto a esse ponto, mediante a aplicação pessoal. Não existe nenhuma verdade naquele provérbio capenga, que diz: "Meu pai trabalhou muito, e eu já nasci cansado".

■ **31.6**

וַאֲנִי הִנֵּה נָתַתִּי אִתּוֹ אֵת אָהֳלִיאָב בֶּן־אֲחִיסָמָךְ לְמַטֵּה־דָן וּבְלֵב כָּל־חֲכַם־לֵב נָתַתִּי חָכְמָה וְעָשׂוּ אֵת כָּל־אֲשֶׁר צִוִּיתִךָ׃

Aoliabe. No hebraico, esse nome significa *tenda de seu pai.* Ele foi um habilidoso artífice da tribo de Dã, nomeado juntamente com Bezalel para construir o tabernáculo (Êx 35.34). Era filho de Aisamaque. Esse homem era o *companheiro de tarefas* de Bezalel. Temos aí uma verdade espiritual que facilmente pode ser observada. Certos *pares* operam juntos muito bem, e juntos podem fazer um bom trabalho, onde um sozinho pouco ou nada faria. Considero meu tradutor, João Marques Bentes, como meu companheiro de tarefas. Além de seu trabalho como tradutor, e além de suas contribuições para a *Enciclopédia de Bíblia, Teologia e Filosofia,* ele tem tornado possível o meu trabalho através dos anos, sempre pronto e entusiasmado para encetar outra tarefa árdua e demorada. Os companheiros de tarefas sempre têm *outros trabalhos* a serem feitos, em campos nos quais os dois pouco ou nada têm em comum. Mas há aquela tarefa *em comum* em que um completa o outro, tornando-os *companheiros de tarefas.* Jesus enviou os seus setenta discípulos de *dois em dois* (Lc 10).

Aoliabe, a exemplo de Bezalel, não era apenas um artífice. Também era homem dotado de sabedoria espiritual incomum. O serviço divino não poderia ter sido concretizado por qualquer artífice ordinário. Ele também precisava ter qualificações espirituais. Um homem profano pode ser um bom artífice, mas um homem profano jamais seria convocado para trabalhar na casa do Senhor, o tabernáculo.

ENUMERAÇÃO DOS ITENS (31.7-11)

Esta breve seção enumera aqueles itens cuja confecção requeria habilidades raras como as de Bezalel e Aoliabe. Havia uma gigantesca tarefa posta diante deles, e cada item haveria de exigir ao máximo o conhecimento e as habilidades deles, a ponto da perfeição.

Todos os itens aqui referidos já tinham sido mencionados, e já havia instruções acerca de sua confecção. Mas agora aprendemos que esses dois supervisores tornaram a tarefa uma realidade palpável. O vs. 10 menciona *vestes finamente tecidas,* algo que não havia ainda sido mencionado. Entendemos que essas vestes faziam parte dos paramentos sagrados do sumo sacerdote e dos sacerdotes. Se os dois supervisores por acaso não fossem bem preparados na arte do tecelão, sem dúvida, poderiam encontrar mulheres que os ajudassem nesse setor.

■ **31.7**

אֵת אֹהֶל מוֹעֵד וְאֶת־הָאָרֹן וְאֶת־הַכַּפֹּרֶת אֲשֶׁר עָלָיו וְאֵת כָּל־כְּלֵי הָאֹהֶל׃

A tenda... e todos os pertences da tenda. Esta abrangente declaração começa a aludir à arca, o primeiro item que deveria ser confeccionado (Êx 25.10-22). Também foi o primeiro item a ser ungido para o serviço (Êx 30.26). E somente depois vieram outras peças, como a mesa dos pães da proposição etc., alistadas nos vss. 8 ss. Ver no *Dicionário* o artigo chamado *Arca da Aliança.*

O propiciatório. Ou seja, a tampa da arca, que recebia o sangue do sacrifício. Ver no *Dicionário* o artigo *Propiciatório.*

A arca da aliança requeria trabalho habilidoso em madeira. O propiciatório, trabalho habilidoso em ouro.

■ **31.8**

וְאֶת־הַשֻּׁלְחָן וְאֶת־כֵּלָיו וְאֶת־הַמְּנֹרָה הַטְּהֹרָה וְאֶת־כָּל־כֵּלֶיהָ וְאֵת מִזְבַּח הַקְּטֹרֶת׃

Os três móveis aqui alistados exigiam habilidades diversas: A *mesa* (Êx 25.23-30), em madeira e ouro; o *candelabro* (Êx 25.31-40), em ouro; e o *altar do incenso* (Êx 30.1-10), em madeira e ouro. E também devemos pensar em muitos itens, acessórios dos diversos móveis, como as tenazes, os apagadores etc., que eram objetos de metal.

■ 31.9

וְאֶת־מִזְבַּח הָעֹלָה וְאֶת־כָּל־כֵּלָיו וְאֶת־הַכִּיֹּר
וְאֶת־כַּנּוֹ׃

O altar do holocausto. Também era chamado de altar das ofertas queimadas (Êx 27.1-7), e exigia habilidade no manejo com madeira e bronze. E também havia acessórios, itens de metal como panelas, pás, bacias, ganchos, braseiros etc. (Êx 27.3). A *bacia de bronze* (Êx 30.17-21), conforme diz seu nome, era feita de bronze.

■ 31.10

וְאֵת בִּגְדֵי הַשְּׂרָד וְאֶת־בִּגְדֵי הַקֹּדֶשׁ לְאַהֲרֹן הַכֹּהֵן
וְאֶת־בִּגְדֵי בָנָיו לְכַהֵן׃

As *vestes sacerdotais*, que já pudemos descrever longamente, em Êxodo 28.4,40-42. Mas os intérpretes não sabem o que significam as palavras "vestes finamente tecidas". As opiniões são variadas: 1. As roupas de baixo dos sacerdotes. 2. Panos para embrulhar os instrumentos (Êx 39). 3. A Septuaginta diz aqui "vestes litúrgicas". 4. Vestes solenes. 5. Mas alguns bons intérpretes pensam que as declarações "vestes finamente tecidas" e "vestes sagradas" são referências paralelas a esses mesmos itens, ou seja, as vestes sacerdotais que já foram descritas nos capítulos anteriores. 6. Mas é possível que a primeira dessas expressões indique o vestuário especial de Arão; e que a segunda delas aponte para as vestes dos sacerdotes, o que significa que se fazia uma certa distinção entre as duas classes de vestes: vestes do sumo sacerdote e vestes dos sacerdotes comuns. É possível que o trecho de Êxodo 39.41 favoreça esta última interpretação.

■ 31.11

וְאֵת שֶׁמֶן הַמִּשְׁחָה וְאֶת־קְטֹרֶת הַסַּמִּים לַקֹּדֶשׁ כְּכֹל
אֲשֶׁר־צִוִּיתִךָ יַעֲשׂוּ׃ פ

Havia ainda a questão da composição cuidadosa do óleo da unção, que vimos em Êxodo 30.22-33. Os dois artífices supervisores parece que também ficaram encarregados disso, talvez não fazendo o trabalho propriamente dito, mas cuidando para que o *perfumista* (ver a respeito no *Dicionário*) fizesse bem o seu trabalho, seguindo as ordens específicas que tinham sido baixadas a respeito.

O SÁBADO (31.12-17)

Encontramos aqui a repetição das leis acerca do sábado ou descanso. Alguns críticos pensam que isso se deve ao trabalho editorial da fonte P.(S.). Ver no *Dicionário* o artigo intitulado *J.E.D.P.(S.)*, quanto à teoria das fontes múltiplas do Pentateuco. Notas expositivas sobre outros trechos bíblicos também devem ser examinadas: Gênesis 2.2,3 e Êxodo 20.8,9. No *Dicionário* há um artigo detalhado chamado *Sábado*, o qual deve ser consultado. No capítulo 17 do Gênesis, o *sinal* do Pacto Abraâmico era a circuncisão. Mas o grande sinal do Pacto Mosaico (ver as notas a respeito em Êx 19.1) era a guarda do sábado. O artigo sobre o sábado inclui a controvérsia em torno da questão se o cristão está na obrigação de observar esse dia. Ver também, na *Enciclopédia de Bíblia, Teologia e Filosofia* os artigos chamados *Sábado Cristão* e *Sabatismo e Observância de Dias Especiais*.

Tipo. O sábado simbolizava o descanso que temos em Cristo, ou seja, a salvação eterna. Ver Hebreus 4.1,3-5,8-11. No *Dicionário* ver o verbete *Salvação*.

■ 31.12,13

וַיֹּאמֶר יְהוָה אֶל־מֹשֶׁה לֵּאמֹר׃

וְאַתָּה דַּבֵּר אֶל־בְּנֵי יִשְׂרָאֵל לֵאמֹר אַךְ אֶת־שַׁבְּתֹתַי
תִּשְׁמֹרוּ כִּי אוֹת הִוא בֵּינִי וּבֵינֵיכֶם לְדֹרֹתֵיכֶם לָדַעַת
כִּי אֲנִי יְהוָה מְקַדִּשְׁכֶם׃

Todos os sábados ou descansos faziam parte da *legislação sabática*, com propósitos comuns. Esses sábados, como uma unidade, tornaram-se o *sinal* do pacto mosaico (ver as notas sobre Êx 19.1). "O sábado, antecipado pela tradição sacerdotal (Êx 16.22-30), é aqui formalmente instituído no Sinai" (*Oxford Annotated Bible, in loc.*). Mas já vimos isso confirmado de maneira formal em Êxodo 20.8,9.

"O sábado era um *sinal* (vss. 13,17) do pacto que fez de Israel uma teocracia. Era um teste da consagração da nação a Deus; se não fosse mantido santo, a consequência seria a morte... Esse mandamento, declarado no decálogo (Êx 20.8), estava baseado no fato de que Deus descansou, terminada a sua obra de criação, em seis dias (Êx 31.17)... O sábado assinalava Israel como o povo de Deus. A observância do sábado mostrava que os israelitas foram separados (isto é, santificados) para Deus" (John D. Hannah, *in loc.*).

Nas vossas gerações. Os hebreus não antecipavam o fim de seus ritos, leis e cerimônias. Por isso, no tocante ao tabernáculo, por todo o tempo achamos a insistência de que tudo fosse observado de maneira *perpétua*. Em Êxodo 29.42, comentei sobre essa questão, onde também dou uma lista de referências.

O sinal da circuncisão era menos distintivo, pois muitas nações praticavam-na. Mas o sábado foi uma criação distintivamente judaica, pelo que servia muito bem de *sinal*.

■ 31.14

וּשְׁמַרְתֶּם אֶת־הַשַּׁבָּת כִּי קֹדֶשׁ הִוא לָכֶם מְחַלְלֶיהָ
מוֹת יוּמָת כִּי כָּל־הָעֹשֶׂה בָהּ מְלָאכָה וְנִכְרְתָה הַנֶּפֶשׁ
הַהִוא מִקֶּרֶב עַמֶּיהָ׃

Morrerá... será eliminado. Temos aqui duas expressões sinônimas. Provavelmente está em foco a execução por apedrejamento. Ver no *Dicionário* o artigo chamado *Apedrejamento*. Quem quer que ousasse não seguir o exemplo divino do descanso ao sétimo dia (Gn 2.2,3) não poderia sobreviver em Israel. Lembremo-nos que o sábado se tornou o *sinal* do pacto mosaico, pois violar esse sinal era anular o pacto (ver as notas a respeito em Êx 19.1). Essa era uma questão da maior gravidade. Os *Dez Mandamentos* (ver a respeito no *Dicionário*) faziam parte do pacto, mas o mandamento acerca do sábado (o quarto mandamento, comentado longamente em Êx 20.8-11), era o sinal do todo. O sábado não era apenas um dia de descanso, uma prática sábia que visava à restauração das energias físicas, após seis dias de trabalho. Era também uma lei sagrada que honra a Yahweh.

O sábado era o *sinal* (vs. 13) do pacto mosaico. Em Cristo, porém, o pacto mosaico foi substituído pelo novo pacto. Ver no *Dicionário* o artigo intitulado *Pactos*. Quanto à controvérsia acerca do sábado, ver os artigos referidos nas notas sobre Êxodo 3.12, em suas notas introdutórias.

"Chegada a ocasião própria, não se hesitou em cumprir a lei (da execução) (Nm 15.32-35)" (Ellicott, *in loc.*).

■ 31.15

שֵׁשֶׁת יָמִים יֵעָשֶׂה מְלָאכָה וּבַיּוֹם הַשְּׁבִיעִי שַׁבַּת
שַׁבָּתוֹן קֹדֶשׁ לַיהוָה כָּל־הָעֹשֶׂה מְלָאכָה בְּיוֹם הַשַּׁבָּת
מוֹת יוּמָת׃

Este versículo repete, quase exatamente, o fraseado de Êxodo 20.9,10, sobre o *quarto mandamento*. Por isso, as notas ali aplicam-se aqui. O homem tem a obrigação de trabalhar durante seis dias por semana. Ninguém tem o direito de viver no ócio. Mas o sétimo dia pertence a Yahweh, e deve ser um dia de descanso, de reflexão espiritual e de serviço. Aquele que ousasse desobedecer a esse mandamento era executado, uma informação dada aqui de novo, para efeito de ênfase, mas que já foi comentada no versículo anterior deste capítulo. O Targum de Jonathan adiciona aqui: "mediante apedrejamento". Essa era a forma mais comum de execução entre os hebreus.

■ 31.16

וְשָׁמְרוּ בְנֵי־יִשְׂרָאֵל אֶת־הַשַּׁבָּת לַעֲשׂוֹת אֶת־הַשַּׁבָּת
לְדֹרֹתָם בְּרִית עוֹלָם׃

Por aliança perpétua. Os hebreus não antecipavam o fim de suas leis, dos ritos do tabernáculo e de sua forma de cultuar a Deus, e, sem dúvida, não antecipavam o fim da lei do sábado, o sinal mesmo do pacto mosaico (vs. 13). Assim, de vez em quando, encontramos uma observação como a deste versículo, requerendo perpetuidade, ou seja, observância do pacto mosaico por *todas as gerações* do povo de Israel. Dei notas expositivas a respeito, com uma lista de referências, em Êxodo 29.42. Uma das coisas que isso ilustra é que Deus não é um Ser estagnado. Os homens podem pensar que as suas fés religiosas representam o passo final de Deus, a sua revelação final. Mas os limites impostos pelos homens serão sempre os limites de suas próprias mentes, e não limites genuínos. Coisa alguma é mais comum na atitude religiosa do que a posição que diz: "Chegamos. Deus nos deu tudo. Esta é a perfeita fé de Deus, que não está sujeita a mudanças!" Porém, consideremos o quanto o mundo espiritual já evoluiu desde que se falava em *perpetuidade* em Israel. Coisa alguma é mais certa do que uma contínua evolução espiritual. Deus nos tem revelado muitas coisas; mas muitas outras grandes revelações divinas ainda nos serão conferidas, e muitos outros ciclos da história religiosa. A última coisa que Deus faz é estagnar.

Quando veio o Messias, Jesus Cristo, todas as sombras, ritos e cerimônias dos judeus, que alegadamente eram finais, fugiram e desapareceram, tal como a luz espanta as trevas. Pois a *Luz de Cristo* era tão grande que a luz de Moisés, comparativamente falando, reduziu-se a trevas.

■ **31.17**

בֵּינִי וּבֵין בְּנֵי יִשְׂרָאֵל אוֹת הִוא לְעֹלָם כִּי־שֵׁשֶׁת יָמִים עָשָׂה יְהוָה אֶת־הַשָּׁמַיִם וְאֶת־הָאָרֶץ וּבַיּוֹם הַשְּׁבִיעִי שָׁבַת וַיִּנָּפַשׁ׃ ס

É sinal para sempre. Conforme foi dito e anotado no vs. 13. Aqui a alusão é a como Yahweh deu um sinal, por ocasião da criação. Elohim trabalhou durante seis dias, e, então, descansou ao sétimo. A lei do sábado remonta àquela ocasião, como um precedente bíblico (ver Gn 2.2,3), e agora tornava-se o sinal do pacto mosaico. Foi assim que o sinal original tornou-se um novo sinal. A teocracia foi estabelecida com base nesse sinal. Ele separou para si mesmo um povo santo.

Uma relação especial entre Deus e o seu povo era inerente e potencial desde a criação. E agora essa potencialidade era *aplicada* ao pacto mosaico. A lei da criação serviu de raiz do que agora acontecia. Havia a raiz e o tronco da árvore, e ambas as coisas demandavam a lei do sábado. Nisso era previsto o bendito descanso final, a bem-aventurança do céu. Ver Hebreus 4.1,3-5,8-11. O verdadeiro descanso espiritual, em Cristo, é espiritual em sua realização, que se dá na salvação da alma. Ver no *Dicionário* o artigo intitulado *Salvação*.

CONCLUSÃO — AS TÁBUAS DE PEDRA

■ **31.18**

וַיִּתֵּן אֶל־מֹשֶׁה כְּכַלֹּתוֹ לְדַבֵּר אִתּוֹ בְּהַר סִינַי שְׁנֵי לֻחֹת הָעֵדֻת לֻחֹת אֶבֶן כְּתֻבִים בְּאֶצְבַּע אֱלֹהִים׃

Chegamos agora ao último ponto das instruções relativas ao tabernáculo e seu culto. Esta seção começa com o pacto mosaico (19.1), sob cujas circunstâncias Deus deu a lei. No desdobramento da lei, e com vistas à sua observância apropriada, foram adicionados o tabernáculo e sua forma de culto. Assim sendo, tendo completado um ciclo, voltamos à lei. Somos agora informados que os *Dez Mandamentos* (ver no *Dicionário*) foram inscritos em tábuas de pedra, pelo dedo (ou agência) do próprio Yahweh. Era esse o *testemunho* que foi posto no interior da arca da aliança. Ver Êxodo 16.34; 25.16,21,22; 26.33,34; 27.21; 30.6,26,36; 31.7,18; 32.15; 34.19; 40.3,5,20,21. Esse era o testemunho de Deus para o homem, a declaração de sua santa vontade; as suas expectativas acerca do homem. A lei era uma revelação divina. Testificava de sua santidade e da santidade que ele esperava dos homens. Essa lei tornou-se a base mesma da fé de Israel, sendo o fator mais proeminente da antiga dispensação.

E, tendo acabado de falar. Ou seja, ao fim dos quarenta dias e quarenta noites (Êx 24.18), durante os quais as revelações foram dadas.

Escritas pelo dedo de Deus. Ver Deuteronômio 9.10; Salmo 8.3; Lucas 11.20. Não devemos entender essas palavras em sentido literal, como se Deus tivesse dedos; mas figuradamente, pela *agência* de Deus, algum poder que ele exerceu para realizar a obra. O versículo informa-nos que foi o próprio Yahweh quem deu a lei, e não algum anjo ou teofania.

Muitas fantasias circundam este texto. O Targum de Jonathan diz que essas pedras eram de *safira*, tiradas diretamente do trono de Deus. Alguns intérpretes chegaram mesmo a tentar calcular as dimensões e o peso das tábuas de pedra. Outros pensam que elas eram feitas de mármore; outros, de pedras preciosas. Alguns intérpretes cristãos veem na *dureza* dessas pedras a dureza dos corações humanos, a qual, naturalmente, levaria os homens a desobedecer ao que estava escrito naquelas tábuas. Ainda outros falam na firmeza e na estabilidade da vontade e das revelações de Deus, tudo isso tipificado nas tábuas de pedra. E outros veem o aspecto de eternidade no material durável da pedra. Fosse como fosse, a lei perene de Deus é inscrita nos corações dos regenerados (2Co 3.3), e não sobre pedras. Ver Êxodo 32.16 quanto aos *dois jogos* de tábuas de pedra.

CAPÍTULO TRINTA E DOIS

A IDOLATRIA DO POVO (32.1—33.23)

O BEZERRO DE OURO (32.1-6)

O texto à nossa frente provê um dos mais *violentos contrastes* de toda a Bíblia. Moisés tinha estado no monte por quarenta dias e quarenta noites, tinha recebido a lei, tinha recebido instruções relativas ao tabernáculo e seu culto, e até mesmo tinha recebido as tábuas de pedra que continham os Dez Mandamentos. Foram todos esses grandes momentos; foram todas elas grandiosas revelações. Porém, embora Moisés se tivesse ausentado somente por quarenta dias e quarenta noites (Êx 24.18), ao retornar do monte, achou o povo totalmente apostatado, e o grande Arão (o líder recentemente escolhido) ajudava-os a promover a mais crassa forma de idolatria possível.

Assim também, o *próprio homem* é um contraste dos mais violentos, ora exibindo a sua espiritualidade, ora exibindo os elementos mais baixos de sua natureza. O homem é um desapontamento que precisa ser guiado pouco a pouco, porque é incapaz de passos largos e permanentes. Por esse motivo, o Espírito lhe é dado, a fim de ajudá-lo. Essa é também a razão pela qual o *Logos* precisou fazer intervenção (Jo 1.14).

O pecado de Israel, bem no meio de grandes revelações, serve de prova de que não seriam capazes de preencher as expectativas de Yahweh. Sem dúvida, no fim eles fracassariam, conforme tinha acontecido no começo. Sem embargo, foi um dos grandes marcos da história espiritual quando Deus inscreveu a lei sobre tábuas de pedra. Mas aquele não foi o capítulo final da história espiritual do homem. Muitos outros capítulos haveriam de seguir-se.

Em harmonia com a graça divina, onde houve fracasso, houve restauração. Sem esta, verdadeiramente o homem nada é. E a restauração faz-se sempre presente porque Deus é perene amor. Os próprios juízos de Deus são remediais, sempre apontando para aquilo que a sua graça pode fazer em favor dos homens.

"Enquanto *Moisés* experimentava um notável triunfo espiritual, o *povo* de Deus precipitava-se de cabeça ao mais inferior nível de espiritualidade. Deus tinha manifestado reiteradamente o seu poder e compaixão, mas o povo mostrava que sempre acabava se esquecendo disso. Por várias vezes, no livro de Êxodo, os israelitas reagiram com insensibilidade e rebeldia contra as notáveis demonstrações da bondade divina" (John D. Hannah, *in loc.*).

A mensagem de Deus tinha sido dada (Êx 31.18). O dedo de Deus havia inscrito os Dez Mandamentos. Agora, o *testemunho* estava ali. O homem precisava aprender, pela dura experiência, que a retidão não vem por meio do esforço humano, e que Deus precisava inscrever nas tábuas do coração as suas leis, na *vida* e na mensagem de Jesus, o Messias. E essa *vida* tornou-se o novo testemunho.

■ 32.1

וַיַּרְא הָעָם כִּי־בֹשֵׁשׁ מֹשֶׁה לָרֶדֶת מִן־הָהָר וַיִּקָּהֵל
הָעָם עַל־אַהֲרֹן וַיֹּאמְרוּ אֵלָיו קוּם עֲשֵׂה־לָנוּ אֱלֹהִים
אֲשֶׁר יֵלְכוּ לְפָנֵינוּ כִּי־זֶה מֹשֶׁה הָאִישׁ אֲשֶׁר הֶעֱלָנוּ
מֵאֶרֶץ מִצְרַיִם לֹא יָדַעְנוּ מֶה־הָיָה לוֹ׃

Mas vendo o povo que Moisés tardava. Quarenta dias e quarenta noites (Êx 24.18) não constituem um longo tempo. Mas esse foi um período de teste longo o bastante para que Israel falhasse miseravelmente. A maioria dos homens é reprovada diante de seus testes espirituais. Ver no *Dicionário* o artigo chamado *Quarenta* quanto aos sentidos simbólicos desse número, com exemplos bíblicos. Dotados de corações empedernidos, os israelitas riscaram Moisés de suas cogitações. Arão estava presente; e para o que precisariam de Moisés? Em sua impaciência, rebeldia e estupidez, caíram de volta ao tipo mais vil de idolatria. (Ver no *Dicionário* o artigo intitulado *Idolatria*). Moisés os havia tirado *para fora* do Egito; mas em seu coração e espírito, eles haviam *retornado* àquele lugar de servidão, bem como à idolatria do mesmo.

"Quando examinamos com cuidado o resto das Escrituras, achamos razões para crer que o povo de Israel demonstrava certo pendor para a idolatria, antes mesmo de deixarem o Egito, e que esse pendor agora atingia um alto grau de desenvolvimento (ver Lv 17.7; Js 24.14; Ez 20.8; 23.3). Essa tendência fora refreada por uma série de manifestações extraordinárias, que tinham acompanhado o êxodo. Agora, porém, na ausência de Moisés, em meio à incerteza que prevalecia se ele estaria ainda vivo ou não, e na retirada da presença divina do acampamento, que até então seguira na frente deles, os seus instintos idolátricos evidenciaram-se de novo" (Ellicott, *in loc.*).

"As pesquisas arqueológicas têm deixado claro que mesmo nos oásis e lugarejos mais remotos, em Israel, compartilhava-se da substância da religião cananeia da fertilidade e de seu culto" (J. Edgar Park, *in loc.*). No entanto, Moisés ensinava a fé e a lealdade exclusiva a Yahweh.

■ 32.2

וַיֹּאמֶר אֲלֵהֶם אַהֲרֹן פָּרְקוּ נִזְמֵי הַזָּהָב אֲשֶׁר בְּאָזְנֵי
נְשֵׁיכֶם בְּנֵיכֶם וּבְנֹתֵיכֶם וְהָבִיאוּ אֵלָי׃

Tirai... e trazei-mas. O *bezerro de ouro* requeria grande quantidade de ouro, e Arão apelou principalmente para as argolas de ouro das mulheres e crianças de Israel. Isso deve ter constituído um considerável sacrifício pessoal para as mulheres, mas os homens é que estavam dando tal ordem. O povo de Israel esteve por vários séculos no Egito, e as mulheres israelitas naturalmente tinham adquirido joias e enfeites valiosos. Além disso, na hora da partida do Egito, os israelitas tinham *tomado por empréstimo* muitas coisas de valor dos egípcios (Êx 12.35,36). Isso posto, havia um suprimento adequado de objetos de ouro. Ver no *Dicionário* o artigo intitulado *Anel*.

Plínio informa-nos (*Hist. Nat.* 1.11 c. 37) que, nos países orientais, homens e mulheres, igualmente, usavam argolas de ouro. O trecho de Juízes 8.24 reflete esse costume, pelo menos entre os ismaelitas. Mas se porventura os varões israelitas usavam tais adereços, pelo menos não contribuíram com os mesmos para a imagem que Arão esculpiria. As crianças, meninos e meninas, conforme este versículo nos diz, também usavam tais argolas, e tiveram que doá-las.

"Brincos eram usados no Oriente quase tanto pelos homens quanto pelas mulheres. Quase todos os monarcas e assírios, e alguns reis egípcios são representados nas gravuras usando tais enfeites" (Ellicott, *in loc.*).

Arão. Quão facilmente ele parece ter cedido diante das exigências do povo. Também é possível que ele mesmo estivesse interessado em promover a idolatria. É triste quando os líderes falham. O juízo contra eles será mais severo (Tg 3.1). Ver no *Dicionário* o verbete chamado *Bezerro de Ouro*.

■ 32.3

וַיִּתְפָּרְקוּ כָּל־הָעָם אֶת־נִזְמֵי הַזָּהָב אֲשֶׁר בְּאָזְנֵיהֶם
וַיָּבִיאוּ אֶל־אַהֲרֹן׃

Uma obediência mal colocada. Arão disse para eles fazerem algo de errado, e eles prontificaram-se a obedecer. Há uma condenação especial reservada aos líderes que ensinam as pessoas a fazerem algo de errado. Ver Romanos 1.32; Mateus 23.15. O povo sacrificou *ouro* em uma causa ridícula. As causas más atraem dinheiro e entusiasmo. A idolatria, tanto na antiguidade quanto hoje em dia, tem sido sustentada pelas doações sacrificiais do povo. As pessoas têm fé, mas uma fé *má*, uma fé mal utilizada.

■ 32.4

וַיִּקַּח מִיָּדָם וַיָּצַר אֹתוֹ בַּחֶרֶט וַיַּעֲשֵׂהוּ עֵגֶל מַסֵּכָה
וַיֹּאמְרוּ אֵלֶּה אֱלֹהֶיךָ יִשְׂרָאֵל אֲשֶׁר הֶעֱלוּךָ מֵאֶרֶץ
מִצְרָיִם׃

Um bezerro fundido. Talvez em imitação ao formato do deus-boi do Egito, *Ápis* (ver a esse respeito no *Dicionário*). Essa divindade egípcia era um touro negro com manchas brancas distintivas, cuja adoração estava ligada à de vários outros deuses. Em Mênfis, no Egito, o boi (Ápis) era considerado o corpo do deus *Ptah*. Quando o deus-boi morria, era enterrado com um elaborado cerimonial. Corpos embalsamados de bois, descobertos no cemitério de Ápis, pertenciam ao período do último Império até a época dos Ptolomeus. Ver no *Dicionário* o artigo *Egito*, em seu quinto ponto, *Egito, Religiões do*. Nessa adoração ao touro, usavam-se *animais vivos*, embora também houvesse imagens que representavam esse culto, pelo que várias formas de idolatria estavam envolvidas no bezerro de ouro.

O novilho era um símbolo de fertilidade, nas religiões naturais do antigo Oriente Próximo e Médio (cf. 1Rs 12.28; Os 8.5). O bezerro de ouro provavelmente era uma escultura recoberta de ouro, e não feita de ouro sólido, a menos que fosse bastante pequena. Aquele ídolo ridículo recebeu o crédito pela execução do êxodo, em lugar de Yahweh; e nisso vemos o propósito de zombarem de tudo quanto o Senhor havia feito em favor deles. Logo, estavam misturando uma incrível ingratidão com a idolatria. Ver no *Dicionário* o artigo intitulado *Bezerro de Ouro*.

Trabalhou o ouro com buril. Muitos eruditos, antigos e modernos, têm dado alguma tradução possível do original hebraico, como "amarrou-o em uma sacola" ou "pô-lo em uma sacola" (talvez uma sacola de linho), conforme Jarchi opinou. Nesse caso, a imagem era bastante pequena para ser transportada facilmente por uma pessoa. Provavelmente era feita de ouro sólido, e não apenas recoberta de ouro. Cf. 2Reis 5.23 quanto ao original hebraico envolvido.

■ 32.5

וַיַּרְא אַהֲרֹן וַיִּבֶן מִזְבֵּחַ לְפָנָיו וַיִּקְרָא אַהֲרֹן וַיֹּאמַר חַג
לַיהוָה מָחָר׃

Edificou um altar diante dele. Ver no *Dicionário* o artigo chamado *Altar*. Arão chegou ao cúmulo de erigir um altar diante daquele pedaço de ouro. E se tornou o sacerdote oficiante de um culto falso e ridículo. Sem dúvida, esse altar era simples, feito de pedras e terra (Êx 20.24,25).

Os teus deuses. Essa afirmação de Arão chega a tomar-nos de surpresa. Moisés tinha proclamado uma festa em honra a Yahweh, e no entanto, ali estava aquela tola imagem de ouro guardada na sacola de linho. Mas o que há de mais comum, em nossos dias, do que a mistura de formas de adoração cristã e idólatra? O resultado desse sincretismo é um monstro ridículo. Alguns procuram desculpar Arão quanto a essa atitude, supondo que ele teria feito um esforço honesto para incorporar a adoração ao touro à adoração a Yahweh, tornando-a um culto *subordinado*. Mas o que realmente sucedeu foi uma violenta violação do primeiro mandamento. Ver Êxodo 20.3,4, onde a questão é comentada.

■ 32.6

וַיַּשְׁכִּימוּ מִמָּחֳרָת וַיַּעֲלוּ עֹלֹת וַיַּגִּשׁוּ שְׁלָמִים וַיֵּשֶׁב
הָעָם לֶאֱכֹל וְשָׁתוֹ וַיָּקֻמוּ לְצַחֵק׃ פ

Tanto os *holocaustos* quanto as *ofertas pacíficas* eram formas pré-mosaicas, e ambas essas formas foram incorporadas à adoração no tabernáculo. Ver Gênesis 4.3,4; Êxodo 18.12; 20.24. Tendo providenciado quanto ao aspecto religioso, eles passaram para o aspecto secular, cantando, dançando e, provavelmente, ocupando-se em toda forma de prática sensual, fornicação e prostituição cultual. Os Targuns referem-se à imoralidade dos israelitas, nessa oportunidade. Portanto, além do primeiro mandamento, também foi violado o sétimo. Paulo comentou sobre o evento, em 1Coríntios 10.7. O contexto sugere que houve práticas imorais. Portanto, um rito religioso transmutou-se em uma orgia, e Arão, que havia perdido legalmente os seus privilégios sacerdotais, mediante tal sincretismo, agora postava-se impotente, observando todo aquele deboche.

As festividades religiosas eram acompanhadas pelo regozijo (Dt 12.7,18; 14.26; 16.11,14), o que, sem dúvida, incluía danças. Naquela ocasião, porém, foi um verdadeiro carnaval. Ninguém estava ali para adorar, mas para participar de um bacanal. Cf. este versículo com Números 25.1-9; 1Reis 14.24; Amós 2.7. A atmosfera mundana de muitos cultos religiosos hoje em dia, com sua música própria para dançar, não diferindo praticamente em nada da música executada nos salões de bailes, é uma versão moderna da corrupção que houve naquela festa em honra ao bezerro de ouro.

A IRA DE DEUS (32.7-10)

Moisés, em estado de êxtase, no monte Sinai, foi informado por Yahweh sobre o que estava acontecendo no vale. A ira divina em breve haveria de manifestar-se. Milhares de israelitas haveriam de morrer (vss. 27,38). Somente uma operação radical poderia purificar toda aquela imundícia. Yahweh até já se dispunha a começar tudo de novo, primeiramente aniquilando todo o povo de Israel, para então fazer de Moisés o progenitor de uma raça inteiramente nova (vs. 10). Mas Moisés fez intercessão, dissuadindo o Senhor dessa ideia, e, finalmente, prevaleceu.

■ **32.7**

וַיְדַבֵּר יְהוָה אֶל־מֹשֶׁה לֶךְ־רֵד כִּי שִׁחֵת עַמְּךָ אֲשֶׁר הֶעֱלֵיתָ מֵאֶרֶץ מִצְרָיִם:

Vai, desce. Moisés deveria descer do monte Sinai, onde estivera durante quarenta dias e quarenta noites (Êx 24.18). Os israelitas haviam caído na mais total desgraça, por terem seguido a sua natureza pervertida, impulsionados pela sua vontade distorcida. Talvez o bezerro de ouro fosse tido como um emblema de Yahweh, que os ajudasse a adorar melhor. Mas se assim pensaram, então estavam crassamente equivocados. Toda a prática estava podre, sem importar como a tenham tentado justificar. Os corruptos sempre descobrem meios para justificar suas práticas corruptas.

Notemos o jogo de palavras aqui, "o teu povo", que Moisés teria tirado do Egito. Yahweh não os estava mais chamando de *seu* povo, conforme, por tantas vezes, vimos até esta altura do livro de Êxodo. Ver Êxodo 3.10; 5.1; 7.4; 8.1; 9.1 e 10.3 como exemplos. O povo por assim dizer afirmava: "Esta imagem faz-me lembrar de Deus; e é por isso que a estou venerando". Mas Yahweh replicou: "O teu povo se corrompeu".

■ **32.8**

סָרוּ מַהֵר מִן־הַדֶּרֶךְ אֲשֶׁר צִוִּיתִם עָשׂוּ לָהֶם עֵגֶל מַסֵּכָה וַיִּשְׁתַּחֲווּ־לוֹ וַיִּזְבְּחוּ־לוֹ וַיֹּאמְרוּ אֵלֶּה אֱלֹהֶיךָ יִשְׂרָאֵל אֲשֶׁר הֶעֱלוּךָ מֵאֶרֶץ מִצְרָיִם:

Este versículo passa em revisão as condições descritas nos vss. 1-6, ou seja, Yahweh estava descrevendo para Moisés o que tinha acontecido, e estava enumerando cada item. O deslize para a idolatria tinha sido algo voluntário, com plena consciência do que eles estavam fazendo. E os resultados foram desastrosos (vs. 27 ss.).

■ **32.9**

וַיֹּאמֶר יְהוָה אֶל־מֹשֶׁה רָאִיתִי אֶת־הָעָם הַזֶּה וְהִנֵּה עַם־קְשֵׁה־עֹרֶף הוּא:

Tenho visto a este povo. Essa era a avaliação divina acerca dos israelitas: um povo de *dura cerviz*. Essa é a primeira instância dessa expressão no Antigo Testamento, e que veio a tornar-se usual como descrição da nação de Israel. Ver Êxodo 32.9; 33.3,5; 34.9; Deuteronômio 9.6,13; 10.16; 31.27; 2Crônicas 30.8; Salmo 75.5; Jeremias 17.23. E, no Novo Testamento, ver Atos 7.51. A metáfora deriva-se da circunstância em que um cavalo não obedece ao cavaleiro, mas que, de pescoço duro, segue para onde melhor lhe parece. Também pode apontar para os animais que eram espicaçados com aguilhões, para que se pusessem a puxar o arado. Mas em vez de fazerem o trabalho, endureciam os músculos do pescoço e resistiam às aguilhoadas, seguindo a direção que quisessem. Aben Ezra via uma aplicação literal ao indivíduo que foge para fazer sua própria vontade, e que, quando é chamado, nem se dá ao trabalho de volver a cabeça, reconhecendo sua convocação. Está em destaque uma estupidez obstinada, voluntariosa, que teimosamente resolve seguir uma causa má, de maneira inflexível, indisciplinada, resolvida a fazer o mal, perversa em seu desígnio, sem dar atenção a qualquer reta instrução, que chega mesmo a ser *autodestrutiva*. Pois faz coisas reconhecidamente prejudiciais a si mesma. Sócrates supunha que "a virtude consiste em conhecimento". Em outras palavras, que se um homem realmente *soubesse* o que lhe é melhor, faria tal coisa. Porém, sabe-se que por muitas vezes as pessoas inclinam-se para a autodestruição, tão profunda é a sua perversidade.

■ **32.10**

וְעַתָּה הַנִּיחָה לִּי וְיִחַר־אַפִּי בָהֶם וַאֲכַלֵּם וְאֶעֱשֶׂה אוֹתְךָ לְגוֹי גָּדוֹל:

Yahweh pediu de Moisés que não o importunasse com orações de intercessão, porque isso poderia abrandar sua resolução indignada de pôr um ponto final àquele povo rebelde. E, então, Moisés poderia vir a ser o progenitor de uma raça inteiramente nova. A expressão usada neste versículo é, naturalmente, antropomórfica, pois atribui a Deus emoções e atributos tipicamente humanos. Ver no *Dicionário* o artigo chamado *Antropomorfismo*. A linguagem humana limitada força o homem a utilizar tal tipo de linguagem, por falta de capacidade de falar sobre Deus de maneira mais clara. É precário pensar que Deus *se ira* a exemplo da ira humana, ou que tem emoções parecidas com as da condição humana. Porém, por falta de expressões linguísticas mais apropriadas, somos forçados a apelar para uma linguagem antropomórfica.

Ao falar com Moisés, é como se Yahweh tivesse dito: "Arreda da minha frente, para que eu possa fazer o que é preciso com este povo miserável!" Pois o Senhor sabia que Moisés tenderia por interceder pelo povo de Israel. Mas ao assim dizermos, caímos novamente em um antropomorfismo.

Por assim dizer, Moisés se tornaria um novo Abraão, e as intenções do Pacto Abraâmico (ver as notas a respeito em Gn 15.18) seriam transferidas para Moisés e seus descendentes, ou seja, para um dos ramos da tribo de Levi. As demais tribos seriam obliteradas, extintas. O Pacto Abraâmico seria preservado, contudo, visto que Moisés era descendente de Abraão, mas haveria de estreitar-se a um pequeno segmento do povo original de Israel.

MOISÉS INTERCEDE POR ISRAEL (32.11-24)

Nesta seção há *duas distintas* orações intercessórias de Moisés em favor do povo de Israel: Êxodo 32.11-13 e Êxodo 32.30-35. Ver no *Dicionário* o verbete *Intercessão*.

A PRIMEIRA INTERCESSÃO DE MOISÉS (32.11-13)

Argumentos:

1. Yahweh não podia negar e esquecer-se de seu próprio povo (vss. 7,11).
2. Ele não poderia desfazer a grande obra que tinha feito, ao tirar Israel do Egito, pois isso daria a Faraó a vitória, afinal (vs. 11).
3. Ele não poderia anular a glória que havia adquirido para si mesmo, mediante a ação de sua mão poderosa (cf. Êx 9.16—32.11).
4. O *significado* do êxodo seria pervertido pelos egípcios, os quais ansiariam por ver Yahweh destruir o seu próprio povo, em vez de salvá-lo (vs. 12).
5. O Pacto Abraâmico, as promessas aos antepassados da nação de Israel, não seria cumprido da maneira originalmente tencionada e prometida (vs. 13).
6. Yahweh havia jurado, em confirmação às suas promessas a Abraão, e esse juramento estava alicerçado sobre o próprio caráter divino. E o caráter de Yahweh seria posto em dúvida (vs. 13).

7. Moisés faria Abraão entrar em eclipse, pois de Moisés procederia um Israel reduzido, e não o Israel universal, descendente de Abraão (vs. 13).
8. Os homens esperavam, com toda a razão, misericórdia e graça, os atributos do amor. Se Deus terminasse destruindo o povo de Israel, onde ficaria o famoso amor de Deus? (vss. 12,13).

■ 32.11

וַיְחַ֣ל מֹשֶׁ֔ה אֶת־פְּנֵ֖י יְהוָ֣ה אֱלֹהָ֑יו וַיֹּ֡אמֶר לָמָ֣ה יְהוָה֩ יֶחֱרֶ֨ה אַפְּךָ֜ בְּעַמֶּ֗ךָ אֲשֶׁ֤ר הוֹצֵ֙אתָ֙ מֵאֶ֣רֶץ מִצְרַ֔יִם בְּכֹ֥חַ גָּד֖וֹל וּבְיָ֥ד חֲזָקָֽה׃

Este versículo contém os *três primeiros* argumentos de Moisés, alistados acima, nas notas de introdução a esta seção. Não é coisa de somenos um pai desprezar seus filhos. Yahweh havia chamado Israel de seu *filho* (Êx 4.22). Esse filho era *seu* povo. Ver Êxodo 3.7; 5.1; 7.4,16; 8.1; 9.1; 10.3 quanto à expressão "meu povo".

Faraó havia dito que não conhecia a qualquer Deus "Yahweh", embora não tenha precisado de muito tempo mais para saber acerca dele (Êx 5.2). A realização do êxodo tinha dado a Yahweh fama no mais poderoso reino da terra na época, uma fama que tinha chegado aos ouvidos das nações circunvizinhas. Um povo de Israel destruído ao pé do monte Sinai anularia essa realização. Yahweh não poderia anular a sua própria obra e glória, por meio de uma destruição precipitada.

■ 32.12

לָ֩מָּה֩ יֹאמְר֨וּ מִצְרַ֜יִם לֵאמֹ֗ר בְּרָעָ֤ה הֽוֹצִיאָם֙ לַהֲרֹ֤ג אֹתָם֙ בֶּֽהָרִ֔ים וּ֨לְכַלֹּתָ֔ם מֵעַ֖ל פְּנֵ֣י הָֽאֲדָמָ֑ה שׁ֚וּב מֵחֲר֣וֹן אַפֶּ֔ךָ וְהִנָּחֵ֥ם עַל־הָרָעָ֖ה לְעַמֶּֽךָ׃

Este versículo contém o *quarto argumento* que Moisés usou para convencer Yahweh a mudar de ideia quanto ao povo de Israel. O próprio sentido do êxodo seria pervertido. Yahweh seria tido como destruidor e os homens diriam que fora para destruir (e não para salvar) que ele tirara Israel do Egito. E Yahweh seria então visto como um vilão pior do que o próprio Faraó. Apesar de toda a pressão, Israel havia sobrevivido a Faraó; mas se Yahweh destruísse Israel no monte Sinai, ficaria anulada a própria razão do livramento. Isso seria *mal*, conforme lemos quase no final deste versículo. Esperamos a bondade da parte de Deus, bondade mediada pelo amor. Até os juízos divinos podem exibir amor e boas intenções, pois certas medidas severas podem tornar-se necessárias. Mas simplesmente destruir um filho (Êx 4.22) seria um *mal*.

■ 32.13

זְכֹ֡ר לְאַבְרָהָם֩ לְיִצְחָ֨ק וּלְיִשְׂרָאֵ֜ל עֲבָדֶ֗יךָ אֲשֶׁ֨ר נִשְׁבַּ֣עְתָּ לָהֶם֮ בָּךְ֒ וַתְּדַבֵּ֣ר אֲלֵהֶ֔ם אַרְבֶּה֙ אֶֽת־זַרְעֲכֶ֔ם כְּכוֹכְבֵ֖י הַשָּׁמָ֑יִם וְכָל־הָאָ֨רֶץ הַזֹּ֜את אֲשֶׁ֣ר אָמַ֗רְתִּי אֶתֵּן֙ לְזַרְעֲכֶ֔ם וְנָחֲל֖וּ לְעֹלָֽם׃

Moisés acusou Yahweh de estar prestes a anular o Pacto Abraâmico, o que subentendia certo número de consequências. Neste versículo achamos os argumentos quinto a oitavo, de acordo com a lista nas notas introdutórias ao vs. 11 deste capítulo. Moisés poderia tornar-se progenitor de uma nova nação, uma espécie de Israel reduzida, descendente somente da tribo de Levi, mas isso dificilmente cumpriria o juramento que Deus fizera a Abraão de que ele seria pai de várias nações, e de uma grande nação (Israel). Ver as notas sobre Gênesis 15.18 quanto às provisões do *Pacto Abraâmico*, as quais ilustram esse ponto. Moisés descendia de Abraão, mas havia muitos outros a quem as promessas também se aplicavam. Deus reduziria o escopo de suas promessas, e isso não cumpriria os intuitos do Pacto Abraâmico.

Além de Abraão, havia os patriarcas Isaque e Jacó, cujos descendentes pereceriam no ato destrutivo de Yahweh diante do monte Sinai. Em certo sentido, Moisés restaria como único patriarca histórico de Israel.

Yahweh é o Deus *graça* (ver a esse respeito no *Dicionário*); e o amor e a misericórdia devem temperar cada ato divino. O próprio juízo divino é aplicado em meio ao amor, visto que tem por intuito não somente castigar, mas também remediar o mal (1Pe 4.6). O próprio julgamento dos perdidos traça esse intuito. Ver no *Dicionário* o artigo intitulado *Julgamento de Deus dos Homens Perdidos* quanto ao desenvolvimento desse conceito.

■ 32.14

וַיִּנָּ֖חֶם יְהוָ֑ה עַל־הָ֣רָעָ֔ה אֲשֶׁ֥ר דִּבֶּ֖ר לַעֲשׂ֥וֹת לְעַמּֽוֹ׃ פ

Então se arrependeu o Senhor. A ideia de que Deus pode alterar sua mente, como se sua capacidade de planejar, com base em sua presciência, fosse defeituosa, é um ataque intolerável contra a correta compreeensão dos atributos de Deus. Portanto, os intérpretes oferecem várias explicações sobre como pode ser que o Todo-poderoso possa arrepender-se, ou seja, mudar de mente:

1. *Um Deus limitado.* Deus não seria nem onisciente e nem onipotente, embora dotado de grande conhecimento e poder. Assim sendo, seria perfeitamente possível que até Deus pudesse arrepender-se a respeito de algo ao ver que seguir um outro curso de ação é mais vantajoso.
2. Estamos diante de uma *linguagem antropomórfica*, e não devemos entender essa declaração em um sentido absoluto. Em *favor da história*, Deus mudou sua mente, mas não de fato. Nossas limitações de linguagem e entendimento nos levam a essas pequenas armadilhas.
3. Um *teísmo exagerado* (ver no *Dicionário* o artigo *Teísmo*) ocasionalmente nos deixa em dificuldades. Esse exagero faria Deus envolver-se demais com os homens, por demais *íntimo*, e, portanto, por demais sujeito às ideias e aos caprichos dos homens.
4. Um *humanismo exagerado* leva os humanistas teístas a reduzirem o conceito de Deus a seu próprio nível, de tal modo que possam raciocinar com ele, dizendo coisas cortantes, e ele acaba por fazer o que eles querem. Em outras palavras, temos aí uma teologia defeituosa, que não reconhece nem a transcendência e nem a soberania de Deus.
5. *Poderes delegados.* Yahweh não se envolveria pessoalmente nessas transações. Antes, sua teofania ou anjo é que estaria agindo por conta própria. Esse ser secundário ou manifestação inferior de Deus teria de fazer *correções* de trajetória ao longo do caminho, o que seria então apresentado na Bíblia como "arrependimento" da parte de Deus.
6. Um mero *truque de linguagem*. Deus sabia bem o que faria o tempo todo, ou seja, ele não destruiria o povo de Israel. Mas o relato bíblico exigiu certos truques de linguagem para dar-lhe maior dramaticidade. O arrependimento de Deus seria apenas um artifício de linguagem para dar maior impacto à narrativa.
7. *Injeções de ideias humanas.* Moisés pensou que Deus poderia arrepender-se, tendo injetado suas próprias ideias na vontade divina; e o texto representa essas injeções de Moisés, e não a realidade de Deus.
8. *Mistério.* O envolvimento dos homens com Deus subentende muitos mistérios, e não é fácil discernir o que está aí envolvido. Nossa linguagem fica saltitando em torno desse mistério, e o resultado disso é que acabamos por atribuir a Deus aquilo que não lhe pertence na realidade, como a ideia de Deus arrepender-se.

A explicação teísta, onde talvez achemos o fator do exagero, aparece refletida nesta citação de John D. Hannah, *in loc.*: "Deus não é inflexível; ele reage às necessidades, atitudes e atos dos indivíduos". Essa é uma declaração razoável, embora não resolva realmente o mistério. Talvez esse mistério não tenha mesmo solução neste lado da existência, sendo inútil multiplicar interpretações a respeito.

O PROFETA MOISÉS (32.15-24)

Moisés atuava com poder e autoridade. Ele expunha a sua mensagem. Ele mostrava-se exigente. Ele anunciava o testemunho; mas um povo indisciplinado precisava sofrer as consequências de seus atos tresloucados. Somente então a lei poderia receber eficácia. Moisés precisou assumir o papel de um profeta zeloso e violento a fim de realizar a sua tarefa, tal como Elias precisou fazer, séculos mais tarde.

Os vss. 7-14 nos apresentam um diálogo entre Yahweh e Moisés, mostrando-nos que, mediante a inspiração divina, ele estava plenamente cônscio de que os israelitas estavam no vale, afundados na idolatria mais abjeta. Contudo, a seção à nossa frente apresenta-nos Moisés e Josué como se tivessem sido apanhados de surpresa pelos acontecimentos. Alguns eruditos atribuem essa surpresa somente a Josué, o que nos poupa de alguns pequenos problemas. Não seria grande coisa se o autor sagrado tivesse cometido um pequeno deslize da pena. Alguns estudiosos simplesmente atribuem as duas seções a diferentes fontes informativas, em que a segunda seção não antecipava as condições descritas na primeira. Ver no *Dicionário* o artigo chamado *J.E.D.P.(S.)* quanto à teoria das fontes múltiplas do Pentateuco.

■ 32.15

וַיִּפֶן וַיֵּרֶד מֹשֶׁה מִן־הָהָר וּשְׁנֵי לֻחֹת הָעֵדֻת בְּיָדוֹ
לֻחֹת כְּתֻבִים מִשְּׁנֵי עֶבְרֵיהֶם מִזֶּה וּמִזֶּה הֵם כְּתֻבִים׃

As duas tábuas do testemunho. "Testemunho" ou "tábuas do testemunho" são nomes dados ao decálogo. Ver as notas em Êxodo 24.12 quanto a uma lista de títulos. Ver Êxodo 25.16 quanto ao *testemunho* e às questões relacionadas ao mesmo, onde são incluídos vários artigos. Ver também Êxodo 16.34 quanto a outras notas e uma lista de referências ao *testemunho*.

Ver Êxodo 31.18 quanto à lei escrita pelo *dedo de Deus*. A lei foi inscrita pelo próprio Deus nas tábuas de pedra, que alguns eruditos tomam no sentido mais literal; mas outros veem aqui uma declaração metafórica, dando a entender que a lei foi dada por inspiração divina, e não que Deus tenha inscrito fisicamente a mesma com seus dedos.

"Temos aqui uma metáfora gráfica para impressionar-nos com a convicção de que a lei era uma expressão do caráter de Yahweh. Yahweh não é apenas aquele que sancionou as leis da teocracia. Os Dez Mandamentos e seus preceitos decorrentes constituem as suas próprias decisões. Deus também esculpiu as pedras. O primeiro jogo de duas pedras era uma obra de Deus (cf. Êx 24.12). O *segundo jogo* já foi esculpido por Moisés, e também, ao que parece, foi inscrito por ele (Êx 34.1,4,27,28)" (J. Edgar Park, *in loc.*).

De ambas as bandas. "Tabletes babilônicos e monolitos assírios usualmente eram escritos em ambos os lados, embora isso raramente ocorresse no Egito. Tem sido calculado que as 172 palavras do decálogo poderiam ser facilmente inscritas com letras de tamanho regular nas quatro superfícies indicadas, se as tábuas tivessem cerca de 70 cm de comprimento por 55 cm de largura. E duas tábuas de pedra dessas dimensões poderiam ser carregadas facilmente por um homem" (Ellicott, *in loc.*).

■ 32.16

וְהַלֻּחֹת מַעֲשֵׂה אֱלֹהִים הֵמָּה וְהַמִּכְתָּב מִכְתַּב אֱלֹהִים
הוּא חָרוּת עַל־הַלֻּחֹת׃

As tábuas eram obra de Deus. Lemos que o primeiro jogo de tábuas foi preparado pelo próprio Deus, e também foi inscrito por ele mesmo. Esse primeiro jogo foi quebrado por Moisés, em sua indignação diante da idolatria do povo de Israel (vs. 19). O segundo jogo, por sua vez, foi preparado por Moisés, e ao que parece, também foi inscrito por ele, utilizando a sua memória sobre o que estava inscrito no primeiro jogo, ou, então, sendo divinamente impelido a fazer uma duplicata perfeita. Ver Êxodo 34.1,4,27,28.

A Língua do Céu. Muitas especulações e controvérsias tolas têm surgido acerca do *idioma* em que as tábuas da lei foram inscritas. Alguns têm respondido "na língua do céu", e, então, fazem disso uma metáfora para indicar como Deus fala aos homens através de suas revelações e livros sacros. Alguma forma de hebraico pré-clássico teria de ser a versão mosaica da "língua do céu". Deus inscreve suas leis em nossos corações (Jr 31.33; Hb 8.10; 2Co 3.3), e é nessa ocasião em que a linguagem do céu torna-se eficaz em nossas vidas humanas.

■ 32.17,18

וַיִּשְׁמַע יְהוֹשֻׁעַ אֶת־קוֹל הָעָם בְּרֵעֹה וַיֹּאמֶר אֶל־מֹשֶׁה
קוֹל מִלְחָמָה בַּמַּחֲנֶה׃

וַיֹּאמֶר אֵין קוֹל עֲנוֹת גְּבוּרָה וְאֵין קוֹל עֲנוֹת חֲלוּשָׁה
קוֹל עַנּוֹת אָנֹכִי שֹׁמֵעַ׃

Gritos, danças e folia. Seriam esses os dons da adoração? Deus não é o autor da confusão (1Co 14.33). Josué (que nos é apresentado em Êx 17.9), que já era ou em breve haveria de tornar-se o segundo líder de Israel, e também o sucessor de Moisés (ver o artigo sobre ele, no *Dicionário*), pensou que Israel estava envolvido em alguma batalha, ao ouvir todo aquele barulho. Mas Moisés alertou-o para que visse as coisas por outro ângulo (vs. 18): os sons que estavam ouvindo *não eram* alarido de guerra. Antes, eram os ruídos de uma folia carnavalesca, o tipo de orgia ligada aos ritos de fertilidade dos cananeus. E chamavam toda aquela confusão de "culto", pois, afinal, Yahweh não estava sendo honrado por meio do bezerro de ouro? Mas *Yahweh* nada tinha a ver com aquela festa e aquelas danças. A aplicação moderna é por demais óbvia para que precisemos descrevê-la. Moisés tinha acabado de comunicar a linguagem do céu. Mas o povo de Israel estava comunicando a linguagem do deboche.

O *alarido dos que cantam* era uma das características dos ritos idólatras (1Rs 28.28; At 19.34; Heródoto, *Hist.* ii.60), e, em parte, resultava da excitação física que prevalecia durante tais orgias" (Ellicott, *in loc.*).

Moisés. Moisés sabia que não havia nenhuma batalha. Antes, o povo estava empenhado na maior folia. O texto não reflete o que Yahweh disse a Moisés acerca da apostasia dos filhos de Israel (vss. 1-6). Por isso, alguns pensam que esse texto procede de uma fonte diferente. Ver as notas introdutórias sobre o vs. 15, quanto a esse problema.

INTERCESSÃO E MEDIAÇÃO DE MOISÉS

Caracterização

- Moisés liderou um povo como um todo, especificamente Israel, da mesma maneira que Cristo lidera espiritualmente.
- Moisés foi um mediador para aquele povo, do mesmo modo que Cristo é para o povo dele.
- Anjos podem ser mediadores: Gl 3.19,24.
- A lei era uma mediadora: Gl 3.25.
- Moisés tinha um cargo especial como mediador: Gl 3.19; Êx 19.3-8; 32.11-13,30-35; Nm 12.6-8.
- Profetas são mediadores: 2Sm 7.5; 1Rs 20.13; Ez 2.4; Am 1.3,6,11,13; Na 1.12; Sf 1,3,4,14,16.
- Em um sentido muito importante, apenas Cristo é o mediador (quando se considera a *salvação*): 1Tm 2.5

As Essências da Intercessão de Moisés

- Yahweh tinha um compromisso com seu povo investido em um pacto.
- A libertação do Egito significava que, até o fim, o crédito seria dado ao poder divino. Se a posse da terra falhasse, o trabalho anterior da redenção seria anulado.
- O trabalho que Yahweh *iniciou* em Abraão seria anulado.
- O próprio caráter de Yahweh exigia o término da tarefa que havia sido iniciada.
- De quem podemos esperar por misericórdia senão do Pai das Misericórdias? A misericórdia evitaria a destruição de Israel.

■ 32.19

וַיְהִי כַּאֲשֶׁר קָרַב אֶל־הַמַּחֲנֶה וַיַּרְא אֶת־הָעֵגֶל
וּמְחֹלֹת וַיִּחַר־אַף מֹשֶׁה וַיַּשְׁלֵךְ מִיָּדָו אֶת־הַלֻּחֹת
וַיְשַׁבֵּר אֹתָם תַּחַת הָהָר׃

Arrojou das mãos as tábuas. Quando Moisés quebrou as tábuas da lei, isso significava que estava rompido o acordo que Deus fizera com o povo de Israel (o *Pacto Mosaico*, comentado em Êx 19.1). Uma vez anulada, essa aliança precisaria ser instaurada de novo. Israel tinha quebrado a regra sagrada que proibia a idolatria, o *primeiro mandamento*. Assim sendo, Deus rompeu o pacto. Ver Êxodo 20.2,3 quanto ao primeiro mandamento, do qual todos os demais mandamentos dependiam. Israel havia apostatado. Moisés precisou trazê-los de volta mediante ações drásticas. Desse modo, ele tornou-se um profeta de fogo e juízo, a fim de remediar a situação.

As Medidas Drásticas de Moisés:

1. As tábuas de pedras foram partidas, dando a entender a anulação do pacto mosaico, conforme foi comentado acima (vs. 19).
2. Moisés quebrou o ídolo e o reduziu a pó; e esse pó foi espalhado por sobre a água. E, então, Israel teve que beber dessa água, simbolizando que eles teriam que "beber a taça" de sua iniquidade sofrendo os temíveis resultados de seus atos (vs. 20).
3. Moisés repreendeu severamente a Arão, seu próprio irmão, que acabara de tornar-se o líder de uma seita idólatra (vss. 21-24).
4. Os levitas receberam a terrível tarefa de matar três mil idólatras, a fim de ensinar a Israel uma lição que eles jamais esqueceriam (vss. 25-29).
5. O próprio Yahweh deu a demão final, ao enviar uma praga (vs. 35). Não nos é informado o resultado disso, mas podemos supor que muitos outros israelitas morreram.

Alguns pensam que o vs. 35 indica que aqueles que sofreram maus efeitos por terem bebido a água misturada com o pó de ouro eram precisamente os culpados, e esses morreram então da praga. A ira de Deus voltou-se então contra Arão, e este quase morreu diante do juízo divino (Dt 9.20), mas foi misericordiosamente poupado. Ademais, Arão ainda tinha uma longa missão à frente, e essa missão precisava ser cumprida.

■ **32.20**

וַיִּקַּח אֶת־הָעֵגֶל אֲשֶׁר עָשׂוּ וַיִּשְׂרֹף בָּאֵשׁ וַיִּטְחַן עַד אֲשֶׁר־דָּק וַיִּזֶר עַל־פְּנֵי הַמַּיִם וַיַּשְׁקְ אֶת־בְּנֵי יִשְׂרָאֵל:

Este versículo registra o *segundo* dos atos drásticos de Moisés, alistados nos comentários sobre o vs. 9 deste capítulo. Este ato representava o reconhecimento de Israel quanto à estupidez de sua idolatria, bem como a necessidade de pagar por tal erro. O ídolo tornou-se parte da água. Estavam internamente desgraçados ao bebê-la. Agora sorveriam da taça inteira de sua iniquidade, com seus temíveis resultados. Esse ato foi humilhante para um povo que se tinha rebaixado. Essa humilhação, pois, suprimiu a idolatria. Cf. este texto com 2Reis 23.6,12. Esse ato também demonstrou a total falta de poder daquele ídolo (bem como da idolatria em geral).

Vários intérpretes judeus, como Jarchi e Aben Ezra, supunham que essa água com ouro foi equivalente às águas do ciúme. Ver no *Dicionário* o artigo *Água Amarga*. Ver também Números 5.11-31. Aqueles que se tinham tornado *culpados* de idolatria haveriam de perecer devido à praga que Yahweh enviaria (vs. 35). Uma fábula se alicerçava sobre essa ideia, na qual os israelitas, culpados de idolatria, ao beberem água, tiveram suas barbas amareladas por causa do ouro misturado na água. Ademais, quem quer que tivesse beijado o ídolo de ouro ficava com os lábios amarelados.

O QUE É ORAR

A oração é o desejo sincero da alma
Que fica mudo ou é expresso.
É o movimento de uma chama oculta
Que tremula no peito.

A oração é a linguagem mais simples
Que lábios infantis podem experimentar;
A oração é o clamor mais sublime que atinge
A Majestade nas alturas.

A oração é a voz contida do pecador
Que retorna de seus maus caminhos,
Quando anjos se regozijam em cânticos,
E dizem: Eis que agora ele ora!

Nenhuma oração é feita só no mundo:
Pois o Espírito Santo intercede;
E Jesus, no trono eterno,
Intercede pelos pecadores.

Montgomery

Acredito que mesmo a menor oração, acima do tumulto desse mundo, ainda pode ser ouvida.

■ **32.21**

וַיֹּאמֶר מֹשֶׁה אֶל־אַהֲרֹן מֶה־עָשָׂה לְךָ הָעָם הַזֶּה כִּי־הֵבֵאתָ עָלָיו חֲטָאָה גְדֹלָה:

Os vss. 21-24 registram o *terceiro* dos atos drásticos de Moisés. Ver a lista nas notas sobre o vs. 19. Arão, irmão de Moisés, foi severamente repreendido e humilhado, por ter-se tornado o líder do culto ao bezerro de ouro. Moisés considerou Arão o responsável. O relato nada nos fala sobre alguma resistência que ele tenha feito contra a idolatria. Mansamente, ele aceitou o ato estúpido e chegou a promovê-lo com uma celebração, presumivelmente em honra a Yahweh. Arão chegou a chamar Moisés de *meu senhor* (Nm 11.28; 12.11), o que o deixou definitivamente subordinado a Moisés, passando a agir sob sua autoridade, e isso com certa humildade. Moisés havia confiado em Arão e o tinha deixado encarregado do povo (Êx 24.14), enquanto ele subia ao monte Sinai durante quarenta dias. Mas Arão havia violado tal confiança. Em seu momento de fraqueza, Arão tinha permitido que Israel cometesse um gravíssimo pecado (a quebra do *primeiro mandamento*, Êx 20.2,3). E assim acabou participando, ele mesmo, daquele pecado. É algo muito sério ser líder.

Meus irmãos, não vos torneis muitos de vós, mestres,
sabendo que havemos de receber maior juízo.

Tiago 3.1

"A repreensão dada a Arão (Nm 12) faz contraste com o seu prestígio sacerdotal e com o seu papel intercessório conforme a descrição nos capítulos 25—31 de Êxodo" (*Oxford Annotated Bible, in loc.*).

"Parece que se Arão se tivesse mostrado *firme*, o mal poderia ter sido impedido" (Adam Clarke, *in loc.*).

■ **32.22**

וַיֹּאמֶר אַהֲרֹן אַל־יִחַר אַף אֲדֹנִי אַתָּה יָדַעְתָּ אֶת־הָעָם כִּי בְרָע הוּא:

Meu senhor. Foi assim o tratamento dado por Arão a Moisés, em sinal de respeito, tal como também se vê em Números 11.28 e 12.11. Arão exibiu a humildade que lhe convinha, diante de seu superior espiritual, embora suas desculpas fossem apenas mentiras. Como sempre sucede, ele transferiu a culpa para outras pessoas. Disse ele, em efeito: "Aquela gente, como meu senhor sabe por experiência própria, está sempre inclinada para algum mal, e me apanharam de surpresa". "Arão tinha agido como se fosse apenas um barômetro da opinião pública. Seu papel tinha sido a *antítese* do papel de um profeta, aqui exaltado na pessoa de Moisés. Arão repeliu sua própria responsabilidade" (J. Edgar Park, *in loc.*). No entanto, o papel de um profeta é guiar, e não seguir o povo.

À semelhança de Adão, Arão transferiu a culpa para outrem (ver Gn 3.12, onde há notas expositivas sobre essa tendência humana). Trata-se de uma comum atitude humana, mas dificilmente há alguma verdade nessa transferência de culpa. Tudo quanto *fazemos* é importante. Não nos podemos ocultar por detrás da fraqueza de outras pessoas, que porventura participem conosco de qualquer pecado.

■ **32.23**

וַיֹּאמְרוּ לִי עֲשֵׂה־לָנוּ אֱלֹהִים אֲשֶׁר יֵלְכוּ לְפָנֵינוּ כִּי־זֶה מֹשֶׁה הָאִישׁ אֲשֶׁר הֶעֱלָנוּ מֵאֶרֶץ מִצְרַיִם לֹא יָדַעְנוּ מֶה־הָיָה לוֹ:

A *idolatria* era a única coisa que aquela gente tinha em mente. Ele não tomou a iniciativa no ato, mas também nada fez para impedi-lo. Portanto, compartilhou da culpa; e quando alguém compartilha de alguma culpa, torna-se culpado. O povo dissera que Moisés *fora-se*, talvez de modo permanente (ver o vs. 1 deste capítulo). Os ideais do êxodo ao que tudo indica tinham resultado em nada, diante do desaparecimento de Moisés. Portanto, os israelitas anelaram por substituir Yahweh e Moisés por outros deuses e por outro culto. O povo lançou a culpa sobre acontecimentos adversos. Tudo parecia estar contra eles. Tinham sido abandonados. Assim sendo, fariam o melhor ao seu alcance, de acordo com as suas circunstâncias. O Egito, afinal de contas, era uma grande potência na época. Talvez a idolatria dos egípcios tivesse dado a eles o poder que tinham. Portanto, experimentariam a idolatria do Egito, para ver se conseguiriam melhores resultados do que com o Yahwismo.

A conduta de Arão por pouco não lhe custa a vida, por causa da ira de Yahweh contra ele, conforme vemos no trecho de Deuteronômio 9.20.

■ 32.24

|V24|H וָאֹמַר לָהֶם לְמִי זָהָב הִתְפָּרָקוּ וַיִּתְּנוּ־לִי
וָאַשְׁלִכֵהוּ בָאֵשׁ וַיֵּצֵא הָעֵגֶל הַזֶּה:

A Piadinha de Arão. Arão confessou que tinha dado orientações para lhe trazerem ouro, para o fabrico do bezerro de ouro. Ver no *Dicionário* o artigo *Bezerro de Ouro*. Mas ele asseverou que quando os objetos de ouro foram postos a derreter no fogo, surgira espontaneamente a figura de um bezerro. Mas lemos no vs. 4 que ele deu molde à imagem, pessoalmente. Arão tinha cultivado aquele pecado; mas agora, com uma piadinha sem graça, tentou dar a entender que assim também tinha acontecido com ele, de algum modo, sem que ele fizesse ideia do que estava fazendo. A maioria dos pecados é *cultivada* em atitudes preliminares e no arranjo preliminar das circunstâncias. Arão, tolamente, negou que tivesse cultivado aquele pecado, que acabou dando fruto mau.

Fábulas têm sido criadas em torno deste texto. Alguns intérpretes antigos disseram que as reivindicações de Arão, neste ponto, eram verazes (ignorando, convenientemente, o vs. 4). Esses também dizem que o bezerro de ouro era trabalho do próprio diabo e das artes mágicas. O ídolo tomou a forma de um bezerro, chegando a ter vida e chegando a dançar, ao mesmo tempo em que berrava e oferecia um espetáculo. Diz como segue o Targum de Jonathan: "...eu o lancei no fogo, e Satanás entrou no meio e saiu dali com a semelhança de um bezerro".

MOISÉS MANDA MATAR OS IDÓLATRAS (32.25-29)

■ 32.25

וַיַּרְא מֹשֶׁה אֶת־הָעָם כִּי פָרֻעַ הוּא כִּי־פְרָעֹה אַהֲרֹן
לְשִׁמְצָה בְּקָמֵיהֶם:

O povo estava desenfreado. Algumas traduções dizem aqui que o povo estava "nu". Mas o termo hebraico correspondente, *para*, embora possa ter esse sentido, também pode ter o sentido de "desvencilhar-se de todas as restrições". Não parece que Arão tenha-os forçado a se porem despidos, a fim de ficarem envergonhados, conforme aquelas traduções continuam dizendo neste versículo. Antes, arriscamos que eles *perderam o autocontrole,* pois Arão assim permitiu que fizessem, sem nada fazer para impedi-los. Essa falta de controle levou-os a se entregarem a uma conduta desenfreada. Eles se expuseram a atos vergonhosos, e Arão não os coibiu. Contudo, alguns intérpretes, partindo da ideia de que, realmente, os israelitas se desnudaram, pensam que isso é símbolo de um estado de miséria, e que não se deve pensar em nudez literal. Mas outros estudiosos pensam que não há razão para duvidarmos da literalidade da descrição.

No meio dos seus inimigos. Talvez estejam em foco as populações que viviam nas proximidades do Sinai, como os amalequitas, que chegaram a vir fazer parte das festividades. Isso significa que o povo de Deus misturou-se com os idólatras locais, formando uma só massa humana com eles.

■ 32.26

וַיַּעֲמֹד מֹשֶׁה בְּשַׁעַר הַמַּחֲנֶה וַיֹּאמֶר מִי לַיהוָה אֵלָי
וַיֵּאָסְפוּ אֵלָיו כָּל־בְּנֵי לֵוִי:

Na opinião de alguns eruditos, os vss. 26-29 representam a separação dos levitas para seu ofício, embora sua primeira função fosse executar os idólatras. Presume-se que esses levitas não tinham participado do incidente do bezerro de ouro, demonstrando assim uma espiritualidade superior, e provando que sua escolha para o serviço sagrado estava justificada. Mas se está em pauta um relato de escolha dos levitas para o serviço divino, então os trechos de Números 3.44-46 e 8.5-19 representam uma versão diferente, em que os levitas obtiveram sua posição por terem substituído os *primogênitos* de Israel, por meio da redenção. Os versículos à nossa frente, entretanto, podem dar um relato *preliminar* àquela outra situação, que haveria de seguir-se, e não uma narrativa separada de como os levitas tornaram-se uma casta sacerdotal. A tribo de Levi já se tinha mostrado espiritualmente superior, no incidente diante de nós; e, em uma ocasião posterior, foi natural que tivessem sido selecionados para se tornarem a casta sacerdotal de Israel. Cf. essa história com Números 25.7-13.

Seja como for, foi a tribo de Levi aquela que respondeu em primeiro lugar à exigência de Moisés: "Quem é do Senhor, venha até mim".

Muitos sermões têm sido pregados com base neste versículo. A espiritualidade é uma questão de escolha, e não apenas resultado de meio ambiente e privilégios. Precisamos tomar decisões certas. Precisamos aliar-nos a pessoas espirituais. Precisamos cultivar os dons espirituais. Precisamos ter aspirações nobres. Os levitas, pois, denunciaram a idolatria em todas as suas formas, e se rededicaram a servir a Yahweh. A *dedicação* sempre inclui os fatores da renúncia e do cultivo.

■ 32.27,28

וַיֹּאמֶר לָהֶם כֹּה־אָמַר יְהוָה אֱלֹהֵי יִשְׂרָאֵל שִׂימוּ
אִישׁ־חַרְבּוֹ עַל־יְרֵכוֹ עִבְרוּ וָשׁוּבוּ מִשַּׁעַר לָשַׁעַר
בַּמַּחֲנֶה וְהִרְגוּ אִישׁ־אֶת־אָחִיו וְאִישׁ אֶת־רֵעֵהוּ וְאִישׁ
אֶת־קְרֹבוֹ:

וַיַּעֲשׂוּ בְנֵי־לֵוִי כִּדְבַר מֹשֶׁה וַיִּפֹּל מִן־הָעָם בַּיּוֹם
הַהוּא כִּשְׁלֹשֶׁת אַלְפֵי אִישׁ:

O Expurgo Determinado por Moisés. Esse foi o *quarto* dos atos drásticos de Moisés, a fim de contrabalançar os maus efeitos da idolatria. Ele lançou mão dos levitas para expurgar o povo de Israel mediante uma execução em masssa, na qual morreram cerca de três mil pessoas. Os Yahwistas executaram os apóstatas. Assim também, através de toda a história religiosa, tomando esses incidentes como exemplos, pessoas religiosas têm-se sentido justificadas por tirar a vida de hereges e apóstatas; mas hereges e apóstatas de acordo com a definição de seus *algozes*. Quão diferente disso era Jesus! Ele repreendeu os seus discípulos por quererem imitar Elias. Ver Lucas 9.54,55. Até mesmo nomes honrados, como o de João Calvino, o líder reformador, envolvem-se em homicídio por motivos religiosos. Calvino foi responsável por mais de cinquenta execuções dessa natureza. Ver o artigo na *Enciclopédia de Bíblia, Teologia e Filosofia* acerca dele, bem como, no *Dicionário*, o verbete chamado *Tolerância*. Nos dias do Novo Testamento, homens cristãos têm posto em ação a violência própria do Antigo Testamento, para desgraça de toda a nossa dispensação cristã. Cf. este texto com Deuteronômio 33.8,9, onde a violência é exaltada.

Os levitas, que atenderam à convocação feita por Moisés, podem ter achado seus próprios filhos e irmãos entre os idólatras. Se assim sucedeu, estavam na obrigação de não poupá-los. Essa informação demonstra o terror do que sucedeu naquele dia. "...ninguém deveria ser poupado por motivo de parentesco, amizade ou mero conhecimento" (John Gill, *in loc.*). Ver Mateus 10.37 quanto a uma aplicação espiritual.

■ 32.29

וַיֹּאמֶר מֹשֶׁה מִלְאוּ יֶדְכֶם הַיּוֹם לַיהוָה כִּי אִישׁ בִּבְנוֹ
וּבְאָחִיו וְלָתֵת עֲלֵיכֶם הַיּוֹם בְּרָכָה:

Consagrai-vos. Terminada a matança, visto que o expurgo atingiu seus tencionados efeitos, tendo sido efetuada a purificação, *então* ocorreu a consagração dos levitas a seu serviço santo, a fim de que, finalmente, aquela tribo se tornasse a casta sacerdotal de Israel. Ver Números 1.47 ss. Mas os trechos de Números 3.44-46 e 8.5-19 dão uma razão diversa para essa consagração; mas não há nenhuma contradição necessária, e nem de derivação de fontes informativas diferentes, conforme supõem alguns críticos. Ver as notas sobre o vs. 26, quanto ao alegado problema. A primeira tarefa coletiva dos levitas era uma sangrenta matança; em seguida, receberam a tarefa de transportar o tabernáculo (Nm 1.50-53). Dali por diante, o ofício sacerdotal deles teve muitas ramificações. Os fiéis e diligentes é que recebem missões da parte do Senhor.

Para que ele vos conceda hoje bênção. A tribo de Levi passou da violência para a concessão de uma bênção, ou seja, o bem que seria de esperar do exercício do ofício sacerdotal. "...ministrando no santuário, transportando os vasos do Senhor, mantendo os dízimos do povo" (John Gill, *in loc.*).

A SEGUNDA INTERCESSÃO DE MOISÉS (32.30-35)
Deve-se confrontar esta breve seção com o trecho anterior de Êxodo 32.1-24, onde são dados os argumentos da primeira intercessão.

Argumentos da Segunda Intercessão:
1. Os pecados podem ser perdoados, até mesmo o pecado da idolatria, a quebra do primeiro mandamento (Êx 20.2,3). Assim sendo, Moisés apelou para Yahweh como o Deus que pode e quer perdoar até mesmo os mais odiosos pecados. Ver no *Dicionário* o artigo intitulado *Perdão*. Ver o vs. 31.
2. Se tivesse de ser efetuada a destruição (ou seja, se tivessem de ser *apagados* os nomes do livro da vida), então Moisés queria ser o substituto por todo o povo de Israel (vs. 32). Nisso, como é claro, ele prefigurou a Cristo, o qual, de fato, tornou-se o nosso substituto, embora em um sentido diferente. Cf. o desejo similar de Paulo, em Romanos 9.3, o que, naturalmente, era impossível. Era impossível também apagar o nome de Moisés do livro de Deus, tal como Paulo não podia tornar-se *maldito* em lugar do povo de Israel.

"Essa cena inteira fornece um forte contraste entre a lei e a graça. Cf. a intercessão de Moisés com a intercessão de Cristo (Jo 17). *Israel* era uma nação que estava sob *teste* (Êx 19.5,6). Mas os crentes, sob a graça, formam uma *família*, à espera da *glória* (Jo 20.17; Rm 5.1,20). Os crentes dispõem de um Advogado diante do *Pai*, com o seu sacrifício propiciatório que nunca perde a sua eficácia (1Jo 2.1,2). Moisés apresentou como argumento um *pacto* (Êx 32.13); Cristo apresentou em nosso lugar o seu próprio *sacrifício* (Jo 17.4)". (*Scofield Reference Bible, in loc.*).

■ 32.30

וַיְהִי מִמָּחֳרָת וַיֹּאמֶר מֹשֶׁה אֶל־הָעָם אַתֶּם חֲטָאתֶם חֲטָאָה גְדֹלָה וְעַתָּה אֶעֱלֶה אֶל־יְהוָה אוּלַי אֲכַפְּרָה בְּעַד חַטַּאתְכֶם:

No dia seguinte. Ou seja, no dia após a grande matança. Mais ainda aconteceria (vs. 35). O acampamento inteiro de Israel poderia ser exinto, e Moisés sentiu a urgente necessidade de fazer intercessão e *expiação* pelo crime cometido, oferecendo-se, por assim dizer, como se fosse um sacrifício, para que sobre ele se despejasse a ira de Deus e todos os israelitas escapassem (vs. 32). Mas o versículo pode ser entendido apenas como se Moisés pudesse estar entre os mortos, se os israelitas idólatras não fossem perdoados. Portanto, havia em tudo uma espécie de ameaça. "Morrerei se eles morrerem", era uma pressão para que o povo continuasse vivendo. Ver as notas de introdução ao vs. 30 quanto aos pedidos de Moisés que constituíram sua segunda intercessão.

Farei propiciação pelo vosso pecado. Não no sentido neotestamentário de abertura da possibilidade de perdão de pecados e bem-aventurança celeste. Antes, no sentido de que, intercedendo pelo povo, o Senhor se mostraria propício e cobriria os pecados do povo, permitindo-lhe a continuação da vida física. Moisés estava procurando evitar uma imensa praga, que virtualmente poria fim a Israel. Apesar de suas orações intercessórias, porém, veio uma praga (vs. 35), embora não sejamos informados sobre quantos pereceram devido à mesma. Essa propiciação visava inclinar Deus a dar seu perdão aos pecados cometidos, com o resultado da continuação da vida física. Mas *alguém* tinha que *morrer*, por causa da ofensa.

■ 32.31

וַיָּשָׁב מֹשֶׁה אֶל־יְהוָה וַיֹּאמַר אָנָּא חָטָא הָעָם הַזֶּה חֲטָאָה גְדֹלָה וַיַּעֲשׂוּ לָהֶם אֱלֹהֵי זָהָב:

Em sua oração, Moisés primeiramente reconheceu a gravidade do pecado cometido, que foi uma violação crua e ofensiva do primeiro mandamento (ver Êx 20.2,3). A idolatria (ver a esse respeito no *Dicionário*) é onde o pecado começa, embora suas ramificações sejam intermináveis. Ver no *Dicionário* o verbete *Pecado*. Moisés, pois, queria salvar Israel do extermínio, e precisou tratar a sério do problema, sem apresentar meras desculpas, conforme fizera Arão.

Embora não se tivesse envolvido pessoalmente, seu povo havia cometido tal pecado. E assim ele assumiu o papel de *advogado*. Ver na *Enciclopédia de Bíblia, Teologia e Filosofia* o artigo intitulado *Advogado*, onde o ofício espiritual de Cristo como nosso Advogado, prefigurado em Moisés, no presente texto, foi descrito.

■ 32.32

וְעַתָּה אִם־תִּשָּׂא חַטָּאתָם וְאִם־אַיִן מְחֵנִי נָא מִסִּפְרְךָ אֲשֶׁר כָּתָבְתָּ:

Livro que escreveste. Os estudiosos não concordam quanto à natureza desse livro. As ideias mais comuns são as seguintes:
1. O *arrolamento*, registrado no primeiro capítulo do livro de Números, que determinou o número dos vivos, em Israel. Moisés temia que a ira divina viesse a extinguir virtualmente o povo de Israel, e pensou ser melhor que ele não mais fizesse parte da lista dos cidadãos do que não restar coisa alguma do povo de Israel.
2. Ou, metaforicamente falando, o registro da comunidade teocrática (Sl 69.28; Is 4.3; Dn 12.1; Ml 3.16). Isso poderia significar aqueles que pertenciam à comunidade espiritual, e não apenas à comunidade física.
3. Aqueles que *estão vivos na terra*, ou seja, os vivos em contraste com os mortos. A mesma lista de referências é dada nesta e na possibilidade anterior. Os pecadores morrem cedo! Os justos têm vidas longas (Sl 91.16). O livro de Deus é o conhecimento que Deus tem daqueles que viverão, e não algum livro literal com nomes escritos.
4. O *livro da vida* em um sentido *espiritual*. Ver no *Dicionário* o verbete intitulado *Livro da Vida*. Ver Apocalipse 20.15; 21.27. Os *vivos*, registrados no livro de Deus, são aqueles que podem esperar a vida eterna no céu. A maior parte dos estudiosos, porém, não acredita que, nos dias de Moisés, já houvesse tal conceito na teologia dos hebreus. Somente nos Salmos e nos Profetas foi que a alma imaterial passou a ser claramente levada em conta naquela teologia. No Pentateuco não há doutrina de galardão pelo bem praticado, e nem de punição pela prática do mal, em outra vida, além desta vida física.

Quase certamente, Moisés, em sua ideia de vir a ser *riscado* do livro de Deus, sugeriu a Yahweh que ele fosse morto, executado por alguma praga, ou por algum outro meio, a fim de que Israel pudesse continuar vivendo, e não ser aniquilado pela ira divina. Assim, seria feito um recenseamento (Nm 1) e a nação poderia prosseguir para o destino previsto no *Pacto Abraâmico* (ver as notas a respeito em Gn 15.18). Cf. Romanos 9.1-3. Mas Paulo tinha em mente a vida espiritual. Houve um avanço na perspectiva espiritual, nos séculos que se passaram entre Moisés e Paulo. Cf. Salmo 69.28.

■ 32.33

וַיֹּאמֶר יְהוָה אֶל־מֹשֶׁה מִי אֲשֶׁר חָטָא־לִי אֶמְחֶנּוּ מִסִּפְרִי:

Moisés não se achava em posição de tomar o lugar dos pecadores e sofrer o juízo deles. Somente o Senhor Jesus Cristo foi capaz de oferecer um sacrifício vicário. Ver no *Dicionário* o artigo chamado *Expiação*. Contudo, se a petição de Moisés não podia ser atendida sob a forma em que foi feita, o texto dá-nos a compreender o seu nobre espírito de sacrifício, que prevaleceu diante de Yahweh, a fim de que o Senhor *moderasse* o seu julgamento. A praga sobreveio (vs. 35), e morreu um número não especificado de pessoas, mas o povo de Israel, como um todo, teve a permissão de continuar existindo como nação. Cf. a persistência de Abraão, diante de Yahweh, em Gênesis 18.22,23.

Este texto ilustra a persistência na oração que obtém resultados, ainda que, às vezes, não da maneira exata em que foi feito o pedido. Naturalmente, por muitas vezes, aquilo que é pedido, é concedido. Ver Lucas 11.8. "O Espírito de Poder é aquele que abre tudo quanto é bom dentro de nós, bem como que recebe tudo que é bom fora de nós" (William Law). Algumas vezes, a oração faz o crente ajustar-se à resposta de Deus, em lugar de Deus ajustar-se aos nossos desejos. Ver no *Dicionário* o verbete *Oração*. Ver Ezequiel 18.4: "A alma que pecar, essa morrerá". Paulo disse a mesma coisa em um sentido espiritual, em Romanos 6.23.

32.34

וְעַתָּ֞ה לֵ֣ךְ ׀ נְחֵ֣ה אֶת־הָעָ֗ם אֶ֤ל אֲשֶׁר־דִּבַּ֙רְתִּי֙ לָ֔ךְ הִנֵּ֥ה מַלְאָכִ֖י יֵלֵ֣ךְ לְפָנֶ֑יךָ וּבְי֣וֹם פָּקְדִ֔י וּפָקַדְתִּ֥י עֲלֵיהֶ֖ם חַטָּאתָֽם׃

Meu anjo irá adiante de ti. Deus continuaria guiando Moisés e o povo de Israel. O destino geográfico era a terra de Canaã. Israel teria um futuro na Terra Prometida, um destino a cumprir.

anjo. O Pentateuco dá muito destaque aos anjos. Ver Gênesis 16.7,9; 19.1; 21.17; 22.11; 24.7; 28.12; 31.11; 32.1; 48.16; Êxodo 3.2; 14.19; 23.20; 32.34; 33.2. Ver no *Dicionário* o verbete intitulado *anjo*. Yahweh, por causa da crassa idolatria do povo de Israel, retirou a sua presença imediata, e enviou seu delegado ou delegados para que estivessem com Israel, a saber, seres angelicais que atuavam em seu lugar. O capítulo 33 de Êxodo aborda essa questão da presença divina, acerca do que há ampla provisão. Ver as notas introdutórias ao primeiro versículo de Êxodo 33.

O juízo divino haveria de ocorrer, apesar de Deus continuar orientando. Moisés continuou; o anjo continuou; a nação de Israel continuou. Mas essa continuação não dispensou a necessidade de julgamento contra o pecado.

O destino de Moisés não era morrer naquela ocasião, mas continuar *liderando* o povo de Israel. Se ele tivesse de liderar, então teria de ter um povo a ser liderado. Logo, a nação de Israel continuaria existindo. No entanto, este versículo mostra-nos que o juízo sobreviria: "No dia da minha visitação, vingarei neles o seu pecado", disse o Senhor. Portanto, parece que a *intercessão* (ver a esse respeito no *Dicionário*) de Moisés só foi eficaz em parte. O juízo de Deus foi *moderado*.

Em momentos de desespero, é fácil nos equivocarmos quanto àquilo que Deus quer para nós. Mas quando a luz de um novo dia espanta as trevas da noite, Deus projeta em nossas vidas novas perspectivas. Moisés ainda teria de combater em muitas batalhas; ainda teriam de ser enfrentados muitos problemas, e obtidas muitas vitórias. Em outras palavras, Moisés, em seu desespero, exagerara a situação e assumira um ponto de vista muito drástico do que estava sucedendo. A existência da nação de Israel não estava sendo ameaçada, apesar do severo julgamento enviado por Deus.

A justiça e o amor de Deus sempre marcham de mãos dadas (Is 40—55). De fato, o julgamento é um dedo da amorosa mão de Deus. O juízo divino é sempre remedial, e não apenas retributivo. Ver esse princípio ilustrado no artigo chamado *Julgamento de Deus dos Homens Perdidos*. A cruz também foi um *julgamento*, e também foi o maior *remédio* que o mundo jamais viu.

32.35

וַיִּגֹּ֥ף יְהוָ֖ה אֶת־הָעָ֑ם עַ֚ל אֲשֶׁ֣ר עָשׂ֣וּ אֶת־הָעֵ֔גֶל אֲשֶׁ֥ר עָשָׂ֖ה אַהֲרֹֽן׃ ס

Feriu, pois, o Senhor. Não está aqui em pauta a destruição dos três mil israelitas, pela espada dos levitas (vs. 28), mas algo adicional, não especificado em sua natureza. Mas não nos é dito quantas pessoas mais morreram. Sem dúvida, porém, foi um castigo severo, embora respeitasse certa moderação, por amor a Moisés, que havia feito intercessão.

Surgiu uma interessante declaração popular entre os judeus, devido às circunstâncias do texto à nossa frente: "Nenhuma aflição ocorreu jamais a Israel em que não houvesse alguma partícula de pó do bezerro de ouro". Isso dá a entender que o juízo de Deus continuou atuando através das gerações vindouras, por causa do gravíssimo pecado cometido diante do monte Sinai.

CAPÍTULO TRINTA E TRÊS

O ANJO DE DEUS GUIARÁ O POVO (33.1-23)

Há especulações quanto à identidade do anjo que foi delegado por Yahweh, e que nos foi apresentado em Êxodo 32.34. Alguns dizem que se tratava do *Logos*, uma aparição veterotestamentária da Segunda Pessoa da trindade. Mas isso parece ser uma cristianização excessiva do texto. Ver no *Dicionário* o artigo *anjo*, bem como as notas expositivas sobre Êxodo 32.34.

"O incidente do bezerro de ouro não é aqui o fulcro das atenções, embora haja uma relevância geral ao problema da *presença* de Deus com um povo pecaminoso. A cena é a partida iminente do Sinai (cf. Nm 10—11). Moisés buscava da parte de Deus a certeza de que, realmente, estaria presente com ele, em suas tarefas de liderança, depois que Deus lhe dissera que já *não* iria à frente do povo (vs. 3). O tabernáculo (vss. 7-11) deve ser entendido como um meio da presença de Deus. Em uma *teofania* (ver a esse respeito no *Dicionário*), Moisés recebeu a prova da promessa de Deus (vss. 18-23).

Tendo recebido a lei, Moisés agora passou para uma nova fase de sua missão, liderando o povo de Israel do Sinai à terra de Canaã. Quando iniciamos novos aspectos de nossas respectivas missões, sempre carecemos da presença de Deus conosco.

33.1

וַיְדַבֵּ֨ר יְהוָ֜ה אֶל־מֹשֶׁ֗ה לֵ֣ךְ עֲלֵ֣ה מִזֶּ֔ה אַתָּ֣ה וְהָעָ֔ם אֲשֶׁ֥ר הֶעֱלִ֖יתָ מֵאֶ֣רֶץ מִצְרָ֑יִם אֶל־הָאָ֗רֶץ אֲשֶׁ֣ר נִ֠שְׁבַּעְתִּי לְאַבְרָהָ֨ם לְיִצְחָ֤ק וּֽלְיַעֲקֹב֙ לֵאמֹ֔ר לְזַרְעֲךָ֖ אֶתְּנֶֽנָּה׃

Disse o Senhor a Moisés. A palavra de Deus continuou orientando Moisés. Ver no *Dicionário* o artigo chamado *Misticismo*. Moisés continuava sujeito à presença de Deus e às suas comunicações. Quando o Senhor fala, sempre nos ilumina. Ver no *Dicionário* o verbete intitulado *Iluminação*.

Para a terra a respeito da qual jurei. Era a Terra Prometida. O poder de Deus tinha tirado Israel da antiga terra, o Egito. Agora, uma nova terra jazia à espera deles. Essa *nova terra* fazia parte das provisões do Pacto Abraâmico, conforme este versículo deixa claro. Ver Gênesis 15.18 quanto a esse *pacto*, que inclui notas sobre a *Terra*. A despeito de seus pecados, Israel continuava sendo guiado pelo Senhor. No céu, Deus lidera as hostes celestes, que são impecáveis. Mas quando lidera alguém na terra, forçosamente guia *pecadores*.

33.2

וְשָׁלַחְתִּ֥י לְפָנֶ֖יךָ מַלְאָ֑ךְ וְגֵֽרַשְׁתִּ֗י אֶת־הַֽכְּנַעֲנִי֙ הָֽאֱמֹרִ֔י וְהַֽחִתִּי֙ וְהַפְּרִזִּ֔י הַחִוִּ֖י וְהַיְבוּסִֽי׃

O anjo. Ver notas a seu respeito em Êxodo 32.34, bem como as notas de introdução ao primeiro versículo deste capítulo. A presença divina seria dada de maneira secundária, posto que adequada. Deus não continuaria presente de forma imediata, como no Sinai. Também não subiria *no meio* do povo de Israel (vs. 3), e isso para benefício deles, pois a sua presença consumiria a um povo idólatra e de dura cerviz. Todavia, Deus prometeu que haveria uma representação divina e um poder divino adequados, na pessoa do anjo.

Lançando fora. Várias nações seriam expulsas da Terra Prometida. De acordo com algumas listas, sete nações distintas seriam expelidas da terra de Canaã, a fim de que o povo de Israel pudesse apossar-se dos territórios que Deus havia prometido a Abraão (Gn 15.18-20). Várias listas são dadas na Bíblia, nem sempre completas. Ver Gênesis 15.18-20; Êxodo 3.8,17; 34.11. O trecho de Gênesis 15.21 alista dez pequenas nações, mas as várias listas de nações a serem expulsas nem sempre são idênticas. Há artigos sobre todas essas nações, no *Dicionário*, de acordo com os nomes dessas várias nações.

33.3

אֶל־אֶ֛רֶץ זָבַ֥ת חָלָ֖ב וּדְבָ֑שׁ כִּי֩ לֹ֨א אֶֽעֱלֶ֜ה בְּקִרְבְּךָ֗ כִּ֤י עַם־קְשֵׁה־עֹ֙רֶף֙ אַ֔תָּה פֶּן־אֲכֶלְךָ֖ בַּדָּֽרֶךְ׃

Uma terra que mana leite e mel. Ver as notas sobre Êxodo 3.8 quanto a essa expressão.

Não subirei no meio de ti. Yahweh retirou a sua presença imediata, e enviou o seu anjo como seu delegado. Ver isso nas notas sobre Êxodo 32.34, bem como as notas de introdução ao primeiro versículo deste capítulo. A presença de Yahweh seria um fogo consumidor no meio de Israel, por ser este um povo idólatra e de dura cerviz, e que não poderia continuar existindo se Yahweh se aproximasse muito. A provisão de Deus, diante dessa situação, foi a *teofania* (ver a esse respeito no *Dicionário*). Quanto à presença consumidora de Deus, ver Êxodo 33.10; Levítico 10.2; Salmo 88.21,31. "...o nosso Deus é fogo consumidor" (Hb 12.29). De certo modo, a história de Israel é uma história de provocações a Deus. Essas provocações por várias vezes quase foram motivo da extinção de Israel.

Povo de dura cerviz. Essa expressão, muito usada na Bíblia, é comentada em Êxodo 32.9, onde dou uma lista de suas ocorrências.

■ **33.4**

וַיִּשְׁמַע הָעָם אֶת־הַדָּבָר הָרָע הַזֶּה וַיִּתְאַבָּלוּ וְלֹא־שָׁתוּ אִישׁ עֶדְיוֹ עָלָיו:

"É natural que os homens pecaminosos evitem a presença próxima de Deus (Mt 8.34; Lc 5.8). Os israelitas, ainda há pouco, tinham feito exatamente isso (Êx 20.19). E mesmo agora, provavelmente temiam um contato muito próximo, mas sentiram que Deus tivesse deixado de liderá-los diretamente como guia das hostes de Israel. Agora valorizavam aquela presença e proteção, sentindo que o anjo não a substituiria à altura" (Ellicott, *in loc.*). Destarte, eles lamentaram a perda, e chegaram a tirar seus atavios, como argolas, brincos, braceletes, colares, enfeites dos tornozelos e tudo quanto servisse de símbolo de alegria e abastança. Ao retirar-se Yahweh deles, tinham *empobrecido*. Ainda recentemente, eles tinham trazido seu ouro para a confecção do bezerro de ouro (Êx 32), mas agora não davam qualquer valor ao mesmo.

■ **33.5**

וַיֹּאמֶר יְהוָה אֶל־מֹשֶׁה אֱמֹר אֶל־בְּנֵי־יִשְׂרָאֵל אַתֶּם עַם־קְשֵׁה־עֹרֶף רֶגַע אֶחָד אֶעֱלֶה בְקִרְבְּךָ וְכִלִּיתִיךָ וְעַתָּה הוֹרֵד עֶדְיְךָ מֵעָלֶיךָ וְאֵדְעָה מָה אֶעֱשֶׂה־לָּךְ:

Para que eu saiba o que te hei de fazer. Os israelitas tinham tirado de si, *voluntariamente*, os seus atavios ou enfeites (vs. 4). Mas agora o próprio Moisés transmitia a *ordem* do Senhor nesse sentido. Era correto os israelitas lamentarem-se e prantear, o que estava sendo indicado mediante o ato de se desfazerem de certos objetos de luxo. Uma vez compungidos, Deus resolveria o que fazer com eles. Esses objetos de joalheria seriam fundidos e usados na construção do tabernáculo (ver Êx 25.2-8; 35.20-29). O ouro, antes usado para formar o bezerro de ouro, agora seria usado para levantar o tabernáculo, onde Yahweh haveria de manifestar a sua presença; e outro tanto sucederia a outros metais valiosos e a pedras preciosas.

A Ordem Drástica. Ainda que os israelitas se desfizessem de seus ornamentos, indicando um verdadeiro arrependimento, ainda assim a presença de Yahweh haveria de consumi-los. E estando sob a *ameaça de morte,* os israelitas desfizeram-se de todas as suas joias. E essas joias tornaram-se *contribuições forçadas* para a construção do tabernáculo. A Septuaginta revela que eles também sacrificaram suas vestes, mas o texto hebraico não menciona esse item.

Deus haveria então de tratar com eles reconhecendo seus corações, ao notar o arrependimento e a boa fé deles. O resultado de tudo isso foi a renovação do Pacto Mosaico (ver as notas a respeito em Êx 19.1).

■ **33.6**

וַיִּתְנַצְּלוּ בְנֵי־יִשְׂרָאֵל אֶת־עֶדְיָם מֵהַר חוֹרֵב:

A transação do sacrifício das joias teve lugar no monte Horebe. Ver no *Dicionário* o artigo *Horebe*. Esse era um outro pico da região de cadeias montanhosas onde também ficava o Sinai. Alguns eruditos, porém, identificam o Sinai com o Horebe. Seja como for, perto do lugar onde foi dada a Lei, Israel renovou o seu culto a Yahweh, e assim foi reinstalado o Pacto Mosaico, após o lamentável incidente de idolatria descrito no capítulo 32 de Êxodo.

A TENDA DE MOISÉS (O TABERNÁCULO) (33.7-11)

É possível que tenhamos aqui menção à própria tenda de Moisés, e não ao tabernáculo, embora alguns eruditos não tenham tomado consciência dessa possibilidade. A maioria das traduções não distingue as duas coisas. "Diferente do tabernáculo, que tinha uma localização central (Êx 25.8; Nm 2.2), essa tenda estava armada *bem distante* do acampamento. Originalmente, a tenda era tanto um local de reuniões dos líderes das tribos quanto um lugar de oráculo, embora ambas as ideias sejam transmitidas pelo termo "tenda da congregação". Outrossim, era principalmente uma tenda de *revelação* para Moisés (Nm 11.16,17,24-30; 12.1-8; Dt 31.14,15). Cf. Êxodo 29.42-46" (*Oxford Annotated Bible, in loc.*).

Alguns intérpretes supõem que essa tenda de Moisés era o real objeto que existia no deserto que se revestia de importância, e que o *tabernáculo* era uma tenda meramente ideal, que realmente não existia nos dias de Moisés, mas que foi passada para o tempo dele, embora só viesse a existir no templo de Jerusalém. Nesse caso, a seção diante de nós seria um reflexo da verdade histórica da questão. Desnecessário é dizê-lo, muitos intérpretes rejeitam esse raciocínio.

O problema da retirada de Yahweh dentre o povo de Israel, por causa da idolatria deles (ver Êx 32.34; ver as notas de introdução a Êxodo 33.1 e as notas sobre o vs. 3 deste capítulo), seria resolvido, pelo menos em parte, na tenda da revelação, onde a presença divina poderia manifestar-se com certo grau, sem que houvesse a necessidade de destruir o povo de Israel.

John Gill (*in loc.*) supunha que está aqui em pauta a tenda mesma de Moisés, a qual foi um lugar de grande importância espiritual até que, algum tempo depois, foi erigido o tabernáculo. Isso harmonizaria as duas opiniões expostas acima.

■ **33.7**

וּמֹשֶׁה יִקַּח אֶת־הָאֹהֶל וְנָטָה־לוֹ מִחוּץ לַמַּחֲנֶה הַרְחֵק מִן־הַמַּחֲנֶה וְקָרָא לוֹ אֹהֶל מוֹעֵד וְהָיָה כָּל־מְבַקֵּשׁ יְהוָה יֵצֵא אֶל־אֹהֶל מוֹעֵד אֲשֶׁר מִחוּץ לַמַּחֲנֶה:

A tenda. A tenda pessoal de Moisés ou o tabernáculo? Ver as notas acima, na introdução a este versículo. Talvez esteja em pauta a tenda mesma de Moisés, antes da ereção do tabernáculo. Mas muitos eruditos insistem em que essa tenda era o verdadeiro lugar de autoridade e revelação, e que o tabernáculo era uma projeção ideal, baseada no templo de Jerusalém, como se ela existisse desde os dias de Moisés.

Todo aquele que buscava ao Senhor. As pessoas vinham em busca da vontade de Deus e de Moisés, considerando este um profeta e vidente, capaz de fornecer-lhes oráculos e ajudá-las a resolver os seus problemas. E essa tenda também era um lugar de adoração, ensino e transmissão da mensagem espiritual, conforme vemos no versículo seguinte. Ela era a *igreja* do momento, plena de experiências miraculosas e místicas. Ver no *Dicionário* o artigo chamado *Misticismo*. Os fenômenos que tinham lugar na tenda de Moisés, mais tarde, tornaram-se parte das manifestações de Yahweh no tabernáculo, mas tudo mediado por um culto mais formal. Josué era o companheiro e ajudante constante de Moisés nessa tenda, e isso quase certamente diz-nos que o tabernáculo não estava em foco (ver o vs. 11), visto que Josué não era sacerdote.

Essa era a "tenda da congregação", que outras traduções chamam de "tenda da reunião", nome esse que foi dado mais tarde ao tabernáculo. No dizer de Ellicott (*in loc.*), essa tenda "foi um substituto temporário do tabernáculo". Ver Êxodo 25.22 quanto ao tabernáculo como um lugar de reuniões. Ver a expressão "tenda da congregação" em Êxodo 27.21; 28.43; 29.4,32; 30.16 e aqui.

■ **33.8**

וְהָיָה כְּצֵאת מֹשֶׁה אֶל־הָאֹהֶל יָקוּמוּ כָּל־הָעָם וְנִצְּבוּ אִישׁ פֶּתַח אָהֳלוֹ וְהִבִּיטוּ אַחֲרֵי מֹשֶׁה עַד־בֹּאוֹ הָאֹהֱלָה:

Em atitude de respeito, o povo ficava observando, em contemplação admirada, Moisés, enquanto ele entrava na tenda! Ele não era apenas o líder político e religioso. Mas também era um homem que sabia influenciar a Yahweh. Observá-lo inspirava as pessoas à adoração.

"A cena em que todo homem ficava à porta de sua tenda, observando Moisés, vendo a coluna de nuvem descer, e adorava, deveria ser a cena em cada culto matinal em nossas igrejas: o ministro e suas orações sugerindo que a congregação fizesse outro tanto" (J. Coert Rylaarsdam, *in loc.*). Cf. Ester 5.9.

O Targum de Jonathan interpreta este versículo como se os "ímpios" é que ficassem olhando para Moisés com olhos maus, ressentidos diante de seu poder e de sua autoridade. Mas isso parece contrário ao intuito desta passagem, segundo o vs. 10, sem dúvida, indica.

33.9

וְהָיָ֗ה כְּבֹ֤א מֹשֶׁה֙ הָאֹ֔הֱלָה יֵרֵד֙ עַמּ֣וּד הֶֽעָנָ֔ן וְעָמַ֖ד פֶּ֣תַח הָאֹ֑הֶל וְדִבֶּ֖ר עִם־מֹשֶֽׁה׃

Descia a coluna de nuvem. Ver no *Dicionário* o artigo intitulado *Coluna de Fogo e Nuvem*. Talvez esteja em foco a coluna que guiava o povo de Israel. Ela mudava sua posição quando Moisés estava na tenda, porquanto descia. Isso servia de sinal de que Yahweh tinha descido para agraciar Moisés com a sua presença, conferindo-lhe sabedoria em tudo quanto ele tivesse de fazer e dizer. Os oráculos de Moisés eram verazes e eficazes. Ver Êxodo 19.16,20; 20.21 quanto à nuvem no cume do monte santo. Alguns eruditos imaginam que a nuvem ia e vinha entre o monte Sinai e a tenda, dependendo dos movimentos de Moisés; mas parece haver nisso um grande exagero. Muitos estudiosos, como é claro, interpretam alegoricamente a questão, e não imaginam uma nuvem literal. Antes, pensam em termos de manifestação espiritual, e não de nuvens literais. Ver as notas sobre Êxodo 19.9 quanto à *nuvem mística*. A nuvem do monte Sinai, na opinião de muitos eruditos, não era a mesma nuvem que dirigia o povo de Israel durante o dia (ver Êx 13.21). Seja como for, ela servia de prova da presença de Yahweh com Moisés, e, portanto, com o povo de Israel. E isso seria a solução para o problema acerca da presença divina, levantado em Êxodo 32.34, bem como nas notas introdutórias a Êxodo 33.1.

A *Shekinah* (ver a respeito no *Dicionário*) talvez estivesse relacionada ao fenômeno descrito neste trecho, e essa força poderia fazer parte dos fenômenos que acompanharam o tabernáculo, erigido mais tarde.

A *nuvem falava,* o que demonstra que estão aqui em vista a presença do Senhor e a comunicação de Yahweh.

33.10

וְרָאָ֤ה כָל־הָעָם֙ אֶת־עַמּ֣וּד הֶֽעָנָ֔ן עֹמֵ֖ד פֶּ֣תַח הָאֹ֑הֶל וְקָ֤ם כָּל־הָעָם֙ וְהִֽשְׁתַּחֲו֔וּ אִ֖ישׁ פֶּ֥תַח אָהֳלֽוֹ׃

O fenômeno de Moisés e sua tenda, sobre a qual descia a nuvem, excitava os sentimentos religiosos do povo de Israel, de tal modo que o lugar e as circunstâncias associadas a ele tinham um valor de adoração. Ver no *Dicionário* o verbete *Adoração*. A fé espiritual jamais deveria ser apenas uma fonte de informação, e nem mesmo apenas uma fonte de iluminação. As pessoas podiam encontrar solução para seus problemas consultando Moisés, mas também deveriam ser um povo dedicado à adoração e ao louvor. A nuvem vinha e ia. Havia ocasiões de iluminação e adoração especiais, e isso sempre foi uma verdade em todas as dispensações. Havia uma certa distância entre Yahweh e o povo, conforme era requerido pelas circunstâncias (Êx 32.34; 33.3). Cristo, na nova dispensação, fechou o abismo quase totalmente, embora Deus continuasse sempre transcendente. Deus será sempre *algo* diferente, e não mera proximidade. A eternidade toda, na glorificação, estará envolvida em uma busca constante por maior proximidade, conforme os homens forem sendo transformados segundo a imagem de Cristo, assumindo cada vez mais a natureza divina (Rm 8.29 e 2Pe 1.4).

33.11

וְדִבֶּ֨ר יְהוָ֤ה אֶל־מֹשֶׁה֙ פָּנִ֣ים אֶל־פָּנִ֔ים כַּאֲשֶׁ֛ר יְדַבֵּ֥ר אִ֖ישׁ אֶל־רֵעֵ֑הוּ וְשָׁב֙ אֶל־הַֽמַּחֲנֶ֔ה וּמְשָׁ֨רְת֜וֹ יְהוֹשֻׁ֤עַ בִּן־נוּן֙ נַ֔עַר לֹ֥א יָמִ֖ישׁ מִתּ֥וֹךְ הָאֹֽהֶל׃ ס

Temos aqui a comunhão mística em seu ponto máximo. Ver no *Dicionário* o artigo chamado *Misticismo*. O texto diz-nos que Yahweh e Moisés eram amigos, e estavam, com frequência, na companhia um do outro. Assim foi que Moisés foi o maior de todos os profetas, e não apenas um líder significativo. Cf. este versículo com Números 12.7,8. Contudo, os vss. 18-23 sublinham o hiato que permanecia entre Moisés e Yahweh. Ademais, há uma imensa diferença entre Cristo e Moisés, pois Moisés era apenas um servo na casa, ao passo que Cristo era o *Filho* da casa. Ver Hebreus 3.2,5. No entanto, Moisés era um servo extraordinariamente *fiel*, e esse era um dos segredos de sua incomum espiritualidade. Ele, como servo, foi um mediador especial (Êx 19.9; 20.19). Ver também Deuteronômio 34.10-12. Profetas posteriores, como é óbvio, tiveram certo grau do acesso a Deus de que Moisés desfrutou, como Isaías (6.1-6) e Ezequiel (1.28).

A estatura de Moisés como profeta fica demonstrada pelo próprio fato de que podemos contrastá-lo e compará-lo com Cristo. O que Moisés foi para a antiga dispensação, Cristo foi para a nova dispensação. Eles foram cabeças de importantes dispensações.

Visto que ninguém pode ver a Deus em sua essência real (Jo 1.18), todas as manifestações divinas eram da *teofania* ou do *anjo,* ou de alguma outra forma visível, mas jamais a essência divina. Ver sobre ambos esses termos no *Dicionário*.

O moço Josué. Na tenda de Moisés, antes do levantamento do tabernáculo, estava Josué, e não Arão, como seu primeiro assistente. Mas não há explicações quanto às funções de Josué. Ele não era um sacerdote no sentido verdadeiro da palavra. Ver no *Dicionário* o artigo sobre *Josué*.

A AUTO-REVELAÇÃO DE YAHWEH A MOISÉS (33.12-23)

Em Êxodo 32.34 e 33.3, encontramos o problema da presença de Yahweh com o povo de Israel. Comentei sobre a questão na primeira referência e nas notas introdutórias sobre Êxodo 33.1. Esse *problema* foi aliviado por Moisés como um mediador. Ver no *Dicionário* o verbete chamado *Mediação (Mediador)*. Moisés foi tipo de Cristo como Mediador. Yahweh continuava guiando e estava presente, embora não diretamente no meio do povo, como tinha sucedido no Sinai. O texto que ora consideramos registra uma revelação especial de Yahweh a Moisés, uma poderosa experiência mística. Ver no *Dicionário* o artigo chamado *Misticismo*.

O Pacto Mosaico (comentado em Êx 19.1) foi violado e violentamente desprezado pelo povo no incidente do bezerro de ouro (Êx 32). Mas tendo Moisés como mediador, Yahweh aproximou-se de novo do povo de Israel e reinstaurou e reafirmou aquele pacto. Ver no *Dicionário* o artigo intitulado *Pactos*. Nessa renovação, novas tábuas de pedra foram dadas (Êx 34.1). A teofania apareceu e garantiu a presença de Yahweh, pelo que não haveria falhas e nem defeitos. O pacto mosaico seria levado avante. A cena continuava sendo o monte Sinai. Yahweh fez uma outra aparição, posto que diferente. E à dispensação mosaica foi conferido um novo ímpeto. Êxodo 33 atua como uma espécie de pré-condicionador da reinstalação do pacto mosaico, o que é descrito em Êxodo 34. Nenhum pacto pode ser efetuado sem um acordo e sem um mediador. Esse mediador precisa estar qualificado, e o capítulo 33 do Êxodo mostra-nos que Moisés tinha qualificações espetaculares.

Os interesses de Moisés eram três: 1. Moisés queria saber quais eram as intenções de Yahweh em relação ao povo de Israel. Eles ainda ocupavam um lugar especial, apesar do lapso em que haviam caído (vs. 12)? 2. Moisés queria saber se a presença de Deus continuaria a acompanhá-los, ou se estavam abandonados (vss. 15-17). 3. Moisés precisava ser renovado quanto à glória do Senhor, para que o povo se encorajasse (vs. 18).

33.12

וַיֹּ֨אמֶר מֹשֶׁ֜ה אֶל־יְהוָ֗ה רְ֠אֵה אַתָּ֞ה אֹמֵ֤ר אֵלַי֙ הַ֣עַל אֶת־הָעָ֣ם הַזֶּ֔ה וְאַתָּה֙ לֹ֣א הֽוֹדַעְתַּ֔נִי אֵ֥ת אֲשֶׁר־תִּשְׁלַ֖ח עִמִּ֑י וְאַתָּ֣ה אָמַ֗רְתָּ יְדַעְתִּ֙יךָ֙ בְשֵׁ֔ם וְגַם־מָצָ֥אתָ חֵ֖ן בְּעֵינָֽי׃

As Intenções de Yahweh. Temos aqui a primeira coisa sobre a qual Moisés tinha inquirido. Continuava viável o êxodo e a marcha na direção da Terra Prometida, apesar do lapso de Israel na idolatria (cap. 32)? Yahweh continuava presente, disposto a guiar, conferindo segurança e sucesso? Deus mesmo havia dito: "Conduze o povo para onde te disse; eis que o meu anjo irá adiante de ti" (Êx 32.34; 33.3). Contudo, ele estaria guiando o povo através de seus mediadores, Moisés e os poderes angelicais. Para Moisés, a glória *shekinah* continuaria comum, e ele haveria de compartilhar dessa experiência com o povo. Isso seria o suficiente para realizar a obra.

Conheço-te pelo teu nome. Essas palavras enfatizam a comunhão íntima que Yahweh tinha com Moisés. Ele tinha vindo ao encontro dele na sarça ardente (Êx 3.4), e novamente lhe chamara de dentro da nuvem (Êx 24.16). Além disso, havia a glória *shekinah* diante da porta da tenda de Moisés (Êx 33.10). A presença de Yahweh estaria sempre com ele (Êx 33.14). E isso seria suficiente para o povo de Israel e para que se completasse a tarefa do êxodo.

33.13

וְעַתָּ֡ה אִם־נָא֩ מָצָ֨אתִי חֵ֜ן בְּעֵינֶ֗יךָ הוֹדִעֵ֤נִי נָא֙ אֶת־דְּרָכֶ֔ךָ וְאֵדָ֣עֲךָ֔ לְמַ֥עַן אֶמְצָא־חֵ֖ן בְּעֵינֶ֑יךָ וּרְאֵ֕ה כִּ֥י עַמְּךָ֖ הַגּ֥וֹי הַזֶּֽה׃

Rogo-te que me faças saber... o teu caminho. Com quanta frequência enfrentamos problemas para os quais precisamos de iluminação. Não basta sermos bem versados nas Escrituras; também não basta orar. Algumas vezes precisamos do toque místico da presença de Deus a fim de podermos entender o seu plano e o *modus operandi* desse plano. Oh, Senhor, concede-nos tal graça! A fé chama-nos à ação quando não podemos ver. Mas às vezes é uma grande ajuda ver alguma coisa! É de prestimoso auxílio ser testemunha do poder de Deus. Nenhum homem é tão forte que não precise *desse* tipo de ajuda, mesmo que só ocasionalmente. Deus se conserva em meio às sombras, para ver o que podemos fazer com os dons e a graça que ele nos tem outorgado. Ele nos dá oportunidades e espera que usemos nossos próprios dons e poderes. Ele provê para seus filhos uma boa educação, esperando da parte deles que usem essa instrução. Mas ao notar que eles têm mais para fazer do que são capazes de fazer, ele sai das sombras e provê a *assistência divina*.

Esta nação é teu povo. Em Êxodo 32.7, Yahweh pareceu ter renegado a seu povo, chamando-o de povo "de Moisés" e não dele mesmo. Ver as notas expositivas sobre aquele versículo. A primeira intercessão de Moisés lembrou Yahweh da relação especial que ele mantivera com Israel como um *filho*. Ver Êxodo 32.7-14. Abraão, Isaque e Jacó tinham que ser levados em consideração, sem falar sobre o Pacto Abraâmico (ver as notas expositivas sobre Gn 15.18). Sendo esses fatos indiscutíveis, Moisés sentiu ser necessário que Yahweh reafirmasse suas boas intenções no tocante a Israel, garantindo a sua presença, para que a marcha até à Terra Prometida tivesse bom êxito.

33.14

וַיֹּאמַ֑ר פָּנַ֥י יֵלֵ֖כוּ וַהֲנִחֹ֥תִי לָֽךְ׃

A minha presença irá contigo. Israel não contaria com a presença de Yahweh, segundo se vira no monte Sinai. Isso foi demais para eles. No entanto, contariam com a presença de Deus, por intermediação de Moisés. Também haveria a teofania do anjo. Não faltariam poder e iluminação. O texto ensina que sem a presença de Deus, são impossíveis quaisquer grandes projetos. De modo significativo, a intercessão de Moisés havia afastado a ameaça prometida em Êxodo 32.34 e 33.3. "No hebraico, a palavra *presença* é face. Isso quer dizer que a plenitude de Deus, em sua função de protetor e líder, continuaria a ser a força e a segurança do povo de Israel. O juízo no qual Deus 'vira o rosto' tinha sido afastado... O julgamento, afinal, é apenas o lado negativo da revelação!" (J. Edgar Park, *in loc.*).

Eu te darei descanso. Moisés ficou muito apreensivo diante da ameaça da retirada da presença de Deus, como também pela gigantesca tarefa que jazia à sua frente. Só a graça e o poder divinos poderiam dar a Israel o sucesso na empreitada. Mas havia descanso à frente, em que Moisés ficaria liberto de todas as ansiedades e vexames. Esse descanso significaria sucesso e a cessação de labores. A Moisés foi prometida a vitória final, que lhe daria descanso. A esposa do famoso escritor brasileiro, Jorge Amado, disse que aquilo que mais dá *descanso* a um escritor é quando seu livro está nas mãos do editor, pronto para entrar no prelo. Assim acontece em todo projeto. O *descanso* vem com o sucesso final. Até aquele ponto temos labor e ansiedade.

"A própria Terra Prometida era esse descanso... o que era típico daquele descanso eterno que espera pelo povo de Deus no céu, sendo um puro dom de Deus" (John Gill, *in loc.*). Ver Hebreus 3.11,18; 4.1,11.

33.15

וַיֹּ֖אמֶר אֵלָ֑יו אִם־אֵ֤ין פָּנֶ֙יךָ֙ הֹלְכִ֔ים אַֽל־תַּעֲלֵ֖נוּ מִזֶּֽה׃

O Sine Qua Non. Todos nós temos nossas limitações e condições. Coisa alguma do que fazemos de importante deixa de ter suas condições. Moisés tinha uma grande condição relativa à sua tarefa. Ele precisava da presença de Deus que o acompanhasse. De outra sorte, de nada adiantaria prosseguir. Esse era o seu *sine qua non* (sem o que, não!). Yahweh *concordou* com o pedido de Moisés, sabendo que ele estava com a razão. Portanto, a presença e a iluminação divinas estariam com ele. Essa seria a força de Moisés, bem como o fator que lhe daria coragem e entusiasmo para a sua tarefa.

33.16

וּבַמֶּ֣ה ׀ יִוָּדַ֣ע אֵפ֗וֹא כִּֽי־מָצָ֨אתִי חֵ֤ן בְּעֵינֶ֙יךָ֙ אֲנִ֣י וְעַמֶּ֔ךָ הֲל֖וֹא בְּלֶכְתְּךָ֣ עִמָּ֑נוּ וְנִפְלֵ֗ינוּ אֲנִ֤י וְעַמְּךָ֙ מִכָּל־הָעָ֔ם אֲשֶׁ֖ר עַל־פְּנֵ֥י הָאֲדָמָֽה׃ פ

Não Há Avanço sem Deus. A massa do povo de Israel não sentia a urgência que Moisés sentia. Que importância tinha para eles a presença de Deus? Eles estavam felizes em seus vícios e em seu materialismo. "Moisés preferia morrer onde estava do que continuar dando um passo sem Deus. Deus vai com qualquer um, até mesmo com o mais fraco e mais temeroso, que queira tê-lo como seu guia" (J. Edgar Park, *in loc.*, referindo-se ao *Peregrino*, de João Bunyan).

Guia-me, ó grandioso Yahweh,
Peregrino que sou nesta terra estéril.
Sou fraco, mas tu és poderoso.
Segura-me com tua poderosa mão.
...

Abre agora a fonte cristalina,
De onde fluem as águas curadoras.
Que a coluna de fogo e de nuvem
Guiem-me até o fim da jornada.

Quando eu pisar na beira do Jordão,
Desapareçam todos os meus temores.
Sustém-me na correnteza revolta,
E faz-me chegar seguro em Canaã.

William Williams

Somos separados. Separados de todos os povos, um povo distintivo, no meio de quem operava de modo especial o poder e a vontade de Deus, tudo o que eram lições objetivas acerca da caminhada espiritual. Israel era um povo salvo dos idólatras e das corrupções morais dos povos: uma obra diferente de Deus.

33.17

וַיֹּ֤אמֶר יְהוָה֙ אֶל־מֹשֶׁ֔ה גַּ֣ם אֶת־הַדָּבָ֥ר הַזֶּ֛ה אֲשֶׁ֥ר דִּבַּ֖רְתָּ אֶֽעֱשֶׂ֑ה כִּֽי־מָצָ֤אתָ חֵן֙ בְּעֵינַ֔י וָאֵדָעֲךָ֖ בְּשֵֽׁם׃

Disse o Senhor a Moisés. A resposta do Senhor foi um "sim". Moisés tinha falado com veracidade, e Yahweh, seu amigo, reconheceu esse fato. Portanto, concordou com as petições de Moisés, sem qualquer limitação ou condição. O Pacto Mosaico foi reinstalado, teoricamente falando. Êxodo 34 nos mostra a reinstalação formal do Pacto Mosaico, na outorga das novas tábuas de pedra, em substituição àquelas que Moisés havia partido, em seu acesso de ira (Êx 32.19). A presença divina, segundo Deus ameaçara, poderia ser removida (Êx 32.34; 33.3). Mas isso acabou não sucedendo. Antes, haveria a provisão e o poder divinos. Yahweh agradou-se com Moisés. Sua persistência prevalecera para benefício do povo de Israel.

Eu te conheço pelo teu nome. Isso também foi dito no vs. 12 deste capítulo, onde dou notas expositivas a respeito. Moisés tratou com Deus como um amigo. "Moisés foi recompensado por sua importunação. O povo de Deus, desse modo, achou graça diante de seus olhos. Deus iria à frente deles, assim separando-os e distinguindo-os de todos os outros povos da terra. Agora, finalmente, Moisés estava satisfeito" (Ellicott, *in loc.*).

Os vss. 17-23 deste capítulo antecipam a teofania de Êxodo 34.5-9, o desdobramento prático das promessas de Yahweh.

33.18

וַיֹּאמַ֑ר הַרְאֵ֥נִי נָ֖א אֶת־כְּבֹדֶֽךָ׃

Rogo-te que me mostres a tua glória. Moisés estava sempre pronto para fazer outra petição audaciosa. Visto que Yahweh tinha prometido a sua presença e orientação, Moisés agora anelou por ver alguma manifestação especial de Deus. E pediu uma poderosíssima experiência mística. Moisés desejava que Deus se manifestasse de modo totalmente franco a ele. Então Moisés entenderia o caráter e o poder de Deus de uma maneira que não tinha sucedido ainda até ali. Yahweh satisfaria esse pedido, embora com limitações (vs. 23), pois uma revelação completa de Deus só aconteceria na eternidade, e como uma questão de *progresso* espiritual eterno, não podendo ser dado como um *único* acontecimento. Moisés estava pedindo demais, mas é melhor pedir demais, com sinceridade, do que não ser um inquiridor. É melhor pedir demais do que pedir de menos. É melhor crer demais do que crer de menos. Moisés anelava pela chamada *visão beatífica* (ver sobre isso na *Enciclopédia de Bíblia, Teologia e Filosofia*). Mas essa visão é uma questão de glorificação eterna, e não de um único acontecimento dentro do tempo. Essa experiência inclui a participação na natureza divina, de um filho com seu Pai celeste. As expectações de Moisés eram demasiadas para este lado da vida, mas seu zelo obteve para ele experiências tremendas, embora não tudo quanto ele esperava. Ademais, o que ele havia esperado estava muito acima do escopo da experiência humana mortal. Algo visível e glorioso haveria de ser dado, mas Moisés não veria a *essência* mesma da deidade, e, sim, alguma *manifestação* de Deus. "Talvez esse tenha sido o mais alto favor que já foi concedido a um ser humano, antes da encarnação de nosso Senhor" (John Gill, *in loc.*).

"Embora os homens não pudessem ver a Deus, eles puderam contemplar a glória que indicava a sua presença (Êx 40.34; Nm 14.10,22; 16.19; Ez 11.23") (*Oxford Annotated Bible,* sobre Êx 16.7). Ver os comentários sobre o vs. 23 deste capítulo.

■ 33.19

וַיֹּאמֶר אֲנִי אַעֲבִיר כָּל־טוּבִי עַל־פָּנֶיךָ וְקָרָאתִי בְשֵׁם יְהוָה לְפָנֶיךָ וְחַנֹּתִי אֶת־אֲשֶׁר אָחֹן וְרִחַמְתִּי אֶת־אֲשֶׁר אֲרַחֵם:

De Acordo com as Condições Divinas. Deus tem misericórdia de quem lhe aprouver ter misericórdia. A vontade de Deus é soberana. Deus podia conceder ou não o pedido feito por Moisés. Deus não se sente obrigado a nada; mas ele faz coisas que ajudam os retos, quando estes estão preparados para tanto. A "bondade" de Deus passaria diante de Moisés, e isso tendo em vista o bem de Moisés. A visão seria uma manifestação da santidade de Deus, e operaria para o bem. A Septuaginta diz aqui *para minha glória,* mas isso é uma interpretação, e não uma tradução. A ira de Deus tinha-se acalmado. Agora ele mostraria a Moisés a sua bondade, as suas boas intenções, a sua benevolência, tudo contido em sua presença, visando ao benefício tanto de Moisés quanto do povo de Israel. Haveria graciosidade na presença de Deus. Seu nome seria conhecido em sua presença. Haveria um poder *instrutivo*, e não apenas uma experiência divertida.

O nome do Senhor. "Senhor, Senhor Deus compassivo, clemente e longânimo, e grande em misericórdia e fidelidade" (Êx 34.6,7). Moisés haveria de aprender certas coisas acerca do nome de Deus, isto é, sobre sua pessoa e caráter, naquela visão. As experiências místicas são *noéticas*, ou seja, dotadas de poder *didático*, que conferem àqueles que as recebem a plena certeza sobre certas coisas. O favor de Deus não é concedido arbitrariamente, mas é dado de acordo com a vontade divina. Não obstante, este versículo garante-nos a natureza benévola da vontade de Deus. Israel, que acabara de sair de uma grave falha contra o primeiro mandamento, não merecia qualquer benevolência da parte de Deus. Mas por causa de Moisés, os israelitas haveriam de ser beneficiados. A justiça de Deus está sempre presente, mas sempre temperada com o amor. Até mesmo o juízo é um dedo da amorosa mão de Deus. Ver no *Dicionário* o artigo intitulado *Amor.*

■ 33.20

וַיֹּאמֶר לֹא תוּכַל לִרְאֹת אֶת־פָּנָי כִּי לֹא־יִרְאַנִי הָאָדָם וָחָי:

A face. A questão que é discutida aqui pelos estudiosos é exatamente quão antropomórfico o autor sagrado se mostrou. Poderia ser que ele realmente pensasse que Deus teria rosto e corpo físicos, incluindo costas (vs. 23)? Ou deveríamos tomar a palavra *face* com o sentido de *essência?* Deus não pode ser visto pelo homem (Jo 1.18). Portanto, no sentido de que Deus não pode ser visto, usamos a palavra *face.* Em um outro sentido, todavia, Deus pode ser visto, e, nesse sentido, usamos a palavra *costas.* Essa é a interpretação metafórica do texto.

Aqueles que insistem em literalidade (como os mórmons e certas religiões antigas) envolvem-se em um pesado *antropomorfismo* (ver a respeito no *Dicionário*). Os eruditos do hebraico histórico informam-nos que o autor reflete aqui um período da teologia dos hebreus em que o antropomorfismo fazia parte integrante do pensamento deles. Nesse caso, podemos afirmar que o autor acreditava que Yahweh tinha face e costas, em sentido literal. A teologia cristã nos levou para longe disso, com seu mais elevado conceito de Deus.

Em Cristo, a face de Deus foi e é vista pelos homens da maneira mais clara possível, até onde ela pode ser vista neste lado da vida. João 1.18. Assim, nenhum homem pode ver a Deus, mas Cristo O *revelou.* Cf. João 14.8,9. O Novo Testamento nos fez avançar muito em relação ao Antigo Testamento quanto a muitos pontos doutrinários; e não nos deveríamos surpreender por descobrir que, no tocante a este versículo, há grande avanço no entendimento acerca da natureza de Deus. Como é óbvio, ainda teremos que avançar muito para saber o bastante acerca do *Mysterium Tremendum.* Ver a *Enciclopédia de Bíblia, Teologia e Filosofia* quanto a esse título.

Homem nenhum verá a minha face, e viverá. É bem provável que se um homem fosse transportado até à presença de Deus não resistiria ao choque de energia, e nem resistiria ao ambiente em que vive o Ser divino. Um ser humano não poderia sobreviver fisicamente na presença de Deus. Outro tanto, provavelmente, é verdade no tocante à sua atual *energia espiritual*, que terá de sofrer grande transformação, antes de poder aguentar estar na presença do Senhor. Possuímos um certo vocabulário com o qual especulamos acerca dessas realidades, mas de fato, nada conhecemos de prático acerca delas.

■ 33.21,22

וַיֹּאמֶר יְהוָה הִנֵּה מָקוֹם אִתִּי וְנִצַּבְתָּ עַל־הַצּוּר:

וְהָיָה בַּעֲבֹר כְּבֹדִי וְשַׂמְתִּיךָ בְּנִקְרַת הַצּוּר וְשַׂכֹּתִי כַפִּי עָלֶיךָ עַד־עָבְרִי:

Eis aqui um lugar. Encontramos aqui a ideia de proteção em um lugar. Prossegue, pois, o antropomorfismo. Certo local, em uma rocha, ofereceria proteção a Moisés, quando Yahweh passasse. Moisés teria de postar-se atrás de uma certa rocha. Então, passando o Senhor, Moisés o veria por meio de uma fenda na rocha, pois assim não sofreria o pleno impacto da energia divina, ao passar perto dele. Não contemplaria a face de Deus, mas veria, em um relance, o Senhor, pelas costas. Yahweh cobriria Moisés com a sua mão protetora. Se quisermos entender o texto poética e metaforicamente, então "aqui há muitos mistérios". Se tentarmos entendê-lo literalmente, então haverá "mais mistérios ainda". Não basta sabermos que Deus pode revelar-se e realmente revela-se aos homens. Sabemos a respeito da nuvem mística. Ela faz parte de certas experiências místicas. Também sabemos acerca da presença divina, que mete medo, que faz tremer, que deixa aterrado, que purifica e ilumina. Mas afinal, uma das categorias ou descrições místicas é a da experiência mística, a qual, quando é de elevada ordem, é essencialmente não-verbal, *inefável.* Sendo esse o caso, não somos capazes de fazer muito mais, através de descrições, do que fez o autor deste texto bíblico. Podemos dizê-lo de forma diferente, mas ainda assim deixaremos nossos leitores ou ouvintes a indagar o que estaríamos querendo dizer. E isso não nos deve admirar, pois nós mesmos não temos ideias claras e nem palavras capazes de expressar essas noções indistintas. "...um homem pode conhecer a sua vontade, mas não pode perscrutar o mistério dessa vontade" (J. Edgar Park, *in loc.*).

"A linguagem humana, por sua própria natureza, é incapaz de expressar as sublimes verdades espirituais, pelo que, necessariamente, reveste essas verdades com um traje materialista, estranho à sua natureza etérea" (Ellicott, *in loc.*).

"Embora empregando ousados antropomorfismos (a *mão* e as *costas* do Senhor) a história enfatiza que Deus permanece oculto mesmo quando se revela" (*Oxford Annotated Bible, in loc.*).

O belo hino intitulado *Rocha Eterna* está baseado neste texto bíblico. Essa rocha protetora é Cristo, fendida por nós na cruz, em sacrifício expiatório.

Rocha eterna, foi na cruz
Que morreste tu, Jesus;
Vem de ti um sangue tal

Que me limpa todo mal;
Traz as bênçãos do perdão;
Gozo, paz e salvação.

Augustus M. Toplady

■ 33.23

וַהֲסִרֹתִי֙ אֶת־כַּפִּ֔י וְרָאִ֖יתָ אֶת־אֲחֹרָ֑י וּפָנַ֖י לֹ֥א יֵרָאֽוּ׃ ס

Uma vez removida a mão protetora de Deus, Moisés pôde ter um vislumbre das costas de Yahweh, um certo grau de glória que ele pôde suportar e sobreviver. Portanto, houve revelação, mas em um grau suportável e compreensível para o ser humano.

Assim sucedeu a Moisés, e isso sempre será verdade, embora a eternidade toda venha a dar-nos oportunidade de ir adquirindo cada vez maior *iluminação* (ver sobre isso no *Dicionário*). E assim iremos sabendo mais e mais sobre o *Mysterium Tremendum*. Isso posto, permanece um mistério em meio à revelação mais avançada. "...as mais plenas e brilhantes exibições de sua glória, graça e bondade estão reservadas para o outro estado; ver 1Coríntios 13.9,12; 1João 3.2" (John Gill, *in loc.*).

Ver na *Enciclopédia de Bíblia, Teologia e Filosofia* o verbete intitulado *Visão Beatífica*. Essa visão não consiste somente em vermos Deus. Pelo contrário, envolve um alto grau de transformação segundo a imagem de Cristo, para que possamos compartilhar da natureza divina (2Pe 1.4). Ver também Romanos 8.29 e 1João 3.2. A mais elevada verdade espiritual de que dispomos é a de que podemos participar da própria natureza divina, pois vamos sendo transformados de um estágio de glória para outro, segundo a imagem do Logos, mediante o poder do Espírito Santo (2Co 3.18). Ver na *Enciclopédia de Bíblia, Teologia e Filosofia* o artigo intitulado *Transformação Segundo a Imagem de Cristo*.

CAPÍTULO TRINTA E QUATRO

RESTABELECIMENTO DO PACTO (34.1—35.3)

AS SEGUNDAS TÁBUAS DA LEI (34.1-9)

O povo de Israel tornara-se culpado de um clamoroso pecado de idolatria, no caso do bezerro de ouro (Êx 32). Moisés quebrou as tábuas de pedra originais, onde estavam inscritos os Dez Mandamentos ou decálogo (Êx 32.19). Essa *violação* simbolizou o fato de que o Pacto Mosaico (ver as notas expositivas em Êx 19.1) tinha sido anulado e estava agora sem efeito. A presença de Yahweh, por isso mesmo, se havia retirado (Êx 32.34 e 33.3; ver as notas a respeito na primeira dessas referências e em Êx 33.1). A presença de Deus precisava ser restaurada em grau suportável pelo homem, e isso Yahweh concedeu, por motivo da obra de Moisés como mediador e intercessor (Êx 33.13 ss.). A restauração da presença divina significou que o Pacto Mosaico podia ser reafirmado. Mas agora a expressão das tábuas da lei foi dada como um *desdobramento* que os intérpretes apodam de *decálogo ritual* (vss. 14-26). Cf. Deuteronômio 10.1-5. As leis que aparecem na seção à nossa frente estão ligadas aos segmentos cúlticos do código do Pacto Mosaico (ver Êx 20.21,26; 22.18—23.19), e não diretamente ao decálogo original. A maioria de suas provisões são paralelas àquelas de Êx 23.13-19 (cf. Êx 34.14-26). Existem duplicações virtuais: Êx 34.17 = Êx 20.23; Êx 34.19,20 = Êx 22.29,30.

"Outras renovações foram registradas em Deuteronômio 5.2,3; 29.1; Josué 24.25; 2Reis 23.21-27" (John D. Hannah, *in loc.*).

■ 34.1

וַיֹּ֤אמֶר יְהוָה֙ אֶל־מֹשֶׁ֔ה פְּסָל־לְךָ֛ שְׁנֵֽי־לֻחֹ֥ת אֲבָנִ֖ים כָּרִאשֹׁנִ֑ים וְכָתַבְתִּי֙ עַל־הַלֻּחֹ֔ת אֶת־הַדְּבָרִ֔ים אֲשֶׁ֥ר הָי֛וּ עַל־הַלֻּחֹ֥ת הָרִאשֹׁנִ֖ים אֲשֶׁ֥ר שִׁבַּֽרְתָּ׃

"A renovação do pacto teve por sinal a reescrita dos Dez Mandamentos" (*Oxford Annotated Bible, in loc.*). Ver as notas introdutórias a esta seção, acima, quanto a detalhes e várias referências que esclarecem a questão. As tábuas de pedra originais foram quebradas por Moisés quando ele irou-se diante do caso de idolatria referente ao bezerro de ouro (Êx 32.19). Simbolicamente, aquele lapso anulara o Pacto Mosaico (ver as notas em Êx 19.1), e agora era mister a renovação do mesmo.

"O pecado sempre nos faz perder alguma coisa, mesmo quando perdoado" (Ellicott, *in loc.*).

Moisés teria de fazer o trabalho de esculpir as tábuas de pedra. No primeiro caso, isso foi trabalho de Yahweh. As palavras "eu escreverei nelas" subentendem que o dedo de Deus comporia a escrita no segundo jogo de tábuas de pedra. Ver Êxodo 31.18. Mas alguns eruditos pensam que veem aqui uma obra de escrita delegada por Deus a Moisés, ou, então, um ditado feito por Deus a Moisés. O trecho de Êxodo 34.27,28 parece indicar que o trabalho de escrita foi todo feito por Moisés. Cf. Deuteronômio 10.1-4, onde se lê que Yahweh fez esse trabalho.

■ 34.2

וֶהְיֵ֥ה נָכ֖וֹן לַבֹּ֑קֶר וְעָלִ֤יתָ בַבֹּ֙קֶר֙ אֶל־הַ֣ר סִינַ֔י וְנִצַּבְתָּ֥ לִ֛י שָׁ֖ם עַל־רֹ֥אשׁ הָהָֽר׃

A Nova Subida de Moisés. Moisés precisou subir de novo o Sinai, sozinho (vs. 3). A transação era entre ele, o mediador, e Yahweh. Nisso ele serviu de tipo de Cristo, o mediador do novo pacto. Ver no *Dicionário* o artigo chamado *Mediação (Mediador)*. Há tarefas que somente indivíduos específicos podem realizar. Cada pessoa tem uma missão ímpar, mas algumas vezes é preciso tempo para que o homem se prepare para que saiba qual é a sua missão, e, então, possa cumpri-la devidamente.

No cume do monte. Em outras palavras, o mesmo lugar de antes. Ver Êxodo 19.20; 24.1,18. E, quanto aos *quarenta dias*, ver Êxodo 34.28.

■ 34.3

וְאִישׁ֙ לֹֽא־יַעֲלֶ֣ה עִמָּ֔ךְ וְגַם־אִ֥ישׁ אַל־יֵרָ֖א בְּכָל־הָהָ֑ר גַּם־הַצֹּ֤אן וְהַבָּקָר֙ אַל־יִרְע֔וּ אֶל־מ֖וּל הָהָ֥ר הַהֽוּא׃

Este versículo, de maneira menos dramática, dá-nos o mesmo tipo de cena que achamos em Êxodo 19.12,13. Ele também deixou de mencionar todas as chamas e terremotos da primeira cena (Êx 19.16 ss.). É provável que ele esperasse que seus leitores se lembrassem daquelas descrições, supondo que tais fenômenos tiveram repetição.

Homens e animais tinham que manter-se afastados, pois havia o perigo de serem consumidos pelos terrores da cena, conforme podemos lembrar terem sido descritos em Êxodo 19.16 ss. As leis antigas não permitiam que os animais invadissem áreas sagradas. No presente caso, porém, muito mais estava envolvido. Moisés precisava subir ao monte inteiramente só. Nem mesmo Josué pôde subir parte do caminho, conforme tinha feito na primeira vez (Êx 24.13). Deus havia revelado a sua glória a Moisés de uma maneira especial (Êx 33.21-23); e agora, como um homem especial, subiu inteiramente só, a fim de renovar o pacto.

"Antes, Arão e seus dois filhos, bem como setenta anciãos de Israel, tinham subido com Moisés, embora não se tivessem aproximado tanto do Senhor quanto ele; mas agora, *tendo pecado* no tocante ao bezerro de ouro, embora tivesse havido reconciliação, não tiveram permissão de subir com ele" (John Gill, *in loc.*).

■ 34.4

וַיִּפְסֹ֡ל שְׁנֵֽי־לֻחֹ֨ת אֲבָנִ֜ים כָּרִאשֹׁנִ֗ים וַיַּשְׁכֵּ֨ם מֹשֶׁ֤ה בַבֹּ֙קֶר֙ וַיַּ֙עַל֙ אֶל־הַ֣ר סִינַ֔י כַּאֲשֶׁ֛ר צִוָּ֥ה יְהוָ֖ה אֹת֑וֹ וַיִּקַּ֣ח בְּיָד֔וֹ שְׁנֵ֖י לֻחֹ֥ת אֲבָנִֽים׃

Moisés esculpiu em pedra as duas tábuas, similares às duas primeiras. Com as pedras prontas e inscritas, ele subiu ao monte Sinai, ao encontro de Yahweh. Os intérpretes judeus pensavam que ele haveria de permanecer outros quarenta dias e quarenta noites no monte (Êx 34.28,40), pois quarenta era um número fixo para indicar testes ou provações. Ver no *Dicionário* o artigo intitulado *Quarenta*.

■ 34.5

וַיֵּ֤רֶד יְהוָה֙ בֶּֽעָנָ֔ן וַיִּתְיַצֵּ֥ב עִמּ֖וֹ שָׁ֑ם וַיִּקְרָ֥א בְשֵׁ֖ם יְהוָֽה׃

A nuvem mística voltou, algo sobre o que comento em Êxodo 19.9. Essa nuvem, provavelmente, não era a mesma que guiava o povo de

Israel durante o dia. Ver no *Dicionário* o verbete *Colunas de Fogo e de Nuvem*. Antes, essa nuvem era uma manifestação divina distinta, que acompanhava a presença de Yahweh. A proclamação do nome do Senhor não foi proferida por Moisés. Os vss. 6 e 7 dizem que o próprio Yahweh fez essa declaração. Essa proclamação foi uma revelação do *nome* de Yahweh, ou seja, uma descrição de seu caráter e de seus atributos. Cf. Êxodo 33.19, que é trecho similar.

■ 34.6

וַיַּעֲבֹ֨ר יְהוָ֥ה ׀ עַל־פָּנָיו֮ וַיִּקְרָא֒ יְהוָ֣ה ׀ יְהוָ֔ה אֵ֥ל רַח֖וּם וְחַנּ֑וּן אֶ֥רֶךְ אַפַּ֖יִם וְרַב־חֶ֥סֶד וֶאֱמֶֽת׃

Yahweh passou diante de Moisés. Temos aqui uma informação similar à de Êxodo 33.22. Mas Moisés não precisou ocultar-se na fenda de uma rocha, e nem o Senhor precisou cobrir Moisés com uma de suas mãos. Talvez devemos subentender aqui aqueles detalhes. Ver Êxodo 33.21-23, onde por certo achamos um trecho paralelo, embora dentro de um engaste histórico diferente.

Senhor, Senhor Deus. Em hebraico, *Yahweh, Yahweh-Elohim*, que não eram nomes novos. Mas aqui é revelado que a esses nomes estão vinculados os atributos indispensáveis da misericórdia, da bondade, da longanimidade, do perdão de pecados, porquanto Israel haveria de beneficiar-se desses atributos. Grande era a necessidade deles, por terem deslizado para a idolatria (Gn 32).

"Na sarça ardente, Deus tinha revelado o seu caráter eterno e autoexistente; ao descer sobre o Sinai (Êx 19.16-19 e 20.18-21), Deus tinha mostrado quão terrível ele é; e agora, no ato de perdoar seu povo, acolhendo-os novamente ao seu favor, ele tornava conhecidos os seus atributos misericordiosos" (Ellicott, *in loc.*).

Palavras hebraicas usadas para indicar os atributos de Deus:
- *Rakhum*: Aquele que é terno ou compassivo.
- *Khannum*: Aquele que é gentil e gracioso.
- *Erek appayim*: Aquele que é longânimo.
- *Rab khesed*: Aquele que é grande em misericórdia.
- *Notser Khesed*: Aquele que guarda misericórdia.
- *Nose 'avon*: Aquele que perdoa a iniquidade.

Contudo, quem é culpado não pode ser liberado caprichosamente. É mister que seja perdoado e restaurado.

Alguns ou todos esses atributos de Deus são citados por sete outras vezes no Antigo Testamento: Números 9.17; Salmo 86.15; 103.8; 145.8; Jl 2.13; Jn 4.2, onde achamos listas similares. Ver no *Dicionário* os artigos chamados *Amor; Perdão; Longânimo e Misericórdia (Misericordioso)*.

■ 34.7

נֹצֵ֥ר חֶ֙סֶד֙ לָאֲלָפִ֔ים נֹשֵׂ֥א עָוֹ֛ן וָפֶ֖שַׁע וְחַטָּאָ֑ה וְנַקֵּה֙ לֹ֣א יְנַקֶּ֔ה פֹּקֵ֣ד ׀ עֲוֹ֣ן אָב֗וֹת עַל־בָּנִים֙ וְעַל־בְּנֵ֣י בָנִ֔ים עַל־שִׁלֵּשִׁ֖ים וְעַל־רִבֵּעִֽים׃

O perdão dado por Yahweh é amplo e irrestrito, embora ele não perdoe incondicionalmente. É mister que haja arrependimento. Ademais, os efeitos do pecado continuam, mesmo quando ocorre o perdão, pois um homem precisa colher aquilo que semeia. Ver no *Dicionário* o artigo *Lei Moral da Colheita segundo a Semeadura*.

O amor de Deus perdoa muitos e muitos milhares de pessoas, exatamente por serem aqueles sobrecarregados de pecados que se mostram arrependidos. "Pois todos pecaram e carecem da glória de Deus" (Rm 3.23).

O Pecado Segue a Descendência de uma pessoa, até à quarta geração. Esse é um dos aspectos da colheita segundo a semeadura. Ninguém é uma ilha, e os pecados de uma pessoa podem projetar-se às gerações seguintes, em seus resultados e punições aqui descritos. Já vimos uma declaração parecida em Êxodo 20.5, onde damos notas expositivas. Nem por isso é anulada a responsabilidade do indivíduo. Nenhum homem inocente sofrerá detrimento quanto ao bem-estar de sua alma, mas pode ser apanhado em circunstâncias adversas, por causa de seus antepassados. Logo, o castigo contra o pecado pode prosseguir mediante circunstâncias e adversidades que foram criadas por outras pessoas. O trecho de Ezequiel 18.29 mostra o ponto de equilíbrio nessa questão. Cada pessoa levará sobre si a sua própria iniquidade. Um filho não pode levar a iniquidade de seu pai, e nem um pai pode levar a iniquidade de seu filho. Mas pode haver condições contrárias, postas em ação pelos ancestrais de uma pessoa, até à quarta geração. Também parece haver em operação uma espécie de dívida "kármica" que atravessa nações e famílias. As dívidas assim criadas de antemão podem ser pagas por descendentes daqueles que as criaram, visto que a vida e a história espiritual das pessoas formam uma espécie de empreendimento comunitário. Um homem é um indivíduo, mas também é membro da raça humana e de uma família dentre a humanidade. Há participação no bem e no mal. Ver também Números 14.18; Deuteronômio 5.9.

■ 34.8

וַיְמַהֵ֖ר מֹשֶׁ֑ה וַיִּקֹּ֥ד אַ֖רְצָה וַיִּשְׁתָּֽחוּ׃

Uma adoração marcada pela expectação resultou desse novo contato com Yahweh, o que, para Moisés, serviu de uma nova revelação acerca dos atributos positivos e salvíficos do Senhor. Essas palavras eram do tipo de palavras que Moisés, o mediador do Pacto Mosaico, desejava ouvir. Agora ele podia atirar-se à sua incumbência com coragem e entusiasmo. A bondade de Deus prevaleceria, apesar de inevitáveis lapsos em vários pecados. De algum modo, o bem sempre acaba predominando sobre o mal. De algum modo, o bem acaba redundando do mal. Moisés, na presença de Yahweh, sentiu ali a sua bondade.

■ 34.9

וַיֹּ֡אמֶר אִם־נָא֩ מָצָ֨אתִי חֵ֤ן בְּעֵינֶ֙יךָ֙ אֲדֹנָ֔י יֵֽלֶךְ־נָ֥א אֲדֹנָ֖י בְּקִרְבֵּ֑נוּ כִּ֣י עַם־קְשֵׁה־עֹ֙רֶף֙ ה֔וּא וְסָלַחְתָּ֛ לַעֲוֺנֵ֥נוּ וּלְחַטָּאתֵ֖נוּ וּנְחַלְתָּֽנוּ׃

Segue em nosso meio conosco. Assim pediu Moisés, se era que Deus ainda tinha Israel em seu favor. A presença divina se havia retirado por causa da queda de Israel na idolatria (Êx 32.34 e 33.3, com notas na primeira dessas referências e em Êx 3.1 e 3). A presença de Deus foi restaurada (Êx 33.14), e uma nova segurança foi conferida a Moisés, conforme vemos neste versículo.

Dura cerviz. Essa expressão é frequentemente usada para caracterizar o povo de Israel. Há notas a respeito em Êxodo 32.9, onde dou referências sobre suas outras ocorrências. Apesar dessa merecida caracterização, sempre haveria o *perdão*, pelo que o plano de Deus teria continuidade, mesmo que os israelitas flutuassem entre o bem e o mal. Mas o ser humano é assim mesmo, inconstante, e Yahweh sabia das fraquezas deles e os amava, a despeito de tudo.

Toma-nos por tua herança. Israel era *filho* de Yahweh (Êx 4.22), e agora aparece como a herança dele. Dentre todas as nações, Yahweh tinha herdado Israel como sua possessão espiritual, o povo por meio do qual ele queria manifestar os seus atributos, um instrumento que pudesse usar tendo em vista a salvação de todos os outros povos, uma vez que o Messias, Jesus Cristo, fosse enviado. Ver Deuteronômio 4.20, onde é reiterada essa mesma ideia, lembrando-nos que exatamente por *essa* razão o povo de Israel havia sido libertado da servidão egípcia.

■ 34.10

וַיֹּ֗אמֶר הִנֵּ֣ה אָנֹכִי֮ כֹּרֵ֣ת בְּרִית֒ נֶ֤גֶד כָּֽל־עַמְּךָ֙ אֶעֱשֶׂ֣ה נִפְלָאֹ֔ת אֲשֶׁ֛ר לֹֽא־נִבְרְא֥וּ בְכָל־הָאָ֖רֶץ וּבְכָל־הַגּוֹיִ֑ם וְרָאָ֣ה כָל־הָ֠עָם אֲשֶׁר־אַתָּ֨ה בְקִרְבּ֜וֹ אֶת־מַעֲשֵׂ֤ה יְהוָה֙ כִּֽי־נוֹרָ֣א ה֔וּא אֲשֶׁ֥ר אֲנִ֖י עֹשֶׂ֥ה עִמָּֽךְ׃

Uma aliança. A aliança ou pacto mosaico já havia sido firmado, mas agora era restaurado. Ver as notas em Êxodo 19.1 quanto ao *Pacto Mosaico*. Ver no *Dicionário* o verbete intitulado *Pactos*.

O próprio Pacto Mosaico previa e requeria prodígios, ou seja, acontecimentos incomuns e miraculosos que os homens devem atribuir a Yahweh. Os adversários de Israel seriam miraculosamente expulsos da Terra Prometida (vs. 11), o território que Deus havia dado a Abraão (Gn 15.13 ss.).

Outras maravilhas teriam lugar, incluindo as provisões miraculosas em favor de Israel, no deserto, relativas ao incidente das serpentes venenosas, as vitórias miraculosas inesperadas sobre inimigos e os sinais divinos ao longo do caminho. Israel experimentaria uma surpresa após outra.

Cousa terrível. Uma declaração bastante vaga, impossível de ser definida com precisão. Talvez a referência seja geral. A presença de Yahweh seria como um terror, que se manifestaria por meio de Moisés, para amigos e inimigos igualmente. Moisés seria uma figura espantosa. Lembremo-nos de que quando Moisés desceu do monte, seu rosto brilhava, talvez simbolizando todo o seu avanço espiritual (ver Êx 34.35). Deus causaria pânico através do sucessor de Moisés, Josué, o que assustaria as nações que deveriam ser expulsas. Assim, Josué daria prosseguimento à herança de Moisés. Ver Números 21.33-35; 22.3; Josué 2.9-11. Cf. Deuteronômio 10.21; Salmo 106.22; 145.6.

■ 34.11

שְׁמָר־לְךָ אֵת אֲשֶׁר אָנֹכִי מְצַוְּךָ הַיּוֹם הִנְנִי גֹרֵשׁ מִפָּנֶיךָ אֶת־הָאֱמֹרִי וְהַכְּנַעֲנִי וְהַחִתִּי וְהַפְּרִזִּי וְהַחִוִּי וְהַיְבוּסִי׃

Outra Lista de Nações que Seriam Expulsas. Cf. esta com as listas em Êxodo 3.8,17; 23.23; 33.2; Deuteronômio 7.1; Josué 3.10; 24.11. Algumas vezes, essa lista inclui dez pequenas nações, como em Gênesis 15.21, e, de outras vezes, tão poucas quanto apenas seis, como neste versículo. Todos esses nomes merecem artigos separados no *Dicionário*. Uma das maravilhas que Deus faria era expulsar aquelas tribos ferozes a fim de que o povo de Israel pudesse entrar na posse da *terra* prometida a Abraão. Isso fazia parte integral do *Pacto Abraâmico*, conforme demonstro nas notas gerais sobre esse pacto, em Gênesis 15.18.

A LEI. DESDOBRAMENTO DO DECÁLOGO (34.12-28)

■ 34.12

הִשָּׁמֶר לְךָ פֶּן־תִּכְרֹת בְּרִית לְיוֹשֵׁב הָאָרֶץ אֲשֶׁר אַתָּה בָּא עָלֶיהָ פֶּן־יִהְיֶה לְמוֹקֵשׁ בְּקִרְבֶּךָ׃

Abstém-te de fazer aliança. Israel não podia entrar em acordos com os povos circunvizinhos. Yahweh era contrário à coabitação pacífica. Ele resolvera que aquelas nações idólatras e iníquas não corromperiam um povo já debilitado como era Israel. Nos dias de Salomão, finalmente, essa expulsão de povos pagãos estava quase completa. Todavia, não muito depois disso, as corrupções internas de Israel levaram-nos a praticar aquilo que as influências externas tinham querido que eles fizessem. Finalmente, vindas de fora, as potências estrangeiras da época, a Assíria e a Babilônia, infligiram cativeiros, primeiramente à nação do norte, Israel, e menos de duzentos anos depois, à nação do sul, Judá, por causa dos muitos pecados e lapsos do povo de Deus. Por conseguinte, a tarefa de Israel nunca se completou, mas antes, esteve sempre em risco de fracassar. No entanto, a nação de Israel produziu o Messias, o qual foi a maior realização do antigo povo de Deus.

Esta passagem é paralela a Êxodo 23.24 ss. Deus toleraria os cananeus, povos que eram aborígenes da região, até que a taça da iniquidade desses povos estivesse cheia. E somente então os expulsaria do território, por haver chegado o tempo do julgamento dos mesmos. Parte desse julgamento consistia em perderem seus territórios para Israel (Gn 15.16 ss.). Ver também Êxodo 23.33 quanto à essência do versículo à nossa frente, onde são oferecidas notas expositivas. Ver também os vs. 15 e 16 deste capítulo. Havia muitas *armadilhas* tipicamente gentílicas que poderiam anular todo o trabalho de cultivo de Yahweh com o povo de Israel.

■ 34.13

כִּי אֶת־מִזְבְּחֹתָם תִּתֹּצוּן וְאֶת־מַצֵּבֹתָם תְּשַׁבֵּרוּן וְאֶת־אֲשֵׁרָיו תִּכְרֹתוּן׃

As Novas Tábuas do Decálogo (os *Dez Mandamentos*; ver no *Dicionário*) estavam prestes a ser entregues. A mensagem *oral* de Yahweh representa uma expansão e multiplicação daquelas leis. Portanto, a partir dos vss. 13-17 temos uma expansão do *primeiro mandamento* (ver Êx 20.2,3). Para que a *idolatria* fosse adequadamente combatida, faziam-se necessárias medidas preventivas. Ao entrar na Terra Prometida, os israelitas deveriam destruir todos os vestígios da idolatria, a fim de reduzir ao máximo a tentação. O povo de Israel já tinha, em seus corações, bastante corrupção interior, pelo que não seria preciso grande tentação para induzi-los a expressar essa corrupção sob a forma de idolatria.

Em Êxodo 23.24 já havia sido baixada a ordem para serem quebradas as imagens de escultura. Os *bosques* eram lugares favoritos para o povo entregar-se aos ritos idólatras. Ali eram erigidos altares, e as pessoas iam até àqueles lugares apraziveis para praticarem o seu culto. E ali também havia aqueles postes-ídolos que comemoravam ritos pagãos, os quais teriam que ser derrubados. Ver Juízes 2.13. Os patriarcas de Israel tinham erigido colunas, mas em honra a Yahweh. Ver Gênesis 28.18; 31.13; 35.14. Ver Deuteronômio 7.4 e 12.3 quanto a regulamentações sobre o sincretismo e sobre lugares próprios para o culto. As tribos cananeias erigiam postes em honra à deusa Aserá, consorte de Baal. Ver 2Crônicas 14.3. A arqueologia tem mostrado quão prevalentes eram os bosques sagrados, alguns deles artificiais, plantados e cultivados pelos fenícios, assírios, babilônios e outros povos vizinhos de Israel.

■ 34.14

כִּי לֹא תִשְׁתַּחֲוֶה לְאֵל אַחֵר כִּי יְהוָה קַנָּא שְׁמוֹ אֵל קַנָּא הוּא׃

Este versículo repete essencialmente as palavras do decálogo, em Êxodo 20.3,4, e adiciona uma nota sobre a natureza zelosa de Yahweh, como se vê em Êxodo 20.5. Ver aquelas referências e suas notas quanto a completas informações. Declarações como esta envolvem-nos no *Antropomorfismo* (ver a esse respeito no *Dicionário*). A passagem fala em exclusividade, como se a nação fosse a esposa de Yahweh, capaz de infidelidade. Aqui a declaração é especialmente forte, porque faz do adjetivo "zeloso" um nome divino. A natureza de Deus é tal que ele não permite qualquer rival (Dt 4.24). A coexistência ficava eliminada; tratados ficavam fora de cogitação; ídolos teriam que ser derrubados; bosques teriam que ser desarraigados.

■ 34.15,16

פֶּן־תִּכְרֹת בְּרִית לְיוֹשֵׁב הָאָרֶץ וְזָנוּ אַחֲרֵי אֱלֹהֵיהֶם וְזָבְחוּ לֵאלֹהֵיהֶם וְקָרָא לְךָ וְאָכַלְתָּ מִזִּבְחוֹ׃

וְלָקַחְתָּ מִבְּנֹתָיו לְבָנֶיךָ וְזָנוּ בְנֹתָיו אַחֲרֵי אֱלֹהֵיהֶן וְהִזְנוּ אֶת־בָּנֶיךָ אַחֲרֵי אֱלֹהֵיהֶן׃

Tratados Foram Proibidos. Temos aqui uma repetição do vs. 12 deste capítulo, mas com razões e informações adicionais. Um hebreu não podia aceitar o convite para estar presente a uma festa pagã, em honra a qualquer divindade que fosse, pois ali haveria sacrifícios a deuses falsos; haveria jovens que gostariam de casar-se, e assim poderia haver casamentos mistos com pagãos (vs. 16), o que só serviria para promover mais idolatria e apostasia.

"A assinatura de tratados com idólatras levaria ao envolvimento em suas refeições sacrificiais (Êx 34.15), e a casamentos mistos com suas filhas, muitas das quais não passavam de prostitutas cultuais ou prostitutas físicas em favor das suas divindades (Os 34.15)" (John D. Hannah, *in loc.*).

O mau exemplo de Salomão foi muito significativo. Ver 1Reis 11.1-8. A contaminação, muito naturalmente, resulta do *contato* com o que é profano. Aquelas coisas que nos cercam, aquelas coisas a que damos atenção, aquelas coisas que ocupam o nosso tempo, nossa leitura, nossas atividades, nossos empreendimentos, essas coisas podem fazer de nós pessoas melhores ou pessoas piores.

"Os casamentos mistos são um campo especialmente fértil do sincretismo (Dt 7.3,4)" (J. Edgar Park, *in loc.*). Isso posto, essas proibições acerca de contatos com a adoração pagã estavam alicerçados sobre o temor do poder sedutivo da idolatria (ver Êx 23.24). Cf. o problema neotestamentário dos crentes comerem coisas oferecidas a ídolos, uma continuação daquele antigo problema, em 1Coríntios 10.27,28. O problema haverá de prosseguir, com maior ou menor gravidade, enquanto houver idolatria capaz de atrair as pessoas, o que acontece mesmo nas modernas formas de idolatria.

Suas filhas prostituindo-se com seus deuses. Aqui, a idolatria é retratada como uma forma de adultério e prostituição. Na idolatria pagã, a prostituição era um ingrediente inevitável, e as prostitutas cultuais eram pessoas de prestígio social, visto que serviam aos templos e ao culto, e sacrificavam seus próprios corpos para manutenção de sua forma de culto. Existe um adultério espiritual claro na idolatria. Espiritualmente, as pessoas se prostituem com a idolatria, ou, então, unem-se ao Senhor, quando adoram a Deus em Espírito e em verdade (Jo 4.23).

■ 34.17

אֱלֹהֵי מַסֵּכָה לֹא תַעֲשֶׂה־לָּךְ׃

Não farás para ti. Uma lei expressa foi baixada contra o fabrico de imagens, para que ninguém pensasse que fazer uma imagem de maneira diferente não violaria o primeiro mandamento. As imagens podiam ser esculpidas ou fundidas. Ambas as maneiras de confecção estavam proibidas. Talvez o bezerro de ouro (Êx 32) tivesse sido fabricado de acordo com ambas as técnicas, ou seja, primeiro fundido, e depois esculpido. Cf. Êxodo 20.4-23, onde as duas técnicas de fabricação estão em pauta. Objetos esculpidos estavam proibidos; objetos fundidos, igualmente, sem importar se feitos de ouro ou de prata.

Fundidos. "Feitos de metal fluido, de ouro, de prata ou de bronze, que era então derramado em um molde. Objetos fundidos são aqui especialmente mencionados, por ser provável que assim fossem feitos os deuses dos cananeus, e, especialmente, porque, ainda recentemente, assim tinha sido feito o bezerro de ouro, que foi adorado como uma imagem fundida" (John Gill, *in loc.*).

AS TRÊS FESTAS (34.18-28)

■ 34.18

אֶת־חַג הַמַּצּוֹת תִּשְׁמֹר שִׁבְעַת יָמִים תֹּאכַל מַצּוֹת אֲשֶׁר צִוִּיתִךָ לְמוֹעֵד חֹדֶשׁ הָאָבִיב כִּי בְּחֹדֶשׁ הָאָבִיב יָצָאתָ מִמִּצְרָיִם׃

A festa dos pães asmos. Ver no *Dicionário* o artigo detalhado sobre esse título. A descrição deste versículo é idêntica à de Êxodo 23.15, onde as notas devem ser examinadas. Essa festividade veio a ser associada à páscoa, sendo mencionada pela primeira vez em conexão com aquele evento, embora a maioria dos eruditos pense que ela tenha uma história independente. Ver Êxodo 12.14 ss. e a introdução ao capítulo 12 de Êxodo. As três observâncias, a páscoa, os pães asmos e a dedicação dos primogênitos, acabaram historicamente identificadas, o que é discutido nas notas acima referidas.

As Três Festas Anuais: a Páscoa, os Pães Asmos e o Pentecostes. Os estatutos acerca dessas festas são idênticos àqueles dados e anotados em Êxodo 23.14-17. Cada uma dessas festas merece um artigo no *Dicionário*. Os vss. 18-26 tratam aqui sobre o calendário religioso. Ver também no *Dicionário* o artigo intitulado *Calendário Judaico*. Quanto ao resgate dos primogênitos, ver as notas sobre Êxodo 34.19,20.

■ 34.19

כָּל־פֶּטֶר רֶחֶם לִי וְכָל־מִקְנְךָ תִּזָּכָר פֶּטֶר שׁוֹר וָשֶׂה׃

A lei sobre os primogênitos duplica aquilo que já tínhamos visto em Êxodo 22.30. Os primogênitos, tanto de homens quanto de animais, precisavam ser *redimidos* porque pertenciam ao Senhor, para que então pudessem empregar-se em outras atividades. Os primogênitos dos homens foram substituídos pela tribo de Levi, que assim se tornou a casta sacerdotal de Israel. Todos os animais, exceto o touro e o carneiro, podiam ser redimidos. Esses dois animais precisavam ser sacrificados a Yahweh, tal como pereceram os primogênitos do Egito. Quanto a notas completas sobre os *Primogênitos*, ver as notas introdutórias a Êxodo 13.1 e as notas sobre Êxodo 13.1,2. A páscoa, os pães asmos e a dedicação dos primogênitos foram associados entre si, por causa da circunstância de que foram vinculados por ocasião da saída de Israel do Egito, mediante a décima praga, a morte dos primogênitos egípcios. Os primogênitos de Israel, porém, foram poupados, mas tiveram que ser dados a Yahweh como sua possessão particular. Ver as notas sobre Êxodo 13.12 quanto à santificação dos primogênitos e quanto à lei da redenção que fora estabelecida em algum ponto do passado distante. O modo exato dessa redenção ou resgate figura em Números 18.15,16.

■ 34.20

וּפֶטֶר חֲמוֹר תִּפְדֶּה בְשֶׂה וְאִם־לֹא תִפְדֶּה וַעֲרַפְתּוֹ כֹּל בְּכוֹר בָּנֶיךָ תִּפְדֶּה וְלֹא־יֵרָאוּ פָנַי רֵיקָם׃

No que tange ao modo de redenção, fora daquilo que é sugerido neste versículo, ver Números 18.15 ss. A provisão a respeito do *jumento* (um animal útil que valia a pena ser redimido) é dada e comentada em Êxodo 13.13. Ver também, nessa referência, o ponto intitulado *Remindo os Primogênitos Humanos*.

■ 34.21

שֵׁשֶׁת יָמִים תַּעֲבֹד וּבַיּוֹם הַשְּׁבִיעִי תִּשְׁבֹּת בֶּחָרִישׁ וּבַקָּצִיר תִּשְׁבֹּת׃

Antes de prosseguir com os requisitos atinentes às três festas anuais, o autor sacro injeta um aspecto do *quarto mandamento,* dado em Êxodo 20.8 (onde o leitor deve examinar as notas expositivas). A lei acerca do sábado é mencionada com frequência no livro de Êxodo. Era uma parte fundamental da lei dos hebreus. Ver Êxodo 16.22-30 (em conexão com o maná); veio a tornar-se o quarto mandamento (Êx 20.8); introduzia o livro da aliança (Êx 23.12) e foi adicionada às normativas concernentes à ereção do tabernáculo (Êx 31.13-17). E, naturalmente, o sábado teve origem no descanso de Deus após a criação (Gn 2.2). Precisava ser observado com cuidado na época da aragem e da colheita, conforme vemos no presente versículo. Esses eram períodos muito atarefados, pelo que a tendência dos homens seria ignorar qualquer dia de descanso. Mas as ansiedades acerca do trabalho tinham que ser suspensas, e um dia de descanso teria que ser observado, a despeito das muitas atividades em que o povo estivesse envolvido. Nem aragem e nem colheita podiam ser realizadas em dia de sábado, apesar da natureza crítica daquelas atividades. Mas para os hebreus era mais crítico ainda observar o dia de adoração dos israelitas, o sábado.

■ 34.22

וְחַג שָׁבֻעֹת תַּעֲשֶׂה לְךָ בִּכּוּרֵי קְצִיר חִטִּים וְחַג הָאָסִיף תְּקוּפַת הַשָּׁנָה׃

A festa das semanas. Esse é um nome alternativo para a festa de *Pentecostes* (ver a respeito no *Dicionário*). As instruções dadas aqui são quase idênticas às de Êxodo 23.16,17. Também era conhecida como "festa da colheita" (Êx 23.16). Era celebrada cinquenta dias (ou sete *semanas;* o que explica seu outro nome, "festa das semanas" depois do dia dos pães asmos. Essa segunda festa assinalava o começo da colheita do *trigo*. Era o equivalente ao nosso Dia de Graças. Era um tempo de alegria e gratidão pela provisão alimentar. Ver Deuteronômio 16.10. Na literatura judaica posterior, veio a ser associada ao aniversário da revelação da lei, no Sinai; e, então, finalmente, ao Pentecoste cristão, a descida do Espírito Santo. A colheita da *cevada* tinha lugar ao tempo da páscoa.

A festa da colheita. Nome alternativo para a festa dos *Tabernáculos* (ver a respeito no *Dicionário*). Essa festa era celebrada ao tempo da colheita. Ver Levítico 23.34; Deuteronômio 16.13,16; 31.10. Era festa dos tabernáculos, ou tendas, por causa da ordem, dada a Israel, de que o povo devia residir em tendas, durante *sete dias,* a fim de que o povo de Israel se lembrasse das condições precárias em que tinha vivido quando habitava em tendas, logo depois de terem saído do Egito. Ver Levítico 23.33-43.

■ 34.23

שָׁלֹשׁ פְּעָמִים בַּשָּׁנָה יֵרָאֶה כָּל־זְכוּרְךָ אֶת־פְּנֵי הָאָדֹן יְהוָה אֱלֹהֵי יִשְׂרָאֵל׃

As três festividades anuais, acima descritas, tinham uma importância especial, por estarem ligadas a períodos críticos da história de Israel, e precisavam ser observadas escrupulosamente. Ver Êxodo 23.17, quanto à ordem relativa à sua observância, três vezes ao ano. Ver as notas sobre aquele versículo. Antes do estabelecimento do templo e da capital em Jerusalém, essas festas eram formalmente guardadas, segundo fora ordenado. E, então, a prática veio a incluir a provisão de que todos os varões capazes de Israel precisavam subir a Jerusalém, quando dessas festas.

"Essas festas de peregrinação ligavam a nação em torno da adoração religiosa: Deus prometeu que enquanto os homens estivessem longe de casa, adorando ao Senhor, ele protegeria as terras deles" (John D. Hannah, *in loc.*).

■ **34.24**

כִּי־אוֹרִישׁ גּוֹיִם מִפָּנֶיךָ וְהִרְחַבְתִּי אֶת־גְּבוּלֶךָ וְלֹא־יַחְמֹד אִישׁ אֶת־אַרְצְךָ בַּעֲלֹתְךָ לֵרָאוֹת אֶת־פְּנֵי יְהוָה אֱלֹהֶיךָ שָׁלֹשׁ פְּעָמִים בַּשָּׁנָה׃

A Promessa de Deus. "Fazei minha vontade acerca dessas festas, e eu protegerei vossas terras". Quando os varões se ausentavam de suas terras, para observarem as festas, suas propriedades ficavam vulneráveis. Mas Yahweh prometeu que daria uma proteção especial a toda a nação de Israel, nessas ocasiões de vulnerabilidade. "A nação deles seria forte; e ninguém haveria de molestar suas propriedades, quando fizessem aquelas três peregrinações anuais" (J. Edgar Park, *in loc.*). Antes do templo de Jerusalém, determinado santuário central receberia os homens, mas a questão nunca é esclarecida. A vitória sobre os inimigos fazia parte da promessa divina. As fronteiras de Israel seriam ampliadas, provendo maior proteção. Aqui, como é óbvio, temos uma alusão à provisão da terra, dentro do *Pacto Abraâmico* (ver as notas em Gn 15.18). Nos dias de Salomão, o território prometido foi conquistado quase em sua inteireza. Em tempos subsequentes, entretanto, começou a haver perdas, e Israel foi encolhendo, até ser levado em cativeiro, primeiro pelos assírios, e depois, pelos babilônios. Ver 1Reis.

■ **34.25,26**

לֹא־תִשְׁחַט עַל־חָמֵץ דַּם־זִבְחִי וְלֹא־יָלִין לַבֹּקֶר זֶבַח חַג הַפָּסַח׃

רֵאשִׁית בִּכּוּרֵי אַדְמָתְךָ תָּבִיא בֵּית יְהוָה אֱלֹהֶיךָ לֹא־תְבַשֵּׁל גְּדִי בַּחֲלֵב אִמּוֹ׃ פ

As provisões desses dois versículos são idênticas ao trecho de Êxodo 23.18,19, onde são comentados, exceto que aqui se faz alusão à páscoa. Assim, é dito aqui que a gordura que queimava sobre o altar fazia parte do cordeiro sacrificado e comido na páscoa. Ver também Êxodo 12.10 e as notas ali existentes. Qualquer carne não consumida tinha que ser queimada, por motivos expostos naquele versículo (Êx 12.10).

Não cozerás o cabrito no leite. Ver Êxodo 23.19 quanto à mesma determinação divina.

■ **34.27**

וַיֹּאמֶר יְהוָה אֶל־מֹשֶׁה כְּתָב־לְךָ אֶת־הַדְּבָרִים הָאֵלֶּה כִּי עַל־פִּי הַדְּבָרִים הָאֵלֶּה כָּרַתִּי אִתְּךָ בְּרִית וְאֶת־יִשְׂרָאֵל׃

O *pacto* foi reinstaurado. Ver Êxodo 19.1 quanto ao *Pacto Mosaico* e ver no *Dicionário* o artigo chamado *Pactos*. Moisés escreveu as leis, mas Yahweh estava presente, garantindo que isso seria feito de modo correto, preciso. No primeiro caso, as tábuas de pedra do decálogo foram escritas pelo *dedo de Deus* (Êx 31.18). O segundo jogo de pedras foi ditado por Yahweh, mas gravado por Moisés. A lei condicionava as relações do pacto. Não era um pacto gracioso, e, sim, de obras. Por essa razão, era fatal que fracassasse, sendo afinal substituído pelo novo pacto, em Cristo. Em lugar dos *Dez Mandamentos* (ver a esse respeito no *Dicionário*), aparece o *Decálogo Ritual*, uma expansão, desenvolvimento e aplicação ritual do intuito dos Dez Mandamentos. Ver as notas introdutórias a este capítulo.

Moisés, o Mediador do pacto é de novo destacado, prefigurando Cristo na sua posição de Mediador. Ver no *Dicionário* o artigo *Mediação (Mediador)*. Ver Êxodo 19.19; 20.19 e 24.1,2,9-11. Moisés foi o mediador da lei. Cristo foi o mediador da graça (ver Jo 1.17).

■ **34.28**

וַיְהִי־שָׁם עִם־יְהוָה אַרְבָּעִים יוֹם וְאַרְבָּעִים לַיְלָה לֶחֶם לֹא אָכַל וּמַיִם לֹא שָׁתָה וַיִּכְתֹּב עַל־הַלֻּחֹת אֵת דִּבְרֵי הַבְּרִית עֲשֶׂרֶת הַדְּבָרִים׃

Quarenta dias e quarenta noites. Tal como no caso da outorga original da lei. Ver Êxodo 24.18. Moisés não comeu e nem bebeu, porque coisas mais importantes ocupavam a sua mente. Mas foi mantido sem ter de alimentar-se, um milagre apropriado para a ocasião.

"De modo diferente dos primeiros quarenta dias, dessa vez o povo não se deixou atrair pela idolatria" (John D. Hannah, *in loc.*). Ver no *Dicionário* o verbete *Quarenta* quanto ao sentido simbólico dos muitos períodos de quarenta dias, nas Escrituras.

O trecho de Deuteronômio 9.18,19 diz que Moisés intercedeu por Israel durante esse período de quarenta dias. Sempre havia o problema do pecado, com que se preocupar, e que poderia manifestar-se sob a forma de idolatria. Proteção espiritual e graça eram necessárias, e era isso que Moisés estava buscando.

O ROSTO DE MOISÉS RESPLANDECE (34.29-35)

■ **34.29**

וַיְהִי בְּרֶדֶת מֹשֶׁה מֵהַר סִינַי וּשְׁנֵי לֻחֹת הָעֵדֻת בְּיַד־מֹשֶׁה בְּרִדְתּוֹ מִן־הָהָר וּמֹשֶׁה לֹא־יָדַע כִּי קָרַן עוֹר פָּנָיו בְּדַבְּרוֹ אִתּוֹ׃

A Transfiguração de Moisés. Este texto, embora descrito menos elaboradamente, faz-nos lembrar a transfiguração de Jesus (Mt 17). Moisés também esteve presente naquele evento (Mt 17.3). Uma luz extremamente brilhante é típica nas experiências místicas de elevada ordem. Existem seres de luz. Ver no *Dicionário* o artigo chamado *Misticismo*. Moisés, durante aquele período, tomou parte na glória dos céus, e a luz demorou-se sobre o seu rosto. Ver 2Coríntios 3.7, que é o comentário do Novo Testamento sobre essa experiência. É-nos garantido que uma luz maior vem da parte do Espírito Santo, na nova dispensação (vss. 8-10). Em comparação, Moisés nem resplandecia, se considerarmos a luz que rebrilha na face do novo Moisés, Jesus Cristo (vs. 10). Moisés precisou usar um véu para proteger o povo da radiação (ver 2Co 3.12). Paulo tirou vantagem dessa circunstância para dar a entender que o véu indicava a cegueira e a dureza de Israel, que os impedia de se voltarem para Cristo, acerca de quem Moisés falou. Mas quando esse véu é removido, então também entramos na iluminação e somos transformados de um estágio de glória para outro (vs. 18).

Esse é um dos melhores versículos acerca de nosso avanço espiritual e glorificação eterna. No *Novo Testamento Interpretado*, *in loc.*, há notas expositivas completas a esse respeito.

A face de Moisés rebrilhava, e isso demonstrou a aprovação da reinauguração do Pacto Mosaico. A luz da glória *shekinah* (ver a esse respeito no *Dicionário*) estava sobre ele, e demorou-se com ele por algum tempo. Mas Moisés não tinha consciência da glória que o tinha envolvido. Isso posto, a espiritualidade autêntica não consiste em *ostentação*. Alguns supõem que a radiação manifestada em Moisés fazia parte do estado original do homem, e que Adão perdeu por ocasião da queda no pecado. Ver Atos 6.15 quanto a outro exemplo neotestamentário acerca dessa glória.

■ **34.30**

וַיַּרְא אַהֲרֹן וְכָל־בְּנֵי יִשְׂרָאֵל אֶת־מֹשֶׁה וְהִנֵּה קָרַן עוֹר פָּנָיו וַיִּירְאוּ מִגֶּשֶׁת אֵלָיו׃

A luminosidade causava *temor*, o que é comum nas experiências místicas. Moisés não tinha consciência da glória que rebrilhava em seu rosto, mas era óbvia para outras pessoas. A falsa espiritualidade, que se ostenta, também é óbvia para outros, ao passo que aquele que se ostenta ignora os seus motivos, sendo alguém que se auto-iludiu. Moisés tinha pisado na fronteira entre a terra e o céu, e saiu dali transformado, carregado com a energia divina.

O Rosto Rebrilhante. Há um hino que fala sobre "a iluminação do cantinho onde você está". E há um outro que alude a Jesus como "a

Luz do mundo". Tomamos por empréstimo essa luz, mas ela torna-se nossa mesma. Ver no *Dicionário* o artigo intitulado *Luz, Metáfora da,* quanto a uma explicação desse tema. Ver também ali o artigo *Iluminação*. Certo ministro, sepultado na colina de Andover, tinha a reputação de possuir uma fisionomia rebrilhante, no sentido espiritual do termo. E dizia-se acerca dele: "Ele não sabia que seu rosto brilhava". Cf. este versículo com Ezequiel 1.18 e Apocalipse 1.17.

"...o pecado é detectado pela luz da lei; ela enche os homens com um sentido de ira e de temor da condenação; e, sendo a ministração da condenação e da morte, é aterrorizante e fatal, embora aja uma certa glória na mesma" (John Gill, *in loc.*, com uma interpretação cristã do versículo à nossa frente).

■ **34.31,32**

וַיִּקְרָא אֲלֵהֶם מֹשֶׁה וַיָּשֻׁבוּ אֵלָיו אַהֲרֹן וְכָל־הַנְּשִׂאִים בָּעֵדָה וַיְדַבֵּר מֹשֶׁה אֲלֵהֶם:

וְאַחֲרֵי־כֵן נִגְּשׁוּ כָּל־בְּנֵי יִשְׂרָאֵל וַיְצַוֵּם אֵת כָּל־אֲשֶׁר דִּבֶּר יְהוָה אִתּוֹ בְּהַר סִינָי:

Então Moisés os chamou. Isso por ser ele o mediador do pacto mosaico. Ele convocou Arão e os sacerdotes, bem como todo o povo, para que ouvissem a mensagem que havia acabado de receber da parte de Yahweh. Ele trazia o Decálogo Ritual, a mensagem coberta por este capítulo, uma expansão e desdobramento do decálogo original, os Dez Mandamentos. Ver no *Dicionário* o artigo *Mediação (Mediador)*. Moisés era mediador, profeta e mestre. Ele encabeçou uma dispensação, e por seu intermédio foi estabelecido um pacto divino. Havia todo um corpo de ensinamentos que precisava ser transmitido. Ver na *Enciclopédia de Bíblia, Teologia e Filosofia* o detalhado artigo chamado *Ensino*. E, no *Dicionário,* ver o artigo *Educação no Antigo Testamento*.

■ **34.33**

וַיְכַל מֹשֶׁה מִדַּבֵּר אִתָּם וַיִּתֵּן עַל־פָּנָיו מַסְוֶה:

Pôs um véu sobre o rosto. Isso Moisés fez depois que acabara de falar aos líderes de Israel e a todo o povo. Tendo descido de sua entrevista com o Senhor, seu rosto resplandecia. Terminando, pois, de transmitir as instruções divinas, Moisés encobriu seu rosto. O Novo Testamento espiritualiza a cena. Quando se ensina acerca da lei mosaica, hoje em dia, o véu continua posto sobre os corações e as mentes dos israelitas, porquanto não podem perceber Cristo e os seus ensinamentos. *Em Cristo,* todavia, esse véu é retirado, e assim a luz de Cristo raia nas mentes e nos corações dos homens. Ver 2Coríntios 3.13 ss. Ver no *Dicionário* o artigo *Iluminação*.

O Uso de Máscaras. A arqueologia tem demonstrado o uso de máscaras por parte de sacerdotes. Essas máscaras protegeriam os sacerdotes dos poderes demoníacos, como também serviriam de escudos contra a glória dos deuses. Mas o povo de Israel era *frágil* e não podia enfrentar a glória de Yahweh, nem mesmo no grau em que ela se manifestava na face de Moisés. Logo, havia uma condescendência diante da fragilidade deles, mediante o uso do véu. Mas quando alguém desperta para a nova vida em Cristo, esse véu é retirado.

■ **34.34,35**

וּבְבֹא מֹשֶׁה לִפְנֵי יְהוָה לְדַבֵּר אִתּוֹ יָסִיר אֶת־הַמַּסְוֶה עַד־צֵאתוֹ וְיָצָא וְדִבֶּר אֶל־בְּנֵי יִשְׂרָאֵל אֵת אֲשֶׁר יְצֻוֶּה:

וְרָאוּ בְנֵי־יִשְׂרָאֵל אֶת־פְּנֵי מֹשֶׁה כִּי קָרַן עוֹר פְּנֵי מֹשֶׁה וְהֵשִׁיב מֹשֶׁה אֶת־הַמַּסְוֶה עַל־פָּנָיו עַד־בֹּאוֹ לְדַבֵּר אִתּוֹ: ס

Esses dois versículos dão a entender, embora não afirmem de modo absoluto, que o uso do véu se tornou habitual para Moisés, mas apenas que ele o usou durante algum tempo. A glória que rebrilhava no rosto de Moisés não desapareceu da noite para o dia. 1. Quando Moisés estava na tenda, e mais tarde, presumivelmente, no tabernáculo, diante de Yahweh, ele não precisava usar o véu. Antes, tinha o rosto descoberto diante de seu Deus, bem como um coração receptivo. A iluminação era um seu privilégio diário. 2. Mas quando entrava em contato com o povo, a serviço do Senhor, punha de novo o véu, pelas mesmas razões dadas nos vss. 29-33. 3. Em seu trato ordinário com as pessoas, Moisés não precisava usar o véu.

Não se sabe dizer por quanto tempo esse brilho perdurou. Saadiah Gaon asseverou que continuou até o dia de sua morte, frisando para isso o trecho de Deuteronômio 34.7 (uma aplicação dúbia, contudo). Aben Ezra também afirmou que esse resplendor nunca se afastou de Moisés. No entanto, o Novo Testamento mostra a natureza passageira desse resplendor do rosto de Moisés. Lemos em 2Coríntios 3.13: "E não somos como Moisés que punha véu sobre a face, para que os filhos de Israel *não atentassem na terminação do que se desvanecia*" (o itálico é nosso). Em Cristo, porém, não há desvanecimento da glória que dele recebemos. Pelo contrário, vamos recebendo uma sempre crescente glória, conforme aprendemos em 2Coríntios 3.18. Ver na *Enciclopédia de Bíblia, Teologia e Filosofia* o artigo chamado *Glorificação*.

Na beleza dos lírios,
Nasceu Cristo, no além-mar,
Dotado de toda a glória,
A ti e a mim a transformar.

Julia Ward Howe

CAPÍTULO TRINTA E CINCO

O SÁBADO (35.1-3)

O trecho de Êxodo 35.1-3 dá prosseguimento ao parágrafo bíblico iniciado em Êxodo 34.1, onde devem ser lidas as notas introdutórias. Esse trecho reitera a lei do sábado, o sinal mesmo do pacto mosaico, renovado mediante as novas duas tábuas de pedra do decálogo. Já vimos que Moisés convocara o povo para transmitir-lhe a mensagem que havia recebido da parte de Yahweh (Êx 34.31-35). A ideia é reiterada aqui, em Êxodo 35.1; e os muitos preceitos que agora haveriam de ser apresentados são encabeçados pela lei do sábado.

■ **35.1,2**

וַיַּקְהֵל מֹשֶׁה אֶת־כָּל־עֲדַת בְּנֵי יִשְׂרָאֵל וַיֹּאמֶר אֲלֵהֶם אֵלֶּה הַדְּבָרִים אֲשֶׁר־צִוָּה יְהוָה לַעֲשֹׂת אֹתָם:

שֵׁשֶׁת יָמִים תֵּעָשֶׂה מְלָאכָה וּבַיּוֹם הַשְּׁבִיעִי יִהְיֶה לָכֶם קֹדֶשׁ שַׁבַּת שַׁבָּתוֹן לַיהוָה כָּל־הָעֹשֶׂה בוֹ מְלָאכָה יוּמָת:

Ficamos sabendo aqui como as instruções dadas a Moisés (Êx 25—31) foram transmitidas ao povo e passaram a vigorar. Porém, somos aqui informados que antes da ereção do tabernáculo, o povo foi relembrado acerca da guarda do sábado. Os israelitas estariam muito empenhados na construção do tabernáculo; mas esse labor religioso não deveria servir de obstáculo quanto à guarda do dia de descanso. Construir o tabernáculo era uma ordem divina; mas descansar ao sétimo dia também era uma ordem divina. Comentei sobre a essência do vs. 2 deste capítulo em Êxodo 31.15. Este versículo reitera, nas palavras quase exatas, o trecho de Êxodo 20.9,10, o quarto mandamento, onde apresentei amplas notas expositivas. O capítulo 31 impõe a pena de morte àqueles que desobedecessem esse mandamento (vs. 15), provavelmente por meio de *apedrejamento* (ver a esse respeito no *Dicionário*). Ver notas adicionais em Êxodo 34.21, bem como o artigo geral intitulado *Sábado,* no *Dicionário*. A circuncisão era o *sinal do Pacto Abraâmico* (ver as notas a esse respeito em Gn 15.18; ver também Gn 17.11 e o artigo sobre esse assunto). Mas o *sinal do Pacto Mosaico* era a guarda do *sábado* (ver Êx 31.13 e também as notas sobre a *lei do sábado,* nas notas sobre Êx 19.1).

O segundo versículo deste capítulo, tal como o trecho de Êxodo 31.15, ameaça com a pena de morte a todos os infratores. O Targum de Jonathan comenta, "lançando pedras", mostrando de que modo a pena de morte seria executada, um modo comum, embora não exclusivo. Ver Números 15.35,36.

35.3

לֹא־תְבַעֲרוּ אֵשׁ בְּכֹל מֹשְׁבֹתֵיכֶם בְּיוֹם הַשַּׁבָּת׃ פ

A lei sabática era tão absoluta no tocante ao descanso, que nem ao menos se podia acender fogo para cozinhar. E se estivesse fazendo muito frio, era mister que as pessoas aguentassem o frio, até que o sábado terminasse. Uma vez levantado o tabernáculo, porém, essa lei já não tinha aplicação, visto que as lâmpadas eram mantidas sempre acesas. A história de Israel demonstra que havia exceções quanto à questão do aquecimento das residências, embora não no que concernia ao cozimento de alimentos. Também estavam envolvidas certas atividades profissionais, como a dos metalúrgicos, que tinham que usar fogo. Toda atividade cessava quanto a essas profissões. Mas o fato de que ninguém podia acender fogo, não fazia dessas atividades profissionais exceções. Uma lei específica proibia que se cozinhasse em dia de sábado (Êx 16.23), um trecho paralelo ao versículo presente.

"Na antiguidade, acender fogo envolvia um trabalho manual árduo, pois acendia-se fogo mediante a fricção violenta de dois pedaços de madeira seca" (Ellicott, *in loc.*).

CONSTRUÇÃO DO TABERNÁCULO (35.4—40.38)

OFERTAS PARA O TABERNÁCULO (35.4-29)

Os capítulos 35-40 de Êxodo nos dão as instruções sobre a ereção do tabernáculo e sobre a inauguração do culto ali efetuado. A começar por esta seção, somos informados como a questão foi posta em execução, e são adicionados detalhes, embora grande parte do material seja simplesmente repetido. Os vss. 4-29 são, essencialmente, uma expansão do trecho de Êxodo 25.1-9.

"Moisés continua aqui seu discurso diante de Israel. Ele exortou o povo a recolher de suas possessões as coisas necessárias para a ereção do tabernáculo (cf. Êx 25.1-9). Todavia, essas doações deveriam ser feitas *voluntariamente* (Êx 35.21,29), como oferendas ao Senhor" (John D. Hannah, *in loc.*).

35.4,5

וַיֹּאמֶר מֹשֶׁה אֶל־כָּל־עֲדַת בְּנֵי־יִשְׂרָאֵל לֵאמֹר זֶה הַדָּבָר אֲשֶׁר־צִוָּה יְהוָה לֵאמֹר׃

קְחוּ מֵאִתְּכֶם תְּרוּמָה לַיהוָה כֹּל נְדִיב לִבּוֹ יְבִיאֶהָ אֵת תְּרוּמַת יְהוָה זָהָב וָכֶסֶף וּנְחֹשֶׁת׃

Coisas necessárias deveriam ser trazidas, como ouro, prata e bronze, os metais básicos usados na ereção do tabernáculo. *Todo o povo de Israel* precisou envolver-se nessa questão, conforme o vs. 4 deixa claro. Seria um projeto da comunidade toda. Alguns projetos requerem trabalho de equipe; e é uma satisfação quando um projeto é efetuado por toda uma comunidade, visando a uma boa causa. O trecho de Êxodo 25.3 dá-nos a mesma ordem que temos aqui, no tocante aos metais necessários. Ver as notas sobre aquele ponto. A exposição ali inclui os presumíveis tipos de metais necessários.

Esta passagem segue a mesma ordem na enumeração das ofertas requeridas, segundo se vê em Êxodo 25.1-7, e em ambos os casos deveria haver um *coração voluntário* da parte daqueles que doassem os materiais pedidos, como o *sine qua non* daquele labor espiritual.

35.6

וּתְכֵלֶת וְאַרְגָּמָן וְתוֹלַעַת שָׁנִי וְשֵׁשׁ וְעִזִּים׃

Este versículo tem paralelo em Êxodo 25.4, onde dou as notas expositivas. As mulheres usariam linho fino (e talvez lã) tingido nessas cores, e com esse material fariam as vestes sacerdotais (Êx 35.25).

35.7

וְעֹרֹת אֵילִם מְאָדָּמִים וְעֹרֹת תְּחָשִׁים וַעֲצֵי שִׁטִּים׃

Este versículo tem paralelo em Êxodo 25.5, onde são dadas as notas expositivas.

35.8

וְשֶׁמֶן לַמָּאוֹר וּבְשָׂמִים לְשֶׁמֶן הַמִּשְׁחָה וְלִקְטֹרֶת הַסַּמִּים׃

Este versículo tem paralelo em Êxodo 25.6, onde são dadas as notas expositivas. Aqui, porém, são adicionados dois elementos: o *azeite* da unção, que era misturado com especiarias (ver as notas sobre Êxodo 30.22-33 quanto a essa questão), e o *incenso* (ver Êx 30.34-38 quanto a essa questão).

35.9

וְאַבְנֵי־שֹׁהַם וְאַבְנֵי מִלֻּאִים לָאֵפוֹד וְלַחֹשֶׁן׃

Este versículo tem paralelo em Êxodo 25.7, onde são dadas as notas expositivas.

35.10

וְכָל־חֲכַם־לֵב בָּכֶם יָבֹאוּ וְיַעֲשׂוּ אֵת כָּל־אֲשֶׁר צִוָּה יְהוָה׃

Venham todos os homens hábeis. Temos aqui um apelo à aptidão humana. Os habilidosos fariam conforme fossem instruídos. Seriam generosos e abririam seus corações e se sacrificariam a serviço do Senhor. Moisés já havia apelado à generosidade (vs. 5), e agora apelava à *sabedoria*. Neste passo, a *sabedoria* indica a habilidade profissional, uma espécie de *sabedoria aplicada* a algum mister específico. Quase por certo esse é o sentido do adjetivo "hábeis", aqui usado. Feliz é o homem que pode usar seu conhecimento e suas aptidões, desenvolvidos ao longo dos anos, em algum labor espiritual.

35.11

אֶת־הַמִּשְׁכָּן אֶת־אָהֳלוֹ וְאֶת־מִכְסֵהוּ אֶת־קְרָסָיו וְאֶת־קְרָשָׁיו אֶת־בְּרִיחָו אֶת־עַמֻּדָיו וְאֶת־אֲדָנָיו׃

O tabernáculo. Ver no *Dicionário* o artigo sobre esse assunto. Este versículo alista as principais coisas que compunham aquela estrutura, não incluindo o átrio e sua cerca circundante.

Com sua tenda. Devem estar em foco as cortinas de pelos de cabra, que encobriam as demais coberturas, formando parte do telhado da tenda. Ver Êxodo 25.4,5 e 26.14 e suas notas.

A sua coberta. Esta, feita com pelos de carneiro, e, talvez, de animais marinhos, é devidamente anotada em Êxodo 25.4,5 e 26.14.

Os seus ganchos. Ver as notas em Êxodo 26.6.

As suas tábuas. Ver as notas em Êxodo 26.15,16.

As suas vergas. Ver as notas em Êxodo 26.26.

As suas colunas. Ver as notas em Êxodo 26.32,37 e 27.10-12,14,16,17.

As suas bases. Ver as notas em Êxodo 26.19 e 27.10.

35.12

אֶת־הָאָרֹן וְאֶת־בַּדָּיו אֶת־הַכַּפֹּרֶת וְאֵת פָּרֹכֶת הַמָּסָךְ׃

Ver as notas em Êxodo 25.10-22 quanto a descrições gerais da porção do tabernáculo referida neste vs. 12.

A arca. Ver no *Dicionário* o artigo chamado *Arca da Aliança*, bem como as notas em Êxodo 25.10 ss.

Os seus varais. Ver Êxodo 25.13 e 27.6.

O propiciatório. Ver sobre esse assunto no *Dicionário*, bem como as notas em Êxodo 25.17 ss.

O véu do reposteiro. Ver Êxodo 26.31.

35.13

אֶת־הַשֻּׁלְחָן וְאֶת־בַּדָּיו וְאֶת־כָּל־כֵּלָיו וְאֵת לֶחֶם הַפָּנִים׃

A mesa. Ver Êxodo 25.23-27.

Os seus varais. Ver Êxodo 25.27,28.

Os seus utensílios. Ver Êxodo 25.29.

Os pães da proposição. Ver Êxodo 25.30.

Os versículos citados incluem exposições sobre a questão e aludem a artigos do *Dicionário* que detalham sobre itens específicos.

35.14

וְאֶת־מְנֹרַ֧ת הַמָּא֛וֹר וְאֶת־כֵּלֶ֖יהָ וְאֶת־נֵרֹתֶ֑יהָ וְאֵ֖ת שֶׁ֥מֶן הַמָּאֽוֹר׃

Ver as notas sobre Êxodo 25.31-39 quanto a descrições gerais sobre os itens constantes neste versículo.

Candelabro da iluminação. Ver o artigo sobre esse objeto intitulado *Candeeiro de Ouro*, no *Dicionário* e nas notas sobre Êxodo 25.31.

Os seus utensílios. Ver Êxodo 25.38,39.

Azeite para a iluminação. Ver no *Dicionário* o artigo sobre essa questão, bem como as notas em Êxodo 27.20.

35.15

וְאֶת־מִזְבַּ֤ח הַקְּטֹ֙רֶת֙ וְאֶת־בַּדָּ֔יו וְאֵת֙ שֶׁ֣מֶן הַמִּשְׁחָ֔ה וְאֵ֖ת קְטֹ֣רֶת הַסַּמִּ֑ים וְאֶת־מָסַ֥ךְ הַפֶּ֖תַח לְפֶ֥תַח הַמִּשְׁכָּֽן׃

Ver Êxodo 30.1-10 quanto a descrições gerais sobre os itens mencionados neste versículo.

O altar do incenso. Ver no *Dicionário* o artigo sobre esse assunto, bem como as notas em Êxodo 30.1.

Os seus varais. Ver Êxodo 30.5.

O óleo da unção. Ver Êxodo 30.23-31.

O incenso aromático. Ver no *Dicionário* o artigo correspondente, bem como as notas sobre Êxodo 25.6 e 30.34-38.

O reposteiro. Ver Êxodo 26.36,37.

35.16

אֵ֣ת ׀ מִזְבַּ֣ח הָעֹלָ֗ה וְאֶת־מִכְבַּ֤ר הַנְּחֹ֙שֶׁת֙ אֲשֶׁר־ל֔וֹ אֶת־בַּדָּ֖יו וְאֶת־כָּל־כֵּלָ֑יו אֶת־הַכִּיֹּ֖ר וְאֶת־כַּנּֽוֹ׃

Ver Êxodo 27.1-8 quanto a descrições gerais acerca do altar de bronze.

O altar do holocausto. Ver no *Dicionário* o verbete chamado *Altar de Bronze*, bem como as notas sobre Êxodo 27.1.

A sua grelha de bronze. Ver Êxodo 27.4.

Os seus varais. Ver Êxodo 27.6.

Os seus utensílios. Ver Êxodo 27.3.

A bacia. Ver Êxodo 30.17,18.

O seu suporte. Ver Êxodo 30.18.

35.17

אֵ֚ת קַלְעֵ֣י הֶֽחָצֵ֔ר אֶת־עַמֻּדָ֖יו וְאֶת־אֲדָנֶ֑יהָ וְאֵ֕ת מָסַ֖ךְ שַׁ֥עַר הֶחָצֵֽר׃

Ver as notas sobre Êxodo 27.9-17 quanto aos itens mencionados neste versículo.

As cortinas do átrio. Ver Êxodo 27.9-13.

As suas colunas. Ver Êxodo 27.10.

As suas bases. Ver Êxodo 27.10.

O reposteiro da porta do átrio. Ver Êxodo 27.16.

35.18

אֶת־יִתְדֹ֧ת הַמִּשְׁכָּ֛ן וְאֶת־יִתְדֹ֥ת הֶחָצֵ֖ר וְאֶת־מֵיתְרֵיהֶֽם׃

As estacas. Havia cordas presas aos pinos das paredes, que assim fortaleciam a estrutura, presas no chão por meio de estacas. Ver Êxodo 27.19.

35.19

אֶת־בִּגְדֵ֥י הַשְּׂרָ֖ד לְשָׁרֵ֣ת בַּקֹּ֑דֶשׁ אֶת־בִּגְדֵ֤י הַקֹּ֙דֶשׁ֙ לְאַהֲרֹ֣ן הַכֹּהֵ֔ן וְאֶת־בִּגְדֵ֥י בָנָ֖יו לְכַהֵֽן׃

As vestes do ministério. "Provavelmente, aventais, toalhas e coisas semelhantes, usados em serviços comuns, mas diferentes das *vestimentas* de Arão e seus filhos" (Adam Clarke, *in loc.*). Outros estudiosos preferem pensar em panos usados para envolver os vários vasos do tabernáculo a fim de serem transportados, ou seja, *envoltórios protetores*. Ver Êxodo 31.10.

As vestes santas. Ver Êxodo 28.2 ss. O capítulo 28 dedica-se à descrição dessas vestes, em todas as suas peças. Ver no *Dicionário* os artigos intitulados *Vestimenta* (*Vestimentas*) e *Vestes Sacerdotais*.

35.20

וַיֵּ֥צְא֛וּ כָּל־עֲדַ֥ת בְּנֵֽי־יִשְׂרָאֵ֖ל מִלִּפְנֵ֥י מֹשֶֽׁה׃

A congregação inteira tinha-se reunido a fim de ouvir as instruções de Moisés acerca da necessidade de ajudar a trazer os materiais e achar os homens hábeis que erigissem o tabernáculo. Ver o vs. 1 deste capítulo quanto à convocação feita por Moisés. Ter conhecimento nos envolve em responsabilidade. Agora o povo precisava agir, ou jamais seria erigido o tabernáculo. Era um esforço de equipe. Moisés, apesar de todas as suas boas intenções, não poderia fazer sozinho o trabalho.

35.21

וַיָּבֹ֕אוּ כָּל־אִ֖ישׁ אֲשֶׁר־נְשָׂא֣וֹ לִבּ֑וֹ וְכֹ֡ל אֲשֶׁר֩ נָדְבָ֨ה רוּח֜וֹ אֹת֗וֹ הֵ֠בִיאוּ אֶת־תְּרוּמַ֨ת יְהוָ֜ה לִמְלֶ֨אכֶת אֹ֤הֶל מוֹעֵד֙ וּלְכָל־עֲבֹ֣דָת֔וֹ וּלְבִגְדֵ֖י הַקֹּֽדֶשׁ׃

E veio todo o homem. Temos aí a cooperação voluntária dos bem dispostos a cooperar. Cf. este versículo com o quinto versículo. Cada qual precisava agir de acordo com sua generosidade e livre-arbítrio. Houve muitos que se mostraram generosos em sua contribuição para as necessidades materiais do tabernáculo ou investindo de seu tempo na construção do tabernáculo. Metade da realização de qualquer tarefa consiste no entusiasmo, e o entusiasmo é inspirado pelo amor. Ver no *Dicionário* o artigo intitulado *Amor*.

No hebraico temos, literalmente, "cujo coração o elevou", para nosso texto em português, *cujo espírito o impeliu*. Moisés fez um discurso inspirador, e os corações se animaram a agir. Temos aí outra maneira de destacar a ideia de entusiasmo. "A mente bem disposta, bem como a capacidade, foram dadas a eles por Deus (ver 1Cr 19.14)" (John Gill, *in loc.*). O vs. 29 dá a entender que houve alguns que não se sentiram impelidos a agir, os quais também não prestaram sua cooperação. De modo geral, porém, o povo cooperou quase por inteiro. No fim, o povo precisou ser *restringido* (Êx 36.5-7). Portanto, a campanha de Moisés em prol do tabernáculo foi um supersucesso.

35.22

וַיָּבֹ֥אוּ הָאֲנָשִׁ֖ים עַל־הַנָּשִׁ֑ים כֹּ֣ל ׀ נְדִ֣יב לֵ֗ב הֵ֠בִיאוּ חָ֣ח וָנֶ֜זֶם וְטַבַּ֤עַת וְכוּמָז֙ כָּל־כְּלִ֣י זָהָ֔ב וְכָל־אִ֕ישׁ אֲשֶׁ֥ר הֵנִ֛יף תְּנוּפַ֥ת זָהָ֖ב לַיהוָֽה׃

A generosidade resultou na doação de todos os *metais preciosos* de que havia necessidade, a saber, ouro, prata e bronze (ver o vs. 5). Braceletes, brincos, argolas e outros objetos de joalheria foram as principais fontes desses materiais. Para a maioria dos homens, as joias são itens de puro luxo; para as mulheres, porém, eram possessões preciosas, algo quase necessário para a vida. Por conseguinte, houve muito *sacrifício* envolvido naquelas ofertas voluntárias. As mulheres deram suas joias e também ajudaram a preparar vestimentas e cortinas (vs. 2).

Objetos de ouro. Além das joias feitas de ouro, houve outras ofertas desse metal. O ouro, sob a forma de lingotes, e, mais tarde, sob a forma de moedas, era usado como dinheiro. Ver no *Dicionário* o artigo chamado *Ouro*.

35.23

וְכָל־אִ֞ישׁ אֲשֶׁר־נִמְצָ֣א אִתּ֗וֹ תְּכֵ֧לֶת וְאַרְגָּמָ֛ן וְתוֹלַ֥עַת שָׁנִ֖י וְשֵׁ֣שׁ וְעִזִּ֑ים וְעֹרֹ֨ת אֵילִ֧ם מְאָדָּמִ֛ים וְעֹרֹ֥ת תְּחָשִׁ֖ים הֵבִֽיאוּ׃

Os materiais para as vestimentas e as cortinas foram supridos pelo povo, que se mostrou ansioso para cooperar. Ver as notas sobre o vs. 6 quanto aos itens mencionados neste versículo. Ver também Êxodo 25.4. Quanto às peles de carneiro e de animais marinhos, ver 25.5 e 35.7.

35.24

כָּל־מֵרִ֗ים תְּרוּמַ֤ת כֶּ֙סֶף֙ וּנְחֹ֔שֶׁת הֵבִ֕יאוּ אֵ֖ת תְּרוּמַ֣ת יְהוָ֑ה וְכֹ֡ל אֲשֶׁר֩ נִמְצָ֨א אִתּ֜וֹ עֲצֵ֥י שִׁטִּ֛ים לְכָל־מְלֶ֥אכֶת הָעֲבֹדָ֖ה הֵבִֽיאוּ׃

Prata e bronze, metais úteis na ereção do tabernáculo, foram trazidos, conforme se vê no vs. 5, além de madeira de acácia (ver as notas a respeito no *Dicionário* e em Êx 25.5). "Toda a prata empregada no santuário veio do meio siclo pago quando o povo foi enumerado (ver Êx 38.25-28)" (Ellicott, *in loc.*). Ver Êxodo 30.11-16 quanto à taxa que foi cobrada para sustento dos sacerdotes e para a ereção e manutenção do tabernáculo.

■ **35.25**

וְכָל־אִשָּׁה חַכְמַת־לֵב בְּיָדֶיהָ טָווּ וַיָּבִיאוּ מַטְוֶה
אֶת־הַתְּכֵלֶת וְאֶת־הָאַרְגָּמָן אֶת־תּוֹלַעַת הַשָּׁנִי
וְאֶת־הַשֵּׁשׁ׃

Todas as mulheres hábeis. Além de entregarem suas joias como material para a ereção do tabernáculo, as mulheres usaram suas habilidades como costureiras para fazerem as vestimentas dos sacerdotes e as cortinas do santuário. É razoável a suposição, e isso por certo é indicado no presente texto, de que as mulheres de Israel sabiam tecer e costurar. De fato, isso sucedia por todo o antigo Oriente Próximo e Médio, visto que tantos aspectos da sociedade dependiam dessa habilidade. Os materiais usados eram pelos de cabra e linho, ainda que alguns estudiosos (baseados na opinião de antigos autores judeus) creiam que a lã também era um dos materiais usados. O linho era tingido antes de ser fiado, nos dias de Homero (*Odi.* iv.135).

Linho fino. Ou seja, linho branco, depois de ter sido bem alvejado. A maior parte do linho egípcio tinha um tom amarelado, por não ser submetido ao adequado processo de embranquecimento.

■ **35.26**

וְכָל־הַנָּשִׁים אֲשֶׁר נָשָׂא לִבָּן אֹתָנָה בְּחָכְמָה טָווּ
אֶת־הָעִזִּים׃

Os pelos das cabras. Era primeiro transformado em linha, a fim de produzir um material duradouro, que facilmente podia ser tingido. Isso mereceu outra menção, porque o uso de pelos de cabras na fiação era considerado uma arte que era conhecida por poucas mulheres. Os estofos feitos de pelos de cabra formavam um importante artigo de comércio. Era mais difícil produzir fios de pelos de cabra do que de linho, e por isso era uma especialização de poucas pessoas.

■ **35.27**

וְהַנְּשִׂאִם הֵבִיאוּ אֵת אַבְנֵי הַשֹּׁהַם וְאֵת אַבְנֵי הַמִּלֻּאִים
לָאֵפוֹד וְלַחֹשֶׁן׃

Pedras de ônix e pedras de engaste. Ver Êxodo 28.9-12 e 28.21 quanto ao uso que se fez dessas pedras semipreciosas. Os príncipes eram os líderes do povo (Nm 1.16), e foram eles que trouxeram essas pedras, talvez dando a entender que eram mais abastados do que as pessoas comuns. Eles deram artigos de luxo para a construção do tabernáculo.

■ **35.28**

וְאֶת־הַבֹּשֶׂם וְאֶת־הַשָּׁמֶן לְמָאוֹר וּלְשֶׁמֶן הַמִּשְׁחָה
וְלִקְטֹרֶת הַסַּמִּים׃

É provável que a posição deste versículo indique que também foram os líderes do povo que entraram com os itens aqui alistados (ver o vs. 27). Ver os vss. 14 e 15 quanto a esses ítens e quanto a referências a outros textos que também os mencionam, e onde há comentários a respeito. Ver as especiarias alistadas e anotadas em Êxodo 30.23,24,34.

■ **35.29**

כָּל־אִישׁ וְאִשָּׁה אֲשֶׁר נָדַב לִבָּם אֹתָם לְהָבִיא
לְכָל־הַמְּלָאכָה אֲשֶׁר צִוָּה יְהוָה לַעֲשׂוֹת בְּיַד־מֹשֶׁה
הֵבִיאוּ בְנֵי־יִשְׂרָאֵל נְדָבָה לַיהוָה׃ פ

Este versículo repete a mensagem dos vss. 5 e 21, onde há notas expositivas. Pessoas de ambos os sexos, e cada indivíduo de acordo com suas possessões (mantendo a generosidade como padrão de suas dádivas), e cada qual de conformidade com o tipo de labor com que podia contribuir, aplicou-se às várias tarefas que precisavam ser realizadas. O texto confere-nos a ideia de uma equipe entusiasmada que envidou todo tipo de sacrifício, a fim de que a obra pudesse ser completada da melhor maneira possível.

OBREIROS PARA O TABERNÁCULO (35.30—36.7)

Já vimos a questão ser-nos introduzida em Êxodo 31.1-11, na nomeação de Bezalel e Aoliabe, onde as notas expositivas devem ser consultadas. Há muita repetição, pelo que as notas a seguir são abreviadas. Esses dois homens foram chamados por Yahweh para cuidarem de suas respectivas tarefas. Agora, Moisés transmitiu essa mensagem ao povo, a fim de que seguissem e respeitassem esses *supervisores*. Aqueles que encabeçam alguma tarefa difícil devem ter tanto habilidades para serem usadas como capacidade de liderar outras pessoas. E também devem ser aceitos por aqueles que operam sob sua supervisão, exercendo assim uma certa medida de autoridade.

■ **35.30**

וַיֹּאמֶר מֹשֶׁה אֶל־בְּנֵי יִשְׂרָאֵל רְאוּ קָרָא יְהוָה בְּשֵׁם
בְּצַלְאֵל בֶּן־אוּרִי בֶן־חוּר לְמַטֵּה יְהוּדָה׃

Bezalel. Ver notas expositivas completas em Êxodo 31.2. O trecho de Êxodo 31.1-11 e este texto são virtualmente iguais no original hebraico, e somente os vss. 34 e 35 adicionam alguma coisa.

■ **35.31-33**

וַיְמַלֵּא אֹתוֹ רוּחַ אֱלֹהִים בְּחָכְמָה בִּתְבוּנָה וּבְדַעַת
וּבְכָל־מְלָאכָה׃

וְלַחְשֹׁב מַחֲשָׁבֹת לַעֲשֹׂת בַּזָּהָב וּבַכֶּסֶף
וּבַנְּחֹשֶׁת׃

וּבַחֲרֹשֶׁת אֶבֶן לְמַלֹּאת וּבַחֲרֹשֶׁת עֵץ לַעֲשׂוֹת
בְּכָל־מְלֶאכֶת מַחֲשָׁבֶת׃

Ver as notas sobre Êxodo 31.3-5, onde a mesma coisa é dita, virtualmente da mesma maneira.

■ **35.34**

וּלְהוֹרֹת נָתַן בְּלִבּוֹ הוּא וְאָהֳלִיאָב בֶּן־אֲחִיסָמָךְ
לְמַטֵּה־דָן׃

Aoliabe. Ver notas expositivas completas sobre ele em Êxodo 31.6.

■ **35.35**

מִלֵּא אֹתָם חָכְמַת־לֵב לַעֲשׂוֹת כָּל־מְלֶאכֶת
חָרָשׁ וְחֹשֵׁב וְרֹקֵם בַּתְּכֵלֶת וּבָאַרְגָּמָן בְּתוֹלַעַת
הַשָּׁנִי וּבַשֵּׁשׁ וְאֹרֵג עֹשֵׂי כָּל־מְלָאכָה וְחֹשְׁבֵי
מַחֲשָׁבֹת׃

Eles receberam suas habilidades da parte de Yahweh, como um dom a ser usado, conforme já vimos em Êxodo 31.3. Este versículo enumera as habilidades que eles possuíam. Eram artífices do mais alto conhecimento e experiência, conforme também nos é dito em Êxodo 31.4,5. Temos aqui a palavra *mestre*, ou seja, um sinônimo de *artífice*, um vocábulo genérico que fala de trabalhos feitos em pedra, madeira e metal.

Bordador. Trabalho de bordado sobre tecidos, que eles faziam e orientavam, sendo que provavelmente a maioria dos operários consistia em mulheres. Eram *tecelões habilidosos*, conforme fica subentendido no original hebraico. Vários desenhos complicados precisavam ser entretecidos, para o que era mister considerável técnica e experiência. "...para os véus, para as cortinas externas do tabernáculo e para as vestes sacerdotais" (John Gill, *in loc.*).

CAPÍTULO TRINTA E SEIS

Este capítulo não dá início a um novo parágrafo, mas antes prossegue o parágrafo iniciado em Êxodo 35.30. Aquela seção, por sua vez, é paralela a Êxodo 31.1-11.

As Cinco Exposições. O autor sagrado descreveu, por cinco vezes, com muitas repetições, como o tabernáculo foi planejado, construído, aprovado e montado. Ver sobre isso em Êxodo 25.1, em seus comentários introdutórios, último parágrafo. Achamos aqui a *segunda* descrição.

36.1

וְעָשָׂה בְצַלְאֵל וְאָהֳלִיאָב וְכֹל אִישׁ חֲכַם־לֵב אֲשֶׁר נָתַן יְהוָה חָכְמָה וּתְבוּנָה בָּהֵמָּה לָדַעַת לַעֲשֹׂת אֶת־כָּל־מְלֶאכֶת עֲבֹדַת הַקֹּדֶשׁ לְכֹל אֲשֶׁר־צִוָּה יְהוָה:

A tarefa que os dois homens receberam, da parte de Yahweh, através de Moisés, passaram a realizar. É belo quando alguém recebe uma missão divina, é preparado para essa missão, e então, é capaz de cumpri-la. Além deles, havia outras pessoas dotadas de habilidade especial que os ajudavam, sob sua supervisão. Este versículo reitera essencialmente o que já tínhamos visto em Êxodo 35.10,11, onde são dadas notas expositivas.

"O capítulo todo é pouco mais do que a repetição daqueles capítulos (Êx 25—30), diferindo dos mesmos apenas no registro do que foi sendo feito, conforme tinha sido ordenado que se fizesse. A *exatidão minuciosa* da repetição é deveras notável, parecendo ensinar-nos a importante lição de que a *obediência aceitável* consiste em uma *observância* completa e exata dos mandamentos de Deus, em todos os aspectos, até o mais minúsculo particular" (Ellicott, *in loc.*). Naturalmente, não nos devemos esquecer que a repetição é uma característica literária do autor, o que se vê continuamente por todo o Pentateuco.

36.2,3

וַיִּקְרָא מֹשֶׁה אֶל־בְּצַלְאֵל וְאֶל־אָהֳלִיאָב וְאֶל כָּל־אִישׁ חֲכַם־לֵב אֲשֶׁר נָתַן יְהוָה חָכְמָה בְּלִבּוֹ כֹּל אֲשֶׁר נְשָׂאוֹ לִבּוֹ לְקָרְבָה אֶל־הַמְּלָאכָה לַעֲשֹׂת אֹתָהּ:

וַיִּקְחוּ מִלִּפְנֵי מֹשֶׁה אֵת כָּל־הַתְּרוּמָה אֲשֶׁר הֵבִיאוּ בְּנֵי יִשְׂרָאֵל לִמְלֶאכֶת עֲבֹדַת הַקֹּדֶשׁ לַעֲשֹׂת אֹתָהּ וְהֵם הֵבִיאוּ אֵלָיו עוֹד נְדָבָה בַּבֹּקֶר בַּבֹּקֶר:

Estes versículos repetem aquilo que já tínhamos visto em Êxodo 31.1-11, onde são dadas notas expositivas. Ver também estes últimos versículos, quanto a maiores detalhes. Se antes foi dito que aqueles homens foram chamados por Yahweh, por meio de Moisés, agora é dito que eles foram chamados por Moisés para realmente começarem o trabalho. Eles receberam os materiais básicos que deveriam empregar no seu labor. Visto que eram homens versáteis, e estariam trabalhando com metais preciosos, ouro, prata, bronze e tecidos, os materiais que receberam foram variados e amplos. Ver Êxodo 35.32,33 e 35. Ver as ofertas voluntárias, descritas em Êxodo 25.2 ss. E o material doado foi "muito mais do que era necessário para o serviço da obra" (vs. 5).

A liberalidade dos ofertantes prosseguiu. O entusiasmo estava alto. As pessoas sacrificaram tanto os seus bens materiais quanto o seu tempo. Manhã após manhã eles continuavam trazendo suas oferendas. Cf. essa liberalidade com aquela de Davi, quando esta acumulando materiais para a construção do templo de Jerusalém (1Cr 29.6-9), ou quando Zorobabel construiu o segundo templo (Ed 2.68-70; Ne 7.70-72).

36.4

וַיָּבֹאוּ כָּל־הַחֲכָמִים הָעֹשִׂים אֵת כָּל־מְלֶאכֶת הַקֹּדֶשׁ אִישׁ־אִישׁ מִמְּלַאכְתּוֹ אֲשֶׁר־הֵמָּה עֹשִׂים:

Aqueles que eram habilidosos em várias formas de labor realizaram suas tarefas. Isso repete a informação de Êxodo 35.10,26 e 35. Por todo o capítulo 35 foram enfatizadas a *voluntariedade* e a *habilidade* dos operários. Agora temos a adição do fator *generosidade*. A combinação desses três fatores fez do projeto um sucesso completo, o qual foi realizado em pouco tempo.

36.5

וַיֹּאמְרוּ אֶל־מֹשֶׁה לֵּאמֹר מַרְבִּים הָעָם לְהָבִיא מִדֵּי הָעֲבֹדָה לַמְּלָאכָה אֲשֶׁר־צִוָּה יְהוָה לַעֲשֹׂת אֹתָהּ:

A Generosidade do Povo. Esse fator é agora adicionado à voluntariedade e à habilidade. As ofertas voluntárias foram tantas que havia material de sobra para ser usado na edificação do tabernáculo. Se indagarmos como os israelitas, estando no deserto, depois de terem escapado da escravidão fazia tão pouco tempo, tinham todo esse material, a resposta é que o povo de Israel, embora tivesse acabado escravizado, tinha estado no Egito durante vários séculos, e, naturalmente, havia acumulado muitas riquezas materiais, as mais variadas. Ademais, ao saírem do Egito, os egípcios lhes doaram muitas coisas, conforme ficou registrado em Êxodo 12.35 e seu contexto.

Moisés foi *forçado* a baixar um decreto proibindo que o povo continuasse trazendo ofertas! Sem dúvida temos aqui uma situação incomum, que deve ser contrastada com as modernas campanhas de levantamento de fundos para projetos religiosos. Se Moisés tivesse querido enriquecer, sem dúvida teria podido fazê-lo, e não teria dado ordens no arraial no sentido de que não fossem mais dadas ofertas. Também podemos confrontar isso com a atitude de certos líderes religiosos de nossos dias, que enriquecem no ministério, passando a viver na opulência. Moisés, porém, estava trabalhando em prol do projeto, e não em benefício próprio. Moisés tinha pedido muito; tinha pedido a ponto do sacrifício e que houvesse liberalidade. Mas tinha pedido em favor do projeto, e não para si mesmo. E esse projeto era de Yahweh, o que foi a verdadeira razão do grande sucesso obtido.

36.6,7

וַיְצַו מֹשֶׁה וַיַּעֲבִירוּ קוֹל בַּמַּחֲנֶה לֵאמֹר אִישׁ וְאִשָּׁה אַל־יַעֲשׂוּ־עוֹד מְלָאכָה לִתְרוּמַת הַקֹּדֶשׁ וַיִּכָּלֵא הָעָם מֵהָבִיא:

וְהַמְּלָאכָה הָיְתָה דַיָּם לְכָל־הַמְּלָאכָה לַעֲשׂוֹת אֹתָהּ וְהוֹתֵר: ס

A ordem foi proclamada no arraial. Sem dúvida, este é um dos mais estranhos versículos da Bíblia. O povo precisou ser *restringido* de fazer uma boa obra, porque o que já tinha sido feito era demais! Que contraste fazia isso com aquela mesma gente que, ainda recentemente, tinha caído na idolatria e criado o bezerro de ouro (Êx 32). Esse contraste é muito apropriado, visto que o bezerro de ouro e o tabernáculo eram questões de culto religioso. O tabernáculo substituiu o bezerro de ouro, de maneira muito enfática. O projeto da ereção do tabernáculo contava com a *bênção divina*. Mas o bezerro de ouro contava apenas com uma *maldição divina*.

"Quando a *liberalidade cristã* será tão excessiva que precisará ser *restringida*?"

"Em vez de uma explosão de liberalidade, do que a maioria das pessoas precisa, foi imposta uma restrição para que impedisse excessos nas contribuições" (John Gill, *in loc.*).

Ao que parece, Moisés viu-se a braços com um problema de *armazenamento*. Pouco depois da Segunda Guerra Mundial, a produção agrícola foi tão grande nos Estados Unidos da América que o principal problema do secretário de agricultura passou a ser onde armazenar tanto cereal, o que estava custando ao governo bilhões de dólares por ano. Muitos congressistas e senadores sentiam a pressão do problema, e houve inúmeras queixas. Mas certo homem observou quão grande *bênção* era esse problema, pois outros países, de vários lugares do mundo, estavam sofrendo necessidades por causa da guerra. Então, houve um grande problema de distribuição, e os estoques foram reduzidos, mediante partilha com nações necessitadas.

AS PARTES DO TABERNÁCULO (36.8—38.20)

■ 36.8-13

וַיַּעֲשׂוּ כָל־חֲכַם־לֵב בְּעֹשֵׂי הַמְּלָאכָה אֶת־הַמִּשְׁכָּן עֶשֶׂר יְרִיעֹת שֵׁשׁ מָשְׁזָר וּתְכֵלֶת וְאַרְגָּמָן וְתוֹלַעַת שָׁנִי כְּרֻבִים מַעֲשֵׂה חֹשֵׁב עָשָׂה אֹתָם׃

אֹרֶךְ הַיְרִיעָה הָאַחַת שְׁמֹנֶה וְעֶשְׂרִים בָּאַמָּה וְרֹחַב אַרְבַּע בָּאַמָּה הַיְרִיעָה הָאֶחָת מִדָּה אַחַת לְכָל־הַיְרִיעֹת׃

וַיְחַבֵּר אֶת־חֲמֵשׁ הַיְרִיעֹת אַחַת אֶל־אֶחָת וְחָמֵשׁ יְרִיעֹת חִבַּר אַחַת אֶל־אֶחָת׃

וַיַּעַשׂ לֻלְאֹת תְּכֵלֶת עַל שְׂפַת הַיְרִיעָה הָאֶחָת מִקָּצָה בַּמַּחְבָּרֶת כֵּן עָשָׂה בִּשְׂפַת הַיְרִיעָה הַקִּיצוֹנָה בַּמַּחְבֶּרֶת הַשֵּׁנִית׃

חֲמִשִּׁים לֻלָאֹת עָשָׂה בַּיְרִיעָה הָאֶחָת וַחֲמִשִּׁים לֻלָאֹת עָשָׂה בִּקְצֵה הַיְרִיעָה אֲשֶׁר בַּמַּחְבֶּרֶת הַשֵּׁנִית מַקְבִּילֹת הַלֻּלָאֹת אַחַת אֶל־אֶחָת׃

וַיַּעַשׂ חֲמִשִּׁים קַרְסֵי זָהָב וַיְחַבֵּר אֶת־הַיְרִיעֹת אַחַת אֶל־אַחַת בַּקְּרָסִים וַיְהִי הַמִּשְׁכָּן אֶחָד׃ ס

Os vss. 8-13 deste capítulo correspondem exatamente ao trecho de Êxodo 26.1-6. Somente os tempos verbais foram alterados. Esses versículos dizem respeito à construção da cobertura mais interior.

No primeiro relato, três peças de mobiliário foram descritas em primeiro lugar (cap. 25). Mas aqui, a feitura do próprio tabernáculo dá início ao relato. *Quatro componentes* foram alistados e descritos.
1. As cortinas de linho que encobriam os lados e formavam o teto. (Cf. Êx 36.8-13 com 26.1-6). A cobertura interna do tabernáculo é descrita.
2. As cortinas de pelos de cabra, de peles de carneiro e de couros de animais marinhos. (Cf. Êx 36.14-19 com 26.7-14). Isso trata das duas coberturas mais externas.
3. As treliças de armação de madeira, nos lados norte e sul e nos fundos da estrutura. (Cf. Êx 36.20-30 com 26.15-25). Em conexão com isso, temos as travessas que mantinham as colunas no seu lugar. (Cf. Êx 36.31-34 com 26.26-29).
4. As duas cortinas da entrada, uma cobria a entrada para o tabernáculo e outra que dividia o tabernáculo em dois aposentos: o Lugar Santo e o Santo dos Santos (Cf. Êx 36.35-38 com 26.31-37).

Em todos os casos, as exposições são dadas no capítulo 26, com breves adições que ofereço a seguir.

■ 36.14-19

וַיַּעַשׂ יְרִיעֹת עִזִּים לְאֹהֶל עַל־הַמִּשְׁכָּן עַשְׁתֵּי־עֶשְׂרֵה יְרִיעֹת עָשָׂה אֹתָם׃

אֹרֶךְ הַיְרִיעָה הָאַחַת שְׁלֹשִׁים בָּאַמָּה וְאַרְבַּע אַמּוֹת רֹחַב הַיְרִיעָה הָאֶחָת מִדָּה אַחַת לְעַשְׁתֵּי עֶשְׂרֵה יְרִיעֹת׃

וַיְחַבֵּר אֶת־חֲמֵשׁ הַיְרִיעֹת לְבָד וְאֶת־שֵׁשׁ הַיְרִיעֹת לְבָד׃

וַיַּעַשׂ לֻלָאֹת חֲמִשִּׁים עַל שְׂפַת הַיְרִיעָה הַקִּיצֹנָה בַּמַּחְבָּרֶת וַחֲמִשִּׁים לֻלָאֹת עָשָׂה עַל־שְׂפַת הַיְרִיעָה הַחֹבֶרֶת הַשֵּׁנִית׃

וַיַּעַשׂ קַרְסֵי נְחֹשֶׁת חֲמִשִּׁים לְחַבֵּר אֶת־הָאֹהֶל לִהְיֹת אֶחָד׃

וַיַּעַשׂ מִכְסֶה לָאֹהֶל עֹרֹת אֵלִים מְאָדָּמִים וּמִכְסֵה עֹרֹת תְּחָשִׁים מִלְמָעְלָה׃ ס

Estes versículos correspondem quase exatamente a Êxodo 26.7-14, onde são dadas notas expositivas. Quanto às possíveis razões de tais repetições, que ocorrem com tanta frequência no Pentateuco, ver as notas sobre Êxodo 36.1. O vs. 19 corresponde a Êxodo 26.14 e diz respeito à confecção das duas outras *coberturas externas* do tabernáculo. Os vss. 8 a 13 referem-se à cobertura *interior* do tabernáculo, feita de linho fino. Lembremo-nos de que havia três dessas coberturas ao todo.

■ 36.20-30

וַיַּעַשׂ אֶת־הַקְּרָשִׁים לַמִּשְׁכָּן עֲצֵי שִׁטִּים עֹמְדִים׃

עֶשֶׂר אַמֹּת אֹרֶךְ הַקָּרֶשׁ וְאַמָּה וַחֲצִי הָאַמָּה רֹחַב הַקֶּרֶשׁ הָאֶחָד׃

שְׁתֵּי יָדֹת לַקֶּרֶשׁ הָאֶחָד מְשֻׁלָּבֹת אַחַת אֶל־אֶחָת כֵּן עָשָׂה לְכֹל קַרְשֵׁי הַמִּשְׁכָּן׃

וַיַּעַשׂ אֶת־הַקְּרָשִׁים לַמִּשְׁכָּן עֶשְׂרִים קְרָשִׁים לִפְאַת נֶגֶב תֵּימָנָה׃

וְאַרְבָּעִים אַדְנֵי־כֶסֶף עָשָׂה תַּחַת עֶשְׂרִים הַקְּרָשִׁים שְׁנֵי אֲדָנִים תַּחַת־הַקֶּרֶשׁ הָאֶחָד לִשְׁתֵּי יְדֹתָיו וּשְׁנֵי אֲדָנִים תַּחַת־הַקֶּרֶשׁ הָאֶחָד לִשְׁתֵּי יְדֹתָיו׃

וּלְצֶלַע הַמִּשְׁכָּן הַשֵּׁנִית לִפְאַת צָפוֹן עָשָׂה עֶשְׂרִים קְרָשִׁים׃

וְאַרְבָּעִים אַדְנֵיהֶם כָּסֶף שְׁנֵי אֲדָנִים תַּחַת הַקֶּרֶשׁ הָאֶחָד וּשְׁנֵי אֲדָנִים תַּחַת הַקֶּרֶשׁ הָאֶחָד׃

וּלְיַרְכְּתֵי הַמִּשְׁכָּן יָמָּה עָשָׂה שִׁשָּׁה קְרָשִׁים׃

וּשְׁנֵי קְרָשִׁים עָשָׂה לִמְקֻצְעֹת הַמִּשְׁכָּן בַּיַּרְכָתָיִם׃

וְהָיוּ תוֹאֲמִם מִלְּמַטָּה וְיַחְדָּו יִהְיוּ תַמִּים אֶל־רֹאשׁוֹ אֶל־הַטַּבַּעַת הָאֶחָת כֵּן עָשָׂה לִשְׁנֵיהֶם לִשְׁנֵי הַמִּקְצֹעֹת׃

וְהָיוּ שְׁמֹנָה קְרָשִׁים וְאַדְנֵיהֶם כֶּסֶף שִׁשָּׁה עָשָׂר אֲדָנִים שְׁנֵי אֲדָנִים שְׁנֵי אֲדָנִים תַּחַת הַקֶּרֶשׁ הָאֶחָד׃

Estes versículos correspondem a Êxodo 26.15-25, onde são dadas as notas expositivas. São descritas aqui as estruturas de madeira para as paredes do tabernáculo. Estão envolvidos os lados norte, sul e fundos. A parte da frente, que dava para o *leste,* foi edificada de modo diferente.

■ 36.31-34

וַיַּעַשׂ בְּרִיחֵי עֲצֵי שִׁטִּים חֲמִשָּׁה לְקַרְשֵׁי צֶלַע־הַמִּשְׁכָּן הָאֶחָת׃

וַחֲמִשָּׁה בְרִיחִם לְקַרְשֵׁי צֶלַע־הַמִּשְׁכָּן הַשֵּׁנִית וַחֲמִשָּׁה בְרִיחִם לְקַרְשֵׁי הַמִּשְׁכָּן לַיַּרְכָתַיִם יָמָּה׃

וַיַּעַשׂ אֶת־הַבְּרִיחַ הַתִּיכֹן לִבְרֹחַ בְּתוֹךְ הַקְּרָשִׁים מִן־הַקָּצֶה אֶל־הַקָּצֶה׃

וְאֶת־הַקְּרָשִׁים צִפָּה זָהָב וְאֶת־טַבְּעֹתָם עָשָׂה זָהָב בָּתִּים לַבְּרִיחִם וַיְצַף אֶת־הַבְּרִיחִם זָהָב:

Estes versículos correspondem a Êxodo 26.26-29, onde são dadas as notas expositivas. São abordadas aqui as travessas, que mantinham as tábuas das paredes em seu lugar.

■ 36.35-38

וַיַּעַשׂ אֶת־הַפָּרֹכֶת תְּכֵלֶת וְאַרְגָּמָן וְתוֹלַעַת שָׁנִי וְשֵׁשׁ מָשְׁזָר מַעֲשֵׂה חֹשֵׁב עָשָׂה אֹתָהּ כְּרֻבִים:

וַיַּעַשׂ לָהּ אַרְבָּעָה עַמּוּדֵי שִׁטִּים וַיְצַפֵּם זָהָב וָוֵיהֶם זָהָב וַיִּצֹק לָהֶם אַרְבָּעָה אַדְנֵי־כָסֶף:

וַיַּעַשׂ מָסָךְ לְפֶתַח הָאֹהֶל תְּכֵלֶת וְאַרְגָּמָן וְתוֹלַעַת שָׁנִי וְשֵׁשׁ מָשְׁזָר מַעֲשֵׂה רֹקֵם:

וְאֶת־עַמּוּדָיו חֲמִשָּׁה וְאֶת־וָוֵיהֶם וְצִפָּה רָאשֵׁיהֶם וַחֲשֻׁקֵיהֶם זָהָב וְאַדְנֵיהֶם חֲמִשָּׁה נְחֹשֶׁת: פ

Estes versículos correspondem a Êxodo 26.31-37, onde são dadas as notas expositivas. Mas aqui temos o acréscimo de uma pequena informação, ou seja, que os capitéis das cinco colunas eram recobertos de ouro (vs. 38). Não se sabe por que esse pequeno detalhe foi omitido no capítulo 26.

CAPÍTULO TRINTA E SETE

Este capítulo dá prosseguimento à seção iniciada em Êxodo 36.8. O capítulo 36 inteiro é a repetição do capítulo 26, com pequenas variações. E este capítulo 37 é a repetição de matéria que já foi vista e comentada antes. Assim:

- Êxodo 37.1-9 repete Êxodo 25.10-22.
- Êxodo 37.10-16 repete Êxodo 25.23-30.
- Êxodo 37.17-24 repete Êxodo 25.31-40.
- Êxodo 37.25-28 repete Êxodo 30.1-10.
- Êxodo 37.29 menciona o que fora dado com detalhes em Êxodo 30.22-38.

O trecho de Êxodo 37.1—38.8 *redescreve* a manufatura de *sete itens do mobiliário* do tabernáculo, a saber:

1. A arca e sua tampa (Êx 37.1-9 e 25.10-22).
2. A mesa dos pães da proposição (Êx 37.10-16 e 25.23-30).
3. O candelabro (Êx 37.17-24 e 25.31-39).
4. O altar do incenso (Êx 37.25-28 e 30.1-10).
5. O óleo da unção e o incenso (Êx 37.28 e 30.22-28).
6. O altar dos holocaustos (Êx 38.1-7 e 27.1-8).
7. A bacia de bronze (Êx 38.8 e 30.17-21).

Há alguma *adição* em Êxodo 37.1—38.8. Pois ficamos sabendo que a bacia de bronze foi fabricada a partir dos espelhos de bronze polido que as mulheres hebreias trouxeram com essa finalidade.

■ 37.1-9

וַיַּעַשׂ בְּצַלְאֵל אֶת־הָאָרֹן עֲצֵי שִׁטִּים אַמָּתַיִם וָחֵצִי אָרְכּוֹ וְאַמָּה וָחֵצִי רָחְבּוֹ וְאַמָּה וָחֵצִי קֹמָתוֹ:

וַיְצַפֵּהוּ זָהָב טָהוֹר מִבַּיִת וּמִחוּץ וַיַּעַשׂ לוֹ זֵר זָהָב סָבִיב:

וַיִּצֹק לוֹ אַרְבַּע טַבְּעֹת זָהָב עַל אַרְבַּע פַּעֲמֹתָיו וּשְׁתֵּי טַבָּעֹת עַל־צַלְעוֹ הָאֶחָת וּשְׁתֵּי טַבָּעוֹת עַל־צַלְעוֹ הַשֵּׁנִית:

וַיַּעַשׂ בַּדֵּי עֲצֵי שִׁטִּים וַיְצַף אֹתָם זָהָב:

וַיָּבֵא אֶת־הַבַּדִּים בַּטַּבָּעֹת עַל צַלְעֹת הָאָרֹן לָשֵׂאת אֶת־הָאָרֹן:

וַיַּעַשׂ כַּפֹּרֶת זָהָב טָהוֹר אַמָּתַיִם וָחֵצִי אָרְכָּהּ וְאַמָּה וָחֵצִי רָחְבָּהּ:

וַיַּעַשׂ שְׁנֵי כְרֻבִים זָהָב מִקְשָׁה עָשָׂה אֹתָם מִשְּׁנֵי קְצוֹת הַכַּפֹּרֶת:

כְּרוּב־אֶחָד מִקָּצָה מִזֶּה וּכְרוּב־אֶחָד מִקָּצָה מִזֶּה מִן־הַכַּפֹּרֶת עָשָׂה אֶת־הַכְּרֻבִים מִשְּׁנֵי קְצוֹתָו:

וַיִּהְיוּ הַכְּרֻבִים פֹּרְשֵׂי כְנָפַיִם לְמַעְלָה סֹכְכִים בְּכַנְפֵיהֶם עַל־הַכַּפֹּרֶת וּפְנֵיהֶם אִישׁ אֶל־אָחִיו אֶל־הַכַּפֹּרֶת הָיוּ פְּנֵי הַכְּרֻבִים:

Estes versículos correspondem a Êxodo 25.10-22, onde são dadas as notas expositivas. A isso acrescentei alguns poucos detalhes. São aqui descritas a *arca e sua tampa,* manufaturadas de acordo com instruções dadas de antemão.

Bezalel. Ver notas expositivas completas sobre ele em Êxodo 31.1,2. Ver também Êxodo 35.30. Seu *companheiro de tarefas* era Aoliabe, sobre quem há comentários em Êxodo 31.6. Parece que Aoliabe não teve qualquer participação na confecção dos móveis e utensílios do tabernáculo, porquanto concentrou sua atenção sobre as coberturas, os véus e cortinas e as vestes sacerdotais. Ver Êxodo 38.23.

Em Êxodo 37.6, temos menção ao *propiciatório* (ver as notas a respeito em Êx 25.17).

■ 37.10-16

וַיַּעַשׂ אֶת־הַשֻּׁלְחָן עֲצֵי שִׁטִּים אַמָּתַיִם אָרְכּוֹ וְאַמָּה רָחְבּוֹ וְאַמָּה וָחֵצִי קֹמָתוֹ:

וַיְצַף אֹתוֹ זָהָב טָהוֹר וַיַּעַשׂ לוֹ זֵר זָהָב סָבִיב:

וַיַּעַשׂ לוֹ מִסְגֶּרֶת טֹפַח סָבִיב וַיַּעַשׂ זֵר־זָהָב לְמִסְגַּרְתּוֹ סָבִיב:

וַיִּצֹק לוֹ אַרְבַּע טַבְּעֹת זָהָב וַיִּתֵּן אֶת־הַטַּבָּעֹת עַל אַרְבַּע הַפֵּאֹת אֲשֶׁר לְאַרְבַּע רַגְלָיו:

לְעֻמַּת הַמִּסְגֶּרֶת הָיוּ הַטַּבָּעֹת בָּתִּים לַבַּדִּים לָשֵׂאת אֶת־הַשֻּׁלְחָן:

וַיַּעַשׂ אֶת־הַבַּדִּים עֲצֵי שִׁטִּים וַיְצַף אֹתָם זָהָב לָשֵׂאת אֶת־הַשֻּׁלְחָן:

וַיַּעַשׂ אֶת־הַכֵּלִים אֲשֶׁר עַל־הַשֻּׁלְחָן אֶת־קְעָרֹתָיו וְאֶת־כַּפֹּתָיו וְאֵת מְנַקִּיֹּתָיו וְאֶת־הַקְּשָׂוֹת אֲשֶׁר יֻסַּךְ בָּהֵן זָהָב טָהוֹר: פ

Esses versículos são paralelos a Êxodo 25.23-30, onde são dadas as notas expositivas. Está em pauta a confecção da mesa dos pães da proposição.

■ 37.17-24

וַיַּעַשׂ אֶת־הַמְּנֹרָה זָהָב טָהוֹר מִקְשָׁה עָשָׂה אֶת־הַמְּנֹרָה יְרֵכָהּ וְקָנָהּ גְּבִיעֶיהָ כַּפְתֹּרֶיהָ וּפְרָחֶיהָ מִמֶּנָּה הָיוּ:

וְשִׁשָּׁה קָנִים יֹצְאִים מִצִּדֶּיהָ שְׁלֹשָׁה קְנֵי מְנֹרָה מִצִּדָּהּ הָאֶחָד וּשְׁלֹשָׁה קְנֵי מְנֹרָה מִצִּדָּהּ הַשֵּׁנִי:

שְׁלֹשָׁ֣ה גְ֠בִעִים מְֽשֻׁקָּדִ֞ים בַּקָּנֶ֣ה הָאֶחָד֮ כַּפְתֹּ֣ר וָפֶרַח֒ וּשְׁלֹשָׁ֣ה גְבִעִ֗ים מְשֻׁקָּדִ֛ים בְּקָנֶ֥ה אֶחָ֖ד כַּפְתֹּ֣ר וָפָ֑רַח כֵּ֚ן לְשֵׁ֣שֶׁת הַקָּנִ֔ים הַיֹּצְאִ֖ים מִן־הַמְּנֹרָֽה׃

וּבַמְּנֹרָ֖ה אַרְבָּעָ֣ה גְבִעִ֑ים מְ֨שֻׁקָּדִ֔ים כַּפְתֹּרֶ֖יהָ וּפְרָחֶֽיהָ׃

וְכַפְתֹּ֡ר תַּחַת֩ שְׁנֵ֨י הַקָּנִ֜ים מִמֶּ֗נָּה וְכַפְתֹּ֗ר תַּ֚חַת שְׁנֵ֣י הַקָּנִ֔ים מִמֶּ֕נָּה וְכַפְתֹּ֕ר תַּֽחַת־שְׁנֵ֥י הַקָּנִ֖ים מִמֶּ֑נָּה לְשֵׁ֙שֶׁת֙ הַקָּנִ֔ים הַיֹּצְאִ֖ים מִמֶּֽנָּה׃

כַּפְתֹּרֵיהֶ֥ם וּקְנֹתָ֖ם מִמֶּ֣נָּה הָי֑וּ כֻּלָּ֛הּ מִקְשָׁ֥ה אַחַ֖ת זָהָ֥ב טָהֽוֹר׃

וַיַּ֥עַשׂ אֶת־נֵרֹתֶ֖יהָ שִׁבְעָ֑ה וּמַלְקָחֶ֥יהָ וּמַחְתֹּתֶ֖יהָ זָהָ֥ב טָהֽוֹר׃

כִּכַּ֛ר זָהָ֥ב טָה֖וֹר עָשָׂ֣ה אֹתָ֑הּ וְאֵ֖ת כָּל־כֵּלֶֽיהָ׃ פ

Esses versículos são paralelos a Êxodo 25.31-40, onde são dadas as notas expositivas. Está em foco a manufatura do candelabro.

■ 37.25-28

וַיַּ֛עַשׂ אֶת־מִזְבַּ֥ח הַקְּטֹ֖רֶת עֲצֵ֣י שִׁטִּ֑ים אַמָּ֣ה אָרְכּ֡וֹ וְאַמָּה֩ רָחְבּ֨וֹ רָב֜וּעַ וְאַמָּתַ֤יִם קֹֽמָתוֹ֙ מִמֶּ֔נּוּ הָי֖וּ קַרְנֹתָֽיו׃

וַיְצַ֨ף אֹת֜וֹ זָהָ֣ב טָה֗וֹר אֶת־גַּגּ֧וֹ וְאֶת־קִירֹתָ֛יו סָבִ֖יב וְאֶת־קַרְנֹתָ֑יו וַיַּ֥עַשׂ ל֛וֹ זֵ֥ר זָהָ֖ב סָבִֽיב׃

וּשְׁתֵּי֩ טַבְּעֹ֨ת זָהָ֜ב עָֽשָׂה־ל֣וֹ ׀ מִתַּ֣חַת לְזֵר֗וֹ עַ֚ל שְׁתֵּ֣י צַלְעֹתָ֔יו עַ֖ל שְׁנֵ֣י צִדָּ֑יו לְבָתִּ֣ים לְבַדִּ֔ים לָשֵׂ֥את אֹת֖וֹ בָּהֶֽם׃

וַיַּ֥עַשׂ אֶת־הַבַּדִּ֖ים עֲצֵ֣י שִׁטִּ֑ים וַיְצַ֥ף אֹתָ֖ם זָהָֽב׃

Esses versículos são paralelos a Êxodo 30.1-10, onde são dadas as notas expositivas. Está em mira a manufatura do altar do incenso.

■ 37.29

וַיַּ֜עַשׂ אֶת־שֶׁ֤מֶן הַמִּשְׁחָה֙ קֹ֔דֶשׁ וְאֶת־קְטֹ֥רֶת הַסַּמִּ֖ים טָה֑וֹר מַעֲשֵׂ֖ה רֹקֵֽחַ׃ פ

Esse versículo dá uma breve nota acerca do incenso santo e do óleo da unção, que foram descritos com detalhes em Êxodo 30.22-28, onde as notas expositivas devem ser consultadas.

CAPÍTULO TRINTA E OITO

Este capítulo, até o seu vs. 20, dá continuação ao parágrafo iniciado em Êxodo 36.8. Esta seção descreve a manufatura de itens do tabernáculo que tinham sido anunciados em capítulos anteriores. Praticamente nada de novo foi adicionado, além da informação dada em capítulos anteriores. Ver as notas na introdução ao capítulo 37, sobre como a seção inteira tem paralelo com aquilo que foi dito antes.

■ 38.1-7

וַיַּ֛עַשׂ אֶת־מִזְבַּ֥ח הָעֹלָ֖ה עֲצֵ֣י שִׁטִּ֑ים חָמֵשׁ֩ אַמּ֨וֹת אָרְכּ֜וֹ וְחָֽמֵשׁ־אַמּ֤וֹת רָחְבּוֹ֙ רָב֔וּעַ וְשָׁלֹ֥שׁ אַמּ֖וֹת קֹמָתֽוֹ׃

וַיַּ֣עַשׂ קַרְנֹתָ֗יו עַ֚ל אַרְבַּ֣ע פִּנֹּתָ֔יו מִמֶּ֖נּוּ הָי֣וּ קַרְנֹתָ֑יו וַיְצַ֥ף אֹת֖וֹ נְחֹֽשֶׁת׃

וַיַּ֜עַשׂ אֶֽת־כָּל־כְּלֵ֣י הַמִּזְבֵּ֗חַ אֶת־הַסִּירֹ֤ת וְאֶת־הַיָּעִים֙ וְאֶת־הַמִּזְרָקֹ֔ת אֶת־הַמִּזְלָגֹ֖ת וְאֶת־הַמַּחְתֹּ֑ת כָּל־כֵּלָ֖יו עָשָׂ֥ה נְחֹֽשֶׁת׃

וַיַּ֤עַשׂ לַמִּזְבֵּ֙חַ֙ מִכְבָּ֔ר מַעֲשֵׂ֖ה רֶ֣שֶׁת נְחֹ֑שֶׁת תַּ֧חַת כַּרְכֻּבּ֛וֹ מִלְּמַ֖טָּה עַד־חֶצְיֽוֹ׃

וַיִּצֹ֞ק אַרְבַּ֧ע טַבָּעֹ֛ת בְּאַרְבַּ֥ע הַקְּצָוֹ֖ת לְמִכְבַּ֣ר הַנְּחֹ֑שֶׁת בָּתִּ֖ים לַבַּדִּֽים׃

וַיַּ֥עַשׂ אֶת־הַבַּדִּ֖ים עֲצֵ֣י שִׁטִּ֑ים וַיְצַ֥ף אֹתָ֖ם נְחֹֽשֶׁת׃

וַיָּבֵ֨א אֶת־הַבַּדִּ֜ים בַּטַּבָּעֹ֗ת עַ֚ל צַלְעֹ֣ת הַמִּזְבֵּ֔חַ לָשֵׂ֥את אֹת֖וֹ בָּהֶ֑ם נְב֥וּב לֻחֹ֖ת עָשָׂ֥ה אֹתֽוֹ׃ ס

Estes versículos têm paralelo em Êxodo 27.1-8, onde são dadas as notas expositivas. Esta seção trata da construção do altar de bronze, isto é, dos holocaustos.

■ 38.8

וַיַּ֗עַשׂ אֵ֚ת הַכִּיּ֣וֹר נְחֹ֔שֶׁת וְאֵ֖ת כַּנּ֣וֹ נְחֹ֑שֶׁת בְּמַרְאֹת֙ הַצֹּ֣בְאֹ֔ת אֲשֶׁ֣ר צָֽבְא֔וּ פֶּ֖תַח אֹ֥הֶל מוֹעֵֽד׃ ס

Este versículo dá uma breve nota acerca da manufatura da bacia de bronze, descrita com detalhes em Êxodo 30.17-21. Achamos aqui a pequena informação adicional de que o bronze utilizado em sua feitura era dos espelhos das mulheres. Os espelhos antigos eram feitos de metal polido, e não de vidro. Os espelhos de vidro só começaram a ser fabricados no século I d.C.; mas mesmo esses não eram feitos de bom vidro, e nem tinham o poder de reflexão em comparação com os espelhos atuais. Metais bem polidos davam um reflexo razoável, mas a referência de Paulo, em 1Coríntios 13.12, mostra-nos que deixavam muito a desejar. O que Paulo quis dizer é que nesta vida o nosso conhecimento é tão pequeno que vemos como se estivéssemos olhando através de um espelho de metal polido, onde as imagens eram vistas apenas indistintamente.

Há um artigo detalhado no *Dicionário* chamado *Espelho*. E na *Enciclopédia de Bíblia, Teologia e Filosofia* há um artigo intitulado *Espelho Espiritual,* que explora as ideias metafóricas sugeridas pelo espelho, mormente no tocante à evolução espiritual, através do poder do Espírito Santo. Ver 2Coríntios 3.18 acerca disso. Há comentários abundantes sobre esse versículo no *Novo Testamento Interpretado*.

Ver no *Dicionário* o verbete intitulado *Bronze*. O bronze era um metal comumente usado no fabrico de espelhos; e a arqueologia tem achado muitos exemplos de tais espelhos, usados no Egito, onde os israelitas devem ter aprendido a fabricá-los. A maioria desses espelhos tinha o formato redondo ou oval. Alguns tinham bordas e cabos altamente decorados. As mulheres etruscas tinham espelhos de metal assim ornados.

Mulheres que se reuniam para ministrar. Eram mulheres que serviam em alguma capacidade, à porta da entrada da tenda de Moisés (ver Êx 33.7). Nessa tenda, Moisés dava oráculos, instruções e solucionava problemas. As funções efetuadas na tenda mais tarde foram transferidas para o próprio tabernáculo.

Tenda da congregação. Está em vista a própria tenda de Moisés, mas essa mesma expressão, em outros trechos bíblicos, também se referia ao tabernáculo. Para exemplificar, ver Êxodo 40.1,12,22,24,26,29,30,34,35.

Não fica claro qual serviço as mulheres prestavam. Talvez mantivessem limpo o lugar; talvez agissem como conselheiras de mulheres; talvez atuassem como vigilantes ou recepcionistas. Mas talvez esteja em pauta que elas ministravam contribuindo com o bronze de seus espelhos, embora esteja em foco mais do que isso. As mulheres sabem agir muito bem no preparo de refeições, e isso, sem dúvida, fazia parte do serviço delas.

■ 38.9-20

וַיַּ֖עַשׂ אֶת־הֶחָצֵ֑ר לִפְאַ֣ת ׀ נֶ֣גֶב תֵּימָ֗נָה קַלְעֵ֤י הֶֽחָצֵר֙ שֵׁ֣שׁ מָשְׁזָ֔ר מֵאָ֖ה בָּאַמָּֽה׃

עַמּוּדֵיהֶם עֶשְׂרִים וְאַדְנֵיהֶם עֶשְׂרִים נְחֹשֶׁת וָוֵי
הָעַמֻּדִים וַחֲשֻׁקֵיהֶם כָּסֶף׃

וְלִפְאַת צָפוֹן מֵאָה בָאַמָּה עַמּוּדֵיהֶם עֶשְׂרִים וְאַדְנֵיהֶם
עֶשְׂרִים נְחֹשֶׁת וָוֵי הָעַמּוּדִים וַחֲשֻׁקֵיהֶם כָּסֶף׃

וְלִפְאַת־יָם קְלָעִים חֲמִשִּׁים בָּאַמָּה עַמּוּדֵיהֶם עֲשָׂרָה
וְאַדְנֵיהֶם עֲשָׂרָה וָוֵי הָעַמֻּדִים וַחֲשׁוּקֵיהֶם כָּסֶף׃

וְלִפְאַת קֵדְמָה מִזְרָחָה חֲמִשִּׁים אַמָּה׃

קְלָעִים חֲמֵשׁ־עֶשְׂרֵה אַמָּה אֶל־הַכָּתֵף עַמּוּדֵיהֶם
שְׁלֹשָׁה וְאַדְנֵיהֶם שְׁלֹשָׁה׃

וְלַכָּתֵף הַשֵּׁנִית מִזֶּה וּמִזֶּה לְשַׁעַר הֶחָצֵר קְלָעִים חֲמֵשׁ
עֶשְׂרֵה אַמָּה עַמֻּדֵיהֶם שְׁלֹשָׁה וְאַדְנֵיהֶם שְׁלֹשָׁה׃

כָּל־קַלְעֵי הֶחָצֵר סָבִיב שֵׁשׁ מָשְׁזָר׃

וְהָאֲדָנִים לָעַמֻּדִים נְחֹשֶׁת וָוֵי הָעַמּוּדִים וַחֲשׁוּקֵיהֶם
כֶּסֶף וְצִפּוּי רָאשֵׁיהֶם כָּסֶף וְהֵם מְחֻשָּׁקִים כֶּסֶף כֹּל
עַמֻּדֵי הֶחָצֵר׃

וּמָסַךְ שַׁעַר הֶחָצֵר מַעֲשֵׂה רֹקֵם תְּכֵלֶת וְאַרְגָּמָן
וְתוֹלַעַת שָׁנִי וְשֵׁשׁ מָשְׁזָר וְעֶשְׂרִים אַמָּה אֹרֶךְ וְקוֹמָה
בְרֹחַב חָמֵשׁ אַמּוֹת לְעֻמַּת קַלְעֵי הֶחָצֵר׃

וְעַמֻּדֵיהֶם אַרְבָּעָה וְאַדְנֵיהֶם אַרְבָּעָה נְחֹשֶׁת וָוֵיהֶם
כֶּסֶף וְצִפּוּי רָאשֵׁיהֶם וַחֲשֻׁקֵיהֶם כָּסֶף׃

וְכָל־הַיְתֵדֹת לַמִּשְׁכָּן וְלֶחָצֵר סָבִיב נְחֹשֶׁת׃ ס

Esses versículos têm paralelo em Êxodo 27.9-19, onde são dadas as notas expositivas. Está em pauta a construção do átrio do tabernáculo.

O CUSTO DO TABERNÁCULO (38.21-31)

Esta breve seção é suplementar, não havendo qualquer paralelo em outro trecho bíblico. Mas pressupõe a nomeação de Itamar como cabeça dos levitas (cf. Nm 3 e 4.33), e o recenseamento de Israel, descrito no primeiro capítulo de Números. Provê um sumário das ofertas trazidas para a construção do tabernáculo e nos fornece alguma ideia do custo dos materiais. Vários paralelos existem, e esses são comentados ao longo do caminho.

"Agora que a obra havia começado, foi compilado pelos levitas, sob Itamar, o filho mais jovem de Arão, um inventário dos materiais doados. As estatísticas revelam o quanto se engrandeceu e expandiu o centro de adoração de Israel. O material doado incluía um pouco mais de uma tonelada de ouro (Êx 38.34); mais de três e meia toneladas de prata (vss. 25-28); e cerca de duas e meia toneladas de bronze (vss. 29-31). Calculando que meio siclo (ou beca) pesava 5,85 g, e sabendo que 603.550 homens de Israel pagaram a taxa de meio siclo, houve um recolhimento de nada menos de 3.530 kg de prata. Esse foi o total da prata cobrada naquela taxação, de acordo com Êxodo 30.11-16. Embora a cobertura *externa* do tabernáculo, feita de couros de peixe-boi, fizesse a estrutura parecer-se com a tenda de um beduíno (de uma única cor), a riqueza dos metais, para Israel, indicava a santidade, a glória e a majestade de Deus, que viera habitar entre eles. A *casa de Deus*, pois, indicava que ele era capaz de prover de forma *abundante* para os que lhe pertenciam" (John D. Hannah, *in loc.*). Oh, Senhor, concede-nos tal graça!

■ 38.21

אֵלֶּה פְקוּדֵי הַמִּשְׁכָּן מִשְׁכַּן הָעֵדֻת אֲשֶׁר פֻּקַּד עַל־פִּי
מֹשֶׁה עֲבֹדַת הַלְוִיִּם בְּיַד אִיתָמָר בֶּן־אַהֲרֹן הַכֹּהֵן׃

A enumeração. Essa contagem foi feita para fornecer-nos o custo das ofertas que foram trazidas, a fim de dar-nos uma ideia da grandiosidade do tabernáculo. Ver as notas de introdução a esta seção, onde se faz um sumário das informações providas neste trecho.

Tabernáculo do testemunho. Esse nome indica o fato de que no Santo dos Santos, dentro da arca da aliança, foram postas as duas tábuas de pedra da lei, com os Dez Mandamentos (ver a respeito no *Dicionário*). Isso servia de testemunho permanente ao povo, acerca da vontade de Deus. Deveras, o tabernáculo todo tinha essa função, entre outras, mas a referência aqui é, especificamente, às tábuas da lei. Ver sobre o *testemunho* em Êxodo 16.34 e 25.16, onde são oferecidas notas expositivas detalhadas. Ver Êxodo 24.12 quanto a vários outros nomes dados ao tabernáculo.

Itamar. Há um artigo sobre ele, em Êxodo 6.23. Itamar e seus descendentes ocuparam a posição de sacerdotes comuns até que o sumo sacerdócio passou para essa família, na pessoa de Eli. Os dois irmãos mais velhos de Itamar, Nadabe e Abiú, foram executados a mando do Senhor, por terem oferecido fogo estranho sobre o altar (Lv 10; Nm 3.4). Quando Israel vagueava pelo deserto, Itamar era o líder dos levitas.

Sacerdote Arão. Ver no *Dicionário* o artigo sobre ele.

■ 38.22

וּבְצַלְאֵל בֶּן־אוּרִי בֶן־חוּר לְמַטֵּה יְהוּדָה עָשָׂה אֵת
כָּל־אֲשֶׁר־צִוָּה יְהוָה אֶת־מֹשֶׁה׃

Bezalel. Ver notas completas sobre ele em Êxodo 31.2. Ver também Êxodo 35.30; 36.1; 37.1. Juntamente com Aoliabe (vs. 23), foi o supervisor da obra de construção do tabernáculo, e esteve pessoalmente ocupado em muitas das tarefas, sendo um artífice altamente habilitado em várias linhas de trabalho. As referências acima mostram os diferentes tipos de trabalho que fizeram.

■ 38.23

וְאִתּוֹ אָהֳלִיאָב בֶּן־אֲחִיסָמָךְ לְמַטֵּה־דָן חָרָשׁ וְחֹשֵׁב
וְרֹקֵם בַּתְּכֵלֶת וּבָאַרְגָּמָן וּבְתוֹלַעַת הַשָּׁנִי וּבַשֵּׁשׁ׃ ס

Aoliabe. Ver notas completas sobre ele, em Êxodo 31.6. Ver também Êxodo 35.34 e 36.1,2. Bezalel e Aoliabe eram companheiros de tarefas. O primeiro trabalhou em metais. E o segundo, em tecidos, conforme podemos ver comparando Êxodo 31.4 com este versículo. O trabalho com tecidos, de Aoliabe, envolveu os véus e as cortinas do tabernáculo, e também as vestimentas dos sacerdotes. Quanto ao trabalho em tecidos, ver Êxodo 26.1,31; 28.6,15; 36.8,35; 39.3.

■ 38.24

כָּל־הַזָּהָב הֶעָשׂוּי לַמְּלָאכָה בְּכֹל מְלֶאכֶת הַקֹּדֶשׁ
וַיְהִי זְהַב הַתְּנוּפָה תֵּשַׁע וְעֶשְׂרִים כִּכָּר וּשְׁבַע מֵאוֹת
וּשְׁלֹשִׁים שֶׁקֶל בְּשֶׁקֶל הַקֹּדֶשׁ׃

Ver no *Dicionário* o artigo *Pesos e Medidas*. Ver os comentários dados na introdução à presente seção, em Êxodo 38.21, os pesos envolvidos. É impossível calcularmos os *valores* modernos, visto que o poder aquisitivo tem variado muito em relação ao que havia na antiguidade remota. Mas podemos ter certeza de que, quanto ao poder de compra, o tabernáculo envolveu quantias prodigiosas. O *talento de ouro* valia três mil siclos de prata. Um talento era o equivalente a 35,10 kg!

O *talento* pesava 35,10 kg. O siclo pesava 11,7 g. Mas o siclo era variável, dependendo do lugar e do tempo. Seja como for, o ouro do tabernáculo orçava em 1018 kg. Ver a quarta seção do artigo acima mencionado, acerca do *talento* e do *siclo,* sob os pontos A e C. O siclo do santuário, ou *siclo sagrado* (ver Êx 30.13,24), pesava vinte *geras.* Alguns estudiosos pensam que esse siclo sagrado pesava mais do que o siclo comum. Se isso é verdade, então os *730 siclos,* referidos neste versículo, pesavam muito mais do que o cálculo que damos aqui. Mas mesmo calculando esse siclo sagrado como de peso igual ao do siclo comum, teríamos aqui um cálculo de ligeiramente mais de 8,5 kg de ouro. E assim, teríamos — em talentos: 29 x 35,10 = 1017,9 kg. E novamente, em siclos, 8,54 kg. Portanto: 1017,9 + 8,54 = 1026,44 kg de ouro! Ver as notas sobre Êxodo 30.13.

38.25

וְכֶ֣סֶף פְּקוּדֵ֣י הָעֵדָ֗ה מְאַ֣ת כִּכָּ֔ר וְאֶ֕לֶף וּשְׁבַ֥ע מֵא֛וֹת וַחֲמִשָּׁ֥ה וְשִׁבְעִ֖ים שֶׁ֥קֶל בְּשֶׁ֥קֶל הַקֹּֽדֶשׁ׃

Como já vimos, o peso total em prata ultrapassava de 3,5 toneladas. Os siclos do santuário (*siclo sagrado*, ver Êx 30.13,24) está em pauta, provavelmente mais pesado do que o siclo comum. Mas como o valor do siclo sagrado é desconhecido, fizemos todo o cálculo com base no siclo comum, de 11,7 g cada siclo. Esse material foi recolhido com base na taxa do arrolamento (ver Êx 30.11-16), sem falar nas ofertas voluntárias. Ver a introdução ao vs. 21 deste capítulo. Lembremo-nos que o talento valia três mil siclos.

38.26

בֶּ֚קַע לַגֻּלְגֹּ֔לֶת מַחֲצִ֥ית הַשֶּׁ֖קֶל בְּשֶׁ֣קֶל הַקֹּ֑דֶשׁ לְכֹ֨ל הָעֹבֵ֜ר עַל־הַפְּקֻדִ֗ים מִבֶּ֨ן עֶשְׂרִ֤ים שָׁנָה֙ וָמַ֔עְלָה לְשֵׁשׁ־מֵא֥וֹת אֶ֙לֶף֙ וּשְׁלֹ֣שֶׁת אֲלָפִ֔ים וַחֲמֵ֥שׁ מֵא֖וֹת וַחֲמִשִּֽׁים׃

Uma beca... meio siclo. Uma beca era meio siclo. "Beca" é a transliteração do termo hebraico que significa "meio". Está aqui em pauta o meio siclo cobrado por cabeça, entre os varões israelitas. Essa taxa serviu para pagar todas as despesas com a construção do tabernáculo, conforme já mostrei na introdução ao vs. 21. Mas também houve aquelas ofertas voluntárias que não fazem parte do cômputo geral, ofertas essas que tiveram de ser restringidas, devido à sua abundância (ver Êx 36.5,6).

Os homens israelitas de 20 anos para cima, aptos para o serviço militar, foram de 603.550. Ver Êxodo 30.14 e Números 1.20,46. Um dos propósitos do arrolamento foi verificar quão numeroso era o exército que Israel poderia convocar. E os homens capazes de ir à guerra foram precisamente os que tiveram de pagar a taxa. Mulheres, crianças, sacerdotes e escravos foram isentos do pagamento da taxa. Ver as explicações nas referências dadas.

38.27,28

וַיְהִ֗י מְאַת֙ כִּכַּ֣ר הַכֶּ֔סֶף לָצֶ֗קֶת אֵ֚ת אַדְנֵ֣י הַקֹּ֔דֶשׁ וְאֵ֖ת אַדְנֵ֣י הַפָּרֹ֑כֶת מְאַ֧ת אֲדָנִ֛ים לִמְאַ֥ת הַכִּכָּ֖ר כִּכָּ֥ר לָאָֽדֶן׃

וְאֶת־הָאֶ֜לֶף וּשְׁבַ֤ע הַמֵּאוֹת֙ וַחֲמִשָּׁ֣ה וְשִׁבְעִ֔ים עָשָׂ֥ה וָוִ֖ים לָעַמּוּדִ֑ים וְצִפָּ֥ה רָאשֵׁיהֶ֖ם וְחִשַּׁ֥ק אֹתָֽם׃

Esses versículos descrevem o uso da prata. Essa informação já nos tinha sido dada em Êxodo 26.19,21,25 (como *bases*), e em Êxodo 27.10,17 e 38.10-12 (como *colchetes* e *vergas*), onde foram dadas notas expositivas. Havia um total de cem bases: quarenta em cada lado; dezesseis no lado ocidental do tabernáculo; e quatro que apoiavam as quatro colunas que davam apoio ao véu.

38.29,30

וּנְחֹ֥שֶׁת הַתְּנוּפָ֖ה שִׁבְעִ֣ים כִּכָּ֑ר וְאַלְפַּ֥יִם וְאַרְבַּע־מֵא֖וֹת שָֽׁקֶל׃

וַיַּ֣עַשׂ בָּ֗הּ אֶת־אַדְנֵי֙ פֶּ֚תַח אֹ֣הֶל מוֹעֵ֔ד וְאֵת֙ מִזְבַּ֣ח הַנְּחֹ֔שֶׁת וְאֶת־מִכְבַּ֥ר הַנְּחֹ֖שֶׁת אֲשֶׁר־ל֑וֹ וְאֵ֖ת כָּל־כְּלֵ֥י הַמִּזְבֵּֽחַ׃

Quanto a *talentos* e *siclos*, ver as notas sobre o vs. 24 deste capítulo. O tabernáculo precisou de cerca de 2,5 toneladas de bronze. Ver as notas sobre Êxodo 27.2,6, quanto aos vários itens feitos de bronze. A bacia foi feita de bronze, aproveitado dos espelhos de metal polido doados pelas mulheres. (Ver Êx 38.8).

Bases. Ver Êxodo 26.37.
Altar. Ver Êxodo 27.2-6.
Grelha. Ver Êxodo 27.2-6.
Utensílios. Ver Êxodo 27.3 e 38.3.

38.31

וְאֶת־אַדְנֵ֤י הֶֽחָצֵר֙ סָבִ֔יב וְאֶת־אַדְנֵ֖י שַׁ֣עַר הֶחָצֵ֑ר וְאֵ֨ת כָּל־יִתְדֹ֧ת הַמִּשְׁכָּ֛ן וְאֶת־כָּל־יִתְדֹ֥ת הֶחָצֵ֖ר סָבִֽיב׃

Bases do átrio. Ver Êxodo 15.18 e 27.10-12. Havia um total de sessenta bases de bronze.
Estacas do tabernáculo. Ver Êxodo 27.19 e 38.20.
Estacas do átrio. Ver Êxodo 27.19.

CAPÍTULO TRINTA E NOVE

AS VESTES DOS SACERDOTES (39.1-31)

A maior parte do capítulo diante de nós repete informações que já nos haviam sido dadas nos capítulos anteriores. Logo, a exposição já foi dada em outros lugares, e aqui são adicionados apenas alguns poucos detalhes. A maior parte dos paralelismos é com o capítulo 28. Os caps. 35—40 tratam da *construção* do tabernáculo, e não de suas funções, pelo que não se faz qualquer menção ao *Urim* e ao *Tumim* (Êx 28.30). O peitoral *do juízo* (Êx 28.15; cf. Êx 28.29) é apenas mencionado no cap. 39 (vss. 8,15,19,21), sem qualquer alusão à sua função. A lâmina de ouro (Êx 28.36-38) é chamada de "lâmina da coroa sagrada" (Êx 39.30,31). O terceiro versículo deste capítulo dá-nos uma informação sobre como foram feitos *os fios* de ouro para serem bordados no estofo de várias cores, como obra de desenhista, o que não é dito no capítulo 28. O trecho de Êxodo 39.32-43 diz que toda a obra, uma vez terminada, foi apresentada a Moisés, para sua aprovação. Vemos pois, como este capítulo inteiro tem intermináveis repetições de coisas que já haviam sido apresentadas nos capítulos anteriores.

39.1

וּמִן־הַתְּכֵ֤לֶת וְהָֽאַרְגָּמָן֙ וְתוֹלַ֣עַת הַשָּׁנִ֔י עָשׂ֥וּ בִגְדֵי־שְׂרָ֖ד לְשָׁרֵ֣ת בַּקֹּ֑דֶשׁ וַֽיַּעֲשׂ֞וּ אֶת־בִּגְדֵ֤י הַקֹּ֙דֶשׁ֙ אֲשֶׁ֣ר לְאַהֲרֹ֔ן כַּאֲשֶׁ֛ר צִוָּ֥ה יְהוָ֖ה אֶת־מֹשֶֽׁה׃ פ

Este versículo introdutório serve de uma espécie de sumário do que já havia sido dado em Êxodo 28.1-5, onde são dadas as notas expositivas. Aquele trecho diz "e seus filhos com ele", o que não aparece aqui, onde são descritas as vestes do sumo sacerdote. Mas a frase "e para seus filhos" ocorre no vs. 27 deste capítulo, onde são apresentadas as vestes dos sacerdotes comuns. Ver também Êxodo 31.10.

39.2-7

וַיַּ֖עַשׂ אֶת־הָאֵפֹ֑ד זָהָ֗ב תְּכֵ֧לֶת וְאַרְגָּמָ֛ן וְתוֹלַ֥עַת שָׁנִ֖י וְשֵׁ֥שׁ מָשְׁזָֽר׃

וַֽיְרַקְּע֞וּ אֶת־פַּחֵ֣י הַזָּהָב֮ וְקִצֵּ֣ץ פְּתִילִם֒ לַעֲשׂ֗וֹת בְּת֤וֹךְ הַתְּכֵ֙לֶת֙ וּבְת֣וֹךְ הָֽאַרְגָּמָ֔ן וּבְת֛וֹךְ תּוֹלַ֥עַת הַשָּׁנִ֖י וּבְת֣וֹךְ הַשֵּׁ֑שׁ מַעֲשֵׂ֥ה חֹשֵֽׁב׃

כְּתֵפֹ֥ת עָֽשׂוּ־ל֖וֹ חֹבְרֹ֑ת עַל־שְׁנֵ֥י קצוותו קְצוֹתָ֖יו חֻבָּֽר׃

וְחֵ֨שֶׁב אֲפֻדָּת֜וֹ אֲשֶׁ֣ר עָלָ֗יו מִמֶּ֣נּוּ הוּא֮ כְּמַעֲשֵׂהוּ֒ זָהָ֗ב תְּכֵ֧לֶת וְאַרְגָּמָ֛ן וְתוֹלַ֥עַת שָׁנִ֖י וְשֵׁ֣שׁ מָשְׁזָ֑ר כַּאֲשֶׁ֛ר צִוָּ֥ה יְהוָ֖ה אֶת־מֹשֶֽׁה׃

וַֽיַּעֲשׂוּ֙ אֶת־אַבְנֵ֣י הַשֹּׁ֔הַם מֻֽסַבֹּ֖ת מִשְׁבְּצֹ֣ת זָהָ֑ב מְפֻתָּחֹת֙ פִּתּוּחֵ֣י חוֹתָ֔ם עַל־שְׁמ֖וֹת בְּנֵ֥י יִשְׂרָאֵֽל׃

וַיָּ֣שֶׂם אֹתָ֗ם עַ֚ל כִּתְפֹ֣ת הָאֵפֹ֔ד אַבְנֵ֥י זִכָּר֖וֹן לִבְנֵ֣י יִשְׂרָאֵ֑ל כַּאֲשֶׁ֛ר צִוָּ֥ה יְהוָ֖ה אֶת־מֹשֶֽׁה׃ פ

Estes versículos têm por paralelo o trecho de Êxodo 28.6-12, onde é dada a exposição. Está em pauta a manufatura da *estola* sacerdotal. O terceiro versículo deste capítulo fornece-nos informações adicionais, afirmando como os fios de ouro foram feitos. Temos aí uma metalurgia crua, atrasada em relação à de outras nações da época. Os fios de azul, púrpura e carmesim foram entretecidos juntos, a fim de produzir um desenho padronizado. Posteriormente, os fios de ouro foram inseridos mediante trabalho de bordado. Uma prática similar havia no Egito, na época, sendo provável que os israelitas tenham aprendido ali essa técnica.

O ouro era batido para tornar-se chapas bem finas. E então essas chapas eram cortadas, formando fios. Visto que não havia máquinas de precisão, podemos pensar que os fios assim produzidos eram grossos e irregulares. John Gill (*in loc.*), alicerçando-se sobre antigos intérpretes judeus, supunha que os fios de ouro tinham sido bordados juntamente com outros fios: "Os homens tomaram fios de ouro puro, juntamente com seis outros fios azuis, torcendo os sete para formarem um único fio. Enrolavam um fio de ouro com seis fios de cor púrpura, e um fio de ouro com seis fios de cor carmesim, e ainda outro fio de ouro com seis fios de linho, de tal modo que havia *quatro* fios de ouro, em cada total de 28 fios". Assim pensava Maimônides (*Cele Hamikdash*, c.9, sec. 5). Mas essa técnica pode ter-se desenvolvido somente mais tarde.

■ 39.8-21

וַיַּעַשׂ אֶת־הַחֹשֶׁן מַעֲשֵׂה חֹשֵׁב כְּמַעֲשֵׂה אֵפֹד זָהָב תְּכֵלֶת וְאַרְגָּמָן וְתוֹלַעַת שָׁנִי וְשֵׁשׁ מָשְׁזָר׃

רָבוּעַ הָיָה כָּפוּל עָשׂוּ אֶת־הַחֹשֶׁן זֶרֶת אָרְכּוֹ וְזֶרֶת רָחְבּוֹ כָּפוּל׃

וַיְמַלְאוּ־בוֹ אַרְבָּעָה טוּרֵי אָבֶן טוּר אֹדֶם פִּטְדָה וּבָרֶקֶת הַטּוּר הָאֶחָד׃

וְהַטּוּר הַשֵּׁנִי נֹפֶךְ סַפִּיר וְיָהֲלֹם׃

וְהַטּוּר הַשְּׁלִישִׁי לֶשֶׁם שְׁבוֹ וְאַחְלָמָה׃

וְהַטּוּר הָרְבִיעִי תַּרְשִׁישׁ שֹׁהַם וְיָשְׁפֵה מוּסַבֹּת מִשְׁבְּצֹת זָהָב בְּמִלֻּאֹתָם׃

וְהָאֲבָנִים עַל־שְׁמֹת בְּנֵי־יִשְׂרָאֵל הֵנָּה שְׁתֵּים עֶשְׂרֵה עַל־שְׁמֹתָם פִּתּוּחֵי חֹתָם אִישׁ עַל־שְׁמוֹ לִשְׁנֵים עָשָׂר שָׁבֶט׃

וַיַּעֲשׂוּ עַל־הַחֹשֶׁן שַׁרְשְׁרֹת גַּבְלֻת מַעֲשֵׂה עֲבֹת זָהָב טָהוֹר׃

וַיַּעֲשׂוּ שְׁתֵּי מִשְׁבְּצֹת זָהָב וּשְׁתֵּי טַבְּעֹת זָהָב וַיִּתְּנוּ אֶת־שְׁתֵּי הַטַּבָּעֹת עַל־שְׁנֵי קְצוֹת הַחֹשֶׁן׃

וַיִּתְּנוּ שְׁתֵּי הָעֲבֹתֹת הַזָּהָב עַל־שְׁתֵּי הַטַּבָּעֹת עַל־קְצוֹת הַחֹשֶׁן׃

וְאֵת שְׁתֵּי קְצוֹת שְׁתֵּי הָעֲבֹתֹת נָתְנוּ עַל־שְׁתֵּי הַמִּשְׁבְּצֹת וַיִּתְּנֻם עַל־כִּתְפֹת הָאֵפֹד אֶל־מוּל פָּנָיו׃

וַיַּעֲשׂוּ שְׁתֵּי טַבְּעֹת זָהָב וַיָּשִׂימוּ עַל־שְׁנֵי קְצוֹת הַחֹשֶׁן עַל־שְׂפָתוֹ אֲשֶׁר אֶל־עֵבֶר הָאֵפֹד בָּיְתָה׃

וַיַּעֲשׂוּ שְׁתֵּי טַבְּעֹת זָהָב וַיִּתְּנֻם עַל־שְׁתֵּי כִתְפֹת הָאֵפֹד מִלְמַטָּה מִמּוּל פָּנָיו לְעֻמַּת מֶחְבַּרְתּוֹ מִמַּעַל לְחֵשֶׁב הָאֵפֹד׃

וַיִּרְכְּסוּ אֶת־הַחֹשֶׁן מִטַּבְּעֹתָיו אֶל־טַבְּעֹת הָאֵפֹד בִּפְתִיל תְּכֵלֶת לִהְיֹת עַל־חֵשֶׁב הָאֵפֹד וְלֹא־יִזַּח הַחֹשֶׁן מֵעַל הָאֵפֹד כַּאֲשֶׁר צִוָּה יְהוָה אֶת־מֹשֶׁה׃

Esses versículos são paralelos ao trecho de Êxodo 28.13-30, onde é dada a exposição. Está em foco a manufatura do *peitoral* do sumo sacerdote.

■ 39.22-26

וַיַּעַשׂ אֶת־מְעִיל הָאֵפֹד מַעֲשֵׂה אֹרֵג כְּלִיל תְּכֵלֶת׃

וּפִי־הַמְּעִיל בְּתוֹכוֹ כְּפִי תַחְרָא שָׂפָה לְפִיו סָבִיב לֹא יִקָּרֵעַ׃

וַיַּעֲשׂוּ עַל־שׁוּלֵי הַמְּעִיל רִמּוֹנֵי תְּכֵלֶת וְאַרְגָּמָן וְתוֹלַעַת שָׁנִי מָשְׁזָר׃

וַיַּעֲשׂוּ פַעֲמֹנֵי זָהָב טָהוֹר וַיִּתְּנוּ אֶת־הַפַּעֲמֹנִים בְּתוֹךְ הָרִמֹּנִים עַל־שׁוּלֵי הַמְּעִיל סָבִיב בְּתוֹךְ הָרִמֹּנִים׃

פַּעֲמֹן וְרִמֹּן פַּעֲמֹן וְרִמֹּן עַל־שׁוּלֵי הַמְּעִיל סָבִיב לְשָׁרֵת כַּאֲשֶׁר צִוָּה יְהוָה אֶת־מֹשֶׁה׃ ס

Esses versículos têm como paralelo o trecho de Êxodo 28.31-35, onde é dada a exposição. Está em pauta a manufatura da *sobrepeliz* da estola sacerdotal.

■ 39.27-31

וַיַּעֲשׂוּ אֶת־הַכָּתְנֹת שֵׁשׁ מַעֲשֵׂה אֹרֵג לְאַהֲרֹן וּלְבָנָיו׃

וְאֵת הַמִּצְנֶפֶת שֵׁשׁ וְאֶת־פַּאֲרֵי הַמִּגְבָּעֹת שֵׁשׁ וְאֶת־מִכְנְסֵי הַבָּד שֵׁשׁ מָשְׁזָר׃

וְאֶת־הָאַבְנֵט שֵׁשׁ מָשְׁזָר וּתְכֵלֶת וְאַרְגָּמָן וְתוֹלַעַת שָׁנִי מַעֲשֵׂה רֹקֵם כַּאֲשֶׁר צִוָּה יְהוָה אֶת־מֹשֶׁה׃ ס

וַיַּעֲשׂוּ אֶת־צִיץ נֵזֶר־הַקֹּדֶשׁ זָהָב טָהוֹר וַיִּכְתְּבוּ עָלָיו מִכְתַּב פִּתּוּחֵי חוֹתָם קֹדֶשׁ לַיהוָה׃

וַיִּתְּנוּ עָלָיו פְּתִיל תְּכֵלֶת לָתֵת עַל־הַמִּצְנֶפֶת מִלְמָעְלָה כַּאֲשֶׁר צִוָּה יְהוָה אֶת־מֹשֶׁה׃ ס

Esses versículos têm como paralelo o trecho de Êxodo 28.36-43. Está em vista a manufatura da túnica, da mitra, dos calções, da coroa sagrada e do cordão. No vs. 30, a *lâmina de ouro puro* é chamada de "lâmina da coroa sagrada". Em tudo o mais, os detalhes são os mesmos. Os *calções* foram feitos tanto para Arão (o sumo sacerdote) quanto para seus filhos (os sacerdotes comuns). Ver Êxodo 28.42,43. O trecho de Êxodo 28.40 menciona as túnicas dos sacerdotes. E no vs. 27 deste capítulo as túnicas de Arão e de seus filhos aparecem juntas.

OS UTENSÍLIOS DO TABERNÁCULO SÃO TERMINADOS E APRESENTADOS (39.32-43)

Conforme temos visto por todo este livro de Êxodo (o que também ocorre por todo o Pentateuco), a repetição é uma das grandes características literárias do autor sagrado. Isso posto, na breve seção que ora consideramos a mensagem é esta: Todo o trabalho realizado no tabernáculo foi apresentado para inspeção e aprovação de Moisés. E, então, em lugar de dizer algo genérico, novamente nos é dada uma lista de todos esses itens do tabernáculo, tudo pronto, apresentado e aprovado por Moisés; e essa longa lista repete, uma vez mais, coisas que já nos tinham sido ditas nos capítulos anteriores.

É possível que cada item, uma vez terminado, fosse então apresentado a Moisés; e, então, se havia algum defeito, este era corrigido ato contínuo. Mas não se sabe de qualquer artigo que tenha sido rejeitado. A Moisés tinha sido dado *o modelo no monte,* envolvendo tudo quanto precisaria ser feito (Êx 25.9,40). Portanto, só ele tinha o conhecimento e a autoridade para aprovar a obra, ou para ordenar que algo fosse refeito, se porventura tivesse sido feito de modo imperfeito.

Um dos temas desta passagem é a importância da obediência. Um outro é a importância das tarefas bem-feitas. Ainda um outro é que uma autoridade maior inspeciona o nosso trabalho. Ninguém trabalha sozinho, apenas para seu próprio benefício. Cada indivíduo haverá de prestar conta daquilo que tiver realizado. Ver na *Enciclopédia de Bíblia, Teologia e Filosofia* o verbete *Julgamento do Crente por Deus*.

■ 39.32

וַתֵּ֕כֶל כָּל־עֲבֹדַ֕ת מִשְׁכַּ֥ן אֹֽהֶל מוֹעֵ֑ד וַֽיַּעֲשׂוּ֙ בְּנֵ֣י יִשְׂרָאֵ֔ל כְּ֠כֹל אֲשֶׁ֨ר צִוָּ֧ה יְהוָ֛ה אֶת־מֹשֶׁ֖ה כֵּ֥ן עָשֽׂוּ׃ פ

Fizeram tudo segundo o Senhor tinha ordenado. Cada homem fez alguma coisa. Cada coisa feita foi apresentada a Moisés, para sua inspeção. Ele havia recebido ordens e modelos a serem copiados, da parte de Yahweh (Êx 25.9,10), e sabia como ajuizar, remediando quaisquer equívocos. Ver a introdução a esta seção, quanto a ideias abrangentes. O trabalho de cada homem jamais deixa de ser inspecionado e avaliado. Disse Sócrates: "Não vale a pena viver uma vida sem disciplina". As partes constitutivas do tabernáculo, antes de serem montadas, eram inspecionadas. Nenhuma coisa defeituosa podia ser posta na estrutura, para depois ser substituída por outra peça, que fosse perfeita.

■ 39.33

וַיָּבִ֤יאוּ אֶת־הַמִּשְׁכָּן֙ אֶל־מֹשֶׁ֔ה אֶת־הָאֹ֖הֶל וְאֶת־כָּל־כֵּלָ֑יו קְרָסָ֕יו קְרָשָׁ֕יו בְּרִיחָ֖ו וְעַמֻּדָ֥יו וַאֲדָנָֽיו׃

As Cinco Declarações. Por cinco vezes o autor sacro afirma, com longas descrições, e com muitas repetições, como o tabernáculo foi planejado, construídas as suas peças, aprovado, e, finalmente, montado. A declaração que temos aqui mostra como Moisés aprovou a obra, sendo esta a *terceira* repetição ou descrição. Ver as notas de introdução ao trecho de Êxodo 25.1, em seu último parágrafo, quanto a essas cinco declarações.

Os vss. 33-41 nos dão uma lista dos muitos itens do tabernáculo. Essas peças foram trazidas, inspecionadas e aprovadas (vs. 43).

Tenda. Um termo genérico para a totalidade do tabernáculo (ver no *Dicionário* o artigo *Tabernáculo*).

Seus pertences. Um termo genérico para a arca (vs. 35), para a mesa dos pães da proposição (vs. 36), para o candelabro (vs. 37), e para os altares (vss. 38 e 39).

Colchetes. Ver Êxodo 26.6,11 e 35.11.
Tábuas. Ver Êxodo 26.15,17; 27.8.
Vergas. Ver Êxodo 26.26,27; 35.11.
Colunas. Ver Êxodo 26.32; 27.10.
Bases. Ver Êxodo 26.19; 27.10; 35.11.

■ 39.34

וְאֶת־מִכְסֵ֞ה עוֹרֹ֤ת הָֽאֵילִם֙ הַמְאָדָּמִ֔ים וְאֶת־מִכְסֵ֖ה עֹרֹ֣ת הַתְּחָשִׁ֑ים וְאֵ֖ת פָּרֹ֥כֶת הַמָּסָֽךְ׃

Peles de carneiro. Ver Êxodo 25.5; 26.14; 35.7.
Peles de animais marinhos. Ver Êxodo 25.5; 26.14; 35.7.
Véu. Ver Êxodo 26.31; 27.21. Em Êxodo 27.16, apresento notas expositivas sobre *as três cortinas* do tabernáculo.

■ 39.35

אֶת־אֲר֥וֹן הָעֵדֻ֖ת וְאֶת־בַּדָּ֑יו וְאֵ֖ת הַכַּפֹּֽרֶת׃

A arca do testemunho. Ver Êxodo 25.10 e também, no *Dicionário*, o artigo *Arca da Aliança*.
Propiciatório. Ver Êxodo 25.17 e, no *Dicionário*, o artigo chamado *Propiciatório*.

■ 39.36

אֶת־הַשֻּׁלְחָן֙ אֶת־כָּל־כֵּלָ֔יו וְאֵ֖ת לֶ֥חֶם הַפָּנִֽים׃

Mesa. Ver Êxodo 25.23.
Utensílios. Êxodo 25.29.
Pães. Êxodo 25.30.

■ 39.37

אֶת־הַמְּנֹרָ֨ה הַטְּהֹרָ֜ה אֶת־נֵרֹתֶ֗יהָ נֵרֹ֛ת הַמַּֽעֲרָכָ֖ה וְאֶת־כָּל־כֵּלֶ֑יהָ וְאֵ֖ת שֶׁ֥מֶן הַמָּאֽוֹר׃

Candelabro. Êxodo 25.31 e o artigo *Candeeiro*, no *Dicionário*.
Utensílios. Êxodo 25.38,39.
Azeite. Êxodo 27.20, e, no *Dicionário*, o artigo intitulado *Azeite*.

■ 39.38

וְאֵת֙ מִזְבַּ֣ח הַזָּהָ֔ב וְאֵת֙ שֶׁ֣מֶן הַמִּשְׁחָ֔ה וְאֵ֖ת קְטֹ֣רֶת הַסַּמִּ֑ים וְאֵ֕ת מָסַ֖ךְ פֶּ֥תַח הָאֹֽהֶל׃

Altar de ouro. Êxodo 30.1, e, no *Dicionário*, o artigo *Altar do Incenso*.
Óleo da unção. Êxodo 25.6 e 29.7. No *Dicionário*, o artigo *Unção*.
Reposteiro. Êxodo 26.36. Em Êxodo 27.16, ver sobre as *três cortinas* do tabernáculo. Está aqui em vista o *segundo* dos três véus, aquele que separava o átrio do Lugar Santo.

■ 39.39

אֵ֣ת ׀ מִזְבַּ֣ח הַנְּחֹ֗שֶׁת וְאֶת־מִכְבַּ֤ר הַנְּחֹ֙שֶׁת֙ אֲשֶׁר־ל֔וֹ אֶת־בַּדָּ֖יו וְאֶת־כָּל־כֵּלָ֑יו אֶת־הַכִּיֹּ֖ר וְאֶת־כַּנּֽוֹ׃

Altar de bronze. Êxodo 27.1.
Grelha. Êxodo 27.4.
Utensílios. Êxodo 27.3.
Bacia. Êxodo 30.18. Ver as notas sobre *Bacia de Bronze*, em Êxodo 30.17.

■ 39.40

אֵת֩ קַלְעֵ֨י הֶחָצֵ֜ר אֶת־עַמֻּדֶ֣יהָ וְאֶת־אֲדָנֶ֗יהָ וְאֶת־הַמָּסָךְ֙ לְשַׁ֣עַר הֶֽחָצֵ֔ר אֶת־מֵיתָרָ֖יו וִיתֵדֹתֶ֑יהָ וְאֵ֗ת כָּל־כְּלֵ֛י עֲבֹדַ֥ת הַמִּשְׁכָּ֖ן לְאֹ֥הֶל מוֹעֵֽד׃

Cortinas do átrio. Êxodo 27.9.
Colunas. Êxodo 27.10 ss.
Cordas. Êxodo 35.18.
Pregos. Êxodo 27.19.
Utensílios. Êxodo 25.39; 27.3,19; 30.27 e 35.13.
Tenda da congregação. Êxodo 27.21; 28.43; 29.4; 30.16; 31.7; 33.7 etc.

■ 39.41

אֶת־בִּגְדֵ֥י הַשְּׂרָ֖ד לְשָׁרֵ֣ת בַּקֹּ֑דֶשׁ אֶת־בִּגְדֵ֤י הַקֹּ֙דֶשׁ֙ לְאַהֲרֹ֣ן הַכֹּהֵ֔ן וְאֶת־בִּגְדֵ֥י בָנָ֖יו לְכַהֵֽן׃

Vestes sagradas. Êxodo 28.2 ss.; 29.5,21. Ver no *Dicionário* o verbete chamado *Sacerdotes, Vestimentas dos*.

■ 39.42

כְּכֹ֛ל אֲשֶׁר־צִוָּ֥ה יְהוָ֖ה אֶת־מֹשֶׁ֑ה כֵּ֤ן עָשׂוּ֙ בְּנֵ֣י יִשְׂרָאֵ֔ל אֵ֖ת כָּל־הָעֲבֹדָֽה׃

Nada Foi Deixado ao Acaso. Yahweh baixara as ordens; Moisés tinha recebido e transmitido essas ordens; os filhos de Israel cumpriram essas ordens, onde cada indivíduo cumpriu a sua tarefa. Ver as notas sobre o vs. 32, que têm aplicação aqui. Assim aprendemos quão importantes são: a iluminação divina; a transmissão da mesma; a obediência; uma tarefa útil que é levada a seu cumprimento; ser aprovado pela autoridade apropriada, sobretudo Deus. Ver também a introdução ao vs. 32.

■ 39.43

וַיַּ֨רְא מֹשֶׁ֜ה אֶת־כָּל־הַמְּלָאכָ֗ה וְהִנֵּה֙ עָשׂ֣וּ אֹתָ֔הּ כַּאֲשֶׁ֛ר צִוָּ֥ה יְהוָ֖ה כֵּ֣ן עָשׂ֑וּ וַיְבָ֥רֶךְ אֹתָ֖ם מֹשֶֽׁה׃ פ

A Aprovação de Moisés. A obra de cada pessoa tinha que estar à altura do padrão divino de qualidade, visto que Yahweh havia instruído quanto a cada coisa (Êx 25.9,10). Moisés tinha autoridade para requerer confecção de boa qualidade. Os operários mostraram-se conscienciosos, e realizaram suas tarefas com habilidade e entusiasmo. Há alegria em toda tarefa bem terminada.

E Moisés os abençoou. Assim como Moisés havia recebido instruções da parte de Yahweh, assim também foi capaz de abençoar com a bênção de Yahweh. Desse modo, prosperaram os israelitas, em razão de sua obediência e entusiasmo, os fatores por detrás do bom trabalho que fizeram.

O Targum de Jonathan imagina Moisés a dizer: "Que a *shekinah* do Senhor permaneça sobre o trabalho de vossas mãos". Jarchi comentou: "Que praza a Yahweh que sua *shekinah* repouse sobre as obras de vossas mãos, e que a beleza do Senhor esteja sobre nós".

> Dê de seu melhor ao Mestre
> Dê de sua força e de sua juventude;
> Lance o ardor radiante e fresco de sua alma
> Na batalha pela verdade.
>
> Jesus deu o exemplo:
> Era intrépido —
> Era jovem e corajoso.
> Dê-lhe sua devoção leal.
> Dê-lhe o melhor de si.
>
> Sra. Charles Barnard

CAPÍTULO QUARENTA

DEUS MANDA MOISÉS LEVANTAR O TABERNÁCULO (40.1-15)

Ver o diagrama sobre o *plano* do tabernáculo, nas notas sobre Êxodo 26.1. Esse diagrama mostra a localização de todos os itens mencionados neste capítulo 40.

Uma vez mais, Yahweh deu as instruções necessárias. A maior parte dessas instruções repete material que já vimos nas notas sobre Êxodo 25.1–31.17. Tal como no capítulo 25, essas instruções começam pela arca, o *coração* mesmo do tabernáculo, estando o *testemunho* (as duas tábuas de pedra inscritas com os Dez Mandamentos) dentro da arca. No entanto, *a maneira* como o tabernáculo foi erigido não nos é dita, mas que isso foi feito é algo que é declarado nos vss. 16-19 deste capítulo.

Podemos dividir este capítulo em duas grandes seções: Êxodo 40.1-6 dá as instruções de Yahweh; e Êxodo 40.17-33 informa-nos que essas instruções foram cumpridas. Isso segue o mesmo padrão que se viu em Êxodo 25—40 e Êxodo 35—39, respectivamente. E nos vss. 34-38 deste capítulo temos a conclusão do livro de Êxodo, onde vemos que Yahweh cumpriu a sua promessa, fazendo a presença divina habitar no tabernáculo. Portanto, a nova fé, o Yahwismo, por assim dizer, teve a sua igreja, onde veio manifestar-se a presença divina. Na dispensação do Novo Testamento, o lugar de habitação do Espírito de Deus é a alma do homem (1Co 3.16). A fé religiosa tem progredido muito desde a tenda armada no deserto do Sinai.

Tudo sucede em seu devido tempo. Yahweh não tinha pressa em armar a tenda. Ele havia designado um dia para isso (Êx 40.2). Por igual modo, ele designa um tempo específico para os nossos triunfos. Oh, Senhor, concede-nos tal graça. Nada acontece por mero acaso.

> Ele me guia, bendito pensamento,
> Ó palavras carregadas de consolo celeste!
> Tudo quanto faço, tudo quanto sou,
> A mão de Deus é que me guia.
>
> Joseph Gilmore

As Cinco Declarações. Por *cinco* vezes, o autor sagrado afirmou (descreveu) como o tabernáculo foi ordenado, construído, aprovado por Moisés, como houve instruções sobre sua montagem, e como foi, finalmente, montado. Essas declarações contêm muitas repetições. A seção à nossa frente é a *quarta* dessas repetições. Ver as notas introdutórias sobre Êxodo 25.1, em seu último parágrafo.

■ 40.1

וַיְדַבֵּר יְהוָה אֶל־מֹשֶׁה לֵּאמֹר:

Disse o Senhor a Moisés. Quão frequentemente achamos essa expressão no livro de Êxodo. Ver Êxodo 6.2,10; 7.8; 8.1; 12.1; 13.1; 14.1; 25.1; 30.11; 31.1,12; 33.11. Ela exprime um decidido teísmo. Ver no *Dicionário* o artigo intitulado *Teísmo*.

As Instruções:

1. O arranjo físico do santuário, em seu interior e exterior, e as cortinas do átrio, que formavam paredes que fechavam o mesmo (vss. 1-8).
2. A consagração do tabernáculo e de todo o seu conteúdo (vss. 9-11).
3. A lavagem, vestimenta e unção dos sacerdotes, em preparação para o seu ofício (vss. 12-16).

■ 40.2

בְּיוֹם־הַחֹדֶשׁ הָרִאשׁוֹן בְּאֶחָד לַחֹדֶשׁ תָּקִים אֶת־מִשְׁכַּן אֹהֶל מוֹעֵד:

No primeiro dia do primeiro mês. "Temos aí o fator tempo (vs. 2), no segundo ano do êxodo (vs. 17). O êxodo ocorreu no décimo quarto dia do primeiro mês (Êx 12.2,6,33,34). Visto que o povo de Israel chegou ao Sinai três meses depois de ter saído do Egito, então agora já estavam no Sinai fazia oito meses e meio. Parte desse tempo (pelo menos oitenta dias), Moisés tinha estado no alto do monte (quarenta dias, em Êx 24.18; e mais quarenta dias, a fim de renovar o pacto, em Êx 34.28). Portanto, talvez seis meses e meio estiveram ocupados no recolhimento dos materiais necessários para a construção do tabernáculo. Esses meses escoaram-se entre meados de setembro até fins de março" (John D. Hannah, *in loc.*). Por conseguinte, o tabernáculo foi erigido quase exatamente um ano após a saída de Israel do Egito.

Primeiro mês. Ou seja, o mês de abibe (Êx 12). O Ano Novo estava chegando, e era natural inaugurar então a nova estrutura, o tabernáculo, no primeiro dia do primeiro mês do calendário religioso. Ver no *Dicionário*, em sua seção sétima, o artigo *Calendário Judaico*. Ver as notas em Êxodo 12.1,2, quanto à inauguração do calendário religioso, associado à páscoa, que tinha iniciado a nova era.

Tudo Tem Seu Tempo Certo. Houve um *tempo apropriado* para a inauguração do tabernáculo. As portas abrem-se facilmente, até mesmo de forma espontânea, quando chega o tempo certo para alguma coisa. Tentar forçar uma porta a abrir-se fora de tempo pode ter resultados desastrosos. A vontade de Deus segue uma cronologia divina, e o homem espiritual envolve-se nessa cronologia. Ver no *Dicionário* o artigo *Vontade Deus, Como Descobri-la*.

■ 40.3

וְשַׂמְתָּ שָׁם אֵת אֲרוֹן הָעֵדוּת וְסַכֹּתָ עַל־הָאָרֹן אֶת־הַפָּרֹכֶת:

O planejamento da ereção do tabernáculo começou pela *arca da aliança*. Foi o primeiro item que Deus ordenou que fosse confeccionado. E também foi o primeiro a ser feito. Ver no *Dicionário* o artigo chamado *Arca da Aliança*, como também as notas sobre Êxodo 25.10. Ela continha em seu interior as duas tábuas da lei, os Dez Mandamentos, também chamadas de *testemunho* (ver a esse respeito no *Dicionário*). A arca e seu conteúdo, pois, eram o *coração* mesmo do tabernáculo. Era na arca que se manifestava a presença mística de Yahweh; e era também ali que se fazia expiação (ver sobre isso no *Dicionário*). Ver também o artigo *Propiciatório*. Ver o diagrama sobre a *planta* do tabernáculo, no início da exposição sobre o capítulo 26 do livro de Êxodo, onde se vê a localização dos vários itens da tenda da congregação.

Os objetos mais preciosos que o tabernáculo conteria foram postos ali antes de todos os outros. Em seguida, esses objetos deveriam ser cobertos pelo véu.

E a cobrirás com o véu. Em outras palavras, assim que foi levantado o Santo dos Santos, foi tapado com o véu, estando a arca da aliança em seu interior. Destarte, o acesso foi limitado desde o início. Ver no *Dicionário* o artigo chamado *Acesso*. Ver as notas sobre o *véu* em Êxodo 26.31.

40.4

וְהֵבֵאתָ֙ אֶת־הַשֻּׁלְחָ֔ן וְעָרַכְתָּ֖ אֶת־עֶרְכּ֑וֹ וְהֵבֵאתָ֙ אֶת־הַמְּנֹרָ֔ה וְהַעֲלֵיתָ֖ אֶת־נֵרֹתֶֽיהָ׃

A mesa. Esse item aparece em segundo lugar. Ficava no Lugar Santo. Ver as notas sobre Êxodo 25.23-30. Também ocupava o segundo lugar nas instruções originais acerca da feitura do mobiliário. Os pães da proposição e outros acessórios acompanhavam a mesa.

O candelabro. Esse item ocupa o terceiro lugar nas instruções originais. Ver Êxodo 25.31-40. Ver também no *Dicionário* o artigo intitulado *Candeeiro*.

40.5

וְנָתַתָּ֞ה אֶת־מִזְבַּ֤ח הַזָּהָב֙ לִקְטֹ֔רֶת לִפְנֵ֖י אֲר֣וֹן הָעֵדֻ֑ת וְשַׂמְתָּ֛ אֶת־מָסַ֥ךְ הַפֶּ֖תַח לַמִּשְׁכָּֽן׃

O altar de ouro para o incenso. Esse altar de ouro vem em seguida aqui. Mas a ordem original é quebrada, pois esse item não foi mencionado nas instruções originais em quarto lugar, mas somente em Êxodo 30.1 s., e no *fim* das instruções acerca dos itens a serem confeccionados. Ver no *Dicionário* o artigo chamado *Altar do Incenso*. Os intérpretes debatem-se diante da estranha ordem dada a esse item nas instruções originais, e acham que temos aqui a sequência correta, excetuando o caso da arca, que, sem dúvida, aparece sempre em primeiro lugar.

Ver o diagrama sobre a *planta* do tabernáculo, no começo da exposição sobre o capítulo 26 do Êxodo. Esse diagrama demonstra como estavam localizados os vários itens.

40.6

וְנָ֣תַתָּ֔ה אֵ֖ת מִזְבַּ֣ח הָעֹלָ֑ה לִפְנֵ֕י פֶּ֖תַח מִשְׁכַּ֥ן אֹֽהֶל־מוֹעֵֽד׃

O altar do holocausto. Esse item é comentado em Êxodo 27.1. Temos aí o grande altar, o local onde se ofereciam os sacrifícios. Ficava no átrio do tabernáculo, a alguma distância da bacia de bronze, e ambos ficavam fora do Lugar Santo. Os sacrifícios eram realizados ali. Os sacerdotes precisam lavar o sangue, e também a si mesmos. Somente depois disso podiam entrar no Lugar Santo. A *porta* aqui mencionada indica o *segundo véu*, que dava acesso ao Lugar Santo. Ver as notas sobre Êxodo 26.36 quanto às *três cortinas* do tabernáculo.

40.7

וְנָתַתָּ֙ אֶת־הַכִּיֹּ֔ר בֵּֽין־אֹ֥הֶל מוֹעֵ֖ד וּבֵ֣ין הַמִּזְבֵּ֑חַ וְנָתַתָּ֥ שָׁ֖ם מָֽיִם׃

A bacia. Ver as notas sobre a *bacia de bronze*, em Êxodo 30.17. Esse item foi posto antes do segundo véu, que fechava o Lugar Santo, a certa distância (no outro lado) do altar dos holocaustos. A bacia servia para os sacerdotes lavarem ali seus pés e suas mãos, pois não podiam entrar, sujos de sangue, no Lugar Santo. Quem entrasse ali, teria de fazê-lo estando lavado. Ver Êxodo 30.19,30 quanto às lavagens requeridas.

40.8

וְשַׂמְתָּ֥ אֶת־הֶחָצֵ֖ר סָבִ֑יב וְנָ֣תַתָּ֔ אֶת־מָסַ֖ךְ שַׁ֥עַר הֶחָצֵֽר׃

O átrio... o reposteiro. Este último agia como paredes externas da estrutura inteira. Essas estruturas são descritas com abundância de detalhes em Êxodo 27.9 ss.

40.9-11

וְלָקַחְתָּ֙ אֶת־שֶׁ֣מֶן הַמִּשְׁחָ֔ה וּמָשַׁחְתָּ֥ אֶת־הַמִּשְׁכָּ֖ן וְאֶת־כָּל־אֲשֶׁר־בּ֑וֹ וְקִדַּשְׁתָּ֥ אֹת֛וֹ וְאֶת־כָּל־כֵּלָ֖יו וְהָ֥יָה קֹֽדֶשׁ׃

וּמָשַׁחְתָּ֛ אֶת־מִזְבַּ֥ח הָעֹלָ֖ה וְאֶת־כָּל־כֵּלָ֑יו וְקִדַּשְׁתָּ֙ אֶת־הַמִּזְבֵּ֔חַ וְהָיָ֥ה הַמִּזְבֵּ֖חַ קֹ֥דֶשׁ קָֽדָשִֽׁים׃

וּמָשַׁחְתָּ֥ אֶת־הַכִּיֹּ֖ר וְאֶת־כַּנּ֑וֹ וְקִדַּשְׁתָּ֖ אֹתֽוֹ׃

O óleo da unção. Ver Êxodo 30.23-25 quanto a descrições a respeito de sua preparação. Ver Êxodo 30.26-29 quanto a seu uso nas consagrações. A própria tenda, com todos os seus móveis e utensílios, como a arca, a mesa, o candelabro, os dois altares, a bacia e os vasos de servir foram todos ungidos, e, portanto, consagrados para seu devido uso. A consagração *santificou* esses itens, para poderem ser usados no serviço sagrado.

Tinha sido dada ordem para ungir com óleo todos os ítens do tabernáculo, em conexão com a ereção e inauguração do tabernáculo. Mas o ato real da unção parece ter sido adiado até que tudo estivesse pronto. Ver Levítico 8.1-13. Sem dúvida, houve alguma espécie de cerimônia formal e festividade para essa unção do projeto *terminado*.

40.12

וְהִקְרַבְתָּ֤ אֶֽת־אַהֲרֹן֙ וְאֶת־בָּנָ֔יו אֶל־פֶּ֖תַח אֹ֣הֶל מוֹעֵ֑ד וְרָחַצְתָּ֥ אֹתָ֖ם בַּמָּֽיִם׃

Examinar o trecho de Levítico 8.1-13 quanto às lavagens feitas pelos sacerdotes, ligadas à unção do tabernáculo e seus itens. Naquela passagem, a lavagem aparece primeiro. Cf. Êxodo 23.41 e 29.4-8. "Ablução, vestimenta e unção — tudo tinha sido determinado de antemão, para fazer parte do culto de consagração" (Ellicott, *in loc.*).

40.13,14

וְהִלְבַּשְׁתָּ֙ אֶֽת־אַהֲרֹ֔ן אֵ֖ת בִּגְדֵ֣י הַקֹּ֑דֶשׁ וּמָשַׁחְתָּ֥ אֹת֛וֹ וְקִדַּשְׁתָּ֥ אֹת֖וֹ וְכִהֵ֥ן לִֽי׃

וְאֶת־בָּנָ֖יו תַּקְרִ֑יב וְהִלְבַּשְׁתָּ֥ אֹתָ֖ם כֻּתֳּנֹֽת׃

Vestirás a Arão das vestes sagradas. Temos aqui a investidura. As elaboradas vestes que tinham sido confeccionadas, agora teriam que ser vestidas pelos sacerdotes, em uma cerimônia solene (Lv 8.7-9). Ver Êxodo 29.8.

40.15

וּמָשַׁחְתָּ֣ אֹתָ֗ם כַּאֲשֶׁ֥ר מָשַׁ֛חְתָּ אֶת־אֲבִיהֶ֖ם וְכִהֲנ֣וּ לִ֑י וְ֠הָיְתָה לִהְיֹ֨ת לָהֶ֧ם מָשְׁחָתָ֛ם לִכְהֻנַּ֥ת עוֹלָ֖ם לְדֹרֹתָֽם׃

A *unção* dos sacerdotes, mediante uma cerimônia formal, figura em Levítico 8.12. Os sacerdotes eram tipos do Messias, ou Cristo, cujo próprio título significa *ungido*. Ver no *Dicionário* os artigos *Unção* e *Messias*. O trecho de Levítico 8.12 menciona apenas Arão, o sumo sacerdote, como quem foi ungido. Talvez seja assim porque Arão recebeu uma unção diferente. Seus filhos foram ungidos com uma mistura de azeite e sangue (Lv 8.30). Mas o trecho de Levítico 8.12 não diz que tal mistura foi usada na unção de Arão.

Os intérpretes judeus informam-nos que a unção dos filhos de Arão foi válida para o tempo todo, após o que os sacerdotes nunca mais precisaram repetir o ato. Mas cada novo sumo sacerdote tinha que ser ungido de novo, pelo que eram chamados de *sacerdotes ungidos* (ver Lv 4.3,5,16; 21.12).

Sua unção lhes será por sacerdócio perpétuo. Essa unção se estenderia a todas as gerações. Os hebreus não esperavam pelo fim de seu culto, pelo que a novidade, em Jesus Cristo, foi rejeitada pela maioria deles. Por todo o livro de Êxodo podemos ver essa antecipação de perpetuidade, aplicada a vários itens e situações do culto dos hebreus. Cf. Êxodo 3.15; 12.17; 27.21; 29.42; 30.8,10,21; 31.13,16; Levítico 7.31; 10.9 etc.

Um dos piores vícios religiosos é a suposição que diz: "Nossa revelação é final. Deus deixou de fazer revelações com o nosso sistema religioso". Muitos evangélicos de hoje em dia falam nesses termos. Mas não há como fazer Deus estagnar. Há muitas, grandiosas e poderosas revelações que ainda serão dadas, e cada qual haverá de substituir aquela que viera antes. O Logos de Deus continuará em sua eterna obra de evolução espiritual. Os *finais* de que os homens falam refletem apenas os limites de *suas próprias mentes*, e não verdadeiras limitações.

Apesar do que pensavam os israelitas, o tabernáculo, depois substituído pelo templo, prosseguiu somente até ao cativeiro babilônico (cerca de 597 a.C.). Tudo foi renovado por ocasião do templo de Herodes, somente para tudo estacar de novo em 70 d.C.

Quando Cristo substituiu todo o sistema mosaico pelo cristianismo, isso não tinha sido antecipado pela *doutrina de perpetuidade* dos hebreus, exceto em seus *tipos*. Vários ramos ritualistas do cristianismo, como o mormonismo, têm procurado preservar vestígios do antigo culto, mas isso não é a mesma coisa que uma legítima perpetuidade do sistema antigo. Seja como for, aquele que dispõe do novo não se preocupa diante do desaparecimento do antigo. Porém, podemos prever que à medida que a espiritualidade for evoluindo, haverá muitos NOVOS.

O TABERNÁCULO É LEVANTADO (40.16-33)

Temos aqui a *quinta* das cinco declarações e descrições do planejamento, da execução, da aprovação, das instruções de montagem e da montagem propriamente dita do tabernáculo. Ver as notas introdutórias sobre Êxodo 25.1, quanto às *cinco declarações*. Por cinco vezes encontramos as descrições essenciais sobre o tabernáculo. A repetição era um traço característico do estilo literário do autor sagrado.

■ **40.16**

וַיַּעַשׂ מֹשֶׁה כְּכֹל אֲשֶׁר צִוָּה יְהוָה אֹתוֹ כֵּן עָשָׂה: ס

E tudo fez Moisés. Ele mostrou-se obediente em tudo, foi fiel a Deus quanto a tudo. O trecho de Hebreus 3.2-5, porém, mostra que ele era apenas servo na casa, ao passo que Cristo era o Filho da casa. Moisés era homem essencialmente inflexível, que não vacilava. Bastante diferente de Pedro quanto a esse aspecto de sua personalidade. Moisés também sofreu grandes lapsos, conforme acontece a muitos dos grandes líderes religiosos. O *tempo* da ereção do tabernáculo aparece no vs. 17 deste capítulo. Até nisso, Moisés mostrou ser homem obediente ao Senhor. "A narrativa sobre o oitavo capítulo do livro de Levítico mostra que o restante (vss. 9-15) não foi executado senão mais tarde" (Ellicott, *in loc*.). Moisés executou prontamente as primeiras instruções que recebeu (vs. 2-8).

■ **40.17**

וַיְהִי בַּחֹדֶשׁ הָרִאשׁוֹן בַּשָּׁנָה הַשֵּׁנִית בְּאֶחָד לַחֹדֶשׁ הוּקַם הַמִּשְׁכָּן:

Ver o segundo versículo deste capítulo quanto à ordem divina. Aqui temos a adição de que era o *segundo ano*, ou seja, era o início do segundo ano após o êxodo, o evento que marcou o início do calendário religioso, o *ano um* da nação de Israel. Isso aconteceu na primavera, o Ano Novo de Israel. Faltavam apenas catorze dias para completar-se o primeiro ano depois de Israel ter escapado do Egito. O tabernáculo tinha sido construído de tal maneira que pôde ser levantado em pouquíssimo tempo. O povo de Israel tinha muita experiência com tendas, e o tabernáculo era apenas uma tenda tamanho grande. Mas não somos informados sobre como teve lugar o processo de levantamento do tabernáculo.

■ **40.18,19**

וַיָּקֶם מֹשֶׁה אֶת־הַמִּשְׁכָּן וַיִּתֵּן אֶת־אֲדָנָיו וַיָּשֶׂם אֶת־קְרָשָׁיו וַיִּתֵּן אֶת־בְּרִיחָיו וַיָּקֶם אֶת־עַמּוּדָיו:

וַיִּפְרֹשׂ אֶת־הָאֹהֶל עַל־הַמִּשְׁכָּן וַיָּשֶׂם אֶת־מִכְסֵה הָאֹהֶל עָלָיו מִלְמָעְלָה כַּאֲשֶׁר צִוָּה יְהוָה אֶת־מֹשֶׁה: ס

Em vez de simplesmente dizer-nos que o tabernáculo tinha sido levantado e que seu equipamento estava todo em funcionamento, o autor sagrado declara laboriosamente algo sobre cada item. E isso constitui a quinta das cinco declarações que descrevem, essencialmente, o tabernáculo: 1. Primeiramente vieram as instruções, dadas por Yahweh, quanto à ereção do tabernáculo (Êx 25–31). Isso inclui todos os itens, até mesmo as vestimentas dos sacerdotes, todos os móveis e utensílios, a forma de culto etc. 2. Então veio a ereção propriamente dita, a execução da obra, conforme as instruções dadas por Yahweh. Isso foi feito sob a supervisão dos artífices Bezalel e Aoliabe (Êx 36.1). Ver também Êxodo 36.1–39.32. Essa seção também inclui as vestes dos sacerdotes. Repete, longamente, todas as questões concernentes ao tabernáculo, que já haviam sido descritas em Êxodo 25–31. 3. Em seguida, temos outra repetição, quando lemos que Moisés recebeu tudo quanto tinha sido confeccionado e deu sua aprovação (Êx 39.33-43). Essa repetição é feita à guisa de sumário. 4. Depois temos as instruções dadas por Yahweh quanto à ereção do tabernáculo (Êx 40.1-15). Uma vez mais, temos a repetição essencial de toda a matéria. 5. Finalmente, a quinta declaração (e repetição) envolve a ereção e mobiliamento do tabernáculo (Êx 40.16-33). Portanto, essa quinta e final declaração está ligada à conclusão do livro de Êxodo (Êx 40.34-38). Ato contínuo, a presença divina desceu sobre o tabernáculo, a fim de transformá-lo no centro do culto nacional, a igreja de Israel no deserto, digamos assim.

O tabernáculo. Ver no *Dicionário* o artigo que versa sobre essa questão.

Bases. Ver Êxodo 27.10.
Tábuas. Ver Êxodo 26.15,16.
Vergas. Ver Êxodo 26.26.
Colunas. Ver Êxodo 26.32,37; 27.10-12,14,16,17.
Coberta da tenda. Está em pauta a cobertura de peles de cabra, que formava a verdadeira tenda e servia de telhado do tabernáculo. Essa cobertura cobria a mais interior, feita de cortinas de linho. Por cima de tudo isso vinha a terceira cobertura, feita de peles de animais marinhos (Êx 25.5). Ver também Êxodo 26.7,14; 35.11.

■ **40.20**

וַיִּקַּח וַיִּתֵּן אֶת־הָעֵדֻת אֶל־הָאָרֹן וַיָּשֶׂם אֶת־הַבַּדִּים עַל־הָאָרֹן וַיִּתֵּן אֶת־הַכַּפֹּרֶת עַל־הָאָרֹן מִלְמָעְלָה:

O Testemunho. Estão em foco as duas tábuas de pedra dos Dez Mandamentos (ver sobre isso no *Dicionário*). Ver também as notas sobre isso em Êxodo 16.34; 25.16. O tabernáculo todo foi construído em torno da lei revelada, em sua forma original e compacta dos Dez Mandamentos, os quais foram então desdobrados e expandidos sob a forma de preceitos e estatutos.

Pôs na arca. Ver no *Dicionário* o artigo chamado *Arca da Aliança*, e também as notas sobre Êxodo 25.10 ss.

Varais. Ver Êxodo 25.13 e suas notas expositivas.

Propiciatório. Ver sobre esse item no *Dicionário*, bem como as notas expositivas sobre Êxodo 25.17 ss.

O Antigo Testamento diz-nos que somente o Testemunho (as tábuas de pedra da lei) foi posto dentro da arca. Mas o trecho neotestamentário de Hebreus 9.4, de acordo com tradições judaicas posteriores, e talvez seguindo a prática posterior, fala em outros itens que também haveria no Santo dos Santos. Ver plenas explicações sobre isso no *Novo Testamento Interpretado*.

■ **40.21**

וַיָּבֵא אֶת־הָאָרֹן אֶל־הַמִּשְׁכָּן וַיָּשֶׂם אֵת פָּרֹכֶת הַמָּסָךְ וַיָּסֶךְ עַל אֲרוֹן הָעֵדוּת כַּאֲשֶׁר צִוָּה יְהוָה אֶת־מֹשֶׁה: ס

A arca, o objeto central do tabernáculo, foi instalada, e ato contínuo foi pendurado o véu, a fim de ocultá-la, separando-a do resto, conforme outros itens foram sendo montados e instalados. Ver as notas sobre Êxodo 40.3. Há notas expositivas sobre esse véu em Êxodo 26.31. No tabernáculo havia três véus ao todo, conforme foi comentado em Êxodo 27.16. O véu diante do Santo dos Santos mostrava um acesso limitado a Deus. Ver no *Dicionário* o artigo chamado *Acesso*. Aquilo que era mais precioso na fé religiosa dos filhos de Israel era intocável por parte do homem comum.

■ **40.22**

וַיִּתֵּן אֶת־הַשֻּׁלְחָן בְּאֹהֶל מוֹעֵד עַל יֶרֶךְ הַמִּשְׁכָּן צָפֹנָה מִחוּץ לַפָּרֹכֶת:

A mesa. Ver notas completas sobre esse item e sobre os pães da proposição, em Êxodo 25.23-30. A mesa dos pães da proposição ficava posta no lado norte (banda direita do tabernáculo), quando alguém se voltava de frente para o Santo dos Santos. Ver o diagrama da *planta* do tabernáculo, nas notas sobre Êxodo 26.1, que ilustra a posição de cada item. O lado oriental era o lado da entrada do tabernáculo. O lado ocidental era onde ficava o Santo dos Santos.

Fora do véu. Temos aqui o *terceiro* véu do tabernáculo, aquele que fazia a separação entre o Lugar Santo e o Santo dos Santos. Havia ao todo três véus ou cortinas. O leitor verá explanações a esse respeito nas notas sobre Êxodo 27.16.

40.23

וַיַּעֲרֹ֨ךְ עָלָ֜יו עֵ֤רֶךְ לֶ֙חֶם֙ לִפְנֵ֣י יְהוָ֔ה כַּאֲשֶׁ֛ר צִוָּ֥ה יְהוָ֖ה אֶת־מֹשֶֽׁה׃ ס

Os pães da proposição. Ver sobre esse item no *Dicionário*, como também as notas sobre Êxodo 25.30. O trecho de Levítico 24.6 informa-nos que os pães eram arranjados em duas pilhas de seis pães cada, representando as doze tribos de Israel.

40.24,25

וַיָּ֤שֶׂם אֶת־הַמְּנֹרָה֙ בְּאֹ֣הֶל מוֹעֵ֔ד נֹ֖כַח הַשֻּׁלְחָ֑ן עַ֛ל יֶ֥רֶךְ הַמִּשְׁכָּ֖ן נֶֽגְבָּה׃

וַיַּ֥עַל הַנֵּרֹ֖ת לִפְנֵ֣י יְהוָ֑ה כַּאֲשֶׁ֛ר צִוָּ֥ה יְהוָ֖ה אֶת־מֹשֶֽׁה׃ ס

O candelabro. Ver no *Dicionário* o artigo intitulado *Candeeiro*, bem como as notas expositivas em Êxodo 25.31,40 e em Levítico 24.3. Esse objeto ficava posicionado no lado sul (lado esquerdo do tabernáculo), quando alguém se punha de frente para o Santo dos Santos, defronte da mesa dos pães da proposição.

O candelabro dispunha de sete lâmpadas que queimavam azeite. Moisés acendeu-as inicialmente. Em tempos posteriores, os sacerdotes não permitiam que o candelabro se apagasse, embora isso não fizesse parte declarada das instruções originais. Nas sinagogas, nunca se apagavam as chamas de candelabros ali colocados. Meu artigo inclui tipos e usos metafóricos de todos os itens do tabernáculo, nas referências acima. Ver também Êxodo 25.37 quanto ao ato de acender as lâmpadas. Ver ainda Êxodo 30.8.

40.26

וַיָּ֛שֶׂם אֶת־מִזְבַּ֥ח הַזָּהָ֖ב בְּאֹ֣הֶל מוֹעֵ֑ד לִפְנֵ֖י הַפָּרֹֽכֶת׃

O altar de ouro era o mesmo *Altar do Incenso* (ver a esse respeito no *Dicionário*, como também as notas sobre Êx 30.1-10). Sua posição era diretamente defronte do véu que separava o Santo dos Santos do Lugar Santo. Ver o diagrama da *planta* do tabernáculo, nas notas sobre Êxodo 26.1.

40.27

וַיַּקְטֵ֥ר עָלָ֖יו קְטֹ֣רֶת סַמִּ֑ים כַּאֲשֶׁ֛ר צִוָּ֥ה יְהוָ֖ה אֶת־מֹשֶֽׁה׃ פ

O incenso aromático. Ver no *Dicionário* o artigo chamado *Incenso*, bem como as notas sobre Êxodo 30.34-38.

40.28

וַיָּ֛שֶׂם אֶת־מָסַ֥ךְ הַפֶּ֖תַח לַמִּשְׁכָּֽן׃

Reposteiro. O tabernáculo contava com três véus ou cortinas (ver as notas sobre Êx 27.16). Está em mira o segundo desses três véus (ver Êx 26.36,37), aquele que separava o átrio do Lugar Santo.

40.29

וְאֵת֙ מִזְבַּ֣ח הָעֹלָ֔ה שָׂ֕ם פֶּ֖תַח מִשְׁכַּ֣ן אֹֽהֶל־מוֹעֵ֑ד וַיַּ֣עַל עָלָ֗יו אֶת־הָעֹלָה֙ וְאֶת־הַמִּנְחָ֔ה כַּאֲשֶׁ֛ר צִוָּ֥ה יְהוָ֖ה אֶת־מֹשֶֽׁה׃ ס

O altar do holocausto. Ver as notas sobre Êxodo 27.1 quanto a esse *altar de bronze*, conforme também era chamado. Ficava dentro do primeiro véu, que servia de porta de entrada para o átrio. Era o primeiro item que um sacerdote achava, ao passar pelo primeiro véu, enquanto se encaminhava na direção do Lugar Santo.

O serviço dos sacerdotes começava pelos sacrifícios apropriados. O sangue vertido dava início ao culto; a lei, dentro da arca, punha fim a ambas as coisas. Ver no *Dicionário* o artigo chamado *Sacrifícios e Ofertas*. Ver Êxodo 29.38 ss., quanto ao que significavam os sacrifícios mencionados no presente versículo.

40.30

וַיָּ֗שֶׂם אֶת־הַכִּיֹּר֙ בֵּֽין־אֹ֣הֶל מוֹעֵ֔ד וּבֵ֖ין הַמִּזְבֵּ֑חַ וַיִּתֵּ֥ן שָׁ֛מָּה מַ֖יִם לְרָחְצָֽה׃

A bacia. Ver sobre a *Bacia de Bronze*, nas notas sobre Êxodo 30.17. Esse item foi posto entre o altar de bronze e a entrada para o Lugar Santo. Ali os sacerdotes lavavam-se do sangue dos sacrifícios e realizavam suas abluções e lavagens. Isso deixava-os cerimonialmente aptos para adentrarem o Lugar Santo.

40.31,32

וְרָחֲצ֣וּ מִמֶּ֔נּוּ מֹשֶׁ֖ה וְאַהֲרֹ֣ן וּבָנָ֑יו אֶת־יְדֵיהֶ֖ם וְאֶת־רַגְלֵיהֶֽם׃

בְּבֹאָ֞ם אֶל־אֹ֣הֶל מוֹעֵ֗ד וּבְקָרְבָתָ֛ם אֶל־הַמִּזְבֵּ֖חַ יִרְחָ֑צוּ כַּאֲשֶׁ֛ר צִוָּ֥ה יְהוָ֖ה אֶת־מֹשֶֽׁה׃ ס

Esses versículos servem de parênteses, explicando os usos da bacia de bronze, uma vez que o culto fosse inaugurado. Cf. Êxodo 30.19-21, que nos confere informações similares, e onde há notas expositivas detalhadas.

Segundo o Senhor ordenara a Moisés. Essa declaração reaparece por vinte vezes nos capítulos 39—40 de Êxodo, a fim de mostrar que tudo foi feito de acordo com as orientações divinas, e que houve uma obediência total às ordens do Senhor.

40.33

וַיָּ֣קֶם אֶת־הֶחָצֵ֗ר סָבִיב֙ לַמִּשְׁכָּ֣ן וְלַמִּזְבֵּ֔חַ וַיִּתֵּ֕ן אֶת־מָסַ֖ךְ שַׁ֣עַר הֶחָצֵ֑ר וַיְכַ֥ל מֹשֶׁ֖ה אֶת־הַמְּלָאכָֽה׃ פ

O átrio ao redor do tabernáculo. Ver as notas sobre Êxodo 27.9-18, quanto ao átrio e seus materiais e estruturas.

O reposteiro da porta. Devemos entender aqui o *primeiro véu*, que formava a porta de entrada para o átrio, o acesso inicial ao tabernáculo. Havia três desses véus, o que comentamos em Êxodo 27.16. Quanto a esse primeiro véu, ver aquele mesmo versículo.

Assim Moisés acabou a obra. Grande alegria acompanha o término de algum grande projeto, quando este sai bem-feito. Aquilo que tem valor precisa de tempo e labor. A diversão é a porção daqueles que não se esforçam, pois esse é o alvo deles. Contudo, a verdadeira satisfação consiste em terminarmos bem uma tarefa. O autor sagrado, por *cinco vezes*, afirmou laboriosamente como o tabernáculo foi planejado; como foram dadas instruções pelo próprio Yahweh; como a obra de preparação dos muitos itens foi realizada; como Moisés aprovou cada um desses itens e o conjunto inteiro; como Yahweh determinou a montagem do tabernáculo; e como, finalmente, essas instruções foram cumpridas. Essa questão toda é comentada em Êxodo 25.1, em suas notas introdutórias, último parágrafo. Mediante muita repetição, o autor sagrado mostrou-nos, meticulosamente, como a obra toda foi planejada e executada. E assim, com um suspiro de alívio, lemos agora, por fim, que *Moisés terminou a obra*. A obra estava terminada, e agora seria coroada pela glória da presença de Yahweh (vss. 34-38). A glória do Senhor não desce sobre muitos projetos. Mas aquilo que promove a causa espiritual e redunda em bem para as pessoas, essas são as coisas que atraem a atenção e as bênçãos de Deus.

"Muito bem, servo bom e fiel; foste fiel no pouco, sobre o muito te colocarei: entra no gozo do teu Senhor" (Mt 25.21).

MANIFESTAÇÃO DE DIVINA APROVAÇÃO (40.34-38)

40.34,35

וַיְכַ֥ס הֶעָנָ֖ן אֶת־אֹ֣הֶל מוֹעֵ֑ד וּכְב֣וֹד יְהוָ֔ה מָלֵ֖א אֶת־הַמִּשְׁכָּֽן׃

וְלֹא־יָכֹל מֹשֶׁה לָבוֹא אֶל־אֹהֶל מוֹעֵד כִּי־שָׁכַן עָלָיו הֶעָנָן וּכְבוֹד יְהוָה מָלֵא אֶת־הַמִּשְׁכָּן:

"O livro de Êxodo termina em um tom glorioso, com a descida da presença do Todo-poderoso sobre a casa levantada pela habilidade e devoção do povo de Israel. Temos aí o cumprimento da promessa feita em Êxodo 25.8: 'E me farão um santuário para que eu possa habitar no meio deles'. O povo havia feito a parte que lhe cabia: e agora Deus fazia a sua parte, e a *nuvem*, de dia, e a coluna de *fogo*, de noite, testificavam que ele estava, verdadeiramente, vivendo no meio deles" (J. Coert Rylaarsdam, *in loc.*).

Não nos basta ler a Bíblia e orar. Precisamos também do toque místico, de manifestações da presença de Deus. Ver no *Dicionário* o artigo chamado *Misticismo*.

A nuvem. Temos aí a mesma nuvem que tinha acompanhado o povo de Israel e que os tinha dirigido pelo caminho desde Sucote (Êx 13.20-22). Diz um antigo hino: "Por todo o caminho o Senhor me guia, sobre o que tenho que pedir". A brilhante aparição da nuvem, que viera repousar sobre o tabernáculo, anunciou-lhes que todo o labor deles tinha sido eficaz. "Agradou a Deus manifestar assim sua intenção de cumprir sua promessa de ir com o povo (Êx 33.17)" (Ellicott, *in loc.*).

"E habitarei no meio dos filhos de Israel, e serei o seu Deus" (Êx 29.45). "A nuvem, que simbolizava a presença do Senhor, tinha enchido a tenda temporária, fora do acampamento, apenas ocasionalmente (Êx 33.7-11). Agora, porém, descera para encher o tabernáculo. De fato, o próprio *Moisés*, que já havia contemplado algo da glória de Deus (Êx 33.18-22), foi incapaz de entrar no tabernáculo" (John D. Hannah, *in loc.*).

Na dispensação do Novo Testamento, a glória de Deus manifestava-se em Cristo (Hb 1.3; Jo 1.14; Cl 2.9). E em Cristo, o próprio crente torna-se habitação da presença de Deus (1Co 3.16). Essa presença nos transforma (2Co 3.18). Ver também Efésios 2.19 ss.

■ **40.36,37**

וּבְהֵעָלוֹת הֶעָנָן מֵעַל הַמִּשְׁכָּן יִסְעוּ בְּנֵי יִשְׂרָאֵל בְּכֹל מַסְעֵיהֶם:

וְאִם־לֹא יֵעָלֶה הֶעָנָן וְלֹא יִסְעוּ עַד־יוֹם הֵעָלֹתוֹ:

A *nuvem* tornou-se o mecanismo assinalador que dizia a Israel quando deveria partir e quando deveria parar. Quando a nuvem baixava, eles descansavam. Quando a nuvem se elevava, eles seguiam caminho. Isso prosseguiu por quase quarenta anos, até terem terminado as jornadas pelo deserto. Isso serve de emblema da direção direta imprimida pelo Espírito de Deus. Todos os homens estão em um deserto espiritual, enquanto buscam um país celeste (ver Hb 11.16). Na maior parte do tempo, por nossa própria sabedoria e entendimento, podemos discernir a vereda certa pela qual nos convém enveredar. Algumas vezes, porém, carecemos da presença divina para ajudar-nos em nossas decisões. Oh, Senhor, concede-nos tal graça! Ver no *Dicionário* o artigo intitulado *Vontade de Deus, Como Descobri-la*. Cf. o texto presente com Números 9.17-23 e Ezequiel 1.19-21. Ver Êxodo 13.21, um trecho diretamente paralelo a este: as duas nuvens guiavam o povo de Israel. As notas, ali, acrescentam detalhes. Ver também, no *Dicionário*, o artigo chamado *Coluna de Fogo e de Nuvem*. Cf. a *glória* que desceu sobre o templo de Jerusalém, alguns séculos mais tarde (1Rs 8.11; 2Cr 4.15; 7.2).

■ **40.38**

כִּי עֲנַן יְהוָה עַל־הַמִּשְׁכָּן יוֹמָם וְאֵשׁ תִּהְיֶה לַיְלָה בּוֹ לְעֵינֵי כָל־בֵּית־יִשְׂרָאֵל בְּכָל־מַסְעֵיהֶם:

Este versículo faz-nos lembrar que, além da nuvem, também havia o fogo, e que essas duas colunas contribuíam para dar orientação a Israel. Há completas descrições sobre a questão no artigo mencionado no vs. 37. Esse versículo frisa a natureza permanente dessa manifestação. Não aparecia e desaparecia. Agora a *presença de Deus* estava sempre ali, pois o tabernáculo era o ponto focal de sua manifestação. E a perpetuidade dessa manifestação também foi enfatizada em Êxodo 13.21,22 e Neemias 9.19. "...sem importar se de noite ou de dia, pois nos países quentes muito se viaja à noite. A nuvem era tanto uma proteção para o calor do sol, durante o dia, como uma seta orientadora quanto ao caminho; e, à noite, o fogo desempenhava a mesma função orientadora, como também servia para espantar as feras do deserto, as quais têm medo de fogo, a fim de que Israel caminhasse em segurança. Tudo isso serve de emblema da *orientação*, da *proteção*, da *luz*, da *alegria* e do *consolo* que a Igreja de Deus recebe da presença graciosa do Senhor, enquanto se acha no deserto deste mundo. Ver Isaías 4.5,6" (John Gill, *in loc.*).

"O livro termina com uma nota fortemente positiva: Deus estava com eles, e os estava guiando até à Terra Prometida" (John D. Hannah, *in loc.*).

O livro de Êxodo diz-nos como o povo de Israel foi libertado de uma potência estrangeira; como foi conduzido ao deserto; como recebeu sua organização religiosa e suas leis; como lhe foi provida a presença de Deus, naquela organização religiosa, a qual os conduziu à independência, à terra que Deus havia prometido a Abraão. Desse modo, estava tendo cumprimento, passo a passo, o *Pacto Abraâmico* (ver as notas sobre Gn 15.18). Esse pacto culminou no Messias, Jesus Cristo, e na nova fé que ele trouxe, e que a antiga fé apenas tinha prefigurado.

"Abre-se a porta para o mundo interior e invisível para aqueles que seguem os marcos visíveis que Deus pôs diante de seus pés, por toda a sua jornada" (J. Coert Rylaarsdam, *in loc.*).

"Disse Agostinho que, a princípio, as Escrituras divertem e atraem as crianças, mas que, no fim, quando se tenta compreendê-las, ele cuida para que até mesmo os sábios se tornem tolos. Pois ninguém é dotado de mente tão simples que não possa achar ali o seu nível. Mas também ninguém é tão sábio, quando tenta sondar as Escrituras, que não descubra que elas estão muito além da profundidade dele" (Meister Eckhart, I, 257). Assim acontece à fé religiosa. O exemplo deixado por Israel no deserto demonstra claramente como precisamos da ajuda constante da presença divina, a fim de que nossa jornada seja plena de êxito, desde o berço até o túmulo.

Guia-me, ó grande Yahweh,
Peregrino embora nesta terra estéril.
Sou fraco, mas Tu és forte;
Segura-me em Tua poderosa mão.

William Williams

Preciosa promessa foi dada por Deus,
Aos exaustos viajores.
Desde a terra até ao céu,
Guiar-te-ei com a minha mão.
...

Seja apreciada essa promessa,
Guiar-te-ei sob a minha vista.

Nathaniel Niles

LEVÍTICO

O Livro do Culto a Yahweh

> *Porei o meu tabernáculo no meio de vós, e a minha alma não vos aborrecerá. Andarei entre vós, e serei o vosso Deus, e vós sereis o meu povo.*
>
> Levítico 26.11,12

27 | Capítulos
859 | Versículos

INTRODUÇÃO

Levítico é o terceiro livro do Pentateuco, chamado em hebraico *Wayyiqra*, que é a palavra inicial do livro e significa "Ele chamou". O título "Levítico" derivou-se da Vulgata Latina *Leviticus*, que por sua vez emprestou o vocábulo da LXX grega *(Leuitikon)*. O nome Levítico foi atribuído ao livro devido ao fato de que nele é descrito o sistema de adoração e conduta levítica. Por outro lado, este nome é enganoso, pois as funções sacerdotais eram exercidas por um grupo seleto que se proclamava descendente de Arão, irmão de Moisés. Levítico está muito mais associado a este grupo do que aos levitas propriamente ditos. Na *Mishnah*, o livro é também chamado de "lei dos sacerdotes", "livro dos sacerdotes" e "lei das oferendas"; no *Talmude*, de "lei dos sacerdotes", e na *Pesh*, de "o livro dos sacerdotes". Esses títulos indicam com mais precisão o conteúdo do livro.

ESBOÇO

I. Caracterização Geral
II. Autoria e Data
III. Propósitos
IV. Conteúdo
V. Notas sobre as Leis e a Expiação
VI. A Importância do Livro

I. CARACTERIZAÇÃO GERAL

Levítico é o terceiro dos cinco livros do *Pentateuco*; encerra principalmente a legislação sacerdotal sobre um considerável número de assuntos, conforme se pode ver na lista a seguir:

1. Os sacrifícios (1.1—6.7).
2. O sacerdócio (6.8-10; 21.22).
3. As purificações (caps. 11—15).
4. As estações sagradas (caps. 16 e 23).
5. O preceito acerca da ingestão de carnes (cap. 17).
6. As questões que envolvem o casamento e a castidade (cap. 18).
7. O ano sabático e o ano do jubileu (cap. 25).
8. Os votos e os dízimos (cap. 27).

Os eruditos liberais não acreditam na autoria mosaica desse tipo de material. Ver no *Dicionário* o artigo intitulado *Pentateuco*, com sua discussão acerca da autoridade. Eles pensam que o livro representa os labores do sacerdócio, no decurso de muitos séculos. Os sacerdotes levíticos teriam reunido e compilado esse material, com base em costumes posteriores. Aqueles eruditos designam fontes de materiais como esses de *P*, a forma inglesa abreviada de *priestly*. Nós traduzimos essa abreviatura por *S*, do termo português "sacerdotal". Ver no *Dicionário* o artigo sobre as alegadas fontes informativas do Pentateuco, *J.E.D.P.(S.)*, que procura aclarar e descrever essa teoria. Os estudiosos liberais datam esse material no século VI a.C., quando o sacerdócio levítico consolidou sua organização e sua produção literária. O código de santidade seria o verdadeiro responsável pelos caps. 17—26 do livro de Levítico. Ver no *Dicionário* o artigo *Santidade, Código da*, quanto a completas explicações sobre essa questão.

Acredita-se que o livro de Levítico, em sua forma presente (resultante de compilação), veio à tona tão posteriormente quanto 500 a.C. Discuto a questão da data do livro na seção seguinte. O judaísmo ortodoxo e os historiadores encontram muito valor no livro de Levítico, mas, no tocante à aplicação de princípios ali exarados, há pouca utilidade em nossos dias, exceto no que diz respeito aos tipos simbólicos. Isso serve de ilustração sobre como algo importantíssimo na fé e na prática religiosa pode vir a tornar-se obsoleto, conforme o avanço no conhecimento.

II. AUTORIA E DATA

A autoria do livro não é atribuída a Moisés em nenhuma passagem do livro. Aqueles que acreditam na plena inspiração das Escrituras dizem: "Devemos o conteúdo do livro à divina revelação dada a Moisés no Sinai". Essa atitude não resolve o problema da autoria de Levítico, mas serve como base para a teoria conservantista que tenta resolvê-lo. Para os críticos, a questão da autoria do livro se esclarece através da teoria documentária que envolve a composição do Pentateuco como um todo.

1. *Ponto de Vista Conservantista*. Embora o livro não registre o nome de seu autor, uma comparação entre Êxodo 40.1-17 e Números 1.1 sugere que essas leis pertencem ao primeiro mês do segundo ano depois do êxodo. Por conseguinte, o contexto dessas leis é claramente a revelação dada por Deus a Moisés no Sinai. Por outro lado, a declaração de Levítico 16.1, de que a lei para o Dia da Expiação fora dada depois da morte de Nadabe e Abiú, recontada no capítulo 10, mostra que o material não fora organizado com ênfase na cronologia, mas na lógica. Talvez um escritor posterior tenha organizado o material mosaico pelo qual Levítico é constituído, mas não há razão para acreditar que o próprio Moisés não tenha preparado as leis. Os conservantistas acrescentam que o ponto de vista crítico envolve a existência de um autor posterior, de caráter fraudulento, que inventou um cenário histórico para todas as leis e narrativas a fim de atingir seus objetivos (z,p. 916).

2. *Ponto de Vista Crítico*. Segundo a teoria documentária, Levítico é inteiramente produto de *P*, a fonte mais recente do Pentateuco, e de *S*, o Código de Santidade. O documento *P(S)*, ou Código Sacerdotal, originou-se por volta de 500 a.C., mas sua redação prolongou-se até o século IV a.C. Os documentos *J,E* e *D*, juntamente com *P*, que serviram de base para a composição do Pentateuco, não foram usados pelo compilador de Levítico. Ver no *Dicionário* o artigo sobre a teoria *J.E.D.P (S)*. O documento *S* originou-se por volta de 570 a.C., por um autor "semelhante a Ezequiel em pensamento e forma de expressão".

Devido ao fato de que Ezequiel trata, até certo ponto, do tema da santidade, e de que muitas das leis de *S* são paralelas às leis encontradas no livro de Ezequiel, alguns eruditos sugerem que Ezequiel tenha compilado *S*. Não obstante, há mais probabilidade de que ambos, Ezequiel e *S*, tenham sido derivados das mesmas fontes de leis e costumes para satisfazer circunstâncias semelhantes. As leis de *S*, como as de *P*, consistem na compilação de leis conhecidas e na classificação de costumes existentes, que até aquela época não haviam sido registrados na literatura. Muitas das práticas legais são conhecidas de outros códigos mais antigos, embora os detalhes variem em alguns pontos. A data de *S* (570 a.C.) mencionada anteriormente é uma sugestão baseada nas evidências internas e na íntima associação com Ezequiel, todavia a questão da prioridade em tempo entre Ezequiel e *S* não é definida. O material de *S* foi incorporado a Levítico pelo compilador de *P* por volta de meados do século V. a.C., que adicionou ao material, comentários e notas próprias, a fim de atribuir a *S* o estilo de *P*. A despeito disso, os capítulos 17—26, que constituem o Código de Santidade, distinguem-se do Código Sacerdotal em muitas formas. No material de *S* as leis são colocadas num quadro de exortação no qual as passagens têm por tema a santidade de Jeová e a necessidade de santidade por parte de seu povo, que deve guardar seus estatutos. Israel deve lembrar-se da intervenção divina e evitar a infiltração de coisas impuras, principalmente a idolatria cananita. O tema da santidade é tratado também em outros códigos, mas em nenhum outro é tão difundido como nessa passagem de Levítico.

Alguns problemas discutidos em *P* são também encontrados em *S*, ocasionalmente com tratamentos diferentes. Os capítulos de *S* possuem uma estrutura unificada: iniciam com leis de sacrifícios e terminam com uma exortação. Os assuntos tratados nesses capítulos são extremamente variados, estendendo-se de comida animal, pureza sexual, santidade sacerdotal e calendário festivo, a detalhes de sacrifícios e de leis morais e religiosas (EA. p.322).

Examinando o livro de um ponto de vista formalista, alguns críticos concluem que Levítico é o resultado de estágios sucessivos de composição. M. Noth afirma que somente os capítulos 8—10 pertencem ao documento *P*. O restante do livro pertence ou à tradição oral, ou a outras fontes desconhecidas. Noth declara que há numerosos detalhes no livro que diferem drasticamente dos relatos do documento *P*. Ele acrescenta ainda que tais diferenças o levam a concluir que as porções não-narrativas do livro possuem história independente, tendo sido inseridas posteriormente nas partes narrativas. Noth e outros críticos que defendem esse ponto de vista atribuem as regulamentações culturais e rituais à tradição oral (z. p. 915).

III. PROPÓSITOS

Levítico expõe um conjunto de leis e regulamentos que devem ser seguidos pelos israelitas como condição para que Jeová habite no meio deles. Com esse propósito o livro apresenta uma série de leis cultuais, civis e morais. Outros assuntos, como relações sociais, higiene e medicina, são trazidos à esfera da religião nesse livro. Levítico 26.11,12 assegura que o povo desfrutará da companhia de Jeová se obedecer a seus estatutos e guardar seus mandamentos. Portanto, o objetivo de Levítico era regular a vida nacional em toda a sua conduta e consagrar a nação de Israel a Deus.

IV. CONTEÚDO

Levítico contém um registro mais prolongado e desenvolvido da legislação sinaítica, cujo início se acha em Êxodo. O livro exibe um progresso histórico da legislação, consequentemente não se deve esperar uma exposição sistemática da lei nesse material. Há, contudo, certa ordem a ser observada, que se fundamenta na natureza do assunto em questão. De modo geral este livro está inteiramente associado ao conteúdo do livro de Êxodo, que conclui com a descrição do santuário ao qual está associada toda forma de culto externo descrita em Levítico.

A. Direções para Aproximar-se de Deus (1.1—16.34)

1. Direções para os sacrifícios sacerdotais (1.1—7.38)
   a. Holocaustos (1.1-17)
   b. Oferta de manjares (2.1-16)
   c. Sacrifícios de paz (3.1-17)
   d. Sacrifícios pelos erros dos sacerdotes (4.1-12)
   e. Sacrifícios pelos erros do povo (4.13-21)
   f. Sacrifícios pelos erros de um príncipe (4.22-26)
   g. Sacrifícios pelo erro de uma pessoa comum (4.27-35)
   h. Sacrifícios pelos pecados ocultos (5.1-13)
   i. Sacrifícios pelo sacrilégio (5.14-16)
   j. Sacrifícios pelos pecados de ignorância (5.17-19)
   l. Sacrifícios pelos pecados voluntários (6.1-7)
   m. Lei acerca dos holocaustos (6.8-13)
   n. Lei acerca da oferta dos manjares (6.14-18)
   o. A oferta na consagração dos sacerdotes (6.19-23)
   p. Lei acerca da expiação pelo pecado (6.24-30)
   q. Lei acerca da expiação pela culpa (7.1-10)
   r. Lei acerca dos sacrifícios pacíficos (7.11-21)
   s. Deus proíbe comer gordura e sangue (7.22-27)
   t. A porção dos sacerdotes (7.28-38)
2. Direções para a consagração sacerdotal (8.1—9.24)
   a. A consagração de Arão e seus filhos (8.1-36)
   b. Arão oferece sacrifícios por si mesmo e pelo povo (9.1-24)
3. Direções sobre a violação sacerdotal (10.1-20)
   a. Nadabe e Abiú morrem diante do Senhor (10.1-11)
   b. Lei sobre as coisas santas (10.12-20)
4. Direções para a purificação sacerdotal (11.1—15.33)
   a. Animais limpos e imundos (11.1-47)
   b. A purificação da mulher após o parto (12.1-8)
   c. Leis acerca da praga da lepra (13.1-59)
   d. Leis acerca do leproso depois de curado (14.1-32)
   e. Leis acerca da lepra numa casa (14.33-57)
   f. Leis acerca das excreções do homem e da mulher (15.1-33)
5. Direções para o Dia de Expiação (16.1-34)
   a. Instruções sobre como Arão devia entrar no santuário (16.1-10)
   b. O sacrifício pelo próprio sumo sacerdote (16.11-14)
   c. O sacrifício pelo povo (16.15-28)
   d. Festa anual das expiações (16.29-34)

B. Direções para Manter um Relacionamento com Deus (17.1—27.34)

1. Direções para preservar a santidade (17.1—22.33)
   a. O lugar do sacrifício (17.1-9)
   b. A proibição de ingerir sangue (17.10-16)
   c. Casamentos ilícitos (18.1-18)
   d. Uniões abomináveis (18.19-30)
   e. Repetição de diversas leis (19.1-37)
   f. Penas para diversos crimes (20.1-27)
   g. Leis acerca dos sacerdotes (21.1-24)
   h. Leis acerca de comer e oferecer sacrifícios (22.1-33)
2. Direções acerca das festas religiosas (23.1-44)
   a. As festas solenes do Senhor (23.1-25)
   b. O Dia da Expiação (23.26-44)
3. Direções para o tabernáculo e para o acampamento (24.1-23)
   a. Lei acerca das lâmpadas (24.1-4)
   b. Pães da proposição (24.5-9)
   c. Pena para o pecado de blasfêmia (24.10-23)
4. Direções sobre a terra (25.1-55)
   a. O ano sabático (25.1-7)
   b. O ano de Jubileu (25.8-22)
   c. Redenção da terra (25.23-34)
   d. Não tomar usura dos pobres (25.35-38)
   e. Escravidão (25.39-55)
5. Promessas e advertências (26.1-46)
6. Instruções sobre votos e dízimos (27.1-34)

V. NOTAS SOBRE AS LEIS E A EXPIAÇÃO

Leis Sacrificiais

1. *Holocaustos*. O holocausto era um sacrifício voluntário oferecido com a finalidade de assegurar ao ofertante o favor de Jeová. A oferenda consistia na queima de um animal. Exemplos do seu uso encontram-se em 1Samuel 13.9; 17.9; Salmo 20.2. 2. A *oferta de manjares*, similarmente ao holocausto, era um sacrifício voluntário. Assim como um inferior oferece um presente a seu superior, como expressão normal de sua submissão e lealdade, também o devoto piedoso fazia ofertas a Deus. A eficácia do ato, no entanto, consistia no envolvimento de renúncia por parte do ofertante, daí a razão de ofertar comida. 3. A *oferenda de par* era também voluntária e expressava a humildade e submissão do ofertante em relação ao seu divino Senhor. Esse sacrifício, o único que podia ser comido por um sacerdote leigo, era motivado por um sentimento de apreciação e servia como expressão pública e moral de gratidão. Peculiar a esta oferenda era o fato de que o animal não fazia expiação (4.20,26,31,35 etc). 4. A *oferenda do pecado* visava a expiação pela transgressão de algum mandamento e designava o sacrifício oferecido. Sangue era o preço exigido para acalmar a ira divina. 5. A *oferta da culpa* envolvia a compensação de um dano causado pelo pecado. A compensação deveria ser feita diretamente à pessoa prejudicada ou ao santuário, por ocasião do sacrifício.

Leis de Purificação

1. *Animais puros e impuros*. Essa era uma lei dietética que classificava como puros os alimentos considerados benéficos à saúde, como impuros os considerados nocivos. 2. *Regulamentações sobre a lepra* encontram-se nos capítulos 13 e 14. Médicos modernos argumentam que a doença descrita nesses capítulos não é exatamente o mal de Hansen atualmente conhecido.

O Dia da Expiação. A expiação anual ensina que a culpa não é removida pela purificação individual dos vários pecados e impurezas. Um grande sacrifício cobrindo todas as impurezas deveria ser feito para acalmar a ira divina.

VI. A IMPORTÂNCIA DO LIVRO

Levítico é um livro valioso como fonte informativa dos costumes nacionais, sagrados e seculares, e abrange boa parte da história hebraica. Como documento religioso Levítico é um livro indispensável para o judaísmo pós-exílico. Mesmo atualmente, os judeus ortodoxos aí encontram suas regulamentações. Levítico, segundo Harford-Battersby, é o monumento literário do sacerdócio hebreu.

Este livro fornece também um alicerce para todos os outros livros da Bíblia. Quaisquer referências a oferendas sacrificiais, cerimônias de purificação ou regulamentações sobre o ano sabático e o ano do jubileu são explicadas em Levítico. Em Mateus 22.40, Jesus disse que toda a lei e os profetas dependiam de Deuteronômio 6.5 e Levítico 19.19. Ao curar o leproso, Jesus o instruiu a seguir a lei concernente a lepra (Lv 14). Os apóstolos consideravam Levítico um livro divinamente inspirado, relacionado (profeticamente) à doutrina cristã. Por exemplo, os sacerdotes e sacrifícios associados ao tabernáculo prenunciaram o trabalho de Cristo em relação ao céu (Hb 3.1; 4.14-16; caps. 9 e 10). A afinidade entre Levítico e o Novo Testamento se torna óbvia no livro de Hebreus, considerado por alguns um comentário sobre Levítico no Novo Testamento. De modo geral, os rituais e as ideias do livro influenciaram profundamente o cristianismo, e mesmo uma leitura casual do Novo Testamento evidencia tal influência. (ALB AM ANET BA E I IB IOT WBC WES Y Z).

Ao Leitor
"Levítico era o primeiro livro estudado pelas crianças judias; no entanto, com frequência, é o último dos livros da Bíblia a ser estudado pelos cristãos. Todavia, um livro citado por cerca de quarenta vezes no Novo Testamento deveria revestir-se de grande significado para todo o crente do novo pacto. Mesmo desconsiderando o sentido dos tipos dos sacrifícios de Levítico, este livro contém extensas revelações acerca do caráter de Deus — mormente de sua santidade, de seu amor selecionador e de sua graça. Ademais, provê ricas lições acerca da vida santificada que Deus espera de seu povo. Muitas passagens do Novo Testamento, incluindo alguns conceitos-chaves da epístola aos Hebreus, não podem ser devidamente avaliadas se não tivermos um claro entendimento de suas contrapartidas no livro de Levítico" (E. Duane Lindsey, *in loc.*).

A Convicção
O santo Deus de Israel, Yahweh, falou ao povo de Israel, através de Moisés, e proveu a sua presença no tabernáculo (Êx 40.34-38). A proximidade de Deus exigia todas essas normas, para que houvesse orientações e disciplina. Havia expiação, para que houvesse perdão, e havia a presença divina, para que houvesse comunhão com Deus. Em Cristo, porém, tudo isso foi substituído pela encarnação do Logos (Jo 1.1,14,18), e essa é a mensagem que o Novo Testamento atribui ao antigo livro de Levítico.

Citações de Levítico no Novo Testamento
- Mateus: 5.43 (Lv 19.18); 8.4 (Lv 13.49); 19.19 (Lv 19.18); 22.39 (Lv 19.18)
- Marcos: 1.44 (Lv 13.49); 12.31 (Lv 19.18); 12.33 (Lv 19.18)
- Lucas: 2.22 (Lv 12.6); 2.24 (Lv 12.8); 5.14 (Lv 13.49); 10.27 (Lv 19.18); 10.28 (Lv 18.5); 17.14 (Lv 13.49)
- Atos: 3.23 (Lv 23.29)
- Romanos: 13.9 (Lv 19.18)
- 2Coríntios: 6.16 (Lv 26.11 ss.)
- Gálatas: 3.12 (Lv 18.5); 5.14 (Lv 19.18)
- Hebreus: 6.19 (Lv 16.2,12); 13.11,13 (Lv 16.27); 13.15 (Lv 7.12)
- Tiago: 2.8 (Lv 19.18)
- 1Pedro: 1.16 (Lv 11.44 ss; 19.2; 20.7)
- Apocalipse: 8.5 (Lv 16.12); 15.1 (Lv 26.21); 15.6 (Lv 26.21); 15.8 (Lv 26.21); 18.2 (Lv 17.7); 21.9 (Lv 26.21)

RITOS ESPECIAIS PARA PROPÓSITOS ESPECIAIS
SACRIFÍCIOS, OFERTAS E CERIMÔNIAS

TIPOS	
1. Consagração de sacerdotes: Êx 29; Lv 8	carneiro não-castrado queimado; carneiro para ordenação e rituais para oferta de pecado
2. Consagração do templo: 2Cr 29	70 touros; 100 carneiros não-castrados; 200 cordeiros machos para ofertas queimadas; 7 touros; 7 ovelhas etc. para ofertas de pecados
3. Desconsagração do nazireu: Nm 8.14-17	cordeiro de 1 ano de idade queimado; diversas ofertas de grãos; ovelha fêmea de 1 ano de idade para oferta de pecado
4. Purificação — juramento quebrado: Nm 6.9-12	diversas aves sacrificadas; aves e um cordeiro macho sacrificial de 1 ano de idade para ofertas de pecado
5. Purificação — leprosos: Lv 14.12-20	aves sacrificadas para ofertas queimadas e o mesmo para ofertas de pecado
6. Purificação — pessoas com hemorragias: Lv 15.14,15; 29,30	cordeiro de 1 ano queimado (ou aves para os pobres); o mesmo para ofertas de pecado
7. Purificação após o nascimento de crianças: Lv 12.6-8	1/10 de efa de cevada oferecido em ritual, sem óleo e sem incenso. Efa = aproximadamente 4 litros
8. Teste do ciúme: Nm 5.15,16	1/10 de efa de farinha de trigo fina, ofertas de grãos
9. Ofertas diárias de grãos para sacerdotes: Lv 6.19-23	1/10 de efa de farinha de trigo fina, sem óleo e sem incenso, para ofertas de pecado
10. Ofertas de pecado para os pobres: Lv 5.11-13	1/10 de efa de farinha de trigo fina; duas rolas ou dois pombinhos

Consultar o artigo detalhado *Sacrifícios e Ofertas,* no *Dicionário.*

SACRIFÍCIOS E OFERTAS — TRÊS TIPOS GERAIS

	DEDICATÓRIA				EXPIATÓRIA	
TIPO DE OFERTAS ANIMAIS E MATERIAIS	Queimadas Lv 1.3-17; 6.8-13	Grãos Lv 2; 6.14-23	Bebida Nm 15.1-10; Lv 23	Amizade Comunal Lv 3; 7.11-36	Pecado Lv 4.1—5.13; 6.24-30; Nm 5.7	Culpa Lv 5.14—6.7; 7.1-10
ATOS DE LOUVOR	touro, carneiro, bode, pomba (animais diferentes eram usados para diferentes propósitos)	Grãos	• 1/2 him (touro) • 1/3 him (carneiro) • 1/3 him (cordeiro) • him = 1/2 litro	touro, cordeiro, bode (macho ou fêmea)	touro, bode, cabra, cordeiro, pomba	carneiro não-castrado, cordeiro
ATOS DOS SACERDOTES	• apresentação do animal • sobreposição das mãos • sacrifícios, exceto o de aves • preparação da oferta: retirada da pele, desmembramento, lavagem	• preparação dos grãos de diferentes maneiras • grãos preparados com antecedência	• apresentação de líquidos	• apresentação do animal • sobreposição das mãos • sacrifício na entrada do santuário	• apresentação de animais para diferentes propósitos • sobreposição de mãos na identificação e confissão • sacrifício no núcleo do altar (Lv 7.2)	
SIGNIFICADOS	• coleta e manipulação do sangue • animal queimado por completo • retirada da carcaça	• parte queimada, para sacerdotes • parte não queimada, alimento para sacerdotes • ritos de amizade: adoradores e sacerdotes	• libação derramada (Nm 28.7)	• sangue coletado e jogado • víscera queimada no altar • peito rejeitado e comido por sacerdotes • refeição comunal para a família do adorador	• respingar do sangue • víscera queimada no altar • alimento para sacerdotes	• sangue coletado e aspergido • víscera queimada no altar • alimento para sacerdotes
TIPOS CRISTÃOS	Expiação	dar graças, consagração, comunhão	dedicação, dar graças	expiação, dar graças, comunhão, dedicação	expiação, comunhão, restauração	

O sistema sacrificial como um todo e os diversos tipos de ofertas cobriram e tipificaram a Expiação — missão e provisão de Cristo, em relação às quais o cristão mostra sua gratidão.

EXPOSIÇÃO
CAPÍTULO UM

NORMAS PARA APROXIMAR-SE DE DEUS (1.1—16.34)

ORIENTAÇÃO PARA OS SACRIFÍCIOS SACERDOTAIS (1.1—7.38)

OS HOLOCAUSTOS (1.1-17)

Muitos temas desenvolvidos no livro de Levítico tiveram origem no livro de Êxodo. Todavia, Levítico exibe certa progressão histórica. O início do livro é a continuação do final do livro de Êxodo. No fim deste último, foi-nos dito como a presença de Deus encheu o tabernáculo, o que foi um incidente coroador acerca da expressão religiosa original do judaísmo. E o livro de Levítico trata da questão do que deveria significar essa presença entre o povo de Israel, e de como os filhos de Israel deveriam conduzir-se no tocante às leis divinas dadas por Yahweh.

O livro de Levítico mostra-nos como o povo de Israel aproximava-se primitivamente de Yahweh, abordagem essa que acabou totalmente anulada e substituída por Cristo, em sua encarnação (Jo 1.14,18 e a mensagem geral da epístola aos Hebreus). A seção frisa essa abordagem mediante holocaustos, e os capítulos 1—7 dão-nos muitos preceitos acerca dos sacrifícios em geral. O próprio Yahweh deu detalhes sobre os sacrifícios, conforme o primeiro versículo enfatiza. E isso dá continuidade à mensagem do Êxodo, de tal modo que por muitas vezes achamos até o mesmo fraseado. Levítico é uma espécie de manual de sacrifícios. O primeiro capítulo enfoca as leis entregues a Moisés à entrada da tenda da congregação (o tabernáculo) (ver Êx 25.22; 26.1-37), durante as vagueações de Israel pelo deserto (Lv 7.37,38; Êx 40.16-18).

"A adoração do sistema religioso do Antigo Testamento tomava a forma de sacrifícios, acompanhados por oração, louvor e dança sagrada. O primeiro capítulo de Levítico trata do sistema de sacrifícios. Os crentes do Novo Testamento não precisam preocupar-se em demasia com os *detalhes* do sistema, e, sim, em *entender* qual era o *sentido* dos sacrifícios, pois isso é importante tanto para a teologia quanto para a religião cristã. Lemos sobre o abate de ovelhas, bodes e pombos, sobre o oferecimento de bolos e de frutos; e, visto que não compreendemos bem essas coisas, elas podem parecer-nos barbáricas e de pouca significação, exceto em um sentido metafórico. No entanto, a ideia de *sacrifício* percorre todo o Novo Testamento... e reaparece constantemente na poesia devocional e na literatura teológica da Igreja cristã" (Nathaniel Micklem, *in loc.*). Ver no *Dicionário* o artigo geral intitulado *Sacrifícios e Ofertas,* bem como os gráficos dados nas páginas anteriores.

Levítico é um livro que ensina como Israel podia aproximar-se de Yahweh. Em *primeiro lugar* (caps. 1—6) temos essa abordagem mediante sacrifício. Em *segundo lugar* (caps. 17—27) descobrimos como o povo de Deus deveria conduzir-se diariamente. A conduta de um homem, como é claro, é um aspecto vital de sua abordagem, pois sem a santificação "ninguém verá o Senhor" (Hb 12.14). O livro de Levítico, pois, reflete uma abordagem antiga, primitiva, que prefigurava o que, finalmente, nos foi provido em Cristo. A espiritualidade é uma questão de evolução *interminável,* tanto no espírito quanto na conduta do homem (ver 2Co 3.18).

■ 1.1

וַיִּקְרָא אֶל־מֹשֶׁה וַיְדַבֵּר יְהוָה אֵלָיו מֵאֹהֶל מוֹעֵד לֵאמֹר׃

Chamou o Senhor. O Pentateuco reflete um marcante *teísmo* (ver a esse respeito no *Dicionário*), pois Yahweh figura como alguém que tem contato constante e familiar com os líderes, mormente com Moisés. Por muitas vezes, a palavra do Senhor fora dirigida a Moisés, de um modo ou de outro, geralmente envolvendo notáveis experiências místicas. Ver no *Dicionário* o artigo intitulado *Misticismo*. Achamos de vez em quando a expressão "disse o Senhor a Moisés", a qual devemos entender não apenas como um artifício literário de introduzir material. Antes, cumpre-nos supor que Moisés era homem que tinha contato quase constante com Yahweh, e aquilo que ele escreveu foi inspirado pelo Espírito de Deus, ainda que tenha sido retocado, aqui ou ali, por outros homens igualmente impulsionados pelo Espírito, tudo o que foi incorporado nos Livros Sacros. Essa expressão também enfatiza o ofício mediatorial de Moisés. Ver no *Dicionário* o artigo chamado *Mediação (Mediador)*. Ver os seguintes exemplos de como Yahweh falou com Moisés: Êxodo 6.2,10; 7.22; 12.1; 13.1; 14.1; 20.1; 31.1; 33.11; 40.1; Levítico 1.1; 4.1; 5.14; 7.22,28; 8.1; 10.3,8,12; 11.1; 12.1; 13.1; 14.1,33; 15.1; 16.1; 17.1; 18.1; 19.1; 20.1; 21.16; 22.1,17,26; 23.1,9,23,33; 24.1; 25.1; 27.1. E o que sucede nos livros de Êxodo e Levítico é típico do Pentateuco todo.

"O Senhor falou" é uma espécie de fórmula de introdução de matérias reveladas ou orientações, conforme muitos autores judeus têm observado; e isso pressupõe o teísmo e o misticismo, conforme declarei antes. Yahweh chamou Moisés da sarça ardente (Êx 3.4); quando lhe transmitiu a lei (Êx 20); e agora do tabernáculo, levantado ainda tão recentemente (Êx 25 ss.).

Tenda da congregação. Ver essa expressão em Êxodo 27.21; 28.43; 29.4,10,11,30,32,42; 30.16,18,20,26,36; 38.8,30; 39.32; 40.2,12,22; Levítico 1.1,3,5; 4.4 etc. A presença de Yahweh tomou conta do tabernáculo (Êx 40.34 ss.), e isso o tornou a "igreja" dos hebreus, no deserto. Cf. Êxodo 25.22, sobre o *lugar de encontro* de Yahweh com o seu povo.

■ 1.2

דַּבֵּר אֶל־בְּנֵי יִשְׂרָאֵל וְאָמַרְתָּ אֲלֵהֶם אָדָם כִּי־יַקְרִיב מִכֶּם קָרְבָּן לַיהוָה מִן־הַבְּהֵמָה מִן־הַבָּקָר וּמִן־הַצֹּאן תַּקְרִיבוּ אֶת־קָרְבַּנְכֶם׃

Quando algum de vós. O texto provê instruções para indivíduos particulares. "Os sacrifícios abordados neste capítulo são tidos como ofertas ou dádivas a Deus, tiradas dentre os bens do ofertante" (*Oxford Annotated Bible, in loc.*).

Oferta ao Senhor. Os capítulos 1—16 oferecem-nos um complexo sistema de ofertas, com intermináveis regulamentos, abrindo uma via de acesso do povo de Israel a Yahweh. Os capítulos 1—7 deste livro oferecem-nos o mais completo e detalhado registro de rituais de sacrifício. E suplementando isso, temos os trechos de Números 28—29 e Deuteronômio 16, que fornecem aspectos especiais de sacrifício e adoração. Ver o artigo detalhado no *Dicionário,* chamado *Sacrifícios e Ofertas.*

Os animais que podiam ser usados nesses sacrifícios eram: o touro, o novilho, a novilha, o carneiro, a ovelha, o bode e algumas aves (vs. 14). Ver os gráficos anteriores, que nos dão ideias gerais sobre o uso desses animais.

■ 1.3

אִם־עֹלָה קָרְבָּנוֹ מִן־הַבָּקָר זָכָר תָּמִים יַקְרִיבֶנּוּ אֶל־פֶּתַח אֹהֶל מוֹעֵד יַקְרִיב אֹתוֹ לִרְצֹנוֹ לִפְנֵי יְהוָה׃

Holocausto de gado. Ver no *Dicionário* o artigo chamado *Holocausto.*

Tipologia: 1. Cristo ofereceu-se como Cordeiro sem defeito. 2. Cristo fez expiação por nós. 3. A pessoa do ofertante era substituída pelo animal sacrificado, sendo esse um dos aspectos da expiação. 4. O sacrifício franqueava o acesso a Deus (Hb 9.11-14; 10.5-7). 5. As ofertas eram voluntárias, aceitáveis a Yahweh (Lv 1.3-5).

Estamos tratando aqui de ofertas pelo pecado. Um homem de consciência pesada trazia o animal para ser sacrificado como expiação por seu pecado. Ver no *Dicionário* o artigo intitulado *Expiação*. Os animais assim oferecidos não podiam ter defeito nem doença. Oferecer um animal defeituoso era um insulto a Yahweh. Ver Malaquias 1.14. O próprio ofertante trazia o animal a ser sacrificado até o altar de bronze. Ver as notas sobre o *Altar de Bronze,* em Êxodo 27.1.

Os holocaustos, ou seja, sacrifícios totalmente consumidos nas chamas. 1. De gado graúdo (vss. 3-9). 2. De gado miúdo (ovelhas e bodes; vss. 10-13). 3. De cereais, também chamados *ofertas de manjares* (cap. 2). De todas essas ofertas, o touro era o preferido, por ser o animal de maior preço.

Para que o homem seja aceito. Algumas traduções dizem aqui "voluntariamente". Ambas as traduções são possíveis, com base no original hebraico. Mas a forma dada por nossa versão portuguesa parece ser a que tem o apoio da grande maioria dos estudiosos.

"Os *cinco sacrifícios* aqui descritos são: holocausto, de manjares, pacíficos (de comunhão), pelo pecado e pela culpa. Não temos nisso a ordem em que os sacrifícios eram usualmente oferecidos, mas antes uma ordem lógica ou didática, em que os sacrifícios são dispostos de acordo com associações conceituais. Assim, as ofertas de cereais são apresentadas após os holocaustos, pois normalmente os acompanhavam (Nm 14.15; 28.27,28; Lv 7.12-14). As ofertas pelo pecado e pela culpa aparecem juntas, porquanto havia entre elas certo número de similaridades, sendo prescritas para determinadas situações que requeriam remédio" (F. Duane Lindsey, *in loc.*).

Os gráficos anteriores ilustram esses vários tipos de ofertas.

■ 1.4

וְסָמַךְ יָדוֹ עַל רֹאשׁ הָעֹלָה וְנִרְצָה לוֹ לְכַפֵּר עָלָיו׃

E porá a mão. A imposição de mãos era obrigatória por parte dos ofertantes, tanto no caso dos holocaustos quanto no das ofertas pacíficas. Cf. Levítico 3.2,8,13 e 8.22 (ofertas pacíficas) com Levítico 4.4,15,24,29,33 e 8.14 (holocaustos). O indivíduo que assim oferecia um sacrifício transferia para este o intuito (ou propósito) que tinha em mente, o que envolvia um ato vicário. O ofertante impunha ambas as mãos entre os chifres do animal, quando este ainda estava vivo; e ninguém podia fazer isso em lugar do ofertante. Ao impor as mãos, pois, ele estava confessando seus pecados e pedindo que prevalecesse o poder da expiação. Desse modo, o ofertante identificava-se com a vítima. O ofertante "morria", mas dessa maneira vicária. A vítima era aceita em lugar dele c perdia a sua vida em total dedicação à causa do ofertante.

Para que seja aceito. Yahweh aceitava o sacrifício, e, por via de consequência, o seu ofertante, pois, no ato vicário, essas duas coisas eram inseparáveis — o ofertante e o seu sacrifício. Isso possibilitava o *acesso* (ver sobre isso no *Dicionário*), sendo esse o tema principal do livro de Levítico. Ver 2Coríntios 5.21 quanto à aplicação cristã dessa verdade. Em Cristo, o crente recebe a *justificação* e a *santidade* positiva, e não somente a cobertura do pecado. Pois em face da obra de Cristo, ocorre a obra do Espírito.

Para a sua expiação. Ver no *Dicionário* o artigo chamado *Expiação*. No hebraico, o termo *kipper* significava, originalmente, *esfregar;* mas acabou adquirindo o sentido de *cobrir, limpar, apagar*. A verdadeira cobertura do pecado é obra de Deus (Jr 18.23; Sl 78.38), mas isso era simbolizado pelo ato expiatório com o animal. O homem é aceito pela vontade de Deus, e assim seus pecados são cobertos, limpos e apagados. Naturalmente, em Cristo, temos a realidade, realidade essa que era representada por aqueles atos simbólicos. O valor expiatório é expresso neste versículo e em Levítico 14.20; 17.24; Miqueias 6.6; Jó 1.5 etc. Dentro da teologia dos hebreus, os holocaustos tinham esse valor. Ver também Levítico 3.2,8,12; 4.4,15,24; 6.18.

■ 1.5

וְשָׁחַט אֶת־בֶּן הַבָּקָר לִפְנֵי יְהוָה וְהִקְרִיבוּ בְּנֵי אַהֲרֹן הַכֹּהֲנִים אֶת־הַדָּם וְזָרְקוּ אֶת־הַדָּם עַל־הַמִּזְבֵּחַ סָבִיב אֲשֶׁר־פֶּתַח אֹהֶל מוֹעֵד׃

Depois imolará. Quem executaria o animal? O ofertante. O ofertante não abatia o sacrifício somente no caso de aves. Ver o gráfico antes da exposição de 1.1. O *sangue*, considerado a *vida* do animal, era derramado para que houvesse a morte. Esse sangue era aspergido sobre o altar, diante de Deus. Ver Levítico 17.11; Gênesis 9.4; Deuteronômio 12.23. O sangue era o princípio vital do animal, de acordo com um aspecto biológico, mas não a essência que controlava o seu corpo. Outro tanto era dito a respeito do homem, de acordo com a antiga teologia dos hebreus. Houve indícios dessa noção desde bem cedo, como na criação do homem segundo a imagem de Deus (Gn 1.26,27, onde há notas expositivas). "O homem não *tem* uma alma, e, sim, *é* uma alma. E essa alma tem *dois aspectos:* um visível, e outro invisível. O segundo aspecto é a *vida* (*leven*); e o primeiro é o *corpo* (*lijf*)" (Nordtzij, citado por Nathaniel Micklem, *in loc.*). Nesse sentido, um animal também tem alma, por ser uma criatura portadora de vida. E o sangue, que é o princípio vital biológico, fazia expiação sobre o altar, por ser isso agradável diante de Yahweh. A vida era entregue à morte, vicariamente, por causa do pecado do ofertante, mas isso somente anulava os pecados mediante cobertura, ocultando-os dos olhos de Yahweh. Ver no *Dicionário* o artigo *Alma*.

"O sangue, sede do mistério da vida, era reputado peculiarmente sagrado diante de Deus. Logo, com base no princípio do sacrifício de vida por vida, o derramamento do sangue era eficaz para obtenção do perdão dos pecados e para a reconciliação do homem com Deus. O ato de lançar o sangue contra o altar simbolizava a participação de Deus na cerimônia de expiação (Êx 24.6-8)" (*Oxford Annotated Bible, in loc.*). Ver no *Dicionário* os artigos intitulados Sangue e *Expiação pelo Sangue;* e na *Enciclopédia de Bíblia, Teologia e Filosofia*, o artigo *Expiação pelo Sangue de Cristo*.

O ofertante sacrificava o animal seccionando sua garganta, no lado norte do altar (vs. 11), enquanto os sacerdotes aparavam o seu sangue. Os sacerdotes serviam de testemunhas e participantes, que aparavam e aspergiam o sangue.

■ 1.6

וְהִפְשִׁיט אֶת־הָעֹלָה וְנִתַּח אֹתָהּ לִנְתָחֶיהָ׃

O ofertante também esfolava o animal e o partia em pedaços (vs. 12). Cf. Levítico 8.20 e Êxodo 19.17. O sacerdote recebia o couro por seus serviços (Lv 7.8), mas o resto tinha de ser totalmente queimado, se fosse holocausto, para que fosse eficaz no perdão de pecados. Alguns estudiosos veem os grandes sofrimentos de Cristo simbolizados no ato de esfolamento e de despedaçamento do animal.

■ 1.7

וְנָתְנוּ בְּנֵי אַהֲרֹן הַכֹּהֵן אֵשׁ עַל־הַמִּזְבֵּחַ וְעָרְכוּ עֵצִים עַל־הָאֵשׁ׃

Os filhos de Arão... porão. A *preparação* para a queima do animal era feita pelos sacerdotes. A lei do vs. 7 foi formulada quando os sacrifícios ainda eram efetuados em muitos lugares diversos, e não somente no tabernáculo, e antes dos dias em que o altar único tinha seu fogo perpétuo (Lv 6.13). Alguns eruditos pensam que o ato mencionado neste versículo se aplicava somente aos holocaustos, no grande altar de bronze, do tabernáculo, e que posteriormente não se apagava mais o fogo desse altar.

Lenha sobre o fogo. Madeira era o único combustível permitido sobre o altar de bronze, e era mister que fosse lenha provinda da congregação (Ne 10.34; 13.31), e não lenha que alguém trouxesse de sua casa. Era mister que fosse madeira de primeira qualidade, não defeituosa ou apodrecida. O povo havia trazido tal madeira, como uma de suas muitas dádivas (Ne 10.34; 13.31); e trazia-se madeira tirada do depósito de madeira, para as oferendas individuais. No caso do templo de Jerusalém, havia um depósito de lenha, no lado nordeste, no átrio das mulheres, em tempos posteriores, com essa finalidade. No caso do tabernáculo, porém, não somos informados sobre onde era guardada a lenha.

■ 1.8

וְעָרְכוּ בְּנֵי אַהֲרֹן הַכֹּהֲנִים אֵת הַנְּתָחִים אֶת־הָרֹאשׁ וְאֶת־הַפָּדֶר עַל־הָעֵצִים אֲשֶׁר עַל־הָאֵשׁ אֲשֶׁר עַל־הַמִּזְבֵּחַ׃

Várias porções do animal sacrificado eram postas sobre a lenha, a fim de serem queimadas, incluindo a *gordura*, sempre tão escolhida para propósitos de oferta. Os sacerdotes tinham de fazer esse trabalho, visto que estava diretamente ligado ao serviço do altar. Alguns eruditos pensam que isso representa a crucificação de Jesus. O vs. 12 deste capítulo mostra que os pedaços do animal eram postos sobre o altar em determinada ordem. Aqui não nos é dada nenhuma informação a esse respeito; mas, quanto a tempos posteriores, os pedaços eram postos mais ou menos na mesma posição que tinham ocupado no animal vivo. O despedaçamento do animal servia para que a queima fosse mais fácil. Um animal inteiro precisava de muito mais tempo para ser consumido no fogo.

■ 1.9

וְקִרְבּוֹ וּכְרָעָיו יִרְחַץ בַּמָּיִם וְהִקְטִיר הַכֹּהֵן אֶת־הַכֹּל הַמִּזְבֵּחָה עֹלָה אִשֵּׁה רֵיחַ־נִיחוֹחַ לַיהוָה׃ ס

As entranhas e as pernas do animal tinham de ser lavadas do sangue e da sujeira porventura acumulada. Nos dias do segundo templo, essa lavagem precisava ser repetida por três vezes, e esse excesso de lavagens subentendia que o ato tinha um propósito simbólico de purificação, não se devendo pensar apenas na remoção de sangue e de sujeira. A oferenda precisava estar limpa, antes que fosse apresentada a Yahweh.

Queimará tudo isso sobre o altar. O holocausto era uma queima total, excetuando o couro, que era dado aos sacerdotes, como uma espécie de salário por seus serviços (Lv 7.8). Assim acontecia porque havia o envolvimento de pecado nessa oferta, e o sacrifício precisava ser consumido totalmente. O ato simbolizava tanto *expiação* quanto *santificação* (ver sobre ambos os ensinos no *Dicionário*).

Aroma agradável ao Senhor. O holocausto tornava-se uma espécie de *incenso*, e esperava-se que o cheiro de carne queimada fosse agradável a Yahweh, que era concebido como quem postado perto, observando e sentindo o aroma. Alguns intérpretes, porém, objetam a esse primitivismo e supõem que a *fumaça-incenso* só tivesse um significado simbólico, tal como o incenso é usado em alguns segmentos atuais da cristandade. Ninguém deveria imaginar que Deus realmente viesse cheirar e gostar do cheiro de incenso. Mas sabe-se que o *incenso* é um emblema da oração. Porém não parece haver tal significado vinculado à fumaça do incenso.

A declaração de que o aroma era agradável a Yahweh, seja como for, é uma expressão antropomórfica. Ver no *Dicionário* o artigo chamado *Antropomorfismo*. Está em foco a ideia de *aceitação* do sacrifício terminado, por ter Yahweh ficado satisfeito em que o homem reconhecera sua culpa e pedira perdão. Assim também, em Cristo, o sacrifício é, ao mesmo tempo, completo e aceitável, e nele temos vida, e não morte. No trecho de Efésios 5.2, lemos que o sacrifício de Cristo foi, para Deus, um "aroma suave", em um simbolismo tomado diretamente por empréstimo deste versículo e de outros, que lhe são paralelos. Ver as notas sobre Efésios 5.2 no *Novo Testamento Interpretado*, onde há uma completa explicação sobre esse simbolismo. Ver também a expressão *aroma suave* em Gênesis 8.21; Êxodo 29.18,25,41; Levítico 1.9,13,17; 2.2,9,12; 4.31; 6.15,21; Números 15.3,10; 18.17; 28.2; 29.2,36; Ezequiel 6.13; 20.28; Daniel 2.46; 2Coríntios 2.15; Fp 4.18.

■ **1.10**

וְאִם־מִן־הַצֹּאן קָרְבָּנוֹ מִן־הַכְּשָׂבִים אוֹ מִן־הָעִזִּים
לְעֹלָה זָכָר תָּמִים יַקְרִיבֶנּוּ׃

Bodes e carneiros também eram empregados em holocaustos, embora o touro fosse o animal de maior preço, preferido por isso mesmo. Mas a economia do ofertante é que determinava qual animal era oferecido. *Aves* (vs. 14 ss.) também eram permitidas, para o caso dos mais pobres, que não podiam gastar mais do que isso. Ver o gráfico na introdução a este livro, sobre os animais e materiais dessa e de outras ofertas. Se fosse trazido um bode ou um carneiro, precisava ser macho sem defeito. Nesse caso, um homem já estava fazendo uma oferenda inferior, portanto, no mínimo, deveria ser um animal perfeito. Seria um insulto a Yahweh apresentar um animal defeituoso em sacrifício. No caso desse gado miúdo, o ritual era o mesmo que sucedia no caso de gado graúdo, embora o autor não se dê ao trabalho de repetir detalhes. Ver os vss. 3-9 quanto ao modo de proceder, refletido em Efésios 5.2. Ver no *Dicionário* o artigo *Cordeiro de Deus*, onde são anotados os sentidos simbólicos envolvidos. Cf. João 1.29, anotado no *Novo Testamento Interpretado*.

■ **1.11**

וְשָׁחַט אֹתוֹ עַל יֶרֶךְ הַמִּזְבֵּחַ צָפֹנָה לִפְנֵי יְהוָה וְזָרְקוּ
בְּנֵי אַהֲרֹן הַכֹּהֲנִים אֶת־דָּמוֹ עַל־הַמִּזְבֵּחַ סָבִיב׃

Para a banda do norte. Os intérpretes têm buscado razões para essa declaração de sua localização, razões simbólicas ou não. Mas parece que o local foi escolhido apenas por ser mais aberto e menos atravancado. As cinzas eram postas no lado oriental do altar (vs. 16), e os vasos usados nas lavagens, no lado oeste (Êx 30.18), ao passo que a rampa ficava no lado sul. Isso deixava o lado norte como o mais favorável para o ato de abate do animal.

Espargirão. Isso também era feito pelos sacerdotes, nos casos de carneiros e bodes. No quinto versículo deste capítulo é dito outro tanto no caso de touros. Nossa versão portuguesa usa o verbo "espargir", mas o original hebraico indica mesmo "esparramar" o sangue. O sangue era jogado ao pé do altar, estando em baldes, e dificilmente esse ato pode ser chamado de aspersão. No entanto, a *aspersão* ocorria no caso das ofertas pelo pecado, conforme se vê no gráfico na introdução a este livro. Ver as referências dadas nesse ponto; mas, nos casos de ofertas *dedicatórias* e *comunais*, o sangue era derramado ou esparramado.

■ **1.12,13**

וְנִתַּח אֹתוֹ לִנְתָחָיו וְאֶת־רֹאשׁוֹ וְאֶת־פִּדְרוֹ וְעָרַךְ הַכֹּהֵן
אֹתָם עַל־הָעֵצִים אֲשֶׁר עַל־הָאֵשׁ אֲשֶׁר עַל־הַמִּזְבֵּחַ׃

וְהַקֶּרֶב וְהַכְּרָעַיִם יִרְחַץ בַּמָּיִם וְהִקְרִיב הַכֹּהֵן
אֶת־הַכֹּל וְהִקְטִיר הַמִּזְבֵּחָה עֹלָה הוּא אִשֵּׁה רֵיחַ
נִיחֹחַ לַיהוָה׃ פ

Esses versículos duplicam, no caso dos carneiros e dos bodes, o que foi dito sobre os outros. Ver os vss. 6-9 quanto a explicações sobre o modo de proceder que o autor duplicou neste ponto.

■ **1.14-16**

וְאִם מִן־הָעוֹף עֹלָה קָרְבָּנוֹ לַיהוָה וְהִקְרִיב
מִן־הַתֹּרִים אוֹ מִן־בְּנֵי הַיּוֹנָה אֶת־קָרְבָּנוֹ׃

וְהִקְרִיבוֹ הַכֹּהֵן אֶל־הַמִּזְבֵּחַ וּמָלַק אֶת־רֹאשׁוֹ וְהִקְטִיר
הַמִּזְבֵּחָה וְנִמְצָה דָמוֹ עַל קִיר הַמִּזְבֵּחַ׃

וְהֵסִיר אֶת־מֻרְאָתוֹ בְּנֹצָתָהּ וְהִשְׁלִיךְ אֹתָהּ אֵצֶל
הַמִּזְבֵּחַ קֵדְמָה אֶל־מְקוֹם הַדָּשֶׁן׃

Um homem mais abastado trazia um touro; um homem de classe média, um carneiro ou um bode. Mas um homem pobre tinha de contentar-se com uma ave, ou seja, uma rola ou um pombinho. Mas ninguém estava isento de pecado; e ninguém podia deixar de fazer seu sacrifício. Todavia, o sistema não tinha por intuito empobrecer o adorador.

Essas criaturas eram permitidas nos holocaustos e nas ofertas pelo pecado (Lv 1.14 ss.; 5.7). Também podiam ser usadas em certas ofertas de purificação (Lv 15.14,15; Nm 6.10,11). Devido ao tamanho das aves somente o sacerdote fazia o trabalho todo, incluindo o abate. O homem abria a cabeça da ave com a unha do polegar, perto da nuca, passando pela coluna vertebral, pela traqueia-artéria e pela goela. Desse modo, o sangue era totalmente drenado. O papo, com seu conteúdo, era jogado fora, como inútil para o sacrifício. Essa porção era posta onde também ficavam as cinzas. E a ave, parcialmente aberta desse modo, era queimada totalmente sobre o altar. O sangue era derramado ao lado do altar. A oferenda era ligeiramente diferente, devido à pequena quantidade de sangue e às pequenas dimensões da ave, mas a *essência* era idêntica ao que se via em outras ofertas.

Os Cinco Animais Próprios para os Sacrifícios. O touro, o carneiro, o bode, a rola e o pombinho, em ordem decrescente de seu valor econômico. Ver Gênesis 15.9, onde estão envolvidas as mesmas criaturas. Assim, desde tempos mais remotos, esses eram os animais oferecidos em sacrifício.

Naturalmente havia mais de cinco variedades, se levarmos em conta questões como sexo e idade, como o touro em contraste com a vaca; ou o novilho (de 3 anos), em contraste com o bezerro (até 1 ano). Mas havia três animais maiores, o touro, o carneiro e o bode, e havia duas espécies de aves, a rola e o pombinho — *cinco* criaturas ao todo.

A rola e o pombinho eram espécies abundantes na Terra Santa, assim oferecer uma delas não era financeiramente pesado para ninguém. Essas aves chegavam regularmente à Palestina e áreas adjacentes, em revoadas (Ct 2.11,12; Jr 8.7). Os judeus costumavam criar pombos, portanto havia um bom suprimento doméstico dessas aves (2Rs 6.25; Is 60.8; Josefo, *Guerras*, v.4.4). Também havia aqueles que vendiam essas aves. Nos dias de Jesus, chegaram a armar sua feira nos próprios átrios do templo de Jerusalém (Mt 21.2; Jo 2.13-16). Devido à pobreza constante em que viviam as massas, as aves oferecidas em sacrifício eram muitas vezes mais numerosas do que os animais de maior porte.

1.17

וְשִׁסַּע אֹתוֹ בִכְנָפָיו לֹא יַבְדִּיל וְהִקְטִיר אֹתוֹ הַכֹּהֵן
הַמִּזְבֵּחָה עַל־הָעֵצִים אֲשֶׁר עַל־הָאֵשׁ עֹלָה הוּא אִשֵּׁה
רֵיחַ נִיחֹחַ לַיהוָה: ס

Este versículo é equivalente aos vss. 12,13, que dizem respeito aos animais maiores. A carcaça tinha de ser dividida. Não é mencionado o ato de lavagem, visto que seria inconveniente lavar algo tão pequeno como uma ave. Aos sacerdotes cabia a tarefa de abater, cortar, pôr sobre o altar e queimar a ave. Incisões eram feitas nas asas, mas sem separá-las totalmente do resto do corpo. A queima era facilitada por esses golpes.

A queima completa do animal significava: 1. A total erradicação do pecado; 2. a total identificação do ofertante com o sacrifício; 3. a total dedicação do ofertante a Yahweh. Nesse tipo de oferta, Yahweh recebia tudo, e o adorador recebia liberdade de seu pecado, o que garantia a reinstauração da comunhão com Yahweh. Ver 2Crônicas 29.27,28.

Tipos. Aroma Agradável. Ver Levítico 1.9. Cristo dedicou-se inteiramente à sua missão salvífica; efetuou total expiação; e livrou os arrependidos de modo absoluto. Cristo era o sacrifício sem defeito, como também a oferta de aroma suave. Ver Efésios 5.1,2; Fp 2.8; Hebreus 10.5-7.

CAPÍTULO DOIS

OFERTA DE MANJARES (2.1-16)

As ofertas de manjares ou de cereais antecediam à época de Moisés. Lemos acerca delas em conexão com Melquisedeque (Gn 14.18) e mesmo antes, nos dias de Caim (Gn 4.3). Logo, era um rito pré-hebraico, que veio a fazer parte do sistema sacrificial mosaico. Ver o artigo geral no *Dicionário, Sacrifícios e Ofertas,* D. 1,2,3 e E (ponto este que aborda os tempos pré-mosaicos).

"Assim como a oferenda de Abel foi tirada dentre o rebanho, a de Caim foi uma típica oferta de manjares, 'do fruto da terra' (Gn 4.3-5). Ambos os tipos eram expressões de gratidão e louvor. As ofertas de cereais, com frequência, acompanhavam os sacrifícios de animais (Lv 7.11-14; 8.26; 9.4; Nm 15.1-10)" (*Oxford Annotated Bible, in loc.*).

Três Oferendas de Manjares. As leis atinentes a esse tipo de oferenda estavam divididas em consonância com diferentes modos de preparação: 1. Não cozidas (Lv 2.1-3). 2. Cozidas (Lv 2.4-10). 3. De grãos esmagados e tostados, oferecidas com as primícias (Lv 2.14-16).

Os adoradores traziam essas coisas, que representavam o mantimento de boca para sua sobrevivência, os frutos da terra, os seus produtos agrícolas. Parte servia de provisão para os sacerdotes, e parte era distribuída entre os pobres, sem falar naquela porção que, naturalmente, era sacrificada nos ritos. Portanto, a totalidade da vida é sacramental no sentido espiritual, pois nada escapa ao serviço de Yahweh. Ver Colossenses 3.22-24 quanto ao princípio neotestamentário. "Tudo devia ser feito por amor a Cristo, oferecido a ele. As ofertas de cereais... devem ser consideradas símbolos da dedicação e do oferecimento de nossa renda e de nosso trabalho a Deus..." (Nathaniel Micklem, *in loc.*).

2.1,2

וְנֶפֶשׁ כִּי־תַקְרִיב קָרְבַּן מִנְחָה לַיהוָה סֹלֶת יִהְיֶה
קָרְבָּנוֹ וְיָצַק עָלֶיהָ שֶׁמֶן וְנָתַן עָלֶיהָ לְבֹנָה:

וֶהֱבִיאָהּ אֶל־בְּנֵי אַהֲרֹן הַכֹּהֲנִים וְקָמַץ מִשָּׁם מְלֹא
קֻמְצוֹ מִסָּלְתָּהּ וּמִשַּׁמְנָהּ עַל כָּל־לְבֹנָתָהּ וְהִקְטִיר
הַכֹּהֵן אֶת־אַזְכָּרָתָהּ הַמִּזְבֵּחָה אִשֵּׁה רֵיחַ נִיחֹחַ
לַיהוָה:

Ofertas Não-Cozidas (vss. 1-3). *Modus operandi.* 1. O ofertante preparava a sua oferta (vss. 1,4-7). Ver o gráfico antes da exposição de 1.1, quanto aos atos efetuados pelo ofertante e pelos sacerdotes, quanto aos vários ritos. 2. Ele trazia a oferta, provavelmente em um vaso, e apresentava-a ao sacerdote (Nm 7.13). 3. O sacerdote separava uma porção como memorial (vss. 2,9,16). 4. Essa porção era então sacrificada sobre o altar do Senhor. Uma vez queimada, tornava-se aroma suave, agradável a Yahweh e, assim, era aceita. Essas oferendas exprimiam gratidão e louvor, por ter Deus dado liberalmente, e agora lhe era devolvida uma porção simbólica.

Ingredientes. Farinha de trigo bem moída, azeite de oliveira, incenso. Este último ingrediente distinguia a mistura de qualquer preparo de alimento, pois ninguém misturaria incenso à sua comida. As ofertas feitas pelos pobres, porém, não incluíam incenso; e à porção que cabia aos sacerdotes também não se adicionava incenso. Ver no *Dicionário* os artigos separados intitulados *Azeite* e *Incenso*. A farinha de trigo (Êx 19.2) tinha o dobro do valor da farinha de cevada (2Rs 7.1,16,18). Para os israelitas, o azeite de oliveira era o que para nós é a manteiga, um ingrediente comum adicionado aos alimentos. O incenso contrabalançava o cheiro picante da carne sendo queimada. Os vss. 4-10 falam de ofertas sem incenso. Em Êxodo 29.38-42, temos a adição de uma libação que acompanhava as oferendas, mas não se menciona incenso ali.

Memorial. Cf. 1Coríntios 11.24,25, onde aprendemos que a Ceia do Senhor lembra Cristo, o Cordeiro de Deus. A presença de Yahweh era buscada nessas oferendas. Havia um memorial de seu senhorio e de sua provisão. Cf. Salmo 20.4 e Atos 10.4. Nesse memorial de Yahweh e de suas provisões, o Pacto Abraâmico era relembrado. Ver as notas sobre Gênesis 15.18.

Oferendas de produtos agrícolas eram universais. Plínio (*Hist. Nat.* liv.xviii. c.2) menciona essas oferendas, "oferecendo frutos aos deuses" com súplicas, mediante o uso de vários tipos de cereais. Os costumes romanos também prescreviam vários modos de preparar, como tostar os grãos. Os *deuses* (de acordo com as ideias gregas e romanas) requeriam essas coisas comuns dos homens, uma porção daquilo que era útil para a vida e a sobrevivência, uma atitude que também prevalecia na legislação mosaica.

2.3

וְהַנּוֹתֶרֶת מִן־הַמִּנְחָה לְאַהֲרֹן וּלְבָנָיו קֹדֶשׁ קָדָשִׁים
מֵאִשֵּׁי יְהוָה: ס

Será de Arão e de seus filhos. Essa era porção dos sacerdotes. A classe sacerdotal era materialmente sustentada em troca de seu serviço espiritual, e uma maneira era receber uma parcela das ofertas, animais ou cereais, para se alimentarem. Ademais, era-lhes permitido ficar com o couro dos animais oferecidos em holocausto (Lv 7.8), material esse que podia ser usado para várias finalidades.

Cf. 1Coríntios 9.13,14, onde se vê que a essência do espírito dessa questão passou para o cristianismo. Um ministro é digno de seu salário, que deve provir diretamente de seu trabalho. Ministros que trabalham apenas parte de seu tempo sempre se sentiram embaraçados pela necessidade de dividir o tempo entre o que é sagrado e o que é profano. E também existem aqueles ministros que são preguiçosos ou desmotivados, e trabalham apenas parte de seu tempo útil, quando deveriam estar trabalhando por tempo integral. Mas os abusos não devem ser prejudiciais para um bom princípio.

Cousa santíssima. "As oferendas consistiam em duas categorias: as coisas *santas* e as coisas *santíssimas*. Coisas que eram consideradas *santas*: as ofertas movidas (Lv 23.20; Nm 6.20), os primogênitos sacrificados dos animais limpos (Nm 18.17), as primícias do azeite, do vinho, do trigo e do sacrifício pascal. Essas coisas podiam ser comidas parcial ou inteiramente, em qualquer lugar limpo, dentro dos limites da cidade, pelos sacerdotes oficiantes e seus familiares (Lv 10.12-14). E as que eram consideradas *santíssimas* eram: as ofertas de incenso, os pães da proposição (Êx 30.26; Lv 24.9), as ofertas pelo pecado e pela transgressão (Lv 6.25-28; 7.1,6; 14.13) e as ofertas de manjares, aqui descritas. Essas oferendas só podiam ser comidas no átrio do santuário, e somente pelos sacerdotes" (Ellicott, *in loc.*).

As porções que sobrassem eram comidas pelo ofertante e seus familiares (cf. Lv 7.15-27). Essas oferendas eram consideradas *santíssimas* por só poderem ser comidas por membros qualificados da casta sacerdotal.

2.4-7

וְכִי תַקְרִב קָרְבַּן מִנְחָה מַאֲפֵה תַנּוּר סֹלֶת חַלּוֹת מַצֹּת
בְּלוּלֹת בַּשֶּׁמֶן וּרְקִיקֵי מַצּוֹת מְשֻׁחִים בַּשָּׁמֶן: ס

וְאִם־מִנְחָה עַל־הַמַּחֲבַת קָרְבָּנֶךָ סֹלֶת בְּלוּלָה בַשֶּׁמֶן מַצָּה תִהְיֶה:

פָּתוֹת אֹתָהּ פִּתִּים וְיָצַקְתָּ עָלֶיהָ שָׁמֶן מִנְחָה הִוא: ס

וְאִם־מִנְחַת מַרְחֶשֶׁת קָרְבָּנֶךָ סֹלֶת בַּשֶּׁמֶן תֵּעָשֶׂה:

Asmos... sem fermento. Ver no *Dicionário* o artigo chamado *Fermento*, bem como as notas sobre o vs. 11 deste capítulo. Passamos aqui para o *segundo* tipo de ofertas de manjares, ou seja, as oferendas *cozidas* (vss. 4-10). Ver os primeiros parágrafos na introdução ao primeiro versículo, bem como o penúltimo parágrafo, quanto aos *três* tipos de ofertas de manjares.

Os ofertantes preparavam bolos asmos ou obreias (bolos muito finos) untadas com azeite (vs. 4); ou mesmo misturas preparadas na assadeira, amassadas com azeite (vss. 5,6); ou, finalmente, misturas preparadas na frigideira, com azeite (vs. 7). Portanto, havia três tipos de misturas assadas ou fritas, e quatro tipos de pães. Independentemente de como um ofertante preparasse suas oferendas de manjares, elas eram aceitáveis. A lei mostrava-se liberal quanto a isso, e não requeria normas especiais que tivessem de ser seguidas à risca pelos adoradores. Ver no *Dicionário* o artigo chamado *Forno*. E nas notas sobre 2Samuel 12.31, ver *Forno de Tijolos*.

"O azeite denotava a graça do Espírito de Deus, em Cristo e em seu povo, e, visto que essas oferendas eram sem fermento, eram assim representadas a sinceridade e a verdade de que nos alimentamos de Cristo, nossa oferta de manjares" (John Gill, *in loc.*).

Vs. 5. Na assadeira. Um tipo de panela ou grelha para frigir. Alguns preferiam usar um forno; outros, uma panela. Uns usariam um modo de preparo; outros, outro modo. A lei permitia certa variedade, e isso encorajava a participação de todos. Os adoradores poderiam assar ou fritar, mas sempre usando os mesmos ingredientes.

Vs. 6. Em pedaços. Isso envolvia o modo final de preparação, que envolvia bolos feitos de vários modos. Os bolos tinham de ser divididos em pedaços, como também sucedia aos animais sacrificados (Lv 1.6,12). "O pão, partido em pedaços e empapado em azeite, manteiga, leite ou sucos de frutas, ainda constitui um prato favorito entre os árabes beduínos" (Ellicott, *in loc.*).

Vs. 7. A mistura podia ser frita, mas o ingrediente básico tinha de ser sempre o mesmo. O receptáculo envolvido, ao que parece, era mais fundo que uma frigideira comum, e alguns estudiosos insistem em que o bolo era cozido, e não frito. Os bolos eram cozidos em azeite. Assim disse Maimônides (*Mishn.* e *Masseh Hakorbanot*, c. 5, sec. 7). Há uma controvérsia em torno do modo exato de preparação, sugerido no sétimo versículo. Adam Clarke apresentou o equivalente a seis páginas datilografadas sobre a questão! Podemos pensar desde o ato de frigir até o de cozer e o de assar, em vasos de tipo desconhecido, quanto a um ou outro desses modos sugeridos.

■ **2.8**

וְהֵבֵאתָ אֶת־הַמִּנְחָה אֲשֶׁר יֵעָשֶׂה מֵאֵלֶּה לַיהוָה וְהִקְרִיבָהּ אֶל־הַכֹּהֵן וְהִגִּישָׁהּ אֶל־הַמִּזְבֵּחַ:

O adorador trazia seus bolos já preparados. Isso não era parte do trabalho dos sacerdotes. O que o adorador trazia, era para Yahweh, por ser ele o destinatário da oferenda. O sacerdote recebia a oferta e levava-a ao altar. Um leigo não podia aproximar-se do altar. No entanto, no segundo templo, o modo de proceder foi um tanto modificado. Os pedaços de bolo eram postos em um vaso; eram salpicados sobre eles azeite e incenso; e o sacerdote levava a mistura até o altar.

■ **2.9**

וְהֵרִים הַכֹּהֵן מִן־הַמִּנְחָה אֶת־אַזְכָּרָתָהּ וְהִקְטִיר הַמִּזְבֵּחָה אִשֵּׁה רֵיחַ נִיחֹחַ לַיהוָה:

A porção memorial. Quanto a isso, ver Levítico 2.1,2. Uma mão-cheia do material era tirada, e era queimada sobre o altar. Essa porção cabia a Yahweh como um ato de gratidão e reconhecimento por seu suprimento e bondade. Era-lhe agradável porque, uma vez queimada, soltava um aroma suave. Quanto a essa questão, ver Levítico 1.9, onde são considerados os sentidos literais e simbólicos. Cf. Gênesis 8.21; Êxodo 29.18,25,41; 30.7; Levítico 2.2. Ao sentir o aroma suave, Yahweh ficava satisfeito com a oferta e aceitava o homem que a tinha trazido. E o louvor era assim aceito.

■ **2.10**

וְהַנּוֹתֶרֶת מִן־הַמִּנְחָה לְאַהֲרֹן וּלְבָנָיו קֹדֶשׁ קָדָשִׁים מֵאִשֵּׁי יְהוָה:

O que ficar. Essa parte ficava com Arão e seus filhos, para servir de suprimento alimentar. Era a porção *santíssima,* reservada exclusivamente à casta sacerdotal. Ver sobre as ofertas *santas* e *santíssimas*, nas notas sobre o terceiro versículo.

■ **2.11**

כָּל־הַמִּנְחָה אֲשֶׁר תַּקְרִיבוּ לַיהוָה לֹא תֵעָשֶׂה חָמֵץ כִּי כָל־שְׂאֹר וְכָל־דְּבַשׁ לֹא־תַקְטִירוּ מִמֶּנּוּ אִשֶּׁה לַיהוָה:

Nenhuma oferta... se fará com fermento. Era proibido o uso de fermento em qualquer das ofertas de cereais. Ver na *Enciclopédia de Bíblia, Teologia e Filosofia* os artigos chamados *Fermento* e *Fermento e Seus Simbolismos*. Usavam-se pães asmos na páscoa e em outras festas separadas, associadas à páscoa. Ver no *Dicionário* o artigo *Pães Asmos*, como também nas notas sobre Êxodo 12.8 ss. O fermento sugeria corrupção, por isso não fazia parte das ofertas de cereais apresentadas a Yahweh. Todavia, podia haver fermento nas ofertas pacíficas e nas ofertas movidas (ver Lv 7.13 e 23.17). Mas não podia haver fermento em qualquer oferenda que fosse trazida ao *altar*, mas as que não tivessem de vir ao altar, podiam conter fermento.

E de mel nenhum. Ver no *Dicionário* o artigo intitulado *Mel.* O mel pode exercer certa ação fermentadora, e ao que tudo indica era proibido pelo mesmo motivo pelo qual não se podia usar o fermento. Contudo, oferecia-se mel juntamente com as oferendas das primícias (2Cr 31.5), mas nunca com as ofertas trazidas ao altar, onde havia fogo. Maimônides sugere que o mel era proibido por causa de seu uso nas ofertas pagãs (*O Moreh Nevohim,* par. 3, c. 46, par. 481). Homero referiu-se a oferendas aos deuses que continham mel, chamando isso de "doce fruto dos deuses" (*Hino a Mercúrio*). Os egípcios usavam mel em seus sacrifícios (*Misn. Middott,* c. 5, sec. 2). Práticas similares prevaleciam entre os cananeus e os assiro-babilônicos.

Baal Hatturin raciocina que a corrupção da natureza é doce para o homem; o homem ama os seus pecados, e o mel pode servir de símbolo da natureza humana corrupta. Daí, é mister evitar o mel nos sacrifícios. O versículo à nossa frente, pois, adquire certo sentido moral, contra as corrupções interiores. O sacrifício agradável a Deus, o sacrifício de um homem totalmente dedicado ao Senhor, é isento desses elementos comprometedores.

Queimareis por oferta ao Senhor. Ou seja, não podia haver fermento misturado com as ofertas trazidas ao altar de bronze, com os holocaustos. O fermento e o mel eram proibidos nessas ofertas.

■ **2.12**

קָרְבַּן רֵאשִׁית תַּקְרִיבוּ אֹתָם לַיהוָה וְאֶל־הַמִּזְבֵּחַ לֹא־יַעֲלוּ לְרֵיחַ נִיחֹחַ:

Ver também os vss. 14-16 deste capítulo e Êxodo 23.19 e 34.22. Fermento e mel podiam ser oferecidos com essas ofertas, mas não no caso de ofertas trazidas ao altar de bronze, onde eram queimadas. O Targum de Jonathan diz-nos que os sacerdotes usavam essas ofertas em sua alimentação.

■ **2.13**

וְכָל־קָרְבַּן מִנְחָתְךָ בַּמֶּלַח תִּמְלָח וְלֹא תַשְׁבִּית מֶלַח בְּרִית אֱלֹהֶיךָ מֵעַל מִנְחָתֶךָ עַל כָּל־קָרְבָּנְךָ תַּקְרִיב מֶלַח: ס

Temperarás com sal. Ver o artigo detalhado sobre *Sal*, no *Dicionário*. O cloreto de sódio tem muitos símbolos na Bíblia. O sal emprestava sabor às oferendas que eram dadas, em parte ou integralmente aos sacerdotes, como parte de sua alimentação. Mas também servia de conservante e de símbolo de comunhão. O trecho de

Números 18.19 fala em *aliança perpétua de sal,* o que aponta para a comunhão entre Yahweh e seu povo. Ver também 2Crônicas 13.5. Os orientais faziam pactos em torno de refeições temperadas com sal, sendo provável que a menção ao sal, neste ponto, indique que todos os sacrifícios e ofertas descritos fizessem parte do *Pacto Mosaico,* conforme comentei longamente nas notas introdutórias a Êxodo 19.1. Ver também, no *Dicionário,* o artigo chamado *Pactos.*

No Oriente Próximo pensava-se que o sal não podia ser destruído pelo fogo. Logo, ficava entendida a sua indestrutibilidade, um apto símbolo das alianças que deveriam perdurar perpetuamente. Sem dúvida, os hebreus não esperavam que seu sistema e suas alianças tivessem fim. Eles imaginavam que Deus já houvesse dito a última palavra. Isso constitui um erro comum na maioria dos sistemas religiosos, que gostam de tentar confinar aquilo que não pode ser confinado, e limitar o que não pode ser limitado. Mas esses limites são impostos somente pelas limitações da mente humana.

No templo de Jerusalém havia um depósito onde o sal, ali guardado, era considerado sagrado. Também podemos dizer que havia algum depósito similar no tabernáculo, embora não haja informações a esse respeito. Os poderes preservadores do sal representavam a natureza pura dos sacrifícios, bem como o próprio Pacto Mosaico. Os antigos pensavam que a vida humana, física, precisa de sal para seu bem-estar e preservação. "Tão essencialmente necessário é o sal que, sem ele, a vida humana não pode ser preservada..." (Plínio, *Hist. Nat.* extraída do sétimo capítulo de seu trigésimo primeiro livro). Virgílio comentou sobre o sal e seu valor (*Eneida,* livro iv. vers. 517). Outro tanto fez Homero (*Ilíada,* liv. ix. vers. 214). Ambos falaram dentro do contexto das ofertas feitas aos deuses.

■ 2.14-16

וְאִם־תַּקְרִיב מִנְחַת בִּכּוּרִים לַיהוָה אָבִיב קָלוּי בָּאֵשׁ גֶּרֶשׂ כַּרְמֶל תַּקְרִיב אֵת מִנְחַת בִּכּוּרֶיךָ:

וְנָתַתָּ עָלֶיהָ שֶׁמֶן וְשַׂמְתָּ עָלֶיהָ לְבֹנָה מִנְחָה הִוא:

וְהִקְטִיר הַכֹּהֵן אֶת־אַזְכָּרָתָהּ מִגִּרְשָׂהּ וּמִשַּׁמְנָהּ עַל כָּל־לְבֹנָתָהּ אִשֶּׁה לַיהוָה: פ

Estes versículos instruem-nos quanto às ofertas de cereais ou de manjares das primícias, oferecidas na época da colheita. Seus ingredientes eram espigas de trigo tostadas ao fogo, ao que se adicionavam azeite e incenso. A partir dessa mistura, uma *porção memorial* (vs. 16) tinha de ser queimada sobre o altar, tal como no caso de outras oferendas. Ver sobre essa questão nas notas sobre Levítico 2.1,2, onde se explica de que modo as ofertas serviam de *memorial* a Yahweh. As oferendas de cereais eram incruentas. Algumas eram feitas sem envolver o altar e o fogo, mas em outras havia a participação desses elementos. A apresentação de oferta de manjares indicava o senso de gratidão pela provisão dada por Yahweh, bem como a generosidade para com os seus sacerdotes, que recebiam essas oferendas como porções alimentares. O sistema envolvia a ideia inerente de afirmação de lealdade a Yahweh e ao seu sistema, bem como a ideia de afirmação do Pacto Mosaico. Ver Deuteronômio 26.9,10.

Tipologia. Cristo é o nosso Cordeiro, o nosso sacrifício. As ofertas de cereais simbolizavam a nossa gratidão pelas bênçãos espirituais, recebidas através dele. O *trigo,* aqui referido como "espigas verdes", talvez aluda à perfeita humanidade de Cristo; o azeite representa o Espírito Santo; o incenso alude à sua fragrância moral; e a ausência de fermento indica sua impecabilidade. O grão que caiu no solo morreu, para então viver eternamente (ver Jo 12.23-25).

Os *três* tipos de ofertas de cereal são descritos nas notas introdutórias ao segundo capítulo deste livro, no seu penúltimo parágrafo. Os vss. 14-16 nos dão o *terceiro tipo:* os grãos esmagados e tostados, oferecidos juntamente com as primícias, ou primeiros frutos da colheita do ano.

"Espigas verdes ou meio-verdes de trigo tostado ao fogo são uma espécie de alimento usado pelos pobres da Palestina e do Egito até hoje. Deus aparece como quem está servindo um banquete a seu povo, pois o tabernáculo era sua casa... e assim ele se apresenta como quem *compartilhava com eles* de todos os alimentos que eram usados, chegando mesmo a sentar-se junto com os pobres, a comer seu trigo tostado!" (Adam Clarke, *in loc.*).

Vs. 15. Ver Levítico 2.1,2,4,5,7, onde obtemos a mesma informação, juntamente com notas expositivas.

O *vs. 16* é paralelo ao vs. 2, onde são dadas as notas expositivas. As normas sobre o terceiro tipo de oferendas (vss. 14-16) eram as mesmas que as referentes aos outros dois tipos de oferendas incruentas. "Grãos tostados (de vários tipos) eram e continuam sendo um item favorito na alimentação do Oriente (Lv 23.14; Js 5.11; 1Sm 17.17; 25.18; 2Sm 17.28; Rt 2.14)" (Ellicott, *in loc.*).

O sacerdote queimará. Um símbolo da santidade de Deus, a qual requer julgamento. Três coisas são aqui destacadas: 1. Julgamento (Gn 19.24; Mc 9.43-48; Ap 20.15). 2. Deus manifesta-se por meio de seu poder, e aquilo que ele aprova, torna-se manifesto (Êx 3.2; Êx 13.21 e 1Pe 1.17). 3. Purificação (1Co 3.12-14; Ml 3.2,3). No livro de Levítico, o fogo, que produzia o aroma suave a Yahweh também consumia totalmente as ofertas pelo pecado.

CAPÍTULO TRÊS

SACRIFÍCIOS DE PAZ (3.1-17)

"Este capítulo contém a lei das ofertas pacíficas, ensinando-nos no que elas consistiam, e quais os vários ritos e cerimônias ligados a essas oferendas, como era o caso da oferta de alguma cabeça de *gado* e os ritos apropriados (vss. 1-5); ou de *gado miúdo,* como um cordeiro, e os ritos apropriados (vss. 6-11); ou como de uma cabra, e os ritos apropriados (vss. 12-16). O capítulo se encerra com a lei que proibia que se consumisse a gordura e sangue (vs. 17)" (John Gill, *in loc.*).

As ofertas queimadas (primeiro capítulo) envolviam as ideias de expiação e louvor. As ofertas pacíficas, por sua vez também um tipo antiquíssimo de oferta (ver Êx 24.11; Dt 12.7,18; 1Sm 9.11-14, 22-24), eram uma refeição de pacto, na qual o ofertante se declarava misticamente relacionado a Yahweh, com a comunhão daí resultante.

Josefo chamava as ofertas pacíficas de *ofertas de agradecimento,* e não de ofertas pacíficas (*Antiq.* III.9.2). Mas parece que essa designação é muito estreita, visto que essa oferenda tinha uma aplicação mais ampla do que tal nome parece indicar. Saul ofereceu uma oferta pacífica antes de entrar em batalha (1Sm 13.9). Algumas dessas oferendas estavam ligadas a festividades (Jz 20.26). Esse era o tipo mais comum de oferenda, e provia uma refeição comunal, emblema de unidade com Deus no pacto divino, de onde resultavam benefícios. Havia *comunhão* com Yahweh e com o seu povo, do que resultava a paz.

Ver no *Dicionário* o artigo geral chamado *Sacrifícios e Ofertas,* especialmente sob D.3. Yahweh e seu povo, unidos mediante o pacto, estavam *em paz e harmonia.* Por isso mesmo, alguns chamam essa oferenda de "oferta de comunhão". As palavras hebraicas *zebah selamim,* traduzidas por *ofertas pacíficas,* têm sido interpretadas como *ofertas de comunhão,* em face da natureza da festa, embora *de paz* pareça uma tradução mais apropriada do próprio original hebraico.

Três Categorias de Ofertas Pacíficas (ver Lv 7.12-16)

1. *De agradecimento,* com confissão e reconhecimento (o motivo mesmo da oferenda), que era o tipo mais comum (Lv 7.12-15; 22.29. Cf. 2Cr 29.31; Jr 17.26).
2. *Votivas* (Lv 7.16). Um rito que incluía algum *voto* (Lv 27.9,10) ou o cumprimento de um voto (Nm 6.17-20). Podia ter a forma de uma oferta queimada (Lv 22.17-20).
3. *Voluntárias.* Esse tipo exprimia devoção, agradecimento e dedicação. E também podia ter a forma de uma oferta queimada (Lv 22.17-20). Ver Levítico 7.16 e 22.18-23 quanto às ofertas voluntárias, com esse propósito.

Essas três modalidades de ofertas utilizavam os mesmos animais usados nas ofertas queimadas, excetuando ofertas de aves, que eram consideradas pequenas demais para as refeições comunais que acompanhavam a questão.

Tipologia. Cristo, em seu sacrifício, trouxe até nós paz e comunhão. Colossenses 1.20; Efésios 2.17. Ele *é* a nossa paz (Ef 2.14). nele reconciliam-se o pecador e Deus. E assim como as ofertas pacíficas forneciam alimentos para os sacerdotes (Lv 7.31-34), assim também, em Cristo, todas as nossas necessidades nos são supridas. Ver 2Coríntios 9.8.

3.1

וְאִם־זֶ֥בַח שְׁלָמִ֖ים קָרְבָּנ֑וֹ אִ֤ם מִן־הַבָּקָר֙ ה֣וּא מַקְרִ֔יב אִם־זָכָר֙ אִם־נְקֵבָ֔ה תָּמִ֥ים יַקְרִיבֶ֖נּוּ לִפְנֵ֥י יְהוָֽה:

Sacrifício pacífico. Ver a introdução a esta seção, acima, quanto a informações completas sobre a natureza das oferendas descritas no terceiro capítulo de Levítico. Ver também, no *Dicionário*, o artigo chamado *Sacrifícios e Ofertas*.

Se a fizer de gado. Eram empregados os mesmos animais usados nas ofertas pacíficas, essencialmente com as mesmas exigências e ritos, tal como no caso das ofertas queimadas, excetuando que não se usavam aves. O pequeno tamanho as tornava inapropriadas para alguma refeição comunal. Ademais, nessas oferendas, havia a participação dos ofertantes na refeição, o que já não sucedia no caso das ofertas queimadas. Ver meu gráfico sobre os sacrifícios e ofertas do livro de Levítico, na porção introdutória, nas notas antes de Levítico 1.1. Ver no *Dicionário* o artigo chamado *Comunhão*.

O animal, nessa oferenda, podia ser macho ou fêmea. Mas no caso de ofertas queimadas, só podia ser macho. Ver Levítico 1.3,10. Mas em nenhum caso o animal podia ser defeituoso (cf. Lv 1.3 e 22.17-25).

3.2

וְסָמַ֤ךְ יָדוֹ֙ עַל־רֹ֣אשׁ קָרְבָּנ֔וֹ וּשְׁחָט֕וֹ פֶּ֖תַח אֹ֣הֶל מוֹעֵ֑ד וְזָרְק֡וּ בְּנֵי֩ אַהֲרֹ֨ן הַכֹּהֲנִ֧ים אֶת־הַדָּ֛ם עַל־הַמִּזְבֵּ֖חַ סָבִֽיב:

E porá a mão. A cerimônia de imposição de mãos era a mesma do que no caso das ofertas queimadas, embora não houvesse confissão de pecados, pois essa confissão não fazia parte da ideia. Ver Levítico 1.3-5 quanto a informações que se aplicam a este versículo. O sacrifício e a aspersão de sangue eram idênticos. O adorador abatia o animal; os sacerdotes cuidavam do resto.

Modos de proceder idênticos quanto a ofertas queimadas e ofertas pacíficas: 1. O ofertante trazia o animal a ser sacrificado. 2. Havia imposição de mãos. 3. O adorador matava o animal na parte frontal do átrio do tabernáculo. 4. O sacerdote punha o animal sacrificado sobre o altar e derramava o sangue em seus lados. No caso das ofertas pacíficas, o adorador reconhecia ou dizia *por que* estava fazendo a oferta, de acordo com as suas possibilidades ou categorias por esse tipo de oferta. Ver as notas de introdução a este terceiro capítulo, com o nome de *Três Categorias de Ofertas Pacíficas*.

3.3,4

וְהִקְרִיב֙ מִזֶּ֣בַח הַשְּׁלָמִ֔ים אִשֶּׁ֖ה לַיהוָ֑ה אֶת־הַחֵ֙לֶב֙ הַֽמְכַסֶּ֣ה אֶת־הַקֶּ֔רֶב וְאֵת֙ כָּל־הַחֵ֔לֶב אֲשֶׁ֖ר עַל־הַקֶּֽרֶב:

וְאֵת֙ שְׁתֵּ֣י הַכְּלָיֹ֔ת וְאֶת־הַחֵ֙לֶב֙ אֲשֶׁ֣ר עֲלֵהֶ֔ן אֲשֶׁ֖ר עַל־הַכְּסָלִ֑ים וְאֶת־הַיֹּתֶ֙רֶת֙ עַל־הַכָּבֵ֔ד עַל־הַכְּלָי֖וֹת יְסִירֶֽנָּה:

Certas Porções Eram Queimadas. Eram queimadas sobre o altar de bronze, pois pertenciam a Yahweh, e os vss. 3 e 4 nos fornecem a lista dessas porções: a gordura, que era considerada um acepipe, pelo que pertencia a Yahweh e era consumida no fogo. Então os vários itens alistados no vs. 4 também destinavam-se ao fogo e a Yahweh. O resto era poupado para a refeição comunal, enquanto o couro do animal ficava com o sacerdote oficiante (Lv 7.8). Ver Êxodo 23.18; 29.13; Levítico 7.15,16 quanto à gordura que precisava ser queimada. O trecho de Êxodo 29.13 dá-nos praticamente a mesma informação. O sangue, como é óbvio, era aspergido sobre o altar, pois também pertencia a Yahweh. O sangue representava a *vida* do animal, e essa vida era entregue a Yahweh, o que indica que a *vida* do adorador era substituída pela vida do animal sacrificado, e o adorador dedicava-se assim a Yahweh.

3.5

וְהִקְטִ֨ירוּ אֹת֤וֹ בְנֵֽי־אַהֲרֹן֙ הַמִּזְבֵּ֔חָה עַל־הָ֣עֹלָ֔ה אֲשֶׁ֥ר עַל־הָעֵצִ֖ים אֲשֶׁ֣ר עַל־הָאֵ֑שׁ אִשֵּׁ֛ה רֵ֥יחַ נִיחֹ֖חַ לַיהוָֽה: פ

Tal como no caso das ofertas queimadas, as porções queimadas das ofertas pacíficas emitiam um aroma suave e agradável que deleitava a Yahweh, produzindo a sua aceitação. Sobre esse particular, ver as notas em Levítico 1.9. Este versículo tem paralelo em Levítico 1.6,7, novamente duplicado em Levítico 1.17. Os animais (usados nas ofertas pacíficas) não eram divididos em pedaços, pois não podiam ser totalmente queimados. E era a queima total que requeria que o animal fosse partido em pedaços.

3.6

וְאִם־מִן־הַצֹּ֧אן קָרְבָּנ֛וֹ לְזֶ֥בַח שְׁלָמִ֖ים לַיהוָ֑ה זָכָר֙ א֣וֹ נְקֵבָ֔ה תָּמִ֖ים יַקְרִיבֶֽנּוּ:

Este versículo repete o primeiro, onde aparecem as notas expositivas, exceto pelo fato de que agora temos cordeiros e cabras como os animais próprios para serem sacrificados. No caso das ofertas pacíficas, *cinco animais* podiam ser usados: o touro, o cordeiro, o bode, a rola e o pombinho, e esses animais eram oferecidos na ordem descendente do poder aquisitivo das pessoas. Os ricos traziam um touro, muito mais dispendioso; os homens de classe média, um cordeiro ou um bode; mas os pobres, a rola ou o pombinho, isto é, aves. Ver Gênesis 15.9 quanto aos mesmos animais mencionados naqueles sacrifícios. No caso das ofertas pacíficas, não eram usadas aves, porque seu pequeno tamanho não as tornava apropriadas para refeições comunais. Quanto às ofertas queimadas, somente machos podiam ser usados. Mas fêmeas podiam ser abatidas no caso das ofertas pacíficas. Tal como no caso dos touros, o animal sacrificado precisava ser sem defeito, visto que oferecer um animal defeituoso era um insulto a Yahweh (ver Ml 1.14).

"O ritual era o mesmo quando se oferecia um touro ou um cordeiro, exceto o fato de que, no caso deste último, a cauda gorda inteira (vs. 9) era incluída com a gordura incinerada sobre o altar" (F. Duane Linsey, *in loc.*). Ver as notas sobre o vs. 9 deste capítulo, quanto a essa questão.

3.7

אִם־כֶּ֥שֶׂב הֽוּא־מַקְרִ֖יב אֶת־קָרְבָּנ֑וֹ וְהִקְרִ֥יב אֹת֖וֹ לִפְנֵ֥י יְהוָֽה:

Um cordeiro. Ver no *Dicionário* o artigo com esse nome; e no *Novo Testamento Interpretado*, em João 1.29, ver os comentários. O cordeiro devia ter de 1 ano de idade para baixo, conforme disseram Maimônides e toda a tradição hebraica (*Maaseh Hakorbanot*, c. 1, sec. 14). Ver as notas sobre Levítico 1.10 quanto a detalhes. Todas as ofertas eram oferecidas *perante o Senhor*, e tudo feito de acordo com suas orientações, se tivessem de ser-lhe aceitas. Elas faziam parte das ordenanças que haviam sido acrescentadas ao *Pacto Mosaico*, o que se comenta nas notas introdutórias a Êxodo 19.1.

3.8

וְסָמַ֤ךְ אֶת־יָדוֹ֙ עַל־רֹ֣אשׁ קָרְבָּנ֔וֹ וְשָׁחַ֣ט אֹת֔וֹ לִפְנֵ֖י אֹ֣הֶל מוֹעֵ֑ד וְזָרְק֡וּ בְּנֵי֩ אַהֲרֹ֨ן אֶת־דָּמ֛וֹ עַל־הַמִּזְבֵּ֖חַ סָבִֽיב:

Este versículo é igual ao segundo versículo deste capítulo, onde damos as notas expositivas.

3.9,10

וְהִקְרִ֨יב מִזֶּ֣בַח הַשְּׁלָמִים֮ אִשֶּׁ֣ה לַיהוָה֒ חֶלְבּוֹ֙ הָאַלְיָ֣ה תְמִימָ֔ה לְעֻמַּ֥ת הֶעָצֶ֖ה יְסִירֶ֑נָּה וְאֶת־הַחֵ֙לֶב֙ הַֽמְכַסֶּ֣ה אֶת־הַקֶּ֔רֶב וְאֵת֙ כָּל־הַחֵ֔לֶב אֲשֶׁ֖ר עַל־הַקֶּֽרֶב:

וְאֵת֙ שְׁתֵּ֣י הַכְּלָיֹ֔ת וְאֶת־הַחֵ֙לֶב֙ אֲשֶׁ֣ר עֲלֵהֶ֔ן אֲשֶׁ֖ר עַל־הַכְּסָלִ֑ים וְאֶת־הַיֹּתֶ֙רֶת֙ עַל־הַכָּבֵ֔ד עַל־הַכְּלָי֖וֹת יְסִירֶֽנָּה:

Estes versículos são iguais aos vss. 3,4, excetuando-se o fato de que temos aqui instruções de que a *cauda gordurosa inteira* devia acompanhar as porções oferecidas a Yahweh. As ovelhas achadas no Oriente Próximo podem ter caudas que pesam até 33 kg, e, assim, a cauda era reputada parte das ofertas que eram postas sobre o altar de bronze, a fim de serem queimadas.

"A principal variedade de ovelhas na Palestina era a ovelha oriental, de cauda gorda (*Ovis laticaudata*), que tinha várias vértebras caudais extras para suportar a gordura acumulada na cauda, a qual, em um animal maduro, pode pesar até 33 kg" (Harrison, *Leviticus*, citado por F. Duane Lindsey, *in loc.*).

■ 3.11

וְהִקְטִירוֹ הַכֹּהֵן הַמִּזְבֵּחָה לֶחֶם אִשֶּׁה לַיהוָה: פ

Aquilo que não era oferecido e queimado sobre o altar ficava com os sacerdotes. Mas primeiramente servia-se a Yahweh o *seu alimento*. Cf. a expressão "o pão do teu Deus", em Levítico 21.8,22; Números 28.2. A grande antiguidade do rito é confirmada pela palavra aqui traduzida por *manjar*, a qual, no hebraico, com o tempo veio a significar apenas "pão".

Deus aparece aqui como quem se banqueteava com seu povo, pois está em pauta uma refeição comunal divina. Isso, como é claro, é uma expressão antropomórfica. Ver no *Dicionário* o artigo intitulado *Antropomorfismo*. Cf. Deuteronômio 32.38, onde se lê que havia deuses que comiam os alimentos e bebiam o vinho posto sobre os altares.

■ 3.12

וְאִם עֵז קָרְבָּנוֹ וְהִקְרִיבוֹ לִפְנֵי יְהוָה:

Seguindo uma ordem econômica descendente, chegamos agora à *cabra*. Os ricos geralmente traziam um touro como oferta; a ovelha, pelos homens de classe média alta; a cabra, pelos homens de classe média baixa; e as aves (rola e pombinho), pelos homens da classe mais pobre. Mas todas essas eram oferendas válidas como ofertas pacíficas, tal como eram válidas como ofertas queimadas.

O bode era oferecido no mesmo lugar e do mesmo modo que o touro e o carneiro, conforme vemos no vs. 7 deste capítulo. Não se faz aqui distinção entre macho e fêmea, pois devemos entender que animais de ambos os sexos eram aceitáveis nas ofertas pacíficas, embora somente animais machos pudessem ser usados nas ofertas queimadas.

■ 3.13

וְסָמַךְ אֶת־יָדוֹ עַל־רֹאשׁוֹ וְשָׁחַט אֹתוֹ לִפְנֵי אֹהֶל מוֹעֵד וְזָרְקוּ בְּנֵי אַהֲרֹן אֶת־דָּמוֹ עַל־הַמִּזְבֵּחַ סָבִיב:

Este versículo é igual ao vs. 2 deste capítulo, onde há notas expositivas a respeito.

■ 3.14,15

וְהִקְרִיב מִמֶּנּוּ קָרְבָּנוֹ אִשֶּׁה לַיהוָה אֶת־הַחֵלֶב הַמְכַסֶּה אֶת־הַקֶּרֶב וְאֵת כָּל־הַחֵלֶב אֲשֶׁר עַל־הַקֶּרֶב:

וְאֵת שְׁתֵּי הַכְּלָיֹת וְאֶת־הַחֵלֶב אֲשֶׁר עֲלֵהֶן אֲשֶׁר עַל־הַכְּסָלִים וְאֶת־הַיֹּתֶרֶת עַל־הַכָּבֵד עַל־הַכְּלָיֹת יְסִירֶנָּה:

Estes dois versículos são iguais aos vss. 3,4 deste capítulo, onde há notas expositivas. À cabra faltava a cauda pesada do carneiro, sendo possível que o único motivo pelo qual a cabra não foi mencionada juntamente com o carneiro é que neste último caso faz-se menção à sua cauda gorda. Mas tirando isso, as descrições são idênticas. Ver os vss. 9 e 10, que repetem os vss. 3 e 4.

■ 3.16

וְהִקְטִירָם הַכֹּהֵן הַמִּזְבֵּחָה לֶחֶם אִשֶּׁה לְרֵיחַ נִיחֹחַ כָּל־חֵלֶב לַיהוָה:

Este versículo repete o vs. 11, onde há notas expositivas, exceto o fato de que aqui se menciona a questão do *aroma suave*, emitido pelas partes queimadas sobre o altar, em honra a Yahweh. Isso é comentado em Gênesis 1.9. A expressão *aroma agradável* também figura em Gênesis 8.21; Êxodo 29.18,25,41; Levítico 1.9,13,17; 2.2,9,12; 3.5; 6.15,21; 8.21,28; 17.6; 23.13,18; 26.31.

■ 3.17

חֻקַּת עוֹלָם לְדֹרֹתֵיכֶם בְּכֹל מוֹשְׁבֹתֵיכֶם כָּל־חֵלֶב וְכָל־דָּם לֹא תֹאכֵלוּ: פ

Estatuto perpétuo será. Uma fórmula muito usada pelo autor do Pentateuco, expressando assim sua convicção de que os ritos religiosos dos hebreus, bem como sua fé religiosa, eram algo final, que perduraria para sempre. Usualmente, os limites impostos pelos homens são apenas os limites de sua própria mente. Todos os grupos religiosos e denominações individuais caem nessa armadilha do "somente nós" e de "nosso sistema é perpétuo". São vícios que se apegam aos sistemas religiosos e, de fato, à própria mente religiosa. Ver a noção de "estatuto perpétuo" também em Êxodo 3.15; 12.14,17; 16.32,33; 27.21; 29.42; 30.8,10,21; 31.13,16; 40.15; Levítico 3.17; 6.18; 10.9; 17.7; 23.14,21,31,41; 24.3; 25.30; Números 10.8; 15.15,38; 18.23 e 35.29.

Novos começos vêm anular, substituir ou modificar antigos sistemas. Novos começos (como é a nossa era do Novo Testamento) são sempre considerados heréticos, quando surgem em cena. Com o tempo, porém, as heresias tornam-se novas ortodoxias, e a estas é atribuída alguma qualidade de *perpetuidade*. Mas alguma nova revelação está sempre a caminho.

A gordura e o sangue eram porções que pertenciam a Yahweh. A gordura, por ser considerada muito gostosa; e o sangue, por ser a sede da vida biológica, e uma vida podia ser oferecida a Yahweh, e não bebida! A vida humana, assim substituída ou resgatada, emprestava eficácia ao sacrifício ou oferenda, dotada de valor vicário. Ver as proibições contra a ingestão de sangue, em Gênesis 9.4; Levítico 3.17 e 7.26. O primeiro concílio ecumênico da Igreja cristã reiterou a proibição que temos aqui a fim de agradar ao segmento judaico da Igreja cristã. Ver Atos 15.20. Essa questão é comentada no *Novo Testamento Interpretado* (*in loc.*). Ver no *Dicionário* o artigo chamado *Sangue*, em seu segundo ponto, onde isso é ventilado. Minhas notas sobre Gênesis 9.4 dão alguma informação adicional e referências à lei do sangue. Ver Levítico 7.23-27 quanto às leis atinentes à gordura e ao sangue, no que tange aos sacrifícios. Yahweh ficava com a *gordura*: no caso das *ofertas pelo pecado* (Lv 4.8-10,19,26,31,35); no caso das *ofertas pela culpa* (Lv 7.4,5); e no caso das *ofertas pacíficas* (o presente texto). Ver também, abaixo, sobre Sangue e Vida.

Distinções. As ofertas pacíficas (de comunhão) eram refeições comunais das quais Yahweh participava. Participavam, igualmente, o adorador e seus familiares (Lv 7.15). As notas-chave eram as ideias de comunhão e agradecimento.

Tipologia. Comunhão com Deus e com o povo de Deus; agradecimento; ação de graça. Ver 1João 1.3; Colossenses 1.20; Efésios 2.14. Na comunhão há paz.

Sangue e Vida. Solicito ao leitor que examine as notas sobre Levítico 17.11, que expõem *duas razões* para a lei que proibia o uso de sangue na alimentação dos israelitas. Essas notas adicionam detalhes e substância ao que foi escrito neste versículo.

CAPÍTULO QUATRO

SACRIFÍCIO PELOS ERROS DOS SACERDOTES (4.1-12)

É significativo que, para o pecado *deliberado*, ou seja, o "pecado de atrevimento" (com arrogância e vontade e desígnio perversos), não havia sacrifício estipulado (Nm 15.30). O autor da epístola aos Hebreus, no Novo Testamento, abordou essa questão em Hebreus 6 e 10.26. O poder de Cristo, como é óbvio, é mais amplo e maior do que o autor antecipara. Discuto sobre as questões envolvidas no *Novo Testamento Interpretado, in loc.*, expondo as muitas ideias que circundam esses textos. É claro que o povo de Israel pecou atrevidamente no caso do bezerro de ouro (Êx 32). E foi necessária a intercessão pessoal de Moisés para poupar Israel de ser destruído. As elaboradas leis de sacrifício, além da questão do pecado atrevido, para o qual não havia sacrifício, mostram-nos claramente com que seriedade o Antigo Testamento encarava o pecado.

Quatro Classes por Quem se Faziam Sacrifícios. A seção à nossa frente trata do problema nestes casos: 1. Quando o próprio sacerdote era o ofensor (vss. 2-12). Alguns eruditos dizem que está em pauta o *sumo sacerdote*, como a primeira dessas classes, por ser um *ungido*

de Deus (vss. 3,5). Segundo essa opinião, o sumo sacerdote fazia parte da primeira classe, e os sacerdotes seriam incluídos na quarta classe, a classe dos homens comuns. 2. Quando o povo, como um todo, era o ofensor (vss. 13-21). 3. Quando um líder era o ofensor (vss. 22-26). 4. Quando uma pessoa ordinária era a ofensora (4.27—5.13). Há aqui leis grandemente elaboradas que, provavelmente, resultaram de um processo de crescimento e evolução. O trecho de Números 15.22 ss. é mais simples, e talvez reflita o sistema mais antigo. Ver os gráficos que ilustram os vários tipos de ofertas, na introdução a Levítico 1.1.

"A oferta pelo pecado (Lv 4.1—5.13) e a oferta pela culpa (Lv 5.14-6.7) eram oferendas facilmente distinguíveis, embora tivessem pontos de semelhança bem definidos. Tradicionalmente chamadas de *ofertas não de aroma suave,* essa descrição não é totalmente adequada, em vista do fato de que Levítico 4.31 indica que a gordura da oferta pelo pecado era queimada "sobre o altar como aroma agradável ao Senhor"... As ofertas pelo pecado e pela culpa seriam mais bem descritas como oferendas expiatórias" (F. Duane Lindsey, *in loc.*).

■ 4.1

וַיְדַבֵּר יְהוָה אֶל־מֹשֶׁה לֵּאמֹר:

Disse mais o Senhor. Essa é uma fórmula usada nas transcrições literárias do Pentateuco, embora o autor também tivesse falado na convicção de que as orientações que recebia eram divinamente inspiradas, mediante algum tipo de manifestação da presença de Yahweh. Ver no *Dicionário* os artigos chamados *Misticismo; Inspiração* e *Revelação*. Ver Levítico 1.1 quanto a comentários adicionais sobre a *fala do Senhor,* quando ele baixava instruções. Naquela referência, ofereço uma longa lista de citações que ilustram essa questão no Pentateuco. No *Dicionário* ver o artigo chamado *Teísmo*.

■ 4.2

דַּבֵּר אֶל־בְּנֵי יִשְׂרָאֵל לֵאמֹר נֶפֶשׁ כִּי־תֶחֱטָא בִשְׁגָגָה מִכֹּל מִצְוֹת יְהוָה אֲשֶׁר לֹא תֵעָשֶׂינָה וְעָשָׂה מֵאַחַת מֵהֵנָּה:

Quando alguém pecar por ignorância. Estão incluídas diversas classes abordadas neste capítulo, segundo vimos nas notas introdutórias ao capítulo, em seu segundo parágrafo.

Já ouvimos sobre as ofertas queimadas (Lv 1.1-17); sobre as ofertas de manjares ou cereais (Lv 2.1-16) e sobre as ofertas pacíficas (Lv 4.1-17). E agora passamos para as ofertas pelo pecado e pela culpa, sob a fórmula de introdução "disse o Senhor" (vs. 1). Estamos agora tratando das oferendas *necessárias,* pois todos os homens são pecadores habituais (Rm 3.23). Algumas oferendas eram voluntárias (Lv 1.2; 2.1 e 3.1), mas não as que estamos ventilando agora.

Pecar por ignorância. Isso contrastava com os pecados de atrevimento (arrogantes) (Nm 15.30), para os quais não havia sacrifício prescrito. E nisso vemos a seriedade do pecado, refletida pela mente do autor sagrado. Os trechos de Hebreus 6 e 10.26 devem ser ligados a esses pecados deliberados de Números 15.30. Ver as notas de introdução ao presente capítulo, em seu primeiro parágrafo. Cf. este versículo com Levítico 4.13,22,27; 5.18; 22.14.

Definições. Essa questão toda já estava bem definida na época do segundo templo, como segue:

1. Para que um pecado fosse expiado, era mister que fosse de ignorância ou involuntário (Nm 15.30).
2. Tinha de ser um pecado contra um mandamento negativo, que proibisse algo.
3. Um pecado manifestado por ação, e não por palavra ou pensamento, o que fica implícito nas palavras "por fazer contra algum deles o que não se deve fazer".
4. Pecados intencionais que os homens castigavam de forma sumária (Nm 15.29,30), mediante execução, porque o ofensor era considerado um caso perdido. Mas os israelitas, como todos nós, pecavam intencionalmente todos os dias, portanto deveria haver uma aplicação um tanto frouxa das leis, permitindo a mistura dessa legislação com o princípio da graça divina.

O autor da epístola aos Hebreus, ao tentar incorporar os pecados intencionais em seu tratado, causou toda espécie de dificuldades para os intérpretes cristãos que defendem o princípio da graça. Quanto a isso, poderíamos considerar sua teologia como defeituosa, e não tão iluminada como a teologia paulina, por exemplo. A verdade é que a *maioria* dos pecados humanos compõe-se de pecados voluntários, e o princípio da graça precisa ser suficiente para *todos* os pecados e atos pecaminosos.

Quando Davi cometeu seu pecado intencional de adultério com Bate-Seba, envolveu-se em rebelião contra o Senhor, e precisou depender da misericórdia de Deus (Sl 51.1,3,16,17). E é nessa situação em que todos estamos, pois, de outra sorte, o evangelho não teria significado. Embora muitos pecados voluntários não sejam rebeldes e arrogantes, continua sendo verdade que até os de arrogância têm perdão em Cristo, pois, de outro modo, o evangelho não seria eficaz. Ver no *Dicionário* o artigo geral intitulado *Perdão*.

Se a passagem à nossa frente salienta a excessiva pecaminosidade do pecado, ela é fraca no tocante ao princípio da graça, e cria certos problemas teológicos que só foram resolvidos pelo evangelho cristão. Onde o Antigo Testamento mostrou-se *defeituoso,* o Novo Testamento mostrou-se *eficaz*. Meditemos nisso! Todo o elaborado sistema sacrificial do livro de Levítico não fazia provisão para aqueles pecados que são cometidos o tempo todo! Moisés não se mostrou realista em suas expectativas. As pessoas são muito piores e mais fracas do que ele estava pensando; pois, de outra maneira, parece que ele teria sido obrigado a dizer muito mais sobre as oferendas e sobre o perdão divino.

Adam Clarke tentou tirar-nos dessas dificuldades ao supor que a pessoa voluntariosa e arrogante nem ao menos traria uma oferenda para expiar pela sua culpa, e esta ficaria sem expiação. Mas o texto diante de nós está falando de *tipos* de pecados que não podiam ser perdoados, e de *tipos* de pecados que podiam ser perdoados. Quanto a certos tipos, simplesmente não havia nenhuma provisão sob a forma de sacrifício. Não estava em foco apenas a falta de vontade de um homem trazer ao altar uma oferenda ou sacrifício.

■ 4.3

אִם הַכֹּהֵן הַמָּשִׁיחַ יֶחֱטָא לְאַשְׁמַת הָעָם וְהִקְרִיב עַל חַטָּאתוֹ אֲשֶׁר חָטָא פַּר בֶּן־בָּקָר תָּמִים לַיהוָה לְחַטָּאת:

Se o sacerdote ungido pecar. Alguns eruditos pensam aqui no sumo sacerdote, por causa das palavras "sacerdote ungido". Ver as notas introdutórias a este capítulo, em seu segundo parágrafo, quanto às diferentes classes de pessoas que precisariam das ofertas expiatórias realizadas em favor delas. O primeiro lugar, nessa lista, é ocupado pelos *sacerdotes*.

Os Targuns de Onkelos e de Jonathan, bem como a versão da Septuaginta, dizem aqui *sumo sacerdote*. No começo, todos os filhos de Arão foram ungidos, mas isso foi uma cerimônia efetuada de uma vez para sempre. Mas cada sumo sacerdote recebia sua unção pessoal, ao ocupar seu ofício. Por isso, ele era chamado de *sacerdote ungido*, ao passo que os demais sacerdotes não recebiam uma unção pessoal, mas serviam sob a autoridade da unção original dos filhos de Arão. Ver Levítico 21.10. Mas Cristo, o nosso Sumo Sacerdote, não tinha pecado, portanto não precisava fazer oferendas expiatórias. Ver 2Coríntios 5.21.

Quando um *sacerdote* pecava, escandalizava o povo todo, por ser o homem que, supostamente, ensinava a outros. Ver 2Coríntios 6.3 quanto a um paralelo no Novo Testamento. Ver também o trecho de Tiago 3.1, onde lemos que os líderes receberão juízo mais severo. O sacerdote que pecasse trazia pecado sobre todos, por ser um representante de todos.

As Ofertas pelo Pecado. Ver no *Dicionário* o artigo geral chamado *Sacrifícios e Ofertas,* bem como os gráficos na introdução a Levítico 1.1. As ofertas pelo pecado tinham força expiatória, vicária, e eram eficazes (Lv 4.12,29,35). A lei era vindicada pelos sacrifícios, ficando assim demonstrado no que consiste o pecado, e o que se deve fazer a respeito. O próprio Cristo tornou-se nossa oferta pelo pecado, porquanto ficou sobrecarregado com nossos pecados, tendo sofrido a pena que nos cabia sofrer. Ver Isaías 53; Salmo 22; Mateus 26.28; 1Pedro 2.24; 3.18. Ver também 2Coríntios 5.21.

Um novilho. O pecado de um sacerdote era uma falta grave, e exigia que se oferecesse em sacrifício o mais caro dos animais, um touro. Não podia trazer os animais de menor valor, o carneiro e o bode, e muito menos as aves, a rola e o pombinho, que podiam ser oferecidos por outros israelitas. O novilho precisava ter 2 anos de idade; o touro, 3 e a novilha, 1.

Sem defeito. Ver Êxodo 12.5; 29.1; Levítico 1.3,10; 3.1 etc. Seria um insulto trazer a Yahweh um animal defeituoso (Ml 1.14).

■ 4.4

וְהֵבִיא אֶת־הַפָּר אֶל־פֶּתַח אֹהֶל מוֹעֵד לִפְנֵי יְהוָה וְסָמַךְ אֶת־יָדוֹ עַל־רֹאשׁ הַפָּר וְשָׁחַט אֶת־הַפָּר לִפְנֵי יְהוָה:

Este versículo tem paralelo em Levítico 1.3,4, onde são dadas as notas expositivas. Até o ponto da aspersão do sangue sobre o altar de bronze, os regulamentos acerca das ofertas pelo pecado eram iguais àqueles relativos a outros sacrifícios.

■ 4.5

וְלָקַח הַכֹּהֵן הַמָּשִׁיחַ מִדַּם הַפָּר וְהֵבִיא אֹתוֹ אֶל־אֹהֶל מוֹעֵד:

A garganta do animal era golpeada pelo adorador; o sangue era aparado em um balde, pelo sacerdote; o balde era levado ao altar, e o sangue era aspergido nos lados do altar. Somente um sacerdote ungido estava qualificado a fazer esse serviço, embora o animal fosse abatido pelo ofertante, exceto no caso de aves. Ver no *Dicionário* o artigo chamado *Unção*. Ver Êxodo 28.41 e 30.30 quanto à unção dos sacerdotes. Ver Levítico 1.5 quanto a um versículo paralelo a este.

O manuseio do sangue era um tanto diferente no caso das ofertas pelo pecado, conforme depreendemos dos vss. 6 e 7 deste capítulo.

Ungido. Tal como no vs. 3, "sacerdote ungido". Talvez esteja em foco o *sumo sacerdote*. Nesse caso os sacerdotes ordinários estariam incluídos na *quarta classe* (vss. 27-35), o que também deve ser dito sobre os levitas etc.

■ 4.6

וְטָבַל הַכֹּהֵן אֶת־אֶצְבָּעוֹ בַּדָּם וְהִזָּה מִן־הַדָּם שֶׁבַע פְּעָמִים לִפְנֵי יְהוָה אֶת־פְּנֵי פָּרֹכֶת הַקֹּדֶשׁ:

O sacerdote usava o dedo indicador de sua mão direita para imergir no sangue e aspergir por sete vezes diante da cortina que separava o Lugar Santo do Santo dos Santos. Isso se fazia "defronte" do propiciatório, a tampa da arca da aliança, lugar do sacrifício anual. Os sacerdotes não entravam no Santo dos Santos, pois somente o sumo sacerdote podia fazê-lo, uma vez por ano, para oferecer a expiação anual em favor de todo o povo, no Dia da Expiação (ver a respeito no *Dicionário*).

Sete vezes. Número da perfeição divina. Não alisto aqui os vários *setes* simbólicos, visto que fiz isso no *Dicionário,* no artigo intitulado *Número (Numeral, Numerologia),* onde ofereci exemplos adequados (ver III.1). E na *Enciclopédia de Bíblia, Teologia e Filosofia* apresentei artigos separados sobre certo número de "setes" usados na Bíblia.

Perante o Senhor. Ou seja, Yahweh, no Santo dos Santos, onde a arca servia de trono de Deus, e ele se manifestava de modo especial. Cf. Êxodo 25.22; 27.21; 28.34; 30.8; 34.34.

Diante do véu do santuário. A cortina pesada que separava o Lugar Santo do Santo dos Santos. O tabernáculo contava com três desses véus: aquele que separava o átrio do exterior e servia de *entrada* para o átrio; aquele que separava o átrio do Lugar Santo; e aquele que separava o Lugar Santo do Santo dos Santos. Ver as notas sobre Êxodo 27.16. O terceiro véu é mencionado e comentado em Êxodo 26.21. Em Êxodo 27.16 dou os tipos e simbolismos desses três véus. Eles falavam acerca de um acesso limitado a Deus. Em Cristo, porém, obtemos total acesso. Ver no *Dicionário* os artigos intitulados *Acesso* e *Véu (no tabernáculo e no Templo),* quanto a um artigo detalhado sobre o terceiro véu. Ver Hebreus 10.19,20 quanto a uma aplicação cristã.

■ 4.7

וְנָתַן הַכֹּהֵן מִן־הַדָּם עַל־קַרְנוֹת מִזְבַּח קְטֹרֶת הַסַּמִּים לִפְנֵי יְהוָה אֲשֶׁר בְּאֹהֶל מוֹעֵד וְאֵת כָּל־דַּם הַפָּר יִשְׁפֹּךְ אֶל־יְסוֹד מִזְבַּח הָעֹלָה אֲשֶׁר־פֶּתַח אֹהֶל מוֹעֵד:

Os chifres do altar do incenso aromático. Temos aqui menção ao altar de ouro. Ver Êxodo 30.1-6, e, no *Dicionário*, o artigo *altar de incenso*. O sacerdote aplicava o sangue aos chifres ou pontas superiores desse altar. Esses chifres eram concebidos como dotados de poder, portanto o sacerdote tocava na ponta de poder. O resto do sangue era vertido à base do altar, ou seja, o grande altar ou *Altar de Bronze,* cujas notas expositivas são dadas em Êxodo 27.1. Ver o gráfico sobre a *planta* do tabernáculo, nas notas sobre Êxodo 26.1, nas notas introdutórias àquele capítulo.

Os Três Atos Sangrentos. Esses, juntamente com a aspersão do sangue por sete vezes, a aspersão do sangue sobre as pontas do altar de ouro e o derramamento do sangue à base do altar de bronze, eram atos que distinguiam as ofertas pelo pecado dos demais sacrifícios. Ver no *Dicionário* o artigo detalhado intitulado *Tabernáculo*.

Não há que duvidar de que a noção mais primitiva acerca dos ritos cruentos era que o sangue, visto que contém a vida da carne, tinha propriedades místicas e mágicas. Mas os eruditos conservadores duvidam de que essa fosse a crença nos dias de Moisés. A graça de Yahweh era o motivo por trás desses atos, e não algum poder mágico.

"Na época do segundo templo, havia no chifre sudeste desse altar (o grande altar) duas perfurações, como se fossem narinas, por meio das quais o sangue escorria até um dreno, que o levava ao ribeiro do Cedrom" (Ellicott, *in loc.*). Nos dias do tabernáculo, os sacerdotes sempre tinham de lavar tais móveis, desfazendo-se assim do sangue e dos fragmentos dos animais sacrificados. E esses fragmentos eram incinerados fora do acampamento.

■ 4.8-10

וְאֵת־כָּל־חֵלֶב פַּר הַחַטָּאת יָרִים מִמֶּנּוּ אֶת־הַחֵלֶב הַמְכַסֶּה עַל־הַקֶּרֶב וְאֵת כָּל־הַחֵלֶב אֲשֶׁר עַל־הַקֶּרֶב:

וְאֵת שְׁתֵּי הַכְּלָיֹת וְאֶת־הַחֵלֶב אֲשֶׁר עֲלֵיהֶן אֲשֶׁר עַל־הַכְּסָלִים וְאֶת־הַיֹּתֶרֶת עַל־הַכָּבֵד עַל־הַכְּלָיוֹת יְסִירֶנָּה:

כַּאֲשֶׁר יוּרַם מִשּׁוֹר זֶבַח הַשְּׁלָמִים וְהִקְטִירָם הַכֹּהֵן עַל מִזְבַּח הָעֹלָה:

Ver os versículos paralelos a estes em Levítico 3.3-5, onde são dadas as notas expositivas. O modo de proceder era idêntico ao que se fazia nas ofertas pacíficas e pelo pecado. Quanto à *gordura* e ao *sangue* oferecidos a Yahweh, um tema constante, ver as notas sobre Levítico 3.17. O vs. 10 é uma observação, feita pelo autor sagrado, para lembrar-nos de que ele já havia dado orientações no caso das ofertas pacíficas.

■ 4.11,12

וְאֶת־עוֹר הַפָּר וְאֶת־כָּל־בְּשָׂרוֹ עַל־רֹאשׁוֹ וְעַל־כְּרָעָיו וְקִרְבּוֹ וּפִרְשׁוֹ:

וְהוֹצִיא אֶת־כָּל־הַפָּר אֶל־מִחוּץ לַמַּחֲנֶה אֶל־מָקוֹם טָהוֹר אֶל־שֶׁפֶךְ הַדֶּשֶׁן וְשָׂרַף אֹתוֹ עַל־עֵצִים בָּאֵשׁ עַל־שֶׁפֶךְ הַדֶּשֶׁן יִשָּׂרֵף: פ

"A disposição da carcaça seguia dois tipos de ritual, dependendo apenas de uma coisa: se o sacrifício era em favor de um sacerdote (ou da comunidade inteira que ele representava) ou em favor de outras pessoas. A um sacerdote era vedado comer da carne de seu próprio sacrifício (ou do sacrifício em favor da comunidade) (Lv 6.30). Portanto, todas as porções que não eram consumidas sobre o altar de bronze (*o novilho todo*) eram levadas *para fora do acampamento,* a algum lugar cerimonialmente limpo (um montão de cinzas ritual), onde tudo era queimado em uma fogueira a lenha. Embora a disposição da carcaça não seja mencionada no caso de um dos líderes do povo (Lv 4.26), ou de uma pessoa comum (Lv 4.31,35), é claramente dito, em Levítico 6.26, que ela era dada ao sacerdote oficiante para servir-lhe de alimento, para ser comida em um lugar santo. E embora também não se faça menção à *expiação* ou ao *perdão,* sem dúvida estas eram concedidas sob as mesmas condições impostas ao povo (cf. Lv 4.20,26,35)" (F. Duane Lindsey, *in loc.*).

Deveríamos lembrar que o quarto capítulo nos instrui acerca de sacrifícios em favor de *quatro* classes de pessoas: o próprio sacerdote; o povo como um todo; um dos líderes do povo; uma pessoa ordinária. Ver as notas de introdução a este capítulo, em seu segundo parágrafo.

O couro do touro não era tirado nem era entregue ao sacerdote, como no caso das ofertas queimadas (Lv 7.8), mas ao que parece era deixado intacto e cortado em pedaços com o resto da carcaça, para então ser queimado.

O Senhor Jesus foi crucificado fora do acampamento (Hb 13.11,12), de cuja circunstância temos um tipo de oferendas descrito neste texto.

Lugares de Resíduos. Na época do segundo templo, havia três lugares de queima de restos ou resíduos: 1. No átrio, onde sacrifícios impróprios e rejeitados eram queimados. 2. No monte da casa, chamado *Birah*, onde os sacrifícios que sofriam acidentes eram enterrados. 3. Em um lugar fora de Jerusalém, chamado lugar das cinzas, onde os resíduos eram consumidos a fogo.

Queimará com fogo sobre a lenha. Usava-se uma lenha especial para essa queima, conforme aprendemos em Levítico 1.7, *se* tal lugar ficasse *dentro* do átrio do tabernáculo. Fora dali, entretanto, qualquer madeira servia. O combustível usado era a *lenha*, e não azeite, palha, feno ou algum outro tipo de combustível.

SACRIFÍCIOS PELOS ERROS DO POVO (4.13-21)

Quatro Classes pelas quais eram oferecidos sacrifícios:

1. Um sacerdote ofensor (vss. 3-12). Alguns eruditos opinam que está aqui em foco o sumo sacerdote, ou seja, o *sacerdote ungido* (vss. 3,5).
2. O povo como um todo (vss. 13-21)
3. Um líder do povo (vss. 22-26)
4. Uma pessoa comum (4.27—5.13)

Portanto, chegamos aqui à segunda classe em favor de quem eram feitas ofertas pelo pecado: o povo como um todo. Cf. Números 15.22-26.

"A Igreja como um todo, como um corpo coletivo, não está mais isenta da fragilidade humana que seu mais alto chefe espiritual. A lei agora prescrevia as ofertas pela culpa em favor da *congregação*" (Ellicott, *in loc.*).

■ **4.13**

וְאִ֞ם כָּל־עֲדַ֤ת יִשְׂרָאֵל֙ יִשְׁגּ֔וּ וְנֶעְלַ֣ם דָּבָ֔ר מֵעֵינֵ֖י הַקָּהָ֑ל וְ֠עָשׂוּ אַחַ֨ת מִכָּל־מִצְוֺ֧ת יְהוָ֛ה אֲשֶׁ֥ר לֹא־תֵעָשֶׂ֖ינָה וְאָשֵֽׁמוּ׃

Se toda a congregação de Israel pecar. A nação de Israel certamente pecou no caso do bezerro de ouro (Êx 32). E outros pecados coletivos ainda seriam cometidos. Ver as notas em Êxodo 16.1, sobre a *Congregação*. As nações têm pecados específicos que as caracterizam, como um espírito de mentira, a desonestidade, a violência, a sensualidade etc. É possível que alguns desses pecados se devam a tendências genéticas, mas de outras vezes devemos pensar no desenvolvimento cultural e institucional. Sobre os *cretenses*, dizia-se que eram glutões preguiçosos (Tt 1.12); e os atenienses eram dados a uma idolatria muito elaborada, mais do que se poderia esperar de qualquer outro povo (At 16.16 ss.). Entre as tribos esquimós é comum a negociação de esposas. Ver 1Samuel 14.32 quanto a um conspícuo pecado nacional de Israel. Por certo, quando Jesus foi crucificado, esse foi o mais grave pecado nacional de Israel. Naturalmente, em todas as gerações há exceções. Ver o capítulo 14 de Números quanto a outro lapso nacional de Israel.

Pecar por ignorância. Tal como no caso de pecados individuais, somente os pecados cometidos na ignorância podiam ser expiados. Ver Levítico 4.2 quanto a notas detalhadas acerca disso. No caso da adoração ao bezerro de ouro, somente a intercessão intensa e pessoal de Moisés evitou a total destruição da nação inteira de Israel.

A grande complexidade da lei, com seu grande desdobramento em muitas subleis, ritos, cerimônias e sacrifícios tornava *inevitável* que Israel, como um povo, sofresse quedas e transgressões; mas suponha-se que essas coisas fossem motivadas pela ignorância, não que fossem erros voluntariamente praticados. Os sacrifícios apropriados obteriam o perdão para um povo em erro.

■ **4.14**

וְנֽוֹדְעָה֙ הַֽחַטָּ֔את אֲשֶׁ֥ר חָטְא֖וּ עָלֶ֑יהָ וְהִקְרִ֨יבוּ הַקָּהָ֜ל פַּ֤ר בֶּן־בָּקָר֙ לְחַטָּ֔את וְהֵבִ֣יאוּ אֹת֔וֹ לִפְנֵ֖י אֹ֥הֶל מוֹעֵֽד׃

Nos casos de lapsos ou *pecados nacionais*, a congregação de Israel ofereceria os sacrifícios apropriados *por meio de seus anciãos* (vs. 15), os quais agiriam como representantes autorizados do povo. Excetuando essa diferença, o sacrifício então oferecido era idêntico aos sacrifícios oferecidos em favor de um sacerdote que pecasse.

■ **4.15**

וְ֠סָמְכוּ זִקְנֵ֨י הָעֵדָ֧ה אֶת־יְדֵיהֶ֛ם עַל־רֹ֥אשׁ הַפָּ֖ר לִפְנֵ֣י יְהוָ֑ה וְשָׁחַ֥ט אֶת־הַפָּ֖ר לִפְנֵ֥י יְהוָֽה׃

Os anciãos da congregação. Na prática, pelo menos em número de dois, ainda que alguns intérpretes judeus tenham dito que eram necessários nada menos de cinco (*Misn. Sotah*, c. 9, sec. 1). O número de anciãos geralmente mencionado é de três (Maimônides e Bartenora em *Misn. Menachot*, c. 9, sec. 7 etc.). O Targum de Jonathan, entretanto, insiste sobre o número de doze anciãos, a fim de que cada uma das doze tribos fosse representada por um ancião. O número, ao que parece, variava, visto que o texto diante de nós não estipula um número específico de anciãos.

Novilho. Ver as notas sobre o vs. 4.

■ **4.16**

וְהֵבִ֛יא הַכֹּהֵ֥ן הַמָּשִׁ֖יחַ מִדַּ֣ם הַפָּ֑ר אֶל־אֹ֖הֶל מוֹעֵֽד׃

O sacerdote ungido. Ou seja, aquele designado para receber o animal a ser sacrificado, que ele recebia das mãos dos anciãos. Daqui ao vs. 22, temos repetições como as que foram dadas antes, acerca das ofertas em favor dos sacerdotes ofensores. O vs. 16 tem como paralelo o vs. 3 deste capítulo. Nada é dito sobre a necessidade de o animal oferecido não ter defeito, mas isso fica entendido, pois a questão não podia mesmo ser diferente. Ver as notas expositivas sobre o vs. 3 deste capítulo.

■ **4.17**

וְטָבַ֧ל הַכֹּהֵ֛ן אֶצְבָּע֖וֹ מִן־הַדָּ֑ם וְהִזָּ֞ה שֶׁ֤בַע פְּעָמִים֙ לִפְנֵ֣י יְהוָ֔ה אֵ֖ת פְּנֵ֥י הַפָּרֹֽכֶת׃

O paralelo deste versículo é o vs. 6.

■ **4.18**

וּמִן־הַדָּ֣ם ׀ יִתֵּ֣ן ׀ עַל־קַרְנֹ֣ת הַמִּזְבֵּ֗חַ אֲשֶׁר֙ לִפְנֵ֣י יְהוָ֔ה אֲשֶׁ֖ר בְּאֹ֣הֶל מוֹעֵ֑ד וְאֵ֣ת כָּל־הַדָּ֗ם יִשְׁפֹּךְ֙ אֶל־יְסוֹד֙ מִזְבַּ֣ח הָעֹלָ֔ה אֲשֶׁר־פֶּ֖תַח אֹ֥הֶל מוֹעֵֽד׃

O paralelo deste versículo é o vs. 7.

■ **4.19**

וְאֵ֥ת כָּל־חֶלְבּ֖וֹ יָרִ֣ים מִמֶּ֑נּוּ וְהִקְטִ֖יר הַמִּזְבֵּֽחָה׃

O paralelo deste versículo são os vss. 8-10.

■ **4.20**

וְעָשָׂ֣ה לַפָּ֔ר כַּאֲשֶׁ֤ר עָשָׂה֙ לְפַ֣ר הַֽחַטָּ֔את כֵּ֖ן יַעֲשֶׂה־לּ֑וֹ וְכִפֶּ֧ר עֲלֵהֶ֛ם הַכֹּהֵ֖ן וְנִסְלַ֥ח לָהֶֽם׃

O autor sacro lembra-nos aqui de que já havia dado antes essas instruções, e que aquilo que fora dito acerca das ofertas em favor dos sacerdotes estava sendo repetido no caso das ofertas pelos pecados nacionais. Em outras palavras, o trecho de Levítico 4.13-21 tem paralelo em Levítico 4.1-12, exceto quanto a alguns pequenos detalhes.

Fará expiação. Ver no *Dicionário* o artigo *Expiação*.
Serão perdoados. Ver no *Dicionário* o artigo *Perdão*.

4.21

וְהוֹצִיא אֶת־הַפָּר אֶל־מִחוּץ לַמַּחֲנֶה וְשָׂרַף אֹתוֹ
כַּאֲשֶׁר שָׂרַף אֵת הַפָּר הָרִאשׁוֹן חַטַּאת הַקָּהָל
הוּא: פ

Este versículo tem paralelo no vs. 12, embora deixe de lado alguns detalhes, que devemos adicionar com base no que foi dito no vs. 12.

Oferta pelo pecado da coletividade. Ver o gráfico na introdução a Levítico 1.1, que ilustra os vários tipos de sacrifícios e ofertas que este livro apresenta. Ver também, no *Dicionário,* o artigo chamado *Sacrifícios e Ofertas.* Quanto a detalhes, ver a introdução a este quarto capítulo, bem como as notas sobre Levítico 4.1.

SACRIFÍCIO PELOS ERROS DE UM PRÍNCIPE (4.22-26)

Ver a introdução ao vs. 13 deste capítulo quanto às *quatro classes* em favor de quem os sacrifícios eram feitos. Chegamos aqui à *terceira classe:* pecado cometido por um *rei* (que Israel, finalmente, chegou a ter; 1Reis 11.34; Ez 34.24; 46.2); um *chefe* de tribo (Nm 1.4-16); divisão de uma tribo (Nm 34.18); ou de um *juiz* (civil ou religioso), como no tempo dos juízes. Tal líder teria pecado contra o *seu Deus,* uma frase peculiar deste capítulo (vs. 22), visto que, como líder que era, tinha um lugar especial e era mais responsável diante de Deus do que outras pessoas.

4.22

אֲשֶׁר נָשִׂיא יֶחֱטָא וְעָשָׂה אַחַת מִכָּל־מִצְוֹת יְהוָה
אֱלֹהָיו אֲשֶׁר לֹא־תֵעָשֶׂינָה בִּשְׁגָגָה וְאָשֵׁם:

Quando um príncipe pecar. (Ver o parágrafo anterior, quanto a definições.) Quando um líder em Israel viesse a pecar contra o "seu Deus", esse pecado seria reputado como mais grave que o de outras pessoas, conforme este versículo deixa claro. Ele havia sido levantado a uma posição de liderança, por ter-se distinguido entre as demais pessoas. Seu pecado, pois, tornava-se mais conspícuo que de outras pessoas. Tal pecado era tido como escandaloso. Ele era um líder e um mestre de outras pessoas. Ver 2Coríntios 6.3 quanto a um paralelo do Novo Testamento. Ver também Tiago 3.1. Quando erram, os líderes recebem uma mais grave condenação; assim, é melhor não buscarmos posição de liderança, a menos que sejamos sérios sobre a questão. Quando o representante de uma comunidade peca, a comunidade toda se entristece.

Por ignorância. Conforme é dado e comentado no vs. 2 deste capítulo. Pecados deliberados ou arrogantes não podiam ser expiados, de acordo com o sistema sacrificial de Levítico. Abordo no vs. 2 os problemas criados por tal circunstância.

4.23

אוֹ־הוֹדַע אֵלָיו חַטָּאתוֹ אֲשֶׁר חָטָא בָּהּ וְהֵבִיא
אֶת־קָרְבָּנוֹ שְׂעִיר עִזִּים זָכָר תָּמִים:

lhe for notificado. Por ser um pecado resultante de ignorância, e não um pecado voluntário, segundo se entende no vs. 22, mediante as palavras *por ignorância.* A complexidade da lei, em seus desdobramentos, apanharia na rede a qualquer homem, sem importar quão bem intencionado ele fosse. O sistema inteiro tornou-se uma carga que ninguém era capaz de suportar (At 15.10).

Um bode. No hebraico, *saer,* o bode de pelo eriçado. Quando esse mesmo animal era chamado de *athud,* então estava em pauta um animal mais jovem e vigoroso, o que aumentava seu preço como oferta. Os animais mais velhos não eram usados nem na alimentação nem nos sacrifícios (Lv 16.9,15; 23.19; Nm 28.15,22,30; 29.5,11,16). Mas os de menos idade eram mortos para servir como alimento (Dt 32.14; Jr 51.40) ou como sacrifício (Nm 7.17,23,29; Is 1.11; Ez 39.18; Sl 50.9,13).

Ao *líder* competia trazer um *bode,* e não um touro; e isso fazia contraste com o *touro,* oferecido pelas pessoas das duas primeiras classes, a dos sacerdotes e a de toda a congregação. Ver as notas de introdução a Levítico 4.13, quanto às *quatro classes* em favor das quais eram feitos sacrifícios.

Sem defeito. Ver sobre isso no final dos comentários sobre Levítico 4.3.

4.24

וְסָמַךְ יָדוֹ עַל־רֹאשׁ הַשָּׂעִיר וְשָׁחַט אֹתוֹ בִּמְקוֹם
אֲשֶׁר־יִשְׁחַט אֶת־הָעֹלָה לִפְנֵי יְהוָה חַטָּאת הוּא:

Este versículo tem paralelos nos vss. 4 e 5, cujas notas expositivas aplicam-se aqui.

4.25

וְלָקַח הַכֹּהֵן מִדַּם הַחַטָּאת בְּאֶצְבָּעוֹ וְנָתַן עַל־קַרְנֹת
מִזְבַּח הָעֹלָה וְאֶת־דָּמוֹ יִשְׁפֹּךְ אֶל־יְסוֹד מִזְבַּח
הָעֹלָה:

A manipulação do sangue vertido em favor de um líder era algo mais complexo do que se requeria no caso de um sacerdote. Ver os vss. 6 e 7 deste capítulo quanto ao rito mais complexo. Esse rito mais complexo envolvia *três* manipulações do sangue (ver sobre o vs. 7, onde alisto essas manipulações). Este versículo fala em somente *duas* variações. Mas aqui também é requerido que o sangue fosse posto sobre as pontas dos chifres do *altar de bronze* (ver Êx 27.1), e não sobre o altar de ouro (ver no *Dicionário* sobre o *altar de incenso*). Ver o diagrama da *planta* do tabernáculo, em Êxodo 25.1, em suas notas introdutórias.

4.26

וְאֶת־כָּל־חֶלְבּוֹ יַקְטִיר הַמִּזְבֵּחָה כְּחֵלֶב זֶבַח
הַשְּׁלָמִים וְכִפֶּר עָלָיו הַכֹּהֵן מֵחַטָּאתוֹ וְנִסְלַח לוֹ: פ

Quanto à *gordura* e ao *sangue* oferecidos a Yahweh, não consumidos pelos sacerdotes ou ofertantes, ver Levítico 3.17. O sangue era vertido e aceito por Yahweh, mas o homem o perdia. A gordura era totalmente consumida no fogo, sobre o altar de bronze. Ver Levítico 3.5 quanto a um versículo paralelo, onde são dadas explicações adicionais.

Fará expiação por ele. Ver no *Dicionário* o artigo chamado *Expiação.* Este versículo é paralelo ao vs. 20 deste capítulo.

E este lhe será perdoado. Ver no *Dicionário* o artigo intitulado *Perdão.* O trecho de Levítico 6.26,29 mostra-nos que o sacerdote oficiante e seus familiares recebiam o restante do animal sacrificado como alimento.

SACRIFÍCIO PELO ERRO DE UMA PESSOA COMUM (4.27-35)

Ver as notas introdutórias a Levítico 4.13, onde alisto as *quatro classes* de pessoas em favor de quem os sacrifícios eram feitos. A seção diante de nós (vss. 27-35) apresenta a *quarta* dessas classes, o indivíduo comum. Era mister que ele fosse membro da congregação de Israel (ver sobre Êx 16.1 quanto a essa expressão). Não era sacerdote nem líder. Uma expressão alternativa nas Escrituras é "qualquer dos filhos de Israel" (Lv 20.2,4; 2Rs 9.18,19; 16.15). Se a *primeira classe* se referia somente ao sumo sacerdote (o *ungido,* vss. 3,5), então essa quarta classe incluía os sacerdotes comuns, os levitas etc. Ver as notas em Levítico 4.3 quanto ao sacerdote *ungido.*

4.27

וְאִם־נֶפֶשׁ אַחַת תֶּחֱטָא בִשְׁגָגָה מֵעַם הָאָרֶץ בַּעֲשֹׂתָהּ
אַחַת מִמִּצְוֹת יְהוָה אֲשֶׁר לֹא־תֵעָשֶׂינָה וְאָשֵׁם:

Pecar por ignorância. Estipulação que aparece pelo trecho inteiro. Um pecado voluntarioso ou arrogante não contava com expiação na forma de sacrifício. Já mostrei essa questão, com seus problemas teológicos, em Levítico 4.2.

Por fazer alguma das cousas. Estão aqui em pauta os *Dez Mandamentos* (ver no *Dicionário*), bem como os grandes *desdobramentos* das leis e ordenanças que vieram a ser adicionadas aos Dez Mandamentos originais. O homem mais cuidadoso, sem dúvida, quebraria um ou outro desses inúmeros preceitos, e assim os sacrifícios pelo pecado eram frequentes e intermináveis. Cristo, porém, livrou-nos de tudo isso (Rm 6.14). Há pecados de comissão e de omissão. Este versículo frisa os pecados em que a pessoa fazia algo proibido. Ver no *Dicionário* o artigo chamado *Pecado.*

4.28

אוֹ הוֹדַע אֵלָיו חַטָּאתוֹ אֲשֶׁר חָטָא וְהֵבִיא קָרְבָּנוֹ
שְׂעִירַת עִזִּים תְּמִימָה נְקֵבָה עַל־חַטָּאתוֹ אֲשֶׁר חָטָא:

Uma cabra. A fêmea do bode era o sacrifício que devia ser oferecido pelo indivíduo comum, sendo esse o único detalhe diferente acerca desse sacrifício. O resto do rito seguia exatamente o que havia sido prescrito em relação a um príncipe (vss. 22-26). Os intérpretes, sem dúvida, estão com a razão ao reputarem a *cabra* como o animal de menor valor, entre os que podiam ser oferecidos. Portanto, nessas ofertas pelas quatro classes de pessoas temos uma gradação descendente de pecadores: o sumo sacerdote; a congregação toda; um príncipe do povo; uma pessoa comum. Correspondendo a isso, temos gradações do valor dos animais trazidos: o touro, o bode, a cabra (ou a cordeira, vs. 32). O *suplemento* (Lv 5.7-13) adiciona as aves e as ofertas de cereais, que podiam ser trazidas pelos mais pobres.

Sem defeito. Ver a esse respeito nas notas expositivas sobre Levítico 4.3.

4.29

וְסָמַךְ אֶת־יָדוֹ עַל רֹאשׁ הַחַטָּאת וְשָׁחַט אֶת־הַחַטָּאת
בִּמְקוֹם הָעֹלָה:

Este versículo é paralelo ao vs. 24, o qual, por sua vez, tem paralelo em Levítico 4.4,5, onde são dadas as notas expositivas.

4.30

וְלָקַח הַכֹּהֵן מִדָּמָהּ בְּאֶצְבָּעוֹ וְנָתַן עַל־קַרְנֹת מִזְבַּח
הָעֹלָה וְאֶת־כָּל־דָּמָהּ יִשְׁפֹּךְ אֶל־יְסוֹד הַמִּזְבֵּחַ:

Este versículo tem paralelo no vs. 25, que, por sua vez, é essencialmente paralelo a Levítico 4.6,7. Ver as notas em ambos os trechos. Havia três diferentes modos de manipular o sangue envolvidos nas ofertas em favor do sumo sacerdote, mas apenas dois no caso de um príncipe ou líder. As ofertas que envolviam pessoas comuns seguiam o modo mais simples.

4.31

וְאֶת־כָּל־חֶלְבָּהּ יָסִיר כַּאֲשֶׁר הוּסַר חֵלֶב מֵעַל זֶבַח
הַשְּׁלָמִים וְהִקְטִיר הַכֹּהֵן הַמִּזְבֵּחָה לְרֵיחַ נִיחֹחַ
לַיהוָה וְכִפֶּר עָלָיו הַכֹּהֵן וְנִסְלַח לוֹ: פ

Este versículo é essencialmente paralelo ao vs. 26 deste capítulo, exceto pelo fato de que adiciona a expressão *aroma agradável*, que aquele outro, por nenhuma razão evidente, omitiu. Ver sobre Levítico 1.9 quanto a isso. Nesse ponto, dou uma lista de referências que contêm a expressão.

4.32

וְאִם־כֶּבֶשׂ יָבִיא קָרְבָּנוֹ לְחַטָּאת נְקֵבָה תְמִימָה
יְבִיאֶנָּה:

A *cordeira* também era permitida no caso de sacrifício oferecido em favor de um homem comum. Ver as gradações de preço dos sacrifícios, correspondentes ao prestígio descendente e sucessivo das ofertas, nas notas sobre o vs. 28. A cordeira também precisava ser sem defeito (ver sobre Lv 4.3). O ritual atinente ao carneiro era idêntico ao do bode, exceto pela questão da *cauda gorda*, do carneiro, que precisava ser queimada (ver sobre Lv 3.9). E é provável que somente por essa razão que achamos aqui novas instruções, distinguindo um animal do outro. A cauda gorda não é mencionada nesta seção, mas sem dúvida fica entendida como uma das partes que eram oferecidas a Yahweh. O que se aplicava às ofertas pacíficas também se aplicava às ofertas pelo pecado, quanto ao uso e ao ritual apropriado.

4.33

וְסָמַךְ אֶת־יָדוֹ עַל רֹאשׁ הַחַטָּאת וְשָׁחַט אֹתָהּ לְחַטָּאת
בִּמְקוֹם אֲשֶׁר יִשְׁחַט אֶת־הָעֹלָה:

Este versículo tem paralelo no vs. 24, o qual, por sua vez, tem paralelo nos vss. 4 e 5, onde são dadas as notas expositivas.

4.34,35

וְלָקַח הַכֹּהֵן מִדַּם הַחַטָּאת בְּאֶצְבָּעוֹ וְנָתַן עַל־קַרְנֹת
מִזְבַּח הָעֹלָה וְאֶת־כָּל־דָּמָהּ יִשְׁפֹּךְ אֶל־יְסוֹד הַמִּזְבֵּחַ:
וְאֶת־כָּל־חֶלְבָּה יָסִיר כַּאֲשֶׁר יוּסַר חֵלֶב־הַכֶּשֶׂב
מִזֶּבַח הַשְּׁלָמִים וְהִקְטִיר הַכֹּהֵן אֹתָם הַמִּזְבֵּחָה עַל
אִשֵּׁי יְהוָה וְכִפֶּר עָלָיו הַכֹּהֵן עַל־חַטָּאתוֹ אֲשֶׁר־חָטָא
וְנִסְלַח לוֹ: פ

Esses versículos têm paralelo nos vss. 25,26, onde dou a exposição. A questão da *cauda gorda* é deixada de lado sem nenhuma razão aparente, mas sem dúvida fazia parte do rito. Ver sobre essa questão nas notas sobre Levítico 3.9, com comentários adicionais em Levítico 4.32.

CAPÍTULO CINCO

SACRIFÍCIO PELOS PECADOS OCULTOS (5.1-13)

O *capítulo 4* descreve elaboradamente como deveriam ser feitas oferendas em favor de quatro classes de pessoas: 1. O sumo sacerdote; 2. a congregação inteira de Israel; 3. os príncipes; 4. o indivíduo comum. Ver sobre as três classes na introdução a Levítico 4.13. Nesse quarto capítulo é salientado que os sacrifícios eram acerca de *pecados de ignorância* (ver as notas em Lv 4.2) e não acerca de pecados voluntariosos, arrogantes, a respeito dos quais não havia provisão de sacrifícios nas leis levíticas. O *quinto capítulo* dá-nos exemplos daqueles tipos de pecados, cometidos na ignorância, que exigiam sacrifício. O autor identificou pontos difíceis.

Os vss. 1-6 deste capítulo identificam quatro pecados que requeriam ofertas pelo pecado. Todos os quatro casos envolviam pecados resultantes da negligência ou do esquecimento. Eram erros não-premeditados, não-intencionais.

5.1

וְנֶפֶשׁ כִּי־תֶחֱטָא וְשָׁמְעָה קוֹל אָלָה וְהוּא עֵד אוֹ רָאָה
אוֹ יָדָע אִם־לוֹא יַגִּיד וְנָשָׂא עֲוֺנוֹ:

Os intérpretes não concordam quanto à natureza exata do *pecado* referido neste versículo. Há diversas opiniões: 1. Talvez um homem tivesse sido convidado a prestar depoimento de algo de que fora testemunha, mas declinou fazê-lo. 2. Ou, então, ele tinha sido testemunha de uma maldição proferida pela vítima contra um ladrão, mas não quisera denunciá-lo. 3. Ou, então, ele reteve informações sobre alguma ofensa que alguém havia cometido, e assim havia ameaçado, mediante o seu ato, a devida administração da justiça. Lemos em Mateus 26.63 uma adjuração: "Eu te conjuro pelo Deus vivo que nos digas se tu és o Cristo, o Filho de Deus". Isso impunha uma solene obrigação de ser dada a resposta. O homem referido neste versículo, seja como for, era um homem negligente. Por causa de sua negligência, a justiça não seria aplicada, mas abortaria. Ele tinha *retido o seu testemunho*, que poderia ter feito uma diferença.

Levará a sua iniquidade. Tal homem tornava-se culpado de negligência pecaminosa. Para livrar-se de tal culpa, ele tinha de trazer sua oferta pelo pecado. Também fica entendido que ele teria de fazer *restituição* até onde fosse possível. Ver no *Dicionário* o artigo chamado *Reparação (Restituição)*. Não somos informados sobre o que aconteceria se ele não cumprisse o seu dever, trazendo seu sacrifício ou fazendo reparação. Talvez ser excluído da congregação fosse o castigo imposto. Ver na *Enciclopédia de Bíblia, Teologia e Filosofia* o verbete intitulado *Exclusão*.

5.2

אוֹ נֶפֶשׁ אֲשֶׁר תִּגַּע בְּכָל־דָּבָר טָמֵא אוֹ בְנִבְלַת חַיָּה
טְמֵאָה אוֹ בְּנִבְלַת בְּהֵמָה טְמֵאָה אוֹ בְּנִבְלַת שֶׁרֶץ
טָמֵא וְנֶעְלַם מִמֶּנּוּ וְהוּא טָמֵא וְאָשֵׁם:

Quando alguém tocar em alguma cousa imunda. Ver o artigo detalhado chamado *Limpo e Imundo,* acerca das coisas consideradas imundas, de acordo com as leis do Antigo Testamento. Este versículo dá-nos vários exemplos, todos envolvendo animais imundos, mas há muitos outros. Sob o ponto quinto do mencionado artigo, mostro os modos de purificação. Por certo, em tudo isso, está envolvido um símbolo de *pureza moral.* Yahweh requeria santidade da parte das pessoas. Mas não podemos esquecer que os hebreus levavam muito a sério as suas leis cerimoniais, e não estavam em foco meros tipos. Para eles era um *pecado* tocar na carcaça de um daqueles muitos animais tidos por imundos, e não estava em pauta apenas uma questão simbólica.

Quando uma pessoa tocava em uma carcaça de animal imundo, ela ficava *imunda,* ou seja, desqualificada para a adoração ou o serviço divino, até a noite. Tinha de tomar um banho e também lavar suas roupas (Lv 11.24,31), para ficar isenta de sua maldição. Ver também Levítico 11.2-8. "Jarchi e Gersom interpretam essa *culpa* dizendo que não se podia entrar no santuário, comer das coisas sagradas, estando assim contaminado" (John Gill, *in loc.*). Um homem que tivesse ficado imundo com qualquer coisa imprópria não ousava entrar no tabernáculo por motivo nenhum. Sendo *culpado,* ele teria de *levar* sobre si a sua culpa, conforme se vê no vs. 1, onde a questão é interpretada. Ver Levítico 11—15 e Números 19.1-13, quanto às leis da imundícia.

"Em adição à impureza ritual, ele incorria em culpa por haver negligenciado em desfazer-se da impureza ritualmente contraída" (Nathaniel Micklem, *in loc.*).

■ 5.3

אוֹ כִי יִגַּע בְּטֻמְאַת אָדָם לְכֹל טֻמְאָתוֹ אֲשֶׁר יִטְמָא בָּהּ
וְנֶעְלַם מִמֶּנּוּ וְהוּא יָדַע וְאָשֵׁם׃

A imundícia dum homem. Outra forma de imundícia, além da dos animais (vs. 2). Estão aqui em foco coisas como tocar no cadáver de uma pessoa ou no sangue da menstruação de uma mulher. O trecho de Levítico 12-15 fornece todas as informações necessárias sobre essa questão. O parto envolvia uma mulher em imundícia ritual, durante algum tempo. A própria menstruação fazia a mulher tornar-se ritualmente imunda. A lepra e outras enfermidades também eram formas humanas de imundícia. Preceitos intrincados governavam a questão toda, incluindo as purificações rituais. Sacrifícios precisavam ser realizados.

■ 5.4

אוֹ נֶפֶשׁ כִּי תִשָּׁבַע לְבַטֵּא בִשְׂפָתַיִם לְהָרַע אוֹ
לְהֵיטִיב לְכֹל אֲשֶׁר יְבַטֵּא הָאָדָם בִּשְׁבֻעָה וְנֶעְלַם
מִמֶּנּוּ וְהוּא־יָדַע וְאָשֵׁם לְאַחַת מֵאֵלֶּה׃

Fazer juramentos era algo permitido, e até mesmo exigido, mas ninguém deveria fazê-lo de forma impulsiva e impensada. Era mister evitar atos precipitados. O homem precisa ser sóbrio e manter seu espírito sob controle (1Ts 5.6; 1Pe 4.7). Ou, então, uma pessoa podia fazer um voto acerca de algo positivo, mas depois esquecer-se, caindo assim em pecado de negligência. Disse Jarchi: "Proferindo algo com os lábios, mas não no coração". O Targum de Jonathan fala em *juramentos falsificados.* A pessoa que chegasse a perceber que tinha feito um juramento de modo tolo ou errado, então, em face de seu novo discernimento de que errara, confessaria e faria reparação, sempre que isso fosse possível. Ver no *Dicionário* o artigo *Reparação (Restituição).* E um israelita teria de fazer o sacrifício apropriado, como parte de sua reparação. Ver no *Dicionário* o artigo detalhado chamado *Juramentos.*

■ 5.5

וְהָיָה כִי־יֶאְשַׁם לְאַחַת מֵאֵלֶּה וְהִתְוַדָּה אֲשֶׁר חָטָא
עָלֶיהָ׃

O indivíduo culpado *dessas coisas* (ou seja, das *quatro*) descritas nos vss. 1-4, ou de outras coisas similares, primeiro deveria confessar e fazer reparação, e, então, trazer o sacrifício apropriado (vss. 6 ss.).

Confessará. Era mister fazer alguma confissão pública, formal, embora não nos seja informado que confissão seria essa. Nos tempos do segundo templo, a questão se resumia no seguinte: O ofensor impunha suas mãos entre os dois chifres do animal sacrificado, enquanto este ainda estivesse vivo, e então dizia: "Pequei; cometi iniquidade; transgredi e fiz isto ou aquilo. Mas arrependo-me diante de ti, e esta é a minha expiação".

Os autores judeus também dizem algo similar, de diferentes modos e com diversas fórmulas, incluindo a promessa de não repetir a infração. As palavras-chave, nesses casos, eram: confissão, restituição e humildade.

■ 5.6

וְהֵבִיא אֶת־אֲשָׁמוֹ לַיהוָה עַל חַטָּאתוֹ אֲשֶׁר חָטָא נְקֵבָה
מִן־הַצֹּאן כִּשְׂבָּה אוֹ־שְׂעִירַת עִזִּים לְחַטָּאת וְכִפֶּר
עָלָיו הַכֹּהֵן מֵחַטָּאתוֹ׃

A oferta pelo pecado requeria o sacrifício de uma cabrita ou de uma cordeira, animais dos menos valiosos, que só eram mais valiosos que as aves. Nos casos de ofertas pelo pecado, ilustrados no capítulo 4, temos as seguintes: Por um sacerdote, o touro; pela congregação inteira, o touro; por um líder ou príncipe, o bode; pelo indivíduo comum, uma cabra ou cordeira. Gradações de pecadores requeriam gradações de tipos de animais oferecidos, do mais para o menos valioso. Ver notas expositivas sobre isso em Levítico 4.28. Ver as notas introdutórias a Levítico 4.13, a respeito das quatro classes pelas quais eram feitas ofertas.

Não são dados aqui pormenores sobre as ofertas, mas podemos pensar que seguiam os mesmos ritos dados no quarto capítulo. Visto que temos a cabra e a ovelha para essa oferenda, então é provável que os ritos descritos em Levítico 4.23-26 ou Levítico 4.32-35 fossem seguidos, dependendo de qual animal era oferecido, a cabra ou a ovelha.

Alguns eruditos pensam que havia uma diferença nas ofertas (entre os capítulos 4 e 5). Portanto, ficamos sem poder saber no que consistiriam essas oferendas. Mas o quinto capítulo talvez esteja apenas sugerindo os *tipos* de pecados de ignorância ou negligência que podiam ser cometidos e precisavam ser expiados, de acordo com as normas dadas no quarto capítulo.

■ 5.7-9

וְאִם־לֹא תַגִּיעַ יָדוֹ דֵּי שֶׂה וְהֵבִיא אֶת־אֲשָׁמוֹ אֲשֶׁר
חָטָא שְׁתֵּי תֹרִים אוֹ־שְׁנֵי בְנֵי־יוֹנָה לַיהוָה אֶחָד
לְחַטָּאת וְאֶחָד לְעֹלָה׃

וְהֵבִיא אֹתָם אֶל־הַכֹּהֵן וְהִקְרִיב אֶת־אֲשֶׁר לַחַטָּאת
רִאשׁוֹנָה וּמָלַק אֶת־רֹאשׁוֹ מִמּוּל עָרְפּוֹ וְלֹא יַבְדִּיל׃

וְהִזָּה מִדַּם הַחַטָּאת עַל־קִיר הַמִּזְבֵּחַ וְהַנִּשְׁאָר בַּדָּם
יִמָּצֵה אֶל־יְסוֹד הַמִּזְבֵּחַ חַטָּאת הוּא׃

As ofertas pelo pecado em favor dos *pobres,* que não eram capazes de oferecer os animais maiores, aparecem nos vss. 7-13 deste capítulo. Tais pessoas podiam trazer as duas aves — a rola ou o pombinho —, as quais estavam ao alcance de qualquer bolso. O quarto capítulo não inclui as aves, mas é provável que devamos transferir para esse capítulo o fato de que os pobres podiam oferecer aves, embora isso não seja dito especificamente. O trecho de Levítico 1.14-17 fornece-nos o ritual associado ao oferecimento de aves, que, segundo supomos, era seguido no caso presente. As aves prestavam-se tanto para as ofertas pelo pecado quanto para as ofertas queimadas, esta última requerendo a queima total da ave, e aquela primeira, não. O ritual descrito neste texto é virtualmente igual ao que aparece no trecho de Levítico 1.14-17, exceto pelo fato de que parte do sangue era aspergido contra os lados do altar, no caso das ofertas queimadas, ao passo que nas ofertas pelo pecado, além desse ato, o resto do sangue era drenado à base do altar (vs. 9). Mas alguns eruditos opinam que o rito era igual, embora as duas descrições sejam ligeiramente diferentes, de modo não-intencional. O vs. 10, naturalmente, que descreve uma *segunda ave,* era um item peculiar às ofertas pelo pecado.

■ 5.10

וְאֶת־הַשֵּׁנִי יַעֲשֶׂה עֹלָה כַּמִּשְׁפָּט וְכִפֶּר עָלָיו הַכֹּהֵן
מֵחַטָּאתוֹ אֲשֶׁר־חָטָא וְנִסְלַח לוֹ׃ ס

E do outro. Está em pauta aqui a *segunda ave,* a qual era oferecida como oferta queimada, sem dúvida à maneira descrita em Levítico 1.14-17. Portanto, eram feitas duas ofertas, a oferta pelo pecado e a oferta queimada, em que a segunda era totalmente consumida nas chamas. As *duas aves,* de alguma maneira, ao menos simbolicamente, compensavam pelo fato de que não fora trazido um dos animais de maior preço. Mas alguns eruditos pensam que não temos aqui dois tipos de oferta. Antes, creem que as duas aves substituíam a provisão concernente à *gordura,* porção tão importante nas ofertas. Seria impossível separar a porção gorda das aves, assim, em vez de ser feita essa separação, eram oferecidas duas aves. Ver Levítico 3.17 quanto às normas atinentes à gordura e ao sangue. A gordura e o sangue pertenciam a Yahweh, como as porções mais preciosas dos sacrifícios de animais e aves. A segunda ave era *totalmente consumida* nas chamas, tomando o lugar da gordura dos sacrifícios de maior valor.

A primeira ave das ofertas pelo pecado pertencia ao sacerdote e podia ser comida por ele, uma vez usado cerimonialmente o sangue. Mas a segunda pertencia totalmente a Yahweh.

■ **5.11**

וְאִם־לֹא תַשִּׂיג יָדוֹ לִשְׁתֵּי תֹרִים אוֹ לִשְׁנֵי בְנֵי־יוֹנָה
וְהֵבִיא אֶת־קָרְבָּנוֹ אֲשֶׁר חָטָא עֲשִׂירִת הָאֵפָה סֹלֶת
לְחַטָּאת לֹא־יָשִׂים עָלֶיהָ שֶׁמֶן וְלֹא־יִתֵּן עָלֶיהָ לְבֹנָה
כִּי חַטָּאת הִיא׃

Se as suas posses não lhe permitirem. Havia pessoas tão pobres que não podiam gastar nem mesmo com as duas aves. Mas nem por isso ficavam fora do sistema. Bastava que oferecessem *ofertas de manjares,* ou seja, de cereais. Cada qual oferecia aquilo do que era possuidor. Se fosse pessoa abastada, podia oferecer um touro; se fosse remediado, podia oferecer um bode ou carneiro; os pobres podiam oferecer duas aves; e os extremamente pobres podiam oferecer uma oferta de cereais. Ver o gráfico que há antes da exposição de Levítico 1.1, que ilustra os vários tipos possíveis de oferendas, bem como os rituais que as circundavam.

Um homem drasticamente pobre podia fazer uma oferta de cerca de um litro de farinha de trigo, ou seja, a décima parte de um efá. Em Levítico 2.1-3, temos a descrição das ofertas de cereais, e a descrição desta passagem segue aquela em seus contornos gerais, embora não quanto a cada detalhe. Nesse caso, nenhum azeite ou incenso era misturado com o cereal.

Esta seção (vss. 7-11) é suplementar à de Levítico 4.27-35, que cobre o caso dos pobres e dos extremamente pobres, que as descrições do capítulo 4 deixaram de fora.

Oferta pelo pecado. Certas diferenças eram feitas, porque esta passagem descreve uma oferta pelo pecado, ao passo que o trecho de Levítico 2.1-3 descreve a *minchah,* ou seja, as ofertas de cereais ou de manjares. Os propósitos difeririam. A primeira passagem aborda as questões de agradecimento, gratidão e dedicação. A segunda aborda a expiação pelo pecado. Meu gráfico, apresentado imediatamente antes dos comentários sobre Levítico 1.1, deixa claras essas distinções. Ver no gráfico sob *Dedicatórias* (subtítulos: queimadas, cereais, libação) e *Expiatórias* (subtítulos: pelo pecado e pela culpa).

■ **5.12**

וֶהֱבִיאָהּ אֶל־הַכֹּהֵן וְקָמַץ הַכֹּהֵן מִמֶּנָּה מְלוֹא קֻמְצוֹ
אֶת־אַזְכָּרָתָהּ וְהִקְטִיר הַמִּזְבֵּחָה עַל אִשֵּׁי יְהוָה חַטָּאת
הִוא׃

Este versículo é similar, mas não absolutamente igual a Levítico 2.2. Deixa de lado a observação sobre o azeite, o incenso e o *aroma agradável.* Ambos os trechos falam sobre a porção *memorial,* que deveria ser dada a Yahweh, ponto esse comentado em Levítico 2.2. Ambas eram oferendas oferecidas no *fogo,* ou seja, queimadas sobre o *altar de bronze* (ver as notas sobre Êx 27.1). Aqui somos novamente informados (cf. o vs. 11) que está em vista uma *oferta pelo pecado,* e não uma oferta de cereais. Ver Levítico 4.35, quanto às ofertas que passavam pelo *fogo.*

Tipologia. Tal como no caso das passagens que tratam dos sacrifícios e das ofertas, os eruditos veem aqui tipos que prefiguram a pessoa de Cristo. Ver 2Coríntios 5.21; Efésios 1.7 e 5.2 quanto a típicas referências neotestamentárias. Ver João 1.29, bem como a exposição desse versículo, no *Novo Testamento Interpretado,* quanto a detalhes completos.

■ **5.13**

וְכִפֶּר עָלָיו הַכֹּהֵן עַל־חַטָּאתוֹ אֲשֶׁר־חָטָא מֵאַחַת
מֵאֵלֶּה וְנִסְלַח לוֹ וְהָיְתָה לַכֹּהֵן כַּמִּנְחָה׃ ס

Fará oferta pelo pecado. Temos aqui, em nossa versão portuguesa, um erro de revisão. O hebraico diz aqui "fará expiação pelo pecado", conforme se vê em todas as outras versões, em português e em outros idiomas. Ver no *Dicionário* o artigo *Expiação.*

Em alguma destas cousas. Ou seja, os tipos de pecados especificados nos vss. 1-4, e outros semelhantes a esses versículos, cometidos por pessoas extremamente pobres, que só podiam oferecer cereais como sacrifício.

E lhe será perdoado. Ver no *Dicionário* o artigo intitulado *Perdão.*

O restante. Aquelas porções dos sacrifícios que não eram usadas no rito tornavam-se alimento dos sacerdotes. Aquilo que era levado ao altar, a fim de ser submetido ao fogo, pertencia a Yahweh. Mas o que não fosse levado ao altar de bronze pertencia aos sacerdotes, servos de Yahweh. No caso das ofertas de cereais, somente um punhado (tomado dentre a décima parte do efá) pertencia a Yahweh, e as outras nove décimas partes pertenciam ao sacerdote oficiante. Outro tanto sucedia no caso dos dízimos: uma décima parte pertencia ao Senhor; e os nove décimos ficavam com o homem. Ver Levítico 2.3 quanto à mesma norma.

SACRIFÍCIO PELO SACRILÉGIO (5.14-16)

O autor sacro continuava a alistar aqueles tipos de pecados pelos quais ofertas ou sacrifícios tinham de ser feitos. No quarto capítulo, o autor nos deu as *quatro classes* de pessoas que cometiam *pecados involuntários.* Ver Levítico 4.13 quanto a isso. Em seguida, ele forneceu os vários tipos de sacrifícios requeridos, desde o touro, o mais dispendioso, passando pela cordeira, dependendo da situação econômica do ofertante. A essa lista, já neste capítulo, ele adicionou a oferta de aves (vss. 7-9), feita pelos pobres; até chegar às ofertas de cereais, feitas pelos mais pobres (vss. 11,12). Ver Levítico 4.28 quanto a oferendas de vários valores.

Oferta pela Culpa. Alguns eruditos veem uma diferença entre as ofertas pela culpa e as ofertas pela transgressão. Algumas versões dizem aqui "oferta pela transgressão". Mas se existe alguma diferença entre essas duas ofertas, isso envolve somente a questão da *reparação* (vs. 16). Entretanto, cabe-nos supor que qualquer pecado devesse incluir reparação juntamente com confissão, até onde essa reparação fosse possível. Portanto, essa distinção não parece ter razão, motivo talvez pelo qual nossa versão portuguesa diga aqui "oferta pela culpa", e não "oferta pela transgressão".

Talvez a verdade da questão seja que as ofertas pela transgressão (ou *ofertas pela culpa,* conforme alguns as chamam) fossem uma *espécie* de oferenda que enfatizasse a ideia de *reparação,* visto que algum valor monetário podia ser vinculado à perda incorrida pelo ofensor. Cf. este texto com Números 5.12ss.; Josué 7.1; 22.20; 2Crônicas 26.16,18; 28.22,23. "Quando um pecado podia ser calculado quanto a seu valor monetário, o ofensor precisava apresentar não somente o carneiro como oferta pela culpa, mas também compensação sob forma de propriedade ou prata, além de uma multa de 20% (Lv 5.16; 6.5)" (F. Duane Lindsey, *in loc.*). Os exemplos dados neste texto (exemplos esses que podem ser multiplicados por via de analogia) são de pecados não-intencionais, apropriações indébitas de propriedade sagrada (Lv 5.14-16) e de serviços (cf. Lv 4.12,24), suspeitas de transgressões de mandamentos divinos (Lv 5.17-19) e a violação de direitos alheios (Lv 6.1-7; cf. Lv 19.20-22; Nm 5.6-10). O pecado causou à vítima uma perda, pelo que seria mister fazer reparação.

■ **5.14**

וַיְדַבֵּר יְהוָה אֶל־מֹשֶׁה לֵּאמֹר׃

Disse mais o Senhor. Temos aqui uma fórmula literária do Pentateuco que introduz alguma nova seção, mas também reflete o teísmo (como também o misticismo e a revelação). Ver no *Dicionário* os três artigos com esses títulos. Dou uma nota detalhada, com muitas referências, que incluem essa expressão, em Levítico 1.1 e 4.1.

5.15

נֶפֶשׁ כִּי־תִמְעֹל מַעַל וְחָטְאָה בִּשְׁגָגָה מִקָּדְשֵׁי יְהוָה וְהֵבִיא אֶת־אֲשָׁמוֹ לַיהוָה אַיִל תָּמִים מִן־הַצֹּאן בְּעֶרְכְּךָ כֶּסֶף־שְׁקָלִים בְּשֶׁקֶל־הַקֹּדֶשׁ לְאָשָׁם׃

Nas cousas sagradas. Talvez o indivíduo tenha deixado de pagar a taxa do tabernáculo (Êx 30.13 ss.); talvez tenha deixado de redimir seu primogênito ou tenha retido os seus dízimos; talvez se tenha mostrado negligente em sustentar o tabernáculo com suas dádivas ou em apresentar os sacrifícios apropriados. Não parece estar em pauta a falta de observância do descanso sabático, porque, então, o ofensor seria executado por tal falta. Ver Êxodo 31.15. Quanto a falhas possíveis no tocante às coisas santas, ver estas referências: Levítico 2.3,10; 14.24; 22.14-16; 27; Números 2.3,10; 6.11,12.

Um carneiro. Esse era o animal que devia ser oferecido diante da ofensa aqui abordada. Ver Levítico 5.15,18 e 6.6 quanto às normas concernentes a seu uso nos sacrifícios. Cf. Êxodo 29.15-20 etc. Ver no *Dicionário* o artigo chamado *Ovelha*. O animal precisava ser *sem defeito*, um requisito constante, em todas as ofertas de animais. Ver sobre isso nas notas relativas a Levítico 4.3.

Como oferta pela culpa. Ver as notas de introdução a esta seção (antes das notas sobre o vs. 14), quanto a amplas descrições do tipo de oferenda em mira, em contraste com as ofertas comuns, pelo pecado. As ofertas pela transgressão (ou pela culpa, conforme lemos em nossa versão portuguesa) eram uma espécie de oferenda pelo pecado que salientava a ideia de reparação. Ver no *Dicionário* o artigo intitulado *Reparação (Restituição)*.

As ofertas pela culpa têm em vista a *ofensa* causada pelo pecado, e não, especificamente, a sua *culpa*; mas as ofertas pelo pecado enfatizam a *culpa*. Por causa dessa confusão causada pelo nome "ofertas pela culpa", algumas versões preferem "ofertas pela transgressão". Em Salmo 51.4 temos uma perfeita expressão dessa questão. Um pecado contra o homem, é, na verdade, um pecado contra Deus.

Vale a pena ressaltar que essa confusão de nomes, neste caso, não se deve a nenhuma confusão mental no original hebraico. A confusão fora criada no momento da tradução. O leitor terá sanadas quaisquer dúvidas se examinar o gráfico intitulado *Sacrifícios e Ofertas*, nas notas introdutórias a 1.1. Vemos ali três tipos gerais dessas oferendas: Ofertas dedicatórias; ofertas comunais e ofertas expiatórias. Essas ofertas expiatórias subdividem-se em "ofertas pelo pecado" (Lv 4.1—5.13; 6.24-30; Nm 5.7) e "ofertas pela culpa" (Lv 5.14—6.7; 7.1-10).

A Multa. "O carneiro tinha de ser crescido o bastante para valer, no mínimo, *dois siclos*. No início, cabia a Moisés fazer a avaliação, mas depois isso foi transferido para o sacerdote oficiante. Ver Levítico 27.8,12; Números 18.16" (Ellicott, *in loc.*).

Há notas expositivas sobre o *siclo do santuário* em Êxodo 30.13. Permitia-se que um leproso purificado de sua lepra oferecesse um cordeiro (Lv 14.12,21), ao passo que os pobres podiam oferecer uma ave (Lv 14.30), e outro tanto se oferecia quando da reconsagração de um nazireu que se contaminara (Nm 6.12). Em adição ao valor do animal, havia uma multa de 20%, o que é descrito no vs. 16 deste capítulo.

O valor de *dois siclos* fazia parte das tradições judaicas comuns, confirmadas pelos Targuns, por Aben Ezra, por Ben Gersom e por Jarchi.

5.16

וְאֵת אֲשֶׁר חָטָא מִן־הַקֹּדֶשׁ יְשַׁלֵּם וְאֶת־חֲמִישִׁתוֹ יוֹסֵף עָלָיו וְנָתַן אֹתוֹ לַכֹּהֵן וְהַכֹּהֵן יְכַפֵּר עָלָיו בְּאֵיל הָאָשָׁם וְנִסְלַח לוֹ׃ פ

Acrescentará o seu quinto. Essa era uma multa, que se acrescia ao prejuízo causado a alguém, bem como ao preço do animal dado como reparação. Essa restituição, juntamente com a multa, era entregue ao sacerdote, representante de Yahweh, que administrava seus interesses. O homem havia provocado algum *dano*, e agora fazia uma reparação de acordo com esse prejuízo. Se o ofensor tivesse consumido coisas santas (como sacrifícios, cereais etc.), teria de restituir o dinheiro equivalente a isso, acrescentando 20% de multa. Poderiam estar em pauta sacrifícios indevidamente apropriados (animais, cereais), que deveriam ter sido encaminhados ao serviço do tabernáculo.

A restituição ultrapassava o valor do animal sacrificado em um quinto de seu valor. Ou o ofensor não havia trazido suas primícias (Lv 27). Ou poderia não ter pago seus dízimos; ou deixara de cumprir um voto (Nm 6.11,12), ou não fizera algum serviço que deveria ter sido feito (Lv 14.24). Ver no *Dicionário* o artigo chamado *Reparação (Restituição)*. Todos os pecados que causassem prejuízo a outrem deveriam incluir a restituição como parte integrante do arrependimento. Em caso contrário, o arrependimento seria considerado falso.

SACRIFÍCIO PELOS PECADOS DE IGNORÂNCIA (5.17-19)

Um homem podia transgredir um dos mandamentos do Senhor, mostrando-se omisso ou cometendo algum mal positivo, devido à sua *ignorância,* conforme fica estipulado por todo este capítulo 5. Um pecado voluntarioso não está em vista aqui, uma vez que não havia expiação para tal pecado, dentro do sistema levítico. Ver as notas sobre o vs. 2 deste capítulo. Os Dez Mandamentos originais (ver a respeito deles no *Dicionário*) foram desdobrados em inúmeros estatutos e preceitos, em leis e ordenanças, de tal maneira que ninguém era capaz de lembrar-se da legislação inteira, nem de cumpri-la totalmente. Por conseguinte, sacrifícios contínuos estavam sempre fazendo expiação por novas infrações.

5.17

וְאִם־נֶפֶשׁ כִּי תֶחֱטָא וְעָשְׂתָה אַחַת מִכָּל־מִצְוֹת יְהוָה אֲשֶׁר לֹא תֵעָשֶׂינָה וְלֹא־יָדַע וְאָשֵׁם וְנָשָׂא עֲוֹנוֹ׃

Há pecados de comissão e de omissão, e o número imenso de leis fazia com que os israelitas estivessem cometendo ambas essas formas de pecados o tempo todo. Não se conseguia atingir algo que se parecesse com a perfeição. Portanto, eles viviam de consciência culpada. Examinando a legislação, cada israelita veria que tinha cometido alguma infração. O texto pressupõe o que deveria ser *ensinado* ao povo acerca do que a legislação mosaica requeria, e sua consciência seria ativada por meio de tal conhecimento. Nenhuma reparação é mencionada nos vss. 17-19, pelo que supomos que os pecados cometidos não fossem de natureza prejudicial a outrem ou ao serviço santo do tabernáculo. Talvez a apropriação indébita de *coisas santas* (vs. 14) esteja em vista, e, então, as palavras "e fizer contra algum dos mandamentos do Senhor", que lemos neste versículo, se refiram a isso. Mas talvez o homem nem se lembrasse mais no que consistia a sua transgressão. Todavia, para certificar-se de que nada estava devendo diante da lei, trazia a sua oferenda. Contudo, se a questão fosse por demais *vaga*, então não saberia como fazer reparação. Cf. esta seção com Levítico 4.27-35. Ver também Lucas 12.48.

5.18

וְהֵבִיא אַיִל תָּמִים מִן־הַצֹּאן בְּעֶרְכְּךָ לְאָשָׁם אֶל־הַכֹּהֵן וְכִפֶּר עָלָיו הַכֹּהֵן עַל שִׁגְגָתוֹ אֲשֶׁר־שָׁגָג וְהוּא לֹא־יָדַע וְנִסְלַח לוֹ׃

Este versículo é igual ao vs. 15 deste capítulo, embora não seja determinado aqui de qual valor deveria ser o carneiro. Mas isso fica entendido. A palavra *avaliação* mostra-nos que deveria ser feita restituição, embora, ao que pareça, de forma um tanto vaga, visto que o homem não estava certo se tinha causado prejuízo a alguém ou se se tinha apropriado de modo indevido de *coisas santas*. O homem, pois, estipulava um valor arbitrário. Coisa alguma é dita sobre o seu quinto, pois, nesse caso, essa multa não era cobrada. Alguns estudiosos pensam que a palavra *avaliação se* refere ao preço do carneiro, e não ao fato de a restituição a ser feita. Nesse caso, não haveria nenhuma restituição a ser feita.

5.19

אָשָׁם הוּא אָשֹׁם אָשַׁם לַיהוָה׃ פ

Oferta pela culpa. Em contraste com as ofertas pelo pecado, acima referidas (cap. 4), embora também fossem uma espécie de ofertas pelo pecado. Ver as notas introdutórias a Lv 5.14 sobre essa questão. O versículo forma uma conclusão da seção de Lv 5.14-18. E também encerra a pequena seção dos vss. 17-28, dizendo-nos que, embora não fosse feita restituição nem houvesse a multa do quinto, ainda assim as oferendas aqui descritas eram tidas como ofertas pela culpa.

CAPÍTULO SEIS

SACRIFÍCIO PELOS PECADOS VOLUNTÁRIOS (6.1-7)

Achamos aqui instruções acerca dos pecados voluntários, em contraste com os pecados involuntários (e seus sacrifícios), que foram ventilados no capítulo 5 de Levítico. Esses pecados envolviam prejuízos causados ao próximo (cf. Êx 22.7-15). Ver suplementos a esta passagem em Números 5.5-10. Está particularmente em mira a violação dos direitos de propriedade. O trecho de Lv 5.14-19 falava da violação das propriedades de Yahweh, bem como de mandamentos acerca do serviço sagrado (Lv 5.17). Aquele que defraudasse a um homem defraudava também a Yahweh, por ser ele o Pai de todos. Os vss. 2 e 3 incluem pecados que envolviam fraudes, furto e extorsão, injustiças que os homens geralmente cometem contra os seus semelhantes.

■ 6.1

וַיְדַבֵּר יְהוָה אֶל־מֹשֶׁה לֵּאמֹר:

Falou mais o Senhor. Uma fórmula literária que dá início a alguma nova seção do Pentateuco, mas que também serve para lembrar-nos de que Moisés estava recebendo ensinamentos divinamente inspirados. Também outras coisas ficam entendidas nessa declaração, pelo que dou notas expositivas detalhadas sobre essa questão em Lv 1.1, com adições em Lv 4.1.

■ 6.2,3

נֶפֶשׁ כִּי תֶחֱטָא וּמָעֲלָה מַעַל בַּיהוָה וְכִחֵשׁ בַּעֲמִיתוֹ בְּפִקָּדוֹן אוֹ־בִתְשׂוּמֶת יָד אוֹ בְגָזֵל אוֹ עָשַׁק אֶת־עֲמִיתוֹ:

אוֹ־מָצָא אֲבֵדָה וְכִחֶשׁ בָּהּ וְנִשְׁבַּע עַל־שָׁקֶר עַל־אַחַת מִכֹּל אֲשֶׁר־יַעֲשֶׂה הָאָדָם לַחֲטֹא בָהֵנָּה:

Tipos de Pecados Envolvidos. Fala-se aqui em pecados como fraude, furto, extorsão, apropriação indébita (não devolver ao dono alguma coisa achada) e falta de fidelidade na guarda de objetos. Todos os pecados assim arrolados têm algo a ver com a obtenção de propriedades ou valores, mediante métodos desonestos ou extorsivos. Os bens envolvidos podiam ser dinheiro, animais domésticos e os mais variados itens de propriedade pessoal. O termo aqui traduzido como penhor (vs. 2) envolve violações referentes à confiança que deve haver entre sócios. Portanto, está em foco alguma desonestidade praticada contra um sócio, em algum negócio ou empreendimento, com o intuito de fraudá-lo quanto à parte que lhe cabe legitimamente. Mas há eruditos que pensam que está em pauta a ideia de depósito, ou seja, algo que foi entregue a alguém para que o guardasse, mas que não foi devolvido no tempo certo. Em casos assim, um homem, embora culpado, poderia afirmar a sua inocência com o apoio de um juramento (vs. 3).

Poucas pessoas sentem a necessidade de tentar achar algo que foi perdido por outrem, e menos pessoas ainda pensam em devolver propriedades perdidas, sejam elas grandes ou pequenas. É uma cena particularmente desagradável ver pessoas pilhando coisas de um veículo acidentado, como se aquilo que ficasse espalhado pela estrada lhes pertencesse automaticamente, apenas porque o proprietário sofreu um golpe adverso da sorte. Maimônides lembra-nos de que da próxima vez quiçá nós é que venhamos a perder algo de valor, tendo de depender da honestidade de outras pessoas para que nos devolvam as coisas perdidas (Moreh Nevochim, par. 3, c. 40). Mas um caráter bem formado nem ao menos precisa de tal motivação. Se em nosso peito houver amor ao próximo, devolveremos os objetos achados. Mas aquele que age desse modo, neste nosso mundo perdido, chega a tornar-se uma figura curiosa. Para o homem de natureza corrompida, o furto é algo natural. A espiritualidade é que vence essa tendência universal dos seres humanos.

■ 6.4

וְהָיָה כִּי־יֶחֱטָא וְאָשֵׁם וְהֵשִׁיב אֶת־הַגְּזֵלָה אֲשֶׁר גָּזָל אוֹ אֶת־הָעֹשֶׁק אֲשֶׁר עָשָׁק אוֹ אֶת־הַפִּקָּדוֹן אֲשֶׁר הָפְקַד אִתּוֹ אוֹ אֶת־הָאֲבֵדָה אֲשֶׁר מָצָא:

O homem que se mostra desonesto quanto a coisas materiais, e que costuma defraudar ao próximo, torna-se culpado. Dentro do sistema mosaico, isso requeria uma oferta regular de um carneiro (vs. 6). Mas o culpado também tinha de fazer devolução de um quinto, como multa por haver cedido à tentação de causar prejuízo ao próximo (vs. 5). Talvez ele viesse a negar sua transgressão por meio de um juramento (vs. 3), mas a verdade finalmente viria à tona, ou porque outros homens arrancassem a verdade do homem, ou porque o próprio indivíduo viesse a arrepender-se.

■ 6.5

אוֹ מִכֹּל אֲשֶׁר־יִשָּׁבַע עָלָיו לַשֶּׁקֶר וְשִׁלַּם אֹתוֹ בְּרֹאשׁוֹ וַחֲמִשִׁתָיו יֹסֵף עָלָיו לַאֲשֶׁר הוּא לוֹ יִתְּנֶנּוּ בְּיוֹם אַשְׁמָתוֹ:

E o restituirá por inteiro, e ainda a isso acrescentará. Esse acréscimo era uma multa de um quinto (ver o vs. 16). O trecho de Êxodo 22.1-15 mostra-nos que a restituição poderia ser em dobro; e, em algumas culturas, essa restituição era muito mais pesada. Portanto, os 20% acrescidos à restituição constituíam-se em uma multa extremamente modesta. O trecho de Êxodo 22 também trata das propriedades furtadas, pelo que muitos eruditos não entendem a lei separada e mais lenitente deste capítulo 6 de Levítico. Alguns pensadores opinam que temos aqui duas legislações separadas que não foram combinadas para produzir uma única norma acerca da questão.

Outros estudiosos sugerem que o caso abordado no capítulo 22 de Êxodo fosse o de uma pessoa em falta que tivesse sido surpreendida e condenada em um tribunal de justiça, ao passo que este capítulo de Levítico falaria sobre um homem culpado que se entregasse voluntariamente às mãos da justiça e, mesmo sem passar por julgamento, dispunha-se a corrigir seu erro. No entanto, o texto não estabelece essas distinções, pelo que não sabemos como resolver o problema. Ver sobre a questão do quinto, nas notas sobre o vs. 16 deste capítulo.

■ 6.6,7

וְאֶת־אֲשָׁמוֹ יָבִיא לַיהוָה אַיִל תָּמִים מִן־הַצֹּאן בְּעֶרְכְּךָ לְאָשָׁם אֶל־הַכֹּהֵן:

וְכִפֶּר עָלָיו הַכֹּהֵן לִפְנֵי יְהוָה וְנִסְלַח לוֹ עַל־אַחַת מִכֹּל אֲשֶׁר־יַעֲשֶׂה לְאַשְׁמָה בָהּ: פ

E por sua oferta pela culpa. Além de fazer devolução, acrescida da multa, o indivíduo culpado deveria trazer um carneiro para fazer expiação por sua culpa. Estes dois versículos são essencialmente iguais ao trecho de Lv 5.18,19, os quais, por sua vez, têm paralelo no vs. 15 deste capítulo, embora alguns detalhes sejam passados por alto, aqui.

"A *característica distinta* das ofertas pela culpa era o pagamento de restituição e de multa à vítima da fraude, sem importar se esta fosse Deus ou um ser humano. O carneiro das ofertas pela culpa não fazia parte da restituição, mas era a expiação pelo pecado, diante de Deus" (F. Duane Lindsey, *in loc.*).

Tipologia. Em Jesus Cristo têm cumprimento todos os tipos de ofertas e sacrifícios. Sua morte expiatória, na cruz, corrige todos os prejuízos e injustiças. O trecho de Isaías 53.10 apresenta sua expiação como um ato efetuado em favor de *culpados*.

LEI ACERCA DOS HOLOCAUSTOS (6.8-13)

O trecho de Lv 1.1—6.7 é uma espécie de manual dos sacrifícios. E o trecho de Êxodo 6.8—7.38 consta de material suplementar que cobre muitos ritos, cerimônias e sacrifícios. Esta seção foi dada diretamente a Arão, embora dita a Moisés, o qual transmitiu a informação. A preocupação deste segmento é identificar quais pessoas, lugares e porções eram aceitáveis a Deus como refeições sacrificiais. Neste trecho, os sacerdotes receberam instruções vitais, capacitando-os a realizar sua tarefa em harmonia com a vontade de Yahweh.

Classes e Ordens de Sacrifícios:

1. A ordem didática (ofertas queimadas, de manjares, de comunhão, pelo pecado e pela culpa).
2. A ordem administrativa (ofertas queimadas, de manjares, pela culpa, de comunhão) (Lv 6.8—7.34; cf. Nm 7.87,88).
3. A ordem de procedimento (ofertas pelo pecado, pela culpa, queimadas, de manjares, de comunhão) (Lv 8.14-32; cf. Êxodo 29.10-34; Lv 14.12; 15.14,15,29,30; Nm 6.16,17).

"Visto que nenhuma porção das ofertas queimadas era comida pelo sacerdote ou pelo ofertante, esta breve seção (Lv 6.8-13) trata somente dos cuidados apropriados com as cinzas e o fogo do altar" (F. Duane Lindsey, *in loc.*).

■ **6.8**

וַיְדַבֵּר יְהוָה אֶל־מֹשֶׁה לֵּאמֹר׃

Disse mais o Senhor. Uma fórmula literária que introduz uma nova seção do Pentateuco, de ocorrência muito frequente, mas que também visa relembrar o leitor de que Moisés estava recebendo instruções inspiradas da parte de Yahweh. A fórmula também envolve outras implicações. Ver as notas detalhadas sobre a expressão, em Lv 1.1, com comentários adicionais em Lv 4.1.

■ **6.9**

צַו אֶת־אַהֲרֹן וְאֶת־בָּנָיו לֵאמֹר זֹאת תּוֹרַת הָעֹלָה
הִוא הָעֹלָה עַל מוֹקְדָה עַל־הַמִּזְבֵּחַ כָּל־הַלַּיְלָה
עַד־הַבֹּקֶר וְאֵשׁ הַמִּזְבֵּחַ תּוּקַד בּוֹ׃

Dá ordem a Arão e a seus filhos. A seção inteira foi endereçada à casta sacerdotal.

A lei do holocausto. Ver no *Dicionário* sobre esse termo. Ver Gênesis 8.20; 22.2; 38.24; Êxodo 10.25; 18.12; 20.24; 24.5; 29.18; 30.9; 31.9; 35.16; 38.1; 40.6,10; Lv 1.3,4,6; 2.12; 3.5; 4.7,10,12,18,24; 5.7; 6.9; 7.2; 8.18; 9.2; 12.8; 13.52 etc.

O trecho de Êxodo 29.38-42 mostra-nos que essa oferta era realizada duas vezes por dia, pela manhã e à tardinha. O sacrifício ficava a queimar, e, considerando-se que havia dois desses sacrifícios, o altar vivia fumegante. O *fogo* não podia apagar-se. Alguns veem nisso um tipo da devoção imorredoura que caracterizou o sacrifício de Cristo (as chamas eternas), a mesma atitude que deve caracterizar a nossa devoção (Rm 12.1,2). Pela manhã, o altar de bronze devia ser limpo, mas logo um novo sacrifício era posto sobre ele. Alguns estudiosos supõem que os sacerdotes, por turnos, pusessem a intervalos os pedaços do sacrifício sobre o altar, garantindo assim que sempre houvesse algo queimando. Mas considerando-se que o combustível era somente a lenha, o sacrifício ficaria requeimando durante a noite inteira, sem nenhuma ajuda. No entanto, parece que na época do segundo templo, ficar alimentando as chamas fazia parte da prática dos sacerdotes. Os pedaços de gordura começavam a queimar à meia-noite, e mais iam sendo postos sobre as chamas conforme a noite avançava.

■ **6.10**

וְלָבַשׁ הַכֹּהֵן מִדּוֹ בַד וּמִכְנְסֵי־בַד יִלְבַּשׁ עַל־בְּשָׂרוֹ
וְהֵרִים אֶת־הַדֶּשֶׁן אֲשֶׁר תֹּאכַל הָאֵשׁ אֶת־הָעֹלָה
עַל־הַמִּזְבֵּחַ וְשָׂמוֹ אֵצֶל הַמִּזְבֵּחַ׃

Havia a determinação de que o sacerdote usasse seus trajes oficiais enquanto estivesse realizando seus serviços no tabernáculo; mas fora daqueles momentos, ele vestia-se como qualquer outro homem. Os trechos de Êxodo 28.39,40 e 29.5-10 dão-nos os itens do vestuário deles (o que é repetido em parte neste versículo). Ali forneço completas notas expositivas. O texto faz-nos lembrar Efésios 6.11 ss. Para que sua guerra espiritual seja bem-sucedida, o crente precisa de *cada peça* da armadura de Deus.

O altar precisava ser limpo a cada manhã. As cinzas eram removidas. Em caso contrário, visto que havia dois sacrifícios diários (um pela manhã e outro à tardinha), haveria grande acúmulo de fragmentos de animais, que o fogo a lenha não tinha podido consumir. Podemos supor com segurança que a maior parte de um animal, na verdade, não era consumida, mas apenas ficava fumegando. O trabalho da queima continuava fora do átrio, no santo montão de cinzas. O fogo a lenha jamais poderia consumir tudo, embora ao menos se fizesse essa tentativa.

Nos tempos do segundo templo, os sacerdotes eram incumbidos de suas tarefas mediante o lançamento de sortes, sobre uma base rotativa. As cinzas eram primeiramente juntadas no átrio, mas, ao acumularem-se, eram removidas para fora do acampamento. Lemos aqui que o holocausto seria posto "junto" ao altar. Mas no vs. 11 lemos sobre a total remoção das cinzas.

■ **6.11**

וּפָשַׁט אֶת־בְּגָדָיו וְלָבַשׁ בְּגָדִים אֲחֵרִים וְהוֹצִיא
אֶת־הַדֶּשֶׁן אֶל־מִחוּץ לַמַּחֲנֶה אֶל־מָקוֹם טָהוֹר׃

Quando se preparava para sair fora do átrio, o sacerdote punha suas vestes comuns e levava para o santo montão as cinzas e os restos de ossos e carne, que o fogo a lenha não tinha podido consumir. Esse lugar era cerimonialmente *limpo*, embora de modo algum fosse fisicamente limpo. Ali continuava o processo da queima. As vestes santas dos sacerdotes dispunham de lugares próprios onde podiam ser guardadas (Ez 44.19; Ed 2.69; Ne 7.70). Essas vestes sacerdotais não podiam ficar espalhadas ou deixadas ao léu. Era mister cuidar muito bem delas. A disposição das cinzas cabia aos sacerdotes, e nenhum leigo podia envolver-se em tal função.

■ **6.12,13**

וְהָאֵשׁ עַל־הַמִּזְבֵּחַ תּוּקַד־בּוֹ לֹא תִכְבֶּה וּבִעֵר עָלֶיהָ
הַכֹּהֵן עֵצִים בַּבֹּקֶר בַּבֹּקֶר וְעָרַךְ עָלֶיהָ הָעֹלָה
וְהִקְטִיר עָלֶיהָ חֶלְבֵי הַשְּׁלָמִים׃

אֵשׁ תָּמִיד תּוּקַד עַל־הַמִּזְבֵּחַ לֹא תִכְבֶּה׃ ס

O fogo... sempre arderá sobre o altar. As chamas sobre o altar eram perenes. Esses dois versículos dão-nos *duas* afirmações garantindo-nos que não podiam apagar-se as chamas sobre o *altar de bronze* (ver sobre isso no *Dicionário*). Os sacerdotes estavam encarregados de garantir que essas chamas nunca se apagassem. O vs. 9 deste capítulo já deixara isso entendido, onde comentei sobre a questão e seus possíveis simbolismos. O sacerdote tinha de usar de cuidado ao remover as cinzas, a fim de não perturbar os pedaços de gordura que continuassem queimando. Pela manhã, o fogo era avivado com lenha, para que as chamas não se apagassem. Uma madeira santa era escolhida para esse mister, pelo que sempre havia em depósito bastante lenha com esse propósito. Ver Lv 1.7 e suas notas expositivas.

O vs. 13 repete a questão do fogo santo. Foi o Senhor quem enviara o fogo do céu (Lv 9.24), e o homem era agora responsável por sua continuidade. Durante os dias do segundo templo, o fogo perpétuo consistia em três partes ou pilhas separadas de lenha sobre o altar, mas isso representava uma complicação da ordenança original. As maiores fogueiras eram usadas nos holocaustos diários; a segunda fogueira supria os incensários e a queima do incenso; e a terceira era o fogo perpétuo, que alimentava continuamente as outras duas fogueiras. Esse fogo nunca se apagava, até que Nabucodonosor forçou o fim desse fogo contínuo, devido ao cativeiro babilônico. Ver no *Dicionário* o artigo chamado *Cativeiros*. A mitologia diz que os sacerdotes judeus foram capazes de manter as chamas vivas em algum lugar oculto, e que, nos dias de Neemias, elas foram renovadas publicamente. Ver II Macabeus 1.19-22.

Várias outras nações mantinham a tradição do fogo perpétuo em seus altares. Isso acontecia na Pérsia (Curt. Hist. 1.4, c. 14), na Grécia (Arcadica sive, 1.8 par. 469, 516), em Roma (*His. Animal.* 1.10, c. 50, Aelianus). Virgílio referiu-se ao fogo eterno das virgens vestais (Vos aeterni, igneis, *Aeneid.* 1.2). *Vesta* era a deusa da lareira, protetora do Estado, e suas chamas eternas eram mantidas pelas virgens vestais, suas devotas.

LEI ACERCA DA OFERTA DE MANJARES (6.14-18)

Estes versículos atuam como suplemento da informação sobre o mesmo assunto, no segundo capítulo de Levítico. O segundo capítulo inteiro consagra-se à questão das ofertas de manjares, também chamadas de cereais. Ver o gráfico que ilustra as ofertas e rituais de Levítico, antes dos comentários sobre Levítico 1.1. Os versículos que ora ventilamos adicionam bem pouco ao segundo capítulo do livro. As palavras *cousa santíssima* (Lv 6.17) indicam a porção da carne dos sacrifícios que os sacerdotes, descendentes de Arão, podiam comer (vs. 18). Qualquer oferta da qual não se podia comer nunca era chamada de oferta queimada.

6.14-16

וְזֹאת תּוֹרַת הַמִּנְחָה הַקְרֵב אֹתָהּ בְּנֵי־אַהֲרֹן לִפְנֵי יְהוָה אֶל־פְּנֵי הַמִּזְבֵּחַ:

וְהֵרִים מִמֶּנּוּ בְּקֻמְצוֹ מִסֹּלֶת הַמִּנְחָה וּמִשַּׁמְנָהּ וְאֵת כָּל־הַלְּבֹנָה אֲשֶׁר עַל־הַמִּנְחָה וְהִקְטִיר הַמִּזְבֵּחַ רֵיחַ נִיחֹחַ אַזְכָּרָתָהּ לַיהוָה:

וְהַנּוֹתֶרֶת מִמֶּנָּה יֹאכְלוּ אַהֲרֹן וּבָנָיו מַצּוֹת תֵּאָכֵל בְּמָקוֹם קָדֹשׁ בַּחֲצַר אֹהֶל־מוֹעֵד יֹאכְלוּהָ:

Estes versículos têm paralelo em Levítico 2.1-3, com poucas variações. As notas expositivas devem ser examinadas ali. Lemos que Arão e seus filhos faziam a oferenda, mas devemos entender aqui seus descendentes. O que não era queimado sobre o altar devia ser comido pelos sacerdotes. Isso fazia parte do suprimento alimentar dos sacerdotes, como paga pelo trabalho deles no tabernáculo, pelo tempo que devotavam ao culto divino. Eles comiam no Lugar Santo, e não no átrio. Quanto à expressão "no pátio da tenda da congregação", ver Êxodo 27.21 e suas notas. Ver comentários adicionais em Levítico 1.1; e, quanto à *congregação*, ver Êxodo 16.1.

O *pão asmo* aqui mencionado é comentado em Levítico 2.4.

6.17

לֹא תֵאָפֶה חָמֵץ חֶלְקָם נָתַתִּי אֹתָהּ מֵאִשָּׁי קֹדֶשׁ קָדָשִׁים הִוא כַּחַטָּאת וְכָאָשָׁם:

Todo fermento era proibido nessa oferta, conforme se vê em Levítico 2.4 ss. Ver também o vs. 11 daquele capítulo, onde explico minuciosamente a questão. Mas os sacrifícios que eram levados ao *altar de bronze* não podiam levar fermento. No entanto, o fermento não era vedado para todo tipo de oferenda. Os sacerdotes deviam viver do altar, dali extraindo seu suprimento alimentar, sob a forma de carne e de cereais; e suas roupas eram feitas por aqueles encarregados da tarefa, de tal modo que um sacerdote não tinha despesas com seu vestuário. As ofertas eram *santíssimas* quando se tornavam parte do sustento de um sacerdote.

As *ofertas pelo pecado* (ver o capítulo 4 inteiro, quanto às suas quatro classes diversas). Também havia as *ofertas pela culpa* (Lv 5.15 ss.). Ver as notas introdutórias a Levítico 5.14, quanto a distinções e a completos detalhes a respeito.

Provisões para os Ministros. O princípio de que um ministro deve viver de seu trabalho religioso é transportado para o Novo Testamento. Ver Lucas 10.7 e 1Coríntios 9.9 ss.

6.18

כָּל־זָכָר בִּבְנֵי אַהֲרֹן יֹאכֲלֶנָּה חָק־עוֹלָם לְדֹרֹתֵיכֶם מֵאִשֵּׁי יְהוָה כֹּל אֲשֶׁר־יִגַּע בָּהֶם יִקְדָּשׁ: פ

"As ofertas pelo pecado, as ofertas pela culpa e o restante das ofertas pacíficas, por serem *santíssimas*, só podiam ser comidas pelos membros masculinos das famílias dos sacerdotes, dentro do átrio do santuário. Mas as ofertas sob a forma de frutos dados como dízimos, o ombro e o peito dos animais sacrificados, bem como as ofertas pacíficas, por serem apenas *santas*, eram comidas não somente pelos sacerdotes oficiantes em Jerusalém, mas também por seus filhos incapacitados, por suas filhas etc., contanto que estivessem cerimonialmente limpos. Todo sacerdote que comesse das coisas santíssimas *fora* das paredes do átrio, ou das coisas santas fora das muralhas de Jerusalém, recebia quarenta açoites, menos um" (Ellicott, *in loc.*).

O Toque e a Pureza Cerimoniais. Cf. Levítico 22.6,7. Ver também Êxodo 29.37 quanto a algo similar, com notas que também se aplicam aqui. O trecho de Êxodo 30.29 é outro versículo paralelo. "Qualquer leigo ou qualquer utensílio ordinário etc. tornava-se sagrado se tocasse em alguma coisa santíssima" (Ellicott, *in loc.*). Os utensílios sagrados só podiam ser usados no tabernáculo, uma vez purificados para tanto, do ponto de vista cerimonial. Os sacerdotes também precisavam submeter-se às purificações necessárias, para que estivessem santos para seu serviço (Lv 22.6,7).

Estatuto perpétuo. Ver as notas em Levítico 3.17 quanto à esperada perpetuidade das ordenanças e preceitos levíticos. Os limites que os homens veem são apenas os limites de sua própria mente, e não limitações reais da espiritualidade e sua progressão, as quais jamais poderão cessar.

A OFERTA NA CONSAGRAÇÃO DOS SACERDOTES (6.19-23)

Esta breve seção suplementa a lei atinente à ordenação de sacerdotes, descrita com detalhes no capítulo 29 do livro de Êxodo. "A oferta de cereais regular (ou seja, *diária*) dos sacerdotes (cf. Hb 7.27) não foi mencionada no segundo capítulo de Levítico. Devia ser preparada pelo *herdeiro presuntivo* do sacerdote ungido (o sumo sacerdote), segundo se vê em Levítico 6.22, e oferecida metade pela manhã e metade à tardinha (vs. 20). Visto que um sacerdote não podia comer de sua própria oferta, era mister queimá-la totalmente sobre o altar (vs. 23)" (F. Duane Lindsey, *in loc.*). Lemos no vs. 20: "no dia em que aquele que for ungido", ou seja, na oportunidade de sua consagração. Essas palavras dizem respeito às cerimônias reafirmadas nos capítulos 8–10. Essas ofertas eram *perpétuas*, ou seja, efetuadas na consagração de cada sucessivo sumo sacerdote, ou mesmo de cada sacerdote, na opinião de alguns. Ver os vss. 20-22 deste capítulo.

Se alguns estudiosos veem aqui uma oferta diária para os sacerdotes comuns, o próprio texto não parece dar apoio a essa noção. Devia ser uma oferenda *regular*, isto é, observada de cada vez em que um novo sacerdote começava a oficiar, ou de cada vez em que os sacerdotes eram consagrados para seu serviço. Mas o sumo sacerdote oferecia diariamente essa oferenda, conforme se vê no versículo 22 deste capítulo.

6.19

וַיְדַבֵּר יְהוָה אֶל־מֹשֶׁה לֵּאמֹר:

Disse mais o Senhor. Achamos aqui, uma vez mais, a fórmula literária usada pelo autor do Pentateuco para iniciar alguma nova seção. E assim ele também nos relembra de sua convicção de que escrevia sob a inspiração de Yahweh. Há notas detalhadas sobre essa expressão em Levítico 1.1, com comentários adicionais em Levítico 4.1.

6.20

זֶה קָרְבַּן אַהֲרֹן וּבָנָיו אֲשֶׁר־יַקְרִיבוּ לַיהוָה בְּיוֹם הִמָּשַׁח אֹתוֹ עֲשִׂירִת הָאֵפָה סֹלֶת מִנְחָה תָּמִיד מַחֲצִיתָהּ בַּבֹּקֶר וּמַחֲצִיתָהּ בָּעָרֶב:

No dia. Ou seja, quando um novo sacerdote fosse consagrado ou no dia em que um novo sumo sacerdote iniciasse seu ministério (este nunca era reconsagrado). *Naquele dia*, a oferta aqui descrita tinha lugar, em uma cerimônia efetuada tanto pela manhã quanto à tardinha. Alguns estudiosos, porém, veem aqui uma oferta *diária*, e parece que há alguma evidência de que essa cerimônia era repetida diariamente, no caso do *sumo sacerdote* (posto que não no caso dos sacerdotes comuns). Assim sendo, a cerimônia ocorria após o holocausto diário, com suas ofertas de manjares, mas antes da oferta de libação (Ec 45.14; Josefo, *Antiq*. III. x. par. 7). Parece que esse é o sacrifício mencionado em Hebreus 7.27, onde se lê: "...que não tem necessidade, como os sumos sacerdotes, de oferecer todos os dias sacrifícios..."

Jarchi pronunciou-se sobre isso dizendo que essa era uma oferta de manjares oferecida por ocasião da consagração de um sacerdote; mas que o sumo sacerdote oferecia tal oferenda todos os dias. E essa parece ser a mensagem geral dos escritos da Mishnah (*Misn. Menachot*. c. 6, sec. 5, com o que Maimônides e Bartenora concordavam).

Oferta de manjares contínua. Ver as notas sobre Levítico 3.17 quanto à antecipada perpetuidade dos ritos levíticos. Ver também as notas sobre o vs. 18 deste capítulo.

Metade... metade. Os holocaustos também eram oferecidos pela manhã e à tardinha, pelo que parte das atividades do sumo sacerdote consistia em oferecer as ofertas de cereais, pois fazia-o duas vezes por dia. Sua consagração era assim enfatizada duas vezes por dia, e ele era assim continuamente relembrado do fato. Os eruditos cristãos veem nisso a *eficácia contínua* da morte expiatória de Cristo. A oferenda, a cada dia, consistia na décima parte de um efa, ou seja, um *ômer* a cada dia, metade pela manhã e metade à tardinha.

■ 6.21

עַל־מַחֲבַת בַּשֶּׁמֶן תֵּעָשֶׂה מֻרְבֶּכֶת תְּבִיאֶנָּה תֻּפִינֵי
מִנְחַת פִּתִּים תַּקְרִיב רֵיחַ־נִיחֹחַ לַיהוָה׃

Essa oferta de cereais consistia em pequenos bolos fritos ou assados: a farinha era posta em uma assadeira, com azeite, dividida então em pequenas partes. A oferta, pois, parecia representar os membros da vítima do holocausto, que também eram divididos, postos sobre o altar de bronze, e queimados (ver Lv 1.8). O Targum de Jonathan diz-nos que a assadeira não dispunha de tampa nem beirada, mas era chata como se usa hoje em dia para fazer panquecas. Os Targuns, de modo geral, dizem que eram preparados doze bolos, e seis eram oferecidos pela manhã, e seis à tardinha. Como é lógico, esse número representa as doze tribos de Israel. Os estudiosos cristãos veem nos pedaços o emblema do corpo partido de Cristo. Cf. a divisão dos pães da proposição em *doze* (Lv 24.5).

■ 6.22

וְהַכֹּהֵן הַמָּשִׁיחַ תַּחְתָּיו מִבָּנָיו יַעֲשֶׂה אֹתָהּ חָק־עוֹלָם
לַיהוָה כָּלִיל תָּקְטָר׃

O Sacerdote Ungido era o sumo sacerdote. Ele era ungido de uma vez para sempre, ao ser iniciado o seu ministério. Dali por diante, nenhum sumo sacerdote precisava ser ungido de novo. Mas os sacerdotes recebiam uma nova unção, anualmente. O sumo sacerdote, porém, tinha de oferecer sua oferta de manjares duas vezes por dia. Isso fazia parte de seus deveres.

Por estatuto perpétuo. Cf. Êxodo 27.21; 28.43; 29.9,28; 30.31; Levítico 3.17; 6.18,22; 7.34; 10.9; 16.29,31,34; 17.7; 23.14,21, 31; 24.3,9; Números 18.11,19; 27.11; 35.29 etc. Ver a expressão similar, "durante as vossas gerações", em Levítico 3.17. Israel não antecipava o fim de seus ritos, preceitos e cerimônias, mas pensava que eles haveriam de chegar aos fins do tempo. Mas o Novo Testamento pôs fim a todo o sistema judaico com uma palavra: *Cristo*. Novas revelações não suplementam meramente as mais antigas. Em sua maior parte, substituem-nas. Então as coisas mais antigas ou se tornam totalmente obsoletas, ou se tornam símbolos do que viria.

Diferente das oferendas de cereais, essa era feita em favor do sumo sacerdote, e por ele mesmo, e era totalmente queimada. Nem o sumo sacerdote nem os sacerdotes comuns podiam comer uma porção qualquer dessa oferenda.

■ 6.23

וְכָל־מִנְחַת כֹּהֵן כָּלִיל תִּהְיֶה לֹא תֵאָכֵל׃ פ

Este versículo reitera a informação de que a oferta de consagração do sumo sacerdote tinha de ser totalmente queimada e não podia ser usada na alimentação, conforme já vimos nas notas sobre o versículo anterior. "Os sacerdotes, ao comerem as ofertas do povo, tomavam sobre si as iniquidades deles e faziam expiação por eles (Lv 10.17); mas o sumo sacerdote não comia o seu próprio sacrifício, a fim de demonstrar que não podia levar sobre si seus próprios pecados nem fazer expiação em proveito próprio. E isso demonstra a insuficiência dos sacrifícios legais e a necessidade que havia de surgir algum outro tipo de sacrifício, a fim de levar os pecados" (John Gill, *in loc.*).

LEI ACERCA DA EXPIAÇÃO PELO PECADO (6.24-30)

Temos aqui instruções sobre como devia ser consumida pelos sacerdotes a carne das *ofertas pelo pecado* (vs. 26) e por seus parentes masculinos (vs. 29). Também nos é descrito o ritual relativo à reconsagração de vestes acidentalmente tocadas pelo sangue de um animal sacrificado, ou de utensílios que fossem tocados pela carne dos sacrifícios (vss. 27,28). Ademais, a carne dessas ofertas podia ser comida pelo sacerdote ou pela comunidade (vs. 30).

Estes sete versículos servem de suplemento a Levítico 4.1—5.13. Os vss. 27 e 28 parecem refletir o antigo conceito de que a santidade, através de algum meio místico, pode ser transferida por meio de contato (cf. o vs. 18). Portanto, vasos que fossem *tocados* precisavam ser totalmente limpos. Mas um vaso de barro, por ser um tanto absorvente, precisava ser destruído.

■ 6.24

וַיְדַבֵּר יְהוָה אֶל־מֹשֶׁה לֵּאמֹר׃

Disse mais o Senhor. Uma fórmula literária que introduzia alguma nova seção, mas também um modo de exprimir que Moisés escrevia uma obra divinamente inspirada. Anotei amplamente essa expressão e seus sentidos possíveis em Levítico 1.1, com ideias adicionais em Levítico 4.1.

■ 6.25

דַּבֵּר אֶל־אַהֲרֹן וְאֶל־בָּנָיו לֵאמֹר זֹאת תּוֹרַת הַחַטָּאת
בִּמְקוֹם אֲשֶׁר תִּשָּׁחֵט הָעֹלָה תִּשָּׁחֵט הַחַטָּאת לִפְנֵי
יְהוָה קֹדֶשׁ קָדָשִׁים הִוא׃

A oferta pelo pecado e a oferta queimada eram abatidas na parte norte do *altar de bronze* (ver a esse respeito em Êx 27.11). Ver Levítico 1.11, onde essa normativa foi dada. Assim, era idêntico o modo de proceder quanto a ambas essas ofertas.

Cousa santíssima é. Ver as notas sobre isso em Levítico 2.3. Ver o diagrama da *planta* do tabernáculo, na introdução a Êxodo 25.1.

"A *oferta pelo pecado* não era um holocausto, nem era seguida por uma refeição comunal compartilhada pelo ofensor. A parte do sacrifício que não era consumida sobre o altar tinha de ser comida pelos sacerdotes. A carne do sacrifício não só era *santíssima*, mas também qualquer coisa que tocasse naquela carne tornava-se *santa*, isto é, separada do uso comum" (Nathaniel Micklem, *in loc.*).

■ 6.26

הַכֹּהֵן הַמְחַטֵּא אֹתָהּ יֹאכֲלֶנָּה בְּמָקוֹם קָדֹשׁ תֵּאָכֵל
בַּחֲצַר אֹהֶל מוֹעֵד׃

Somente quem pertencesse à casta sacerdotal, e seus familiares, podia comer dessa oferta, segundo se vê nas notas sobre o versículo anterior. Comia-se da mesma no átrio do tabernáculo. Ver o diagrama da *planta* do tabernáculo, na introdução a Êxodo 26.1, onde um gráfico mostra os detalhes. O ato de *comer* o sacrifício indica o fato de que o animal morto levava vicariamente os pecados do ofertante (Lv 10.17), e assim fazia expiação, tal como Cristo ao tomar sobre si os nossos pecados (Jo 1.29). Cf. Levítico 10.17; Oseias 4.8. Os membros masculinos da família imediata do sacerdote ajudavam-no a comer o sacrifício. Os eruditos cristãos veem nisso a doutrina dos *crentes como sacerdotes*, participantes dos benefícios de Cristo, juntamente com ele, tudo prefigurado pela participação da família do sacerdote naquela refeição. Ver Apocalipse 1.6.

Oito tipos de ofertas deviam ser comidos no Lugar Santo, a saber: 1. Ofertas pelo pecado (Lv 4.26); 2. ofertas pela culpa (7.6); 3. o restante da oferta de manjares (23.10,11); 4. as ofertas de manjares em favor de Israel (2.3-10); 5. cereais (2.3-10); 6. os pães das primícias (23.20); 7. os pães da proposição (24.9); 8. a oferta pelo pecado em favor dos leprosos (14.10-13).

■ 6.27

כֹּל אֲשֶׁר־יִגַּע בִּבְשָׂרָהּ יִקְדָּשׁ וַאֲשֶׁר יִזֶּה מִדָּמָהּ
עַל־הַבֶּגֶד אֲשֶׁר יִזֶּה עָלֶיהָ תְּכַבֵּס בְּמָקוֹם קָדֹשׁ׃

Será santo. Alguns tomam aqui o adjetivo "santo" em seu sentido literal. De alguma forma mística, a santidade seria transferida para um objeto, uma pessoa, um peça de roupa etc., se entrasse em contato com elementos da oferta, como o sangue ou a carne. É provável que essa fosse a ideia mais primitiva; e alguns estudiosos supõem que continuasse vigente nos dias de Moisés. Mas outros tomam a palavra *santo,* aqui usada, para indicar que tal objeto ou pessoa ficaria potencialmente separada de qualquer uso comum, ou que participava dessa propriedade enquanto não fosse lavada. Tal explicação, todavia, não parece ajustar-se ao texto.

Um vaso de metal ou uma peça de roupa, que tocasse no sangue, precisaria ser lavado. Talvez tudo quanto esteja em vista, nesse caso, é que tal objeto não podia reter devidamente a coisa *santa,* pelo que também se tornava santo. Logo, precisaria ser lavado. Outra ideia é que o sangue santo seria profanado por ter entrado em contato com um objeto que pudesse contê-lo. Também havia o perigo de tal objeto ser tirado para fora dos limites do tabernáculo, e assim o sangue poderia entrar em contato com coisas profanas. O sangue, sede da vida biológica, a fonte misteriosa da vida, era algo sagrado, de acordo com o pensamento dos hebreus. Ver em Levítico 3.17 e suas notas acerca do sangue e da gordura, onde comento sobre a questão.

Lavarás aquilo. Provavelmente na *bacia de bronze* (Êx 30.18 ss.). Ver sobre esse objeto do tabernáculo nas notas acerca de Êxodo 30.17. Somente um sacerdote podia fazer esse trabalho de limpeza, visto que somente ele podia manusear os instrumentos e as vestes sagrados.

■ 6.28

וְכְלִי־חֶרֶשׂ אֲשֶׁר תְּבֻשַּׁל־בּוֹ יִשָּׁבֵר וְאִם־בִּכְלִי נְחֹשֶׁת בֻּשָּׁלָה וּמֹרַק וְשֻׁטַּף בַּמָּיִם׃

Um vaso de barro é um tanto absorvente. Logo, não podia ser lavado devidamente. O único recurso era quebrá-lo, excluindo-o assim do serviço sagrado. Não mais poderia ser usado, pois o sangue sagrado tinha sido absorvido por ele. O vaso de bronze, porém, teria de ser apenas lavado, visto que não absorveria nenhum sangue. Ver as notas sobre o versículo anterior quanto às razões propostas sobre por que essa lavagem tinha de ocorrer, e como tais objetos podiam tornar-se santos, ao entrarem em contato com um sacrifício e seu sangue.

Os hebreus usavam vasos de barro não-esmaltados, os quais, portanto, eram porosos. Esses vasos de barro não eram caros, pelo que quebrar um vaso desses não representava uma perda financeira apreciável. Cf. Levítico 11.33,35. Durante o tempo do segundo templo, os fragmentos de tais vasos eram cuidadosamente enterrados no chão. Mas não somos informados sobre como essa questão era resolvida nos dias de Moisés. Os objetos de metal, porém, eram lavados com água quente e, então, enxaguados com água fria.

■ 6.29

כָּל־זָכָר בַּכֹּהֲנִים יֹאכַל אֹתָהּ קֹדֶשׁ קָדָשִׁים הִוא׃

Todos os membros *masculinos* da família de um sacerdote podiam ajudar a comer o que restasse dessa oferta, bem como de vários outros tipos de sacrifícios. Ver os oito tipos de sacrifícios comestíveis, alistados nas notas sobre Levítico 6.26. Mas ninguém que não pertencesse a uma família sacerdotal podia entrar no átrio do tabernáculo a fim de participar dessa refeição.

Cousa santíssima é. Quanto a essa expressão e àquela outra, *santa,* ver as notas sobre Levítico 2.3. O trecho de Hebreus 13.10 alude a este versículo, conferindo-lhe um sentido cristão típico.

■ 6.30

וְכָל־חַטָּאת אֲשֶׁר יוּבָא מִדָּמָהּ אֶל־אֹהֶל מוֹעֵד לְכַפֵּר בַּקֹּדֶשׁ לֹא תֵאָכֵל בָּאֵשׁ תִּשָּׂרֵף׃ פ

Certas ofertas pelo pecado não podiam tornar-se refeições comunais, a saber, aquelas cujo ritual requeria que o sangue fosse trazido para dentro do tabernáculo com propósitos ritualísticos. Essas ofertas eram: as ofertas pelo pecado de um sumo sacerdote (Lv 4.3,12); as ofertas pelo pecado da congregação de Israel (Lv 4.13-21); a oferta pelo pecado do Dia da Expiação (Lv 16.27). As referências dadas acima mostram quais tipos de manipulação com o sangue eram efetuados. As ofertas que envolvessem tal manipulação não podiam ser consumidas. Em contraste, as ofertas pelo pecado que fossem incruentas (sem sangue) podiam ser incluídas nas refeições comunais.

As ofertas pelo pecado referidas em Levítico 6.26 ss. eram efetuadas em favor dos leigos, e nada tinham a ver com a oferta pelo pecado do Dia da Expiação. Assim sendo, aquela era uma das ofertas que podia ser consumida em uma refeição. Ver as notas sobre o vs. 26 deste capítulo quanto aos vários tipos de ofertas, porções das quais podiam ser servidas como refeições.

O que restasse daí, ou seja, fragmentos de carne, de ossos etc., teria de ser queimado fora do arraial. Ver Hebreus 13.11-13 quanto a uma aplicação cristã.

CAPÍTULO SETE

LEI ACERCA DA EXPIAÇÃO PELA CULPA (7.1-10)

Os vss. 1-10 deste capítulo atuam como suplemento de Levítico 5.14—6.7. Ver as notas introdutórias àquela seção que têm aplicação aqui. Aqui temos apenas vários detalhes, pelo que, quanto à substância e ao significado dos tipos de sacrifício aqui ventilados, ver aquelas outras notas, anteriores.

Paralelos:
1. O lugar de abate (Lv 7.2) tem paralelo com os holocaustos (Lv 1.11).
2. A manipulação ritual do sangue (Lv 7.2) e a queima sobre o altar (vss. 3-5) têm paralelos com as ofertas de comunhão (comunais) (Lv 3).
3. A ingestão da carne dos sacrifícios (Lv 7.6) tem paralelos com a oferta pelo pecado (Lv 6.26,29).

■ 7.1

וְזֹאת תּוֹרַת הָאָשָׁם קֹדֶשׁ קָדָשִׁים הוּא׃

A lei da oferta pela culpa. Ver as notas sobre Levítico 5.15 quanto a amplas explicações. Ver as notas introdutórias a Levítico 5.14.

Cousa santíssima é. Quanto às ofertas consideradas *santíssimas* e *santas,* ver Levítico 2.3.

O Que Era Santo e o Que Era Tabu. Mesmo admitindo-se a natureza primitiva da antiga fé dos hebreus, em contraste com o imenso avanço que há no Novo Testamento, não deveríamos pensar que o que era *santo* na fé hebraica era tabu. Um objeto considerado tabu era concebido como se envolvesse algum poder sobrenatural, que podia ser mal manuseado, tornando-se então perigoso. Mas esse conceito é inadequado quanto às coisas *santas* da fé dos hebreus. Esta dera largos passos na direção da compreensão da santidade de Deus, e de como Deus exigia essa mesma qualidade de santidade por parte do homem, embora fizesse isso através de tipos e sombras. Os tabus geralmente são criados pela mera imaginação supersticiosa. Mas a santidade, de acordo com a fé dos hebreus, de fato aproximava-se (posto que emblematicamente) da santidade de Yahweh. Ver na *Enciclopédia de Bíblia, Teologia e Filosofia* o verbete intitulado *Tabu.*

■ 7.2

בִּמְקוֹם אֲשֶׁר יִשְׁחֲטוּ אֶת־הָעֹלָה יִשְׁחֲטוּ אֶת־הָאָשָׁם וְאֶת־דָּמוֹ יִזְרֹק עַל־הַמִּזְבֵּחַ סָבִיב׃

Ver Levítico 1.11 quanto a um versículo paralelo. As notas dali têm aplicação aqui. O ritual da manipulação do sangue tem paralelo nas ofertas comunais do terceiro capítulo de Levítico. O ofensor abatia o animal (Lv 1.5), mas o manuseio do sangue e todo o trabalho sobre o altar eram feitos pelo sacerdote. O sangue da oferta pelo pecado era posto sobre os chifres do altar (Lv 4.25,30,34), mas o da oferta pela culpa era simplesmente lançado aos lados e à base desse altar (Lv 5.9). "Durante o tempo do segundo templo, havia uma linha escarlate em torno do altar, exatamente à meia altura. O sangue das ofertas pela culpa e das ofertas pacíficas era lançado em redor, *abaixo* daquela linha central, enquanto o das ofertas queimadas era lançado em redor, *acima* daquela linha central" (Ellicott, *in loc.*).

■ 7.3,4

וְאֵת כָּל־חֶלְבּוֹ יַקְרִיב מִמֶּנּוּ אֵת הָאַלְיָה וְאֶת־הַחֵלֶב הַמְכַסֶּה אֶת־הַקֶּרֶב׃

וְאֵת שְׁתֵּי הַכְּלָיֹת וְאֶת־הַחֵלֶב אֲשֶׁר עֲלֵיהֶן אֲשֶׁר
עַל־הַכְּסָלִים וְאֶת־הַיֹּתֶרֶת עַל־הַכָּבֵד עַל־הַכְּלָיֹת
יְסִירֶנָּה:

Estes versículos têm paralelo em Levítico 3.3,4,8,9, onde o leitor deve consultar as notas expositivas.

■ 7.5

וְהִקְטִיר אֹתָם הַכֹּהֵן הַמִּזְבֵּחָה אִשֶּׁה לַיהוָה אָשָׁם
הוּא:

Este versículo tem paralelo em Levítico 4.26,31, onde as notas expositivas devem ser consultadas. As mesmas regras aplicavam-se à oferta pela culpa e às ofertas pacíficas.

■ 7.6

כָּל־זָכָר בַּכֹּהֲנִים יֹאכְלֶנּוּ בְּמָקוֹם קָדוֹשׁ יֵאָכֵל קֹדֶשׁ
קָדָשִׁים הוּא:

A gordura e o sangue pertenciam a Yahweh; mas, no caso das ofertas pela culpa (Lv 7.11), o que restasse do animal sacrificado tornava-se a substância de uma refeição comunal dos sacerdotes. Isso era comido no Lugar Santo do tabernáculo. Cf. Levítico 6.16,26,29.

■ 7.7

כַּחַטָּאת כָּאָשָׁם תּוֹרָה אַחַת לָהֶם הַכֹּהֵן אֲשֶׁר
יְכַפֶּר־בּוֹ לוֹ יִהְיֶה:

Este versículo repete a informação dada em Levítico 6.27,28, onde aparecem as notas expositivas. As normas ensinadas nos versículos referidos aplicavam-se tanto às ofertas pelo pecado quanto às ofertas pela culpa, e aquilo que foi omitido na descrição de uma delas pode ser suprido pelo leitor na descrição da outra, pois o autor sacro não repetiu todos os detalhes, ficando eles subentendidos.

■ 7.8

וְהַכֹּהֵן הַמַּקְרִיב אֶת־עֹלַת אִישׁ עוֹר הָעֹלָה אֲשֶׁר
הִקְרִיב לַכֹּהֵן לוֹ יִהְיֶה:

No caso das ofertas queimadas ou holocaustos, ocorria a queima total da carcaça do animal e não havia banquete comunal. Mas o couro do animal sacrificado ficava com o sacerdote oficiante. Era o "salário" por ter efetuado seu dever. Esse couro podia ser usado na confecção de tendas ou de roupas pesadas. Na época do segundo templo, o couro dos animais oferecidos pelo pecado ou pela culpa dos leigos pertencia aos sacerdotes, mas o couro das ofertas pacíficas pertencia àqueles que trouxessem os animais para serem sacrificados, isto é, os proprietários dos animais que faziam tais sacrifícios. Esta última prática parece ter entrado em choque com o costume original, conforme o registro de Levítico 4.11,12. Era coisa comum, em outras culturas antigas, que os sacerdotes ficassem com o couro dos animais sacrificados.

■ 7.9,10

וְכָל־מִנְחָה אֲשֶׁר תֵּאָפֶה בַּתַּנּוּר וְכָל־נַעֲשָׂה בַמַּרְחֶשֶׁת
וְעַל־מַחֲבַת לַכֹּהֵן הַמַּקְרִיב אֹתָהּ לוֹ תִהְיֶה:

וְכָל־מִנְחָה בְלוּלָה־בַשֶּׁמֶן וַחֲרֵבָה לְכָל־בְּנֵי אַהֲרֹן
תִּהְיֶה אִישׁ כְּאָחִיו: פ

As ofertas de manjares, ou ofertas de cereais, eram preparadas de *três maneiras* diversas, segundo vemos nas notas sobre Levítico 2.4-7. Ver o penúltimo parágrafo das notas dadas na introdução a Levítico 2.1. Eis as três maneiras: 1. Não cozidas (Lv 2.1-3); 2. cozidas (Lv 2.4-10); 3. esmagadas e tostadas, e oferecidas juntamente com as primícias (Lv 2.14-16). Havia uma porção *memorial*, reservada a Yahweh (Lv 2.2); mas o resto das oferendas cozidas ficava com o sacerdote oficiante. Porém (vs. 10), no caso das oferendas não cozidas de cereais, não misturadas com azeite (Lv 2.1), ou da oferta pelo pecado, apresentada pelos pobres, que não levava azeite (Lv 5.11), ou da oferta chamada de "manjares de ciúmes" (Lv 5.15), o resto ficava com os filhos de Arão, isto é, cabia aos sacerdotes em geral, igualmente compartilhada por eles. Mas somente os membros masculinos das famílias recebiam tal benefício, pois as crianças e as mulheres, mesmo as que fossem descendentes de sacerdotes, não podiam participar do resto dessas ofertas.

LEI ACERCA DOS SACRIFÍCIOS PACÍFICOS (7.11-21)

Os vss. 11-36 deste sétimo capítulo de Levítico suplementam o trecho de Levítico 3.1-17. "A característica que distinguia as ofertas de comunhão (ofertas pacíficas) era a refeição comunal. Visto que as normas dirigidas ao sacerdote diziam respeito, primariamente, à distribuição da carne dos animais sacrificados, é natural que muitos dos detalhes dessa refeição só sejam vistos ali" (F. Duane Lindsey, *in loc.*).

"São especificadas três classes de ofertas pacíficas, a saber: 1. em reconhecimento das misericórdias recebidas; 2. alguma oferenda votiva; 3. alguma oferenda voluntária" (Ellicott, *in loc.*). Ver Êxodo 3.1-17, bem como a introdução a Êxodo 3.1.

■ 7.11

וְזֹאת תּוֹרַת זֶבַח הַשְּׁלָמִים אֲשֶׁר יַקְרִיב לַיהוָה:

Lei das ofertas pacíficas. Alguns intérpretes também designam essas ofertas de "ofertas de comunhão", descritas em Levítico 3.1-17, a cujas descrições esta passagem adiciona alguns detalhes.

Tipologia. Primeiro temos as ofertas pelo pecado (vss. 7 ss.) e depois as ofertas pacíficas ou de comunhão. Temos aí uma sequência natural. Os intérpretes cristãos veem nisso um tipo de Cristo. Ver João 20.18; 2Coríntios 5.18-21, ou seja, paz com Deus mediante a reconciliação. Cf. Efésios 2.13.

■ 7.12

אִם עַל־תּוֹדָה יַקְרִיבֶנּוּ וְהִקְרִיב עַל־זֶבַח הַתּוֹדָה
חַלּוֹת מַצּוֹת בְּלוּלֹת בַּשֶּׁמֶן וּרְקִיקֵי מַצּוֹת מְשֻׁחִים
בַּשָּׁמֶן וְסֹלֶת מֻרְבֶּכֶת חַלֹּת בְּלוּלֹת בַּשָּׁמֶן:

Ações de graça. Uma expressão usada em um sentido geral. Uma pessoa sentia-se agradecida por qualquer benefício ou bênção recebidos, e assim trazia sua oferenda para expressar gratidão. Essa era a primeira das *três classes* de oferendas feitas neste texto, alistadas no fim das notas introdutórias a Levítico 7.11. Ver uma lista de possíveis coisas pelas quais podemos sentir-nos agradecidos, no Salmo 107. Jarchi falava em livramento de perigos nas viagens, por mar ou por terra; livramento de aprisionamento; e livramento de doenças e aflições de toda modalidade. Aben Ezra referia-se aos benefícios comuns diários de que todos desfrutamos, resultantes da *bondade divina*, tão óbvios em nossas vidas. O Novo Testamento fala em "sacrifício de louvor" (Hb 13.15).

Com a oferta. Essa oferta era alguma cabeça de gado (touro, carneiro ou bode; Lv 3.1), ao que se acrescentava uma oferta de cereais. O sacrifício, nesse caso, poderia ser macho ou fêmea, conforme se vê em Levítico 3.1.

Bolos asmos... obreias asmas... bolos de flor de farinha. Apesar dessa variedade possível de ofertas de cereais, não há estipulação quanto ao seu número ou à quantidade de azeite. Parece que, no caso dessas oferendas, cada indivíduo escolhia à vontade as proporções dos ingredientes.

No entanto, nos dias do segundo templo, as regras tinham-se tornado mais específicas. O ofertante trazia dois *ômeres* (um quinto de um efa), um dos quais era usado para fazer bolos asmos, e o outro para obreias asmas ou bolos de flor de farinha (vs. 13). O número dessas obreias ou de bolos de flor de farinha era dez; mas os bolos asmos eram trinta. Isso dava um total de quarenta. Esse número era subdividido em quatro porções de dez, preparados de modo levemente diferente. Dos quarenta bolos assim preparados, o sacerdote recebia um de cada tipo, ou seja, uma décima parte do total. O efa era uma medida com cerca de 10 kg. Ver as notas em Êxodo 16.36.

■ 7.13

עַל־חַלֹּת לֶחֶם חָמֵץ יַקְרִיב קָרְבָּנוֹ עַל־זֶבַח תּוֹדַת
שְׁלָמָיו:

Com os bolos. Ou seja, além dos trinta preparados sem fermento (para os quais metade da farinha de trigo fora utilizada), e dos dez bolos adicionais, feitos com fermento (feitos pela outra metade da farinha). O assar dos bolos era feito pelo ofertante, e os bolos eram trazidos já prontos, e isso antes que o animal a ser sacrificado fosse abatido. A única outra ocasião em que se permitia fermento em um item sacrificial era a oferenda no dia de Pentecoste (Lv 23.17). Se a oferta levasse fermento, não podia ser queimada no altar de bronze como um memorial a Yahweh. Nenhum fermento podia ser levado para perto do altar (Lv 2.11,12).

Vários motivos têm sido aventados para o fato de que o fermento podia ser usado em alguns tipos de pão ou bolos, contanto que não fossem levados ao altar. Talvez a opinião correta seja a mais simples de todas. O pobre sacerdote precisava receber pães novos. Ocasionalmente, ele podia comer o pão com fermento, mais macio e saboroso. Os intérpretes cristãos veem a nossa ampla provisão em Cristo nessa variedade de alimentos com e sem fermento. O pão com fermento era evidentemente usado na refeição comunal da qual participavam o sacerdote e seus familiares do sexo masculino, e da qual também participavam o ofertante e seus familiares. Os pobres também podiam ser incluídos nisso, como uma medida humanitária (Dt 12.12; 18.19). Essa refeição precisava ser comida no lugar que o Senhor havia determinado (Dt 12.6-26).

■ 7.14

וְהִקְרִיב מִמֶּנּוּ אֶחָד מִכָּל־קָרְבָּן תְּרוּמָה לַיהוָה לַכֹּהֵן הַזֹּרֵק אֶת־דַּם הַשְּׁלָמִים לוֹ יִהְיֶה:

Trará um bolo por oferta ao Senhor. Em outras palavras, um de cada tipo de bolos, totalizando quatro bolos conforme disse Maimônides (*Masseh. Hakorbanot*, c. 9, sec. 17,18,21). Ver nas notas sobre o vs. 12 deste capítulo, como os quarenta bolos foram divididos em quatro grupos de dez bolos cada. Esses quatro pães ou bolos eram *movidos* diante do Senhor, a fim de atrair a sua atenção e pedir a sua bênção. O ato talvez fosse igual ou similar ao descrito em Levítico 7.30, acerca das ofertas movidas. Mas alguns eruditos pensam que, neste versículo, temos um movimento para cima e para baixo, ao passo que no vs. 30 se tratava de um movimento ondulante. A porção *movida* pertencia ao sacerdote, o qual, incidentalmente, é aqui identificado com aquele que manuseava o sangue do sacrifício, em conjunto com a cerimônia inteira da ação de graças. (Assim pensava *Misn. Menachot*, c. 9, sec. 3.) Os 36 bolos restantes pertenciam ao homem que havia trazido o sacrifício, tornando-se a sua porção para ser comida junto com membros de sua família.

■ 7.15

וּבְשַׂר זֶבַח תּוֹדַת שְׁלָמָיו בְּיוֹם קָרְבָּנוֹ יֵאָכֵל לֹא־יַנִּיחַ מִמֶּנּוּ עַד־בֹּקֶר:

... se comerá no dia do seu oferecimento. Várias pessoas podiam comer do sacrifício: o sacerdote oficiante; o ofensor ou adorador; os membros de sua família; talvez pessoas pobres que fossem convidadas (Dt 12.11-18). Além disso, era mister comer tudo até o amanhecer do dia seguinte. Nos dias do segundo templo, porém, o prazo ia somente até a meia-noite. Limitações, como é claro, eram impostas, a fim de que os ofertantes distribuíssem do alimento a pessoas pobres, em vez de deixarem que os restos fossem queimados. Essas limitações também lembravam os adoradores que eles estavam participando de um banquete sagrado, e não de um banquete profano, que poderia ser consumido dentro de qualquer prazo de tempo. Este versículo nem admite que alguma coisa sobrasse da refeição; mas, se porventura isso chegasse a suceder, então devemos pensar que se aplicava a injunção constante no vs. 17, abaixo. E então, o fogo consumiria o que ainda sobrasse.

■ 7.16,17

וְאִם־נֶדֶר ׀ אוֹ נְדָבָה זֶבַח קָרְבָּנוֹ בְּיוֹם הַקְרִיבוֹ אֶת־זִבְחוֹ יֵאָכֵל וּמִמָּחֳרָת וְהַנּוֹתָר מִמֶּנּוּ יֵאָכֵל:

וְהַנּוֹתָר מִבְּשַׂר הַזָּבַח בַּיּוֹם הַשְּׁלִישִׁי בָּאֵשׁ יִשָּׂרֵף:

A segunda classe de ofertas pacíficas era a que envolvia algum voto. Ver Êxodo 3.1-17 e suas notas quanto a essas três classes, bem como as notas introdutórias ao vs. 11 deste capítulo. Discuto sobre essas três classes, com maiores detalhes, na exposição da introdução a Levítico 3.1. Temos aqui uma cerimônia que envolvia um voto (ver Lv 27.9,10), ou, então, o cumprimento de um voto (Nm 6.17-20). Esse rito poderia ser um holocausto, seguindo seus requisitos (Lv 22.17-20). Um voto (no hebraico, *neder*) era uma obrigação voluntária. Um homem poderia estar enfrentando um problema especial, que queria ver resolvido; ou talvez tivesse de tomar uma decisão difícil acerca de alguma coisa. Tal homem fazia voto e pedia ajuda e iluminação. O voto do nazireado (ver Nm 6.13-20) era uma espécie particular de oferta voluntária. Seu voto envolvia sua consagração e dedicação espiritual, para que fosse um *homem espiritual ideal*, durante certo tempo, e não a fim de que viesse a obter algo material. Ver no *Dicionário* o artigo chamado *Nazireado (Voto do)*.

Esse voto permitia um segundo dia para que os participantes consumissem o que restasse do animal sacrificado, mas não um terceiro dia (vs. 1). Se se ultrapassasse do segundo dia, o voto e a oferta estariam ambos anulados. O banquete não podia ser postergado para além disso; o banquete sagrado não podia ser profanado, por ser assim transformado em uma longa festa, conforme as festas profanas tendem por prolongar-se. Os participantes estavam ali para cumprir uma cerimônia sagrada, e não para se entregarem à glutonaria e à orgia, conforme tantas vezes sucedia no caso das festividades pagãs.

Alguns estudiosos pensam que a extensão a um segundo dia tornava menos sagrado o sacrifício, provavelmente porque tivesse em vista algum ganho, a ser obtido por meio do voto, e que a extensão a um segundo dia exibia uma devoção não tão decidida.

■ 7.18

וְאִם הֵאָכֹל יֵאָכֵל מִבְּשַׂר־זֶבַח שְׁלָמָיו בַּיּוֹם הַשְּׁלִישִׁי לֹא יֵרָצֶה הַמַּקְרִיב אֹתוֹ לֹא יֵחָשֵׁב לוֹ פִּגּוּל יִהְיֶה וְהַנֶּפֶשׁ הָאֹכֶלֶת מִמֶּנּוּ עֲוֺנָהּ תִּשָּׂא:

Se qualquer porção do animal sacrificado fosse deixada até o segundo dia, essa porção era totalmente queimada nas chamas. Qualquer coisa que restasse até o terceiro dia profanava tudo, anulando tanto o voto quanto a sua oferenda. Naturalmente, qualquer carne deixada por tanto tempo acabaria estragando, transformando-se assim em uma abominação tanto física quanto espiritual. O que tinha começado como uma coisa santa acabara corrompido, e o sacrifício perderia seu valor. O ofensor, pois, teria de trazer uma nova oferenda, e, *dessa vez*, ter mais cuidado a respeito das regras prevalentes.

O ofertante tinha-se tornado um ofensor, ao comer carne estragada, e teria de levar sua culpa e sofrer alguma espécie de castigo da parte de Yahweh. Mas não somos informados sobre que punição seria essa; mas o castigo antecipado certamente era mais do que a anulação do voto feito. Talvez fossem impostas certas penas, como uma multa, ou então o ofensor ficaria cerimonialmente imundo durante algum tempo. Mas estamos aqui apenas especulando.

■ 7.19

וְהַבָּשָׂר אֲשֶׁר־יִגַּע בְּכָל־טָמֵא לֹא יֵאָכֵל בָּאֵשׁ יִשָּׂרֵף וְהַבָּשָׂר כָּל־טָהוֹר יֹאכַל בָּשָׂר:

Ver no *Dicionário* o artigo geral chamado *Limpo e Imundo*. Antes de chegar ao altar, o sacrifício poderia sofrer alguma espécie de impureza ritual. Talvez um animal imundo, como um cão, se chegasse a lamber a oferta. Talvez a esposa do ofertante, estando ela no seu período de menstruação, tocasse o sacrifício antes de seu marido levá-lo ao tabernáculo. Talvez houvesse um funeral na casa, e o ofertante tivesse tocado no cadáver. Qualquer dessas coisas (e havia inúmeros itens dessa natureza) poderia anular totalmente um sacrifício.

A *segunda parte* deste versículo parece dizer que, se parte da oferenda não tivesse sido tocada por algo imundo, então *essa* parte podia ser usada, e o restante podia ser comido. No entanto, o mais certo é que, *se* tivesse sido feito um sacrifício apropriado, não havendo poluições com nenhuma coisa imunda, então todas as pessoas que estivessem ritualmente puras, visto que não tinham contraído poluição, podiam participar do resto do sacrifício, bem como do ritual.

Por conseguinte, o que o texto está dizendo aqui é que, para que houvesse um sacrifício e um cerimonial apropriado, tanto o animal sacrificado quanto todos os participantes do rito e do banquete tinham de estar cerimonialmente limpos. O trecho de Levítico 12-15 aborda o tema da impureza ritual.

■ 7.20

וְהַנֶּ֗פֶשׁ אֲשֶׁר־תֹּאכַ֤ל בָּשָׂר֙ מִזֶּ֣בַח הַשְּׁלָמִ֔ים אֲשֶׁ֖ר לַיהוָ֑ה וְטֻמְאָת֣וֹ עָלָ֔יו וְנִכְרְתָ֛ה הַנֶּ֥פֶשׁ הַהִ֖וא מֵעַמֶּֽיהָ׃

Será eliminada do seu povo. Temos aqui uma lei severa. Se algum homem estivesse imundo, sem importar a razão de sua imundícia, e ousasse participar do ritual e do banquete comunal, então cometeria um crime e teria de ser punido por isso. Seria *eliminado* ou *excluído*, o que, quase sem dúvida, significava a punição capital. Ver Levítico 9.8-24; 11 e 15.1-33, quanto a questões relativas a coisas imundas. Quanto à noção de que ser *eliminado* significa, aqui, a punição capital, ver Levítico 7.21,25,27; 17.4,9; 18.29; 19.8; 20.3,17,18; 22.3 etc.

Alguns estudiosos pensam estar aqui em foco um ato de exclusão, mas essa opinião tem menos a seu favor. Quanto à contraparte cristã dessa severidade, ver 1Coríntios 11.29. A morte, por decreto divino, também podia (e pode) ocorrer se a Ceia do Senhor for profanada. Ver na *Enciclopédia de Bíblia, Teologia e Filosofia* os verbetes chamados *Exclusão* e *Excomunhão-Expulsão*.

■ 7.21

וְנֶ֗פֶשׁ כִּֽי־תִגַּ֣ע בְּכָל־טָמֵא֮ בְּטֻמְאַ֣ת אָדָם֒ א֚וֹ ׀ בִּבְהֵמָ֣ה טְמֵאָ֗ה א֚וֹ בְּכָל־שֶׁ֣קֶץ טָמֵ֔א וְאָכַ֛ל מִבְּשַׂר־זֶ֥בַח הַשְּׁלָמִ֖ים אֲשֶׁ֣ר לַיהוָ֑ה וְנִכְרְתָ֛ה הַנֶּ֥פֶשׁ הַהִ֖וא מֵעַמֶּֽיהָ׃ פ

Este versículo é uma expansão do vs. 20, encerrando a mesma mensagem. Passagens como Levítico 9.8-24 e 15.1-33 enumeram aquelas coisas que, de acordo com a legislação mosaica, podiam poluir um homem, tornando-o ritualmente imundo. Quanto a um sumário e descrição, ver no *Dicionário* o artigo chamado *Limpo e Imundo*. A ameaça da pena de morte é aqui reiterada para efeito de ênfase, e isso empresta uma nota solene ao sistema de sacrifícios levíticos inteiro. Essa é uma questão grave, segundo a mentalidade dos hebreus. Talvez estejam aqui em pauta as intervenções divinas. Deus haveria de impor miséria e destruição contra os sacrílegos. A legislação mosaica estava recheada de ameaças contra os ofensores, e tornava-se questão relativamente fácil executar a um homem. Ver meu gráfico nas notas sobre o capítulo 18 de Levítico, onde mostro como era solucionado o problema de incesto, geralmente com execução.

DEUS PROÍBE COMER GORDURA E SANGUE (7.22-27)

Para os hebreus, a gordura era um acepipe, e a gordura dos animais sacrificados pertencia a Yahweh. O sangue, por sua vez, era a sede misteriosa da vida biológica; e Yahweh é quem dava e tirava a vida, pelo que o sangue de um animal oferecido em sacrifício lhe pertencia, com exclusividade. Ver as leis atinentes à gordura e ao sangue, nas notas sobre Levítico 3.17, onde são dados pontos detalhados.

■ 7.22

וַיְדַבֵּ֥ר יְהוָ֖ה אֶל־מֹשֶׁ֥ה לֵּאמֹֽר׃

O princípio exarado em Levítico 3.17 é aqui expandido. *Yahweh falou* era uma expressão usada para introduzir alguma nova seção do Pentateuco, pelo que era um artifício literário. Mais do que isso, porém, também lembrava que o autor escrevia sob o impulso da inspiração divina. Ver essa expressão comentada detalhadamente em Levítico 1.1, havendo comentários adicionais em Levítico 4.1.

■ 7.23,24

דַּבֵּ֛ר אֶל־בְּנֵ֥י יִשְׂרָאֵ֖ל לֵאמֹ֑ר כָּל־חֵ֜לֶב שׁ֥וֹר וְכֶ֛שֶׂב וָעֵ֖ז לֹ֥א תֹאכֵֽלוּ׃

וְחֵ֤לֶב נְבֵלָה֙ וְחֵ֣לֶב טְרֵפָ֔ה יֵעָשֶׂ֖ה לְכָל־מְלָאכָ֑ה וְאָכֹ֖ל לֹ֥א תֹאכְלֻֽהוּ׃

Nenhuma gordura, em absoluto, podia ser usada como alimento, porquanto era uma porção sagrada para Yahweh, não podendo ser usada para nenhum fim profano, como uma simples refeição. Essa regra foi ressaltada mediante a listagem dos vários animais cuja gordura era usada nos sacrifícios, queimada sobre o altar de bronze.

O vs. 24 expande esse preceito, cobrindo possíveis casos duvidosos. Talvez um animal tivesse perecido de alguma doença, ou por outra causa, conhecida ou não; talvez o animal tivesse sofrido um acidente ou ataque por parte de alguma fera. Nesses casos, a gordura continuava vedada para consumo humano? A resposta é que tal gordura *não* podia ser comida, embora se pudesse fazer algum outro uso dela, como fabricar sabão ou velas, para exemplificar. Isso pode parecer uma contradição, mas o ponto é que tal animal se tornava inútil em face de sua morte inesperada, e não servia para ser oferecido em sacrifício. Assim, de qualquer modo, a gordura estava perdida para Yahweh. Ademais, seria um sacrilégio comer de tal gordura; mas ela podia ser utilizada de alguma outra maneira.

Os animais que morressem de alguma enfermidade, acidente ou ataque de feras tornavam-se imundos, pelo que não podiam ser usados nos sacrifícios. Ver Levítico 17.15 e 22.8. Isso posto, tornavam-se inúteis tanto como alimento quanto como sacrifício. As circunstâncias de sua morte não tinham permitido a devida drenagem do sangue dos corpos desses animais. Não haviam sido abatidos da maneira correta, pelo que sua carne não podia ser usada nem nos sacrifícios nem como alimento.

Os animais poluídos podiam ser vendidos ou dados a pessoas não-israelitas (Dt 14.21), que então os usariam conforme melhor lhes parecesse. Cf. Êxodo 22.31 com o versículo 24 deste capítulo. Os cães podiam comer de carnes contaminadas ou ritualmente imundas. Mas tais carnes eram consideradas inteiramente perdidas, e não uma provisão geralmente dada aos cães.

■ 7.25

כִּ֚י כָּל־אֹכֵ֣ל חֵ֔לֶב מִן־הַ֨בְּהֵמָ֔ה אֲשֶׁ֨ר יַקְרִ֥יב מִמֶּ֛נָּה אִשֶּׁ֖ה לַיהוָ֑ה וְנִכְרְתָ֛ה הַנֶּ֥פֶשׁ הָאֹכֶ֖לֶת מֵעַמֶּֽיהָ׃

Os animais limpos, sacrificados, eram dedicados a Yahweh. Nem sua gordura nem seu sangue podiam ser usados para propósito humano. A gordura era queimada sobre o altar, e o sangue era vertido à base do altar, pelo que Yahweh recebia ambas as coisas. Mas se alguém fosse tão presunçoso que se apropriasse dessas coisas para si mesmo, fazendo delas artigos de sua alimentação, então seria executado, ou seja, *eliminado* dentre o povo. Alguns pensam que ainda estão em foco, neste versículo 25, os animais impróprios, mas o autor sacro parece já ter passado desse particular, e agora falava sobre animais limpos e apropriados, tão somente repetindo as regras acerca da gordura e do sangue, comentadas em Levítico 3.17. O presente versículo faz-nos recuar ao vs. 23 deste mesmo capítulo.

■ 7.26,27

וְכָל־דָּם֙ לֹ֣א תֹאכְל֔וּ בְּכֹ֖ל מוֹשְׁבֹתֵיכֶ֑ם לָע֖וֹף וְלַבְּהֵמָֽה׃

כָּל־נֶ֖פֶשׁ אֲשֶׁר־תֹּאכַ֣ל כָּל־דָּ֑ם וְנִכְרְתָ֛ה הַנֶּ֥פֶשׁ הַהִ֖וא מֵעַמֶּֽיהָ׃ פ

A lei sobre o sangue é reiterada; e minhas notas sobre Levítico 3.17 fornecem detalhes sobre a questão que não repito aqui. Incluída nessa lei havia a provisão de que a carne de um animal, se não fosse devidamente drenada de seu sangue, de acordo com as leis do abate de animais, não podia ser usada na alimentação humana, porque essa era uma forma de ingerir sangue. Um animal sufocado poderia ser um caso desses; ou então, um animal que tivesse morrido por doença ou acidente, ou mesmo morto por uma fera. Visto que, em todos esses casos, o sangue não teria sido devidamente drenado, os filhos de Israel não podiam comer da carne desses animais, pois tal carne continha o sangue proibido.

O homem que quebrasse essas regras seria executado. A prática judaica, porém, variava quanto à pena imposta. Se o homem fizesse tal coisa inadvertidamente, ou seja, na inocência, então era açoitado. Comer sangue *contido* na carne era reputado um crime menos sério do que beber o sangue diretamente. O homem que comesse tal carne era espancado e, depois, tinha de trazer uma oferta pelo pecado. Modificações na legislação e nos castigos foram resultantes da passagem do tempo, e a prática foi-se distanciando dos preceitos conforme originalmente escritos.

A PORÇÃO DOS SACERDOTES (7.28-38)

Esta seção serve de suplemento ao trecho de Levítico 7.11-21, conferindo-nos alguns detalhes adicionais sobre as questões da porção dos sacerdotes e da refeição comunal. "Tal como no caso de outras ofertas (excetuando os holocaustos), o sacerdote recebia porções designadas como seu alimento. O *peito* da comunhão (das ofertas pacíficas) devia ser movido diante do Senhor, como *oferta movida*... A coxa direita era dada ao sacerdote oficiante (vss. 32,33), mas o peito era entregue aos sacerdotes em geral (vs. 34) e a seus familiares, tanto filhos quanto filhas (Nm 18.11,12)" (F. Duane Lindsey, *in loc.*).

■ 7.28

וַיְדַבֵּר יְהוָה אֶל־מֹשֶׁה לֵּאמֹר:

Disse mais o Senhor. Temos aqui um familiar artifício literário para introduzir alguma nova seção do Pentateuco. Mas essa expressão também lembra-nos de que Moisés escrevia pelo impulso da inspiração divina. Ver as notas sobre Levítico 1.1, onde comento sobre essa expressão. E Levítico 4.1 contém ideias adicionais.

■ 7.29

דַּבֵּר אֶל־בְּנֵי יִשְׂרָאֵל לֵאמֹר הַמַּקְרִיב אֶת־זֶבַח שְׁלָמָיו לַיהוָה יָבִיא אֶת־קָרְבָּנוֹ לַיהוָה מִזֶּבַח שְׁלָמָיו:

As ofertas pacíficas, também chamadas de comunhão, eram de *três classes* diversas. Ver as notas introdutórias sobre isso, em Levítico 3.1. Ver Levítico 3.1-17 quanto a descrições dos tipos de ofertas pacíficas e das leis que as regulamentavam. O vs. 29 leva-nos de volta ao vs. 11, suplementando a questão.

O ofertante participava da refeição. Yahweh ficaria com a parte que lhe cabia (incluindo a gordura e o sangue). Os sacerdotes também ficariam com o que era deles. O ofertante e seus familiares também ficariam com sua parte. *Ofertas de manjares,* também chamadas de "cereais", acompanhavam o rito e faziam parte integrante dele. Havia pães ou bolos asmos, obreias e bolos fritos. Ver as notas sobre os versículos 12 a 14 deste capítulo quanto a detalhes.

■ 7.30,31

יָדָיו תְּבִיאֶינָה אֵת אִשֵּׁי יְהוָה אֶת־הַחֵלֶב עַל־הֶחָזֶה יְבִיאֶנּוּ אֵת הֶחָזֶה לְהָנִיף אֹתוֹ תְּנוּפָה לִפְנֵי יְהוָה:

וְהִקְטִיר הַכֹּהֵן אֶת־הַחֵלֶב הַמִּזְבֵּחָה וְהָיָה הֶחָזֶה לְאַהֲרֹן וּלְבָנָיו:

Por oferta movida perante o Senhor. Certas porções dessas ofertas eram queimadas a fogo, conforme descrito em Levítico 3.3,4. A gordura era queimada, mas antes o peito era usado como *oferta movida.* A oferta tinha esse nome porque essa porção do animal sacrificado era balançada para frente e para trás, e assim era *simbolicamente* apresentada e sacrificada a Yahweh, que se agradava ao ver como o sacerdote estava fazendo sua apresentação. Alguns eruditos têm imaginado que a carne era segurada pelas mãos do ofertante, e o sacerdote segurava as mãos do ofertante e fazia o movimento juntamente com ele. Seja como for, o que era assim dado simbolicamente a Yahweh era retido, como se fosse um presente devolvido. Em seguida, essa porção tornava-se parte da alimentação dos sacerdotes (vs. 31). Ver Êxodo 29.24 quanto a outros detalhes sobre as ofertas movidas. O trecho de Números 18.11,12 mostra-nos que os familiares dos sacerdotes também participavam da refeição comunal da qual o peito do animal era a porção preparada. Isso tornou-se um dos meios de manutenção dos sacerdotes e seus familiares. O trecho de Êxodo 29.25-28 dá detalhes que não são mencionados neste texto. A oferenda era de "aroma agradável" (Êx 29.25). E era parte de um esperado estatuto *perpétuo* (Êx 29.28). Os sacerdotes, em Israel, viviam do altar. Esse princípio foi transferido para o Novo Testamento (2Co 9.9 ss). Ter um ministério de tempo integral é melhor para todos os envolvidos. Ver no *Dicionário* o verbete intitulado *Ofertas Movidas.*

■ 7.32,33

וְאֵת שׁוֹק הַיָּמִין תִּתְּנוּ תְרוּמָה לַכֹּהֵן מִזִּבְחֵי שַׁלְמֵיכֶם:

הַמַּקְרִיב אֶת־דַּם הַשְּׁלָמִים וְאֶת־הַחֵלֶב מִבְּנֵי אַהֲרֹן לוֹ תִהְיֶה שׁוֹק הַיָּמִין לְמָנָה:

Essa *coxa direita* podia ser do touro, da vaca, do carneiro ou do bode. O peito era tido como a sede da sabedoria, e a coxa, a sede da força física. Os eruditos evangélicos veem nisso certas qualidades de Cristo, em sua pessoa e em sua morte expiatória.

Alguns pensam que a oferta movida era balançada para cima e para baixo, conforme parece indicar o vs. 14 deste capítulo, e onde a questão foi comentada. Nesse caso, temos aqui um movimento diferente daquele que estamos acostumados a imaginar. A gordura e o sangue (vs. 33) eram oferecidos a Yahweh. Dei informações acerca da lei sobre a gordura e o sangue, em Levítico 3.17. A Yahweh, pois, eram dados o sangue e a gordura; mas os sacerdotes e seus familiares ficavam com o peito, ao passo que o sacerdote oficiante ficava com a coxa direita. O restante, além da oferta de manjares, tornava-se alimento para o ofertante e seus familiares. Portanto, havia aí a celebração de uma festa comunal, onde cada pessoa ficava com sua porção devida. Ver no *Dicionário* o artigo intitulado *Sacrifícios e Ofertas.*

■ 7.34

כִּי אֶת־חֲזֵה הַתְּנוּפָה וְאֵת שׁוֹק הַתְּרוּמָה לָקַחְתִּי מֵאֵת בְּנֵי־יִשְׂרָאֵל מִזִּבְחֵי שַׁלְמֵיהֶם וָאֶתֵּן אֹתָם לְאַהֲרֹן הַכֹּהֵן וּלְבָנָיו לְחָק־עוֹלָם מֵאֵת בְּנֵי יִשְׂרָאֵל:

Por direito perpétuo dos filhos de Israel. O povo de Israel não esperava que seu sistema religioso chegasse ao fim. As fés religiosas e as denominações estão sempre dizendo que elas representam o ponto *final* da revelação divina. Mas isso só reflete as limitações de sua própria mente. A epístola aos Hebreus, no Novo Testamento, proclamou o *fim* (o que para os judeus deve ter parecido uma "blasfêmia") dos ritos e sacrifícios do Antigo Testamento, tudo substituído por uma única palavra: *Cristo*. Mas a espiritualidade continua, expressando-se sob novas formas; e assim sempre sucederá. Sempre haverá novas revelações que tornarão incompletas e até obsoletas as revelações mais antigas. Novos começos sempre serão considerados heresias, até que, com o tempo, se tornam novas ortodoxias. Ver sobre a expressão *estatuto perpétuo,* nas notas sobre Levítico 3.17, que nos mostram que sempre haverá uma renovação, a despeito das expectações de um povo estagnado em suas ideias. Ver também Êxodo 29.42 e 31.16 quanto a uma esperada mas baldada *perpetuidade.*

Enquanto permanecesse o sacerdócio levítico, porém, permaneceriam também as normas relativas à porção dos sacerdotes, bem como inúmeras outras regras, que também pareciam intermináveis. Mas algum dia, um grande novo dia faria o sol descer sobre o dia antigo.

■ 7.35

זֹאת מִשְׁחַת אַהֲרֹן וּמִשְׁחַת בָּנָיו מֵאִשֵּׁי יְהוָה בְּיוֹם הִקְרִיב אֹתָם לְכַהֵן לַיהוָה:

Os vss. 35 e 36 deste capítulo constituem uma espécie de sumário da seção inteira de Levítico 6.8–7.34. Assim que os sacerdotes fossem consagrados para sua tarefa, começavam a receber certa porção dos sacrifícios que realizavam, como sustento alimentar. Portanto, os sacerdotes viviam do altar. Eles eram dignos de seu salário. Mediante a expressão "esta é a porção", nossa mente é conduzida de volta às descrições que acabamos de repassar. Cada participante do sistema sacrificial de Israel tinha sua participação, com exceção somente no caso dos holocaustos, os quais pertenciam por inteiro a Yahweh, com o reparo de que o couro do animal sacrificado ficava com o sacerdote oficiante (Lv 7.8). Este sétimo capítulo de Levítico confere-nos detalhes sobre a distribuição de várias porções das ofertas, como segue: à casta sacerdotal; ao sacerdote oficiante; e ao ofertante e seus familiares. Mas a gordura e o sangue pertenciam sempre a Yahweh, e eram oferecidos a ele.

■ 7.36

אֲשֶׁר צִוָּה יְהוָה לָתֵת לָהֶם בְּיוֹם מָשְׁחוֹ אֹתָם מֵאֵת
בְּנֵי יִשְׂרָאֵל חֻקַּת עוֹלָם לְדֹרֹתָם׃

A qual o Senhor ordenou. Yahweh falou (ver as notas sobre isso, em Lv 1.1, com ideias adicionais em Lv 4.1).

Estatuto perpétuo. Ver as notas em Levítico 3.17.

Pelas suas gerações. Ver as notas em Êxodo 29.42 e 31.16. Parecia haver estabilidade no sistema mosaico. Mas quando veio a dispensação do Novo Testamento, a estabilidade e a perpetuidade foram achadas em Cristo, o qual é o mesmo ontem, hoje e o será para sempre (Hb 13.8).

■ 7.37

זֹאת הַתּוֹרָה לָעֹלָה לַמִּנְחָה וְלַחַטָּאת וְלָאָשָׁם
וְלַמִּלּוּאִים וּלְזֶבַח הַשְּׁלָמִים׃

Tendo declarado a *perpetuidade* do sistema, o autor passou a repetir os principais aspectos e características das ofertas de manjares, pelo pecado e pela culpa, que havia descrito mais no começo deste sétimo capítulo de Levítico. Talvez sua conclusão deva ser interpretada como uma espécie de sumário dos sete primeiros capítulos do livro. O trecho de Levítico 1.1—6.7 é uma espécie de manual sobre sacrifícios. Já o trecho de Levítico 6.8—7.36 oferece vários suplementos a isso. E então temos a adição da oferenda de ordenação (vs. 35), que antecipa o conteúdo do capítulo 9. A oferta de ordenação provavelmente era uma oferta pacífica especial, que envolvia o sacrifício de um carneiro (Lv 8.22-29).

Lei do holocausto. Ver Levítico 6.9-13. Ver também Levítico 1.3-17.

Oferta de manjares. Ver Levítico 6.14-18. Ver também Levítico 2.1-16.

Oferta pelo pecado. Ver Levítico 6.25,30. Ver também Levítico 4.1-35.

Oferta pela culpa. Ver Levítico 7.1-7. Ver também Levítico 5.1-13 e 6.1-7.

Da consagração. Ver Levítico 6.20-23.

Do sacrifício pacífico. Ver Levítico 7.11-21. Ver também Levítico 3.1-17.

Portanto, em um único versículo temos a recapitulação de todas essas questões de ofertas, mas sem a repetição de detalhes.

■ 7.38

אֲשֶׁר צִוָּה יְהוָה אֶת־מֹשֶׁה בְּהַר סִינָי בְּיוֹם צַוֹּתוֹ
אֶת־בְּנֵי יִשְׂרָאֵל לְהַקְרִיב אֶת־קָרְבְּנֵיהֶם לַיהוָה
בְּמִדְבַּר סִינָי׃ פ

O fato de Yahweh ter ordenado essas coisas é repetido (vs. 36). O autor sacro deixou claro que ele não havia criado nenhuma daquelas coisas que tinha descrito com detalhes, e isso sem muita repetição. Ver no *Dicionário* os verbetes *Revelação* e *Inspiração*.

Ver Lv 1.1 quanto à nota original sobre a inspiração divina, neste livro. O *Sinai* (ver no *Dicionário*) foi o lugar dessa revelação, a qual foi dada depois de o povo de Israel ter sido livrado do Egito, tendo começado o seu novo dia como uma nação. Ver nas notas introdutórias a Êxodo 19.1 sobre o *Pacto Mosaico,* bem como o artigo geral sobre os *Pactos,* no *Dicionário*.

CAPÍTULO OITO

DIREÇÕES PARA A CONSAGRAÇÃO SACERDOTAL (8.1—9.24)

A CONSAGRAÇÃO DE ARÃO E SEUS FILHOS (8.1-36)

A passagem de Levítico 8.1-10.20 mostra-nos a complexidade das leis e ordenanças que governavam o ministério. Já o trecho de Levítico 8.1-36 informa-nos acerca de como Arão, os sacerdotes e o santuário (o tabernáculo) foram consagrados. Este oitavo capítulo pode ser comparado com o capítulo 29 de Êxodo. Este capítulo, pois, provê uma espécie de manual sobre a ordenação de ministros.

Sumário. A congregação reunia-se no local da ordenação; os que deveriam ser ordenados também faziam-se presentes; os vários equipamentos, como as vestes sacerdotais, o azeite da consagração, o novilho a ser sacrificado (a oferta pelo pecado); dois carneiros (um como holocausto e outro como oferta pacífica) e uma cesta de pães asmos (vss. 1-3). Essas eram as coisas necessárias. O capítulo diante de nós mostra como era executado o que fora determinado no capítulo 29 do Êxodo. Logo, esses dois capítulos são paralelos próximos.

Levítico 8—10 e 24.10-23 representam as únicas porções puramente narrativas de Levítico. Para aproximar-se de Yahweh, os hebreus precisavam de uma oferenda (caps. 1—7); de um mediador (um sacerdote, Hb 5.1-4); de regulamentos que governassem a questão inteira (que estão no livro de Levítico, o manual de instruções sacerdotais). Um sacerdócio hereditário preenchia o posto de mediação. Ver no *Dicionário* o artigo intitulado *Mediador*.

"Os capítulos 8—10 estipulam as regulamentações da consagração do sacerdócio aarônico e incluem a história do pecado e da condenação de Nabade e Abiú. Se nada aprendemos nesses capítulos acerca do formulário propriamente dito da ordenação de ministros na Igreja cristã, contudo os princípios espirituais subjacentes à antiga lei são de validade permanente. Se for objetado que a Igreja do Novo Testamento desconhece qualquer coisa paralela ao sacerdócio dos filhos de Arão... então será conveniente relembrar que a dedicação e consagração ao ofício sacerdotal pertencem a cada membro de igreja recebido em plena comunhão e que o ministério cristão é uma vocação dentro do sacerdócio universal da igreja cristã inteira" (Nathaniel Micklem, *in loc.*). Cf. Romanos 12.1,2.

■ 8.1

וַיְדַבֵּר יְהוָה אֶל־מֹשֶׁה לֵּאמֹר׃

Disse mais o Senhor. Temos aqui, uma vez mais, a fórmula literária que marca o início de alguma nova seção, e uma vez mais somos lembrados sobre a inspiração das informações dadas no Pentateuco. Ver sobre essa mesma frase em Levítico 1.1, com notas adicionais em Levítico 4.1. Essa declaração, no Pentateuco, também lembra-nos do ofício medianeiro de Moisés. Ver no *Dicionário* o artigo chamado *Mediação (Mediador)*.

■ 8.2,3

קַח אֶת־אַהֲרֹן וְאֶת־בָּנָיו אִתּוֹ וְאֵת הַבְּגָדִים וְאֵת שֶׁמֶן
הַמִּשְׁחָה וְאֵת פַּר הַחַטָּאת וְאֵת שְׁנֵי הָאֵילִים וְאֵת סַל
הַמַּצּוֹת׃

וְאֵת כָּל־הָעֵדָה הַקְהֵל אֶל־פֶּתַח אֹהֶל מוֹעֵד׃

O oitavo capítulo de Levítico fornece-nos uma espécie de diretório de ordenação de ministros na congregação dos hebreus. Cf. isso com o vs. 29, pois há muitos paralelos. Os vss. 2 e 3 dão-nos os ingredientes básicos da preparação para o culto de consagração: as vestes sacerdotais eram preparadas; o azeite da consagração também; um novilho era trazido como oferta pelo pecado; um carneiro como holocausto; outro carneiro como oferta pacífica; e uma cesta de pães asmos era trazida como oferta de manjares. Ver Levítico 7.37 quanto às oferendas mencionadas, e onde damos os artigos que explanam cada uma delas.

Quanto às *vestes* sacerdotais, ver Êxodo 28.2 ss.; 29.1 ss. Quanto ao azeite da consagração, ver Êxodo 30.23 ss; 37.29 ss.

Toda a congregação. Esta última palavra é usada para indicar a nação inteira de Israel, mas, no caso presente, precisamos supor que está em pauta uma seleção, pois não havia modo como todo o povo de Israel, vários milhões de pessoas, poderia reunir-se em torno do tabernáculo. Os anciãos, chefes tribais etc. é que estão aqui em pauta. Cf. Levítico 9.1, onde achamos a mesma ideia. Ver as notas sobre *Congregação,* em Êxodo 16.1.

À porta da tenda. Ou seja, a *primeira cortina* que fechava o átrio do tabernáculo do exterior. Havia três cortinas ou véus, ao todo. Ver Êxodo 26.36 quanto a notas sobre as *três cortinas;* e ver Êxodo 27.16 e 35.17 quanto à cortina mencionada neste versículo.

8.4

וַיַּעַשׂ מֹשֶׁה כַּאֲשֶׁר צִוָּה יְהוָה אֹתוֹ וַתִּקָּהֵל הָעֵדָה
אֶל־פֶּתַח אֹהֶל מוֹעֵד׃

Moisés cumpriu as instruções que Yahweh lhe dera, realizando a reunião de pessoas e de materiais diante da entrada do átrio, a *primeira cortina* do tabernáculo (ver a esse respeito no *Dicionário*), conforme vemos nos vss. 2 e 3.

Os sacerdotes não se consagravam a si mesmos; tudo era feito por outrem; Moisés era o instrumento, atuando em favor de Yahweh. Cf. Romanos 12.1,2 quanto a um paralelo espiritual no Novo Testamento.

8.5

וַיֹּאמֶר מֹשֶׁה אֶל־הָעֵדָה זֶה הַדָּבָר אֲשֶׁר־צִוָּה יְהוָה
לַעֲשׂוֹת׃

Este versículo age como breve introdução à realização mesma do rito da ordenação ou consagração. Enfatiza que Yahweh tinha transmitido tudo; coisa alguma fora feita pela sabedoria humana. Ver sobre a ideia de que *o Senhor falou*, em Levítico 1.1, com notas adicionais, em Levítico 4.1.

Os vss. 5-9 deste capítulo têm como paralelo o trecho de Êxodo 29.4-6, com alguma diferença de ordem de itens e quanto a pequenos detalhes. Os paramentos sacerdotais são descritos no capítulo 28 de Êxodo.

Isto é que o Senhor ordenou. Ou seja, as instruções dadas por Yahweh, as quais são detalhadas em Êxodo 29.1-37.

8.6

וַיַּקְרֵב מֹשֶׁה אֶת־אַהֲרֹן וְאֶת־בָּנָיו וַיִּרְחַץ אֹתָם
בַּמָּיִם׃

Este versículo tem paralelo em Êxodo 29.4, onde há notas expositivas. Em primeiro lugar, havia *grandes tanques de água*, onde o corpo inteiro do homem a ser consagrado podia ser imerso. Então havia tanques menores, para lavagem de mãos, pés etc. As notas referidas dão detalhes, incluindo tipos e símbolos envolvidos. Ver Apocalipse 1.5,6 e, no *Dicionário* o artigo chamado *Batismo Judaico*; e, na *Enciclopédia de Bíblia, Teologia e Filosofia*, ver o verbete chamado *Batismo*.

Ver Levítico 16.4; Gênesis 19.2; 24.32; Êxodo 30.19,21; Deuteronômio 21.6. Está em foco um banho de corpo inteiro. O batistério (a bacia de bronze) ficava defronte da cortina, dentro do átrio. Durante os dias do segundo templo, foi feito no chão um buraco que continha no mínimo 6.800 m^3 de água. Nessa época, o sinédrio realizava o ritual, tomando o lugar e a autoridade de Moisés. Está aqui simbolizado o batismo por imersão.

8.7

וַיִּתֵּן עָלָיו אֶת־הַכֻּתֹּנֶת וַיַּחְגֹּר אֹתוֹ בָּאַבְנֵט וַיַּלְבֵּשׁ אֹתוֹ
אֶת־הַמְּעִיל וַיִּתֵּן עָלָיו אֶת־הָאֵפֹד וַיַּחְגֹּר אֹתוֹ בְּחֵשֶׁב
הָאֵפֹד וַיֶּאְפֹּד לוֹ בּוֹ׃

A Investidura. Todos os detalhes deste texto têm paralelos em Êxodo 29 e outras passagens, e o volume maior das notas expositivas é dado nesses outros textos.

"As vestes sumo sacerdotais eram um uniforme que chamava a atenção para a função ou ofício medianeiro de Arão, e não para a sua pessoa. Os trechos de Êxodo 28.1-39; 29.5,6; 39.1-26 explicam o vestuário do sumo sacerdote" (F. Duane Lindsey, *in loc.*).

Este versículo tem paralelo em Êxodo 29.5, onde alisto cada item juntamente com referências que indicam onde cada coisa é comentada. Havia *cinco passos* na consagração ritual, e discuto sobre eles nas notas de Êxodo 29.1. Não repito aqui esse material, mas ele é útil para compreendermos melhor o texto que ora ventilamos.

A investidura indicava uma roupagem de santidade e autoridade, como também de ser nomeado para o serviço de Yahweh. Ninguém chamava a si mesmo; ninguém vestia a si mesmo. O processo todo funcionava como uma espécie de parábola espiritual. Cf. Efésios 6.10 ss.

8.8

וַיָּשֶׂם עָלָיו אֶת־הַחֹשֶׁן וַיִּתֵּן אֶל־הַחֹשֶׁן אֶת־הָאוּרִים
וְאֶת־הַתֻּמִּים׃

Ver Êxodo 29.5,6 e suas notas quanto a todos os itens do atual versículo, bem como referências dadas sobre onde esses itens estão comentados. Ver Êxodo 29.1 quanto aos *cinco passos* da consagração, bem como os versículos anteriores quanto a sentidos envolvidos na cerimônia.

O trecho de Hebreus 10.1 fala sobre as cerimônias da congregação hebreia como sombras de realidades vindouras. E isso é o que eram aquelas cerimônias. Todavia, não eram apenas emblemas. Elas eram uma maneira de Deus manifestar-se, própria para a época, santa em si mesma, útil para o propósito a que servia. A adoração levítica era autêntica adoração, embora preparatória para algo melhor. A espiritualidade, individual e comunal, segue uma linha evolutiva, e assim sempre haverá de ser. Os *fins* são instrumentos para *novos começos,* e não finalidades. Ver no *Dicionário* o artigo chamado *Evolução Espiritual*.

8.9

וַיָּשֶׂם אֶת־הַמִּצְנֶפֶת עַל־רֹאשׁוֹ וַיָּשֶׂם עַל־הַמִּצְנֶפֶת
אֶל־מוּל פָּנָיו אֵת צִיץ הַזָּהָב נֵזֶר הַקֹּדֶשׁ כַּאֲשֶׁר צִוָּה
יְהוָה אֶת־מֹשֶׁה׃

Este versículo tem paralelo em Êxodo 29.6. Ver Êxodo 29.5,6 quanto a todos os itens mencionados; e as referências dadas ali indicam onde esses itens são comentados.

8.10

וַיִּקַּח מֹשֶׁה אֶת־שֶׁמֶן הַמִּשְׁחָה וַיִּמְשַׁח אֶת־הַמִּשְׁכָּן
וְאֶת־כָּל־אֲשֶׁר־בּוֹ וַיְקַדֵּשׁ אֹתָם׃

A unção era o *terceiro* dos cinco passos do processo de consagração. Ver Êxodo 29.1 quanto aos cinco passos. As notas em Êxodo 29.7 são completas. Falam somente sobre a unção do sumo sacerdote; mas os trechos de Êxodo 28.41; 30.26-30 e 40.9-11,15 incluem todos os sacerdotes e os itens do tabernáculo, que também foram ungidos. Ver no *Dicionário* o artigo *Unção*. Os trechos paralelos informam-nos que Moisés ungiu, *primeiramente,* o tabernáculo, seus móveis e seus utensílios, como a arca da aliança, o altar de incenso, o candelabro, a mesa dos pães da proposição e todos os utensílios que seriam usados no culto santo; e *só então* ele ungiu o sumo sacerdote e os sacerdotes comuns.

Quanto aos ingredientes do azeite da unção e suas misturas com outros elementos, ver Êxodo 30.23-25. Esse azeite era chamado de "óleo sagrado para a unção", e não podia ser usado para uso profano.

A unção santificou o sumo sacerdote e as outras pessoas e coisas ungidas para serviço santo, *separando-os* assim do que era profano e conferindo-lhes autoridade especial. Desse modo, devotaram-se ao seu trabalho, que era uma tarefa de tempo integral.

8.11

וַיַּז מִמֶּנּוּ עַל־הַמִּזְבֵּחַ שֶׁבַע פְּעָמִים וַיִּמְשַׁח אֶת־הַמִּזְבֵּחַ
וְאֶת־כָּל־כֵּלָיו וְאֶת־הַכִּיֹּר וְאֶת־כַּנּוֹ לְקַדְּשָׁם׃

Este texto concorda com a ordem de unção determinada em Êxodo 30.26-30 e 40.9-11,15: as coisas eram ungidas primeiro, e só depois as pessoas. Ver as referências dadas quanto às notas expositivas. As *sete* unções do altar, dadas aqui, não foram especificamente mencionadas nos textos paralelos. Ver a importância do número *sete* em Levítico 4.6. Naquele ponto, refiro-me a artigos que abordam a numerologia bíblica.

O *altar* em questão é o grande altar ou *altar de bronze* (ver as notas a respeito em Êx 27.1). Esse altar, uma vez santificado, ficava então pronto para receber os sacrifícios constantes, e devido à sua santidade, tornava santos os sacrifícios. Ver a observação de Jesus sobre isso, em Mateus 23.19. Ver Êxodo 30.29 quanto ao esperado poder santificador das coisas ungidas. Tudo quanto *tocasse* nessas coisas passava a ser santo. Ver Êxodo 29.37 quanto a isso, dito especificamente a respeito do altar.

8.12

וַיִּצֹק מִשֶּׁמֶן הַמִּשְׁחָה עַל רֹאשׁ אַהֲרֹן וַיִּמְשַׁח אֹתוֹ לְקַדְּשׁוֹ:

Uma vez ungidos os móveis e utensílios do tabernáculo, o passo seguinte foi a unção do sumo sacerdote propriamente dito, conforme já vimos e comentamos em Êxodo 29.7. Mais tarde ocorreu a unção dos sacerdotes comuns (Êx 30.30; 40.15). O sumo sacerdote era o *sacerdote ungido* (Lv 4.3,5,16). Ele recebeu uma unção de uma vez por todas. Os sucessores de Arão precisavam ser ungidos pessoalmente, para compartilharem do augusto ofício aarônico. Os sacerdotes comuns, entretanto, doravante, não precisavam receber unções separadas para iniciarem seu trabalho. Eles participavam da unção original dos filhos de Arão. Ver as notas em Êxodo 4.3 quanto a essa questão.

Tipologia. "Duas importantes distinções foram feitas no caso do sumo sacerdote, confirmando assim sua relação típica com Cristo, o antítipo: 1. Arão foi ungido antes de os sacrifícios serem mortos, ao passo que no caso dos sacerdotes comuns a aplicação do sangue antecedeu à unção. Cristo, o impecável, não requeria preparação para o recebimento do azeite da unção, símbolo do Espírito Santo. 2. Somente sobre o sumo sacerdote era derramado o óleo da unção. 'Deus não dá [a ele] o Espírito por medida' (Jo 3.34). 'O teu Deus te ungiu com o óleo de alegria como a nenhum dos teus companheiros' (Hb 1.9)" (*Scofield Reference Bible, in loc.*).

Houve um derramamento profuso de azeite sobre o sumo sacerdote; os sacerdotes comuns, entretanto, eram apenas aspergidos com azeite.

"As tradições informam-nos que, durante o segundo templo, a pessoa que ungia o sumo sacerdote primeiramente vertia o azeite sobre a sua cabeça e, então, com seu dedo, traçava a letra hebraica *caph*, inicial de *Cohen*, isto é, *sacerdote*, entre as sobrancelhas do pontífice recém-consagrado" (Ellicott, *in loc.*). Assim disse Maimônides (*Misn. Ceritot*, c. 1, sec. 1).

8.13

וַיַּקְרֵב מֹשֶׁה אֶת־בְּנֵי אַהֲרֹן וַיַּלְבִּשֵׁם כֻּתֳּנֹת וַיַּחְגֹּר אֹתָם אַבְנֵט וַיַּחֲבֹשׁ לָהֶם מִגְבָּעוֹת כַּאֲשֶׁר צִוָּה יְהוָה אֶת־מֹשֶׁה:

A investidura dos sacerdotes comuns é descrita em Êxodo 28.40,41; 29.30 e 40.14, onde são descritas, nas notas expositivas, as várias peças do vestuário deles. Coisa alguma é dita acerca da *unção* deles, mas os trechos de Êxodo 30.30 e 40.15 dão-nos essa informação.

8.14

וַיַּגֵּשׁ אֵת פַּר הַחַטָּאת וַיִּסְמֹךְ אַהֲרֹן וּבָנָיו אֶת־יְדֵיהֶם עַל־רֹאשׁ פַּר הַחַטָּאת:

Os diversos animais próprios para sacrifícios tinham, cada qual, um significado especial no culto geral de consagração. Ver isso comentado em Êxodo 29.19. Ver Êxodo 29.1 quanto aos vários passos do rito. Ver no *Dicionário* o artigo geral intitulado *Sacrifícios e Ofertas*.

Oferta pelo pecado. Ver Levítico 4.1-35 e 6.25,30. Ver Levítico 7.37 quanto a uma lista dos vários tipos de ofertas e os textos onde esses tipos são comentados.

"Embora devidamente consagrados, Arão e seus filhos tinham primeiramente de ser expurgados de seus pecados, antes de poderem iniciar suas funções sacerdotais no santuário. Assim, Moisés, como mediador do pacto, delegado por Deus para realizar o ato de consagração, também efetuou os ritos sacrificiais, enquanto os sacerdotes, recém-instalados, faziam o papel de pecadores penitentes, ao lado de suas ofertas pelo pecado, que eram agora oferecidas pela primeira vez. Quanto à imposição de mãos do ofertante sobre a vítima, ver Levítico 1.4" (Ellicott, *in loc.*).

Cf. os vss. 14-17 com Êxodo 29.10-14, que são trechos paralelos e onde há notas completas. Ver também Levítico 4.1-12. O trecho de Levítico 29.10-14 descreve o oferecimento do novilho, bem como a imposição de mãos. Ver Levítico 29.19 quanto aos vários animais usados na cerimônia de consagração. Quanto aos *cinco animais* usados como sacrifício, ver Levítico 1.14-16. O tipo de animal usado era geralmente determinado pela situação econômica do ofertante. O touro era o mais caro; as aves eram mais baratas, e eram oferecidas pelas pessoas mais pobres. Cf. Gênesis 15.9.

8.15

וַיִּשְׁחָט וַיִּקַּח מֹשֶׁה אֶת־הַדָּם וַיִּתֵּן עַל־קַרְנוֹת הַמִּזְבֵּחַ סָבִיב בְּאֶצְבָּעוֹ וַיְחַטֵּא אֶת־הַמִּזְבֵּחַ וְאֶת־הַדָּם יָצַק אֶל־יְסוֹד הַמִּזְבֵּחַ וַיְקַדְּשֵׁהוּ לְכַפֵּר עָלָיו:

Este versículo tem paralelo em Êxodo 29.11,12, onde há notas expositivas. Nessa referência dou localizações onde podem ser obtidas informações adicionais. Moisés, mediante o seu primeiro sacrifício, santificou o altar, fazendo dele um meio de reconciliação, visto estar em vista a expiação. Ver no *Dicionário* o artigo intitulado *Expiação*, e, na *Enciclopédia de Bíblia, Teologia e Filosofia* o verbete chamado *Reconciliação*.

Moisés abateu o primeiro sacrifício. Dali por diante, o ofertante efetuava o ato (Lv 1.5). "O rito dessa oferta pelo pecado geralmente seguia o que tinha sido estabelecido em Levítico 4.3-12, exceto o fato de que ali o sangue era besuntado sobre os *chifres* do altar dos holocaustos, e não sobre o altar de incenso (Lv 4.6-7). Como era usual, no caso da oferenda feita em favor de cada sacerdote, o *couro* restante, a carcaça e as entranhas eram queimadas *fora do arraial*" (F. Duane Lindsey, *in loc.*). Ver Êxodo 29.35-37 quanto à santificação do altar.

8.16

וַיִּקַּח אֶת־כָּל־הַחֵלֶב אֲשֶׁר עַל־הַקֶּרֶב וְאֵת יֹתֶרֶת הַכָּבֵד וְאֶת־שְׁתֵּי הַכְּלָיֹת וְאֶת־חֶלְבְּהֶן וַיַּקְטֵר מֹשֶׁה הַמִּזְבֵּחָה:

Este versículo tem paralelo em Êxodo 29.13, onde dou as notas expositivas. Cf. também Levítico 3.3-5. Os persas (Estrabão, *Geogr.* 1.15, par. 504), os romanos (Persius, *Styr.* 2) e os gregos (Aristóteles, *Animal.* 13. 1.3, c. 17) dispunham de ritos sacrificiais similares, que podem ter-se desenvolvido de modo independente, ou mesmo podem ter sofrido a influência do culto dos hebreus.

8.17

וְאֶת־הַפָּר וְאֶת־עֹרוֹ וְאֶת־בְּשָׂרוֹ וְאֶת־פִּרְשׁוֹ שָׂרַף בָּאֵשׁ מִחוּץ לַמַּחֲנֶה כַּאֲשֶׁר צִוָּה יְהוָה אֶת־מֹשֶׁה:

A oferta pelo pecado requeria que a oferta fosse totalmente queimada. Nenhuma refeição comunal era incluída no rito, visto que o pecado tinha de ser eliminado de forma absoluta, e o animal, que levava sobre si o pecado, não podia ser usado legitimamente como alimento. Este versículo tem paralelo em Êxodo 29.13,14, onde são dadas as notas expositivas. Ver também Levítico 4.35.

8.18

וַיַּקְרֵב אֵת אֵיל הָעֹלָה וַיִּסְמְכוּ אַהֲרֹן וּבָנָיו אֶת־יְדֵיהֶם עַל־רֹאשׁ הָאָיִל:

Dois carneiros estavam envolvidos nessa complexa consagração de sacerdotes, com seus vários sacrifícios. Ver o segundo versículo deste capítulo. Ver Levítico 1.14-16 quanto aos *vários animais* que eram sacrificados, começando pelo dispendioso touro, e descendo até as duas aves bem baratas, formando um total de cinco oferendas possíveis. O segundo sacrifício era o do primeiro dos dois carneiros. As mãos do sacerdote eram impostas sobre esse animal, tal como no caso do touro, e os pecados eram simbolicamente transferidos para a vítima. Ver Levítico 1.4 quanto ao papel da imposição de mãos.

O rito realizado aqui concorda com as regras baixadas em Levítico 1.3-9, onde são dadas notas expositivas completas.

"O segundo sacrifício de ordenação era uma oferta queimada (Lv 1.10-13); ver Êxodo 29.15-17... Um dos carneiros era distinguido do carneiro da ordenação, e era uma oferta queimada (Lv 1)" (*Oxford Annotated Bible, in loc.*).

8.19

וַיִּשְׁחָט וַיִּזְרֹק מֹשֶׁה אֶת־הַדָּם עַל־הַמִּזְבֵּחַ סָבִיב:

Quem abateu o animal foi Moisés, nesse primeiro sacrifício, e não aquele que tinha trazido o animal, conforme dizia a lei que prevaleceu dali por diante. O trecho de Levítico 1.5 mostra-nos que o ofertante era usualmente aquele que abatia o animal. Ver o vs. 15 quanto ao mesmo modo de proceder.

A gordura e o sangue pertenciam a Yahweh, em qualquer oferta, e a oferta pelo pecado e o holocausto não estavam isentos dessa regra. Cf. os vss. 16 e 25. Ver Levítico 3.17 quanto às leis que governavam o uso da gordura e do sangue.

■ 8.20

וְאֶת־הָאַיִל נִתַּח לִנְתָחָיו וַיַּקְטֵר מֹשֶׁה אֶת־הָרֹאשׁ וְאֶת־הַנְּתָחִים וְאֶת־הַפָּדֶר:

Quanto ao *despedaçamento* da vítima, ver Êxodo 29.17 e Levítico 1.6,12.

■ 8.21

וְאֶת־הַקֶּרֶב וְאֶת־הַכְּרָעַיִם רָחַץ בַּמָּיִם וַיַּקְטֵר מֹשֶׁה אֶת־כָּל־הָאַיִל הַמִּזְבֵּחָה עֹלָה הוּא לְרֵיחַ־נִיחֹחַ אִשֶּׁה הוּא לַיהוָה כַּאֲשֶׁר צִוָּה יְהוָה אֶת־מֹשֶׁה:

Este versículo tem paralelo em Êxodo 29.17,18, onde são dadas as notas expositivas. Ver Levítico 1.9 quanto ao *aroma agradável*. O oferecimento do *fogo* era a oferta queimada, na qual o animal inteiro era consumido. O Senhor é *Yahweh* (ver a esse respeito no *Dicionário*). Ver também ali o artigo chamado *Deus, Nomes Bíblicos de*.

■ 8.22

וַיַּקְרֵב אֶת־הָאַיִל הַשֵּׁנִי אֵיל הַמִּלֻּאִים וַיִּסְמְכוּ אַהֲרֹן וּבָנָיו אֶת־יְדֵיהֶם עַל־רֹאשׁ הָאָיִל:

O terceiro sacrifício era o *segundo carneiro*. Ver o vs. 2 quanto ao material do culto, e ver Levítico 1.14-16 quanto aos cinco animais do sacrifício. Este versículo tem paralelo em Êxodo 29.19, onde são dadas as notas expositivas. A *consagração* continuava com o sacrifício ainda de mais animais. O mundo inteiro soltou um suspiro de alívio quando Cristo pôs fim à matança. O segundo carneiro era morto especificamente para efeito de *ordenação*.

"Esse sacrifício final, em cuja forma assemelhava-se à oferta de ação de graças e à oferta pacífica, tinha por desígnio expressar a gratidão que Arão e seus filhos sentiam por terem sido escolhidos para o ofício de sacerdotes, bem como sua paz e comunhão com Deus" (Ellicott, *in loc.*).

■ 8.23,24

וַיִּשְׁחָט וַיִּקַּח מֹשֶׁה מִדָּמוֹ וַיִּתֵּן עַל־תְּנוּךְ אֹזֶן־אַהֲרֹן הַיְמָנִית וְעַל־בֹּהֶן יָדוֹ הַיְמָנִית וְעַל־בֹּהֶן רַגְלוֹ הַיְמָנִית:

וַיַּקְרֵב אֶת־בְּנֵי אַהֲרֹן וַיִּתֵּן מֹשֶׁה מִן־הַדָּם עַל־תְּנוּךְ אָזְנָם הַיְמָנִית וְעַל־בֹּהֶן יָדָם הַיְמָנִית וְעַל־בֹּהֶן רַגְלָם הַיְמָנִית וַיִּזְרֹק מֹשֶׁה אֶת־הַדָּם עַל־הַמִּזְבֵּחַ סָבִיב:

Esses dois versículos são paralelos a Êxodo 29.20, onde aparecem as notas expositivas. Estes versículos deixam de lado a informação dada em Êxodo 29.21, a aspersão do sangue sobre as vestes dos sacerdotes, mas a questão é adicionada no vs. 30 deste capítulo.

"Nesse rito, o corpo inteiro do sacerdote era simbolicamente consagrado pela unção com sangue na orelha direita, na mão direita e no artelho maior do pé direito (vss. 23,24). E suas vestes também eram consagradas, tal como o seu corpo (vs. 30)" (Nathaniel Micklem, *in loc.*). Minhas notas sobre Êxodo 29.20 apresentam outras ideias e símbolos.

Ver Êxodo 29.1 quanto aos vários passos do culto de consagração; ver Êxodo 29.19 quanto a como os vários animais sacrificados, isto é, *diferentes* animais, cada qual tinha um sentido específico no tocante à consagração dos sacerdotes. O segundo carneiro representava o ato específico da ordenação (vs. 22).

O *ouvido* devia ouvir e obedecer a Yahweh. A *mão* devia cumprir a sua vontade! O *pé* devia correr na direção determinada pelo Senhor!

Ritos como esses que estamos considerando tinham poderosos símbolos psicológicos, e quase todo o nosso conhecimento alicerça-se sobre símbolos e parábolas. O corpo é o instrumento do espírito e do Espírito, e deve ser santificado em símbolo e de modo factual.

■ 8.25

וַיִּקַּח אֶת־הַחֵלֶב וְאֶת־הָאַלְיָה וְאֶת־כָּל־הַחֵלֶב אֲשֶׁר עַל־הַקֶּרֶב וְאֵת יֹתֶרֶת הַכָּבֵד וְאֶת־שְׁתֵּי הַכְּלָיֹת וְאֶת־חֶלְבְּהֶן וְאֵת שׁוֹק הַיָּמִין:

Este versículo tem paralelo em Êxodo 29.22, onde são dadas as notas expositivas. Ver também Levítico 3.9.

■ 8.26

וּמִסַּל הַמַּצּוֹת אֲשֶׁר לִפְנֵי יְהוָה לָקַח חַלַּת מַצָּה אַחַת וְחַלַּת לֶחֶם שֶׁמֶן אַחַת וְרָקִיק אֶחָד וַיָּשֶׂם עַל־הַחֲלָבִים וְעַל שׁוֹק הַיָּמִין:

Ver o segundo versículo deste capítulo quanto aos ingredientes do sacrifício e o seu ritual. Este versículo tem paralelo em Êxodo 29.23, onde são dadas as notas. A *coxa direita* do segundo carneiro era usada como representante do animal sacrificado, e a isso era adicionado o item da oferta de manjares. Esses itens eram movidos como oferta movida (vs. 27). Os significados tencionados são dados nos lugares aos quais me referi como paralelo deste trecho.

■ 8.27

וַיִּתֵּן אֶת־הַכֹּל עַל כַּפֵּי אַהֲרֹן וְעַל כַּפֵּי בָנָיו וַיָּנֶף אֹתָם תְּנוּפָה לִפְנֵי יְהוָה:

Este versículo é paralelo ao de Êxodo 29.24, onde são dadas as notas expositivas. Essa oferenda era chamada de *encher as mãos*, um tipo de final do serviço totalmente realizado. Deus nos deu tudo; agora o sacerdote lhe devolvia tudo. Total dedicação e serviço completo são assim simbolizados. Expandi essas ideias naquela referência. O sacerdote tinha autoridade; tinha dons; tinha abundância; e tinha de usar tudo em *favor de outros*, por isso mesmo que ele era um sacerdote, um mediador. Ver no *Dicionário* o verbete intitulado *Mediação (Mediador)*.

E o moveu por oferta movida. Ver sobre esse tipo de oferenda nas notas sobre Êxodo 29.23,24. Ver também no *Dicionário*, dentro do artigo geral, *Sacrifícios e Ofertas*, em seu ponto III.D.3, *Ofertas Movidas*.

■ 8.28

וַיִּקַּח מֹשֶׁה אֹתָם מֵעַל כַּפֵּיהֶם וַיַּקְטֵר הַמִּזְבֵּחָה עַל־הָעֹלָה מִלֻּאִים הֵם לְרֵיחַ נִיחֹחַ אִשֶּׁה הוּא לַיהוָה:

Os itens postos nas mãos dos sacerdotes, o *enchimento*, eram agora tirados novamente por Moisés (que estava cumprindo o primeiro ato do que depois os sacerdotes fariam) e postos sobre o altar como holocausto. O todo tornava-se uma oferenda de aroma agradável, que Yahweh podia notar e apreciar. Ver sobre *aroma agradável* em Levítico 1.9 e 23.18, onde a questão é comentada, incluindo seus simbolismos e referências no Novo Testamento. O aroma suave, neste caso, referia-se ao culto de consagração dos sacerdotes. Yahweh haveria de aceitar a eles e às suas oferendas, e em seguida empregaria os sacerdotes em seus ofícios. Este versículo tem paralelo em Êxodo 29.25, onde são dadas notas adicionais.

■ 8.29

וַיִּקַּח מֹשֶׁה אֶת־הֶחָזֶה וַיְנִיפֵהוּ תְנוּפָה לִפְנֵי יְהוָה מֵאֵיל הַמִּלֻּאִים לְמֹשֶׁה הָיָה לְמָנָה כַּאֲשֶׁר צִוָּה יְהוָה אֶת־מֹשֶׁה:

O peito era movido como oferenda a Yahweh, e, então, dado a Moisés como suprimento alimentar. Posteriormente, o peito era entregue ao sumo sacerdote. O trecho de Êxodo 29.26 é paralelo a este trecho, e ali foram dadas as notas expositivas. A coxa direita e um bolo de cada um dos três tipos de bolos asmos tornaram-se a porção do sacerdote oficiante (Lv 7.12,23), e isso era comido juntamente com os membros masculinos da família. Naquela *primeira* ocasião, essa porção foi queimada sobre o altar. Yahweh havia dado ordens; era uma ordenança divina que devia ser fielmente seguida.

■ 8.30

וַיִּקַּח מֹשֶׁה מִשֶּׁמֶן הַמִּשְׁחָה וּמִן־הַדָּם אֲשֶׁר עַל־הַמִּזְבֵּחַ וַיַּז עַל־אַהֲרֹן עַל־בְּגָדָיו וְעַל־בָּנָיו וְעַל־בִּגְדֵי בָנָיו אִתּוֹ וַיְקַדֵּשׁ אֶת־אַהֲרֹן אֶת־בְּגָדָיו וְאֶת־בָּנָיו וְאֶת־בִּגְדֵי בָנָיו אִתּוֹ׃

Ver Êxodo 29.21, que é o trecho paralelo a este, e onde também aparecem as notas expositivas. Não sabemos dizer se o sangue e o azeite eram misturados e usados na aspersão, ou se cada uma dessas substâncias era aspergida separadamente. As vestes sagradas eram um sinal do ofício e da autoridade dos sacerdotes, pelo que tinham de ser consagradas juntamente com eles. Diz o trecho de Hebreus 9.22 que *quase todas as coisas* são purificadas com sangue, de acordo com a lei. Cristo tomou esse lugar mediante seu único e grande ato expiatório, e assim simplificou e fez avançar a causa espiritual. O sangue já havia sido derramado à base do altar de bronze (Lv 3.2).

■ 8.31

וַיֹּאמֶר מֹשֶׁה אֶל־אַהֲרֹן וְאֶל־בָּנָיו בַּשְּׁלוּ אֶת־הַבָּשָׂר פֶּתַח אֹהֶל מוֹעֵד וְשָׁם תֹּאכְלוּ אֹתוֹ וְאֶת־הַלֶּחֶם אֲשֶׁר בְּסַל הַמִּלֻּאִים כַּאֲשֶׁר צִוֵּיתִי לֵאמֹר אַהֲרֹן וּבָנָיו יֹאכְלֻהוּ׃

As porções que cabiam ao sumo sacerdote e aos sacerdotes comuns, ou seja, o peito, além de partes das ofertas de cereais, tornavam-se uma refeição comunal para os sacerdotes. Ver Êxodo 29.31,32 quanto ao paralelo e as notas expositivas naquele trecho. Mais tarde, a coxa direita também passou a ser usada nessa refeição, conforme já vimos no versículo 29 deste capítulo.

A refeição era tomada dentro do átrio, diante da entrada ou *primeira* cortina. O tabernáculo tinha *três* cortinas, cada qual representando uma limitação de acesso. Ver as notas sobre Êxodo 26.36 quanto a essas cortinas.

A cerimônia final era uma refeição comunal (vss. 31,32). A celebração durava uma semana (vss. 33-36) e presumivelmente terminava no sábado seguinte. "Os dias de vossa consagração" (vs. 33) literalmente são: "os dias de vosso enchimento". Mas não sabemos exatamente por que "encher as mãos" significava consagrar. Talvez refira-se isso ao ato de manusear os símbolos de autoridade.

O que era posto nas mãos dos sacerdotes era em seguida dado a Yahweh como sacrifício. Assim, eles recebiam e davam de volta, e assim cumpriam a função de seu ofício sacerdotal como medianeiros. Ver no *Dicionário* o artigo chamado *Mediação (Mediador)*.

Azeite. Símbolo do Espírito Santo, sendo ele o agente que ungia e conferia poder.

Sangue. Era o sangue que retinha o poder de *expiação* (ver sobre isso no *Dicionário*). Em Cristo, ambos os símbolos tiveram cumprimento, e a espiritualidade recebeu uma natureza mais vital.

■ 8.32

וְהַנּוֹתָר בַּבָּשָׂר וּבַלָּחֶם בָּאֵשׁ תִּשְׂרֹפוּ׃

Nenhuma porção de um sacrifício, que não fosse queimada sobre o altar, e não fosse consumida pelos sacerdotes, podia ser deixada ao léu. Isso profanaria o ritual todo. Por isso, era mister que houvesse a queima total do que sobrasse. Este versículo tem paralelo em Levítico 7.15,17 e Êxodo 29.34, onde são dadas notas adicionais. Instruções similares são dadas no tocante à páscoa (Êx 12.10). Os fragmentos das ofertas não podiam ser usados de maneira comum, profana ou supersticiosa, nem podiam ser deixados em campo aberto, permitindo que algum animal viesse comê-los.

■ 8.33

וּמִפֶּתַח אֹהֶל מוֹעֵד לֹא תֵצְאוּ שִׁבְעַת יָמִים עַד יוֹם מְלֹאת יְמֵי מִלֻּאֵיכֶם כִּי שִׁבְעַת יָמִים יְמַלֵּא אֶת־יֶדְכֶם׃

Por sete dias. Esse era o número total dos dias da cerimônia, um longo tempo, a fim de ressaltar questões importantes. Ver as notas sobre *Sete*, no artigo chamado *Número (Numeral, Numerologia)* III.1, na *Enciclopédia de Bíblia, Teologia e Filosofia*.

A cada dia era mister realizar os mesmos sacrifícios, isto é, pelo pecado, o holocausto e as ofertas de consagração. Ademais, o ritual do sangue e do azeite aspergidos era repetido diariamente. Ver Êxodo 29.35,36, onde ofereço comentários adicionais. Ver Êxodo 29.30 quanto a ainda outros detalhes. Já que animais eram oferecidos a cada dia, então 21 animais eram sacrificados naquele período de sete dias. E então, no oitavo dia (Lv 9.1-4), diversos outros animais eram sacrificados, mas dessa vez em favor do povo (Lv 9.7). Mais *cinco* animais eram oferecidos, perfazendo assim, no oitavo dia, desde o início, o grande total de 26 animais. Ao ler sobre isso, chegamos a ficar estonteados, e suspiramos de alívio diante do livramento e do cumprimento desses símbolos na pessoa de Cristo. Na verdade, era uma carga mais pesada do que a humanidade era capaz de suportar (ver At 15.10).

■ 8.34

כַּאֲשֶׁר עָשָׂה בַּיּוֹם הַזֶּה צִוָּה יְהוָה לַעֲשֹׂת לְכַפֵּר עֲלֵיכֶם׃

O cerimonial tinha o duplo sentido de consagração e expiação. Livres do pecado, energizados pelo Espírito (simbolismo do sangue e do azeite), os sacerdotes então ficavam aptos para as suas funções. Ver no *Dicionário* os seguintes artigos: *Expiação; Azeite (Óleos)* e *Espírito de Deus*. O sacerdócio precisa ser composto por pessoas especiais, separadas e consagradas devidamente. Assim sucede ao sacerdócio de Cristo, do qual participam todos os que nele confiam (Ap 1.6). Ver na *Enciclopédia de Bíblia, Teologia e Filosofia* o verbete *Sacerdotes, Crentes como*.

■ 8.35

וּפֶתַח אֹהֶל מוֹעֵד תֵּשְׁבוּ יוֹמָם וָלַיְלָה שִׁבְעַת יָמִים וּשְׁמַרְתֶּם אֶת־מִשְׁמֶרֶת יְהוָה וְלֹא תָמוּתוּ כִּי־כֵן צֻוֵּיתִי׃

Observareis as prescrições do Senhor. Temos aqui a solene incumbência divina. Cf. isso com Êxodo 20.19; 28.35,43; 30.20,21. Ser sacerdote nos tempos da lei mosaica era um coisa muito séria. O cumprimento devido do rito consagratório era imposto mediante a ameaça de morte. Obedecer aos mandamentos de Yahweh não era uma questão de opção individual. O vs. 31 diz: "como tenho ordenado". E o vs. 35 diz: "porque assim me foi ordenado". E lemos no vs. 36: "todas as cousas que o Senhor ordenara".

E tu, ó Timóteo, guarda o que te foi confiado.

1Timóteo 6.20

Combate... o bom combate.

1Timóteo 1.18

"*Cada um de nós* tem alguma incumbência a cumprir, um Deus eterno a glorificar, uma alma imortal para dela cuidar; um dever necessário a ser realizado; a sua própria geração a servir. E nosso cuidado diário deve ser *cumprir essa incumbência,* pois assim no-lo ordenou o Senhor, nosso Mestre, que em breve haverá de chamar-nos a prestar conta a esse respeito, e será para nosso grande perigo se a negligenciarmos... pelo que devemos estar sempre em estado de profundo respeito" (Matthew Henry, *in loc.*).

"Não é através da arqueologia, mas através da *experiência cristã* que podemos esperar compreender a *religião* do Antigo Testamento" (Nathaniel Micklem, *in loc.*).

Congregação. Ver as notas sobre isso, em Êxodo 16.1. Ver no *Dicionário* o verbete intitulado *Tabernáculo*.

8.36

וַיַּעַשׂ אַהֲרֹן וּבָנָיו אֵת כָּל־הַדְּבָרִים אֲשֶׁר־צִוָּה יְהוָה בְּיַד־מֹשֶׁה: ס

Fizeram todas as cousas. As orientações eram complexas; o labor era árduo; o período de espera era longo. Mas Arão e seus filhos cumpriram tudo e mantiveram sua incumbência, e então iniciaram seus anos de serviço, preparação e entusiasmo.

Uma observação sobre a *obediência* demonstrada pelos sacerdotes conclui este capítulo, onde o rito de consagração é descrito.

> Quando andamos com o Senhor
> À luz de sua Palavra,
> Quanta glória vem iluminar-nos o caminho!
> Se fizermos isso de boa vontade,
> Ele prosseguirá conosco,
> E com todos quantos confiam e obedecem.
> ....
>
> Nunca provaremos o sabor de seu amor,
> Até jazermos sobre o altar;
> Pois o seu favor e a alegria que ele dá
> São para aqueles que confiam e obedecem.
>
> J. H. Sammis

CAPÍTULO NOVE

ARÃO OFERECE SACRIFÍCIOS POR SI MESMO E PELO POVO (9.1-24)

Foram necessários sete dias de ritual e sacrifícios repetidos para consagrar o primeiro sumo sacerdote e os primeiros sacerdotes comuns. Mas uma vez feito isso, Yahweh de pronto ordenou que Arão oferecesse mais sacrifícios, por si mesmo e pelo povo. Um total de 26 animais foi sacrificado naqueles oito dias envolvidos. Arão teve de primeiro fazer um sacrifício por si mesmo, e, em seguida, em favor do povo de Israel (ver Hb 9.7).

Alguns eruditos pensam que a oferta de Arão, em favor próprio, incluiu os seus filhos, os sacerdotes comuns. Mas outros opinam que os sacrifícios feitos em favor do povo incluíram os sacerdotes. O texto não deixa a questão esclarecida, mas é óbvio que os sacerdotes tiveram de ser incluídos em um sentido ou em outro.

"Essa descrição (cap. 9) da inauguração formal do sistema sacrificial inteiro dos israelitas faz lembrar a prescrição para o ritual do Dia da Expiação, visto que em ambas as ocasiões sacrifícios eram trazidos tanto em favor dos sacerdotes quanto em favor do povo. Porém, *aqui* as ofertas pacíficas do povo substituem a cerimônia do bode expiatório, fazendo da ocasião um banquete, e não um jejum" (F. Duane Lindsey, *in loc.*).

O cumprimento dos deveres sacerdotais começou com a convocação da congregação inteira de Israel (mediante representantes, anciãos, chefes tribais etc.). A comunidade toda viu-se envolvida na inauguração, visto que haveria de beneficiar-se com a passagem dos anos. Arão devia sacrificar por si mesmo e sua casa, os sacerdotes que o ajudavam (vss. 8-14). Em seguida, cumpria-lhe oferecer sacrifício em favor do povo (vss. 15-21). O ritual terminaria com a bênção sumo sacerdotal (vs. 22). Então apareceria a glória do Senhor, e a oferenda seria consumida pelo fogo divino (vss. 23,24). Isso serviria de *autenticação* do sistema sacrificial de Israel com seus ritos. E assim Israel se tornaria um povo *distinto*. Ver Êxodo 19.1 quanto ao *Pacto Mosaico*.

9.1

וַיְהִי בַּיּוֹם הַשְּׁמִינִי קָרָא מֹשֶׁה לְאַהֲרֹן וּלְבָנָיו וּלְזִקְנֵי יִשְׂרָאֵל:

Ao oitavo dia. A dedicação ritual perdurou sete dias (ver Lv 8.33,35). Cada dia era um dia de sacrifício, em ritos ligados exclusivamente aos sacerdotes. Mas o oitavo dia esteve ligado *primariamente* aos sacerdotes, e, em *segundo lugar*, ao povo em geral (vss. 8-14 e 15-21, respectivamente). Esse oitavo dia foi aquele subsequente aos sete dias de consagração sacerdotal (Lv 8.33-35). As tradições talmúdicas dizem que esse período de sete dias estendeu-se desde o vigésimo terceiro dia até o final do décimo segundo mês. Nesse caso, o oitavo dia era também o último dia de nisã (março), o primeiro mês do calendário religioso dos judeus.

Moisés. Antes da instituição da função sumo sacerdotal, e como principal delegado de Deus, foi quem pôs em operação o sacerdócio. Após isso, o sacerdócio tornou-se autoperpetuador, de acordo com as leis que Yahweh dera a Moisés. Uma assembleia especial de representantes de Israel foi chamada para dar início à obra.

Anciãos de Israel. Cf. Levítico 8.3, onde são dadas as notas expositivas. Aqueles mesmos que foram testemunhas dos ritos de consagração agora também foram testemunhas dos sacrifícios finais, que deram início à vida sacerdotal ativa. Em Levítico 8.3, encontramos a palavra *congregação*, embora devamos entender ali os representantes do povo. Ver Êxodo 3.16,18; 4.29; 12.21; 17.5,6; Levítico 4.15 quanto aos *anciãos*. Os chefes tribais, homens proeminentes em sentido religioso e civil, estão em pauta.

"Como crianças recém-nascidas, que permaneciam por sete dias em estado de imundícia e entravam nos privilégios do pacto da congregação ao oitavo dia (ver Lv 12.2,3), assim também acontecia ao sacerdócio recém-criado, após um expurgo de sete dias, iniciando seus deveres sagrados e participando dos privilégios daquele dia simbólico" (Ellicott, *in loc.*).

9.2

וַיֹּאמֶר אֶל־אַהֲרֹן קַח־לְךָ עֵגֶל בֶּן־בָּקָר לְחַטָּאת וְאַיִל לְעֹלָה תְּמִימִם וְהַקְרֵב לִפְנֵי יְהוָה:

Oferta. A vítima era levantada para ser sacrificada, levada até o altar de bronze, e ali consumida a fogo. De acordo com uma antiquíssima tradição estaria aqui em foco o bezerro de ouro (Êx 32.4-6). Tal pecado, especificamente, foi anulado mediante o sacrifício do *bezerro* aqui mencionado. Arão foi o cabeça no pecado do bezerro de ouro; e assim, foi mister que ele o anulasse, juntamente com todos outros possíveis pecados semelhantes, antes que estivesse apto para servir.

Oferta pelo pecado. Ver Levítico 6.25,30 e informações adicionais em Levítico 4.1-35.

Holocausto. Ver Levítico 6.9-13, com informações adicionais em Levítico 1.13-17. Quanto aos *cinco animais* que eram sacrificados, ver Levítico 1.14-16. Havia mais de cinco tipos, se incluirmos distinções de idade e de sexo. Mas três animais maiores eram usados: o touro, o carneiro e o bode. Também havia duas espécies de aves: a rola e o pombinho.

Ambos sem defeito. Quanto a essa questão, ver as notas sobre Levítico 4.3.

Esse sistema sacrificial do oitavo dia de consagração dos sacerdotes assemelha-se aos ritos do Dia da Expiação, embora com uma grande diferença. Quanto a isso, ver a introdução ao primeiro versículo deste capítulo, segundo parágrafo.

De acordo com a lei canônica, o *bezerro* deveria estar com 2 anos de idade, ao passo que o novilho deveria estar em seu terceiro ano (ver Lv 4.3). Essa é a única instância em que um bezerro era designado como oferta pelo pecado; e o ofertante era Arão, o sumo sacerdote, cujo primeiro sacrifício foi em favor de si mesmo e de seus filhos, os sacerdotes. A oferenda pelo povo foi um bode (vs. 15). O carneiro também seria um animal a ser sacrificado em favor do sacerdócio. Em favor do povo, também havia o envolvimento de uma oferta de manjares (vs. 17).

9.3

וְאֶל־בְּנֵי יִשְׂרָאֵל תְּדַבֵּר לֵאמֹר קְחוּ שְׂעִיר־עִזִּים לְחַטָּאת וְעֵגֶל וָכֶבֶשׂ בְּנֵי־שָׁנָה תְּמִימִם לְעֹלָה:

Um bode. O bode de pelo hirsuto (ver Lv 4.23).

Um bezerro. Já mencionado no versículo anterior. Tinha de ser novo, com não mais de 1 ano de idade.

Um cordeiro. Também com apenas 1 ano de idade.

Sem defeito. Ver as notas sobre isso, em Levítico 4.3.

Como holocausto. Ver as notas sobre Levítico 9.1, quanto a referências.

9.4

וְשׁ֨וֹר וָאַ֜יִל לִשְׁלָמִ֗ים לִזְבֹּ֙חַ֙ לִפְנֵ֣י יְהוָ֔ה וּמִנְחָ֖ה בְּלוּלָ֣ה בַשָּׁ֑מֶן כִּ֣י הַיּ֔וֹם יְהוָ֖ה נִרְאָ֥ה אֲלֵיכֶֽם׃

Um boi. De 3 anos de idade (Lv 4.3).

Um carneiro. Ver Êxodo 29.15,17-20 etc.; Levítico 5.15,16,18; 8.18 e 9.2.

Os Animais Abatidos Nesses Sacrifícios:
1. Um bode, como oferta pelo pecado.
2. Um bezerro de 1 ano e um carneiro, como holocausto.
3. Um boi e um carneiro, como ofertas pacíficas.

A esses animais eram acrescentadas ofertas de cereais, com a adição de azeite, excetuando aquela pequena porção que ia para Yahweh, queimada sobre o altar. Ver as notas sobre Levítico 2.1 ss. quanto a detalhes. Ver no *Dicionário* o artigo *Sacrifícios e Ofertas*, ponto terceiro, D.2., *Oferta de Manjares*.

Hoje o Senhor vos aparecerá. Temos aí a promessa da *glória do Senhor*, logo no primeiro dia dos sacrifícios feitos pelos sacerdotes. Levítico 9.23,24 nos mostra que isso, de fato, sucedeu. Essa exibição da glória divina serviu de autenticação do sistema sacrificial, mostrando a aprovação de Yahweh. O fogo descido do céu consumiria os primeiros sacrifícios; fogo aceso pelo homem atuaria dali por diante.

9.5

וַיִּקְח֗וּ אֵ֚ת אֲשֶׁ֣ר צִוָּ֣ה מֹשֶׁ֔ה אֶל־פְּנֵ֖י אֹ֣הֶל מוֹעֵ֑ד וַֽיִּקְרְבוּ֙ כָּל־הָ֣עֵדָ֔ה וַיַּעַמְד֖וּ לִפְנֵ֥י יְהוָֽה׃

Os elementos dos vários sacrifícios foram trazidos, em harmonia com as instruções dadas pelo Senhor. A congregação toda (ou seja, os *anciãos* como representantes de Israel, vs. 1) reuniu-se para testemunho. A companhia inteira foi assim posta em ordem diante do Senhor, visto que estavam no átrio do seu tabernáculo, onde Deus achou por bem manifestar a sua presença. O Targum (comentário) de Jonathan diz que eles estiveram ali com um *perfeito coração,* uníssonos e em atitude de expectativa.

9.6

וַיֹּ֣אמֶר מֹשֶׁ֔ה זֶ֧ה הַדָּבָ֛ר אֲשֶׁר־צִוָּ֥ה יְהוָ֖ה תַּעֲשׂ֑וּ וְיֵרָ֥א אֲלֵיכֶ֖ם כְּב֥וֹד יְהוָֽה׃

O que Yahweh tinha ordenado estava sendo feito e teria pleno cumprimento; e, então, desceria *a glória do Senhor*. O fogo divino haveria de consumir os primeiros sacrifícios, posto que dali por diante os sacerdotes teriam de acender o fogo (vss. 23,24). "A manifestação da glória do Senhor não consistiu em uma visão de sua Pessoa, porque ninguém pode ver ao Senhor e viver; mas era *como* vê-lo: era uma tomada de consciência da presença de Deus. Não diferiu muito de certas experiências místicas cristãs. A glória do Senhor, que posteriormente se manifestaria 'na face de Jesus Cristo', em certa medida realizou-se na adoração do Antigo Testamento. Os serafins, na visão de Isaías (6.3), declararam que a terra inteira está tomada pela glória de Deus. A todo o tempo, e em todos os lugares, há a glória de Deus; mas somente em ocasiões especiais a glória ou presença de Deus chega a ser percebida e reconhecida pelos homens. E mesmo quando 'o Verbo se fez carne' (Jo 1.14), para muitos essa glória esteve *oculta*, pois 'os seus olhos estavam como que impedidos de o reconhecer' (Lc 24.16)" (Nathaniel Micklem, *in loc.*).

> ... ele mesmo resplandeceu em nossos corações,
> para iluminação do conhecimento da
> glória de Deus na face de Cristo.
>
> 2Coríntios 4.6

Os homens substituem a glória de Deus por símbolos religiosos, doutrinas e ritos. Apesar de essas coisas serem necessárias para a fé religiosa, elas não dispensam a necessidade do toque místico. Ver no *Dicionário* os artigos chamados *Misticismo* e *Shekinah*. O trecho de Êxodo 29.42 ss. é uma passagem paralela que vale a pena ler nesta altura.

9.7

וַיֹּ֨אמֶר מֹשֶׁ֜ה אֶֽל־אַהֲרֹ֗ן קְרַ֤ב אֶל־הַמִּזְבֵּ֙חַ֙ וַעֲשֵׂ֞ה אֶת־חַטָּֽאתְךָ֙ וְאֶת־עֹלָתֶ֔ךָ וְכַפֵּ֥ר בַּֽעַדְךָ֖ וּבְעַ֣ד הָעָ֑ם וַעֲשֵׂ֞ה אֶת־קָרְבַּ֤ן הָעָם֙ וְכַפֵּ֣ר בַּֽעֲדָ֔ם כַּאֲשֶׁ֖ר צִוָּ֥ה יְהוָֽה׃

O que fora preceituado (vss. 2 ss.) agora era determinado que Moisés fizesse. As oferendas fariam expiação pelo sacerdócio, e, então, pelas pessoas descritas especificamente, a saber, nos vss. 8-14 e 15-21. Ver no *Dicionário* o verbete intitulado *Expiação*.

"Diferindo da lei ordinária da oferta pelo pecado pelo sumo sacerdote e pelo povo, cujo sangue era levado ao interior do tabernáculo (ver Lv 4.7,16-18), Arão, *nessa* ocasião, simplesmente pôs algum sangue sobre os quatro chifres do altar de bronze, conforme Moisés fizera com a oferta pelo pecado da consagração (Lv 8.15), pois, embora fosse ele o sumo sacerdote, Arão, até então, não tivera acesso ao Lugar Santo do santuário, enquanto não se tornara qualificado a tanto por meio *desse* sacrifício no átrio" (Ellicott, *in loc.*).

Arão, pois, ofereceu uma oferta pelo pecado (Lv 4.1-12) e um holocausto (Lv 1.3-13) a fim de fazer expiação por si mesmo.

9.8

וַיִּקְרַ֥ב אַהֲרֹ֖ן אֶל־הַמִּזְבֵּ֑חַ וַיִּשְׁחַ֛ט אֶת־עֵ֥גֶל הַחַטָּ֖את אֲשֶׁר־לֽוֹ׃

O bezerro da oferta pelo pecado (ver os vss. 2 e 3). Esse foi o sacrifício feito por Arão, ele que antes fora o líder no culto falso ao bezerro de ouro. Com esse ato, ele reverteu aquele grave ato de idolatria, fazendo expiação por todos os seus outros pecados, tornando-se assim digno de ocupar seu ofício de sumo sacerdote. Ver as notas sobre o segundo versículo deste capítulo, que se aplicam aqui. De acordo com o sistema sacrificial dos hebreus, só os ofensores abatiam pessoalmente o animal do sacrifício; e assim Arão pôs-se no lugar de um pecador ordinário. Ver Levítico 1.5. Isso foi feito no lado norte do altar (Lv 1.11). Ver também Levítico 6.25.

O ritual aqui descrito seguiu aquilo que foi prescrito em Levítico 4.3-12, exceto o fato de que o sangue foi novamente aspergido (ver Lv 8.15) sobre os chifres do altar dos holocaustos, o altar de bronze, e não sobre o altar do incenso. Arão também ofereceu seu próprio holocausto (Lv 8.18-21), como aqui, e ofereceu sua oferta pelo pecado.

O ato de Arão, que teve primeiro de oferecer um sacrifício por si mesmo, demonstrou a imperfeição do sistema sacrificial levítico. Mas Cristo, o nosso Sumo Sacerdote, não tinha pecado pelo qual tivesse que oferecer sacrifício. Ver Hebreus 5.3; 7.26-28 e 9.7-11 ss., que nos mostram as aplicações neotestamentárias do ato de Arão.

9.9

וַ֠יַּקְרִבוּ בְּנֵ֨י אַהֲרֹ֣ן אֶת־הַדָּם֮ אֵלָיו֒ וַיִּטְבֹּ֤ל אֶצְבָּעוֹ֙ בַּדָּ֔ם וַיִּתֵּ֖ן עַל־קַרְנ֣וֹת הַמִּזְבֵּ֑חַ וְאֶת־הַדָּ֣ם יָצַ֔ק אֶל־יְס֖וֹד הַמִּזְבֵּֽחַ׃

O resto do sangue derramou à base do altar. O sangue pertencia a Yahweh. Parte do sangue foi posta nos chifres do altar de bronze. Os *chifres* representavam o poder do altar, tal como os chifres de um touro indicam onde está o seu poder. E o resto do sangue foi derramado à base do altar, pois pertencia a Yahweh. Quanto à lei acerca da gordura e do sangue dos animais sacrificados, ver Levítico 3.17, onde há notas expositivas detalhadas.

Ver as notas sobre como o sangue foi manuseado de modo diferente, neste caso, em confronto com os sacrifícios subsequentes, quando Arão já tinha acesso ao Lugar Santo e ao Santo dos Santos, em Levítico 9.7, segundo parágrafo. Ver também as notas sobre o vs. 8 quanto à natureza geral do ritual, em seu segundo parágrafo. Ver no *Dicionário* o artigo *Expiação pelo Sangue*. E na *Enciclopédia de Bíblia, Teologia e Filosofia*, ver o artigo *Expiação pelo Sangue de Cristo*, onde se vê a aplicação cristã de toda essa questão.

9.10

וְאֶת־הַחֵ֨לֶב וְאֶת־הַכְּלָיֹ֜ת וְאֶת־הַיֹּתֶ֣רֶת מִן־הַכָּבֵ֗ד מִן־הַֽחַטָּאת֙ הִקְטִ֣יר הַמִּזְבֵּ֔חָה כַּאֲשֶׁ֛ר צִוָּ֥ה יְהוָ֖ה אֶת־מֹשֶֽׁה׃

Mas a gordura. Os hebreus consideravam a gordura uma delícia; essa, pois, pertencia a Yahweh. Ver Levítico 3.17 e suas notas expositivas quanto à lei sobre a gordura e o sangue. Yahweh recebia a *gordura* — Levítico 3.17; 4.8-10,19,26,31,35; 7.4,5 — de todos os animais sacrificados. A gordura nunca fez parte da refeição comunal que acompanhava alguns dos sacrifícios. Ver também Levítico 8.14-16, 20, 26.

9.11

וְאֶת־הַבָּשָׂ֖ר וְאֶת־הָע֑וֹר שָׂרַ֣ף בָּאֵ֔שׁ מִח֖וּץ לַֽמַּחֲנֶֽה׃

Subsequentemente, a carne e o couro dos animais sacrificados tornaram-se possessão do sacerdote oficiante (Lv 6.26; 7.8). Nessa *ocasião*, porém, foram totalmente queimados porque um sacerdote não podia participar da oferta pelo pecado que oferecesse *em favor próprio*. Ver Levítico 4.35. Os restos das ofertas pelo pecado eram queimados fora do arraial, conforme se vê em Levítico 4.11,12,20,21 e 8.17.

9.12

וַיִּשְׁחַ֖ט אֶת־הָעֹלָ֑ה וַ֠יַּמְצִאוּ בְּנֵ֨י אַהֲרֹ֤ן אֵלָיו֙ אֶת־הַדָּ֔ם וַיִּזְרְקֵ֥הוּ עַל־הַמִּזְבֵּ֖חַ סָבִֽיב׃

Imolou o holocausto. Ver Levítico 1.3-17 e 6.9-13 quanto a detalhes sobre esse tipo de oferenda. A ordem de tipos de sacrifícios seguiu aqui a usual. Ver Levítico 8.18-21. O *carneiro* foi usado nessa ocasião. Ver o segundo versículo deste capítulo. Era morto pelo ofertante (neste caso, o próprio Arão), no lado norte do altar (Lv 1.11). O sangue foi recolhido em baldes por seus filhos. Ele então usou o sangue para derramá-lo em redor da base do altar. Cf. Levítico 8.19. Alguns eruditos pensam que devemos entender aqui que o sangue foi aspergido sobre o topo do altar; mas parece que isso não concorda com o que era costumeiro. Ver Levítico 3.13. A aplicação do sangue sobre os chifres do altar estava incluída no ritual. Ver as notas sobre Levítico 9.7.

9.13

וְאֶת־הָעֹלָ֗ה הִמְצִ֧יאוּ אֵלָ֛יו לִנְתָחֶ֖יהָ וְאֶת־הָרֹ֑אשׁ וַיַּקְטֵ֖ר עַל־הַמִּזְבֵּֽחַ׃

O animal sacrificado era cortado em pedaços, conforme comento em Levítico 1.6,8. Ver também Levítico 8.20. Esse despedaçamento facilitava a queima da carcaça do animal. Os filhos de Arão entregavam-lhe os pedaços, um por um, e ele, cuidadosamente, arrumou-os sobre o altar de modo a ocuparem as posições que tinham no animal vivo.

9.14

וַיִּרְחַ֥ץ אֶת־הַקֶּ֖רֶב וְאֶת־הַכְּרָעָ֑יִם וַיַּקְטֵ֥ר עַל־הָעֹלָ֖ה הַמִּזְבֵּֽחָה׃

Ver Levítico 8.21 quanto à lavagem dos vários elementos da oferenda. O holocausto era posto por cima da oferta pelo pecado, que já estava queimando. Ver também Levítico 4.35. Desse modo Arão, o sumo sacerdote, fez expiação por si mesmo, com a ajuda de seus filhos, que estavam iniciando seus serviços como sacerdotes comuns. Essa expiação foi também pela sua *casa*, ou seja, por todos os sacerdotes (ver Lv 8.18).

9.15

וַיַּקְרֵ֕ב אֵ֖ת קָרְבַּ֣ן הָעָ֑ם וַיִּקַּ֞ח אֶת־שְׂעִ֤יר הַֽחַטָּאת֙ אֲשֶׁ֣ר לָעָ֔ם וַיִּשְׁחָטֵ֥הוּ וַֽיְחַטְּאֵ֖הוּ כָּרִאשֽׁוֹן׃

Depois fez chegar. Estes versículos (15-21) descrevem os sacrifícios e os ritos envolvidos na expiação pelo povo. Temos aí uma espécie de dia preliminar de expiação, a iniciação das funções sacerdotais. Arão tinha terminado de fazer expiação por si mesmo, e assim estava qualificado a agir em favor de outrem. Devemos contrastar isso com Cristo, o nosso Sumo Sacerdote, o qual, por não ter pecado próprio, não teve necessidade de oferecer expiação primeiramente por si mesmo (Hb 7.26-28). O ritual da expiação pelo povo foi igual ao da expiação de Arão por si mesmo. Isso é frisado por meio das palavras "como fizera com o primeiro", as quais aludem aos sacrifícios *inicialmente* oferecidos por si mesmo. "A oferta pelo pecado em favor do povo, o holocausto e a oferta pacífica foram apresentados de acordo com o que fora estipulado nos capítulos 1—7" (*Oxford Annotated Bible, in loc.*).

Alguns estudiosos supõem que os sacrifícios feitos por Arão em favor do povo *incluíssem* os sacerdotes. Mas outros opinam que os sacerdotes foram incluídos nos sacrifícios que Arão fez por si mesmo. O próprio texto não deixa claro o que sucedeu. Mas como é óbvio, os sacerdotes foram incluídos de um modo ou de outro.

Visto que Arão ofereceu um bode (como oferta pelo pecado, vs. 15), um bezerro e um cordeiro (como holocausto, vss. 3,16) e uma oferta de manjares (vs. 17), além do boi e do carneiro como oferta de comunhão (vs. 18), Arão terminou oferecendo, virtualmente, todos os animais próprios para sacrifícios, excetuando as duas espécies de aves, que os mais pobres dentre o povo podiam oferecer. Ver sobre os *cinco* animais sacrificáveis, nas notas em Levítico 1.14-16. Se levarmos em conta questões como sexo e idade, então havia mais de cinco tipos de animais. O touro (com 3 anos de idade) ou o novilho podem ser contrastados com o bezerro e a novilha (ambos de 1 ano de idade). Na verdade, contudo, somente três espécies de animais de maior porte eram usados: o touro, o carneiro e o bode. E havia duas espécies de aves: a rola e o pombinho. Ver Levítico 9.3 quanto aos animais específicos usados em cada sacrifício específico.

9.16

וַיַּקְרֵ֖ב אֶת־הָעֹלָ֑ה וַֽיַּעֲשֶׂ֖הָ כַּמִּשְׁפָּֽט׃

O holocausto. Ver Levítico 6.9-13 e as notas adicionais em Levítico 1.13-17. As palavras "segundo o rito" significam conforme o autor já havia descrito nos vss. 12-14, quando Arão sacrificou em favor próprio. Mas a referência, muito provavelmente, é mais ampla do que isso, referindo-se às intrincadas instruções que Yahweh havia dado quanto a tais sacrifícios, contidas nas referências dadas acima. Os capítulos 1—7 de Levítico abordam essas instruções.

9.17

וַיַּקְרֵב֮ אֶת־הַמִּנְחָה֒ וַיְמַלֵּ֤א כַפּוֹ֙ מִמֶּ֔נָּה וַיַּקְטֵ֖ר עַל־הַמִּזְבֵּ֑חַ מִלְּבַ֖ד עֹלַ֥ת הַבֹּֽקֶר׃

Este versículo é paralelo ao trecho de Levítico 2.1-3, onde as notas devem ser consultadas. Essa oferta de manjares era feita juntamente com o *sacrifício matinal*, pelo que, naquele tempo, começaram as oferendas regulares a cada manhã e cada tarde. Ver Êxodo 29.39,40 quanto a notas expositivas completas sobre a questão. Dois cordeiros eram sacrificados diariamente. Deviam ter 1 ano de idade. Juntamente com eles eram oferecidas as ofertas de manjares (Êx 29.41). O todo tinha de ficar queimando (vs. 42), provavelmente mediante a contínua colocação de novos pedaços das vítimas. O fogo só podia ser apagado a fim de que o altar fosse limpo, o que era necessário de vez em quando.

Foi assim que Arão deu início aos sacrifícios diários, e, paralelamente a eles, aos sacrifícios extras em favor do povo, dos cultos de inauguração.

9.18

וַיִּשְׁחַ֤ט אֶת־הַשּׁוֹר֙ וְאֶת־הָאַ֔יִל זֶ֥בַח הַשְּׁלָמִ֖ים אֲשֶׁ֣ר לָעָ֑ם וַ֠יַּמְצִאוּ בְּנֵ֨י אַהֲרֹ֤ן אֶת־הַדָּם֙ אֵלָ֔יו וַיִּזְרְקֵ֥הוּ עַל־הַמִּזְבֵּ֖חַ סָבִֽיב׃

O que Arão fizera por si mesmo (vss. 8-15), ele teve de repetir em favor do povo (vss. 15-21). Parte disso era o sacrifício do novilho de 3 anos e do carneiro; e nisso constituía a *oferta pacífica* (ou comunal). Ver Levítico 3.1 ss. quanto a esse tipo de oferenda e seus requisitos. Ver o gráfico na introdução a Levítico 1.1 quanto aos vários tipos de oferendas e as cerimônias que as acompanhavam. Ver Levítico 7.37 quanto aos vários tipos de ofertas, onde são dadas referências às notas sobre cada um desses tipos. Ver Levítico 3. 1-17 e 7.11-33 quanto à oferta mencionada neste versículo.

■ 9.19

וְאֶת־הַחֲלָבִים מִן־הַשּׁוֹר וּמִן־הָאַיִל הָאַלְיָה וְהַמְכַסֶּה וְהַכְּלָיֹת וְיֹתֶרֶת הַכָּבֵד:

A gordura. Esta pertencia a Yahweh e era queimada sobre o altar, tal como sucedia à cauda gorda do carneiro. Ver Levítico 3.16,17 quanto às leis levíticas sobre a gordura e sobre o sangue. O trecho paralelo é Êxodo 29.11, onde há notas expositivas sobre os itens mencionados neste versículo. Ver também Levítico 3.9 ss. quanto a detalhes adicionais. A *repetição* é um estilo literário distinto do autor sacro, que vemos por todos os seus escritos. Em consequência, muitos versículos são repetições do que já tinha sido dito, de tal modo que se quisermos entender o fluxo do assunto teremos de voltar a passagens que já foram comentadas.

■ 9.20,21

וַיָּשִׂימוּ אֶת־הַחֲלָבִים עַל־הֶחָזוֹת וַיַּקְטֵר הַחֲלָבִים הַמִּזְבֵּחָה:

וְאֵת הֶחָזוֹת וְאֵת שׁוֹק הַיָּמִין הֵנִיף אַהֲרֹן תְּנוּפָה לִפְנֵי יְהוָה כַּאֲשֶׁר צִוָּה מֹשֶׁה:

A gordura do boi e a do carneiro, além das outras porções, eram movidas e então postas sobre o altar, a fim de serem queimadas. O vs. 21 informa-nos que a coxa direita e o peito eram movidos diante do Senhor; e o vs. 20 diz que a gordura era posta sobre esses pedaços, a fim de que tudo fosse queimado. Quanto a notas sobre as *ofertas movidas,* ver Êxodo 29.23,24. Essas ofertas manifestavam gratidão pelo suprimento recebido, pois Yahweh era a fonte originária de todas as coisas, o qual merece o nosso constante agradecimento. As porções mencionadas posteriormente passaram a ser dadas para sustento dos sacerdotes, excetuando a gordura, a qual sempre precisou ser queimada sobre o altar, pois pertencia a Yahweh. Ver Êxodo 28.27,28; Levítico 7.34-36. Era uma oferenda de agradecimento e de comunhão.

■ 9.22

וַיִּשָּׂא אַהֲרֹן אֶת־יָדָו אֶל־הָעָם וַיְבָרְכֵם וַיֵּרֶד מֵעֲשֹׂת הַחַטָּאת וְהָעֹלָה וְהַשְּׁלָמִים:

Os *três tipos* de ofertas eram estas: pelo pecado, o holocausto e de comunhão. O ato final consistia na bênção sacerdotal, quando o sacerdote erguia as mãos e proferia bênção sobre o povo. Uma segunda bênção era proferida, conforme a descrição do vs. 23. No ato inaugural, desceu então o fogo celeste, que consumiu os sacrifícios, como sinal da bênção e da aprovação de Yahweh (vs. 24).

Ver Números 6.24-26 quanto à bênção sacerdotal. É provável que houvesse outras bênçãos proferidas, de natureza similar. Cf. Deuteronômio 10.8 e 21.5. "Os descendentes de Arão, até o dia de hoje, proferem essa bênção sobre a congregação, nas sinagogas, em certos períodos do ano. De acordo com esta passagem, eles eram obrigados a voltar o rosto para o povo. Ao erguerem as mãos acima dos ombros, estendendo-as na direção dos adoradores, cada sacerdote se dava as mãos pelos polegares e pelos dedos indicadores, separando assim os outros dois dedos, desse modo produzindo uma tripla divisão" (Ellicott, *in loc.*).

É possível que diferentes modos de abençoar tenham sido usados no decorrer da história de Israel. A moderna prática judaica parece ser a seguinte: eles erguem as mãos até a altura dos ombros; a mão direita é mantida ligeiramente mais alta que a esquerda; as mãos são espalmadas; os dedos; fazem-se cinco aberturas nas mãos: entre dois dedos e outros dois, um espaço; entre o indicador e o polegar, outro; entre os dois polegares, outro espaço. Então espalham as mãos de tal modo que a palma de uma das mãos volta-se para o céu, ao passo que a palma da outra mão volta-se na direção da terra, juntando assim, em um gesto, o céu e a terra.

Os gestos e as bênçãos de Arão levavam o povo, de modo simbólico, à presença de Yahweh, para o Senhor abençoá-los. E isso era feito no interesse da eficácia dos ritos sacerdotais, então instituídos.

Tipologia. Em Cristo Jesus, a bênção de Deus chega aos crentes, por ser ele o Mediador entre Deus e o homem. Ver no *Dicionário* o artigo *Mediação (Mediador).* Em sua ressurreição, Jesus abençoou desse modo aos seus discípulos (Lc 24.50,51). Cristo abriu-nos uma via de acesso que nos põe em contato com as bênçãos celestiais (Ef 1.3; Gl 3.13,14; At 3.26). A morte expiatória de Cristo substituiu o complexo ritual do Antigo Testamento. Ver Hebreus 5.3; 7.26-28; 9.7 ss. quanto à aplicação neotestamentária.

E desceu. Aben Ezra informa-nos que o altar de bronze original (ver as notas a respeito em Êx 27.1) ficava sobre um lugar elevado de cerca de 1,40 m de altura. Quando o templo de Jerusalém foi construído, havia degraus que levavam ao altar dos holocaustos (Ez 43.7). Mas nos dias de Moisés não se permitia nenhum degrau, conforme aprendemos em Êxodo 20.3. Nos dias do segundo templo, havia uma rampa que subia até uma altura de cerca de 1,40 m, mas não havia degraus.

■ 9.23

וַיָּבֹא מֹשֶׁה וְאַהֲרֹן אֶל־אֹהֶל מוֹעֵד וַיֵּצְאוּ וַיְבָרֲכוּ אֶת־הָעָם וַיֵּרָא כְבוֹד־יְהוָה אֶל־כָּל־הָעָם:

Entraram... na tenda da congregação. Entraram no Lugar Santo, a fim de queimar o incenso sobre o altar de ouro (ver no *Dicionário* o artigo chamado *altar de incenso*). Ver Êxodo 30.7 ss. Talvez os pães também tivessem sido arrumados sobre a mesa dos pães da proposição. Ver no *Dicionário* o artigo intitulado *Pães da Proposição.* Também foi iniciado o serviço no candelabro. Ver no *Dicionário* o verbete *Candeeiro de Ouro.* Orações especiais eram oferecidas durante o culto no tabernáculo. As tradições dizem-nos que as orações também solicitaram que viesse fogo divino, autenticando a aprovação divina, como parte final do cerimonial de inauguração.

Uma vez realizadas todas essas coisas, Moisés e Arão saíram do interior do tabernáculo e proferiram a segunda bênção sobre o povo.

Foi aberto o acesso a Deus, visto que o tabernáculo representava um meio de acesso a Yahweh, ainda que cada uma de suas três cortinas (ver as notas expositivas a respeito em Êx 26.36) também indicasse limitações a esse acesso. Ver no *Dicionário* o artigo chamado *Acesso,* e também Efésios 2.18; 3.12 e 1João 1.3, quanto a aplicações neotestamentárias.

A glória do Senhor apareceu. Ver as notas a respeito disso no vs. 24 deste capítulo.

■ 9.24

וַתֵּצֵא אֵשׁ מִלִּפְנֵי יְהוָה וַתֹּאכַל עַל־הַמִּזְבֵּחַ אֶת־הָעֹלָה וְאֶת־הַחֲלָבִים וַיַּרְא כָּל־הָעָם וַיָּרֹנּוּ וַיִּפְּלוּ עַל־פְּנֵיהֶם:

Saindo fogo de diante do Senhor. Esse fogo consumira os sacrifícios que haviam sido postos sobre o altar. Dois versículos, neste capítulo, mencionam o fenômeno (vss. 6 e 24). No vs. 6 há comentários que cabem aqui.

> A Deus seja a glória — grandes coisas ele tem feito!
> Amou de tal modo o mundo que deu seu Filho;
> O qual deu sua vida como expiação pelo pecado,
> E abriu o portão do céu, para todos poderem entrar.
>
> ....
>
> Grandes coisas ele nos ensinou!
> Grandes coisas ele tem feito!
> Grande é nosso júbilo
> por Jesus, o Filho.
>
> Fanny J. Crosby

O fogo sobrenatural que caiu sobre o altar testificou da presença e da aprovação de Yahweh. Seguiu-se a glória *Shekinah.* Ver no *Dicionário* acerca dessa glória.

Chamas sobrenaturais sobre altares formam um tema comum na literatura antiga de vários povos. Assim, Solinus falou sobre as manifestações de Vulcano na Sicília (*Pobyhistor.* c. 11); Servius referiu-se a altares que tinham fogo que nenhum homem havia aceso (Virgílio, *Aeneid.* 1.12, vs. 200). Outras tradições também são mencionadas, em minhas fontes informativas, embora não deem referências literárias que eu possa passar adiante para o leitor.

Relatos posteriores do Antigo Testamento têm incidentes similares ao do presente texto. Ver Juízes 6.20,21 (envolvendo Gideão); 1Reis 18.28 (envolvendo Elias); 2Crônicas 7.1 (envolvendo Salomão). As tradições judaicas dizem que o fogo celeste provocou uma chama perpétua sobre o altar, mas não há nenhum indício sobre essa ideia no próprio Antigo Testamento. Ver Levítico 6.12,13 quanto ao fogo perpétuo do altar, o fogo santo que não se podia deixar apagar.

Jubilaram e prostraram-se sobre os seus rostos. Em um misto de alegria exaltada e temor profundo, que as experiências místicas com frequência causam. Ver no *Dicionário* o artigo chamado *Misticismo*.

Para nos desenvolvermos espiritualmente, precisamos de estudo, aprendizado, conhecimento, oração e meditação. Também precisamos de boas obras práticas, sem as quais não teremos como expressar a lei do amor. Sem o *amor,* nada seremos, sem importar o que mais possamos ser ou ter. Esse é um ensino de Paulo, no capítulo 13 de 1Coríntios. Mas também carecemos do toque místico, o fogo divino, a presença de Deus, que nos confere avanço espiritual, poder e força. Ver no *Dicionário* os artigos intitulados *Desenvolvimento Espiritual, Meios do* e *Amor.*

O clamor de júbilo do povo estava carregado de louvor e adoração, conforme aprendemos nos comentários sobre 2Crônicas 30.21, que deveriam ser comparados com os que temos neste versículo.

Tipologia. O *fogo divino* era um emblema do Espírito Santo, bem como de sua presença iluminadora e de seu poder todo-consumidor. Ver Marcos 9.49; Mateus 3.11 e Atos 2.3,4. Ver no *Dicionário* o verbete chamado *Espírito de Deus*.

CAPÍTULO DEZ

DIREÇÕES SOBRE A VIOLAÇÃO SACERDOTAL (10.1-20)

NADABE E ABIÚ MORREM DIANTE DO SENHOR (10.1-11)

Toda a alegria e o senso de triunfo que assinalaram o início dos serviços sacerdotais (Lv 9.23,24) foram maculados pelo ato imprudente de Nadabe e Abiú, filhos mais velhos de Arão, os quais contaminaram o tabernáculo ao efetuarem um rito que não concordava com as instruções elaboradas dadas por Yahweh. Nenhuma instrução *específica* havia sido dada sobre *como* deveria ser queimado o incenso (embora essa instrução tenha sido dada mais tarde, em Lv 16.12), mas provavelmente devamos entender (mesmo sem uma declaração específica) que Nadabe e Abiú não agiram baseados na ignorância. As regras baixadas eram intrincadas, mas divinas, e ninguém tinha o direito de profaná-las. A profanação, pois, foi punida pela execução divina dos dois culpados. O *fogo estranho* refere-se ao incenso que foi oferecido em um presunçoso desafio às regras que tinham sido estabelecidas (ver Êx 30.34-38; Nm 16).

■ **10.1**

וַיִּקְח֣וּ בְנֵֽי־אַ֠הֲרֹן נָדָ֨ב וַאֲבִיה֜וּא אִ֣ישׁ מַחְתָּת֗וֹ וַיִּתְּנ֤וּ בָהֵן֙ אֵ֔שׁ וַיָּשִׂ֥ימוּ עָלֶ֖יהָ קְטֹ֑רֶת וַיַּקְרִ֜בוּ לִפְנֵ֤י יְהוָה֙ אֵ֣שׁ זָרָ֔ה אֲשֶׁ֧ר לֹ֦א צִוָּ֖ה אֹתָֽם׃

Trouxeram fogo estranho. O ato insensato e rebelde atraiu fogo consumidor da parte de Deus. A obediência às ordens divinas (caps. 8 e 9 de Levítico) tinha resultado na descida de fogo divino, que era um sinal de aprovação, consumindo os sacrifícios de dedicação dos sacerdotes. Mas o fogo estranho de Nadabe e Abiú produziu um resultado desastroso, e Arão precisou absorver o golpe de perder seus dois filhos mais velhos, logo no primeiro dia do ministério sacerdotal.

Nadabe. Ver no *Dicionário* o detalhado artigo sobre esse homem. Ver também Êxodo 6.23, que menciona os quatro filhos de Arão, sendo que os dois que figuram neste texto eram os mais velhos.

Abiú. Ver as notas sobre ele no *Dicionário*. Ele foi o segundo dos quatro filhos de Arão.

Qual o Pecado de Nadabe e Abiú?

1. Cada um deles tomou seu próprio incensário, e não o sagrado utensílio do santuário.
2. Ofereceram incenso ao mesmo tempo, quando um só deles deveria tê-lo feito.
3. Não tinham o direito de oferecer incenso, pois essa tarefa competia ao sumo sacerdote. Levítico 16.12,13; Números 7.11.
4. Ofereceram incenso em uma hora não-autorizada, estando isso limitado aos sacrifícios da manhã e da tardinha. Ver Êxodo 30.7-9.
5. Encheram seus incensários com fogo comum, e não com fogo tirado do altar, o único que podia ser usado com esse propósito (Lv 9.24; 16.12). O fogo sobre o altar tinha descido da parte de Deus e era mantido aceso mediante a regra das chamas perpétuas (ver as notas em Lv 6.12,13). O trecho de Apocalipse 8.5 encerra uma alusão neotestamentária a esse fato.
6. Tradições judaicas acusam-nos de beberem muito vinho e de prestarem *embriagados* o seu serviço desvairado e desautorizado. A versão caldaico-palestina adiciona essa tradição ao vs. 9 deste capítulo; mas embora ela seja muito antiga, o próprio Antigo Testamento em hebraico faz silêncio a esse respeito. Ver Levítico 10.9.
7. Alguns eruditos supõem que *fogo estranho* (literalmente, "fogo profano") indique incenso não preparado de acordo com as intrincadas regras para seus ingredientes e fabrico, segundo se vê em Êxodo 30.34-38.

Pode-se dizer com justeza que pelo menos *parte* dos itens mencionados dos sete pontos acima era conhecida pelos filhos de Arão, tornando-os culpados de pecado de presunção, ainda que parte das instruções possa ter sido dada mais tarde. Portanto, parte desse pecado consistiu em agir sem buscar a orientação divina.

Metaforicamente, *fogo estranho* passou a indicar aquele fervor, zelo, sistema religioso e práticas místicas e religiosas que são estranhas ao cristianismo bíblico. Podemos pensar em Mateus 7.21 ss. como uma passagem do Novo Testamento que comenta sobre essa atitude errada.

O que lhes não ordenara. Essa afirmativa indica que os dois filhos de Arão não agiram às cegas, ou, então, que deveriam ter esperado por maiores instruções. Logo, como já dissemos, eles pecaram por presunção. O mais provável é que estivessem ambos informados *e* deveriam ter esperado por maiores instruções. Cumprir a vontade de Deus da maneira certa e no tempo certo é uma questão séria.

■ **10.2**

וַתֵּ֥צֵא אֵ֛שׁ מִלִּפְנֵ֥י יְהוָ֖ה וַתֹּ֣אכַל אוֹתָ֑ם וַיָּמֻ֖תוּ לִפְנֵ֥י יְהוָֽה׃

Nadabe e Abiú morreram diante do Senhor, em sua presença, no interior do tabernáculo, pois o fogo divino mostrou o seu lado fatal. O mesmo poder que havia abençoado (Lv 9.23,24) agora tirava a vida. "Por meio do fogo, pecaram; por meio do fogo, morreram" (Ellicott, *in loc.*). Por semelhante modo, o evangelho é, para uns, cheiro de vida, mas para outros, cheiro de morte (2Co 2.16). Cf. este texto com aquele sobre Ananias e Safira, em Atos 5. Ver sentimentos similares expressos em Deuteronômio 4.2; Provérbios 30.6 e Apocalipse 22.18,19.

■ **10.3**

וַיֹּ֨אמֶר מֹשֶׁ֜ה אֶֽל־אַהֲרֹ֗ן ה֩וּא אֲשֶׁר־דִּבֶּ֨ר יְהוָ֤ה ׀ לֵאמֹר֙ בִּקְרֹבַ֣י אֶקָּדֵ֔שׁ וְעַל־פְּנֵ֥י כָל־הָעָ֖ם אֶכָּבֵ֑ד וַיִּדֹּ֖ם אַהֲרֹֽן׃

Isto é o que o Senhor disse. Veio uma divina comunicação a fim de explicar *por que* aquela tragédia ocorrera, e assim Arão veio a tomar conhecimento da violação do tabernáculo perpetrada por seus dois filhos mais velhos. Yahweh não poderia ser *glorificado* por meio de atos impróprios, e Arão reconheceu isso e não defendeu seus filhos, nem teceu comentário algum.

"Foi grande graça, da parte de Arão, que ele se manteve calado. Não se queixou de Deus. 'Emudeço, não abro os meus lábios porque tu fizeste isso' (Sl 39.9). 'Pois tudo quanto outrora foi escrito, para o nosso ensino foi escrito, a fim de que, pela paciência, e pela consolação das Escrituras, tenhamos esperança' (Rm 15.4)" (Nathaniel Micklem, *in loc.*).

"Essa narrativa esclarece por que a linha sacerdotal passou para o *terceiro* filho de Arão, Eleazar (Êx 6.23-25)" (*Oxford Annotated Bible, in loc.*).

Mostrarei a minha santidade. *Santificação.* Essa foi a palavra-chave no processo de ordenação de Arão e seus filhos. Yahweh deve ser santificado em seus servos, e eles, nele. Os dois filhos mais velhos de Arão haviam violado esse ideal, e não eram mais dignos de continuar no serviço divino. Ver Levítico 8.10,12 quanto à santificação dos ministros. Visto que Yahweh deveria ter sido *glorificado* mediante o serviço fiel deles, mas não o foi, então foi glorificado por meio do juízo que arredou os dois para um lado. E assim Yahweh glorificou a si mesmo como o Santo de Israel.

■ 10.4

וַיִּקְרָא מֹשֶׁה אֶל־מִישָׁאֵל וְאֶל אֶלְצָפָן בְּנֵי עֻזִּיאֵל דֹּד אַהֲרֹן וַיֹּאמֶר אֲלֵהֶם קִרְבוּ שְׂאוּ אֶת־אֲחֵיכֶם מֵאֵת פְּנֵי־הַקֹּדֶשׁ אֶל־מִחוּץ לַמַּחֲנֶה׃

Uziel. Ele era filho de Coate, que era o irmão mais jovem de Anrão. Este era o pai de Arão. Logo, Uziel era tio de Arão. Ele tinha três filhos, e Misael e Elzafã eram dois deles (Êx 6.18,22). Eleazar e Itamar poderiam ter sido chamados para remover os cadáveres de seus dois irmãos mortos, mas isso teria sido uma tarefa muito desagradável, por causa da proximidade de parentesco. Assim, a tarefa foi entregue a parentes mais distantes. Dois outros tios, Izar e Hebrom, também poderiam ter sido convocados; mas ao que parece foram deixados de lado por causa do descontentamento de seus filhos com a escolha de Arão e seus filhos para o sacerdócio, descontentamento esse que mais tarde irrompeu sob a forma de rebeldia franca por parte de Coré (Nm 16 e 17). Aqueles que sepultaram aos ofensores precisavam ter uma lealdade imaculada à ordem que havia sido estabelecida por meio de Moisés e Arão.

Misael. Ver Êxodo 6.22 quanto às notas sobre ele. Ele era sobrinho de Moisés.

Elzafã. Ver Êxodo 6.22. Outro sobrinho de Moisés.

Uziel. Ver acerca dele no *Dicionário*. Várias outras pessoas foram convocadas. Ele aparece em primeiro lugar na lista dos convocados.

Vossos irmãos. Um pronome de tratamento usado entre parentes chegados, não envolvendo somente irmãos literais. Ver Gênesis 13.8; 14.6; 24.48; 29.12-15.

De diante do santuário. Nadabe e Abiú morreram no Lugar Santo, diante do véu que separava o Lugar Santo do Santo dos Santos. Era diante do altar do incenso que se oferecia o incenso. Ver as notas sobre as três cortinas do santuário em Êxodo 26.36.

Para fora do arraial. Para longe do santuário, e onde acabaram sepultados. Desse modo, foi ressaltada a importância da tragédia. Eles, que tinham o direito de servir no Lugar Santo, terminaram sepultados fora do acampamento, onde coisas profanas e restos de sacrifícios eram lançados e queimados (Lv 4.12; 6.11; 8.17; 13.46).

■ 10.5

וַיִּקְרְבוּ וַיִּשָּׂאֻם בְּכֻתֳּנֹתָם אֶל־מִחוּץ לַמַּחֲנֶה כַּאֲשֶׁר דִּבֶּר מֹשֶׁה׃

E os levaram nas suas túnicas. Suas *túnicas* serviram de meio conveniente para transportar para fora os seus cadáveres. Eram as túnicas especiais de sacerdotes, agora reduzidas a uma tarefa tão má afamada. As túnicas eram longas e brancas, com as quais ministravam, e eram as peças mais características do vestuário dos sacerdotes (Êx 28.40). O Targum de Jerusalém diz que foram usados ganchos de ferro que, prendendo as túnicas, ergueram os corpos, os quais foram sepultados em campo aberto. Ver Gênesis 23.9,17; Mateus 27.61; Lucas 8.27. Ver no *Dicionário* o artigo intitulado *Sepultamento, Costumes de*. Adam Clarke apreciava o costume de sepultar os cadáveres nos campos, e abominava o costume inglês de sepultar homens santos no interior dos templos e até debaixo de altares. "Diante do que estremece tanto a piedade quanto o bom senso!"

■ 10.6

וַיֹּאמֶר מֹשֶׁה אֶל־אַהֲרֹן וּלְאֶלְעָזָר וּלְאִיתָמָר בָּנָיו רָאשֵׁיכֶם אַל־תִּפְרָעוּ וּבִגְדֵיכֶם לֹא־תִפְרֹמוּ וְלֹא תָמֻתוּ וְעַל כָּל־הָעֵדָה יִקְצֹף וַאֲחֵיכֶם כָּל־בֵּית יִשְׂרָאֵל יִבְכּוּ אֶת־הַשְּׂרֵפָה אֲשֶׁר שָׂרַף יְהוָה׃

Lamentação pelos Mortos Proibida. Moisés, sem dúvida por ordem de Yahweh, não permitiu que Arão e seus dois filhos mais jovens,

Eleazar e Itamar, lamentassem por seus dois profanos irmãos falecidos. Não podiam deixar soltos e desgrenhados seus longos cabelos; nem podiam rasgar suas vestes, ambos sinais comuns de luto, nos dias antigos de Israel. *Se* chegassem a lamentar assim por seus irmãos mortos, dando a entender que não concordavam com o severo juízo que haviam recebido, também morreriam. No entanto, os parentes mais distantes (mas que não eram sacerdotes do tabernáculo), e o povo de Israel, em geral, podiam efetuar os ritos normais da lamentação pelos mortos. Arão e seus filhos mais jovens achavam-se em estado de pureza ritual e, se tivessem alguma coisa a ver com os mortos, perderiam essa pureza e ficariam cerimonialmente imundos. Mas a razão da proibição envolvia mais do que isso, segundo vimos acima. Ver o vs. 7 deste capítulo e o trecho de Levítico 21.10-12. Eles deveriam ocupar-se de seus deveres regulares como sacerdotes, ignorando tudo mais.

O ato de *descobrir* a cabeça deixaria soltos os seus longos cabelos, que logo estariam desgrenhados, um sinal de luto. Os que choravam por seus mortos deixavam soltos os seus cabelos, e a maioria dos homens usava então cabelos longos. Por ocasião de luto, permitia-se que esses cabelos longos ficassem soltos e desgrenhados. Ver Levítico 13.45; 21.10; 2Samuel 15.30; 19.4 etc. Os sacerdotes não deviam rapar a cabeça; e, em tempos posteriores, suas mechas não podiam crescer muito (Ez 44.20). O que mantinha os cabelos no lugar era o turbante. Em outras palavras, os sacerdotes não deveriam tirar seus turbantes, mas continuar trabalhando com eles. Quanto ao ato de rasgar as roupas, em sinal de luto, ver Gênesis 37.29,34; Josué 7.6; 2Samuel 13 etc.

■ 10.7

וּמִפֶּתַח אֹהֶל מוֹעֵד לֹא תֵצְאוּ פֶּן־תָּמֻתוּ כִּי־שֶׁמֶן מִשְׁחַת יְהוָה עֲלֵיכֶם וַיַּעֲשׂוּ כִּדְבַר מֹשֶׁה׃ פ

Para que não morrais. Outra ameaça de morte. Não podiam lamentar por seus mortos, *e*, sob pena de morte, não podiam sair do tabernáculo, descontinuando o serviço sagrado. Tinham de agir como se nada tivesse acontecido. Tinham de continuar consagrados, pois sobre eles estava o azeite da unção. Isso tinha a primazia, e outras pessoas que cuidassem de outras coisas.

"Os laços terrenos não podiam interferir nos deveres para com Deus. Assim, seria um pecado um sacerdote lamentar-se, enquanto ministrava diante do Senhor (ver Lv 21.10-12). Essa norma era estritamente observada durante os dias do segundo templo. Quando um sacerdote oficiante ouvia da morte de um parente, não abandonava o santuário, a fim de que não parecesse ter maior afeto pela pessoa morta do que pelo Deus vivo" (Ellicott, *in loc.*). Cf. isso com a declaração de Jesus, em Lucas 9.60: *Deixa aos mortos o sepultar os seus próprios mortos.*

O óleo da unção. Ver no *Dicionário* o artigo intitulado *Azeite (Óleos).*

■ 10.8,9

וַיְדַבֵּר יְהוָה אֶל־אַהֲרֹן לֵאמֹר׃
יַיִן וְשֵׁכָר אַל־תֵּשְׁתְּ אַתָּה וּבָנֶיךָ אִתָּךְ בְּבֹאֲכֶם אֶל־אֹהֶל מוֹעֵד וְלֹא תָמֻתוּ חֻקַּת עוֹלָם לְדֹרֹתֵיכֶם׃

Falou também o Senhor. Um artifício literário para introduzir material novo no Pentateuco, e que também serve para lembrar que as normativas sobre o tabernáculo e seu culto haviam sido dadas por inspiração divina. Ver as notas sobre essa expressão em Levítico 1.1, com ideias adicionais em Levítico 4.1. Dois sacerdotes tinham sido feridos de morte; e os que restavam foram mantidos em atitude de temor. Mas o ministério divino precisava prosseguir. Ademais, certas instruções adicionais precisavam ser transmitidas.

Vinho nem bebida forte. Israel era uma nação de vinho e de cânticos; mas os sacerdotes não podiam tocar em bebidas alcoólicas quando estivessem em serviço. Isso equivalia a outra ameaça de morte, a terceira deste capítulo (vss. 6,7,9). A condenação caracterizava a dispensação da lei, aó passo que a vida é a grande bênção da missão de Cristo. Ver Gálatas 3.10 ss. Ver no *Dicionário* os verbetes *Bebida Forte* e *Bebida, Beber*. O capítulo 44 do livro de Ezequiel baixa uma série de normas para o sacerdote, entre as quais temos aquela que vedava o uso de bebidas alcoólicas (vs. 21). Mas essa proibição dizia respeito aos sacerdotes em serviço, e não quando estivessem de folga.

De acordo com alguns estudiosos, o *pecado* de Nadabe e Abiú tinha incluído a embriaguez. Todavia, não há evidência bíblica quanto a isso, embora este versículo pareça sugerir tal coisa. Ver as notas sobre Levítico 10.1 quanto a *sete* ideias a respeito do que teria sido o pecado deles; e o sexto ponto destaca a alegada embriaguez deles. A versão caldaico-palestina acrescenta aqui: "como fizeram teus filhos quando entravam no átrio interior", glosa que contém uma antiga tradição, que pode ter ou não alguma verdade. O Targum de Jonathan perpetuou essa tradição.

O Novo Testamento não requer abstinência total da parte dos ministros, e, sim, moderação (ver 1Tm 3.3,8). Sem embargo, a abstinência total evita o surgimento eventual de vícios e excessos. Outrossim, agrada àqueles crentes que objetam a qualquer uso de bebidas alcoólicas. Os estudos científicos mostram que o álcool, uma vez na corrente sanguínea, destrói células do cérebro. Por outro lado, a ciência também tem comprovado que, em pequenas quantidades, o álcool prolonga a vida, por agir como tranquilizante moderado, além de ser um agente anticolesterol. A consciência cristã, pesando todos os prós e contras, que tome a decisão. Opto pela total abstinência. E não criticarei o uso moderado que outro ministro queira fazer de bebidas alcoólicas, especialmente se ele estiver agindo no espírito de moderação, ensinado em 1Timóteo 5.23.

■ 10.10,11

וּלֲהַבְדִּיל בֵּין הַקֹּדֶשׁ וּבֵין הַחֹל וּבֵין הַטָּמֵא וּבֵין הַטָּהוֹר׃

וּלְהוֹרֹת אֶת־בְּנֵי יִשְׂרָאֵל אֵת כָּל־הַחֻקִּים אֲשֶׁר דִּבֶּר יְהוָה אֲלֵיהֶם בְּיַד־מֹשֶׁה׃ פ

Os capítulos 11 a 15 de Levítico expandem a distinção entre o santo e o profano, o limpo e o imundo. Em sua primeira aplicação, o vs. 10 increpa o uso de bebidas alcoólicas por parte dos sacerdotes oficiantes. Em estado de intoxicação alcoólica, como poderia ele cumprir direito os seus deveres no tabernáculo, dando bom exemplo à congregação de Israel? Um sacerdote precisa ter pensamentos claros para poder agir e ensinar (vs. 11). Era o sacerdote quem ensinava ao povo a diferença entre o santo e o profano, e o sistema mosaico era complicado e exigente. Antes de tudo, o sacerdote precisava de *conhecimento*. Yahweh falava. E o sacerdote precisava saber o que tinha sido dito. E, então, precisava de toda a sua habilidade para transmitir a mensagem e para dar bom exemplo. O serviço prestado pelos sacerdotes era complexo e preciso. Para tanto, eles necessitavam de mente clara. Êxodo 20, 22 e 23 mostram-nos a complexidade das instruções. Ver Ezequiel 44.23 quanto a um comentário sobre os elementos dos versículos à nossa frente. Quanto ao ensino da lei, ver Deuteronômio 33.10; Ezequiel 22.26 e Malaquias 2.7. A referência em Ezequiel contém a queixa desse profeta de que os sacerdotes já não sabiam distinguir entre o santo e o profano, entre o limpo e o imundo. Ver na *Enciclopédia de Bíblia, Teologia e Filosofia* os artigos intitulados *Ensino* e *Ensinos de Jesus*.

LEI SOBRE AS COISAS SANTAS (10.12-20)

Moisés dá aqui instruções a Arão e a seus dois filhos sobreviventes acerca das porções dos sacrifícios que lhes cabiam como porção alimentar, porquanto convinha que vivessem do altar. Cf. Levítico 6.26 e 7.12-15, onde já lemos sobre tais provisões. Os vss. 12-15 são essencialmente paralelos de Levítico 7.28-36. Parece não haver nenhum traço de união entre esta seção e a seção anterior.

■ 10.12

וַיְדַבֵּר מֹשֶׁה אֶל־אַהֲרֹן וְאֶל אֶלְעָזָר וְאֶל־אִיתָמָר ׀ בָּנָיו הַנּוֹתָרִים קְחוּ אֶת־הַמִּנְחָה הַנּוֹתֶרֶת מֵאִשֵּׁי יְהוָה וְאִכְלוּהָ מַצּוֹת אֵצֶל הַמִּזְבֵּחַ כִּי קֹדֶשׁ קָדָשִׁים הִוא׃

Este versículo alude aos sacrifícios oferecidos no oitavo dia, o dia subsequente ao término da consagração dos sacerdotes. Ver as notas sobre Levítico 9.1 quanto a essa questão. A oferta de manjares era oferecida pelos sacerdotes no dia seguinte ao de sua consagração. Ver Levítico 9.17. Excetuando o punhado de cereal que cabia a Yahweh, que era queimado sobre o altar, o resto pertencia ao sacerdote oficiante. Ver as notas acerca de Levítico 2.1-3 e 6.14-18 quanto a detalhes a respeito.

Sem fermento. Ver no *Dicionário* os artigos *Fermento* e *Fermento e Seus Simbolismos*. Ver Levítico 6.16, que é um versículo essencial paralelo a este.

Cousa santíssima é. Era assim chamada porque só podia ser comida por membros masculinos da casta sacerdotal, e isso mesmo dentro dos limites do santuário. Ver Levítico 6.18. As coisas *santíssimas* são contrastadas com as coisas *santas*. Ver essa distinção nas notas sobre Levítico 2.3, em seus parágrafos terceiro e quarto.

■ 10.13

וַאֲכַלְתֶּם אֹתָהּ בְּמָקוֹם קָדֹשׁ כִּי חָקְךָ וְחָק־בָּנֶיךָ הִוא מֵאִשֵּׁי יְהוָה כִּי־כֵן צֻוֵּיתִי׃

Essa porção era *santíssima* e precisava ser comida no átrio do tabernáculo. As coisas meramente *santas*, por seu lado, podiam ser comidas em qualquer lugar limpo, dentro da cidade. Ver Levítico 2.3 quanto à distinção e às regras que se aplicavam aos vários sacrifícios. Os sacerdotes viviam do altar, e esse princípio foi transferido para o Novo Testamento. Ver 1Coríntios 9.9 ss. Somente os membros masculinos da família de um sacerdote podiam participar dessa porção. Outras provisões cuidariam das necessidades de outros membros.

■ 10.14

וְאֵת חֲזֵה הַתְּנוּפָה וְאֵת שׁוֹק הַתְּרוּמָה תֹּאכְלוּ בְּמָקוֹם טָהוֹר אַתָּה וּבָנֶיךָ וּבְנֹתֶיךָ אִתָּךְ כִּי־חָקְךָ וְחָק־בָּנֶיךָ נִתְּנוּ מִזִּבְחֵי שַׁלְמֵי בְּנֵי יִשְׂרָאֵל׃

Estão aqui em pauta as porções das ofertas pacíficas (ou de comunhão) que ficavam com os sacerdotes. Ver Levítico 9.18-21 quanto a um paralelo, onde também são dadas notas que se aplicam aqui. As partes dos animais mencionadas serviam para sustento dos sacerdotes e seus familiares (Lv 7.4), incluindo as mulheres. Essas porções podiam ser consumidas em qualquer lugar cerimonialmente limpo, dentro do acampamento ou da cidade. Era considerado *limpo* o lugar que não tivesse sido contaminado por coisa alguma considerada cerimonialmente imunda. Logo, essas porções eram apenas *santas*. Ver as notas sobre Levítico 2.3 quanto à distinção entre *santíssimo* e *santo*.

Ver Êxodo 29.23,24,27 quanto a comentários sobre as ofertas movidas. Na introdução a Levítico 1.1 apresento um gráfico que mostra as diferentes espécies de oferendas, com os rituais que as acompanhavam e seus sentidos e simbolismos. Ver Levítico 7.29,30.

■ 10.15

שׁוֹק הַתְּרוּמָה וַחֲזֵה הַתְּנוּפָה עַל אִשֵּׁי הַחֲלָבִים יָבִיאוּ לְהָנִיף תְּנוּפָה לִפְנֵי יְהוָה וְהָיָה לְךָ וּלְבָנֶיךָ אִתְּךָ לְחָק־עוֹלָם כַּאֲשֶׁר צִוָּה יְהוָה׃

A coxa direita e o peito eram primeiramente movidos em uma oferenda feita a Yahweh; e, então, tornavam-se porções alimentares da casta sacerdotal, com seus familiares masculinos e femininos. Ver Levítico 7.29,30 quanto ao versículo anterior. Este versículo adiciona o conceito de *estatuto perpétuo*, atrelado ao tabernáculo e todo o seu culto, visto que os hebreus não antecipavam o fim de sua modalidade de adoração. Ver sobre *estatuto perpétuo* em Levítico 3.17; Êxodo 29.42 e 31.16, onde aparecem as notas expositivas. Examinar também a declaração de que isso seria por *todas as gerações*, em Êxodo 29.42 e 31.16. Cf. Levítico 7.33,34.

■ 10.16-20

וְאֵת ׀ שְׂעִיר הַחַטָּאת דָּרֹשׁ דָּרַשׁ מֹשֶׁה וְהִנֵּה שֹׂרָף וַיִּקְצֹף עַל־אֶלְעָזָר וְעַל־אִיתָמָר בְּנֵי אַהֲרֹן הַנּוֹתָרִם לֵאמֹר׃

מַדּוּעַ לֹא־אֲכַלְתֶּם אֶת־הַחַטָּאת בִּמְקוֹם הַקֹּדֶשׁ כִּי
קֹדֶשׁ קָדָשִׁים הִוא וְאֹתָהּ ׀ נָתַן לָכֶם לָשֵׂאת אֶת־עֲוֺן
הָעֵדָה לְכַפֵּר עֲלֵיהֶם לִפְנֵי יְהוָה׃

הֵן לֹא־הוּבָא אֶת־דָּמָהּ אֶל־הַקֹּדֶשׁ פְּנִימָה אָכוֹל
תֹּאכְלוּ אֹתָהּ בַּקֹּדֶשׁ כַּאֲשֶׁר צִוֵּיתִי׃

וַיְדַבֵּר אַהֲרֹן אֶל־מֹשֶׁה הֵן הַיּוֹם הִקְרִיבוּ
אֶת־חַטָּאתָם וְאֶת־עֹלָתָם לִפְנֵי יְהוָה וַתִּקְרֶאנָה
אֹתִי כָּאֵלֶּה וְאָכַלְתִּי חַטָּאת הַיּוֹם הַיִּיטַב
בְּעֵינֵי יְהוָה׃

וַיִּשְׁמַע מֹשֶׁה וַיִּיטַב בְּעֵינָיו׃ פ

A essência dos vss. 16-20 é a seguinte: Moisés procurara pelo bode da oferta pelo pecado em favor do povo, e não o achara. Os novos sacerdotes, tendo tomado o lugar de seus irmãos mortos, Nadabe e Abiú, temendo o desprazer divino, não haviam consumido o resto. Antes, tinham queimado tudo. Mas isso era contra os regulamentos. Os sacerdotes, tendo comido a porção que lhes cabia, sem nenhum incidente, davam assim testemunho do fato de que Yahweh havia *aceitado* o sacrifício, e isso se revestia de magna importância. O sangue da oferta pelo pecado do povo, nessa ocasião, não fora trazido para o interior do santuário, pelo que esse tipo de sacrifício devia ser comida (vs. 18; ver também Lv 6.30). Mas o vs. 19 frisa que a regra era que, quando um sacerdote ouvisse falar da morte de um parente, estando ele em serviço, embora não pudesse abandonar o recinto do santuário, não estava em condições de participar da porção que lhe cabia do animal sacrificado. De fato, um sacerdote não podia oferecer nem comer; o sumo sacerdote, por sua vez, podia oferecer, mas não comer (conforme *Misn. Moyrayot*, c. 3, sec. 5; *Maimônides* e *Bartenora in ib.*). E assim sucedeu que, nessa ocasião, quem estava com a razão era Arão, e não Moisés, e o vs. 20 mostra-nos que Moisés admitiu humildemente o fato. Os críticos salientam que a regra a que se refere o vs. 19 pertence a um período posterior, mas que a fizeram retroagir aos dias do tabernáculo. Mas se é verdade que essa regra era aplicada em tempos posteriores, é possível que isso viesse sendo posto em prática desde antes mesmo da formalização das leis sobre o culto no tabernáculo. Podemos supor que muitas leis sacrificiais fossem anteriores ao tabernáculo, tendo sido depois incorporadas ao seu culto.

CAPÍTULO ONZE

DIREÇÕES PARA A PURIFICAÇÃO SACERDOTAL (11.1—15.32)

ANIMAIS LIMPOS E IMUNDOS (11.1-47)

A legislação mosaica foi-se desdobrando em complexidades e multiplicação de preceitos. Foi mister o advento de Cristo para incorporar, simplificar e definir espiritualmente toda essa legislação. Talvez somente a mente de um judeu possa ler a seção à nossa frente sem sentir certo desconforto a respeito de uma carga que nem o povo judeu nem seus antepassados podiam suportar (ver At 15.10). No *Dicionário*, no verbete chamado *Limpo e Imundo*, há um comentário sobre o sumário de regras que figura nesta seção de Levítico 11.1-47.

Nathaniel Micklem (*in loc.*) opinou que os capítulos 11 a 15 de Levítico são os *menos atrativos* da Bíblia toda. Essa passagem aborda toda variedade de assuntos potencialmente desagradáveis, como os animais limpos e imundos (Lv 11); o parto e suas alegadas complicações religiosas (cap. 12); as doenças de pele e as vestes manchadas (cap. 13); os ritos de expurgo dos problemas de pele (14.1-32); a lepra nas casas (14.33-57); os fluidos do organismo e os problemas que eles causam (cap. 15). Uma atenção assim pormenorizada acerca de tais coisas é estranha para o nosso estado de espiritualidade e de culto religioso. Portanto, quando examinamos essas coisas, várias ideias nos sobem à cabeça: 1. Queremos uma compreensão histórica das coisas; pois todo conhecimento é útil. 2. Essas coisas devem ser sombras e tipos da fé cristã que no futuro haveria de manifestar-se. 3. Preocupa-nos corretamente o pecado e seu poder destruidor. Precisamos fazer distinções entre o santo e o iníquo, entre o limpo e o imundo, embora nossas ideias se tenham modificado no que diz respeito ao que está envolvido.

Alguém já afirmou que nossa geração não tem objetos santos. Deveras, o que é profano tomou conta de tudo em uma proporção alarmante. Assim, malgrado o fato de que não sejamos especialmente instruídos por meio do conteúdo dos capítulos que passamos a considerar, ainda assim precisamos revitalizar nossa sensibilidade espiritual, para melhor sabermos o que é certo e errado. A mente dos hebreus, não obstante, esteve sempre vitalmente envolvida na tentativa de fazer tais distinções, e isso com um interesse que talvez nos deixe perplexos.

Poderíamos supor que o *limpo* e o *imundo* deste capítulo 11 nada tenha a ver com questões morais, nem mesmo com questões meramente físicas, pois apenas envolveriam um conceito *ritualista*. Não nos esqueçamos, porém, de que a mentalidade hebreia não separava o que era moral, do que era físico e ritual; para eles, era tudo a mesma coisa. Os capítulos diante de nós envolvem algumas ideias primitivas sobre higiene, coisas que os homens haviam descoberto, pela pura experiência diária, serem boas ou más. Essas coisas, pois, assumiam certo sentido moral, e, então, eram interpretadas segundo moldes ritualistas, recebendo certas qualidades religiosas. As pessoas podem comer carne de cavalo, sendo ela tão boa, como nutriente, como qualquer outra carne; mas até hoje há pessoas que evitam comer carne de cavalo. Por quê? Os hebreus descobriam um *porquê*, embora não necessariamente uma razão genuína e científica. A ingestão de carne de porco, quando mal cozida, é um perigo para a saúde; mas provavelmente os israelitas não sabiam dizer por qual motivo. Eles meramente observavam os animais enlameados e não tinham estômago para comer de sua carne. E essa observação levou-os a considerar o porco um animal imundo, cerimonialmente impuro. Por outra parte, algumas daquelas leis, sem dúvida, refletem boas medidas de profilaxia, aprendidas mediante a vivência diária. E assim, o que era uma boa higiene tornou-se também uma boa regra religiosa. Isso reflete certo bom senso, mas os exageros impedem que possamos compreender muitas dessas regras mosaicas.

Seja como for, o *Novo Testamento* anulou totalmente preceitos dessa ordem, mesmo aqueles que envolvem a ingestão da carne dos animais mais repelentes (At 10.11 ss.; Rm 14.2; 1Tm 4.4,5). A própria circuncisão, que, conforme tem sido comprovado, é uma boa medida de higiene e que servia de sinal do Pacto Abraâmico (ver as notas a respeito em Gn 15.18), acabou ficando pelo caminho. Conforme avança a verdade, o que é antigo vai cedendo terreno ao que é novo, e assim sempre será. O avanço do conhecimento de Deus, entre os homens, será um processo eterno (2Co 3.18).

Capítulo 11. Este capítulo é quase idêntico ao trecho de Deuteronômio 14.3-21, e contém a maior parte da legislação dietética do livro de Levítico. Cf. o capítulo 17. Apesar de que havia (e continua havendo) algumas razões profiláticas por trás desses preceitos que começamos a considerar, as reais distinções (na maioria dos casos) parecem ser teológicas, posto que nem sempre nos pareça claro que tipo de teologia havia por trás desses conceitos. Há uma *tríplice* classificação de animais: 1. Limpos. 2. Imundos. 3. Sacrificáveis. Quanto aos animais que podiam ser usados nos sacrifícios, ver as notas sobre Levítico 1.14-16. Um detalhado estudo sobre animais *limpos* e *imundos* tem lugar na exposição deste capítulo. É significativo que os dois principais capítulos que tratam dos alimentos puros e impuros ou começam (Dt 14.1,2) ou terminam (Lv 11.44,45) com uma afirmação de que Israel era um povo eleito, pelo que precisava ser uma nação santa e separada, fazendo contraste com as nações pagãs. E isso coloca a questão toda dentro do contexto das razões teológicas.

Conceitos Principais

1. *Animais imundos não podiam ser comidos*, mas não havia punição alguma para quem fizesse tal coisa. Havia mesmo animais imundos, ou não? O que tinha sido ordenado por Yahweh, se fosse desobedecido, sem dúvida mereceria medidas corretivas.

2. *As pessoas que tocassem em animais imundos* eram consideradas impuras em termos de adoração religiosa; mas havia regras que tornavam essa condição apenas temporária.

3. *Objetos caseiros* podiam entrar em contato com animais imundos, e assim também ficavam imundos (vss. 32-38); mas havia medidas que revertiam essa condição.

11.1

וַיְדַבֵּר יְהוָה אֶל־מֹשֶׁה וְאֶל־אַהֲרֹן לֵאמֹר אֲלֵהֶם:

Falou o Senhor. Essa expressão ou algo similar foi usado pelo autor do Pentateuco a fim de introduzir novas seções, embora ela também nos faça lembrar da inspiração divina das Escrituras. Ver Levítico 1.1 quanto a notas expositivas a respeito, e Levítico 4.1 quanto a ideias adicionais.

11.2

דַּבְּרוּ אֶל־בְּנֵי יִשְׂרָאֵל לֵאמֹר זֹאת הַחַיָּה אֲשֶׁר תֹּאכְלוּ מִכָּל־הַבְּהֵמָה אֲשֶׁר עַל־הָאָרֶץ:

São estes os animais que comereis. Diante da pergunta: O que um homem pode comer? O Novo Testamento replica: Qualquer coisa, contanto que seja recebido com ação de graças (At 10.11 ss; Rm 14.2; 1Tm 4.4,5). Essa é uma excelente resposta, mas não era a resposta dada pelo Antigo Testamento. Havia inúmeras regras que governavam quais animais podiam ser comidos e quais não; e isso não por motivos meramente higiênicos ou ritualistas. Também havia nessas regras dietéticas certo sentido moral, segundo já mostrei na introdução a esta seção. A mente dos hebreus via razões teológicas por trás dessa questão de comer ou não comer. Ver os vss. 44 e 45 deste capítulo, que mostra como Israel era uma nação santa e consagrada a Yahweh. E em parte isso tinha por base quais animais os filhos de Israel comiam ou não, em contraste com as nações gentílicas.

Três Tipos de Animais: 1. Limpos; 2. imundos; 3. aqueles que podiam ser usados nos sacrifícios. Este capítulo aborda essas classificações.

Alguns têm argumentado que o *vegetarianismo* era o regime alimentar do homem antes da queda no pecado, e que o abate de animais para servirem de alimento reflete um aspecto da condição decaída do ser humano. Ver as notas sobre Gênesis 1.29. A ciência moderna parece confirmar a sabedoria do vegetarianismo, *se* puder ser achado um bom suprimento de proteínas, sem termos de recorrer a comer carne de animais. Os vegetarianos também acham razões morais para não comer carne, associando isso ao problema do sofrimento. A mente hebreia encontrava razões morais para não comer certos tipos de animais.

Mas o Novo Testamento ensina que aquilo que contamina moralmente a um homem não é o que ele come, e, sim, a sua condição moral, refletida em seus atos e em suas palavras (Mt 15.11). Contudo, o conceito dos hebreus não correspondia a esse ensino, o qual já reflete um avanço espiritual considerável.

"As leis dos capítulos 11 a 15 aparecem após a tradição sobre a ordenação (capítulos 8—10) porque uma das tarefas dos sacerdotes era estabelecer a distinção entre o puro e o impuro (10.10)" (*Oxford Annotated Bible, in loc.*).

Os hebreus dividiam o reino animal como segue: 1. Animais terrestres; 2. animais marinhos; 3. aves do céu; 4. animais que vivem em enxames, como os insetos. Também havia preceitos que governavam todo esse reino de maneira genérica, e, na minoria das vezes, de maneira específica.

ANIMAIS TERRESTRES (11.3-8)

A *regra geral* incluía *duas* regras sobre quais animais podiam ser comidos: 1. A pata precisava ser *realmente partida,* tanto em cima quanto embaixo. Ver Deuteronômio 14.6. O boi, o carneiro e o bode qualificavam-se, e eram todos eles animais sacrificáveis. Mas outros animais, como o cão, o gato e o leão, embora tendo patas fendidas no alto (pois têm dedos separados), por baixo esses dedos são unidos por meio de membranas, pelo que não são animais de "patas verdadeiramente fendidas", não servindo para a alimentação do homem. 2. Além disso, o quadrúpede também precisava ser um *ruminante.* De modo geral, os animais que não têm os dentes de cima eram considerados ruminantes. Estudos demonstram que os hindus e os egípcios têm observado regras similares.

Na prática, considerando-se as espécies de animais existentes na Palestina, podiam ser comidas nove espécies: o touro, o carneiro, o bode, a gazela, o veado, a cabra montês, o íbis, o antílope e o carneiro montês. Todos os demais animais eram considerados imundos e não podiam ser comidos. Animais como o camelo (Lv 11.4); o arganaz (vs. 5) e a lebre (vs. 6), embora fossem abundantes na região da Palestina e adjacências, deviam ser evitados. Estes últimos animais falhavam em um teste ou outro. O javali, por exemplo, embora tenha a pata fendida, não rumina.

Essas leis não seguiam critérios puramente científicos, porque o arganaz e a lebre (vss. 5 e 6) não ruminam, embora *pareçam* fazê-lo e embora os hebreus assim pensassem. Mas ficavam desqualificados diante da regra acerca da pata.

11.3,4

כֹּל מַפְרֶסֶת פַּרְסָה וְשֹׁסַעַת שֶׁסַע פְּרָסֹת מַעֲלַת גֵּרָה בַּבְּהֵמָה אֹתָהּ תֹּאכֵלוּ:

אַךְ אֶת־זֶה לֹא תֹאכְלוּ מִמַּעֲלֵי הַגֵּרָה וּמִמַּפְרִיסֵי הַפַּרְסָה אֶת־הַגָּמָל כִּי־מַעֲלֵה גֵרָה הוּא וּפַרְסָה אֵינֶנּוּ מַפְרִיס טָמֵא הוּא לָכֶם:

Os animais qualificados precisavam ter ambas as qualificações. O camelo, para exemplificar, rumina, mas o casco de sua pata não é realmente dividido. Há certo tecido, na planta da pata, que liga os artelhos uns aos outros. Ademais, o camelo era um animal indispensável como transporte; e bastaria essa razão para que não devesse ser comido. Mas não era *essa* a razão pela qual o camelo não fazia parte do cardápio dos israelitas. Os egípcios, os hindus e algumas tribos do deserto não comiam o camelo. Mas os persas, os antigos árabes e os islamitas apreciam tanto a carne quanto o leite do camelo. Aristóteles elogiou o leite de camela (*Hist. Animal.* 1.2 c. 1) como também Plínio (*Hist. Nat.* 11. c. 41). Estrabão (*Bibliothec.* 1.2 par. 137) descreveu que o camelo era consumido por diversos povos da antiguidade.

Por quê? Essa dupla regra, prevalente entre os hebreus, permitia que alguns animais fossem usados na alimentação, mas outros não. Impõe-se assim a pergunta: *Por quê?* No caso de alguns desses animais podemos aduzir uma resposta moderna, devido ao avanço do conhecimento científico. Mas do ponto de vista da antiguidade não podemos aduzir nenhuma resposta. E nem a legislação mosaica oferece-nos qualquer *razão* dessas proibições. O Novo Testamento, por sua parte, rejeita simplesmente a questão toda, conforme já vimos nas notas sobre o segundo versículo deste capítulo. Talvez haja uma razão *teológica* no Antigo Testamento. Seria bom fazer distinções entre o que é puro e o que é impuro, entre o moral e o imoral. Sendo isso correto, também seria bom os homens contarem com lições objetivas ou exemplos concretos de tais distinções. Assim eles teriam algum ensino concreto sobre como se deve acolher o bem e rejeitar o mal. Não importa se há ou não alguma razão *intrínseca* para não comer carne de camelo. Tal animal serve apenas de lição objetiva de uma escolha. Se isso não é uma razão válida, então teremos de nos ficar debatendo com a pergunta *por quê?* Talvez houvesse outras razões. Mas essas razões não foram expressas.

11.5,6

וְאֶת־הַשָּׁפָן כִּי־מַעֲלֵה גֵרָה הוּא וּפַרְסָה לֹא יַפְרִיס טָמֵא הוּא לָכֶם:

וְאֶת־הָאַרְנֶבֶת כִּי־מַעֲלַת גֵּרָה הִוא וּפַרְסָה לֹא הִפְרִיסָה טְמֵאָה הִוא לָכֶם:

Os dois animais mencionados nesses dois versículos, o *arganaz* (*Hyrax syriacus*), uma espécie de coelho das rochas, e a *lebre* (*Lepus syriacus*), ou, talvez, uma dentre outras três espécies, não ruminam, embora pareçam fazê-lo. Falta de maior investigação científica levou os hebreus a confiar em meras aparências, em vez de se apoiar em fatos. Fosse como fosse, ambos os animais seriam desqualificados devido às suas patas não fendidas, ainda que fosse autênticos ruminantes. No *Dicionário* ofereço artigos sobre o *arganaz* e sobre a *lebre*.

Alguns estudiosos supõem que a observação de que esses animais estivessem sujeitos a muitas doenças os tornava impróprios para o consumo humano, mas não há nenhum indício nesse sentido na legislação mosaica. Portanto, fica de pé o problema em torno das patas fendidas e da capacidade de ruminar, conforme discuti no quarto versículo deste capítulo.

11.7

וְאֶת־הַחֲזִיר כִּי־מַפְרִיס פַּרְסָה הוּא וְשֹׁסַע שֶׁסַע פַּרְסָה וְהוּא גֵּרָה לֹא־יִגָּר טָמֵא הוּא לָכֶם:

O porco. Não devemos pensar aqui no porco doméstico, tão comum em nossa cultura ocidental, e, sim, no *javali*. Esse tornou-se o campeão de todos os animais imundos (1Macabeus 1.47). Esse animal não passaria no teste da capacidade de ruminar, mas tem as patas fendidas. Os eruditos pensam que, nesse caso, pelo menos, há alguma evidência em favor de sua classificação como animal imundo, à parte daquelas duas regras. É possível que o porco, só por ser usado nos ritos sacrificiais pagãos, já fosse suficientemente repelente para os hebreus. Além disso, na mente de alguns povos antigos, era também um animal sagrado, ou seja, um objeto de adoração idólatra. Algumas nações gentílicas consideravam o porco um emblema dos poderes de reprodução e sacrificavam-no para suas divindades protetoras da fertilidade e do solo. Os egípcios costumavam oferecê-lo em honra a Ísis e a Osíris, uma vez por ano, por ocasião de lua cheia. Algumas religiões gregas que destacavam o fator mistério também empregavam o porco em seus ritos secretos, tal como o faziam os gregos beócios e os primitivos romanos. Por outra parte, eles eram repulsivos para muitos povos antigos, devido aos seus hábitos imundos. Assim, o egípcio Maneto (*Apud Aelian. de Animal.* 1.10. c. 16) pensava que tomar leite de porca podia provocar a lepra. Solino (*Plyhistor.* c. 46) diz-nos que os árabes evitavam o porco e proibiam que alguém trouxesse tal animal para seus territórios.

O porco era, virtualmente, um sinônimo de contaminação (ver Sl 65.4; 66.3,17; Pv 11.22), e comer da sua carne era tido como um ato de apostasia. Assim, Antíoco Epifânio sacrificou uma porca sobre o altar do templo de Jerusalém, forçando os sacerdotes a comer a carne do animal. E aqueles que se negaram a fazê-lo foram executados. Ver 2Macabeus 6.18,19.

Ver no *Dicionário* o artigo intitulado *Porco*, que acrescenta muitos detalhes ao que já foi dito aqui. O porco é um animal transmissor de várias doenças; mas os hebreus nada sabiam sobre seus parasitas intestinais. Portanto, a proibição acerca da ingestão de carne de porco não estava baseada em alguma enfermidade conhecida, mas nos hábitos imundos do próprio animal, o que lhe emprestava uma má reputação, inteiramente à parte da regra das patas fendidas e da ruminação.

11.8

מִבְּשָׂרָם לֹא תֹאכֵלוּ וּבְנִבְלָתָם לֹא תִגָּעוּ טְמֵאִים הֵם לָכֶם:

Este versículo resume as regras acerca dos *animais terrestres* que podiam ou não ser usados na alimentação dos hebreus. A regra aqui fica ainda mais severa, passando do "não comereis" para o "nem tocareis no seu cadáver". Durante os dias do segundo templo, essa proibição tornar-se-á tão definida que nem mesmo a menor quantidade de carne desses animais podia ser usada na alimentação. Assim, se alguém comesse de tais carnes um pedacinho tão minúsculo como é uma azeitona, era espancado. E também podemos pensar que mesmo nos dias de Moisés os ofensores recebiam alguma espécie de castigo, embora o livro de Levítico nada nos informe a respeito, excetuando uma exclusão temporária do grupo dos cerimonialmente limpos, conforme se vê a seguir. Um animal imundo, enquanto vivo, aparentemente podia ser tocado sem que transmitisse qualquer contaminação; mas não um desses animais mortos. Mas quem ficasse impuro por esse motivo dispunha de meios para purificar-se. Ver no *Dicionário* o artigo *Limpo e Imundo*, em seu quinto ponto, *Modos de Purificação*. Uma pessoa impura não podia participar do culto religioso enquanto não fosse purificada. Logo, tornava-se uma espécie de pária temporária, visto que a fé religiosa era o principal fator religioso em Israel. Por isso mesmo, tal pessoa não podia manter os contatos sociais normais. Ver os vss. 24-38 deste capítulo quanto a uma expansão das leis sobre a questão. A imundícia afetava utensílios (vss. 32 ss.), da mesma maneira que coisas santas transmitiam santidade às coisas em que tocassem (Lv 6.27,28).

PEIXES LIMPOS E IMUNDOS (11.9-12)

11.9

אֶת־זֶה תֹּאכְלוּ מִכֹּל אֲשֶׁר בַּמָּיִם כֹּל אֲשֶׁר־לוֹ סְנַפִּיר וְקַשְׂקֶשֶׂת בַּמַּיִם בַּיַּמִּים וּבַנְּחָלִים אֹתָם תֹּאכֵלוּ:

Os hebreus dividiam o reino animal como segue: 1. Animais terrestres; 2. animais marinhos; 3. aves; 4. insetos. E estes eram categorizados em *três* tipos: limpos; imundos; e próprios para os sacrifícios.

Tal como havia um duplo método de testar os animais terrestres (patas fendidas e ruminação), assim também havia um duplo teste para avaliar os peixes: era mister que tivessem tanto barbatanas quanto escamas. Mas essas duas últimas regras ainda deixam os intérpretes mais perplexos do que no caso dos animais terrestres. Dez animais terrestres eram aprovados na Palestina e eram usados na alimentação humana. Quanto à classe dos peixes, não aparece nenhum exemplo positivo ou negativo. A lei original, pois, foi deixada em um estado genérico. Os hebreus não eram um povo dedicado ao mar. A cada indivíduo cabia respeitar a lei.

O Talmude, no entanto, definiu essa lei com maior exatidão:

1. Os peixes dotados de escamas geralmente também têm barbatanas; porém há espécies com barbatanas, mas que não possuem escamas.
2. Assim, quando um israelita fosse ao mercado, precisava ter em mente essas condições, aprendendo quais espécies tinham tanto barbatanas quanto escamas, limitando suas compras a essas espécies.
3. Tudo quanto era preciso ver era *escamas*. E, então, o comprador saberia, automaticamente, que também havia barbatanas, mesmo que um pedaço adquirido não exibisse barbatanas.
4. Se alguém visse barbatanas, isso não seria suficiente. Também seria necessário verificar se o peixe tinha escamas.
5. Os peixes limpos possuem colunas vertebrais completas; mas os peixes imundos têm juntas simples, unidas por cordas gelatinosas. O Talmude alistava várias espécies que passavam em todos os testes. E também alistava peixes imundos. Assim, o cação, o esturjão, a enguia etc. ficavam eliminados.
6. A cabeça dos peixes limpos tende por ser larga, ao passo que os peixes imundos têm cabeça pontiaguda, como a enguia e outras espécies de peixes de pele.
7. A bexiga natatória dos peixes limpos é arredondada em uma das extremidades e apontada na outra. Mas a dos peixes imundos é ou arredondada ou pontiaguda em ambas as extremidades. Ver Mateus 13.48 quanto à separação entre peixes limpos e imundos.

Há referências literárias dentre autores egípcios e romanos que também rejeitavam na alimentação os peixes destituídos de escamas. Não sabemos dizer qual a razão dessa distinção. Heródoto diz-nos que os sacerdotes egípcios não comiam peixe sob hipótese alguma, e que outro tanto sucedia entre os sírios e os gregos (*Plutarch. Sympos.* par. 730).

Maimônides procurou deduzir algumas razões para essas regras: as escamas protegem os peixes de defeitos e doenças, pelo que os peixes com escamas são mais saudáveis. As barbatanas são os remos dos peixes, e isso lhes empresta movimento, e o movimento é saudável. (*Hilchot. Maacolot Asurot*, 1,1 sec. 24). Mas não sabemos dizer se Moisés se teria escudado em razões dessa natureza.

11.10

וְכֹל אֲשֶׁר אֵין־לוֹ סְנַפִּיר וְקַשְׂקֶשֶׂת בַּיַּמִּים וּבַנְּחָלִים מִכֹּל שֶׁרֶץ הַמַּיִם וּמִכֹּל נֶפֶשׁ הַחַיָּה אֲשֶׁר בַּמָּיִם שֶׁקֶץ הֵם לָכֶם:

Este versículo reitera as regras do versículo anterior, acrescentando que os peixes imundos deveriam ser considerados *abominações* para os filhos de Israel, o que mostra os fortes sentimentos ligados à questão. "...devem ser aborrecidos e detestados, sendo muito desagradáveis e doentios; e conforme observou um sábio: as espécies proibidas, de modo geral, pertencem às que vivem em lagos, rios e mares e que têm movimentos lentos, e, por causa dos movimentos lentos de seus corpos, não são bem digeridos quando sua carne é comida; e com isso podemos comparar os mamíferos quadrúpedes que só têm um ventre; e são tão doentios quanto esses" (John Gill, *in loc.*). Vemos assim que os intérpretes envidam esforços heroicos para encontrar motivos para as proibições bíblicas, quando a própria Bíblia não oferece nenhuma explicação. Pense nisto: todos os chamados *frutos do mar*, como os moluscos e os crustáceos, como o camarão, a lagosta etc., hoje em dia considerados acepipes, eram proibidos nos dias de Moisés.

■ **11.11**

וְשֶׁקֶץ יִהְיוּ לָכֶם מִבְּשָׂרָם לֹא תֹאכֵלוּ וְאֶת־נִבְלָתָם תְּשַׁקֵּצוּ׃

Este versículo repete a informação dos vss. 9,10, apenas adicionando que as carcaças eram abominações e deviam ser evitadas. Tocar em um peixe imundo, morto, contaminava cerimonialmente a um israelita, tal como no caso de certos animais terrestres (vs. 8). Ver as notas sobre esse oitavo versículo, quanto às consequências práticas para quem entrasse em contato com os corpos sem vida de animais imundos.

■ **11.12**

כֹּל אֲשֶׁר אֵין־לוֹ סְנַפִּיר וְקַשְׂקֶשֶׂת בַּמָּיִם שֶׁקֶץ הוּא לָכֶם׃

Este versículo repete a informação dada nos versículos anteriores, sem adicionar coisa alguma, pois é uma espécie de síntese do que fora dito. O Targum de Jonathan também proibia qualquer outro produto feito com base nessas espécies. Plínio ajuntou que os judeus faziam uma espécie de "pickles" de peixes sem escamas (*Hist. Nat.* 1.31 c.8), e sem dúvida, para muitos deles, isso feria o espírito dessa lei.

AVES LIMPAS E IMUNDAS (11.13-19)

■ **11.13**

וְאֶת־אֵלֶּה תְּשַׁקְּצוּ מִן־הָעוֹף לֹא יֵאָכְלוּ שֶׁקֶץ הֵם אֶת־הַנֶּשֶׁר וְאֶת־הַפֶּרֶס וְאֵת הָעָזְנִיָּה׃

É incerta a identificação correta, científica das várias aves mencionadas neste e nos versículos que se seguem; mas podemos ter certeza de que os hebreus não achavam dificuldade em fazer as identificações devidas. As *aves* constituíam a terceira das quatro classes de animais, de acordo com o pensamento dos hebreus. Ver as notas sobre isso no segundo versículo deste capítulo, a divisão que inicia com as palavras *Os hebreus dividiam o reino animal*. Havia três tipos de animais: limpos, imundos e os que podiam ser usados nos sacrifícios.

Questões Indiferentes. As leis dietéticas foram rejeitadas no Novo Testamento, conforme aprendemos em Romanos 14.2; Atos 10.15 e 1Coríntios 10.31. Tais coisas tornaram-se parte das coisas consideradas espiritualmente *indiferentes*. Faça se assim quiser! Não faça se não quiser! Mas mostre-se paciente, e não crítico, diante daqueles que não concordarem com você. A fé religiosa envolve questões mais sérias do que isso. Naturalmente, dentro das coisas indiferentes, sempre que algo ponha em jogo a nossa saúde física, então devemos fazer o que for melhor para o corpo, visto que o corpo é uma preciosa dádiva de Deus e deve ser tratado com respeito (ver 1Co 3.16,17). No entanto, para o povo de Israel, as leis dietéticas eram e continuam sendo questões sérias.

Os versículos diante de nós não baixam *regras específicas* acerca de como separar as aves limpas das imundas. Grosso modo, as aves de rapina, que se alimentam de carcaças, eram proibidas, mas essa regra (se é que isso era uma regra) não explica todas as aves imundas. A lista, pois, fica essencialmente reduzida às listas de aves boas e de aves más. Um hebreu consciente memorizaria as listas e não indagaria *o porquê*. Maimônides disse que 24 aves foram proibidas, ao que adicionou que todas as aves que *não* se acham na lista negra podem ser comidas (*Maacolot Assurot*, c. 1, sec. 14,15). Mas as que aparecem na lista são *abominações* (tal como sucedia nos casos dos animais terrestres e dos peixes, vs. 10).

O trecho de Levítico 11.13-23, que inclui animais voadores, aves e insetos, alista vinte animais vedados na alimentação dos filhos de Israel. Mas isso inclui o morcego, o qual, estritamente falando, não é uma ave, mas um mamífero. Estão alistadas quase todas as aves de rapina. Elas comem a carne ainda com seu sangue, o que era proibido para o homem (cap. 17), pelo que bastaria isso para essas aves serem eliminadas do cardápio dos israelitas. As aves limpas eram a rola, o pombo, a codorna e o pardal. Dentre os insetos, quatro tipos de gafanhotos eram permissíveis (Lv 11.22). Animais específicos são mencionados como imundos, sendo de presumir que espécies semelhantes também eram proibidas.

Nos dias do segundo templo, as regras já haviam sido definidas com mais clareza. As *aves imundas* tinham uma destas características:

1. Elas apanham seu alimento ainda no ar, devorando-o ali mesmo.
2. Elas apanham a presa com suas garras e despedaçam-na com suas garras e bico.
3. Elas têm patas com dois artelhos para a frente e dois artelhos para trás, quando pousam sobre um galho ou outro objeto no qual se empoleirem. Mas as aves limpas têm três artelhos para frente e um para trás.
4. Seus ovos são estreitos e igualmente arredondados em ambas as extremidades, e a clara do ovo no meio, ao passo que a gema fica em torno da clara.

Os vs. 13 a 19 deste capítulo alistam vinte espécies de aves, mas deixando claro que devemos entender que as aves das *mesmas espécies* também eram proibidas para os israelitas. Se todas fossem alistadas, o rol seria consideravelmente aumentado.

Segundo já foi dito, várias das aves aqui arroladas ainda não foram identificadas sem nenhuma sombra de dúvida, pelo que os nomes dados nas traduções podem conter erros. Acompanho aqui a lista da versão portuguesa que é aqui usada.

Águia. Ver no *Dicionário* sobre essa ave. Ela é uma ave de rapina, comedora de carniça, o que bastaria para desqualificá-la para fazer parte da mesa servida aos filhos de Israel, pois comia carne ainda com o seu sangue.

Quebrantosso. Uma ave vigorosa, capaz de despedaçar ossos. No hebraico, seu nome significa "quebrador". Ver Deuteronômio 14.12. Era uma ave parecida com o abutre, também chamada de águia-abutre. Essa ave solta sua presa morta de grande altura, quebrando-a assim em pedaços, o que facilita a sua ingestão.

Águia marinha. É mencionada também em Deuteronômio 14.12. Era uma ave de grande porte, que alguns estudiosos pensam pertencer à espécie do abutre. Mas há quem pense que ela se alimenta de peixes. Como o peixe não é abundante na Palestina, essa espécie era um tanto rara. Além disso, tal ave, por ser ictiófaga, deveria pertencer à espécie dos gaviões. Isso explica a versão portuguesa, *águia marinha*.

■ **11.14**

וְאֶת־הַדָּאָה וְאֶת־הָאַיָּה לְמִינָהּ׃

Milhano. No hebraico, *daah*, ou seja, "rápida", "majestática". Esse pássaro é um abutre comum na Síria. Alimenta-se de carcaças e de lixo. Ver Isaías 34.15. Algumas tribos orientais usam o milhano como alimento, mas isso era estritamente vedado aos hebreus.

Falcão. Ver no *Dicionário* uma descrição detalhada dessa ave. No hebraico, o nome *ayah* significa "gananciosa". Uma ave sagaz, sanguinária e voraz.

Espécie. As duas aves mencionadas por nome *e* suas respectivas espécies eram proibidas.

■ **11.15**

אֵת כָּל־עֹרֵב לְמִינוֹ׃

Corvo. Ver no *Dicionário* um artigo detalhado sobre essa ave. Qualquer tipo de corvo era proibido para os filhos de Israel. Era inteiramente negro (Ct 5.11). Alimenta-se de carniça (Pv 30.17), o que a desqualificava. É ave voraz que enche o ar de bulha, com seus crocitos, quando busca comida (Sl 147.9; Jó 38.41). Ver também 1Reis 17.4,6. Deus deu a essas aves um apetite voraz porque elas são os lixeiros e incineradores da natureza. Se os homens acabassem com elas, não haveria mais os lixeiros naturais. Talvez esse seja um dos princípios divinos pelos quais essas aves não podiam ser comidas.

■ **11.16**

וְאֵת בַּת הַיַּעֲנָה וְאֶת־הַתַּחְמָס וְאֶת־הַשַּׁחַף וְאֶת־הַנֵּץ לְמִינֵהוּ׃

Avestruz. Ver o detalhado artigo sobre essa ave no *Dicionário*. Essa é a maior e mais veloz ave quando caminha. Na mente dos hebreus, estava ligada aos terrores do deserto. Alguns povos antigos pensavam (erroneamente) que o avestruz é um híbrido monstruoso entre ave e quadrúpede. Também consideravam-na muito estúpida, pelo que era usada para ilustrar quão universais se tornarão o louvor e as ações de graça quando as coisas forem espiritualmente corrigidas, pois até uma ave tão embotada haverá de acrescentar os seus louvores (Is 43.20). Os romanos comiam os miolos dessa ave e julgavam-nos um acepipe.

Coruja. Ver no *Dicionário* o artigo detalhado sobre essa ave. A essa ave atribui-se falsamente a sabedoria, quando a verdade é que ela é uma implacável caçadora e ave de rapina que aterroriza todos os pequenos animais que buscam alimentos à noite. Como sucede a várias aves de hábitos noturnos, ela pode ver as *auras* (campos luminosos) dos animais, que brilham tanto à noite. Assim, a coruja pode caçar facilmente à noite, mesmo na maior escuridão. No hebraico, seu nome, *tachmas*, quer dizer "cruel" ou "violenta", o que concorda com seus brutais hábitos rapaces. A identificação da espécie exata de coruja é que constitui problema.

Gaivota. Os animais não matam por esporte, e, sim, para se alimentar. Mas já se observou a gaivota matar por pura diversão. Há um artigo detalhado a respeito dessa ave, no *Dicionário*. Mais de vinte espécies de gaivotas habitam ou visitam a Palestina. Seu nome em hebraico, *shachaph*, quer dizer "magra", "esguia" ou "cadavérica". A gaivota é o corvo do mar. Alimenta-se de peixes, insetos, lixo e mesmo carniça. Seus ovos eram e são comidos por vários povos orientais, mas isso foi proibido aos hebreus.

Gavião. Ver no *Dicionário* o detalhado artigo sobre essa ave. É o símbolo da crueldade e do apetite voraz. O *netz* (seu nome em hebraico, que significa *voo veloz*) era identificado como um pássaro de arribação (Jó 39.26). Há várias espécies, abundantes na Palestina. Algumas tribos nômades comem o gavião, mas isso era proibido aos hebreus. Plínio alistou dezesseis espécies dessa ave (*Hist. Nat.* 1.10 c. 8).

■ **11.17**

וְאֶת־הַכּוֹס וְאֶת־הַשָּׁלָךְ וְאֶת־הַיַּנְשׁוּף׃

Mocho. Temos aí uma espécie de coruja, também mencionada em Deuteronômio 14.16 e Salmo 102.6. Alimenta-se de insetos e de pequenos roedores, mas vez por outra apanha um ganso ou pato. Algumas tribos orientais pensam que sua carne é saborosa e excelente como alimento, mas não os hebreus. Seu nome em hebraico, *kos*, significa "taça". É possível que essa ave tenha recebido seu nome devido ao fato de que, ao pousar, se assemelha a uma taça.

Corvo marinho. Ver no *Dicionário* o detalhado artigo sobre essa ave. No hebraico, seu nome é *shalak*, "que se atira", talvez em alusão ao fato de que se atira ao mar quando quer apanhar um peixe. Tal nome favorece uma ave marinha. Deuteronômio 14.17 é a única outra referência a essa ave no Antigo Testamento. Mas há dúvidas quanto à sua exata identificação. Nossa versão portuguesa prefere essa denominação, "corvo marinho". Há uma ave, chamada *phalacrocorax*, abundante na Palestina, mas muitos eruditos indagam se seria a mesma *shalak*.

Íbis. Uma espécie de coruja, também conhecida como *coruja grande* ou *coruja noturna*. No hebraico, seu nome é *yanshuph*, que significa "ave noturna". Ver também Deuteronômio 14.16 e Isaías 34.11. Ocupava lugares remotos, como o corvo e outras aves lúgubres. Sua cabeça se parece com a de um gato, o que não a ajuda muito em sua reputação. Outros dizem que ela se parece com um gato com bochechas humanas, aumentando o terror por ela causado. Se alguém visse uma *yanshuph* em sonho, isso era considerado de muito mau agouro. Sua caça favorita é o rato, e inevitavelmente suas fezes contêm esqueletos de ratos, de aspecto revoltante para as pessoas que as observam. De modo geral, ninguém, mormente um hebreu, ousaria comer carne de uma dessas aves. Mas outros eruditos pensam que devemos pensar aqui em alguma espécie de *jaburu*, da família das pernaltas, e não em uma coruja. De fato, *íbis* era um pássaro da família das garças, considerado sagrado no Egito. Mas a identificação da *yanshuph* com uma garça dificilmente ajusta-se ao seu nome em hebraico, que significa "ave noturna". Esse é um daqueles casos em que nossa versão portuguesa parece que saiu pela tangente, na identificação de alguma espécie de planta ou animal.

■ **11.18**

וְאֶת־הַתִּנְשֶׁמֶת וְאֶת־הַקָּאָת וְאֶת־הָרָחָם׃

Gralha. Ver no *Dicionário* o detalhado artigo sobre essa ave. Seu nome hebraico é *tinshemeth*, sobre cujo sentido há muitas dúvidas, conforme se vê pelas traduções, que variam desde o "morcego", passando pelo "íbis", pelo "jaburu" e até o "ganso" etc. O nome hebraico quer dizer "que respira fundo", o que em nada nos ajuda a identificar a espécie. Alguns estudiosos têm pensado não em uma ave, mas, sim, em uma espécie de batráquio ou lagarto.

Pelicano. Ver a respeito no *Dicionário*. Seu nome hebraico, *qaath*, quer dizer "vomitador", o que sugere uma ave faminta, imunda, comedora de carniça, que dificilmente seria o pelicano, mas, antes, alguma espécie de abutre. Todavia, o pelicano regurgita para alimentar seus filhotes, e, talvez, daí lhe venha o nome. Essa ave alimenta-se principalmente de ostras, e depois regurgita as carapaças. Os filhotes alimentam-se enfiando a cabeça na garganta de seus pais.

Abutre. Ver no *Dicionário*. No hebraico, *racham*, que significa "ternura", "afeto". Alguns dão a esse nome o sentido de "misericordioso". Esse tipo de abutre era sagrado para os egípcios, mas uma abominação para os hebreus. No Egito, era um caçador tão grande de carniça que chegava a impedir epidemias, o que explica sua boa reputação naquele país. É extremamente afetuoso com seus filhotes, e isso lhe pode ter valido o nome. Essa ave, conforme dizem, chega a golpear-se para dar seu sangue como alimento aos filhotes, quando não há outro suprimento alimentar. Contudo, é um terrível pássaro carniceiro, apesar de algumas qualidades positivas, como vimos.

■ **11.19**

וְאֵת הַחֲסִידָה הָאֲנָפָה לְמִינָהּ וְאֶת־הַדּוּכִיפַת וְאֶת־הָעֲטַלֵּף׃

Cegonha. Ver no *Dicionário* o artigo detalhado sobre essa ave. No hebraico, seu nome é *chasidah*, que quer dizer "leal", "constante", "piedoso". Tal ave é um símbolo de afeto e ternura maternal. Já se observou que a mãe prefere perecer nas chamas a abandonar a seus filhotes, quando apanhados em meio a um incêndio. Constrói seu ninho em lugares elevados, como árvores, ribanceiras, e, talvez, isso tenha algo a ver com seu nome hebraico, mas seus cuidados maternais devem ter sido a principal influência na escolha de seu nome. É uma ave migratória pontual, o que se reflete em Jeremias 8.7. Alimenta-se de peixes, répteis e toda espécie de lixo e entranhas de animais.

Garça. Ver no *Dicionário* informações sobre essa ave. Seu nome hebraico é *anaphah*, "irado". Essa ave tem má disposição e uma natureza feroz. Defende-se até de cães, mesmo depois que suas pernas são quebradas a tiros. Reside em áreas pantanosas e alimenta-se de peixes, rãs, lagartos, ratos do campo e muitas espécies de insetos. Há várias *espécies* de garças, todas proibidas como alimento para os hebreus. Há muitas histórias a seu respeito (Aelianus, *De Animal.* 1.5 c.36), como aquela de que era treinada no Egito como um animal de estimação, que atacava a quem falasse contra seu dono, como se fosse um cão. Histórias assim são difíceis de acreditar.

Poupa. Ver no *Dicionário* sobre essa ave. No hebraico, seu nome é *dookeefath*, de significado desconhecido. Mas o que se sabe é que é a mais imunda de todas as aves, pois faz seu ninho de montões de fezes. Mas lembremo-nos de que as fezes contêm sementes e pequenos fragmentos de coisas comestíveis, pelo que essa ave se mostrava apenas conveniente. Essa ave nunca toma banho e sempre cheira mal, de tal modo que ninguém se aproxima de seu ninho para furtar algum ovo ou filhote. Ademais tem um cheiro de choco que ninguém tolera. Aqueles que ousam comer de sua carne informam que esta tem o sabor de carne de codorna, e que é realmente deliciosa; mas nenhum hebreu se aventuraria a experimentá-la.

Morcego. O morcego é um mamífero, mas age como se fosse uma ave. Esse mamífero volante tem dado origem a toda espécie de fábulas (algumas das quais podem ser verdadeiras). Ele fascina e assusta o homem. Muitos homens ousam comer o rato, mas apenas algumas almas muito corajosas atrevem-se a comer o morcego. Ver no *Dicionário* o artigo chamado *Morcego,* um artigo bastante detalhado, que o leitor faria bem em examinar. Esse animal tem a pior reputação dentro de todo o reino animal. Parte disso é merecido, mas parte, não. Ele tem sido apodado de voraz, libidinoso e violento. Uma de minhas fontes informativas diz que esse animal encerra *aptamente* a lista de animais que voam e não podem ser comidos, por ser a mais *vil* de todas as criaturas. Além de infestar todos os lugares onde vive o homem, tem forte mau cheiro. Contudo, alguns antigos ousavam comer o rato. Ora, se o rato tem bom sabor, que é um morcego senão um rato voador? Assim também têm indagado alguns. É verdade que o morcego ama as trevas, e não a luz, e assim, ele tem má reputação na Bíblia, desde o início. "Eles representam devidamente aqueles que vivem uma vida de impureza" (John Gill, *in loc.*). Seu nome hebraico, *atallef*, indica uma criatura que voa em meio às trevas. Há mais de vinte espécies de morcegos na Palestina. Se a maioria delas come insetos, pelo que são benéficas, outras sugam sangue e podem até transmitir a temida raiva. Também há aqueles que associam o morcego com os vampiros. Como é claro, hoje em dia ninguém mais acredita em vampiros. Mas em uma noite escura, quando um morcego passa zunindo perto de nossa orelha, soltando guinchos de tom tão alto que são quase inaudíveis, quem pode garantir que ele não esteja a serviço de algum vampiro?

INSETOS, LIMPOS E IMUNDOS (11.20-23)

■ 11.20

כֹּל שֶׁרֶץ הָעוֹף הַהֹלֵךְ עַל־אַרְבַּע שֶׁקֶץ הוּא לָכֶם: ס

Temos aqui as *quatro classes* de animais. Ver sobre o segundo versículo deste capítulo. Essas quatro classes eram divididas em três categorias: limpos, imundos e limpos que podiam ser usados nos sacrifícios. De todo o imenso mundo dos insetos, a legislação mosaica permitia que se comesse apenas das várias espécies de gafanhotos. Ver no *Dicionário* o artigo chamado *Praga de Gafanhotos*, quanto a um detalhado artigo sobre esse inseto.

Que anda sobre quatro pés. Nenhum inseto tem quatro patas, pelo que aqui devemos entender uma maneira de dizer. Existem insetos que se arrastam ao redor, muitos deles extremamente repelentes. E a maioria das pessoas nem pensaria em comê-los. E se pusermos um desses insetos sob o microscópio veremos que eles são ainda mais repelentes, portadores de seus próprios parasitas. Tais animais são abomináveis, conforme o nosso texto diz. Cf. os vss. 10,12,13,23,41,42, onde outro tanto é dito acerca de outras criaturas. Algumas pessoas têm perguntado por que Deus teria criado os insetos. Há quem diga que não foi ele quem os criou, mas que são resultantes da evolução ou das leis naturais. Os insetos têm uma fantástica capacidade de reprodução, e seus ovos sempre acabam produzindo um enxame de outros insetos, sem importar quais as condições atmosféricas. Alguns indagam por que Noé teria preservado os insetos na arca, quando aquela era a oportunidade áurea de livrar-se deles todos de uma vez para sempre. Os insetos são as mais persistentes de todas as criaturas, e alguns acreditam que serão os herdeiros finais do globo terrestre. Conheci um homem que comia toda variedade de insetos. E garantiu-me que eles são gostosos. Nem todas as afirmações e teorias devem ser submetidas a teste.

■ 11.21

אַךְ אֶת־זֶה תֹּאכְלוּ מִכֹּל שֶׁרֶץ הָעוֹף הַהֹלֵךְ עַל־אַרְבַּע אֲשֶׁר־לוֹ כְרָעַיִם מִמַּעַל לְרַגְלָיו לְנַתֵּר בָּהֵן עַל־הָאָרֶץ:

O autor sagrado poupa-nos de uma longa lista de insetos que não podiam ser comidos, provavelmente porque somente *uma* espécie era comestível: o gafanhoto. Os intérpretes têm-se debatido em torno da *razão* dessa exceção. É possível que os homens já viessem comendo gafanhotos desde muito antes de Moisés. Assim, ele nada fez para contradizer um costume muito antigo. Quando olho para um gafanhoto, só vejo ali coisas que me dão repulsa. Mas quando os povos antigos contemplavam um gafanhoto, preparavam a panela para cozinhá-lo. Não há como justificar o gosto de algumas pessoas.

O autor sacro nos fornece uma breve descrição do gafanhoto, como aqueles insetos que "têm o terceiro par de pernas mais traseiras mais longo e mais forte do que os insetos ordinários. Esses insetos, pois, em cujas pernas mais traseiras a segunda junta é bem maior e mais forte, em vista do que são capazes de saltar ou se elevar com grande força, pulando a grande distância sobre o solo... esses são os gafanhotos" (Ellicott, *in loc.*).

Nos dias do segundo templo, a *lei* descrevia como segue esse inseto: 1. quatro patas dianteiras; 2. quatro asas; 3. duas patas saltadoras; 4. asas largas que lhes cobrem a maior parte das costas. Tendo um inseto essas quatro características, era limpo, mas apenas algumas espécies de gafanhotos estavam qualificadas para serem comidas.

■ 11.22

אֶת־אֵלֶּה מֵהֶם תֹּאכֵלוּ אֶת־הָאַרְבֶּה לְמִינוֹ
וְאֶת־הַסָּלְעָם לְמִינֵהוּ וְאֶת־הַחַרְגֹּל לְמִינֵהוּ
וְאֶת־הֶחָגָב לְמִינֵהוּ:

Quatro espécies de gafanhotos são mencionadas como próprias para fazer parte do cardápio humano; mas a expressão geral, "segundo a sua espécie", permite outras possibilidades:

Arbeh (locusta). Esse era o gafanhoto da praga do Egito (Êx 10.4-19), um grande inseto migrador. Essa era a espécie consumida por João Batista (Mt 3.4).

Solam (gafanhoto devorador). Essa espécie ainda não foi identificada acima de qualquer dúvida.

Chargol (grilo). Uma pequena espécie de gafanhoto com corcunda e cauda. As mulheres judias usavam os ovos desse inseto como remédio contra dor de ouvidos. Talvez a espécie não dispusesse de asas.

Chagab (gafanhoto). Outro pequeno gafanhoto, mas grande devastador das plantações. Tinha cauda, mas não corcunda. Esse nome hebraico tornou-se a designação geral de todas as espécies de gafanhotos.

De acordo com a informação dada por Keil e Delitzsch (*in loc.*), os gafanhotos eram e continuam sendo um prato popular, vendido nos mercados por peso ou por medida, e também pendurado em fios. São guardados em sacolas, para serem consumidos durante o inverno. Há várias maneiras de prepará-los: Algumas vezes o pobre bicho era mergulhado vivo em água fervente, cozinhado, e, então, comido, depois de removidas as partes mais duras. Também eram assados sobre brasas, fritos na manteiga e temperados com sal, especiarias e vinagre, depois que lhes eram arrancadas a cabeça e as asas. Também eram secos e pilados formando uma farinha que era então usada para fazer bolos. João Batista comia gafanhotos com mel de abelhas. Mas não sabemos se ele misturava as duas coisas ou se as comia separadamente. Alguns dizem que o gafanhoto tem gosto de camarão. Se você estiver curioso, experimente prová-lo.

■ 11.23

וְכֹל שֶׁרֶץ הָעוֹף אֲשֶׁר־לוֹ אַרְבַּע רַגְלָיִם שֶׁקֶץ הוּא לָכֶם:

Todos os demais insetos eram tabu para os filhos de Israel. Eram repelidos à mesa, como todos os animais imundos (ver os vss. 10,12,13,23,41,42).

■ 11.24-28

וּלְאֵלֶּה תִּטַּמָּאוּ כָּל־הַנֹּגֵעַ בְּנִבְלָתָם יִטְמָא עַד־הָעָרֶב:

וְכָל־הַנֹּשֵׂא מִנִּבְלָתָם יְכַבֵּס בְּגָדָיו וְטָמֵא עַד־הָעָרֶב:

לְכָל־הַבְּהֵמָה אֲשֶׁר הִוא מַפְרֶסֶת פַּרְסָה וְשֶׁסַע
אֵינֶנָּה שֹׁסַעַת וְגֵרָה אֵינֶנָּה מַעֲלָה טְמֵאִים הֵם לָכֶם
כָּל־הַנֹּגֵעַ בָּהֶם יִטְמָא:

וְכֹל הוֹלֵךְ עַל־כַּפָּיו בְּכָל־הַחַיָּה הַהֹלֶכֶת
עַל־אַרְבַּע טְמֵאִים הֵם לָכֶם כָּל־הַנֹּגֵעַ
בְּנִבְלָתָם יִטְמָא עַד־הָעָרֶב:

וְהַנֹּשֵׂא אֶת־נִבְלָתָם יְכַבֵּס בְּגָדָיו וְטָמֵא עַד־הָעֶרֶב טְמֵאִים הֵמָּה לָכֶם: ס

Estes versículos agem como uma espécie de recapitulação das quatro classes de animais limpos e imundos. Ver as notas sobre o segundo versículo deste capítulo quanto às quatro classes de animais, divididos em três categorias.

"Um animal imundo, quando morto, transmite imundícia ao toque, mas pode ser manuseado com segurança enquanto estiver vivo. Ademais, o contágio da imundícia, tal como no caso de seu oposto, a santidade (Lv 6.27,28), afetava vasos, objetos etc." (*Oxford Annotated Bible, in loc.*).

Vs. 24. Entrar em contato com o corpo morto de um animal imundo tornava a pessoa impura para o resto do dia, ou seja, até cair a noite. Ver também Levítico 23.32. Durante essas horas de imundícia, não podia entrar no átrio do santuário, tocar em coisa sagrada, aproximar-se de outras pessoas; e isso porque, se chegasse a tocar em alguém, esse alguém também ficaria cerimonialmente impuro. Em outras palavras, sofria uma exclusão temporária. Não podia adorar em público nem movimentar-se a seu bel-prazer. Era como se tivesse ficado leproso por algumas horas.

Vs. 25. Uma pessoa imunda tinha de fazer duas coisas: 1. tomar um banho e lavar as próprias roupas; 2. esperar até anoitecer, quando ficaria livre de sua imundícia. Entre os judeus, o *dia* começava às 18 horas. Nessa hora terminava a imundícia cerimonial, e a pessoa podia começar limpa um novo dia. Este versículo não prescreve o banho, mas supomos que a lavagem da roupa não fosse tudo quanto estava envolvido. O trecho de Levítico 17.15 refere-se ao *banho,* o que, sem dúvida, se aplica aqui também. Os vss. 39 e 40 deste capítulo também deixam de fora o banho pessoal. Mas a versão samaritana do Pentateuco adiciona o banho neste versículo, como também o fazem alguns manuscritos em hebraico. Nos dias do segundo templo, o banho fazia parte inseparável do ritual. Ver também Números 19.19.

Tipologia. A água do banho limpava a sujeira do corpo. Por igual modo, o sangue de Cristo nos limpa espiritualmente, tanto nossa alma como nossas vestes (conduta) (Ap 7.14).

Vs. 26. Este versículo recapitula a questão da imundícia mediante o toque em uma carcaça de *animal terrestre* (ver o vs. 8 e suas notas expositivas). Animais imundos *vivos* não representavam um problema, podendo ser manuseados facilmente. Assim, cavalos, jumentos e camelos podiam ser usados no transporte de pessoas e de cargas. Mas se algum deles morresse, então que a pessoa se mantivesse afastada! Ver 1Crônicas 12.40; Zacarias 14.15; Mateus 21.2; Lucas 13.15. Nos tempos do segundo templo, os saduceus assumiram uma posição por demais estrita sobre a questão, proibindo o contato até mesmo com animais imundos, *vivos*; mas os fariseus aplicavam a regra que diz: "somente quando mortos". Outros pensavam que somente a *carne* de tais animais, quando morriam, contaminava, e que os ossos, os chifres, o couro etc. podiam ser manuseados e utilizados. É o que nos diz a *Misn. Edaiot, c.6, sec. 3.*

Vs. 27. Este versículo enfatiza a regra das patas fendidas. Esses tipos de animais que se locomovem sobre *patas macias*, mas não sobre unhas fendidas, eram imundos. Isso recapitula as instruções dadas nos vss. 3, 4 e 8 deste capítulo, mas menciona apenas uma das duas condições que faziam de um animal qualquer um animal limpo. Esses animais podiam ser manuseados e utilizados enquanto vivos, mas não se morressem, conforme fica entendido nos vss. 8 e 26. Ver sobre o vs. 26 quanto a diferentes atitudes. Os animais de *patas* macias poderiam incluir espécies de macacos, leões, ursos, lobos, raposas, cães, gatos etc. Somente dez animais terrestres escapavam das duas regras que os tornavam imundos. Ver as notas sobre Levítico 11.3.

Vs. 28. Este versículo repete o que foi dito no vs. 25, deixando novamente de lado a questão do banho pessoal (o qual reaparece em Levítico 17.15 e Nm 19.19). Ver as notas sobre o vs. 25 deste capítulo. O versículo aplica-se à questão dos animais terrestres, mas por extensão entendemos todos os animais imundos. O mero *toque* era suficiente para fazer uma pessoa tornar-se cerimonialmente imunda; mas carregar um animal morto agravava a imundícia, e era considerado algo pior ainda. Fosse como fosse, a pessoa ficava igualmente imunda até o anoitecer. Ver o artigo detalhado sobre a questão, chamado *Limpo e Imundo,* em seu quinto ponto, *Modos de Purificação.*

■ **11.29**

וְזֶה לָכֶם הַטָּמֵא בַּשֶּׁרֶץ הַשֹּׁרֵץ עַל־הָאָרֶץ הַחֹלֶד
וְהָעַכְבָּר וְהַצָּב לְמִינֵהוּ׃

Dos *vss. 29 a 38*, o autor elabora a questão, fornecendo-nos uma lista complementar de animais terrestres imundos. É incerta a identificação da maioria deles, mas falham todos diante do duplo teste das unhas fendidas e da ruminação (ver as notas no vs. 3 deste capítulo).

O vs. 32 refere-se às espécies pestíferas que invadem as habitações humanas e caminham por sobre as vestes, os utensílios domésticos e entram nas gavetas, infestando tudo. Os animais imundos já eram imundos em si mesmos e também, diante da sua *morte,* poluíam tudo com seu toque; pois, se já eram imundos vivos, então, de acordo com a mentalidade hebreia, muito mais imundos ficavam ao morrer.

O enxame de criaturas. Certas espécies terrestres mostram-se de tal modo abundantes e ficam arrastando-se ao redor em quantidades tão prodigiosas que são como os insetos em seus enxames. Algumas poucas espécies pestíferas foram merecedoras de menção especial por parte do autor sagrado. Ver o vs. 20 quanto aos *enxames* de insetos. Oito espécies de insetos enxameadores terrestres são mencionadas nos vss. 29 e 30. Os vss. 20-23 contêm os insetos enxameadores alados.

Doninha. No hebraico, *choled*, que tem o sentido de "deslizante". O nome acha-se somente aqui em toda a Bíblia. Ver no *Dicionário* quanto a completas descrições desse animal.

Rato. No hebraico, *archbar,* "destruidor de grãos" ou "campo". O rato é um animal extraordinariamente fértil e destruidor das plantações de cereais. Nos hieróglifos egípcios, era o próprio símbolo da destruição. As referências bíblicas a esse animal ficam aqui e em 1Samuel 6.4,5,11,18 e Isaías 66.17. É provável que mais de uma espécie desses roedores esteja em pauta, incluindo os ratos de campo, que também gostam de invadir as residências humanas, pois ali acham alimento fácil, que roem enquanto seus moradores dormem.

Nos dias do segundo templo, os ratos infligiram tão grande dano às plantações que foi dada ordem para eles serem destruídos por quaisquer meios. Os ratos precisam ficar roendo o tempo todo, pois seus dentes crescem como uma unha; e assim, quando não estão comendo, estão roçando os dentes, e ambos os atos são prejudiciais aos seres humanos. Nos dias do segundo templo, os ratos chegaram a invadir o santuário para roer os sagrados pães da proposição! Os judeus consideravam-nos maus, e hoje em dia o *rato* é símbolo do indivíduo destrutivo e desleal.

Têm-se comido ratos em muitas culturas, até mesmo em dias modernos. Os que gostam do prato chamam-no de delicioso, mas a maioria das pessoas ignora o rato. Alguns romanos chegavam a criá-los, para que tivessem muitos ratos para comer! (Varro *de re Rustic.* 1.3 c. 14). Nas Índias Ocidentais, os ratos são vendidos nos mercados.

Lagarto. No hebraico, *tzab,* que significa "inchado" ou "inflado". Algumas traduções dizem aqui *tartaruga*. Mas o mais provável é que tenhamos aqui alguma espécie de lagarto. Temos aqui a única ocorrência da palavra na Bíblia. Dou um artigo completo a respeito no *Dicionário,* levando-se em conta suas várias espécies. Há estudiosos que pensam aqui no *sapo,* considerado muito contaminador, mas não a rã, conforme diziam alguns, como Maimônides (ao comentar sobre Lv 11.29,30). Mas outros rejeitam tanto um quanto o outro, como animais imundos. Ver Êxodo 8.2 ss. quanto à praga das rãs, no Egito. Há comentários sobre a *rã,* nas notas sobre Êxodo 8.2.

■ **11.30**

וְהָאֲנָקָה וְהַכֹּחַ וְהַלְּטָאָה וְהַחֹמֶט וְהַתִּנְשָׁמֶת׃

Geco. No hebraico, *anakah*, nome que indica um animal com "espinhos agudos". As autoridades não concordam quanto à identificação do animal em questão, mas o *geco* tem recebido vários votos. John Gill (*in loc.*) diz que esse nome lhe vinha dos seus "gritos agudos", e isso deixa de lado o geco. Uma espécie de lagarto, de acordo com Plínio (*Hist. Nat.* 1.29, 3.4), era capaz de emitir gritos agudos, e isso parece ajustar-se bem ao texto.

Crocodilo. No hebraico, *khoach,* que significa "força". Alguns dizem estar em pauta o *camaleão*, mas a maioria dos estudiosos prefere pensar mesmo no crocodilo. Ver no *Dicionário* o artigo chamado *Crocodilo.* O camaleão alimenta-se de insetos e pequenos animais. Era um animal comum nos países do Oriente Próximo e Médio. Algumas tribos da Síria e da Palestina comiam-no cozido. Pode mudar sua cor externa para mimetizar-se melhor no meio ambiente, pelo que é símbolo de pessoa que muda fácil, usualmente por motivo de hipocrisia, de fingimento.

Um *crocodilo,* dentro do mundo dos hebreus, era um animal poderoso, pelo que a alusão aqui poderia ser a esse animal. Alguns egípcios consideravam-no sagrado; mas os hebreus abominavam-no. Também poderíamos pensar no *leviatã* de Jó 41.1. Quanto a outras informações, ver o citado artigo.

Lagartixa. No hebraico, *l'taah,* "esconder-se", uma espécie de lagarto. Este é o único lugar onde figura essa palavra na Bíblia. Ver no *Dicionário* o artigo chamado *Lagarto.* Talvez o animal em foco seja aquele que os árabes denominam *wahara,* um lagarto venenoso.

Lagarto de areia. No hebraico, *chomet,* "deitar baixo". Aqui é o único lugar onde temos essa palavra na Bíblia. Alguns pensam que está em pauta o *caracol,* mas parece tratar-se de alguma espécie de lagarto. Nem os judeus nem as autoridades modernas concordam quanto à sua identificação. Os caracóis eram abundantes no Oriente, e havia muitas espécies deles. Algumas delas eram comidas, consideradas um acepipe. Outras populações usavam-nos com propósitos medicinais. Na Silésia, eram criados para servir de alimento. Mas o animal em foco aqui, muito provavelmente, é uma espécie de lagarto que talvez deva ser identificado com aquele que os árabes chamam de *chulaca,* um lagarto das regiões arenosas.

Camaleão. Quanto a esse nome, ver o segundo animal a ser mencionado neste versículo, que os hebreus chamavam de *khoach.* A maioria dos eruditos pensa que este é exatamente o camaleão, e, portanto, o segundo da listagem do vs. 30. No hebraico temos *tinshemeth,* "aquele que respira fundo". A mesma palavra é usada no vs. 18, para indicar uma espécie de ave imunda. Plínio (*Hist. Nat.* 1.8 c. 33) diz-nos como o camaleão senta-se com sua boca escancarada, parecendo estar ávido por ar, o que poderia ajustar-se ao termo hebraico. O Targum de Jonathan diz que está em foco a *salamandra,* mas outros preferem pensar na *toupeira.* Mas essas já parecem ser opiniões secundárias. Contudo, Onkelos e Jarchi pensam estar em pauta a toupeira.

■ 11.31

אֵלֶּה הַטְּמֵאִים לָכֶם בְּכָל־הַשָּׁרֶץ כָּל־הַנֹּגֵעַ בָּהֶם
בְּמֹתָם יִטְמָא עַד־הָעָרֶב׃

Esta lista suplementar de oito animais (vss. 29,30) envolve animais impróprios para o consumo humano, não devendo ser tocados quando mortos, pois isso tornaria cerimonialmente impura a pessoa que neles tocasse (ver os vss. 8 e 26). São animais abomináveis. Ver os vss. 10,12,13,23,41,42.

Será imundo até à tarde. Ver os vss. 24 e 25, onde a questão é comentada. Ver também a introdução ao capítulo 11 de Levítico, quanto a uma discussão geral sobre a questão de animais limpos e imundos. Ver também, no *Dicionário,* o artigo intitulado *Limpo e Imundo.*

■ 11.32

וְכֹל אֲשֶׁר־יִפֹּל־עָלָיו מֵהֶם בְּמֹתָם יִטְמָא
מִכָּל־כְּלִי־עֵץ אוֹ בֶגֶד אוֹ־עוֹר אוֹ שָׂק כָּל־כְּלִי
אֲשֶׁר־יֵעָשֶׂה מְלָאכָה בָּהֶם בַּמַּיִם יוּבָא וְטָמֵא
עַד־הָעֶרֶב וְטָהֵר׃

Este versículo refere-se àqueles animais imundos que invadem as residências humanas e os lugares onde os seres humanos trabalham, infestando as vestes, sacolas de alimentos e utensílios domésticos etc. São os animais pestíferos que se tornam inconvenientes para os homens. Quando *morriam,* eles tornavam imundos todos os objetos e utensílios em que tocassem, o que significa que precisavam ser lavados. Embora não fossem pessoas, esses objetos eram capazes de adquirir imundícia cerimonial, tornando-se inúteis para uso até a chegada da noite, e até serem bem lavados. Ver as notas no vs. 24 (vss. 24-28), sobre como os objetos ficavam contaminados, da mesma maneira que podiam ficar santificados mediante o toque de coisas santas. Cf. Levítico 6.27,28. As regras que eram consideradas boas para a época do segundo templo diziam que somente a carne desses animais era contaminadora, mas não seus pelos, ossos, couro, chifres, cascos etc. De fato, partes desses animais eram usadas no fabrico de utensílios. Essa prática era aceita pelos fariseus, mas não pelos saduceus. Para estes últimos, desses animais não se podia fazer nenhum tipo de produto.

Vaso de madeira. Esses vasos ficavam dentro da mesma categoria de objetos feitos de papiro (Is 18.2), de várias espécies de fibras, de vime. Podemos pensar aqui em muitos objetos feitos de madeira, móveis e vasos de guardar mantimentos.

Veste. Roupas feitas de qualquer tipo de tecido, como lã, linho etc. Nos dias do segundo templo, vestes feitas de produtos marinhos estavam isentas da regra do limpo e do imundo.

Pele. De todos os tipos de animais, sem importar o uso a que se destinavam, ainda que, em tempos posteriores, peles de animais marinhos também eram isentadas da regra do limpo e do imundo.

Saco. Receptáculos feitos de tecido ou outros materiais. Cf. Números 31.20. Posteriormente, as peles que não fossem transformadas em vestes ou receptáculos também ficavam isentas da regra do limpo e imundo.

■ 11.33

וְכָל־כְּלִי־חֶרֶשׂ אֲשֶׁר־יִפֹּל מֵהֶם אֶל־תּוֹכוֹ כֹּל אֲשֶׁר
בְּתוֹכוֹ יִטְמָא וְאֹתוֹ תִשְׁבֹּרוּ׃

Se uma rã morresse dentro de um prato, se feito de barro, teria de ser destruído. Essa regra existia provavelmente porque a louça é porosa, não podendo ser limpa totalmente, por ser absorvente. Ver Levítico 6.28 quanto a um versículo paralelo. Os que gostam de tipologia veem nisso a dissolução do frágil corpo humano, atacado, debilitado e alquebrado pelo pecado e pela idade avançada. O corpo parte-se, e o espírito fica livre. Ver no *Dicionário* o artigo geral chamado *Vaso, Receptáculo.*

■ 11.34

מִכָּל־הָאֹכֶל אֲשֶׁר יֵאָכֵל אֲשֶׁר יָבוֹא עָלָיו מַיִם יִטְמָא
וְכָל־מַשְׁקֶה אֲשֶׁר יִשָּׁתֶה בְּכָל־כְּלִי יִטְמָא׃

Se um vaso de barro contivesse alguma carne, que deveria ser preparada com água, então a carne não podia ser comida, porque entrara em contato com o animal que tinha morrido dentro do vaso, tornando-o imundo. Outro tanto aplicava-se a qualquer coisa no vaso que fosse ser bebida. Tal líquido também ficara poluído pelo animal morto, pelo que tinha de ser jogado fora. As autoridades judaicas pensam que a palavra *água,* aqui empregada, indicava qualquer tipo de líquido usado na preparação de alimentos, e falavam em sete líquidos: água, orvalho, azeite, vinho, leite, sangue e mel. Naturalmente, o sangue não podia ser usado pelos hebreus no preparo de nenhum alimento. A carne não ficaria poluída se não houvesse "água" no vaso. Mas se houvesse água, e esta acabasse secando, o alimento ficaria contaminado (*Misn. Machshirin,* c. 6, sec. 4).

■ 11.35

וְכֹל אֲשֶׁר־יִפֹּל מִנִּבְלָתָם עָלָיו יִטְמָא תַּנּוּר וְכִירַיִם
יֻתָּץ טְמֵאִים הֵם וּטְמֵאִים יִהְיוּ לָכֶם׃

Todos os vasos e utensílios envolvidos na preparação ou no armazenamento de alimentos ficavam poluídos mediante o toque com a carcaça de algum animal imundo. Os vasos feitos de cerâmica precisavam ser quebrados. A maioria dos fornos era feita de argila. Ver as notas sobre 2Samuel 12.31, acerca de *Fornos de Tijolos.*

O fogareiro de barro. Uma espécie de braseiro, de forma oblonga, feito de modo a poder conter duas panelas. Por isso mesmo, algumas traduções dizem aqui "forno de potes", tradução literal do hebraico, que, ao que tudo indica, descreve o tipo de fogareiro aqui envolvido. Um dos potes servia para cozer o pão, e o outro para cozinhar carnes.

■ 11.36

אַךְ מַעְיָן וּבוֹר מִקְוֵה־מַיִם יִהְיֶה טָהוֹר וְנֹגֵעַ
בְּנִבְלָתָם יִטְמָא׃

A fonte ou cisterna. Não ficariam essas coisas poluídas por um animal morto, nem quaisquer outras estruturas feitas para conter água. Em primeiro lugar, a frequência de pequenos animais imundos que caíssem nessas estruturas era tão grande que seria mister uma contínua destruição e reparação. Ademais, eram vitais como suprimento de água potável em uma terra sedenta. Acresça-se que uma fonte viva estaria isenta da regra, pelas mesmas razões. No entanto, se alguém retirasse um rato morto de uma cisterna, esse *alguém* ficaria imundo, e teria de ser purificado de acordo com as normas (vss. 24 e 25). Ver no *Dicionário* o verbete chamado *Cisterna.* A isenção, nesse caso, não cobria vasos de argila, usados para transportar água, mas apenas aquelas estruturas feitas permanentemente no solo.

■ 11.37,38

וְכִי יִפֹּל֙ מִנִּבְלָתָ֔ם עַל־כָּל־זֶ֥רַע זֵר֖וּעַ אֲשֶׁ֣ר יִזָּרֵ֑עַ טָה֖וֹר הֽוּא׃

וְכִ֤י יֻתַּן־מַ֙יִם֙ עַל־זֶ֔רַע וְנָפַ֥ל מִנִּבְלָתָ֖ם עָלָ֑יו טָמֵ֥א ה֖וּא לָכֶֽם׃ ס

Alguma semente. Esta, se permanecesse seca, estava isenta da lei da poluição, visto que era vital para a agricultura e a continuação da vida. A legislação sobre o limpo e o imundo não tinha por fito prejudicar a vida e a economia, e as coisas vitais estavam isentas da intrincada legislação. Mas as *sementes molhadas* (vs. 38), que assim absorveriam a poluição, não estavam isentas. Antes, o grão que tivesse absorvido água ficava contaminado, ficando na mesma classe dos vasos de cerâmica, que são porosos (Lv 6.28). Neste caso, uma vez mais, *água* refere-se aos sete tipos de líquido alistados no vs. 34. Se alguém estivesse preparando algum cereal para ser cozinhado, e o tivesse imergido em algum líquido, e, então, algum animal imundo caísse dentro, a coisa toda tinha de ser jogada fora. Não se podia secar a massa para então utilizá-la. O fato de que se tinha molhado, e, então, contaminado, deixava tudo permanentemente imundo.

■ 11.39

וְכִ֤י יָמוּת֙ מִן־הַבְּהֵמָ֔ה אֲשֶׁר־הִ֥יא לָכֶ֖ם לְאָכְלָ֑ה הַנֹּגֵ֥עַ בְּנִבְלָתָ֖הּ יִטְמָ֥א עַד־הָעָֽרֶב׃

Na Palestina havia dez animais terrestres aptos para servir de alimento, que satisfaziam à regra das unhas fendidas e da ruminação. Ver essa lista em Levítico 11.3. Se um animal limpo chegasse a morrer, por acidente ou por doença, tornava-se também impróprio como alimento, pois seu sangue não fora devidamente drenado. Ninguém podia comer um animal morto em seu próprio sangue. Isso era contra as leis acerca do sangue. Ver Levítico 3.17. Além disso, se um homem ao menos *tocasse* em um animal, então ficava imundo, visto que até a carcaça de um animal limpo, que não fosse devidamente abatido, era imunda.

Nos dias do segundo templo, essa lei era aplicável somente aos quadrúpedes, mas não às aves e aos peixes. Ver Levítico 7.15 quanto a um versículo paralelo que acrescenta alguns pormenores.

Essa legislação envolvia somente a *carne* dos animais. Outras porções desses animais podiam ser usadas para o fabrico de utensílios, vestes, tendas etc. Os ossos, o couro, os chifres seriam úteis. Mas os saduceus proibiam o uso de animais imundos em qualquer sentido, embora os fariseus o permitissem.

■ 11.40

וְהָאֹכֵל֙ מִנִּבְלָתָ֔הּ יְכַבֵּ֥ס בְּגָדָ֖יו וְטָמֵ֣א עַד־הָעָ֑רֶב וְהַנֹּשֵׂא֙ אֶת־נִבְלָתָ֔הּ יְכַבֵּ֥ס בְּגָדָ֖יו וְטָמֵ֥א עַד־הָעָֽרֶב׃

Este versículo é igual ao vs. 25, onde há notas expositivas a respeito. O *banho pessoal* não é mencionado, como naquele versículo, mas é requerido em Levítico 17.15 e Números 19.19, e isso parece ter sido sempre a regra.

Quem do seu cadáver comer. Devemos pensar aqui *ignorantemente*, pois uma transgressão voluntária não podia ser expiada dentro do sistema levítico. Ver Números 15.30 e Deuteronômio 14.21. Os pecados voluntários eram punidos com a pena de morte; eles faziam as pessoas serem *eliminadas* (Lv 7.20). Ver Hebreus 10.26 quanto à aplicação neotestamentária dessa lei.

Há notas detalhadas sobre os pecados de ignorância (e voluntários) em Levítico 4.2, onde são discutidos os problemas teológicos levantados pela questão.

■ 11.41

וְכָל־הַשֶּׁ֥רֶץ הַשֹּׁרֵ֖ץ עַל־הָאָ֑רֶץ שֶׁ֥קֶץ ה֖וּא לֹ֥א יֵאָכֵֽל׃

Este versículo é uma espécie de recapitulação do que já vimos nos vss. 29,30, onde oito animais terrestres, que vivem em enxames, foram vedados como alimentos, e que não podiam ser tocados, uma vez mortos. É como se o autor sagrado tivesse dito: "e quaisquer animais semelhantes, além dos que alistei". Não havia como ele fazer uma lista completa, pelo que fez uma declaração genérica que cobre todos os casos possíveis. Nos tempos do segundo templo, ficaram isentas as minhocas, pois elas não se arrastam à superfície do solo. Parasitas que costumam infestar os alimentos e os frutos, ou penetrar sob a pele de peixes, não tornavam imundos a esses alimentos, se fossem comidos por engano, pois não poluiriam a pessoa. Mas, se um verme saísse de uma maçã, caísse no chão e continuasse a se arrastar, então tal *verme* deveria ser tido como imundo. Mas, se alguém mordesse uma maçã e, inadvertidamente, comesse com ela um verme, esse *verme* seria limpo. Os judeus pensavam em tudo. Cf. Deuteronômio 14.19.

■ 11.42

כֹּל֩ הוֹלֵ֨ךְ עַל־גָּח֜וֹן וְכֹ֣ל ׀ הוֹלֵ֣ךְ עַל־אַרְבַּ֗ע עַ֚ד כָּל־מַרְבֵּ֣ה רַגְלַ֔יִם לְכָל־הַשֶּׁ֖רֶץ הַשֹּׁרֵ֣ץ עַל־הָאָ֑רֶץ לֹ֥א תֹאכְל֖וּם כִּי־שֶׁ֥קֶץ הֵֽם׃

Este versículo amplia o versículo anterior, ao informar-nos no que consistem os animais que se *arrastam*. Esses são os animais que deslizam sobre o ventre e que, sem importar quantas pernas tenham, se arrastam sobre a superfície do solo. As palavras, "tudo o que anda sobre quatro pés" são apenas um modo de exprimir a questão (ver sobre os vss. 20 e 21).

Classes Destacadas. 1. *Os que deslizam de ventre*, como as serpentes (ver Gn 3.14), além de muitas espécies de vermes que fazem o mesmo. 2. Outras espécies que se *arrastam* em enxames, dotadas de um número indefinido de patas, embora se fale aqui em *quatro*, visto que todas elas têm mais de quatro patas. A maioria dos insetos dispõe de seis pernas. 3. Animais de *pernas curtas*, que dão a impressão de se arrastar sobre o solo, e que terminam por fazê-lo em parte, apesar de suas pernas, como as lagartas, as centopeias e todos os insetos semelhantes.

Esses animais eram *abomináveis*, o que é dito aqui e nos vss. 10,12,13,23,41 e 42 deste capítulo. Ver as notas sobre o vs. 10, quanto a outras ideias. Isso posto, não podiam ser comidos, e ninguém podia tocar em suas carcaças sem ficar imundo (vs. 25).

Sempre houve comedores de serpentes. Assim faziam os antigos árabes (Com. 1. par. 6). Plínio (*Hist. Nat.* 1.5 c.8) fala sobre outros povos consumidores de serpentes. Os espanhóis, em suas viagens pelo mundo, encontraram populações que comiam cobras, como aquelas das Índias Ocidentais e de Cuba. E os corajosos espanhóis que ousavam fazer parte desses banquetes disseram que as cobras eram, de fato, deliciosas. Diodoro Sículo (*Bibliothe.* 1.3. pág. 141) descreveu os comedores de serpentes. Na parte ocidental dos Estados Unidos da América, em alguns Estados desérticos, as cascavéis são consideradas um prato delicioso. Não faz muito tempo que passei por ali. Os restaurantes anunciavam seus deliciosos pratos feitos à base de cobras. Senti-me tentado a fazer uma experiência, mas não consegui chegar os bocados à boca. Os nativos do Zaire, na África, comem cobras, e meu irmão, que foi missionário evangélico naquele país, experimentou uma cobra local. E disse que o gosto parece com o de peixe.

■ 11.43

אַֽל־תְּשַׁקְּצוּ֙ אֶת־נַפְשֹׁ֣תֵיכֶ֔ם בְּכָל־הַשֶּׁ֖רֶץ הַשֹּׁרֵ֑ץ וְלֹ֤א תִֽטַּמְּאוּ֙ בָּהֶ֔ם וְנִטְמֵתֶ֖ם בָּֽם׃

Aquele que come o que é abominável torna-se abominável, ou seja, imundo e repelente, por haver ousado fazer algum ato tão estúpido. As palavras deste versículo são deveras fortes: *abomináveis, contaminareis, imundos*. Esses termos exibem a aversão do autor sacro diante desses alimentos proibidos. "... não somente era um *desgosto* comer daquelas abomináveis criaturas, mas suas carcaças também eram contaminadoras, aviltando o indivíduo que entra em contato com elas, impedindo-o de entrar no santuário e de participar da refeição sacrificial" (Ellicott, *in loc.*). De fato, tal indivíduo tornava-se um pária social temporário, visto que quem tocasse nele também ficava imundo.

■ 11.44

כִּ֣י אֲנִ֣י יְהוָה֮ אֱלֹֽהֵיכֶם֒ וְהִתְקַדִּשְׁתֶּם֙ וִהְיִיתֶ֣ם קְדֹשִׁ֔ים כִּ֥י קָד֖וֹשׁ אָ֑נִי וְלֹ֧א תְטַמְּא֣וּ אֶת־נַפְשֹׁתֵיכֶ֗ם בְּכָל־הַשֶּׁ֖רֶץ הָרֹמֵ֥שׂ עַל־הָאָֽרֶץ׃

Os vss. 44 e 45 dão *razões teológicas* para essas regras dietéticas. O autor sacro não dá a impressão de que estava tratando de *tabus irracionais,* conforme alguns têm chamado as regras constantes neste capítulo 11 de Levítico. A aceitação do Novo Testamento dessas coisas como alimentos, contanto que sejam recebidas com gratidão (ver 1Tm 4.3,4), mostra-nos que tais coisas não eram intrinsecamente imundas, abomináveis ou contaminadoras. Em Atos 10.11 ss. aprendemos a mesma lição. O que antes era tido como imundo, agora Deus havia purificado. E a regra acerca de certos animais na alimentação humana ilustra o fato de que os gentios, antes imundos, agora eram ouvintes dignos do evangelho. Apesar disso, não há que duvidar de que o autor do livro de Levítico pensava que tais animais fossem *intrinsecamente* imundos, abomináveis e contaminadores. Ainda assim temos de reconhecer que as razões apresentadas para essas proibições são de natureza, *em sua maioria,* teológicas. Moisés, ao requerer que os israelitas fizessem diferença entre o limpo e o imundo, ilustrou o grande princípio espiritual que algumas coisas realmente devem ser evitadas, e outras podem ser recebidas. O homem espiritual será um homem dotado de discernimento. Existem coisas boas em si mesmas, ao passo que outras são más. Há princípios morais a serem observados, benéficos para os homens; e há atos que devem ser evitados, por serem prejudiciais. Compete-nos fazer distinções entre o que é certo e o que é errado. Na introdução ao capítulo 11 de Levítico expus tais ideias, e o que ficou registrado ali tem aplicação neste ponto.

Yahweh é Senhor e Deus. Ele tinha baixado as ordens. E o tinha feito a fim de separar e consagrar para si mesmo a um povo. Um dos sinais de sua separação seriam suas regras dietéticas, pois evitava a carne de certos animais. O homem separado seria um homem *santo.* É de presumir-se que ele estaria observando a legislação mosaica *inteira,* incluindo os Dez Mandamentos (ver a respeito no *Dicionário*), e não só as regras dietéticas. Assim, observando o que era menor, estaria também fazendo o que era maior. *Nisso,* pois, eles seriam santos, e não apenas porque evitavam certos alimentos.

Aquele que fosse tão sensível que obedecesse às regras dietéticas, evitando os animais que podiam tornar uma pessoa cerimonialmente impura, também teria sensibilidade bastante para obedecer à legislação mosaica em sua inteireza. A *lei* é que separava o povo de Israel das demais nações do mundo.

O trecho de 1Pedro 1.15,16 emprega este versículo em um contexto cristão. Um Deus Santo requer um povo santo. Estamos sendo transformados segundo a imagem moral de Deus, o que significa que estamos entrando na posse de sua natureza metafísica. Ver Romanos 8.29; 1João 3.2 e 2Pedro 1.4 quanto a esse conceito. Ver também os comentários sobre Gênesis 1.26, acerca da *Imagem de Deus.*

■ **11.45**

כִּי אֲנִי יְהוָה הַמַּעֲלֶה אֶתְכֶם מֵאֶרֶץ מִצְרַיִם לִהְיֹת לָכֶם לֵאלֹהִים וִהְיִיתֶם קְדֹשִׁים כִּי קָדוֹשׁ אָנִי׃

Eu sou o Senhor. Se Deus se importava, então também nos devemos importar. Ele importava-se tanto com seu povo que o livrou de uma escravidão mais de duas vezes secular que eles vinham sofrendo no Egito. Libertos do Egito, não podiam agora ser escravos morais, fazendo coisas que Yahweh havia proibido. Uma vez libertos da servidão, deveriam aspirar compartilhar da santa imagem de Deus, tal como se vê no vs. 44. Deus havia agido de maneira admirável; e o seu povo deveria agir de maneira admirável. Ver 2Samuel 7.23. Ele tinha direitos especiais sobre Israel, por causa de seu tratamento gracioso com eles; e eles deveriam corresponder a isso de maneira positiva.

"Esse assinalado ato de redenção é repetidamente evocado nas Escrituras, tanto para mostrar a obrigação que os israelitas tinham de estar sob os mandamentos de Deus, como para mostrar a ingratidão deles (Dt 8.14; 13.6; 20.1; Js 24.17; Jz 11.12 etc.)." (Ellicott, *in loc.*).

"É realmente significativo, para a compreensão da religião de Israel, que o motivo aqui prescrito não é o temor ao *tabu,* e, sim, a honra de Deus, cuja mão é vista na história" (Nathaniel Micklem, *in loc.*).

A motivação era o *relacionamento do pacto* que havia entre Yahweh e Israel. Ver sobre o *Pacto Abraâmico* nas notas em Gênesis 15.18 e sobre o *Pacto Mosaico,* na introdução à passagem de Êxodo 19.1. "Como um povo santo e consagrado (Êx 22.31), os israelitas deveriam evitar toda sorte de impureza a fim de que o Deus santo pudesse armar tenda em meio a eles (Lv 15.31; 18.1-5; 20.22-26; 26.11,12) (*Oxford Annotated Bible, in loc.*).

■ **11.46,47**

זֹאת תּוֹרַת הַבְּהֵמָה וְהָעוֹף וְכֹל נֶפֶשׁ הַחַיָּה הָרֹמֶשֶׂת בַּמָּיִם וּלְכָל־נֶפֶשׁ הַשֹּׁרֶצֶת עַל־הָאָרֶץ׃

לְהַבְדִּיל בֵּין הַטָּמֵא וּבֵין הַטָּהֹר וּבֵין הַחַיָּה הַנֶּאֱכֶלֶת וּבֵין הַחַיָּה אֲשֶׁר לֹא תֵאָכֵל׃ פ

Estes versículos recapitulam todo o capítulo 11 de Levítico, mas sem entrar em detalhes. As leis de Yahweh proibiam a ingestão da carne de vários animais das quatro classes: muitos animais terrestres; muitas aves; muitos animais marinhos; e muitos insetos e animais que se arrastam em enxames sobre o solo. Deus fez uma distinção entre três categorias de animais: os limpos, os imundos e os limpos que podiam ser comidos. Ao homem compete observar essas *diferenças* (vs. 47). As leis baixadas eram compreensíveis, embora algumas vezes fossem complicadas. O homem espiritual haveria de dedicar tempo para aprender essas leis e segui-las.

Para fazer diferença. Era tudo uma questão de conhecimento. É digno de nota que os hebreus que verdadeiramente quisessem levar a sério a fé de seu povo eram forçados a *saber* de muitas coisas. Portanto, o conhecimento fazia parte definida do todo. Os dois grandes alicerces da espiritualidade são o conhecimento revelado e a lei do amor.

Deus criou a mente, o intelecto, para serem usados para o bem. Ver no *Dicionário* o artigo chamado *Anti-intelectualismo,* que serve de aflição para algumas pessoas religiosas.

CAPÍTULO DOZE

A PURIFICAÇÃO DA MULHER APÓS O PARTO (12.1-8)

Ser um casal sem filhos em Israel constituía uma grande calamidade (Gn 15; 1Sm 1). Assim, pode parecer uma contradição que uma mulher fosse considerada imunda após o parto, para ela o ato mais glorioso possível. Às vezes a *esterilidade* era utilizada como um juízo (Lv 20.20; Dt 28.18). Como, pois, se poderia reconciliar a *bem-aventurança* do ato de dar à luz com a *imundícia* da mãe, após o parto? A resposta está no fluxo de sangue que a mulher emitia após-parto, e não por ocasião do parto. Ver Levítico 12.5,7. Esse fluxo fez uma mulher cerimonialmente imunda por um período entre quarenta e oitenta dias. O raciocínio por trás da questão provavelmente era o de que ao corpo feminino estava faltando certa higidez, ao menos durante esse período. Ademais, o sangue continua matéria morta, e isso seria o suficiente, em si mesmo, para fazer a mentalidade dos hebreus pensar em "imundícia".

Na lei mosaica não há nenhum indício da ideia de que o sexo seja algo sujo, pensamento esse estranho para a mentalidade dos hebreus. O que era imundo era a descarga de sangue (vs. 7; 15.19-27); e a mulher, ao entrar em contato com esse sangue, tornava-se também imunda pela lei que dizia que "quem tocar no imundo também ficará imundo". Ver Levítico 11.24-38. Ver também Levítico 6.27,28 quanto a essa questão.

Também não há indício do ponto de vista maniqueísta de que existe algo de inerentemente maldoso na carne. Apesar disso, a menstruação era tida como uma enfermidade, pelo menos como algo indesejável, servindo assim de agência de imundícia. Ver Levítico 15.14-29, quanto a regras sobre fluxos que escorriam do corpo, que eram considerados indesejáveis e/ou enfermidades ou circunstâncias desnaturais que faziam uma pessoa ser considerada *imunda.*

■ **12.1**

וַיְדַבֵּר יְהוָה אֶל־מֹשֶׁה לֵּאמֹר׃

Disse mais o Senhor. Essa é uma expressão utilizada pelo autor do Pentateuco para introduzir alguma nova seção; mas é mais do que mero artifício literário, pois era usada para lembrar-nos de que Yahweh era o verdadeiro autor do Pentateuco, conferindo autoridade aos seus mandamentos e orientações. Ver Levítico 1.1 quanto a notas expositivas sobre essa expressão, e notas adicionais em Levítico 4.1.

12.2-4

דַּבֵּר אֶל־בְּנֵי יִשְׂרָאֵל לֵאמֹר אִשָּׁה כִּי תַזְרִיעַ וְיָלְדָה
זָכָר וְטָמְאָה שִׁבְעַת יָמִים כִּימֵי נִדַּת דְּוֺתָהּ תִּטְמָא׃

וּבַיּוֹם הַשְּׁמִינִי יִמּוֹל בְּשַׂר עָרְלָתוֹ׃

וּשְׁלֹשִׁים יוֹם וּשְׁלֹשֶׁת יָמִים תֵּשֵׁב בִּדְמֵי טָהֳרָה
בְּכָל־קֹדֶשׁ לֹא־תִגָּע וְאֶל־הַמִּקְדָּשׁ לֹא תָבֹא
עַד־מְלֹאת יְמֵי טָהֳרָהּ׃

Será imunda sete dias. Isso no caso de a mulher ter dado à luz um menino. Ver a introdução a este capítulo quanto a informações sobre a questão da imundícia causada pelo parto, bem como as *razões* supostas para isso. O problema estava no fluxo de sangue, e não no sexo, no parto ou no corpo humano, e isso é explicado naqueles comentários.

O tempo de imundícia consistia em dois períodos: 1. o período anterior à circuncisão; 2. e o período após a circuncisão. Haveria sete dias antes da circuncisão; e então 32 dias após o ato (vs. 3). E isso perfazia um total de quarenta dias de imundícia por causa de uma criança do sexo masculino. E, então, a mãe teria de passar pelo processo de purificação (vs. 4). O total de quarenta dias provavelmente foi estabelecido para dar um amplo período de tempo para o fluxo de sangue estacar, considerando-se as variações que pode haver entre as mulheres.

O número quarenta, como é claro, é o número dos testes e provações. Mas não parece que é isso que fica entendido no caso atual. Ver no *Dicionário* o artigo intitulado *Quarenta*. O número quarenta, neste caso, provavelmente tinha por intuito livrar a mulher de qualquer forma de conduta sexual durante esse tempo, a fim de proteger a saúde dela, pois, como é óbvio, enquanto ela fosse considerada imunda, nenhum homem poderia aproximar-se dela.

Os persas (*Lib. Shad-der* port. 86) e os gregos (*Censorinus* apud Grotium) tinham um costume similar de quarenta dias de inatividade sexual para a mulher, depois de ela ter dado à luz, o que também carregava implicações religiosas. Nos templos gregos não se permitia a entrada de uma mulher que tivesse dado à luz enquanto não se passassem quarenta dias depois do parto.

Vs. 3. A *circuncisão* era o sinal de que a criança havia sido incorporada à comunidade israelita. Dali por diante, a criança assumia as responsabilidades próprias da fé em Yahweh. A circuncisão era o sinal do *Pacto Abraâmico* (ver Gn 15.18 e suas notas expositivas). Tendo nascido sob a legislação mosaica, a criança tornava-se parte do *Pacto Mosaico* (ver as notas a respeito, na introdução a Êx 19). Ver em Gênesis 17.4 ss. a circuncisão como sinal do Pacto Abraâmico. Ver o artigo geral sobre o assunto, no *Dicionário*.

Vs. 4. *Purificação.* O fluxo menstrual, após o parto, usualmente cessa depois de duas ou três semanas; mas o período de quarenta dias dá margem a casos excepcionais. Uma mulher imunda não podia tocar em coisas santas, como as primícias e itens das oferendas. Os objetos em que ela tocasse eram tidos como imundos, e quem quer que tocasse nesses itens também passava a ser considerado imundo. Tendo-se banhado no fim dos *sete dias* (vs. 2), ela se livrara em parte de sua imundícia, e agora era apta para participar nos segundos dízimos; e visto que o fluxo de sangue que continuava era chamado de *puro sangue*, agora ela não era mais considerada uma mulher contaminadora. Mas os saduceus e os samaritanos interpretavam a questão mais estritamente, fazendo a imundícia dela continuar, e sob todas as condições adversas, pelo período inteiro dos quarenta dias. Os vss. 6-8 descrevem os ritos envolvidos na purificação propriamente dita. Ver o artigo intitulado *Limpo e Imundo*, em seu terceiro ponto no *Dicionário*. Vemos ali os vários tipos de purificação que cuidavam de pessoas e objetos impuros. Ver também no *Dicionário* o verbete chamado *Parto*.

12.5

וְאִם־נְקֵבָה תֵלֵד וְטָמְאָה שְׁבֻעַיִם כְּנִדָּתָהּ וְשִׁשִּׁים יוֹם
וְשֵׁשֶׁת יָמִים תֵּשֵׁב עַל־דְּמֵי טָהֳרָה׃

Se tiver uma menina. Se a criança fosse uma menina, então as coisas ficavam mais complicadas. Além dos catorze dias iniciais de impureza, 66 dias adicionais eram requeridos para terminar o período total de imundícia, perfazendo o grande total de oitenta dias, em lugar dos quarenta no caso de um menino. Nenhuma razão é dada para esse período mais dilatado; e os intérpretes têm tentado várias explicações possíveis, embora talvez sejam falsas: 1. Sendo a criança uma menina, algum dia ela estaria sujeita à lei da impureza, pelo que a questão se acentuava. 2. As antigas crenças hebreias favoreciam menos a mulher do que o homem. Alguns chegaram a duvidar de que a mulher tivesse alma (quando essa doutrina, finalmente, entrou na teologia dos hebreus), pelo que, apesar de ser uma bênção, uma menina representava uma espécie de evento secundário e mais poluidor do que um menino. 3. Os antigos acreditavam (falsamente) que o desarranjo do corpo feminino é maior no caso do nascimento de uma menina, pelo que um período mais longo seria mister para que a mãe voltasse ao normal. 4. O menino, por ser circuncidado ao oitavo dia, mediante esse ato cumpria em parte a exigência de expurgo, pelo que o período de imundícia da sua mãe podia ser abreviado.

No caso do nascimento de *gêmeos* (o que não é coberto pelo texto), se fossem ambos meninos, então a regra era como se fosse o nascimento de um só menino; se fossem ambos meninas, então a regra era como se fosse uma só menina; mas se fosse um menino e uma menina, então os oitenta dias da menina eram suficientes para ambos.

12.6

וּבִמְלֹאת יְמֵי טָהֳרָהּ לְבֵן אוֹ לְבַת תָּבִיא
כֶּבֶשׂ בֶּן־שְׁנָתוֹ לְעֹלָה וּבֶן־יוֹנָה אוֹ־תֹר
לְחַטָּאת אֶל־פֶּתַח אֹהֶל־מוֹעֵד אֶל־הַכֹּהֵן׃

Os ritos envolvidos na purificação (exceto as diferenças na duração da impureza), os quarenta dias para o menino, e os oitenta dias para a menina, eram idênticos. Um cordeiro era trazido como *holocausto*. Ver sobre esse tipo de oferta em Levítico 1.3-17 e 6.9-13. Uma das duas espécies de aves que se permitia sacrificar (ver Levítico 1.14-16 quanto a esses animais) era trazida como *oferta pelo pecado* (ver sobre esse tipo de oferta em Levítico 4.1-35 e 6.25,30). A expiação afetava a pureza cerimonial (Lv 12.7), e assim a mulher era reintegrada à comunidade e aos ritos sagrados do yahwismo. Ver o caso de Maria, mãe de Jesus (Lc 2.22-24). Quanto a notas adicionais sobre ela, ver no vs. 8 deste capítulo.

O cordeiro não era usado na oferenda feita pela mãe, porque aos *pobres* (vs. 8) permitia-se oferecer aves, e não os animais de maior porte, e, portanto, mais dispendiosos. Assim, *quatro* aves eram oferecidas, *duas* no caso de cada oferenda, o holocausto e a oferta pelo pecado. Ver as notas sobre essa questão no *Novo Testamento Interpretado, in loc.*

À porta da tenda da congregação. Ou seja, pelo lado de dentro da primeira cortina, que atuava como folha de porta. Ver os *três véus* do tabernáculo, e ver as notas sobre Êxodo 26.36.

Não é fácil explicar a necessidade de oferta pelo pecado em razão do nascimento de uma criança. Talvez o raciocínio seja que sendo todos os homens pecadores, ao assumirem eles a responsabilidade de criar crianças, deveriam começar isso pela renovação da santidade e por uma nova determinação de seguir as leis do Senhor. No mesmo espírito dedicamos nossos bebês ao Senhor e renovamos os nossos votos. Outros batizam seus infantes, pensando que isso fará algum bem à criança. Ver no *Dicionário* o artigo chamado *Batismo Infantil*. O nascimento de uma criança é uma ótima oportunidade para renovar os nossos votos, aguçar o nosso interesse espiritual e tomar novas resoluções espirituais, porque é algo temível levar uma nova vida através de todas as tribulações, dificuldades, retrocessos e quedas que todos, inevitavelmente, enfrentamos. Mas também é uma *gloriosa oportunidade* realizar um dos maiores de todos os projetos humanitários. E para isso precisamos de toda a ajuda divina possível. Oh, Senhor, concede-nos tal graça!

Os intérpretes judeus destacavam os pecados que a mulher poderia ter cometido por ocasião da concepção e do parto; ou a relação da mulher com Eva, que iniciou toda essa questão do pecado; ou a natureza corrupta natural da criança recém-nascida; ou a tendência para o desvio de seus pais. Foi desse modo que eles tentaram explicar a necessidade da *oferta pelo pecado*.

O holocausto, por outra parte, era uma ação de graça que servia para demonstrar a gratidão pela chegada da criança, porquanto ter filhos era considerado uma dádiva de Deus (Sl 127.3-5).

12.7

וְהִקְרִיב֞וֹ לִפְנֵ֤י יְהוָה֙ וְכִפֶּ֣ר עָלֶ֔יהָ וְטָהֲרָ֖ה מִמְּקֹ֣ר דָּמֶ֑יהָ זֹ֤את תּוֹרַת֙ הַיֹּלֶ֔דֶת לַזָּכָ֖ר א֥וֹ לַנְּקֵבָֽה׃

Este versículo recapitula a questão das ofertas, excetuando o caso das mais humildes ofertas que os pobres podiam fazer (vs. 8). A expiação deixava a mulher pura. A impureza era causada pelo fluxo de sangue, conforme este versículo deixa claro, e não porque o parto fosse um ato pecaminoso, ou o corpo humano, ou o ato sexual. Os mesmos ritos prevaleciam no caso do nascimento de menino ou de menina, conforme este versículo reitera (ver o vs. 6).

12.8

וְאִם־לֹ֨א תִמְצָ֣א יָדָהּ֮ דֵּ֣י שֶׂה֒ וְלָקְחָ֣ה שְׁתֵּֽי־תֹרִ֗ים א֤וֹ שְׁנֵי֙ בְּנֵ֣י יוֹנָ֔ה אֶחָ֥ד לְעֹלָ֖ה וְאֶחָ֣ד לְחַטָּ֑את וְכִפֶּ֥ר עָלֶ֛יהָ הַכֹּהֵ֖ן וְטָהֵֽרָה׃ פ

Os *cinco animais sacrificáveis* (ver Lv 1.14 e suas notas) eram valorizados conforme o poder econômico dos ofertantes. Os mais ricos traziam o touro, mais caro; os homens da classe média traziam o carneiro ou o bode; e os mais pobres, uma das duas espécies de ave permissíveis: a rolinha ou a pombinha. Portanto, o sistema não saía excessivamente dispendioso. Quando eram usadas aves, *duas* delas eram usadas como holocausto e *duas* como oferta pelo pecado, conforme fez Maria, mãe de Jesus (Lc 2.22,24). O *herdeiro* ao trono de Davi, o Messias, foi dado à luz pela pobre Maria. Embora ele fosse o Cordeiro de Deus (Jo 1.29), foi oferecido por ele não um cordeiro; mas antes, devido à extrema pobreza, humildes avezinhas.

CAPÍTULO TREZE

LEIS ACERCA DA PRAGA DA LEPRA (13.1-59)

É cientificamente óbvio que vários dos sintomas descritos neste capítulo não se aplicam à hanseníase ou lepra. Mas é igualmente óbvio que a lepra verdadeira precisa ser incluída, visto que essa era uma enfermidade muito comum no Oriente, precisando ser coberta pelas leis levíticas. Portanto, várias afecções da pele são descritas sob o termo hebraico *sara'at,* geralmente traduzido por "lepra". A Septuaginta traduziu o hebraico como *lepra,* e passou para todas as traduções subsequentes. Mas a medicina dos hebreus era vaga e inexata, sem falar que o vocábulo hebraico também é vago em seu sentido.

A *legislação mosaica* era inadequada na compreensão tanto dos problemas médicos quanto dos problemas espirituais. Do ponto de vista médico, é provável que *muitas* pessoas tenham sido isoladas (enviadas para fora do acampamento, vs. 46), que não tinham necessidade disso, pois a maioria dos casos envolvia doenças não-infecciosas, que nada tinham a ver com a lepra. O avanço da medicina tem ajudado a eliminar a inadequação dos tratamentos médicos, e, em Cristo, toda inadequação espiritual foi neutralizada.

Os capítulos 13 e 14 de Levítico dão o diagnóstico, o tratamento e a purificação cerimonial de várias doenças de pele infecciosas nas pessoas (Lv 13.2-46; 14.1-32), nas vestes e em outros objetos (Lv 13.47-58) e nas casas (Lv 14.33-53). Visto que várias enfermidades estão em pauta, a tradução *lepra,* para todas elas, sem dúvida é ilusória. As primeiras traduções para o vernáculo perpetraram equívocos; e esses eram quase inevitáveis, pois o conhecimento do hebraico era superficial, além de que o próprio hebraico é vago. Algumas traduções mais modernas dizem algo como "infecções cutâneas e míldio" (vs. 57).

Seja como for, tantas enfermidades formavam um problema complicado, capaz de perturbar a adoração. Portanto, surgiu toda uma legislação para ajudar a resolver o problema.

Identificações possíveis de enfermidades, a partir dos sintomas: *psoríase* (vss. 2-28); *tinha favosa* (vss. 29-37); *vitiligo* (leucodermia, vss. 38,39). Alguns eruditos supõem que a lepra nem ao menos esteja em vista, entre outras doenças, neste capítulo 13 de Levítico. Para que tivéssemos certeza acerca da questão da lepra (entre outras doenças, neste capítulo), seria mister enviar um médico, especializado nessa doença, que, transportado em uma máquina do tempo, fizesse o preciso diagnóstico. O que sabemos é que, em tempos posteriores, a lepra tornou-se uma doença muito disseminada na Palestina. Mas se já o era assim nos dias de Moisés é algo para o que não temos resposta segura. A leitura do texto revela-nos que estão envolvidas bem mais do que três doenças e condições patológicas. Ver no *Dicionário* o artigo chamado *Lepra, Leproso.*

13.1

וַיְדַבֵּ֣ר יְהוָ֔ה אֶל־מֹשֶׁ֥ה וְאֶֽל־אַהֲרֹ֖ן לֵאמֹֽר׃

Disse o Senhor a Moisés. O autor do Pentateuco usava essa expressão para introduzir novas seções. Portanto, era um artifício literário. Mas essa expressão também nos faz lembrar de que as Escrituras foram produzidas pelo fenômeno da inspiração divina. Ver as notas a esse respeito em Levítico 1.1 e 4.1.

13.2

אָדָ֗ם כִּֽי־יִהְיֶ֤ה בְעוֹר־בְּשָׂרוֹ֙ שְׂאֵ֤ת אֽוֹ־סַפַּ֙חַת֙ א֣וֹ בַהֶ֔רֶת וְהָיָ֥ה בְעוֹר־בְּשָׂר֖וֹ לְנֶ֣גַע צָרָ֑עַת וְהוּבָא֙ אֶל־אַהֲרֹ֣ן הַכֹּהֵ֔ן א֛וֹ אֶל־אַחַ֥ד מִבָּנָ֖יו הַכֹּהֲנִֽים׃

De acordo com algumas modernas autoridades médicas, a doença descrita nos vss. 2-28 deste capítulo é a *psoríase,* e não a lepra. Mas em séculos posteriores, a Septuaginta traduziu o termo hebraico correspondente para "lepra", e daí passou, virtualmente, para todas as traduções. Ver as notas introdutórias a este capítulo quanto a uma discussão acerca das várias enfermidades em foco neste capítulo. A *psoríase* é uma inflamação cutânea não-contagiosa, aguda ou crônica, caracterizada por manchas avermelhadas e escamas esbranquiçadas. O termo grego por trás disso é *psoriaein,* que significa "coçar". Sem dúvida as descrições dadas, certamente não por autoridades médicas, incluíam *outras* infecções da pele, além da psoríase e da lepra.

Os Processos Envolvidos. Seis condições genéricas são descritas aqui, mas certamente há mais de seis diferentes doenças: 1. Havia um exame preliminar dos sintomas (vss. 2,7,9,12 etc.); 2. a pessoa infectada era apresentada aos sacerdotes para a confirmação da enfermidade (vss. 3,10,13,15); 3. eram declarados os sintomas específicos (vss. 3,11,13,15 etc.); 4. o sacerdote dava o seu diagnóstico, pronunciando a pessoa limpa ou imunda (vss. 3,8,11,15 etc.); 5. o isolamento era imposto (vss. 44-46), ou então, se a inspeção inicial não fosse conclusiva, era imposto um prazo de sete dias (vss. 4,21); e então havia outra inspeção (vss. 5,26); 6. então havia outro dignóstico, e, em alguns casos, uma nova quarentena (vss. 6,33).

Portanto, temos aqui um triste espetáculo de um homem a manusear com forças que ele não entendia e contra as quais era essencialmente impotente. Isso tem acontecido praticamente em todos os séculos, embora essas forças possam ser alteradas. A pobre vítima sempre acabava sendo considerada *imunda,* e isso de forma permanente, a menos que houvesse alguma reversão espontânea de seu caso.

Tipologia. A lepra e outras doenças talvez sejam descritas neste capítulo como tipo do pecado e de seus efeitos daninhos, crônicos, contaminadores. Em Cristo, os imundos pecadores são purificados, por meio de sua expiação (ver a respeito no *Dicionário*) e por meio de sua comunhão com o Espírito. O homem cerimonialmente impuro, de acordo com as leis levíticas, para todos os propósitos práticos, era excluído do convívio social. Assim também os estrangeiros, os estranhos e os desprezados são remidos em Cristo. A lepra é um bom tipo simbólico do pecado, por ser incurável por meios humanos. A própria ciência moderna continua estudando o problema. A lepra é crônica e vai-se agravando. E isso retrata a natureza e as operações do pecado.

As seis situações genéricas, ou tipos de enfermidades: 1. vss. 2 ss.; 2. vss. 18 ss.; 3. vss. 24 ss.; 4. vss. 29 ss.; 5. vss. 38,39; 6. vss. 40-44. Por certo mais de seis enfermidades específicas estão envolvidas sob o termo geral *sara'at.*

13.3,4

וְרָאָ֣ה הַכֹּהֵ֣ן אֶת־הַנֶּ֣גַע בְּעוֹר־הַבָּשָׂ֡ר וְשֵׂעָר֩ בַּנֶּ֨גַע הָפַ֜ךְ לָבָ֗ן וּמַרְאֵ֤ה הַנֶּ֙גַע֙ עָמֹק֙ מֵע֣וֹר בְּשָׂר֔וֹ נֶ֥גַע צָרַ֖עַת ה֑וּא וְרָאָ֣הוּ הַכֹּהֵ֖ן וְטִמֵּ֥א אֹתֽוֹ׃

וְאִם־בַּהֶרֶת לְבָנָה הִוא בְּעוֹר בְּשָׂרוֹ וְעָמֹק
אֵין־מַרְאֶהָ מִן־הָעוֹר וּשְׂעָרָה לֹא־הָפַךְ לָבָן
וְהִסְגִּיר הַכֹּהֵן אֶת־הַנֶּגַע שִׁבְעַת יָמִים׃

Ver o vs. 2, segundo parágrafo, quanto ao processo envolvido que levava ao pronunciamento do limpo e do imundo. Temos aqui o *segundo* passo. A pessoa infectada era levada à presença do sacerdote, para confirmação e diagnóstico. Ver também os vss. 10,13,15. Os sacerdotes levitas não eram médicos treinados, mas podiam identificar afecções cutâneas locais por meio de seus sintomas. Se a condição se resolvesse por si mesma, o que algumas formas de lepra, ao que tudo indica, são capazes de fazer, somente para depois voltar; então o homem imundo podia ser subsequentemente declarado limpo, para voltar a ter uma vida normal. De outra sorte, ele continuava em seu estado de exclusão. Ver as notas introdutórias ao capítulo quanto às doenças que podem estar em foco no capítulo 13 de Levítico, e, mais especificamente, no seu segundo versículo.

Vs. 4. Exame de Sintomas Específicos. Um dos *principais sintomas,* nesse caso, era o cabelo que estava ficando com tufos brancos, um sintoma fácil de averiguar. Mas isso não sucede no caso da lepra. Um teste mais autêntico é a da sensibilidade à dor. A área afetada pela lepra perde sua sensibilidade, e uma agulha pode ser espetada ali sem que a vítima acuse dor alguma. Mas esse diagnóstico precisava ser confirmado *sete dias* mais tarde (vs. 6). A esperança de que a condição poderia melhorar em tão breve tempo também serve de indicação de que não estava em foco a lepra. Logo, os inchaços, erupções e pontos esbranquiçados, além do cabelo que estava ficando branco, eram indicações de alguma outra enfermidade. É possível, porém, que a verdadeira lepra fosse assim diagnosticada, posto que erroneamente, não de acordo com os seus verdadeiros sintomas. A lepra verdadeira pode ter sido considerada uma enfermidade um tanto atípica, embora ainda assim classificada entre as doenças assim descritas.

O *sacerdote,* incapaz em sua função de médico, não podia fazer melhor, sob as circunstâncias, curando a enfermidade ou trazendo algum alívio ao enfermo. Ele se assemelhava mais a um inspetor de saúde, que tinha o poder de isolar casos de contágio, para benefício da comunidade inteira. Falando em sentido *espiritual,* essa *incapacidade* foi eliminada em Cristo. E falando *fisicamente,* a ciência médica continua trabalhando quanto a casos sem controle, e, ocasionalmente, consegue irromper alguma barreira. Aqueles que assim labutam certamente servem a Deus e têm missões de cura específicas a realizar.

A *legislação mosaica* era inadequada, do ponto de vista da medicina e do ponto de vista espiritual. Sem dúvida *muitas* pessoas foram isoladas (tendo de viver fora do arraial, vs. 46) sem necessidade, por não terem nenhuma doença transmissível. Muitas manifestações da temida *sara'at* não requeriam isolamento. A *psoríase* não é uma doença contagiosa. A ciência médica tem ajudado a espantar a inadequação médica da legislação mosaica, e Cristo anulou a sua inadequação espiritual. O conhecimento avança.

Os judeus pensavam que a maioria das doenças se altera, ou para melhor ou para pior, no período de sete dias; e essa crença talvez estivesse por trás da regra dos sete dias. Por outro lado, *muitas* doenças da pele não mostram nenhuma alteração dentro de tão pouco tempo.

■ **13.5**

וְרָאָהוּ הַכֹּהֵן בַּיּוֹם הַשְּׁבִיעִי וְהִנֵּה הַנֶּגַע עָמַד בְּעֵינָיו
לֹא־פָשָׂה הַנֶּגַע בָּעוֹר וְהִסְגִּירוֹ הַכֹּהֵן שִׁבְעַת יָמִים
שֵׁנִית׃

A lepra, naturalmente, não se altera em sete dias; nem isso sucede à maioria das enfermidades cutâneas. Se a enfermidade, sem importar qual o sacerdote estivesse examinando, não se alterasse em sete dias, sete dias adicionais de quarentena eram determinados. Presumivelmente, nesse estágio, se a condição piorasse, o sacerdote já havia declarado que o homem estava *imundo.*

O mesmo sacerdote deveria acompanhar o caso. Se o sacerdote morresse naquele período de sete dias, outro sacerdote tomaria seu lugar, mas o processo teria de começar de novo. Se o período de exame caísse em um sábado, então teria de ser adiado até o dia seguinte. Não poderia haver exames durante a noite, nem em dias enevoados, nem à meia-noite. Em tempos posteriores, as horas designadas eram às quatro, às cinco, às oito e às nove horas do dia.

■ **13.6**

וְרָאָה הַכֹּהֵן אֹתוֹ בַּיּוֹם הַשְּׁבִיעִי שֵׁנִית וְהִנֵּה כֵּהָה
הַנֶּגַע וְלֹא־פָשָׂה הַנֶּגַע בָּעוֹר וְטִהֲרוֹ הַכֹּהֵן מִסְפַּחַת
הִיא וְכִבֶּס בְּגָדָיו וְטָהֵר׃

Catorze dias após a inspeção original, ocorria um terceiro exame. Se a condição do enfermo tivesse melhorado, então se poderia supor que a praga estivesse cedendo, e o homem seria pronunciado limpo. Mas se sua saúde tivesse piorado, então o veredito seria: *"Imundo!"* Mas se fosse pronunciado limpo, então teria de lavar suas vestes, como uma espécie de ritual simbólico de purificação. Talvez a lavagem também tivesse por intuito varrer qualquer vestígio de infecção deixada nas vestes pela doença. Mas nada é dito aqui sobre um banho tomado pelo próprio indivíduo, conforme seria de esperar que ele fizesse. Ver Levítico 17.15 e Números 19.19.

O fato de que as enfermidades sob exame podiam melhorar com a passagem de catorze dias, o que sem dúvida deve ter acontecido, para justificar o tipo de instrução que temos aqui, mostra-nos que várias enfermidades estão em mira, e não apenas a lepra.

■ **13.7,8**

וְאִם־פָּשֹׂה תִפְשֶׂה הַמִּסְפַּחַת בָּעוֹר אַחֲרֵי הֵרָאֹתוֹ
אֶל־הַכֹּהֵן לְטָהֳרָתוֹ וְנִרְאָה שֵׁנִית אֶל־הַכֹּהֵן׃

וְרָאָה הַכֹּהֵן וְהִנֵּה פָּשְׂתָה הַמִּסְפַּחַת בָּעוֹר וְטִמְּאוֹ
הַכֹּהֵן צָרַעַת הִוא׃ פ

Estes versículos descrevem aqueles casos nos quais a condição, em apenas catorze dias, tinha obviamente piorado. Os sintomas tinham-se acentuado; a *pústula* tinha-se estendido; os demais sintomas continuavam ou tinham piorado. E, então, o caso era considerado avançado, e o homem era declarado *imundo,* entrando assim em exclusão durante todo o período de tempo em que a enfermidade continuasse. Os *casos antigos* sempre poderiam ser reexaminados se a condição de saúde tivesse melhorado. Os excluídos eram forçados a viver fora do arraial (vs. 46).

■ **13.9**

נֶגַע צָרַעַת כִּי תִהְיֶה בְּאָדָם וְהוּבָא אֶל־הַכֹּהֵן׃

Os vss. 9-17 tratam das afecções da pele (talvez incluindo a lepra verdadeira) que haviam sido pronunciadas limpas, mas tinham voltado. Nesse caso, o homem tinha uma doença antiga, crônica, recorrente. Nesses casos, o modo de proceder era ligeiramente diferente. O primeiro procedimento era o mesmo que o do caso anterior, ou seja, o primeiro caso a ocorrer. O homem precisava ser examinado pelo sacerdote, sem importar se já havia sido examinado ou não, conforme a descrição do segundo versículo deste capítulo.

■ **13.10**

וְרָאָה הַכֹּהֵן וְהִנֵּה שְׂאֵת־לְבָנָה בָּעוֹר וְהִיא הָפְכָה
שֵׂעָר לָבָן וּמִחְיַת בָּשָׂר חַי בַּשְׂאֵת׃

De acordo com os que deveriam ter conhecimento de doenças, a *psoríase* continua em foco neste versículo, e não a lepra. Ver a introdução a este capítulo, no seu terceiro parágrafo, quanto a uma possível identificação das doenças envolvidas neste capítulo 13. Ver as notas sobre Levítico 13.2 quanto à *psoríase.* Nessas notas especulo que a lepra verdadeira poderia estar entre as possíveis muitas afecções da pele, com sintomas um tanto similares, que em hebraico se designavam pelo termo geral *sara'at.*

Os sintomas descritos nesse *caso antigo* eram um tanto diversos daqueles dados nos vss. 2-4. Temos aqui *carne viva na inchação.* Sim, aqui há uma inflamação com *intumescência.* Mas alguns entendem esse sintoma como um bom sinal, e traduzem essas palavras como *carne sã,* uma carne de aparência normal em meio à carne esbranquiçada. Porém, o mais provável é que estejam em foco *pústulas em carne viva*.

■ **13.11**

צָרַעַת נוֹשֶׁנֶת הִוא בְּעוֹר בְּשָׂרוֹ וְטִמְּאוֹ הַכֹּהֵן לֹא יַסְגִּרֶנּוּ כִּי טָמֵא הוּא׃

Os sintomas acentuados, a piora de condições, não davam margem a dúvidas. A doença estava aumentando e era perigosa. Mas o homem não seria posto em quarentena, como no primeiro caso (vss. 4,5). Meramente era pronunciado imundo sem tardança e ia para o isolamento, sem passar pelo modo de proceder anterior. Tais pessoas ficavam *fora do arraial* (vs. 46).

Tipologia. O pecado é incansável e repetitivo. Mas Cristo pode curar casos antigos, que parecem sem esperança. Jesus curou lepra literal de maneira dramática (ver Mc 1.40,41). Não menos dramática é a cura da alma. Jesus não hesitou em tocar no leproso, embora isso fosse uma transgressão contra a letra da lei. Os párias não eram párias para ele. Os que foram mandados para *fora do arraial* (vs. 46) são trazidos novamente para dentro.

■ **13.12,13**

וְאִם־פָּרוֹחַ תִּפְרַח הַצָּרַעַת בָּעוֹר וְכִסְּתָה הַצָּרַעַת אֵת כָּל־עוֹר הַנֶּגַע מֵרֹאשׁוֹ וְעַד־רַגְלָיו לְכָל־מַרְאֵה עֵינֵי הַכֹּהֵן׃

וְרָאָה הַכֹּהֵן וְהִנֵּה כִסְּתָה הַצָּרַעַת אֶת־כָּל־בְּשָׂרוֹ וְטִהַר אֶת־הַנָּגַע כֻּלּוֹ הָפַךְ לָבָן טָהוֹר הוּא׃

Estes versículos abordam algum tipo de doença da pele (alguns dizem que é *lepra branca*) que atingira um estágio não-contagioso, evidenciado pela ausência de carne viva em meio à carne esbranquiçada. Se um homem passasse para esse estágio, então, malgrado seu desfiguramento e aparência repelente, ele não era considerado perigoso para a sociedade, e era pronunciado *limpo*. A condição aqui descrita dificilmente pode ser a da *psoríase*. E assim, a menos que ainda haja outro tipo de doença de pele que possa ter esses sintomas, estamos tratando de alguma forma de lepra. Por outra parte, pode-se indagar se a lepra realmente assume essa aparência, e, *nesse caso, se* torna não contagiosa em qual estágio. Os especialistas continuam a negar que a lepra verdadeira seja descrita até este ponto do capítulo 13. A enfermidade aqui descrita poderia ser um caso acentuado de *vitiligo* (leucodermia).

■ **13.14**

וּבְיוֹם הֵרָאוֹת בּוֹ בָּשָׂר חַי יִטְמָא׃

Se na condição totalmente esbranquiçada da pele de um homem, de súbito aparecesse um ponto de *carne viva*, então a doença era considerada ativa novamente, e o homem precisava ser enviado para o isolamento (vs. 46). Na época do segundo templo, esse exame não podia ocorrer em certos dias: durante os sete dias de núpcias; durante o tempo de peregrinações nacionais a Jerusalém, e durante as festas da Páscoa e dos Tabernáculos.

■ **13.15**

וְרָאָה הַכֹּהֵן אֶת־הַבָּשָׂר הַחַי וְטִמְּאוֹ הַבָּשָׂר הַחַי טָמֵא הוּא צָרַעַת הוּא׃

O sacerdote que procedesse o exame veria a piora das condições do enfermo, ou seja, a parte em carne viva entre a porção esbranquiçada, e era forçado a pronunciar o homem imundo, enviando-o para a quarentena, fora do arraial (vs. 46). A doença era a *sara'at*, a temida doença da pele que exigia que um homem fosse isolado da sociedade humana.

■ **13.16,17**

אוֹ כִי יָשׁוּב הַבָּשָׂר הַחַי וְנֶהְפַּךְ לְלָבָן וּבָא אֶל־הַכֹּהֵן׃

וְרָאָהוּ הַכֹּהֵן וְהִנֵּה נֶהְפַּךְ הַנֶּגַע לְלָבָן וְטִהַר הַכֹּהֵן אֶת־הַנֶּגַע טָהוֹר הוּא׃ פ

Mas se, subsequentemente, desaparecesse a carne viva, e o homem voltasse a ter a aparência geral esbranquiçada, então o sacerdote julgaria que seu caso havia recuado de novo a um estágio não-contagioso, e o homem seria considerado *limpo*, podendo voltar de sua quarentena. Em tais casos, a afecção podia ficar brincando de pingue-pongue durante bastante tempo. Desconhecia-se qualquer tratamento, e o enfermo era deixado à própria sorte, implorando pela ajuda divina. Por sua vez, o pobre sacerdote nada conhecia sobre a enfermidade (ou enfermidades) com a qual estava manuseando, e via-se reduzido a meramente examinar os sintomas. A vítima, por seu lado, era tão embotada quanto o sacerdote, ficando sujeita a esse horrível jogo de pingue-pongue religioso e físico. Em contraste com isso, em Cristo a triste sorte do pecador e toda a sua desgraça são debeladas.

Tipologia. Debaixo da lei, o pecador não achava solução para os seus problemas espirituais. Estava preso a um sistema inadequado. Em Cristo, entretanto, há uma solução definitiva para o problema do pecado. Ademais, há crescimento na espiritualidade, por meio do ministério do Espírito Santo, de tal modo que o crente sobe de um estágio de glória para outro, perpétua e eternamente, porquanto a glorificação será um processo eterno. Ver 2Coríntios 3.18, nas notas do *Novo Testamento Interpretado* (*in loc.*). Aquele que fora relegado a ficar fora do arraial é recebido no seio da família de Deus, e passa a participar da imagem do Filho (Rm 8.29; 1Jo 3.2) e da natureza divina (2Pe 1.4).

■ **13.18,19**

וּבָשָׂר כִּי־יִהְיֶה בוֹ־בְעֹרוֹ שְׁחִין וְנִרְפָּא׃

וְהָיָה בִּמְקוֹם הַשְּׁחִין שְׂאֵת לְבָנָה אוֹ בַהֶרֶת לְבָנָה אֲדַמְדָּמֶת וְנִרְאָה אֶל־הַכֹּהֵן׃

Temos aqui outra manifestação da temida *sara'at*, embora ainda não a lepra, posto que ocasionalmente se manifestasse a lepra verdadeira. Alguns pensam que na laceração debilitada de uma queimadura ou de um golpe contundente, poderia vir a manifestar-se um tumor, usualmente devido à infecção por estreptococos ou estafilococos. Mas quem sabe na qual tipo exato de ferida devemos pensar aqui? Seja como for, sarado o ferimento, apareciam sinais da *sara'at*. O vs. 19 é virtualmente igual aos vss. 2-4 deste capítulo, o que explica o retorno da descrição comum, exceto a menção à úlcera. Um novo sintoma, pois, pode ter começado a manifestar-se como uma condição branco-avermelhado, no local da úlcera agora cicatrizada, sem importar qual a natureza exata dessa ferida. O local agora assumia uma nova aparência. Alguns pensam que haveria tiras brancas e vermelhas, como se um homem tivesse posto sangue sobre o leite. Não fica claro qual seria a aparência exata da afecção, mas devemos pensar em alguma espécie de úlcera cicatrizada, que agora tomava a semelhança da temida *sara'at*.

Seis situações genéricas ou tipos de enfermidades, portanto, parecem ser classificadas pelo nome genérico *sara'at*: 1. Vss. 2 ss., casos espontâneos; 2. vss. 18 ss., a condição iniciada a partir de uma úlcera; 3. vss. 22 ss., o caso iniciado a partir de uma queimadura; 4. vss. 29 ss., casos surgidos em áreas peludas do corpo; 5. vss. 38,39, manchas brancas, estranhas, não-identificadas; 6. vss. 40-44, vários tipos de calvície.

■ **13.20**

וְרָאָה הַכֹּהֵן וְהִנֵּה מַרְאֶהָ שָׁפָל מִן־הָעוֹר וּשְׂעָרָהּ הָפַךְ לָבָן וְטִמְּאוֹ הַכֹּהֵן נֶגַע־צָרַעַת הִוא בַּשְּׁחִין פָּרָחָה׃

As traduções variam aqui entre "mais funda" (uma área debilitada) e "de cor mais profunda", ou seja, uma coloração mais escura. Seja como for, se aparecessem pelos brancos na área afetada, então considerava-se que a pessoa tinha apanhado a praga, e ela era pronunciada imunda. A enfermidade havia irrompido na área afetada.

13.21

וְאִם ׀ יִרְאֶנָּה הַכֹּהֵן וְהִנֵּה אֵין־בָּהּ שֵׂעָר לָבָן וּשְׁפָלָה אֵינֶנָּה מִן־הָעוֹר וְהִיא כֵהָה וְהִסְגִּירוֹ הַכֹּהֵן שִׁבְעַת יָמִים:

Mas se não aparecessem pelos brancos na área afetada, então o caso permaneceria na dúvida. Igualmente se não houvesse área debilitada mas somente uma descoloração da pele, ainda seria cedo demais para um diagnóstico seguro. Por conseguinte, o homem era deixado em quarentena de sete dias (ver os vss. 4,5). E um novo exame deveria ser feito ao fim desses dias.

13.22

וְאִם־פָּשֹׂה תִפְשֶׂה בָּעוֹר וְטִמֵּא הַכֹּהֵן אֹתוֹ נֶגַע הוּא:

Temos aqui a ocorrência da piora de condições, pois a infecção se espalhava, indicando que uma temível praga havia tomado conta do organismo daquela pessoa, e que ela estava imunda. A declaração supõe que esse agravamento de condições se dera durante aquele período de quarentena de sete dias. Alguns estudiosos supõem que devamos pensar aqui em uma úlcera crescente, com sintomas que faziam lembrar a praga temida. Mas o vs. 23 fala em uma "mancha lustrosa", caso em que não seria a lepra, e o sacerdote deveria declarar o homem limpo.

13.23

וְאִם־תַּחְתֶּיהָ תַעֲמֹד הַבַּהֶרֶת לֹא פָשָׂתָה צָרֶבֶת הַשְּׁחִין הִוא וְטִהֲרוֹ הַכֹּהֵן: ס

O local lustroso agora era identificado com uma úlcera cicatrizada. A afecção não se tinha espalhado. Não era a temível praga. O homem estava limpo. A condição era apenas uma ex-escoriação cutânea de alguma espécie, e não a temida *sara'at*. O sacerdote via toda espécie de afecção cutânea e procurava fazer distinções entre elas, embora com pouca habilidade. Sem dúvida, os sacerdotes mandaram para fora do arraial (vs. 46) muitas pessoas que não tinham nenhuma doença transmissível. Provavelmente uma minoria de enfermidades, classificadas como *sara'at*, fosse realmente perigosa para a saúde da comunidade. Ocasionalmente, embora não saibamos dizer com qual frequência, os sacerdotes separavam como deviam a algum verdadeiro caso de lepra.

13.24,25

אוֹ בָשָׂר כִּי־יִהְיֶה בְעֹרוֹ מִכְוַת־אֵשׁ וְהָיְתָה מִחְיַת הַמִּכְוָה בַּהֶרֶת לְבָנָה אֲדַמְדֶּמֶת אוֹ לְבָנָה:

וְרָאָה אֹתָהּ הַכֹּהֵן וְהִנֵּה נֶהְפַּךְ שֵׂעָר לָבָן בַּבַּהֶרֶת וּמַרְאֶהָ עָמֹק מִן־הָעוֹר צָרַעַת הִוא בַּמִּכְוָה פָּרָחָה וְטִמֵּא אֹתוֹ הַכֹּהֵן נֶגַע צָרַעַת הִוא:

Ao que parece, temos aqui uma queimadura que acabara transmutando-se em alguma forma de *sara'at*. Assim como uma *úlcera* podia infeccionar (vss. 18 e 19), assim também podia suceder a uma queimadura. Sintomas similares podiam aparecer em uma região queimada, tal como no lugar onde tinha havido uma úlcera. A área podia ficar debilitada, e dali começariam a despontar pelos brancos. E haveria alguns trechos em carne viva. Tudo podia parecer uma antiga afecção de *sara'at* que voltara a manifestar-se sob outra forma, e por causa de outra injúria. E assim um homem podia ser considerado imundo, quando o que ele tinha era apenas uma área queimada que muito se infeccionara, por falta de cuidados devidos. E assim um homem com uma queimadura infeccionada estava vivendo fora do arraial (vs. 46). Isso ilustra, uma vez mais, quão inadequada era a legislação mosaica. Mas essa inadequação tem sido corrigida pela ciência médica (quanto às questões físicas), e por Cristo e sua morte expiatória (quanto às questões espirituais).

Quantos casos de autênticas enfermidades contagiosas, e quantos verdadeiros casos de lepra teriam sido detectados por esses métodos de diagnóstico primitivo? Ninguém saberia responder. O número não pode ter sido muito grande. E assim havia uma subcomunidade e uma subcultura vivendo fora das portas de Israel. Mas em Cristo, espiritualmente falando, todas essas subcomunidades e subculturas são convocadas por ele para viverem higidamente, mormente no sentido espiritual.

Seis situações genéricas, ou tipos de enfermidades são cobertas no capítulo 13 de Levítico, e todas representando formas variadas de *sara'at*, infecciosas ou não. Encontramos aqui o terceiro desses casos — condições patológicas provocadas por alguma simples queimadura! Ver as notas sobre os vss. 18 e 19 deste capítulo, em seu último parágrafo, quanto à lista completa dessas situações.

13.26

וְאִם ׀ יִרְאֶנָּה הַכֹּהֵן וְהִנֵּה אֵין־בַּבַּהֶרֶת שֵׂעָר לָבָן וּשְׁפָלָה אֵינֶנָּה מִן־הָעוֹר וְהִוא כֵהָה וְהִסְגִּירוֹ הַכֹּהֵן שִׁבְעַת יָמִים:

Mas se a *queimadura* não adquiria as características próprias da praga, que o autor já havia repisado por tantas vezes neste capítulo, com pouca variação na linguagem, então a vítima precisava esperar por mais sete dias, até que pudesse haver nova inspeção. Este versículo reitera o vs. 21, que procura esclarecer um caso de úlcera.

13.27,28

וְרָאָהוּ הַכֹּהֵן בַּיּוֹם הַשְּׁבִיעִי אִם־פָּשֹׂה תִפְשֶׂה בָעוֹר וְטִמֵּא הַכֹּהֵן אֹתוֹ נֶגַע צָרַעַת הִוא:

וְאִם־תַּחְתֶּיהָ תַעֲמֹד הַבַּהֶרֶת לֹא־פָשְׂתָה בָעוֹר וְהִוא כֵהָה שְׂאֵת הַמִּכְוָה הִוא וְטִהֲרוֹ הַכֹּהֵן כִּי־צָרֶבֶת הַמִּכְוָה הִוא: פ

A nova inspeção talvez revelasse que a condição da afecção tinha piorado; e, então, a temida *sara'at* havia tomado conta de toda aquela área. Todavia, se a condição tivesse permanecido estável, o homem escaparia de ter de retirar-se do arraial. As normativas dadas nestes dois versículos são as mesmas dos vss. 23 e 24, cujas notas expositivas aplicam-se também aqui. Pode-se ver que havia uma diferença no modo de proceder, no caso de o problema começar com uma úlcera ou uma queimadura. E também o problema parece que se iniciara espontaneamente, conforme se vê no começo deste capítulo. Nesse caso, *dois* períodos de quarentena de sete dias cada eram requeridos para os casos duvidosos. Mas nos outros casos, deveria haver apenas *um* período de quarentena. Assim sucedia porque, provavelmente, os casos de causas conhecidas eram mais fáceis e mais seguros de diagnosticar.

13.29

וְאִישׁ אוֹ אִשָּׁה כִּי־יִהְיֶה בוֹ נָגַע בְּרֹאשׁ אוֹ בְזָקָן:

As quatro situações até este ponto: 1. O surgimento espontâneo da *sara'at* (vss. 2 ss.). 2. O caso iniciado com uma úlcera (vss. 18 ss.). 3. O caso iniciado com uma queimadura (vss. 24 ss.). 4. E agora, a praga surgida em uma área peluda do corpo, como a cabeça ou a barba. Isso podia acontecer com *homem* ou com *mulher* (embora o sexo da vítima não seja especificado). Esse tipo de caso é abordado nos vss. 37-39 deste capítulo. As autoridades médicas dizem que aqui, o mais provável é que se tratasse de um caso de *favo*, e não de lepra. O *favo* é uma doença contagiosa de áreas peludas, como é o caso da calvície, por muitas vezes causada por um fungo. Cientificamente, o nome dessa doença é *Achorion schonllini*. Produz escamas amareladas, achatadas, que progridem para a calvície. Doenças similares, juntamente com esta, estavam entre aquelas que os hebreus chamavam de *sara'at*. E todas elas faziam uma pessoa ser declarada *imunda*. Talvez alguns casos verdadeiros de lepra estivessem entre as áreas cabeludas afetadas. Alguns estudiosos pensam que está em foco a infestação por *tinha*, nome dado popularmente a várias doenças causadas por fungos.

Seis situações genéricas em que estaria envolvida a temida *sara'at* dos hebreus. Quanto a isso, ver o último parágrafo das notas sobre os vss. 24 e 25 deste capítulo.

13.30

וְרָאָ֨ה הַכֹּהֵ֜ן אֶת־הַנֶּ֗גַע וְהִנֵּ֤ה מַרְאֵ֙הוּ֙ עָמֹ֣ק מִן־הָע֔וֹר
וּב֛וֹ שֵׂעָ֥ר צָהֹ֖ב דָּ֑ק וְטִמֵּ֨א אֹת֤וֹ הַכֹּהֵן֙ נֶ֣תֶק ה֔וּא צָרַ֧עַת
הָרֹ֛אשׁ א֥וֹ הַזָּקָ֖ן הֽוּא׃

Sintomas. A área escamosa formava uma depressão, mais baixa que a carne circundante; ali cresciam pelos branco-amarelados. Se apenas um desses sintomas estivesse presente, o homem era confinado por sete dias, após os quais havia um novo exame. O modo de proceder seria duplicado, tal como na primeira situação (ver o segundo versículo), se os sintomas continuassem em dúvida.

Pelo amarelo fino. Os médicos judeus interpretavam essas palavras como pelos *curtos*, supondo que a condição debilitasse os pelos, tornando-os curtos, por se tornarem quebradiços. E esses pelos curtos adquiriam uma coloração amarelada, um sinal fatal. (Ver *Negaim*, c. 10, sec. 1).

13.31

וְכִֽי־יִרְאֶ֨ה הַכֹּהֵ֜ן אֶת־נֶ֣גַע הַנֶּ֗תֶק וְהִנֵּ֤ה אֵין־מַרְאֵ֙הוּ֙
עָמֹ֣ק מִן־הָע֔וֹר וְשֵׂעָ֥ר שָׁחֹ֖ר אֵ֣ין בּ֑וֹ וְהִסְגִּ֧יר הַכֹּהֵ֛ן
אֶת־נֶ֥גַע הַנֶּ֖תֶק שִׁבְעַ֥ת יָמִֽים׃

O *exame* revelava que não se tinha formado uma área infectada debilitada, mas, apesar desse sinal encorajador, não havia pelos normais, de coloração escura (conforme era a cor normal dos cabelos dos hebreus). Em consequência, permanecia de pé a suspeita de que o homem tinha de ser separado por sete dias, à espera de um novo exame. É provável que a afirmativa de que não havia cabelos pretos significasse que havia pelos amarelados, ou seja, que *um dentre dois* sintomas estivesse presente. A Septuaginta alterou a cor de preto para amarelo, para deixar o texto mais claro, e apesar de, talvez, isso era o que se pretendia dizer, não era o que o original hebraico dizia. *Cabelos negros* queria dizer que nenhuma praga estava presente (vs. 37).

13.32,33

וְרָאָ֨ה הַכֹּהֵ֣ן אֶת־הַנֶּגַע֮ בַּיּ֣וֹם הַשְּׁבִיעִי֒ וְהִנֵּה֙
לֹא־פָשָׂ֣ה הַנֶּ֔תֶק וְלֹא־הָ֥יָה ב֖וֹ שֵׂעָ֣ר צָהֹ֑ב
וּמַרְאֵ֣ה הַנֶּ֔תֶק אֵ֥ין עָמֹ֖ק מִן־הָעֽוֹר׃

וְהִ֨תְגַּלָּ֔ח וְאֶת־הַנֶּ֖תֶק לֹ֣א יְגַלֵּ֑חַ וְהִסְגִּ֨יר הַכֹּהֵ֧ן
אֶת־הַנֶּ֛תֶק שִׁבְעַ֥ת יָמִ֖ים שֵׁנִֽית׃

O *segundo exame* mostrou-se encorajador. As escamas não se tinham espalhado, nem havia pelos amarelados na afecção, nem havia uma área afetada mais baixa. No entanto, as escamas continuavam presentes, pelo que mais sete dias se faziam necessários para que houvesse um diagnóstico seguro. A completa remoção de pelos era então determinada, embora a própria escamação não pudesse ser tocada.

Um bom *fungicida*, conforme hoje se compra em qualquer drogaria, teria resolvido a questão ali mesmo, mas os povos antigos ficavam à mercê de enfermidades que hoje em dia são curadas com tanta facilidade. Podemos ser agradecidos por isso. A boa saúde do corpo é algo maravilhoso, e a ciência médica moderna nos tem proporcionado essa bênção. E existe o poder de Deus para curar casos impossíveis. Ver no *Dicionário* o artigo chamado *Medicina (Médicos)*.

Durante toda a sua história, os hebreus-judeus sempre viram a medicina com certo ar de suspeita, não exibindo fé na classe médica. Dependiam inteiramente da intervenção divina, tal como fazem alguns evangélicos mais radicais de nossos dias. Mas nada há de errado, nem de falta de fé, quando um crente tira vantagem do que a ciência médica tem provido, para benefício da humanidade. Lembro-me de ter tido uma severa infecção na garganta. Por diversos dias orei para que a doença fosse removida. Mas minhas orações não funcionaram e fui ao médico. Ele me mandou dar uma única injeção de penicilina; e *esse* foi o milagre de que eu precisava. Minha condição de saúde melhorou da noite para o dia. Lembro-me de que, quando era missionário em Manaus, no Amazonas, a esposa de um missionário teve um severo caso de ulcerações na cabeça. Outros missionários reuniram-se para orar por ela, pedindo a remoção da infecção. Suas orações foram longas e em altas vozes. Mas tudo fracassou. Então veio uma enfermeira e aplicou na senhora várias injeções de penicilina. E logo as ulcerações desapareceram, como se tivesse havido um milagre. Concluo assim que esperar a cura para *tudo*, mediante a intervenção divina, é apenas outro caso de fanatismo. Não podemos duvidar, porém, que os *milagres* ocorrem todos os dias. Ver no *Dicionário* o artigo intitulado *Milagres*.

13.34

וְרָאָה֩ הַכֹּהֵ֨ן אֶת־הַנֶּ֜תֶק בַּיּ֣וֹם הַשְּׁבִיעִ֗י וְ֠הִנֵּה לֹא־פָשָׂ֨ה
הַנֶּ֤תֶק בָּעוֹר֙ וּמַרְאֵ֔הוּ אֵינֶ֥נּוּ עָמֹ֖ק מִן־הָע֑וֹר וְטִהַ֤ר אֹתוֹ֙
הַכֹּהֵ֔ן וְכִבֶּ֥ס בְּגָדָ֖יו וְטָהֵֽר׃

O *terceiro exame* revelou que, embora a escamação continuasse presente, outros sintomas estavam ausentes, pelo que era seguro pensar que a *sara'at* não fizera outra visita indesejável. O homem ouviu a palavra abençoada, *limpo*, e voltou para casa, regozijando-se, esperando dentro de mais alguns dias ver-se livre da tal *tinha*. Seu caso provavelmente era idêntico ao do homem que tinha ouvido a temida palavra, *imundo*, mas cuja condição acabou por não se agravar, não aparecendo os sintomas fatais da *sara'at*.

Agora, restava-lhe lavar suas roupas (vs. 6) e, muito provavelmente, tomar um banho, conforme podemos deduzir de Levítico 17.15 e Números 19.19. Estava cerimonialmente puro e havia escapado de tornar-se um pária da sociedade (vs. 46), embora ainda ostentasse sua afecção cutânea.

13.35,36

וְאִם־פָּשֹׂ֥ה יִפְשֶׂ֛ה הַנֶּ֖תֶק בָּע֑וֹר אַחֲרֵ֖י טָהֳרָתֽוֹ׃

וְרָאָ֙הוּ֙ הַכֹּהֵ֔ן וְהִנֵּ֛ה פָּשָׂ֥ה הַנֶּ֖תֶק בָּע֑וֹר לֹֽא־יְבַקֵּ֧ר
הַכֹּהֵ֛ן לַשֵּׂעָ֥ר הַצָּהֹ֖ב טָמֵ֥א הֽוּא׃

Se o *terceiro exame* revelasse os sintomas temíveis, mesmo que somente a propagação da afecção, então o homem estaria, de fato, imundo. Nem seria preciso o sacerdote procurar por pelos amarelados. O simples fato de que a escamação tinha aumentado era suficiente. Isso queria dizer que o sistema de imunização não fora capaz de parar o avanço do fungo (como no caso do vs. 34), e, então, isso fizera dele um pária (vs. 46). Ele tornara-se parte de uma subcomunidade e de uma subcultura, e agora só lhe restava sofrer as consequências. A legislação mosaica não incluía os avanços do conhecimento inerentes na moderna ciência médica, pelo que vários tipos de tragédia resultavam disso. Nesse aspecto, a legislação era deficiente. Também havia deficiências espirituais na legislação mosaica, pelo que Cristo veio para tanger os convertidos a novas alturas de espiritualidade. Talvez, vez por outra, o modo de proceder conseguisse detectar algum caso autêntico de lepra, mas precisamos lembrar que muitas afecções da pele eram classificadas pelo termo genérico *sara'at*, e muitas daquelas condições não requeriam isolamento.

13.37

וְאִם־בְּעֵינָ֞יו עָמַ֤ד הַנֶּ֙תֶק֙ וְשֵׂעָ֥ר שָׁחֹ֛ר צָֽמַח־בּ֖וֹ נִרְפָּ֣א
הַנֶּ֑תֶק טָה֣וֹר ה֔וּא וְטִהֲר֖וֹ הַכֹּהֵֽן׃ ס

Este versículo repete os elementos do vs. 32, agora que se tinham passado catorze dias desde que a condição patológica fora encontrada, um período breve demais para ajuizar quanto a qualquer enfermidade. Alguns poucos pelos negros eram vistos a crescer na área afetada. Posteriormente, a lei requeria que houvesse pelo menos *dois* desses pelos. *Pelos poderosos*, que faziam o homem ser declarado limpo. O versículo dá a entender que essas condições, algumas vezes, autocuravam-se em catorze dias. A afecção talvez já tivesse desaparecido, ou pelo menos parecesse estar a caminho de desaparecer. Pelo menos estava *curada*, mesmo que ainda não estivesse inteiramente ausente.

13.38

וְאִישׁ֙ אֽוֹ־אִשָּׁ֔ה כִּֽי־יִהְיֶ֥ה בְעוֹר־בְּשָׂרָ֖ם בֶּהָרֹ֑ת בֶּהָרֹ֖ת
לְבָנֹֽת׃

Chegamos agora ao *quinto caso*. Ver as notas sobre o vs. 29 quanto aos quatro casos anteriores. Sem dúvida, maior número de enfermidades estava envolvido nesses casos do que somente cinco; mas havia ali o envolvimento de cinco situações genéricas, até este ponto do capítulo. Os estudiosos dizem estar aqui em foco uma forma benigna de lepra, que não requeria isolamento. Mas era outro caso de afecção cutânea, outro caso de *sara'at*, que não era a verdadeira hanseníase. Talvez esteja em pauta uma forma de *vitiligo* (leucodermia), até os vss. 38 e 39. Ver as notas introdutórias ao capítulo 13, sob o título *Identificações Possíveis* quanto a especulações acerca das enfermidades abordadas neste capítulo.

O *vitiligo* é uma afecção cutânea assinalada pela perda parcial de coloração em forma de pontos, que acabam juntando-se para formar grandes manchas descoloridas. A tendência destas manchas é aumentarem de tamanho. Um nome popular é *leucodermia*. Trata-se de um defeito no mecanismo de pigmentação da pele, e não é contagioso. Somente agora é que a ciência moderna está obtendo algum sucesso no tratamento dessa condição (mediante drogas caras e bastante tóxicas).

Seis condições genéricas de *sara'at* são ventiladas neste capítulo 13 de Levítico. Mas sem dúvida estão envolvidas mais de seis doenças específicas. Ver o último parágrafo das notas sobre os vss. 24 e 25, quanto a essa lista.

■ 13.39

וְרָאָה הַכֹּהֵן וְהִנֵּה בְעוֹר־בְּשָׂרָם בֶּהָרֹת כֵּהוֹת לְבָנֹת בֹּהַק הוּא פָּרַח בָּעוֹר טָהוֹר הוּא: ס

A alusão aqui é à impigem, manchas de dimensões desiguais, de um branco descolorido, de um nível levemente mais alto que o do resto da pele circundante. Esse colorido vai desde o branco (vs. 3) até o amarelado (vs. 30). A afecção não era considerada maligna. Não era a lepra, embora o olho destreinado pudesse pensar assim. Portanto, temos aqui um caso em que a temível *sara'at* não fizera sua visita indesejável. O indivíduo com impigem ficava ligeiramente desfigurado, mas cerimonialmente *puro*, e não precisaria ser isolado (vs. 46).

■ 13.40

וְאִישׁ כִּי יִמָּרֵט רֹאשׁוֹ קֵרֵחַ הוּא טָהוֹר הוּא:

Os vss. 40-44 deste capítulo apresentam o *sexto* e último caso de situação genérica de afecção cutânea. Ver as notas sobre o vs. 29 quanto a quatro casos; o vs. 38, quanto ao quinto caso. E este sexto caso envolve vários tipos de calvície, provavelmente incluindo a calvície natural, uma condição que indica alguma afecção cutânea, embora não desabilitadora nem considerada *imunda*. Embora a calvície fosse considerada uma condição indesejada, podendo até ser tida como um castigo divino (ver 2Rs 2.23; Is 3.17; Jr 48.37), não era identificada com a virulenta *sara'at*, ou lepra. Também não era um daqueles casos de afecção da pele que requeria isolamento. Não havia aqui nenhuma forma de lepra, e o termo hebraico *sara'at* não cabia neste caso, embora talvez cobrisse um largo espectro de enfermidades, que incluíam até mesmo a verdadeira lepra.

Quanto às *seis condições genéricas* de tipos de *sara'at*, surgidas de diferentes maneiras, ver a lista nas notas sobre os vss. 18,19, último parágrafo.

A queda de cabelos não era considerada uma praga, a menos que fosse acompanhada por um inchaço branco-avermelhado (vss. 42-44). Em outros casos, qualquer que tenha sido a causa da calvície, natural ou patológica, o homem não era reputado imundo. Ver o vs. 41 quanto a outros comentários que se aplicam a este versículo.

■ 13.41

וְאִם מִפְּאַת פָּנָיו יִמָּרֵט רֹאשׁוֹ גִּבֵּחַ הוּא טָהוֹר הוּא:

O vs. 40 deste capítulo, segundo intérpretes hebreus, indica que a área calva ficava na parte posterior da cabeça, ao passo que a deste versículo ficava na parte anterior. Fosse como fosse, se não houvesse o inchaço avermelhado (vs. 42), então o homem seria pronunciado limpo. Uma queda de cabelos na parte da frente da cabeça era "antecalva", em nada diferente do outro caso (vs. 40), que atingia do alto da cabeça para trás. Os hebreus sabiam que as mulheres raramente são atingidas pela calvície; e explicavam isso pensando que a mulher tinha muita umidade em seu sistema, pelo que os cabelos sempre cresceriam viçosos, como sucede à relva em uma terra bem irrigada. Eles não levavam em conta os fatores genéticos. Por isso, para eles, toda calvície resultava de alguma causa adversa, sendo desconhecida por eles a possível causa genética. Mas os homens, visto terem um sistema mais seco, seriam mais sujeitos à calvície. O fato de que os homens são destacados (e as mulheres nem são mencionadas) nesta seção sugere que quase todos os casos de calvície tratados aqui fossem do tipo genético, nada tendo a ver com a lepra.

■ 13.42

וְכִי־יִהְיֶה בַקָּרַחַת אוֹ בַגַּבַּחַת נֶגַע לָבָן אֲדַמְדָּם צָרַעַת פֹּרַחַת הִוא בְּקָרַחְתּוֹ אוֹ בְגַבַּחְתּוֹ:

Afecções cutâneas da testa ou do escalpo eram incluídas na *sara'at*, a praga que fazia as pessoas ser consideradas *imundas*. A doença aqui descrita não se assemelha à lepra. Antes, devem estar em pauta várias formas de doenças do escalpo, provocadas por fungos; e talvez até bactérias estivessem envolvidas em algumas dessas condições, mas nunca o bacilo da lepra, visto que os sintomas mencionados não são os da lepra. Supunha-se assim que a infecção (talvez concebida como uma só enfermidade) pudesse desenvolver-se a partir de alguma *úlcera* (vs. 18), *queimadura* (vs. 24) ou da mera *calvície* (vs. 42). Os autores da Mishnah supunham que tal infecção pudesse florescer em tão pouco tempo quanto duas semanas, mas sabemos atualmente que a lepra é uma doença de evolução muito lenta, levando às vezes anos para manifestar-se, depois de o indivíduo tê-la contraído. Todavia, as enfermidades que eles chamavam de *sara'at* (pelo menos algumas delas) talvez pudessem florescer depois de tão curto contágio.

No caso da calvície, associada à *sara'at*, nenhum período de quarentena de sete dias é mencionado. E com base nisso podemos supor que, sem importar qual doença ou quais doenças estivessem envolvidas, dificilmente exibiam alguma tendência para melhoria no período de apenas catorze dias. Assim, nesses casos, o sacerdote simplesmente despachava a vítima para uma vida de subcultura fora do arraial (vs. 46), sem determinar nenhuma quarentena preliminar.

■ 13.43,44

וְרָאָה אֹתוֹ הַכֹּהֵן וְהִנֵּה שְׂאֵת־הַנֶּגַע לְבָנָה אֲדַמְדֶּמֶת בְּקָרַחְתּוֹ אוֹ בְגַבַּחְתּוֹ כְּמַרְאֵה צָרַעַת עוֹר בָּשָׂר:

אִישׁ־צָרוּעַ הוּא טָמֵא הוּא טַמֵּא יְטַמְּאֶנּוּ הַכֹּהֵן בְּרֹאשׁוֹ נִגְעוֹ:

Se as condições antecipadas pelo vs. 42 fossem confirmadas pelo sacerdote, quando examinasse a cabeça do pobre homem, então ele proferiria a temida palavra *imundo*, pois o homem estaria em estado de impureza levítica, e teria de ir para o seu exílio particular (vs. 46). Nenhum período de quarentena era ordenado nos casos de *sara'at* da cabeça. Tais casos eram julgados sem solução desde que detectados. Nunca melhoravam no período de catorze dias, pelo que o juízo recaía de pronto sobre eles. Os *três* sintomas — a calvície, a propagação da calvície e a afecção branco-avermelhada — eram fatais, e o juízo era um só: *imundo*.

■ 13.45

וְהַצָּרוּעַ אֲשֶׁר־בּוֹ הַנֶּגַע בְּגָדָיו יִהְיוּ פְרֻמִים וְרֹאשׁוֹ יִהְיֶה פָרוּעַ וְעַל־שָׂפָם יַעְטֶה וְטָמֵא טָמֵא יִקְרָא:

Quatro resultados para quem fosse pronunciado *imundo*, de acordo com *este versículo*:

1. *As vestes do leproso eram rasgadas*. Não somos informados se o próprio indivíduo rasgava as suas vestes, ou se o sacerdote ou alguma outra pessoa fazia esse trabalho. Fosse como fosse, as vestes eram rasgadas. Nos dias do segundo templo, as mulheres vítimas de *sara'at* eram poupadas do vexame, provavelmente por motivo de modéstia. A *sara'at* era encarada como uma visitação ou julgamento divino contra o pecado, pelo que era motivo de grande consternação. Rasgar as vestes era um sinal de luto pelos mortos

(Lv 10.6), de contrição, de tristeza ou de humilhação. Ver Joel 2.13. Há um verbete no *Dicionário* chamado *Vestimentas, Rasgar das,* o qual explana detalhadamente essa questão. O ato de rasgar as vestes, nesse caso, talvez incluísse a ideia de que elas, tal como quem as vestia, estavam infectadas pela praga, pelo que deveriam ser destruídas. Os quatro resultados alistados neste versículo aplicavam-se a todas as vítimas descritas neste capítulo 13, e não apenas às que apresentassem calvície na cabeça.

2. *Seus cabelos eram desgrenhados.* Temos aqui a tradução de nossa versão portuguesa. Era também um sinal de luto pelos mortos ou de profunda consternação. Ver Levítico 10.6. As mulheres vítimas também eram poupadas desse ato, nos dias do segundo templo. Alguns estudiosos pensam aqui no ato de rapar a cabeça, mas isso não concorda com os costumes dos hebreus. Alguns intérpretes judeus pensavam apenas na proibição de pôr qualquer coisa sobre a cabeça, como um véu. O homem ou a mulher precisavam andar sempre de cabeça descoberta, sob qualquer circunstância, e esse era um dos sinais da praga.

3. *O bigode era coberto.* Às vezes eram cobertos ambos os lábios, e não somente o de cima. Usualmente usava-se para isso um pano de linho jogado sobre o ombro, uma ponta do qual se estendia para encobrir o lábio superior ou ambos os lábios. O propósito evidente era o de filtrar o hálito da vítima, a fim de que ninguém apanhasse a praga por aproximar-se demais de seu hálito. Esse era, igualmente, um sinal de lamentação (Ez 24.17; Mq 3.7). A maior parte dos hebreus usava barba, e o tal pano cobria a barba. Ora, encobrir a barba também era um sinal de lamentação. Adam Clarke pensava que o pano servia para segurar o maxilar da vítima, tal como o maxilar de um morto também é amarrado. A vítima da *sara'at* era um homem virtualmente morto, morto para sua vida passada, para a sua família, isolado fora do arraial.

4. *Ele clamava: Imundo, imundo!* Se qualquer pessoa limpa se aproximava, o leproso precisava avisá-la a manter-se longe, mediante esse grito humilhante e doloroso. Assim, a miséria da vítima tornava-se mais profunda. Tal pessoa era um autêntico pária social. A própria entrada de uma vítima de *sara'at* em um ambiente fechado fazia com que o lugar e tudo quanto ali houvesse ficasse imundo. Talvez um arauto tivesse de ir ao acampamento das vítimas, por alguma razão. Ou, talvez, algum membro misericordioso da família tivesse de fazer uma visita, à distância. E assim, ocasionalmente, alguém se aproximava do acampamento dos leprosos, somente para ser saudado por aquele grito de miséria.

E assim a vítima afastava-se como alguém por quem já se lamentava como se tivesse morrido: suas vestes rasgadas; seus cabelos desgrenhados; sua barba coberta, e sempre forçado a soltar aquele lamentoso grito *imundo!* O morto por quem ele lamentava era ele mesmo.

■ **13.46**

כָּל־יְמֵי אֲשֶׁר הַנֶּגַע בּוֹ יִטְמָא טָמֵא הוּא בָּדָד יֵשֵׁב מִחוּץ לַמַּחֲנֶה מוֹשָׁבוֹ׃ ס

Quinto Resultado. Ver as notas sobre o versículo anterior, quanto aos outros *quatro* resultados. A vítima da *sara'at* ficava para sempre isolada das demais pessoas. Somente alguma inesperada remissão da doença, ou a morte, poderia libertá-la de sua miséria. Visto que algumas das doenças descritas neste capítulo 13 não eram crônicas permanentes, algumas poucas vítimas acabavam escapando de seu isolamento.

Sua habitação será fora do arraial. As vítimas da praga organizavam-se e mantinham uma espécie de comunidade auto-sustentada, a qual, na verdade, vivia na mais abjeta pobreza e miséria. A morte era a visitante e libertadora mais constante, pois ali havia doenças que seguiam seus cursos fatais; não havia nenhum tratamento médico; a alimentação era inadequada; as condições de higiene eram as piores possíveis. A comunidade dos leprosos era a pior favela que o mundo poderia imaginar. A *sara'at* era uma morte em vida, considerada uma horrenda punição divina (2Rs 5.7; 2Cr 26.20). Mas a maioria dos casos envolvidos não era de doenças socialmente transmissíveis, que qualquer pessoa poderia contrair, e, na maioria dos casos, nada tinha que ver com a hanseníase.

Tipologia. Ver o artigo chamado *Lepra, Leproso,* quanto ao simbolismo dessa enfermidade. O pecado, que é renitente e incurável, que se propaga e é infeccioso, e, finalmente, que é fatal, é assim simbolizado. Os pecadores, pois, estão fora do acampamento de Deus, mas a graça pode produzir um tremendo milagre de amor e misericórdia, incorporando-os na comunidade (reino) de Deus. Ver 1Coríntios 5.7,11,13; Apocalipse 21.27; Efésios 2.17,18.

■ **13.47**

וְהַבֶּגֶד כִּי־יִהְיֶה בוֹ נֶגַע צָרָעַת בְּבֶגֶד צֶמֶר אוֹ בְּבֶגֶד פִּשְׁתִּים׃

Os vss. 47-59 prosseguem a fim de dizer-nos como a *sara'at* podia infectar vestes e peles de animais usadas no vestuário humano. Novamente somos alertados para o fato de que a palavra hebraica traduzida por *lepra,* devido à influência da Septuaginta (de onde a tradução passou a todas as versões subsequentes), era um termo lato, genérico, que se aplicava a muitas condições e enfermidades. Estamos aqui tratando de certos tipos de míldio ou fungo, do tipo que afeta materiais usados para fazer vestes, paredes de casas, cortinas etc. A evidência científica é absolutamente contrária à possibilidade do bacilo de Hansen afetar tecidos ou objetos inanimados. Provavelmente, os hebreus pensavam que uma única enfermidade, a *sara'at,* fizesse todo o estrago descrito neste capítulo 13 de Levítico, incluindo a desfiguração de tecidos e couros. Isso devia-se à ignorância dos fatos científicos em que viviam. O *conhecimento cresce,* e também nossa compreensão sobre as coisas físicas e espirituais, conforme vamos aprendendo. A verdade nunca fica estagnada, embora seja um truque favorito dos homens a estagnarem em sua própria mente. Os limites que as pessoas veem são apenas os limites impostos por sua própria mente, e não verdadeiras limitações.

"Como enfermidades cutâneas infecciosas, o mofo e o míldio podem *desfigurar* a superfície externa de certos artigos, levando-os a descascar ou descamar. Esta seção contém *três casos* em que artigos mofados eram diagnosticados como imundos (vss. 47-52; vss. 53-55; vss. 56,57)" (F. Duane Lindsey, *in loc.*).

A ignorância em que as pessoas viviam as levavam a isolar tais objetos, tal como no caso de pessoas (vs. 50). Em casos persistentes, o mofo ou o míldio continuavam espalhando-se, fazendo com que os objetos fossem, finalmente, incinerados (vs. 52). Casos em que a condição não se espalhava requeriam somente lavagem (vs. 54). Locais infectados do tipo que não se propagava, após lavagem, eram arrancados dos tecidos (vs. 56). Os casos persistentes significavam que o artigo afetado precisava ser queimado (vs. 57). Tais regras, para nós, com nosso avanço científico, parecem ridículas, exceto quanto à *tipologia* que representavam. Um homem precisa usar vestes limpas, livres de qualquer mácula do pecado. Seu corpo, sua mente e seu espírito devem estar isentos da poluição da praga do pecado. Todo pecador precisa lavar suas vestes no sangue do Cordeiro (Ap 7.14).

Os *comentadores mais antigos* tentavam convencer-nos de que a lepra realmente pode afetar tecidos e outros materiais, mas o conhecimento mostra que isso é impossível. Aquilo que os hebreus chamavam de *sara'at* afetava até materiais têxteis, mas tratava-se de um termo genérico que incluía muitas enfermidades e até mesmo fungos. É ridículo tentar ver a lepra na maioria dos materiais apresentados neste capítulo 13 de Levítico.

John Gill (*in loc.*), no esforço de preservar aqui a lepra, mesmo no caso de vestes, sugeriu que isso pudesse ser causado por intervenção divina, manifestações miraculosas e extraordinárias que faziam até mesmo objetos se tornar leprosos. Mas temos aí um caso em que a *fé* consiste em acreditar em algo que simplesmente não é verdade. A maioria dos intérpretes mais antigos, para os quais a lepra não saía do pensamento, supunha que as vestes ficassem naturalmente infectadas mediante o contato com os leprosos.

A lã e o linho são destacados como materiais usados nas vestes que podiam ser afetadas pela lepra. Coisa alguma é dita sobre o algodão e a seda; mas isso é apenas circunstancial. Mas as fontes informativas de Mishnah dizem-nos que a *sara'at* afetava somente o linho e a seda (*Misn. Celaim*, c. 9 sec. 1). É necessário um técnico em fungos e mofos para dizer-nos quantos tipos de materiais têxteis podem ser afetados por essas coisas. Minhas fontes informativas não incluem esses especialistas.

A lã e o linho eram materiais têxteis comumente usados no fabrico de vestes, entre os egípcios, os gregos e os hebreus, embora não fossem usados com exclusividade. Cf. Deuteronômio 22.11; Oseias 2.5,9; Provérbios 31.13. Em tempos posteriores, *outros* materiais, afetados pela alegada *sara'at,* como o pelo de camelo, não eram considerados imundos.

■ **13.48**

אוֹ בְשְׁתִי אוֹ בְעֵרֶב לַפִּשְׁתִּים וְלַצָּמֶר אוֹ בְעוֹר אוֹ בְּכָל־מְלֶאכֶת עוֹר:

Este versículo acrescenta a *pele* de animais (essas peles eram usadas para fazer vestes, tendas, cortinas, receptáculos etc.) à lã e ao linho, referidos no versículo anterior, como materiais que podiam ser afetados pela *sara'at*. Tal infecção podia atingir tanto a urdidura quanto a trama; e as mesmas regras eram aplicáveis.

■ **13.49**

וְהָיָה הַנֶּגַע יְרַקְרַק אוֹ אֲדַמְדָּם בַּבֶּגֶד אוֹ בָעוֹר אוֹ־בַשְּׁתִי אוֹ־בָעֵרֶב אוֹ בְכָל־כְּלִי־עוֹר נֶגַע צָרַעַת הוּא וְהָרְאָה אֶת־הַכֹּהֵן:

Mofos Esverdinhados ou Avermelhados. Para os hebreus, isso significava que os tecidos e as peles (de vários animais, incluindo peixes) mencionados haviam contraído a temida *sara'at*, e não somente pessoas. Os comentadores judeus deixaram longos comentários sobre a natureza das cores aqui referidas, e apresentaram diversas ideias. Se esses tecidos tivessem sido tingidos com essas cores, isso não fazia deles imundos. Essas cores teriam de surgir pela força de alguma estranha infecção. Se as regras aqui existentes fossem aplicadas em Manaus, na Amazônia (onde o clima é quente e úmido), metade da cidade e das coisas seriam condenadas como imundas!

"O cânon judaico definia a cor verde como um sintoma parecido com o das ervas, e o do vermelho como o do carmesim claro" (Ellicott, *in loc.*).

■ **13.50**

וְרָאָה הַכֹּהֵן אֶת־הַנָּגַע וְהִסְגִּיר אֶת־הַנֶּגַע שִׁבְעַת יָמִים:

Encerrará por sete dias. Os objetos eram sujeitados a quarentenas, tal como se fazia com as pessoas (ver os vss. 4,5,21,26,31,33). E assim temos a ridícula situação em que um sacerdote israelita fazia um pano mofado ficar recluso em algum lugar, para ver se o fungo ou mofo desapareceria no espaço de sete dias! Se pusesse o tecido ao sol, ou lavado o mesmo em vinagre, a *praga* seria eliminada em pouco tempo. Mas o que não tem sentido para nós, por causa de nosso avançado conhecimento, era uma questão grave para os antigos hebreus, com sua grande preocupação diante da *sara'at* e suas inúmeras manifestações.

■ **13.51,52**

וְרָאָה אֶת־הַנֶּגַע בַּיּוֹם הַשְּׁבִיעִי כִּי־פָשָׂה הַנֶּגַע בַּבֶּגֶד אוֹ־בַשְּׁתִי אוֹ־בָעֵרֶב אוֹ בָעוֹר לְכֹל אֲשֶׁר־יֵעָשֶׂה הָעוֹר לִמְלָאכָה צָרַעַת מַמְאֶרֶת הַנֶּגַע טָמֵא הוּא:

וְשָׂרַף אֶת־הַבֶּגֶד אוֹ אֶת־הַשְּׁתִי אוֹ אֶת־הָעֵרֶב בַּצֶּמֶר אוֹ בַפִּשְׁתִּים אוֹ אֶת־כָּל־כְּלִי הָעוֹר אֲשֶׁר־יִהְיֶה בוֹ הַנֶּגַע כִּי־צָרַעַת מַמְאֶרֶת הִוא בָּאֵשׁ תִּשָּׂרֵף:

A propagação do fungo fazia um artigo tornar-se imundo, sem nenhuma outra chance, e tal artigo tinha de ser queimado. O cânon judaico dizia que, se a infecção fosse esverdinhada, mas então se espalhasse com a coloração avermelhada; ou se fosse avermelhada, e então se espalhasse com a coloração esverdinhada, isso em nada ajudaria a questão. A infecção, em ambos os casos, seria declarada *sara'at*. (Ver *Misn. Maimôn.* e *Bartenora.*) Essa praga era chamada *maligna*, um caso ruim, sem nenhuma possibilidade de remédio. Isso produziria uma maldição e corrupção que precisavam ser cortadas pronta e radicalmente (*Hierozoic.* par. 1.1.2 c. 45). O item infectado com a praga, tal como no caso de uma pessoa, fazia com que quem nele tocasse ficasse imundo, pelo que era um serviço prestado à comunidade livrar-se de tal objeto.

Tipologia. Somente uma operação radical pode livrar-nos do pecado e suas consequências. Não é curável por nenhum meio humano. Não desaparece o pecado, mesmo que designado por outros nomes. Somente a *expiação em Cristo* (ver a respeito no *Dicionário*) e a atuação do Espírito Santo podem resolver o problema do pecado.

■ **13.53,54**

וְאִם יִרְאֶה הַכֹּהֵן וְהִנֵּה לֹא־פָשָׂה הַנֶּגַע בַּבֶּגֶד אוֹ בַשְּׁתִי אוֹ בָעֵרֶב אוֹ בְּכָל־כְּלִי־עוֹר:

וְצִוָּה הַכֹּהֵן וְכִבְּסוּ אֵת אֲשֶׁר־בּוֹ הַנָּגַע וְהִסְגִּירוֹ שִׁבְעַת־יָמִים שֵׁנִית:

O mofo ou míldio não se havia espalhado pela roupa ou pela pele, nem pelo lado de dentro nem pelo lado de fora; e assim, a veste ou pele eram lavadas. Depois, seriam de novo examinadas, para averiguar se tinha havido alguma mudança de cor. Mas somente uma quarentena de sete dias seria apropriada para a mudança de cor. O próprio sacerdote não fazia a lavagem, mas ordenava que outros o fizessem. No cristianismo, porém, é o próprio Sumo Sacerdote quem (metaforicamente) lavava as vestes pecaminosas (Ap 7.14; 1Jo 1.7; Zc 13.1).

■ **13.55**

וְרָאָה הַכֹּהֵן אַחֲרֵי הֻכַּבֵּס אֶת־הַנֶּגַע וְהִנֵּה לֹא־הָפַךְ הַנֶּגַע אֶת־עֵינוֹ וְהַנֶּגַע לֹא־פָשָׂה טָמֵא הוּא בָּאֵשׁ תִּשְׂרְפֶנּוּ פְּחֶתֶת הִוא בְּקָרַחְתּוֹ אוֹ בְגַבַּחְתּוֹ:

O tecido ou pele eram examinados após os sete dias de espera. Se o artigo tivesse de ser pronunciado limpo, então não teria de haver uma coloração mais desbotada, além do que o mofo não poderia espalhar-se. Mas se esses *dois* sinais não se tivessem patenteados, então o caso não tinha remédio e o artigo teria de ser queimado. Uma mancha daquelas, na urdidura ou na trama, seria suficiente para a condenação do objeto.

■ **13.56-58**

וְאִם רָאָה הַכֹּהֵן וְהִנֵּה כֵּהָה הַנֶּגַע אַחֲרֵי הֻכַּבֵּס אֹתוֹ וְקָרַע אֹתוֹ מִן־הַבֶּגֶד אוֹ מִן־הָעוֹר אוֹ מִן־הַשְּׁתִי אוֹ מִן־הָעֵרֶב:

וְאִם־תֵּרָאֶה עוֹד בַּבֶּגֶד אוֹ־בַשְּׁתִי אוֹ־בָעֵרֶב אוֹ בְכָל־כְּלִי־עוֹר פֹּרַחַת הִוא בָּאֵשׁ תִּשְׂרְפֶנּוּ אֵת אֲשֶׁר־בּוֹ הַנָּגַע:

וְהַבֶּגֶד אוֹ־הַשְּׁתִי אוֹ־הָעֵרֶב אוֹ־כָל־כְּלִי הָעוֹר אֲשֶׁר תְּכַבֵּס וְסָר מֵהֶם הַנָּגַע וְכֻבַּס שֵׁנִית וְטָהֵר:

Se a lavagem produzisse uma cor mais desbotada, então a mancha descolorida teria de ser cortada fora, e isso livrava o tecido ou pele de toda praga. Presume-se que a mancha tivesse desaparecido e que nenhuma outra parte do artigo fora afetada. Mas se aparecesse outra mancha, depois de a primeira ter sido eliminada, então seria uma *sara'at* "que se espalha", e o tecido ou pele teriam de ser queimados. Mas se a mancha não reaparecesse, então o objeto seria lavado segunda vez, e então seria considerado limpo. Tal objeto então poderia ser usado como peça de roupa, como odre, como parte de uma tenda, ou como qualquer outra coisa. E um pedaço que tivesse sido cortado fora teria de ser queimado, e tal material não poderia ser usado com nenhuma finalidade.

Talvez cheguemos a sorrir diante de tantos cuidados com mofos e míldios, mas não nos olvidemos de que os antigos hebreus não tinham conhecimento suficiente sobre essas coisas, e havia um temor pânico da *sara'at* que, conforme eles criam, potencialmente podia afetar pessoas e coisas. Estavam fazendo o melhor possível, com o pouco conhecimento de que dispunham. O conhecimento vai aumentando. *Nossa época* será considerada um período de trevas da ignorância, por alguma geração futura. E também não devemos esquecer que os antigos hebreus acreditavam que as pessoas podiam transmitir a praga para meros objetos, e que esses objetos infectados, por sua vez, podiam transmitir a praga às pessoas. Assim, havia um temor constante, *algumas vezes* justificado, embora com certa raridade.

■ 13.59

זֹאת תּוֹרַת נֶגַע־צָרַעַת בֶּגֶד הַצֶּמֶר אוֹ הַפִּשְׁתִּים אוֹ הַשְּׁתִי אוֹ הָעֵרֶב אוֹ כָּל־כְּלִי־עוֹר לְטַהֲרוֹ אוֹ לְטַמְּאוֹ׃ פ

Esta é a lei da praga. Os sacerdotes eram funcionários públicos, e não médicos. A eles fora entregue um problema de saúde pública, e precisavam seguir rigidamente a lei do capítulo 13 de Levítico, sob pena de não estarem cumprindo o seu dever. O propósito deles era proteger o público em geral, isolando os poucos que tivessem o infortúnio de apanhar a praga, a qual, na verdade, era um largo espectro de afecções, algumas delas contagiosas e perigosas, e outras totalmente neutras.

Inspiração. A frase bastante reiterada, *Yahweh disse*, encabeça blocos ou seções de material que apontam para a ideia da inspiração divina das Escrituras, não sendo apenas um artifício literário, como ajuda mnemônica. A inspiração divina é um fato bíblico, mas sempre será restrita pelas limitações humanas, pela nossa falta de conhecimento e pela nossa fragilidade. Somente Deus é perfeito. Todas as demais coisas têm suas imperfeições. Se isso não fosse verdade, o Novo Testamento não teria podido anular grandes porções do Antigo Testamento. O tratado aos Hebreus é um manual de anulações, por assim dizer, devido à revelação maior que nos foi dada por meio de Cristo, cujo novo pacto simplesmente anulou, e não apenas suplementou, o antigo pacto. Ver no *Dicionário* o artigo chamado *Inspiração*.

A Lepra e os Sintomas do Capítulo 13 de Levítico:

1. A lepra assumia duas formas, a *tuberosa* e a *anestésica*. A primeira apresentava manchas avermelhadas, onde mais tarde apareciam tubérculos escuros. Finalmente, surgiam distorções no rosto e nos membros. A lepra anestésica, por sua vez, afetava os troncos nervosos, particularmente os das extremidades. E as porções afetadas finalmente perdiam toda sensação e vitalidade.
2. Quando as autoridades médicas leem o capítulo 13 de Levítico, não detectam ali a lepra. Dizer que havia formas antigas da doença que são desconhecidas atualmente é argumentar com base na ignorância, sendo rejeitado esse argumento por quem tem algum conhecimento autêntico de medicina.
3. O termo hebraico *sara'at* era um termo genérico que envolvia muitas afecções da pele, como até mesmo mofos e míldios que afetam os têxteis, as peles de animais e as casas. A versão da Septuaginta foi a primeira a traduzir esse termo por *lepra*; e foi através dessa tradução equivocada que as versões posteriores também identificaram como "lepra" todas as condições descritas neste capítulo 13 do livro de Levítico. Essa interpretação forçada, que a qualquer preço defende a noção de que a lepra está em pauta, esconde o fato de que estão em foco várias enfermidades e afecções *identificáveis*, que nada têm a ver com a verdadeira hanseníase.
4. Os intérpretes históricos, mediante referências literárias e descobertas arqueológicas, informam-nos que, na época de Moisés, a lepra não era uma doença generalizada pelo Oriente Próximo e Médio, se realmente havia alguns casos raros, sem dúvida o capítulo 13 de Levítico não ataca essa enfermidade.
5. *A rede e os muitos peixes.* Os sacerdotes hebreus lançavam uma rede de pesca chamada *sara'at*, e ela recolhia muitos peixes (doenças e afecções), dos mais diversos tipos, alguns deles contagiosos e perigosos, mas muitos deles não-contagiosos e socialmente neutros. *Um* dos peixes, ocasionalmente apanhado, podia ser algum caso autêntico de lepra.
6. A miséria humana era acentuada pela ignorância e, se o método do isolamento era a única arma de que os antigos dispunham para proteger a população geral de certas enfermidades, incluindo a lepra, a ignorância geral acerca dos fungos, bactérias e vírus produzia a propagação da miséria mais do que o necessário.
7. O mundo médico e o mundo teológico já ultrapassaram em muito o Antigo Testamento; e temos motivos para ser gratos a Deus por isso. A verdade nunca fica estagnada, e haverá revelações maiores ainda. E *sempre haverá* maiores revelações à nossa espera.

CAPÍTULO CATORZE

LEI ACERCA DO LEPROSO DEPOIS DE CURADO (14.1-32)

O termo hebraico traduzido por *lepra* é *sara'at*. Foi a versão da Septuaginta que nos deu essa tradução; e dali, essa tradução *errônea* entrou em todas as outras traduções, excetuando somente as mais modernas. A NIV (New International Version) diz "doenças cutâneas infecciosas e míldio", em lugar de "lepra". Na minha introdução ao capítulo 13 de Levítico, dou várias sugestões quanto à identificação dessa *sara'at* dos hebreus. O trecho de Levítico 13.47 ss. certamente trata de mofos e míldios. Talvez algum caso raro de lepra fosse apanhado pela grande rede genérica chamada *sara'at*, mas não é a lepra que está em pauta nos capítulos 13 e 14 de Levítico. Sem dúvida, os hebreus pensavam que a *sara'at* era uma única enfermidade, que se manifestava nas pessoas e em objetos vários. Mas estavam errados quanto a esse parecer, e a ciência médica moderna já nos fez avançar para muito além dessa noção primitiva.

Visto que a verdadeira lepra, que é incurável, não está em evidência nos capítulos 13 e 14 de Levítico, não nos admiramos por ler, no capítulo 14, que muitos casos curavam-se espontaneamente, sem nenhum tipo de tratamento. Assim sucedia porque várias afecções cutâneas estavam em pauta, e algumas delas, naturalmente, eram curadas com o tempo. E assim criou-se a circunstância em que era preciso cuidar de *casos de cura*; e é este capítulo 14 que nos fornece as regras que governavam essa questão. O próprio fato de que havia curas é prova de que a lepra não estava em mira, excetuando, talvez, alguns raros casos.

No fim das notas sobre o capítulo 13, apresentei uma síntese de ideias sobre a questão, que podemos considerar antes de nos lançarmos ao estudo do capítulo 14 de Levítico.

Uma pessoa isolada podia ser readmitida à sociedade pela autoridade de um sacerdote. Uma pessoa, ao pensar que tinha sido curada, mandava um recado ao sacerdote. Este saía ao encontro da pobre vítima para examiná-la. E examinava os sintomas, tal como tinha feito antes. Seguiam-se ritos e regras, e isso preparava o homem para seu recebimento pela sociedade. "Essa readmissão e purificação ritual envolviam dois estágios: (a) um ritual que envolvia duas aves, fora do arraial (Lv 14.3-7); (b) uma série de sacrifícios no santuário, oito dias mais tarde (vss. 10-20). Um ritual alternativo era provido para os mais pobres (vss. 21,22)" (F. Duane Lindsey, *in loc.*).

A sequência de sacrifícios assemelhava-se muito à que dizia respeito à consagração de sacerdotes. Ver o oitavo capítulo de Levítico. A cerimônia acerca de indivíduos curados de *sara'at* continha elementos arcaicos que fogem a qualquer explicação, embora os intérpretes tenham lutado para remover as dúvidas.

■ 14.1

וַיְדַבֵּר יְהוָה אֶל־מֹשֶׁה לֵּאמֹר׃

Disse o Senhor. Uma expressão muito repetida que indica, como um artifício literário, o início de alguma nova ação. Mas também ressalta a fé na inspiração divina das Escrituras. Ver Levítico 1.1 e 4.1, em suas notas expositivas, quanto a esclarecimentos a respeito. *Moisés* continuava sendo o redator de todos os ensinos e tradições.

■ 14.2,3

זֹאת תִּהְיֶה תּוֹרַת הַמְּצֹרָע בְּיוֹם טָהֳרָתוֹ וְהוּבָא אֶל־הַכֹּהֵן׃

וְיָצָא הַכֹּהֵן אֶל־מִחוּץ לַמַּחֲנֶה וְרָאָה הַכֹּהֵן וְהִנֵּה נִרְפָּא נֶגַע־הַצָּרַעַת מִן־הַצָּרוּעַ׃

O processo de restauração da vítima de *sara'at*, até que ela fosse declarada limpa, era muito elaborado, e ocupa os versículos 2 a 32 deste capítulo. Alisto abaixo *dezenove passos* envolvidos. Ver as notas sobre o quinto versículo quanto à lista desses passos. Na exposição que se segue, nos versículos individuais, são acrescidos detalhes.

Novos regulamentos faziam-se necessários, diante da circunstância de que alguém fora vitimado pela *sara'at* mas agora recebera uma cura espontânea. Isso sucedia porque a palavra hebraica envolvida não aponta para a verdadeira hanseníase ou lepra, conforme mostrei na introdução ao capítulo 13 de Levítico, bem como nos últimos sete parágrafos dos comentários sobre aquele capítulo. Seria instrutivo para o leitor examinar esses comentários agora. Certa variedade de afecções cutâneas era coberta pelo termo, e até mesmo mofos e míldios. Ver a introdução ao capítulo 14 de Levítico. Assim, era natural que algumas das enfermidades chamadas *sara'at,* no hebraico, se curassem espontaneamente, após algum período de tempo, ultrapassando em muito os poucos sete ou catorze dias de quarentena que as regras determinavam (ver Lv 13.4,5,21,26,31,33).

Uma pessoa que tivesse contraído a praga não podia aproximar-se do acampamento ou da cidade. Mas haveria meios de fazer chegar um recado até o sacerdote, anunciando que a doença fora curada. Então o sacerdote saía ao encontro da vítima, a fim de examiná-la ali. E o sacerdote, tendo examinado a vítima, se verificasse que a cura realmente ocorrera, então passaria a efetuar o ritual apropriado, começando fora do acampamento e concluindo com os sacrifícios e cerimônias no tabernáculo.

Cf. o segundo versículo deste capítulo com Marcos 1.44, que é um incidente do Novo Testamento que seguiu as regras deste capítulo. Ver antes do começo da exposição, em Levítico 1.1, a lista de quarenta citações do livro de Levítico no Novo Testamento.

O homem vitimado pela praga provavelmente recebia visitas ocasionais da parte de amigos e parentes. Esses poderiam ser os seus mensageiros, como também aqueles que proviam o necessário para as cerimônias e sacrifícios.

■ 14.4

וְצִוָּה֙ הַכֹּהֵ֔ן וְלָקַ֧ח לַמִּטַּהֵ֛ר שְׁתֵּֽי־צִפֳּרִ֥ים חַיּ֖וֹת טְהֹר֑וֹת וְעֵ֥ץ אֶ֖רֶז וּשְׁנִ֥י תוֹלַ֖עַת וְאֵזֹֽב׃

Os amigos ou parentes do homem recebiam ordens da parte do sacerdote e proviam o material necessário para os ritos:

1. *Aves limpas,* fossem pardais, rolas ou pombinhos, ou, no dizer de alguns intérpretes, quaisquer aves classificadas entre os animais cerimonialmente *limpos.* Ver no *Dicionário* o artigo intitulado *Limpo e Imundo.* O capítulo 11 de Levítico discute longamente sobre a questão. Nos dias do segundo templo, a ave exigida era o *pardal.* Parece que esse costume baseava-se na superstição de que *sara'at* era um frequente castigo divino contra a *calúnia,* e o pardal era uma ave que vivia trinando, tal como o caluniador não cala a boca. E assim o pardal, mediante essa observação, tornou-se a ave *ideal* para ser sacrificada em casos de *sara'at.*
2. *Pau de cedro.* Uma acha com cerca de 45 cm de comprimento. Parece que o cedro era escolhido por causa de seus supostos valores medicinais. Também era contado entre os "cedros de Deus" (Sl 2.13; 27.24; 80.10; Am 2.9). Na qualidade de uma árvore *altaneira,* poderia simbolizar a mente arrogante do maledicente, pelo que era apropriado que uma árvore arrogante fosse derrubada e usada na purificação do homem atingido pela praga. Essas são explanações encontradas na antiga literatura judaica; mas é impossível determinar as razões de Moisés quanto a isso. Ver *Misn. Negaim* c. 14 sec. 6 quanto às regras e aos simbolismos das diversas árvores.
3. *Estofo carmesim.* Talvez um pedaço de madeira tingido dessa cor, ou um fio dessa cor, usado para amarrar o hissopo (ver item seguinte) ao pedaço de cedro. Em tempos posteriores, os regulamentos aumentaram, de tal modo que esse estofo carmesim ou fio precisava ter certo peso, a saber, igual a 32 grãos de cevada. Isso era tido como símbolo do sangue *agora* curado e purificado da vítima. Pelo menos assim pensavam alguns intérpretes judeus. Naturalmente, a maior parte das formas de *sara'at* não consistia em doenças do sangue, tal como a lepra também não o é; mas os antigos hebreus não sabiam disso.

O cedro e o tecido carmesim estavam ligados à purificação no caso de vítimas da *sara'at.* Os estudiosos só podem especular sobre as *razões* de tal uso. Esses mesmos itens estavam ligados à ideia de purificação, em outros casos (Nm 19.6; Sl 51.7), mas desconhecem-se os motivos exatos desses materiais.

4. *Hissopo.* Nos dias do segundo templo, esse item precisava ter cerca da largura de uma mão em seu comprimento. Não podia ser o chamado hissopo ornamental, grego ou romano. Nem podia ser usado o hissopo silvestre. Tinha de ser uma variedade de hissopo, cultivado em jardins, mas essas regras não existiam ainda nos dias de Moisés. Um ramículo desse arbusto era usado na cerimônia da aspersão do sangue. E assim, com o altaneiro cedro e com o humilde arbusto, hissopo, a vítima da *sara'at* era purificada. E ambas as coisas simbolizavam o estado de pecaminosidade e de humilhação, debaixo do juízo divino. O indivíduo tinha-se mostrado arrogante como o cedro, mas fora humilhado como o modesto hissopo. Ver no *Dicionário* o artigo chamado *Hissopo.* Continuamos na dúvida quanto à identificação exata desse arbusto.

PROCESSO DE RESTAURAÇÃO DAS VÍTIMAS DE SARA'AT (14.5-32)

Esse processo era longo e complexo, e é descrito até o vs. 32 deste capítulo. *Dezenove passos* estavam envolvidos, incluindo um processo de purificação realizado em dois estágios: 1. *civil* (passos 1 a 7); e 2. *religioso* (passos 8 a 19). Neste ponto, apresento o processo inteiro, para depois adicionar informações a cada versículo comentado:

1. *A cerimônia das duas aves.* Esse era o primeiro estágio da purificação: o estágio civil.
2. *A segunda ave* era solta. Ver as notas sobre isso, nos vss. 6 e 7, quanto a detalhes e símbolos.
3. O indivíduo lavava suas roupas.
4. O homem rapava todo o pelo do corpo.
5. O homem se banhava, imergindo o corpo todo na água.
6. Em seguida, podia *entrar no arraial,* do qual ficara isolado, enquanto a praga se mostrara ativa em seu corpo.
7. Embora já estivesse no acampamento, tinha de se manter distante de sua tenda, sem tocar em sua esposa. Estava socialmente restaurado, mas não religiosamente.
8. Ao sétimo dia, tinha de rapar de novo todo o pelo de seu corpo.
9. Tinha de lavar de novo as suas roupas.
10. Tinha de tomar outro banho ritual.
11. Vários sacrifícios e ofertas precisavam ser feitos para restaurar o indivíduo cerimonialmente impuro.
12. A vítima da praga entrava no átrio do tabernáculo, a cena dos sacrifícios, o que lhe dava uma restauração preliminar em sentido religioso. Esse passo é descrito no vs. 11.
13. Eram efetuados os sacrifícios requeridos. Ver o ponto 11 da exposição sobre o vs. 10. Isso incluía uma *oferta movida* (comentada em Êx 29.23,24).
14. O sacerdote oficiante e os membros masculinos de sua família tomavam a sua porção dos sacrifícios e tinham uma refeição comunal na área do átrio. Ver as notas sobre o vs. 13 quanto a esse passo.
15. Era realizado o rito da aspersão do sangue. Ver as notas sobre o vs. 14 quanto a esse passo.
16. Era efetuada a cerimônia com o azeite. Ver as notas sobre o vs. 16 quanto a esse passo.
17. Certas partes do corpo da vítima eram besuntadas com azeite; e o resto do azeite era derramado sobre a sua cabeça. Ver as notas sobre os vss. 17 e 18 quanto a esse passo.
18. Materiais alternativos para os sacrifícios e cerimônias eram permitidos no caso de pessoas pobres. Ver as notas sobre os vss. 21 a 29 quanto a isso. Excetuando os materiais, o modo de proceder era o mesmo.
19. O resultado final desse complexo cerimonial era que o indivíduo era pronunciado *limpo* e então era restaurado ao convívio da sociedade, civil e religiosamente falando. Ver as notas sobre os vss. 30 a 32.

■ 14.5

וְצִוָּה֙ הַכֹּהֵ֔ן וְשָׁחַ֖ט אֶת־הַצִּפּ֣וֹר הָאֶחָ֑ת אֶל־כְּלִי־חֶ֖רֶשׂ עַל־מַ֥יִם חַיִּֽים׃

Temos aqui, neste versículo, *o primeiro passo.*

Primeira Ave. Uma das aves (uma ave limpa, ver as notas sobre o vs. 4), em tempos posteriores o *pardal,* era morta, para que seu sangue pudesse ser usado no ritual. Um vaso de barro era usado para aparar o sangue. Primeiro uma pequena quantidade de água corrente era posta no vaso. Então a ave era sacrificada por sobre o vaso, e o sangue escorria para dentro do vaso, misturando-se com a água. Essa mistura era então usada na cerimônia da aspersão, descrita nos vss. 6 e 7. Não podia ser usada água que estivera estagnada, nem água que tivesse sido usada com qualquer outro fim. A carcaça do pássaro era sepultada, enquanto a vítima da *sara'at* contemplava a cena. Isso aludia ao fim da antiga vida de *impureza,* bem como ao começo de sua *nova* vida. O homem tinha voltado da morte para a vida.

■ 14.6

אֶת־הַצִּפֹּר הַחַיָּה יִקַּח אֹתָהּ וְאֶת־עֵץ הָאֶרֶז וְאֶת־שְׁנִי
הַתּוֹלַעַת וְאֶת־הָאֵזֹב וְטָבַל אוֹתָם וְאֵת הַצִּפֹּר הַחַיָּה
בְּדַם הַצִּפֹּר הַשְּׁחֻטָה עַל הַמַּיִם הַחַיִּים:

Aqui, no sexto versículo, temos o *segundo passo.*

A Cerimônia das Duas Aves. O sangue de uma delas é usado; a outra ave é solta.

A Estranha Mistura. O pano ou fio carmesim ligava a ave ainda viva e o hissopo e o pedaço de cedro. Esse conjunto era mergulhado no sangue misturado com água corrente. O agente aspergidor, estendido sobre seu cabo de cedro, ficava assim preparado para ser usado. Alguns eruditos dizem-nos que a ave não era amarrada com o resto, mas antes, era imersa em separado no sangue. Mas outros insistem (mais em consonância com o fraseado do texto) que todos os itens eram amarrados juntamente. Assim disse, enfaticamente, Ben Gerson.

■ 14.7

וְהִזָּה עַל הַמִּטַּהֵר מִן־הַצָּרַעַת שֶׁבַע פְּעָמִים וְטִהֲרוֹ
וְשִׁלַּח אֶת־הַצִּפֹּר הַחַיָּה עַל־פְּנֵי הַשָּׂדֶה:

O sangue era salpicado por sete vezes sobre a vítima restaurada, enquanto o sacerdote a declarava *limpa.* Seu grande teste havia terminado. Regras posteriores exigiam que fossem aspergidas as costas de sua mão e a sua testa. *Sete* significa que a purificação era divina e estava completa (cf. Lv 6.6). Ver no *Dicionário* o artigo chamado *Número (Numeral, Numerologia),* onde, entre outros números, é discutido o número *sete.*

A Outra Ave era Solta. Os intérpretes veem aqui dois símbolos ou significados.

a. O homem, aprisionado em sua favela degenerada, fora da cidade, agora podia retornar, livre, à sociedade humana. O morto havia retornado. O homem que soltasse a ave volvia o rosto na direção do campo aberto. A ave saía a voar. Que visão deve ter sido aquela para a ex-vítima da *sara'at.* Quão belo era ver a ave partir em voo veloz para a liberdade, sabendo que aquele era um quadro simbólico de sua recém-achada liberdade. A ave é um símbolo tradicional da alma. Portanto, achamos aí um quadro da libertação da alma de sua prisão, de sua miséria. Temos aqui o voo da alma em sua liberdade, a alma remida, livre de toda preocupação.

b. Outros eruditos veem aqui um quadro do bode expiatório, o *azazel* de Levítico 16.21, que era solto e se punha a correr pelo deserto, levando o pecado do povo de Israel. Nesse caso, então a ave simbolizava que a praga da vítima tinha sido levada, causada pelo pecado e pelo julgamento divino. O teste havia chegado ao fim. Ver 1Timóteo 3.16 e Colossenses 3.1,2 quanto a aplicações tipológicas no Novo Testamento.

A ave morta e a ave *viva,* em sua tipologia, podem simbolizar a morte e a ressurreição de Cristo.

> Jesus, descanso na alegria
> daquilo que tu és;
>
> Estou achando a grandeza
> de teu coração amoroso.
>
> ... e tua beleza enche a minha alma.
>
> Jean Sophie Pigott

■ 14.8

וְכִבֶּס הַמִּטַּהֵר אֶת־בְּגָדָיו וְגִלַּח אֶת־כָּל־שְׂעָרוֹ וְרָחַץ
בַּמַּיִם וְטָהֵר וְאַחַר יָבוֹא אֶל־הַמַּחֲנֶה וְיָשַׁב מִחוּץ
לְאָהֳלוֹ שִׁבְעַת יָמִים:

Prossegue o Elaborado Ritual da Purificação. Embora já declarada limpa, e embora já tivesse passado pelos ritos originais fora do arraial, a vítima da *sara'at,* agora supostamente livre da praga, teria de sujeitar-se a um ritual quase interminável, cuja descrição cobre vários versículos.

Terceiro Passo. Ele tinha de *lavar* suas vestes, simbolicamente, mas até talvez literalmente, lavando quaisquer vestígios deixados pela praga que se tivessem apegado às suas roupas. Cria-se que as vítimas da praga podiam contaminar às suas vestes (Lv 13.47 ss.). Cf. Levítico 6.20 e 11.25.

Quarto Passo. Ele precisava *rapar* todo tipo de pelo, do corpo todo, até mesmo das partes secretas. Talvez se julgasse que a *sara'at* fosse capaz de afetar as áreas peludas (Lv 13.40), pois, embora aparentemente limpo, um homem podia abrigar a praga em seus pelos. Cf. Números 8.7.

Quinto Passo. Ele precisava tomar um *banho* de corpo inteiro. Talvez a praga se tivesse apegado à sua pele, embora aparentemente derrotada. Esse banho era de imersão. O corpo inteiro precisava ser coberto pela água. Cf. Levítico 17.15 e Números 19.19.

Sexto Passo. Em seguida, ele podia *entrar no arraial,* de onde havia sido retirado para o seu isolamento, devido à praga.

Sétimo Passo. Embora já no arraial, precisava ficar *fora de sua tenda.* As autoridades judaicas dizem-nos que o propósito principal dessa proibição é que o homem ainda não podia reiniciar as atividades sexuais com sua esposa, para que não viesse a contrair alguma outra impureza. Ver Levítico 15.10. Diz a versão caldaica: "Ele se assentará fora da tenda da casa de sua habitação, e não se chegará à sua esposa por sete dias". No fim desse tempo, ele estaria socialmente restaurado, ainda que não para participar da adoração no tabernáculo.

■ 14.9

וְהָיָה בַיּוֹם הַשְּׁבִיעִי יְגַלַּח אֶת־כָּל־שְׂעָרוֹ אֶת־רֹאשׁוֹ
וְאֶת־זְקָנוֹ וְאֵת גַּבֹּת עֵינָיו וְאֶת־כָּל־שְׂעָרוֹ יְגַלֵּחַ וְכִבֶּס
אֶת־בְּגָדָיו וְרָחַץ אֶת־בְּשָׂרוֹ בַּמַּיִם וְטָהֵר:

Segundo Estágio da Purificação. O homem já havia sido socialmente restau-rado, posto que ainda não religiosamente falando.

Oitavo Passo. No sétimo dia, ele precisava repetir o processo da *rapagem* de todos os seus pelos. Ver o vs. 8, ponto quarto, onde damos razões para isso. As instruções aqui elaboram um pouco mais: precisavam ser rapadas a cabeça, a barba e as sobrancelhas, e mesmo *todo* pelo do corpo.

Nono Passo. Tinha de *lavar* novamente as suas vestes. Ver o vs. 8, em seu terceiro ponto, quanto a notas expositivas.

Décimo Passo. Tinha de tomar outro *banho* ritual. Ver Levítico 17.15 e Números 19.19. No tempo do segundo templo, havia uma câmara especial de banhos ritualistas, na esquina noroeste do átrio das mulheres, que era chamada "câmara da *sara'at*".

■ 14.10

וּבַיּוֹם הַשְּׁמִינִי יִקַּח שְׁנֵי־כְבָשִׂים תְּמִימִים וְכַבְשָׂה
אַחַת בַּת־שְׁנָתָהּ תְּמִימָה וּשְׁלֹשָׁה עֶשְׂרֹנִים סֹלֶת מִנְחָה
בְּלוּלָה בַשֶּׁמֶן וְלֹג אֶחָד שָׁמֶן:

Décimo Primeiro Passo. Vários sacrifícios e ofertas precisavam ser efetuados, restaurando a purificação religiosa da vítima. Em outras palavras, o homem agora podia participar dos ritos e dos sacrifícios do tabernáculo, tal como qualquer outra pessoa. Dessa forma, a sua restauração estava completa.

Três sacrifícios tinham de ser feitos em seu favor: uma *oferta pela transgressão* (ver Lv 7.1-7; 5.1-13 e 6.1-7); uma *oferta pelo pecado* (ver Lv 6.25,30; 4.1-35); um *holocausto* (ver Lv 1.3-17; 6.9-13). O cordeiro da oferta pelo pecado, como sempre sucedia, não podia ter nenhum defeito (Lv 1.3) e devia estar dentro de seu primeiro ano de idade (Lv 12.6).

Em adição, cada uma das três ofertas tinha de ser acompanhada por uma oferta de manjares ou de cereal. Usualmente, a oferta de manjares não acompanhava a oferta pela transgressão nem a oferta pelo pecado, e a quantidade de cereais, no caso da *sara'at,* era maior. Ver a maneira de preparar a oferta de manjares em Levítico 6.14-18.

Esse ritual especial envolvia o oferecimento de todos os quatro tipos obrigatórios de sacrifícios (pela culpa, pelo pecado, holocausto e oferta de manjares). Os capítulos 1—7 ocupam-se na sua descrição. Destarte, a purificação de uma vítima da *sara'at* era considerada uma questão trabalhosa, porquanto os ritos envolvidos eram muito complexos e todo-inclusivos. O uso do azeite lembra-nos do culto de ordenação de Arão e seus filhos (cap. 8).

Três dízimas de um efa de flor de farinha. Uma décima parte do efa era chamada *ômer* (Êx 16.36). Era igual a 43 ovos ou cerca de 2 kg. Isso significa que a farinha total trazida era de cerca de 6 kg. Portanto, o homem precisava prover três cordeiros e 6 kg de farinha. Um homem pobre, entretanto, precisava trazer somente um cordeiro e 2 kg de farinha. Ver sobre o vs. 21. O sextário de azeite permanecia o mesmo. As autoridades diferem quanto à avaliação das várias medidas mencionadas.

Um sextário de azeite. Esse azeite era usado na cerimônia de aspersão e unção, mencionada nos vss. 15 ss. O *sextário* é mencionado por quatro vezes na seção (vss. 10,12,15,21), mas em nenhuma outra parte da Bíblia. Nos dias do segundo templo, essa medida tinha o peso de seis ovos de galinha, o que alguns calculam em cerca de meio litro.

14.11

וְהֶעֱמִיד הַכֹּהֵן הַמְטַהֵר אֵת הָאִישׁ הַמִּטַּהֵר וְאֹתָם לִפְנֵי יְהוָה פֶּתַח אֹהֶל מוֹעֵד׃

Temos aqui o *décimo segundo* dos dezenove passos. Prossegue o processo da purificação da vítima da *sara'at*. A vítima era trazida ao tabernáculo para os sacrifícios e cerimônias apropriados. Desse modo, a pessoa já havia adquirido a *restauração preliminar* à adoração religiosa, depois de ter obtido sua restauração social (vss. 2-10). Os sacrifícios e rituais dar-lhe-iam direitos religiosos permanentes, e, então, seria um homem livre.

Porta da tenda da congregação. Em outras palavras, por dentro da *primeira cortina*, que atuava como uma porta que levava ao interior do átrio. Ver sobre os três véus do tabernáculo em Êxodo 26.36. O altar dos holocaustos achava-se ali, no átrio, do lado de fora da segunda cortina, que conduzia ao Lugar Santo. Ver as notas sobre o altar de bronze, em Êxodo 27.1. A fim de ser purificado, o homem mantinha o rosto voltado na direção do Lugar Santo, isto é, "diante do Senhor". Essa cortina ficava na entrada do tabernáculo. Ver o diagrama sobre a *planta* do tabernáculo, em Êxodo 25.1, na introdução àquele capítulo. Um gráfico é apresentado com propósitos de ilustração. Essa cerimônia era uma espécie de apresentação pública do homem. Ninguém podia duvidar da pureza do tal homem, depois de tudo isso realizado.

14.12,13

וְלָקַח הַכֹּהֵן אֶת־הַכֶּבֶשׂ הָאֶחָד וְהִקְרִיב אֹתוֹ לְאָשָׁם וְאֶת־לֹג הַשָּׁמֶן וְהֵנִיף אֹתָם תְּנוּפָה לִפְנֵי יְהוָה׃

וְשָׁחַט אֶת־הַכֶּבֶשׂ בִּמְקוֹם אֲשֶׁר יִשְׁחַט אֶת־הַחַטָּאת וְאֶת־הָעֹלָה בִּמְקוֹם הַקֹּדֶשׁ כִּי כַּחַטָּאת הָאָשָׁם הוּא לַכֹּהֵן קֹדֶשׁ קָדָשִׁים הוּא׃

Décimo Terceiro Passo. Os sacrifícios referidos, descritos sob o passo 11 (vs. 10), estavam realizados. O ritual incluía uma *oferta movida* (ver Êx 29.23,24).

Oferta pela culpa. Esse tipo de oferta é comentado em Levítico 7.1-7. Ver também Levítico 5.1-13 e 6.1-7. A teologia dos hebreus era fraca quanto a causas secundárias, pelo que sempre enfatizava Yahweh, *a causa de tudo*. Assim sendo, as enfermidades, mormente qualquer forma de *sara'at*, eram vistas como juízos divinos por causa de alguma transgressão ou pecado, conhecido ou desconhecido. O homem enfermo era considerado em estado de pecado. Mas se a enfermidade fosse curada, então isso evidenciava o perdão divino. Mas oferendas tinham de fazer expiação pelo erro. Dessa forma, tanto misericórdia quanto legalismo estavam envolvidos na questão. *Jó*, sem dúvida, era um pecador, mas não tinha consciência de nenhum pecado que houvesse cometido e que fosse a causa das calamidades em que se via metido. Mas de modo geral as enfermidades demonstravam que ele havia pecado em algum ponto da vida do indivíduo. A declaração de Jesus de que o homem que nascera cego não devia isso nem a algum pecado seu nem a algum pecado de seus pais, foi um conceito revolucionário. Ver também Lucas 13.4,5.

Diferenças. "Havia uma notável diferença no rito da oferta pela culpa de um leproso e a oferta regular de culpa, descrita em Levítico 5.6 etc. No caso à nossa frente, não somente havia o acompanhamento de *azeite*, mas também a oferta pela culpa e o azeite eram movidos pelo sacerdote, o que não ocorria em nenhuma outra ocasião, em conexão com as ofertas pela culpa e pelo pecado" (Ellicott, *in loc.*).

Vs. 13. Usualmente, aquele que trazia os animais a serem sacrificados era quem os abatia, e, então, o sacerdote oficiante fazia o trabalho diante do altar. Mas no caso do homem que estava sendo purificado da *sara'at*, visto que ainda não estava religiosamente limpo, ele não podia abater os animais. Essa tarefa era reservada a amigos ou parentes, que agiam em lugar dele. Ver as notas sobre Levítico 1.5. O próprio indivíduo precisava impor as mãos sobre o animal, e assim fazer uma transferência simbólica. E, então, o animal (ou animais) sofria(m) por aqueles pecados. Ver Levítico 1.4.

No lugar. O abate ocorria no átrio do tabernáculo, ao norte do altar de bronze (Lv 1.11; 6.25). O altar ficava no centro do átrio, antes da segunda cortina, aquela que barrava a entrada ao Lugar Santo.

Décimo Quarto Passo. O sacerdote e os membros masculinos de sua família tinham uma refeição comunal na área do tabernáculo, comendo aquelas porções que lhes pertenciam.

A Refeição. As porções dos sacerdotes, comidas na área do tabernáculo, eram chamadas *santíssimas*. Ver Levítico 2.3 quanto às designações *santíssimas* e *santas*.

14.14

וְלָקַח הַכֹּהֵן מִדַּם הָאָשָׁם וְנָתַן הַכֹּהֵן עַל־תְּנוּךְ אֹזֶן הַמִּטַּהֵר הַיְמָנִית וְעַל־בֹּהֶן יָדוֹ הַיְמָנִית וְעַל־בֹּהֶן רַגְלוֹ הַיְמָנִית׃

Décimo Quinto Passo. Partes do corpo da vítima, que estava em processo de ser purificada, precisavam ser besuntadas com sangue. Essas partes eram a ponta da orelha direita; o polegar da mão direita e o artelho grande do pé direito. Alguns estudiosos supõem que, originalmente, isso tivesse por intuito manter afastados quaisquer poderes demoníacos, e o sangue passado sobre o corpo tinha essa virtude. Ou, talvez, o demônio físico da *sara'at* tivesse assim de se manter afastado do indivíduo restaurado. As partes escolhidas para essa operação com o sangue, em cada caso ao lado direito do corpo, representavam o homem inteiro, bem como todos os seus atos possíveis. Ver a exposição sobre Êxodo 29.20 quanto a sentidos que também têm aplicação aqui. O homem sempre deveria ouvir (a orelha) a Yahweh; sempre deveria trabalhar (a mão) para ele; e sempre deveria andar nos caminhos (o pé) do Senhor. Desse modo, o homem era totalmente dedicado a Yahweh, de modo simbólico. Quanto a significados do sangue, ver as notas sobre Levítico 3.17.

14.15

וְלָקַח הַכֹּהֵן מִלֹּג הַשֶּׁמֶן וְיָצַק עַל־כַּף הַכֹּהֵן הַשְּׂמָאלִית׃

Ver sobre o vs. 10 acerca do *sextário de azeite*, que agora passa a figurar na cerimônia. O azeite era posto sobre a palma da mão esquerda do sacerdote, um lugar conveniente para dali transferi-lo, mediante a mão direita, para as várias partes do corpo do homem (vss. 16 e 17). As referências na Mishnah dizem que um sacerdote punha o azeite na mão de outro sacerdote, mas não parece que houvesse um preceito da lei mosaica que assim requeresse. Ver *Negaim*, c. 14, sec. 10. Assim também disse Maimônides (*Mechosre Capharah* e Bartenora em *Mish. Negaim*, conforme visto acima). Parece que um sacerdote podia fazer sozinho o trabalho, ou podia pedir a ajuda de outro sacerdote, quanto a esse aspecto da cerimônia.

14.16

וְטָבַל הַכֹּהֵן אֶת־אֶצְבָּעוֹ הַיְמָנִית מִן־הַשֶּׁמֶן אֲשֶׁר עַל־כַּפּוֹ הַשְּׂמָאלִית וְהִזָּה מִן־הַשֶּׁמֶן בְּאֶצְבָּעוֹ שֶׁבַע פְּעָמִים לִפְנֵי יְהוָה׃

A Cerimônia da Aspersão de Azeite. Temos aqui o *décimo sexto passo* dos ritos de restauração da vítima de *sara'at*. O azeite não era levado ao interior do Lugar Santo; mas o sacerdote, de rosto voltado naquela direção, mergulhava seu dedo indicador direito no azeite e salpicava-o por sete vezes sobre o chão do átrio. Tendo-se virado na direção do Santo dos Santos, o lugar da manifestação de Yahweh, ele assim agia "diante do Senhor". O dedo era mergulhado no azeite a cada ato de salpicar. Ver no *Dicionário* o artigo chamado *Número (Numeral, Numerologia)* quanto ao sentido do número *sete*. Esse era o número da perfeição divina, pelo que Yahweh ficava totalmente satisfeito com o que fora feito, e o homem era considerado totalmente restaurado à pureza cerimonial e religiosa. Ver outros usos do número *sete* em Levítico 4.6,17; 8.11,33,35; 12.2; 13.4,5,21,26. Alguns desses versículos aludem ao ato de aspersão.

■ **14.17,18**

וּמִיֶּ֨תֶר הַשֶּׁ֜מֶן אֲשֶׁ֣ר עַל־כַּפּ֗וֹ יִתֵּ֤ן הַכֹּהֵן֙ עַל־תְּנ֣וּךְ אֹ֤זֶן הַמִּטַּהֵר֙ הַיְמָנִ֔ית וְעַל־בֹּ֤הֶן יָדוֹ֙ הַיְמָנִ֔ית וְעַל־בֹּ֥הֶן רַגְל֖וֹ הַיְמָנִ֑ית עַ֖ל דַּ֥ם הָאָשָֽׁם׃

וְהַנּוֹתָ֗ר בַּשֶּׁ֨מֶן֙ אֲשֶׁר֙ עַל־כַּ֣ף הַכֹּהֵ֔ן יִתֵּ֖ן עַל־רֹ֣אשׁ הַמִּטַּהֵ֑ר וְכִפֶּ֥ר עָלָ֛יו הַכֹּהֵ֖ן לִפְנֵ֥י יְהוָֽה׃

Décimo Sétimo Passo. *Certas partes do corpo* da vítima eram ungidas com azeite. As mesmas partes ungidas com azeite eram as que tinham sido besuntadas com sangue (ver o vs. 14), e esse azeite era posto por sobre o sangue, de tal modo que as duas substâncias se misturavam. Em tipologia, temos o sangue da expiação e o azeite do Espírito, ambos válidos para o perdão e a purificação.

A cabeça da vítima era ungida com o que restava do azeite (vs. 18), pelo que a unção do Espírito tornava o homem *apto* para a adoração religiosa, tendo sido anulado o seu isolamento. A *sara'at* podia afetar a cabeça (Lv 13.44), e assim o homem, mediante partes representativas, estava totalmente purificado. A expiação, a santificação e o poder estavam simbolicamente envolvidos. Nos dias do segundo templo, a unção com azeite era tida como uma parte especial da expiação. Os pecados do homem tinham atraído contra ele a *sara'at*, de acordo com a teologia dos hebreus. Ver acerca da oferta pela culpa, em Levítico 14.12,13, onde essa teologia é explicada. A teologia dos hebreus era inadequada quanto a causas secundárias, pelo que a Yahweh se dava o crédito ou o descrédito no tocante a todos os efeitos.

Fará expiação. Quanto aos vários tipos de sacrifícios envolvidos no rito, ver as notas sobre Levítico 14.10, em seu segundo parágrafo. Naquele ponto, dou referências onde podem ser obtidas as informações pertinentes.

■ **14.19**

וְעָשָׂ֤ה הַכֹּהֵן֙ אֶת־הַ֣חַטָּ֔את וְכִפֶּ֕ר עַל־הַמִּטַּהֵ֖ר מִטֻּמְאָת֑וֹ וְאַחַ֖ר יִשְׁחַ֥ט אֶת־הָעֹלָֽה׃

Em Levítico 14.10, segundo parágrafo, dou os vários tipos de sacrifícios oferecidos pelo homem que estava sendo restaurado. Este versículo menciona dois desses sacrifícios, a oferta pelo pecado e o holocausto. As notas aludidas dão referências que ajudam o leitor a entender essas questões. As notas sobre Levítico 14.12,13, segundo parágrafo, explicam a teologia hebreia por trás desses ritos e sacrifícios.

Vss. 19,20. "O processo de ritos estava completo, tendo sido feita a oferta pelo pecado, com uma cordeira (vs. 10), e o holocausto (vs. 19), com um cordeiro. Esses eram acompanhados pela oferta de manjares (vs. 20)" (F. Duane Lindsey, *in loc.*).

■ **14.20**

וְהֶעֱלָ֧ה הַכֹּהֵ֛ן אֶת־הָעֹלָ֥ה וְאֶת־הַמִּנְחָ֖ה הַמִּזְבֵּ֑חָה וְכִפֶּ֥ר עָלָ֛יו הַכֹּהֵ֖ן וְטָהֵֽר׃ ס

Oferta de manjares. Ver Levítico 2.1-16 e 6.14-18.

Expiação. Ver sobre esse tema no *Dicionário*.

A combinação dessas duas formas de oferenda concluía o segundo e último estágio de purificação da vítima de *sara'at*. Isso lhe devolvia a pureza religiosa.

■ **14.21**

וְאִם־דַּ֣ל ה֗וּא וְאֵ֣ין יָדוֹ֮ מַשֶּׂגֶת֒ וְ֠לָקַח כֶּ֣בֶשׂ אֶחָ֥ד אָשָׁ֛ם לִתְנוּפָ֖ה לְכַפֵּ֣ר עָלָ֑יו וְעִשָּׂר֨וֹן סֹ֜לֶת אֶחָ֨ד בָּל֥וּל בַּשֶּׁ֛מֶן לְמִנְחָ֖ה וְלֹ֥ג שָֽׁמֶן׃

Décimo Oitavo Passo. *Materiais alternativos* para os sacrifícios e cerimônias eram permitidos para os pobres que não pudessem gastar com animais maiores.

Cf. esta passagem com Levítico 5.7,11 e 12.18 quanto a provisões similares em favor dos pobres. Os materiais referidos antes eram constituídos por *três cordeiros* e *três décimas* de um efa de farinha de trigo, ou seja, cerca de 6 kg, ou três *ômeres*. O ômer, a décima parte de um efa (ver Êx 16.36), era igual a cerca de 43 ovos de galinha, quanto ao peso. Ver as notas sobre o vs. 10 quanto a essa regra. O homem pobre, em contraste com isso, trazia apenas um cordeiro e terça parte dessa quantidade de farinha de trigo.

Sextário de azeite. Esse item é comentado no vs. 10 deste capítulo. O homem pobre tinha de trazer a mesma quantidade de azeite, como qualquer outra pessoa.

■ **14.22**

וּשְׁתֵּ֣י תֹרִ֗ים א֤וֹ שְׁנֵי֙ בְּנֵ֣י יוֹנָ֔ה אֲשֶׁ֥ר תַּשִּׂ֖יג יָד֑וֹ וְהָיָ֥ה אֶחָ֛ד חַטָּ֖את וְהָאֶחָ֥ד עֹלָֽה׃

Duas rolas, ou dois pombinhos. Isso o homem pobre podia trazer, em lugar dos dois cordeiros. Aves eram abundantes e fáceis de obter. Cf. Levítico 1.14. Ver Levítico 1.14-16 em suas notas expositivas, quanto aos cinco animais que deviam ser sacrificados, e que incluem as duas espécies de aves mencionadas aqui.

Assim sendo, o homem pobre podia substituir e reduzir materiais, mas o resto da cerimônia era o mesmo, tanto para ricos quanto para pobres.

■ **14.23**

וְהֵבִ֨יא אֹתָ֜ם בַּיּ֧וֹם הַשְּׁמִינִ֛י לְטָהֳרָת֖וֹ אֶל־הַכֹּהֵ֑ן אֶל־פֶּ֥תַח אֹֽהֶל־מוֹעֵ֖ד לִפְנֵ֥י יְהוָֽה׃

O homem pobre passava pelos mesmos ritos de purificação social (primeiro estágio) que cumpriam os outros homens. Coisa alguma é dita aqui sobre a *cerimônia das duas aves* (vss. 3-6), que o autor supôs que houvéssemos de lembrar aqui, no caso de um homem pobre. Isso posto, o vs. 23 tem paralelo nos vs. 10 e 11, onde são dadas as notas expositivas.

■ **14.24**

וְלָקַ֧ח הַכֹּהֵ֛ן אֶת־כֶּ֥בֶשׂ הָאָשָׁ֖ם וְאֶת־לֹ֣ג הַשָּׁ֑מֶן וְהֵנִ֨יף אֹתָ֧ם הַכֹּהֵ֛ן תְּנוּפָ֖ה לִפְנֵ֥י יְהוָֽה׃

Este versículo tem paralelo no vs. 12, onde são dadas as notas expositivas.

■ **14.25**

וְשָׁחַט֮ אֶת־כֶּ֣בֶשׂ הָאָשָׁם֒ וְלָקַ֤ח הַכֹּהֵן֙ מִדַּ֣ם הָאָשָׁ֔ם וְנָתַ֛ן עַל־תְּנ֥וּךְ אֹֽזֶן־הַמִּטַּהֵ֖ר הַיְמָנִ֑ית וְעַל־בֹּ֤הֶן יָדוֹ֙ הַיְמָנִ֔ית וְעַל־בֹּ֥הֶן רַגְל֖וֹ הַיְמָנִֽית׃

Este versículo tem paralelo nos vss. 13 e 14, onde são dadas as notas expositivas.

■ **14.26**

וּמִן־הַשֶּׁ֖מֶן יִצֹ֣ק הַכֹּהֵ֑ן עַל־כַּ֥ף הַכֹּהֵ֖ן הַשְּׂמָאלִֽית׃

Este versículo tem paralelo no vs. 15, onde são dadas as notas expositivas.

■ **14.27**

וְהִזָּ֤ה הַכֹּהֵן֙ בְּאֶצְבָּע֣וֹ הַיְמָנִ֔ית מִן־הַשֶּׁ֕מֶן אֲשֶׁ֖ר עַל־כַּפּ֣וֹ הַשְּׂמָאלִ֑ית שֶׁ֥בַע פְּעָמִ֖ים לִפְנֵ֥י יְהוָֽה׃

Este versículo tem paralelo no vs. 16, onde são dadas as notas expositivas.

■ **14.28**

וְנָתַן הַכֹּהֵן מִן־הַשֶּׁמֶן אֲשֶׁר עַל־כַּפּוֹ עַל־תְּנוּךְ אֹזֶן הַמִּטַּהֵר הַיְמָנִית וְעַל־בֹּהֶן יָדוֹ הַיְמָנִית וְעַל־בֹּהֶן רַגְלוֹ הַיְמָנִית עַל־מְקוֹם דַּם הָאָשָׁם׃

Este versículo tem paralelo no vs. 17, onde são dadas as notas expositivas.

■ **14.29**

וְהַנּוֹתָר מִן־הַשֶּׁמֶן אֲשֶׁר עַל־כַּף הַכֹּהֵן יִתֵּן עַל־רֹאשׁ הַמִּטַּהֵר לְכַפֵּר עָלָיו לִפְנֵי יְהוָה׃

Este versículo tem paralelo no vs. 18, onde são dadas as notas expositivas.

■ **14.30,31**

וְעָשָׂה אֶת־הָאֶחָד מִן־הַתֹּרִים אוֹ מִן־בְּנֵי הַיּוֹנָה מֵאֲשֶׁר תַּשִּׂיג יָדוֹ׃

אֵת אֲשֶׁר־תַּשִּׂיג יָדוֹ אֶת־הָאֶחָד חַטָּאת וְאֶת־הָאֶחָד עֹלָה עַל־הַמִּנְחָה וְכִפֶּר הַכֹּהֵן עַל הַמִּטַּהֵר לִפְנֵי יְהוָה׃

Décimo Nono Passo. Estes versículos são paralelos aos vss. 19 e 20, excetuando a substituição dos dois cordeiros por duas aves. Ademais, o material usado (farinha de trigo), no caso de um homem pobre, era uma terça parte apenas do que se exigia de um homem abastado. Ver as notas sobre o vs. 21 quanto a esse particular.

■ **14.32**

זֹאת תּוֹרַת אֲשֶׁר־בּוֹ נֶגַע צָרָעַת אֲשֶׁר לֹא־תַשִּׂיג יָדוֹ בְּטָהֳרָתוֹ׃ פ

A lei geral havia sido declarada, com suas provisões variadas, e, com essa observação, o autor interrompeu suas descrições. Cf. Levítico 13.59, onde achamos o mesmo tipo de afirmação concludente. Este versículo conclui as regras dos vss. 21-31 (os ritos do homem pobre). Os ritos do homem mais abastado não contavam com uma declaração concludente dessa natureza, e esta declaração é válida quanto a ambas as seções, ou seja, Levítico 14.10-20 e Levítico 14.21-31.

LEI ACERCA DA LEPRA EM UMA CASA (14.33-57)

Meu esboço diz lepra, mas devemos entender que os capítulos 13 e 14 de Levítico não estão descrevendo a hanseníase. Antes, vários tipos de afecções cutâneas estão em vista, além de mofos e míldios, em têxteis e em casas. No hebraico, a palavra *sara'at* apontava para uma única enfermidade, capaz de afetar pessoas e coisas. Mas essa enfermidade não era a lepra, embora lepra verdadeira pudesse ser ocasionalmente detectada pelos métodos utilizados. Discuti amplamente sobre essas questões nas notas introdutórias ao capítulo 13, e ofereci um diagrama nas notas sobre Levítico 13.59. Naquela referência discuto vários problemas envolvidos, incluindo o problema teológico. Ver também as notas introdutórias ao capítulo 14 de Levítico.

É indiscutível que a lepra não afetava nem afeta casas. Os intérpretes mais antigos, iludidos pela tradução da Septuaginta, lepra, procuravam afirmar que essa enfermidade pode infectar paredes. Mas isso se devia à ignorância deles. Estamos tratando aqui com mofos e míldios, isto é, condições provocadas por fungos, e não por bactérias causadoras de hanseníase. Nos dias de Moisés, as casas eram tendas feitas de peles de animais. Portanto, esta seção é apenas uma extensão do trecho de Levítico 13.47 ss., onde é discutida a questão da invasão da *sara'at* em tecidos e peles de animais. Posteriormente, as paredes de adobe podiam ser afetadas por fungos, que criavam manchas descoloridas. Os hebreus, ao contemplarem tal coisa, diziam: "A *sara'at* entrou na parede!" Mas era tudo apenas mofo e míldio.

Em Manaus, Amazonas, onde o clima é quente e úmido, o mofo ataca as paredes de madeira das casas feitas desse material. O vinagre mostra-se bastante eficaz na remoção dos fungos. Em Israel, entretanto, não eram conhecidos métodos eficazes de remoção, e assim, uma tenda ou casa podia ser condenada e destruída (vs. 45), por haver sido atacada pela temida *sara'at*.

■ **14.33**

וַיְדַבֵּר יְהוָה אֶל־מֹשֶׁה וְאֶל־אַהֲרֹן לֵאמֹר׃

Disse mais o Senhor. Essa fórmula muito repetida servia de artifício literário para introduzir novas seções. Mas também nos faz lembrar da inspiração divina das Escrituras. Ver as notas em Levítico 1.1 e 4.1.

■ **14.34**

כִּי תָבֹאוּ אֶל־אֶרֶץ כְּנַעַן אֲשֶׁר אֲנִי נֹתֵן לָכֶם לַאֲחֻזָּה וְנָתַתִּי נֶגַע צָרַעַת בְּבֵית אֶרֶץ אֲחֻזַּתְכֶם׃

Esta seção amplia a seção de Levítico 13.47-59, que tratou da *sara'at* em roupas e peles de animais. As tendas eram feitas de peles de animais, que também podiam ser infectadas pela praga, embora agora saibamos que mofos e míldios é que estão envolvidos nessas coisas, ou seja, fungos, e não o bacilo da temida lepra moderna. Casas feitas de pedras, de tijolos de argila e de massa também podem adquirir mofos, e isso se aplicava a Israel, uma vez que os filhos de Israel chegaram à terra de Canaã (vss. 34,42). O modo de proceder aplicado às casas era muito parecido com o que se dava com as pessoas e suas vestes, incluindo as quarentenas (vs. 38). As partes infectadas de uma casa não eram limpas, mas, antes, eram removidas e substituídas (vss. 39-42). Mas se o míldio tivesse tomado conta de uma casa, ela era simplesmente destruída (vss. 44,45). Se as medidas tomadas tivessem sucesso, então a casa passava por uma cerimônia de purificação e era declarada limpa, como se fosse uma pessoa. Ver os vss. 48-53 e cf. com os vss. 3-7.

Terra de Canaã. Os críticos veem aqui um anacronismo, afirmando que os regulamentos aqui cobrem casas feitas de pedras, tijolos de argila e massa, o que refletiria um tempo em que o povo de Israel já se tinha estabelecido na Terra Prometida. E que a menção a esses materiais foi escrita naqueles tempos, e não por Moisés, por antecipação. Alguns eruditos conservadores veem um aspecto profético nesta seção; mas outros tratam este trecho como uma adição subsequente ao texto. Nesse caso, esta seção seria um adendo.

E eu enviar a praga da lepra. A praga da *sara'at*. A mente hebreia não pensava em uma invasão de microrganismos, visto que nada sabiam a esse respeito. Antes a praga era algum mal, talvez enviado por Yahweh diante de seu desprazer por causa do pecado. Assim sendo, se um homem tinha mofo em sua casa, talvez isso se devesse a algum pecado em sua vida, de acordo com a teologia da época. A *sara'at* era uma questão espiritual para os hebreus, e não apenas uma questão de saúde pública. Por isso no texto lemos que Yahweh enviava a praga da lepra.

Terra da vossa possessão. Assim chamada porque Canaã era a Terra Prometida a Abraão, no Pacto Abraâmico. Ver Gênesis 15.18 e suas notas expositivas quanto ao Pacto Abraâmico. As tribos ali achadas foram expulsas, e assim Israel veio a possuir a terra de Canaã como sua legítima herança da parte do Senhor.

A versão caldaica de Jonathan fala sobre um homem que edificou uma casa com material furtado. Essa seria uma razão pela qual Yahweh haveria de amaldiçoar a tal casa com a temível praga da *sara'at*.

Os intérpretes antigos, influenciados pela tradução errônea da Septuaginta, *lepra*, insistiam, tolamente, em que a lepra é capaz de infectar uma casa. Alguns deles chegaram ao extremo de afirmar que tal praga ocorria somente na Palestina, devido à maldição de Yahweh, a fim de explicarem por que a lepra não continua atacando casas hoje em dia.

Temos, pois, o seguinte triste comentário: "Esse tipo de lepra provinha da mão imediata de Deus e era sobrenatural e miraculoso, conforme afirmaram os escritores judeus" (John Gill, *in loc.*).

■ **14.35**

וּבָא אֲשֶׁר־לוֹ הַבַּיִת וְהִגִּיד לַכֹּהֵן לֵאמֹר כְּנֶגַע נִרְאָה לִי בַּבָּיִת׃

Tal como o homem afetado pela praga tinha de apresentar-se ao sacerdote, se lhe surgissem os sintomas da *sara'at,* assim também fazia parte dos deveres civis e religiosos de um homem dar notícia de uma casa que, ao que parecia, havia apanhado a praga (*Misn. Negaim,* c. 5; *Jarchi, in loc.*). E era dever do *sacerdote* averiguar a questão, pois a praga, de acordo com a teologia da época, era um sinal do desprazer divino. Ademais, os sacerdotes eram aqueles que punham em vigor os regulamentos e eram os melhores conhecedores dos sintomas.

■ 14.36

וְצִוָּה הַכֹּהֵן וּפִנּוּ אֶת־הַבַּיִת בְּטֶרֶם יָבֹא הַכֹּהֵן
לִרְאוֹת אֶת־הַנֶּגַע וְלֹא יִטְמָא כָּל־אֲשֶׁר בַּבָּיִת וְאַחַר
כֵּן יָבֹא הַכֹּהֵן לִרְאוֹת אֶת־הַבָּיִת׃

Temos aqui uma norma humanitária. Se a casa fosse primeiramente esvaziada, então, ao ser feita a inspeção, e a palavra *sara'at* fosse proferida, nesse caso os móveis e utensílios não seriam considerados imundos, ainda que (talvez) por longo tempo estivessem naquele lugar imundo. Mas se os móveis não fossem removidos, e a palavra *imundo* chegasse a ser proferida pelo sacerdote inspetor, então todo o mobiliário também seria considerado imundo, e tudo teria de ser destruído. Não somente os móveis, mas também *tudo* quanto estivesse no interior da casa, até mesmo um punhado de gravetos para fazer fogo (*Misn. Negaim,* sec. 5).

■ 14.37

וְרָאָה אֶת־הַנֶּגַע וְהִנֵּה הַנֶּגַע בְּקִירֹת הַבַּיִת שְׁקַעֲרוּרֹת
יְרַקְרַקֹּת אוֹ אֲדַמְדַּמֹּת וּמַרְאֵיהֶן שָׁפָל מִן־הַקִּיר׃

Faixas esverdeadas ou avermelhadas que corressem em manchas pelas paredes, parecendo formar baixo-relevo, ou formando depressões, tal como no caso de afecções cutâneas em seres humanos (ver Lv 13.3), eram sinais seguros da *sara'at.* Sabemos que eram ataques de fungos, como mofo ou míldio. Mas os hebreus pensavam, equivocadamente, que isso seria uma "doença", como a que afetava aos seres humanos. Os intérpretes mais antigos continuam insistindo aqui na "lepra", algo enviado diretamente por Yahweh, de forma sobrenatural etc., posto que tal maneira de pensar se originasse na ignorância dos fatos.

As *manchas,* de acordo com as regras em vigor na época do segundo templo, não precisavam ser muito grandes; manchas do tamanho de um feijão eram suficientes.

O caruncho (*Merulius lacrymans*) podia ser a afecção, em determinados casos. Trata-se de um fungo que transforma a madeira em pó. E deixa buracos e endentações.

■ 14.38

וְיָצָא הַכֹּהֵן מִן־הַבַּיִת אֶל־פֶּתַח הַבָּיִת וְהִסְגִּיר
אֶת־הַבַּיִת שִׁבְעַת יָמִים׃

A quarentena da casa por sete dias (ver Lv 13.4, onde o número *sete* é explicado; ver também Lv 13.4,21,26,50,54) ocorria como no caso de pessoas afetadas pela *sara'at.* Mas, como é claro, a mera espera por sete dias era totalmente inadequada para resolver qualquer condição. Sem dúvida, nenhum ataque de fungo cederia por si mesmo durante esse tempo, apesar das expectativas. Mas os sacerdotes criam que, se Yahweh não tivesse afligido a casa, então a *sara'at* haveria de ceder nesse período. Cf. Levítico 13.50, onde o mesmo modo de proceder era usado no caso de vestes e peles de animais.

■ 14.39,40

וְשָׁב הַכֹּהֵן בַּיּוֹם הַשְּׁבִיעִי וְרָאָה וְהִנֵּה פָּשָׂה הַנֶּגַע
בְּקִירֹת הַבָּיִת׃

וְצִוָּה הַכֹּהֵן וְחִלְּצוּ אֶת־הָאֲבָנִים אֲשֶׁר בָּהֵן הַנָּגַע
וְהִשְׁלִיכוּ אֶתְהֶן אֶל־מִחוּץ לָעִיר אֶל־מָקוֹם טָמֵא׃

Terminado o período de sete dias, o sacerdote fazia nova inspeção, tal como sucedia no caso de pessoas ou de têxteis (ver Lv 13.5 ss; 13.51). Se a condição tivesse persistido, então as partes infectadas seriam removidas e deixadas em um lugar aberto, fora da cidade, como coisas imundas. Cria-se que isso podia fazer parar a praga, e que a casa poderia ser usada sem ser considerada imunda, pois isso significaria sua total destruição. Seria mister algum tempo para que o fungo voltasse a atacar; mas o mais provável é que a umidade do meio ambiente viesse a produzir novo ataque de fungo. No entanto, se a infecção tornasse a *brotar na casa* (vs. 43), então esta seria tida como um caso perdido e teria de ser destruída. Mas se os hebreus antigos contassem com desinfetantes, os locais poderiam ser lavados e o fungo seria eliminado. Nosso conhecimento, até mesmo nosso conhecimento teológico, precisa ser renovado, e não apenas as paredes de nossas casas. A verdade é uma *aventura,* e não algo que se adquire de uma vez só. Deus mesmo guia-nos nessa aventura.

■ 14.41

וְאֶת־הַבַּיִת יַקְצִעַ מִבַּיִת סָבִיב וְשָׁפְכוּ אֶת־הֶעָפָר אֲשֶׁר
הִקְצוּ אֶל־מִחוּץ לָעִיר אֶל־מָקוֹם טָמֵא׃

Uma Precaução Adicional. Embora agora invisível (pois as manchas de fungo haviam sido removidas), talvez a *sara'at* ainda estivesse oculta nas paredes. Por conseguinte, a casa era toda raspada por dentro e por fora, e todo o material assim recolhido era deixado fora da cidade, em montões. Essa raspagem provavelmente ajudava a casa a passar muito tempo antes que houvesse a próxima invasão por fungo, que reiniciasse todo o processo.

■ 14.42

וְלָקְחוּ אֲבָנִים אֲחֵרוֹת וְהֵבִיאוּ אֶל־תַּחַת הָאֲבָנִים
וְעָפָר אַחֵר יִקַּח וְטָח אֶת־הַבָּיִת׃

As pedras removidas eram substituídas por *outras* pedras; os lugares raspados recebiam nova argamassa. Assim sucede a toda a verdade. Ideias antigas são rejeitadas; ideias novas vêm tomar o seu lugar. O Novo Testamento substituiu o Antigo Testamento quanto a muitos pontos importantes. Deus está sempre removendo pedras antigas e substituindo-as por pedras novas. Trata-se de um processo eterno. Suas revelações nunca cessam. O avanço no conhecimento e na verdade é um processo eterno, pois ninguém chegará a conhecer toda a verdade de Deus, mas sempre estaremos avançando nessa direção. A estagnação, todavia, toma conta da vida e da mente dos homens que se recusam a permitir que as antigas pedras sejam removidas. Mas isso deixa a estrutura condenada. A verdade deixou para trás tal indivíduo.

■ 14.43,44

וְאִם־יָשׁוּב הַנֶּגַע וּפָרַח בַּבַּיִת אַחַר חִלֵּץ אֶת־הָאֲבָנִים
וְאַחֲרֵי הִקְצוֹת אֶת־הַבַּיִת וְאַחֲרֵי הִטּוֹחַ׃

וּבָא הַכֹּהֵן וְרָאָה וְהִנֵּה פָּשָׂה הַנֶּגַע בַּבָּיִת צָרַעַת
מַמְאֶרֶת הִוא בַּבַּיִת טָמֵא הוּא׃

Se a praga tornar a brotar. Nada nos é dito sobre a possibilidade de uma pedra, aqui e acolá, ou de uma peça de madeira, aqui e acolá, ser novamente infectada. Talvez em um caso médio desses, houvesse de novo o processo de remoção e substituição. Mas se a praga se tivesse *espalhado,* então a casa era simplesmente condenada, por causa de sua "lepra maligna", o que também acontecia no caso de vestes (ver os vss. 51 e 52 deste capítulo).

Um Caso Sem Esperança. É triste quando a nossa resistência ao bem e a Deus torna-se tão persistente e obstinada que não há mais remédio. E, então, tal casa corre o perigo de demolição. Oh, Senhor, livra-nos de tão grande estupidez!

Normas posteriores afirmavam que nenhuma casa, a menos que tivesse quatro paredes e fosse edificada com pedras, adobe e madeira, podia ser afetada pelas regras atinentes à *sara'at.* Muitas, muitíssimas casas, perderam-se. Mas casas feitas de tijolos e de mármore não estavam sujeitas à regra acerca da *sara'at.*

■ 14.45

וְנָתַץ אֶת־הַבַּיִת אֶת־אֲבָנָיו וְאֶת־עֵצָיו וְאֵת כָּל־עֲפַר
הַבָּיִת וְהוֹצִיא אֶל־מִחוּץ לָעִיר אֶל־מָקוֹם טָמֵא׃

Derrubar-se-á, portanto, a casa. Era a demolição total. Seus escombros, talvez com a ajuda de animais, eram levados para um montão de imundícias, fora da cidade. Normas posteriores podem ter modificado o que prevalecia nos dias de Moisés. Para que uma casa fosse assim condenada, era mister que fosse feita de madeira, de pedras ou de tijolos. Casas assim, se manifestassem uma praga generalizada, estavam condenadas. Mas outros materiais usados não eram considerados afetados (*Misn. Negaim,* c. 12, sec. 2).

A Malignidade Moral. "Portanto, se, depois de terem escapado das contaminações do mundo, mediante o conhecimento do Senhor e Salvador Jesus Cristo, se deixam enredar de novo e são vencidos, tornou-se o seu último estado pior que o primeiro. Pois, melhor lhes fora nunca tivessem conhecido o caminho da justiça do que, após conhecê-lo, volverem para trás, apartando-se do santo mandamento que lhes fora dado" (2Pe 2.20,21). Naturalmente, estão aqui em destaque os gnósticos, os quais corromperam a Igreja cristã primitiva. Ver na *Enciclopédia de Bíblia, Teologia e Filosofia* o artigo intitulado *Gnosticismo.* Mas a corrupção do espírito pode levar-nos a assumir características próprias dos gnósticos. Todavia, a graça de Deus, se for buscada por nós, será suficiente para impedir-nos disso.

■ **14.46**

וְהַבָּא אֶל־הַבַּיִת כָּל־יְמֵי הִסְגִּיר אֹתוֹ יִטְמָא עַד־הָעָרֶב׃

A referência deste versículo é duvidosa. Parece referir-se a um período adicional de quarentena, de sete dias, embora tal período não seja mencionado. No caso de pessoas (ver o vs. 5 deste capítulo), uma quarentena adicional era imposta em casos duvidosos. Os cânones posteriores falavam em um período de três semanas. Durante esse tempo, ninguém podia entrar na casa suspeita; e, se o fizesse, era declarado imundo, e devia submeter-se ao longo processo de purificação. Ver no *Dicionário* o artigo *Limpo e Imundo,* em seu quinto ponto, quanto a esses ritos. Ver Levítico 11.24 e 23.32. O trecho de Levítico 11.25 nos mostra como era o processo de purificação.

Alguns estudiosos creem que a quarentena aqui referida era de sete dias, mencionada no vs. 38. Nesse caso, temos aqui uma espécie de pensamento adicional por parte do autor sacro, que se lembrou da quarentena quando já ia bem adiantado em suas descrições.

O homem que entrasse em uma casa sob regime de quarentena tornava-se imundo mesmo que, segundo podemos imaginar, a casa fosse pronunciada limpa. Ou, então, o autor sagrado antecipa aqui que *esse* pronunciamento seria inevitável. Uma vez pronunciada imunda, ao menos tocar na casa *pelo lado de fora* era suficiente para fazer tal pessoa tornar-se imunda.

■ **14.47**

וְהַשֹּׁכֵב בַּבַּיִת יְכַבֵּס אֶת־בְּגָדָיו וְהָאֹכֵל בַּבַּיִת יְכַבֵּס אֶת־בְּגָדָיו׃

Se um homem ao menos entrasse em uma casa sob quarentena, seria considerado imundo (vs. 46). Mas se um homem dormisse ou comesse ali, então um contato tão prolongado serviria somente para complicar a sua situação. Não somente tal homem era reputado imundo, mas também suas roupas, e ele teria de lavá-las como parte da cerimônia de purificação. Presumimos que ele também tivesse de tomar um banho. Ver Levítico 11.25 quanto a explicações. Normas posteriores são ridículas. Se um homem entrasse em uma casa sob quarentena, mas comesse apenas meio pão de trigo branco, então não ficaria imundo. Mas se tivesse comido mais do que isso, ou seja, se realmente tivesse comido ali uma refeição, então seria tido como imundo, por ter ficado ali por tempo demais (*Misn. Negaim,* c. 13, sec. 8,9).

■ **14.48**

וְאִם־בֹּא יָבֹא הַכֹּהֵן וְרָאָה וְהִנֵּה לֹא־פָשָׂה הַנֶּגַע בַּבַּיִת אַחֲרֵי הִטֹּחַ אֶת־הַבָּיִת וְטִהַר הַכֹּהֵן אֶת־הַבַּיִת כִּי נִרְפָּא הַנָּגַע׃

Se tivesse dado certo o trabalho de renovação, e se a praga não se tivesse manifestado de novo, então teria havido sucesso. A casa seria pronunciada *limpa,* e os ocupantes poderiam voltar a habitar nela. Os intérpretes pensavam que essa inspeção seria efetuada após a *segunda* semana de sete dias, e não após a quarentena original (vs. 39). Ver as notas sobre isso, no vs. 46. Tipicamente, isso ressalta a possibilidade da renovação moral. Algumas vezes, os homens conseguem dominar os seus vícios. A graça divina é necessária para isso.

■ **14.49**

וְלָקַח לְחַטֵּא אֶת־הַבַּיִת שְׁתֵּי צִפֳּרִים וְעֵץ אֶרֶז וּשְׁנִי תוֹלַעַת וְאֵזֹב׃

Um sacrifício de purificação tinha de ser oferecido a Yahweh, fonte originária de todas as coisas, eventos e condições, pois a casa havia sido infestada pela *sara'at.* Os mesmos ritos são prescritos para a purificação da casa, conforme sucedeu ao indivíduo afetado. Ver os vss. 3-7. A diferença era que nenhum sacrifício de animal, ou seja, além das aves, tinha lugar. Este versículo tem paralelo em Levítico 14.4, onde são dadas as notas expositivas.

■ **14.50**

וְשָׁחַט אֶת־הַצִּפֹּר הָאֶחָת אֶל־כְּלִי־חֶרֶשׂ עַל־מַיִם חַיִּים׃

Este versículo tem paralelo em Levítico 14.5, onde são dadas as notas expositivas.

■ **14.51,52**

וְלָקַח אֶת־עֵץ־הָאֶרֶז וְאֶת־הָאֵזֹב וְאֵת שְׁנִי הַתּוֹלַעַת וְאֵת הַצִּפֹּר הַחַיָּה וְטָבַל אֹתָם בְּדַם הַצִּפֹּר הַשְּׁחוּטָה וּבַמַּיִם הַחַיִּים וְהִזָּה אֶל־הַבַּיִת שֶׁבַע פְּעָמִים׃

וְחִטֵּא אֶת־הַבַּיִת בְּדַם הַצִּפּוֹר וּבַמַּיִם הַחַיִּים וּבַצִּפֹּר הַחַיָּה וּבְעֵץ הָאֶרֶז וּבָאֵזֹב וּבִשְׁנִי הַתּוֹלָעַת׃

Estes versículos têm paralelo em Levítico 14.6,7, onde são dadas as notas expositivas.

■ **14.53**

וְשִׁלַּח אֶת־הַצִּפֹּר הַחַיָּה אֶל־מִחוּץ לָעִיר אֶל־פְּנֵי הַשָּׂדֶה וְכִפֶּר עַל־הַבַּיִת וְטָהֵר׃

Este versículo tem paralelo em Levítico 14.7, onde são dadas as notas expositivas.

■ **14.54**

זֹאת הַתּוֹרָה לְכָל־נֶגַע הַצָּרַעַת וְלַנָּתֶק׃

Os vss. 54-57 atuam como uma espécie de declaração final sobre a matéria dos capítulos 13 e 14 de Levítico, sem mencionar cada item que foi apresentado.

Toda sorte de praga de lepra. Uma frase generalizadora, que não destaca cada manifestação por vez. As normas agora estavam determinadas, e era mister obedecer às ordens de Yahweh, a origem de todo conhecimento e moralidade. O vs. 54 refere-se à *sara'at* que afetava pessoas, longamente descrita em Levítico 13.2-46.

■ **14.55**

וּלְצָרַעַת הַבֶּגֶד וְלַבָּיִת׃

Este versículo menciona como foram dadas as regras concernentes à praga nas vestes (Lv 13.47-59) e nas casas (Lv 14.34-57).

■ **14.56**

וְלַשְׂאֵת וְלַסַּפַּחַת וְלַבֶּהָרֶת׃

Este versículo leva-nos de volta à questão da praga em pessoas (tal como no vs. 54), mostrando-nos os sintomas básicos de como a *sara'at* manifestava-se em seres humanos. Este versículo repete o trecho de Levítico 13.2, onde as notas expositivas devem ser examinadas.

14.57

לְהוֹרֹת בְּיוֹם הַטָּמֵא וּבְיוֹם הַטָּהֹר זֹאת תּוֹרַת הַצָּרָעַת: ס

O grande propósito moral de todas essas complexas regras é reiterado aqui. Os homens precisavam distinguir entre o que é *limpo* e o que é *imundo*. Cf. Levítico 11.47. O homem espiritual deve aprender a distinguir entre o bem e o mal, entre o que é próprio e o que é impróprio. O *conhecimento* e o *amor* são as duas grandes pedras fundamentais da espiritualidade. Essa é a atitude oposta à do *anti-intelectualismo*. Ver a esse respeito no *Dicionário*. O conhecimento estava envolvido na distinção entre o limpo e o imundo. Esse discernimento sempre fará parte importante da fé religiosa, e não há nenhuma contradição entre o intelecto e as experiências místicas.

"Aben Ezra observou que um dos deveres dos sacerdotes era *ensinar* os homens; e eles, mediante as leis e regras dadas acima, eram instruídos sobre como julgar casos (de *sara'at*), e, através disso, estavam capacitados a decretar que pessoas ou coisas eram limpas ou imundas" (John Gill, *in loc.*). Ver na *Enciclopédia de Bíblia, Teologia e Filosofia* o verbete chamado *Ensino*.

CAPÍTULO QUINZE

LEI ACERCA DAS EXCREÇÕES DE HOMENS E MULHERES (15.1-33)

O *sexo* é uma atividade supremamente *física*. Essa é a atividade física em que algumas pessoas encontram seu maior prazer (talvez exceptuando meios artificiais de prazer mórbido, como os alucinógenos). Algumas pessoas vivem exclusivamente para o sexo. Na verdade, há pessoas que são meros animais sexuais, e, a mente delas, tudo na vida gira em torno do sexo. Talvez por causa de o sexo ser uma questão *física* suprema alguns homens, que procuram ser *espirituais*, chegam a pensar que existe algo de imundo, vil ou, pelo menos, inferior, na vida sexual. Desse sentimento foi que surgiu a prática do celibato, em muitas esferas religiosas, como se fosse um sinal de superioridade, próprio do homem espiritual. Assim, dos padres da Igreja Católica Romana espera-se que vivam uma vida celibatária, embora poucos consigam realizar esse ideal. Ver no *Dicionário* o artigo chamado *Celibato*.

Minhas fontes informativas não concordam entre si quanto a essa particularidade. Um senso de *desgosto natural* no tocante ao sexo tem invadido a mente subconsciente de muitos homens espirituais, talvez até da *maioria* deles. Por outra parte, nossa razão mostra-nos que isso é um exagero. Alguns intérpretes negam que os hebreus pudessem ter tais sentimentos. Em consequência, obtemos comentários como aquele que diz: "Não nos é sugerido (cap. 15) que essas secreções (sexuais) sejam más, ou que o sexo seja tabu. Em ocasiões santificadas, como na adoração (Êx 19.15), ou na condução de guerra santa (1Sm 21.4-6), era requerida a abstinência sexual" (*Oxford Annotated Bible, in loc.,* comentando sobre Lv 15.16-18). Também vemos esse sentimento inerente nas seguintes citações:

"*Religião e Sexo*. Este capítulo volve-se para as secreções ligadas aos órgãos sexuais. Podemos concordar com o comentário de Christopher North de que 'no seu todo, a verdadeira religião consiste em sã higiene'. E *também* podemos salientar, juntamente com Driver e White que certo senso de *desgosto natural* e pejo tem-se desenvolvido em conexão com a religião e o sexo, pois ambos pertencem à esfera do que é sagrado. Há aqueles que têm tentado viver como se o sexo não tivesse papel em suas vidas. Isso apenas conduz ao desastre. E não menos desastrosa é a noção puramente materialista ou física do sexo. O homem nem é um anjo nem é uma fera, e, sim, uma pessoa composta de corpo e alma, em *união* indissolúvel, que perdura enquanto perdura a própria vida... Um princípio normativo para os crentes é que a natureza sexual do homem deve ser francamente reconhecida e aceita por ele, e o sexo deve ser mantido dentro de seus devidos limites, mediante a reverência diante de sua natureza espiritual" (Nathaniel Micklem, *in loc.*).

"Este capítulo define *quatro casos* de poluição cerimonial, um caso crônico e um caso periódico masculino e um caso crônico e um caso periódico feminino. Todos os quatro casos referem-se a emissões provindas dos órgãos sexuais (embora alguns eruditos pensem que os vss. 2-12 aludam a hemorróidas). Quanto a possíveis motivos pelos quais essas emissões eram consideradas contaminadoras, ver os comentários sobre Levítico 12.1-5" (F. Duane Lindsey, *in loc.*).

15.1

וַיְדַבֵּר יְהוָה אֶל־מֹשֶׁה וְאֶל־אַהֲרֹן לֵאמֹר:

Disse mais o Senhor. Uma fórmula literária frequente no Pentateuco. Ela introduz alguma nova seção, como um artifício literário dotado de função. Entretanto, também faz-nos lembrar de que estava em operação a divina inspiração das Escrituras. Ver Levítico 1.1 e 4.1 quanto a notas completas sobre isso e suas implicações teológicas.

15.2

דַּבְּרוּ אֶל־בְּנֵי יִשְׂרָאֵל וַאֲמַרְתֶּם אֲלֵהֶם אִישׁ אִישׁ כִּי יִהְיֶה זָב מִבְּשָׂרוֹ זוֹבוֹ טָמֵא הוּא:

Primeiro Caso: vss. 2-15. Um caso crônico de fluxo seminal. Provavelmente a gonorreia ou alguma enfermidade venérea similar.

Moisés *continuava instruindo* o povo. Uma grande massa de legislação acompanhava os Dez Mandamentos originais (ver Êx 20) e chegou a fazer parte da legislação mosaica, uma *Carta Magna* de Israel. Ver nas notas introdutórias a Êxodo 19 os comentários sobre o *Pacto Mosaico*. Entre essas instruções havia as leis concernentes às quatro secreções sexuais, descritas neste capítulo, que poderiam ser contaminações ou imundícias cerimoniais. Ver minha discussão sobre os problemas básicos de tal conceito, nas notas introdutórias ao presente capítulo.

Fluxo seminal. Os estudiosos não concordam quanto ao que seria essa secreção. Alguns dizem *hemorroidas*, descritas nos vss. 2-12 deste capítulo, mas essa condição dificilmente pode ser chamada de *secreção*. Outros pensam que alguma *doença venérea* está em foco, em que o pus era erroneamente interpretado, pelos antigos hebreus, como uma espécie de fluxo seminal. Outros falam em *ejaculação descontrolada*, uma condição que afeta alguns poucos homens. Disse F. Duane Lindsey (*in loc.*): "A secreção crônica ou a longo termo, aqui descrita, provavelmente era a *gonorreia*". Naturalmente, existem outras doenças venéreas que causam alguma secreção crônica; mas afinal não tem muita importância a identificação exata da doença venérea. Qualquer uma das doenças venéreas deixava o homem imundo, bem como as coisas que fossem tocadas por tal homem. Ver no *Dicionário* o artigo *Limpo e Imundo*.

A Septuaginta diz aqui *gonorreia*, palavra derivada de *gonos* (semente) e *rheein* (fluir). Naturalmente, daí vem o nome dessa bem conhecida doença venérea.

As normas hebreias antecipavam que esses fluxos eram oriundos de uma vida debochada, ou, pelo menos, nesse caso, a razão da imundícia era óbvia. O Targum de Jonathan também antecipava um fluxo não-crônico, que acabaria cessando. Assim, se um homem tivesse apenas três incidentes de fluxo, seria considerado limpo. Mas se o fluxo persistisse, então era declarado *imundo* (*Zabim*, c. 1, sec. 1; *Maimônides* e *Bartenora*, c. 5, sec. 1). Se lhes faltava conhecimento, em qualquer sentido científico, sobre as doenças venéreas, os hebreus, mediante a observação e a experiência, tinham consciência de que certas condições anormais eram causadas pelo sexo. E o melhor que podiam fazer era pôr tais coisas dentro do contexto religioso, declarando que essas condições eram imundas. As pessoas assim infectadas sofreriam o impacto das leis sobre o limpo e o imundo.

15.3

וְזֹאת תִּהְיֶה טֻמְאָתוֹ בְּזוֹבוֹ רָר בְּשָׂרוֹ אֶת־זוֹבוֹ אוֹ־הֶחְתִּים בְּשָׂרוֹ מִזּוֹבוֹ טֻמְאָתוֹ הִוא:

Duas condições possíveis são aqui descritas. Em *primeiro lugar*, temos a gonorreia de fluxo livre, ou alguma outra doença venérea que causava fluxo. Em *segundo lugar*, temos uma condição de *obstrução*, na qual o fluxo era impedido de sair. A gonorreia pode causar total obstrução do pênis, pois a invaginação interior do órgão sofre aderências que fecham completamente o canal. Os comentários mais antigos passavam por cima dessa passagem em virtual silêncio, devido a um embaraço pudico. Um homem era declarado imundo em ambas essas condições. Isso o impedia de manter relações sexuais, o que tinha algum valor para impedir a propagação da doença.

■ 15.4

כָּל־הַמִּשְׁכָּב אֲשֶׁר יִשְׁכַּב עָלָיו הַזָּב יִטְמָא וְכָל־הַכְּלִי אֲשֶׁר־יֵשֵׁב עָלָיו יִטְמָא׃

O pobre sujeito com gonorreia contaminava onde quer que se deitasse ou sentasse. Uma boa dose de penicilina teria resolvido a questão toda, mas isso teria de esperar pelos meados do século XX d.C. O indivíduo afetado poluía tudo: sua cama (vs. 4), sua cadeira (vs. 6), sua própria pessoa (vs. 7), aquele sobre quem cuspisse (vs. 8), sua sela de montar (vs. 9) e qualquer coisa que entrasse em contato com o seu fluxo. Em certos sentidos, sua capacidade de poluir era maior que a dos que tinham a *sara'at* (a praga; ver capítulos 13 e 14 de Levítico).

Seus contatos eram poluidores, de acordo com as leis posteriores, e podiam ser transmitidos por qualquer posição imaginável que ele assumisse, como ficar de pé, deitar-se, pendurar-se ou apoiar-se. Se se pusesse de pé sobre duas camas, um pé em uma e outro, em outra, ambas ficariam poluídas. Mas havia uma exceção: se um homem se sentasse sobre um balde emborcado, não o poluiria, pois esse não era um lugar usual para as pessoas ali se sentarem (Maimônides e Bartenora, em *Misn. Niddah*, c. 6, sec. 3).

A antiga prostituição religiosa, através dos devotos de Astarte e Baal-Peor, muito contribuiu para propagar as doenças venéreas nos tempos antigos. O povo de Israel, ao entrar em contato com esses cultos, sem dúvida, trouxe muitas enfermidades dessa natureza para suas fileiras. O grande poder poluidor dessa enfermidade, de acordo com as leis cerimoniais dos hebreus, provavelmente estava escudado sobre a ideia da natureza vil da questão, originária da prostituição, em um sentido ou outro.

■ 15.5,6

וְאִישׁ אֲשֶׁר יִגַּע בְּמִשְׁכָּבוֹ יְכַבֵּס בְּגָדָיו וְרָחַץ בַּמַּיִם וְטָמֵא עַד־הָעָרֶב׃

וְהַיֹּשֵׁב עַל־הַכְּלִי אֲשֶׁר־יֵשֵׁב עָלָיו הַזָּב יְכַבֵּס בְּגָדָיו וְרָחַץ בַּמַּיִם וְטָמֵא עַד־הָעָרֶב׃

Qualquer pessoa que fosse tocada por um homem poluído ficaria imunda até a tarde, e teria de passar pelos ritos de purificação. Mas até mesmo qualquer *objeto* podia poluir uma pessoa sã, *se* algum homem contaminado tivesse tocado tal objeto. Ver no *Dicionário* o artigo chamado *Limpo e Imundo*, em seu quinto ponto, sobre os ritos cerimoniais. No caso em pauta, três coisas estavam envolvidas: 1. As roupas precisavam ser lavadas. 2. O próprio indivíduo precisava banhar-se completamente, mergulhando em um tanque com esse propósito, ou em algum outro lugar que tivesse água abundante. 3. O homem tinha de esperar até a tardinha (o fim de um dia e o começo de outro) para estar livre de sua imundícia. Cf. Levítico 11.24,25,27; 14.46; 15.5-7,10,16,17 etc.; 17.15 e 22.6.

O indivíduo sexualmente imundo, por causa de sua secreção, ficava separado da comunidade. Sua vida sexual havia chegado ao fim, e assim não continuaria espalhando a doença. Desse modo, pelo menos *algumas* doenças sexualmente transmissíveis eram refreadas por meio do isolamento, tal como se dava com a *sara'at* (afecções cutâneas), descrita nos capítulos 13 e 14 de Levítico.

■ 15.7

וְהַנֹּגֵעַ בִּבְשַׂר הַזָּב יְכַבֵּס בְּגָדָיו וְרָחַץ בַּמַּיִם וְטָמֵא עַד־הָעָרֶב׃

Temos aqui os regulamentos atinentes ao ato de tocar no próprio indivíduo afetado. A palavra *tocar*, neste caso, inclui o contato sexual, mas sem dúvida qualquer tipo de *toque* era suficiente para poluir uma pessoa ainda não contaminada. (*Zabim*, c. 5, sec. 1,7). Qualquer pessoa que tocasse em um homem assim contaminado precisava submeter-se aos ritos de purificação, conforme descrito nos vss. 5 e 6 deste capítulo.

■ 15.8

וְכִי־יָרֹק הַזָּב בַּטָּהוֹר וְכִבֶּס בְּגָדָיו וְרָחַץ בַּמַּיִם וְטָמֵא עַד־הָעָרֶב׃

A *saliva* do homem imundo também era considerada contaminada. É possível que os antigos hebreus pensassem que a saliva de um homem contaminado estivesse poluída, tal como o fluxo da gonorreia, e tal como modernamente a AIDS satura todos os fluidos do corpo, incluindo a saliva. A gonorreia não faz isso, mas os antigos não tinham como saber desse fato. Mas sem importar se eles sabiam ou não se a saliva continha a praga, isso não fazia diferença para eles. Algo tão pessoal quanto a saliva, sem dúvida, seria um agente poluidor, com doença ou sem doença. Assim, quem entrasse em contato com a saliva de um homem infectado teria de passar pelo rito de purificação, descrito nos vss. 5 e 6 deste capítulo.

A transferência de saliva poderia ser propositada ou acidental. Um homem podia tossir ou espirrar, e, então, uma casa inteira ficava poluída. Ou, então, ele teria um defluxo nasal, e o fluxo que saísse de seu nariz também seria poluidor (*Hilchot Metame Mish*. c. 1, sec. 16).

Tipologia. Nesta passagem seria retratada a poluição e a contaminação causadas por um homem através do uso da boca, dos pecados da língua, como a maledicência. Ver Tiago 3.5 ss. Ver a *Enciclopédia de Bíblia, Teologia e Filosofia* quanto ao verbete intitulado *Linguagem, Uso Apropriado da*.

■ 15.9

וְכָל־הַמֶּרְכָּב אֲשֶׁר יִרְכַּב עָלָיו הַזָּב יִטְמָא׃

Até mesmo o veículo (sua montaria) de um homem e a sela que usava sobre o animal ficariam contaminados por ele, pelo que ninguém podia ao menos aproximar-se do cavalo do homem, se sobre ele estivesse a sela do homem contaminado. A mesma regra aplicava-se a qualquer animal de carga sobre o qual ele se sentasse. Regras posteriores incluíam qualquer acessório que pertencesse a seus animais e que ele tocasse. A palavra *sela* é disputada neste ponto. Poderia significar *carruagem* ou qualquer veículo usado como transporte. A palavra *cobertura* também tem sido sugerida. Qualquer coisa que um homem pusesse em um veículo ou sobre um animal ficava contaminada por seu toque.

"Quando ele montava sobre qualquer *animal de carga*, cavalo, jumento ou camelo, *qualquer coisa* posta sobre a criatura e sobre a qual ele se sentasse, como a sela, ou qualquer coisa pertinente a ela, os acessórios, *tornavam-se imundos*, impróprios para uso" (John Gill, *in loc.*).

■ 15.10

וְכָל־הַנֹּגֵעַ בְּכֹל אֲשֶׁר יִהְיֶה תַחְתָּיו יִטְמָא עַד־הָעָרֶב וְהַנּוֹשֵׂא אוֹתָם יְכַבֵּס בְּגָדָיו וְרָחַץ בַּמַּיִם וְטָמֵא עַד־הָעָרֶב׃

Este versículo é propositadamente *geral*, dizendo que qualquer coisa que o homem contaminado viesse a tocar (ao sentar-se) tornava-se imunda; e qualquer pessoa que tocasse no objeto imundo ficava, ela mesma, imunda. A preposição *debaixo* limita a questão. A parte do corpo que senta, onde havia a emissão imunda, *essa* era a parte que poluía. Todas as pessoas poluídas, se não mesmo as que estivessem enfermas, teriam de passar pela purificação ritual, descrita nos vss. 5 e 6 deste capítulo.

■ 15.11

וְכֹל אֲשֶׁר יִגַּע־בּוֹ הַזָּב וְיָדָיו לֹא־שָׁטַף בַּמָּיִם וְכִבֶּס בְּגָדָיו וְרָחַץ בַּמַּיִם וְטָמֵא עַד־הָעָרֶב׃

Se um homem com gonorreia *tocasse* em outrem *com sua mão*, a pessoa tocada também ficaria imunda, a menos que pouco antes a pessoa que fizesse o toque tivesse lavado suas mãos em água corrente. Talvez a ideia dessa regra fosse que o homem contaminado poderia ter tocado na emissão com a sua mão, ao urinar, e assim a secreção agora estivesse em sua mão. Essa mão poluída, se tocasse em outra pessoa, haveria de contaminá-la. A mesma regra aplicava-se a objetos. Um objeto tocado pela mão não-lavada de um homem imundo também ficava imundo. Esse é o único caso, dentro da legislação mosaica, em que a lavagem das mãos exerce um presumível poder de prevenir doenças. Mas talvez a questão da higiene não esteja em vista aqui, mas tão somente a impureza cerimonial. A questão talvez fosse vista do ponto de vista religioso e não do ponto de vista da higiene pessoal.

Nesta altura, Adam Clarke (séculos XVIII e XIX d.C.) informou-nos que as autoridades médicas de seus dias pensavam que a gonorreia se propagava por meio da saliva e do suor da pessoa enferma.

■ 15.12

וּכְלִי־חֶ֛רֶשׂ אֲשֶׁר־יִגַּע־בּ֥וֹ הַזָּ֖ב יִשָּׁבֵ֑ר וְכָל־כְּלִי־עֵ֔ץ יִשָּׁטֵ֖ף בַּמָּֽיִם׃

Vasos poluídos, feitos de barro, capazes de absorver as infecções, precisavam ser quebrados. Mas vasos de madeira e de metal podiam ser lavados e limpos, pois não são feitos de material absorvente. O mesmo regulamento valia nos casos de *sara'at*, nas doenças cutâneas descritas nos capítulos 13 e 14 de Levítico, sem falar em outros modos de transmissão de imundícias. Ver Levítico 6.28 e 11.33. Os judeus, ao comprarem instrumentos para sua casa, literalmente batizavam-nos para livrá-los das poluições que tivessem adquirido "lá fora". Temos aqui uma boa prática do ponto de vista da higiene, e não apenas do ponto de vista da religião. Ver o interesse em lavar as coisas, nos dias de Jesus (Mc 7.4), que ele considerou um exagero, como se alguém estivesse dando grande valor a coisas de somenos, ao mesmo tempo em que eram negligenciadas coisas de grande peso espiritual.

■ 15.13

וְכִֽי־יִטְהַ֤ר הַזָּב֙ מִזּוֹב֔וֹ וְסָ֥פַר ל֛וֹ שִׁבְעַ֥ת יָמִ֖ים לְטָהֳרָת֑וֹ וְכִבֶּ֣ס בְּגָדָ֗יו וְרָחַ֧ץ בְּשָׂר֛וֹ בְּמַ֥יִם חַיִּ֖ים וְטָהֵֽר׃

Fica aqui entendido que o sacerdote inspecionou as condições e descobriu que o fluxo havia cessado. Talvez a condição não fosse verdadeiramente venérea, ou, talvez, tivesse retrocedido; ou, então, como também sucede, a doença continuasse presente, mas sem algum fluxo óbvio. Muitas pessoas apanham gonorreia sem apresentar sintomas, mas estão infectadas, afinal. Nosso sistema de imunização pode vencer os sintomas, mesmo sem a doença. Assim, o homem examinado talvez não estivesse realmente livre de sua enfermidade, mas apenas parecesse estar. Todavia, a antiga sociedade hebreia estava reduzida a trabalhar com meros *sintomas*, visto que não dispunha de laboratórios de análise clínica.

Contar-se-ão sete dias. Tal como no caso da *sara'at* (ver Lv 13.5,21,26,31,33,50,54; 14.8,38), esse era um período de *quarentena*. Se, durante esse período, o fluxo começasse de novo e então cessasse uma vez mais, um novo período de quarentena começaria a ser contado. Podemos supor com razão que muitos homens com gonorreia voltassem ao convívio social, parecendo que sua enfermidade tinha sido curada. E assim, a gonorreia acabava infeccionando a muitas mulheres inocentes, conforme sempre tem acontecido nos casos de doenças venéreas. *Sete* era o número divino da perfeição. Ver sobre esse número no artigo do *Dicionário* chamado *Número (Numeral, Numerologia)*.

Se, ao fim do período de sete dias, o fluxo não tivesse voltado, então tinha começo o rito de purificação. O *primeiro passo* consistia em lavar as roupas e efetuar o banho ritualista, quando o homem era inteiramente imerso em água. Ver os vss. 5 e 6 deste capítulo. *Em seguida*, havia os *sacrifícios*, que faziam parte do ritual (vss. 14 e 15).

■ 15.14

וּבַיּ֣וֹם הַשְּׁמִינִ֗י יִֽקַּֽח־לוֹ֙ שְׁתֵּ֣י תֹרִ֔ים א֥וֹ שְׁנֵ֖י בְּנֵ֣י יוֹנָ֑ה וּבָ֣א ׀ לִפְנֵ֣י יְהוָ֗ה אֶל־פֶּ֙תַח֙ אֹ֣הֶל מוֹעֵ֔ד וּנְתָנָ֖ם אֶל־הַכֹּהֵֽן׃

Ver Levítico 1.14-16 quanto aos *cinco* animais que podiam ser sacrificados. Entre eles estavam as duas espécies de aves aqui mencionadas. Essas aves eram usadas como oferendas pelos pobres, que não podiam gastar com animais de grande porte, como o touro, o carneiro e o bode. No presente caso, porém, não parece estar envolvida a questão financeira. Esse sacrifício simplesmente não requeria as grandes despesas feitas com os animais maiores. Aves eram suficientes.

O trecho de Levítico 5.8-10 mostra-nos o modo de proceder com as aves a serem sacrificadas, e o leitor pode ver, naquele ponto, as notas sobre a questão. Ver também Levítico 12.8; 14.22.

Perante o Senhor. Ou seja, posicionado diante do altar dos holocaustos, defronte da segunda cortina, que fechava o Lugar Santo para quem estava no interior do átrio. Do outro lado dessa cortina ficava o Lugar Santo. E então, separando o Lugar Santo do Santo dos Santos, havia a terceira cortina. Era no Santo dos Santos que se manifestava especialmente a presença divina. Ver o gráfico sobre a *planta do tabernáculo*, antes da exposição sobre Êxodo 25.1, onde apresento um gráfico ilustrativo. Os sacrifícios eram feitos com as pessoas voltadas em direção ao Santo dos Santos, ou seja, "perante o Senhor".

À porta da tenda da congregação. Ou seja, a primeira cortina, que separava o átrio do mundo exterior. Ver as notas sobre as *três* cortinas do tabernáculo, em Êxodo 26.36.

■ 15.15

וְעָשָׂ֤ה אֹתָם֙ הַכֹּהֵ֔ן אֶחָ֥ד חַטָּ֖את וְהָאֶחָ֣ד עֹלָ֑ה וְכִפֶּ֨ר עָלָ֧יו הַכֹּהֵ֛ן לִפְנֵ֥י יְהוָ֖ה מִזּוֹבֽוֹ׃ ס

Este os oferecerá. Quanto ao modo de proceder com os sacrifícios das aves, ver as notas sobre Levítico 5.8-10.

Oferta pelo pecado. Ver Levítico 6.25,30 quanto a notas expositivas, e cf. Levítico 4.1-35.

Holocausto. Ver Levítico 6.9-13 quanto à exposição, e cf. Levítico 1.3-17. Ver as notas sobre Levítico 1.3 quanto à *tipologia* e outros detalhes envolvidos nessas oferendas.

Os sacrifícios eram requeridos porque se pensava que aquele que tivesse apanhado tal enfermidade estava sendo castigado por Yahweh e precisava ter seus pecados perdoados. Em tempos posteriores, a questão era tratada com grande severidade. Um homem assim afligido era isolado fora do arraial (Nm 5.1-4). E durante os dias do segundo templo, não podia participar da refeição pascal e era banido da área da cidade santa. Davi, ao invocar uma maldição contra os seus inimigos, desejou que eles apanhassem gonorreia (2Sm 3.29)!

■ 15.16

וְאִ֕ישׁ כִּֽי־תֵצֵ֥א מִמֶּ֖נּוּ שִׁכְבַת־זָ֑רַע וְרָחַ֥ץ בַּמַּ֛יִם אֶת־כָּל־בְּשָׂר֖וֹ וְטָמֵ֥א עַד־הָעָֽרֶב׃

Segundo Caso: vss. 16-18. Purificação do homem com fluxo periódico. Aqui os psicólogos se divertem. O contato sexual, mesmo entre pessoas legalmente casadas, fazia tanto o marido quanto a mulher envolver-se em *imundícia*. Eles não *pecavam* ao assim fazerem; pois se essa fosse a ideia, então eles teriam de trazer sacrifícios (conforme se vê nos vss. 14 e 15). Mas ficavam impedidos de participar da adoração religiosa, e tinham de passar pelas purificações ritualistas. Já discuti sobre o problema do sexo em relação à fé religiosa, na introdução a este capítulo, pelo que não repito aqui a matéria.

A mente hebreia via algo de imundo na emissão seminal normal. Podemos pensar nas emissões noturnas, comuns e sem nada de patológico, que todos os homens experimentam, ou podemos pensar na emissão que ocorre no sexo normal. Os reservatórios do fluido seminal têm somente certa capacidade. Quando cheios (por não serem esvaziados pela atividade sexual normal), devem ser esvaziados. Isso ocorre à noite, enquanto o homem dorme. Um sonho erótico, com frequência, ajuda o fenômeno a ter lugar. Podemos supor que outras emissões (não-patológicas) também estejam incluídas neste texto, como a ejaculação prematura, ou mesmo a masturbação, embora pareça que aí já teríamos casos considerados pecaminosos, que alguns chamam de pecado de onanismo, embora a masturbação não seja a mesma coisa que o *coitus interruptus*. O *coitus interruptus* sem dúvida está incluído na lei dos fluxos, mas estou admitindo aqui o que também era considerado pecaminoso. Ver Gênesis 38.4 ss. Mas devemos lembrar que Onã estava desobedecendo à lei do levirato (ver no *Dicionário* o artigo chamado *Matrimônio Levirato*). *Esse* foi o pecado dele. Mas talvez a interrupção do ato sexual, para impedir a gravidez, também fosse considerado um ato pecaminoso. Cf. este versículo com Deuteronômio 23.10.

Sem importar como ocorresse a emissão de fluidos seminais, e sem importar se o ato era considerado pecaminoso ou não, a própria emissão tornava imundos tanto o homem quanto a mulher. Precisavam tomar o banho cerimonial e ficavam imundos até o anoitecer. Ver Levítico 15.5 quanto a notas e referências concernentes a ficar alguém imundo até o cair da noite.

Imaginemos quanta água foi usada no deserto, somente porque as pessoas levavam vidas sexuais normais! Cada banho cerimonial precisava ocorrer em um tanque grande o bastante para que a pessoa pudesse imergir o corpo inteiro. Podemos supor que a água fosse usada novamente.

A ciência tem-nos mostrado que o homem que se lava após o contato sexual tem chances muito maiores de evitar o câncer do pênis, visto que as bactérias não removidas podem dar margem a essa condição patológica. Mas os costumes em Israel parecem ter sido que um homem não se lavava senão já no dia seguinte. Tomava seu banho pela manhã e, então, ficava cerimonialmente imundo até a noite. Ritos similares ocorriam em outras culturas. Os sacerdotes egípcios consideravam-se contaminados quando tinham sonhos que provocavam emissões noturnas. E precisavam banhar-se para ficar limpos. Todo islamita precisa tomar o seu banho, se praticou o sexo, antes de oferecer as suas orações. Ver o *Alcorão* 4.46. Esse também era o hábito entre os sacerdotes judeus. O trecho de Deuteronômio 23.10,11 determina um banho à noite, mas a prática foi aparentemente modificada em tempos posteriores.

■ 15.17

וְכָל־בֶּגֶד וְכָל־עוֹר אֲשֶׁר־יִהְיֶה עָלָיו שִׁכְבַת־זָרַע וְכֻבַּס בַּמַּיִם וְטָמֵא עַד־הָעָרֶב: פ

As leis que se aplicavam às pessoas também eram aplicadas a vestes e a peles de animais, sem importar com que propósito fossem usadas. Esses objetos eram considerados imundos enquanto não fossem lavados e não chegasse a noite, quando terminava o dia e tinha começo um novo dia. A lei era geral, aplicando-se a qualquer objeto que porventura entrasse em contato com o fluido seminal. Quanto a uma aplicação metafórica de *vestes imundas,* ver Judas 23. Cf. Levítico 13.48.

■ 15.18

וְאִשָּׁה אֲשֶׁר יִשְׁכַּב אִישׁ אֹתָהּ שִׁכְבַת־זָרַע וְרָחֲצוּ בַמַּיִם וְטָמְאוּ עַד־הָעָרֶב:

A lei que se aplicava a pessoas e a objetos inanimados, como é óbvio, também se aplicava às mulheres. Elas tomavam seu banho cerimonial e permaneciam imundas até o anoitecer. A abstinência de deveres conjugais era considerada uma preparação necessária para a realização de deveres sagrados. Ver Êxodo 19.15 quanto a essa atitude. A refeição sagrada não podia ser tomada se a pessoa tivesse praticado sexo recentemente e não houvesse passado pela cerimônia de purificação (1Sm 21.5,6). Alguns eruditos pensam que parte da razão de tudo isso era moderar o sexo, até mesmo dentro das relações do matrimônio. Um homem que tivesse de tomar um banho de cada vez em que praticasse o sexo, sob pena de não poder participar de funções religiosas por esse motivo, provavelmente teria menor número de contatos sexuais. Idênticos regulamentos ocorriam entre os egípcios, os babilônios e os indianos, e, em tempos posteriores, entre os muçulmanos.

É provável que muitas pessoas simplesmente ignorassem essas regras, tal como hoje em dia os católicos "fiéis" ignoram as ordens papais sobre o controle de nascimentos.

Havia um estranho costume na antiga Babilônia. O homem e a mulher que tivessem praticado o sexo tinham de se sentar ao lado do incenso sagrado, ato contínuo. E então, ao amanhecer, eles tomavam o banho ritualista, tendo o cuidado de não tocar em certos objetos enquanto não estivessem *limpos.* (Ver Heród. *Clio* sive, 1.1 c. 198).

■ 15.19

וְאִשָּׁה כִּי־תִהְיֶה זָבָה דָּם יִהְיֶה זֹבָהּ בִּבְשָׂרָהּ שִׁבְעַת יָמִים תִּהְיֶה בְנִדָּתָהּ וְכָל־הַנֹּגֵעַ בָּהּ יִטְמָא עַד־הָעָרֶב:

Terceiro Caso: Purificação da mulher de sua imundícia causada pela menstruação.

O capítulo 15 nos dá *quatro casos:* ver Levítico 15.2 ss.; 15.16 ss., quanto aos dois primeiros casos; e Levítico 15.19 ss. e 15.25 quanto ao terceiro e ao quarto caso. Ver a introdução a este capítulo quanto a uma discussão sobre como o sexo relaciona-se à fé religiosa, e como os antigos hebreus solucionavam a questão.

A mulher, em face de sua menstruação, era considerada imunda por *sete dias;* o contato com a mulher durante os dias de sua menstruação era algo estritamente proibido (Lv 18.19; 20.18). Se, por acaso, o período começasse quando estava tendo sexo com seu marido, então ambos ficavam imundos. E assim cada qual ficaria imundo a seu modo, por terem praticado o sexo e porque a mulher tinha ficado menstruada (vs. 24). O trecho de Levítico 20.18 mostra-nos que a lei original era que o homem e a mulher que fizessem sexo, durante a menstruação dela, seriam ambos *executados.* A punição capital, porém, foi mitigada para os sete dias de imundícia (Lv 15.24). Assim, Levítico 20.18 nos dá a lei mais antiga; e Levítico 15.24 nos dá a lei mitigada.

A mulher imunda deixava imundo tudo aquilo em que ela tocasse, pessoas e objetos. Esta passagem assemelha-se à que trata da gonorreia (Lv 15.2 ss.).

■ 15.20

וְכֹל אֲשֶׁר תִּשְׁכַּב עָלָיו בְּנִדָּתָהּ יִטְמָא וְכֹל אֲשֶׁר־תֵּשֵׁב עָלָיו יִטְמָא:

A mulher imunda ficava em uma situação deveras embaraçosa. E o pior é que ela tinha de enfrentar isso em uma média de sete dias por mês! Tudo em que ela tocasse ficava imundo: seu leito, as coisas sobre as quais ela se sentasse etc. Era como se ela tivesse adoecido, sendo tratada como uma leprosa temporária, excetuando que ela não era enviada para fora do arraial. Na antiga literatura, achamos toda sorte de coisas estranhas no tocante à mulher menstruada. Acreditava-se que, se uma mulher, nessas condições, se sentasse sob uma árvore frutífera, os frutos da árvore cairiam. Acreditava-se que sua mera presença poderia estragar alimentos e fazer instrumentos de metal emitir um cheiro repelente. Os parses nem ao menos permitiam que uma mulher menstruada falasse com outras pessoas enquanto continuasse em tal condição. Para outros, até um pé-de-vento que passasse por uma mulher e fosse soprar sobre outra pessoa tornava esta última imunda. Em algumas culturas a mulher menstruada era isolada, sendo tratada como uma leprosa temporária.

■ 15.21

וְכָל־הַנֹּגֵעַ בְּמִשְׁכָּבָהּ יְכַבֵּס בְּגָדָיו וְרָחַץ בַּמַּיִם וְטָמֵא עַד־הָעָרֶב:

A mulher poluía os objetos nos quais tocasse e, se alguém viesse a tocar em tais objetos, então, automaticamente, também ficava imundo. A pessoa teria de lavar suas roupas e então tomar o banho ritual, esperando até o fim do dia para ficar limpa. Cf. Levítico 15.5,6, cujas notas expositivas também têm aplicação aqui. As mesmas regras aplicavam-se neste caso, conforme já tínhamos visto no caso dos vss. 4-6 deste capítulo.

■ 15.22

וְכָל־הַנֹּגֵעַ בְּכָל־כְּלִי אֲשֶׁר־תֵּשֵׁב עָלָיו יְכַבֵּס בְּגָדָיו וְרָחַץ בַּמַּיִם וְטָמֵא עַד־הָעָרֶב:

Este versículo amplia o material dado no vs. 21. O leito da mulher menstruada ficava imundo; e também tudo aquilo em que ela se sentasse, tal como no caso do homem com gonorreia (vss. 4-6). À mulher era dado algo para ela sentar-se com exclusividade, para impedir novas poluições; mas alguém, por acidente, ou por esquecimento, podia sentar-se sobre tal objeto (Targum de Jonathan).

■ 15.23

וְאִם עַל־הַמִּשְׁכָּב הוּא אוֹ עַל־הַכְּלִי אֲשֶׁר־הִוא יֹשֶׁבֶת־עָלָיו בְּנָגְעוֹ־בוֹ יִטְמָא עַד־הָעָרֶב:

Se o líquido menstrual gotejasse sobre qualquer coisa, então, como é óbvio, essa coisa ficava imunda, e quem tocasse na coisa também ficava imundo. Plínio pensava que o fluido menstrual era muito infeccioso, transmissor de várias enfermidades (*Hist. Nat.* 1.7 c.15). Mas mesmo que não houvesse tal líquido, qualquer coisa em que uma mulher tocasse, durante os dias de sua menstruação, ficava igualmente imunda, e quem tocasse em tal objeto também ficava imundo.

■ 15.24

וְאִם שָׁכֹב יִשְׁכַּב אִישׁ אֹתָהּ וּתְהִי נִדָּתָהּ עָלָיו וְטָמֵא שִׁבְעַת יָמִים וְכָל־הַמִּשְׁכָּב אֲשֶׁר־יִשְׁכַּב עָלָיו יִטְמָא׃ פ

Podemos considerar de vários ângulos este versículo, especialmente quando o confrontamos com Levítico 20.18. Esta última passagem requer a pena de morte para o homem e a mulher que ousassem praticar o sexo durante o período de sua menstruação. Isso posto, o trecho de Levítico 15.24 poderia refletir uma lei posterior e mitigada, que veio a substituir a lei original, mais severa. Ou, então, o vs. 24 refere-se a casos *acidentais* nos quais um homem tenha sexo com uma mulher menstruada, antes de surgirem evidências externas; ou, talvez, o período dela se iniciasse exatamente no momento do contato sexual. Nesses casos acidentais, ambas as pessoas ficavam simplesmente imundas. Mas os que assim fizessem, *a propósito,* seriam punidos mediante a execução capital, provavelmente por meio de apedrejamento. Naturalmente, muitas pessoas estavam praticando o sexo nesses momentos críticos, mas nada diriam a ninguém. Isso seria algo que ninguém gostaria de propagar. Os casos acidentais incluíam ter sexo com uma mulher quando se pensava que seu período menstrual já havia terminado, mas não era verdade. A contaminação assim adquirida perdurava por sete dias (Lv 15.24).

Havia toda espécie de superstição acerca dos resultados maléficos de fazer sexo com uma mulher menstruada. Os filhos porventura gerados por tais atos podiam contrair a lepra ou outras condições patológicas. Uma de minhas fontes informativas diz que esse era "um ato grosseiro e presunçoso". Outra chama o ato de "grosseira impiedade". Somente uma delas diz que o ato era apenas "inconveniente". E outra ainda diz que o "bom senso" recomenda que deixemos de lado tais mulheres, durante os dias de sua inconveniência.

■ 15.25

וְאִשָּׁה כִּי־יָזוּב זוֹב דָּמָהּ יָמִים רַבִּים בְּלֹא עֶת־נִדָּתָהּ אוֹ כִי־תָזוּב עַל־נִדָּתָהּ כָּל־יְמֵי זוֹב טֻמְאָתָהּ כִּימֵי נִדָּתָהּ תִּהְיֶה טְמֵאָה הִוא׃

Quarto Caso: Purificação de uma mulher com um fluxo menstrual crônico (provavelmente de origem patológica). Ver sobre os outros três casos em Levítico 15.2 ss., 15.16 ss. e 15.19 ss. A condição descrita nesta seção poderia ser muito difícil e longa, embora não fosse uma menstruação patológica. Mas sem dúvida estavam incluídos aqueles fluxos de sangue que nada têm a ver com a menstruação, sendo condições patológicas do útero, como tumores benignos e malignos, causadores dessas emissões. Uma das curas miraculosas de Jesus foi precisamente a de uma mulher que era vítima de um fluxo de sangue fazia muitos anos (Mc 5.25-34; Lc 8.43-48). Considerando-se as regras levíticas acerca da condição da mulher, não admira que aquela mulher tivesse ficado tão perturbada quando Jesus revelou a presença dela e as suas condições, para aqueles que se acotovelavam com ela em meio à multidão!

Em casos crônicos, a mulher simplesmente permanecia imunda, enquanto persistisse o fluxo, e *todas* as condições impostas à mulher que tinha menstruação normal eram-lhe impostas. Ela ficava permanentemente imunda se suas condições fossem permanentes.

■ 15.26

כָּל־הַמִּשְׁכָּב אֲשֶׁר־תִּשְׁכַּב עָלָיו כָּל־יְמֵי זוֹבָהּ כְּמִשְׁכַּב נִדָּתָהּ יִהְיֶה־לָּהּ וְכָל־הַכְּלִי אֲשֶׁר תֵּשֵׁב עָלָיו טָמֵא יִהְיֶה כְּטֻמְאַת נִדָּתָהּ׃

Este versículo tem paralelo nos vss. 20 e 21. As notas expositivas dali aplicam-se também aqui.

■ 15.27

וְכָל־הַנּוֹגֵעַ בָּם יִטְמָא וְכִבֶּס בְּגָדָיו וְרָחַץ בַּמַּיִם וְטָמֵא עַד־הָעָרֶב׃

Este versículo tem paralelo no vs. 22. As notas dadas ali se aplicam também aqui. Ver as notas sobre Levítico 15.5,6 quanto à cerimônia de lavagens rituais.

■ 15.28

וְאִם־טָהֲרָה מִזּוֹבָהּ וְסָפְרָה לָּהּ שִׁבְעַת יָמִים וְאַחַר תִּטְהָר׃

Se o fluxo menstrual finalmente cessasse, então seria marcado um período de sete dias, para verificar se ele não se reiniciaria. Em caso *negativo,* então os sacrifícios requeridos seriam feitos, e a mulher ficava livre de seu isolamento e imundícia (vss. 28 ss.). *Sete* era o número divino da perfeição e de qualquer coisa completa. Ver no *Dicionário* o artigo chamado *Número (Numeral, Numerologia).* Por todos os capítulos 13 a 15 de Levítico esse número figura de forma proeminente, como o período divino de testes de condições patológicas. Ver Levítico 12.2; 13.4,5,21,26,33,50,54; 14.38; 15.13,24,28.

■ 15.29,30

וּבַיּוֹם הַשְּׁמִינִי תִּקַּח־לָהּ שְׁתֵּי תֹרִים אוֹ שְׁנֵי בְּנֵי יוֹנָה וְהֵבִיאָה אוֹתָם אֶל־הַכֹּהֵן אֶל־פֶּתַח אֹהֶל מוֹעֵד׃

וְעָשָׂה הַכֹּהֵן אֶת־הָאֶחָד חַטָּאת וְאֶת־הָאֶחָד עֹלָה וְכִפֶּר עָלֶיהָ הַכֹּהֵן לִפְנֵי יְהוָה מִזּוֹב טֻמְאָתָהּ׃

Os vss. 28-30 deste capítulo são paralelos aos vss. 13-15, que dizem respeito ao homem afetado por gonorreia. O vs. 29 tem paralelo no vs. 14; e o vs. 30 tem paralelo no vs. 15. As notas são dadas nesses versículos paralelos.

■ 15.31

וְהִזַּרְתֶּם אֶת־בְּנֵי־יִשְׂרָאֵל מִטֻּמְאָתָם וְלֹא יָמֻתוּ בְּטֻמְאָתָם בְּטַמְּאָם אֶת־מִשְׁכָּנִי אֲשֶׁר בְּתוֹכָם׃

Este versículo mistura os interesses da saúde espiritual com os da saúde física. As palavras "para que não morram" envolviam as doenças transmissíveis, mas também apontam para a morte por decreto divino, quando os homens desobedeciam às leis referentes ao limpo e ao imundo. Para impedir ambas as formas de morte, era requerida a separação de toda imundícia. O corpo das pessoas não deveria ser contaminado; a alma das pessoas também não deveria ser contaminada. O tabernáculo, lugar da presença de Yahweh, não deveria ser contaminado. Um Deus santo exigia um povo santo, embora o estágio de revelação do Antigo Testamento não permitisse uma santificação aos moldes do Novo Testamento, mas atinha-se a questões que tencionavam ensinar aos israelitas a necessidade de os servos de Deus viverem santamente.

Este versículo, muito provavelmente, endereça-se aos sacerdotes levitas, que tinham a responsabilidade de proteger o culto divino, cuidando que as regras fossem obedecidas. O primeiro versículo deste capítulo dirige-se a Moisés e Arão, e eles eram os principais responsáveis. A principal razão das instruções era proteger a natureza ímpar do tabernáculo, como lugar da manifestação principal de Yahweh. Muitos judeus modernos salientam que, visto que o tabernáculo (o templo) não mais existe, essas leis também não estão em vigor, a menos que pensemos que certos contágios físicos continuam precisando ser evitados.

■ 15.32,33

זֹאת תּוֹרַת הַזָּב וַאֲשֶׁר תֵּצֵא מִמֶּנּוּ שִׁכְבַת־זֶרַע לְטָמְאָה־בָהּ׃

וְהַדָּוָה בְּנִדָּתָהּ וְהַזָּב אֶת־זוֹבוֹ לַזָּכָר וְלַנְּקֵבָה וּלְאִישׁ אֲשֶׁר יִשְׁכַּב עִם־טְמֵאָה׃ פ

Estes dois versículos apresentam, de forma bem abreviada, as leis que foram expostas por extenso no capítulo 15 de Levítico: Os *quatro casos:* Levítico 15.2-15, impureza devido à gonorreia ou doenças venéreas similares. Levítico 15.16-18, impureza devido a fluxos seminais.

Levítico 15.19-24, impureza devido à menstruação ordinária das mulheres. Levítico 15.25-30, impureza devido a fluxos sanguíneos patológicos das mulheres. O vínculo entre as questões sexuais e a fé religiosa, conforme era visto pelos olhos dos antigos hebreus, e no que tange aos tempos modernos, é ventilado na introdução a este capítulo 15.

CAPÍTULO DEZESSEIS

INSTRUÇÕES SOBRE COMO ARÃO DEVIA ENTRAR NO SANTUÁRIO (16.1-10)

Este capítulo inteiro está dedicado ao rito anual da expiação, o Dia da Expiação. No *Dicionário* há um detalhado artigo chamado *Dia da Expiação*, que toma o lugar de alguma longa introdução a este capítulo. O leitor é convidado a examinar aquele artigo que sintetiza tudo quanto está envolvido na questão. O artigo contém as principais seguintes seções:

1. *Tempo*. Originalmente, algum dia especial era marcado para tratar da questão. Em tempos posteriores, um dia específico, uma vez por ano, foi dedicado aos ritos envolvidos. Esse dia tornou-se o grande dia nacional de observâncias anuais.
2. *Cerimônias*. Quão complexas elas eram! Quão laboriosas! Esse artigo dá pormenores a respeito.
3. *Proibições e Normas*. Somente a mente hebreia era capaz de inventar e seguir todas as complexidades envolvidas.
4. *Outros Deveres do Sumo Sacerdote*. Nesse dia, o sumo sacerdote era o ator principal. Nesse dia o seu palco era o Santo dos Santos, e somente nesse dia era usada essa porção do tabernáculo.
5. *O Propósito*. Yahweh tinha um propósito específico. Os sacrifícios diários não bastavam. O dia de expiação nacional, uma vez por ano, era necessário para completar a questão. Nenhum pecado poderia deixar de ser expiado.
6. *Simbolismos*. O Antigo Testamento apresentava intermináveis símbolos e tipos, e, naturalmente, o Dia da Expiação era a principal prefiguração da *expiação* efetuada por Cristo, na cruz, por ser ele o Cordeiro de Deus (Jo 1.29) (ver no *Dicionário* o artigo *Expiação*). Cristo é o nosso Sumo Sacerdote. E há muitos outros símbolos destacados naquele artigo.
7. *Observâncias Modernas*. Apesar de modificado em sua forma e em suas atividades, a essência do Dia da Expiação continua viva no judaísmo moderno. Nesse artigo mostro como o *Yom Kippur* é observado hodiernamente.

O *Dia da Expiação* chegou a ser o evento supremo do calendário eclesiástico dos judeus. Ver no *Dicionário* o artigo intitulado *Festas (Festividades) Judaicas*. Havia três festas anuais:

1. *Páscoa*, observada em combinação com a festa dos pães asmos.
2. *Pentecoste*, também chamada festa das semanas ou da colheita. Veio a ser associada à outorga da lei, embora aparentemente tivesse uma forma mais antiga, como uma festa da colheita.
3. *Tabernáculos*, tempo para relembrar a difícil vida de Israel no deserto, quando tiveram de habitar em tendas, lembrando como a providência divina cuidara deles.

O *Dia da Expiação* não figurava entre as festas que requeriam a presença de todos os israelitas na capital, Jerusalém. Mas tornou-se, afinal, a mais importante das observâncias de Israel. Era um *jejum*, e não uma festividade alegre (Lv 16.29; cf. At 27.9). Alinhava-se entre as observâncias anuais de Israel (Lv 23). Tornou-se o mais santo dos dias do calendário judaico, observado como um jejum de 24 horas, desde às 18 horas do nono dia de tishri, até as mesmas horas do décimo dia de tishri. Era um *descanso solene* (Lv 23.27-32). Após a queda do templo de Jerusalém, uma liturgia de orações substituiu as cerimônias sacerdotais. Nesse dia salientava-se a *confissão* de pecados, o *arrependimento* e a *reconciliação* de todo coração com Deus. Era o único jejum da legislação mosaica original. Ver no *Dicionário* o artigo chamado *Jejum*.

Quinze animais eram sacrificados no Dia da Expiação. Ver Levítico 16.7.

■ **16.1**

וַיְדַבֵּר יְהוָה אֶל־מֹשֶׁה אַחֲרֵי מוֹת שְׁנֵי בְּנֵי אַהֲרֹן בְּקָרְבָתָם לִפְנֵי־יְהוָה וַיָּמֻתוּ׃

Falou o Senhor. Expressão usada como uma fórmula, no Pentateuco, para indicar o começo de nova seção de material. E também nos faz lembrar a divina inspiração das Escrituras. Ver as notas em Levítico 1.1 e 4.1 quanto a explicações completas.

Os dois filhos mais velhos de Arão morreram ao oferecer fogo estranho, e o autor lembra-nos disso aqui. Nadabe e Abiú cometeram erros fatais. Aproximaram-se de Yahweh de forma não-autorizada, cumprindo seus deveres de maneira contrária a certos mandamentos. Ver Levítico 10.1,2 quanto a detalhes completos. Em contraste com suas atitudes e atos errados, este capítulo 16 apresenta as atitudes e atos corretos, as ordens de Yahweh acerca de seu serviço. O importante Dia da Expiação requeria cuidados especiais. Não podia haver equívocos. O sumo sacerdote tinha de ser um especialista sobre tais questões, a fim de agir corretamente. Se o sumo sacerdote se aproximasse do Santo dos Santos sem ter aprendido a lição dada a Nadabe e Abiú, também poderia morrer, como eles morreram.

■ **16.2**

וַיֹּאמֶר יְהוָה אֶל־מֹשֶׁה דַּבֵּר אֶל־אַהֲרֹן אָחִיךָ וְאַל־יָבֹא בְכָל־עֵת אֶל־הַקֹּדֶשׁ מִבֵּית לַפָּרֹכֶת אֶל־פְּנֵי הַכַּפֹּרֶת אֲשֶׁר עַל־הָאָרֹן וְלֹא יָמוּת כִּי בֶּעָנָן אֵרָאֶה עַל־הַכַּפֹּרֶת׃

Moisés, por todo o Pentateuco, era aquele que recebia as ordens da parte de Yahweh. Essas instruções eram então transmitidas a Arão, para serem executadas, visto ser ele o sumo sacerdote. Os caminhos de Deus têm uma hierarquia de autoridade que precisa ser seguida. Ninguém é uma ilha que faz o que bem entende.

Tratar com a presença de Deus era um negócio sério. Para tanto, era mister ter sido nomeado para esse fim. Ele precisava seguir as regras baixadas. Precisava estar preparado na mente e no corpo. As gerações modernas têm perdido o respeito profundo pela presença de Deus. A fé religiosa mostra a tendência de ser repetida e profana. As experiências místicas são desprezadas, e a própria expressão, "experiências místicas", não é entendida. Ver no *Dicionário* o artigo intitulado *Misticismo*.

É meu Criador — ousarei permanecer?
Meu Salvador está aqui,
ousarei ir-me embora?

John Keble

O véu do templo foi rasgado; o acesso a Deus estava aberto. Em Cristo temos acesso, todos nós (Rm 5.2; Ef 2.18; 3.12; Hb 10.19). Porém, é mais fácil ler a Bíblia e orar, esquecendo as dimensões maiores da espiritualidade. Em Jesus, o Cristo, o Logos veio armar tenda entre os homens (Jo 1.14). Mas a maioria dos homens mostra-se capaz de não reconhecê-lo. Hoje em dia, na Igreja, onde continua uma repetição interminável de coisas básicas e onde a música mundana tem reduzido as igrejas locais a meros "clubes noturnos", a presença de Deus se tem afastado.

Acesso Limitado. O próprio sumo sacerdote não podia entrar no Santo dos Santos a qualquer momento em que quisesse. Ver o gráfico contendo a *planta* do Tabernáculo, na introdução a Êxodo 25.1. A glória *shekinah* (ver a esse respeito no *Dicionário*) veio repousar sobre o propiciatório, a tampa da arca. A presença consumidora de Yahweh estava ali. Somente no momento determinado o sumo sacerdote podia aproximar-se da arca da aliança. Este texto não diz assim, mas o sumo sacerdote só podia aproximar-se dela uma vez por ano, no Dia da Expiação. Alguns pensam ser possível que, nos dias de Moisés, houvesse maior frequência nessa aproximação. Mas os vss. 29 ss. especificam o dia *único* em que esse rito podia ser observado, pelo que temos aí um evento anual. Alguns eruditos supõem que isso reflita alguma regra posterior sobre a questão. Seja como for, a abordagem à presença de Deus era um evento muito raro, embora Deus pudesse revelar-se aos homens sempre que achasse por bem fazê-lo. Ver no *Dicionário* o artigo chamado *Acesso*.

Para dentro do véu. Ou seja, no Santo dos Santos. Ver a esse respeito no *Dicionário*.

Na nuvem. Ver no *Dicionário* o artigo chamado *Shekinah*, como também as notas sobre Êxodo 25.22.

Sobre o propiciatório. Ver a esse respeito no *Dicionário*.

Nos dias do segundo templo, em preparação para o Dia da Expiação, o sumo sacerdote separava-se de sua esposa. Os anciãos e representantes do povo exortavam-no a cuidar de seus deveres, lendo, entre outros trechos, o capítulo 16 de Levítico. Ele *praticava* os ritos na presença deles, a fim de certificar-se de que, quando viesse a *coisa real*, ele não incorreria em nenhum engano. Na noite anterior, ele não podia dormir, a fim de que não tivesse algum sonho poluidor que o tornasse imundo. E lia os livros de Jó, Daniel e Crônicas. Se não soubesse ler direito (o que não era obrigatório), outros liam para ele. E então chegava o Dia da Expiação. E o sumo sacerdote era conduzido ao batistério, onde tomava banho de corpo inteiro. E, depois disso, podia dar início aos ritos.

■ 16.3

בְּזֹאת יָבֹא אַהֲרֹן אֶל־הַקֹּדֶשׁ בְּפַר בֶּן־בָּקָר לְחַטָּאת וְאַיִל לְעֹלָה׃

O Sumo Sacerdote passava pelo seguinte processo: os sacrifícios, os ritos, as vestimentas etc., preparando-se para aproximar-se do Santo dos Santos. O versículo seguinte diz-nos que o banho ocorria antes do sacrifício, e antes de o sumo sacerdote vestir seus trajes sumo sacerdotais.

Ver sobre os *cinco* animais que podiam ser sacrificados, nas notas sobre Levítico 1.14-16. Temos aqui o novilho de 2 anos (Êx 29.1), para a oferta pelo pecado, bem como o carneiro para o holocausto.

Oferta pelo pecado. Ver as notas completas em Levítico 6.25,30 e notas adicionais em Levítico 4.1-35.

Holocausto. Ver as notas completas em Levítico 6.9-13, e notas adicionais em Levítico 3.1-17.

O sumo sacerdote precisava comprar esses animais com seu próprio dinheiro. Primeiramente ele precisava oferecer expiação *por seus próprios pecados* (o que explica a regra do vs. 3), e, então, pelos pecados do povo (vs. 5). Ver Hebreus 9.7,12. Cristo, nosso Sumo Sacerdote, não precisou oferecer expiação por seus próprios pecados, e o seu sacrifício *único* foi suficiente para todos os tempos, não precisando ser repetido. Ver as notas sobre o vs. 7 quanto aos *quinze* animais sacrificados no Dia da Expiação.

■ 16.4

כְּתֹנֶת־בַּד קֹדֶשׁ יִלְבָּשׁ וּמִכְנְסֵי־בַד יִהְיוּ עַל־בְּשָׂרוֹ וּבְאַבְנֵט בַּד יַחְגֹּר וּבְמִצְנֶפֶת בַּד יִצְנֹף בִּגְדֵי־קֹדֶשׁ הֵם וְרָחַץ בַּמַּיִם אֶת־בְּשָׂרוֹ וּלְבֵשָׁם׃

Os *quatro* itens de vestuário, mencionados aqui, deviam ser sem defeito, feitos de linho. Há notas completas sobre os vários itens das vestes do sumo sacerdote, em Êxodo 28.4-10. Ele vestia *seis* peças distintas. Na confecção dessas peças foram usados materiais especiais, algumas delas sem nenhuma costura. Ver no *Dicionário* o artigo chamado *Sacerdotes, Vestimentas dos*. Algumas ilustrações, dadas naquele artigo, ajudam o leitor a visualizar essas roupas. Algumas das peças das vestes sumo sacerdotais recebem artigos separados no *Dicionário*, e a passagem do capítulo 28 de Êxodo as alista.

Banhará o seu corpo. Antes de começar a vestir-se, antes de oferecer os sacrifícios, o sumo sacerdote tomava seu banho ritual, de corpo inteiro. Ele precisava tomar um banho assim cada vez que mudava de roupas, e isso ocorria por *cinco vezes* durante o Dia da Expiação. Outrossim, ele tinha de lavar mãos e pés por dez vezes, na *bacia de bronze*, cujas notas expositivas aparecem em Êxodo 30.17. As lavagens ritualísticas simbolizavam como o pecado e a impureza, cerimonial e literal, eram lavados.

■ 16.5

וּמֵאֵת עֲדַת בְּנֵי יִשְׂרָאֵל יִקַּח שְׁנֵי־שְׂעִירֵי עִזִּים לְחַטָּאת וְאַיִל אֶחָד לְעֹלָה׃

Esses sacrifícios adicionais de animais (além daqueles mencionados no vs. 3) eram em favor do povo. Mas os do vs. 3 eram em favor do próprio sumo sacerdote. Dois bodes peludos (ver Lv 4.23) eram usados, além de outro carneiro. Tanto a oferta pelo pecado quanto o holocausto tinham de ser efetuados como no vs. 3, onde são dadas referências às notas expositivas acerca desses tipos de oferendas. Esses animais eram comprados a partir do fundo público, algum tempo antes do Dia da Expiação, e permaneciam aguardando. Durante os dias do segundo templo, os dois bodes precisavam ter mais ou menos o mesmo valor, tamanho e cor.

Ver no *Dicionário* os artigos chamados *Expiação* e *Sangue*. Os *cinco* animais que podiam ser oferecidos em sacrifício são comentados em Levítico 1.14-16, e os *tipos* de oferendas em Levítico 7.37. Ver na *Enciclopédia de Bíblia, Teologia e Filosofia* os dois artigos intitulados *Expiação pelo Sangue* e *Expiação pelo Sangue de Cristo*.

■ 16.6

וְהִקְרִיב אַהֲרֹן אֶת־פַּר הַחַטָּאת אֲשֶׁר־לוֹ וְכִפֶּר בַּעֲדוֹ וּבְעַד בֵּיתוֹ׃

O Sumo Sacerdote oferecia um novilho por seus próprios pecados e pelos de sua casa. Ver Hebreus 9.7,12 quanto à aplicação neotestamentária desse fato. Arão representava todos os sumos sacerdotes que se seguiriam, estabelecendo o padrão de ação. O termo *sua casa*, aqui usado, provavelmente refere-se a todo o sacerdócio aarônico. Nesse caso, a família natural e a família espiritual tinham seus pecados expiados nesse sacrifício. Ou, então, a família natural do sacerdote era coberta mediante as oferendas em favor do povo. Ver Hebreus 7.27. Ver as notas sobre o versículo seguinte quanto ao sacrifício dos *quinze* animais abatidos no Dia da Expiação.

■ 16.7

וְלָקַח אֶת־שְׁנֵי הַשְּׂעִירִם וְהֶעֱמִיד אֹתָם לִפְנֵי יְהוָה פֶּתַח אֹהֶל מוֹעֵד׃

Está em mira a oferta feita em favor do povo, os dois bodes. A *porta da tenda da congregação* indica a primeira cortina, aquela que separava o átrio do mundo exterior. Ver as notas sobre as *três* cortinas em Êxodo 26.36. Ver o gráfico sobre a *planta do tabernáculo*, logo antes das notas sobre Êxodo 25.1.

Congregação. O povo de Israel, coletivamente considerado. O tabernáculo pertencia a eles, e os rituais visavam seu benefício. Os sacrifícios também eram oferecidos em favor deles.

O sumo sacerdote, tendo oferecido sacrifício por si mesmo (vss. 3 e 6), assistido por dois sacerdotes, chegava ao lado norte do altar. Ver as notas sobre o *Altar de Bronze*, em Êxodo 27.1. Esse era o grande altar dos holocaustos. Ali, no lado norte desse altar, um dos companheiros do sumo sacerdote, o próximo em importância depois dele, ficava à sua mão direita. O outro sacerdote, que ocupava o ofício de "cabeça das famílias dos sacerdotes" (1Cr 24.6), ficava à sua esquerda. Então eram apresentados os *dois* bodes. O rosto deles voltava-se para o ocidente, localização do Santo dos Santos, pelo que estavam "diante da presença" de Yahweh. Um dos bodes era sacrificado, e o outro era o bode *emissário* ou *azazel* (vs. 8). Os estudiosos de tipologia veem nos dois bodes as duas naturezas de Cristo, a divina e a humana; mas isso parece bastante remoto. Talvez também estejam em foco suas posições como Salvador e Mediador. Ou, então, haja um símbolo da morte e da ressurreição de Cristo. E há outras ideias tão remotas quanto essas.

Os Quinze Animais Sacrificados no Dia da Expiação. "Os sacrifícios matinal e vespertino eram oferecidos como de costume: além de um novilho, de um carneiro e de sete cordeiros, todos eles holocaustos; e um bode como oferta pelo pecado, que era comido à tarde. Então um novilho como oferta pelo pecado, e um carneiro, ambos holocaustos. Esses dois animais, em favor do sumo sacerdote. Em seguida, vinha o carneiro oferecido em favor da congregação (vs. 5), que é chamado carneiro do povo. E também traziam, em favor da congregação, os dois bodes: um como oferta pelo pecado e outro como bode emissário. Desse modo, todos os animais oferecidos naquele dia solene eram *quinze*: dois sacrifícios diários; um novilho; dois carneiros; sete cordeiros, todos como holocaustos. E, então, dois bodes como ofertas pelo pecado: um oferecido e comido à tarde, e o outro oferecido em holocausto; e um novilho como oferta pelo pecado, em favor do sumo sacerdote. Todos esses quinze animais eram oferecidos naquele dia somente pelo sumo sacerdote" (Maimônides, citado por Ainsworth, *in loc.*).

16.8

וְנָתַן אַהֲרֹן עַל־שְׁנֵי הַשְּׂעִירִם גּוֹרָלוֹת גּוֹרָל אֶחָד
לַיהוָה וְגוֹרָל אֶחָד לַעֲזָאזֵל׃

Lançará sortes. Esses eram objetos, provavelmente feitos de madeira, com inscrições. Um deles dizia: "para o Senhor". E o outro: "para o bode emissário". O primeiro era sacrificado, e o segundo era deixado solto no deserto. As sortes eram sacudidas em um receptáculo, e tiradas dali pelo sumo sacerdote, simultaneamente, uma com a mão esquerda, e a outra com a mão direita. A sorte tirada pela mão direita era posta sobre o bode à sua direita; e aquela tirada pela mão esquerda era posta sobre o bode à sua esquerda. O que estava escrito naquelas sortes determinava o destino dos animais. Aquele sobre quem ficava escrito "para o Senhor" era sacrificado; e o outro era solto no deserto.

As sortes, nos dias de Moisés, eram feitas de madeira; mas nos dias do segundo templo eram feitas de ouro, guardadas em uma caixa de madeira, só podendo ser usadas de ano em ano, no Dia da Expiação.

O bode emissário. Ver no *Dicionário* o artigo intitulado *Azazel*, onde dou *quatro* ideias principais que interpretam o que está em pauta. Não há certeza absoluta sobre a questão. O que é claro é que os pecados de todo o povo de Israel eram vistos como que levados por esse bode, embora não fique claro de que maneira exata. Talvez o nome que lhe davam no hebraico, *azazel*, indicasse Satanás ou algum outro elevado poder demoníaco que recebia o pobre bode e, juntamente com ele, todos os pecados do povo de Israel, embora haja outras ideias acerca desse bode. Cf. Levítico 17.7; Isaías 34.14. No livro de Enoque, Azazel é um chefe de espíritos malignos (8.1; 10.4), mas isso pode ser um desenvolvimento posterior. Então temos os *lugares altos* dos demônios ou peludos, os espíritos de lugares ermos (2Cr 11.15). Cf. Apocalipse 18.2 e Mateus 12.43.

16.9

וְהִקְרִיב אַהֲרֹן אֶת־הַשָּׂעִיר אֲשֶׁר עָלָה עָלָיו הַגּוֹרָל
לַיהוָה וְעָשָׂהוּ חַטָּאת׃

Um dos bodes tornava-se uma *oferta pelo pecado*. Ver Levítico 1.3-17 e 6.25,30. Ver as notas sobre o vs. 7 quanto aos quinze animais sacrificados no Dia da Expiação. Ver no *Dicionário* o verbete chamado *Expiação*. Aquele que era "para Yahweh" recebia uma fita vermelha atada em torno do pescoço. E aquele que ia para Azazel tinha um fio escarlata atado à cabeça ou aos chifres. O vs. 15 descreve o sacrifício do animal "para o Senhor", o que é antecipado aqui.

16.10

וְהַשָּׂעִיר אֲשֶׁר עָלָה עָלָיו הַגּוֹרָל לַעֲזָאזֵל
יָעֳמַד־חַי לִפְנֵי יְהוָה לְכַפֵּר עָלָיו לְשַׁלַּח אֹתוֹ
לַעֲזָאזֵל הַמִּדְבָּרָה׃

O outro bode tornava-se o animal enviado ao deserto, a Azazel. Ele também era um bode expiatório, conforme este versículo deixa claro. Ele levava sobre si os pecados de Israel, em uma maneira descrita nas notas sobre o vs. 8 deste capítulo e no artigo do *Dicionário* chamado *Azazel*. Nesse bode, os pecados eram simbolicamente *levados para longe*, indicando que as pessoas por quem se fizera expiação estavam livres da presença do bode.

Tipologia: Os Dois Bodes

1. O sumo sacerdote, no Dia da Expiação, oferecia todos os animais. Outro tanto fez Cristo, nosso Sumo Sacerdote. Ver Hebreus 1.3.
2. O bode sacrificado falava da morte expiatória de Cristo (Rm 3.24-26).
3. O bode vivo, enviado para o deserto, falava sobre a obra de Cristo mediante a qual ele "aniquilou" o pecado de uma vez para sempre (Hb 9.26; Rm 8.33,34).
4. O sumo sacerdote entrava no Santo dos Santos, um emblema de Cristo em sua obra intercessória, no céu, com base na virtude de seu próprio sangue (Hb 9.11,12).
5. Por meio de Cristo, foi-nos aberto acesso ao céu. Os sacerdotes do Antigo Testamento desfrutavam acesso limitado; mas o véu (terceira cortina) foi rasgado de alto a baixo (Mt 27.51; Hb 10.19,20), indicando que agora total acesso foi conferido aos crentes, os quais tiram proveito dos efeitos da morte de Cristo como sacerdotes dotados de direito de acesso total. Ver no *Dicionário* o verbete chamado *Acesso*.

O SACRIFÍCIO PELO PRÓPRIO SUMO SACERDOTE (16.11-14)

16.11

וְהִקְרִיב אַהֲרֹן אֶת־פַּר הַחַטָּאת אֲשֶׁר־לוֹ וְכִפֶּר בַּעֲדוֹ
וּבְעַד בֵּיתוֹ וְשָׁחַט אֶת־פַּר הַחַטָּאת אֲשֶׁר־לוֹ׃

O sumo sacerdote precisava oferecer sacrifício primeiro por si mesmo, visto que, embora estivesse em elevada posição religiosa, era também um pecador. Antes de tudo era mister que seus pecados lhe fossem perdoados, antes que pudesse realizar o ritual da expiação em favor do povo de Israel. Ver Hebreus 7.27 que contrasta esse aspecto da obra dos sumos sacerdotes com a obra de Cristo, nosso Sumo Sacerdote, que não tinha necessidade de oferecer sacrifício por si mesmo. Ver na *Enciclopédia de Bíblia, Teologia e Filosofia* o artigo chamado *Impecabilidade de Jesus*.

O rito aqui efetuado era muito parecido com aquele dado em Levítico 4.3-12, que descreve as ofertas pelo pecado ordinárias, em favor do sumo sacerdote, exceto os *lugares* envolvidos, que eram diferentes. No primeiro caso, o sangue era aspergido defronte da cortina, sobre o altar do incenso (como em Lv 4.6,7); mas neste caso, era aspergido sobre o propiciatório, dentro do Santo dos Santos (Lv 16.14).

Essa oferta era feita em favor do próprio sumo sacerdote e sua *casa*, o que talvez aponte para todo o sacerdócio aarônico, a sua casa espiritual. O termo, porém, poderia incluir a sua família natural. E caso não fosse assim, então a família imediata do sumo sacerdote tinha os seus pecados expiados quando dos sacrifícios gerais por todo o Israel. Já vimos o sacrifício do *novilho*, no vs. 6, onde o versículo é essencialmente igual ao vs. 11, e onde há notas adicionais que se aplicam aqui. Ver as notas sobre o vs. 7 quanto aos *quinze* animais mortos no Dia da Expiação.

Oferta pelo pecado. Ver as notas sobre isso em Levítico 1.3-17 e 6.25,30. No Dia da Expiação, o sumo sacerdote sacrificava pessoalmente todos os animais, posto que, em outras ocasiões, aquele em favor de quem estava sendo feito o sacrifício é que abatia o animal.

16.12

וְלָקַח מְלֹא־הַמַּחְתָּה גַּחֲלֵי־אֵשׁ מֵעַל הַמִּזְבֵּחַ מִלִּפְנֵי
יְהוָה וּמְלֹא חָפְנָיו קְטֹרֶת סַמִּים דַּקָּה וְהֵבִיא מִבֵּית
לַפָּרֹכֶת׃

"Esse era o momento supremo dos ritos do Dia da Expiação: o sumo sacerdote, depois de fazer expiação por si mesmo e por sua casa, entrava no Santo dos Santos, para além do véu" (Nathaniel Micklem, *in loc.*). Ver o gráfico sobre a *planta* do tabernáculo, na seção introdutória a Êxodo 25.1.

O sumo sacerdote, no Dia da Expiação, entrava por quatro vezes no Santo dos Santos. Na *primeira vez* com o incensário cheio de brasas extraídas do altar. Sobre essas brasas ele queimou o incenso, preparado segundo uma fórmula especial, divinamente determinada (Êx 30.34-36). Essa mistura criava uma fumaça que impedia que o sacerdote olhasse para a glória *shekinah* do Santo dos Santos. Desse modo, era evitado que ele tivesse morte repentina. O vs. 14 mostra-nos sua segunda entrada no Santo dos Santos. O vs. 15, a terceira. E o vs. 23, a quarta entrada. Essas várias entradas ocorriam todas no mesmo dia, e somente uma vez por ano (vs. 29).

"Depois do abate do novilho, mas antes da aspersão com seu sangue, o sumo sacerdote tomava o incensário, que nessa ocasião era feito de ouro, e o enchia com brasas vivas tiradas do altar, onde o fogo crepitava sem cessar, voltado para o lado ocidental, na direção do Santo dos Santos, onde o Senhor habitava. Esse é o sentido que a lei canônica dava à expressão que aqui lemos, 'diante do Senhor'" (Ellicott, *in loc.*).

16.13

וְנָתַן אֶת־הַקְּטֹרֶת עַל־הָאֵשׁ לִפְנֵי יְהוָה וְכִסָּה עֲנַן
הַקְּטֹרֶת אֶת־הַכַּפֹּרֶת אֲשֶׁר עַל־הָעֵדוּת וְלֹא יָמוּת׃

Porá o incenso sobre o fogo. (Ver Êx 30.34-36). E isso criava uma nuvem de fumaça protetora, para que o homem não visse a glória *shekinah* de Deus, no Santo dos Santos. Se o sumo sacerdote visse essa glória, provavelmente morreria instantaneamente. Em tempos posteriores, após sair do Santo dos Santos, o sumo sacerdote proferia uma bênção especial, por ser esse um momento propício: "Que te agrade, ó Senhor, meu Deus, se este ano tiver de ser um ano de seca, que seja um ano de chuvas. Que não morra aquele que governa a casa de Judá. Que o Teu povo não sofra necessidades, de modo que um não implore o pão de outrem, nem de estrangeiros; e não deixes que as orações dos viajantes cheguem até ti" (talvez porque estrangeiros pediriam que não chovesse, o que os ajudaria em suas viagens). Acredita-se que a oração é mais poderosa do que a profecia, pois eventos preditos em profecias podem ser alterados *por meio da oração*. Cf. este versículo com Êxodo 33.20.

16.14

וְלָקַח מִדַּם הַפָּר וְהִזָּה בְאֶצְבָּעוֹ עַל־פְּנֵי הַכַּפֹּרֶת קֵדְמָה וְלִפְנֵי הַכַּפֹּרֶת יַזֶּה שֶׁבַע־פְּעָמִים מִן־הַדָּם בְּאֶצְבָּעוֹ׃

Embora isso não seja dito especificamente, é de presumir-se que, terminada a cerimônia do incenso (vss. 12 e 13), o sumo sacerdote deixasse o Santo dos Santos. Mas então ele voltava, sendo essa a sua *segunda entrada*. Havia *quatro* dessas entradas naquele dia (vss. 12,13; vs. 14; vs. 15 e vs. 23).

Ele precisava obter sangue do novilho sacrificado. Então ele trazia esse sangue até o interior do Santo dos Santos, onde realizava o rito da aspersão do sangue. Derramava um pouco sobre o propiciatório e salpicava sangue por sete vezes. O sangue era trazido em uma espécie de taça, e era constantemente mexido para evitar sua coagulação. Temos aqui o sacrifício antecipado no vs. 11, e as notas dali também se aplicam aqui.

Nos tempos do segundo templo, o sumo sacerdote salpicava o sangue uma vez *para cima*, e sete vezes *para baixo*, pelo que oito salpicos formavam uma linha contínua sobre o chão. Ele tinha de contar cada um desses atos, para que realizasse o rito exatamente conforme lhe fora ordenado. Tudo isso estava envolvido no sacrifício do sumo sacerdote por si mesmo e pela sua casa (vss. 6 e 11). O uso do resto do sangue do novilho é descrito nos vss. 18 e 19. As regras concernentes a essa questão aparecem em *Misn. Yoma*, c. 5, sec. 3.

O SACRIFÍCIO PELO POVO (16.15-28)

16.15

וְשָׁחַט אֶת־שְׂעִיר הַחַטָּאת אֲשֶׁר לָעָם וְהֵבִיא אֶת־דָּמוֹ אֶל־מִבֵּית לַפָּרֹכֶת וְעָשָׂה אֶת־דָּמוֹ כַּאֲשֶׁר עָשָׂה לְדַם הַפָּר וְהִזָּה אֹתוֹ עַל־הַכַּפֹּרֶת וְלִפְנֵי הַכַּפֹּרֶת׃

Tendo feito expiação por si mesmo e por sua casa (vss. 6,11,13,14), o sumo sacerdote em seguida sacrificava por todo o povo de Israel (vss. 15-28). Ele saía do Santo dos Santos a fim de abater o *bode* da oferta pelo pecado. E, então, trazia para dentro o seu sangue, em uma taça, a fim de realizar ainda outro rito, dessa vez em favor do povo. Essa era a sua *terceira* entrada no Santo dos Santos, naquele dia. Vemos que ele entrava por quatro vezes: vs. 12 (primeira vez), vs. 14 (segunda vez), vs. 15 (terceira vez) e vs. 23 (quarta vez).

O bode era morto pelo sumo sacerdote, pessoalmente, tal como se dava com todos os outros catorze sacrifícios daquele dia. Ver as notas sobre o vs. 7 deste capítulo quanto a esse total de quinze sacrifícios. Em outras ocasiões, o ofertante por quem se fazia o sacrifício é que tinha de abater o animal. O abate tinha lugar ao norte do altar de bronze (dos holocaustos). Esse bode era aquele que tinha sido marcado, por sorte, "para o Senhor". Essa era a *oferta pelo pecado* (ver as notas em Lv 1.3-17 e 6.25,30). Ver as notas sobre os vss. 7-10 quanto aos *dois* bodes do ritual.

As manipulações com o sangue eram *as mesmas* que aquelas envolvidas com o novilho (vs. 14, cujas notas expositivas também se aplicam aqui).

16.16

וְכִפֶּר עַל־הַקֹּדֶשׁ מִטֻּמְאֹת בְּנֵי יִשְׂרָאֵל וּמִפִּשְׁעֵיהֶם לְכָל־חַטֹּאתָם וְכֵן יַעֲשֶׂה לְאֹהֶל מוֹעֵד הַשֹּׁכֵן אִתָּם בְּתוֹךְ טֻמְאֹתָם׃

Várias purificações eram efetuadas: Israel era culpado de inúmeros pecados. A transgressão deles contaminava não somente a nação, mas também tudo quanto usavam, incluindo o próprio santuário e todo o seu equipamento. O pecado é retratado como algo que fazia todas as pessoas e coisas imundas, em necessidade de purificação. Assim, esses ritos visavam santificar coisas, e não apenas pessoas.

Durante os tempos do segundo templo, o sumo sacerdote misturava o sangue do novilho com o sangue do bode, e com essa mistura efetuava os ritos em que salpicava e derramava o sangue.

Expiação pelo santuário. Devemos pensar aqui no Santo dos Santos. Esse era o alvo mesmo dos ritos cruentos.

16.17

וְכָל־אָדָם לֹא־יִהְיֶה בְּאֹהֶל מוֹעֵד בְּבֹאוֹ לְכַפֵּר בַּקֹּדֶשׁ עַד־צֵאתוֹ וְכִפֶּר בַּעֲדוֹ וּבְעַד בֵּיתוֹ וּבְעַד כָּל־קְהַל יִשְׂרָאֵל׃

O tabernáculo inteiro em todos os seus recintos tinha de ficar vazio de pessoas, enquanto o sumo sacerdote realizava seus ritos de purificação, a fim de que alguém, que ali entrasse, não provocasse novas poluções. Nem sacerdote nem pessoa comum podia aproximar-se do tabernáculo, nem mesmo entrar no átrio. O sumo sacerdote operava absolutamente sozinho. Visto que ninguém podia vê-lo a realizar o seu trabalho, garantindo que ele faria tudo de acordo com as regras, na véspera do Dia da Expiação ele recebia uma solene exortação da parte dos sacerdotes e dos anciãos do sinédrio: "Nós te exortamos, por aquele que fez o seu nome habitar nesta casa, que não alteres coisa alguma de tudo quanto te foi dito".

Tipologia. Somente Cristo, nosso Sumo Sacerdote, pode realizar a purificação. Ninguém pode purificar a si mesmo nem oferecer sua própria expiação. Alguns *lugares* são santos. Coisas profanas não podiam penetrar no tabernáculo. Por igual modo, a Igreja não pode ser conduzida em seus cultos mediante música mundanas, vestes imodestas e atitudes frívolas.

16.18

וְיָצָא אֶל־הַמִּזְבֵּחַ אֲשֶׁר לִפְנֵי־יְהוָה וְכִפֶּר עָלָיו וְלָקַח מִדַּם הַפָּר וּמִדַּם הַשָּׂעִיר וְנָתַן עַל־קַרְנוֹת הַמִּזְבֵּחַ סָבִיב׃

Altar. Podemos pensar aqui tanto no altar de bronze quanto no altar do incenso. Um ou outro, ou mesmo ambos, tinham de ser purificados mediante o sangue aspergido ou besuntado. O sangue do novilho, talvez misturado ao sangue do bode, era passado sobre os chifres do altar de bronze. No tempo do segundo templo, o altar de incenso em foco era considerado o altar de incenso, que ficava no Lugar Santo, diante da cortina que separava o Lugar Santo do Santo dos Santos. Ver o gráfico sobre a *planta do tabernáculo*, nas notas introdutórias sobre Êxodo 25.1. Ver no *Dicionário* o artigo intitulado Altar do Incenso. Ver sobre o *Altar de Bronze* nas notas sobre Êxodo 27.1. Cf. Êxodo 29.35-37. Ver também Êxodo 30.10.

"Começando pela esquina nordeste, o sumo sacerdote ia para a esquina noroeste, então para a esquina sudoeste, e, finalmente, para a esquina sudeste" (Ellicott, *in loc.*). Seguindo essas orientações, ele teria purificado o altar do incenso, após sair do Santo dos Santos (vs. 16). *Misn. Yoma*, c. 5, sec. 5 comenta sobre o que determina este versículo.

16.19

וְהִזָּה עָלָיו מִן־הַדָּם בְּאֶצְבָּעוֹ שֶׁבַע פְּעָמִים וְטִהֲרוֹ וְקִדְּשׁוֹ מִטֻּמְאֹת בְּנֵי יִשְׂרָאֵל׃

O dedo indicador direito era usado na cerimônia de aspersão do sangue, o que era feito por *sete* vezes, o número divino da perfeição e de algo completo. Ver no *Dicionário* o verbete chamado *Número (Numeral, Numerologia)*. O sangue era primeiramente besuntado sobre os chifres do altar (vs. 18) e, então, era aspergido por sete vezes. Simbólica e cerimonialmente, o altar tornava-se assim um lugar santo, purificado das contaminações que o povo causava. Permaneceria puro por mais um ano, quando o processo teria de ser repetido (Êx 30.10). O que sobrava do sangue, por não ter sido usado para besuntar os chifres, ou durante a cerimônia de aspersão, era derramado no lado sudeste do altar, onde um dreno levava-o até o ribeiro do Cedrom. Pelo menos esse era o processo, em tempos posteriores. Mas no deserto é difícil dizer como os israelitas dispunham desse excesso de sangue. Há descrições em *Yoma*, c. 5, sec. 6.

■ 16.20

וְכִלָּה מִכַּפֵּר אֶת־הַקֹּדֶשׁ וְאֶת־אֹהֶל מוֹעֵד וְאֶת־הַמִּזְבֵּחַ וְהִקְרִיב אֶת־הַשָּׂעִיר הֶחָי:

As purificações estavam completas: o Santo dos Santos, o Lugar Santo e o átrio. Antes o sumo sacerdote havia feito expiação por si mesmo e pela sua casa (vss. 6 e 11). E também havia feito expiação pelo povo (vs. 15). Uma vez terminados esses ritos, então vinha a libertação do segundo bode, que era solto no deserto (vss. 21,22). Ver as notas sobre os vss. 7 e 8, quanto aos *dois bodes* e suas respectivas funções. O envio desse bode ao deserto completava os ritos e sacrifícios ligados à expiação pelos pecados do povo.

■ 16.21

וְסָמַךְ אַהֲרֹן אֶת־שְׁתֵּי יָדָו עַל רֹאשׁ הַשָּׂעִיר הַחַי וְהִתְוַדָּה עָלָיו אֶת־כָּל־עֲוֹנֹת בְּנֵי יִשְׂרָאֵל וְאֶת־כָּל־פִּשְׁעֵיהֶם לְכָל־חַטֹּאתָם וְנָתַן אֹתָם עַל־רֹאשׁ הַשָּׂעִיר וְשִׁלַּח בְּיַד־אִישׁ עִתִּי הַמִּדְבָּרָה:

O sumo sacerdote impunha ambas as mãos sobre o bode vivo, voltado na direção do deserto. Todos os pecados de Israel eram postos vicariamente sobre esse animal. As palavras "ambas as mãos" acham-se somente aqui, na descrição de todos os ritos, e isso alude às ideias de solenidade e algo terminado. Oferendas já tinham sido feitas em favor do sumo sacerdote (vss. 3 ss.; vss. 7 ss.). O bode que era solto no deserto completava a cerimônia de expiação.

Todas as iniquidades. A saber, do próprio sumo sacerdote, do sacerdócio aarônico e de todo o povo de Israel, pois esse passo final era todo-inclusivo. A imposição de mãos ocorria juntamente com a confissão de pecados e o pedido de perdão. Nos dias do segundo templo, as palavras proferidas pelo sumo sacerdote eram as seguintes:

"Ó Senhor, o teu povo, a casa de Israel, tem pecado e praticado iniquidades e transgressões diante de ti. Ó Senhor, rogo-te que cubras os pecados, as iniquidades e as transgressões de teu povo, que a casa de Israel tem pecado, tem agido de forma iníqua e tem transgredido diante de ti, conforme está escrito na lei de teu servo, Moisés" (referindo-se a Lv 16.30). Os sacerdotes e outros, de pé no átrio, que ouviam essa oração, então respondiam, prostrados de rosto no chão: "Bendito seja o nome de seu glorioso reino, para todo o sempre". Então o bode era enviado em sua deplorável condição, portador dos pecados da nação inteira.

Yoma 6.2-8, na Mishnah, confere-nos um dramático quadro falado do envio do bode vivo, que aqui sumario:

O bode era entregue à pessoa que o levaria embora. Ao longo da rota marcada, o povo zombava do pobre bode, gritando para ele, puxando seus pelos e dizendo coisas como 'Leva nossos pecados e vai-te embora!'. Cabanas ou estações eram armadas ao longo do trajeto, e o bode ia de estação para estação, escarnecido ao longo do caminho. A cada estação havia algum alimento e água para sustento do bode. E assim se aproximava cada vez mais do deserto. Vigias tinham sido postados a intervalos, garantindo que o bode era visto a seguir na direção do deserto, nunca parando em algum lugar ao longo do caminho. Os vigias abanavam toalhas enquanto o bode passava, para que todos os outros vissem onde o bode já tinha chegado. E assim o bode seguia a rota especificada, de Jerusalém a Beth Haroro, a 5 km de distância. Finalmente, ia-se. Tinha chegado ao lugar especificado do deserto.

E assim o povo, crendo que o bode havia chegado a seu destino, sentia-se aliviado. O bode tinha-se ido; tudo agora estava terminado; os pecados estavam cobertos; Yahweh havia contido a sua ira.

Algumas autoridades creem que o bode, em sua fuga, era morto, sendo então jogado por sobre um *precipício rochoso* (e o nome *Azazel* pode ter esse significado). Mas nada existe no próprio texto bíblico que sugira que, finalmente, o bode era morto assim. Ademais, nos dias de Moisés, esse elaborado modo de proceder, acima descrito, não era adotado. Os israelitas já estavam no deserto, e o bode era meramente deixado fora do arraial, separado do povo.

■ 16.22

וְנָשָׂא הַשָּׂעִיר עָלָיו אֶת־כָּל־עֲוֹנֹתָם אֶל־אֶרֶץ גְּזֵרָה וְשִׁלַּח אֶת־הַשָּׂעִיר בַּמִּדְבָּר:

Este versículo repete as ideias do versículo anterior, exceto pelo fato de que aqui nos é dito especificamente que o animal era *solto*. O bode não era morto no deserto, conforme alguns têm pensado. Simplesmente o bode era deixado solto no deserto. Ninguém habitava ali, mas somente os demônios e o príncipe deles, *Azazel*. Ver o artigo desse nome no *Dicionário*, quanto a várias ideias sobre o sentido dessa palavra e suas implicações. Lemos que, durante os dias do segundo templo, as autoridades cuidavam para que o bode fosse morto, o que nos é sugerido nas notas sobre o vs. 21; mas isso não fazia parte da prática original. A morte do animal era saudada com gritos de júbilo, e as notícias iam-se espalhando. O Targum de Jonathan também diz que o bode era morto, mas por juízo de Yahweh, o qual enviava um forte vento que provocava a queda do animal de um precipício.

Existem paralelos curiosos em outras literaturas e nos costumes de outros povos. Os kaffirs, da África do Sul, contam com uma cerimônia semelhante, que também envolve um bode. Um homem enfermo, para livrar-se do pecado e da enfermidade (resultante do pecado), confessava seus pecados sobre o bode, salpicando-o com algumas poucas gotas de seu próprio sangue. Então o animal era conduzido a algum lugar desconhecido. James G. Frazer coletou grande número de paralelos como esse (*The Golden Bough*, Nova Iorque, 1922). Heródoto relatou algo similar, praticado entre os egípcios (*Euterpo*, 1.2 c. 39). Plutarco também tinha histórias nesse sentido (*De Iside and Osir*).

■ 16.23

וּבָא אַהֲרֹן אֶל־אֹהֶל מוֹעֵד וּפָשַׁט אֶת־בִּגְדֵי הַבָּד אֲשֶׁר לָבַשׁ בְּבֹאוֹ אֶל־הַקֹּדֶשׁ וְהִנִּיחָם שָׁם:

Quarta entrada do sumo sacerdote no Santo dos Santos. O sumo sacerdote entrava no Santo dos Santos por *quatro* vezes: 1. Ele entrava para fazer expiação por si mesmo e pelos de sua casa (vss. 12 ss.). 2. Ele tinha de levar o sangue para a cerimônia naquele lugar (vs. 14), pelo que ele saía, apanhava o sangue e reentrava. 3. Ele entrava novamente, após ter sacrificado o primeiro bode, trazendo seu sangue para a cerimônia da expiação em favor do povo (vss. 15 ss.). 4. Este versículo menciona a quarta dessas entradas. "O objetivo dessa quarta entrada dele no Santo dos Santos era apanhar o incensário e a taça de incenso que ele havia deixado entre as duas varas (vs. 12). Para fazer isso, ele tinha de banhar-se novamente, o que sempre acompanhava uma muda de vestimentas, e vestia-se de sua túnica branca. Visto que isso não fazia parte do culto real do dia, o texto não descreve plenamente essa parte. Esse era o último ato do Dia da Expiação, que o sumo sacerdote realizava em seus trajes brancos" (Ellicott, *in loc.*).

E ali as deixará. Tendo encerrado seus deveres, o sumo sacerdote deixava suas vestes em um lugar especial, uma câmara usada com essa finalidade. Os quatro conjuntos de vestimentas, usados no Dia da Expiação, não seriam usados senão dentro de mais um ano. Serviam somente a esse propósito.

A Transferência do Pecado. É patente que os pecados de um ser humano não podem ser transferidos para um bode. Matthew Henry (*in loc.*) comentou sobre o primitivismo desse rito e anotou: "Seria uma *afronta* a Deus, se ele mesmo tivesse ordenado tal transferência". Assim, quando muito, a cerimônia inteira com o bode era uma sombra da eficácia do perdão que haveríamos de receber em Cristo. Nossos pecados são verdadeiramente transferidos a ele (ver 1Pe 2.24). Uma vez unidos com Cristo, temos união com o Pai, e nossos pecados são tirados de nós.

> Olha, Pai, para seu rosto ungido,
> E só olha para nós estando nós nele.
>
> William Bright

Ver Hebreus 10.19,20 quanto à aplicação que o Novo Testamento faz desse ato emblemático.

■ 16.24

וְרָחַץ אֶת־בְּשָׂרוֹ בַמַּיִם בְּמָקוֹם קָדוֹשׁ וְלָבַשׁ
אֶת־בְּגָדָיו וְיָצָא וְעָשָׂה אֶת־עֹלָתוֹ וְאֶת־עֹלַת הָעָם
וְכִפֶּר בַּעֲדוֹ וּבְעַד הָעָם׃

Outro banho ritual tinha lugar. Precisava ser um completo banho de imersão. Nos dias do segundo templo, havia um batistério construído com essa finalidade. Ficava no telhado de um edifício dentro do terreno murado do templo.

O sumo sacerdote mudava de roupa, deixando seus trajes de linho branco na câmara sagrada. E, então, ele vestia seus trajes sacerdotais ordinários. Ato contínuo, ele passava a oferecer outro *holocausto*, em favor de si mesmo e do povo. Ver sobre isso notas em Levítico 6.9-13, e notas adicionais em Levítico 1.3-17. De acordo com alguns eruditos, essa oferta não fazia parte do Dia da Expiação, mas era algo complementar. Ver as notas sobre o sétimo versículo deste capítulo, quanto aos *quinze* animais sacrificados naquele dia. Três animais eram então sacrificados, a saber, dois carneiros e um novilho. Cf. Números 29.8.

Algumas autoridades, incluindo aquelas dos dias do segundo templo, dizem-nos que o vs. 23 está fora de lugar, e que deveria seguir-se às ofertas descritas nos vss. 24 ss., como parte do cerimonial do Dia da Expiação, e não como mero suplemento. Isso é lógico, porque é difícil imaginar *por qual razão*, depois de toda a maciça matança de animais, no Dia da Expiação, ainda houvesse mais sacrifícios suplementares. Seja como for, as vestes brancas não eram usadas pelo sumo sacerdote nesses serviços, e, sim, as vestes douradas. As descrições destes versículos quase certamente indicam que os sacrifícios aqui descritos faziam parte regular do Dia da Expiação.

Parece que esses sacrifícios, em favor do sumo sacerdote e em favor do povo, não eram os mesmos que são aludidos nos vss. 11 ss. e 15 ss., onde tais sacrifícios já tinham sido efetuados. Antes, eram sacrifícios adicionais. Mas outros estudiosos supõem que os sacrifícios aqui mencionados sejam os mesmos, e a presente descrição nos forneça a verdadeira cronologia. Assim, os versículos anteriores *antecipavam* este versículo e o que se segue. Nesse caso, nós, pobres leitores, ficamos à mercê da confusa mente hebraica, que não exibia as informações de modo a podermos segui-las de uma maneira uniforme.

■ 16.25

וְאֵת חֵלֶב הַחַטָּאת יַקְטִיר הַמִּזְבֵּחָה׃

A gordura pertencia a Yahweh. A gordura era considerada uma delícia, e não podia ser dada a homem algum. Ver as descrições sobre a gordura e o sangue nas notas em Levítico 3.17. Pertencente a Yahweh, tinha de lhe ser dada sobre o altar de bronze, sendo totalmente queimada. Cf. o vs. 6, que talvez se refira aos mesmos sacrifícios, conforme foi discutido nas notas sobre o vs. 24. A gordura do bode também era queimada, embora o texto nada nos diga de específico sobre isso. Cf. Números 29.11.

■ 16.26

וְהַמְשַׁלֵּחַ אֶת־הַשָּׂעִיר לַעֲזָאזֵל יְכַבֵּס בְּגָדָיו וְרָחַץ
אֶת־בְּשָׂרוֹ בַּמָּיִם וְאַחֲרֵי־כֵן יָבוֹא אֶל־הַמַּחֲנֶה׃

Um mensageiro era enviado junto com o bode emissário, até certa distância, para certificar-se de que o animal se internara no deserto. Ver o vs. 10. Visto que ele tinha acompanhado o animal sobrecarregado simbolicamente de pecados, o homem ficava contaminado e precisava tomar o banho ritual, de corpo totalmente imerso na água. Nos dias do segundo templo, tal homem precisava ficar na última cabana, a pouco mais de 1,5 km de Jerusalém, até o pôr do sol, quando então podia voltar ao convívio social. O sacerdote que fizera a consagração também tinha de tomar um banho, pois também ele era considerado imundo, devido a seu contato com o bode.

■ 16.27

וְאֵת פַּר הַחַטָּאת וְאֵת שְׂעִיר הַחַטָּאת אֲשֶׁר הוּבָא
אֶת־דָּמָם לְכַפֵּר בַּקֹּדֶשׁ יוֹצִיא אֶל־מִחוּץ לַמַּחֲנֶה
וְשָׂרְפוּ בָאֵשׁ אֶת־עֹרֹתָם וְאֶת־בְּשָׂרָם וְאֶת־פִּרְשָׁם׃

O novilho e o bode eram *ofertas pelo pecado* (ver Lv 4.1-35 e 6.25,30), em favor do sumo sacerdote, de sua casa e do povo em geral. Cf. os vss. 5,6,9,11,14,15. O sangue dos animais era usado nos ritos no interior do Santo dos Santos. O que restasse, a carcaça, o couro e os excrementos, era queimado fora do arraial, no montão de cinzas, para isso designado.

Durante os dias do segundo templo, quatro sacerdotes eram nomeados para a tarefa de carregar as partes dos corpos dos animais que deviam ser queimadas fora do arraial. Duas varas eram utilizadas nesse transporte. Cf. Levítico 4.11,12 quanto às mesmas informações no que toca às partes não utilizadas dos animais. Enquanto os pedaços das vítimas eram queimados fora do arraial, o sumo sacerdote lia (no átrio das mulheres) a liturgia apropriada do Dia da Expiação (a saber, Lv 23.26 e Nm 29.7-11). A congregação ouvia a leitura. E, então, eram proferidas *oito* bênçãos: 1. sobre a lei divina; 2. sobre a adoração pública; 3. sobre a confissão de pecados; 4. sobre o perdão dos pecados; 5. sobre Jerusalém; 6. sobre o templo; 7. sobre Israel; 8. sobre o sacerdócio. Naturalmente, nos dias de Moisés, as coisas eram bem mais simples.

■ 16.28

וְהַשֹּׂרֵף אֹתָם יְכַבֵּס בְּגָדָיו וְרָחַץ אֶת־בְּשָׂרוֹ בַּמָּיִם
וְאַחֲרֵי־כֵן יָבוֹא אֶל־הַמַּחֲנֶה׃

O homem (quatro homens nos dias do segundo templo) que havia tirado as partes não usadas do animal, a fim de queimá-las fora do arraial, tinha de passar pelo banho ritual, o corpo totalmente imerso em água. A ideia é que eles contraíam a imundícia dos animais oferecidos como ofertas pelo pecado, e agora precisavam de purificação. A Mishnah (*Yoma*, c. 6, sec. 7) diz-nos que eles eram tidos como imundos até a noite. Naquele tempo, no início de um novo dia (de acordo com os costumes hebreus, às 18 horas), as pessoas ficavam livres de suas contaminações cerimoniais.

FESTA ANUAL DAS EXPIAÇÕES (16.29-34)

Veio a fazer parte da legislação mosaica que o Dia da Expiação fosse observado de ano em ano como um sábado de descanso solene. Era um dia de jejum, e, de fato, tornou-se conhecido como *o jejum* (At 27.9). Era o único jejum ordenado pela legislação mosaica, ainda que houvesse muitos jejuns tradicionais. O Dia da Expiação era fielmente observado, a cada ano, no décimo dia do sétimo mês (tishri, nosso outubro-novembro). As cerimônias precisavam ser acompanhadas por um arrependimento genuíno, sob pena de se tornarem inúteis. Portanto, havia o envolvimento do lado humano e do lado divino. Ver no *Dicionário* o verbete chamado *Arrependimento*.

■ 16.29

וְהָיְתָה לָכֶם לְחֻקַּת עוֹלָם בַּחֹדֶשׁ הַשְּׁבִיעִי בֶּעָשׂוֹר
לַחֹדֶשׁ תְּעַנּוּ אֶת־נַפְשֹׁתֵיכֶם וְכָל־מְלָאכָה לֹא תַעֲשׂוּ
הָאֶזְרָח וְהַגֵּר הַגָּר בְּתוֹכְכֶם׃

Isso vos será por estatuto perpétuo. Os hebreus não antecipavam um tempo quando seu elaborado sistema de leis e ritos seria substituído por algo superior. Será sempre um vício das religiões e denominações atrelar a palavra "perpétuo" aos seus sistemas e crenças. Mas o tempo produz uma evolução espiritual, e o antigo é descartado e substituído pelo novo. Sempre será assim. De outro modo, a humanidade jamais poderia aproximar-se mais de Deus, obtendo melhor acesso à deidade. As *mudanças* permitem a evolução da espiritualidade. O conhecimento é algo que aumenta. A estagnação não faz parte do vocabulário divino. O livro aos Hebreus, no Novo

Testamento, é uma elaborada declaração de como Cristo tomou o lugar da inteira legislação do Antigo Testamento, em seus conceitos e em suas práticas. E haverá novos livros, como a epístola aos Hebreus, que trarão novas eras, novos desenvolvimentos, novas revelações. Quando e como isso sucederá, precisamos deixar à vontade de Deus, de acordo com suas determinações. Essas revelações sempre são assinaladas por grandes transformações históricas.

Ver Levítico 3.17; Êxodo 29.42 e 31.16 quanto aos estatutos perpétuos, onde apresento outras notas a respeito.

Afligireis as vossas almas. Talvez estejam em foco o jejum (Is 58.3,5,10; Sl 35.13) e outros exercícios de humilhação e arrependimento. Ver no *Dicionário* o artigo chamado *Jejum*. Esse jejum era total. Havia a abstinência de banho, unção com óleo, uso de calçados, e até o sexo era proibido. Ademais, todos os sinais externos de ostentação eram banidos. Cf. Eclesiastes 9.10. Cf. isso com as palavras de Jesus, em Mateus 6.17, que proíbem o jejum de *ostentação*.

Nenhuma obra fareis. Pois aquele dia era um *sábado* ou descanso solene. Ver no *Dicionário* o artigo chamado *Sábado*. O sábado do sétimo dia era o *sinal* da legislação mosaica. Ver sobre o *Pacto Mosaico*, na introdução a Êxodo 19.1. Naquele ponto, entro na teologia da questão, do ponto de vista cristão. Ver a proibição quanto a todo trabalho, em Levítico 23.3,28,31 e Números 29.7.

O estrangeiro. Nenhum estrangeiro podia trabalhar no campo (posteriormente, em Israel) naquele dia, pois isso seria uma afronta contra toda a comunidade. Isso incluía aqueles que fossem residentes permanentes e aqueles que apenas peregrinassem em Israel. Ver Êxodo 12.19 e 20.10 quanto ao mesmo mandamento. Alguns afirmam que somente os convertidos ao judaísmo (originalmente, ao yahwismo) é que estavam obrigados a obedecer a esse preceito; mas podemos ter certeza de que a nação inteira de Israel cessava, naquele dia, todas as suas atividades.

■ **16.30**

כִּי־בַיּוֹם הַזֶּה יְכַפֵּר עֲלֵיכֶם לְטַהֵר אֶתְכֶם מִכֹּל חַטֹּאתֵיכֶם לִפְנֵי יְהוָה תִּטְהָרוּ׃

Se fará expiação por vós. Mediante o uso desse simples substantivo, o autor sacro sumariou a substância do capítulo 16, onde se descreve o sacrifício de quinze animais (ver as notas sobre o vs. 7), com todas as complexidades acompanhantes. Mediante essa *expiação* (ver a esse respeito no *Dicionário*), cada um dos israelitas era considerado limpo. Ao longo do ano havia os sacrifícios diários, sem falarmos naqueles, inumeráveis, que os sacerdotes efetuavam em favor dos que traziam oferendas por seus pecados. Mas *naquele* dia, o que ainda faltasse, era compensado. Aquele era *o dia* do calendário judaico. Cf. o equivalente neotestamentário, em Colossenses 1.22 e Apocalipse 14.5. Ver na *Enciclopédia de Bíblia, Teologia e Filosofia* o artigo *Expiação pelo Sangue de Cristo*.

E sereis purificados. O pecado deve ser visto como algo que polui e corrompe, cerimonial, moral e espiritualmente. O senso dos hebreus sobre a natureza corruptora do pecado era muito intenso, o que explica a legislação quase fanática sobre a questão. A epístola aos Hebreus informa-nos como a consciência do crente é purificada em Cristo. Cristo remove o pecado e a sua mácula. E nisso obtemos a *reconciliação* (ver a esse respeito no *Dicionário*).

■ **16.31**

שַׁבַּת שַׁבָּתוֹן הִיא לָכֶם וְעִנִּיתֶם אֶת־נַפְשֹׁתֵיכֶם חֻקַּת עוֹלָם׃

Este versículo reitera *três elementos* que já tínhamos encontrado em Levítico:

1. O sábado ou descanso do Dia da Expiação. Ver o vs. 29 e as referências dadas naquele ponto.
2. A aflição de alma, que envolvia, principalmente, o *jejum*. Ver o vs. 29.
3. O estatuto perpétuo. Ver o vs. 29 e as referências a outras passagens onde essa expressão também ocorre.

Cf. Hebreus 4.3,10. O *descanso,* no Novo Testamento, consiste no céu, na glorificação da alma, onde esta descansa na bem-aventurança divina.

É sábado de descanso solene. Ou seja, um dia de descanso solene, um sábado de sábados. Cf. Êxodo 16.23; 31.15; 35.2; Levítico 23.3,32. Em Levítico 25.4, a alusão é ao descanso do jubileu. Essa expressão alude ao Dia da Expiação, em Levítico 16.31 e 23.32.

Almas em perigo, olhai para cima
Jesus salva completamente;
Ele vos exaltará pelo seu amor;
Para fora do alcance das ondas raivosas.
Ele é o Senhor dos mares.

James Rowe

■ **16.32**

וְכִפֶּר הַכֹּהֵן אֲשֶׁר־יִמְשַׁח אֹתוֹ וַאֲשֶׁר יְמַלֵּא אֶת־יָדוֹ לְכַהֵן תַּחַת אָבִיו וְלָבַשׁ אֶת־בִּגְדֵי הַבָּד בִּגְדֵי הַקֹּדֶשׁ׃

A Continuidade Fora Garantida. Estamos falando sobre a continuidade do ofício sumo sacerdotal. Cada novo sumo sacerdote não era *ungido* por sua vez. Os sacerdotes comuns não precisavam receber, cada qual, a sua unção, mas apenas herdavam seus ofícios e começavam a servir. Por isso mesmo, o sumo sacerdote também era chamado "sacerdote ungido". Visto que sempre haveria um sumo sacerdote, assim também sempre haveria o Dia da Expiação sobre o qual ele oficiaria. Ver as notas sobre a questão da unção em Êxodo 28.41 e 29.9,24. Ver Levítico 4.3 quanto ao *sacerdote ungido*.

O sucessor, que recebia seu ofício, vestia suas *vestes de linho branco,* tal como seu antecessor tinha feito, qualificando-o para efetuar os ritos do Dia da Expiação. Ver as notas sobre Levítico 16.4 quanto a essas vestes, uma parte necessária do ofício do sumo sacerdote.

O sucessor do sumo sacerdote, embora fosse seu filho, não ganhava o ofício meramente por ser seu descendente. Ele precisava ser aprovado em sua espiritualidade e em sua moral. Nos dias do segundo templo, o sinédrio precisava dar-lhe a sua aprovação. *O filho de um sumo sacerdote era a primeira opção,* mas ele precisava ter outras qualificações necessárias.

■ **16.33**

וְכִפֶּר אֶת־מִקְדַּשׁ הַקֹּדֶשׁ וְאֶת־אֹהֶל מוֹעֵד וְאֶת־הַמִּזְבֵּחַ יְכַפֵּר וְעַל הַכֹּהֲנִים וְעַל־כָּל־עַם הַקָּהָל יְכַפֵּר׃

Este versículo sumaria os tipos de expiação e purificação que deviam ser efetuados no Dia da Expiação. Seu paralelo são os vss. 6 ss. deste capítulo (expiação pelo sumo sacerdote e seus familiares, pelo sacerdócio aarônico, e, talvez, por sua família imediata). É trecho paralelo a Levítico 16.15 ss. (a expiação feita por Israel em geral). E também é passagem paralela a Levítico 16.16 ss. (a expiação feita em favor do próprio tabernáculo, com seus móveis e altares). Este versículo, pois, ressalta a natureza toda-inclusiva das purificações feitas naquele dia: *o povo inteiro,* sem importar suas classes; *todas as coisas* pertinentes ao culto divino. E todos os sumos sacerdotes, à semelhança de Arão, antepassado espiritual de todos eles, deveriam continuar a ocupar-se nesse serviço todo-inclusivo.

■ **16.34**

וְהָיְתָה־זֹּאת לָכֶם לְחֻקַּת עוֹלָם לְכַפֵּר עַל־בְּנֵי יִשְׂרָאֵל מִכָּל־חַטֹּאתָם אַחַת בַּשָּׁנָה וַיַּעַשׂ כַּאֲשֶׁר צִוָּה יְהוָה אֶת־מֹשֶׁה׃ פ

Temos aqui outro *versículo de sumário*. A questão do *estatuto perpétuo* é repetida, o que é mencionado e comentado no vs. 29, e que também inclui referências a outros lugares onde a expressão ocorre, e onde há notas detalhadas. A expiação por todo o povo de Israel é novamente mencionada, bem como o fato de que o Dia da Expiação era um evento anual (o que já foi destacado e comentado no vs. 29 deste capítulo).

Moisés, o Servo Obediente. Ver o comentário do Novo Testamento, em Hebreus 3.2 ss., sobre a extraordinária obediência de Moisés a Yahweh.

Quando andamos com o Senhor
À luz de sua Palavra,
Que glória ele derrama,
Em nosso caminho!

J. H. Sammis

Moisés operava por meio de seu irmão, Arão, o qual cumpria os deveres de sumo sacerdote. Isso posto, a menção à obediência de Moisés é, ao mesmo tempo, um lembrete de que Arão estava realizando a sua tarefa de acordo com tudo quanto lhe fora ordenado. Ver Êxodo 12.50 quanto a um versículo similar, que aborda outras questões, mas salientando o mesmo serviço espiritual.

"A epístola aos Hebreus revela o cumprimento de todos os sacrifícios típicos do Dia da Expiação, salientando que o sacrifício de Cristo pelos pecados do povo, quando ele morreu na cruz, não foi um evento *anual*, e, sim, *de uma vez para sempre* (Hb 9.11,12,24-26; 10.12)" (F. Duane Lindsey, *in loc.*).

CAPÍTULO DEZESSETE

DIREÇÕES PARA MANTER UM RELACIONAMENTO COM DEUS (17.1—27.34)

O LUGAR DO SACRIFÍCIO (17.1-9)

Para muitos estudiosos, o trecho de Levítico 17—26 representa uma unidade literária que antes formava uma seção à parte, mas que depois foi incorporada ao livro de Levítico, embora haja (supostas) porções encontradas em outras passagens. Os eruditos britânicos têm usado a abreviatura *H,* letra inicial da palavra inglesa *holiness* (santidade), para indicar essa unidade. Alguns pensam ser essa uma unidade literária, distinta da alegada fonte informativa *P (S)*. Em inglês, "P" é a sigla de *pristly,* "sacerdotal". Ver no *Dicionário* o artigo chamado *J.E.D.P.(S).*

O Código de Santidade. Temos aí uma alegada fonte literária do Pentateuco, parte do material que foi incluído nos cinco primeiros livros da Bíblia, por algum compilador ou editor. Refere-se a certa porção do livro de Levítico (caps. 17-26), além de passagens paralelas, como Êxodo 21.13,14; Levítico 11.43,45 e Números 15.37-41. Conforme essa teoria afirma, tornou-se esse código uma coletânea de leis, que mais tarde foi incorporada no que se denomina Código Sacerdotal. Os eruditos aludem a esse código como *S,* de *sacerdotal.* Esse *código* teria sido inspirado pela *escola de Ezequiel,* advertindo contra as transgressões morais, as corrupções rituais e as influências pagãs, fazendo valer as advertências apropriadas de juízo divino, se o povo de Israel não obedecesse às normas desse código.

Alguns eruditos são capazes de perceber distinções entre *H.(S.)* e *P.(S.),* como seções separadas, embora fontes relacionadas ao Pentateuco, em seu conteúdo e impacto. Podemos acompanhar isso mediante os sete pontos abaixo:

1. A ordem para amar os forasteiros (Êx 22.21; 23.9; mas especialmente Lv 19.34) reflete uma atitude que alguns eruditos pensam não constar na fonte *P.(S.).*
2. A expressão "eu sou o Senhor" encerra muitos mandamentos. Essa expressão ocorre por cerca de cinquenta vezes nos capítulos à nossa frente.
3. A expressão "o Senhor, que vos santifica", ocorre por sete vezes nesta seção, mas somente por três vezes mais, no resto do Antigo Testamento (Êx 31.13; Ez 20.12 e 37.28).
4. Uma palavra diferente para *forasteiro* é usada por onze vezes nesta seção, e apenas mais uma vez no resto da Bíblia.
5. A expressão *meus sábados* ocorre por três vezes, e por dez vezes no livro de Ezequiel, mas somente por mais duas vezes no resto do Antigo Testamento.
6. A expressão com que os ídolos são chamados, "coisas de nada", aparece somente por uma vez nesta seção, em todo o Pentateuco, e, então, somente em Isaías (19.4 e 26.1).
7. A expressão "seu sangue será sobre eles" seria peculiar a *H.(S.),* e, então, somente em Ezequiel. Portanto, o autor desta seção, de acordo com alguns eruditos, estaria vinculado à escola de Ezequiel. Muitos estudiosos supõem que esse código tenha sido escrito durante os dias do exílio babilônico, e que então foi adicionado ao Pentateuco. Os eruditos conservadores, entretanto, objetam a essa fragmentação daquela coletânea, ainda que lhes faltem argumentos específicos acerca das alegadas marcas de estilo e usos literários, que separe esta passagem (ou fonte informativa) de outras. Alguns estudiosos pensam que esta seção foi escrita antes mesmo do exílio babilônico. Diferentes marcas de estilo literário fariam parte da versatilidade de um autor.

Todos os diversos elementos desse código combinam-se na concepção de um povo santo que vivia em uma terra santa, servos do Deus santo. As palavras "santificai-vos, e sede santos, pois eu sou o Senhor vosso Deus" (Lv 20.7) são o conceito subjacente que unifica a passagem toda.

A Legislação Mosaica era extremamente complexa, detalhada, e algumas vezes deixa o leitor perplexo. Um conjunto adicional de preceitos ajuda a esclarecer alguns pontos, mas a seção que ora comentamos introduz bastante material novo.

Sumário de Conteúdo (caps. 17—26):
1. Restrições acerca dos sacrifícios (cap. 17).
2. Casamentos ilegítimos e ofensas sexuais (cap. 18).
3. Mandamentos morais (cap. 19).
4. Mandamentos contra o culto a Moloque, a necromancia, as ofensas sexuais e ordens positivas para as pessoas honrarem a seus pais (cap. 20).
5. Um manual para os sacerdotes (caps. 21 e 22).
6. O calendário eclesiástico (cap. 23).
7. Azeite para as lamparinas; regras acerca dos pães da proposição; questões sobre blasfêmia e danos (cap. 24).
8. O ano sabático e o ano de jubileu (cap. 25).
9. Exortação final (cap. 26).

Ver no *Dicionário* o verbete intitulado *Ética do Antigo Testamento.*

■ 17.1

וַיְדַבֵּר יְהוָה אֶל־מֹשֶׁה לֵּאמֹר:

Disse o Senhor. Essa expressão é um artifício literário empregado para introduzir alguma nova seção. Mas também nos faz lembrar a inspiração divina das Escrituras. Ver as notas completas em Levítico 1.1 e 4.1. A *fonte informativa H.(S.)* foi assim introduzida. Ver a introdução a este capítulo 17.

■ 17.2

דַּבֵּר אֶל־אַהֲרֹן וְאֶל־בָּנָיו וְאֶל כָּל־בְּנֵי יִשְׂרָאֵל וְאָמַרְתָּ אֲלֵיהֶם זֶה הַדָּבָר אֲשֶׁר־צִוָּה יְהוָה לֵאמֹר:

Moisés, a autoridade suprema, comunicava as ordens de Yahweh a seu irmão, Arão, que era o sumo sacerdote. *Os filhos de Arão* formavam o sacerdócio aarônico, e eram os auxiliares de Arão no culto divino. Ver no *Dicionário* o artigo chamado *Sacerdotes e Levitas.* Todos os filhos de Israel, ou seja, a *nação inteira,* eram os recebedores e beneficiários das leis divinas, pois elas tinham sido dadas visando ao bem, e não como uma maldição. O segundo versículo deste capítulo atua como uma elaborada introdução a muitos mandamentos, ritos, regulamentos e ordenanças que se seguirão nos capítulos 17 a 26. O capítulo 26 é uma espécie de apêndice. O capítulo 17 contém a expressão "qualquer homem da casa de Israel" (vss. 3,8,10,13) que introduz seções, havendo quatro dessas seções neste capítulo.

Fórmulas de Introdução:

1. Somente a Moisés eram dadas as mensagens (Lv 5.12,14-20; 8.1; 14.1), supondo-se que aquilo que lhe era dito fosse transmitido a outros.
2. Mensagem dada a Moisés, para transmiti-la a Arão (16.1).
3. Mensagem dada a Moisés, para transmiti-la a Arão e seus filhos (6.1,17).
4. Mensagem dada a Moisés, para transmiti-la aos filhos de Israel (1.1; 4.1; 7.28; 12.1; 18.2).
5. Mensagem dada a Moisés e a Arão, não sendo dito que eles deveriam comunicá-la aos filhos de Israel (13.1; 14.33).
6. Mensagem dada a Moisés e a Arão, a ser transmitida aos filhos de Israel (10.8).

7. Mensagem dada somente a Arão (10.8).
8. Mensagem dada a Moisés, que devia transmiti-la a Arão, aos filhos deste e a todo o povo de Israel. Essa expressão foi usada somente por mais duas vezes, em Levítico 21.24 e 22.18, o que poderia ser outra característica do Código de Santidade (H.S.). Ver a introdução a este capítulo, quanto a informações sobre essa suposta fonte informativa do Pentateuco.

■ 17.3

אִישׁ אִישׁ מִבֵּית יִשְׂרָאֵל אֲשֶׁר יִשְׁחַט שׁוֹר אוֹ־כֶשֶׂב
אוֹ־עֵז בַּמַּחֲנֶה אוֹ אֲשֶׁר יִשְׁחַט מִחוּץ לַמַּחֲנֶה׃

Qualquer homem. Ou seja, "qualquer israelita", uma expressão usada por quatro vezes neste capítulo 17, conferindo-lhe uma espécie de esboço geral. (Ver os vss. 3,8,10 e 13). Ordens particulares eram dadas assim a qualquer hebreu que desejasse praticar sua fé religiosa de maneira correta.

Enquanto Israel não entrasse na terra de Canaã, não haveria abates não-religiosos de animais. A matança não-sacrificial era virtualmente tida como uma forma de homicídio (vs. 4). Ver Levítico 1.14-16 quanto aos tipos de animais que podiam ser usados nos sacrifícios. Três animais de grande porte são especificados: o touro, o carneiro e o bode. Isso deixa de fora as duas espécies de aves que também podiam ser usadas nos sacrifícios de natureza religiosa. O ofertante podia participar em uma porção das refeições sagradas, pelo que ele tinha um suprimento alimentar ao fazê-lo. Ademais, havia *outros animais limpos*, não usados em propósitos sacrificiais, e esses podiam ser utilizados na alimentação. Mas era estritamente proibido matar quaisquer dos três animais mencionados, meramente como alimento. Esses estavam reservados exclusivamente para fins religiosos.

Mas, uma vez que Israel estava na Terra Prometida, essa lei passou a ser ignorada, provavelmente por causa da grande multiplicação desses três tipos de animais, que então se tornaram parte do cardápio comum de Israel. Ver Deuteronômio 12.20-28 quanto à modificação na lei. E mesmo então esses três tipos de animais eram sacrificados no santuário. Ver Levítico 17.5 e cf. Levítico 7.11-34 quanto ao uso desses animais na alimentação, embora tivessem de ser sacrificados primeiro em um sentido religioso.

■ 17.4

וְאֶל־פֶּתַח אֹהֶל מוֹעֵד לֹא הֱבִיאוֹ לְהַקְרִיב קָרְבָּן
לַיהוָה לִפְנֵי מִשְׁכַּן יְהוָה דָּם יֵחָשֵׁב לָאִישׁ הַהוּא דָּם
שָׁפָךְ וְנִכְרַת הָאִישׁ הַהוּא מִקֶּרֶב עַמּוֹ׃

À porta da tenda da congregação. Está em pauta a primeira cortina, que formava uma porta que fechava o átrio do mundo exterior. Ver as notas sobre Êxodo 26.36 quanto às *três cortinas* do tabernáculo. Ver o gráfico sobre a *planta* do tabernáculo, na introdução ao capítulo 25 do livro de Êxodo. O santo sacrifício tinha de ser realizado no lado norte do altar de bronze. Esse era o lugar determinado. Qualquer homem que ousasse matar um dos três animais sacrificiais mencionados no vs. 3, para uso comum, era culpado de algo parecido com o homicídio. Assim o era, não porque fosse errado abater animais, mas porque esses três animais pertenciam a Yahweh e ao seu culto.

Eliminado do seu povo. Ou seja, executado, provavelmente por meio de apedrejamento. O indivíduo que matasse um dos animais de Yahweh pagaria pelo erro com a própria vida. Não porque tivesse matado a um animal, mas por ter matado a um animal que pertence exclusivamente a Yahweh. Alguns estudiosos pensam que temos aí uma palavra que significa "exclusão", mas isso não é provável. Está em mira a ideia de *culpa de sangue*, uma forma de homicídio, um crime que somente a execução capital era capaz de reparar o erro presunçoso. Ver também Levítico 17.9,10,14. Cf. Êxodo 30.33,38; Levítico 7.20,21; 20.17,18; Números 15.30,31. Alguns estudiosos não veem aqui a execução capital e, sim, que o culpado sofreria algum acidente ou enfermidade fatal. Mas a *execução capital* provavelmente está em pauta. Talvez o vs. 10 deste capítulo aponte para o juízo divino, à parte de atos impostos pela lei.

Demonismo? Outros eruditos veem aqui outra razão contra o oferecimento desses animais em campo aberto. Presume-se que essas ofertas em campo aberto podiam envolver a ação de poderes demoníacos. Ver as notas sobre o sétimo versículo deste capítulo. Assim, se um homem não estivesse envolvido em uma forma pagã de adoração, não deveria imitar o ato.

■ 17.5

לְמַעַן אֲשֶׁר יָבִיאוּ בְּנֵי יִשְׂרָאֵל אֶת־זִבְחֵיהֶם אֲשֶׁר הֵם
זֹבְחִים עַל־פְּנֵי הַשָּׂדֶה וֶהֱבִיאֻם לַיהוָה אֶל־פֶּתַח אֹהֶל
מוֹעֵד אֶל־הַכֹּהֵן וְזָבְחוּ זִבְחֵי שְׁלָמִים לַיהוָה אוֹתָם׃

Sacrifícios pacíficos. Ver as notas sobre Levítico 7.11-33 e, quanto a ideias adicionais, ver Levítico 3.1-17. Esse tipo de oferecimento permitia que um homem e sua família participassem das porções designadas do animal. Portanto, se um homem se cansasse de comer carne de veado, gafanhotos e outros animais limpos, não banidos pela lei do vs. 3, então podia trazer o necessário para uma oferta pacífica (de comunhão), podendo assim comer carne de boi, de carneiro ou de bode. E também teria a vantagem de ter realizado um ato religioso. Ver o gráfico sobre os vários tipos de ofertas e como se podia participar delas nas refeições comunais, no material introdutório antes de Levítico 1.1. Os demônios do campo aberto, desse modo, sairiam perdendo (vs. 7). O homem evitaria toda a aparência de mal, e ainda teria seu delicioso rosbife.

■ 17.6

וְזָרַק הַכֹּהֵן אֶת־הַדָּם עַל־מִזְבַּח יְהוָה פֶּתַח אֹהֶל
מוֹעֵד וְהִקְטִיר הַחֵלֶב לְרֵיחַ נִיחֹחַ לַיהוָה׃

O ritual comum de sacrifício seria realizado. O animal era morto no lado norte do altar de bronze (ver sobre isso em Êx 27.1). Os rituais de sangue eram efetuados. A gordura e o sangue pertenciam a Yahweh, de acordo com as informações dadas em Levítico 3.17. Ver sobre a expressão *aroma agradável*, em Levítico 1.9; Êxodo 29.18. Ver as notas sobre Levítico 1.5 quanto ao ritual seguido. Visto que se tratava de uma oferta pacífica, o adorador e seus familiares podiam ter uma refeição comunal de porções designadas. Ver Levítico 7.15 quanto a notas sobre aqueles que podiam participar, nessa ocasião.

■ 17.7

וְלֹא־יִזְבְּחוּ עוֹד אֶת־זִבְחֵיהֶם לַשְּׂעִירִם אֲשֶׁר הֵם זֹנִים
אַחֲרֵיהֶם חֻקַּת עוֹלָם תִּהְיֶה־זֹּאת לָהֶם לְדֹרֹתָם׃

Oferendas feitas em *campo aberto,* distante do santuário, eram efetuadas aos sátiros, os *peludos* (no hebraico, *seirim*). Essa palavra também era usada para indicar os bodes hirsutos. Mas o mais provável é que aqui estejam em pauta demônios concebidos como se fossem tipo bode. Os egípcios e outras nações antigas adoravam o bode, e, por trás desse animal, forças demoníacas que o usavam como seu representante.

No célebre templo de Themuis, capital do Nomos Mendesiano, no Baixo Egito, havia uma forma especial de idolatria que envolvia o bode, e esse templo estava dedicado a tal forma de adoração. À imagem de Pan eles chamavam de *Mendes*. Era uma figura que representava a fertilidade, e pequenas estatuetas desse animal foram achadas em muitos lugares do Oriente. Os gregos e os romanos também tinham seus demônios-bodes e um culto voltado a essas falsas divindades. Os hebreus trouxeram do Egito essa forma de idolatria (entre outras), e este versículo talvez aluda à sua continuação, no meio do povo de Israel, no deserto, onde não havia quem estivesse inspecionando. Ver Josué 24.14; Ezequiel 20.7; 23.3; Isaías 34.14; 2Crônicas 11.15. Heródoto descreveu a adoração ao bode no Egito (*Euterpe,* 1.2 c. 46), tal como o fez Diodoro Sículo, o que, segundo ele afirmou, tornou-se um costume grego (*Bibliothec.* 1. pars. 58,79). Ver Jeremias 31.32; Ezequiel 16.26. No Novo Testamento, ver 1Coríntios 10.20; Apocalipse 9.20 e 11.15.

O Estatuto Eterno contra a Idolatria. Essa lei não admitia nenhuma forma de idolatria, incluindo aquela praticada em campos abertos, que caracterizava outros povos. Ver o artigo detalhado, no *Dicionário,* chamado *Idolatria.*

■ 17.8,9

וַאֲלֵהֶם תֹּאמַר אִישׁ אִישׁ מִבֵּית יִשְׂרָאֵל וּמִן־הַגֵּר
אֲשֶׁר־יָגוּר בְּתוֹכָם אֲשֶׁר־יַעֲלֶה עֹלָה אוֹ־זָבַח׃

וְאֶל־פֶּ֙תַח֙ אֹ֣הֶל מוֹעֵ֔ד לֹ֥א יְבִיאֶ֖נּוּ לַעֲשׂ֥וֹת אֹת֖וֹ לַיהוָ֑ה וְנִכְרַ֛ת הָאִ֥ישׁ הַה֖וּא מֵעַמָּֽיו׃

Esses dois versículos sumariam a questão, repetindo o que já tinha sido dito nos vss. 3 e 4, onde são dadas as notas expositivas. A esse material é acrescentada a proibição de que nem mesmo os estrangeiros que estivessem vivendo entre os israelitas (que se tinham convertido ao yahwismo), nem mesmo os forasteiros, que estivessem ali apenas de passagem, podiam violar as leis sobre os sacrifícios não-religiosos que envolviam os três animais vedados no vs. 3. Os violadores, fossem eles hebreus ou não, seriam executados, conforme se vê no quarto versículo deste capítulo. O castigo podia ser a exclusão, o juízo divino através de acidente ou enfermidade, ou a execução capital, de acordo com um processo judicial. Mas parece que a terceira dessas possibilidades é a que está em foco aqui, mesmo no caso de estrangeiros. Envolver-se em práticas idólatras era uma questão muito séria em Israel. Um estrangeiro talvez sofresse um castigo divino, mas dificilmente poderia ser excluído, a menos que fosse um prosélito. Alguns duvidam de que os hebreus executassem judicialmente a estrangeiros, mas outros eruditos não veem nenhuma dificuldade nisso. Jarchi referiu-se a uma morte *violenta e prematura* dos violadores, mas ele representa uma opinião muito antiga.

A PROIBIÇÃO DE INGERIR SANGUE (17.10-16)

Sob nenhuma circunstância um israelita, ou alguém que vivesse na comunidade de Israel, como um prosélito, podia incluir sangue na sua dieta. Todo sangue dos animais abatidos precisava ser totalmente drenado. Nenhum animal que tivesse morrido acidentalmente podia ser usado como alimento, pois a drenagem do sangue não poderia ser devidamente observada. Animais estrangulados ou enfermos também não podiam ser usados na alimentação. O sangue era virtualmente identificado com a *vida* biológica; e toda vida pertence a Yahweh, que foi quem a deu. Ninguém, pois, podia tomar a vida para si mesmo, mesmo que fosse a vida de um animal. O sangue pertencia exclusivamente a Yahweh. Ver as notas sobre Levítico 3.17 quanto à lei sobre a gordura e o sangue, notas expositivas que também têm aplicação aqui.

Era impossível que o sangue de touros e bodes tirasse pecados (Hb 10.4). Mas os hebreus faziam uma ideia, a respeito do sangue, que só fará sentido para nós se virmos ali algum tipo ou sombra, cujo antítipo seja a morte expiatória de Cristo. O perdão nos é estendido por meio da virtude da cruz de Cristo. A teologia fala sobre o precioso sangue de Cristo. Ver no *Dicionário* o artigo intitulado *Sangue*, e, na *Enciclopédia de Bíblia, Teologia e Filosofia* o verbete denominado *Expiação pelo Sangue de Cristo*.

■ 17.10

וְאִ֨ישׁ אִ֜ישׁ מִבֵּ֣ית יִשְׂרָאֵ֗ל וּמִן־הַגֵּ֤ר הַגָּר֙ בְּתוֹכָ֔ם אֲשֶׁ֥ר יֹאכַ֖ל כָּל־דָּ֑ם וְנָתַתִּ֣י פָנַ֗י בַּנֶּ֙פֶשׁ֙ הָאֹכֶ֣לֶת אֶת־הַדָּ֔ם וְהִכְרַתִּ֥י אֹתָ֖הּ מִקֶּ֥רֶב עַמָּֽהּ׃

A Ingestão de Sangue É Proibida. Ver a introdução antes deste versículo 10 e Levítico 3.17 quanto às leis sobre a gordura e o sangue. O Pentateuco contém sete proibições acerca da ingestão de sangue. Ver Gênesis 9.4; Levítico 3.17; 7.26,27; 17.10-14; 19.26; Deuteronômio 12.15,16,23,24; 15.23. Ver o vs. 11 deste capítulo quanto a *duas razões* dessa proibição.

Algum sangue. Sangue humano, sangue de animais, sangue de aves etc. Estava tudo coberto pela lei geral.

A Iracunda Face Divina. Se alguém desobedecesse a esse preceito, tão importante para os hebreus, podia ter a certeza de que enfrentaria a irada face de Yahweh, que prometia morte súbita, enfermidade e uma vida perturbada. Juízos divinos lhe sobreviriam. Um modo desse castigo seria através da execução judicial, o que provavelmente está em foco na expressão *eliminado*. Ver as notas sobre isso no vs. 4. Se tal pessoa escapasse disso, por certo enfrentaria a irada face de Yahweh a olhar para ele, garantindo-lhe um mau fado.

A metáfora da *face irada* ocorre por duas vezes neste livro de Levítico. Ver Levítico 20.3,5 e 26.17. Todavia, a palavra *face*, por si só, pode falar de ira. Ver Gênesis 30.29 (no hebraico, "aplacar sua face"). Lamentações 4.16. Cf. 1Pedro 3.12. Ver também Salmo 34.16. Ver no *Dicionário* o artigo chamado *Antropomorfismo*. Como é óbvio, a palavra *face* (no hebraico, *panim*), mas que não aparece em nossa versão portuguesa, pois lemos ali apenas "contra ele me voltarei e o eliminarei", deve ser entendida metaforicamente.

■ 17.11

כִּ֣י נֶ֣פֶשׁ הַבָּשָׂר֮ בַּדָּ֣ם הִוא֒ וַאֲנִ֞י נְתַתִּ֤יו לָכֶם֙ עַל־הַמִּזְבֵּ֔חַ לְכַפֵּ֖ר עַל־נַפְשֹׁתֵיכֶ֑ם כִּֽי־הַדָּ֥ם ה֖וּא בַּנֶּ֥פֶשׁ יְכַפֵּֽר׃

Este versículo fornece-nos *duas razões* para a proibição sobre a ingestão de sangue:

1. O sangue era considerado *sagrado* em si mesmo, sendo a sede da vida biológica, de alguma maneira misteriosa (de acordo com a mente dos hebreus), mas que não entendemos. Sabemos agora que a verdadeira vida é a *alma*; mas a antiga teologia dos hebreus, conforme refletida no Pentateuco, não dispunha de nenhuma doutrina da alma, embora ela fosse antecipada na doutrina da "imagem de Deus", em Gênesis 1.26,27. Em contraste com isso, Platão acreditava que toda e qualquer vida é psíquica ou imaterial, e que os corpos físicos são apenas veículos das várias espécies de vida, incluindo a vida humana. Ver no *Dicionário* os verbetes chamados *Alma* e *Sangue*. Na teologia posterior dos hebreus, na época dos Salmos e dos Profetas, começou a ser salientada a doutrina da alma; mas, mesmo então, não de maneira definida e profundamente teológica. Porém, se imaginarmos que os hebreus atribuíam vida ao sangue, conforme agora atribuímos à alma, então obteremos alguma ideia de como o sangue era considerado tão sagrado.

2. Ademais, era o sangue que fazia *expiação*, ao ser vertido sobre o altar de Yahweh. A razão disso é que uma *vida* lhe estava sendo oferecida. Isso ele honrava e, ao honrá-lo, também perdoava o pecado. Uma vida (a do sangue do animal sacrificado) fora oferecida em lugar da vida humana, que merecia morrer por causa de seu pecado. Na expiação, entretanto, a pessoa obtivera a vida, e não a morte, porquanto seus pecados foram perdoados. Em consequência, qualquer pessoa que cresse nessa teologia, se mostraria absolutamente destituída de respeito se viesse a ingerir sangue, em qualquer de suas formas. O sangue era por demais sagrado para ser usado na alimentação. Era visto como inerentemente sagrado e virtuoso quando se tratava de perdão de pecados.

Alguns intérpretes, exibindo conhecimento sobre a vitalidade e a natureza absolutamente necessária do sangue, tentam isso fazer valer no que tange a este versículo. Mas o autor sacro não estava pensando nesses termos. Ele estava pensando no sangue como uma espécie de sangue, não em algo que cuida da nutrição da vida biológica. Assim comentou Aben Ezra sobre o presente texto: "...vida por vida; alma por alma...". Na Ceia do Senhor, o sangue de Cristo é bebido em um sentido metafórico. E não devemos ter dúvidas de que textos como Levítico 17.11 estavam por trás da formulação original dessa teologia. Ver 1Coríntios 10.16 e 11.23 ss.

O sangue era a base do sistema sacrificial levítico. E essa ideia foi transferida para o Novo Testamento, sob a forma do sangue de Cristo. Prevalece no Novo Testamento a ideia da expiação vicária, embora de outra maneira. Ver no *Dicionário* o artigo *Expiação* quanto às diversas teorias teológicas sobre a questão. Ver Hebreus 9.22. "...a *vida* do sacrifício expiava pela *vida* do ofertante" (Ellicott, *in loc.*). Um pouco antes ele tinha dito: "(o sangue) constituía a alma da vida animal".

■ 17.12

עַל־כֵּ֤ן אָמַ֙רְתִּי֙ לִבְנֵ֣י יִשְׂרָאֵ֔ל כָּל־נֶ֥פֶשׁ מִכֶּ֖ם לֹא־תֹ֣אכַל דָּ֑ם וְהַגֵּ֛ר הַגָּ֥ר בְּתוֹכְכֶ֖ם לֹא־יֹ֥אכַל דָּֽם׃ ס

Este versículo reitera, para efeito de ênfase, a proibição absoluta que vigorava contra a ingestão de sangue. As *razões* para isso são dadas nas notas do vs. 11. Tanto hebreus quanto estrangeiros estavam incluídos nessa lei, conforme já vimos e comentamos no vs. 10 deste capítulo. Os apóstolos retiveram esse preceito, não por causa de alguma justiça inerente, mas para agradar os judeus que se tornavam cristãos e que se ofenderiam diante da ingestão de sangue por parte de crentes gentílicos. Ver Atos 15.20,29; 21.25.

17.13

וְאִישׁ אִישׁ מִבְּנֵי יִשְׂרָאֵל וּמִן־הַגֵּר הַגָּר בְּתוֹכָם אֲשֶׁר יָצוּד צֵיד חַיָּה אוֹ־עוֹף אֲשֶׁר יֵאָכֵל וְשָׁפַךְ אֶת־דָּמוֹ וְכִסָּהוּ בֶּעָפָר׃

A lei do sangue aplicava-se a todos os animais, incluindo as aves, que eram limpos e podiam ser comidos pelo homem. Se algum sangue não fosse oferecido em sacrifício a Yahweh, então precisava ser drenado do animal e *enterrado*. Esse sepultamento, muito provavelmente, era outra forma de oferenda feita a Yahweh. O sangue sepultado ia para ele, e não para os estômagos humanos. Havia muitos animais limpos que não eram oferecidos em sacrifício, cujo sangue jamais seria aspergido sobre o altar. Mas o sangue de tais animais também era sagrado.

A Terra. A terra é a mãe de todos nós. Ela confere vida; e, então, recebe o corpo, por ocasião da morte física. Yahweh criou a terra como um lugar frutífero, como a fonte de toda vida biológica. Ver Gênesis 1.24. O sangue era, pois, devolvido à terra, como a fonte da vida.

Enterrar o sangue também impediria que os animais selvagens viessem a lamber o sangue, usando-o como alimento, profanando assim o que é sagrado. Ademais, o costume de "passar em redor um vaso com sangue", para ser bebido, não podia ser praticado em Israel. Alguns povos antigos punham sangue em um vaso, ou em um buraco, e as pessoas sentavam-se em redor para ingerir o sangue. O vaso de sangue era usado para alimentar pessoas, como se fosse parte do cardápio. Tal prática era abominável para os filhos de Israel.

Formalização. Em tempos posteriores, o ato de enterrar o sangue foi formalizado como um direito a uma bênção apropriada: "Bendito és tu, ó Senhor nosso Deus, Rei do mundo, que nos tens santificado por teus preceitos e nos tens dado mandamento acerca de como cobrir o sangue" (*Maimônides*).

Caça. Ver no *Dicionário* o artigo intitulado *Caça*. Um território com cerca de 60% de deserto não era bastante produtivo para permitir aos hebreus o luxo de não terem de apelar para a caça. Ali a caça não era praticada como um esporte. Antes, era uma fonte vital de alimentos. Muitos animais limpos, que eles podiam caçar, eram usados na alimentação. Ver Gênesis 25.27; Provérbios 12.27. Embora Israel fosse uma nação essencialmente agrícola, a caça tinha seu papel como suprimento alimentar. Meu artigo sobre o assunto provê detalhes.

17.14

כִּי־נֶפֶשׁ כָּל־בָּשָׂר דָּמוֹ בְנַפְשׁוֹ הוּא וָאֹמַר לִבְנֵי יִשְׂרָאֵל דַּם כָּל־בָּשָׂר לֹא תֹאכֵלוּ כִּי נֶפֶשׁ כָּל־בָּשָׂר דָּמוֹ הִוא כָּל־אֹכְלָיו יִכָּרֵת׃

Uma das características literárias do autor sacro do Pentateuco era a repetição, que achamos por toda parte. Assim, este versículo repete o que já tinha sido apresentado desde o vs. 10, e nada acrescenta de novo. Ver as notas sobre o vs. 11 quanto a *duas razões* pelas quais o sangue não podia ser usado como alimento, e cf. Levítico 3.17, onde são dadas notas adicionais.

17.15

וְכָל־נֶפֶשׁ אֲשֶׁר תֹּאכַל נְבֵלָה וּטְרֵפָה בָּאֶזְרָח וּבַגֵּר וְכִבֶּס בְּגָדָיו וְרָחַץ בַּמַּיִם וְטָמֵא עַד־הָעֶרֶב וְטָהֵר׃

Um animal (normalmente apropriado para a alimentação, mas que havia morrido ou tinha sido morto acidentalmente, ou fora morto por outro animal) não podia ser comido. Casos assim não permitiam que o sangue do animal fosse devidamente drenado. Comer da carne de tal animal, pois, era ingerir sangue, e isso era contrário à lei descrita a começar pelo vs. 10 deste capítulo.

Mas se, por ignorância, alguém viesse a comer da carne de tal animal, tinha de passar pelas cerimônias de purificação. Precisava lavar suas roupas e tomar um banho ritual. Ver Levítico 11.24-28 quanto às cerimônias envolvidas. Ver Levítico 15.5 quanto a *ficar imundo até a tardinha*. Um homem que ao menos tocasse na carcaça de um animal imundo ficava imundo e precisava seguir as mesmas regras de purificação.

Mesmo que alguém comesse um pedaço minúsculo da carne desse animal, do tamanho de uma azeitona, ficava imundo. A abstinência da carne de animais que tinham morrido por causas desconhecidas ou por acidente, ou por terem sido mortos por algum outro animal, também era observada por outros povos. Assim disseram Laércio (*In Vit. Pythagor.* 1.8) e Aeliano (*Var Hist.* 1.4 c. 17). Porfírio diz-nos que a regra era virtualmente universal (*De Abstinentia*, 1.3 sec. 18).

Mas um hebreu podia doar ou vender um animal assim a um não--hebreu, e tal pessoa podia comer de sua carne, e o hebreu não teria culpa por isso (Dt 14.22). Mas tal animal, quer fosse de um homem quer fosse de um estrangeiro que vivesse na terra, não podia ser consumido pelos hebreus. Os hebreus eram um povo separado e diferente, que estava na obrigação de obedecer às leis de Yahweh (Dt 14.21).

A lei era guardada com todo o rigor. Ver 1Samuel 14.32-35; Ezequiel 14.4; 44.31. Animais "sufocados" não podiam ser comidos, pelas mesmas razões dadas acima; e o concílio de Jerusalém (At 15.20) confirmou essa regra por causa da consciência de judeus cristãos.

17.16

וְאִם לֹא יְכַבֵּס וּבְשָׂרוֹ לֹא יִרְחָץ וְנָשָׂא עֲוֹנוֹ׃ פ

O indivíduo que deixasse de lavar suas roupas e tomar o banho ritual (vs. 15, ver as referências ali) permanecia imundo e não podia participar do culto divino, ficando temporariamente excluído. Jarchi diz-nos que tal homem sofreria sua devida punição, como um bom espancamento. Essa lei de açoites prosseguiu até os dias do segundo templo.

CAPÍTULO DEZOITO

CASAMENTOS ILÍCITOS (18.1-18)

O Problema do Incesto. Meus amigos, recentemente (1992) servi na junta examinadora de um candidato a doutorado pelo Instituto de Psicologia da USP. A tese que ele escreveu dizia respeito ao *incesto*. Fui convidado como pessoa conhecida por "especialista religioso" para servir nessa comissão. Essa tese informou-nos quão crítico é o problema do incesto no Brasil. Os corpos de crianças inocentes não são respeitados nem pelos seus pais. As porcentagens envolvidas eram estonteantes. A tese requeria mudanças na legislação brasileira para ajudar a enfrentar a situação. Ficou claro que a situação está abalando a sociedade moderna. Mas podemos ficar surpreendidos que esse era um dos grandes problemas *de Israel*. O gráfico que ofereço logo antes dos comentários sobre Levítico 18.1 foi preparado como parte de minha participação na junta examinadora da tese mencionada, e sumaria importantes aspectos do pensamento dos hebreus sobre a questão, conforme ela nos é exposta nos capítulos 18 e 20 do livro de Levítico.

Israel era proibido de pôr em prática os costumes abomináveis dos povos pagãos (vs. 30), e alguma forma de execução capital era o resultado para quem ignorasse as leis.

"Na qualidade de um povo santo, separado para ter uma ligação especial com o Senhor, Israel não podia imitar as práticas de outros povos (vss. 24-29; 11.44,45)" (*Oxford Annotated Bible, in loc.*).

A Legislação Mosaica tinha por intuito separar o povo de Israel dos costumes e das atitudes dos pagãos. Ver as notas introdutórias em Êxodo 19.1, na parte chamada *Pacto Mosaico*.

"*Natureza e Lei*. Por muitas vezes têm-se pensado que 'a volta à natureza' significa repudiar todas as convenções e proibições quanto a questões sexuais. Mas de fato, povos primitivos tendem por ser excessivamente estritos quanto às regras e proibições atinentes ao casamento. Entre eles, o matrimônio é cercado de tabus. A promiscuidade não é natural para os seres humanos. As proibições deste capítulo seriam meras convenções e tabus, ou representam a lei de Deus? A lei de Deus não pode ser outra senão o cumprimento da natureza com que Deus nos brindou, e as convenções obrigatórias das sociedades primitivas devem ser reputadas como o esforço do homem por entender essa natureza. As proibições constantes neste capítulo abordam aquilo que é desnatural, ou seja, vícios" (Nathaniel Micklem, *in loc.*).

Ver no *Dicionário* os artigos chamados *Incesto* e *Ética do Antigo Testamento*.

18.1

וַיְדַבֵּר יְהוָה אֶל־מֹשֶׁה לֵּאמֹר׃

Disse mais o Senhor. Essa expressão é um artifício literário, usado pelo autor sagrado, a fim de introduzir novas seções. Porém, também lembra-nos continuamente da inspiração divina das Escrituras. Ver notas completas a respeito em Levítico 1.1, com adendos em Levítico 4.1.

■ 18.2

דַּבֵּר֙ אֶל־בְּנֵ֣י יִשְׂרָאֵ֔ל וְאָמַרְתָּ֖ אֲלֵהֶ֑ם אֲנִ֖י יְהוָ֥ה אֱלֹהֵיכֶֽם׃

Fala aos filhos de Israel. Moisés, o mediador, foi instruído a falar ao povo de Israel, onde havia toda espécie de incesto, por mais espantoso que isso possa parecer, sendo eles "o povo da lei". Quanto às várias *fórmulas de introdução* às seções, ver as notas sobre Levítico 17.2, onde apresento oito dessas fórmulas. Aquela aqui seguida é a quarta daquela lista, a qual também pode ser achada em Levítico 1.1; 7.28 e 12.1.

Eu sou o Senhor vosso Deus. Alguns eruditos pensam que essa expressão é um sinal do *Código de Santidade (H.S.)*, que teria sido a fonte informativa seguida pelo autor-editor na compilação de seu livro. Alegadamente, essa fonte é que deu origem ao trecho de Levítico 17—26. Na introdução ao cap. 17 apresento uma discussão completa sobre a questão, onde figuram outras características dessa alegada fonte.

A expressão deste versículo também ocorre nos vss. 4-6, 21 e 30, sendo usada para finalizar declarações ou instruções solenes, ou para introduzi-las (como aqui). Cf. Êxodo 20.2 e Deuteronômio 5.6, onde estão em vista os Dez Mandamentos e onde é utilizada uma expressão quase idêntica. O povo, cujo Deus é Yahweh, precisava observar leis que os distinguia dos povos gentílicos. Ver Levítico 11.44, onde a expressão é usada em conexão com a necessidade de Israel ser um povo consagrado e santo, "santo como Deus é santo". A *autoridade* de Deus exigia uma conduta ética apropriada.

■ 18.3

כְּמַעֲשֵׂ֧ה אֶֽרֶץ־מִצְרַ֛יִם אֲשֶׁ֥ר יְשַׁבְתֶּם־בָּ֖הּ לֹ֣א תַעֲשׂ֑וּ וּכְמַעֲשֵׂ֣ה אֶֽרֶץ־כְּנַ֡עַן אֲשֶׁ֣ר אֲנִי֩ מֵבִ֨יא אֶתְכֶ֥ם שָׁ֙מָּה֙ לֹ֣א תַעֲשׂ֔וּ וּבְחֻקֹּתֵיהֶ֖ם לֹ֥א תֵלֵֽכוּ׃

Não fareis segundo as obras. Já tinha havido maus exemplos suficientes, no Egito e na terra de Canaã, no tocante aos costumes sexuais. Tais maus exemplos deviam ser *repudiados*, e não seguidos. A *falácia naturalista* é a suposição que diz: "o que é, deveria ser". Mas existem muitas coisas que são, e, no entanto, não deveriam ser. Ver os vss. 21-23 quanto a violações contra o costume apropriado, instigadas pelo paganismo. Mas o capítulo inteiro refere-se àquelas coisas que os pagãos praticavam, mas que eram proibidas em Israel.

Terra de Canaã. Alguns expositores valem-se dessas palavras como se fossem um anacronismo, visto que Israel ainda não tinha entrado na Terra Prometida. Por isso, supõem que o texto à nossa frente tenha sido escrito após a entrada na Terra Prometida. De fato, eles extrapolam de indícios assim e pensam que o Pentateuco inteiro foi escrito em data posterior, e não nos dias de Moisés. Ver a introdução ao livro de Levítico, em sua segunda seção. Ver sobre o vs. 30 quanto a uma referência geral a errados costumes pagãos, que o povo de Israel não podia seguir. Entre esses costumes destacam-se as práticas incestuosas, abordadas nos trechos de Levítico 18.1-18 e Levítico 20.

■ 18.4

אֶת־מִשְׁפָּטַ֧י תַּעֲשׂ֛וּ וְאֶת־חֻקֹּתַ֥י תִּשְׁמְר֖וּ לָלֶ֣כֶת בָּהֶ֑ם אֲנִ֖י יְהוָ֥ה אֱלֹהֵיכֶֽם׃

A legislação mosaica era complexa e exigente. Antes de tudo foram dados os Dez Mandamentos (anotados em um detalhado artigo sobre o assunto, no *Dicionário*). Vieram então adições e complexidades quase infindas. Mas o homem que as estudasse podia captar a essência dessas leis. Ademais, os sacerdotes eram mestres cujo dever era prestar informações aos israelitas. Acima de tudo, Israel era uma nação da *Lei*. Notemos a importância do estudo e do ensino. Há todo um corpo de conhecimentos que nos convém dominar, e esse corpo de conhecimentos deve ser ensinado. Isso é contra o *anti-intelectualismo* (ver a respeito no *Dicionário*). E também revolta-se contra a ideia de que todo ensino precisa ser feito por inspiração divina direta, noção essa que contradiz o bom senso e exagera a importância de *um* dos modos de tomarmos conhecimento das coisas.

Fareis... guardareis. Existe o corpo de conhecimentos revelados para ajudar-nos a saber como devemos "andar", ou seja, como nos devemos conduzir na vida da melhor maneira. *Andar* é uma expressão metafórica que exprime a conduta. Ver no *Dicionário* o verbete *Andar*, quanto a plenas explicações.

Eu sou o Senhor vosso Deus. Essa expressão ocorre por seis vezes (com alguma modificação) neste capítulo. Ver as notas sobre seu sentido e usos, no segundo versículo deste capítulo. Está em mira uma *autoridade* que requer uma correta conduta ética.

■ 18.5

וּשְׁמַרְתֶּ֤ם אֶת־חֻקֹּתַי֙ וְאֶת־מִשְׁפָּטַ֔י אֲשֶׁ֨ר יַעֲשֶׂ֥ה אֹתָ֛ם הָאָדָ֖ם וָחַ֣י בָּהֶ֑ם אֲנִ֖י יְהוָֽה׃ ס

Cumprindo os quais, o homem viverá por eles. Vivia-se, vivendo corretamente. A vida consistia na guarda da lei. Este versículo é muito empregado para mostrar que os hebreus esperavam obter a vida eterna mediante a guarda da lei. Posteriormente, os judeus interpretavam-no nesse sentido. Mas foi essa a questão central que o apóstolo Paulo combateu e repudiou, em Gálatas 3.21,22. Disse ele: "... se fosse promulgada uma lei que pudesse dar vida, a justiça, na verdade seria procedente de lei. Mas a Escritura encerrou tudo sob o pecado, para que mediante a fé em Jesus Cristo fosse a promessa concedida aos que creem".

Mas em Levítico 18.5, "vida" não é a vida eterna. Em parte alguma do Pentateuco temos a promessa de vida além-túmulo para os que vivessem retamente, nem temos ameaças de juízo, além-túmulo, para os que não vivessem retamente. O Pentateuco não contém a doutrina da alma, embora ela seja antecipada na doutrina da *imagem de Deus*, em Gênesis 1.26,27. Séculos mais tarde, nas mãos de Paulo, essa doutrina tornou-se muito importante, como centro da vida e natureza da alma eterna (Rm 8.29 ss.; 1Jo 3.2). Tal desenvolvimento teológico, contudo, não começou nos dias de Moisés. A ideia da alma começa nos Salmos e nos Profetas; mas o assunto da bem-aventurança ou da punição eternas, além-túmulo, ainda precisou de muito mais tempo para ser consolidado dentro da teologia dos hebreus. Simplesmente temos de admitir que a teologia judaica, nesse particular, era deficiente, sendo esse um dos pontos que a revelação cristã veio aprimorar.

Não há que duvidar, sem embargo, de que, posteriormente, quando os judeus vieram a crer firmemente na existência da alma imortal e imaterial, o trecho de Levítico 18.5 passou a ser empregado para mostrar que a vida eterna viria através da guarda da lei. E isso armou o palco para o repúdio a tal ensino, por parte de Paulo.

A *vida* referida em Levítico 18.5 é uma vida física abundante, abençoada por Yahweh. Uma vida boa, mediante a observância dos mandamentos, mas que termina na morte. É melhor alguém viver bem do que ao contrário, e a guarda da lei fazia parte integral de uma vida boa e longa sobre a terra, sob a bênção de Yahweh.

"A obediência às leis de Deus produzia, em seu povo, vidas felizes e realizadas (cf. Lv 26.3-13; Dt 28.1-14)" (F. Duane Lindsey, *in loc.*).

"As autoridades religiosas dos dias do segundo templo interpretavam essa cláusula no sentido de que quem obedecesse a essas leis teria a vida eterna. Por isso mesmo, as antigas versões caldaicas traduziam-na como "terá a vida eterna". Essa passagem foi citada tanto pelos profetas (Ez 20.11; Ne 9.29) quanto pelo apóstolo Paulo (Rm 10.5 e Gl 3.12), o qual contrastou essa promessa, baseada nas obras, com a promessa do evangelho, baseada na fé" (Ellicott, *in loc.*). O argumento paulino, naturalmente, era que viver a lei, obedecer aos seus conceitos, é algo realmente acima da capacidade humana. Por isso mesmo, o homem precisa de um sistema diferente do da lei, o sistema da graça-fé.

Eu sou o Senhor. Uma forma abreviada da fórmula "Eu sou o Senhor vosso Deus" (vs. 2). Essa expressão figura por seis vezes neste capítulo 18 de Levítico. Ver as notas sobre a força dessa declaração, no segundo versículo deste capítulo. Alguns eruditos pensam que essa expressão era uma característica do chamado *Código de Santidade*, conforme salientei na introdução a este capítulo.

18.6

אִישׁ אִישׁ אֶל־כָּל־שְׁאֵר בְּשָׂרוֹ לֹא תִקְרְבוּ לְגַלּוֹת עֶרְוָה אֲנִי יְהוָה: ס

Nenhum homem se chegará. Temos aqui as leis contra o incesto. Os capítulos 18 e 20 dão-nos os graus de parentesco que excluíam o casamento ou as experiências sexuais. Primas e sobrinhas são deixadas de fora da lista, dando a entender que casamentos com parentas assim não eram proibidos. Mas talvez a declaração geral deste versículo envolva até mesmo as sobrinhas. Ver o gráfico, mais acima, que ilustra a questão inteira, completa com as drásticas punições que os incestuosos sofriam sob a legislação mosaica.

Chegará... para lhe descobrir a nudez. Essas expressões eufemísticas significam "ter sexo com" e/ou "casar-se com". Nem relações sexuais ocasionais nem casamento podiam ser mantidos com as parentas mencionadas nos versículos que se seguem. Ver no *Dicionário* o artigo chamado *Incesto*.

Parenta da sua carne. No hebraico, literalmente, "carne de sua carne", apontando para parentas próximas. Ver Salmo 73.26; 78.20,27; Miqueias 3.2,3. Cf. os vss. 12 e 13, onde temos a palavra "parenta". Essas expressões, conforme veremos no decurso do estudo, significam tanto consanguinidade quanto afinidade (esta última, parentescos por meio de casamento, mas não por sangue).

Os vss. 6-18 deste capítulo contêm *doze* proibições. Cf. as doze maldições do capítulo 27 de Deuteronômio, onde o mesmo assunto é ventilado. Ver o gráfico antes da exposição sobre Levítico 18.1 (na introdução ao capítulo), que ilustra os parentescos em foco. No ponto *quarto* alistei "sobrinha", o que não é especificamente mencionado no texto, aumentando assim a lista para treze possibilidades, onde explico a origem dessa proibição.

Essas leis eram interpretadas de modo a incluir os *gentios*, os quais eram advertidos a também evitar o *incesto*, embora o texto não tenha sido especificamente escrito para os não-hebreus. (*Talmude Bab. Sanhedrin*, fol. 57.2; advertidas, e não somente os homens, ainda que, do começo ao fim, essas regras tenham sido endereçadas aos homens).

18.7

עֶרְוַת אָבִיךָ וְעֶרְוַת אִמְּךָ לֹא תְגַלֵּה אִמְּךָ הִוא לֹא תְגַלֶּה עֶרְוָתָהּ: ס

A nudez de teu pai. Não temos aqui a proibição acerca de homossexualismo com o próprio pai. O homossexualismo é proibido em outros lugares. Ver Levítico 18.22 e 20.13. Paulo manifestou-se a respeito, em Romanos 1.27. Ver na *Enciclopédia de Bíblia, Teologia e Filosofia* o artigo *Homossexualismo*. A proibição que temos aqui é contra as relações sexuais com a própria mãe. As duas frases significam a mesma coisa: "a nudez da mãe" é "a nudez do pai". A nudez da mãe pertencia a seu marido, e não podia ser violada. Alguns eruditos veem na primeira cláusula a proibição de uma mulher casar-se ou ter sexo com seu próprio pai, ou de um homem casar-se ou ter sexo com sua própria mãe. Mas talvez isso não esteja em pauta, embora fossem ambos atos incestuosos. Nos dias do segundo templo, a proibição era entendida como dirigida tanto a uma filha quanto a um filho: mães e pais não podiam casar-se nem ter sexo com seus filhos e filhas. Ver os casos escandalosos de Ló e suas filhas (Gn 19.31-38). Também há os casos lendários de Édipo e Jocasta, ou o caso de Nero e sua mãe.

Tua mãe. Este versículo proíbe o incesto com a própria progenitora.

Entre os magos, entre os persas, e até entre os persas em geral, havia casamentos e experiências sexuais entre filhos e suas mães (*Sex. Empir. Phrrh.* 1.3 c. 24). Várias fontes informativas dizem-me sobre outras nações *orientais* onde tais coisas aconteciam com frequência, embora não deem referências. Teodoreto (*Quest.* xxiv) menciona a prática entre os egípcios, os cananeus e outras nações pagãs, o que continuou sucedendo até primórdios da era cristã. Entre os japoneses, a prática é quase uma tradição.

Punição. O castigo por esse crime provavelmente era o apedrejamento, conforme as autoridades judaicas nos adiantam. O código de Hamurabi (157) exigia a fogueira, como também no caso de outras sérias ofensas morais. Ver Levítico 20.11, provavelmente uma alusão ao apedrejamento, que, por implicação, dá a entender esse tipo de incesto.

18.8

עֶרְוַת אֵשֶׁת־אָבִיךָ לֹא תְגַלֵּה עֶרְוַת אָבִיךָ הִוא: ס

Nudez da mulher de teu pai. Está em pauta a madrasta. O incesto com tal pessoa é proibido nesse versículo, incluindo tanto o casamento quanto algum contato sexual ocasional. Um homem jamais poderia tocar na mulher de seu pai, mesmo que essa mulher ainda fosse noiva de seu pai, de acordo com as leis vigentes na época do segundo templo. Temos o notório caso desvairado de Rúben (provavelmente ataque sexual) que envolveu Bila, uma das mulheres de Jacó, mas que não era mãe de Rúben. Ver Gênesis 35.22. Houve também o caso de Absalão com as mulheres de Davi, seu pai (2Sm 16.20-23; 1Rs 2.17). Esse caso envolveu adultério, embora, ao mesmo tempo, houvesse atos incestuosos. E no Novo Testamento há o registro de um caso assim, em 1Coríntios 5.1-4, provavelmente envolvendo uma madrasta, talvez depois da morte do pai. Uma mulher casada com um homem não podia fazer sexo com nenhum dos filhos dele, estivesse ele vivo ou morto. Casamentos com madrastas eram comuns na cultura árabe, até que isso foi estritamente proibido pelo *Alcorão* (4.27). Antes disso, nas polígamas sociedades árabes, quando o homem mais idoso (o pai) não podia mais satisfazer o seu harém, as mulheres mais jovens do harém eram simplesmente entregues aos filhos. A mesma coisa ocorre em algumas culturas africanas, até hoje.

O trecho de Deuteronômio 27.23 amaldiçoa o homem que ousasse abordar sua sogra. Cícero (*Orat. 14* pro. A. Cluentio Avito) denunciou tais casamentos e práticas sexuais, como instâncias de concupiscência desenfreada e singular falta de vergonha.

Punição. O trecho de Levítico 20.11 requeria a pena de morte, provavelmente por apedrejamento. Cf. Levítico 20.27 quanto à identificação do tipo de execução em pauta, pois as palavras coincidem nos dois versículos.

18.9

עֶרְוַת אֲחוֹתְךָ בַת־אָבִיךָ אוֹ בַת־אִמֶּךָ מוֹלֶדֶת בַּיִת אוֹ מוֹלֶדֶת חוּץ לֹא תְגַלֶּה עֶרְוָתָן: ס

A nudez da tua irmã. O fraseado do versículo dá a entender uma meio-irmã, ou seja, irmã só de pai ou só de mãe. Este versículo proíbe o incesto com tais pessoas.

Tradicionalmente, o tipo mais comum de incesto, nos tempos antigos ou modernos, é esse que envolve irmãos e irmãs. Se uma irmã é membro da família, ainda assim ela é uma mulher, e os irmãos estão cônscios desse fato.

O patriarca Abraão casou-se com sua meia-irmã, Sara (Gn 20.13); e não se pode duvidar de que isso encorajou outros hebreus a fazer o mesmo, nos séculos que se seguiram. A prática de homens casarem-se com suas irmãs de pai e de mãe prevaleceu entre várias nações antigas. No Egito, havia o casamento sagrado das famílias reais, que *requeria* que um irmão se casasse com sua irmã, pois pessoas que não pertenciam à família real não podiam *perturbar* a unidade *divina*. Os Faraós eram considerados divinos. Os atenienses casavam-se com suas meias-irmãs, pelo lado do pai; os espartanos casavam-se com meias-irmãs, pelo lado da mãe. Amom teve sexo com Tamar, e desejou casar-se com ela, o que, aparentemente, poderia ter feito (2Sm 13.13,16,20).

Circunstâncias Variadas. Uma meia-irmã poderia nascer no mesmo lar: de um casamento polígamo. Também podia estar vivendo em outra casa. Podia ter nascido de estrangeiro, e estar vivendo fora da comunidade. Podia ser uma filha legítima ou ilegítima. Sem importar quais as circunstâncias, um seu meio-irmão não podia tocar nela. E que dizer sobre as *irmãs por afinidade*? Ver os comentários sobre o próximo versículo.

O Caso de Abraão, no Gênesis, não é comentado pelo autor sagrado. Abraão viveu antes da legislação mosaica, em uma época na qual casamentos entre irmãos e irmãs eram comuns em muitas culturas. Mas se Abraão tivesse vivido nos dias de Moisés e tivesse feito a mesma coisa, teria sido executado. Por outro lado, se Abraão tivesse vivido nos dias de Moisés, não se teria casado com Sara, sua meia-irmã. Essas circunstâncias nos fazem lembrar da revelação divina vai crescendo. O que era permissível nos dias de Abraão não era mais tolerado nos dias de Moisés. Por semelhante modo, o Novo Testamento ab-rogou muito da teologia do Antigo Testamento, ultrapassando-a quanto a muitos aspectos. O conhecimento cresce; "estagnação" é uma palavra desconhecida no vocabulário divino.

INCESTOS: TIPOS PROIBIDOS E SEUS DEVIDOS CASTIGOS

Definição: União sexual ilícita entre parentes consanguíneos ou proximamente relacionados.

Pecado sexual: O incesto é uma forma agravada de fornicação ou adultério.

Aberração social: O incesto, embora quase universalmente praticado, é também quase universalmente repudiado, na opinião dos povos do mundo.

O Antigo Testamento: proibia relações sexuais de um homem com uma mulher a ele relacionada por algum grau de parentesco. Ver o gráfico abaixo.

TIPOS DE INCESTO	REFERÊNCIAS BÍBLICAS	CASTIGO AMEAÇADO
Mãe	Proibido: Lv 18.7	Não mencionado, mas entendido em Lv 20.11: apedrejamento, segundo a interpretação da maioria; alguns dizem fogueira. O Código de Hamurabi (157) exigia a fogueira.
Madrasta	Proibido: Lv 18.8	Apedrejamento? Ver Lv 20.11. (punição capital). Cf. Lv 20.4,5.
Irmã (meia-irmã)	Proibido: Lv 18.9; 20.19	Apedrejamento? Ver Lv 20.17. (punição capital). Cf. Lv 20.4,5.
Sobrinha	Proibição entendida: este tipo de incesto não é mencionado em Lv caps. 18 e 20, nem em Dt cap. 28, mas nos códigos da igreja. Talvez deva ser entendido nas proibições de Lv 18.6	
Neta	Proibido: Lv 18.10	Não mencionado. Presumivelmente apedrejamento.
Tia (de consanguinidade)	Proibido: Lv 18.12,13	Infertilidade por maldição divina: Lv 20.19; ou, segundo alguns intérpretes, os filhos nascidos de tais uniões não teriam os mesmos direitos dos filhos legítimos.
Tia de afinidade	Proibido: Lv 18.14	Infertilidade por maldição divina. Ver Lv 20.20.
Nora	Proibido: Lv 18.15	Apedrejamento? Ver Lv 20.12.
Cunhada	Proibido: Lv 18.16	Infertilidade. Ver Lv 20.21.
Uma mulher (sua filha ou neta)	Proibido: Lv 18.7	Não mencionado; presumivelmente apedrejamento. Ver Lv 20.14, que poderia incluir morte na fogueira.
Duas irmãs	Proibido: Lv 18.18	Não mencionado.
Sogra	Proibido: Lv 20.14 e Dt 27.23	Fogueira. Ver Lv 20.14.

Ver Deuteronômio 27.22 quanto à maldição contra aqueles que se casassem com sua irmã ou meia-irmã.

Punição. Execução capital, provavelmente por apedrejamento. Ver Levítico 20.17. Cf. Levítico 20.4,5.

■ 18.10

עֶרְוַת בַּת־בִּנְךָ אוֹ בַת־בִּתְּךָ לֹא תְגַלֶּה עֶרְוָתָן כִּי עֶרְוָתְךָ הֵנָּה: ס

A nudez da filha do teu filho. Está em pauta uma neta. A legislação mosaica proibia estritamente o incesto com uma neta. O texto pode apontar para uma neta por consanguinidade ou por afinidade, tal como no caso de uma irmã (vs. 9). Alguns eruditos não pensam que a *afinidade* esteja em pauta nesses textos. Mas se uma irmã ou neta adotadas estavam em mira, então elas estão eliminadas no vs. 17 deste capítulo. O texto, como é óbvio, implica que um homem não podia casar-se com sua própria *filha*, o que não é especificamente proibido nos capítulos 18 e 20 de Levítico. Mas se era um crime casar-se ou fazer sexo com uma neta, então é evidente que outro tanto se dava com uma filha. O vs. 17 proíbe casamento ou relações sexuais com uma neta por afinidade, mas coisa alguma é dita acerca de uma filha por afinidade. Uma filha por afinidade, entretanto, estava vedada. Se tanto uma neta quanto uma filha por afinidade eram proibidas, então é razoável pensarmos que uma irmã por afinidade também o estava. O autor sacro não teve o cuidado de considerar todas as ramificações do problema, mas somente nos forneceu uma lista *representativa* mais ou menos completa.

Alguns críticos textuais acreditam que o vs. 10 proibia, originalmente, casamento ou sexo com uma filha, ou com uma nora, mas que o texto sofreu um erro primitivo.

Porque é tua nudez. O sentido dessa palavra é que tais pessoas são nossa carne e sangue, tão próximo é seu parentesco.

Punição. Não é mencionado nenhum castigo, mas pode-se presumir que o castigo fosse execução por apedrejamento.

■ 18.11

עֶרְוַת בַּת־אֵשֶׁת אָבִיךָ מוֹלֶדֶת אָבִיךָ אֲחוֹתְךָ הִוא לֹא תְגַלֶּה עֶרְוָתָהּ: ס

A maioria dos eruditos considera que este versículo é mera repetição do vs. 9, onde são dadas as notas expositivas. Todavia, a expressão pode falar de uma irmã por afinidade, sobre o que discuti no vs. 10. Contra essa opinião, porém, resta o resto do versículo, "gerada de teu pai". Alguns estudiosos, insistindo sobre uma irmã por afinidade, supõem que essas palavras, "gerada de teu pai", sejam uma glosa marginal que acabou penetrando no texto, fazendo este versículo 11 dizer a mesma coisa que o versículo 9. A maior parte dos estudiosos rejeita esse parecer e pensa que temos aqui uma simples repetição, sem sentido, o que parece ser a opinião correta. Algumas autoridades judaicas faziam esse versículo referir-se a uma filha por *adoção*, mas isso requer uma interpretação metafórica das palavras "gerada de teu pai", *como se ele fosse* o pai, mas não em sentido biológico. Todas as *outras* interpretações procuram desculpar o autor por ter feito uma repetição inútil, mas parecem falhar.

■ 18.12,13

עֶרְוַת אֲחוֹת־אָבִיךָ לֹא תְגַלֵּה שְׁאֵר אָבִיךָ הִוא: ס

עֶרְוַת אֲחוֹת־אִמְּךָ לֹא תְגַלֵּה כִּי־שְׁאֵר אִמְּךָ הִוא: ס

Tias por consanguinidade estavam fora do alcance sexual de um homem, sem importar se fossem tias paternas ou maternas. Outro tanto se dava no caso de tias por afinidade (vs. 14). A interpretação da injunção desses versículos era bem ampla nos dias do segundo templo, incluindo as meias-irmãs do pai, e até mesmo filhos polígamos e ilegítimos, extensivos até o avô, e não meramente o pai. O próprio *Moisés* casara-se com uma tia, Joquebede (Êx 6.20), que era irmã do pai dele. Os críticos argumentam que essas leis devem ter sido baixadas depois dos dias de Moisés, pois, de outra sorte, ele teria sido forçado a desfazer-se de sua esposa. Não temos nenhuma informação sobre a questão.

A lei incluía meias-irmãs proibidas, da mãe, incluindo filhas ilegítimas. Naor (irmão de Abraão) casou-se com Milca, filha de seu irmão, Harã (Gn 11.29). Mas é claro que não havia regras contra tais casamentos, nos dias de Abraão. Otniel, filho de Quenaz, casou-se com sua sobrinha, Acsa, filha de Calebe, irmão de seu pai (Js 15.17; Jz 1.13). Portanto, temos aí outra instância de desobediência à lei, se ela já estivesse em vigor antes da época de Moisés. Herodes Antipas casou-se com Herodias (Mt 14). Herodes era, ao mesmo tempo, tio e cunhado dela. Herodes mandou executar João Batista porque ele o havia criticado em vista dessa união ilegítima. Heródoto (*Erato*, 1.6 c. 71) e Tácito (*Annal.* 1.12 c. 5-7) informam-nos que os persas, os gregos e os romanos casavam-se com tias.

Punição. Infertilidade, por maldição divina. Ver Levítico 20.19.

18.14

עֶרְוַת אֲחִי־אָבִיךָ לֹא תְגַלֵּה אֶל־אִשְׁתּוֹ לֹא תִקְרָב דֹּדָתְךָ הִוא: ס

Tias por Afinidade. Embora não houvesse laços de sangue, a legislação mosaica proibia casamento com tias por afinidade. Uma tia assim era uma mulher com quem o irmão do pai de um homem tinha casado, posto que não fosse parenta de sangue da família. A despeito disso, ela estava fora do alcance sexual de um homem. O sobrinho, outrossim, não podia casar-se com tal mulher mesmo que seu tio tivesse morrido. A expressão "a nudez do irmão de teu pai" significa que a "nudez" pertencia a ele, por ser dele a mulher. Não está aqui em pauta o homossexualismo, embora alguns antigos intérpretes judeus, e alguns eruditos modernos, assim tenham pensado. Esse pecado de homossexualismo é condenado em Levítico 18.22 e 20.13. Ver as notas e as referências sobre essa questão, no vs. 7 deste capítulo. A lei incluía o casamento de sobrinhas com seus tios, embora isso não seja mencionado especificamente.

Punição. Infertilidade, por maldição divina. Ver Levítico 20.20.

18.15

עֶרְוַת כַּלָּתְךָ לֹא תְגַלֵּה אֵשֶׁת בִּנְךָ הִוא לֹא תְגַלֶּה עֶרְוָתָהּ: ס

Tua nora. Era uma abominação um homem tocar em sua nora. Nos dias do segundo templo, era bem ampla a interpretação dessa lei. Um homem não podia tocar em uma nora futura (noiva de um seu filho); nem podia ter coisa alguma com ela, mesmo que seu filho tivesse morrido ou se tivesse divorciado dela.

Punição. Execução, provavelmente por apedrejamento. Ver Levítico 20.12.

18.16

עֶרְוַת אֵשֶׁת־אָחִיךָ לֹא תְגַלֵּה עֶרְוַת אָחִיךָ הִוא: ס

A nudez da mulher de teu irmão. Na verdade é bastante comum essa forma de incesto, causando um sem-fim de contendas e ódios. Era algo estritamente proibido pela legislação mosaica. Entretanto, uma exceção a isso era o casamento levirato, de acordo com o qual um homem podia ficar com a *viúva* sem filhos de um seu irmão, a fim de levantar prole para a linhagem de seu irmão. Ver sobre isso em Deuteronômio 25.5-10. Ver no *Dicionário* o artigo chamado *Matrimônio Levirato*, quanto a completa descrição sobre a questão. Uma cunhada, mesmo que se divorciasse, não podia ser procurada para efeito de sexo.

Um caso curioso aconteceu no tempo em que Jeudá era o presidente do sinédrio. Morreu o irmão de um homem, deixando um harém de doze esposas. O pobre homem viu que, com doze esposas (devido ao casamento levirato) e o grande número de filhos que se seguiriam, ele estaria liquidado. Mas o sinédrio insistiu em que o homem ficasse com as doze esposas sem filhos de seu irmão. Isso pode parecer uma situação interessante, mas em breve havia trinta e seis filhos! O homem estava carecendo de uma intervenção divina somente para sustentar família tão numerosa, e isso ocorreu mediante a ajuda do próprio Jeudá.

Herodes tornou-se culpado do pecado referido neste versículo (ver Mt 14.3,4), e foi repreendido por João Batista. Vários autores pagãos condenaram a sedução de mulheres por parte de seus cunhados. Haliearnassensis (*Hist.* 1.4), Plutarco (*In Vita M. Carssi*) e os *Cânones Apostólicos* (cap. 19) mencionam casos e condenam a prática.

Punição. Infertilidade por meio de decreto divino. Ver Levítico 20.21.

18.17

עֶרְוַת אִשָּׁה וּבִתָּהּ לֹא תְגַלֵּה אֶת־בַּת־בְּנָהּ וְאֶת־בַּת־בִּתָּהּ לֹא תִקַּח לְגַלּוֹת עֶרְוָתָהּ שַׁאֲרָה הֵנָּה זִמָּה הִוא:

Uma Mulher e Sua Filha ou Neta por Afinidade. Embora houvesse apenas parentescos por afinidade, esses casamentos eram proibidos e considerados incestuosos. Se um homem tivesse de casar-se com duas mulheres, não poderia fazê-lo com uma mãe e sua filha (por meio de outro homem), nem a filha da mulher com quem ele se casasse (nascida de um casamento anterior dela) estava à disposição dele para experiências sexuais. E também precisava evitar suas parentas próximas, como uma neta, embora essas parentas não fossem parentas dele, por serem descendentes de um ex-marido da mulher. Se a mulher em questão viesse a morrer, ainda assim o homem não podia casar-se com uma filha dela ou com uma parenta de sangue próxima. A lei proibia certos tipos de poligamia, antes de tudo, mas o efeito da lei ia além disso. Posteriormente, se um homem chegasse a deflorar uma mulher, mas não se casasse legalmente com ela, então podia casar-se com uma filha dela — uma situação estranha, mas legal. Mas algumas autoridades negavam esse direito, e assim os intérpretes judeus não estavam concordes quanto à questão.

Punição. Os casos específicos do vs. 17 não são mencionados nos versículos que descrevem a punição contra o incesto. Talvez a morte por apedrejamento fosse o castigo para os incestuosos. Provavelmente o trecho de Levítico 20.14 aplicava-se ao caso presente, visto que fala contra o casamento de um homem com uma mulher e a mãe dela (ou seja, com sua própria sogra). Nesse caso, a execução na fogueira tinha lugar.

18.18

וְאִשָּׁה אֶל־אֲחֹתָהּ לֹא תִקָּח לִצְרֹר לְגַלּוֹת עֶרְוָתָהּ עָלֶיהָ בְּחַיֶּיהָ:

E não tomarás com tua mulher outra... Assim diz nossa versão portuguesa no começo deste versículo. Mas o original hebraico diz: "...não tomarás com tua mulher a irmã (*achoth*) dela...". Proíbe-se aqui, portanto, que um homem se casasse com duas irmãs ao mesmo tempo, o que era uma forma de poligamia. Jacó casou-se com Lia e Raquel, mas isso ocorreu antes da legislação mosaica. Ver Gênesis 29.28. Nos dias do segundo templo, mesmo que um homem se divorciasse de uma mulher, nem por isso poderia casar-se com sua irmã. Mas, se a esposa de um homem morresse, então, sim, o homem poderia casar-se com uma irmã dela. Era até considerado uma virtude um homem casar-se com a irmã de uma esposa falecida.

As irmãs são rivais naturais, até onde diz respeito a homens. Assim, se um homem também se casasse com a irmã de sua esposa, imediatamente iniciaria grande rivalidade entre elas: rivalidade acerca dos filhos que nasceriam; rivalidade acerca da herança. O caso de Lia e Raquel ilustra isso de modo magnífico. Ver Gênesis 29.30.

Punição. Nenhum castigo é mencionado. Provavelmente houvesse execução capital por apedrejamento, embora alguns eruditos pensem que isso seria um castigo excessivo para tal caso.

Sogra. Esse tipo de incesto não é mencionado neste capítulo 18 de Levítico, mas aparece em Levítico 20.14 e Deuteronômio 27.23. Era um crime punido com a morte na fogueira (Lv 20.14). Ver o gráfico que ilustra o problema inteiro do incesto, com referências, proibições e punições, na introdução a este capítulo.

UNIÕES ABOMINÁVEIS (18.19-30)
Deixamos aqui para trás os pecados sexuais que envolvem *incesto*, e passamos para outros tipos de sexualidade errada, considerados *abominações* (vs. 22). Temos aqui proibições contra o tipo de imoralidade que os israelitas podiam observar entre os povos vizinhos, e que deviam evitar. Ver Levítico 15.19-24; 20.18 e 2Samuel 11.4, que abordam algumas das proibições que temos à frente.

■ 18.19

וְאֶל־אִשָּׁה בְּנִדַּת טֻמְאָתָהּ לֹא תִקְרַב לְגַלּוֹת עֶרְוָתָהּ׃

Os textos bíblicos chamam a menstruação feminina de "enfermidade" (Lv 20.18). E algumas versões, seguindo mais de perto o original hebraico, dizem no presente versículo "imundícia" (no hebraico, *tumah*), onde a nossa versão portuguesa diz apenas "menstruação". Ver Levítico 15.19 quanto às leis sobre a imundícia atinentes a essa questão. Naquela seção há coisas que nos deixam estonteados, o que foi tudo devidamente comentado. Tudo em que uma mulher tocasse ficava imundo, como também o homem que ousasse ter sexo com ela durante os dias de sua menstruação.

Durante a sua menstruação. Durante esses dias, a mulher ficava reclusa. Ver Levítico 15.19. Ela ficava imunda pelo espaço de sete dias. E um homem que praticasse o sexo com ela, durante esse período, ficava imundo, como se tivesse contraído uma enfermidade. Ter contato sexual propositado com uma mulher, durante os dias de sua menstruação, provocava a *execução* (Lv 20.18). Mas se o contato fosse meramente acidental (ela estava apenas no começo de sua menstruação, mas ele ignorava o fato), exigia apenas os ritos necessários de purificação (Lv 15.24).

"Ezequiel refere-se à transgressão dessa lei como um dos pecados hediondos perpetrados pelo povo de Israel (Ez 18.6; 22.10)" (Ellicott, *in loc.*). Ver no *Dicionário* o artigo intitulado *Limpo e Imundo*.

■ 18.20

וְאֶל־אֵשֶׁת עֲמִיתְךָ לֹא־תִתֵּן שְׁכָבְתְּךָ לְזָרַע לְטָמְאָה־בָהּ׃

Com a mulher de teu próximo. Temos aqui a menção ao adultério, o que repete um dos Dez Mandamentos, o de número *sete*. Ver Êxodo 20.14 quanto a esse mandamento. E ver também, no *Dicionário*, os artigos chamados *Dez Mandamentos* e *Adultério*, este último um completo e detalhado estudo.

O código de Hamurabi (157) requeria a pena de morte por esse pecado, como também o requeria a legislação dos hebreus, a saber, a morte por apedrejamento (Lv 20.10). Ver no *Dicionário* o artigo *Apedrejamento*. Cf. Deuteronômio 22.22-24.

As leis sexuais entre os hebreus eram bastante liberais, excetuando quanto às questões do adultério e do incesto. A poligamia era uma prática social comum, e uma mulher podia ser contratada para experimentar a poligamia "temporária", sem ao menos ter de fazer parte de um harém. Mas tocar a esposa de outro homem era algo estritamente proibido. Ver no *Dicionário* o artigo chamado *Poligamia*.

O adultério envolvia o sexo com uma mulher casada ou mesmo noiva de outro homem. No Egito, os adúlteros não eram executados, mas recebiam o severíssimo castigo de mil chibatadas, o que, em alguns casos, era fatal. E uma mulher culpada de adultério, naquela cultura, tinha seu nariz decepado. Entre os beduínos, a mulher adúltera era executada por seu próprio marido, pai e irmão, e nenhuma misericórdia era demonstrada. Tem havido alguns casos modernos disso, entre os árabes. Em várias nações orientais, esse pecado também é punido mediante execução sem misericórdia. O trecho de Provérbios 6.32,33 nos dá alguma noção de como a mente hebreia abominava esse pecado.

Fazer sexo com uma jovem solteira era considerado um crime menor, e não era punido por meio da execução capital. Ver Êxodo 22.16,17 e Deuteronômio 22.28,29. Ver na *Enciclopédia de Bíblia, Teologia e Filosofia* o artigo chamado *Fornicação*.

■ 18.21

וּמִזַּרְעֲךָ לֹא־תִתֵּן לְהַעֲבִיר לַמֹּלֶךְ וְלֹא תְחַלֵּל אֶת־שֵׁם אֱלֹהֶיךָ אֲנִי יְהוָה׃

Para dedicar-se a Moloque. Há um detalhado artigo chamado *Moleque, Moloque*, no *Dicionário*. Uma das antigas barbaridades da humanidade eram os sacrifícios humanos; e, dentre esses sacrifícios, o mais cruel de todos era a morte sobre o altar dessa divindade pagã. Somente uma grande perversidade interior poderia levar um homem a sacrificar um filho seu de tal maneira. Crianças inocentes eram passadas pelo fogo (2Rs 16.3; 17.17; 21.6). Tofete, no vale de Hinom, era um local associado a essa prática (2Rs 21.6). Israel pode ter misturado essas práticas malignas com aqueles que, presumivelmente, honravam a Yahweh. Mas isso era uma alta traição contra o yahwismo.

No entanto, temos o tencionado sacrifício de Isaque por parte de seu pai, Abraão (Gn 22.1-19). E nenhuma apologética tem podido liberar o episódio de sua perversidade. A teologia cresce; o conhecimento cresce; e, nesse crescimento, algumas perversidades são arrancadas de nossa maneira de pensar, quanto ao que Deus requer de nós. Os homens, de fato, podem ser inocentes quanto a certas perversidades, pensando até serem coisas certas. A despeito disso, são perversidades. A perversidade sempre fez parte das práticas religiosas. Mas o tempo mostra a tendência de limpar tanto a mente quanto os atos dos homens. Essa purificação ocorre na própria teologia!

Moloque era o deus nacional dos amorreus (1Rs 11.7; cf. 2Rs 23.10; Jr 32.35). Meu artigo contém detalhes a respeito da questão, incluindo certas dúvidas que circundam a sua natureza exata.

Alguns eruditos interpretam as palavras "dedicar-se a Moloque" como a entrega de crianças para que se dedicassem à prostituição cultual. Mas parece haver evidências literárias e arqueológicas suficientes que mostram que isso significa sacrificar as crianças *no fogo* (ver 2Cr 28.3).

■ 18.22

וְאֶת־זָכָר לֹא תִשְׁכַּב מִשְׁכְּבֵי אִשָּׁה תּוֹעֵבָה הִוא׃

Com homem não te deitarás. Temos aqui a condenação do homossexualismo. Ver na *Enciclopédia de Bíblia, Teologia e Filosofia* o artigo chamado *Homossexualismo*. Se apenas cerca de 4% das populações modernas se compõem de verdadeiros homossexuais, uma horrenda taxa de 20% é de bissexuais. O tratamento dado por Paulo à questão, em Romanos 1.26,27, é muito esclarecedor. Alguma moderna evidência médica parece mostrar que os cérebros dos homossexuais são, em certos aspectos, diferentes dos cérebros dos heterossexuais. Portanto, poderia haver mesmo um *terceiro sexo*. Essa condição pode ser produzida pela alma de certos indivíduos, que assim *pervertem* as suas condições físicas. Ou, então, na opinião de outros, essa condição poderia ser uma triste piada da natureza. Naturalmente, existem muitos homossexuais que a si mesmo se fizeram tais. Nem todos os homossexuais demonstram essa tendência desde a meninice. A medicina e a teologia devem continuar trabalhando em cima de problemas dessa ordem, especialmente para ver se tal condição, mesmo que não seja inerente, nem adquirida, pode ser alterada para a condição da heterossexualidade.

Ver Gênesis 19; Levítico 20.13; Juízes 19.22; Romanos 1.26,27; 1Coríntios 6.9, onde é discutido o problema da homossexualidade.

Punição. Havia execução judicial dos homossexuais em Israel. Ver Levítico 20.13. Provavelmente era aplicado o método do apedrejamento.

■ 18.23

וּבְכָל־בְּהֵמָה לֹא־תִתֵּן שְׁכָבְתְּךָ לְטָמְאָה־בָהּ וְאִשָּׁה לֹא־תַעֲמֹד לִפְנֵי בְהֵמָה לְרִבְעָהּ תֶּבֶל הוּא׃

Nem te deitarás com animal. Temos aqui o pecado da *bestialidade*, que merece um artigo no *Dicionário*. Cf. Êxodo 22.19; Levítico 20.15,16 e Deuteronômio 27.21. A *punição* para quem praticasse sexo com animais era a execução capital. Ver Levítico 20.15,16 e Êxodo 22.19. O método de execução mais provável era por apedrejamento, quer o culpado fosse homem, quer fosse mulher. Esse pecado repelente é chamado aqui de *confusão*, ou seja, uma desordem na natureza. *Hilchot Issure Biah,* c. 1 sec. 16 da Mishnah comenta sobre esse preceito bíblico. John Gill adjetivou esse ato por uma série de descrições negativas: detestável, chocante, horrível, espantoso. Muitos autores antigos mencionaram e condenaram tal prática: Aelinus (*De Animal,* 1.7 c.19); Estrabão (*Geograph.* 1.2 c. 46); Heródoto (*Euterpe* 1.2 c. 46); Bochart, baseando-se em Plutarco (*Hierozoic.* par. 1).

A despeito da repulsa que esse ato provoca na maioria das pessoas, sempre foi uma prática popular. O Relatório Kinsey sobre o sexo mostrou que entre 40 e 50% da população *rural* dos Estados Unidos têm cometido atos dessa natureza. Mas nas áreas urbanas a taxa de pessoas envolvidas é de somente 4%. Dos cinquenta Estados americanos, 49 têm leis contra a bestialidade, e, em alguns desses estados, o resultado pode ser o aprisionamento.

O *Épico de Gilgamés* (a história do Noé babilônico) fala sobre Enkidu, o caçador, a fazer sexo com animais. Ver no *Dicionário* o artigo intitulado *Gilgamés, Epopeia de.*

■ **18.24**

אַל־תִּטַּמְּאוּ בְּכָל־אֵלֶּה כִּי בְכָל־אֵלֶּה נִטְמְאוּ הַגּוֹיִם
אֲשֶׁר־אֲנִי מְשַׁלֵּחַ מִפְּנֵיכֶם׃

As nações tinham-se contaminado com toda forma de atos sexuais ilícitos, como o incesto, o homossexualismo e a bestialidade. Mas Israel, como uma nação separada, não deveria imitar os gentios. O *Yahwismo* tinha padrões morais muito superiores a isso.

Que eu lanço fora de diante de vós. Notemos o verbo no tempo presente, como se a expulsão das nações que ocupavam a Terra Prometida já tivesse começado. O autor sacro antecipou assim o acontecimento. Mas os estudiosos da Alta Crítica (ver sobre esse tema no *Dicionário*) tiram proveito desse verbo para dizer que essa expulsão já era história quando este texto foi escrito, pois eles são pragmáticos incrédulos. Esse ponto de vista parece confirmado pelo presente versículo que fala sobre a *Terra Prometida* como se ela já estivesse sob o controle de Israel, e até já estivesse sendo contaminada pelos israelitas. Sem dúvida, está em pauta a Palestina. Os eruditos conservadores, por sua parte, afirmam que esses supostos anacronismos são proféticos, ou, então, são notas de rodapé feitas por editores posteriores, não crendo que a autoria mosaica sofra assim algum prejuízo.

Ver o trecho de Êxodo 33.2 quanto a uma lista de nações que deveriam ser expelidas da terra de Canaã. Pecados como aqueles alistados neste capítulo 18 de Levítico *causaram* a expulsão das tribos cananeias. Mas Israel não pôde ali entrar enquanto a taça da iniquidade dos cananeus não estivesse cheia. Somente então sobreviria um justo juízo divino. Quanto a isso ver as notas sobre Gênesis 15.16, onde os amorreus representam os vários povos que ocupavam a *terra.*

■ **18.25**

וַתִּטְמָא הָאָרֶץ וָאֶפְקֹד עֲוֹנָהּ עָלֶיהָ וַתָּקִא הָאָרֶץ
אֶת־יֹשְׁבֶיהָ׃

O termo *terra* sem dúvida aponta para a Palestina, o lar *futuro* de Israel, e não o deserto onde Israel vagueou durante quarenta anos, e que não sustentava as nações gentílicas em pauta. No entanto, por enquanto, Israel ainda não havia entrado na terra. Os críticos comentam que o autor sagrado *esqueceu-se,* por um momento, de que ele estava escrevendo como se estivesse vivendo nos dias de Moisés. Os conservadores veem aqui uma declaração profética ou uma nota de rodapé, feita por algum editor posterior do texto original. Discuto sobre o problema da data do *Pentateuco* no artigo sobre aquele assunto. Ademais, cada introdução dos cinco livros do Pentateuco contém alguma discussão adicional. Ver também sobre a teoria das fontes múltiplas do Pentateuco no artigo chamado *J.E.D.P.(S.),* no *Dicionário.* Ver as notas sobre os vss. 23 e 24, os quais participam do suposto anacronismo.

Problemas como esses não nos deveriam impedir de aceitar a lição contida nesses versículos. A terra *vomita* os povos que se deixam envolver em atividades sexuais pervertidas e em relacionamentos pessoais proibidos. Um povo fica contaminado em face de seus maus costumes, e o decreto de Yahweh vomita-os como se o território tivesse ficado *enjoado* deles. Foi exatamente o que aconteceu, séculos mais tarde, com Israel, quando foram expulsos da Terra Prometida pelos cativeiros assírio e babilônico, como se tivessem sido vomitados pela terra. Ver no *Dicionário* o artigo intitulado *Cativeiro (Cativeiros).*

■ **18.26**

וּשְׁמַרְתֶּם אַתֶּם אֶת־חֻקֹּתַי וְאֶת־מִשְׁפָּטַי וְלֹא תַעֲשׂוּ
מִכֹּל הַתּוֹעֵבֹת הָאֵלֶּה הָאֶזְרָח וְהַגֵּר הַגָּר בְּתוֹכְכֶם׃

Os vss. 26-30 deste capítulo reforçam as proibições contra as práticas sexuais ilícitas, com admoestações e ameaças. Estes versículos continuam a supor claramente um tempo quando Israel já se achava ocupando a Terra Santa, e os comentários sobre os vss. 24 e 25 deste capítulo aplicam-se à seção inteira.

O *yahwismo,* através da legislação mosaica, provia para o povo de Israel um código moral superior, que condenava muitas práticas repelentes das nações pagãs que circundavam Israel. Um homem espiritual e sábio haverá de dar atenção a esse aprimoramento, direcionando sua vida de acordo com esse avanço moral. A terra pode *prantear* (Is 24.4,5) ou pode *exultar* (Sl 96.11-13), dependendo de como agirem os seus habitantes. Ver Apocalipse 3.16, onde temos uma metáfora do Novo Testamento como aquela do presente texto.

Abominações pecaminosas fizeram a Terra Prometida adoecer. Nesses casos, operações radicais atuam, a fim de curar a terra. Os juízos divinos são sempre remediais; mas algumas vezes o remédio é amargo. Aqueles que quisessem viver em companhia de Israel, ou seja, estrangeiros que passassem a residir permanentemente entre eles, eram forçados a seguir o mesmo código ético de Israel, sem importar o pano de fundo formativo de onde provinham.

■ **18.27**

כִּי אֶת־כָּל־הַתּוֹעֵבֹת הָאֵל עָשׂוּ אַנְשֵׁי־הָאָרֶץ אֲשֶׁר
לִפְנֵיכֶם וַתִּטְמָא הָאָרֶץ׃

O autor sacro continuava a escrever do ponto de vista de Israel já na Terra Prometida. Quanto a esse "anacronismo", ver os vss. 24 e 25. Este versículo reitera o que já vimos nos vss. 25 e 26, exceto pelo fato de que agora Yahweh relembrava a Israel que as nações que tinham habitado na Palestina antes deles eram praticantes das *abominações* que o Senhor havia proibido. Eles seriam estúpidos se imitassem os atos pecaminosos daquelas nações. Achamos algo similar em Gênesis 15.16, mas ali a ameaça de Yahweh foi que as nações perderiam seus territórios, uma vez que a taça de iniquidade delas se enchesse. Assim também aconteceria com Israel, se o povo de Deus imitasse os anteriores habitantes da Palestina. Ver no *Dicionário* o artigo chamado *Cativeiro (Cativeiros).* Um povo contaminado contamina o seu território. E um território contaminado termina por vomitar para longe os seus habitantes contaminados (Lv 18.25,26).

■ **18.28**

וְלֹא־תָקִיא הָאָרֶץ אֶתְכֶם בְּטַמַּאֲכֶם אֹתָהּ כַּאֲשֶׁר קָאָה
אֶת־הַגּוֹי אֲשֶׁר לִפְנֵיכֶם׃

Este versículo prossegue no "anacronismo" iniciado no vs. 24. O escritor via Israel como se já estivesse na Terra Prometida, e até em perigo de ser vomitado para fora, tal como tinha sucedido às nações cananeias, antes deles. É reiterada a metáfora do vs. 25, a do vômito pela terra, que comentei naquele ponto. A metáfora do vômito mostra quão detestáveis para Yahweh eram os pecados que ele proibira. Estão particularmente sob enfoque as práticas sexuais dos povos gentílicos, que não deveriam ser imitadas pelo povo de Israel.

■ **18.29**

כִּי כָּל־אֲשֶׁר יַעֲשֶׂה מִכֹּל הַתּוֹעֵבוֹת הָאֵלֶּה וְנִכְרְתוּ
הַנְּפָשׁוֹת הָעֹשֹׂת מִקֶּרֶב עַמָּם׃

A palavra aqui usada, *eliminados,* poderia significar uma destas coisas: 1. Um juízo divino; algum acidente ou enfermidade que tirasse a vida do indivíduo antes do tempo certo. 2. Exclusão. 3. Mais provavelmente, porém, a punição capital, judicialmente aplicada, o que normalmente ocorria por meio de apedrejamento, embora a fogueira também fosse usada no antigo povo de Israel. Ver o gráfico no começo deste capítulo, que dá as punições específicas determinadas para cada desvio sexual.

■ 18.30

וּשְׁמַרְתֶּם אֶת־מִשְׁמַרְתִּי לְבִלְתִּי עֲשׂוֹת מֵחֻקּוֹת
הַתּוֹעֵבֹת אֲשֶׁר נַעֲשׂוּ לִפְנֵיכֶם וְלֹא תִטַּמְּאוּ בָּהֶם אֲנִי
יְהוָה אֱלֹהֵיכֶם׃ פ

Conclusão. São evidentes as drásticas consequências das práticas sexuais dos pagãos. Isso faz parte da própria queda das civilizações, e não meramente da destruição de indivíduos. Essas consequências poderiam ser facilmente evitadas se os israelitas dessem atenção, aprendessem e pusessem em prática o código moral ensinado por Yahweh. Por isso tornou-se comum dizer que a retidão protege uma pessoa ou um povo.

Eu sou o Senhor vosso Deus. Essa expressão é usada com frequência para encerrar instruções, no *Código de Santidade*. Ver a introdução ao capítulo 17 de Levítico, acerca dessa questão. Supostamente, teria havido uma fonte informativa separada para o Pentateuco, que explicaria os capítulos 17 a 26 de Levítico, e uma das características dessa fonte informativa seria essa expressão. No capítulo 18, a expressão figura nos vss. 2,4-6,21 e 30. Os nomes divinos envolvidos são *Yahweh* e *Elohim*, ambos os quais recebem artigos no *Dicionário*. Ver também ali o artigo *Deus, Nomes Bíblicos de*. Este capítulo, pois, começa e termina com essa expressão. Comentei sobre suas implicações nas notas sobre o segundo versículo deste capítulo.

CAPÍTULO DEZENOVE

REITERAÇÃO DE DIVERSAS LEIS (19.1-37)

"A diversidade de material neste capítulo reflete quão variegada é a vida. Todos os aspectos da existência humana estão sujeitos às leis de Deus" (Wenham, Levítico, *in loc.*). A santidade de Deus é a fonte e a inspiração da santidade humana, um princípio enfatizado neste capítulo. De acordo com alguns eruditos, este capítulo faz parte do chamado *Código de Santidade*, sobre o qual comentei na introdução ao capítulo 17 de Levítico. Esse código seria uma espécie de manual de santidade do antigo povo de Israel. Muitas repetições acham-se aqui, iguais ou similares a outros trechos do livro de Levítico. A repetição é uma característica literária do autor do Pentateuco.

Este capítulo deixa claro que precisamos levar em conta os motivos por trás dos atos, e não apenas os próprios atos (vss. 17,18). Os princípios básicos dos Dez Mandamentos (ver a respeito no *Dicionário*) foram incorporados neste capítulo, embora não na mesma ordem. Ademais, por meio de analogia, há consideráveis elaborações dos mandamentos.

A expressão "eu sou o Senhor", modificada também para a forma "eu sou o Senhor vosso Deus", aparece por *dezesseis* vezes neste capítulo 19. A repetição seria uma das características literárias do *Código de Santidade*. Ver sobre isso e sobre várias outras características, na introdução ao capítulo 17 de Levítico. Ver no *Dicionário* o artigo chamado *Ética do Antigo Testamento*.

"O capítulo 19 contém uma miscelânea de leis, todas elas voltadas para a santidade na conduta. Muitas dessas leis são diretamente éticas, de acordo com as linhas dos Dez Mandamentos; outras abordam o tratamento que os israelitas deveriam dar à terra; ainda outras ventilam a questão dos sacrifícios, a ingestão de sangue e vários costumes pagãos a que os israelitas se inclinavam" (Nathaniel Micklem, *in loc.*).

■ 19.1

וַיְדַבֵּר יְהוָה אֶל־מֹשֶׁה לֵּאמֹר׃

Disse o Senhor. Essa expressão era usada como artifício literário para introduzir novas seções. Mas também nos faz lembrar da divina inspiração das Escrituras. Ver notas completas a esse respeito em Levítico 1.1 e 4.1.

■ 19.2

דַּבֵּר אֶל־כָּל־עֲדַת בְּנֵי־יִשְׂרָאֵל וְאָמַרְתָּ אֲלֵהֶם
קְדֹשִׁים תִּהְיוּ כִּי קָדוֹשׁ אֲנִי יְהוָה אֱלֹהֵיכֶם׃

Moisés era o instrumento imediato de Deus. Algumas vezes, a mensagem era dada a Arão, por meio de Moisés, ou, então, ao sacerdócio e ao povo em geral. De outras vezes, a mensagem era dada diretamente por Moisés ao povo, talvez com a mediação dos sacerdotes, que atuavam como mestres. Ver as notas sobre Levítico 17.2 quanto às várias formas de tratamento pessoal, usadas em Levítico.

Santos sereis, porque eu... sou santo. Consideremos os sete pontos abaixo:
1. Deus é a fonte de toda a santidade.
2. Deus implanta no homem a sua própria santidade, mediante as operações do Espírito.
3. A natureza humana, através do ato divino criativo, tornou-se paralela da natureza moral divina, pelo que, malgrado a queda, o homem possui, inerentemente, tanto o conhecimento como resquícios da moralidade de Deus.
4. A lei deu aos homens conhecimento sobre o que se espera deles, eticamente falando. A lei traz conhecimentos que nos permitem viver de modo mais consentâneo com a ética, em nosso relacionamento com Deus e em nosso relacionamento com os semelhantes.
5. A santidade de Deus serve tanto de exemplo quanto de inspiração à santidade humana.
6. Leis específicas ajudam-nos a saber como agir em circunstâncias específicas; e este capítulo 19 especializa-se nessas leis específicas.
7. Na dispensação do evangelho, vamos sendo transformados segundo a imagem de Cristo (Rm 8.29; 1Jo 3.2), de modo que vamos participando da natureza divina (2Pe 1.4), pois nos foi implantada a própria natureza moral de Deus. A transformação metafísica é efetuada mediante a transformação moral.

"Essa afirmativa casa para sempre a ética com a teologia. A moralidade humana parecia estar fundamentada sobre a natureza imutável de Deus... Deus chamou Israel para ser uma nação santa" (F. Duane Lindsey, *in loc.*).

Cf. Levítico 11.44,45 quanto à mesma formulação. As notas expositivas dali aplicam-se também aqui.

■ 19.3

אִישׁ אִמּוֹ וְאָבִיו תִּירָאוּ וְאֶת־שַׁבְּתֹתַי תִּשְׁמֹרוּ אֲנִי יְהוָה
אֱלֹהֵיכֶם׃

No *Dicionário* apresento um detalhado artigo sobre os *Dez Mandamentos*. Este versículo reitera os mandamentos quinto e quarto, do decálogo. Ver Êxodo 20.8,12, quanto à exposição desses dois mandamentos. Vida longa é prometida aos que honrassem a seus progenitores. A guarda do sábado era o *sinal* da *legislação mosaica*. Ver a introdução ao capítulo 19 de Levítico quanto a essa legislação. A circuncisão, por sua vez, era o *sinal* do Pacto Abraâmico. Ver as notas em Gênesis 15.18 sobre esse pacto. Ver no *Dicionário* o artigo chamado *Pactos*.

A santidade começa no lar, onde os filhos temem e honram a seus pais. Portanto, isso é uma condição prévia para estágios mais avançados da santidade. Paulo (em Ef 6.2) chama esse mandamento acerca da obediência aos pais, de "primeiro mandamento com promessa". Somente em três lugares do Antigo Testamento a mãe é mencionada antes do pai, quando ambos aparecem juntos. Ver Gênesis 44.20, aqui, e Levítico 21.2. A mãe é o primeiro agente na criação de uma criança, a pessoa que fica constantemente com a criança. Ela deve ocupar o primeiro lugar no respeito e na honra da criança. Os pais são representantes de Deus, pelo que devem ocupar o lugar dele na rotina diária da vida da criança. Devem ser respeitados por motivos divinos. Deus deve ser honrado (Pv 3.9; Dt 6.13), e também os pais, por seus filhos (Êx 19.3; 20.12). Aquele que blasfemasse de Deus era executado (Lv 24.16); e aquele que blasfemasse de seus pais também era executado (Lv 20.9).

Guardará os meus sábados. Temos aqui a palavra no plural, *sábados*, pois outros sábados eram extensões daquele dia de descanso. Ver no *Dicionário* o artigo intitulado *Sábado*, quanto a uma discussão completa. Ver na *Enciclopédia de Bíblia, Teologia e Filosofia* os verbetes chamados *Sabatismo* e *Observância de Dias Especiais*. Ambos esses artigos discutem a alegada natureza obrigatória desse dia para os crentes do Novo Testamento.

Visto que a guarda do dia de sábado era *o sinal mesmo* da legislação mosaica, a obediência a esse conceito era um *sine qua non* da obediência dos hebreus. Esse era o *quarto* dos mandamentos do decálogo. Ver Êxodo 20.8-11.

Eu sou o Senhor vosso Deus. Ver Levítico 18.30 e 19.4 quanto a essa expressão, que aparece por dezesseis vezes neste capítulo 19 de Levítico.

■ **19.4**

אַל־תִּפְנוּ אֶל־הָאֱלִילִים וֵאלֹהֵי מַסֵּכָה לֹא תַעֲשׂוּ לָכֶם אֲנִי יְהוָה אֱלֹהֵיכֶם׃

Não vos virareis para os ídolos. Este versículo põe diante de nós o *segundo* dos Dez Mandamentos. Ver Êxodo 20.3-5 quanto a notas expositivas completas. Ver também o artigo detalhado do *Dicionário*, intitulado *Idolatria*. O yahwismo produziu o *monoteísmo* (ver a respeito no *Dicionário*), embora não somente isso. Produziu o *yahwismo monoteísta,* um tipo especial de monoteísmo, definido dentro da legislação mosaica, e, então, com maiores detalhes, no resto do AntigoTestamento. A promoção do yahwismo anulava qualquer forma de idolatria que quisesse destruir o próprio alicerce da fé que se estava desenvolvendo em Israel, fé esta que o cristianismo tomou, ampliou e aprofundou.

Os ídolos. No hebraico, o termo significa "nada", ou seja, uma "não-entidade". Esse vocábulo hebraico acha-se somente aqui e em Levítico 26.1, em todo o Antigo Testamento. Por isso mesmo é que Paulo escreveu: "...sabemos que o ídolo de si mesmo nada é no mundo..." (1Co 8.4). Nos dias do segundo templo, era proibida ao menos a contemplação de um ídolo, quanto mais fabricar um desses objetos de culto pagão. Quanto às *imagens fundidas,* ver Êxodo 20.4-6. Ouro, prata e bronze eram os metais usados pelos fabricantes de ídolos.

Eu sou o Senhor vosso Deus. Essa expressão é usada por dezesseis vezes, só neste capítulo. Ver as notas a respeito em Levítico 18.30. Pudemos ver, no primeiro versículo deste capítulo, que esse *Senhor,* que é o nosso Deus, é *santo,* e devemos imitar essa santidade. Essa é a mensagem principal deste capítulo 19.

■ **19.5**

וְכִי תִזְבְּחוּ זֶבַח שְׁלָמִים לַיהוָה לִרְצֹנְכֶם תִּזְבָּחֻהוּ׃

Sacrifício pacífico. Ver, antes da exposição sobre Levítico 1.1, dois gráficos que ilustram os vários tipos de oferendas e sacrifícios, as normas atinentes a cada um deles, seus significados e os ritos específicos. Ver Levítico 3.1-17 e 7.11-33 quanto a notas sobre as *ofertas pacíficas.* O autor sagrado empregou o *Código de Santidade* (Lv 17—26) e não removeu as repetições. A repetição era uma das características literárias do autor sacro.

Os vss. 5 ss. parecem dar a entender que os hebreus acabaram por usar certos ritos pagãos, sacrificando aos ídolos e consumindo certos animais imundos. Ao assim fazerem, desobedeceram a muitos preceitos mosaicos. Os três animais que podiam ser sacrificados, o touro, o carneiro e o bode, não podiam ser sacrificados e consumidos na alimentação dos israelitas, mas eram reservados para o culto divino. Ver Levítico 17.3 ss. Em alguns tipos de ofertas, porém, inclusive nas *ofertas pacíficas,* o ofertante podia comer certa parte dos citados animais, acompanhado pelos sacerdotes. Mas não se podia simplesmente matar um boi para comê-lo. Essa lei foi relaxada, mais tarde (ver Dt 12.20-28).

Para que sejais aceitos. Todas as oferendas precisavam ser oferecidas de tal modo que os ofertantes fossem aceitos de acordo com as provisões baixadas por Yahweh. Desse modo, o próprio indivíduo ofertante seria aceito. Ver Levítico 1.3, que contém a mesma mensagem. O sétimo versículo deste capítulo mostra que havia uma maneira errada de oferecer um sacrifício, e também um intuito errado, que fazia de um sacrifício uma abominação. O yahwismo não podia ser misturado com o paganismo. Ficou assim condenado o *sincretismo* (ver a respeito no *Dicionário*). Os vss. 5-8 deste capítulo mostram-nos como a carne devia ser disposta quando das ofertas pacíficas (de comunhão). Aquele que ofendesse nesse ponto seria executado (vs. 8), por ter-se tornado culpado de profanação.

■ **19.6**

בְּיוֹם זִבְחֲכֶם יֵאָכֵל וּמִמָּחֳרָת וְהַנּוֹתָר עַד־יוֹם הַשְּׁלִישִׁי בָּאֵשׁ יִשָּׂרֵף׃

No dia em que o oferecerdes. Em Levítico 7.15, encontramos o requisito de que um animal assim oferecido tinha de ser totalmente consumido no mesmo dia. Este versículo afirma que também no dia seguinte podia-se comer da carne de um animal sacrificado, mas o que sobrasse teria de ser queimado. Os estudiosos veem aqui duas possibilidades quanto a uma alegada discrepância entre este versículo e o de Levítico 7.15. *Em primeiro lugar,* havia duas leis, um tanto ou quanto diferentes, e o *Código de Santidade* (Lv 17 - 26) refletia uma lei um tanto diferente da do sétimo capítulo deste livro. Ou, então, com a passagem do tempo, certas modificações passaram a ser feitas. Nesse caso, este capítulo 19 seria uma modificação alicerçada sobre o sétimo capítulo deste livro. Ou, então, desde o princípio, havia dois tipos de ofertas pacíficas, e o trecho de Levítico 7.15 reflete um desses tipos, ao passo que este capítulo 19 reflete o outro tipo. Todavia, quem pode ter certeza de como as coisas aconteceram? Ver Levítico 7.15,16 quanto aos dois tipos de ofertas, correspondentes aos trechos de Levítico 7.15 e Levítico 19. O vs. 15 tem o requisito de que a carne devia ser comida no mesmo dia; mas o vs. 16 permitia que algo fosse comido no segundo dia. O vs. 17 ordena que o que sobrasse fosse queimado. É possível, portanto, embora não haja certeza quanto a isso, que a segunda das duas oferendas possíveis esteja em foco neste capítulo 19. Nesse caso, Levítico 19.16 tem paralelo em Levítico 7.16. A *primeira* explicação, entretanto, é a que me parece mais razoável.

As chamas consumiam os restos de um animal oferecido como oferta pacífica, a fim de que não fossem profanados por algum homem ou animal que deles comesse, de uma maneira ilegal. Ver as notas sobre Levítico 7.18 quanto a essa lei.

■ **19.7**

וְאִם הֵאָכֹל יֵאָכֵל בַּיּוֹם הַשְּׁלִישִׁי פִּגּוּל הוּא לֹא יֵרָצֶה׃

O prolongamento do rito causaria sua anulação e o tornaria uma abominação. Ninguém podia comer da carne de um animal sacrificado, no terceiro dia. As chamas deveriam consumir o que restasse, no terceiro dia. A glutonaria não devia ser praticada sob o disfarce de um serviço prestado a Yahweh. Cf. Levítico 7.18, onde as notas expositivas também se aplicam a este versículo.

■ **19.8**

וְאֹכְלָיו עֲוֹנוֹ יִשָּׂא כִּי־אֶת־קֹדֶשׁ יְהוָה חִלֵּל וְנִכְרְתָה הַנֶּפֶשׁ הַהִוא מֵעַמֶּיהָ׃

Este versículo repete a mensagem do versículo anterior, exceto pelo fato de que impõe uma pena aos que desobedecessem à lei, a saber, eles seriam *eliminados,* isto é, executados, provavelmente por meio de apedrejamento. O paralelo, em Levítico 7.18, não especifica qual poderia ser essa punição, mas Levítico 7.20 determina a punição capital para o indivíduo que ousasse participar de um sacrifício estando em condição de *imundícia* cerimonial. Esse ser *eliminado* poderia indicar a exclusão ou algum castigo divino, por meio de um acidente ou enfermidade. Mas isso já indica uma interpretação menos provável.

O fato de que o trecho de Levítico 19.8 requer execução, ao passo que Levítico 7.18 deixa a questão um tanto vaga, pode ser outra indicação de que estamos tratando com códigos levemente diversos, a respeito da mesma questão, um sendo o *Código de Santidade,* e o outro derivado de alguma fonte que foi empregada no livro de Levítico. Ver a discussão nas notas sobre Levítico 19.6.

■ **19.9**

וּבְקֻצְרְכֶם אֶת־קְצִיר אַרְצְכֶם לֹא תְכַלֶּה פְּאַת שָׂדְךָ לִקְצֹר וְלֶקֶט קְצִירְךָ לֹא תְלַקֵּט׃

A Lei da Generosidade. Os pobres, sempre os teremos conosco, conforme disse Jesus. Em uma sociedade agrícola, como era a de Israel, depois da entrada deles na Terra Prometida, ser generoso com os produtos agrícolas era parte essencial da benevolência para com o próximo necessitado. A provisão de Deus é para todos (Sl 145.15,16). Os pobres tinham certos direitos legais, incorporados na legislação mosaica. As leis dos vss. 9 e 10 figuram entre esses direitos. O direito dos pobres a uma parcela do produto do solo, embora não funcionasse em um sentido individual, cobria a questão da caridade privada. Era uma espécie de caridade social que permitia que um homem pobre não se sentisse demasiadamente humilhado.

A Colheita. Nos dias do segundo templo, a colheita era definida de acordo com estes pontos:
1. Todas as plantas comestíveis e nutritivas.
2. Todas as plantas cultivadas, e não aquelas que medrassem pela própria natureza.
3. Não plantas como o cogumelo etc., que dependiam somente da umidade do meio ambiente, sem precisar de cultivo.
4. Aquelas plantas que amadureciam ao mesmo tempo, a cada ano (safras anuais), ficando assim excluído o figo e certas outras frutas, que são colhidas durante certo período de tempo a cada ano, conforme vão amadurecendo.
5. Produtos agrícolas que podiam ser guardados em silos, ficando assim excluídas certas verduras e legumes.

O canto do teu campo. Fica sem definição qual quanto do canto tinha de ficar reservado para os pobres. Os proprietários mais generosos deixavam áreas bastante grandes; os proprietários de mão fechada deixavam cantos pequenos em seus campos plantados. A lei do amor (a mais alta expressão de espiritualidade) operava em cada coração em graus diferentes. Ver no *Dicionário* o artigo chamado *Amor*. Mais tarde, foi estabelecido um mínimo, não podendo ser menos do que uma sexta parte de todo o território cultivado. Talvez apenas um canto fosse deixado sem ser colhido, mas precisava ter essa dimensão mínima.

Tempo. Os pobres podiam vir fazer a colheita do canto plantado do campo ou pela manhã, ou ao meio-dia, ou à tardinha. Desse modo, todos os pobres tinham sua oportunidade, incluindo mães com filhos pequenos, cujo tempo era muito limitado.

Respigas. Ou seja, espigas de cereal que caíssem no solo, por ocasião da sega. Leis minuciosas, em tempos posteriores, governavam a questão do que constituía a respiga. Espigas extras de cereal permaneciam nas plantas mesmo depois da colheita. Um fazendeiro não deveria limpar de modo absoluto o seu campo plantado, mas deixar algum cereal para ser colhido pelos pobres. Dessa maneira, os pobres podiam *tanto* ter a sua própria colheita, nos cantos, como podiam colher algum cereal extra, do resto do campo que não havia sido colhido inteiramente. O fazendeiro que não deixasse respigas era castigado, mediante açoites.

Notemos o anacronismo. O autor sagrado escreveu como se soubesse das leis agrícolas que funcionavam em favor dos pobres, como se seus dias de vida fossem depois da entrada de Israel na Terra Prometida. Alguns estudiosos conservadores veem nisso um elemento preditivo, ou então uma nota de rodapé adicionada ao documento original. Ver as notas expositivas sobre esse problema, em Levítico 18.25.

■ **19.10**

וְכַרְמְךָ לֹא תְעוֹלֵל וּפֶרֶט כַּרְמְךָ לֹא תְלַקֵּט לֶעָנִי וְלַגֵּר תַּעֲזֹב אֹתָם אֲנִי יְהוָה אֱלֹהֵיכֶם:

Não rebuscarás a tua vinha. Aquele que colhesse suas uvas deveria deixar algumas em cada videira, pensando no pobre que não tinha trabalho, nem meio de subsistência, nem campos para plantar. Um modo de proceder era cortar os cachos maiores, mas deixar os menores, que ainda não se tinham desenvolvido. Os ramos que tinham uma ou duas uvas eram deixados para os pobres. Outra provisão para os necessitados era não juntar as uvas que tivessem caído no chão, ou pela força do vento, ou pelos vinhateiros. Assim, as regras que governavam a vindima eram semelhantes às que governavam a colheita do cereal. Uma parte era deixada intocada; e o que ficasse no solo também fazia parte dessa provisão. Em tempos posteriores, as normas da Mishnah envolviam a questão da videira até os mínimos detalhes. Não se colhia até a última espiga ou até o último bago de uva. Sempre deviam ser deixadas algumas uvas, aqui ou acolá. Mas se mais de três uvas fossem deixadas, então elas pertenceriam ao proprietário. Duas uvas juntas perfaziam o que os judeus chamavam de *peret*, pertencente aos pobres. Assim explicaram Maimônides e Bartenora em *Misn. Peah.* c. 5 sec. 5.

Eu sou o Senhor vosso Deus. Por dezesseis vezes, neste capítulo, encontramos essa fórmula que pontua de vez em quando o texto sagrado, lembrando ao povo que Yahweh baixara tais ordens, e que ele é tanto o Senhor e Deus, devendo ser obedecido. Ver as notas a esse respeito em Levítico 18.30.

■ **19.11**

לֹא תִּגְנֹבוּ וְלֹא־תְכַחֲשׁוּ וְלֹא־תְשַׁקְּרוּ אִישׁ בַּעֲמִיתוֹ:

De súbito, o autor sacro volta aos *Dez Mandamentos* (ver a respeito no *Dicionário*). Ele não revisa esses mandamentos na mesma ordem em que aparecem no capítulo 20 do livro de Êxodo, nem usa o mesmo fraseado, mas preserva a sua essência. Alguns estudiosos pensam que estamos aqui tratando do modo de apresentação do *Código de Santidade*, uma fonte separada do livro de Levítico, além de outras pequenas passagens do Pentateuco. Ver as notas de introdução ao capítulo 17 de Levítico, quanto a esse código.

Não furtareis. Temos aqui o *oitavo* dos Dez Mandamentos. Ver as notas expositivas em Êxodo 20.15. Uma das maneiras de furtar seria não deixar alguma coisa para os pobres colherem e se alimentarem, desobedecendo assim às leis agrícolas dos vss. 9 e 10 deste capítulo. O furto é uma violação violenta da lei do amor.

Nem mentireis. Isso envolve o *nono* dos Dez Mandamentos. Ver as notas sobre Êxodo 20.16. No atual contexto, a honestidade nos negócios está em pauta, bem como no trato com os pobres (vss. 9 e 10). Uma pessoa pode mentir por meio de suas palavras de falsidade, ou pode mentir usando de astúcia no comércio, ou em muitos outros aspectos da vida. Ver no *Dicionário* o artigo chamado *Mentir (Mentiroso)*.

■ **19.12**

וְלֹא־תִשָּׁבְעוּ בִשְׁמִי לַשָּׁקֶר וְחִלַּלְתָּ אֶת־שֵׁם אֱלֹהֶיךָ אֲנִי יְהוָה:

Este versículo é uma maneira diferente de exprimir o *terceiro* dos Dez Mandamentos. Ver Êxodo 20.7 quanto a notas expositivas. Dois aspectos são aqui apresentados: a) o uso impróprio do nome de Deus em juramentos; b) qualquer tipo de profanação do nome divino, que também podia incluir a questão dos juramentos. Ver no *Dicionário* o artigo *Juramentos*. Nas notas sobre o capítulo 20 de Êxodo apresento vários modos pelos quais o nome divino pode ser profanado, pelo que não repito aqui aquela informação.

Eu sou o Senhor. Uma forma simplificada de "eu sou o Senhor vosso Deus", expressão usada por dezesseis vezes neste capítulo 19. Ver Levítico 18.30 quanto a outras explicações.

■ **19.13**

לֹא־תַעֲשֹׁק אֶת־רֵעֲךָ וְלֹא תִגְזֹל לֹא־תָלִין פְּעֻלַּת שָׂכִיר אִתְּךָ עַד־בֹּקֶר:

Este versículo apresenta *ramificações* do *oitavo* mandamento do decálogo. Ver Êxodo 20.15 e Levítico 19.11. Ver no *Dicionário* o artigo chamado *Dez Mandamentos*. A ordem para não *furtar* é contra qualquer forma de opressão ou desonestidade quanto a questões monetárias. Ver Lucas 3.14 quanto a uma aplicação do que aqui é dito, no Novo Testamento. Um modo de furtar e oprimir é tratar desonestamente com os empregados. O texto proíbe estritamente *adiar* o pagamento do salário de um empregado. Precisamos lembrar que a maioria dos trabalhadores consistia em *diaristas*, que eram pagos no fim de cada dia de trabalho. Um empregador, pois, não podia reter consigo esse dinheiro, nem mesmo até o dia seguinte, quanto mais por algum prazo ainda mais dilatado. Cf. Deuteronômio 14.14,15; Jeremias 32.13; Malaquias 3.5 e Tiago 5.4. Nos dias do segundo templo, a regra era a seguinte: "Aquele que trata com dureza a um contratado peca tão gravemente como se tivesse tirado uma vida e transgredido a cinco preceitos". Esses preceitos mosaicos fazem oposição tanto ao capitalismo selvagem quanto ao comunismo empobrecedor. Ver Mateus 20.1-16, que reflete o costume de pagar um trabalhador por cada dia de trabalho.

■ **19.14**

לֹא־תְקַלֵּל חֵרֵשׁ וְלִפְנֵי עִוֵּר לֹא תִתֵּן מִכְשֹׁל וְיָרֵאתָ מֵּאֱלֹהֶיךָ אֲנִי יְהוָה:

Este versículo apresenta aspectos do que se tornou o *segundo maior mandamento* dos dias do Novo Testamento, o amor ao próximo. Ver o vs. 18 deste capítulo. O amor a Deus vem em *primeiro lugar:* esse é o maior de todos os mandamentos; mas o amor ao próximo vem em *segundo lugar:* e esse é o resultado natural e a contingência do primeiro.

É um ato infantil perseguir a uma pessoa incapacitada. É assim que as crianças agem, em sua criancice e crueldade. Um adulto, como se estivesse brincando em um joguinho infantil, talvez amaldiçoa a uma pessoa surda, visto que, como é óbvio, o surdo não pode ouvir o que lhe está sendo dito. Ademais, uma criança ou jovem pode pôr algum obstáculo no caminho de uma pessoa cega, fazendo-a tropeçar e cair, e, então, podem rir-se como se fosse uma coisa engraçada. As coisas aqui mencionadas são apenas exemplos da crueldade com que muitas pessoas tratam a seus semelhantes.

"Insultar a um surdo, que assim não pode vindicar a si mesmo, é uma manifestação indizível de maldade e perversidade... de acordo com as autoridades da época do segundo templo, pois *toda forma de maldição* era proibida por essa lei" (Ellicott, *in loc.*).

Deuteronômio 27.18 amaldiçoa o indivíduo que guiasse a um cego por caminho errado. Isso se aplica a qualquer tipo de ato que engana a outrem, ou que corrompe outra pessoa. Nos tempos do segundo templo, essa lei tinha tanto uma aplicação literal quanto uma aplicação metafórica. Essa lei proibia qualquer forma de engano ou prejuízo contra o homem ignorante, dando-lhe conselhos errados ou iludindo-o em qualquer outro sentido. Ver Romanos 14.13 quanto a uma aplicação desse princípio no Novo Testamento.

Aplicação Metafórica. Todos os homens são ignorantes e incapazes. É errado cometer um erro contra alguém. Todos os homens são fracos e sujeitos a quedas e abusos. Um homem precisa respeitar o próximo. "Não temos de tratar apenas com nossos semelhantes; em todas essas questões, precisamos tratar com Deus" (Nathaniel Micklem, *in loc.*).

■ 19.15

לֹא־תַעֲשׂוּ עָוֶל בַּמִּשְׁפָּט לֹא־תִשָּׂא פְנֵי־דָל וְלֹא תֶהְדַּר פְּנֵי גָדוֹל בְּצֶדֶק תִּשְׁפֹּט עֲמִיתֶךָ׃

Com justiça julgarás o teu próximo. Na aplicação da justiça deve haver equidade. Deve haver uma só lei para ricos e pobres, igualmente. Dinheiro, posição social e poder político nada têm a ver com a administração da justiça. Essas considerações não deveriam fazer a menor diferença nos tribunais e nos relacionamentos pessoais.

Os juízes, bem como outras pessoas que ocupam posições de autoridade, não devem abusar de outras pessoas em face de seu poder, nem devem distorcer o juízo por causa de dinheiro e poder de que porventura tenham sido investidos.

Nenhuma pessoa deve ser honrada somente por causa do que ela é ou representa. Se algum assunto tiver de ser levado a tribunal de justiça, a justiça deve ser feita sem que se atenda a nenhuma daquelas considerações. "Os jurados judeus, em seu extremo desejo de ser imparciais, chegaram ao extremo de exortar que, quando estivesse sendo julgado um caso que envolvesse um pobre e um rico, ambos se vestissem do mesmo modo; que ambos se levantassem ou sentassem ao mesmo tempo; que ambos tivessem o direito de expressar-se; a ambos o juiz deveria dirigir-se da mesma maneira cortês" (Ellicott, *in loc.*). A atitude do Novo Testamento quanto a isso aparece em Tiago 2.2—4,6,7. Ver Maimônides, *Hilchot Sanhedrin*, c. 21, quanto às regras que guiavam a administração da justiça, cuja essência foi dada na citação de Ellicott, acima.

■ 19.16

לֹא־תֵלֵךְ רָכִיל בְּעַמֶּיךָ לֹא תַעֲמֹד עַל־דַּם רֵעֶךָ אֲנִי יְהוָה׃

Este versículo apresenta ramificações do *nono* mandamento, que exige *veracidade.* Ver Êxodo 20.16 quanto ao mandamento e preceito básico. Ver no *Dicionário* o artigo *Mentir (Mentiroso).* O *próximo,* contra quem não devemos iniciar nenhuma campanha de mexericos, é aqui um compatriota hebreu. Jesus, entretanto, ampliou a aplicação disso a todos os nossos semelhantes (ver Lc 10.29 ss.). Cf. Êxodo 23.4,5. Nos vss. 33 e 34 deste capítulo, o conceito de "próximo" inclui os forasteiros.

"Não deve haver campanhas de maledicência (vss. 16-18). Não devemos tentar fazer o próximo cair em dificuldades. Devemos tratar com ele face a face, em espírito de boa vontade. Nunca deveríamos dizer: 'Sou o guardador de meu irmão?' conforme fez Caim. Deveríamos estar genuinamente interessados pelo bem-estar temporal e espiritual de outras pessoas, como se fosse nosso mesmo. Por quê? *Eu sou o Senhor*. Essa é, de fato, a ordem sagrada, física e moral, que deve haver neste mundo" (Nathaniel Micklem, *in loc.*).

Ver no *Dicionário* o artigo chamado *Mexerico*. A maledicência geralmente termina em calúnia. Isso torna-se um hábito extremamente perigoso no caso de certas pessoas, e as mulheres, especialmente, deleitam-se nesse vício. E assim, vidas inocentes são destruídas. Ver 1Samuel 22.9,18; Ezequiel 22.9. A versão caldaica, de acordo com o Targum de Jonathan, diz aqui: "Não seguirás a língua três vezes amaldiçoada, pois ela é mais fatal do que a espada devoradora de dois fios". Ver na *Enciclopédia de Bíblia, Teologia e Filosofia* o artigo intitulado *Linguagem, Uso Apropriado da*.

Antes de Falar

Faz tudo passar diante de três portas de ouro:
As portas estreitas são, a primeira: É verdade?
Em seguida: É necessário? Em tua mente
Fornece uma resposta veraz. E a próxima
É a última e mais estreita: É gentil?
E se tudo chegar, afinal, aos teus lábios,
Depois de ter passado por essas três portas,
Então poderás relatar o caso, sem temeres
Qual seja o resultado de tuas palavras.

Beth Day

■ 19.17

לֹא־תִשְׂנָא אֶת־אָחִיךָ בִּלְבָבֶךָ הוֹכֵחַ תּוֹכִיחַ אֶת־עֲמִיתֶךָ וְלֹא־תִשָּׂא עָלָיו חֵטְא׃

Os vss. 17 e 18 dão-nos vários aspectos da *lei do amor,* o princípio normativo de todas as leis justas e de toda conduta apropriada. Há *duas grandes colunas* que são o sustentáculo da estrutura da espiritualidade: a lei do amor e a lei do conhecimento. O capítulo 13 de 1Coríntios é a expressão neotestamentária mais eloquente da lei do amor. Ver no *Dicionário* o artigo chamado *Amor*.

Por outra parte, a lei do mal é o *ódio*. Ver no *Dicionário* o verbete intitulado *Ódio*. O ódio é a grande antilei da antiespiritualidade. Aqueles que tratam com casos de possessão demoníaca dizem-nos que essa possessão é quase impossível sem o fator ódio. O ódio é o oposto do amor, e serve ao reino das trevas. Se alguém diz que ama a Deus, mas odeia a seu irmão, é um mentiroso (1Jo 4.20). O ódio é uma forma de assassinato (Mt 5.21,22). O ódio é um dos vícios que Paulo alistou em Gálatas 5.19 ss.

O ódio em teu coração, ou a inveja,
A levantar a feia cabeça,
É um desejo secreto de ver
alguém morto.

Russell Champlin

Repreenderás o teu próximo. Palavras duras ofendem. Aquele que odeia vive usando palavras ofensivas. As palavras levam à ação, pelo que o homem que ofende com suas palavras inevitavelmente passará a atos ofensivos. Tal pessoa injuria e peca. Tal pessoa é destrutiva. Cf. Lucas 17.3. Mas existe uma *repreensão positiva*, que ajuda o próximo a evitar atos pecaminosos e prejudiciais, e este versículo salienta isso. Um homem peca quando não repreende a quem erra. Mas a repreensão deve ser feita da maneira correta. Esse é um bom princípio, do qual muitos abusam com frequência. Vemos pessoas, com uma falsa retidão, repreendendo a outros, como se os estivessem corrigindo, mas, na verdade, o tempo todo estão manifestando o seu ódio. Ver Romanos 1.32; Efésios 4.26; 1Timóteo 5.20,22 quanto a versículos paralelos no Novo Testamento.

■ 19.18

לֹא־תִקֹּם וְלֹא־תִטֹּר אֶת־בְּנֵי עַמֶּךָ וְאָהַבְתָּ לְרֵעֲךָ כָּמוֹךָ אֲנִי יְהוָה׃

Não te vingarás. Ver no *Dicionário* o verbete chamado *Vingança*, o qual aborda longamente a mensagem deste versículo. Manter rancor é cultivar certa forma de ódio no coração. Algumas vezes, indignamo-nos por motivos legítimos, e não imaginários. Mas o homem espiritual procurará viver acima de todo ódio e rancor. O amor é o poder que descobre o caminho certo.

Nos dias do segundo templo, havia a seguinte aplicação do conceito expresso neste versículo: "Aquele que, por ocasião de reconciliar-se com seu adversário, realmente perdoa as transgressões deste, verá prontamente perdoadas as suas próprias *transgressões* no dia do julgamento".

Amarás o teu próximo como a ti mesmo. Essa é a regra áurea. Cada um deve amar o próximo como a si mesmo. Esse é o *segundo grande* mandamento, de acordo com a avaliação do Novo Testamento, que só perde em importância para o amor a Deus. Jesus citou este versículo e exaltou os princípios em que ele está alicerçado. Ver Marcos 12.31. A lei mosaica inteira repousa sobre esses dois princípios. Ver o artigo geral, no *Dicionário*, sobre o *Amor*, que ilustra o presente texto. A lei do amor é a primeira lei da espiritualidade, e, de fato, a essência da espiritualidade (1Co 13). É fruto da regeneração (1Jo 4.7).

Teu próximo. De acordo com a definição rabínica, um compatriota hebreu. Mas notemos que até este capítulo inclui o estrangeiro (vss. 33 e 34). Jesus falou de modo que entendêssemos que próximo é qualquer outro ser humano (Lc 10.29 ss.).

Quando de Hillel foi solicitado, por um discípulo em potencial, que dissesse a essência da lei, estando de pé sobre somente um dos pés (em tempo breve, portanto), ele apresentou, sob forma negativa, o conceito à nossa frente: "O que não quiseres que outros te façam, não faças a outros". Mas Jesus apresentou uma versão positiva desse mesmo princípio, em Mateus 7.12: "Tudo quanto, pois, quereis que os homens vos façam, assim fazei-o vós também a eles". Cf. Romanos 13.8-10.

O oposto da injustiça não é a justiça,
é o Amor.
Limites de pedra não podem conter o amor.
O que o amor pode fazer,
isso ousa fazer.

William Shakespeare

O amor é a prova da espiritualidade.

Todos nós nascemos para amar...
Esse é o princípio da existência e sua
única finalidade.

Benjamin Disraeli

19.19

אֶת־חֻקֹּתַי֮ תִּשְׁמֹרוּ֒ בְּהֶמְתְּךָ֙ לֹא־תַרְבִּ֣יעַ כִּלְאַ֔יִם שָׂדְךָ֖ לֹא־תִזְרַ֣ע כִּלְאָ֑יִם וּבֶ֤גֶד כִּלְאַ֙יִם֙ שַֽׁעַטְנֵ֔ז לֹ֥א יַעֲלֶ֖ה עָלֶֽיךָ׃ פ

Separação. Animais diferentes de trabalho não podiam ser misturados numa mesma parelha. Outro tanto se dava com os têxteis das vestes. Ver Deuteronômio 22.9-11. "A mistura de espécies era tida como uma violação das *diferenças* que *Deus* havia ordenado" (*Oxford Annotated Bible*, sobre Dt 22.9-11). Metaforicamente, temos aqui a lei da separação. Ver na *Enciclopédia de Bíblia, Teologia e Filosofia* o artigo chamado *Separação do Crente*.

Raças, tipos e *espécies* de animais não deveriam ser misturados. Ver Levítico 18.22,23 quanto a algo similar. Essas misturas eram consideradas *confusões* desnaturais. Nos dias de Davi e Acabe lemos acerca de *mulas* e, apesar de nada ser dito ali contra os pobres animais, podemos ter certeza de que essas espécies mistas abusavam da lei expressa em Levítico 19.19. Ver 2Samuel 18.9; 1Reis 1.33; 18.5.

Não semearás semente de duas espécies. O trigo não devia ser semeado de mistura com a cevada, por exemplo. Os tipos tinham de ser mantidos separados. A colheita seria primeiro de uma espécie vegetal; e depois poderia haver a colheita de outra espécie, em outro campo. A ideia aqui é que não se deveria provocar confusão na natureza. Estão em pauta produtos alimentares, ou seja, alimentos que resultavam do plantio. Mas sementes que não tivessem por alvo servir na alimentação, com as ervas amargosas, usadas com propósitos medicinais, ou híbridos de espécies diferentes de animais, estavam isentos dessa lei. Essa lei também proíbe a prática do *enxerto*, tão comum na agricultura moderna, como o enxerto laranja-lima.

Roupa de dois estofos misturados. Cada fibra deveria ser tecida sem mistura com outro tipo de fibra. Todavia, uma pessoa podia vestir uma peça de linho e outra de lã, por exemplo. Essa lei, se fosse aplicada hoje em dia, seria muito prejudicial para a indústria do vestuário. Mas temos aqui uma lei extremamente antiga. A mistura de tipos de têxteis era considerada uma violência contra a natureza.

Posteriormente, fibras misturadas chegaram a ser uma característica das vestes dos praticantes das artes mágicas da pior modalidade, como também as vestes dos sacerdotes pagãos seguiam essa regra de fibras misturadas. Naturalmente, isso associava a questão das fibras misturadas com a idolatria, motivo mais do que suficiente para que o povo de Israel fosse proibido de fazer a mesma coisa.

19.20

וְ֠אִישׁ כִּֽי־יִשְׁכַּ֨ב אֶת־אִשָּׁ֜ה שִׁכְבַת־זֶ֗רַע וְהִ֤וא שִׁפְחָה֙ נֶחֱרֶ֣פֶת לְאִ֔ישׁ וְהָפְדֵּה֙ לֹ֣א נִפְדָּ֔תָה א֥וֹ חֻפְשָׁ֖ה לֹ֣א נִתַּן־לָ֑הּ בִּקֹּ֧רֶת תִּהְיֶ֛ה לֹ֥א יוּמְת֖וּ כִּי־לֹ֥א חֻפָּֽשָׁה׃

Um Caso de Adultério Menos Grave. Ver Levítico 18.20 e suas notas expositivas acerca do *adultério*. Ver no *Dicionário* a respeito desse assunto, como também Êxodo 20.14, o sétimo mandamento. A pena pelo crime de adultério era a execução por apedrejamento (Lv 20.10). O código de Hamurabi também impunha a pena de morte nesses casos (157). Mas se a mulher fosse uma escrava (como é aqui sugerido), mesmo que ela estivesse comprometida com outro homem, teria sido cometido um adultério menos grave, que não requeria execução capital. O castigo de açoites era suficiente. Executar uma mulher escrava furtaria seu proprietário de uma propriedade sua, pois ela lhe pertencia. Em outras palavras, os direitos de propriedade eram mais importantes, nesse caso, do que a moral sexual.

Não nos devemos esquecer de que, mesmo tendo nascido livre, uma mulher hebreia podia ser reduzida à servidão, ao menos por algum tempo. Nem todas as escravas concubinas eram estrangeiras. Embora uma mulher fosse hebreia, ela entrava em uma esfera moral diferente quando reduzida à escravidão.

A mulher em foco podia ser comprometida (noiva) ou casada. O noivado era antigamente considerado um primeiro passo para o casamento, e não apenas uma vaga promessa de "Casar-me-ei contigo algum dia", conforme se vê hoje em dia.

Ver o trecho de Êxodo 21.2 ss. quanto à libertação de escravos hebreus. Um pai podia vender sua filha hebreia como escrava. Talvez mais tarde, ele mesmo (ou alguma outra pessoa) houvesse de redimi-la e pô-la em liberdade. Mas, enquanto não fosse redimida, seria apenas uma propriedade, embora fosse uma mulher hebreia.

Durante os dias do segundo templo, o noivado de uma mulher escrava não era considerado o primeiro passo no casamento, como se dava com uma mulher livre, pelo que, legalmente, seduzir uma escrava cabia mais dentro da categoria de fornicação do que dentro da categoria de adultério.

19.21,22

וְהֵבִ֤יא אֶת־אֲשָׁמוֹ֙ לַֽיהוָ֔ה אֶל־פֶּ֖תַח אֹ֣הֶל מוֹעֵ֑ד אֵ֖יל אָשָֽׁם׃

וְכִפֶּר֩ עָלָ֨יו הַכֹּהֵ֜ן בְּאֵ֤יל הָֽאָשָׁם֙ לִפְנֵ֣י יְהוָ֔ה עַל־חַטָּאת֖וֹ אֲשֶׁ֣ר חָטָ֑א וְנִסְלַ֣ח ל֔וֹ מֵחַטָּאת֖וֹ אֲשֶׁ֥ר חָטָֽא׃ פ

Fica entendido que a mulher consentira com o ato, pois não tinha sido violentada. Portanto, merecia os açoites que recebera. Mas o homem também recebia outro tipo de castigo: tinha de oferecer os sacrifícios devidos, enquanto os sacerdotes saberiam, o tempo todo, por qual razão ele estava ali. E o homem gastava algum dinheiro, pois tinha de trazer um carneiro como oferta pela culpa.

Oferta pela sua culpa. Ver sobre esse tipo de sacrifício em Levítico 7.1-7, com notas adicionais em Levítico 5.1-13 e 6.1-7. Não se faz aqui menção de nenhum tipo de restituição que o homem tivesse de pagar ao homem com quem a mulher estivesse comprometida.

Provavelmente, o homem envolvido também fosse um escravo, e nada receberia. Ver Êxodo 21.7-11 quanto a uma situação similar.

À porta da tenda da congregação. Ou seja, defronte da *primeira cortina,* que separava o átrio do tabernáculo do mundo exterior. Ver as notas sobre Êxodo 26.36 quanto às *três cortinas* ou *véus* do santuário.

O *carneiro* trazido seria sacrificado no lado norte do altar de bronze, pelo próprio ofensor. Ver as notas em Levítico 1.14-16 quanto aos *cinco* tipos de animais que podiam ser oferecidos em sacrifício.

O homem era um *pecador,* conforme nos mostra o vs. 22. O que ele tinha feito era moralmente errado, mas seu pecado não era tão grande que requeresse execução capital. Havia expiação para tal pecado. Ver no *Dicionário* o verbete intitulado *Expiação.* Desse modo, o homem recebia o *perdão.* Ver sobre esse termo, no *Dicionário,* como também Levítico 4.20,26.

■ **19.23**

וְכִי־תָבֹאוּ אֶל־הָאָרֶץ וּנְטַעְתֶּם כָּל־עֵץ מַאֲכָל וַעֲרַלְתֶּם עָרְלָתוֹ אֶת־פִּרְיוֹ שָׁלֹשׁ שָׁנִים יִהְיֶה לָכֶם עֲרֵלִים לֹא יֵאָכֵל׃

Uma Curiosa Metáfora sobre a Circuncisão. Para melhor entender o que está envolvido aqui, consideremos os quatro pontos abaixo:
1. O original hebraico e algumas versões dizem aqui que, por três anos, o fruto de uma árvore nova seria considerado *incircunciso* para os israelitas. Nossa versão, para evitar uma dificuldade de compreensão, interpretou isso como se esse fruto ficasse *vedado* por três anos para os israelitas. Durante três anos, esse fruto seria considerado impróprio para consumo humano. Somente quando a árvore fosse *circuncidada* os israelitas podiam comer-lhe o fruto. A circuncisão de uma árvore se daria no momento da primeira *colheita* de frutos tendo em vista o seu consumo.
2. Havia uma circuncisão literal (ver as notas a respeito, no *Dicionário*), que era o sinal do *Pacto Abraâmico* (ver as notas expositivas sobre Gn 15.18). O trecho de Romanos 2.25 ss. mostra-nos que até mesmo essa circuncisão literal servia de metáfora espiritual, porquanto a verdadeira circuncisão (a espiritual) é a do coração, que afeta a alma.
3. No trecho de Êxodo 6.12,30 os lábios são chamados *incircuncisos* quando um homem não usava de uma linguagem santificada, dirigida por Yahweh, não devidamente dedicada ao uso do Senhor.
4. Em Jeremias 6.10 lemos sobre *ouvidos* incircuncisos, alusão a um povo desobediente, que não queria dar ouvidos a Yahweh, a fim de ser-lhe obediente.

Leis da Árvore Frutífera Incircuncisa. Por três anos, o fruto de uma árvore frutífera não podia ser consumido pelos filhos de Israel. Portanto, não podia ser vendido. Se alguém comesse de tal fruto, seria açoitado com quarenta açoites menos um (nos dias do segundo templo). No quarto ano, o fruto era colhido e dedicado a Yahweh, como oferta pacífica (de agradecimento). Somente no quinto ano seu fruto podia ser colhido e comido.

Razões. Alguns estudiosos pensam que havia em jogo razões naturais, como se o fruto produzido nos três primeiros anos não fosse próprio para o consumo humano. Mas outros veem por trás disso apenas um tabu, pensando eles que por três anos os frutos eram deixados para os espíritos que pululavam nos campos. Ou então que tal fruto era assim deixado, a fim de propiciar os espíritos da fertilidade. É possível que existissem tais superstições, mas a razão dada no Antigo Testamento quanto a isso, e a ideia que prevalecia nos dias de Moisés e mais tarde, era a de que Yahweh assim tinha ordenado, ficando anuladas todas as possíveis superstições. Era mister haver uma espécie de processo de circuncisão das árvores, para que seu fruto pudesse ser consumido legitimamente pelos filhos de Israel. Todas as coisas são sagradas; todas as coisas estão debaixo do controle de Yahweh.

■ **19.24**

וּבַשָּׁנָה הָרְבִיעִת יִהְיֶה כָּל־פִּרְיוֹ קֹדֶשׁ הִלּוּלִים לַיהוָה׃

No quarto ano. Toda a produção de frutos de uma árvore, no seu quarto ano de produção, era dedicada a Yahweh, como um ato de agradecimento. Esse era o começo da circuncisão simbólica de uma árvore, o que se completava quando, no quinto ano, seu fruto era *colhido* a fim de ser consumido pelos filhos de Israel.

A Oferenda do Quarto Ano. Os frutos de uma árvore, nesse ano, eram tirados e levados ao santuário (ou ao templo, quando este foi construído). O proprietário da árvore e os pobres tinham então uma espécie de refeição comunal, em honra a Yahweh, a fonte originária de todas as coisas boas. A generosidade do Senhor era assim reconhecida, por meio dessa refeição. Ele era o convidado invisível que estava vendo todas as coisas. E o que não fosse consumido, ficava para os sacerdotes.

Primícias. As primícias envolviam três coisas: A messe dos campos (Êx 34.19,20; Dt 15.19); os primeiros frutos das árvores frutíferas (esta passagem); os filhos (Êx 13.2; Nm 8.16-18). Um proprietário podia *redimir* os produtos agrícolas pagando uma quinta parte de seu valor; e então esses produtos estavam à sua disposição, para ele usá-los como melhor entendesse. Ver no *Dicionário* o artigo detalhado chamado *Primícias.* Esse artigo preenche muitos detalhes que não foram ventilados nesta exposição, além de aclarar várias metáforas envolvidas.

■ **19.25**

וּבַשָּׁנָה הַחֲמִישִׁת תֹּאכְלוּ אֶת־פִּרְיוֹ לְהוֹסִיף לָכֶם תְּבוּאָתוֹ אֲנִי יְהוָה אֱלֹהֵיכֶם׃

No quinto ano. Nesse ano, a árvore era *desnudada* de seu fruto, ficando assim completa a circuncisão da árvore. Dali por diante, o fruto daquela árvore pertencia ao proprietário, para uso próprio ou para comercialização. Daquele ano em diante, por assim dizer, a árvore ficava santificada. Tinha sido devidamente reconhecido que Yahweh é que havia dado aquela árvore. Deus é a origem de todas as coisas boas (Tg 1.17). Aquela árvore frutífera havia sido remida mediante o processo dos quatro anos, e não se exigia mais nenhum tipo de redenção além disso. Supunha-se que, se fossem seguidas essas regras acerca da disposição dos frutos de uma árvore, isso garantia a sua *produtividade,* tal como o pagamento de dízimos é considerado um meio que garante a prosperidade material.

Eu sou o Senhor vosso Deus. Essa expressão, em sua íntegra, como aqui, ou em forma abreviada: "Eu sou o Senhor", ocorre por dezesseis vezes, neste capítulo 19 de Levítico. Essa expressão é usada para acentuar que Yahweh era Senhor e Deus dos filhos de Israel, aquele que controlava todas as coisas. Ver Levítico 18.30 quanto a outras notas expositivas; e quanto ao chamado *Código de Santidade,* ver a introdução ao capítulo 17 de Levítico. Esse código presumivelmente continha essa expressão muito repetida, como uma de suas características literárias.

■ **19.26**

לֹא תֹאכְלוּ עַל־הַדָּם לֹא תְנַחֲשׁוּ וְלֹא תְעוֹנֵנוּ׃

Continuam aqui as muitas *leis miscelâneas* (reunidas neste capítulo 19 de Levítico). Este versículo contém três dessas leis, a saber:

Não comereis cousa alguma com sangue. Parece que essa lei não equivale a "não comer carne que não tenha sido drenada de seu sangue". Aos israelitas era vedado ingerir sangue sob qualquer forma (ver Lv 3.17). Mas não é isso que está em destaque aqui. Antes, parece haver alusão a uma antiga prática pagã, embora isso não seja aqui explicado. Os zabis, para obterem favor diante de deuses, semideuses ou demônios, recolhiam o sangue dos sacrifícios oferecidos a tais entidades, punham-no em um vaso (ou escavavam um buraco no chão, e ali vertiam o sangue) e então sentavam-se *ao redor,* a fim de comerem o sangue. Esse era um rito supersticioso do paganismo, que honrava a falsos deuses. E Israel não podia imitar tais superstições pagãs.

Nos dias do segundo templo, essa primeira proibição recebia cinco aplicações:
a) Aquela que acabamos de descrever.
b) Um animal sacrificado não podia ser comido de imediato, mesmo que seu sangue tivesse sido devidamente drenado, se porventura exibisse qualquer sinal de vida, estando o corpo ainda tremendo.
c) A carne de um animal sacrificado não podia ser comida enquanto o sangue ainda estivesse em um vaso, isto é, antes de o sangue ser vertido ou aspergido sobre o altar. Essas coisas tinham de ocorrer primeiro.

d) Um tribunal de justiça que tivesse ordenado uma execução capital não podia comer no dia em que o condenado sofresse sua pena. O dia inteiro era um dia de jejum total.
e) Um homem não podia agir como um glutão, começando a comer do sacrifício antes que o sangue fosse usado na aspersão, ou seja, enquanto ainda estivesse no vaso que o continha.

Não agourareis. Essa é a segunda coisa proibida neste versículo. Ver no *Dicionário* os artigos intitulados *Encantador; Encantamento de Serpentes* e *Presságio*. Nos dias do segundo templo, entendia-se que isso proibia augúrios, fossem eles bons ou maus, baseados em pequenos incidentes como: uma criança chamava; um objeto perdido era achado; o cobrador de impostos batia à porta; uma serpente cruzava o caminho de alguém; uma raposa corria pelo lado esquerdo de um caminho etc. Diante de pequenas coisas como essas, um indivíduo supersticioso poderia dizer: "Isso é um bom agouro". Ou então: "Isso é um mau agouro". Mas o homem espiritual não se envolve com tais superstições. Mas há estudiosos que pensam que está aqui em foco a adivinhação por meio de serpentes. Ver no *Dicionário* o verbete intitulado *Adivinhação*.

Nem adivinhareis. No original hebraico, a palavra correspondente está ligada a "aves". Por isso mesmo, alguns têm pensado que seria uma adivinhação dependente do voo e de outros pequenos atos das aves. Mas nos dias do segundo templo, estava em pauta a proibição acerca da noção de dias de sorte ou de falta de sorte, de estações ou meses apropriados etc. Estariam em foco superstições como: "Hoje é dia de sorte, porque é segunda-feira". Ou então: "Hoje é dia de má sorte, porque é sexta-feira, dia treze". Cf. Gênesis 30.7 e 44.5. Isso nos faz lembrar de práticas supersticiosas modernas, como a astrologia, os horóscopos, as cartas de tarô, e coisas semelhantes, tudo o que é estritamente proibido na Bíblia. Ver Levítico 19.31; 20.6,27 e Deuteronômio 18.10.

■ 19.27

לֹא תַקִּפוּ פְּאַת רֹאשְׁכֶם וְלֹא תַשְׁחִית אֵת פְּאַת זְקָנֶךָ׃

Não cortareis o cabelo. Estão em evidência certas maneiras de cortar ou aparar os cabelos, que tinham base nos ritos pagãos em que os cabelos eram cortados e oferecidos a falsas divindades. Também havia cortes especiais de cabelos, representando certas adorações idólatras. O cabelo era cortado em redor das têmporas e a cabeça era deixada calva, excetuando uma espécie de coroa baixa (mais ou menos como fazem atualmente os hindus). Esse tipo de corte de cabelo era adotado pelos adoradores do deus Orotal, das tribos árabes. Assim, os árabes eram chamados "aqueles que cortam os cabelos nas têmporas", o que é refletido em Jeremias 9.25,26; 25.23 e 49.32.

As extremidades da barba. Também havia aqueles que desfiguravam a barba, dando-lhe alguma aparência desnatural, um ato que também envolvia costumes idolátricos. Os hebreus e outros povos antigos consideravam a barba o maior ornamento masculino, algo a que davam grande valor, tal como os cabelos longos e belos de uma mulher são um dos fatores de sua beleza. Quanto a notas expositivas completas sobre essa questão, com referências bíblicas, ver no *Dicionário* o artigo intitulado *Barba*. Os pagãos cortavam sua barba e apresentavam seus cabelos às divindades, como um sacrifício precioso, por mais que isso nos pareça difícil de entender.

■ 19.28

וְשֶׂרֶט לָנֶפֶשׁ לֹא תִתְּנוּ בִּבְשַׂרְכֶם וּכְתֹבֶת קַעֲקַע לֹא תִתְּנוּ בָּכֶם אֲנִי יְהוָה׃

Não ferireis a vossa carne. Essa é uma proibição contra as mutilações. Muitos povos pagãos lamentavam-se desse modo pelos mortos. Quem lamentava por um morto cortava-se como se fosse um sinal de consternação pela morte de um parente ou amigo, pensando que isso adicionava algo à sinceridade de sua lamentação. Tais atos eram estritamente proibidos em Israel. Ver no *Dicionário* o artigo chamado *Lamentação*. Há alusão a tal prática em Israel, em trechos como Jeremias 16.6 e 41.5. Ver no *Dicionário* o artigo *Sepultamento, Costumes de*. O homem espiritual não pode desfigurar o seu corpo, o qual é uma dádiva de Deus para servir de veículo da alma. Ver Levítico 21.5 e Deuteronômio 14.1.

Nem fareis marca nenhuma sobre vós. Isso condena a tatuagem, que é outra forma de mutilação, posto que superficial. A tatuagem era praticada entre várias nações antigas, algumas vezes em conexão com as práticas da idolatria. Figuras, marcas ou letras eram tatuadas sobre a pele mediante a injeção de tintas na epiderme. Queimar com ferro em brasa era outra maneira de tatuar. Um escravo tinha a marca de seu proprietário impressa sobre ele; as prostitutas também eram assim marcadas; palavras sagradas eram tatuadas na pele dos adoradores pagãos. O homem espiritual, porém, evita todas as práticas dessa ordem, porquanto reconhece que foi criado à imagem de Deus (Gn 1.26,27), e seu corpo não pode ser desfigurado, pois pertence somente a Yahweh. Ver Isaías 44.5; Apocalipse 13.17; 14.1.

Eu sou o Senhor. Essa forma, como aquela mais completa, "eu sou o Senhor, vosso Deus", assinala divisões no livro de Levítico, o que acontece por dezesseis vezes, só neste capítulo 19 de Levítico. Ver Levítico 18.30 quanto a uma explicação sobre seu uso. No *Código de Santidade*, sobre o que falamos na introdução ao capítulo 17 de Levítico, essa frase seria uma de suas características literárias.

■ 19.29

אַל־תְּחַלֵּל אֶת־בִּתְּךָ לְהַזְנוֹתָהּ וְלֹא־תִזְנֶה הָאָרֶץ וּמָלְאָה הָאָרֶץ זִמָּה׃

Contra a Prostituição Cultual. As prostitutas antigas, tal como as de nossos dias, queriam dinheiro. Se um homem, em desesperada situação financeira, quisesse explorar uma filha sua como prostituta, o que está em pauta neste versículo, provavelmente a fizesse tornar-se uma prostituta cultual. A garota ficaria à disposição dos homens em algum templo pagão, que eram os antigos bordéis, e ganhava dinheiro para benefício do culto, para sua manutenção. Alguns intérpretes supõem que ambos os atos estejam em vista, ou seja, a prostituição cultual e a prostituição privada. Se tal atitude pudesse ser aceita no povo de Israel, em breve haveria toda uma população de adolescentes femininas, entregues por seus pais aos templos pagãos, ganhando dinheiro. A adoração a Astarte (no Antigo Testamento, *Astarote*, ver a respeito no *Dicionário*) era um culto pagão popular da época, que atraía muitas jovens para a prostituição cultual.

Justino diz-nos que as mulheres cipriotas eram comumente entregues à prostituição por seus próprios maridos, a fim de que elas ganhassem dinheiro para eles. Agostinho adiantou que os fenícios davam dádivas em dinheiro, a Vênus, dinheiro ganho mediante a prostituição de suas próprias filhas (*De Civit. Dei.* liv. xvii. c. 5).

■ 19.30

אֶת־שַׁבְּתֹתַי תִּשְׁמֹרוּ וּמִקְדָּשִׁי תִּירָאוּ אֲנִי יְהוָה׃

Guardareis os meus sábados e reverenciareis o meu santuário. A adoração a Deus não podia ser nem abusada nem negligenciada. As leis baixadas por Yahweh precisavam ser postas em vigor, com sanções penais. No terceiro versículo deste capítulo já vimos e anotamos algo sobre a lei do sábado. Naquele ponto várias outras referências são dadas, onde existem outras notas expositivas. Além disso há outros artigos, no *Dicionário*, sobre essa questão. A guarda do sábado era o *quarto* mandamento do decálogo. Ver Êxodo 20.8-11. Era o *sinal do Pacto Mosaico*, o que é salientado na introdução ao capítulo 19 do livro de Êxodo.

Santuário. O tabernáculo com todos os seus ritos, laboriosamente descritos no livro de Levítico. O autor sagrado, talvez o autor do chamado *Código de Santidade* (ver a respeito na introdução ao capítulo 17), exigia que seus leitores observassem *tudo* que ele dizia acerca do tabernáculo e seu culto, porquanto esses preceitos tinham sido ordenados por Yahweh.

Os israelitas costumavam frequentar o santuário nos dias de sábado (Êx 36.3). A reverência pelas instituições ordenadas por Yahweh haveria de salvar os hebreus das *muitas* poluções descritas desde o capítulo 17 de Levítico até este ponto.

■ 19.31

אַל־תִּפְנוּ אֶל־הָאֹבֹת וְאֶל־הַיִּדְּעֹנִים אַל־תְּבַקְשׁוּ לְטָמְאָה בָהֶם אֲנִי יְהוָה אֱלֹהֵיכֶם׃

Necromantes... adivinhos. Algumas traduções dizem aqui "espíritos familiares", ou seja, espíritos de qualquer categoria que entravam em termos amigáveis com um "médium", tornando-se, por assim dizer, membro da família, em relação íntima com algum ser humano. A *necromancia* supostamente entra em contato e consulta os mortos. Ou talvez algum espírito demoníaco se faça passar pelo morto. Ver no *Dicionário* o artigo sobre esse assunto. Ver ali, igualmente, o artigo intitulado *Magia e Feitiçaria*. Os *adivinhos*, por sua vez, apelavam para meios como a rabdomancia (varetas ou flechas atiradas ao ar), hepatoscopia (exame do fígado de animais mortos), terafins (imagens de antepassados mortos, que parece ter sido uma espécie de espiritismo), astrologia (com base nas posições dos astros), hidromancia (que sempre envolvia a água, talvez em uma taça cheia desse líquido), sonhos (interpretados conforme ideias supersticiosas), sortes (por muitas vezes lançadas no regaço de uma pessoa), e um sem-número de outros métodos, todos eles errados, principalmente por rejeitarem aquela orientação que o crente deve buscar no Deus vivo.

Saul apelou para a necromancia (1Sm 28.3). E o rei Manassés consultava alegados espíritos de mortos. Josias, porém, proibiu tal prática. Ver 2Reis 21.6 e 23.24.

É difícil entendermos exatamente o que foi proibido nos dias de Moisés, embora a interpretação de suas proibições se tenha tornado mais fácil uma vez que a doutrina da alma veio fazer parte da teologia dos hebreus, já no tempo dos Salmos e dos Profetas.

Observações:

1. A antiga teologia dos hebreus defendia a crença no Ser Divino (Yahweh) e em seres angelicais, ou elevados poderes espirituais, tanto positivos quanto negativos. Eles pensavam que o contato com esses seres angelicais era possível, e o contato com Yahweh é descrito como algo bastante comum no Pentateuco. O *misticismo* (ver a esse respeito no *Dicionário*) era algo comum e aprovado, embora, como é óbvio, existam formas falsas e prejudiciais de misticismo, que devem ser evitadas. Ao consultar o referido artigo, o leitor obterá compreensão sobre como essa palavra, "misticismo", é usada na teologia e na filosofia. O contato com algum poder maior que nós mesmos é um dos aspectos do misticismo, algo pelo que devemos buscar, contanto que da maneira certa, ensinada na Bíblia. Assim o misticismo (quando é legítimo) não é proibido neste texto, nem em qualquer outra porção da Bíblia. Pelo contrário, as Escrituras nos encorajam a buscar o Espírito (o que é a forma correta de misticismo).

2. A teologia hebreia do *Pentateuco* não incluía a crença na alma imaterial do homem. Não há ali nenhum aviso àqueles que se conduzissem mal, para "depois desta vida", de que pagariam por isso; nem havia promessa alguma de bem-aventurança aos que se dedicassem ao bem, para "depois desta vida". Tais doutrinas começaram a participar da teologia hebreia no tempo dos Salmos e dos Profetas, e foram ainda mais bem desenvolvidas no período intermediário (entre o Antigo e o Novo Testamento), nos livros apócrifos e pseudepígrafos. Mas nos dias de Moisés não podiam estar em foco os chamados *espíritos familiares* (se estes tivessem de ser considerados espíritos *humanos* desencarnados). Mas poderíamos pensar em algum tipo de espírito demoníaco, alguma espécie de espíritos relacionados aos anjos, ou talvez espíritos angelicais caídos, embora essa doutrina também tenha sido elaborada *após* a época de Moisés.

3. Depois da época de Moisés, espíritos, atraídos por meios mediúnicos, eram vistos como espíritos humanos desencarnados. Alguns desses espíritos seriam bons, e outros seriam maus. Fosse como fosse, a prática de invocar os espíritos era condenada. Ver no *Dicionário* o verbete intitulado *Necromancia*, que fornece abundantes ilustrações.

4. Com a passagem do tempo, os espíritos que pudessem ser invocados para ajudar a um médium eram concebidos como anjos caídos. Mas isso já foi um desenvolvimento da teologia posterior dos hebreus. *Ambas* essas ideias, pois, foram herdadas pelo cristianismo.

5. *Uma deficiência na teologia hebreia*. Os hebreus, que desconheciam praticamente tudo sobre os fenômenos psíquicos, não ofereceram descrição exata sobre como seria a alma humana, quais as suas capacidades etc. Os hebreus não concebiam que toda forma de alegados fenômenos com *espíritos* pudesse ser manifestação da pessoa *humana*. As pesquisas psíquicas têm mostrado, de forma inequívoca, que coisas como a telepatia, a psicocinese, o conhecimento prévio, a retrocognição, as curas e muitos outros poderes psíquicos são *inerentes* à própria personalidade humana. Isso posto, um chamado "médium" podia ser uma pessoa que tinha aprendido a manipular seus próprios poderes inatos. Esses poderes são neutros em si mesmos, mas podem ser usados positiva ou negativamente. Os estudos sobre os sonhos mostram que temos entre vinte e trinta sonhos por noite, e que todo o nosso futuro é coberto por esses sonhos, em sentido literal ou simbólico. Isso posto, todas as pessoas conhecem o seu futuro e, se pudéssemos aprender como sondar os nossos sonhos, então entraríamos, de maneira natural, no conhecimento acerca do futuro. O homem é apenas um pouco menor do que os anjos, e é naturalmente dotado de muitos poderes. Ademais, se não fosse um fenômeno psíquico, uma pessoa nem ao menos poderia mover o seu corpo físico. Um ato de *psicocinese* (a matéria movimentada pelo poder psíquico) torna-se mister para respirarmos, movermos um artelho ou andarmos. Muitos evangélicos modernos têm permanecido no mesmo nível deficiente da antiga teologia dos hebreus, conseguindo manter-se na ignorância dos grandes avanços do conhecimento humano, espiritual ou não, ignorância essa que faz a teologia dos antigos hebreus ser obsoleta para nós, em diversos sentidos. A epístola aos Hebreus, no Novo Testamento, dá a entender a natureza obsoleta de muito da teologia dos hebreus. E essa teologia também é obsoleta quanto a *outros assuntos* que não foram abordados pela epístola aos Hebreus.

6. *Outra deficiência* da teologia dos hebreus (também compartilhada por muitos crentes modernos) era que eles não percebiam quão limitadas eram as definições que ofereciam sobre os "seres espirituais invisíveis". Há muitas formas de seres espirituais que os termos *anjos* (seres espirituais bons) e *demônios* (seres espirituais malignos) não incluem. Há evidências que mostram que existem *muitas* espécies de seres espirituais que não podem ser cobertas por essas definições simplistas. Alguns desses seres são inferiores, na escala, aos espíritos humanos, e outros são superiores aos espíritos humanos. Várias dessas espécies poderiam explicar o contato de *espíritos* com os chamados "médiuns", embora não fique garantido, de antemão, que o contato será "bom" ou "mau". Estou afirmando que várias espécies de entidades podem ser *casos contatados*. E esses contatos podem ser bons ou maus. E também podem não ser nem úteis nem daninhos. Por isso, para evitarmos maus contatos, nossa recomendação é: "Não se envolva com essas coisas". Era o que determinavam as proibições mosaicas.

7. *O mundo intermediário*. Devemos ressaltar ainda outra deficiência da teologia dos hebreus no tocante aos "espíritos lá fora", pois ela não oferecia nenhuma definição precisa sobre esses espíritos (quando eles não eram mesmo totalmente ignorados). Existe um mundo intermediário de seres humanos, puros espíritos humanos, que se acham em um estado intermediário. Algumas almas humanas negativas poderiam ser chamadas, com todo o direito, de *demônios*. Mas outras são apenas o que foram neste mundo, um misto de bem e de mal, pelo que dificilmente podem ser classificadas como "demônios". Há provas de que é possível o contato com vários níveis morais de almas humanas. Mas nem por isso o contato com elas é desejável, a menos que, em casos excepcionais, sob a permissão de Deus (ver o caso que envolveu o rei Saul e o profeta Samuel, já morto, em 1Sm 28.1-25). Muitos crentes têm-se mantido dentro desse nível ultrapassado da teologia hebreia, pelo que só podem ver as coisas em branco e preto. Mas o mundo espiritual não pode ser reduzido à simplicidade dessa revelação hebreia, que não dispunha das revelações que a teologia cristã nos dá.

8. Chamar os fenômenos psíquicos de *ocultismo* equivale a dizer que todos nós estamos envolvidos no ocultismo, pois todas as pessoas passam, *constantemente*, por experiências psíquicas. Além disso, rotular as investigações científicas sobre o que faz parte do campo do psíquico como se fossem intromissões no ocultismo, resulta da ignorância, da desinformação. *Que as pesquisas continuem*. A ignorância não traz vantagem nenhuma.

Conclusão. Consideremos os pontos abaixo:

a) O versículo que ora comentamos, Levítico 19.31, *não pode* ser legitimamente usado como texto de prova contra fenômenos psíquicos legítimos, e muito menos que não devemos pesquisar as questões psíquicas. É tão legítimo pesquisar a psique humana e de outras entidades, como é legítimo pesquisar disciplinas como a biologia ou a fisiologia.

b) Os fenômenos psíquicos são neutros em si mesmos, quando produzidos por seres não-malignos, incluindo o homem, como *características humanas inerentes*. Naturalmente, seres malignos, que também possuem esses poderes, usam-nos com maus propósitos, procurando enganar os homens.

c) Em uma época em que havia pouco conhecimento disponível, era *sábio* que a legislação mosaica proibisse contato com espíritos e "médiuns" de qualquer tipo, pela simples razão de que uma proibição geral impediria maus resultados. Quando erguemos uma antena sintonizada com o mundo desconhecido dos espíritos, qualquer coisa pode acontecer. A menos que haja conhecimento suficiente, é melhor não erguer nenhuma antena. O contato com espíritos malignos polui e desvirtua. Por isso mesmo, até mesmo nós, do Novo Testamento, sem desprezar o verdadeiro misticismo (o contato com o Espírito de Deus), não devemos buscar ativamente o contato com o mundo dos espíritos. Os resultados frequentemente serão negativos. Ver, por exemplo, 1Timóteo 4.1 ss.; 2Timóteo 3.13; 1João 4.1-6.

d) Também devemos lembrar que aqueles que manuseavam essas coisas, proibidas no presente versículo, pertenciam a *cultos antiyahwísticos*. Estavam fora da fé revelada a Israel. Promoviam o paganismo e a idolatria, enganando aos homens. Não eram simples indivíduos que exerciam seus poderes psíquicos. Portanto, o contato com os espíritos foi proibido. E teria mudado o quadro, hoje em dia, no mundo incrédulo lá fora? Daí as advertências bíblicas não cessam no Novo Testamento. Antes, elas têm o mesmo tom de urgência que se via no Antigo Testamento.

e) Contudo, *pesquisas* devem prosseguir em *todos* os campos do conhecimento e das atividades humanas. Mas é *errado* fazer do psiquismo uma *religião*. Nossa fé religiosa deveria atingir alturas superiores ao mero contato com espíritos de qualquer variedade.

f) Parte do moderno movimento carismático, infelizmente, vê-se envolvida em coisas que Levítico 19.31 condena, mas nem por isso devemos repelir o movimento inteiro. Investigações precisam continuar, sob a égide dos ensinos bíblicos. Buscar o contato com o Espírito de Deus jamais será errado; buscar contato com espíritos em geral será sempre algo ilícito e pecaminoso para o crente no Senhor Jesus. Ver na *Enciclopédia de Bíblia, Teologia e Filosofia* o verbete chamado *Movimento Carismático*. Também foram apresentados ali outros artigos esclarecedores no tocante às questões psíquicas. Ver, por exemplo: *Parapsicologia; Espiritismo; Experiências Perto da Morte* e *Projeção da Psique*.

Eu sou o Senhor vosso Deus. Uma expressão repetida por dezesseis vezes neste capítulo 19 de Levítico. Ver as notas completas sobre Levítico 18.30 quanto às suas implicações.

■ 19.32

מִפְּנֵי שֵׂיבָה תָּקוּם וְהָדַרְתָּ פְּנֵי זָקֵן וְיָרֵאתָ מֵּאֱלֹהֶיךָ
אֲנִי יְהוָה: פ

Diante das cãs te levantarás. A mensagem deste versículo é o respeito aos mais velhos. Cf. Jó 12.12; 32.7. O próprio Deus é intitulado de Ancião de Dias (Dn 7.9,13,22). Fica entendido que, pelo tempo em que um homem envelhece, terá obtido sabedoria suficiente para merecer o respeito dos jovens. Ele pode ter coisas aproveitáveis para dizer; ele pode advertir contra maus caminhos. E mesmo que isso não seja verdade no caso de todos os anciãos, tal pessoa é fisicamente débil, pelo que devemos ajudá-la. Nos dias do segundo templo, havia bênçãos especiais proferidas sobre aquele que cuidasse de membros idosos de sua família. Até hoje, quando um homem idoso entra em um recinto, os judeus piedosos levantam-se, para mostrar-lhe respeito. Ver Gênesis 48.12, o caso de José que se inclinou diante de Jacó.

No entanto, sempre que a humanidade está em grave crise moral, manifesta-se aqui o que se convencionou chamar de "choque de gerações", e isso em uma escala altíssima. Foi o que sucedeu quando o Antigo Testamento se estava encerrando (ver Ml 4.5,6). É o que está profetizado para os últimos dias, pouco antes do segundo advento de Cristo (ver 2Tm 3.1 ss).

■ 19.33

וְכִי־יָגוּר אִתְּךָ גֵּר בְּאַרְצְכֶם לֹא תוֹנוּ אֹתוֹ:

O estrangeiro... não o oprimireis. É fácil perseguir aquele que é diferente. Um estrangeiro traz coisas, ideias e práticas diferentes. Torna-se, pois, alvo fácil de maus-tratos. Esse "estrangeiro", neste caso, provavelmente representa aqueles que se convertiam ao yahwismo, ou aqueles que se tornavam residentes permanentes em Israel, pessoas que provavelmente se converteriam ao judaísmo. Isso já era um motivo religioso para um bom tratamento, mas o aspecto humanitário é o principal. Qualquer homem é um irmão. Deveria ser tratado como tal. Ver a atitude de Jesus, em Lucas 10.29 ss.

Dos estrangeiros esperava-se que observassem a legislação mosaica, e isto também os beneficiaria. Um estrangeiro convertido tinha de prometer lealdade a Yahweh, observando os preceitos levíticos. Assim, religiosamente falando, tornava-se um hebreu, mesmo que não o fosse racialmente. Ver Levítico 16.29; 17.8,9; 22.18. Ver também Levítico 18.26 e 24.16-22.

A opressão a um estrangeiro podia dar-se de modo verbal, judicial, financeiro, religioso, racial, ou através de atos de perseguição, inspirados pelo preconceito. A lei geral do amor deveria prevalecer, conforme encarece o versículo seguinte.

■ 19.34

כְּאֶזְרָח מִכֶּם יִהְיֶה לָכֶם הַגֵּר הַגָּר אִתְּכֶם וְאָהַבְתָּ
לוֹ כָּמוֹךָ כִּי־גֵרִים הֱיִיתֶם בְּאֶרֶץ מִצְרָיִם אֲנִי יְהוָה
אֱלֹהֵיכֶם:

Amá-lo-eis como a vós mesmos. Todo homem é objeto de amor, o primeiro e maior dos princípios da espiritualidade. Deus amou o *mundo* (a humanidade), e não apenas Israel (Jo 3.16). Deus interessou-se até pelo gado de Nínive, e quanto mais por seus habitantes humanos (ver Jn 4.11).

Temos aqui o *segundo* maior mandamento da lei, segundo a avaliação de Jesus. Ver Levítico 19.18. Naquele versículo nos fora recomendado o amor altruísta pelo próximo e, agora, pelo estrangeiro. Ver as notas sobre aquele versículo, que também têm aplicação aqui. Ver no *Dicionário* o verbete chamado *Amor*. Os dois grandes sustentáculos da espiritualidade são o amor e o conhecimento.

Estrangeiros fostes na terra do Egito. A experiência do povo de Israel no Egito foi essencialmente negativa. Israel sofreu perseguições no Egito. Houve uma experiência dolorosa, inspirada pelo ódio. Israel, pois, não deveria imitar esse mau exemplo. O apelo à experiência de Israel como estrangeiros no Egito, aparece por *quatro* vezes no Pentateuco. Ver Êxodo 22.21; 23.9; aqui e em Deuteronômio 10.19. Cada um desses apelos contém uma admoestação para que os israelitas tratassem bem aos forasteiros, como um dever civil e religioso. Que o leitor examine o resto de meus comentários a respeito em Levítico 19.18.

■ 19.35

לֹא־תַעֲשׂוּ עָוֶל בַּמִּשְׁפָּט בַּמִּדָּה בַּמִּשְׁקָל וּבַמְּשׂוּרָה:

Injustiças Comerciais. Enganar em questões financeiras, usar de desonestidade nos negócios, são fraquezas humanas comuns que afetam as multidões, incluindo um número inacreditável de crentes. Mas "a honestidade nos negócios exemplifica a santidade prática que o Senhor espera de nós (cf. Dt 25.13-16; Pv 11.1; 16.11; 20.10,23; Am 8.5; Mq 6.11; Os 12.8)" (F. Duane Lindsey, *in loc.*). A desonestidade que envolve dinheiro é uma forma de *furto*, o que é condenado no vs.11 deste capítulo.

Aquele que usasse de desonestidade nos pesos e nas medidas, em sua atividade comercial, era julgado tão culpado quanto um juiz corrupto que *vendesse* suas decisões para quem tivesse mais dinheiro para pagar. Pesos e medidas justos foram determinados por Yahweh (Dt 25.13,15; Ez 45.10-12).

Na época do segundo templo, a desonestidade nos negócios e pesos incorretos faziam um homem tornar-se culpado em *cinco* sentidos: 1. Ele contaminava a terra. 2. Ele profanava o nome de Deus. 3. Ele fazia a glória *shekinah* ir-se de Israel. 4. Ele fazia os israelitas perecerem à espada. 5. Ele contribuía como causa dos cativeiros de Israel.

19.36

מֹאזְנֵי צֶדֶק אַבְנֵי־צֶדֶק אֵיפַת צֶדֶק וְהִין צֶדֶק יִהְיֶה לָכֶם אֲנִי יְהוָה אֱלֹהֵיכֶם אֲשֶׁר־הוֹצֵאתִי אֶתְכֶם מֵאֶרֶץ מִצְרָיִם׃

A fim de ilustrar pesos justos, requeridos pela lei mosaica, o autor sagrado apresenta dois casos: o *efa* (uma medida para secos) e o *him* (uma medida para líquidos). Um efa equivalia a dez *ômeres* (Lv 14.10). Ver as notas sobre esse versículo, acerca de quanto essas medidas valiam em relação ao nosso sistema métrico decimal. Um *efa* era o equivalente a cerca de 2 kg. Em termos práticos, um *efa* equivalia a 43 ovos de galinha; um *him*, a 72 ovos. Portanto, um *him* valia quase quatro litros. Esses dois pesos eram os mais usados no comércio varejista, o que explica por que foram usados como ilustração.

19.37

וּשְׁמַרְתֶּם אֶת־כָּל־חֻקֹּתַי וְאֶת־כָּל־מִשְׁפָּטַי וַעֲשִׂיתֶם אֹתָם אֲנִי יְהוָה׃ פ

Guardareis todos os meus estatutos. Os Dez Mandamentos originais (ver a respeito no *Dicionário*) foram sendo desdobrados naquilo que se tornou a complexa legislação mosaica. O livro de Levítico oferece-nos larga porção dessa legislação. O chamado *Código de Santidade* (que alguns pensam estar refletido nos capítulos 17—26 do livro de Levítico) talvez represente uma fonte informativa distinta do Pentateuco, tendo contribuído pesadamente para as leis contidas na legislação mosaica. Como essa legislação foi dada por inspiração divina, ela era absolutamente obrigatória para seus destinatários, o povo de Israel. Ver sobre o *Código de Santidade* na introdução ao capítulo 17 do livro de Levítico.

Este sumário é similar aos dados em Levítico 18.4 e 18.30, cujas notas expositivas também têm aplicação a este versículo. Todos os três sumários terminavam com a fórmula que diz "Eu sou o Senhor vosso Deus", a qual empresta aspecto solene às injunções divinas. Ver as notas a esse respeito em Levítico 18.30.

CAPÍTULO VINTE

PENAS PARA DIVERSOS CRIMES (20.1-27)

O capítulo 20 depende muito do capítulo 18, repetindo grande parte de seu material. Mas este capítulo dá as *penas* impostas aos crimes mencionados. Este capítulo fala muito em punição capital, o que usualmente era feito mediante apedrejamento. Em contraste com o que se vê hodiernamente, quando os governos relutam em executar quem quer que seja, sem importar quão hediondo tenha sido o seu crime, a legislação mosaica nos surpreende com a prontidão e, algumas vezes, com tão pequenos motivos, com que um homem podia ser executado em Israel. Ver no *Dicionário* o artigo chamado *Punição Capital*.

O Código de Santidade. Certo número de eruditos pensa que os capítulos 17 a 26 de Levítico refletem uma fonte informativa distinta do Pentateuco, à qual eles denominam *Código de Santidade*. É de presumir-se que esse código também reflita algum outro material bíblico, fora daqueles dez capítulos de Levítico (17—26). Ver a introdução ao capítulo 17 de Levítico quanto a explicações sobre esse ponto. Ver também, no *Dicionário*, o artigo intitulado *J.E.D.P.(S.)*.

Se este capítulo volta a dar atenção aos pecados de natureza sexual, mostrando os castigos respectivos, também faz requisitos adicionais acerca de coisas limpas e imundas. Ver no *Dicionário* o verbete chamado *Limpo e Imundo*.

"A severidade dos castigos baseava-se sobre a convicção de que Israel devia ser um povo santo, separado de todos os outros por meio de sua maneira de viver e de adorar (vss. 7,8,22-26)" (*Oxford Annotated Bible, in loc.*).

Os pecados aqui alistados, que requeriam punição capital, eram os que feriam a vida religiosa de Israel, a moral pessoal e certos atos hediondos. Entre esses estavam o homicídio premeditado (Êx 21.12; Nm 35; Dt 19); o homossexualismo (Lv 20.10; Dt 22.22); a blasfêmia (Lv 24.13-16,23); a idolatria (Dt 13.6-10); e a desobediência persistente às autoridades (Dt 17.12; 21.8-21). Ver no *Dicionário* o verbete intitulado *Ética do Antigo Testamento*.

20.1

וַיְדַבֵּר יְהוָה אֶל־מֹשֶׁה לֵּאמֹר׃

Disse mais o Senhor. Essa expressão é um artifício literário que foi usado pelo autor sagrado a fim de introduzir novas seções deste livro. Mas também lembra-nos da inspiração divina das Escrituras, pois estavam sendo apresentados recados enviados por Yahweh. Ver Levítico 1.1 e 4.1 quanto a amplas explicações a esse respeito. Ver a introdução a este capítulo (acima), quanto aos tipos de materiais apresentados no presente capítulo.

20.2

וְאֶל־בְּנֵי יִשְׂרָאֵל תֹּאמַר אִישׁ אִישׁ מִבְּנֵי יִשְׂרָאֵל וּמִן־הַגֵּר הַגָּר בְּיִשְׂרָאֵל אֲשֶׁר יִתֵּן מִזַּרְעוֹ לַמֹּלֶךְ מוֹת יוּמָת עַם הָאָרֶץ יִרְגְּמֻהוּ בָאָבֶן׃

Também dirás aos filhos de Israel. Moisés era o mediador entre Yahweh e o povo de Israel. A ele foi ordenado que transmitisse a mensagem à comunidade de Israel. O livro de Levítico encerra *oito* diferentes maneiras ou fórmulas de tratamento, que alistei nas notas sobre Levítico 17.2.

Não só os israelitas, mas também os estrangeiros que habitavam no país, quase todos convertidos ao yahwismo, precisavam guardar as leis que se seguem; se não as guardassem, sofreriam as mesmas penas dos hebreus.

Moloque (também chamado Moleque). Ver o artigo detalhado sobre essa divindade pagã, à qual eram sacrificadas crianças, passadas pelo fogo. Este capítulo 20 de Levítico reitera grande parte do material constante no capítulo 18. Assim, já vimos sobre a questão de *Moloque*, em Levítico 18.21. Ali há notas que se aplicam aqui.

Punição. O indivíduo que cometesse o crime hediondo de oferecer um sacrifício humano, fazendo seu próprio filho sofrer tão dolorosa morte, a fim de "honrar" a uma divindade pagã, era executado por apedrejamento. Ver no *Dicionário* o verbete chamado *Apedrejamento*.

A grande abundância de pedras, na Palestina, fazia do apedrejamento a mais comum das punições capitais. Essa também era uma maneira conveniente de alguém exprimir sua ira ou ódio. O Senhor Jesus foi por várias vezes ameaçado de apedrejamento, com base em trechos bíblicos como Êxodo 17.4; Números 14.10 e 1Samuel 30.6. Cf. João 10.31-33; 11.8. Isso também aconteceu com Paulo, segundo se vê em Atos 14.5,19. Há menção a apedrejamentos em 1Reis 12.18; 2Crônicas 24.21 e Atos 7.58,59. Ver completas informações sobre esse modo de execução no artigo mencionado acima.

20.3

וַאֲנִי אֶתֵּן אֶת־פָּנַי בָּאִישׁ הַהוּא וְהִכְרַתִּי אֹתוֹ מִקֶּרֶב עַמּוֹ כִּי מִזַּרְעוֹ נָתַן לַמֹּלֶךְ לְמַעַן טַמֵּא אֶת־מִקְדָּשִׁי וּלְחַלֵּל אֶת־שֵׁם קָדְשִׁי׃

Este versículo expande as declarações do versículo anterior, e de novo ressalta a ameaça de punição capital. Note-se que o "eliminarei" mencionado neste versículo é igual ao "apedrejará" do versículo segundo. Essa expressão quase sempre transmite a ideia de punição capital, e não apenas de exclusão. Naturalmente, a punição capital era a exclusão mais radical. Este versículo não ameaça apenas o juízo divino, sob a forma de alguma doença ou acidente. Antes, fala de punição capital *judicial*.

O pecado de oferecer um filho a Moloque contaminava o santuário do Senhor, pois *ali* era o lugar *legítimo* de oferecer sacrifícios. Qualquer outro tipo de sacrifício era uma afronta e uma contaminação contra o sistema sacrificial determinado por Yahweh. Além de contaminar o santuário de Deus, esses crimes nefandos também profanavam o bom nome de Yahweh, cujas leis se mostravam contrárias a atos tão bárbaros e primitivos.

Voltar-me-ei contra esse homem. Aquele que oferecesse um filho seu a Moloque teria de enfrentar a ira divina. Essa ira o levaria à morte. Ver também essa expressão, usada em Levítico 17.10; e 26.17.

Há notas expositivas na primeira dessas duas referências. No original hebraico temos "voltarei minha face (*panim*) contra esse homem". Como é claro, "face" é uma expressão antropomórfica. Ver no *Dicionário* o artigo intitulado *Antropomorfismo*.

Os mesmos indivíduos que hoje cometiam o bárbaro crime de sacrificar seus filhos a Moloque amanhã chegavam ao santuário de Yahweh para oferecer um sacrifício levítico. Tais pessoas viviam coxeando entre dois pensamentos, mas, antes, estavam envolvidas em um pecaminoso *sincretismo*.

Se o povo de Israel não cumprisse seu papel, apedrejando o culpado de culto a Moloque, ou, se de alguma maneira, o tal conseguisse escapar à detecção, o próprio Senhor cuidaria para que ele tivesse um triste fim, conforme se lê e explica nos comentários sobre os vss. 4 e 5 deste capítulo.

■ 20.4,5

וְאִם הַעְלֵם יַעְלִימוּ עַם הָאָרֶץ אֶת־עֵינֵיהֶם מִן־הָאִישׁ הַהוּא בְּתִתּוֹ מִזַּרְעוֹ לַמֹּלֶךְ לְבִלְתִּי הָמִית אֹתוֹ:

וְשַׂמְתִּי אֲנִי אֶת־פָּנַי בָּאִישׁ הַהוּא וּבְמִשְׁפַּחְתּוֹ וְהִכְרַתִּי אֹתוֹ וְאֵת כָּל־הַזֹּנִים אַחֲרָיו לִזְנוֹת אַחֲרֵי הַמֹּלֶךְ מִקֶּרֶב עַמָּם:

O autor sacro demorou-se um pouco mais sobre o assunto, fazendo mais ameaças contra o pecado de sacrifício humano. Ver no *Dicionário* o artigo chamado *Sacrifício Humano*. Talvez o povo de Israel se mostrasse negligente. "Então um homem matou seu filho! Ainda bem que não foi *meu* filho. Vamos esquecer isso!" É incrível quão indiferentes se mostram as pessoas diante de crimes e pecados hediondos! Em meio a uma população indiferente, onde ninguém tomava a iniciativa para levar o homicida à justiça, o culpado talvez conseguisse escapar. Este versículo permite-nos entender que muitos conseguiam escapar, dessa maneira. Muitas pessoas "olhavam na outra direção", não querendo envolver-se. Isso tornou-se praxe em nossas grandes cidades modernas. As vítimas de assaltos não são ajudadas pelos circunstantes, que temem por sua própria segurança. Ameaças da parte dos malfeitores, com medo de violência potencial, impedem outras pessoas de denunciarem os matadores e outros criminosos.

Um caso notório desse tipo sucedeu na cidade de Nova Iorque, não faz muitos anos. Um cidadão, da janela de sua residência, viu um homem que atacava uma mulher. A mulher gritava, dizendo que o homem estava procurando matá-la. O homem, que via a cena da sua janela, *compreendeu* por qual razão ela estava pedindo socorro. Todavia, em vez de tentar impedir o homicídio, chamou o seu *advogado* pelo telefone, perguntando o que deveria fazer. O advogado aconselhou-o a não se envolver. A mulher foi morta defronte da janela do homem. Ninguém se importou com o que estava acontecendo com ela.

Mas o homem que escape à detecção em face de algum crime, embora o fato se torne conhecido, não tendo assim de enfrentar a justiça humana, nem por isso ficará livre. Yahweh prometeu que tal criminoso terá um fim lamentável. Algum acidente ou enfermidade acabaria por eliminá-lo.

Com todos os que... se prostituem com Moloque. A idolatria é uma prostituição espiritual. Essa era uma comum associação mental para os hebreus. Sacrificar um filho a uma divindade pagã fazia parte da prostituição espiritual. É significativo que a idolatria pagã atraísse a prostituição religiosa. As duas coisas correm paralelas. Triste é dizê-lo, mas até hoje é em redor de muitos templos católicos romanos, onde a idolatria é bem conhecida, que se juntam as prostitutas para anunciar que estão à disposição dos prostitutos. Quanto à idolatria como uma prostituição espiritual, ver as notas sobre Isaías 1.21; Jeremias 13.27; Ezequiel 16.16 e Oseias 1.2. Ver também, no *Dicionário*, os dois artigos intitulados *Idolatria* e *Prostituição*.

■ 20.6

וְהַנֶּפֶשׁ אֲשֶׁר תִּפְנֶה אֶל־הָאֹבֹת וְאֶל־הַיִּדְּעֹנִים לִזְנוֹת אַחֲרֵיהֶם וְנָתַתִּי אֶת־פָּנַי בַּנֶּפֶשׁ הַהִוא וְהִכְרַתִּי אֹתוֹ מִקֶּרֶב עַמּוֹ:

A ameaçadora face de Yahweh também se voltaria contra aqueles que ao menos apelassem para os necromantes e os feiticeiros etc. E com o mesmo resultado fatal: punição capital, a "eliminação" mencionada no vs. 3, um paralelo do apedrejamento, mencionado no vs. 2 deste capítulo.

Este versículo é paralelo ao de Levítico 19.13, onde apresentei *extensas* notas expositivas que também se aplicam aqui. A questão das pesquisas psíquicas científicas está incluída nas notas daquela referência. Ver 1Crônicas 10.13,14 quanto a uma execução da sentença. O vs. 27 deste capítulo 20 de Levítico retorna a essa questão e menciona especificamente a morte por apedrejamento como a punição merecida pelos culpados.

■ 20.7,8

וְהִתְקַדִּשְׁתֶּם וִהְיִיתֶם קְדֹשִׁים כִּי אֲנִי יְהוָה אֱלֹהֵיכֶם:

וּשְׁמַרְתֶּם אֶת־חֻקֹּתַי וַעֲשִׂיתֶם אֹתָם אֲנִי יְהוָה מְקַדִּשְׁכֶם:

Santificai-vos, e sede santos. Há certas coisas que devem ser evitadas. Nossa geração tem bem poucos objetos sagrados. A profanação transformou-se em uma religião. As leis levíticas foram dadas para separar os israelitas dos povos pagãos. Precisamos reconhecer a diferença entre o bem e o mal; entre o moral e o imoral; entre o justo e o injusto. As Escrituras inspiradas nos fornecem as definições e distinções necessárias. *Leis específicas* ajudam-nos a fazer definições, e é isso que o oitavo versículo enfatiza. A ciência tem descoberto leis específicas que governam a atividade científica. Logo, existe muito valor em uma *ética de normas*. E se as regras não podem dar solução a todos os problemas da ética, elas servem para ajudar a conduta humana, tal como as leis científicas ajudam o avanço da ciência.

Ver as notas sobre Levítico 11.44, quanto a um verso mais elaborado, e que é, essencialmente, paralelo aos dois versículos à nossa frente. Um homem precisa santificar-se, pois cumpre-lhe ser santo como Deus é santo. Naturezas morais devem caminhar lado a lado: um homem precisa vir a compartilhar da natureza moral divina. Dessarte ele vai sendo transformado para que participe da própria natureza metafísica de Deus (2Pe 1.4), por meio da participação na imagem de Cristo (Rm 8.29; 1Jo 3.2). Sem essa transformação moral não poderá haver a transformação metafísica.

"Em meio mesmo dessa lista de pecados capitais, Deus apresenta exortações graciosas para que aceitemos a moralidade de seu pacto, motivados por sua própria santidade" (F. Duane Lindsey, *in loc.*).

Eu sou o Senhor vosso Deus. Nestes dois versículos, a expressão ocorre por duas vezes, uma expressão que alguns eruditos pensam caracterizar o chamado *Código de Santidade*, uma alegada fonte informativa distinta do Pentateuco. Ver a introdução ao capítulo 17 deste livro, quanto a esse código, e ver as notas sobre essa expressão em Levítico 18.30. Essa expressão empresta solenidade aos ensinos morais que vão sendo apresentados.

■ 20.9

כִּי־אִישׁ אִישׁ אֲשֶׁר יְקַלֵּל אֶת־אָבִיו וְאֶת־אִמּוֹ מוֹת יוּמָת אָבִיו וְאִמּוֹ קִלֵּל דָּמָיו בּוֹ:

Este versículo é uma forma mais elaborada de Levítico 19.3. Ver as notas expositivas ali, que também se aplicam aqui. O mandamento de honrarmos pai e mãe é o *quinto* mandamento do decálogo (Êx 20.12, onde há outras notas que também se aplicam aqui).

Aquele que deixasse de obedecer ao quinto mandamento era sentenciado à morte por apedrejamento. Ver também Êxodo 21.17; Provérbios 20.20. Ver no *Dicionário* o verbete *Apedrejamento*. A expressão "será eliminado" usualmente indica a punição capital. Ver as notas sobre o terceiro versículo deste capítulo.

■ 20.10

וְאִישׁ אֲשֶׁר יִנְאַף אֶת־אֵשֶׁת אִישׁ אֲשֶׁר יִנְאַף אֶת־אֵשֶׁת רֵעֵהוּ מוֹת־יוּמַת הַנֹּאֵף וְהַנֹּאָפֶת:

Se um homem adulterar. Este versículo reitera Levítico 18.20, cujas notas expositivas também têm aplicação aqui. Esse é o sétimo mandamento do decálogo. Ver Êxodo 20.14. Para tal pecado, a morte por apedrejamento era determinada (ver Dt 22.22-24). Mas alguns intérpretes judeus dizem que a expressão "será morto" indica morte por estrangulamento. Parece que essa era uma forma alternativa de execução. De acordo com os estudiosos, essa forma era recomendada para seis casos: 1. adultério; 2. bater no pai ou na mãe; 3. furto; 4. um ancião que se recusasse a obedecer aos decretos do sinédrio (Dt 17.12); 5. um profeta falso; 6. quem profetizasse em nome de uma divindade pagã. Talvez esse estrangulamento fosse executado mediante enforcamento. Mas outros métodos de execução podem ter sido usados.

Os versículos 10 a 21 levam-nos de volta aos crimes sexuais proibidos no capítulo 18 deste livro. Mas agora nos são dadas as punições determinadas contra tais pecados. Ver o *gráfico* na introdução ao capítulo 18, que ilustra essa questão.

■ 20.11

וְאִישׁ אֲשֶׁר יִשְׁכַּב אֶת־אֵשֶׁת אָבִיו עֶרְוַת אָבִיו גִּלָּה
מוֹת־יוּמְתוּ שְׁנֵיהֶם דְּמֵיהֶם בָּם׃

O homem que se deitar. O capítulo 18 denuncia várias formas de *incesto*. E este capítulo 20 nos mostra os castigos para esses crimes, embora o castigo não seja mencionado em vários dos casos.

Este versículo é paralelo de Levítico 18.8, onde o leitor deve buscar as notas expositivas. As palavras "seu sangue cairá sobre eles" significa a execução, provavelmente por apedrejamento, que deixava o corpo em uma polpa sangrenta. Ver no *Dicionário* o artigo chamado *Apedrejamento*. Ver também Levítico 20.27. Se um homem ousasse tocar em sua *madrasta*, seu fim seria triste. Neste versículo não é mencionada a mãe biológica de tal homem, embora fique entendido que, se nem uma madrasta servia de parceira de sexo, muito menos a mãe natural de um homem. Ver Levítico 18.7 quanto ao preceito contra o incesto com a própria mãe de um homem.

■ 20.12

וְאִישׁ אֲשֶׁר יִשְׁכַּב אֶת־כַּלָּתוֹ מוֹת יוּמְתוּ שְׁנֵיהֶם תֶּבֶל
עָשׂוּ דְּמֵיהֶם בָּם׃

A nora. Este versículo é paralelo de Levítico 18.15, onde se acham as notas expositivas. Se a nora de um homem consentisse com o ato, então compartilhava de igual culpa com ele, e ambos deveriam ser executados, provavelmente por meio de apedrejamento.

Fizeram confusão. Ou seja, algo contra a ordem natural das coisas. Ver também essa expressão em Levítico 18.23.

■ 20.13

וְאִישׁ אֲשֶׁר יִשְׁכַּב אֶת־זָכָר מִשְׁכְּבֵי אִשָּׁה תּוֹעֵבָה עָשׂוּ
שְׁנֵיהֶם מוֹת יוּמָתוּ דְּמֵיהֶם בָּם׃

Se... um homem se deitar com outro homem. Isso condena o homossexualismo. Este versículo tem paralelo em Levítico 18.22, onde aparecem as notas expositivas a respeito. Esse crime tanto causa *confusão* (ver o versículo anterior) quanto é uma *abominação* (este versículo e seu paralelo, Lv 18.22). A palavra "abominação" é empregada por treze vezes em Levítico, classificando vários tipos de pecado. "Os israelitas não abandonaram de vez esse vício abominável (Jz 19.22; 1Rs 14.24), tão adotado que era pelos povos circundantes, e que se mostrava tão prevalente nos dias dos apóstolos (Rm 1.27; 1Co 6.9; Gl 5.19; 1Tm 1.10). De acordo com a lei de Cristo, aqueles que se tornam culpados desse pecado estão excluídos do reino de Deus (1Co 6.9,10)" (Ellicott, comentando sobre Lv 18.22). A *pena* consistia em execução capital, por apedrejamento.

■ 20.14

וְאִישׁ אֲשֶׁר יִקַּח אֶת־אִשָּׁה וְאֶת־אִמָּהּ זִמָּה הִוא בָּאֵשׁ
יִשְׂרְפוּ אֹתוֹ וְאֶתְהֶן וְלֹא־תִהְיֶה זִמָּה בְּתוֹכְכֶם׃

Uma mulher e sua mãe. Ou seja, um homem ficava com sua mulher e com sua sogra. Esse tipo de incesto não é mencionado no capítulo 18 de Levítico, mas aparece na lista deste capítulo 20. Ver também Deuteronômio 27.23. A *pena* era a morte na *fogueira*, conforme vemos neste versículo. Conforme alguns têm proposto, talvez primeiro o culpado fosse apedrejado, e então seu corpo fosse queimado na fogueira. Outros supõem que as palavras "queimarão com fogo" signifiquem apenas ser *marcados* com ferro em brasa. A cicatriz deixada, pois, exibiria a vergonha do homem que ousara fazer sexo com sua própria sogra. A versão caldaica dá a entender que o castigo era derramar chumbo derretido garganta abaixo do culpado.

Execução na Fogueira. Essa forma de execução (uma das *quatro* formas; ver o segundo versículo deste capítulo) podia ser empregada para qualquer um desses crimes, conforme nos informam textos da época do segundo templo: 1. O caso do texto presente. 2. A filha de um sacerdote que se deixasse envolver pela prostituição (Lv 21.9). 3. O caso de um homem que praticasse sexo com sua própria filha (caso não mencionado no livro de Levítico). 4. O caso de um homem que praticasse sexo com uma neta, filha de um seu filho ou de uma sua filha. 5. O caso de um homem que praticasse sexo com uma enteada, filha de sua esposa, por meio de um casamento anterior. 6. O caso de um homem que praticasse sexo com uma neta de sua mulher, filha de um filho dessa mulher, ainda que não houvesse parentesco de sangue nesse caso. 7. O caso de um homem que praticasse sexo com a mãe da sogra. 8. O caso de um homem que praticasse sexo com a mãe do sogro.

■ 20.15,16

וְאִישׁ אֲשֶׁר יִתֵּן שְׁכָבְתּוֹ בִּבְהֵמָה מוֹת יוּמָת
וְאֶת־הַבְּהֵמָה תַּהֲרֹגוּ׃

וְאִשָּׁה אֲשֶׁר תִּקְרַב אֶל־כָּל־בְּהֵמָה לְרִבְעָה אֹתָהּ
וְהָרַגְתָּ אֶת־הָאִשָּׁה וְאֶת־הַבְּהֵמָה מוֹת יוּמָתוּ דְּמֵיהֶם
בָּם׃

Se... um homem se ajuntar com animal. Temos aqui o caso terrível de bestialidade. Estes dois versículos são paralelos a Levítico 18.23, onde aparecem as notas expositivas. Esse pecado é considerado uma *confusão* por quebrar a ordem natural das coisas. Ver essa palavra, que também é usada em Levítico 18.23 (versículo paralelo a este); e ver também Levítico 20.12, que destaca o pecado de incesto com uma *nora*.

■ 20.17

וְאִישׁ אֲשֶׁר־יִקַּח אֶת־אֲחֹתוֹ בַּת־אָבִיו אוֹ בַת־אִמּוֹ
וְרָאָה אֶת־עֶרְוָתָהּ וְהִיא־תִרְאֶה אֶת־עֶרְוָתוֹ חֶסֶד הוּא
וְנִכְרְתוּ לְעֵינֵי בְּנֵי עַמָּם עֶרְוַת אֲחֹתוֹ גִּלָּה עֲוֹנוֹ יִשָּׂא׃

Irmã por Parte de Pai ou por Parte de Mãe. Este versículo é paralelo a Levítico 18.9, onde dou o comentário. A pena imposta era a morte por apedrejamento. A expressão "levará sobre si a sua iniquidade", que aqui encontramos, indica que o culpado pagaria o devido preço pelo mal que havia praticado. Este versículo diz que o irmão viu a "nudez" da irmã, e vice-versa, e que isso é *torpeza*. Temos aqui um eufemismo para o ato sexual, embora também possam estar em pauta os preliminares desse ato.

Nem neste texto, nem naquele do capítulo 18 de Levítico há uma referência clara ao incesto com uma irmã de pai e mãe; mas esse caso fica subentendido na proibição, mesmo que não seja especificamente declarado.

■ 20.18

וְאִישׁ אֲשֶׁר־יִשְׁכַּב אֶת־אִשָּׁה דָּוָה וְגִלָּה אֶת־עֶרְוָתָהּ
אֶת־מְקֹרָהּ הֶעֱרָה וְהִיא גִּלְּתָה אֶת־מְקוֹר דָּמֶיהָ
וְנִכְרְתוּ שְׁנֵיהֶם מִקֶּרֶב עַמָּם׃

Mulher no tempo da enfermidade dela. Deve-se entender aqui o período menstrual da mulher. Este versículo ressalta um caso de *ato propositado*. Se o contato sexual acontecesse, durante esse período, por acidente, então sacrifícios de purificação tinham de ser efetuados. Este versículo tem paralelo em Levítico 18.19, onde são dadas as notas expositivas. Ver também Levítico 15.24.

Esse ato era considerado um crime porque "descobria a fonte do sangue" da mulher. E o sangue era aquele elemento sagrado, pelo que isso era um abuso contra o sangue. Ademais, considerava-se seu estado como de "enfermidade" ou imundícia cerimonial, e isso impossibilitava qualquer atividade sexual para qualquer hebreu piedoso.

■ 20.19,20

וְעֶרְוַת אֲחוֹת אִמְּךָ וַאֲחוֹת אָבִיךָ לֹא תְגַלֵּה כִּי אֶת־שְׁאֵרוֹ הֶעֱרָה עֲוֹנָם יִשָּׂאוּ׃

וְאִישׁ אֲשֶׁר יִשְׁכַּב אֶת־דֹּדָתוֹ עֶרְוַת דֹּדוֹ גִּלָּה חֶטְאָם יִשָּׂאוּ עֲרִירִים יָמֻתוּ׃

Tg Tanto por parte do pai quanto por parte da mãe. Mesmo que alguém fosse tia de um homem, apenas por afinidade (por motivo de casamento), e não por consanguinidade (por laços de parentesco), praticar sexo com uma pessoa assim era estritamente proibido entre os hebreus. Ver Levítico 18.12-14. Estes versículos estipulam as mesmas proibições; ver suas notas quanto a completas informações a respeito. A pena era a *esterilidade*. Tais pessoas sofreriam uma maldição divina, que impediria que tivessem filhos. Alguns intérpretes, contudo, pensam que esse juízo era figurado, e não literal. Assim, talvez tivessem filhos, mas esses não deveriam ser aceitos na comunidade. Não teriam os direitos normais dos filhos legítimos.

■ 20.21

וְאִישׁ אֲשֶׁר יִקַּח אֶת־אֵשֶׁת אָחִיו נִדָּה הִוא עֶרְוַת אָחִיו גִּלָּה עֲרִירִים יִהְיוּ׃

Se um homem tomar a mulher de seu irmão. Ter contato sexual com uma cunhada era proibido, conforme vemos em Levítico 18.16, onde há notas expositivas completas. A punição era a esterilidade, literal ou metafórica, conforme explico nos comentários sobre Levítico 20.19,20, acima. Ver o *gráfico* na introdução ao capítulo 18 quanto às leis sobre o incesto, completo com as penas impostas aos infratores. O casamento levirato era uma exceção. Ver Deuteronômio 25.5 ss.

■ 20.22

וּשְׁמַרְתֶּם אֶת־כָּל־חֻקֹּתַי וְאֶת־כָּל־מִשְׁפָּטַי וַעֲשִׂיתֶם אֹתָם וְלֹא־תָקִיא אֶתְכֶם הָאָרֶץ אֲשֶׁר אֲנִי מֵבִיא אֶתְכֶם שָׁמָּה לָשֶׁבֶת בָּהּ׃

Este versículo serve como uma espécie de sumário das leis do incesto. Contém os elementos de sumários similares. Ver Levítico 19.37, que contém referências a sumários semelhantes. Ademais, este versículo também inclui a metáfora da *terra que vomita* seus habitantes, segundo vimos em Levítico 18.25,28, cujas notas também se aplicam aqui. Aquela metáfora também está ligada a crimes sexuais, naquele capítulo, segundo também vemos neste ponto.

■ 20.23

וְלֹא תֵלְכוּ בְּחֻקֹּת הַגּוֹי אֲשֶׁר־אֲנִי מְשַׁלֵּחַ מִפְּנֵיכֶם כִּי אֶת־כָּל־אֵלֶּה עָשׂוּ וָאָקֻץ בָּם׃

Este versículo é paralelo ao trecho de Levítico 18.27,28, onde a palavra de Yahweh advertiu a Israel que os povos que antes tinham ocupado o território (os *sete* povos distintos; ver Êx 33.2) sofreram expulsão violenta em face de juízo divino contra o pecado, incluindo os pecados sexuais. Com o tempo, Israel também sofreu *duas* expulsões violentas, foi vomitado por duas vezes, nos cativeiros assírio e babilônico. Ver no *Dicionário* o artigo chamado *Cativeiro (Cativeiros)*. Portanto, visto que os israelitas não obedeceram à palavra de Yahweh, o juízo ameaçado acabou tendo cumprimento.

■ 20.24

וָאֹמַר לָכֶם אַתֶּם תִּירְשׁוּ אֶת־אַדְמָתָם וַאֲנִי אֶתְּנֶנָּה לָכֶם לָרֶשֶׁת אֹתָהּ אֶרֶץ זָבַת חָלָב וּדְבָשׁ אֲנִי יְהוָה אֱלֹהֵיכֶם אֲשֶׁר־הִבְדַּלְתִּי אֶתְכֶם מִן־הָעַמִּים׃

Uma parte do *Pacto Abraâmico* era a promessa de uma nova terra. Essa promessa teve cumprimento quando da invasão e possessão da Terra Prometida. Ver as notas sobre Gênesis 15.18 quanto a informações completas sobre esse pacto e suas provisões, incluindo a questão do território. Naquela exposição são dadas as dimensões desse território.

Terra que mana leite e mel. Ver Êxodo 3.8 quanto a explicações sobre essa metáfora. Minhas notas ali mostram que essa expressão é usada por onze vezes no Antigo Testamento.

Vos separei dos povos. Um povo assim distinguido requeria um código ético diferente. Yahweh tomara um povo para si mesmo e santificara esse povo. A legislação mosaica outorgou, a um povo santificado, um código ético diferente. Havia muitas regras a serem seguidas como diretrizes, tal como vimos do capítulo 17 em diante de Levítico, onde aparecem inúmeras leis. A transformação moral de um homem produz a transformação metafísica, de modo que, afinal, tal homem venha a compartilhar da natureza divina (2Pe 1.4), porque participa da imagem de Cristo (Rm 8.29; 1Jo 3.2; 2Co 3.18). A santidade esperada era a própria santidade de Deus: "Sede santos, porque eu sou santo" (Lv 19.2; 20.7,26).

■ 20.25

וְהִבְדַּלְתֶּם בֵּין־הַבְּהֵמָה הַטְּהֹרָה לַטְּמֵאָה וּבֵין־הָעוֹף הַטָּמֵא לַטָּהֹר וְלֹא־תְשַׁקְּצוּ אֶת־נַפְשֹׁתֵיכֶם בַּבְּהֵמָה וּבָעוֹף וּבְכֹל אֲשֶׁר תִּרְמֹשׂ הָאֲדָמָה אֲשֶׁר־הִבְדַּלְתִּי לָכֶם לְטַמֵּא׃

Este versículo é uma espécie de síntese das leis referentes a coisas *limpas* e *imundas*. O autor sagrado esperava que seus leitores reconhecessem isso, embora os preceitos fossem muitos e a situação fosse complexa. Eles precisavam *tomar conhecimento*, a fim de que pudessem obedecer. O *conhecimento* é um dos dois grandes alicerces da espiritualidade. Esses dois alicerces são o conhecimento e o amor. Isso condena o *anti-intelectualismo* (ver a respeito no *Dicionário*).

Ver o capítulo 11 de Levítico quanto aos muitos preceitos acerca de animais limpos e imundos. O capítulo 12 versa sobre questões de limpo e imundo no que concerne ao parto. As leis envolvidas eram complexas. O capítulo 13 aborda a imundícia da *sara'at*, doenças de pele, além de mofos e míldios. O capítulo 15 trata da imundícia causada por vários fluxos (fluidos) do corpo humano. Começando pelo capítulo 17 (o chamado Código de Santidade, que vide), reentra, vez por outra, essa questão de limpo e imundo, em várias leis miscelâneas. Ver o artigo *Limpo e Imundo* quanto a explicações completas a respeito. Um hebreu devia tomar conhecimento de todas essas provisões da lei mosaica sobre essa questão, seguindo de mente esclarecida o que ali aprendesse. Isso fazia parte de sua separação dentre as nações gentílicas, pois estaria evitando toda forma de imundícia, a que os demais povos não davam atenção. Cf. Daniel 1.8.

■ 20.26

וִהְיִיתֶם לִי קְדֹשִׁים כִּי קָדוֹשׁ אֲנִי יְהוָה וָאַבְדִּל אֶתְכֶם מִן־הָעַמִּים לִהְיוֹת לִי׃

Este versículo é paralelo a Levítico 19.2 e 20.7,26, cujas notas também se aplicam a este ponto. Ver também Levítico 11.44,45, que contém a mesma fórmula e encerra notas além daquelas dadas em Levítico 19.2. Ver 1Pedro 1.15,16 quanto à aplicação que o Novo Testamento faz desse princípio. Temos aqui a *ética normativa*: Yahweh foi quem deu essas regras. O homem as segue. A ética normativa não soluciona todos os problemas da conduta humana. *Leis* orais e escritas jamais serão suficientes, embora nada haja de errado com tais leis. Essas leis frisam princípios, alguns deles perpétuos, e alguns poucos, eternos. Ver na *Enciclopédia de Bíblia, Teologia e Filosofia* o artigo geral intitulado *Ética*. E ver no *Dicionário* o artigo *Ética do Antigo Testamento*.

■ 20.27

וְאִישׁ אוֹ־אִשָּׁה כִּי־יִהְיֶה בָהֶם אוֹב אוֹ יִדְּעֹנִי מוֹת יוּמָתוּ בָּאֶבֶן יִרְגְּמוּ אֹתָם דְּמֵיהֶם בָּם׃ פ

O autor sacro retorna agora à questão dos espíritos familiares, dos feiticeiros etc., algo que ele já tinha abordado por duas vezes, dentro do chamado Código de Santidade (Lv 17-26). Ver Levítico 19.31 quanto a notas completas sobre o assunto, incluindo o aspecto das pesquisas psíquicas científicas, acerca do ocultismo. Ver outra repetição do assunto nas notas sobre Levítico 20.6. A morte por apedrejamento estava reservada aos que desobedecessem a essas leis. Ver no *Dicionário* o verbete chamado *Apedrejamento*.

CAPÍTULO VINTE E UM

LEIS ACERCA DOS SACERDOTES (21.1-24)
Muitos estudiosos pensam que os capítulos 17 a 26 de Levítico refletem uma fonte informativa distinta, que foi incorporada ao Pentateuco, mormente neste livro de Levítico. Todavia, outros trechos também teriam tirado proveito dessa fonte. Ver na introdução ao capítulo 17 o artigo *Código de Santidade*, o título dado a essa alegada fonte informativa. Ver também no *Dicionário* o artigo *J.E.D.P.(S.)*. Esse código repete muitas ordens e outros materiais dados em outras porções do Pentateuco. A *repetição* é uma característica literária do Pentateuco, algumas vezes para efeito de ênfase, mas às vezes sem razão evidente.

O capítulo 21 de Levítico dá-nos certa variedade de leis aplicáveis aos sacerdotes, acerca de questões como a maneira de se lamentarem pelos mortos, de se casarem e de impedimentos que os desqualificavam para seu ofício.

A própria santidade de Deus era o alicerce e a motivação da santidade do povo de Israel. Ver Levítico 19.2 e 20.7,26; e também 1Pedro 1.15,16 quanto à aplicação neotestamentária desse princípio. Isso envolvia a assembleia inteira de Israel, e, portanto, também os sacerdotes (Lv 21.1-9). Dizia respeito, especialmente, ao sumo sacerdote (vss. 10-15). Ver no *Dicionário* o verbete intitulado *Ética no Antigo Testamento*.

■ 21.1

וַיֹּאמֶר יְהוָה אֶל־מֹשֶׁה אֱמֹר אֶל־הַכֹּהֲנִים בְּנֵי אַהֲרֹן וְאָמַרְתָּ אֲלֵהֶם לְנֶפֶשׁ לֹא־יִטַּמָּא בְּעַמָּיו׃

Disse o Senhor. Essa é uma expressão muito repetida no Pentateuco. O autor sacro usou-a para marcar o início ou o fim de novos materiais. E também ela nos faz lembrar da inspiração divina das Escrituras. Ver Levítico 1.1 e 4.1 quanto a amplas explicações sobre o seu uso.

Moisés era o mediador das mensagens enviadas por Yahweh. Neste caso, ele transmitiu a mensagem divina a Arão e seus filhos, ou seja, ao sacerdócio aarônico. No livro de Levítico achamos *oito* formas de tratamento a pessoas, e aqui encontramos uma dessas formas. Ver a lista em Levítico 17.2.

A imundícia cerimonial, mediante o toque em cadáveres, é posta diante de nós, no tocante à palavra de Yahweh aos sacerdotes. O contato com cadáveres era uma daquelas coisas que tornavam *imundos* os sacerdotes. Uma vez imundo, um sacerdote não podia ocupar-se em seu ministério sacerdotal. Assim sendo, excetuando-se o caso de contato necessário com um cadáver, quando se tratasse de um parente muito chegado, ele precisava evitar todos esses contatos, e até as lamentações que os acompanhavam. Ver no *Dicionário* o artigo chamado *Limpo e Imundo*.

Leis complicadas foram elaboradas nos dias do segundo templo. Um sacerdote não podia tocar em um cadáver; não podia lamentar pelos mortos; não podia chegar a menos de 2 m de distância de um cadáver. Qualquer dessas coisas o deixava contaminado. Também não podia entrar em um recinto onde jazesse um cadáver; nem podia atravessar um cemitério. Ver Números 19.11-16, passagem da qual eles *deduziram* muitas dessas normas. Os sacerdotes egípcios também estavam proibidos de tocar em cadáveres, e tinham de ficar longe de cemitérios. Os romanos determinavam que um ramo de cipreste fosse preso à porta da casa onde houvesse um cadáver, para impedir que algum de seus sacerdotes, sem sabê-lo, entrasse ali e fosse assim contaminado. Isso eles faziam em imitação às leis judaicas.

■ 21.2,3

כִּי אִם־לִשְׁאֵרוֹ הַקָּרֹב אֵלָיו לְאִמּוֹ וּלְאָבִיו וְלִבְנוֹ וּלְבִתּוֹ וּלְאָחִיו׃

וְלַאֲחֹתוֹ הַבְּתוּלָה הַקְּרוֹבָה אֵלָיו אֲשֶׁר לֹא־הָיְתָה לְאִישׁ לָהּ יִטַּמָּא׃

Um sacerdote, contudo, não podia negligenciar o caso de um parente próximo que tivesse morrido. Nesse caso, era relaxada a regra de "não tocar" em cadáveres. Por tais parentes, um sacerdote podia contaminar-se. Mais tarde, submeter-se-ia aos ritos de purificação, embora isso não seja mencionado nesta passagem. Os sacerdotes egípcios ficavam desqualificados para seu ofício pelo espaço de sete dias, se entrassem em contato com algum corpo morto.

Contactos Permitidos. A mãe, o pai, um filho, uma filha, um irmão, uma irmã (virgem), pois esta ainda não se juntara a alguma outra família. Não se faz menção à esposa de um sacerdote, se ela viesse a morrer. O trecho de Ezequiel 25.15 ss. parece indicar que um sacerdote não podia lamentar-se por sua esposa falecida. O quarto versículo deste capítulo pode ser interpretado dessa maneira, mas tal interpretação é duvidosa. Sob as leis do segundo templo, era permitido aos sacerdotes lamentar-se por suas esposas, pois a frase "seu parente mais chegado" (vs. 2) era interpretada como se incluísse a esposa, embora ela não seja ali especificamente mencionada. O Targum de Jonathan assim interpretava, e essa interpretação foi incluída na versão caldaica do Antigo Testamento. Se a mãe de um sacerdote deve ser incluída, então eram permissíveis *sete* tipos de contato.

De acordo com as leis do segundo templo, um sacerdote não só tinha permissão de fazer-se presente aos ritos fúnebres por essas sete pessoas, mas também estava na *obrigação* de fazê-lo.

"Os ritos pelos mortos eram tidos como ritualmente contaminadores, devido à sua associação com um cadáver (Lv 10.6; Êx 24.15-18)" (*Oxford Annotated Bible, in loc.*).

■ 21.4

לֹא יִטַּמָּא בַּעַל בְּעַמָּיו לְהֵחַלּוֹ׃

Temos aqui um versículo de difícil interpretação. Os *críticos textuais* supõem que o versículo tenha sido corrompido, de tal modo que não se pode extrair dele nenhum sentido exato. Alguns traduzem aqui a palavra hebraica *ba'al* por "chefe", mas outros preferem "marido". Se a interpretarmos por "marido", então talvez o versículo permita que um sacerdote se fizesse presente aos ritos fúnebres de sua mulher, pelo que ela deve ser adicionada aos seis contatos permissíveis dos vss. 2 e 3 deste capítulo. Mas esta é uma interpretação incerta. O outro ponto de vista é que um *chefe*, isto é, metaforicamente, marido do povo, sofria restrições especiais por causa de suas funções. Portanto, um chefe não poderia contaminar-se com os mortos, conforme era permitido a outras pessoas, só podendo entrar em contato com as seis (ou sete) pessoas acima definidas, que tivessem morrido, *sem nenhuma outra exceção*. Mas ainda um terceiro grupo de estudiosos opina que este versículo permite que um sacerdote entrasse em contato com o cadáver de sua legítima esposa, ficando tal contato proibido no caso de possíveis concubinas. Essa é a interpretação do Targum de Jonathan e da versão caldaica do Antigo Testamento. Mas um quarto grupo pensa que este versículo é paralelo ao trecho de Ezequiel 25.15 ss., e assim pensam que um sacerdote não podia fazer-se presente aos ritos fúnebres de *nenhuma* esposa. Deste versículo, pois, não se pode extrair nenhuma interpretação indubitável. E, se porventura, o texto foi corrompido, então estamos desorientados desde o começo.

■ 21.5

לֹא־יִקְרְחוּ קָרְחָה בְּרֹאשָׁם וּפְאַת זְקָנָם לֹא יְגַלֵּחוּ וּבִבְשָׂרָם לֹא יִשְׂרְטוּ שָׂרָטֶת׃

Nada de Lamentações à Moda Pagã. Um sacerdote de Israel nem ao menos podia lamentar pela morte de alguém, excetuando os *sete* casos mencionados na exposição dos vss. 2 e 3. Mas se viesse a lamentar pelos mortos, não podia seguir os costumes pagãos. Todos os elementos constantes neste versículo, já encontramos em em outros lugares, pelo que referências se apresentam onde as informações podem ser achadas.

Eram proibidas coisas como rapar os cabelos; cortar ou desfigurar os cantos da barba; mutilar-se. Ver Levítico 19.27,28. Naquele trecho, a regra aplicava-se a qualquer hebreu, durante tempos de lamentação pelos mortos.

"Os sacerdotes sentaram-se em seus templos, com suas vestes rasgadas, cabeças e barbas rapadas, sem nenhuma cobertura para a cabeça" (Baruq 6.30). Isso descreve a prática pagã. Cf. Deuteronômio 14.1. Os israelitas ordinários (não-sacerdotes), entretanto, permitiam-se práticas assim (ver Jr 16.6; Ez 7.18; Am 8.10).

■ 21.6

קְדֹשִׁים יִהְיוּ לֵאלֹהֵיהֶם וְלֹא יְחַלְּלוּ שֵׁם אֱלֹהֵיהֶם כִּי אֶת־אִשֵּׁי יְהוָה לֶחֶם אֱלֹהֵיהֶם הֵם מַקְרִיבִם וְהָיוּ קֹדֶשׁ׃

Três motivos impediam que os sacerdotes de Israel não imitassem os costumes pagãos:
1. A santidade deles, cujo modelo era a santidade de Yahweh. Ver Levítico 15.2; 20.7,26 e 1Pedro 1.15,16.
2. O propósito de não *profanarem* o nome de Yahweh, por meio de atos nitidamente pagãos, como se fossem sacerdotes de alguma divindade pagã.
3. O propósito de não contaminarem o culto santo, a adoração no tabernáculo.

Eles ofereciam sacrifícios sobre o altar de bronze; cuidavam dos pães da proposição. A palavra *pão*, neste versículo, significa *alimento*. Oferecer um sacrifício era algo concebido como oferecer alimento à divindade em questão. Mas nos dias de Moisés, muito provavelmente essa maneira literal de pensar já tinha cessado. Ver também Levítico 3.11 e 22.25. Em ambos esses lugares há notas adicionais.

Um sacerdote não podia adentrar o tabernáculo a fim de ministrar, se exibisse qualquer sinal de lamentação pelos mortos, pois isso profanaria o lugar. Ele entrava ali a fim de servir a Yahweh e oferecer-lhe alimento, representado pelo sacrifício. "O pão de seu Deus reverbera fracamente a antiga noção de sacrifício como oferecimento de alimentos a uma divindade (Lv 2.2,3). Aqui a linguagem é meramente tradicional" (*Oxford Annotated Bible*, comentando sobre Lv 21.6).

■ 21.7

אִשָּׁה זֹנָה וַחֲלָלָה לֹא יִקָּחוּ וְאִשָּׁה גְּרוּשָׁה מֵאִישָׁהּ לֹא יִקָּחוּ כִּי־קָדֹשׁ הוּא לֵאלֹהָיו׃

Não tomarão mulher prostituta. Temos aqui restrições acerca do casamento de sacerdotes. Uma prostituta, mesmo reformada, não servia para ser esposa de um sacerdote. E nem uma mulher promíscua, ainda que nunca se tivesse entregue por questão de dinheiro ou só por prazer. Um sacerdote também não podia casar-se com uma mulher divorciada. O texto não destaca a possibilidade de uma viúva como esposa; mas, visto que um sacerdote tinha de casar-se com uma virgem, uma viúva também ficava excluída, com a possível exceção dada abaixo. Dessa maneira, simbolicamente, o sacerdote confirmava a sua posição de quem estava casado com Yahweh, sem entrar em alianças embaraçosas ou circunstâncias duvidosas. Ezequiel 44.22 reflete uma lei ainda mais estrita. Um sacerdote, em Israel, podia casar-se *somente* com uma mulher virgem. E ela também tinha de ser uma hebreia, e não uma estrangeira que tivesse vindo a fazer parte de Israel por ter-se convertido ao yahwismo. Todavia, havia uma exceção a essa regra; um sacerdote podia casar-se com a viúva de outro sacerdote. Casar-se com a viúva de um sacerdote, o qual, em vida, se casara com ela quando ainda virgem, equivalia a casar-se com uma virgem. Ver Levítico 21.13 ss. quanto a outros preceitos a esse respeito.

■ 21.8

וְקִדַּשְׁתּוֹ כִּי־אֶת־לֶחֶם אֱלֹהֶיךָ הוּא מַקְרִיב קָדֹשׁ יִהְיֶה־לָּךְ כִּי קָדוֹשׁ אֲנִי יְהוָה מְקַדִּשְׁכֶם׃

Os sacerdotes ocupavam um elevado ofício; eles precisavam ser ungidos para ocupar o cargo; e tinham de evitar coisas que eram permissíveis para outras pessoas. Ele precisava ter uma santidade à toda prova, cujo padrão era o próprio Yahweh. Ver as notas no vs. 6 e em Levítico 19.2; 20.7,26 e 1Pedro 1.15,16.

Yahweh era tanto o padrão de santificação como aquele que santificava. Esses conceitos figuram por três vezes neste capítulo, nos versículos 8, 15 e 23. Presumimos que essa santificação fosse tanto *cerimonial* (os sacerdotes eram ordenados para ocuparem seu ofício) quanto *espiritual* (o Espírito do Senhor santificava os sacerdotes). Ver no *Dicionário* o artigo intitulado *Santificação*.

"A orientação era dirigida à comunidade judaica. Deveriam cuidar para que os sacerdotes não contraíssem casamentos ilegais, santificando somente aos que agissem em obediência aos estatutos. Os sacerdotes hebreus, pois, eram postos sob a supervisão do povo" (Ellicott, *in loc.*). Medidas disciplinadoras seriam aplicadas, se necessário, para assegurar a santidade dos sacerdotes.

■ 21.9

וּבַת אִישׁ כֹּהֵן כִּי תֵחֵל לִזְנוֹת אֶת־אָבִיהָ הִיא מְחַלֶּלֶת בָּאֵשׁ תִּשָּׂרֵף׃ ס

A morte na fogueira era o preço que a filha de um sacerdote tinha de pagar, caso se prostituísse. Nos dias do segundo templo, essa severa lei só era aplicada se a mulher em questão estivesse noiva, conforme diz a versão caldaica: "...filha comprometida". A filha de um leigo, que estivesse noiva, se viesse a prostituir-se, era executada mediante apedrejamento ou estrangulamento. Ver Deuteronômio 22.23,24. Talvez a execução na fogueira fosse efetuada depois que a mulher tivesse sido estrangulada ou apedrejada, no caso de uma filha de sacerdote. Alguns eruditos pensam estar aqui em foco a *marca a ferro* em brasa, mas essa é uma interpretação menos provável.

As passagens paralelas parecem indicar que "prostituir-se" não era a mesma coisa que cair na vida de prostituição, ou tornar-se uma prostituta cultual, em algum templo pagão. Antes, parece que um único ato de adultério era suficiente para a execução.

A família de um sacerdote não podia envolver-se em infrações públicas. Isso destruiria o ministério do homem. Daí a severidade dessa lei.

■ 21.10

וְהַכֹּהֵן הַגָּדוֹל מֵאֶחָיו אֲשֶׁר־יוּצַק עַל־רֹאשׁוֹ שֶׁמֶן הַמִּשְׁחָה וּמִלֵּא אֶת־יָדוֹ לִלְבֹּשׁ אֶת־הַבְּגָדִים אֶת־רֹאשׁוֹ לֹא יִפְרָע וּבְגָדָיו לֹא יִפְרֹם׃

O Sumo Sacerdote era chamado de "sacerdote ungido", visto que cada sumo sacerdote precisava receber a sua própria unção. Os sacerdotes comuns não precisavam ser consagrados. Bastava que fizessem parte da linhagem sacerdotal, pois a consagração original de Arão era suficiente para todos eles. Ver Levítico 4.3 quanto ao "sacerdote ungido". Ver também Levítico 8.12.

O sacerdote ungido tinha vestes especiais que o distinguiam dos sacerdotes comuns. O autor *identificou* o sacerdote em questão, ao mencionar sua unção especial e suas vestes especiais. Ver Levítico 8.7-11 quanto a essas vestes.

O sacerdote ungido não podia participar de lamentações pelos mortos, nem podia tocar ou aproximar-se de *nenhum* cadáver, não imitando os costumes pagãos quanto a isso. Assim, as normas eram mais severas acerca do sumo sacerdote do que acerca dos sacerdotes comuns, estando envolvidos os sacrifícios matinais e vespertinos.

Não desgrenhará os cabelos. Esse era um sinal comum de lamentação pelos mortos. O sumo sacerdote nem isso podia fazer. Ver Levítico 10.6. Arão não pôde lamentar nem por seus dois filhos mortos, Nadabe e Abiú. E seus sucessores também estavam proibidos de fazer isso.

■ 21.11

וְעַל כָּל־נַפְשֹׁת מֵת לֹא יָבֹא לְאָבִיו וּלְאִמּוֹ לֹא יִטַּמָּא׃

A Regra Era Absoluta. Um sacerdote comum podia chorar por seis (ou sete) parentes chegados. Ver as notas sobre os vss. 2 e 3. Mas um sumo sacerdote não podia lamentar por ninguém. A sua *família* era o povo de Israel como um todo; a morte de meros indivíduos não podia alterar o ritmo de seu trabalho. Também não podia entrar em uma tenda ou casa onde houvesse um cadáver (Nm 19.14), a fim de que não contraísse imundícia cerimonial. De acordo com a lei do segundo templo, um cadáver podia indicar qualquer porção, incluindo o sangue. Cf. Levítico 17.10-14. Tempos depois, uma exceção passou a ser permitida. Se um sumo sacerdote achasse um cadáver em um lugar isolado, onde não pudesse chamar ajuda, não somente tinha permissão de sepultá-lo, mas até estava no dever de fazê-lo. Mas então tinha de submeter-se aos ritos de purificação.

■ 21.12

וּמִן־הַמִּקְדָּשׁ לֹא יֵצֵא וְלֹא יְחַלֵּל אֵת מִקְדַּשׁ אֱלֹהָיו כִּי נֵזֶר שֶׁמֶן מִשְׁחַת אֱלֹהָיו עָלָיו אֲנִי יְהוָה׃

Este versículo não indica que o sumo sacerdote morava no santuário e não podia deixá-lo. Mas significa que, quando ele estava em serviço, não podia afastar-se dali. Ele tinha sido ungido para permanecer e trabalhar, e não para tirar folga. A unção era de Yahweh, pelo que era absoluta. Ninguém podia alterar essa regra.

Eu sou o Senhor. Essa expressão, ou sua forma mais longa: "Eu sou o Senhor vosso Deus", aparece com frequência no Código de Santidade (capítulos 17—26) como uma de suas características literárias. O Senhor estava assim frisando a solenidade do estatuto que acabara de baixar. Ver as notas sobre isso em Levítico 18.30.

■ 21.13,14

וְהוּא אִשָּׁה בִבְתוּלֶיהָ יִקָּח׃
אַלְמָנָה וּגְרוּשָׁה וַחֲלָלָה זֹנָה אֶת־אֵלֶּה לֹא יִקָּח כִּי אִם־בְּתוּלָה מֵעַמָּיו יִקַּח אִשָּׁה׃

Um sumo sacerdote só podia casar-se com uma virgem *do seu povo* (vs. 14), ou seja, ou uma donzela hebreia ou, mais estritamente, da família sacerdotal. Os eruditos debatem a questão. *Todas as outras mulheres* não serviam como candidatas: nem viúvas, nem mulheres divorciadas, nem prostitutas, nem mulheres profanas, conhecidas por sua moral baixa ou por outros defeitos morais. Um sacerdote comum podia casar-se com a viúva de outro sacerdote, mas isso era vedado no caso dos sumos sacerdotes. Ver Ezequiel 44.22. Posteriormente, uma donzela ficava noiva de um sumo sacerdote quando ela estava com 13 anos de idade. Mas se ele tivesse noivado com uma viúva, *antes* de sua consagração, ele podia ir avante e casar-se com ela, ao tornar-se sumo sacerdote. Estava isento do *Matrimônio Levirato* (ver a esse respeito no *Dicionário*).

■ 21.15

וְלֹא־יְחַלֵּל זַרְעוֹ בְּעַמָּיו כִּי אֲנִי יְהוָה מְקַדְּשׁוֹ׃ פ

Um casamento efetuado fora dessa regra significaria que ele teria profanado a sua *descendência*, ou seja, o seu filho mais velho. Se ele se tivesse casado com uma mulher não-virgem, aquele primeiro filho poderia ter sido gerado por outro homem. Para um sumo sacerdote, uma prole obtida por meio de uma mulher que não se tivesse casado virgem era tida como *profana*. Os filhos nascidos de tal casamento não podiam herdar o ofício sumo sacerdotal, nem mesmo podiam ser sacerdotes. O filho primogênito de um sumo sacerdote tinha de ter por mãe uma jovem que se casara virgem. O sumo sacerdote que assim não fizesse teria desgraçado o seu ofício mediante um casamento *inferior*.

■ 21.16

וַיְדַבֵּר יְהוָה אֶל־מֹשֶׁה לֵּאמֹר׃

Disse mais o Senhor. Essa expressão, tão frequente no Pentateuco, assinala o começo de alguma nova seção. E também nos faz lembrar da inspiração divina das mensagens que se seguem. Ver Levítico 1.1 e 4.1 quanto a notas expositivas completas a respeito.

■ 21.17

דַּבֵּר אֶל־אַהֲרֹן לֵאמֹר אִישׁ מִזַּרְעֲךָ לְדֹרֹתָם אֲשֶׁר יִהְיֶה בוֹ מוּם לֹא יִקְרַב לְהַקְרִיב לֶחֶם אֱלֹהָיו׃

Moisés era o mediador, em todos os casos de comunicações feitas por Yahweh. Há oito fórmulas de discurso, que anotei em Levítico 17.2. Aquela que temos aqui apresenta Moisés como mediador, dizendo a Arão o que ele deveria fazer. Por sua vez, Arão deveria cuidar para que as ordens fossem cumpridas por seus filhos, o sacerdócio aarônico. Ver no *Dicionário* o artigo *Sacerdotes e Levitas*.

Nas suas gerações. Ou seja, aqueles que, no decurso das gerações, viessem a tornar-se sumos sacerdotes ou sacerdotes comuns.

Em quem houver algum defeito. Qualquer tipo de defeito físico. Seguem-se ilustrações nos vss. 18-20. Essa lista é apenas representativa.

Para oferecer o pão do seu Deus. Essa declaração, muito provavelmente, é paralela à do oferecimento do "pão do seu Deus", no vs. 6 deste capítulo, onde são dadas as notas expositivas. Um sacerdote com defeito físico não podia oficiar no tabernáculo, para oferecer sacrifícios a Yahweh, metaforicamente, o seu *pão*. Nos tempos antigos, as pessoas levavam muito a sério essas questões. As oferendas, incluindo as de manjares, eram consideradas alimento para os deuses. Pela época de Moisés, porém, essa maneira literal de pensar já tinha ficado no passado. A ideia era a de que Yahweh se banqueteava com o seu povo em refeições comunais.

■ 21.18

כִּי כָל־אִישׁ אֲשֶׁר־בּוֹ מוּם לֹא יִקְרָב אִישׁ עִוֵּר אוֹ פִסֵּחַ אוֹ חָרֻם אוֹ שָׂרוּעַ׃

Defeito. Essa palavra faz parte da lista representativa dos vss. 18-20. São incluídos defeitos do corpo, *genéticos*, causados por algum *acidente* ou *enfermidade*. Os gregos e os romanos tinham leis similares acerca de seus sacerdotes, e outro tanto se dava no caso dos antigos hindus.

Cego. No Oriente, as infecções oculares causavam muitos casos de cegueira. Nos dias do segundo templo, a lei acerca dos olhos se tinha tornado muito complexa. Um homem não podia ser cego nem mesmo de um só olho. Também não podia haver defeito no olho ou nas pálpebras. As regras incluíam 26 tipos de defeitos nos olhos, todos os quais desqualificavam um homem para ser sacerdote.

Coxo. A lei tornou-se tão complexa que, nos dias do segundo templo, vinte diferentes defeitos eram alistados, envolvendo os membros ou a maneira de andar do candidato.

Rosto mutilado, ou desproporcionado. Por motivo de acidente, ou alguma deformação genética. As regras alistavam *nove* de tais defeitos.

Desproporcionado. Nossa versão portuguesa dá a entender que um rosto podia ser mutilado ou desproporcionado. Mas outras versões falam em rosto mutilado e em membro desproporcionado. A lei sobre membros desproporcionais aplicava-se a braços e pernas, mas também sobre falta de boas proporções em qualquer parte do corpo, como olho, ombro, coxa etc.

■ 21.19

אוֹ אִישׁ אֲשֶׁר־יִהְיֶה בוֹ שֶׁבֶר רָגֶל אוֹ שֶׁבֶר יָד׃

Pé quebrado, ou mão quebrada. Talvez o homem tivesse sofrido um acidente, e seu corpo demonstrasse sinais da ocorrência. A medicina antiga não sabia como cuidar corretamente de fraturas ósseas; e, pior ainda, na antiga nação de Israel era ignorada a medicina convencional. Qualquer tipo de defeito físico, causado por *acidentes*, estava incluído nessa regra.

■ 21.20

אוֹ־גִבֵּן אוֹ־דַק אוֹ תְּבַלֻּל בְּעֵינוֹ אוֹ גָרָב אוֹ יַלֶּפֶת אוֹ מְרוֹחַ אָשֶׁךְ׃

Corcovado. Um defeito nas costas, ou por motivos genéticos, ou acidente ou por alguma enfermidade. Algumas antigas autoridades judaicas pensavam que essa regra se referia às *sobrancelhas*. Por esse motivo, a versão caldaica refere-se àquele defeito genético em que as sobrancelhas ou as pálpebras ficam caídas sobre os olhos. Também poderíamos pensar em sobrancelhas por demais espessas, que interferem na visão.

Anão. Não era permitido que anões servissem no tabernáculo. Devemos lembrar que a teologia dos hebreus, fraca quanto a segundas causas, via que todas as coisas procediam de Yahweh. Portanto, se um homem fosse um anão, isso era considerado um julgamento divino. Um homem julgado por Deus dificilmente poderia tornar-se um sacerdote.

Belida no olho. Está em pauta a catarata, quando há uma fusão entre a parte branca e a parte colorida do olho. Dois defeitos possíveis são alistados por esse regulamento, nos dias do segundo templo, relacionados ao defeito aqui referido.

Ou sarna, ou impigens. Também poderíamos incluir aqui várias afecções da pele, como úlceras.

Testículo quebrado. Isso poderia ser causado por acidente, ou então por qualquer enfermidade ou deformação do aparelho genital masculino, por questão genética, enfermidade ou acidente.

Conspícuos por Ausência. Observe o leitor que nenhum dos fatores desqualificadores é de natureza moral ou espiritual. Antes, todos esses fatores eram *físicos*. Isso deve ser contrastado com a lista paulina de desqualificações dos anciãos das igrejas cristãs. Todos os *defeitos*, nessas listas, são de natureza espiritual e moral. Ver 1Timóteo 3.1 ss; Tito 2.1 ss. Devemos entender, contudo, que nos dias de Moisés, também dava-se atenção ao lado espiritual e moral dos sacerdotes de Israel. Os intérpretes judeus supõem que os defeitos físicos se referissem, por alegoria, a defeitos morais e espirituais. Portanto, ambas as ideias estavam incluídas.

Maimônides (*More Nevoch,* 45) disse que levitas defeituosos no seu corpo podiam realizar tarefas manuais, mas o aspecto espiritual do culto dos hebreus tinha de ser efetuado pelos sacerdotes de corpo físico perfeito.

Tipologia. Tudo quanto aqui estudamos aponta para Cristo como nosso perfeito Sumo Sacerdote, sem nenhum defeito, em qualquer sentido. Ver Hebreus 7.26.

■ **21.21**

כָּל־אִישׁ אֲשֶׁר־בּוֹ מוּם מִזֶּרַע אַהֲרֹן הַכֹּהֵן לֹא יִגַּשׁ לְהַקְרִיב אֶת־אִשֵּׁי יְהוָה מוּם בּוֹ אֵת לֶחֶם אֱלֹהָיו לֹא יִגַּשׁ לְהַקְרִיב׃

Aqueles que tivessem defeitos físicos (o que é representado na lista dos vss. 18-20) não podiam envolver-se nos sacrifícios, embora pudessem ocupar-se em tarefas manuais no átrio do tabernáculo. Quanto às diversas formas de *oferendas* ver as notas sobre Levítico 7.31, bem como o gráfico antes de Levítico 1.1, quanto aos sacrifícios e oferendas ilustrados. Aqueles que estavam envolvidos na questão precisavam estar absolutamente isentos de qualquer defeito físico.

O pão do seu Deus. Fica entendido o alimento cerimonialmente oferecido a Yahweh, visto que ele participava das refeições comunais de Israel. Ver notas expositivas completas sobre essa questão, em Levítico 21.6,8, cujas notas também mencionam outros lugares onde essa questão é posta em destaque.

O autor sacro forneceu *doze* defeitos físicos, mas o fato é que também já vimos como os judeus multiplicaram esses defeitos. Esses doze defeitos eram apenas típicos e sugestivos. A lei indica que os sacerdotes, em Israel, não podiam ter nenhum tipo de defeito físico, por motivos genéticos, por acidente ou por qualquer enfermidade. Nos dias do segundo templo as regras alistavam o número quase incrível de 142 defeitos, todos os quais podiam desqualificar um candidato a servir no sacerdócio. Havia uma câmara especial no templo reservada para examinar os candidatos ao sacerdócio. O exame era prolongado e completo. Os examinadores eram sempre representantes do sinédrio. Os que eram desqualificados vestiam trajes negros; os qualificados vestiam trajes brancos. Em seguida, havia uma solene celebração em favor dos sacerdotes qualificados. Pois em breve eles se juntariam a seus irmãos ministrantes. A bênção era proferida com alegria: "Bendito seja o Senhor, porque nenhum defeito foi achado na descendência de Arão, o sacerdote; bendito seja o Senhor porque escolheu Arão e seus filhos para se levantarem e servirem diante dele em seu santíssimo santuário". E então os candidatos desqualificados passavam a ocupar-se em trabalhos manuais como escolher madeira para os sacrifícios, fazer trabalhos de limpeza etc.

Tipologia. O ministério do evangelho requer homens qualificados, homens sem defeitos morais e espirituais, conforme Paulo nos instrui em sua lista de qualificações dos anciãos (ver 1Tm 3.1 ss. e Tt 2.1 ss.).

■ **21.22**

לֶחֶם אֱלֹהָיו מִקָּדְשֵׁי הַקֳּדָשִׁים וּמִן־הַקֳּדָשִׁים יֹאכֵל׃

Comerá o pão do seu Deus. Os sacerdotes desqualificados, mesmo fora do trabalho religioso do tabernáculo, nem por isso ficavam totalmente eliminados. Eles participavam daquelas porções dos sacrifícios que podiam ser consumidas pelos sacerdotes e suas famílias, pois era desse modo que o sacerdócio era sustentado. Os sacerdotes desqualificados não deixavam de ser sacerdotes, mas o serviço e expressão deles ficavam *limitados*. Ver as notas em Levítico 2.3 quanto às porções dos sacrifícios que podiam ser consumidas pelos sacerdotes. Ver 1Coríntios 9.13,14 quanto ao fato de que o espírito dessas normas levíticas foi transferido para o cristianismo. Os ministros deveriam viver do ministério.

■ **21.23**

אַךְ אֶל־הַפָּרֹכֶת לֹא יָבֹא וְאֶל־הַמִּזְבֵּחַ לֹא יִגַּשׁ כִּי־מוּם בּוֹ וְלֹא יְחַלֵּל אֶת־מִקְדָּשַׁי כִּי אֲנִי יְהוָה מְקַדְּשָׁם׃

Até ao véu não entrará. Ao que parece, o *véu* é a segunda cortina do santuário, que separava o átrio do Lugar Santo. Como é óbvio, fica entendido que ele também não podia passar para além do *terceiro véu,* que separava o Lugar Santo do Santo dos Santos, porquanto somente o sumo sacerdote podia fazer isso, e mesmo assim somente uma vez por ano. Ver sobre as *três* cortinas ou véus do tabernáculo, em Êxodo 27.36. E um sacerdote desqualificado também não podia aproximar-se do altar que ficava no átrio do tabernáculo. O altar de bronze, dos holocaustos, está em pauta aqui. Ver as notas em Êxodo 27.1, quanto ao *Altar de Bronze*. Como é óbvio, os sacerdotes desqualificados não podiam servir no Lugar Santo, onde estava o *altar do incenso* (ver a respeito no *Dicionário*).

Excetuando-se os círculos protestantes, onde qualquer coisa pode suceder, as denominações tradicionais antes não contavam com ministros com defeitos físicos óbvios, seguindo o conceito do Antigo Testamento. Mas com a passagem do tempo, essas normas têm sido relaxadas.

"Tal como os animais sacrificados não podiam ter defeitos (Lv 22.17-25), assim também os sacerdotes não podiam ter defeitos físicos. As deformações físicas desnaturais são vistas com desconfiança, pois o corpo humano foi criado por Deus, feito à imagem divina (Gn 1.26,27)" (*Oxford Annotated Bible,* comentando sobre os vss. 16-23).

■ **21.24**

וַיְדַבֵּר מֹשֶׁה אֶל־אַהֲרֹן וְאֶל־בָּנָיו וְאֶל־כָּל־בְּנֵי יִשְׂרָאֵל׃ פ

Este versículo repete o que já vimos em Levítico 21.1. Moisés foi o mediador da mensagem. Algumas vezes, Moisés transmitia a mensagem somente a Arão, o qual transmitia então a mensagem aos israelitas. De outras vezes, Moisés transmitia a mensagem a Arão e seus filhos (o sacerdócio); e ainda de outras vezes, anunciava a mensagem à inteira congregação de Israel. Há *oito* formas diferentes de comunicação no Pentateuco, conforme comentei em Levítico 17.2. No caso presente, nos vss. 1 e 24, Moisés comunicou a mensagem de Yahweh a Arão e seus filhos, o sacerdócio. O capítulo 21 encerra uma mensagem especial para essa classe.

"As leis sacerdotais eram administradas e postas em vigor pelos anciãos do sinédrio, os quais eram os representantes do povo" (no tempo do segundo templo), conforme comentou Ellicott, *in loc.*

Cf. Efésios 5.27. Todos os crentes do Novo Testamento são sacerdotes do Senhor, e eles também não podem ter nenhuma mancha ou defeito moral e espiritual de nenhum tipo. Ver no *Dicionário* o artigo intitulado *Santificação.*

CAPÍTULO VINTE E DOIS

LEIS ACERCA DE COMER E OFERECER SACRIFÍCIOS (22.1-33)

Muitos eruditos opinam que os capítulos 17 a 26 do livro de Levítico refletem uma fonte informativa separada do Pentateuco; e a essa fonte chamam de *Código de Santidade.* Ver a introdução ao capítulo 17 de Levítico sobre essa questão. Ver também, no *Dicionário,* o artigo chamado *J.E.D.P.(S.),* quanto à teoria das fontes múltiplas do Pentateuco.

Uma das características literárias do autor do Pentateuco é a repetição. Algumas repetições servem para enfatizar certas questões importantes, mas grande parte dessa repetição não tem razão evidente. Assim é que quase todos os capítulos repetem alguma coisa que já tinha sido coberta. Esse é o caso do capítulo que passamos a comentar. Uma parte dos sacrifícios pertencia aos sacerdotes e era considerada santa. Já vimos isso em vários lugares. Ver Levítico 2.3 e o gráfico que apresento antes de Levítico 1.1, que ilustra como certas porções das oferendas deviam ser usadas na refeição comunal dos sacerdotes e seus familiares. Esse princípio foi transferido para o Novo Testamento, pois os que pregam o evangelho têm o direito de viver do evangelho. Ver 1Coríntios 9.13,14. Porém, além das repetições, este capítulo acrescenta consideráveis detalhes acerca das oferendas sagradas.

22.1

וַיְדַבֵּר יְהוָה אֶל־מֹשֶׁה לֵּאמֹר׃

Disse o Senhor. Essa fórmula era usada pelo autor do Pentateuco a fim de introduzir novos materiais. Mas ela também serve para lembrar-nos a inspiração divina das Escrituras. Ver as notas expositivas completas sobre isso, em Levítico 1.1 e 4.1.

22.2

דַּבֵּר אֶל־אַהֲרֹן וְאֶל־בָּנָיו וְיִנָּזְרוּ מִקָּדְשֵׁי בְנֵי־יִשְׂרָאֵל וְלֹא יְחַלְּלוּ אֶת־שֵׁם קָדְשִׁי אֲשֶׁר הֵם מַקְדִּשִׁים לִי אֲנִי יְהוָה׃

O Pentateuco usa *oito fórmulas* de introdução, onde Moisés é retratado como o mediador das mensagens de Yahweh. Algumas vezes, Moisés transmitia suas mensagens somente a Arão e seus filhos (o sacerdócio aarônico), como se vê neste versículo; de outras vezes, a toda a congregação de Israel. Ver as notas sobre isso em Levítico 17.2.

Cousas sagradas. Uma expressão geral que aponta para todos os deveres dos sacerdotes: os dízimos, as primícias e os sacrifícios (cf. Nm 18.8-19). "As oferendas de cereais, pelo pecado e pela culpa só podiam ser comidas pelos homens da ordem sacerdotal (ver Lv 6.16,26; 7.6). Outras oferendas sagradas podiam ser compartilhadas pelos familiares dos sacerdotes. O que realmente importava era que os sacerdotes não podiam profanar o nome santo do Senhor, mediante abuso daquilo que o povo lhe oferecesse" (F. Duane Lindsey, *in loc.*).

Que se abstenham. Ou seja, os sacerdotes não podiam comer das porções pertencentes ao Senhor, oferecidas pelo povo, incluindo a gordura e o sangue, para serem oferecidos sobre o altar dos holocaustos. Ver as notas sobre Levítico 3.17 quanto às normas acerca do sangue e da gordura. Ver o gráfico antes de Levítico 1.1, quanto às *refeições comunais* que faziam parte do sistema sacrificial. Ver Levítico 7.20,21.

22.3

אֱמֹר אֲלֵהֶם לְדֹרֹתֵיכֶם כָּל־אִישׁ אֲשֶׁר־יִקְרַב מִכָּל־זַרְעֲכֶם אֶל־הַקֳּדָשִׁים אֲשֶׁר יַקְדִּישׁוּ בְנֵי־יִשְׂרָאֵל לַיהוָה וְטֻמְאָתוֹ עָלָיו וְנִכְרְתָה הַנֶּפֶשׁ הַהִוא מִלְּפָנַי אֲנִי יְהוָה׃

Tendo sobre si a sua imundícia. Embora um homem fosse um sacerdote qualificado (ver Lv 21.17-21), pois não tinha no corpo nenhum defeito físico, se viesse a contrair qualquer forma de imundícia cerimonial não poderia aproximar-se do altar, nem envolver-se em nenhum serviço sagrado. Ver no *Dicionário* o artigo chamado *Limpo e Imundo*. Além disso, tal pessoa não tinha o direito de aproximar-se do altar para retirar aquela porção que pertencia aos sacerdotes; nem podia participar das refeições comunais. Os vss. 4 ss. nos dão uma lista parcial daquelas muitas coisas que podiam tornar imundo a um sacerdote. E ali encontramos repetições de regras que já haviam sido mencionadas no livro de Levítico. Os vss. 4, 6 e 12 mencionam especificamente a abordagem ao altar que deveria ser feita para que se retirassem do altar porções que podiam ser comidas.

As minuciosas e quase intermináveis regras acerca de animais limpos e imundos mantinham os sacerdotes sempre alertas. A eles cabia guardar um mandamento. Não podiam brincar com a sua fé religiosa. Precisavam *tomar conhecimento* de muitas coisas; precisam *estudar* muitos pormenores. Ver no *Dicionário* o artigo intitulado *Anti-intelectualismo*.

22.4

אִישׁ אִישׁ מִזֶּרַע אַהֲרֹן וְהוּא צָרוּעַ אוֹ זָב בַּקֳּדָשִׁים לֹא יֹאכַל עַד אֲשֶׁר יִטְהָר וְהַנֹּגֵעַ בְּכָל־טְמֵא־נֶפֶשׁ אוֹ אִישׁ אֲשֶׁר־תֵּצֵא מִמֶּנּוּ שִׁכְבַת־זָרַע׃

Neste versículo são mencionadas certas coisas (cada uma delas complexa em si mesma) específicas, todas as quais já haviam sido abordadas minuciosamente pelo autor sagrado, em capítulos anteriores, a saber:

1. *Sara'at.* Os estudiosos traduziam regularmente esse termo como *lepra*, nas versões mais antigas. Mas o termo indica vários tipos de afecção cutânea, além de fungos e míldios que afetavam tecidos e até mesmo casas. É possível que tal norma envolvesse casos legítimos de lepra. Ver Levítico 13 e 14 quanto a intermináveis preceitos acerca da *sara'at*. Ver a introdução ao capítulo 13 quanto a informações sobre os tipos de enfermidade envolvidos nesse vocábulo de sentido muito geral, *sara'at*. A versão da Septuaginta foi a primeira a traduzir esse termo hebraico para o vocábulo grego que significa "lepra". E foi com base nessa tradução errônea que a tradução passou para todos os idiomas modernos, até que surgiram as versões mais recentes, que a abandonaram.
2. *Emissões de líquidos corporais.* Estão aqui em foco os fluidos sexuais, naturais ou patológicos, como também o fluxo das doenças venéreas, como a gonorreia. O capítulo 15 trata dessas emissões, tanto no homem como na mulher. Ver Levítico 15.2-18 quanto aos problemas do homem. Do vs. 19 em diante é enfocado o problema das mulheres.
3. *Toque em coisas imundas.* Ver Números 19.11-14. O capítulo 11 de Levítico fornece-nos uma lista incrivelmente longa de animais imundos. O vs. 39 daquele capítulo menciona o toque em um cadáver, o que era anátema para os sacerdotes de Israel. O artigo no *Dicionário*, intitulado *Limpo e Imundo,* fornece uma pesquisa sobre o problema.
4. *Fluido seminal.* Geralmente emitido durante relações sexuais normais, era uma das emissões que deixavam imundos os homens. Ver Levítico 15.16. Qualquer experiência sexual requeria que posteriormente se tomasse um banho completo, de imersão, tanto da parte do homem quanto da parte da mulher.

22.5

אוֹ־אִישׁ אֲשֶׁר יִגַּע בְּכָל־שֶׁרֶץ אֲשֶׁר יִטְמָא־לוֹ אוֹ בְאָדָם אֲשֶׁר יִטְמָא־לוֹ לְכֹל טֻמְאָתוֹ׃

Seja qual for a sua imundícia. Quase todos os insetos (excetuando-se somente o gafanhoto) eram considerados imundos. Ver as notas expositivas sobre isso em Levítico 11.24-44.

Algum homem. Tocar em um homem imundo, sem importar a razão pela qual ele se havia contaminado, transferia a sua imundícia para quem tocasse nele. Talvez o homem estivesse imundo com a *sara'at* (ver Lv 13.45) ou com alguma emissão corporal (ver Lv 15.5). Mas também devemos entender qualquer coisa que fosse capaz de tornar um homem imundo: animais imundos, insetos, tocar em um cadáver etc. Bastava tocar em um objeto que tivesse sido tocado por uma pessoa imunda para que a pessoa ficasse imunda. Ademais, tocar em coisas santas era considerado um ato que transmitia santidade. Ver Levítico 5.23; 6.18,27; 15.22,27.

22.6,7

נֶפֶשׁ אֲשֶׁר תִּגַּע־בּוֹ וְטָמְאָה עַד־הָעָרֶב וְלֹא יֹאכַל מִן־הַקֳּדָשִׁים כִּי אִם־רָחַץ בְּשָׂרוֹ בַּמָּיִם׃

וּבָא הַשֶּׁמֶשׁ וְטָהֵר וְאַחַר יֹאכַל מִן־הַקֳּדָשִׁים כִּי לַחְמוֹ הוּא׃

Até à tarde. Ver as notas sobre esse preceito em Levítico 15.5. Enquanto estivesse imundo, e até o fim da tarde, e enquanto não tomasse o seu banho purificador, um homem não poderia receber sua parte dos sacrifícios das refeições comunais. Ver o vs. 3. Quando terminava aquele dia e começava o próximo (de acordo com os costumes dos hebreus, o dia começava às 18 horas), então o homem, tendo efetuado todos os ritos de purificação, era restaurado aos seus privilégios sacerdotais, podendo então participar da refeição comunal. O homem, pois, poderia ficar com muita fome, porquanto aquele era o seu suprimento alimentar.

22.8

נְבֵלָ֧ה וּטְרֵפָ֛ה לֹ֥א יֹאכַ֖ל לְטָמְאָה־בָ֑הּ אֲנִ֖י יְהוָֽה׃

Essa lei tem paralelo em Levítico 17.15, onde aparecem notas expositivas completas. Tal ato era proibido aos israelitas comuns, quanto mais no caso de um sacerdote. Um sacerdote ofensor poderia ser executado, porquanto teria profanado a lei e o santuário. Ver o vs. 9.

22.9

וְשָׁמְר֣וּ אֶת־מִשְׁמַרְתִּ֗י וְלֹֽא־יִשְׂא֤וּ עָלָיו֙ חֵ֔טְא וּמֵ֥תוּ ב֖וֹ כִּ֣י יְחַלְּלֻ֑הוּ אֲנִ֥י יְהוָ֖ה מְקַדְּשָֽׁם׃

Um sacerdote aarônico precisava conhecer bem o seu ofício. Certas infrações poderiam significar a pena de morte, ou por juízo divino, mediante um acidente ou uma enfermidade, ou por execução judicial. A razão teológica por trás dessa severidade era a permanente santidade de Yahweh, cujas ordens precisavam ser obedecidas. No tempo do segundo templo, este nono versículo era interpretado como um julgamento "pela mão celestial". A versão caldaica diz aqui: "Para que não sejam mortos por alguma chama chamejante", como sucedeu no caso de Nadabe e Abiú (ver Lv 10.1 ss.).

22.10

וְכָל־זָ֖ר לֹא־יֹ֣אכַל קֹ֑דֶשׁ תּוֹשַׁ֥ב כֹּהֵ֛ן וְשָׂכִ֖יר לֹא־יֹ֥אכַל קֹֽדֶשׁ׃

Os vss. 10-16 formam uma breve seção dentro deste capítulo 22, que aborda a questão de comer de *coisas santas*, quem podia e quem não podia comê-las. Devemos lembrar-nos de que a porção dos sacerdotes perfazia a maior parte de seu suprimento alimentar. Esse suprimento tanto era limitado quanto santo, e não eram todas as pessoas que podiam dele comer.

Nenhum estrangeiro. Poderia estar em pauta alguém que estivesse apenas de passagem em Israel, um estrangeiro residente etc. Mas o mais provável é que esteja em vista qualquer *leigo*, ou seja, hebreus que não pertencessem à casta sacerdotal. Tais pessoas não podiam participar daquelas porções dos sacrifícios que serviam de suprimento alimentar para os sacerdotes.

O hóspede do sacerdote. Está em foco alguém que estivesse visitando o homem, mas não era membro de sua família. Nos dias do segundo templo, isso era interpretado como um escravo temporário *hebreu*, cuja orelha tinha sido perfurada, mas que poderia ser liberado no ano de Jubileu. Ver as notas sobre Êxodo 21.6.

Seu jornaleiro. Algum hebreu contratado para trabalhar por um tempo especificado. Ver as notas sobre Êxodo 21.2. Tal pessoa não era propriedade do sacerdote, nem da família deste. Tais pessoas não estavam qualificadas para comer das *coisas santas* (a porção que cabia aos sacerdotes), isto é, dos sacrifícios.

22.11

וְכֹהֵ֗ן כִּֽי־יִקְנֶ֥ה נֶ֙פֶשׁ֙ קִנְיַ֣ן כַּסְפּ֔וֹ ה֖וּא יֹ֣אכַל בּ֑וֹ וִילִ֣יד בֵּית֔וֹ הֵ֖ם יֹאכְל֥וּ בְלַחְמֽוֹ׃

Comprar algum escravo com o seu dinheiro. Tal escravo passara a fazer parte da casa do sacerdote, e, sendo um não-hebreu que não estivesse sujeito à libertação, que se tinha convertido ao yahwismo e fora circuncidado, *tal homem* era um candidato a participar da refeição comunal. Nos dias do segundo templo, essa lei foi expandida para incluir um escravo que a esposa de um sacerdote tivesse adquirido.

Um *escravo*, nascido na casa de um sacerdote, quer fosse hebreu (um escravo que nascera como hebreu) quer não-hebreu (um escravo cujos pais fossem escravos), podia participar da refeição comunal. Pois tal escravo fazia parte da família, embora tivesse menos privilégios que um filho, mas pelo menos tinha esse privilégio.

22.12,13

וּבַת־כֹּהֵ֔ן כִּ֥י תִהְיֶ֖ה לְאִ֣ישׁ זָ֑ר הִ֕וא בִּתְרוּמַ֥ת הַקֳּדָשִׁ֖ים לֹ֥א תֹאכֵֽל׃

וּבַת־כֹּהֵן֩ כִּ֨י תִהְיֶ֜ה אַלְמָנָ֣ה וּגְרוּשָׁ֗ה וְזֶ֙רַע֙ אֵ֣ין לָ֔הּ וְשָׁבָ֞ה אֶל־בֵּ֤ית אָבִ֙יהָ֙ כִּנְעוּרֶ֔יהָ מִלֶּ֥חֶם אָבִ֖יהָ תֹּאכֵ֑ל וְכָל־זָ֖ר לֹא־יֹ֥אכַל בּֽוֹ׃ ס

Quando a filha do sacerdote. Mesmo que se tivesse casado com um estrangeiro, ainda assim ela poderia recuperar os direitos que tinha quando estava na casa de seu pai, ou seja, poderia participar das *coisas santas*, da refeição comunal. Mas, enquanto fizesse parte de uma família leiga, ela não podia participar dessa refeição. Os elementos humanitários constantes no texto mostram que não estavam em pauta meros tabus irracionais.

A palavra *estrangeiro*, usada em algumas traduções, deveria ser trocada pela palavra *leigo*. A ideia não é que a jovem tenha fugido com algum homem não-hebreu e, estando em companhia dele, não pudesse participar das coisas santas. Antes, ela meramente casou-se com um leigo (um hebreu, mas não da classe sacerdotal), e agora retornava à casa do pai dela. Não tendo filhos, que complicariam a situação, ela meramente retornava à casa paterna, como membro da casa de seu pai, o qual era sacerdote. Uma pobre mulher, viúva ou divorciada, que tivesse filhos, dificilmente encontraria uma maneira de sustentá-los. E a presença de filhos significava que esses filhos (e até a mãe) ainda pertenciam a uma família diferente, apesar da morte do pai, ou do divórcio. Naturalmente, havia um aspecto prático. A lei da refeição comunal não podia ser interminavelmente ampliada, incluindo um número cada vez maior de pessoas. Não há que duvidar de que o pai da mulher haveria de ajudá-la de outras maneiras, talvez até encontrando para ela outro marido apropriado. Por *refeição comunal* devemos entender sustento material, provavelmente não limitado apenas a comer carne e cereais.

22.14

וְאִ֕ישׁ כִּֽי־יֹאכַ֥ל קֹ֖דֶשׁ בִּשְׁגָגָ֑ה וְיָסַ֤ף חֲמִֽשִׁיתוֹ֙ עָלָ֔יו וְנָתַ֥ן לַכֹּהֵ֖ן אֶת־הַקֹּֽדֶשׁ׃

Ajuntar-se-lhe-á a sua quinta parte. Os sacerdotes tinham a responsabilidade de gerenciar o consumo das ofertas sagradas. Eles deviam detectar as infrações.

Se alguém. Ou seja, um leigo que comesse das coisas sagradas inadvertidamente, aquelas porções das oferendas que pertenciam aos sacerdotes, então esse alguém estava obrigado a fazer restituição, adicionando a quinta parte da porção de que ele se apossara. Era uma espécie de multa e também podia ser cobrada sob a forma de um carneiro oferecido em sacrifício. Dessa forma, haveria uma oferta pela culpa, mas também seria devolvido certo suprimento alimentar aos sacerdotes. Ver as notas em Levítico 5.14—6.7 quanto à *oferta pela culpa*. Assim sendo, a coisa santa era devolvida, e uma *quinta parte* era acrescentada. Depois disso, o homem teria o cuidado de não ultrapassar de seus direitos.

Ver Levítico 5.16 quanto a como as multas eram calculadas, e também acerca do *carneiro para as ofertas pela culpa*. Um erro por inadvertência podia incluir o ato de consumir, por ignorância, animais, cereais, primícias etc. reservados para os sacrifícios ou por não se contribuir com o que era requerido.

22.15

וְלֹ֣א יְחַלְּל֔וּ אֶת־קָדְשֵׁ֖י בְּנֵ֣י יִשְׂרָאֵ֑ל אֵ֥ת אֲשֶׁר־יָרִ֖ימוּ לַיהוָֽה׃

Não profanarão as cousas sagradas. Poderiam estar em foco os sacerdotes como uma classe, pessoas leigas, ou ambos. Uma profanação causada por um sacerdote incluiria os casos em que ele fosse fazer seu serviço em estado de imundícia cerimonial, conforme foi discutido em Levítico 21.1, ou que realizasse os seus deveres de uma maneira ilegal. Ver também Lv 22.3 ss. A pessoa comum profanaria o tabernáculo das maneiras referidas no vs. 14. Os sacerdotes tinham a responsabilidade de supervisionar a questão toda, resguardando-se de qualquer forma de profanação.

22.16

וְהִשִּׂיאוּ אוֹתָם עֲוֹן אַשְׁמָה בְּאָכְלָם אֶת־קָדְשֵׁיהֶם כִּי אֲנִי יְהוָה מְקַדְּשָׁם׃ פ

Este versículo volta ao assunto do vs. 14. Os sacerdotes eram responsáveis por tudo quanto acontecesse no tabernáculo, e também por ensinarem o povo acerca de suas responsabilidades. Dessarte, o povo aprendia a não comer das coisas sagradas; e também aprendia a não deixar de contribuir com os dízimos, as primícias e as oferendas, pois teria sido cuidadosamente instruído pelos sacerdotes. Desse modo, seria evitada aquela *culpa* advinda por um povo descuidado e mal instruído.

Yahweh atuava como um *santificador*, e essa santificação funcionava através da instrução. As leis de Yahweh santificavam, mas somente o homem bem versado nelas escaparia às poluições. A santidade cerimonial era garantida por meio da instrução e da supervisão apropriada por parte dos sacerdotes.

22.17

וַיְדַבֵּר יְהוָה אֶל־מֹשֶׁה לֵּאמֹר׃

Disse mais o Senhor. Essa é uma expressão usada com frequência no Pentateuco, a fim de introduzir alguma nova seção. Mas é mais do que um artifício literário, pois nos faz lembrar de que as Escrituras são divinamente inspiradas. Ver Levítico 1.1 e 4.1 quanto a notas completas a respeito.

22.18

דַּבֵּר אֶל־אַהֲרֹן וְאֶל־בָּנָיו וְאֶל כָּל־בְּנֵי יִשְׂרָאֵל וְאָמַרְתָּ אֲלֵהֶם אִישׁ אִישׁ מִבֵּית יִשְׂרָאֵל וּמִן־הַגֵּר בְּיִשְׂרָאֵל אֲשֶׁר יַקְרִיב קָרְבָּנוֹ לְכָל־נִדְרֵיהֶם וּלְכָל־נִדְבוֹתָם אֲשֶׁר־יַקְרִיבוּ לַיהוָה לְעֹלָה׃

Fórmulas de Comunicação. Oito diferentes expressões são usadas no Pentateuco para indicar alguma mensagem da parte de Yahweh. Moisés era sempre o mediador. Algumas vezes ele transmitia os recados a Arão; outras vezes, a Arão e seus filhos; e, ainda outras vezes, Moisés dirigia-se diretamente ao povo. Ver as *oito* fórmulas comentadas em Levítico 17.2.

Temos aqui a inclusão de *todos os elementos.* O povo de Israel, em sua inteireza, estava diretamente envolvido, pois todos tinham de utilizar o sistema de sacrifícios, ou como aqueles que vinham oferecer sacrifícios (o povo comum) ou como aqueles que os ofereciam (os sacerdotes).

Este versículo menciona, especificamente, os sacrifícios feitos como voto, como ofertas voluntárias e como holocaustos ou ofertas queimadas. Mas são aqui omitidas as ofertas pelo pecado e pela culpa, embora essas duas ofertas também estivessem sujeitas às mesmas regras. Visto que nenhum sacerdote em estado de imundícia cerimonial podia oficiar, assim também nenhum sacrifício imundo era aceitável. Os animais sacrificados tinham de ser perfeitos. Ver as notas sobre os *cinco* tipos aceitáveis de animais a serem sacrificados, em Levítico 1.14-16. Os animais sacrificados eram, por assim dizer, os sacerdotes do mundo animal; pois os sacerdotes levíticos eram *representados por eles,* da mesma maneira que os gentios eram simbolizados pelos animais *imundos,* ao passo que os hebreus eram representados, de modo geral, pelos animais *limpos.*

Só havia *uma exceção* a essa lei do limpo e do imundo, ou seja, as ofertas voluntárias. Pois um animal sacrificado como oferta voluntária não precisava ser sem defeito. Ver as notas sobre o vs. 23.

Em cumprimento de seus votos, ou como ofertas voluntárias. Ver as notas em Levítico 7.12,16 quanto a isso. Ver Levítico 7.37 quanto aos vários tipos de oferendas. Ver o vs. 23 deste capítulo. As notas de introdução a Levítico 7.11 oferecem uma discussão sobre os três tipos de ofertas, a qual mostra onde esses tipos são mencionados.

Ninguém era obrigado a oferecer uma oferta voluntária. Eram usados animais machos, embora, quanto a outras oferendas, como as ofertas pacíficas (de comunhão) e as ofertas pelo pecado, também se pudesse usar animais do sexo feminino (ver Lv 3.1 e 4.32). As ofertas pacíficas podiam ser oferecidas em sinal de agradecimento, de votos feitos ou como simples atos de piedade religiosa, como também por pecados desconhecidos. Ver as distinções nas notas sobre Levítico 7.15,16 e Êxodo 3.1-17. Cada oferta de voto era uma oferenda voluntária, embora nem toda oferta voluntária representasse um voto. Mas *ambos* os tipos eram oferendas pacíficas ou de comunhão. As ofertas de votos incluíam algum voto com algum propósito específico. Uma oferta voluntária poderia ser, tão somente, um ato de piedade ou de ação de graças.

Holocausto. Ver Levítico 6.9-13. Ver também Levítico 1.3-17 quanto a notas adicionais.

22.19

לִרְצֹנְכֶם תָּמִים זָכָר בַּבָּקָר בַּכְּשָׂבִים וּבָעִזִּים׃

Os Três Grandes Animais Sacrificados. Esses animais eram o touro, o carneiro e o bode. Esses eram usados nos holocaustos e em outros sacrifícios. No caso dos holocaustos, somente animais machos podiam ser usados.

Macho sem defeito. O animal não podia ter nenhum defeito, da mesma forma que um sacerdote defeituoso não podia oferecer sacrifícios. Os sacerdotes aarônicos não podiam ter defeitos físicos (ver Lv 21.18 ss.), nem os animais oferecidos em sacrifício (ver as notas a respeito em Lv 1.3 e 4.3).

22.20

כֹּל אֲשֶׁר־בּוֹ מוּם לֹא תַקְרִיבוּ כִּי־לֹא לְרָצוֹן יִהְיֶה לָכֶם׃

Todo o que tiver defeito. Essa questão de defeitos físicos afetava tanto os sacrifícios, como neste versículo, quanto os sacerdotes. Estes também precisavam não ter defeito físico. Ver Levítico 21.17 ss. Em Levítico 4.3 ver as notas atinentes à lei de que os animais oferecidos em holocausto não podiam ter defeito. Essas notas provêm uma lista de referências sobre onde tal regra é reiterada. Não são mencionadas aves em conexão com esse preceito, embora elas também figurassem entre os *cinco* tipos de animais usados nos sacrifícios (Lv 1.14-16). Na época do segundo templo, uma ave podia ser oferecida em sacrifício, exceto se houvesse algo de radicalmente defeituoso, como a falta de uma asa, por exemplo.

A lei da ausência de defeitos também aparecia na cultura egípcia (ver Heródoto, *Euterpe,* 12, cap. 38), na cultura grega (Homero, *Ilíada* 1, vs. 66) e na cultura romana (Servius em Virgílio, *Aeneida* 1.4), sem falar em várias outras. Cf. Malaquias 1.8.

Tipologia. Cristo, nosso sacrifício, não tinha defeito, nem pecado, nem mácula, razão pela qual seu sacrifício foi aceito por Deus. Ver 1Pedro 1.19; Hebreus 9.14. O crente, como um sacrifício vivo, também não pode apresentar nenhum defeito (ver Rm 12.1,2). Ver também Êxodo 12.5; 29.1; Levítico 1.3,10; 3.1.

22.21

וְאִישׁ כִּי־יַקְרִיב זֶבַח־שְׁלָמִים לַיהוָה לְפַלֵּא־נֶדֶר אוֹ לִנְדָבָה בַּבָּקָר אוֹ בַצֹּאן תָּמִים יִהְיֶה לְרָצוֹן כָּל־מוּם לֹא יִהְיֶה־בּוֹ׃

Todas as ofertas de votos eram voluntárias, pelo que eram variantes de ofertas voluntárias. E ambas eram ofertas pacíficas (ou de comunhão). Ver as notas sobre o vs. 19, acima. Os seres humanos gostam de fazer promessas e votos, e pensam que, se prometerem algo a um poder espiritual, aquilo que pedem tem a tendência de ser concedido mais prontamente. Minha mãe costumava dizer: "Algumas vezes, podemos barganhar com Deus, mas de outras vezes, não". E assim as pessoas continuam barganhando, para ver se, "dessa vez", aquilo que esperam receber lhes será concedido.

Em cumprimento de voto. Ver as notas expositivas sobre as *ofertas pacíficas* em Levítico 7.11-33, com notas adicionais em Levítico 3.1-17. Ver Gênesis 28.20-22 e Jonas 1.16, quanto a votos feitos aos poderes divinos, na esperança do recebimento da graça divina. Uma oferenda oferecida como voto era uma oferta voluntária, ou seja, não obrigatória, e, sim, algo extra, visando ao benefício do ofertante. E também poderia ser simples expressão de gratidão por uma vida boa, algo recebido da parte da graça divina etc., e podia incluir ou não alguma forma de voto ou promessa.

22.22

עַוֶּרֶת אוֹ שָׁבוּר אוֹ־חָרוּץ אוֹ־יַבֶּלֶת אוֹ גָרָב אוֹ
יַלֶּפֶת לֹא־תַקְרִיבוּ אֵלֶּה לַיהוָה וְאִשֶּׁה לֹא־תִתְּנוּ
מֵהֶם עַל־הַמִּזְבֵּחַ לַיהוָה:

Este versículo repete os tipos de defeitos que um animal não poderia ter, se tivesse de ser usado como sacrifício. As coisas especificadas são as mesmas que aquelas que o próprio sacerdote não podia ter, se tivesse de servir diante do altar. Ver as notas em Levítico 21.18-20, exceto pelo fato de que ali a lista apresentada é mais longa. Ver Êxodo 22.9. O animal não podia ter nenhum osso quebrado. Também não podia ter nenhum tipo de *mutilação,* como injúrias, defeitos genéticos e sinais de nascimento. A palavra hebraica correspondente indica defeitos oculares; e isso faz paralelo com Levítico 21.20, no tocante aos sacerdotes levíticos. Porém, há estudiosos que veem nessa palavra uma referência mais ampla de defeitos. A Septuaginta diz aqui "corte na língua", mas essa é uma tentativa de acertar o que o original hebraico diz. Porfírio (*De Abstinentia,* 1, 2, sec. 23) falou sobre qualquer tipo de mutilação. O que não é possível é qualquer tipo de *úlcera* ou *tumor,* lugares infectados na pele e tumores de qualquer gravidade. Alguns estudiosos pensam que aqui estão em foco infecções oculares, embora admitam que a pele pode estar envolvida. O Targum de Jonathan refere-se aos olhos, e isso forma um paralelo com Levítico 21.20. As enfermidades cutâneas são ali definidamente mencionadas, mediante os vocábulos "sarna" e "impigem", usados em nossa versão portuguesa. Os mesmos termos são usados para indicar sacerdotes com defeitos físicos, em Levítico 21.20, onde a questão é comentada com maiores detalhes.

Todos esses animais defeituosos, de acordo com a lista de defeitos possíveis, que é apenas representativa, não podiam ser utilizados nos sacrifícios, pois seriam sacrifícios profanos, insultuosos e inaceitáveis.

22.23

וְשׁוֹר וָשֶׂה שָׂרוּעַ וְקָלוּט נְדָבָה תַּעֲשֶׂה אֹתוֹ וּלְנֵדֶר
לֹא יֵרָצֶה:

Prossegue a lista de defeitos possíveis nos animais. Os mesmos defeitos aqui mencionados nos animais também figuram na listagem dos defeitos possíveis nos sacerdotes. Logo, este versículo é paralelo a Levítico 21.18, onde aparecem as mesmas expositivas a respeito. Um animal não podia ter nenhuma desproporção, nem lhe faltar qualquer parte, nem como defeito genético nem em resultado de algum acidente.

A Exceção. Animais defeituosos só podiam ser oferecidos como simples oferendas voluntárias, como as ofertas de ação de graças, um ato de piedade religiosa. Mas se um voto ou promessa fosse adicionado a essa oferenda, então um animal defeituoso já não era elegível.

Uma Contradição? Os vss. 18-20 já tinham proibido enfaticamente o uso de animais defeituosos nas ofertas voluntárias se estas envolvessem algum voto. Mas agora surge uma evidente exceção. A fim de contornar esse problema, nos dias do segundo templo, essa *exceção* era interpretada como aqueles tipos de ofertas trazidas para a manutenção do templo. Esses animais eram vendidos, e o produto da venda era doado para ajudar o ministério do templo. Todavia, nenhum animal dotado de defeito físico podia ser aproximado do altar. Alguns eruditos têm solucionado o problema ao suporem que o autor original, ou algum copista antigo, simplesmente tenha deixado de lado a negativa, por motivo de descuido. E isso significaria que nenhuma exceção é aberta no vs. 23. Tal disputa, entretanto, não tem solução definitiva.

22.24

וּמָעוּךְ וְכָתוּת וְנָתוּק וְכָרוּת לֹא תַקְרִיבוּ לַיהוָה
וּבְאַרְצְכֶם לֹא תַעֲשׂוּ:

Não oferecereis ao Senhor animal... Animais que tivessem sofrido algum acidente e tivessem sido desfigurados também eram inaceitáveis como sacrifícios. Esses acidentes incluíam qualquer violência como esmagamento, quebra, machucadura ou golpe. Todos esses acidentes desqualificavam um animal para servir como sacrifício. A regra era universal. Não podia ocorrer na Terra Santa, nem mesmo no deserto, antes de o povo de Israel ter entrado na Terra Prometida. O Targum de Jonathan frisa os testículos como o órgão machucado (conforme também se vê em nossa versão portuguesa), mas muitos estudiosos creem que devemos pensar em qualquer outro órgão, igualmente.

Por outra parte, todos os quatro termos eram usados, na antiguidade, para indicar um animal castrado. A lei mosaica proibia a *emasculação,* e é bem possível que este versículo seja uma forma elaborada de afirmar isso, em consonância com o Targum de Jonathan. John Gill (*in loc.*) informa-nos que a *maior parte* das autoridades judaicas entendia a questão dessa maneira. "Isso quer dizer que animais castrados, embora pudessem ser empregados nas fazendas, não podiam ser oferecidos como sacrifícios" (Nathaniel Micklem, *in loc.*).

22.25

וּמִיַּד בֶּן־נֵכָר לֹא תַקְרִיבוּ אֶת־לֶחֶם אֱלֹהֵיכֶם
מִכָּל־אֵלֶּה כִּי מָשְׁחָתָם בָּהֶם מוּם בָּם לֹא יֵרָצוּ
לָכֶם: פ

Animais para sacrifício não podiam ser comprados da parte de estrangeiros. Quem sabe que tipos de corrupção um pagão poderia infligir a um animal? Os hebreus não podiam arriscar-se. Ademais, o simples fato de que tal animal fora criado em um acampamento pagão bastava para desqualificá-lo para ser oferecido sobre o altar de Yahweh. Assim, animais "importados" eram um tabu. Tais animais estavam moralmente mutilados, ainda que, fisicamente, fossem perfeitos.

O *estrangeiro* em questão podia ser alguém convertido ao *yahwismo,* que estivesse trazendo um animal para ser sacrificado. Apesar disso, os sacerdotes de Israel não podiam tomar tal risco. O altar de Yahweh só podia acolher animal pertencente aos hebreus, depois de devidamente inspecionado.

Pão do vosso Deus. Ou seja, *alimento* simbolicamente a Yahweh, como sacrifício, para ser usado na refeição comunal. Ver as notas sobre Levítico 21.6 e 8 quanto a esse conceito. Ver também os vss. 17 e 21, onde essa expressão é repetida. As ofertas pacíficas permitiam que certas porções de um animal sacrificado fossem usadas nas refeições comunais. O sangue e a gordura eram oferecidos a Yahweh. Ver as leis sobre o sangue e a gordura, nas notas em Levítico 3.17. Outras porções desse animal iam para os sacerdotes e seus familiares, como suprimento alimentar diário. Era nas refeições comunais que as porções *santas* eram consumidas.

22.26

וַיְדַבֵּר יְהוָה אֶל־מֹשֶׁה לֵּאמֹר:

Disse mais o Senhor. Essa expressão é usada por muitas vezes no Pentateuco, a fim de introduzir novas seções. Mas também nos faz lembrar da inspiração divina das Escrituras. Ver notas completas sobre essa noção, em Levítico 1.1 e 4.1.

22.27

שׁוֹר אוֹ־כֶשֶׂב אוֹ־עֵז כִּי יִוָּלֵד וְהָיָה שִׁבְעַת יָמִים
תַּחַת אִמּוֹ וּמִיּוֹם הַשְּׁמִינִי וָהָלְאָה יֵרָצֶה לְקָרְבַּן אִשֶּׁה
לַיהוָה:

Sete dias estará com a mãe. Os três principais animais, oferecidos em sacrifício, não podiam ser separados de sua mãe durante sete dias. Esses animais eram o touro, o carneiro e o bode. Sete é o número divino simbólico da perfeição. Ver no *Dicionário* o artigo intitulado *Número (Numeral, Numerologia),* onde ofereço notas sobre os principais números usados simbolicamente na Bíblia, incluindo o número *sete.*

Um desses animais, no *oitavo* dia de nascido, quando sua vida nem bem começara, já tinha valor, podendo ser usado como sacrifício. Ver Plínio (*Hist. Natural,* 1, 8, cap. 51), que afirmou que um animal com essa idade já podia ser usado como sacrifício. Cf. Êxodo 22.30.

Explicações. O *sábado* (sétimo dia de vida do animal) tinha passado, pelo que o animal podia ser sacrificado. Deus terminou sua criação material em sete dias; e assim, aquele animal fazia parte dessa criação terminada, e podia ser usado sobre o altar de Yahweh. Ao oitavo dia, por assim dizer, efetuava-se a circuncisão do jovem animal, pelo que já podia ser oferecido sobre o altar. Ver Êxodo 22.29. Ademais, o animal, ao nascer, ainda estava fraco, e precisava de algum tempo para adquirir vigor. E então, de súbito, o animalzinho estava morto, tendo sido cortada a sua veia jugular! Graças a Deus pela *mudança* trazida por Cristo, que pôs fim a essas brutalidades!

■ 22.28

וְשׁוֹר אוֹ־שֶׂה אֹתוֹ וְאֶת־בְּנוֹ לֹא תִשְׁחֲטוּ בְּיוֹם אֶחָד׃

Uma Lei sobre a Imolação de Animais. Um bezerro, um cordeiro ou um cabrito podiam ser mortos em sacrifício a partir do seu oitavo dia de vida. Talvez sua mãe também fosse usada como sacrifício. Nesse caso, havia uma estipulação que proibia que um animal e sua mãe fossem abatidos em um *mesmo* dia. A versão caldaica salienta o aspecto "humanitário" dessa lei: "Meu povo, filhos de Israel, assim como nosso Pai é misericordioso no céu, assim também sereis misericordiosos na terra". Na verdade, há um relacionamento sagrado entre mãe e filho, e isso, por analogia, estende-se aos animais. Esse relacionamento sagrado era violado quando se abatia um animal e sua mãe no mesmo dia! Mas o simples ato de matar não seria também uma profanação? Suspiramos de alívio diante das mudanças trazidas por Cristo. Ver na *Enciclopédia de Bíblia, Teologia e Filosofia* o artigo intitulado *Animais, Direitos e Moralidade dos*. Autoridades judaicas dizem-nos que a lei também se aplicava ao pai dos animais, e não somente à mãe. Mas há outros estudiosos que limitam essa medida à mãe dos animais.

■ 22.29

וְכִי־תִזְבְּחוּ זֶבַח־תּוֹדָה לַיהוָה לִרְצֹנְכֶם תִּזְבָּחוּ׃

Este versículo nos faz voltar ao tema do vs. 18, onde também oferecemos as notas expositivas. Algumas vezes, as ofertas voluntárias eram oferecidas em ação de graças. Eram oferendas voluntárias, visto que não eram requeridas de modo absoluto. Essas oferendas eram usadas nas refeições comunais (ver o vs. 30; ver também Lv 7.15 quanto a outras notas). Uma oferta de voto era uma espécie de oferta voluntária; e ambas eram ofertas pacíficas ou de comunhão. Ver o gráfico existente antes de Levítico 1.1, que ilustra os vários tipos de ofertas e as suas principais características.

■ 22.30

בַּיּוֹם הַהוּא יֵאָכֵל לֹא־תוֹתִירוּ מִמֶּנּוּ עַד־בֹּקֶר אֲנִי יְהוָה׃

A Refeição Comunal Não Era um Banquete de Glutões. Não podia ampliar-se acima de um dia, conforme faziam os pagãos em suas orgias, onde a glutonaria era um dos principais fatores. Ver Levítico 7.15 quanto a essa mesma regra. Essa refeição comunal era uma oferenda de *primeira classe*. Outras refeições coletivas, contudo, podiam prolongar-se por mais de um dia. Ver Levítico 7.18. Ver as *três* classes de oferendas, nos comentários da introdução a Levítico 7.11.

Eu sou o Senhor. Essa é uma forma variante e mais breve da expressão "Eu sou o Senhor vosso Deus". Essa declaração era usada pelo autor sagrado para enfatizar ou solenizar algum ensino ou lei que aparecia amiúde no chamado *Código de Santidade* (ver a introdução a Lv 17). Essa seria uma das características literárias desse código. Ver as notas expositivas sobre essa expressão em Levítico 18.30.

■ 22.31

וּשְׁמַרְתֶּם מִצְוֹתַי וַעֲשִׂיתֶם אֹתָם אֲנִי יְהוָה׃

Alguma incumbência solene de guardar os mandamentos de Deus aparece vez por outra no livro de Levítico. As leis eram muitas e complexas. Um israelita deveria estudá-las, até dominá-las bem. Em seguida, cumpria-lhe *obedecer*. Não bastava conhecer as leis. Era preciso observá-las.

> Enquanto cumprirmos sua boa vontade,
> Ele continuará conosco;
> E com todos que confiam
> e obedecem.
>
> J. H. Sammis

Eu sou o Senhor. Ver as notas sobre o versículo anterior.

■ 22.32

וְלֹא תְחַלְּלוּ אֶת־שֵׁם קָדְשִׁי וְנִקְדַּשְׁתִּי בְּתוֹךְ בְּנֵי יִשְׂרָאֵל אֲנִי יְהוָה מְקַדִּשְׁכֶם׃

Não profanareis o meu santo nome. Os israelitas evitavam essa profanação obedecendo às leis do Senhor. Realizar os sacrifícios de maneira errada, ou por motivos dúbios, era uma profanação. Em contraste com isso, Yahweh era um Deus santificador; ele tinha separado Israel como um povo, e agora requeria santidade da parte deles (ver Lv 19.1; ver também Lv 11.44,45 quanto a comentários sobre essa fórmula). O pacto firmado entre Yahweh e o povo de Israel exigia santificação e separação. Ver sobre o *Pacto Abraâmico* em Gênesis 15.18, e sobre o *Pacto Mosaico* na introdução a Êxodo 19.1. No *Dicionário* ver o artigo chamado *Santificação*. E em Levítico 21 ver os comentários sobre a profanação do nome de Yahweh. Estavam envolvidas práticas pagãs. A legislação mosaica sugeria uma vereda diferente daquela seguida pelos gentios.

■ 22.33

הַמּוֹצִיא אֶתְכֶם מֵאֶרֶץ מִצְרַיִם לִהְיוֹת לָכֶם לֵאלֹהִים אֲנִי יְהוָה׃ פ

... vos tirei da terra do Egito. O ato remidor, mediante o qual Yahweh livrou seu povo do lugar e do estado de servidão, é usado aqui como motivo para a santidade e a obediência. Ver também Levítico 18.24-30; 19.36,37 e 20.22-26. Primeiramente, o povo de Israel foi libertado; em seguida, foi encaminhado à Terra Prometida. E as populações que ali residiam foram expulsas, porque a taça da iniquidade delas agora estava cheia (ver Gn 15.16). Finalmente, o povo de Israel entrou e se apossou da Terra Prometida. Esse ato de redenção, pois, deveria ter inspirado Israel a viver da maneira revelada por Deus. Ver Levítico 11.45 e Deuteronômio 4.20 quanto a uma declaração similar àquela deste versículo.

> **O Sacrifício Sem Jaça**
>
> Deus, que me criou ágil e
> veloz de corpo;
> Livre de três maneiras: Para correr,
> montar e nadar;
> Não quando me sinto sonolento,
> Mas agora,
> de coração alegre, quero
> lembrar-me dele:
> — Estou grato como um garoto.
>
> Henry Charles Beeching

CAPÍTULO VINTE E TRÊS

DIREÇÕES ACERCA DAS FESTAS RELIGIOSAS (23.1-44)

AS FESTAS SOLENES DO SENHOR (23.1-25)

Muitos eruditos pensam que Levítico 17—26 é trecho proveniente de uma fonte informativa distinta do Pentateuco, à qual chamam de *Código de Santidade*. Ver as notas na introdução ao capítulo 17. Ver também o artigo *J.E.D.P.(S.)* quanto à teoria das fontes informativas múltiplas do Pentateuco.

A legislação mosaica incluía tanto festividades individuais e nacionais quanto festividades que eram ocasiões de regozijo, sacrifício, solenidade e adoração. Muito daquilo que temos visto em Levítico (1-7) fala de ocasiões individuais, como ritos e sacrifícios oferecidos por indivíduos. Este capítulo 23, porém, alude às festas nacionais de Israel. E outras passagens detalham quanto à páscoa (ver Êx 12 e 13) e ao dia da expiação (ver Lv 16). Este capítulo 23 de Levítico é o relato unificado mais completo das festividades, do ponto de vista de seu correlacionamento com o calendário religioso. O capítulo 28 de Números fornece-nos alguns detalhes que não aparecem aqui.

"Uma vez que Israel entrou na terra de Canaã, as três grandes festas do ano (a festa dos pães asmos, que acompanhava a páscoa e a festa da colheita ou dos tabernáculos, segundo se vê em Êxodo 23.14-17;

34.18-25 e Dt 16.1-16) passaram a ser ocasiões de *peregrinação* ao santuário central, por parte de *todos* os varões israelitas. Assim, a palavra hebraica básica para festa, *hag* (por exemplo, Lv 23.6,34,38; Dt 16.16; 2Cr 8.13), inclui a ideia de peregrinação, podendo ser corretamente traduzida por *festa de peregrinação*. E outro termo, *moed*, "reunião marcada", ocorre no plural por quatro vezes, neste capítulo 23 de Levítico, podendo também ser traduzido por "festas fixas" (vss. 2,4,37,44)" (F. Duane Lindsey, *in loc.*).

Este capítulo 23 de Levítico apresenta *seis festas*, se distinguirmos a páscoa e os pães asmos (vss. 4-8) e não considerarmos as primícias (vss. 8-14) como uma festa separada.

Divisões das Festas por Estações do Ano:
1. *Primavera e começo do verão:* Páscoa; pães asmos; primícias; e então, cinquenta dias mais tarde, festa das semanas.
2. *Outono:* Festa do sétimo mês, as trombetas; dia da expiação; festa dos tabernáculos.

Estamos tratando aqui das concentrações sagradas do povo de Israel, e não somente das festas individuais. Antes da entrada de Israel na terra de Canaã, as festas eram efetuadas em santuários locais. Quando Jerusalém se tornou a capital de uma nação *unida*, então essa cidade tornou-se o centro religioso. Quando Israel foi para o cativeiro, então as sinagogas tornaram-se pequenos centros; e, em tempos posteriores, essas festividades eram efetuadas, de maneira simbólica, conforme até hoje se vê entre os judeus. Ver, no *Dicionário, Festas (Festividades)*.

■ 23.1

וַיְדַבֵּר יְהוָה אֶל־מֹשֶׁה לֵּאמֹר:

Disse o Senhor. Essa expressão é usada por muitas vezes, no Pentateuco, para introduzir novas seções. Mas ela também nos faz lembrar da inspiração divina das Escrituras. Ver notas completas a respeito em Levítico 1.1 e 4.1.

■ 23.2

דַּבֵּר אֶל־בְּנֵי יִשְׂרָאֵל וְאָמַרְתָּ אֲלֵהֶם מוֹעֲדֵי יְהוָה אֲשֶׁר־תִּקְרְאוּ אֹתָם מִקְרָאֵי קֹדֶשׁ אֵלֶּה הֵם מוֹעֲדָי:

Fórmulas de Comunicação. Usualmente, após a fórmula introdutória "disse o Senhor", temos alguma fórmula de comunicação. Algumas vezes, Moisés entregava uma mensagem divina a Arão; de outras vezes a Arão e seus filhos; e, ainda de outras vezes, à inteira congregação de Israel. Em todos esses casos, Moisés agia como mediador entre Yahweh e o povo de Israel. Ver as *oito* fórmulas de comunicação, em Levítico 17.2. No presente caso, ele transmitiu a mensagem divina a todo o povo de Israel, visto que a nação toda estaria envolvida nas ocasiões sagradas descritas neste capítulo.

Santas convocações. Ou seja, reuniões sagradas e nacionais, de fundo religioso, cuja finalidade era o ajudar o povo a unir-se em torno do yahwismo e sua nova maneira de viver. Essas eram as festividades de um povo separado: auxílios à espiritualidade. O termo "convocação" significa que o povo era chamado para "reunir-se".

As minhas festas. Essas reuniões eram assim chamadas, embora uma delas, o dia da expiação, não fosse exatamente um dia de festa, e, sim, de jejum.

O sonido da trombeta convocava os filhos de Israel (ver Nm 10.2,3,8-10); e daí temos o nome "convocações". Essas ocasiões eram *santas* porque serviam para santificar o povo separado, instilando em sua mente os caminhos de Yahweh. Israel precisava contar com uma adoração nacional, e não apenas individual. Ambas essas formas de adoração tinham suas funções. A forma nacional unificava os adoradores, tornando-os uma única assembleia.

■ 23.3

שֵׁשֶׁת יָמִים תֵּעָשֶׂה מְלָאכָה וּבַיּוֹם הַשְּׁבִיעִי שַׁבַּת שַׁבָּתוֹן מִקְרָא־קֹדֶשׁ כָּל־מְלָאכָה לֹא תַעֲשׂוּ שַׁבָּת הִוא לַיהוָה בְּכֹל מוֹשְׁבֹתֵיכֶם: פ

O sábado do descanso solene. Não nos devemos esquecer de que a guarda do sábado era o *sinal* do pacto mosaico. Ver as notas sobre esse pacto nas notas introdutórias ao capítulo 19 do livro de Êxodo. Ver no *Dicionário* o artigo intitulado *Sábado*. A observância do sábado formava o *quarto* dos *Dez Mandamentos*. Ver na *Enciclopédia de Bíblia, Teologia e Filosofia* os artigos *Sabatismo* e *Observância de Dias Especiais*, onde discuto sobre a alegada obrigação de que os cristãos teriam de guardar o sábado judaico. Essa questão também é discutida nos demais artigos mencionados.

O autor sagrado fala aqui sobre o sábado semanal, que era uma observância nacional, uma questão de importância primária. Outras festas derivavam-se dessa identificação fundamental de Yahweh com o seu povo.

■ 23.4

אֵלֶּה מוֹעֲדֵי יְהוָה מִקְרָאֵי קֹדֶשׁ אֲשֶׁר־תִּקְרְאוּ אֹתָם בְּמוֹעֲדָם:

São estas as festas fixas. Ver a introdução a este capítulo no tocante às festividades de Israel. Este capítulo apresenta *seis* dessas festividades, se distinguirmos entre os pães asmos e a páscoa, e não considerarmos as primícias (vss. 8-14) como uma festa separada.

O *dia da expiação* não era uma festa, e, sim, um jejum. Ver no *Dicionário* os artigos chamados *Jejum* e *Festas (Festividades) Judaicas*, onde fazemos uma pesquisa geral acerca desses eventos.

Santas convocações. Ver as notas no segundo versículo deste capítulo.

A declaração introdutória (vs. 2) é reiterada aqui, visto que agora o autor falaria sobre as festas, pois o sábado (vs. 3) na realidade não era uma dessas festas, apesar de ser um dia semanal e nacional de santa convocação. Alguns estudiosos pensam que os vss. 1-3 deste capítulo consistem em uma adição editorial, pelo que a declaração introdutória aparece de novo neste quarto versículo, quando o autor dá início à enumeração das festas religiosas de Israel.

No seu tempo determinado. As festas eram festividades anuais, com datas fixas para sua observância. Também eram eventos nacionais, que seguiam o calendário religioso.

■ 23.5

בַּחֹדֶשׁ הָרִאשׁוֹן בְּאַרְבָּעָה עָשָׂר לַחֹדֶשׁ בֵּין הָעַרְבָּיִם פֶּסַח לַיהוָה:

A páscoa do Senhor. Ver no *Dicionário* o artigo intitulado *Páscoa*, como também as notas sobre Êxodo 12.1-28, quanto a muitas informações adicionais, incluindo aquelas na introdução ao capítulo.

No crepúsculo da tarde. Ou seja, quando terminava um dia e começava outro, às 18 horas. No entanto, algumas autoridades antigas falam nas 12 horas, a saber, quando, para nós, começa a tarde. Ver as notas sobre Êxodo 12.6 quanto a essa questão. De acordo ainda com outros eruditos, estaria em pauta aquele fim de tarde em que as estrelas vão aparecendo, e até que se faz noite escura. Era naquele período em que o sangue do cordeiro pascal era aspergido.

■ 23.6

וּבַחֲמִשָּׁה עָשָׂר יוֹם לַחֹדֶשׁ הַזֶּה חַג הַמַּצּוֹת לַיהוָה שִׁבְעַת יָמִים מַצּוֹת תֹּאכֵלוּ:

Festa dos pães asmos. Ver no *Dicionário* as notas sobre essa festa. Ver também Êxodo 12.15-20 e 13.3-10, onde adiciono bastante informação. É provável que, originalmente, a festa dos pães asmos fosse uma festa separada, celebrada por ocasião da colheita do centeio. Mais tarde, isso foi transformado em uma festa anual, associada à páscoa. Tornou-se, assim, uma espécie de continuação natural da observância da páscoa, pelo que as duas festas acabaram sendo conhecidas por um só nome, no hebraico, o *mazzoth*. As duas festas são unidas no capítulo 20 do livro de Êxodo; mas em Levítico 23.6, a festa dos pães asmos aparece separada da outra. O trecho de Números 28.17 diz-nos que essa festa começava no dia quinze do mês de nisã. Mas o *primeiro dia*, quando era retirado todo fermento, era o dia catorze daquele mês, o dia da páscoa. Ver o trecho de Êxodo 12.3,6 quanto às designações de tempo. O mês de nisã (nosso março-abril) tornou-se, por causa da páscoa, o *primeiro* mês do calendário religioso de Israel. Mas de acordo com o calendário civil, mais antigo, esse era o sétimo mês do ano. Ver as notas sobre Êxodo 12.2 quanto a maiores informações a esse respeito.

Sete dias. Ver as notas sobre Êxodo 12.15,18-20.

■ 23.7

בַּיּוֹם הָרִאשׁוֹן מִקְרָא־קֹדֶשׁ יִהְיֶה לָכֶם כָּל־מְלֶאכֶת עֲבֹדָה לֹא תַעֲשׂוּ׃

No primeiro dia. Ver Êxodo 12.16. Era o primeiro dos sete dias, ou seja, o décimo quinto dia do mês de nisã. Ver as notas sobre o vs. 6, acima.

Nenhuma obra laboriosa podia ser feita nesse primeiro dia. Esse primeiro dia, pois, era uma espécie de sábado, embora não em sentido absoluto. Na época do segundo templo, o trabalho laborioso era identificado como edificar, derrubar estruturas, tecer, colher, debulhar, moer e joeirar, ou seja, as ocupações regulares que os homens de uma cultura essencialmente agrícola faziam todos os dias. Certas obras necessárias podiam ser efetuadas, como matar animais, preparar a massa de trigo, cozer o pão, cozinhar qualquer coisa. Os violadores dessa lei não podiam ser executados por meio de apedrejamento. Ver no *Dicionário* o artigo intitulado *Apedrejamento*. Antes, eram castigados com quarenta açoites menos um, visto que aquele dia não era um sábado absoluto e regular.

■ 23.8

וְהִקְרַבְתֶּם אִשֶּׁה לַיהוָה שִׁבְעַת יָמִים בַּיּוֹם הַשְּׁבִיעִי מִקְרָא־קֹדֶשׁ כָּל־מְלֶאכֶת עֲבֹדָה לֹא תַעֲשׂוּ׃ פ

"Uma oferta queimada deveria ser oferecida em cada um daqueles sete dias, a qual consistia em dois novilhos, um carneiro e sete cordeiros, além de uma oferta de cereais ou de manjares e uma cabra como oferta pelo pecado. Ver Números 28.19-24 quanto aos regulamentos bíblicos. Ao sétimo dia havia uma *santa convocação,* quando (tal como no primeiro dia) não se podia fazer nenhum trabalho servil" (John Gill, *in loc.*). Isso posto, havia dois semi-sábados, no primeiro e no sétimo dia. O primeiro desses sábados era observado para celebrar a libertação dos israelitas do Egito — o dia em que saíram do Egito era assim relembrado. Então havia o segundo semi-sábado, no sétimo dia, para relembrar o fato de que o exército do Faraó morreu afogado, completando assim a *redenção* dos filhos Israel. Ver Êxodo 12.16.

O *intervalo* entre dois solenes dias de descanso era preenchido por diversões públicas, como danças, músicas, jogos etc., tudo em consonância com a *exultação* das comemorações. É conforme me disse certo amigo judeu: "O povo hebreu era um povo de cânticos e danças. Portanto, essa festa tinha aspectos solenes (os sábados), mas também seu lado jubiloso. No intervalo entre os dois sábados, eram permitidos todos os tipos de trabalho necessário".

■ 23.9

וַיְדַבֵּר יְהוָה אֶל־מֹשֶׁה לֵּאמֹר׃

Disse mais o Senhor. Essa expressão é frequentemente usada no Pentateuco a fim de introduzir algum material novo ou alguma nova seção. E também nos faz lembrar da inspiração divina das Escrituras. Ver notas completas sobre isso em Levítico 1.1 e 4.1.

■ 23.10

דַּבֵּר אֶל־בְּנֵי יִשְׂרָאֵל וְאָמַרְתָּ אֲלֵהֶם כִּי־תָבֹאוּ אֶל־הָאָרֶץ אֲשֶׁר אֲנִי נֹתֵן לָכֶם וּקְצַרְתֶּם אֶת־קְצִירָהּ וַהֲבֵאתֶם אֶת־עֹמֶר רֵאשִׁית קְצִירְכֶם אֶל־הַכֹּהֵן׃

Usualmente, após a declaração "disse o Senhor", achamos alguma fórmula de *comunicação*. Há oito dessas fórmulas no Pentateuco. Ver as notas a respeito em Levítico 17.2. Nesta seção, Moisés, o mediador entre Yahweh e o povo de Israel, recebeu ordem de transmitir a mensagem divina ao povo em geral. Algumas vezes, a transmissão era limitada a Arão, ou então a Arão e seus filhos.

Os vss. 23.9-14 fornecem-nos a festa das *primícias,* que a maioria dos intérpretes entende como parte integral da festa dos pães asmos, e não como uma festa separada. Quando não se faz dela uma festa separada, então é preservado o número de *seis* festas religiosas apresentadas neste capítulo 23 de Levítico. Ver no *Dicionário* o artigo intitulado *Primícias*.

"Este parágrafo é tido por muitos como a *terceira* das festas fixas deste capítulo. *Messe*, sem dúvida, era o molho a ser movido, porquanto essa festa ocorria em março-abril, quando a cevada era colhida pela primeira vez no ano. O trigo só estava pronto para ser colhido mais tarde, em junho-julho. Este parágrafo, pois, prescreve uma cerimônia distinta, em que um molho de cevada era movido na presença do Senhor, em um dia específico, o dia após o sábado (vs. 11), normalmente compreendido como o décimo sexto, após o dia de descanso, o décimo quinto. Mas alguns estudiosos pensam que o dia do molho movido era o vigésimo primeiro. Todavia, parece natural considerar esse dia como uma *parte especial* da festa dos pães asmos, que então estava sendo celebrada" (F. Duane Lindsey, *in loc.*).

O Processo. Originalmente, talvez o próprio molho fosse movido, e essa prática tenha continuado. Mas a apresentação das primícias, para serem oferecidas sobre o altar, parece ter-se tornado parte da cerimônia. Um ômer era a décima parte de um efa, cheio de cevada, já moída. Era misturado com azeite e incenso, e assim se fazia uma oferenda a Yahweh sobre o altar. Ver Êxodo 16.36 quanto a notas sobre essas medidas. Ver Levítico 2.14,15 quanto à preparação das ofertas de cereais. Quanto às *ofertas movidas,* ver Êxodo 2.23,24. Algumas autoridades afirmam que, desde o começo, a oferta movida era feita com o produto final, a farinha e sua mistura, e não com os molhos de cevada. O ato de mover o *produto final* da oferta de cereais era chamado de "mover o molho".

■ 23.11

וְהֵנִיף אֶת־הָעֹמֶר לִפְנֵי יְהוָה לִרְצֹנְכֶם מִמָּחֳרַת הַשַּׁבָּת יְנִיפֶנּוּ הַכֹּהֵן׃

Esse dia após o sábado podia ser o décimo sexto (após o primeiro sábado da festa dos pães asmos) ou depois do segundo sábado (no fim da festa, a saber, o vigésimo primeiro sábado). Ver uma completa discussão a respeito nas notas sobre o vs. 10. O sacerdote, devidamente qualificado e nomeado para a tarefa, movia a oferta de cereal antes de depositá-la sobre o altar de bronze, na presença de Yahweh, que então a aceitava. Não era uma oferenda de agradecimento por uma colheita abundante. Outro propósito chegou a ser atrelado ao ato, quando veio a tornar-se parte da páscoa, o que explico no *Dicionário,* no artigo chamado *Pães Asmos*. Quanto à aplicação do ato, no Novo Testamento, ver 1Coríntios 5.7,8.

"Ele movia o molho para frente e para trás, na presença do povo, e assim chamava a atenção deles para a obra da providência divina, excitando a gratidão deles a Deus, que os havia preservado e lhes dera bondosamente o fruto da terra. Ver Êxodo 29.27" (Adam Clarke, *in loc.*).

■ 23.12

וַעֲשִׂיתֶם בְּיוֹם הֲנִיפְכֶם אֶת־הָעֹמֶר כֶּבֶשׂ תָּמִים בֶּן־שְׁנָתוֹ לְעֹלָה לַיהוָה׃

Em holocausto ao Senhor. Ver Lev.6.9-13 quanto a notas completas a respeito. Ver também Levítico 1.3-17. Ver o vs. 8 quanto a notas sobre as complexas ofertas oferecidas durante a semana dos pães asmos. O trecho de Números 28.19-24 contém as normas regulamentadoras. Quanto à exigência, *sem defeito,* ver Levítico 22.20. O sacerdote mesmo não podia estampar nenhum defeito físico (ver Lv 21.17 ss.), tal como o próprio sacrifício. Era oferecido um *cordeiro*. Ver os *cinco* tipos de animais que podiam ser sacrificados, nas notas sobre Levítico 1.14-16. Carneiros e bodes também estavam envolvidos, conforme ficamos sabendo através do capítulo 28 de Números. Havia animais sacrificados em cada um dos sete dias de celebrações.

■ 23.13

וּמִנְחָתוֹ שְׁנֵי עֶשְׂרֹנִים סֹלֶת בְּלוּלָה בַשֶּׁמֶן אִשֶּׁה לַיהוָה רֵיחַ נִיחֹחַ וְנִסְכֹּה יַיִן רְבִיעִת הַהִין׃

A sua oferta de manjares. Também conhecida como oferta de cereais. Ver as notas a respeito em Levítico 6.14-18, além de ideias adicionais, em Levítico 2.1-16. Eram usados dois décimos de um *efa* de farinha. Ordinariamente, apenas uma décima parte de um efa era requerida para esse tipo de oferenda. Ver Êxodo 29.40; Números 15.4; 28.9,13. Ver Êxodo 16.36 quanto às medidas envolvidas. Cerca de 2 kg estavam envolvidos nessa oferenda.

Sua libação. Ver Êxodo 29.40 quanto a isso. Um *him* era cerca de três litros, pelo que uma quarta parte era cerca de 0,75 litro. As libações eram derramadas sobre o topo do altar, e então escorriam pelos lados do altar, até a sua base. O vinho talvez represente o bom ânimo, a alegria que se deriva de quando servimos a Deus da maneira certa. Alguns estudiosos veem nas ofertas de libação o sangue de Cristo, cujo resultado é a alegria advinda da expiação. A libação, tal como a oferta de cereais, era produto da terra, pelo que a libação tinha o mesmo simbolismo que o cereal. O fato de que era uma oferta movida relembrava ao povo de Israel da provisão divina e da necessidade de gratidão. Ver no *Dicionário* o artigo chamado *Libação*.

■ 23.14

וְלֶ֤חֶם וְקָלִי֙ וְכַרְמֶ֔ל לֹ֣א תֹֽאכְל֔וּ עַד־עֶ֙צֶם֙ הַיּ֣וֹם הַזֶּ֔ה עַ֚ד הֲבִ֣יאֲכֶ֔ם אֶת־קָרְבַּ֖ן אֱלֹהֵיכֶ֑ם חֻקַּ֤ת עוֹלָם֙ לְדֹרֹ֣תֵיכֶ֔ם בְּכֹ֖ל מֹשְׁבֹתֵיכֶֽם׃ ס

Não comereis pão. Ninguém podia ao menos provar dos cereais colhidos enquanto não fossem apresentadas a Deus as primícias. Yahweh precisava ser servido primeiro; em seguida, o seu povo. O senso de gratidão, pois, era devido à contínua provisão de Yahweh. O Provedor era servido primeiro; em seguida, os beneficiários. O *pão*, neste caso, eram os pães asmos, que em breve os iraelitas estariam consumindo como parte da comemoração da festa. "Os pães asmos para o primeiro e o segundo dia da páscoa eram preparados com farinha da colheita do *ano anterior*; mas o pão dos dias que se seguissem só podia ser preparado com cereal da *nova colheita*, depois da sua dedicação formal ao Senhor" (Ellicott, *in loc.*).

Grãos torrados. Ver sobre isso nas notas sobre Levítico 2.14.

Ou verdes. No hebraico, *carmel*, que indica os grãos cheios. Ver Levítico 2.14. Cinco tipos de grãos eram assim designados: trigo, centeio, aveia e dois tipos de cevada. Está em foco cereal recém-colhido.

Estatuto perpétuo. Em outras palavras, por todas as gerações. Os hebreus não antecipavam um tempo em que a adoração, com todas as suas regras e exigências complicadas, chegaria ao fim. Conforme eles pensavam, Yahweh jamais haveria de mudar o conteúdo e o modo de proceder da adoração deles. Assim sempre aconteceu com religiões e denominações, as quais pensam poder estagnar Deus. Ver a ideia de estatutos eternos em Êxodo 29.42; 31.16; Levítico 3.17 e 16.29. Quanto à expressão *por vossas gerações*, ver Êxodo 29.42 e 31.16.

■ 23.15

וּסְפַרְתֶּ֤ם לָכֶם֙ מִמָּחֳרַ֣ת הַשַּׁבָּ֔ת מִיּוֹם֙ הֲבִ֣יאֲכֶ֔ם אֶת־עֹ֖מֶר הַתְּנוּפָ֑ה שֶׁ֥בַע שַׁבָּת֖וֹת תְּמִימֹ֥ת תִּהְיֶֽינָה׃

Contareis para vós outros. O Pentecoste (que reflete um termo grego que significa "cinquenta") era uma festividade que envolvia sete semanas. Após a festa dos pães asmos, cinquenta dias eram contados a partir do *primeiro sábado* daquela festa. A contagem começava no dia quinze do mês de nisã, conforme explica o Targum de Jonathan. Josefo (*Antiq.* 1,3 cap. 10, sec. 6) fornece-nos idêntica informação. A contagem começava à noitinha, de acordo com o costume hebreu de iniciar um novo dia às 18 horas. Passava-se o sábado, e então, à noitinha, no começo do novo dia, a contagem tinha início. Ver o vs. 16 quanto a essa particularidade. Ver no *Dicionário* os artigos *Pentecoste e o Pentecoste Cristão* e *Festas (Festividades) Judaicas*. Essa festa celebrava, originalmente, a colheita do trigo, mas acabou assinalando a outorga da lei, no monte Sinai, bem como a dádiva do Espírito, nos dias dos apóstolos de Cristo. Ver Números 28.26 e Deuteronômio 16.10. Outros nomes dados a essa festa eram festa da colheita (ver Êx 23.16 e Dt 16.10) e festa do "dia das primícias" (Nm 28.26).

Sete semanas inteiras serão. A Septuaginta foi que nos deu o nome *pentecoste* (cinquenta). E esse nome acabou atrelado à festa, de tal modo que esse é o seu nome nos dias do Novo Testamento.

■ 23.16

עַ֣ד מִמָּחֳרַ֤ת הַשַּׁבָּת֙ הַשְּׁבִיעִ֔ת תִּסְפְּר֖וּ חֲמִשִּׁ֣ים י֑וֹם וְהִקְרַבְתֶּ֛ם מִנְחָ֥ה חֲדָשָׁ֖ה לַיהוָֽה׃

A informação dada no versículo anterior é reiterada aqui. Logo, ver as notas expositivas naquele versículo. Neste versículo, só aprendemos que havia ofertas de cereais envolvidas na oportunidade. Ver Levítico 6.14-18 quanto a esse tipo de oferenda, com notas adicionais em Levítico 2.1-16. Ver o gráfico antes de Levítico 1.1, que sumaria as características de todas as ofertas levíticas. Cereais eram incluídos porque, originalmente, essa festa celebrava a colheita do trigo. Alternativamente, essa festa era denominada "festa da colheita" (Êx 23.16).

■ 23.17

מִמּוֹשְׁבֹ֨תֵיכֶ֜ם תָּבִ֣יאּוּ ׀ לֶ֣חֶם תְּנוּפָ֗ה שְׁ֚תַּיִם שְׁנֵ֣י עֶשְׂרֹנִ֔ים סֹ֣לֶת תִּהְיֶ֔ינָה חָמֵ֖ץ תֵּאָפֶ֑ינָה בִּכּוּרִ֖ים לַֽיהוָֽה׃

Dois pães. Esse era o número de pães preparados para a *oferta movida* (ver Êx 29.24). Em cada pão entravam duas décimas partes de um *efa* de farinha de trigo, a mesma quantidade mencionada no vs. 13 deste capítulo, e onde apresentamos os comentários a respeito. Cerca de cinco litros estavam envolvidos nessa medida, pois o *ômer* (uma décima parte do *efa*) era equivalente a cerca de dois litros e meio. Cerca de 2 kg estavam envolvidos quanto ao peso. Essa oferenda, que era movida diante do Senhor, era de primícias, oferecida para agradar a Yahweh. Então o resto da oferenda podia começar a ser usado pela inteira comunidade de Israel. Ver no *Dicionário* o artigo *Primícias*.

Levedados se cozerão. Essa era a única ocasião, em todo o calendário religioso de Israel, em que se oferecia fermento sobre o altar de Yahweh. "O pão era levedado misturando-se na massa um bocado de fermento, extraído da cevada da colheita do ano anterior. Isso reenfatizava a íntima conexão entre as colheitas do trigo e da cevada, bem como as festividades associadas a essas colheitas" (F. Duane Lindsey, *in loc.*). O modo comum de proceder era evitar qualquer fermento (Lv 2.4,5,11). Os sacerdotes compartilhavam essa oferenda de cereais, tomando a porção deles na refeição comunal.

Esses pães eram oferecidos ao Senhor como representativos de primícias (ver Êx 34.17), o que explica o nome da festa, em Núm 28.26, "dia das primícias".

■ 23.18

וְהִקְרַבְתֶּ֣ם עַל־הַלֶּ֗חֶם שִׁבְעַ֨ת כְּבָשִׂ֤ים תְּמִימִם֙ בְּנֵ֣י שָׁנָ֔ה וּפַ֧ר בֶּן־בָּקָ֛ר אֶחָ֖ד וְאֵילִ֣ם שְׁנָ֑יִם יִהְי֤וּ עֹלָה֙ לַֽיהוָ֔ה וּמִנְחָתָם֙ וְנִסְכֵּיהֶ֔ם אִשֵּׁ֛ה רֵֽיחַ־נִיחֹ֖חַ לַיהוָֽה׃

As Três Oferendas: 1. *De cereais:* Descritas nos vss. 16 e 17. Ver também Levítico 2.1-16 e 6.14-18. 2. *Vários holocaustos:* Descritas em Lv 1.3-17 e 6.9-13. 3. *Libações:* Descritas no vs. 13 deste capítulo. Ver também no *Dicionário* o artigo intitulado *Libação*. Essa festa da colheita requeria o sacrifício de nada menos que dez animais, quando eram usados todos os grandes animais próprios para sacrifício, a saber, o touro, o carneiro e o bode. Ver acerca dos *cinco animais apropriados para os sacrifícios*, nas notas sobre Levítico 1.14-16. Todos os animais oferecidos não podiam ter nenhum defeito (notas a respeito em Lv 22.30). Todos eles envolviam o *aroma agradável* (ver as notas em Lv 1.9 e Êx 29.18). Yahweh, por assim dizer, aspirava o aroma delicioso da carne que assava, e sentia-se satisfeito com a oferenda. Sem dúvida, essa crença, no começo, envolvia uma noção literal, mas acabou sendo entendida como uma expressão antropomórfica. Ver no *Dicionário* o artigo chamado *Antropomorfismo*. O Novo Testamento aceita a ideia em 2Coríntios 2.15,16 (a fragrância de Cristo nos crentes), como também em Fp 4.18 (dádivas sobre a forma de dinheiro, dadas a Paulo, um sacrifício de dinheiro com vistas ao bem).

Uma vez que essas eram oferendas especiais, além daquelas que eram requeridas diariamente, nada menos do que vinte animais eram sacrificados naquele mesmo dia: três novilhos, três cordeiros, catorze carneiros. Isso de acordo com Maimônides (*Hilchot Tamidin*, cap. 8, sec. 1). Todavia, as autoridades judaicas não chegavam a um acordo quanto ao número desses animais, ainda que, sem dúvida, houvesse grande abate de animais.

23.19

וַעֲשִׂיתֶ֛ם שְׂעִיר־עִזִּ֥ים אֶחָ֖ד לְחַטָּ֑את וּשְׁנֵ֧י כְבָשִׂ֛ים בְּנֵ֥י שָׁנָ֖ה לְזֶ֥בַח שְׁלָמִֽים׃

Além daqueles animais mencionados no versículo anterior, havia ainda mais abates: um bode como *oferta pelo pecado* (ver Lv 4.1-35; 6.25,30) e mais dois cordeiros como *oferta pacífica* (ver Lv 3.1-17 e 7.11-33). Cf. Números 28.26,27,30. Nos dias do segundo templo, testemunhas oculares confirmaram para nós o número de animais sacrificados, o que, segundo se presumia, refletia um costume mais antigo. Josefo, por exemplo (*Antiq.* III.x.6) diz que eram abatidos catorze carneiros, três touros e três bodes. Isso concorda com os cálculos apresentados por Maimônides, conforme já mostramos nas notas sobre o vs. 18.

23.20

וְהֵנִ֣יף הַכֹּהֵ֣ן ׀ אֹתָ֡ם עַל֩ לֶ֨חֶם הַבִּכּוּרִ֤ים תְּנוּפָה֙ לִפְנֵ֣י יְהוָ֔ה עַל־שְׁנֵ֖י כְּבָשִׂ֑ים קֹ֛דֶשׁ יִהְי֥וּ לַיהוָ֖ה לַכֹּהֵֽן׃

Porções dos cordeiros, juntamente com a correta oferta de cereais, eram movidas diante de Yahweh, a fim de atrair a sua atenção, sua bênção e sua aceitação de tudo quanto fora feito naquele dia. Ver as notas em Êxodo 29.23,24 quanto às *ofertas movidas*.

Nos dias do segundo templo, o modo de proceder era o seguinte: Dois cordeiros eram trazidos ao templo. Estando eles ainda vivos, o sacerdote os movia diante de Yahweh. Então eram abatidos. O peito e o ombro de cada um deles era depositado ao lado dos pães. O sacerdote erguia ambas as mãos. Então movia a massa para frente e para trás, para cima e para baixo. Em seguida, a gordura era queimada sobre o altar. O resto tornava-se a porção que cabia ao sacerdote e seus familiares, para uma refeição comunal. Ato contínuo, eram trazidas as ofertas voluntárias, em meio a um espírito de júbilo. E os levitas, as viúvas e os pobres, como também os órfãos e os estrangeiros (prosélitos) compartilhavam da refeição comunal.

23.21

וּקְרָאתֶ֞ם בְּעֶ֣צֶם ׀ הַיּ֣וֹם הַזֶּ֗ה מִֽקְרָא־קֹ֙דֶשׁ֙ יִהְיֶ֣ה לָכֶ֔ם כָּל־מְלֶ֥אכֶת עֲבֹדָ֖ה לֹ֣א תַעֲשׂ֑וּ חֻקַּ֥ת עוֹלָ֛ם בְּכָל־מוֹשְׁבֹֽתֵיכֶ֖ם לְדֹרֹתֵיכֶֽם׃

Santa convocação. Ver as notas sobre Levítico 23.2 quanto a essa expressão. Está em pauta um feriado *nacional*.

Nenhuma obra servil fareis. Certos tipos de atividade eram permitidos, mas outros não. Ver as notas no vs. 7 quanto a essa expressão. O dia era uma espécie de semi-sábado.

"Estatuto eterno em todas as vossas... gerações". Essa é uma expressão comum nos livros de Êxodo e Levítico, a fim de enfatizar a natureza *eterna* dessa ordenança, uma vez instituída. Tudo isso, entretanto, foi descontinuado pela era cristã, embora essas coisas continuem simbólicas no judaísmo. Ver Êxodo 3.17; 16.29; 29.42; 31.16 quanto à questão do estatuto eterno; e ver Êxodo 29.42 e Levítico 31.16 quanto à questão da expressão "por todas as vossas gerações". É um vício comum das religiões, e até mesmo das denominações, pensarem que elas assinalam o *fim*. Mas todos os fins são apenas *instrumentais*. Em outras palavras, tornam-se meios para *novos começos*. Os limites são meros arroubos da imaginação dos homens. A verdade é uma progressão eterna, e nada tem a ver com a estagnação.

O Decálogo. A festa sobre a qual estamos discutindo assinalava o dia histórico da outorga da *lei*. Por meio dessa festa, os hebreus viam confirmada a sua noção de *estatutos perpétuos* e *imutáveis*. Não obstante, um novo e maior Legislador, Cristo, veio para substituir aquela antiga lei por uma nova lei. Essa é, precisamente, a mensagem de Romanos, de Gálatas e de Hebreus, no Novo Testamento.

No judaísmo, virtualmente cessou a natureza agrícola dessa festa, impondo-se a ideia de lei outorgada. Essa festa, celebrada nos dias sexto ou sétimo do mês de sivã, ou seja, entre a segunda metade de maio e a primeira metade de junho, tornou-se um evento religioso muito importante, a base mesma do judaísmo. As sinagogas e as residências eram decoradas com flores e ervas odoríferas. Os membros masculinos da comunidade purificavam-se mediante um banho por imersão, acompanhado pela confissão de pecados. Algumas vezes, cultos de noite inteira eram efetuados nas sinagogas.

Sem embargo, Paulo teve a coragem de afirmar que a justiça de Deus agora manifesta-se *sem lei* (Rm 3.21 ss.), porquanto um novo caminho nos foi provido, suplantando o caminho antigo. O homem é justificado pela fé, sem as obras da lei (Rm 3.28). Para os judeus da época de Paulo, essa era uma assertiva muito radical e herética. Mais herético do que isso seria impossível a você e a qualquer pessoa. Contudo, a ortodoxia de uma geração pode ser substituída por uma heresia, e essa *heresia* pode tornar-se uma *nova ortodoxia*. Isso posto, a verdade, mediante novas revelações ao entendimento, pode tornar-se progressiva, de geração em geração, sempre plena de surpresas, dando grandes saltos para diante. Deus revelou sua verdade de uma vez para sempre, na Bíblia; mas seu Espírito nos vai iluminando progressivamente.

23.22

וּֽבְקֻצְרְכֶ֞ם אֶת־קְצִ֣יר אַרְצְכֶ֗ם לֹֽא־תְכַלֶּ֞ה פְּאַ֤ת שָֽׂדְךָ֙ בְּקֻצְרֶ֔ךָ וְלֶ֥קֶט קְצִירְךָ֖ לֹ֣א תְלַקֵּ֑ט לֶֽעָנִ֤י וְלַגֵּר֙ תַּעֲזֹ֣ב אֹתָ֔ם אֲנִ֖י יְהוָ֥ה אֱלֹהֵיכֶֽם׃ ס

A questão da *festa da colheita* levou o autor sacro a lembrar-se das provisões que precisavam ser feitas em favor dos pobres. Este versículo tem paralelo em Levítico 19.9, onde há notas expositivas completas sobre o assunto. Em meio ao regozijo da festa, os pobres e os estrangeiros não deveriam ser esquecidos. A legislação mosaica provia o necessário para todos. Ninguém precisava passar fome em Israel. Temos aí aquela espécie de religião prática que inspirou a epístola de Tiago, no Novo Testamento. O princípio supremo é a *lei do amor*, e isso requer que repartamos daquilo que possuímos com aqueles que pouco têm. As duas grandes colunas da espiritualidade são o amor e o conhecimento. Ver no *Dicionário* o artigo chamado *Amor*, e na *Enciclopédia de Bíblia, Teologia e Filosofia* ver o artigo intitulado *Conhecimento, Conhecer*.

Observe onde foi posta essa lei humanitária — bem no meio de grandes festividades. Os homens podem expressar sua gratidão, por terem abundância de bens, compartilhando com outras pessoas. Assim estipulavam as autoridades judaicas, em *Torat Cohenim,* apud *Yalkut, in loc.* e nos escritos de Jarchi.

23.23

וַיְדַבֵּ֥ר יְהוָ֖ה אֶל־מֹשֶׁ֥ה לֵּאמֹֽר׃

Disse mais o Senhor. Temos aqui uma expressão muito comum no Pentateuco, que assinala a introdução de novos materiais. Mas ela também nos faz lembrar da inspiração divina. Ver notas descritivas completas, em Levítico 1.1 e 4.1.

23.24

דַּבֵּ֛ר אֶל־בְּנֵ֥י יִשְׂרָאֵ֖ל לֵאמֹ֑ר בַּחֹ֨דֶשׁ הַשְּׁבִיעִ֜י בְּאֶחָ֣ד לַחֹ֗דֶשׁ יִהְיֶ֤ה לָכֶם֙ שַׁבָּת֔וֹן זִכְר֥וֹן תְּרוּעָ֖ה מִקְרָא־קֹֽדֶשׁ׃

Fórmulas de Comunicação. Moisés era o mediador entre Yahweh e o povo de Israel. As mensagens que ele recebia da parte de Deus eram passadas para Arão; para Arão e seus filhos sacerdotes; ou para a população em geral de Israel. Há *oito* fórmulas de comunicação no Pentateuco. Ver notas expositivas a esse respeito em Levítico 17.2. No presente caso, Moisés transmitiu uma mensagem a toda a congregação de Israel.

O trecho de Levítico 23.23-25 descreve a *Festa do Ano Novo.* "A festa das *trombetas* foi instituída para marcar o *ano novo civil*, em distinção ao ano eclesiástico. Ademais, há alguma evidência de que o ano eclesiástico original dos hebreus começava durante o outono. Assim, lemos em Êxodo 23.16 que a *festa da colheita* caía na 'saída do ano', ou seja, no começo do ano. Isso também fica entendido em Levítico 25.8,9, onde, como é óbvio, a abertura do 'ano do jubileu' era anunciada mediante trombetas, embora informes posteriores situem essa data no sétimo mês" (Mathaniel Micklem, *in loc.*).

Com sonidos de trombetas. Está aqui em pauta a festa das trombetas. Ver no *Dicionário* o artigo chamado *Festas (Festividades) Judaicas,* em II.4.f. O sonido das trombetas, literalmente traduzido, seria "sopro relembrador". Visto que o primeiro dia do mês de ethanim (assim chamado em 1Rs 8.2) ou tishri (conforme séculos mais tarde os judeus passaram a chamar esse mesmo mês) dava início ao ano civil, tal festividade também passou a ser chamada de "festa do Ano Novo". Desde os dias do segundo templo, essa festa passou a ser considerada um tipo de preliminar do dia da expiação. Trombetas eram tocadas convocando o povo a um sábado ou descanso, para efeito de reflexão, arrependimento e santificação. Nas sinagogas, esse aspecto de memorial indicava mais que *Deus se lembrava* dos merecimentos dos patriarcas e da aliança que ele estabelecera com eles, a fim de que o povo de Israel em geral pudesse continuar a compartilhar aquelas bênçãos. Ver as notas em Gênesis 15.18 sobre o *Pacto Abraâmico*.

As Trombetas de Prata. Essas trombetas eram sopradas no primeiro dia de cada mês; mas quando soavam, no primeiro dia de tishri (o sétimo mês), proclamavam uma festividade especial, em preparação para o dia da expiação (ver Lv 23.26-32).

Santa convocação. Ver as notas sobre isso, no segundo versículo deste capítulo.

■ **23.25**

כָּל־מְלֶאכֶת עֲבֹדָה לֹא תַעֲשׂוּ וְהִקְרַבְתֶּם אִשֶּׁה לַיהוָה: ס

Nenhuma obra servil fareis. Isso aponta para tarefas laboriosas, cansativas, o trabalho comum a cada dia. Ver plenas explicações sobre isso nas notas sobre o sétimo versículo deste capítulo. Cf. o vs. 21. Essa expressão assinala uma espécie de semi-sábado.

Trareis oferta queimada. Ver Levítico 1.3-17 e 6.9-13 quanto às ofertas queimadas ou holocaustos, e suas normas. Ver também Números 29.1-6. "Visto que essa festa também caía em uma lua nova, era oferecido um *triplo* sacrifício, a saber: 1. O sacrifício diário ordinário era oferecido primeiro. 2. Então era oferecido o sacrifício da lua nova (Nm 28.11-15). 3. O sacrifício próprio dessa festa era então oferecido. Esse sacrifício consistia em um novilho, um carneiro e sete cordeiros do primeiro ano, com as ofertas de cereais usuais, e um cabrito como oferta pelo pecado (Nm 29.1-6)... Durante o oferecimento da libação e do holocausto, os levitas entoavam um cântico acompanhado por instrumentos de música, cantando o Salmo 81 e outros, ao mesmo tempo em que os sacerdotes, a determinados intervalos, irrompiam com poderosos sonidos de trombetas" (Ellicott, *in loc.*). Os festejos incluíam orações em favor de um Ano Novo próspero e espiritualmente abençoado. O arrependimento fazia parte das ocorrências, e os pecados cometidos no ano que estava passando eram abandonados. No fim, as pessoas conversavam umas com as outras, desejando um Ano Novo feliz e próspero.

O DIA DA EXPIAÇÃO (23.26-44)

O autor queria que nos lembrássemos das informações que ele nos havia dado no capítulo 16 do livro de Levítico, que contavam os detalhes da *santa convocação* (ver as notas sobre o segundo versículo deste capítulo 23). Também forneci extensas notas sobre a questão do dia da expiação na introdução do capítulo 16, pelo que não repito aqui esse material. Aquele capítulo 16 está dividido em *sete* segmentos principais. Ver também no *Dicionário* o artigo intitulado *Dia da Expiação*. Ver também Números 29.7-11. Se há alguma diferença na apresentação à nossa frente (excetuando-se o detalhe maior do capítulo 16), então esta passagem enfatiza como os cidadãos comuns de Israel deviam observar esse dia. Os vss. 26-28 nos dão um sumário dos elementos que faziam parte da celebração.

■ **23.26**

וַיְדַבֵּר יְהוָה אֶל־מֹשֶׁה לֵּאמֹר:

Disse mais o Senhor. Temos aqui uma expressão usada de contínuo no Pentateuco, empregada para introduzir novos materiais. Ver completas informações nas notas expositivas sobre Levítico 1.1 e 4.1. E essa expressão também nos relembra a divina inspiração das Escrituras.

■ **23.27**

אַךְ בֶּעָשׂוֹר לַחֹדֶשׁ הַשְּׁבִיעִי הַזֶּה יוֹם הַכִּפֻּרִים הוּא מִקְרָא־קֹדֶשׁ יִהְיֶה לָכֶם וְעִנִּיתֶם אֶת־נַפְשֹׁתֵיכֶם וְהִקְרַבְתֶּם אִשֶּׁה לַיהוָה:

O dia da expiação. Esse dia ocorria no mesmo mês que a festa das trombetas (ver o vs. 24), embora no décimo dia desse mês. A festa das trombetas, a festa do Ano Novo, chegou a ser concebida como um procedimento introdutório ao *dia da expiação*, o maior de todos os eventos religiosos de cada ano. Esse era um dia de jejum, e não de festejos. Ver a introdução ao capítulo 16 de Levítico e, no *Dicionário*, o artigo *Dia da Expiação*, quanto a completas informações a respeito.

Tereis santa convocação. Ver as notas sobre o segundo versículo deste capítulo.

Trareis oferta queimada. Quanto a detalhes sobre essa forma de oferenda, ver as notas em Levítico 1.3-17; 6.9-13. Ver Números 29.8-11 quanto a detalhes que o autor sagrado ali registrou. Meu artigo fornece todos os ritos e cerimônias do dia, que o autor explorou tão superficialmente nesta seção.

Afligireis as vossas almas. Ver Levítico 16.29. Isso porque era um dia de jejum, de arrependimento, de tristeza, de desvencilhar-se de pecados antigos, de adotar novas atitudes. Ver no *Dicionário* o artigo chamado *Jejum*. Em Atos 27.9, esse dia é chamado de "o tempo do Jejum".

■ **23.28**

וְכָל־מְלָאכָה לֹא תַעֲשׂוּ בְּעֶצֶם הַיּוֹם הַזֶּה כִּי יוֹם כִּפֻּרִים הוּא לְכַפֵּר עֲלֵיכֶם לִפְנֵי יְהוָה אֱלֹהֵיכֶם:

Ver no *Dicionário* o artigo chamado *Sábado*. O dia da expiação era um sábado absoluto, e não apenas um semi-sábado, conforme eram as festividades descritas em outras porções deste capítulo 23 de Levítico. Ver a expressão "obra servil", usada no tocante aos semi-sábados, em Levítico 23.7,8,21,25 e 35.

Dia da expiação. Ver no *Dicionário* o artigo com esse nome. Esse era o único dia, em todo o calendário judaico, que, além dos sábados regulares, era um sábado absoluto. Ver as notas sobre o vs. 3 deste capítulo. Cf. Êxodo 16.23-30; Números 15.32-36. Nem mesmo pequenas tarefas domésticas podiam ser efetuadas nesse dia. Ver 1João 2.2, como uma aplicação simbólica do mesmo no Novo Testamento.

■ **23.29**

כִּי כָל־הַנֶּפֶשׁ אֲשֶׁר לֹא־תְעֻנֶּה בְּעֶצֶם הַיּוֹם הַזֶּה וְנִכְרְתָה מֵעַמֶּיהָ:

O homem que desobedecesse às regras do dia da expiação, não observando o estrito descanso do dia nem se afligindo (vs. 27), mediante o jejum e outros exercícios religiosos, seria executado, provavelmente por meio de apedrejamento. O Targum de Jonathan pensa que temos aí uma ameaça das pragas de Yahweh contra tal homem, e não uma execução judicial. Mas a outra intepretação provavelmente é melhor. As leis de tempos posteriores abriam exceção para os que estivessem doentes e fossem idosos. Esses não precisavam jejuar.

■ **23.30**

וְכָל־הַנֶּפֶשׁ אֲשֶׁר תַּעֲשֶׂה כָּל־מְלָאכָה בְּעֶצֶם הַיּוֹם הַזֶּה וְהַאֲבַדְתִּי אֶת־הַנֶּפֶשׁ הַהִוא מִקֶּרֶב עַמָּהּ:

A esse eu destruirei. Provavelmente por meio de execução por *apedrejamento* (ver a esse respeito no *Dicionário*), tal como sucedia ao homem que não obedecesse ao descanso sabático. Novamente, o Targum de Jonathan pensa que está em pauta uma pestilência enviada por Yahweh. Note-se a expressão "eu destruirei." Contudo, poderia estar em pauta a ideia de execução judicial, via apedrejamento. Aqui foi usado outro termo hebraico, que significa "destruir", e não "cortar". E alguns intérpretes pensam que a palavra traduzida por "destruir" é mais significativa que a outra. O dia da expiação era o dia mais solene de todo o calendário religioso dos judeus; e somente um insensato haveria de violar algum de seus preceitos. Trabalhar em um sábado regular era algo punido com a morte por apedrejamento. Ver Números 15.32-36. Ver também Êxodo 31.14,15; 35.2. Com muito maior razão um homem seria executado se violasse o dia da expiação, que era um sábado absoluto.

■ **23.31**

כָּל־מְלָאכָה לֹא תַעֲשׂוּ חֻקַּת עוֹלָם לְדֹרֹתֵיכֶם בְּכֹל מֹשְׁבֹתֵיכֶם:

Estatuto perpétuo. Esse estatuto estendia-se pelas "vossas gerações", expressão essa usada no tocante a todos os preceitos levíticos. Tais palavras foram adicionadas para intensificar a solenidade daqueles preceitos. Os hebreus não aguardavam um ponto final para as suas leis. Muitos cristãos de hoje tentam transferir as leis sabáticas de Israel para o cristianismo; mas devemos lembrar que o sábado era o *sinal* do pacto mosaico, e não do novo pacto. Ver na *Enciclopédia de Bíblia, Teologia e Filosofia* os artigos intitulados *Sabatismo* e *Observância de Dias Especiais*. As revelações neotestamentárias, consideradas uma *heresia* pelos judeus (por causa da qual Jesus e Paulo foram executados), tornaram-se a nova *ortodoxia*, em substituição à revelação veterotestamentária. Ver as notas sobre *estatuto perpétuo* em Êxodo 29.42; 31.16; Levítico 3.17 e 16.29. E em Êxodo 29.42 e 31.16, ver as notas sobre *pelas vossas gerações*.

23.32

שַׁבַּ֨ת שַׁבָּת֥וֹן הוּא֙ לָכֶ֔ם וְעִנִּיתֶ֖ם אֶת־נַפְשֹׁתֵיכֶ֑ם בְּתִשְׁעָ֤ה לַחֹ֙דֶשׁ֙ בָּעֶ֔רֶב מֵעֶ֣רֶב עַד־עֶ֔רֶב תִּשְׁבְּת֖וּ שַׁבַּתְּכֶֽם׃ פ

Este versículo reforça o elemento de descanso solene do dia da expiação, repetindo e sumariando toda a questão. Esse era um dia de sábado absoluto (ver o vs. 28); de aflição (incluindo o jejum; vs. 26); e devia perdurar por 24 horas, desde às 18 horas daquele dia, o nono, até as 18 horas do dia seguinte, do sétimo mês civil de Israel. Ver as notas sobre Levítico 16.31.

23.33

וַיְדַבֵּ֥ר יְהוָ֖ה אֶל־מֹשֶׁ֥ה לֵּאמֹֽר׃

Disse mais o Senhor. Uma expressão muito usada no Pentateuco, empregada para apresentar novos materiais. Ver as notas sobre Levítico 1.1 e 4.1, quanto a completas informações a respeito. E também faz lembrar o fato de que as Escrituras foram produzidas por inspiração divina.

Fórmulas de Introdução e Comunicação. Moisés era o mediador entre Yahweh e o povo de Deus. Algumas vezes era-lhe ordenado transmitir uma mensagem a Arão; de outras vezes, a Arão e seus filhos; e, ainda de outras vezes, ao povo de Israel em geral, conforme se vê neste versículo. Ver as *oito fórmulas de comunicação*, anotadas em Levítico 17.2.

23.34

דַּבֵּ֛ר אֶל־בְּנֵ֥י יִשְׂרָאֵ֖ל לֵאמֹ֑ר בַּחֲמִשָּׁ֨ה עָשָׂ֜ר י֗וֹם לַחֹ֤דֶשׁ הַשְּׁבִיעִי֙ הַזֶּ֔ה חַ֧ג הַסֻּכּ֛וֹת שִׁבְעַ֥ת יָמִ֖ים לַֽיהוָֽה׃

A festa dos tabernáculos. Ver o artigo com esse título, no *Dicionário*, bem como o artigo chamado *Festas (Festividades) Judaicas*, II.4.c., *Festa das Tendas ou Tabernáculos*. Esses artigos nos dão todas as informações necessárias sobre a questão, pelo que as notas abaixo foram abreviadas.

Os vss. 33-44 deste capítulo nos dão a descrição bíblica a respeito dessa festa. Essa celebração era chamada antes de "festa da colheita" (ver Êx 34.22; Dt 16.13-15). A festa era celebrada durante uma semana inteira, e era um semi-sábado, no primeiro e no último dia. Originalmente, era uma festividade agrícola (tal como se vê na presente seção, vs. 43). Mas acabou sendo vinculada à história das jornadas dos antepassados hebreus pelo deserto, após o povo de Israel haver escapado da servidão no Egito. Alguns críticos supõem que essa nova interpretação, porém, só tenha começado a vigorar depois do exílio babilônico. Mas não há razão para duvidarmos de que essa interpretação venha desde os dias de Israel no deserto, quando o povo de Israel, ainda sem cidades, foi forçado a viver como estrangeiro e peregrino na terra, em tendas temporárias.

"A festa dos tabernáculos (vss. 33-44), tal como a Ceia do Senhor, na Igreja, tinha dois aspectos, um memorial e outro profético. Um aspecto *memorial,* no tocante à redenção para fora do Egito (vs. 43); e um aspecto *profético,* no que concerne ao descanso do reino de Israel, depois de a nação ter sido recolhida e restaurada, quando, de novo, a festa se torna um memorial, não apenas acerca da nação de Israel, mas também acerca de todas as nações (ver Zc 14.15-21)" (*Scofield Reference Bible*, comentando sobre Lv 23.33).

Mês sétimo. Esse era um mês atarefado em Israel. Nesse mês ocorria a festa do Ano Novo ou das trombetas (vss. 23-25). Isso tinha começo no primeiro mês do ano civil, que correspondia ao primeiro mês do ano religioso, o mês de *tishri,* anteriormente chamado *ethanim*. Em seguida, havia também o *dia da expiação,* no décimo dia daquele mês (vss. 26-32). E havia a *festa dos tabernáculos,* que começava no dia quinze daquele mês.

Quando o povo de Israel já possuía casas permanentes, essa festa prosseguiu. E então o povo deixava suas residências confortáveis a fim de viver em tendas por sete dias. Essas tendas eram feitas de ramos de árvores. Isso os israelitas faziam a fim de relembrar as durezas por que passaram, mas também os cuidados divinos protetores e providenciais que beneficiaram seus antepassados no deserto.

Plutarco (*Symp*. livro iv. q.6) mencionou um costume parecido entre os gregos; e outro tanto fez Plínio, descrevendo costumes dos romanos (durante a festa de Anna Perenna; *Fast*. livro iii). Esses costumes revestiam-se de significação religiosa tanto para os gregos quanto para os romanos.

Tipologia. O Logos encarnado veio habitar entre os homens, temporariamente, como que em uma tenda (Jo 1.14). E os seus discípulos são estrangeiros e peregrinos na terra (Hb 11.13). Na *Enciclopédia de Bíblia, Teologia e Filosofia* ver o artigo intitulado *Encarnação*.

23.35

בַּיּ֥וֹם הָרִאשׁ֖וֹן מִקְרָא־קֹ֑דֶשׁ כָּל־מְלֶ֥אכֶת עֲבֹדָ֖ה לֹ֥א תַעֲשֽׂוּ׃

Santa convocação. Ver o segundo versículo deste capítulo acerca disso. Essa festa era uma ocasião de celebração e de alegria. "Com grande regozijo e em meio a sonidos de trombetas, eles carregavam ramos de salgueiros ao interior do templo, de tal modo que as pontas ficavam penduradas, formando uma espécie de cúpula" (Ellicott, *in loc*.). As tendas eram preparadas para servirem de habitações pelo espaço de sete dias, e o povo habitava nelas em meio a demonstrações de alegria, lembrando-se de como Yahweh havia tirado o povo de Israel do Egito, provendo-lhes, no deserto, o necessário, embora então eles não dispusessem de residências fixas.

Um Semi-sábado. Ninguém podia ocupar-se em tarefas corriqueiras do dia-a-dia. Ver o sentido desse termo nas notas sobre o vs. 7 deste capítulo, um termo que também ocorre nos vss. 8,21 e 35. Somente o *dia da expiação,* dentre todas as festas e jejuns do ano religioso de Israel, servia de sábado absoluto, como se fosse um sábado qualquer.

"Tanto no *primeiro* como no *oitavo* dia (o dia final das festividades anuais, após os *sete dias* da festa dos tabernáculos), os israelitas tinham uma assembleia sagrada, e não podiam fazer nenhum trabalho pesado. As *oferendas* que deveriam ser trazidas eram as mais elaboradas e impressionantes do ano todo (cf. Nm 19.12-38)" (F. Duane Lindsey, *in loc*.).

23.36

שִׁבְעַ֣ת יָמִ֔ים תַּקְרִ֥יבוּ אִשֶּׁ֖ה לַיהוָ֑ה בַּיּ֣וֹם הַשְּׁמִינִ֡י מִקְרָא־קֹדֶשׁ֩ יִהְיֶ֨ה לָכֶ֜ם וְהִקְרַבְתֶּ֨ם אִשֶּׁ֤ה לַֽיהוָה֙ עֲצֶ֣רֶת הִ֔וא כָּל־מְלֶ֥אכֶת עֲבֹדָ֖ה לֹ֥א תַעֲשֽׂוּ׃

Ofertas queimadas... ofertas queimadas. Nos dias do segundo templo eram oferecidos os seguintes holocaustos: treze touros, dois carneiros, catorze cordeiros, com o acompanhamento das apropriadas ofertas de cereais, além de uma libação e de um bode como oferta pelo pecado (Nm 29.12-39). Em seguida vinham as *ofertas pacíficas,* os votos, as ofertas voluntárias. Enquanto esses sacrifícios eram oferecidos, os levitas entoavam o *hallel* festivo, o que sucedia também nas festas da páscoa e do Pentecoste. O termo *hallel* significa "louvor", referindo-se aos Salmos 113—118. Ver no *Dicionário* o artigo chamado *Hallel,* quanto a completos detalhes. O processo era repetido em cada um dos sete dias da festa, exceto pelo fato de que o número de animais era menor. "À tarde do segundo dia, naquilo que era chamado de *festa secundária,* bem como em cada uma das cinco noites sucessivas, era celebrado o 'regozijo do transporte de água', no átrio do templo. Eram acesos quatro grandes candelabros de ouro, no centro do átrio e a luz que emanava deles tornava-se visível na cidade inteira. Em torno dessas lâmpadas homens piedosos dançavam diante do povo... cantando hinos e cânticos de louvor" (Ellicott, *in loc.*). Também eram usados instrumentos musicais. Presume-se que foi em meio a esse resplendor que Jesus, chamando a atenção do povo, intitulou a si mesmo como a Luz do mundo (ver Jo 8.12). Jesus veio a fim de iluminar o mundo inteiro, e não meramente o templo de Jerusalém.

Ao dia oitavo. Esse dia era outro semi-sábado, a fim de encerrar as celebrações. Ver as notas sobre o vs. 7, no que toca à proibição acerca de qualquer trabalho servil.

As ofertas deviam ser oferecidas de acordo com as diretrizes dadas nos capítulos 28 e 29 do livro de Números, conforme foi descrito acima. Quanto ao capítulo 29 de Números, ver especialmente os vss. 13-34.

Santa convocação. Nesse dia havia exercícios religiosos como orações, louvores, leitura da lei, muito cântico e regozijo. Ramos de palmeiras eram usados nessas tendas, embora outras árvores também fossem usadas (vs. 40).

■ 23.37

אֵ֣לֶּה מוֹעֲדֵ֣י יְהוָ֔ה אֲשֶׁר־תִּקְרְא֥וּ אֹתָ֖ם מִקְרָאֵ֣י קֹ֑דֶשׁ לְהַקְרִ֨יב אִשֶּׁ֤ה לַֽיהוָה֙ עֹלָ֣ה וּמִנְחָ֔ה זֶ֥בַח וּנְסָכִ֖ים דְּבַר־י֥וֹם בְּיוֹמֽוֹ׃

As festas fixas. Essas festas fixas são aquelas mencionadas acima. Estão em pauta seis festas anuais, a saber: 1. A páscoa (vss. 4-14). 2. O Pentecoste (vss. 15-22). 3. O Ano Novo (trombetas) (vss. 23-25). 4. O dia da expiação (vss. 26-32). 5. Os tabernáculos (vss. 33-36). 6. A festa de conclusão (vs. 36). Assim sendo, essa lista das festas termina com a mesma fórmula mediante a qual tinham sido introduzidas no vs. 4 deste capítulo, onde o leitor deve consultar as notas expositivas.

Os tipos de oferendas são sumariados: *Queimadas* (holocaustos) (ver Lv 6.9-13); de *cereais* (ver Lv 6.14-18); de *libação* (ver Lv 23.13,18). Ver também Êxodo 29.40; e, no *Dicionário*, o artigo intitulado *Libação*. O trecho de Números 28 e 29 nos confere detalhes sobre a maneira de proceder e sobre as oferendas.

■ 23.38

מִלְּבַ֖ד שַׁבְּתֹ֣ת יְהוָ֑ה וּמִלְּבַ֣ד מַתְּנֽוֹתֵיכֶ֗ם וּמִלְּבַ֤ד כָּל־נִדְרֵיכֶם֙ וּמִלְּבַד֙ כָּל־נִדְב֣וֹתֵיכֶ֔ם אֲשֶׁ֥ר תִּתְּנ֖וּ לַיהוָֽה׃

Sábados do Senhor. A referência é aos vários semi-sábados que estavam envolvidos nas festas antes mencionadas (ver os vss. 7,8,21,25 e 36), bem como ao sábado pleno do dia da expiação (vs. 28); e, naturalmente, devemos entender os sacrifícios levados a efeito naqueles dias, e não meramente o descanso que era assim ordenado. Não há que duvidar de que também estão em foco os sábados regulares, ou seja, os sábados semanais, os quais tinham suas próprias exigências e sacrifícios.

Outros sacrifícios oferecidos eram as ofertas *voluntárias* e as ofertas *voluntárias-votivas*, ou seja, aqueles tipos de ofertas voluntárias que incluíam alguma forma de voto, bem como ofertas que expressavam um agradecimento piedoso. As festas e jejuns especiais, as celebrações anuais descritas neste capítulo, não excluíam os sábados regulares, nem as várias outras formas de ofertas. Ver Deuteronômio 16.10,17; 2Crônicas 25.7,8. As atividades comuns da vida podiam continuar normalmente, além da observância dos dias especiais de festa. Ver os comentários introdutórios a Levítico 7.11, no seu último parágrafo, quanto aos três tipos de oferta pacífica (de comunhão); e Levítico 7.11,16 quanto a notas expositivas. Cf. Levítico 3.1-17 e as notas introdutórias ao terceiro capítulo do mesmo livro.

Ver o gráfico existente antes de Levítico 1.1, quanto aos vários tipos de sacrifícios que figuram no livro de Levítico, com detalhes acerca de cada tipo.

■ 23.39

אַ֡ךְ בַּחֲמִשָּׁה֩ עָשָׂ֨ר י֜וֹם לַחֹ֣דֶשׁ הַשְּׁבִיעִ֗י בְּאָסְפְּכֶם֙ אֶת־תְּבוּאַ֣ת הָאָ֔רֶץ תָּחֹ֥גּוּ אֶת־חַג־יְהוָ֖ה שִׁבְעַ֣ת יָמִ֑ים בַּיּ֤וֹם הָֽרִאשׁוֹן֙ שַׁבָּת֔וֹן וּבַיּ֥וֹם הַשְּׁמִינִ֖י שַׁבָּתֽוֹן׃

Os dois versículos anteriores (37 e 38) são gerais, referindo-se às várias festividades anuais, bem como aos deveres religiosos regulares do sábado e seus sacrifícios. Todavia, os vss. 39-43 fazem-nos voltar à festa dos tabernáculos (cuja descrição fora interrompida no vs. 36).

Os elementos do vs. 39 são repetidos com base nos vss. 34-36, onde são oferecidas as notas expositivas. Em adição a isso, porém, este versículo identifica a festa em questão como uma celebração agrícola, visto que ocorria por ocasião da colheita dos frutos da terra. Estão em pauta a cevada, o trigo, o azeite e o vinho — os produtos usados em vários tipos de oferenda. Por essa razão, a festa é chamada de "festa da colheita" (Êx 23.16; 34.22). Essa festa ocorria durante o outono, quando a colheita já havia terminado.

■ 23.40

וּלְקַחְתֶּ֨ם לָכֶ֜ם בַּיּ֣וֹם הָרִאשׁ֗וֹן פְּרִ֨י עֵ֤ץ הָדָר֙ כַּפֹּ֣ת תְּמָרִ֔ים וַעֲנַ֥ף עֵץ־עָבֹ֖ת וְעַרְבֵי־נָ֑חַל וּשְׂמַחְתֶּ֗ם לִפְנֵ֛י יְהוָ֥ה אֱלֹהֵיכֶ֖ם שִׁבְעַ֥ת יָמִֽים׃

Tal como os sacerdotes tinham de ser homens sem defeito (Lv 21.17) e os animais sacrificados precisavam ser perfeitos (Lv 22.20), assim também os ramos usados durante essa festa precisavam ser tirados de *árvores formosas*, precisavam ser *ramos de árvores frondosas*. Eram permitidos ramos de várias espécies vegetais: palmeiras, salgueiros e ramos de várias árvores frondosas, para que formassem um dossel espesso. Nos dias do segundo templo, as normas vigentes especificavam que, se os ramos tivessem sido tirados de "árvores incircuncisas" (Lv 19.23) ou de primícias imundas (ver Nm 18.11,12), ou se exibissem alguma forma de defeito, seu uso estaria vedado. Os ramos de *árvores frondosas* querem dizer árvores cuja folhagem cobre abundantemente os galhos. A versão caldaica, entretanto, diz aqui *murteira*.

Vos alegrareis. *Originalmente*, porque a colheita fora abundante; *posteriormente*, tanto por essa razão como também por estarem lembrando a redenção de Israel da servidão egípcia, após o que os filhos de Israel desfrutaram segurança e abundância no deserto, em face da providência de Yahweh. Ver o vs. 43, mais adiante. Essa alegria era expressa por meio de cânticos, danças, louvor, cerimônias música instrumental, leituras, agitação de ramos, gritos de Hosana etc. Estrabão descreveu festejos similares entre os pagãos (*Geografia* 1,10, par. 322), o que também fez Plutarco (*Sympos*. 1,1,3).

Tipologia. Ver João 7.38,39 quanto ao equivalente cristão. Ver João 1.14 quanto ao evento da encarnação, quando o Logos divino veio armar tenda entre nós.

■ 23.41

וְחַגֹּתֶ֤ם אֹתוֹ֙ חַ֣ג לַֽיהוָ֔ה שִׁבְעַ֥ת יָמִ֖ים בַּשָּׁנָ֑ה חֻקַּ֤ת עוֹלָם֙ לְדֹרֹ֣תֵיכֶ֔ם בַּחֹ֥דֶשׁ הַשְּׁבִיעִ֖י תָּחֹ֥גּוּ אֹתֽוֹ׃

Estatuto perpétuo, que envolveria todas as gerações de Israel, o que exigia que a festa dos tabernáculos nunca fosse descontinuada. Ver sobre *estatuto perpétuo* em Êxodo 29.42 e 31.16. E sobre *pelas vossas gerações* ver Levítico 3.17 e 16.29. Contudo, em Cristo, a lei do Espírito substituiu todas aquelas coisas que os hebreus pensavam que nunca cessariam. A epístola aos Hebreus, no Novo Testamento, foi escrita a fim de mostrar como *uma palavra só* cobre todos os ritos e sacrifícios, substituindo *todos* eles, a saber, "Cristo". Assim, aquelas religiões e denominações que pensam que a verdade estagnou com elas nunca vão além de *suas* próprias limitações e incorrem em grave erro. A verdade está sempre amadurecendo, de acordo com o nosso ponto de vista, porquanto nós estamos sempre crescendo no conhecimento da verdade de Deus. A verdade é uma aventura, e não uma realização que se consegue de um único golpe. Quando o Messias veio armar tenda entre o seu povo, a festa dos tabernáculos chegou ao seu cumprimento. Mas o Logos de Deus está *sempre* voltando para estar com os homens, de novas maneiras, mediante novas revelações. Os judeus empregavam o *sétimo* mês do ano para celebrar aquela festa, mas o Logos continua assinalando novas datas, conferindo-nos novas verdades.

■ 23.42

בַּסֻּכֹּ֥ת תֵּשְׁב֖וּ שִׁבְעַ֣ת יָמִ֑ים כָּל־הָֽאֶזְרָח֙ בְּיִשְׂרָאֵ֔ל יֵשְׁב֖וּ בַּסֻּכֹּֽת׃

Todos os israelitas, aqueles que estavam vivendo nos dias de Moisés, quando a festa foi instituída, como também aqueles que ainda nasceriam, em todas as gerações subsequentes, deveriam continuar observando a festa. Este versículo reforça a declaração do vs. 41, sobre *estatuto perpétuo*. Ninguém deveria pensar que essa festa se limitava aos "tempos de Moisés". O versículo aponta para todos os "israelitas nativos". As crianças pequenas, que não eram capazes de resistir aos rigores da vida ao ar livre, por serem pequenas demais, estavam isentas, mas não as crianças em geral. A Mishnah isentava as mulheres em geral (*Mishnah Succah*, cap. 2, sec. 6), mas todos os israelitas do sexo masculino, mesmo que fossem pequenos, tinham de participar da festa. Jarchi afirmou que essa lei incluía até mesmo os prosélitos.

■ 23.43

לְמַעַן֮ יֵדְע֣וּ דֹרֹֽתֵיכֶם֒ כִּ֣י בַסֻּכּ֗וֹת הוֹשַׁ֨בְתִּי֙ אֶת־בְּנֵ֣י יִשְׂרָאֵ֔ל בְּהוֹצִיאִ֥י אוֹתָ֖ם מֵאֶ֣רֶץ מִצְרָ֑יִם אֲנִ֖י יְהוָ֥ה אֱלֹהֵיכֶֽם׃

Este versículo vincula a festa original da colheita com o êxodo histórico, quando Israel foi livrado da servidão aos egípcios. A antiga festa da colheita, pois, assumiu um novo significado quando foi ligada à redenção de Israel do Egito. O agradecimento por um suprimento abundante, da parte de Yahweh, tornou-se um agradecimento específico pela redenção e pela provisão e cuidados protetores que o povo de Israel desfrutou em sua experiência no deserto.

Eu sou o Senhor vosso Deus. Essa é uma expressão frequente do *Código de Santidade* (ver sobre isso na introdução ao capítulo 17 do livro de Levítico), ressaltando alguma declaração divina. Foi Yahweh, o Deus de Israel, quem determinou a questão, pelo que era mister obedecer. Ver sobre essa expressão nas notas expositivas sobre Levítico 18.30.

O povo de Israel, que veio a ocupar segura e felizmente a terra de Canaã, deveria relembrar-se de um período passado de provisões divinas especiais, quando seus antepassados estavam em necessidade, em perigos diversos, estrangeiros no deserto, quando Yahweh cuidou deles. Oh, Senhor, concede-nos tal graça!

> Vem, ó Fonte de toda bênção,
> Sintoniza meu coração,
> para cantar a tua graça!
> Rios de misericórdia, jamais cessem,
> Invocando cânticos
> e altos louvores.
>
> Robert Robinson

■ 23.44

וַיְדַבֵּ֣ר מֹשֶׁ֔ה אֶת־מֹעֲדֵ֖י יְהוָ֑ה אֶל־בְּנֵ֖י יִשְׂרָאֵֽל׃ פ

Este capítulo 23 de Levítico termina assegurando-nos que Moisés, o mediador entre Deus e o povo de Israel, havia cumprido o seu dever, tendo transmitido tudo quanto lhe fora ordenado dizer aos filhos de Israel (ver o vs. 2). Cabia a Israel pôr em prática todos os complicados estatutos e mandamentos que o Senhor havia determinado.

CAPÍTULO VINTE E QUATRO

DIREÇÕES PARA O TABERNÁCULO E PARA O ACAMPAMENTO (24.1-23)

LEI ACERCA DAS LÂMPADAS (24.1-4)

Prossegue o *Código de Santidade* (caps. 17—26). Ver sobre esse código na introdução ao capítulo 17 de Levítico. O capítulo à nossa frente nos dá as várias regras que governavam a questão do azeite das lâmpadas do santuário; a questão sobre os pães da proposição; um registro de uma blasfêmia cometida; a lei da retaliação, a *lex talionis*; e uma conclusão. Portanto, encontramos aqui várias regras miscelâneas sobre rituais e sobre ética. Em harmonia com o estilo literário do autor sagrado, a maior parte do capítulo reitera itens que já tinham sido ventilados em outras partes do livro. A legislação foi dada em contextos históricos a fim de satisfazer a certas condições históricas.

■ 24.1

וַיְדַבֵּ֥ר יְהוָ֖ה אֶל־מֹשֶׁ֥ה לֵּאמֹֽר׃

Disse o Senhor. Essa expressão é usada amiúde no Pentateuco, a fim de introduzir novos materiais. E também nos faz lembrar a inspiração divina das Escrituras. Ver Levítico 1.1 e 4.1 quanto a notas expositivas completas.

■ 24.2

צַ֞ו אֶת־בְּנֵ֣י יִשְׂרָאֵ֗ל וְיִקְח֨וּ אֵלֶ֜יךָ שֶׁ֣מֶן זַ֥יִת זָ֛ךְ כָּתִ֖ית לַמָּא֑וֹר לְהַעֲלֹ֥ת נֵ֖ר תָּמִֽיד׃

Fórmulas de Comunicação. Moisés, mediador entre Yahweh e o povo de Israel, entregava a várias pessoas ou grupos de pessoas as mensagens que recebia. Ora ele se dirigia a Arão; ora a Arão e seus filhos; e ora ao povo de Israel como um todo. Há *oito* diferentes fórmulas de comunicação. Ver Levítico 17.2 quanto a notas sobre essa questão. Neste versículo vemos Moisés entregando uma mensagem à inteira congregação de Israel, embora Arão fosse quem mais precisasse de instruções, por ser o sumo sacerdote e aquele que poria em vigor os mandamentos de Deus.

O candelabro. Ver o detalhado artigo sobre esse assunto, no *Dicionário*, e também Êxodo 25.31-40 quanto ao seu desígnio, e Êxodo 37.17-24 quanto à sua construção.

Azeite. Ver no *Dicionário* o artigo sobre esse elemento. Ver Êxodo 27.20,21. Quanto à fórmula do azeite de unção, ver as notas sobre Êxodo 30.34-38. Os elementos dessa fórmula faziam parte das ofertas trazidas pelos príncipes do povo (ver Êx 34.27,28).

Lâmpada acesa continuamente. Ver as notas sobre Êxodo 27.20. Nesse versículo damos tanto informações gerais quanto informações sobre os *tipos* simbólicos. O Targum de Jonathan assegura-nos que mesmo aos sábados a lâmpada continuava acesa. Garantir isso fazia parte da trabalho dos sacerdotes. A luz do Espírito de Deus é assim simbolizada. Ver no *Dicionário* o artigo intitulado *Iluminação*. O santuário não recebia iluminação vinda de fora, pelo que o candelabro era a única fonte de luz para aquele lugar. Assim também o mundo, o lugar que é iluminado pelo Espírito de Deus, fica em trevas sem a iluminação divina. Acerca de Cristo, é dito que ele ilumina a todo homem que vem a este mundo, em João 1.9.

■ 24.3

מִחוּץ֩ לְפָרֹ֨כֶת הָעֵדֻ֜ת בְּאֹ֣הֶל מוֹעֵ֗ד יַעֲרֹךְ֩ אֹת֨וֹ אַהֲרֹ֜ן מֵעֶ֧רֶב עַד־בֹּ֛קֶר לִפְנֵ֥י יְהוָ֖ה תָּמִ֑יד חֻקַּ֥ת עוֹלָ֖ם לְדֹרֹתֵיכֶֽם׃

Fora do véu. O candelabro ficava no lado sul do Lugar Santo, diante do *segundo véu*, que fechava o Santo dos Santos. Havia *três* véus ou cortinas; e aqui é mencionado o segundo. Ver as notas sobre Êxodo 26.36 quanto a esses véus. Ver a planta baixa do tabernáculo nas notas sobre Êxodo 26.1, nas suas notas introdutórias. A tarefa de Arão, como sumo sacerdote, era cuidar da iluminação do Lugar Santo, garantindo que o candelabro permanecesse sempre aceso (vs. 2). Ele tinha de certificar-se de que sempre havia azeite; e também tinha de preparar as lâmpadas, inclusive limpando os pavios, para que a luz brilhasse fortemente.

Estatuto perpétuo. Ver as notas expositivas sobre isso em Levítico 3.17 e 16.29.

Pelas suas gerações. Ver sobre isso em Êxodo 29.42 e 31.16. Os estatutos concernentes às lâmpadas figuravam entre aqueles de aplicação perpétua. Mas quando chegou entre nós a Luz do mundo, Cristo (Jo 8.12), então meras sombras simbólicas passaram.

■ 24.4

עַ֚ל הַמְּנֹרָ֣ה הַטְּהֹרָ֔ה יַעֲרֹ֖ךְ אֶת־הַנֵּר֑וֹת לִפְנֵ֥י יְהוָ֖ה תָּמִֽיד׃ פ

Jarchi asseverou que a *ordem* aqui mencionada dizia respeito à medida de azeite que tinha de ser vertida sobre as lâmpadas a cada dia, cerca da oitava parte de um litro, ou seja, 125 ml. As lâmpadas precisavam ser limpas e receber seu suprimento de azeite a cada dia. Ou ele precisava *arranjar* as lâmpadas depois de tê-las limpado, suprindo-as então com o azeite apropriado.

LEI ACERCA DOS PÃES DA PROPOSIÇÃO (24.5-9)

■ 24.5

וְלָקַחְתָּ סֹלֶת וְאָפִיתָ אֹתָהּ שְׁתֵּים עֶשְׂרֵה חַלּוֹת שְׁנֵי עֶשְׂרֹנִים יִהְיֶה הַחַלָּה הָאֶחָת׃

Os vss. 5-9 tratam das regras concernentes aos *pães da proposição* (ver a esse respeito no *Dicionário*) e sobre os cuidados com a mesa onde esses pães eram arrumados. O parágrafo diante de nós nos dá a informação essencial de Êxodo 25.23-30, onde notas mais completas foram providas para o leitor. O citado artigo fornece todos os detalhes necessários, pelo que não repito aqui aquelas informações.

Cada um dos *doze* pães tinha o peso de dois décimos de um *efa* de farinha de trigo. Isso equivalia a 5 kg, o que significa que os pães eram grandes. Cada pão tinha cerca de 75 cm de comprimento, metade disso quanto à largura, e cerca de 12,5 cm de altura. O número *doze* falava sobre as doze tribos de Israel, as quais participavam dos benefícios desse rito.

■ 24.6

וְשַׂמְתָּ אוֹתָם שְׁתַּיִם מַעֲרָכוֹת שֵׁשׁ הַמַּעֲרָכֶת עַל הַשֻּׁלְחָן הַטָּהֹר לִפְנֵי יְהוָה׃

A mesa de ouro puro. Ver as notas expositivas sobre essa mesa em Êxodo 25.23 ss., onde provi comentários completos. Ver também, no *Dicionário*, o artigo *mesa*. Essa mesa ficava no Lugar Santo, em seu lado norte, diante do candeeiro, que ficava no lado sul. Ver a planta baixa do tabernáculo nas notas de introdução ao capítulo 26 do livro de Êxodo. A mesa era de madeira, recoberta de ouro puro, e era sempre mantida limpa e brilhante (ver Êx 25.24).

Perante o Senhor. Ou seja, em um lugar conspícuo no Lugar Santo, onde os pães estariam sempre diante da presença de Yahweh (ver Nm 4.7). Algumas versões dizem, em Êxodo 25.30, "pães de sua [de Deus] presença". Assim sendo, o povo de Israel estava sempre diante de Yahweh, preparado para receber o suprimento divino e a nutrição espiritual, simbolizados pelos pães.

Tipologia. Nutrição espiritual; os cuidados do Senhor; Jesus como o Pão da vida (Jo 6.32 ss.). Ver também, no *Dicionário*, os artigos intitulados *Maná* e *Pão*. Ver na *Enciclopédia de Bíblia, Teologia e Filosofia* os artigos Pão da Vida, Jesus como.

Os doze pães da proposição representavam a unidade nacional de Israel, e, nessa unidade, o beneficiário das bênçãos divinas. Ver 1Reis 18.31,32. Originalmente, o simbolismo era o *oferecimento dos pães a Yahweh*, como uma expressão de agradecimento pelo contínuo suprimento divino. Ver Números 4.7; Levítico 24.5-9; 1Crônicas 9.32; Mateus 12.4. Pão (alimento) era oferecido a Yahweh. Ver notas expositivas sobre esse conceito em Levítico 21.6,8,17,21.

■ 24.7

וְנָתַתָּ עַל־הַמַּעֲרֶכֶת לְבֹנָה זַכָּה וְהָיְתָה לַלֶּחֶם לְאַזְכָּרָה אִשֶּׁה לַיהוָה׃

Porás incenso puro. Na verdade, o incenso era posto ao lado dos pães, e não sobre eles. Os eruditos debatem sobre a localização exata da mesa dos pães da proposição, onde o incenso puro também era posto. Talvez uma taça fosse posta no fim de uma das fileiras de pães, e outra taça posta na outra extremidade (ou pilha, conforme alguns pensam). Talvez o incenso fosse posto entre as duas fileiras de pães. Essa, pelo menos, era a prática que prevalecia nos dias do segundo templo. Mais tarde, esse incenso era queimado sobre o altar, como porção memorial (ver Lv 2.2,9-16). Misturado com farinha de trigo e azeite, o incenso exalava um *aroma agradável* que agradava a Yahweh (ver Lv 1.9; 29.18). Os pães eram comidos pelos sacerdotes, e novos pães eram colocados, a cada semana, sobre a mesa dos pães da proposição. O incenso era oferecido a Yahweh; os pães iam para os sacerdotes. "Desse modo, as orações dos filhos de Israel eram apresentadas em agradecida lembrança diante do Senhor (ver Lv 2.2)" (Ellicott, *in loc.*).

■ 24.8

בְּיוֹם הַשַּׁבָּת בְּיוֹם הַשַּׁבָּת יַעַרְכֶנּוּ לִפְנֵי יְהוָה תָּמִיד מֵאֵת בְּנֵי־יִשְׂרָאֵל בְּרִית עוֹלָם׃

O pão também simbolizava o *pacto* estabelecido entre Yahweh e Israel. A palavra pacto provavelmente tenciona incluir o *Pacto Abraâmico* (ver as notas a respeito em Gn 15.18) e o *pacto mosaico* (ver as notas na introdução ao capítulo 26 de Êxodo). Israel era o povo do pacto com Deus, e a mesa e seus pães serviam de lembrete desse fato. Houve uma contínua renovação; os antigos pães tornavam-se uma provisão alimentar para os sacerdotes; e o incenso era queimado na presença de Yahweh. Portanto, havia comunhão e interação, onde cada qual desempenhava seu papel e cada qual recebia a sua parte. A semana toda, os pães eram oferecidos a Yahweh, expostos na presença do Senhor. Os pães recentes eram dispostos sobre a mesa, enquanto os antigos eram tirados, para que a mesa nunca estivesse sem pães. Vários sacerdotes se ocupavam nesse ato, ao mesmo tempo. Ver Êxodo 25.30.

Da parte dos filhos de Israel. Em outras palavras, o povo precisava doar esses itens como oferendas. E outro tanto sucedia no caso de vários outros itens usados no tabernáculo. As próprias ofertas, o sal para os sacrifícios, a lenha, o incenso, os pães, a novilha vermelha etc. Nos dias do segundo templo, as taxas cobradas do povo (ver Êx 30.11-16) serviam para manter os ritos e o sacerdócio. Os israelitas doavam de seus rendimentos; e o povo, por sua vez, recebia bênçãos espirituais. O *segredo* do suprimento consiste em *dar*. Conforme alguém já disse: "Ninguém pode dar demais a Deus, pois ele devolve tudo".

Por aliança perpétua. Um dos aspectos de serem os israelitas o povo em pacto com Deus era que a eles cabia manter o tabernáculo e seu sacerdócio.

■ 24.9

וְהָיְתָה לְאַהֲרֹן וּלְבָנָיו וַאֲכָלֻהוּ בְּמָקוֹם קָדֹשׁ כִּי קֹדֶשׁ קָדָשִׁים הוּא לוֹ מֵאִשֵּׁי יְהוָה חָק־עוֹלָם׃ ס

Durante toda uma semana, os pães da proposição ficavam na presença de Yahweh como uma oferta de pão. Cf. Levítico 21.6,8,17,21. Porém, no fim da semana, esses pães tornavam-se uma provisão alimentar para os sacerdotes. Esses pães precisavam ser consumidos no Lugar Santo, e não fora daí, pois o pão era *santo* e não podia ser profanado com contatos externos de qualquer espécie. Paralelamente, o incenso era queimado a Yahweh, quando os pães fossem consumidos (vs. 7). As palavras "cousa santíssima" apontam para aqueles tipos de oferendas que revertiam em benefício dos sacerdotes e só podiam ser consumidos dentro dos limites do tabernáculo. Ver sobre coisas "santas" e "santíssimas," nas notas sobre Levítico 2.3.

Como direito perpétuo. Os hebreus não esperavam que chegasse um tempo em que todos esses ritos do tabernáculo, incluindo aqueles referentes aos pães da proposição, chegassem ao fim. Ver as notas acerca desse conceito em Êxodo 29.42 e 31.16.

Oito diferentes porções eram dadas aos sacerdotes, dentre as oferendas que lhes eram entregues nas mãos:

1. O remanescente das ofertas em forma de cereais (Lv 2.3)
2. A carne das ofertas pelo pecado (Lv 6.26)
3. A carne das ofertas pela transgressão (Lv 7.6)
4. O azeite para as ofertas de cereais (Lv 14.10)
5. Um molho das primícias (Lv 23.10,11)
6. As ofertas pacíficas (Lv 3; 7.11-36)
7. Os doze pães (Lv 24.8)
8. Os pães da proposição (Lv 24.9)

PENA PARA O PECADO DE BLASFÊMIA (24.10-23)

Esses catorze versículos apresentam um caso simbólico de blasfêmia, juntamente com a punição merecida. Deve ter havido muitos casos similares, mas um deles se tornou sobejamente conhecido na história de Israel. Teve lugar durante os dias de Moisés, sendo provável que em Israel todos o conhecessem bem. Por isso mesmo, tornou-se um *relato para servir de exemplo* acerca das coisas que não podiam ser feitas pelos que pertenciam ao povo em relação de pacto com Deus. Sua inserção, neste ponto, serve de lembrete de que as leis levíticas eram uma questão séria, e qualquer infração contra elas resultava em execução. O nome do indivíduo culpado não é mencionado, mas o seu *ato* não passou esquecido. O homem havia ousado blasfemar do grande nome de Yahweh — o *Tetragrammaton*. Ver no *Dicionário* o artigo chamado *Tetragrama*. As quatro consoantes (o alfabeto dos hebreus não dispunha de vogais) eram YHWH. Posteriormente, nenhum judeu ousava pronunciar esse nome, e muito menos blasfemar contra ele. Quando eu era estudante já formado, na Universidade de Chicago, nas aulas de hebraico, quando se lia o texto do Antigo Testamento, nenhum estudante judeu pronunciava o nome *Yahweh*, nem mesmo *Elohim*. E quando surgiam no texto, eles pronunciavam Yahweh como "Adonai", ao passo que Elohim eles pronunciavam como "Elokim". Ver no *Dicionário* o artigo intitulado *Deus, Nomes Bíblicos de*.

■ 24.10

וַיֵּצֵא בֶּן־אִשָּׁה יִשְׂרְאֵלִית וְהוּא בֶּן־אִישׁ מִצְרִי בְּתוֹךְ בְּנֵי יִשְׂרָאֵל וַיִּנָּצוּ בַּמַּחֲנֶה בֶּן הַיִּשְׂרְאֵלִית וְאִישׁ הַיִּשְׂרְאֵלִי׃

Apareceu entre os filhos de Israel. Quanto às maldições contra Deus, ver as notas sobre Êxodo 20.7 e 22.28. O homem envolvido não era israelita puro, e, sim, filho de mulher israelita e pai egípcio. No entanto, parece que fora criado como hebreu, razão pela qual era responsável por seus atos, de acordo com a legislação mosaica. Há lendas que cercam este texto, como aquela que identifica o homem como filho daquele egípcio que Moisés teria morto (ver Êx 2.12). Juntamente com sua mulher hebreia, ele teria participado do êxodo. Porém, quem pode ter certeza dessas coisas? Talvez ele se tenha convertido ao yahwismo. Rebenteu uma desavença entre esse homem e um hebreu, embora não saibamos o "motivo" do desentendimento. Há fontes judaicas que especulam que a questão girou em torno da guarda de preceitos levíticos, mas tudo não passa de especulação. Outros pensam que a questão foi acerca de negócios, ou, então, acerca dos direitos dos "estrangeiros", pois quiçá o egípcio-israelita fosse assim considerado. As tradições afirmam que a mãe do homem pertencia à tribo de Dã, e a disputa entre ele e o hebreu puro dizia respeito aos direitos de estrangeiros naquele território de armar suas tendas e compartilhar a terra. Talvez o seu direito de assim fazer estivesse sendo negado devido ao fato de que seu pai é que era estrangeiro, e não sua mãe. Se assim fosse, isso quereria dizer que o homem não teria nenhum direito em Israel, pois então os israelitas ainda seguiam a noção patriarcal, e não matriarcal, conforme se dá hoje em dia; pois a partir da época de Esdras e Neemias (que só aconteceu muitos séculos mais tarde que este episódio), passou a ser considerado israelita aquele que tivesse mãe israelita. Antes de Esdras e Neemias, porém, era considerado israelita quem tivesse pai israelita. A blasfêmia contra Yahweh, pois, teria sido causada por ele não aceitar as injunções levíticas, inspiradas por Yahweh. Quanto às razões do desentendimento, contudo, não temos nenhuma informação bíblica, e as tradições usualmente laboram em erro.

■ 24.11

וַיִּקֹּב בֶּן־הָאִשָּׁה הַיִּשְׂרְאֵלִית אֶת־הַשֵּׁם וַיְקַלֵּל וַיָּבִיאוּ אֹתוֹ אֶל־מֹשֶׁה וְשֵׁם אִמּוֹ שְׁלֹמִית בַּת־דִּבְרִי לְמַטֵּה־דָן׃

Blasfemou o nome do Senhor. O original hebraico diz apenas "blasfemou o nome". Os comentadores judeus também não se atrevem a dizer qual o nome, se Elohim, se Adonai ou se Yahweh. Havia vários nomes dados a Deus, cada qual destacando alguma qualidade divina, mas pelo menos os estudiosos judeus sugeriram que poderia ser o tetragrama YHWH. Ver as notas de introdução ao versículo anterior, quanto a uma discussão sobre a reverência em que o nome divino, Yahweh, era tido.

Também é possível que, subsequentemente, escribas judeus tivessem temido identificar o nome divino em pauta. Pois posteriormente o termo "o Nome" passou a ser usado para substituir Yahweh, por motivo de reverência ou de temor. Proferir o nome secreto poderia trazer o julgamento divino contra quem assim fizesse.

E o amaldiçoou. Ver no *Dicionário* o artigo intitulado *Blasfêmia*, onde se explica o que estava envolvido nesse grave pecado.

Selomite. Esse era o nome da mãe do blasfemador. Há *sete* pessoas com esse nome que são mencionadas na Bíblia. No hebraico, esse nome significa "pacífica", "perfeita", "completa". A mulher era hebreia, mas casara-se com um egípcio. Não há nenhuma outra informação sobre ela na Bíblia, pelo que sobre ela só sabemos o que este texto diz. As tradições nada acrescentam de valor. Ela pertencia à tribo de Dã, e talvez a disputa tenha girado em torno do direito de estrangeiros naquela tribo, conforme já foi dito no versículo anterior.

Dibri. Esse era o nome do pai da mulher em questão. O nome significa "palavroso", indicando que ele era homem que falava muito. Coisa alguma se sabe sobre esse homem além do que se pode deduzir do texto; e as tradições nada acrescentam de valor.

Da tribo de Dã. Ver sobre essa tribo no *Dicionário*.

■ 24.12

וַיַּנִּיחֻהוּ בַּמִּשְׁמָר לִפְרֹשׁ לָהֶם עַל־פִּי יְהוָה׃ פ

E o levaram à prisão. Os líderes de Israel puseram o homem sob custódia, até que se resolvesse, mediante instrução dada pelo Senhor, sobre o que fariam acerca do caso. Não há que duvidar de que alguns argumentaram de um modo, e outros de outro, e que várias sugestões tenham sido feitas. Mas todos estavam em dúvida sobre o acontecido e ninguém chegava a uma conclusão. Foi preciso que o próprio Yahweh se manifestasse (vs. 13), a fim de que o caso fosse decidido. O homem tinha quebrado o terceiro mandamento (ver Êx 20.7), e algum juízo severo teria de ser aplicado. O homem não somente havia proferido o Nome, mas também tinha abusado dele, amaldiçoando ao Senhor por suas alegadas leis injustas. Talvez algumas dúvidas tivessem sido levantadas sobre a responsabilidade do homem diante da lei, sendo ele uma espécie de estrangeiro. Talvez tivesse sido espancado ou exilado. Moisés não sabia o que fazer, e precisou esperar pela orientação especial de Yahweh. Tal indecisão só foi manifestada por Moisés por *quatro* vezes. Ver aqui e Números 9.6-14; 15.32-36 e 27.1-11.

Algumas vezes, envolvemo-nos em circunstâncias que apresentam problemas que não sabemos como solucionar. Precisamos de iluminação, tal como sucedeu com Moisés, mas por muito mais vezes do que se deu no caso dele, sem dúvida. De outras vezes, as *circunstâncias* indicam como devemos decidir as questões. E, ainda de outras vezes, precisamos de orientação e suprimentos *divinos*, diretos. Oh, Senhor, concede-nos tal graça! Ver no *Dicionário* o artigo intitulado *Vontade de Deus, como Descobri-la*.

■ 24.13

וַיְדַבֵּר יְהוָה אֶל־מֹשֶׁה לֵּאמֹר׃

Disse o Senhor. Usualmente, essa expressão é usada no Pentateuco para introduzir materiais novos. Mas não foi essa a razão de seu uso, neste caso. Antes, em resposta às orações de Moisés, pedindo informação sobre um caso dificílimo, Yahweh falou e lhe deu uma iluminação direta. A sentença era punição capital (vs. 14). O pobre indivíduo serviria de *exemplo* de como não se deve agir. Não somos informados sobre como Moisés buscou a resposta divina. Mas pode ter sido por meio do Urim e do Tumim (ver a respeito no *Dicionário*). A resposta pode ter sido dada mediante uma visão, porquanto Moisés era homem de experiências místicas frequentes.

■ 24.14

הוֹצֵא אֶת־הַמְקַלֵּל אֶל־מִחוּץ לַמַּחֲנֶה וְסָמְכוּ כָל־הַשֹּׁמְעִים אֶת־יְדֵיהֶם עַל־רֹאשׁוֹ וְרָגְמוּ אֹתוֹ כָּל־הָעֵדָה׃

A mensagem recebida declarava que o homem era digno de punição capital. Era responsável pela sua blasfêmia. O fato dele ser um semiestrangeiro não conseguiu poupar-lhe a vida. Deveria ser apedrejado publicamente, um exemplo de como os israelitas não podiam agir. Não se podia blasfemar o Nome sagrado. A quebra do terceiro mandamento, pois, importava em punição capital (ver Êx 20.7); e esse precedente passou a vigorar desde então. Ver no *Dicionário* o artigo intitulado *Apedrejamento*.

Testemunhas foram chamadas para testificar contra ele, e impuseram-lhe as mãos, pronunciando-o culpado. Maimônides (*Hilchot Obede Cochabim*, cap. 2, sec. 10) informou-nos que a imposição de mãos sobre um acusado só ocorria em casos de blasfêmia. A palavra *todos*, que figura no versículo, muito provavelmente indica que os juízes também impuseram as mãos sobre o cupado.

Representantes da congregação apedrejaram o homem. A justiça foi feita prontamente. Foi constituído um tribunal, mas o réu não teve de esperar meses ou mesmo anos, conforme sucede em nosso moderno sistema judiciário. Cf. Levítico 20.12, onde lemos que um crime diferente foi punido por apedrejamento. Ver o gráfico na introdução ao capítulo 18 de Levítico, quanto aos vários modos de execução.

■ **24.15**

וְאֶל־בְּנֵי יִשְׂרָאֵל תְּדַבֵּר לֵאמֹר אִישׁ אִישׁ כִּי־יְקַלֵּל אֱלֹהָיו וְנָשָׂא חֶטְאוֹ:

Qualquer que... O episódio transformou-se em *regra geral*. Tornou-se um precedente. Desde então, quem blasfemasse em Israel "levaria sobre si o seu pecado", sendo executado conforme determinasse a lei. No caso de blasfêmia, por apedrejamento. O caso também proveu uma *lei generalizada*. Todas as infrações da legislação mosaica seriam severamente punidas. Regras generalizadas produziram a execução por causa de diversos crimes (ver os vss. 17 ss.). Já pudemos ver, no capítulo 18 de Levítico, como vários modos de execução foram empregados, e isso por vários crimes, especialmente formas de incesto. A regra geral incluía *estrangeiros* (vs. 16).

O seu Deus. Essas palavras poderiam ter sido traduzidas como "o seu deus". Nesse caso, os pagãos que blasfemassem o nome de seus deuses falsos seriam executados por seus próprios povos, pois, presumivelmente, quem poderia confiar em um homem blasfemo? Ver as notas sobre o vs. 16 deste capítulo.

■ **24.16**

וְנֹקֵב שֵׁם־יְהוָה מוֹת יוּמָת רָגוֹם יִרְגְּמוּ־בוֹ כָּל־הָעֵדָה כַּגֵּר כָּאֶזְרָח בְּנָקְבוֹ־שֵׁם יוּמָת:

Este versículo fornece-nos informações adicionais sobre a *lei da blasfêmia* (vs. 15). A morte era efetuada por meio de *apedrejamento* (ver a esse respeito no *Dicionário*). O culpado deveria ser executado por toda a congregação, e não por particulares. Também teria de haver o respaldo de testemunhas (vs. 14). Um *estrangeiro* não estava isento dessa lei. Devemos entender aqui qualquer estrangeiro que estivesse jornadeando em companhia do povo de Israel, e não somente um prosélito que tivesse aceitado o yahwismo. Ninguém, dentro das fronteiras de Israel, poderia escapar com vida, se chegasse a blasfemar do Senhor. Nenhum culpado desse crime poderia esperar misericórdia. A blasfêmia era um crime punido com o máximo rigor.

Alguns estudiosos supõem que um pagão que blasfemasse de seu deus (vs. 15) também seria executado por seus compatriotas; mas essa execução deveria ser encorajada pelos filhos de Israel. Porém, não há um único caso confirmatório em toda a história de Israel. A base dessa ideia é que não se podia confiar em um blasfemo, mesmo que fosse de deuses falsos. Em outras palavras, quem blasfemasse, mesmo que fosse de deuses falsos, seria um homem maligno, sem importar que deus fosse esse. É provável que, por causa da severidade da lei da blasfêmia, os hebreus temessem até mesmo proferir o nome divino.

■ **24.17**

וְאִישׁ כִּי יַכֶּה כָּל־נֶפֶשׁ אָדָם מוֹת יוּמָת:

Os vss. 17-21 nos fornecem vários atos errados e suas respectivas punições. Algumas vezes isso envolvia punição capital e, outras vezes, não. Esses versículos agem tanto como instruções sobre *o que fazer* como também instruções sobre *o que não fazer*. Nem todos os crimes podiam ser castigados mediante execução. Mas deveria haver uma justa *retaliação*. O autor sagrado não estava interessado em reformar a natureza dos julgamentos. O que ele quis dar a entender era que os crimes devem receber uma justa retaliação. Naturalmente, os conceitos ficam aquém daqueles ensinados no Novo Testamento, como se vê no Sermão da Montanha, onde está envolvida uma ética superior. Todavia, a legislação levítica mostra superioridade em relação à jurisprudência refletida no Cântico de Lameque (Gn 4.23,24). Mas estes cinco versículos não tocam na adição de uma *quinta parte*, conforme se vê em Levítico 5.15,16, sendo bem possível que isso reflita uma diferente fonte informativa sobre leis de retaliação.

Quem matar a alguém. Ver Êxodo 20.13, o sexto mandamento, que requeria a execução capital do ofensor. Ver as notas na referência dada. Minhas notas dali discutem possíveis exceções. Ver no *Dicionário* o artigo *Punição Capital*. Ver também Gênesis 9.6. A interpretação judaica posterior requeria que um israelita só fosse executado se tivesse morto a outro israelita; mas isso já representa uma perversão da legislação original.

■ **24.18**

וּמַכֵּה נֶפֶשׁ־בְּהֵמָה יְשַׁלְּמֶנָּה נֶפֶשׁ תַּחַת נָפֶשׁ:

Igual por igual. Temos aqui o ensino de que, se alguém matasse um animal, deveria devolver outro. Ou, então, teria de pagar o prejuízo de acordo com um preço justo. O trecho de Êxodo 21.31 ss. reflete uma legislação diferente, que levava em conta casos variados que porventura surgissem.

■ **24.19**

וְאִישׁ כִּי־יִתֵּן מוּם בַּעֲמִיתוֹ כַּאֲשֶׁר עָשָׂה כֵּן יֵעָשֶׂה לּוֹ:

Como ele fez, assim lhe será feito. Um homem poderia ferir a outro homem, sem que necessariamente lhe tirasse a vida. E a punição seria um ferimento similar. O revide não poderia chegar a ponto do assassínio, conforme fez Lameque (ver Gn 4.23,24). Ver Êxodo 21.18,19 quanto a uma legislação parecida. O versículo seguinte a este amplia as estipulações do presente versículo.

■ **24.20**

שֶׁבֶר תַּחַת שֶׁבֶר עַיִן תַּחַת עַיִן שֵׁן תַּחַת שֵׁן כַּאֲשֶׁר יִתֵּן מוּם בָּאָדָם כֵּן יִנָּתֶן בּוֹ:

Fratura por fratura, olho por olho, dente por dente. Temos aqui uma versão precisa da *Lex Talionis* (ver a respeito no *Dicionário*). No trecho de Êxodo 21.24,25 achamos idêntica regra, embora com uma lista levemente diferente de injúrias que poderiam ser infligidas. As notas naqueles versículos também se aplicam aqui. Era requerida uma satisfação absoluta, e as leis precisavam ser interpretadas de outras maneiras, impondo outros castigos, como multas etc.

■ **24.21**

וּמַכֵּה בְהֵמָה יְשַׁלְּמֶנָּה וּמַכֵּה אָדָם יוּמָת:

Este versículo repete as mensagens constantes nos vss. 17 e 18, sem nenhuma ideia adicional. A repetição é uma das características literárias do autor sagrado do Pentateuco; e achamos esse fenômeno literário em cada capítulo desses cinco livros.

■ **24.22**

מִשְׁפַּט אֶחָד יִהְיֶה לָכֶם כַּגֵּר כָּאֶזְרָח יִהְיֶה כִּי אֲנִי יְהוָה אֱלֹהֵיכֶם:

Uma e a mesma lei. A legislação mosaica era considerada uma só, obrigatória tanto para israelitas quanto para estrangeiros residentes em Israel. Neste caso, residentes são os convertidos ao yahwismo. Mas noutros casos (como no episódio referente à blasfêmia, vss. 14 ss.), está em pauta qualquer um que estivesse jornadeando na Terra Prometida, mesmo que não fosse um prosélito. O vs. 15 deste capítulo é interpretado dessa maneira por alguns estudiosos.

Eu sou o Senhor vosso Deus. Essa expressão é muito comum no *Código de Santidade* (Lv 17—26 e a introdução ao capítulo 17 deste livro). Trata-se de uma característica literária daquele Código, reforçando e solenizando uma declaração qualquer. Ver as notas sobre isso em Levítico 18.30.

■ **24.23**

וַיְדַבֵּר מֹשֶׁה אֶל־בְּנֵי יִשְׂרָאֵל וַיּוֹצִיאוּ אֶת־הַמְקַלֵּל אֶל־מִחוּץ לַמַּחֲנֶה וַיִּרְגְּמוּ אֹתוֹ אָבֶן וּבְנֵי־יִשְׂרָאֵל עָשׂוּ כַּאֲשֶׁר צִוָּה יְהוָה אֶת־מֹשֶׁה: פ

O autor sagrado, *querendo fazer uma recapitulação*, leva-nos de volta ao caso do homem que havia blasfemado, um episódio que começou a ser historiado no vs. 10 deste capítulo. O autor sagrado havia interrompido o relato, a fim de oferecer-nos uma série de leis que pertenciam à classe da *lex talionis*, retaliação olho por olho, dente por dente. Ver sobre esse termo no *Dicionário*. Ele nos diz que a sentença, dada diretamente por Yahweh (vss. 13 e 14), foi executada. Embora fosse uma tarefa desagradável, os filhos de Israel executaram a sentença, em obediência a Yahweh. Moisés era o *mediador* entre Deus e o povo de Israel, o que também vemos no vs. 13 deste capítulo. Essa lei, que estipulava a "execução dos blasfemos", tornou-se universal, sendo aplicada tanto aos filhos de Israel quanto aos estrangeiros (ver Lv 24.15,16).

CAPÍTULO VINTE E CINCO

DIREÇÕES SOBRE A TERRA (25.1-55)

O ANO SABÁTICO (25.1-7)

O *Código de Santidade* (Lv 17—26) continua. Ver sobre esse código na introdução ao capítulo 17. Alguns estudiosos supõem que tenhamos aqui uma fonte separada do Pentateuco. Ver no *Dicionário* o artigo *J.E.D.P.(S.)* quanto à teoria das fontes informativas múltiplas do Pentateuco. Cf. Levítico 25.1-7,20-22 com Êxodo 22.10,11. Esses textos apresentam a lei do ano sabático. Os vss. 8-23 deste capítulo apresentam algo similar, sobre o ano do jubileu, uma espécie de ano de descanso a cada cinquenta anos.

O resto do capítulo parte daí para outros assuntos, como a redenção de terras (vss. 24-34), a proibição de cobrar juros dos pobres (vss. 35-38), leis concernentes à escravatura (vss. 39-55). Conforme se vê por todo o livro de Levítico, temos *muitas repetições* de materiais já dados em outros lugares, o que era uma característica literária do autor.

De modo geral, as várias leis baixadas neste capítulo tinham o propósito de controlar a exploração de terras e em favor de várias classes de pessoas. A possessão de terras é uma bênção dada por Deus; e os abusos contra as terras deviam ser evitados.

Tal como os israelitas deviam trabalhar seis dias por semana e descansar no sétimo dia, assim também a terra podia ser lavrada por seis anos e então descansar no sétimo ano. A produção espontânea de terras podia ser consumida por qualquer um, e não somente pelos proprietários, visto que isso era um caso de provisão divina universal. O ano sabático fazia cessar todas as atividades agrícolas normais. Por isso, era mister prover algo para o sétimo ano, com base na produção agrícola dos anos anteriores. *Cientificamente*, esse modo de proceder permitia que a terra recuperasse seus poderes produtivos. Não sabemos dizer se os hebreus compreendiam o valor desse método, ou não. Mas essa lei também era uma questão *teológica*, pois aplicava o descanso tanto às pessoas quanto às terras de plantio, visando a honra de Yahweh, o Criador, que também "descansou" de sua criação (ver Gn 2.2,3).

■ **25.1**

וַיְדַבֵּר יְהוָה אֶל־מֹשֶׁה בְּהַר סִינַי לֵאמֹר׃

Disse o Senhor. Essa expressão é usada com frequência no Pentateuco. Ela geralmente introduz novos materiais. Mas também nos faz lembrar da realidade da inspiração divina das Escrituras. Para completas notas expositivas examinar Levítico 1.1 e 4.1.

No monte Sinai. Ver no *Dicionário* sobre esse monte. Foi ali que se transmitiu a essência da substância original da revelação mosaica e que a lei e seus muitos preceitos e estatutos foram dados. Também foi ali que o povo de Deus prometeu obedecer às provisões do pacto mosaico (ver as notas na introdução ao capítulo 19 de Êxodo). Ver também Levítico 26.46.

■ **25.2**

דַּבֵּר אֶל־בְּנֵי יִשְׂרָאֵל וְאָמַרְתָּ אֲלֵהֶם כִּי תָבֹאוּ אֶל־הָאָרֶץ אֲשֶׁר אֲנִי נֹתֵן לָכֶם וְשָׁבְתָה הָאָרֶץ שַׁבָּת לַיהוָה׃

Fórmulas de Comunicação. Moisés era o mediador entre Yahweh e o povo de Israel. Algumas vezes Moisés transmitia as mensagens divinas a Arão; de outras vezes a Arão e seus filhos; e ainda de outras vezes, como ocorre neste caso, ele se dirigia à congregação inteira do povo de Israel, talvez representada pelos sacerdotes. Há *oito* fórmulas de comunicação no Pentateuco. Ver as notas expositivas a esse respeito em Levítico 17.2.

Quando entrardes na terra. Ou seja, depois de o povo de Israel terminar suas vagueações pelo deserto, e depois de conquistar a Terra Prometida, tendo expulsado os vários povos que ali habitavam antes de Israel chegar. Essa estipulação fazia parte do *Pacto Abraâmico*, cujas notas expositivas figuram em Gênesis 15.18. Naquele tempo, certas leis agrícolas tiveram de entrar em vigor. Uma delas era a *lei do sábado*. A cada sete anos, as terras precisavam ser deixadas sem nenhum cultivo. Como é óbvio, era preciso armazenar provisão de boca para o sétimo ano. Já pudemos ver isso em Êxodo 23.10,11, onde forneço notas detalhadas, pelo que não tenho de repeti-las aqui. A terra pertence a Deus, e não ao homem. O homem apenas a usa por algum tempo. A terra merece nossa atenção e cuidados. A terra não pode ser explorada de modo errado. O costume de permitir que a terra fique sem cultivo por algum tempo se encontra em muitos povos. Nas notas sobre Êxodo 23.10,11, apresento *razões* possíveis para essa lei, além da razão teológica.

Talvez bem no começo, a lei possa ter tido uma base parcial sobre a ideia de que os deuses dos campos e das terras tinham de ser apaziguados deixando-se os campos descansar. Ver Levítico 19.23-25. O descanso das terras reteve propósitos *teológicos*; pois o propósito de Deus era exatamente esse, visto que a terra inteira lhe pertence, merecendo um período de descanso, conforme se dá também com as pessoas. Mas as superstições antigas provavelmente já haviam sido descontinuadas nos dias de Moisés.

As autoridades informam-nos que nos dias do segundo templo a lei do descanso de terras foi instituída no vigésimo primeiro ano depois que Israel conquistou a Terra Prometida. Havia três ciclos de sete anos: a. A conquista ocupou sete anos (ver Js 14.10); b. a divisão de territórios entre as doze tribos também precisou de sete anos (Js 18.1); c. e, então, Israel habitou na Terra Prometida por sete anos, e o sétimo desses anos tornou-se o primeiro ano sabático (vs.4).

■ **25.3**

שֵׁשׁ שָׁנִים תִּזְרַע שָׂדֶךָ וְשֵׁשׁ שָׁנִים תִּזְמֹר כַּרְמֶךָ וְאָסַפְתָּ אֶת־תְּבוּאָתָהּ׃

Seis anos semearás o teu campo. O sexto ano de plantio foi abençoado de modo especial por Yahweh, para que a terra pudesse descansar no sétimo ano, sem que houvesse escassez de alimentos (ver o vs. 21), para naquele ano as plantações pudessem produzir o equivalente a três anos. Destarte, Israel recebeu uma promessa de bênção e prosperidade especial, embora isso não deixasse de requerer responsabilidade da parte dos filhos de Israel.

Toda Forma de Atividade Agrícola. O plantio deveria proceder durante seis anos. Era mister a diligência. O armazenamento de cereais podia começar desde antes, mas a produção do sexto ano seria tão abundante que isso permitiria que a terra descansasse no sétimo ano, sem que houvesse escassez de alimentos (ver o vs. 21). Somente os diligentes merecem descanso.

> Não há lugar na civilização para os ociosos.
> Nenhum de nós tem direito ao lazer.
>
> Henry Ford

> Nada fazer é a coisa mais difícil do mundo.
>
> Oscar Wilde

> Ausência de ocupação
> não é descanso;
> Uma mente vazia é uma
> mente agoniada.
>
> William Cowper

■ **25.4**

וּבַשָּׁנָה הַשְּׁבִיעִת שַׁבַּת שַׁבָּתוֹן יִהְיֶה לָאָרֶץ שַׁבָּת לַיהוָה שָׂדְךָ לֹא תִזְרָע וְכַרְמְךָ לֹא תִזְמֹר׃

No sétimo ano haverá sábado de descanso solene. Nenhum tipo de atividade agrícola era permitido no sétimo ano. Ver notas completas sobre isso no vs. 2 deste capítulo 25.

"Parece que a terra deixada inculta por um ano na Palestina não produziria uma safra *plena* enquanto não tiver sido arada por *dois* anos sucessivos. E assim, por dois anos após um ano sabático, a produção de cereais não era suficiente. E como podiam então sobreviver os filhos de Israel? Uma colheita *abundante* foi prometida no ano anterior ao ano sabático, uma colheita suficiente para *três anos* (vs. 21)" (Nathaniel Micklem, *in loc.*).

Para reforçar a lei, instrumentos agrícolas não podiam ser vendidos durante o ano sabático das terras (Mishnah, *Sheviith,* cap. 5, sec. 6). Além disso, animais usados para puxar o arado não eram vendidos, a fim de desencorajar mais ainda o plantio naquele ano. Ademais, ninguém tinha permissão de plantar árvores, de podá-las, de exterminar insetos, ou fazer qualquer outra atividade ligada à agricultura. Os ofensores eram severamente castigados com açoites.

■ 25.5,6

אֵת סְפִיחַ קְצִירְךָ לֹא תִקְצוֹר וְאֶת־עִנְּבֵי נְזִירֶךָ לֹא תִבְצֹר שְׁנַת שַׁבָּתוֹן יִהְיֶה לָאָרֶץ׃

וְהָיְתָה שַׁבַּת הָאָרֶץ לָכֶם לְאָכְלָה לְךָ וּלְעַבְדְּךָ וְלַאֲמָתֶךָ וְלִשְׂכִירְךָ וּלְתוֹשָׁבְךָ הַגָּרִים עִמָּךְ׃

Havia uma Produção Automática. Alguma produção ocorria espontaneamente, pois alguma semente já estaria no solo, deixada do ano anterior, que acabava germinando. O que o solo produzisse dessa maneira pertencia aos pobres e aos animais dos campos, e do que os proprietários das terras também poderiam compartilhar. Quanto a isso, ver também Êxodo 23.10. Mas os proprietários das terras não podiam fazer uma colheita normal, a fim de que os pobres tivessem acesso ao que fosse produzido espontaneamente. Fica entendido que no sétimo ano haveria uma produção de cereais suficiente para o proprietário, para os seus escravos, para os trabalhadores contratados, para os estrangeiros e para os pobres, como até mesmo para os animais do campo. E não nos esqueçamos de que também haveria a produção do sexto ano, que havia sido armazenada (vs. 21).

As leis referentes aos dias do segundo templo falavam especificamente sobre um consumo direto, proibindo qualquer armazenamento. Além disso, vender essa produção automática era algo proibido. Essa produção ficava nos campos, à disposição de qualquer um. Ver a Mishnah (*Maimônides* e *Bartenora*), que apresenta comentários sobre este texto.

Tipologia. A produção do sétimo ano pertence a Yahweh, o verdadeiro proprietário de todas as terras; e aquilo que medrasse espontaneamente era *para todos*, até mesmo para os estrangeiros. E isso fala da absoluta e gratuita provisão da salvação para todos os seres humanos, em Cristo, porquanto é para "todo o que nele crê" (Jo 3.16).

■ 25.7

וְלִבְהֶמְתְּךָ וְלַחַיָּה אֲשֶׁר בְּאַרְצֶךָ תִּהְיֶה כָל־תְּבוּאָתָהּ לֶאֱכֹל׃ ס

Os próprios animais participavam da produção espontânea do sétimo ano, algo que também já foi dito em Êxodo 23.10. Por conseguinte, Deus interessa-se até mesmo pelos irracionais (ver Jn 4.11). O *gado* (os animais domesticados) e os *animais que estão na sua terra* (os animais selvagens) podiam compartilhar dessa produção do sétimo ano. Posteriormente, a lei concernente aos animais passou a ser tão estritamente observada que, se parecesse que eles estavam famintos, os homens eram forçados a dar-lhes comida retirada de seus armazéns (Maimônides, *Hilchot, Shemitah, Vejobel,* 7, sec. 1).

Como uma medida humanitária adicional, as dívidas eram perdoadas nesse sétimo ano. Ver Deuteronômio 15.1-3. Aos escravos dava-se liberdade (ver Dt 15.12 ss.). E nos dias do segundo templo, a data oficial do começo do ano sabático correspondia ao primeiro dia do mês de tishri, que também era o começo do ano civil, o dia do Ano Novo, de acordo com a nossa terminologia. Eram lidas certas porções da lei (ver Dt 31.10-13), como um gatilho que anunciava o começo do ano sabático. No fim do ano sabático, o sumo sacerdote entregava ao rei a lei mosaica, e o monarca lia certas porções, nada menos que sete delas, todas extraídas do livro de Deuteronômio: 1. 1.1—6.3; 2. 6.4-8; 3. 11.13-22; 4. 14.22—15.23; 5. 16.12-19; 6. 17.14-20; 7. 27.1-28.68. Ato contínuo, o rei proferia as mesmas bênçãos que haviam sido ditas pelo sumo sacerdote. E, então, o povo podia voltar aos seus campos de plantio, a fim de iniciar seu trabalho de cultivo do solo.

Pelo menos em um ano em cada sete, os pobres se sentiam em pé de igualdade com os que eram mais abastados, pois podiam valer-se da produção espontânea dos campos.

O ANO DE JUBILEU (25.8-22)

Provi um detalhado artigo no *Dicionário*, chamado *Jubileu, Ano do*. Esse artigo reúne todos os textos bíblicos e todas as informações históricas que dizem respeito a esse evento. Por causa disso, os comentários que se seguem são abreviados.

O Ano de Jubileu. Esse ano não é mencionado na Bíblia fora do Pentateuco. Há estudiosos que pensam que o ano de jubileu nunca foi posto eficazmente em operação. Outros, porém, supõem que não continue a ser mencionado em outros livros da Bíblia, porque passou a funcionar normalmente. Mas sabemos que Israel falhou, não observando os *anos sabáticos* (Lv 26.34,35; 2Cr 36.20,21), sendo facilmente possível que o ano de jubileu tenha sido descontinuado em Israel devido à ganância de homens ambiciosos.

A palavra *jubileu* vem do vocábulo hebraico *yobhel*, que significa um chifre de carneiro, ou, então, o som produzido por um desses chifres, usado como trombeta. O sonido proclamava a jubilosa ocasião do ano do jubileu, com suas provisões humanitárias. Não achamos nenhuma menção a esse ano nos livros de Êxodo e de Deuteronômio, pelo que alguns eruditos têm posto em dúvida a sua antiguidade, por esse motivo. Por outra parte, o hábito que tinha o autor sagrado de reiterar não se estendia a todos os assuntos, mas somente a alguns.

Todos os cidadãos de Israel eram "estrangeiros e peregrinos" na Terra Prometida, a qual pertencia a Yahweh (vs. 23). Portanto, certos acontecimentos que criavam dificuldades não podiam perdurar para sempre. E por isso, havia na lei provisão para certo tipo de libertação generalizada: os escravos eram postos em liberdade; as dívidas eram canceladas; os empréstimos eram dispensados e as terras eram devolvidas a seus donos originais. Toda forma de situação opressiva, que se acumulara por cinco décadas, de súbito era anulada.

Os Setes. Segundo a analogia do descanso *semanal* do último dia da semana, cada sétimo ano (ver Lv 25.1-7) foi designado como um período de descanso para as terras agricultáveis. Um *sábado de sábados* (49 anos) deveria acontecer no ano do jubileu. Portanto, passavam-se cinquenta anos para que houvesse um novo *ano de jubileu.* Naquele quinquagésimo ano, pois, ocorria o seguinte:

1. O solo era deixado sem cultivo.
2. As terras eram devolvidas a seus proprietários anteriores.
3. Os escravos hebreus eram postos em liberdade.

Ver no *Dicionário* o artigo chamado *Número (Numeral, Numerologia),* quanto ao simbolismo do número *sete*.

Tipologia. Ver completas explicações na oitava seção do artigo intitulado *Jubileu, Ano do*.

■ 25.8

וְסָפַרְתָּ לְךָ שֶׁבַע שַׁבְּתֹת שָׁנִים שֶׁבַע שָׁנִים שֶׁבַע פְּעָמִים וְהָיוּ לְךָ יְמֵי שֶׁבַע שַׁבְּתֹת הַשָּׁנִים תֵּשַׁע וְאַרְבָּעִים שָׁנָה׃

A Regra Geral. Sete anos, repetidos por sete vezes, levavam ao ano quinquagésimo, o *Jubileu*. Ver as notas de introdução, acima, quanto às provisões e significados dessa instituição.

"Ao Senhor pertence a terra e tudo o que nela se contém" (Sl 24.1). E assim, no ano do jubileu, eram descontinuadas condições opressivas que se tinham desenvolvido. Ver sob o título *Os Setes*, na introdução acima, quanto às provisões principais. "Os sete dias de cada semana correspondem a esse mesmo número de *anos*, pelo que as sete semanas de anos formavam 49 anos... A observância do jubileu, tal como a do ano sabático, só entraria em vigor quando os israelitas se tivessem apossado da Terra Prometida (ver o vs. 2); e, de acordo com certas autoridades, o primeiro ano sabático só ocorreu depois que os filhos de Israel já tinham conquistado a terra de Canaã fazia

21 anos (vs. 2). Isso posto, o primeiro Jubileu foi celebrado 64 anos depois que Israel estava na Terra Prometida" (Ellicott, *in loc.*).

Os vss. 10 e 11 deste capítulo mostram que o ano do jubileu foi celebrado no quinquagésimo ano, um ano depois de se terem passado 49 anos. O tempo, ao que tudo indica, começou a ser contado no primeiro dia do sétimo mês, tishri, ou seja, no dia do Ano Novo, visto que esse mês assinalava o começo do calendário civil. E o sonido de uma trombeta, no décimo dia, o dia da expiação, anunciou oficialmente esse período.

■ 25.9

וְהַעֲבַרְתָּ שׁוֹפַר תְּרוּעָה בַּחֹדֶשׁ הַשְּׁבִעִי בֶּעָשׂוֹר לַחֹדֶשׁ בְּיוֹם הַכִּפֻּרִים תַּעֲבִירוּ שׁוֹפָר בְּכָל־אַרְצְכֶם׃

O ano havia começado no primeiro dia do mês de tishri, o dia do Ano Novo (ano civil), mas o anúncio oficial só ocorreu no décimo dia daquele mês (o sétimo mês do calendário religioso), mediante o sonido da *trombeta* (em hebraico, o *yobhel*, de onde proveio, mediante transliteração, a palavra portuguesa "jubileu"). Na passagem da Septuaginta para a Vulgata, e daí para as traduções modernas, chegou no português com essa forma. Essa palavra, em português, significa "júbilo", o que concorda com o espírito do ano do jubileu, quando eram aliviadas condições opressivas. O mês de tishri equivalia, mais ou menos, ao nosso setembro.

O sonido da trombeta ocorria por todo o território de Israel. Sem dúvida era um espetáculo dramático. Podemos ter a certeza de que o ano do jubileu era realmente jubiloso. Vários tipos de *prisioneiros* (por motivo de dívida, de falta de terra, por causa de escravidão), de súbito eram *libertados*.

Maimônides diz-nos que o *sinédrio* (ver a esse respeito no *Dicionário*), o supremo tribunal de Israel, é que ordenava que as trombetas fossem tocadas por todo o país (*Hilchot Shemitah Vejobel*, cap. 10, sec. 10,14).

Tipologia. Condições opressivas eram anuladas no ano do jubileu, tal como Deus Pai perdoa nossos pecados. Ver a seção VIII do artigo chamado *Jubileu, Ano do*, quanto a simbolismo e tipos daquele dia. Estavam envolvidas *libertações* de variadas classes. Ver João 8.36, que diz: "Se, pois, o Filho vos libertar, verdadeiramente sereis livres".

O *dia da expiação* era um dia de jejum, e não um dia festivo. As pessoas arrependiam-se então de seus pecados. Cerimônias *solenes* tinham lugar, e soavam as trombetas da libertação, e grande júbilo sobrevinha a toda a nação de Israel. Ver no *Dicionário* o artigo intitulado *Dia da Expiação*.

■ 25.10

וְקִדַּשְׁתֶּם אֵת שְׁנַת הַחֲמִשִּׁים שָׁנָה וּקְרָאתֶם דְּרוֹר בָּאָרֶץ לְכָל־יֹשְׁבֶיהָ יוֹבֵל הִוא תִּהְיֶה לָכֶם וְשַׁבְתֶּם אִישׁ אֶל־אֲחֻזָּתוֹ וְאִישׁ אֶל־מִשְׁפַּחְתּוֹ תָּשֻׁבוּ׃

As palavras-chave aqui são "liberdade" e "jubileu". O ano do jubileu representava uma intervenção divina. Durante 49 anos os homens, por meio do sistema deles, tinham criado várias formas de servidão econômica, literalmente falando. De súbito, os prisioneiros eram postos em liberdade. O lema do ano era: Liberdade! Propriedades pertencentes à família eram devolvidas aos seus proprietários originais; famílias eram novamente reunidas; escravos hebreus eram libertados; antigas dívidas simplesmente eram riscadas.

As Provisões do Vs. 10:

1. As propriedades de uma família eram devolvidas aos seus donos originais. Ver as normas a respeito nos vss. 4-16 e 23-28. As *terras* pertenciam a Yahweh, o qual apenas a dava por empréstimo temporariamente. Era com base nesse princípio que as terras *agrícolas* que fossem vendidas podiam ser recuperadas no ano do jubileu. Uma lei diferente, contudo, era aplicada às *casas das cidades*. Ver os vss. 29 e 30.
2. Os escravos hebreus eram postos em liberdade. Yahweh é o verdadeiro proprietário de todos os homens. Eles não podem ser deixados em estado de escravidão por toda a vida. Há redenção para os seres humanos. Os escravos eram postos em liberdade, em harmonia com o princípio de que nenhum homem é, na realidade, dono de outro homem. Ver no *Dicionário* o artigo intitulado *Escravo, Escravidão*. Ver os vss. 39 e 40 deste capítulo quanto às regras a esse respeito.

Dessa maneira eram preservados os direitos individuais e os direitos de propriedade. Cristo nos deu liberdade (ver Gl 5.1; Jo 8.36) da servidão espiritual, a mais daninha forma de escravatura. Ao ser remido, o ser humano retorna à família de Deus (ver 2Co 6.18; Ef 1.5; 2.3; Gl 4.5,6 e Jo 1.12). O evangelho faz soar a trombeta da liberdade.

■ 25.11

יוֹבֵל הִוא שְׁנַת הַחֲמִשִּׁים שָׁנָה תִּהְיֶה לָכֶם לֹא תִזְרָעוּ וְלֹא תִקְצְרוּ אֶת־סְפִיחֶיהָ וְלֹא תִבְצְרוּ אֶת־נְזִרֶיהָ׃

Não semeareis nem segareis. Achamos aqui a lei sobre a agricultura. Temos aqui uma reiteração dos vss. 2-4, o *ano sabático*. O ano do jubileu também era um ano sabático, seguindo as normas de um ano sabático regular. Isso quer dizer que dois longos anos se passavam sem que houvesse nenhuma atividade agrícola. Logo, deveria haver provisão alimentar, de antemão, para que o povo de Israel pudesse enfrentar tão longo período improdutivo.

O quadragésimo nono ano era um ano sabático regular. Então o ano do jubileu era também um ano sabático, após um ano sabático regular – dois anos sabáticos sucessivos. Assim afirmaram Josefo (*Antiq.* iii.12, parte 3), Filo (ii.287-290), além de outros da época do segundo templo. As mesmas regras eram aplicadas a ambos os anos, conforme já foi dito na exposição dos vss. 2-4.

■ 25.12

כִּי יוֹבֵל הִוא קֹדֶשׁ תִּהְיֶה לָכֶם מִן־הַשָּׂדֶה תֹּאכְלוּ אֶת־תְּבוּאָתָהּ׃

Haveria uma produção espontânea dos campos plantados, devido a sementes caídas no solo, no ano anterior, o que é salientado neste versículo. Portanto, haveria *algum* suprimento, enquanto o resto do suprimento necessário seria o que tivesse sido armazenado pela previdência determinada na Bíblia. Este versículo, pois, é paralelo aos vss. 5-7 deste capítulo, cujas notas também têm aplicação aqui.

■ 25.13

בִּשְׁנַת הַיּוֹבֵל הַזֹּאת תָּשֻׁבוּ אִישׁ אֶל־אֲחֻזָּתוֹ׃

Este versículo é paralelo ao vs. 10, quanto às suas informações. Um homem que tivesse vendido ou emprestado um terreno agora iria recebê-lo de volta. Ver sob o título *As Provisões...* nas notas sobre o vs. 10, primeiro ponto, quanto a completas informações. A Mishnah (*Becorot*, c. 8, sec. 10) e Bartenora dão-nos informações a esse respeito, incluindo a ideia da doação de terras.

■ 25.14

וְכִי־תִמְכְּרוּ מִמְכָּר לַעֲמִיתֶךָ אוֹ קָנֹה מִיַּד עֲמִיתֶךָ אַל־תּוֹנוּ אִישׁ אֶת־אָחִיו׃

Não oprimas a teu irmão. Onde houver o envolvimento de dinheiro, aí haverá opressão e desonestidade. O ideal para as famílias, em Israel, era manterem suas terras e nunca vendê-las. Mas quando tal venda fosse necessária, as provisões da legislação mosaica precisavam ser seguidas. Essa legislação requeria negócios honestos entre os homens. A lei que tinha aplicação à questão de preços justos nos é dada nos vss. 15 ss. O Targum de Jonathan também menciona bens móveis, e não apenas terras, nas provisões à nossa frente. A expressão *comprares da mão do teu próximo* indicava transações com bens móveis. Ver Maimônides e Bartenora em *Mishnah Bava Metziah*, c. 4, sec. 9.

O *próximo* era algum compatriota hebreu. Algumas autoridades vão tão longe que afirmam que não era errado enganar ou oprimir gentios nas transações e negócios. Mas isso era tirar liberdade ante a ausência de estipulação legal, não sendo uma correta interpretação de leis existentes. Para algumas pessoas, fazer um *bom negócio* significa *enganar* alguém, comprando algo a preço inferior a seu valor, ou vendendo algo a preço superior a seu valor. Ou, então, se um homem estivesse em necessidade, aproveitar-se da ocasião e comprar algo dele por preço irrisório, prejudicando-o ainda mais. Mas o *homem espiritual* não age desse modo. Mas há muita gente que se considera boa e religiosa, mas que, ao tratar-se de uma negociação qualquer, oprime seus semelhantes.

25.15,16

בְּמִסְפַּ֤ר שָׁנִים֙ אַחַ֣ר הַיּוֹבֵ֔ל תִּקְנֶ֖ה מֵאֵ֣ת עֲמִיתֶ֑ךָ
בְּמִסְפַּ֥ר שְׁנֵֽי־תְבוּאֹ֖ת יִמְכָּר־לָֽךְ׃

לְפִ֣י ׀ רֹ֣ב הַשָּׁנִ֗ים תַּרְבֶּה֙ מִקְנָת֔וֹ וּלְפִי֙ מְעֹ֣ט הַשָּׁנִ֔ים
תַּמְעִ֖יט מִקְנָת֑וֹ כִּ֚י מִסְפַּ֣ר תְּבוּאֹ֔ת ה֥וּא מֹכֵ֖ר לָֽךְ׃

O valor das terras era computado de acordo com os valores esperados das colheitas até dois anos antes do ano do jubileu. Logo, o que era realmente vendido era o dinheiro que se poderia esperar razoavelmente que aquelas terras haveriam de produzir, e não a área propriamente dita. Usei aqui a palavra "vendido", mas o que acontecia, de fato, é que um terreno estava sendo "alugado", e isso pelo valor de sua produção. De acordo com a legislação mosaica, a terra pertencia à família à qual havia sido dada. Cada família de Israel contava com alguma terra herdada, conferida por Yahweh. Talvez essa seja a lei agrícola mais justa e mais inteligente que já foi criada.

O valor das terras dependia de quantos anos restassem até o próximo ano do jubileu. Em consequência, se um terreno fosse vendido trinta anos antes do próximo ano do jubileu, teria bem mais valor do que se fosse vendido apenas dez anos antes desse mesmo evento. Normas posteriores estipulavam que a terra não podia ser alugada e, então remida, em menos de dois anos. (Ver *Mishnah Eracin*, cap. 9, sec. 1.)

"A Terra Prometida, de acordo com a lei, deveria ser dividida por sortes, em partes iguais, entre os israelitas. Um terreno que fosse possessão de uma família era, portanto, absolutamente inalienável, e para sempre continuaria a ser possessão da família em pauta" (Ellicott, *in loc.*). Ver as notas sobre o vs. 27 deste capítulo quanto a um *exemplo* de como funcionava essa lei.

Os cálculos acerca do valor de um terreno não incluíam os anos sabáticos, quando não se permitia nenhum plantio. Nenhuma terra podia ser arrendada, a menos que houvesse ainda *dois anos produtivos* até o ano do jubileu. Isso posto, o valor de uma terra era *proporcional* à produção esperada, e não absoluto.

25.17

וְלֹ֤א תוֹנוּ֙ אִ֣ישׁ אֶת־עֲמִית֔וֹ וְיָרֵ֖אתָ מֵֽאֱלֹהֶ֑יךָ כִּ֛י אֲנִ֥י
יְהוָ֖ה אֱלֹהֵיכֶֽם׃

Não oprimais. Não poderia mesmo haver opressão se as normas determinadas nos vss. 15 e 16 fossem seguidas com honestidade. Se houvesse algum *erro de cálculo*, ou se a produção mostrasse ser maior ou menor do que se havia esperado, então tinham de ser feitos os ajustes necessários, ou em favor do vendedor ou em favor do comprador. Este versículo repete a mensagem do vs. 14 contra a opressão, mas acrescenta a solene declaração *Eu sou o Senhor vosso Deus*. Essa expressão é de uso frequente no chamado *Código de Santidade* (ver as notas na introdução ao capítulo 17 deste livro), além de ser uma das características literárias do mesmo código. Ver as notas sobre essa expressão em Levítico 18.30. O Senhor vigiava tudo quanto sucedia com *o território da Terra Santa*, e ele haveria de recompensar ou castigar os seus habitantes, de acordo com suas negociações.

Cf. 1Tessalonicenses 4.6 quanto a um comentário similar ao que se vê aqui, no Novo Testamento. Yahweh pleiteia a causa dos oprimidos, e vinga toda injustiça (ver Lv 19.13,14).

25.18

וַעֲשִׂיתֶם֙ אֶת־חֻקֹּתַ֔י וְאֶת־מִשְׁפָּטַ֥י תִּשְׁמְר֖וּ וַעֲשִׂיתֶ֣ם
אֹתָ֑ם וִֽישַׁבְתֶּ֥ם עַל־הָאָ֖רֶץ לָבֶֽטַח׃

Observai os meus estatutos. Deus queria que houvesse justiça em todas as negociações na terra de Israel, inclusive nas transações de terras. Isso, por sua vez, conferiria segurança para os filhos de Israel. Aqui, como é natural, há um anacronismo. O autor retrata Israel como se esse povo já estivesse na posse de sua Terra Prometida, já dividida entre as famílias, e como se os indivíduos já estivessem negociando. Os críticos asseveram aqui que o autor "esqueceu-se" da época em que vivia, revelando o tempo real em que escreveu esta passagem. Mas os estudiosos conservadores veem aqui uma visão profética do que haveria de acontecer no futuro. Os primitivos ocupantes da terra de Canaã tinham sido expulsos dali porque eles já haviam enchido a taça de sua iniquidade (ver Gn 15.16). O povo de Israel também foi expulso dali, finalmente, por ocasião dos cativeiros assírio e babilônico. Ver no *Dicionário* o artigo *Cativeiro (Cativeiros),* onde há completas explicações a esse respeito.

Jarchi opinava que a violação do ano sabático foi uma das principais razões que levaram o povo de Israel a ser exilado da Terra Santa, ao interpretar o trecho de 2Crônicas 36.21. Ele supunha que os setenta anos de exílio na Babilônia correspondessem aos setenta anos sabáticos que tinham sido negligenciados pelos israelitas.

Cf. o vs. 19 e Levítico 26.3.13 e Deuteronômio 28.1-14. Os filhos de Israel, muito naturalmente, temiam a inatividade como algo potencialmente desastroso, e a tendência seria evitar os anos sabáticos. Ver o vs. 20.

25.19

וְנָתְנָ֤ה הָאָ֙רֶץ֙ פִּרְיָ֔הּ וַאֲכַלְתֶּ֖ם לָשֹׂ֑בַע וִֽישַׁבְתֶּ֥ם לָבֶ֖טַח
עָלֶֽיהָ׃

A terra dará o seu fruto. A obediência traria a abundância, em todos os sentidos. No Novo Testamento também nos foi garantido que uma vida marcada pela obediência produz toda espécie de boa obra (ver 2Co 9.8). Todavia, a mente dos homens *convida o desastre*, e isso por motivo de falta de confiança no Senhor. Yahweh prometeu que todo homem teria abundância de provisão de boca, que todos os israelitas desfrutariam segurança, sem importar as ameaças constantes lançadas por seus vizinhos semibárbaros.

Em consequência, o povo de Israel foi exortado a não negligenciar os anos sabáticos, ainda que isso parecesse representar uma ameaça de escassez. Costumamos ensinar que estar dentro da vontade de Deus automaticamente cuida de cada uma de nossas necessidades. Mas algumas vezes a nossa fé é por demais fraca para infundir-nos tranquilidade.

As alternativas, em tempos de fome, eram ou lançar ataques contra as populações vizinhas, a fim de garantir suprimento alimentar, ou, então, ceder diante desses vizinhos, em seus atos de opressão, causada pela fome. E isso aconteceu durante toda a história antiga de Israel. Ver 1Macabeus 6.49,53 e Josefo (*Antiq.* xiv.16, par. 2; xv.1, par.2). Esses acontecimentos eram sempre atribuídos a uma obediência apenas parcial ao Senhor e à retaliação divina contra o pecado.

25.20,21

וְכִ֣י תֹאמְר֔וּ מַה־נֹּאכַ֖ל בַּשָּׁנָ֣ה הַשְּׁבִיעִ֑ת הֵ֚ן לֹ֣א נִזְרָ֔ע
וְלֹ֥א נֶאֱסֹ֖ף אֶת־תְּבוּאָתֵֽנוּ׃

וְצִוִּ֤יתִי אֶת־בִּרְכָתִי֙ לָכֶ֔ם בַּשָּׁנָ֖ה הַשִּׁשִּׁ֑ית וְעָשָׂת֙
אֶת־הַתְּבוּאָ֔ה לִשְׁלֹ֖שׁ הַשָּׁנִֽים׃

Que comeremos no ano sétimo...? Uma pergunta assim refletia o medo. Era como se os filhos de Israel dissessem: "Se obedecermos a essa regra, passaremos fome". Um dos maiores poderes controladores sobre a humanidade é o temor. Apesar de não ser tão forte como o amor, o medo ocupa o segundo lugar. O amor perfeito expulsa o temor (ver 1Jo 4.18); mas poucos conseguem atingir o perfeito amor. *Confiança* é a palavra-chave para o homem espiritual. Mas por muitas vezes a confiança é destruída por meio de *sombrias expectações* acerca do que o futuro nos reserva. O trabalho árduo remove o temor da necessidade; mas se isso falhar, devido ao desemprego, então o *medo* vem dominar a vida da pessoa. Foi somente por uma ocasião, em toda a minha vida, que passei pela experiência de total falta de dinheiro, quando não havia nenhum alimento estocado em casa. Mas então eu vivia em uma cidade que tinha muitas ofertas de emprego; e assim, o ter conseguido um trabalho, e alguma caça que fiz, solucionaram o problema. Muitas pessoas, porém, vivem no desespero; e o desespero gera o medo. As leis do ano sabático geravam o temor no coração de muitos filhos de Israel. Eles tiveram de depender de uma *promessa*, a saber, o *sexto* ano haveria de ser especialmente abençoado por Yahweh, em sua produtividade, pelo que eles poderiam estocar abundantes provisões de boca (vs. 21). Cf. Deuteronômio 28.8; Salmo 42.8; 44.4 e 68.29.

Durante as vagueações do povo de Israel pelo deserto, ocorreu o mesmo tipo de provisão acerca do suprimento de maná, visto que os israelitas não podiam sair para recolher o maná aos sábados. Ver

Êxodo 16.22-27. Por conseguinte, o ano sabático prometia uma provisão divina similar, ou seja, no sexto ano haveria uma produtividade três vezes maior que nos outros anos.

Para que dê fruto por três anos. Os três anos assim contemplados eram: 1. O restante do sexto ano, terminada a colheita; 2. o sétimo ano inteiro, ou ano sabático; 3. parte do oitavo ano, ou seja, aquela porção do ano que antecedia a colheita do ano. Se *essa* colheita falhasse, então ocorreria grande escassez. Por conseguinte, o povo de Israel tinha de continuar confiando na promessa de Yahweh. A cada sete anos haveria uma *crise de alimentos potencial*, causada pela inatividade.

■ 25.22

וּזְרַעְתֶּם אֵת הַשָּׁנָה הַשְּׁמִינִת וַאֲכַלְתֶּם מִן־הַתְּבוּאָה יָשָׁן
עַד הַשָּׁנָה הַתְּשִׁיעִת עַד־בּוֹא תְּבוּאָתָהּ תֹּאכְלוּ יָשָׁן:

Até que venha a sua messe, comereis da antiga. Com grande expectativa, Israel semeava de novo no oitavo ano; mas, enquanto estivessem esperando pela colheita, continuariam consumindo da *antiga produção*, que restara nos armazéns, recolhida no sexto ano. Essa condição prosseguiria até o nono quando, então, a colheita se tivesse normalizado. Ficava entendido que a superprodução do sexto ano seria suficiente até a festa dos tabernáculos, ou seja, até o mês de tishri do nono ano, o mês que era o primeiro mês do ano civil.

Israel tinha de depender da *intervenção divina* para vencer as dificuldades criadas pelo sétimo ano, quando os campos ficavam sem cultivo. Às vezes, somente a *intervenção divina* é suficiente para as nossas *necessidades*. Oh, Senhor, concede-nos tal graça! No mês de tishri ocorria uma jubilosa colheita da nova safra. *Nós* precisamos dessa colheita como fruto de nossos labores. Nenhum ser humano é independente de Deus. A colheita feita no mês de tishri assinalava o começo do Ano Novo para Israel. Também carecemos de nossos Anos Novos, para que o programa espiritual tenha prosseguimento.

Essas promessas encorajadoras dizem respeito tanto aos anos sabáticos regulares quanto ao ano do jubileu, pelo que se ajustam bem depois do vs. 7 deste capítulo, como também no lugar onde as encontramos aqui. A situação tornava-se especialmente crítica no período do ano do jubileu. Nesse caso, a colheita do sexto ano tinha de ser superabundante, a fim de que houvesse suprimento alimentar suficiente para o ano sabático regular, para o ano sabático do ano do jubileu, e para o ano seguinte, até o tempo da colheita. Somente no *nono* ano é que as coisas se normalizavam.

Santificareis o ano quinquagésimo e proclamareis liberdade na terra a todos os seus moradores: ano de jubileu vos será.

Levítico 25.10

São estes os estatutos que lhes proporás: se comprares um escravo hebreu, seis anos servirá; mas ao sétimo sairá forro, de graça.

Êxodo 21.1,2

LIBERDADE

A causa da liberdade é a causa de Deus.

William Bowles

Nenhum homem é livre se não é senhor de si mesmo.

Epicteto

Ninguém pode ser perfeitamente livre enquanto todos não forem livres.

Herbert Spencer

Nenhum homem é verdadeiramente livre. É escravo das riquezas, da sorte ou das leis, ou mesmo outras pessoas impedem-no de agir em conformidade com a sua vontade apenas.

Eurípedes

REDENÇÃO DA TERRA (25.23-34)

A terra pertencia a Yahweh. Mediante a graça divina, o território da Terra Prometida foi dado a cada família do povo de Deus, por meio das provisões da legislação mosaica. Daí por diante, cada segmento em que foi dividida a Terra Prometida pertencia a alguma família de Israel. As terras podiam ser vendidas, ou melhor, arrendadas; mas isso apenas temporariamente, a saber, até que chegasse o próximo ano do jubileu. Nesse ano, todas as terras eram devolvidas às famílias proprietárias, que eram os donos legítimos. A isso se chamava de redenção da terra. Essa redenção, porém, também podia ocorrer *antes* do ano do jubileu. E o parágrafo à nossa frente nos fornece as regras envolvidas nessa redenção antecipada.

"O dom de Deus do uso da terra estava vinculado ao Pacto Abraâmico (ver Gn 15.7; 17.8; 24.7; Êx 6.4; cf. Lv 20.24; 25.2,38 e Dt 5.16). A provisão para a *redenção* da terra está contida nos versículos que se seguem" (F. Duane Lindsey, *in loc.*).

■ 25.23

וְהָאָרֶץ לֹא תִמָּכֵר לִצְמִתֻת כִּי־לִי הָאָרֶץ כִּי־גֵרִים
וְתוֹשָׁבִים אַתֶּם עִמָּדִי:

Visto que a terra era toda de Yahweh, o povo de Israel tomava a posição de *estrangeiros*, como se estivessem apenas passando por ela como "forasteiros". E outro tanto sucede a todos nós. Hoje em dia possuímos propriedades. Amanhã elas passam para os nossos filhos. Em algum ponto, ao longo do caminho, nossas terras e propriedades passam para mãos alheias. Aquilo que nos pertence, no dia de hoje, amanhã não é mais nosso, conforme o tempo se escoa e todas as coisas se modificam. Mas enquanto um terreno estivesse nas mãos de certas famílias, não podia ser vendido no sentido absoluto do termo. Antes, estava sujeito à lei da redenção, antes que chegasse o ano do jubileu; e quando chegava o ano do jubileu, então revertia aos seus proprietários originais.

"Pela fé [Abraão] peregrinou na terra da promessa como em terra alheia, habitando em tendas com Isaque e Jacó, herdeiros com ele da mesma promessa; porque aguardava a cidade que tem fundamentos, da qual Deus é o arquiteto e edificador" (Hb 11.9,10).

A *vida do além* promete a estabilidade e a satisfação que aqui nos escapam. Continuamos crendo nessa promessa. O capítulo 11 de Hebreus ensina-nos que os homens *espirituais* mantêm os olhos fixos no outro mundo. Os demais homens vivem ocupados com as atividades ilusórias das coisas materiais transitórias, que logo passam.

Este versículo fornece-nos a *razão teológica* das leis sobre a terra. A terra pertence a Yahweh; e era arrendada a estrangeiros e peregrinos. Aqueles que reconhecem a natureza transitória de todas as possessões materiais são melhores crentes espirituais. O homem é totalmente dependente de Deus. A confiança é um fator muito importante. O justo viverá pela fé. Os *verdadeiros valores* são aqueles de ordem espiritual. Os *prazeres mais autênticos* são os mentais e espirituais.

■ 25.24

וּבְכֹל אֶרֶץ אֲחֻזַּתְכֶם גְּאֻלָּה תִּתְּנוּ לָאָרֶץ: ס

Estritamente falando, ninguém podia vender ou comprar terras em Israel. A realidade do mercado era "arrendamento" em consonância com as provisões determinadas nos vss. 14-17. Nenhuma *opressão* era permitida, conforme se vê nesses quatro versículos. Um homem só podia "arrendar" suas terras em caso de necessidade financeira. E em caso de já tê-lo feito, podia esperar até o ano do jubileu, até que todas as terras revertessem às famílias que as tivessem arrendado, *ou*, *então*, se fosse financeiramente capaz disso, e assim quisesse fazê-lo, poderia redimir suas terras *antes* desse tempo. Um parente próximo também poderia redimir a terra. Um homem que tivesse "comprado" um terreno estava obrigado a devolvê-lo chegado o ano do jubileu. E o direito que um comprador tinha era que podia reter um terreno pelo período mínimo de *dois anos produtivos*, que não incluíssem um ano sabático. Depois disso, todavia, ele tinha de devolvê-lo, se o "proprietário" assim o quisesse fazer.

■ 25.25

כִּי־יָמוּךְ אָחִיךָ וּמָכַר מֵאֲחֻזָּתוֹ וּבָא גֹאֲלוֹ הַקָּרֹב אֵלָיו
וְגָאַל אֵת מִמְכַּר אָחִיו:

Se teu irmão empobrecer. Ou seja, se estivesse enfrentando dificuldades financeiras, um proprietário poderia "arrendar" a outrem as suas terras. Qualquer outra prática seria contrária ao espírito da legislação mosaica, que tinha provido terras para cada família em Israel. Ninguém podia "vender" suas terras somente para obter alguma vantagem financeira. Era mister que estivesse padecendo alguma necessidade. Ninguém podia mostrar-se frívolo quanto a essa questão. Terras eram um depósito sagrado, e não um instrumento de especulação.

A lei, nos dias do segundo templo, enfatizava que somente a pobreza servia de razão para a "venda" de terras. Em Israel não havia especulação imobiliária. Ver 1Reis 21.3. Maimônides (*Hilchot Shemittah Vejobel,* cap. 11, sec. 3) informa-nos que um homem não podia vender suas propriedades somente para enfiar dinheiro no bolso, ou para adquirir outras possessões, como servos, gado ou qualquer outra coisa de valor. Com o dinheiro adquirido no "arrendamento", cumpria-lhe pagar suas dívidas e cuidar de suas *necessidades* básicas.

Seu resgatador, seu parente. Um parente chegado podia redimir um terreno, se o proprietário mesmo não pudesse fazê-lo (vs. 26). Ver o caso que é historiado no quarto capítulo do livro de Rute. Ver no *Dicionário* o artigo chamado *Goel (Remidor).* Entre os serviços possíveis que esse parente redimidor podia prestar estavam o direito de redimir propriedades da família que tivessem sido "vendidas" e também redimir da servidão um hebreu que tivesse vendido a si mesmo, para sair de sua miséria e obter dinheiro para saldar suas dívidas e necessidades básicas. E esse ofício de parente remidor também envolvia outros aspectos que aparecem no artigo mencionado acima.

Tipologia. Cristo é o nosso *Goel-Remidor,* o qual nos liberta de todas as dívidas e de toda a nossa miséria. Ver no *Dicionário* o artigo intitulado *Redenção.* Deus é o nosso *goel.* Ele é a fonte de toda vida e existência, o qual redime o homem da morte (ver Is 40—46; Jó 19.25; Sl 19.14). O trecho de Provérbios 23.11 chama Deus, especificamente, de o *goel* (em nossa versão portuguesa, "Vingador") dos órfãos. Abandonar o pecado é uma condição da redenção (ver Is 59.20).

■ 25.26

וְאִישׁ כִּי לֹא יִהְיֶה־לּוֹ גֹּאֵל וְהִשִּׂיגָה יָדוֹ וּמָצָא כְּדֵי גְאֻלָּתוֹ׃

Se alguém não tiver resgatador. Um "dono" de terras podia remi-las pessoalmente. De fato, dele esperava-se que assim o fizesse, se porventura tivesse "vendido" suas terras. Se tivesse sido revertida a razão pela qual ele tinha "vendido" sua propriedade, então ele também estava na obrigação de obter de volta as terras para a sua família. Mas um homem não podia *tomar emprestado* dinheiro a fim de remir uma propriedade sua, conforme nos informam a *Mishnah Eracin* (cap. 9.1) e outras fontes informativas.

■ 25.27

וְחִשַּׁב אֶת־שְׁנֵי מִמְכָּרוֹ וְהֵשִׁיב אֶת־הָעֹדֵף לָאִישׁ אֲשֶׁר מָכַר־לוֹ וְשָׁב לַאֲחֻזָּתוֹ׃

Condições do Resgate de Terras. Essas condições eram governadas pela mesma lei que já vimos nos vss. 15,16, onde são dadas as notas expositivas sobre essa eventualidade. O número de anos em que a terra tivesse sido usada, tendo rendido certa quantia em dinheiro mediante as colheitas vendidas, seria deduzido do preço a ser pago. Digamos que restassem cinco anos até o ano do jubileu. Nesse caso, o dinheiro dado ao proprietário temporário seria o valor das colheitas esperadas durante aqueles cinco anos. De outro ponto de vista, o cálculo poderia ser feito como segue. Certa quantia havia sido paga pelo proprietário temporário ao proprietário original. Digamos que vinte anos se tivessem passado e ainda restassem cinco anos até o ano do jubileu. Nesse caso, 20/25 avos do preço original seriam deduzidos, e 5/25 avos seriam o preço que o proprietário original teria de pagar ao proprietário temporário. Essa transação, contudo, não poderia ser efetuada se o proprietário temporário não pudesse dispor das terras durante dois anos produtivos, sem contar o ano sabático. Ao que parece, essa lei não levava em conta nenhuma inflação possível, pois, se tivesse havido inflação, então as negociações justas, requeridas nos vss. 14-17, teriam de incluir a questão. Maimônides nos ofereceu um modo similar de cálculo, usando exemplos concretos (ver *Hilchot Shemittah Vejobel,* cap. 11, sec. 3). Fica entendido que o proprietário temporário não tinha nenhum direito de vender as terras a um terceiro, ainda que, presumivelmente, no caso de sua morte, a propriedade passasse para seus herdeiros. Nesse caso, seus herdeiros estariam sujeitos às mesmas leis de redenção de terras.

■ 25.28

וְאִם לֹא־מָצְאָה יָדוֹ דֵּי הָשִׁיב לוֹ וְהָיָה מִמְכָּרוֹ בְּיַד הַקֹּנֶה אֹתוֹ עַד שְׁנַת הַיּוֹבֵל וְיָצָא בַּיֹּבֵל וְשָׁב לַאֲחֻזָּתוֹ׃

Se o homem ou seus parentes próximos não pudessem remir a terra, em acordo com as regras determinadas nos vss. 15, 16 e 27, então o caso ficaria sem solução até o ano do jubileu. E nessa oportunidade, o caso se resolveria por si mesmo, porque então o valor original pelo qual a terra fora vendida, nessa ocasião, seria calculado de acordo com o valor das colheitas. E assim, o proprietário temporário, por essa altura dos acontecimentos, teria obtido da terra o valor que ele quisera, e o proprietário original teria de volta o seu terreno, porquanto a propriedade pertencia à sua família, por decreto de Yahweh.

"O desígnio da lei era garantir, para cada família, um ganho *permanente* do solo, e também impedir o acúmulo de terras por parte dos gananciosos que estão sempre interessados em juntar campo a campo... Essa era a mesma finalidade das leis sobre as heranças (ver Nm 26.5-13 e 27.6-11)... Sólon baixou uma lei dizendo que ninguém deveria adquirir tantas terras quanto quisesse fazê-lo; e Platão afirmou que nenhuma pessoa deve possuir mais do que quatro vezes a área de terras que o menor proprietário, que tinha apenas um terreno" (Ellicott, *in loc.*).

■ 25.29-31

וְאִישׁ כִּי־יִמְכֹּר בֵּית־מוֹשַׁב עִיר חוֹמָה וְהָיְתָה גְּאֻלָּתוֹ עַד־תֹּם שְׁנַת מִמְכָּרוֹ יָמִים תִּהְיֶה גְאֻלָּתוֹ׃

וְאִם לֹא־יִגָּאֵל עַד־מְלֹאת לוֹ שָׁנָה תְמִימָה וְקָם הַבַּיִת אֲשֶׁר־בָּעִיר אֲשֶׁר־לֹא חֹמָה לַצְּמִיתֻת לַקֹּנֶה אֹתוֹ לְדֹרֹתָיו לֹא יֵצֵא בַּיֹּבֵל׃

וּבָתֵּי הַחֲצֵרִים אֲשֶׁר אֵין־לָהֶם חֹמָה סָבִיב עַל־שְׂדֵה הָאָרֶץ יֵחָשֵׁב גְּאֻלָּה תִּהְיֶה־לּוֹ וּבַיֹּבֵל יֵצֵא׃

Moradia em cidade murada. As terras agricultáveis eram protegidas conforme vimos antes, a fim de que seus proprietários originais não as perdessem. Mas as *casas,* nas cidades muradas, eram controladas mediante um diferente jogo de leis. Elas podiam passar definitivamente de uma mão para outra. Se um homem chegasse a vender uma casa sua, podia remi-la pagando igual valor com que a tinha comprado; mas isso tinha de ser feito no prazo de um ano. Depois disso, o antigo proprietário mesmo assim podia comprá-la de volta, sob a condição de que o novo proprietário quisesse desfazer-se dela, porquanto agora era o legítimo proprietário. Outrossim, as casas (ver o vs. 30) não eram afetadas pela legislação acerca do ano do jubileu; ou seja, não retornavam a seus proprietários originais. De fato, casas podiam passar de mão em mão por muitas vezes, antes de chegar o ano do jubileu.

Mas casas em aldeias (ver o vs. 31), ou seja, em áreas predominantemente rurais, onde não havia muralhas circundantes, eram governadas pelas mesmas normas que regulamentavam as terras. Essa lei, como é evidente, considerava que tais casas aldeães eram extensões das terras agricultáveis, e até necessárias para o uso próprio daquelas terras. Por assim dizer, as casas campesinas eram acessórios das terras de plantio e, portanto, estavam sujeitas às mesmas estipulações que governavam as terras. Mas se um homem prosperasse financeiramente, abandonasse sua atividade agrícola e se mudasse para uma cidade murada, então sua casa em uma cidade murada passava a ser governada de acordo com as "leis das cidades". Em uma cultura agrícola, essas leis eram benéficas. Leis especiais sobre as propriedades rurais ajudavam a manter os campesinos nos campos, oferecendo-lhes certa medida de segurança. Casas em cidades muradas, portanto, estavam sujeitas a serem *comerciadas.* Mas casas e terras em regiões agrícolas dependiam da lei da *herança* das famílias.

25.32,33

וְעָרֵי הַלְוִיִּם בָּתֵּי עָרֵי אֲחֻזָּתָם גְּאֻלַּת עוֹלָם תִּהְיֶה לַלְוִיִּם:

וַאֲשֶׁר יִגְאַל מִן־הַלְוִיִּם וְיָצָא מִמְכַּר־בַּיִת וְעִיר אֲחֻזָּתוֹ בַּיֹּבֵל כִּי בָתֵּי עָרֵי הַלְוִיִּם הִוא אֲחֻזָּתָם בְּתוֹךְ בְּנֵי יִשְׂרָאֵל:

Com respeito às cidades dos levitas. Os levitas não eram governados mediante as mesmas normas sobre heranças e terras pertencentes a famílias, conforme sucedia no caso de pessoas pertencentes às outras onze tribos de Israel. De fato, os levitas tinham deixado de ser uma tribo, no verdadeiro sentido da palavra, passando a ser uma casta sacerdotal. Nessa qualidade, eles não compartilhavam das leis comuns sobre o direito de propriedade rural. Ver Números 1.47 ss., e isso por causa das condições especiais dos descendentes de Levi. Ver no *Dicionário* os dois artigos intitulados *Levitas* e *Levitas, Cidades dos*, os quais nos fornecem completos detalhes sobre essa casta sacerdotal e sobre as leis que se aplicavam a eles.

Quarenta e oito cidades tinham sido entregues aos levitas (ver Nm 35.1-8; Js 21). A tribo de Levi não recebeu um território regular (dividido em terrenos, cada qual pertencente a uma família), conforme sucedera às demais tribos (ver Nm 18.20-24; 26.42; Dt 10.9; 18.1,2; Js 18.7). Pois os levitas tinham sido separados para servir no recinto sagrado, e a herança deles era o próprio Senhor. O resto dos detalhes deixo ao leitor descobrir, nos dois artigos acima mencionados. *Seis* dessas 48 cidades eram *cidades de refúgio*. Ver no *Dicionário* o verbete que tem esse título.

Por conseguinte, as *casas* nas cidades dos levitas podiam ser arrendadas, mas não vendidas de forma permanente, tal como se dava no caso das terras de plantio de outras tribos. As casas vendidas podiam ser recuperadas a qualquer tempo, e, no ano do jubileu, eram devolvidas a seus donos originais (vs. 33). Para os levitas, as casas eram o que os campos plantados eram para os homens das demais tribos de Israel. Supomos que as regras dos vss. 14-17 deste capítulo fossem seguidas de modo geral. O valor pelo qual uma casa era vendida temporariamente seria o valor que ela tinha de ser recuperada, quando de sua redenção. De nada somos informados no tocante a custos de manutenção, depreciação de propriedades etc. Tais coisas, que inevitavelmente acontecem com casas, teriam de ser levadas em conta, mas na Bíblia não há nenhuma nota escrita sobre a questão. A regra geral, em todas as transações financeiras, era que não podia haver nenhum tipo de *opressão* (vss. 14-17).

Levita... levitas. Em todo o livro de Levítico, é neste versículo que encontramos o único uso desse adjetivo pátrio. Naturalmente, todos os sacerdotes eram levitas, embora nem todos os levitas fossem sacerdotes.

25.34

וּשְׂדֵה מִגְרַשׁ עָרֵיהֶם לֹא יִמָּכֵר כִּי־אֲחֻזַּת עוֹלָם הוּא לָהֶם: ס

... lhes é possessão perpétua. Este trecho refere-se a terras pertencentes aos levitas. Os levitas não ficaram absolutamente sem terras. As terras de pastagem que circundavam suas cidades lhes pertenciam permanentemente, embora essas terras não fossem divididas por lotes para cada família. Essas terras eram cultivadas pela comunidade e a esta pertenciam. Ver Números 35.4,5. As pessoas agiam como aquelas que plantavam em suas próprias terras. Por isso mesmo, não podiam ser vendidas ou arrendadas. Tais terras faziam parte do sustento do ministério, e não podiam servir como itens de comércio ou especulação. Os levitas, entretanto, podiam fazer *trocas* entre eles mesmos, e o direito de fornecer *pastagem* podia ser vendido. Mas isso eram negócios entre os próprios levitas, que não podiam incluir israelitas de outras tribos (ver Jr 31.7-9).

Os subúrbios (áreas retiradas e distantes das cidades) estendiam-se por cerca de dois mil côvados (cerca de um quilômetro), em redor (ver Nm 35.5), pelo que as terras em questão não eram muito extensas. Mas eram suficientes para algum plantio e para a criação de gado. Ver Maimônides (*Mishnah Eracin*. cap. 9, sec. 8). Os sacerdotes eram ministros, e não agricultores ou criadores de gado, pelo que não podiam empregar muito de suas vidas diárias nesses misteres seculares.

NÃO TOMAR USURA DOS POBRES (25.35-38)

"Porque os pobres sempre os tendes convosco..." (Mt 26.11). Algumas vezes, a pobreza resulta de um gerenciamento faltoso, o que pode suceder até com pessoas inteligentes. De outras vezes, a causa é aquilo que as pessoas chamam de "má sorte". Mas algumas vezes, pessoas que não possuem dons intelectuais especiais, ou pessoas geneticamente defeituosas, mental ou fisicamente, sempre fornecem à humanidade uma fatia desproporcional ao seu número de pessoas, entre a população em geral. Nenhum programa governamental é capaz de resolver esse problema, ainda que tal condição possa ser remediada até certo ponto. As leis levíticas visavam ao alívio das circunstâncias adversas dos "necessariamente pobres".

"O orgulho não deveria impedir que um homem tratasse um seu compatriota pobre com a mesma hospitalidade que mostraria a um *estrangeiro* ou *residente temporário*. Nem deveriam ser cobrados juros de qualquer pessoa pobre (vss. 36 e 37). A generosidade de Deus para com o seu povo deveria servir de exemplo que todos deveriam seguir" (F. Duane Lindsey, *in loc.*).

25.35

וְכִי־יָמוּךְ אָחִיךָ וּמָטָה יָדוֹ עִמָּךְ וְהֶחֱזַקְתָּ בּוֹ גֵּר וְתוֹשָׁב וָחַי עִמָּךְ:

Se teu irmão. Ou seja, um compatriota hebreu. Imaginemos um homem que fosse empobrecendo cada vez mais, até atingir um estado de miséria. Tal homem deveria despertar-nos a generosidade. Tal homem deveria ser *sustentado* pelos mais afluentes, já que não era capaz de sustentar-se. Logo, temos aqui uma espécie de caridade privada que, em tempos posteriores, veio a tornar-se um dos deveres dos governantes. Este versículo não estava falando em manutenção permanente. Mas um homem e sua família não deveriam ficar passando fome. Na *Enciclopédia de Bíblia, Teologia e Filosofia* ver o artigo *Liberalidade e Generosidade;* no *Dicionário* desta obra ver o artigo *Amor*. A generosidade é uma expressão de amor. A lei da doação serve de garantia de recepção. A lei da prosperidade eterna consiste em *dar*. Algumas pessoas acham que isso é uma lição difícil de aprender; e, no entanto, é uma lei espiritual. Ninguém pode dar demais a Deus, pois ele sempre devolve com a mesma generosidade. Aquele que dá, recebe.

*Mais bem-aventurado é
dar que receber.*

Atos 20.35

O que há de mais importante, em qualquer
relacionamento humano, não é o que
se obtém, mas aquilo que se dá.

Eleanor Roosevelt

Deus é o Grande Doador (ver Jo 3.16). Ele é um Pai que nos dá aquilo de que precisamos e que lhe pedimos, tal como um pai terreno dá a seus filhos o que estes pedem, e não alguma pedra. (Ver Mt 7.9).

Sob o novo pacto, nosso próximo não é algum irmão na fé, e, sim, qualquer pessoa que esteja em necessidade (Lc 10.29 ss.). Ver Tiago 1.27. A verdadeira e pura fé religiosa produz a *generosidade*. Ver também Levítico 2.14 ss. Em primeiro lugar há a lei do amor: "Ama a Deus". E há uma lei que só é segunda em relação à primeira: "Ama o próximo". Esses são os dois maiores mandamentos, que servem de base tanto para a lei quanto para a graça. Ver Mateus 22.39.

Como estrangeiro e peregrino. Os pobres geralmente acabam marginalizados; mas não devemos permitir que isso aconteça. Não deveríamos tratar os pobres como um farrapo a quem ninguém presta atenção.

Alguns estudiosos entendem literalmente este versículo: o pobre homem pode ser um pagão convertido, que assim veio a tornar-se *um irmão*. E até mesmo um homem assim, embora um pagão de origem, deve ser objeto de nossa generosidade. *Qualquer* hebreu, por motivo de raça ou de conversão religiosa, deveria ser objeto de caridade, se estivesse passando necessidades. Até mesmo um homem pagão deveria ser capaz de *conviver* com um hebreu abastado, e receber ajuda da parte deste, se estivesse padecendo necessidades.

■ 25.36

אַל־תִּקַּח מֵאִתּוֹ נֶשֶׁךְ וְתַרְבִּית וְיָרֵאתָ מֵאֱלֹהֶיךָ וְחֵי אָחִיךָ עִמָּךְ׃

Não receberás dele juros nem ganho. Essa estipulação proibia a usura. Um homem pobre, devido ao seu orgulho pessoal, talvez relutasse em receber ajuda da parte de um homem abastado. Mas, ao ver seus filhos famintos, haveria de esquecer-se de seu orgulho, aproximando-se do homem abastado para pedir-lhe um empréstimo que, na maioria das vezes, acabaria por tornar-se uma doação. Ora, isso pode ser uma circunstância desagradável, mas a verdade é bem o contrário disso. Pois isso pode ser *a oportunidade* de o homem abastado *aumentar* as suas riquezas. Pois se alguém der com um coração aberto, Deus dará ao homem generoso muito mais do que ele tiver dado a algum homem pobre. Essa é uma lei espiritual, o que pode ser *comprovado* diariamente na vida de homens espirituais. O Senhor Jesus ensinou que devemos dar ou emprestar "sem esperar nenhuma paga" (Lc 6.35). Há em reserva para os que assim fizerem uma grande recompensa da parte do Pai, conforme diz ainda o mesmo versículo, pois isso é um ato que mostra que quem assim faz é *filho do Deus Altíssimo*. Deus é o *Grande Benfeitor*. Paulo (ver Rm 12.20) requeria que os crentes se mostrassem generosos até mesmo com os seus *inimigos*.

A *lei menor* é essa expressa no livro de Levítico: *Faz empréstimos* sem cobrar quaisquer juros. A *lei superior* estipula: *Dá*. E isso sem esperar recompensa; e também não emprestar. Dê, em vez de emprestar. Essas são evidências de espiritualidade. E ninguém pode dar demasiadamente diante de Deus, pois Deus devolve tudo, e mais ainda. O homem que faz sua prática ser o dar jamais acabará sendo aquele que é obrigado a pedir emprestado de outros. Ver Salmo 15.5 e Ezequiel 18.8,17 quanto a textos similares a este versículo de Levítico.

As leis do empréstimo se aplicavam não somente a questões monetárias, mas também à produção agrícola. Para exemplificar, um homem pobre não estava na obrigação de devolver mais cereal do que aquele que havia tomado por empréstimo.

■ 25.37

אֶת־כַּסְפְּךָ לֹא־תִתֵּן לוֹ בְּנֶשֶׁךְ וּבְמַרְבִּית לֹא־תִתֵּן אָכְלֶךָ׃

Aos *israelitas* era permitido que negociassem com dinheiro ou com produtos agrícolas e outros, e isso mediante cobrança de juros, com os não-hebreus; mas este versículo parece eliminar tais práticas no tocante aos "irmãos", mesmo que estivessem envolvidos *hebreus* que *não* fossem pobres. Alguns eruditos pensam que este versículo reforça as declarações do versículo anterior, aplicando-se somente aos hebreus *pobres* (ver Êx 22.25, que proíbe que se cobrassem juros sobre empréstimos feitos aos *pobres*, mas deixando entendido que juros podiam ser cobrados de irmãos hebreus ricos). O trecho de Deuteronômio 23.19 proíbe a cobrança de juros da parte de *qualquer* irmão hebreu. Mas o vs. 20 permite tal cobrança da parte de estrangeiros pagãos. Logo, parece que assim estipulava a lei geral, a qual, sem dúvida, com frequência foi ignorada. Existe algo de obsceno nessa prática da cobrança de juros. O fato de que a legislação mosaica precisou regulamentar a questão mostra que muitos israelitas estavam explorando seus compatriotas mediante cobranças excessivas de juros. Ver no *Dicionário* o artigo intitulado *Crédito, Credor*.

■ 25.38

אֲנִי יְהוָה אֱלֹהֵיכֶם אֲשֶׁר־הוֹצֵאתִי אֶתְכֶם מֵאֶרֶץ מִצְרָיִם לָתֵת לָכֶם אֶת־אֶרֶץ כְּנַעַן לִהְיוֹת לָכֶם לֵאלֹהִים׃ ס

Eu sou o Senhor vosso Deus. Essas palavras formam uma expressão que aparece constantemente no *Código de Santidade* (Lv 17—26), que aumentava a solenidade e o vigor de uma declaração que fosse apresentada. Ver as notas a esse respeito em Levítico 18.30.

Yahweh é Deus, e ele requer generosidade de nossa parte. Ele mostrou generosidade para com o povo de Israel, livrando-o da servidão aos egípcios. Sigamos, pois, o seu exemplo. Outro aspecto da generosidade de Yahweh para com os filhos de Israel consistiu em abençoar ricamente a terra de Israel. Deus separou um povo para ser seu povo, e a fim de que pudesse ser o Deus deles. E instilou na mente e no coração deles vários princípios éticos que os tornaram um povo diferente dos povos pagãos. Um desses princípios é precisamente a lei da generosidade e do amor.

O povo de Israel tinha sido pobre no Egito. Mas Deus os enriqueceu na terra que fluía leite e mel. O texto, como é óbvio, reflete um tempo em que isso já havia acontecido.

ESCRAVIDÃO (25.39-55)

Que um homem pudesse ser escravo de outro homem é uma afronta à decência e à moral. Mas os seres humanos, por meio da opressão econômica, continuam a escravizar seus semelhantes. Não é um erro falar, por exemplo, nos "escravos do salário mínimo". Um homem recebe um salário, mas tão exíguo que ele não vive em condições melhores que as de um escravo. Ademais, não tem como libertar-se de sua condição, porquanto ele e seus familiares constantemente enfrentam uma pobreza extrema, que envolve até mesmo fome. Um caso assim é o de nosso querido Brasil, onde cerca de metade de sua população consiste em desnutridos.

A *escravatura* era uma instituição que infelicitava os homens tanto nos dias do Antigo quanto nos dias do Novo Testamento. Ficamos desolados porque nem o Antigo nem o Novo Testamento condenam enfaticamente essa horrenda instituição. É verdade que o Novo Testamento aplicou a lei do amor, lei essa que, com o tempo, acabou destruindo a escravatura. Mas sacudimos a cabeça, desolados, diante de evidências neotestamentárias de que até mesmo cristãos escravizavam a outros cristãos. A verdade é que o conhecimento moral e espiritual vai crescendo, e vivemos em uma época de maiores luzes do que no século I d.C. Esse aprimorado conhecimento, no entanto, não tem contribuído muito para livrar os "escravos do salário mínimo". No *Dicionário* apresente um detalhado artigo chamado *Escravo, Escravidão*.

Os hebreus também negociavam com escravos. Um hebreu podia ser reduzido à condição de escravo, ainda que, segundo tudo indica, não pudesse ser tratado com violência (vs. 46). Mas quem estava presente para evitar tal tratamento? Um homem que escravizasse a outro não hesitaria em tratá-lo com injustiça. O trecho de Êxodo 21.1-6 mostra-nos que um hebreu não podia ser escravo por mais de seis anos; mas o presente texto (vs. 40) só promete liberdade no ano do jubileu. Todavia, um hebreu podia ser remido (vss. 48-52). Se um hebreu viesse a tornar-se escravo de um estrangeiro, então os parentes e amigos do hebreu estavam na obrigação de redimi-lo logo que fosse possível. Não havia nenhuma lei que proibisse os hebreus de terem escravos estrangeiros (vs. 45). E tais escravos nunca podiam ser remidos (vs. 46), exceto por meio de algum ato extraordinário de generosidade.

■ 25.39

וְכִי־יָמוּךְ אָחִיךָ עִמָּךְ וְנִמְכַּר־לָךְ לֹא־תַעֲבֹד בּוֹ עֲבֹדַת עָבֶד׃

Se teu irmão empobrecer. Um israelita empobrecido podia vender-se como escravo para outro hebreu, embora um escravo não tão absoluto como se dava com um escravo pagão. Não podia ser tratado com violência (vs. 46), um ideal que, sem dúvida, nem sempre era observado.

De acordo com a lei mosaica, até mesmo aos escravos pagãos era dada alguma proteção (ver Êx 20.10; Dt 5.14); e era proibido maltratar a um escravo (ver Êx 21.20,21; Dt 23.15,16). O ideal era que um hebreu, que pertencia a Yahweh, não pertencesse a outro homem. Contudo, esse ideal nem sempre era corretamente observado (ver Lv 25.55). Os escravos hebreus eram mais protegidos por estatutos limitadores do que o eram os escravos gentios. Ver os vss. 39-43. É provável que, na média, os escravos hebreus gozassem de condições melhores que as dos escravos pagãos; mesmo assim, um escravo é um escravo.

Tarefas degradantes não eram permitidas nos dias do segundo templo, como ter de ajudar um homem a tomar seu banho, amarrar ou desamarrar os cordões de suas sandálias etc. Porém, fazer essas coisas ainda me parece mais honroso do que sobreviver com um salário escorchante.

25.40

כְּשָׂכִיר כְּתוֹשָׁב יִהְיֶה עִמָּךְ עַד־שְׁנַת הַיֹּבֵל יַעֲבֹד עִמָּךְ׃

Este versículo repete a mensagem do versículo anterior. Era mister que houvesse diferença de tratamento entre um escravo hebreu e um escravo gentio. O primeiro cabia dentro da classe de um servo contratado, o que também se dava com os estrangeiros forasteiros, contratados para trabalhar na propriedade de senhor hebreu. O mero fato de que uma lei dessa natureza precisou ser escrita mostra-nos que havia abusos que precisavam ser corrigidos. Um hebreu não podia continuar "escravo" para sempre, como sucedia aos escravos pagãos (ver os vss. 44 ss.). Ele podia ser remido (vss. 48 ss.). Porém, se não o fosse, receberia sua liberdade no ano do jubileu. Regulamentos posteriores (conforme se vê em Maimônides, em *Mishnah Kiddushin*, cap. 1, sec. 2) afirmam que um senhor hebreu não podia viver no luxo, comendo acepipes, enquanto seu escravo hebreu vivesse na miséria e sob uma dieta inferior. Um senhor hebreu não podia dormir sobre um colchão excelente, ao mesmo tempo em que seu escravo hebreu dormia diretamente sobre o chão. Não podia beber vinho bem curtido e deixar seu escravo hebreu ingerir vinagre. Era mister que houvesse alguma igualdade entre senhor hebreu e escravo hebreu, apesar de suas diferentes posições sociais na vida.

Até ao ano do jubileu. A lei dos *seis* anos mostra-se ausente desta passagem (ver Êx 21.1-6), pelo que é provável que estejam em foco diferentes fontes informativas, com normas de tratamento diferentes.

25.41

וְיָצָא מֵעִמָּךְ הוּא וּבָנָיו עִמּוֹ וְשָׁב אֶל־מִשְׁפַּחְתּוֹ וְאֶל־אֲחֻזַּת אֲבֹתָיו יָשׁוּב׃

A libertação completa ocorria no ano do jubileu. Os escravos hebreus eram postos em liberdade, como também sua esposa e todos os filhos do casal. Ele voltava ao seu lar ancestral e dava início a uma nova vida. E também recuperava o patrimônio que havia vendido.

Tipologia. Há uma completa libertação na redenção adquirida pelo sangue de Cristo. Ver no *Dicionário* os artigos intitulados *Redenção* e *libertador, Libertação*.

Uma Omissão. Esta breve seção, que regulamenta a questão dos hebreus escravizados por outros hebreus, não toca na possibilidade de *redenção* antes do ano do jubileu. Todavia, precisamos supor que isso fosse possível, tal como os vss. 47-53 mostram que um hebreu vendido a um não-hebreu podia ser remido antes da chegada do ano do jubileu. Não há que duvidar de que regras *idênticas* eram aplicáveis à redenção no tocante a ambos esses tipos de escravidão.

O CAMINHO DO DEVER

Fareis segundo os meus juízos, e os meus estatutos guardareis, para andardes neles: Eu sou o Senhor vosso Deus.
Portanto, os meus estatutos e os meus juízos guardareis; cumprindo os quais, o homem viverá por eles.

Levítico 18.4,5

O CAMINHO DA LUZ

Andai na luz!
Assim conhecereis aquela comunhão de amor,
Que somente seu espírito pode dar,
E que reina na luz superior.

Andai na luz!
E nem mesmo o sepulcro terá sombra temível;
A glória espantará sua tristeza,
Pois Cristo conquistou também ali.

Bernard Barton

25.42

כִּי־עֲבָדַי הֵם אֲשֶׁר־הוֹצֵאתִי אֹתָם מֵאֶרֶץ מִצְרָיִם לֹא יִמָּכְרוּ מִמְכֶּרֶת עָבֶד׃

Porque são meus servos. Essa é a *razão teológica* para a completa liberação: Todos os hebreus eram servos de Yahweh, e somente essa condição podia perdurar para sempre. Os filhos de Israel haviam sido escravizados no Egito; mas Yahweh os libertara dessa servidão; eles agora podiam tornar-se escravos de algum compatriota hebreu; mas Yahweh também os libertava disso. Porém, ser um israelita servo de Yahweh era uma condição permanente. Podemos comparar isso com a metáfora usada pelo apóstolo: "Paulo, servo de Jesus Cristo..." (Rm 1.1). Quando Yahweh libertou os filhos de Israel da escravidão no Egito, ele os redimiu para que fossem seus servos. Um escravo pagão era vendido publicamente, amiúde em um mercado ou feira livre. Mas um escravo hebreu era vendido privadamente, mediante um acordo de cavalheiros. E ao chegar o tempo certo, o escravo hebreu recuperava a sua liberdade (conforme nos diz Maimônides, *Hilchot Abadim*, cap. 1, sec. 5). Portanto, a questão envolvia *algum* tratamento humanitário.

25.43

לֹא־תִרְדֶּה בוֹ בְּפָרֶךְ וְיָרֵאתָ מֵאֱלֹהֶיךָ׃

Não te assenhorearás dele. Leniência e gentileza, no trato com um escravo hebreu, são de novo destacadas, conforme já vimos nos vss. 39 e 42. Tal homem era um servo de Yahweh, e não podia ser um verdadeiro escravo de nenhum homem (vs. 42). O temor a Yahweh não permitiria que um hebreu reduzisse outro hebreu à miséria da escravidão (vs. 43). Os egípcios passaram a dominar cruelmente os israelitas (ver Êx 1.13). Mas os egípcios não tinham temor a Deus, e sabiam quem era Yahweh (ver Êx 5.2). Os israelitas não poderiam repetir o que os egípcios tinham feito por ignorância. A tirania egípcia não poderia mesmo ser emulada em Israel, e isso pelos próprios hebreus.

25.44,45

וְעַבְדְּךָ וַאֲמָתְךָ אֲשֶׁר יִהְיוּ־לָךְ מֵאֵת הַגּוֹיִם אֲשֶׁר סְבִיבֹתֵיכֶם מֵהֶם תִּקְנוּ עֶבֶד וְאָמָה׃

וְגַם מִבְּנֵי הַתּוֹשָׁבִים הַגָּרִים עִמָּכֶם מֵהֶם תִּקְנוּ וּמִמִּשְׁפַּחְתָּם אֲשֶׁר עִמָּכֶם אֲשֶׁר הוֹלִידוּ בְּאַרְצְכֶם וְהָיוּ לָכֶם לַאֲחֻזָּה׃

Os vss. 44-46 abordam a questão da escravização de não-hebreus pelos hebreus, e também a questão da *compra* de escravos. As guerras contribuíam para o tráfico de escravos. Os homens eram mortos e as mulheres eram sequestradas. E os homens que não eram mortos eram escravizados. Ademais, havia um ativo tráfico de escravos, vendidos e comprados, alguns deles originalmente escravizados por meio de jogos de guerra. Em uma sociedade agrícola, os escravos proviam trabalho barato. Afinal, um escravo produziria tudo o de que pudesse necessitar para si mesmo, pelo que praticamente não representaria despesas para seu senhor. Antes, era tido apenas como mais uma propriedade e até tornava-se parte integrante de heranças (vs. 46). O que nos deixa consternados é que nem o Antigo nem o Novo Testamento se rebelam, aberta e enfaticamente, contra a escravatura. E aqui até vemos a regulamentação do comércio com escravos, uma tremenda ausência de leis mais humanas. Ver no *Dicionário* o artigo intitulado *Escravo (Escravidão)*.

As leis aqui registradas tiveram de ser ventiladas, pelo menos em parte, por causa das leis relativamente lenientes acerca dos escravos hebreus. É como se o autor sagrado estivesse dizendo: "Se vocês querem ter *escravos autênticos*, que façam o trabalho de vocês e nada custem, então deixem de lado os hebreus e se atirem ao tráfico de escravos estrangeiros". Mas dificilmente poderíamos pensar que tal conselho é altamente inspirador. Os hebreus encontrariam um fundo de escravos nas sete nações que viviam em redor deles como vizinhos (ver Êx 33.2), como também em outras nações, de lugares mais distantes. As ordens recebidas eram que os hebreus destruíssem as nações que viviam na terra de Canaã, antes da invasão dos israelitas (Dt 20.16-18). Porém, muitos dos cananeus sobreviveram como escravos. Além dessas nações, eles poderiam conseguir escravos entre os idumeus, os moabitas e os sírios, seus vizinhos também, embora não tivessem sido enumerados entre as nações que deveriam ser destruídas.

■ 25.46

וְהִתְנַחַלְתֶּ֨ם אֹתָ֜ם לִבְנֵיכֶ֤ם אַחֲרֵיכֶם֙ לָרֶ֣שֶׁת אֲחֻזָּ֔ה לְעֹלָ֖ם בָּהֶ֣ם תַּעֲבֹ֑דוּ וּבְאַ֨חֵיכֶ֤ם בְּנֵֽי־יִשְׂרָאֵל֙ אִ֣ישׁ בְּאָחִ֔יו לֹא־תִרְדֶּ֥ה ב֖וֹ בְּפָֽרֶךְ׃ ס

Deixá-los-eis por herança. Os escravos não passavam de propriedades. Escravos não-hebreus podiam ser adquiridos nas guerras ou mediante compra. Não eram protegidos por leis humanitárias. Podiam ser vendidos ou comprados, e podiam ser transferidos para outras mãos como herança. Para os escravos estrangeiros era inexistente o ano do jubileu. Falando metaforicamente, a escravatura era um quadro simbólico da escravização ao pecado, aquela condição de miséria que, sem a intervenção do evangelho e da atuação do Espírito de Deus, envolve todos os seres humanos. Mas também serve de emblema da desumanidade dos homens contra seus semelhantes, e igualmente da baixa moral a que ficou reduzida a espécie humana. O mundo tem obtido algum progresso desde então, mas continua praticando a escravatura do *salário mínimo*.

Se um escravo fosse ferido e se tornasse incapaz de trabalhar, então era posto em liberdade (ver Êx 21.26,27), mas esse era um consolo bem pequeno. O aleijado fora libertado! E daí? Nos dias do segundo templo, foram baixadas algumas leis humanitárias, porquanto se tinham feito urgentemente necessárias; mas essas leis continuaram largamente ignoradas, na prática.

Este versículo se encerra com outro apelo para que os escravos hebreus fossem tratados com gentileza, segundo já vimos nos vss. 39, 42 e 43. A necessidade de um quarto apelo mostra-nos que os escravos hebreus não estavam sendo tratados muito melhor do que os escravos não-hebreus.

■ 25.47,48

וְכִ֣י תַשִּׂ֗יג יַ֣ד גֵּ֤ר וְתוֹשָׁב֙ עִמָּ֔ךְ וּמָ֥ךְ אָחִ֖יךָ עִמּ֑וֹ וְנִמְכַּ֗ר לְגֵ֤ר תּוֹשָׁב֙ עִמָּ֔ךְ א֥וֹ לְעֵ֖קֶר מִשְׁפַּ֥חַת גֵּֽר׃

אַחֲרֵ֣י נִמְכַּ֔ר גְּאֻלָּ֖ה תִּֽהְיֶה־לּ֑וֹ אֶחָ֥ד מֵאֶחָ֖יו יִגְאָלֶֽנּוּ׃

Hebreus Vendidos como Escravos de Pagãos ou Prosélitos. Muitos hebreus terminavam escravizados por causa de guerras, quando eles perdiam batalhas e a situação se invertia; ou, então, por terem sido comprados como escravos. Um hebreu podia até mesmo pôr-se à venda como escravo a um estrangeiro, sobretudo quando este último era um prosélito. Nesses casos, a família e os amigos do hebreu deviam sentir-se na obrigação moral de redimi-lo, assim que isso fosse possível. Sendo escravo de um estrangeiro, muito provavelmente esse hebreu não dispunha da vantagem dada pelo ano do jubileu; mas mesmo que dispusesse de tal vantagem, seus familiares deveriam ansiar por conseguir-lhe a liberdade no mais breve tempo possível. O vs. 50 deste capítulo mostra-nos que, se o proprietário estrangeiro de um escravo hebreu fosse um prosélito, então o escravo hebreu seria posto em liberdade no ano do jubileu. Mas, amiúde, essa lei era ignorada.

Alguém da família do estrangeiro. É provável que esteja aqui em pauta um descendente de um prosélito, alguém que vivia na terra de Israel, de algum modo ligado ao yahwismo; mas na maioria dos casos, alguém que continuava incircunciso, conforme diz o Targum de Jonathan. No entanto, várias autoridades judaicas falaram em *idólatras* como senhores. Nesse caso, estariam em vista pagãos declarados. (Conforme os Targuns de *Onkelos, Jonathan, Jarchi* e *Ben Melech, in loc.*).

Os Targuns de Jonathan e Jarchi referem-se à *obrigação* dos familiares de remir um escravo hebreu logo que possível. A expressão "teu irmão", conforme se vê no vs. 48, talvez inclua qualquer hebreu, e não apenas um parente de sangue. Os hebreus deviam cuidar de outros hebreus. Era quase uma *obscenidade* um hebreu ser escravizado por um pagão, e tal condição devia ser revertida prontamente. Nos dias do segundo templo, este versículo era interpretado de modo geral. Se a família de um hebreu escravizado não pudesse remi-lo, então tal obrigação recaía sobre toda a congregação de Israel. Pois a situação requeria um esforço comunitário.

■ 25.49

אוֹ־דֹד֞וֹ א֤וֹ בֶן־דֹּדוֹ֙ יִגְאָלֶ֔נּוּ אֽוֹ־מִשְּׁאֵ֧ר בְּשָׂר֛וֹ מִמִּשְׁפַּחְתּ֖וֹ יִגְאָלֶ֑נּוּ אֽוֹ־הִשִּׂ֥יגָה יָד֖וֹ וְנִגְאָֽל׃

Se o próprio escravo hebreu, de alguma maneira, conseguisse tornar-se autossuficiente, então deveria pagar por sua própria alforria. Caso não pudesse fazê-lo, um parente seu estava nessa obrigação, ou mesmo toda a comunidade de Israel (conforme sucedia em tempos posteriores, conforme ficou comentado no versículo anterior). Fosse como fosse, a libertação de um escravo hebreu era tida como questão das mais urgentes, que deveria excitar o interesse de seus compatriotas hebreus. Realizar esse ato era considerado uma excelente obra, à qual estava atrelado muito louvor.

Nenhuma menção é feita ao pai do escravo hebreu, e isso por razões por nós desconhecidas. Estou apenas especulando que isso ocorreu por esquecimento do autor sagrado, o qual, afinal, estava dando apenas uma lista representativa de possibilidades. Alguns estudiosos têm sugerido que, *se* o escravo hebreu tivesse pai (e este ainda não tivesse morrido), o pai não teria permitido que seu filho fosse vendido como escravo; e, portanto, *se* tal homem fora vendido, então é porque não tinha mais pai. Mas essa opinião olvida o fato de que os hipotéticos pais envolvidos poderiam ser tão pobres como seus filhos escravizados, não podendo evitar assim a escravização destes. Em tempos posteriores, tais escravos eram remidos até mesmo mediante fundos públicos. Ver o trecho de Neemias 5.8, que parece sugerir essa eventualidade.

Os escritores judeus viam nesse texto um quadro do Messias esperado, o qual seria um Remidor de escravos do pecado, literal e moralmente. Os poderes do mal escravizam um homem, e, então, ele passa a precisar de ajuda externa.

■ 25.50

וְחִשַּׁב֙ עִם־קֹנֵ֔הוּ מִשְּׁנַת֙ הִמָּ֣כְרוֹ ל֔וֹ עַ֖ד שְׁנַ֣ת הַיֹּבֵ֑ל וְהָיָ֞ה כֶּ֤סֶף מִמְכָּרוֹ֙ בְּמִסְפַּ֣ר שָׁנִ֔ים כִּימֵ֥י שָׂכִ֖יר יִהְיֶ֥ה עִמּֽוֹ׃

Este versículo sugere que a compra de um escravo hebreu, dentro das fronteiras de Israel, estava sujeita aos mesmos tipos de leis que governavam as propriedades (vss. 15 e 16), como também a compra de um escravo hebreu por outro hebreu (vss. 40 e 41). O valor da compra seria aquilatado de acordo com o número de anos que ainda restassem antes de chegar o ano do jubileu. Se um escravo hebreu fosse remido antes daquele ano, então o número de anos que ele tivesse servido seria proporcionalmente deduzido, e o preço da redenção só levaria em conta o número de anos que ainda restasse até o ano do jubileu. Como isso funcionava é ilustrado no vs. 27 deste capítulo. E assim o homem (se fora reduzido ao nível de uma mera propriedade) seria remido da mesma maneira como o seria um terreno qualquer.

Curiosamente, os versículos que abordam a questão em que hebreus compravam outros hebreus como escravos (25.39 ss.) não incluem comentários sobre a redenção desses escravos; mas devemos supor que esses escravos pudessem ser redimidos, e que o modo de proceder era o mesmo que se dava no caso de escravos hebreus que eram remidos de senhores não-hebreus.

■ 25.51

אִם־ע֥וֹד רַבּ֖וֹת בַּשָּׁנִ֑ים לְפִיהֶן֙ יָשִׁ֣יב גְּאֻלָּת֔וֹ מִכֶּ֖סֶף מִקְנָתֽוֹ׃

O vs. 27 deste capítulo ilustra como essa lei funcionava. Se um homem se tivesse vendido como escravo dez anos antes do ano do jubileu, por cem peças de prata, e tivesse servido por cinco anos desse prazo, antes de ser remido, então ele teria servido cinco décimas partes, e seria remido por exatamente cinco décimas partes do preço original, ou seja, pela metade. Em outras palavras, sairia livre quando cinquenta peças de prata fossem entregues ao seu senhor.

A legislação mosaica tinha a honestidade como um de seus alvos, e requeria honestidade mesmo quando os filhos de Israel estivessem negociando com pagãos.

25.52

וְאִם־מְעַט נִשְׁאַר בַּשָּׁנִים עַד־שְׁנַת הַיֹּבֵל וְחִשַּׁב־לוֹ
כְּפִי שָׁנָיו יָשִׁיב אֶת־גְּאֻלָּתוֹ׃

Este versículo repete as provisões contidas no versículo anterior, para efeito de ênfase. Mesmo que restassem alguns *poucos* anos, tudo tinha de ser feito de acordo com a lei. Um escravo não podia ser libertado senão através de negociações comerciais corretas. "A equidade era mantida entre o comprador e o vendedor, entre o liberado e o seu remidor" (John Gill, *in loc.*). "Nenhuma vantagem devia ser tirada do idólatra" (Ellicott, *in loc.*).

25.53

כִּשְׂכִיר שָׁנָה בְּשָׁנָה יִהְיֶה עִמּוֹ לֹא־יִרְדֶּנּוּ בְּפֶרֶךְ
לְעֵינֶיךָ׃

Não se assenhoreará dele com tirania. Tal como um senhor hebreu devia tratar bondosamente a um escravo hebreu (vss. 39, 42 e 43), assim também um senhor pagão deveria tratar bondosamente a um escravo hebreu. Seu dever era tratá-lo como se fosse um trabalhador contratado, por algum tempo estipulado, e não como um verdadeiro escravo, que era a regra que também se aplicava aos senhores hebreus (vs. 40). Podemos supor que os compatriotas hebreus do homem estivessem de olho no caso, podendo ajudar a garantir que um senhor pagão não maltratasse seu escravo hebreu.

À tua vista. Os hebreus deveriam monitorar tais casos, e não ser apenas espectadores indiferentes de maus-tratos. Cf. Êxodo 2.11,12. Temos ali o caso de Moisés, o qual chegou a matar um egípcio que abusava de um escravo hebreu. Yahweh observou os egípcios e, misericordiosamente, finalmente libertou o seu *filho* (ver Êx 4.22,23) das mãos dos filhos de Mizraim. E os hebreus deveriam agora emular o exemplo dado por Yahweh.

25.54

וְאִם־לֹא יִגָּאֵל בְּאֵלֶּה וְיָצָא בִּשְׁנַת הַיֹּבֵל הוּא וּבָנָיו
עִמּוֹ׃

Se desta sorte se não resgatar, porquanto ninguém o tivesse socorrido, nem seus familiares, nem seus amigos, nem a congregação de Israel, então ele ficaria aguardando pelo ano do jubileu. E chegado então aquele ano, o contrato que fora estabelecido estaria cumprido, e o hebreu, com sua família e o pouco que ele tivesse conseguido acumular, sairia livre. A lei, nesse caso, era a mesma que era aplicada a hebreus escravizados por outros hebreus. Ver o vs. 41, cujas notas expositivas também se aplicam aqui. Um pagão que vivesse dentro das fronteiras de Israel tinha de se submeter à lei do ano do jubileu, pois, caso contrário, sofreria alguma forma de vingança que faria sua desobediência sair-lhe muito cara.

25.55

כִּי־לִי בְנֵי־יִשְׂרָאֵל עֲבָדִים עֲבָדַי הֵם אֲשֶׁר־הוֹצֵאתִי
אוֹתָם מֵאֶרֶץ מִצְרָיִם אֲנִי יְהוָה אֱלֹהֵיכֶם׃

Os filhos de Israel me são servos. O verdadeiro Senhor de todos é Yahweh. Portanto, nem gentio nem hebreu podiam escravizar permanentemente a um hebreu. Yahweh tinha livrado o povo de Israel da servidão no Egito precisamente por esse motivo. A escravização permanente de um hebreu seria imprópria. Este versículo repete os argumentos do vs. 42, cujas notas expositivas também têm aplicação aqui.

Tipologia. Israel serve de símbolo de todos quantos estão escravizados pelo pecado. Porém, usando o evangelho, Deus fez intervenção a fim de poder oferecer a libertação a todos os homens, visto que todos os homens são servos naturais de Deus (Rm 1.1). Ver no *Dicionário* o artigo intitulado *Redenção*.

Eu sou o Senhor vosso Deus. Essa expressão, de ocorrência amiudada no *Código de Santidade* (ver Lv 17—26; ver sobre esse código na introdução ao capítulo 17 de Levítico), tem por propósito confirmar e enfatizar uma declaração feita, emprestando-lhe autoridade. Ver as notas sobre essa expressão, em Levítico 18.30.

Uma Curiosidade Histórica. O ano do jubileu não é mencionado fora do Pentateuco, razão pela qual muitos eruditos supõem que ele nunca tenha sido realmente posto em vigor. Mas outros especialistas supõem que essa estipulação operasse muito bem, pelo que não foi preciso mencioná-la. Porém, sabemos que os israelitas não foram obedientes quanto à observância dos anos sabáticos (ver Levítico 26.34,35,43; 2Cr 36.20,21), sendo perfeitamente possível que o ano do jubileu também tivesse acabado vítima da cobiça humana.

CAPÍTULO VINTE E SEIS

PROMESSAS E ADVERTÊNCIAS (26.1-46)

O *Código de Santidade,* uma das alegadas fontes informativas distintas do Pentateuco, ocupa os capítulos 17 a 26 de Levítico. Esse *código,* tal como o livro de Deuteronômio, termina com uma espécie de sermão recheado de ameaças e promessas. Diante do povo de Israel foram exibidos dois caminhos, o da vida e o da destruição. A eles cabia escolher. Neste capítulo 26 há muitos paralelos verbais próximos ao livro de Ezequiel, e alguns eruditos têm mesmo sugerido que Ezequiel escreveu esse capítulo, e, talvez, boa parte do *Código de Santidade.* Têm sido destacados 22 desses paralelos, o que, de fato, representa um grande número de paralelos em tão pouco material escrito. Hoje em dia, porém, a própria integridade do livro de Ezequiel está sendo posta em dúvida, pelo que é difícil dizermos que "Ezequiel escreveu isto ou aquilo". Seja como for, há um paralelismo que não pode ser ignorado. Minhas notas na introdução ao capítulo 17 de Levítico fornecem alguns detalhes sobre essa questão.

C. R. North observou corretamente que tanto as bênçãos quanto as maldições referidas neste capítulo têm uma orientação materialista. Não há nenhuma ameaça de uma *vida pós-túmulo* má para os desobedientes; nem há promessa alguma de bem-aventurada *vida pós-túmulo* aos obedientes. Sabemos que o Pentateuco nunca alude iniludivelmente à imortalidade da alma. Isso fica apenas subentendido na doutrina da criação humana à imagem de Deus (ver Gn 1.26,27). Mas essa doutrina só veio a tornar-se parte integrante da teologia dos hebreus na época dos Salmos e dos Profetas. O cristianismo, como é lógico, começou com essa doutrina já bem confirmada. Ver na *Enciclopédia de Bíblia, Teologia e Filosofia* o verbete *Imortalidade,* quanto a um estudo completo sobre esse ponto.

"No antigo Oriente Próximo e Médio era costumeiro concluir tratados de vassalagem com uma seção de bênçãos pela obediência e maldições pela desobediência... Outras passagens relacionadas às bênçãos e às maldições da lei mosaica incluem trechos como Êxodo 23.22,23; Deuteronômio 28 e Josué 24.20" (F. Duane Lindsey, *in loc.*).

26.1

לֹא־תַעֲשׂוּ לָכֶם אֱלִילִם וּפֶסֶל וּמַצֵּבָה לֹא־תָקִימוּ
לָכֶם וְאֶבֶן מַשְׂכִּית לֹא תִתְּנוּ בְּאַרְצְכֶם לְהִשְׁתַּחֲוֹת
עָלֶיהָ כִּי אֲנִי יְהוָה אֱלֹהֵיכֶם׃

Curiosamente, este capítulo não começa com o usual *disse o Senhor,* um artifício literário utilizado para introduzir novos materiais. Ver as notas em Levítico 1.1 e 4.1. No entanto, Yahweh continuava a falar por intermédio de Moisés, o mediador entre o Senhor e o povo de Israel. É neste capítulo 26 que se encerra o *Código de Santidade.* Ver a esse respeito na introdução ao capítulo 17 de Levítico e na introdução a este capítulo. Muitas leis individuais são reiteradas, que já tínhamos visto em Levítico, mas também há um bom número de preceitos novos. As bênçãos estão vinculadas à obediência; e as maldições estão vinculadas à desobediência.

Não fareis para vós outros ídolos. Ver sobre esse assunto no *Dicionário.* O final do *Código de Santidade* é introduzido com uma proibição quanto a qualquer forma de idolatria. Esse é o *segundo* dos Dez Mandamentos. Ver Êxodo 20.3-6, bem como o artigo sobre esse assunto no *Dicionário.*

Nem coluna. Era uma espécie de coluna idolátrica, algum tipo de obelisco, adornado com símbolos e imagens gravados. Ver no *Dicionário* o verbete *Obelisco.*

Porque eu sou o Senhor vosso Deus. Essa é uma expressão muito repetida no *Código de Santidade,* a fim de emprestar ênfase e solenidade a alguma declaração ou mandamento. Ver as notas a respeito em Levítico 18.30.

A ordem divina aqui é a completa dedicação a Deus. Todas as formas de idolatria deviam ser evitadas. O Yahwismo era a nova fé, outorgada ao povo de Israel. E seus preceitos e estatutos tinham que ser seguidos à risca. O legislador solenemente reiterou a base da nova fé: não somente o *monoteísmo* (ver sobre o mesmo no *Dicionário*), mas também o *monoteísmo de Yahweh*. Ver no *Dicionário* o artigo intitulado *Yahweh*.

■ 26.2

|V2 | אֶת־שַׁבְּתֹתַי תִּשְׁמֹרוּ וּמִקְדָּשִׁי תִּירָאוּ אֲנִי |H|
יְהוָה: ס

O mandamento referente ao sábado e aos demais descansos é muito repetido no Pentateuco, achando-se inerente nas Escrituras desde Gênesis 2.2,3. A guarda do sábado tornou-se o *quarto* dos *Dez Mandamentos* (ver sobre esse título no *Dicionário*; e também os artigos *Sábado*; *Sabatismo* e *Observância de Dias Especiais*). Ver as notas adicionais existentes em Êxodo 20.8. O plural, *meus sábados*, no presente texto, faz-nos lembrar dos anos sabáticos e o primeiro ano do jubileu, que também eram sábados ou descansos.

O meu santuário. Está em destaque o tabernáculo, com todos os seus ritos e regulamentos, os quais também deveriam ser estritamente observados, o assunto central deste livro de Levítico. Inúmeros preceitos foram baixados, nenhum dos quais trivial, na estimativa do autor sacro. Essas leis deveriam ser conhecidas e postas em prática. É ordenada aqui uma total lealdade ao Yahwismo. Ver também Levítico 23.3 quanto às leis sobre o sábado; e Levítico 17.1-9, acerca do santuário. Ver também Levítico 19.30 quanto a uma ordem quase idêntica a esta, no que concerne aos sábados. O autor sagrado queria garantir uma proteção *eficaz* contra a idolatria (vs. 1), e isso poderia ser conseguido por meio da observância de tudo quanto foi ordenado neste livro de Levítico.

BÊNÇÃOS PARA OS OBEDIENTES (26.3-13)

■ 26.3

|V3 | אִם־בְּחֻקֹּתַי תֵּלֵכוּ וְאֶת־מִצְוֹתַי תִּשְׁמְרוּ |H|
וַעֲשִׂיתֶם אֹתָם:

As bênçãos foram condicionadas à guarda da lei, de seus estatutos e regulamentos. Yahweh controla as chuvas e as condições agrícolas, e ele prometeu que essas condições seriam sempre favoráveis aos obedientes (vss. 4 e 5). A felicidade e a prosperidade material seriam acompanhantes dos obedientes. *Uma ausência conspícua* é qualquer menção à vida *pós-túmulo*. Isso não é mencionado em favor dos obedientes, como promessa de felicidade no outro lado da existência, nem é mencionado em ameaça aos desobedientes, como um lugar ou estado de punição. Tal doutrina só passou a ser claramente expressa no judaísmo a partir dos Salmos e dos Profetas, tendo sido desenvolvida de forma detalhada no período intermediário entre o Antigo e o Novo Testamento e nos livros apócrifos e pseudepígrafos. No *Dicionário* tecemos comentários plenos sobre esses livros. Ver também a introdução a este capítulo, em seu segundo parágrafo, quanto a uma declaração desse fato. As bênçãos e as maldições eram todas materialmente orientadas. Não nos devemos surpreender diante do fato de que a teologia cresce, e esse crescimento acompanha o processo histórico, conforme as revelações divinas vão sendo dadas, ultrapassando as revelações divinas mais antigas. Ver os vss. 15 ss. quanto às maldições, igualmente baseadas em como um homem manuseasse (negativamente) a legislação mosaica.

"Preceitos de natureza tanto moral, cerimonial quanto judicial, que lhes haviam sido outorgadas, e que agora eram completamente registrados neste e no livro anterior (o Êxodo); pois aquilo que se segue, nos dois próximos livros (Números e Deuteronômio), consiste, principalmente, de *reiterações* daquilo que está contido em Êxodo e Levítico" (John Gill, *in loc.*). Verdadeiramente, há inúmeras repetições no Pentateuco, sendo essa uma das principais características literárias do autor sacro.

■ 26.4

וְנָתַתִּי גִשְׁמֵיכֶם בְּעִתָּם וְנָתְנָה הָאָרֶץ יְבוּלָהּ וְעֵץ
הַשָּׂדֶה יִתֵּן פִּרְיוֹ:

Darei as vossas chuvas a seu tempo. Se alguém quisesse gozar de sucesso na agricultura, em Israel, então que obedecesse à legislação que Yahweh transmitira por meio de seu mediador, Moisés. Bênçãos temporais foram prometidas aos obedientes. A lista dessas bênçãos vai sendo desenrolada até o vs. 15 deste capítulo, onde começam as maldições (igualmente muitas) contra os desobedientes. O povo de Israel formava uma nação essencialmente agrícola, pelo que os tipos de bênçãos aqui prometidas se revestiam de interesse vital. Todo o bem e todo mal, em última análise, dependem de Yahweh. Os hebreus tinham uma teologia pobre quanto a causas secundárias. Isso posto, Yahweh era encarado como a primeira e única causa de tudo. Ver sobre as primeiras e as últimas chuvas do ano, em Deuteronômio 11.14. Esses dois períodos anuais de chuva eram necessários para que houvesse boas safras de cereais, como o trigo e a cevada. "Na Palestina a estação apropriada para as *primeiras* chuvas recaía entre meados de outubro até dezembro, preparando assim o solo para que recebesse bem a semente, ao passo que as *últimas* chuvas caíam nos meses de março e abril, pouco antes da colheita. Por igual modo, no pacto firmado entre Deus e o seu povo, havia uma promessa similar: '... farei descer a chuva a seu tempo, serão chuvas de bênçãos' (Ez 34.26)" (Ellicott, *in loc.*).

> Haverá chuvas de bênçãos,
> Envia-as sobre nós, oh, Deus!
> Concede-nos agora refrigério,
> Vem, e honra tua Palavra!
>
> El Nathan

■ 26.5

וְהִשִּׂיג לָכֶם דַּיִשׁ אֶת־בָּצִיר וּבָצִיר יַשִּׂיג אֶת־זָרַע
וַאֲכַלְתֶּם לַחְמְכֶם לָשֹׂבַע וִישַׁבְתֶּם לָבֶטַח בְּאַרְצְכֶם:

A debulha... a vindima. Israel estava cercado por nações hostis, tanto as que circundavam o território da Terra Prometida como algumas nações mais distantes. Deus cuidaria de todas as condições adversas, em prol dos que obedecessem às suas leis. As colheitas seriam abundantes, e os inimigos seriam mantidos imóveis.

As colheitas de cereais seriam abundantes, de tal maneira que aqueles empregados no mister de colher a safra de não seriam capazes de completar sua tarefa antes da vindima, ou colheita da uva, que ocorria no tempo do ano equivalente ao nosso mês de julho. E, então, a vindima seria tão abundante que se estenderia até o tempo da semeadura, que tinha lugar no tempo equivalente ao nosso mês de outubro. Amós encerra uma promessa semelhante: "Eis que vêm dias, diz o Senhor, em que o que lavra segue logo ao que ceifa, e o que pisa as uvas ao que lança a semente..." (9.13).

Habitareis seguros na vossa terra. Um povo faminto atacaria um povo vizinho a fim de conseguir alimentos. Os vizinhos de Israel, embora vendo a grande prosperidade do povo de Deus, seriam contidos em seu lugar, sem atacar os israelitas, mediante a influência de Yahweh sobre sua mente. Destarte, Israel seria capacitado a *desfrutar* sua abastança, sem ter de passar pelas guerras sanguinolentas, tão características das tribos-nações daqueles tempos.

"A colheita da cevada na Judeia ocorria aí pelos meados de abril; a colheita do trigo, cerca de seis semanas mais tarde, no começo de junho. Após a colheita do cereal vinha a vindima; e, então, a colheita das frutas, já quase no fim do mês de julho. Moisés garantiu aos hebreus que, se eles se mostrassem fiéis a Yahweh, não haveria período de inatividade entre a colheita e a vindima, tão grande seria a produção agrícola deles" (Jamieson, *in loc.*).

■ 26.6

וְנָתַתִּי שָׁלוֹם בָּאָרֶץ וּשְׁכַבְתֶּם וְאֵין מַחֲרִיד וְהִשְׁבַּתִּי
חַיָּה רָעָה מִן־הָאָרֶץ וְחֶרֶב לֹא־תַעֲבֹר בְּאַרְצְכֶם:

Pela vossa terra não passará espada. Israel gozaria de paz com os povos à sua volta, e até os animais ferozes não atacariam os israelitas. Este versículo sexto amplia o versículo anterior. Israel vivia cercado de tribos hostis. Essas tribos eram excitadas a provocar matanças com grande facilidade. Mas Yahweh acalmaria as mentes desses gentios e reduziria os assaltos sanguinários. Os filhos de Israel poderiam deitar-se à noite sem receio; mas somente se fossem obedientes às leis de Moisés. Cf. Salmo 3.5 e 4.8. Ver Ezequiel 34.25 sobre como os animais ferozes eram um assunto que infundia grande preocupação entre os israelitas.

Há nada menos de 22 paralelos entre este capítulo 26 de Levítico e o livro de Ezequiel, o que provocou a opinião, emitida por alguns eruditos, de que foi Ezequiel quem foi também o autor deste capítulo de Levítico. Ver a introdução a este capítulo, em seu primeiro parágrafo, sobre essa questão.

Condições favoráveis, na Terra Prometida, faziam parte do *Pacto Abraâmico*. Ver Gênesis 17.7,8. E, em Gênesis 15.18, ver as notas expositivas acerca do *Pacto Abraâmico*.

■ 26.7

וּרְדַפְתֶּם אֶת־אֹיְבֵיכֶם וְנָפְלוּ לִפְנֵיכֶם לֶחָרֶב׃

Cairão à espada diante de vós. Essa promessa divina garantia a vitória militar sobre os inimigos de Israel. Se viesse a guerra, presumivelmente por iniciativa de Israel, Yahweh lhes daria uma vitória fácil. Eles seriam os perseguidores, e não os perseguidos. Ver no *Dicionário* o verbete intitulado *Guerra*, onde se mostram as características das guerras antigas. Tribos selvagens, notando a prosperidade material de Israel, se sentiriam excitadas a atacar. Mas tais tribos seriam esmagadas.

■ 26.8

וְרָדְפוּ מִכֶּם חֲמִשָּׁה מֵאָה וּמֵאָה מִכֶּם רְבָבָה יִרְדֹּפוּ וְנָפְלוּ אֹיְבֵיכֶם לִפְנֵיכֶם לֶחָרֶב׃

Cinco de vós perseguirão a cem. E cem poriam em fuga a dez mil. E isso não porque o povo de Israel fosse formado de poderosos gigantes, mas porque Israel infundiria o terror no coração de todos os seus adversários. Cf. algo similar, dito em Deuteronômio 32.30. Ali, *um* israelita desbarataria mil inimigos, e somente *dois* fariam a mesma coisa a dez mil.

> *Caiam mil ao teu lado, e dez mil à tua direita;*
> *tu não serás atingido.*
>
> Salmo 91.7

Ver também Josué 23.10 e Isaías 30.17 quanto a sentimentos similares. Quanto a exemplos de como Israel, com pequenos números, obteve retumbantes vitórias, ver Josué 7.21,22; 1Samuel 14.13,14; 2Samuel 23.8-16.

■ 26.9

וּפָנִיתִי אֲלֵיכֶם וְהִפְרֵיתִי אֶתְכֶם וְהִרְבֵּיתִי אֶתְכֶם וַהֲקִימֹתִי אֶת־בְּרִיתִי אִתְּכֶם׃

Este versículo sumaria as promessas agrícolas que já haviam sido feitas. Ver os vss. 4 e 5. "Para vós outros olharei", indica como Deus seria favorável aos filhos de Israel. Cf. 2Reis 13.23; Salmo 25.16; 69.17. O segredo de todo sucesso era o olhar de favorecimento de Yahweh; e Deus olhava favoravelmente para seu povo quando eles se mostravam obedientes a ele.

... vos multiplicarei. Essa porção deste versículo contém uma das principais promessas própria do *Pacto Abraâmico* (ver as notas expositivas a respeito em Gn 15.18). Israel haveria de multiplicar-se como as estrelas do céu, ou como as partículas de areia do mar. Ver Gênesis 12.2; 13.16; 15.5; 22.17 e Êxodo 23.26 quanto a essa promessa.

■ 26.10

וַאֲכַלְתֶּם יָשָׁן נוֹשָׁן וְיָשָׁן מִפְּנֵי חָדָשׁ תּוֹצִיאוּ׃

Comereis o velho da colheita anterior. Temos aí alusão a armazéns. Haveria onde guardar muito cereal e outros produtos agrícolas. Esses armazéns nunca se esvaziariam. A fim de serem armazenados produtos novos, os restos de safras anteriores precisariam ser todos usados. Os estoques ficariam velhos devido à grande abundância reinante. Um armazém vazio é um símbolo de escassez. O problema de Israel não seria a escassez, e, sim, onde armazenar tão grandes quantidades de produtos alimentícios.

Conforme Jarchi e Kimchi deixaram escrito, o cereal "velho" era aquele que já tinha três anos ou mais de colhido (ver *Sepher Shorash*). Não haveria necessidade de os israelitas comerem parcimoniosamente, com medo de algum período de fome futura (ver Pv 11.26).

Tipologia. Embora todo este capítulo nada diga a respeito de bênçãos espirituais, incluindo aquelas próprias de além-túmulo, contudo, de acordo com a tipologia bíblica, entendemos que teremos sempre bênçãos materiais, a fim de que, desfrutando de toda a abundância em todas as coisas, possamos dedicar-nos a toda boa obra (ver 2Co 9.11). E uma vez *enriquecidos*, podemos usar de grande *generosidade* com os nossos semelhantes, conforme a versão inglesa RSV traduz esse versículo. Essas coisas representam as bênçãos espirituais pertencentes à salvação. (Ver no *Dicionário* o artigo chamado *Salvação*.) Mostrar-nos generosos com nossos semelhantes, por meio da abundância que usufruímos, é um labor espiritual, visto ser uma expressão da lei do amor. Ver no *Dicionário* o verbete *Amor*.

■ 26.11

וְנָתַתִּי מִשְׁכָּנִי בְּתוֹכְכֶם וְלֹא־תִגְעַל נַפְשִׁי אֶתְכֶם׃

Nesse tempo, o tabernáculo já havia sido erigido. Mas o tabernáculo era apenas um objeto material. Contudo, a *presença de Yahweh* já se achava ali e em outros lugares com o povo de Israel, garantindo toda variedade de bênçãos, espirituais e materiais. Os obedientes dentre eles seriam amados, e não odiados; mas os desobedientes seriam odiados, e não amados. A presença divina servia de garantia de prosperidade e bem-estar, tanto material quanto espiritual. O *tabernáculo* terreno (ver a esse respeito no *Dicionário*) provia um local físico onde Deus manifestava a sua *presença*, mormente no Santo dos Santos, onde ficava a arca da aliança. Ver a planta baixa do tabernáculo, nas notas introdutórias a Êxodo 26.1. Cf. Levítico 15.31. Diz o Targum de Jonathan: "Porei entre vós a glória shekinah". Ver no *Dicionário* o artigo intitulado *Shekinah*. Cristo, em quem reside toda a plenitude de Deus, é a verdadeira glória shekinah entre os homens. Ver João 1.14; Colossenses 2.9; Hebreus 8.2. Cf. os sentimentos que Paulo exprimiu em 2Coríntios 6.16-18 e 7.1. É possível que ele tenha tido em mente esta passagem de Levítico, quando escreveu as palavras daqueles trechos de 2Coríntios.

■ 26.12

וְהִתְהַלַּכְתִּי בְּתוֹכְכֶם וְהָיִיתִי לָכֶם לֵאלֹהִים וְאַתֶּם תִּהְיוּ־לִי לְעָם׃

Andarei entre vós. Essas palavras equivalem a acompanharei; serei vosso companheiro; abençoarei mediante contato pessoal; estarei interessado e ajudarei a vida diária de vocês. Paulo citou essa promessa em 2Coríntios 6.16. "A presença contínua de Deus, no meio do povo de Israel, conforme se manifestava em sua glória no tabernáculo, era uma bênção extra de sua fidelidade ao pacto firmado com Israel (vs. 11). Deus chegou mesmo a prometer que andaria com o seu povo, conforme fez com os patriarcas antigos (ver Gn 5.22,24; 6.9; 17.1; 24.40 e 48.15)" (F. Duane Lindsey, *in loc.*). Ver também 2Samuel 7.6, que reflete familiaridade e comunhão entre Deus e seu povo antigo.

■ 26.13

אֲנִי יְהוָה אֱלֹהֵיכֶם אֲשֶׁר הוֹצֵאתִי אֶתְכֶם מֵאֶרֶץ מִצְרַיִם מִהְיֹת לָהֶם עֲבָדִים וָאֶשְׁבֹּר מֹטֹת עֻלְּכֶם וָאוֹלֵךְ אֶתְכֶם קוֹמְמִיּוּת׃ פ

Eu sou o Senhor vosso Deus. Essa é uma expressão frequente que aparece no *Código de Santidade* (Lv 17—22). Ela é usada para ressaltar alguma declaração e emprestar-lhe solenidade e autoridade. Ver as notas a respeito em Levítico 18.30. Yahweh, o Deus de Israel, foi aquele que tirara o seu povo da servidão aos egípcios, pondo fim à vida miserável que ali levavam. Esse fato era agora salientado para servir de incentivo, com base na gratidão, infundindo nos israelitas o senso de *obediência*. As bênçãos divinas eram múltiplas; foram ilustradas de vários modos. No passado, sob a forma de livramento da servidão; no presente, mediante condições favoráveis de plantio, e de muita abundância na Terra Prometida, sob a forma de rica produção agrícola.

Quebrei os timões do vosso jugo. Estão em vista certas peças de madeira que desciam do jugo, de cada lado da cabeça do animal, presas por meio de correias. Visto que o aparelho era feito formando uma peça pesada, o animal ficava aprisionado dentro dele. Metaforicamente, Deus quebrou esses símbolos da escravidão ao Egito.

Vários apelos ao livramento da servidão egípcia, e por diversos motivos, pontuam periodicamente o texto do livro de Levítico. Cf. Levítico 11.45; 18.3; 19.34,36; 22.33; 23.43; 25.38,42,55; 26.45. Ver outro paralelo em Ezequiel 34.27. Existem 22 paralelos entre este capítulo de Levítico e o livro de Ezequiel. Ver sobre essa questão na introdução a este capítulo.

MALDIÇÕES PARA OS DESOBEDIENTES (26.14-45)

■ 26.14

וְאִם־לֹא תִשְׁמְעוּ לִי וְלֹא תַעֲשׂוּ אֵת כָּל־הַמִּצְוֹת הָאֵלֶּה:

As maldições contra os desobedientes, aqueles que negligenciassem ou desobedecessem à legislação mosaica, eram orientadas *materialmente*, tal como se dava nas bênçãos para os obedientes. Ver os comentários a esse respeito nas notas sobre o primeiro parágrafo da introdução a este capítulo. Nenhuma vida além-túmulo bem-aventurada é prometida aos obedientes; e nada de punição, após esta vida, ameaça os desobedientes. A doutrina da alma imortal só entrou no judaísmo no tempo dos Salmos e dos Profetas, e mesmo ali ela não figura ainda de forma bem definida. Foi somente nos livros apócrifos e pseudepígrafos que essa doutrina foi mesmo desenvolvida. Ver na *Enciclopédia de Bíblia, Teologia e Filosofia* o verbete chamado *Imortalidade*. Apresento vários artigos sobre esse assunto, naquele ponto.

A Metáfora dos Ouvidos Moucos. Isso é repetido nos vss. 18, 21, 23 e 27. Ver também a metáfora daquele que não anda corretamente, nas notas sobre o vs. 21 deste capítulo.

O homem cujos ouvidos foram fechados, que não é capaz de ouvir a voz de Yahweh, esse se acha em grande dificuldade, que os versículos que se seguem descrevem com grandes detalhes. Ver as notas sobre o vs. 15. Um israelita tinha a obrigação de *saber* o que Moisés havia ensinado, embora os preceitos deste fossem quase intermináveis, e algumas vezes (aparentemente) opressivos. *Sabendo*, ele precisava obedecer. Ver no *Dicionário* o verbete chamado *Anti-intelectualismo*. Um israelita precisava saber, precisava estudar, a fim de ser capaz de obedecer eficazmente à legislação mosaica. Pessoas intelectualmente preguiçosas fogem para um misticismo barato, como se fosse a única base de sua fé religiosa. Ver no *Dicionário* o artigo intitulado *Misticismo*. Por outra parte, as pessoas que apenas estudam perdem a oportunidade de ter experiências místicas verdadeiras e benéficas. Tanto o estudo quanto a experiência com a presença de Deus são necessários para uma experiência religiosa plena.

■ 26.15

וְאִם־בְּחֻקֹּתַי תִּמְאָסוּ וְאִם אֶת־מִשְׁפָּטַי תִּגְעַל נַפְשְׁכֶם לְבִלְתִּי עֲשׂוֹת אֶת־כָּל־מִצְוֹתַי לְהַפְרְכֶם אֶת־בְּרִיתִי:

Desobedecer, ignorar ou desprezar a legislação mosaica era, ao mesmo tempo, rejeitar os pactos estabelecidos por Yahweh, como o Pacto *Abraâmico* (ver Gn 15.18) e o pacto *mosaico* (ver a introdução ao capítulo 19 de Êxodo). Era rejeitado o yahwismo com todas as suas implicações. Isso era equivalente a nem ser um hebreu, e ter-se aliado ao paganismo.

"Se me não ouvirdes", no vs. 14 (ou seja, deixar de obedecer), é uma frase que ocorre por cinco vezes nesta passagem, introduzindo seções. Ver os vss. 14,18,21,23,27. E então Yahweh dizia: "Vou enviar esta ou aquela maldição", e isso contra os desobedientes.

Ver o gráfico nas notas sobre Amós 4.6, quanto aos vários tipos de *castigo* que poderiam atingir os desobedientes. Informações sobre esse gráfico são extraídas dos livros de Levítico, Deuteronômio e Amós. A desobediência a Deus atraía enfermidades físicas e mentais; desastres agrícolas; ataques por parte de inimigos; derrotas de toda forma por parte de adversários, incluindo a matança da guerra. Mas o autor sagrado nunca se refere a nenhum juízo para além do sepulcro. Ver sobre isso na introdução ao versículo 14 deste capítulo, bem como na introdução ao capítulo 14.

... se aborrecer. Visto que os desobedientes tinham cometido uma profunda apostasia e se tinham afastado para longe da misericórdia de Deus, desprezando os mandamentos do Senhor.

"...um pecado agravado: negligenciar ouvir (vs. 14) os mandamentos do Senhor é algo muito ruim; não pô-los em prática ainda é pior; tratá-los com desprezo é ainda pior; mas 'se aborrecer dos meus juízos' é a pior coisa de todas" (John Gill, *in loc.*). Cf. Êxodo 24.7.

A Lei e as Palavras que a Expressam:
1. *Estatutos.* Algo especificamente *definido* e que precisava ser feito ou não. No hebraico, *chukkoth*.
2. *Juízos.* Algo destacado como uma *regra* ou *determinação*. No hebraico, *shaphatim*.
3. *Mandamentos.* Algo exigido ou ordenado por parte de algum legislador. No hebraico, *mitsvoth*.
4. *Aliança.* Um pacto feito entre pessoas; concebido como algo capaz de purificar, capaz de *separar* pessoas para serem diferentes. No hebraico, *berith*.

Outras palavras que não figuram no vs. 15:
5. *Testemunhos.* Algo que *ultrapassava*, referindo-se às leis rituais que iam além da legislação original. No hebraico, *edoth*.
6. *Ordenanças.* Algo que guardava em segurança, que *vigiava*. Apontava para aqueles elementos da legislação que exortavam os homens a vigiar seus caminhos, mantendo o coração nos caminhos de Yahweh. No hebraico, *mishmaroth*.
7. *Preceitos.* Cuidar, *prestar atenção a*, visitar. Fica entendido como algo que cuidava da espiritualidade dos homens, pois ficava alerta a observar os atos humanos. No hebraico, *pikkudim*.
8. *Verdade.* Aquilo que dá apoio, que *confirma*, que sustenta. No hebraico, *emeth*.
9. *Palavra do Senhor.* Suas palavras de instrução e orientação; Suas *exigências*, aquilo que ele produz a fim de nos guiar. No hebraico, *dabar*.
10. *Fala.* Aquilo que se espalha, dando detalhes. No hebraico, *imrah*.
11. *Justiça.* O ato de usar pesos justos e medidas certas. No hebraico, *tsedakah*.
12. *Lei.* Os ensinos *tradicionais* da lei, com seus ritos e requisitos, o sistema legislativo inteiro, no hebraico, *torah*.

Mediante esses termos, são expostas no Antigo Testamento a variedade, a propriedade e a autoridade da legislação mosaica.

■ 26.16

אַף־אֲנִי אֶעֱשֶׂה־זֹּאת לָכֶם וְהִפְקַדְתִּי עֲלֵיכֶם בֶּהָלָה אֶת־הַשַּׁחֶפֶת וְאֶת־הַקַּדַּחַת מְכַלּוֹת עֵינַיִם וּמְדִיבֹת נָפֶשׁ וּזְרַעְתֶּם לָרִיק זַרְעֲכֶם וַאֲכָלֻהוּ אֹיְבֵיכֶם:

Então eu vos farei isto. Temos aqui as "ameaças do Senhor". Os desobedientes em Israel tinham de enfrentar uma grande variedade de juízos divinos:

1. *Terror.* Essa palavra vem do termo hebraico que significa *nomear*. Deus nomearia para eles toda forma de terror inesperado, como acidentes, guerras e enfermidades.
2. *Tísica.* Alguma forma de atrofia da carne ou dos órgãos vitais. Os intérpretes, alguns dos quais falam em tuberculose pulmonar, não conseguem identificar alguma enfermidade específica, mas sem dúvida estão em pauta enfermidades degenerativas.
3. *Febre ardente.* Infecções que provocam febres. Os antigos, que desconheciam os antibióticos, ficaram à mercê das infecções e das febres resultantes. O sistema de imunização biológica falhava, e as pessoas morriam em massa.
4. *Semente semeada em vão.* Enquanto aos obedientes era prometida abundante produção agrícola, as plantações dos desobedientes fracassariam, causando escassez e, talvez, até mesmo a inanição. E mesmo que os desobedientes conseguissem ter bons campos plantados, inimigos invadiriam os campos e roubariam seus produtos. Fosse como fosse, eles semeariam *debalde*.

Resultados. A luz de seus *olhos* desapareceria, devido à tristeza profunda que sofreriam. Cf. Deuteronômio 28.65 e 1Samuel 2.33. Está em foco alguma enfermidade literal, física, ocular, embora alguns estudiosos interpretem metaforicamente a questão. O *espírito* sucumbiria em meio a tantas reversões da sorte e enfermidades. Talvez estejam em foco os distúrbios mentais, porém o mais provável é que esteja em pauta um profundo desânimo do espírito. A própria vida diária tornava-se uma carga insuportável para aqueles que estivessem vivendo em meio a tantas misérias.

26.17

וְנָתַתִּ֤י פָנַי֙ בָּכֶ֔ם וְנִגַּפְתֶּ֖ם לִפְנֵ֣י אֹיְבֵיכֶ֑ם וְרָד֤וּ בָכֶם֙ שֹֽׂנְאֵיכֶ֔ם וְנַסְתֶּ֖ם וְאֵין־רֹדֵ֥ף אֶתְכֶֽם׃ ס

Quanto à ideia de Yahweh voltar seu rosto contra alguém, por ter-lhe desagradado, ver Levítico 17.10. A metáfora do *rosto iracundo* ocorre em vários lugares. Ver também Levítico 20.3,5. As notas em Levítico 17.10 fornecem outros detalhes.

Sereis feridos diante de vossos inimigos. Uma das ameaças era a derrota em ações militares. Os desobedientes haveriam de colher sua maldade sob a forma de guerras e conflitos contínuos. Mas mesmo quando não estivessem sendo sujeitados a tais calamidades, eles correriam por nada, pois estariam vivendo em temor constante. Seus adversários haveriam de derrotá-los e escravizá-los. Aqueles que não quisessem perder a vida perderiam a liberdade, uma espécie de *morte em vida*. Em vez de estarem em companhia de seus amados, estariam sempre com aqueles que os *odiavam*, sofrendo de uma contínua opressão por parte deles. Cf. Números 14.2; Deuteronômio 1.42; 28.25; Ezequiel 29.15 e 34.4. Note-se o leitor os paralelos com o livro de Ezequiel. Neste capítulo 26 de Levítico, há 22 desses paralelos. Ver a respeito disso na introdução a este capítulo.

Alguns estudiosos pensam que estão em pauta os *cativeiros*, quando essas ameaças tiveram cumprimento cabal. Ver no *Dicionário* o artigo chamado *Cativeiro (Cativeiros)*. Note-se o contraste entre os vss. 17 e 18 deste capítulo (onde aparecem as promessas feitas aos obedientes em Israel).

26.18

וְאִ֨ם־עַד־אֵ֔לֶּה לֹ֥א תִשְׁמְע֖וּ לִ֑י וְיָסַפְתִּי֙ לְיַסְּרָ֣ה אֶתְכֶ֔ם שֶׁ֖בַע עַל־חַטֹּאתֵיכֶֽם׃

Tornarei a castigar-vos sete vezes mais. Os juízos divinos, uma vez descarregados contra os desobedientes, haveriam de despertá-los. O juízo e os sofrimentos haveriam de remediar a situação deles, e não apenas castigá-los por causa das maldades cometidas. Esses artigos tinham por propósito fazê-los "ouvir", se todas as providências anteriores tivessem falhado. Assim, o vs. 14 introduz as ameaças como uma convocação para que *ouvissem*. Yahweh haveria de forçá-los a dar-lhe ouvidos, e isso para o bem deles, e não por querer tirar vingança dos pecados deles. Isso posto, todos os juízos de Deus são remediais, incluindo os juízos divinos contra os perdidos. Ver no *Dicionário* o verbete chamado *Julgamento de Deus dos Homens Perdidos*, quanto a uma ilustração desse princípio. Sem dúvida, Orígenes estava com razão ao afirmar que ver os juízos divinos como meramente retributivos é rebaixar-se e aceitar uma teologia inferior. O trecho de 1Pedro 4.6 ensina um julgamento remedial para os perdidos, da mesma forma que o trecho de Hebreus 12.5-8 ensina juízos remediais para os remidos.

Negligência. Essa atitude aumenta os julgamentos divinos, conforme é dito aqui. A miséria dos israelitas aumentaria sete vezes mais. Ver no *Dicionário* o artigo *Número (Numeral, Numerologia)*, acerca do número sete, símbolo de perfeição, de algo completo, de cumprimento. Em um castigo abundante haveria um abundante *incentivo* para o arrependimento diante dos pecados cometidos. Ver também, no *Dicionário*, o verbete *Pecado*. Cf. Jó 5.19 e Lucas 17.4. A noção de deixar de *ouvir* é reiterada por cinco vezes, nos vss. 14, 18, 21, 23 e 27.

26.19

וְשָׁבַרְתִּ֖י אֶת־גְּא֣וֹן עֻזְּכֶ֑ם וְנָתַתִּ֤י אֶת־שְׁמֵיכֶם֙ כַּבַּרְזֶ֔ל וְאֶֽת־אַרְצְכֶ֖ם כַּנְּחֻשָֽׁה׃

A soberba da vossa força. Por trás do poder arrogante dos homens encontra-se o seu orgulho. Quebrar esse poder é quebrar o seu orgulho. Miséria e desastre prolongado arrancam do pecador arrogante o seu orgulho. Uma das principais características do pecado é que este gera a arrogância, e a arrogância é apenas uma variação do orgulho. Por isso, os pecadores são caracteristicamente arrogantes e orgulhosos. Eles estão certos de que estão agindo corretamente. E também têm a certeza de que coisa alguma é capaz de prejudicá-los. E é somente quando sua sorte se reverte que eles *começam* a voltar ao bom senso. Os grandes assassinos, que matam a torto e a direito, choram quando sua vida é ameaçada. Os criminosos, quando chega o momento de serem executados, pedem que seus executores tenham misericórdia, em nome de Deus. No entanto, nem se lembravam de Deus quando, com grande afã, se dispunham a matar seus semelhantes. O próprio Satanás caiu devido ao seu pecado de orgulho, porquanto chegou a imaginar-se igual ao Deus Altíssimo. Ver Isaías 14.12 ss. Ver na *Enciclopédia de Bíblia, Teologia e Filosofia* o artigo chamado *Orgulho*.

Por outro lado, poder, riquezas e posição social elevada geram o orgulho. Esse é um círculo vicioso que serve de armadilha para os ímpios. Cf. Ezequiel 30.6; 33.28 quanto a paralelos com o presente versículo, e ver também a introdução ao capítulo quanto a como o livro de Ezequiel tem muitos paralelos com o capítulo 26 de Levítico.

Nos dias do segundo templo, a palavra "poder", usada neste versículo, era metaforicamente entendida como "santuário". Esse é o sentido de Ezequiel 24.21, e, talvez, esse seja o sentido da palavra, neste versículo. Poderiam estar em pauta a fé religiosa falsa ou formas diversas de idolatria. Mas vários Targuns ou comentários dos judeus opinam que a palavra *poder* aponta para o templo de Jerusalém, destruído primeiramente por Nabucodonosor e depois pelos romanos. A desobediente nação de Israel, pois, perdeu seu poderoso santuário, no qual confiavam debalde, para que os livrasse de desastres, *apesar* de seus pecados contínuos.

Os céus sejam como ferro. Em lugar de ser a fonte das chuvas, das quais dependem toda vida e toda agricultura, os céus ficariam duros como o ferro. Além disso, nenhuma oração chegaria até Yahweh. As orações, por assim dizer, apenas reverberariam contra a cúpula de ferro do firmamento.

A vossa terra como bronze. O solo, que deve produzir se os homens tiverem de sobreviver, se tornaria como o bronze, incapaz de absorver a água e qualquer semente ali plantada. Daí resultariam a escassez e a fome. Ver Deuteronômio 28.23 quanto à mesma metáfora, mas onde os metais aparecem na ordem inversa.

26.20

וְתַ֥ם לָרִ֖יק כֹּחֲכֶ֑ם וְלֹא־תִתֵּ֤ן אַרְצְכֶם֙ אֶת־יְבוּלָ֔הּ וְעֵ֣ץ הָאָ֔רֶץ לֹ֥א יִתֵּ֖ן פִּרְיֽוֹ׃

Vossa terra não dará a sua messe. A agricultura é uma ocupação trabalhosa, especialmente quando praticada sem as máquinas modernas. Mas os israelitas desobedientes, embora desgastassem suas forças em um labor cansativo, não obteriam resultados positivos.

Contraste-se essa situação com as bênçãos prometidas aos israelitas obedientes, onde lhes foi assegurada uma agricultura próspera (vss. 4 ss.). Uma larga porção da Palestina era composta de terras aráveis, a despeito do deserto circundante. Ali havia várias espécies de árvores frutíferas, como figos, romãs, uvas etc. Apesar das vantagens das terras, os filhos de Israel desobedientes haveriam de passar fome. Ver o trecho de Deuteronômio 11.17, que também ameaça com desastres agrícolas, mais ou menos nos mesmos termos que achamos nesta passagem.

26.21

וְאִם־תֵּֽלְכ֤וּ עִמִּי֙ קֶ֔רִי וְלֹ֥א תֹאב֖וּ לִשְׁמֹ֣עַֽ לִ֑י וְיָסַפְתִּ֤י עֲלֵיכֶם֙ מַכָּ֔ה שֶׁ֖בַע כְּחַטֹּאתֵיכֶֽם׃

E não me quiserdes ouvir. Essas palavras foram dirigidas a desobedientes potenciais. Esses costumam "andar na direção contrária". Aqui é reiterado, em sua substância, o vs. 14 deste capítulo. *Não ouvir* é expressão usada por *cinco* vezes neste capítulo. Ver os vss. 14, 18, 21, 23 e 27. A metáfora do ato de *andar* é comum no Antigo e no Novo Testamento, como também em várias literaturas de fundo ético. Ver no *Dicionário* o artigo chamado *Andar*, no tocante a completas explicações a respeito. Além de ser um ato progressivo e produtivo, o ato de andar também é uma série de *quedas interrompidas* pelo passo seguinte, e isso sem dúvida caracteriza a vida moral da vasta maioria dos seres humanos.

A *metáfora do andar ao contrário* aparece nos vss. 21, 23, 24, 27, 28, 40 e 41 deste capítulo.

O ouvinte desatento e aquele que caminha ao contrário são ameaçados com um aumento, *sete vezes* maior, de pragas e castigos, conforme já vimos nas notas sobre o vs. 18 deste capítulo. Yahweh estava resolvido a *remediar* a vida dos desobedientes, e não apenas puni-los por suas infrações. Quanto a esse princípio remediador, ver as notas expositivas sobre o vs. 18 deste capítulo.

26.22

וְהִשְׁלַחְתִּ֨י בָכֶ֜ם אֶת־חַיַּ֤ת הַשָּׂדֶה֙ וְשִׁכְּלָ֣ה אֶתְכֶ֔ם
וְהִכְרִ֙יתָה֙ אֶת־בְּהֶמְתְּכֶ֔ם וְהִמְעִ֖יטָה אֶתְכֶ֑ם וְנָשַׁ֖מּוּ דַּרְכֵיכֶֽם׃

As feras do campo. Esses animais selvagens atacariam os israelitas desobedientes. Eles devorariam animais domésticos, mas também fariam vítimas entre a população humana. A Palestina dispunha de boa parcela de animais volumosos, como o urso, o leão e o lobo. Todas essas espécies constituíam uma ameaça, porquanto aumentavam enormemente em números, algumas vezes fugindo ao controle dos homens. Figuradamente, porém, alguns viam aqui povos inimigos de Israel, como os assírios e os babilônios, que desciam como se fossem hordas de animais ferozes, destruindo e levando em cativeiro aos filhos de Israel. Ver Êxodo 23.29; Deuteronômio 32.24; 2Reis 17.25; Isaías 13.21,22; Ezequiel 14.15, quanto a trechos paralelos deste texto.

Na literatura mórmon conta-se uma história lamentável sobre uma ocasião em que os mórmons, tentando chegar ao vale do Lago Salgado, naquilo que agora é o Estado de Utah, nos Estados Unidos da América, encontraram muitos problemas com os animais selvagens, que virtualmente infestavam a parte ocidental da América do Norte, antes de o homem branco chegar ali. Em um momento de descuido, um garoto que fazia parte do grupo foi atacado por um lobo, foi morto e parcialmente devorado. Grandemente consternados, seus familiares tomaram o que restava do cadáver do menino e o sepultaram no deserto. E, então, o grupo seguiu adiante, deixando no deserto aquela cena miserável de um sepulcro isolado. No entanto, alguns anos mais tarde, o pai do garoto passou por uma experiência de quase morte. E, estando ele naquele estado, vários espíritos lhe apareceram, *incluindo* o espírito do menino que o lobo havia matado. Voltando do estado de quase morte, o pai foi capaz de garantir à mãe do rapazinho, bem como ao resto da família, que seu amado filho ainda estava vivo! Grandes são a misericórdia e o amor de Deus. A vida se assenhoreia da morte. Ver na *Enciclopédia de Bíblia, Teologia e Filosofia* o verbete *Experiências Perto da Morte*.

Os vossos caminhos se tornarão desertos. Cerca de 42 estradas antigas riscavam o mapa da antiga Palestina. Eram artérias por onde passavam o comércio e as riquezas. Mas o castigo divino haveria de deixar vazias essas estradas.

26.23

וְאִ֨ם־בְּאֵ֔לֶּה לֹ֥א תִוָּסְר֖וּ לִ֑י וַהֲלַכְתֶּ֥ם עִמִּ֖י קֶֽרִי׃

Já pudemos examinar a questão dos *juízos remediais*, no vs. 18. E aqui, uma vez mais, descobrimos o fato de que esses juízos divinos têm por escopo remediar a vida dos pecadores, e não meramente puni-los devido aos seus erros. A versão inglesa da Bíblia, RSV, usa aqui a palavra "disciplina". Essa disciplina tinha por propósito mudar a maneira de andar dos israelitas desobedientes. Isso está em consonância com o ensino bíblico de que Deus é amor, o grande Benfeitor de toda a humanidade. Não obstante, algumas vezes os desobedientes resolvem fixar-se em sua conduta errada, sendo essa a atitude que nosso texto descreve como *andardes contrariamente a mim*. Quanto a essa metáfora do *andar* de modo contrário a Yahweh, ver os comentários sobre o vs. 21 deste capítulo. Em lugar de se corrigirem e emendarem, eles só sentem prazer em sua perversidade. Essas pessoas amam os seus pecados. E até se ufanam deles. E assim cometem habitualmente os seus erros, como uma maneira de viver. Essa atitude só pode resultar em desastre.

26.24

וְהָלַכְתִּ֧י אַף־אֲנִ֛י עִמָּכֶ֖ם בְּקֶ֑רִי וְהִכֵּיתִ֤י אֶתְכֶם֙ גַּם־אָ֔נִי
שֶׁ֖בַע עַל־חַטֹּאתֵיכֶֽם׃

Eu também serei contrário a vós. O Senhor passaria a mostrar-se adverso aos que teimassem em andar em seus caminhos pecaminosos, e isso como uma atitude sua. Temos aí retribuição *à altura*, uma espécie de divina *Lex Talionis* (ver sobre esse princípio no *Dicionário*).

Os juízos divinos se intensificariam *sete vezes* mais, algo que já fora dito nos vss. 18 e 21 deste capítulo, onde o leitor também deveria examinar as notas expositivas. A metáfora do "andar ao contrário" é repetida no vs. 28 deste capítulo, com sua ameaça de castigo sete vezes maior.

26.25

וְהֵבֵאתִ֨י עֲלֵיכֶ֜ם חֶ֗רֶב נֹקֶ֙מֶת֙ נְקַם־בְּרִ֔ית
וְנֶאֱסַפְתֶּ֖ם אֶל־עָרֵיכֶ֑ם וְשִׁלַּ֤חְתִּי דֶ֙בֶר֙ בְּת֣וֹכְכֶ֔ם
וְנִתַּתֶּ֖ם בְּיַד־אוֹיֵֽב׃

Este capítulo, como é óbvio, retrata Israel como se já estivesse vivendo em seu território pátrio, pelo que é um anacronismo. Alguns eruditos opinam que o autor sagrado escreveu *profeticamente*, considerando aquele tempo futuro quando Israel já tivesse ocupado a Terra Prometida, já estivesse vivendo em suas cidades, e, então, fosse atacado por exércitos externos, incluindo os assírios e os babilônios, que acabaram por levá-los para o cativeiro. Ver no *Dicionário* o artigo intitulado *Cativeiro (Cativeiros)*. O fato de que os israelitas haveriam de obter êxito na conquista da Terra Prometida, expelindo as sete nações gentílicas que então a ocupavam (ver Êx 33.2), não servia de garantia de que as coisas sempre correriam favoravelmente aos filhos de Israel. Bem pelo contrário, o pecado haveria de estragar tudo, e os desobedientes não gozariam de um minuto de paz. Haveria ataques e cercos contínuos, matança e morte permanente. O pecado haveria de realizar sua obra deletéria.

A espada vingadora da minha aliança. Em outras palavras, embora o povo de Israel tivesse firmado um pacto com o Senhor, se os israelitas fossem desobedientes, então seriam *castigados* por sua desobediência, em lugar de serem protegidos em face da aliança. Se Israel viesse a ser um povo que quebrasse seu acordo com Deus, então mereceriam o castigo que viessem a receber. Ver as notas sobre o *Pacto Abraâmico*, em Gênesis 15.18, e sobre o *pacto mosaico*, nas notas de introdução ao capítulo 19 do livro de Êxodo.

A *vingança* seria um fato inescapável, como parte integral dos pactos divinos, *se* estes não fossem obedecidos, *se* suas estipulações não fossem satisfeitas. Privilégios negligenciados produziriam desastre. Está particularmente em foco o pacto estabelecido ao pé do monte Sinai, o lugar de terror. A questão revestia-se da maior seriedade. A lei mosaica era resultante do pacto mosaico e servia de âmago mesmo desse pacto. A lei mosaica, uma vez quebrada, resultava em calamidade.

Nas vossas cidades. As tropas de Israel, derrotadas em campo de batalha, haveriam de abrigar-se nas suas cidades fortificadas. Ali encontrariam defesa por causa da espada. Mas Yahweh lhes enviaria a peste e a fome, de tal modo que aqueles que não tivessem perecido à espada seriam ceifados por meio de outras calamidades. Debilitados pela fome e pelas enfermidades, os poucos defensores das cidades fortificadas que restassem teriam de render-se aos seus inimigos. Os poucos que restassem nas cidades seriam mortos ou levados cativos.

26.26

בְּשִׁבְרִ֣י לָכֶם֮ מַטֵּה־לֶחֶם֒ וְ֠אָפוּ עֶ֣שֶׂר נָשִׁ֤ים לַחְמְכֶם֙
בְּתַנּ֣וּר אֶחָ֔ד וְהֵשִׁ֥יבוּ לַחְמְכֶ֖ם בַּמִּשְׁקָ֑ל וַאֲכַלְתֶּ֖ם וְלֹ֥א
תִשְׂבָּֽעוּ׃ ס

A mais invencível dificuldade que os israelitas desobedientes teriam de enfrentar seria a falta de alimentos, causadora de *fome* (ver no *Dicionário* o verbete sobre esse assunto). Yahweh haveria de tirar-lhes "o sustento de pão". Cada residência tinha o seu próprio forno;

mas também havia fornos públicos, onde várias mulheres podiam cozer seu pão ao mesmo tempo. Mas este texto aponta para um forno em uma *única casa*. O suprimento alimentar seria tão escasso que *dez* mulheres viriam cozer seu pão em um único forno. Pois a produção seria tão pequena que todos sofreriam fome. O que antes era consumido por uma única família teria de ser dividido entre dez famílias.

Aben Ezra diz-nos que era costumeiro uma dona de casa cozer seu pão uma vez por semana, produzindo pão para toda aquela semana. No Oriente Próximo e Médio preparar o pão era um trabalho feminino típico, incluindo a Palestina (Heródoto, *Polymnia*, 1.4, cap. 187). Ver no *Dicionário* os artigos *Fornos; Fornos de Tijolos* e *Pão*.

■ 26.27

וְאִם־בְּזֹאת לֹא תִשְׁמְעוּ לִי וַהֲלַכְתֶּם עִמִּי בְּקֶרִי:

Os indivíduos arrogantes continuavam arrogantes; os desobedientes tinham feito da desobediência o seu estilo de vida; o pecado multiplicava-se, em vez de diminuir. Os ouvidos dos pecadores continuavam tapados, pelo que não podiam *ouvir*. A metáfora de não dar ouvidos à voz de Yahweh, cuja consequência era continuar contrário a Deus, é repetida por nada menos de *cinco* vezes neste capítulo. Ver os vss. 14, 18, 21, 23 e 27. A metáfora do "andar ao contrário" também pode ser vista nos vss. 21, 23 e 24. E no vs. 24 vemos que, por esse motivo, Deus passaria a andar ao contrário em relação aos que andavam contrários a ele. Ver no *Dicionário* o verbete intitulado *Andar*. Essa metáfora reaparece no vs. 28 deste capítulo, uma vez mais envolvendo Yahweh.

Cada *se* do texto aumenta a lista das ameaças divinas, porque essa preposição condicional mostra-nos que os desobedientes continuavam em sua desobediência. Por essa razão, as ameaças contra os desobedientes são muito mais numerosas do que as bênçãos prometidas aos obedientes. As *bênçãos* ocupam somente os vss. 4-13; e as *maldições* ocupam os vss. 15-43 deste capítulo.

■ 26.28

וְהָלַכְתִּי עִמָּכֶם בַּחֲמַת־קֶרִי וְיִסַּרְתִּי אֶתְכֶם אַף־אָנִי שֶׁבַע עַל־חַטֹּאתֵיכֶם:

Este versículo é virtualmente igual aos vss. 21 e 24, cujas notas também têm aplicação aqui. Este versículo adiciona o enfático "com furor", a fim de intensificar a ameaça. Emoções humanas são assim atribuídas a Yahweh. Mas isso deve-se ao nosso dilema teológico, pois temos de descrever Deus em termos de coisas que sabemos e compreendemos. Ver no *Dicionário* o artigo denominado *Antropomorfismo*.

■ 26.29

וַאֲכַלְתֶּם בְּשַׂר בְּנֵיכֶם וּבְשַׂר בְּנֹתֵיכֶם תֹּאכֵלוּ:

Comereis a carne. Temos aqui a ameaça de *canibalismo*. Repetidos incidentes de canibalismo, ao longo da história, demonstram que as pessoas acabam apelando para comer carne humana. Pessoas chegam a matar outras para comer; ou comem pessoas mortas em algum acidente ou mesmo por causa de alguma enfermidade. Esse terrível acontecimento (também aludido em Dt 28.53-57) aconteceu em Israel, durante o cerco da cidade de Samaria, por parte dos sírios (2Rs 6.28,29). Isso aconteceu de novo durante o cerco de Jerusalém, por parte dos caldeus, o que o profeta Jeremias lamentou amargamente (Lm 4.10; cf. Jr 19.9; Ez 5.10; Zc 11.9). E uma vez mais isso sucedeu quando os romanos, sob o comando de Tito, assediaram Jerusalém. Josefo (*De Bello Jud.* 1.6, cap. 3) diz-nos que até mesmo os endurecidos soldados romanos ficaram horrorizados por encontrarem o corpo meio consumido de uma criança, quando eles tomaram conta da cidade, e que fora comida pela sua própria mãe. Os críticos veem neste versículo uma observação feita após a ocorrência, anotada durante o período da monarquia, ao passo que os conservadores veem aqui uma *profecia*.

O ponto destacado neste versículo é que o desobediente povo de Israel seria reduzido a atos desumanos, a atrocidades inconcebíveis, por causa de sua contínua rebeldia.

■ 26.30

וְהִשְׁמַדְתִּי אֶת־בָּמֹתֵיכֶם וְהִכְרַתִּי אֶת־חַמָּנֵיכֶם וְנָתַתִּי אֶת־פִּגְרֵיכֶם עַל־פִּגְרֵי גִּלּוּלֵיכֶם וְגָעֲלָה נַפְשִׁי אֶתְכֶם:

Destruirei os vossos altos. Uma menção à idolatria. Os israelitas desobedientes acabariam apostatando e promovendo a adoração pagã dos "lugares altos". Ver no *Dicionário* o verbete *Lugares Altos* quanto a notas completas sobre esse tipo de idolatria. O juízo divino cairia diretamente sobre tais pessoas, de tal modo que os corpos inúteis dos apóstatas seriam lançados sobre seus ídolos inúteis, um merecedor do outro. Ver no *Dicionário* o artigo geral acerca da *Idolatria*.

Os *lugares altos* tinham sido lugares onde Yahweh havia sido adorado (ver Jz 6.25,26; 13.16-23; 1Sm 7.10; 1Rs 3.2; 2Rs 12.3), mas acabaram tornando-se locais de idolatria, imitando as práticas dos povos pagãos que viviam à roda de Israel (ver Núm 22.41; 33.52; Dt 12.2; Js 13.17). Esses lugares de adoração idólatra seriam destruídos; os idólatras sofreriam a mesma sorte; os ídolos seriam derrubados e completamente espatifados.

"Quando os israelitas apóstatas sucumbiram diante da espada, da fome e da pestilência, nem ao menos receberam um sepultamento decente. Suas carcaças foram misturadas com os escombros de seus deuses despedaçados" (Ellicott, *in loc.*). Cf. Ezequiel 6.4,5 que é um paralelo bem próximo, havendo nada menos de *22* desses paralelos naquele livro e neste capítulo 26 de Levítico. Ver sobre esse ponto na introdução a este capítulo.

■ 26.31

וְנָתַתִּי אֶת־עָרֵיכֶם חָרְבָּה וַהֲשִׁמּוֹתִי אֶת־מִקְדְּשֵׁיכֶם וְלֹא אָרִיחַ בְּרֵיחַ נִיחֹחֲכֶם:

Os lugares de adoração seriam demolidos, mas outro tanto sucederia às cidades dos israelitas desobedientes, e até mesmo aos santuários onde continuava preservada a adoração a Yahweh. Cf. estas ameaças com o que se lê em Jeremias 4.7; 9.11; Ezequiel 6.6; 12.20; Neemias 2.17. A destruição dos santuários é mencionada em Jeremias 51.51; Ezequiel 21.7; Amós 7.9; Salmo 68.36; 74.7. O autor sagrado enfatiza quão completo seria o aniquilamento. Não seria poupada coisa alguma, profana ou sagrada. Israel, durante a maior parte de sua história, esteve envolvido em guerras. Mas as destruições aqui mencionadas são mais bem ilustradas pelas destruições causadas pelos assírios, pelos babilônios e pelos romanos. Até o templo de Jerusalém foi arrasado, que era motivo de tanto orgulho espiritual para os filhos de Israel. Mas tão profano orgulho acabou perecendo.

Não aspirarei o vosso aroma agradável. Ver as notas em Levítico 1.9 e Êxodo 29.18. O aroma aqui referido é o aroma dos holocaustos, que agradava a Yahweh como se ele estivesse participando das refeições comunais dos israelitas. Deus, pois, não aspiraria mais tal aroma, não se agradaria mais dos holocaustos, porque teria virado a cabeça para longe do culto religioso dos descendentes de Abraão. O autor sagrado usou expressões antropológicas, como modos de expressão fracas, embora necessárias. Ver no *Dicionário* o verbete chamado *Antropomorfismo*.

■ 26.32,33

וַהֲשִׁמֹּתִי אֲנִי אֶת־הָאָרֶץ וְשָׁמְמוּ עָלֶיהָ אֹיְבֵיכֶם הַיֹּשְׁבִים בָּהּ:

וְאֶתְכֶם אֱזָרֶה בַגּוֹיִם וַהֲרִיקֹתִי אַחֲרֵיכֶם חָרֶב וְהָיְתָה אַרְצְכֶם שְׁמָמָה וְעָרֵיכֶם יִהְיוּ חָרְבָּה:

Estes dois versículos reforçam e enfatizam o que foi dito no vs. 31. *Vastas* destruições foram prometidas aos desobedientes. Tão extensas seriam as destruições que até os inimigos de Israel ficariam espantados.

"Os vss. 32,33 e os versículos seguintes indicam familiaridade com a política de *deportação* dos povos conquistados, uma política eficazmente usada pelos assírios (2Rs 17) que anteciparam a conquista de Judá e o exílio dos judeus pelos babilônios, em 597-587 a.C. (Ver os vss. 34, 38, 39, 42, 43 e 44)" (*Oxford Annotated Bible*, acerca do vs. 32). Os críticos, portanto, veem aqui um anacronismo, pois o autor estaria olhando para aquilo que já havia sucedido por ocasião do cativeiro assírio, mas os conservadores veem nisso uma declaração profética. Fosse como fosse, somente tão vastas destruições e deportações poderiam explicar o fraseado desse texto. Guerras comuns não produzem o que está em vista aqui.

Espalhar-vos-ei por entre as nações. E isso por meio de deportação, como nos cativeiros encabeçados pelos assírios, pelos babilônios e pelos romanos. Ver no *Dicionário* o artigo *Cativeiro (Cativeiros)* quanto a completas explicações. O cativeiro assírio pôs fim ao reino do norte, Israel. Dali nunca retornou um remanescente. O cativeiro babilônico não foi tão severo, pois pelo menos voltou um remanescente do reino do sul, Judá. E foi por isso que os hebreus passaram a ser chamados judeus, ou seja, pertencentes à tribo de Judá. O moderno Estado de Israel deriva-se, principalmente, dessa tribo.

Cf. a espantosa cena descrita por Jeremias (ver 9.16; 42.16-18). Cf. também Ezequiel 12.14.

■ **26.34,35**

אָז תִּרְצֶה הָאָרֶץ אֶת־שַׁבְּתֹתֶיהָ כֹּל יְמֵי הָשַּׁמָּה וְאַתֶּם בְּאֶרֶץ אֹיְבֵיכֶם אָז תִּשְׁבַּת הָאָרֶץ וְהִרְצָת אֶת־שַׁבְּתֹתֶיהָ:

כָּל־יְמֵי הָשַּׁמָּה תִּשְׁבֹּת אֵת אֲשֶׁר לֹא־שָׁבְתָה בְּשַׁבְּתֹתֵיכֶם בְּשִׁבְתְּכֶם עָלֶיהָ:

A terra folgará nos seus sábados. Esses dois versículos mostram que Israel não estava observando os anos sabáticos (ver Lv 25.2-7). Essa omissão foi inspirada, sem dúvida, por uma combinação de ganância e temor. As promessas concernentes a um mui produtivo sexto ano (ver Lv 25.16) não impressionavam corações incrédulos. E assim, atividades agrícolas normais continuavam no sétimo ano, ano esse durante o qual não deveria haver nenhum plantio. Podemos supor que o ano do jubileu (Lv 25.8 ss.) também não estivesse sendo observado. Por causa disso, Yahweh tirou vingança. Os israelitas foram deportados e o território de Israel pôde descansar, ou seja, teve seus sábados, na ausência deles. Alguns estudiosos veem aqui os setenta anos do cativeiro babilônico, uma tentativa de oferecer uma exata apreciação sobre a questão. Calcula-se que, dos dias de Saul até aquele cativeiro, se passaram 490 anos. Se Israel negligenciou todos os anos sabáticos, então foi negligenciada essa observância por setenta vezes. Ora, o cativeiro babilônico perdurou por setenta anos exatos. Em outras palavras, o povo de Israel "teve de devolver" tudo quanto devia, estando ausente da terra durante aquele período. Cada ano de exílio correspondeu a um ano sabático que deixara de ser observado. Sem importar se algo tão preciso seja lido no texto ou não, ainda assim o princípio tem aplicação.

Uma vez mais, porém, os críticos veem nisso um anacronismo, pensando que o autor sacro estava olhando de volta para o cativeiro assírio, ao mesmo tempo em que antecipava o cativeiro babilônico. Mas os estudiosos conservadores veem nisso a profecia em operação. Maimônides declarou que foi no fim de um ano sabático que foi destruído o primeiro templo de Jerusalém (*Hilchot Shemitah Vejobel*, cap. 10, sec. 3). Cf. estes versículos com os trechos de Jeremias 34.17 e 2Crônicas 36.21.

■ **26.36**

וְהַנִּשְׁאָרִים בָּכֶם וְהֵבֵאתִי מֹרֶךְ בִּלְבָבָם בְּאַרְצֹת אֹיְבֵיהֶם וְרָדַף אֹתָם קוֹל עָלֶה נִדָּף וְנָסוּ מְנֻסַת־חֶרֶב וְנָפְלוּ וְאֵין רֹדֵף:

Quanto aos que de vós ficarem. Os israelitas que não foram deportados foram poucos, e estrangeiros foram enviados para se misturarem com eles, para que não restasse nenhum hebreu autêntico. Os poucos que foram deixados na Terra Prometida ficaram muito atemorizados, o coração desmaiando. Eles tinham visto um extraordinário julgamento divino em operação. A arrogância deles fora esmagada. Eles tremiam como folhas secas ao vento. Fugiam mesmo quando ninguém os persegue. Eles tinham pesadelos que envolviam a espada e seu poder cortante. Yahweh implantou no coração deles a timidez e o temor. O mais leve ruído os deixava assustados. Eles viviam como se fossem zumbis. Cf. Deuteronômio 28.65-67 e Provérbios 28.1.

■ **26.37**

וְכָשְׁלוּ אִישׁ־בְּאָחִיו כְּמִפְּנֵי־חֶרֶב וְרֹדֵף אָיִן וְלֹא־תִהְיֶה לָכֶם תְּקוּמָה לִפְנֵי אֹיְבֵיכֶם:

Cairão uns sobre os outros. Os que restassem, entre os israelitas desobedientes, haveriam de cair e tropeçar uns contra os outros, mesmo quando nenhum inimigo os estivesse perseguindo. Eles mesmos se perseguiriam e aterrorizariam. Apressar-se-iam para escapar de perigos imaginários. Não teriam nenhuma consideração por familiares ou amigos, pois só estariam pensando na sobrevivência pessoal. Escreveu Aben Ezra: "Não se importarão com parentesco ou amizade, mas cada qual procurará escapar conforme puder". Jarchi interpretou essas palavras como se todos caíssem por causa da iniquidade de seus pais, um desastre comunitário e histórico que não dispensara a ninguém (ver *Torat Cohanim*, Yalk Yalkut, par. 1). Corações arrogantes que antes tinham oferecido resistência a qualquer ataque agora fugiriam diante da própria sombra.

■ **26.38**

וַאֲבַדְתֶּם בַּגּוֹיִם וְאָכְלָה אֶתְכֶם אֶרֶץ אֹיְבֵיכֶם:

Perecereis entre as nações. Os israelitas deportados não achariam uma vida melhor nas terras estrangeiras para onde fossem. Antes, morreriam em terras estrangeiras, sob as mais miseráveis circunstâncias. Tendo sido expulsos da *terra* que Yahweh tinha dado a Abraão e seus descendentes, seriam consumidos pelas terras dos povos pagãos. Ali seriam maltratados, perseguidos e alvos de abusos. E enfermidades poriam fim aos que os homens não tivessem podido exterminar.

O fato de que eles seriam "consumidos" nas terras de seus perseguidores também inclui a ideia de *obliteração* de sua identidade. A mistura com povos pagãos e o fato de que um remanescente nunca retornou à Palestina bastaram para obliterar o reino do norte, Israel, a saber, as dez tribos que se tornaram cativas na Assíria. Jarchi opinava que este versículo se refere a como os israelitas morriam no cativeiro assírio, e é bem provável que isso seja o que está mesmo em destaque. O hebraico diz, literalmente, no começo deste versículo: "ficareis *perdidos* entre os pagãos". Verdadeiramente, era uma causa perdida, um triste *fim* para quase quinhentos anos de vida e existência em Israel. Cf. Deuteronômio 22.3; 1Samuel 9.3,20; Jeremias 1.6; Ezequiel 34.4,16; 36.13; Salmo 119.176.

■ **26.39**

וְהַנִּשְׁאָרִים בָּכֶם יִמַּקּוּ בַּעֲוֹנָם בְּאַרְצֹת אֹיְבֵיכֶם וְאַף בַּעֲוֹנֹת אֲבֹתָם אִתָּם יִמָּקּוּ:

Aqueles que dentre vós ficarem. É provável que a referência aqui seja ao pequeno número de pessoas *não deportadas*, pois o autor sagrado, por assim dizer, voltava aos vss. 36 e 37. Mas talvez um pequeno número deles vivesse por bastante tempo entre os assírios. Sem importar se na própria terra ou no estrangeiro, os poucos sobreviventes viveriam durante o resto de sua vida em circunstâncias muito adversas. Iriam diminuindo gradualmente em número até se dissolverem como cera diante das chamas, e, então, morreriam, por causa de suas iniquidades. Cf. Ezequiel 24.23 e 33.10. Há 22 paralelos entre o capítulo 26 de Levítico e o livro de Ezequiel. Ver a introdução a este capítulo quanto a comentários acerca dessa circunstância.

E pela iniquidade de seus pais. Embora tão severamente castigados, eles prosseguiriam em suas práticas pecaminosas, "enchendo" a taça da iniquidade de seus pais e demonstrando quão justa era a calamidade que sobre eles tinham caído. Cf. Mateus 23.32,33. Ver também Êxodo 20.5. Além de terem de pagar caro por seus próprios pecados, teriam de expiar pelos pecados de seus antepassados, pois eram a *geração terminal*.

■ **26.40**

וְהִתְוַדּוּ אֶת־עֲוֹנָם וְאֶת־עֲוֹן אֲבֹתָם בְּמַעֲלָם אֲשֶׁר מָעֲלוּ־בִי וְאַף אֲשֶׁר־הָלְכוּ עִמִּי בְּקֶרִי:

Mas se confessarem. A confissão e o arrependimento ainda assim poderiam inverter a terrível cadeia de eventos que estava consumindo o povo de Israel, no cativeiro assírio, e o povo de Judá, no cativeiro babilônico. Portanto, o texto apresenta aqui uma "condição", um *se*. E então, logo adiante, são feitas promessas de paz, segurança e bem-estar (vss. 43 ss.). Todavia esse *se* era inútil, porquanto um temível curso de eventos já tinha sido posto em um inexorável movimento. Ninguém haveria de atender aos apelos de Yahweh; nenhum homem faria diferença. Ver no *Dicionário* o artigo intitulado *Arrependimento*. Confessar e dizer "eu estava errado" é o primeiro passo no arrependimento, porquanto mostra uma mudança de coração e o abandono da arrogância que acompanha o pecado habitual.

Israel estava *andando contra* Yahweh. Ver as notas sobre essa metáfora em Levítico 26.21. Neste capítulo, essa metáfora aparece nos vss. 21, 23, 24, 28 e 40. Cf. isso com a metáfora dos ouvidos que não queriam ouvir (cujas notas figuram em Lv 26.14,15). Em razão de o povo de Israel estar andando na contracorrente, em relação a Yahweh, o Senhor também tinha começado a andar em sentido contrário ao de Israel (ver os vss. 24, 28 e 41).

■ 26.41

אַף־אֲנִי אֵלֵךְ עִמָּם בְּקֶרִי וְהֵבֵאתִי אֹתָם בְּאֶרֶץ
אֹיְבֵיהֶם אוֹ־אָז יִכָּנַע לְבָבָם הֶעָרֵל וְאָז יִרְצוּ
אֶת־עֲוֹנָם:

Ver a metáfora do andar ao contrário no vs. 21 deste capítulo. O andar contrário de Yahweh, em oposição aos que andavam contra ele, é mencionado nos vss. 24, 28 e 41. É esse andar contrário que tem sido descrito nos castigos radicais que o povo de Israel haveria de sofrer nos seus cativeiros (vss. 31 ss.).

Se o seu coração incircunciso se humilhar. O coração tão arrogante dos israelitas desobedientes, levando-os a rejeitar a espiritualidade, era semelhante à incircuncisão de coração dos pagãos. Tal coração precisava humilhar-se para poder arrepender-se verdadeiramente. Um arrependimento verdadeiro se fazia necessário para reverter o horrível curso de eventos a que a pecaminosidade constante tinha empurrado os filhos de Israel. Ver no *Dicionário* o verbete chamado *Circuncisão*. A circuncisão era o sinal do Pacto Abraâmico (ver Gn 15.18 e suas notas expositivas), da mesma maneira que a guarda do sábado era o sinal do pacto mosaico (ver notas introdutórias a Êx 19). Ter sido circuncidado era uma promessa de levar um tipo diferente de vida diária, em relação ao que faziam os povos vizinhos de Israel. Mas quando o povo de Israel vivia como seus vizinhos, isso era garantia de desastre próximo. Ver as notas sobre o capítulo 17 do livro de Gênesis para ver como o sinal da circuncisão foi instituído para separar uma nação, um tipo distinto de povo. A desobediente nação de Israel havia anulado espiritualmente o seu pacto com Deus, e terminara dotada de *corações incircuncisos*, apesar do fato de serem literalmente circuncidados. Por isso mesmo, o apóstolo Paulo esclareceu que a verdadeira circuncisão é a do "coração" (Rm 2.29). Ver no *Dicionário* o verbete intitulado *Humildade*.

■ 26.42

וְזָכַרְתִּי אֶת־בְּרִיתִי יַעֲקוֹב וְאַף אֶת־בְּרִיתִי יִצְחָק
וְאַף אֶת־בְּרִיתִי אַבְרָהָם אֶזְכֹּר וְהָאָרֶץ אֶזְכֹּר:

A humildade que resulta no arrependimento seria a chave para inverter as espantosas profecias dos vss. 31 ss. deste capítulo. Essas condições faziam brilhar um raio de esperança quanto ao destino de Israel, revertendo totalmente as profecias ameaçadoras, antes de estas começarem a ter cumprimento. A oração é mais poderosa do que a profecia. Mas geralmente os homens acabam atolados em meandros pecaminosos, e descobrem que é impossível se livrarem sozinhos. O pecado habitual cria hábitos arraigados. Um homem, por abusar de seu livre-arbítrio, acaba sacrificando esse livre-arbítrio, pois sua vontade fica escravizada. Os homens, por meio da rebeldia, tornam-se *incapazes* de reverter essa rebeldia. Esses criam um curso de vida que inevitavelmente os leva até uma destruição bem merecida. Não obstante, Yahweh lhes fizera um oferecimento sincero, mas Israel não aceitou esse oferecimento.

Ó Mestre, deixa-me andar contigo,
Em veredas humildes de serviço voluntário;
Ensina-me o teu segredo, ajuda-me a suportar
A tensão do labor, e toda preocupação.
.....
Em esperança que envia um raio brilhante
No futuro distante do caminho que se alarga;
Em paz como só tu podes dar-me,
Contigo ó Senhor, permite-me viver.

Washington Gladden

As *alianças* de Deus com Jacó, Isaque e Abraão permaneceriam intactas. Israel permaneceria em paz em sua terra. Os cativeiros e suas deportações não teriam lugar. Todas as temíveis profecias dos vss. 31 ss. seriam anuladas. O futuro era plástico. Israel podia fazer com o futuro aquilo que quisesse.

Determinismo? Poderíamos fazer essa pergunta sobre as questões ventiladas nesta passagem. Não teria sido determinado por Deus que Israel fosse levado a cativeiros? Não seriam os cativeiros elementos necessários na história dessa nação? O texto diante de nós fornece a resposta *negativa*. Contudo, podemos encontrar outros textos que subentendem a resposta *positiva*. Um dos mais árduos problemas da filosofia e da teologia é a relação entre o determinismo e o livre-arbítrio. Ver no *Dicionário* os artigos *Determinismo (Predestinação)* e *Livre-Arbítrio*. Ver Êxodo 65.6 e Salmo 106.45 quanto a declarações similares às deste versículo.

■ 26.43

וְהָאָרֶץ תֵּעָזֵב מֵהֶם וְתִרֶץ אֶת־שַׁבְּתֹתֶיהָ בָּהְשַׁמָּה
מֵהֶם וְהֵם יִרְצוּ אֶת־עֲוֹנָם יַעַן וּבְיַעַן בְּמִשְׁפָּטַי מָאָסוּ
וְאֶת־חֻקֹּתַי גָּעֲלָה נַפְשָׁם:

"A solene advertência é aqui reiterada, de que antes de Deus lembrar-se de seu pacto com os patriarcas, relembrando-se da Terra Prometida, esta deveria ser despovoada de seus habitantes rebeldes, desfrutando os sábados que lhes tinham sido negados pelos israelitas. Este versículo, pois, que é substancialmente uma repetição dos vss. 33 e 34, parece ter sido inserido aqui a fim de protestar mais solenemente contra a hediondez dos pecados deles" (Ellicott, *in loc.*).

Israel tinha desprezado os *juízos* e se aborrecido dos *estatutos* que Yahweh lhes havia dado na legislação mosaica. Ver as notas no vs. 15 deste capítulo quanto aos *vários* termos usados para aludir a essa legislação, incluindo os vocábulos usados neste versículo.

■ 26.44

וְאַף־גַּם־זֹאת בִּהְיוֹתָם בְּאֶרֶץ אֹיְבֵיהֶם לֹא־מְאַסְתִּים
וְלֹא־גְעַלְתִּים לְכַלֹּתָם לְהָפֵר בְּרִיתִי אִתָּם כִּי אֲנִי
יְהוָה אֱלֹהֵיהֶם:

Os juízos divinos seriam tão severos que eliminariam, virtualmente, a nação de Israel. Mas como os pactos precisavam ser cumpridos, não haveria uma total extinção. Um remanescente voltaria do cativeiro babilônico, e a nação, agora formada por judaítas (da tribo de Judá, em sua maioria), haveria de prosseguir. Através dessa nação viria o novo pacto, firmado no sangue de Cristo; e esse novo pacto visaria ao bem e benefício espiritual eterno da humanidade inteira. E assim foi renovada a esperança por meio do novo pacto, embora *quase* tudo se tenha permitido por meio do antigo pacto. Ver Romanos 11.26,27 quanto a um comentário do Novo Testamento sobre os pensamentos deste versículo. Por causa do evangelho, Israel foi desprezado e quase se tornou inimigo de Yahweh. Mas um plano supremo estava em operação. A mensagem espiritual propagou-se universalmente, visto que Cristo veio a este mundo com uma missão universal. De fato, ele exerceu (e continua exercendo) uma missão tridimensional: na terra, nos céus e no hades. Essa *universalidade* chegou a ter poderosos efeitos e poderes. Ver as notas sobre Efésios 1.10, no *Novo Testamento Interpretado;* ver no *Dicionário* o verbete *Mistério da Vontade de Deus;* e na *Enciclopédia de Bíblia, Teologia e Filosofia* o artigo *Missão Universal do Logos (Cristo)*.

Eu sou o Senhor seu Deus. Essa é uma expressão muito repetida no chamado *Código de Santidade* (Lv 17—26), que enfatiza a solenidade e a importância de alguma declaração. Ver as notas a respeito em Levítico 18.30.

John Gill informa-nos que os judeus gostavam de ler este versículo em voz alta, muito emocionados, pois as promessas nele constantes eram-lhes muito doces de ouvir. "Eles permaneceriam um povo distinto de outros povos, o que lhes parecia ser um bom presságio" (disse ele). Em nossos dias, estamos vendo de novo os filhos de Israel, em sua própria terra, apesar de séculos de dispersão.

■ 26.45

וְזָכַרְתִּי לָהֶם בְּרִית רִאשֹׁנִים אֲשֶׁר
הוֹצֵאתִי־אֹתָם מֵאֶרֶץ מִצְרַיִם לְעֵינֵי הַגּוֹיִם
לִהְיֹת לָהֶם לֵאלֹהִים אֲנִי יְהוָה:

Por amor deles me lembrarei da aliança. Existem as intervenções divinas. Apesar de Deus poder dar-nos dons e talentos, esperando que desenvolvamos nosso potencial, então retrocedamos um pouco para olhar e ver o que faremos, pois todos nós, *vez por outra,* precisamos das intervenções divinas em nossa vida. Assim aconteceu com o povo de Israel. Somente o poder de uma intervenção divina poderia fazer Israel sair do Egito. Chegou um ponto em que somente *outra* intervenção divina poderia salvar Israel, após os cativeiros assírio, babilônico e romano. Ver no *Dicionário* o artigo intitulado *Cativeiro (Cativeiros).* A outra intervenção divina é prometida neste versículo. Abraão era digno. O pacto (ver as notas a respeito, em Gn 15.18) foi feito com ele. Por conseguinte, coisa alguma poderia impedir seu cumprimento final. Mas haveria temíveis vicissitudes e reversões antes que as promessas do Senhor se pudessem cumprir.

"Embora Israel tenha sido divinamente disciplinado por várias deportações e dispersões, as bênçãos do Pacto Abraâmico com a nação judaica, na Terra Prometida, em sua perpetuidade, aguardam o cumprimento do reino milenar, após o segundo advento de Cristo (ver Am 9.11-15; Rm 11.25-27)" (F. Duane Lindsey, *in loc.*).

■ 26.46

אֵלֶּה הַחֻקִּים וְהַמִּשְׁפָּטִים וְהַתּוֹרֹת אֲשֶׁר
נָתַן יְהוָה בֵּינוֹ וּבֵין בְּנֵי יִשְׂרָאֵל בְּהַר סִינַי
בְּיַד־מֹשֶׁה: פ

Este versículo leva-nos de volta ao vs. 3 deste capítulo, onde é dito algo similar ao que achamos aqui. A referência especial é à seção de Levítico 25.1-26.45. Essa seção inclui o *Código de Santidade* (Lv 17—26). Ver o versículo 15 deste capítulo quanto aos vários termos usados para aludir à legislação mosaica. Em um sentido amplo, os estatutos e juízos referem-se ao conteúdo essencial de Levítico. Essas eram as leis a que Israel tinha de obedecer, para evitar as maldições constantes nos vss. 31-43 deste capítulo. O caminho da vida e o caminho da morte foram ambos postos diante de Israel. Ver Levítico 18.5 quanto a ideias. No entanto, esses caminhos da vida e da morte, antes da época dos Salmos e dos Profetas, não falam de nenhuma bênção ou castigo na vida pós-túmulo. No judaísmo posterior, entrou essa ideia na teologia dos descendentes de Abraão, e passou, afinal, para o cristianismo. Ver a introdução ao capítulo presente, quanto a notas sobre essa questão. Ver na *Enciclopédia de Bíblia, Teologia e Filosofia* o verbete intitulado *Imortalidade.*

No monte Sinai. A essência e a substância original da revelação mosaica e da lei são dadas aqui. Foi ali que o povo de Israel prometeu obedecer às provisões do pacto mosaico (ver as notas na introdução ao capítulo 19 do livro de Êxodo). Cf. Levítico 25.1.

Conclusão. Este capítulo 26 de Levítico marca a conclusão do *Código de Santidade,* que começara no capítulo 19. Ver as notas de introdução a esse código, no capítulo 17 de Levítico. Já haviam sido dadas muitas leis: obedecer-lhes era vida; mas desobedecer a elas era morte em vida. *Bênçãos* foram prometidas aos obedientes (Lv 26.2-13); *maldições* foram proferidas contra os desobedientes (Lv 26.14-43).

CAPÍTULO VINTE E SETE

INSTRUÇÕES SOBRE VOTOS E DÍZIMOS (27.1-34)

O capítulo 26 de Levítico é, ao mesmo tempo, a conclusão do *Código de Santidade* (Lv 17—26) e a conclusão *espiritual* do inteiro livro de Levítico. Ver as notas de introdução ao capítulo 17 daquele código. O capítulo 27 volta a ventilar outra lista repetitiva de leis miscelâneas, quase todas as quais já pudemos ver em outros lugares do livro. Este capítulo funciona definidamente como uma espécie de *apêndice* ao livro, e não como uma conclusão propriamente dita. Uma das características literárias do autor do Pentateuco é a repetição de materiais. Algumas vezes isso serve para enfatizar, mas de outras vezes há mera questão de repetição. Os críticos estão certos de que tanta repetição deve-se às muitas fontes informativas que o autor sagrado reuniu para compilar o seu livro. Ele não se incomodou em remover as repetições, para assim reduzir o volume da obra. Provavelmente, ele pensava em todas as suas fontes como diferentes modos de comunicar a mensagem de Yahweh, além de ter temido reduzi-las ou mudá-las. E assim, incluiu tudo, com repetições e tudo mais. Ver no *Dicionário* o artigo intitulado *J.E.D.P.(S.),* quanto à teoria das múltiplas fontes informativas do Pentateuco.

Um dos principais assuntos deste capítulo é aquele acerca dos *votos.* Há cautelas contra votos precipitados (ver também Ec 5.4,5; Deuteronômio 23.21-23; Pv 20.25). A importância dada aos votos desencorajava a frivolidade a respeito (vss. 2-7). "Os assuntos dos votos (incluindo os pertinentes aos sacrifícios de animais) e das dádivas e dos dízimos para o santuário estão relacionados entre si, pelo que são reunidos em um bloco neste capítulo de um livro que *começou* com sacrifícios oferecidos no santuário" (F. Duane Lindsey, *in loc.*).

■ 27.1

וַיְדַבֵּר יְהוָה אֶל־מֹשֶׁה לֵּאמֹר:

Disse mais o Senhor. Expressão constantemente repetida em Levítico, empregada para introduzir materiais novos. Também nos faz lembrar da questão da inspiração divina da Bíblia. Ver notas completas a esse respeito, em Levítico 1.1 e 4.1.

■ 27.2

דַּבֵּר אֶל־בְּנֵי יִשְׂרָאֵל וְאָמַרְתָּ אֲלֵהֶם אִישׁ כִּי יַפְלִא
נֶדֶר בְּעֶרְכְּךָ נְפָשֹׁת לַיהוָה:

Moisés, que era mediador entre Yahweh e os israelitas, dirigiu-se aos filhos de Israel. Há *oito* fórmulas de comunicação que seguem às palavras "falou o Senhor" (vs. 1). Algumas vezes, a mensagem era endereçada a Arão; de outras vezes a Arão e seus filhos; ou, então, ao povo todo, como neste versículo. Ver as notas sobre essas oito fórmulas de comunicação em Levítico 17.2.

Quando alguém fizer voto. Todos nós já estivemos envolvidos em votos ou promessas. Algumas vezes, votar algo é um ato de piedade. "Senhor, eis a minha vida. Eu ta entrego". Isso exprime um voto sem condições. De outras vezes, um voto ou promessa é feito a fim de obter algo que desejamos. "Senhor, *se* fizeres isto para mim, então farei aquilo para ti". Minha mãe costumava dizer: "Algumas vezes, podemos barganhar com Deus, mas nem sempre". O trecho de Juízes 11.30,31 fala do terrível voto feito por Jefté, o qual, quando envolvido em batalha encarniçada, votou sacrificar a Yahweh a primeira pessoa que viesse ao encontro dele, obtida a vitória. A vitória foi lograda. E a primeira pessoa que veio ao encontro de Jefté foi sua própria filha. E, de acordo com as condições de seu estúpido voto, ele a sacrificou! Ver no *Dicionário* o verbete *Jefté.* E também temos o caso de Ana, a qual prometeu que, se tivesse um filho, ela o dedicaria ao Senhor. Nasceu o filho dela, Samuel, que, desmamado, foi entregue ao tabernáculo, a fim de servir ao Senhor. Ver 1Samuel 1.11 e seu contexto, bem como, no *Dicionário,* o artigo chamado *Ana.*

No texto à nossa frente, votos dedicavam vidas ao tabernáculo. Provavelmente, a maior parte dos votos era feita em troca de algo desejado, como nos casos citados anteriormente. Mas visto que o tabernáculo tinha seus próprios serviçais, o sacerdócio aarônico, era desnecessária qualquer ajuda extra. Por esse motivo, era mister regulamentar como *dispensar* um homem de seus votos.

Dispensa dos Votos. Isso só podia ser conseguido mediante o pagamento de certa quantia que era considerada uma redenção ou resgate. A dispensa, pois, era comprada. Daí vem a ideia de *redenção* (ver a esse respeito no *Dicionário*).

Voto Singular. Um voto incomum, feito com zelo extremo. Um homem podia votar dar a Yahweh ele mesmo, sua esposa, seus filhos, seu gado, suas propriedades, ou como um ato de dedicação ou em troca de algo desejado.

Os votos em vista aqui são atos *autoimpostos*. Nesse sentido, esses votos podiam ser desfeitos. Cf. Números 30; Salmo 56.12; 116.14; Levítico 7.16; 22.18,21 e o artigo geral no *Dicionário*, intitulado *Voto*.

■ 27.3

וְהָיָה עֶרְכְּךָ הַזָּכָר מִבֶּן עֶשְׂרִים שָׁנָה וְעַד בֶּן־שִׁשִּׁים שָׁנָה וְהָיָה עֶרְכְּךָ חֲמִשִּׁים שֶׁקֶל כֶּסֶף בְּשֶׁקֶל הַקֹּדֶשׁ:

Os vss. 1-8 tratam com *pessoas* dedicadas a Yahweh, envolvidas no serviço do tabernáculo ou em outros serviços não designados neste texto. Alguns pensam que está em vista o trecho de 1Samuel 1.11. Idade e sexo estavam envolvidos na quantidade de dinheiro que resgataria uma pessoa de seu voto. Assim, neste versículo, um homem entre 20 e 60 anos de idade poderia resgatar-se de um voto seu mediante o pagamento de cinquenta siclos, siclos do santuário. Não há como calcular, de acordo com o poder de compra do dinheiro moderno, o que isso representaria. Mas dou vários artigos que nos fornecem alguma ideia. Ver no *Dicionário* os artigos *Siclo; Siclo Real; Siclo Sagrado* e *Siclo e Prata;* e também *Dinheiro*. Nas notas sobre Êxodo 30.13 ver sobre *siclo do santuário*. Estava em foco um peso algo maior que o subsequente siclo babilônico. No *Dicionário* ver o verbete *Dinheiro*, IV.C.I. Nos dias de Moisés ainda não se cunhavam moedas, pelo que todo dinheiro consistia em pesos em metal. Todas as oferendas eram calculadas segundo o valor do siclo (ver Lv 27.25). O siclo pesava vinte *geras*; uma gera era do peso de dezesseis grãos de cevada. E assim, um siclo era do peso de cerca de 320 grãos de cevada.

Uma de minhas fontes informativas diz que cinquenta siclos tinha o valor de *cinquenta meses de salário*. Nesse caso, o sistema de votos e resgates tinha por finalidade evitar votos precipitados, o que, naturalmente, não se aplicava aos ricos.

A tua avaliação. Todo dinheiro de resgate de votos era empregado na manutenção do tabernáculo e seu culto. Durante o período grego, o siclo pesava cerca de 220 grãos de prata, mas não podemos calcular isso em termos de poder aquisitivo moderno. E o que se sabe acerca do siclo, em um período mais anterior, ainda se torna mais difícil de interpretar.

Um homem entre 20 e 60 anos de idade era o que pagava o resgate maior, pois correspondia ao período de trabalho mais produtivo de um homem.

■ 27.4

וְאִם־נְקֵבָה הִוא וְהָיָה עֶרְכְּךָ שְׁלֹשִׁים שָׁקֶל:

Se for mulher. Sua idade não foi estipulada, mas o resgate de uma mulher, de um voto seu, era menor, pois ficava em apenas trinta siclos, ou seja, 60% do valor de um homem entre 20 e 60 anos de idade (vs. 3). Este versículo não fala na idade da mulher, mas muitos estudiosos pensam que aquilo que é dito no versículo anterior, no tocante à idade, também se aplica aqui. Ora, trinta siclos era o preço de um escravo (ver Êx 21.32). Jesus foi vendido pela ridícula quantia de trinta siclos de prata (ver Mt 27.9). Por essa pequena quantia, Jefté poderia ter remido a sua filha (ver Jz 11.30). Por que ele não o fez, não sabemos dizê-lo. Talvez a lei do resgate não fosse universalmente praticada em Israel; ou talvez Jefté tenha pensado que seria um ato mais piedoso sacrificá-la do que redimi-la.

■ 27.5

וְאִם מִבֶּן־חָמֵשׁ שָׁנִים וְעַד בֶּן־עֶשְׂרִים שָׁנָה וְהָיָה עֶרְכְּךָ הַזָּכָר עֶשְׂרִים שְׁקָלִים וְלַנְּקֵבָה עֲשֶׂרֶת שְׁקָלִים:

Cinco anos até vinte. Nesse caso, o preço do resgate de um homem era de vinte siclos. E mulheres da mesma idade pagavam apenas dez siclos. Pessoas de menos idade eram menos valiosas, pois também eram menos produtivas. Muitos pais, em seu zelo, ou em busca de vantagem financeira, dedicavam seus filhos ao santuário, a exemplo de Ana (ver 1Sm 1.11). Posteriormente, podiam mudar de ideia, mediante o amor paterno, não querendo que seus filhos fossem reduzidos a trabalhos braçais no tabernáculo. Havia uma maneira natural e legal de anular os seus votos, ou seja, pagando os resgates estipulados. Muitos votos eram tomados como atos de piedade, por parte de pessoas que, desde o começo, sabiam que o voto não seria cumprido. Assim sendo, sabiam que a qualquer momento poderiam pagar o resgate. Era um ato piedoso. Mas sem dúvida, para outros, era um ato de *ostentação*. As pessoas queriam que seus vizinhos mostrassem a sua "piedade" natural mediante a observação de como eles dedicavam até seus filhos pequenos ao Senhor.

■ 27.6

וְאִם מִבֶּן־חֹדֶשׁ וְעַד בֶּן־חָמֵשׁ שָׁנִים וְהָיָה עֶרְכְּךָ הַזָּכָר חֲמִשָּׁה שְׁקָלִים כָּסֶף וְלַנְּקֵבָה עֶרְכְּךָ שְׁלֹשֶׁת שְׁקָלִים כָּסֶף:

De um mês até cinco anos. Até infantes podiam ser dedicados a Yahweh. Nesse caso, um menino valia cinco siclos, e uma menina, apenas três. Os preços eram deveras pequenos, e podemos ter certeza de que os oficiais do tabernáculo não queriam a responsabilidade de cuidar de infantes, que em nada podiam ajudar no trabalho deles no tabernáculo. Assim, era fácil para os pais *dedicarem* essas crianças, e depois *resgatá-las*. Podemos ter a certeza de que tal prática, desde o começo, visava liberar mais tarde as crianças; e também havia muita ostentação nessas dedicações.

■ 27.7

וְאִם מִבֶּן־שִׁשִּׁים שָׁנָה וָמַעְלָה אִם־זָכָר וְהָיָה עֶרְכְּךָ חֲמִשָּׁה עָשָׂר שָׁקֶל וְלַנְּקֵבָה עֲשָׂרָה שְׁקָלִים:

De sessenta anos para cima. Tais pessoas já não valiam muito para o serviço de Deus. Assim sendo, um homem dessa idade era avaliado em quinze siclos, e uma mulher da mesma idade, em dez siclos, ainda menos que as pessoas entre 5 e 20 anos de idade. Essa é uma situação humilhante para todos nós que já atingimos os 60 anos de idade! Podemos aliviar um pouco esse senso de humilhação mediante a observação de que agora as pessoas vivem mais do que antigamente e são mais produtivas com a mesma idade das pessoas antigas.

John Gill observou, com senso de humor (segundo penso) e de humanitarismo: "Quando um homem chega aos 60 anos ou mais, está chegando na hora de aposentar-se!" No entanto, eis-me aqui, às vésperas de completar meu sexagésimo aniversário, a 22 de dezembro de 1993, dando início a um comentário versículo por versículo do Antigo Testamento. Assim sendo, oro: "Oh, Senhor, ajuda-me na minha idade avançada e ajuda-me a trabalhar esta obra; e, *se* assim fizeres, então dedicarei a ti meus anos de outono e de inverno!" Senhor, concede-nos tal graça! Leitor, se você também se está tornando uma pessoa idosa, então haverá de entender que Yahweh me está sustentando. O próprio John Gill viveu até os 74 anos, e continuava escrevendo comentários da Bíblia quando faleceu. Ele queixou-se de não poder terminar um trabalho que havia iniciado, quando foi derrubado por sua última enfermidade. Todavia, ele havia produzido o primeiro comentário versículo por versículo sobre a Bíblia inteira em inglês, antes de soltar seu último suspiro. Logo, ele não se "aposentou" aos 60 anos de idade!

Ver uma fotografia de John Gill, no artigo existente na *Enciclopédia de Bíblia, Teologia e Filosofia,* intitulado *Comentários sobre a Bíblia.*

■ 27.8

וְאִם־מָךְ הוּא מֵעֶרְכֶּךָ וְהֶעֱמִידוֹ לִפְנֵי הַכֹּהֵן וְהֶעֱרִיךְ אֹתוֹ הַכֹּהֵן עַל־פִּי אֲשֶׁר תַּשִּׂיג יַד הַנֹּדֵר יַעֲרִיכֶנּוּ הַכֹּהֵן: ס

Se for mais pobre do que a tua avaliação. Se um siclo representava o trabalho de um mês para um homem comum, então é óbvio que um homem pobre não podia pagar o preço de seu resgate. Nesses casos, o sacerdote avaliaria o resgate do homem segundo melhor considerasse, de acordo com o que pensasse que o homem poderia pagar. Esse sistema de votos e de resgates a preços elevados tinha por intuito desencorajar votos apressados e exibicionistas.

As avaliações, nos dias do segundo templo, cobravam um preço mínimo, ou seja, um siclo por um homem. Mas qualquer um que se recusasse ou negligenciasse a pagar o dinheiro do resgate tinha todos os seus bens confiscados pelos oficiais do templo. Porém, os instrumentos básicos da agricultura, ou que serviam ao homem em seu trabalho, não podiam ser-lhe arrebatados como pagamento de sua dívida. Ademais, também não podiam ser confiscadas as roupas de uma criança, alimentos de sustento para trinta dias, leite para doze meses e uma junta de bois, que eram considerados necessidades básicas para qualquer homem. O resto, todavia, estava sujeito a confisco.

■ 27.9

וְאִם־בְּהֵמָה אֲשֶׁר יַקְרִיבוּ מִמֶּנָּה קָרְבָּן לַיהוָה כֹּל
אֲשֶׁר יִתֵּן מִמֶּנּוּ לַיהוָה יִהְיֶה־קֹּדֶשׁ:

Se for animal. O caso de animais oferecidos como voto e, então, resgatados aparece nos vss. 9-13. Partes desses animais eram oferecidas a Yahweh; e outras porções eram consumidas pelos sacerdotes. Também havia animais imundos, que eram usados para fazer certos trabalhos pesados, como o cavalo, a mula e o camelo, e não podiam ser oferecidos como sacrifícios, mas tinham valor como animais de trabalho pesado. Todos esses animais tinham valor e podiam ser oferecidos em votos; e alguns desses animais podiam ser resgatados. Os animais próprios para serem sacrificados eram considerados *santos*, ou seja, dedicados ao lugar santo, o santuário ou tabernáculo. Tais animais tinham de ser sacrificados.

Os animais maiores que eram sacrificados eram quadrúpedes, como o touro, o carneiro e o bode. Eram, por assim dizer, os "sacerdotes" do mundo animal, usados no culto divino. Ver as notas sobre os cinco animais que podiam ser sacrificados, em Levítico 1.14-16. Também havia outros animais limpos, que podiam ser usados na alimentação humana, como o veado, o antílope, o gafanhoto. Mas nunca podiam ser usados nos sacrifícios. E também havia animais imundos, que não serviam para a alimentação humana, mas podiam ser usados como animais de trabalho. Ver no *Dicionário* o artigo chamado *Limpo e Imundo*. Logo, podia ser oferecida como voto uma grande variedade de animais.

Será santo. Os animais classificados como "santos" eram usados nos sacrifícios, mas não podiam ser resgatados, porquanto, uma vez dedicados, o voto não podia ser revertido. Necessariamente terminavam como sacrifícios oferecidos sobre o altar. E assim, ninguém dedicaria tais animais (o touro, o carneiro e o bode), a menos que se dispusesse a perdê-los.

■ 27.10

לֹא יַחֲלִיפֶנּוּ וְלֹא־יָמִיר אֹתוֹ טוֹב בְּרָע אוֹ־רַע בְּטוֹב
וְאִם־הָמֵר יָמִיר בְּהֵמָה בִּבְהֵמָה וְהָיָה־הוּא וּתְמוּרָתוֹ
יִהְיֶה־קֹּדֶשׁ:

Todo animal oferecido como *voto* tinha de ser sacrificado. Não eram permitidas substituições. Nem mesmo um animal inferior podia ser substituído por outro, superior. E caso houvesse substituição, *ambos* precisavam ser sacrificados. Assim, importava que um homem conhecesse bem a lei, a fim de não tomar votos apressados para depois tentar desfazê-los com atos ilegítimos. A troca podia envolver animais diferentes, como um carneiro por um novilho, ou um animal defeituoso podia ser substituído por outro, sem defeito. Mas em todos os casos, *ambos* os animais tinham de ser oferecidos.

Posteriormente, um homem pobre que tentasse trocar um animal por outro era castigado (ver Maimônides, *Hilchot Temurah*, cap. 1, sec. 1). E assim, em lugar de trocar um animal por outro, ele tanto perdia ambos quanto também era fisicamente punido.

■ 27.11-13

וְאִם כָּל־בְּהֵמָה טְמֵאָה אֲשֶׁר לֹא־יַקְרִיבוּ מִמֶּנָּה קָרְבָּן
לַיהוָה וְהֶעֱמִיד אֶת־הַבְּהֵמָה לִפְנֵי הַכֹּהֵן:

וְהֶעֱרִיךְ הַכֹּהֵן אֹתָהּ בֵּין טוֹב וּבֵין רָע כְּעֶרְכְּךָ
הַכֹּהֵן כֵּן יִהְיֶה:

וְאִם־גָּאֹל יִגְאָלֶנָּה וְיָסַף חֲמִישִׁתוֹ עַל־עֶרְכֶּךָ:

Se for animal imundo. Esse caso era diferente. Um cavalo ou um camelo podiam ser dedicados ao santuário. Tais animais, porém, não podiam ser sacrificados; mas podiam ser postos a trabalhar em favor dos sacerdotes, ou podiam ser vendidos para que o dinheiro apurado revertesse em benefício do santuário. Nesse último caso, porém, havia uma multa de 20% acima do dinheiro apurado (vs. 12). Essa multa era cobrada para evitar votos precipitados ou por puro exibicionismo. Ademais, não era recomendável votar algo a Yahweh, para depois pedi-lo de volta, mesmo nos casos em que isso era possível. Quem assim fizesse era castigado por sua falha.

Imundo. Algumas autoridades antigas incluíam nessa classe animais para sacrifício com algum defeito físico. Nesse caso, podiam ser remidos, mas não sem algum acréscimo ao seu valor. Um animal imundo não podia ser oferecido, mas os sacerdotes podiam vendê-lo e assim conseguir algum dinheiro para o tabernáculo, para sua manutenção.

Quem quisesse comprar o animal (excetuando-se o seu proprietário) teria de pagar o preço cobrado pelos sacerdotes. Mas se o seu *dono* quisesse redimi-lo, então teria de pagar uma multa de 20% sobre seu valor.

■ 27.14

וְאִישׁ כִּי־יַקְדִּשׁ אֶת־בֵּיתוֹ קֹדֶשׁ לַיהוָה וְהֶעֱרִיכוֹ
הַכֹּהֵן בֵּין טוֹב וּבֵין רָע כַּאֲשֶׁר יַעֲרִיךְ אֹתוֹ הַכֹּהֵן כֵּן
יָקוּם:

No ano do jubileu o campo tornará. Casas existentes em cidades muradas podiam ser vendidas e compradas (ver Lv 25.29 ss.), embora os campos pertencessem às famílias, não podendo passar definitivamente para outras mãos. Mas podiam ser arrendadas até o ano do jubileu (ver Lv 25.28). Casas também podiam ser arrendadas. E assim, se em um momento de piedade um homem votasse doar uma casa ao santuário, tal propriedade podia ser vendida ou alugada pelos sacerdotes. De qualquer modo, o dinheiro entraria para um fundo coletivo para sustento do tabernáculo.

O sacerdote fazia o *orçamento* da casa. O proprietário da casa não podia estabelecer o seu preço.

■ 27.15

וְאִם־הַמַּקְדִּישׁ יִגְאַל אֶת־בֵּיתוֹ וְיָסַף חֲמִישִׁית
כֶּסֶף־עֶרְכְּךָ עָלָיו וְהָיָה לוֹ:

Se um homem que tivesse doado uma casa mudasse de parecer, sem importar as razões que tivesse, podia redimi-la legalmente, mas com um acréscimo de 20%, tal como no caso de um animal que tivesse sido doado para então ser redimido (vs. 13).

No tempo do segundo templo, o termo *casa* incluía tudo quanto estava ligado a ela, como o terreno, os móveis e as melhorias. O negócio era feito como um pacote. Nenhuma casa obtida por meio de fraude podia ser dedicada ao santuário. Se fosse descoberto que tinha havido fraude, a negociação toda seria anulada. Se alguém se equivocasse ao doar uma casa, então o negócio ficava anulado, mas era preciso provar que tinha havido um equívoco.

Maimônides informa-nos que casas existentes em aldeias também podiam ser vendidas (ver Lv 25.31); mas elas estavam sujeitas às leis do ano do jubileu, pois eram tratadas como campos plantados. Ver *Hilchot Eracin*, cap. 5, sec. 3 e 4.

■ 27.16

וְאִם מִשְּׂדֵה אֲחֻזָּתוֹ יַקְדִּישׁ אִישׁ לַיהוָה וְהָיָה עֶרְכְּךָ
לְפִי זַרְעוֹ זֶרַע חֹמֶר שְׂעֹרִים בַּחֲמִשִּׁים שֶׁקֶל כָּסֶף:

"A dedicação de terras da família era algo mais complicado, pois estava sujeita às leis do ano do jubileu (ver Lv 25.23-28). O sistema de avaliação do preço de terras começava pelo custo da quantidade de semente para 49 anos; e, então, esse preço sofria uma redução de acordo com o número de anos de colheita que ainda restavam até o próximo ano do jubileu (ver Lv 27.17,18). A redenção requeria o pagamento da avaliação e mais um quinto (vs. 19). Se tais terras não fossem remidas até o ano de jubileu, disso resultava a perda permanente delas, em favor dos sacerdotes (vss. 20 e 21)" (F. Duane Lindsey, in loc.)

Parte. Ninguém podia oferecer como voto todo o patrimônio de sua família sob a forma de terras. Mas qual proporção podia ser doada não é definida. Mas podemos supor que ao sacerdote coubesse tomar tal tipo de decisão.

Um ômer pleno de cevada. Essa medida equivalia a cerca de três litros. Algumas versões dizem aqui um "chomer". Mas isso é um equívoco, pois um chomer tinha cerca de trezentos litros.

Será avaliado. Nesse caso, o preço da terra não correspondia à sua produção até o ano de jubileu. Antes, seu preço era apenas o preço da semente necessária para 49 anos de plantio. Isso significa que o preço da terra era bastante baixo, e não seu verdadeiro valor. Assim, podia ser facilmente redimida antes do ano do jubileu, conforme se esperasse que acontecesse.

Siclos. O elevado custo da semente, *cinquenta siclos*, equivalente ao trabalho de cinquenta meses de um homem, servia de aviso contra votos precipitados que envolvessem terras.

A terra aqui envolvida (vs. 16) fazia parte do patrimônio de uma família. Após a entrada de Israel na Terra Prometida, o território foi dividido entre as famílias, embora pudesse ser arrendado ou mesmo dedicado ao santuário, conforme vemos aqui. Esse território era distinto de algum mero terreno que um homem pudesse comprar (vs. 22).

■ **27.17**

אִם־מִשְּׁנַת הַיֹּבֵל יַקְדִּישׁ שָׂדֵהוּ כְּעֶרְכְּךָ יָקוּם׃

Se um homem dedicasse suas terras *logo* depois do ano do jubileu, então o valor incluiria todos os 49 anos, ou seja, o preço *total* da semente de cevada mencionado no vs. 16.

■ **27.18**

וְאִם־אַחַר הַיֹּבֵל יַקְדִּישׁ שָׂדֵהוּ וְחִשַּׁב־לוֹ הַכֹּהֵן אֶת־הַכֶּסֶף עַל־פִּי הַשָּׁנִים הַנּוֹתָרֹת עַד שְׁנַת הַיֹּבֵל וְנִגְרַע מֵעֶרְכֶּךָ׃

Se um homem dedicasse terras alguns anos depois do ano do jubileu, então o valor delas seria calculado de acordo com o número de anos que restava até o próximo ano de jubileu. Para exemplificar, digamos que trinta anos se tinham passado desde o último ano do jubileu. Nesse caso, teríamos uma fração de 20/50 restantes, até o próximo ano do jubileu. Nesse caso, o valor da terra seria de vinte siclos (vs. 16). O preço era calculado a um siclo por ano.

■ **27.19**

וְאִם־גָּאֹל יִגְאַל אֶת־הַשָּׂדֶה הַמַּקְדִּישׁ אֹתוֹ וְיָסַף חֲמִשִׁית כֶּסֶף־עֶרְכְּךָ עָלָיו וְקָם לוֹ׃

Dalgum modo o quiser resgatar. Nesse caso, o resgate requeria, além da proporção discutida no versículo anterior, a multa de uma quinta parte, ou seja, dez siclos. Contudo, não nos é informado se a multa incidia sobre os cinquenta siclos ou se sobre a parte que restava, visto que vários anos se tinham passado. O Targum de Jerusalém apresenta um caso como aquele do vs. 17. Se um homem dedicasse suas terras, mas então *logo* em seguida quisesse remi-las, então teria de pagar cinquenta siclos, e o acréscimo de dez siclos. Nesse caso, parece não haver nenhum problema de proporções, dependendo dos anos que já se tivessem escoado desde o último ano de jubileu. É de presumir-se, pois, que, se o homem não se envolvesse em um resgate imediato, então seriam aplicadas as regras ilustradas no versículo 18 deste capítulo.

Mas a maior parte dos intérpretes pensa que a multa era aplicada a qualquer resgate de terras, em qualquer ocasião. Talvez tal multa fosse proporcional. Mas visto que o texto sagrado não dá normas a respeito, parece melhor supor que dez siclos fixos fossem sempre adicionados ao preço. Ficando com a ilustração do vs. 18, um homem que tivesse dedicado suas terras trinta anos antes, ao redimi-las teria de pagar vinte siclos (pelos vinte anos restantes, até o ano de jubileu), e *mais* dez siclos, o que atingiria um resgate total de trinta siclos.

Nos tempos do segundo templo, as regras também eram aplicadas aos herdeiros de um homem, se este tivesse morrido durante o tempo escoado entre dois anos de jubileu.

■ **27.20**

וְאִם־לֹא יִגְאַל אֶת־הַשָּׂדֶה וְאִם־מָכַר אֶת־הַשָּׂדֶה לְאִישׁ אַחֵר לֹא יִגָּאֵל עוֹד׃

Se o homem resolvesse redimir as terras, ou, então, se, ilegal e ardilosamente as vendesse a outrem, ocultando o fato de que já as havia dedicado ao santuário, então tais terras não podiam mais ser redimidas; automaticamente elas ficavam com os sacerdotes. No primeiro caso, o homem poderia ter agido de maneira piedosa; ele tinha dedicado as terras e tinha resolvido deixá-las para os sacerdotes. No segundo caso, ele se envolveu em algum tipo de negócio desonesto. De qualquer maneira, aquelas terras não mais podiam ser resgatadas. E visto que elas eram apenas "parte" do patrimônio total, a família do homem não teria recebido nenhum golpe sério. Ver as notas sobre o vs. 16 deste capítulo.

Alguns intérpretes também pensam que o *primeiro* caso envolveu um ato vil. Do homem *esperava-se* que remisse as terras. O preço era baixo, e isso tinha por propósito encorajar a redenção.

■ **27.21**

וְהָיָה הַשָּׂדֶה בְּצֵאתוֹ בַיֹּבֵל קֹדֶשׁ לַיהוָה כִּשְׂדֵה הַחֵרֶם לַכֹּהֵן תִּהְיֶה אֲחֻזָּתוֹ׃

Mas o homem, não tendo remido o campo, permitira que este ficasse com os sacerdotes; e assim o campo se tornara *santo*, ou seja, para uso dos sacerdotes e para sustento do tabernáculo e seu culto. E assim permanecera um campo dedicado, por haver sido doado mediante um voto solene. Durante o período do segundo templo, havia um tesoureiro do templo, o qual era o administrador financeiro, incluindo coisas como as terras aqui mencionadas. Parece que o homem até poderia adquirir tais terras; e, se ele resolvesse assim fazer, o proprietário anterior não podia recebê-las de volta, chegado o ano de jubileu. E se isso nos soa injusto, parece que essa era a prática corrente. Mas se *isso* chegasse a acontecer, então os sacerdotes tinham de pagar uma indenização, de acordo com o valor dessas terras. Tais terras passavam a ser uma propriedade coletiva, e não individual. Assim estipula a Mishnah, *Bartenora*, sec. 3.

■ **27.22**

וְאִם אֶת־שְׂדֵה מִקְנָתוֹ אֲשֶׁר לֹא מִשְּׂדֵה אֲחֻזָּתוֹ יַקְדִּישׁ לַיהוָה׃

Um homem podia comprar um campo que não pertencesse ao patrimônio de sua família. E ele também podia devotar esse campo ao tabernáculo. Tais terras, pois, chegariam a pertencer a alguma família, mas no ano do jubileu voltaria a ser da família proprietária, embora fosse vendida, nesse entretempo, por alguém que não era membro da família. Ver Levítico 25.25-28. Nesse caso, as regras eram diferentes *no tocante ao valor* das terras, o que nos é dito nas notas sobre o vs. 23.

■ **27.23,24**

וְחִשַּׁב־לוֹ הַכֹּהֵן אֵת מִכְסַת הָעֶרְכְּךָ עַד שְׁנַת הַיֹּבֵל וְנָתַן אֶת־הָעֶרְכְּךָ בַּיּוֹם הַהוּא קֹדֶשׁ לַיהוָה׃

בִּשְׁנַת הַיּוֹבֵל יָשׁוּב הַשָּׂדֶה לַאֲשֶׁר קָנָהוּ מֵאִתּוֹ לַאֲשֶׁר־לוֹ אֲחֻזַּת הָאָרֶץ׃

O campo, descrito no vs. 22 deste capítulo, não teria o valor dos cinquenta siclos, conforme lemos no vs. 16. Antes, um sacerdote podia valorizá-lo levando em conta o valor das colheitas que o tal campo haveria de produzir até o ano do jubileu. Esse preceito é idêntico ao de Levítico 25.25-28. Essa era a lei regular acerca de terras, e aplicava-se aos casos de terras que caíssem nas mãos de alguém que não fosse membro da família originalmente proprietária, então passasse para o santuário, em virtude de algum voto, e, finalmente, fossem devolvidas ao seu proprietário original, no ano do jubileu. Eram terras *santas* (para uso dos sacerdotes) até o ano de jubileu, quando então voltavam a ser terras comuns, ou seja, parte do patrimônio de alguma família. Tais terras não voltavam ao comprador intermediário, e sim, ao seu proprietário original. Assim determinava a Mishnah, *Hilchot Eracin*, cap. 4, sec. 26.

■ 27.25

וְכָל־עֶרְכְּךָ֙ יִהְיֶ֖ה בְּשֶׁ֣קֶל הַקֹּ֑דֶשׁ עֶשְׂרִ֥ים גֵּרָ֖ה יִהְיֶ֥ה הַשָּֽׁקֶל׃ ס

O autor sacro define aqui o *siclo do santuário*. Nos tempos antigos, esse siclo valia o equivalente a cerca de um mês de trabalho de um homem comum. Isso é o cálculo mais próximo que nos é possível. O chamado *siclo santo* valia mais do que isso nos dias do império babilônico. Tinha o peso de vinte *geras*. Esse era um peso babilônico posterior, pelo que este versículo tenta fornecer-nos um valor comparativo com os valores posteriores. Ver as notas sobre Êxodo 30.13, quanto ao que se sabe acerca desses pesos. A declaração sobre *gera* é um anacronismo, a menos que este versículo tenha entrado no texto sagrado por via de um comentário editorial. Esse siclo sagrado era o peso padrão em comparação com o qual todos os pesos do tabernáculo precisavam ser aferidos. "...o padrão conservado no santuário para tentar regulamentar todos os pesos na terra de Israel" (Adam Clarke, *in loc.*)

■ 27.26

אַךְ־בְּכ֞וֹר אֲשֶׁר־יְבֻכַּ֤ר לַֽיהוָה֙ בִּבְהֵמָ֔ה לֹֽא־יַקְדִּ֥ישׁ אִ֖ישׁ אֹת֑וֹ אִם־שׁ֣וֹר אִם־שֶׂ֔ה לַֽיהוָ֖ה הֽוּא׃

Era impossível santificar ou doar ao tabernáculo, mediante voto, o *primogênito* de um animal a ser sacrificado, visto que já pertencia a Yahweh. Ver os *cinco animais* que podiam ser sacrificados, que incluíam os três quadrúpedes volumosos, o touro, o carneiro e o bode, em Levítico 1.14-16. Os *primogênitos* desses animais pertenciam automaticamente a Yahweh, mas os animais posteriormente nascidos podiam ser dedicados ao tabernáculo, conforme já vimos nas notas dos vss. 9 ss. Ver Êxodo 13.2 quanto à lei acerca dos primogênitos.

O escritor sagrado nos forneceu *quatro* classes de coisas que podiam ser dedicadas ao tabernáculo por meio de votos, e que então podiam ser remidas mediante o pagamento de uma certa soma em dinheiro, a saber: (1) pessoas (vss. 2-8); (2) animais (vss. 9-13); (3) casas (vss. 14-15) e (4) terras (vss. 16-25).

Em seguida, ele mencionou *duas* coisas que não podiam ser santificadas (doadas mediante voto) ao culto, a saber: (1) os primogênitos de animais a serem sacrificados, que já pertencessem a Yahweh, mediante uma lei distinta (vs. 26); e (2) coisas devotadas (vss. 28 e 29). Ver as notas sobre esses versículos.

■ 27.27

וְאִ֨ם בַּבְּהֵמָ֤ה הַטְּמֵאָה֙ וּפָדָ֣ה בְעֶרְכֶּ֔ךָ וְיָסַ֥ף חֲמִשִׁת֖וֹ עָלָ֑יו וְאִם־לֹ֥א יִגָּאֵ֖ל וְנִמְכַּ֥ר בְּעֶרְכֶּֽךָ׃

Os animais primogênitos de animais imundos podiam ser dedicados ao serviço do tabernáculo ou para uso por parte dos sacerdotes, porque não eram animais próprios para servir de sacrifício, pelo que já não eram automaticamente santificados para o culto divino. E também podiam ser remidos. Já pudemos ver as regras sobre isso nos vss. 11-13, cujas anotações também se aplicam aqui. Essas mesmas regras se aplicavam aos primogênitos dos animais imundos, considerados uma classe geral, pelo que nenhuma distinção é feita, em contraste com animais limpos, que eram usados nos sacrifícios. A lei que temos aqui é diferente daquela que figura em Êxodo 13.13 e 34.20. É provável que se derive de alguma fonte diferente, ou venha de algum período histórico diferente.

Nos dias do segundo templo, essa contradição era resolvida aplicando-se a lei deste versículo apenas à tarefa específica de fazer reparos no tabernáculo. Mediante esse *truque*, as duas leis foram separadas uma da outra. Escreveu John Gill, in loc.: "Não devemos entender aqui estarem em foco os primogênitos de animais imundos, que deveriam ser redimidos com um carneiro, e não a dinheiro (conforme diz o texto de Êxodo)... mas somente os que fossem santificados ou dedicados para reparos feitos no santuário".

■ 27.28

אַ֣ךְ־כָּל־חֵ֡רֶם אֲשֶׁ֣ר יַחֲרִם֩ אִ֨ישׁ לַֽיהוָ֜ה מִכָּל־אֲשֶׁר־ל֗וֹ מֵאָדָ֤ם וּבְהֵמָה֙ וּמִשְּׂדֵ֣ה אֲחֻזָּת֔וֹ לֹ֥א יִמָּכֵ֖ר וְלֹ֣א יִגָּאֵ֑ל כָּל־חֵ֕רֶם קֹֽדֶשׁ־קָֽדָשִׁ֥ים ה֖וּא לַיהוָֽה׃

Os eruditos lutam com o sentido deste e do versículo seguinte. Podemos solucionar parte do problema se traduzirmos aqui, em lugar de "consagrada", *banida*. Nenhuma coisa banida podia ser redimida. Assim, diferente dos casos anteriores das quatro coisas que podiam ser votadas e então remidas, as coisas banidas não podiam ser remidas. "As coisas assim devotadas eram 'santíssimas', no sentido não-ético de serem *vedadas* a todo uso humano" (Nathaniel Micklem, *in loc.*). O termo hebraico correspondente é *cherim*, algo assim devotado tornava-se absolutamente incapaz de ser redimido. Um homem exercia direitos absolutos sobre sua família, seus escravos e suas propriedades. E podia consagrar qualquer dessas coisas ao serviço do tabernáculo. "Todas as coisas dedicadas, sob interdição, tornavam-se propriedades dos sacerdotes. Ver o vs. 17 e Números 18.14; Ezequiel 44.29" (Ellicott, *in loc.*).

O vs. 28, pois, apresenta um tipo diverso de voto, em relação ao que aparece neste capítulo. Um homem amaldiçoava uma coisa ou pessoa que se tentasse libertar da santificação ou voto em questão. Tal tipo de voto, pois, era absoluto e irrevogável. Em Israel, os homens exerciam uma *autoridade despótica* sobre suas propriedades, incluindo seus familiares e escravos (*Bartenora*, sec. 5). Ver as notas em Levítico 2.3 quanto à coisas *santas* e *santíssimas*. As coisas santíssimas eram de uso *exclusivo* dos sacerdotes, fossem elas alimentos, outros objetos ou pessoas.

■ 27.29

כָּל־חֵ֗רֶם אֲשֶׁ֧ר יָחֳרַ֛ם מִן־הָאָדָ֖ם לֹ֣א יִפָּדֶ֑ה מ֖וֹת יוּמָֽת׃

Este versículo tem ocasionado alguma dificuldade de interpretação. Várias ideias a respeito têm sido sugeridas:

1. Alguns dizem que o versículo apenas reflete um tempo quando os *sacrifícios humanos* ainda eram aceitáveis como um rito religioso, o que, mais tarde, foi modificado. Nesse caso, a morte da pessoa devotada era exatamente isso, um assassinato, tal como os animais dos sacrifícios terminavam mortos sobre o altar. Jefté envolveu-se em um ato dessa natureza. Ver Juízes 11.30.

2. Outros aceitam o versículo em um sentido *metafórico*: a pessoa que sofresse o interdito ou dedicação absoluta para o tabernáculo e seu culto ficava *morta para a comunidade* onde ela vivesse. Ficava absolutamente removida daquela comunidade mediante a sua "morte" para ela, e ficava absolutamente dedicada em sua nova vida de serviço no tabernáculo.

3. Ainda outros dizem que a morte aqui mencionada é *literal*, mas imposta somente contra os *criminosos notórios, idólatras* etc. Nesse caso, o interdito servia, na verdade, de uma ordem de *execução*. Essa era a interpretação comum durante o tempo do segundo templo; e era o Sinédrio (ver a respeito no *Dicionário*) que pronunciava o banimento temido e fatal, como se fosse uma espécie de sacrifício negativo oferecido a Yahweh. Cf. 1Samuel 15, que pode ser usado para ilustrar o tipo de coisas que pode estar aqui em pauta. Ver também o trecho de Êxodo 22.19, que se aplica à bestialidade.

4. No contexto de Israel, antes do segundo templo, a matança dos *inimigos* de Israel, todos os quais eram idólatras, fica entendida como algo permitido pelos ditames deste versículo. Assim, Jericó foi destruída (ver Js 6.17), como também os amalequitas (ver Dt 25.19 e 1Sm 15.3). Nisso achamos uma forma de justificação divina para as *guerras santas* e para as matanças de povos idólatras e pecaminosos. Isso sempre fez parte da história e da prática de Israel, sem importar se gostamos ou não. Versículos como o de Levítico 27.29 eram usados como textos de prova de quão apropriadamente ético eram aqueles atos de violência.

Sacrifícios humanos eram proibidos em passagens como Deuteronômio 12.30,31; Salmo 106.37,38; Jeremias 7.31 e Ezequiel 16.20,21. Aqueles que argumentam em favor da primeira dessas interpretações, dadas acima, dizem que esses versículos refletem uma legislação posterior. Ver no *Dicionário* o artigo intitulado *Sacrifício Humano*.

■ **27.30,31**

וְכָל־מַעְשַׂר הָאָרֶץ מִזֶּרַע הָאָרֶץ מִפְּרִי הָעֵץ לַיהוָה הוּא קֹדֶשׁ לַיהוָה:

וְאִם־גָּאֹל יִגְאַל אִישׁ מִמַּעַשְׂרוֹ חֲמִשִׁיתוֹ יֹסֵף עָלָיו:

Estes dois versículos abordam a questão dos dízimos. Cf. Malaquias 3.8-10. "As dízimas das *terras* podiam ser resgatadas mediante os 120% padronizados; mas as dízimas sobre animais não podiam ser remidas" (F. Duane Lindsey, *in loc.*).

O vs. 30 deve ser contrastado com o vs. 32. O vs. 30 trata com o que medrava no solo, a produção agrícola. Os dízimos, tais como os primogênitos dos animais a serem sacrificados (vs. 26), já pertenciam a Yahweh, por meio de uma legislação distinta. Assim, precisavam ser entregues automaticamente, pelo que não podiam ser *devotados*. Mas os dízimos sobre terras podiam ser remidos, embora não os dízimos sobre animais. Tudo podia ser dizimado, como produtos agrícolas, animais, despojos de guerra etc. Havia *três tipos* de dízimos que eram cobrados: (1) Dízimos para o sacerdócio. Desse dízimo era tirado um dízimo para o sumo sacerdote. Era uma espécie de dízimo dos dízimos. (2) Dízimos para as festividades religiosas. (3) Dízimos para os pobres. Isso ocorria a cada três anos, e eram os únicos 10% adicionais. Quanto a uma completa discussão sobre essa questão, ver no *Dicionário* o artigo intitulado *Dízimo*.

Um homem que quisesse obter de volta os produtos agrícolas, ou vinho, azeite etc., podia pagar por isso, pagando 120% de seu valor. Mas a mesma regra não se aplicava no caso de animais (vss. 32-35). Nos dias do segundo templo, um homem podia redimir os dízimos de *outra* pessoa, pagando apenas 100% de seu valor.

Desde o começo, um homem podia pagar 120% e assim não ter de entregar os produtos que normalmente pertenciam aos sacerdotes. Dinheiro podia ser pago com essa finalidade. E assim um homem podia reter consigo os seus produtos agrícolas. Mas se o fizesse, tinha de pagar uma multa de 20% do valor.

■ **27.32**

וְכָל־מַעְשַׂר בָּקָר וָצֹאן כֹּל אֲשֶׁר־יַעֲבֹר תַּחַת הַשָּׁבֶט הָעֲשִׂירִי יִהְיֶה־קֹּדֶשׁ לַיהוָה:

Tudo o que passar debaixo da vara do pastor. Os animais de criação eram enumerados fazendo-os passar sob a vara do pastor ou de quem cuidasse dos rebanhos. Assim, este versículo aplica-se aos dízimos sobre animais. Uma décima parte dos animais limpos era separada para o culto do tabernáculo, para sustento dos sacerdotes. Só se podia dizimar sobre animais limpos (conforme esclareceu Maimônides, *Hilchot Becorot,* cap. 6, sec. 1). Ele mencionou especificamente os carneiros e os novilhos. Algumas vezes, o ato de separar os animais se fazia forçando os animais a passar por uma porta. Cada décimo animal era então separado. Ver Jeremias 33.13 quanto ao uso da vara de um pastor. Ver o uso metafórico da expressão, em Ezequiel 20.37.

■ **27.33**

לֹא יְבַקֵּר בֵּין־טוֹב לָרַע וְלֹא יְמִירֶנּוּ וְאִם־הָמֵר יְמִירֶנּוּ וְהָיָה־הוּא וּתְמוּרָתוֹ יִהְיֶה־קֹדֶשׁ לֹא יִגָּאֵל:

Quando os animais eram separados, não se fazia nenhum esforço para selecionar os bons dos defeituosos, ou os imaculados dos maculados. Mas somente animais fisicamente perfeitos podiam ser eventualmente usados nos sacrifícios. Quanto a essa lei, examinar Levítico 22.20.

Nem o trocará. Não eram permitidas trocas. Um homem não podia dirigir-se a um sacerdote e tentar trocar um animal que tivesse dado por outro, diferente. Ver as notas sobre isso no vs. 10 deste capítulo. Se um homem tentasse fazer uma troca de animais, então como pena, ele perdia tanto o animal que trouxera para trocar pelo outro, como o primeiro animal. Em consequência disso, ele perdia *ambos* os animais.

Não serão resgatados. Os dízimos sobre os animais pertenciam ao Senhor e não estavam sujeitos a redenção. Não pertenciam a nenhum homem. Assim, *em contraste* com os produtos agrícolas, os quais podiam ser remidos (vss. 30,31), os animais não estavam sujeitos à redenção. Aquilo que pertencia a Yahweh era chamado "santo", porque só podia ser usado pelos sacerdotes, representantes dele.

■ **27.34**

אֵלֶּה הַמִּצְוֹת אֲשֶׁר צִוָּה יְהוָה אֶת־מֹשֶׁה אֶל־בְּנֵי יִשְׂרָאֵל בְּהַר סִינָי:

Este versículo é um sumário que nos fornece uma minúscula conclusão ao livro de Levítico, o que é típico desse livro. Fornece-nos os fatos básicos: Yahweh falou; Moisés foi o mediador; isso aconteceu no monte Sinai; os israelitas receberam a mensagem divina. Cf. Levítico 26.46, que diz virtualmente a mesma coisa. Ver as notas ali. Essa conclusão é a melhor conclusão espiritual, vindo depois das bênçãos e das maldições que caberiam aos obedientes e aos desobedientes, respectivamente.

"As leis... impunham um jugo pesado (ver At 15.10). No entanto, no período de infância da Igreja, a lei servia de *aio,* para conduzir-nos a Cristo (ver Gl 3.24,25)" (Jamieson, *in loc.*).

NÚMEROS

O Livro que Descreve os Quarenta
Anos das Vagueações de Israel

> *Queixou-se o povo de sua sorte aos ouvidos do Senhor; ouvindo-o o Senhor, acendeu-se-lhe a ira, e o fogo do Senhor ardeu entre eles.*
>
> Números 11.1

36	Capítulos
1.288	Versículos

INTRODUÇÃO

Números é o quarto livro da Bíblia. Seu título provém da Vulgata Latina, *Numeri,* que por sua vez é uma tradução do título da Septuaginta *Arithmoi.* O livro é assim designado porque nele há referência a dois recenseamentos do povo judeu — capítulos 1—3 e capítulo 26. Os judeus, como de costume, intitularam o livro com a palavra inicial — *Wayyedabber* — ("e ele (Jeová) disse"), ou mais frequentemente com a quinta palavra — *Bemidbar*— ("no deserto"). Esse segundo título hebraico é mais apropriado do que o título em português, pois somente uma pequena porção do livro é de natureza estatística, enquanto toda a ação se dá no deserto.

ESBOÇO:

I. Composição
   1. Autoria
   2. Estrutura
   3. Texto
II. Propósito e Conteúdo
III. Esboço
IV. Teologia
V. Problemas Especiais
VI. Bibliografia

I. COMPOSIÇÃO

1. Autoria. a. *Ponto de Vista Conservantista.* Apoia a opinião tradicional de que o livro de Números é de caráter histórico e foi composto por Moisés. Eles observam que não há nas Escrituras uma declaração direta de que Moisés escreveu o Pentateuco, mas numerosas passagens indicam que ele escreveu pelo menos parte desse material (ver Nm 33.2). Eles admitem também que em Números, assim como em Êxodo e Levítico, Moisés é referido na terceira pessoa, exceto em citações diretas. Logicamente esse fato não sugere composição mosaica, dizem eles. Outras passagens, tais como Números 21.14 ss. e 32.34-42, também indicam a existência de um editor, contudo, declaram os conservantistas, a autoria mosaica, segundo a Bíblia, não requer que toda a palavra seja de Moisés.

b. *Ponto de Vista Crítico.* Um dos primeiros estudiosos a questionar a opinião tradicional da autoria do Pentateuco foi Jerônimo, tradutor da Vulgata Latina no século V d.C. Jerônimo estava convicto de que Esdras foi o responsável pela revisão final do Pentateuco, embora Moisés estivesse bastante associado às origens do material. Os críticos do século XIX concordam com Jerônimo até certo ponto. Eles duvidam seriamente de que Moisés tenha contribuído com mais do que uma pequena parcela do material. Segundo os críticos, Números é o resultado da compilação dos documentos *J.,P.,D.* e *P.(S.),* os quais servem de base também para o restante do Pentateuco. Ver no *Dicionário* o artigo detalhado sobre *J.E.D.P.(S.).* O documento *J* é constituído de narrativas judias antigas e seu autor revela um interesse pelo reino judeu e seus heróis (850 a.C.). A palavra *Yahweh* (Jeová) é usada neste documento para referir-se a Deus. O documento *E* contém as antigas narrativas efraimitas originadas por volta de 750 a.C. O escritor de *E* demonstra interesse pelo reino do norte de Israel e seus heróis. Ele emprega o vocábulo *Eloim,* em vez de *Yahweh* (Jeová) para referir-se a Deus. O documento *D,* também chamado Código Deuteronômico, foi encontrado no templo no ano 621 a.C. Há alguma probabilidade de que o autor desse documento seja o sacerdote Hilkiah. *D* ressalta o fato de que o amor é a razão mesma do servir. A doutrina de um único altar é também acentuada neste documento. O Código Sacerdotal, ou documento *P,* originou-se por volta do ano 500 a.C., contudo sua redação prorrogou-se até o século IV a.C. Esse documento evidencia uma preferência por números e genealogias.

Essas fontes estão muito misturadas no livro de Números. Acredita-se que por volta do século V. a.C. um editor, talvez Esdras, tenha combinado esse material com histórias da tradição oral, dando origem ao livro.

2. Estrutura. Em se tratando de estrutura, este livro é de natureza mais diversa do que qualquer outro do Pentateuco. Embora o princípio fundamental de organização seja cronológico (o livro inicia-se no Sinai e termina nas proximidades da Terra Prometida, 38 anos mais tarde), muito do material parece estar em ordem de assunto. Por exemplo, Êxodo termina com a glória *Shekinah* habitando no tabernáculo que fora construído. Esse evento é recapitulado em Números 9.15-23, sugerindo o início de uma nova seção narrativa. Diante desse fato levanta-se uma dúvida: os eventos dos capítulos 1—8 ocorreram antes ou depois da construção do tabernáculo?

Esse e vários outros exemplos levaram os críticos a acreditar que Números não constitui uma unidade literária, isto é, a matéria do livro não foi rigidamente organizada de acordo com um princípio. Examinando a forma de Números, os críticos têm concluído que o livro é uma coleção de relatos referentes à vida no deserto combinados com materiais diversos tais como legislação, genealogia e narrativas de viagem. Uma observação das transições entre os episódios, ora bruscas, ora suaves, reforça a conclusão dos críticos. A teoria documentária discutida anteriormente neste artigo também favorece essa conclusão. Segundo essa teoria, Números pode ser dividido da seguinte maneira: *J* e *E,* 10.29—12.15; 20.14-21; 21.2-32; 22.2—25.5; *P* inclui o resto do conteúdo do livro, exceto 21.33-35, que pertence a *D.* Em Números os nomes divinos Jeová e Eloim são usados alternadamente, fato que dificulta a distinção entre os documentos *(J* e *E.)* (Z págs. 462, 463 vol. IV.)

Outro aspecto importante que se deve observar ao examinar a estrutura de Números é a *poesia* nele contida. Os críticos sugerem que a maioria, senão todos os poemas e fragmentos contidos em Números, tenha existido independentemente desse contexto. Por exemplo, o cântico do Poço em 21.17 ss. tem sido comparado a cânticos similares noutras literaturas. Outras ocorrências de poemas ou fragmentos de poemas são encontradas nas seguintes passagens de Números: 6.24-26; 10.35; 12.6-8; 18.24; 21.14-17ss.; 21.27ss.; 23.7-10; 24.3-9,15-19.

Os fragmentos que ocorrem em 12.6-8 (glorificações a Moisés como profeta) e em 6.24-26 (bênção sacerdotal) são considerados mais recentes do que os outros e possivelmente pertencem ao documento *E* (século VIII a.C.) ou a um período posterior. Esses dois documentos revelam influências das classes proféticas e sacerdotais. Do ponto de vista literário, os outros poemas são mais rústicos, datando provavelmente do período de estabelecimento na Palestina. A preservação de tais poemas através dos séculos se deu por meio da tradição oral, um processo de transmissão bastante eficaz em se tratando de poesia — o ritmo auxilia a memória (AM, pág. 537, vol. xx).

3. Texto. O texto de Números parece ser bastante estável. O criticismo textual fundamenta-se nos textos da Revisão Samaritana (RS), da Septuaginta (LXX) e do Texto Massorético (TM). Os textos da RS e da LXX distinguem-se do TM — este último é mais sintético, enquanto os outros dois são mais desenvolvidos. O texto massorético foi preservado num clima mais sacerdotal na Babilônia, sendo reintroduzido na Palestina somente nos séculos II e I a.C.

Entre os achados de Qumran (1947-1953), foram encontradas porções de um rolo de pergaminho de Números (4Q Num(b)), que exibem um caráter textual bastante interessante: o texto apresenta uma posição intermediária entre o da RS e o da LXX e, frequentemente, concorda com as variantes da RS em oposição ao TM. Contudo, em casos nos quais TM e RS concordam com a LXX, esse texto segue a LXX. F. Cross sugere que este tipo de texto fosse o usado na Palestina nos séculos V-II a.C. Ver no *Dicionário* o artigo sobre *Manuscritos do Antigo Testamento.*

II. PROPÓSITO E CONTEÚDO

O propósito aparente do livro foi registrar o início do efeito exterior que o pacto exerceu na vida dos israelitas. Números registra as modificações e os ajustamentos na estrutura das estipulações pactuais, bem como a reação do povo israelita a tais estipulações. Os temas de fé e obediência são centrais em Números, que é considerado "o livro do servir e do caminhar do povo redimido de Deus" (UBD, 799).

Números continua a narração da jornada iniciada no livro de Êxodo, começando com os eventos do segundo mês do segundo ano (Nm 10.11) e terminando com o décimo primeiro mês do quadragésimo ano (Dt 1.3). Os 38 anos de perambulação no deserto procedem do fracasso do povo de Israel, diante da provisão divina para seu sucesso.

III. ESBOÇO

A. Partida do monte Sinai (1.1—10.10)
1. Preparação no Sinai (1.1—9.14)
   a. Enumeração das tribos (1.1-54)
   b. Organização do acampamento (2.1—4.49)
   c. Regulamentações especiais (5.1—6.27)
   d. Enumeração das ofertas dos príncipes (7.1-89)
   e. As lâmpadas do tabernáculo (8.1-4)
   f. A consagração dos levitas (8.5-26)
   g. A Páscoa (9.1-14)
   h. A nuvem guia a marcha dos israelitas (9.15-23)
   i. As duas trombetas de prata (10.1-10)

B. Viagem do Sinai a Moabe (10.11—21.35)
1. Do Sinai a Cades-Barneia (10.11—14.45)
   a. A partida (10.11-36)
   b. As murmurações dos israelitas (11.1-35)
   c. A sedição de Miriã e Arão (12.1-16)
   d. Os espias (13.1-33)
   e. Os israelitas querem voltar ao Egito (14.1-45)
2. A Permanência no Deserto (15.1—21.35)
   a. Repetição de diversas leis (15.1-41)
   b. Rebelião de Coré, Datã e Abirão (16.1-50)
   c. Floresce a vara de Arão (17.1-13)
   d. Deveres e direitos dos sacerdotes (18.1-32)
   e. O rito da purificação (19.1-22)
   f. Incidentes no deserto (20.1—21.35)

C. Nas Planícies de Moabe (22.1—36.13)
1. Eventos Importantes (22.1—32.42)
   a. Balaão (22.1—24.25)
   b. Apostasia em Peor (25.1-18)
   c. Recenseamento (26.1-51)
   d. A lei acerca da divisão da terra (26.52-65)
   e. A lei acerca das heranças (27.1-11)
   f. Nomeação de Josué como sucessor de Moisés (27.12-23)
   g. Regulamentações sobre festivais, votos e oferendas (28.1—30.17)
   h. Vitória sobre os midianitas (31.1-54)
   i. Rúben e Gade pedem Gileade (32.1-42)
2. Apêndice (33.1—36.13)
   a. Itinerário (33.1-56)
   b. Instruções antes de entrar na terra (34.1—36.13)

IV. TEOLOGIA

Fundamentando-se nos resultados do pacto entre Deus e Israel, o livro de Números exprime um ponto de vista a respeito da natureza do Criador e de sua criação. Segundo o acordo estipulado detalhadamente em Êxodo e Levítico, o povo deveria servir a Deus somente, sem idolatria. Em retorno, Deus os protegeria e abençoaria, dando-lhes uma nova terra. Nisso consistia o pacto, entretanto o alvo era nobre demais para a natureza humana e houve uma grande lacuna entre a profissão e a realização desse acordo. O livro expressa a natureza extremamente pecaminosa do homem, o qual não se inclina para Deus a despeito de todas as evidências (no Tabernáculo) e de seu poder (nas diversas intervenções). Em face de tudo o que Deus tinha provado ser, o povo não confiou nEle, mas permaneceu apreensivo, orgulhoso e egoísta.

Em relação à natureza de Deus, o livro revela três aspectos principais: Seu caráter fiel, punitivo e santo.
a. *Fiel*. A fidelidade divina é claramente demonstrada em Números, pois o pacto foi repetidamente quebrado e, apesar de Deus ter todo direito de abandonar os israelitas ou de destruí-los, ele cumpriu até o fim seu propósito de fazer o bem à nação de Israel e ao mundo através dela.
b. *Punitivo*. Entretanto, isso não implica que Deus possua uma natureza impassível. Ao contrário, o capítulo 14 retrata a ira de Deus e revela seu caráter pessoal dinâmico e impetuoso.

c. *Santo*. A santidade de Deus é especialmente acentuada neste livro. Para aproximar-se de Deus, o homem precisa livrar-se de toda a impureza, pois o impuro não pode existir na presença do Puro. Em se tratando de santidade, há um abismo entre Deus e os homens, entretanto, em sua graça, Deus providenciou um caminho de acesso à sua santa presença: a purificação.

V. PROBLEMAS ESPECIAIS

1. *Narrativas sobre Balaão*. Uma das passagens mais poéticas de Números encontra-se nos capítulos 23 e 24. Esta passagem narra como Balaão foi chamado pelo rei de Moabe para assolar os perigosos guerreiros que ameaçavam seu território. A narrativa é estranhamente contraditória, pois Deus ordena a Balaão que vá e em seguida o censura por ter ido. Em Números 31.16, Balaão é acusado de ter conduzido Israel ao pecado. Isto está em desacordo com a história narrada anteriormente, e parece indicar que várias fontes foram alinhadas juntas de maneira um tanto frouxa. Exegetas tradicionais têm tentado harmonizar essas referências. Críticos mais recentes consideram 31.16 uma inserção posterior.

2. *Autenticidade do Recenseamento*. Números 1.46 e 26.51 declaram que os hebreus possuíam um exército de 600.000 homens, número que indicaria uma comunidade total de 2 a 3 milhões de pessoas. Embora não totalmente fora de consideração, esse número não é muito provável, pois nem mesmo os grandes exércitos daquele período (Egito e Assíria) ultrapassavam os 100.000 homens. Além disso, investigações arqueológicas indicam que a população total de Canaã naquele período era menor do que 3 milhões de pessoas, fato que dificulta a explicação de como os cananeus foram capazes de restringir a conquista dos hebreus às terras altas centrais. A dificuldade em alimentar 3 milhões de pessoas no deserto deve também ser considerada. Os que acreditam na plena inspiração da Bíblia têm refutado estes argumentos e feito tentativas para provar a autenticidade dessas estatísticas baseando-se em estudos de palavras. Não obstante, as soluções sugeridas apresentam numerosos problemas, impossibilitando uma conclusão final.

3. *Avaliação Bíblica do Período*. Há certa discrepância entre a avaliação profética e a avaliação pentatêutica desse período da história de Israel. Amós 5.25; Oseias 2.15; 9.10; 11.1-4 e Jeremias 2.2,3; 31.2 são passagens que mostram que os profetas consideraram esse período um tempo idílico em que Israel manteve um relacionamento saudável e constante com Deus. Por outro lado, acredita-se que o ponto de vista pentatêutico foi forçado pelos escritores do documento P, que, impressionados com o castigo do exílio imposto por Deus, acreditaram que Israel jamais o serviria fielmente. Tentando solucionar esse problema, alguns sugerem que a discrepância seja apenas aparente, pois o ponto de vista otimista dos profetas deve ser considerado à luz do período apóstata em que viveram.

4. *O Itinerário da Viagem no Deserto*. As dificuldades em harmonizar os dados bíblicos e em identificar os locais mencionados nas narrativas têm sido obstáculos na reconstrução da viagem através do deserto.

Números 33 sugere que a viagem tenha sido realizada em quatro estágios: do Egito ao Sinai (Nm 33.3-15); do Sinai a Eziom-Geber (33.16-35); de Eziom-Geber a Cades (33.36); e de Cades a Moabe (33.36,37). A despeito de essa reconstrução corresponder com Deuteronômio 1.46 e 2.1, há nela algumas dificuldades que devem ser consideradas: 1. Segundo a reconstrução anterior, o povo hebreu passou 38 anos perambulando no deserto na área de Cades (cf. Nm 13.26 e 20.1). Números 33 não menciona nenhum acampamento durante os anos em Cades, fato que tem levado os críticos a pensar que não houve tal perambulação. Eles afirmam que Números 20.1 retoma a narrativa dentro de alguns dias, de onde fora deixada em 14.45. Derrotados na tentativa de penetrar na terra pelo sul, os hebreus simplesmente mudaram de rumo e entraram pelo leste. 2. Outra dificuldade é o grande número de acampamentos entre o Sinai e Eziom-Geber, enquanto Números 11.34 e 12.16 inferem apenas duas paradas numa rota mais direta a Cades. 3. Outra dificuldade é a ordem para mudar de rumo e "... caminhar para o deserto pelo caminho do mar Vermelho" (Nm 14.25). O capítulo 33 do livro não reflete esse movimento (Z págs. 465-466).

J. N. Oswalt, tentando uma reconstrução do trajeto coerente com os dados bíblicos, sugere o seguinte: "Talvez Ritmá (33.18,19) se refira ao wadi Abu Retemat, que está ao sul de Cades. Assim Ritmá seria o local do acampamento no tempo em que os espias foram enviados (KD,III, 243). Se isso for correto, então os dezessete lugares mencionados nos vss. 19-36 se referiam aos 38 anos de perambulação. Isto significa que os hebreus iniciaram sua permanência em Cades (13.26; 33.36,37), vaguearam na área sul e leste e de lá foram para Eziom-Geber (33.20-35), terminando em Cades novamente (20.1; 33.36). Frustrados na tentativa de se dirigirem ao nordeste através de Edom para o mar Vermelho, eles retornaram ao sul novamente (21.4), entraram em Arabá, ao norte de Eziom-Geber, e de lá prosseguiram para Moabe" (Z p. 466).

VI. BIBLIOGRAFIA
ALB AM ANET E I IB LOT WES YO

Citações de Números no Novo Testamento
- Mateus: 5.33 (Nm 30.2); 9.36 (Nm 27.17)
- Marcos: 6.34 (Nm 7.39; 27.17)
- Lucas: 1.15 (Nm 6.3)
- Atos: 7.39 (Nm 14.3 ss.); 7.51 (Nm 27.14); 21.26 (Nm 6.5)
- 1Coríntios: 10.5 (Nm 14.6); 10.6 (Nm 11.34)
- 2Timóteo: 2.19 (Nm 16.4)
- Hebreus: 3.2,5 ss. (Nm 12.7); 3.17 (Nm 14.29); 8.2 (Nm 24.6); 12.3 (Nm 16.38; 17.3)
- Apocalipse: 2.14 (Nm 25.1 ss.; 31.16); 2.20 (25.1 ss.)

Ao Leitor
Arranjo das Tribos de Israel no Acampamento no Deserto.

O arranjo das tribos de Israel em torno do tabernáculo simbolizava um ideal espiritual: *Deus estava entre o seu povo.* A vida religiosa ocupava lugar central em toda a vida e atos de Israel. No Novo Testamento, o simbolismo é ainda mais estreito. A habitação do Espírito Santo é o próprio ser humano. Deus veio armar sua tenda nos crentes. O homem, individualmente (1Co 6.19), e a igreja, coletivamente, são templo de Deus (Ef 2.20 ss.).

Havia *três acampamentos gerais:* 1. aquele que era do Senhor (o próprio tabernáculo); 2. aquele dos levitas, na área imediata do tabernáculo, e 3. aquele das tribos de Israel.

Um estudioso *sério* das Escrituras não começará a estudar um de seus livros sem primeiro valer-se de uma introdução (ou introduções). Convido meu leitor a considerar questões como a composição, a autoria, os propósitos, o conteúdo, o esboço, a teologia e os problemas especiais do livro de Números.

Números, considerando seu grande volume, é um dos livros do Antigo Testamento menos citados no Novo Testamento. Há apenas 16 referências. Logo acima, apresento uma lista dessas citações. Uma das razões para esse parco uso do livro de Números no Novo Testamento é que boa parte de seu material é composto por repetições baseadas nos livros de Êxodo, Levítico e Deuteronômio, que os autores do Novo Testamento preferiram usar em suas citações.

O quarto capítulo de Números localiza no deserto os acontecimentos historiados no livro (o que explica o título em hebraico). O livro narra o que sucedeu ao povo de Israel, em suas jornadas desde a península do Sinai até a Terra Prometida. O livro dá prosseguimento à narrativa sobre Israel após o êxodo, e após as muitas leis registradas no livro de Levítico.

EXPOSIÇÃO

CAPÍTULO UM

PARTIDA DO MONTE SINAI (1.1—10.10)

PREPARAÇÃO NO SINAI (1.1—9.14)

ENUMERAÇÃO DAS TRIBOS (1.1-54)

Tradicionalmente, Israel passou quarenta anos vagueando pelo deserto. A maior parte dessas vagueações ocorreu no oásis conhecido como Cades-Barneia. A cronologia sacerdotal informa-nos que um ano se escoou do êxodo à construção do tabernáculo (Êx 40.2). Em seguida, veio a intrincada legislação do livro de Levítico, cuja produção ocupou apenas um mês (Nm 1.1). Então foi feito um recenseamento, dezenove dias depois de Israel ter abandonado a área do Sinai (Nm 10.11). O discurso de despedida de Moisés ocorreu no fim das vagueações (Dt 1.3). Levando em conta esse informe, parece que Israel passou cerca de 35 anos em Cades-Barneia.

Nesse tempo, Israel foi retratado como um povo descontente, murmurador, rebelde e exigente. Os sinais de Deus, porém, caíram sobre olhos cegos e mentes obscurecidas. Apesar desse quadro entristecedor, a revelação e os atos de Deus estavam progredindo segundo havia sido determinado. Sacudimos a cabeça, desolados, contra tudo isso, e inúmeros sermões têm sido pregados contra a dureza de coração e o embotamento mental de Israel. Contudo, quando olhamos para nós mesmos e para as pessoas à nossa volta, vemos que esse tipo de conduta se repete entre nós. No entanto, Deus está conosco e nunca nos abandona. A *espiritualidade* é algo acerca do que temos de trabalhar constantemente e para o resto da vida, e não algo que atingimos de súbito. Israel teve a sua *peregrinação espiritual*, tão rica em seus ensinos, beneficiando a *peregrinação espiritual* de todo crente.

Tipicamente, o livro de Números fala em serviço e em conduta ou andar. O livro de *Gênesis* relata a criação e a queda do homem; o livro de *Êxodo* tipifica a redenção, pois Israel foi remido da escravidão no Egito; o livro de *Levítico* apresenta-nos as intrincadas leis que governavam a adoração e a comunhão com Deus; e então vem o livro de *Números*, que nos ensina a servir e a andar na vida. Isso posto, o livro de Números segue uma sequência tanto histórica quanto espiritual, que acompanhou tanto o povo de Israel quanto a vida de todos os crentes.

Todos os Israelitas Foram Enumerados. Todos eles foram arrolados por seus nomes. Cada qual tinha uma tarefa a cumprir. Isso fala sobre a providência de Deus, que cuida de todos os detalhes atinentes à nossa vida. Ver no *Dicionário* o artigo intitulado *Providência de Deus.*

1.1

וַיְדַבֵּר יְהוָה אֶל־מֹשֶׁה בְּמִדְבַּר סִינַי בְּאֹהֶל מוֹעֵד בְּאֶחָד לַחֹדֶשׁ הַשֵּׁנִי בַּשָּׁנָה הַשֵּׁנִית לְצֵאתָם מֵאֶרֶץ מִצְרַיִם לֵאמֹר:

Falou o Senhor a Moisés. Uma expressão comum no Pentateuco, usada como artifício literário para indicar o começo de alguma nova seção ou a apresentação de novos materiais. Neste caso, o começo de um novo livro da Bíblia. Essa expressão também nos faz lembrar da inspiração divina das Escrituras. Ver as notas completas sobre essa expressão em Levítico 1.1 e 4.1. Moisés, tal como por todo o Pentateuco, aparece como o mediador entre Deus e o povo de Israel.

A vida individual e nacional de Israel foi determinada por Yahweh. Isso não dependia de condições raciais e sociais. Os eventos, em Israel, derivavam-se da vontade de Deus, e não de condições humanas, embora essas duas coisas estejam sempre interagindo.

No deserto. Essa frase tornou-se o título deste livro nas modernas Bíblias em hebraico. Números revela-nos o que sucedeu aos israelitas depois que eles deixaram o Sinai, e daí até o momento em que estavam prestes a entrar na Terra Prometida. Foram cerca de quarenta anos de *vagueações* pelo deserto, embora a maior parte desses anos tivesse sido passada em Cades-Barneia. Ver no *Dicionário* o artigo chamado *Vagueações.*

Na tenda da congregação. Ver no *Dicionário* o verbete *Tabernáculo.* A narrativa do livro de Números começa um mês depois que os israelitas tinham terminado a construção do tabernáculo, no deserto do Sinai (ver Êx 40.1-33).

Congregação. Ver as notas em Êxodo 16.1 quanto a essa expressão.

Cronologia. A cronologia que temos aqui indica que o tabernáculo havia sido erigido um mês antes, e que esse evento ocorrera quase um ano após a saída dos filhos de Israel do Egito. O *segundo mês* (do calendário religioso) chamava-se *ijar,* que correspondia ao nosso mês de abril e a parte do mês de maio. O primeiro mês do calendário religioso chamava-se *abibe* ou *nisã,* e o ano eclesiástico começava com a *páscoa* (ver a esse respeito no *Dicionário*).

1.2

שְׂאוּ אֶת־רֹאשׁ כָּל־עֲדַת בְּנֵי־יִשְׂרָאֵל לְמִשְׁפְּחֹתָם
לְבֵית אֲבֹתָם בְּמִסְפַּר שֵׁמוֹת כָּל־זָכָר לְגֻלְגְּלֹתָם:

Fórmulas de Comunicação. Há *oito* diferentes fórmulas de comunicação. Moisés, o mediador entre Deus e Israel, recebia a sua mensagem quando *Yahweh falava*. Então ele transmitia a mensagem recebida a Arão, a Arão e seus filhos ou então ao povo inteiro de Israel. No caso presente, a mensagem foi transmitida a Arão (vs. 3). Ver as fórmulas de comunicação anotadas em Levítico 17.2.

Este segundo versículo fornece-nos várias expressões padronizadas que se aplicam a toda esta questão do recenseamento, a saber:

1. *A congregação*. Todo o povo de Israel, coletivamente considerado. Ver as notas sobre essa expressão em Êxodo 16.1.
2. *As famílias*. Devemos pensar aqui nos clãs de Israel. No hebraico temos a palavra *mishpahah*, que inclui o sentido de "casas paternas".
3. *Tribos*. Uma tribo era formada por vários clãs ou casas paternas. Estritamente falando, havia treze tribos, se incluirmos Levi (mas que não formava uma tribo, de acordo com a definição deste primeiro capítulo de Números, pois era uma casta sacerdotal), e se incluirmos as duas tribos de Manassés e Efraim, que eram oriundas de José. Neste cálculo, deixamos de lado a tribo de José, que não existia, mas que, não obstante, se expressava através de seus dois filhos, compondo duas tribos que recebiam os nomes de Manassés e Efraim, e não de José. Mas visto que Levi não era considerado uma tribo, então acabamos contando com as doze tribos tradicionais de Israel.
4. *Número de seus nomes*. Estavam então em pauta os indivíduos, um por um, cada qual com seu nome identificador. Essa era a menor unidade possível na congregação de Israel. Mas somente os *homens* eram contados, e mesmo assim somente os varões em idade de entrar na guerra, dotados de capacidade física (vs. 3). Assim, o total do recenseamento *dessas* pessoas chegou a um pouco mais de seiscentas mil. Contudo, se havia tantos varões preparados para entrar em guerra, então a congregação total de Israel deve ter tido, no mínimo, *três milhões* de pessoas.
5. *Cabeça por cabeça*. Ou seja, cada homem, em idade própria de entrar na guerra e fisicamente capaz, quase todos pais de famílias, os quais foram contados individualmente por ocasião do recenseamento. O termo hebraico aqui é *gulgoleth*, que indica a cabeça ou crânio de um homem. Cf. Mateus 27.33, o lugar da caveira, ou *calvário*, palavra portuguesa que se deriva do latim.

Neste ponto, apresento as estatísticas referentes aos dois recenseamentos, historiados, respectivamente, nos capítulos 1 e 26 do livro de Números.

Recenseamentos

Tribos	Primeiro (cap. 1)	Segundo (cap. 26)
1. Judá	(vs. 27) 74.600	(v. 22) 76.500
2. Dã	(vs. 39) 62.700	(v. 43) 64.400
3. Simeão	(vs. 23) 59.300	(v. 14) 22.200
4. Zebulom	(vs. 31) 57.400	(v. 27) 60.500
5. Issacar	(vs. 29) 54.400	(v. 25) 64.300
6. Naftali	(vs. 43) 53.400	(v. 50) 45.400
7. Rúben	(vs. 21) 46.500	(v. 7) 43.730
8. Gade	(vs. 25) 45.650	(v. 18) 40.500
9. Aser	(vs. 41) 41.500	(v. 47) 53.400
10. Efraim	(vs. 33) 40.500	(v. 37) 32.500
11. Benjamim	(vs. 37) 35.400	(v. 41) 45.600
12. Manassés	(vs. 35) 32.200	(v. 34) 52.700
Totais:	603.550	601.730

Observações. Judá era a tribo mais populosa de Israel. E Manassés a menor. A diferença entre elas era de 42.400 homens, para o que nenhuma razão válida é dada. Maior população representava maior bênção divina para os hebreus, visto que ter muitos filhos era uma herança do Senhor (ver Sl 127.3). A lista acima aparece em ordem *decrescente*.

O *segundo recenseamento* mostrou poucas variações para cima ou para baixo. Mas Simeão sofreu grande descrescimento, e Manassés, grande acréscimo. São dados números redondos no máximo possível.

O grande total de pelo menos três milhões de pessoas, partindo de setenta almas originais, que desceram ao Egito (Gn 46.27), em pouco mais de duzentos anos, é algo que tem feito os críticos duvidar da cronologia envolvida (mais anos devem ter estado envolvidos); ou então os números refletem um tempo posterior a Moisés, apesar de esses números serem apresentados como contemporâneos a ele. Seja como for, a promessa divina de multiplicação, como parte do Pacto Abraâmico, estava em operação. (Ver Gn 15.18 quanto àquele pacto e suas provisões.) As promessas de Deus não falham (Gn 16.5).

Uma Vida. O recenseamento foi de indivíduos. Uma vida muito vale para Deus, e pode ter um efeito tremendo. Assim, um homem podia pôr em fuga a dez mil inimigos (Dt 32.30). Jesus tinha apenas doze apóstolos, mas eles produziram uma história que prossegue até hoje.

1.3

מִבֶּן עֶשְׂרִים שָׁנָה וָמַעְלָה כָּל־יֹצֵא צָבָא בְּיִשְׂרָאֵל
תִּפְקְדוּ אֹתָם לְצִבְאֹתָם אַתָּה וְאַהֲרֹן:

Da idade de 20 anos para cima. Esse foi o critério seguido no recenseamento. Só eram contados varões, e todos de 20 anos de idade para cima; e todos capazes de ir à guerra. Isso deixava de lado mulheres, crianças, homens de avançada idade, ou seja, *a maior parte* da população de Israel. Assim, se havia cerca de seiscentos mil homens relativamente jovens, então a população de Israel deve ter sido, no mínimo, de três milhões de pessoas. Alguns supõem que o recenseamento original, aqui, não tenha sido de Israel, mas, sim, de uma *convocação* militar.

Outros dizem que o limite máximo de idade foi 50 anos, mas alguns falam em 60. Porém isso faria ingressar no exército um número muito grande de homens idosos, especialmente levando em conta os tempos antigos. Talvez o aspecto militar do recenseamento tenha visado dar a Israel um senso de confiança, enquanto vagueasse pelo deserto, em preparação para a guerra. Um dos principais deveres do cidadão era prestar serviço militar (ver o cap. 32).

1.4

וְאִתְּכֶם יִהְיוּ אִישׁ אִישׁ לַמַּטֶּה אִישׁ רֹאשׁ לְבֵית־אֲבֹתָיו
הוּא:

Um homem. De cada tribo, um homem agiria como assistente de Moisés e Arão, no recenseamento; e também podemos supor que muitos outros se ocuparam na contagem, sob a direção daqueles doze auxiliares maiores. A expressão, "cabeça da casa de seus pais" indica que cada um desses homens era o chefe dos vários clãs que compunham as tribos. "Havia muitas cabeças de tais casas, em cada tribo; mas parece, pelo vs. 16 (cf. 7.10,11), que um *príncipe* de cada tribo foi selecionado para presidir no recenseamento" (Ellicott, *in loc.*). Cada príncipe era cabeça de um número indeterminado de *milhares*. O Targum de Jonathan chama também de *príncipe* a cada um desses homens (seus nomes são dados nos vss. 5-15). Assim, havia um Elizur, um Naassom etc. A palavra hebraica para príncipe é *rosh*, que se refere à cabeça, indicando um homem principal, chefe (ver Êx 18.25) ou chefe de família (ver Êx 6.14).

1.5

וְאֵלֶּה שְׁמוֹת הָאֲנָשִׁים אֲשֶׁר יַעַמְדוּ אִתְּכֶם לִרְאוּבֵן
אֱלִיצוּר בֶּן־שְׁדֵיאוּר:

Os homens que seriam os auxiliares de Moisés e Arão, no recenseamento, os *príncipes* das tribos (um para cada tribo), têm seus nomes referidos nos vs. 5-15 deste capítulo.

De Rúben. Ver no *Dicionário* os verbetes Tribo (*Tribos de Israel*) e *Rúben*.

Elizur. No hebraico, "Deus é rocha". Ele era filho de *Sedeur*, um dos chefes da tribo de Rúben (Nm 1.5; 2.10; 7.30,35; 10.18). Viveu em cerca de 1210 a.C. Nada se sabe sobre ele, exceto o que o texto nos sugere. Seu pai, Sedeur, também é desconhecido, exceto por poucas menções a ele, em Levítico, que não nos dão informações a seu respeito. Ver Números 1.5; 2.10; 7.30,35 e 10.18.

Quase todos os nomes dessa lista incorporam algum nome divino, usualmente *El* (ver sobre esse nome no *Dicionário*). Ver também *Deus, Nomes Bíblicos de. Shaddai* (vs. 16) também foi empregado. Esse nome divino é explicado no *Dicionário*. Mas no nome *Aira* (vs. 15) temos *Rá* (nome de um deus egípcio) incorporado. Ver sobre *Rá* no *Dicionário*.

■ **1.6**

לְשִׁמְעוֹן שְׁלֻמִיאֵל בֶּן־צוּרִישַׁדָּי:

De Simeão. Ver no *Dicionário* sobre esse nome, como também o artigo *Tribo (Tribos de Israel)*.

Selumiel. No hebraico, "Deus é a minha paz" ou "meu amigo", ou mesmo "bem-estar". Era filho de Zurisadai, principal oficial da tribo de Simeão, terminado o êxodo. Ajudou no censo historiado no primeiro capítulo de Números. Ver também Números 2.12; 7.36,41 e 10.19, quanto às suas atividades e sobre o que se sabe a seu respeito. Seu nome aparece como Salamiel, filho de Salasadai, dentro da genealogia da heroína Judite (8.1). O nome de seu pai, *Zurisadai*, significa "Shaddai é uma rocha". Quase todos os nomes dos doze chefes incorporam algum nome divino, o que já ilustrei no versículo anterior. Ver Números 2.12; 7.36,41; 10.19. Nada se sabe sobre ele, exceto o que é sugerido nesses versículos.

■ **1.7**

לִיהוּדָה נַחְשׁוֹן בֶּן־עַמִּינָדָב:

De Judá. Ver no *Dicionário* sobre esse nome, e também o verbete *Tribo (Tribos de Israel)*.

Naassom. Quanto ao que se sabe sobre esse homem, ver Êxodo 6.23. O nome de seu pai era Aminadabe, que quer dizer "O parente divino é pródigo". Quanto a este último, ver no *Dicionário*, primeiro ponto. Três outros homens também têm esse nome, no Antigo Testamento. Ele era filho de *Arão*, de acordo com a linhagem genealógica de Jesus (Mt 1.4).

■ **1.8**

לְיִשָּׂשכָר נְתַנְאֵל בֶּן־צוּעָר:

De Issacar. Ver sobre esse nome no *Dicionário*, como também o verbete *Tribo (Tribos de Israel)*.

Natanael. Esse era um nome popular em Israel, em ambos os Testamentos. Dez homens têm esse nome no Antigo Testamento. No hebraico significa "presente de Del (Deus)". Era filho de *Zuar*, príncipe da tribo de Issacar, na época do êxodo (Nm 2.5; 7.18,23; 10.15). Seu pai, Zuar (no hebraico, "pequeno"), também é desconhecido, excetuando o que essas referências sugerem.

■ **1.9**

לִזְבוּלֻן אֱלִיאָב בֶּן־חֵלֹן:

De Zebulom. Ver esse nome no *Dicionário*, como também o verbete *Tribo (Tribos de Israel)*.

Eliabe. No hebraico, "Deus é Pai". Nome de seis pessoas no Antigo Testamento. Ver esse nome no *Dicionário*, primeiro ponto, quanto ao homem referido neste texto. O nome de seu pai era *Helom* (no hebraico, "forte"). Ver Números 2.7; 7.24,29; 10.16. Nada se sabe sobre ele, exceto o que é sugerido nessas referências.

■ **1.10**

לִבְנֵי יוֹסֵף לְאֶפְרַיִם אֱלִישָׁמָע בֶּן־עַמִּיהוּד לִמְנַשֶּׁה גַּמְלִיאֵל בֶּן־פְּדָהצוּר:

Efraim. Ver sobre esse nome no *Dicionário*, como também o verbete *Tribo (Tribos de Israel)*. Nenhuma das tribos levava o nome de *José*, pai de Efraim. Antes, duas tribos de Israel descendem de José, a saber, *Efraim* e *Manassés*. Poderíamos pensar que essa circunstância nos daria treze tribos; e, estritamente falando, assim era. Mas visto que Levi passou a ser tida como casta sacerdotal, e não como uma tribo (ver Nm 1.47), terminamos com as *doze tribos* tradicionais.

Elisama. No hebraico, "Deus ouviu". Esse é o nome de sete pessoas nas páginas do Antigo Testamento. Ver o primeiro ponto da lista, para o homem deste texto. O nome de seu pai era *Amiúde*, que no hebraico significa "meu parente é glorioso". É nome de cinco pessoas do Antigo Testamento. Ver o primeiro nome da lista que aparece no *Dicionário*.

De Manassés. Ver sobre esse nome no *Dicionário*, como também o verbete *Tribo (Tribos de Israel)*.

Gamaliel. No hebraico, "Deus é meu galardão". Era um nome popular entre os hebreus. Mas no Antigo Testamento só há este homem com esse nome. No Novo Testamento há um famoso Gamaliel (ver At 5.34 e 22.3). O Gamaliel deste texto era príncipe da tribo de Manassés, que participou do censo de Israel pouco depois do êxodo. Ver Números 2.20; 7.54,59 e 10.23. Nada se sabe sobre ele, exceto o que é sugerido nesses versículos. O nome de seu pai era *Pedazur*, que no hebraico significa "a rocha liberta". Coisa alguma se sabe sobre ele a não ser o que é dito aqui.

Notemos que Efraim, filho mais novo de José, foi referido antes de Manassés, seu irmão. José, ao trazer seus dois filhos para serem abençoados por Jacó, posicionou-os dando precedência a Manassés, a seu lado direito. Mas Jacó trançou os braços, impondo sua mão direita sobre Efraim, o mais novo, porque receberia maior bênção. Ver a história em Gênesis 48.13-22. A ordem inversa, porém, é dada em Números 26.28; 34.23,24.

■ **1.11**

לְבִנְיָמִן אֲבִידָן בֶּן־גִּדְעֹנִי:

De Benjamim. Ver sobre esse nome no *Dicionário*, e ver também o artigo *Tribo (Tribos de Israel)*.

Abidã. No hebraico, "pai do jumento" ou "juiz". Era filho de *Gideoni*, príncipe de Benjamim (Nm 2.22 e 10.24). Representou sua tribo como recenseador. Por ocasião da construção do tabernáculo, sua contribuição caiu no nono dia (Nm 7.60-65). Seu pai, *Gideoni* (no hebraico, "guerreiro"), é mencionado nesses mesmos textos, e coisa alguma se sabe sobre eles, exceto o que é mencionado nesses versículos.

■ **1.12**

לְדָן אֲחִיעֶזֶר בֶּן־עַמִּישַׁדָּי:

De Dã. Ver sobre esse nome no *Dicionário*, bem como o verbete *Tribo (Tribos de Israel)*.

Aieser. No hebraico, "irmão é ajuda". Era filho de Amisadai, o qual, no tempo de Moisés, representava a tribo de Dã no censo, e em certo número de outras ocasiões importantes. Ver Números 2.25; 7.66,71; 10.25. O nome de seu pai era *Amisadai*, também mencionado nessas referências. Seu nome significa "Shaddai é meu parente". Coisa alguma se sabe sobre pai e filho, exceto o que é sugerido nesses versículos que dão seus nomes.

■ **1.13**

לְאָשֵׁר פַּגְעִיאֵל בֶּן־עָכְרָן:

De Aser. Ver esse nome no *Dicionário*, como também o verbete intitulado *Tribo (Tribos de Israel)*.

Pagiel. No hebraico, "encontro com El (Deus)". Era nome de um filho de Ocrã, chefe da tribo de Aser, ao tempo do Êxodo. Ajudou Moisés a fazer o censo dos israelitas. Ver Números 2.27; 7.72; 10.26. O nome do pai dele, *Ocrã*, no hebraico quer dizer "criador de confusões". Seu nome se acha nas mesmas referências em que aparece o nome de seu filho. Nada sabemos sobre ambos, a não ser o que fica implícitos nesses versículos.

■ **1.14**

לְגָד אֶלְיָסָף בֶּן־דְּעוּאֵל:

De Gade. Ver esse nome no *Dicionário*, como também o verbete *Tribo (Tribos de Israel)*.

Eliasafe. No hebraico, "Deus acrescentou". Nome de um filho de Deuel ou Reuel. Chefe da tribo de Gade. Ajudou a Moisés e Arão no primeiro censo de Israel. Ver Números 2.14; 7.42; 10.20. O nome de seu pai era *Deuel*, ou seja, "Deus é amigo". Nada se sabe acerca desses homens, exceto o que se pode inferir dos versículos acima.

■ 1.15

לְנַפְתָּלִ֕י אֲחִירַ֖ע בֶּן־עֵינָֽן׃

De Naftali. Ver sobre esse nome no *Dicionário*, como também o artigo *Tribo (Tribos de Israel)*.

Aira. No hebraico, "irmão do mal" ou mesmo "sem sorte". Era chefe da tribo de Naftali e foi nomeado um dos assessores de Moisés para fazer o censo do povo. Fez sua contribuição para o culto sagrado no décimo segundo dia das ofertas. Ver Números 2.29; 7.78,83; 10.27. O nome de seu pai era *Enã*, que no hebraico significa "fonte de água" ou "parar de olhar". Nada se sabe sobre eles, exceto o que transparece nesses versículos onde aparecem os nomes deles.

Alguns eruditos pensam que a derivação do nome Aira vem do deus egípcio Rá. Ver sobre este último no *Dicionário*. Nesse caso, o nome provavelmente significa "Rá é um irmão". Seria apenas natural que entre Israel houvesse nomes próprios que retivessem algo do idioma egípcio, devido ao longo cativeiro deles naquele país.

■ 1.16

אֵ֚לֶּה קְרוּאֵ֣י הָעֵדָ֔ה נְשִׂיאֵ֖י מַטּ֣וֹת אֲבוֹתָ֑ם רָאשֵׁ֛י אַלְפֵ֥י יִשְׂרָאֵ֖ל הֵֽם׃

Os homens cujos nomes são dados nos vss. 5-16 deste capítulo eram chefes de tribos em Israel. Foram escolhidos para encabeçar o recenseamento, e, sem dúvida, tinham muitos ajudadores para facilitar a tarefa. Ver o vs. 2 quanto a todas as expressões deste versículo, exceto "cabeças dos milhares". Essa palavra (ver também os vss. 21 e 23) talvez fosse um antigo termo hebraico que talvez significasse "subseção de uma tribo". Um número indeterminado de milhares estava envolvido nas tribos e em suas subseções. O censo servia precisamente para definir essa questão. Ver sobre a palavra hebraica *'elep*, nas notas sobre o vs. 21 deste capítulo.

A congregação de Israel estava dividida em milhares, centenas e meias-centenas. Isso sucedeu por conselho de Jetro, sogro de Moisés. Ver Êxodo 18.21. Cada divisão de mil contava com seu próprio chefe, mas sobre todos esses grupos de milhares havia um *príncipe*.

■ 1.17,18

וַיִּקַּ֤ח מֹשֶׁה֙ וְאַהֲרֹ֔ן אֵ֥ת הָאֲנָשִׁ֖ים הָאֵ֑לֶּה אֲשֶׁ֥ר נִקְּב֖וּ בְּשֵׁמֽוֹת׃

וְאֵ֨ת כָּל־הָעֵדָ֜ה הִקְהִ֗ילוּ בְּאֶחָד֙ לַחֹ֣דֶשׁ הַשֵּׁנִ֔י וַיִּתְיַֽלְד֥וּ עַל־מִשְׁפְּחֹתָ֖ם לְבֵ֣ית אֲבֹתָ֑ם בְּמִסְפַּ֣ר שֵׁמ֗וֹת מִבֶּ֨ן עֶשְׂרִ֥ים שָׁנָ֛ה וָמַ֖עְלָה לְגֻלְגְּלֹתָֽם׃

Então Moisés e Arão. Mediante a ajuda dos príncipes, eles convocaram toda a congregação de Israel, muito provavelmente os varões. Os príncipes souberam que trabalho era preciso ser feito, e discutiram a melhor maneira de cumprir sua tarefa. E assim a mensagem de Yahweh, transmitida por meio de Moisés, tornou-se conhecida da população em geral.

No primeiro dia do mês segundo. Esse foi o dia escolhido para revelar o propósito divino quanto ao censo. Outro tanto é dito no vs. 1 deste capítulo, onde o leitor deve examinar as notas expositivas.

Declararam a descendência deles. Temos aqui a palavra hebraica *yalad*, "gerar", "dar à luz". A forma nominal é *toledot*, "descendentes". O povo declarou sua ascendência, para a qual, conforme presumimos, eles tinham algum registro escrito ou genealogia, e de acordo com o que disse Jarchi (*in loc.*). É provável que, em alguns casos, eles tivessem de depender da memória de pessoas mais idosas.

Parece que o *censo* foi efetuado de acordo com três classes: 1. por tribos; 2. por famílias dentro de cada tribo; e 3. de acordo com a casa específica de cada pai, ou seja, de acordo com os indivíduos de cada célula familiar. É possível que tenham sido então formadas aquelas genealogias que nos informam sobre a ascendência de Cristo, como se vê em Mateus 1 e Lucas 3. O fato de que a ordem do censo foi baixada por Yahweh emprestou importância capital às genealogias em Israel, o que continuou por toda a história do povo de Deus. Ver no *Dicionário* o artigo chamado *Genealogia*. Ver a sexta seção desse artigo quanto às muitas listas genealógicas do Antigo Testamento.

Foram arrolados somente os varões de 20 anos de idade para cima, e somente aqueles capazes de guerrear, conforme já vimos nas notas sobre os vss. 2 e 3 deste capítulo.

■ 1.19

כַּאֲשֶׁ֛ר צִוָּ֥ה יְהוָ֖ה אֶת־מֹשֶׁ֑ה וַֽיִּפְקְדֵ֖ם בְּמִדְבַּ֥ר סִינָֽי׃ פ

Yahweh baixara ordens quanto ao censo, pelo que era mister obedecer. Em ocasião posterior, Davi, impelido por seu orgulho, ordenou que fosse feito um recenseamento, por sua própria autoridade, e os resultados foram calamitosos. Ver 1Crônicas 21. Lemos ali que Satanás foi o inspirador do ato. Comparando-se as indicações cronológicas do vs. 18 com 10.11,12, parece que foi possível preparar o censo em menos de *três semanas*. Vemos, em Números 26, que outro censo foi efetuado, dessa vez nas planícies de Moabe, embora alguns estudiosos suponham que isso seja uma *repetição*, isto é, um relato diferente sobre o mesmo evento.

■ 1.20

וַיִּהְי֤וּ בְנֵֽי־רְאוּבֵן֙ בְּכֹ֣ר יִשְׂרָאֵ֔ל תּוֹלְדֹתָ֥ם לְמִשְׁפְּחֹתָ֖ם לְבֵ֣ית אֲבֹתָ֑ם בְּמִסְפַּ֤ר שֵׁמוֹת֙ לְגֻלְגְּלֹתָ֔ם כָּל־זָכָ֗ר מִבֶּ֨ן עֶשְׂרִ֤ים שָׁנָה֙ וָמַ֔עְלָה כֹּ֖ל יֹצֵ֥א צָבָֽא׃

Todas as expressões constantes neste versículo já foram vistas e comentadas nos vss. 2, 3 e 18, onde também figura a palavra "descendência". No hebraico, temos o termo *toledoth* (os descendentes de cada tribo, de acordo com as classes acima mencionadas). O autor do livro de Gênesis usou essa palavra para prover um título para cada seção do seu livro, fornecendo-nos assim um esboço cru do livro. Ver sobre isso em Gênesis 2.4. Essa palavra hebraica é sempre usada no plural, e pode ter o sentido de famílias, descendentes, gerações, resultados.

■ 1.21-46

21 פְּקֻדֵיהֶ֖ם לְמַטֵּ֣ה רְאוּבֵ֑ן שִׁשָּׁ֧ה וְאַרְבָּעִ֛ים אֶ֖לֶף וַחֲמֵ֥שׁ מֵאֽוֹת׃ פ

22 לִבְנֵ֣י שִׁמְעוֹן֩ תּוֹלְדֹתָ֨ם לְמִשְׁפְּחֹתָ֜ם לְבֵ֣ית אֲבֹתָ֗ם פְּקֻדָיו֙ בְּמִסְפַּ֣ר שֵׁמ֔וֹת לְגֻלְגְּלֹתָ֔ם כָּל־זָכָ֗ר מִבֶּ֨ן עֶשְׂרִ֤ים שָׁנָה֙ וָמַ֔עְלָה כֹּ֖ל יֹצֵ֥א צָבָֽא׃

23 פְּקֻדֵיהֶ֖ם לְמַטֵּ֣ה שִׁמְע֑וֹן תִּשְׁעָ֧ה וַחֲמִשִּׁ֛ים אֶ֖לֶף וּשְׁלֹ֥שׁ מֵאֽוֹת׃ פ

24 לִבְנֵ֣י גָ֔ד תּוֹלְדֹתָ֥ם לְמִשְׁפְּחֹתָ֖ם לְבֵ֣ית אֲבֹתָ֑ם בְּמִסְפַּ֣ר שֵׁמ֗וֹת מִבֶּ֨ן עֶשְׂרִ֤ים שָׁנָה֙ וָמַ֔עְלָה כֹּ֖ל יֹצֵ֥א צָבָֽא׃

25 פְּקֻדֵיהֶ֖ם לְמַטֵּ֣ה גָ֑ד חֲמִשָּׁ֤ה וְאַרְבָּעִים֙ אֶ֔לֶף וְשֵׁ֥שׁ מֵא֖וֹת וַחֲמִשִּֽׁים׃ פ

26 לִבְנֵ֣י יְהוּדָ֔ה תּוֹלְדֹתָ֥ם לְמִשְׁפְּחֹתָ֖ם לְבֵ֣ית אֲבֹתָ֑ם בְּמִסְפַּ֣ר שֵׁמֹ֗ת מִבֶּ֨ן עֶשְׂרִ֤ים שָׁנָה֙ וָמַ֔עְלָה כֹּ֖ל יֹצֵ֥א צָבָֽא׃

27 פְּקֻדֵיהֶ֖ם לְמַטֵּ֣ה יְהוּדָ֑ה אַרְבָּעָ֧ה וְשִׁבְעִ֛ים אֶ֖לֶף וְשֵׁ֥שׁ מֵאֽוֹת׃ פ

28 לִבְנֵ֣י יִשָּׂשכָ֔ר תּוֹלְדֹתָ֥ם לְמִשְׁפְּחֹתָ֖ם לְבֵ֣ית אֲבֹתָ֑ם בְּמִסְפַּ֣ר שֵׁמֹ֗ת מִבֶּ֨ן עֶשְׂרִ֤ים שָׁנָה֙ וָמַ֔עְלָה כֹּ֖ל יֹצֵ֥א צָבָֽא׃

29 פְּקֻדֵיהֶם לְמַטֵּה יִשָּׂשכָר אַרְבָּעָה וַחֲמִשִּׁים אֶלֶף
וְאַרְבַּע מֵאוֹת׃ פ

30 לִבְנֵי זְבוּלֻן תּוֹלְדֹתָם לְמִשְׁפְּחֹתָם לְבֵית אֲבֹתָם
בְּמִסְפַּר שֵׁמֹת מִבֶּן עֶשְׂרִים שָׁנָה וָמַעְלָה כֹּל יֹצֵא
צָבָא׃

31 פְּקֻדֵיהֶם לְמַטֵּה זְבוּלֻן שִׁבְעָה וַחֲמִשִּׁים אֶלֶף
וְאַרְבַּע מֵאוֹת׃ פ

32 לִבְנֵי יוֹסֵף לִבְנֵי אֶפְרַיִם תּוֹלְדֹתָם לְמִשְׁפְּחֹתָם
לְבֵית אֲבֹתָם בְּמִסְפַּר שֵׁמֹת מִבֶּן עֶשְׂרִים שָׁנָה וָמַעְלָה
כֹּל יֹצֵא צָבָא׃

33 פְּקֻדֵיהֶם לְמַטֵּה אֶפְרָיִם אַרְבָּעִים אֶלֶף וַחֲמֵשׁ
מֵאוֹת׃ פ

34 לִבְנֵי מְנַשֶּׁה תּוֹלְדֹתָם לְמִשְׁפְּחֹתָם לְבֵית אֲבֹתָם
בְּמִסְפַּר שֵׁמוֹת מִבֶּן עֶשְׂרִים שָׁנָה וָמַעְלָה כֹּל יֹצֵא
צָבָא׃

35 פְּקֻדֵיהֶם לְמַטֵּה מְנַשֶּׁה שְׁנַיִם וּשְׁלֹשִׁים אֶלֶף
וּמָאתָיִם׃ פ

36 לִבְנֵי בִנְיָמִן תּוֹלְדֹתָם לְמִשְׁפְּחֹתָם לְבֵית אֲבֹתָם
בְּמִסְפַּר שֵׁמֹת מִבֶּן עֶשְׂרִים שָׁנָה וָמַעְלָה כֹּל יֹצֵא
צָבָא׃

37 פְּקֻדֵיהֶם לְמַטֵּה בִנְיָמִן חֲמִשָּׁה וּשְׁלֹשִׁים אֶלֶף
וְאַרְבַּע מֵאוֹת׃ פ

38 לִבְנֵי דָן תּוֹלְדֹתָם לְמִשְׁפְּחֹתָם לְבֵית אֲבֹתָם
בְּמִסְפַּר שֵׁמֹת מִבֶּן עֶשְׂרִים שָׁנָה וָמַעְלָה כֹּל יֹצֵא
צָבָא׃

39 פְּקֻדֵיהֶם לְמַטֵּה דָן שְׁנַיִם וְשִׁשִּׁים אֶלֶף וּשְׁבַע
מֵאוֹת׃ פ

40 לִבְנֵי אָשֵׁר תּוֹלְדֹתָם לְמִשְׁפְּחֹתָם לְבֵית אֲבֹתָם
בְּמִסְפַּר שֵׁמֹת מִבֶּן עֶשְׂרִים שָׁנָה וָמַעְלָה כֹּל יֹצֵא
צָבָא׃

41 פְּקֻדֵיהֶם לְמַטֵּה אָשֵׁר אֶחָד וְאַרְבָּעִים אֶלֶף וַחֲמֵשׁ
מֵאוֹת׃ פ

42 בְּנֵי נַפְתָּלִי תּוֹלְדֹתָם לְמִשְׁפְּחֹתָם לְבֵית אֲבֹתָם
בְּמִסְפַּר שֵׁמֹת מִבֶּן עֶשְׂרִים שָׁנָה וָמַעְלָה כֹּל יֹצֵא
צָבָא׃

43 פְּקֻדֵיהֶם לְמַטֵּה נַפְתָּלִי שְׁלֹשָׁה וַחֲמִשִּׁים אֶלֶף
וְאַרְבַּע מֵאוֹת׃ פ

44 אֵלֶּה הַפְּקֻדִים אֲשֶׁר פָּקַד מֹשֶׁה וְאַהֲרֹן וּנְשִׂיאֵי
יִשְׂרָאֵל שְׁנֵים עָשָׂר אִישׁ אִישׁ־אֶחָד לְבֵית־אֲבֹתָיו הָיוּ׃

45 וַיִּהְיוּ כָּל־פְּקוּדֵי בְנֵי־יִשְׂרָאֵל לְבֵית אֲבֹתָם מִבֶּן
עֶשְׂרִים שָׁנָה וָמַעְלָה כָּל־יֹצֵא צָבָא בְּיִשְׂרָאֵל׃

46 וַיִּהְיוּ כָּל־הַפְּקֻדִים שֵׁשׁ־מֵאוֹת אֶלֶף וּשְׁלֹשֶׁת
אֲלָפִים וַחֲמֵשׁ מֵאוֹת וַחֲמִשִּׁים׃

Esses versículos registram os números dos israelitas, divididos em tribos. Em Números 1.2 dei um gráfico que apresenta esses números em confronto com números colhidos em um segundo censo, conforme se historia em Números 26.

Além dessa informação, provi aqui algumas observações sobre itens e problemas envolvidos nesta seção:

Observações:

1. Muitos eruditos pensam que as estatísticas do censo são altas demais, supondo impossível que meras setenta pessoas, em Gênesis 46.27, em apenas 215 anos se tivessem multiplicado tanto. E mesmo que se tivessem passado trezentos anos, segundo prosseguem, permaneceria de pé o problema. Eis a argumentação deles, apresentada por pontos:

a. Os *conservadores* veem nisso uma extraordinária bênção divina, apesar do cativeiro egípcio; baixa taxa de mortalidade; boa saúde; fertilidade de praticamente todas as mulheres etc. Dessarte, aceitam os números como literais e precisos. Se havia mais de seiscentos mil *varões*, de 20 anos de idade para cima, capazes de servir no exército, então a população total de Israel deve ter orçado em pelo menos três milhões de pessoas, ao saírem do Egito. A providência divina cuidou para que a predição de Gênesis 16.10 se cumprisse literalmente.

b. Os *críticos* tentam achar meios de aliviar esses números. Eles usam de vários artifícios: (*1*) Alguns apenas dizem que os números são fictícios, refletindo o orgulho na grande multiplicação que Deus havia prometido (Gn 16.10) e garantindo que a profecia foi justificada pelo registro histórico. Em outras palavras, os números elevados seriam um cumprimento *pseudoprofético*, e não um evento real. (*2*) O trecho de Êxodo 12.37 fornece-nos os mesmos números, em geral; e isso também é considerado um exagero. Os críticos afirmam que nem na terra de Gósen (lar de Israel no Egito), nem no deserto do sul da Palestina seria possível sustentar tão grande número de pessoas. Somente um milagre contínuo poderia explicar tal coisa. (*3*) Os críticos dizem que o próprio êxodo, que envolveu tão grande número de pessoas, teria sido um feito impossível, pois as estradas comerciais existentes, e as condições de viagem pelo deserto não teriam permitido o êxodo de tão grande contingente de pessoas. (*4*) Alguns críticos veem uma solução no termo hebraico 'elep (mil), supondo que isso indicava alguma *unidade social*, como um clã ou família, e não literais milhares de seres humanos. Aplicando-se esse argumento ao total quanto à tribo de Rúben, teríamos então quarenta e seis *clãs*, com um número indeterminado de pessoas, e mais quinhentos indivíduos, e não quarenta e seis mil e quinhentas pessoas. Por igual modo, o grande total de 603.550 se tornaria 603, e mais 550 indivíduos. Para outros, porém, essa é uma maneira muito duvidosa de explicar o texto. (*5*) Outros pensam que o termo hebraico 'elep, que originalmente não era escrito com vogais no hebraico, seria o vocábulo 'allup (chefe, dirigente). Assim, no caso de Rúben, teríamos 46 'allupim (chefes) e mais quinhentos homens. E o grande total seria 605 "chefes" e mais 5.500 homens. Nesse caso, a população total de Israel chegaria a cerca de 26 mil pessoas. Mas esse número já é ridiculamente baixo, e obviamente falso; pelo que essa solução realmente nada soluciona. (*6*) Outras passagens, como Deuteronômio 7.22, falam sobre o pequeno número de israelitas, e, para os críticos, isso revela a verdadeira história dos números dos filhos de Israel. Ver também Juízes 1.19,27-35. (*7*) Alguns veem em tudo isso apenas números simbólicos, e não literais. Assim, as letras hebraicas para "os filhos de Israel" transformadas em número resultam exatamente em 603. Ver no *Dicionário* o artigo chamado *Número (Numeral, Numerologia)*.

2. Os *conservadores* reconhecem a força de alguns desses argumentos, mas lançam tudo na conta da providência divina. Os números são tidos por eles como literais, refletindo a promessa divina, feita a Abraão, de que seus descendentes se multiplicariam até serem uma grande nação. Essa era uma das provisões do Pacto

Abraâmico sobre a qual anotei em Gênesis 15.18. Ver no *Dicionário* o verbete *Providência de Deus*.

3. *Vs. 27*. A superioridade numérica de Judá reflete o cumprimento da promessa de Yahweh em Gênesis 49.8.
4. *Vss. 32-35*. A superioridade numérica de Efraim, em confronto com Manassés (pois o filho mais velho, Manassés, seria ultrapassado pelo mais novo) concorda com a grande bênção proferida por Jacó acerca de Efraim, segundo se vê em Gênesis 48.19,20. Não houve nenhuma tribo chamada José, mas ele foi duplamente abençoado, pois cada um de seus dois filhos ganhou uma tribo.
5. *Vs. 46*. Os totais deixaram de fora os descendentes de Levi, que acabaram tornando-se uma casta sacerdotal, e não uma tribo distinta. Esses totais correspondem às observações feitas em Êxodo 38.26. Adam Clarke (*in loc.*), tomando os números atribuídos a cada tribo, deu-se ao trabalho de ver como (de acordo com a geração natural, sob condições ótimas) o grande total poderia ter sido alcançado. E concluiu que isso foi biologicamente possível, mesmo sem nenhuma intervenção divina. E, voltando aos registros genealógicos, ele averiguou quantos filhos estiveram envolvidos em cada tribo, e produziu três páginas, em colunas duplas de cálculos matemáticos, a fim de provar a sua contenção. Se essas condições tão favoráveis prevaleceram, então parece que devemos admitir que os números dados neste livro bíblico estão dentro das possibilidades, mesmo sem a intervenção divina miraculosa.

1.47

וְהַלְוִיִּם לְמַטֵּה אֲבֹתָם לֹא הָתְפָּקְדוּ בְּתוֹכָם׃ פ

Os vss. 47-54 tratam da casta sacerdotal, a anterior tribo de Levi. Isso ocorreu por determinação divina. O *Senhor falara* (vs. 48). Ver no *Dicionário* os verbetes *Levi* (o patriarca) e *Levitas* (a tribo derivada de Levi que se tornou a casta sacerdotal de Israel), e também *Sacerdotes e Levitas* e *Tribo (Tribos de Israel)*.

"Moisés e Arão pertenciam à tribo de Levi. Dentro do círculo maior dos levitas, porém, faz-se a distinção entre *Arão e seus filhos* e os demais levitas (ver Êx 28.1-5). Os descendentes de Arão exerciam as funções sumo sacerdotais no santuário, ao passo que aos demais levitas foi dada a ordem de serem ajudantes dos sacerdotes aarônicos" (Oxford Annotated Bible).

Espiritualizando o texto, escreveu John Gill (*in loc.*): "A tribo de Levi... tendo sido empregada em uma espécie de guerra... não devia engajar-se em outra luta". Pois o censo das tribos foi uma espécie de convocação em preparação para a guerra. Isso, de fato, não muito depois, tornou-se uma realidade na Terra Prometida. Israel viu-se envolvido em muitos anos de conflito com os povos que antes ocupavam a Terra Prometia, pelo que contava com um exército permanente, em constante pé de guerra.

1.48

וַיְדַבֵּר יְהוָה אֶל־מֹשֶׁה לֵּאמֹר׃

O Senhor falara a Moisés. Expressões assim e similares são usadas amiúde no Pentateuco, como um modo literário de introduzir materiais novos. No original hebraico, pois, este versículo inicia uma nova seção, ao passo que o vs. 47 é o final da seção anterior. Tal expressão também nos faz lembrar da inspiração divina da Bíblia. Yahweh era sempre o comunicador, e Moisés o mediador entre Yahweh e o povo de Israel. Há oito fórmulas de comunicação. Algumas vezes Moisés transmitia uma mensagem, mas sem que nos seja dito para quem. Ver as *oito* fórmulas de comunicação em Levítico 17.2. Quanto à expressão *Yahweh falou*, ver Levítico 1.1 e 4.1.

1.49

אַךְ אֶת־מַטֵּה לֵוִי לֹא תִפְקֹד וְאֶת־רֹאשָׁם לֹא תִשָּׂא בְּתוֹךְ בְּנֵי יִשְׂרָאֵל׃

A *primeira ordem* recebida por Moisés era não enumerar a anterior tribo de Levi (aqui chamada de tribo), mas que se tornou uma casta sacerdotal. Ver as notas sobre o vs. 47 deste capítulo, que têm aplicação aqui. Essa tribo (casta) de Levi, na verdade foi arrolada mais tarde, conforme se vê em Números 3.15 ss.

1.50

וְאַתָּה הַפְקֵד אֶת־הַלְוִיִּם עַל־מִשְׁכַּן הָעֵדֻת וְעַל כָּל־כֵּלָיו וְעַל כָּל־אֲשֶׁר־לוֹ הֵמָּה יִשְׂאוּ אֶת־הַמִּשְׁכָּן וְאֶת־כָּל־כֵּלָיו וְהֵם יְשָׁרְתֻהוּ וְסָבִיב לַמִּשְׁכָּן יַחֲנוּ׃

Incumbe tu os levitas. Somente os levitas tinham o direito de manusear os materiais do tabernáculo, incluindo a sua *montagem, desmanche* e *transporte*, enquanto Israel vagueasse pelo deserto.

Tabernáculo do testemunho. O tabernáculo (ver a respeito no *Dicionário*), em sua inteireza, era o *testemunho;* mas esse nome foi extraído da arca da aliança (ver no *Dicionário*). E esta ficava no Santo dos Santos. Era ali que Yahweh manifestava a sua presença e a tornava conhecida. Os levitas deviam acampar-se em redor imediato do tabernáculo, em contraste com as outras tribos, que se acampavam mais distantes. Deus ocupava o centro de toda essa arrumação simbólica; e os levitas, como ministros de Yahweh, ficavam próximos do lugar onde deviam servir ao Senhor. Imediatamente antes do início da exposição sobre Números 1.1, apresentei um gráfico representando como os levitas e as tribos se situavam no acampamento, em redor do tabernáculo, que era o centro de toda a vida religiosa de Israel. A lição espiritual não é tanto que Deus deve ocupar o primeiro lugar em nossa vida, e, sim, que Deus é *tudo*, é o centro, o âmago, o coração de toda vida e existência: a fonte e o alvo de toda existência. Ver Colossenses 1.16-18. Os levitas compunham a legião do Rei, aqueles que se mantinham mais próximo da presença do Senhor. A posição deles possibilitava manterem guarda sobre o tabernáculo, não permitindo que nenhum elemento estranho entrasse sem permissão, ou sem alguma razão legítima.

Testemunho. As duas tábuas de pedra da lei (Êx 31.18; 34.29), depositadas no interior da arca da aliança (ver a respeito no *Dicionário*). Assim também lemos sobre a arca do testemunho (ver Êx 25.22; 26.33). Havia também o tabernáculo do testemunho (ver Êx 38.21). A estrutura inteira, incluindo a nuvem gloriosa, era assim chamada (Nm 9.15). O véu que separava o Lugar Santo do Santo dos Santos era chamado de "véu do testemunho" (ver Lv 24.3 e Êx 16.33,34).

1.51

וּבִנְסֹעַ הַמִּשְׁכָּן יוֹרִידוּ אֹתוֹ הַלְוִיִּם וּבַחֲנֹת הַמִּשְׁכָּן יָקִימוּ אֹתוֹ הַלְוִיִּם וְהַזָּר הַקָּרֵב יוּמָת׃

Ninguém podia ter coisa alguma que ver com o tabernáculo, com seu serviço, com seu transporte ou com sua manutenção, exceto aqueles autorizados a tanto, a saber, os levitas. Quem ousasse quebrar essas regras teria de ser executado. O termo "estranho", aqui, seria mais bem traduzido como "um qualquer", incluindo qualquer israelita. O termo hebraico aqui usado é *zar* e, conforme usado aqui, significa qualquer um que não pertencesse à casta sacerdotal (ver Lv 22.10-12).

A morte aqui mencionada podia ser decretada por ordem judicial, da parte dos anciãos, ou mesmo por Arão ou Moisés. Também poderia ocorrer por juízo divino, como sucedeu no caso de Uzá, que foi ferido por Deus e morreu ao lado da arca, por ter nela tocado (ver 2Sm 6.6,7).

1.52

וְחָנוּ בְּנֵי יִשְׂרָאֵל אִישׁ עַל־מַחֲנֵהוּ וְאִישׁ עַל־דִּגְלוֹ לְצִבְאֹתָם׃

O segundo capítulo de Números descreve o arranjo das tribos em redor do tabernáculo. Apresento um gráfico antes da exposição de Números 1.1, que ilustra esse ponto. As tribos, agrupadas em três acampamentos, cada qual de frente para uma das quatro direções da bússola, como leste, oeste, norte e sul. Cada um desses acampamentos tinha um *estandarte* identificador (Nm 2.2). Eram uma espécie de destacamento militar, cada qual marchando em uma ordem específica, preparado para a batalha. Israel marchava como uma espécie de exército arregimentado, cada companhia sob o seu próprio estandarte. "Parece, com base em Números 2.3,10,18,25, que havia quatro estandartes, a saber, os de Judá, Rúben, Efraim e Dã, correspondendo aos *quatro acampamentos*, cada qual com três tribos, que armavam suas tendas em redor da tenda da congregação" (Ellicott, *in loc.*). "Cada tribo ou acampamento contava com várias tropas ou regimentos" (John Gill, *in loc.*).

■ 1.53

וְהַלְוִיִּם יַחֲנוּ סָבִיב לְמִשְׁכַּן הָעֵדֻת וְלֹא־יִהְיֶה קֶצֶף עַל־עֲדַת בְּנֵי יִשְׂרָאֵל וְשָׁמְרוּ הַלְוִיִּם אֶת־מִשְׁמֶרֶת מִשְׁכַּן הָעֵדוּת׃

Este versículo reitera a informação dada no vs. 50, onde comentei sobre a questão. Os levitas ocupavam a posição central no meio dos acampamentos e guardavam o próprio tabernáculo. Forneço lições metafóricas e espirituais vinculadas a isso. O tabernáculo era o centro da nação, e os sacerdotes eram os administradores da ordem divina.

Para que não haja ira. No hebraico temos a palavra *kezeph*, usualmente utilizada para denotar algum tipo de praga, pestilência ou ataque inimigo divinamente causados etc. A fim de evitar tal calamidade, a ordem dada por Yahweh precisava ser respeitada. Os levitas tinham de tomar suas posições em redor do tabernáculo, e ninguém podia violar a ordem a respeito da tenda sagrada. Ver as notas em Números 18.5 quando à praga divina. Cf. outro incidente similar, mas onde é usada outra palavra hebraica, *negeph*. Ver Josué 9.20; 2Reis 3.26; 1Crônicas 27.24. Os deveres dos levitas, mencionados aqui, são detalhados nos capítulos 2 a 4 deste livro.

■ 1.54

וַיַּעֲשׂוּ בְּנֵי יִשְׂרָאֵל כְּכֹל אֲשֶׁר צִוָּה יְהוָה אֶת־מֹשֶׁה כֵּן עָשׂוּ׃ פ

Este versículo sumaria as informações de que Yahweh tinha ordenado que Moisés cuidasse para que suas ordens fossem cumpridas. Moisés contava com seus oficiais e auxiliares, que lhe permitiam implementar cada detalhe. Os acampamentos foram formados; as tendas foram armadas; os estandartes foram drapejados; os levitas continuaram ocupados em seu serviço sagrado. Tudo era feito "exata e perfeitamente, observando assim o mandato de Deus" (John Gill, *in loc.*). Quanto a outras observações similares da obediência de Israel à ordem de Yahweh, que atuam, ao mesmo tempo, como notas de sumário, ver Êxodo 7.6,10; 8.13; 40.16; Levítico 8.4,36; 24.23; Números 2.34; 9.5; 17.11; 27.22 e 31.31.

CAPÍTULO DOIS

ORGANIZAÇÃO DO ACAMPAMENTO (2.1—4.49)

Ver o gráfico antes da exposição em Números 3.1, sobre como se acampava o povo de Israel, e onde o tabernáculo era o centro de tudo. Ver as notas sobre Números 1.50 quanto às lições espirituais existentes nessa maneira de acampar, com a "igreja" bem no meio. Cf. Números 10.13-28. "O autor sacerdotal concebia a congregação em um arranjo simétrico, em redor da tenda da congregação" (*Oxford Annotated Bible*, sobre Nm 2.2). O acampamento formava um gigantesco quadrado (visto que havia três milhões de pessoas envolvidas), e o tabernáculo ficava bem no centro. "O simbolismo de 'Deus está no meio de seu povo' é mantido na descrição das tribos em marcha. Judá, por ser a tribo liderante, ia na vanguarda, seguido por Rúben. Então, no centro, vinham os sacerdotes e os levitas... Efraim e Dã cobriam a retaguarda" (John Marsh, *in loc.*).

Israel devia seguir em certa ordem, a fim de garantir a eficiência.

■ 2.1

וַיְדַבֵּר יְהוָה אֶל־מֹשֶׁה וְאֶל־אַהֲרֹן לֵאמֹר׃ פ

Disse o Senhor. Essa expressão é usada por muitas vezes, no Pentateuco, a fim de introduzir novos materiais; mas também para lembrar-nos da inspiração divina da Bíblia. Ver as notas a respeito em Levítico 1.1 e 4.1.

Fórmulas de Comunicação. Moisés era o mediador de Yahweh. Algumas vezes lemos que somente ele recebia uma mensagem, para então implementá-la. De outras vezes, a mensagem era dirigida a Arão. E, ainda de outras vezes, ele transmitia uma mensagem diretamente ao povo. Existem *oito* fórmulas de comunicação no Pentateuco, o que comentei detalhadamente em Levítico 17.2.

■ 2.2

אִישׁ עַל־דִּגְלוֹ בְאֹתֹת לְבֵית אֲבֹתָם יַחֲנוּ בְּנֵי יִשְׂרָאֵל מִנֶּגֶד סָבִיב לְאֹהֶל־מוֹעֵד יַחֲנוּ׃

Havia quatro estandartes. Cada três tribos tinha seu estandarte. Um estandarte servia para as tribos de Gade, Rúben e Simeão (lado sul); outro para as tribos de Aser, Dã e Naftali (lado norte); outro para as tribos de Zebulom, Judá e Issacar (lado leste); e ainda outro para as tribos de Benjamim, Efraim e Manassés (lado oeste). No hebraico, a palavra correspondente é *degel*, derivada do verbo "carregar", "colocar". Cf. Salmo 20.5 e Cântico dos Cânticos 6.4,10. A raiz significa "olhar", "contemplar". Ver Cântico dos Cânticos 5.9.

Insígnias. Estas pertenciam às "casas de seus pais", que talvez indiquem cada tribo que forma o grupo de três. Isso totalizaria doze insígnias. Mas há estudiosos que pensam em alguma unidade menor, como um regimento ou um clã; e, nesse caso, haveria mais de doze insígnias. Mas a Bíblia não nos informa o total das insígnias. O termo hebraico aqui é *'ot*, "sinal", "marca", indicando algum sinal miraculoso, alguma prova — era algum pendão com um símbolo. A tradição judaica tenta especificar o que na Bíblia é apenas geral, dizendo que o *sinal* de Judá era um leão; que Rúben tinha por sinal uma cabeça de homem; que Efraim tinha por sinal uma cabeça de boi; que Dã tinha por sinal uma águia, e que essas eram as quatro principais tribos. Os primeiros escribas dos manuscritos do Novo Testamento também usavam esses sinais para indicar os quatro evangelhos: Mateus (um homem ou querubim); Marcos (um boi); Lucas (um leão); e João (uma águia). Mas tudo isso não passa de arroubos da imaginação.

As mesmas fontes dizem-nos que o acampamento "secular" mais próximo ficava a uma distância de cerca de dois mil côvados ou viagem de um sábado, a partir do acampamento dos levitas. Ver Josué 3.4. Os acampamentos totais cobririam um total aproximado de 8 km².

■ 2.3

וְהַחֹנִים קֵדְמָה מִזְרָחָה דֶּגֶל מַחֲנֵה יְהוּדָה לְצִבְאֹתָם וְנָשִׂיא לִבְנֵי יְהוּדָה נַחְשׁוֹן בֶּן־עַמִּינָדָב׃

Banda do oriente. Esse era o lado favorecido, pois nessa direção volta-se a entrada do tabernáculo. Também era o lado do "sol nascente". Era naquela direção que começava cada novo dia. Judá obteve essa posição favorecida, em reconhecimento de seu maior prestígio. Além disso, era para leste que ficava o número maior do povo de Israel, as três tribos de Judá, Issacar e Zebulom, com um total de 186.400 homens em pé de guerra, de 20 anos para cima. Ver a planta baixa do tabernáculo, nas notas introdutórias ao capítulo 26 do Êxodo. Ver o gráfico sobre o arranjo das tribos, em redor do tabernáculo, imediatamente antes de começar a exposição do livro de Números. Embora composta por três tribos, essa unidade oriental tinha o nome de *Judá*, a principal tribos dentre as três. Essas três tribos estavam divididas em regimentos, talvez cada um com sua própria insígnia, embora só houvesse um estandarte identificador para todas as três tribos (ver as notas sobre o versículo anterior). Os escritores judeus posteriores informam-nos como cada estandarte estava decorado com pedras preciosas, com cores específicas etc. Mas parece haver aí o concurso da imaginação.

Naassom. Ele era o líder e o comandante militar da tribo de Judá. Ver as notas em Números 1.7 quanto a esse homem e seu pai, *Aminadabe*. Cada tribo tinha seu próprio *príncipe*, do que o primeiro capítulo deste livro nos informa detalhadamente. E cada um desses príncipes tornou-se um comandante militar, conforme nos informa este segundo capítulo de Números.

■ 2.4

וּצְבָאוֹ וּפְקֻדֵיהֶם אַרְבָּעָה וְשִׁבְעִים אֶלֶף וְשֵׁשׁ מֵאוֹת׃

Setenta e quatro mil e seiscentos. Esse era o número dos homens judaítas com 20 anos para cima, capazes de guerrear (ver Nm 1.3). Esse número aplica-se somente a Judá, conforme vemos em Números 1.27. Muitos críticos pensam que esses dados estatísticos envolvem grandes exageros. Já discuti sobre essa questão, com as ideias pró e contra, em Números 1.21. Ver o gráfico sobre os números das tribos, em seu primeiro e segundo censos, nas notas sobre Números 1.2.

■ 2.5,6

וְהַחֹנִים עָלָיו מַטֵּה יִשָּׂשכָר וְנָשִׂיא לִבְנֵי יִשָּׂשכָר נְתַנְאֵל בֶּן־צוּעָר׃

וּצְבָאוֹ וּפְקֻדָיו אַרְבָּעָה וַחֲמִשִּׁים אֶלֶף וְאַרְבַּע מֵאוֹת׃ ס

A tribo de Issacar. Esta acampava-se ao lado da de Judá, como parte de três unidades: Judá, Issacar e Zebulom. O príncipe de Issacar era *Natanael* (ver as notas em Nm 1.8, juntamente com seu pai, *Zuar*). A tribo contava com 54.400 homens de guerra, conforme também fora dito em Números 1.29.

■ 2.7,8

מַטֵּה זְבוּלֻן וְנָשִׂיא לִבְנֵי זְבוּלֻן אֱלִיאָב בֶּן־חֵלֹן׃

וּצְבָאוֹ וּפְקֻדָיו שִׁבְעָה וַחֲמִשִּׁים אֶלֶף וְאַרְבַּע מֵאוֹת׃

A tribo de Zebulom. Acampava-se com Judá e Issacar, formando uma unidade de três tribos, no lado oriental do tabernáculo. O príncipe dessa tribo era *Eliabe*, cujo pai chamava-se Helom. Comentei sobre esses nomes em Números 1.9. O número dos homens da tribo era de 57.400, conforme lemos também em Números 1.31.

■ 2.9

כָּל־הַפְּקֻדִים לְמַחֲנֵה יְהוּדָה מְאַת אֶלֶף וּשְׁמֹנִים אֶלֶף וְשֵׁשֶׁת־אֲלָפִים וְאַרְבַּע־מֵאוֹת לְצִבְאֹתָם רִאשֹׁנָה יִסָּעוּ׃ ס

Todos os que foram contados. Temos aqui o grande total, combinando Judá, Issacar e Zebulom, ou seja, 186.400 homens. Durante as marchas, essas três tribos lideravam o resto. Quando a nuvem se movia, essas eram as tribos que se punham em movimento em primeiro lugar. Ver no *Dicionário* o artigo Coluna de Fogo e Nuvem. Quando Israel entrava em batalha, também era Judá que dava início às ações (ver Jz 1.1,2). Cada divisão marchava de acordo com uma ordem de sequência, com Judá sempre na vanguarda. Como em todos os casos, a tribo principal dava seu nome à unidade. Por isso mesmo, essa unidade de três era chamada *Judá*.

■ 2.10,11

דֶּגֶל מַחֲנֵה רְאוּבֵן תֵּימָנָה לְצִבְאֹתָם וְנָשִׂיא לִבְנֵי רְאוּבֵן אֱלִיצוּר בֶּן־שְׁדֵיאוּר׃

וּצְבָאוֹ וּפְקֻדָיו שִׁשָּׁה וְאַרְבָּעִים אֶלֶף וַחֲמֵשׁ מֵאוֹת׃

As três tribos que formavam a unidade do lado *sul, no arranjo das tribos em volta do tabernáculo,* eram Rúben, Simeão e Gade. O príncipe de Rúben era *Elizur,* filho de Sedeur, a respeito dos quais comentei em Números 1.5. O número total dos homens de guerra da tribo era de 46.500.

■ 2.12,13

וְהַחוֹנִם עָלָיו מַטֵּה שִׁמְעוֹן וְנָשִׂיא לִבְנֵי שִׁמְעוֹן שְׁלֻמִיאֵל בֶּן־צוּרִי־שַׁדָּי׃

וּצְבָאוֹ וּפְקֻדֵיהֶם תִּשְׁעָה וַחֲמִשִּׁים אֶלֶף וּשְׁלֹשׁ מֵאוֹת׃

A tribo de Simeão. Essa tribo fazia parte da unidade de Rúben, Simeão e Gade, que ocupava a parte sul do tabernáculo. O príncipe dessa tribo era *Selumiel,* filho de Zurisadai, sobre os quais comentei em Números 1.6. O número dos homens de guerra da tribo era de 59.300, como também vemos em Números 1.23.

■ 2.14,15

וּמַטֵּה גָד וְנָשִׂיא לִבְנֵי גָד אֶלְיָסָף בֶּן־רְעוּאֵל׃

וּצְבָאוֹ וּפְקֻדֵיהֶם חֲמִשָּׁה וְאַרְבָּעִים אֶלֶף וְשֵׁשׁ מֵאוֹת וַחֲמִשִּׁים׃

A tribo de Gade. Essa tribo fazia parte da unidade de Rúben, Simeão e Gade, e ocupava a parte sul do tabernáculo. O príncipe dessa tribo era *Eliasafe,* filho de Deuel, acerca dos quis comentei em Números 1.14. O número dos homens de guerra da tribo era de 45.650, conforme também vemos em Números 1.25.

■ 2.16

כָּל־הַפְּקֻדִים לְמַחֲנֵה רְאוּבֵן מְאַת אֶלֶף וְאֶחָד וַחֲמִשִּׁים אֶלֶף וְאַרְבַּע־מֵאוֹת וַחֲמִשִּׁים לְצִבְאֹתָם וּשְׁנִיִּם יִסָּעוּ׃ ס

Todos os que foram contados. Essa unidade de três tribos, Rúben, Simeão e Gade, consistia em 151.450 homens de guerra. Essa unidade, quando Israel punha-se em marcha, partia em *segundo* lugar, atrás da unidade composta por Judá, Issacar e Zebulom. Tal como em todos os casos, a tribo principal dava seu nome à unidade, ou seja, *Rúben.*

■ 2.17

וְנָסַע אֹהֶל־מוֹעֵד מַחֲנֵה הַלְוִיִּם בְּתוֹךְ הַמַּחֲנֹת כַּאֲשֶׁר יַחֲנוּ כֵּן יִסָּעוּ אִישׁ עַל־יָדוֹ לְדִגְלֵיהֶם׃ ס

Israel, em marcha, preservava as mesmas quatro unidades gerais que havia quando estavam acampados, em torno do tabernáculo. As quatro unidades de três tribos cada, avançavam em uma ordem específica, para que houvesse o máximo de eficiência.

O arraial. No hebraico temos a palavra *mahaneh,* que aponta para a congregação inteira de Israel. Ver sobre *congregação* nas notas sobre Êxodo 16.1. A palavra *mahaneh,* neste versículo, aponta para os quatro acampamentos que formavam uma só unidade, quer estivessem acampados quer estivessem em marcha.

A Ordem de Marcha das Tribos:

1. Judá   7. Efraim
2. Issacar   8. Manassés
3. Zebulom   9. Benjamim
4. Rúben   10. Dã
5. Simeão   11. Aser
6. Gade   12. Naftali

Os agrupamentos de Israel também obedeciam a divisões sanguíneas. No *sul*: Rúben e Simeão, primeiro e segundo filhos de Lia. Levi era o terceiro filho, mas seus descendentes tornaram-se a casta sacerdotal. Por isso, Gade, filho mais velho da criada de Lia, Zilpa, recebeu posição nesse grupo. *Leste*: Todos descendentes de Lia. Ver Gênesis 35.23 ss. quanto à lista dos doze filhos de Jacó. *Oeste*: Um filho e dois netos de Raquel. *Norte*: Dois filhos de Bila e um filho de Zilpa.

Tipologia. Os laços naturais fortalecem os laços espirituais. Há certa unidade na variedade. Quando se instalaram na Terra Prometida, essas associações que as tribos tinham no deserto foram essencialmente mantidas. E laços naturais, pois, continuaram a fortalecer os laços espirituais.

■ 2.18,19

דֶּגֶל מַחֲנֵה אֶפְרַיִם לְצִבְאֹתָם יָמָּה וְנָשִׂיא לִבְנֵי אֶפְרַיִם אֱלִישָׁמָע בֶּן־עַמִּיהוּד׃

וּצְבָאוֹ וּפְקֻדֵיהֶם אַרְבָּעִים אֶלֶף וַחֲמֵשׁ מֵאוֹת׃

As três tribos que formavam uma unidade no lado *oriental* eram Efraim, Manassés e Benjamim. *Efraim,* embora fosse o filho mais novo de José, é aqui mencionado em primeiro lugar, por ter recebido bênção maior que a de seu irmão, por parte de Jacó; com o tempo, seus descendentes tornaram-se a tribo mais forte das duas. Ver as notas sobre Números 1.10, em seu último parágrafo, quanto a comentários sobre essa situação. *Elisama* era o príncipe dessa tribo, e seu pai chamava-se Amiúde. Há notas sobre ambos os nomes em Números 1.10. O número dos homens de guerra dessa tribo era de 40.500, conforme também se vê em Números 1.33.

■ **2.20,21**

וְעָלָיו מַטֵּה מְנַשֶּׁה וְנָשִׂיא לִבְנֵי מְנַשֶּׁה גַּמְלִיאֵל בֶּן־פְּדָהצוּר׃

וּצְבָאוֹ וּפְקֻדֵיהֶם שְׁנַיִם וּשְׁלֹשִׁים אֶלֶף וּמָאתָיִם׃

A tribo de Manassés. Essa tribo faz parte da unidade no lado *ocidental* do acampamento. Seu príncipe era *Gamaliel*, cujo pai chamava-se *Pedazur*. Comentei acerca de ambos em Números 1.10. O número de homens de guerra dessa tribo era de 32.200, o mesmo número que figura em Números 1.35. Embora nascido primeiro, Manassés recebeu a bênção secundária da parte de Jacó. A questão é comentada em Números 1.10, último parágrafo.

■ **2.22,23**

וּמַטֵּה בִּנְיָמִן וְנָשִׂיא לִבְנֵי בִנְיָמִן אֲבִידָן בֶּן־גִּדְעֹנִי׃

וּצְבָאוֹ וּפְקֻדֵיהֶם חֲמִשָּׁה וּשְׁלֹשִׁים אֶלֶף וְאַרְבַּע מֵאוֹת׃

A tribo de Benjamim. Benjamim fazia parte da unidade do lado *ocidental* do tabernáculo. Seu príncipe era *Abidã*, filho de Gideoni. Comentei sobre ambos os nomes em Números 1.11. Os homens de guerra dessa tribo eram 35.400, o mesmo número que aparece em Números 1.37.

■ **2.24**

כָּל־הַפְּקֻדִים לְמַחֲנֵה אֶפְרַיִם מְאַת אֶלֶף וּשְׁמֹנַת־אֲלָפִים וּמֵאָה לְצִבְאֹתָם וּשְׁלִשִׁים יִסָּעוּ׃ ס

Todos os que foram contados. Estão aqui em pauta as três tribos de Efraim, Manassés e Benjamim, isto é, 108.100. Como em todos os casos, a principal tribo da unidade dava nome a ela, ou seja, *Efraim*.

■ **2.25,26**

דֶּגֶל מַחֲנֵה דָן צָפֹנָה לְצִבְאֹתָם וְנָשִׂיא לִבְנֵי דָן אֲחִיעֶזֶר בֶּן־עַמִּישַׁדָּי׃

וּצְבָאוֹ וּפְקֻדֵיהֶם שְׁנַיִם וְשִׁשִּׁים אֶלֶף וּשְׁבַע מֵאוֹת׃

As três tribos que formavam a unidade do *norte* eram Dã, Aser e Naftali. O príncipe de Dã era *Aisar*, e seu pai se chamava Amisadai. Quanto a esses dois homens, ver as notas em Números 1.12. O total dos homens de guerra dessa tribo era de 62.700, o mesmo número que também parece em Números 1.39.

■ **2.27,28**

וְהַחֹנִים עָלָיו מַטֵּה אָשֵׁר וְנָשִׂיא לִבְנֵי אָשֵׁר פַּגְעִיאֵל בֶּן־עָכְרָן׃

וּצְבָאוֹ וּפְקֻדֵיהֶם אֶחָד וְאַרְבָּעִים אֶלֶף וַחֲמֵשׁ מֵאוֹת׃

A tribo de Aser. Essa tribo fazia parte da unidade do *norte*, juntamente com Dã e Naftali. O príncipe dessa tribo era *Pagiel*, e o nome de seu pai era Ocrã. Ver sobre esses dois homens nas notas sobre Números 1.13. O número dos homens de guerra da tribo era de 41.500, o mesmo número que se vê em Números 1.41.

■ **2.29,30**

וּמַטֵּה נַפְתָּלִי וְנָשִׂיא לִבְנֵי נַפְתָּלִי אֲחִירַע בֶּן־עֵינָן׃

וּצְבָאוֹ וּפְקֻדֵיהֶם שְׁלֹשָׁה וַחֲמִשִּׁים אֶלֶף וְאַרְבַּע מֵאוֹת׃

A tribo de Naftali. Essa tribo fazia parte da unidade do *norte*, juntamente com Dã e Aser. O príncipe dessa tribo era Aira, e o nome de seu pai era Enã. Ver as notas sobre Números 1.15 quanto a informações sobre esses dois homens. O número dos homens de guerra da tribo era de 53.400, o mesmo número que ocorre em Números 1.43.

FORMAÇÕES TRIBAIS QUANDO ISRAEL MARCHOU

Linha da Marcha

A VANGUARDA	1. Judá 2. Issacar 3. Zebulom 4. Rúben 5. Simeão 6. Gade
O CENTRO DE TODAS AS ATIVIDADES DE ISRAEL	O Tabernáculo carregado pelos levitas Os levitas em geral
A RETAGUARDA	7. Efraim 8. Manassés 9. Benjamim 10. Dã 11. Aser 12. Naftali

OBSERVAÇÕES:
Quando Israel acampava, o Tabernáculo era o centro de todas as atividades. Quando Israel marchava, o Tabernáculo era carregado no centro das formações tribais. A fé (culto) a Yahweh era a essência de Israel.

A DIREÇÃO DE DEUS NO DESERTO

A unidade de Israel ao redor do sagrado
Então partirá a tenda da congregação com o arraial dos levitas no meio dos arraiais; como se acamparam, assim marcharão, cada um no seu lugar, segundo os seus estandartes.

Números 2.17

■ **2.31,32**

כָּל־הַפְּקֻדִים לְמַחֲנֵה דָן מְאַת אֶלֶף וְשִׁבְעָה וַחֲמִשִּׁים אֶלֶף וְשֵׁשׁ מֵאוֹת לָאַחֲרֹנָה יִסְעוּ לְדִגְלֵיהֶם׃ פ

אֵלֶּה פְּקוּדֵי בְנֵי־יִשְׂרָאֵל לְבֵית אֲבֹתָם כָּל־פְּקוּדֵי הַמַּחֲנֹת לְצִבְאֹתָם שֵׁשׁ־מֵאוֹת אֶלֶף וּשְׁלֹשֶׁת אֲלָפִים וַחֲמֵשׁ מֵאוֹת וַחֲמִשִּׁים׃

Todos os que foram contados. O grande total combinado foi de seiscentos e três mil, quinhentos e cinquenta. Todos os alistados foram homens de 20 anos de idade para cima, capazes de guerrear. Assim sendo, sem dúvida havia mais de três milhões de pessoas em Israel, se contarmos mulheres, crianças e homens e anciãos. O recenseamento (cap. 10) foi, essencialmente, uma convocação militar, e não uma contagem de todos os membros da congregação de Israel.

Segundo a casa de seus pais. Ou seja, os *clãs*, famílias, coletivamente falando.

Dos arraiais. Ou seja, os quatro acampamentos gerais, nos quatro lados do tabernáculo, não incluindo os levitas, que não foram contados. Muitos críticos pensam que esses números todos são exagerados. Essa questão é discutida, mostrando prós e contras, em Números 1.21. O *Israel espiritual* é incontável (ver Ap 7.9).

A ORGANIZAÇÃO DE ACAMPAMENTOS TRIBAIS

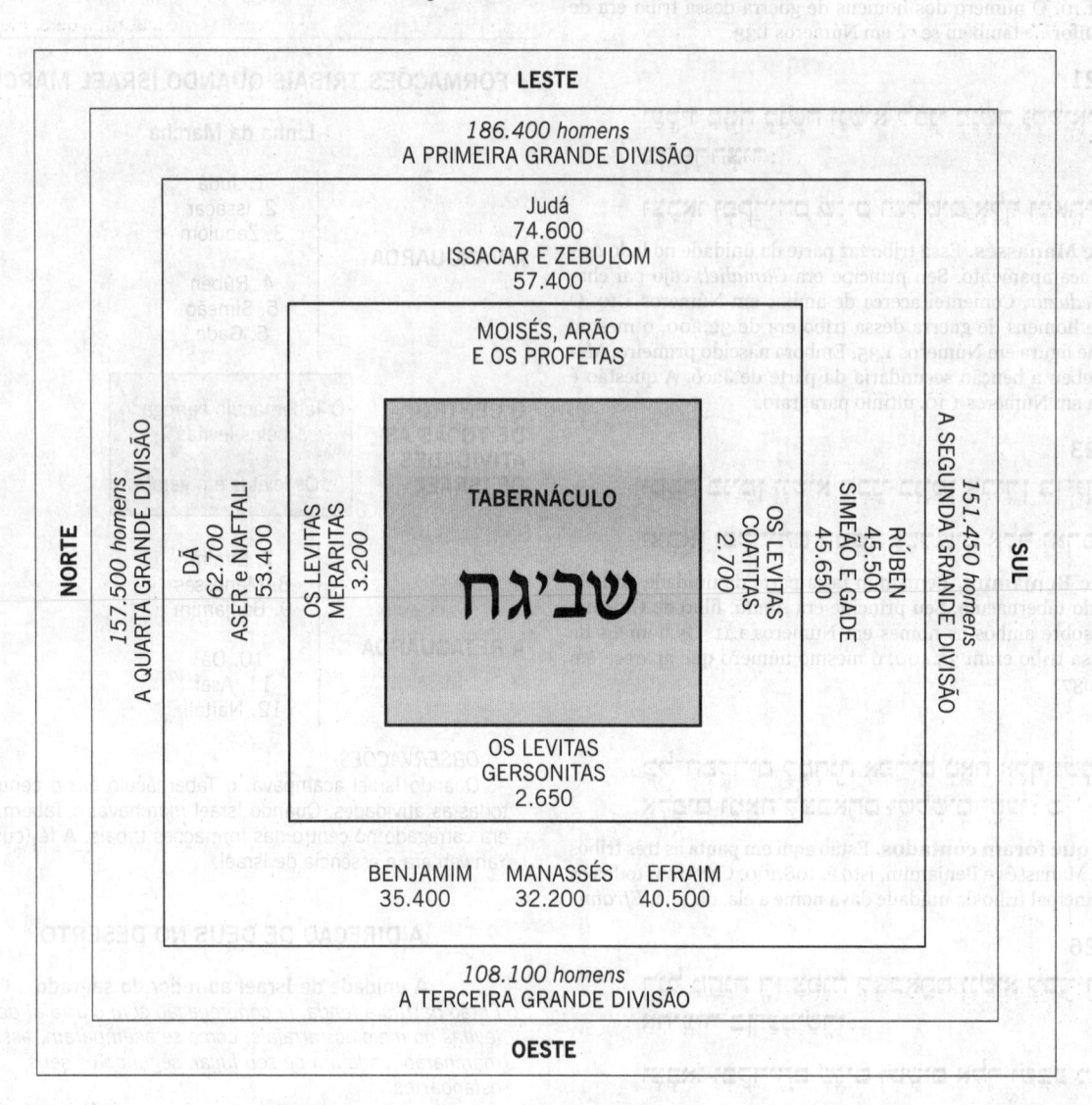

LESTE

186.400 homens
A PRIMEIRA GRANDE DIVISÃO

Judá
74.600
ISSACAR E ZEBULOM
57.400

MOISÉS, ARÃO
E OS PROFETAS

NORTE — 157.500 homens — A QUARTA GRANDE DIVISÃO

DÃ
62.700
ASER e NAFTALI
53.400

OS LEVITAS MERARITAS
3.200

TABERNÁCULO

שכינה

OS LEVITAS COATITAS
2.700

RÚBEN
45.500
SIMEÃO E GADE
45.650

151.450 homens — A SEGUNDA GRANDE DIVISÃO — **SUL**

OS LEVITAS GERSONITAS
2.650

BENJAMIM   MANASSÉS   EFRAIM
35.400   32.200   40.500

108.100 homens
A TERCEIRA GRANDE DIVISÃO

OESTE

Os cultos do Tabernáculo representavam o centro de toda a vida de Israel. A teocracia não permitia a existência de um governo secular (isto é, não-religioso). Os cultos eram apoiados por ofertas nacionais, das quais participavam todas as tribos. Os sacerdotes eram os líderes civis, bem como as figuras centrais da religião.

Dar-vos-ei coração novo, e porei dentro em vós espírito novo; tirarei de vós o coração de pedra e vos darei coração de carne.
Porei dentro em vós o meu Espírito, e farei que andeis nos meus estatutos, guardeis os meus juízos e os observeis.

Ezequiel 36.26,27

Não sabeis que sois santuário de Deus, e que o Espírito de Deus habita em vós?

1Coríntios 3.16

■ **2.33**

וְהַלְוִיִּם לֹא הָתְפָּקְדוּ בְּתוֹךְ בְּנֵי יִשְׂרָאֵל כַּאֲשֶׁר צִוָּה יְהוָה אֶת־מֹשֶׁה׃

Os levitas. Eles tinham sido uma tribo que o Senhor transformou em casta sacerdotal. Não foram numerados no censo. Ver sobre isso em Números 1.48,49. Essa casta sacerdotal foi numerada em uma ocasião posterior, conforme se vê no registro de Números 3.15 ss.

■ **2.34**

וַיַּעֲשׂוּ בְּנֵי יִשְׂרָאֵל כְּכֹל אֲשֶׁר־צִוָּה יְהוָה אֶת־מֹשֶׁה כֵּן־חָנוּ לְדִגְלֵיהֶם וְכֵן נָסָעוּ אִישׁ לְמִשְׁפְּחֹתָיו עַל־בֵּית אֲבֹתָיו׃

Uma vez mais, lemos que os israelitas *obedeceram cabalmente* aos mandamentos de Yahweh. Cf. Números 1.54. O arranjo das tribos estava realizado, cumprindo os requisitos divinos, expressos em Números 1.2,3, onde são usadas as mesmas expressões que se veem neste versículo. Agora foram postos em marcha, começando no vigésimo dia do mês em que o censo foi determinado. Ver Números 10.11,12 quanto ao começo da marcha, e Números 1.1 quanto ao mês do ano. E assim o recenseamento foi terminado, e as tribos foram postas em ordem em cerca de três semanas.

CAPÍTULO TRÊS

A seção iniciada em Números 2.1 prossegue aqui. Essa porção enfatiza a *posição especial* dos levitas (Nm 3.1-51), começando pelos filhos de Arão (Nm 3.1-4) e continuando para mostrar os deveres dos levitas (Nm 3.5-10). Os vss. 11-13 fornecem a razão para ter sido escolhida a tribo de Levi. Em seguida, vemos a descrição das características e deveres especiais dos levitas, com maiores detalhes (Nm 3.14-39). E, finalmente, aparece a enumeração dos primogênitos de Israel (Nm 40—51).

Este terceiro capítulo de Números refere-se novamente à revelação de Yahweh no Sinai, lembrando-nos da posição especial dos levitas no culto divino. Arão era o sumo sacerdote, e os seus filhos eram os sacerdotes. A casta sacerdotal dos levitas estava dividida em três clãs, de acordo com sua filiação aos três filhos de Levi: Gérson, Coate e Merari (vs. 17). A razão para a seleção da tribo de Levi, para servir como casta sacerdotal, é dada em Números 3.11-13.

■ 3.1

וְאֵ֛לֶּה תּוֹלְדֹ֥ת אַהֲרֹ֖ן וּמֹשֶׁ֑ה בְּי֗וֹם דִּבֶּ֧ר יְהוָ֛ה אֶת־מֹשֶׁ֖ה בְּהַ֥ר סִינָֽי׃

Os vss. 1-4 repetem essencialmente as informações que nos tinham sido dadas em Êxodo 6.25 e Levítico 10.1,2, cujas notas se aplicam aqui também. O culto divino tinha de ser efetuado por ministros autorizados, a saber, os levitas. Números 3.11-13 é trecho que nos dá a razão da seleção dos levitas para serem a casta sacerdotal. E os capítulos 28 e 29 fornecem, com detalhes, a revelação dada a Moisés, no monte Sinai, acerca de sua família, incluindo Arão e seus filhos, bem como os ofícios sagrados que eles receberiam e usariam, como meio de cumprirem os seus deveres. A linhagem sacerdotal que prestava serviço no tabernáculo, e então no templo, séculos mais tarde, vinha através de Arão, e não de Moisés, pelo que, neste texto, o nome de Arão aparece antes do de Moisés.

As gerações. Tal como em Gênesis 6.9 e 25.19, essa palavra denota a *história* da família, com seus vários membros. Moisés e Arão eram cabeças da tribo de Levi, por meio de quem atuava o propósito divino.

No monte Sinai. Ver sobre esse monte no *Dicionário*. Os Dez Mandamentos e então a legislação mosaica inteira foram dados por intermédio de Moisés, o mediador, no monte Sinai. Ver Êxodo 19.20; cap. 20; 24.16; 31.18; cap. 34; Levítico 7.38; 25.1; 26.46; 27.34. Parte dessa legislação dizia respeito aos serviços prestados pelos levitas.

■ 3.2

וְאֵ֛לֶּה שְׁמ֥וֹת בְּֽנֵי־אַהֲרֹ֖ן הַבְּכ֣וֹר ׀ נָדָ֑ב וַאֲבִיה֕וּא אֶלְעָזָ֖ר וְאִיתָמָֽר׃

Ver Êxodo 6.23 quanto a notas completas sobre as pessoas aqui mencionadas.

■ 3.3

אֵ֗לֶּה שְׁמוֹת֙ בְּנֵ֣י אַהֲרֹ֔ן הַכֹּהֲנִ֖ים הַמְּשֻׁחִ֑ים אֲשֶׁר־מִלֵּ֥א יָדָ֖ם לְכַהֵֽן׃

Os capítulos 28 e 29 de Êxodo fornecem-nos, com detalhes, a questão da consagração dos filhos de Arão e os deveres que lhes cumpria realizar. Ver também Levítico 8.1-13, que fala sobre a consagração dessas pessoas, bem como os tipos de sacrifícios que deviam oferecer. Moisés efetuou a consagração original de Arão, que se tornou assim o *sumo sacerdote* (ver a respeito no *Dicionário*). Depois disso, cada novo sumo sacerdote precisava ser consagrado pessoalmente, embora os sacerdotes não precisassem disso. Esses dependiam da primeira

e original consagração sacerdotal. Ver as notas em Levítico 4.3 quanto ao "sacerdote ungido", ou seja, o sumo sacerdote, e a necessidade de repetição do ritual consagratório. Ver Êxodo 30.30, que se refere à unção da classe sacerdotal.

■ 3.4

וַיָּ֣מָת נָדָ֣ב וַאֲבִיה֡וּא לִפְנֵ֣י יְהוָה֩ בְּהַקְרִבָ֨ם אֵ֤שׁ זָרָה֙ לִפְנֵ֣י יְהוָ֔ה בְּמִדְבַּ֖ר סִינָ֑י וּבָנִ֖ים לֹא־הָי֣וּ לָהֶ֑ם וַיְכַהֵ֤ן אֶלְעָזָר֙ וְאִ֣יתָמָ֔ר עַל־פְּנֵ֖י אַהֲרֹ֥ן אֲבִיהֶֽם׃ פ

Nadabe e Abiú. A história da morte trágica desses dois irmãos, filhos de Arão, e as *razões* para isso, aparecem nas notas em Levítico 10.1,2. A mesma expressão usada ali aparece também aqui, "perante o Senhor", pois Yahweh vira o pecado deles, presumivelmente praticado no Lugar Santo, onde a presença divina repousava. A mesma presença que dá vida e abençoa pode matar quando pecados horrendos são cometidos.

Não tiveram filhos. Morrer sem filhos era considerado uma praga mandada diretamente por Deus, na opinião dos hebreus, visto que filhos eram tidos como herança do Senhor (ver Sl 127.3). Os filhos daqueles homens teriam privilégios especiais no culto divino; em sua insensatez, porém, perderam tudo. E assim aquele privilégio passou primeiro para os irmãos deles, e então para os seus filhos.

Este versículo mostra-nos por que a linhagem sacerdotal, incluindo o ofício sumo sacerdotal, veio através de Eleazar e Itamar, e não através de Nadabe e Abiú. Somente os descendentes diretos de Arão podiam servir nessa capacidade. Todos os levitas tinham ministérios sacerdotais, mas somente os descendentes de Arão podiam tornar-se sumos sacerdotes.

Diante de Arão. Ou seja, durante o período de vida dele, serviram *com* ele, sob sua supervisão. Mas após a morte de Arão, eles serviram "em lugar" de Arão, ou seja, tomaram o seu ofício (conforme Chaskuni); a primeira ideia figura em Noldius, par. 731; e a Septuaginta traduz dessa maneira o versículo.

■ 3.5

וַיְדַבֵּ֥ר יְהוָ֖ה אֶל־מֹשֶׁ֥ה לֵּאמֹֽר׃

Os vss. 5-10 prosseguem a fim de especificar alguns deveres dos levitas.

Disse o Senhor. Essa é uma expressão muito repetida no Pentateuco, a fim de introduzir alguma nova seção ou material, além de lembrar-nos da inspiração divina das Escrituras. Ver as notas sobre isso em Levítico 1.1 e 4.1.

■ 3.6

הַקְרֵב֙ אֶת־מַטֵּ֣ה לֵוִ֔י וְהַֽעֲמַדְתָּ֣ אֹת֔וֹ לִפְנֵ֖י אַהֲרֹ֣ן הַכֹּהֵ֑ן וְשֵׁרְת֖וּ אֹתֽוֹ׃

Devemos compreender aqui a consagração sacerdotal. Ver Êxodo 30.30. Essa consagração, no caso de sacerdotes comuns, ocorreu de uma vez por todas. Mas a consagração sumo sacerdotal precisava repetir-se cada vez que um sumo sacerdote entrava em seu ofício. Ver as notas sobre o "sacerdote ungido", em Levítico 4.3.

"A ideia é que os levitas eram simplesmente servos dos sacerdotes, embora não participassem do sacerdócio propriamente dito. Documentos antigos falam em leigos que cumpriram funções sacerdotais (ver Êx 24.5; Jz 17.5). E também aludem a levitas que atuaram como sacerdotes (ver Jz 17.10-13). E nem sempre os levitas aparecem ligados às atividades sacerdotais (ver Gn 49.5-7). Até os tempos do Deuteronômio, parecia não haver restrição alguma do ofício sacerdotal aos membros de qualquer das tribos. Em Deuteronômio, porém, o sacerdócio foi limitado aos descendentes de Levi, e todos os levitas passaram a formar uma classe sacerdotal (ver Dt 18.1-8; 33.8-11). E foi somente nos dias de Ezequiel que os levitas foram divididos em duas classes; os sadoquitas de Jerusalém continuaram como sacerdotes, ao passo que os demais tornaram-se subordinados daqueles (ver Ez 44.9-16), porquanto estes últimos se tinham tornado idólatras antes do exílio babilônico. O autor sagrado antedata aqui essa distinção, considerando o ofício levítico não como um rebaixamento, e, sim, como uma grande honra" (John Marsh, *in loc.*). Ver no *Dicionário* os artigos intitulados *Levitas* e *Sacerdotes e Levitas*.

3.7

וְשָׁמְרוּ אֶת־מִשְׁמַרְתּוֹ וְאֶת־מִשְׁמֶרֶת כָּל־הָעֵדָה לִפְנֵי אֹהֶל מוֹעֵד לַעֲבֹד אֶת־עֲבֹדַת הַמִּשְׁכָּן׃

Encontramos aqui a razão para a maneira de viver, servindo no tabernáculo e ao povo. A essência dos deveres deles aparece na enumeração referida nos vss. 7-10 deste capítulo.

Uma Incumbência a Preencher. Yahweh era a fonte da incumbência ou comissão deles. No hebraico temos a palavra *mishmeret*, "obrigação", dando a entender uma instrução específica acerca de um dever imposto. A raiz desse termo significa "guardar", "observar". E uma forma nominal significa "guarda".

Tenho uma incumbência a guardar — um Deus eterno a glorificar.

"A tarefa específica dos levitas era cuidar do tabernáculo (vss. 7,8). Todavia, não podiam aproximar-se do santuário propriamente dito (vs. 10). Não podiam oferecer sacrifícios. Ocupavam uma posição subordinada, o que o autor John Marsh atribui a um período histórico posterior.

É feita distinção entre Arão e seus filhos e os demais levitas (ver Êx 28.1-5). Esses outros eram auxiliares dos sacerdotes.

"Eles fariam todo o trabalho por toda a congregação, e em lugar dos primogênitos" (Adam Clarke, *in loc.*). Ver os vss. 11-13 deste capítulo acerca desse fato.

3.8

וְשָׁמְרוּ אֶת־כָּל־כְּלֵי אֹהֶל מוֹעֵד וְאֶת־מִשְׁמֶרֶת בְּנֵי יִשְׂרָאֵל לַעֲבֹד אֶת־עֲבֹדַת הַמִּשְׁכָּן׃

Terão cuidado de todos os utensílios. Todo o equipamento do tabernáculo foi entregue às mãos dos levitas: cuidar deles, repará-los, conduzi-los conforme Israel fosse mudando de um local para outro. Quanto aos particulares, ver os vss. 25,26,31,36,37. Em certo sentido, formavam uma equipe de manutenção do tabernáculo e de tudo quanto isso envolvia. Os levitas deveriam realizar as tarefas comuns e laboriosas. Eles desmanchavam o tabernáculo; levantavam-no; arranjavam seus móveis e utensílios. Desse modo, eles "serviam" os sacerdotes.

3.9

וְנָתַתָּה אֶת־הַלְוִיִּם לְאַהֲרֹן וּלְבָנָיו נְתוּנִם נְתוּנִם הֵמָּה לוֹ מֵאֵת בְּנֵי יִשְׂרָאֵל׃

Darás, pois, os levitas. Temos aí o dom dos diáconos, se esse fosse o tempo do Novo Testamento. Os levitas eram ajudantes dos sacerdotes, que realmente se enfronhavam nos sacrifícios e em outros deveres, dentro do próprio tabernáculo. O sucesso de qualquer tarefa dependia de quão bem os ajudantes realizavam os seus deveres. Eles não tomavam decisões, mas executavam as decisões que lhes eram ordenadas. Nada planejavam, mas cumpriam esse planos. O sucesso de qualquer projeto dependia dos ajudantes; e estes compartilhavam a recompensa pelas tarefas bem-feitas. O hebraico é enfático aqui: "Dados, dados foram a eles". Quem os tinha dado? Yahweh.

Auxiliares. Esses são um dom para aqueles que se ocupam de algum projeto ambicioso. Ver essa repetição do ato de *dar* (no hebraico, *nethunu*), em Números 8.16, onde os levitas são retratados como "me são dados" ao Senhor, *em lugar* dos primogênitos. Em data posterior, com uma leve alteração na grafia, os *nethinim* foram descritos como aqueles que realizavam trabalhos pesados, como cortadores de lenha e carregadores de água para a congregação e para o altar do Senhor (ver Js 9.27).

Os levitas eram mantidos pelos dízimos do povo, pelo que serviam de presente gratuito para os sacerdotes Essa era a porção da provisão divina para o projeto do tabernáculo. Ver no *Dicionário* o verbete intitulado *Providência de Deus*.

3.10

וְאֶת־אַהֲרֹן וְאֶת־בָּנָיו תִּפְקֹד וְשָׁמְרוּ אֶת־כְּהֻנָּתָם וְהַזָּר הַקָּרֵב יוּמָת׃ פ

Mas a Arão e a seus filhos. Em contraste com os levitas comuns, Arão e seus filhos trabalhavam no tabernáculo propriamente dito. Esses também tinham uma tarefa a cumprir. Era algo diferente, mas outro aspecto do culto divino. As duas categorias de levitas não viviam competindo uma com a outra. Pertenciam à mesma equipe. Os ciúmes profissionais às vezes dividem as pessoas de uma mesma equipe, e elas preferem ignorar esse fato. Quem determinava todos esses encargos era Yahweh; e o mediador era Moisés. Era ele quem consagrava os vários tipos de sacerdotes e auxiliares (ver Êx 30.30).

Morte para os Intrujões. Nenhum homem, hebreu ou não, se não fosse um sacerdote, descendente de Abraão, podia entrar no tabernáculo e tocar em qualquer coisa. Tal intrujão devia ser judicialmente executado. Ou alguma praga divina atingiria tal pessoa, conforme o fogo mandado por Deus eliminou Nadabe e Abiú (vs. 4). Tudo isso fazia parte dos deveres dos levitas, garantindo que nenhum "elemento estranho" se aproximasse do tabernáculo. Ver Números 1.51 quanto à mesma declaração. A execução judicial usualmente se fazia por *apedrejamento* (ver a esse respeito no *Dicionário*), embora houvesse outras formas de execução, conforme se vê no gráfico nas notas introdutórias sobre o capítulo 18 de Levítico. Ver também, no *Dicionário,* o verbete intitulado *Punição Capital*.

3.11

וַיְדַבֵּר יְהוָה אֶל־מֹשֶׁה לֵּאמֹר׃

Os vss. 11-13 deste capítulo fornecem-nos a *razão* para ter sido escolhida a tribo de Levi.

Disse o Senhor. Essa expressão é achada com frequência no Pentateuco como artifício para introdução de novos materiais. E também nos faz lembrar da doutrina da inspiração divina das Escrituras. Ver as notas sobre isso em Levítico 1.1 e 4.1.

3.12

וַאֲנִי הִנֵּה לָקַחְתִּי אֶת־הַלְוִיִּם מִתּוֹךְ בְּנֵי יִשְׂרָאֵל תַּחַת כָּל־בְּכוֹר פֶּטֶר רֶחֶם מִבְּנֵי יִשְׂרָאֵל וְהָיוּ לִי הַלְוִיִּם׃

"Os vss. 11-13 são uma reinterpretação da antiga lei achada em Êxodo 13.2; 22.29,30; 34.19,20. Em lugar de terem de dedicar-se pela vida inteira ao serviço religioso, os *primogênitos* eram remidos mediante um *sacrifício* (ver Êx 13.13), pois o Senhor reivindicara os levitas em lugar deles (Nm 8.16-19)" (*Oxford Annotated Bible,* comentando sobre o vs. 12).

O Senhor havia poupado os primogênitos de Israel, ao passo que o anjo da morte não havia poupado os primogênitos do Egito. Tendo-os poupado, agora pertenciam, de modo absoluto, a Deus. Porém, em lugar dos primogênitos, a lei apresentou a tribo de Levi, que se tornou a casta sacerdotal, uma espécie de "casta de primogênitos", em lugar dos primogênitos de todas as famílias de Israel. Ver as notas sobre Êxodo 13.1-16. A implementação dessa nova lei é descrita em Números 3.40-51. Ver no *Dicionário* o artigo chamado *Primogênito*.

"Em resultado, os primogênitos das outras onze tribos de Israel eram *redimidos,* sendo apresentados ao Senhor quando tinham um mês de idade, *pagando* o preço da redenção, isto é, não mais do que cinco ciclos (Nm 18.16). Esse dinheiro da redenção era entregue a Arão e seus filhos, como *compensação* pelos primogênitos, que pertenciam ao Senhor (Nm 3.40 ss.). Mesmo assim, todos os filhos primogênitos eram apresentados de modo especial ao Senhor, e, presumivelmente, tinham elevados deveres a cumprir (Lc 2.22,23), mesmo quando o Senhor Jesus já estava na terra.

3.13

כִּי לִי כָּל־בְּכוֹר בְּיוֹם הַכֹּתִי כָל־בְּכוֹר בְּאֶרֶץ מִצְרַיִם הִקְדַּשְׁתִּי לִי כָל־בְּכוֹר בְּיִשְׂרָאֵל מֵאָדָם עַד־בְּהֵמָה לִי יִהְיוּ אֲנִי יְהוָה׃ ס

Os primogênitos do Egito pereceram. O anjo do Senhor não os poupara. Em contraste, os primogênitos de Israel foram poupados pela misericórdia de Yahweh. Ao assim poupá-los, Yahweh tomou-os para si mesmo, para o seu serviço. Tanto homens quanto animais foram assim consagrados a Deus. Os animais estavam sujeitos a sacrifício, pelo que dariam a sua vida. Os homens (primogênitos) também dariam as suas vidas, mas como um *sacrifício vivo* a Yahweh (ver Rm 12.1,2 quanto a esse princípio espiritual).

Jesus pagou tudo, tudo quanto eu lhe devia;
O pecado deixara sua mancha carmesim,
Mas ele a lavou e me deixou branco como a neve.

W. J. Kirkpatrick

Ver a história no capítulo 12 do livro de Êxodo. O povo inteiro de Israel, em certo sentido, era o primogênito de Yahweh (ver Êx 4.22), pelo que todos eles tinham privilégios e deveres especiais. Então a lei conferiu privilégios e deveres especiais à tribo (casta sacerdotal) de Levi.

Algumas Razões pelas quais a Tribo de Levi foi Escolhida. A tribo de Levi havia demonstrado um zelo especial pelo yahwismo. Eles destruíram a adoração ao bezerro de ouro (ver Êx 32.28). Ademais, era a menor das tribos, e também a mais conveniente para tornar-se uma casta sacerdotal e deixar de ser uma tribo. Eles tornaram-se um tipo de Cristo, de sua Igreja e do culto divino. Ver Hebreus 2.13; 12.13; Tiago 1.18; Romanos 8.23. A Igreja de Cristo também compõe-se de primogênitos e sacerdotes (Ap 1.6; 7.15; 14.4).

■ 3.14

וַיְדַבֵּר יְהוָה אֶל־מֹשֶׁה בְּמִדְבַּר סִינַי לֵאמֹר׃

Falou o Senhor. Temos aqui uma expressão muito repetida no Pentateuco, usada para introduzir novos materiais. E também nos faz lembrar da doutrina da inspiração divina das Escrituras. Ver as notas sobre isso em Levítico 1.1 e 4.1.

Os vss. 14-19 dão-nos informações sobre o recenseamento dos levitas; e também sobre as tarefas e deveres dos vários ramos da casta sacerdotal. Os levitas tomaram o lugar dos primogênitos na adoração e no serviço divino, em Israel. Os levitas foram contados de um mês de idade para cima, e não a partir dos 20 anos, visto que formavam uma casta sacerdotal, e não um exército. Cf. Números 1.2,3.

■ 3.15

פְּקֹד אֶת־בְּנֵי לֵוִי לְבֵית אֲבֹתָם לְמִשְׁפְּחֹתָם כָּל־זָכָר מִבֶּן־חֹדֶשׁ וָמַעְלָה תִּפְקְדֵם׃

Conta os filhos de Levi. Yahweh não permitiu que os levitas fossem contados juntamente com os membros das demais tribos de Israel, no recenseamento regular apresentado no primeiro capítulo. Ver o vs. 9 deste capítulo quanto a essa proibição. O censo das outras tribos foi como uma convocação para serviço militar, incluindo somente varões de 20 anos de idade para cima, capazes de ir à guerra (ver Nm 1.2,3). Havia 603 mil varões, em números redondos, nessas condições. Isso faria com que a população total de Israel chegasse a não menos de três milhões de pessoas. Ver as notas sobre Números 2.32 quanto ao grande total de homens capazes de ir à guerra. *Em contraste* com isso, os levitas foram contados desde os infantes de um mês de idade, pois era com essa idade que os filhos primogênitos eram resgatados. Quanto à redenção dos *primogênitos,* ver minhas explicações em Números 3.12. Os levitas tomaram o lugar daquele sistema de acordo com o qual os primogênitos de cada família tinham deveres especiais quanto à promoção do yahwismo. Ver Números 18.16 quanto à redenção dos primogênitos com um mês de idade. Somente *varões* estavam envolvidos, como também somente *varões* podiam mostrar-se ativos na casta sacerdotal. Ver os vs. 40,43 quanto a outra informação acerca do fato de que os levitas foram contados incluindo até os infantes com um mês de idade.

Uma tribo estava dividida em clãs ou casas paternas, e esses clãs, por sua vez, estavam divididos em famílias. O recenseamento deveria descer a todas as divisões possíveis em famílias e indivíduos. As três divisões dos filhos de Levi eram os clãs (descendentes) dos três filhos dele: Gérson, Coate e Merari (ver Nm 3.17).

■ 3.16

וַיִּפְקֹד אֹתָם מֹשֶׁה עַל־פִּי יְהוָה כַּאֲשֶׁר צֻוָּה׃

Temos aqui a *nota de sumário,* que afirma que Moisés fez tudo quanto lhe foi ordenado. Esta e notas similares aparecem no final de alguma seção. Essas notas nos dão a certeza de obediência absoluta. Ver o comentário sobre essa questão, com vários exemplos de versículos semelhantes, em Números 1.54. Arão também participou desse censo, e sem dúvida havia vários ajudantes (vs. 29). Ver Números 4.46 quanto à ajuda prestada por outras pessoas.

■ 3.17

וַיִּהְיוּ־אֵלֶּה בְנֵי־לֵוִי בִּשְׁמֹתָם גֵּרְשׁוֹן וּקְהָת וּמְרָרִי׃

A casta sacerdotal de Levi descendia de seus três filhos. Ver os seguintes artigos a respeito, no *Dicionário: Levitas; Sacerdotes e Levitas; Gérson* (ver Êx 2.22); *Coate, Coatitas;* e, finalmente, *Merari (Meraritas).*

Quanto às famílias (clãs) dos levitas, ver Êxodo 6.16-19. Cada um do três clãs principais estava subdividido em várias divisões menores, conforme se vê nos versículos seguintes deste capítulo.

"A prole imediata de descendentes de Levi: Gérson, Coate e Merari, aqueles que desceram com ele para o Egito (Gn 46.11)" (John Gill, *in loc.*).

■ 3.18

וְאֵלֶּה שְׁמוֹת בְּנֵי־גֵרְשׁוֹן לְמִשְׁפְּחֹתָם לִבְנִי וְשִׁמְעִי׃

Filhos de Gérson. Esse clã estava subdividido em dois ramos principais, descendentes de *Libni* e *Simei,* filhos dele. Ver sobre *Libni, Libnitas,* em Êxodo 6.16,17. No *Dicionário* ver sobre *Simei.* Ver o primeiro ponto daquele artigo. Vários outros personagens do Antigo Testamento tinham esse mesmo nome.

■ 3.19

וּבְנֵי קְהָת לְמִשְׁפְּחֹתָם עַמְרָם וְיִצְהָר חֶבְרוֹן וְעֻזִּיאֵל׃

Os filhos de Coate. Eram os coatitas, subdivididos em quatro ramos, cada ramo descendente de um dos filhos de Coate. Ver sobre os quatro nomes a seguir:

Amrão. Era filho do levita Coate; ou, conforme dizem alguns, um descendente mais distante dele. Era marido de Joquebede e pai de Moisés, Arão e Miriã (ver Êx 6.18,20; 26.59; 1Cr 6.3). Seus descendentes eram os amramitas e receberam deveres especiais no trabalho do tabernáculo, nos dias de Moisés. Algumas versões da Bíblia em português grafam seu nome com a forma de Anrão.

Jizar. Também chamado Izar. Ver as notas expositivas sobre ele em Êxodo 6.18.

Hebrom. Ver as notas sobre ele em Êxodo 6.18.

Uziel. Ver sobre ele no *Dicionário,* no primeiro ponto. Vários outros homens, no Antigo Testamento, têm esse nome.

O vs. 27 deste capítulo dá o nome dos clãs de descendentes dessas pessoas.

■ 3.20

וּבְנֵי מְרָרִי לְמִשְׁפְּחֹתָם מַחְלִי וּמוּשִׁי אֵלֶּה הֵם מִשְׁפְּחֹת הַלֵּוִי לְבֵית אֲבֹתָם׃

Os filhos de Merari. Estavam subdivididos em dois subclãs, ou seja, o de *Mali* e o de *Musi.*

Mali. Ver as notas em Êxodo 6.19.

Musi. Ver no *Dicionário* o verbete *Musi (Musitas).* No hebraico, essa palavra significa "sensível". Esse era o nome de um dos filhos de Merari, que, por sua vez, era filho de Coate (ver Êx 6.19; Nm 320; 1Cr 6.19,47; 23.21,23; 24.26,30). O clã que descendia de Musi tornou-se conhecido como os *musitas* (Nm 3.33; 26.58). A esse clã foram dados deveres especiais relacionados ao culto do tabernáculo (ver Nm 1.36 ss.).

■ 3.21

לְגֵרְשׁוֹן מִשְׁפַּחַת הַלִּבְנִי וּמִשְׁפַּחַת הַשִּׁמְעִי אֵלֶּה הֵם מִשְׁפְּחֹת הַגֵּרְשֻׁנִּי׃

Este versículo repete os elementos do vs. 18, onde são dadas as notas que também se aplicam aqui. Os clãs mencionadas são agora numerados.

■ 3.22

פְּקֻדֵיהֶם בְּמִסְפַּר כָּל־זָכָר מִבֶּן־חֹדֶשׁ וָמָעְלָה פְּקֻדֵיהֶם שִׁבְעַת אֲלָפִים וַחֲמֵשׁ מֵאוֹת׃

Todos os homens. A começar pelos meninos de um mês de idade, todos foram contados. A razão disso aparece nas notas sobre o vs. 15 deste capítulo. O subclã dos *libinitas* e o subclã dos *semeítas* totalizaram 7.500 homens.

■ 3.23

מִשְׁפְּחֹת הַגֵּרְשֻׁנִּי אַחֲרֵי הַמִּשְׁכָּן יַחֲנוּ יָמָּה׃

Se acamparão atrás do tabernáculo. E a certa distância deles ficavam os acampamentos "seculares" das outras tribos de Israel. Ilustrei isso com o gráfico dado imediatamente antes da exposição em Números 1.1. Os *gersonitas* tomaram posição no lado *ocidental* do acampamento interior, ou seja, o lado do tabernáculo onde estava o Santo dos Santos.

■ 3.24

וּנְשִׂיא בֵית־אָב לַגֵּרְשֻׁנִּי אֶלְיָסָף בֶּן־לָאֵל׃

O príncipe... será Eliasafe. "Quem ele era e de qual das famílias dos gersonitas, os libnitas ou os simeítas, não é dito nem aqui nem em outro lugar, e nem os escritores judeus, que se julgavam conhecedores de tudo, pretenderam esclarecer o ponto" (John Gill, *in loc.*). Sabemos apenas que ele encabeçava o trabalho desse clã, e que a eles cabia cuidar das coberturas do tabernáculo, bem como das cortinas do átrio e do altar principal, conforme aprendemos nos versículos que se seguem. O nome dele significa "Deus acrescentou". Outra pessoa também recebe esse nome, mencionada em Números 1.14.

Lael. Ele era o pai de Eliasafe. Seu nome significa "consagrado a El (Deus)". Nada sabemos acerca ele, exceto o que aparece neste versículo.

■ 3.25,26

וּמִשְׁמֶרֶת בְּנֵי־גֵרְשׁוֹן בְּאֹהֶל מוֹעֵד הַמִּשְׁכָּן וְהָאֹהֶל מִכְסֵהוּ וּמָסַךְ פֶּתַח אֹהֶל מוֹעֵד׃

וְקַלְעֵי הֶחָצֵר וְאֶת־מָסַךְ פֶּתַח הֶחָצֵר אֲשֶׁר עַל־הַמִּשְׁכָּן וְעַל־הַמִּזְבֵּחַ סָבִיב וְאֵת מֵיתָרָיו לְכֹל עֲבֹדָתוֹ׃

Os filhos de Gérson terão a seu cargo. A eles cabia cuidar, reparar, proteger e transportar várias porções do tabernáculo. Isso incluía duas das *três cortinas*, que eram usadas como portas. Os coatitas cuidavam da *terceira* cortina (ver o vs. 31), ao passo que os gersonitas cuidavam das outras duas. Sobre essas cortinas, ver as notas acerca de Êxodo 26.36. Além disso, cuidavam das *coberturas* (as peles e os tecidos) do tabernáculo. Ver Êxodo 26.14, sobre as cobertas de peles de carneiros e de animais marinhos. O termo hebraico *mikseh*, "cobertura", parece incluir as *duas* cobertas descritas naquele versículo. As *cortinas do pátio* (vs. 26) falam sobre as "paredes" do átrio do tabernáculo, com 50 m de comprimento e a metade disso de largura (ver Êx 27.9-13). O *reposteiro* era a primeira e mais externa cortina, que formava a porta de entrada para o átrio (ver Êx 27.16). As *cordas* amarravam as cortinas a pinos de metal, fixados no solo, para dar sustentação às "paredes". Mas Jarchi faz essas cordas serviram às paredes do tabernáculo, e não às paredes externas do átrio. O cuidado pelas cordas do átrio foi entregue aos meraritas (vero vs. 37).

■ 3.27

וְלִקְהָת מִשְׁפַּחַת הָעַמְרָמִי וּמִשְׁפַּחַת הַיִּצְהָרִי וּמִשְׁפַּחַת הַחֶבְרֹנִי וּמִשְׁפַּחַת הָעָזִּיאֵלִי אֵלֶּה הֵם מִשְׁפְּחֹת הַקְּהָתִי׃

Este versículo repete a informação dada no vs. 19, cujas notas também têm aplicação aqui. Os nomes foram repetidos meramente para dizer-nos agora que *eles* foram numerados e receberam tarefas específicas no tocante aos cuidados e reparos de certas porções do tabernáculo. Moisés e Arão foram incluídos nesse ramo dos levitas, visto que *Amrão* era o pai deles.

■ 3.28,29

בְּמִסְפַּר כָּל־זָכָר מִבֶּן־חֹדֶשׁ וָמָעְלָה שְׁמֹנַת אֲלָפִים וְשֵׁשׁ מֵאוֹת שֹׁמְרֵי מִשְׁמֶרֶת הַקֹּדֶשׁ׃

מִשְׁפְּחֹת בְּנֵי־קְהָת יַחֲנוּ עַל יֶרֶךְ הַמִּשְׁכָּן תֵּימָנָה׃

Os homens. Começando pelos infantes de um mês de idade, foram todos enumerados. Ver sobre a razão para tão tenra idade, nas notas sobre o vs. 15. Os quatro subclãs, mencionados no vs. 27, quando somados seus totais, orçaram em 8.600. Esses acamparam-se no lado *sul* do tabernáculo. Ver o gráfico dado imediatamente antes da exposição em Números 1.1, que ilustra os acampamentos, a tribo mais interior (sacerdotal) e as demais (tribos periféricas). Quanto à *planta baixa* do tabernáculo, o centro de toda a vida em Israel (Deus no meio de seu povo), ver Êxodo 26.1, notas introdutórias.

■ 3.30

וּנְשִׂיא בֵית־אָב לְמִשְׁפְּחֹת הַקְּהָתִי אֱלִיצָפָן בֶּן־עֻזִּיאֵל׃

Elisafã. Algumas versões portuguesas dizem aqui Elisafá. Esse nome significa "Deus é protetor". Ver sobre esse nome no *Dicionário*, primeiro ponto, quanto a completos detalhes.

Uziel. Ver a seu respeito no *Dicionário*, primeiro ponto.

■ 3.31

וּמִשְׁמַרְתָּם הָאָרֹן וְהַשֻּׁלְחָן וְהַמְּנֹרָה וְהַמִּזְבְּחֹת וּכְלֵי הַקֹּדֶשׁ אֲשֶׁר יְשָׁרְתוּ בָּהֶם וְהַמָּסָךְ וְכֹל עֲבֹדָתוֹ׃

Terão eles a seu cargo. Encontramos aqui os deveres dos coatitas. A eles cabia cuidar, proteger e reparar os objetos santos do tabernáculo, como a arca, a mesa dos pães da proposição, o candeeiro de ouro, os dois altares e os muitos vasos usados no culto sagrado, como também o véu, ou seja, a *terceira* cortina, aquela que separava o Lugar Santo do Santo dos Santos. Ver as notas sobre as três cortinas em Êxodo 26.36. Os gersonitas cuidavam das outras duas cortinas e das coberturas. Ver as notas sobre os vss. 25 e 26.

■ 3.32

וּנְשִׂיא נְשִׂיאֵי הַלֵּוִי אֶלְעָזָר בֶּן־אַהֲרֹן הַכֹּהֵן פְּקֻדַּת שֹׁמְרֵי מִשְׁמֶרֶת הַקֹּדֶשׁ׃

Eleazar. Ver sobre esse homem no *Dicionário*, em seu primeiro ponto. As versões portuguesas da Bíblia contêm algumas variantes. Houve várias pessoas com esse nome, no Antigo Testamento. Esse nome significa "Deus é ajudador".

Esse filho de Arão, agora o filho mais velho sobrevivente, atuava como uma espécie de superintendente geral, exercendo autoridade sobre os vários clãs sacerdotais, segundo se vê nas notas sobre o vs. 18 deste capítulo. Os chefes de cada clã estavam sujeitos à sua autoridade, e ele mesmo estava sujeito a Arão. Logo, Eleazar era uma espécie de "segundo homem" no comando. Ele era o primeiro chefe das famílias, os amramitas (vss. 19,27).

■ 3.33

לִמְרָרִי מִשְׁפַּחַת הַמַּחְלִי וּמִשְׁפַּחַת הַמּוּשִׁי אֵלֶּה הֵם מִשְׁפְּחֹת מְרָרִי׃

Este versículo reitera a informação dada no vs. 20. E agora os nomes são reiterados a fim de que seus números e deveres lhes sejam prescritos.

■ 3.34

וּפְקֻדֵיהֶם בְּמִסְפַּר כָּל־זָכָר מִבֶּן־חֹדֶשׁ וָמָעְלָה שֵׁשֶׁת אֲלָפִים וּמָאתָיִם׃

Todos os homens. Foram contados todos os varões, a partir de um mês de idade para cima, por razões comentadas nas notas sobre o vs. 15. Os dois subclãs totalizaram, juntos, 6.200 homens. Esse segmento da casta sacerdotal era o menos numeroso dos três.

3.35

וּנְשִׂיא בֵית־אָב לְמִשְׁפְּחֹת מְרָרִי צוּרִיאֵל בֶּן־אֲבִיחָיִל
עַל יֶרֶךְ הַמִּשְׁכָּן יַחֲנוּ צָפֹנָה:

Zuriel. No hebraico, "Deus é rocha" ou "rocha de Deus". Ele era levita, filho de Abiail. Era chefe dos meraritas, no deserto do Sinai. Era o responsável pela participação de seu clã no culto do tabernáculo. Nada se sabe acerca dele, exceto o que fica implícito neste versículo. Não somos informados se ele era da família de Mali ou da família de Musi (vs. 20).

Abiail. Ver no *Dicionário* acerca desse nome, terceiro ponto. Era pai de Zuriel, mas não temos nenhuma informação adicional acerca dele. Seu nome significa "pai da luz" ou "esplendor".

Os meraritas acampavam-se no lado *norte* do acampamento interior, ocupado pelos levitas. Ver o gráfico antes do início dos comentários, quanto a uma ilustração dos acampamentos.

3.36,37

וּפְקֻדַּת מִשְׁמֶרֶת בְּנֵי מְרָרִי קַרְשֵׁי הַמִּשְׁכָּן וּבְרִיחָיו
וְעַמֻּדָיו וַאֲדָנָיו וְכָל־כֵּלָיו וְכֹל עֲבֹדָתוֹ:

וְעַמֻּדֵי הֶחָצֵר סָבִיב וְאַדְנֵיהֶם וִיתֵדֹתָם וּמֵיתְרֵיהֶם:

Os filhos de Merari. Temos aqui os deveres desse clã dos levitas. Cabia-lhes cuidar do arcabouço e da madeira do tabernáculos, bem como dos ganchos e de outros objetos relacionados ao arcabouço de madeira. Ver Êxodo 26.15-30 (quanto ao arcabouço); e Êxodo 27.9-19 (quanto às colunas).

3.38

וְהַחֹנִים לִפְנֵי הַמִּשְׁכָּן קֵדְמָה לִפְנֵי אֹהֶל־מוֹעֵד
מִזְרָחָה מֹשֶׁה וְאַהֲרֹן וּבָנָיו שֹׁמְרִים מִשְׁמֶרֶת הַמִּקְדָּשׁ
לְמִשְׁמֶרֶת בְּנֵי יִשְׂרָאֵל וְהַזָּר הַקָּרֵב יוּמָת:

Diante do tabernáculo... Moisés e Arão. O acampamento dos dois principais líderes ficava para o lado oriental, diante da entrada do tabernáculo, de onde surgia o sol a cada manhã. Ali acampavam-se Moisés, Arão e seus filhos, os que se envolviam diretamente no serviço sagrado do tabernáculo. Moisés era o mediador entre Yahweh e os israelitas; Arão era seu braço direito, e ele foi o primeiro sumo sacerdote. Os dois filhos de Arão, Eleazar e Itamar (vs. 1), eram seus principais auxiliares.

O lado *oriental* era o lado favorecido, segundo já vimos em Números 2.3,4. Nos "acampamentos seculares" era Judá que ocupava o território naquela direção, sendo essa a tribo mais importante e influente em Israel.

Morrerá. Qualquer estranho, mesmo que fosse um hebreu sem autorização, ou seja, que não fosse sacerdote, caso se aproximasse do tabernáculo, a menos que viesse oferecer algum sacrifício, ou caso adentrasse o tabernáculo, que era estritamente proibido, seria morto, provavelmente por apedrejamento (ver a respeito disso no *Dicionário*). Ou alguma praga ou juízo divino haveria de feri-lo. Neste caso, o castigo viria pela "mão do céu", conforme diz o Targum de Jonathan. Cf. Números 1.51 e 3.10, onde é registrada a mesma ameaça. Entre os deveres dos levitas estava o de impedir que qualquer estranho se aproximasse dos recintos sagrados.

3.39

כָּל־פְּקוּדֵי הַלְוִיִּם אֲשֶׁר פָּקַד מֹשֶׁה וְאַהֲרֹן עַל־פִּי
יְהוָה לְמִשְׁפְּחֹתָם כָּל־זָכָר מִבֶּן־חֹדֶשׁ וָמַעְלָה שְׁנַיִם
וְעֶשְׂרִים אָלֶף: ס

Todos os que foram contados. Todos os clãs, famílias e indivíduos, de um mês de idade para cima, totalizaram 22 mil (ver Nm 3.15).

Uma Discrepância. Se totalizarmos todos os números dados até este ponto do capítulo, envolvidos no censo da casta sacerdotal de Levi, obteremos 22.300, ou seja, trezentos mais do que 22 mil. Várias tentativas têm sido feitas para aliviar a situação:

1. *Vinte e dois mil* é um número arredondado. Mas a maioria dos eruditos pensa que não havia razão suficiente para o autor sacro arredondar um número quando, o tempo todo, ele vinha dando números exatos; no primeiro capítulo ele também deu números exatos e não se importou em arredondar ao menos uma das cifras.

2. *Muitos eruditos*, antigos e modernos, supõem que 22 mil seja o número certo, e que algum erro foi feito no cálculo anterior. Visto que as letras hebraicas eram usadas como algarismos, e visto que algumas delas tinham formato bastante parecido com outras, seria fácil substituir uma letra por outra, resultando em outra cifra. Adam Clarke (*in loc.*) supõe que, no caso dos gersonitas (vs. 27), deveríamos ler 7.200, e não 7.500. Se *caph* (a letra que valia 500) viesse a substituir *resh* (a letra que valia 300), o problema estaria resolvido. Essas duas letras eram por demais parecidas, e uma poderia ser substituída facilmente pela outra.

3. *Ainda outros estudiosos* supõem que o excesso de trezentos consista nos primogênitos dos levitas; e essas pessoas, como é óbvio, não serviam para remir um número igual de primogênitos de outras tribos. Assim, não foram incluídos no número daqueles que serviam de redenção. Se esses trezentos fossem deduzidos do total, teríamos os 22 mil. Ver os vss. 40-51. O Talmude foi o primeiro a sugerir essa solução. Mas isso faria o número de famílias levíticas tornar-se fantasticamente grande.

4. *Outros ainda* manipulam as cifras do vs. 28 da mesma maneira que alguns manipulam os números do vs. 27. Eles reduzem 8.600 para 8.300, substituindo o termo hebraico *shalosh* em lugar de *shesh*, que indicam, respectivamente trezentos e seiscentos.

Não há maneira certa de explicar as diferenças nos números envolvidos, e mesmo o problema não é importante, exceto para duas classes de pessoas: os fundamentalistas extremados, que pretendem obter harmonia a qualquer custo, para efeito de conforto mental; e os céticos, que estupidamente supõem que essas aparentes discrepâncias possam ser usadas para anular a fé religiosa. Mas a verdade religiosa dispensa essas harmonizações. Tais problemas nada significam para a espiritualidade.

3.40

וַיֹּאמֶר יְהוָה אֶל־מֹשֶׁה פְּקֹד כָּל־בְּכֹר זָכָר לִבְנֵי
יִשְׂרָאֵל מִבֶּן־חֹדֶשׁ וָמָעְלָה וְשָׂא אֵת מִסְפַּר שְׁמֹתָם:

Disse o Senhor. Essa expressão é usada com frequência no Pentateuco, a fim de introduzir novos materiais. E também nos faz lembrar da inspiração divina da Bíblia. Ver a questão comentada em Levítico 1.1 e 4.1.

Fórmulas de Comunicação. Há *oito* dessas fórmulas. Algumas vezes o recado de Yahweh era dirigido somente a Moisés; de outras vezes, Moisés o transmitia a Arão e seus filhos; e ainda de outras vezes, era dirigido ao povo em geral. Ver sobre essas três fórmulas de comunicação, em Levítico 17.2.

Este versículo repete a ordem dada no vs. 15. O censo levado a efeito era agora usado para redimir os *primogênitos*. Os levitas substituiriam os primogênitos no culto divino, e esse culto sofreria grande revolução no culto do tabernáculo. Ver Números 3.13 quanto a essa questão, com razões pelas quais a tribo de Levi foi escolhida para substituir os primogênitos e assim tornou-se uma casta sacerdotal, e não uma tribo, no mais pleno sentido da palavra.

Os levitas tinham de ser contados a fim de fazerem a mais completa redenção numérica possível dos primogênitos. O número tinha de *coincidir essencialmente*, e a diferença seria compensada de alguma outra maneira, como o pagamento de uma soma em dinheiro, como redenção. O excedente foi remido à taxa de cinco siclos por pessoa (ver os vss. 50,51).

Os primogênitos egípcios morreram; os primogênitos de Israel tornaram-se um sacrifício vivo; os levitas substituíram-nos naquele tipo de sacrifício. Ver Romanos 12.1,2 quanto ao princípio espiritual envolvido.

3.41

וְלָקַחְתָּ אֶת־הַלְוִיִּם לִי אֲנִי יְהוָה תַּחַת כָּל־בְּכֹר בִּבְנֵי
יִשְׂרָאֵל וְאֵת בֶּהֱמַת הַלְוִיִּם תַּחַת כָּל־בְּכוֹר בְּבֶהֱמַת
בְּנֵי יִשְׂרָאֵל:

(Eu sou o Senhor). Algumas vezes achamos a forma "Eu sou o Senhor vosso Deus". Essas expressões foram usadas para aumentar a ênfase de um texto, injetando a autoridade de Yahweh em alguma ordem. Ver a expressão comentada em Levítico 18.30.

Os *levitas*, por ordem de Yahweh, deveriam *substituir* os primogênitos (ver o comentário em Nm 3.13, e no vs. 40 deste capítulo). Uma nova ordem de culto deveria substituir aquela ordem em que o chefe de cada família era o sacerdote. Uma casta sacerdotal haveria de cuidar, doravante, do culto divino, e o tabernáculo seria a sua sede. A nova ordem envolvia até os animais. Esses animais terminariam sacrificados no tabernáculo. Os levitas poriam fim aos sacrifícios de vida inteira. De ambos os modos, a dedicação deveria ser absoluta.

No *período patriarcal*, os chefes de família e os primogênitos exerciam funções sacerdotais; mas, formalmente, somente os primogênitos seriam substituídos. Os chefes de família continuavam com suas funções sacerdotais, embora não de maneira formal, institucionalizada. A nova ordem de sacerdotes só podia ser convocada dentre os filhos de Arão, a casta sacerdotal. Essa casta deveria servir à nação inteira. Ver Números 3.11-13 quanto a uma explicação preliminar sobre a questão, que agora aparece em maiores detalhes.

■ 3.42

וַיִּפְקֹד מֹשֶׁה כַּאֲשֶׁר צִוָּה יְהוָה אֹתוֹ אֶת־כָּל־בְּכוֹר בִּבְנֵי יִשְׂרָאֵל׃

Contou Moisés. Vemos aqui a atitude de obediência de Moisés. O autor sumariou o ato do recenseamento com propósito de fazer redenção, por essa pequena observação sobre o *dever* que se tinha cumprido. Esse tipo de sumário é comum no Pentateuco. Ver notas sobre isso em Números 1.54.

■ 3.43

וַיְהִי כָל־בְּכוֹר זָכָר בְּמִסְפַּר שֵׁמוֹת מִבֶּן־חֹדֶשׁ וָמַעְלָה לִפְקֻדֵיהֶם שְׁנַיִם וְעֶשְׂרִים אֶלֶף שְׁלֹשָׁה וְשִׁבְעִים וּמָאתָיִם׃ פ

Vinte e dois mil duzentos e setenta e três. Mais problemas numéricos. Consideremos estes três pontos:
1. O número 22.273 é pequeno demais para os primogênitos de Israel, se considerarmos que havia cerca de seiscentos mil varões de 20 anos para cima, aptos para o serviço militar. Assim, a população masculina total deve ter sido orçado em pelo menos um milhão e meio de pessoas. Cada *família* deveria ter cerca de setenta membros. Um milhão e meio divididos por 22 mil, dá pouco mais de 68. Para contornar essa dificuldade, alguns intérpretes supõem que o total de primogênitos mencionado comportou somente aqueles que nasceram depois que Israel saiu do Egito, embora não expliquem a razão dessa restrição.
2. Ou poderíamos supor que os primogênitos aqui mencionados se tivessem limitado até os varões com 20 anos de idade, que não haviam sido incluídos no recenseamento. Mas *a razão* de tal restrição também não é esclarecida.
3. Ou ainda os primogênitos seriam somente os nascidos *depois* que a tribo de Levi se tornou a casta sacerdotal. Nesse caso, a ordem não foi retroativa até o êxodo. Mas por igual modo não somos informados da *razão* dessa restrição.

Parece que é melhor simplesmente reconhecer que não sabemos explicar o problema. E também não importa que sejamos capazes de dar essa explicação, tal como se dá com o problema numérico do vs. 39 deste capítulo.

O Excesso. Houve um excesso de 273 israelitas *primogênitos*, acima do número dos levitas. Esses 273 tiveram de ser remidos a dinheiro, conforme é explicado nos vss. 50,51.

■ 3.44

וַיְדַבֵּר יְהוָה אֶל־מֹשֶׁה לֵּאמֹר׃

Disse o Senhor. Temos aqui uma fórmula constantemente repetida no Pentateuco, usada para introduzir novos materiais e também para lembrar-nos da doutrina da inspiração divina das Escrituras. Ver as notas a respeito em Levítico 1.1 e 4.1. Há também *oito* fórmulas de comunicação. Yahweh falava com Moisés. E este transmitia os recados divinos a Arão e seus filhos, ao povo de Israel etc. Ver as notas em Levítico 17.2.

■ 3.45

קַח אֶת־הַלְוִיִּם תַּחַת כָּל־בְּכוֹר בִּבְנֵי יִשְׂרָאֵל וְאֶת־בֶּהֱמַת הַלְוִיִּם תַּחַת בְּהֶמְתָּם וְהָיוּ־לִי הַלְוִיִּם אֲנִי יְהוָה׃

Este versículo reitera a informação dada em Números 3.12,13, cujas notas expositivas também se aplicam aqui. Ver também Números 3.40 quanto a outros detalhes.

Eu sou o Senhor. A forma mais longa dessa frase é "Eu sou o Senhor, vosso Deus". Essas inserções do nome divino adicionam a autoridade de Yahweh ao mandamento. Ver as notas sobre Levítico 18.30 quanto a explanações completas.

■ 3.46

וְאֵת פְּדוּיֵי הַשְּׁלֹשָׁה וְהַשִּׁבְעִים וְהַמָּאתָיִם הָעֹדְפִים עַל־הַלְוִיִּם מִבְּכוֹר בְּנֵי יִשְׂרָאֵל׃

Os 22 mil levitas tomariam o lugar de um igual número de primogênitos, e então se ocupariam de suas funções sacerdotais. Mas houve um excesso de 273 primogênitos, que não puderam ser substituídos por levitas. Esses seriam remidos a dinheiro, segundo se vê nos vss. 50 e 51.

■ 3.47

וְלָקַחְתָּ חֲמֵשֶׁת חֲמֵשֶׁת שְׁקָלִים לַגֻּלְגֹּלֶת בְּשֶׁקֶל הַקֹּדֶשׁ תִּקָּח עֶשְׂרִים גֵּרָה הַשָּׁקֶל׃

Duzentos e setenta e três excedentes seriam remidos por *cinco ciclos* do santuário, cada um. O siclo do santuário valia mais que o siclo ordinário. Ver no *Dicionário* o verbete geral intitulado *Dinheiro*, seção II, onde explico o que se conhece acerca do *siclo*. Ao que parece, no início o siclo era uma medida fenícia, que depois foi adotada pelos babilônios. Foi somente então que começou a ser usada a *gera*, pelo que o texto diante de nós é um anacronismo, refletindo uma data posterior do livro de Números, ou então uma adição escribal posterior. Não há como relacionar esse peso em prata com os valores atuais; mas alguns eruditos dizem-nos que um siclo correspondia a um mês de salário de um homem comum. Se isso está com a razão, então o preço da redenção de um filho primogênito valia cerca de cinco meses de labor. Quanto a informações adicionais sobre o ciclo, ver as notas sobre Levítico 27.25 e Êxodo 30.13.

■ 3.48

וְנָתַתָּה הַכֶּסֶף לְאַהֲרֹן וּלְבָנָיו פְּדוּיֵי הָעֹדְפִים בָּהֶם׃

Os recolhedores do dinheiro (peso em prata) seriam Arão e seus filhos, ou seja, o sacerdócio. Esse dinheiro era usado para pagar as despesas com o culto do tabernáculo e para sustentar o sacerdócio. Em outras palavras, o dinheiro era canalizado para o ministério. Ainda não eram cunhadas moedas nos dias de Moisés; por isso eram usados pesos em metal (e outros tipos de medidas).

■ 3.49

וַיִּקַּח מֹשֶׁה אֵת כֶּסֶף הַפִּדְיוֹם מֵאֵת הָעֹדְפִים עַל פְּדוּיֵי הַלְוִיִּם׃

Moisés, o mediador, recebeu todo o dinheiro. Então este foi entregue às mãos de Arão, a fim de ser distribuído e usado da maneira apropriada. Valia pelo resgate das 273 pessoas, conforme explicado no vs. 47 deste capítulo.

■ 3.50

מֵאֵת בְּכוֹר בְּנֵי יִשְׂרָאֵל לָקַח אֶת־הַכָּסֶף חֲמִשָּׁה וְשִׁשִּׁים וּשְׁלֹשׁ מֵאוֹת וָאֶלֶף בְּשֶׁקֶל הַקֹּדֶשׁ׃

Multiplicando-se 273 por cinco, obteremos a cifra de 1.365, que lemos neste versículo. Ver o vs. 47 e suas notas quanto a várias referências sobre o *siclo*. Aquele foi um pagamento feito de uma vez por todas. Desse modo, os primogênitos foram liberados de deveres sacerdotais, e os levitas puderam entrar nesses deveres, sob outra forma, visto que a atividade deles seria no tabernáculo, que antes disso ainda não existia.

Tipologia. Não fomos remidos mediante coisas corruptíveis, como prata ou ouro, e, sim, mediante o sangue de Cristo (1Pe 1.18,19). Ver também Hebreus 2.9 e o artigo existente no *Dicionário*, chamado *Redenção*.

■ 3.51

וַיִּתֵּן מֹשֶׁה אֶת־כֶּסֶף הַפְּדֻיִם לְאַהֲרֹן וּלְבָנָיו עַל־פִּי יְהוָה כַּאֲשֶׁר צִוָּה יְהוָה אֶת־מֹשֶׁה: פ

Moisés foi o mediador do dinheiro. Esse dinheiro destinava-se ao sacerdócio e ao culto do tabernáculo. Foi entregue primeiramente nas mãos de Arão, como sumo sacerdote, o qual sabia como distribuí-lo.

Como o Senhor ordenara a Moisés. A obediência foi perfeita, porquanto a palavra de Yahweh foi respeitada. Pequenos sumários que mencionam a atitude de *obediência* são comuns no Pentateuco. Ver as notas sobre Números 1.54, onde aparece certo número de referências.

> Dei a minha vida por ti,
> Meu sangue precioso verti,
> Para que fosses comprado,
> E dentre os mortos levantado.
>
> Dei minha vida por ti,
> Que tens dado a mim?
>
> Francis R. Havergal

CAPÍTULO QUATRO

NÚMEROS E DEVERES DOS LEVITAS (4.1-49)

OS COATITAS (4.1-20)

Entre as *três* divisões gerais do sacerdócio (descendentes dos três filhos de Arão, vs. 17), os coatitas pareciam ter recebido a autoridade primária. Isso é indicado pelo fato de que eles aparecem aqui em primeiro lugar, e são descritos com maiores detalhes do que no caso das outras duas divisões. Agora foi tomado um censo de todos os varões entre os 30 e os 50 anos de idade, sendo essa faixa etária em que os levitas desempenhavam suas funções. O terceiro capítulo diz-nos como os levitas transformaram-se de uma das tribos em uma casta sacerdotal, e como eles tomaram o lugar dos *primogênitos* em seus deveres sacerdotais. Agora o quarto capítulo dá-nos detalhes sobre como o serviço deles começou. O censo deste capítulo difere daquele historiado no terceiro capítulo. Aquele tinha por intuito determinar como redimir os primogênitos, envolvendo todas as pessoas de um mês de idade para cima. Mas este censo envolveu os adultos aptos a cuidar dos deveres sagrados. Cf. Números 8.23-25. "Os coatitas tinham uma distinção especial entre os levitas, pois estavam encarregados das *coisas santíssimas* e agiam sob a supervisão direta de Eleazar (ver Nm 3.31,32)" (*Oxford Annotated Bible*, sobre Nm 4.4). As *coisas santíssimas*, sobre as quais ele estava encarregado, são enumeradas nesta passagem. Números 8.24 indica que os levitas serviam em alguma capacidade mesmo fora desses limites de idade. Isto é, dos 25 anos de idade em diante. 1Crônicas 23.24 fala em 20 anos. Ver sobre Números 4.3 quanto a detalhes.

■ 4.1

וַיְדַבֵּר יְהוָה אֶל־מֹשֶׁה וְאֶל־אַהֲרֹן לֵאמֹר:

Disse o Senhor. Essa é uma expressão muito repetida no Pentateuco, empregada para introduzir matéria nova. E também nos lembra da inspiração divina da Bíblia. Ver as notas a respeito em Levítico 1.1 e 4.1.

Fórmulas de Comunicação. Moisés era o mediador de Yahweh. As mensagens que ele recebia eram então transmitidas a Arão, a Arão e seus filhos ou ao povo inteiro de Israel. Há *oito* fórmulas de comunicação. Isso é comentado em Levítico 17.2.

■ 4.2

נָשֹׂא אֶת־רֹאשׁ בְּנֵי קְהָת מִתּוֹךְ בְּנֵי לֵוִי לְמִשְׁפְּחֹתָם לְבֵית אֲבֹתָם:

Levanta o censo. Foi ordenada outra contagem, a terceira até este ponto do livro de Números. A *primeira* foi uma espécie de convocação militar (cap. 1). A *segunda* envolveu os levitas, de um mês de idade para cima, com o propósito de redimir os primogênitos (cap. 3). E a *terceira* foi dos levitas, na faixa de idade entre os 30 e os 50 anos de idade, com o propósito de averiguar quantos podiam ocupar-se dos deveres sacerdotais (cap. 4).

Dos filhos de Levi. Ou seja, Gérson, Coate e Merari (ver Nm 3.17, onde cada nome é examinado e referências prestam informações sobre esses três homens). Os *clãs* dos levitas descendiam desses três filhos de Levi, a casta sacerdotal que deixou de ser uma das doze tribos de Israel.

Coate. Ver no *Dicionário* o artigo *Coate, Coatitas*, quanto a informações completas. Coate era o segundo dos filhos de Arão, mas seu clã acabou tendo a maior importância, pois cuidava das *coisas santíssimas*, conforme descrito em Números 3.31. *Moisés e Arão* pertenciam à divisão dos coatitas. Todas as famílias foram enumeradas, as quais, por sua vez, formavam subclãs, e que, em seu conjunto, formavam o clã geral dos coatitas.

■ 4.3

מִבֶּן שְׁלֹשִׁים שָׁנָה וָמַעְלָה וְעַד בֶּן־חֲמִשִּׁים שָׁנָה כָּל־בָּא לַצָּבָא לַעֲשׂוֹת מְלָאכָה בְּאֹהֶל מוֹעֵד:

A idade estipulada para o serviço dos *levitas em serviço ativo* ficava entre os 30 e os 50 anos; e este censo só incluiu esses. O trecho de Números 8.24 mostra que eles também podiam servir fora dessa faixa de idade. Alguns estudiosos supõem que as diferenças fossem determinadas pelo *tipo* de serviço que eles estivessem prestando. A idade de *25 anos*, aludida no capítulo 8, aparece neste versículo segundo a versão da Septuaginta. O livro de Esdras e 1Crônicas 23.24 falam em 20 anos de idade. Talvez, em diferentes épocas, variasse a idade do início do serviço ativo. Talvez cinco anos fossem passados em *preparação* (dos 25 aos 30 anos). Mas o serviço real começava aos 30, embora aqui o texto não toque no assunto. João Batista e Jesus deram início a seu ministério público com a idade de 30 anos, e esse número pode ter sido influenciado pelas regras atinentes aos levitas, conforme vemos no presente capítulo.

■ 4.4

זֹאת עֲבֹדַת בְּנֵי־קְהָת בְּאֹהֶל מוֹעֵד קֹדֶשׁ הַקֳּדָשִׁים:

É este o serviço. No hebraico temos o termo *zaba*, palavra essa que originalmente denotava o serviço militar. Ao usá-lo, o autor sacro talvez quisesse chamar atenção para o fato de que o serviço sagrado era uma espécie de guerra contra o pecado e a idolatria, uma maneira de fazer avançar as hostes de Yahweh contra o mal. Ver Efésios 6.11 ss. quanto à metáfora militar no tocante à vida cristã. Ver também 2Timóteo 2.3, onde lemos que Timóteo fora chamado para ser um "bom soldado" de Cristo. Esses soldados são *escolhidos* pelo próprio Comandante-em-chefe, conforme lemos em 2Timóteo 2.4.

Tenda da congregação. Ver no *Dicionário* o artigo *Tabernáculo*. A cena principal dessa atividade ocorria no tabernáculo, e eles eram os responsáveis por esse importante aspecto do culto divino. Tal serviço era prestado em prol de todo o povo de Israel. Ver Êxodo 16.1 quanto a notas sobre a *congregação*. Ver Números 3.31 quanto às *coisas santíssimas* das quais os coatitas estavam encarregados. Os versículos que se seguem, neste capítulo, oferecem detalhes sobre o trabalho que eles prestavam.

4.5

וּבָא אַהֲרֹן וּבָנָיו בִּנְסֹעַ הַמַּחֲנֶה וְהוֹרִדוּ אֵת פָּרֹכֶת
הַמָּסָךְ וְכִסּוּ־בָהּ אֵת אֲרֹן הָעֵדֻת׃

Quando partir o arraial. O povo de Israel encaminhava-se na direção da Terra Prometida. O tabernáculo era uma espécie de tenda portátil gigante. Precisava ser desmantelada, e suas partes constitutivas eram cobertas e transportadas. Ao estacionarem, o tabernáculo era novamente armado. Os filhos de Arão, os sacerdotes principais, eram os responsáveis por essas questões, mas eram os coatitas que transportavam todo o material da tenda (vs. 15).

Quando os filhos de Israel levantavam acampamento, o dever dos sacerdotes era desmantelar e empacotar os vários móveis e utensílios do tabernáculo, para que os coatitas não pudessem vê-los. Mas eles não podiam tocar diretamente nos objetos sagrados.

Os Artigos:
1. A *arca da aliança* (Êx 25.10-22). Ver o artigo sobre esse objeto, no *Dicionário*.
2. A *mesa dos pães da proposição* (Êx 25.23-30). Ver no *Dicionário* uma descrição sobre essa mesa, em II.1.
3. O *candeeiro de ouro* (Êx 25.31-40). Ver sobre esse objeto no *Dicionário*.
4. O *altar de ouro* (Êx 30.1-10). Ver no *Dicionário* o artigo intitulado *Altar do Incenso*.
5. Os vários *vasos* (Êx 27).
6. O *altar de bronze* (Êx 27.1-8).

Ver no *Dicionário* acerca desse objeto.

Todos os itens tinham de ser empacotados para o transporte. Não podia haver contato entre um objeto sagrado e alguma outra coisa, para que tal objeto não fosse profanado.

O véu de cobrir. Ou seja, a *terceira* cortina, aquela que separava o Lugar Santo do Santo dos Santos. Ver Êxodo 26.36 quanto às três cortinas ou véus do tabernáculo. Esse véu era usado para cobrir a arca, juntamente com o propiciatório e os querubins. Ninguém podia tocar ou mesmo ver esse itens sagrados. Uma cobertura adicional cobria o véu (vs. 6).

4.6

וְנָתְנוּ עָלָיו כְּסוּי עוֹר תַּחַשׁ וּפָרְשׂוּ בֶגֶד־כְּלִיל תְּכֵלֶת
מִלְמָעְלָה וְשָׂמוּ בַּדָּיו׃

Uma coberta. Ou seja, uma cobertura que cobria a terceira cortina, usada para empacotar a arca (vs. 5). Essa coberta adicional dava uma proteção extra. Era feita de "peles de animais marinhos". Mas alguns estudiosos pensam que a palavra hebraica envolvida, *tahash*, está ligada ao termo árabe *tuhas*, que significa "golfinho".

Uma *terceira cobertura*, pois, era posta sobre tudo, feita de tecido de linho azul. Azul representa o céu. A coisa toda era típica da presença e da adoração a Yahweh, por assim dizer, *um toque do céu*. Ver no *Dicionário* o artigo intitulado *Cores*. A cor azul está ligada ao intelecto e à espiritualidade.

As varas usadas para transportar a arca eram removidas para o processo de cobertura, e então recolocadas para o transporte propriamente dito. Mas alguns insistem em que essas varas nunca eram removidas. Ver as notas sobre Êxodo 25.14,15.

4.7

וְעַל שֻׁלְחַן הַפָּנִים יִפְרְשׂוּ בֶּגֶד תְּכֵלֶת וְנָתְנוּ עָלָיו
אֶת־הַקְּעָרֹת וְאֶת־הַכַּפֹּת וְאֶת־הַמְּנַקִּיֹּת וְאֵת קְשׂוֹת
הַנָּסֶךְ וְלֶחֶם הַתָּמִיד עָלָיו יִהְיֶה׃

Os coatitas tinham a responsabilidade de transportar as *coisas santíssimas* (alistadas em Nm 3.31) de lugar para lugar, conforme Israel foi viajando, a caminho da Terra Prometida. Mas, antes que pudessem fazer isso, os sacerdotes precisavam empacotar cada item, em tecido de linho azul. Ver as notas sobre o versículo anterior quanto ao simbolismo da cor azul, e sobre o versículo quinto, quanto à lista de cada item a ser empacotado, com referências no livro de Êxodo nas quais aprendemos como esse itens foram fabricados para o tabernáculo, e também com referências aos artigos que tratam sobre cada item.

O pão contínuo. Assim chamado porque era renovado a cada sábado e ficava continuamente diante de Yahweh, mesmo durante as marchas de Israel pelo deserto. Ver Êxodo 25.30 e Levítico 24.5. Ver Êxodo 25.29 quanto aos acessórios da mesa dos pães da proposição. E o trecho de Êxodo 25.23-30 fornece-nos descrição completa sobre a mesa e todos os seus pertences.

4.8

וּפָרְשׂוּ עֲלֵיהֶם בֶּגֶד תּוֹלַעַת שָׁנִי וְכִסּוּ אֹתוֹ בְּמִכְסֵה
עוֹר תָּחַשׁ וְשָׂמוּ אֶת־בַּדָּיו׃

Depois estenderão em cima deles. A *mesa* tinha acessórios e, como outros itens, tinha tripla cobertura: primeiro vinha a cobertura de linho azul; então outra cobertura carmesim de linho; e finalmente, para proteção absoluta, uma cobertura de peles de animais, talvez de golfinhos ou outro animal marinho. Cf. o vs. 6. Ver no *Dicionário* o artigo *Cores*, que fornece o simbolismo bíblico de diversas cores. O carmesim representa normalmente o *sangue*, mas isso não se ajusta ao caso da mesa dos pães da proposição.

Os varais. Esses varais eram usados para transportar a mesa dos pães da proposição de um lugar para outro. Ver Êxodo 25.27,28.

4.9,10

וְלָקְחוּ בֶּגֶד תְּכֵלֶת וְכִסּוּ אֶת־מְנֹרַת הַמָּאוֹר
וְאֶת־נֵרֹתֶיהָ וְאֶת־מַלְקָחֶיהָ וְאֶת־מַחְתֹּתֶיהָ וְאֵת
כָּל־כְּלֵי שַׁמְנָהּ אֲשֶׁר יְשָׁרְתוּ־לָהּ בָּהֶם׃

וְנָתְנוּ אֹתָהּ וְאֶת־כָּל־כֵּלֶיהָ אֶל־מִכְסֵה עוֹר תָּחַשׁ
וְנָתְנוּ עַל־הַמּוֹט׃

O candelabro da luminária. Ver Êxodo 25.31-40. Esse objeto, com todos os seus acessórios, também precisava ser cuidadosamente empacotado, primeiro com o tecido de linho azul, e então com peles de animais marinhos, provavelmente o golfinho. Ver as notas sobre essas cobertas no vs. 6 deste capítulo. Mas não lemos aqui sobre uma terceira coberta, como no caso dos itens mencionados acima. Outros itens também tinham apenas duas cobertas, como vemos nos versículos que se seguem. Mas em todos os casos as cobertas eram: primeiro de tecido, e então de couro.

Os varais. Esse item era carregado sobre um varal ou armação, conforme alguns dizem. Ver Números 13.23, onde o mesmo vocábulo é traduzido por "vara". Mas varal parece ser a tradução preferível. Assim diz a Septuaginta, com o que também concorda o Targum de Onkelos.

4.11

וְעַל מִזְבַּח הַזָּהָב יִפְרְשׂוּ בֶּגֶד תְּכֵלֶת וְכִסּוּ אֹתוֹ
בְּמִכְסֵה עוֹר תָּחַשׁ וְשָׂמוּ אֶת־בַּדָּיו׃

O altar de ouro. Está em pauta o "altar do incenso" (ver Êx 30.1-10), que devia ser coberto com um tecido de linho azul, e então com uma segunda coberta feita de pele de animais marinhos, conforme se vê no vs. 6. Esse objeto também não dispunha de três coberturas, mas apenas de duas, tal como no caso do candelabro.

Os varais. O altar de ouro era transportado com a ajuda de varais. Ver Êxodo 30.4.

4.12

וְלָקְחוּ אֶת־כָּל־כְּלֵי הַשָּׁרֵת אֲשֶׁר יְשָׁרְתוּ־בָם בַּקֹּדֶשׁ
וְנָתְנוּ אֶל־בֶּגֶד תְּכֵלֶת וְכִסּוּ אוֹתָם בְּמִכְסֵה עוֹר תָּחַשׁ
וְנָתְנוּ עַל־הַמּוֹט׃

Algumas traduções dizem aqui *utensílios*, conforme vemos em nossa versão portuguesa, dando a entender uma referência geral a todos os acessórios usados no tabernáculo. Mas outras pensam que este versículo alude a *vestes sacerdotais* especiais, que só eram usadas quando os sacerdotes estavam em serviço ativo, e eram guardadas no tabernáculo quando não estavam em uso. O termo hebraico correspondente, *keli*, significa qualquer utensílio ou vaso, nada tendo que ver com artigos de pano. Ver Números 3.8; 4.26; 7.1 e Êxodo 25.9.

Os vários *acessórios* eram envoltos em *duas* cobertas, aquela de linho azul e aquela de peles de animais marinhos.

■ 4.13

וְדִשְּׁנוּ אֶת־הַמִּזְבֵּחַ וּפָרְשׂוּ עָלָיו בֶּגֶד אַרְגָּמָן׃

Do altar tirarão as cinzas. Está em pauta o altar de bronze, o grande altar onde eram oferecidos os holocaustos (ver Êx 27.1-8). Esse altar precisava ser limpo, antes de ser envolto nas cobertas. Ele contava com uma chama sempre acesa, a qual, de alguma maneira, era preservada, mesmo quando estava sendo transportado. Ver a minha exposição em Levítico 6.12,13 quanto a essa *chama perene*.

Havia *duas cobertas* para esse altar. A primeira era de linho púrpura, e a segunda (vs. 4) era de peles de animais marinhos. Ver Êxodo 27.3 quanto a orientações concernentes à remoção de cinzas do altar de bronze.

Púrpura. Neste caso, a *cor real* substituía o azul. Esse altar trazia o Rei até perto do povo de Israel, porquanto era ali que ficava resolvida a grave questão do pecado. Ver Êxodo 25.4; 26.1,31,36; 27.16 etc., quanto ao uso das cores azul e púrpura. As cobertas *correspondem* às cores usadas no tabernáculo, quanto à maior parte de seus acessórios. Ver a exposição sobre Êxodo 25.4, onde há explicações sobre as cores empregadas, e referências onde outras informações podem ser obtidas.

■ 4.14

וְנָתְנוּ עָלָיו אֶת־כָּל־כֵּלָיו אֲשֶׁר יְשָׁרְתוּ עָלָיו בָּהֶם אֶת־הַמַּחְתֹּת אֶת־הַמִּזְלָגֹת וְאֶת־הַיָּעִים וְאֶת־הַמִּזְרָקֹת כֹּל כְּלֵי הַמִּזְבֵּחַ וּפָרְשׂוּ עָלָיו כְּסוּי עוֹר תַּחַשׁ וְשָׂמוּ בַדָּיו׃

Todos os seus utensílios. Todos os acessórios pertencentes ao altar de bronze deviam ser colocados sobre o altar, para serem empacotados juntamente com ele. Ver sobre esses utensílios nas notas em Êxodo 27.3, que também se aplicam aqui.

E lhe porão os varais. O altar era transportado mediante o uso de varais que eram enfiados nas argolas existentes para isso. Ver Êxodo 27.6,7 quanto a esse item.

A bacia de bronze não foi mencionada (ver Êx 30.17 ss.), por puro esquecimento do autor sagrado. Nesse ponto, a Septuaginta preenche o hiato, inserindo aqui uma referência à bacia de bronze, com orientações quanto a seu empacotamento. Alguns intérpretes supõem que o lavatório não seja aqui mencionado porque era transportado sem ter sido previamente envolto em cobertas; mas isso não é muito provável. Pois também era um objeto sagrado que não podia ser tocado diretamente, para que não fosse contaminado. Portanto, também precisava ser coberto para ser transportado.

■ 4.15

וְכִלָּה אַהֲרֹן־וּבָנָיו לְכַסֹּת אֶת־הַקֹּדֶשׁ וְאֶת־כָּל־כְּלֵי הַקֹּדֶשׁ בִּנְסֹעַ הַמַּחֲנֶה וְאַחֲרֵי־כֵן יָבֹאוּ בְנֵי־קְהָת לָשֵׂאת וְלֹא־יִגְּעוּ אֶל־הַקֹּדֶשׁ וָמֵתוּ אֵלֶּה מַשָּׂא בְנֵי־קְהָת בְּאֹהֶל מוֹעֵד׃

Os sacerdotes procediam a todo o empacotamento, descrito nos vss. 5-14 deste capítulo. Uma vez feito isso, então os *coatitas* tinham o dever de transportar todo esse material. Eram *coisas santíssimas*, que não podiam ser vistas ou tocadas diretamente por ninguém, salvo pela elite sacerdotal, que servia ao tabernáculo. Se tais objetos fossem tocados por "estranhos", mesmo que fossem sacerdotes, os tais morreriam. Temos aí o sentido de *ser julgado por Yahweh*, não estando em vista uma execução judicial. Talvez o fogo divino descesse do céu e os consumisse os contaminadores, como sucedeu nos casos de Nadabe e Abiú (ver Nm 3.4; Lv 10.1,2). Ou então quiçá fossem atingidos por alguma praga, acidente ou alguma outra calamidade. Cf. o caso registrado em 2Samuel 6.6,7.

■ 4.16

וּפְקֻדַּת אֶלְעָזָר בֶּן־אַהֲרֹן הַכֹּהֵן שֶׁמֶן הַמָּאוֹר וּקְטֹרֶת הַסַּמִּים וּמִנְחַת הַתָּמִיד וְשֶׁמֶן הַמִּשְׁחָה פְּקֻדַּת כָּל־הַמִּשְׁכָּן וְכָל־אֲשֶׁר־בּוֹ בְּקֹדֶשׁ וּבְכֵלָיו׃ ס

Eleazar. A ele cabia supervisionar todo o modo de proceder, cuidando para que o azeite, o incenso e tudo mais fosse devidamente manuseado.

Itens e Referências:

1. O *azeite* para ser usado na luminária (ver Êx 25.6).
2. O *incenso aromático* (ver Êx 25.6).
3. A *oferta de manjares*, que era oferecida continuamente, ou seja, pela manhã e à tarde (Êx 29.40-42).
4. O *óleo da unção*, com que eram ungidos o tabernáculo, os sacerdotes e os utensílios (ver Êx 30.23-33). Eleazar era o supervisor dos coatitas, embora também tivesse esses outros deveres. Os coatitas ajudavam-no nesses outros serviços, provendo os materiais, embora não se enfronhassem diretamente no serviço divino com eles. Os coatitas tinham de *transportar* esse itens quando Israel se movia de um lugar para outro, a caminho da Terra Prometida.

■ 4.17

וַיְדַבֵּר יְהוָה אֶל־מֹשֶׁה וְאֶל־אַהֲרֹן לֵאמֹר׃

Disse o Senhor. Uma expressão muito usada no Pentateuco, a fim de introduzir novos materiais. E também nos faz lembrar da inspiração divina das Escrituras. Ver as notas a esse respeito em Levítico 1.1 e 4.1.

Alguns eruditos supõem que os vs. 17-20 sejam uma interpolação, introduzida para expandir o vs. 15, apresentando a substância desse versículo sob forma imperativa. "Há certas peculiaridades de estilo, notadamente o verbo hebraico para *ser destruído* e o uso da palavra *tribo* para indicar qualquer coisa menor que uma tribo inteira de Israel" (John Marsh, *in loc.*).

■ 4.18

אַל־תַּכְרִיתוּ אֶת־שֵׁבֶט מִשְׁפְּחֹת הַקְּהָתִי מִתּוֹךְ הַלְוִיִּם׃

Os vss. 18-20 simplesmente expandem a ideia de *perigo* apresentada no vs. 15. Os *coatitas* precisavam de proteção especial; e assim, precauções especiais tiveram de ser tomadas, a fim de que a ameaça de morte não se tornasse uma realidade. Era algo terrível e perigoso transportar as coisas santíssimas, os utensílios usados no tabernáculo. Era algo muito solene estar entre os que tinham tal responsabilidade. Essas pessoas precisavam de proteção especial. E foi assim que Yahweh baixara *mandamentos* especiais quanto aos que faziam os preparativos para o transporte.

Um empacotamento e um transporte descuidado poderiam provocar a *eliminação* dos coatitas, ou seja, forçar contra eles o juízo divino, conforme vimos nas notas sobre o vs. 15 deste capítulo. Esse clã, ao qual tanto Moisés quanto Arão pertenciam, era um dos três que serviam ao tabernáculo. Ver as notas de explicação em Números 3.17. Amrão, pai de Moisés e Arão, era descendente de Coate e marido de Joquebede. Ver no *Dicionário* o verbete intitulado *Coate, Coatitas*. "Nenhuma razão" de perigo deveria ser provocada, conforme coloca o Targum de Jonathan.

■ 4.19

וְזֹאת עֲשׂוּ לָהֶם וְחָיוּ וְלֹא יָמֻתוּ בְּגִשְׁתָּם אֶת־קֹדֶשׁ הַקֳּדָשִׁים אַהֲרֹן וּבָנָיו יָבֹאוּ וְשָׂמוּ אוֹתָם אִישׁ אִישׁ עַל־עֲבֹדָתוֹ וְאֶל־מַשָּׂאוֹ׃

Para que vivam e não morram. Os coatitas manuseavam *coisas santíssimas* e, por isso mesmo, temíveis. Ver as notas sobre isso em Números 4.4. O trecho de Números 3.31 fornece-nos uma lista dessas coisas. Arão precisava instruir os coatitas acerca do manuseio dessas coisas, através de Eleazar, seu filho, que era o superintendente direto dessa tarefa. O trabalho de transporte desse itens, através do deserto, quando Israel ia de um lugar para outro, era considerável. Era uma tarefa dividida entre vários homens; e os sacerdotes determinavam qual era a tarefa de cada homem.

4.20

וְלֹא־יָבֹאוּ לִרְאוֹת כְּבַלַּע אֶת־הַקֹּדֶשׁ וָמֵתוּ׃ פ

Porém os coatitas. Eles não podiam ver nem tocar diretamente nos objetos santíssimos. Nem mesmo podiam acompanhar o empacotamento para que esses objetos fossem transportados. Só podiam recebê-los já empacotados, a fim de que não os vissem. E uma vez que esses objetos tinham *duas* ou mesmo *três* cobertas, os coatitas não tocavam diretamente nesses objetos sagrados. Ver as notas sobre o vs. 15, o qual é expandido nos vss. 17-20.

DEVERES DOS GERSONITAS (4.21-28)

Os deveres dos coatitas ocupam os vss. 1-20 deste capítulo. Assim, mais espaço é dado a eles porque seu dever era transportar as *coisas santíssimas,* quando Israel ia de um lugar para outro, em suas vagueações pelo deserto, a caminho da Terra Prometida. Os deveres dos gersonitas são descritos em menor espaço, embora a tarefa deles fosse similar à dos coatitas. Além desses deveres regulares, quando Israel estacionava, eles tinham a tarefa de ajudar a transportar certos itens do tabernáculo. Eles cuidavam das cobertas e cortinas. Operavam sob a supervisão de Itamar, o mais jovem dos dois filhos sobreviventes de Arão, sendo este um coatita. Ver Êxodo 6.16,18,20,23. As várias cortinas do tabernáculo eram transportadas em uma carruagem. Cf. Números 3.25,26. Eles transportavam as porções que não eram de madeira, incluindo as envolvidas no átrio exterior ou em suas "paredes" externas, com tudo quanto pertencia a elas.

4.21

וַיְדַבֵּר יְהוָה אֶל־מֹשֶׁה לֵּאמֹר׃

Disse mais o Senhor. Essa é uma expressão muito repetida no Pentateuco, empregada para introduzir novos materiais. Ver as notas a respeito em Levítico 1.1 e 4.1.

4.22,23

נָשֹׂא אֶת־רֹאשׁ בְּנֵי גֵרְשׁוֹן גַּם־הֵם לְבֵית אֲבֹתָם לְמִשְׁפְּחֹתָם׃

מִבֶּן שְׁלֹשִׁים שָׁנָה וָמַעְלָה עַד בֶּן־חֲמִשִּׁים שָׁנָה תִּפְקֹד אוֹתָם כָּל־הַבָּא לִצְבֹא צָבָא לַעֲבֹד עֲבֹדָה בְּאֹהֶל מוֹעֵד׃

Esses versículos repetem os vs. 2 e 3 deste capítulo; mas agora estão em foco os *gersonitas,* e não os coatitas. Havia três ramos dos levitas. Ver Números 3.17 quanto aos três filhos de Levi, cujos descendentes formaram ramos dos levitas, a casta sacerdotal. Ver Êxodo 6.17 quanto aos dois filhos de Gérson. *Itamar,* filho de Arão, era o supervisor geral dos gersonitas. Ver Números 4.28. Quanto às responsabilidades deles, ver Números 3.25,26. Ver no *Dicionário* o artigo chamado *Gersonitas.*

4.24-26

זֹאת עֲבֹדַת מִשְׁפְּחֹת הַגֵּרְשֻׁנִּי לַעֲבֹד וּלְמַשָּׂא׃

וְנָשְׂאוּ אֶת־יְרִיעֹת הַמִּשְׁכָּן וְאֶת־אֹהֶל מוֹעֵד מִכְסֵהוּ וּמִכְסֵה הַתַּחַשׁ אֲשֶׁר־עָלָיו מִלְמָעְלָה וְאֶת־מָסַךְ פֶּתַח אֹהֶל מוֹעֵד׃

וְאֵת קַלְעֵי הֶחָצֵר וְאֶת־מָסַךְ פֶּתַח שַׁעַר הֶחָצֵר אֲשֶׁר עַל־הַמִּשְׁכָּן וְעַל־הַמִּזְבֵּחַ סָבִיב וְאֵת מֵיתְרֵיהֶם וְאֶת־כָּל־כְּלֵי עֲבֹדָתָם וְאֵת כָּל־אֲשֶׁר יֵעָשֶׂה לָהֶם וְעָבָדוּ׃

Estes versículos repetem as informações dadas em Números 3.25,26. As notas dali também têm aplicação aqui. Esses objetos, não sendo coisas santíssimas, ao que tudo indica não eram empacotados, pelo menos com cobertas de tipo especial. As fontes informativas rabínicas dizem-nos que eram transportados em carruagens ou vagões. O trecho de Números 7.7 também nos presta essa informação. Eram necessários dois vagões e oito bois para a tarefa.

4.27,28

עַל־פִּי אַהֲרֹן וּבָנָיו תִּהְיֶה כָּל־עֲבֹדַת בְּנֵי הַגֵּרְשֻׁנִּי לְכָל־מַשָּׂאָם וּלְכֹל עֲבֹדָתָם וּפְקַדְתֶּם עֲלֵהֶם בְּמִשְׁמֶרֶת אֵת כָּל־מַשָּׂאָם׃

זֹאת עֲבֹדַת מִשְׁפְּחֹת בְּנֵי הַגֵּרְשֻׁנִּי בְּאֹהֶל מוֹעֵד וּמִשְׁמַרְתָּם בְּיַד אִיתָמָר בֶּן־אַהֲרֹן הַכֹּהֵן׃ פ

Arão e seus filhos eram os supervisores do trabalho feito pelos três ramos de levitas. Mas Itamar era aquele que tinha deveres especiais no tocante às responsabilidades dos gersonitas. Esses deveres incluíam a questão do transporte dos materiais do tabernáculo, dada nos vss. 25 e 26. Cf. Números 3.25,26 quanto aos deveres desse clã. Itamar também tinha responsabilidade sobre os meraritas, segundo vemos no vs. 33 deste capítulo.

DEVERES DOS MERARITAS (4.29-33)

"Os meraritas, que eram os *marceneiros* ou *carpinteiros* do povo, tinham a responsabilidade, sob Itamar, de transportar a estrutura do tabernáculo. Eles também possuíam vagões, tal como no caso dos gersonitas (7.8)" (John Marsh, *in loc.*).

4.29

בְּנֵי מְרָרִי לְמִשְׁפְּחֹתָם לְבֵית־אֲבֹתָם תִּפְקֹד אֹתָם׃

Este versículo é igual aos vss. 2 (sobre os coatitas) e 22 (sobre os gersonitas), exceto pelo fato de que agora estão em vista os *filhos de Merari.* Os comentários dados naqueles versículos também se aplicam aqui. Ver no *Dicionário* o artigo intitulado *Merari (Meraritas).*

4.30

מִבֶּן שְׁלֹשִׁים שָׁנָה וָמַעְלָה וְעַד בֶּן־חֲמִשִּׁים שָׁנָה תִּפְקְדֵם כָּל־הַבָּא לַצָּבָא לַעֲבֹד אֶת־עֲבֹדַת אֹהֶל מוֹעֵד׃

Este versículo é igual aos vss. 3 (sobre os coatitas) e 23 (sobre os gersonitas), exceto pelo fato de que a questão se aplica aos meraritas. A exposição dada naqueles versículos aplica-se aqui, igualmente.

4.31,32

וְזֹאת מִשְׁמֶרֶת מַשָּׂאָם לְכָל־עֲבֹדָתָם בְּאֹהֶל מוֹעֵד קַרְשֵׁי הַמִּשְׁכָּן וּבְרִיחָיו וְעַמּוּדָיו וַאֲדָנָיו׃

וְעַמּוּדֵי הֶחָצֵר סָבִיב וְאַדְנֵיהֶם וִיתֵדֹתָם וּמֵיתְרֵיהֶם לְכָל־כְּלֵיהֶם וּלְכֹל עֲבֹדָתָם וּבְשֵׁמֹת תִּפְקְדוּ אֶת־כְּלֵי מִשְׁמֶרֶת מַשָּׂאָם׃

Sob a supervisão de Itamar, esse clã era responsável pelo cuidado, pelo reparo e pelo transporte das partes feitas de madeira e do material do complexo do tabernáculo. Estes versículos têm paralelo em Números 3.36,37, onde as várias responsabilidades deles são listadas e comentadas. Ver Êxodo 26.15-30 quanto ao arcabouço; e Êxodo 27.9-19 quanto às colunas do tabernáculo.

4.33

זֹאת עֲבֹדַת מִשְׁפְּחֹת בְּנֵי מְרָרִי לְכָל־עֲבֹדָתָם בְּאֹהֶל מוֹעֵד בְּיַד אִיתָמָר בֶּן־אַהֲרֹן הַכֹּהֵן׃

Este versículo é igual aos vss. 19 (sobre os coatitas) e 24 (sobre os gersonitas), exceto pelo fato de que esta declaração de sumário aplica-se aos meraritas. Itamar é identificado como o supervisor do trabalho deles e dos gersonitas. Eleazar era o supervisor geral de todos os clãs e, mais especialmente, dos coatitas. Itamar trabalhava sob orientação dele e cumpria deveres delegados. Ver Números 4.16.

O CENSO DOS LEVITAS (4.34-49)

Os levitas não tinham sido contados no recenseamento geral (Nm 2.33). Mas foram numerados de um mês de idade para cima, para que pudessem tornar-se uma casta sacerdotal, assumindo os deveres dos primogênitos (Nm 3.15 ss.). Mas agora temos outro recenseamento, de todos os levitas entre 30 e 50 anos de idade. Essa era a faixa de idade em que os levitas se envolviam no serviço sagrado. Eram esses os "levitas trabalhadores". Mas também havia levitas de outras faixas de idade, ou de acordo com outras fontes informativas, ou de conformidade com outras épocas. Ver as notas de introdução ao quarto capítulo de Números quanto a detalhes sobre essa questão. Ver também 1Crônicas 23.27 quanto a levitas da idade de 20 anos para cima. Dou notas adicionais sobre essa questão em Números 4.3.

Os líderes encarregados desse trabalho provavelmente foram os mesmos que tinham feito o recenseamento geral (Nm 1.4 ss.). A expressão "príncipes da congregação" aparece em Números 16.2, indicando 250 homens renomados, algum número menor provavelmente está envolvido no censo, mas provavelmente pertencentes àquele grupo. O censo mostrou que havia 8.580 levitas entre os 30 e os 50 anos de idade, e esses eram os que estavam ativamente envolvidos no culto divino.

■ 4.34

וַיִּפְקֹד מֹשֶׁה וְאַהֲרֹן וּנְשִׂיאֵי הָעֵדָה אֶת־בְּנֵי הַקְּהָתִי לְמִשְׁפְּחֹתָם וּלְבֵית אֲבֹתָם:

Moisés. Ele era o mediador entre Yahweh e os israelitas. Delegou autoridade a seu irmão, Arão, o sumo sacerdote. Os dois irmãos eram do clã dos *coatitas* (ver acerca de Amrão, em Nm 3.19). Ele conseguiu a ajuda dos *príncipes* da congregação, provavelmente alguns dos 250 homens notáveis, mencionados em Números 16.2. Sobre eles estava um líder que atuava como uma espécie de supervisor sob as ordens de Arão. Os coatitas foram contados em primeiro lugar. Ver no *Dicionário* o verbete chamado *Coate, Coatitas*. Foram numeradas as famílias, os subclãs e o clã.

■ 4.35

מִבֶּן שְׁלֹשִׁים שָׁנָה וָמַעְלָה וְעַד בֶּן־חֲמִשִּׁים שָׁנָה כָּל־הַבָּא לַצָּבָא לַעֲבֹדָה בְּאֹהֶל מוֹעֵד:

Este versículo é paralelo a Números 4.3, cujas notas também se aplicam aqui.

■ 4.36

וַיִּהְיוּ פְקֻדֵיהֶם לְמִשְׁפְּחֹתָם אַלְפַּיִם שְׁבַע מֵאוֹת וַחֲמִשִּׁים:

Sumário dos Números. Coatitas: 2.750 (vs. 36); *gersonitas*: 2.630 (vs. 40); *meraritas*: 3.200 (vs. 44). Grande total: 8.580 (vs. 48).

Comparação entre as estatísticas dadas em Números 3.27 ss. Essa lista inclui todos os levitas, de um mês de idade para cima.

Coatitas:	homens em serviço ativo	2.750
	incapazes de servir	5.850
	Total	**8.600**
Gersonitas:	homens em serviço ativo	2.630
	incapazes de servir	4.870
	Total	**7.500**
Meraritas:	homens em serviço ativo	3.200
	incapazes de servir	3.000
	Total	**6.200**
Grandes Totais:	levita: 22.300 (o clã inteiro, de um mês de idade para cima)	
	13.720 incapazes de servir	
	8.580 capazes de servir	

Os incapazes eram novos demais ou velhos demais.

■ 4.37-48

אֵלֶּה פְקוּדֵי מִשְׁפְּחֹת הַקְּהָתִי כָּל־הָעֹבֵד בְּאֹהֶל מוֹעֵד אֲשֶׁר פָּקַד מֹשֶׁה וְאַהֲרֹן עַל־פִּי יְהוָה בְּיַד־מֹשֶׁה: ס 37

וּפְקוּדֵי בְּנֵי גֵרְשׁוֹן לְמִשְׁפְּחוֹתָם וּלְבֵית אֲבֹתָם: 38

מִבֶּן שְׁלֹשִׁים שָׁנָה וָמַעְלָה וְעַד בֶּן־חֲמִשִּׁים שָׁנָה כָּל־הַבָּא לַצָּבָא לַעֲבֹדָה בְּאֹהֶל מוֹעֵד: 39

וַיִּהְיוּ פְּקֻדֵיהֶם לְמִשְׁפְּחֹתָם לְבֵית אֲבֹתָם אַלְפַּיִם וְשֵׁשׁ מֵאוֹת וּשְׁלֹשִׁים: 40

אֵלֶּה פְקוּדֵי מִשְׁפְּחֹת בְּנֵי גֵרְשׁוֹן כָּל־הָעֹבֵד בְּאֹהֶל מוֹעֵד אֲשֶׁר פָּקַד מֹשֶׁה וְאַהֲרֹן עַל־פִּי יְהוָה: 41

וּפְקוּדֵי מִשְׁפְּחֹת בְּנֵי מְרָרִי לְמִשְׁפְּחֹתָם לְבֵית אֲבֹתָם: 42

מִבֶּן שְׁלֹשִׁים שָׁנָה וָמַעְלָה וְעַד בֶּן־חֲמִשִּׁים שָׁנָה כָּל־הַבָּא לַצָּבָא לַעֲבֹדָה בְּאֹהֶל מוֹעֵד: 43

וַיִּהְיוּ פְקֻדֵיהֶם לְמִשְׁפְּחֹתָם שְׁלֹשֶׁת אֲלָפִים וּמָאתָיִם: 44

אֵלֶּה פְקוּדֵי מִשְׁפְּחֹת בְּנֵי מְרָרִי אֲשֶׁר פָּקַד מֹשֶׁה וְאַהֲרֹן עַל־פִּי יְהוָה בְּיַד־מֹשֶׁה: 45

כָּל־הַפְּקֻדִים אֲשֶׁר פָּקַד מֹשֶׁה וְאַהֲרֹן וּנְשִׂיאֵי יִשְׂרָאֵל אֶת־הַלְוִיִּם לְמִשְׁפְּחֹתָם וּלְבֵית אֲבֹתָם: 46

מִבֶּן שְׁלֹשִׁים שָׁנָה וָמַעְלָה וְעַד בֶּן־חֲמִשִּׁים שָׁנָה 47 כָּל־הַבָּא לַעֲבֹד עֲבֹדַת עֲבֹדָה וַעֲבֹדַת מַשָּׂא בְּאֹהֶל מוֹעֵד:

וַיִּהְיוּ פְקֻדֵיהֶם שְׁמֹנַת אֲלָפִים וַחֲמֵשׁ מֵאוֹת וּשְׁמֹנִים: 48

Esses versículos fornecem os números dos clãs, especificamente os aptos a servir, entre as idades de 30 a 50 anos. O sumário acima dá-nos a essência da questão. Os eruditos veem uma *proporção* exata do que se poderia esperar sobre os aptos a servir, bem como dos novos demais ou velhos demais para servir, quando se faz a comparação entre as estatísticas deste capítulo e do terceiro capítulo deste livro.

■ 4.49

עַל־פִּי יְהוָה פָּקַד אוֹתָם בְּיַד־מֹשֶׁה אִישׁ אִישׁ 49 עַל־עֲבֹדָתוֹ וְעַל־מַשָּׂאוֹ וּפְקֻדָיו אֲשֶׁר־צִוָּה יְהוָה אֶת־מֹשֶׁה: פ

Moisés. Ele encabeçou o censo por meio de seus agentes (vs. 34). Os números foram conseguidos, e então cada homem de cada tribo recebeu uma tarefa específica para cumprir, tal como os três clãs em geral. Assim, a ordem de Yahweh foi obedecida. Afirmações acerca de *obediência* com frequência encerram seções. Ver Números 1.54 quanto a notas sobre essa questão.

É evidente que o texto hebraico correspondente a esse versículo 49 sofreu corrupções; ou então achamos aqui erros primitivos, que podem remontar ao próprio autor sagrado. As traduções que existem deste versículo são reconstituições feitas pelos estudiosos.

CAPÍTULO CINCO

REGULAMENTAÇÕES ESPECIAIS (5.1—6.27)

O trecho de Números 5.1—6.27 apresenta uma longa lista de leis e regras miscelânea, muito em consonância com o estilo do livro de Levítico. De acordo com o estilo literário de *repetições* usado pelo autor sacro, temos aqui muitas regras repetidas, que já vimos serem comentadas em outros segmentos do Pentateuco, sobretudo em Êxodo e Levítico. Os vss. 1-4 têm paralelo nos caps. 13—15 de Levítico, que descem a muito maiores detalhes sobre essas questões. As traduções que usam a palavra *leproso* (como a nossa versão portuguesa) seguem a Septuaginta, que assim traduziu o termo hebraico *sara'at*. Mas esse vocábulo tinha um sentido muito geral, referindo-se a toda espécie de enfermidades da pele, que nada tinham a ver com a doença causada pelo bacilo de Koch. Essas regras sem dúvida excluíam alguns poucos casos de lepra, mas essa não era *a* enfermidade enfocada. Os sintomas dados no capítulo 13 de Levítico são de várias afecções. Ver a introdução ao capítulo 13 de Levítico, quanto a uma discussão completa sobre a questão. E o capítulo 15 de Levítico fornece-nos várias emissões do corpo humano, que tornavam cerimonialmente imundos tanto homens quanto mulheres. Essa questão é mencionada de modo breve, de forma superficial, nesta seção.

A *legislação mosaica*, seguindo os conhecimentos da época, era inadequada na compreensão e no tratamento das enfermidades mencionadas. Muitas pessoas eram assim isoladas, fora do acampamento de Israel, as quais na verdade não tinham apanhado nenhuma doença contagiosa. O avanço da medicina tem ajudado a dissipar essa inadequação, e a doutrina de Cristo tem espantado as inadequações espirituais das muitas leis e preceitos mosaicos.

As leis, como é claro, não eram meras medidas de higiene, pois também tinham seu simbolismo religioso. Foi feita, todavia, clara distinção entre o que é puro e o que é imundo, onde estavam em jogo questões morais. Ver no *Dicionário* o artigo chamado *Limpo e Imundo*.

■ 5.1

וַיְדַבֵּר יְהוָה אֶל־מֹשֶׁה לֵּאמֹר:

Disse o Senhor. Essa é uma expressão muito repetida no Pentateuco, servindo de artifício literário para introduzir material novo. E também nos faz lembrar da inspiração divina da Bíblia. Ver Levítico 1.1 e 4.1.

Fórmulas de Comunicação. Moisés era o mediador entre Yahweh e o povo de Israel. As mensagens que ele recebia eram transmitidas a Arão, a Arão e seus filhos, ou ao povo de Israel como um todo. Há *oito* fórmulas de comunicação. Comentei sobre essa questão em Levítico 17.2.

■ 5.2

צַו אֶת־בְּנֵי יִשְׂרָאֵל וִישַׁלְּחוּ מִן־הַמַּחֲנֶה כָּל־צָרוּעַ וְכָל־זָב וְכֹל טָמֵא לָנָפֶשׁ:

Que lancem para fora do arraial. Três classes em geral eram enjeitadas:
1. Aqueles que tinham *sara'at*. Traduzir esse termo hebraico por "lepra" é seguir o erro da Septuaginta, a primeira tradução a introduzir esse vocábulo. Mas o termo hebraico cobria várias enfermidades, embora incluísse, ocasionalmente, algum caso de verdadeira lepra. Os sintomas que aparecem no capítulo 13 de Levítico abarcam várias enfermidade cutâneas, mas a verdadeira lepra não é descrita ali. Ver a introdução ao capítulo 13 de Levítico quanto a detalhes sobre essa questão. Os capítulos 13 e 14 de Levítico falam sobre certa variedade de enfermidades da pele, incluindo fungos e míldios, todas elas sob o termo *sara'at*. A NIV, *New International Version*, diz aqui: "Enfermidades e míldios infecciosos da pele".
2. *Emissões do corpo físico,* como a gonorreia e outras doenças venéreas que causam emissões (ver Lv 15.2 s.); emissões seminais (Lv 15.1 ss.); menstruação normal (Lv 15.19 ss.); emissões patológicas de sangue (Lv 15.25 ss.).
3. *Contato com um cadáver.* Corpos de animais mortos (Lv 11.24,25); ou cadáveres humanos (Lv 21).

Todos esses tipos de contato envolviam contaminação física e moral. Ver no *Dicionário* o artigo *Limpo e Imundo,* onde aparecem descrições completas e referências.

"No pacto do Antigo Testamento, a santidade espiritual da comunidade estava ligada e era simbolizada pela santidade física, corporal, e pelos relacionamentos interpessoais apropriados. Assim, qualquer pessoa que contraísse uma doença que a tornasse cerimonialmente imunda não podia entrar em comunhão com o Senhor, no tabernáculo, ou com seus semelhantes humanos" (Eugene H. Merrill, *in loc.*).

■ 5.3

מִזָּכָר עַד־נְקֵבָה תְּשַׁלֵּחוּ אֶל־מִחוּץ לַמַּחֲנֶה תְּשַׁלְּחוּם וְלֹא יְטַמְּאוּ אֶת־מַחֲנֵיהֶם אֲשֶׁר אֲנִי שֹׁכֵן בְּתוֹכָם:

Para que o não contaminem. Uma pessoa que tivesse contraído alguma impureza, tornando-se assim imunda, fosse homem ou mulher, sofria total banimento. Tais pessoas passavam a viver isoladas na *favela da sara'at*. Elas precisavam plantar seus próprios legumes e cuidar de seu próprio gado, e precisavam formar uma comunidade autossuficiente. Mas em uma comunidade dessas havia muitas necessidades, sem dúvida. O trecho de Levítico 13—15, onde as regras atinentes são dadas com pormenores, permite-nos entender que ali havia pessoas banidas que não tinham nenhuma doença infecciosa. Mas isso devia-se à falta de maiores conhecimentos médicos, naquela época. Ver as introduções ao capítulo 13 de Levítico e a este capítulo.

Quem apanhasse *sara'at* era afligido pela mão desaprovadora de Yahweh (ver Nm 12.12). Sem dúvida, julgava-se que poderes espirituais malignos estavam por trás de muitas enfermidades, crença essa que fortalecia mais ainda a ideia de banimento. Os afligidos por tais espíritos só podiam ser moral e espiritualmente contaminadores, não estando em foco uma mera contaminação física. Essa era a crença da época!

Posteriormente, surgiu a crença de que algum fantasma cuidava de um cadáver, podendo afetar prejudicialmente os vivos. E isso era mais uma razão para as pessoas evitarem qualquer contato com cadáveres. No hebraico temos o termo *nephesh,* "vida", "alma", "pessoa". Nos dias de Moisés, ainda não havia uma bem definida doutrina da imortalidade da alma. Esse vocábulo grego indica a pessoa inteira, uma "criatura vivente", e não a dualidade de corpo e alma. Gradualmente, porém, o termo veio a significar uma alma no sentido imaterial. O uso desse termo para indicar um *cadáver* ocorre no Antigo Testamento. Ver Levítico 21.11; Números 5.2; 6.11; 9.6,7. O sentido básico da palavra é "respiração".

Tipologia. A Igreja, para manter-se pura, deve evitar toda forma de contaminação, conforme se vê em 1João 2.15,16. Isso é necessário para que preservemos a comunhão com Deus e com os homens espirituais.

■ 5.4

וַיַּעֲשׂוּ־כֵן בְּנֵי יִשְׂרָאֵל וַיְשַׁלְּחוּ אוֹתָם אֶל־מִחוּץ לַמַּחֲנֶה כַּאֲשֶׁר דִּבֶּר יְהוָה אֶל־מֹשֶׁה כֵּן עָשׂוּ בְּנֵי יִשְׂרָאֵל: פ

Temos aqui uma pequena síntese baseada na *obediência* que Israel prestava a Yahweh. Sumariar com uma *afirmação de obediência* é uma característica literária comum do autor do Pentateuco. Ver as notas sobre isso em Números 1.54.

RESTAURAÇÃO DE PROPRIEDADE FURTADA (5.5-10)

Esta breve seção tem paralelo em Levítico 6.1-7, onde a questão é abordada. As notas dali aplicam-se também aqui. Este texto atua como espécie de suplemento daquele trecho de Levítico. Adiciona material sobre o que precisava ser feito com a terra, se o proprietário original de uma propriedade morresse e não deixasse herdeiro a quem o pagamento tivesse de ser feito. Um pecado contra um homem era, ao mesmo tempo, um pecado contra Yahweh (ver Sl 51.4). Assim, era mister fazer reparação para corrigir as coisas. Ver Levítico 5.16 e 25.25 e suas notas expositivas.

■ 5.5

וַיְדַבֵּר יְהוָה אֶל־מֹשֶׁה לֵּאמֹר:

Disse mais o Senhor. Uma frequente expressão usada no Pentateuco para introduzir novos materiais. E também nos faz lembrar da inspiração divina das Escrituras. Ver as notas sobre isso em Levítico 1.1 e 4.1.

■ 5.6

דַּבֵּר אֶל־בְּנֵי יִשְׂרָאֵל אִישׁ אוֹ־אִשָּׁה כִּי יַעֲשׂוּ מִכָּל־חַטֹּאת הָאָדָם לִמְעֹל מַעַל בַּיהוָה וְאָשְׁמָה הַנֶּפֶשׁ הַהִוא:

Fórmulas de Comunicação. Moisés era o mediador entre Yahweh e o povo de Israel. As mensagens divinas eram dirigidas a Moisés para serem transmitidas às vezes a Arão, às vezes a Arão e seus filhos, e às vezes ao povo de Israel em geral. Há oito fórmulas de comunicação no Pentateuco. Ver as notas sobre isso em Levítico 17.2.

Neste ponto, a mensagem foi transmitida a todo o povo, acerca de questões como pecado e culpa, primeiramente de forma geral, e então em harmonia com o contexto, envolvendo fraudes acerca das riquezas alheias, participação em negócios escusos etc., ou seja, pecados relacionados ao *dinheiro*. Ver no *Dicionário* os artigos intitulados *Ganância*, usualmente envolvida em tais pecados, e *Pecado e Transgressão*. Todos os pecados incorrem em *culpa* (ver sobre isso no *Dicionário*). A culpa envolve a necessidade de reparação. Ver no *Dicionário* estes artigos: *Arrependimento* e *Reparação (Restituição)*. A reparação faz parte integrante do arrependimento.

■ 5.7

וְהִתְוַדּוּ אֶת־חַטָּאתָם אֲשֶׁר עָשׂוּ וְהֵשִׁיב אֶת־אֲשָׁמוֹ בְּרֹאשׁוֹ וַחֲמִישִׁתוֹ יֹסֵף עָלָיו וְנָתַן לַאֲשֶׁר אָשַׁם לוֹ:

Confessará o pecado. Ver no *Dicionário* o verbete *Confessar (Confissão)*. O texto fala em confissão pública. A pessoa culpada deveria expor seu pecado diante da pessoa ofendida e das autoridades apropriadas. Ato contínuo, cumpria-lhe oferecer a reparação apropriada. De acordo com Aben Ezra, se um homem culpado fosse *descoberto* e somente então fizesse confissão, então deveria devolver duas quintas partes além daquilo que defraudara, e não apenas uma quinta parte. Confessar voluntariamente serve de sinal de verdadeiro arrependimento. Mas o arrependimento forçado dificilmente envolve mudança de coração.

A *reparação* era de uma quinta parte do valor da coisa furtada, o que significa que o culpado devolvia 120% do valor do que havia furtado. Ver Levítico 5.16 quanto a maiores detalhes. Ver também Levítico 25.25. O trecho de Levítico 6.1-6 é o principal paralelo deste texto, naquele livro.

■ 5.8

וְאִם־אֵין לָאִישׁ גֹּאֵל לְהָשִׁיב הָאָשָׁם אֵלָיו הָאָשָׁם הַמּוּשָׁב לַיהוָה לַכֹּהֵן מִלְּבַד אֵיל הַכִּפֻּרִים אֲשֶׁר יְכַפֶּר־בּוֹ עָלָיו:

Se esse homem não tiver parente chegado. Se um homem tivesse morrido antes de ser-lhe feita restituição, então as ofertas apropriadas pelo pecado eram feitas, e os 120% de restituição beneficiariam a obra do ministério, ou "Yahweh", ou o culto do tabernáculo, ou o sustento do sacerdócio.

Além do carneiro expiatório. Quanto aos *cinco* animais que podiam ser sacrificados (os "sacerdotes" do reino animal), ver Levítico 1.14-16.

Expiação pelo pecado. Ver as notas sobre Levítico 5.16; 6.6,7 e 7.1-10. E, no *Dicionário*, ver o verbete chamado *Expiação*.

Um pecado contra um ser humano era um pecado contra Yahweh. Assim, se não houvesse herdeiro para receber a reparação, então esta revertia para Yahweh. Ver o Salmo 51.4 quanto a esse princípio bíblico.

Os *intérpretes judeus* aplicavam esse versículo aos prosélitos, aos que estavam de passagem na terra e geralmente não tinham em Israel nem herdeiros nem parentes próximos. Assim disseram Maimônides e Bartenora em *Mishnah, Bava Kama*, cap. 11, bem como Jarchi, *in loc*. Embora, sem dúvida, fosse assim que a lei era usualmente aplicada, tratava-se de uma lei geral.

■ 5.9

וְכָל־תְּרוּמָה לְכָל־קָדְשֵׁי בְנֵי־יִשְׂרָאֵל אֲשֶׁר־יַקְרִיבוּ לַכֹּהֵן לוֹ יִהְיֶה:

Toda oferta. De acordo com o original hebraico, estão em pauta as ofertas movidas, descritas em Êxodo 29.23,24. Cf. Êx 25.2; Levítico 7.14,32. O termo hebraico *teruma* significa, basicamente, "contribuição", mas vem de uma raiz que significa "ser alto", "elevar-se", referindo-se a como eram oferecidas as ofertas movidas.

As cousas santas. Assim chamadas porque as oferendas e restituições eram dadas aos sacerdotes. Ver as notas em Levítico 2.3 sobre as coisas mais santas e menos santas. As porções dos sacrifícios que não eram consumidas sobre o altar pertenciam ao sacerdote oficiante e aos membros do sexo masculino de sua família. Esse era o principal suprimento alimentar dos sacerdotes e de seus familiares.

■ 5.10

וְאִישׁ אֶת־קֳדָשָׁיו לוֹ יִהְיוּ אִישׁ אֲשֶׁר־יִתֵּן לַכֹּהֵן לוֹ יִהְיֶה: פ

Este versículo reforça o que foi dito no versículo anterior. O sacerdote oficiante tinha direito a certas porções dos animais oferecidos em sacrifício, como o quarto dianteiro e o traseiro, para seu sustento. O restante era queimado sobre o altar de bronze, a Yahweh. Os autores judeus pensam que este versículo tem um sentido geral, e alguns limitam-no aos dízimos, como o Targum de Jonathan, o Siphri e a Midrash, em Jarchi (*in loc.*). Outros incluem aqui os votos e as ofertas voluntárias. Esses tipos de ofertas assemelhavam-se às ofertas de restituição. Eles proviam o sustento dos sacerdotes, particularmente o sacerdote oficiante. Cf. Levítico 2.9,10.

RITO DE CIÚME MARITAL (5.11-31)

Era preparada uma *poção especial* para a mulher suspeita de adultério. Ver como essa poção era preparada, nos vss. 15 ss. deste capítulo. Amigos, é difícil ver como *qualquer* mulher poderia beber tal poção sem que seu ventre inchasse. Os antigos hebreus devem ter pensado que havia algo de miraculoso nesse modo de proceder. Na verdade, somente um milagre secundário podia impedir uma perturbação intestinal grave na mulher, como nunca antes ela sofrera. Eles também devem ter pensado que *Yahweh* salvaria a pobre mulher dessa perturbação, *caso* ela fosse inocente. O episódio faz-me lembrar de uma prática corrente durante a Idade Média. As mulheres suspeitas da prática de feitiçaria eram forçadas a mergulhar de corpo inteiro na água. Se não se afogassem, então eram julgadas inocentes. Se morressem afogadas, eram consideradas culpadas!

Notemos, igualmente, que homens suspeitos de ter cometido adultério não eram submetidos a essa *prova*. Os abusos contra as mulheres, e dois pesos e duas medidas fazem parte da maioria das sociedades. Os vss. 24, 26 e 27 deste capítulo parecem dar a entender que a pobre mulher tinha de beber a poção não somente por uma vez, mas por *várias* vezes! Ver também os vss. 16 e 18. A mulher era colocada "perante o Senhor" por mais de uma vez. Mas alguns eruditos supõem que o relato na verdade seja uma combinação de várias fontes informativas, o que explicaria as repetições que o autor sacro não teve o cuidado de eliminar. Submeter uma mulher a tal prova por uma vez já era o bastante! Não era mister prosseguir no teste para verificar por que a mulher, de alguma maneira, não ficava doente.

Outros eruditos supõem que essa *prova* era usada para submeter a teste a mentira, em outros casos de *suposta culpa*, e não meramente em casos de adultério. Mas não há evidências sólidas em apoio a essa ideia. No entanto, *testes* dessa natureza têm sido comuns no decorrer da história. A inquisição católico-romana inventou muitas dessas provas para os supostos hereges! Ver no *Dicionário* o artigo chamado *Água Amarga*, onde há completas descrições.

5.11

וַיְדַבֵּר יְהוָה אֶל־מֹשֶׁה לֵּאמֹר:

Disse mais o Senhor. Essa expressão é usada por muitas vezes no Pentateuco. Ela é empregada para introduzir novos materiais, além de lembrar-nos da inspiração divina da Bíblia. Ver as notas a respeito em Levítico 1.1 e 4.1.

5.12

דַּבֵּר אֶל־בְּנֵי יִשְׂרָאֵל וְאָמַרְתָּ אֲלֵהֶם אִישׁ אִישׁ כִּי־תִשְׂטֶה אִשְׁתּוֹ וּמָעֲלָה בוֹ מָעַל:

Fórmulas de Comunicação. O Senhor usava Moisés como mediador entre ele mesmo e o povo de Israel. As mensagens eram dadas a Moisés, que as transmitia a Arão; a Arão e a seus filhos; ou a todo o povo. Há *oito* fórmulas de comunicação no Pentateuco. Ver Levítico 17.2 quanto a notas expositivas sobre essa questão.

Se desviar. Quanto a esse pecado, ver no *Dicionário* o artigo geral intitulado *Adultério,* bem como o sétimo mandamento, em Êxodo 20.14. No caso do homem, as regras morais eram bastante liberais. Ele podia ter um número ilimitado de mulheres e concubinas. Porém, tinha de manter-se longe da mulher de outro homem. Tocar nela era adulterar. A palavra hebraica aqui usada para "se desviar" é a mesma que foi usada no vs. 6 para indicar propriedade furtada. A palavra hebraica *maal* dá a entender um ato *secreto*; e, como é sabido, a maior parte dos casos de adultério é efetuada em segredo. A maior parte das 35 vezes em que essa palavra hebraica é usada indica algum ato de traição, consciente e perverso. Ver Levítico 6.2; Números 5.6; Josué 22.31; 1Crônicas 10.13; 2Crônicas 12.2; 26.16; 30.7.

A moralidade sexual para a mulher, no entanto, era estrita e dura. Só podia ter um marido, e nenhum outro homem estava disponível a ela. Quebrar a lei do adultério significa morte certa.

Infiel. Infiel ao marido, bem entendido. No hebraico, porém, a ideia é que a mulher fora infiel a Deus, embora todo pecado também seja uma ofensa contra Yahweh, conforme fica demonstrado na necessidade de ela confessar e fazer restituição. Ver o Salmo 51.4 quanto a esse princípio. O pecado de adultério quebrava um dos *Dez Mandamentos*. Ver sobre ele no *Dicionário*. O adultério era considerado uma *infidelidade ao pacto* (ver o capítulo 16 de Ezequiel).

As águas amargosas só eram dadas em casos de dúvida. Se não houvesse dúvida, então a mulher era simplesmente executada mediante *apedrejamento* (ver a respeito no *Dicionário*).

Somos informados de que o adultério e a suspeita de adultério se tornaram tão comuns em Israel, nos dias de Jesus, que a prova das águas amargosas caiu em desuso.

5.13

וְשָׁכַב אִישׁ אֹתָהּ שִׁכְבַת־זֶרַע וְנֶעְלַם מֵעֵינֵי אִישָׁהּ וְנִסְתְּרָה וְהִיא נִטְמָאָה וְעֵד אֵין בָּהּ וְהִוא לֹא נִתְפָּשָׂה:

E for oculto aos olhos de seu marido. Aconteceu, mas ninguém descobrira. Se tivesse havido alguma testemunha, a mulher culpada teria sido prontamente executada. Mas ninguém vira nada, e o marido suspeitava de que sua mulher estava tendo um caso com outro homem. Nessas situações, ele *testaria* a mulher, requerendo que sua esposa bebesse a poção amarga. Se a mulher adoecesse, inchando-se-lhe o ventre, então ela era executada, pois o inchaço significaria que ela, de fato, era *culpada*. Ver a introdução ao versículo 11 deste capítulo.

Havendo-se ela contaminado. O verbo aqui é *talal,* "imundo". É termo cognato do siríaco *tama'* e do egípcio, *tamy,* "lama aluvial", derivado de *tama,* "inundar". Há aqui uma óbvia alusão ao *líquido seminal,* o qual, nesse caso, era considerado imundo e contaminador. Mas o próprio ato de adultério era considerado contaminador. A imundícia maior era aquela produzida pela idolatria, ou seja, adultério espiritual. Até mesmo relações sexuais tornavam os dois *imundos,* pelo que deveriam tomar um completo banho de imersão, depois do ato (ver Lv 15.18). Muito mais no tocante a atos sexuais ilegítimos. Ver no *Dicionário* o artigo intitulado *Limpo e Imundo*.

5.14

וְעָבַר עָלָיו רוּחַ־קִנְאָה וְקִנֵּא אֶת־אִשְׁתּוֹ וְהִוא נִטְמָאָה אוֹ־עָבַר עָלָיו רוּחַ־קִנְאָה וְקִנֵּא אֶת־אִשְׁתּוֹ וְהִיא לֹא נִטְמָאָה:

O espírito de ciúmes. O marido intuíra a traição, mediante uma suspeita divina ou diabolicamente inspirada. Era impelido pelo *ciúme.* Essa é a primeira ocorrência dessa palavra na Bíblia, sob forma nominal. O termo hebraico é *quina,* "ardor", "zelo". No caso de ciúmes, um ardor negativo. Os ciúmes são uma espécie de amor amargurado por algum tempo, mais breve ou mais longo. Assemelha-se ao ódio. É um mau odor de amor. É um amor pervertido. Nunca faz o bem. Seu poder destrutivo está alicerçado sobre o orgulho. Ver no *Dicionário* os artigos chamados *Ciúmes* e *Antropomorfismo.* Deus é às vezes descrito como Deus "zeloso", ou seja, "ciumento" (ver Êx 20.5; 34.14).

5.15

וְהֵבִיא הָאִישׁ אֶת־אִשְׁתּוֹ אֶל־הַכֹּהֵן וְהֵבִיא אֶת־קָרְבָּנָהּ עָלֶיהָ עֲשִׂירִת הָאֵיפָה קֶמַח שְׂעֹרִים לֹא־יִצֹק עָלָיו שֶׁמֶן וְלֹא־יִתֵּן עָלָיו לְבֹנָה כִּי־מִנְחַת קְנָאֹת הוּא מִנְחַת זִכָּרוֹן מַזְכֶּרֶת עָוֹן:

Esse homem trará a sua mulher. Na antiga sociedade patriarcal, como no caso da cultura hebreia, o homem tinha todos os direitos sobre a mulher. Temos aqui a expressão de um desses direitos. Um marido ciumento tinha o direito de arrastar sua mulher perante um sacerdote, exigindo que ela fosse submetida à prova das águas amargosas. Ver no *Dicionário* o artigo *Água Amarga* quanto a completas descrições dessa poção.

Farinha de cevada. A medida recomendada era uma décima parte de efa de cevadas. Visto que o efa equivalia a 22 litros, a quantidade de cevada usada era cerca de dois litros. Era a mesma quantidade de maná que era recolhida para um dia, bem como a mesma quantidade de oferta de cereal oferecida diariamente (ver Êx 16.34; 29.40). O cereal dava às águas amargas o simbolismo de uma espécie de oferenda negativa diante de Yahweh. Ver os vss. 16 e 21 quanto à expressão "perante o sacerdote". Ver o vs. 25 quanto à oferta de farinha de cevada.

A Mistura:

Água Santa. Tirada da bacia do tabernáculo, misturada com "pó" tirado do chão do tabernáculo. Quanto ao volume, de acordo com algumas fontes informativas, a água era de uma sexta parte de um litro. Ver o vs. 23 quanto à maldição escrita com a água amargosa.

Pó. Esse pó era extraído do chão do tabernáculo (vs. 17).

Oferta Memorativa. Ou seja, uma oferenda que visava trazer à memória a verdade da questão que estava sendo testada. Ela cometera ou não o adultério? Azeite e incenso não podiam ser usados nesse tipo de oferta, o que também sucedia no caso da oferta pelo pecado (ver Lv 5.11). "O azeite e o incenso são símbolos das influências do Espírito Santo e de nossas orações, pelo que não podiam ser usados" (Ellicott, *in loc.*).

5.16

וְהִקְרִיב אֹתָהּ הַכֹּהֵן וְהֶעֱמִדָהּ לִפְנֵי יְהוָה:

O sacerdote. Ele era ministro de Yahweh e apresentava solenemente a mulher "perante o Senhor" (ver Êx 22.9). Ela estava sob julgamento, na presença de seu marido, diante do sacerdote oficiante e diante do Senhor. O condicionamento psicológico era poderoso, e talvez fosse suficiente para deixá-la doente, antes mesmo de tomar a temível poção. Yahweh estava ali como testemunha, porque provavelmente a mulher havia quebrado um dos Dez Mandamentos, violando assim o pacto entre Yahweh e o povo de Israel, instituído na legislação mosaica. Ver sobre o *Pacto Mosaico* nas notas de introdução ao capítulo 19 de Êxodo. O adultério, pois, era um pecado que rompia com o pacto divino. "Perante o Senhor" é frase que se repete no vs. 18 deste capítulo. O rito ocorria no tabernáculo, onde Yahweh manifestava a sua presença.

■ 5.17

וְלָקַח הַכֹּהֵן מַיִם קְדֹשִׁים בִּכְלִי־חָרֶשׂ וּמִן־הֶעָפָר אֲשֶׁר יִהְיֶה בְּקַרְקַע הַמִּשְׁכָּן יִקַּח הַכֹּהֵן וְנָתַן אֶל־הַמָּיִם׃

Água santa. Na água eram misturados os elementos da poção. O volume de água não era grande, porém a mistura podia tornar-se uma poção muito tóxica. Mas o elemento mais tóxico era a maldição de Yahweh (vs. 21).

De acordo com autoridades judaicas, a água era tirada do lavatório ou bacia de bronze, razão pela qual era chamada de "santa". Assim explicaram os Targuns de Onkelos e Jonathan, Jarchi e Aben Ezra.

Num vaso de barro. Do tipo que podia ser usado quanto a qualquer coisa contaminada, ou seja, que pudesse ser quebrado e destruído, em vez de ser lavado para ser usado novamente.

Do pó. O homem foi feito do pó da terra, e ao pó voltará. A serpente foi condenada a ingerir pó (ver Gn 3.14). Talvez o uso de pó, nessa oferenda negativa e teste, servisse para relembrar os participantes desses símbolos. Visto que o pó era tirado do chão do tabernáculo, a questão se revestia de certo senso de respeito. Não era um pó qualquer. O pó também falava do pecado da mulher, se ela fosse culpada.

■ 5.18

וְהֶעֱמִיד הַכֹּהֵן אֶת־הָאִשָּׁה לִפְנֵי יְהוָה וּפָרַע אֶת־רֹאשׁ הָאִשָּׁה וְנָתַן עַל־כַּפֶּיהָ אֵת מִנְחַת הַזִּכָּרוֹן מִנְחַת קְנָאֹת הִוא וּבְיַד הַכֹּהֵן יִהְיוּ מֵי הַמָּרִים הַמְאָרֲרִים׃

Perante o Senhor. Ver as notas sobre isso no vs. 16 deste capítulo; e também Êxodo 22.9. O sacerdote, o marido da mulher e o Senhor olhavam, enquanto a mulher enfrentava a sua prova. Contraste esse modo de proceder com a atitude de Jesus, no caso da mulher apanhada em flagrante adultério, em João 8.1 ss.

Soltará a cabeleira dela. Esse era um ato que *humilhava* a mulher, visto que, em Israel, era costume que somente as prostitutas andassem em público de cabelos soltos e sem véu. A cabeleira da mulher não somente era descoberta, mas também era solta, algo que usualmente só o marido dela podia contemplar. O ato antecipava a culpa da mulher, antes mesmo de ser provada. A Mishnah fornece outras práticas pertinentes a uma época posterior. Então a mulher despia suas roupas comuns e vestia um robe negro; e suas joias eram removidas. Tudo isso eram atos de humilhação e de presunção de culpa. Assim diz *Sotah*, sec. 5 e 6. Ver no *Dicionário* o artigo chamado *Mishnah*. Paulo baixou instruções sobre o véu, para as mulheres crentes do Novo Testamento, em 1Coríntios 11.5,6,10.

A oferta memorativa de manjares. Essa oferenda de cevada já foi comentada no vs. 15 deste capítulo. A oferta era entregue às mãos da mulher sob suspeita. Isso significava que Yahweh era testemunha de tudo quanto estava sucedendo. Era uma variedade especial de oferenda, chamada "oferta de manjares dos ciúmes". Ver as notas sobre o vs. 14 deste capítulo sobre os *ciúmes*. E, finalmente o sacerdote oferecia a oferta de cereais sobre o altar (vss. 25 e 26).

A *poção* que a mulher haveria de beber ficava nas mãos do sacerdote, que ficava de pé perto dela, enquanto a prova prosseguia. Se a mulher fosse culpada de adultério, tal poção causaria uma *maldição*.

■ 5.19

וְהִשְׁבִּיעַ אֹתָהּ הַכֹּהֵן וְאָמַר אֶל־הָאִשָּׁה אִם־לֹא שָׁכַב אִישׁ אֹתָךְ וְאִם־לֹא שָׂטִית טֻמְאָה תַּחַת אִישֵׁךְ הִנָּקִי מִמֵּי הַמָּרִים הַמְאָרֲרִים הָאֵלֶּה׃

O sacerdote a conjurará. Ver no *Dicionário* o verbete intitulado *Juramento*. A mulher era forçada a proferir o juramento. Esse juramento ou confessava a culpa ou afirmava a inocência. Ao fazer esse juramento na presença de Yahweh (vss. 16 e 18), a mulher trazia o machado do poder divino sobre sua cabeça, o que podia ou liberá-la (vs. 19), ou fazer a maldição divina cair sobre ela (vss. 21 e 22).

Era um juramento de *execração*. Cf. Êxodo 22.10,11.

A água amarga podia produzir resultados drásticos no sistema físico; mas é de presumir que, *se* a mulher fosse inocente, nada lhe sucederia de ruim. Se nada lhe acontecesse, isso lhe provaria a inocência, e ela estaria livre tanto da maldição potencial quanto da suspeita de seu marido. Ficamos a perguntar quantas mulheres teriam conseguido provar a sua inocência, diante de tal teste. O hebraico diz, literalmente, "serás livre destas águas", mas o sentido é que ela estaria livre do rito que usava a água e, então, da maldição que lhe poderia sobrevir.

■ 5.20

וְאַתְּ כִּי שָׂטִית תַּחַת אִישֵׁךְ וְכִי נִטְמֵאת וַיִּתֵּן אִישׁ בָּךְ אֶת־שְׁכָבְתּוֹ מִבַּלְעֲדֵי אִישֵׁךְ׃

Mas se te desviaste. Se tivesse havido adultério, então aquele seria o fim da mulher. Ela estava "sob o domínio" de seu marido (a versão inglesa RSV diz aqui: "sob a autoridade do marido"). Em outras palavras, ela estava legalmente casada e havia assumido os deveres próprios de seu estado. Um dos deveres primários dela era não cometer adultério.

E te contaminaste. Ver as notas sobre esse verbo no vs. 13 deste capítulo. Ela poderia ter sido contaminada por um líquido seminal *imundo*, ou seja, não de seu marido.

Observemos o *acúmulo* de frases: A mulher se *desviara*; ela fora com *outro* homem; ela se esquecera da autoridade de seu marido; ela havia sido *contaminada*; ela se havia *deitado* com um homem que não era marido dela, o que aponta para sexo ilícito, ou adultério.

■ 5.21

וְהִשְׁבִּיעַ הַכֹּהֵן אֶת־הָאִשָּׁה בִּשְׁבֻעַת הָאָלָה וְאָמַר הַכֹּהֵן לָאִשָּׁה יִתֵּן יְהוָה אוֹתָךְ לְאָלָה וְלִשְׁבֻעָה בְּתוֹךְ עַמֵּךְ בְּתֵת יְהוָה אֶת־יְרֵכֵךְ נֹפֶלֶת וְאֶת־בִּטְנֵךְ צָבָה׃

Juramento de maldição. A maldição redundaria em alguma temível condição física. Alguns estudiosos veem aqui uma enfermidade específica, como a barriga d'água; mas o versículo dá a entender alguma praga lançada pelo próprio Yahweh, alguma coisa *sui generis* que faria seu ventre inchar e sua coxa murchar. O termo hebraico aqui usado é *nepel*, que pode significar um *nascimento prematuro*, um "aborto". E assim é que alguns eruditos pensam que tudo quanto temos aqui é um aborto espontâneo da criança que teria sido gerada pelo homem que não era marido da mulher. Mas a leitura do versículo não nos faz pensar em gravidez.

Alguns supõem que a poção fosse *venenosa*, o que explicaria as terríveis condições em que ficaria a mulher. Outros estudiosos pensam em uma *maldição* genuína, divinamente determinada. Os críticos falam aqui sobre superstições e artes *mágicas*, por trás das descrições do versículo. Ainda outros falam em reações *psicossomáticas*, supondo que, mediante o poder da mente, a mulher desenvolveria os sintomas *esperados*, se ela fosse culpada.

■ 5.22

וּבָאוּ הַמַּיִם הַמְאָרֲרִים הָאֵלֶּה בְּמֵעַיִךְ לַצְבּוֹת בֶּטֶן וְלַנְפִּל יָרֵךְ וְאָמְרָה הָאִשָּׁה אָמֵן אָמֵן׃

Este versículo repete os esperados horrendos resultados, se a mulher fosse culpada. A maldição incluía um forçado "Amém, amém", por parte da mulher. Estava ela ali de pé, de cabeleira solta, humilhada, sem dúvida crendo no poder da maldição e forçada a proferir o "assim seja" da maldição. O termo hebraico *'amen* é transliterado literalmente em todas as versões, com leves modificações, e significa "certo". E, como uma explicação, tem a força de "assim seja" ou "é verdade!"

O Pecador Sela o Seu Próprio Destino. O pecado é enfrentado com o desastre. Essa é a lei da colheita segundo a semeadura (ver Gl 6.7,8). Ver no *Dicionário* o artigo intitulado *Lei Moral da Colheita segundo a Semeadura*. Contudo, o juízo é apenas um dedo da mão amorosa de Deus, pois, finalmente, o juízo redunda em bem. Ver no *Dicionário* o verbete chamado *Julgamento de Deus dos Homens Perdidos*. Ver 1Pedro 4.6 no *Novo Testamento Interpretado*. A cruz foi um julgamento, mas foi *ali* que o amor de Deus se estendeu ao homem. O juízo, assim sendo, escreve um capítulo intermediário na história; mas o amor de Deus escreve o capítulo final.

A coxa. Essa palavra é aqui usada como um eufemismo. Poderia indicar as "partes pudendas". Alguns têm tirado vantagem disso para supor que estejam em foco os órgãos reprodutores, bem como o aborto de um filho indesejado (gerado por um homem que não era o marido da mulher) — tudo referido de maneira indireta. Ver os comentários sobre o vs. 21 quanto a interpretações acerca dos desastres que poderiam ser esperados nesse caso, bem como acerca de suas *causas*.

■ 5.23

וְכָתַב אֶת־הָאָלֹת הָאֵלֶּה הַכֹּהֵן בַּסֵּפֶר וּמָחָה אֶל־מֵי הַמָּרִים׃

Escreverá estas maldições num livro. Tal livro, muito provavelmente, era um rolo feito de peles de animais, um material de escrita comum, antes que o papiro entrasse em uso corrente. A água amarga era então usada para apagar o escrito. E assim a tinta da escrita misturava-se com a água. Essa mistura era então posta na água tirada da bacia de bronze. E essa poção a mulher precisava sorver. A mistura era raspada, pelo que fragmentos da pele de animais também entrava na mistura. Ver no *Dicionário* o artigo chamado *Tinta*, quanto à natureza das tintas antigas. "Os rabinos dizem que a prova por meio das águas de ciúmes foi descontinuada após o cativeiro babilônico, pois os adultérios tornaram-se tão frequentes então, que eles temiam que o nome do Senhor fosse profanado, por ser invocado por tantas vezes!" (Adam Clarke, *in loc.*). Quanto ao duplo "amém", ver a *Mishnah*, sec. 5 e os Targuns de Jonathan e de Jerusalém, além de Jarchi (*in loc.*), que também fornecem informações gerais. Se a mulher se recusasse a beber a tal poção, era forçada a fazê-lo. Assim, na verdade, a cena toda era uma *prova* e, à base de pressão psicossomática, qualquer coisa poderia resultar dali.

■ 5.24

וְהִשְׁקָה אֶת־הָאִשָּׁה אֶת־מֵי הַמָּרִים הַמְאָרֲרִים וּבָאוּ בָהּ הַמַּיִם הַמְאָרֲרִים לְמָרִים׃

... lhe causará amargura. Se a mulher bebesse voluntariamente, muito bem; caso contrário, ela seria forçada. Fosse como fosse, ela *tinha* que beber. A horrenda mistura era o veículo de uma maldição divina, porque ali viera repousar o poder de Yahweh. No sistema biológico da mulher, a água atuaria como um potente veneno, e logo os seus terríveis efeitos se fariam sentir. Se ela fosse inocente, porém, haveria de escapar de todos os malefícios. Ver as notas sobre o vs. 21 para interpretações quanto à natureza e às causas possíveis dos maus resultados do rito. Este versículo dá a entender que a água só se tornaria *amarga* se a mulher fosse culpada. Porém a mistura aqui descrita sem dúvida era amarga antes mesmo de ser sorvida. Mas o seu *amargor* produzia os *resultados* temidos se a mulher fosse culpada. As aflições também são chamadas, metaforicamente, de "amargas" (ver Is 38.17) e de "morte" (ver 1Sm 15.32). Mas este texto refere-se a um amargor literal.

■ 5.25,26

וְלָקַח הַכֹּהֵן מִיַּד הָאִשָּׁה אֵת מִנְחַת הַקְּנָאֹת וְהֵנִיף אֶת־הַמִּנְחָה לִפְנֵי יְהוָה וְהִקְרִיב אֹתָהּ אֶל־הַמִּזְבֵּחַ׃
וְקָמַץ הַכֹּהֵן מִן־הַמִּנְחָה אֶת־אַזְכָּרָתָהּ וְהִקְטִיר הַמִּזְבֵּחָה וְאַחַר יַשְׁקֶה אֶת־הָאִשָּׁה אֶת־הַמָּיִם׃

A mulher segurava nas mãos a *oferta de manjares*, enquanto o sacerdote prosseguia com o rito (ver o vs. 18). Mas havia um momento em que o sacerdote recebia dela a oferenda e a movia diante do Senhor. Ver Êxodo 29.23,24 quanto a esse tipo de oferenda. Tudo isso leva o processo à atenção do Senhor, visto ser uma oferenda apresentada no Lugar Santo, onde Yahweh manifestava a sua presença. Parte dessa oferenda era queimada sobre o altar de bronze. Ver as notas a respeito desse altar em Êx 27.1. Ver as notas sobre o vs. 15 deste capítulo sobre a quantidade de farinha de cevada usada nessa oferenda, ou seja, cerca de dois litros. Somente um punhado era consumido sobre o altar. O resto tornava-se propriedade do sacerdote, para seu consumo pessoal. E isso tornava-se uma espécie de refeição comunal, embora aquela fosse uma ocasião solene e negativa. E o sacerdote comia da oferta de manjares na presença de Yahweh.

Após a oferta movida, mas antes que o sacerdote comesse do resto do cereal, a mulher tinha de beber das águas amargosas.

O sacerdote movia a oferta para frente e para trás, para cima e para baixo. Algumas fontes informativas insistem em que a mulher precisava mover a oferta juntamente com o sacerdote, pois o sacerdote punha as suas mãos por baixo das mãos dela (assim diz a *Mishnah*, sec. 1, os Targuns de Jonathan e de Jerusalém, bem como Jarchi, *in loc.*). E em seguida, a mulher bebia "para bem ou para mal", conforme comentou Aben Ezra, *in loc.*

■ 5.27

וְהִשְׁקָהּ אֶת־הַמַּיִם וְהָיְתָה אִם־נִטְמְאָה וַתִּמְעֹל מַעַל בְּאִישָׁהּ וּבָאוּ בָהּ הַמַּיִם הַמְאָרֲרִים לְמָרִים וְצָבְתָה בִטְנָהּ וְנָפְלָה יְרֵכָהּ וְהָיְתָה הָאִשָּׁה לְאָלָה בְּקֶרֶב עַמָּהּ׃

Se ela se tiver contaminado. Nesse caso, o resultado geralmente esperado, a praga desceria sobre a mulher, pois seu ventre incharia e algo de estranho aconteceria à coxa dela, o que é um eufemismo para os órgãos genitais. Ver as notas sobre os vss. 21 e 22. Ver também, no *Dicionário*, o verbete intitulado *Água Amarga*. Quanto a possíveis *causas* dessas condições, ver as notas sobre o vs. 24.

Além dos efeitos físicos, a própria mulher se tornaria uma *maldição*, e em breve seria apedrejada. Ver no *Dicionário* o artigo chamado *Apedrejamento*.

As autoridades judaicas referiram-se aos efeitos *imediatos* da água amarga. Ver *Mishnah Sotah*, vol. 28.1, o que só pode ser explicado se pensarmos que se tratava de uma poção altamente venenosa, mediante alguma espécie de maldição divina. As águas "caçavam a mulher", conforme se lê em *Mishnah Sotah*, cap. 5, sec. 1, procurando destruí-la.

■ 5.28

וְאִם־לֹא נִטְמְאָה הָאִשָּׁה וּטְהֹרָה הִוא וְנִקְּתָה וְנִזְרְעָה זָרַע׃

Se a mulher se não tiver contaminado. Se a mulher fosse inocente da suspeita, nada aconteceria, enquanto as testemunhas observavam ansiosamente e a mulher tremia. Suponhamos que uma mulher não se tivesse contaminado (ver as notas sobre o vs. 13 deste capítulo). Não sendo culpada, ela não estaria imunda. Ver no *Dicionário* o artigo *Limpo e Imundo*. Tal mulher só mereceria elogios, a despeito das dúvidas e acusações de seu marido.

As autoridades judaicas insuflam a ideia de cura, nessa questão. Se ela estivesse enferma de alguma coisa, seria curada (ver Maimônides, *Hilchot Sotah*, cap. 3, sec. 22). O favor divino estava com ela. Assim sendo, conforme diz o Targum de Jonathan, "ela brilhará". Ademais, haveria de conceber e tornar-se mãe, a maior bênção para uma mulher de Israel, ficando fora de dúvida que a criança pertencia ao marido dela. Ver Salmo 127.3 quanto aos filhos como uma *herança* do Senhor.

■ 5.29

זֹאת תּוֹרַת הַקְּנָאֹת אֲשֶׁר תִּשְׂטֶה אִשָּׁה תַּחַת אִישָׁהּ וְנִטְמָאָה׃

Este breve versículo age como uma declaração final acerca da lei que governava as suspeitas e os ciúmes de um marido, e como sua mulher era submetida à prova por meio da *Água Amarga* (ver no *Dicionário*), em instruções que ocuparam todos os versículos 11 a 28 deste capítulo. Em outras culturas não se acha esse tipo de prova, mas *provas* que testavam a culpa ou a inocência das pessoas são uma constante em todas as culturas.

5.30

אוֹ אִישׁ אֲשֶׁר תַּעֲבֹר עָלָיו רוּחַ קִנְאָה וְקִנֵּא אֶת־אִשְׁתּוֹ וְהֶעֱמִיד אֶת־הָאִשָּׁה לִפְנֵי יְהוָה וְעָשָׂה לָהּ הַכֹּהֵן אֵת כָּל־הַתּוֹרָה הַזֹּאת׃

O autor prossegue aqui em sua explicação do *porquê* de tal preceito. O sentimento de ciúmes (ver as notas no vs. 14 deste capítulo, sobre o "espírito de ciúmes") forçara um homem a exigir que se efetuasse tal rito. Tudo era feito "perante o Senhor", conforme lemos nos vss. 16 e 18. O sacerdote tinha de efetuar o rito. Tratava-se de uma lei de Yahweh, e o sacerdote não tinha escolha sobre a questão. A lei dispunha de determinações minuciosas, e cada determinação devia ser seguida à risca, como de resto, tudo quanto fazia parte da legislação mosaica.

5.31

וְנִקָּה הָאִישׁ מֵעָוֺן וְהָאִשָּׁה הַהִוא תִּשָּׂא אֶת־עֲוֺנָהּ׃ פ

A menos que a lei fosse obedecida, o *homem* seria culpado de uma série (possível) de coisas. Ele poderia tornar-se culpado por haver negligenciado um grande mal moral, sem ter feito coisa alguma a respeito. Ou poderia ficar acusando sua mulher de coisas das quais ela não era culpada. Poderia continuar tendo ataques de ciúmes fanáticos, perturbando constantemente o lar, sem que a questão fosse jamais resolvida entre eles. Poderia castigar física e psicologicamente sua mulher, mas sem saber se ela realmente merecia ou não tal castigo.

Este versículo talvez ensine que o homem estaria livre da *iniquidade* (a situação de adultério) a que sua mulher o tinha forçado a entrar. A fim de evitar tal coisa, era sábio que o homem resolvesse a questão, de uma maneira ou de outra. Mas a mulher, se fosse achada culpada, levaria sobre si mesma a sua iniquidade, e seria executada, provavelmente por meio de *apedrejamento* (ver sobre isso no *Dicionário*). A questão termina, neste capítulo, com a declaração sobre a necessidade de *obedecer* a Deus. Ver como outras passagens também terminam nesse tom, nas notas sobre Números 1.54. Maimônides observou como as mulheres judias temiam ser submetidas à prova da água amarga, preferindo a morte a tal prova. Ver *Moreh Nevochim*, par. 3, cap. 49, par. 499.

CAPÍTULO SEIS

REGRAS PARA OS NAZIREUS (6.1-21)

Nesta seção, continuamos as *regras especiais* iniciadas em Números 5.1. Provi um detalhado artigo sobre os nazireado, no *Dicionário*, intitulado *Nazireado (Voto de)*. O termo "nazireu" ou "nazirita" vem do verbo hebraico *nazir*, derivado de *nazar*, "separar", "consagrar", "abster-se". Este capítulo fornece-nos a origem do nazireado. Aquele artigo discute o nome, o caráter geral, a origem, as provisões, os problemas e as modificações daquele tipo de voto.

"A contrapartida da purificação (cap. 5) era a consagração (cap. 6). O serviço sacerdotal, entre os filhos de Israel, era um privilégio exclusivo dos que pertenciam à tribo de Levi; mas o Senhor instituiu aqui uma provisão mediante a qual *qualquer* homem ou mulher de Israel, que quisesse tomar *voto* diante do Senhor, se se consagrasse por um período determinado de tempo para servir a Deus, poderia fazê-lo. Ocasionalmente, esse voto podia ser tomado pelos pais em favor de seus filhos (ver 1Sm 1.11). Usualmente, porém, o nazireado era um ato de devoção efetuado voluntariamente por um adulto. A pessoa que resolvesse consagrar-se assim era chamada de nazireu (vem de *nazar*, "dedicar-se") (John Marsh, *in loc.*). Esse voto era tomado por um período mínimo de trinta dias. Parece que Paulo se dedicou como um nazireu, em Atos 18.18. E talvez outro tanto se tenha dado no caso de Sansão. Esse voto envolvia, substancialmente, a questão da abstinência, embora também incluísse um serviço divino ativo, exercícios espirituais e a prática de certos ritos. Um nazireu era separado *para* o Senhor e *de* outras coisas. (Ver Jz 13.5; 1Sm 1.11; Am 2.11,12.) Esse voto podia buscar algum benefício divino especial, por causa do qual o indivíduo podia mostrar uma consagração incomum durante algum tempo, a fim de que pudesse *merecer* a bênção que buscava. Outros buscavam a cura física, com esse voto (Josefo, *Guerras dos Judeus*, II.15.11).

Tipologia. Apesar de Jesus não ser asceta, como eram os nazireus, o espírito do voto deles era baseado sobre a atitude dele. Ele era santo, inofensivo e separado dos pecadores (ver Hb 7.26). Sua dedicação era absoluta (ver Jo 1.18; 6.38; Mt 12.46-50).

As Ordens Monásticas. "Dos nazireus surgiram os recabitas; dos recabitas surgiram os essênios; e dos essênios surgiram (através de imitação) as ordens monásticas" (Adam Clarke, *in loc.*). Ver na *Enciclopédia de Bíblia, Teologia e Filosofia* os artigos intitulados *Mosteiro; Monasticismo* e *Eremita*.

O nazireado simbolizava aquela mentalidade espiritual que renuncia aos deleites da carne e se consagra ao Ser divino. Um verdadeiro nazireu era como um sumo sacerdote, sem o ofício dele mas com o ofício em seu coração.

6.1

וַיְדַבֵּר יְהוָה אֶל־מֹשֶׁה לֵּאמֹר׃

Disse o Senhor. Essa expressão ocorre com frequência no Pentateuco. Serve para introduzir novas seções. E também nos faz lembrar da doutrina da inspiração divina da Bíblia. Ver as notas a respeito em Levítico 1.1 e 4.1.

6.2

דַּבֵּר אֶל־בְּנֵי יִשְׂרָאֵל וְאָמַרְתָּ אֲלֵהֶם אִישׁ אוֹ־אִשָּׁה כִּי יַפְלִא לִנְדֹּר נֶדֶר נָזִיר לְהַזִּיר לַיהוָה׃

Seja homem seja mulher. Mesmo que não fosse um levita, pois qualquer israelita podia tornar-se nazireu. Esse voto era, essencialmente, de abstinência de vários deleites e prazeres da carne, legítimos, mas que, para a pessoa espiritual, eram postos de lado por algum tempo, a fim de que alguma outra coisa ocupasse a mente dela. Ver as notas de introdução ao presente capítulo bem como, no *Dicionário*, o artigo intitulado *Nazireu (Voto de)*.

A fim de consagrar-se para o Senhor. De várias coisas e para Yahweh, como devoção e serviço especiais, e, em alguns casos, na esperança de receber algum benefício especial. A palavra "consagrar-se", nesse caso, vem da mesma raiz que a palavra nazireu, ou seja, do verbo hebraico *nazir*, "separar-se", "dedicar-se", "consagrar-se".

A *lição espiritual* deste versículo é que o homem espiritual atinge algo acima daquilo que satisfaz à pessoa comum. Ver sobre essa atitude no Novo Testamento, em Mateus 5.46,47. Isso pode acontecer à base de uma consciência sensível, devido a anelos espirituais naturais, ou devido a alguma inspiração divina, que leve a pessoa a dizer: "o Espírito me ordenou". Esse voto representava um privilégio especial para Israel, conforme lemos na Mishnah, *Nazir*, cap. 9, sec. 1, e nos escritos de Maimônides e Bartenora. A maior parte dos nazireus limitava seu tempo de devoção especial a trinta dias, por ser esse o período mais breve de consagração que era possível. Porém, alguns eram nazireus vitalícios, como se deu com Sansão. Talvez esse tenha sido o verdadeiro começo das ordens monásticas. Ver a introdução ao primeiro versículo deste capítulo, no penúltimo parágrafo.

6.3

מִיַּיִן וְשֵׁכָר יַזִּיר חֹמֶץ יַיִן וְחֹמֶץ שֵׁכָר לֹא יִשְׁתֶּה וְכָל־מִשְׁרַת עֲנָבִים לֹא יִשְׁתֶּה וַעֲנָבִים לַחִים וִיבֵשִׁים לֹא יֹאכֵל׃

Abster-se-á de. Havia coisas que era mister evitar, sobretudo qualquer tipo de bebida alcoólica. Três tipos de bebidas foram mencionados. Os Targuns falam em *vinho novo* (que alguns traduzem por "vinagre"); em *vinho velho;* e também qualquer *bebida forte*. Em Israel, as bebidas fortes eram feitas de cevadas, uvas, maçãs, tâmaras, mel e peras. Portanto, estavam em foco tipos de cidras, licores, vinhos que tivessem qualquer conteúdo alcoólico por meio de fermentação natural. Ver no *Dicionário* o artigo chamado *Bebida Forte*. A fermentação natural produz somente cerca de 8% de conteúdo alcoólico; mas isso é o bastante para produzir intoxicação. As bebidas fortes eram notórias por sua capacidade de alterar a conduta humana. Os excessos tornavam-se comuns, provocando brigas, atos imorais, desinibição. A *bebedice* é listada como uma das obras da carne (ver Gl 5.21). Se beber com moderação não é prejudicial, o homem espiritual aprende a não tocar em certas coisas. Ver na *Enciclopédia de Bíblia, Teologia e Filosofia* o longo artigo intitulado *Vícios*.

Alguns rabinos acreditavam que o fruto proibido no Éden era a *uva*. E isso por causa do fato de que essa é a fruta que mais prejudica o homem. Essa noção, como é claro, não tem apoio histórico, mas a essência da ideia bem pode ser levada em conta.

Nem comerá uvas frescas nem secas. Certas uvas eram diretamente transformadas em vinho, e outras viravam passas e eram misturadas nas massas para bolos. Ver 2Samuel 6.19. Esses bolos eram feitos especialmente para as festas religiosas, associadas às festividades idólatras. Ver Oseias 3.1.

6.4

כָּל יְמֵי נִזְרוֹ מִכֹּל אֲשֶׁר יֵעָשֶׂה מִגֶּפֶן הַיַּיִן מֵחַרְצַנִּים וְעַד־זָג לֹא יֹאכֵל:

Todos os dias do seu nazireado. A proibição era absoluta. A uva era totalmente banida. Essa era a *primeira* proibição. A própria uva não podia ser usada como alimento ou bebida, nem mesmo as cascas e as sementes. A cultura cananeia contava com muitos intoxicantes. Se as sementes de uva não intoxicavam, pelo menos sugeriam intoxicação. E se as cascas de uva eram capazes de provocar dores de barriga, dificilmente eram usadas no fabrico de vinho. Mas sementes e cascas *sugeriam* a fabricação e o uso de bebidas fortes, e até mesmo a aparência do mal era proibida para os nazireus. O homem espiritual devia evitar até a aparência do mal, quanto mais o próprio mal. Algumas traduções, em lugar de "sementes e cascas" dizem "uvas verdes e gavinhas", conforme se lê na *American Translation*. Os eruditos no hebraico não concordam quanto ao sentido exato das palavras do texto. O vocábulo hebraico *harsannim*, traduzido por "sementes", pode representar qualquer produto insignificante da videira; e o termo *zag* pode significar pele ou casca. Visto que essa palavra hebraica significa "fechar", pode estar em pauta uma pele ou uma casca.

6.5

כָּל־יְמֵי נֶדֶר נִזְרוֹ תַּעַר לֹא־יַעֲבֹר עַל־רֹאשׁוֹ
עַד־מְלֹאת הַיָּמִם אֲשֶׁר־יַזִּיר לַיהוָה קָדֹשׁ יִהְיֶה
גַּדֵּל פֶּרַע שְׂעַר רֹאשׁוֹ:

Não passará navalha pela cabeça. Um nazireu não podia cortar os cabelos ou aparar a barba. Essa é a *segunda* proibição. Essa proibição tinha valor enquanto o voto estivesse vigorando. Na prática, isso significava que os cabelos e a barba não podiam ser aparados. A navalha era tabu tanto quanto a uva. Por isso, uma videira que não tivesse sido podada era chamada de *videira de nazireu* (ver Lv 25.5,11). Nos dias de Paulo, cabelos longos eram considerados errados e mesmo vergonhosos (ver 1Co 11.14). Mas o que era "degradante" para o homem, em *algumas* culturas, nos dias de Paulo, certamente não o era para Israel, nos dias de Moisés. Na verdade, quase todos os jovens usavam cabelos compridos até os 30 anos de idade. E mesmo quando curtos, os cabelos tinham sido aparados, e não cortados no sentido moderno. Ver no *Dicionário* o artigo geral chamado *Cabelos*, quanto aos costumes acerca dos cabelos.

Os cabelos, ao *continuarem o seu crescimento*, simbolizavam o prosseguimento dos votos, sendo paralelas as duas coisas. Os cabelos em crescimento simbolizavam a dedicação e a espiritualidade crescentes. Os cabelos em crescimento simbolizavam a virtude contínua e o aumento de forças. Talvez haja um paralelo espiritual em Levítico 25.4,5,11, onde se lê que era requerido que, no sétimo ano, não fosse podada a videira. Nos tempos mais antigos, as raízes dos cabelos eram consideradas a sede da vida; as pessoas supunham que espíritos bons e maus podiam habitar nos cabelos, e ritos mágicos eram levados a efeito com a ajuda de fios ou cachos de cabelos. Os homens sabem que há uma certa "magia" nos longos cabelos das mulheres, mas não é isso, exatamente, de que fala o texto aqui!

6.6

כָּל־יְמֵי הַזִּירוֹ לַיהוָה עַל־נֶפֶשׁ מֵת לֹא יָבֹא:

Não se aproximará dum cadáver. Era mister evitar qualquer contato com um corpo sem vida. Eis aí a *terceira* proibição. Esse contato causaria *imundícia*, tornando a pessoa incapaz para o serviço divino. Qualquer contato com um cadáver automaticamente anularia o voto do nazireado. Assim sucedia, mesmo que o contato fosse feito inadvertidamente. Qualquer pessoa, sob voto ou não, ficava cerimonialmente imunda se tocasse no corpo morto de uma pessoa ou de um animal. Ver Levítico 11.31,39; Números 5.2 e 9.6. Outro tanto se aplicava aos sacerdotes (Lv 21.1 ss.). A pessoa que fizesse tal contato ficaria imunda até o cair da tarde, pelo que precisava passar pelos ritos de purificação. Ver no *Dicionário* o verbete detalhado intitulado *Limpo e Imundo*.

6.7

לְאָבִיו וּלְאִמּוֹ לְאָחִיו וּלְאַחֹתוֹ לֹא־יִטַּמָּא לָהֶם בְּמֹתָם
כִּי נֵזֶר אֱלֹהָיו עַל־רֹאשׁוֹ:

Era proibido até mesmo o contato com o cadáver de um parente chegado. Essa mesma regra aplicava-se aos sacerdotes e ao sumos sacerdote. Ver Levítico 21.1,2,3,11, pelo que os nazireus eram sumos sacerdotes temporários, conforme observa o Talmude. Os nazireus cujos votos eram a longo prazo aparentemente tinham acesso ao tabernáculo (o templo), tal como os sacerdotes, pois tinham-se tornado uma espécie de casta sacerdotal, sem importar a que tribo pertencessem. "Um juramento a Yahweh ultrapassa todas as demais considerações; e envolve um imperativo totalmente categórico. O contato com um corpo morto produzia contaminação sobre qualquer um (ver Nm 5.2), mas, se uma pessoa comum podia recuperar a sua limpeza cerimonial chegada a noite do sétimo dia (ver Nm 19.11-22), um nazireu precisava raspar a cabeça naquele dia, e, no dia seguinte, oferecer o mais barato dos animais que podiam ser oferecidos em sacrifício" (John Marsh, *in loc.*).

Porquanto o nazireado do seu Deus está sobre a sua cabeça. Temos aí uma referência aos longos cabelos dos nazireus, sobre os quais não passara navalha, a *segunda* condição obrigatória do voto. Ver o vs. 5. Esse era o *símbolo* do voto inteiro. Talvez Paulo estivesse aludindo a essa expressão em 1Coríntios 11.10, ao falar sobre a mulher, que deveria trazer sinal de autoridade em sua cabeça, a saber, o *véu*, símbolo de sujeição a seu marido.

"A lei do nazireado, quanto à regra dos corpos mortos, era igualmente severa, como a do sumo sacerdote (ver Lv 21.11), e mais severa do que aquela que dizia respeito aos sacerdotes em geral (Lv 21.2,3)" (Ellicott, *in loc.*).

Tipologia. O discipulado cristão é uma separação vitalícia para Cristo e das coisas mundanas (ver 1Jo 2.15,16).

6.8

כֹּל יְמֵי נִזְרוֹ קָדֹשׁ הוּא לַיהוָה:

O período do voto era limitado de acordo com o que a pessoa houvesse resolvido. Nos dias do segundo templo, prevalecia um período mínimo de trinta dias. Algumas pessoas tornavam-se nazireus vitalícios. Sem importar qual fosse o período escolhido, o homem era "santo" para Yahweh. Não eram permitidas infrações. O nazireu tinha de seguir estritamente as três regras principais: nenhuma bebida intoxicante (vss. 3 e 4); nenhuma navalha podia ser usada em sua cabeça e barba (vs. 5); ele não podia tocar em cadáver, mesmo que fosse de um parente próximo que morresse durante o período de seu voto (vs. 6). A palavra hebraica aqui usada, *qadosh*, vem da raiz que significa "consagrado", "santo". Denota a esfera do sagrado, onde homens espirituais sérios encontram comunhão com Deus.

6.9

וְכִי־יָמוּת מֵת עָלָיו בְּפֶתַע פִּתְאֹם וְטִמֵּא רֹאשׁ נִזְרוֹ
וְגִלַּח רֹאשׁוֹ בְּיוֹם טָהֳרָתוֹ בַּיּוֹם הַשְּׁבִיעִי יְגַלְּחֶנּוּ:

Se alguém vier a morrer junto a ele subitamente. Se um nazireu quebrasse por acidente a *terceira* regra (vs. 6), o seu voto ficaria automaticamente anulado. E então tinha de passar por uma série de ritos: precisava raspar a cabeça no dia da purificação, o que anulava de vez o voto, visto que sua cabeça e sua barba raspados eram símbolos dessa anulação. Isso ocorria no sétimo dia depois do contato com o cadáver. Ele só podia recuperar a limpeza após o período de espera de sete dias. Em seguida, passava por um rito de purificação, provavelmente um banho de imersão de corpo inteiro; e então raspava a cabeça. Em seguida, vinham os vários sacrifícios e ritos descritos nos vss. 10 ss. Quando tudo isso já estava feito, então ele renovava o seu voto, começando tudo de novo. Em Levítico 22.5, aprendemos como tal toque transmitia santidade ou imundícia. Ver Levítico 15.5 quanto ao *banho* e ritos de purificação similares.

■ 6.10

וּבַיּוֹם הַשְּׁמִינִי יָבִא שְׁתֵּי תֹרִים אוֹ שְׁנֵי בְּנֵי יוֹנָה
אֶל־הַכֹּהֵן אֶל־פֶּתַח אֹהֶל מוֹעֵד׃

Depois do banho ritualista e de ter raspado a cabeça, a saber, no oitavo dia, ele precisava oferecer os sacrifícios apropriados. Isso era feito com o animal de menor preço, entre os animais próprios para sacrifício, a saber, as duas espécies de aves permitidas. Ver os *cinco* animais permitidos nos sacrifícios, nas notas sobre Levítico 1.14-16. Quanto ao oferecimento da rola ou do pombinho, ver Levítico 12.8 e 15.14,29. Descrevi o processo sacrificial envolvido com essas aves em Levítico 1.14-16, cujas notas também se aplicam ali.

À porta da tenda da congregação. Ou seja, pelo lado de dentro da *primeira cortina*, que fazia parte da "parede" que circundava o átrio. Ver as notas sobre as "três cortinas" do tabernáculo, em Êx 26.36. No lado direito do altar, o sacrifício era usualmente feito por aquele que trazia o animal a ser sacrificado. Então era levado a efeito o rito, pelo sacerdote oficiante. Mas, no caso de *aves*, era o próprio sacerdote que as abatia.

■ 6.11

וְעָשָׂה הַכֹּהֵן אֶחָד לְחַטָּאת וְאֶחָד לְעֹלָה וְכִפֶּר עָלָיו
מֵאֲשֶׁר חָטָא עַל־הַנָּפֶשׁ וְקִדַּשׁ אֶת־רֹאשׁוֹ בַּיּוֹם הַהוּא׃

Duas aves eram oferecidas, uma como oferta pelo pecado, e outra como oferta pela transgressão. Antes da exposição sobre o livro de Levítico, ofereci um gráfico que ilustra todos os tipos de oferendas e suas principais características, juntamente com a maneira de oferecê-las.

Oferta pelo pecado. Ver as notas em Levítico 6.25,30, e notas adicionais em Levítico 4.1-35.

Holocausto. Ver notas em Levítico 7.1-7, e notas adicionais em Levítico 6.1-7.

Alguns intérpretes não percebem por que o homem tinha de fazer essas oferendas, *como se* ele tivesse pecado. Lembremo-nos, porém, de que a mente hebreia não distinguia entre o cerimonialmente impuro e o moralmente impuro. Ao tornar-se cerimonialmente imundo, por haver tocado em um cadáver, um homem ficava moralmente imundo, ou seja, em estado de pecado. Logo, era mister haver *expiação*. Ver no *Dicionário* o artigo chamado Expiação.

Consagrará a sua cabeça. Ou seja, seus cabelos começarão a crescer de novo, e ele recuperará assim os cabelos e a barba que eram o símbolo de seu voto de nazireado. Ver sobre os vss. 5 e 7. Naturalmente, os demais itens também precisavam ser observados (vss. 3 e 6), mas os cabelos longos serviam de sinal da totalidade do voto.

■ 6.12

וְהִזִּיר לַיהוָה אֶת־יְמֵי נִזְרוֹ וְהֵבִיא כֶּבֶשׂ בֶּן־שְׁנָתוֹ
לְאָשָׁם וְהַיָּמִים הָרִאשֹׁנִים יִפְּלוּ כִּי טָמֵא נִזְרוֹ׃

Então consagrará os dias. Isto é, pela segunda vez, renovando seu voto e estabelecendo um número determinado de dias para a duração de seu compromisso. Ver o segundo versículo deste capítulo.

Além da oferta de aves, ele também tinha de oferecer um cordeiro. O carneiro, o bode e o touro eram os três animais de maior porte que podiam ser oferecidos em sacrifício. Dependendo do sacrifício, espécimes masculinos ou femininos eram usados, e também de diferentes idades. Ver os *cinco* animais diferentes que eram sacrificados, nas notas sobre Levítico 1.14-16.

Os dias antecedentes. Se um homem tivesse votado um nazireado de trinta dias, e tivesse servido por dez dias antes de tornar-se imundo, não podia deduzir o número de dias que já houvesse guardado, mas teria de recomeçar desde o início, guardando seu nazireado por trinta dias. Não havia tal coisa como um voto cumprido *em parte*.

O cordeiro tinha de ser *sem defeito*, conforme se vê em Levítico 22.20 e suas notas expositivas. Precisava ter 1 ano de idade. O primeiro cordeiro deveria ser macho (vs. 12).

■ 6.13

וְזֹאת תּוֹרַת הַנָּזִיר בְּיוֹם מְלֹאת יְמֵי נִזְרוֹ יָבִיא אֹתוֹ
אֶל־פֶּתַח אֹהֶל מוֹעֵד׃

Fim do Nazireado. Terminado o prazo originalmente designado (que era um mínimo de trinta dias, nos tempos do segundo templo), mais ritos precisavam ser levados a efeito, a fim de que o nazireu fosse liberado de seu voto. Mais sacrifícios estavam envolvidos, descritos no versículo seguinte. Ele precisava trazer as oferendas apropriadas à porta do tabernáculo, ou seja, diante da *primeira cortina*, que servia de porta na parede leste da cerca do tabernáculo. Ver Êxodo 26.36 e suas notas quanto às *três cortinas* do tabernáculo, nas notas de introdução a Êxodo 26.1. O homem apresentava-se ali, trazendo o seu sacrifício, diante da primeira cortina.

A Prática Era Muito Completa. Era mister um holocausto; uma oferta pelo pecado e uma oferta pacífica; e também uma oferta de manjares. Ver o gráfico imediatamente antes da exposição sobre Levítico 1.1 quanto aos vários tipos de oferenda, seu *modus operandi* e seu significado.

Será trazido. É difícil entender aqui o original hebraico. O homem tinha de ser trazido? Ele não viera voluntariamente? Talvez o autor quisesse dizer que o sacrifício fora trazido pelo homem, o qual se apresentara *voluntariamente* diante da primeira cortina. Parece que esse é o sentido da frase, apesar de um fraseado possivelmente difícil de acompanhar. O Targum de Jonathan diz que "ele trouxera a si mesmo". Alguns estudiosos supõem que um sacerdote fosse enviado para trazê-lo, relembrando-lhe então de que tinham terminado os dias de seu voto. Aben Ezra afirmou que ele *tinha* de vir, sem importar se quisesse interromper seu voto ou não. Os dias especificados precisavam ser observados. Não podiam ser ampliados. Se o homem quisesse um período mais longo, então teria de fazer um novo voto, com um novo período de prazo especificado.

■ 6.14

וְהִקְרִיב אֶת־קָרְבָּנוֹ לַיהוָה כֶּבֶשׂ בֶּן־שְׁנָתוֹ תָמִים
אֶחָד לְעֹלָה וְכַבְשָׂה אַחַת בַּת־שְׁנָתָהּ תְּמִימָה לְחַטָּאת
וְאַיִל־אֶחָד תָּמִים לִשְׁלָמִים׃

Ele apresentará. No hebraico temos um verbo que significa "aproximar". A palavra é "corbã", usada também em Marcos 7.11. As oferendas eram *presentes* apresentados a Yahweh, de certo ponto de vista. O homem dá ao Senhor o dom de sua vida.

Juntamente com a oferta pacífica ou oferta de cereais, havia uma *refeição de comunhão*, pelo que a expiação resulta em comunhão. O nazireu e seus familiares participavam da refeição comunal, enquanto Yahweh era o participante invisível. Parte da carne também cabia ao ofertante, no tocante a essa festa. Ver as notas sobre o vs. 20 deste capítulo.

As Três Oferendas:

1. *A oferta pelo pecado.* Ver Levítico 5.1-6. O homem talvez tivesse cometido algum pecado (o que é mais provável) durante o seu período de preparação. E era preciso fazer expiação por tal(is) pecado(s).
2. *O holocausto.* Ver Levítico 1.10-13. O homem dava a entender, por esse meio, que se dedicara em separação absoluta a Yahweh, o alvo de toda a sua vida espiritual.
3. *A oferta pacífica*, de cereais. Com isso, o homem estava equipado para ter comunhão com Yahweh. Ver Levítico 3.6-11 e 7.11-14. Ver o gráfico antes de Levítico 1.1, quanto aos vários tipos de oferenda, seu *modus operandi* e seu significado.

6.15

וְסַ֣ל מַצּ֗וֹת סֹ֤לֶת חַלֹּת֙ בְּלוּלֹ֣ת בַּשֶּׁ֔מֶן וּרְקִיקֵ֥י מַצּ֖וֹת מְשֻׁחִ֣ים בַּשָּׁ֑מֶן וּמִנְחָתָ֖ם וְנִסְכֵּיהֶֽם׃

Este versículo fornece os elementos da oferta de cereais, que vimos comentada em Levítico 7.12,13. Ver também Êxodo 29.2. Havia bolos e obreias, dez de cada. Parte era oferecido a Yahweh, e o resto era consumido na refeição comunal.

As suas libações. Ver no *Dicionário* o verbete chamado *Libação*, quanto a plenos detalhes, bem como Levítico 2.13. Ver também Números 15.3.

6.16

וְהִקְרִ֥יב הַכֹּהֵ֖ן לִפְנֵ֣י יְהוָ֑ה וְעָשָׂ֥ה אֶת־חַטָּאת֖וֹ וְאֶת־עֹלָתֽוֹ׃

Perante o Senhor. Ou seja, no recinto do tabernáculo, onde Yahweh manifestava a sua presença. O altar onde eram oferecidos os sacrifícios ficava defronte da segunda cortina, que separava o Lugar Santo do Santo dos Santos, sendo que era nesse ambiente mais interior que Deus se manifestava mais especialmente. Ver sobre as *três cortinas* nas notas sobre Êxodo 26.36. Ver a planta baixa do tabernáculo, nas notas introdutórias sobre Êxodo 26.1.

Oferta pelo pecado... holocausto. Ver as notas sobre o vs. 14 deste capítulo.

6.17

וְאֶת־הָאַ֛יִל יַעֲשֶׂ֥ה זֶ֛בַח שְׁלָמִ֖ים לַיהוָ֑ה עַ֖ל סַ֣ל הַמַּצּ֑וֹת וְעָשָׂה֙ הַכֹּהֵ֔ן אֶת־מִנְחָת֖וֹ וְאֶת־נִסְכּֽוֹ׃

Em conexão com as *ofertas pacíficas* (feitas com cereais), havia o oferecimento de um *carneiro*. Três animais de grande porte eram usados nesse rito: um cordeiro e uma cordeira (vs. 14), e um carneiro. Ver os *cinco* animais que podiam ser sacrificados, nas notas sobre Levítico 1.14-16. Os itens deste versículo são repetições do que já fora encontrado no vs. 14, exceto a menção ao carneiro. Cf. Números 28 e 29.

6.18

וְגִלַּ֣ח הַנָּזִ֗יר פֶּ֛תַח אֹ֥הֶל מוֹעֵ֖ד אֶת־רֹ֣אשׁ נִזְר֑וֹ וְלָקַ֗ח אֶת־שְׂעַר֙ רֹ֣אשׁ נִזְר֔וֹ וְנָתַן֙ עַל־הָאֵ֔שׁ אֲשֶׁר־תַּ֖חַת זֶ֥בַח הַשְּׁלָמִֽים׃

Rapará a cabeleira do seu nazireado. Os estudiosos da teologia histórica informam-nos que várias culturas antigas contavam com *oferendas de cabelos*. Há algo de misterioso acerca de como os cabelos crescem no couro cabeludo. O cabelo cresce pelas raízes, e não pelas pontas. De fato, não muito longe da raiz, o fio de cabelo já está morto, incapaz de crescer. Portanto, o crescimento processa-se somente na raiz, onde há vida. Esse misterioso processo sugere uma origem oculta da vida biológica. Há algo de "mágico" nos cabelos longos.

Os homens davam grande valor às barbas longas, que lhes emprestavam um toque de venerabilidade. Os cabelos longos de uma mulher eram um dos fatores de sua beleza. Várias superstições estavam associadas aos cabelos; mas tais superstições já haviam sido abandonadas em Israel quando este texto foi escrito. Mas os cabelos mantiveram uma aura de mistério. Nada mais apropriado para ser oferecido a Yahweh do que esse fator *precioso* e *misterioso*. O ato de serem cortados os cabelos punha fim ao período do nazireado. Os cabelos cortados, pois, compunham uma *quinta* oferenda, a saber: um cordeiro; uma cordeira; uma oferta de manjares; um carneiro; os cabelos cortados. Somente a mente hebreia poderia pensar em algo tão complexo como final de um simples voto.

Os cabelos cortados eram queimados por baixo da oferta pacífica. Os cabelos são aquela porção do corpo humano que cresce com maior rapidez. "Oferendas de cabelos são frequentes nas religiões primitivas; e tinham lugar porque os cabelos, como parte do corpo que cresce com maior rapidez, seriam dotados de poderes divinos, vitalizantes. Ao oferecer seus cabelos, que tinham crescido durante o período de seu voto, o nazireu dava assim a entender que reconhecia que tinha sido guardado pela força que Deus provê" (John Marsh, *in loc.*).

Os cabelos apontavam para a *consagração* a Deus que estava em sua cabeça. Agora era sacrificado a Yahweh, porquanto o voto tomado chegara ao fim. Ver as notas sobre o vs. 7 deste capítulo. No *Dicionário*, ver o verbete intitulado *Cabelos*.

6.19,20

וְלָקַ֣ח הַכֹּהֵ֣ן אֶת־הַזְּרֹ֣עַ בְּשֵׁלָה֮ מִן־הָאַיִל֒ וְחַלַּ֨ת מַצָּ֤ה אַחַת֙ מִן־הַסַּ֔ל וּרְקִ֥יק מַצָּ֖ה אֶחָ֑ד וְנָתַן֙ עַל־כַּפֵּ֣י הַנָּזִ֔יר אַחַ֖ר הִתְגַּלְּח֥וֹ אֶת־נִזְרֽוֹ׃

וְהֵנִ֨יף אוֹתָ֤ם הַכֹּהֵן֙ תְּנוּפָה֙ לִפְנֵ֣י יְהוָ֔ה קֹ֥דֶשׁ הוּא֙ לַכֹּהֵ֔ן עַ֚ל חֲזֵ֣ה הַתְּנוּפָ֔ה וְעַ֖ל שׁ֣וֹק הַתְּרוּמָ֑ה וְאַחַ֛ר יִשְׁתֶּ֥ה הַנָּזִ֖יר יָֽיִן׃

Em oferta movida. O grande final do voto era essa oferta. Ver as notas sobre isso em Êxodo 29.23,24. Os elementos dessa oferta eram porções da carne do carneiro e uma obreia sem fermento. Esses elementos eram postos nas mãos do nazireu, provavelmente com as mãos do sacerdote por baixo das dele, e eram movidos para frente e para trás diante de Yahweh, para chamar-lhe a atenção, indicando que a cerimônia inteira era aceita e levada a bom termo. Eram usados o ombro e o peito nessa oferta movida. Alguns eruditos veem aqui *dois* atos: a oferta movida, em que era usado o peito; e uma oferta erguida, em que era usado o ombro. Na opinião de alguns, essa oferta eram levantada e baixada, ao passo que o peito era movido para frente e para trás. Mas outros estudiosos pensam que o original hebraico indica apenas uma oferta movida, com os dois elementos de carne e de bolos.

Chegara ao Fim o Voto do Nazireado. O nazireu, depois disso, podia beber vinho e ocupar-se em atividades normais. Seguia-se uma refeição comunal, da qual participavam o nazireu e seus familiares.

6.21

זֹ֣את תּוֹרַ֣ת הַנָּזִיר֮ אֲשֶׁ֣ר יִדֹּר֒ קָרְבָּנ֣וֹ לַֽיהוָה֮ עַל־נִזְרוֹ֒ מִלְּבַ֖ד אֲשֶׁר־תַּשִּׂ֣יג יָד֑וֹ כְּפִ֤י נִדְרוֹ֙ אֲשֶׁ֣ר יִדֹּ֔ר כֵּ֣ן יַעֲשֶׂ֔ה עַ֖ל תּוֹרַ֥ת נִזְרֽוֹ׃ פ

Este versículo é uma espécie de sumário do voto do nazireado, cuja explicação ocupou os vss. 2 a 20 deste capítulo. O voto de nazireado tornou-se uma *lei* que fazia parte da legislação mosaica. Era um voto *voluntário*. Porém, uma vez feito, precisava ser cumprido com toda a precisão. Ver Atos 21.23-26 quanto a um paralelo no Novo Testamento.

Afora o que as suas posses lhe permitirem. Certos sacrifícios e oferendas eram requeridos. Mas se o homem quisesse oferecer outras coisas, ajudando assim a sustentar o sacerdócio e financiar as despesas do tabernáculo, então, em sua generosidade, podia fazê-lo, o que emprestaria maior valor ao seu voto.

6.22

וַיְדַבֵּ֥ר יְהוָ֖ה אֶל־מֹשֶׁ֥ה לֵּאמֹֽר׃

Disse o Senhor. Essa expressão é usada para introduzir novos materiais. E também nos lembra da doutrina da inspiração divina da Bíblia. Ver as notas a respeito em Levítico 1.1 e 4.1.

6.23

דַּבֵּ֤ר אֶֽל־אַהֲרֹן֙ וְאֶל־בָּנָ֣יו לֵאמֹ֔ר כֹּ֥ה תְבָרֲכ֖וּ אֶת־בְּנֵ֣י יִשְׂרָאֵ֑ל אָמ֖וֹר לָהֶֽם׃ ס

Fórmulas de Comunicação. Moisés era o mediador entre Yahweh e o povo. Algumas vezes, ele transmitia as mensagens divinas a Arão; de outras vezes, a Arão e seus filhos; e ainda de outras vezes, ao povo de Israel. Há *oito* dessas fórmulas de comunicação. Ver as notas sobre essa questão em Levítico 17.2. No caso presente, o *sacerdócio* foi instruído a abençoar especificamente o povo de Israel, com vistas ao bem temporal e material deles. Isso posto, nos versículos seguintes achamos a *bênção aarônica*.

Na opinião de alguns eruditos, essa bênção é relativamente tardia, pelo que a atribuem à fonte P. Ver no *Dicionário* o artigo intitulado

J.E.D.P.(S.), dando atenção às datas atribuídas a cada uma dessas supostas fontes informativas. Trata-se de uma múltipla teoria de origens do Pentateuco. Nada existe na própria declaração de bênção, porém, que nos obrigue a atribuí-la a uma data mais recente. Alguns supõem que essa bênção seja de origem pré-exílica, e ela se tornou muito popular. A Mishnah diz que essa bênção era usada diariamente no ritual do templo. O nome divino, *Yahweh,* era pronunciado, e não o nome divino substituto, *Adonai;* e isso emprestava grande prestígio a essa bênção, porquanto o nome divino era ouvido a ressoar nos recintos do templo. Tratava-se de algo muito solene para os judeus, que normalmente evitavam proferir esse nome de Deus.

A bênção divide-se em três partes. Mas cristianizar isso e ver nela uma alusão à Trindade não é exegese, e, sim, *eisegesis,* ou seja, algo que "lemos" no texto, mas que, na realidade, não está ali.

Se certas coisas *materiais,* como colheitas abundantes, bom regime de chuvas, vitórias militares, isenção de enfermidades e prosperidade certamente faziam parte dos desejos implícitos nessa bênção, os hebreus também eram sensíveis para com as realidades espirituais, incluindo-as nas bênçãos divinas.

Eles esperavam a total *providência de Deus* (ver acerca disso no *Dicionário*). Essa bênção tinha por finalidade apor o nome de Yahweh (e, portanto, sua presença espiritual, sua provisão e sua proteção) sobre o povo. A formação das tribos, em redor do tabernáculos, com seus vários acampamentos (ver o segundo capítulo), já servia de símbolo da presença de Deus, no centro de toda a vida e existência. E agora encontramos uma bênção que envolve o mesmo propósito.

6.24

יְבָרֶכְךָ יְהוָה וְיִשְׁמְרֶךָ׃ ס

O Senhor te abençoe e te guarde. Deus (Yahweh, neste caso) é a fonte de todas as bênçãos (ver Tg 1.17).

> Haverá chuvas de bênçãos;
> Essa é a promessa do amor;
> Haverá estações de refrigério;
> Todas vindas de nosso Senhor.
>
> El Nathan

O nome sagrado, *Yahweh,* figura por três vezes nessa bênção aarônica.

"O Senhor seja bondoso convosco, conferindo-vos suas excelentes promessas! Que ele vos *preserve* na posse de todos os bens e vos guarde de todos os males que vos poderiam ameaçar" (Adam Clarke, *in loc.*).

Abençoe. No hebraico temos a palavra *barak,* termo usado positivamente para indicar "bênção", e, negativamente, para indicar "maldição". Aparece por 415 vezes no Antigo Testamento. "Abençoar, no Antigo Testamento, significava 'dotar de poder para o sucesso, a prosperidade, a fecundidade, a longevidade' etc. É por muitas vezes contrastado com *galal,* 'dar pouco valor', 'amaldiçoar'" (*Theological World Book of the Old Testament,* Moody Press).

Guarde. No hebraico, *shamar,* "guardar", "observar", "proteger". O *shimmur* era a "vigília noturna" (Êx 12.42). É termo usado por 5.420 vezes no Antigo Testamento, com sua variedade de significados. Yahweh nos observa; cuida de nós; guarda-nos. Ele é um vigia que nunca descansa, certificando-se de que estamos seguros e abençoados.

> Tu, minha eterna porção,
> Para mim, mais do que
> Vida ou Amigo; o tempo todo,
> em minha peregrinação,
> Salvador, quero andar contigo.
>
> Fanny J. Crosby

Os crentes são *guardados* "do fim do mundo; da maldade; de Satanás; do mal do pecado; de se desviarem; são mantidos em um estado de graça para a salvação eterna" (John Gill, *in loc.*). Estão em pauta a proteção divina, física e espiritual. Há perigos que precisam ser evitados; há benefícios a serem recebidos. Deus nos guarda mediante o seu *favor* permanente, que se manifesta em nosso favor, de muitas maneiras diferentes. Sua presença nunca se afasta, e ele é o nosso vigia.

6.25

יָאֵר יְהוָה פָּנָיו אֵלֶיךָ וִיחֻנֶּךָּ׃ ס

Faça resplandecer o seu rosto. Isso quer dizer, "dê sua aprovação, proteção e iluminação". O rosto do Senhor é luz para a alma. O tabernáculo era um lugar onde se manifestava a presença de Yahweh. Mas o indivíduo também recebe a bênção do rosto divino, que aprova e ilumina. Ver no *Dicionário* o artigo chamado *Iluminação.* Deus é o Sol da Justiça. Sua iluminação transforma a alma. Nessa iluminação há comunhão. No tabernáculo havia oferendas de comunhão, bem como a refeição comunal, que celebravam a comunhão com Deus. Mas o indivíduo também pode gozar do contato pessoal com o poder divino. Ver no *Dicionário* o verbete chamado *Misticismo.*

> Santo Espírito de luz divina,
> Brilha sobre este meu coração;
> Espanta as sombras, e também ilumina,
> E me salva a alma de toda perdição.
>
> Andrew Reed

Tenha misericórdia de ti. No hebraico lemos a palavra *hen,* "favor", equivalente à "graça" (no grego, *xáris*) do Novo Testamento, indicando alguma coisa "dada gratuitamente". Uma palavra cognata, aparece no hebraico em Jó 41.1, que significa "conceder um favor", "sentir compaixão". Nossa versão portuguesa diz "acordo". Deus está sempre pronto a *intervir* e conceder-nos tudo de quanto carecemos, tudo quanto nos for útil, tudo quanto promover nossa missão e bem-estar. Em Yahweh temos tudo quando for necessário para a vida e a existência. Oh, Senhor, concede-nos tal graça!

> Oh! à graça sou grande devedor,
> E a isso constrangido todo dia;
> Que tua graça, qual corrente de amor,
> Me ligue a ti, com grande alegria.
>
> Robert Robinson

6.26

יִשָּׂא יְהוָה פָּנָיו אֵלֶיךָ וְיָשֵׂם לְךָ שָׁלוֹם׃ ס

Levante o seu rosto. No hebraico temos *panim,* "face", "presença". Um termo usado literal e metaforicamente. Yahweh cuida de nós e vigia sobre nós; ele considera com favor o homem espiritual. Ele concede sua graça e provisão. Não há coisa boa que ele não nos conceda. Assim como um pai não dá a seu filho uma pedra, quando ele lhe pede um pão, ou uma serpente, quando lhe pede um peixe (ver Mt 7.9-10), assim também Yahweh mostra-nos o seu rosto, para o nosso bem. Ele "volta-se" para seus filhos, disposto a fazer-lhes o bem, conforme essa expressão pode significar. E eles contemplam o seu rosto com expectação; em sua graça, supre-lhes todas as suas necessidades. Os homens anelam por ver o rosto de Deus. Mas seu rosto está sempre presente, para aqueles que o buscam. Um homem poderia perecer, se visse a face de Deus (ver Êx 19.21); mas, para o homem espiritual, essa contemplação redunda em bem. Na dispensação do Novo Testamento, Cristo é a face de Deus e, à contemplação de seu rosto, vamos sendo transformados segundo a sua imagem (ver 2Co 3.18).

E te dê a paz. Ver no *Dicionário* o artigo detalhado chamado *Paz.* A paz é um dos aspectos do fruto do Espírito (ver Gl 5.22,23). A paz consiste na ausência de discórdia, e também no consolo do amor. É segurança, mas também é a bênção eterna da harmonia com Deus. Há paz na retidão. Há paz no ministério do Espírito, o qual cultiva em nós o seu amor.

> Quando paz como um rio preenche meu caminho,
> Quando rolam as tristezas como
> ondas do mar;
> Tens-me ensinado a dizer, apesar
> de todo espinho,
> Vai tudo bem, tu me ensinaste
> a me alegrar.
>
> H. G. Spafford

Jesus é o Príncipe da Paz (ver Is 9.6). No hebraico, paz é a familiar palavra *shalom.* A raiz dessa palavra significa "término", "cumprimento", indicando que a pessoa que goza de paz entrou em um estado de "integridade" e "unidade", em uma condição e em um lugar onde impera a *harmonia*. Quando duas partes acordavam, ambas entravam em um estado de harmonia e contentamento. O pagamento de um voto (Sl 50.14) produz a paz. Nas formas adjetivadas da palavras, estão contidas as ideias de "perfeição" e de "algo terminado". *Prosperidade* é um termo correlato, porquanto ela nos confere paz diante das necessidades. Ademais, na paz há *segurança*. A paz de Deus é uma provisão de pacto. O povo que entrou em pacto com Deus habita em sua paz.

■ 6.27

וְשָׂמוּ אֶת־שְׁמִי עַל־בְּנֵי יִשְׂרָאֵל וַאֲנִי אֲבָרֲכֵם: פ

Porão o meu nome sobre os filhos de Israel. O nome divino é mais do que um mero título. O nome de Deus aponta para a sua presença, poder e bênção. O nome divino é gravado sobre um crente tal como um escravo era marcado a ferro em brasa. Desse modo, tal crente era identificado com aquele que tinha o nome. "Yahweh" era o nome revelado. Israel promovia a nova fé revelada, o "yahwismo". Esse foi um grande avanço espiritual. Aqueles que desfrutavam desse avanço traziam em si mesmo o novo nome da divindade. Os antigos israelitas acreditavam na importância dos nomes, supondo que nos nomes havia um certo destino. E os que traziam o nome de Yahweh recebiam um novo destino.

No hebraico, temos a palavra *shem*, usada por 864 vezes no Antigo Testamento. O significado da raiz é desconhecido, mas na prática parece haver uma ligação com a ideia de "monumento", algo sobre o qual nomes e títulos eram costumeiramente gravados. Esperava-se que os nomes pessoais concordassem com a personalidade, o caráter e o destino de uma pessoa. Ver 1Samuel 25.25. Alguns criam que pronunciar um nome podia afetar uma pessoa para o bem ou para o mal. No exorcismo, era considerado importante saber o nome do demônio a ser expelido, pois isso parecia prover ao exorcista um instrumento de comando. O grande tetragrama, YHWH (pronunciado *Yahweh*, ao receber os sinais vocálicos), era o nome gravado no monumento de Israel.

> Toma contigo o nome de Jesus,
> Filho da tristeza e do lamento;
> Alegria e consolo receberás da cruz;
> Leva-o contigo, por onde
> quer que fores.
>
> Lydia Baxter

E eu os abençoarei. Essa é a palavra geral do texto: pois aquele que é guardado pelo Senhor, que conta com o brilho do rosto do Senhor sobre ele, que está sendo abençoado por ele, que goza da paz divina, que tem o nome do Senhor gravado sobre ele, sim, esse é o homem cuja vida é bafejada pela bênção divina. Notemos como a bênção aarônica começa com o verbo "abençoar" (vs. 24) e termina com o mesmo verbo (vs. 27). Ver as notas sobre o vs. 24 quanto aos detalhes. O Targum de Jonathan diz aqui: "Eu os abençoarei em minha Palavra". Sim, é o Logos do Novo Testamento que concede a todos os seres humanos todas as bênçãos divinas, mediante a sua encarnação e através do seu Espírito. nele todas as nações estão sendo abençoadas (Gn 18.18; 22.18), porquanto ele está cumprindo as grandes provisões do Pacto Abraâmico. Ver as notas sobre esse pacto em Gênesis 15.18.

CAPÍTULO SETE

ENUMERAÇÃO DAS OFERTAS DOS PRÍNCIPES (7.1-89)

O *princípio da contribuição* foi ensinado aos filhos de Israel quando eles ainda estavam no deserto. Teria sido impossível erigir o tabernáculo sem a generosidade dos filhos de Israel. Ademais, havia a questão do sustento do ministério. A tribo de Levi tornou-se uma casta sacerdotal (ver Nm 1.47 ss.), ao substituir os primogênitos como o ministério espiritual (ver Nm 3.11 ss.). Esse novo sistema seria mantido pelas ofertas das demais tribos. Assim, este sétimo capítulo delineia o que *cada tribo* trouxe como sua contribuição para essa obra. O tempo retrocede para a época de Êxodo 40.17 (cf. Nm 1.1), a saber, no dia em que Moisés terminou de levantar o tabernáculo. O culto divino não podia sofrer interrupção. Provisão imediata deveria haver para a sua inauguração.

Em primeiro lugar, temos a apresentação dos vagões para o transporte das peças do tabernáculo. O livro de Números é aquele que nos conta como o povo de Israel deixou o Sinai e pôs-se a caminho para a fronteira da Terra Prometida. Em seguida, encontramos a apresentação de provisões para o sustento do trabalho, em que cada tribo contribuiu com sua parte. A adoração comum de Israel, e a unidade universal em torno desse culto, emprestava ao povo um centro de vida, tal como as várias tribos acampavam-se em redor do tabernáculo, como seu centro geográfico. Ver sobre essa questão nas notas sobre o segundo capítulo de Números.

■ 7.1

וַיְהִי בְּיוֹם כַּלּוֹת מֹשֶׁה לְהָקִים אֶת־הַמִּשְׁכָּן וַיִּמְשַׁח אֹתוֹ וַיְקַדֵּשׁ אֹתוֹ וְאֶת־כָּל־כֵּלָיו וְאֶת־הַמִּזְבֵּחַ וְאֶת־כָּל־כֵּלָיו וַיִּמְשָׁחֵם וַיְקַדֵּשׁ אֹתָם:

No dia. Temos aqui o elemento tempo. Ver Êxodo 40.17 e Números 1.1. Terminada a construção do tabernáculo, foram iniciadas as provisões para seu transporte e manutenção. Ver a introdução a este sétimo capítulo, quanto aos detalhes. Aquele *dia* foi o primeiro dia do primeiro mês do segundo ano após a saída de Israel do Egito, ou seja, um mês antes dos eventos registrados nos capítulos 1—4 do livro de Números. Minhas notas em Êxodo dão os detalhes do elemento tempo, pelo que não preciso repeti-los aqui. Ver também Êxodo 40.2.

"Este capítulo aponta, em retrospecto, para um mês antes, quando o tabernáculo acabara de ser levantado e dedicado. Em preparação para a ida desde o Sinai à Terra Prometida, os líderes de cada tribo trouxeram ao Senhor presentes de seis vagões e doze bois. E estes ficariam à disposição dos levitas, para ajudá-los em seu trabalho de transportar o tabernáculo e seu conteúdo (vss. 4,5)" (Eugene H. Merrill, *in loc.*).

Quanto ao relato da unção e dedicação do tabernáculo, ver Êxodo 30.23-28 e Levítico 8.10. Ver também Êxodo 40.17-33 quanto à construção do tabernáculo e seu altar. "Parece que, em confronto entre Êxodo 40.17 e Números 10.11, passaram-se cinquenta dias entre a construção do tabernáculo e a partida do Sinai" (Ellicott, *in loc.*).

■ 7.2

וַיַּקְרִיבוּ נְשִׂיאֵי יִשְׂרָאֵל רָאשֵׁי בֵּית אֲבֹתָם הֵם נְשִׂיאֵי הַמַּטֹּת הֵם הָעֹמְדִים עַל־הַפְּקֻדִים:

Os príncipes de Israel. Esses tomaram a iniciativa sobre a questão das ofertas, visto que cada tribo contribuiu com uma parte igual. O autor sacro leva-nos de volta à informação dada em Números 1.5 ss. Eles tinham estado envolvidos no *recenseamento*, e agora lideravam em outra questão vital para Israel. Aquele trecho fornece-nos os nomes de todos eles. Foi ali que comentei acerca deles, mostrando tudo quanto se sabe sobre eles. Cada tribo tinha seu próprio *príncipe*, uma espécie de chefe de clãs e de famílias. O Targum de Jonathan supõe que esses príncipes já houvessem sido nomeados pelas tribos, quando Israel ainda estava escravizado aos egípcios; e, assim, simplesmente eles estavam dando continuidade ao seu trabalho. É possível que muitos ou mesmo todos esses *príncipes* tenham sobrevivido, levando avante o seu trabalho no deserto.

■ 7.3

וַיָּבִיאוּ אֶת־קָרְבָּנָם לִפְנֵי יְהוָה שֵׁשׁ־עֶגְלֹת צָב וּשְׁנֵי עָשָׂר בָּקָר עֲגָלָה עַל־שְׁנֵי הַנְּשִׂאִים וְשׁוֹר לְאֶחָד וַיַּקְרִיבוּ אוֹתָם לִפְנֵי הַמִּשְׁכָּן:

A sua oferta. Os presentes que possibilitaram o transporte do tabernáculo desmontado foram seis vagões cobertos, ou seja, um vagão para cada dois príncipes; e doze bois, um para cada príncipe. Dessarte, cada uma das doze tribos contribuiu com exatamente o mesmo tipo de presente. O quarto capítulo revela-nos os deveres das *três* divisões dos levitas, descendentes dos três filhos de Arão, Gérson, Coate e Merari (Nm 3.17). Cada divisão sacerdotal estava encarregada de deveres específicos, para proteção, reparos e transporte do tabernáculo. O autor sagrado, *graciosamente,* não repetiu toda aquela informação, mas somente falou sobre os vagões como meios de transporte. Se o leitor quiser saber quais porções do tabernáculo eram transportadas por cada divisão dos levitas, terá de examinar o quarto capítulo de Números.

Os vagões eram *cobertos* (cf. Is 46.20). Isso dava maior proteção ao material transportado. Ver no *Dicionário* o artigo geral chamado *Carro*.

■ 7.4

וַיְדַבֵּר יְהוָה אֶל־מֹשֶׁה לֵּאמֹר׃

Disse o Senhor. Uma expressão por muitas vezes usada no Pentateuco, tanto para introduzir material novo quanto para lembrar-nos da doutrina da divina inspiração das Escrituras. Ver as notas a respeito em Levítico 1.1 e 4.1.

■ 7.5

קַח מֵאִתָּם וְהָיוּ לַעֲבֹד אֶת־עֲבֹדַת אֹהֶל מוֹעֵד וְנָתַתָּה אוֹתָם אֶל־הַלְוִיִּם אִישׁ כְּפִי עֲבֹדָתוֹ׃

Presume-se que a voz de Yahweh procedeu do interior do tabernáculo. Moisés servia sempre de mediador entre ele e o povo de Israel, e foi ele quem transmitiu a mensagem aos que tinham trazido os presentes para serem usados no transporte do tabernáculo. Ver sobre as *oito fórmulas de comunicação* usadas no Pentateuco. Moisés transmitia os recados divinos a Arão, a ele e a seus filhos ou a todo o povo de Israel (e, neste caso, aos príncipes), conforme se vê em Levítico 17.2.

Moisés recebeu os vagões e os bois, da parte dos príncipes, e então os entregou para uso dos levitas (ver o vs. 6).

A cada um segundo o seu serviço. Isso para que fosse possível o trabalho do transporte, em que cada uma da três divisões dos levitas carregava sua porção designada. Ver o quarto capítulo de Números quanto às designações, ou seja, *quais partes* do tabernáculo cada divisão tinha de transportar.

Os coatitas não receberam carros, visto que lhes cabia transportar sobre os ombros os itens mais preciosos do tabernáculo (vs. 9).

■ 7.6

וַיִּקַּח מֹשֶׁה אֶת־הָעֲגָלֹת וְאֶת־הַבָּקָר וַיִּתֵּן אוֹתָם אֶל־הַלְוִיִּם׃

Os *seis* carros e os *doze* bois foram distribuídos entre os gersonitas e os meraritas. Os coatitas não receberam nem vagões nem bois, pois deviam transportar pessoalmente certos itens, que eram os mais santos objetos usados no tabernáculo (vs. 9). A distribuição de vagões e bois não foi igual entre os gersonitas e os meraritas, conforme vemos nos versículos seguintes, pois não eram os mesmos o peso e o volume das peças que eles deviam transportar.

■ 7.7

אֵת שְׁתֵּי הָעֲגָלֹת וְאֵת אַרְבַּעַת הַבָּקָר נָתַן לִבְנֵי גֵרְשׁוֹן כְּפִי עֲבֹדָתָם׃

Aos filhos de Gérson. Esses transportavam cargas mais leves, pelo que receberam dois vagões e quatro bois. Eles transportavam as cortinas e as coberturas, os véus e os varais do tabernáculo. Esses itens eram pesados e difíceis de transportar. Ver as notas em Números 4.25,26 quanto à porção dos materiais do tabernáculo que eles deviam transportar.

■ 7.8

וְאֵת אַרְבַּע הָעֲגָלֹת וְאֵת שְׁמֹנַת הַבָּקָר נָתַן לִבְנֵי מְרָרִי כְּפִי עֲבֹדָתָם בְּיַד אִיתָמָר בֶּן־אַהֲרֹן הַכֹּהֵן׃

Aos filhos de Merari. Como a carga desses era maior, foram-lhes dados quatro carros e oito bois. O trecho de Números 4.31,32 mostra-nos quais peças eles deviam transportar. Eles ficaram encarregados das tábuas, das colunas, do soquetes e das cordas, todos esses itens pesados.

Sob a direção de Itamar. Esse era o supervisor tanto dos meraritas quanto dos gersonitas, conforme vemos em Números 4.28,33. Ele verificou se os carros e os bois tinham sido entregues às pessoas certas, cuja tarefa era dirigir o trabalho de transporte.

■ 7.9

וְלִבְנֵי קְהָת לֹא נָתָן כִּי־עֲבֹדַת הַקֹּדֶשׁ עֲלֵהֶם בַּכָּתֵף יִשָּׂאוּ׃

Aos filhos de Coate. A esses foi entregue a tarefa de transportar a maior parte dos itens sagrados, a arca da aliança, a mesa dos pães da proposição, o candeeiro e os altares. Ver Números 4.4-15. Esses móveis dispunham de varais, para que pudessem ser transportados ao ombros dos carregadores. Talvez fosse considerado um erro transportar objetos tão preciosos em carros, ainda que, posteriormente, a arca da aliança tenha sido assim transportada (ver Js 3.17; 4.10; 2Sm 6.2,3).

Uma Metáfora. Falamos em "levar aos ombros a nossa responsabilidade", uma expressão idiomática que nos exorta a cumprir da maneira própria o nosso dever. Os coatitas não receberam carros. Mas transportavam aos ombros as suas cargas. Algumas coisas requerem atenção e manuseio temporal. Jesus carregou a sua cruz e cumpriu o seu dever. Todos temos cruzes a transportar. Nossas missões requerem que cumpramos nossos deveres, os quais, ao mesmo tempo, são grandes privilégios e motivos de satisfação.

■ 7.10

וַיַּקְרִיבוּ הַנְּשִׂאִים אֵת חֲנֻכַּת הַמִּזְבֵּחַ בְּיוֹם הִמָּשַׁח אֹתוֹ וַיַּקְרִיבוּ הַנְּשִׂיאִם אֶת־קָרְבָּנָם לִפְנֵי הַמִּזְבֵּחַ׃

Os príncipes. Ou seja, os representantes das *doze tribos*, chefes dos clãs. Em Números 1.5 ss. temos a lista e os comentários sobre eles. Aqueles que tinham supervisionado o censo agora tinham novas tarefas a cumprir. Antes de tudo, tiveram de providenciar os veículos para transporte do tabernáculo (vss. 3 ss.). E agora trouxeram oferendas especiais para o sustento do ministério e para o culto efetuado no tabernáculo.

No dia. Ou seja, o dia mencionado no primeiro versículo deste capítulo, referindo-se de volta a Êxodo 40.17.

Perante o altar. Ou seja, no tabernáculo, diante do altar dos holocaustos. Ver no *Dicionário* o verbete intitulado *Altar de Bronze*. Eles entravam no átrio do tabernáculo, passando pela primeira cortina, que formava a porta do átrio externo. E chegavam até diante do altar de bronze, onde depositavam suas oferendas. Ver a planta baixa do tabernáculo, na introdução a Êxodo 26.1. Esses presentes foram feitos para a dedicação do altar, para o início do culto divino no tabernáculo.

Os príncipes de Israel, os cabeças da casa de seus pais, os que foram príncipes das tribos... ofereceram, e trouxeram a sua oferta perante o Senhor... Disse o Senhor a Moisés: Recebe-o deles, e serão destinados ao serviço da tenda da congregação.

Números 7.2-5

LIBERALIDADE

- *Seu exercício* emula outros à liberalidade. (2Co 9.2)
- *Sua ausência* atrai maldições; é prova de que não amamos a Deus. É prova de que não temos fé. (Pv 28.27; 1Jo. 3.17; Tg 2.14 ss.)
- Bênçãos são vinculadas à liberalidade. (Sl 41.1; Pv 22.9)
- Promessas são feitas aos liberais. (Sl 112.9; Pv 11.25)
- Exortação a seu respeito. (Lc 3.11; At 20.35)

■ 7.11,12

וַיֹּאמֶר יְהוָה אֶל־מֹשֶׁה נָשִׂיא אֶחָד לַיּוֹם נָשִׂיא אֶחָד לַיּוֹם יַקְרִיבוּ אֶת־קָרְבָּנָם לַחֲנֻכַּת הַמִּזְבֵּחַ׃ ס

וַיְהִי הַמַּקְרִיב בַּיּוֹם הָרִאשׁוֹן אֶת־קָרְבָּנוֹ נַחְשׁוֹן בֶּן־עַמִּינָדָב לְמַטֵּה יְהוּדָה׃

Os vss. 12-88 deste capítulo dão-nos, com todos os detalhes repetidos quanto a cada tribo, os presentes que foram trazidos. Eram iguais em cada caso, pelo que, depois de comentar sobre os presentes que foram oferecidos em primeiro lugar (aqueles dados pela tribo de Judá), temos as notas acerca do capítulo inteiro. A única coisa que muda é o nome de cada príncipe e de sua tribo. E esses dois nomes introduzem as mesmas informações que são dadas no caso do príncipe Naassom, da tribo de Judá.

A ordem de apresentação dos príncipes e suas tribos é um tanto diferente da que se vê em Números 1.5 ss, pelo que o leitor deveria examinar de volta aquela lista, quanto a notas sobre cada príncipe. No primeiro caso, a tribo de Rúben é que aparecia em primeiro lugar. Mas aqui vem em primeiro lugar a tribo de Judá, a tribo principal. O Messias descendia de Judá, no tocante à carne. Ver 1Crônicas 5.2 e Apocalipse 5.5.

A *ordem aqui observada* é a dos acampamentos das tribos, em torno do tabernáculo, conforme se vê em Números 2.3 ss.

■ **7.13-17**

וְקָרְבָּנוֹ קַעֲרַת־כֶּסֶף אַחַת שְׁלֹשִׁים וּמֵאָה מִשְׁקָלָהּ מִזְרָק אֶחָד כֶּסֶף שִׁבְעִים שֶׁקֶל בְּשֶׁקֶל הַקֹּדֶשׁ שְׁנֵיהֶם מְלֵאִים סֹלֶת בְּלוּלָה בַשֶּׁמֶן לְמִנְחָה׃

כַּף אַחַת עֲשָׂרָה זָהָב מְלֵאָה קְטֹרֶת׃

פַּר אֶחָד בֶּן־בָּקָר אַיִל אֶחָד כֶּבֶשׂ־אֶחָד בֶּן־שְׁנָתוֹ לְעֹלָה׃

שְׂעִיר־עִזִּים אֶחָד לְחַטָּאת׃

וּלְזֶבַח הַשְּׁלָמִים בָּקָר שְׁנַיִם אֵילִם חֲמִשָּׁה עַתּוּדִים חֲמִשָּׁה כְּבָשִׂים בְּנֵי־שָׁנָה חֲמִשָּׁה זֶה קָרְבַּן נַחְשׁוֹן בֶּן־עַמִּינָדָב׃ פ

Os Presentes:

1. **Um** *prato de prata*. No hebraico, *kaarath,* era uma taça profunda onde podiam ser misturados ou batidos vários materiais. Ver Êxodo 25.29. Podia ser usado para misturar uma pequena quantidade de massa ou para libações, ou podia armazenar ofertas de cereais. Esses presentes podiam ser usados no culto do tabernáculo. Também tinham um valor que podia ser obtido para a promoção do culto.

   O peso desse item era de 130 siclos. Ver notas adicionais em Êxodo 30.13 e Levítico 27.25. Mas não há como comparar esse peso e seu valor com as medidas modernas.

   O *siclo,* ao que parece, era o valor que um homem podia esperar receber em um mês de trabalho. Isso nos fornece alguma ideia sobre seu valor. Uma de minhas fontes informativas calcula como o equivalente a três mil dólares o valor total doado por cada tribo. Mas isso nada significava, pois não podemos traduzir isso em "poder aquisitivo" nos dias de Moisés. O *poder aquisitivo* é o verdadeiro valor. Quando eu era criança, um homem podia comprar um pão por cinco centavos de dólar. Agora, esse mesmo pão custa vinte vezes mais.

2. **Uma** *bacia de prata*. No hebraico, *mizrak,* uma espécie de bacia de boca larga, provavelmente usada para recolher o sangue dos sacrifícios. Também podia ser usada nas ofertas de libação. Ver Êxodo 27.3. Seu peso ou valor era de setenta siclos. Era um vaso menor do que o mencionado em primeiro lugar, de menor peso e de menor valor. Ambos podiam ser usados para as ofertas de manjares, conforme diz o resto do versículo. Sempre participavam dos outros sacrifícios. Quanto às *ofertas de manjares,* ver Levítico 2.1-16 e 6.14-18.

3. **Um** *recipiente*. No hebraico, *caph,* uma espécie de vaso onde eram recolhidas as cinzas. Ver Êxodo 26.29. Há versões que falam em "prato" e até em "colher". O fato é que esse "recipiente" valia dez siclos de ouro. Portanto, esse vaso valia sete vezes mais que o primeiro desses objetos mencionados. Na verdade, não se sabe como traduzir com certeza a palavra hebraica envolvida. Sua referência primária é à "palma da mão", o que parece apontar para uma pequena taça, capaz de conter uma pequena quantidade de líquido. Os estudiosos também não chegam a um acordo quanto ao uso exato desse recipiente. Minhas notas em Êxodo 25.29 fornecem algumas ideias.

4. *Um novilho, um carneiro, um cordeiro*. Todos de 1 ano de idade, para serem oferecidos em holocausto. *Cinco* eram os animais que podiam ser sacrificados, conforme se vê nas notas sobre Levítico 1.14-16. Os animais oferecidos nessa ocasião eram totalmente consumidos no fogo. Ver sobre esse tipo de oferta, um holocausto, nas notas em Levítico 6.9-13, com ideias adicionais em Levítico 1.3-17.

5. **Um** *bode* (um dos cinco animais que podiam ser oferecidos em sacrifício). Seria oferecido como *oferta pelo pecado*. Ver esse tipo de oferenda em Levítico 6.25,30, com notas adicionais em Levítico 4.1-35. Havia mais de cinco variedades de animais a serem oferecidos, se levarmos em conta idade e sexo. Mas havia somente cinco espécies. Assim, no versículo anterior temos duas espécies diferentes, mas três animais possíveis.

6. Vários outros animais também foram doados, a fim de serem oferecidos como ofertas pacíficas ou ofertas de comunhão. Ver Levítico 7.11-21, com ideias adicionais em Levítico 3.1-17. Os animais envolvidos eram dois bois, cinco carneiros, cinco bodes, cinco cordeiros, todos eles de 1 ano de idade. Portanto, nesses presentes, foram doados dezessete animais para serem oferecidos nessa outra oferenda. Assim, o culto do tabernáculo disporia de certo suprimento de animais para serem sacrificados. E, considerando-se que esses presentes foram repetidos por cada tribo, o número deles foi bastante grande. Assim, tudo quanto se comentou nos vss. 13-17 deve ser multiplicado por doze.

O siclo do santuário. Esse era um siclo mais pesado e de maior valor. As informações a respeito são dadas nas referências acima. Ver Êxodo 30.13 quanto a essa expressão.

As *oferendas* serviriam para a consagração do sistema sacrificial do tabernáculo, ou seja, para dar *início* a seu culto. E havia um excedente de animais para serem sacrificados em outras ocasiões. Os sacerdotes alimentavam-se das porções dos sacrifícios que lhes pertenciam. Assim sendo, o sustento alimentar estava envolvido em toda a cena. Ver o gráfico existente antes de Levítico 1.1, que mostra os vários tipos de oferenda, o *modus operandi* dos sacrifícios e as porções que pertenciam aos sacerdotes.

■ **7.18-83**

בַּיּוֹם הַשֵּׁנִי הִקְרִיב נְתַנְאֵל בֶּן־צוּעָר נְשִׂיא 18 יִשָּׂשכָר׃

הִקְרִב אֶת־קָרְבָּנוֹ קַעֲרַת־כֶּסֶף אַחַת שְׁלֹשִׁים 19 וּמֵאָה מִשְׁקָלָהּ מִזְרָק אֶחָד כֶּסֶף שִׁבְעִים שֶׁקֶל בְּשֶׁקֶל הַקֹּדֶשׁ שְׁנֵיהֶם מְלֵאִים סֹלֶת בְּלוּלָה בַשֶּׁמֶן לְמִנְחָה׃

כַּף אַחַת עֲשָׂרָה זָהָב מְלֵאָה קְטֹרֶת׃ 20

פַּר אֶחָד בֶּן־בָּקָר אַיִל אֶחָד כֶּבֶשׂ־אֶחָד בֶּן־שְׁנָתוֹ 21 לְעֹלָה׃

שְׂעִיר־עִזִּים אֶחָד לְחַטָּאת׃ 22

וּלְזֶבַח הַשְּׁלָמִים בָּקָר שְׁנַיִם אֵילִם חֲמִשָּׁה 23 עַתּוּדִים חֲמִשָּׁה כְּבָשִׂים בְּנֵי־שָׁנָה חֲמִשָּׁה זֶה קָרְבַּן נְתַנְאֵל בֶּן־צוּעָר׃ פ

בַּיּוֹם הַשְּׁלִישִׁי נָשִׂיא לִבְנֵי זְבוּלֻן אֱלִיאָב בֶּן־חֵלוֹן׃ 24

קָרְבָּנוֹ קַעֲרַת־כֶּסֶף אַחַת שְׁלֹשִׁים וּמֵאָה מִשְׁקָלָהּ 25 מִזְרָק אֶחָד כֶּסֶף שִׁבְעִים שֶׁקֶל בְּשֶׁקֶל הַקֹּדֶשׁ שְׁנֵיהֶם מְלֵאִים סֹלֶת בְּלוּלָה בַשֶּׁמֶן לְמִנְחָה׃

כַּף אַחַת עֲשָׂרָה זָהָב מְלֵאָה קְטֹרֶת׃ 26

פַּר אֶחָד בֶּן־בָּקָר אַיִל אֶחָד כֶּבֶשׂ־אֶחָד בֶּן־שְׁנָתוֹ 27 לְעֹלָה׃

49 קָרְבָּנוֹ קַעֲרַת־כֶּסֶף אַחַת שְׁלֹשִׁים וּמֵאָה מִשְׁקָלָהּ
מִזְרָק אֶחָד כֶּסֶף שִׁבְעִים שֶׁקֶל בְּשֶׁקֶל הַקֹּדֶשׁ שְׁנֵיהֶם
מְלֵאִים סֹלֶת בְּלוּלָה בַשֶּׁמֶן לְמִנְחָה:

50 כַּף אַחַת עֲשָׂרָה זָהָב מְלֵאָה קְטֹרֶת:

51 פַּר אֶחָד בֶּן־בָּקָר אַיִל אֶחָד כֶּבֶשׂ־אֶחָד בֶּן־שְׁנָתוֹ
לְעֹלָה:

52 שְׂעִיר־עִזִּים אֶחָד לְחַטָּאת:

53 וּלְזֶבַח הַשְּׁלָמִים בָּקָר שְׁנַיִם אֵילִם חֲמִשָּׁה עַתּוּדִים
חֲמִשָּׁה כְּבָשִׂים בְּנֵי־שָׁנָה חֲמִשָּׁה זֶה קָרְבַּן אֱלִישָׁמָע
בֶּן־עַמִּיהוּד: פ

54 בַּיּוֹם הַשְּׁמִינִי נָשִׂיא לִבְנֵי מְנַשֶּׁה גַּמְלִיאֵל
בֶּן־פְּדָהצוּר:

55 קָרְבָּנוֹ קַעֲרַת־כֶּסֶף אַחַת שְׁלֹשִׁים וּמֵאָה מִשְׁקָלָהּ
מִזְרָק אֶחָד כֶּסֶף שִׁבְעִים שֶׁקֶל בְּשֶׁקֶל הַקֹּדֶשׁ שְׁנֵיהֶם
מְלֵאִים סֹלֶת בְּלוּלָה בַשֶּׁמֶן לְמִנְחָה:

56 כַּף אַחַת עֲשָׂרָה זָהָב מְלֵאָה קְטֹרֶת:

57 פַּר אֶחָד בֶּן־בָּקָר אַיִל אֶחָד כֶּבֶשׂ־אֶחָד בֶּן־שְׁנָתוֹ
לְעֹלָה:

58 שְׂעִיר־עִזִּים אֶחָד לְחַטָּאת:

59 וּלְזֶבַח הַשְּׁלָמִים בָּקָר שְׁנַיִם אֵילִם חֲמִשָּׁה עַתּוּדִים
חֲמִשָּׁה כְּבָשִׂים בְּנֵי־שָׁנָה חֲמִשָּׁה זֶה קָרְבַּן גַּמְלִיאֵל
בֶּן־פְּדָהצוּר: פ

60 בַּיּוֹם הַתְּשִׁיעִי נָשִׂיא לִבְנֵי בִנְיָמִן אֲבִידָן בֶּן־גִּדְעֹנִי:

61 קָרְבָּנוֹ קַעֲרַת־כֶּסֶף אַחַת שְׁלֹשִׁים וּמֵאָה מִשְׁקָלָהּ
מִזְרָק אֶחָד כֶּסֶף שִׁבְעִים שֶׁקֶל בְּשֶׁקֶל הַקֹּדֶשׁ שְׁנֵיהֶם
מְלֵאִים סֹלֶת בְּלוּלָה בַשֶּׁמֶן לְמִנְחָה:

62 כַּף אַחַת עֲשָׂרָה זָהָב מְלֵאָה קְטֹרֶת:

63 פַּר אֶחָד בֶּן־בָּקָר אַיִל אֶחָד כֶּבֶשׂ־אֶחָד בֶּן־שְׁנָתוֹ
לְעֹלָה:

64 שְׂעִיר־עִזִּים אֶחָד לְחַטָּאת:

65 וּלְזֶבַח הַשְּׁלָמִים בָּקָר שְׁנַיִם אֵילִם חֲמִשָּׁה
עַתּוּדִים חֲמִשָּׁה כְּבָשִׂים בְּנֵי־שָׁנָה חֲמִשָּׁה זֶה קָרְבַּן
אֲבִידָן בֶּן־גִּדְעֹנִי: פ

66 בַּיּוֹם הָעֲשִׂירִי נָשִׂיא לִבְנֵי דָן אֲחִיעֶזֶר בֶּן־
עַמִּישַׁדָּי:

67 קָרְבָּנוֹ קַעֲרַת־כֶּסֶף אַחַת שְׁלֹשִׁים וּמֵאָה מִשְׁקָלָהּ
מִזְרָק אֶחָד כֶּסֶף שִׁבְעִים שֶׁקֶל בְּשֶׁקֶל הַקֹּדֶשׁ שְׁנֵיהֶם
מְלֵאִים סֹלֶת בְּלוּלָה בַשֶּׁמֶן לְמִנְחָה:

68 כַּף אַחַת עֲשָׂרָה זָהָב מְלֵאָה קְטֹרֶת:

69 פַּר אֶחָד בֶּן־בָּקָר אַיִל אֶחָד כֶּבֶשׂ־אֶחָד בֶּן־שְׁנָתוֹ
לְעֹלָה:

28 שְׂעִיר־עִזִּים אֶחָד לְחַטָּאת:

29 וּלְזֶבַח הַשְּׁלָמִים בָּקָר שְׁנַיִם אֵילִם חֲמִשָּׁה עַתּוּדִים
חֲמִשָּׁה כְּבָשִׂים בְּנֵי־שָׁנָה חֲמִשָּׁה זֶה קָרְבַּן אֱלִיאָב
בֶּן־חֵלֹן: פ

30 בַּיּוֹם הָרְבִיעִי נָשִׂיא לִבְנֵי רְאוּבֵן אֱלִיצוּר
בֶּן־שְׁדֵיאוּר:

31 קָרְבָּנוֹ קַעֲרַת־כֶּסֶף אַחַת שְׁלֹשִׁים וּמֵאָה מִשְׁקָלָהּ
מִזְרָק אֶחָד כֶּסֶף שִׁבְעִים שֶׁקֶל בְּשֶׁקֶל הַקֹּדֶשׁ שְׁנֵיהֶם
מְלֵאִים סֹלֶת בְּלוּלָה בַשֶּׁמֶן לְמִנְחָה:

32 כַּף אַחַת עֲשָׂרָה זָהָב מְלֵאָה קְטֹרֶת:

33 פַּר אֶחָד בֶּן־בָּקָר אַיִל אֶחָד כֶּבֶשׂ־אֶחָד בֶּן־שְׁנָתוֹ
לְעֹלָה:

34 שְׂעִיר־עִזִּים אֶחָד לְחַטָּאת:

35 וּלְזֶבַח הַשְּׁלָמִים בָּקָר שְׁנַיִם אֵילִם חֲמִשָּׁה עַתּוּדִים
חֲמִשָּׁה כְּבָשִׂים בְּנֵי־שָׁנָה חֲמִשָּׁה זֶה קָרְבַּן אֱלִיצוּר
בֶּן־שְׁדֵיאוּר: פ

36 בַּיּוֹם הַחֲמִישִׁי נָשִׂיא לִבְנֵי שִׁמְעוֹן שְׁלֻמִיאֵל
בֶּן־צוּרִישַׁדָּי:

37 קָרְבָּנוֹ קַעֲרַת־כֶּסֶף אַחַת שְׁלֹשִׁים וּמֵאָה מִשְׁקָלָהּ
מִזְרָק אֶחָד כֶּסֶף שִׁבְעִים שֶׁקֶל בְּשֶׁקֶל הַקֹּדֶשׁ שְׁנֵיהֶם
מְלֵאִים סֹלֶת בְּלוּלָה בַשֶּׁמֶן לְמִנְחָה:

38 כַּף אַחַת עֲשָׂרָה זָהָב מְלֵאָה קְטֹרֶת:

39 פַּר אֶחָד בֶּן־בָּקָר אַיִל אֶחָד כֶּבֶשׂ־אֶחָד בֶּן־שְׁנָתוֹ
לְעֹלָה:

40 שְׂעִיר־עִזִּים אֶחָד לְחַטָּאת:

41 וּלְזֶבַח הַשְּׁלָמִים בָּקָר שְׁנַיִם אֵילִם חֲמִשָּׁה עַתּוּדִים
חֲמִשָּׁה כְּבָשִׂים בְּנֵי־שָׁנָה חֲמִשָּׁה זֶה קָרְבַּן שְׁלֻמִיאֵל
בֶּן־צוּרִישַׁדָּי: פ

42 בַּיּוֹם הַשִּׁשִּׁי נָשִׂיא לִבְנֵי גָד אֶלְיָסָף בֶּן־דְּעוּאֵל:

43 קָרְבָּנוֹ קַעֲרַת־כֶּסֶף אַחַת שְׁלֹשִׁים וּמֵאָה מִשְׁקָלָהּ
מִזְרָק אֶחָד כֶּסֶף שִׁבְעִים שֶׁקֶל בְּשֶׁקֶל הַקֹּדֶשׁ שְׁנֵיהֶם
מְלֵאִים סֹלֶת בְּלוּלָה בַשֶּׁמֶן לְמִנְחָה:

44 כַּף אַחַת עֲשָׂרָה זָהָב מְלֵאָה קְטֹרֶת:

45 פַּר אֶחָד בֶּן־בָּקָר אַיִל אֶחָד כֶּבֶשׂ־אֶחָד בֶּן־שְׁנָתוֹ
לְעֹלָה:

46 שְׂעִיר־עִזִּים אֶחָד לְחַטָּאת:

47 וּלְזֶבַח הַשְּׁלָמִים בָּקָר שְׁנַיִם אֵילִם חֲמִשָּׁה עַתּוּדִים
חֲמִשָּׁה כְּבָשִׂים בְּנֵי־שָׁנָה חֲמִשָּׁה זֶה קָרְבַּן אֶלְיָסָף
בֶּן־דְּעוּאֵל: פ

48 בַּיּוֹם הַשְּׁבִיעִי נָשִׂיא לִבְנֵי אֶפְרָיִם אֱלִישָׁמָע
בֶּן־עַמִּיהוּד:

שְׂעִיר־עִזִּים אֶחָד לְחַטָּאת: 70

71 וּלְזֶבַח הַשְּׁלָמִים בָּקָר שְׁנַיִם אֵילִם חֲמִשָּׁה עַתּוּדִים חֲמִשָּׁה כְּבָשִׂים בְּנֵי־שָׁנָה חֲמִשָּׁה זֶה קָרְבַּן אֲחִיעֶזֶר בֶּן־עַמִּישַׁדָּי: פ

72 בְּיוֹם עַשְׁתֵּי עָשָׂר יוֹם נָשִׂיא לִבְנֵי אָשֵׁר פַּגְעִיאֵל בֶּן־עָכְרָן:

73 קָרְבָּנוֹ קַעֲרַת־כֶּסֶף אַחַת שְׁלֹשִׁים וּמֵאָה מִשְׁקָלָהּ מִזְרָק אֶחָד כֶּסֶף שִׁבְעִים שֶׁקֶל בְּשֶׁקֶל הַקֹּדֶשׁ שְׁנֵיהֶם מְלֵאִים סֹלֶת בְּלוּלָה בַשֶּׁמֶן לְמִנְחָה:

74 כַּף אַחַת עֲשָׂרָה זָהָב מְלֵאָה קְטֹרֶת:

75 פַּר אֶחָד בֶּן־בָּקָר אַיִל אֶחָד כֶּבֶשׂ־אֶחָד בֶּן־שְׁנָתוֹ לְעֹלָה:

76 שְׂעִיר־עִזִּים אֶחָד לְחַטָּאת:

77 וּלְזֶבַח הַשְּׁלָמִים בָּקָר שְׁנַיִם אֵילִם חֲמִשָּׁה עַתּוּדִים חֲמִשָּׁה כְּבָשִׂים בְּנֵי־שָׁנָה חֲמִשָּׁה זֶה קָרְבַּן פַּגְעִיאֵל בֶּן־עָכְרָן: פ

78 בְּיוֹם שְׁנֵים עָשָׂר יוֹם נָשִׂיא לִבְנֵי נַפְתָּלִי אֲחִירַע בֶּן־עֵינָן:

79 קָרְבָּנוֹ קַעֲרַת־כֶּסֶף אַחַת שְׁלֹשִׁים וּמֵאָה מִשְׁקָלָהּ מִזְרָק אֶחָד כֶּסֶף שִׁבְעִים שֶׁקֶל בְּשֶׁקֶל הַקֹּדֶשׁ שְׁנֵיהֶם מְלֵאִים סֹלֶת בְּלוּלָה בַשֶּׁמֶן לְמִנְחָה:

80 כַּף אַחַת עֲשָׂרָה זָהָב מְלֵאָה קְטֹרֶת:

81 פַּר אֶחָד בֶּן־בָּקָר אַיִל אֶחָד כֶּבֶשׂ־אֶחָד בֶּן־שְׁנָתוֹ לְעֹלָה:

82 שְׂעִיר־עִזִּים אֶחָד לְחַטָּאת:

83 וּלְזֶבַח הַשְּׁלָמִים בָּקָר שְׁנַיִם אֵילִם חֲמִשָּׁה עַתּוּדִים חֲמִשָּׁה כְּבָשִׂים בְּנֵי־שָׁנָה חֲמִשָּׁה זֶה קָרְבַּן אֲחִירַע בֶּן־עֵינָן: פ

Os vss. 18-83 registram como todos os líderes tribais restantes trouxeram *presentes idênticos*, pelo que não precisamos comentar o que eles fizeram. Os líderes tribais trouxeram seus presentes em doze dias sucessivos, provavelmente a começar pelo primeiro dia do primeiro mês, dois anos após a saída do Egito (ver Êx 40.17). A ordem de apresentação seguiu o arranjo que as tribos tinham em redor do tabernáculo. Ver Números 2.3-31. Apresentei um gráfico imediatamente antes do início da exposição deste livro, que demonstra qual era o arranjo dos acampamentos.

Abaixo apresento outro quadro que ilustra a situação:

Entrega dos Presentes:

Tribos	Líderes	Versículos	Acampamentos
1. Judá	Naassom	12	Leste
2. Issacar	Natanael	18	Leste
3. Zebulom	Eliabe	24	Leste
4. Rúben	Elizur	30	Sul
5. Simeão	Selumiel	36	Sul
6. Gade	Eliasafe	42	Sul
7. Efraim	Elisama	48	Oeste
8. Manassés	Gamaliel	54	Oeste
9. Benjamim	Abidã	60	Oeste
10. Dã	Aieser	66	Norte
11. Aser	Pagiel	72	Norte
12. Naftali	Aira	78	Norte

Tipos e Metáforas:

1. Deus é a fonte de todos os dons, recursos e graças (Tg 1.17).
2. Todo homem espiritual é dotado, podendo servir a seus semelhantes (1Co 12; Ef 4.11).
3. O verdadeiro serviço envolve sacrifício.
4. O serviço é um esforço cooperativo da Igreja, e não apenas uma questão individual.
5. Os sacrifícios prefiguram o sacrifício de Cristo, feito de uma vez por todas (Hb 7.27).
6. Desse modo foi provido o acesso a Deus (Hb 9.11 ss.).
7. A transformação segundo a imagem de Cristo é o âmago do acesso, pois assim o remido vai adquirindo a própria natureza divina (Rm 8.29; 2Pe 1.4).

■ 7.84-89

84 זֹאת חֲנֻכַּת הַמִּזְבֵּחַ בְּיוֹם הִמָּשַׁח אֹתוֹ מֵאֵת נְשִׂיאֵי יִשְׂרָאֵל קַעֲרֹת כֶּסֶף שְׁתֵּים עֶשְׂרֵה מִזְרְקֵי־כֶסֶף שְׁנֵים עָשָׂר כַּפּוֹת זָהָב שְׁתֵּים עֶשְׂרֵה:

85 שְׁלֹשִׁים וּמֵאָה הַקְּעָרָה הָאַחַת כֶּסֶף וְשִׁבְעִים הַמִּזְרָק הָאֶחָד כֹּל כֶּסֶף הַכֵּלִים אַלְפַּיִם וְאַרְבַּע־מֵאוֹת בְּשֶׁקֶל הַקֹּדֶשׁ:

86 כַּפּוֹת זָהָב שְׁתֵּים־עֶשְׂרֵה מְלֵאֹת קְטֹרֶת עֲשָׂרָה עֲשָׂרָה הַכַּף בְּשֶׁקֶל הַקֹּדֶשׁ כָּל־זְהַב הַכַּפּוֹת עֶשְׂרִים וּמֵאָה:

87 כָּל־הַבָּקָר לָעֹלָה שְׁנֵים עָשָׂר פָּרִים אֵילִם שְׁנֵים־עָשָׂר כְּבָשִׂים בְּנֵי־שָׁנָה שְׁנֵים עָשָׂר וּמִנְחָתָם וּשְׂעִירֵי עִזִּים שְׁנֵים עָשָׂר לְחַטָּאת:

88 וְכֹל בְּקַר זֶבַח הַשְּׁלָמִים עֶשְׂרִים וְאַרְבָּעָה פָּרִים אֵילִם שִׁשִּׁים עַתֻּדִים שִׁשִּׁים כְּבָשִׂים בְּנֵי־שָׁנָה שִׁשִּׁים זֹאת חֲנֻכַּת הַמִּזְבֵּחַ אַחֲרֵי הִמָּשַׁח אֹתוֹ:

89 וּבְבֹא מֹשֶׁה אֶל־אֹהֶל מוֹעֵד לְדַבֵּר אִתּוֹ וַיִּשְׁמַע אֶת־הַקּוֹל מִדַּבֵּר אֵלָיו מֵעַל הַכַּפֹּרֶת אֲשֶׁר עַל־אֲרֹן הָעֵדֻת מִבֵּין שְׁנֵי הַכְּרֻבִים וַיְדַבֵּר אֵלָיו: פ

Estes seis versículos sumariam os presentes, multiplicados por doze, tomando-se por base a informação acerca do que a tribo de Judá presenteou (vss. 13-17).

A consagração do altar. Repetição do que se lê no vs. 10 deste capítulo, onde apresentamos as notas expositivas.

No dia em que foi ungido. Ou seja, no primeiro dos doze dias, em que os presentes continuaram a ser apresentados. Ver a designação do tempo no primeiro versículo deste capítulo.

Vs. 89. Esse versículo deve ser comparado com Êxodo 25.22, que é virtualmente idêntico. As ideias ali expostas também se aplicam aqui. "O prazer do Senhor, diante do espírito generoso dos líderes das tribos, pode ser sugerido por sua *comunicação* a Moisés, no Santo dos Santos do Tabernáculo, entre os dois querubins" (Eugene H. Merrill, *in loc.*). O tabernáculo era o lugar das comunicações divinas, e o Santo dos Santos era o local onde visitava a glória *shekinah* (ver essa palavra no *Dicionário*). As provisões quanto ao culto divino possibilitaram a comunicação. *Yahweh falou* e continuaria falando, embora não nos seja dito o que o Senhor disse na ocasião. Este versículo afirma que Deus se comunica com os homens. Existe tal coisa como *revelação* e *iluminação*. Ver sobre ambos esses termos no *Dicionário*.

A arca do testemunho. Ver sobre esse móvel no *Dicionário*, como também em Êxodo 25.17. Ver também o artigo intitulado *Propiciatório* no *Dicionário*.

CAPÍTULO OITO

LEIS E REGRAS MISCELÂNEAS (8.1—9.14)

AS LÂMPADAS DO TABERNÁCULO (8.1-4)

Após ter descrito os presentes para a iniciação e continuação do culto no tabernáculo (providos pela cooperação dos doze príncipes das doze tribos de Israel, no capítulo 7), agora o autor sacro traz à nossa atenção o papel dos sacerdotes no serviço religioso do tabernáculo. E também lemos sobre as suas funções sacrificiais, afirmadas mas não elaboradas. Cf. Êxodo 25.37; 30.8; Levítico 24.2-4. Acender as lâmpadas era prerrogativa dos sacerdotes aarônicos.

■ **8.1**

וַיְדַבֵּר יְהוָה אֶל־מֹשֶׁה לֵּאמֹר׃

Disse o Senhor. Essa expressão introduz novos materiais, como um artifício literário, e também nos lembra da doutrina da divina inspiração da Bíblia. Ver as notas a respeito em Levítico 1.1 e 4.1.

■ **8.2**

דַּבֵּר אֶל־אַהֲרֹן וְאָמַרְתָּ אֵלָיו בְּהַעֲלֹתְךָ אֶת־הַנֵּרֹת אֶל־מוּל פְּנֵי הַמְּנוֹרָה יָאִירוּ שִׁבְעַת הַנֵּרוֹת׃

Fórmulas de Comunicação. Moisés era o mediador entre Deus e o povo de Israel. Ele transmitia as mensagens divinas a Arão; a Arão e seus filhos; ou a Israel em geral. Desse modo, todos recebiam comunicações da parte de Yahweh. Ver as *oito* fórmulas de comunicação anotadas em Levítico 17.2. No caso presente, a mensagem de Yahweh, passando por Moisés, foi endereçada a Arão e a seus filhos, os quais o ajudavam no culto divino.

Arão. O sumo sacerdote cuidava do *candelabro* (ver a esse respeito no *Dicionário*). Mas sacerdotes comuns podiam fazer esse trabalho, sob sua supervisão (ver Êx 27.21). Mas não há que duvidar de que, na primeira vez em que foram acesas as lâmpadas do candelabro, o próprio sumo sacerdote assim fez. Em outras palavras, ele inaugurou esse trabalho. Ver notas em Êxodo 25.37, que têm aplicação aqui. Ver a planta baixa do tabernáculo, quanto à posição dos diferentes itens do tabernáculo, nas notas de introdução a Êxodo 26.1.

Disse Jesus: "Vós sois a luz do mundo" (Mt 5.14). Sim, somos luz porque ele é a Luz (ver Jo 8.12). Conta-se a história de um antigo professor que conseguia esparzir a luz onde quer que estivesse, embora fosse um homem aleijado das mãos e dos pés. Depois que ele morreu, sua filha escreveu-lhe um tributo, nas seguintes palavras:

> Tomou sua vela iluminada e se foi embora
> Para algum lugar que não posso achar;
> Mas todos sabem onde ele esteve, agora,
> Pelas luzinhas que deixou a brilhar.

Assim como o sol, a luz e as estrelas iluminam a terra, assim também o sumo sacerdote de Israel acendia o candeeiro de sete lâmpadas, para iluminar o tabernáculo. Visto que essa estrutura não recebia nenhuma luz externa, a luz do candelabro era a única que havia naquele lugar. Toda a nossa luz vem do Senhor Jesus, mas nem por isso nossas luzes deixam de ser reais.

As sete. O candelabro tinha uma hástea central, e seis hásteas laterais, cada hástea com sua lâmpada, perfazendo um total de "sete". Ver sobre esse número o artigo do *Dicionário* chamado *Número (Numeral, Numerologia)*. O azeite, que era o combustível que fazia arder as lâmpadas, servia de símbolo do Espírito de Deus. Assim, a luz deriva-se da divina *iluminação* (ver no *Dicionário* o verbete com esse nome).

Josefo (*Antig.* III.6,7) explica que as sete lâmpadas do candelabro representavam o sol, a lua e os planetas, pelo que seria sempre um símbolo do poder criador de Yahweh. Ver Êxodo 25.31-40 e suas notas quanto à descrição do *candeeiro*, bem como o artigo sobre esse assunto no *Dicionário*, quanto a uma completa descrição.

■ **8.3**

וַיַּעַשׂ כֵּן אַהֲרֹן אֶל־מוּל פְּנֵי הַמְּנוֹרָה הֶעֱלָה נֵרֹתֶיהָ כַּאֲשֶׁר צִוָּה יְהוָה אֶת־מֹשֶׁה׃

E Arão fez assim. O sumo sacerdote de Israel cumpriu o seu dever, acendendo as lâmpadas, conforme Yahweh lhe havia determinado. Ver Números 1.54 quanto a uma nota de *obediência*, usada como sumário de material. "Confia e obedece", era o lema adotado pelo povo de Israel. Ver no *Dicionário* o verbete intitulado *Obediência*, quanto a notas completas sobre esse conceito. Ver Êxodo 25.37 quanto à ordem divina original. Mediante a obediência de Arão, a luz resplandeceu. E outro tanto sucede no caso de cada crente que cumpre sua missão, em obediência ao decreto divino.

> Espírito Santo, desce em meu coração;
> Desmama-me do mundo, inda que eu viva aqui;
> Condescende à minha fraqueza, poderoso como és,
> E faz-me amar-te, como é de meu dever.
>
> George Croly

■ **8.4**

וְזֶה מַעֲשֵׂה הַמְּנֹרָה מִקְשָׁה זָהָב עַד־יְרֵכָהּ עַד־פִּרְחָהּ מִקְשָׁה הִוא כַּמַּרְאֶה אֲשֶׁר הֶרְאָה יְהוָה אֶת־מֹשֶׁה כֵּן עָשָׂה אֶת־הַמְּנֹרָה׃ פ

Este versículo refere-se a Êx 25.31,36, quanto aos detalhes mencionados aqui. Para informações completas, ver no *Dicionário* o artigo chamado *Candeeiro*. Quanto à informação de que essa parte do tabernáculo (bem como todas as outras) foi fabricada de acordo com as orientações de Yahweh, que exibiu o modo de tudo, em sua mente, ver Êxodo 25.9,40.

Tipologia. "O candeeiro propriamente dito era emblema da Igreja de Cristo; o azeite representava as graças e dons do Espírito em ação nos homens (ver Ap 1.12-20). Deus edifica a sua Igreja e envia o seu Espírito para nela habitar, santificá-la e purificá-la, para que o mundo veja que ela é feitura *dele*. As *sete* lâmpadas do candeeiro apontam para os sete Espíritos de Deus, e o Espírito Santo é assim chamado, em Apocalipse 3.1, devido à variedade e abundância de seus dons e influências" (Adam Clarke, *in loc.*).

A CONSAGRAÇÃO DOS LEVITAS (8.5-26)

Esta seção é, essencialmente, um paralelo do oitavo capítulo de Levítico. Ambas as passagens repetem o essencial do trecho de Levítico 3.5-13, mas temos adicionadas aqui as regras de purificação dos sacerdotes e de apresentação a Yahweh. As compilações de material, de diferentes fontes, podem ser indicadas pelas repetições: a ordem de purificação ocorre por duas vezes (vss. 6 e 15); e a ordem de *mover* a oferenda foi dada por uma vez a Arão e por duas vezes a Moisés. O sacerdócio é exaltado acima da posição dos levitas comuns, de tal modo que estava em desenvolvimento uma verdadeira casta sacerdotal. "Os levitas eram simplesmente purificados; mas os sacerdotes eram santificados. Em segundo lugar, os levitas foram notadamente diferenciados dos israelitas comuns, tal como os israelitas comuns eram distinguidos dos gentios" (John Marsh, *in loc.*).

Os Passos:

1. Purificação (vss. 6 e 7).
2. Oferendas (vss. 8-19).
3. Imposição de mãos (vs. 10).
4. Transferência de culpa (vss. 12-19).
5. Os primogênitos substituídos pelos levitas (vss. 15-18).
6. Os levitas são presenteados aos sacerdotes para que o serviço no tabernáculo corresse mais fácil (vs. 19).

7. Tudo isso feito, os levitas iniciaram seu serviço sagrado (vss. 20-22).
8. Limites de idade garantiram que os levitas serviriam a Yahweh na flor da idade (vs. 24).

8.5

וַיְדַבֵּר יְהוָה אֶל־מֹשֶׁה לֵּאמֹר: |H |V5|

Disse mais o Senhor. Essa expressão é usada com frequência no Pentateuco, a fim de introduzir alguma nova seção. Mas também nos faz lembrar da inspiração divina da Bíblia. Ver notas completas sobre isso em Levítico 1.1 e 4.1.

8.6

קַח אֶת־הַלְוִיִּם מִתּוֹךְ בְּנֵי יִשְׂרָאֵל וְטִהַרְתָּ אֹתָם:

Toma. Moisés era sempre o mediador entre Yahweh e o povo de Israel. Ele transmitia as mensagens divinas a Arão, a Arão e seus filhos ou a todo o povo de Israel. Ver as fórmulas de comunicação (*oito* ao todo), anotadas em Levítico 17.2. Neste texto, não somos informados a quem essa mensagem foi transmitida, embora seja provável que as ordens tenham sido executadas por meio de Arão. Os levitas tornaram-se uma casta sacerdotal, e não tanto uma tribo (ver Nm 1.47 ss.). A fim de cumprirem seus deveres no tabernáculo, como assistentes dos sacerdotes (que também eram da tribo de Levi), eles tiveram de passar pelos passos listados na introdução ao versículo anterior. Ver no *Dicionário* o verbete intitulado *Purificação*. O versículo seguinte descreve o ritual da purificação. Está em pauta a liberdade de qualquer corrupção física; mas isso também inclui a isenção de poluição moral. Ver no *Dicionário* o artigo *Santificação*. Ver também o trecho de Isaías 52.11, bem como as aplicações neotestamentárias em 2Coríntios 6.6 e 1Timóteo 4.12.

8.7

וְכֹה־תַעֲשֶׂה לָהֶם לְטַהֲרָם הַזֵּה עֲלֵיהֶם מֵי חַטָּאת וְהֶעֱבִירוּ תַעַר עַל־כָּל־בְּשָׂרָם וְכִבְּסוּ בִגְדֵיהֶם וְהִטֶּהָרוּ:

A água da expiação. Visto que estava em pauta o desembaraço do pecado, e não apenas um rito de purificação física, havia necessidade dessa expiação. No hebraico temos a palavra *hattath*, "água da oferta pelo pecado". Cf. Números 6.17. Essa água de purificação era preparada mediante a mistura com as cinzas de uma novilha vermelha, madeira de cedro, hissopo e escarlata; a própria novilha era sacrificada, e seu sangue era aspergido por sete vezes diante do tabernáculo (ver Nm 19.3-10).

"A purificação dos levitas fazia parte das tarefas de Arão, ou ele mesmo agindo, ou por sua ordem. E nisso ele era um tipo de Cristo, o qual é o refinador e purificador dos filhos de Levi (Ml 3.3)" (John Gill, *in loc.*). Ver Hebreus 9.13,14 quanto à aplicação neotestamentária dessa passagem.

Uma Purificação Completa. Todo pelo corporal tinha de ser removido. Cf. Levítico 14.8,9. Os pelos costumam reter impurezas. Nenhuma impureza era permitida no corpo e na alma. Os sacerdotes egípcios eram fanáticos quanto a se desfazerem de todo cabelo e pelo. Eles tinham de se barbear de três em três dias, para que não retivessem no corpo nenhuma impureza (Herod. *Euterpe*, 1.2, cap. 37). Para alguns intérpretes antigos, o paralelo da raspagem dos pelos dos leprosos era o que se fazia com os levitas, pois eles tinham que sofrer uma raspagem completa, visto que o pecado, tipificado pela lepra, estava em pauta. Mas Ben Gersom pensa que os cabelos simbolizavam todas as coisas materiais e *corporais*, e até mesmo as *minúcias* tinham de ser sacrificadas, em favor do serviço sagrado.

Lavarão as suas vestes. Esse ato fazia parte da completa purificação. Ver Levítico 14.8,9. Quanto à tipologia neotestamentária ligada a isso, ver Hebreus 10.22 e Apocalipse 7.14. Os levitas lavavam suas vestes, mas os sacerdotes recebiam vestes totalmente novas para o culto divino. Ver Levítico 8.7-13.

E se purificarão. Precisavam tomar um banho de purificação, totalmente imersos em água. Quanto ao *banho cerimonial*, cf. Lucas 14.8; 17.15; Números 19.19.

8.8

וְלָקְחוּ פַּר בֶּן־בָּקָר וּמִנְחָתוֹ סֹלֶת בְּלוּלָה בַשָּׁמֶן וּפַר־שֵׁנִי בֶן־בָּקָר תִּקַּח לְחַטָּאת:

Um novilho. Quanto aos *cinco* animais que podiam ser sacrificados, ver Levítico 1.14-16.

Sua oferta de manjares. Ver sobre isso Levítico 6.14-18, com notas adicionais em Levítico 2.1-16.

Para oferta pelo pecado. Ver Levítico 6.25,30, com notas adicionais em Levítico 4.1-35.

"A purificação interior, como sempre, devia ser acompanhada pelo oferecimento de sacrifícios. O animal a ser abatido, um novilho, indica que se tratava de um holocausto (ver Lv 1.3-9). O *segundo* novilho era uma oferta pelo pecado, para expiar pecados involuntários (ver Lv 4.1-12)" (Eugene H. Merrill, *in loc.*).

8.9

וְהִקְרַבְתָּ אֶת־הַלְוִיִּם לִפְנֵי אֹהֶל מוֹעֵד וְהִקְהַלְתָּ אֶת־כָּל־עֲדַת בְּנֵי יִשְׂרָאֵל:

Farás chegar os levitas. O rito de purificação estava terminado; os sacrifícios tinham sido oferecidos. Agora os levitas estavam prontos para se avizinharem do tabernáculo e iniciarem os seus labores. *Toda a congregação* precisava fazer-se presente ao culto de consagração, para a cerimônia da imposição de mãos (vs. 10). Isso era feito por meio de representantes. Ver os *passos* desse processo, listados na introdução ao quinto versículo deste capítulo.

Ajuntarás toda a congregação. Naturalmente, através de representantes, visto que Yahweh contava com mais de três milhões de pessoas na ocasião. Esses representantes eram os líderes principais, incluindo os príncipes (um para cada tribo), conforme já vimos nos capítulos 2 e 7.

8.10

וְהִקְרַבְתָּ אֶת־הַלְוִיִּם לִפְנֵי יְהוָה וְסָמְכוּ בְנֵי־יִשְׂרָאֵל אֶת־יְדֵיהֶם עַל־הַלְוִיִּם:

Perante o Senhor. Ou seja, diante da presença divina, no tabernáculo, porquanto a glória *shekinah* (ver a esse respeito no *Dicionário*) residia no Santo dos Santos.

Porão as mãos sobre eles. "Por meio da imposição de mãos (Lv 1.4), o povo identificava-se com os levitas, que eram assim *sacrificados* em lugar dos primogênitos (vss. 16,17; 3.13)" (*Oxford Annotated Bible*, sobre este versículo).

Se a imposição de mãos, nesse caso, foi um ato sacrificial, também foi um modo adicional de consagrar os levitas e os sacerdotes para seus respectivos ofícios. Ver os passos rituais dessa consagração na introdução ao quinto versículo deste capítulo. Esse ato, como é lógico, foi efetuado por representantes do povo, embora não saibamos dizer quantos participaram. Mas esse número tinha de ser bastante reduzido. Talvez os doze príncipes fossem os únicos envolvidos (caps. 2 e 7 de Números).

Os próprios levitas eram sacrificados a Yahweh, não para que morressem sobre o altar, mas para viverem e servirem como sacrifícios vivos. Ver também 1Timóteo 4.14 e, na *Enciclopédia de Bíblia, Teologia e Filosofia*, o verbete intitulado *Mãos, Imposição das*.

8.11

וְהֵנִיף אַהֲרֹן אֶת־הַלְוִיִּם תְּנוּפָה לִפְנֵי יְהוָה מֵאֵת בְּנֵי יִשְׂרָאֵל וְהָיוּ לַעֲבֹד אֶת־עֲבֹדַת יְהוָה:

Como oferta movida. Continua aqui o conceito de *sacrifícios vivos*, conforme vimos no versículo anterior. Os primogênitos serviam a Yahweh como sacerdotes de suas famílias. Os levitas os substituíram, embora isso não os dispensasse de seus deveres espirituais, dentro de suas respectivas famílias. Ver Números 3.13 e 45 quanto à transferência de poderes. Agora, todo o povo de Israel (por meio de seus representantes) reconhecia a autoridade investida nos levitas, uma autoridade que visava operar em favor de todo o povo de Israel.

Oferta movida. Esse tipo de oferenda era próprio para a ocasião. Os levitas foram associados à oferta movida, e, na realidade, tornaram-se tais ofertas. Simbolicamente, foram movidos na presença de Yahweh, sendo exibidos diante dele, dedicados a ele, e assim receberam a sua aprovação. Ver sobre as ofertas movidas nas notas sobre Êxodo 29.23,24.

"*Oferta movida* é aqui usada simbolicamente para indicar que os levitas pertenciam a Arão e a seus filhos, tal como as ofertas movidas pertenciam aos sacerdotes (ver Êx 29.24)" (*Oxford Annotated Bible*, sobre os vss. 10 e 11).

■ **8.12**

וְהַלְוִיִּם יִסְמְכוּ אֶת־יְדֵיהֶם עַל רֹאשׁ הַפָּרִים וַעֲשֵׂה
אֶת־הָאֶחָד חַטָּאת וְאֶת־הָאֶחָד עֹלָה לַיהוָה לְכַפֵּר
עַל־הַלְוִיִּם:

Quando as mãos do povo foram impostas sobre os levitas, estes, por sua vez, impuseram suas mãos sobre a cabeça dos novilhos, transferindo assim, simbolicamente, os seus pecados, para os animais. E ao serem sacrificados, esses animais levavam os pecados da casta sacerdotal, fazendo assim *expiação* (ver sobre isso no *Dicionário*). O holocausto e a oferta pelo pecado (ver as notas no vs. 8 deste capítulo) foram os sacrifícios oferecidos na ocasião. Isso posto, o rito de purificação foi seguido pelos sacrifícios usuais. A purificação e a expiação foram então seguidas pelo serviço, de acordo com uma normal ordem espiritual. Os homens são expurgados de obras mortas a fim de servirem ao Deus vivo (Hb 9.14).

■ **8.13**

וְהַעֲמַדְתָּ אֶת־הַלְוִיִּם לִפְנֵי אַהֲרֹן וְלִפְנֵי בָנָיו וְהֵנַפְתָּ
אֹתָם תְּנוּפָה לַיהוָה:

Este versículo reitera a ideia de sacrifício, descrita nos vss. 11 e 12, lembrando-nos de que isso teve lugar *perante o Senhor*, segundo lemos no vs. 10. Tudo já havia sido feito: a purificação, a expiação, a imposição de mãos que consagrava os levitas. E agora eles foram trazidos à presença do Senhor para iniciarem seu serviço. Oferendas tinham sido realizadas, e agora os levitas mesmos se tinham tornado sacrifícios vivos. A oferta referida neste versículo é a oferta movida aludida no vs. 11.

■ **8.14**

וְהִבְדַּלְתָּ אֶת־הַלְוִיִּם מִתּוֹךְ בְּנֵי יִשְׂרָאֵל וְהָיוּ לִי
הַלְוִיִּם:

Os levitas serão meus. No começo, a tribo de Levi era apenas uma *tribo*. Mas eles foram separados do resto do povo, tornando-se assim uma casta sacerdotal (Nm 1.47 ss.). Nessa capacidade, eles tomaram o lugar da mais antiga instituição dos primogênitos de cada família, passando assim a ser uma espécie de casta-sacerdotal-das-famílias (ver o terceiro capítulo de Números). Dessarte, essa tribo-casta foi totalmente dedicada ao culto divino. E o tabernáculo era o centro desse culto. Dizem os Targuns de Onkelos e de Jonathan: "Os levitas ministraram *diante de mim*", isto é, no tabernáculo (mais tarde, no templo) onde residia a glória *shekinah* (ver sobre esse termo no *Dicionário*). Para poderem iniciar esse serviço, os levitas passaram pela purificação, pela separação e pela dedicação. Apresento os passos sobre isso na introdução ao quinto versículo deste capítulo.

■ **8.15**

וְאַחֲרֵי־כֵן יָבֹאוּ הַלְוִיִּם לַעֲבֹד אֶת־אֹהֶל מוֹעֵד
וְטִהַרְתָּ אֹתָם וְהֵנַפְתָּ אֹתָם תְּנוּפָה:

Este versículo nos lembra do que o autor sacro dissera no começo do quinto versículo deste capítulo. Fora baixada a ordem de Yahweh: os levitas tinham de ser purificados; sacrifícios tinham de ser oferecidos; e os preparativos necessários para a consagração foram efetuados. E então, por fim, os levitas entraram no serviço para o qual tinham sido chamados. "O escritor sacerdotal repete seu relato sobre a importância dos levitas, o que já tinha sido feito em Números 3.9-13. Mas no vs. 19 deste capítulo somos informados de que os levitas deviam cumprir seus deveres no tabernáculo, em prol dos israelitas, ou seja, eles substituíram os primogênitos e faziam expiação em favor do povo de Israel" (John Marsh, *in loc.*).

Os levitas comuns não ministravam no próprio tabernáculo, pois isso pertencia aos sacerdotes. Todos os sacerdotes eram levitas, mas nem todos os levitas eram sacerdotes. Os levitas (que não eram sacerdotes) atuavam em questões secundárias. Eles preparavam o material necessário para o culto; eles faziam os reparos no tabernáculo; eles transportavam suas peças constituintes quando o povo entrava em marcha; eles armavam o tabernáculo quando chegavam a um novo ponto de parada. Em suma, eram *auxiliares*. Ver no *Dicionário* os artigos intitulados *Levitas e Sacerdotes* e *Levitas*. Mas ver Números 3.6 quanto aos principais deveres de todos os levitas, nos dias antigos.

■ **8.16**

כִּי נְתֻנִים נְתֻנִים הֵמָּה לִי מִתּוֹךְ בְּנֵי יִשְׂרָאֵל תַּחַת
פִּטְרַת כָּל־רֶחֶם בְּכוֹר כֹּל מִבְּנֵי יִשְׂרָאֵל לָקַחְתִּי
אֹתָם לִי:

O autor sacro repete o fato de que os levitas se tornaram uma casta sacerdotal, tomando o lugar dos primogênitos. Essa é a mensagem, dada com detalhes, no terceiro capítulo. Ver Números 3.13 e 45, onde há notas completas. Ver as notas em Números 3.12.

Em lugar de todo aquele que abre a madre. A substituição era de um por um. Os que sobraram, foram remidos a dinheiro. Assim, os primogênitos de Israel foram remidos, ou sendo substituídos pelos levitas, ou então, os que sobraram por certa importância em dinheiro. Esse foi o motivo do censo dos levitas, para ver quão exatamente eles podiam substituir os primogênitos. O trecho de Números 3.46 informa-nos que 273 deles tiveram de ser remidos a dinheiro.

■ **8.17**

כִּי לִי כָל־בְּכוֹר בִּבְנֵי יִשְׂרָאֵל בָּאָדָם וּבַבְּהֵמָה בְּיוֹם
הַכֹּתִי כָל־בְּכוֹר בְּאֶרֶץ מִצְרַיִם הִקְדַּשְׁתִּי אֹתָם לִי:

Meu é todo primogênito. Mas os primogênitos tinham sido separados para um serviço divino especial. E o ensino é uma espécie de sacerdócio em família. Ver no *Dicionário* o artigo chamado *Primogênito* quanto a detalhes. Os primogênitos egípcios foram sacrificados a Yahweh, a fim de que os israelitas pudessem sair livres. Mas os primogênitos de Israel, assim salvos, ainda precisavam ser sacrificados a Yahweh; tornaram-se *sacrifícios vivos*. Esse princípio foi comentado por Paulo em Romanos 12.1,2. Ver Êxodo 13.2 ss. quanto à narrativa da redenção de Israel do Egito. Ver também Números 18.6. O presente versículo repete, de forma abreviada, o que já fora dito em Levítico 3.11-13, onde as notas expositivas devem ser consultadas.

Os levitas pertenciam a Yahweh, e ele os pôs para trabalhar no culto divino.

■ **8.18**

וָאֶקַּח אֶת־הַלְוִיִּם תַּחַת כָּל־בְּכוֹר בִּבְנֵי יִשְׂרָאֵל:

Este versículo repete a informação de que os levitas substituíram os primogênitos no culto divino. Ver as notas e referências no vs. 16 deste capítulo, com informações adicionais no vs. 17. Ver também Números 3.12.

■ **8.19**

וָאֶתְּנָה אֶת־הַלְוִיִּם נְתֻנִים לְאַהֲרֹן וּלְבָנָיו מִתּוֹךְ בְּנֵי
יִשְׂרָאֵל לַעֲבֹד אֶת־עֲבֹדַת בְּנֵי־יִשְׂרָאֵל בְּאֹהֶל מוֹעֵד
וּלְכַפֵּר עַל־בְּנֵי יִשְׂרָאֵל וְלֹא יִהְיֶה בִּבְנֵי יִשְׂרָאֵל נֶגֶף
בְּגֶשֶׁת בְּנֵי־יִשְׂרָאֵל אֶל־הַקֹּדֶשׁ:

Este versículo expande os deveres dos levitas, os quais se tornaram *presentes* para os sacerdotes, ajudando-os no serviço. Alguns intérpretes insistem em que a distinção radical entre sacerdotes e levitas não existia no começo, e se teria desenvolvido aos poucos, até tornar-se a norma. Quanto a isso, ver Números 3.6. O artigo do *Dicionário*, chamado *Levitas*, trata desse problema e das tarefas específicas da casta sacerdotal de Israel. Ver também o vs. 15 deste capítulo.

Para fazerem expiação. Os intérpretes não concordam quanto ao sentido da palavra *expiação* neste versículo. 1. Alguns pensam que estão em foco os sacrifícios pelo pecado, dos quais participavam como ajudantes dos sacerdotes. 2. Há aqueles que supõem que o termo hebraico aqui usado, que significa *cobrir*, refira-se à *terceira cortina* do tabernáculo, aquela que separava o Lugar Santo do Santo dos Santos. Por dentro dessa cortina, ocorria a expiação anual, sobre a arca da aliança e sobre o *propiciatório* (ver sobre isso no *Dicionário*). Entre os seus deveres, os levitas deviam proteger o povo da presença de Yahweh, para que as pessoas comuns não morressem, sofrendo de algum juízo divino drástico, de alguma praga devastadora etc. Essa proteção era simbolizada pela terceira cortina, a que ocultava o lugar de propiciação dos olhares de todos, ficando assim protegidos os israelitas da presença de Deus. Ver as notas sobre as três cortinas do tabernáculo em Êxodo 26.36. 3. Ainda outros estudiosos pensam que os próprios levitas eram a cobertura protetora, visto que se acampavam em redor e bem próximo do tabernáculo (lugar onde Yahweh se manifestava), ao passo que as tribos acampavam-se a certa distância, em formação específica. Dessarte, os levitas "cobriam" o tabernáculo e não permitiam que um estranho ao culto dele se aproximasse como ministrante. E isso protegia as tribos de Israel.

Ver o gráfico do arranjo do acampamento ao redor do tabernáculo, antes da exposição de Números 1.1.

Dentre o povo de Israel. Na Bíblia em português a expressão "filhos de Israel" ocorre neste versículo por três vezes, e por uma vez a expressão "povo de Israel", que tem o mesmo sentido. Está em pauta a totalidade de Israel, que seria beneficiada pelo ministério dos levitas. Assim, a tarefa dos levitas consistia em proteger os demais israelitas. Ver no *Dicionário* o artigo *Amor*. A primeira e maior de todas as realidades e regras espirituais consiste no cumprimento da lei do amor. O amor é a própria prova da espiritualidade, segundo se aprende em 1João 4.7 ss. Cf. Números 1.53 quanto ao poder protetor dos levitas, em face dos perigos que podiam derivar-se da presença divina. Esse poder protetor foi provido pelo fato de que eles se acampavam ao redor do tabernáculo, formando assim uma espécie de tela de proteção. "Os levitas, mediante sua posição no acampamento (ver Nm 1.52,53; 3.38) *serviam de escudo* para o povo contra os temíveis efeitos da santidade, que podia causar alguma praga ou outra calamidade" (*Oxford Annotated Bible*, comentando sobre este versículo).

■ 8.20

וַיַּעַשׂ מֹשֶׁה וְאַהֲרֹן וְכָל־עֲדַת בְּנֵי־יִשְׂרָאֵל לַלְוִיִּם כְּכֹל אֲשֶׁר־צִוָּה יְהוָה אֶת־מֹשֶׁה לַלְוִיִּם כֵּן־עָשׂוּ לָהֶם בְּנֵי יִשְׂרָאֵל:

Notas sobre a *obediência* com frequência encerram a apresentação de materiais novos. E assim aprendemos aqui que tudo quanto fora ordenado por Yahweh foi executado por Moisés (o mediador), por Arão (o sumo sacerdote) e por toda a congregação de Israel. Ver sobre *Congregação de Israel*, nas notas de Êxodo 16.1. A obediência específica, mencionada aqui, diz respeito a purificação, separação, consagração e serviço da casta sacerdotal, os levitas, o que ocupou o trecho dos vss. 5 ss. Ver Números 1.54 quanto a notas de obediência que encerram seções. Sem a obediência, a lei reduz-se a nada. Ver no *Dicionário* o verbete intitulado *Dever*.

■ 8.21

וַיִּתְחַטְּאוּ הַלְוִיִּם וַיְכַבְּסוּ בִּגְדֵיהֶם וַיָּנֶף אַהֲרֹן אֹתָם תְּנוּפָה לִפְנֵי יְהוָה וַיְכַפֵּר עֲלֵיהֶם אַהֲרֹן לְטַהֲרָם:

Este versículo é um tipo de *sumário* de tudo quanto foi apresentado nos vs. 5 ss. se acha exposto. Quanto a uma lista dos *passos* que foram necessários para levar os levitas ao serviço sagrado, ver a introdução ao vs. 5 deste capítulo. Tais coisas serviram de *tipos* da muito maior realização, aquela do Senhor Jesus. Ver Hebreus 10.19,20. Notemos, pois, quão estranha é essa questão. Os levitas protegiam Israel da terrível presença divina (vs. 19). O papel de Cristo foi abrir o acesso à presença do Senhor. Ver no *Dicionário* o artigo intitulado *Acesso*. Ver Hebreus 10.22.

■ 8.22

וְאַחֲרֵי־כֵן בָּאוּ הַלְוִיִּם לַעֲבֹד אֶת־עֲבֹדָתָם בְּאֹהֶל מוֹעֵד לִפְנֵי אַהֲרֹן וְלִפְנֵי בָנָיו כַּאֲשֶׁר צִוָּה יְהוָה אֶת־מֹשֶׁה עַל־הַלְוִיִּם כֵּן עָשׂוּ לָהֶם: ס

Nas notas sobre o quinto versículo deste capítulo, apresentei os *passos* dados para introduzir os levitas no serviço. Esses passos são agora apresentados como cumpridos, e assim os levitas iniciaram o culto divino. Ver Números 3.6 quanto ao antigo e mais amplo serviço prestado por eles; e, em Números 8.15, o serviço limitado deles. O artigo do *Dicionário* acerca dos *levitas* apresenta todas as informações de que dispomos a respeito deles. Esse artigo descreve os deveres dos levitas, com referências apropriadas. Eles trabalhavam sob a orientação e o escrutínio de Arão e seus filhos. Atuavam como assistentes dos sacerdotes.

■ 8.23

וַיְדַבֵּר יְהוָה אֶל־מֹשֶׁה לֵּאמֹר:

Disse mais o Senhor. Eis uma frequente expressão, usada no Pentateuco, para introduzir materiais novos. Ela também nos faz lembrar da doutrina da inspiração divina da Bíblia. Ver notas sobre isso em Levítico 1.1 e 4.1.

Temos nesta seção um esclarecimento sobre os *limites de idade* em que os levitas podiam servir (vss. 23-26). Aprendemos assim que eles deveriam servir quando estavam em plena forma física.

Dá o que tens de melhor ao Mestre,
Dá da força de tua juventude.

H. G. B.

■ 8.24,25

זֹאת אֲשֶׁר לַלְוִיִּם מִבֶּן חָמֵשׁ וְעֶשְׂרִים שָׁנָה וָמַעְלָה יָבוֹא לִצְבֹא צָבָא בַּעֲבֹדַת אֹהֶל מוֹעֵד:
וּמִבֶּן חֲמִשִּׁים שָׁנָה יָשׁוּב מִצְּבָא הָעֲבֹדָה וְלֹא יַעֲבֹד עוֹד:

Aqueles que se tinham tornado *levitas serviçais* (o texto diz "o que toca aos levitas") cabiam dentro da faixa de idade entre os 25 e os 50 anos. Os mais idosos, a partir dos cinquenta anos, eram liberados do serviço ativo. Esses haviam cumprido sua missão. E agora seriam substituídos por homens mais jovens. Em Números 4.3, os limites são 30 a 50 anos. Alguns estudiosos supõem que isso envolva ou diferentes fontes informativas, ou diferentes períodos históricos, como explicações dessa variação. 1Crônicas 23.24 fala em 20 anos como a idade do início dos serviços. Quanto às várias especulações que tentam harmonizar esses números, ver as notas sobre Números 4.3. Na verdade, nenhuma solução satisfatória foi encontrada para solucionar esse problema; nem ele se reveste de grande importância. A *essência* é a mesma, ou seja, os levitas que serviam ativamente dedicavam seus anos de maior pujança no serviço prestado ao Senhor.

■ 8.26

וְשֵׁרֵת אֶת־אֶחָיו בְּאֹהֶל מוֹעֵד לִשְׁמֹר מִשְׁמֶרֶת וַעֲבֹדָה לֹא יַעֲבֹד כָּכָה תַּעֲשֶׂה לַלְוִיִּם בְּמִשְׁמְרֹתָם: פ

Os que tinham sido *desobrigados* de seus serviços, ainda assim podiam ajudar seus irmãos mais jovens, voluntariamente. Mas nesse caso eram isentados das tarefas mais pesadas. Serviam "dando conselhos, instruindo aos levitas mais jovens e executando serviços mais leves, conforme disse Jarchi, e voltariam a fechar portas jubilosamente" (John Gill, *in loc.*). Mas John Gill objeta à adição feita por Jarchi, acerca de "carregar vagões", como uma tarefa extenuante para levitas com mais de 50 anos de idade. Antes, não deviam fazer "serviços pesados".

Tarefas dos Levitas. Entre as muitas regras que controlavam o trabalho feito pelos levitas, havia essa que estipulava que, tendo-se aposentado, eles podiam ocupar-se de serviços mais leves. Esse item também precisava ser obedecido e implementado. Yahweh não queria que homens idosos fizessem tarefas próprias de homens jovens; mas também não queria que os idosos ficassem inativos de todo. A declaração inclui a ideia de que os levitas, de modo geral, se ocupassem no serviço a Yahweh; mas aos mais idosos dever-se-ia dar descanso, chegado o momento aprazado.

CAPÍTULO NOVE

A PÁSCOA (9.1-14)

Uma das características de estilo do autor do Pentateuco é a repetição. Assim, temos diante de nós materiais que já haviam sido apresentados em outros trechos bíblicos. Mas esta seção adiciona um novo item, ou seja, a instrução sobre *como* pessoas, devido à poluição cerimonial (por haverem entrado em contato com algum cadáver), ainda assim podiam celebrar o rito. A provisão era uma espécie de páscoa suplementar. A observação dessa instrução, por parte dos tais, seria adiada por um mês, em relação ao tempo regular de observância (vs. 11). Encontramos aqui, pois, a ótima lição de que a provisão divina é ampla, cobrindo todas as fraquezas humanas. Ver no *Dicionário* o artigo *Providência de Deus*. E assim os vss. 1-14 são suplementos adicionados às leis que haviam sido dadas no tocante à páscoa. Ver no *Dicionário* o artigo *Páscoa*, onde há informações completas.

"A razão para essas novas instruções acerca da páscoa era oferecer uma solução para o problema de qualquer israelita que, por alguma razão, fosse incapaz de celebrar essa festa no tempo designado" (Eugene H. Merrill, *in loc.*).

■ 9.1

וַיְדַבֵּר יְהוָה אֶל־מֹשֶׁה בְמִדְבַּר־סִינַי בַּשָּׁנָה הַשֵּׁנִית לְצֵאתָם מֵאֶרֶץ מִצְרַיִם בַּחֹדֶשׁ הָרִאשׁוֹן לֵאמֹר׃

Falou o Senhor. Essa expressão é muito usada para introduzir novos materiais no Pentateuco, como também para fazer-nos lembrar da inspiração divina da Bíblia. Quanto a isso, ver as notas em Levítico 1.1 e 4.1.

Este versículo lembra-nos da inauguração histórica da páscoa, levando-nos de volta às informações dadas em Êxodo 12.1-16, as quais foram postas em execução formal uma vez terminada a construção do tabernáculo (ver Êx 40.17), antes do recenseamento (ver Nm 1.2). A páscoa foi celebrada por ocasião do êxodo, mas era mister incorporá-la à experiência de Israel no deserto. Se os israelitas tivessem sido obedientes, a segunda páscoa teria ocorrido na terra de Canaã. Mas, como não obedeceram, precisam observá-la no deserto, em meio às suas vagueações. E, assim, essa celebração teve lugar no *segundo ano*, tendo sido essa a segunda observância da festa. A primeira páscoa assinalou o primeiro ano da nova vida de Israel, quando então teve início o calendário religioso. No *Dicionário*, ver o artigo geral *Páscoa*. A segunda páscoa foi observada no segundo ano do êxodo, no deserto. A primeira ocorreu por ocasião no ano anterior, quando os filhos de Israel saíram do Egito. O *primeiro mês* do calendário religioso começou com aquele evento. Era o mês de *abibe* (no hebraico, *aviv*, "primavera"), que dizia respeito à estação do ano em que a festa era celebrada. Mais tarde, esse mês passou a ser chamado *nisã*.

■ 9.2

וְיַעֲשׂוּ בְנֵי־יִשְׂרָאֵל אֶת־הַפָּסַח בְּמוֹעֲדוֹ׃

A *páscoa* não era um acontecimento para ser celebrado de uma vez por todas. Antes, devia ser perpetuado na memória dos israelitas, lembrando como eles tinham sido livrados da servidão no Egito. O senso de gratidão estava envolvido na festa. Os filhos de Israel lembravam-se assim das poderosas obras de Yahweh. Sentimentos espirituais eram assim aprofundados e fortalecidos. A perpetuação dessa observância foi garantida pela transformação da páscoa em um feriado nacional, como início do calendário religioso. Ver a introdução ao vs. 1 e os comentários sobre ele.

■ 9.3

בְּאַרְבָּעָה עָשָׂר־יוֹם בַּחֹדֶשׁ הַזֶּה בֵּין הָעַרְבַּיִם תַּעֲשׂוּ אֹתוֹ בְּמוֹעֲדוֹ כְּכָל־חֻקֹּתָיו וּכְכָל־מִשְׁפָּטָיו תַּעֲשׂוּ אֹתוֹ׃

O elemento tempo é aqui repetido. A festa devia ser observada no décimo quarto dia do mês de *abibe*, de um fim de tarde ao fim da tarde do dia seguinte. Ver Êxodo 12.6 quanto a essa expressão. O judaísmo posterior, porém, entendia o tempo entre o que chamaríamos de 15 às 18 horas, ou seja, o crepúsculo, aquele tempo entre o pôr do sol e o escurecimento da noite. A páscoa havia sido instituída em meio a um conjunto de ritos, os quais tinham de ser observados à risca. O artigo descreve detalhadamente a questão. "Não será nem dia nem noite, mas haverá luz à tarde" (Zc 14.7). Ver o capítulo 12 de Êxodo quanto aos ritos originais que foram instituídos. A observância subsequente estava sujeita às mesmas regras. Cf. Levítico 17 e Deuteronômio 16.

■ 9.4

וַיְדַבֵּר מֹשֶׁה אֶל־בְּנֵי יִשְׂרָאֵל לַעֲשֹׂת הַפָּסַח׃

Na qualidade de mediador de Yahweh, Moisés reinaugurou, por assim dizer, a observância da páscoa, garantindo que a observância no deserto não permitiria que a questão fosse esquecida. O livramento da servidão no Egito foi uma tremenda intervenção divina, um momento miraculoso especial. Nenhum israelita podia esquecer isso. Tinha-se passado apenas um ano desde a última observância, e agora era chegado o momento azado para sua reiteração.

■ 9.5

וַיַּעֲשׂוּ אֶת־הַפֶּסַח בָּרִאשׁוֹן בְּאַרְבָּעָה עָשָׂר יוֹם לַחֹדֶשׁ בֵּין הָעַרְבַּיִם בְּמִדְבַּר סִינָי כְּכֹל אֲשֶׁר צִוָּה יְהוָה אֶת־מֹשֶׁה כֵּן עָשׂוּ בְּנֵי יִשְׂרָאֵל׃

Este versículo registra a observância requerida. Israel observou; os ritos foram efetuados segundo havia sido ordenado pelo Senhor. Yahweh tinha dado as instruções, transmitindo-as por meio de Moisés. Todo israelita estava na obrigação de observar a festa.

Não há aqui menção alguma à guarda da festa dos pães asmos, que sempre acompanhava a páscoa. Provavelmente o autor esperava que seus leitores se lembrassem desse detalhe, pelo que não se incomodou em repeti-lo. Ver no *Dicionário* o artigo intitulado *Pães Asmos*. Ver Êxodo 12.8 e suas notas expositivas.

■ 9.6

וַיְהִי אֲנָשִׁים אֲשֶׁר הָיוּ טְמֵאִים לְנֶפֶשׁ אָדָם וְלֹא־יָכְלוּ לַעֲשֹׂת־הַפֶּסַח בַּיּוֹם הַהוּא וַיִּקְרְבוּ לִפְנֵי מֹשֶׁה וְלִפְנֵי אַהֲרֹן בַּיּוֹם הַהוּא׃

Houve alguns que se acharam imundos. Isso constituía uma dificuldade. Todos os cuidados não impediram certas pessoas de ficar cerimonialmente impuras, quando da observância da páscoa, impedindo-as de participar. Ver no *Dicionário* o verbete *Limpo e Imundo*. Novas estipulações foram baixadas para cobrir tais eventualidades, as quais, naturalmente, provavelmente tinham lugar a cada ano. Alguma legislação precisava governar tais casos. Os homens mencionados haviam tocado em um cadáver (por terem estado presentes a um sepultamento), e isso causara a imundícia cerimonial. Mas tais homens ansiavam por cumprir seus deveres e privilégios; e assim levaram o problema a Moisés, buscando solução. Moisés não dispunha de uma resposta imediata, pelo que consultou a Yahweh sobre a questão (vss. 8 ss.). Quanto à imundícia cerimonial, mediante o toque em um cadáver, ver Levítico 21.1,2.

Alguns eruditos supõem uma alusão ao sepultamento de Nadabe e Abiú (ver Lv 10.1 ss.). Os que efetuaram o sepultamento, pois, ficaram poluídos. Mas não há indício de que, de fato, esse tenha sido o caso.

■ 9.7

וַיֹּאמְרוּ הָאֲנָשִׁים הָהֵמָּה אֵלָיו אֲנַחְנוּ טְמֵאִים לְנֶפֶשׁ אָדָם לָמָּה נִגָּרַע לְבִלְתִּי הַקְרִב אֶת־קָרְבַּן יְהוָה בְּמֹעֲדוֹ בְּתוֹךְ בְּנֵי יִשְׂרָאֵל׃

Estamos imundos. Essa foi a confissão deles. Os envolvidos não ocultaram o problema. Estavam ansiosos por equacioná-lo da maneira correta. Tinham sido instruídos quanto às leis do limpo e do imundo, e sabiam que estavam poluídos por terem participado de um sepultamento. E Moisés, embora conhecedor de todas as leis que Yahweh havia dado, não dispunha de uma solução imediata. E precisou consultar a Yahweh para obter legislação adicional quanto a tais casos. E a informação por ele recebida passou a fazer parte da legislação de Israel por todo o resto de sua história. Por *quatro vezes* Moisés precisou pedir orientação divina, para solucionar problemas especiais. Ver Números 27.5.

■ **9.8**

וַיֹּ֤אמֶר אֲלֵהֶם֙ מֹשֶׁ֔ה עִמְד֖וּ וְאֶשְׁמְעָ֑ה מַה־יְצַוֶּ֥ה יְהוָ֖ה לָכֶֽם׃ פ

Esperai. É como se Moisés houvesse dito: "Não se vão. Logo terei a solução da parte do Senhor". Aben Ezra supunha que eles estivessem diante da primeira cortina do tabernáculo, a que servia de porta para o átrio externo. E ali ficaram, até que Moisés voltasse com a resposta. Ver sobre as *três cortinas* do tabernáculo nas notas de Êxodo 26.36.

Não nos é dito para onde Moisés foi; mas os intérpretes pensam que ele entrou no Santo dos Santos, como o sumo sacerdote também poderia fazer, embora somente uma vez no ano. E ali, diante da arca da aliança, ele buscou a resposta. Era ali que costumava aparecer a glória *shekinah* (ver Êx 25.22). A Moisés haviam sido prometidas revelações a qualquer momento que ele quisesse; e o Santo dos Santos foi o lugar escolhido para essas consultas. Era assim que Moisés consultava o oráculo santo.

■ **9.9**

וַיְדַבֵּ֥ר יְהוָ֖ה אֶל־מֹשֶׁ֥ה לֵּאמֹֽר׃

Então disse o Senhor. Essa expressão é muito usada para introduzir materiais novos no Pentateuco; e também para lembrar a doutrina da inspiração divina das Escrituras. Ver as notas completas sobre essa questão em Levítico 1.1 e 4.1.

■ **9.10**

דַּבֵּ֞ר אֶל־בְּנֵ֤י יִשְׂרָאֵל֙ לֵאמֹ֔ר אִ֣ישׁ אִ֣ישׁ כִּֽי־יִהְיֶֽה־טָמֵ֣א לָנֶ֗פֶשׁ אוֹ֩ בְדֶ֨רֶךְ רְחֹקָ֜ה לָכֶ֗ם אוֹ לְדֹרֹ֣תֵיכֶ֔ם וְעָ֥שָׂה פֶ֖סַח לַיהוָֽה׃

Fala aos filhos de Israel. Neste caso particular, a revelação divina prestava informações sobre um problema específico. Mas também tornou-se uma legislação fixa para um problema que poderia ocorrer com frequência, a respeito da observância da páscoa.

Entre vós, ou entre as vossas gerações. A legislação serviria para toda a história subsequente. Sobre o assunto, nunca mais Moisés ou qualquer sumo sacerdote teria de consultar novamente a Deus. A legislação cobria a questão do limpo e do imundo, mas também a dos israelitas que estivessem no estrangeiro e se julgassem impedidos de celebrar a páscoa. Todos quantos perdessem a primeira oportunidade de celebrar a páscoa podiam fazê-lo em uma segunda chance, um mês mais tarde. Todos *tinham* de observar a páscoa. E para tanto havia duas oportunidades. O Targum de Jonathan estende a causa da imundícia cerimonial a todos os tipos de empecilhos cobertos pela legislação levítica. Aqueles que se recusassem a observar a páscoa seriam *eliminados,* ou seja, executados (ver o vs. 13).

■ **9.11**

בַּחֹ֨דֶשׁ הַשֵּׁנִ֜י בְּאַרְבָּעָ֨ה עָשָׂ֥ר י֛וֹם בֵּ֥ין הָעַרְבַּ֖יִם יַעֲשׂ֣וּ אֹת֑וֹ עַל־מַצּ֥וֹת וּמְרֹרִ֖ים יֹאכְלֻֽהוּ׃

No mês segundo. Os que não houvessem celebrado a páscoa no prazo regular poderiam fazê-lo um mês mais tarde, ou seja, no mês de ijar (conforme diz o Targum de Jonathan), equivalente a nosso abril-maio, também no dia catorze do mês, ou seja, precisamente um mês após a páscoa regular. O mesmo modo de proceder devia ser seguido, pelo que era uma verdadeira repetição da festa, e não alguma forma modificada. Temos aqui a menção aos *pães asmos* (ver a esse respeito no *Dicionário*), que tinham sido olvidados no tocante à celebração regular, no vs. 5. Ver as notas nesse versículo. Tal omissão, porém, provavelmente foi acidental, pois é impossível pensarmos que a páscoa suplementar incluísse qualquer coisa que a páscoa principal não contivesse. Ver as notas sobre os *Pães Asmos*, em Êxodo 12.8.

■ **9.12**

לֹֽא־יַשְׁאִ֤ירוּ מִמֶּ֙נּוּ֙ עַד־בֹּ֔קֶר וְעֶ֖צֶם לֹ֣א יִשְׁבְּרוּ־ב֑וֹ כְּכָל־חֻקַּ֥ת הַפֶּ֖סַח יַעֲשׂ֥וּ אֹתֽוֹ׃

Ver Êxodo 12.10 quanto à regra de que coisa alguma de um sacrifício podia ser deixada até a manhã seguinte, e que nenhum dos ossos podia ser partido (ver Êx 12.46). Essas duas normativas são mencionadas especificamente, mas de nós é esperado que entendamos que todas as regras deviam ser observadas, embora não seja mencionado item por item. Havia a aspersão do sangue do cordeiro sobre as vergas das portas, e o cordeiro era comido às pressas etc.

As Três Festas. Três festas eram associadas: a páscoa, a dedicação dos primogênitos e os pães asmos. Originalmente, porém, parecem ser festas separadas. O vs. 5 talvez reflita a condição anterior, quando a páscoa era celebrada sem o acompanhamento das outras duas. O vs. 12, pois, podia refletir um período posterior. Ver as notas de introdução ao capítulo 12 de Êxodo, acerca de informações sobre a questão. Ver no *Dicionário* os artigos *Páscoa*; *Pães Asmos* e *Primogênito*.

■ **9.13**

וְהָאִישׁ֩ אֲשֶׁר־ה֨וּא טָה֜וֹר וּבְדֶ֣רֶךְ לֹא־הָיָ֗ה וְחָדַל֙ לַעֲשׂ֣וֹת הַפֶּ֔סַח וְנִכְרְתָ֛ה הַנֶּ֥פֶשׁ הַהִ֖וא מֵֽעַמֶּ֑יהָ כִּ֣י ׀ קָרְבַּ֣ן יְהוָ֗ה לֹ֤א הִקְרִיב֙ בְּמֹ֣עֲד֔וֹ חֶטְא֥וֹ יִשָּׂ֖א הָאִ֥ישׁ הַהֽוּא׃

Deixar de celebrar a páscoa. A páscoa suplementar não era permitida ao homem que estivesse limpo ou não estivesse viajando na época da páscoa regular. Ninguém tinha o direito de adiar sua participação sem justa causa. Aquele que ousasse fazer tal coisa seria *eliminado,* o que poderia significar excluído, porém mais provavelmente que seria *executado.* Tal execução usualmente era efetuada mediante *apedrejamento* (ver a respeito no *Dicionário*). Certas obrigações não podiam ser negligenciadas. Ver no *Dicionário* o verbete intitulado *Dever*.

Levará sobre si o seu pecado. Em outras palavras, seria executado por seu pecado. Tal pecado lhe serviria de pecado insuportável. Não sobreviveria ao carregar *tal* pecado. Cf. Levítico 24.15 e Números 18.22.

■ **9.14**

וְכִֽי־יָג֨וּר אִתְּכֶ֜ם גֵּ֗ר וְעָ֤שָׂה פֶ֙סַח֙ לַֽיהוָ֔ה כְּחֻקַּ֥ת הַפֶּ֛סַח וּכְמִשְׁפָּט֖וֹ כֵּ֣ן יַעֲשֶׂ֑ה חֻקָּ֤ה אַחַת֙ יִהְיֶ֣ה לָכֶ֔ם וְלַגֵּ֖ר וּלְאֶזְרַ֥ח הָאָֽרֶץ׃ פ

Se um estrangeiro. A alusão é a algum convertido ao yahwismo dentre as nações, algum gentio que aceitara as responsabilidades próprias da fé dos hebreus. Ver Êxodo 12.48,49 quanto às leis referentes aos *estrangeiros*. Um conjunto de regras aplicava-se a todos. Os prosélitos eram circuncidados, e assim tornavam-se membros partícipes do Pacto Abraâmico (ver as notas em Gn 15.18). Ver Êxodo 12.48 quanto à regra da circuncisão.

A NUVEM GUIA A MARCHA DOS ISRAELITAS (9.15-23)

O autor sagrado continuava repetindo materiais que ele já havia dado algures. A repetição fazia parte do seu estilo literário. Ver as notas sobre Êxodo 13.18,21,22; 40.34-36, como também o detalhado artigo do *Dicionário*, intitulado *Colunas de Fogo e de Nuvem*, quanto a informações plenas.

■ **9.15**

וּבְיוֹם֙ הָקִ֣ים אֶת־הַמִּשְׁכָּ֔ן כִּסָּ֤ה הֶֽעָנָן֙ אֶת־הַמִּשְׁכָּ֔ן לְאֹ֖הֶל הָעֵדֻ֑ת וּבָעֶ֜רֶב יִהְיֶ֧ה עַֽל־הַמִּשְׁכָּ֛ן כְּמַרְאֵה־אֵ֖שׁ עַד־בֹּֽקֶר׃

O tabernáculo. Aqui também chamado de "tenda do testemunho", dando a entender que continha o Santo dos Santos, onde era guardada a arca da aliança. Era ali que se revelava o testemunho de Yahweh e se manifestava a glória *shekinah*. Ver no *Dicionário* os artigos *Tabernáculos* e *Arca da Aliança*. Ver a respeito de *Testemunho* em Êxodo 16.34 e 25.16.

No dia em que foi erigido. O verbo é aqui *histórico*. Houve *aquele* dia, em um passado histórico, em que o tabernáculo foi levantado, quando a nuvem divina o encobriu, e houve a presença e a *orientação* de Deus. Quando essa nuvem se movia, Israel caminhava atrás. À noite, quando Israel viajava, a fim de evitar a canícula do dia, então a coluna de fogo acompanhava o povo. Pela manhã, o fogo desaparecia e aparecia a nuvem, para proteger Israel do calor do sol.

Ver as notas sobre o título "tenda do testemunho", em Levítico 17.7,8; 18.2; 2Crônicas 24.6; Êxodo 14.24. Detalhes completos são dados no artigo do *Dicionário*, *Colunas de Fogo e de Nuvem*. Ver os comentários sobre essa questão em Salmo 78.14; Neemias 9.12 e Isaías 4.5. Yahweh fazia sua presença conhecida através desses fenômenos. Ver Êxodo 40.34-38. Algumas vezes, a nuvem repousava parada por longo tempo (ver Nm 9.18), mas de outras vezes sua permanência era breve (ver Nm 9.20,21). Israel punha-se em movimento em *reação* à nuvem, pois era assim que o Senhor orientava seu povo quanto a movimentações e paradas.

■ 9.16

כֵּן יִהְיֶה תָמִיד הֶעָנָן יְכַסֶּנּוּ וּמַרְאֵה־אֵשׁ לָיְלָה׃

Este versículo diz-nos que *todas as vezes* os fenômenos da nuvem e do fogo surtiam efeito, e isso prosseguiu por todo o tempo em que Israel ficou vagueando pelo deserto. Porém, uma vez que chegaram na Terra Prometida, não havia mais necessidade de tal orientação. E assim, em nossos próprios tempos de vagueação e dúvida, contamos com meios especiais de norteamento. Oh, Senhor, concede-nos tal graça! Ver Êxodo 13.21,22; Neemias 9.19.

"Acima de tudo, há a revelação do objetivo de Deus na história, na história de Israel e na pessoa de Cristo. Ele é a estrela fixa, fora e além de nós mesmos, por meio de quem Deus guia todos quantos olham para ele e norteiam seu curso por meio dele" (Albert George Butzer, *in loc.*, comentando sobre a questão da *orientação*).

■ 9.17

וּלְפִי הֵעָלֹת הֶעָנָן מֵעַל הָאֹהֶל וְאַחֲרֵי־כֵן יִסְעוּ בְּנֵי יִשְׂרָאֵל וּבִמְקוֹם אֲשֶׁר יִשְׁכָּן־שָׁם הֶעָנָן שָׁם יַחֲנוּ בְּנֵי יִשְׂרָאֵל׃

Marchas e Acampamentos. A progressão e o descanso eram determinados por esse *modus operandi* de orientação. Israel tinha de seguir a orientação, e assim, em qualquer época, é mister fé para seguirmos os indicadores divinos. Alguns homens não estão interessados nas realidades divinas; mas em algum ponto, por motivo de necessidade, eles buscam nele a sua guarida. O capítulo seguinte fornece-nos uma demonstração prática de como o sistema funcionava, em que Israel é retratado a abandonar o Sinai e a dirigir-se na direção da Terra Prometida. Só lemos sobre uma instância em que Israel desconsiderou a orientação especial que lhe foi dada, a saber, aquela narrada em Números 14.40-42. "Eis que estou convosco todos os dias até à consumação do século" (Mt 28.20).

■ 9.18

עַל־פִּי יְהוָה יִסְעוּ בְּנֵי יִשְׂרָאֵל וְעַל־פִּי יְהוָה יַחֲנוּ כָּל־יְמֵי אֲשֶׁר יִשְׁכֹּן הֶעָנָן עַל־הַמִּשְׁכָּן יַחֲנוּ׃

Segundo o mandado do Senhor. As ordens eram transmitidas por meio dos movimentos da nuvem e da coluna de fogo. Coisa alguma era deixada ao mero acaso. Supõem alguns intérpretes que esse *mandado* era algo além dos movimentos da nuvem e da coluna de fogo, uma espécie de garantia adicional de que Israel teria consciência do que devia fazer. De fato, algumas vezes precisamos de uma orientação extraordinária. Oh, Senhor, concede-nos tal graça! Algumas vezes precisamos da divina *intervenção*, a fim de garantir nosso progresso e de que estamos tomando a direção correta.

Guia-me, tu, grande Jeová,
Peregrino neste estéril mundo;
Sou fraco, e o poder contigo está,
Não me deixes, nem por
um segundo.

William Williams

■ 9.19,20

וּבְהַאֲרִיךְ הֶעָנָן עַל־הַמִּשְׁכָּן יָמִים רַבִּים וְשָׁמְרוּ בְנֵי־יִשְׂרָאֵל אֶת־מִשְׁמֶרֶת יְהוָה וְלֹא יִסָּעוּ׃

וְיֵשׁ אֲשֶׁר יִהְיֶה הֶעָנָן יָמִים מִסְפָּר עַל־הַמִּשְׁכָּן עַל־פִּי יְהוָה יַחֲנוּ וְעַל־פִּי יְהוָה יִסָּעוּ׃

E não partiam. Há tempos tanto de atividade quanto de descanso. E o Senhor dirigia Israel tanto em um quanto em outro caso. O descanso podia ser de alguns poucos dias, ou de bastante tempo. Não se podia predizer o que o Espírito de Deus faria em seguida. Havia *ordens* baixadas por Yahweh, determinando tanto o descanso quanto a atividade; e Israel obedecia. Os filhos de Israel não ficavam sem um testemunho divino. Oh, Senhor, concede-nos tal graça! Algumas vezes o descanso era longo (ver Nm 9.19), e de outras vezes, breve (ver Nm 9.20,21). E Israel sempre obedecia. Cf. a obediência dos levitas (Nm 3.17) e a de Arão e da congregação (2Cr 23.6).

Cumpriam a ordem do Senhor. Ver os comentários a esse respeito no vs. 23 deste capítulo.

Ao longo do caminho guia-me o Salvador,
Que mais posso eu pedir?
Posso duvidar do favor do Senhor,
A quem nunca deixarei
de seguir?

Fanny J. Crosby

■ 9.21

וְיֵשׁ אֲשֶׁר יִהְיֶה הֶעָנָן מֵעֶרֶב עַד־בֹּקֶר וְנַעֲלָה הֶעָנָן בַּבֹּקֶר וְנָסָעוּ אוֹ יוֹמָם וָלַיְלָה וְנַעֲלָה הֶעָנָן וְנָסָעוּ׃

Às vezes a nuvem. Mediante a nuvem, Deus ora fazia uma coisa, ora outra. Tudo sucedia através do decreto divino. O fogo não é especificamente mencionado neste versículo; mas o autor sabia que entenderíamos isso (vs. 15). Por ordem de Deus, a nuvem e a coluna de fogo moviam-se ou paravam. Alguns supõem que a nuvem e a coluna de fogo fossem uma só e a mesma coisa. À noite a nuvem brilharia como coluna de fogo. Aben Ezra observou que Israel viajava durante a noite. As sentinelas viam que a coluna de fogo começava a movimentar-se, e a notícia espalhava-se pelo acampamento. Então Israel desarmava suas tendas e acompanhava a coluna de fogo. Comparar com isso o trecho de Salmo 134.1.

Guia-me! Que bendito pensamento,
Pedido dotado de celestial
consolação!
O que quer que eu faça,
a qualquer momento,
É Deus que me guia, com
a sua mão.

Joseph H. Gilmore

■ 9.22

אוֹ־יֹמַיִם אוֹ־חֹדֶשׁ אוֹ־יָמִים בְּהַאֲרִיךְ הֶעָנָן עַל־הַמִּשְׁכָּן לִשְׁכֹּן עָלָיו יַחֲנוּ בְנֵי־יִשְׂרָאֵל וְלֹא יִסָּעוּ וּבְהֵעָלֹתוֹ יִסָּעוּ׃

Se a nuvem. Sem importar o tempo envolvido, se um dia, uma semana ou um ano, o mecanismo de orientação e obediência era o mesmo. Este versículo adiciona apenas a informação da irregularidade do elemento tempo. Mas o que pode parecer-nos irregularidade, para Deus era tudo muito regular, pois suas ordens sempre têm alguma *razão*. Para nós, a orientação divina pode parecer falha. Não entendemos por qual razão eles tinham de partir ou estacar. Mas sabemos que a providência divina predominava sobre tudo. Ver no *Dicionário* o artigo *Providência de Deus*. Maimônides diz que Israel ficou em Cades-Barneia por nada menos de dezoito anos! (*Moeh Nevoch*, par. 3, cap. 50). Talvez pareça que Israel perdera seu caminho no deserto, desistindo totalmente de continuar a marcha até a Terra Prometida. Mas a vontade de Deus estava presente em tudo. Ver Números 13.26.

> Acalma-te, ó alma, Deus está contigo;
> Suporta bem a cruz de tristeza e dor;
> Ordenar e prover pertencem
> a teu Senhor.
>
> Katharina von Schlegel

■ 9.23

עַל־פִּי יְהוָה יַחֲנוּ וְעַל־פִּי יְהוָה יִסָּעוּ אֶת־מִשְׁמֶרֶת יְהוָה שָׁמָרוּ עַל־פִּי יְהוָה בְּיַד־מֹשֶׁה: פ

Segundo o mandado do Senhor. Como já vimos, o Senhor baixava ordens por meio dos movimentos da nuvem e da coluna de fogo; e também, conforme alguns supõem, por meio de algum outro meio de orientação (segundo vimos nas notas sobre o vs. 18). Os filhos de Israel recebiam ordens e obedeciam, o que já tinha sido dito no vs. 19, onde também o leitor deve examinar as notas expositivas.

Cumpriam o seu dever. No hebraico temos o termo *shamar*, "observar", "dar ouvidos". A ideia básica da forma verbal significa "exercer cuidados", pelo que a forma nominal aponta para o cuidado em cumprir o dever ou tarefa que cabem a alguém. Uma cuidadosa atenção era dada para que se cumprissem todas as ordens e orientações passadas por Yahweh.

Esta seção é sumariada por um comentário sobre a *obediência* do povo de Israel. E desse modo, com frequência, o autor sagrado encerrou seções de seus escritos. Ver sobre isso em Números 1.54, que diz: "segundo a tudo o que o Senhor ordenara a Moisés, assim o fizeram".

CAPÍTULO DEZ

AS DUAS TROMBETAS DE PRATA (10.1-10)

O nono capítulo de Números prepara-nos para a saída do povo de Israel da península do Sinai, o que é registrado no seu décimo capítulo. Historicamente, o livro de Números relata como Israel deixou essa península e encetou jornada na direção da Terra Prometida. Esse é o arcabouço essencial histórico do livro.

Um sistema de sinais precisava ser criado a fim de alertar o povo de Israel sobre quando ele deveria pôr-se em movimento. Esse sistema consistiu no uso de duas trombetas especiais, feitas de prata. Quando ambas as trombetas eram tocadas, *todo* o povo de Israel precisava reunir-se. Quando somente uma era tocada, apenas os líderes do povo se reuniam. Mas quando elas eram tocadas com um som diferente (talvez com uma oitava abaixo ou acima) então estava sendo dado um sinal de partida. Punha-se em marcha, em primeiro lugar, a divisão oriental do povo (ver Nm 2.3-9); um segundo toque punha a ala sul em movimento (ver Nm 2.10-16). É claro que as demais alas também tinham seus próprios sinais especiais, embora isso não seja mencionado. Veja como o povo de Israel se acampava em torno do tabernáculo, no gráfico apresentado antes da exposição sobre Números 1.1. Israel também marchava em divisões específicas, de acordo com determinado arranjo, mantendo-se juntos grupos específicos que se acampavam em redor do tabernáculo.

■ 10.1

וַיְדַבֵּר יְהוָה אֶל־מֹשֶׁה לֵּאמֹר:

Disse mais o Senhor. Temos aí uma frequente expressão no Pentateuco, usada para introduzir novos materiais. E também nos faz lembrar da doutrina da inspiração divina. Ver as notas a esse respeito em Levítico 1.1 e 4.1.

Fórmulas de Comunicação. O Pentateuco envolve *oito* diferentes fórmulas de comunicação. Ver as notas sobre essas fórmulas em Levítico 17.2. Moisés era o mediador entre Yahweh e o povo de Israel. Ele recebia as mensagens e as repassava a Arão, a Arão e seus filhos, ou ao povo de Israel etc. Por ordem de Yahweh, Moisés mandou fazer duas trombetas de prata, e devemos entender que a tarefa foi entregue a artífices aptos para tanto.

■ 10.2

עֲשֵׂה לְךָ שְׁתֵּי חֲצוֹצְרֹת כֶּסֶף מִקְשָׁה תַּעֲשֶׂה אֹתָם וְהָיוּ לְךָ לְמִקְרָא הָעֵדָה וּלְמַסַּע אֶת־הַמַּחֲנוֹת:

Faze duas trombetas de prata. "O Antigo Testamento alude a *três* tipos de trombetas, duas moldadas segundo o formato de um chifre de carneiro; e uma terceira, chamada *haçoceroth* no hebraico, é mencionada aqui. As duas trombetas de prata eram feitas como um longo tubo, com a boca como de um sino. Elas foram feitas, ao que se presume, para produzir sons de tons diferentes, a fim de que os filhos de Israel reconhecessem se estavam sendo tocadas uma só ou ambas" (John Marsh, *in loc.*). Desse modo, diferentes ordens podiam ser compreendidas, como já comentei na introdução a este capítulo.

Era tarefa de Eleazar e Itamar (filhos de Arão) soprar as trombetas, por ordem de Moisés. Ver o vs. 8 deste capítulo. Josefo (*Antiq.* 1.3, cap. 12, sec. 6) diz-nos que essas trombetas tinham menos de um côvado de comprimento (o côvado tinha cerca de 46 cm), que eram um tubo fino, mas alargavam-se na direção da boca, terminando como formato de um sino.

Tipologia. A trombeta é símbolo de anúncios. As mensagens de Deus eram enviadas mediante as trombetas. Assim, a mensagem de Deus é a trombeta de Deus, anunciando boas-novas aos homens. A prata é um metal precioso e durável. O evangelho é a prata de Deus, livre de escória e altamente puro e eficaz quanto à tarefa que lhe cabe.

De obra batida as farás. Significa que cada trombeta era feita de uma única peça de prata. Isso fala de sua unidade e perfeição. O metal era batido com um martelo, até assumir sua forma final. Cf. Êxodo 25.31, que fala do candelabro, também feito de uma única peça de ouro. Isso pode simbolizar a perfeição e a unidade do evangelho, a admirável mensagem salvífica de Deus.

Nos dias de Salomão, quando o número de sacerdotes já havia aumentado bastante, nada menos de 120 sacerdotes faziam soar suas trombetas (ver 2Cr 5.12).

Funções. As trombetas eram usadas para convocar assembleias, o povo inteiro ou os líderes, e também para anunciar o início de alguma marcha, conforme foi descrito na introdução a este capítulo.

■ 10.3

וְתָקְעוּ בָּהֵן וְנוֹעֲדוּ אֵלֶיךָ כָּל־הָעֵדָה אֶל־פֶּתַח אֹהֶל מוֹעֵד:

Quando tocarem. Quando ambas as trombetas eram tocadas, isso significava que todo o povo de Israel devia reunir-se em assembleia, mediante seus representantes legais, naturalmente. E então alguma mensagem lhes seria comunicada. Ver Êxodo 29.42,43.

■ 10.4

וְאִם־בְּאַחַת יִתְקָעוּ וְנוֹעֲדוּ אֵלֶיךָ הַנְּשִׂיאִים רָאשֵׁי אַלְפֵי יִשְׂרָאֵל:

As trombetas foram feitas para emitir *sons diferentes*. Assim, quando somente uma delas era soprada, todos podiam perceber que apenas uma delas estava soando. O sonido de uma única trombeta, talvez sempre a mesma, convocava os *doze* príncipes em assembleia. Temos a lista e a descrição desses príncipes no segundo capítulo de Números. Alguma mensagem importante lhes era então transmitida, e a responsabilidade deles era cumprir as ordens recebidas. Alguns estudiosos pensam que as palavras *uma só*, aqui usadas, indicam um único sopro, mas parece ser melhor interpretar esse número como alusão a uma trombeta específica.

■ 10.5

וּתְקַעְתֶּם תְּרוּעָה וְנָסְעוּ הַמַּחֲנוֹת הַחֹנִים קֵדְמָה:

A rebate. Esse tipo de sonido indicava que Israel deveria levantar acampamento e pôr-se a caminho. O termo hebraico *teruah* (de acordo com alguns estudiosos) é uma palavra que denota um sonido alto e contínuo. Mas há quem diga que o sonido era interrompido, desigual e trêmulo. "Um primeiro alarma despachava as tribos postadas a oeste; um segundo; as tribos do sul; um terceiro e o quarto (que figuram na Septuaginta, e não no original hebraico), os acampamentos ao ocidente e a norte, respectivamente. O alarma, provavelmente, era uma convocação militar (cf. Am 1.14), podendo ser facilmente distinguido daquele que reunia a assembleia (vs. 7). Os sacerdotes agiam como trombeteiros, e assim enfatizavam como *todos* os movimentos de Israel estavam sob o controle divino" (John Marsh, *in loc.*). Os acampamentos (ver como as tribos acampavam-se, no gráfico dado antes dos comentários sobre Números 1.1) marchavam em ordem específica, preservando os mesmos agrupamentos que eles mantinham em torno do tabernáculo. Cf. Números 2.3,5,7 e também o vs, 14 deste capítulo.

■ 10.6

וּתְקַעְתֶּם תְּרוּעָה שֵׁנִית וְנָסְעוּ הַמַּחֲנוֹת הַחֹנִים תֵּימָנָה תְּרוּעָה יִתְקְעוּ לְמַסְעֵיהֶם:

O vs. 5 diz-nos como o acampamento do leste era alertado para pôr-se em marcha; o vs. 6 diz-nos a mesma coisa a respeito do acampamento do sul. Ver as notas sobre o vs. 5, que também se aplicam aqui. Presumimos que o autor sagrado queria que entendêssemos que o mesmo procedimento alertava os acampamentos postados ao norte e a oeste. A Septuaginta toma a liberdade (sem meramente traduzir o texto hebraico) de falar sobre o terceiro e o quarto sonido, que alertavam aqueles outros acampamentos. Josefo nos forneceu informação similar (*Antiq.* 1.3, cap. 12, sec.6).

■ 10.7

וּבְהַקְהִיל אֶת־הַקָּהָל תִּתְקְעוּ וְלֹא תָרִיעוּ:

Este versículo repete a informação do vs. 3, lembrando-nos de que um tipo diferente de sonido das trombetas convocava o povo em assembleia, e não a fim de se porem em marcha. Ambas as trombetas eram tocadas, produzindo-se assim dois sons ou notas diferentes. Um som claro e facilmente distinguível era produzido com esse propósito, tal como a trombeta do evangelho não deve emitir um som incerto (ver 1Co 14.8).

■ 10.8

וּבְנֵי אַהֲרֹן הַכֹּהֲנִים יִתְקְעוּ בַּחֲצֹצְרוֹת וְהָיוּ לָכֶם לְחֻקַּת עוֹלָם לְדֹרֹתֵיכֶם:

A tarefa dos sacerdotes (filhos de Arão) era tocar as trombetas, uma questão considerada de tanta importância que a ordem divina sobre elas devia ser perpetrada "nas vossas gerações". A tarefa de soprar as trombetas não podia cair em mãos profanas ou seculares. Ver sobre a expressão "nas vossas gerações" em Êxodo 29.42 e 31.16. Por meio disso, pois, foi anunciada a esperada *eterna continuação* de Israel. O número de trombetas foi aumentando com a passagem do tempo. Lemos em 1Crônicas 15.24 sobre *sete* sacerdotes que sopravam as trombetas diante da arca do Senhor; em 2Crônicas 5.12 lemos que *120* sacerdotes assim faziam; e Josefo refere-se ao fato de que Salomão mandou fazer *duzentas mil trombetas!* (*Antiq.* viii.3). Mas o que nunca mudou foi que os levitas e sacerdotes continuavam exercendo controle sobre o uso das trombetas. No entanto, nos dias de Moisés, somente Eleazar e Itamar tocavam as trombetas. Maimônides diz que nunca houve menos de duas trombetas, e nunca mais de 120 (*Hilchot Cele Hamik,* cap. 3., sec. 4), mas Josefo parece ter conhecimento de dados que desdiziam isso.

■ 10.9

וְכִי־תָבֹאוּ מִלְחָמָה בְּאַרְצְכֶם עַל־הַצַּר הַצֹּרֵר אֶתְכֶם וַהֲרֵעֹתֶם בַּחֲצֹצְרֹת וְנִזְכַּרְתֶּם לִפְנֵי יְהוָה אֱלֹהֵיכֶם וְנוֹשַׁעְתֶּם מֵאֹיְבֵיכֶם:

Também tocareis as trombetas a rebate. Esse outro tipo de alarme, que não é descrito, servia para convocar o povo para a defesa militar. O sonido da trombeta de guerra anunciava alguma guerra. Quanto a um incidente histórico desse uso de trombetas, ver Números 31.6 e 2Crônicas 13.12,14. O incidente diante das muralhas de Jericó envolveu o sonido de trombetas, embora trombetas diferentes daquelas que são aqui descritas. A palavra hebraica ali usada é *keren*, ou seja, a trombeta feita de chifre de carneiro, e não a *haçoceroth*. Ver as notas sobre Números 10.2 quanto aos *três* tipos de trombeta usados em Israel.

Tipologia. A promessa de proteção feita por Yahweh aplica-se aos que saem a campo em conflito espiritual. Ver Efésios 6.11 quanto à metáfora da guerra. Ver na *Enciclopédia de Bíblia, Teologia e Filosofia* o artigo *Armas, Armadura.*

■ 10.10

וּבְיוֹם שִׂמְחַתְכֶם וּבְמוֹעֲדֵיכֶם וּבְרָאשֵׁי חָדְשֵׁיכֶם וּתְקַעְתֶּם בַּחֲצֹצְרֹת עַל עֹלֹתֵיכֶם וְעַל זִבְחֵי שַׁלְמֵיכֶם וְהָיוּ לָכֶם לְזִכָּרוֹן לִפְנֵי אֱלֹהֵיכֶם אֲנִי יְהוָה אֱלֹהֵיכֶם: פ

Outros Usos. Várias festas e ocasiões especiais eram anunciadas por toques das trombetas. Elas eram tocadas por ocasião das três festas principais: a páscoa; a festa das semanas; a festa dos tabernáculos. Cada uma dessas festas merece um artigo separado no *Dicionário*. Também eram anunciadas as festas da Lua Nova, ou seja, o primeiro dia de cada mês (ver Lv 23, mormente o vs. 24). Na ocasião, eram feitas as oferendas apropriadas: o holocausto (ver as notas em Lv 6.9-13) e as ofertas pacíficas (ver as notas em Lv 7.11-21). Todas essas ocasiões atuavam como cultos *memoriais*, que levava as pessoas a lembrar suas obrigações para com Yahweh e os benefícios que ele provia. Tais ocasiões faziam os israelitas lembrar a orientação e as bênçãos de Deus, no passado, especialmente durante as vagueações pelo deserto, ensejando que o povo confiasse nele quanto ao futuro.

Ver Números 28.11 e as notas ali existentes, sobre os sacrifícios oferecidos por ocasião das festas de Lua Nova.

Eu sou o Senhor vosso Deus. Essa expressão, frequente no Pentateuco, adiciona um senso de autoridade e solenidade às instruções baixadas. Ver as notas em Levítico 18.30.

VIAGEM DO SINAI A MOABE (10.11—21.35)

DO SINAI A CADES-BARNEIA (10.11—14.45)

A PARTIDA (10.11-36)

O pano de fundo especial do livro de Números é aquele período da história entre a parada no Sinai, onde a lei foi dada, e as vagueações pelo deserto, até que o povo de Israel chegou às bordas da Terra Prometida. Cerca de quarenta anos separaram esses dois acontecimentos. Daí por diante, qualquer período especial de provação passou a ser representado pelo número "quarenta". E na Bíblia há uma boa quantidade de períodos que envolvem "quarentas". Ver no *Dicionário* o verbete intitulado *Quarenta.*

Os vss. 11-28 fornecem-nos o tempo e a ordem em que o povo de Israel partiu. Isso ocorreu cerca de onze meses depois que Israel tinha chegado ao Sinai (cf. Êx 19.1). Os filhos de Israel levantaram acampamento, diante do sinal da nuvem que se movimentava. As tribos partiram na sequência dada no segundo capítulo de Números, a respeito dos acampamentos. Ver o gráfico que mostra como Israel se acampava em torno do tabernáculo, antes do início da exposição sobre Números 1.1. Israel movia-se em grupos que preservavam as unidades existentes no acampamento. Leves modificações tiveram de ser feitas para incluir os levitas na marcha.

Essa marcha começou apenas vinte dias após as instruções dadas a Israel acerca da marcha iminente (ver Nm 1.1).

■ 10.11

וַיְהִי בַּשָּׁנָה הַשֵּׁנִית בַּחֹדֶשׁ הַשֵּׁנִי בְּעֶשְׂרִים בַּחֹדֶשׁ נַעֲלָה הֶעָנָן מֵעַל מִשְׁכַּן הָעֵדֻת:

No ano segundo, no segundo mês, aos vinte do mês. Onze meses se tinham passado desde que o povo de Israel chegara ao Sinai (ver Êx 19.1), e apenas vinte dias desde que tinham sido baixadas instruções acerca da marcha iminente (ver Nm 1.1). "Os israelitas tinham-se acampado no deserto do Sinai por cerca de onze meses e vinte dias; cf. Êxodo 19.1 e este versículo. E agora tinham recebido a ordem divina de levantar acampamento, iniciando a marcha na direção da Terra Prometida. E é por essa razão que o Pentateuco Samaritano introduz, neste lugar, as palavras que achamos em Deuteronômio 1.6-8: 'O Senhor nosso Deus nos falou em Horebe, dizendo: Tempo bastante haveis estado neste monte. Voltai-vos, e parti" (Adam Clarke, *in loc.*).

■ 10.12

וַיִּסְעוּ בְנֵי־יִשְׂרָאֵל לְמַסְעֵיהֶם מִמִּדְבַּר סִינָי וַיִּשְׁכֹּן הֶעָנָן בְּמִדְבַּר פָּארָן׃

Do deserto do Sinai... Parã. No vs. 33 deste capítulo descobrimos que isso era uma viagem de três dias. A nuvem movera-se de seu lugar; o povo de Israel viajara por três dias; a nuvem estacara; e Israel se acampou. Este versículo *antecipa* o vs. 33. O deserto de Parã é uma vasta extensão de terras estéreis que cruza toda a parte centro-norte da península do Sinai. Antes de atingirem aquele lugar, onde se acamparam, houve várias breves paradas referidas em Números 11.3,34,35 e 12.16.

Ver no *Dicionário* o artigo chamado *Êxodo, o Evento*, que provê um mapa que tenta ilustrar a vereda seguida por Israel. Muitas dúvidas circundam essa questão, e nenhuma reconstituição pode ser considerada perfeita. Os lugares mencionados, em alguns casos, são desconhecidos atualmente.

Parã. Ver sobre *El-Parã*, em Gênesis 14.6.

■ 10.13

וַיִּסְעוּ בָּרִאשֹׁנָה עַל־פִּי יְהוָה בְּיַד־מֹשֶׁה׃

Pela primeira vez se puseram em marcha. Quando viajamos, pedimos que o Senhor use de misericórdia conosco. Algumas pessoas fazem o sinal da cruz. Outras oram. As viagens sempre envolvem algum perigo maior que aquele da vida comum do dia-a-dia. Mas Israel partiu tanto sob a ordem de Yahweh quanto sob a sua proteção. A ordem do Senhor os pôs em marcha. E por ordem de Deus eles estacavam, quando a nuvem estacava.

Por Moisés. Ele sempre agia como mediador entre Yahweh e o povo de Israel, para que os israelitas recebessem orientações divinas. Ele era o homem investido de autoridade, diante de cuja palavra os filhos de Israel obedeciam.

■ 10.14

וַיִּסַּע דֶּגֶל מַחֲנֵה בְנֵי־יְהוּדָה בָּרִאשֹׁנָה לְצִבְאֹתָם וְעַל־צְבָאוֹ נַחְשׁוֹן בֶּן־עַמִּינָדָב׃

A sequência em que marchavam as diversas divisões de Israel seguia a ordem em que elas se acampavam, conforme se vê no segundo capítulo de Números. A ordem de marcha, por tribos, era: Judá; Issacar; Zebulom; os gersonitas e meraritas, que transportavam o tabernáculo; Rúben; Simeão; Gade; os coatitas, com certos itens do santuário; Efraim; Manassés; Benjamim; Dã; Aser; Naftali.

O estandarte. Cada tribo tinha sua própria bandeira e emblema. Ver as notas sobre isso em Números 1.52 e 2.2.

Filhos de Judá. Esses acampavam-se a *leste* do tabernáculo, quando Israel estava parado. Eles lideravam a marcha e ocupavam a posição mais honrosa.

Todos os nomes que figuram na lista, ou seja, os nomes dos *líderes* das doze tribos, já foram comentados no segundo capítulo de Números.

"A ordem de marcha já havia sido prescrita com antecedência pelo Senhor (Nm 2.3-31). A divisão de *Judá* encabeçava a marcha (Nm 10.14-16)" (Eugene H. Merrill, *in loc.*).

As *doze* tribos foram separadas em *quatro* divisões principais, e cada uma dessas divisões acampava-se em uma das quatro direções gerais da rosa dos ventos, ou seja, leste, oeste, norte e sul. As três tribos do leste eram Judá, Issacar e Zebulom, e todas as três são mencionadas nos vss. 14-16. A tribo de Judá liderava esse grupo de três tribos.

Naassom. Ver as notas sobre ele em Números 1.7.

■ 10.15

וְעַל־צְבָא מַטֵּה בְּנֵי יִשָּׂשכָר נְתַנְאֵל בֶּן־צוּעָר׃

O líder da tribo de Issacar era *Natanael*, e as notas sobre ele aparecem em Números 1.8.

■ 10.16

וְעַל־צְבָא מַטֵּה בְּנֵי זְבוּלֻן אֱלִיאָב בֶּן־חֵלֹן׃

O líder da tribo de Zebulom era *Eliabe*, e as notas sobre ele aparecem em Números 1.9.

■ 10.17

וְהוּרַד הַמִּשְׁכָּן וְנָסְעוּ בְנֵי־גֵרְשׁוֹן וּבְנֵי מְרָרִי נֹשְׂאֵי הַמִּשְׁכָּן׃ ס

Os gersonitas e meraritas seguiam Judá, mas antes de Rúben. Eles transportavam itens vários do tabernáculo. Ver Números 1.51 quanto a isso. Ver Números 4.24-28 quanto às tarefas que cabiam aos gersonitas; e também aos meraritas, em Números 4.31-33. Assim, essas duas divisões dos levitas saíram transportando as peças do tabernáculo de que estavam encarregados, marchando entre a divisão de Judá (Judá, Issacar e Zebulom) e a divisão de Rúben (Rúben, Simeão e Gade).

■ 10.18

וְנָסַע דֶּגֶל מַחֲנֵה רְאוּבֵן לְצִבְאֹתָם וְעַל־צְבָאוֹ אֱלִיצוּר בֶּן־שְׁדֵיאוּר׃

A divisão das *três tribos* que ocupavam o acampamento sul era formada por Rúben, Simeão e Gade, e a tribo de Rúben era a liderante do grupo. O líder da tribo de Rúben era *Elizur* (com notas a respeito em Nm 1.5).

■ 10.19

וְעַל־צְבָא מַטֵּה בְּנֵי שִׁמְעוֹן שְׁלֻמִיאֵל בֶּן־צוּרִישַׁדָּי׃

O líder da tribo de Simeão era *Selumiel*, e as notas sobre ele figuram em Números 1.6.

■ 10.20

וְעַל־צְבָא מַטֵּה בְנֵי־גָד אֶלְיָסָף בֶּן־דְּעוּאֵל׃

O líder da tribo de Gade era *Eliasafe*, e as notas sobre ele aparecem em Números 1.14.

■ 10.21

וְנָסְעוּ הַקְּהָתִים נֹשְׂאֵי הַמִּקְדָּשׁ וְהֵקִימוּ אֶת־הַמִּשְׁכָּן עַד־בֹּאָם׃ ס

Os *coatitas* marchavam depois da divisão de Rúben, mas antes de Efraim (essa divisão se compunha de Efraim, Manassés e Benjamim). Esse clã dos levitas, um entre três (ver Nm 3.17), tinha como responsabilidade transportar as peças santas dos móveis do tabernáculo. Ver Números 3.31 quanto aos itens específicos que eles carregavam.

Esses vinham depois a fim de que o tabernáculo pudesse ser erigido em primeiro lugar, por parte dos outros levitas. E então as peças preciosas dos móveis podiam ser seguramente localizadas em seus respectivos lugares, permanecendo ali até outro período em que Israel deveria pôr-se em marcha.

■ 10.22

וְנָסַע דֶּגֶל מַחֲנֵה בְנֵי־אֶפְרַיִם לְצִבְאֹתָם וְעַל־צְבָאוֹ אֱלִישָׁמָע בֶּן־עַמִּיהוּד׃

A divisão de *Efraim* incluía Efraim, Manassés e Benjamim. Essa divisão marchava depois dos *coatitas* (vs. 21) e acampava-se na parte ocidental do tabernáculo. Ver o gráfico sobre o acampamento, antes da exposição sobre Números 1.1. O líder do grupo era a tribo de Efraim. E o príncipe dessa tribo era *Elisama*, e as notas sobre ele aparecem em Números 1.10.

10.23

וְעַל־צְבָא מַטֵּה בְּנֵי מְנַשֶּׁה גַּמְלִיאֵל בֶּן־פְּדָהצּֽוּר׃

Manassés marchava na divisão formada por Efraim, Manassés e Benjamim. O líder da tribo de Efraim era *Gamaliel*, e as notas sobre ele ficam em Números 1.10.

10.24

וְעַל־צְבָא מַטֵּה בְּנֵי בִנְיָמִן אֲבִידָן בֶּן־גִּדְעוֹנִֽי׃ ס

Benjamim marchava na divisão formada por Efraim, Manassés e Benjamim. O líder da tribo de Benjamim era *Abidã*, e as notas sobre ele ficam em Números 1.11.

10.25

וְנָסַע דֶּגֶל מַחֲנֵה בְנֵי־דָן מְאַסֵּף לְכָל־הַֽמַּחֲנֹת לְצִבְאֹתָם וְעַל־צְבָאוֹ אֲחִיעֶזֶר בֶּן־עַמִּישַׁדָּֽי׃

A tribo de *Dã* encabeçava três tribos, Dã, Aser e Naftali, que se acampavam ao norte do tabernáculo, marchando juntas quando Israel estava em marcha. Essas três tribos formavam a ré, e também eram o grupo mais numeroso. O líder da tribo de Dã era *Aiser*, e as notas sobre ele estão em Números 1.12.

10.26

וְעַל־צְבָא מַטֵּה בְּנֵי אָשֵׁר פַּגְעִיאֵל בֶּן־עָכְרָֽן׃

A tribo de *Aser* marchava na divisão formada por Dã, Aser e Naftali, e o líder dessa tribo era *Pagiel;* as notas sobre ele encontram-se em Números 1.13.

10.27

וְעַל־צְבָא מַטֵּה בְּנֵי נַפְתָּלִי אֲחִירַע בֶּן־עֵינָֽן׃

A tribo de *Naftali* marchava na divisão formada por Dã, Aser e Naftali. E o líder da tribo de Naftali era *Aira;* as notas sobre ele são apresentadas em Números 1.15.

10.28

אֵלֶּה מַסְעֵי בְנֵֽי־יִשְׂרָאֵל לְצִבְאֹתָם וַיִּסָּֽעוּ׃ ס

As tribos movimentavam-se como se fossem um *exército* preparado para a batalha, e sempre formando a mesma arrumação e formação, conforme se vê no começo do vs. 14.

O SOGRO DE MOISÉS (10.29-32)

O autor sacro insere, nesta altura, um curioso incidente acerca do sogro (cunhado?) de Moisés. Sobrevivem várias tradições a respeito do sogro de Moisés. Ele aparece aqui com o nome de Hobabe, embora figure como *Jetro* em Êxodo 3.1 e 18.1. O livro de Juízes (4.11) chama-o de *Hobabe.* Ver no Dicionário o artigo intitulado *Jetro,* que provê informações a seu respeito e tenta explicar a confusão de nomes. Outro nome que lhe é dado (Ver Êx 2.18 e Nm 10.29) é *Reuel.* Na última dessas duas referências, Hobabe é chamado de *filho* de Reuel e, no entanto, continua sendo chamado de sogro de Moisés. Não há como resolver, de modo satisfatório, essa confusão de nomes, mas não é importante procurar solução.

A bênção do Senhor estava sendo derramada, e o sogro de Moisés (ou cunhado?) foi convidado a participar da bênção, acompanhando o povo de Israel até a Terra Prometida. O texto dá a impressão de que o homem não aceitou o convite, embora não afirme isso em termos absolutos. A comparação entre Juízes 1.16 e 4.11 leva-nos a conjecturar que Moisés acabou prevalecendo, e que seu sogro (cunhado?) o acompanhou.

10.29

וַיֹּאמֶר מֹשֶׁה לְחֹבָב בֶּן־רְעוּאֵל הַמִּדְיָנִי חֹתֵן מֹשֶׁה נֹסְעִים ׀ אֲנַחְנוּ אֶל־הַמָּקוֹם אֲשֶׁר אָמַר יְהוָה אֹתוֹ אֶתֵּן לָכֶם לְכָה אִתָּנוּ וְהֵטַבְנוּ לָךְ כִּֽי־יְהוָה דִּבֶּר־טוֹב עַל־יִשְׂרָאֵֽל׃

Hobabe. Ver no *Dicionário* os artigos intitulados *Jetro* e *Reuel (Raguel).* Hobabe pode ter sido o cunhado de Moisés, e não seu sogro. O Senhor (Yahweh) tinha prometido e provido um lugar especial para Israel. E agora os israelitas tinham partido do Sinai, a fim de reiniciar sua jornada até a Terra Prometida. Israel estava sendo *abençoado,* e não havia razão pela qual quem acompanhasse o povo de Deus não compartilhasse dessa bênção. Quem o acompanhasse compartilharia do *Pacto Abraâmico,* segundo se vê nas notas expositivas em Gênesis 15.18.

O trecho de Juízes 4.11 chama o sogro de Moisés de Hobabe. Mas alguns eruditos pensam que o termo hebraico que aparece no texto original, *hoten,* forma vocalizada de *htn,* pode significar qualquer dos parentes por casamento. Assim, talvez em Juízes também esteja em foco um cunhado de Moisés, e não seu sogro. Isso reconciliaria aquele com este versículo. Os eruditos não concordam quanto a esse tipo de reconciliação. E para aumentar um pouco mais a confusão, o livro de Juízes chama-o de *queneu,* ao passo que Números diz que ele era *midianita.* Ver no *Dicionário* o verbete intitulado *Queneus.* Alguns eruditos usam esta referência (Nm 10.29) para afirmar que, originalmente, os queneus eram um clã ou subtribo dos midianitas.

10.30

וַיֹּאמֶר אֵלָיו לֹא אֵלֵךְ כִּי אִם־אֶל־אַרְצִי וְאֶל־מוֹלַדְתִּי אֵלֵֽךְ׃

Este versículo, ao que parece, indica que Hobabe não aceitou o oferecimento de Moisés para acompanhar os filhos de Israel à Terra Prometida, e assim participar das bênçãos divinas sobre o povo de Deus. Mas se confrontarmos Juízes 1.16 com Juízes 4.11, descobriremos que descendentes de Hobabe estavam na Terra Prometida, o que nos dá a entender que o convite acabou sendo aceito. A passagem de Juízes 1.16 diz-nos que os queneus estavam ali. Jetro era um midianita, e supõe-se que os queneus fossem uma subtribo ou clã daquele grupo maior. Ver no *Dicionário* os verbetes intitulados *Queneus* e *Midiã, Midianitas.* Ver Êxodo 3.1 quanto ao fato de que Jetro era um midianita. Cf. também 1Samuel 15.6; 2Reis 10.15 e 1Crônicas 2.55.

Tipologia. Hobabe, a princípio, rejeitou o convite para ir até Canaã com o povo de Israel, mas depois mudou de mente, tal como um certo filho, referido por Jesus, recusou-se a cumprir certa ordem de seu pai, mas depois, arrependeu-se e foi. Ver Mateus 21.29. A chamada espiritual nem sempre tem resultados positivos e imediatos; mas há uma certa persistência, na chamada de Deus, que finalmente produz os efeitos que ela tenciona produzir.

10.31

וַיֹּאמֶר אַל־נָא תַּעֲזֹב אֹתָנוּ כִּי ׀ עַל־כֵּן יָדַעְתָּ חֲנֹתֵנוּ בַּמִּדְבָּר וְהָיִיתָ לָּנוּ לְעֵינָֽיִם׃

E nos servirás de guia. Hobabe conhecia bem o deserto. Israel vagueava pelo deserto e precisava de um guia. Assim, a presença de Hobabe seria muito valiosa a fim de tornar a jornada um sucesso, da península do Sinai à Palestina. Alguns eruditos sugerem que a tarefa de Hobabe não era tanto a de orientar, visto que a nuvem e a coluna de fogo existiam com esse propósito, e, sim, dar conselhos, mostrando os melhores lugares para acampar etc. Mas este versículo refere-se definidamente à orientação no deserto que ele poderia prestar.

"Nem sempre percebemos as nossas limitações de visão, conforme Moisés percebia. Nem estamos dispostos a ver as coisas através dos olhos de outras pessoas, particularmente no caso de pessoas que são de nação, classe ou cor diferente. Hobabe não era hebreu, mas parente de Moisés por laços de matrimônio. Os olhos de outros podem ser os olhos de Deus para nós"! (Albert George Butzer, *in loc.*). Ver no *Dicionário* o verbete intitulado *Vontade de Deus, como Descobri-la.*

A aparente discrepância acerca da *orientação* contida neste versículo foi resolvida por Adam Clarke (*in loc.*), o qual sugeriu que a orientação era dada pela nuvem e pela coluna de fogo, ao passo que a orientação quanto a detalhes era dada por Hobabe. Hobabe podia apontar os melhores lugares para acamparem, onde havia água disponível, material para fazer fogo etc. Os críticos supõem que a nuvem e o fogo eram detalhes mitológicos, e que homens como Hobabe é que eram os verdadeiros guias. Mas quase sempre a orientação requer a *intervenção divina.* Oh, Senhor, conceda-nos tal graça!

10.32

וְהָיָ֕ה כִּי־תֵלֵ֖ךְ עִמָּ֑נוּ וְהָיָ֣ה ׀ הַטּ֣וֹב הַה֗וּא אֲשֶׁ֨ר יֵיטִ֧יב
יְהוָ֛ה עִמָּ֖נוּ וְהֵטַ֥בְנוּ לָֽךְ׃

Moisés repetiu seus argumentos, os quais já vimos e pudemos anotar no vs. 29. Sua insistência sem dúvida foi eficaz, conforme se vê nas notas sobre os vss. 29 e 30. Tudo isso nos faz lembrar da parábola do homem que foi pedir pão de um vizinho, somente para nada receber a princípio. Mas seus apelos foram eficazes. Ver Lucas 11.5 ss. E assim também, o homem que continua batendo e buscando acaba recebendo resposta da parte de Deus (ver Lc 11.11). Ver no *Dicionário* o artigo chamado *Oração*.

Disse Jarchi: "Na divisão da terra, quando esta foi dividida, a gordura de Jericó foi dada ao filhos de Jetro, a Jonadabe, filho de Recabe (ver Jz 1.16). E com base nesse trecho, como também com base em outras passagens, como Juízes 4.11,17 e 1Samuel 15.6, parece que a posteridade desse homem recebeu herança em Canaã" (John Gill, *in loc.*).

MOVIMENTOS DA ARCA DA ALIANÇA (10.33-36)

A *arca da aliança* (ver a esse respeito no *Dicionário*) era o móvel mais precioso do tabernáculo. Era sobre a arca, postada no Santo dos Santos, que se manifestava a glória *shekinah* (ver a respeito no *Dicionário*). Aos *coatitas* cabia o trabalho de cuidar do transporte da arca da aliança. Outras porções do tabernáculo eram transportadas pelos filhos de Gérson e de Merari (vs. 17). E assim, quando os coatitas chegavam com certos móveis valiosos do tabernáculo, podiam colocá-los na estrutura já levantada. Ver o vs. 21 quanto à descrição do trabalho dos coatitas.

10.33

וַיִּסְע֞וּ מֵהַ֤ר יְהוָה֙ דֶּ֣רֶךְ שְׁלֹ֣שֶׁת יָמִ֔ים וַאֲר֨וֹן
בְּרִית־יְהוָ֜ה נֹסֵ֣עַ לִפְנֵיהֶ֗ם דֶּ֚רֶךְ שְׁלֹ֣שֶׁת יָמִ֔ים
לָת֥וּר לָהֶ֖ם מְנוּחָֽה׃

A arca da aliança foi retratada como um guia de Israel, pois a presença de Yahweh manifestava-se por seu intermédio. Uma viagem de três dias foi feita do Sinai ao deserto de Parã (vs. 12). Ver as notas ali existentes. Ver no *Dicionário* o artigo chamado *Êxodo, o Evento*, quanto a uma proposta da rota tomada por Israel. Não é possível fazer nenhuma reconstituição perfeita, porque a Bíblia alude a lugares cuja localização não tem sido determinada com certeza.

"Parece que a primeira parada prolongada foi ou em Taberá (no hebraico, *queimadura*) ou em Quebrote-Taavá (no hebraico, *sepulcros da concupiscência*). cf. Números 11.3.

Ia adiante. A arca da aliança não ia exatamente na frente, pois seguia no meio da multidão. Mas metafórica e *espiritualmente* todos seguiam a arca.

10.34

וַעֲנַ֧ן יְהוָ֛ה עֲלֵיהֶ֖ם יוֹמָ֑ם בְּנָסְעָ֖ם מִן־הַֽמַּחֲנֶֽה׃ ס

A nuvem continuou a liderá-los, em consonância com a promessa de Yahweh. Ver Êxodo 13.21; 14.19; Levítico 16.2; Números 9.15-17; 10.11,12,34. Ver no *Dicionário* o verbete intitulado *Colunas de Fogo e de Nuvem*. Ver o Salmo 105.39. A nuvem protegia-os do calor do dia, além de guiá-los. Ver também Isaías 4.5.

10.35

וַיְהִ֛י בִּנְסֹ֥עַ הָאָרֹ֖ן וַיֹּ֣אמֶר מֹשֶׁ֑ה קוּמָ֣ה ׀ יְהוָ֗ה וְיָפֻ֙צוּ֙
אֹ֣יְבֶ֔יךָ וְיָנֻ֥סוּ מְשַׂנְאֶ֖יךָ מִפָּנֶֽיךָ׃

Levanta-te, Senhor. Embora a orientação tivesse sido assegurada a Israel, ainda assim eles precisavam da proteção divina. Isso sucedeu primeiramente no deserto, e depois na Terra Prometida, quando esta foi invadida por Israel. Ler o Salmo 91, o *salmo de proteção*. Parece que Moisés se dirigiu diretamente à arca, como representante da presença de Deus. Sabia-se que Yahweh estava presente, esperando ouvir os apelos de Israel. Cf. 1Samuel 4.3-22. Da arca, os filhos de Israel esperavam *proteção*, porquanto Yahweh se fazia presente ali. Não faziam isso por idolatria. A arca propriamente dita não era um objeto de adoração. As marchas de Israel eram acompanhadas por oração, e isso, naturalmente, ilustra a necessidade que todos os homens têm de orar, enquanto avançam pelo deserto desta vida. Ninguém dispensa a necessidade da presença, proteção e orientação do Senhor. Cf. Apocalipse 7.15 e 21.3. Ver também Hebreus 2.14,15 e 1João 3.8. Moisés liderou-os em um grito de batalha em que foram invocados a presença e o poder conquistador do Senhor (vs. 35; Sl 68.1). Terminado o dia, novamente fizeram uma oração (vs. 36). Assim, quando viajavam ou descansavam, Israel era abençoado pelas orações de Moisés.

10.36

וּבְנֻחֹ֖ה יֹאמַ֑ר שׁוּבָ֣ה יְהוָ֔ה רִֽבְב֖וֹת אַלְפֵ֥י יִשְׂרָאֵֽל׃ פ

Quando Israel estacou, Moisés levantou outra oração. O número dos israelitas era de cerca de três milhões de pessoas, considerando-se que havia mais de seiscentos mil homens que eram capazes de ir à guerra. Ver Números 1.46. O sentido daquela oração foi que, quando Israel parava em suas vagueações e se acampava, então Yahweh vinha habitar entre eles, protegendo-os e guiando-os. Isso continuava a manifestar-se mediante a presença da arca da aliança, que estava no Santo dos Santos, onde se manifestava a presença de Deus. Alguns supõem que, profeticamente, a presença do Messias tenha sido assim invocada sobre Israel, o tempo em que o Logos veio armar tenda entre os homens. Alguns veem a presença de Deus com Israel quando eles vieram a tomar posse da Terra Prometida. As várias interpretações são suplementares, e não contraditórias.

O Salmo 68 talvez tenha sido composto com esse versículo em mente. A arca da aliança havia retornado de um território hostil, e o fato foi agora celebrado.

"Terminado aquele dia de marcha, ele implorou que o Senhor habitasse entre seu povo, durante aquela noite" (Eugene H. Merrill, *in loc.*).

CAPÍTULO ONZE

AS MURMURAÇÕES DOS ISRAELITAS (11.1-35)

Em Números 14.22, há uma lista de *oito* murmurações da parte de Israel. As frequentes murmurações de Israel no deserto, apesar de todas as bênçãos divinas, são um dos temas dominantes do Pentateuco. Cf. Êxodo 15.24; 16.2,3; 17.3; 32.1-4,25; Números 11.4-6; 12.1,2; 14.2,3; 16.13,14; 20.2-13 e 21.4,5. Isso nos mostra a falta de gratidão e de coragem daqueles israelitas. A ira divina sobreveio em Taberá (que significa *queimadura*). Este texto faz-nos lembrar de Romanos 1.24. Os *pagãos*, entre seus outros pecados, a despeito da revelação divina mediante a natureza, não manifestavam o senso de *agradecimento*, e isso os conduzia a um estado espiritual lamentável. O fato de que Yahweh *ouvia* as queixas de Israel é um toque de *antropomorfismo* (ver sobre isso no *Dicionário*). Não somos informados sobre qual tipo de privação teria causado tanta murmuração, e também não nos é dada informação alguma sobre a natureza exata do juízo divino. Porém, mais aconteceu em Taberá do que se poderia atribuir ao mero acaso. Se os versículos 4 ss. deste capítulo 11 devem ser levados em conta, nos três primeiros versículos, então a causa dos queixumes era uma dieta alimentar pobre. Eles estavam enjoados de maná e anelavam comer carne e peixe, conforme faziam no Egito, estando ali em escravidão. Podemos supor que Israel tinha trazido do Egito muito gado, pois, sem isso, não poderiam ter-se envolvido em todos aqueles sacrifícios descritos no livro de Levítico. Todavia, não havia suprimento de carne suficiente. Ver o vs. 4 deste capítulo. Moisés havia proibido a matança geral de animais para sacrifício; e não havia animais limpos em número suficiente no deserto. Os críticos supõem que as descrições de animais sacrificados pertencessem a um tempo posterior, relatadas como se estivessem relacionadas às vagueações pelo deserto.

11.1

וַיְהִ֤י הָעָם֙ כְּמִתְאֹ֣נְנִ֔ים רַ֖ע בְּאָזְנֵ֣י יְהוָ֑ה וַיִּשְׁמַ֤ע יְהוָה֙
וַיִּ֣חַר אַפּ֔וֹ וַתִּבְעַר־בָּם֙ אֵ֣שׁ יְהוָ֔ה וַתֹּ֖אכַל בִּקְצֵ֥ה
הַֽמַּחֲנֶֽה׃

Quanto ao pano de fundo da mensagem deste versículo, ver a introdução a este capítulo.

Queixou-se. As notas introdutórias a este capítulo nos dão informações sobre a questão das *murmurações* de Israel, um dos temas dominantes do Pentateuco. Nada nos é dito acerca da razão de tais queixas, mas os vss. 4 ss. sugerem problemas com o suprimento alimentar, talvez no tocante tanto à quantidade quanto à variedade. Yahweh *ouviu* as murmurações dos israelitas e isso o desagradou. E então, em sua ira, os castigou. Algum tipo de fogo atingiu as fímbrias do acampamento. Talvez tenha havido algum desastre natural, que foi desfechado em um momento exato, como uma erupção vulcânica, alguma tempestade elétrica, ou coisa similar. Mas outros veem um juízo divino direto. A teologia dos judeus era fraca quanto a causas secundárias, pelo que desastres naturais eram vistos como castigos diretos enviados por Deus.

Observe o leitor as expressões antropomórficas. Yahweh aparece aqui a ouvir, a ficar desagradado e irado, algo semelhante ao que os homens experimentam. Ver no *Dicionário* o artigo intitulado *Antropomorfismo*.

Alguns intérpretes judeus supunham que o povo de Israel se tenha queixado por causa das más condições da jornada, e não por causa de suprimento alimentar (uma queixa que só se manifestou mais tarde). Talvez os israelitas quisessem retornar ao Egito, porque sentiam que a jornada era árdua demais.

> Vinde, santos, não temais dificuldade e labor,
> Mas com alegria, continuai avançando.
> Por mais que a viagem vos traga tristeza e dor,
> Não estaqueis — continuai caminhando.
>
> Antigo hino mórmon

Esse hino, que sempre inspirou os mórmons, foi composto quando, por motivo de perseguição, marcharam do meio-oeste americano até o oeste distante. Eles se tinham acampado no que é hoje Omaha, Estado de Nebraska, e o alvo deles era o que agora é a Cidade do Lago Salgado, estado de Utah, cerca de 1.800 km adiante. Cerca de 700 km desse trajeto atravessavam as Montanhas Rochosas. Sob a direção de Brigham Young, grande pioneiro americano, eles encetaram tal marcha, inspirados pelo hino traduzido acima.

Tal como amiúde acontece conosco, a jornada parecia dura demais para eles. Contudo, quando a vontade de Deus se faz presente, o caminho pelo qual enveredamos é de alegria, e não somente de dificuldades. Como poderíamos pensar em ganhar um grande galardão, se agora evitamos a luta? A *preparação* do Senhor foi prometida para os viajantes. Oh, Senhor, concede-nos tal graça!

11.2

וַיִּצְעַק הָעָם אֶל־מֹשֶׁה וַיִּתְפַּלֵּל מֹשֶׁה אֶל־יְהוָה וַתִּשְׁקַע הָאֵשׁ׃

O povo clamou a Moisés. Moisés era o mediador entre Yahweh e Israel, e também era o principal líder dos filhos de Israel. Por isso, ele precisou aguentar o bruto impacto das queixas de Israel. O fogo se acendeu em labaredas; muitos israelitas morreram. O fogo nada perdoava; era um julgamento divino. Só o poder de Yahweh era capaz de fazer o fogo apagar-se. E, assim sendo, o povo voltou-se para o homem de Yahweh, Moisés. A oração de Moisés fez o fogo apagar-se; e assim o pedido do povo foi concedido, e *esse* julgamento chegou ao fim. Mas a lição não foi aprendida. Logo rebentaram de novo outras queixas, e o resto do capítulo descreve isso. Sem dúvida, muitas tendas foram incendiadas, e o incêndio espalhou-se com o vento. Porém, não há explicação no que tange à causa da conflagração.

Oração Medianeira. Quanto a outros incidentes que ilustram esse tipo de oração, feita por Moisés, ver os trechos seguintes: Êxodo 8.28; 10.17; 32.11 ss.; Números 14.13-19.

Alguns pensam que devemos entender aqui a palavra *fogo* em um sentido metafórico, pensando que está em pauta aquele vento escaldante vindo do sul, o *siroco*. Esse vento sopra da parte do deserto oriental e é extremamente destrutivo. Mata toda vida com seu calor ressecante. Mas o texto sagrado não parece estar descrevendo, metaforicamente, esse vento.

11.3

וַיִּקְרָא שֵׁם־הַמָּקוֹם הַהוּא תַּבְעֵרָה כִּי־בָעֲרָה בָם אֵשׁ יְהוָה׃

Taberá. No hebraico, *lugar de fogo* (ou *lugar de refeição*). Os israelitas murmuraram, o que acabaria por tornar-se um costume, para todos os efeitos práticos, durante a jornada pelo deserto. Quanto a isso, ver a introdução a este capítulo. O *fogo do Senhor feriu aquele lugar*. Ver Números 1.1 quanto à natureza do fogo e às razões pelas quais tal fogo foi enviado. Esse fogo consumiu as extremidades do acampamento, queimando, sem dúvida, a muitas tendas e matando certo número de pessoas. Taberá é mencionada novamente em Deuteronômio 9.22, embora não seja listada entre as caminhadas de Israel no deserto, no capítulo 33 do livro de Números (vss. 16 e 17). O sentido da palavra está em dúvida e a definição de *queimadura* pode ter surgido mediante uma etimologia popular, e não científica. Cf. a história em geral com os comentários neotestamentários em 1Coríntios 10.11,12.

MURMURAÇÕES POR CAUSA DO MANÁ (11.4-10)

11.4

וְהָאסַפְסֻף אֲשֶׁר בְּקִרְבּוֹ הִתְאַוּוּ תַּאֲוָה וַיָּשֻׁבוּ וַיִּבְכּוּ גַּם בְּנֵי יִשְׂרָאֵל וַיֹּאמְרוּ מִי יַאֲכִלֵנוּ בָּשָׂר׃

Populacho. O termo hebraico assim traduzido é *'asapsup*, que se acha apenas aqui, em todo o Antigo Testamento. O termo tem o sentido básico de "coleção", pois estavam em foco aquelas pessoas que haviam sido "coletadas" ao longo do caminho, pessoas indesejáveis, que não pertenciam ao povo de Israel, mas tinham acompanhado os israelitas, de alguma maneira, fugindo dos egípcios por uma série de razões. No Egito, muita outra gente vivia escravizada, e não somente os hebreus. É provável que muitos dentre aquela "coleção" fossem escravos de outras raças, que se tinham aproveitado da emancipação dos israelitas para escapar. Outros podem ter sido meros aventureiros que estavam procurando uma oportunidade para fugir. E também havia meros descontentes, talvez até alguns egípcios que buscavam fortuna, os quais, impressionados com as promessas feitas por Moisés, resolveram sair do Egito juntamente com os filhos de Israel.

Pessoas dessa natureza seriam as primeiras a murmurar; mas, tolice pensar que a murmuração não foi *generalizada*. Outra palavra hebraica está por trás do termo hebraico *'ereb*, "multidão mista", que se vê em Êxodo 12.38; Neemias 13.3. Mas a mesma gente está em pauta.

Os filhos de Israel tornaram a chorar. A multidão mista deu início à murmuração, mas os israelitas também estavam descontentes com a alimentação e com as condições de viagem. Foi um descontentamento generalizado que ameaçava estourar na forma de uma rebelião universal.

As queixas giravam em torno do maná miraculoso. Alguns estudiosos pensam que tais queixas envolviam as questões quantitativas e qualitativas dos alimentos, por trás do fogo que rebentou em Taberá (vss. 1-3 deste capítulo). Porém, talvez a murmuração anterior se devesse às dificuldades da jornada. E agora viera à tona a questão do regime alimentar. É claro que os israelitas dispunham de uma dieta mais rica e variada no Egito. A alimentação é uma *necessidade* básica, e as pessoas grosso modo dão muito valor a essa questão. Os israelitas preocupavam-se com o que poderiam comer. Mais de três milhões de pessoas estavam atravessando um extenso deserto estéril. Seria mister uma série contínua de milagres para alimentar tanta gente, até que chegassem à Terra Prometida, sem passarem fome. O maná era abundante e constante; mas os filhos de Israel por agora já não aguentavam repetir o mesmo menu. A rebeldia deles bem poderia tê-los levado a planejar como poderiam voltar ao Egito, não fora a presença de Moisés entre eles.

Quem nos dará carne a comer? O fato de que eles possuíam tantos animais para os sacrifícios, conforme se vê no livro de Levítico, mas sem poder abatê-los, talvez tenha servido como um dos motivos de queixas. Mas Moisés não permitiria a matança generalizada do gado doméstico dos israelitas. Contudo, outros animais limpos não eram abundantes no deserto, pelo que os israelitas ficaram sem a carne que estavam acostumados a consumir no Egito.

Devido a seu profundo desejo por alimentos, os israelitas acabaram caindo na rebeldia e na incredulidade. A fé deles se debilitou por causa de uma dieta pobre.

11.5

זָכַרְנוּ אֶת־הַדָּגָה אֲשֶׁר־נֹאכַל בְּמִצְרַיִם חִנָּם אֵת
הַקִּשֻּׁאִים וְאֵת הָאֲבַטִּחִים וְאֶת־הֶחָצִיר וְאֶת־הַבְּצָלִים
וְאֶת־הַשּׁוּמִים׃

Lembramo-nos dos peixes. O rio Nilo era muito piscoso, com variadas espécies, servindo de grande suprimento alimentar no Egito. Por igual modo, os *pepinos* do Egito eram grandes e saborosos. E também havia *melões* e outras frutas, legumes e condimentos, como as cebolas e as duas variedades de alhos mencionadas neste versículo. No Egito nada faltava para que houvesse uma cozinha farta e variada. No hebraico, a palavra aqui traduzida por *alhos silvestres*, na opinião de alguns especialistas, significa uma espécie de trevo, peculiar ao Egito, usado como condimento. As cebolas egípcias eram de boa qualidade, e até as classes pobres dispunham de cebolas à vontade. Portanto, as queixas dos murmuradores tinham certa razão de ser: a dieta era boa no Egito. No entanto, os queixosos se esqueciam da terrível escravidão que os esmagara no Egito. Alguns argumentos são *verazes*, mas isso não os torna *justos*. Verdadeiro nem sempre é um sinônimo de justo.

Heródoto (*Alpinus*) e Plínio (*Hist. Natural* 1.36, cap. 12) descreveram a rica dieta dos egípcios. Depois deles, certas frutas e legumes chegaram a ser adorados como se fossem coisas divinas, conforme confirmou Juvenal (*Satry*, 15), mas isso não corresponde aos dias de Moisés.

O Mau Odor do Egito. Certa ocasião ouvi um sermão que destacava como as cebolas e os alhos do Egito deixam um mau hálito depois de ingeridos. "Se você estivesse no Egito, um símbolo do mundo, também ficaria com um mau hálito." O versículo anterior a este é que estava sendo usado pelo pregador, de forma metafórica, no seu sermão.

11.6

וְעַתָּה נַפְשֵׁנוּ יְבֵשָׁה אֵין כֹּל בִּלְתִּי אֶל־הַמָּן עֵינֵינוּ׃

Seca-se a nossa alma. Essa frase traduz literalmente o hebraico, *nephesh*, palavra essa que, no Antigo Testamento, nunca tem o sentido de porção imaterial do homem. Porém, na época dos Salmos e dos Profetas, surgiu a ideia de alma, distinta do corpo, embora não fosse usada a palavra *nephesh*. Por isso, alguns estudiosos dão aqui a tradução "força" ou "vida". A ausência de uma dieta apropriada havia ressecado as forças físicas de algumas pessoas. "E agora precisavam encher o estômago com alimentos gostosos" (John Marsh, *in loc.*), para que se livrassem daquela sensação de sequidão, devido ao maná, maná, maná. Ver no *Dicionário* o artigo *Maná*, que alguns estudiosos tomam como se fora algum produto natural, ao passo que outros preferem pensar em uma provisão miraculosa. Quanto ao relato bíblico sobre o maná, ver Êxodo 16.14-21,31.

Tipologia. Cristo era e continua sendo o maná celeste, o Pão da vida, o único sustento espiritual do homem. Ver João 6.31 ss. e, na *Enciclopédia de Bíblia, Teologia e Filosofia,* o verbete intitulado *Pão da Vida, Jesus como.* Ver também o vs. 9 deste capítulo.

11.7

וְהַמָּן כִּזְרַע־גַּד הוּא וְעֵינוֹ כְּעֵין הַבְּדֹלַח׃

Era o maná. Ver no *Dicionário* o artigo com esse título, que inclui a composição do maná, aqui mencionada. Ver Êxodo 16.14,31 que é um paralelo direto deste versículo. É provável que a repetição acerca do maná, neste ponto, tivesse o propósito de mostrar que o maná é uma coisa boa, uma dádiva de Deus, e Israel deveria ter-se contentado com o maná como o seu regime alimentar. Um dos piores pecados é a falta de gratidão pelo abundante suprimento que já recebemos, e o desejo por muitas outras coisas. E, assim, os homens oram por muitas coisas, somente para satisfazerem suas concupiscências (Tg 4.3), ao passo que deveriam pedir sabedoria espiritual (Tg 1.5,6).

11.8

שָׁטוּ הָעָם וְלָקְטוּ וְטָחֲנוּ בָרֵחַיִם אוֹ דָכוּ בַּמְּדֹכָה
וּבִשְּׁלוּ בַּפָּרוּר וְעָשׂוּ אֹתוֹ עֻגוֹת וְהָיָה טַעְמוֹ כְּטַעַם
לְשַׁד הַשָּׁמֶן׃

O trecho de Êxodo 16.31 revela-nos o gosto do maná, quando era preparado conforme descrito aqui. Os antigos apreciavam muito bolos de farinha de trigo, misturados com azeite e mel, e o maná prestava-se muito bem para esse tipo de preparo. "Seja como for, o gosto *suave* do maná, em comparação com os alimentos picantes do Egito, causaram a rebeldia contra Moisés e o Senhor" (Eugene H. Merrill, *in loc.*). O primeiro apetite físico do homem envolve os alimentos, que não somente impedem a inanição, mas também lhe servem de fonte de prazer. A glutonaria é um vício que exagera esse prazer.

11.9

וּבְרֶדֶת הַטַּל עַל־הַמַּחֲנֶה לָיְלָה יֵרֵד הַמָּן עָלָיו׃

Quando de noite. Um único suprimento noturno garantia os alimentos para o dia seguinte. Ver Êxodo 16.14 quanto ao trecho paralelo.
Tipologia. Consideremos os quatro pontos abaixo:
1. Jesus é o Pão da vida e o maná espiritual, e nos é dado em constante e abundante suprimento. Ver na *Enciclopédia de Bíblia, Teologia e Filosofia* os verbetes chamados *Pão da Vida, Jesus como* e *Maná Escondido* (quanto a uma aplicação neotestamentária da questão). Ver João 6.48 e Apocalipse 2.17.
2. O recolhimento do maná era feito *diariamente*. Se fosse guardado, estragava-se. Metaforicamente, isso quer dizer que as necessidades espirituais de um crente envolvem uma questão diária. Não podemos descansar sobre o sucesso passado; nem podemos justificar-nos no presente porque, "no futuro", agiremos melhor.
3. A vida eterna nos é dada mediante a provisão espiritual, pois no desenvolvimento espiritual chegamos a compartilhar a imagem de Cristo, o qual é o Pão do céu. Ver Romanos 8.29; 1João 3.2 e 2Coríntios 3.18.
4. Em Cristo há provisão para todas as nossas necessidades. "Deus pode fazer-vos abundar em toda graça, a fim de que, tendo sempre, em tudo, ampla suficiência, superabundeis em toda boa obra" (2Co 9.8). Oh, Senhor, concede-nos tal graça!

11.10

וַיִּשְׁמַע מֹשֶׁה אֶת־הָעָם בֹּכֶה לְמִשְׁפְּחֹתָיו אִישׁ לְפֶתַח
אָהֳלוֹ וַיִּחַר־אַף יְהוָה מְאֹד וּבְעֵינֵי מֹשֶׁה רָע׃

E a ira do Senhor grandemente se acendeu. O choro do povo de Israel perturbou tanto a Yahweh, no céu, quanto a Moisés, representante de Deus na terra. Ver a introdução a este capítulo, quanto ao tema das murmurações de Israel. Esse choro envolveu todas as famílias, ou seja, foi universal e acentuado. "Tão generalizado foi o desejo deles por carne, e seu descontentamento pela ausência de carne, que eles *choraram* e *clamaram,* pedindo carne, e isso de forma tão vociferante e clamorosa que Moisés ouviu o ruído" (John Gill, *in loc.*). Eles choravam em particular, em suas tendas, e também publicamente, ocupados em seu trabalho e atividades diárias. Yahweh ficou *irado,* e Moisés ficou *desagradado.* Este versículo atribui a Deus as emoções próprias de um ser humano, o que reflete o antropomorfismo (ver sobre isso no *Dicionário*). A fim de descrever Deus, usamos a chamada *via eminentiae* (o caminho positivo), atribuindo a Deus qualidades, disposições e atributos humanos, elevados à potência máxima. Ou então usamos a *via negationis* (o caminho negativo), afirmando que "Deus *não* é como somos, pois está acima de nossa capacidade de compreender". Ambos esses métodos permitem-nos pensar em alguma coisa, embora nem por isso obtenhamos descrições exatas. Ver sobre ambos esses métodos na *Enciclopédia de Bíblia, Teologia e Filosofia.* O Antigo Testamento é repleto do método da *via eminentiae,* conforme fica ilustrado neste versículo, embora sempre envolvido no *antropomorfismo.* Ver também o verbete intitulado *Antropopatismo.*

A ira de Yahweh *acendeu-se como um fogo,* conforme o original hebraico nos faz entender, pelo que também nada demorou em enviar o fogo do seu juízo (vs. 3).

MOISÉS QUEIXA-SE DO POVO DE ISRAEL (11.11-23)

11.11-13

וַיֹּאמֶר מֹשֶׁה אֶל־יְהוָה לָמָה הֲרֵעֹתָ לְעַבְדֶּךָ וְלָמָּה
לֹא־מָצָתִי חֵן בְּעֵינֶיךָ לָשׂוּם אֶת־מַשָּׂא כָּל־הָעָם
הַזֶּה עָלָי׃

הֶאָנֹכִ֣י הָרִ֗יתִי אֵ֚ת כָּל־הָעָ֣ם הַזֶּ֔ה אִם־אָנֹכִ֖י יְלִדְתִּ֑יהוּ
כִּֽי־תֹאמַ֨ר אֵלַ֜י שָׂאֵ֣הוּ בְחֵיקֶ֗ךָ כַּאֲשֶׁ֨ר יִשָּׂ֤א הָאֹמֵן֙
אֶת־הַיֹּנֵ֔ק עַ֚ל הָֽאֲדָמָ֔ה אֲשֶׁ֥ר נִשְׁבַּ֖עְתָּ לַאֲבֹתָֽיו׃
מֵאַ֣יִן לִ֗י בָּשָׂר֙ לָתֵ֣ת לְכָל־הָעָ֣ם הַזֶּ֔ה כִּֽי־יִבְכּ֤וּ עָלַי֙
לֵאמֹ֔ר תְּנָה־לָּ֥נוּ בָשָׂ֖ר וְנֹאכֵֽלָה׃

Disse Moisés ao Senhor. As queixas de Moisés a Deus, contra Israel, ocupam somente três versículos, mas suas amargas queixas demonstram grande desprazer (vs. 11). Consideremos estes pontos:

1. *Yahweh tinha afligido a Moisés.* Isso de acordo com a avaliação do próprio Moisés. Não fora Yahweh quem o encarregara daquele povo terrível, sempre queixoso, sempre tendente ao desvio, perturbando a boa vida que ele tinha levado no Egito, e entregando-lhe uma tarefa quase impossível?

2. *Yahweh não favorecera a Moisés.* Moisés, o homem reto, não havia sido favorecido por Yahweh conforme parecia necessário. A prova disso era a grande provação que lhe havia sido imposta. Um homem *favorecido* sem dúvida não teria recebido o teste tão severo.

   Adam Clarke (*in loc.*), ao reconhecer quão correto era o desprazer de Moisés, lembra-nos de que a escravidão avilta as pessoas. Ele supunha que, em vista de Israel ter sido aviltado como povo, criava tantos problemas para Moisés.

3. *Uma carga excessiva.* Cuidar de toda aquela imensa nação era tarefa demasiada para Moisés. Moisés hesitara a princípio, pensando que alguma outra pessoa poderia realizar melhor a tarefa (ver Êx 4.10-13). Jetro, sogro de Moisés, tentara ajudá-lo a organizar melhor seu trabalho (ver Êx 18.14 ss.). Também havia os anciãos do povo (ver Êx 3.16; 4.29; 12.21; 24.1; Lv 4.15; Nm 11.16; Dt 5.23). Apesar da ajuda deles, ainda assim Moisés sentia-se sobrecarregado, especialmente diante do fato de que estava dirigindo um povo rebelde, que vivia queixoso. Disse um ministro do evangelho, certa feita: "Ficamos cansados *no* trabalho, mas não *do* trabalho". Mas parece que Moisés tinha-se cansado em ambos os sentidos.

4. *Yahweh tinha concebido o povo de Israel.* Essa queixa de Moisés era especialmente amarga. Ele falou com sarcasmo. "Concebi *eu* a esses rebeldes? Não! Antes, foste *tu*, Yahweh, que deste origem a esse povo. Nesse caso, por que estou sendo afligido por causa deles?" "Deus, e não Moisés, tinha sido a causa do êxodo. Portanto, deveria carregar o filho e nutri-lo" (John Marsh, *in loc.*). Yahweh é que fizera as grandes promessas no seu *Pacto Abraâmico* (ver as notas em Gênesis 15.18). Portanto, era responsabilidade de Yahweh cuidar de cumprir suas provisões, incluindo aquela concernente à Terra Prometida.

   Geração e Regeneração. A Deus compete conceder vida. Ver estes trechos do Novo Testamento que mostram o impacto das aplicações espirituais dessas questões: 1Coríntios 4.15; 1Pedro 1.23; Tiago 1.18; Gálatas 3.2; João 3.1-21. Alguns versículos do Novo Testamento mostram-nos que Deus regenera por meio de instrumentos humanos, que se tornam assim pais espirituais. Mas Moisés não queria admitir esse pensamento, que poderia debilitar o seu argumento.

5. *Um pai deve cuidar de seu filho.* Um pai carrega seu filho como se fosse sua ama, uma metáfora um tanto desajeitada, porque um pai não pode dar de mamar a seu filho. Contudo, *metaforicamente*, assim faz um pai, e assim o argumento de Moisés acabou tornando-se válido. O pai que gera também cuida de todas as necessidades subsequentes de seu filho. Mas *Moisés*, de acordo com o argumento que apresentava, não era esse pai, pelo que também não era o responsável pelo filho. Mediante essa distorção do argumento, Moisés dizia que o povo de Israel não era de sua responsabilidade, pois o pai era Yahweh.

6. *Um pai deve prover o que for mister para seu filho.* Esse foi o argumento final de Moisés: ele não era capaz de prover as necessidades de Israel. As exigências dos filhos de Israel ultrapassavam sua potencialidade. Mas Yahweh tinha capacidade para tanto, pelo que deveria mostrar-se ativo nesse aprovisionamento. Um pai gera a seu filho; cuida dele como se fosse sua ama, e também provê todas as necessidades do filho. O filho faz conhecidas as suas necessidades mediante o choro. Uma criança não dispõe de outra maneira para queixar-se. O choro irritante do filho pode produzir maravilhas, fazendo com que vontades contrárias se submetam, conforme qualquer pai ou mãe sabe muito bem. Foi como se Moisés tivesse dito ao Senhor: "Escuta teu filho chorando! Faze o que ele está pedindo!"

O *filho que chorava* metia pena, mesmo que seus pedidos não fossem razoáveis, o que sucede com frequência. Moisés foi levado ao desespero pelo choro da criança, e rogou por imediata intervenção divina.

■ 11.14

לֹֽא־אוּכַ֤ל אָנֹכִי֙ לְבַדִּ֔י לָשֵׂ֖את אֶת־כָּל־הָעָ֣ם הַזֶּ֑ה כִּ֥י
כָבֵ֖ד מִמֶּֽנִּי׃

Moisés, uma espécie de padrasto, desviou sua atenção para algo que não era o mais importante. Além de ter de ouvir o choro do bebê, agora também tinha de trabalhar acima de suas forças. Esse quadro reflete perfeitamente bem o que sucede a uma mãe e sua criança. Há momentos em que uma mãe chega a pensar que não conseguirá sobreviver até o fim do dia. Tal mãe fica então indignada quanto Moisés ficou: cheia de queixas, e até mesmo violenta, punindo sua criança de maneira desnecessária e estúpida.

"Não suporto mais essa carga sozinha", uma reveladora declaração que veio a tornar-se parte de um hino:

Devo dizer a Jesus minhas provações,
Não posso levá-las sozinho;
Mas ele assim me ensina boas lições.
E cuida de mim com muito carinho.

E. A. Hoffman

Compare este versículo com Êxodo 18.17,18.

■ 11.15

וְאִם־כָּ֣כָה ׀ אַתְּ־עֹ֣שֶׂה לִּ֗י הָרְגֵ֤נִי נָא֙ הָרֹ֔ג אִם־מָצָ֥אתִי חֵ֖ן
בְּעֵינֶ֑יךָ וְאַל־אֶרְאֶ֖ה בְּרָעָתִֽי׃ פ

Mata-me de uma vez. Moisés chegou a preferir a morte. Ele estava desesperado. Não mais aguentava o programa diário que envolvia um bebê chorão e trabalho em demasia. E assim pediu uma drástica intervenção divina: *a morte*. Naturalmente, ele preferiria a morte, *se* Yahweh resolvesse não vir em seu socorro. Como é claro, o próprio Moisés tonara-se agora um bebê chorão. A morte súbita poria fim ao problema, fazendo seu estado de miséria chegar ao fim. Alguns críticos textuais afirmam que esse foi um dos textos onde os escribas alteraram propositadamente o texto original, que eles insistem em que era "tu". Em outras palavras, Moisés se teria queixado do estado de miséria de *Yahweh*, porquanto o Senhor lhe dera uma tarefa que ele não conseguia cumprir. Mas os judeus piedosos que comentaram o texto sagrado nunca permitiriam que passasse, sem algum comentário, um estado de *miserabilidade* atribuído a Yahweh.

Se tenho achado favor aos teus olhos. As palavras de Moisés eram extremamente amargas. *Se* ele fosse alvo de alguma graça da parte de Deus, que então fosse *galardoado* com uma morte misericordiosa.

A RESPOSTA DE YAHWEH (11.16-23)

Uma queixa tão amarga não podia ficar sem resposta. Mas *como* a resposta foi dada é significativo. A exagerada tirada de Moisés não foi respondida na mesma moeda, com outra tirada e com repreensão. Antes, Yahweh fez o que Moisés queria que ele fizesse. e levou Moisés a delegar autoridade, aliviando-o do excesso de trabalho; e deu ao bebê chorão (Israel) o que ele queria: um generoso suprimento de carne. Moisés era jovem demais para morrer; seu trabalho ainda não tinha terminado. E assim, seu pedido desesperado não foi atendido.

■ 11.16

וַיֹּ֨אמֶר יְהוָ֜ה אֶל־מֹשֶׁ֗ה אֶסְפָה־לִּ֞י שִׁבְעִ֣ים אִישׁ֮ מִזִּקְנֵ֣י
יִשְׂרָאֵל֒ אֲשֶׁ֣ר יָדַ֔עְתָּ כִּי־הֵ֛ם זִקְנֵ֥י הָעָ֖ם וְשֹׁטְרָ֑יו וְלָקַחְתָּ֤
אֹתָם֙ אֶל־אֹ֣הֶל מוֹעֵ֔ד וְהִֽתְיַצְּב֥וּ שָׁ֖ם עִמָּֽךְ׃

"A resposta dada pelo Senhor nem permitiu que Moisés morresse e nem tirou dele a posição de liderança. Em vez disso, Deus criou uma estrutura de sublíderes, permitindo que Moisés delegasse responsabilidade. Deus instruiu Moisés para que selecionasse setenta anciãos de Israel, homens de boa reputação, sobre quem seria derramado o mesmo Espírito que repousava sobre e dava poder a Moisés (cf. Êx 18.21-26; At 6.3)" (Eugene H. Merrill, *in loc.*).

Dos anciãos de Israel. Provavelmente estavam incluídos os príncipes, os doze homens que eram os principais líderes de cada tribo, listados no segundo capítulo de Números. Mas além deles devia haver outros, visto que Israel devia ter mais de três milhões de pessoas. Mais de seiscentos mil eram homens capazes de entrar em guerra (vs. 21). Como é claro, *setenta* homens não seriam suficientes para tão grande tarefa, mas esses poderiam encabeçar um sistema que poupasse Moisés de muitos de seus deveres. Uma das características de uma boa liderança é saber delegar trabalho. Mas os *pequenos césares*, muito tipicamente, são avessos a delegar tarefas.

Talvez os *setenta* formassem um círculo maior que os *doze* príncipes, tal como Jesus tinha doze apóstolos, aos quais foram adicionados setenta discípulos, conforme lemos no capítulo 10 de Lucas.

Uma das mais pesadas tarefas de Moisés era julgar diariamente as pendências que eram apresentadas diante do tabernáculo. Os homens escolhidos pôr-se-iam de pé com Moisés, e as questões seriam divididas entre eles. E os casos mais difíceis, que desafiassem qualquer solução, seriam apresentados a Moisés, embora a maior parte fosse solucionada pelos setenta.

Superintendentes do povo. Esses eram os "organizadores", homens empregados para orientar o povo, que vinham apresentar seus casos e suas queixas. Esses superintendentes agiam como auxiliares dos anciãos.

Ver Êxodo 24.1,9 e suas notas quanto aos *setenta anciãos*. Tempos mais tarde, o Sinédrio era constituído por setenta juízes. Esse grupo tornou-se uma espécie de corte suprema. O número de juízes, sem dúvida, foi sugerido pelo texto presente. Ver no *Dicionário* o artigo intitulado *Sinédrio*.

■ **11.17**

וְיָרַדְתִּ֞י וְדִבַּרְתִּ֣י עִמְּךָ֮ שָׁם֒ וְאָצַלְתִּ֗י מִן־הָר֛וּחַ אֲשֶׁ֥ר עָלֶ֖יךָ וְשַׂמְתִּ֣י עֲלֵיהֶ֑ם וְנָשְׂא֤וּ אִתְּךָ֙ בְּמַשָּׂ֣א הָעָ֔ם וְלֹא־תִשָּׂ֥א אַתָּ֖ה לְבַדֶּֽךָ׃

Descerei e ali falarei contigo. A presença de Yahweh garantia e orientava o programa inteiro. O Senhor *desceria*. E isso reflete a crença na existência de um céu "lá em cima", onde Deus habitava. Cf. Gênesis 11.5,7 e suas notas expositivas. O autor sagrado prossegue com seus *antropomorfismos*. Ver sobre esse termos e também sobre *antropopatismo*, no *Dicionário*. O segundo desses vocábulos indica a prática dos homens que atribuem a Deus sentimentos e emoções tipicamente humanos.

Tirarei do Espírito. Devemos pensar aqui ou no Espírito Santo ou no espírito de sabedoria. Os intérpretes e as traduções estão divididos quanto a essa questão. Seja como for, a inspiração divina foi aqui prometida. Haveria *sabedoria* para que a tarefa fosse cumprida. A delegação de autoridade não debilitaria o sistema judiciário de Israel.

Uma Excelente Metáfora. Neste ponto, Orígenes e Teodoreto nos forneceram uma excelente metáfora. Moisés foi retratado como uma lâmpada, e os anciãos como lâmpadas menores, acesas por ele. As lâmpadas menores, visto que derivaram dele a sua luz, por isso mesmo sua luz maior em nada era diminuída. "O gracioso Deus nunca chamou um homem para realizar um trabalho sem lhe fornecer a *força* adequada; e recusar-se a fazer isso, sob a alegação de incapacidade, anda perto de ser rebeldia contra Deus" (Adam Clarke, *in loc.*).

Os Dons Qualificadores do Espírito. O homem que serve receberá uma correta porção dos dons do Espírito. A obra do ministério é um esforço de equipe, e *muitos* homens espiritualmente dotados precisam ocupar-se nessa obra. Ver na *Enciclopédia de Bíblia, Teologia e Filosofia* o verbete intitulado *Dons Espirituais*.

■ **11.18**

וְאֶל־הָעָ֨ם תֹּאמַ֜ר הִתְקַדְּשׁ֤וּ לְמָחָר֙ וַאֲכַלְתֶּ֣ם בָּשָׂ֔ר כִּ֤י בְּכִיתֶם֙ בְּאָזְנֵ֣י יְהוָ֔ה לֵאמֹ֕ר מִ֥י יַאֲכִלֵ֖נוּ בָּשָׂ֑ר כִּי־ט֥וֹב לָ֖נוּ בְּמִצְרָ֑יִם וְנָתַ֨ן יְהוָ֥ה לָכֶ֛ם בָּשָׂ֖ר וַאֲכַלְתֶּֽם׃

Santificai-vos para amanhã. Era mister que eles se separassem para poderem contemplar o prodígio divino. Mas Jarchi interpretou isso como: "Preparai-vos para serdes castigados". E os Targuns de Jonathan e de Onkelos dizem: "Preparai-vos para receberdes as misericórdias ou para encontrardes o Senhor, em seus juízos". No Egito, a carne para consumo humano era considerada uma questão crucial. E os israelitas tinham querido voltar ao Egito somente para comer um bom bife no almoço. Isso era pura frivolidade. Eles precisavam *santificar-se* a fim de irem ao encontro de Yahweh, no pequeno milagre que estava prestes a ter lugar. Mas não apreciariam o resultado final do ato.

O Senhor vos dará carne e comereis. Israel estava prestes a comer em excesso, não somente por um dia, mas por um mês inteiro, de tal modo que a carne lhes saiu *pelos narizes* (vs. 20). A ira de Yahweh satisfez aos desejos dos filhos de Israel, mas em excesso tal que eles adoeceriam. Esta passagem é parecida com a que diz que Deus satisfez os pedidos deles, mas fazendo também *definhar-lhes a alma* (ver Sl 106.15). O exagerado choro de Israel, pois, resultou em uma exagerada provisão alimentar. Com muita frequência, aquilo que as pessoas buscam com tanta diligência passa a significar muito pouco, uma vez que seja obtido. Usualmente, isso é indicado por um excessivo desejo, mostrando que tal pessoa está fora da vontade de Deus.

■ **11.19**

לֹ֣א י֥וֹם אֶחָ֛ד תֹּאכְל֖וּן וְלֹ֣א יוֹמָ֑יִם וְלֹ֣א ׀ חֲמִשָּׁ֣ה יָמִ֗ים וְלֹא֙ עֲשָׂרָ֣ה יָמִ֔ים וְלֹ֖א עֶשְׂרִ֥ים יֽוֹם׃

De tanto comerem carne, os filhos de Israel acabariam adoecendo. Não comeriam por um dia, dois, cinco ou vinte, mas por um mês inteiro (vs. 20). Os excessos físicos nos enfermam fisicamente. Por igual modo, os excessos morais e físicos nos adoecem a alma. A grande palavra ética dos gregos significava *moderação*, conceito com tantas e tão frequentes aplicações. Cf. este texto com Êxodo 16.13, que alude à imensa revoada de codornizes, as quais foram enviadas devido às murmurações do povo de Israel.

■ **11.20**

עַ֣ד ׀ חֹ֣דֶשׁ יָמִ֗ים עַ֤ד אֲשֶׁר־יֵצֵא֙ מֵֽאַפְּכֶ֔ם וְהָיָ֥ה לָכֶ֖ם לְזָרָ֑א יַ֗עַן כִּֽי־מְאַסְתֶּ֤ם אֶת־יְהוָה֙ אֲשֶׁ֣ר בְּקִרְבְּכֶ֔ם וַתִּבְכּ֤וּ לְפָנָיו֙ לֵאמֹ֔ר לָ֥מָּה זֶּ֖ה יָצָ֥אנוּ מִמִּצְרָֽיִם׃

Porquanto rejeitastes ao Senhor. Deus, o libertador, tinha sido insultado por Israel, com seu choro e seus queixumes. É incrível que a simples falta de carne tivesse causado uma virtual apostasia e a anulação (no coração deles) da saída do Egito. *Um* dos castigos sofridos por Israel foi ter em excesso aquilo que quisera possuir. Durante trinta dias haveria tão grande quantidade de carne de codornizes que, figuradamente, esta sairia pelo nariz dos israelitas; e, literalmente, cada homem enjoaria e odiaria *carne*. Portanto, temos aí uma solene lição moral: podemos chegar a odiar aquilo que antes diligentemente buscávamos, uma vez que o recebemos. Aquilo que chegamos a possuir pode zombar de nós e fazer-nos adoecer.

Israel chegara a enjoar do maná, mas logo também chegaria a enjoar da sua nova dieta. Deus tem suas próprias leis de *limitação*, e, se um homem cruzar esses limites, só poderá fazê-lo para seu próprio prejuízo. Existem *satisfações duradouras* na vida, e essas podem manifestar-se nas áreas intelectual, moral e espiritual da existência, bem como no cumprimento bem-sucedido das missões que nos forem entregues. E também há *satisfações supérfluas*, e há pessoas dispostas a pagar um elevado preço para obtê-las.

Algumas vezes, a tarefa de uma vida inteira é o investimento em alguma coisa que, no fim, se verifica não ter o mínimo valor. A vontade do Espírito é ensinar-nos no que consiste o *valor*.

"Essa é uma linguagem hiperbólica, mas comunica eficazmente a verdade de que aqueles que rejeitam os perfeitos propósitos de Deus descobrem que as alternativas causam náusea e são indesejáveis" (Eugene H. Merrill, *in loc.*).

■ **11.21**

וַיֹּ֘אמֶר֮ מֹשֶׁה֒ שֵׁשׁ־מֵא֥וֹת אֶ֙לֶף֙ רַגְלִ֔י הָעָ֕ם אֲשֶׁ֥ר אָנֹכִ֖י בְּקִרְבּ֑וֹ וְאַתָּ֣ה אָמַ֗רְתָּ בָּשָׂר֙ אֶתֵּ֣ן לָהֶ֔ם וְאָכְל֖וּ חֹ֥דֶשׁ יָמִֽים׃

Seiscentos mil homens de pé é este povo. Moisés levantou assim uma questão crítica. Ele não fazia a mínima ideia sobre como Deus conseguiria tanta carne. Só relembrou o Senhor que havia seiscentos mil soldados, homens jovens e aptos para ir à guerra (ver Nm 1.46). E isso significava que a população total de Israel deveria ultrapassar três milhões de pessoas. Somente uma provisão miraculosa poderia suprir carne para tão grande número de seres humanos, naquela região desértica. Moisés já tinham contemplado demonstrações de poder ilimitado da parte de Yahweh; mas agora haveria de contemplar mais uma dessas demonstrações. E o prodígio teria de ser *muito grande* se o suprimento de carne chegasse a demorar um mês inteiro.

"O relato salienta o poder miraculoso do Senhor, suficiente para sustentar uma população tão grande no deserto" (*Oxford Annotated Bible*, sobre este versículo).

■ **11.22**

הַצֹּאן וּבָקָר יִשָּׁחֵט לָהֶם וּמָצָא לָהֶם אִם אֶת־כָּל־דְּגֵי הַיָּם יֵאָסֵף לָהֶם וּמָצָא לָהֶם: פ

Moisés Considerou os Suprimentos Disponíveis. Este versículo parece tão humano. Embora Moisés já tivesse visto tão grandes prodígios da parte de Deus, acabou olvidando o fato de que Yahweh tinha o poder de efetuar *outro milagre,* a fim de fornecer um imenso suprimento de carne, capaz de satisfazer tão grande multidão de pessoas pelo espaço de um mês. Em vez de olhar para as *possibilidades miraculosas,* ele ficou a calcular o que se poderia fazer com os suprimentos disponíveis. Isso incluía os rebanhos que Israel tinha, os quais poderiam ser abatidos, ficando assim anulado o sistema de sacrifícios. Ou então, todos poderiam ir até a beira-mar para pescar; e então, se fossem bem-sucedidos, *seriam* capazes de pescar peixes em número suficiente para cumprir a palavra dita por Yahweh. Mas a ideia do poder miraculoso é que este ultrapassa a todas as possibilidades humanas de suprimento. Ocasionalmente, precisamos do suprimento miraculoso de Deus. Oh, Senhor, concede-nos tal graça! Deus mostrou-se *capaz* de fazer o que dissera a Moisés, e este estava destinado a sofrer uma chocante *surpresa*. O homem natural sabe dessas coisas.

Moisés falou sobre a carne dos rebanhos de Israel, bois, carneiros e bodes. Mas esqueceu-se do vasto suprimento alado, a carne de incontáveis revoadas de *aves*.

■ **11.23**

וַיֹּאמֶר יְהוָה אֶל־מֹשֶׁה הֲיַד יְהוָה תִּקְצָר עַתָּה תִרְאֶה הֲיִקְרְךָ דְבָרִי אִם־לֹא:

O Senhor respondeu a Moisés. A palavra de Deus interveio, pondo fim à tola imaginação de Moisés e à contagem de seus tostões. O Senhor dispunha de um tesouro inexaurível, de onde extrairia o milagre.

A mente humana é limitada; mas isso não significa que a mão de Deus se *tenha encurtado*. Tais limites usualmente são aqueles impostos por nossas próprias mentes. Há poder por trás da *palavra* de Deus; pois foi essa palavra que trouxe à existência todos os mundos. E essa palavra continua, capaz de efetuar coisas simplesmente inimagináveis.

"Não há limites para aquilo que o amor de Deus, em Cristo, é capaz de fazer, salvo os limites que o próprio homem impõe a esse amor" (Albert George Butzer, *in loc.*).

"O poder que é *ilimitado* jamais *diminui*" (Adam Clarke, *in loc.*).

OS ANCIÃOS DE ISRAEL E A PROFECIA (11.24-30)

■ **11.24**

וַיֵּצֵא מֹשֶׁה וַיְדַבֵּר אֶל־הָעָם אֵת דִּבְרֵי יְהוָה וַיֶּאֱסֹף שִׁבְעִים אִישׁ מִזִּקְנֵי הָעָם וַיַּעֲמֵד אֹתָם סְבִיבֹת הָאֹהֶל:

O Palco Estava Armado para o Milagre. Uma vez mais, Israel veria uma intervenção divina. Em primeiro lugar, Moisés devia levar avante o projeto de delegação de autoridade, porque a sua tarefa era carregar nos ombros a responsabilidade por todo o povo de Israel (vs. 11). O sistema descrito nos vss. 16 e 17 precisava ser posto em efeito. E os *anciãos* que ajudariam a Moisés precisavam que, *antes de tudo,* sua fé fosse fortalecida, mediante o Espírito Santo que lhes havia sido dado; e, em *segundo lugar,* pelo fato de terem sido testemunhas do milagre do suprimento de carne, que estava prestes a ocorrer. Haveria dois milagres: o da *nuvem* (vs. 25) e o das *codornizes* (vss. 31 ss.). Desse modo, *ambos* os problemas que Moisés estava enfrentando (ver os vss. 13 e 14) seriam solucionados. O ministério e a autoridade dos anciãos também seriam *publicamente* autenticados. Israel seria testemunha da dotação de poder.

Os anciãos foram assim levados até o tabernáculo, onde a manifestação divina estava prestes a ocorrer. Eles precisavam conhecer a presença de Yahweh. Não nos basta ler a Bíblia e orar. Também deve haver o toque místico, em que a presença divina aproxima-se e confere poder. Ver no *Dicionário* o artigo intitulado *Misticismo*. Quanto aos *setenta anciãos,* ver as notas no vs. 16 deste capítulo.

■ **11.25**

וַיֵּרֶד יְהוָה בֶּעָנָן וַיְדַבֵּר אֵלָיו וַיָּאצֶל מִן־הָרוּחַ אֲשֶׁר עָלָיו וַיִּתֵּן עַל־שִׁבְעִים אִישׁ הַזְּקֵנִים וַיְהִי כְּנוֹחַ עֲלֵיהֶם הָרוּחַ וַיִּתְנַבְּאוּ וְלֹא יָסָפוּ:

O Senhor desceu na nuvem. Devemos entender aqui a nuvem que guiava o povo de Israel de dia. Essa nuvem parava ou punha-se em movimento, indicando quando Israel devia estacar ou pôr-se em marcha. Ver no *Dicionário* o artigo intitulado *Colunas de Fogo e de Nuvem*. Alguns estudiosos, todavia, supõem que devamos entender aqui alguma *nuvem mística,* e não a nuvem usual que guiava os israelitas. Isso posto, essa experiência com a presença de Deus envolveu uma luz gloriosa e poderosa, como uma nuvem, o que, algumas vezes, acontece nas grandes experiências espirituais. Mas outros eruditos preferem pensar na glória *shekinah* (ver sobre isso no *Dicionário*). No entanto, a primeira interpretação parece coincidir com o que está em pauta neste texto.

Yahweh Estava na Nuvem. Foi a própria presença de Deus que produziu a manifestação mística daquela ocasião.

O Pentecoste do Antigo Testamento. Este versículo soa como o Pentecoste da Igreja cristã, no segundo capítulo do livro de Atos. Podemos pensar que algo similar sucedeu. Não houve a manifestação do dom de línguas, mas houve profecias e muita excitação espiritual.

Profetizaram. No hebraico temos a palavra *nabi,* em sua forma nominal, e tem o sentido de "porta-voz" ou "profeta". Talvez esse termo hebraico derive-se de *aba',* que significa "borbulhar" ou "extravasar", algo típico dos profetas inspirados, que tendem por falar de maneira frenética. A palavra *profeta* envolve as ideias de autoridade e de comunicação, embora, em alguns casos, esteja em foco a ideia de "predizer o futuro", mas isso não se aplica ao caso presente. Ou talvez o vocábulo esteja ligado à raiz do acádico, *nabu,* que significa "chamar". Nesse caso, estaria sendo salientada a *chamada* profética. Mas essa posição parece debilitar-se diante do fato de que este versículo termina com as palavras "mas depois nunca mais". Assim sendo, os anciãos de Israel "profetizaram", mas não se tornaram "profetas". Deus é quem designa os seus profetas e os chama.

Algumas vezes, essa palavra pode significar levantar a voz em louvores, com ou sem o acompanhamento de instrumentos musicais. Ver 1Samuel 10.6; 1Reis 18.29; 1Crônicas 25.3 e Jeremias 29.26.

Os *teólogos históricos* dizem-nos que, ocasionalmente, a história de Israel era assinalada por frenesis ou excitações proféticas; e que os hebreus emprestavam muita importância a essa atividade. Tal atividade não se confinava aos que eram conhecidos como profetas, pois aqui vemos Eldade e Medade a profetizar, e eles não faziam parte do grupo seleto dos setenta anciãos. Ver o vs. 26.

O Espírito. Assim lemos em nossa versão portuguesa, embora outras versões e traduções digam "o espírito". O Espírito Santo entrou em contato e agitou espíritos humanos, produzindo assim uma nova atmosfera e expressão espiritual. Parece que o que houve foi o seguinte: Depois que os setenta anciãos deixaram de profetizar, os dois, Eldade e Medade, começaram a profetizar, não entre os setenta, mas no arraial.

■ **11.26**

וַיִּשָּׁאֲרוּ שְׁנֵי־אֲנָשִׁים בַּמַּחֲנֶה שֵׁם הָאֶחָד אֶלְדָּד וְשֵׁם הַשֵּׁנִי מֵידָד וַתָּנַח עֲלֵיהֶם הָרוּחַ וְהֵמָּה בַּכְּתֻבִים וְלֹא יָצְאוּ הָאֹהֱלָה וַיִּתְנַבְּאוּ בַּמַּחֲנֶה:

Eldade. Esse homem foi abençoado com a profecia naquele momento. Ele não pertencia ao grupo dos setenta anciãos, mas era homem espiritual, pelo que o Espírito o aprovou com o dom profético. Outro tanto sucedeu no caso de *Medade*, o qual também profetizou no arraial, perto do tabernáculo. O Targum de Jonathan diz-nos que os dois homens eram parentes de Moisés pelo lado de sua mãe; mas não temos como averiguar se essa informação é veraz ou não. Eldade significa "Deus é amigo"; e Medade quer dizer "Deus é amor". Fora do Antigo Testamento (neste ponto), na literatura judaica, os nomes desses dois homens figuram na obra pseudepígrafa do Pastor de Hermas. Ver no *Dicionário* o artigo chamado *Eldade e Medade*.

Alguns intérpretes supõem que esses dois homens fizessem parte do grupo dos setenta anciãos, mas só começaram a profetizar quando os outros 68 já tinham terminado de profetizar. Mas ver o vs. 30 deste capítulo.

Uma das lições deste texto é que o Espírito de Deus se move por onde lhe parece melhor. Outra lição é que o "ministério aprovado" não tem direitos exclusivos às manifestações divinas. Josué ficou perturbado diante das manifestações não-oficiais, mas Moisés julgou que seria maravilhoso se *todo* o povo de Israel fosse envolvido no dom profético. Ver os vss. 28 e 29. Por quê? Em primeiro lugar, porque as experiências místicas fortalecem a alma e enrijecem a espiritualidade. Em segundo lugar, porque a utilidade espiritual aumenta mediante a vitalidade transmitida pelas experiências místicas autênticas.

■ **11.27,28**

וַיָּרָץ הַנַּעַר וַיַּגֵּד לְמֹשֶׁה וַיֹּאמַר אֶלְדָּד וּמֵידָד מִתְנַבְּאִים בַּמַּחֲנֶה׃

וַיַּעַן יְהוֹשֻׁעַ בִּן־נוּן מְשָׁרֵת מֹשֶׁה מִבְּחֻרָיו וַיֹּאמַר אֲדֹנִי מֹשֶׁה כְּלָאֵם׃

Eldade e Medade profetizam no arraial. Assim disse um objetor, um moço, no que foi secundado por Josué. Sempre houve e sempre haverá aqueles que objetam a alegadas atividades e dons espirituais não-autorizados. Os críticos sempre acabam por manifestar-se. Ver no *Dicionário* o artigo chamado *Dons Espirituais*. Um jovem, cujo nome não é dado, sentiu-se ofendido diante da profecia dos "dois intrusos". Esse jovem foi até Moisés com a "lamentável" notícia. Ali, Josué, filho de Num, secundou a reclamação do rapaz. Ora, Josué era o grande auxiliar de Moisés, o homem que Deus havia destinado a conduzir o povo de Israel à Terra Prometida, embora isso ainda não tivesse sido revelado. O movimento de oposição, pois, contou com o apoio de autoridades especiais. Mas Moisés teve sabedoria suficiente para perceber que os dois opositores estavam destituídos de razão, e que as manifestações do Espírito de Deus não podem ser confinadas pelas limitações impostas pela mente humana. Ver no *Dicionário* o detalhado artigo chamado *Josué*.

"Esse relato ensina a liberdade e a soberania das influências do Espírito Santo, tal como séculos mais tarde ocorreu na casa de Cornélio, quando o Espírito Santo desceu sobre ele e sobre aqueles que estavam com ele, todos gentios (At 10.44-48)" (Ellicott, *in loc.*).

Um dos seus escolhidos. Essas palavras, em outras traduções, são traduzidas como "que tinha sido ajudante de Moisés desde a juventude". E essa tradução parece estar mais de acordo com o teor da narrativa.

■ **11.29**

וַיֹּאמֶר לוֹ מֹשֶׁה הַמְקַנֵּא אַתָּה לִי וּמִי יִתֵּן כָּל־עַם יְהוָה נְבִיאִים כִּי־יִתֵּן יְהוָה אֶת־רוּחוֹ עֲלֵיהֶם׃

Porém Moisés lhe disse. Josué, sem dúvida, tinha ciúmes pelo Espírito de Deus, mas de modo equivocado. Por isso mesmo, Moisés o corrigiu. Parece que Josué temia que os dois homens, Eldade e Medade, de alguma forma fizessem entrar em eclipse a autoridade de Moisés, chamando tanta atenção para si mesmos. Algumas vezes, os críticos são sinceros em suas atitudes, mas isso não quer dizer que tais críticas sejam justas. As pessoas, naturalmente, com frequência temem qualquer coisa que ameace o *status quo*.

A ortodoxia teme, tradicionalmente, qualquer novidade. Mas devemos lembrar que, dentro do processo histórico, uma ortodoxia substitui a anterior, *ad infinitum*. Novas doutrinas são chamadas heresias, mas logo estas tornam-se novas ortodoxias, uma vez que sejam aceitas. O cristianismo chegou a ser considerado uma heterodoxia perigosa, que ameaçava substituir o judaísmo ortodoxo. Mas logo o cristianismo tornou-se uma nova ortodoxia. E assim a antiga ortodoxia tornou-se obsoleta.

Moisés Estava com Razão. Moisés percebeu que uma expressão espiritual autêntica estava tendo liberdade de existir. Mas não estava preocupado com a sua própria autoridade. Os verdadeiros ministros não vivem em competição uns com os outros. Antes, suplementam-se mutuamente. O povo inteiro de Israel estaria em melhor estado espiritual e teria maior eficiência espiritual, se todos os filhos de Israel fossem como os dois "ofensores". Essa foi a avaliação de Moisés quanto à situação.

Cf. este texto com um incidente similar na vida de Jesus, historiado em Lucas 9.49,50. Os apóstolos também viram um homem "não autorizado" a fazer certas coisas. E pareceu-lhes que ele agia contra a autoridade de Jesus, embora operasse em seu nome.

■ **11.30**

וַיֵּאָסֵף מֹשֶׁה אֶל־הַמַּחֲנֶה הוּא וְזִקְנֵי יִשְׂרָאֵל׃

Moisés e os anciãos de Israel deixaram a área do tabernáculo e foram ao arraial propriamente dito. É provável que assim tivessem feito para observar Eldade e Medade, e impedir alguma manifestação em torno do caso. Não foram até ali para parar a manifestação, e, sim, para controlá-la. Moisés foi "com os anciãos", dando a entender que Eldade e Medade não pertenciam ao grupo dos anciãos.

Este versículo também marca o fim do incidente das profecias, preparando-nos para a história sobre as codornizes (vss. 31 ss.). O problema de autoridade e de delegação havia sido ventilado. Agora seria solucionada a questão da falta de carne, mas não conforme o povo de Israel gostaria que acontecesse. Ver os vss. 13 e 14 quanto aos *dois* problemas de que este capítulo trata.

A GRANDE COLHEITA DE CODORNIZES (11.31-35)

O lance que envolveu as codornizes, suspenso no vs. 23, tem reinício neste ponto. Os filhos de Israel puseram-se a colher as codornizes com grande afã. Mas fizeram isso somente para descobrir que os objetos de profundos desejos por muitas vezes são fúteis e prejudiciais. Os *anciãos* já haviam passado por sua iniciação, tendo recebido o poder do Espírito para se ocuparem de suas tarefas. Agora veriam grande exibição do poder de Yahweh, embora se tratasse de um sinal prejudicial ou mesmo vergonhoso para o povo de Israel como um todo. Isso mostra-nos que o povo de Israel era acompanhado por sinais e maravilhas (ver Êx 4.21; Dt 4.34; Mt 16.1; 24.24; Rm 15.19; Hb 2.4).

■ **11.31**

וְרוּחַ נָסַע מֵאֵת יְהוָה וַיָּגָז שַׂלְוִים מִן־הַיָּם וַיִּטֹּשׁ עַל־הַמַּחֲנֶה כְּדֶרֶךְ יוֹם כֹּה וּכְדֶרֶךְ יוֹם כֹּה סְבִיבוֹת הַמַּחֲנֶה וּכְאַמָּתַיִם עַל־פְּנֵי הָאָרֶץ׃

Então soprou um vento do Senhor. Esse vento foi usado como meio para realizar o prodígio. O vento tangeu uma vasta quantidade de codornizes até o acampamento dos israelitas, cobrindo em redor uma área de um dia de viagem. Ver o modo pelo qual Israel se acampava em redor do tabernáculo, ilustrado imediatamente antes do começo da exposição sobre Números 1.1. E assim, aquilo que Israel não foi capaz de fazer por si mesmo, um vento divinamente mandado pôde realizar.

Do mar. Ou seja, do golfo de Ácaba (ver a respeito no *Dicionário*). As codornizes costumam migrar da África para a Europa, durante a primavera, e logo se cansam devido ao longo voo. E assim, se um vento faz essas pequenas aves desviar-se de seu curso, e elas, cansadas, caem no chão, é fácil apanhá-las. A migração era natural, mas o vento soprou de acordo com a vontade do Senhor. Desse modo, fatores naturais e sobrenaturais cooperaram a fim de garantir os prodígios. Até hoje é possível encontrar codornizes em grande número, sendo vendidas como alimento, no Oriente Próximo e Médio.

O número das codornizes era tão vasto que formaram uma camada sobre a superfície da terra. Mas alguns estudiosos pensam que os "dois côvados sobre a terra" indica a baixa altura em que essas aves passavam voando, e não a camada de aves amontoadas sobre o solo.

"Até hoje, o voo normal dessas aves segue a direção noroeste, pois elas vêm do interior da África. O vento talvez tenha passado a soprar na direção sudeste, um fenômeno deveras incomum. E o vento empurrou as aves para o noroeste, fazendo-as atravessar a península do Sinai" (Eugene H. Merrill, *in loc.*).

Naquele dia, seja como for, Israel contemplou um extraordinário ato providencial de Deus. Ver no *Dicionário* o verbete intitulado *Providência de Deus*.

■ 11.32

וַיָּקָם הָעָם כָּל־הַיּוֹם הַהוּא וְכָל־הַלַּיְלָה וְכֹל ׀ יוֹם הַמָּחֳרָת וַיַּאַסְפוּ אֶת־הַשְּׂלָו הַמַּמְעִיט אָסַף עֲשָׂרָה חֳמָרִים וַיִּשְׁטְחוּ לָהֶם שָׁטוֹחַ סְבִיבוֹת הַמַּחֲנֶה:

O tremendo recolhimento das codornizes perdurou por dois dias e uma noite, tempo em que Israel não se ocupou praticamente de nenhuma outra atividade. Não dispunham de nenhum sistema de refrigeração, mas conheciam o processo de cozimento e ressecamento ao sol, que faria a carne das aves durar por muito tempo. Nenhum homem que juntou as codornizes deixou de recolher menos do que *dez ômeres*, ou seja, o equivalente a 2.200 kg. Naturalmente, os críticos duvidam dessa informação, a qual deixa transparecer grande ganância. Outros estudiosos falam em 1.900 kg, mas isso ainda representa uma quantidade gigantesca de aves.

E as estenderam. Isso eles fizeram para ressecar as aves ao sol, recobertas de sal, para fins de preservação. E isso não era difícil de fazer, estando eles no deserto. A versão da Vulgata Latina diz aqui "e as ressecaram". Plínio descreveu para nós o processo (*Hist. Natural*, 1.6, cap. 20). As aves foram defumadas, salgadas e ressecadas ao sol. Dessa maneira, a carne podia ser preservada por tanto tempo quanto um ano. Gafanhotos eram preparados mediante o mesmo processo. Alguns estudiosos, por isso mesmo, pensam que estão em foco gafanhotos; mas o texto hebraico não se presta para tal interpretação.

■ 11.33

הַבָּשָׂר עוֹדֶנּוּ בֵּין שִׁנֵּיהֶם טֶרֶם יִכָּרֵת וְאַף יְהוָה חָרָה בָעָם וַיַּךְ יְהוָה בָּעָם מַכָּה רַבָּה מְאֹד:

As descrições são antropomórficas. Ver no *Dicionário* os artigos intitulados *Antropomorfismo* e *Antropopatismo*. Yahweh, em um surto preliminar de ira, trouxe as codornizes em tão vasto número que os israelitas, de tanto comê-las, acabaram enjoando. Mas, tendo feito essa anteprovisão, a ira de Yahweh se intensificou, e ele enviou tão violenta praga que ninguém sabe quantos deles pereceram. Aben Ezra imaginava que o fogo referido no vs. 3 tinha voltado. E outros dizem que a praga consistiu em fogo, e que os primeiros versículos deste capítulo foram deslocados. Mas também há aqueles que defendem que houve alguma enfermidade infecciosa e contagiosa, que se espalhou rapidamente por todo o acampamento dos israelitas. Sulpício (*História Sagrada* 1.1) afirma que 23 mil israelitas pereceram; mas não sabemos com que autoridade ele falou.

Seja como for, a praga foi considerada um ato divino (ver Lv 26.21; Dt 28.21; 1Sm 4.3). A teologia dos hebreus era muito débil quanto a segundas causas, pelo que qualquer praga era considerada procedente de Deus Assim sendo, é possível que alguma grande praga natural tenha ferido o povo, mas isso foi atribuído a Yahweh. Mas a sua subtaneidade, associada à murmuração sobre a falta de carne, indica que realmente houve alguma espécie de intervenção divina.

■ 11.34

וַיִּקְרָא אֶת־שֵׁם־הַמָּקוֹם הַהוּא קִבְרוֹת הַתַּאֲוָה כִּי־שָׁם קָבְרוּ אֶת־הָעָם הַמִּתְאַוִּים:

Quibrote-Taavá. No hebraico, *sepulcro dos desejos*. Essa expressão designa um dos lugares onde os israelitas tiveram um de seus acampamentos, quando vagueavam pelo deserto. Em nossos dias, não se sabe onde ficava essa localidade, embora seja conhecido que ficava próximo ao monte Sinai. Foi ali que os israelitas murmuraram contra Moisés, ao se lembrarem dos deliciosos acepipes que desfrutavam no Egito. Em face disso, Deus enviou codornizes que os adoeceram de tanto que se empanturraram. Seguiu-se então uma praga, durante a qual muitos deles morreram. Os mortos foram sepultados nesse local, o que explica o nome do lugar — "sepulcros dos desejos (ou das concupiscências)". Dali os israelitas partiram para Hazerote (ver Nm 11.35). O trecho de Deuteronômio 9.22 mostra-nos que a lição ensinada em Quibrote-Taavá foi relembrada algum tempo mais tarde. E o trecho de Números 33.16 parece fazer desse lugar a primeira parada de Israel depois do Sinai, mas Taberá serviu com essa finalidade pelo menos durante alguns poucos dias.

■ 11.35

מִקִּבְרוֹת הַתַּאֲוָה נָסְעוּ הָעָם חֲצֵרוֹת וַיִּהְיוּ בַּחֲצֵרוֹת: פ

Hazerote. No hebraico, *aldeias*. Esse era o nome da terceira parada ou acampamento dos israelitas, depois que eles partiram do Sinai, em suas andanças pelo deserto. Ficava a quatro ou cinco dias de marcha daquele monte. Foi ali que Miriã e Arão murmuraram contra Moisés (ver também Nm 12.16). A murmuração dizia respeito ao casamento dele com uma mulher cuxita, bem como à ideia de que Deus fala somente por meio de Moisés. É possível que 'ain Khadra assinale o local antigo. Ficava a cerca de 48 km a nordeste de Jebel Musa, a caminha da Ácaba (ver a esse respeito no *Dicionário*). Dali, Israel partiu para o deserto de Parã. O versículo 20 deste capítulo talvez indique que o povo de Israel ficou em Quibrote-Taavá por um mês.

CAPÍTULO DOZE

A SEDIÇÃO DE MIRIÃ E ARÃO (12.1-16)

As frequentes *murmurações* do povo de Israel no deserto, apesar das bênçãos de Yahweh e grandes demonstrações de poder, são um tema dominante do Pentateuco. Ver incidentes dessa ordem em Êxodo 15.24; 16.2,3; 17.3; 32.1-4,25; Números 11.4-6; 12.1,2; 14.2,3; 16.13,14; 20.2-13; 21.4,5. O trecho de Romanos 1.24 diz-nos que uma das causas da apostasia dos pagãos era a falta de gratidão. O fato de que Yahweh *ouvira* essas murmurações e então revidara com ira é um antropomorfismo (ver sobre isso no *Dicionário*), mas nossa linguagem por muitas vezes vê-se reduzida a esse forma de expressão, quando tentamos dizer alguma coisa significativa sobre Deus. Ver o artigo chamado *Deus*, no *Dicionário*.

Talvez Moisés tenha errado ao casar-se com uma mulher cusita. Fosse como fosse, isso levou Miriã e Arão a murmurar, e a principal acusação deles é que Moisés se tornara um ditador que dominava tudo. Somente ele obtinha mensagens da parte de Yahweh; somente ele podia dar ordens. Não há que duvidar de que o caso envolvia inveja. Certo filósofo observou que nenhum grande homem é grande em seu próprio lar. O irmão e a irmã de Moisés não respeitavam a sua presença, mas tiveram a coragem de tentar removê-lo do comando. A rebeldia deles foi um grande erro de cálculo, visto que o poder de Yahweh estava por trás de Moisés, e quem se opunha a ele opunha-se ao Senhor.

Israel não foi especificamente proibido de entrar em relação de casamentos com o povo cusita (ver Êx 34.11,16); mas por analogia (pois os cusitas não eram hebreus), Miriã e Arão julgaram que tinham um bom caso. E usaram o casamento de Moisés para promover a causa deles.

■ 12.1

וַתְּדַבֵּר מִרְיָם וְאַהֲרֹן בְּמֹשֶׁה עַל־אֹדוֹת הָאִשָּׁה הַכֻּשִׁית אֲשֶׁר לָקָח כִּי־אִשָּׁה כֻשִׁית לָקָח:

Novas Murmurações. Ver a introdução a este capítulo quanto ao fato de que as murmurações de Israel constituem um dos temas do Pentateuco. O capítulo anterior registra um incidente recente: murmurações por causa do suprimento alimentar. Agora aqueles que eram mais chegados a Moisés, seu irmão e sua irmã, são retratados a encabeçar uma rebelião, para remover Moisés do poder, ou pelo menos para reduzir sua autoridade, com vistas a tomarem uma parte dessa autoridade. Este primeiro versículo registra a *primeira* queixa deles: Moisés contraíra um casamento supostamente ruim para Israel. E o versículo seguinte registra a *segunda* queixa: Moisés era um ditador e deveria dividir sua autoridade.

Fazia muitos anos agora que Moisés se tinha casado com Zípora, mulher midianita. Logo, ele já tinha uma mulher que não era hebreia. E agora ousara casar-se com outra mulher gentílica, dessa vez uma etíope, conforme alguns interpretam a palavra "cusita" (até nossa versão portuguesa assim faz). Todavia, outros eruditos dizem que a palavra, no hebraico, pode significar uma mulher árabe, da parte norte da Arábia. Podemos supor que esse segundo casamento se dera recentemente, razão pela qual Miriã e Arão trouxeram o caso à tona.

Cusita (Mulher Etíope). Moisés se casou com uma mulher etíope. Cuxe ou Etiópia era a região ao sul da primeira catarata do rio Nilo. A Septuaginta e a Vulgata apresentam essa mulher como natural da Etiópia. Mas as tradições judaicas identificam-na com Zípora, pensando que ela era natural de Cusã, que aparece em Habacuque 3.7. Cusã também tem sido região identificada com a Etiópia; mas outros preferem pensar em Midiã, ou algum aliado desse território. As lendas judaicas sugerem que, antes de Moisés fugir para o deserto de Midiã, ele foi comandante-em-chefe de uma campanha egípcia contra a Etiópia. Tarbis, a filha do rei etíope, teria se apaixonado por ele, do que resultou o casamento dos dois. Porém, quase todas as lendas desse tipo não passam de invenções românticas, pelo que a questão da *identidade* exata da esposa cusita de Moisés continua sujeita a debates. O texto do capítulo 12 de Números introduz de súbito essa mulher, provavelmente para indicar que Moisés contraíra um *novo* matrimônio.

Por certo, Moisés deixara de lado o espírito do Pacto Abraâmico, bem como o exemplo deixado pelo próprio Abraão, quanto a casamentos de israelitas com estrangeiros, pelo que Miriã e Arão não deixavam de ter alguma razão em sua queixa. É muito difícil que os dois estivessem reclamando por causa de Zípora. Ao casar-se de novo, porém, Moisés ficou sujeito a ataque, por fazer parecer não ter havido prudência em seu segundo casamento. A nova esposa de Moisés não era necessariamente uma negra, porque os habitantes da antiga Etiópia pertenciam a várias etnias. Pessoas chamadas cusitas também habitavam a Arábia. Muito provavelmente essa segunda esposa era semita, talvez de ascendência árabe.

Talvez essa *nova* esposa de Moisés fosse uma ameaça à autoridade de Miriã, visto que haveria outra mulher para compartilhar as coisas. A animosidade pessoal pode ter sido a base de todo o incidente.

O Targum de Jonathan diz que a mulher em apreço era uma rainha. Josefo (*Antiq.* 1.2 cap. 10, sec. 2) é um daqueles que falaram sobre a expedição egípcia, descrita acima, no decurso da qual Moisés teria conhecido Tarbis. Mas podemos ignorar, com toda a segurança, essas lendas.

■ 12.2

וַיֹּאמְרוּ הֲרַק אַךְ־בְּמֹשֶׁה דִּבֶּר יְהֹוָה הֲלֹא גַּם־בָּנוּ דִבֵּר וַיִּשְׁמַע יְהֹוָה:

E disseram. Temos aí a segunda queixa de Miriã e Arão. A segunda esposa de Moisés serviu de caso melindroso, a razão da primeira queixa deles (vs. 1). Mas o que realmente irritava Miriã e Arão era que Moisés monopolizava tudo, como único porta-voz de Yahweh. É como se diz modernamente: "Um grande homem, grandes vícios". Yahweh havia conferido a Moisés uma posição elevada, pelo que Miriã e Arão se ressentiam disso, e agora esperavam poder mudar a situação. Miriã foi chamada de *profetisa* (Êx 15.20), pelo que era mulher de alguma habilidade e posição espiritual. E queria aumentar sua autoridade, sobretudo junto àquela *outra mulher*, que parecia estar ameaçando a sua posição. Ver Miqueias 6.4, que exalta a condição de Miriã. Ver no *Dicionário* o verbete intitulado *Miriã*.

A inveja, o ciúme e a competição são fatores que levam as pessoas a queixas. Miriã estava enfrentando tudo isso. À base de tudo, porém, estava a ignorância do fato de que Deus tinha realmente conferido a Moisés uma posição sem igual como seu mediador, algo que vinha sendo repetidamente provado desde o Egito. A irmã e o irmão de Moisés puseram em dúvida a reivindicação de Moisés, e convenientemente olvidaram-se de grande parte da história.

O Senhor o ouviu. Achamos aqui outro *antropomorfismo* (ver a respeito no *Dicionário*). A queixa chegou à atenção de Yahweh, pelo que o juízo divino já estava a caminho. *Seu homem* escolhido estava sendo atacado por subordinados indignos. E em breve seriam postos em seu devido lugar.

Por muitas vezes achamos no Pentateuco alguma expressão como *o Senhor falou*. Ela assinala o começo de algum novo material, embora também nos lembre da doutrina da divina inspiração das Escrituras. Fica assim demonstrado que *Moisés* era o mediador de Yahweh. Ver as notas a esse respeito em Levítico 1.1 e 4.1.

■ 12.3

וְהָאִישׁ מֹשֶׁה עָנָו מְאֹד מִכֹּל הָאָדָם אֲשֶׁר עַל־פְּנֵי הָאֲדָמָה: ס

Mui manso. A humildade era uma das grandes características de Moisés. Ver Êxodo 3.11. A palavra hebraica aqui traduzida por "manso" é *'anaw*, "humilde". A raiz desse termo hebraico é *'ana*, "forçar à submissão". A melhor tradução, pois, é mesmo "humilde". Contrariamente à maioria dos ditadores, Moisés não era um homem arrogante. Ocupava a posição que ocupava por atribuição de Deus, e não porque tivesse ascendido à sua posição mediante poder e arrogância, impondo aos outros a sua vontade. Isso nos mostra que Moisés não era o tirano que Miriã e Arão queriam que ele parecesse ser. Sua autoridade era divinamente conferida. Ele era o homem apropriado para o momento, e não um indivíduo que se tivesse exaltado a algum elevado ofício por meio de sua poderosa personalidade.

A autoria mosaica do Pentateuco é um dos problemas levantados por este versículo. Uma terceira pessoa nos descreve aqui Moisés, e não ele mesmo. Meu artigo sobre o Pentateuco e sobre os cinco livros que o compõem aborda essa questão de autoria, com argumentos pró e contra. Ver também, no *Dicionário*, o artigo intitulado *J.E.D.P.(S.)*, bem como os outros artigos mencionados. O artigo sobre cada um dos livros do Pentateuco aparece na introdução a cada um deles. O livro de Números sempre alude a Moisés na terceira pessoa do singular. Mas visto que *Yahweh falava* por meio dele, suas tradições foram preservadas, sem importar se ele foi o compilador real de algum livro, quanto à sua forma final.

As tentativas feitas por alguns intérpretes para forçar o texto a dizer que Moisés fora "alquebrado" e "oprimido" por suas cargas e pelos ataques contra sua pessoa, em vez de ser um homem *humilde*, não convencem. O texto não dá apoio a esse tipo de tratamento.

■ 12.4

וַיֹּאמֶר יְהֹוָה פִּתְאֹם אֶל־מֹשֶׁה וְאֶל־אַהֲרֹן וְאֶל־מִרְיָם צְאוּ שְׁלָשְׁתְּכֶם אֶל־אֹהֶל מוֹעֵד וַיֵּצְאוּ שְׁלָשְׁתָּם:

Vós três saí à tenda. Yahweh interveio. O Senhor entrou em ação súbita e rapidamente. Ele cortou a rebeldia pela raiz, ainda no começo. Deus convocou Moisés, Miriã e Arão ao tabernáculo, onde manifestou a sua presença, indicando qual era a sua vontade. E *todos os três* foram compelidos a obedecer *prontamente*. Yahweh não permitiu que um câncer se desenvolvesse. A inclusão do nome de Arão aqui, tal como no primeiro versículo, depois do nome de Miriã, sugere que *ela* era a cabeça pensante da rebelião.

■ 12.5

וַיֵּרֶד יְהֹוָה בְּעַמּוּד עָנָן וַיַּעֲמֹד פֶּתַח הָאֹהֶל וַיִּקְרָא אַהֲרֹן וּמִרְיָם וַיֵּצְאוּ שְׁנֵיהֶם:

O Senhor desceu na coluna de nuvem. A presença de Yahweh manifestou-se por meio da nuvem que guiava o povo de Israel, bem diante dos olhos dos três, diante da entrada do tabernáculo. Havia *três cortinas* que serviam de portas do tabernáculo. Ver sobre isso em Êxodo 26.36. É possível que esteja em pauta aqui a cortina que separava o Santo dos Santos do Lugar Santo, pois era ali que aparecia a glória *shekinah*, diante da arca da aliança. Ver a planta baixa do tabernáculo, nas notas de introdução a Êxodo 26.1. Porém, muitos intérpretes pensam que está em pauta aqui a *primeira* cortina, afirmando que Yahweh nunca permitiria que os dois rebelados entrassem no Santo dos Santos do tabernáculo, mas, antes, armou seu tribunal de juízo fora daquele lugar, no átrio, defronte da primeira cortina.

■ 12.6

וַיֹּאמֶר שִׁמְעוּ־נָא דְבָרָי אִם־יִהְיֶה נְבִיאֲכֶם יְהֹוָה בַּמַּרְאָה אֵלָיו אֶתְוַדָּע בַּחֲלוֹם אֲדַבֶּר־בּוֹ:

Então disse. O Senhor convocara os três, e agora fazia-os ouvir as suas *palavras*. A situação seria corrigida, antes que a rebelião tivesse a chance de espalhar-se, conseguindo adeptos entre o povo, o que sem dúvida haveria de suceder se Yahweh não tivesse agido imediata e decisivamente.

Visões e Sonhos. Cf. Joel 2.28, citado em Atos 2.17: "Vossos filhos e vossas filhas profetizarão, vossos jovens terão visões, e sonharão vossos velhos". Sonhos e visões são aspectos do dom profético, conforme os teólogos históricos o demonstram. Esses métodos são aprovados pela vontade divina. Ver no *Dicionário* os verbetes intitulados *Visão (Visões)* e *Sonhos*. Mas Yahweh tinha uma maneira superior de comunicar-se com Moisés, pelo que este não era apenas um profeta. Yahweh aparecia pessoalmente a Moisés, e não somente por meio de sonhos e visões. É provável que Miriã e Arão tivessem sonhos e visões proféticos, mas não falavam face a face com Yahweh. O *modus operandi* superior da maneira de Yahweh tratar com Moisés distinguia-o dos profetas ordinários, tornando-o um *mediador* especial, ocupando no Antigo Testamento uma posição que Cristo viera a ocupar no Novo Testamento. Ele era um homem ímpar e um poder ímpar, o que o tornava mais do que um profeta.

Cf. este versículo com Deuteronômio 13.1. Os sonhos eram considerados um meio de comunicação divina (Nm 12.6; 22.20; 1Sm 3.15; 28.6; Jr 23.25). Uma visão é uma espécie de sonho acordado; e, embora pertença à classe dos sonhos, é algo mais espetacular em seu modo de operação.

■ **12.7**

לֹא־כֵן עַבְדִּי מֹשֶׁה בְּכָל־בֵּיתִי נֶאֱמָן הוּא:

Não é assim com o meu servo Moisés. Essas palavras mostram a superioridade de Moisés em relação aos demais profetas. Todavia, é algo lindo receber sonhos e visões espirituais, que são modos de comunicação divina, segundo comentei nas notas sobre o versículo anterior. Moisés, contudo, gozava de um tipo de comunicação superior a isso. Ele se encontrava com Deus face a face, e recebia revelações diretas (vs. 8; ver também Êx 33.11). O papel de Moisés como mediador entre Yahweh e Israel foi assim reiterado. Ver Êxodo 19.9; 20.19. Cf. Deuteronômio 34.10-12.

Fiel em toda a minha casa. O fulcro dessa casa, naqueles tempos, era o tabernáculo; assim, a casa metafórica aqui referida era a esfera de sua atividade em toda a nação de Israel. Israel era a casa de Deus, nesse sentido metafórico. Moisés desincumbia-se fielmente de todos os seus deveres, e Yahweh não tinha do que se queixar contra ele, em contraste com Miriã e Arão, que se queixavam de Moisés.

Uso no Novo Testamento. O trecho de Hebreus 3.2-6 informa-nos que Cristo também foi fiel na casa de Deus, e também que atuava na capacidade de Filho, e não na capacidade de servo. Isso posto, ele era muito maior do que Moisés, tal como Moisés era muito maior do que os profetas comuns. E, sendo muito superior a Moisés, Cristo superou-o em uma nova dispensação, a saber, a era do evangelho, na qual vivemos. O Novo Testamento tomou o lugar do Antigo Testamento. Aparecera um novo Legislador, Cristo, o qual trouxe sua mensagem de graça e fé para substituir a antiga mensagem severa da lei.

Nem Moisés nem Cristo eram meros profetas comuns. Ambos foram *mediadores,* respectivamente do Antigo e do Novo Testamentos. Miriã e Arão se tinham posto na ridícula posição de *profetas comuns* que atacavam a autoridade e a pessoa do *mediador* do antigo pacto.

■ **12.8**

פֶּה אֶל־פֶּה אֲדַבֶּר־בּוֹ וּמַרְאֶה וְלֹא בְחִידֹת וּתְמֻנַת יְהוָה יַבִּיט וּמַדּוּעַ לֹא יְרֵאתֶם לְדַבֵּר בְּעַבְדִּי בְמֹשֶׁה:

Boca a boca falo com ele. Essa é uma metáfora para o advérbio "diretamente", sem a intermediação de sonhos e visões. Ver Êxodo 33.11. Yahweh e Moisés tinham *diálogos amigáveis,* em um sentido literal, de acordo com o autor sacro. Deus não precisava chegar ao subconsciente de Moisés, mediante sonhos e visões. Antes, exercia controle sobre a sua mente consciente.

"Boca a boca" equivale a "face a face". Moisés ouvia a voz de Yahweh e via a sua glória. Ver Êxodo 19.16-19; 24.17,18; 34.5 ss. Mas tudo isso de um modo a não contradizer a afirmação de que nenhum homem pode ver a face de Deus e sobreviver (Êx 33.20; Jo 1.18). Esse contato direto contrasta com as visões e os sonhos, que são comunicações indiretas, sujeitas às distorções e esquisitices humanas. Antes, Moisés entrava em conversação direta com Yahweh.

Assim sendo, Yahweh falava com Moisés "de uma maneira livre, amigável e familiar, como um amigo com outro, sem a injeção de nenhum temor, susto ou consternação mental" (John Gill, *in loc.*).

Não por enigmas. Os oráculos antigos dos pagãos requeriam interpretação. Os enigmas eram revestidos em uma linguagem difícil, que tendia por obscurecer e ocultar a mensagem. Uma visão ou um sonho também pode falar através de enigmas.

Sonhos e visões espirituais são tremendos meios de iluminação divina. Mas alguém já disse que a primeira coisa que um místico faz (depois de ter tido uma experiência mística) é duvidar de sua visão. As visões e todas as manifestações místicas precisam ser submetidas a teste. Pois podem conter equívocos; também tendem por ocultar, em vez de iluminar; e requerem interpretação, outra fase em que essas manifestações místicas podem falar no todo ou em parte. Quando assim dizemos, não estamos negando o valor das experiências espirituais. Mas precisamos avizinhar-nos delas com cautela, conforme este versículo nos sugere. Moisés, entretanto, não estava sujeito a essas debilidades, razão de sua *evidente* superioridade sobre os outros profetas.

Ausência de Temor. Nenhum grande homem goza de profunda admiração pelos membros de sua própria casa, conforme disse, de certa feita, um filósofo. Talvez por isso, nem Miriã nem Arão demonstraram o devido respeito que deveriam ter por seu irmão mais novo, Moisés. E Yahweh repreendeu-os por esse motivo.

■ **12.9,10**

וַיִּחַר אַף יְהוָה בָּם וַיֵּלַךְ:

וְהֶעָנָן סָר מֵעַל הָאֹהֶל וְהִנֵּה מִרְיָם מְצֹרַעַת כַּשָּׁלֶג וַיִּפֶן אַהֲרֹן אֶל־מִרְיָם וְהִנֵּה מְצֹרָעַת:

Eis que Miriã achou-se leprosa. A famosa *sara'at* atingiu Miriã. Esse termo hebraico é geralmente traduzido por *lepra*. Mas sabe-se que essa palavra não envolvia somente a doença provocada pelo bacilo de Koch, pois também abarcava várias afecções cutâneas, e até mesmo fungos e míldios. Ver as notas de introdução ao capítulo 13 de Levítico, onde são apresentadas maiores informações a respeito. Os sintomas dados ali não correspondem à lepra moderna, embora, ocasionalmente, as regras envolvam algum verdadeiro caso de lepra. A Septuaginta foi a primeira a traduzir o termo hebraico *sara'at* por "lepra". E dali passou para a Vulgata latina e para outras versões e traduções modernas. Algumas traduções modernas evitam essa tradução, considerando-a enganosa e incorreta. Tudo quanto podemos dizer, no caso de Miriã, é que ela foi afetada por alguma temível e evidente enfermidade cutânea, talvez até *sui generis*, visto que foi causada pela mão direta do Senhor. Não devemos pensar em termos de alguma bactéria causadora de lepra, mas algo muito mais horrendo.

A ira de Yahweh é um tema frequente no Pentateuco. Ver Êxodo 4.14; Números 12.9; 22.22; 25.3; Deuteronômio 6.15; 29.20. Ver também Josué 7.1; Juízes 2.12; 2Reis 13.3. Usualmente é empregada a expressão "acendeu-se", dando a entender uma ira que explodia em chamas destruidoras. Isso nos mostra que na Bíblia há o fenômeno do *antropopatismo* (ver a respeito no *Dicionário*), isto é, atribuir a Deus as paixões, emoções e reações próprias dos seres humanos. Trata-se de uma subcategoria do *antropomorfismo* (ver sobre isso no *Dicionário*), que apresenta Deus como possuidor de atributos humanos, embora em graus muito superiores. A linguagem humana tem muita dificuldade para descrever o Ser divino, pelo que precisamos apelar para expressões dessa natureza, por mais inadequadas que elas sejam. Ver na *Enciclopédia de Bíblia, Teologia e Filosofia* os artigos chamados *Via Negationis* e *Via Eminentiae,* que são maneiras de podermos falar acerca de Deus.

A presença de Yahweh afastou-se e, em seu lugar, houve um severo juízo que feriu Miriã.

Somente Miriã foi ferida, e não Arão. Provavelmente porque Arão era apenas um seguidor, e talvez relutante, na rebelião. Seu coração não se comprometera.

MOISÉS INTERCEDE POR MIRIÃ (12.11-16)

■ 12.11

וַיֹּאמֶר אַהֲרֹן אֶל־מֹשֶׁה בִּי אֲדֹנִי אַל־נָא תָשֵׁת עָלֵינוּ חַטָּאת אֲשֶׁר נוֹאַלְנוּ וַאֲשֶׁר חָטָאנוּ׃

Arão, olhando para Miriã, e vendo-a naquele estado, encheu-se de compaixão. E assim voltou-se para Moisés, o homem de Yahweh e seu mediador, procurando reverter a praga divina. Arão, pois, arrependeu-se de seu tolo pecado. Ver no *Dicionário* o artigo chamado *Arrependimento*. Esse foi um bom e necessário primeiro passo para reverter a situação. Isso nos ensina a preciosa lição de que os juízos divinos podem ser revertidos por meio do arrependimento e da oração. Ver no *Dicionário* o verbete chamado *Oração*. Assim como a oração é mais poderosa que a profecia, assim também prevalece sobre o juízo divino.

Senhor meu. Humilhado pelo acontecimento, Arão chama aqui Moisés de seu "senhor". No hebraico temos a palavra *adoni*. Ver no *Dicionário* o artigo intitulado *Deus, Nomes Bíblicos de*.

Não ponhas... sobre nós este pecado. Essas palavras são equivalentes a "remove o juízo". Isto porque o pecado envolve julgamento.

"Dessa maneira, Arão e Miriã, por um ato de Yahweh, foram forçados a usar o *único mediador* contra o qual tinham feito acusações. Moisés demonstrou quão verdadeiramente humilde ele era (vs. 3) e "intercedeu em favor de Miriã diante de Yahweh, para que este a curasse" (John Marsh, *in loc.*). Moisés mostrou-se misericordioso, e não vingativo, o que revelou sua elevada espiritualidade.

■ 12.12

אַל־נָא תְהִי כַּמֵּת אֲשֶׁר בְּצֵאתוֹ מֵרֶחֶם אִמּוֹ וַיֵּאָכֵל חֲצִי בְשָׂרוֹ׃

Não seja ela como um aborto. O aspecto de Miriã era terrível, como se fora um feto monstruoso e defeituoso que tivesse acabado de nascer. Ela parecia como "uma espantosa parábola da morte" (Arcebispo Trench). Assemelhava-se a um feto apenas parcialmente formado ou enfermo, que tivesse sido dado à luz prematuramente. Quando é desenterrado um cadáver que fora sepultado faz algum tempo, acha-se um corpo parcialmente comido, internamente por bactérias e externamente por vermes e gusanos. A visão é repugnante. Era assim que Miriã agora se parecia. Ela estava *cerimonialmente* morta, como que ferida por um horrendo *sara'at*, embora isso não seja dito aqui acerca dela.

"... morta, como um aborto que tivesse morrido, e isso já por alguns dias, no ventre materno; e assim, ao ser dado à luz, sua carne estivesse consumida, ou, pelo menos, meio consumida. Era essa a horripilante condição de Miriã" (John Gill, *in loc.*).

■ 12.13

וַיִּצְעַק מֹשֶׁה אֶל־יְהוָה לֵאמֹר אֵל נָא רְפָא נָא לָהּ׃ פ

Rogo-te que a cures. Quão humana é essa petição! Queremos cura; e a queremos *agora mesmo*. Queremos dinheiro, e isso *agora mesmo*. Queremos sucesso em nosso trabalho, e isso *agora mesmo*. Mas a vontade de Deus obedece a um cronograma, e as coisas acontecem no tempo devido. É impossível abrir uma porta fechada antes do tempo; mas, quando é chegado o momento aprazado, ela abre-se automaticamente. A irmã de Moisés tinha virado um destroço, um cadáver ambulante. Mas Moisés queria que o juízo divino e seus efeitos fossem anulados de imediato. As orações intercessórias de Moisés eram poderosas; e se a vontade divina fosse que Miriã se curasse, isso haveria de suceder. Tudo quanto Moisés precisava fazer era rogar. Ver no *Dicionário* os artigos intitulados *Intercessão* e *Oração*. Na *Ilíada* de Homero, por várias vezes se vê a expressão "e eles deixaram a questão ao encargo dos deuses e da oração". Mas sempre que lemos algo semelhante, é porque está em pauta alguma situação de desespero. Nós, seres humanos, costumamos orar a Deus em tempos de desesperança.

E visto que ele me manda olhar para seu rosto,
Crer em sua Palavra e confiar em sua graça,
Meus cuidados estão com ele,
e com muito gosto.

W. W. Walford

Miriã agora dependia do mediador (Moisés) a fim de receber a cura, posto que o tinha rejeitado fazia tão pouco tempo. Nossas provações por muitas vezes nos humilham, mas é melhor ser humilhado do que ficar mutilado.

Os Nomes Divinos. Moisés invocou a *Yahweh*, chamando-o de *El*, ou seja, o "poderoso", o que dificilmente não tem um significado propositado. Ver no *Dicionário* o artigo *Deus, Nomes de*. Somente Deus seria capaz de curar a monstruosidade em que Miriã se tinha tornado. Moisés, pois, pediu ajuda do único poder adequado para aquela emergência.

■ 12.14

וַיֹּאמֶר יְהוָה אֶל־מֹשֶׁה וְאָבִיהָ יָרֹק יָרַק בְּפָנֶיהָ הֲלֹא תִכָּלֵם שִׁבְעַת יָמִים תִּסָּגֵר שִׁבְעַת יָמִים מִחוּץ לַמַּחֲנֶה וְאַחַר תֵּאָסֵף׃

Respondeu o Senhor a Moisés. A cura de Miriã não podia ser imediata. Ela merecia seu castigo. Se uma filha tivesse feito algo grave o bastante para que seu pai lhe cuspisse no rosto, então tal filha entraria em desgraça. Tal filha teria de entrar em retiro ao menos por uma semana, sem mostrar seu rosto a ninguém, por algum tempo. Parece que esse era um dos costumes de Israel. O Targum de Jonathan refere-se a catorze dias de retiro. Mas Jarchi diz "não mais do que sete dias". Cuspir no rosto de alguém era um insulto, e uma filha que tivesse insultado, seria, por sua vez, insultada. Ver Deuteronômio 25.9; Jó 30.10; Isaías 50.6 e Mateus 26.67. O ato de cuspir podia redundar em um bem, de acordo com a ideia antiga de que os fluidos do corpo trazem as virtudes de seus possuidores (ver Mc 7.33; 8.23; Jo 9.6), mas não é isso que está em pauta neste texto. Mesmo assim, poderíamos pensar que a cusparada do pai faria à jovem algum bem, porquanto lhe provera uma disciplina apropriada.

Miriã, que em certo sentido havia cuspido no rosto de Moisés, por ser ele o pai da nação de Israel, teve que sofrer a punição de ficar confinada fora do arraial por sete dias, afligida pela *sara'at*. Quanto a esse estatuto, ver Levítico 13.5,6 e 16.8.

■ 12.15

וַתִּסָּגֵר מִרְיָם מִחוּץ לַמַּחֲנֶה שִׁבְעַת יָמִים וְהָעָם לֹא נָסַע עַד־הֵאָסֵף מִרְיָם׃

Enquanto Miriã não foi recolhida. Isso constituiu a humilhação de Miriã. Ela precisou juntar-se à favela dos "párias" da sociedade, em cumprimento à sua sentença de sete dias. Todos os israelitas sabiam por qual razão ela estava ali. Israel não podia prosseguir caminho enquanto sua sentença de sete dias não tivesse cumprimento. Isso lhe daria tempo suficiente para refletir sobre seu tolo pecado, e também para considerar sua horrenda afecção da pele, desejando a cura. E também haveria de compreender que isso só ocorreria mediante o papel medianeiro de Moisés, a quem, tão recentemente, ela havia desprezado.

Tipologia. As *Metáforas de Orígenes*:

Aplicando seu método alegórico de interpretação, Orígenes fornece-nos um estudo elaborado sobre este texto:

1. A nova esposa *gentílica* refere-se à Igreja, uma escolha divina que havia de provocar os judeus à ira e ao ciúme.
2. Os mistérios do evangelho seriam entregues aos gentios, provocando o ódio por parte dos judeus, tal como Miriã odiara a nova esposa de Moisés, com forte sentimento de ciúmes.
3. A *sara'at* que viera afligir a Miriã exibia o desprazer do Senhor com os judeus, por haverem eles rejeitado a Cristo e ao seu evangelho, como também mostrava quão indignos eles eram dessas bênçãos. A *sara'at* correspondia à sua *ignorância* voluntária.
4. Jesus era o homem manso que sofrera perseguição, mas, na verdade, é o Mediador e Salvador.
5. Nos relatos da Bíblia há mistérios tão profundos que ainda não pudemos perscrutar. Ver na *Enciclopédia de Bíblia, Teologia e Filosofia* os artigos chamados *Alegoria* e *Orígenes*.

■ 12.16

וְאַחַר נָסְעוּ הָעָם מֵחֲצֵרוֹת וַיַּחֲנוּ בְּמִדְבַּר פָּארָן׃ פ

Hazerote. Ver as notas expositivas sobre essa localidade em Números 11.35.

Parã. Ver acerca de *El-Parã*, em Gênesis 14.6. O povo de Israel não se pôs em movimento enquanto a rebelião encabeçada por Miriã não foi totalmente sanada. Somente então Israel pôde movimentar-se em paz, uma vez confirmada a autoridade espiritual de Moisés. As condições de viagem já eram difíceis o bastante sem o empecilho de contendas e desentendimentos internos no acampamento. As coisas correm melhor quando impera a harmonia.

CAPÍTULO TREZE

OS ESPIAS (13.1-33)

A jornada de Israel em Parã, aquele grande ermo, foi registrada em Números 13.1-19.22. O episódio dos espias é uma importante tradição que faz parte da narrativa geral. Os críticos veem nesse episódio um complexo de fontes informativas. Os espias voltaram com seu relatório em Parã (13.26) ou em Cades (13.26, segunda parte)? Eles partiram de Parã (13.3; 13.26a) ou de Cades (32.8)? O território investigado era estéril (13.32) ou fértil (13.27-31)? Somente Calebe resistiu à maioria (13.30), ou teve o concurso de Josué em sua defesa da invasão (14.6)? Dois relatos de castigo parecem ter sido incorporados na narrativa, como duplo relato de um único evento (ver Nm 14.20-25 e 14.26-28)? Como explicação dessas variações, alguns eruditos supõem que, por trás das narrativas há as fontes informativas P e uma combinação de JE. Nesse caso, a fonte P seria a base de trechos como Números 13.1-17,21,25,26; 14.1,2,5-7,10,26-28. E a combinação das fontes JE seria a base de trechos como Números 13.17b-20,22--24,26b-31,33; 14.3,4,8,9,39-45. O resto, sempre que aparecem variações, pode ser explicado mediante a suposição de que um editor injetou no texto algum material. Os eruditos conservadores, porém, objetam a esse fatiamento do texto, e tentam reconciliar cada discrepância aparente, conforme elas vão aparecendo. Alguns eruditos admitem que o texto foi manuseado sem os devidos cuidados, do que teriam resultado pequenas discrepâncias. Ver no *Dicionário* o artigo intitulado *J.E.D.P.(S.)* quanto à teoria das múltiplas fontes informativas do Pentateuco. As controvérsias acerca da mecânica do texto não deveriam impedir-nos de tirar proveito das lições espirituais, morais e históricas do texto sacro.

"Finalmente, as tribos de Israel chegaram ao deserto de Parã, onde se acamparam por um longo período, provavelmente no grande oásis de Cades (vs. 26). Cades, embora tecnicamente no deserto de Zim, fica localizada no deserto de Parã, do qual Zim era uma subdivisão" (cf. Nm 27.14; Dt 32.51)" (Eugene H. Merrill, *in loc.*). Ao assim declarar, esse intérprete ao que parece soluciona uma das alegadas discrepâncias do texto, conforme foi observado anteriormente.

■ 13.1

וַיְדַבֵּר יְהוָה אֶל־מֹשֶׁה לֵּאמֹר:

Disse o Senhor. Essa expressão ocorre com frequência no Pentateuco. É expressão usada para introduzir novos materiais, além de fazer-nos lembrar a doutrina da inspiração divina das Escrituras. Ver as notas a respeito em Levítico 1.1 e 4.1.

■ 13.2

שְׁלַח־לְךָ אֲנָשִׁים וְיָתֻרוּ אֶת־אֶרֶץ כְּנַעַן אֲשֶׁר־אֲנִי נֹתֵן לִבְנֵי יִשְׂרָאֵל אִישׁ אֶחָד אִישׁ אֶחָד לְמַטֵּה אֲבֹתָיו תִּשְׁלָחוּ כֹּל נָשִׂיא בָהֶם:

Envia homens. Os doze líderes enviados (vs. 3) foram como espias. Não eram os mesmos príncipes listados no segundo capítulo de Números. Mas também eram líderes, fisicamente capazes de cumprir a tarefa que lhes foi dada, e psicologicamente preparados para ela. Supomos que fossem homens jovens, ao passo que os príncipes referidos no segundo capítulo eram homens mais idosos, pois eram *anciãos* de Israel. Dos 24 nomes dados, onze nos são totalmente desconhecidos, nove são mencionados algures na Bíblia, alguns antes deste trecho, e outros, depois. Quatro deles pertencem às tradições anteriores de Israel, a saber, Calebe, José, Josué e Números E muitos desses nomes eram compostos, incorporando nomes divinos, conforme era o costume antigo em Israel.

Terra de Canaã. Ver no *Dicionário* o artigo *Canaã (Cananeus)*. Era a Terra Prometida. Agora Israel fazia preparativos diretos para invadir o território que fora prometido à posteridade de Abraão, depois do exílio no Egito. Ver sobre o *Pacto Abraâmico*, em Gênesis 15.18, que inclui a promessa de *terra*.

De cada tribo... um homem. Assim, todas as doze tribos foram representadas. Ver no *Dicionário* o verbete *Tribo (Tribos de Israel)*. A decisão acerca da invasão seria assim uma decisão democrática, através de representantes; e também seria efetuada conforme a vontade de Deus. E isso, na verdade, determinaria o curso da ação a ser tomado, bem como a história subsequente que dali resultaria. E isso mostra-nos que, em todas as vicissitudes da vida, atuam fatores divinos e humanos, conjuntamente.

As *doze tribos* não incluíam os descendentes de Levi, que se tinham tornado uma casta sacerdotal (ver Nm 1.47 ss.). E assim ficavam onze tribos. Mas o fato é que não havia uma tribo de José, daí resultando dez. Mas os dois filhos de José, Manassés e Efraim, formaram cada um sua tribo, do que resultaram doze tribos ao todo.

■ 13.3

וַיִּשְׁלַח אֹתָם מֹשֶׁה מִמִּדְבַּר פָּארָן עַל־פִּי יְהוָה כֻּלָּם אֲנָשִׁים רָאשֵׁי בְנֵי־יִשְׂרָאֵל הֵמָּה:

Moisés era o mediador que transmitia as instruções baixadas por Yahweh. Os espias foram enviados do deserto de Parã (Nm 13.3), ao passo que Cades (Nm 32.8) aparece como a localidade de onde eles partiram. Essa aparente discrepância é resolvida mediante a observação de que Cades ficava em um oásis do deserto de Zim, o qual, por sua vez, era uma subdivisão da região mais geral de Parã. Ver Números 27.14 e Deuteronômio 32.51. Ver também o vs. 26 deste capítulo. Talvez seja importante observar que tais discrepâncias (reais ou imaginárias) com frequência são encontradas na Bíblia; e por muitas vezes não há solução em vista. Todavia, o solucionamento dessas dificuldades não se reveste de importância capital. A espiritualidade de um crente não depende de tais manipulações, nem a inspiração divina das Escrituras.

Eram cabeças dos filhos de Israel. Esses doze não devem ser confundidos com os doze príncipes aludidos no segundo capítulo de Números. Eles eram, contudo, líderes, quiçá mais jovens, encarregados da tarefa que receberam. Ver o comentário a respeito nas notas sobre o segundo versículo deste capítulo.

■ 13.4

וְאֵלֶּה שְׁמוֹתָם לְמַטֵּה רְאוּבֵן שַׁמּוּעַ בֶּן־זַכּוּר:

Da tribo de Rúben, Samua. No hebraico, *famoso, rumor*. Esse é o nome de quatro personagens no Antigo Testamento. Ver no *Dicionário* sobre esse nome, Samua, especialmente em seu quarto ponto. Nada sabemos sobre ele, exceto o que podemos inferir deste texto. O nome de seu pai era Zacur, nome de nove pessoas que figuram no Antigo Testamento. Ver sobre ele no *Dicionário*, primeiro ponto. Nada se sabe sobre ele além do que é dito aqui. Zacur significa "pensativo".

■ 13.5

לְמַטֵּה שִׁמְעוֹן שָׁפָט בֶּן־חוֹרִי:

Da tribo de Simeão, Safate. Este último nome é dado a cinco pessoas no Antigo Testamento. Ver no *Dicionário* sob esse título, em seu segundo ponto. Nada se sabe sobre ele além daquilo que é dito aqui. O nome de seu pai era *Hori*, aplicado a três personagens do Antigo Testamento, e acerca de quem também nada se sabe além do que lemos aqui. Esse nome significa "habitante das cavernas".

■ 13.6

לְמַטֵּה יְהוּדָה כָּלֵב בֶּן־יְפֻנֶּה:

Da tribo de Judá, Calebe. Há um artigo detalhado sobre Calebe, no *Dicionário*, primeiro ponto. Esse nome significa "cão", ou seja, "escravo". Quatro pessoas são assim designadas nas páginas do Antigo Testamento. Juntamente com Josué, ele trouxe um relatório positivo, recomendando a invasão da terra de Canaã. Calebe veio a tornar-se um importante líder em Israel, sendo mencionado por diversas vezes na Bíblia. O nome de seu pai era *Jefoné*, que quer dizer "vivaz" ou "ágil". Há dois homens chamados "Jefoné" no Antigo Testamento. Sobre este nada se sabe, exceto a distinção de ter sido pai de Calebe.

■ **13.7**

לְמַטֵּה יִשָּׂשכָר יִגְאָל בֶּן־יוֹסֵף׃

Da tribo de Issacar, Jigeal. Algumas traduções dizem aqui *Igal*. Esse nome significa "Deus redima". Três pessoas do Antigo Testamento são assim chamadas. Ver o primeiro ponto do verbete *Igal*, no *Dicionário*. Coisa alguma se sabe acerca dele senão o que se pode inferir neste texto. O nome de seu pai era *José*. Esse nome quer dizer "Yahweh acrescentará" ou "Yahweh adicione". Coisa alguma se sabe acerca dele além do que é dito neste texto.

■ **13.8**

לְמַטֵּה אֶפְרָיִם הוֹשֵׁעַ בִּן־נוּן׃

Da tribo de Efraim, Oseias. Quatro homens figuram no Antigo Testamento com esse nome, o qual significa "que Yahweh salve". Ver o primeiro ponto do artigo *Oseias*, no *Dicionário*. Oseias era um nome alternativo para Josué, conforme se vê no versículo 16 deste capítulo. Meu artigo chamado *Oseias*, em seu primeiro ponto, discute a mudança de nome. *Josué*, juntamente com Calebe, trouxe um relatório positivo e tornou-se o líder principal de Israel, após a morte de Moisés. Ver detalhes completos sobre ele no artigo intitulado *Josué*. Ele já havia sido mencionado em Êxodo 17.9,10,13,14; 24.13; 32.17; 33.11 e Números 11.28. O nome do pai dele era *Num*, que significa "peixe". Coisa alguma se sabe acerca dele, exceto que era pai de um filho ilustre.

■ **13.9**

לְמַטֵּה בִנְיָמִן פַּלְטִי בֶּן־רָפוּא׃

Da tribo de Benjamim, Palti. Dois homens são chamados por este último nome, que significa "Yahweh liberta". Ver o primeiro ponto do verbete *Palti,* no *Dicionário*. Coisa alguma se sabe sobre esse homem, além do que lemos neste texto. O nome de seu pai era *Rafu*, que significa "curado", e acerca de quem nada se sabe além do que lemos neste versículo.

■ **13.10**

לְמַטֵּה זְבוּלֻן גַּדִּיאֵל בֶּן־סוֹדִי׃

Da tribo de Zebulom, Gadiel. Este último nome quer dizer "Yahweh é minha sorte". Nada se sabe sobre ele, exceto o que se lê neste texto. O nome de seu pai era *Sodi,* que quer dizer "Yahweh determina", mas acerca de quem também coisa alguma é sabida, além do que lemos neste versículo.

■ **13.11**

לְמַטֵּה יוֹסֵף לְמַטֵּה מְנַשֶּׁה גַּדִּי בֶּן־סוּסִי׃

Da tribo de José, pela tribo de Manassés, Gadi. Não havia uma tribo de José. Mas duas tribos derivaram-se dos dois filhos de José, Manassés e Efraim (vs. 11). Acerca de como se conseguiu o tradicional número de *doze* de Jacó, ver o último parágrafo das notas sobre o vs. 2 deste capítulo. O autor sacro cometeu um ligeiro deslize ao falar na "tribo de José", mas corrigiu imediatamente seu equívoco ao falar em Manassés. Ele já havia falado acerca de Efraim.

Quanto a *Gadi,* seu nome significa "fortuna". Mas nada se sabe acerca dele, exceto o que podemos inferir deste texto. O nome de seu pai era *Susi,* "Yahweh é veloz", mas sobre quem também nada se sabe além do fato de que era pai de Gadi.

■ **13.12**

לְמַטֵּה דָן עַמִּיאֵל בֶּן־גְּמַלִּי׃

Da tribo de Dã, Amiel. Este último nome quer dizer "povo de Deus". É nome de quatro personagens do Antigo Testamento. Nada se sabe sobre esse homem além do que se lê neste texto. Seu pai atendia pelo nome de *Gemali*, que significa "condutor de camelos". No entanto, vários estudiosos põem em dúvida o sentido desse nome.

Nada se sabe sobre ele, exceto que foi pai de Amiel, um dos espias. Amiel trouxe um relatório negativo, em consonância com outros nove espias, mas contrastando com Calebe e Josué.

■ **13.13**

לְמַטֵּה אָשֵׁר סְתוּר בֶּן־מִיכָאֵל׃

Da tribo de Aser, Setur. Esse nome significa "oculto", "secreto". Seu pai chamava-se "Mical", que quer dizer "quem é como El (Deus)?" Dez pessoas são assim chamadas no Antigo Testamento. Ver a seu respeito no *Dicionário*. Coisa alguma sabemos sobre ele, exceto o que se deduz desse texto. Setur também foi um dos espias que trouxe um relatório pessimista.

■ **13.14**

לְמַטֵּה נַפְתָּלִי נַחְבִּי בֶּן־וָפְסִי׃

Da tribo de Naftali, Nabi. Alguns pensam que este último nome significa "oculto", mas outros falam em "Yahweh é consolo" ou "Yahweh é proteção". Era filho de Vofsi, cujo sentido, no hebraico, é incerto, embora alguns tenham sugerido "adicional". Coisa alguma se sabe sobre Nabi e sobre Vofsi, exceto o que lemos neste versículo.

■ **13.15**

לְמַטֵּה גָד גְּאוּאֵל בֶּן־מָכִי׃

Da tribo de Gade, Guel. No hebraico, "majestade de Gade". Era filho de *Maqui*, que quer dizer "definhamento", "enlanguescimento". Nada de sabe sobre ambos, além daquilo que pode ser inferido deste texto. Juntamente com outros nove dos doze espias de Israel — excetuando Cabele e Josué — Guel trouxe um relatório negativo. O castigo de todos os espias que trouxeram de volta um relatório negativo foi a negação da entrada na Terra Prometida.

■ **13.16**

אֵלֶּה שְׁמוֹת הָאֲנָשִׁים אֲשֶׁר־שָׁלַח מֹשֶׁה לָתוּר
אֶת־הָאָרֶץ וַיִּקְרָא מֹשֶׁה לְהוֹשֵׁעַ בִּן־נוּן יְהוֹשֻׁעַ׃

Os nomes. Ou seja, aqueles dados nos vss. 4-15 deste capítulo, cada qual representante de uma das doze tribos.

Josué também é chamado pelo nome de "Oseias" (vs. 8). Ou Moisés preferiu usar o outro nome, *Josué*, ou talvez ele tenha dado um novo nome ao mesmo homem. Ver no *Dicionário* o nome *Oseias*, quanto a uma discussão a respeito. O nome alternativo, "Josué", significa "Yahweh é salvação". É desse nome que se derivou o nome *Jesus*. Há quatro homens com esse nome, no Antigo Testamento, discutidos no artigo intitulado "Jesus". O primeiro ponto desse artigo refere-se ao Josué deste texto, pelo que aqueles detalhes não são repetidos aqui. O trecho de Deuteronômio 32.44 parece indicar que o homem foi chamado por ambos os nomes por algum tempo; mas Josué, finalmente, foi o nome que predominou. Assim, foi-lhe conferido um nome que incorporava o sagrado nome de Yahweh. Ver no *Dicionário* o artigo *Deus, Nomes Bíblicos de*.

Tipologia. Josué, que conduziu os filhos de Israel e os introduziu na Terra Prometida, foi a salvação deles. Isso simboliza Jesus, cujo nome também significa "salvação". Ele conduz os pecadores arrependidos à Terra Santa celestial. Meu artigo sobre *Josué, no Dicionário*, primeiro ponto, sob (d), fornece um comentário sobre tipos simbólicos desse nome.

Ver o comentário sobre o versículo 6 deste capítulo, quanto a outras referências veterotestamentárias.

O DEPOIMENTO DOS ESPIAS (13.17-20)

■ **13.17,18**

וַיִּשְׁלַח אֹתָם מֹשֶׁה לָתוּר אֶת־אֶרֶץ כְּנָעַן וַיֹּאמֶר
אֲלֵהֶם עֲלוּ זֶה בַּנֶּגֶב וַעֲלִיתֶם אֶת־הָהָר׃

וּרְאִיתֶם אֶת־הָאָרֶץ מַה־הִוא וְאֶת־הָעָם הַיֹּשֵׁב עָלֶיהָ
הֶחָזָק הוּא הֲרָפֶה הַמְעַט הוּא אִם־רָב׃

Os espias foram inicialmente enviados ao Neguebe (ver Js 19.33). O Neguebe é usado na Bíblia para designar a porção sul do território de Judá. O trabalho dos espias era ajuizar quanto à força dos vários inimigos que o povo de Israel haveria de confrontar na Palestina, procurando impedir a invasão dos israelitas. Outra tarefa deles era averiguar a qualidade do território. Valeria a pena lutar por ele?

A terra de Canaã. Esse era o território que Yahweh havia prometido a Abraão, a Terra Prometida, posteriormente conhecida como Palestina. Ver sobre o *Pacto Abraâmico* em Gênesis 15.18, quanto às promessas divinas que incluíam esse território.

O povo que nela habita. Essencialmente, as *sete* nações que teriam de ser expulsas. Comentei sobre elas em Êxodo 33.2. Qual era o número daquela gente? Quão bem fortificados estavam? Quão bem armados estavam eles para a batalha?

Uma Contradição? Os espias foram enviados à parte sul do que veio a ser o território de Judá (vs. 17). Assim sendo, visitaram aquela região (vss. 22-24). Mas os trechos de Números 13.2,17a dão a entender que o país inteiro foi averiguado. A designação geral pode dizer apenas o que estaria abrangido por "sul". Ou então o relato bíblico, que não inclui detalhes, fala especificamente apenas da visita dos espias à região sul, apesar de que outras regiões podem ter sido visitadas. Problemas assim podem dar a entender que o relato talvez tivesse outras fontes informativas; ou então há leves variações nas informações. Todavia, não se reveste de grande importância solucionar tais problemas, pois nem a fé nem qualquer teoria razoável de inspiração das Escrituras depende de tais detalhes. Quanto aos diversos problemas que os críticos têm levantado, ver as notas de introdução a este capítulo 13 de Números.

Penetrai nas montanhas. Isso alude à região montanhosa, ocupada pelos hititas, jebuseus e amorreus. Era a região chamada de "região montanhosa dos amorreus", em Deuteronômio 1.7, visto que eles formavam a tribo mais poderosa da área. Era a mesma região montanhosa que mais tarde veio a fazer parte da Judeia (Lc 1.39,65; ver também o Êx 13.29).

■ **13.19**

וּמָה הָאָרֶץ אֲשֶׁר־הוּא יֹשֵׁב בָּהּ הֲטוֹבָה הִוא אִם־רָעָה וּמָה הֶעָרִים אֲשֶׁר־הוּא יוֹשֵׁב בָּהֵנָּה הַבְּמַחֲנִים אִם בְּמִבְצָרִים׃

As *instruções gerais* incluíam espiar a própria terra para julgar as suas qualidades: valeria a pena lutar por ela, ou não? Deus havia prometido dar aquela terra ao povo de Israel, uma vez que a taça da iniquidade de seus primitivos habitantes os fizesse perdê-la (ver Gn 15.16). Ver sobre o *Pacto Abraâmico*, em Gn 15.18. A terra de Canaã fazia parte das promessas daquele pacto. Ver as notas em Êxodo 33.2 quanto às *sete* nações que teriam de ser expelidas dali.. O número daqueles povos, suas cidades fortificadas, tudo quanto poderia contribuir para a resistência deles à invasão por parte dos israelitas — tudo seria sujeito à espionagem. Teria Israel forças suficientes, com seus seiscentos mil soldados, para realizar a invasão com sucesso? Quanto a esse número, ver Números 1.46.

■ **13.20**

וּמָה הָאָרֶץ הַשְּׁמֵנָה הִוא אִם־רָזָה הֲיֵשׁ־בָּהּ עֵץ אִם־אַיִן וְהִתְחַזַּקְתֶּם וּלְקַחְתֶּם מִפְּרִי הָאָרֶץ וְהַיָּמִים יְמֵי בִּכּוּרֵי עֲנָבִים׃

A questão da qualidade da terra de Canaã é reiterada. Seria ela, na verdade, uma terra fértil, que manava leite e mel? Ver Êxodo 3.8,17; 13.5; 33.3; Levítico 20.24; Números 13.27; Deuteronômio 6.3; 11.9; Josué 5.6 quanto a essa expressão. Eles precisariam de madeira de construção e para servir de combustível. Se ali houvesse frutas, os espias deveriam trazer amostra. Ora, aquele era o tempo da vindima, pois era perto do fim de julho. Os espias teriam de mostrar coragem e sabedoria. As uvas estariam sob vigilância; os habitantes da terra estariam em estado de alerta. Corria o mês de *sivã* (maio ou junho), de acordo com o Targum de Jonathan. Mas na última parte daquele mês, a vindima estaria terminada.

■ **13.21**

וַיַּעֲלוּ וַיָּתֻרוּ אֶת־הָאָרֶץ מִמִּדְבַּר־צִן עַד־רְחֹב לְבֹא חֲמָת׃

Os vss. 21-24 nos mostram o itinerário geral dos espias, que não cobriu a totalidade do território de Canaã, mas apenas algumas partes vitais, incluindo a região montanhosa do que mais tarde veio a ser o território da Judeia.

Deserto de Zim. Ver no *Dicionário* acerca desse deserto de *Zim*, onde ofereci um artigo detalhado. Esse deserto fazia parte do deserto mais amplo de Parã, com notas em Gênesis 14.6, sob o título de *El-Parã*. Zim ficava no território que mais tarde foi entregue à tribo de Judá, em sua porção sul, e também a oeste da extremidade sul do mar Morto, também chamado mar Salgado. É mencionado por nove vezes no Antigo Testamento. A lista das menções aparece no artigo mencionado.

Reobe. No hebraico, "lugar aberto". Esse era o nome de duas pessoas e de três localidades no Antigo Testamento. Ver no *Dicionário* quanto a esse nome. Ver o terceiro ponto do citado artigo, quanto à descrição do lugar em questão, neste versículo. Ficava à extremidade norte do vale do rio Jordão, mas sua identificação exata é desconhecida hoje em dia. Ver sobre Bete-Reobe, em 2Samuel 10.6. Ficava perto de Laís ou Dã, próximo da entrada para Hamate.

Hamate. Ver no *Dicionário* o artigo com esse nome. Ver também o verbete *Hamate, Entrada de*. Esses dois artigos fornecem informes abundantes sobre o lugar envolvido. Esse território ficava no extremo norte das fronteiras de Israel; e foi somente nos dias de Davi e Salomão que os filhos de Israel tomaram conta dele. Ver Números 34.8; Josué 13.6; 1Reis 8.65; 2Reis 14.25; 1Crônicas 13.5; Amós 6.14. Era uma importante cidade dos arameus, conhecida como *Beq'a*. Lebo Hamate ficava na parte mais baixa daquele vale, que começava imediatamente ao norte do mar da Galileia.

■ **13.22**

וַיַּעֲלוּ בַנֶּגֶב וַיָּבֹא עַד־חֶבְרוֹן וְשָׁם אֲחִימַן שֵׁשַׁי וְתַלְמַי יְלִידֵי הָעֲנָק וְחֶבְרוֹן שֶׁבַע שָׁנִים נִבְנְתָה לִפְנֵי צֹעַן מִצְרָיִם׃

No caminho de volta, passando pela região sul, a Judeia, conforme veio a ser chamada, os doze líderes passaram por Hebrom, uma cidade edificada sete anos antes de Zoã, no Egito. Zoã também era chamada *Tânis*, e foi edificada pelos reis hicsos que invadiram a parte nordeste do Egito, em cerca de 1730 a.C. O autor sagrado dá-nos alguns poucos detalhes, visto que, em tempos posteriores, Hebrom tornou-se a herança de Calebe (Js 14.13-15), e, mais tarde, a capital de Davi. Foi um lugar ocupado pelos patriarcas (Gn 13.18), como Abraão e sua família. Nos dias de Moisés era ocupado pelos filhos de Enaque, uma tribo de gigantes, mencionados em Números 13.33 e Deuteronômio 9.2. Essa tribo haveria de tornar-se um dos inimigos mais difíceis de ser vencidos pelos israelitas. Ver Josué 15.13,14.

Hebrom. Ver no *Dicionário* o artigo detalhado sobre esse lugar.

Aimã. No hebraico, "irmão de um presente", "liberal" ou "meu irmão". Ele foi um dos notáveis gigantes anaquins que habitavam em Hebrom. Foram visitados pelos espias e por Calebe, cerca de quinze séculos a.C. Posteriormente, os gigantes foram exterminados por Josué (ver Js 11.21) ou mortos pela tribo de Judá (ver Jz 1.10).

Sesai. No hebraico, "livre", "nobre". Um dos três filhos do gigante Enaque, que vivia em Hebrom quando os israelitas enviaram espias para explorar os pontos fracos da Terra Prometida. (Ver Nm 13.33; Js 15.14; Jz 1.10.) Quando, algum tempo mais tarde, os israelitas invadiram a terra de Canaã, Sesai foi derrotado em batalha (ver Js 15.14; Jz 1.10) em cerca de 1450 a.C.

Talmai. No hebraico, "ousado", "vivaz". Era um dos três filhos do gigante Anaque. Seu grupo tribal residia em Hebrom, quando os espias enviados por Josué penetraram na Terra Prometida (Js 15.14; Jz 1.10). Ver 2Samuel 3.3 quanto a outro homem com esse mesmo nome.

Enaque. Ver no *Dicionário* sobre *Anaque (Anaquim)*. Esse artigo é bem detalhado, pelo que não repito aqui as informações.

Gigantes. Ver no *Dicionário* o artigo com esse nome. Ali aparecem todas as palavras hebraicas assim traduzidas, onde também são descritas todas as tribos de gigantes da antiga Palestina.

13.23

וַיָּבֹאוּ עַד־נַחַל אֶשְׁכֹּל וַיִּכְרְתוּ מִשָּׁם זְמוֹרָה וְאֶשְׁכּוֹל עֲנָבִים אֶחָד וַיִּשָּׂאֻהוּ בַמּוֹט בִּשְׁנָיִם וּמִן־הָרִמֹּנִים וּמִן־הַתְּאֵנִים׃

Vale de Escol. Ver sobre esse lugar no *Dicionário*, onde ofereço uma descrição detalhada. Esse nome locativo significa "cacho de uvas". Nas páginas do Antigo Testamento, é o nome de um lugar e de duas pessoas. Temos aqui um local.

Os espias cortaram um ramo de videira com um cacho de uvas e também romãs e figos, como evidências da fertilidade e abundância da terra. Eram provas que demonstravam que valia a pena invadir aquele território. Deus tinha acertado em cheio ao prometer *aquela* terra a Abraão. Havia também desertos e trechos pouco férteis, mas isso não incomodaria uma população relativamente pequena (cerca de quatro milhões de pessoas) que ocuparia o território.

O cacho de uvas era tão pesado que foram necessários dois homens para transportá-lo, suspenso por uma vara. Eram evidências positivas, a despeito do que dez dos doze espias recomendaram que não se efetuasse a invasão, pois eles temiam os habitantes do território, alguns dos quais eram gigantes terríveis que habitavam as cercanias de Hebrom.

Os críticos põem em dúvida o tamanho e o peso das uvas, mas Estrabão (*Geografia* 1.2. par. 50) forneceu-nos algumas admiráveis descrições de quão grandes podiam ser os cachos de uvas e as próprias uvas. Os comentários do Talmude mostram-se muito fantasiosos quanto a esse particular, pecando pelo exagero. Lê-se ali que eram necessários oito homens para carregar as uvas, e que o "dois" do texto eram varas, e não homens. O relato de Filo é mais realista (*De Vita Mosis*, 1.1. par. 63). Seja como for, a mensagem é clara. Na Terra Prometida havia grande abundância. Hebrom tornou-se famosa por suas excelentes uvas.

13.24

לַמָּקוֹם הַהוּא קָרָא נַחַל אֶשְׁכּוֹל עַל אֹדוֹת הָאֶשְׁכּוֹל אֲשֶׁר־כָּרְתוּ מִשָּׁם בְּנֵי יִשְׂרָאֵל׃

Este versículo informa-nos que o lugar recebeu seu nome da própria circunstância aqui descrita. Era o lugar das "grandes uvas", um sinal da fertilidade e abundância da Terra Prometida.

13.25

וַיָּשֻׁבוּ מִתּוּר הָאָרֶץ מִקֵּץ אַרְבָּעִים יוֹם׃

Quarenta dias. O número "quarenta" é usado com frequência nas Escrituras para simbolizar algum tipo de período de provação. Ver no *Dicionário* os verbetes *Quarenta* e *Número (Numeral, Numerologia)*. Os espias, pois, submeteram a Terra Prometida a um teste de *quarenta dias*. Mas o povo de Israel, rejeitando o bom relatório dado por Calebe e Josué, foi condenado a passar *quarenta anos* a perambular pelo deserto. Não há que duvidar de que o autor sagrado ansiava para que víssemos *esse paralelismo*. Ver Números 14.34 quanto aos quarenta anos. Os quarenta dias foram suficientes para que os espias vissem uma boa parte da Terra Prometida, pelo que o relatório deles estava alicerçado sobre uma boa investigação. Assim, cumpriram bem a tarefa que lhes fora dada.

13.26

וַיֵּלְכוּ וַיָּבֹאוּ אֶל־מֹשֶׁה וְאֶל־אַהֲרֹן וְאֶל־כָּל־עֲדַת בְּנֵי־יִשְׂרָאֵל אֶל־מִדְבַּר פָּארָן קָדֵשָׁה וַיָּשִׁיבוּ אוֹתָם דָּבָר וְאֶת־כָּל־הָעֵדָה וַיַּרְאוּם אֶת־פְּרִי הָאָרֶץ׃

Um acampamento fora armado em *Cades-Barneia* (ver a esse respeito no *Dicionário*). Foi ali que os espias chegaram de volta à presença de Moisés, dos anciãos, dos líderes e do povo de Israel, a fim de dizer-lhes o que haviam descoberto. Então regressaram a Parã (Nm 13.26a) ou Cades (Nm 13.26b). Não há nenhuma discrepância nessas informações, pois embora Cades declaradamente ficasse no deserto de Zim, devido a esse próprio fato estava em Parã, porque Zim é uma subdivisão do grande deserto de Parã. Cf. Números 27.14

e Deuteronômio 32.51. Ver outras alegadas discrepâncias no texto sagrado, nas notas de introdução a este capítulo 13.

"Cades (-Barneia) era um oásis que ficava no limite entre o deserto de Parã e o deserto de Zim. A tradição aludida em Números 10.11—21.3 trata desse oásis (ver Êx 17.7), onde Israel passou a maior parte dos seus quarenta anos de vagueação no deserto" (*Oxford Annotated Bible*, comentando sobre este versículo). Meu artigo no *Dicionário* confere completos detalhes sobre o lugar, pelo que não os repito aqui.

13.27

וַיְסַפְּרוּ־לוֹ וַיֹּאמְרוּ בָּאנוּ אֶל־הָאָרֶץ אֲשֶׁר שְׁלַחְתָּנוּ וְגַם זָבַת חָלָב וּדְבַשׁ הִוא וְזֶה־פִּרְיָהּ׃

Os espias disseram, em essência: "O território é bom, mas é impossível vencer seus habitantes". Excetuando Calebe e Josué, os espias trouxeram um relatório *negativo*. Na verdade, era uma terra que manava *leite e mel*, conforme fora prometido a Abraão. Mas eles, que eram filhos de Abraão, não eram capazes de conquistá-la. Ver sobre *leite e mel* em Êxodo 3.8, que contém uma lista de outros lugares onde essa expressão pode ser achada, e onde aparecem paralelos clássicos. A expressão fala de grande fertilidade e produtividade, exatamente as condições de que um povo seminômade precisava em uma terra. O fruto tomado (vs. 23) foi apresentado como lição objetiva do relatório.

13.28

אֶפֶס כִּי־עַז הָעָם הַיֹּשֵׁב בָּאָרֶץ וְהֶעָרִים בְּצֻרוֹת גְּדֹלֹת מְאֹד וְגַם־יְלִדֵי הָעֲנָק רָאִינוּ שָׁם׃

Por uma parte, a grande fertilidade e produtividade da terra era uma vantagem. Por outra parte, os povos que já habitavam na região — as sete nações (ver Êx 33.2) — constituíam uma desvantagem. Aqueles habitantes eram ferozes e gigantescos, metendo medo nos israelitas. Conclusão: Vamos esquecer a invasão.

Cidades mui grandes e fortificadas. Israel não teria de combater aldeias e tendas de seminômades. Naquelas cidades fortificadas havia armas de guerra. E entre os habitantes estavam os filhos de Anaque. Ver as notas sobre o vs. 22 quanto a uma descrição daquela gente. Aqueles gigantes eram *invencíveis*, aos olhos de dez dos doze espias. Assim também acontece que, algumas vezes, somente os olhos da fé podem ver para além de algum obstáculo aparentemente intransponível. Na mente de dez daqueles espias, o projeto havia terminado, antes mesmo de começar.

13.29

עֲמָלֵק יוֹשֵׁב בְּאֶרֶץ הַנֶּגֶב וְהַחִתִּי וְהַיְבוּסִי וְהָאֱמֹרִי יוֹשֵׁב בָּהָר וְהַכְּנַעֲנִי יוֹשֵׁב עַל־הַיָּם וְעַל יַד הַיַּרְדֵּן׃

Várias nações precisavam ser expelidas da Terra Prometida. Havia *sete* nações distintas, de acordo com algumas listas. Várias listas aparecem no Pentateuco. Ver Gênesis 15.18-20; Êxodo 3.8,17; 34.11. O trecho de Gênesis 15.19-21 fala em dez pequenas nações. De outras vezes, o adjetivo pátrio "cananeus" representa todos esses povos. Ver no *Dicionário* o verbete chamado *Canaã (Cananeus)*. Em Gênesis 15.16, porém, *amorreus* serve a esse propósito. As listas variam, não havendo maneira de dizer exatamente quantas tribos distintas havia na Terra Prometida. Todos os povos mencionados nas listas, incluindo aqueles do presente versículo, figuram no *Dicionário*.

Este versículo fornece-nos localizações geográficas gerais quanto às nações mencionadas. Na região montanhosa (da futura Judeia) havia três dessas nações. E uma quarta, a dos cananeus, vivia à beira-mar e ao longo do rio Jordão. Havia habitantes das terras altas e das terras baixas, e todos eles eram muito temíveis e inabaláveis, na mente dos dez espias. O trecho de Números 14.4 mostra que os cananeus eram habitantes de terras altas. Historicamente, porém, eles ocupavam tanto as colinas quanto os vales e as áreas costeiras.

"Os cananeus formavam a população indígena de Canaã. Os amorreus tinham entrado na terra de Canaã vindos do nordeste (Arã, Síria), algum tempo antes de 2000 a.C. Eles tinham expulso os cananeus da região montanhosa, ocupando o lugar deles. Os hititas eram originários da Anatólia central (moderna Turquia). A partir de 1800 a.C., começaram a espalhar-se lentamente para o sul e para o sudeste, provavelmente identificando-se com os amorreus que já estavam em Canaã. Nada se sabe acerca dos jebuseus, a não ser que tinham Jerusalém como seu centro e também pertenciam ao grupo dos amorreus (Js 10.5). Continuaram controlando Jerusalém por quatrocentos anos depois da época de Moisés, quando Davi os expulsou dali, capturando a cidade e transformando-a em sua capital, em 1004 a.C. (Ver 2Sm 5.6-10)" (Eugene H. Merrill, *in loc.*).

■ **13.30**

וַיַּהַס כָּלֵב אֶת־הָעָם אֶל־מֹשֶׁה וַיֹּאמֶר עָלֹה נַעֲלֶה וְיָרַשְׁנוּ אֹתָהּ כִּי־יָכוֹל נוּכַל לָהּ:

Calebe. Ver sobre ele no *Dicionário*. Calebe e Josué (Nm 14.6-10, 26-38) trouxeram o relatório positivo. Mas não sabemos dizer por que o texto presente menciona apenas Calebe. Os críticos supõem que fontes separadas expliquem isso: Calebe seria mencionado em uma fonte, o que transparece neste versículo; Josué e Calebe aparecem em outra fonte. Ver no *Dicionário* o artigo *J.E.D.P.(S.)*, quanto à teoria das fontes informativas múltiplas do Pentateuco. Seja como for, o herói da ocasião foi Calebe, que teve fé para crer que mesmo obstáculos aparentemente intransponíveis seriam ultrapassados; e agora queria obter *imediatamente* essa vitória.

Calebe precisou fazer o povo calar-se. Os israelitas tinham começado uma ardente discussão, gritando e prestes a rebelar-se contra Moisés. Talvez Moisés tivesse objetado ao relatório negativo dos dez espias. Ele sabia qual era a vontade de Deus. Calebe saíra em seu socorro, exortando para que Israel entrasse imediatamente em ação. O Targum de Jonathan diz: "Calebe silenciou o povo e eles deram ouvidos a Moisés". E o trecho de Deuteronômio 1.29 mostra que Moisés encorajou a invasão. Sem dúvida, essa era a posição deles, antes mesmo de os espias terem apresentado seu relatório. Mas o espírito de rebeldia e murmuração (ver Dt 1.26) fez o povo não dar ouvidos nem a Moisés nem a Calebe.

■ **13.31**

וְהָאֲנָשִׁים אֲשֶׁר־עָלוּ עִמּוֹ אָמְרוּ לֹא נוּכַל לַעֲלוֹת אֶל־הָעָם כִּי־חָזָק הוּא מִמֶּנּוּ:

Não poderemos subir. Este versículo reitera a mensagem do vs. 28. Se a terra era excelente, os habitantes da terra eram por demais fortes para serem dali desalojados. Calebe interviera, procurando reverter a tendência negativista de nada fazerem, para permanecerem no deserto. Mas a palavra dele, embora tão bem acolhida por Moisés, não se mostrou suficiente. A fé dos israelitas, se é que havia alguma, não podia ver as coisas para além das dificuldades óbvias. Julgavam as coisas pelo que viam, mas não com fé, o comum *modus operandi* das pessoas que não possuem a espiritualidade especial que só Deus pode dar.

■ **13.32**

וַיּוֹצִיאוּ דִבַּת הָאָרֶץ אֲשֶׁר תָּרוּ אֹתָהּ אֶל־בְּנֵי יִשְׂרָאֵל לֵאמֹר הָאָרֶץ אֲשֶׁר עָבַרְנוּ בָהּ לָתוּר אֹתָהּ אֶרֶץ אֹכֶלֶת יוֹשְׁבֶיהָ הִוא וְכָל־הָעָם אֲשֶׁר־רָאִינוּ בְתוֹכָהּ אַנְשֵׁי מִדּוֹת:

Infamaram a terra. Uma grande oportunidade jazia à frente; e o poder de Deus estava à disposição dos filhos de Israel, a fim de fazer a oportunidade tornar-se uma realidade. Mas o relatório negativo, dado concordemente pelos dez espias, ganhou o dia.

Conteúdo do Relatório Negativo:
1. Se a Terra Prometida era fértil, pelo menos em certas áreas, seus habitantes eram inconquistáveis (ver os vss. 28,31-33).
2. A terra devorava seus habitantes. Essa sentença é obscura, pelo que há várias explicações a respeito: (a) Embora fértil em alguns lugares, também era um lugar de desertos ermos. Havia trechos estéreis que não podiam sustentar uma população numerosa. (b) Aquela terra vivia em reboliço constante, entre tribos hostis, e os filhos de Israel sempre estariam sujeitos a conflitos e tentativas de destruição, se tomassem conta da terra. (c) Alguns eruditos supõem que esteja em pauta o canibalismo, o que significaria que os habitantes originais eram extremamente malignos, que nenhum povo de bom juízo gostaria de ter como vizinhos. (d) Alguns críticos pensam que há uma contradição que cerca a declaração de fertilidade da terra. Uma das fontes informativas falaria em fertilidade e abundância; mas a outra se referiria à esterilidade do território. Ver no *Dicionário* o verbete intitulado *J.E.D.P.(S.)*, quanto à teoria das fontes informativas múltiplas do Pentateuco. (e) Ainda outros estudiosos imaginam que a alusão é a enfermidades e pragas. A Terra Prometida tinha a fama de ser um lugar onde muitas pessoas estavam morrendo devido a enfermidades. O lugar não seria saudável.
3. Um povo temível habitava ali, pessoas de elevada estatura. Não era um lugar comum, pois ali residiam gigantes selvagens e aguerridos. Qualquer pessoa de bom senso haveria de querer evitar aquele lugar. É de presumir-se que aqueles gigantes também estivessem bem armados, mostrando-se ferozes na batalha, sem misericórdia, entrincheirados por trás de grossas muralhas. Quem ousaria enfrentá-los? Os vss. 28 e 33 enfatizam esse aspecto dos inimigos de Israel.

■ **13.33**

וְשָׁם רָאִינוּ אֶת־הַנְּפִילִים בְּנֵי עֲנָק מִן־הַנְּפִלִים וַנְּהִי בְעֵינֵינוּ כַּחֲגָבִים וְכֵן הָיִינוּ בְּעֵינֵיהֶם:

O vs. 22 fornece os nomes dos povos que residiam na Terra Prometida. O *Dicionário* contém verbetes sobre cada um daqueles povos. Este versículo repete a questão, adicionando uma comparação pelo lado negativo. Em comparação com os povos gigantescos, os israelitas pareciam meros gafanhotos. À imensa estatura aliava-se a ferocidade em batalha, por parte de exércitos bem treinados e equipados. Vencê-los era uma tarefa impossível. Cf. Josué 14.15 e 15.13.

Gigantes. No hebraico, *nephilim*, a mesma palavra usada em Gênesis 6.4, cujas notas expositivas devem ser examinadas. Ver no *Dicionário* o verbete intitulado *Gigantes*, quanto a completas informações a respeito. Aquele artigo comenta acerca de todos os vocábulos hebraicos assim traduzidos, bem como a respeito de todas as tribos de gigantes que viviam na Palestina.

Como gafanhotos. Valia dizer, criaturas insignificantes. Jarchi prefere dizer que os israelitas eram como "formigas", aumentando mais ainda o contraste com os gigantes. Ver no *Dicionário* o artigo intitulado *Praga de Gafanhotos*.

CAPÍTULO CATORZE

OS ISRAELITAS QUEREM VOLTAR AO EGITO (14.1-45)

O capítulo 13 de Números informa-nos que dez dos doze espias enviados à terra de Canaã trouxeram um *relatório negativo*. Alistei e discuti, nas notas sobre Números 13.32, os elementos daquele relatório. Calebe recomendou que a invasão tivesse lugar imediatamente; mas os israelitas temiam muito os gigantes que ocupavam o território (Nm 13.33). O resultado imediato desse impasse foi que o povo de Israel começou novamente a *murmurar*, enfermidade moral que atacava os israelitas em surtos frequentes. Já comentei sobre essa questão (um tema repetitivo), na introdução ao décimo primeiro capítulo de Números, com referências às muitas vezes que isso teve lugar.

"Infelizmente, o povo aceitou a avaliação feita pela maioria dos espias e começou a protestar diante de Moisés que melhor seria se tivessem morrido no Egito ou no deserto, do que caírem nas mãos dos cananeus. Seria melhor escolherem um novo líder que os levasse de volta ao Egito" (Eugene H. Merrill, *in loc.*).

■ **14.1**

וַתִּשָּׂא כָּל־הָעֵדָה וַיִּתְּנוּ אֶת־קוֹלָם וַיִּבְכּוּ הָעָם בַּלַּיְלָה הַהוּא:

E o povo chorou aquela noite. A falta de visão espiritual estava levando o povo de Israel a perecer. Tinham ouvido as pessoas erradas; tinham aceitado uma avaliação pessimista; tinham-se esquecido da promessa feita a Abraão acerca *daquelas* terras. Ver as notas sobre o Pacto Abraâmico, em Gênesis 15.18. Naquela noite, ninguém dormiu, tanto que os israelitas choraram e lamentaram. Foi um retrocesso que assumiu proporções de uma tragédia. Tantas expectativas sobre uma "vida nova" tinham sido destruídas em tão pouco tempo. "Em quase cada caso, aquele povo deu deploráveis evidências do estado degradado de suas mentes. Destituídos de toda firmeza mental e praticamente sem nenhuma fé religiosa, eles não suportavam nenhum revés" (Adam Clarke, *in loc.*).

■ **14.2**

וַיִּלֹּנוּ עַל־מֹשֶׁה וְעַל־אַהֲרֹן כֹּל בְּנֵי יִשְׂרָאֵל וַיֹּאמְרוּ
אֲלֵהֶם כָּל־הָעֵדָה לוּ־מַתְנוּ בְּאֶרֶץ מִצְרַיִם אוֹ
בַּמִּדְבָּר הַזֶּה לוּ־מָתְנוּ׃

Murmuraram contra Moisés e contra Arão. Quanto a notas expositivas completas sobre as *murmurações* de Israel, e os trechos do Pentateuco onde elas se repetem, ver a introdução ao capítulo 11 do livro de Números. Moisés, que era o mediador entre Yahweh e os israelitas, o líder indisputado, naturalmente foi o alvo das queixas deles. Ele poderia ordenar a volta do povo de Israel ao Egito.

Arão também foi vitimado pelas queixas deles, pois era o segundo homem de autoridade, e o sumo sacerdote do culto sagrado. De que adiantaria todo aquele ritual, se Deus não pudesse dar a eles um lugar decente para ali viverem? Foram necessários grandes milagres para livrar o povo de Israel do Egito; mas, agora, o Egito parecia um ótimo lugar onde eles poderiam voltar a viver. O Egito era uma terra de riquezas abundantes. Quão prontamente os filhos de Israel olvidaram-se da severa servidão a que foram sujeitos por tanto tempo. Pelo menos no deserto eles eram livres. Mas no deserto eles não encontravam satisfação, e pensavam naquelas amplidões somente como um bom lugar para morrer! Cf. Êxodo 16.2,3, onde também houve murmurações contra Moisés e Arão. O terceiro versículo daquele trecho é uma queixa direta contra Yahweh, por estarem eles sendo conduzidos de uma maneira que os deixava desesperançados. Assim sendo, as queixas eram amargas e generalizadas.

■ **14.3**

וְלָמָה יְהוָה מֵבִיא אֹתָנוּ אֶל־הָאָרֶץ הַזֹּאת לִנְפֹּל
בַּחֶרֶב נָשֵׁינוּ וְטַפֵּנוּ יִהְיוּ לָבַז הֲלוֹא טוֹב לָנוּ שׁוּב
מִצְרָיְמָה׃

Por que nos traz o Senhor a esta terra...? Yahweh não escapou às reclamações insensatas dos filhos de Israel. Não fora Yahweh que os tinha conduzido aos terrores que agora estavam enfrentando? Deus os tinha tirado do Egito, onde tinham desfrutado de tanto conforto. Ele os tinha guiado pelo deserto, e tudo parecia estar correndo bem. Mas agora estavam diante de inimigos que eles não podiam vencer, e os quais poderiam aniquilar a eles e a seus filhinhos. Que tipo de Deus seria esse, capaz de forçá-los a tamanha barbaridade e desespero? Eles tinham esperado um resultado melhor, um caminho mais fácil, determinado pelo poder chamado Yahweh. Mas ele os abandonara no momento de maior crise, transformando suas experiências em miséria. Por igual modo, os pagãos caíam na apostasia ao perderem seu senso de gratidão (ver Rm 1.21). O resultado era uma compreensão distorcida. Os queixumes de Israel acabaram por cancelar qualquer fé que eles poderiam ter tido no poder miraculoso de Deus para vencer obstáculos. E resolveram que era melhor enfrentar o Faraó do que os filhos de Anaque (ver Nm 13.33). Cf. este versículo com Deuteronômio 1.27,28. E assim Israel, ao invés de arriscar alguma coisa, na suposição de que estavam preservando a vida de suas esposas e filhos, volveram suas costas para o deserto, *a fim de morrerem*. Por tudo isso, Deus não permitiu que aquela geração de queixosos entrasse na Terra Prometida. Nunca precisaram enfrentar os gigantes da terra. Morreram de maneira confortável no deserto. Foram forçados a ver suas esposas e seus filhos morrerem no ermo.

■ **14.4**

וַיֹּאמְרוּ אִישׁ אֶל־אָחִיו נִתְּנָה רֹאשׁ וְנָשׁוּבָה מִצְרָיְמָה׃

Levantemos a um para nosso capitão. Era patente que Moisés não os conduziria de volta ao Egito. Para tanto, eles teriam de escolher outro líder. Um movimento rebelde estava avultando rapidamente, como talvez somente uma manifestação direta de Yahweh fosse capaz de abafar (vs. 10). O movimento aumentou ao ponto em que se deu a ordem para que Moisés e Arão fossem apedrejados. Ver no *Dicionário* o artigo chamado *Apedrejamento*. Primeiro, a multidão renunciou formalmente à autoridade de Moisés e Arão. E daí passou a rebelar-se abertamente contra a autoridade de Yahweh. Quando as coisas chegaram a esse extremo, somente a intervenção divina poderia impedir a matança.

Voltemos para o Egito. John Gill (*in loc.*) chamou esse movimento rebelde de "loucura franca", para em seguida acrescentar: "Eles poderiam ter vencido as suas dificuldades. Se voltassem ao Egito, seriam aniquilados; mas os homens, quando se desesperam, perdem a capacidade de pensar corretamente.

■ **14.5**

וַיִּפֹּל מֹשֶׁה וְאַהֲרֹן עַל־פְּנֵיהֶם לִפְנֵי כָּל־קְהַל עֲדַת
בְּנֵי יִשְׂרָאֵל׃

Temendo perder a vida, e consternados diante da rebeldia e da perda de oportunidade de entrarem na terra que Deus havia prometido a Abraão, Moisés e Arão puseram-se, por sua vez, a lamentar-se, embora por *outras* razões, saber: Talvez a maior causa de lamentação deles fosse a rebeldia franca contra o próprio Yahweh, o qual, mediante meios miraculosos, tinha conduzido o povo de Israel até ali. Eles prostraram-se provavelmente em intensa atitude de súplica, primeiramente ao povo, para que mudasse de atitude, e, em segundo lugar, a Yahweh, para que fizesse alguma coisa, capaz de reverter a malignidade daquele dia. A súplica (em sua essência) dirigida ao povo aparece nos quatro versículos que se seguem.

■ **14.6**

וִיהוֹשֻׁעַ בִּן־נוּן וְכָלֵב בֶּן־יְפֻנֶּה מִן־הַתָּרִים אֶת־הָאָרֶץ
קָרְעוּ בִּגְדֵיהֶם׃

E Josué. Não sabemos dizer por que somente Calebe é mencionado em Números 13.30, como se aparentemente tivesse sido o único espia que apresentara um relatório positivo. Mas aqui lemos que Josué se aliou a ele. Ver também Números 14.26-38. Quanto a especulações sobre os motivos disso, incluindo a possibilidade de duas fontes informativas diferentes desse episódio, ver as notas sobre Números 13.30. Ver no *Dicionário* informações completas sobre *Josué*.

Rasgaram as suas vestes. Isso reflete um antigo costume oriental, que exprimia profunda consternação ou tristeza. Ver no *Dicionário* informes completos no verbete intitulado *Vestimentas, Rasgar*.

"Josué e Calebe rasgaram suas vestes em profundo acesso de tristeza, rebatendo o relatório negativo que tinha sido trazido pelos outros dez espias. E disseram que a terra de Canaã era uma terra extremamente boa" (John Marsh, *in loc*). "O preço do progresso no reino de Deus não é pago de modo fácil e voluntário pelo povo de Israel, quando sofrimento e sacrifício são exigidos. As pessoas clamam para que seja mantido o *status quo*" (Albert George Butzer, *in loc.*). O resultado disso é sempre o retrocesso, tal como Israel quis "voltar ao Egito", o abismo de onde havia sido arrancado.

Calebe e Josué levantaram-se e puseram-se na brecha. Deus precisa de seus homens em tempos de crise, e nem sempre se mostra em favor do voto democrático. Ele quererá fazer o que é *certo*, apesar dos votos em contrário.

■ **14.7**

וַיֹּאמְרוּ אֶל־כָּל־עֲדַת בְּנֵי־יִשְׂרָאֵל לֵאמֹר הָאָרֶץ אֲשֶׁר
עָבַרְנוּ בָהּ לָתוּר אֹתָהּ טוֹבָה הָאָרֶץ מְאֹד מְאֹד׃

É terra muitíssimo boa. Calebe e Josué estavam procurando contrabalançar a rebeldia e encorajar a invasão da Terra Prometida. Apresentaram uma descrição favorável do território que eles tinham ajudado a examinar (vss. 7-9). Os três pontos que eles salientaram em sua defesa positiva foram: A terra era excelente, fértil, muito frutífera (vss. 7 e 8); com a ajuda de Yahweh, eles poderiam conquistar o território, a despeito do povo feroz que o estava ocupando; e, finalmente, não obedecer à palavra de Yahweh, que lhes ordenara conquistar aquela terra, prometida a Abraão, constituía uma rebeldia que só podia terminar em desastre.

14.8

אִם־חָפֵץ בָּנוּ יְהוָה וְהֵבִיא אֹתָנוּ אֶל־הָאָרֶץ הַזֹּאת
וּנְתָנָהּ לָנוּ אֶרֶץ אֲשֶׁר־הִוא זָבַת חָלָב וּדְבָשׁ׃

Este versículo repete *dois* dos argumentos dentre os *três* (ver o vs. 7) que haviam sido apresentados no relatório positivo. Com a ajuda do Senhor, os filhos de Israel poderiam conquistar a Terra Prometida, apesar das populações aguerridas e bem fortificadas que a ocupavam. Ver Números 13.28,32,33 quanto à natureza dos inimigos potenciais. Além disso, a terra era realmente boa, o que confirma o argumento do vs. 7. A Terra Prometida fora chamada de terra que manava *leite e mel*. Ver as notas sobre essa expressão em Êxodo 3.8, onde dou uma lista de referências onde ela aparece por todo o Pentateuco. Ver também Números 13.27.

Yahweh tivera misericórdia do povo de Israel, estando eles no Egito, pelo que levantou um líder que os livrasse da escravidão. Também tivera prazer neles por ocasião do êxodo, quando da travessia do mar Vermelho, e mesmo nas perambulações no deserto, e até aquele momento, provendo-lhes tudo de quanto eles precisavam.

> O Senhor me guia no caminho,
> De que mais precisaria eu?
> Poderia duvidar do seu amor,
> Daquele que sempre
> me guiou?
>
> Fanny J. Crosby

14.9

אַךְ בַּיהוָה אַל־תִּמְרֹדוּ וְאַתֶּם אַל־תִּירְאוּ אֶת־עַם
הָאָרֶץ כִּי לַחְמֵנוּ הֵם סָר צִלָּם מֵעֲלֵיהֶם וַיהוָה אִתָּנוּ
אַל־תִּירָאֻם׃

Não sejais rebeldes contra o Senhor. Recusar-se a possuir a terra que Deus havia dado a Abraão, uma promessa que fora confirmada a Moisés, e com qual finalidade ele fora levantado como líder, era rebelar-se contra Yahweh, e isso não poderia terminar bem. E assim, o *desastre* que sobreviria seria muito pior do que qualquer coisa que eles pudessem sofrer às mãos de seus inimigos cananeus. Esse era o terceiro item do relatório positivo, a defesa apresentada por dois dos espias, a saber, Calebe e Josué. Ver as notas sobre o vs. 7.

Como pão os podemos devorar. Por meio dessa estranha metáfora, Calebe e Josué procuraram encorajar os israelitas. Os ferozes habitantes cananeus da Terra Prometida podiam ser derrotados, e seus ídolos, destruídos, tão facilmente como um homem senta-se para almoçar. Eles estavam muito bem entrincheirados, mas Yahweh faria com que eles se dissolvessem. A presença de Yahweh poderia continuar com eles, conforme vinha acontecendo a cada passo, até aquele ponto. Portanto, não havia motivo para temores. Os israelitas estavam olhando para os gigantes (ver Nm 13.22,33), e não para Yahweh. E, por esse motivo, a fé deles tinha desaparecido de todo. Yahweh tinha dado a eles maná no deserto; e na Terra Prometida ele serviria às necessidades de seu povo com igual facilidade.

Retirou-se deles o seu amparo. O original hebraico diz aqui, mais literalmente: "a sombra retirou-se deles", uma figura de linguagem baseada na proteção dada pelas rochas por trás das quais as pessoas poderiam ocultar-se, lançando sobre eles uma sombra. Uma rocha que outorgasse *sombra* era uma grande bênção no deserto. As coisas que protegiam os pagãos, no deserto, seriam retiradas, e eles ficariam sem defesa. Mas o povo de Israel precisava ter fé em Yahweh , para que aceitasse favoravelmente essas declarações.

A providência de Deus é como uma sombra protetora para nós. Ver no *Dicionário* o artigo intitulado *Providência de Deus*. Ver Gênesis 19.8; Salmo 17.8; 91.1; Isaías 25.4; 30.2 quanto à sombra protetora de Deus.

14.10

וַיֹּאמְרוּ כָּל־הָעֵדָה לִרְגּוֹם אֹתָם בָּאֲבָנִים וּכְבוֹד יְהוָה
נִרְאָה בְּאֹהֶל מוֹעֵד אֶל־כָּל־בְּנֵי יִשְׂרָאֵל׃ פ

A congregação disse que os apedrejassem. Ver no *Dicionário* o verbete chamado *Apedrejamento*. Em Israel eram usados vários modos de punição capital. Ver o gráfico na introdução ao capítulo 18 de Levítico, e, no *Dicionário,* o artigo chamado *Punição Capital,* quanto a maiores informações. Moisés, Arão, Calebe e Josué seriam tratados como os piores criminosos, por terem cumprido as ordens de Yahweh. Mas foi então que o Senhor interveio, fazendo *sua glória* aparecer, impedindo que os israelitas cometessem tão grande absurdo. Ver no *Dicionário* o artigo sobre a glória *Shekinah*. A manifestação de Deus assustou os israelitas e conferiu aos agentes do Senhor proteção absoluta. Agora era Yahweh que ameaçava o povo de Israel de destruição, e os assassinos potenciais tornaram-se assassinados em potencial.

"Todo homem é imortal, até que seu trabalho esteja terminado" (Adam Clarke, *in loc.*). Isso expressa um sentimento reconfortante. Oh, Senhor, concede-nos tal graça!

14.11

וַיֹּאמֶר יְהוָה אֶל־מֹשֶׁה עַד־אָנָה יְנַאֲצֻנִי הָעָם הַזֶּה
וְעַד־אָנָה לֹא־יַאֲמִינוּ בִי בְּכֹל הָאֹתוֹת אֲשֶׁר עָשִׂיתִי
בְּקִרְבּוֹ׃

Disse o Senhor. Para Moisés, a palavra do Senhor era sua orientação, e a crise presente não constituiu exceção à regra. O Senhor agora falou irado, o que constitui um *antropomorfismo* que demonstrava *antropopatismo* (ver sobre esses dois termos no *Dicionário*). O autor sagrado precisou usar descrições de Deus como se ele fosse um ser humano, porquanto o homem não sabe falar sobre Deus de outra maneira. A linguagem humana não é muito apropriada para descrever Deus e as realidades divinas, nem a mente humana é um bom instrumento para sondar essas realidades. A despeito disso, as obras de Deus podem ser percebidas claramente por todos.

A despeito de todos os sinais. Quanto a esses "sinais", ver as notas sobre Êxodo 3.11,12. Cf. também Isaías 7.10-17. A presença de Yahweh era um poder miraculoso que se manifestava com frequência diante do povo de Israel. As várias pragas desfechadas contra o Egito tinham sido sinais. Outro tanto deve ser dito sobre a travessia do mar Vermelho. E que dizer sobre a provisão da coluna de nuvem e de fogo, que guiava Israel noite e dia? E a provisão miraculosa do maná? E as manifestações gloriosas de Deus, por ocasião da outorga da lei? Já tinham ocorrido muitas intervenções divinas que todo o povo de Israel havia acompanhado. No entanto, chegado um momento crítico, a fé deles desapareceu.

> A fé jaz caída, com olhos fechados para a luz,
> Uma fé cega não consegue responder,
> Mas a verdade e Deus
> estão presentes.
>
> Russell Champlin

> Sentimos que nada somos,
> pois tudo é tu, e em ti;
> Sentimos que algo somos, isso
> também vem de ti;
> Sabemos que nada somos — mas
> Tu nos ajudas a ser algo.
> Bendito seja o teu nome — Aleluia!
>
> Alfred Lord Tennyson

Ver o trecho de Hebreus 3.18,19 quanto a uma aplicação desse relato no Novo Testamento. A passagem de Êxodo 32.31 ss. contém algo similar. O povo de Israel foi ameaçado de aniquilamento por parte de Yahweh, por ocasião do incidente do bezerro de ouro, quando Moisés precisou intervir com as suas orações.

14.12

אַכֶּנּוּ בַדֶּבֶר וְאוֹרִשֶׁנּוּ וְאֶעֱשֶׂה אֹתְךָ לְגוֹי־גָּדוֹל וְעָצוּם
מִמֶּנּוּ׃

Com pestilência o ferirei, e o deserdarei. Essas foram as ameaças divinas: 1. A pestilência reduziria Israel a nada; 2. deserdados, os israelitas não mais participariam do Pacto Abraâmico — não herdariam a terra nem promessa alguma atinente a ela; 3. uma nova nação seria formada com os descendentes de Moisés, que viesse a cumprir todos os requisitos do pacto. Dessa forma, nada se perderia, exceto *aqueles rebeldes*. Visto que Moisés era descendente de Abraão, não havia razão pela qual isso não poderia ser feito. Em certo sentido, porém, já estava feito, porquanto aqueles rebeldes já haviam perdido seu direito de entrar na Terra Prometida. Todavia, seus filhos entraram nela. E, daquela geração rebelde, somente Calebe e Josué ali chegaram. Os demais morreram no deserto.

Cf. a promessa de fazer de Moisés uma nova nação com Êxodo 32.10-12, onde lemos que ocorreu algo similar.

■ 14.13

וַיֹּאמֶר מֹשֶׁה אֶל־יְהוָה וְשָׁמְעוּ מִצְרַיִם כִּי־הֶעֱלִיתָ בְכֹחֲךָ אֶת־הָעָם הַזֶּה מִקִּרְבּוֹ׃

Os egípcios. Esses ririam, divertidos, comentando: "Aquele tal de Yahweh, como ele se atrapalhou todo e fez das coisas uma grande confusão. Ele tirou Israel do Egito somente para *fazê-los* morrer no deserto, por meio de uma tremenda praga". Moisés estava querendo dizer que a *história* não podia fornecer um quadro tão horrível a respeito de Yahweh, o Deus dos hebreus. Isso seria extremamente destrutivo para a imagem e a reputação universais de Yahweh. Antes, a história deveria ser uma poderosa lição objetiva da bondade e do poder de Yahweh. Mas isso de modo algum aconteceria se o povo de Israel perecesse miseravelmente no deserto. Os egípcios tinham perecido estupidamente devido à praga que havia ferido os primogênitos egípcios e no mar Vermelho. No tocante aos egípcios, isso constituía uma boa história; mas no tocante a Israel, a história teria de ser muito melhor, na mesma proporção em que Yahweh era superior aos deuses do Egito. Ver estas referências para efeito de comparação: Deuteronômio 32.26,27; Josué 7.9; Isaías 48.9,10; Ezequiel 36.22,23.

O *amor* de Moisés pelo povo de Israel e seu zelo pela reputação de Yahweh formavam a base de seu apelo.

■ 14.14

וְאָמְרוּ אֶל־יוֹשֵׁב הָאָרֶץ הַזֹּאת שָׁמְעוּ כִּי־אַתָּה יְהוָה בְּקֶרֶב הָעָם הַזֶּה אֲשֶׁר־עַיִן בְּעַיִן נִרְאָה אַתָּה יְהוָה וַעֲנָנְךָ עֹמֵד עֲלֵהֶם וּבְעַמֻּד עָנָן אַתָּה הֹלֵךְ לִפְנֵיהֶם יוֹמָם וּבְעַמּוּד אֵשׁ לָיְלָה׃

Também o disseram aos moradores desta terra. Os próprios egípcios se tinham encarregado de propalar a fama de Yahweh, a qual chegara a muitos povos, incluindo aos que habitavam a terra que fora prometida a Abraão. Dessarte, Yahweh seria vítima de zombarias. E as zombarias também atingiriam o povo de Israel.

A palavra adversa que assim se espalharia serviria de grande *contradição* com a que agora já cercava o nome de Yahweh. Ele se tornara conhecido como o Deus da presença. Ele manifestava a sua glória de modo visível, na nuvem e na coluna de fogo, bem como na glória *shekinah*, no tabernáculo. No entanto, *aquele* grande Deus, *aquele* tremendo poder, havia reduzido a nada o *seu próprio povo*, por meio de uma praga devastadora. Se uma nova nação viesse a descender de Moisés, quem respeitaria esse novo povo? Pois seriam um povo pertencente ao mesmo pouco confiável Yahweh!

A *destruição de Israel* seria atribuída à *incapacidade* de Yahweh levar a bom termo um projeto que ele mesmo tinha começado. Seria objeto de motejo como um Ser impotente e vacilante quanto aos seus propósitos. Isso posto, seria melhor amar e perdoar do que julgar, mesmo naquela tão provocadora ocasião.

■ 14.15,16

וְהֵמַתָּה אֶת־הָעָם הַזֶּה כְּאִישׁ אֶחָד וְאָמְרוּ הַגּוֹיִם אֲשֶׁר־שָׁמְעוּ אֶת־שִׁמְעֲךָ לֵאמֹר׃
מִבִּלְתִּי יְכֹלֶת יְהוָה לְהָבִיא אֶת־הָעָם הַזֶּה אֶל־הָאָרֶץ אֲשֶׁר־נִשְׁבַּע לָהֶם וַיִּשְׁחָטֵם בַּמִּדְבָּר׃

Esses dois versículos destacam a *impotência* daquele Yahweh que havia iniciado uma operação que não pudera terminar; e a impotência seria a última coisa que alguém poderia atribuir a Deus. Um dos nomes de Yahweh é *El*, "poderoso". Dizemos que Deus é onipotente, pois esse é um de seus atributos. Ver no *Dicionário* o verbete intitulado *Atributos de Deus*. Um Deus impotente, que fizesse fracassar seus próprios feitos, dificilmente poderia ser respeitado. Mas Moisés ansiava para que o seu Deus fosse respeitado e temido.

O Pacto Abraâmico (ver as notas a respeito, em Gn 15.18) envolve muitas promessas, e a principal delas dizia respeito às terras que Abraão e os patriarcas chegaram a percorrer, e de onde a família patriarcal havia sido tirada devido à circunstância da fome. Agora, *aquela terra* precisava ser reconquistada. Yahweh, é lógico, tinha poder para tanto; mas, se seu propósito viesse a fracassar, onde ficaria o famoso poder do Deus de Israel? Ademais, uma *promessa quebrada* não refletia bem sobre a fama daquele que tinha feito a promessa. Portanto, o julgamento contra Israel seria algo razoável, mas *não* o seu aniquilamento. Os juízos divinos são *remediais*. Yahweh ainda triunfaria em parte, *mediante* o julgamento. Mas o aniquilamento seria uma admissão de derrota para o Deus de Israel.

■ 14.17

וְעַתָּה יִגְדַּל־נָא כֹּחַ אֲדֹנָי כַּאֲשֶׁר דִּבַּרְתָּ לֵאמֹר׃

Este versículo demonstra a grandiosidade do amor! Os vss. 17-19 são versículos dotados de profundo discernimento espiritual. Você quer ser *grande*? Então *ame*! Você quer ser grande? Então engrandeça o seu espírito, e mostre gentileza e perdão. Essas são as qualidades realmente grandes, e todas pertencem a Deus. É muito melhor amar do que usar um poder destrutivo. As chamadas grandes figuras da história humana geralmente são as que aprenderam a matar mais indiscriminadamente e com maior eficiência. Ficamos cansados quando lemos a História falar em guerras e matanças intermináveis, bem como no predomínio do ódio. No entanto, tais forças negativas têm operado e continuam operando; e muitos que se chamam cristãos perseguem e matam, pensando estar prestando a Deus um serviço. Mas a grandeza e o poder verdadeiro residem no amor, que é o único atributo divino usado como um nome de Deus: *Deus é amor* (1Jo 4.16). Os *dois grandes pilares* da espiritualidade são o amor e o conhecimento; e ambos constroem, em vez de destruírem. Ver no *Dicionário* o verbete intitulado *Amor*.

Uma Alegoria. Os rebeldes de Israel simbolizam todos os rebeldes da humanidade ou, melhor dizendo, a própria humanidade. Yahweh dissera "Destruirei os rebeldes", pois, afinal de contas, ele tinha o poder de fazê-lo. Mas Moisés disse a Yahweh: "Se realmente queres demonstrar o poder divino, sê longânimo, misericordioso, amoroso e perdoador. Essas são as virtudes que realmente demonstram *poder*". E Yahweh lhe respondeu: "É verdade! E é isso que farei". Como foi que Moisés soube dessa grande verdade? Digo que foi Yahweh quem a revelou a ele.

Amor divino, superior a todo amor,
Alegria celeste que desceu à terra;
Fixa em nós o teu resplendor;
E tua bondade em nós encerra!

Charles Wesley

■ 14.18

יְהוָה אֶרֶךְ אַפַּיִם וְרַב־חֶסֶד נֹשֵׂא עָוֹן וָפָשַׁע וְנַקֵּה לֹא יְנַקֶּה פֹּקֵד עֲוֹן אָבוֹת עַל־בָּנִים עַל־שִׁלֵּשִׁים וְעַל־רִבֵּעִים׃

O Senhor é longânimo. Se assim não fora, tudo pereceria de súbito. A longanimidade é um atributo divino, um fruto do Espírito que ele cultiva nos homens (ver Gl 5.22). Ver no *Dicionário* o verbete intitulado *Longânimo*.

Grande em misericórdia. A misericórdia é o amor em ação, pois confere aos homens aquilo que eles não merecem, ultrapassando todo potencial humano e realizando atos divinos graciosos. Ver no *Dicionário* o artigo chamado *Misericórdia (Misericordioso)*, quanto a completas descrições a respeito. Notemos que o texto presente vê a grandeza autêntica nessas qualidades, e não o poder destrutivo.

Que perdoa. Um dos grandes itens da revelação divina é que Deus perdoa a transgressão e a iniquidade. Se isso não fosse verdade, então nenhum ser humano jamais seria alvo do favor divino. Ver no *Dicionário* o artigo chamado *Perdão*. Aquilo que Deus faz, isso ele exige dos seres humanos. Assim fazendo, participamos da grandeza divina, quando exibimos amor, longanimidade, misericórdia e perdão. Essas também são qualidades do homem espiritual que, em certa medida, tem visto duplicados em si os atributos divinos. Ver no *Dicionário* o verbete chamado *Atributos de Deus*.

O Julgamento Permanece. A lei da colheita segundo a semeadura ensina que os homens devem sofrer pelo mal que praticarem, apesar do amor e do perdão. Ver Gálatas 6.7,8. Mas o juízo divino não é oposto ao amor. De fato, as duas ideias são sinônimas. O julgamento é *amor em ação* de uma maneira especial. O *juízo divino é remedial*, e não meramente punitivo, conforme é claramente afirmado em 1Pedro 4.6, mesmo no tocante ao julgamento dos perdidos. Deus ama os perdidos, Deus ama o pecador. Por isso mesmo, ele *precisa* julgar, a fim de corrigir, e não esmagar. O juízo é um dedo da amorosa mão de Deus. Essas são grandes verdades que muitos crentes têm perdido de vista, porquanto têm fragmentado Deus, ao dizerem: "Agora ele ama", "agora ele julga", "agora ele é misericordioso", "agora ele é severo". Mas todos esses termos são *sinônimos* do amor, maneiras especiais de o amor manifestar-se.

Até à terceira e quarta geração. Essa declaração parece ser uma contradição com Ezequiel 18.20, que estipula: "A alma que pecar, essa morrerá; o filho não levará a iniquidade do pai, nem o pai a iniquidade do filho". Alguns críticos pensam que nessas palavras temos uma contradição irremediável, em comparação com as palavras de Números 14.18. Mas podemos reconciliar essas declarações aparentemente divergentes, supondo que: 1. Os *resultados destrutivos* do pecado continuam através das gerações, atingindo até descendentes inocentes; mas isso não significa que os pecados não sejam *perdoados*. 2. Os filhos cometem os mesmos pecados que foram cometidos por seus pais, pelo que merecem ser julgados.

A própria herança biológica transmite os resultados dos pecados dos pais aos seus descendentes. Ainda recentemente, descobriu-se que um pai que fuma (não apenas a mãe) pode *criar* e *transmitir* defeitos genéticos a seus filhos, netos e bisnetos. No entanto, o fumo constitui um pequeno pecado, em comparação com outros, que podem causar muitos danos em várias gerações. Este trecho deve ser comparado com Êxodo 34.6,7, que lhe é quase idêntico.

14.19

סְלַח־נָא לַעֲוֹן הָעָם הַזֶּה כְּגֹדֶל חַסְדֶּךָ וְכַאֲשֶׁר נָשָׂאתָה לָעָם הַזֶּה מִמִּצְרַיִם וְעַד־הֵנָּה:

Perdoa, pois, a iniquidade. O perdão está arraigado no amor de Deus. Essa é a mensagem do versículo; e Moisés fez o seu apelo com base na compreensão que tinha do amor divino. O amor de Yahweh é chamado de "constante" em algumas traduções. Isso fica entendido no próprio termo hebraico correspondente, *hesed*.

O amor de Deus não muda, ainda que mude o seu objeto; mas Deus leva avante o seu propósito até a beira mesma da condenação. O amor é algo *incondicional*, quando se trata do amor divino. O amor humano muda quando seu objeto muda. As pessoas chegam mesmo a odiar aos que rejeitam o amor que elas oferecem. O amor de Deus, em contraste com isso, é um poder constante. Não muda mesmo que não seja correspondido, e embora chegue a agir em julgamento, a fim de corrigir a pessoa em erro, para o próprio bem dela.

> Foi grande chamar o mundo do nada,
> Maior ainda foi redimir;
> Foi grande habitar no exaltado favor divino,
> Mas ser Salvador do homem de tudo é o maior.
>
> Russell Champlin

Desde a terra do Egito até aqui. A história de Israel é a história de qualquer ser humano. O amor e o perdão divino acompanham uma pessoa ou um povo, desde o começo até o fim. Ninguém chega a um ponto em que não mais precisa do amor e do perdão divino.

14.20

וַיֹּאמֶר יְהוָה סָלַחְתִּי כִּדְבָרֶךָ:

Eu lhe perdoei. A intercessão de Moisés logrou êxito. Ele "convenceu" a Yahweh. O autor sacro prossegue usando expressões antropomórficas. Mas ele não podia mesmo usar de outra forma de linguagem ao referir-se a Deus. A ira de Deus desviou-se, e o povo de Israel teve permissão de sobreviver. No entanto, teriam agora de vaguear pelo deserto nada menos de quarenta anos. E isso quer dizer que eles sofreriam os *efeitos* de sua rebeldia contra Deus, nas fronteiras da Terra Prometida.

Tipologia. O perdão final oferecido em Cristo, e Deus "fechou os olhos" diante dos pecados dos tempos anteriores, pois esperava pela remissão redentora de Cristo. Ver Atos 17.30. Ver no *Dicionário* o verbete intitulado *Perdão*.

As orações de Moisés foram atendidas. A oração fervorosa e persistente é uma das mais poderosas forças que há à face da terra (ver Tg 5.16). Ver no *Dicionário* os verbetes intitulados *Intercessão* e *Oração*.

Quanto ao "arrependimento" de Yahweh, ver as notas expositivas sobre Êxodo 32.14. Ali ofereço oito explicações que mostram em qual sentido Deus *pode arrepender-se,* ou seja, pode mudar de atitude mental.

> Grande é tua fidelidade, ó Deus, meu Pai,
> Não há em ti sombra de variação;
> Tu não mudas; tuas compaixões
> nunca falham.
>
> T. O. Chisholm

14.21

וְאוּלָם חַי־אָנִי וְיִמָּלֵא כְבוֹד־יְהוָה אֶת־כָּל־הָאָרֶץ:

Toda a terra se encherá da glória do Senhor. Enquanto o Senhor viver, a terra estará cheia da sua glória. Deus não pode deixar de existir. Logo, é inevitável que a terra fique cheia da sua glória. A terra é especialmente iluminada pela glória de Deus quando fica demonstrado o *verdadeiro poder* do Senhor. O verdadeiro poder não é aquele que aniquila, mas aquele que exerce a longanimidade e salva. Deus torna-se conhecido por seus atos graciosos. A humanidade tem chegado à beira da condenação; e, na verdade, merece a condenação. Nesse ponto, porém, o amor divino intervém. A missão de Cristo contou com o amor de Deus por trás dela. Essa missão foi uma intervenção divina. E houve nova intervenção quando Cristo desceu ao Hades em missão salvífica (ver 1Pe 3.18—4.6). Isso é o que já se poderia esperar por parte do amor de Deus. Ver na *Enciclopédia de Bíblia, Teologia e Filosofia* o artigo *Descida de Cristo ao Hades*. O amor de Deus opera mesmo em seus juízos; e nisso manifesta-se também a glória divina, porquanto todas as coisas serão submetidas à *justiça*. A justiça, entretanto, nunca se manifesta nua. Pois sempre opera através do poder do amor. A justiça divina sempre restaura; sempre cura, *afinal*. Ver no *Dicionário* o verbete chamado *Julgamento de Deus dos Homens Perdidos*.

Foi no Messias que essa declaração teve o cumprimento mais pleno. Cf. Isaías 6.3 e Hc 2.14.

14.22

כִּי כָל־הָאֲנָשִׁים הָרֹאִים אֶת־כְּבֹדִי וְאֶת־אֹתֹתַי אֲשֶׁר־עָשִׂיתִי בְמִצְרַיִם וּבַמִּדְבָּר וַיְנַסּוּ אֹתִי זֶה עֶשֶׂר פְּעָמִים וְלֹא שָׁמְעוּ בְּקוֹלִי:

... me puseram à prova já dez vezes. Houve muitas ocasiões em que os israelitas rebeldes viram os prodígios de Yahweh, a começar pelo Egito, e, mais tarde, no deserto. Não obstante, tentaram a Yahweh pondo em dúvida seu poder e sua graça, e ignorando as lições que os milagres divinos supostamente lhes ensinavam. As tentações a Deus, envolvendo vários graus de rebeldia, foram reiteradas por *dez* vezes. Alguns intérpretes pensam que esse número significa apenas "muitas vezes". Outros pensam que o autor tinha em mente dez vezes literais; e alguns chegam a tentar identificá-las com precisão.

Ellicott (*in loc.*) mostra-nos como essa "precisão" geralmente atua. Ele lista *oito* casos de murmuração, e então adiciona dois tipos de transgressão que eram comuns em Israel, como segue:

As Oito Murmurações. 1. Às margens do mar Vermelho (Êx 14.11,12). 2. Em Mará (Êx 15.23). 3. No deserto de Zim (Êx 16.2). 4. Em Refidim (Êx 17.1). 5. Em Horebe (Êx 32). 6. Em Taberá (Nm 11.1). 7. Na sepultura do desejo (Nm 11.4). 8. Em Cades (Nm 14).

As Duas Transgressões Comuns. 9. A guarda do maná até o dia seguinte, contra a determinação divina (Êx 16.24). 10. A saída para recolher o maná em dia de sábado (Êx 16.27). Mas o próprio Ellicott supunha que o número "dez", aqui usado, indicaria apenas "uma medida completa", e não um número específico de vezes.

Mais Três Murmurações. A nona murmuração foi historiada em Números 16.41 ss., em conexão com a história da matança de Coré e seus associados, contra a autoridade de Moisés. Há uma décima murmuração em Números 20.2 ss.; e também uma décima primeira, em Números 21.5.

O Talmude Babilônico Eracin, fol. 15.1 tenta outra lista: duas vezes no mar Vermelho; duas vezes acerca de água; duas vezes acerca de codornizes; uma vez acerca de uma novilha; uma vez no deserto de Zim; e uma nona vez diante da fronteira com a Terra Prometida, a qual os filhos de Israel se recusaram a invadir. Mas Aben Ezra diz simplesmente que isso significa "muitas" vezes.

Em todas essas ocasiões, eles recusaram-se a obedecer à voz de Yahweh, transmitida por meio de Moisés. Eles mostravam-se desobedientes. Ver no *Dicionário* o verbete intitulado *Obediência*.

14.23

אִם־יִרְאוּ אֶת־הָאָרֶץ אֲשֶׁר נִשְׁבַּעְתִּי לַאֲבֹתָם
וְכָל־מְנַאֲצַי לֹא יִרְאוּהָ׃

Nenhum deles verá a terra. Temos aí o castigo imposto pelo Senhor. Yahweh não os aniquilou; mas também não permitiu que nenhum indivíduo incrédulo daquela geração entrasse, enquanto vivessem, na Terra Prometida. Daquela geração, somente Calebe e Josué puderam ali entrar. Naturalmente, os menores de 20 anos para baixo puderam entrar; pelo que a bênção maior ficou reservada a essa outra geração. Cf. o vs. 18 deste capítulo, onde abordei a questão do *juízo divino*. Ver também Hebreus 3.11,18 quanto a uma aplicação neotestamentária desse aspecto do episódio.

14.24

וְעַבְדִּי כָלֵב עֵקֶב הָיְתָה רוּחַ אַחֶרֶת עִמּוֹ וַיְמַלֵּא
אַחֲרָי וַהֲבִיאֹתִיו אֶל־הָאָרֶץ אֲשֶׁר־בָּא שָׁמָּה וְזַרְעוֹ
יוֹרִשֶׁנָּה׃

O meu servo Calebe. Somente Calebe é mencionado aqui, como alguém que receberia permissão de entrar na Terra Prometida. Josué também foi omitido no primeiro relatório *positivo* (Nm 13.30). Mas reaparece em Números 14.6. Os críticos supõem que diferentes fontes informativas do Pentateuco contassem relatos levemente diferentes, e que, quando o autor sacro as coligiu, não teve o devido cuidado de reconciliar as pequenas discrepâncias. Ver no *Dicionário* o artigo intitulado *J.E.D.P.(S)*. quanto a teoria das fontes informativas múltiplas do Pentateuco. O vs. 30 traz novamente Josué para dentro do quadro, assegurando-nos que ele também entraria na Terra Prometida. O vs. 33 informa-nos de que Israel ficaria perambulando pelo deserto durante quarenta anos. No deserto haveriam de perecer. E isso era o castigo divino que eles receberiam por terem perdido a fé quando estavam prestes a entrar na Terra Prometida. O próprio Moisés foi impedido de entrar, por causa de alguns atos de desobediência (ver Nm 20.12).

14.25

וְהָעֲמָלֵקִי וְהַכְּנַעֲנִי יוֹשֵׁב בָּעֵמֶק מָחָר פְּנוּ וּסְעוּ לָכֶם
הַמִּדְבָּר דֶּרֶךְ יַם־סוּף׃ פ

"E então, como parte do seu juízo, o Senhor instruiu Moisés e o povo de Israel a reiniciar a jornada, partindo de Cades, mas não na direção dos vales onde os amalequitas e cananeus habitavam. E assim tiveram de tomar uma longa e circundante rota na direção do mar Vermelho, uma rota que eventualmente terminaria nas planícies de Moabe, a leste de Jericó. *mar Vermelho*, nesse caso, refere-se ao braço oriental do mar que hoje em dia chama-se golfo de Ácaba" (Eugene H. Merrill). Ver no *Dicionário* o artigo intitulado *Êxodo (o Evento)*, o qual ilustra a rota das vagueações de Israel pelo deserto. Ver também ali os artigos intitulados *Amalequitas* e *Canaã, Cananeus*. Alguns supõem que as tribos selvagens dos vales tivessem ouvido falar sobre a aproximação dos israelitas, e estivessem esperando para lançar-se ao ataque. Mas Yahweh evitou o conflito, visto que, na oportunidade, coisa alguma aconteceria no tocante à invasão. O trecho de Deuteronômio 1.44 diz somente *os amorreus*, em lugar dos dois povos aqui mencionados, "amalequitas" e "cananeus".

14.26

וַיְדַבֵּר יְהוָה אֶל־מֹשֶׁה וְאֶל־אַהֲרֹן לֵאמֹר׃

Disse o Senhor. Temos aqui uma expressão comum no Pentateuco, empregada para introduzir novos materiais. E também nos faz lembrar da doutrina da inspiração divina das Escrituras. Ver as notas a respeito em Levítico 1.1 e 4.1. Yahweh falava por meio de Moisés, mediador entre o Senhor e o povo de Israel. Há *oito* modos de comunicação (pessoas a quem as mensagens divinas eram dadas). Ver as notas a esse respeito em Levítico 17.2. Neste caso, a mensagem dada por Yahweh foi dirigida a Moisés e Arão.

Os versículos que se seguem elaboram mais o juízo divino que foi proferido contra Israel, por causa de sua incredulidade na fronteira da Terra Prometida.

AS PROVAÇÕES E MURMÚRIOS DE ISRAEL

Onze casos

1. No mar de Junco (Êx 14.11,12)
2. Em Mara (Êx 15.25)
3. No deserto de Zim (Êx 16.2)
4. Em Refidim (Êx 17.1)
5. Em Horebe (Êx 32.1-35)
6. Em Taberá (Nm 11.1)
7. No túmulo da luxúria (Nm 11.4)
8. Em Cades (Nm 14.1-45)
9. Na revolta de Coré (Nm 16.41 ss.)
10. Nas águas de Meribá (Nm 20.2 ss.)
11. No caminho do mar Vermelho (Nm 21.4 ss.)

MURMÚRIO

- Proibido: 1Co 10.10
- Contra Deus: Pv 19.3
- Contra Cristo: Lc 5.30
- Contra o clérigo: Êx 17.3
- Não é razoável: Lm 3.39
- Tenta a Deus: Êx 17.3
- É uma característica dos maus: Jd 16
- É punido: Nm 11.1; 14.27-29; Sl 106.25

O tolo, com todas as suas outras falhas, tem esse defeito também.

Ele está sempre se preparando para viver.
Epicurus

A felicidade e a infelicidade dos homens depende tanto de suas disposições como de suas fortunas.
François De La Rouchefoucauld

Aquele que dorme com cães acorda com pulgas.
James Sanford

A mente que fica ansiosa sobre o futuro fica miserável.
Sêneca

14.27

עַד־מָתַי לָעֵדָה הָרָעָה הַזֹּאת אֲשֶׁר הֵמָּה מַלִּינִים
עָלָי אֶת־תְּלֻנּוֹת בְּנֵי יִשְׂרָאֵל אֲשֶׁר הֵמָּה מַלִּינִים עָלַי
שָׁמָעְתִּי׃

Até quando sofrerei...? O Senhor estava cansado de tolerar as falhas e murmurações de Israel. Essas murmurações formam um tema constante no Pentateuco. Ver as notas expositivas sobre isso na introdução ao capítulo 11 de Números. As *oito* murmurações específicas de Israel são listadas em Números 14.22. Essas murmurações revelavam uma atitude de rebeldia e desobediência, que chegou a desgastar o próprio Yahweh. Toda murmuração contra Moisés e Arão, que eram os líderes do povo de Israel e representantes de Yahweh, era, *ipso facto,* murmuração contra o próprio Yahweh.

14.28

אֱמֹר אֲלֵהֶם חַי־אָנִי נְאֻם־יְהוָה אִם־לֹא כַּאֲשֶׁר דִּבַּרְתֶּם בְּאָזְנָי כֵּן אֶעֱשֶׂה לָכֶם׃

Por minha vida. O juízo divino era tão certo quanto o fato de que Yahweh vivia. Tal juízo estava garantido, porquanto Yahweh não pode deixar de existir. O próprio nome Yahweh significa "aquele que existe eternamente". Ver no *Dicionário* os verbetes *Yahweh* e *Deus, Nomes Bíblicos de*. Ver o vs. 21 deste capítulo, quanto a esse tipo de juramento divino, ou seja, pela própria existência de Deus.

14.29

בַּמִּדְבָּר הַזֶּה יִפְּלוּ פִגְרֵיכֶם וְכָל־פְּקֻדֵיכֶם לְכָל־מִסְפַּרְכֶם מִבֶּן עֶשְׂרִים שָׁנָה וָמָעְלָה אֲשֶׁר הֲלִינֹתֶם עָלָי׃

Todos os israelitas de 20 anos de idade para cima sucumbiriam no deserto. Eles disseram: "Oxalá tivéssemos morrido na terra do Egito, ou mesmo neste deserto" (vs. 2). E agora o seu pedido seria atendido. Aqueles abaixo de 20 anos (que foram considerados não-responsáveis pela rebeldia do povo de Israel, em Cades-Barneia) entrariam na Terra Prometida, juntamente com os dois homens mais velhos, Calebe e Josué, que haveriam de herdar a liderança, na ausência de Moisés. E o próprio Moisés não entraria na Terra Prometida, por motivo de desobediência (Nm 20.12). A vontade de Deus foi feita, mas a vontade humana pervertida cooperou plenamente. E isso nos permite concluir que a vontade divina incorpora e controla a vontade humana, mas sem destruí-la. Mas *como* isso opera, não sabemos dizê-lo.

Jarchi trouxe à tona a questão dos levitas. É possível que muitos deles tenham podido entrar na Terra Prometida, porquanto não eram enumerados entre as tribos de Israel. A respeito disso, não dispomos de informações. Mas as declarações bíblicas são tão absolutas que parece que até mesmo eles foram proibidos de entrar na Terra Prometida. Teriam os levitas participado da rebelião? Pelo que parece, sim. O trecho de Números 34.17 mostra-nos que Eleazar, um dos filhos de Arão, entrou na Terra Prometida. E pode ter havido muitos outros levitas que foram isentados da maldição divina imposta no deserto.

14.30

אִם־אַתֶּם תָּבֹאוּ אֶל־הָאָרֶץ אֲשֶׁר נָשָׂאתִי אֶת־יָדִי לְשַׁכֵּן אֶתְכֶם בָּהּ כִּי אִם־כָּלֵב בֶּן־יְפֻנֶּה וִיהוֹשֻׁעַ בִּן־נוּן׃

Salvo Calebe... e Josué. Esses dois foram isentados da maldição divina no deserto, porquanto haviam apresentado um relatório baseado na fé, ao passo que os outros dez espias apresentaram um relatório negativo, baseado na incredulidade. Ver o vs. 24 deste capítulo, onde há notas que mostram que, às vezes, somente Calebe era mencionado positivamente, ao passo que, de outras vezes, Josué também era mencionado.

Outro Juramento Divino. Cf. os vss. 12, 21 e 28 quanto aos juramentos divinos constantes neste capítulo, onde Yahweh estava declarando a sua vontade. Ver no *Dicionário* o artigo chamado *Juramentos*.

Jurei. No hebraico, literalmente, "ergui minha mão", um gesto de quem fazia um juramento. Ver Gênesis 14.22; Deuteronômio 32.40. O *juramento* aqui mencionado provavelmente refere-se ao juramento que Yahweh fez quando firmara pacto com Abraão e os outros patriarcas. O Pacto Abraâmico (ver as notas a respeito em Gn 15.18) incluía a promessa da posse da terra de Canaã. Os rebeldes em Israel, porém, tinham perdido seu direito de posse da terra. Cf. Gênesis 15.7,18; 17.8; 22.16-18; 26.3,4; 28.13; Êxodo 6.8.

Calebe foi mencionado em primeiro lugar; mas, no vs. 38, quem é mencionado em primeiro lugar é Josué. Provavelmente isso foi feito assim para que não se entendesse que haveria alguma superioridade de um sobre o outro.

14.31

וְטַפְּכֶם אֲשֶׁר אֲמַרְתֶּם לָבַז יִהְיֶה וְהֵבֵיאתִי אֹתָם וְיָדְעוּ אֶת־הָאָרֶץ אֲשֶׁר מְאַסְתֶּם בָּהּ׃

Mas os vossos filhos. Exatamente aqueles que seus pais pensaram que poderiam ser vitimados pelos gigantes que ocupavam o território (vs. 3), esses seriam os *conquistadores* da Terra Prometida. Temos aí uma fina *ironia*, como somente Yahweh seria capaz de criar. Assim, aqueles que deveriam ter sido os conquistadores acabaram morrendo no deserto; e aqueles que potencialmente poderiam ser vítimas foram os conquistadores. A pervertida vontade humana produz vicissitudes inesperadas, mas a vontade e o poder divino protegem aos que, mediante a fé, obedecem. Ver no *Dicionário* o verbete chamado *Obediência*. A grande possessão que foi *desprezada* foi transferida para a geração seguinte, um resultado do julgamento divino.

14.32

וּפִגְרֵיכֶם אַתֶּם יִפְּלוּ בַּמִּדְבָּר הַזֶּה׃

Este versículo repete aquilo que já pudemos ver no vs. 29. A reiteração enfatiza o contraste com os pequeninos em Israel, que eventualmente conquistariam a terra e não pereceriam. Ver o vs. 2 deste capítulo, quanto a como o desejo da geração presente foi finalmente cumprido.

14.33

וּבְנֵיכֶם יִהְיוּ רֹעִים בַּמִּדְבָּר אַרְבָּעִים שָׁנָה וְנָשְׂאוּ אֶת־זְנוּתֵיכֶם עַד־תֹּם פִּגְרֵיכֶם בַּמִּדְבָּר׃

Quarenta anos. Um tempo calculado a partir do êxodo do Egito, e não do retorno dos espias a Cades-Barneia. Ver no *Dicionário* os artigos *Quarenta* e *Número (Numeral, Numerologia)*, quanto ao significado simbólico desse número.

As vossas infidelidades. Uma metáfora sexual usada para indicar a *infidelidade em geral*. Israel se parecia com um bando de prostitutas em seu trato com Yahweh. Outrossim, os filhos estavam condenados a continuar repetindo os erros de seus pais. Há três coisas que um pai deve a seus filhos: exemplo, exemplo, exemplo. O mau exemplo dos pais produz efeitos daninhos sobre os filhos. Alguns eruditos pensam que está aqui em foco a ideia de que os filhos levaram o castigo merecido por seus pais, por terem sido condenados a uma longa perambulação pelo deserto, e não tanto que participaram dos pecados dos pais (com resultados necessários). Sem dúvida isso também faz parte do significado. Mas os registros do Antigo Testamento mostram-nos como *todos* eles continuaram com seus pecados, colhendo maus resultados. Causa e efeito sempre estarão em operação. Cf. Êxodo 34.16. Pais e filhos seriam punidos, pois Israel não havia usado de fé, n fronteira da Terra Prometida.

Vossos filhos serão pastores. Algumas traduções dizem aqui "vaguearão". Eles levariam uma vida de seminomadismo, uma existência fútil em comparação com a que poderiam ter levado. Em vez disso, expirariam no deserto.

OCORRÊNCIAS IMPORTANTES DO NÚMERO 40

1. As chuvas da grande inundação e o recuo das águas (Gn 7.4,12,17; 8.6).
2. Moisés tinha quarenta anos de idade quando iniciou a revolta no Egito (At 7.23).
3. Moisés perambulou quarenta anos pelo deserto (At 7.29,30).
4. Moisés permaneceu quarenta dias no monte para receber a lei (Êx 24.18).
5. Moisés orou quarenta dias em favor de Israel para reverter o julgamento divino aniquilador (Dt 9.25).
6. Israel andou quarenta anos pelo deserto por causa de desobediência (Nm 14.33; 32.12).

7. Davi e Salomão reinaram, cada um, quarenta anos (2Sm 5.4; 1Rs 11.42).
8. Jonas pregou quarenta dias, pedindo arrependimento de Nínive (Jn 3.4).
9. Elias jejuou quarenta dias enquanto era tentado (1Rs 19.8).
10. Jesus jejuou quarenta dias no deserto (Mt 4.2).
11. Alguns calculam que Jesus tenha ficado no sepulcro quarenta horas. Consulte o artigo intitulado *Quarenta Horas de Devoção*, na *Enciclopédia de Bíblia, Teologia e Filosofia*.
12. Após sua ressurreição, Jesus continuou na terra, visivelmente, por mais quarenta dias (At 1.3).
13. Talvez a tribulação dos últimos dias dure quarenta anos e os tradicionais *sete* farão parte disso.

QUARENTA

- O número de tentações e provações.
- O número de períodos importantes de realização.
- O número de uma geração.
- O tempo de desenvolvimento de importantes atos divinos.
- Nos sonhos e visões, todos os números são intercambiáveis: muitos podem significar dias, meses ou anos.
- O movimento dos braços de um relógio pode significar um ciclo.
- Unidades de cinco no relógio podem significar períodos de tempo de realização ou tempos de esforço especial.

Consulte o artigo *Número* (*Numeral, Numerologia*), no *Dicionário*.

14.34

בְּמִסְפַּר הַיָּמִים אֲשֶׁר־תַּרְתֶּם אֶת־הָאָרֶץ אַרְבָּעִים יוֹם יוֹם לַשָּׁנָה יוֹם לַשָּׁנָה תִּשְׂאוּ אֶת־עֲוֺנֹתֵיכֶם אַרְבָּעִים שָׁנָה וִידַעְתֶּם אֶת־תְּנוּאָתִי׃

Segundo o número dos dias. Assim foi feito o cálculo. Os doze espias tinham investigado a terra pelo espaço de quarenta dias, antes de regressarem à Terra Prometida. Estiveram averiguando a qualidade da terra e as fortalezas com que contavam os seus futuros inimigos potenciais, os quais sem dúvida ofereceriam resistência aos israelitas invasores. Cada novo dia era uma nova oportunidade de fazer uma avaliação. No fim daqueles quarenta dias, cada um dos espias já teria sua própria opinião formada. *Dez* dos espias encontraram razões para um relatório negativo. Mas isso fizeram contra a vontade de Yahweh, que havia dado aquele *território* a Abraão e seus descendentes (ver as notas a respeito, em Gn 15.18). Como castigo por seu relatório negativo, e porque o povo de modo geral dera apoio à avaliação pessimista, cada um daqueles quarenta dias tornou-se um ano de perambulação pelo deserto, totalizando quarenta anos. Isso garantia tempo suficiente para que a geração "antiga" perecesse no deserto. E então a geração mais nova se encarregaria da invasão da Terra Prometida.

Ano e meio passara-se desde o êxodo, e esse tempo estaria incluído no total dos quarenta anos. O trecho de Números 26.64,65 indica o total de pessoas que morreram da antiga geração. O trecho de Números 33.38 mostra-nos que os quarenta anos foram calculados a partir do êxodo, e não a partir da volta dos espias.

14.35

אֲנִי יְהוָה דִּבַּרְתִּי אִם־לֹא זֹאת אֶעֱשֶׂה לְכָל־הָעֵדָה הָרָעָה הַזֹּאת הַנּוֹעָדִים עָלָי בַּמִּדְבָּר הַזֶּה יִתַּמּוּ וְשָׁם יָמֻתוּ׃

Este versículo afirma especificamente que a rebeldia contra Moisés e Arão foi uma rebeldia, *ipso facto,* contra Yahweh. Cf. o vs. 27. A recusa de entrada na Terra Prometida indicou a falta de fé no Pacto Abraâmico, e isso fez com que os incrédulos perdessem direito à Terra Prometia.

Neste deserto se consumirão. Ou mediante as dificuldades no deserto, ou através de doenças destruidoras, ou por ataques por parte de animais ferozes, ou mesmo devido à idade avançada. O deserto haveria de *devorar* os rebeldes. O termo hebraico aqui traduzido por "consumirão" (*tamam*) fala do "término" de uma coisa qualquer. Assim sendo, a geração presente de Israel seria *obliterada* no deserto.

A *Mishnah Sanhedrin* (cap. 11, sec. 3) apresenta-nos a doutrina judaica tipicamente posterior sobre a questão. Aqueles rebeldes também não teriam parte no "mundo por vir", embora essa doutrina não existisse ainda nos dias de Moisés. Coisa alguma se lê, no Pentateuco, acerca da salvação eterna ou da condenação eterna além-túmulo. Essa doutrina teve início nos tempos dos Salmos e dos Profetas, e mesmo assim em forma bem primitiva e sem elaboração. Somente o Novo Testamento abriu nossa mente para tais questões.

14.36

וְהָאֲנָשִׁים אֲשֶׁר־שָׁלַח מֹשֶׁה לָתוּר אֶת־הָאָרֶץ וַיָּשֻׁבוּ וַיַּלִּינוּ עָלָיו אֶת־כָּל־הָעֵדָה לְהוֹצִיא דִבָּה עַל־הָאָרֶץ׃

Os dez espias negativos foram a causa de todo o Israel murmurar e perder a sua herança. O pecado de murmuração é muito sério. As murmurações de Israel formam um tema frequente no Pentateuco. Ver a introdução ao capítulo 11 de Números; e, quanto às *oito murmurações,* ver as notas sobre Números 14.22.

Infamando a terra. Isso os dez espias fizeram apresentando um relatório que contradizia a promessa divina a Abraão. A palavra hebraica aqui usada, *dibba,* significa "má notícia", "difamação", "calúnia", e alude a rumores falsos e maliciosos, sem nenhuma base nos fatos. Ver Êxodo 36.3. Em Gênesis 37.2 é palavra usada para indicar um *mau caráter,* e onde as palavras referem-se a um fato real.

14.37

וַיָּמֻתוּ הָאֲנָשִׁים מוֹצִאֵי דִבַּת־הָאָרֶץ רָעָה בַּמַּגֵּפָה לִפְנֵי יְהוָה׃

Morreram de praga. Esta última palavra é tradução do termo hebraico *maggephah,* "golpe", que aponta para qualquer acontecimento destrutivo. Yahweh havia aplicado os seus golpes castigadores. Os *dez espias* que trouxeram o relatório pessimista sofreriam de alguma praga repentina que os eliminaria no deserto. Esse termo pode dar a entender as circunstâncias negativas em *geral* que contribuiriam para que nenhum daqueles rebeldes sobrevivesse, durante aqueles quarenta anos. Uma *praga* é qualquer visitação divina, e não forçosamente uma doença que atacasse em alguma ocasião específica. Para eles, os quarenta anos no deserto seriam como uma praga. Os intérpretes judeus dão uma longa lista de diferentes pragas que foram reduzindo continuamente o número dos israelitas. Mas há estudiosos que preferem pensar em alguma *praga específica* que teria aniquilado, *de um golpe só,* todos os dez espias, deixando claro que a ira do Senhor é que os tinha atingido. E o que se aplicou aos dez também se aplicou a todos quantos haviam falhado na fé, quando Israel estava prestes a invadir a Terra Prometida. Os dois espias fiéis, Calebe e Josué, entretanto, escaparam de qualquer tipo de praga, o que servia de sinal de que esses dois haviam dado o parecer certo.

14.38

וִיהוֹשֻׁעַ בִּן־נוּן וְכָלֵב בֶּן־יְפֻנֶּה חָיוּ מִן־הָאֲנָשִׁים הָהֵם הַהֹלְכִים לָתוּר אֶת־הָאָרֶץ׃

Josué... e Calebe. Esses dois, cujo relatório fora positivo, escapariam da *praga* que cairia sobre os dez espias infiéis, bem como sobre qualquer outro israelita incrédulo. Os dois haveriam de entrar em segurança na Terra Prometida. E seriam líderes de grande importância, depois da morte de Moisés, o qual também não obteve permissão divina de entrar na Terra Prometida (ver Nm 20.12). Calebe pertencia à tribo de Judá; e Josué, à tribo de Efraim, conforme somos informados em Números 13.6,8. Os outros dez espias pertenciam às outras dez tribos. Os dois bons espias entraram na Terra Prometida e tomaram conta dela, ficando assim demonstrado que estavam com a razão o tempo todo: os israelitas podiam vencer os cananeus que habitavam aquele território. A fidelidade dos dois garantiu o cumprimento das provisões do Pacto Abraâmico, algo extremamente importante para a história e o destino do povo de Israel. Por conseguinte, eles eram homens do *destino*.

■ 14.39

וַיְדַבֵּר מֹשֶׁה אֶת־הַדְּבָרִים הָאֵלֶּה אֶל־כָּל־בְּנֵי יִשְׂרָאֵל וַיִּתְאַבְּלוּ הָעָם מְאֹד:

Falou Moisés. Na qualidade de mediador entre Yahweh e Israel, ele proferiu sua mensagem condenatória ao povo; e houve tremenda lamentação entre os filhos de Israel. Estes já estavam acostumados a ver cumprir-se as predições de Moisés, e não alimentavam nenhuma dúvida de que suas predições sobre uma praga teriam cabal cumprimento. Eles tinham jogado sujo, e haviam perdido. Moisés permaneceu firme na liderança; e os rebeldes, que queriam nomear um novo líder e voltar para o Egito (ver Nm 14.4), sofreriam devido à ira divina, por causa de sua rebeldia e insensatez. Todos os homens, de 20 anos de idade para cima, foram condenados a vaguear pelo deserto (ver Nm 14.29). A misericórdia e o poder divino bafejariam seus filhos, fazendo-os *entrar* na Terra Prometida. Os judeus da geração mais antiga quiseram então entrar em ação devido a um novo temor a Deus, e resolveram iniciar imediatamente a invasão (ver o vs. 40), mas era tarde demais. Seus esforços terminaram em deserto. Algumas vezes as boas decisões são tomadas tarde demais para poderem ser bem-sucedidas. A vontade de Deus tem um cronograma, e a nós cabe acompanhar esse cronograma. É mister uma vida de fé e de espiritualidade para que os homens possam acompanhar esse cronograma.

■ 14.40

וַיַּשְׁכִּמוּ בַבֹּקֶר וַיַּעֲלוּ אֶל־רֹאשׁ־הָהָר לֵאמֹר הִנֶּנּוּ וְעָלִינוּ אֶל־הַמָּקוֹם אֲשֶׁר־אָמַר יְהוָה כִּי חָטָאנוּ:

Cume do monte. Parece que eles seguiram pelo mesmo caminho por onde os espias tinham seguido, ligeiramente ao sul do território que posteriormente se tornou a herança da tribo de Judá (ver Nm 13.17). Os vss. 44 e 45 dão a entender que eles não subiram até o topo do monte, embora estivesse envolvida a mesma área em geral.

Eis-nos aqui. Os filhos de Israel tinham contado com a presença e o apoio de Yahweh, mas, por causa de sua rebeldia, haviam perdido tal privilégio. E agora, contra as orientações de Yahweh (que ordenara que se internassem de novo no deserto, vs. 25), eles decidiram, embora tarde demais, que invadiriam a terra. Moisés exortou-os para que se esquecessem de tal empreitada. Porém, uma vez mais, ignoraram a ordem dada por Moisés. Era um povo que saía de um buraco somente para cair em outro, devido ao seu espírito de desobediência. Ver no *Dicionário* o artigo intitulado *Obediência*.

"Os filhos de Israel arredaram para um lado a sentença de Yahweh e tentaram entrar em Canaã. Moisés tentou dissuadi-los, e ficou para trás, ao lado da arca. Os amalequitas e cananeus derrotaram os israelitas. Essa narrativa é repetida em Deuteronômio 1.41-45, e uma tradição paralela talvez tenha sido preservada em Êxodo 17.8-16" (John Marsh, *in loc*.).

Porquanto havemos pecado. Reconheceram, posto que tarde demais, que tinham errado por se haverem rebelado. E tentaram, desesperadamente, reverter o curso dos acontecimentos que eles mesmos tinham posto em andamento. Mas novamente falharam. Ver no *Dicionário* o verbete *Pecado*.

■ 14.41

וַיֹּאמֶר מֹשֶׁה לָמָּה זֶּה אַתֶּם עֹבְרִים אֶת־פִּי יְהוָה וְהִוא לֹא תִצְלָח:

Por que transgredis...? *Yahweh* havia dado diretrizes claras (ver o vs. 25). Visto que Israel se rebelara às vésperas de entrar na Terra Prometida, tiveram de retornar ao deserto para começar suas perambulações de quarenta anos. Essa circunstância era lamentável, mas fora forçada pelo próprio povo de Israel, devido à sua incredulidade e pecado. Eles tinham estabelecido um curso adverso *para si mesmos*, e Yahweh não permitiria que eles revertessem esse curso. Assim sendo, Moisés fez forte advertência contra essa atitude. A advertência previa *mais* desastres ainda para os israelitas incrédulos.

Isso não prosperará. Temos aqui uma grande lição moral. Ao cumprirmos a vontade de Deus, temos de acompanhar o cronograma divino e obedecer às suas ordens, e isso ao longo do caminho. A desobediência pode anular uma futura boa decisão. Algumas vezes, a graça divina manifesta-se, revertendo um caminho errado; e isso anula uma má colheita moral e espiritual. Com frequência, todavia, temos de colher aquilo que tivermos semeado (ver Gl 6.7,8), mesmo que, *mais tarde*, cheguemos a agir corretamente. Ver no *Dicionário* o verbete chamado *Lei Moral da Colheita segundo a Semeadura*. O universo é controlado pelas leis de causa e efeito, e a mesma coisa sucede dentro da esfera espiritual.

John Gill (*in loc*.) duvidava da sinceridade desse arrependimento, e lançava sobre eles a culpa pela derrota que sofreram. Pelo contrário, era simplesmente tarde demais para reverter o curso pelo qual eles tinham enveredado. Os filhos de Israel haviam abusado de seu *livre-arbítrio*. Ver sobre esse termo no *Dicionário*.

■ 14.42

אַל־תַּעֲלוּ כִּי אֵין יְהוָה בְּקִרְבְּכֶם וְלֹא תִּנָּגְפוּ לִפְנֵי אֹיְבֵיכֶם:

Não subais. Moisés falou com toda a clareza. A presença de Yahweh não subiria junto com eles. Sem a presença do Senhor, os gigantes da terra logo esmagariam os invasores. A arca da aliança, que os israelitas levaram na companhia deles, para a batalha, e a nuvem que pairava por sobre o tabernáculo permaneceriam exatamente onde estava a congregação de Israel. O povo *afastara-se* daqueles sinais da presença divina e tinha perdido a proteção e a ajuda do Senhor. Ver o vs. 44. O versículo 25 mostra-nos quais ordens tinham sido baixadas por Yahweh. Mas os israelitas, uma vez mais, desobedeceram ao Senhor.

■ 14.43

כִּי הָעֲמָלֵקִי וְהַכְּנַעֲנִי שָׁם לִפְנֵיכֶם וּנְפַלְתֶּם בֶּחָרֶב כִּי־עַל־כֵּן שַׁבְתֶּם מֵאַחֲרֵי יְהוָה וְלֹא־יִהְיֶה יְהוָה עִמָּכֶם:

Os amalequitas e os cananeus. Esses povos formavam as duas tribos principais da área em questão, embora a passagem de Deuteronômio 1.44 ponha os *amorreus* no lugar deles. Israel teria de enfrentar pelo menos *sete* tribos distintas ou pequenas nações. Ver Êxodo 33.2. Ver o vs. 25 quanto aos mesmos nomes, que aparecem no presente versículo. Ver no *Dicionário* os artigos *Amalequitas* e *Canaã, Cananeus*. Aquelas tribos selvagens provavelmente tinham ouvido falar da aproximação do povo de Israel, e se tinham preparado plenamente para o ataque.

Causa e Efeito. Temos aí o princípio da colheita segundo a semeadura. Israel tinha-se "desviado" de Yahweh. Ademais, Israel criara uma situação perigosamente desnecessária. Eles haviam sido instruídos a não lançar nenhum ataque (ver o vs. 25). Porém, em seu zelo equivocado e tardio, eles insistiram na invasão. E atacaram tarde demais, com forças pequenas demais.

Há quatro coisas que não voltam:
A palavra dita; a flecha atirada;
O tempo passado; a oportunidade perdida.

Omar Ibn

■ 14.44,45

וַיַּעְפִּלוּ לַעֲלוֹת אֶל־רֹאשׁ הָהָר וַאֲרוֹן בְּרִית־יְהוָה וּמֹשֶׁה לֹא־מָשׁוּ מִקֶּרֶב הַמַּחֲנֶה:
וַיֵּרֶד הָעֲמָלֵקִי וְהַכְּנַעֲנִי הַיֹּשֵׁב בָּהָר הַהוּא וַיַּכּוּם וַיַּכְּתוּם עַד־הַחָרְמָה: פ

Temerariamente, tentaram subir. Os israelitas insistiram em atacar. Mas foram sem o Senhor. Moisés também não foi com eles. A arca da aliança (ver no *Dicionário*) permaneceu no Santo dos Santos. Podemos ter certeza de que Josué, o militar mais habilitado que havia em Israel, também não foi. Calebe, sabe-se, ficou no arraial. E a nuvem de Deus ficou pairando por sobre o tabernáculo. Verdadeiramente, os israelitas subiram *sozinhos*. Daí só poderia resultar o desastre. Eles subiram de maneira "ousada, audaz e presunçosa" (John Gill, *in loc.*).

Parece que Israel tentou subir o monte e tomar os lugares elevados, que eram estratégicos em uma batalha, mas seus inimigos os interceptaram e desbarataram, antes de poderem atingir o cume (ver o vs. 45). As forças que "desceram" eram mais poderosas que as forças que "subiram". Moisés, uma vez mais, estava com a razão.

Derrotando-os até Hormá. Esse local significa "devoção", no hebraico. Esse nome poderia significar "devotado à destruição" ou, então, a alusão poderia ser a um antiquíssimo culto religioso. Há um detalhado artigo sobre esse local, juntamente com todas as referências bíblicas, no *Dicionário*. Parece que ficava a cerca de 5 km a leste de Berseba, embora sua localização exata ainda não tenha sido determinada. Aquele artigo mostra que há a respeito algumas informações contraditórias. Cf. Deuteronômio 1.41-46 quanto a essa contundente derrota de Israel. Seus inimigos tanto os derrotaram, matando a muitos, quanto os perseguiram, provavelmente deixando bem poucos sobreviventes. Os céticos dizem que *essa* foi a verdadeira razão pela qual a invasão, naquela ocasião, fracassou. Israel encontrou um inimigo que não podia ser desalojado e sofreu derrotas iniciais contundentes, fazendo os israelitas voltar a internar-se no deserto. Em outras palavras, teria sido isso o que aconteceu, embora a Bíblia nos diga *por que* aconteceu.

"A amargura por causa dessa e de outras batalhas foi a base do antigo voto feito contra os amalequitas (ver Êx 17.8-16)" (*Oxford Annotated Bible*, sobre o vs. 45).

De todas as palavras tristes, ditas ou escritas,
As mais tristes são: Poderia ter sido.
John Greenleaf Whittier

CAPÍTULO QUINZE

A PERMANÊNCIA NO DESERTO (15.1—21.35)

REPETIÇÃO DE DIVERSAS LEIS (15.1-41)

Israel falhara prestes a entrar na Terra Prometida, devido à incredulidade. Por isso, Yahweh enviara-os de volta ao deserto (ver Nm 14.25), para darem início a um período de quarenta anos de vagueações (14.34). "O deserto fez parte da disciplina necessária do povo remido, mas não os anos de *perambulações*. Estas foram causadas exclusivamente pela incredulidade dos israelitas em Cades-Barneia" (*Scofield Annotated Bible, in loc.*).

Tipologia. Os intérpretes cristãos têm distinguido vários tipos na história de Israel relativa àquela época, a saber:

1. *mar Vermelho*. A cruz de Cristo, que nos separa do mundo (Gl 6.14).
2. *Mará*. O poder de Deus para refrigerar os peregrinos ao longo do caminho.
3. *Elim*. O poder que Deus tem de dar descanso dos labores do caminho.
4. *Sinai*. A santidade de Deus revelada na lei, que nos ensina sobre a maldade inerente do homem, que precisa ser erradicada pelo evangelho (Rm 7.7-24).
5. *Cades-Barneia*. Os incrédulos precisam arcar com os maus resultados de seus pecados e desvios (1Co 10.1-11; Gl 6.7,8; Hb 3.17-19).
6. *O descanso em Canaã, finalmente conquistada*. Há um descanso ou salvação final (Hb 3—4).

Leis Miscelâneas. "Visto que a geração adulta havia sido sentenciada à morte no deserto, tornou-se mister que a geração mais jovem entendesse os requisitos de seu relacionamento de pacto. Coisa alguma era mais central a isso do que a apresentação das *oferendas*, porquanto representavam os tributos que aquele povo vassalo deveria trazer a seu Soberano, como sinal de sua lealdade ao pacto (ver Êx 23.14-19; Lv 1—7; Dt 12.1-3)" (Eugene H. Merrill, *in loc.*). Ver o gráfico imediatamente antes das notas sobre Levítico 1.1 quanto a um sumário dos muitos tipos de sacrifícios e seu modo de proceder e de seu significado.

As Três Fontes Informativas. Há três fontes de informação sobre os sacrifícios e ofertas: 1. O livro de Levítico. 2. Algumas adições no livro de Números, como a que temos à nossa frente. 3. Informações suplementares no livro de Ezequiel. Os críticos supõem que essas fontes reflitam o fato de que o Pentateuco teve várias fontes informativas, e não somente que algum autor adicionou, de quando em vez, coisas novas, ou reescreveu coisas antigas. Ver no *Dicionário* o artigo chamado *J.E.D.P.(S.)* quanto à teoria das fontes múltiplas do Pentateuco. Cf. especificamente Levítico 2.1-16 quanto à oferta de manjares em questão. Esta passagem fixa *quantidades* a serem usadas naquelas ofertas.

■ **15.1**

וַיְדַבֵּר יְהוָה אֶל־מֹשֶׁה לֵּאמֹר׃

Disse o Senhor. Essa é uma expressão de uso frequente no Pentateuco, a fim de introduzir novas seções ou novos materiais. Neste caso, fornece-nos alguma informação adicional sobre leis que já haviam sido dadas. Essa expressão também nos faz lembrar da divina inspiração das Escrituras. Ver também as notas em Levítico 1.1 e 4.1.

■ **15.2**

דַּבֵּר אֶל־בְּנֵי יִשְׂרָאֵל וְאָמַרְתָּ אֲלֵהֶם כִּי תָבֹאוּ אֶל־אֶרֶץ מוֹשְׁבֹתֵיכֶם אֲשֶׁר אֲנִי נֹתֵן לָכֶם׃

Fala aos filhos de Israel. Moisés era o mediador entre Yahweh e o povo de Israel. A ele eram dadas as mensagens divinas; e então ele as transmitia a Arão, a Arão e seus filhos, ou ao povo de Israel etc. Há *oito* fórmulas de comunicação no que tange à transmissão das mensagens divinas. Ver as notas sobre isso em Levítico 17.2. No caso presente, a mensagem foi endereçada a Israel como um todo; mas ao sacerdócio cabia executar o que fora determinado.

■ **15.3**

וַעֲשִׂיתֶם אִשֶּׁה לַיהוָה עֹלָה אוֹ־זֶבַח לְפַלֵּא־נֶדֶר אוֹ בִנְדָבָה אוֹ בְּמֹעֲדֵיכֶם לַעֲשׂוֹת רֵיחַ נִיחֹחַ לַיהוָה מִן־הַבָּקָר אוֹ מִן־הַצֹּאן׃

Quanto aos muitos sacrifícios e oferendas possíveis a Yahweh, ver o gráfico imediatamente anterior à exposição sobre Levítico 1.1. Ver o gráfico suplementar que aparece a seguir.

Oferta queimada, holocausto. Ver Levítico 6.9-13, bem como notas adicionais em Levítico 1.3-17.

Sacrifício... oferta voluntária. Não eram oferendas obrigatórias, mas eram entregues com frequência pelos piedosos. Eram ofertas pacíficas, também chamadas ofertas de comunhão. Acompanhavam votos ou promessas específicas, na esperança da obtenção de resultados positivos; ou então eram atos de devoção, que nada esperavam obter de volta. Ver Levítico 7.11,12,16 quanto a notas expositivas a respeito.

Aroma agradável. Ver a esse respeito em Levítico 1.9 e Êxodo 29.18 quanto a completas explicações.

Sacrifício de gado e ovelhas. Quanto aos *cinco* tipos de animais que podiam ser sacrificados, ver as notas em Levítico 1.14-16, onde há completas descrições.

OFERTAS SUPLEMENTARES DE CEREAIS E DE LIBAÇÃO

Holocaustos e Ofertas Voluntárias	Ofertas Voluntárias
Todas as ofertas	2 l de farinha, misturados com 1 l de azeite
Cordeiro	1 l de vinho
Carneiro	4 l de farinha misturados com 1-1/4 l de vinho
Novilho	6 l de farinha misturados com 2 l de vinho

Obs: Um *efa* tinha cerca de 19 litros; e um *him* tinha cerca de 3 litros.
Os pontos essenciais deste gráfico foram extraídos de Eugene H. Merrill, *in loc.*

■ 15.4

וְהִקְרִ֜יב הַמַּקְרִ֤יב קָרְבָּנוֹ֙ לַֽיהוָ֔ה מִנְחָה֙ סֹ֣לֶת עִשָּׂר֔וֹן בָּל֕וּל בִּרְבִעִ֥ית הַהִ֖ין שָֽׁמֶן:

Oferta de manjares. Elas também são chamadas na Bíblia de ofertas pacíficas e ofertas de comunhão. Ver sobre elas em Levítico 6.14-18, com notas suplementares em Levítico 2.1-16 e Levítico 3. O gráfico acima dá as quantidades aproximadas dos ingredientes a serem usados para os vários tipos de oferendas. Cf. Êxodo 29.38-40. As ofertas de cereais, também chamadas de manjares, acompanhavam essas três grandes festas (ver Lv 1-3; 23.13,18,37).

■ 15.5

וְיַ֤יִן לַנֶּ֙סֶךְ֙ רְבִיעִ֣ית הַהִ֔ין תַּעֲשֶׂ֥ה עַל־הָעֹלָ֖ה א֣וֹ לַזָּ֑בַח לַכֶּ֖בֶשׂ הָאֶחָֽד:

Vinho para libação. Ver no *Dicionário* o verbete *Libação*. Ver as notas sobre Êxodo 29.40 quanto a outros detalhes. No caso de um cordeiro, era oferecido ligeiramente menos que um litro de vinho. Ver o gráfico nas notas sobre o terceiro versículo deste capítulo. O vinho pode simbolizar o bom ânimo. O vinho era derramado sobre o topo do altar e escorria até os lados de sua base. Talvez, simbolicamente, isso indique o derramamento do sangue de Cristo. Derivava-se do produto do campo, e talvez tivesse o mesmo simbolismo que as ofertas de cereal. Falava em provisão, em frutificação da terra, nas bênçãos de Yahweh.

■ 15.6

א֤וֹ לָאַ֙יִל֙ תַּעֲשֶׂ֣ה מִנְחָ֔ה סֹ֖לֶת שְׁנֵ֣י עֶשְׂרֹנִ֑ים בְּלוּלָ֥ה בַשֶּׁ֖מֶן שְׁלִשִׁ֥ית הַהִֽין:

Certa oferenda de libação acompanhava o carneiro sacrificado. Quatro litros de farinha eram misturados com cerca de um litro de azeite. Ver o gráfico sobre o vs. 3, bem como o artigo chamado *Azeite*, no *Dicionário*. Ver Levítico 6.14-18 quanto às ofertas de cereal e quanto ao gráfico, antes das notas sobre Levítico 1.1, que ilustra todas as ofertas levíticas, seu material e seu significado.

■ 15.7

וְיַ֥יִן לַנֶּ֖סֶךְ שְׁלִשִׁ֣ית הַהִ֑ין תַּקְרִ֥יב רֵֽיחַ־נִיחֹ֖חַ לַיהוָֽה:

O oferecimento do carneiro era acompanhado por uma *libação* (ver a esse respeito no *Dicionário*), juntamente com um litro de vinho. Quanto às palavras *aroma agradável*, ver as notas sobre Levítico 1.9 e Êxodo 29.18, quanto a explicações completas.

■ 15.8

וְכִֽי־תַעֲשֶׂ֥ה בֶן־בָּקָ֖ר עֹלָ֣ה אוֹ־זָ֑בַח לְפַלֵּא־נֶ֥דֶר אֽוֹ־שְׁלָמִ֖ים לַיהוָֽה:

O oferecimento do novilho era acompanhado por uma oferta pacífica ou oferta de cereais; e isso sem importar se fosse um holocausto (ver Lv 6.9-13) ou uma oferta voluntária que envolvesse um voto (ver Lv 7.11,12,16). Normalmente, um homem fazia um voto a fim de obter algo da parte de Yahweh, confirmando sua boa intenção por meio de uma oferenda. Uma porção maior de material era entregue nesse tipo de oferenda, conforme se vê no gráfico nas notas sobre o terceiro versículo deste capítulo. Cf. Números 6.2, um tipo de voto acompanhado por oferendas.

■ 15.9

וְהִקְרִ֤יב עַל־בֶּן־הַבָּקָר֙ מִנְחָ֔ה סֹ֖לֶת שְׁלֹשָׁ֣ה עֶשְׂרֹנִ֑ים בָּל֥וּל בַּשֶּׁ֖מֶן חֲצִ֥י הַהִֽין:

Com o novilho. Nessa oferenda era entregue uma porção de cereais e uma porção maior de materiais, a saber, seis litros de farinha de trigo, dois litros de azeite e dois litros de vinho. Mas não somos informados sobre por que essa oferenda tinha maior acompanhamento.

■ 15.10

וְיַ֛יִן תַּקְרִ֥יב לַנֶּ֖סֶךְ חֲצִ֣י הַהִ֑ין אִשֵּׁ֥ה רֵֽיחַ־נִיחֹ֖חַ לַיהוָֽה:

E de vinho para a libação. Ver no *Dicionário* o verbete intitulado *Libação*. Nesse caso, a quantidade era meio *him*, ou seja, cerca de dois litros de vinho a mais do que era usado no caso de outras libações, com outros animais. Também não somos informados por que essa oferenda era acompanhada por um maior volume de líquidos.

■ 15.11

כָּ֣כָה יֵעָשֶׂ֗ה לַשּׁוֹר֙ הָאֶחָ֔ד א֖וֹ לָאַ֣יִל הָאֶחָ֑ד אוֹ־לַשֶּׂ֥ה בַכְּבָשִׂ֖ים א֥וֹ בָעִזִּֽים:

Este versículo sumaria as ordens acerca das oferendas que envolviam os *três* animais, cuja descrição começa pelo versículo 5 deste capítulo. Todas essas coisas *precisavam ser feitas* sob orientação de Yahweh. Certa sequência precisava ser seguida, um certo ritual.

"Esses holocaustos e ofertas voluntárias não eram ofertas pelo pecado ou ofertas pela culpa, visto que sua forma e conteúdo eram invariáveis (ver Lv 4.1—6.7). Antes, eram ofertas votivas, de comunhão, de agradecimentos ou de louvor (ver Lv 1—3)" (Eugene H. Merrill, *in loc.*).

■ 15.12

כַּמִּסְפָּ֖ר אֲשֶׁ֣ר תַּעֲשׂ֑וּ כָּ֛כָה תַּעֲשׂ֥וּ לָאֶחָ֖ד כְּמִסְפָּרָֽם:

Segundo o número. "Isto é, em proporção ao número de cabeças de gado, sem importar qual espécie exata, assim seria a quantidade da carne e das libações" (John Gill, *in loc.*). Yahweh ditara as proporções de todas as ofertas, de toda a farinha de trigo, de azeite e de vinho, tudo o que diferia dependendo do tipo de animal que tivesse de ser sacrificado.

■ 15.13

כָּל־הָאֶזְרָ֥ח יַעֲשֶׂה־כָּ֖כָה אֶת־אֵ֑לֶּה לְהַקְרִ֛יב אִשֵּׁ֥ה רֵֽיחַ־נִיחֹ֖חַ לַיהוָֽה:

Todos os naturais. Ou seja, todos quantos nascessem na Terra Prometida estavam na obrigação de seguir as mesmas regras. O segundo versículo deste capítulo antecipa a entrada de Israel na terra de Canaã. Uma vez ali, eles ofereceriam as oferendas descritas nos vss. 5-12; e todos os hebreus e estrangeiros que se tivessem tornado prosélitos do judaísmo tinham de acompanhar essas mesmas regras. Todavia, os gentios não-convertidos não estavam incluídos; pois, se poderiam trazer holocaustos e ofertas pacíficas, não podiam oferecer ofertas de cereais e libações. Ver as notas sobre Levítico 22.18. Somente gentios que se tivessem tornado prosélitos podiam fazer tal coisa. As palavras *todos os naturais* só podem referir-se a israelitas natos, mas o versículo seguinte acrescenta a eles os prosélitos.

■ 15.14

וְכִֽי־יָגוּר֩ אִתְּכֶ֨ם גֵּ֜ר א֤וֹ אֲשֶֽׁר־בְּתֽוֹכְכֶם֙ לְדֹרֹ֣תֵיכֶ֔ם וְעָשָׂ֛ה אִשֵּׁ֥ה רֵֽיחַ־נִיחֹ֖חַ לַיהוָ֑ה כַּאֲשֶׁ֥ר תַּעֲשׂ֖וּ כֵּ֥ן יַעֲשֶֽׂה:

Este versículo reitera o que já havia sido dito no versículo anterior. Todos os nascidos em Israel seguiriam as mesmas regras, mas somente verdadeiros prosélitos teriam permissão de acompanhar os hebreus nos seus ritos religiosos. Todas as suas oferendas, bem como aquelas feitas pelos hebreus, seriam aceitas por Yahweh, como oferendas de *aroma agradável* (ver as notas a respeito em Levítico 1.9 e Êx 29.18). Estão aqui em foco os *prosélitos da retidão*, e não os *prosélitos do portão*, os quais ainda eram iniciantes na busca religiosa. Os prosélitos da retidão eram os não-hebreus que já se tinham convertido plenamente, que tinham aceito todas as obrigações e responsabilidades de seu novo estado.

■ 15.15

הַקָּהָ֕ל חֻקָּ֥ה אַחַ֛ת לָכֶ֖ם וְלַגֵּ֣ר הַגָּ֑ר חֻקַּ֤ת עוֹלָם֙ לְדֹרֹ֣תֵיכֶ֔ם כָּכֶ֛ם כַּגֵּ֥ר יִהְיֶ֖ה לִפְנֵ֥י יְהוָֽה:

Este versículo reitera o que já havia sido dito. Havia apenas *uma ordenança*. E isso teria aplicação perpétua, ou seja, *nas vossas gerações*. Ver sobre essa expressão em Êxodo 29.42 e 31.16, onde ofereci informações detalhadas a esse respeito. Os hebreus não antecipavam um tempo em que seu sistema religioso e seus ritos seriam substituídos. Inevitavelmente, porém, o antigo é substituído pelo novo, porquanto ninguém pode fazer Deus estagnar. A tendência de todos os sistemas é suporem a si mesmos como eternos; mas isso é apenas uma ilusão criada pela mente humana. Nenhum sistema pode incorporar toda a verdade de Deus. Toda verdade revelada é parcial, pelo que sempre serão necessários novos sistemas. Todos os fins são *instrumentais*. Em outras palavras, servem de começo para novos princípios; não são fins absolutos. A epístola aos Hebreus é aquele livro do Novo Testamento que descreve elaboradamente como o Antigo Testamento foi substituído pelo Novo Testamento. Dentro da vontade e do tempo de Deus, haverá ainda uma *nova era*, pois o processo histórico acompanha maiores revelações da verdade. Mas, então, o que poderá vir a acontecer, quem é capaz de dizer? Talvez a segunda vinda de Cristo venha a inaugurar uma *nova era*.

Perante o Senhor. O sistema sacrifical levítico conduzia homens a Cristo, visto que tudo se afunilava na direção do Santo dos Santos, onde Deus manifestava a sua presença. Além disso, em um sentido geral, espiritualmente falando, a finalidade daquele sistema era oferecer *acesso* a Deus. Ver no *Dicionário* o artigo chamado *Acesso*. O Novo Testamento trouxe maior acesso que o Antigo Testamento (ver Hb 9.15 ss.).

Mais perto quero estar,
Meu Deus, de ti,
Inda que seja a dor
Que me una a ti!

Sarah F. Adams

15.16

תּוֹרָה אַחַת וּמִשְׁפָּט אֶחָד יִהְיֶה לָכֶם וְלַגֵּר הַגָּר אִתְּכֶם: פ

A mesma lei. Este versículo, mediante repetição, sumaria o que já tinha sido dito nos vss. 13-15 deste capítulo. Um Deus, uma lei, um povo; unidade na adoração; igualdade no culto.

Tipologia. Em Cristo, todos os remidos são um só. Ver Gálatas 3.28,29. Ademais, por meio dos mistérios da vontade de Deus, todos os homens finalmente serão um só em Cristo (ver Ef 1.9,10).

OFERTAS DA FARINHA GROSSA (15.17-21)

15.17

וַיְדַבֵּר יְהוָה אֶל־מֹשֶׁה לֵּאמֹר:

Disse mais o Senhor. Essa é mui repetida expressão do Pentateuco, utilizada para introduzir novos materiais ou seções. E também serve ao propósito de lembrar-nos da doutrina da divina inspiração das Escrituras. Ver as notas a respeito em Levítico 1.1 e 4.1.

"O capítulo 18 [de Números] aborda a questão das *primícias*, a qual é antecipada nesta seção. Moisés foi orientado a ordenar que o povo oferecesse suas ofertas de farinha grossa a Yahweh. Há bastante incerteza quanto a essa regra, pois o sentido das palavras é um tanto obscuro. Ao referir-se a *um bolo* (vs. 20), o escritor sagrado parece ter-se referido a um produto doméstico, e não a algum produto agrícola anualmente colhido. Atualmente, a palavra hebraica *'arisah* é usualmente associada à palavra hebraica posterior *'arsan*, que apontava para uma *pasta de cevada...* Parece-nos que cada nova massa de cevada precisava contribuir com 'algo para Yahweh'" (John Marsh, *in loc.*). Ver no *Dicionário* o artigo chamado *Primícias*.

15.18

דַּבֵּר אֶל־בְּנֵי יִשְׂרָאֵל וְאָמַרְתָּ אֲלֵהֶם בְּבֹאֲכֶם אֶל־הָאָרֶץ אֲשֶׁר אֲנִי מֵבִיא אֶתְכֶם שָׁמָּה:

Fala aos filhos de Israel. As mensagens dadas por Deus a Moisés eram transmitidas a Arão, a Arão e seus filhos ou ao povo. Há oito fórmulas de comunicação no Pentateuco, ou seja, oito modos como várias pessoas ou grupos receberiam as mensagens transmitidas por Moisés. Ver as notas expositivas em Levítico 17.2. No caso presente, a mensagem foi dirigida diretamente ao povo.

Quando chegardes à terra. Cf. o vs. 2. O autor sacro nos estava fornecendo material de uma maneira anacrônica. Israel continuava no deserto, e assim continuaria durante os próximos quarenta anos. Mas o autor *antecipou* os tipos de culto que eles teriam de seguir, uma vez que entrassem na Terra Prometida, o território que fora prometido a Abraão, no Pacto Abraâmico. Ver as notas sobre Gênesis 15.18 quanto a esse pacto.

"Israel estava na obrigação de observar a lei referente aos bolos da *primeira massa*; mas os gentios não tinham essa obrigação" (John Gill, *in loc.*). Ver *Schulchan Aruch*, par. 2, cap. 330, sec. 1, que aplica a questão somente aos filhos de Israel, mas não aos prosélitos gentios.

15.19,20

וְהָיָה בַּאֲכָלְכֶם מִלֶּחֶם הָאָרֶץ תָּרִימוּ תְרוּמָה לַיהוָה:
רֵאשִׁית עֲרִסֹתֵכֶם חַלָּה תָּרִימוּ תְרוּמָה כִּתְרוּמַת גֹּרֶן כֵּן תָּרִימוּ אֹתָהּ:

O que temos aqui é uma espécie de oferenda dos primeiros frutos da safra de um ano, conforme vimos na introdução a esta seção. "Quando o povo entrasse na *terra* de Canaã e começasse a usufruir de sua produção, cumpria-lhes mostrar sua devoção e gratidão ao Senhor, *apresentando-lhe* um *bolo* cozido, feito com os primeiros grãos que tivessem sido colhidos" (Eugene H. Merrill, *in loc.*).

Tratava-se de um bolo cozido de massa de *cevada*, pois a colheita da cevada era a primeira de todas. A quantidade da massa não é determinada. Isso dependia de quem preparasse o bolo. As regras posteriores a respeito requeriam que as pessoas compartilhassem os bolos com o sacerdócio. Conforme diz o Targum de Jonathan, 1/24 pertencia ao sacerdócio. Mas *Baal Hatturim*, ao comentar sobre esse versículo, diz que a porção era 1/40. A Mishnah (*Challah*, cap. 2, sec. 7) também diz que a proporção era 1/24. Também houve outras regras posteriores, e nunca com qualquer acordo acerca das proporções a serem dadas aos sacerdotes.

Quando às ofertas das primícias, ver Êxodo 22.29 e suas notas expositivas. Ver também, no *Dicionário,* o artigo intitulado *Primícias,* quanto a detalhes completos, incluindo aplicações figuradas.

15.21

מֵרֵאשִׁית עֲרִסֹתֵיכֶם תִּתְּנוּ לַיהוָה תְּרוּמָה לְדֹרֹתֵיכֶם: ס

A *repetição* fazia parte do estilo literário do autor sagrado. Aqui, novamente, ele repete o que já tinha dito, sumariando os vss. 17-21. Yahweh falara e ordenara que se fizesse uma espécie de oferenda de primícias. Sua palavra precisava ser cumprida. Essa oferenda exibiria a gratidão do povo ao Senhor. Era uma oferenda que seria feita quando os israelitas entrassem na terra de Canaã, uma espécie de festa de Dia de Ação de Graças, mas sem o peru!

Nas vossas gerações. Ver as notas sobre o vs. 15 deste capítulo, bem como Êxodo 29.42 e 31.16. Talvez Paulo tenha feito alusão ao presente versículo em Romanos 11.16.

OFERENDAS POR PECADOS DESCONHECIDOS (15.22-31)

Já vimos no livro de Levítico instruções mais elaboradas acerca da questão tratada nesta seção. Os sacrifícios eram diferentes por causa de diferentes fontes informativas e situações históricas. Temos aqui, pois, um suplemento ao quarto capítulo de Levítico. Todos os homens pecam; todos os homens falham. Há pecados voluntários, e também há pecados cometidos como que com inocência. Um homem pode desconhecer ou negligenciar um mandamento de Yahweh, e assim errar na sua vida diária. Expiação precisa então ser feita, por ter sido desobedecida qualquer das ordens baixadas pelo Senhor. Isso poderia ocorrer por motivo de ignorância ou de negligência não-intencional. A passagem que temos aqui cobre *esses* tipos de pecados. Ver no *Dicionário* o artigo chamado *Pecado*. De acordo com a legislação mosaica, um pecado *voluntário* não podia ser expiado. Ver as notas sobre o vs. 30 deste capítulo.

■ 15.22

וְכִי תִשְׁגּוּ וְלֹא תַעֲשׂוּ אֵת כָּל־הַמִּצְוֹת הָאֵלֶּה
אֲשֶׁר־דִּבֶּר יְהוָה אֶל־מֹשֶׁה:

A *legislação mosaica* era complexa e detalhada. Os próprios sacerdotes precisavam estudá-la cuidadosamente, para que soubessem *o que* fazer e *como* fazer. Assim, um homem facilmente podia negligenciar alguma coisa, ou fazer algo de maneira errada. Quando alguém descobrisse que tinha errado, ou se alguém lhe mostrasse que havia cometido um erro, então tinha de fazer as emendas apropriadas por meio dos sacrifícios estipulados por tais atos ou omissões.

A *seriedade* dessa questão era que Yahweh tinha falado e Moisés havia feito seu papel de mediador daquilo que fora dito. Um israelita tinha de informar-se bem quanto a essas coisas, prestando ao Senhor *obediência meticulosa*. Os apóstolos do Novo Testamento perceberam a imensa sobrecarga que tudo isso representava, tendo ensinado que essa situação havia sido *alterada* pelo Novo Testamento (At 15.10).

■ 15.23

אֵת כָּל־אֲשֶׁר צִוָּה יְהוָה אֲלֵיכֶם בְּיַד־מֹשֶׁה מִן־הַיּוֹם
אֲשֶׁר צִוָּה יְהוָה וָהָלְאָה לְדֹרֹתֵיכֶם:

Este versículo elabora um pouco o que fora dito no versículo anterior. *Yahweh* era o originador das regras. *Moisés* era o mediador. E os *israelitas* tinham a responsabilidade de conhecer e fazer tudo quanto o Senhor ordenasse; e isso não era uma tarefa fácil. Tais leis deviam ser praticadas em Israel universalmente e para sempre. Ver as explicações sobre as palavras "nas vossas gerações" em Êxodo 29.42; 31.16, com algo mais no vs. 15 deste capítulo.

■ 15.24

וְהָיָה אִם מֵעֵינֵי הָעֵדָה נֶעֶשְׂתָה לִשְׁגָגָה וְעָשׂוּ
כָל־הָעֵדָה פַּר בֶּן־בָּקָר אֶחָד לְעֹלָה לְרֵיחַ נִיחֹחַ
לַיהוָה וּמִנְחָתוֹ וְנִסְכּוֹ כַּמִּשְׁפָּט וּשְׂעִיר־עִזִּים
אֶחָד לְחַטָּת:

Por ignorância. No hebraico, *shagagah*, pecados cometidos *não* por vontade deliberada, mas na ignorância, inocentemente. Poderiam ser pecados de omissão ou comissão, embora não deliberadamente feitos. O vs. 30 deste capítulo mostra que as infrações deliberadas da legislação mosaica eram castigadas por meio da execução ou do banimento. A lei de Moisés não incluía provisões quanto a pecados deliberados, mas somente requeria punições severas para eles. Contrastar isso com a graça embutida no evangelho de Cristo. Não havia sacrifícios para os pecados deliberados. Ver as notas sobre o vs. 30. Cf. o que lemos aqui com Levítico 4.2 e 5.17, onde são dados maiores detalhes.

Neste versículo, estão em foco os pecados da *congregação*. A começar pelo vs. 27, estão em pauta os pecados que *indivíduos* cometessem por ignorância.

Em Levítico 4.14 um novilho é escolhido como oferta pelo pecado; no presente caso, um novilho servia de holocaustos e um cabrito como oferta pelo pecado. As circunstâncias históricas (e diferentes fontes informativas) podem explicar as diferenças. Alguns dizem que o texto presente trata com pecados de *omissão*, ao passo que os trechos de Levítico abordam os pecados de *comissão*. E isso explica as diferenças. Contudo, muitos pensam que isso constitui uma explicação dúbia, embora conveniente. A fé de um homem, contudo, não pode ser influenciada por coisas insignificantes. Há outras formas de reconciliação, mas a questão não merece explicação mais extensa. As leis mosaicas incluíam as que tinham sido dadas originalmente, e mais tarde surgiram suplementos, donde apareceram certas diferenças naturais.

Oferta pelo pecado. Ver as notas expositivas completas em Levítico 6.25,30, com adições em Levítico 4.1-35.

■ 15.25

וְכִפֶּר הַכֹּהֵן עַל־כָּל־עֲדַת בְּנֵי יִשְׂרָאֵל וְנִסְלַח לָהֶם
כִּי־שְׁגָגָה הִוא וְהֵם הֵבִיאוּ אֶת־קָרְבָּנָם אִשֶּׁה לַיהוָה
וְחַטָּאתָם לִפְנֵי יְהוָה עַל־שִׁגְגָתָם:

O sacerdote fará expiação. Ver no *Dicionário* sobre o termo *expiação*. Assim sendo, um pecado por ignorância tinha expiação, tanto no caso da congregação inteira (vss. 24-26) como no caso de meros indivíduos (vss. 27 ss.). Mas um pecado deliberado, voluntarioso, não podia ser expiado, de acordo com a legislação mosaica (ver a respeito no vs. 30). Contrastar isso com a graça maior do evangelho. Ver 1João 2.2. Na dispensação neotestamentária não se faz nenhuma diferença entre o pecado de ignorância e o pecado voluntarioso, embora o trecho de Hebreus 10.26 escorregue de volta à antiga maneira de pensar. Ver sobre esse trecho no *Novo Testamento Interpretado*.

■ 15.26

וְנִסְלַח לְכָל־עֲדַת בְּנֵי יִשְׂרָאֵל וְלַגֵּר הַגָּר בְּתוֹכָם כִּי
לְכָל־הָעָם בִּשְׁגָגָה: ס

Havia *expiação universal* nos sacrifícios pelos pecados involuntários; e isso cobria tanto os hebreus quanto os prosélitos gentios. Mas este versículo reitera a condição: tais pecados precisavam ter sido cometidos na *ignorância*. Ver as notas sobre o vs. 25. Está em pauta aqui a ignorância coletiva. Israel como um todo teria deixado de cumprir a vontade de Yahweh. As falhas individuais são descritas a começar pelo vs. 27.

■ 15.27

וְאִם־נֶפֶשׁ אַחַת תֶּחֱטָא בִשְׁגָגָה וְהִקְרִיבָה עֵז
בַּת־שְׁנָתָהּ לְחַטָּאת:

Se alguma pessoa. Estão em foco os erros de indivíduos. Contanto que fossem cometidos involuntariamente, também podia haver expiação para eles. As ofertas, nesse caso, eram diferentes daquelas oferecidas em prol da congregação inteira (vs. 24). O trecho de Levítico 4.27 ss. é um paralelo ao que lemos aqui, pois fala de pecados de *comissão*. Este versículo não limita a questão. Um pecado podia ser de comissão ou de omissão. Ambas as passagens determinam a cabra como a oferenda requerida, em contraste com as diferentes instruções (comparando-se Levítico com Números), no tocante aos pecados cometidos pela congregação de Israel. Quanto a essa questão, ver as notas sobre o vs. 24 deste capítulo.

■ 15.28

וְכִפֶּר הַכֹּהֵן עַל־הַנֶּפֶשׁ הַשֹּׁגֶגֶת בְּחֶטְאָה בִשְׁגָגָה לִפְנֵי
יְהוָה לְכַפֵּר עָלָיו וְנִסְלַח לוֹ:

Este versículo repete o que já havia sido dito. Os pecados cometidos por ignorância podiam ser expiados; os sacerdotes, como é óbvio, realizariam o sacrifício de uma cabra, embora aquele que a trouxesse tivesse de matá-la no lado direito (norte) do altar. E então um sacerdote terminava o ritual. Ver no *Dicionário* o artigo intitulado *Perdão*. O perdão era conferido porque Yahweh, que ordenara o sacrifício, ficaria satisfeito diante dele, e assim perdoaria ao indivíduo.

"Plena expiação pelo pecado e perdão gratuito não são ideias contrárias uma à outra" (John Gill, *in loc.*).

■ 15.29

הָאֶזְרָח בִּבְנֵי יִשְׂרָאֵל וְלַגֵּר הַגָּר בְּתוֹכָם תּוֹרָה אַחַת
יִהְיֶה לָכֶם לָעֹשֶׂה בִּשְׁגָגָה:

Este versículo reitera o que já tínhamos visto no versículo anterior, exceto pelo fato de que agora somos informados de que *uma só lei* era aplicada tanto aos hebreus quanto aos prosélitos gentios. O vs. 26 é igual, mas ali *uma só lei* provia expiação e perdão para a congregação, ao passo que aqui estão em pauta meros indivíduos. A cabra era o sacrifício a ser oferecido no caso de *qualquer* indivíduo.

15.30

וְהַנֶּפֶשׁ אֲשֶׁר־תַּעֲשֶׂה ׀ בְּיָד רָמָה מִן־הָאֶזְרָח וּמִן־הַגֵּר אֶת־יְהוָה הוּא מְגַדֵּף וְנִכְרְתָה הַנֶּפֶשׁ הַהִוא מִקֶּרֶב עַמָּהּ:

A pessoa que fizer alguma cousa atrevidamente. Está em foco o pecado voluntário. Uma vez mais, havia somente *uma lei* para o homem que pecasse sabendo bem que estava quebrando um mandamento de Yahweh, fosse ele hebreu ou um prosélito gentio. Tal homem seria *eliminado*, ou seja, executado, provavelmente por *apedrejamento* (ver a esse respeito no *Dicionário*). Ver em Hebreus 10.26 um paralelo do Novo Testamento, cujos detalhes aparecem no *Novo Testamento Interpretado*.

Atrevidamente. No hebraico, *yad*, "mão", "poder". Algumas vezes, isso é traduzido por "mão elevada", dando a entender o punho erguido, desafiadoramente. Alguns intérpretes creem que devemos pensar aqui em "rebeldia obstinada"; outros acreditam em alguma forma de "apostasia" agravada. Esse advérbio tem sido largamente interpretado de forma a adaptar-se aos sistemas teológicos. O mais certo, porém, é que o sentido simples e terrível do texto é que *qualquer indivíduo* que desobedecesse voluntariamente a qualquer dos mandamentos mosaicos deveria ser executado. Com base nisso, aprendemos que os pecados *deliberados* não eram perdoados sob a legislação mosaica. Somente os pecados cometidos ignorante ou inadvertidamente (conforme se aprende nos vss. 24 ss.) podiam ser expiados. Os pecados para os quais não havia expiação só podiam ser "expiados" por meio de *execução*. Temos aqui um ensino extremamente severo; mas esse parece ser o sentido do texto, apesar dos muitos truques de interpretação que tentam fazer o assunto parecer mais tolerável.

O *pecado desafiador* era blasfemo por ser uma afronta direta contra Yahweh, que fixara os mandamentos, e que agora os homens arredavam para o lado tão facilmente. Mas quem já não cometeu um pecado deliberado e desafiador, tendo conhecimento pleno do fato? Sob o evangelho, todos os pecados são perdoados; e isso certamente é um progresso, pois somente *dessa* maneira os homens podem esperar obter perdão e salvação.

No Novo Testamento, o autor da epístola aos Hebreus certamente trouxe de volta, às considerações cristãs, o quadro desse severo ensino da lei, a fim de destacar as questões da apostasia (cap. 6) e algum tipo de pecado agravado (cap. 10), que poderia ser encarado como resultante da apostasia ou conducente a esse estado. As notas sobre Hebreus 10.26, no *Novo Testamento Interpretado*, apresentam informações detalhadas sobre essa questão. Ver também Hebreus 6.4 e suas notas expositivas. O resto do Novo Testamento despreza esse tipo de restrição. Para o evangelho, não há estado desesperador; não existe pecado que Cristo não possa curar, exceto o pecado da incredulidade invencível. O amor de Deus triunfa, finalmente.

Alguns pensam que o particípio *eliminada*, que figura neste versículo, significa "exclusão". Mas essa expressão, no Antigo Testamento, era com frequência usada para indicar a ideia de "execução". Ver a introdução ao capítulo 18 de Levítico quanto aos vários modos de *punição capital*, e ver também o artigo sobre esse assunto, no *Dicionário*.

15.31

כִּי דְבַר־יְהוָה בָּזָה וְאֶת־מִצְוָתוֹ הֵפַר הִכָּרֵת ׀ תִּכָּרֵת הַנֶּפֶשׁ הַהִוא עֲוֹנָה בָהּ: פ

O pecado voluntário equivalia a desprezar a Yahweh, pois a questão fora esclarecida na legislação mosaica, embora fosse ignorada pelos homens. O mandamento aqui é *qualquer* lei que Yahweh desse e fosse ignorada, não se limitando à blasfêmia, à idolatria ou à apostasia. Os intérpretes tentam encontrar certos *pecados graves* que mereceriam a execução. Mas o texto está falando de *qualquer pecado* que resultasse da quebra de qualquer dos mandamentos da lei, *contanto* que efetuado deliberadamente e cometido como tal.

Qualquer Pecado Voluntarioso é uma Blasfêmia. Era isso o que o autor sagrado estava tentando dizer. *Qualquer* pecado é um desprezo à autoridade de Yahweh.

Será eliminada. Ou seja, será executada, tal como se vê no vs. 30, e também conforme interpretava o Targum de Jonathan e as autoridades em geral do hebraico. Ver *Mishnah Sanhedrin*, cap. 11, sec. 1. A iniquidade de um homem estava *sobre ele*, e não sobre o animal morto em seu lugar. Visto que seu pecado estava sobre ele, a sua morte era *exigida*. Quando o pecado era cerimonialmente transferido para o animal, este precisava ser sacrificado. Os vss. 32 ss. provam que está em pauta a questão da execução. Nesses versículos aparece um incidente específico, a fim de ilustrar a questão.

SORTE DOS VIOLADORES DO SÁBADO (15.32-36)

15.32

וַיִּהְיוּ בְנֵי־יִשְׂרָאֵל בַּמִּדְבָּר וַיִּמְצְאוּ אִישׁ מְקֹשֵׁשׁ עֵצִים בְּיוֹם הַשַּׁבָּת:

O autor estava falando em *execução*. E agora oferecia uma breve crônica para ilustrar esse ponto. Um mandamento específico foi quebrado, a saber, aquele relativo à guarda do sábado. Um homem podia trabalhar em dia de sábado ser sem um apóstata. Mas, se assim o fizesse, ele teria desobedecido a uma lei conhecida; e só se poderia presumir que ele teria quebrado uma lei que conhecia bem. E, assim, tinha-se tornado culpado de um pecado voluntário, e ficara sujeito à execução. Mas esse caso ilustra *qualquer outro caso* de quebra de uma lei conhecida, fosse ela qual fosse.

Acharam um homem apanhando lenha. Ele precisava fazer fogo, por qualquer motivo, talvez para esquentar a comida que tinha sido preparada para ser comida no sábado. Para nós, o ato dele parece extremamente *trivial*. No entanto, ele tinha quebrado uma lei conhecida. Ver Êxodo 31.14,15; 35.2. Entretanto, a leitura desse episódio não visava meramente reforçar o que tinha sido dito acerca *daquele* mandamento, e, sim, aplicar a questão a *qualquer infração* da lei mosaica, se a infração fosse cometida deliberadamente.

Um homem que juntasse lenha em dia de sábado, por mais sem importância que isso nos possa parecer, estava fazendo um tipo de trabalho, sem importar quão leve fosse. Logo, tal pessoa estaria quebrando voluntariamente uma lei conhecida. Assim sendo, era passível de execução, e, de fato, devia ser executada (ver o vs. 36 deste capítulo). Não era nenhum blasfemo radical; nem era um apostatado; antes, seu ato revestia-se de uma importância relativamente pequena. Essas circunstâncias mitigadoras, todavia, não puderam salvar-lhe a vida.

15.33

וַיַּקְרִיבוּ אֹתוֹ הַמֹּצְאִים אֹתוֹ מְקֹשֵׁשׁ עֵצִים אֶל־מֹשֶׁה וְאֶל־אַהֲרֹן וְאֶל כָּל־הָעֵדָה:

Os que o acharam. Embora o homem estivesse fazendo um trabalho tão insignificante, aqueles que o apanharam em flagrante delito não o executaram de imediato. Antes, o homem foi posto sob custódia e trazido a Moisés e Arão, a fim de ser julgado. Moisés e Arão eram os que tinham autoridade para interpretar a lei do sábado. A lei estava baixada, mas talvez ainda não estivesse absolutamente regulamentada. Talvez o homem referido nesta passagem tenha sido o primeiro a ser *apanhado* a fazer algum trabalho, depois que a lei tivesse sido baixada. Logo, ele ia tornar-se um *caso exemplar*, ou seja, o castigo que o atingiria serviria de advertência a todos, dali por diante.

O Targum de Jonathan e Jarchi ajuntam que muitos do povo admoestaram o homem para que parasse aquela atividade, mas ele recusou-se a atendê-los. Porém isso não faz parte do texto. Moisés, Arão e alguns representantes da congregação deviam julgar o caso. O homem seria submetido a julgamento.

15.34

וַיַּנִּיחוּ אֹתוֹ בַּמִּשְׁמָר כִּי לֹא פֹרַשׁ מַה־יֵּעָשֶׂה לוֹ: ס

Meteram-no em guarda. O homem foi posto sob custódia, a fim de esperar por seu julgamento. Provavelmente ele tinha esposa e filhos esperando por ele em sua tenda, mas ficou separado deles. Ele havia cometido um erro? Mas tal erro seria assim tão grave? Moisés e os demais juízes iriam decidir. Talvez ele fosse encerrado em alguma espécie de prisão, à semelhança do blasfemo mencionado em Levítico 24.12. Talvez *juntar lenha* (arrancar galhos e troncos ressequidos por suas raízes) não fosse algo que se considerasse uma quebra do sábado. Moisés e os outros decidiriam o caso. Mas o fato é que a lei mosaica mostrava o aspecto duro e inflexível da justiça divina. Daí o modo como o caso foi julgado.

15.35

וַיֹּ֤אמֶר יְהוָה֙ אֶל־מֹשֶׁ֔ה מ֥וֹת יוּמַ֖ת הָאִ֑ישׁ רָג֨וֹם אֹת֤וֹ בָֽאֲבָנִים֙ כָּל־הָ֣עֵדָ֔ה מִח֖וּץ לַֽמַּחֲנֶֽה׃

Tal homem será morto. Este versículo toma-nos totalmente de surpresa. Não havia mais discussões contra e a favor. Yahweh simplesmente deu a Moisés, o seu mediador, a resposta, cortando assim toda e qualquer discussão. "O homem é culpado! Apedrejem-no!" Era assim que ocorria no Antigo Testamento, sob a lei mosaica.

Provavelmente o homem estava recolhendo lenha, a fim de fazer uma fogueira, algo que a lei mosaica tinha proibido de modo absoluto para o dia de sábado. Ver Êxodo 35.2,3.

Era assim que ocorria no Antigo Testamento! Praticamente nenhum homem moderno poderia ter sobrevivido na antiga nação de Israel.

Por *quatro* vezes Moisés precisou buscar orientação especial acerca de circunstâncias especiais. Ele precisava de *luz* acima de sua razão. Ver Números 27.5 quanto a maiores comentários sobre essa questão.

15.36

וַיֹּצִ֨יאוּ אֹת֜וֹ כָּל־הָעֵדָ֗ה אֶל־מִחוּץ֙ לַֽמַּחֲנֶ֔ה וַיִּרְגְּמ֥וּ אֹת֛וֹ בָּאֲבָנִ֖ים וַיָּמֹ֑ת כַּאֲשֶׁ֛ר צִוָּ֥ה יְהוָ֖ה אֶת־מֹשֶֽׁה׃ פ

A execução tinha de ser efetuada *fora do acampamento*. De outra sorte, o acampamento ficaria poluído, para nada dizermos que isso seria uma cena muito desagradável. Ver uma aplicação neotestamentária desse lugar de execução, nas notas sobre Hebreus 13.13.

E o apedrejaram. Ver no *Dicionário* o artigo intitulado *Apedrejamento*. Em Israel, esse era o modo mais comum de *punição capital* (ver a esse respeito no *Dicionário*), embora não o único. Ver a introdução ao capítulo 18 de Levítico quanto a outros métodos de execução capital, ilustrados no tocante a atos específicos.

Não podemos duvidar de que o homem apresentou seus apelos e argumentos. Também deve ter derramado suas lágrimas. Era homem casado. Seus filhos precisariam dele etc. Mas coisa alguma poderia reverter a temível sentença. Assim eram as coisas no Antigo Testamento. O Novo Testamento, todavia, fez-nos avançar para além desse tipo de justiça, injetando amor em todos os julgamentos. Ver 1Pedro 4.6 quanto ao princípio do julgamento que opera o bem, como um agente da lei do amor.

Esse episódio ilustra a grave natureza dos pecados voluntários. Eram quebras deliberadas de mandamentos conhecidos da lei. Poderiam ser atos aparentemente triviais, e ainda assim fatais. Esse episódio ilustra o vs. 30.

O USO DAS BORLAS NAS VESTES (15.37-41)

O uso de borlas nas vestes, como é provável, originalmente apenas fazia uso da moda. Sob a legislação mosaica, entretanto, tornou-se um auxílio mnemônico da lei de Deus, e foi regulamentado de tal maneira que se tornou um veículo desse propósito. Cf. este texto com o trecho de Deuteronômio 22.12. "Para lembrar-se dos mandamentos do Senhor, os israelitas deviam usar borlas nos cantos de suas vestes, com um fio azul preso a cada borla. Essas borlas serviam de ajudas visuais para fazê-los lembrar de que deviam obedecer a todos os seus mandamentos" (Eugene H. Merrill, *in loc.*).

"*Azul*, a cor celestial, usada sobre as beiradas das vestes dos sacerdotes, indicava que os servos de Deus pertenciam ao mundo celeste e tinham caráter celeste, separados das ambições e dos desejos terrenos" (Scofield Annotated Bible, *in loc.*).

15.37

וַיֹּ֥אמֶר יְהוָ֖ה אֶל־מֹשֶׁ֥ה לֵּאמֹֽר׃

Disse o Senhor. Essa é uma expressão usada amiúde no Pentateuco, a fim de introduzir novos materiais. E também nos faz lembrar da inspiração divina das Escrituras. Ver as notas a esse respeito em Levítico 1.1 e 4.1.

15.38

דַּבֵּ֞ר אֶל־בְּנֵ֤י יִשְׂרָאֵל֙ וְאָמַרְתָּ֣ אֲלֵהֶ֔ם וְעָשׂ֨וּ לָהֶ֥ם צִיצִ֛ת עַל־כַּנְפֵ֥י בִגְדֵיהֶ֖ם לְדֹרֹתָ֑ם וְנָֽתְנ֛וּ עַל־צִיצִ֥ת הַכָּנָ֖ף פְּתִ֥יל תְּכֵֽלֶת׃

Fala aos filhos de Israel. Moisés era o *mediador* entre Yahweh e os filhos de Israel. Moisés podia transmitir uma mensagem a Arão, a Arão e seus filhos ou ao povo em geral etc. Havia *oito* modos diferentes de comunicação no Pentateuco. Ver sobre isso as notas de introdução ao trecho de Levítico 17.2.

Façam borlas. Há um detalhado artigo sobre essa questão no *Dicionário*, que o leitor deveria consultar. O termo hebraico correspondente é *sisit*, que provavelmente vem de uma raiz que significa "enflorescência". É possível que as borlas tivessem o formato de uma flor ou pétala. Tratava-se de uma adição decorativa às vestes, que serviam de lembrete: "Lembrai-vos de guardar as leis de Yahweh"". Quanto a Jesus e às borlas das vestes, ver as notas em Mateus 9.20 e 14.36.

Um cordão de azul. Ver acerca disso no último parágrafo da introdução ao versículo anterior. A cor celeste fazia os israelitas lembrar-se de suas obrigações religiosas. Ver o verbete intitulado *Vestimenta (Vestimentas)* no *Dicionário*.

15.39

וְהָיָ֣ה לָכֶם֮ לְצִיצִת֒ וּרְאִיתֶ֣ם אֹת֗וֹ וּזְכַרְתֶּם֙ אֶת־כָּל־מִצְוֺ֣ת יְהוָ֔ה וַעֲשִׂיתֶ֖ם אֹתָ֑ם וְלֹֽא־תָת֜וּרוּ אַחֲרֵ֤י לְבַבְכֶם֙ וְאַחֲרֵ֣י עֵֽינֵיכֶ֔ם אֲשֶׁר־אַתֶּ֥ם זֹנִ֖ים אַחֲרֵיהֶֽם׃

Vos serão para que, vendo-as, vos lembreis. Cada vez que um homem via a borla com o cordão azul costurado na beirada de suas vestes, lembrava-se de suas obrigações para com Yahweh. E podemos ter certeza de que isso era um ato frequente. No Oriente, o uso de borlas era um costume antigo; mas os hebreus fizeram disso um lembrete sagrado. Os judeus ortodoxos até hoje usam o *tallith,* "uma peça oblonga de tecido, com uma abertura no meio, por onde passava a cabeça, com uma borla em cada canto" (John Marsh, *in loc.*). O artigo intitulado *Borlas,* no *Dicionário,* fornece detalhes sobre sua aplicação moderna.

15.40

לְמַ֣עַן תִּזְכְּר֔וּ וַעֲשִׂיתֶ֖ם אֶת־כָּל־מִצְוֺתָ֑י וִהְיִיתֶ֥ם קְדֹשִׁ֖ים לֵאלֹהֵיכֶֽם׃

As *borlas,* que atuavam como lembrete para os israelitas guardarem as leis de Yahweh, haveriam de ajudá-los a manter-se santificados. Ver no *Dicionário* o artigo chamado *Santidade*. Na mente dos hebreus, a santidade era mediada pela lei. A graça e a verdade vieram por meio de Jesus Cristo (Jo 1.17), ao passo que *Moisés* foi o mediador da lei. A controvérsia entre as obras e a fé prosseguiu já dentro da época da Igreja, e persiste até os nossos próprios dias. Assim é que contamos com passagens como o capítulo 15 do livro de Atos e a epístola de Tiago, no Novo Testamento, que tratam dessa questão. Todavia, não há nisso nenhuma contradição genuína entre a fé e as obras, quando estas últimas são efeitos da atuação genuína do Espírito Santo, porquanto são expressões inatas da fé e da graça, obras produzidas pela fé, mediante o Espírito. Ver Tiago 2.20-26. Ver no *Dicionário* os verbetes intitulados *Boas Obras, Graça* e *Fé*.

15.41

אֲנִ֞י יְהוָ֣ה אֱלֹֽהֵיכֶ֗ם אֲשֶׁ֨ר הוֹצֵ֤אתִי אֶתְכֶם֙ מֵאֶ֣רֶץ מִצְרַ֔יִם לִהְי֥וֹת לָכֶ֖ם לֵאלֹהִ֑ים אֲנִ֖י יְהוָ֥ה אֱלֹהֵיכֶֽם׃ פ

Eu sou o Senhor vosso Deus. Essa expressão, reiterada neste mesmo versículo, é uma expressão que aparece comumente no Pentateuco, a fim de enfatizar ou reafirmar alguma coisa que fora dita, e para emprestar maior *autoridade* a uma declaração. Essa expressão foi detalhadamente comentada nas notas sobre Levítico 18.30. Os críticos pensam que essa expressão é uma característica da fonte informativa *J*, conforme é comentado naquela nota. Ver no *Dicionário* o artigo intitulado *J.E.D.P.(S.)* quanto à teoria das fontes informativas múltiplas do Pentateuco.

Yahweh-Elohim (Senhor Deus) tinha e tem o direito de ditar leis. Moisés era o seu mediador diante do povo de Israel. Os israelitas eram súditos do Senhor, que deviam cumprir a sua vontade, se quisessem ser beneficiários de suas bênçãos graciosas. Ver no *Dicionário* o artigo intitulado *Deus, Nomes Bíblicos de*.

CAPÍTULO DEZESSEIS

REBELIÃO DE CORÉ, DATÃ E ABIRÃO (16.1-50)

Moisés já havia enfrentado a rebelião encabeçada por sua própria irmã, Miriã, a qual contava com a ajuda relutante de seu irmão, Arão. Aquele caso tinha sido resolvido com um castigo desfechado por Yahweh contra Miriã, e isso em termos nada incertos (Ver Nm 12.1 ss.). As queixas que tinham sido apresentadas por ela eram similares às que figuram neste capítulo. Moisés foi tido como ditador, dotado de autoridade que ele a si mesmo se arrogara, e não conferida por Yahweh; ou então, mesmo que a sua autoridade fosse genuína, impedia injustamente a outros homens, que também deveriam ser tratados como homens dotados de autoridade. Em outras palavras, Moisés estaria exagerando a sua autoridade. Ele estava agindo acima de sua legítima autoridade, tendo-se tornado um exclusivista.

A rebeldia de Miriã, entretanto, não tivera tempo de lançar raízes. Mas a rebelião do presente texto obteve considerável apoio, ou seja, o apoio de 250 *príncipes* ou líderes secundários do povo. Alguns homens são grandes o bastante somente para lançar uma chave inglesa no meio de uma engrenagem, e ali estavam lançadores de chaves inglesas.

Os capítulos 16 e 17 de Números registram revoltas, evidentemente combinando episódios, talvez derivados de fontes históricas diferentes. Ambas as revoltas eram contra a autoridade estabelecida. Talvez as fontes *J* e *E* expliquem o que se lê no capítulo 16, ao passo que *P.(S.)* talvez seja a fonte da revolta de Coré; e então os dois relatos foram combinados em uma única narrativa. Os eruditos conservadores não veem sentido nessa divisão do texto. Ver no *Dicionário* o verbete intitulado *J.E.D.P.(S.)* quanto à teoria das fontes múltiplas do Pentateuco. Nesse caso, não pode haver dúvidas de que vários movimentos rebeldes tiveram lugar entre aquele povo murmurador (ver a introdução a Números 11 e 14.22 quanto às *murmurações*).

Este capítulo 16 não identifica o lugar onde Coré (um levita) e seus associados provocaram a dificuldade. Foram capazes de recrutar a ajuda de líderes de várias tribos, pelo que parece que a revolta teve natureza tanto religiosa quanto civil. Os membros da tribo de Levi, a casta sacerdotal, intrometeram-se na questão. Os rebeldes sentiam inveja de Moisés e Arão, motivados por interesses egoístas, querendo estabelecer uma liderança mais democrática. Mas o povo de Israel fora organizado como uma teocracia; e aquela era a hora de Moisés, o representante de Yahweh. Coisa alguma poderia modificar isso, conforme os rebeldes acabaram descobrindo para sua derrota contundente.

■ 16.1

וַיִּקַּח קֹרַח בֶּן־יִצְהָר בֶּן־קְהָת בֶּן־לֵוִי וְדָתָן וַאֲבִירָם בְּנֵי אֱלִיאָב וְאוֹן בֶּן־פֶּלֶת בְּנֵי רְאוּבֵן׃

Coré... Datã... Abirão. Esses eram os nomes dos chefes rebelados. *Todos* os nomes listados neste versículo merecem menção separada no *Dicionário*, pelo que não repito aqui essa informação. Os críticos pensam que as fontes *J* e *E* são as responsáveis pela menção a Datã e a Abirão, além dos príncipes que se aliaram a eles no conluio (ver o vs. 2). Mas o nome de Coré e os levitas seriam derivados da fonte *P.(S.)*. Se assim deveras sucedeu, os dois levantes foram unidos em um só, nesta narrativa; ou então devemos pensar em uma rebelião que teve duas fontes informativas um tanto diferentes. Quanto a isso, é difícil manifestar-nos de modo esclarecido. Os estudiosos conservadores, por sua vez, rejeitam essa divisão do texto. Ver no *Dicionário* o verbete intitulado *J.E.D.P.(S.)* quanto à teoria das fontes múltiplas do Pentateuco. Ver também a introdução a este capítulo.

Coré era um homem revoltado, mas estava cavalgando um cavalo morto. Em nossos próprios dias, temos visto o cavalo morto do comunismo entrar em colapso, excetuando em algumas minúsculas e isoladas áreas do mundo. Mas Coré sentia que tinha de fazer as coisas a seu modo, dizendo o que queria. E também mereceu o juízo divino que lhe sobreveio. Existem revolucionários autênticos, que provocam as mudanças que se fazem necessárias; mas para cada um deles há centenas de revolucionários que servem somente para criar confusão. Coré fez um apelo em prol da *democracia,* mas Yahweh estava por trás da *monarquia.* Nem todos os povos e nem todas as situações reinantes no mundo favorecem a democracia. O caso esposado por Coré não era somente que o povo "não estava preparado para acolher as suas ideias" (conforme diz uma de minhas fontes informativas). Ele estava simplesmente *equivocado* quanto ao que tentara fazer.

■ 16.2

וַיָּקֻמוּ לִפְנֵי מֹשֶׁה וַאֲנָשִׁים מִבְּנֵי־יִשְׂרָאֵל חֲמִשִּׁים וּמָאתָיִם נְשִׂיאֵי עֵדָה קְרִאֵי מוֹעֵד אַנְשֵׁי־שֵׁם׃

Levantaram-se perante Moisés. O que os impulsionava era o espírito arrogante. Reuniram seus simpatizantes, ou seja, 250 líderes secundários de várias (talvez até de todas as) tribos. E afirmaram que estavam defendendo uma "causa justa", mas o que realmente havia em seu coração era a inveja e o ódio.

Este versículo mostra-nos que os cabeças da revolta obtiveram o apoio de homens *famosos,* dotados de *autoridade.* Não somente os três cabeças haviam despertado o populacho. Nomes famosos faziam o movimento parecer respeitável. E o oitavo versículo deste capítulo mostra-nos que entre esses homens importantes havia levitas, o que quer dizer que até parte do sacerdócio participava do levante. O próprio Coré era um levita (ver o versículo anterior).

■ 16.3

וַיִּקָּהֲלוּ עַל־מֹשֶׁה וְעַל־אַהֲרֹן וַיֹּאמְרוּ אֲלֵהֶם רַב־לָכֶם כִּי כָל־הָעֵדָה כֻּלָּם קְדֹשִׁים וּבְתוֹכָם יְהוָה וּמַדּוּעַ תִּתְנַשְּׂאוּ עַל־קְהַל יְהוָה׃

Contra Moisés e contra Arão. Na verdade, eles não queriam "distribuir o poder". O que eles queriam era a *saída* de Moisés e de Arão. Acusaram-nos de ditadura, por não quererem dividir o poder. Não estavam querendo ser delegados. Queriam apossar-se do mando. A maioria das revoltas, dentro e fora da igreja, por algum tempo avança sob falsas alegações como essa. Uma de minhas fontes informativas, muito ridiculamente, sugere que esse movimento pode ter sido um primeiro vislumbre do "sacerdócio universal dos crentes", onde não há nenhuma classe sacerdotal distinta da massa dos crentes, mas onde *todos* os crentes são sacerdotes igualmente. Aquela interpretação lê muito, de tão pouco. Nem toda a congregação do povo de Israel era *santa* no sentido sugerido por Coré. Havia os que tinham sido consagrados para cuidar das coisas santas do tabernáculo. Eles eram *santos* no sentido sacerdotal; mas colocar homens comuns para cuidar de funções sagradas era um abuso contra o intuito e as instituições determinadas por Yahweh. Assim sendo, Moisés defendeu o caráter *especial* da casta sacerdotal (ver os vss. 7 ss.); e o restante da narrativa mostra isso de maneira dramática. Até hoje, no seio da Igreja, embora todos os crentes sejam sacerdotes, nem todos atuam no ministério, e nem todos são ordenados para ocuparem *funções ministeriais.* Jesus é o Cabeça da Igreja; os apóstolos originais foram os seus primeiros-ministros. O Novo Testamento ensina certa ordem de ministério e de autoridade. Não se trata de uma situação em que cada qual age como bem quiser. Assim sendo, as denominações cristãs que destacam a democracia, quanto ao ministério, estão afastadas da verdade bíblica. A noção de *autoridade centralizada* sempre fez parte da ordem da Igreja do Novo Testamento.

■ 16.4

וַיִּשְׁמַע מֹשֶׁה וַיִּפֹּל עַל־פָּנָיו׃

Moisés caiu sobre o seu rosto. Isso porque, em contraste com a revolta encabeçada por Miriã, esta revolta podia criar uma dificuldade universal e permanente. Ademais, podemos estar certos de que Moisés ficou genuinamente consternado diante daquele movimento anti-Yahweh. Ele não se tinha apossado de sua autoridade. Bem pelo contrário, ele se tinha sacrificado por causa delas, e com muita relutância, no começo de sua carreira. Ver Êxodo 3.13 ss. e 4. Ele havia dito: "Envia aquele que hás de enviar, menos a mim" (Êx 4.13). Moisés havia sido apanhado em meio ao novo movimento, o yahwismo, mas não era o criador desse movimento. Diz o Targum de Jonathan que "Moisés corou de vergonha por causa do pecado deles", tão radical e estúpido foi esse pecado. Cf. Números 14.5; 16.22,45; 20.6; 22.31 quanto a outras vezes em que Moisés se prostrou de rosto em terra, como um ato de consternação e tristeza.

■ 16.5

וַיְדַבֵּר אֶל־קֹרַח וְאֶל־כָּל־עֲדָתוֹ לֵאמֹר בֹּקֶר וְיֹדַע יְהוָה אֶת־אֲשֶׁר־לוֹ וְאֶת־הַקָּדוֹשׁ וְהִקְרִיב אֵלָיו וְאֵת אֲשֶׁר יִבְחַר־בּוֹ יַקְרִיב אֵלָיו׃

O Senhor fará saber quem é dele. Moisés tinha seus argumentos, mas deixou seu caso nas mãos de Yahweh, o qual tinha tomado a defesa de Israel, mesmo contra grande oposição. E agora havia outro movimento de oposição acerca do qual Yahweh teria de providenciar a seu modo. Moisés estava pessoalmente indefeso diante da multidão de nomes importantes, porém, aquela viria rapidamente, ou seja, *no dia seguinte*. Yahweh sempre agia *prontamente* diante da oposição, e aquela emergência não seria uma exceção.

E quem o santo. Ou seja, aquele que Deus tivesse separado como seu ministro ou sacerdote, para cuidar do culto no tabernáculo.

Que ele fará chegar a si. Ou seja, para cuidar dos ritos do tabernáculo, onde se manifestava a presença divina. Quem poderia aproximar-se de Deus sem autorização? Moisés mostraria que tal autorização vinha da parte de Yahweh, e, por isso mesmo, todos os demais do povo deveriam ficar longe.

Aquele a quem escolher. Somente quem fosse escolhido pelo Senhor seria capaz de aproximar-se dele. Naquele tempo, o acesso (ver no *Dicionário* o artigo intitulado *Acesso*) era limitado. Arão e seus filhos haviam sido escolhidos para o sacerdócio em Israel. A tribo de Levi tornou-se uma casta sacerdotal, e deveres tinham sido atribuídos aos membros daquela tribo. Yahweh havia determinado todo aquele sistema, e nenhuma quebra seria tolerada.

■ 16.6,7

זֹאת עֲשׂוּ קְחוּ־לָכֶם מַחְתּוֹת קֹרַח וְכָל־עֲדָתוֹ׃

וּתְנוּ בָהֵן אֵשׁ וְשִׂימוּ עֲלֵיהֶן קְטֹרֶת לִפְנֵי יְהוָה מָחָר וְהָיָה הָאִישׁ אֲשֶׁר־יִבְחַר יְהוָה הוּא הַקָּדוֹשׁ רַב־לָכֶם בְּנֵי לֵוִי׃

Tomai vós incensários. Temos aí o teste dos incensários. É uma espécie de reiteração do que se lê em Levítico 10.1-3, onde os filhos mais velhos de Arão, Nadabe e Abiú, foram consumidos pelo fogo divino, por haverem oferecido *fogo estranho*. Assim sendo, aqueles que tomassem do fogo sagrado nas mãos poderiam sofrer o mesmo fim. Alguns têm sugerido que uma das fontes desse relato descrevia *esse* final. Mas outra fonte contaria que o solo se abriria e engoliria os revoltosos. O fogo não caiu do céu, porque isso teria consumido a todos, bons e maus. O *solo*, pois, finalmente serviu de agente do juízo divino. Os eruditos conservadores não veem motivo algum para duvidar dos detalhes do relato, embora pareça conter duas correntes diversas de informações, alinhavadas uma à outra e adaptadas.

As Chamas Perenes. Sobre o altar dos holocaustos havia uma chama perene, que ali fora acesa. Ver sobre isso em Levítico 6.12,13. Os rebeldes acenderiam seus incensários naquela chama. Mas as chamas sagradas haveriam de consumi-los, por causa do gravíssimo erro deles (ver Nm 16.35).

A Glória do Senhor. A presença do Senhor apareceria à porta do tabernáculo, diante da primeira cortina, ou seja, na entrada da tenda. Ver as notas em Êxodo 26.36 quanto às três cortinas do tabernáculo. Mas nenhum dos levitas teve permissão de entrar no tabernáculo propriamente dito. Todavia, teriam de entrar no átrio, a fim de se porem diante do altar dos holocaustos.

Basta-vos, filhos de Levi. Moisés usou a mesma linguagem que fora usada pelos rebeldes. Não fora ele, Moisés, quem tinha usurpado a autoridade. Os rebeldes é que tinham tentado usurpá-la. Os eventos do dia seguinte demonstrariam que eles não tinham nenhum direito de aproximar-se do tabernáculo e tomar conta de suas funções. Coré, como levita que era, tinha alguns deveres sagrados; mas tentar arrebatar as funções sagradas do tabernáculo era ultrapassar os limites e assumir uma autoridade que eles não possuíam. Coré, pois, mostrava-se excessivamente ambicioso.

■ 16.8,9

וַיֹּאמֶר מֹשֶׁה אֶל־קֹרַח שִׁמְעוּ־נָא בְּנֵי לֵוִי׃

הַמְעַט מִכֶּם כִּי־הִבְדִּיל אֱלֹהֵי יִשְׂרָאֵל אֶתְכֶם מֵעֲדַת יִשְׂרָאֵל לְהַקְרִיב אֶתְכֶם אֵלָיו לַעֲבֹד אֶת־עֲבֹדַת מִשְׁכַּן יְהוָה וְלַעֲמֹד לִפְנֵי הָעֵדָה לְשָׁרְתָם׃

Acaso é para vós outros cousa de somenos. Eles não pareciam satisfeitos em ser apenas levitas. Esse foi o recado de Moisés. Ser um levita já era uma grande honra, conferida por Yahweh. Mas aqueles homens invejavam os levitas que tinham sido nomeados para a ordem superior do sacerdócio, que serviam diretamente no tabernáculo. Ver no *Dicionário* os artigos chamados *Levitas* e *Sacerdotes e Levitas*. Todos os filhos de Arão (com seus respectivos ramos familiares) eram levitas; mas somente alguns deles eram sacerdotes que ministravam no tabernáculo. Um *corpo* tem *muitos membros*, e cada membro tem sua própria função específica. Todas as funções são efetuadas de maneira harmônica umas com as outras, pois, de outra maneira, o corpo adoece. Um *artelho* (Coré) queria ser a *cabeça* (Arão). Por isso, sua causa certamente fracassaria. Ver no *Dicionário* o artigo intitulado *Corpo*, que inclui os usos metafóricos desse vocábulo.

■ 16.10

וַיַּקְרֵב אֹתְךָ וְאֶת־כָּל־אַחֶיךָ בְנֵי־לֵוִי אִתָּךְ וּבִקַּשְׁתֶּם גַּם־כְּהֻנָּה׃

Até os serviços secundários dos levitas (em contraste com o serviço mais importante dos sacerdotes) constituíam uma maneira de aproximar-se de Yahweh, representando elevado privilégio. Mas alguns levitas desprezavam seus privilégios, ambicionando mais. Embora, historicamente falando, no começo, talvez não haja distinção entre os levitas comuns e os levitas-sacerdotes, este texto reflete uma diferença radical. Não obstante, todos faziam parte de uma mesma equipe e deveriam ter-se contentado, e até deveriam ter-se sentido *felizes* com isso. Aqueles homens, todavia, queriam queixar-se e provocar perturbação. Bons argumentos caem em ouvidos moucos, quando esses ouvidos são de pessoas rebeldes. Somente atos divinos são capazes de retificar certas situações.

Aos levitas foram atribuídos serviços subservientes: servir aos sacerdotes; transportar o tabernáculo; prover e armazenar madeira para fazer fogo para os holocaustos; limpar o terreno do tabernáculo; desfazer-se do lixo; cuidar dos animais a serem sacrificados e dos dízimos etc. Mas não lhes era permitido entrar no tabernáculo e prestar serviço ali, nem eles podiam envolver-se diretamente nos sacrifícios feitos. Contudo, apesar de serem secundários, esses deveres davam aos levitas privilégios maiores do que tinham os não-levitas.

O Targum de Jonathan e de Onkelos provavelmente supunham, corretamente, que o próprio Coré desejasse ser o sumo sacerdote de Israel. Ele queria dar início a uma nova ordem, da qual ele seria o cabeça.

■ 16.11

לָכֵן אַתָּה וְכָל־עֲדָתְךָ הַנֹּעָדִים עַל־יְהוָה וְאַהֲרֹן מַה־הוּא כִּי תַלִּינוּ עָלָיו׃

Eles tinham em mãos uma *causa má* que em breve se tornaria uma *causa perdida*. O sumo sacerdote, Arão, era o objeto principal das queixas deles. Eles queriam que Arão fosse tirado, e Coré tomasse o lugar dele. Uma vez ocupando aquela alta posição, ele administraria a "sua" democracia. Coré pretendia defender "direitos iguais", mas o que ele queria era arrebatar a autoridade para si mesmo. Murmurar contra Arão equivalia a murmurar contra Yahweh, pois Arão havia sido nomeado para seu ofício pela intervenção direta do Senhor. Cf. o conceito no Novo Testamento em 1Timóteo 5.1,19.

16.12

וַיִּשְׁלַח מֹשֶׁה לִקְרֹא לְדָתָן וְלַאֲבִירָם בְּנֵי אֱלִיאָב
וַיֹּאמְרוּ לֹא נַעֲלֶה׃

Os vss. 12-15 fornecem-nos um quadro paralelo, que alguns supõem ter-se derivado de alguma fonte informativa diferente. Datã e Abirão não tinham estado presentes para ouvir as reprimendas e as instruções dadas por Moisés a Coré (vss. 8-11). Eles haviam sido convocados por Moisés para ouvirem essas instruções, mas não tinham atendido à chamada. E disseram ao mensageiro de Moisés que não subiriam para encontrar-se com Moisés; antes, aproveitaram o ensejo para queixarem-se dele. E renovaram a antiga queixa de que Moisés os tinha levado ao interior do deserto, a fim de que morressem, ao mesmo tempo em que prometia conduzi-los a uma terra que manava leite e mel. Ver o vs. 13. Alguns têm pensado que a revolta aqui referida foi diferente daquela encabeçada por Coré, e também que tenha ocorrido em uma época diferente. Ver o vs. 1.

A revolta de Datã e Abirão foi uma revolta encabeçada por leigos, porquanto esses dois homens não pertenciam à tribo de Levi. Eles encabeçavam as massas populares infelizes, ao passo que Coré encabeçou os levitas descontentes.

"...eles negavam a autoridade dele; desprezavam a sua autoridade e não queriam obedecer às suas ordens, e por isso mesmo recusaram-se a subir até o tabernáculo ou a tenda de Moisés" (John Gill, *in loc.*).

16.13

הַמְעַט כִּי הֶעֱלִיתָנוּ מֵאֶרֶץ זָבַת חָלָב וּדְבַשׁ לַהֲמִיתֵנוּ
בַּמִּדְבָּר כִּי־תִשְׂתָּרֵר עָלֵינוּ גַּם־הִשְׂתָּרֵר׃

Neste ponto, os rebeldes, ao que parece, referem-se ao *Egito* como a terra que fluía leite e mel, embora essa expressão normalmente seja aplicada à Terra Prometida. Ver sobre isso em Êx 3.8 e Números 13.27. Ou, então, eles queixaram-se de que a promessa era que haveriam de possuir a terra de Canaã, mas a *realidade*, conforme as coisas tinham acontecido, era de apenas vagueações pelo deserto, onde os filhos de Israel acabariam perecendo. Eles estavam querendo dizer que a liderança de Moisés havia falhado, e então precisavam de novos líderes. Como é óbvio, eles se apresentavam pessoalmente como os novos líderes de que o povo de Israel necessitava.

"Eles queixaram-se de que a terra que manava lei e mel não era aquela para onde Moisés os estava levando, e, sim, a terra de onde Moisés os havia tirado" (John Marsh, *in loc.*).

Ver o capítulo 14 de Números quanto às *murmurações* do povo sobre como aquela promessa parecia ter falhado, e como seriam deixados no deserto a fim de perecerem. Ver a introdução ao capítulo 11, bem como o trecho de Números 14.22, quanto às murmurações de Israel. As notas em Números 14.22 referem-se às *oito* vezes diferentes em que o povo de Israel murmurou contra Yahweh e seu mediador, Moisés, contra algumas circunstâncias que os irritavam.

16.14

אַף לֹא אֶל־אֶרֶץ זָבַת חָלָב וּדְבַשׁ הֲבִיאֹתָנוּ וַתִּתֶּן־ לָנוּ נַחֲלַת שָׂדֶה וָכָרֶם הַעֵינֵי הָאֲנָשִׁים הָהֵם תְּנַקֵּר לֹא נַעֲלֶה׃

Moisés teria tirado os filhos de Israel de uma terra de leite e mel, e não havia conseguido introduzi-los naquela *terra* que lhes fora prometida, e que proverbialmente era assim chamada. Ver em Êx 3.8 e Números 13.27 quanto à Terra Prometida, assim chamada. Os rebeldes diziam que Moisés não estava sendo o líder que o povo havia esperado, tendo falhado em todos os pontos. Isso posto, era claro que ele tinha de ser substituído por outrem. Nem ao menos atenderiam ao pedido dele de subiram ao tabernáculo, a fim de conversar com ele sobre a questão.

Pensas que lançarás pó aos olhos destes homens? Essa pergunta pode indicar: 1. "Cegar por meio de ludíbrios", estando em pauta, nesse caso, Coré e seus colaboradores, além daqueles que tinham cooperado com Datã e Abirão. 2. Ou *literalmente,* visto que eram rebeldes, Moisés poderia mandar cegá-los, como algumas vezes acontecia com prisioneiros de guerra, aprisionados pelo inimigo.

Idêntico era o castigo contra os *traidores*, como seria o caso daqueles homens, embora não quisessem reconhecer o fato. 3. Ou, *figuradamente*, "consideras que somos homens cegos (estúpidos)", pois podiam entender que tudo quanto Moisés tinha para dizer não levaria a nada. 4. Ou, finalmente, talvez o versículo fale sobre *o povo em geral*, que estava sendo enganado por Moisés, com sua bela conversa, da qual nada resultava.

16.15

וַיִּחַר לְמֹשֶׁה מְאֹד וַיֹּאמֶר אֶל־יְהוָה אַל־תֵּפֶן
אֶל־מִנְחָתָם לֹא חֲמוֹר אֶחָד מֵהֶם נָשָׂאתִי וְלֹא
הֲרֵעֹתִי אֶת־אַחַד מֵהֶם׃

Esses insultos provocaram Moisés à ira, e ele rogou a Yahweh que não aceitasse os sacrifícios deles, por serem, por assim dizer, indivíduos *imundos*, que não podiam aproximar-se do tabernáculo. O termo hebraico usado aqui é *minchah*, geralmente utilizado para indicar as ofertas de cereais, mas o sentido é mais amplo. Jarchi afirmou que o pedido era de que nenhuma das oferendas deles fosse aceita, supondo que alguns deles tivessem estado envolvidos nas oferendas diárias do culto, no tabernáculo.

Nem um só jumento levei deles. Assim, à semelhança de Neemias, Moisés, embora fosse um líder absoluto, nunca tinha exigido que o povo contribuísse para enriquecê-lo. Ver Neemias 5.17-19. Moisés era o líder absoluto de Israel, o mediador entre Yahweh e o povo de Israel, mas de modo algum um tirano.

A nenhum deles fiz mal. Um tirano teria mandado executar há muito tempo aqueles rebeldes; mas Moisés não lhes fizera mal algum. Yahweh, porém, não haveria de mostrar-se tão ameno com eles, conforme a narrativa logo nos haverá de mostrar. Foi com esse argumento que Moisés vindicou a si mesmo: não tinha sido um opressor, conforme costuma suceder à maioria do governantes, nem em um sentido econômico nem no tocante à integridade física de seus adversários.

16.16

וַיֹּאמֶר מֹשֶׁה אֶל־קֹרַח אַתָּה וְכָל־עֲדָתְךָ הֱיוּ לִפְנֵי
יְהוָה אַתָּה וָהֵם וְאַהֲרֹן מָחָר׃

A partir deste ponto, a história volta a Coré e seus seguidores. Eles dispuseram-se (conforme foram firmemente comandados por Moisés) a comparecer diante do tabernáculo, a fim de se submeterem ao teste dos incensários (vs. 6). O problema seria solucionado mediante um apelo para que Yahweh agisse e indicasse quem ele havia escolhido. Arão se faria presente, e seria determinado quem era o sacerdote legítimo, e também quem não o era.

16.17

וּקְחוּ אִישׁ מַחְתָּתוֹ וּנְתַתֶּם עֲלֵיהֶם קְטֹרֶת וְהִקְרַבְתֶּם
לִפְנֵי יְהוָה אִישׁ מַחְתָּתוֹ חֲמִשִּׁים וּמָאתַיִם מַחְתֹּת
וְאַתָּה וְאַהֲרֹן אִישׁ מַחְתָּתוֹ׃

Tomai cada um. Cada homem deveria tomar um incensário, não do tipo usado no tabernáculo, mas qualquer vaso que servisse a tal propósito. E esperava-se que algum tipo de sinal da parte de Yahweh mostraria a sua vontade quanto ao sacerdócio em Israel. O "fogo" de quem seria aceito diante de Deus? A *fumaça ascendente* funcionava como se estivessem subindo orações que pediam de Deus uma resposta. *Fogo estranho* não podia ser oferecido sobre o altar dos holocaustos, dentro do átrio do tabernáculo. Ali o teste seria feito. Aquele que tivesse fogo estranho a oferecer terminaria como Nadabe e Abiú, julgado pelas chamas, ou, de alguma outra maneira, executado por Yahweh (ver Lv 10.1-3).

Arão e Coré tomariam seus incensários, munidos de incenso, e o ofício do sumo sacerdote seria transferido para um ou para outro, conforme Yahweh o indicasse. Dessarte, o teste envolvia todos os ofícios do sacerdócio, grandes e pequenos.

Datã e Abirão não se fariam presentes com seus incensários, mas Moisés levaria a confrontação diretamente até as tendas deles (vs. 27).

16.18

וַיִּקְח֞וּ אִ֣ישׁ מַחְתָּת֗וֹ וַיִּתְּנ֤וּ עֲלֵיהֶם֙ אֵ֔שׁ וַיָּשִׂ֥ימוּ עֲלֵיהֶ֖ם
קְטֹ֑רֶת וַֽיַּעַמְד֗וּ פֶּ֛תַח אֹ֥הֶל מוֹעֵ֖ד וּמֹשֶׁ֥ה וְאַהֲרֹֽן׃

Perante a porta da tenda. Devemos pensar aqui na cortina que separava o átrio do tabernáculo do espaço externo, embora pareça que a confrontação teria começado diante do altar dos holocaustos. O fogo seria tirado das chamas do altar. Para alguns, aquele fogo seria seguro; para outros, fatal.

A porta referida não era a que separava o Santo dos Santos do Lugar Santo, nem a que separava o átrio do Lugar Santo. Ver as notas em Êxodo 26.36 quanto às *três* cortinas ou portas. As pessoas envolvidas bateriam fogo no átrio e se poriam de pé diante da primeira cortina, a fim de esperarem para ver o que aconteceria.

16.19

וַיַּקְהֵ֨ל עֲלֵיהֶ֥ם קֹ֙רַח֙ אֶת־כָּל־הָ֣עֵדָ֔ה אֶל־פֶּ֖תַח אֹ֣הֶל
מוֹעֵ֑ד וַיֵּרָ֥א כְבוֹד־יְהוָ֖ה אֶל־כָּל־הָעֵדָֽה׃ פ

Coré tinha obtido algum apoio popular, pelo que sua multidão sem dúvida se fizera presente. Mas também haveria os apoiadores de Moisés, além de muitos outros que eram apenas espectadores. Contando todos, haveria numerosa multidão esperando pelo resultado do teste. Jarchi supunha que Coré tinha percorrido o acampamento em busca de apoio, e isso teria garantido que uma numerosa multidão estaria ali para assistir ao espetáculo.

De súbito, desceu a *Presença* gloriosa de Yahweh, mediante algum tipo de manifestação diferente, ou na nuvem que pairava acima do tabernáculo. Cf. Números 14.10. A presença divina instruiu Moisés e Arão para que se separassem dos rebeldes, porquanto as chamas do juízo divino (conforme são descritas em Números 10.1 ss.) estavam prontas para ferir novamente.

16.20,21

וַיְדַבֵּ֣ר יְהוָ֔ה אֶל־מֹשֶׁ֥ה וְאֶֽל־אַהֲרֹ֖ן לֵאמֹֽר׃

הִבָּ֣דְל֔וּ מִתּ֖וֹךְ הָעֵדָ֣ה הַזֹּ֑את וַאֲכַלֶּ֥ה אֹתָ֖ם כְּרָֽגַע׃

Disse o Senhor. Um modo comum de introduzir novos materiais no Pentateuco, além de fazer-nos lembrar da doutrina da inspiração divina das Escrituras. Ver as notas a esse respeito em Levítico 1.1 e 4.1. Mas *aqui* a expressão é simplesmente usada para dar continuação à narrativa. Moisés estava prestes a vindicar Moisés, executando os rebeldes; mas isso era visto como um ato perigoso, porquanto alguns dos espectadores da cena eram inocentes. E, assim, a área precisava ser limpa. Somente então o fogo cairia, pondo fim à rebelião. Desse modo, o fogo divino *purificaria* o acampamento, tal como tinha acontecido no caso dos filhos insensatos de Arão (Nm 10.1 ss.).

Os 250 rebeldes seriam consumidos pelas chamas (vs. 35); mas várias coisas tinham de acontecer primeiro, conforme a narrativa deixa claro. Coré e seus seguidores constituíam a maior parte da multidão presente. Mas alguns poucos apoiadores inocentes de Moisés estavam entre eles. Foi muito triste que Moisés tivesse recebido a ordem de afastar-se da *congregação*, para efeito de segurança, pois a maior parte deles se tinha unido à revolta. Todavia, aquela parte da congregação que não aderira à rebelião seria salva pelos avisos de Yahweh (vss. 24 e 26). Ao que parece, o relato quer dizer-nos que os avisos de Yahweh foram eficazes, salvando *até aquela parte* da congregação que se aliara à revolta. Nesse caso, temos aqui um exemplo excelente de como funciona, misericordiosamente, o amor de Deus, até mesmo para com aqueles que erram.

16.22

וַיִּפְּל֤וּ עַל־פְּנֵיהֶם֙ וַיֹּ֣אמְר֔וּ אֵ֕ל אֱלֹהֵ֥י הָרוּחֹ֖ת לְכָל־
בָּשָׂ֑ר הָאִ֤ישׁ אֶחָד֙ יֶחֱטָ֔א וְעַ֥ל כָּל־הָעֵדָ֖ה תִּקְצֹֽף׃ פ

Parece que este versículo afirma que "por amor aos inocentes", a congregação inteira, *incluindo* aqueles que se tinham aliado à rebelião, seria salva pelas advertências feitas por Yahweh. No entanto, os líderes e os 250 príncipes pereceram. E assim, as massas que haviam sido enganadas escaparam pela graça de Deus; mas aqueles que as tinham iludido não foram poupados. Os mestres e líderes sempre levam sobre si o juízo maior, pois são os que deveriam fazer melhor do que semear o descontentamento ou cometer outros erros sérios. Ver esse princípio aplicado em Tiago 3.1.

Autor e Conservador de toda vida. Sobretudo segundo se vê no original hebraico, onde é usada a palavra *ruah*, "espírito", temos aqui uma daquelas poucas referências, no Pentateuco, à parte imaterial do homem. A Septuaginta traduziu essa palavra pelo termo grego *pneuma*, que pode significar a respiração comum. O *sopro de Deus* foi conferido ao homem quando do ato criativo (Gn 2.7). Na teologia posterior dos hebreus, essa palavra era usada para indicar a porção imaterial do ser humano, o que talvez seja refletido em Isaías 26.9. O trecho de Eclesiastes 12.7 também usa o termo hebraico *ruah* para indicar a parte imaterial do homem que volta para Deus por ocasião da morte. E assim foi-se desenvolvendo a doutrina, embora no Pentateuco haja bem poucas indicações a respeito, e este versículo pode ser uma dessas indicações. Os estudiosos, contudo, disputam o ponto. Alguns eruditos solucionam o problema supondo que este versículo reflita uma data tardia e uma teologia posterior, que ainda não tinha aceitação nos dias de Moisés. Outros tentam projetar esse conceito de volta aos dias de Moisés. Ver Gênesis 1.26,27 quando a uma discussão sobre a questão. Ver na *Enciclopédia de Bíblia e Teologia* o artigo chamado *Imortalidade*. Ver no *Dicionário* o artigo *Alma*.

Seja como for, este versículo atribui toda a vida humana a uma origem divina. Aquele que deu a vida não se apressa por extingui-la. Por isso mesmo, a congregação enganada receberia misericórdia e teria permissão de viver. Não eram culpados de pecado grave, como no caso de Coré e seus seguidores, pelo que sobreviveram, devido à misericórdia divina. Coré colheria o resultado de seu pecado, sob a forma de um resultado natural. Sem dúvida, *Moisés* serviu de mediador em todo o incidente, embora o plural "eles" indique a ajuda de Arão na intercessão que foi feita. A intercessão de Moisés era sempre eficaz. Cf. Êxodo 32.11 ss. Ver também Números 14.13 ss. Ver no *Dicionário* o verbete intitulado *Intercessão*. Cf. Gênesis 18.25, onde se historia uma intercessão feita por Abraão.

Alguns estudiosos pensam que os "espíritos" aqui referidos (segundo se vê no original hebraico) indicam as emoções e os intuitos humanos, uma referência à natureza psicológica deles, e não à alma imaterial. Porém, a ideia de *alma* parece estar em pauta. A frase é repetida em Números 27.16. Tudo isso reflete a compreensão que Deus, como um Ser onisciente, tem sobre o ser humano.

Um só homem. Havia nessas palavras algum exagero. Muito mais do que um único homem havia pecado; mas a multidão fora facilmente enganada, e a misericórdia de Yahweh haveria de poupá-los.

16.23

וַיְדַבֵּ֥ר יְהוָ֖ה אֶל־מֹשֶׁ֥ה לֵּאמֹֽר׃

Respondeu o Senhor. Temos nisso uma expressão frequente no Pentateuco, usada para indicar o começo de novos materiais, como também para lembrar-nos da doutrina da inspiração divina das Escrituras. Ver Levítico 1.1 e 4.1. O uso dessa expressão aqui (traduzida de modo levemente diferente do que se vê em outras passagens, na Bíblia em português) pode indicar uma fonte separada para a breve seção que se segue, acerca dos rebeldes, ou que houve duas histórias alinhavadas juntas, para fornecer-nos a história da rebelião. Talvez duas rebeliões tivessem ocorrido, ao passo que o autor sagrado as transformou em um único relato empregando mais de uma fonte informativa. Ver no *Dicionário* o artigo chamado *J.E.D.P.(S.)* quanto a teoria múltipla do Pentateuco, além de outras notas na introdução a este capítulo.

16.24

דַּבֵּ֥ר אֶל־הָעֵדָ֖ה לֵאמֹ֑ר הֵֽעָלוּ֙ מִסָּבִ֔יב לְמִשְׁכַּן־קֹ֕רַח
דָּתָ֖ן וַאֲבִירָֽם׃

Fala a toda esta congregação. Yahweh falava e Moisés era o *intermediário* entre ele e o povo de Israel. Às vezes ele transmitia as mensagens a Arão; de outras vezes a Arão e seus filhos; e de outras vezes ao povo de Israel etc. Há *oito* formas de comunicação que se seguem às palavras "Falou o Senhor". Ver as notas sobre essa questão na introdução ao trecho de Levítico 17.2. Neste caso, Moisés transmitiu a mensagem à *congregação* que se deixara envolver pela rebelião de Coré. Yahweh dera-lhes uma oportunidade de evitar o drástico castigo que estava prestes a sobrevir, pois se eram culpados de seguir um mau líder, não tinham sido eles os cabeças intelectuais da rebelião. O vs. 21 mostra-nos o intuito de Yahweh de destruir a *todos,* sem distinção. Alguns dos circunstantes davam seu apoio a Moisés, embora outros fossem meros espectadores. A graça de Deus estendeu-se às massas, embora não aos líderes da revolta. Ver 1Crônicas 6.22.

Habitação de Coré, Datã e Abirão. Era mister afastarem-se do lugar onde residiam Coré e os outros dois líderes do conluio. Mas teriam de permanecer "distantes do tabernáculo", pois era ali que eles estavam. A palavra aqui traduzida por "habitação" nunca é usada para indicar outra coisa, fora desta passagem, senão o tabernáculo. Portanto, o texto é um tanto desajeitado, e os críticos veem nisso uma reunião de fontes informativas, conforme já tínhamos comentado no versículo anterior e na introdução a este capítulo. Os estudiosos conservadores são forçados a supor que o autor sacro tenha usado a mesma palavra que usualmente aponta para o tabernáculo, a fim de referir-se à habitação de um homem, um uso sem dúvida singular. Naturalmente, o termo hebraico *mishkan* pode ter esse sentido não-sagrado, embora o autor geralmente não costumasse fazer isso, excetuando *aqui.* Seja como for, Yahweh ordenou uma *separação* radical para longe dos rebelados, porquanto quem permanecesse com eles pereceria juntamente com eles. Essa palavra reaparece no vs. 27 deste capítulo, referindo-se à habitação de outros rebeldes. Alguns estudiosos, contudo, sugerem que os rebeldes tinham erguido um *tabernáculo rival,* mas tal solução parece muito exagerada.

■ **16.25**

וַיָּקָם מֹשֶׁה וַיֵּלֶךְ אֶל־דָּתָן וַאֲבִירָם וַיֵּלְכוּ אַחֲרָיו זִקְנֵי יִשְׂרָאֵל׃

A Datã e a Abirão. Eles se tinham recusado a vir ao encontro de Moisés, no tabernáculo, para se submeterem ao teste dos incensários (vs. 6), mas a recusa não impediria o julgamento que sobreviria. Eles haviam provocado a tempestade que lhes seria fatal, e agora os eventos deveriam chegar à sua conclusão natural. O homem sempre foi "provocador de tempestades", e isso para seu próprio malefício. O próprio pecado desperta tempestades, e os homens são arrebatados por toda forma de dificuldades e tragédias, quando as tempestades fogem ao controle.

Após ele foram os anciãos de Israel. Supomos que esses *anciãos* fossem aqueles que deram seu apoio a Moisés, embora talvez a referência seja geral. Alguns estavam envolvidos no conluio, e outros não. Talvez estejam em foco os setenta príncipes descritos no segundo capítulo de Números. Eles seriam os líderes mais interessados pelo resultado do conflito.

■ **16.26**

וַיְדַבֵּר אֶל־הָעֵדָה לֵאמֹר סוּרוּ נָא מֵעַל אָהֳלֵי הָאֲנָשִׁים הָרְשָׁעִים הָאֵלֶּה וְאַל־תִּגְּעוּ בְּכָל־אֲשֶׁר לָהֶם פֶּן־תִּסָּפוּ בְּכָל־חַטֹּאתָם׃

Desviai-vos. Separarem-se os israelitas daqueles homens maus era a condição para a continuação da vida. Ver na *Enciclopédia de Bíblia, Teologia e Filosofia* o artigo chamado *Separação do Crente,* quanto aos princípios morais e espirituais envolvidos. Naquelas *tendas* os rebeldes tinham cozinhado seus planos malignos, conversando noite a dentro sobre como removeriam Moisés da posição de mando e tomariam o lugar dele. As tendas se tinham tornado lugares de malignas imaginações.

Não toqueis nada do que é seu. Provavelmente isso aponta para a pilhagem que, naturalmente, seguir-se-ia à destruição, conforme se vê tão comumente na história humana, antiga e moderna. Os rebeldes em breve estariam mortos, e todos os seus bens correriam o perigo de ser pilhados. Mas Moisés disse ao povo que em nada tocassem do que pertencia aos rebeldes, pois quem assim fizesse participaria dos pecados dos rebelados. Moisés estava presente para resolver problemas, e não para acumular bens materiais. Aqueles homens malignos haviam *contaminado* tudo quanto era deles, e assim o povo recebeu ordens para se manter distante.

"Em contraste com o conceito individual de culpa, dos versículos anteriores, neste ponto o relato repousa sobre a noção mais primitiva da solidariedade. Moisés desceu até os rebeldes, e ordenou que o povo se afastasse deles. Os anciãos estavam ao lado de Moisés, e temos a impressão de que uma das versões da história da rebelião mostrava que os rebeldes estavam limitados a alguns poucos rubenitas, descontentes por haver perdido o primado de sua tribo" (John Marsh, *in loc.*). Datã e Abirão, é claro, eram rubenitas, conforme vemos no primeiro versículo deste capítulo. *Eliabe* era da tribo de Rúben. Ver sobre esse nome no *Dicionário,* no seu segundo ponto. É difícil dizer quanto de verdade há nessa especulação.

■ **16.27**

וַיֵּעָלוּ מֵעַל מִשְׁכַּן־קֹרַח דָּתָן וַאֲבִירָם מִסָּבִיב וְדָתָן וַאֲבִירָם יָצְאוּ נִצָּבִים פֶּתַח אָהֳלֵיהֶם וּנְשֵׁיהֶם וּבְנֵיהֶם וְטַפָּם׃

Habitação de Coré, Datã e Abirão. Tal como se vê no vs. 24 deste capítulo, embora alguns eruditos especulem que se trataria de uma espécie de *tabernáculo rival.* Ver as notas sobre o vs. 24. Aquele que quisesse sobreviver teria de *fugir* daquele lugar. O golpe destruidor de Yahweh estava pronto a ser desfechado.

Os outros rebeldes, Datã e Abirão, ambos rubenitas (ver sobre eles no *Dicionário*) foram chamados para fora de suas tendas. Eles não haveriam de escapar do *golpe* fulminante. Seus pobres familiares tiveram de acompanhá-los. Seriam esses apanhados e pereceriam, devido a uma culpa coletiva? A resposta do vs. 33 é "sim"!

"Eles saíram de cabeça erguida, não se deixando abater de maneira nenhuma diante do que agora os ameaçava, e a aparência e os gestos deles transpareciam de desafio a Moisés e aos anciãos que estavam com ele" (John Gill, *in loc.*).

Neste ponto, não se faz nenhuma menção à participação de Coré e seu grupo; mas devemos imaginar isso, com base em indicações dadas no vs. 24 deste capítulo. Todos os rebeldes eram aliados uns dos outros. Coré e seus seguidores, contudo, morreram no fogo divino (ver Nm 16.35 cf. 26.10). Alguns intérpretes supõem que Coré e seus homens se tenham afastado das tendas dos outros rebeldes, mas isso não os livrou do julgamento fatal.

■ **16.28**

וַיֹּאמֶר מֹשֶׁה בְּזֹאת תֵּדְעוּן כִּי־יְהוָה שְׁלָחַנִי לַעֲשׂוֹת אֵת כָּל־הַמַּעֲשִׂים הָאֵלֶּה כִּי־לֹא מִלִּבִּי׃

Então disse Moisés. A autoridade de Moisés estava sendo submetida à prova. Era preciso fazer uma opção. Moisés era ou não o mediador entre Yahweh e o povo de Israel? Se fosse, então a ameaça de morte (vs. 29) logo removeria os rebeldes. Se nada sucedesse, então Moisés estaria laborando em erro e deveria ser removido da liderança. Moisés estava seguro de sua própria autoridade, mas isso precisava ser *demonstrado* diante do povo. Ele estivera presente a fim de convencer ao Faraó, mediante muitos prodígios, que o povo de Israel deveria deixar o Egito. Moisés também havia efetuado prodígios no deserto. No entanto, Israel não havia entrado na Terra Prometida, por haverem afrouxado na fronteira, e *isso* fora lançado na conta de Moisés. Eles argumentavam: "Ele exigiu de nós uma coisa impossível, o que significa que é um mau líder!" Visto que as evidências tinham terminado de modo inconclusivo, na mente do povo, um teste definitivo tinha de ocorrer.

Não procedem de mim mesmo. A liderança de Moisés procedia do próprio *Yahweh,* e as obras que ele realizava não procediam dele mesmo. Ver Êxodo 3.13 ss.; 4.13. Moisés sabia disso, mas os israelitas não estavam agora tão certos.

■ **16.29**

אִם־כְּמוֹת כָּל־הָאָדָם יְמֻתוּן אֵלֶּה וּפְקֻדַּת כָּל־הָאָדָם יִפָּקֵד עֲלֵיהֶם לֹא יְהוָה שְׁלָחָנִי׃

Se morrerem estes como todos os homens morrem. Ou seja, devido à idade avançada, ou a alguma enfermidade crônica e debilitante, conforme morre a maioria dos homens, ou por meio de alguma visitação comum, como uma praga, pela espada, por algum acidente etc., que também arrebatam a vida de muitas pessoas, então, mediante a circunstância da natureza *comum* de suas mortes, se tornaria claro que Moisés era apenas um impostor, conforme os rebeldes diziam que ele era. Ele fingiria possuir iluminação e autoridade divina, mas faltavam evidências sólidas em apoio às suas reivindicações.

■ 16.30

וְאִם־בְּרִיאָ֞ה יִבְרָ֣א יְהוָ֗ה וּפָצְתָ֨ה הָאֲדָמָ֤ה אֶת־פִּ֙יהָ֙ וּבָלְעָ֤ה אֹתָם֙ וְאֶת־כָּל־אֲשֶׁ֣ר לָהֶ֔ם וְיָרְד֥וּ חַיִּ֖ים שְׁאֹ֑לָה וִֽידַעְתֶּ֕ם כִּֽי־נִֽאֲצ֛וּ הָאֲנָשִׁ֥ים הָאֵ֖לֶּה אֶת־יְהוָֽה׃

Alguma cousa inaudita. Aqueles homens miseráveis tinham de morrer de alguma forma *incomum* de morte, tão extraordinária que fosse absolutamente convincente, levando todos a dizer: "Foi Yahweh quem fez isso!" Moisés havia proferido a punição capital por meio de algum ato divino incomum, que não pudesse ser interpretado de modo duvidoso pelos israelitas.

E a terra abrir a sua boca. Moisés ou foi impelido por Yahweh a sugerir esse modo incomum de morte; ou então Deus fez com que eles morressem daquela maneira simplesmente porque Moisés fizera a sugestão. Seja como for, o fato é que assim sucedeu. Ninguém jamais vira a terra fender-se de súbito e engolir seres humanos, embora isso às vezes aconteça, em momentos de abalos sísmicos. Os críticos supõem ter havido um fenômeno natural, mas o *momento preciso* de sua ocorrência e a maneira seletiva das suas vítimas (pois foram engolidos exclusivamente os rebeldes) serviram de prova da origem divina do castigo.

Vivos descerem ao abismo. Ver no *Dicionário* o detalhado artigo chamado *Sheol*, aqui traduzido por "abismo". A doutrina judaica do "sheol" atravessou um longo período de desenvolvimento. No começo, o "sheol" era apenas o sepulcro. Em seguida, veio a indicar um horrendo lugar para fantasmas idos da terra, fragmentos não-inteligentes de personalidades antes vivas, que ficariam vagueando naquele horrendo lugar de sombras. Finalmente, os fantasmas passaram a ser concebidos como almas capazes de raciocinar. Depois, o lugar passou a ser guarida de almas boas e más, igualmente. Finalmente, o sheol passou a ser concebido como dotado de dois compartimentos, um para os maus e outro para os bons. Esse é o estágio da doutrina que achamos no capítulo 16 de Lucas. Provavelmente, porém, nos dias de Moisés, o termo "sheol" era sinônimo de "sepulcro". A terra, pois, abriu-se e engoliu os rebeldes; para em seguida fechar-se, e ali os rebeldes encontraram seus *sepulcros*. A maioria dos intérpretes, liberais e conservadores igualmente, concorda que o Pentateuco não envolve doutrina que se pareça com a do inferno ou hades, nem mesmo uma doutrina do céu. Naquela coletânea de livros sagrados não há nenhuma advertência de que os homens maus sofreriam castigo para além da morte biológica, nem promessa de que os bons levariam uma existência abençoada no pós-túmulo. Essas grandes doutrinas tiveram de esperar por um tempo posterior a fim de se desenvolverem, tal como sucedeu à doutrina da própria alma. Ver no *Dicionário* os artigos intitulados *Alma* e *Julgamento de Deus dos Homens Perdidos*; e, na *Enciclopédia de Bíblia, Teologia e Filosofia*, ver o artigo chamado *Imortalidade*.

Naturalmente, nos intérpretes judeus posteriores, o versículo à nossa frente era explicado em termos da teologia posterior dos hebreus, e não em termos do estágio em que o *sheol* já havia progredido até os dias de Moisés. Mas isso representa um estudo *anacrônico* do texto. Ver minhas notas em Gênesis 37.35.

■ 16.31

וַיְהִי֙ כְּכַלֹּת֔וֹ לְדַבֵּ֕ר אֵ֥ת כָּל־הַדְּבָרִ֖ים הָאֵ֑לֶּה וַתִּבָּקַ֥ע הָאֲדָמָ֖ה אֲשֶׁ֥ר תַּחְתֵּיהֶֽם׃

Acabando ele de falar. Moisés falou e sua *ameaça de morte* produziu resultados, diante dos olhos aterrorizados do povo. Foi uma cena dramática, para dizer o mínimo! O drama era uma prova absoluta da autoridade de Moisés, *derivada de Deus*, bem como da falsidade dos seus pretensos oponentes. O abalo sísmico sugerido pelos críticos fica muito aquém da descrição bíblica. Pode ter sido um terremoto, mas um terremoto localizado, produzido divinamente, específico para aquela ocasião.

"... tudo ocorreu pela mão imediata e pela força toda-poderosa de Deus, e ocorreu exatamente conforme Moisés havia sugerido que sucederia, e assim que ele acabou de proferir suas palavras" (John Gill, *in loc.*).

■ 16.32

וַתִּפְתַּ֤ח הָאָ֙רֶץ֙ אֶת־פִּ֔יהָ וַתִּבְלַ֥ע אֹתָ֖ם וְאֶת־בָּתֵּיהֶ֑ם וְאֵ֤ת כָּל־הָאָדָם֙ אֲשֶׁ֣ר לְקֹ֔רַח וְאֵ֖ת כָּל־הָרְכֽוּשׁ׃

A Terra os Cobriu. É provável que estejam em pauta Coré, Datã, Abirão e seus familiares, bem como suas tendas e seus bens. Um *fogo* haveria de destruir os 250 rebeldes, conforme lemos no vs. 35 deste capítulo. Coré não é mencionado especificamente em nenhum lugar. Porém, em Números 26.10, Coré aparece incluído nas mortes causadas pela abertura miraculosa da terra. O Salmo 106.17 menciona somente Datã, Abirão e seus aliados como os que sofreram quando a terra os engoliu; e assim alguns intérpretes supõem que Coré e seu grupo tenham morrido devido ao fogo que se manifestou em seguida. Nesse caso, Números 26.10 pode representar uma declaração descuidada, da parte do autor, que não fez ali distinção entre os *dois* tipos de morte que o relato menciona. Deuteronômio 11.6 concorda com o Salmo 106.17. Os críticos apontam para essa aparente confusão como evidência de sua teoria de que *dois* relatos foram combinados em um só. Seriam derivados de fontes informativas diferentes, que conteriam informações diversas. Seja como for, essas diferenças, e até mesmo discrepâncias, não se revestem de importância capital, e não deveriam ocupar o nosso tempo. Lições espirituais estão sendo ensinadas, e essas lições é que devem ocupar a nossa atenção.

Josefo (*Antiq.* 1.4. cap. 3, sec. 2), como também Aben Ezra e outras antigas autoridades judaicas, afirma que Coré morreu nas chamas.

O trecho de Números 26.11 informa-nos que nem todos os familiares de Coré morreram. E isso é verdade. Nos tempos de Davi, são mencionados seus descendentes (vários Salmos são atribuídos a eles). Ver 1 Crônicas 6.22,23,38 e também as notas expositivas sobre Números 26.11.

■ 16.33

וַיֵּרְד֨וּ הֵ֜ם וְכָל־אֲשֶׁ֥ר לָהֶ֛ם חַיִּ֖ים שְׁאֹ֑לָה וַתְּכַ֤ס עֲלֵיהֶם֙ הָאָ֔רֶץ וַיֹּאבְד֖וּ מִתּ֥וֹךְ הַקָּהָֽל׃

Eles e todos os que lhe pertenciam. Todos esses estavam associados a Coré, como seus familiares, amigos, cooperadores etc. Tudo e todos pereceram com ele, embora não em um sentido absoluto, conforme vimos nas notas sobre o versículo anterior. "O fato de que as mulheres e os filhos de Coré, Datã e Abirão foram incluídos no pavoroso julgamento divino (vss. 27 e 32) ilustra novamente o princípio veterotestamentário da solidariedade de família, bem como da punição coletiva dos descendentes daqueles que pecam contra Deus (Êx 20.5,6; 34.6,7; Js 7.16-26)" (Eugene H. Merrill, *in loc.*). Contraste isso com Deuteronômio 24.16, onde lemos que cada indivíduo levará seu próprio pecado, de tal maneira que o filho não pagará pelo pai, nem o pai pelo filho. Mas ambos os conceitos existiam lado a lado na teologia hebraica, sem nenhuma tentativa de reconciliação. Cf. Ezequiel 18.1-3,13-18. Ver minhas notas em Números 14.18 quanto a algumas tentativas de reconciliação.

■ 16.34

וְכָל־יִשְׂרָאֵ֗ל אֲשֶׁ֛ר סְבִיבֹתֵיהֶ֖ם נָ֣סוּ לְקֹלָ֑ם כִּ֣י אָֽמְר֔וּ פֶּן־תִּבְלָעֵ֖נוּ הָאָֽרֶץ׃

Todo o Israel... fugiu do seu grito. O povo correu para salvar sua própria vida, diante dos gritos aterrorizados das vítimas, gritos que ecoavam em seus ouvidos. O Targum de Jonatham observa: "Os israelitas fugiram para escapar do som dos gritos de terror, bem como para sua própria segurança". A rebeldia da multidão, pois, prontamente foi reduzida ao pânico.

■ 16.35

וְאֵ֥שׁ יָצְאָ֖ה מֵאֵ֣ת יְהוָ֑ה וַתֹּ֗אכַל אֵ֣ת הַחֲמִשִּׁ֤ים וּמָאתַ֙יִם֙ אִ֔ישׁ מַקְרִיבֵ֖י הַקְּטֹֽרֶת׃ פ

Procedente do Senhor saiu fogo. O fogo desempenhou a tarefa especial de consumir aqueles 250 rebeldes que se tinham bandeado para os revoltosos. As tradições judaicas dizem que Coré e seus associados foram consumidos pelo fogo, ao passo que o trecho de Números 26.10 diz que eles também foram engolidos pela terra. Quanto a esse problema, ver as notas em Números 16.32. Seja como for, o tipo de juízo divino que acabou com Nadabe e Abiú (ver Lv 10.2 ss.) também eliminou os líderes da rebelião, sendo presumível que *Coré* tenha sido o rebelde principal. Com a passagem do tempo, a destruição por meio do fogo tornou-se uma metáfora para indicar a punição sofrida no hades. Mas a consolidação desse símbolo só teve lugar nos livros de Enoque, livros pseudepígrafos do período intertestamentário. De fato, as chamas do inferno foram acesas no livro de 1Enoque, conforme bem o sabem os teólogos históricos.

Por conseguinte, Coré e seu grupo de seguidores morreram mediante o mesmo elemento que tinham usado para defraudar, o fogo. Ver as notas sobre o vs. 6 deste capítulo quanto à "prova dos incensários".

16.36

וַיְדַבֵּר יְהוָה אֶל־מֹשֶׁה לֵּאמֹר:

Disse o Senhor. Essa é expressão usada com frequência no Pentateuco, sendo utilizada para introduzir novos materiais. E também nos faz lembrar da doutrina da inspiração divina. Ver a esse respeito em Levítico 1.1 e 4.1.

Os vss. 36-50 dão prosseguimento ao relato sobre Coré, adicionando então o detalhe, talvez baseado na fonte informativa *P*, conforme alguns críticos supõem. Ver no *Dicionário* o verbete intitulado *J.E.D.P.(S.)*, quanto à teoria das fontes informativas múltiplas do Pentateuco. Vemos neste relato os resultados adversos da rebeldia contra o Senhor, o que nos ensina a rejeitar tal atitude. O que é mais incrível, entretanto, é que tão poderosos atos de Yahweh não foram capazes de fazer o povo de Israel parar de murmurar (vs. 41). Conforme já poderíamos antecipar, pois, falhou outro julgamento divino, e assim o antigo padrão se repetiu por várias e várias vezes.

16.37,38

אֱמֹר אֶל־אֶלְעָזָר בֶּן־אַהֲרֹן הַכֹּהֵן וְיָרֵם אֶת־הַמַּחְתֹּת מִבֵּין הַשְּׂרֵפָה וְאֶת־הָאֵשׁ זְרֵה־הָלְאָה כִּי קָדֵשׁוּ:

אֵת מַחְתּוֹת הַחַטָּאִים הָאֵלֶּה בְּנַפְשֹׁתָם וְעָשׂוּ אֹתָם רִקֻּעֵי פַחִים צִפּוּי לַמִּזְבֵּחַ כִּי־הִקְרִיבֻם לִפְנֵי־יְהוָה וַיִּקְדָּשׁוּ וְיִהְיוּ לְאוֹת לִבְנֵי יִשְׂרָאֵל:

Santidade por Contágio. Aquilo que tocasse em algo santo tornava-se santo. Esse é um antigo princípio, estranho para nós, mas inteligível para a teologia do antigo povo de Israel. Ver Levítico 6.18, onde anotei conceito, e também Êxodo 29.37 e 30.29. Em consonância com a ideia, aquilo que tocasse uma coisa imunda também se tornava (cerimonialmente) imunda. Ver Levítico 5.2,5. Os 250 rebeldes tinham feitos seus incensários para *a prova dos incensários* (ver o vs. 6). Mas eram incensários de blasfêmia, pois a ideia era que os rebeldes, ao usá-los, iriam se apossar do culto do tabernáculo. Não obstante, tinham sido acesos com as chamas do altar dos holocaustos, e esse *contato* os tinha tornado santos. Ver Levítico 6.12,13 quanto às *chamas perenes* que queimavam constantemente sobre esse altar.

Nenhum objeto sagrado podia ser usado para propósito profano. Logo foi mister espalhar as brasas dos incensários que tinham sido santificados mediante seu uso. Desse modo, nenhum outro uso podia ser feito daquelas brasas. Elas se apagariam, e isso seria o fim da questão.

Os próprios incensários (vs. 38) tinham-se tornado santos, e não podiam ser simplesmente jogados fora. Antes, deveriam ser aquecidos ao rubro e martelados para se tornarem chapas de bronze (vs. 39), para servirem de cobertura do altar. Esse material recobriria o altar, e sua presença tornou-se um memorial do santo ofício que fora dado aos antigos incensários, além da confirmação do sumo sacerdócio de Arão, mediante o teste dos incensários (vs. 6). Ver Êx 27.2 quanto à cobertura de bronze do altar. Esse altar já dispunha de uma cobertura de bronze, conforme aquela referência indica. Mas sobre esse topo, foi posto um segundo. Ver o vs. 40 deste capítulo sobre como essa segunda cobertura serviria de *memorial de advertência*. Somente os sacerdotes autorizados (descendentes diretos de Arão) podiam servir como sacerdotes.

Perante o Senhor. Isso tudo seria feito por ordem de Yahweh, *perante quem* os incensários tinham sido usados. Essa aproximação fizera o metal dos incensários tornar-se utilizável somente para uso sagrado.

16.39

וַיִּקַּח אֶלְעָזָר הַכֹּהֵן אֵת מַחְתּוֹת הַנְּחֹשֶׁת אֲשֶׁר הִקְרִיבוּ הַשְּׂרֻפִים וַיְרַקְּעוּם צִפּוּי לַמִּזְבֵּחַ:

Eleazar. Ele era um dos sacerdotes autorizados de Israel, um dos filhos de Arão. Ver no *Dicionário* sobre esse nome. A ele foi entregue a tarefa de fazer dos incensários uma chapa de bronze para ser posta sobre o altar, sobre a chapa de bronze que já existia ali. E ele cumpriu a ordem recebida.

16.40

זִכָּרוֹן לִבְנֵי יִשְׂרָאֵל לְמַעַן אֲשֶׁר לֹא־יִקְרַב אִישׁ זָר אֲשֶׁר לֹא מִזֶּרַע אַהֲרֹן הוּא לְהַקְטִיר קְטֹרֶת לִפְנֵי יְהוָה וְלֹא־יִהְיֶה כְקֹרַח וְכַעֲדָתוֹ כַּאֲשֶׁר דִּבֶּר יְהוָה בְּיַד־מֹשֶׁה לוֹ:

"Este versículo mostra o propósito da história de Coré: destacar as prerrogativas do sacerdócio aarônico" (*Oxford Annotated Bible*, falando sobre o presente versículo).

A chapa de bronze era um *memorial* ou sinal desse fato, um lembrete constante acerca de a quem o Senhor dera autoridade (vss. 38 e 39). Diariamente, o povo traria os seus sacrifícios até o altar, sacrificando-os no lado direito (norte). O sacerdote autorizado tomava as partes do animal e seu sangue, sacrificando-o sobre o altar. Todos seriam forçados a ver aquela cobertura de bronze, tanto o homem que trouxesse o sacrifício quanto o sacerdote oficiante. O ato de *ver* aquela cobertura lembraria a todos da autorização dada por Yahweh quanto ao sacerdócio aarônico.

Tipologia. Essa cobertura podia representar, simbolicamente, a nova autoridade que foi dada a Jesus Cristo, no Novo Testamento. Pois *agora* ele é o único sumo sacerdote autorizado que tem acesso a Deus. Ver Hebreus 9.24 ss. Ver no *Dicionário* o verbete intitulado *Acesso*. E na *Enciclopédia de Bíblia, Teologia e Filosofia* ver o artigo *sumo sacerdote, Cristo como*.

Deus adapta a ira humana para o bem. Os incensários dos rebeldes acabaram recebendo um bom uso. Foi um ato da *providência de Deus* (ver a esse respeito no *Dicionário*). Na cruz, Deus fez a ira do homem tornar-se em motivo de louvor a ele.

16.41

וַיִּלֹּנוּ כָּל־עֲדַת בְּנֵי־יִשְׂרָאֵל מִמָּחֳרָת עַל־מֹשֶׁה וְעַל־אַהֲרֹן לֵאמֹר אַתֶּם הֲמִתֶּם אֶת־עַם יְהוָה:

No dia seguinte toda a congregação... murmurou contra Moisés e contra Arão. Quanto a notas sobre esse constante pecado de murmuração do povo de Israel, ver a introdução ao capítulo 11 de Números. O trecho de Números 14.22 fornece ao leitor *oito* instâncias desse pecado. Este texto adiciona outra instância, que havia sido olvidada na exposição daquele versículo.

O vs. 34 deste capítulo mostra que os israelitas fugiram de diante da ira de Deus. Mas nem por isso o coração deles tinha sido transformado. Tão somente eles haviam temido ser engolidos pela terra, como aconteceu a certos líderes da revolta (vss. 32 e 33). Mas, passado o temor, eles voltaram a seu velho pecado, queixando-se de Moisés e lamentando pela morte dos rebeldes. O juízo divino é que abrira a terra e enviara fogo para devorar os 250 homens que tinham manipulado os incensários. Mas o povo lançou a culpa de tudo sobre Moisés e Arão.

"Trata-se da mais surpreendente instância da corrupção e da depravação da natureza humana, da cegueira, dureza e estupidez do coração humano, o que coisa alguma pode remover, exceto a graça de Deus" (John Gill, *in loc.*).

Matastes o povo do Senhor. É verdade que os rebeldes mortos eram israelitas; mas eles haviam perdido seu direito à vida, ao tentarem defender a rebelião. O juízo de Deus começa pela casa de Deus (ver 1Pe 4.17).

■ 16.42

וַיְהִי בְּהִקָּהֵל הָעֵדָה עַל־מֹשֶׁה וְעַל־אַהֲרֹן וַיִּפְנוּ אֶל־אֹהֶל מוֹעֵד וְהִנֵּה כִסָּהוּ הֶעָנָן וַיֵּרָא כְּבוֹד יְהוָה׃

A Glória do Senhor apareceu. A fim de impedir que as ameaças do povo terminassem em homicídio (conforme já havia acontecido potencialmente; ver Nm 14.10), a glória da presença de Yahweh apareceu na nuvem, por sobre o tabernáculo. E foi assim que aqueles ameaçadores israelitas foram subitamente ameaçados de morte por Yahweh. O Targum de Jonathan diz que a nuvem apareceu com o propósito de executar o povo. A ira de Deus esteve muito próxima de explodir. Um grande número de rebeldes havia morrido no dia anterior. Parece que haveria outra grande matança. O povo de Israel nunca aprendia. A glória do Senhor apareceu na nuvem, conforme também se vira no vs. 19 deste capítulo. Moisés e Arão foram novamente livrados das mãos daquela turba de assassinos.

■ 16.43

וַיָּבֹא מֹשֶׁה וְאַהֲרֹן אֶל־פְּנֵי אֹהֶל מוֹעֵד׃ פ

Moisés e Arão. Sem nenhum temor, esses dois se aproximaram da manifestação divina. Suas tendas não estavam longe. O Targum de Jonathan diz que "e Moisés e Arão saíram da congregação à porta do tabernáculo". A nuvem apareceu a fim de *encorajar e proteger* os dois. Depois de tudo dito e feito, a menos que a presença de Deus esteja ali, a vida humana é inútil. Deus é a origem de toda vida humana e de toda existência, bem como seu sustentador (Cl 1.16). Cf. Êxodo 40.34-38.

■ 16.44

וַיְדַבֵּר יְהוָה אֶל־מֹשֶׁה לֵּאמֹר׃

Então falou o Senhor. Essa é uma expressão por muitas vezes repetida no Pentateuco, usualmente empregada para introduzir novos materiais. Também nos faz lembrar da inspiração divina. Ver as notas sobre isso em Levítico 1.1 e 4.1. Neste ponto, a expressão apresenta uma urgente advertência e uma instrução. A vida estava em perigo. Moisés precisou obedecer imediatamente à ordem dada por Yahweh.

■ 16.45

הֵרֹמּוּ מִתּוֹךְ הָעֵדָה הַזֹּאת וַאֲכַלֶּה אֹתָם כְּרָגַע וַיִּפְּלוּ עַל־פְּנֵיהֶם׃

A ira de Deus estava prestes a ser descarregada, conforme havia acontecido no dia anterior. Cf. o vs. 21 deste capítulo, virtualmente igual a este. Aquele incidente havia provocado a intercessão imediata de Moisés, e a mesma coisa acontecia agora, conforme o texto sagrado nos mostra.

Então se prostraram sobre os seus rostos. Quando este texto diz que Moisés e Arão se prostraram sobre seus rostos, dá a entender que o fizeram com temor; mas também indica que eles começaram a interceder pelo povo, tal e qual vimos no vs. 22. O autor sacro não nos fornece as palavras usadas na intercessão, mas ele sabia que entenderíamos que isso tivera lugar. A intercessão de Moisés é um tema frequente no Pentateuco. Cf. Êxodo 32.31 ss.; Números 14.13 ss.; 16.21; 21.7. A oração é mais poderosa do que a profecia e o juízo divino.

> Mais coisas são realizadas pela oração
> Do que este mundo imagina.
>
> Tennyson

Pedi, e dar-se-vos-á; buscai, e achareis; batei, e abrir-se-vos-á.

Mateus 7.7

> Ora bem quem ama bem.
>
> Samuel Coleridge

As orações de Moisés eram eficazes mesmo no caso daquela gente rebelde, porque eram temperadas pelo amor e pela misericórdia. Ver no *Dicionário* os artigos intitulados *Oração* e *Intercessão*. A eficaz oração *fervorosa* de um homem reto tem grande valor (ver Tg 5.16). Elias era homem semelhante a nós, mas suas orações fizeram as chuvas parar e recomeçar. Os trechos de Mateus 5.44 e Lucas 23.34 encerram orações em favor de inimigos e perseguidores. Essa era uma dimensão da oração que Moisés conhecia bem, mas a qual é praticamente impossível para pessoas de menor espiritualidade.

Tipologia. O grande intercessor é Cristo, o novo Moisés, e o seu Espírito. Ver Romanos 8.26,34; Hebreus 7.25. Meu artigo intitulado *Intercessão*, no *Dicionário*, seções III e IV, comenta com detalhes sobre essas questões.

■ 16.46

וַיֹּאמֶר מֹשֶׁה אֶל־אַהֲרֹן קַח אֶת־הַמַּחְתָּה וְתֶן־עָלֶיהָ אֵשׁ מֵעַל הַמִּזְבֵּחַ וְשִׂים קְטֹרֶת וְהוֹלֵךְ מְהֵרָה אֶל־הָעֵדָה וְכַפֵּר עֲלֵיהֶם כִּי־יָצָא הַקֶּצֶף מִלִּפְנֵי יְהוָה הֵחֵל הַנָּגֶף׃

Disse Moisés a Arão. Moisés sabia que o julgamento imposto por Yahweh já havia começado. Sua mente fora *iluminada* por Yahweh. Por isso, ordenou que Arão oferecesse prontamente uma *oferta pelo pecado* (ver Lv 6.25,30), em favor do povo, para abrandar a ira do Senhor. Mediante *expiação* (ver a esse respeito no *Dicionário*), Moisés esperava reduzir a ira de Deus, que ele sabia que seria inevitável de outra maneira. Já havia começado uma praga, e o espírito iluminado de Moisés reconheceu isso.

Foi efetuada uma oferta pelo pecado, mas sem o animal, pois não havia tempo para seguir o modo de proceder regular. Moisés esperava que seu sacrifício improvisado exercesse algum efeito. Talvez assim tenha acontecido, mas nada menos de 14.700 pessoas pereceram naquele dia (vs. 49). Contudo, não nos é informado sobre em que consistiu a tal praga.

Toma o teu incensário, põe nele fogo do altar. Esses foram os elementos do sacrifício improvisado; e até certo ponto, foram eficazes (vs. 50), ao passo que o sacrifício oferecido pelos rebeldes trouxera apenas destruição (vs. 35). Provavelmente o autor tencionava que sua mensagem fosse entendida com esse sentido.

■ 16.47

וַיִּקַּח אַהֲרֹן כַּאֲשֶׁר דִּבֶּר מֹשֶׁה וַיָּרָץ אֶל־תּוֹךְ הַקָּהָל וְהִנֵּה הֵחֵל הַנֶּגֶף בָּעָם וַיִּתֵּן אֶת־הַקְּטֹרֶת וַיְכַפֵּר עַל־הָעָם׃

E fez expiação pelo povo. Arão correu por entre o povo, com seu incenso queimando, aceso pelas chamas perenes do altar dos holocaustos (ver Lv 6.12,13). As ofertas pelo pecado sempre foram oferecidas sobre o altar; mas a oferenda de Arão foi feita entre o povo, porquanto era ali que estava a praga. Outrossim, era proibido oferecer incenso em qualquer lugar fora do tabernáculo; mas a urgente necessidade inspirou um ato diferente. Portanto, naquela *emergência*, não foram seguidas as regras estritas da lei. Nenhum conjunto de regras é capaz de antecipar todas as situações possíveis, e, algumas vezes, as regras são quebradas por *amor à praticidade*. Jesus rompeu todas as regras veterotestamentárias quando estabeleceu a nova adoração, em *substituição* à antiga.

Esperou-se que o odor perfumado do incenso fosse como um sacrifício oferecido sobre o altar do incenso, e que Yahweh se satisfizesse com a fragrância. Ver no *Dicionário* o artigo chamado *Antropomorfismo*. Ver as notas sobre *aroma agradável*, em Levítico 1.9 e Êxodo 29.18. Uma vez satisfeito, Yahweh mitigaria a sua ira. Ver no *Dicionário* o verbete intitulado *Antropopatismo*.

Tipologia. Ver as notas em Efésios 5.2, onde Cristo aparece como a oferta de odor suave, que agrada a Deus.

"A ocasião inteira foi extraordinária. Em ocasiões ordinárias, o *incenso* só podia ser oferecido sobre o altar de ouro, dentro do Lugar Santo, onde ministravam os sacerdotes" (Ellicott, *in loc.*).

16.48

וַיַּעֲמֹד בֵּין־הַמֵּתִים וּבֵין הַחַיִּים וַתֵּעָצַר הַמַּגֵּפָה:

Quando Arão chegou entre o povo, já era tarde demais para muita gente. Muitos já haviam morrido de alguma praga terrível e fatal, que não é descrita para nós. E assim, Arão pôs-se de pé com o incenso a queimar, entre os vivos e os mortos. Mas as coisas, desse jeito, não foram tão más como poderiam ter sido (vs. 50).

Tipologia. Arão tipificava a Cristo, o Mediador entre Deus e o homem, aquele que serve entre os vivos e os mortos (ver 1Pe 3.18—4.6). Ver no *Dicionário* o artigo *Mediação (Mediador).* Ver a terceira seção desse artigo, *Cristo, o Único Mediador.* A quarta seção trata da *mediação e oração.* Ver Efésios 5.2 quanto a um comentário do Novo Testamento a esse respeito.

E cessou a praga. Tinha havido uma matança terrível, embora não tão generalizada como teria acontecido se Arão não tivesse oferecido aquela forma de expiação.

O incenso é um símbolo da oração (ver Êx 30.8; Sl 141.2; Lc 1.9,10; Ap 5.8; 8.3,4). *Um incensário só,* nas mãos do sacerdote autorizado por Deus, teve o condão de salvar vidas, ao passo que 250 incensários, nas mãos de sacerdotes falsos, serviram somente para espalhar a destruição.

16.49

וַיִּהְיוּ הַמֵּתִים בַּמַּגֵּפָה אַרְבָּעָה עָשָׂר אֶלֶף וּשְׁבַע מֵאוֹת מִלְּבַד הַמֵּתִים עַל־דְּבַר־קֹרַח:

Catorze mil e setecentos. Esse foi o número dos mortos, entre os murmuradores. Isso em adição ao grande número de outros que tinham perecido na rebeldia da qual Coré havia sido o líder principal. O autor sagrado não se importa em fornecer-nos o número exato das vítimas, mas sem dúvida o total alcançou mais de quinze mil pessoas. A segunda matança foi muito mais vasta que a primeira, tendo atingido a *congregação,* e não somente os seus líderes rebelados. A congregação havia insistido na sua atitude rebelde, embora os líderes já tivessem sido eliminados. Por isso mesmo, foi mister o Senhor aplicar um severo golpe, como juízo divino.

16.50

וַיָּשָׁב אַהֲרֹן אֶל־מֹשֶׁה אֶל־פֶּתַח אֹהֶל מוֹעֵד וְהַמַּגֵּפָה נֶעֱצָרָה: פ

Voltou Arão. Ele fizera bem a sua tarefa. A praga cessara. E assim o sumo sacerdote retornou a Moisés, que estava na *porta* do tabernáculo, ou seja, diante da *primeira cortina,* a qual formava a porta que separava o átrio do espaço exterior. Ver Êxodo 26.36 quanto às *três cortinas,* todas as quais funcionavam como portas.

"De modo diferente do incenso oferecido por Coré, o incenso oferecido por Arão foi aceito por Yahweh, e, ademais, mostrou ser eficaz" (John Marsh, *in loc.*).

A praga havia cessado. Pelo momento, a ira de Yahweh descansava.

CAPÍTULO DEZESSETE

FLORESCE A VARA DE ARÃO (17.1-13)

O *espírito rebelde* dos filhos de Israel era maligno e persistente. O capítulo 16 de Números registra longamente como Yahweh, em seus juízos, dominara a dissensão. Mas isso não fora o bastante. O capítulo à nossa frente diz como Moisés foi obrigado a fornecer um *sinal* miraculoso, o da vara de Arão que floresceu, para demonstrar mais ainda o direito que tinha a tribo de Levi ao sacerdócio, em contraste com as tribos "seculares".

"Visto que a autoridade sacerdotal de Arão tinha sido desafiada (capítulo 16), o Senhor mostrava agora, a todo o povo de Israel, que Arão é quem retinha essa autoridade, com exclusão de todos os demais reivindicadores" (Eugene H. Merrill, *in loc.*).

"Essa narrativa reflete a tensão entre os levitas e as tribos seculares, provendo uma prova positiva mediante a qual os levitas foram aprovados, em lugar de um teste negativo, mediante o qual outros foram rejeitados" (John Marsh, *in loc.*).

17.1

וַיְדַבֵּר יְהוָה אֶל־מֹשֶׁה לֵּאמֹר:

Disse o Senhor. Essa é uma expressão frequente no Pentateuco, empregada para indicar o início de novos materiais. E também nos faz lembrar da doutrina da inspiração das Escrituras. Ver as notas a respeito em Levítico 1.1 e 4.1.

17.2

דַּבֵּר אֶל־בְּנֵי יִשְׂרָאֵל וְקַח מֵאִתָּם מַטֶּה מַטֶּה לְבֵית אָב מֵאֵת כָּל־נְשִׂיאֵהֶם לְבֵית אֲבֹתָם שְׁנֵים עָשָׂר מַטּוֹת אִישׁ אֶת־שְׁמוֹ תִּכְתֹּב עַל־מַטֵּהוּ:

Fala aos filhos de Israel. A mensagem foi dada a Moisés como mediador entre Yahweh e o povo de Israel. Então ele passou a mensagem ao povo. De outras vezes ele falava com Arão, ou com Arão e seus filhos. Há *oito* fórmulas diferentes de comunicação. Ver as notas expositivas sobre isso em Levítico 17.2.

Recebe deles... doze varas. Se fosse contada a "tribo" de Levi, as tribos seriam treze, e não doze. Mas a tribo de Levi tornara-se uma casta sacerdotal, tendo perdido a sua condição de tribo dotada de terras. Ver Números 1.47 ss. Portanto, se tirarmos do quadro a tribo de Levi, ficaremos com onze tribos. Não havia tribo de José, o que reduzia o número das tribos para dez. Mas havia duas tribos *descendentes de José,* ou seja, descendentes de Efraim e de Manassés. Adicionando essas duas às dez, chegamos ao número tradicional de *doze* tribos.

Não entendemos exatamente qual o intuito do autor sacro. Talvez houvesse treze varas, doze para as tribos seculares, e uma para Levi, a casta sacerdotal. Ou então, conforme alguns supõem, havia apenas uma vara para os descendentes de José, ou seja, descendentes de Efraim e Manassés. Alguns eruditos supõem que o autor sagrado tenha incorrido aqui em um pequeno equívoco, tendo-se esquecido de como foram conseguidas as doze tribos tradicionais, pelo que deveria ter escrito "treze", e não doze. Ver Deuteronômio 27.12,13, que pode ser trecho usado para defender a teoria da combinação dos descendentes de Manassés e Efraim. Ali é mencionado *José,* em vez de serem mencionados os seus dois filhos.

As *varas,* ao que parece, eram de amendoeiras. Em cada vara foi inscrito o nome de um *príncipe* ou de uma tribo. Cada um desses nomes, *potencialmente,* falava do direito de sua tribo ao sacerdócio. Conforme vimos em Números 16.6, o "teste dos incensários", temos aqui o "teste das varas"; mas ambos os testes apontavam para quem possuía a autoridade sacerdotal. Quanto aos *príncipes,* ver o capítulo 2 de Números, onde eles são todos mencionados. Há notas sobre eles no *Dicionário.* Cf. este versículo com Ezequiel 37.16.

"A vara era símbolo da autoridade tribal" (*Oxford Annotated Bible,* sobre este versículo). Quanto à lista das tribos, ver Números 1.5-15. Ver no *Dicionário* o artigo intitulado *Vara.*

Amendoeira. Conforme já vimos, parece que as varas eram de amendoeiras. No hebraico, a palavra significa "árvore despertadora", provavelmente porque sua folhagem profusa e seus muitos botões anunciavam a chegada da primavera. A raiz básica dessa palavra, no hebraico, é *shaqad,* "despertar", "vigiar". "A ideia de vigilância, que faz parte básica do sentido da palavra-raiz, fornece-nos a chave da explicação do termo hebraico para a amendoeira. Essa espécie vegetal, que em Israel floresce tão cedo quanto janeiro ou fevereiro, é afetuosamente considerada o arauto da primavera, razão pela qual era chamada de *shaqed,* 'despertadora'" (*Theological Wordbook of the Old Testament,* R. Laird Harris, editor).

17.3

וְאֵת שֵׁם אַהֲרֹן תִּכְתֹּב עַל־מַטֵּה לֵוִי כִּי מַטֶּה אֶחָד לְרֹאשׁ בֵּית אֲבוֹתָם:

A *casta sacerdotal de Levi* tinha Arão, o sumo sacerdote, como seu cabeça, e seu nome foi escrito sobre a vara que representava aquela tribo. Ele encabeçava aquela "tribo", e cada príncipe encabeçava uma das tribos "seculares". Arão descendia do segundo filho de Levi, pelo que ele não era a cabeça natural daquela casta; mas o Senhor o tinha escolhido para ser o cabeça. Por essa razão, tornara-se o sumo sacerdote.

17.4

וְהִנַּחְתָּ֞ם בְּאֹ֣הֶל מוֹעֵ֗ד לִפְנֵי֙ הָֽעֵד֔וּת אֲשֶׁ֛ר אִוָּעֵ֥ד לָכֶ֖ם שָֽׁמָּה׃

Na tenda da congregação. Ou seja, no Lugar Santo, ao que tudo indica diante da *terceira* cortina, que formava a porta que separava o Lugar Santo do Santo dos Santos. Era ali que estava o "testemunho", ou seja, a *arca da aliança* (ver a esse respeito no *Dicionário*). Ver sobre as *três cortinas* em Êxodo 26.36, e sobre o *testemunho* em Êxodo 16.34 e 25.16, onde aparecem notas expositivas detalhadas. Naquele lugar, manifestava-se a presença de Yahweh, fazendo dele o local da orientação, da comunicação, da comunhão e da autoridade. A presença de Deus é que realizaria o milagre da vara florescente, o que serviria de indicação de qual tribo fora escolhida para ser a casta sacerdotal.

17.5

וְהָיָ֗ה הָאִ֛ישׁ אֲשֶׁ֥ר אֶבְחַר־בּ֖וֹ מַטֵּ֣הוּ יִפְרָ֑ח וַהֲשִׁכֹּתִ֣י מֵֽעָלַ֗י אֶת־תְּלֻנּוֹת֙ בְּנֵ֣י יִשְׂרָאֵ֔ל אֲשֶׁ֛ר הֵ֥ם מַלִּינִ֖ם עֲלֵיכֶֽם׃

A vara do homem que eu escolher, essa florescerá. O tipo de milagre confirmatório que deveria ter lugar, para mostrar a tribo que se tornara a casta sacerdotal, foi anunciado de antemão, para que todos o entendessem. Tão grande milagre, era de esperar, poria fim a todas as *murmurações*. Quanto a essa questão, ver a introdução ao capítulo 11 de Números. Houve *nove* instâncias de murmuração, anotadas em Números 14.22.

17.6

וַיְדַבֵּ֨ר מֹשֶׁ֜ה אֶל־בְּנֵ֣י יִשְׂרָאֵ֗ל וַיִּתְּנ֣וּ אֵלָ֣יו ׀ כָּֽל־נְשִֽׂיאֵיהֶ֡ם מַטֶּה֩ לְנָשִׂ֨יא אֶחָ֜ד מַטֶּ֣ה לְנָשִׂ֣יא אֶחָ֗ד לְבֵ֤ית אֲבֹתָם֙ שְׁנֵ֣ים עָשָׂ֣ר מַטּ֔וֹת וּמַטֵּ֥ה אַהֲרֹ֖ן בְּת֥וֹךְ מַטּוֹתָֽם׃

Todos os seus príncipes lhe deram varas. As ordens foram cumpridas. Este versículo, de acordo com o estilo literário do autor sacro, reitera cuidadosamente todos os detalhes que já haviam sido dados. O que fora ordenado, foi cumprido. Ver a ideia de *obediência* como uma forma de sumariar os relatos, em Números 1.54.

Houve Mesmo Doze Varas? Essa pergunta já foi investigada nas notas sobre o segundo versículo deste capítulo. A versão latina do Antigo Testamento fala em "treze", em lugar de doze, porque a vara de Arão parece ter sido *adicionada* às doze varas dos príncipes. Porém, não há como investigar o ponto, e nem isso é importante. A tradição judaica comum fala em doze varas, fazendo a tribo de *José* (formada por descendentes de Efraim e Manassés) ter sido representada por uma única vara.

17.7

וַיַּנַּ֥ח מֹשֶׁ֛ה אֶת־הַמַּטֹּ֖ת לִפְנֵ֣י יְהוָ֑ה בְּאֹ֖הֶל הָעֵדֻֽת׃

Moisés dispusera as varas conforme Yahweh lhe ordenara, ou seja, "perante o Senhor", diante da *terceira cortina,* aquela que separava o Lugar Santo do Santo dos Santos. Ver sobre essa situação nas notas sobre o vs. 4 deste capítulo. A presença de Yahweh seria o poder que efetuaria o milagre. Algumas vezes, somente o poder de Deus é capaz de outorgar-nos orientação. Oh, Senhor, concede-nos tal graça!

17.8

וַיְהִ֣י מִֽמָּחֳרָ֗ת וַיָּבֹ֤א מֹשֶׁה֙ אֶל־אֹ֣הֶל הָעֵד֔וּת וְהִנֵּ֛ה פָּרַ֥ח מַטֵּֽה־אַהֲרֹ֖ן לְבֵ֣ית לֵוִ֑י וַיֹּ֤צֵֽא פֶ֙רַח֙ וַיָּ֣צֵֽץ צִ֔יץ וַיִּגְמֹ֖ל שְׁקֵדִֽים׃

Eis que a vara de Arão, pela casa de Levi, brotara. Ocasionalmente, durante a noite, Yahweh se fazia presente. Ele insuflou vida na vara morta. A vara florescera e produzira amêndoas. O milagre foi completo e poderoso. Não restava dúvida. *Somente* a vara de Arão havia sofrido transformação. As demais jaziam estéreis e mortas como sempre. Uma vara estava viva; todas as outras estavam mortas. O sinal foi dramático e convincente. As amêndoas eram maduras e perfeitas, conforme nos asseguram os Targuns ou comentários dos judeus. Houve ali o elemento da *perfeição*. As outras varas eram apenas galhos secos.

Tipologia. Os intérpretes cristãos veem aqui não somente um símbolo da autoridade do sacerdócio de Jesus, mas também um símbolo da *ressurreição* (ver a esse respeito no *Dicionário*). nele, a morte irrompeu na vida, e essa vida é dada a todos quantos nele confiam. "Cada um dos príncipes das tribos trouxe uma vara perfeitamente morta. Deus insuflou *vida* somente na vara de Arão. Todos os autores de religião têm morrido, Cristo entre eles; mas somente Cristo ressuscitou dentre os mortos, tendo sido exaltado para ocupar a posição de sumo sacerdote (Hb 4.14; 5.4-10)" (*Scofield Annotated Bible,* falando sobre este versículo). Cf. Isaías 53.2, onde o Messias figura como uma *raiz* que sai de uma terra seca. Ver também Zacarias 4.6. Tudo ocorreu não por força nem por poder, mas pelo Espírito de Deus.

"Todos os elementos desse milagre estavam tão acima de todos os poderes da natureza que não restou mais nenhuma dúvida na mente dos israelitas" (Adam Clarke, *in loc.*).

17.9

וַיֹּצֵ֨א מֹשֶׁ֤ה אֶת־כָּל־הַמַּטֹּת֙ מִלִּפְנֵ֣י יְהוָ֔ה אֶֽל־כָּל־בְּנֵ֖י יִשְׂרָאֵ֑ל וַיִּרְא֥וּ וַיִּקְח֖וּ אִ֥ישׁ מַטֵּֽהוּ׃ ס

Moisés trouxe todas as varas. Cada príncipe trouxe de volta a sua respectiva vara. Todas elas continuavam secas, mortas. A evidência estava diante de seus olhos. Cada homem pôde identificar a sua vara. Não havia nenhum truque. Não tinha havido qualquer substituição. Cada uma das varas tinha estado "perante o Senhor". Nenhuma tinha sido deixada de fora. Yahweh havia passado por ali. Ele poderia ter feito florescer qualquer uma das varas. Mas o seu poder mostrara-se *seletivo* e *instrutivo*. Nenhuma das varas tinha sido favorecida, exceto a de *Arão,* cuja autoridade fora assim confirmada.

17.10

וַיֹּ֨אמֶר יְהוָ֜ה אֶל־מֹשֶׁ֗ה הָשֵׁ֞ב אֶת־מַטֵּ֤ה אַהֲרֹן֙ לִפְנֵ֣י הָעֵד֔וּת לְמִשְׁמֶ֥רֶת לְא֖וֹת לִבְנֵי־מֶ֑רִי וּתְכַ֧ל תְּלוּנֹּתָ֛ם מֵעָלַ֖י וְלֹ֥א יָמֻֽתוּ׃

Assim farás acabar as suas murmurações. O argumento era irretorquível. A vara de Arão, em contraste com os galhos secos dos príncipes, exibia os *três* estágios da vida vegetal: os botões, as flores e as amêndoas, todas as três coisas ao mesmo tempo, algo realmente incomum. E isso tornou-se um *sinal* contra os rebeldes, que tinham pretendido enfraquecer ou eliminar a autoridade de Arão. O sinal divino dizia: "Vocês estão equivocados. Cessem em suas murmurações rebeldes". Era importante que parassem em suas murmurações, que já haviam resultado em tremenda matança, de nada menos que quinze mil pessoas (capítulo 16).

As tradições judaicas, como os comentários de Kimchi (sobre 2 Crônicas 35.3) e de Maimônides, Hilchot. Beth Habechirah, cap. 4, sec. seguida por Hebreus 9.4, dizem que a vara de Arão, que floresceu, foi preservada como uma relíquia, no interior da arca da aliança. Ver as notas completas sobre esse versículo — Hebreus 9.4 — no *Novo Testamento Interpretado*. A exatidão dessa tradição tem sido posta em dúvida, conforme aquelas notas explicam.

17.11

וַיַּ֖עַשׂ מֹשֶׁ֑ה כַּאֲשֶׁ֨ר צִוָּ֧ה יְהוָ֛ה אֹת֖וֹ כֵּ֥ן עָשָֽׂה׃ ס

E Moisés fez assim. Temos aqui outra menção à *obediência*, como um sumário de algum relato. Ver o vs. 6 deste capítulo, e também Números 1.54. As notas sobre o versículo anterior mostram o que o mandamento divino determinava, e este versículo afirma que a ordem foi *cumprida*.

17.12

וַיֹּאמְר֞וּ בְּנֵ֤י יִשְׂרָאֵל֙ אֶל־מֹשֶׁ֣ה לֵאמֹ֔ר הֵ֥ן גָּוַ֛עְנוּ אָבַ֖דְנוּ כֻּלָּ֥נוּ אָבָֽדְנוּ׃

Expiramos, perecemos, perecemos todos. Dominados pelo temor, eles reconheceram seu pecado por terem feito oposição a Arão, porquanto Yahweh acabara de fornecer-lhes uma evidência irrefutável da autoridade de Arão. Eles mereciam ser executados pelo poder de Yahweh, tal como já havia sucedido a quinze mil outros israelitas, que tinham morrido por motivo de *rebeldia*. Exclamaram que todos pereceriam, porquanto todos eles tinham sido enganados para seguirem a Coré e sua turba. Tinham-se feito seguidores de uma revolta fraudulenta, que só causara prejuízos a Israel. O Targum de Jonathan diz aqui: "Alguns de nós têm sido consumidos pelas chamas; outros dentre nós foram engolidos pela terra e se perderam, e eis que todos nós somos considerados culpados de *todas* essas mortes, dignos de perecerem".

"Histórias dessa natureza são bastante comuns. A vara de José de Arimateia lançou raízes em Glastonbury; a maça de Hércules brotou ao lado da estátua de Hermes; a lança de Rômulo lançou raízes e cresceu. Aqui a história maravilhosa recebe um lugar proeminente, subordinada a uma verdade moral e religiosa. O florescimento da amendoeira tornou-se símbolo da vigilância de Deus sobre o povo de Israel (cf. Jr 1.11). O nome hebraico para *amendoeira* significa *desperta*" (John Marsh, *in loc.*).

17.13

כֹּ֣ל הַקָּרֵ֧ב ׀ הַקָּרֵ֛ב אֶל־מִשְׁכַּ֥ן יְהוָ֖ה יָמ֑וּת הַאִ֥ם תַּ֖מְנוּ לִגְוֺֽעַ׃ ס

Tabernáculo do Senhor. Por essa altura, a estrutura tornara-se o lugar do terror. Ninguém podia aproximar-se do tabernáculo, com exceção dos sacerdotes aarônicos, autorizados. Dali emanava o poder e o terror. Sobreviveria algum homem em Israel, em face de tão severa exibição da ira divina? Gray traduziu a última frase do capítulo como: "Acabaremos expirando todos?" Jamais se abateria a ira divina? Não fazia muito tempo, e muitos deles desejavam "tomar conta" do tabernáculo, expulsando dali Arão e seus filhos. Mas agora ninguém ousava aproximar-se daquele lugar. As versões siríaca e árabe, bem como o Targum de Onkelos, traduzem esse fim do capítulo como: "Estamos prestes a ser consumidos!"

CAPÍTULO DEZOITO

DEVERES E DIREITOS DOS SACERDOTES (18.1-32)

O capítulo 16 de Números registra uma revolta virtualmente generalizada contra a casta sacerdotal, a tribo de Levi, investida em Arão. Várias matanças puniram um povo rebelde. O capítulo 17 reafirma a autoridade de Arão mediante o relato da vara que produziu botões, flores e amêndoas. Agora, no capítulo 18, são dados vários deveres dos sacerdotes e levitas, aqueles que foram nomeados para cuidar do serviço sagrado. Ver no *Dicionário* os artigos *Levitas* e *Sacerdotes e Levitas*.

"Aos sacerdotes cabia cuidar do santuário e do altar, ao passo que o resto da tribo de Levi devia ajudá-los, mas sem jamais tocar no altar ou nos demais móveis e utensílios sacros. Isso foi uma resposta direta à pergunta feita pelo povo, em Números 17.13" (John Marsh, *in loc.*).

18.1

וַיֹּ֤אמֶר יְהוָה֙ אֶֽל־אַהֲרֹ֔ן אַתָּ֗ה וּבָנֶ֤יךָ וּבֵית־אָבִ֙יךָ֙ אִתָּ֔ךְ תִּשְׂא֖וּ אֶת־עֲוֺ֣ן הַמִּקְדָּ֑שׁ וְאַתָּה֙ וּבָנֶ֣יךָ אִתָּ֔ךְ תִּשְׂא֖וּ אֶת־עֲוֺ֥ן כְּהֻנַּתְכֶֽם׃

Disse o Senhor a Arão. Essa expressão, "disse o Senhor", é usada amiúde no Pentateuco, a fim de introduzir novos materiais. E também nos faz lembrar da doutrina da inspiração divina das Escrituras. Usualmente Yahweh falava a Moisés, o Mediador entre o Senhor e o povo de Israel. Mas neste caso lemos que o Senhor se dirigiu a Arão, o sumo sacerdote, a quem cabia a tarefa de garantir a propriedade do culto santo. Ver as notas sobre essa expressão em Levítico 1.1 e 4.1.

Levareis sobre vós a iniquidade. Em outras palavras, eles teriam de arcar com as consequências de qualquer impropriedade no culto (Êx 28.38). Os sacerdotes teriam de prestar conta pelas poluções legais quanto ao serviço sagrado e o culto, e teriam de apresentar a expiação necessária e os ritos especificados, para cuidar das infrações. Eles receberam a responsabilidade tanto de prestar um serviço positivo quanto de reparar pelos erros cometidos.

"O ofício dos sacerdotes incluía a tremenda tarefa de manusear os instrumentos sagrados do tabernáculo, e de seguir os ritos divinamente determinados pelo infinito e santo Deus" (Eugene H. Merrill, *in loc.*). Arão e seus filhos (vs. 7) tinham esses deveres. E os demais levitas atuariam como seus assistentes (vss. 2-4).

18.2

וְגַ֤ם אֶת־אַחֶ֙יךָ֙ מַטֵּ֣ה לֵוִ֔י שֵׁ֖בֶט אָבִ֑יךָ הַקְרֵ֣ב אִתָּ֔ךְ וְיִלָּו֥וּ עָלֶ֖יךָ וִֽישָׁרְת֑וּךָ וְאַתָּה֙ וּבָנֶ֣יךָ אִתָּ֔ךְ לִפְנֵ֖י אֹ֥הֶל הָעֵדֻֽת׃

Teus irmãos, a tribo de Levi. Os sacerdotes oficiavam no tabernáculo, conforme se vê no versículo anterior. O restante dos levitas eram seus auxiliares, mas não ministravam no tabernáculo (vss. 2-4). Ver no *Dicionário* os artigos intitulados *Levitas* e *Sacerdotes e Levitas*.

Duplo Ministério. Os sacerdotes ministravam em favor do povo, perante o Senhor, no tabernáculo. Os levitas, em contraste, ministravam aos sacerdotes.

Para que se ajuntem a ti. Ou seja, como colegas levitas, mas de ordem e autoridade secundárias, para trabalharem como assistentes, no átrio do tabernáculo e em outros lugares, mas não no próprio tabernáculo. Os versículos que se seguem fornecem-nos alguns detalhes sobre as tarefas deles.

18.3

וְשָׁמְרוּ֙ מִשְׁמַרְתְּךָ֔ וּמִשְׁמֶ֖רֶת כָּל־הָאֹ֑הֶל אַ֣ךְ אֶל־כְּלֵ֤י הַקֹּ֙דֶשׁ֙ וְאֶל־הַמִּזְבֵּ֣חַ לֹ֣א יִקְרָ֔בוּ וְלֹֽא־יָמֻ֥תוּ גַם־הֵ֖ם גַּם־אַתֶּֽם׃

Farão o serviço que lhes é devido. Isso fala em subordinação. As tarefas dos levitas não-sacerdotes lhes seriam ditadas pelos sacerdotes. Esse serviço dizia respeito ao tabernáculo, mas não no tabernáculo propriamente dito. Eles não podiam aproximar-se dos instrumentos sagrados, dos altares, da mesa dos pães da proposição, do candeeiro, para nada dizermos sobre o Santo dos Santos. Se eles se aproximassem desses objetos do culto, seriam mortos por Yahweh, tal como sucederia a qualquer outro israelita "estranho", que não estava autorizado a ir além daquele lugar. O acesso do povo estava limitado ao labor *representativo* dos sacerdotes. Ver no *Dicionário* o artigo intitulado *Acesso*. O ministério de Cristo, porém, removeu todas essas limitações. Ele é o nosso sumo sacerdote, e nós, os crentes, somos todos *sacerdotes*.

Cf. Números 3.5-10 e 8.5-22 com este versículo, no que concerne ao trabalho dos levitas, assistentes dos sacerdotes.

18.4

וְנִלְו֣וּ עָלֶ֔יךָ וְשָֽׁמְר֗וּ אֶת־מִשְׁמֶ֙רֶת֙ אֹ֣הֶל מוֹעֵ֔ד לְכֹ֖ל עֲבֹדַ֣ת הָאֹ֑הֶל וְזָ֖ר לֹא־יִקְרַ֥ב אֲלֵיכֶֽם׃

Farão todo o serviço. Cf. Números 1.53 e 3.7,8, e ver as notas naqueles lugares que têm aplicação aqui.

O estranho. Ou seja, um israelita que não fosse sacerdote, sem autorização para trabalhar no tabernáculo e seu culto. Um *intruso* podia morrer golpeado por Yahweh. Os levitas, entre outros deveres, trabalhavam como *guardas*. Não se permitia que uma pessoa não-autorizada se aproximasse do tabernáculo. O povo de Israel acampava-se em torno do tabernáculo. Aquele era o centro da vida. Ver o gráfico que ilustra isso, antes das notas sobre Números 1.1. Mas os recintos do tabernáculo não eram franqueados senão aos levitas. Os levitas podiam servir no átrio; mas somente os sacerdotes podiam adentrar o tabernáculo.

■ 18.5

וּשְׁמַרְתֶּ֗ם אֵ֚ת מִשְׁמֶ֣רֶת הַקֹּ֔דֶשׁ וְאֵ֖ת מִשְׁמֶ֣רֶת הַמִּזְבֵּ֑חַ וְלֹֽא־יִהְיֶ֥ה ע֛וֹד קֶ֖צֶף עַל־בְּנֵ֥י יִשְׂרָאֵֽל׃

Este versículo expande o que lemos no versículo anterior. Os levitas serviam de sentinelas nos recintos do tabernáculo. Mas somente os sacerdotes ocupavam-se do *culto* efetuado no tabernáculo. O "vós" com que este versículo começa refere-se aos sacerdotes. Se essa ordem fosse desobedecida, haveria mais castigos da parte de Yahweh, conforme fora amplamente ilustrado no capítulo 16.

"O sumo sacerdote estava encarregado do Santo dos Santos, realizando ali o que era mister, no dia da expiação. E os sacerdotes comuns estavam encarregados do Lugar Santo, a fim de ocuparem-se de tudo quanto dizia respeito ao altar do incenso, aos pães da proposição, ao candelabro e ao altar dos holocaustos, que ficavam no átrio do tabernáculo [e no Lugar Santo]" (John Gill, *in loc.*). Ademais, os levitas, no átrio, ocupavam-se de tarefas manuais, conforme os sacerdotes lhes determinassem que fizessem, ou montando guarda para que nenhum intruso se aproximasse dos móveis e utensílios sagrados.

■ 18.6

וַאֲנִ֗י הִנֵּ֤ה לָקַ֙חְתִּי֙ אֶת־אֲחֵיכֶ֣ם הַלְוִיִּ֔ם מִתּ֖וֹךְ בְּנֵ֣י יִשְׂרָאֵ֑ל לָכֶ֞ם מַתָּנָ֤ה נְתֻנִים֙ לַֽיהוָ֔ה לַעֲבֹ֕ד אֶת־עֲבֹדַ֖ת אֹ֥הֶל מוֹעֵֽד׃

Tomei vossos irmãos, os levitas. Os assistentes (levitas) deviam ser vistos como *dons* conferidos aos sacerdotes, para ajudá-los em suas tarefas. Eles serviam ao Senhor, embora em uma posição subordinada. Ver as notas em Números 3.12 quanto à base histórica desse dom, a casta sacerdotal que tomou o lugar dos filhos primogênitos no culto sagrado. As notas em Números 3.9 exploram essa ideia de um dom ou presente. Ver as notas sobre Números 3.7-9 quanto aos detalhes sobre as questões abordadas neste texto.

■ 18.7

וְאַתָּ֣ה וּבָנֶ֣יךָ אִ֠תְּךָ תִּשְׁמְר֨וּ אֶת־כְּהֻנַּתְכֶ֜ם לְכָל־דְּבַ֧ר הַמִּזְבֵּ֛חַ וּלְמִבֵּ֥ית לַפָּרֹ֖כֶת וַעֲבַדְתֶּ֑ם עֲבֹדַ֣ת מַתָּנָ֗ה אֶתֵּן֙ אֶת־כְּהֻנַּתְכֶ֔ם וְהַזָּ֥ר הַקָּרֵ֖ב יוּמָֽת׃ ס

Duplo Presente. Os levitas foram dados aos sacerdotes como um presente, a fim de ajudá-los no culto. Mas os sacerdotes receberam outro presente, a saber, o sacerdócio propriamente dito. Com isso, tornaram-se representantes especiais de Yahweh, para servirem ao povo de maneira especial. As tarefas específicas que lhes competia cumprir já tinham sido dadas no quinto versículo deste capítulo, e o autor sagrado, de acordo com seu estilo literário costumeiro, repete aqui essas incumbências.

Altar. Está em pauta o altar dos holocaustos, chamado também de "altar de bronze", por causa de sua cobertura de bronze. Ver as notas sobre o *Altar de Bronze*, em Êxodo 27.1. Ver também no *Dicionário* o verbete chamado *Altar do Incenso*, bem como o artigo geral *Altar*. O serviço dos altares cabia exclusivamente aos sacerdotes.

Uma Responsabilidade Sagrada. Deus confia missões diversas aos homens; e essas missões são *presentes*, visto que são outorgadas pela graça divina. Cada missão envolve seu próprio equipamento especial, sob a forma de habilidades e aptidões. A própria vida é uma *realização sagrada*, como também as missões envolvidas na vida. Todas as coisas boas e perfeitas vêm da parte de Deus (Tg 1.17; cf. Hb 5.4). Ninguém pode honrar-se a si mesmo. Deus é quem honra os homens. Os sacerdotes de Israel não se tinham apossado de seu ofício para si mesmos. Essa honraria lhes fora dada por Yahweh.

Para dentro do véu. Em outras palavras, pelo lado de dentro da *terceira cortina,* aquela que formava a "porta" que ligava o Santo Lugar e o Santo dos Santos. Ver sobre as *três* cortinas nas notas sobre Êxodo 26.36. Apenas o sumo sacerdote podia ministrar no Santo dos Santos. Ver no *Dicionário* o verbete intitulado *sumo sacerdote*. Ver a planta baixa do tabernáculo na introdução ao capítulo 26 do livro de Êxodo.

Morrerá. Ou seja, seria "executado", e isso por *apedrejamento* (ver a respeito no *Dicionário*). Nenhum "estranho" podia presumir exercer o sacerdócio, o qual fora conferido exclusivamente a Arão e a seus filhos, como um presente divino. Quem poderia furtar um dom de Yahweh e não sofrer por isso?

DEVERES DOS SACERDOTES (18.8-20)

■ 18.8

וַיְדַבֵּ֣ר יְהוָה֮ אֶֽל־אַהֲרֹן֒ וַאֲנִי֙ הִנֵּ֤ה נָתַ֙תִּי֙ לְךָ֔ אֶת־מִשְׁמֶ֖רֶת תְּרוּמֹתָ֑י לְכָל־קָדְשֵׁ֣י בְנֵֽי־יִשְׂרָאֵ֗ל לְךָ֧ נְתַתִּ֛ים לְמָשְׁחָ֥ה וּלְבָנֶ֖יךָ לְחָק־עוֹלָֽם׃

Este versículo dá prosseguimento aos deveres atinentes ao tabernáculo, nos quais somente os sacerdotes podiam envolver-se.

Disse mais o Senhor. Essa expressão é usada amiúde no Pentateuco, a fim de indicar o início de alguma nova seção. E também nos faz lembrar da doutrina da inspiração divina das Escrituras. Ver as notas a respeito em Levítico 1.1 e 4.1. Usualmente os recados divinos eram dados a Moisés, o mediador entre Yahweh e o povo de Israel; mas em Números 18.1,8 e Levítico 10.8, Deus dirigiu-se diretamente a Arão. Quanto às oito fórmulas de comunicação divina, ver as notas em Levítico 17.2.

O que foi separado das minhas ofertas. Os sacerdotes viviam do serviço que prestavam, recebendo certas porções dos animais e dos cereais oferecidos para eles e para os membros masculinos de suas família. Ilustrei como isso operava no gráfico existente no começo da exposição do livro de Levítico. Quanto às porções que cabiam aos sacerdotes, ver Levítico 7.11-21 e 7.28-38. Ver Números 6.2 quanto ao *oito* tipos de ofertas de que participavam os sacerdotes. Ver 1Coríntios 9.9 quanto ao princípio que se estendeu ao Novo Testamento. Ver Levítico 2.2,3 quanto a outras informações sobre a questão.

As cousas consagradas. Certas porções das ofertas santas cabiam aos sacerdotes, conforme veremos ilustrado nas notas sobre o versículo seguinte. Essas porções cabiam a Arão e seus filhos, ou seja, continuamente pertenciam ao sacerdócio aarônico, por todas as gerações dos filhos de Israel. A regra que se aplicava aos ritos do tabernáculo teve prosseguimento.

Dei-as por direito perpétuo. Ver sobre essa expressão, anotada com detalhes, em Levítico 1.22 e 6.22. Ver também a expressão similar, "durante as vossas gerações", em Levítico 3.17. Os hebreus não esperavam o fim de seu complexo sistema de sacrifícios, e teriam ficado ofendidos se alguém sugerisse que isso poderia acontecer algum dia. Não havia Yahweh instituído esse sistema de forma perpétua? Não obstante, o Antigo Testamento acabou sendo substituído pelo Novo Testamento. O Novo Testamento escreveu uma única palavra sobre tudo isso, *Cristo*. Os sistemas antigos se entrincheiram por trás de sua "perpetuidade"; mas os fins são sempre *instrumentais,* tornando-se assim, ao mesmo tempo, novos começos.

■ 18.9

זֶֽה־יִהְיֶ֥ה לְךָ֛ מִקֹּ֥דֶשׁ הַקֳּדָשִׁ֖ים מִן־הָאֵ֑שׁ כָּל־קָרְבָּנָ֡ם לְֽכָל־מִנְחָתָ֣ם וּלְכָל־חַטָּאתָם֩ וּלְכָל־אֲשָׁמָ֨ם אֲשֶׁ֤ר יָשִׁ֙יבוּ֙ לִ֔י קֹ֣דֶשׁ קָֽדָשִׁ֥ים לְךָ֛ ה֖וּא וּלְבָנֶֽיךָ׃

Cousas santíssimas. Ver Levítico 2.3 quanto a coisas "mais" ou "menos" santas. A ingestão das coisas santíssimas só podia ter lugar no átrio do tabernáculo, a fim de que não fossem profanadas mediante o toque por parte de alguma coisa comum. Ali tinha lugar a refeição comunal, da qual participavam os sacerdotes e seus filhos homens, com exclusão de todas as demais pessoas. Nem mesmo os familiares deles tinham acesso a essas porções das ofertas.

Ofertas de manjares. Ver as notas a respeito em Levítico 6.14-18, e também outras notas em Levítico 2.1-16.

Ofertas pelo pecado. Ver as notas a respeito em Levítico 6.25,30, e também outras notas em Levítico 4.1-35.

Ofertas pela culpa. Ver as notas a respeito em Levítico 7.1-7, e também outras notas em Levítico 6.1-7.

18.10

בְּקֹדֶשׁ הַקֳּדָשִׁים תֹּאכֲלֶנּוּ כָּל־זָכָר יֹאכַל אֹתוֹ קֹדֶשׁ יִהְיֶה־לָּךְ:

No lugar santíssimo o comerás. Esse lugar era o átrio do tabernáculo. Ver Levítico 6.16,25; 7.6. A ingestão das coisas "santíssimas" (versículo anterior) limita-se exclusivamente aos sacerdotes, e somente no tabernáculo. Era uma refeição comunal limitada, por assim dizer uma comunhão fechada. Alguns intérpretes, destacando os trechos de Levítico 6.18,29 e 7.6, afirmam que outros membros *masculinos* das famílias dos sacerdotes podiam participar dessa refeição comunal. Os membros masculinos deveriam ter um mínimo de 13 anos de idade. A família inteira, incluindo as mulheres, podiam participar de certas refeições comunais, conforme vemos no próximo versículo.

As porções pertencentes a Yahweh eram a gordura, os órgãos internos, como os rins (ver Lv 3), e o sangue. Essas porções eram queimadas sobre o altar; o sangue era vertido ou aspergido. O resto dos animais podia ser comido pelos sacerdotes.

18.11

וְזֶה־לְּךָ תְּרוּמַת מַתָּנָם לְכָל־תְּנוּפֹת בְּנֵי יִשְׂרָאֵל לְךָ נְתַתִּים וּלְבָנֶיךָ וְלִבְנֹתֶיךָ אִתְּךָ לְחָק־עוֹלָם כָּל־טָהוֹר בְּבֵיתְךָ יֹאכַל אֹתוֹ:

E as tuas filhas contigo. Logo, até os membros femininos da família de um sacerdote podiam participar de certas refeições comunais, conforme vemos a seguir.

As ofertas movidas. Ver a respeito nas notas sobre Êxodo 29.23,24. Esse era um direito perpétuo dos sacerdotes, estabelecido pelas normas mosaicas. Ver Levítico 7.34. Essas eram às coisas *menos santas*. Ver as notas em Levítico 2.3 quanto as coisas mais santas e menos santas. As coisas menos santas podiam ser comidas tanto em casa quanto em qualquer lugar limpo. Por "limpo" devemos entender algo cerimonialmente puro. Ver no *Dicionário* o artigo intitulado *Limpo e Imundo*. Eram as mesmas coisas que as ofertas de comunhão (cf. Lv 7.11-18). Ver também Levítico 22.10-13.

18.12

כֹּל חֵלֶב יִצְהָר וְכָל־חֵלֶב תִּירוֹשׁ וְדָגָן רֵאשִׁיתָם אֲשֶׁר־יִתְּנוּ לַיהוָה לְךָ נְתַתִּים:

Todo o melhor do... Temos aqui a mesma liberalidade que é descrita nas notas sobre o vs. 11 (as famílias dos sacerdotes, incluindo as mulheres, podiam participar), envolvendo o azeite, o vinho novo e os cereais e as *primícias* (ver a respeito no *Dicionário*). "Embora dadas ao Senhor como uma oferenda (cf. Dt 26.1-11), essas *primícias* não eram consumidas sobre o altar, mas eram entregues aos sacerdotes. O mesmo tanto era verdade quanto a tudo o que era consagrado ao Senhor (ver Lv 27.1-33)" (Eugene H. Merrill, *in loc.*). Ver Levítico 15.17-21.

A quantidade não fora fixada, pois tudo era deixado ao encargo da generosidade do povo. Homens liberais davam 1/40 de cada parte; os menos liberais, 1/50. Os mesquinhos davam apenas 1/60, ou mesmo menos. Ver Êxodo 22.29 e cf. Ezequiel 45.13. Assim comentou Jerônimo acerca do capítulo 45 de Ezequiel. Essas porcentagens são tão boas quanto quaisquer outras que têm sido propostas.

18.13

בִּכּוּרֵי כָּל־אֲשֶׁר בְּאַרְצָם אֲשֶׁר־יָבִיאוּ לַיהוָה לְךָ יִהְיֶה כָּל־טָהוֹר בְּבֵיתְךָ יֹאכֲלֶנּוּ:

Os primeiros frutos de tudo. Estão em pauta as primícias, já referidas no versículo anterior. Ver no *Dicionário* o verbete chamado *Primícias*. As primícias podiam ser de qualquer fruto ou legume, de figos, romãs, maçãs, ameixas, peras, azeitonas, uvas, qualquer cereal etc. Uma parte era entregue aos sacerdotes, para sustento deles. Ver Deuteronômio 16.2-4. As primícias podiam ser comidas em uma refeição comunal, por parte dos sacerdotes e seus familiares, incluindo as mulheres. Ver as notas sobre o vs. 11. O lugar onde esse banquete tinha lugar precisava ser cerimonialmente *limpo*, como o lar do sacerdote ou de um amigo seu etc.

18.14

כָּל־חֵרֶם בְּיִשְׂרָאֵל לְךָ יִהְיֶה:

Toda cousa consagrada. Em outras palavras, qualquer presente voluntário que um homem viesse a dar a fim de obter algo que queria, ou oferecido como ato de devoção. Esses presentes podiam ser de frutos da terra, casas, gado, coisas de valor etc. Eram *doações* que visavam o sustento do sacerdócio. Ver Levítico 27.21-28. Aquilo que fosse consagrado era separado como "pertencente ao Senhor". Despojos adquiridos em uma guerra santa também podiam ser consagrados, mas não podiam ser apropriados para uso comum (ver Js 6.19).

18.15

כָּל־פֶּטֶר רֶחֶם לְכָל־בָּשָׂר אֲשֶׁר־יַקְרִיבוּ לַיהוָה בָּאָדָם וּבַבְּהֵמָה יִהְיֶה־לָּךְ אַךְ פָּדֹה תִפְדֶּה אֵת בְּכוֹר הָאָדָם וְאֵת בְּכוֹר־הַבְּהֵמָה הַטְּמֵאָה תִּפְדֶּה:

Todo que abrir a madre. Os primogênitos dos homens dos animais pertenciam ao Senhor. Os primogênitos humanos, entretanto, precisavam ser remidos. Originalmente, todos os primogênitos eram sacerdotes. Mas quando a casta sacerdotal de Israel veio à existência, a antiga ordem cessou, e todos os primogênitos passaram a ser remidos. O dinheiro pago pela redenção revertia para o culto do tabernáculo. Ver no *Dicionário* sobre o assunto, no verbete chamado *Dinheiro*, segunda seção, como também no verbete intitulado *Pesos e Medidas*. Ver também Êxodo 30.13 e Levítico 27.29 quanto as notas expositivas adicionais. Não há como determinarmos qual seria o valor do siclo, em comparação com as moedas modernas; mas muitos opinam que um siclo valia um mês de trabalho de um homem comum. Se isso corresponde à verdade, então podemos ter alguma ideia sobre seu poder aquisitivo.

Os primogênitos dos animais imundos, que podiam ser usados para trabalho mas não para finalidade de sacrifício, precisavam ser remidos. Animais como o cavalo e o jumento estão em foco. O dinheiro revertia para sustento do ministério, e os animais primogênitos eram liberados para seus proprietários usarem-nos como bem quisessem fazê-lo. Mas os primogênitos de animais sacrificáveis, como a ovelha, a novilha ou a cabra, eram sacrificados durante o culto do tabernáculo, e as porções apropriadas eram revertidas a Yahweh, nos sacrifícios, e o resto cabia aos sacerdotes, para seu sustento. Ver as notas sobre Números 3.44-51 quanto às regras atinentes à redenção dos primogênitos. Ver também Êxodo 13.13, um trecho diretamente paralelo a este versículo. Os primogênitos dos animais imundos valiam cinco ciclos, quanto à sua redenção, ou um cordeiro podia ser sacrificado no lugar deles. Uma vez remido, um animal imundo ficava livre para viver e trabalhar.

18.16

וּפְדוּיָו מִבֶּן־חֹדֶשׁ תִּפְדֶּה בְּעֶרְכְּךָ כֶּסֶף חֲמֵשֶׁת שְׁקָלִים בְּשֶׁקֶל הַקֹּדֶשׁ עֶשְׂרִים גֵּרָה הוּא:

Desde a idade de um mês. Está em pauta a redenção de homens. Ver Levítico 27.5,6. Ver Números 3.44-51 quanto à redenção dos primogênitos. Este versículo subentende que os animais imundos podiam ser remidos a dinheiro, até cinco ciclos, mas alguns estudiosos contendem que isso podia ser feito somente por meio do sacrifício de um cordeiro (Êx 13.13; 22.30).

Cinco siclos de dinheiro. Ver as notas sobre o versículo anterior quanto a informações sobre o siclo.

18.17

אַךְ בְּכוֹר־שׁוֹר אוֹ־בְכוֹר כֶּשֶׂב אוֹ־בְכוֹר עֵז לֹא תִפְדֶּה קֹדֶשׁ הֵם אֶת־דָּמָם תִּזְרֹק עַל־הַמִּזְבֵּחַ וְאֶת־חֶלְבָּם תַּקְטִיר אִשֶּׁה לְרֵיחַ נִיחֹחַ לַיהוָה:

São santos. Os animais primogênitos pertenciam de modo absoluto a Yahweh, a saber, o cordeiro, o bezerro e o cabrito. Portanto, não eram redimidos, mas terminavam como sacrifícios oferecidos no culto do tabernáculo. Há notas sobre *cinco* animais que podiam ser sacrificados, em Levítico 1.14-16. Ninguém haveria de sacrificar um cavalo sobre o altar. Era um animal imundo. Mas o primogênito de um cavalo também pertencia a Yahweh. Em vez de ser sacrificado, porém, tal animal era como que *comprado* de Yahweh, ou seja, era remido. E então o dinheiro apurado era encaminhado para sustento do tabernáculo e do sacerdócio. Mas os animais sacrificiais deviam ser guardados exclusivamente com esse propósito. O sangue deveria ser aspergido sobre o altar; a gordura devia ser queimada diante de Yahweh, que aspiraria o aroma suave e se sentiria satisfeito com o sacrifício. Ver em Levítico 1.9 e Êxodo 29.18 notas sobre "aroma suave". Cf. Deuteronômio 15.19. Certas porções cabiam a Yahweh; e outras porções ficavam com o sacerdócio. Ver Levítico 6.26; 7.11,38; Números 18.8.

■ 18.18

וּבְשָׂרָם יִהְיֶה־לָּךְ כַּחֲזֵה הַתְּנוּפָה וּכְשׁוֹק הַיָּמִין לְךָ יִהְיֶה׃

Este versículo reitera a essência do vs. 11, onde aparecem notas a respeito. Yahweh recebia a sua parte, e os sacerdotes e suas famílias, a parte deles. Ver também o vs. 10 deste capítulo. Ver igualmente Deuteronômio 12.17,18, que fornece um modo de agir levemente diferente. Os proprietários dos animais a serem sacrificados também tinham o direito de participar da refeição comunal. Cf. Levítico 10.14,15.

■ 18.19

כֹּל תְּרוּמֹת הַקֳּדָשִׁים אֲשֶׁר יָרִימוּ בְנֵי־יִשְׂרָאֵל לַיהוָה נָתַתִּי לְךָ וּלְבָנֶיךָ וְלִבְנֹתֶיךָ אִתְּךָ לְחָק־עוֹלָם בְּרִית מֶלַח עוֹלָם הִוא לִפְנֵי יְהוָה לְךָ וּלְזַרְעֲךָ אִתָּךְ׃

A primeira parte deste versículo é uma repetição do vs. 11, onde aparecem notas expositivas. Este versículo, porém, adiciona a questão da *aliança perpétua de sal*. Em essência, isso significa que era um pacto *inviolável*. Havia uma crença antiga de que aqueles que comiam sal juntos ficavam *ligados* um ao outro. O sal é um conservante que protege contra o apodrecimento de carnes, e é provável que essa ideia fizesse parte do simbolismo. Além disso, era um item precioso em muitos lugares, e até o salário de um soldado era pago sob a forma de sal. Assim sendo, o sal em um sacrifício o valorizava, sem falarmos na sua durabilidade. Há um detalhado artigo intitulado *Sal*, que aborda essas questões. "Assim como o sal conserva o seu sabor, assim também a aliança do Senhor estará para sempre em vigor (cf. 2Cr 13.5). O sal também era salpicado sobre ofertas de manjares (Lv 2.13), talvez como sinal de um relacionamento de pacto" (Eugene H. Merrill, *in loc.*).

"O sal e a aliança (Nm 18.19; 2Cr 13.5) refletem a prática oriental de estabelecer-se um acordo comendo uma refeição condimentada com sal. Aqui (em Lv 2.13) o sal simboliza a relação de pacto sobre a qual repousa todo o sistema sacrificial" (*Oxford Annotated Bible*, comentando sobre Lv 2.13). Ver no *Dicionário* o artigo intitulado *Pacto de Sal*.

Os gregos costumavam perguntar: "Onde está o sal?" quando aludiam a um pacto quebrado. Ou então diziam: "Eles (violadores de uma acordo) pisaram o sal" (Plínio, *Hist. Nat.*, xxxi.41; Cícero, *De Div.* ii.16; Virgílio, *Ecl.*, viii.82).

Tipologia. O pacto eterno aponta para o fato de que Cristo se ligou a todos os homens, motivado pelo amor, sendo ele mesmo o sacrifício desse pacto. Ver no *Dicionário* o verbete intitulado *Pactos*. E na *Enciclopédia de Bíblia, Teologia e Filosofia* o artigo *Novo Testamento (Pacto)*.

HERANÇA E RENDIMENTOS DOS LEVITAS (18.20-24)

■ 18.20

וַיֹּאמֶר יְהוָה אֶל־אַהֲרֹן בְּאַרְצָם לֹא תִנְחָל וְחֵלֶק לֹא־יִהְיֶה לְךָ בְּתוֹכָם אֲנִי חֶלְקְךָ וְנַחֲלָתְךָ בְּתוֹךְ בְּנֵי יִשְׂרָאֵל׃ ס

Disse também o Senhor. Temos aqui uma expressão usada amiúde no Pentateuco, para introduzir novos materiais. E também nos faz lembrar da doutrina da inspiração divina das Escrituras. Ver as notas a respeito em Levítico 1.1 e 4.1.

Os levitas, tal como os sacerdotes, derivavam seus rendimentos do serviço divino, e os dízimos foram determinados como modo de recolher os fundos necessários. Depois que os levitas, que tinham formado uma tribo, passaram a ser uma casta sacerdotal sem terras, devotando-se totalmente ao tabernáculo e seu culto, eles se tornaram assistentes dos sacerdotes. Ver Números 1.46 ss. Ver também, no *Dicionário* os artigos intitulados *Levitas* e *Sacerdotes e Levitas*.

A herança dos levitas era o próprio Yahweh. Eles tinham o privilégio de ser especialmente abençoados ao servirem no ministério. Mas os dízimos eram o mecanismo estabelecido para atender às suas necessidades materiais.

O vs. 27 deste capítulo pode indicar que os dízimos envolviam somente a produção agrícola, embora o trecho de Levítico 27.30-33 fale também sobre o dízimo do gado. Havia 22 mil levitas, pelo que eles eram sustentados pelos mais de seiscentos mil dízimos (Nm 1 e 3 nos fornecem esses números). Mas naqueles tempos, tal como hoje em dia, provavelmente havia muitas pessoas que não se incomodavam em pagar os seus dízimos.

Tipologia. Os crentes compartilham com Cristo, o nosso sumo sacerdote, um sacerdócio universal. A salvação divina fazia parte da herança dos levitas. Ver no *Dicionário* os artigos chamados *Herdeiro* e *Salvação*. Ver também Romanos 8.17.

■ 18.21

וְלִבְנֵי לֵוִי הִנֵּה נָתַתִּי כָּל־מַעֲשֵׂר בְּיִשְׂרָאֵל לְנַחֲלָה חֵלֶף עֲבֹדָתָם אֲשֶׁר־הֵם עֹבְדִים אֶת־עֲבֹדַת אֹהֶל מוֹעֵד׃

Todos os dízimos. Provi um detalhado artigo sobre esse assunto, no *Dicionário*, dando sua história e seu significado. Um ministro é digno de seu trabalho, e dele deveria viver. Ver esse princípio transportado para o Novo Testamento, em 1Coríntios 9.8 ss. Ver Levítico 27.30-33 quanto ao fato de que os dízimos pertencem a Yahweh, ou seja, a seus ministros. O dízimo era pago com produtos agrícolas, mas também com animais, conforme já comentamos no versículo anterior.

Os intérpretes rabinos, em harmonia com o gosto dos hebreus por detalhes, listaram *24* dádivas que cabiam aos sacerdotes e levitas: *oito* eram porções dos sacrifícios, para serem comidos no tabernáculo (Lv 6.25,26; 7.1,6; 23.19,20; Nm 6.16; 23.17; 24.9; 14.10, dados em sua ordem rabínica); *cinco* eram aquelas coisas comidas somente em Jerusalém (Lv 7.31,34; 7.12-14; 6.17-20; Nm 18.15; Dt 15.19; Nm 18.13,20; dados em sua ordem rabínica); *cinco* eram dados como sacrifícios e ofertas de manjares (Nm 18.12; 18.28; 15.20; Dt 18.4; Nm 35; dados em sua ordem rabínica); *cinco* eram dados dentro e fora do território (Dt 18.3; Nm 18.15; Êx 4.20; Nm 18; 5.8; 18.14; dados em sua ordem rabínica); e *uma* dessas ofertas cabia a eles, extraída do santuário (Lv 8). E também havia aquelas oferendas em que os membros femininos das famílias dos sacerdotes podiam participar (Dt 18.3; Nm 31.28,29).

■ 18.22

וְלֹא־יִקְרְבוּ עוֹד בְּנֵי יִשְׂרָאֵל אֶל־אֹהֶל מוֹעֵד לָשֵׂאת חֵטְא לָמוּת׃

Fazia parte dos deveres dos levitas não permitir que alguém, vindo dos "acampamentos seculares" de Israel, se aproximasse do tabernáculo, excetuando o homem que estivesse trazendo o seu sacrifício. Este podia entrar até o átrio do tabernáculo, sacrificando o animal no lado direito (norte) do altar dos holocaustos. Somente os sacerdotes e levitas tinham permissão de entrar nos recintos do tabernáculo. Ver as notas sobre isso em Levítico 18.4,5.

■ 18.23

וְעָבַד הַלֵּוִי הוּא אֶת־עֲבֹדַת אֹהֶל מוֹעֵד וְהֵם יִשְׂאוּ עֲוֹנָם חֻקַּת עוֹלָם לְדֹרֹתֵיכֶם וּבְתוֹךְ בְּנֵי יִשְׂרָאֵל לֹא יִנְחֲלוּ נַחֲלָה׃

Os levitas farão o serviço da tenda da congregação. Os levitas eram assistentes dos sacerdotes, conforme pudemos ver detalhadamente em Números 18.1-4, cujas notas expositivas devem ser consultadas.

Estatuto perpétuo. Em outras palavras, o dízimo cabia aos levitas, enquanto Israel perdurasse como nação; e eles, tendo recebido sustento, deveriam ocupar-se perpetuamente do serviço sagrado. Ver as notas sobre o vs. 11 deste capítulo quanto a um estatuto perpétuo. Ver a expressão "nas suas gerações", em Êxodo 31.16. Os *dízimos* precisavam continuar, porquanto os levitas não tinham possessões materiais, por se terem tornado uma casta sacerdotal destituída de território.

"Os levitas por muitas vezes padeciam de pobreza, porque os israelitas não pagavam os seus dízimos. A lei, nesse caso, difere daquela que se vê em Deuteronômio 14.22-29, onde, por dois anos, em cada três, quem pagava dízimos comia de seus dízimos em uma festa da família, convidando os levitas a compartilhar, ao passo que, no terceiro ano, o dízimo inteiro era separado para os levitas, os pobres e as pessoas necessitadas" (John Marsh, *in loc.*).

■ 18.24

כִּ֣י אֶת־מַעְשַׂ֞ר בְּנֵֽי־יִשְׂרָאֵ֗ל אֲשֶׁ֨ר יָרִ֤ימוּ לַֽיהוָה֙ תְּרוּמָ֔ה נָתַ֥תִּי לַלְוִיִּ֖ם לְנַחֲלָ֑ה עַל־כֵּן֙ אָמַ֣רְתִּי לָהֶ֔ם בְּתוֹךְ֙ בְּנֵ֣י יִשְׂרָאֵ֔ל לֹ֥א יִנְחֲל֖וּ נַחֲלָֽה׃ פ

Este versículo menciona uma das 24 porções possíveis de que compartilhavam os levitas. Ver as notas sobre o vs. 21 deste capítulo, quanto a listas rabínicas. Yahweh era a herança dos levitas (vs. 20), e o Senhor provia para eles, permitindo-lhes participar das refeições comunais em que certas porções dos sacrifícios eram comidas por eles. Visto que os levitas contavam com provisões completas, da parte de Yahweh, não precisavam ser proprietários de terras.

OS LEVITAS, RECEBEDORES DE DÍZIMOS, PAGAVAM DÍZIMOS (18.25-32)

■ 18.25

וַיְדַבֵּ֥ר יְהוָ֖ה אֶל־מֹשֶׁ֥ה לֵּאמֹֽר׃

Os levitas eram geralmente pobres, pois os demais israelitas costumavam não pagar dízimos corretamente. Mesmo assim, eles precisavam dar os dízimos dos dízimos que recebiam. E os dízimos que pagavam iam para os sacerdotes, aos quais serviam. Assim, os levitas pagavam "um dízimo dos dízimos".

Disse o Senhor. Temos aqui uma expressão muito usada no Pentateuco para introduzir novos materiais. Ela também nos faz lembrar da inspiração divina das Escrituras. Ver as notas a respeito em Levítico 1.1 e 4.1.

■ 18.26

וְאֶל־הַלְוִיִּ֣ם תְּדַבֵּר֮ וְאָמַרְתָּ֣ אֲלֵהֶם֒ כִּֽי־תִ֠קְחוּ מֵאֵ֨ת בְּנֵֽי־יִשְׂרָאֵ֜ל אֶת־הַֽמַּעֲשֵׂ֗ר אֲשֶׁ֨ר נָתַ֧תִּי לָכֶ֛ם מֵאִתָּ֖ם בְּנַחֲלַתְכֶ֑ם וַהֲרֵמֹתֶ֤ם מִמֶּ֙נּוּ֙ תְּרוּמַ֣ת יְהוָ֔ה מַעֲשֵׂ֖ר מִן־הַֽמַּעֲשֵֽׂר׃

Moisés era o mediador entre Yahweh e o povo de Israel, e recebia mensagens divinas para transmitir a outras pessoas. Algumas vezes ele dava seus recados a Arão; de outras vezes, a Arão e seus filhos; e, algumas vezes, a todo o povo. Ver as *oito* formas de comunicação listadas e discutidas em Levítico 17.2.

Modus operandi dos dízimos dos levitas. Esses dízimos eram recebidos através dos sacrifícios, como dízimos de dízimos. Presumivelmente, pois, de cada dez animais que os levitas recebiam, um deles era sacrificado. Então, a porção que podia ser comida desse animal ia para os sacerdotes. Eles também recebiam o dízimo da produção da terra, que lhes era entregue como dízimos. Considerando o versículo seguinte, muitos intérpretes pensam que estão em foco somente os dízimos de produtos agrícolas, embora tenha sido usada a linguagem dos sacrifícios para referir-se ao assunto. Os grãos e o suco da uva eram movidos diante de Yahweh, esperando pela sua aprovação, tal como acontecia no caso dos animais.

■ 18.27

וְנֶחְשַׁ֥ב לָכֶ֖ם תְּרוּמַתְכֶ֑ם כַּדָּגָן֙ מִן־הַגֹּ֔רֶן וְכַֽמְלֵאָ֖ה מִן־הַיָּֽקֶב׃

Este versículo parece limitar os dízimos dos levitas aos produtos da terra, como os cereais, as frutas, as uvas etc., embora seja possível que tudo quanto recebiam tinha de ser dizimado. Eles deviam selecionar *o melhor* de tudo (vs. 30). Os dízimos eram entregues a Arão, o qual fazia a distribuição entre os sacerdotes (vs. 28). E visto que os levitas *ganhavam* o que recebiam, em troca de seu serviço sagrado, por isso mesmo pagavam o dízimo do fruto de seu próprio trabalho, como sucedia aos demais israelitas.

■ 18.28

כֵּ֣ן תָּרִ֤ימוּ גַם־אַתֶּם֙ תְּרוּמַ֣ת יְהוָ֔ה מִכֹּל֙ מַעְשְׂרֹ֣תֵיכֶ֔ם אֲשֶׁ֣ר תִּקְח֔וּ מֵאֵ֖ת בְּנֵ֣י יִשְׂרָאֵ֑ל וּנְתַתֶּ֤ם מִמֶּ֙נּוּ֙ אֶת־תְּרוּמַ֣ת יְהוָ֔ה לְאַהֲרֹ֖ן הַכֹּהֵֽן׃

Apresentareis ao Senhor uma oferta. Visto que qualquer dízimo entregue aos sacerdotes era considerado como dado a Yahweh. Ademais, o Senhor era a fonte de todas as provisões. Assim sendo, *devolvemos* ao Senhor uma porção daquilo que ele nos tem dado. Arão recebia os dízimos e tinha a responsabilidade de distribuí-los entre os sacerdotes.

■ 18.29

מִכֹּל֙ מַתְּנֹ֣תֵיכֶ֔ם תָּרִ֕ימוּ אֵ֖ת כָּל־תְּרוּמַ֣ת יְהוָ֑ה מִכָּל־חֶלְבּ֔וֹ אֶֽת־מִקְדְּשׁ֖וֹ מִמֶּֽנּוּ׃

Este versículo repete o que já tinha sido dito, exceto pelo fato de que agora aprendemos que os dízimos tinham de ser do que havia de "melhor".

> Dá de teu melhor ao Mestre,
> Dá-lhe o primeiro lugar
> em teu coração;
> Dá-lhe o primeiro lugar
> em teu serviço, Consagra-lhe
> cada porção de tua vida.
>
> H.B.G.

■ 18.30

וְאָמַרְתָּ֖ אֲלֵהֶ֑ם בַּהֲרִֽימְכֶ֤ם אֶת־חֶלְבּוֹ֙ מִמֶּ֔נּוּ וְנֶחְשַׁב֙ לַלְוִיִּ֔ם כִּתְבוּאַ֥ת גֹּ֖רֶן וְכִתְבוּאַ֥ת יָֽקֶב׃

O que eles pagavam como dízimos era considerado como se eles mesmos houvessem produzido o cereal etc., por seu próprio trabalho, o que já fora dito no vs. 27 deste capítulo, pois o autor sacro nunca abandonou seu estilo repetitivo. Tendo pago os dízimos de seu "próprio trabalho", então *os nove décimos* pertenciam a eles, para usarem também como se eles mesmos o tivessem produzido. Eles tinham "direito" a isso por ordem do próprio Yahweh.

■ 18.31

וַאֲכַלְתֶּ֤ם אֹתוֹ֙ בְּכָל־מָק֔וֹם אַתֶּ֖ם וּבֵֽיתְכֶ֑ם כִּֽי־שָׂכָ֥ר הוּא֙ לָכֶ֔ם חֵ֖לֶף עֲבֹדַתְכֶ֥ם בְּאֹ֥הֶל מוֹעֵֽד׃

Vós e a vossa casa. Estão em pauta os *levitas*, depois de terem pago seus dízimos aos sacerdotes, tendo ficado com os nove décimos restantes. Podiam comer sua porção em qualquer lugar. Contrastar isso com o vs. 10 deste capítulo.

"Podiam comê-lo em qualquer de suas tendas ou residências, não estando forçados a fazê-lo no tabernáculo, como era o caso dos sacerdotes, ao comerem muitas de suas porções sagradas, ou como os segundos dízimos, que só podiam ser consumidos em Jerusalém (Dt 14.22,23)" (John Gill, *in loc.*). Jarchi afirmou que podia ser um lugar limpo ou não, visto que não estariam comendo *coisas santas* exclusivas.

Casa. Os familiares dos levitas podiam participar do banquete, incluindo homens, mulheres, crianças, servos etc.

Vossa recompensa. Os levitas recebiam esses nove décimos *restantes*, por terem feito bem o seu trabalho e terem obedecido a todas as leis pertinentes à sua casta, incluindo a lei dos dízimos. Conforme vemos em 1Timóteo 5.17,18, digno é o trabalhador de seu salário.

18.32

וְלֹא־תִשְׂאוּ עָלָיו חֵטְא בַּהֲרִימְכֶם אֶת־חֶלְבּוֹ מִמֶּנּוּ
וְאֶת־קָדְשֵׁי בְנֵי־יִשְׂרָאֵל לֹא תְחַלְּלוּ וְלֹא תָמוּתוּ׃ פ

Os levitas não cometiam nenhum *pecado* por comerem a sua porção em qualquer lugar. Eles estavam seguindo uma regra baixada pelo próprio Yahweh, que diferia um tanto das regras dadas aos sacerdotes. Mas não podiam ultrapassar seus direitos, pois se o fizessem poluiriam (profanariam) as *coisas santas,* que pertenciam somente aos sacerdotes. Talvez tenha sido especificado o *dízimo santo,* destinado aos sacerdotes. Se os levitas fossem cobiçosos, consumindo também os dízimos pertencentes aos sacerdotes, então teriam profanado a lei e estariam sujeitos à execução, provavelmente por meio de *apedrejamento* (ver a esse respeito no *Dicionário*). Negligenciar o pagamento dos dízimos aos sacerdotes era considerado um crime que merecia a pena de morte.

CAPÍTULO DEZENOVE

O RITO DA PURIFICAÇÃO (19.1-22)

A *purificação* sempre envolvia sacrifícios vicários, pelo que a comunidade tinha de prover uma novilha vermelha, sem defeito, que nunca tivesse sido usada para trabalho. Tornava-se uma oferenda que *não* visava remover o pecado propriamente dito, mas a contaminação do pecado que a morte representava.

Essa novilha tinha de ser abatida *fora do arraial,* em contraste com os animais sacrificados no átrio do tabernáculo (Êx 29.14; Lv 4.11,12,21). O trecho neotestamentário de Hebreus 13.11,12 refere-se a esse sacrifício quando diz que Jesus sofreu fora do acampamento. O que fica implícito no Novo Testamento é que Jesus, por esse meio, purificou o seu povo da contaminação da morte espiritual, causada pelo pecado.

Talvez uma novilha *vermelha* fosse usada com esse propósito porque a sua cor faria Israel lembrar-se do *sangue* expiatório. Ver no *Dicionário* o artigo chamado *Expiação.*

A lei original da purificação por meio da águia misturada com as cinzas da novilha vermelha é desconhecida. A história do povo que bebeu água misturada com o ouro polvilhado do bezerro de ouro é um tanto similar (ver Êx 32.20), e talvez esse rito estivesse ligado, de alguma maneira, a um primitivo rito pagão da deusa-vaca, embora essa seja uma sugestão difícil de aceitar. Todavia, a Bíblia nada nos informa a esse respeito, como é natural. Talvez a prática em Israel já fosse antiga, vinda de tempos antigos e de algum povo da antiguidade. A mistura da água com as cinzas era usada como meio para remover a imundícia causada pelo toque em algum cadáver (vss. 11-13). Ver também os vss. 14-16. Esse é o assunto principal que temos diante de nós, neste capítulo.

19.1

וַיְדַבֵּר יְהֹוָה אֶל־מֹשֶׁה וְאֶל־אַהֲרֹן לֵאמֹר׃

Disse mais o Senhor. Uma expressão frequente no Pentateuco, empregada para começar alguma nova seção do material escrito. Também nos faz lembrar da doutrina da divina inspiração das Escrituras. Usualmente, a palavra de Yahweh era dada a Moisés, que então a transmitia a outros. Dessa vez, o recado divino foi dado a Moisés e Arão. A eles cabia transmiti-lo ao povo. Ver Números 18.1 e Levítico 10.8, as duas únicas instâncias em que a palavra de Yahweh foi dada somente a Arão, que então serviu de mediador. Ver as notas expositivas sobre a expressão *disse o Senhor,* em Levítico 1.1 e 4.1.

19.2

זֹאת חֻקַּת הַתּוֹרָה אֲשֶׁר־צִוָּה יְהֹוָה לֵאמֹר דַּבֵּר
אֶל־בְּנֵי יִשְׂרָאֵל וְיִקְחוּ אֵלֶיךָ פָרָה אֲדֻמָּה תְּמִימָה
אֲשֶׁר אֵין־בָּהּ מוּם אֲשֶׁר לֹא־עָלָה עָלֶיהָ עֹל׃

Nesta oportunidade, Arão também agiu como mediador de Yahweh, mas não sem Moisés. Usualmente, Moisés atuava sozinho, transmitindo as comunicações divinas a Arão, a Arão e aos sacerdotes, ou ao povo em geral. Há um total de *oito* fórmulas de comunicação, conforme se vê em Levítico 17.2 e suas notas expositivas.

Uma novilha vermelha. Esse animal (que talvez fizesse lembrar o *sangue* devido à sua cor, tinha de ser sem defeito (ver essa condição, acerca dos animais sacrificados, em Lv 22.20). Essa novilha também nunca deveria ter sido posta a trabalhar. Somente nessas condições ela estaria qualificada.

Quanto ao sentido geral deste capítulo 19, ver as notas de introdução, acima.

O *Targum de Jonathan* afirma que a novilha precisava ter 2 anos de idade; mas alguns rabinos falavam em t3, 4 ou mesmo 5 anos de idade.

A aplicação dessa passagem, no Novo Testamento, fica em Hebreus 9.13,14.

Comparações com Costumes Pagãos:
1. A novilha vermelha dos hebreus era sacrificada, o que contrasta com o touro sagrado dos egípcios, que era adorado. A deusa Ísis dos egípcios era adorada sob a semelhança de uma vaca, embora a princípio tivesse sido representada como uma mulher. Heródoto comparou-a à Demeter dos gregos, e disse que ela era a suprema divindade feminina para os egípcios.
2. Um *touro vermelho* era sacrificado no Egito a fim de aplacar o demônio Tifon, que os egípcios adoravam. Mas não parece haver nenhuma conexão entre essa superstição egípcia e o rito dos hebreus. Ver Plutarco, *De Iside.*
3. Tanto o touro egípcio quanto a novilha vermelha dos hebreus não podia ter nenhum tipo de defeito. A *cor vermelha* também precisava recobrir ambos os animais por inteiro, não podendo ter nenhuma outra cor além dessa.
4. Ambos os animais não podiam ter sido submetidos a trabalho, usando a canga etc. Várias referências literárias mostram que várias culturas antigas incluíam essa regra. Referências a essa regra podem ser achadas nos escritos de Homero, Porfírio, Virgílio e Macróbio. Ver a *Ilíada* lib. x. vs. 291. Ver também Virgílio, *Georg.* iv. vs. 550. Talvez vários povos tenham tomado por empréstimo as noções dos hebreus, e não vice-versa.
5. Entre os hebreus, o animal precisava ser do sexo feminino. Heródoto (*Euterpe* 1. 2. cap. 41) informa-nos que os egípcios nunca sacrificavam vacas, pois somente animais machos eram mortos como sacrifícios. A vaca era sagrada para a deusa Ísis, dos egípcios, pelo que não podia mesmo ser abatida como animal a ser sacrificado.

19.3

וּנְתַתֶּם אֹתָהּ אֶל־אֶלְעָזָר הַכֹּהֵן וְהוֹצִיא אֹתָהּ
אֶל־מִחוּץ לַמַּחֲנֶה וְשָׁחַט אֹתָהּ לְפָנָיו׃

Entregá-la-eis a Eleazar. Ele, e não Arão (o sumo sacerdote), ocupava-se da cerimônia, talvez porque Arão ficaria imundo se tivesse de preparar a água da santificação, que continha as cinzas da novilha vermelha. Ver sobre *Eleazar* no *Dicionário.*

Fora do arraial. A novilha vermelha devia ser morta fora do acampamento, e não no átrio do tabernáculo, contra o padrão usual dos sacrifícios. Ver como o Novo Testamento (em Hb 13.11,12) refere-se a esse texto, aplicando-o ao Senhor Jesus Cristo e sua expiação por nós. Jesus sofreu em desgraça, fora da cidade. O próprio Eleazar não podia sacrificar o animal, mas um sacerdote assistente tinha de realizar o ato. A cerimônia com o sangue, porém, fazia parte dos deveres de Eleazar (vs. 4). Desse modo, a impureza era levada para fora do arraial, especialmente aquele tipo de impureza resultante do contado com um corpo morto, que é o assunto principal deste capítulo.

19.4

וְלָקַח אֶלְעָזָר הַכֹּהֵן מִדָּמָהּ בְּאֶצְבָּעוֹ וְהִזָּה אֶל־נֹכַח
פְּנֵי אֹהֶל־מוֹעֵד מִדָּמָהּ שֶׁבַע פְּעָמִים׃

Um assistente, provavelmente um sacerdote (posto que não necessariamente), abatia o animal, sob o olhar de Eleazar, conforme somos informados por fontes talmúdicas. Em seguida, o próprio Eleazar tomava o sangue em seu dedo e o aspergia por *sete* vezes na direção do tabernáculo. Sete é o número sagrado da perfeição. Ver no *Dicionário* o artigo intitulado *Número (Numeral, Numerologia),* onde esse e outros números importantes são discutidos, e onde é dado o seu simbolismo.

"O número sagrado, o sangue sagrado e a sagrada tenda da congregação combinavam-se para que o rito fosse eficaz" (*Oxford Annotated Bible*, sobre este versículo quarto).

"Os ritos determinados eram efetuados por Eleazar, e não por Arão, pois isto o desqualificaria temporariamente pela impureza legal para o desempenho de suas funções sumo sacerdotais" (Ellicott, *in loc.*).

O sangue da novilha não era aparado em alguma vasilha, mas na mão esquerda; e então era transferido para a mão direita e era aspergido, conforme disse Maimônides (*Hilchot Parah Adumah*, c. 3, sec. 2), com o que concorda o Targum de Jonathan. Nos dias do segundo templo, esse rito era efetuado no monte das Oliveiras, fora do templo. Mas o templo estava bem diante dos olhos dos sacerdotes, e o sangue era aspergido na sua direção.

■ **19.5**

וְשָׂרַף אֶת־הַפָּרָה לְעֵינָיו אֶת־עֹרָהּ וְאֶת־בְּשָׂרָהּ וְאֶת־דָּמָהּ עַל־פִּרְשָׁהּ יִשְׂרֹף׃

Será queimada a novilha. Não podia sobrar coisa alguma do animal, pois era como se fosse um holocausto, embora não sobre o altar que havia no átrio do tabernáculo. A queima absolutamente por inteiro falava sobre o poder eficaz da oferta. As cinzas eram assim preparadas, para em seguida serem misturadas com água; e a mistura tornava-se a substância purificadora.

Tipologia. A queima completa da novilha vermelha apontava para a perfeição e total eficácia do sacrifício propiciatório de Cristo, em favor de todos (1Jo 3.2). Ver no *Dicionário* o artigo intitulado *Expiação*. Jesus fez propiciação pelos pecados do mundo, tal como Deus "amou o mundo" (Jo 3.16).

Os ritos tornaram-se mais complexos nos dias do segundo templo. O sacerdote saía com seu assistente e vários dos anciãos de Israel. Então mergulhava em água, tomando assim um banho de purificação. A lenha era trazida juntamente com as demais coisas ordenadas no sexto versículo. A lenha era empilhada com a forma de uma torre, e havia entradas de ar na pilha, para facilitar a combustão. A novilha era posta sobre a lenha e era morta ali. A cerimônia sangrenta era levada a efeito. E então havia a queima total do corpo do animal. Yahweh olhava a cena desde o templo, e aprovava. Posteriormente, porém, ele olhou para o sacrifício de Cristo e aprovou, e o mero símbolo foi substituído pela realidade.

■ **19.6**

וְלָקַח הַכֹּהֵן עֵץ אֶרֶז וְאֵזוֹב וּשְׁנִי תוֹלָעַת וְהִשְׁלִיךְ אֶל־תּוֹךְ שְׂרֵפַת הַפָּרָה׃

Os Materiais. "Cedro, hissopo e estofo carmesim eram usados, materiais esses também usados (embora de modo ligeiramente diferente) no caso da purificação de um leproso: o cedro representava a sua *longevidade*; o hissopo, suas propriedades *purificadoras* (Sl 51.7), e o fio escarlate representava o *sangue*, símbolo da vida" (John Marsh, *in loc.*).

Mas outros simbolismos têm sido sugeridos: O cedro representaria a sua *fragrância;* pois o aroma suave era agradável a Yahweh. A cor carmesim simbolizava tanto o *pecado* quanto o agente *purificador* (o sangue). Ver Isaías 1.18. Quanto à purificação dos leprosos por meio desses materiais, ver Levítico 14.4. Cf. a aplicação no Novo Testamento, em Hebreus 9.13,14.

"Jesus enfatizou o que deve ser enfatizado; a pureza moral e espiritual... essa purificação depende da piedade" (Albert George Butzer, *in loc.*).

O cedro era escolhido por causa de sua natureza aromática e sempre verdejante; o hissopo, por causa de seu uso, ao ser aplicado o sangue, por ocasião do êxodo (cf. Sl 51.7; Êx 12.22); e o fio escarlata porque simboliza o próprio sangue" (Eugene H. Merrill, *in loc.*).

■ **19.7**

וְכִבֶּס בְּגָדָיו הַכֹּהֵן וְרָחַץ בְּשָׂרוֹ בַּמַּיִם וְאַחַר יָבוֹא אֶל־הַמַּחֲנֶה וְטָמֵא הַכֹּהֵן עַד־הָעָרֶב׃

O sacerdote havia cuidado da purificação causada pela impureza cerimonial, especialmente o contato com um corpo morto. Por causa da natureza desse ato, quem fizesse isso ficava imundo até a noitinha. Ver no *Dicionário* o artigo chamado *Limpo e Imundo*. Por igual modo, Jesus se fez pecado por nós a fim de que, nele, fôssemos feitos justiça de Deus (ver 2Co 5.11).

O sacerdote precisava então tomar o *banho cerimonial.* Quanto a isso ver Levítico 14.8; 17.15; Números 8.7; 19.9. O Targum de Jerusalém refere-se ao banho tomado pelo sacerdote que abatia a novilha vermelha. Aben Ezra, porém, diz que o sacerdote que queimava a novilha é que tomava tal banho (Eleazar). Provavelmente, devemos pensar em Eleazar, embora também seja possível que ambos tivessem de tomar um banho cerimonial, conforme se vê em *Misn. Parah,* cap. 4, sec. 4.

E imundo será até à tarde. Quanto a isso, ver Levítico 11.24,27,28,39,40; 14.46; 15.5-7; 17.15; 22.6; Números 19.7,8,10,21,22.

Além do banho cerimonial, o homem tinha de lavar todas as suas roupas, o que também se aplicava aos dois outros sacerdotes que o tivessem ajudado (vss. 8 e 10).

■ **19.8**

וְהַשֹּׂרֵף אֹתָהּ יְכַבֵּס בְּגָדָיו בַּמַּיִם וְרָחַץ בְּשָׂרוֹ בַּמָּיִם וְטָמֵא עַד־הָעָרֶב׃

Talvez este versículo limite o banho cerimonial ao sacerdote (neste caso, Eleazar) que queimava a novilha vermelha e aspergia o sangue. Ver as notas sobre os vs. 7 quanto às ideias dos escritores judaicos acerca dessa circunstância. Mas alguns intérpretes supõem que deveríamos entender este versículo como um *contraste* (e não como uma explicação) com o versículo sétimo. Nesse caso, o vs. 7 se referiria ao sacerdote que sacrificou o animal, ao passo que o vs. 8 se referiria ao sacerdote que queimava o animal e aspergia o sangue.

O banho era efetuado mediante a *imersão* total do corpo, símbolo do batismo por imersão. Ver no *Dicionário* o artigo chamado *Batismo Judaico;* e na *Enciclopédia de Bíblia, Teologia e Filosofia*, ver o artigo intitulado *Batismo*. Ambos os sacerdotes precisam lavar suas vestes.

■ **19.9**

וְאָסַף אִישׁ טָהוֹר אֵת אֵפֶר הַפָּרָה וְהִנִּיחַ מִחוּץ לַמַּחֲנֶה בְּמָקוֹם טָהוֹר וְהָיְתָה לַעֲדַת בְּנֵי־יִשְׂרָאֵל לְמִשְׁמֶרֶת לְמֵי נִדָּה חַטָּאת הִוא׃

Outro assistente (provavelmente um sacerdote) tinha por tarefa recolher as cinzas da novilha totalmente queimada. Essas cinzas eram misturadas com água, e a mistura passava a ser um agente para remoção da imundícia derivada, especialmente do toque em um corpo morto. Esse outro assistente sem dúvida não participara do sacrifício e dos demais ritos, pois, se o tivesse feito, também teria ficado imundo.

As cinzas eram postas em um lugar *limpo,* do ponto de vista cerimonial, a fim de que não contraíssem nenhuma imundícia, e assim ficassem impróprias para serem usadas. A novilha fora oferecida como uma espécie de oferenda pelo pecado, e agora as suas cinzas passavam a ser utilizadas com propósitos de purificação, uma vez misturadas com água santa. O vs. 17 deste capítulo mostra que a mistura era aspergida sobre aqueles que tivessem adquirido qualquer tipo de contaminação.

Em tempos posteriores, esse sacerdote era separado desde algum tempo antes do rito e conservado cerimonialmente limpo. Essa separação perdurava por sete dias. As cinzas eram socadas até serem reduzidas a um pó fino (*Misn. Parah,* cap. 3, sec. 1.6,7). Também eram conservadas em um lugar onde ficavam ao abrigo de qualquer toque contaminador. O Targum de Jonathan menciona vasos especiais com esse propósito, onde eram guardadas as cinzas. Na ocasião certa, as cinzas eram retiradas do vaso e misturadas com a água. Ver Hebreus 9.13,14 quanto a uma aplicação neotestamentária. O *sangue* de Cristo substituiu todos esses ritos, tornando-se o único agente purificador.

■ **19.10**

וְכִבֶּס הָאֹסֵף אֶת־אֵפֶר הַפָּרָה אֶת־בְּגָדָיו וְטָמֵא עַד־הָעָרֶב וְהָיְתָה לִבְנֵי יִשְׂרָאֵל וְלַגֵּר הַגָּר בְּתוֹכָם לְחֻקַּת עוֹלָם׃

O outro assistente, que era o *terceiro* homem envolvido no rito, ficava imundo por ter entrado em contato com as cinzas, pois, afinal, elas eram remanescentes de um animal morto. Suas vestes, naturalmente, ficariam sujas de cinza, pelo que tinham de ser lavadas; e o próprio assistente também tomava um banho cerimonial (ver o vs. 8), embora esse detalhe não seja repetido aqui. Esse assistente, tal como os outros homens envolvidos, ficava imundo até a tardinha, conforme vimos nas notas sobre o vs. 7.

E ao estrangeiro. Está em pauta um prosélito que tenha passado para a religião dos hebreus, embora ele mesmo não fosse racialmente descendente de Abraão. Isso tipifica a missão de Cristo, que reuniu judeus e gentios para que se tornassem um só povo remido, chamado Igreja (ver At 2.39; Gl 3.28; Ef 2.11 ss.; 1Jo 3.2).

MODOS DE PROCEDER PARA LIMPAR O IMUNDO (19.11-13)

■ **19.11**

הַנֹּגֵעַ בְּמֵת לְכָל־נֶפֶשׁ אָדָם וְטָמֵא שִׁבְעַת יָמִים׃

A começar por este versículo vemos a principal aplicação da mistura de água santa com as cinzas da novilha vermelha. Um homem que tocasse em um corpo morto era considerado imundo, mas podia ser purificado pelo rito que incluía a aplicação daquela mistura. Quanto a como um homem que tocasse em um cadáver ficava imundo, ver Levítico 21.1-12.

"Qualquer um que entrasse em contato com um morto ficava [cerimonialmente] imundo por sete dias. No terceiro e no sétimo dia depois do contato, tinha de purificar-se com aquela água. A impureza do sétimo dia ressaltava a gravidade da situação, o que é enfatizado pela injunção de que, se alguém não se submetesse à água da purificação seria cortado de Israel... O rito da purificação consistia em lançar água purificadora sobre a pessoa imunda, onde a palavra *lançar* significa 'lançar punhados' ou 'lançar taças' de água" (John Marsh, *in loc.*).

Tocar no corpo morto de uma *animal* fazia uma pessoa ficar imunda por um dia (Lv 11.24), mas tocar em um cadáver *humano* fazia uma pessoa ficar imunda por sete dias. Ver no *Dicionário* o artigo chamado *Limpo e Imundo*.

■ **19.12**

הוּא יִתְחַטָּא־בוֹ בַּיּוֹם הַשְּׁלִישִׁי וּבַיּוֹם הַשְּׁבִיעִי יִטְהָר וְאִם־לֹא יִתְחַטָּא בַּיּוֹם הַשְּׁלִישִׁי וּבַיּוֹם הַשְּׁבִיעִי לֹא יִטְהָר׃

Era mister fazer duas aplicações da água santa para purificar o imundo: a primeira três dias mais tarde, e a segunda sete dias mais tarde, ou seja, no meio e no fim do período. Isso enfatizava a seriedade da situação para a mente dos hebreus, como também o fato de que, se um homem negligenciasse essa ordenança, seria executado (vs. 13). O versículo parece dizer que o homem lançava água sobre si mesmo, mas o vs. 19 mostra que outrem, uma pessoa *pura,* é que lançava a água. A pessoa imunda não podia purificar a si mesma. Assim também um pecador precisa ser purificado por outrem, a saber, o Salvador, Jesus Cristo. A água, naturalmente, era previamente misturada com as cinzas de uma novilha vermelha (vs. 17). A pessoa pura precisava ser um sacerdote. Por igual modo, nosso sumo sacerdote purifica-nos de todo pecado (Ef 1.7). Ver o vs. 9 quanto à *água*. Ver também o vs. 17.

■ **19.13**

כָּל־הַנֹּגֵעַ בְּמֵת בְּנֶפֶשׁ הָאָדָם אֲשֶׁר־יָמוּת וְלֹא יִתְחַטָּא אֶת־מִשְׁכַּן יְהוָה טִמֵּא וְנִכְרְתָה הַנֶּפֶשׁ הַהִוא מִיִּשְׂרָאֵל כִּי מֵי נִדָּה לֹא־זֹרַק עָלָיו טָמֵא יִהְיֶה עוֹד טֻמְאָתוֹ בוֹ׃

A provisão da água santa, misturada com as cinzas de uma novilha vermelha, tinha sido feita. O povo de Israel fora informado da necessidade do rito. Se alguém ignorasse ou desafiasse a regra, estaria contaminando o tabernáculo, onde Yahweh manifestava a sua presença e baixava as suas instruções. Tal homem deveria ser executado, provavelmente por *apedrejamento* (ver no *Dicionário*). Fica entendido que, se um *homem imundo* se aproximasse do tabernáculo em tal condição, visto não estar apto para essa aproximação, seria executado. Vemos assim quão séria era essa questão de tocar em um cadáver, e não submeter-se àquele rito. Poderíamos indagar por que *aquela* ofensa era tão séria, mas devemos lembrar-nos de que muitas ofensas eram castigadas com a pena capital. Ver Levítico 15.31. Esse versículo subentende que qualquer pessoa imunda que se aproximasse do tabernáculo, mesmo que entrasse no átrio a fim de oferecer um sacrifício, seria executada, *sem importar* o tipo de imundícia que houvesse adquirido. O que tornava tão grave a questão é que o tabernáculo teria sido contaminado. A santidade do Senhor estava vinculada ao tabernáculo.

■ **19.14**

זֹאת הַתּוֹרָה אָדָם כִּי־יָמוּת בְּאֹהֶל כָּל־הַבָּא אֶל־הָאֹהֶל וְכָל־אֲשֶׁר בָּאֹהֶל יִטְמָא שִׁבְעַת יָמִים׃

Esta é a lei. A lei da execução. Qualquer pessoa que entrasse na tenda de um homem que houvesse morrido ficaria imunda por sete dias, sem importar se tivesse tocado ou não no cadáver. E aqueles que cuidassem do morto sem dúvida teriam também tocado em muitos outros itens no interior da tenda, e esse *toque* tornava as coisas imundas. Já vimos, em Levítico 22.5, que o toque tornava as coisas santas ou imundas. Todos os vasos, móveis etc. ficavam imundos na tenda onde houvesse ocorrido a morte. "A imundícia, tal como o mau cheiro da morte, podia contaminar um tenda, e até mesmo entrar em um vaso aberto" (John Marsh, aludindo aos vss. 14 e 15 deste capítulo).

■ **19.15**

וְכֹל כְּלִי פָתוּחַ אֲשֶׁר אֵין־צָמִיד פָּתִיל עָלָיו טָמֵא הוּא׃

Até mesmo um vaso aberto, que estivesse na tenda com um cadáver, ficaria contaminado, a menos que alguém lhe tivesse posto uma tampa. Maimônides disse que devemos pensar aqui em vasos de argila (*De Rea Syria*). Ficava entendido que um vaso de argila *absorveria* qualquer coisa existente na atmosfera, incluindo as radiações da morte.

■ **19.16**

וְכֹל אֲשֶׁר־יִגַּע עַל־פְּנֵי הַשָּׂדֶה בַּחֲלַל־חֶרֶב אוֹ בְמֵת אוֹ־בְעֶצֶם אָדָם אוֹ בְקָבֶר יִטְמָא שִׁבְעַת יָמִים׃

Temos aqui as *regras acerca da morte de alguém* em campo aberto. Qualquer tipo de contato com os mortos contaminava: ou um morto recente; ou um osso que estivesse caído no solo, sem ter sido sepultado; ou qualquer cadáver humano ou animal; ou qualquer sepulcro que contivesse ossos em *seu interior*. Até mesmo ossos, embora não diretamente tocados, contaminavam um homem por causa de suas radiações de morte. O contato com a morte, mesmo que remota, não envolvendo toques diretos, era suficiente para tornar uma pessoa cerimonialmente *imunda*.

Posteriormente, para ajudar as pessoas a não topar por acidente com um sepulcro, a ordem era pintá-los de branco, identificando assim a sua localização. Jesus usou essa circunstância a fim de ensinar uma lição moral, chamando os hipócritas de "sepulcros caiados", os quais parecem belos por fora, mas internamente são imundos, por conterem cadáveres decompostos. Ver Mateus 23.27.

■ **19.17**

וְלָקְחוּ לַטָּמֵא מֵעֲפַר שְׂרֵפַת הַחַטָּאת וְנָתַן עָלָיו מַיִם חַיִּים אֶל־כֶּלִי׃

Preparação do Líquido Descontaminador. As cinzas de uma novilha vermelha queimada (vs. os vss. 5 e 9) eram misturadas com água limpa e corrente. A mistura era então usada para ser borrifada sobre pessoas ou coisas que tivessem ficado imundas devido ao contato com cadáveres. As cinzas eram conservadas em algum vaso limpo, com esse propósito (vs. 9), esperando o momento de serem misturadas com água para que a mistura fosse usada. Os autores hebreus, sempre obcecados pelos detalhes, indagavam se as cinzas eram vertidas sobre a água, ou se a água era derramada sobre as cinzas, ou mesmo se as duas coisas eram deitadas ao mesmo tempo em um vaso. Somente a mente hebreia poderia preocupar-se com detalhes dessa natureza. (*Mis. Cholin,* cap. 1, sec. 6). Se as cinzas eram postas sobre a água, então um sacerdote misturava as duas coisas com seu dedo (*Maimon. Hilchot, Parah Adumah,* cap. 9, sec. 1).

■ 19.18

וְלָקַח אֵזוֹב וְטָבַל בַּמַּיִם אִישׁ טָהוֹר וְהִזָּה
עַל־הָאֹהֶל וְעַל־כָּל־הַכֵּלִים וְעַל־הַנְּפָשׁוֹת
אֲשֶׁר הָיוּ־שָׁם וְעַל־הַנֹּגֵעַ בַּעֶצֶם אוֹ בֶחָלָל אוֹ
בַמֵּת אוֹ בַקָּבֶר:

Purificação por Meio de Aspersão. O hissopo era uma planta conveniente, capaz de absorver em seus raminhos boa quantidade de líquidos. Ver no *Dicionário* o artigo chamado *Hissopo,* quanto a plenos detalhes sobre o uso dessa planta. O Targum de Jonathan diz que três raminhos da planta eram atados por um sacerdote que estivesse limpo. Então uma pessoa limpa aspergia tudo o que houvesse no interior de uma tenda ou casa em que tivesse ocorrido uma morte. Ou então aspergia a pessoa que tivesse tocado em um osso ou em uma sepultura. Até mesmo o osso de um homem vivo, que tivesse sido separado do homem por causa de um acidente, era considerado uma coisa morta, capaz de poluir. Ver Êxodo 12.22, quanto à natureza e ao uso do hissopo, que tem detalhes extras em relação ao artigo chamado *Hissopo.*

■ 19.19

וְהִזָּה הַטָּהֹר עַל־הַטָּמֵא בַּיּוֹם הַשְּׁלִישִׁי וּבַיּוֹם
הַשְּׁבִיעִי וְחִטְּאוֹ בַּיּוֹם הַשְּׁבִיעִי וְכִבֶּס בְּגָדָיו וְרָחַץ
בַּמַּיִם וְטָהֵר בָּעָרֶב:

Este versículo reitera informações que já haviam sido dadas. A aspersão com a água e as cinzas tinha lugar no terceiro e no sétimo dia depois de a contaminação haver sido adquirida, conforme vimos no vs. 12 deste capítulo; as vestes da pessoa imunda tinham de ser lavadas, segundo se vê nos vs. 7, 8 e 10; e então a pessoa contaminada precisava tomar um banho cerimonial, conforme se vê nos vss. 7 e 8. Uma vez terminada a quarentena de sete dias, e todas as exigências tivessem sido atendidas, então a pessoa era declarada *limpa,* podendo reiniciar suas atividades no tabernáculo. Cf. Levítico 16.26.

■ 19.20

וְאִישׁ אֲשֶׁר־יִטְמָא וְלֹא יִתְחַטָּא וְנִכְרְתָה הַנֶּפֶשׁ הַהִוא
מִתּוֹךְ הַקָּהָל כִּי אֶת־מִקְדַּשׁ יְהוָה טִמֵּא מֵי נִדָּה
לֹא־זֹרַק עָלָיו טָמֵא הוּא:

Quem estiver imundo e não se purificar. Uma pessoa imunda que se aproximava do santuário a fim de realizar algum sacrifício era executada, provavelmente por *apedrejamento* (ver a esse respeito no *Dicionário*). Este versículo repete as informações dadas no vs. 13, com algumas adições. Ver as notas ali.

■ 19.21

וְהָיְתָה לָהֶם לְחֻקַּת עוֹלָם וּמַזֵּה מֵי־הַנִּדָּה יְכַבֵּס
בְּגָדָיו וְהַנֹּגֵעַ בְּמֵי הַנִּדָּה יִטְמָא עַד־הָעָרֶב:

Esse rito seria um estatuto perpétuo, como de resto, toda a legislação mosaica. Quanto a isso ver Êxodo 29.42; 31.16; Levítico 3.17 e 16.29. Esse rito devia ser observado como *estatuto perpétuo.* Essa expressão tem um paralelo, "por todas as vossas gerações", que não figura neste versículo, embora apareça em outros trechos (ver Êx 29.42 e 31.16). É claro que os hebreus não contemplavam o fim de seu sistema, nem uma revelação superior à que já tinham. Essa é uma deficiência comum dos sistemas religiosos. O Novo Testamento trouxe à tona o sacrifício superior de Cristo, que anulou os sacrifícios simbólicos do Antigo Testamento, e que não somente os complementou. Todos os fins são apenas instrumentais, e acabam tornando-se novos começos. Ver Hebreus 7.25; 9.13,14 e também Apocalipse 7.14.

O que tocar a água purificadora será imundo até à tarde. A pessoa que fizesse isso, mesmo acidentalmente, ficaria imunda "até à tarde", e não por sete dias. O *toque* transmitia santidade ou imundícia, dependendo de sua natureza. Ver sobre isso em Levítico 22.5. Com respeito à regra de "ficar imundo até à tarde", ver as notas sobre o vs. 7, que dão uma lista de ocorrências dessa expressão. Ver Maimônides, *Hilchot Parah Adumah,* cap. 15, sec. 1.

■ 19.22

וְכֹל אֲשֶׁר־יִגַּע־בּוֹ הַטָּמֵא יִטְמָא וְהַנֶּפֶשׁ הַנֹּגַעַת תִּטְמָא
עַד־הָעָרֶב: פ

Tudo o que o imundo tocar. Tanto a santidade quanto a imundícia eram vistos como se fossem uma espécie de contágio moral e físico. Quanto à santidade e à imundícia por meio de *toque,* ver Levítico 22.5. Um homem cerimonialmente imundo deixava imunda *qualquer coisa* na qual tocasse. E então se outra pessoa viesse a tocar *naquela coisa,* também ficava imunda, quanto mais se tocasse na própria primeira pessoa imunda. E assim, o contágio passava de pessoas para objetos, e daí, novamente, para pessoas. Ver Levítico 15.4-12,19,20.

Quem. No original hebraico, temos a palavra *nephesh,* "alma", que neste caso indica apenas alguém. Posteriormente, entre os hebreus, essa palavra hebraica veio a indicar somente a parte imaterial e imortal do ser humano, conforme se dá com a nossa palavra "alma". Todavia, há eruditos que insistem em que não há um único uso da palavra hebraica *nephesh* que indica qualquer coisa de imaterial. Se assim fosse, não teríamos como compreender este versículo. O que parece ter havido é que cada vez mais exclusivamente a palavra *nephesh* veio a indicar essa porção imaterial do homem. Outros intérpretes pensam que a palavra hebraica indica uma *pessoa morta,* o que faria a ideia voltar à mensagem principal do capítulo, ou seja, o toque em um cadáver. Mas a primeira ideia parece preferível, ou seja, se alguém tocar em *alguma coisa* que fora previamente tocada por uma pessoa imunda, esse objeto também ficaria imundo.

CAPÍTULO VINTE

INCIDENTES NO DESERTO (20.1—21.35)

"Embora não haja nenhuma referência a eventos entre o segundo ano — o ano em que o povo de Israel foi condenado a perambular por quarenta anos (14.34; cf. 10.11) — e a morte de Miriã, é evidente que ela morreu no quadragésimo ano, pois o *próximo* evento a ser datado é a morte de Arão no monte Hor (20.27,28), que ocorreu "no quinto mês do ano quadragésimo da saída dos filhos de Israel da terra do Egito" (33.38). Portanto, o "mês primeiro" (Nm 20.1) deve ser entendido através do contexto, visto que a narrativa do capítulo 20 não pode acomodar alguma coisa muito mais breve ou mais longa do que três ou quatro meses. A referência a Cades não significa que o povo de Israel tenha chegado ali *pela primeira vez,* porquanto eles já tinham enviado espias que *partiram* dali (Nm 12.16; 13.26). Mas significa apenas que eles voltaram àquele lugar, naquela ocasião" (Eugene, H. Merrill, *in loc.*).

Aprendemos que Israel, não tendo entrado na terra de Canaã vindo do sul (caps. 13 e 14), planejou entrar ali por outra rota, através da Transjordânia, a fim de atacar os cananeus pelo leste.

■ 20.1

וַיָּבֹאוּ בְנֵי־יִשְׂרָאֵל כָּל־הָעֵדָה מִדְבַּר־צִן בַּחֹדֶשׁ
הָרִאשׁוֹן וַיֵּשֶׁב הָעָם בְּקָדֵשׁ וַתָּמָת שָׁם מִרְיָם וַתִּקָּבֵר
שָׁם:

Temos aqui um sumário que *condensa* a longa permanência do povo de Israel em Cades-Barneia. Já se havia passado o *ano* do "primeiro mês". A geração inteira, condenada a perambular pelo deserto por cerca de quarenta anos (Nm 14.20-25), já tinha falecido.

Deserto de Zim. Ver um artigo detalhado sobre esse lugar no *Dicionário.*

Cades. Ver no *Dicionário.*

Miriã. Ver esse nome no *Dicionário* e as notas de introdução a este capítulo. A geração mais antiga, que não tivera permissão de entrar na Terra Prometida, já havia perecido. O próprio Moisés, como também Arão e Miriã, não chegaram ali. Josué e Calebe eram os novos líderes do povo de Israel, quando este entrou na Terra Prometida.

Miriã era mais idosa que Moisés, e chegara o seu dia de partir deste mundo. Moisés era um infante quando ela foi instruída por seus pais a vigiar a conduta da filha do Faraó e dirigir um entendimento extremamente delicado, que requeria grande prudência. Ver o segundo capítulo de Êxodo. Os estudiosos supõem que ela teria 130 anos de idade ao morrer, pelo que ela deveria ter cerca de dez anos mais de idade do que Moisés. Eusébio afirma que em seu tempo sabia que o túmulo dela estava em Cades, perto de Petra, embora essa informação não possa ser confirmada hodiernamente. Ver *Antiq.* 3.2, bem como o artigo *Miriã,* no *Dicionário,* onde damos toda informação disponível sobre ela. O nome dela, como é lógico, está por trás do nome português Maria, talvez o mais popular nome feminino de todos os tempos.

■ 20.2

וְלֹא־הָיָה מַיִם לָעֵדָה וַיִּקָּהֲלוּ עַל־מֹשֶׁה וְעַל־אַהֲרֹן׃

Não havia água para o povo. Temos aí o problema da água. As populações que têm vivido nos desertos ou nas suas proximidades (como o autor deste comentário) fazem ideia do que significa esse problema. É mais fácil conduzir as pessoas até à água, do que a água até as pessoas, nas áreas desérticas. Vagueando pelo deserto, Israel contava com três a quatro milhões de pessoas, considerando-se que os homens aptos para a guerra eram mais de seiscentos mil (Nm 1.46). Era forçoso que ali houvesse um problema de falta de água.

Então se ajuntaram contra. Temos aqui nova murmuração. Esse pecado é um tema constante do Pentateuco. Juntamente com as murmurações, usualmente alguém se revoltava contra a autoridade de Moisés. Ver a introdução ao capítulo 11 do livro de Números. Até ali eu já havia aludido a *oito* desses incidentes de murmuração. Em Números 16.41 vimos uma nona dessas murmurações, e aqui temos uma décima murmuração. O relato é bem próximo de Êxodo 17.1-7, pelo que alguns críticos supõem que o relato aqui seja um paralelo ao daquela passagem. E não há razão para supormos que isso não tenha acontecido com certa frequência.

Infelizmente a falha de Moisés (devido a uma explosão de ira), nesse ponto, foi a causa de não haver ele entrado na Terra Prometida (ver os vss. 11 ss. deste capítulo).

■ 20.3

וַיָּרֶב הָעָם עִם־מֹשֶׁה וַיֹּאמְרוּ לֵאמֹר וְלוּ גָוַעְנוּ בִּגְוַע אַחֵינוּ לִפְנֵי יְהוָה׃

Tinha havido várias matanças determinadas por juízo divino, e muitas pessoas haviam morrido de enfermidades e idade avançada. Os que tinham restado, da geração mais antiga, chegaram a pensar que morrer seria melhor do que morrer no deserto *sem água*. E assim proferiram palavras amargas e iradas contra Moisés, por havê-los conduzido àquele lugar de miséria. Alguns tinham morrido por meio do fogo, em Taberá; e outros faziam parte do grupo que dera apoio a Coré, ao passo que outros morreram de pestilência. Ver os capítulos 11 e 16 quanto a incidentes ilustrativos. Somente no caso de Coré, quinze mil tinham morrido. Por essa altura dos acontecimentos, porém, depois de se terem passado os quarenta anos, o que ainda restava da geração mais antiga tinha morrido de velhice, como foi o caso de Miriã, que teria falecido com 130 anos de idade.

■ 20.4

וְלָמָה הֲבֵאתֶם אֶת־קְהַל יְהוָה אֶל־הַמִּדְבָּר הַזֶּה לָמוּת שָׁם אֲנַחְנוּ וּבְעִירֵנוּ׃

Yahweh tinha ordenado e executado o *êxodo* (ver a esse respeito no *Dicionário*), e Moisés servira de seu agente especial. Assim sendo, quando Moisés era criticado, Yahweh era o objeto real das queixas. O trecho de Êxodo 17.3 é virtualmente igual a este versículo, pelo que damos ali as notas sobre as ideias que temos aqui.

■ 20.5

וְלָמָה הֶעֱלִיתֻנוּ מִמִּצְרַיִם לְהָבִיא אֹתָנוּ אֶל־הַמָּקוֹם הָרָע הַזֶּה לֹא מְקוֹם זֶרַע וּתְאֵנָה וְגֶפֶן וְרִמּוֹן וּמַיִם אַיִן לִשְׁתּוֹת׃

Nem de água para beber? Sem água não pode haver agricultura; e isso significa que o povo de Israel, no deserto, passou por várias crises de falta de alimentos, ou, pelo menos, de variedade na sua dieta. O texto dá a entender que Moisés e Arão *forçaram* Israel a deixar o Egito para virem para aquele deserto estéril, sem água e sem alimentos. Os filhos de Israel, tendo chegado às fronteiras mesmas da Terra Prometida, desanimaram diante dos gigantes que os espias haviam achado ali (Nm 13.33), os quais também recomendaram que Israel não tentasse a conquista daquele território. Por esse motivo, esse *privilégio* de entrar na Terra Prometida foi adiado por praticamente quarenta anos, e os israelitas ficaram vagueando pelo deserto (Nm 14.43,44). A verdade é que o motivo de eles terem voltado a internar-se no deserto fora a falta de fé e de coragem; e isso era *falta* deles, e não de Moisés. Cf. Êxodo 17.3.

■ 20.6

וַיָּבֹא מֹשֶׁה וְאַהֲרֹן מִפְּנֵי הַקָּהָל אֶל־פֶּתַח אֹהֶל מוֹעֵד וַיִּפְּלוּ עַל־פְּנֵיהֶם וַיֵּרָא כְבוֹד־יְהוָה אֲלֵיהֶם׃ פ

Então Moisés e Arão se foram. Os dois estavam *consternados*, e caíram de bruços diante de Yahweh, no tabernáculo, buscando orientação. Uma vez mais apareceu a *glória* do Senhor, para tornar conhecida a vontade de Yahweh. Conforme comentou Aben Ezra, os dois se tinham afastado do povo, temendo o que poderiam sofrer às mãos deles. Cf. Êxodo 17.4. Ver também Números 16.19 quanto à chegada da glória do Senhor, na presença de Yahweh. Ver Números 16.4,22,45 e 22.31 quanto a outras instâncias de terem eles "se lançado sobre seus rostos", ou seja, em consternação, a fim de orarem. Ver no *Dicionário* os artigos intitulados *Oração* e *Intercessão*.

■ 20.7

וַיְדַבֵּר יְהוָה אֶל־מֹשֶׁה לֵּאמֹר׃

Disse o Senhor. Essa expressão é de uso frequente no Pentateuco. Assinala o início de material novo, e também nos faz lembrar da inspiração divina. Ver as notas a respeito em Levítico 1.1 e 4.1. Neste caso, Yahweh falou a Moisés, porquanto ele tinha buscado orientação e levantado orações fervorosas. As orações fervorosas e persistentes dos justos não são ignoradas pelo Senhor (ver Tg 5.16). Oh, Senhor, concede-nos tal graça! Notemos, igualmente, que Moisés orou em favor de outros. São mais eficazes as orações que não são feitas de modo egoísta.

■ 20.8

קַח אֶת־הַמַּטֶּה וְהַקְהֵל אֶת־הָעֵדָה אַתָּה וְאַהֲרֹן אָחִיךָ וְדִבַּרְתֶּם אֶל־הַסֶּלַע לְעֵינֵיהֶם וְנָתַן מֵימָיו וְהוֹצֵאתָ לָהֶם מַיִם מִן־הַסֶּלַע וְהִשְׁקִיתָ אֶת־הָעֵדָה וְאֶת־בְּעִירָם׃

Falai à rocha, e dará a sua água. Notemos que a Moisés e Arão foi dada a ordem de eles apenas "falarem" à rocha. A *vara de Moisés* (vs. 11), todavia, foi usada por ele, para ferir a rocha por "duas vezes", tendo assim produzido água em abundância, tal como havia efetuado maravilhas no Egito. Ver o gráfico na introdução em Êxodo 7.14. A vara de Arão também havia florescido (Nm 17). É provável que Arão tenha conseguido outra vara.

Alguns intérpretes pensam que o prodígio pode ter parecido tão *improvável* para Moisés e Arão, que a dúvida se apossou do primeiro deles, de que falar à rocha seria suficiente. E teria sido pelo menos uma das razões pelas quais ele bateu na rocha, em vez de simplesmente falar a ela (vs. 11). Mas outra razão é que ele estava indignado com os "rebeldes". Fosse como fosse, ele claramente desobedeceu à ordem de Yahweh, que tinha dito para ele "falar" à rocha. O trecho de Deuteronômio 32.50-52 indica que Moisés não interpretou o incidente como um *sinal* da parte de Yahweh; e isso complicou toda a sua situação.

Tipologia. "A *Rocha* (Cristo; ver 1Co 10.4), uma vez ferida, não precisava ser batida (crucificada) de novo. Mas com seu ato, Moisés exaltou a si mesmo (vs. 10) e deu a entender, como um tipo, que o sacrifício único de Cristo seria ineficaz, negando assim a eficácia eterna do sangue do Cordeiro de Deus (Hb 9.25,26; 10.3,11,12). Mas a *água* abundante (*a graça*, que satisfez a necessidade do povo de Israel, apesar do erro de seu líder, Moisés) refere-se ao poder refrigerador de Deus, por meio do Espírito" (*Scofield Annotated Bible*, falando sobre este versículo). Ver no *Dicionário* o verbete intitulado *Água*, onde são incluídas explicações metafóricas.

■ 20.9

וַיִּקַּ֥ח מֹשֶׁ֛ה אֶת־הַמַּטֶּ֖ה מִלִּפְנֵ֣י יְהוָ֑ה כַּאֲשֶׁ֖ר צִוָּֽהוּ׃

O fato de que Moisés foi obter a vara "de diante do Senhor" pode significar que ele apanhou a vara de Arão, que tinha sido guardada no tabernáculo, diante da arca da aliança, ou então, conforme dizem as tradições judaicas, "na arca da aliança". Mas também é possível que a vara fosse *dele*, Moisés, que seria guardada em algum lugar do tabernáculo. Isso concorda com o vs. 11, "a sua vara".

O versículo ajunta que esse ato lhe tinha sido "ordenado". Logo, era para Moisés apanhar a vara, mas não usá-la para bater na rocha. Fosse como fosse, a vara era miraculosa, sem importar se fosse considerada de Arão, o sumo sacerdote, de Moisés, o mediador, ou do próprio Yahweh.

Os *críticos* supõem ter havido no caso um ato supersticioso que girou em torno da vara, visto que, na antiguidade, a vara de um mágico era considerada dotada de poderes especiais. Os céticos veem no texto um reflexo das antigas artes mágicas do Egito, que, supostamente, Moisés teria aprendido a usar. Ver Êxodo 4.3 e 7.14 quanto a uma discussão mais detalhada sobre as *varas de poder* em outras culturas, e sobre as lendas que as cercam.

■ 20.10

וַיַּקְהִ֜לוּ מֹשֶׁ֧ה וְאַהֲרֹ֛ן אֶת־הַקָּהָ֖ל אֶל־פְּנֵ֣י הַסָּ֑לַע וַיֹּ֣אמֶר לָהֶ֗ם שִׁמְעוּ־נָא֙ הַמֹּרִ֔ים הֲמִן־הַסֶּ֣לַע הַזֶּ֔ה נוֹצִ֥יא לָכֶ֖ם מָֽיִם׃

Ouvi, agora, rebeldes. Moisés gritou ao povo. Ergueu a vara e bateu na rocha por *duas* vezes, em seu acesso de cólera, porquanto pensou que bater na rocha com a vara seria mais eficaz do que *falar* com ela, conforme lhe fora ordenado fazer (vs. 8).

O paralelo, em Êxodo 17.6, mostra Moisés ferindo a rocha por apenas *uma vez*, mas naquela oportunidade anterior, por ordem direta de Yahweh. Talvez Yahweh tenha requerido de Moisés uma fé maior ainda, pois bastar-lhe-ia *falar* para que a rocha produzisse água. Seja como for, fica ilustrado assim o poder miraculoso da oração: "Tudo quanto tendes de fazer é pedir!" Oh, Senhor, concede-nos tal graça! A palavra de poder atua através da oração, e o homem espiritual tem essa palavra poderosa ao seu alcance.

> Teu toque tem ainda o poder antigo;
> Nenhuma palavra tua cai
> por terra, inútil. Ouve,
> nesta solene hora da noite,
> E, em tua compaixão,
> cura-nos a todos.
>
> Henry Twell

O Targum de Jonathan diz neste ponto: "Desta rocha ser-nos-á possível fazer verter água?", dando a entender que o próprio Moisés não acreditava que isso pudesse acontecer. Ou então as palavras teriam sido proferidas ironicamente: "Sou forçado a obter água desta rocha, para vós, rebeldes? Eu preferiria que morrêsseis de sede!" De ambos os modos, Moisés perdeu o controle sobre as suas emoções, naquele dia, e daí lhe resultaram coisas muito adversas.

■ 20.11

וַיָּ֨רֶם מֹשֶׁ֜ה אֶת־יָד֗וֹ וַיַּ֧ךְ אֶת־הַסֶּ֛לַע בְּמַטֵּ֖הוּ פַּעֲמָ֑יִם וַיֵּצְאוּ֙ מַ֣יִם רַבִּ֔ים וַתֵּ֥שְׁתְּ הָעֵדָ֖ה וּבְעִירָֽם׃ ס

Saíram muitas águas. Esguichou água suficiente para todos, seres humanos e animais; mas a água saiu mediante um ato de bater na rocha, e não mediante um ato de falar à rocha, conforme Yahweh tinha ordenado. Este versículo ensina-nos que o suprimento divino para nossas necessidades genuínas é abundante.

> *Deus pode fazer-vos abundar em toda graça, a fim de que, tendo sempre, em tudo, ampla suficiência, superabundeis em toda boa obra.*
>
> 2Coríntios 9.8

Mas este versículo também ensina-nos que mesmo um grande líder, como foi Moisés, pode cair em erro e buscar suprimento de maneira equivocada.

Lendas tolas circundam este texto. Os Targuns dizem que, no começo, só apareceram gotas, e, quando houve a segunda pancada na rocha, então borbotaram águas abundantes. Outras fontes dizem que primeiro esguichou sangue; e somente depois, água. Cf. Salmo 78.15,16. Ver a *tipologia* nas notas expositivas sobre o oitavo versículo deste capítulo. Aos turistas, antigos e modernos, é mostrada a suposta rocha que foi ferida por Moisés.

■ 20.12

וַיֹּ֣אמֶר יְהוָה֮ אֶל־מֹשֶׁ֣ה וְאֶֽל־אַהֲרֹן֒ יַ֚עַן לֹא־הֶאֱמַנְתֶּ֣ם בִּ֔י לְהַ֨קְדִּישֵׁ֔נִי לְעֵינֵ֖י בְּנֵ֣י יִשְׂרָאֵ֑ל לָכֵ֗ן לֹ֤א תָבִ֨יאוּ֙ אֶת־הַקָּהָ֣ל הַזֶּ֔ה אֶל־הָאָ֖רֶץ אֲשֶׁר־נָתַ֥תִּי לָהֶֽם׃

Visto que não crestes em mim. De qual maneira Moisés e Arão não creram no Senhor? Por causa dessa incredulidade, a Moisés não foi permitido entrar na Terra Prometida. A resposta pode ser uma dentre duas possibilidades, ou uma combinação de ambas: 1. Ele simplesmente não cria que jorraria água da rocha, sem importar o que fizesse. 2. Ou ele não creu que o mero ato de falar à rocha faria sair água dali. A seriedade do ato foi que ele diminuiu o conceito de Yahweh aos olhos do povo, submetendo-o a uma espécie de opróbrio público, visto que a sua palavra não foi crida nem executada conforme fora determinado. Os críticos pensam que todo o episódio é lendário, primeiro porque milagres assim não sucederiam, mas fazem parte do folclore; e, em segundo lugar, porque o castigo imposto a Moisés é considerado por eles como fora de toda a proporção com o seu ato. E, assim, tais críticos propõem que deve ter havido alguma outra razão (algum outro erro), diferente da que foi dada pelo autor sagrado. Mas essas críticas envolvem raciocínios meramente subjetivos.

Para me santificardes diante dos filhos de Israel. Se Moisés tivesse obedecido, o Senhor teria sido santificado diante do povo como o grande e poderoso Deus. Ele teria justificado a ordem de Yahweh e teria exaltado os seus milagres, como o *único Deus* capaz de realizar tais coisas. Ver sobre o vs. 13.

Outras Ideias sobre o Pecado de Moisés. 1. Moisés teria estado certo ao bater na rocha (por isso é que brandira a vara!), mas fê-lo de forma encolerizada e deixou um mau exemplo diante do povo. 2. Ele chamou o povo de Deus de *rebelde*, e isso não fazia parte de seu ofício como mediador. 3. Ele ficou com a glória do milagre para si mesmo, não o atribuindo a Yahweh. Mas essas três razões são menos prováveis do que aquelas outras duas, dadas acima.

"A palavra usada neste versículo para 'santificar' é um jogo de palavras formado por Cades (consagração) e Meribá, que quer dizer 'esforçar-se'" (John Marsh, *in loc.*).

■ 20.13

הֵ֚מָּה מֵ֣י מְרִיבָ֔ה אֲשֶׁר־רָב֥וּ בְנֵֽי־יִשְׂרָאֵ֖ל אֶת־יְהוָ֑ה וַיִּקָּדֵ֖שׁ בָּֽם׃ ס

Águas de Meribá. Essa palavra hebraica significa "querela", "contenda", referindo-se às queixas e murmurações dos israelitas contra Moisés, por causa da falta de água, talvez incluindo a ideia de que Moisés, em sua ira, se tenha queixado diante de Yahweh. O fato é que ele se queixou amargamente diante do povo e contendeu com eles. Há um detalhado artigo intitulado *Meribá* no *Dicionário*. Esse locativo é aplicado a duas localidades no Antigo Testamento. Números 27.14 diz "águas de Meribá de Cades", localizando melhor o local em questão. Ver também Deuteronômio 32.51.

ISRAEL E EDOM (20.14-21)

■ **20.14**

וַיִּשְׁלַ֨ח מֹשֶׁ֧ה מַלְאָכִ֛ים מִקָּדֵ֖שׁ אֶל־מֶ֣לֶךְ אֱד֑וֹם כֹּ֤ה אָמַר֙ אָחִ֣יךָ יִשְׂרָאֵ֔ל אַתָּ֣ה יָדַ֔עְתָּ אֵ֥ת כָּל־הַתְּלָאָ֖ה אֲשֶׁ֥ר מְצָאָֽתְנוּ׃

Esta seção fala sobre o pedido que Israel fez para cruzar o território dos edomitas. Mas essa licença lhes foi negada, criando problemas que se prolongaram por muitas gerações.

> O amor concede, em um momento,
> O que o labor não consegue
> em uma era.
>
> Goethe

O *ódio* causa problemas que só podem ser sarados depois de toda uma era. Moisés anelava por avançar até a terra de Canaã, mesmo que não tivesse permissão de entrar ali. Ele já havia desistido da ideia de entrar naquele território partindo do sul, pois antes isso havia resultado em desastre (Nm 14.44,45). Assim, pediu permissão para passar pelo famoso caminho real (Nm 20.17), uma rota que vinha desde o mar Vermelho (golfo de Ácaba), partindo para o norte até Damasco, via a cidade idumeia de Sela (mais tarde chamada Petra). Esse caminho era mais fácil e mais direto, beneficiando o rápido avanço. Os idumeus eram primos distantes de Israel, por serem em parte descendentes de Esaú. Mesmo assim, não permitiram a passagem de Israel. Assim, a entrada pelo *oriente* não foi facilitada, o que causou consternação, não somente na ocasião, mas também por muitas gerações futuras. Edom, mesmo naquele período tão remoto, diferindo de Israel, já tinha um *rei*, pelo que a petição foi dirigida diretamente ao monarca idumeu. Por causa da negativa, Israel precisou fazer um longo *desvio*. Ver no *Dicionário* o artigo intitulado *Êxodo (Evento)*, quanto à proposta rota das perambulações.

Cades. Ver sobre esse nome locativo no *Dicionário*.

Rei de Edom. Ver no *Dicionário* o artigo chamado *Edom, Idumeus*, quanto a informações completas. Edom teve rei muito tempo antes de Israel. Cf. Gênesis 36.15-19; 36.31-39; 1Crônicas 1.43-51. O trecho de Gênesis 36.31-43 lista oito reis idumeus; e, supondo que cada um deles tenha governado por uma média de 20 anos, então podemos supor que houve rei em Edom cerca de 150 anos antes de haver rei em Israel. Ver as notas ali, quanto a maiores detalhes. O trecho de Gênesis, naturalmente, é um anacronismo, algo que o autor sagrado sabia, porquanto ocorreu algum tempo depois de a questão ter sido registrada no livro de Gênesis. Ou então, conforme alguns dizem, o material pode ter sido adicionado ao livro de Gênesis por um editor posterior.

Teu irmão Israel. Moisés relembrou ao rei de Edom que os dois povos eram aparentados, considerando-se que Israel descendia de Jacó, ao passo que os idumeus descendiam de Esaú, irmão de Jacó. No entanto, Esaú havia sido maltratado por Jacó (embora tivesse havido uma reconciliação final); pois talvez a história do conflito produzira ódio no coração dos idumeus. O mais provável é que os idumeus temessem a grande massa de gente que pedia para passar pela terra deles, suspeitando que as suas terras poderiam ser invadidas e ocupadas. Ademais, eles já estavam empenhados em uma guerra contínua com seus "vizinhos", e por qual motivo haveriam de querer que outros vizinhos os importunassem?

Bem sabes todo o trabalho que nos tem sobrevindo. Essas palavras foram parte do apelo de Moisés. Com efeito, ele rogou do rei de Edom que tivesse misericórdia de Israel e facilitasse sua passagem até Palestina. O êxodo e as perambulações de Israel sem dúvida tornaram-se fatos conhecidos por todos os povos daquela região. É possível que o rei de Edom, no momento, se chamasse *Hadar* (ver Gn 36.39).

■ **20.15,16**

וַיֵּרְד֤וּ אֲבֹתֵ֙ינוּ֙ מִצְרַ֔יְמָה וַנֵּ֥שֶׁב בְּמִצְרַ֖יִם יָמִ֣ים רַבִּ֑ים וַיָּרֵ֥עוּ לָ֛נוּ מִצְרַ֖יִם וְלַאֲבֹתֵֽינוּ׃

וַנִּצְעַ֤ק אֶל־יְהוָה֙ וַיִּשְׁמַ֣ע קֹלֵ֔נוּ וַיִּשְׁלַ֣ח מַלְאָ֔ךְ וַיֹּצִאֵ֖נוּ מִמִּצְרָ֑יִם וְהִנֵּה֙ אֲנַ֣חְנוּ בְקָדֵ֔שׁ עִ֖יר קְצֵ֥ה גְבוּלֶֽךָ׃

Moisés voltou a relatar a história de modo bem abreviado (vss. 15,16). Ao assim fazer, ele passou em revista os sofrimentos de Israel e tentou comover à piedade o rei idumeu. Apesar de os antigos não disporem de meios de comunicação em massa, eles tinham rotas comerciais por onde as notícias corriam de modo bastante rápido. E também havia documentos escritos e as migrações constantes de indivíduos e povos, que mantinham informados dos acontecimentos de outros lugares, os povos, alguns bastante afastados.

Habitamos muito tempo. Moisés começou relatando (ou relembrando) ao rei idumeu acerca do cativeiro de Israel, que se prolongara no mínimo por 250 anos. Ali haviam sido reduzidos à servidão e tinham levado uma vida de miséria. O livro de Êxodo conta-nos o relato de modo detalhado. Muitas gerações tinham sido sujeitas ao *vexame* da servidão, entre os filhos de Israel. Somente o poder de Yahweh tinha sido capaz de livrá-los de seus infortúnios constantes.

Antes disso (depois da época de Jacó e Esaú), os pais (Jacó e seus filhos) haviam descido ao Egito, onde eles e seus descendentes tinham habitado durante aqueles 250 anos.

Então Israel Clamara pela Ajuda de Yahweh. Pelo menos rumores das pragas de como o povo de Israel fora miraculosamente libertado sem dúvida eram conhecidos por toda parte. O *anjo* do Senhor (seu agente) tinha sido enviado para inspirar a Moisés e orientá-lo. Alguns chamavam o próprio Moisés de anjo ou *mensageiro*, mas o sentido do texto é que foi necessária a *intervenção divina* para que pudesse haver o *êxodo*. Assim sendo, o rei de Edom deve ter sido alertado para o fato de que ele deveria respeitar aquele *poder divino*; e também havia a *bênção divina*, da qual ele poderia participar, *se* viesse a ajudar aos israelitas. Ver Êxodo 3.2,3 e 14.19 quanto à intervenção divina, por meio do *anjo*.

Cades, cidade nos confins do teu país. Para o caso do rei de Edom não saber onde estavam os israelitas, Moisés informou-o de que estava bem próximo, e que enviara seus mensageiros para uma localidade vizinha. Era seu desejo partir imediatamente em marcha, e *logo* o rei veria a grande massa dos israelitas atravessando suas terras, *se* assim lhes fosse permitido.

■ **20.17**

נַעְבְּרָה־נָּ֣א בְאַרְצֶ֗ךָ לֹ֤א נַעֲבֹר֙ בְּשָׂדֶ֣ה וּבְכֶ֔רֶם וְלֹ֥א נִשְׁתֶּ֖ה מֵ֣י בְאֵ֑ר דֶּ֧רֶךְ הַמֶּ֣לֶךְ נֵלֵ֗ךְ לֹ֤א נִטֶּה֙ יָמִ֣ין וּשְׂמֹ֔אול עַ֥ד אֲשֶֽׁר־נַעֲבֹ֖ר גְּבוּלֶֽךָ׃

Deixa-nos passar. Temos aí a petição de Moisés. "Deixa-nos passar pela tua terra." Foram feitas promessas. Os filhos de Israel não passariam pelos campos nem pisariam as plantações ou espantariam os animais; e também não atravessariam os vinhedos nem tirariam água dos poços dos idumeus. Em suma, não atuariam como parasitas temporários nem danificariam Edom de maneira alguma. Antes, ficariam sempre na "estrada real", não se desviando nem para a direita nem para a esquerda.

Estrada real. No *Dicionário* há um artigo detalhado sobre esse caminho. Ver também o verbete chamado *Estradas*. A estrada real era uma importante rota que corria de norte para sul, desde Damasco, na Síria, até o golfo de Ácaba. Era uma rota de caravanas das mais importantes. Nos dias de Moisés, a estrada não havia ainda sido pavimentada, embora fosse uma estrada bem definida. Séculos depois, os romanos aprimoraram essa estrada e, durante muito tempo, ela serviu para viagens e comunicações. Em nossos dias, uma autoestrada moderna acompanha a antiga rota.

A estrada parece que era chamada de "real" porque a realeza, desde dias antigos, havia feito investimentos em sua construções, embora detalhes dessa natureza tenham-se perdido nas brumas da história.

"O Caminho Real era a principal rota da Transjordânia desde Eziom-Geber, no golfo de Ácaba, até a Síria" (*Oxford Annotated Bible*, comentando sobre este versículo).

■ **20.18**

וַיֹּ֤אמֶר אֵלָיו֙ אֱד֔וֹם לֹ֥א תַעֲבֹ֖ר בִּ֑י פֶּן־בַּחֶ֖רֶב אֵצֵ֥א לִקְרָאתֶֽךָ׃

Não passarás por mim. Não somente foi negada a permissão para a passagem, mas também houve ameaça de guerra, fortalecendo a negativa. Os mensageiros tentaram convencer o homem (vs. 19), somente para ouvi-lo reiterar a negativa (vs. 20). Este foi um erro sério, que teria sérias repercussões por muitas gerações à frente. Assim, de certo modo, esse "pecado" seria transmitido à terceira e quarta geração (Nm 14.18), e mesmo mais. Geralmente é isso que sucede com más decisões e equívocos. O pecado tem um certo "poder de permanência".

A estrada real passava (em alguns lugares) por certas gargantas estreitas, e teria sido fácil ao rei de Edom infligir grandes perdas contra Israel, se Moisés tivesse resolvido ignorar a negação do rei idumeu. A fim de poupar vidas e possessões, era mais sábio fazer um "desvio". É conforme dizia uma canção popular antiga: "Eu deveria ter atendido ao sinal de desvio", a lamentação de alguém que ignorara a advertência e terminou em uma situação muito complicada.

■ 20.19

וַיֹּאמְר֨וּ אֵלָ֤יו בְּנֵֽי־יִשְׂרָאֵל֙ בַּֽמְסִלָּ֣ה נַעֲלֶ֔ה וְאִם־מֵימֶ֥יךָ נִשְׁתֶּ֛ה אֲנִ֥י וּמִקְנַ֖י וְנָתַתִּ֣י מִכְרָ֑ם רַ֥ק אֵין־דָּבָ֖ר בְּרַגְלַ֥י אֶעֱבֹֽרָה׃

Os mensageiros de Moisés mostraram-se fiéis, e apresentaram na íntegra o apelo que ele lhes ordenara transmitirem (vs. 17), adicionando que os filhos de Israel *pagariam* por qualquer coisa que tivessem de usar, como a água que o gado teria de beber. Israel avançaria *a pé*, como se fosse um exército de infantaria, e apressar-se-ia na passagem, para não perturbar os habitantes do território. Os mensageiros, pois, estavam garantindo ao rei dos idumeus que não se tratava de uma invasão, mas apenas de uma passagem. Devemo-nos lembrar, contudo, de que as nações daquela época eram pouco mais do que tribos hostis em conflito constante, e que, para os idumeus, Israel representava apenas mais um rival. O rei de Edom não haveria de facilitar o desenvolvimento de mais um adversário, pelo que reiterou a sua recusa.

■ 20.20

וַיֹּ֖אמֶר לֹ֣א תַעֲבֹ֑ר וַיֵּצֵ֤א אֱדוֹם֙ לִקְרָאת֔וֹ בְּעַ֥ם כָּבֵ֖ד וּבְיָ֥ד חֲזָקָֽה׃

Com muita gente, e com mão forte. O rei idumeu não só não ouviu os apelos dos mensageiros israelitas, mas também pôs-se à frente de seu exército, para mostrar que estava falando sério. Ninguém atravessaria o seu território sem sofrer por isso. E vendo aqueles cavaleiros, aquelas lanças, aqueles rostos resolutos, Israel voltou caminho pela estrada real e fez um grande desvio, para evitar Edom. O trecho de Deuteronômio 2.28,29 parece mitigar o que sucedeu. Embora os idumeus não tivessem permitido passagem pelo seu território, parece que deram aos israelitas comida e água, para facilitar sua jornada.

■ 20.21

וַיְמָאֵ֣ן ׀ אֱד֗וֹם נְתֹן֙ אֶת־יִשְׂרָאֵ֔ל עֲבֹ֖ר בִּגְבֻל֑וֹ וַיֵּ֥ט יִשְׂרָאֵ֖ל מֵעָלָֽיו׃ פ

Assim recusou Edom. Essa é a súmula da questão — não foi permitida a passagem dos israelitas, o que ilustro no gráfico que há no artigo do *Dicionário*, chamado *Êxodo (o Evento)*. Mas chegaria o tempo da vingança. "A crueldade dos idumeus, em Cades, foi fortemente repreendida e ameaçada pelo profeta Obadias (vs. 10 ss.)" (Adam Clarke, *in loc.*). O artigo do *Dicionário*, intitulado *Edom, Idumeus*, relata as diversas hostilidades que ocorrerem entre israelitas e idumeus, nos séculos que se seguiram.

DE VIAGEM PARA MOABE; MORTE DE ARÃO (20.22—22.1)

■ 20.22

וַיִּסְע֖וּ מִקָּדֵ֑שׁ וַיָּבֹ֧אוּ בְנֵֽי־יִשְׂרָאֵ֛ל כָּל־הָעֵדָ֖ה הֹ֥ר הָהָֽר׃

Ante a morte de Arão, cessaram as *perambulações* de Israel. Eles não invadiram a Palestina de imediato; mas não continuaram vagueando pelo deserto. O tempo da invasão da Palestina estava próximo e era inevitável.

"Partindo de Cades, Israel chegou ao monte Hor, provavelmente o *jebel Harun*, a pouca distância a noroeste de Petra. Isso subentende, sem dúvida, que, embora Moisés tivesse abandonado o plano de enveredar pela rota mais fácil, ao longo da estrada real, ele estava resolvido a seguir na direção norte, pela falha de Arabá, até a extremidade sudeste do mar Morto, deixando assim o território de Edom para o leste" (Eugene H. Merrill, *in loc.*).

Cades. Ver no *Dicionário* o artigo chamado *Cades-Barneia*.

monte de Hor. Ver no *Dicionário* o artigo com esse nome, como também *Êxodo (Evento)*, que contém um mapa da rota seguida pelo povo de Israel.

É provável que a jornada de Cades ao monte de Hor exigisse mais de um dia de viagem, embora nada seja dito no texto quanto à duração da jornada. Parece que o trecho de Números 10.33 indica que os lugares de acampamento ficavam geralmente distantes um do outro, embora não sejam mencionados quantos dias de jornada eram necessários. Essa jornada cobriu cerca de 80 km.

■ 20.23

וַיֹּ֣אמֶר יְהוָ֗ה אֶל־מֹשֶׁ֧ה וְאֶֽל־אַהֲרֹ֛ן בְּהֹ֥ר הָהָ֖ר עַל־גְּב֥וּל אֶֽרֶץ־אֱד֖וֹם לֵאמֹֽר׃

Disse o Senhor. A situação requeria novas diretrizes. Essa expressão é usada amiúde, no Pentateuco, para indicar que alguma nova seção de material está sendo iniciada. E também faz-nos lembrar da doutrina bíblica da inspiração divina. Ver as notas a respeito em Levítico 1.1 e 4.1. Moisés e Arão receberam a mensagem de Yahweh. Agora restava pouco tempo para ambos, e novos líderes teriam de substituí-los, fazendo o povo de Israel entrar na Terra Prometida, cumprindo assim o *Pacto Abraâmico* (ver as notas a respeito em Gn 15.18).

Não há certeza quanto à localização exata daquilo que o texto chama de "monte de Hor". Seu sítio tradicional era próximo da cidade de Petra, mas isso tem sido posto em dúvida. Outros preferem situá-lo no moderno jebel Madurah, o que concorda melhor com "nos confins da terra de Edom".

■ 20.24

יֵאָסֵ֤ף אַהֲרֹן֙ אֶל־עַמָּ֔יו כִּ֣י לֹ֤א יָבֹא֙ אֶל־הָאָ֔רֶץ אֲשֶׁ֥ר נָתַ֖תִּי לִבְנֵ֣י יִשְׂרָאֵ֑ל עַ֛ל אֲשֶׁר־מְרִיתֶ֥ם אֶת־פִּ֖י לְמֵ֥י מְרִיבָֽה׃

Arão não teve permissão de entrar na Terra Prometida. O autor sacro fornece-nos uma razão (tal como no caso de Moisés; Nm 20.12) pela qual Arão não podia entrar na Terra Prometida. Vemos como os *eventos morais* na vida de uma pessoa podem afetar o curso subsequente da sua vida, quanto a pontos importantes. Arão havia cometido o seu erro fatal em Meribá. Ver os vss. 12 e 13. Ele se tinha aliado a Moisés no ato de incredulidade por causa do qual Moisés também não podia agora entrar na Terra Prometida. Assim, apesar de nossos pecados nos serem perdoados, os seus *efeitos* podem continuar e continuam atuando por muito tempo. Ver no *Dicionário* o verbete intitulado *Perdão*.

Será recolhido a seu povo. Nessa expressão não há nenhum indício de que a alma imortal abandona o corpo físico por ocasião da morte biológica, e vai juntar-se "à grande companhia dos imortais", conforme alguns têm pensado. Mas outros estudiosos pensam simplesmente que essa expressão mostra que alguém foi unir-se aos mortos.

É verdade que o Pentateuco não encerra nenhum ensino claro da vida para além do sepulcro, tanto no caso dos justos quanto no caso dos injustos. Ali não se faz nenhuma promessa de vida boa aos justos, "para depois" desta vida terrena, como também não há nenhuma ameaça de castigo eterno para os pecadores impenitentes, depois desta vida na terra. A expressão "à imagem de Deus" (Gn 1.26,27) poderia dar a entender a participação na vida espiritual de Deus, e a palavra "vida", em Números 16.22, poderia dar a entender a parte imaterial do homem. Seja como for, a doutrina da alma só passou a figurar com maior proeminência, no Antigo Testamento, nos Salmos e nos Profetas. Todavia, essa doutrina progrediu durante o período intertestamentário, de tal modo que no Novo Testamento já encontramos uma doutrina bem desenvolvida. Ver no *Dicionário* o artigo intitulado *Alma*, e na *Enciclopédia de Bíblia, Teologia e Filosofia*, ver o artigo chamado *Imortalidade*. Ver também Gênesis 25.8,17; 35.29; 49.29,33 quanto à expressão "recolhido ao seu povo", onde damos notas adicionais. Os críticos supõem que tais expressões, como aquela aqui comentada, pertencessem a um período posterior, tendo sido incorporadas ao Pentateuco por editores mais recentes, ou então que o próprio autor viveu dentro de uma situação histórica em que essa expressão e essas ideias já haviam sido incorporadas ao sistema de crenças de sua época. Mas insistem em que, no tempo do Pentateuco (época de Moisés), ainda não havia nenhuma doutrina acerca de uma alma imaterial. Precisamos ter o cuidado de não "cristianizar" os textos do Antigo Testamento, injetando neles o que é uma doutrina comum para nós, embora não para aqueles povos antigos.

■ 20.25

קַח אֶת־אַהֲרֹן וְאֶת־אֶלְעָזָר בְּנוֹ וְהַעַל אֹתָם הֹר הָהָר׃

Toma a Arão e a Eleazar. Esses dois, juntamente com Moisés, formavam um trio. Arão em breve desfrutaria a companhia de Moisés; e o filho do primeiro, Eleazar, recebeu ordem para "ficar com" o ofício de sumo sacerdote, quando as vestes de Arão lhe foram entregues. Não é bom que os homens morram sozinhos, e usualmente a vontade de Deus arranja que haja alguma espécie de ajuda e simpatia humana, naquele momento crucial. Naturalmente, com base nas *experiências perto da morte* (ver a esse respeito na *Enciclopédia de Bíblia, Teologia e Filosofia*), sabemos que quando alguém morre há uma *comissão de recepção*, para ajudar tal pessoa em sua transição. Assim, sem importar se haja ou não mortais que acompanhem um falecimento, sem dúvida há a presença de *imortais*, tudo arranjado pela graça de Deus! A morte, na verdade, é um *nascimento espiritual*, e todos esses casos de nascimento são acompanhados por *parteiras* espirituais.

■ 20.26

וְהַפְשֵׁט אֶת־אַהֲרֹן אֶת־בְּגָדָיו וְהִלְבַּשְׁתָּם אֶת־אֶלְעָזָר בְּנוֹ וְאַהֲרֹן יֵאָסֵף וּמֵת שָׁם׃

Veste com elas a Eleazar. Ver Êxodo 28 e Levítico 8.7-9. As vestes sagradas eram um sinal de autoridade e investidura divina do ofício sumo sacerdotal. Arão vinha usando aquelas vestes fazia anos; mas agora, quando a morte devia intervir, todo o passado como que se sintetizou em um único dia. Nada havia a lamentar, porém. Não havia motivos para remorso, porque Deus é o Deus da vida e da morte, aquele que da morte faz subir a vida. Essa verdade tem feito teólogos e filósofos debater-se durante milênios; e ultimamente a ciência nos está dizendo a mesma coisa. Os artigos *Imortalidade* e *Experiências Perto da Morte*, ambos na *Enciclopédia de Bíblia, Teologia e Filosofia*, conferem-nos informações científicas, e não apenas teológicas e filosóficas.

Arão havia cometido erros; mas ele nunca se desviou da vereda espiritual, apoiando Moisés em tudo quanto era mister fazer. Assim, se Arão não entrou na Terra Prometida terrena, a Terra Prometida celestial escancarou seus portões para ele entrar, podemos estar certos.

"As vestes do sumo sacerdote são descritas em Levítico 8.7-9, e sua transmissão é regulada em Êxodo 29.29-37. As vestes eram tidas como parte da personalidade de um homem, e a transmissão das vestes sumo sacerdotais transmitia assim as características sacerdotais que haviam sido dadas a Arão. Quando Eleazar e Moisés voltaram do monte, o primeiro deles vestido nas vestes sumo sacerdotais, o povo de Israel entendeu que Arão tinha morrido, tendo lamentado por ele por trinta dias" (John Marsh, *in loc.*).

■ 20.27

וַיַּעַשׂ מֹשֶׁה כַּאֲשֶׁר צִוָּה יְהוָה וַיַּעֲלוּ אֶל־הֹר הָהָר לְעֵינֵי כָּל־הָעֵדָה׃

Perante os olhos de toda a congregação. Todos os israelitas viram-nos ir. Sem dúvida sabiam que Arão estava doente, e que o estavam vendo vivo pela última vez. Foi um momento solene. Arão, contudo, nada tinha que temer; havia alguma coisa pelo que ele poderia entristecer-se, mas poucas demais para serem mencionadas. Ele fizera a contento o seu trabalho, vendo-o realizado por inteiro. A morte chegou como uma amiga, para pôr fim aos seus labores e conceder-lhe descanso. Nada tinha que temer.

Não estou em luta contra a morte sobre
mudanças na forma e no rosto;
Nenhuma vida inferior desta terra pode
assustar jamais a minha fé.
...
Só por isso me sacio na morte,
O laurel que ornará
minha oração:
Ela separa de tal modo as nossas vidas
Que não ouvimos mais a voz
um do outro.

Alfred Lord Tennyson

■ 20.28

וַיַּפְשֵׁט מֹשֶׁה אֶת־אַהֲרֹן אֶת־בְּגָדָיו וַיַּלְבֵּשׁ אֹתָם אֶת־אֶלְעָזָר בְּנוֹ וַיָּמָת אַהֲרֹן שָׁם בְּרֹאשׁ הָהָר וַיֵּרֶד מֹשֶׁה וְאֶלְעָזָר מִן־הָהָר׃

Estava consumada a transferência das vestes sumo sacerdotais, o que é previsto e comentado no vs. 26 deste capítulo. Agora *Eleazar* era o novo sumo sacerdote, o segundo de uma longa linhagem que desfilaria pela história antiga de Israel. Ver no *Dicionário* o artigo intitulado *sumo sacerdote*.

Morreu Arão ali. Sucedeu a ele o que sucede a todos. Trata-se de um truísmo, embora deveras solene. Feliz é o homem cujo lugar da morte é designado pela mente divina, levando a um *bom termo* uma vida bem vivida. Oh, Senhor, concede-nos tal graça!

O Antigo Testamento sempre descreve com simplicidade e eloquência a morte de seus heróis. Mas essa simplicidade nunca deixa de comover-me o coração. O *corpo morto* do grande homem foi deixado ali, mas a comissão de recepção havia descido dos céus para acolher seu amado Arão. Miriã estava entre eles, e, sim, creio que seus filhos que haviam morrido em meio a tanta desgraça, no tabernáculo (Nm 3.4 ss.). Os parteiros celestes tinham chegado, para ajudar Arão na transição para o outro lado da existência.

"Arão enfrentou a morte sem medo, submetendo-se calmamente, enquanto seu irmão, Moisés, lhe tirava as vestes sumo sacerdotais, vestes essas que Arão havia vestido com tanta distinção. Temos a impressão de que Arão se alegrou em depositar sua carga e partir para a companhia de seus antepassados. Moisés também parece ter-se desincumbido facilmente de sua difícil tarefa de remover as vestes do irmão, com grande equilíbrio, dando a impressão de que ambos eram meros instrumentos nas mãos de alguém, infinitamente maior do que eles. Assim sendo, o que estava acontecendo com eles, como indivíduos, afinal de contas era de pouca consequência" (Albert George Butzer, *in loc.*).

Dois homens desceram, mas o cadáver de Arão permaneceu. Mas o espírito que se chamara Arão, em sua peregrinação terrena, tinha subido para lugares infinitamente *mais elevados*. Eleazar, por sua parte, já tinha assumido os deveres do ofício sumo sacerdotal, e, em coragem e confiança, começava a enfrentar os árduos anos à frente. A memória de Arão jamais o abandonaria. As suas vestes haveriam de lembrar-lhe para sempre de seus deveres e privilégios. Arão não tinha entrado na Terra Prometida, mas seu filho haveria de entrar ali, triunfalmente, com toda a congregação de Israel. Ter uma boa morte sem dúvida é sinal de ter vivido uma vida boa. Arão havia deixado um bom exemplo. Mas Moisés e Eleazar desceram do monte para se ocuparem das atividades dos vivos.

■ 20.29

וַיִּרְאוּ כָּל־הָעֵדָה כִּי גָוַע אַהֲרֹן וַיִּבְכּוּ אֶת־אַהֲרֹן שְׁלֹשִׁים יוֹם כֹּל בֵּית יִשְׂרָאֵל׃ ס

O povo de Israel deu início às lamentações pela morte de Arão (que haveriam de perdurar por trinta dias), ao verem que Moisés e Eleazar desciam sem Arão. Assim, uma nação inteira sentiu a perda daquele grande homem. Arão havia terminado a carreira, cumprido os seus deveres, e soubera tirar o melhor proveito de seus privilégios. *Tudo isso* foi reconhecido pela nação inteira de Israel, embora por muitas vezes eles tivessem criticado a Arão e se tivessem rebelado contra a sua autoridade.

Os Targuns de Jonathan e de Jerusalém descrevem a cena, dizendo-nos que o povo, vendo que Arão havia morrido, rasgou as suas vestes. Também lançaram cinzas sobre a cabeça e se entregaram a grande choro e lamentação. Com a morte de Arão, todavia, cessaram as perambulações de Israel pelo deserto. Logo a entrada na Terra Prometida se tornaria uma realidade. Algum tempo mais tarde, o mesmo povo de Israel haveria de lamentar pela morte de Moisés, em Moabe, igualmente por trinta dias (ver Dt 34.5,8).

CAPÍTULO VINTE E UM

Continuamos aqui com a seção iniciada em Números 20.1, a qual também se estende por todo este capítulo. Aqui somos informados sobre a vitória militar de Israel em Hormá (vss. 1-3); sobre a serpente de bronze (vss. 4-9); sobre a continuação da marcha invasora (vss. 10-20); sobre a derrota dos amorreus (vs. 21-32) e sobre a derrota de Ogue (vss. 33-35). Essas foram as vicissitudes que sucederam a Israel, ao avançar sobre a Terra Prometida. E o último desses incidentes teve lugar antes da ocorrência em Jericó (22.1).

Os críticos pensam que há uma duplicação nos vss. 1-3, que eles supõem fazerem parte de uma tradição que descrevia uma tentativa de penetrar na Terra Prometida pelo sul (e não pelo leste). (Cf. Jz 1.16,17). O raciocínio por trás disso é que supostamente Israel estava marchando para o norte; mas, se eles tiveram esse confronto com os cananeus do Neguebe, então é que estavam marchando na direção sul. A isso podemos responder que a rota seguida por Israel tomava direções inesperadas e desconhecidas para nós, que vivemos milênios mais tarde. E muitas coisas podem ter acontecido que foram mencionadas e descritas de modo muito sumário.

■ 21.1

וַיִּשְׁמַע הַכְּנַעֲנִי מֶלֶךְ־עֲרָד יֹשֵׁב הַנֶּגֶב כִּי בָּא יִשְׂרָאֵל
דֶּרֶךְ הָאֲתָרִים וַיִּלָּחֶם בְּיִשְׂרָאֵל וַיִּשְׁבְּ מִמֶּנּוּ שֶׁבִי׃

Arade. Ver no *Dicionário* o verbete detalhado sobre essa localidade. Ver também sobre o *Neguebe*. Arade era uma importante cidade cananeia, localizada a cerca de 32 km a nordeste de Berseba. O rei daquele lugar evidentemente interpretou o movimento de Moisés e sua gente de Cades ao monte de Hor como uma ameaça ao seu território, e não fez nenhuma pergunta. Ele simplesmente se pôs em marcha, atacou e fez alguns prisioneiros.

Caminho de Atarim. Esta última palavra, no hebraico, significa "espias", pelo que algumas versões traduzem essas palavras como "caminho dos espias". Isso segue a Septuaginta, acerca da palavra como nome de um lugar. O sítio é desconhecido hoje em dia. "O caminho dos espias" também é a forma que vemos na versão peshitto, de algumas versões da Septuaginta e da Vulgata latina, e a explicação dada por alguns dos Targuns dos judeus. Se devemos mesmo compreender como "caminho dos espias", então talvez a alusão seja a uma rota que os espias de Israel tinham escolhido cerca de 38 anos antes. Ver Números 13.17,22,29. Eles foram pela rota sul, conforme se vê na introdução a este capítulo, anteriormente.

■ 21.2

וַיִּדַּר יִשְׂרָאֵל נֶדֶר לַיהוָה וַיֹּאמַר אִם־נָתֹן תִּתֵּן
אֶת־הָעָם הַזֶּה בְּיָדִי וְהַחֲרַמְתִּי אֶת־עָרֵיהֶם׃

Então Israel fez voto. Ansioso por reverter o que tinha sido uma derrota, e assim iniciar a campanha de conquista de forma vitoriosa, o povo de Israel prometeu ao Senhor que destruiria todas as cidades daquele lugar. Essa promessa concordava com o intuito do Pacto Abraâmico (ver as notas a respeito em Gn 15.18), que estipulava que todas aquelas terras seriam dadas aos descendentes de Abraão, sendo expulsas dali as nações que tivessem enchido a sua taça de iniquidade. Ver Gênesis 15.16. Visto que esse voto de Israel concordava com o grande propósito de Yahweh, ele concedeu a Moisés o pedido, dando ao povo de Israel a capacidade de realizar tal tarefa.

O *voto de Israel* não visava alguma pequena vitória, para então prosseguir caminho. Antes, eles queriam uma vitória *decisiva* contra as cidades cananeias daquela área.

Este texto deve ser comparado com Juízes 1.16,17, que alguns intérpretes supõem ser uma duplicação. Ver as notas de introdução a este capítulo, no que concerne a essa conjectura. Cf. também Números 14.39-45, que nos dá conta de como Israel não conseguiu entrar na Terra Prometida vindo do sul. Alguns intérpretes, pois, pensam que este texto pertence a essa suposta tradição de um ataque pelo sul.

■ 21.3

וַיִּשְׁמַע יְהוָה בְּקוֹל יִשְׂרָאֵל וַיִּתֵּן אֶת־הַכְּנַעֲנִי וַיַּחֲרֵם
אֶתְהֶם וְאֶת־עָרֵיהֶם וַיִּקְרָא שֵׁם־הַמָּקוֹם חָרְמָה׃ פ

Os israelitas os destruíram totalmente. Uma tradução mais literal diria aqui: "devotaram-nos à destruição", pois os israelitas tinham declarado "guerra santa", e essa vitória seria uma espécie de oferenda a Yahweh. As nações cananeias haviam oferecido resistência à vontade de Deus, entregando-se ao deboche (Gn 15.16). E agora chegara o tempo de elas serem "oferecidas" a Yahweh, como se fosse alguma forma horripilante de holocausto.

Hormá. Ver no *Dicionário* o artigo detalhado com esse nome. Esse apelativo significa "destruição ou "banimento" (no hebraico, *herem*), ou seja, "devotado" a Yahweh, conforme foi dito acima.

A HISTÓRIA DA SERPENTE DE BRONZE (21.4-9)

As serpentes tanto nos atraem quanto nos repulsam. Elas possuem certa beleza, mas arrastam-se de forma aviltante, sobre o seu ventre, pois não possuem pernas. As serpentes podem ser perigosas, e os seres humanos evitam-nas ao máximo. Muitos povos antigos eram adoradores de serpentes. O trecho de 2Reis 18.4 conta o incidente da adoração à serpente de bronze, que se prolongou até os dias do rei Ezequias, de Judá. O relato que temos à frente visa livrar-nos de todas as superstições similares, assegurando-nos que Yahweh é a origem de toda cura, embora esses relatos apontem para um símbolo do poder divino. O próprio símbolo, contudo, não tem nem tinha virtude alguma. Ver no *Dicionário* o artigo *Serpentes (Serpentes Venenosas)*.

Tipologia. "A serpente é um símbolo de pecado *julgado*; o bronze alude ao julgamento divino, como se dava com o altar de bronze (Êx 27.2); e também ao autojulgamento, como era o caso da bacia de bronze. A serpente de bronze é tipo de Cristo 'que se fez pecado por nós' (Jo 3.14,15; 2Co 5.21), pois ele levou sobre si o nosso julgamento" (*Scofield Annotated Bible*, comentando sobre o vs. 9 deste capítulo).

■ 21.4

וַיִּסְעוּ מֵהֹר הָהָר דֶּרֶךְ יַם־סוּף לִסְבֹב אֶת־אֶרֶץ
אֱדוֹם וַתִּקְצַר נֶפֶשׁ־הָעָם בַּדָּרֶךְ׃

"Partindo do monte Hor (20.27), o povo dirigiu-se para o sul, na direção do mar Vermelho (golfo de Ácaba), ou seja, na direção de Eziom-Geber (33.35; Dt 2.1-8)" (*Oxford Reference Bible*, comentando sobre este versículo).

Os eruditos conservadores veem neste texto uma segunda tentativa de os israelitas entrarem na terra de Canaã pelo sul. Isso fora visto como um feito impossível, pelo que os filhos de Israel mudaram de rota. Uma rota circular finalmente produziu uma invasão pelo oriente. Israel, sem dúvida, sentiu-se frustrado diante dessa manobra, que parecia afastá-los para longe de seu propósito; e logo os israelitas murmuraram de novo. A própria *alma* do povo de Israel estava cansada, razão pela qual começaram outra vez os queixumes (vs. 5).

■ 21.5

וַיְדַבֵּר הָעָם בֵּאלֹהִים וּבְמֹשֶׁה לָמָה הֶעֱלִיתֻנוּ
מִמִּצְרַיִם לָמוּת בַּמִּדְבָּר כִּי אֵין לֶחֶם וְאֵין מַיִם
וְנַפְשֵׁנוּ קָצָה בַּלֶּחֶם הַקְּלֹקֵל׃

E falou contra Deus e contra Moisés. Essa décima primeira murmuração a ser destacada seguiu a mesma linha de raciocínio das anteriores: o fértil Egito fora deixado para trás, e os filhos de Israel tinham ficado retidos em um deserto estéril e miserável; o suprimento alimentar era muito escasso; não havia água potável; e o maná se tornara enjoativo para eles. Até Números 14.18 tinham sido listadas *oito* murmurações; em Números 16.41 ss. aparece uma *nona* murmuração; em Números 20.2 ss. há uma *décima*; e aqui, temos a *décima* *primeira* murmuração. Aben Ezra falou em "muitas vezes", ao passo que outros intérpretes tentaram dar um número específico de vezes, conforme faz o Talmude Bab Eracin, fol. 15.1, que oferece um total de *dez* murmurações. As murmurações do povo de Israel formavam um fato histórico constante e tornaram-se um tema proeminente no Pentateuco. Ver as notas adicionais sobre esse assunto, na introdução ao capítulo 11 de Números.

Pão vil. O maná era uma espécie de massa folhada sem grande valor nutritivo, que deixava o estômago com um vazio de fome. A versão inglesa RSV diz aqui "alimento inútil". O termo hebraico é *qeloqel*, "algo inútil", derivado de um vocábulo básico que significa leve, vaporoso, tênue. Cf. Números 20.5, onde encontramos outra queixa dos israelitas acerca da alimentação.

■ **21.6**

וַיְשַׁלַּ֨ח יְהוָ֜ה בָּעָ֗ם אֵ֚ת הַנְּחָשִׁ֣ים הַשְּׂרָפִ֔ים וַֽיְנַשְּׁכ֖וּ אֶת־הָעָ֑ם וַיָּ֥מָת עַם־רָ֖ב מִיִּשְׂרָאֵֽל׃

Então o Senhor mandou. O juízo divino foi imediato. Todos os casos de murmuração foram enfrentados por meio de algum tipo de julgamento. Yahweh não tolerava tão profunda ingratidão da parte de seu povo. Ver Romanos 1.21 ss. quanto à ingratidão dos pagãos, que conduz à apostasia.

Serpentes abrasadoras. No hebraico, *nachash sarap*, "serpentes de fogo", que vem da palavra *sarap*, "queimadura". O ugarítico *sh r p* indica "oferta queimada", sendo um cognato desse vocábulo hebraico. Alguns pensam que a alusão é à velocidade, "serpentes dardejantes". Talvez essa espécie de serpente venenosa deixe uma forte ardência no local das picadas, conforme faz o escorpião amarelo. A sensação de queimadura é tão intensa que um anestésico precisa ser injetado diretamente no local, a fim de abafar a dor. Ver no *Dicionário* o artigo chamado *Serpentes Abrasadoras*, que oferece detalhes que não foram incluídos aqui. Quanto à *tipologia*, ver a introdução ao versículo quarto deste capítulo.

Esse ataque por meio de serpentes venenosas foi atribuído diretamente a Yahweh e associado à última murmuração. A teologia dos hebreus mostrava-se fraca quanto a causas secundárias, atribuindo todos os acontecimentos diretamente a Deus. Serpentes venenosas continuam abundantes naquela região. Diodoro Sículo comentou sobre a natureza incurável da picada de tais serpentes (o que também fez Solinus, *Polyhist*. 45).

■ **21.7**

וַיָּבֹא֩ הָעָ֨ם אֶל־מֹשֶׁ֜ה וַיֹּאמְר֣וּ חָטָ֗אנוּ כִּֽי־דִבַּ֤רְנוּ בַֽיהוָה֙ וָבָ֔ךְ הִתְפַּלֵּל֙ אֶל־יְהוָ֔ה וְיָסֵ֥ר מֵעָלֵ֖ינוּ אֶת־הַנָּחָ֑שׁ וַיִּתְפַּלֵּ֥ל מֹשֶׁ֖ה בְּעַ֥ד הָעָֽם׃

Havemos pecado. O povo de Israel reconheceu o seu pecado de murmuração e arrependeu-se, procurando o fim da praga e a cura dos que tivessem sido picados pelas serpentes. Diante disso, Yahweh foi aplacado, conforme é usual no caso do problema do pecado e seus resultados, quando o pecador se arrepende. Por meio da própria experiência, Israel tinha chegado a apreciar o poder das orações de Moisés. Por isso mesmo, o assunto da poderosa intercessão de Moisés é um dos temas constantes do Pentateuco. Ver as notas a respeito em Números 16.45. A oração tem maior poder do que a profecia ou o juízo divino. Quando nada mais funciona, os homens são forçados a orar. Mas o homem espiritual usa esse poder todos os dias de sua vida, e vê muitos resultados. Ver no *Dicionário* os verbetes *Oração* e *Intercessão*.

■ **21.8**

וַיֹּ֨אמֶר יְהוָ֜ה אֶל־מֹשֶׁ֗ה עֲשֵׂ֤ה לְךָ֙ שָׂרָ֔ף וְשִׂ֥ים אֹת֖וֹ עַל־נֵ֑ס וְהָיָה֙ כָּל־הַנָּשׁ֔וּךְ וְרָאָ֥ה אֹת֖וֹ וָחָֽי׃

Homeopatia Espiritual. A instrução divina era que Moisés fizesse uma espécie de réplica de uma daquelas serpentes venenosas, feita de metal, e a pusesse sobre o alto de um poste ou pendão. Ver Êxodo 17.15 quanto ao pendão com as palavras *Yahweh-nissi*, "Yahweh é a minha bandeira". Bastava um olhar para essa réplica para que uma vítima das serpentes fosse curada. Ver João 3.14,15 quanto à aplicação

neotestamentária desse episódio, que apresenta Cristo como nosso Salvador e Médico. Ver as notas no vs. 4 deste capítulo quanto à *tipologia*. Ali temos Cristo como nosso Salvador, o qual concede aos homens a *vida eterna*, livrando-nos da morte espiritual provocada pelo pecado. Ver no *Dicionário* o verbete *Salvação*. Os críticos veem nesse relato uma indicação dos ritos de magia simpática, bastante comum nas culturas antigas, mas também nas culturas modernas. Por isso fala-se em *simpatias*, como modos supersticiosos de curar ou alterar as coisas. "Estes versículos refletem a *magia das serpentes*, conforme ela era praticada, por exemplo, no Egito. A serpente de bronze (no hebraico, *nehushtan*) tornou-se um objeto de adoração popular durante a monarquia israelita (ver 2Rs 18.4)" (*Oxford Annotated Bible*, comentando sobre este versículo). Mas embora certamente houvesse essas superstições, o que temos neste texto é um símbolo concreto que ajudou os israelitas a exercer confiança nos poderes de Yahweh. Ao tempo em que foi redigido o Pentateuco, o autor não se teria envolvido jamais com nenhum culto rival ao de Yahweh, porquanto isso teria sido uma modalidade de idolatria.

■ **21.9**

וַיַּ֤עַשׂ מֹשֶׁה֙ נְחַ֣שׁ נְחֹ֔שֶׁת וַיְשִׂמֵ֖הוּ עַל־הַנֵּ֑ס וְהָיָ֗ה אִם־נָשַׁ֤ךְ הַנָּחָשׁ֙ אֶת־אִ֔ישׁ וְהִבִּ֛יט אֶל־נְחַ֥שׁ הַנְּחֹ֖שֶׁת וָחָֽי׃

Fez Moisés. A ordem do Senhor foi obedecida, e o efeito prometido também teve cumprimento, pelo que este versículo reitera a informação dada no versículo anterior, levando-nos a entender que, "uma vez cumprida a ordem divina, os efeitos desejados foram obtidos". Ver o versículo anterior quanto a notas expositivas que também se aplicam aqui.

"A *antiga serpente* (Satanás) era a causa da morte, temporal e espiritual. Cristo Jesus, 'em semelhança de carne pecaminosa' (Rm 8.3), foi feito pecado por nós (2Co 5.21), e assim cumpriu, conforme ele mesmo disse a Nicodemos, o tipo da serpente de bronze (Jo 3.14,15)... O livro de Sabedoria explica a questão como segue: 'Aquele que se voltava para ela [a serpente de bronze] não era curado *pela coisa*, mas por *ti*' (16.7). Essa serpente de metal foi preservada pelos filhos de Israel e levada à terra de Canaã, até que finalmente foi destruída pelo rei Ezequias, depois de ter sido transformada em um objeto de adoração idólatra (2Rs 18.4)" (Ellicott, *in loc.*).

A MARCHA TEM REINÍCIO (21.10-20)

■ **21.10**

וַיִּסְע֖וּ בְּנֵ֣י יִשְׂרָאֵ֑ל וַֽיַּחֲנ֖וּ בְּאֹבֹֽת׃

Quanto ao itinerário da marcha, ver Números 33 e Deuteronômio 2. Os críticos veem aqui uma composição dupla, que teria tornado incoerente a geografia refletida no trecho. Os estudiosos conservadores, por sua vez, admitem que é impossível acompanhar essa rota; e há muitas conjecturas a respeito. Parte da obscuridade desta seção é que várias das localidades mencionadas nunca foram identificadas. O itinerário mais completo aparece no capítulo 33 de Números. Ver no *Dicionário* o verbete chamado *Êxodo (o Evento)*, acerca daquilo que se conhece sobre a rota seguida.

Obote. No hebraico, esse nome significa "odres". Era um lugar no deserto, por onde os israelitas vaguearam, que continha alguma água. Essa foi a quadragésima sexta parada no deserto. Ficava perto do território de Moabe. Ver Números 21.11; 33.43,44. Tem sido tentativamente identificada com o oásis chamado *el-Weiba*, que fica ao sul do mar Morto. Em Números 33, Zalmona e Punon são locais listados entre Hor e Obote (vss 41-43).

■ **21.11**

וַיִּסְע֖וּ מֵאֹבֹ֑ת וַֽיַּחֲנ֞וּ בְּעִיֵּ֣י הָֽעֲבָרִ֗ים בַּמִּדְבָּר֙ אֲשֶׁר֙ עַל־פְּנֵ֣י מוֹאָ֔ב מִמִּזְרַ֖ח הַשָּֽׁמֶשׁ׃

Ijé-Abarim. No hebraico, "montes do além". Esse era o nome de um dos lugares onde o povo de Israel estacou, em suas perambulações pelo deserto. Ficava entre Obote (ver o vs. 10) e o vale de Zerede ou Dibom-Gade (Nm 21.12; 33.44,45). Ficava no território de Moabe ou nas proximidades, conforme se depreende deste versículo e de Números 33.44.

Moabe. Ver sobre esse país no *Dicionário*.

Para o nascente. Ou seja, para o lado oriental do território de Moabe. Ver Juízes 11.18.

21.12

מִשָּׁם נָסָעוּ וַיַּחֲנוּ בְּנַחַל זָרֶד׃

Zerede. No *Dicionário* apresentei um artigo detalhado sobre esse lugar. No hebraico, muito provavelmente o nome significa "bosque dos salgueiros" ou "torrente dos salgueiros". Esse é o nome de dois acidentes geográficos mencionados no Antigo Testamento, um ribeiro e um vale (como neste texto). Na antiguidade, Zerede formava a fronteira entre Moabe e Edom. O rio Zerede flui para o mar Morto, em sua curva sudeste.

21.13

מִשָּׁם נָסָעוּ וַיַּחֲנוּ מֵעֵבֶר אַרְנוֹן אֲשֶׁר בַּמִּדְבָּר הַיֹּצֵא מִגְּבֻל הָאֱמֹרִי כִּי אַרְנוֹן גְּבוּל מוֹאָב בֵּין מוֹאָב וּבֵין הָאֱמֹרִי׃

Arnom. Ver o artigo detalhado sobre esse lugar no *Dicionário*. O nome, no hebraico, quer dizer "murmúrio". Esse era o rio que formava a fronteira sul da Palestina Transjordaniana, separando-a da terra de Moabe. Ver Números 21.26; Deuteronômio 2.24; 3.8,16; Josué 12.1; Isaías 16.2; Jeremias 48.20.

Amorreus. Ver acerca desse povo antigo no *Dicionário*.

21.14

עַל־כֵּן יֵאָמַר בְּסֵפֶר מִלְחֲמֹת יְהוָה אֶת־וָהֵב בְּסוּפָה וְאֶת־הַנְּחָלִים אַרְנוֹן׃

Os versículos 14 e 15 deste capítulo oferecem uma citação extraída de uma antiga coletânea poética chamada de livro das *Guerras do Senhor*. Ver também Josué 10.13 e 2Samuel 1.18. O trecho de Números 21.4 ss. refere-se a um antigo livro com esse título, de onde extraiu algumas citações. A citação termina mencionando *Moabe*, mas é provável que os vss. 17 e 18, como também os vss. 27-30, contenham alguns fragmentos desse mesmo livro. Parece que essa obra era uma espécie de coletânea de canções populares, onde eram comemoradas várias vitórias. Yahweh é o Capitão dos Exércitos, e também aquele que dá a vitória ao seu povo. O *Livro dos Justos*, mencionado em 2Samuel 1.18, aparentemente era uma obra similar (ou talvez, a mesma). Os eruditos pensam que ambas as obras pertenciam à época de Davi. A Septuaginta apaga a referência ao livro, havendo até estudiosos que dizem que a omissão representa o texto em sua forma original. Ver o livro dos *Justos*, mencionado em Josué 10.13. A menção a tais livros ilustra o fato de que havia considerável atividade literária naqueles dias antigos, além dos livros que, finalmente, vieram a fazer parte do cânon do Antigo Testamento. Ver no *Dicionário* o artigos chamados *Livro (Livros)* e *Livros Perdidos da Bíblia*.

É apenas natural que os sucessos militares dos israelitas tivessem sido registrados de vários modos, além das Escrituras canônicas. É difícil dizer exatamente quão vastos tesouros literários se perderam no decorrer dos séculos. Mas o fato de que tantos livros se perderam não diminui em nada o valor daqueles que sobreviveram até nós. Outrossim, o Espírito mostrou-se ativo no processo da canonização, ainda que, como é óbvio, fatores históricos e literários também se tenham feito sentir.

Vaebe em Sufá. Essas estranhas palavras aparecem em nossa versão portuguesa, em Números 21.14, como parte do que estaria no livro das *Guerras do Senhor*. Ver acima neste livro. A Revised Standard Version, em inglês, concorda com essa tradução. Porém, ninguém sabe o que tais palavras significam e nem onde estariam localizados tais lugares. A versão Berkeley (em inglês), em nota de rodapé, explica que *Vaebe* seria uma cidade próxima do rio Arnon, um pouco mais para o norte. Mas não explica a base para tal declaração.

Outras traduções e outros estudiosos dão uma interpretação inteiramente diferente dessas palavras. Assim, a versão inglesa King James diz: "O que ele fez no mar Vermelho". É mister que os hebraístas investiguem um pouco mais a respeito e se manifestem. Essa passagem bíblica, por enquanto, permanece envolta em brumas.

Sufá é transliteração do termo hebraico *suphah*, "tempestade", "redemoinho", o qual ocorre por quinze vezes nas páginas do Antigo Testamento. Ver Josué 21; Jó 21.18; Isaías 5.28; 29.6; Jeremias 4.13; Oseias 8.7. Era uma região ocupada pelos moabitas, citada no livro *Guerras do Senhor*. Talvez Vaebe fosse uma cidade dessa região. A sua associação com o ribeiro do Arnom sugere que a região ficava a oriente do mar Morto, na área onde corriam o ribeiro do Arnom e seus tributários. A Revised Standard Version diz "Waheb inSuphah". As versões mais antigas pensavam que se tratava de uma alusão ao mar Vermelho (*yam suph*, no hebraico).

Seja como for, se esses nomes indicam uma cidade e uma região, podemos apenas conjecturar quanto à localização de tais localidades. Talvez esteja em foco a mesma Sufá também referida em Deuteronômio 1.1.

21.15

וְאֶשֶׁד הַנְּחָלִים אֲשֶׁר נָטָה לְשֶׁבֶת עָר וְנִשְׁעַן לִגְבוּל מוֹאָב׃

Ar. Ver o artigo detalhado sobre esse local, no *Dicionário*. A referência é incerta. Talvez esteja em pauta uma cidade cuja localização se perdeu. Mas sem dúvida ficava perto de Arnom, a leste do mar Morto. O sentido do nome também é desconhecido. Alguns dizem que Ar era *el Misna*, uma cidade na porção norte do território de Moabe, a cerca de 16 km ao sul de Arnom (Nm 22.36; cf. Dt 2.9,18).

Visto que esses nomes figuram no livro das *Guerras do Senhor*, podemos conjecturar que Israel obteve vitórias nesses lugares, apesar do fato de que coisa alguma é dita sobre batalhas levadas a efeito ali, nas páginas do Antigo Testamento.

21.16

וּמִשָּׁם בְּאֵרָה הִוא הַבְּאֵר אֲשֶׁר אָמַר יְהוָה לְמֹשֶׁה אֱסֹף אֶת־הָעָם וְאֶתְּנָה לָהֶם מָיִם׃ ס

Beer. Há um detalhado artigo sobre esse lugar, no *Dicionário*. No hebraico, esse nome significa "poço". No Antigo Testamento, duas localidades são assim chamadas. Aqui temos um dos lugares onde Israel acampou, do outro lado do ribeiro do Arnom. Ali havia água, e assim Israel conseguiu refrigerar-se em sua jornada. Talvez se trate do mesmo lugar chamado *Beer-Elim*, em Isaías 15.8, ou seja, "poço dos heróis".

Os vss. 16-18 constituem o *Cântico do Poço* ou *Cântico de um Poço*, outro antigo fragmento poético. Ver as notas sobre o vs. 14 quanto ao livro *Guerras do Senhor*. Quase quatro milhões de pessoas viajavam por um deserto estéril, e elas teriam toda a razão de se alegrarem se, de súbito, topassem com um bom suprimento de *água*. Isso foi visto como um dom de Yahweh, e foi cantado em um poema.

"Temos aí uma das poucas canções populares dos hebreus que sobreviveram, e bem pode ter-se originado na prática de cobrir um poço recém-encontrado, até que fosse formalmente aberto pelos chefes da tribo, trazendo seus símbolos de autoridade, como representantes da tribo toda" (John Marsh, *in loc.*).

"Afirmou-lhe Jesus: ... aquele, porém, que beber da água que eu lhe der, nunca mais terá sede, para sempre; pelo contrário, a água que eu lhe der será nele uma fonte a jorrar para a vida eterna" (Jo 4.13,14). Portanto, temos aí a tipologia envolvida. Ver no *Dicionário* o verbete intitulado *Água*, que inclui os tipos simbólicos desse elemento natural.

> Fonte tu, de toda a bênção,
> Vem o canto me inspirar...
>
> Robert Robinson

21.17

אָז יָשִׁיר יִשְׂרָאֵל אֶת־הַשִּׁירָה הַזֹּאת עֲלִי בְאֵר עֱנוּ־לָהּ׃

Então cantou Israel. A letra desse cântico é um dos poucos fragmentos do antigo cancioneiro popular dos hebreus, o *Cântico do*

Poço (ver o vs. 16). "Temos aqui um dos mais antigos cânticos de guerra do mundo, embora não se possa entendê-lo com facilidade, como é comumente o caso de todas as mais antigas composições, sobretudo sob forma poética" (Adam Clarke, *in loc.*).

A própria fonte foi invocada, para que borbotasse em uma "canção" para glória de Yahweh, o Provedor.

"A descoberta foi muito oportuna, devido à *intervenção* especial de Deus. Essa parece ser a verdadeira interpretação de uma cláusula um tanto obscura" (Jamieson, *in loc.*).

As palavras "entoai-lhe cânticos!" podem significar "canta uma resposta". É que os cânticos antigos eram responsivos, em que alguém dizia algo e outrem respondia.

21.18

בְּאֵר חֲפָרוּהָ שָׂרִים כָּרוּהָ נְדִיבֵי הָעָם בִּמְחֹקֵק
בְּמִשְׁעֲנֹתָם וּמִמִּדְבָּר מַתָּנָה׃

Um Empreendimento Divino-humano. Homens cavaram o poço; mas Yahweh é que os havia guiado até aquelas águas subterrâneas. Houve a cooperação entre Deus e os homens, conforme se dá com toda a vida neste mundo. A água estava ali, mas os homens precisavam ser impelidos a cavar. Israel precisou fazer o esforço de *cavar*. Mas o fruto desse esforço, a água preciosa, foi um presente de Yahweh. Ver Tiago 1.17. A ajuda e a graça divina não isentam os homens da necessidade do esforço.

Os príncipes. Ou seja, os líderes das tribos, os setenta cabeças, ou então os príncipes de cada tribo, formando um total de doze. Também podem estar em pauta pessoas designadas por esses príncipes, para fazerem o trabalho de escavação. O poço foi um empreendimento do povo todo, e não algum esforço individual. O Targum de Jonathan diz que tudo foi feito "sob a direção do legislador", ou seja, Moisés, a figura central por trás da escavação. No entanto, nossa versão portuguesa, em vez disso, diz "com o cetro".

Com os seus bordões. Podemos pensar aqui em bengalas ou pendões. Todavia, alguns pensam que foram preparados instrumentos especiais para escavar no terreno do deserto estéril. E esses instrumentos especiais teriam sido poeticamente chamados de "bordões". Mas também é possível que o local do poço tivesse sido *assinalado* por meio dos bordões, e que então outros instrumentos foram usados para fazer a escavação propriamente dita.

Uma Proposta de Reconstituição do Cântico:

Brota, ó poço! Responde.
(Essas palavras reaparecem em outras
partes do cântico)
O poço, os príncipes o procuraram.
(A resposta).
Os nobres do povo o escavaram.
Por meio de um decreto,
em suas fronteiras.

Isso era dito pelo coro

Mataná. No hebraico, esse termo significa "presente". Era o nome do quinquagésimo terceiro lugar onde os israelitas se acampavam, depois de terem saído do Egito, sob a liderança de Moisés. Ficava na parte norte do ribeiro do Arnom (Nm 21.18,19). Fazia parte do território de Seom, rei dos *amorreus* (ver sobre eles no *Dicionário*). O livro de Números informa-nos que a localidade ficava entre Beer e o riacho de Naaliel. A localização exata atual, porém, é desconhecida, embora tenha sido tentativamente identificada com *Khirbet el-Mediyineh,* que fica a cerca de 18 km a nordeste de Dibom.

21.19

וּמִמַּתָּנָה נַחֲלִיאֵל וּמִנַּחֲלִיאֵל בָּמוֹת׃

Naaliel. No hebraico, "vale" ou "torrente de Deus (El)". Esse foi o nome de um dos pontos de parada dos israelitas, quando caminhavam do ribeiro do Arnom a Jericó. Se esse nome aponta para uma torrente, e não para um vale, então talvez esteja em foco um dos tributários do ribeiro do Arnom. Seja como for, ficava perto de Pisga, ao norte do ribeiro do Arnom, embora a sua localização exata não possa ser identificada.

Bamote. No hebraico, "lugares altos de Baal", um local na Transjordânia onde os israelitas fizeram uma parada. Ficava ao norte do ribeiro do Arnom. Talvez seja a mesma localidade chamada Bamote-Baal (Js 13.17). Era um lugar pertencente aos moabitas e adquiriu tal nome devido à adoração idólatra que ali havia. Foi nesse local que o rei Balaque (ver sobre ele no *Dicionário*) pediu para Balaão (ver sobre ele no *Dicionário*) amaldiçoar o povo de Israel. A pedra *Mesha,* com inscrições que datam de cerca de 830 a.C., assevera que o rei Mesha erigiu aquele lugar, juntamente com outros lugares similares, em Dibom, Bezer e Medeba. Essa cidade foi dada à tribo de Rúben (Js 13.17), como parte de sua herança. A localização exata é desconhecida atualmente, embora seja tentativamente identificada na margem ocidental do platô da Transjordânia, ao cume do monte Nebo, parte da moderna *Khirbet el-Quweiquyeh.*

21.20

וּמִבָּמוֹת הַגַּיְא אֲשֶׁר בִּשְׂדֵה מוֹאָב רֹאשׁ הַפִּסְגָּה
וְנִשְׁקָפָה עַל־פְּנֵי הַיְשִׁימֹן׃ פ

Cume de Pisga. Há um detalhado artigo sobre esse lugar no *Dicionário*, razão pela qual não repito aqui as informações. No hebraico, "pico", "cume", "ponta". O lugar (identificado apenas tentativamente) tornou-se famoso e proverbial por ter sido dali que Moisés contemplou a Terra Prometida, onde não lhe foi permitido entrar. Há um hino, "Doce Hora de Oração", que contém uma alusão poética a esse lugar:

Até que, do alto do monte Pisga
Eu veja meu lar, e alce voo.
Deixarei este robe de carne, e alçarei
Para tomar conta do prêmio eterno.

W. W. Walford

Esse pico ficava, ao que parece, a poucas milhas a *leste* do extremo nordeste da margem do mar Morto, sendo um dos promontórios do platô moabita, do outro lado de quem olha de Jericó. "Pelo menos, Israel parecia estar às vésperas da invasão e conquista da Terra Prometida" (Eugene H. Merrill, *in loc.*).

Que olha para o deserto. Algumas traduções preferem traduzir aqui "deserto" como um nome próprio, *Jesimom*. Essa palavra, no hebraico, significa "deserto". Pode indicar apenas a área desértica existente no lugar, onde talvez não houvesse ali nenhuma habitação humana. Seja como for, a área referida ficava em território moabita, a nordeste do mar Morto. Ver no *Dicionário* o termo *Jesimom*. 1Samuel 23.19 refere-se ao deserto existente a nordeste do mar Morto.

A DERROTA DOS AMORREUS (21.21-30)

21.21

וַיִּשְׁלַח יִשְׂרָאֵל מַלְאָכִים אֶל־סִיחֹן מֶלֶךְ־הָאֱמֹרִי
לֵאמֹר׃

As planícies de Moabe, sem dúvida, tornaram-se uma área contestada (vs. 26). Na ocasião, a área era controlada pelos amorreus, mas normalmente pertencia aos moabitas. Agora o povo de Israel estava passando por aquele caminho, e uma batalha era inevitável. Tal como no caso do moabitas (Nm 20.14 ss.), Moisés pediu uma passagem pacífica através da região, prometendo não causar nenhum dano ou prejuízo. Mas o rei do lugar, *Seom,* tal como fizera o rei dos moabitas, recusou-se a dar sua permissão aos israelitas. Em contraste com o caso anterior, Israel aceitou a guerra neste caso. Se Seom não se tivesse mostrado disposto à peleja, talvez Israel tivesse feito algum ajuste na sua rota. Mas o ataque não deixou escolha aos filhos de Israel. Israel ganhou a batalha e reivindicou direito sobre o território inteiro. Cf. Deuteronômio 2.26-29.

Israel mandou mensageiros. Os israelitas tinham de enfrentar muitas guerras doravante, e evitar uma delas neste ponto teria sido um encorajamento para eles prosseguirem. Israel não queria ocupar o território, mas somente atravessá-lo. Mas, tal como no caso que envolvera os idumeus, foram enviados mensageiros à frente, para explicarem por qual razão tão grande massa de gente estava cruzando o território dos amorreus.

Seom. No hebraico, "grande", "ousado". Nome do rei dos amorreus, que os israelitas derrotaram, em seu caminho à terra de Canaã. Seu nome ocorre por 37 vezes no Antigo Testamento, sobretudo no Pentateuco. Quanto a plenos detalhes, ver o artigo sobre ele e sobre a derrota de sua gente, no *Dicionário*, ambas as coisas no verbete chamado *Seom*. As derrotas de Seom e de Ogue continuaram a inspirar os filhos de Israel por muito tempo. A invasão da Terra Prometida, pois, foi encorajada por essas vitórias preliminares. Tais vitórias tornaram-se temas favoritos dos historiadores e poetas posteriores de Israel.

21.22

אֶעְבְּרָה בְאַרְצֶךָ לֹא נִטֶּה בְּשָׂדֶה וּבְכֶרֶם לֹא נִשְׁתֶּה מֵי בְאֵר בְּדֶרֶךְ הַמֶּלֶךְ נֵלֵךְ עַד אֲשֶׁר־נַעֲבֹר גְּבֻלֶךָ׃

Este versículo é virtualmente idêntico a Números 20.17, que se aplica ao caso dos moabitas. As mesmas promessas foram feitas. As notas dali aplicam-se também aqui.

"Atravessar esse território em algum ponto seria uma rota mais curta até o rio Jordão, que Israel teria de cruzar a fim de entrar na terra de Canaã" (John Gill, *in loc.*). Já tendo perambulado pelo deserto durante quarenta anos, Israel não tinha a energia e a paciência para prolongar a agonia ainda de outro desvio, pelo que a providência divina lhe arranjou uma vitória. Ver no *Dicionário* o artigo intitulado *Providência de Deus*.

21.23

וְלֹא־נָתַן סִיחֹן אֶת־יִשְׂרָאֵל עֲבֹר בִּגְבֻלוֹ וַיֶּאֱסֹף סִיחֹן אֶת־כָּל־עַמּוֹ וַיֵּצֵא לִקְרַאת יִשְׂרָאֵל הַמִּדְבָּרָה וַיָּבֹא יָהְצָה וַיִּלָּחֶם בְּיִשְׂרָאֵל׃

À semelhança do rei de Moabe (Nm 20.18), Seom não se mostrou liberal para com Israel. Sem dúvida, ele tinha suas razões. Estava ocupando um território que havia arrebatado dos moabitas, e não tinha motivos para pensar que os povos se mostrariam liberais para com ele, um usurpador. Cf. Deuteronômio 2.30. Ver também Juízes 11.20. Yahweh endureceu o seu coração, conforme diz o texto de Deuteronômio, porque o povo de Israel dali por diante haveria de ver a mão do Senhor, dando-lhes a vitória e encorajando-os a invadir e conquistar a Terra Prometida. Desde a saída de Israel do Egito, essa é a primeira vez que vemos Yahweh endurecendo o coração de algum homem. Ver Êxodo 7.13,14,22; 8.15,19,32; 9.7,12,34; 10.1,20,27; 11.10; 14.8. Algumas vezes é dito que o Faraó endureceu o seu coração. E, de outras vezes, é dito que Yahweh endureceu o coração dele. Isso posto, conclui-se que Deus usa a vontade do homem sem destruí-la, embora não saibamos dizer *como* ele faz isso. Ver no *Dicionário* os artigos chamados *Determinismo (Predestinação); Livre-arbítrio* e *Predestinação (e Livre-arbítrio)*, todos os quais abordam os problemas envolvidos nessa questão.

Jaza. No hebraico, "repisada", pois diz respeito a alguma *eira*. Ver sobre esse termo no *Dicionário*. Sua localização geográfica é incerta.

21.24

וַיַּכֵּהוּ יִשְׂרָאֵל לְפִי־חָרֶב וַיִּירַשׁ אֶת־אַרְצוֹ מֵאַרְנֹן עַד־יַבֹּק עַד־בְּנֵי עַמּוֹן כִּי עַז גְּבוּל בְּנֵי עַמּוֹן׃

Israel o feriu ao fio da espada. A vitória foi decisiva. Foi conquistado todo o território de Seom. A descrição "desde Arnom até Jaboque" inclui a totalidade desse território. As direções são dadas do sul para o norte. "A parte oriental do Jaboque dobrava na direção sul, formando a extensão das possessões dos amorreus" (Eugene H. Merrill, *in loc.*). Outro povo, os amonitas, ficava a leste do rio Jaboque. As terras dos amonitas foram poupadas porque as suas fronteiras eram fortificadas, e também porque esse povo estava relacionado a Israel, por meio de Ló, sobrinho de Abraão (Gn 19.36; Dt 2.19). As cidades dos amorreus foram ocupadas, incluindo Hesbom (vs. 25), que ficava somente a cerca de 40 km de distância de Jericó. Isso preparou Israel para a invasão da porção *leste* da Terra Prometida.

21.25

וַיִּקַּח יִשְׂרָאֵל אֵת כָּל־הֶעָרִים הָאֵלֶּה וַיֵּשֶׁב יִשְׂרָאֵל בְּכָל־עָרֵי הָאֱמֹרִי בְּחֶשְׁבּוֹן וּבְכָל־בְּנֹתֶיהָ׃

Israel tomou. A vitória incluiu a ocupação de todas as cidades daquela região que pertenciam aos amorreus. Visto que não foram listados os nomes dessas cidades, alguns críticos textuais supõem que a lista (que estaria ali originalmente) tenha saído do texto por descuido de cópia; mas não há nenhuma evidência objetiva quanto a essa possibilidade. Israel ficou naquele território por algum tempo (vs. 31), o que também não é especificado. Durante esse período, sem dúvida, Israel preparou-se para invadir a terra. A ocupação permanente da parte oriental do rio Jordão só se tornou fato após a morte de Moisés.

Hesbom. No hebraico, "prestação de contas" ou "inteligência". Essa cidade era a capital dos amorreus, onde residia o rei deles. Ficava na parte sul do território deles, a cerca de 29 km a leste do rio Jordão. Há um detalhado artigo sobre esse lugar no *Dicionário*, pelo que não dou detalhes aqui. Uma aldeia moderna, de nome *Hesban*, assinala o local antigo.

21.26

כִּי חֶשְׁבּוֹן עִיר סִיחֹן מֶלֶךְ הָאֱמֹרִי הִוא וְהוּא נִלְחַם בְּמֶלֶךְ מוֹאָב הָרִאשׁוֹן וַיִּקַּח אֶת־כָּל־אַרְצוֹ מִיָּדוֹ עַד־אַרְנֹן׃

Hesbom e as aldeias em redor tinham sido conquistadas por Seom, pela força das armas dos moabitas; portanto, era apenas justo que essas terras agora lhe fossem tomadas. Além disso, o Pacto Abraâmico incluía a ocupação final daqueles lugares por parte de Israel, visto que finalmente se enchera a taça da iniquidade daqueles diversos povos pagãos, e eles mereciam perder suas terras e suas cidades. Ver Gênesis 15.16. Nesse versículo, o nome *amorreus* aponta para todos os habitantes do território que Deus havia prometido a Abraão, por ser uma das principais forças opositoras dos israelitas. A Palestina era palco de intermináveis conflitos entre tribos selvagens, e as suas cidades viviam trocando constantemente de mãos. As palavras "toda a sua terra" indicam as cidades entre os rios referidos no vs. 24.

21.27

עַל־כֵּן יֹאמְרוּ הַמֹּשְׁלִים בֹּאוּ חֶשְׁבּוֹן תִּבָּנֶה וְתִכּוֹנֵן עִיר סִיחוֹן׃

Os vs. 27-30 constituem um antigo poema ou canção de zombaria atribuído pelo autor a algum amorreu desconhecido. O autor havia escarnecido dos impotentes moabitas, devido à sua total derrota, quando os amorreus conquistaram aquela região. E o autor do livro de Números agora aproveitou o cântico, provavelmente com algumas modificações, para zombar dos amorreus. Alguns intérpretes, supondo que Israel dificilmente lançaria mão de uma composição literária dos amorreus, pensam que temos aqui uma *sátira*, posta nas bocas dos amorreus para zombar deles mesmos, como se um de seus poetas pudesse ter escrito tal zombaria. Ainda outros eruditos supõem que o poema (canção) seja de data posterior derivada da dinastia de Onri, quando Moabe foi derrotado por Israel (ver 2Rs 3.4-27). Seja como for, sem importar quem tenha composto a peça, originalmente os moabitas eram os alvos do motejo.

Vinde a Hesbom! Os guerreiros amorreus, que conquistaram aquele lugar, convidam aqui o rei deles, Seom, para que viesse a essa cidade a fim de reedificá-la, embelezá-la e fazer dela a sua capital. A história foi revertida, e agora os israelitas é que podiam ir até ali e reedificar a cidade, tendo-a tomado das mãos dos amorreus.

"Os cantores de baladas formavam uma classe de profissionais cujas atividades mostravam-se mais ativas em tempos de guerra" (John Marsh, *in loc.*). A *Ilíada* e a *Odisseia*, de Homero, são antigos exemplos gregos dessa atividade poética, que também celebrava feitos militares.

21.28

כִּי־אֵשׁ יָצְאָה מֵחֶשְׁבּוֹן לֶהָבָה מִקִּרְיַת סִיחֹן אָכְלָה עָר מוֹאָב בַּעֲלֵי בָּמוֹת אַרְנֹן׃

Fogo. O fogo simbolizava a guerra. A cidade fora incendiada, e as chamas consumiram várias cidades. O espetáculo pôde ser visto por muitos km ao redor. Cf. Amós 1.4,7,12,14. Os Targuns de Onkelos e de Jerusalém fazem esse fogo representar os rudes *guerreiros* amorreus, que saíram ao redor destruindo o que encontravam pela frente.

Ar. Ver o vs. 15 e suas notas quanto a esse lugar. Esse nome significa *cidade*. Mas sua localização não pode ser determinada. Não somente Hesbom sofreu. Todas as cidades ao redor também tiveram a mesma sorte. A destruição dos amorreus foi completa e brutal.

Os senhores dos altos de Arnom. Ou seja, aqueles príncipes que tinham estabelecido seus postos de governos em lugares elevados e fortificados, difíceis de ser conquistados. Tais fortalezas, porém, logo foram reduzidas a nada, pelos selvagens amorreus. Alguns estudiosos pensam que devemos conceber aqui os templos e santuários que tinham sido edificados. Talvez esteja em foco a área de Bamote (vs. 20), onde há uma área de colinas que incluía Pisga, como parte dos monte de Abarim. Moabe foi assim destruída, em seus aspectos sagrado e secular. Cf. 22.41 e Josué 13.17.

■ **21.29**

אוֹי־לְךָ מוֹאָב אָבַדְתָּ עַם־כְּמוֹשׁ נָתַן בָּנָיו פְּלֵיטִם
וּבְנֹתָיו בַּשְּׁבִית לְמֶלֶךְ אֱמֹרִי סִיחוֹן׃

Povo de Camos. O alegado poder dessa divindade dos moabitas mostrou-se inútil quando os amorreus atacaram, ao ponto de seus santuários e templos terem sido demolidos e de os filhos e as filhas de Moabe terem sido passados ao fio da espada. E os poucos que escaparam foram levados para o cativeiro e absorvidos pela cultura e sociedade dos amorreus, conforme era costumeiro fazer nas guerras antigas. Naturalmente, Israel também seguia esses métodos, chegada a sua vez de vencer e de aniquilar. E assim, o que havia acontecido antes aos moabitas agora acontecia aos amorreus.

■ **21.30**

וַנִּירָם אָבַד חֶשְׁבּוֹן עַד־דִּיבוֹן וַנַּשִּׁים עַד־נֹפַח אֲשֶׁר
עַד־מֵידְבָא׃

O original hebraico, neste versículo, parece ter sido irremediavelmente corrompido, pelo que aos intérpretes resta tentarem determinar hipoteticamente o seu significado. Se as palavras pertencem ao autor sagrado, então a palavra inicial, "nós", refere-se aos israelitas, que terminaram atirando seus dardos e suas flechas contra os amorreus. E a descrição continua, relatando as maldades dos amorreus contra os moabitas. A Septuaginta diz aqui mais ou menos como diz nossa versão portuguesa, "nós atiramos contra eles", ao passo que algumas outras traduções falam em "e eles pereceram".

Sem importar qual o seu sentido exato, fica entendido que o versículo fala de uma destruição generalizada. Algumas poucas cidades representativas, que foram destruídas, são mencionadas:

Hesbom. Ver as notas no vs. 25 deste capítulo, bem como o artigo com esse nome no *Dicionário*.

Dibom. Ver sobre essa cidade no *Dicionário*. Duas cidades aparecem com esse nome nas páginas do Antigo Testamento. A cidade que figura neste passo bíblico é Dibom-Gade, a primeira que é tratada naquele artigo. Esse nome significa "definhar", embora não se saiba por qual motivo. Hesbom lhe ficava mais ao norte, ao passo que Dibom ficava mais ao sul. E assim o autor sagrado estava dizendo que a destruição se espalhou desde a fronteira sul até a fronteira norte.

Nofá. Algumas versões portuguesas dizem aqui *Nofá*. No hebraico, esse nome significa "rajada de vento" ou "lugar ventilado". Esse era o nome de uma das cidades dos moabitas, ocupada pelos amorreus, talvez a mesma cidade chamada *Noba*, em Juízes 8.11. Nesse caso, Nofá ficava próxima de Jogbeá, não muito distante do deserto oriental da Terra Prometida. Tem sido identificada com as ruínas chamadas *Nowakis*, a noroeste da cidade de Amã.

Medeba. No hebraico, *águas tranquilas*. Nome de uma cidade a leste do rio Jordão, no território da tribo de Rúben (Js 13.9-16). Antes disso, pertencia aos moabitas, então aos amorreus; e, finalmente, passou para as mãos de Israel. Provi um detalhado artigo sobre essa localidade no *Dicionário*.

A DERROTA DE OGUE (21.31-35)

■ **21.31**

וַיֵּשֶׁב יִשְׂרָאֵל בְּאֶרֶץ הָאֱמֹרִי׃

O povo de Israel, que agora se aproximava deveras da Terra Prometida, a fim de invadi-la, obteve uma série de vitórias preliminares. O trecho de Números 21.31,32 descreveu a vitória esmagadora deles sobre os amorreus. E agora chegamos à descrição da derrota de outro desses primeiros inimigos de Israel, *Ogue*. Esse triunfo tornou-se um dos temas favoritos de historiadores e poetas posteriores. Esta seção é idêntica à de Deuteronômio 3.1,2, exceto pelo fato de ser usada a primeira pessoa, enquanto o vs. 35 deste trecho adiciona alguns detalhes. Ogue, outro rei amorreu, controlava a terra imediatamente ao norte do rio Jaboque. Essa era a área também conhecida como *Gileade* ou *Basã*.

Na terra dos amorreus. Isso prolongou-se por algum tempo antes da invasão da Terra Prometida propriamente dita. Lembremo-nos de que aquela região tinha antes pertencido aos moabitas. É possível que ali os israelitas tivessem traçado planos e preparado o seu equipamento de guerra para o empreendimento maior da conquista. Mas antes que isso pudesse suceder, *Ogue*, outro rei amorreu, precisou ser derrotado. Agora o povo de Israel estava concentrado naquela porção da Terra Prometida que posteriormente foi dada às tribos de Rúben e Gade.

■ **21.32**

וַיִּשְׁלַח מֹשֶׁה לְרַגֵּל אֶת־יַעְזֵר וַיִּלְכְּדוּ בְּנֹתֶיהָ וַיּוֹרֶשׁ
אֶת־הָאֱמֹרִי אֲשֶׁר־שָׁם׃

Jazer. No hebraico, "ele ajuda". Nome de uma cidade dos amorreus, no território de Gileade, no lado oriental do rio Jordão. Foi conquistada dos amorreus quando Israel se preparava para invadir a Terra Prometida. Foi uma das quatro cidades pertencentes à tribo de Gade que foram entregues aos levitas (Js 21.39). Alguns dos mais habilidosos e destemidos guerreiros de Davi provinham daquela localidade (1Cr 26.31). Finalmente, os moabitas conquistaram a área e fizeram de Jazer uma de suas cidades fronteiriças (Is 16.9; Jr 48.32). Isso teve lugar pouco depois da queda de Samaria. Nos tempos helenistas, os amonitas estiveram em posse de Jazer; mas Judas Macabeu tomou-a deles. Isso ocorreu em cerca de 164 a.C. (1Macabeus 5.7,8). O local tem sido tentativamente identificado com o *wadi Sa'ib*, perto de *es-Salt*. Outras identificações também têm sido propostas, como *Khirbet Sar* (Qasr es-Sar), a cerca de 8 km a oeste de Amã, perto do *wady esh-Shita*; e também com *Khirbet es-Sireh*, a cerca de 1,5 km ao norte de Khirbet Sar. Mas a verdade é que a questão da localização exata da antiga cidade continua em aberto.

Nessa outra porção do território dos amorreus, Israel obteve completo sucesso, e assim consolidou sua base de poder.

Temos um novo incidente que envolveu *espias*, tal como se vira no capítulo 13 de Números; mas dessa vez houve um relatório positivo e a subsequente vitória dos filhos de Israel.

■ **21.33**

וַיִּפְנוּ וַיַּעֲלוּ דֶּרֶךְ הַבָּשָׁן וַיֵּצֵא עוֹג מֶלֶךְ־הַבָּשָׁן
לִקְרָאתָם הוּא וְכָל־עַמּוֹ לַמִּלְחָמָה אֶדְרֶעִי׃

Basã. No hebraico, *fértil* ou *frutífero*. Era uma planície no lado oriental do alto rio Jordão, ladeando o mar da Galileia. Desconhecem-se os seus limites exatos, mas aparentemente começava no monte Hermom, no norte, Salacá, no oriente, Gileade, no sul, e em Gesur e Maacá, no ocidente. Apresentei um detalhado artigo sobre essa região no *Dicionário*, incluindo descobertas arqueológicas que iluminam a questão. Há muitas referências sobre essa área, no Antigo Testamento.

Ogue. Não se sabe o que significa essa palavra, embora alguns tenham pensado em "pescoço longo" e em "gigante". Ver Números 32.33; Deuteronômio 4.47 e 31.4. Há um artigo detalhado sobre esse homem no *Dicionário*, pelo que não repito aqui o material. Ogue era o rei do reino vassalo de *Basã*, e foi necessário que Israel conquistasse esse território como preparação para a invasão da Terra Prometida, depois de cruzar o rio Jordão.

Edrei. No hebraico, *forte* ou *terra semeada*. Esse era o nome de duas cidades mencionadas no Antigo Testamento. Elas são discutidas no *Dicionário*. A Edrei deste texto é a que aparece em segundo lugar ali. Ver também Josué 12.4,5; 13.12; Deuteronômio 3.19. Foi ali que o povo de Israel obteve uma vitória decisiva sobre Ogue, rei de *Basã*. Era uma importante cidade, a cerca de 65 km a leste-sudeste do mar da Galileia. Obtendo ali a vitória, Israel veio a controlar toda a área da Transjordânia, entre o monte Hermom (Dt 3.8) e o rio Arnom, e para o leste até a fronteira da terra dos filhos de Amom. Tendo realizado isso, eles foram capazes de avançar sem encontrar obstáculo até as planícies de Moabe, preparando o terreno para a invasão maior da terra de Canaã (Nm 22.1). A moderna *Edreat* assinala o antigo local de Edrei.

■ 21.34

וַיֹּאמֶר יְהוָה אֶל־מֹשֶׁה אַל־תִּירָא אֹתוֹ כִּי בְיָדְךָ נָתַתִּי אֹתוֹ וְאֶת־כָּל־עַמּוֹ וְאֶת־אַרְצוֹ וְעָשִׂיתָ לּוֹ כַּאֲשֶׁר עָשִׂיתָ לְסִיחֹן מֶלֶךְ הָאֱמֹרִי אֲשֶׁר יוֹשֵׁב בְּחֶשְׁבּוֹן׃

Seom havia sido totalmente derrotado, tendo sido essa a primeira vitória poderosa que Yahweh deu aos israelitas. Seguindo esse exemplo, a conquista prosseguiu e Ogue também foi completamente aniquilado, conforme é descrito e comentado no versículo anterior. Yahweh, o Capitão dos Exércitos, recebeu todo o crédito por essas vitórias, e logo o território que foi prometido a Abraão, no Pacto Abraâmico (ver as notas a respeito, em Gn 15.18), estava nas mãos dos israelitas, provendo-lhes assim um território pátrio.

O próprio Ogue era um gigante de imensas proporções (conforme nos informam outras referências bíblicas), e seu povo também era numeroso e poderoso; mas nada disso pôde impedir o avanço de Israel. Ver as notas sobre Deuteronômio 3.11 quanto a descrições sobre esse gigante.

■ 21.35

וַיַּכּוּ אֹתוֹ וְאֶת־בָּנָיו וְאֶת־כָּל־עַמּוֹ עַד־בִּלְתִּי הִשְׁאִיר־לוֹ שָׂרִיד וַיִּירְשׁוּ אֶת־אַרְצוֹ׃

De tal maneira o feriram. A matança foi completa. Este versículo dá a entender que não restou um único amorreu que antes habitava em Basã. É possível que tenham restado alguns, mas na verdade poucos demais para serem mencionados. Cf. Deuteronômio 3.3. Nem mesmo mulheres e crianças foram poupados. Assim sendo, temos o cumprimento do trecho de Gênesis 15.16. A taça da iniquidade daqueles povos pagãos estava cheia, e era tempo para cederem seus territórios aos descendentes de Abraão. Chegamos a balançar a cabeça diante da carnificina. A história humana tem sido escrita com sangue. Algum dia os homens atingirão um ponto de espiritualidade em que será anulada toda a carnificina, mas ainda teremos de avançar muito para que isso venha a tornar-se uma realidade. Ver no *Dicionário* o verbete intitulado *Guerra*.

O território assim conquistado acabou ficando nas mãos da meia tribo de Manassés. Ver Deuteronômio 3.4,5,13-15.

CAPÍTULO VINTE E DOIS

NAS PLANÍCIES DE MOABE (22.1—36.13)

EVENTOS IMPORTANTES (22.1—32.42)

BALAÃO (22.1—24.25)

As vitórias de Israel sobre os amorreus (Seom, Ogue e seus exércitos; 21.21 ss.) pavimentaram o caminho para o povo de Israel cruzar para o lado ocidental do rio Jordão, e assim iniciar a conquista da Terra Prometida propriamente dita. Israel estava obtendo vitória após vitória, e Balaque, o rei de Moabe, tomou medidas que procuravam impedir a continuação do avanço de Israel. Ele pensou que uma coisa que poderia fazer era lançar uma maldição contra Israel. Para tanto, contratou Balaão, um profeta e adivinho pagão que vivia em Petor, a qual, no dizer de Deuteronômio 23.4, era uma cidade da Mesopotâmia, pertencente aos midianitas (Nm 31.8). Ao que tudo indica, ele tinha grande reputação, e deve ter possuído poderes genuínos, que (muito significativamente) atribuía a Yahweh, embora não fosse um hebreu. Aquele que se julgava dirigido por Yahweh dificilmente lançaria uma maldição contra Israel, o povo distintivo de Yahweh no Antigo Testamento. Todavia, não hesitou em tentar enfraquecer Israel de *outra maneira*. Ver Números 25.1. Ver no *Dicionário* o artigo detalhado chamado *Balaão*, que conta toda a história com detalhes.

O principal ensino da história de Balaão é que a *bênção* de Yahweh sobre Israel era inevitável e inexorável. Coisa alguma poderia fazer cessar a bênção divina, nem mesmo o rei de Moabe com a ajuda da maldição de um poderoso profeta. De fato, o plano do rei seria anulado, e Balaão acabaria *bendizendo* a Israel (Nm 23.20 ss.).

■ 22.1

וַיִּסְעוּ בְּנֵי יִשְׂרָאֵל וַיַּחֲנוּ בְּעַרְבוֹת מוֹאָב מֵעֵבֶר לְיַרְדֵּן יְרֵחוֹ׃ ס

Este versículo atua como uma espécie de conclusão do capítulo 21 de Números e uma transição para a história de Balaão, no capítulo 22 do mesmo livro. O lado *oriental* do rio Jordão, que originalmente havia pertencido aos moabitas, mas que fora conquistado pelos amorreus, e daí passara para a possessão de Israel (Nm 21.21 ss.), atuou como uma espécie de mola propulsora para Israel preparar-se para invadir o lado ocidental do rio Jordão. Israel agora era dono da *Transjordânia*, entre o monte Hermom (Dt 3.8) e o rio Arnom, e daí para o oriente até as fronteiras das terras dos filhos de Amom. Foi assim que eles puderam avançar sem achar nenhuma oposição, até as planícies de Moabe. Eles contavam com forças defronte de *Jericó*, que ficava no lado ocidental do rio Jordão. Ver no *Dicionário* o artigo sobre essa cidade.

■ 22.2

וַיַּרְא בָּלָק בֶּן־צִפּוֹר אֵת כָּל־אֲשֶׁר־עָשָׂה יִשְׂרָאֵל לָאֱמֹרִי׃

Balaque. No hebraico, esse nome significa *desperdiçador*. Ele era filho de Zipor, rei dos moabitas (Nm 22.4). Israel obtivera grande vitória sobre os amorreus; e Balaque, ao tomar conhecimento disso, e julgando que também seria atacado pelos israelitas, tentou impedir o avanço do povo de Deus, solicitando os serviços de Balaão, profeta pagão, famoso em seus dias, a fim de amaldiçoar a Israel (Nm 22.1-6). Sob instruções de Balaão, Balaque edificou três altares em lugares diferentes, com o propósito de atrair a maldição divina contra Israel. Mas disso resultaram somente bênçãos e grandiosas profecias. Finalmente, Balaque e suas forças foram derrotados por Israel. No entanto, antes de ser derrotado, e seguindo as instruções de Balaão, Balaque conseguiu corromper a alguns dentre o povo de Deus, mediante pecados sexuais (Nm 25.1; Ap 2.14). Por causa desse incidente, o nome de *Balaque* veio a designar aqueles que são insensatos o bastante para tentarem distorcer a vontade de Yahweh (Js 24.9; Jz 11.25).

Zipor. No hebraico, *ave*. Esse era o nome do pai de Balaque, rei de Moabe (Nm 22.2,4,10,16; 23.18; Js 11.25). Coisa alguma se sabe sobre ele exceto em associação com o seu filho, Balaque.

Amorreus. Ver sobre eles no *Dicionário*. Ver também Números 21.21 ss. quanto à história da absoluta derrota desse povo.

■ 22.3

וַיָּגָר מוֹאָב מִפְּנֵי הָעָם מְאֹד כִּי רַב־הוּא וַיָּקָץ מוֹאָב מִפְּנֵי בְּנֵי יִשְׂרָאֵל׃

Moabe teve grande medo. Embora os antigos não dispusessem de meios de comunicação em massa, eles contavam com rotas comerciais, espiões e mensageiros. E assim as notícias varavam distâncias com bastante rapidez. A matança sofrida pelos amorreus chamou a atenção de Balaque. E ele e seu povo temeram sofrer a mesma sorte, e então tomaram providências de proteger-se, conforme este capítulo passa a descrever. Moisés tinha pedido permissão para passar pelo território dos moabitas (Jz 11.17), mas isso não lhe fora concedido. Essa *hostilidade* serviu somente para agravar os temores do rei. Ele tinha cometido um erro, e agora teria de pagar por isso.

Os *moabitas* eram aparentados do povo de Israel (ver Gn 19.26,27), e sem dúvida estariam livres de ataque; mas Balaque forçou a situação e criou hostilidades. Ver Deuteronômio 2.9 quanto à ordem de Yahweh no sentido de que os israelitas não atacassem os moabitas.

■ 22.4

וַיֹּאמֶר מוֹאָב אֶל־זִקְנֵי מִדְיָן עַתָּה יְלַחֲכוּ הַקָּהָל
אֶת־כָּל־סְבִיבֹתֵינוּ כִּלְחֹךְ הַשּׁוֹר אֵת יֶרֶק הַשָּׂדֶה
וּבָלָק בֶּן־צִפּוֹר מֶלֶךְ לְמוֹאָב בָּעֵת הַהִוא׃

Balaque consultou os líderes dos midianitas e revelou-lhes as suas preocupações com as ordens de Israel, que vinham avançando. Ele usou a metáfora do boi que avançava lambendo toda a grama, sem haver quem pudesse impedir. Esse boi era Israel em marcha, destruindo tudo em sua passagem, com tanta facilidade como o boi que devora a relva. Os povos eram apenas grama, e Israel os devorava à vontade.

Midianitas. Ver no *Dicionário* o artigo chamado *Midiã, Midianitas*. "Alguns estudiosos pensam que Balaque era um midianita que tinha sido imposto aos moabitas como rei, por seus conquistadores amorreus. Cf. Números 21.26. As palavras finais podem ser entendidas como palavras que denotam uma mudança recente de dinastia" (Ellicott, *in loc.*). Ou então a mistura de povos pode ter tornado os midianitas e os moabitas virtualmente idênticos naquela área. Ou então Balaque consultou com seus vizinhos sobre a ameaça. Talvez o medo diante dos israelitas tenha feito os moabitas e os midianitas aliar-se, na tentativa de fazerem Israel estancar. Quanto à liga de Moabe com os midianitas, ver as notas sobre o capítulo 31 de Números.

■ 22.5

וַיִּשְׁלַח מַלְאָכִים אֶל־בִּלְעָם בֶּן־בְּעוֹר פְּתוֹרָה אֲשֶׁר
עַל־הַנָּהָר אֶרֶץ בְּנֵי־עַמּוֹ לִקְרֹא־לוֹ לֵאמֹר הִנֵּה עַם
יָצָא מִמִּצְרַיִם הִנֵּה כִסָּה אֶת־עֵין הָאָרֶץ וְהוּא יֹשֵׁב
מִמֻּלִי׃

Entre outras medidas, que não foram mencionadas, houve aquela de tentar conseguir a ajuda do famoso profeta-vidente, Balaão. Ver sobre ele no *Dicionário*. Ao que parece, Balaão era um midianita (Dt 23.4). E teria sido apenas natural que os midianitas recomendassem que Balaque procurasse a ajuda de Balaão. Ele tinha a reputação de ser poderoso profeta, e talvez tivesse o poder de fazer algo para obstar o avanço de Israel. A antiga Babilônia (onde vivia Balaão) era conhecida por suas artes de adivinhação e vidência.

Beor. No hebraico, *tocha*. O pai dele só era conhecido devido à sua conexão com Balaão.

Petor. Um nome assírio-babilônico, que eles grafavam como *Pitru*. Os assírios chamavam essa cidade de Ana-ashur-utir-asbat, que significa "firma a nova mente para Assur". Em conexão com o Antigo Testamento, a localidade é conhecida como a terra do falso profeta Balaão, filho de Beor. Ver Deuteronômio 23.4.

Esse nome aparece no nome do conquistador egípcio Tusmose III, do século XV a.C. A cidade ficava localizada na margem ocidental do rio Eufrates, a poucos km ao sul de Carquemis.

Balaão é associado aos midianitas em Números 31.8, e talvez fosse um midianita, conforme já dissemos. Mas o nome dele era de origem babilônica. Petor, como é patente, pertencia aos midianitas, no tempo em que foi escrito o livro de Números.

Rio Eufrates. Ver no *Dicionário* acerca desse rio.

Eis que um povo saiu do Egito. Os "saqueadores" tinham saído do Egito e agora estavam espalhando o terror de tal modo que chegavam a cobrir "a face da terra". E eles avançavam de maneira rápida e fatal. Balaque e os moabitas precisavam de ajuda urgente, e pensavam que os poderes de Balaão poderiam servir para alguma coisa. Assim, eles não apelaram para alianças militares, mas diretamente a *poderes sobrenaturais*.

■ 22.6

וְעַתָּה לְכָה־נָּא אָרָה־לִּי אֶת־הָעָם הַזֶּה כִּי־עָצוּם
הוּא מִמֶּנִּי אוּלַי אוּכַל נַכֶּה־בּוֹ וַאֲגָרְשֶׁנּוּ מִן־הָאָרֶץ כִּי
יָדַעְתִּי אֵת אֲשֶׁר־תְּבָרֵךְ מְבֹרָךְ וַאֲשֶׁר תָּאֹר יוּאָר׃

Os homens oram a Deus pedindo vitórias. Essa *maldição* que Balaque queria lançar sobre Israel era para fazer parar um inimigo temível, além de conferir uma força extra aos moabitas. Ele pediu de seu *senhor* que a maldição fosse aplicada. Balaque não antecipava que Balaão operaria por meio de *Yahweh*, o Deus de Israel. Números 22.8,12,13 é trecho que mostra que Balaão fez uma oração a Yahweh, no sentido de que caísse uma maldição sobre Israel. "É motivo de profunda significação que um profeta estrangeiro, contratado por um rei moabita, para amaldiçoar a Israel, se tivesse recusado consistentemente a fazer ou dizer qualquer coisa além daquilo que *Yahweh* lhe ordenasse" (John Marsh, introdução ao capítulo 22 de Números). Esse fato mostra até que ponto o yahwismo havia crescido para além do acampamento de Israel. O trecho de Miqueias 6.4,5 fala negativamente a respeito de Balaão, apesar do fato de que ele sempre buscava encontrar resposta em Yahweh. Os críticos supõem que isso reflita um preconceito judaico posterior, que procurava manter seu Senhor um Deus sectário (limitado). Talvez, conforme alguém já disse: "O conceito que eles faziam do Senhor era estreito demais". Naturalmente, *todos* os conceitos são estreitos, visto que os homens continuam a conceber Deus de acordo com a própria imagem de si mesmos.

Balaque era fraco; mas Deus era poderoso. Isso era o que ele estava dizendo, na realidade, quando confessava a sua impotência perante Israel.

A grande reputação de Balaão foi comprovada pela declaração de Balaque de que quem ele amaldiçoava, era, realmente, amaldiçoado, e de que quem ele abençoava, era, realmente, abençoado. Os videntes logo adquirem grande reputação; e é por esse motivo que os homens os procuram.

Quanto ao *poder das maldições*, de acordo com a mentalidade antiga, ver Gênesis 27.4 e as notas expositivas ali existentes. As bênçãos ou maldições de grandes homens (à beira da morte) eram consideradas revestidas de um poder todo especial. Aqueles que eram assim amaldiçoados ou abençoados teriam, segundo se pensava, seu destino afetado por essas maldições ou bênçãos. O fato de que a maldição foi transformada em bênçãos para Israel mostra-nos o poder de Yahweh (ver Dt 23.5; Js 24.10; Ne 13.2).

Era um antigo e comum costume invocar a Deus ou aos deuses para produzir mudanças militares (ver *Macrob. Saturnal.* 1.3 cap. 9). Até hoje os homens continuam invocando a Deus para que lhes confira sucesso nas guerras e nas matanças.

■ 22.7

וַיֵּלְכוּ זִקְנֵי מוֹאָב וְזִקְנֵי מִדְיָן וּקְסָמִים בְּיָדָם וַיָּבֹאוּ
אֶל־בִּלְעָם וַיְדַבְּרוּ אֵלָיו דִּבְרֵי בָלָק׃

Levando consigo o preço dos encantamentos. Talvez Balaão não tivesse exigido pagamento, conforme fazem certos videntes modernos; mas seria uma cortesia dar-lhe alguma coisa, como recompensa por haver atendido à solicitação. Talvez Balaão ganhasse a vida por meio de suas artes mágicas, ou pelo menos isso lhe servisse de rendimentos suplementares. Ele tornou-se um tipo daqueles que comercializam com os dons espirituais. Esse é o "caminho de Balaão" (2Pe 2.15).

"Os embaixadores de Balaque receberam proventos; e escritores posteriores (2Pe 2.15) têm usado esse bem firmado *costume* (cf. 1Sm 9.8; 1Rs 14.3; 2Rs 8.8,9) como uma maneira de condenar Balaão, de maneira bastante injustificável" (John Marsh, *in loc.*).

Naturalmente, muitos criticam com severidade o irmão Marsh por causa desse seu comentário. As referências bíblicas demonstram que os profetas de Deus recebiam coisas materiais por seus serviços, incluindo dinheiro. Sem dúvida, isso era considerado parte do "sustento do ministério" (princípio esse que foi transferido para o Novo Testamento. Ver 1Co 9.9 ss.).

Balaão não foi condenado por haver recebido um presente em troca de seus serviços, mas por haver ajudado a corromper a moral de Israel, com medidas imorais.

"Todo aquele que quisesse consultar um profeta levava consigo um presente; porquanto era desse modo que viviam os profetas" (Adam Clarke, *in loc.*). Alguns eruditos, contudo, pensam que o que os embaixadores levaram foi material para adivinhação, incluindo psicotrópicos; mas se Balaão realmente usava tais coisas, sem dúvida ele teria seu próprio estoque de drogas. Ver no *Dicionário* o verbete intitulado *Adivinhação*.

22.8

וַיֹּאמֶר אֲלֵיהֶם לִינוּ פֹה הַלַּיְלָה וַהֲשִׁבֹתִי אֶתְכֶם דָּבָר כַּאֲשֶׁר יְדַבֵּר יְהוָה אֵלָי וַיֵּשְׁבוּ שָׂרֵי־מוֹאָב עִם־בִּלְעָם:

Ficai aqui esta noite. O pedido lhe fora feito, mas Balaão não tinha uma resposta pronta. Ele precisava consultar a *Yahweh*. Alguns pensam que Balaão havia incluído Yahweh entre os deuses que ele costumava consultar; e assim fez *naquela ocasião* por saber que Yahweh era o Deus de Israel. Balaão não haveria de querer ofender aos deuses proferindo uma maldição precipitada, precisamente contra o povo daquela divindade. Outros pensadores opinam que Balaão talvez dispusesse de um sistema ecléctico, e que Yahweh seria a principal divindade que ele consultava. Ou então, é mesmo possível que todas as suas adivinhações fossem feitas por meio de uma única deidade, Yahweh. Entrementes, seus clientes tinham de permanecer hospedados com ele durante a noite, enquanto ele buscaria resposta. Ver no *Dicionário* o artigo chamado *Hospitalidade*.

"Por todos os capítulos 22 a 24 de Números é expressa a convicção de que um sacerdote-adivinho estrangeiro, embora não fosse membro da comunidade em pacto com Deus, era obediente à vontade do Senhor (Yahweh), e que coisa alguma poderia impedir o cumprimento dos propósitos divinos acerca de Israel" (*Oxford Annotated Bible*, comentando sobre o oitavo versículo deste capítulo).

Contudo, ele estava disposto, sem importar quais fossem os seus pontos bons, a ajudar a corromper moralmente o povo de Israel. Temos aí a "doutrina de Balaão". Ver Números 31.16; 25.1-3; Tiago 4.4. Quanto a essa *doutrina*, ver as notas expositivas sobre Apocalipse 2.14. E quanto ao *erro* de Balaão, ver as notas sobre Judas 11. Alguns, todavia, opinam que não há nenhuma diferença entre o *caminho* e o *erro* de Balaão. Mas outros pensam que o *erro* de Balaão foi a sua suposição de que Deus precisava amaldiçoar um povo moralmente desobediente, ignorando o poder da provisão da expiação.

A Ilustração de Balaão. O caso dele ilustra o fato de que até mesmo naqueles que são chamados profetas, encontramos elementos bons e maus. Afinal, essa é a história do próprio homem.

22.9,10

וַיָּבֹא אֱלֹהִים אֶל־בִּלְעָם וַיֹּאמֶר מִי הָאֲנָשִׁים הָאֵלֶּה עִמָּךְ:

וַיֹּאמֶר בִּלְעָם אֶל־הָאֱלֹהִים בָּלָק בֶּן־צִפֹּר מֶלֶךְ מוֹאָב שָׁלַח אֵלָי:

Veio Deus a Balão, e disse. Deus já sabia de tudo, mas pediu que Balaão corrigisse os registros, dizendo quem eram aqueles homens que se tinham hospedado com ele. A resposta é que eles eram mensageiros de Balaque, rei dos moabitas. Eles tinham sido enviados em missão especial, a saber, fazer Israel parar de qualquer maneira, antes que causassem maiores destruições.

As perguntas feitas por Yahweh tiveram por finalidade "despertar a consciência dormente de Balaão, abrindo seus olhos para que percebesse o seu pecado e o perigo em que estava" (Ellicott, *in loc.*).

Talvez essa iluminação tenha sido dada por meio de um algum *sonho* (ver a esse respeito no *Dicionário*), ou por meio de alguma *visão* (ver sobre isso no *Dicionário*), maneiras comuns, usadas por Deus, para falar com os homens à noite. E assim, até mesmo no caso de Balaão, com seus óbvios pontos fracos, houve *iluminação* posta à sua disposição. Oh, Senhor, concede-nos tal graça! Ver no *Dicionário* o artigo chamado *Iluminação*.

22.11

הִנֵּה הָעָם הַיֹּצֵא מִמִּצְרַיִם וַיְכַס אֶת־עֵין הָאָרֶץ עַתָּה לְכָה קָבָה־לִּי אֹתוֹ אוּלַי אוּכַל לְהִלָּחֶם בּוֹ וְגֵרַשְׁתִּיו:

A informação dada por Balaque. Este versículo repete o que já havia sido dito no quinto versículo (onde as notas devem ser examinadas); mas agora é acrescentado o pedido acerca da *maldição*. Ver as notas sobre o sexto versículo deste capítulo sobre *o poder da maldição*, de acordo com as crenças antigas (penúltimo parágrafo). O versículo inteiro atua como um comentário deste versículo.

"O aparecimento do Deus de Israel a profetas e reis incrédulos não se limitou ao caso de Balaão. Deus revelou-se a Abimeleque, rei de Gerar, nos dias de Abraão (Gn 20.6,7), a um Faraó, por meio de sonhos (Gn 41.25), a Nabucodonosor, em um sonho e em visões (Dn 4.1-18)... Sendo ele o Deus soberano, ele dirige e controla as revelações proféticas, bem como todas as demais áreas da vida" (Eugene H. Merrill, *in loc.*). Outros intérpretes veem, nessas referências, uma repreensão contra o sectarismo. Deus é maior do que os nossos sistemas, organizações e qualquer manifestação histórica. Essa é a mensagem do *Logos* (o Verbo), o qual ilumina todos os homens que vêm ao mundo (Jo 1.7-9).

22.12

וַיֹּאמֶר אֱלֹהִים אֶל־בִּלְעָם לֹא תֵלֵךְ עִמָּהֶם לֹא תָאֹר אֶת־הָעָם כִּי בָרוּךְ הוּא:

Os mensageiros levariam Balaão até Moabe, para que tivesse uma entrevista pessoal com Balaque e traçasse um plano contra Israel, incluindo alguma poderosa maldição que ele haveria de proferir. Mas Yahweh proibiu isso de modo contundente, garantindo a Balaão que Israel era bendito *por si mesmo*, pelo que não poderia ser amaldiçoado por quem quer que fosse. Apesar de as bênçãos e maldições humanas serem tidas como dotadas de imenso poder (ver as notas sobre o sexto versículo deste capítulo), nenhuma bênção ou maldição humana poderia ser considerada coisa alguma, quando contrastada com a bênção ou a maldição *divina*. Yahweh advertiu Balaão acerca das pessoas com quem ele estava andando. Más associações só poderiam prejudicá-lo. Jesus comia com publicanos e pecadores (Mt 9.11), mas nunca foi um deles. Estava com eles não como se fosse um companheiro, mas como mestre. Ele estava ali para manipular, e não para ser manipulado, o que já não poderia ser dito no caso de Balaão. Mais tarde Balaão foi com os embaixadores, mas a mando de Yahweh, e com certo propósito em mira.

Israel estava automaticamente *abençoado* em face do *Pacto Abraâmico* (ver Gn 15.18), e uma parte desse pacto é que a Terra Prometida seria dada aos descendentes de Abraão. Balaque queria impedir essa bênção, mas a bênção de Yahweh era uma garantia absoluta.

22.13

וַיָּקָם בִּלְעָם בַּבֹּקֶר וַיֹּאמֶר אֶל־שָׂרֵי בָלָק לְכוּ אֶל־אַרְצְכֶם כִּי מֵאֵן יְהוָה לְתִתִּי לַהֲלֹךְ עִמָּכֶם:

Cedo pela manhã, Balaão anelava por transmitir a mensagem divina: Yahweh tinha dito "não!" Balaão não temeu comunicar a mensagem aos dignitários que o haviam visitado, porquanto tinha um Poder Superior a quem agradar. Nenhum suborno poderia levá-lo a amaldiçoar o povo que Yahweh havia abençoado (vs. 18). Era inútil oferecer-lhe dinheiro para amaldiçoar a Israel.

22.14

וַיָּקוּמוּ שָׂרֵי מוֹאָב וַיָּבֹאוּ אֶל־בָּלָק וַיֹּאמְרוּ מֵאֵן בִּלְעָם הֲלֹךְ עִמָּנוּ:

Balaão recusou vir conosco. A mensagem negativa foi transmitida a um Balaque sem dúvida irritado. Mas o monarca não desistiu. Ele pensava, como muitos, que "todo homem tem o seu preço". Embaixadores mais distinguidos ainda foram enviados, e a oferta a Balaão foi elevada. Balaque esperava poder "comprar" Balaão.

22.15

וַיֹּסֶף עוֹד בָּלָק שְׁלֹחַ שָׂרִים רַבִּים וְנִכְבָּדִים מֵאֵלֶּה:

Príncipes... mais honrados. Isso tinha por intuito impressionar Balaão com a sua própria importância: ele era o homem-chave daquela situação; o rei é que lhe estava fazendo pedidos; mensageiros mais honrados do que os primeiros lhe estavam dando uma atenção incomum; maior quantia em dinheiro lhe foi oferecida — tudo isso haveria de convencer Balaão. Afinal, talvez ele estivesse apenas jogando um jogo tipicamente oriental, de obter uma barganha indireta, a fim de valorizar ao máximo os seus serviços. Balaque estava disposto a jogar o jogo, a fim de que pudesse obter um bom resultado.

22.16

וַיָּבֹאוּ אֶל־בִּלְעָם וַיֹּאמְרוּ לוֹ כֹּה אָמַר בָּלָק בֶּן־צִפּוֹר אַל־נָא תִמָּנַע מֵהֲלֹךְ אֵלָי׃

Yahweh tinha dito "não". Mas o rei moabita disse: "Não permitas que *coisa alguma* te impeça de vir até mim!" Uma questão importante estava em jogo, que nem mesmo uma proibição divina poderia anular. Portanto, temos aqui a coisa temível de um homem pondo sua palavra e sua vontade contra a palavra e a vontade de Deus. Disso só poderia resultar mesmo um *desastre*.

"A vontade divina... não estando em harmonia com os *seus* desejos, ele esperava que uma segunda petição viesse a alterar a vontade do Senhor, tal como ele mesmo já havia dobrado a sua consciência, para que acompanhasse suas paixões e seu orgulho" (Jamieson, *in loc.*).

22.17

כִּי־כַבֵּד אֲכַבֶּדְךָ מְאֹד וְכֹל אֲשֶׁר־תֹּאמַר אֵלַי אֶעֱשֶׂה וּלְכָה־נָּא קָבָה־לִּי אֵת הָעָם הַזֶּה׃

Grandemente te honrarei. Se Balaão ajudasse a Balaque em seu projeto nefando, seria grandemente honrado, tornando-se uma pessoa grande e respeitada, além do que levaria consigo uma grande soma em dinheiro. Balaque prometeu revolucionar a vida de Balaão. Seria como um moderno novo-rico que fosse residir em Paris.

O Cheque Assinado em Branco. Balaão podia escrever no cheque em branco qualquer quantia que quisesse. Não foi estabelecido nenhum limite. Se ele estivesse jogando o jogo oriental de ficar regateando por um preço, agora era a sua oportunidade de determinar qualquer preço que quisesse.

A Lamentável Condição. Balaão tinha de proferir uma maldição contra o povo para o qual Yahweh havia prometido uma grande bênção. Balaão tinha o seu preço, mas esse preço sem dúvida nada tinha a ver com dinheiro ou prestígio.

22.18

וַיַּעַן בִּלְעָם וַיֹּאמֶר אֶל־עַבְדֵי בָלָק אִם־יִתֶּן־לִי בָלָק מְלֹא בֵיתוֹ כֶּסֶף וְזָהָב לֹא אוּכַל לַעֲבֹר אֶת־פִּי יְהוָה אֱלֹהָי לַעֲשׂוֹת קְטַנָּה אוֹ גְדוֹלָה׃

Eu não poderia traspassar o mandado do Senhor. Essas palavras de Balaão refletem uma possível integridade. Balaque poderia ter-lhe dado o seu palácio real, provavelmente a melhor residência de todo aquele território, um palácio recheado de prata e ouro. Mas mesmo *esse* oferecimento não seria capaz de fazê-lo *ir além* ou *ficar aquém* daquilo que Yahweh ordenara. Isso foi dito corretamente, e do fundo do coração. O trecho de Miqueias 3.11 refere-se a profetas motivados pela ganância; mas certamente não foi esse o caso de Balaão. Alguns intérpretes supõem que o discurso de Balaão estivesse calcado sobre a hipocrisia e sobre os seus motivos inconfessáveis, mas não há nenhum indício disso no texto bíblico. "Essas palavras podem nada mais ter sido do que uma exibição de desinteresse e de superioridade sobre as considerações materiais" (Ellicott, *in loc.*).

22.19

וְעַתָּה שְׁבוּ נָא בָזֶה גַּם־אַתֶּם הַלָּיְלָה וְאֵדְעָה מַה־יֹּסֵף יְהוָה דַּבֵּר עִמִּי׃

Este versículo reitera o que fora dito no oitavo versículo do capítulo. As notas dali aplicam-se também aqui. Balaão precisou esperar pela visão ou sonho noturno. Ele sondaria novamente *a situação*. Algumas vezes não é fácil determinar a vontade de Deus, e mesmo uma visão ou um sonho não nos conseguirão convencer. *Buscar* o Senhor é a chave para uma condição assim. O homem honesto, porém, receberá iluminação, finalmente. Oh, Senhor, concede-nos tal graça! Ver no *Dicionário* o verbete intitulado *Vontade de Deus, como Descobri-la*.

Talvez o próprio Balaão agora esperasse que Yahweh mudaria de parecer, visto que Balaão contava com aquela polpuda oferta a tentá--lo. Por outro lado, talvez ele apenas quisesse ver-se livre do vexame que estava sofrendo por fazer o esforço devido. "Ele fez seus visitantes esperar por sua próxima visitação noturna, sendo capaz de fazer somente o que Yahweh lhe ordenasse fazer" (John Marsh, *in loc.*).

Quão humano é buscar *maiores informações*, mesmo quando já nos foi dada alguma iluminação. Foi isso que inspirou Gideão a deixar diante do Senhor os seus tosões de lã.

22.20

וַיָּבֹא אֱלֹהִים אֶל־בִּלְעָם לַיְלָה וַיֹּאמֶר לוֹ אִם־לִקְרֹא לְךָ בָּאוּ הָאֲנָשִׁים קוּם לֵךְ אִתָּם וְאַךְ אֶת־הַדָּבָר אֲשֶׁר־אֲדַבֵּר אֵלֶיךָ אֹתוֹ תַעֲשֶׂה׃

Veio, pois, o Senhor a Balaão. Yahweh tinha mudado de ideia apenas na aparência. Balaão não somente teve permissão de ir, mas também foi-lhe ordenado que seguisse. Mas isso nem de longe significava que Israel seria amaldiçoado, conforme Balaque desejava, e, sim, tinha o propósito de dizer a palavra de Yahweh. Em outras palavras, Balaão foi enviado como missionário a um lugar hostil.

Alguns intérpretes veem em tudo isso um sinal de que o voluntarioso Balaão *insistia* em seguir o seu caminho, o qual lhe foi concedido, afinal, mas somente para o mal dele. Ao homem é permitido que prossiga em seu caminho; mas então o homem é julgado. "Deus com frequência castiga a desobediência à sua vontade declarada *permitindo* que os transgressores comam 'do fruto do seu procedimento', os quais 'dos seus próprios conselhos se fartarão' (Pv 1.31)" (Ellicott, *in loc.*). Dessa forma, Deus concede o pedido feito, mas envia um aleijão à alma daquele que recebeu o que queria (Sl 106.15).

"Dessa vez, o Senhor outorgou a Balaão a permissão de ir a Moabe, não a fim de amaldiçoar a Israel, mas para que o Senhor pudesse mostrar-se gloriosamente através de Balaão" (Eugene H. Merrill, *in loc.*). Em outras palavras, Balaão seria usado como o Faraó o fora. Ele faria algo de acordo com a sua obstinação, e como resultado Yahweh seria glorificado.

22.21

וַיָּקָם בִּלְעָם בַּבֹּקֶר וַיַּחֲבֹשׁ אֶת־אֲתֹנוֹ וַיֵּלֶךְ עִם־שָׂרֵי מוֹאָב׃

Balaão levantou-se pela manhã. Balaão ansiava dar início às suas atividades, pelo que se levantou cedo na manhã seguinte, albardando seu jumento como veículo, e partiu para Moabe. Alguns supõem que ele nem ao menos tenha esperado pela *chamada* dos príncipes que o estavam visitando. Ele apenas preparou-se e partiu. Ele partiu para atender ao inimigo. As coisas já estavam correndo errado para ele.

Albardou a sua jumenta. "Provavelmente um daqueles animais pintados de branco que pessoas de posição costumavam montar. Albardar, como era usual no Oriente, não precisava ser mais do que pôr sobre as costas do animal um acolchoado ou a sua capa exterior" (Jamieson, *in loc.*). Pessoas importantes costumavam usar o jumento como seu meio de transporte (ver Jz 5.10).

22.22

וַיִּחַר־אַף אֱלֹהִים כִּי־הוֹלֵךְ הוּא וַיִּתְיַצֵּב מַלְאַךְ יְהוָה בַּדֶּרֶךְ לְשָׂטָן לוֹ וְהוּא רֹכֵב עַל־אֲתֹנוֹ וּשְׁנֵי נְעָרָיו עִמּוֹ׃

Os vss. 22-35 deste capítulo são atribuídos pelos críticos a uma fonte originária separada da história de Balaão, tão abrupta é a mudança no espírito do relato, quando os comparamos com os vss. 20 a 22. Primeiro, Yahweh lhe teria dito que fosse; então, mostrou-se irado por ele ter ido. Naturalmente, os intérpretes que negam a teoria de origens diferentes encontram maneira de reconciliar entre si os versículos. Os críticos atribuem os vs. 15-21 à fonte informativa E, e os vss. 22-35 à fonte J. Ver o artigo chamado J.E.D.P.(S.) no *Dicionário*. Outros apresentam várias maneiras de reconciliar esses versículos:

1. A Balaão fora ordenado ir. Mas, quando o fez, seus motivos se corromperam, e ele passou a desejar a posição e o dinheiro que Balaque lhe havia prometido, estando agora preparado para fazer qualquer coisa que esse rei lhe pedisse. Ver 2Pedro 2.15. Por esse motivo, foi repreendido.

2. Foi-lhe dada *permissão* para ir, e não que isso lhe tenha sido ordenado. Ele deveria ter tido o bom senso de não tirar vantagem da permissão. Em outras palavras, Yahweh submeteu-o a teste, e ele fracassou. E *isso* provocou Yahweh à ira.
3. Balaão demonstrou ansiedade demasiada. Sua ida a Moabe estaria condicionada à *chamada* dos mensageiros a ele (vs. 20); e isso os embaixadores do rei não fizeram. Talvez Yahweh tivesse impedido que eles fizessem isso, e Balaão teria ficado livre da suposta obrigação que lhe fora imposta.
4. Balaão se deixara corromper totalmente, e partiu com a plena intenção de amaldiçoar a Israel. Por isso, diz o Targum de Jonathan: "Ele foi para amaldiçoá-los".

O anjo do Senhor "pôs-se no caminho" a fim de impedir o desvario do profeta. Temos aí uma intervenção direta do Senhor, para não permitir que um homem fizesse aquilo que ele não deveria fazer. Isso harmoniza-se com a experiência humana.

"A narrativa mostra-nos quão obtuso pode ficar até mesmo um profeta, quando se trata de discernir a vontade de Deus, mas como Deus persiste até que a sua vontade se faça conhecida. Ao verificar que sua jumenta não havia teimado, mas como Yahweh o tinha instruído, Balaão preparou-se para voltar para casa (vs. 34)" (John Marsh, *in loc.*).

■ 22.23

וַתֵּרֶא הָאָתוֹן אֶת־מַלְאַךְ יְהוָה נִצָּב בַּדֶּרֶךְ וְחַרְבּוֹ
שְׁלוּפָה בְּיָדוֹ וַתֵּט הָאָתוֹן מִן־הַדֶּרֶךְ וַתֵּלֶךְ בַּשָּׂדֶה
וַיַּךְ בִּלְעָם אֶת־הָאָתוֹן לְהַטֹּתָהּ הַדָּרֶךְ:

Quantos sermões têm usado este versículo para transmitir um poderoso recado! A jumenta muda viu o anjo do Senhor, mas o profeta Balaão, em sua cegueira espiritual, não pôde vê-lo. Ver no *Dicionário* o artigo chamado *anjo*. Na verdade, os anjos podem ser meios de transmitir-nos a iluminação divina. Oh, Senhor, concede-nos tal graça!

Com a sua espada desembainhada. É de presumir-se que, se Balaão tivesse continuado, ele poderia ter sido morto. Ele se tinha atirado a uma missão maldita, e poderia nela perecer, o que, finalmente, aconteceu. Balaão foi apanhado em uma teia de circunstâncias que, finalmente, escaparam de seu controle. Ver as notas em Números 31.8 quanto à morte inoportuna de Balaão.

O animal mudo teve o bom senso de se desviar, por ter recebido entendimento. Mas Balaão, nas trevas em que se encontrava, forçou o animal a voltar à "vereda errada". Precisamos da iluminação divina para evitarmos situações ridículas como essa. Foi por isso que Jesus disse: "Pedi, e dar-se-vos-á; buscai, e achareis; batei, e abrir-se-vos-á" (Mt 7.7). E Tiago ajuntou a isso: "Se, porém, algum de vós necessita de sabedoria, peça-a a Deus, que a todos dá liberalmente, e nada lhes impropera; e ser-lhe-á concedida" (1.5).

"Deus concedeu visões somente aos que estavam particularmente interessados e envolvidos, ao passo que outros, embora no mesmo grupo, nada tivessem visto. (Ver Dn 10.7; At 9.7)" (Adam Clarke, *in loc.*).

■ 22.24,25

וַיַּעֲמֹד מַלְאַךְ יְהוָה בְּמִשְׁעוֹל הַכְּרָמִים גָּדֵר מִזֶּה
וְגָדֵר מִזֶּה:

וַתֵּרֶא הָאָתוֹן אֶת־מַלְאַךְ יְהוָה וַתִּלָּחֵץ אֶל־הַקִּיר
וַתִּלְחַץ אֶת־רֶגֶל בִּלְעָם אֶל־הַקִּיר וַיֹּסֶף לְהַכֹּתָהּ:

A jumenta continuou sendo importunada pelo anjo, e não pôde seguir na direção de umas vinhas. O animal tentou forçar passagem entre dois muros, que passavam pela vinha; mas uma vez mais ficou assustado. Disso resultou que a jumenta chocou-se contra uma mureta, e o pé de Balaão ficou preso entre o animal e a mureta. Então Balaão espancou sua montaria pela segunda vez. Yahweh estava usando o anjo para arranjar circunstâncias difíceis, que dessem orientação a Balaão. Mas logo houve uma *comunicação direta,* da qual Balaão estava muito necessitado. Ele haveria de prosseguir viagem, mas de acordo com a vontade de Deus, e não de acordo com a sua própria voluntariosidade.

O muro. O mais provável é que esteja em pauta alguma forma de *cerca*. O termo hebraico, *gader,* pode significar uma parede, uma cerca, uma sebe, algo capaz de fechar em volta um ambiente.

Um drama sagrado estava ocorrendo, acerca do qual Balaão permanecia ignorante. O poder de Yahweh não lhe estava permitindo incorrer em grave erro. As circunstâncias e a iluminação divina direta, porém, haveriam de forçá-lo a fazer o que era certo.

■ 22.26

וַיּוֹסֶף מַלְאַךְ־יְהוָה עֲבוֹר וַיַּעֲמֹד בְּמָקוֹם צָר אֲשֶׁר
אֵין־דֶּרֶךְ לִנְטוֹת יָמִין וּשְׂמֹאול:

No exíguo espaço não havia como a jumenta voltar-se, outro obstáculo colocado na vereda do profeta, que quanto mais avançava mais errava. O caminho estava *bloqueado*. Naturalmente, para Deus essa é uma boa maneira de guiar-nos, evitando que façamos algo de errado. Quando não dispomos de iluminação, "tentamos as opções", mediante o uso da razão e de circunstâncias adversas. Um caminho bloqueado serve de orientação tão boa quanto um caminho aberto.

Progressão. O anjo primeiramente se pôs no caminho, mas não tomou nenhuma ação drástica; então fez a jumenta e o profeta desviar-se para um lado; e, finalmente, fechou absolutamente a passagem. Nesse ponto, Balaão ficou impossibilidade de prosseguir, e teve de fazer o que Yahweh queria que ele fizesse.

■ 22.27

וַתֵּרֶא הָאָתוֹן אֶת־מַלְאַךְ יְהוָה וַתִּרְבַּץ תַּחַת בִּלְעָם
וַיִּחַר־אַף בִּלְעָם וַיַּךְ אֶת־הָאָתוֹן בַּמַּקֵּל:

A jumenta, impossibilitada de avançar, de retroceder ou de desviar-se para algum lado, simplesmente deitou-se no caminho. E novamente Balaão, sem perceber o drama divino que estava ocorrendo, espancou o animal. A orientação divina tinha sido dada *claramente* o tempo todo; mas o profeta estava entendendo menos que o animal irracional. Assim também pode acontecer conosco. Precisamos ser *ajudados* para entender qual orientação nos está sendo conferida. Precisamos pedir *sabedoria*, e esta foi posta à nossa disposição, como um suprimento abundante, pelo menos para aquele que pede honestamente (ver Tg 1.5). Esse versículo acrescenta a linha encorajadora de que, quando assim fazemos, Deus *nada impropera*. Em outras palavras, Deus não nos repreende em razão de nossa estupidez. Ademais, a oração fervorosa mostra-se *eficaz* (Tg 5.16). E também é adicionada a informação de que tal oração "muito pode". Ver no *Dicionário* o artigo *Vontade de Deus, como Descobri-la.*

■ 22.28

וַיִּפְתַּח יְהוָה אֶת־פִּי הָאָתוֹן וַתֹּאמֶר לְבִלְעָם
מֶה־עָשִׂיתִי לְךָ כִּי הִכִּיתַנִי זֶה שָׁלֹשׁ רְגָלִים:

O Senhor fez falar a jumenta. O crédito do prodígio é atribuído a Yahweh. Os críticos veem aqui apenas uma lenda, ou então um relato autêntico, posto que decorado com material lendário. Os estudiosos conservadores enfatizam o poder de Yahweh, e não veem nenhum problema no caso da jumenta que falou com voz humana. No debate entre eles, não há como conciliar suas opiniões contrárias; e isso nem mesmo se faz mister. A jumenta falante adiciona um belo toque ao relato. O *animal mudo* instruiu o *sábio profeta,* cuja reputação era a de um homem dotado de sabedoria e poder. Alguns intérpretes veem a questão de maneira metafórica ou poética, interpretando o relato de forma alegórica ou simbólica. Mas sem importar o *modus operandi* de nossa interpretação, a mensagem é clara.

Adam Clarke referiu-se a muitos relatos fictícios de animais falantes na literatura pagã; mas aceitou o prodígio aqui historiado sem levantar nenhuma dúvida, atribuindo-o ao poder de Deus. E também não desperdiçou o tempo do leitor enchendo sua página com exemplos de tais milagres, ou alegados milagres provenientes de fontes pagãs.

Eugene H. Merrill aceita o milagre sem levantar nenhuma dúvida, mas diz-nos que outros milagres similares são obras de demônios, supondo que esses espíritos malignos possam falar através de seres humanos ou de animais irracionais.

John Gill refere-se a uma história similar acerca de Baco, na literatura grega (*Hyugin. Poet. Astron.* 2, cap. 23), mas dizendo que tal história é uma *fábula*. Assim, também, nos escritos de Homero, o cavalo de Aquiles, chamado Xanto, foi capacitado pelos deuses a falar (*Ilíada* prope fiem, 19). E Plínio também relatou uma história similar, acerca de um boi que falou (*Nat. Hist.* 1.8, cap. 45). Lívio (*Hist.* 1.24 cap. 10.1.27, cap. 11.1.28, cap. 11) igualmente referiu-se a um boi falante que fez aos romanos algumas duras advertências. E também relatou casos de cães falantes, de um carneiro, e mesmo de um elefante. Bochart (*Hierozoc.* par. 1.1.2, cap. 14) preparou uma coletânea de casos semelhantes.

... que me espancaste já três vezes? O animal havia sofrido abuso da parte do estúpido profeta (vss. 23, 25 e 27), pelo que estava sendo agora repreendido por sua crueldade.

22.29

וַיֹּאמֶר בִּלְעָם לָאָתוֹן כִּי הִתְעַלַּלְתְּ בִּי לוּ יֶשׁ־חֶרֶב בְּיָדִי כִּי עַתָּה הֲרַגְתִּיךְ:

Respondeu Balaão. A estupidez do profeta era tanta que ele nem se admirou com que a jumenta tivesse falado, mas meramente respondeu, diante da acusação de crueldade para com um animal. A resposta foi que a jumenta *merecia* aquele tratamento, em vista de sua conduta teimosa e absurda. Balaão era o *proprietário*, e o animal era a *propriedade*, e, assim sendo, era apropriado o castigo, em face da obstinação do animal. Não somente isso, o animal se havia mostrado tão miserável que até merecia ser morto; e, se Balaão tivesse uma espada na mão, ele a teria usado, em vez de meramente ter espancado a jumenta. Balaão tinha sofrido uma humilhação pública da parte do animal, e assim a jumenta realmente merecia ser morta.

Alguns intérpretes explicam a ausência de surpresa da parte de Balaão com base no fato de que era uma comunicação da parte de espíritos, que meramente estariam usando o animal. Lembremo-nos de que Balaão há muito estava acostumado com fenômenos dessa natureza. Josefo tentou corrigir o texto, assegurando que Balaão *se assustou* diante do acontecimento (ver *Antiq.* 1.4 cap. 6, sec. 3).

22.30

וַתֹּאמֶר הָאָתוֹן אֶל־בִּלְעָם הֲלוֹא אָנֹכִי אֲתֹנְךָ אֲשֶׁר־רָכַבְתָּ עָלַי מֵעוֹדְךָ עַד־הַיּוֹם הַזֶּה הַהַסְכֵּן הִסְכַּנְתִּי לַעֲשׂוֹת לְךָ כֹּה וַיֹּאמֶר לֹא:

Replicou a jumenta. O animal reconheceu ser Balaão o seu proprietário, bem como os *direitos* dele; mas lembrou Balaão que ela nunca havia agido de forma tão teimosa antes. Logo, o que ela havia feito não fora uma explosão de rebeldia, mas existia alguma *razão* por trás de tudo, acerca da qual Balaão não tinha consciência. E Balaão precisou admitir que seu animal sempre tinha agido com fidelidade, como uma montaria bem comportada. Plínio mencionou um jumento que dera a seu senhor trinta anos de serviço (*Nat. Hist.* 1.8, cap. 43), e Algihid, em *Damir*, refere-se a um jumento que prestou quarenta anos de serviço! Este texto dá a entender um *longo período*, durante o qual, nenhuma vez, tinha havido um caso de rebeldia. Sem dúvida haveria alguma *razão* para aquela exceção.

22.31

וַיְגַל יְהוָה אֶת־עֵינֵי בִלְעָם וַיַּרְא אֶת־מַלְאַךְ יְהוָה נִצָּב בַּדֶּרֶךְ וְחַרְבּוֹ שְׁלֻפָה בְּיָדוֹ וַיִּקֹּד וַיִּשְׁתַּחוּ לְאַפָּיו:

O Senhor abriu os olhos a Balaão. E assim a razão aflorou na mente de Balaão. O anjo do Senhor estava por trás de todo aquele drama e, quando pareceu que a jumenta tinha sido vencedora no debate, a revelação foi feita a Balaão. Por conseguinte, além da razão, precisamos da revelação e da inspiração divina; e a Balaão foram outorgadas ambas as coisas. Ver no *Dicionário* o verbete intitulado *Iluminação*.

Se Balaão ouvira a jumenta falar, sem que isso lhe causasse nenhuma surpresa, ao ver o anjo no caminho, com espada desembainhada, ele caiu de rosto por terra. O anjo era o mensageiro de Yahweh, que o estava repreendendo por sua missão precipitada e baseada na cobiça.

Seres Invisíveis. Visto que o olho humano é capaz de ver apenas uma pequena faixa do espectro de luz, não somente é possível, mas também é provável que a *maior parte* da realidade não seja percebida pelo olho humano. Algumas vezes, de maneiras totalmente desconhecidas para nós, pode ser vista dimensão invisível. Naturalmente, tais coisas ultrapassam a percepção humana e simplesmente podem ser outorgadas pelo poder divino. Podemos pensar no caso similar do servo de Eliseu, que não podia ver o que Eliseu via, mas que, de súbito, recebeu visão sobre as coisas celestes (2Rs 6.15,17). A tradição mística está repleta de incidentes dessa ordem, não havendo razão para duvidarmos dos fatos, ainda que algumas histórias fantásticas sejam por alguns inventadas, de mistura com a verdade. Ver no *Dicionário* o artigo intitulado *Misticismo*.

Os animais têm percepções diferentes das dos homens, e pressentem coisas que os homens não conseguem pressentir. Algumas vezes, os animais exibem um comportamento errático, diante de poderes ou seres invisíveis, ao passo que os homens ficam imperturbáveis. Isso faz parte da literatura da *Parapsicologia* (ver o artigo com esse título na *Enciclopédia de Bíblia, Teologia e Filosofia*).

22.32

וַיֹּאמֶר אֵלָיו מַלְאַךְ יְהוָה עַל־מָה הִכִּיתָ אֶת־אֲתֹנְךָ זֶה שָׁלוֹשׁ רְגָלִים הִנֵּה אָנֹכִי יָצָאתִי לְשָׂטָן כִּי־יָרַט הַדֶּרֶךְ לְנֶגְדִּי:

Então o anjo do Senhor. Ele também trouxe à tona a questão da crueldade de Balaão. Este foi repreendido por ter castigado o animal por três vezes. Mas a força real dessa declaração é: "Por que foste tão embotado ao ponto de não perceberes o que a tua jumenta percebeu?" *Eu* é que estava causando as perturbações. Onde estava a tua percepção, tu, que te consideras um profeta?"

O teu caminho é perverso diante de mim. Yahweh tinha dito a Balaão que fosse (vs. 20). Mas, quando ele partiu, foi severamente repreendido pelo Senhor, e a ira do Senhor acendeu-se contra ele (vss. 22 ss.). Nas notas sobre o versículo 22 deste capítulo dou as interpretações sobre essa aparente contradição. Somos aqui informados de que o caminho de Balaão era *perverso;* e as mesmas interpretações dadas ali fornecem alguma explicação acerca disso. Se os vs. 22 ss. não se derivam de uma fonte informativa diferente, então só podemos supor que Balaão, a despeito de suas boas intenções de nada fazer contra a vontade de Yahweh (apesar das grandes somas em dinheiro que porventura lhe fossem oferecidas), havia caído no pecado da cobiça e da estupidez, e estava a caminho para ver o que poderia fazer em favor da causa de Balaque e contra Israel. Dessarte, as boas intenções de Balaão se haviam degenerado em perversidade.

Perverso. No hebraico temos o termo *yarat*, que vem de uma raiz que significa "precipitar" ou "cair de cabeça". O seu sentido metafórico é "precipitado", "rebelde", "teimoso". Isso posto, Balaão desviara-se da vontade de Yahweh e acabaria servindo a Balaque a fim de obter as riquezas que lhe tinham sido prometidas pelo rei de Moabe. O Targum de Jonathan diz: "É manifesto, diante de mim, que procuras ir e amaldiçoar o povo, e isso não me agrada".

22.33

וַתִּרְאַנִי הָאָתוֹן וַתֵּט לְפָנַי זֶה שָׁלֹשׁ רְגָלִים אוּלַי נָטְתָה מִפָּנַי כִּי עַתָּה גַּם־אֹתְכָה הָרַגְתִּי וְאוֹתָהּ הֶחֱיֵיתִי:

Eu agora te haveria matado. Assim sendo, a jumenta de Balaão lhe havia salvado a vida, pois se não se tivesse desviado da espada do Senhor, esta teria acabado com a vida do profeta. Assim é que, algumas vezes, acontecem as coisas. Coisas a que às vezes chamamos de obstáculos ou dificuldades são bênçãos e orientações disfarçadas. Talvez nos sintamos irados ou perplexos diante dessas coisas, mas finalmente torna-se claro que tais coisas eram *ajudas* para nós. É difícil sermos conduzidos por esse caminho, mas isso acontece na experiência de todos os homens que buscam a vereda espiritual. A *disciplina* é algo duro, mas necessário. As *reversões* podem levar-nos a buscar algum caminho novo e melhor. Nem todo triunfo nos ocorre seguindo caminhos positivos.

22.34

וַיֹּאמֶר בִּלְעָם אֶל־מַלְאַךְ יְהוָה חָטָאתִי כִּי לֹא יָדַעְתִּי כִּי אַתָּה נִצָּב לִקְרָאתִי בַּדָּרֶךְ וְעַתָּה אִם־רַע בְּעֵינֶיךָ אָשׁוּבָה לִּי:

Pequei. É frequente que os homens pequem em sua rebeldia, *sabendo* o que estão fazendo. Algumas vezes, porém, cometemos algum pecado quando pensamos que estamos fazendo o melhor que podemos. Balaão, o profeta, a despeito de toda a sua sabedoria, caiu nesse ardil. Seu pecado estava alicerçado sobre a *ignorância*: ele não sabia que estava resistindo ao anjo do Senhor! Tendo descoberto isso, agora ansiava por esquecer-se daquela jornada e voltar à sua residência, em Petor. Porém, a vontade do Senhor não era que isso acontecesse. Ele precisava prosseguir, mas em uma atitude diferente e motivado por propósitos diferentes. Diz uma lenda (ou seria um fato histórico?) que Pedro, em meio a perseguições, abandonou a cidade de Roma. Mas o Senhor Jesus encontrou-se com ele no caminho e perguntou-lhe, em latim: "Quo vadis?" (Onde estás indo?). A pergunta foi suficiente. Pedro voltou a Roma a fim de cumprir a sua missão, que ele poderia ter anulado em um momento de fraqueza e ignorância. Qualquer homem espiritual experimenta, em sua vida, ouvir o seu *quo vadis?* da parte do Senhor Jesus. Em tais momentos, é-nos conferida orientação, para que não cheguemos a anular nossas respectivas missões. O quanto precisamos dessa direção da parte do Senhor!

22.35

וַיֹּאמֶר מַלְאַךְ יְהוָה אֶל־בִּלְעָם לֵךְ עִם־הָאֲנָשִׁים וְאֶפֶס אֶת־הַדָּבָר אֲשֶׁר־אֲדַבֵּר אֵלֶיךָ אֹתוֹ תְדַבֵּר וַיֵּלֶךְ בִּלְעָם עִם־שָׂרֵי בָלָק:

Vai-te com estes homens. A Balaão foi ordenado que continuasse sua jornada, embora com uma atitude diferente no coração, fazendo e dizendo *somente* aquilo que lhe fosse determinado. Assim, o versículo 20 é repetido aqui em sua substância. As notas dadas ali aplicam-se aqui, igualmente. Vários intérpretes pensam que não temos nessas palavras uma "ordem", mas uma "permissão" ou "concessão", e que, se Balaão fosse homem sábio, teria retornado a Petor. Todavia, o texto sagrado não parece estar dizendo isso. De fato, talvez a mensagem principal da história seja esta: "O povo abençoado por Yahweh será abençoado a despeito de qualquer coisa que venha a acontecer, mesmo contra a maldição proposta de um profeta pagão". Por conseguinte, o drama precisava *continuar*, e não ser interrompido naquele ponto. Ellicott chegou a dizer que o profeta foi "constrangido" a ir, a fim de que, finalmente, fosse *forçado* a colher o mal que tinha semeado. Mas o texto sagrado não parece dizer isso também.

ENCONTRO ENTRE BALAÃO E BALAQUE (22.36-40)

22.36

וַיִּשְׁמַע בָּלָק כִּי בָא בִלְעָם וַיֵּצֵא לִקְרָאתוֹ אֶל־עִיר מוֹאָב אֲשֶׁר עַל־גְּבוּל אַרְנֹן אֲשֶׁר בִּקְצֵה הַגְּבוּל:

Esse Encontro Era Inevitável. A lição principal do episódio é que o povo a quem Yahweh tinha abençoado seria abençoado deveras, e nenhum poder na terra seria capaz de anular essa bênção: nem o rei de Moabe, nem Balaão, nem qualquer assembleia. De fato, Balaão terminou abençoando a Israel, o que deixou Balaque muito indignado. E essa circunstância ilustra graficamente a principal lição da história: a bênção inevitável para Israel, quando eles estavam prestes a entrar na Terra Prometida; e a bênção inevitável para Israel, quando estivessem conquistando e tomando conta da Terra Prometida.

Até à cidade de Moabe. Algumas traduções dizem aqui "até uma cidade de Moabe". Na verdade, devemos entender aqui a principal cidade do país, a saber, aquela que ficava às margens do ribeiro do Arnom. Ver Números 21.15. É provável que a cidade ali chamada de *Ar* seja a mesma que está em pauta aqui. Ver no *Dicionário* o verbete chamado *Ar*. O fato de que o rei saiu ao encontro de Balaão em um lugar distante, a fim de abreviar a jornada deste, deveu-se tanto ao *respeito* que tinha por ele, como à sua própria *ansiedade* de concluir as negociações acerca da maldição.

22.37

וַיֹּאמֶר בָּלָק אֶל־בִּלְעָם הֲלֹא שָׁלֹחַ שָׁלַחְתִּי אֵלֶיךָ לִקְרֹא־לָךְ לָמָּה לֹא־הָלַכְתָּ אֵלָי הַאֻמְנָם לֹא אוּכַל כַּבְּדֶךָ:

Perguntou Balaque. O rei moabita chegou com muitas queixas. Afinal, ele, *o rei,* tinha-o mandado chamar já fazia agora algum tempo. E *ele,* o rei, tinha muito dinheiro para dar aos profetas pelos seu serviços. Poderia Balaão duvidar da palavra de um rei? Balaque tinha dinheiro e honrarias, e Balaão deveria ter vindo prontamente. Amiúde o *dinheiro grosso* encontra-se onde o negócio a ser efetuado é *ilegal*. Balaque não conseguia entender a aparente indiferença de Balaão diante de ofertas tão polpudas.

22.38

וַיֹּאמֶר בִּלְעָם אֶל־בָּלָק הִנֵּה־בָאתִי אֵלֶיךָ עַתָּה הֲיָכוֹל אוּכַל דַּבֵּר מְאוּמָה הַדָּבָר אֲשֶׁר יָשִׂים אֱלֹהִים בְּפִי אֹתוֹ אֲדַבֵּר:

A Viagem Tinha Sido Inútil. Balaão estava presente, a convite do rei. Mas de que adiantaria isso? Ele já sabia que Balaque pediria uma maldição contra Israel. E também sabia que não poderia fazer isso, porquanto diria somente o que Yahweh lhe mandasse dizer; e a última coisa que Yahweh haveria de fazer seria aprovar uma maldição contra o seu povo, Israel. Isso posto, a jornada de Balaão tinha sido inútil, e o profeta sabia disso o tempo todo.

"Ali estava uma nobre resolução, e por certo ele seria fiel a ela; embora quisesse agradar ao rei e obter riquezas e honrarias, não haveria de querer desagradar a Deus, mesmo que fosse para obter tantos favores do rei. Muitos daqueles que caluniam esse pobre profeta semi-antinomiano não têm metade de sua piedade" (Adam Clarke, *in loc.*).

22.39

וַיֵּלֶךְ בִּלְעָם עִם־בָּלָק וַיָּבֹאוּ קִרְיַת חֻצוֹת:

Os dois continuaram a jornada juntos até *Quiriate-Huzote*. Esse nome, no hebraico, quer dizer "cidade dos lugares exteriores", ou seja, uma cidade situada nas fronteiras. Essa cidade é mencionada somente aqui, em toda a Bíblia. Neste trecho, aprendemos que Balaque e Balaão foram ali com o propósito de oferecer sacrifícios. Era uma cidade moabita. O lugar ficava perto de Bamote-Baal (vs. 41), embora não saibamos dizer a sua localização exata. Provavelmente ficava perto do rio Arnom. Foi conquistada por Seom, rei dos amorreus, e, posteriormente, pelos israelitas. Jarchi diz-nos que esse lugar era uma cidade significativa, com muitas ruas e uma população numerosa, pois, ao que parece, era uma cidade real de Balaque, onde ele tinha um palácio, embora não saibamos com que autoridade Jarchi assim escreveu.

22.40

וַיִּזְבַּח בָּלָק בָּקָר וָצֹאן וַיְשַׁלַּח לְבִלְעָם וְלַשָּׂרִים אֲשֶׁר אִתּוֹ:

Balaque sacrificou bois e ovelhas. O rei era um homem religioso e ofereceu os sacrifícios costumeiros a Baal (vs. 41). É de presumir que esses sacrifícios fossem efetuados de maneira similar ao que os hebreus faziam. Os sacrifícios eram uma maneira de invocar a Baal, pedindo-lhe ajuda. E essa *ajuda,* conforme podemos imaginar, reforçaria a maldição lançada por Balaão. Assim sendo, Balaque estava usando de todas as armas ao seu alcance para provocar a queda de Israel. Ao que tudo indica, ele não dispunha do aparato *militar* necessário para isso, pelo que apelou para outros meios, sobretudo para os recursos espirituais.

Os intérpretes enxergam nesses sacrifícios de Balaque várias formas de adivinhação, o que incluiria o exame das vísceras dos animais, em busca de sinais e presságios. As adivinhações por meio do fígado dos animais chamava-se *hepatoscopia*. Ver no *Dicionário* o verbete intitulado *Adivinhação*.

Príncipes que estavam com ele. Balaque havia feito da ocasião um momento festivo, tendo convidado pessoas importantes do reino. Era uma ocasião tanto solene quanto feliz. Todos tinham grandes esperanças no poder da maldição que Balaão iria proferir, segundo todos aguardavam.

■ 22.41

וַיְהִי בַבֹּקֶר וַיִּקַּח בָּלָק אֶת־בִּלְעָם וַיַּעֲלֵהוּ בָּמוֹת בָּעַל וַיַּרְא מִשָּׁם קְצֵה הָעָם׃

Pela manhã. No dia seguinte, Balaque levou Balaão até os lugares altos sagrados de *Baal*. Ver no *Dicionário* os artigos *Baal (Baalismo)* e *Lugares Altos,* quanto a completas informações. Balaão, devido ao seu sistema religioso eclético, não sentiu dificuldade em efetuar sacrifícios e adivinhações, naqueles lugares dedicados a Baal, para então, pouco mais tarde, buscar orientação da parte de Yahweh! Como é óbvio, o próprio povo de Israel com frequência envolveu-se nesse ecletismo, incluindo o baalismo e a adoração em lugares altos, conforme os artigos sugeridos acima o demonstram.

Bamote-Baal. Essa palavra significa "lugares altos de Baal". Ver Números 21.19, onde há notas expositivas sobre essa localidade. Josefo diz-nos que esse lugares altos ficavam a cerca de 13 km do acampamento de Israel (*Antiq.* 1.4, cap. 6, sec. 4). Daquele elevado lugar, podia ser avistada *parte* do arraial de Israel. Não há que duvidar de que essa circunstância foi considerada vantajosa para a *maldição* que eles esperavam dentro de instantes seria proferida contra os israelitas. Balaão podia daí avistá-los e amaldiçoá-los! Balaque imaginava que a maldição lançada seria especialmente eficaz, se dita naquelas circunstâncias. Cf. Números 23.13.

CAPÍTULO VINTE E TRÊS

PRIMEIRO ORÁCULO DE BALAÃO (23.1-12)

Prossegue neste capítulo 23 a história de Balaão. A maldição que supostamente ele pronunciaria acabou tornando-se uma bênção poética, uma excelente peça de literatura religiosa, para consternação do rei Balaque. Balaque, mediante seus sacrifícios elaborados (determinados por Balaão), tinha armado a cena para uma surpresa. Israel estava obtendo todas as vitórias.

Há *quatro oráculos* de Balaão, registrados no trecho de Números 23.1—24.25. Os sacrifícios elaborados, embora talvez oferecidos mais ou menos da mesma maneira que os sacrifícios oferecidos por Israel, não têm precedente nas leis levíticas. Portanto, muitos opinam que temos aqui algo característico do paganismo daquela região, sobretudo o paganismo conforme era observado na adoração a Baal.

■ 23.1

וַיֹּאמֶר בִּלְעָם אֶל־בָּלָק בְּנֵה־לִי בָזֶה שִׁבְעָה מִזְבְּחֹת וְהָכֵן לִי בָּזֶה שִׁבְעָה פָרִים וְשִׁבְעָה אֵילִים׃

Sete altares... sete novilhos e sete carneiros. Quanto aos *cinco* animais que podiam ser oferecidos em sacrifício, entre os hebreus, ver Levítico 1.14-16 e suas notas expositivas. Quanto ao número *sete,* ver o artigo *Número (Numeral, Numerologia)*, onde são discutidos esse e outros números importantes. Visto que não temos aqui nenhum padrão do livro de Levítico para as coisas, é possível que devamos pensar em sacrifícios moabitas ou de outro povo pagão; ou então Balaão fez o que fez sem nenhum precedente. Os *sete altares* de sacrifícios evidentemente não correspondiam a um costume hebreu, pois entre o povo de Israel fora determinado somente um altar no tabernáculo, e os antigos patriarcas hebreus só erigiam *um* altar de cada vez.

Talvez o número *sete* sagrado se derivasse dos cinco planetas então conhecidos, além do sol e da lua, representando o número sagrado do céu. Desde os tempos antigos, sete sempre foi o número sagrado de várias culturas. Os nomes pessoais hebreus Eliseba (Deus é sete) e Jeboseba (Yahweh é sete) ilustram também esse número.

■ 23.2

וַיַּעַשׂ בָּלָק כַּאֲשֶׁר דִּבֶּר בִּלְעָם וַיַּעַל בָּלָק וּבִלְעָם פָּר וָאַיִל בַּמִּזְבֵּחַ׃

Fez, pois, Balaque, como Balaão dissera. De acordo com o texto hebraico, *ambos* ofereceram os sacrifícios. Mas a Septuaginta dá a entender que somente Balaque ofereceu os sacrifícios; e vários eruditos pensam que isso reflete a realidade que houve no caso. Balaque ofereceu os sacrifícios, enquanto Balaão buscava Yahweh quanto à resposta acerca da maldição.

Na antiguidade, por muitas vezes os reis também realizavam funções sacerdotais, conforme foi o caso de Melquisedeque. Os sacrifícios foram oferecidos a Yahweh, e não a Baal, conforme vemos no quarto versículo. Balaque esperava fazer Yahweh passar-se para o lado dele.

■ 23.3

וַיֹּאמֶר בִּלְעָם לְבָלָק הִתְיַצֵּב עַל־עֹלָתֶךָ וְאֵלְכָה אוּלַי יִקָּרֵה יְהוָה לִקְרָאתִי וּדְבַר מַה־יַּרְאֵנִי וְהִגַּדְתִּי לָךְ וַיֵּלֶךְ שֶׁפִי׃

Enquanto Balaque oferecia os sacrifícios sobre os altares, Balaão se pôs a buscar Yahweh. Portanto, temos aqui a *terceira* busca por Yahweh, no tocante ao mesmo problema. Por *duas* vezes, antes desta, Balaão tinha recebido comunicações divinas por parte de sonhos ou visões (Nm 22.7-12,19,20). Mas Balaque continuava insistindo, razão pela qual Balaão continuava buscando a Yahweh, embora já tivesse recebido sua resposta. Esse terceira vez teve lugar nos *lugares altos* (22.41), o que significa que Balaão continuava praticando sua religião eclética. Nos lugares altos de Baal, ele buscou a Yahweh! É patente que ele não via nenhum erro nisso, e nem o texto ataca esse aspecto da questão, embora qualquer escritor hebreu (como o autor-compilador do Pentateuco) naturalmente condenasse práticas semelhantes.

Subiu a um morro desnudo. "Os áugures estavam acostumados a escolher lugares elevados para obterem os seus prognósticos... especialmente nos cumes desnudos das montanhas" (Ellicott, *in loc.*). "Os antigos adivinhos babilônios apelavam para esse tipo de cerimônia sacrificial a fim de obterem algum presságio" (*Oxford Annotated Bible,* comentando sobre o primeiro versículo deste capítulo). Ali Balaão buscou e recebeu experiência mística de alguma espécie, provavelmente uma visão. Ver no *Dicionário* o verbete chamado *Misticismo*.

■ 23.4,5

וַיִּקָּר אֱלֹהִים אֶל־בִּלְעָם וַיֹּאמֶר אֵלָיו אֶת־שִׁבְעַת הַמִּזְבְּחֹת עָרַכְתִּי וָאַעַל פָּר וָאַיִל בַּמִּזְבֵּחַ׃

וַיָּשֶׂם יְהוָה דָּבָר בְּפִי בִלְעָם וַיֹּאמֶר שׁוּב אֶל־בָּלָק וְכֹה תְדַבֵּר׃

Deus. Ou seja, Elohim, veio ao encontro de Balaão. No versículo quinto, o nome divino é *Yahweh.* Ambos esses nomes divinos são anotados no *Dicionário.* Ver também ali o artigo *Deus, Nomes Bíblicos de.* Portanto, a busca de Balaão obteve sucesso, e mesmo de forma gloriosa, pois daí resultou grande bênção para Israel, e não a maldição que Balaque buscava.

Balaão explicou a Yahweh a *razão* que tinha quando o buscou tão intensamente, a tríplice cerimônia de *setes* em que ele se lançara. Devemos entender que ele indagou a questão da maldição, embora isso não seja mencionado especificamente. Assim, Balaão obteve mais do que tinha pedido, e isso de maneira gloriosa. Ele se sentiu inspirado a irromper em poesia, a fim de transmitir, bela e eficazmente, a revelação que lhe havia sido dada. Sonhos e visões lhe vieram através de um fundo poético, com suas manifestações estéticas e suas imagens *simbólicas*, que precisaram ser interpretadas. Por muitas vezes, essas manifestações são acompanhadas por linda música e cenas impressionantes.

Balaão obteve *mais* do que aquilo que havia pedido. Oh, Senhor, concede-nos graça semelhança!

"Yahweh pôs palavras nos lábios de Balaão — a característica essencial da profecia válida" (John Marsh, *in loc.*).

"Deus, que tinha aberto a boca da jumenta, de maneira contrária à natureza, abriu então a boca de Balaão, de modo contrário à vontade do profeta" (Bispo Wordsworth, *in loc.*).

Ele estava sob uma *necessidade divina,* que é a experiência daqueles que passam por alguma intervenção divina em sua vida.

23.6

וַיָּ֣שָׁב אֵלָ֔יו וְהִנֵּ֥ה נִצָּ֖ב עַל־עֹלָת֑וֹ ה֖וּא וְכָל־שָׂרֵ֥י מוֹאָֽב׃

Ele e todos os príncipes. Esse "ele" era o rei Balaque. Uma audiência apropriada havia sido preparada para o evento. Mas os que desejavam o mal para Israel em breve ficariam consternados diante da mensagem daquele profeta que eles consideravam grande. É que eles estavam lutando contra a vontade divina. Eles não faziam a menor ideia de como o Pacto Abraâmico precisava ter cumprimento, e como esse pacto incluía a posse da Terra Prometida. Ver as notas em Gênesis 15.18 quanto ao *Pacto Abraâmico*. Vontades humanas contrárias seriam frustradas; e a vontade de Deus haveria de ser satisfeita.

23.7

וַיִּשָּׂ֥א מְשָׁל֖וֹ וַיֹּאמַ֑ר מִן־אֲ֠רָם יַנְחֵ֨נִי בָלָ֤ק מֶֽלֶךְ־מוֹאָב֙ מֵֽהַרְרֵי־קֶ֔דֶם לְכָה֙ אָֽרָה־לִּ֣י יַעֲקֹ֔ב וּלְכָ֖ה זֹעֲמָ֥ה יִשְׂרָאֵֽל׃

A sua palavra. Temos aí uma palavra profética sob forma poética. Era um *oráculo divino*, o primeiro dentre quatro que Balaão estava destinado a transmitir acerca daquela ocasião (ver Nm 21.1—24.25).

Ele tinha sido trazido de Arã com outro propósito, um propósito maligno. Ver no *Dicionário* o verbete chamado *Arã, Terra dos Arameus*. Esse locativo significa "elevado" ou "exaltado". Essa palavra pode apontar para um povo ou para um lugar, ou para vários lugares combinados, conforme aquele artigo esclarece. Ficava perto do rio Eufrates. Ver também no *Dicionário* o artigo sobre *Petor*, a cidade de Balaão. A referência ao fato de que o lugar era montanhoso — "dos montes do Oriente" — confunde um pouco o leitor, visto que a região não era montanhosa. Por isso mesmo, alguns estudiosos pensam que a área onde tudo isso ocorreu era território moabita. Os críticos, por sua vez, veem certa confusão nas fontes originárias. John Gill, reportando-se à questão sobre os "montes", diz que isso se refere à Mesopotâmia ou Caldeia. Ver sobre a Arã dos Dois Rios, ou Mesopotâmia (Gn 24.10).

"Neste ponto, a *mashal* (declaração profética) consiste em uma composição poética em duas partes paralelas, em que cada qual representa uma maneira diferente de dizer a mesma coisa" (John Marsh, *in loc.*).

23.8

מָ֣ה אֶקֹּ֔ב לֹ֥א קַבֹּ֖ה אֵ֑ל וּמָ֣ה אֶזְעֹ֔ם לֹ֥א זָעַ֖ם יְהוָֽה׃

Balaão tinha avisado a Balaque o tempo todo que ele só poderia falar conforme Yahweh orientasse. E já havia dito que não poderia amaldiçoar o povo de Israel. Por *duas vezes* antes ele já tinha recebido comunicações em sonhos e visões (Nm 22.7-12,19,20). Agora, por uma *terceira vez* era dada a mesma mensagem, mas agora sob a forma de uma *declaração profética*, dada diretamente por Yahweh, por meio de Balaão. Foi feita a *pergunta retórica* que continha sua própria resposta: "Como posso amaldiçoar, se Yahweh disse que abençoaria Israel?" Pode um homem lutar contra Deus? Balaão queria agradar a Balaque. Ele gostaria de receber todo aquele dinheiro e honrarias que lhe tinham sido prometidos, mas estava impotente diante da vontade divina. Seu espírito também não concordava com toda aquela transação, conforme o texto demonstra o tempo todo. Ele precisou fazer um esforço heroico para transmitir uma mensagem clara, que não deixasse dúvidas. Ele já tinha mandado erigir sete altares e já havia oferecido catorze animais sobre eles. E assim, obteve uma resposta clara, mas esta concordava com as mensagens preliminares. Era inútil continuar insistindo sobre a questão. Cf. este versículo com Gênesis 12.1-3, a promessa de *bênção* feita a Abraão e à sua posteridade, por muitas vezes confirmada em várias revelações do *Pacto Abraâmico* (ver as notas em Gn 15.18). Essa mesma bênção havia sido *confirmada* a Isaque, Jacó e os patriarcas em geral, conforme fica demonstrado nas referências dadas nas notas expositivas. Nada havia que Balaque pudesse fazer que viesse a reverter ou anular a vontade divina operando no destino de Israel. O Messias haveria de vir da nação de Israel, e aí teríamos o cumprimento mais cabal daquele pacto. Assim, a mensagem espiritual havia sido *universalizada* além de qualquer coisa que Abraão jamais poderia ter imaginado.

23.9

כִּֽי־מֵרֹ֤אשׁ צֻרִים֙ אֶרְאֶ֔נּוּ וּמִגְּבָע֖וֹת אֲשׁוּרֶ֑נּוּ הֶן־עָם֙ לְבָדָ֣ד יִשְׁכֹּ֔ן וּבַגּוֹיִ֖ם לֹ֥א יִתְחַשָּֽׁב׃

Do cume das penhas. Balaque havia conduzido Balaão a um local elevado, de onde este podia enxergar parte do acampamento de Israel (ver Nm 22.41). Enquanto Balaão proferia a sua bênção, ele observava Israel com profunda admiração. *Aquele* era o povo que Deus já havia abençoado e continuaria a abençoar de forma toda especial. De acordo com Balaque, o fato de Israel estar sendo contemplado ajudaria no poder da maldição. Em vez disso, porém, isso ajudou no poder da bênção. Balaão viu Israel como o "povo que habita só", povo esse que, por enquanto, nem ao menos era ainda um povo formado, nem ao menos era ainda contado entre as demais nações, mas em breve deslocaria várias nações e se apossaria da Terra Prometida.

Sem embargo, embora habitasse "só", o povo de Israel não estava sozinho, pois contava com a proteção de Yahweh. Assim, em um sentido metafórico, Israel estava *só com Deus*. É provável que essa declaração também seja *profética*, como se Balaão já pudesse contemplar Israel "na Terra Prometida; um povo separado para Yahweh; sozinho por estar em posição privilegiada quanto ao favor divino especial". "... um povo distinguido por seu idioma, língua, religião, leis, costumes, maneira de viver, diferente tanto em sua maneira de vestir quanto em seu regime alimentar, em tudo diferindo de outros povos; só, mas por não entrar em alianças nem estar na companhia daquelas outras ações; ver Ester 3.8; João 4.9; Atos 10.28" (John Gill, *in loc.*).

Assim sendo, em um sentido imediato, Israel estava isolado e parecia humilde. E, no entanto, estava sob o pálio protetor de Deus. Em um sentido profético, contudo, era distinto de outras nações, a fim de ser um veículo especial, o veículo do Messias. Israel tem sido conservado como nação separada por toda a sua história, apesar das perseguições, das matanças e das dispersões, formando isso tudo um notável fato da história. O *propósito divino* assim tem determinado. Cf. Deuteronômio 32.8-10.

23.10

מִ֤י מָנָה֙ עֲפַ֣ר יַעֲקֹ֔ב וּמִסְפָּ֖ר אֶת־רֹ֣בַע יִשְׂרָאֵ֑ל תָּמֹ֤ת נַפְשִׁי֙ מ֣וֹת יְשָׁרִ֔ים וּתְהִ֥י אַחֲרִיתִ֖י כָּמֹֽהוּ׃

O pó de Jacó. Essa expressão indica um povo numerosíssimo, que não pode ser contado. Chegou a ser uma expressão comum para indicar a vasta posteridade de Abraão, como parte das promessas do Pacto Abraâmico. Ver Gênesis 13.16 e 28.14 e suas notas expositivas, onde há explicações dessa expressão.

A quarta parte de Israel. Visto que Israel estava dividido em quatro acampamentos distintos, o que é ilustrado no gráfico antes das notas sobre Números 1.1. Até mesmo enumerar uma dessas quatro partes não seria tarefa fácil. É possível que Balaão, estando em um lugar elevado, de onde sua visão se espraiava por um espaçoso território (Nm 22.41), ainda assim só pudesse divisar uma quarta parte do arraial completo de Israel; e, mesmo assim, essa porção fosse impressionante para quem a contemplasse.

Que eu morra a morte dos justos. Talvez essas palavras signifiquem apenas viver por muitos anos, e morrer em paz, entre o povo de Deus. No Pentateuco não há indicação clara da crença em uma alma imortal do homem, capaz de sobreviver à morte biológica. A lei mosaica não prometia vida de bem-aventurança para além da sepultura, no caso dos justos; nem ameaçava com juízo, para além da sepultura, no caso dos ímpios. Todavia, aqui e acolá, espalhado pelo Pentateuco, encontramos algum vislumbre dessa doutrina, como no caso da doutrina da criação do homem segundo a imagem de Deus (Gn 1.26,27); ou como em Números 16.22 e 27.16, onde Deus é chamado de *o Deus dos espíritos*. Nos Salmos e nos Profetas é que entra mais decisivamente a doutrina da alma imaterial do homem. E essa doutrina foi mais desenvolvida ainda durante o período intermediário entre o Antigo e o Novo Testamento, e assim entra e ainda é mais expandida no Novo Testamento. Ver no *Dicionário* os verbetes intitulados *Alma* e *Imortalidade*. Por igual modo, na *Enciclopédia de Bíblia, Teologia e Filosofia* são apresentados vários artigos a esse respeito, incluindo dois que foram redigidos do ponto de vista científico. Ver também ali o verbete *Experiências Perto da Morte*.

Balaão cobiçou a vida de Israel, e também exprimiu seu desejo de morrer como se morria em Israel; e talvez estivesse contemplando a vida bem-aventurada, para além-túmulo, que era uma esperança dos patriarcas. Seja como for, essa esperança já era uma realidade para os patriarcas de Israel, sem importar se nosso texto contempla isso ou não. Todavia, alguns estudiosos pensam que a palavra *fim,* que aparece neste versículo, seja uma alusão à última porção da vida de uma pessoa, a idade avançada, e não à morte. Mas a verdade é que a maioria dos estudiosos prefere ver aqui uma alusão à morte dos bem-aventurados. Uma boa morte resulta de uma vida reta aos olhos de Deus.

■ **23.11**

וַיֹּאמֶר בָּלָק אֶל־בִּלְעָם מֶה עָשִׂיתָ לִי לָקֹב אֹיְבַי לְקַחְתִּיךָ וְהִנֵּה בֵּרַכְתָּ בָרֵךְ:

Que me fizeste? Balaque estava revoltado com o que estava acontecendo. Ele fizera um tremendo esforço para que Balaão chegasse até ali. Tinha-lhe oferecido generoso suborno. Havia cooperado com as elaboradas *tríplices ofertas* recomendadas por ele (23.1 ss.). Mas agora, na hora de proferir a maldição, tudo se voltava contra ele; pois Balaão tinha acabado de proferir uma notável *bênção* em favor do povo de Israel, embora o rei estivesse disposto a pagar qualquer preço por uma maldição.

Balaão, por sua vez, tinha obtido mais do que havia buscado. Ele recebera o primeiro de seus quatro oráculos revestidos de bela forma poética. Tivera uma experiência mística estética de primeira magnitude, que falava em uma bênção enfática para Israel. E Balaque também recebeu algo diferente do que estava esperando, algo que ajudava tremendamente os seus adversários. O texto hebraico aqui é enfático: "Abençoaste a fim de abençoar". Nas palavras de Balaão nada tinha sido dito senão bênçãos para Israel. *Eventos inesperados* nos divertem, pois parecem tão ridículos, tendo aparecido assim do nada.

■ **23.12**

וַיַּעַן וַיֹּאמַר הֲלֹא אֵת אֲשֶׁר יָשִׂים יְהוָה בְּפִי אֹתוֹ אֶשְׁמֹר לְדַבֵּר:

Mas Yahweh tinha precedência acima do rei, para Balaão, e a pergunta retórica deste último confirma isso. Ademais, Balaão tinha proferido uma profecia autêntica, pois o oráculo divino tinha vindo espontaneamente, daquela *origem superior.* Nenhum profeta verdadeiro de qualquer envergadura poderia ter agido de outra maneira. Balaque havia subestimado o poder divino que estava enfrentando. Ele tinha "apostado alto demais", ou seja, tinha crido em uma causa má, e até mesmo improvável. E Balaão desempenhou perfeitamente o seu papel: transmitiu a Balaque o recado de Yahweh. Ver também Números 22.38.

■ **23.13**

וַיֹּאמֶר אֵלָיו בָּלָק לְךָ־נָּא אִתִּי אֶל־מָקוֹם אַחֵר אֲשֶׁר תִּרְאֶנּוּ מִשָּׁם אֶפֶס קָצֵהוּ תִרְאֶה וְכֻלּוֹ לֹא תִרְאֶה וְקָבְנוֹ־לִי מִשָּׁם:

Então Balaque. O rei dos moabitas simplesmente não desistia. Mas também havia muita coisa em jogo para ele. Balaque entretinha esperanças tolas, e continuava crendo que Balaão poderia ser-lhe útil. Ele cria que se Balaão pudesse ver Israel de um lugar diferente, contemplando um segmento diferente do arraial dos israelitas, então Yahweh lhe permitiria proferir uma maldição, e não uma bênção. Por assim dizer, Balaque estava agarrando-se a "meras palhas". Por que ver uma parte diferente do povo, pequena ou grande, faria Balaão receber mensagem diferente da que já havia recebido por três vezes? Era uma suposição estúpida. No momento, porém, Balaque não dispunha de melhor ideia do que isso!

"Não desejando desafiar Deus, Balaque imaginou que o oráculo poderia ser diferente se Balaão visse o povo de outra perspectiva" (*Oxford Annotated Bible,* sobre este versículo).

■ **23.14**

וַיִּקָּחֵהוּ שְׂדֵה צֹפִים אֶל־רֹאשׁ הַפִּסְגָּה וַיִּבֶן שִׁבְעָה מִזְבְּחֹת וַיַּעַל פָּר וָאַיִל בַּמִּזְבֵּחַ:

Campo de Zofim. No hebraico, *sadem sophim,* "campo dos vigilantes", uma localidade no alto do monte Pisga (ver a respeito no *Dicionário*). Foi até ali que Balaque conduziu Balaão, para que este amaldiçoasse o povo de Israel. Isso aconteceu por volta de 1450 a.C. Temos neste versículo a única referência a esse lugar na Bíblia. Ver também acerca de Ramataim-Zofim, também chamada *Ramá,* local do nascimento do profeta Samuel (1Sm 1.1). Modernamente, Zofim tem sido identificada como *Tell 'At es-Safa.* Alguns eruditos, no entanto, pensam que não se deveria traduzir aquela expressão hebraica como um nome próprio locativo, mas deixá-la como "campo dos vigilantes".

É possível que esse nome se refira a adivinhação por meio de ave, caso em que os "vigilantes" seriam os pássaros a esvoaçar em todas as direções. Mas se esse é o verdadeiro sentido da frase, então a passagem fica bastante obscura. Ver no *Dicionário* o artigo chamado *Adivinhação.*

Alguns têm identificado esse local como o lugar de onde Moisés, algum tempo mais tarde, contemplou a Terra Prometida antes de morrer (ver Dt 3.27). Ver a descrição em Deuteronômio 34.1 e suas notas. Jarchi diz que aquele era um bom local de onde uma pessoa podia vigiar os movimentos de tropas inimigas, que talvez quisessem atacar, incluindo tropas de Israel.

Pisga. Ver o artigo detalhado sobre esse lugar, no *Dicionário.*

Sobre cada um ofereceu um novilho e um carneiro. Foi repetida a rotina dos três setes, segundo já se vira em Números 23.1,2, onde aparecem as notas expositivas a esse respeito. Balaque e Balaão envidaram um esforço máximo em seus holocaustos. Yahweh veria tal esforço e o recompensaria, visitando novamente a Balaão. Talvez o Senhor mudasse de atitude nessa quarta tentativa.

■ **23.15**

וַיֹּאמֶר אֶל־בָּלָק הִתְיַצֵּב כֹּה עַל־עֹלָתֶךָ וְאָנֹכִי אִקָּרֶה כֹּה:

Este versículo é igual ao vs. 3 deste capítulo, onde são dadas as notas expositivas, que também se aplicam. O ritual dos sete altares é repetido tal e qual, embora em um lugar diferente, que Balaque, tolamente, imaginou faria alguma diferença, produzindo uma maldição, e não uma bênção.

■ **23.16**

וַיִּקָּר יְהוָה אֶל־בִּלְעָם וַיָּשֶׂם דָּבָר בְּפִיו וַיֹּאמֶר שׁוּב אֶל־בָּלָק וְכֹה תְדַבֵּר:

Este versículo é igual ao vs. 5 deste capítulo, onde são dadas as notas. Com base nessa segunda visita de Yahweh, Balaão foi inspirado a dar ainda outro *oráculo.* Houve quatro desses oráculos, conforme se vê em Números 23.1—24.25.

■ **23.17**

וַיָּבֹא אֵלָיו וְהִנּוֹ נִצָּב עַל־עֹלָתוֹ וְשָׂרֵי מוֹאָב אִתּוֹ וַיֹּאמֶר לוֹ בָּלָק מַה־דִּבֶּר יְהוָה:

Este versículo é igual ao vs. 6 deste capítulo, onde aparecem as notas expositivas. Neste ponto, Balaque fala sobre *Yahweh* (em nossa versão, "Senhor"), indagando o que ele diria dessa vez, esperando ouvir que Deus tivesse mudado de ideia, permitindo que Balaão proferisse uma maldição contra Israel. Algumas pessoas persistem no erro contra todas as possibilidades.

■ **23.18**

וַיִּשָּׂא מְשָׁלוֹ וַיֹּאמַר קוּם בָּלָק וּשֲׁמָע הַאֲזִינָה עָדַי בְּנוֹ צִפֹּר:

Os versículos 18-24 fornecem-nos um *segundo oráculo* com forma poética. Mas esta foi a *quarta comunicação* da parte de Yahweh sobre o assunto. Já tinha havido dois sonhos ou visões noturnas (Nm 22.7-12; 22.19,20); então houve uma declaração profética (com poesia) (23.7-10); e agora havia outra declaração profética, conforme está registrado em sete versículos, a partir do atual versículo. Novamente, Balaão falou sob impulso profético, inspirado por aquela *sabedoria superior*. Ver os vss. 4 e 5 deste capítulo, quanto ao fato de que Balaão obteve mais do que havia solicitado. Essas respostas ele obteve sob forma estética, oráculos expressos em poesia do tipo oriental.

O segundo oráculo foi dirigido diretamente a Balaque, o qual continuava esperando que Yahweh mudasse de atitude.

"O segundo poema que Balaão recitou não somente se recusava a amaldiçoar Israel, mas também era uma declaração positiva de apoio a Israel. Nesse poema há onze pares, embora as formas não estejam claramente definidas" (John Marsh, *in loc.*).

■ 23.19

לֹא אִישׁ אֵל וִיכַזֵּב וּבֶן־אָדָם וְיִתְנֶחָם הַהוּא אָמַר וְלֹא יַעֲשֶׂה וְדִבֶּר וְלֹא יְקִימֶנָּה:

Deus não é homem. Balaque esperava alguma *mentira* da parte de Yahweh, porque a verdade da questão era que Israel precisava ser abençoado, e não amaldiçoado, pelo que amaldiçoar a Israel seria uma mentira. O homem mente, mas Deus sempre diz a verdade. Balaque estava vivendo uma ilusão em suas expectativas, que se fossem cumpridas apenas degradariam o caráter divino. Um dos atributos de Deus é a veracidade. Ver no *Dicionário* o artigo *Atributos de Deus*.

Os gregos falavam acerca de Jove como segue: "A boca de Jove sabe como formular uma mentira; mas toda palavra acha seu pleno cumprimento" (Ésquilo, em *Promet. Vinct.* 1068).

"Seja Deus verdadeiro, e mentiroso todo homem..." (Rm 3.4). Ver no *Dicionário* o verbete intitulado *Mentir (Mentiroso)*.

Sabemos que a verdade tem sido
dita para o mundo, por mil vezes;
mas não temos ouvidos
para ouvir...

Edwin Arlington Robinson

Para que se arrependa. O oráculo negava que Deus muda de parecer. "O propósito de Deus é consistente; ele não se caracteriza pelo engano e capricho dos homens" (*Oxford Annotated Bible*, comentando sobre este versículo).

No entanto, acerca de Deus, é dito que ele se arrepende (ver Êx 32.14 e suas notas expositivas). Ofereço oito explicações que têm sido dadas para o problema. É um truísmo dizer que Deus muda de ideia quando é "certo" fazer assim, mas não o faz quando é "errado" fazê-lo, ou seja, quando algum princípio moral está envolvido. Isso é apenas uma peça do quebra-cabeça. Em alguns casos, isso é apenas um aspecto da interação entre a vontade divina e a humana. Deus se utiliza do livre-arbítrio humano, sem anulá-lo, embora não saibamos dizer como o faz. Mas o problema envolve outros aspectos, os quais são ventilados nas notas sobre Êxodo 32.14.

O caso presente (Nm 23) é claro. Um Deus que se arrependa, no sentido em que o homem se arrepende, seria um Deus que anularia o Pacto Abraâmico, e isso seria moralmente errado e espiritualmente desastroso.

Tendo ele prometido, não o fará? Deus sempre cumpre aquilo que promete. Em outras palavras, suas declarações proféticas e suas promessas infalivelmente terão cumprimento. A bênção divina a Israel atravessa os milênios, e tem envolvido muitas predições que tinham e terão de ser cumpridas. Assim sendo, a veracidade de Deus haveria de levar seu propósito a uma cabal fruição.

Deus *comprometeu-se de modo inquebrantável* de que abençoaria o povo de Deus, de acordo com sua inexorável vontade. Nenhum poder, como o de Balaque, ou o de Balaão, poderia afetar essa decisão divina no mínimo que fosse. Cf. Salmo 89.34 e Isaías 14.24,27. Ademais, esse compromisso inquebrantável visava o bem de *todos os povos*, e não somente do povo de Israel, visto que Israel seria usado como instrumento que traria ao mundo o Messias e sua universal missão salvífica. Isso fazia parte do Pacto Abraâmico, e foi reforçado no novo pacto, tendo recebido ainda uma nova expressão. Ver no *Dicionário* o verbete chamado *Pactos*. Ver também, na *Enciclopédia de Bíblia, Teologia e Filosofia* o artigo *Novo Testamento (Pacto)*.

■ 23.20

הִנֵּה בָרֵךְ לָקָחְתִּי וּבֵרֵךְ וְלֹא אֲשִׁיבֶנָּה:

Para abençoar recebi ordem. Assim disse Balaão, que aludia à ordem que recebera repetidamente de abençoar, e não de amaldiçoar a Israel. Balaque precisava ouvir isso de novo, e Balaão não hesitou em dizê-lo. Ver as outras ordens nesse sentido em Números 22.12,18 e 23.8. O segundo oráculo concordou de modo absoluto com os dois sonhos (ou visões) e com o primeiro oráculo. Yahweh não mudou de atitude, contrariamente ao que Balaque havia esperado.

Ele abençoou. Yahweh tinha abençoado, e nada havia que Balaão pudesse fazer para reverter isso, e ele nem mesmo queria essa reversão. Yahweh firmara uma aliança inquebrantável com Israel, conforme vimos nas notas sobre o versículo anterior.

■ 23.21

לֹא־הִבִּיט אָוֶן בְּיַעֲקֹב וְלֹא־רָאָה עָמָל בְּיִשְׂרָאֵל יְהוָה אֱלֹהָיו עִמּוֹ וּתְרוּעַת מֶלֶךְ בּוֹ:

Não viu iniquidade em Jacó. Israel transbordava de pecado e murmurações, conforme temos acompanhado no registro sagrado. Ver a introdução ao capítulo 11 de Números, bem como a lista de murmurações, em Números 14.22. Todas essas iniquidades, todavia, não tinham o menor peso diante de Yahweh, pelos seguintes motivos: 1. O Senhor havia provido um sistema expiatório, através dos sacrifícios efetuados no tabernáculo. 2. O Senhor havia encoberto os pecados deles devido ao seu grande amor e misericórdia. Isso posto, Israel estava diante do Senhor como um povo *sem culpa*, apesar de seus muitos pecados e erros. Assim manifesta-se a *graça* de Deus (ver no *Dicionário* a esse respeito). Deus tinha resolvido abençoar o povo de Israel, e coisa alguma podia militar contra essa decisão divina (ver Rm 8.32).

Desventura. No hebraico, de acordo com a índole da poesia dos hebreus, temos aqui uma reiteração da mesma ideia, mediante o uso de outras palavras. O termo hebraico correspondente, *amal*, significa "perversidade", "miséria". Nossa versão portuguesa prefere refletir esse segundo sentido do termo. Israel mostra-se um povo perverso, mas não de modo fatal, não tendo sido levado por isso à desventura, porquanto a provisão de Deus anulava toda iniquidade dos filhos de Israel. Tudo isso resultava do grande amor de Deus pelo povo de Israel.

Algumas versões antigas e modernas (como o siríaco e a *Revised Standard Version*, em inglês) dizem aqui *infortúnio, desventura*. É evidente que nossa versão portuguesa reflete isso. Todavia, essa tradução suaviza o texto sagrado e se desvia um tanto da verdade. O fato é que Israel era um povo *iníquo* que estava sendo *transformado para melhor* pelo poder e graça de Deus. Cf. Habacuque 1.3, onde são usadas as mesmas palavras, no original hebraico. Os Targuns dizem que essa *iniquidade* alude à "idolatria", dizendo que Israel estava livre desse tipo de pecado. Mas a verdade é que por muitas vezes o povo de Israel apelou para a idolatria.

Iniquidade em Jacó. Esse substantivo, no hebraico, é *'aven*, "vaidade", "inutilidade", "iniquidade". Essa palavra também pode apontar para algum deus falso ou *ídolo*.

Os dois substantivos, "desventura" e "iniquidade" por si mesmos dão margem a traduções abrandadas; mas o registro bíblico deixa claro que Israel era mesmo culpado de muitos pecados e perversões morais.

Aclamações ao seu Rei. Está em foco o Rei Yahweh, e não apenas algum monarca terreno, o que seria uma ideia totalmente fora de lugar aqui, além do que na época Israel nem pensava em ter um rei humano. Essas aclamações são paralelas às palavras "Deus está com ele", porquanto Yahweh é o Deus que devia ser aclamado devido às vitórias e às forças de Israel.

A palavra *aclamações* (no hebraico, *teruah*) é tradução do mesmo vocábulo usado para indicar o sonido das trombetas, em Levítico 23.24. Ver também Josué 6.4,20, onde essa palavra também aponta para o sonido das trombetas.

Algumas versões, contudo, dão mais a entender que Yahweh é que soltaria um brado, em vez de ser "aclamado" pelo povo, conforme temos em nossa versão. Por isso mesmo, comentou Eugene H. Merrill, *in loc.*, sobre este versículo: "O brado do Rei deve ser compreendido como uma ameaça militar, dando a entender que é um Guerreiro que conduz o seu exército à vitória (cf. Js 6.5,20; Sl 47.5; Jr 4.19; 49.2)".

Alguns Targuns e alguns antigos intérpretes cristãos pensavam que este versículo deve ser entendido em um sentido messiânico. O Rei-Messias foi quem deu o grande brado de triunfo!

23.22

אֵל מוֹצִיאָם מִמִּצְרָיִם כְּתוֹעֲפֹת רְאֵם לוֹ:

As forças deles. Essas forças, na realidade, eram de Yahweh. Elas foram ilustradas no livramento de Israel da servidão egípcia, o que é um tema frequente no Pentateuco.

> Quando Israel se livrou da escravidão,
> Diante deles estava o mar.
> O Senhor lhes estendeu a poderosa mão,
> E a pé enxuto fê-los passar.
>
> H. J. Zelley

Ver Êxodo 11.1 ss.; 12.42; 17.3; 18.1; 19.1; 29.46; 32.1; 33.1; Levítico 11.45; 22.33; 23.43; 25.38; 26.13; Números 1.1; 9.1; 15.41; Deuteronômio 1.27; 4.37; 8.14; 13.5; 26.8; 29.25; Josué 2.10; Juízes 2.1.

Boi selvagem. Há um artigo detalhado sobre esse animal no *Dicionário*. O boi selvagem era maior que o gado doméstico, cientificamente conhecido como *Bos pimigenius*. É provável que esse animal fosse um símbolo de força. O *poder* de Yahweh talvez fosse representado por esse animal, neste versículo.

Nossa versão portuguesa, refletindo algumas outras traduções (como a *Revised Standard Version*, em inglês), dá a entender que a força é "deles", dos israelitas. Mas mesmo que tivéssemos aqui o singular, "ele", poderia estar em pauta o povo de Israel. Essa é a opinião da maioria dos intérpretes, seguida por nossa versão portuguesa.

Todavia, os intérpretes não têm chegado a um acordo sobre a identidade do animal. Alguns pensam no unicórnio mitológico, outros pensam no rinoceronte. Alguns dizem que o termo acádico correspondente, *rimu*, indicava um bisonte. No hebraico temos a palavra *reem* e, embora não haja consenso de opinião sobre o animal assim chamado, o "boi selvagem" representa a maioria das opiniões eruditas.

23.23

כִּי לֹא־נַחַשׁ בְּיַעֲקֹב וְלֹא־קֶסֶם בְּיִשְׂרָאֵל כָּעֵת יֵאָמֵר לְיַעֲקֹב וּלְיִשְׂרָאֵל מַה־פָּעַל אֵל:

Contra Jacó não vale encantamento. Ver no *Dicionário* sobre a palavra *Encantamento*. Esse é um artigo detalhado, que não repito aqui. Os encantamentos eram e são aquelas práticas, comuns entre os povos primitivos, que consistiam em usar fórmulas verbais ou ritos mágicos que encorajariam os poderes sobrenaturais a entrar em ação, praticando o bem ou o mal, abençoando ou amaldiçoando as pessoas, exorcizando os demônios, provocando experiências místicas ou curando enfermidades. Essas fórmulas verbais são faladas ou entoadas, e geralmente fazem parte de rituais para todos os tipos de ocasião. Ver também o verbete intitulado *Encantador*. Os hebreus envolveram-se em atos dessa natureza, apesar de os profetas do Antigo Testamento proibirem tais práticas. Ver no *Dicionário* os artigos intitulados *Adivinhação; Magia* e *Feitiçaria*. Ver Levítico 19.26; Deuteronômio 18.9-14; 2Reis 17.17 e 21.6.

Os povos antigos tinham uma crença firme na eficiência dos encantamentos, os quais eram temidos quando postos a serviço de causas malignas. Balaão assegurou a Balaque, por meio dessas palavras de seu oráculo, que nenhuma dessas coisas poderia exercer efeito algum sobre Israel. A adivinhação e a feitiçaria eram instrumentos inúteis contra Israel, sem importar quão poderoso fosse o seu efeito no caso de outros povos.

Que cousas tem feito Deus! O poder por trás de Israel, que operava milagres, e para o qual eles ainda haveriam de apelar no futuro, era o poder de Yahweh. A posse desse *poder* significava que Israel não precisava depender dos poderes dos encantadores, nem das informações dos adivinhos e buena-dichas. Naturalmente os profetas de Deus tinham esses poderes, e faziam maravilhas através da oração, além de serem dotados de vários poderes do Espírito, como o da previsão do futuro, para exemplificar. Mas isso ocorria dentro do "acampamento" de Israel e era aprovado pelo Senhor. Ver no *Dicionário* os verbetes *Urim e Tumim* e *Adivinhação*. Este último mostra como Israel praticava certas formas de adivinhação. Os próprios apóstolos de Jesus lançaram sorte para determinar a escolha de um novo apóstolo, que tomasse o lugar que fora deixado vago por Judas Iscariotes! (At 1.26; ver esse versículo explicado no *Novo Testamento Interpretado*).

23.24

הֶן־עָם כְּלָבִיא יָקוּם וְכַאֲרִי יִתְנַשָּׂא לֹא יִשְׁכַּב עַד־יֹאכַל טֶרֶף וְדַם־חֲלָלִים יִשְׁתֶּה:

Como leoa... como leão. Devido ao poder de Yahweh, Israel era como um leão devorador. O leão jovem, muito feroz, tornou-se símbolo do faminto povo de Israel, sedento de terras, disposto a devorar as nações pagãs que as ocupavam. Está em foco um ataque incansável, com muita matança e derramamento de sangue. Yahweh estaria à testa desse ataque, enviando o seu leão para a caça. As nações seriam vítimas impotentes, e em breve a Terra Prometida estaria nas mãos de Israel. Isso sucederia quando a taça da iniquidade dos pagãos do lugar estivesse cheia de pecados, e eles merecessem o que estavam por receber (ver Gn 15.16). Estremecemos diante da descrição. Isso nos parece tão distante do gentil Jesus. Mas devemos aceitar o Antigo Testamento como ele é, e não conforme desejamos que ele fosse. "Longe de ser vencido, Israel, qual leão, erguer-se-ia e destruiria completamente os seus inimigos (cf. Nm 24.9)" (Eugene H. Merrill, *in loc*.).

Os débeis animais da floresta não têm defesa contra o leão. A única defesa deles consistia em se ocultarem. Mas os inimigos de Israel não seriam capazes de esconder-se, e suas defesas seriam inúteis diante do poder de Yahweh. De certa vez vi um filme de um leão que matou um babuíno. Quão facilmente o leão apanhou o babuíno, que fugia! E quão facilmente o matou! Quase não podemos entender esses terrores da natureza. Algo está errado quando a matança é exaltada!

Cf. este versículo com Gênesis 49.9, onde *Judá* é chamado de leão, sempre pronto a devorar a sua presa.

Os midianitas em breve seriam derrotados e destruídos, e Balaão seria morto juntamente com eles (ver Nm 31.7,8). Josué trataria de igual maneira a todos os cananeus.

23.25

וַיֹּאמֶר בָּלָק אֶל־בִּלְעָם גַּם־קֹב לֹא תִקֳּבֶנּוּ גַּם־בָּרֵךְ לֹא תְבָרֲכֶנּוּ:

Nem o amaldiçoarás, nem o abençoarás. As mensagens dos sonhos e oráculos de Balaão se estavam tornando demais para Balaque. Assim, ele agora baixava suas expectativas, desejando que Balaão se mostrasse neutro, um profeta que ao menos não ajudasse a Israel. Balaque estava pronto a enfrentar Israel segundo os próprios méritos deste, sem a ajuda do profeta. A *neutralidade* tornara-se uma atitude desejável. Diante dessa nota de neutralidade, Balaque agora já queria despedir Balaão. Ele se tornara um aliado do adversário, inútil para os seus propósitos. Nesse ponto, a narrativa parece que deveria terminar; mas foi então que um *esforço desesperado* levou Balaque, uma vez mais, a tentar o drama do tríplice sete, somente para ver os seus desejos novamente frustrados.

23.26

וַיַּעַן בִּלְעָם וַיֹּאמֶר אֶל־בָּלָק הֲלֹא דִּבַּרְתִּי אֵלֶיךָ לֵאמֹר כֹּל אֲשֶׁר־יְדַבֵּר יְהוָה אֹתוֹ אֶעֱשֶׂה:

Não te disse eu...? Balaque havia apostado alto demais. Desde o começo da empreitada, Balaão havia advertido que só poderia proferir aquilo que Yahweh lhe ordenasse dizer. Essa informação havia sido dada com certa frequência por Balaão. Ver Números 22.38 e 23.3,12; cujas notas expositivas também se aplicam aqui. Essa *sabedoria superior*, pois, foi a que prevaleceu.

23.27

וַיֹּאמֶר בָּלָק אֶל־בִּלְעָם לְכָה־נָּא אֶקָּחֲךָ אֶל־מָקוֹם אַחֵר אוּלַי יִישַׁר בְּעֵינֵי הָאֱלֹהִים וְקַבֹּתוֹ לִי מִשָּׁם:

Encontramos aqui a duplicação da mensagem do versículo 13 deste capítulo. As notas ali existentes também aplicam-se aqui. Não tendo podido arrancar uma maldição em dois lugares diferentes, nas colinas, desesperado, Balaque pensou que uma *terceira localização* talvez se mostrasse eficaz. Balaque agora tinha virado uma criança tola. Deus é Elohim, o Deus dos hebreus, e era claro que outra tentativa também seria baldada. Os críticos, como é claro, veem nisso apenas um meio literário de apresentar o *terceiro oráculo* de Balaão (ver Nm 24.3 ss.). Um homem levado ao desespero, entretanto, pode sentir-se impelido a apelar para atos insensatos.

■ **23.28**

וַיִּקַּח בָּלָק אֶת־בִּלְעָם רֹאשׁ הַפְּעוֹר הַנִּשְׁקָף עַל־פְּנֵי הַיְשִׁימֹן׃

Cume de Peor. No hebraico, esse nome significa "abertura", "fenda". No Antigo Testamento, esse é o nome de um monte e de uma divindade pagã. Temos aqui um dos montes do território de Moabe, o lugar para onde Balaque conduziu o profeta falso, Balaão, a fim de que este amaldiçoasse o povo de Israel. Lemos aqui que esse monte "olha para a banda do deserto", ou seja, a região árida que havia em ambas as margens do mar Morto, perto do pico da parte norte das montanhas de Abarim, próximo à cidade de Bete-Peor, onde Israel acampou-se, nas planícies de Moabe, segundo se lê em Deuteronômio 2.29 e 4.46. Esse cume ficava na região de Nebo, embora não se tenha podido ainda fazer uma identificação segura. Esse foi o *terceiro* lugar alto de onde Balaão contemplou o acampamento de Israel, e de onde Balaque esperava que aquele profeta amaldiçoasse o povo de Deus. Peor era um centro cultural dos moabitas (ver Nm 25.3). Baal era a divindade adorada ali.

A banda do deserto. No hebraico temos *Jeshimon,* que alguns estudiosos pensam tratar-se de um nome próprio; mas a Revised Standard Version, seguida de perto por nossa versão portuguesa, provavelmente traduz corretamente como "olha para a banda do deserto". O hebraico indica um lugar "desolado", "estéril". Algumas vezes o deserto da Judeia era assim chamado, como se faria com qualquer outra região desértica.

■ **23.29,30**

וַיֹּאמֶר בִּלְעָם אֶל־בָּלָק בְּנֵה־לִי בָזֶה שִׁבְעָה מִזְבְּחֹת וְהָכֵן לִי בָּזֶה שִׁבְעָה פָרִים וְשִׁבְעָה אֵילִים׃

וַיַּעַשׂ בָּלָק כַּאֲשֶׁר אָמַר בִּלְעָם וַיַּעַל פָּר וָאַיִל בַּמִּזְבֵּחַ׃

Repete-se aqui *a rotina do tríplice sete,* conforme já víramos nos vss. 1, 2 e 14 deste capítulo. Agora, pela terceira vez, sete altares foram erigidos, e sete carneiros e sete bois foram imolados. Foi um esforço *extremo.* Foi um ato de desespero da parte de Balaque, que jamais conseguiu aprender e teimava em montar em seu cavalo morto.

O terceiro relato dos mesmos preparativos de sempre prepara o leitor para o *terceiro oráculo* de Balaão, que figura no capítulo 24 de Números.

CAPÍTULO VINTE E QUATRO

Prossegue aqui a mesma seção histórica iniciada em Números 22.1. Topamos agora com o *terceiro oráculo* que Balaão foi inspirado a proferir, impelido por Yahweh. Balaão havia buscado uma simples orientação divina, mas acabou recebendo quatro belos oráculos sob forma poética, exaltando as virtudes do povo de Israel e o seu bem-aventurado destino. Isso garantiu, de modo absoluto, que nenhuma maldição seria eficaz contra o povo que Deus tinha abençoado. Ver a introdução ao capítulo 22 de Números, quanto aos ensinos principais desta seção. Por duas vezes, Yahweh tinha comunicado sua mensagem por meio de sonhos ou visões noturnas (Nm 22.7-12,19,20). E também houve mensagens sob a forma de *quatro oráculos* (ver Nm 21.1—24.25). Por conseguinte, temos em todo este segmento histórico uma manifestação ampla e indiscutível da glória do povo de Israel e da vontade de Deus quanto ao seu antigo povo terreno.

■ **24.1**

וַיַּרְא בִּלְעָם כִּי טוֹב בְּעֵינֵי יְהוָה לְבָרֵךְ אֶת־יִשְׂרָאֵל וְלֹא־הָלַךְ כְּפַעַם־בְּפַעַם לִקְרַאת נְחָשִׁים וַיָּשֶׁת אֶל־הַמִּדְבָּר פָּנָיו׃

Agouros. Ver Números 23.23 quanto a notas completas sobre essa questão, bem como as referências aos vários artigos, existentes no *Dicionário,* que iluminam tais questões. E visto que os detalhes já foram dados algures, evitamos repetições neste ponto.

"Tendo entendido, por essa altura dos acontecimentos, quão inúteis eram os *agouros* contra o povo de Deus, que era um povo abençoado, Balaão deixou para trás suas técnicas usuais e contemplou as hostes de Israel, organizadas em sua ordem tribal determinada... E então, investido do Espírito de Deus, proferiu o seu terceiro oráculo" (Eugene H. Merrill, *in loc.*). Quanto ao arranjo de Israel por tribos, ver o gráfico antes das notas sobre Números 1.1.

Tendo abandonado os seus encantamentos, Balaão se tornou melhor instrumento do poder e da inspiração do Espírito de Deus. Dessa vez, a mensagem de Yahweh foi dada sob forma poética.

■ **24.2**

וַיִּשָּׂא בִלְעָם אֶת־עֵינָיו וַיַּרְא אֶת־יִשְׂרָאֵל שֹׁכֵן לִשְׁבָטָיו וַתְּהִי עָלָיו רוּחַ אֱלֹהִים׃

Acampado segundo as suas tribos. O povo de Israel estava organizado por tribos, segundo foi ilustrado pelo gráfico apresentado imediatamente antes de Números 1.1. O versículo subentende uma visão divinamente projetada, visto que de nenhum dos pontos dos montes de Moabe seria possível a um homem divisar o arraial inteiro do povo de Israel. O povo *inteiro* seria abençoado, e não somente alguma *porção.* Essa situação deve ser contrastada com as ocasiões anteriores, em que Balaão via somente alguma *porção,* e ele queria amaldiçoar e não abençoar o povo de Israel (ver Nm 22.41 e 23.13).

Devemos contrastar a visitação do Espírito de Deus com os encantamentos que Balaão havia usado antes. Agora, ele haveria de proferir uma bênção sobre o povo inteiro de Israel, e para tanto Deus conferiu sua divina inspiração. Antes, Deus se havia manifestado por meio de sonhos e visões, ou então por meio de alguma palavra posta na boca de Balaão. Agora, porém, o Espírito de Deus viera para impulsioná-lo *diretamente.* Isso parece dar a entender que o profeta estava crescendo em sua utilidade, e que estava agindo com um coração correto, embora vários intérpretes continuem insistindo sobre sua maligna natureza, pois o tempo todo ele era mero instrumento indócil.

Cf. este versículo com Números 23.5,15 e 1Samuel 19.20. Ver também a profecia de Caifás, em João 11.51. O texto destaca a soberania de Deus ao dar as suas mensagens. Nem sempre o Senhor usa "profetas aprovados".

■ **24.3**

וַיִּשָּׂא מְשָׁלוֹ וַיֹּאמַר נְאֻם בִּלְעָם בְּנוֹ בְעֹר וּנְאֻם הַגֶּבֶר שְׁתֻם הָעָיִן׃

Proferiu a sua palavra. Foi um oráculo sob forma poética. Ver sobre isso em Números 23.7. Esse oráculo não foi "dirigido a Balaque, como sucedeu nas vezes anteriores. Mas brotou dos lábios de Balaão como uma autêntica palavra profética. Balaão referiu-se a si mesmo como 'homem de olhos abertos'. Todavia, o sentido do original hebraico, nesse particular, é obscuro. Uma tradução mais satisfatória seria 'homem cujo olho vê a verdade'" (John Marsh, *in loc.*).

Parece que Balaão caiu em estado de êxtase, como também sucedeu a Saul e a muitos dos profetas antigos. E, se os olhos do sentido ordinário da visão se fecharam, ou foram postos fora do funcionamento, os olhos interiores da alma foram abertos plenamente para as maravilhas do Espírito de Deus. Balaão, pois, experimentou uma impulsão sobrenatural. Ver no *Dicionário* o artigo chamado *Inspiração.*

Homem de olhos abertos. Temos aí um toque de beleza no texto. De quanto carecemos dos movimentos do Espírito de Deus! Não nos basta "ler a Bíblia e orar", por mais importantes que sejam esses exercícios. Também precisamos do toque místico em nossa vida. Ver no *Dicionário* o artigo chamado *Misticismo.* Contrastemos essa iluminação direta do Espírito com os sonhos e encantamentos que Balaão havia recebido previamente. Ver Números 22.8,19; 23.23; 24.1.

■ **24.4**

נְאֻם שֹׁמֵעַ אִמְרֵי־אֵל אֲשֶׁר מַחֲזֵה שַׁדַּי יֶחֱזֶה נֹפֵל וּגְלוּי עֵינָיִם׃

Palavra daquele. Balaão falou o oráculo "daquele que ouve os ditos de Deus", o que reflete a apta tradução da Revised Standard Version. E ele era igualmente o homem que tivera os "ouvidos abertos". Aquilo que ele vira, disso tinha falado; aquilo que ouvira, disso falou. Grandes tesouros haviam sido subitamente entesourados em seu coração, e ele trouxe à tona esses itens preciosos, exibindo-os diante de todos os ouvintes, um por um. Ele era o homem que havia sido tocado pelo Espírito de Deus. Não era mais o antigo Balaão, mas o Balaão de depois da visitação divina. De quanto precisamos desses toques do Senhor, que nos conferem poder e inspiração! E quão significativo foi que tais experiências tivessem sido outorgadas a um alegado profeta "pagão". O Logos havia implantado em Balaão uma de suas sementes, ali, fora de Israel; posto que em um tempo e em um lugar em que isso se fazia tão necessário.

E prostra-se. É provável que o sentido dessas palavras seja que, enquanto Balaão estava dormindo, em seu leito, recebera sonhos ou visões noturnas; mas essas coisas, por assim dizer, *derrubaram-no por terra*, profundamente admirado diante de tudo. Isso é um fenômeno comum nas experiências místicas, pois elas deixam os que as recebem profundamente atônitos. Oh, Senhor, concede-nos tal graça!

Seus olhos foram abertos por meio daquelas experiências, pois seus olhos e ouvidos tinham sido abertos de maneira sobrenatural.

Assim, Balaão reivindicava *autoridade divina* para suas declarações. Ver no *Dicionário* o verbete intitulado *Transe*, uma experiência comum entre os místicos e profetas, embora pessoas de menor envergadura temam tais coisas. Cf. este versículo com os trechos de Deuteronômio 8.17; Ezequiel 1.28 e Apocalipse 1.17.

■ **24.5**

מַה־טֹּבוּ אֹהָלֶיךָ יַעֲקֹב מִשְׁכְּנֹתֶיךָ יִשְׂרָאֵל׃

Tuas tendas... tuas moradas. Notemos o paralelismo. As "moradias" dos filhos de Israel eram "boas" por serem abençoadas por Deus, embora fossem tendas armadas no deserto estéril. No entanto, eram moradias espiritualmente abençoadas. Agora a Terra Prometida seria conquistada, e o ambiente físico seria melhorado. Pois onde Yahweh se encontra, ali há boas condições espirituais, a despeito das condições físicas. O deserto estéril não inspirava a ninguém; mas as bênçãos divinas sempre inspirarão a mente dos homens. Os filhos de Israel eram peregrinos e forasteiros na Terra Prometida, mas tinham chegado ali devido ao propósito divino. "... bons, piedosos e agradáveis a Deus, por causa da presença do Senhor com eles e por causa das provisões divinas em favor deles... Ver o Salmo 84.1,4,10" (John Gill, *in loc.*).

■ **24.6**

כִּנְחָלִים נִטָּיוּ כְּגַנֹּת עֲלֵי נָהָר כַּאֲהָלִים נָטַע יְהוָה כַּאֲרָזִים עֲלֵי־מָיִם׃

Como vales... jardins... árvores de sândalo... cedros. Israel assemelhava-se a um vale verdejante que se espalhava pelo deserto, tornando-o um lugar belo e produtivo. Israel fazia rios transmissores de vida através do vale verdejante, onde floresciam árvores perfumadas.

Sândalo. Ver também sobre *aloés*, abaixo. O sândalo era uma árvore que dava excelente madeira de construção, que Hirão trazia de Ofir, para ser usada na construção do templo de Jerusalém (1Rs 10.11; 2Cr 2.8; 9.10,11). Alguns pensam estar em vista a *Peterocarpus santalinus*, uma madeira da Índia que pode ser intensamente polida. Trata-se de um madeira avermelhada, macia e cara, própria para marcenaria. Contudo, esse tipo de árvore não se tem podido localizar entre os cedros e ciprestes do Líbano. Por essa razão, alguns estudiosos têm conjecturado estar em vista algum tipo de pinheiro, ou o cipreste. Outros conjecturam tratar-se de alguma madeira da variedade cítrica, conforme diz a Vulgata Latina, *thyinum*, que os antigo muito estimavam por sua beleza e por seu odor agradável.

Cedros. Ver o artigo detalhado sobre essa árvore, no *Dicionário*. Essa árvore não cresce à beira de rios; mas o profeta não era obrigado a manter a exatidão botânica em suas declarações extáticas.

A presença de Israel transformou a região desértica em um jardim, do qual Yahweh cuidava, mantendo sua vitalidade e verdura.

Algumas traduções dão aqui *aloés*, em lugar de *sândalo*. Ver sobre essa variedade de madeira no *Dicionário*.

■ **24.7**

יִזַּל־מַיִם מִדָּלְיָו וְזַרְעוֹ בְּמַיִם רַבִּים וְיָרֹם מֵאֲגַג מַלְכּוֹ וְתִנַּשֵּׂא מַלְכֻתוֹ׃

A chuva abundante é característica de terras frutíferas, porque a água é a origem de toda vida. Ver no *Dicionário* o verbete chamado *Água*. A água era ali tão abundante que todos os *baldes* ou outros recipientes que um homem pudesse usar para transportar água estavam sempre cheios. Os baldes era úteis para transportar água tirada dos poços, um importante aspecto da vida dos lugares estéreis do Oriente Próximo e Médio. Ver no *Dicionário* o verbete intitulado *Poço*. De acordo com a visão de Balaão, porém, a água era tão abundante que os baldes estavam sempre cheios, mesmo sem a utilização de poços.

Suas sementeiras terão águas abundantes. Toda árvore e todo tipo de vegetação plantada dispunha de um abundante suprimento de água. Todavia, essa frase é um tanto obscura no original hebraico, de tal modo que alguns a traduzem aqui por "seu braço estará sobre muitos povos", cujo significado é que muitas nações sentiriam o poder de Israel.

Agague. Esse foi o nome de um rei amalequita, que fez parte da história de Saul, cerca de trezentos anos depois da época de Balaão. Se a referência realmente é a ele, temos então aqui um anacronismo, que indica que essa porção do Pentateuco foi escrita muito depois da época de Moisés. Alguns eruditos conservadores, no entanto, pensam que "Agague" seria um título real, da mesma maneira que os monarcas egípcios recebiam todos o título de Faraó. Alguns estudiosos, contudo, pensam que temos aqui uma *profecia* sobre a futura glória do rei Agague. Ver o artigo detalhado sobre ele, no *Dicionário*.

Agague, o monarca amalequita, foi um homem dotado de poder, cuja autoridade chegou a tornar-se proverbial. Contudo, Israel teria um poder ainda maior que o de Agague. Vários Targuns dos judeus dão a este texto uma interpretação messiânica. A grandeza aqui divisada seria atingida pelo *Messias*.

O seu rei. Uma profecia de que Israel, finalmente, seria governado por um rei, o que não demoraria muito a ter cumprimento. E o Rei Messias seria a figura final e coroadora dessa linhagem real. Ver no *Dicionário* o artigo intitulado *Rei, Realeza*.

■ **24.8**

אֵל מוֹצִיאוֹ מִמִּצְרַיִם כְּתוֹעֲפֹת רְאֵם לוֹ יֹאכַל גּוֹיִם צָרָיו וְעַצְמֹתֵיהֶם יְגָרֵם וְחִצָּיו יִמְחָץ׃

Tirou do Egito a Israel. Um acontecimento histórico usado amiúde para ilustrar, no Antigo Testamento, o poder de Yahweh. Há notas sobre isso, com referências ilustrativas, em Números 23.22.

Boi selvagem. Ver as notas expositivas sobre esse animal em Números 23.22.

Uma destruição total e brutal foi prevista nesse *terceiro oráculo* de Balaão. Esse aspecto também fora frisado no *segundo oráculo*, embora sob a figura de um leão devorador. Ver Números 23.24, bem como as suas notas expositivas, que também se aplicam aqui. Não somente os midianitas seriam quase aniquilados, mas também *todos* os habitantes da Terra Prometida compartilhariam desse mesmo triste fim.

■ **24.9**

כָּרַע שָׁכַב כַּאֲרִי וּכְלָבִיא מִי יְקִימֶנּוּ מְבָרֲכֶיךָ בָרוּךְ וְאֹרְרֶיךָ אָרוּר׃

Deitou-se como leão. É reiterada aqui a metáfora de Nm 23.24. Diante dessa fera, todos os animais se acovardam e se escondem. O leão rasga as carnes e esmaga os ossos de suas presas. O terror segue em seu caminho, e o leão não tem piedade. No capítulo anterior, o leão persegue sua presa; e aqui ele já a apanhou e mutilou. Já terminou de devorá-la e agora está sentado para descansar e fazer a digestão. Ninguém ousaria aproximar-se do leão, a despeito do fato de que ele já terminou sua refeição sanguinária. Portanto, deita-se sem ninguém para perturbá-lo. Assim também o povo de Israel, depois de ter terminado sua conquista, haveria de descansar como o leão, que todos temem. Ver Gênesis 49.9, onde algo parecido é dito acerca de Judá.

Quem abençoasse a Israel seria abençoado por Yahweh; mas aquele que o amaldiçoasse seria amaldiçoado por Yahweh. Essa porção do oráculo repete uma promessa especial que faz parte do *Pacto Abraâmico*. Ver Gênesis 12.3 e suas notas expositivas. Ver também Gênesis 27.29, onde a mesma coisa foi afirmada a Jacó. Ver as notas sobre o *Pacto Abraâmico*, em Gênesis 15.18.

■ 24.10

וַיִּחַר־אַף בָּלָק אֶל־בִּלְעָם וַיִּסְפֹּק אֶת־כַּפָּיו וַיֹּאמֶר בָּלָק אֶל־בִּלְעָם לָקֹב אֹיְבַי קְרָאתִיךָ וְהִנֵּה בֵּרַכְתָּ בָרֵךְ זֶה שָׁלֹשׁ פְּעָמִים׃

A ira de Balaque se acendeu. Mas a verdade é que ele mesmo havia provocado a situação. Ele não havia desistido; antes, tinha forçado a continuação do drama com aquela cerimônia dos *triplos setes* (Nm 23.1,3,14,29,30). Ele repetiu o rito por três vezes, e somente obteve a reafirmação da impossibilidade de amaldiçoar a Israel. Em adição, os oráculos poéticos falavam mais sobre *bênçãos* a Israel do que Balaque estava disposto a ouvir.

Bateu ele as suas palmas. Até hoje, naquelas regiões, esse continua sendo um gesto de consternação ou indignação; e ocasionalmente é mencionado na literatura antiga. Provavelmente é um gesto geneticamente controlado, porque o homem que assim faz age espontaneamente, sem pensar primeiro no que vai fazer. Cf. Jó 27.23. O gesto, em Lamentações 2.15, indica *escárnio*.

Porém agora já três vezes. Ver Números 23.1 ss., 13 ss. e 27. Há um antigo adágio que diz que "a persistência acaba dando certo". Mas isso não sucedeu no caso de Balaque.

■ 24.11

וְעַתָּה בְּרַח־לְךָ אֶל־מְקוֹמֶךָ אָמַרְתִּי כַּבֵּד אֲכַבֶּדְךָ וְהִנֵּה מְנָעֲךָ יְהוָה מִכָּבוֹד׃

Vai-te embora. Balaão foi convidado a fugir para escapar com vida. Balaque estivera pronto a dar-lhe muitas riquezas e uma posição honrosa; mas, para tanto, ele teria de fazer o profeta ser uma pessoa diferente do que era. Balaão tinha a estranha fixação de obedecer a Yahweh, e isso estragara todo o plano de Balaque. Poucas pessoas passam no teste do *suborno*, mas isso aconteceu com Balaão. E poucas pessoas passam no teste da *fama*, mas Balaão fora aprovado no teste. Ver Números 22.17 quanto à promessa de que Balaque faria *qualquer coisa* em favor de Balaão, se este proferisse a maldição contra Israel.

Eis que o Senhor te privou delas [das riquezas e honrarias]. Assim vociferou Balaque, provavelmente em tom de zombaria, provocada pela ira. Balaão tinha-se mostrado "por demais religioso" para receber presentes da parte de Balaque, e assim havia perdido as recompensas que homens de menor envergadura teriam feito tudo para obter. Mas pelo menos Balaque pagou um tributo não-desejado à integridade de Balaão. A espiritualidade de Balaão lhe custou muita coisa. Uma atitude comum de indivíduos profanos é que eles não dão valor às realidades da fé religiosa.

■ 24.12,13

וַיֹּאמֶר בִּלְעָם אֶל־בָּלָק הֲלֹא גַּם אֶל־מַלְאָכֶיךָ אֲשֶׁר־שָׁלַחְתָּ אֵלַי דִּבַּרְתִּי לֵאמֹר׃

אִם־יִתֶּן־לִי בָלָק מְלֹא בֵיתוֹ כֶּסֶף וְזָהָב לֹא אוּכַל לַעֲבֹר אֶת־פִּי יְהוָה לַעֲשׂוֹת טוֹבָה אוֹ רָעָה מִלִּבִּי אֲשֶׁר־יְדַבֵּר יְהוָה אֹתוֹ אֲדַבֵּר׃

Balaão disse a Balaque. Balaão apelou para sua defesa usual, que tinha dito desde o começo de suas negociações com os embaixadores de Balaque. Ver Números 22.18 e a essencial repetição do argumento, em Números 23.3,12,26.

Balaque como que disse, em atitude os zombaria: "Visto que rejeitaste meu dinheiro e minhas honrarias, vai e obtém da parte de Yahweh o que puderes!" E a resposta de Balaão correspondeu a ter ele dito: "Para o bem ou para o mal, para o muito ou para o pouco, minha sorte depende de Yahweh!"

■ 24.14

וְעַתָּה הִנְנִי הוֹלֵךְ לְעַמִּי לְכָה אִיעָצְךָ אֲשֶׁר יַעֲשֶׂה הָעָם הַזֶּה לְעַמְּךָ בְּאַחֲרִית הַיָּמִים׃

O *quarto oráculo* resultou da discussão que Balaão e Balaque, agora inimigos, tiveram. No furor do momento, o Espírito de Deus uma vez mais se utilizou da mente do profeta, e ele foi capaz de perceber os futuros relacionamentos entre Israel e Moabe.

Antes de os dois se separarem, cada qual para o seu respectivo lugar (vs. 25), ocorreu outro oráculo, sem dúvida o mais consternador de todos para Balaque. Esse oráculo, todavia, não foi solicitado nem por Balaque nem por Balaão.

Nos últimos dias. *Em algum ponto,* dentro do tempo, em algum tempo impossível de determinar, "no futuro mais longínquo previsível" (John Marsh, *in loc.*). Cf. Gênesis 49.1, onde se acha expressão idêntica.

"... não somente nos dias de Davi, o qual subjugou os moabitas (2Sm 8); mas em tempos muito posteriores, como nos dias de Alexandre ou do rei Janeu, que os venceu, conforme relatou Josefo (*Antiq.* 1.13 cap. 13, sec. 5)" (John Gill, *in loc.*). A visão profética dada a Balaão estendeu-se por várias centenas de anos. Não seriam envolvidos nem Balaque nem aquela geração de seu povo, quando chegassem os dias maus. Sem dúvida, isso lhe serviu de conforto, se é que ele tinha alguma noção do tempo envolvido.

■ 24.15

וַיִּשָּׂא מְשָׁלוֹ וַיֹּאמַר נְאֻם בִּלְעָם בְּנוֹ בְעֹר וּנְאֻם הַגֶּבֶר שְׁתֻם הָעָיִן׃

Proferiu a sua palavra. Ou seja, o seu oráculo poético, o quarto. Ver as notas sobre Números 23.7.

Homem de olhos abertos. Uma notável expressão poética, que fala da inspiração profética conferida pelo Espírito de Deus. Ver as notas sobre essa questão em Números 24.3. Esse recebimento de visões e profecias, diretamente do Espírito, com "olhos abertos", deve ser comparado com os sonhos e encantamentos anteriores de Balaão (ver Nm 23.23; 24.1).

Balaão estava proferindo uma profecia que não o afetou pessoalmente, mas que teve uma tremenda importância para Israel. Quando fazemos algo por outrem, geralmente há maior poder espiritual, visto que o amor sempre será mais forte do que os interesses egoísticos.

"A quarta profecia de Balaão começou conforme sucedera com a terceira — com o reconhecimento de que o verdadeiro entendimento vem somente de Deus" (Eugene H. Merrill, *in loc.*).

■ 24.16

נְאֻם שֹׁמֵעַ אִמְרֵי־אֵל וְיֹדֵעַ דַּעַת עֶלְיוֹן מַחֲזֵה שַׁדַּי יֶחֱזֶה נֹפֵל וּגְלוּי עֵינָיִם׃

Palavra. Ver no *Dicionário* o artigo chamado *Oráculos*. Oráculo é a palavra inspirada de um profeta ou vidente, algo que lhe é dado e que ultrapassa seus próprios poderes. Ver no *Dicionário* o verbete intitulado *Misticismo*.

Há uma *quádrupla descrição* acerca de como Balaão foi capaz de ver tão longe futuro adentro:

1. Balaão foi capaz de *ouvir* a palavra de Deus, porque seus ouvidos espirituais lhe foram abertos. Algumas vezes um oráculo é dado *audivelmente*. De outras vezes, uma visão é acompanhada por sons que podem ser ouvidos como se os estivéssemos ouvindo com nossa audição normal; ou então por meio de uma audição interior, sem que haja palavras ou sons audíveis. Ouvir, nesse caso, é equivalente a *compreender*.

2. Um profeta *reconhece* a veracidade de uma questão. O seu espírito salta até a mensagem recebida e de imediato a aprova. São-lhe conferidos conhecimento e certa iluminação. Ele *sabe* que a visão que lhe foi mostrada corresponde à realidade dos fatos espirituais. Esse *conhecimento* é uma das categorias das experiências místicas. Eis a razão pela qual Paulo, tendo recebido a sua visão, ficou tão certo do *valor de verdade* dessa visão que de pronto abandonou seu modo de viver e de pensar. Chegou mesmo a repelir princípios doutrinários do judaísmo, substituindo-os pelos princípios

doutrinários do cristianismo, embora estes últimos, em sua maneira de pensar anterior, fossem "heresias".
3. Um profeta *vê* a visão, ou mediante o uso de seus olhos normais ou através da visão interior, de acordo com a qual *vê* imagens, mas não mediante a percepção de seus sentidos normais. *Visões* podem ser vistas com os olhos físicos absolutamente fechados. Ver no *Dicionário* o artigo *Visão (Visões)*. Esse ato de "ver" também equivale a *compreender*, tal como o ato de "ouvir". Estamos abordando aqui a questão da *iluminação espiritual*, à qual nos referimos como se fossem coisas vistas e ouvidas. A mera percepção não é a única coisa que devemos apreciar em tudo isso.
4. Um profeta tem seus olhos *abertos*. E devemos entender, nesse caso, os olhos do entendimento espiritual. Esse sentimento deve ser comparado com o trecho de Efésios 1.18, onde lemos: "... iluminados os olhos do vosso coração, para saberdes...". Isso equivale aos olhos abertos do profeta, em Números 24.3.

Nomes Divinos Neste Versículo. Deus é *El*, "o Poderoso"; é *'Elyon*, "o exaltado" ou Altíssimo"; o *El Sadday*, "o Abundante", que nossa versão portuguesa traduz por "Todo-poderoso". Todos esses nomes divinos eram comuns entre os povos que ocupavam aquelas regiões, naqueles dias. Mas neste contexto é óbvio que está em foco o Deus de Israel. Ver no *Dicionário* o artigo intitulado *Deus, Nomes Bíblicos de*.

E prostra-se. Isso porque as experiências místicas são chocantes, e algumas vezes chegam a anular os movimentos musculares, causando uma queda literal. O trecho de Números 22.31 mostra-nos que Balaão caiu de rosto em terra ao contemplar o anjo que o fez parar no caminho, quando ele vinha montado em sua jumenta.

■ 24.17

אֶרְאֶנּוּ וְלֹא עַתָּה אֲשׁוּרֶנּוּ וְלֹא קָרוֹב דָּרַךְ כּוֹכָב
מִיַּעֲקֹב וְקָם שֵׁבֶט מִיִּשְׂרָאֵל וּמָחַץ פַּאֲתֵי מוֹאָב
וְקַרְקַר כָּל־בְּנֵי־שֵׁת:

Uma estrela procederá de Jacó. A *Estrela* se originaria do povo de Israel, mas ainda não era visível para Balaão; ainda estava distante. Isso aponta para o *elemento tempo*, dentro do cumprimento do oráculo. Ainda era um acontecimento distante no tempo.

Essa Estrela, em seu cumprimento preliminar, era Davi, o qual haveria de derrotar militarmente os moabitas (ver 2Sm 8). Mas Davi era um tipo ou símbolo do Messias. Este oráculo é geralmente aceito como messiânico, mesmo pelos antigos intérpretes judeus. Cristo é a *Estrela da Manhã* referida em Apocalipse 22.16.

Ele foi assim intitulado "por motivo de sua glória, brilho e esplendor" (John Gill, *in loc.*). Cristo é a Luz que ilumina a todo ser humano que vem a este mundo (Jo 1.9). Cf. Gênesis 49.10. Ver no *Dicionário* os artigos chamados *Luz, Metáfora da* e *Luz, Deus como*. E na *Enciclopédia de Bíblia, Teologia e Filosofia* examinar o verbete *Luz do Mundo, Cristo como*.

> Uma luz, para a qual o sol é noite escura;
> Luz dos olhos, amor do coração;
> Luz, olhos, tudo é dele.
> Ele é olhos, luz, coração, amor da alma;
> Ele é toda a minha alegria e
> bem-aventurança.
>
> *Purple Island*, Cântico I.5,7

Um cetro. A Estrela seria um *rei*, como Davi foi e como é o Messias. O Targum de Onkelos fala sobre o Rei que surgiria de Jacó, a saber, o *Messias*, que corrigiria todas as coisas e engrandeceria o poder de Israel. Portanto, temos aqui uma alusão à "estrela do Oriente" (ver Mt 2.2), que anunciou a primeira vinda de Cristo. Ver no *Dicionário* o artigo *Cetro*. Cf. Salmo 62.8; Ezequiel 32.7; Daniel 8.10; Joel 2.10, trechos esses que também empregam o mesmo tipo de simbolismo para referirem-se ao Messias. Ver também Zacarias 9.10 e Obadias 21.

E destruirá. O poder que se ergueria dentre Israel traduziria derrota para os inimigos de Israel, e isso em termos os mais violentos, a começar por Moabe. Essa questão já havia sido ressaltada nos oráculos de Balaão. Ver o símbolo do *leão*, que persegue e destrói a sua presa (Nm 23.24; 24.9). O fato de que o Messias seria o grande Salvador não é previsto aqui, porquanto o oráculo abordava a sorte lamentável dos moabitas, servindo isso de fator limitador da vida. Davi cumpriu essa predição ao subjugar os moabitas (2Sm 8). Cristo é o destruidor do pecado e seus efeitos, a fim de salvar os seus escolhidos da perdição espiritual (ver Cl 2.14,15).

Destruirá todos os filhos de Sete. Esse nome próprio, conforme é usado aqui, indica uma cidade ou um rei de Moabe. No panteão egípcio havia uma divindade chamada *Sete*, mas não parece que é isso que está em destaque aqui. Albright referiu-se a Sete (*Swtw*) como um povo mencionado nos textos de execração dos egípcios. Sete, filho de Adão, pode ser considerado um antepassado distante dos moabitas (além de outros povos). A verdade é que a referência é obscura. Contudo, alguns estudiosos traduzem "filhos de Sete" como "filhos do orgulho" (cf. Is 16.6).

As têmporas. Algumas versões dizem aqui "as esquinas". A cabeça é a parte mais vulnerável de um organismo humano. As "esquinas", por sua vez, poderiam referir-se até as fronteiras mais distantes do território de Moabe. Nesse caso, coisa alguma seria poupada.

■ 24.18

וְהָיָה אֱדוֹם יְרֵשָׁה וְהָיָה יְרֵשָׁה שֵׂעִיר אֹיְבָיו וְיִשְׂרָאֵל
עֹשֶׂה חָיִל:

O *oráculo* foi ampliado para aplicar-se a *Edom*, o que alguns críticos pensam que originalmente pertencia a um oráculo distinto, mas que o editor do Pentateuco resolveu incluir neste ponto. No entanto, por ser um povo vizinho dos moabitas, naturalmente poderia ser envolvido no escopo deste *quarto oráculo*. Ver no *Dicionário* o artigo intitulado *Edom, Idumeus*. Edom era o nome do povo, e Seir era o nome do país. "Balaão profetizou que os idumeus se tornariam súditos de um vitorioso Israel, prevendo algo que, finalmente, teve realização nos tempos de Davi. A noção de que os inimigos de Deus, no fim, tornam-se seus *súditos*, contém uma profunda verdade espiritual" (John Marsh, *in loc.*). Mas Deus subjuga somente para terminar abençoando, tal como castiga a fim de remediar, e não meramente para esmagar.

Seir era outro nome dado a Edom, conforme indica a construção paralela do poema. (Cf. Gn 32.3; Dt 2.4). Ver no *Dicionário* o verbete *Seir*, que contém descrições completas. Edom, igualmente um território desértico, ficava a cerca de 50 km ao sul de Moabe, pelo que está em mira a mesma região geral, embora politicamente separada. Estão em foco povos aliados ou mesmo racialmente vinculados (por meio de casamentos mistos).

Israel fará proezas. Em vez de ser amaldiçoado e ficar claudicante, o povo de Israel estava destinado, com a ajuda da Estrela, a conquistar todo aquele território e subjugar a todos os adversários, que viviam dentro e fora da área. Ver Salmo 60.9,12. Alguns intérpretes estendem essa profecia até os tempos messiânicos, e mesmo até a futura era do Reino de Cristo. Ver no *Dicionário* o verbete chamado *Milênio*.

■ 24.19

וְיֵרְדְּ מִיַּעֲקֹב וְהֶאֱבִיד שָׂרִיד מֵעִיר:

De Jacó sairá o dominador. O "dominador" sairia de Jacó, provavelmente indicando Davi, novamente; e em seguida o Messias, na qualidade de "a Estrela", conforme é interpretado o vs. 17 deste capítulo. Várias antigas autoridades judaicas viam este versículo em um sentido messiânico; mas Davi também foi mencionado por eles. Ver Salmo 72.8, que declara que ele terá domínio "de mar a mar". Ver também Gênesis 49.10.

Os que restam das cidades. É provável que estejam em pauta cidades como Sela, capital dos idumeus, posteriormente chamada Petra. Quanto ao cumprimento dessas predições, ver 1Reis 11.15-18. Cf. Isaías 15 e 16; 21.11,12; Jeremias 48; 49.7-11; Obadias 15.18,21.

■ 24.20

וַיַּרְא אֶת־עֲמָלֵק וַיִּשָּׂא מְשָׁלוֹ וַיֹּאמַר רֵאשִׁית גּוֹיִם
עֲמָלֵק וְאַחֲרִיתוֹ עֲדֵי אֹבֵד:

Nesta altura o *oráculo* amplia-se para incluir os descendentes de Amaleque, aqui chamado de "o primeiro das nações". Essa referência é obscura, visto que não há tradição bíblica que nos esclareça essa informação. Os amalequitas foram os primeiros a atacar o povo de Israel (ver Êx 17.8), e isso pode ter sido a origem do ditado: Amaleque seria o primeiro dentre as nações a atacar a Israel. Amaleque ficou sujeito a uma maldição divina, e durante os dias de Saul e Davi foi essencialmente aniquilado (1Sm 15.7,8; 30.1-17). Ver sobre *Amaleque* em Gênesis 36.12 e suas notas. Ver no *Dicionário* o artigo chamado *Amalequitas,* que nos fornece informações geográficas e arqueológicas.

Os amalequitas surgiram primeiro, talvez do ponto de vista do tempo, ou talvez em termos de força e domínio; no *fim,* entretanto, seriam exterminados, tal como os habitantes de Moabe e de Edom. Isso descreve a *vitória absoluta* dos filhos de Israel.

■ 24.21

וַיַּרְא֙ אֶת־הַקֵּינִ֔י וַיִּשָּׂ֥א מְשָׁל֖וֹ וַיֹּאמַ֑ר אֵיתָן֙ מוֹשָׁבֶ֔ךָ וְשִׂ֥ים בַּסֶּ֖לַע קִנֶּֽךָ׃

Aqui o oráculo amplia-se para incluir os *queneus,* os quais pareciam seguros e inexpugnáveis em seus lugares fortificados. Esses também teriam um mau fim. Os queneus estavam associados tanto aos amalequitas quanto aos judaítas (Jz 1.16; 1Sm 15.6). Por nome, estavam vinculados a Caim. Acabaram identificados como uma porção dos midianitas. O cunhado de Moisés, *Hobabe,* foi descrito como um midianita (Nm 10.29), mas o pai dele é chamado de queneu (Jz 1.16). Os territórios ocupados por eles eram, primariamente, as áreas desérticas da península Arábica e do Sinai. Ver no *Dicionário* o artigo detalhado chamado *Queneus.* Eles chegariam ao fim por ocasião das conquistas encetadas pelos assírios (vs. 22). Alguns intérpretes não identificam o povo aqui mencionado com os queneus-midianitas, e, sim, com um povo que residia na área montanhosa e mais selvagem do sul da Palestina, juntamente com o lado ocidental da Arábia, e em ambas as margens do golfo de Ácaba. Seriam uma antiga tribo cananeia.

"O significado dos vss. 21-24 é obscuro, devido à incerteza que cerca os nomes próprios" (*Oxford Annotated Bible,* comentando sobre este versículo).

■ 24.22

כִּ֥י אִם־יִהְיֶ֖ה לְבָ֣עֵֽר קָ֑יִן עַד־מָ֖ה אַשּׁ֥וּר תִּשְׁבֶּֽךָּ׃

Não há nenhum registro histórico do *definhamento* dos queneus; mas devemos lembrar que o exército assírio atacou grandes faixas da Palestina, e que os israelitas não foram o único povo a ser levado em cativeiro.

Assur. No hebraico, esse nome significa *degrau* ou *planície plana.* Esse era o nome de um dos filhos de Sem, como também de uma cidade erigida às margens do rio Tigre. Neste ponto, refere-se aos seus descendentes, os assírios. Ver no *Dicionário* os verbetes *Assur* e *Assíria,* quanto a plenas informações a respeito. A conquista do ocidente, incluindo a Palestina, foi encetada por Tiglate-Pileser III e por Salmaneser V. O período foi 745-722 a.C. A menção à Assíria, nos dias de Balaão, não é um anacronismo, visto que em cerca de 1400 a.C. já medrava o Reino Assírio Médio. Seja como for, estamos tratando com uma *profecia,* e não com a história, embora os críticos vejam as profecias como se fossem fatos históricos referidos desde um passado remoto.

Embora os queneus ocupassem um "ninho na penha", ou seja, lugares inacessíveis da região montanhosa, o poder assírio seria suficiente para espantar dali os pássaros queneus, embora estes se julgassem seguros.

"Os assírios e os babilônios, que levaram cativas as dez tribos de Israel (2Rs 17.6) e depois os judaítas (desta vez para a Babilônia; 2Rs 25), provavelmente também levaram em cativeiro os queneus. De fato, isso parece perfeitamente patenteado, visto que achamos *alguns* queneus mencionados entre os judeus, após seu retorno do cativeiro babilônico (1Cr 2.55)" (Adam Clarke, *in loc.*). Ver no *Dicionário* o artigo intitulado *Cativeiro (Cativeiros).*

■ 24.23

וַיִּשָּׂ֥א מְשָׁל֖וֹ וַיֹּאמַ֑ר א֕וֹי מִ֥י יִחְיֶ֖ה מִשֻּׂמ֥וֹ אֵֽל׃

Ai, quem viverá...? Seria melhor que eles nem tivesse nascido, ou não vivessem o bastante para ver o terror causado pelos assírios, Embora homens viessem a efetuar a matança, seria Yahweh (Elohim), o Deus dos judeus, o poder por trás de tais acontecimentos. Mas também seria Yahweh que cuidaria para que os assírios chegassem a um mau fim. Dessa maneira, o juízo divino passaria de um povo para outro, ferindo todos os adversários de Israel. Como é óbvio, o versículo 23 refere-se tanto ao que já tinha acontecido quanto ao que aconteceria no futuro. Houve uma pausa no *oráculo,* para então Balaão reiniciá-lo, passando daí a novas considerações.

■ 24.24

וְצִים֙ מִיַּ֣ד כִּתִּ֔ים וְעִנּ֥וּ אַשּׁ֖וּר וְעִנּוּ־עֵ֑בֶר וְגַם־ה֖וּא עֲדֵ֥י אֹבֵֽד׃

"Nenhuma nação seria capaz de resistir ao poder da Assíria (vs. 23); contudo, cairá diante de *Quitim.* Quitim significa Chipre, que esteve sob o governo assírio no século VII a.C. Mas o trecho de Jeremias 2.10 usa a palavra para indicar os países das margens do mar Mediterrâneo *em geral,* enquanto Daniel 11.20 dá a entender que eles seriam os *romanos.* E em 1Macabeus 1.1 e 8.5 entendemos que estão em foco os *gregos.* Não se conhece nenhuma derrota dos assírios por parte dos povos mediterrâneos, razão pela qual tem sido sugerido por alguns que esse poema se refere à derrubada da Pérsia por Alexandre o Grande. Nesse caso, *Assur* seria a Pérsia.

Héber. A Septuaginta traduz esse nome por 'hebreus'. Mas na verdade trata-se de um termo desconhecido. Significa povo do 'outro lado', ou seja, 'do outro lado do rio Eufrates'" (John Marsh, *in loc.*). Ver no *Dicionário* os artigos intitulados *Chipre* e *Éber.* E também *Quitim,* as notas sobre Gênesis 10.4.

Os romanos, finalmente, incorporaram os vestígios do império assírio, como também Israel, em seu domínio quase universal dos tempos antigos.

Desnecessário é dizer que os críticos veem neste versículo um violento anacronismo, pensando que temos aqui história, e não profecia, na hipótese de que o autor sagrado escreveu em uma época em que todas essas coisas já tinham acontecido. No entanto, todos esses informes são apresentados como profecias. Os conservadores, por sua parte, consideram este versículo uma profecia típica; ou, no máximo, supõem que um editor posterior tenha adicionado alguns elementos ao poema original.

■ 24.25

וַיָּ֣קָם בִּלְעָ֔ם וַיֵּ֖לֶךְ וַיָּ֣שָׁב לִמְקֹמ֑וֹ וְגַם־בָּלָ֖ק הָלַ֥ךְ לְדַרְכּֽוֹ׃ פ

Balaão... Balaque. Os dois, antes amigos, separaram-se como inimigos, cada qual voltando à sua própria terra. Mas isso ainda não foi o fim da história, porquanto Balaão, embora não pudesse amaldiçoar a Israel, acabou ajudando Balaque, corrompendo-os moralmente. Isso foi feito através de atos imorais com mulheres moabitas, um dos assuntos abordados no capítulo 25. Essa corrupção moral produziu grande juízo contra o povo de Israel, embora não o suficiente para impedir a invasão da Terra Prometida, conforme Balaque tentara impedir. Se Balaão chegou à sua terra, então mais tarde voltou, porquanto foi morto em uma batalha havida entre Israel e os moabitas (ver Nm 31.8). Se Balaão permaneceu por algum tempo entre os moabitas, depois de ter ido para sua terra e voltado, somente para perecer entre eles, então a história é deveras entristecedora. Se tivesse ficado na terra dele, teria preservado a sua vida! E se tivesse voltado definitivamente para casa, talvez também Israel não tivesse sido corrompido por meio de mulheres moabitas.

CAPÍTULO VINTE E CINCO

APOSTASIA EM PEOR (25.1-18)

O trecho de Números 22.2—24.25 pinta uma quadro essencialmente positivo a respeito de Balaão. Ele era um profeta pagão, que apelava para agouros (Nm 23.23), mas demonstrou uma lealdade inquebrantável a Yahweh, o Deus dos judeus. A passagem de Números 25.1 não fornece nenhum indício de que ele teria sugerido a Balaque que Israel, embora não pudesse ser amaldiçoado, poderia ser corrompido. Esse informe surge de repente, em Números 31.16. Os críticos, pois, sugerem que esse comentário deriva-se de uma fonte informativa diferente daquela que achamos aqui, o que explicaria a omissão crassa do fato, aqui em Números 25.1.

Seja como for, este capítulo introduz dois relatos: Em Números 25.1-5, imoralidade com as mulheres moabitas; e em Números 25.6-18, imoralidade com uma mulher midianita. Ambos os relatos ilustram como Israel precisava separar-se dos povos pagãos em redor, se o propósito de Yahweh acerca de Israel devesse ter cumprimento.

A imoralidade foi uma corrupção espiritual que levou à idolatria, a qual algumas vezes é retratada como adultério espiritual. Ver no *Dicionário* o artigo chamado *Idolatria*. Mediante a sedução sexual, muitos israelitas foram atraídos a participar do culto a Baal.

■ 25.1

וַיֵּשֶׁב יִשְׂרָאֵל בַּשִּׁטִּים וַיָּחֶל הָעָם לִזְנוֹת אֶל־בְּנוֹת
מוֹאָב׃

Sitim. Ver sobre esse lugar no *Dicionário*. O nome é uma transliteração do termo hebraico que significa *acácia*. Esse era o nome geográfico de uma região dentro das planícies de Moabe, imediatamente a nordeste do mar Morto. Provavelmente é a mesma *Abel-Sitim,* referida em Números 33.49. Ver detalhes completos a respeito naquele artigo.

A prostituir-se. Essa corrupção moral, ao que tudo indica, fazia parte de um plano para debilitar o povo de Israel, levando Yahweh a julgar esse povo que ele queria abençoar. Ver a introdução a este capítulo, quanto às circunstâncias. Este versículo não diz que Balaão fez parte do conluio, embora isso seja dito em Números 31.16 e Apocalipse 2.14. Esse erro chegou a ser conhecido como "doutrina de Balaão". Assim, foi possível corromper um povo que não podia ser amaldiçoado (Nm 31.15,16; cf. Nm 22.5 e 23.8). Dessarte, Israel contaminou seu estado de povo separado (santificado), e isso trouxe a ira de Yahweh contra eles. Todavia, isso não foi suficiente para impedir a invasão da Terra Prometida, que era o que Balaque esperava poder evitar.

Ver sobre *o caminho de Balaão*, em 2Pedro 2.15 e sobre o seu *erro*, em Judas 11. No artigo sobre *Balaão,* em seu quarto ponto, discuti sobre as três expressões.

O objetivo da corrupção moral era levar Israel a ocupar-se do culto a Baal, o que, caso se tivesse tornado universal, provavelmente teria causado a queda completa dessa nação, devido ao juízo de Yahweh.

As *imoralidades* provavelmente faziam parte das práticas culturais de fertilidade dos cananeus, pelo que eram parte integrante da idolatria associada a Baal. Ver Deuteronômio 23.17,18; 1Reis 14.22-24; Números 25.2.

■ 25.2

וַתִּקְרֶאןָ לָעָם לְזִבְחֵי אֱלֹהֵיהֶן וַיֹּאכַל הָעָם וַיִּשְׁתַּחֲווּ
לֵאלֹהֵיהֶן׃

O povo comeu, inclinou-se aos deuses deles. Sem dúvida, temos aqui alusão aos ritos de fertilidade, que promoviam orgias sexuais, típicas dos cultos cananeus. Ao participarem de tais festas, os israelitas já se tinham envolvido na idolatria, pois as duas coisas eram inseparáveis.

Não devemos pensar aqui em matrimônios, ou seja, no jugo desigual (ver 2Co 6.14), mas em fornicação e adultério francos, sob a capa de um culto religioso. As mulheres moabitas convidaram os homens israelitas para as celebrações em honra a Baal e Camos (Dt 3.29), e o convite indecoroso foi aceito.

Comeu. Temos aí menção à refeição sagrada dos povos pagãos. As religiões pagãs vinculavam a glutonaria às orgias, pois supunha-se que isso honrasse às divindades. De mistura com isso, havia uma idolatria franca, em que as pessoas se prostravam diante dos ídolos que representavam os deuses. Ver no *Dicionário* o artigo intitulado *Idolatria*.

"... mulheres... sensualidade... paixões... idolatria... bebedeiras..." (John Gill, *in loc.*).

■ 25.3

וַיִּצָּמֶד יִשְׂרָאֵל לְבַעַל פְּעוֹר וַיִּחַר־אַף יְהוָה
בְּיִשְׂרָאֵל׃

Baal-Peor. Há um detalhado artigo sobre essa divindade pagã no *Dicionário*, pelo que não ofereço detalhes neste ponto. Esse título significa *Senhor da Palma*. Encontramos aqui um rompimento sério com o pacto mosaico e com a fé de Israel. Israel misturou-se com essas atividades bem às vésperas da entrada deles na Terra Prometida.

A ira do Senhor. A ira do Senhor acendeu-se contra Israel, uma tradução que reflete de perto o original hebraico. Quando isso sucedia, logo seguia-se algum grande juízo divino, com o resultado de que muita gente morria. Ver no *Dicionário* os artigos chamados *Antropomorfismo* e *Antropopatismo*. Devido à debilidade da linguagem humana, somos forçados a apelar para termos que são aplicáveis aos homens, quando falamos sobre Deus, embora isso seja, sem dúvida, uma maneira muito inexata de falar sobre a deidade. Ver na *Enciclopédia de Bíblia, Teologia e Filosofia* os verbetes chamados *Via Negationis* e *Via Eminentiae,* ambos os quais mostram maneiras de os homens falarem sobre Deus.

■ 25.4

וַיֹּאמֶר יְהוָה אֶל־מֹשֶׁה קַח אֶת־כָּל־רָאשֵׁי הָעָם
וְהוֹקַע אוֹתָם לַיהוָה נֶגֶד הַשָּׁמֶשׁ וְיָשֹׁב חֲרוֹן אַף־יְהוָה
מִיִּשְׂרָאֵל׃

Enforca-os ao Senhor ao ar livre. O juízo divino não demorou. Yahweh instruiu o mediador, Moisés, para tratar primeiramente com os chefes do povo. Todos eles deveriam ser executados por enforcamento. Alguns estudiosos pensam que a execução foi por empalação ou por algum tipo de crucificação, o que entre os hebreus usualmente ocorria depois de a pessoa já ter morrido.

Ao ar livre. As execuções deviam ser públicas, da maneira mais conspícua possível, em pleno dia. Os Targuns informam-nos que isso ocorreu "perto do tabernáculo", apontando para a natureza religiosa do crime deles. Parece ficar entendido que todos aqueles "chefes" eram culpados, mas é possível que, de acordo com a antiga ideia da solidariedade tribal, tenham sido escolhidos apenas alguns dos chefes, incluindo culpados e inocentes. Eles deviam morrer "pelo povo". Todavia, a questão permanece em dúvida. A morte deles aplacaria a ira de Yahweh, e assim, o povo em geral não sofreria. *Todos* os culpados tiveram de morrer, entretanto (ver o próximo versículo).

■ 25.5

וַיֹּאמֶר מֹשֶׁה אֶל־שֹׁפְטֵי יִשְׂרָאֵל הִרְגוּ אִישׁ אֲנָשָׁיו
הַנִּצְמָדִים לְבַעַל פְּעוֹר׃

Moisés disse aos juízes de Israel. Aos juízes foi ordenado que procurassem todos quantos se tinham envolvido na idolatria orgiástica, e cada um dos culpados foi executado, talvez por enforcamento, como os cabeças do povo, porém mais provavelmente por apedrejamento. Ver no *Dicionário* o verbete chamado *Apedrejamento*.

O termo "juízes", aqui utilizado, pode referir-se aos que tinham responsabilidade sobre grupos de mil, cem, cinquenta e dez pessoas, ou seja, os *subchefes* que trabalhavam sob a supervisão dos príncipes. Assim, muitos executores executaram a muitos ofensores.

DEVASSIDÃO COM OS MIDIANITAS (25.6-18)

Um segundo relato foi introduzido, semelhante ao primeiro, ambos os quais ilustram a necessidade de os israelitas separarem-se do paganismo, sobretudo da variedade que opera mediante a atração sexual, as orgias, os relacionamentos ilícitos, e mesmo o casamento. O texto à nossa frente dá a entender concubinato ou casamento, embora isso não seja dito especificamente. Talvez o homem envolvido apenas quisesse viver com a mulher midianita que ele trouxera ao arraial dos israelitas de modo tão aberto e desavergonhado. A narrativa indica que um episódio ocorreu imediatamente depois do outro, porquanto o povo ainda estava lamentando pelos mortos que tinham acabado de ser executados, por causa da orgia com as mulheres moabitas e da adoração a Baal (vss. 1-5). Ou as lamentações podem ter envolvido alguma tragédia distinta, como uma praga (vs. 8).

■ 25.6

וְהִנֵּה אִישׁ מִבְּנֵי יִשְׂרָאֵל בָּא וַיַּקְרֵב אֶל־אֶחָיו
אֶת־הַמִּדְיָנִית לְעֵינֵי מֹשֶׁה וּלְעֵינֵי כָּל־עֲדַת
בְּנֵי־יִשְׂרָאֵל וְהֵמָּה בֹכִים פֶּתַח אֹהֶל מוֹעֵד׃

Uma midianita. Ver no *Dicionário* o artigo chamado *Midiã, Midianitas*. Uma praga estava em curso (vs. 8), que era causa das lamentações, e estas podiam ter sido associadas ou não ao relato que se segue.

Enquanto eles choravam. As lamentações estavam acontecendo diante da porta do tabernáculo, diante da *primeira cortina*, que separava o átrio do tabernáculo do espaço exterior. Ver as notas sobre as *três cortinas* do tabernáculo, em Êxodo 26.36. O lugar escolhido para as lamentações mostra que Israel estava suplicando a Yahweh que ele fizesse cessar a praga. Bem em meio à solene cena, certo homem israelita apareceu no acampamento, exibindo uma mulher estrangeira, vedada aos israelitas quer em casamento, quer em concubinato. Foi outra brecha feita na condição de povo separado para Yahweh.

As tradições judaicas adornam o relato, visto que o homem era um dos príncipes de Israel, ao passo que a mulher midianita era também uma princesa. Essa informação é extraída dos vss. 14 e 15 deste capítulo. Essa condição agravava ainda mais a questão, visto que, uma vez mais, estava envolvida a "liderança", dando um mau exemplo ao povo comum, ao revoltar-se contra os mandamentos de Yahweh.

A alta posição do homem israelita e da mulher midianita fala em favor de alguma espécie de aliança matrimonial com implicações políticas, uma tentativa de unir os israelitas e os midianitas; ou, pelo menos, sugere que tal união era algo desejável.

■ **25.7,8**

וַיַּרְא פִּינְחָס בֶּן־אֶלְעָזָר בֶּן־אַהֲרֹן הַכֹּהֵן וַיָּקָם מִתּוֹךְ הָעֵדָה וַיִּקַּח רֹמַח בְּיָדוֹ׃

וַיָּבֹא אַחַר אִישׁ־יִשְׂרָאֵל אֶל־הַקֻּבָּה וַיִּדְקֹר אֶת־שְׁנֵיהֶם אֵת אִישׁ יִשְׂרָאֵל וְאֶת־הָאִשָּׁה אֶל־קֳבָתָהּ וַתֵּעָצַר הַמַּגֵּפָה מֵעַל בְּנֵי יִשְׂרָאֵל׃

Fineias. Esse nome significa *oráculo*, sendo um apelativo de origem egípcia, conforme tem sido confirmado por várias descobertas arqueológicas. Três pessoas, que figuram no Antigo Testamento, tinham esse nome. A primeira a ser alistada no *Dicionário* é a personagem deste versículo. Ele era filho de Eleazar e neto de Arão. Ver Êxodo 6.25; 1Crônicas 6.4,50; Ed 7.5. Seu ato demonstrou profundo zelo e piedade, de acordo com a mentalidade dos hebreus da época. Com uma única estocada de sua lança, ele eliminou o homem e a mulher, quando estavam ambos ocupados no ato sexual; e assim terminou aquela aliança profana. Isso ofereceu a Israel uma lição objetiva sobre como "não agir", no tocante ao casamento.

Casamentos com pagãos não eram considerados legítimos pela legislação levítica, a despeito do fato de que o próprio Moisés se casara com uma mulher etíope (ver Nm 12.1). Ver o trecho de Êxodo 34.11-16 quanto a essa proibição. Abraão havia dado o exemplo, mandando buscar uma esposa, dentre seus próprios parentes, para Isaque. Ver Gênesis 24. O cristianismo, porém, reconhece os casamentos mistos como legítimos, posto que não desejáveis (1Co 7.14). O cônjuge incrédulo é *santificado* devido ao seu convívio com o cônjuge crente. A passagem de Esdras 10.10 *requer* que os varões israelitas se divorciem de suas mulheres não-israelitas. Ver o comentário sobre essa questão em 1Coríntios 7.14, no *Novo Testamento Interpretado*.

A praga cessou. O oitavo versículo diz "por que" o povo de Israel chorava diante da primeira cortina do tabernáculo: uma grande praga estava devastando Israel. A lança de Fineias fez parar essa praga, visto que Yahweh ficou satisfeito diante da execução imediata. Alguns comentadores misturam a história anterior da idolatria e da orgia sexual (vss. 1-5) com o relato sobre o homem israelita e a mulher midianita, e supõem que a praga teve origem no primeiro dos dois incidentes. Mas outros separam os dois relatos, e fazem a praga ser um juízo em geral, por causa dos pecados do povo de Israel, especialmente a ausência de separação deles.

■ **25.9**

וַיִּהְיוּ הַמֵּתִים בַּמַּגֵּפָה אַרְבָּעָה וְעֶשְׂרִים אָלֶף׃ פ

Vinte e quatro mil. Esse foi o número de pessoas que morreram da praga, antes de cessar devido ao ato piedoso de Fineias. O trecho de 1Coríntios 10.8, porém, fala em *vinte e três mil*. E os intérpretes, buscando uma harmonia a qualquer preço, lutam inutilmente em torno dessa pequena discrepância. Alguns dizem que 23 mil morreram em *um dia*, e que mil outros morreram antes ou depois. Mas sem dúvida isso é um truque, e não uma explanação. Nos comentários sobre 1Coríntios 10.8, no *Novo Testamento Interpretado*, ofereço amplas explicações, chegando mesmo a abusar do tempo do leitor com reconciliações improváveis. O mais certo é que Paulo tenha feito uma citação de memória, tendo assim provocado um pequeno equívoco. Mas nada há de importante em torno dessa questão; e somente os críticos e aqueles que exigem harmonia a qualquer preço se dão ao trabalho de tentar uma harmonização.

■ **25.10**

וַיְדַבֵּר יְהוָה אֶל־מֹשֶׁה לֵּאמֹר׃

Então disse o Senhor. Uma expressão de uso frequente no Pentateuco, para introduzir novos materiais e também para lembrar a doutrina da inspiração divina das Escrituras. Ver as notas a respeito em Levítico 1.1 e 4.1.

Moisés aparece sempre como o mediador. Uma vez recebida uma mensagem do Senhor, ele a transmitia a Arão, ou a Arão e seus filhos, ou ao povo em geral. Neste caso, a mensagem divina foi dirigida ao próprio Moisés. Ver Levítico 17.2 (notas introdutórias), quanto às *oito* fórmulas de comunicação.

■ **25.11**

פִּינְחָס בֶּן־אֶלְעָזָר בֶּן־אַהֲרֹן הַכֹּהֵן הֵשִׁיב אֶת־חֲמָתִי מֵעַל בְּנֵי־יִשְׂרָאֵל בְּקַנְאוֹ אֶת־קִנְאָתִי בְּתוֹכָם וְלֹא־כִלִּיתִי אֶת־בְּנֵי־יִשְׂרָאֵל בְּקִנְאָתִי׃

Fineias... desviou a minha ira. Temos aqui um enfático elogio a Fineias, o qual, com um golpe de lança, pôs fim a um início de apostasia. John Gill (*in loc.*) lembra-nos do fato de que o homem agiu como uma autoridade civil, o que servia de tremendo estímulo para que o ato fosse imitado pelos demais israelitas. Muito menos devem tais maus exemplos ser imitados por nós, que estamos no novo pacto, dias de maior iluminação, onde a influência do Novo Testamento chega mesmo a afetar nossos sistemas legais. Ver no *Dicionário* o artigo intitulado *Tolerância*. Mesmo em nossos dias do Novo Testamento, alguns têm tomado nas mãos o direito de vingança pessoal, executando outras pessoas, alicerçados nos princípios do Novo Testamento. Jesus, porém, nunca aprovou tais atos (ver Lc 9.54,55).

Foi preciso aquele *bravo ato* de Fineias, para que a praga estancasse. De outra sorte, Yahweh a teria deixado continuar rolando. Yahweh mostrou que Fineias agira animado pelo "zelo" de Deus. Ver no *Dicionário* o artigo *Zelo (Zeloso)*. O zelo de um único homem salvou a vida de muitos milhares de pessoas. Mesmo assim, pereceram 24 mil. Quanto a atitudes zelosas pela causa do Senhor, como a de Fineias, ver Êxodo 34.14, onde lemos que o próprio Yahweh aparece como dotado de tais atitudes (mediante o *antropopatismo*; ver a respeito no *Dicionário*). Yahweh não tolerava rivais (Êx 20.5; Dt 4.24).

■ **25.12,13**

לָכֵן אֱמֹר הִנְנִי נֹתֵן לוֹ אֶת־בְּרִיתִי שָׁלוֹם׃

וְהָיְתָה לּוֹ וּלְזַרְעוֹ אַחֲרָיו בְּרִית כְּהֻנַּת עוֹלָם תַּחַת אֲשֶׁר קִנֵּא לֵאלֹהָיו וַיְכַפֵּר עַל־בְּנֵי יִשְׂרָאֵל׃

Por motivo desse ato singular, que preservou a pureza de Israel, o sacerdócio deveria seguir a linhagem de Fineias. Foi-lhe dada a condição perpétua de sacerdote. No entanto, foi somente muito mais tarde que os zadoquitas, da linhagem de Fineias, aos quais o profeta Ezequiel confinou o sacerdócio, vieram a ocupar de forma permanente o sacerdócio em Israel. Cf. Esdras 7.1-6; 1Crônicas 6.4-8,50-53.

Com o tempo, Fineias substituiu a seu pai, Eleazar, como sumo sacerdote (Jz 20.28). Salomão restaurou o sacerdócio à linhagem de Zadoque, que descendia de Fineias. Esse homem tornou-se símbolo do sacerdócio *imutável* de Cristo (Hb 7.24).

A família de Itamar manteve o sumo sacerdócio por cerca de 150 anos, antes que ele fosse restaurado à linhagem de Fineias, na pessoa de Zadoque (1Cr 6.50). Assim, apesar de não ter havido exclusividade por um longo tempo, ainda assim a promessa foi adequadamente cumprida, em honra ao zelo por Deus demonstrado por Fineias.

Aliança do sacerdócio perpétuo. Cf. Ezequiel 34.25 e 37.26. Está em foco um acordo que continha a promessa divina de que os participantes gozariam de bem-estar e de uma correta relação com Yahweh. Um dos resultados seria a harmonia dentro do acampamento de Israel, em vez de pragas, juízos divinos e violência contínuos.

■ 25.14

וְשֵׁם אִישׁ יִשְׂרָאֵל הַמֻּכֶּה אֲשֶׁר הֻכָּה אֶת־הַמִּדְיָנִית זִמְרִי בֶּן־סָלוּא נְשִׂיא בֵית־אָב לַשִּׁמְעֹנִי׃

Zimri. No hebraico, *célebre*. Esse é o nome de quatro personagens do Antigo Testamento. O Zimri deste texto era um ancião simeonita, morto por Fineias, em face de seu adultério ou casamento misto com uma princesa midianita (ver Nm 25.6,7). O trecho de 1Macabeus 2.26 narra também a história. Coisa alguma se sabe sobre Zimri, exceto o que o texto nos faz saber. "Havia cinco famílias simeonitas, e esse homem (o pai de Zimri era cabeça de uma delas (Nm 26.12,13). Ademais, Josefo (*Antiq.* 1.4, cap. 6, sec. 10) e a Crônica Samaritana fazem-no aparecer como um príncipe da tribo de Simeão" (John Gill, *in loc.*).

■ 25.15

וְשֵׁם הָאִשָּׁה הַמֻּכָּה הַמִּדְיָנִית כָּזְבִּי בַת־צוּר רֹאשׁ אֻמּוֹת בֵּית־אָב בְּמִדְיָן הוּא׃ פ

Cosbi. Algumas versões portuguesas grafam seu nome como Cozbi. O termo hebraico por trás do nome está alicerçado sobre o acádico, *kusbu*, "volúpia", ou talvez "enganadora". Esse era o nome de uma mulher midianita, filha de Zur, que Fineias executou juntamente com seu amante (ou marido) israelita. Os midianitas, uma tribo nômade que usava o camelo como montaria, invadiram a Palestina na época dos Juízes de Israel. E introduziram ali maus costumes como a idolatria e a imoralidade, além de outros danos de ordem material. O nome dessa mulher figura somente neste versículo do livro de Números. Nada se sabe sobre essa mulher além do que este versículo nos informa; como também nada se sabe sobre o pai dela, Zur. O trecho de Gênesis 25.4 lista cinco filhos de Midiã, razão pela qual os estudiosos pensam em cinco clãs principais desse povo. Talvez Zur fosse cabeça de um desses clãs. Ver Números 31.8. Esse trecho diz-nos que Zur pereceu quando da matança geral dos midianitas.

■ 25.16

וַיְדַבֵּר יְהוָה אֶל־מֹשֶׁה לֵּאמֹר׃

Os vss. 16 a 18 deste capítulo constituem uma espécie de adição editorial, que combina os dois relatos, aquele concernente à corrupção ligada à adoração a Baal (vss. 1-5), e aquele concernente à execução de Zimri e Cosbi (vss. 7-15), por parte de Fineias.

Disse mais o Senhor. Essa é uma expressão de uso frequente no Pentateuco, para introduzir novos materiais. E também nos faz lembrar da doutrina da inspiração divina da Escrituras. Ver as notas expositivas a respeito em Levítico 1.1 e 4.1.

■ 25.17

צָרוֹר אֶת־הַמִּדְיָנִים וְהִכִּיתֶם אוֹתָם׃

Afligireis os midianitas. A reação de Yahweh contra os midianitas e moabitas, que tinham procurado corromper o povo de Israel com a idolatria e a imoralidade (assuntos tratados neste capítulo), foi violenta, resultando na ordem para eles serem exterminados. Moabe, todavia, não foi incluído nesta ordem, provavelmente devido à ordem divina mencionada em Deuteronômio 2.9, porquanto eram descendentes de Ló. Ver a descrição da matança, em Números 31.7 ss. Balaão também pereceu durante essa matança, e vários intérpretes pensam que também pereceram na ocasião muitos moabitas, apesar do reparo feito em Deuteronômio 2.9. Ver também Dt 23.3,4.

■ 25.18

כִּי צֹרְרִים הֵם לָכֶם בְּנִכְלֵיהֶם אֲשֶׁר־נִכְּלוּ לָכֶם עַל־דְּבַר־פְּעוֹר וְעַל־דְּבַר כָּזְבִּי בַת־נְשִׂיא מִדְיָן אֲחֹתָם הַמֻּכָּה בְיוֹם־הַמַּגֵּפָה עַל־דְּבַר־פְּעוֹר׃

Este versículo inclui em seu bojo os dois relatos contidos neste capítulo, o incidente em *Peor* (no qual estiveram envolvidos os moabitas; ver o vs. 5), e o incidente que envolveu Cosbi, a mulher midianita (vss. 7 ss.).

Irmã deles. Essas palavras podem indicar que a mulher era irmã de seu povo, os midianitas, ou a referência pode ter um sentido geral. Ela era irmã tanto dos moabitas quanto dos midianitas, os quais eram considerados um único povo, por motivo de casamentos mistos entre eles e também por motivo de associação geográfica.

"Doze mil israelitas atacaram os midianitas, destruíram todas as suas cidades, mataram os seus cinco reis e todo varão, e também todas as mulheres adultas, e levaram todos os seus despojos" (Adam Clarke, *in loc.*). Ver Números 31.1-20. Por conseguinte, houve uma matança generalizada, quando tribos selvagens entrechocaram-se no deserto, o que serve de triste comentário sobre a natureza do homem, um animal predador, posto que dotado de razão.

CAPÍTULO VINTE E SEIS

RECENSEAMENTO (26.1-51)

Temos aqui o *segundo recenseamento*. O primeiro aparece nos capítulos 1 e 3 de Números. Ambos refletem algo do capítulo 46 de Gênesis. A principal razão do recenseamento foi aquilatar a força militar de Israel. Quantos homens capazes de guerrear haveria, de 20 anos de idade para cima? Com essa informação, a invasão poderia ser planejada com maior precisão. Cada tribo foi calculada formando subdivisões, e todos os homens de 20 anos para cima foram distribuídos por essas subdivisões. O total geral alcançou 1.830 homens menos do que no primeiro recenseamento, pois sete das tribos contavam com mais gente, e cinco tribos, com menos gente. As várias pragas e os juízos registrados ao longo do relato tinham feito a sua cobrança, e um número menor de homens foi o resultado. Esse segundo recenseamento teve lugar nas planícies de Moabe, quando Israel se estava preparando para invadir a Terra Prometida. O segundo recenseamento ocorreu 38 anos depois do primeiro. É provável que a praga mencionada em Números 25.8 e 26.1 tenha aniquilado com o resto da geração antiga, de modo que somente seus filhos, agora adultos, tiveram permissão de entrar. Somente Calebe e Josué, os dois espias que haviam dado um relatório favorável, depois de terem espiado a Terra Prometida, dentre a antiga geração que havia perambulado pelo deserto durante quarenta anos, tiveram permissão de entrar. Ver os vss. 64 e 65 deste capítulo. *Todos* os homens da geração mais velha tinham perecido, exceto aqueles dois.

> O tempo, como um riacho constante,
> Levou embora todos os seus filhos.
>
> Isaac Watts

■ 26.1

וַיְהִי אַחֲרֵי הַמַּגֵּפָה׃ פ

וַיֹּאמֶר יְהוָה אֶל־מֹשֶׁה וְאֶל אֶלְעָזָר בֶּן־אַהֲרֹן הַכֹּהֵן לֵאמֹר׃

Passada a praga. Essas palavras referem-se à praga referida em Números 25.8,9, na qual morreram 24 mil pessoas. Várias pragas e juízos divinos tinham diminuído o número do povo. Ver Números 16.49 e 21.6.

Falou o Senhor a Moisés. Essa é uma expressão comum no Pentateuco, que o autor usava para introduzir novos materiais, como também para relembrar a doutrina da divina inspiração das Escrituras. Ver as notas a respeito em Levítico 1.1 e 4.1. Esse recado foi dado a Moisés, o mediador de Yahweh, e foi transmitido a Eleazar. Ver as notas de introdução a Levítico 17.2, quanto às *oito* fórmulas de comunicação. Eleazar havia substituído seu pai, Arão, como sumo sacerdote, depois da morte deste; pelo que agora a mensagem foi transmitida por Moisés a Eleazar. Ver Números 20.28. A mensagem recebida por Eleazar dizia respeito ao segundo censo, conforme o vemos nos vss. 2 ss.

26.2

שְׂאוּ אֶת־רֹאשׁ׀ כָּל־עֲדַת בְּנֵי־יִשְׂרָאֵל מִבֶּן עֶשְׂרִים
שָׁנָה וָמַעְלָה לְבֵית אֲבֹתָם כָּל־יֹצֵא צָבָא בְּיִשְׂרָאֵל׃

Levantai o censo. Idêntica ordem havia sido dada a Arão, praticamente nos mesmos termos. Ver Números 1.2,3. Ver as notas ali, que têm aplicação aqui. No primeiro caso, cada chefe de cada tribo recebeu a tarefa de ajudar no censo; e é provável que isso tenha sido feito de novo, embora não seja mencionado aqui. No primeiro caso, *depois,* os levitas também foram numerados (capítulo 3), mas isso não é repetido nesta segunda menção. A casta sacerdotal dos levitas (agora não mais uma tribo que seria dotada de um território, ver Nm 1.47 ss.) não iria à guerra com o resto, pelo que eles não foram numerados nesse *recenseamento militar.*

Capaz de sair à guerra. Em primeiro lugar, para aniquilar os midianitas (juntamente com muitos moabitas); e também para libertar a Terra Prometida de seus habitantes, a fim de que os filhos de Israel pudessem tomar posse. Ver no *Dicionário* o artigo chamado *Guerra.*

26.3

וַיְדַבֵּר מֹשֶׁה וְאֶלְעָזָר הַכֹּהֵן אֹתָם בְּעַרְבֹת מוֹאָב
עַל־יַרְדֵּן יְרֵחוֹ לֵאמֹר׃

Nas campinas de Moabe. Este versículo fornece-nos o *lugar* onde foi efetuado o recenseamento, a saber, nas campinas de Moabe, onde o povo de Israel estava acampado e de onde seria lançada a invasão militar. O primeiro censo foi efetuado no deserto contíguo ao Sinai, onde também havia sido dada a lei (Nm 1.1), cerca de 38 anos antes. E o lugar do atual segundo censo não ficava longe de *Jericó,* que em breve seria atacada. Ver no *Dicionário* o verbete chamado *Jericó.* O povo de Israel continuava no lado oriental do rio Jordão, mas em breve cruzaria o rio para sua margem ocidental.

26.4

מִבֶּן עֶשְׂרִים שָׁנָה וָמָעְלָה כַּאֲשֶׁר צִוָּה יְהוָה אֶת־מֹשֶׁה
וּבְנֵי יִשְׂרָאֵל הַיֹּצְאִים מֵאֶרֶץ מִצְרָיִם׃

Contai o povo. A contagem seria dos filhos daqueles que tinham saído do Egito, visto que a antiga geração (excetuando Calebe e Josué) já havia morrido no deserto (ver Nm 26.64,65). Os varões de 20 anos para cima seriam contados, tal como se vê em Números 1.2,3 e 26.2, visto que este foi um censo essencialmente militar, a fim de aquilatar a força militar de Israel, que haveria de marchar contra uma multidão de inimigos que estariam esperando por eles, ansiosos por exterminá-los.

Dois Grandes Eventos Históricos Foram Fundamentais. Israel foi libertado da servidão no Egito; Israel preparava-se agora para conquistar o território que Deus havia prometido a Abraão. Isso fazia parte do *Pacto Abraâmico* (ver as notas a respeito em Gn 15.18).

26.5

רְאוּבֵן בְּכוֹר יִשְׂרָאֵל בְּנֵי רְאוּבֵן חֲנוֹךְ מִשְׁפַּחַת
הַחֲנֹכִי לְפַלּוּא מִשְׁפַּחַת הַפַּלֻּאִי׃

A lista que se segue duplica, em seus dados essenciais, a relação que aparece em Gênesis 46.8-27, não sendo mencionados netos adicionais, embora os filhos de Jacó, que emigraram do Egito, fossem homens no vergel da vida, os quais, naturalmente, teriam gerado filhos depois de terem saído da terra de Gósen, onde estavam estabelecidos no Egito. Por conseguinte, esta lista poderia ser, pelo menos em parte, uma relação representativa, e não uma lista completa. Ademais, nem todos os filhos de Jacó fundaram alguma nova família ou tribo. "Com base neste catálogo, parece que as cabeças das famílias estabelecidas de Israel atingiam um total de 59, as quais, juntamente com os doze príncipes das tribos, formavam o grande concílio dos 71" (Jamieson, *in loc.*).

"Esta seção contém uma lista dos descendentes de Jacó, com base no número tradicional de *setenta* (vs. 27; ver Êx 1.5 e Lv 10.22). A maior parte dos nomes dos líderes dos clãs ancestrais encontra-se na linhagem sacerdotal do capítulo 26 de Números... o número *setenta* incluía José e seus dois filhos, nascidos no Egito, além do próprio Jacó" (*The Oxford Annotated Bible,* comentando sobre Gn 46.8).

Rúben. Ver no *Dicionário* o artigo detalhado sobre ele.

Enoque... Palu. Ver as notas sobre esses dois homens, em Gênesis 46.9. "O clã de Palu foi separado para ser mencionado de forma especial porque Datã e Abirão, os rebeldes que morreram juntamente com Coré (Nm 16.1), pertenciam a esse clã (Nm 26.8-11)" (Eugene H. Merrill, *in loc.*). Cf. Êxodo 6.14 e 1Crônicas 5.3.

26.6

לְחֶצְרֹן מִשְׁפַּחַת הַחֶצְרוֹנִי לְכַרְמִי מִשְׁפַּחַת הַכַּרְמִי׃

Hezrom... Carmi. Há notas expositivas sobre esses dois homens em Gênesis 46.9.

26.7

אֵלֶּה מִשְׁפְּחֹת הָראוּבֵנִי וַיִּהְיוּ פְקֻדֵיהֶם שְׁלֹשָׁה
וְאַרְבָּעִים אֶלֶף וּשְׁבַע מֵאוֹת וּשְׁלֹשִׁים׃

São estas as famílias dos rubenitas. Temos aqui um sumário. O leitor deveria consultar o gráfico em Números 1.2, que lista todas as tribos, e seus respectivos números, no primeiro e no segundo recenseamento. Os ganhos e as perdas ficam assim evidentes.

Rúben. Essa era a sétima mais populosa das tribos de Israel, por ocasião do primeiro recenseamento. Contava com 46.500 varões adultos, de 20 anos de idade ou mais, preparados para ser soldados, quando do primeiro censo. Esse número caiu para 43.730 no segundo censo, uma perda de 2.770 homens. A tribo estava dividida em quatro clãs. Datã e Abirão e seus familiares tinham sido cortados, e isso explica parte das perdas. Ver Números 16.1 quanto à rebelião na qual estiveram ocupados, o que lhes custou a vida.

26.8

וּבְנֵי פַלּוּא אֱלִיאָב׃

Eliabe. Era filho de Palu e pai dos três homens mencionados no vs. 9, dois dos quais estiveram envolvidos na rebelião contra Moisés. Nas páginas do Antigo Testamento há seis homens chamados Eliabe. Ver sobre eles no *Dicionário.* Aquele que aparece neste texto é o segundo da lista. Nada se sabe sobre o homem, exceto o fato de que ele era o pai dos três filhos mencionados, e ele, por sua vez, filho de Palu, um dos filhos de Rúben.

26.9

וּבְנֵי אֱלִיאָב נְמוּאֵל וְדָתָן וַאֲבִירָם הוּא־דָתָן וַאֲבִירָם
קְרוּאֵי הָעֵדָה אֲשֶׁר הִצּוּ עַל־מֹשֶׁה וְעַל־אַהֲרֹן
בַּעֲדַת־קֹרַח בְּהַצֹּתָם עַל־יְהוָה׃

Nemuel. No hebraico, esse nome significa *dia de Deus,* nome do primeiro filho de Eliabe a ser nomeado, irmão de Datã e Abirão. Ao que parece, ele não se envolveu na revolta contra Moisés, tendo sido poupado da morte dolorosa deles. Coisa alguma sabe-se sobre eles, exceto o que poderia ser inferido deste texto.

Datã... Abirão. Quanto a notas expositivas sobre eles, e sobre a revolta que encabeçaram, ver Números 16.1 ss. Ver os artigos sobre eles no *Dicionário.* Tornaram-se figuras *famosas,* bem conhecidas, que usaram sua influência de maneira errada e sofreram um merecido castigo por tais atos. Nem tudo quanto é promovido com zelo é bom.

26.10

וַתִּפְתַּח הָאָרֶץ אֶת־פִּיהָ וַתִּבְלַע אֹתָם וְאֶת־קֹרַח
בְּמוֹת הָעֵדָה בַּאֲכֹל הָאֵשׁ אֵת חֲמִשִּׁים וּמָאתַיִם אִישׁ
וַיִּהְיוּ לְנֵס׃

Este versículo faz-nos lembrar do que nos fora narrado em Números 16.32,33, onde as notas expositivas são dadas. Este versículo faz parecer que Corá e seus associados foram engolidos pela terra, tal como foram Datã e Abirão. Mas a verdade é que eles morreram envolvidos pelas chamas. Ver Números 16.16-19,32,35,40. As narrativas deixam-nos em dúvida sobre como exatamente morreram todos eles, ao serem engolidos pelas chamas; e o autor não se importou com exatidão de detalhes. O fogo envolveu os 250 homens conforme este versículo diz, concordando com Números 16.35. O Pentateuco Samaritano muda a ordem de palavras deste versículo a fim de fazer Coré também ter perecido nas chamas. Questões assim não se revestem de importância, nem precisam do trabalho dos harmonizadores para que nos sintamos bem no tocante ao texto. A mensagem é perfeitamente clara. A revolta terminou em tragédia para todos os rebeldes, mediante um juízo divino direto.

■ 26.11

וּבְנֵי־קֹרַח לֹא־מֵתוּ׃ ס

Nem todos os filhos de Coré morreram, em razão do erro do pai deles. Assim sendo, houve uma posteridade que restou e pôde ser contada no segundo recenseamento. Nos dias de Davi, alguns descendentes de Coré são mencionados, e diversos dos Salmos são atribuídos a eles. Ver 1Crônicas 6.22-38. Samuel, o profeta, e Hemã, o cantor, pertenciam a essa família (1Cr 6.22,23).

■ 26.12

בְּנֵי שִׁמְעוֹן לְמִשְׁפְּחֹתָם לִנְמוּאֵל מִשְׁפַּחַת הַנְּמוּאֵלִי לְיָמִין מִשְׁפַּחַת הַיָּמִינִי לְיָכִין מִשְׁפַּחַת הַיָּכִינִי׃

Simeão. Os vss. 12-14 deste capítulo falam sobre a tribo de *Simeão*. Ver sobre ele no *Dicionário*. Ver o gráfico em Números 1.2 quanto aos números comparativos relativos ao primeiro e ao segundo recenseamento. Ali evidenciam-se os ganhos e as perdas populacionais.

Simeão era a terceira mais numerosa tribo de Israel, quando do primeiro recenseamento. Então havia 59.300 homens de 20 anos para cima, capazes de entrar na guerra. Esse número foi drasticamente reduzido para 22.200, um decréscimo de 37.100 homens. Algo dessa redução pode ser explicado pela praga que arrebatou a muitos, conforme o registro de Números 25.8 e 26.1. Jarchi menciona o grande número de pessoas da tribo de Simeão que pereceu na praga, um número desproporcional quando comparado às demais tribos. Excetuando esse fato, não há explicação lógica para perdas tão pesadas. Seja como for, Zimri, o principal culpado das imoralidades descritas no capítulo 25, pertencia à tribo de Rúben.

Nemuel. Trata-se do mesmo Jemuel de Gênesis 46.10.

Jamim... Jaquim. Esses também são mencionados naquele trecho, onde há notas sobre os três homens. Cada um deles aparece com seus respectivos descendentes tribais.

■ 26.13

לְזֶרַח מִשְׁפַּחַת הַזַּרְחִי לְשָׁאוּל מִשְׁפַּחַת הַשָּׁאוּלִי׃

Zerá... Saul. Eles eram cabeças da tribo de Simeão. O primeiro deles é chamado *Zoar*, em Gênesis 46.11, onde o outro nome é retido com a mesma forma. Ver as notas sobre Gênesis 46.11, acerca do pouco que se sabe sobre esses homens.

■ 26.14

אֵלֶּה מִשְׁפְּחֹת הַשִּׁמְעֹנִי שְׁנַיִם וְעֶשְׂרִים אֶלֶף וּמָאתָיִם׃ ס

São estas as famílias dos simeonitas. Temos aqui um sumário sobre os cabeças dos simeonitas. Ver as notas sobre o vs. 12.

■ 26.15

בְּנֵי גָד לְמִשְׁפְּחֹתָם לִצְפוֹן מִשְׁפַּחַת הַצְּפוֹנִי לְחַגִּי מִשְׁפַּחַת הַחַגִּי לְשׁוּנִי מִשְׁפַּחַת הַשּׁוּנִי׃

Os filhos de Gade. Os vss. 15 a 18 deste capítulo falam sobre a tribo de *Gade*. Ver sobre esse nome no *Dicionário*. Ver o gráfico em Números 1.2 quanto aos números comparativos relativos ao primeiro e ao segundo censo, o que deixa evidentes os ganhos e as perdas.

Gade era a oitava tribo mais populosa, por ocasião do primeiro recenseamento. Então havia 46.650 homens de 20 anos para cima, capazes de entrar na guerra. No segundo censo, esse número havia diminuído para 40.500 homens, uma queda de 5.150 homens. Essa diminuição foi causada por várias pragas e juízos, que foram minando o povo de Israel durante os 38 anos desde que fora efetuado o primeiro recenseamento. Quanto a isso, ver as notas de introdução a este capítulo e no primeiro versículo deste capítulo.

Zefom. O nome dele foi grafado como *Zifiom*, em Gênesis 46.16. Os nomes *Hagi* e *Suni* aparecem idênticos em ambos os textos. As notas sobre essas três pessoas aparecem naquela referência do livro de Gênesis. Todos eles tornaram-se cabeças de tribos.

Notemos que, por toda essa lista, os nomes tribais são apresentados de acordo com seus respectivos acampamentos, em grupos de *três* nomes, sendo *quatro* esses grupos. Ver o gráfico que ilustra isso antes de Números 1.1. Rúben acampava-se perto de Simeão e Gade. O acampamento deles ficava no lado *sul* do tabernáculo.

■ 26.16

לְאָזְנִי מִשְׁפַּחַת הָאָזְנִי לְעֵרִי מִשְׁפַּחַת הָעֵרִי׃

Ozni é o mesmo *Esbom* de Gênesis 46.16.

Eri. Tem a mesma forma em ambas as listas. Ver as notas naquela referência do livro de Gênesis.

■ 26.17

לַאֲרוֹד מִשְׁפַּחַת הָאֲרוֹדִי לְאַרְאֵלִי מִשְׁפַּחַת הָאַרְאֵלִי׃

Arodi... Areli. Também são chamados assim em Gênesis, onde as notas expositivas são dadas. Sete clãs derivaram-se de Gade.

■ 26.18

אֵלֶּה מִשְׁפְּחֹת בְּנֵי־גָד לִפְקֻדֵיהֶם אַרְבָּעִים אֶלֶף וַחֲמֵשׁ מֵאוֹת׃ ס

São estas as famílias dos filhos de Gade. Ver as notas sobre o vs. 15, quanto aos cálculos. Ver também o gráfico em Números 1.2.

Gade era uma tribo guerreira, sendo possível que suas perdas populacionais se devessem, em parte, a atividades militares, como a descrita em Números 14.40-45.

■ 26.19

בְּנֵי יְהוּדָה עֵר וְאוֹנָן וַיָּמָת עֵר וְאוֹנָן בְּאֶרֶץ כְּנָעַן׃

Os vss. 19-22 deste capítulo falam sobre a tribo de *Judá*. Ver sobre esse nome no *Dicionário*. Ver o gráfico em Números 1.2, que compara as populações das tribos no primeiro e no segundo censo. Algumas tribos aumentaram em número e outras diminuíram, nos 38 anos que se escoaram entre os dois recenseamentos.

Judá. Essa era a tribo mais populosa, por ocasião do primeiro recenseamento, com 74.600 homens; e com 76.500 homens por ocasião do segundo recenseamento. Portanto, essa tribo desfrutou crescimento numérico. As tribos que gozaram de crescimento populacional foram Judá, Issacar, Zebulom, Manassés, Benjamim, Dã e Aser, ou seja, sete das doze tribos. Os juízos divinos e as pragas tiveram menores efeitos sobre essas sete tribos do que sobre as outras cinco. Ver as notas em Números 26.1 quanto a isso. Ver também a introdução a este capítulo.

Judá, Issacar e Zebulom acampavam-se formando uma unidade de três tribos, no lado *oriental* do tabernáculo. Ver o gráfico de como as tribos estavam dispostas no acampamento, antes da exposição sobre Nm 1.1. Assim, três nomes aparecem conjugados no presente texto.

Os filhos de Judá. *Er* e *Onã* aparecem na lista de Gênesis 46.12, onde são dadas as notas. Ver também sobre Er em Gênesis 38.3,7 e sobre Onã em Gênesis 38.4. Esses dois homens morreram na terra de Canaã, pelas razões que aparecem nas notas sobre eles. Portanto eles não estavam entre os que migraram para o Egito. A morte de Onã aparece em Gênesis 38.8 ss. A morte deles evitou que tivessem posteridade.

■ 26.20

וַיִּהְיוּ בְנֵי־יְהוּדָה לְמִשְׁפְּחֹתָם לְשֵׁלָה מִשְׁפַּחַת הַשֵּׁלָנִי לְפֶרֶץ מִשְׁפַּחַת הַפַּרְצִי לְזֶרַח מִשְׁפַּחַת הַזַּרְחִי׃

Selá... Perez... Zera eram filhos de Judá que encabeçaram famílias de Judá. Er e Onã morreram por castigo de Yahweh. Ver as notas sobre esses homens em Gênesis 46.12. Ver notas adicionais sobre Zera, em Gênesis 38.27-29.

26.21

וַיִּהְיוּ בְנֵי־פֶרֶץ לְחֶצְרֹן מִשְׁפַּחַת הַחֶצְרֹנִי לְחָמוּל מִשְׁפַּחַת הֶחָמוּלִי׃

Os filhos de Perez. Seus nomes eram *Hezrom* e *Hamul*, que se tornaram cabeças de famílias. Há notas sobre esses nomes em Gênesis 46.12. Por meio de Hezrom veio Davi, e, finalmente, Jesus (ver Gn 46.12; Rt 4.18). Portanto, temos a linhagem formada por Abraão-Isaque-Jacó-Judá-Perez-Davi-Jesus.

26.22

אֵלֶּה מִשְׁפְּחֹת יְהוּדָה לִפְקֻדֵיהֶם שִׁשָּׁה וְשִׁבְעִים אֶלֶף וַחֲמֵשׁ מֵאוֹת׃ ס

São estas as famílias de Judá. O cálculo dos dois recenseamentos aparece no vs. 19. Encontramos aqui a linhagem real, que levou ao Messias. Jesus é o *Leão* da tribo de Judá (Ap 5.5). Ver o gráfico em Números 1.2.

26.23

בְּנֵי יִשָּׂשכָר לְמִשְׁפְּחֹתָם תּוֹלָע מִשְׁפַּחַת הַתּוֹלָעִי לְפֻוָה מִשְׁפַּחַת הַפּוּנִי׃

Os vss. 23-25 falam sobre a tribo de *Issacar*. Ver sobre esse nome no *Dicionário*. Ver o gráfico em Números 1.2 quanto aos números comparativos sobre o primeiro e o segundo recenseamento. No primeiro censo, essa tribo totalizou 54.400 homens; e 64.300 homens, no segundo censo. Portanto, houve um aumento de 9.900 homens. Judá, Issacar e Zebulom formavam o grupo que se acampava no lado oriental do tabernáculo. Ver o gráfico antes das notas sobre Números 1.1, que ilustra a localização dos acampamentos de Israel em volta do tabernáculo.

Os filhos de Issacar. *Tola* e *Puva* foram os ancestrais de duas famílias de Issacar. Ver Gênesis 46.13 quanto a notas expositivas sobre esses nomes. Ver também no *Dicionário* o artigo intitulado *Puva*.

26.24

לְיָשׁוּב מִשְׁפַּחַת הַיָּשׁוּבִי לְשִׁמְרֹן מִשְׁפַּחַת הַשִּׁמְרֹנִי׃

Jasube... Sinrom. O primeiro aparece como *Jó*, em Gênesis 46.13, ao passo que o segundo não sofre nenhuma modificação na forma de seu nome. Ver as notas sobre ambos no texto referido em Gênesis.

26.25

אֵלֶּה מִשְׁפְּחֹת יִשָּׂשכָר לִפְקֻדֵיהֶם אַרְבָּעָה וְשִׁשִּׁים אֶלֶף וּשְׁלֹשׁ מֵאוֹת׃ ס

São estas as famílias de Issacar. A tribo de Issacar tinha quatro famílias. Ver as notas sobre o vs. 23 quanto aos números do primeiro e do segundo censo.

26.26

בְּנֵי זְבוּלֻן לְמִשְׁפְּחֹתָם לְסֶרֶד מִשְׁפַּחַת הַסַּרְדִּי לְאֵלוֹן מִשְׁפַּחַת הָאֵלֹנִי לְיַחְלְאֵל מִשְׁפַּחַת הַיַּחְלְאֵלִי׃

Os vss. 26 e 27 deste capítulo nos falam sobre a tribo de *Zebulom*, a qual se acampava, junto com Judá e Issacar, no lado ocidental do tabernáculo.

Zebulom era a quarta mais populosa tribo de Israel, quando do primeiro recenseamento. Contava com 57.400 homens de 20 anos de idade ou mais, capazes de ir à guerra. No segundo censo, havia 60.500 homens, o que demonstra um aumento numérico de 3.100 homens.

Os filhos de Zebulom. *Serede*, *Elom* e *Jaleel* eram chefes de famílias ou clãs em Zebulom. Esses mesmos nomes figuram em Gênesis 46.14, onde também aparecem as notas expositivas sobre eles.

26.27

אֵלֶּה מִשְׁפְּחֹת הַזְּבוּלֹנִי לִפְקֻדֵיהֶם שִׁשִּׁים אֶלֶף וַחֲמֵשׁ מֵאוֹת׃ ס

São estas as famílias dos zebulonitas. Ver os cálculos dos dois recenseamentos, que demonstraram crescimento numérico, nas notas sobre o versículo anterior. Ver também o gráfico em Números 1.2.

26.28

בְּנֵי יוֹסֵף לְמִשְׁפְּחֹתָם מְנַשֶּׁה וְאֶפְרָיִם׃

Os filhos de José. Ver sobre ele no *Dicionário*. Não havia uma tribo que tivesse o nome dele. Mas seus dois filhos, Manassés e Efraim, deram início, cada qual, a uma tribo. Assim, José se dividiu em duas tribos, visto que seus dois filhos foram adotados por Jacó como seus próprios filhos. Ver Gênesis 48.5. Isso resultava em treze tribos. Mas Levi, que realmente havia sido uma tribo, veio a tornar-se a casta sacerdotal de Israel (ver Nm 1.47 ss.). Portanto, tudo voltou às tradicionais doze tribos.

Manassés era o filho primogênito de José, e, no entanto, na bênção patriarcal, foi *Efraim* que recebeu a *mão direita* de Jacó, indicando que ele estava recebendo a bênção maior. Ver Gênesis 48.14 ss. Este texto segue a ordem cronológica, pelo que Manassés foi mencionado em primeiro lugar. Em Números 1.10 a ordem da bênção patriarcal é seguida. Ver os dois nomes anotados no *Dicionário*.

26.29

בְּנֵי מְנַשֶּׁה לְמָכִיר מִשְׁפַּחַת הַמָּכִירִי וּמָכִיר הוֹלִיד אֶת־גִּלְעָד לְגִלְעָד מִשְׁפַּחַת הַגִּלְעָדִי׃

Os vss. 29-33 fornecem detalhes sobre a tribo e as famílias de *Manassés*. Essa tribo era a décima segunda mais populosa de Israel. Por ocasião do primeiro censo, a tribo contava com 32.200 homens de 20 anos ou mais, capazes de ir à guerra. E, no segundo, contava com 52.700, do que resultava um aumento de 20.500 homens, no período de 38 anos que se escoaram entre os dois recenseamentos. Isso cumpriu a profecia de Jacó, que se acha em Gênesis 48.19, no tocante ao crescimento da tribo de Manassés. Todavia, a tribo de Efraim prosperaria numericamente ainda mais, posto que Manassés tivesse sua própria bênção significativa. As tribos de Manassés, Efraim e Benjamim acampavam-se do lado *ocidental* do tabernáculo. Ver o gráfico que é dado imediatamente antes de Números 1.1.

Os filhos de Manassés. Maquir e Gileade estavam destinados a tornar-se chefes de famílias ou clãs de Manassés. Ver sobre *Maquir* nas notas em Gênesis 50.23. Ver sobre *Gileade* no *Dicionário* (item 4.a). Gileade era filho de Maquir, o qual, por sua vez, teve seis filhos, que se tornaram chefes de clãs, conforme aprendemos nos versículos que se seguem.

26.30

אֵלֶּה בְּנֵי גִלְעָד אִיעֶזֶר מִשְׁפַּחַת הָאִיעֶזְרִי לְחֵלֶק מִשְׁפַּחַת הַחֶלְקִי׃

Jezer. No hebraico, esse nome quer dizer "incapaz". Ele era filho ou descendente de Gileade, cabeça de um clã de Manassés. Nada mais se sabe acerca dele.

Heleque. No hebraico, "porção". Ele era o segundo filho de Gileade, cabeça de um dos clãs da tribo de Manassés. Nada mais se sabe acerca dele.

26.31

וְאַשְׂרִיאֵל מִשְׁפַּחַת הָאַשְׂרִאֵלִי וְשֶׁכֶם מִשְׁפַּחַת הַשִּׁכְמִי׃

Asriel. No hebraico, "direito de Deus", um filho ou descendente de Manassés. Ver também Josué 17.2 e 1Crônicas 7.14. Ele se tornou o chefe de um clã ou família de Manassés. Nada mais se sabe sobre ele, exceto o que podemos inferir com base nos versículos mencionados.

Siquém. Ver sobre ele no *Dicionário* quanto a várias personagens do Antigo Testamento que tinham esse nome, que significa *ombro*. O homem deste versículo era filho ou descendente de Manassés, cabeça de um clã. Ver também Josué 17.2. Nada se sabe sobre ele, exceto o que é mencionado nestes versículos.

26.32

וּשְׁמִידָע מִשְׁפַּחַת הַשְּׁמִידָעִי וְחֵפֶר מִשְׁפַּחַת הַחֶפְרִי׃

Semida. No hebraico, "fama do conhecimento". Era um gileadita, descendente de Manassés. Ver Josué 17.2; 7.19. Era pai de Aiã, Siquém, Liqui e Anião, e cabeça de um clã. Nada mais se sabe a respeito dele.

Hefer. Nome de quatro pessoas que figuram nas páginas do Antigo Testamento. O homem deste texto era o filho caçula de Gileade, e cabeça de um clã que ficou conhecido pelo seu nome. Ver também Josué 17.2,3. Esse nome significa *poço* ou *fonte*.

■ 26.33

וּצְלָפְחָד בֶּן־חֵפֶר לֹא־הָיוּ לוֹ בָּנִים כִּי אִם־בָּנוֹת וְשֵׁם בְּנוֹת צְלָפְחָד מַחְלָה וְנֹעָה חָגְלָה מִלְכָּה וְתִרְצָה:

Zelofeade. Quanto a notas completas sobre esse homem e suas filhas (pois ele não teve filhos homens), ver o *Dicionário*. Por causa dele foi que se levantou a questão da herança de filhas, no caso de não haver herdeiros masculinos. O artigo explica essa questão. Ver Números 27.1-11 quanto ao relato. Ver no *Dicionário* acerca das filhas desse homem.

■ 26.34

אֵלֶּה מִשְׁפְּחֹת מְנַשֶּׁה וּפְקֻדֵיהֶם שְׁנַיִם וַחֲמִשִּׁים אֶלֶף וּשְׁבַע מֵאוֹת: ס

São estas as famílias de Manassés. Quanto aos resultados do primeiro e do segundo recenseamento, e também quanto ao grande aumento numérico conseguido pela tribo de Manassés, ver o vs. 28. Ver também o gráfico em Números 1.2.

■ 26.35

אֵלֶּה בְנֵי־אֶפְרַיִם לְמִשְׁפְּחֹתָם לְשׁוּתֶלַח מִשְׁפַּחַת הַשֻּׁתַלְחִי לְבֶכֶר מִשְׁפַּחַת הַבַּכְרִי לְתַחַן מִשְׁפַּחַת הַתַּחֲנִי:

Os vss. 35-37 falam sobre a tribo de *Efraim*. Essa era a décima tribo mais populosa por ocasião do primeiro censo. Havia 40.500 homens de 20 anos ou mais, capazes de ir à guerra. Por ocasião do segundo censo (38 anos mais tarde), havia somente 32.500 homens, um decréscimo de 8.000 homens. Isso parece contradizer a bênção patriarcal de Gênesis 48.19, que punha Efraim à frente de Manassés. Contudo, o capítulo 33 de Deuteronômio (vs. 17), que contém a bênção de Moisés ao povo de Israel, põe Efraim à frente de Manassés, confirmando a predição de Jacó, apesar de sua população menor. Nem tudo pode ser calculado com base em superioridades numéricas. Ver no *Dicionário* o artigo intitulado *Efraim*.

A tribo de Efraim acampava-se lado a lado com as tribos de Manassés e Benjamim, no lado ocidental do tabernáculo. Ver o gráfico imediatamente antes de Números 1.1, quanto ao arranjo das tribos no acampamento de Israel.

Sutela. No hebraico, "estabelecimento de Tela". Esse era o nome de um dos filhos de Efraim, pai da família dos sutelaítas (Nm 26.35,36; 1Cr 7.20). Ver outras informações no *Dicionário*, acerca desse nome.

Bequer. No hebraico, *primogênito, jovem*. Ele era um dos filhos de Efraim, filho de José. Era fundador da família dos bequeritas. Em 1Crônicas 7.20, seu nome aparece com a forma de *Berede*.

Taã. No hebraico, *graciosidade*. Ele era filho de Efraim e fundador do clã ou família dos taanitas.

■ 26.36

וְאֵלֶּה בְּנֵי שׁוּתָלַח לְעֵרָן מִשְׁפַּחַת הָעֵרָנִי:

Erã. No hebraico, *vigilante*. Ele era filho de Sutela, que era o filho primogênito de Efraim (ver o vs. anterior). Tornou-se cabeça de um clã efraimita.

■ 26.37

אֵלֶּה מִשְׁפְּחֹת בְּנֵי־אֶפְרַיִם לִפְקֻדֵיהֶם שְׁנַיִם וּשְׁלֹשִׁים אֶלֶף וַחֲמֵשׁ מֵאוֹת אֵלֶּה בְנֵי־יוֹסֵף לְמִשְׁפְּחֹתָם: ס

São estas as famílias dos filhos de Efraim. Quanto aos números relativos ao primeiro e ao segundo recenseamento, e o decréscimo ocorrido nos 38 anos que separaram um do outro, ver as notas sobre o vs. 35 deste capítulo. Este versículo enfatiza novamente o fato de que essas tribos (Efraim e Manassés) descendiam de José, embora não houvesse uma tribo de José. Ver quanto a essa informação nas notas sobre o vs. 28 deste capítulo.

■ 26.38

בְּנֵי בִנְיָמִן לְמִשְׁפְּחֹתָם לְבֶלַע מִשְׁפַּחַת הַבַּלְעִי לְאַשְׁבֵּל מִשְׁפַּחַת הָאַשְׁבֵּלִי לַאֲחִירָם מִשְׁפַּחַת הָאֲחִירָמִי:

Os vs. 38-41 falam sobre a tribo de *Benjamim*. Por ocasião do primeiro censo, essa tribo era a décima primeira mais populosa. Na ocasião, tinha 35.400 homens de 20 anos ou mais, capazes de ir à guerra. Por ocasião do segundo recenseamento, havia 45.600 homens, um acréscimo de 10.200 homens. Acampava-se juntamente com as tribos de Efraim e Manassés, no lado ocidental do tabernáculo. Ver o gráfico que ilustra a ordem dos acampamentos, imediatamente antes das notas sobre Números 1.1. Ver no *Dicionário* o artigo intitulado *Benjamim*.

Bela. Ver as notas sobre esse homem, em Gênesis 46.21.

Asbel. Ver as notas sobre ele, em Gênesis 46.21.

Airã. Esse homem é chamado *Eí*, em Gênesis 46.21. Os trechos bíblicos que falam sobre ele apresentam certo número de variantes (comentado em Gn 46.21), o que sugere erros cometidos por copistas, ou, quem sabe, pelo autor original, ou que já existiam nas fontes informativas que ele utilizou.

■ 26.39

לִשְׁפוּפָם מִשְׁפַּחַת הַשּׁוּפָמִי לְחוּפָם מִשְׁפַּחַת הַחוּפָמִי:

Sufã. Esse homem é chamado *Mupim*, em Gênesis 46.21, e *Supim*, em 1Crônicas 7.12,15. Ver a referência de Gênesis quanto a alguns detalhes sobre ele.

Hufã. Trata-se do mesmo *Hupim* de Gênesis 46.21.

■ 26.40

וַיִּהְיוּ בְנֵי־בֶלַע אַרְדְּ וְנַעֲמָן מִשְׁפַּחַת הָאַרְדִּי לְנַעֲמָן מִשְׁפַּחַת הַנַּעֲמִי:

Arde. Ver sobre ele em Gênesis 46.21.

Naamã. Ver as notas detalhadas sobre ele, em Gênesis 46.21. Há certa confusão quanto aos filhos e netos, na lista de nomes atinentes aos *filhos* de Benjamim, o que é abordado nas notas sobre a referência no livro de Gênesis.

■ 26.41

אֵלֶּה בְנֵי־בִנְיָמִן לְמִשְׁפְּחֹתָם וּפְקֻדֵיהֶם חֲמִשָּׁה וְאַרְבָּעִים אֶלֶף וְשֵׁשׁ מֵאוֹת: ס

São estes os filhos de Benjamim. Ver os resultados dos dois recenseamentos nas notas sobre o vs. 38 deste capítulo. Ver também o gráfico em Números 1.2.

■ 26.42

אֵלֶּה בְנֵי־דָן לְמִשְׁפְּחֹתָם לְשׁוּחָם מִשְׁפַּחַת הַשּׁוּחָמִי אֵלֶּה מִשְׁפְּחֹת דָּן לְמִשְׁפְּחֹתָם:

São estes os filhos de Dã. Os vss. 42 e 43 falam sobre a tribo de *Dã*. Essa tribo, por ocasião do primeiro censo, era a segunda mais numerosa. Naquela ocasião, ela tinha 62.700 homens. Por ocasião do segundo censo, tinha 64.400 homens, o que foi um aumento de 1.700 homens aptos a ir à guerra. Ver o gráfico que compara os dois censos, em Números 1.2. Ver no *Dicionário* o artigo intitulado *Dã*.

Suã. Esse foi o único filho de Dã. Ele é chamado *Husim*, em Gênesis 46.23. Os livros de Crônicas não apresentam nenhuma genealogia quanto a essa linhagem. Pode ter havido mais filhos e descendentes, que não foram nomeados e, portanto, ficaram desconhecidos para nós.

26.43

כָּל־מִשְׁפְּחֹת הַשּׁוּחָמִי לִפְקֻדֵיהֶם אַרְבָּעָה וְשִׁשִּׁים אֶלֶף וְאַרְבַּע מֵאוֹת: ס

Todas as famílias dos suamitas. Ver os resultados dos dois censos comparados, no versículo anterior. A descendência de Dã ocorreu por meio de um único filho; mas mesmo assim foi considerável.

26.44

בְּנֵי אָשֵׁר לְמִשְׁפְּחֹתָם לְיִמְנָה מִשְׁפַּחַת הַיִּמְנָה לְיִשְׁוִי מִשְׁפַּחַת הַיִּשְׁוִי לִבְרִיעָה מִשְׁפַּחַת הַבְּרִיעִי:

Os vss. 44-47 falam sobre a tribo de *Aser*. Essa tribo, por ocasião do primeiro recenseamento, era a nona mais numerosa. Na ocasião, havia 41.500 homens de 20 anos para cima, capazes de ir à guerra. Após 38 anos, por ocasião do segundo censo, havia 53.400 homens, o que significou um aumento de 11.900 homens. Ficava agrupada com as tribos de Dã e Naftali, no lado norte do tabernáculo. Ver o gráfico na introdução a Números 1.1 quanto às posições das tribos de Israel no arraial. Ver o gráfico em Números 1.2 quanto aos números comparativos entre os dois recenseamentos. Ver no *Dicionário* o artigo chamado *Aser*.

Imna. Ver sobre esse homem em Gênesis 46.17 e suas notas expositivas.

Isvi. Ver nessa mesma referência as notas expositivas sobre esse homem.

Berias. As notas sobre esse homem figuram nessa mesma referência.

26.45

לִבְנֵי בְרִיעָה לְחֶבֶר מִשְׁפַּחַת הַחֶבְרִי לְמַלְכִּיאֵל מִשְׁפַּחַת הַמַּלְכִּיאֵלִי:

Héber... Malquiel. As notas expositivas sobre esses dois homens, filhos de Berias, aparecem em Gênesis 46.17.

26.46

וְשֵׁם בַּת־אָשֵׁר שָׂרַח:

Sera. Ela era filha de Aser, e as notas sobre ela figuram em Gênesis 46.17. Seus descendentes tornaram-se um dos clãs de Aser, razão pela qual ela é mencionada na genealogia.

26.47

אֵלֶּה מִשְׁפְּחֹת בְּנֵי־אָשֵׁר לִפְקֻדֵיהֶם שְׁלֹשָׁה וַחֲמִשִּׁים אֶלֶף וְאַרְבַּע מֵאוֹת: ס

São estas as famílias dos filhos de Aser. Quanto aos resultados do primeiro e do segundo censos, ver as notas sobre o vs. 44 deste capítulo.

26.48

בְּנֵי נַפְתָּלִי לְמִשְׁפְּחֹתָם לְיַחְצְאֵל מִשְׁפַּחַת הַיַּחְצְאֵלִי לְגוּנִי מִשְׁפַּחַת הַגּוּנִי:

Os filhos de Naftali. Os vss. 48-50 falam sobre a tribo de *Naftali*. Por ocasião do primeiro censo, essa era a sexta tribo mais numerosa de Israel, com 53.400 homens de 20 anos ou mais, capazes de ir à guerra. Após 38 anos, por ocasião do segundo recenseamento, o número havia diminuído para 54.400 homens, um decréscimo de oito mil homens. Ver o gráfico em Números 1.2 quanto a uma comparação de resultados. Naftali, Dã e Aser acampavam-se formando uma unidade, no lado norte do Tabernáculo. Ver o gráfico ilustrativo sobre o acampamento de Israel, antes do começo da exposição sobre Números 1.1.

Jazeel... Guni. Há notas expositivas sobre ambos em Gênesis 46.24.

26.49

לְיֵצֶר מִשְׁפַּחַת הַיִּצְרִי לְשִׁלֵּם מִשְׁפַּחַת הַשִּׁלֵּמִי:

Jezer... Silém. As notas expositivas sobre eles aparecem em Gênesis 46.24.

26.50

אֵלֶּה מִשְׁפְּחֹת נַפְתָּלִי לְמִשְׁפְּחֹתָם וּפְקֻדֵיהֶם חֲמִשָּׁה וְאַרְבָּעִים אֶלֶף וְאַרְבַּע מֵאוֹת:

São estas as famílias de Naftali. Ver os resultados do primeiro e do segundo censo, comparados, no vs. 48 deste capítulo.

26.51

אֵלֶּה פְּקוּדֵי בְּנֵי יִשְׂרָאֵל שֵׁשׁ־מֵאוֹת אֶלֶף וָאָלֶף שְׁבַע מֵאוֹת וּשְׁלֹשִׁים: פ

Grande Total. O segundo recenseamento descobriu o fato de que, após 38 anos de vagueações pelo deserto, Israel dispunha de um total de 601.730 homens de vinte homens para cima, aptos para ir à guerra. O total do primeiro censo fora de 603.550, o que significa que tinha havido um decréscimo populacional de 1.820 homens dessa faixa de idade. Este não era um número muito grande, considerando os vários julgamentos divinos que tinham punido o povo, sem falar nos rigores da vida no deserto. Ver o gráfico em Números 1.2, que confronta os dois recenseamentos.

"Quando os israelitas estavam sofrendo perseguições no Egito eles 'aumentaram muito e se multiplicaram' (Êx 1.7,20). Mas depois de terem sido libertados do Egito, eles rebelaram-se contra Deus, e por isso ele fez que 'os seus dias se dissipassem num sopro, e os seus anos em súbito terror' (Sl 78.33)... Isso reflete o consolo e os avisos da Igreja a cada alma que a ela pertence — consolo em tempo de aflição, e aviso em tempo de prosperidade" (Bispo Wordsworth).

LEI ACERCA DA DIVISÃO DA TERRA (26.52-65)

Encontramos aqui os *princípios* que governaram a divisão do território. Essa divisão deveria ser feita de acordo com a taxa populacional. O recenseamento que fora feito ultimamente serviria de diretriz. As tribos teriam uma herança coletiva, um *territorio*, e cada família dentro de uma tribo teria sua própria herança, que deveria passar de geração em geração.

Também havia o lançamento de sortes (vs. 55). Esse jogo de chance seria apenas isso, chance. Determinaria *onde* cada tribo teria suas terras, mas não as suas dimensões. Alguns estudiosos têm sugerido que as sortes eram o Urim e o Tumim do sumo sacerdote (ver Êx 28.30). Nesse caso, devemos entender que não havia nenhuma questão de sorte envolvida. Antes, Yahweh tomaria as decisões e as comunicaria por meio do sumo sacerdote.

26.52

וַיְדַבֵּר יְהוָה אֶל־מֹשֶׁה לֵּאמֹר:

Disse o Senhor. Essa expressão é de uso frequente no Pentateuco, a fim de apresentar novos materiais, além de lembrar-nos da inspiração divina das Escrituras. Ver as notas a respeito em Levítico 1.1 e 4.1.

O recado foi dado a Moisés, o mediador entre Yahweh e os israelitas. Ao receber uma mensagem, ele a transmitia a Arão (ou Eleazar, filho deste, após a morte de Arão), ao sacerdócio ou ao povo. Ver as *oito* fórmulas de comunicação nas notas sobre Levítico 17.2.

26.53

לָאֵלֶּה תֵּחָלֵק הָאָרֶץ בְּנַחֲלָה בְּמִסְפַּר שֵׁמוֹת:

Segundo o censo. Em outras palavras, as terras seriam distribuídas de acordo com a população, mediante o uso do censo como um guia. Essas terras eram dadas a cada família, e o nome da família se tornaria patriarcal. As terras seriam preservadas de geração em geração. Alguns eruditos pensam que estão em pauta os doze chefes das tribos, pelo que estaria aqui em vista a herança geral de cada tribo. Mas isso é improvável. Esses nomes seriam os pais, ou chefes de cada família. Outros intérpretes dizem que os nomes seriam dos 601.730 homens com mais de 20 anos de idade. Assim, se um desses homens (ou nomes) tivesse seis filhos, os filhos participariam da terra recebida por seu pai. Em outras palavras, o loteamento seria por *famílias*, e cada família seria representada por um *nome*. Parece que essa é a verdade que cerca a questão, conforme afirmou Jarchi, ao comentar sobre este texto.

O leitor de nossa versão portuguesa terá alguma dificuldade em acompanhar essa argumentação, pois ela troca a ideia de "distribuição por nomes" pela ideia de "distribuição segundo o censo". Mas a dificuldade é pequena.

26.54

לָרַב תַּרְבֶּה נַחֲלָתוֹ וְלַמְעַט תַּמְעִיט נַחֲלָתוֹ אִישׁ לְפִי פְקֻדָיו יֻתַּן נַחֲלָתוֹ׃

À tribo mais numerosa... à pequena. As terras seriam distribuídas de acordo com a taxa populacional. As tribos maiores receberiam mais terras. Ainda assim, as terras seriam divididas de acordo com os chefes de famílias (os "nomes" do vs. 53, de acordo com o original hebraico). Alguns pensam que as terras seriam divididas entre os 601.730 homens, os quais, é de presumir, seriam os chefes das famílias. E as terras que cada um deles recebesse se tornariam heranças perpétuas que passariam de uma geração para outra.

26.55

אַךְ־בְּגוֹרָל יֵחָלֵק אֶת־הָאָרֶץ לִשְׁמוֹת מַטּוֹת־אֲבֹתָם יִנְחָלוּ׃

A terra se repartirá por sortes. Ao que parece, isso significa que a *localização* das terras dadas a cada tribo dependeria do lançamento de sortes (mediante um jogo puro; ver no *Dicionário* o artigo intitulado *Sortes*), ou então pela vontade de Yahweh, se o Urim e o Tumim estão em pauta (ver sobre esses objetos no *Dicionário*).

Jarchi sugeriu um sistema que pode ter sido usado: os nomes das doze tribos foram escritos sobre pergaminho; e a localização das terras a serem distribuídas era anotada em outros pedaços de pergaminho. Esses pedaços de pergaminho eram misturados em uma urna. E então o sumo sacerdote tirava da urna tanto o nome da tribo quanto a localização de suas terras. E ficava entendido que, embora isso fosse feito por meio de "sortes", a vontade divina estaria por trás da questão. Mas outros afirmam que haveria duas urnas — uma com os nomes das tribos, e outra com a localização geográfica. Ninguém realmente sabe como a questão foi levada a efeito.

Cf. Atos 1.26, onde um apóstolo — Matias — foi escolhido mediante o lançamento de sortes, a fim de substituir Judas Iscariotes. Ver no *Dicionário* o artigo chamado *Adivinhação*.

26.56

עַל־פִּי הַגּוֹרָל תֵּחָלֵק נַחֲלָתוֹ בֵּין רַב לִמְעָט׃ ס

Entre as tribos maiores e menores. Tudo foi feito segundo a taxa populacional, e pelo método tentativamente descrito no versículo anterior. O fato é que Yahweh determinou que fosse seguido o princípio da igualdade. Não haveria israelitas sem terras (a não ser no caso dos levitas, que Deus tinha escolhido para ser a classe sacerdotal, e que ficariam distribuídos entre as outras tribos, mas não receberiam um território tribal).

O CENSO DOS LEVITAS (26.57-62)

"Esta seção não é homogênea, pois reflete duas tradições diferentes quanto às famílias dos levitas. É possível que a seção original consistisse nos vss. 57-62. Os levitas, uma vez mais, foram contados desde a idade de um mês para cima. O número deles tinha aumentado em mil pessoas. Os nomes das famílias levíticas, mencionados na inserção, são derivados do trecho de Êxodo 6.16-25. Os descendentes de Coré continuavam existindo" (John Marsh, *in loc.*). Cf. Números 3.15 com o primeiro recenseamento dos levitas. Os levitas eram uma tribo destituída de terras, que se tornara a casta sacerdotal de Israel, pelo que seu caso exigia um tratamento diferenciado. Não foram contados aqueles de 20 anos para cima, pois os levitas não iam à guerra. Ver no *Dicionário* o verbete chamado *Levitas*.

Os levitas incluíam três clãs: os gersonitas, os coatitas e os meraritas. E também havia cinco subclãs: libinitas (de Gérson); hebronitas e coreítas (de Coate); malitas e musitas (de Merari). Quanto a maiores informações a respeito, ver as notas sobre Números 3.18-20 e 16.1.

Moisés e Levi (Nm 26.58-60)

```
                    Levi
                     |
        ┌────────────┼────────────┐
      Gérson        Coate       Merari
                     |
          Anrão (casou-se com Joquebede)
                     |
        ┌────────────┼────────────┐
      Arão         Moisés        Miriã
```

Ver no *Dicionário* o artigo intitulado *Moisés*.

26.57

וְאֵלֶּה פְקוּדֵי הַלֵּוִי לְמִשְׁפְּחֹתָם לְגֵרְשׁוֹן מִשְׁפַּחַת הַגֵּרְשֻׁנִּי לִקְהָת מִשְׁפַּחַת הַקְּהָתִי לִמְרָרִי מִשְׁפַּחַת הַמְּרָרִי׃

Este versículo fornece-nos as famílias ou clãs dos levitas, cada qual derivada de um dos três filhos de Levi. Ver Êxodo 6.16-25, que é a fonte original de informações. Todos os nomes próprios tornam-se verbetes no *Dicionário*, tanto quanto os nomes tribais, como os *gersonitas*, os *coatitas* e os *meraritas*. Quanto a estes últimos, ver o artigo chamado *Merari (Meraritas)*. Desses três clãs principais derivaram-se *cinco* subclãs.

"Os levitas não receberam herança sob a forma de terras, juntamente com as outras tribos (vs. 62), por causa da natureza de sua consagração e serviço ao Senhor (cf. Nm 3.11-13 e 18.23,24). Portanto, não foram numerados no recenseamento, junto com as demais tribos" (Eugene H. Merrill, *in loc.*).

26.58

אֵלֶּה מִשְׁפְּחֹת לֵוִי מִשְׁפַּחַת הַלִּבְנִי מִשְׁפַּחַת הַחֶבְרֹנִי מִשְׁפַּחַת הַמַּחְלִי מִשְׁפַּחַת הַמּוּשִׁי מִשְׁפַּחַת הַקָּרְחִי וּקְהָת הוֹלִד אֶת־עַמְרָם׃

Havia *três* clãs levíticos (vs. 57) e *cinco* subclãs. Os *libinitas* derivaram-se de Gérson (3.18); os *malitas* e os *musitas*, de Merari (3.20); e os *hebronitas* e *coreítas*, de Coate (16.1). No *Dicionário*, há notas sobre todos esses subclãs. Quanto aos *malitas*, ver *Merari (Meraritas)*. Os *musitas* também são comentados dentro desse artigo. Quanto aos *hebronitas*, ver Hebrom, segundo item. Quanto aos *coreítas*, ver o artigo intitulado *Coate, Coatitas*.

Coate gerou Anrão, e este foi o pai de Moisés, Arão e Miriã (vs. 59).

Anrão. Ver no *Dicionário* sobre esse nome, primeiro ponto.

26.59

וְשֵׁם אֵשֶׁת עַמְרָם יוֹכֶבֶד בַּת־לֵוִי אֲשֶׁר יָלְדָה אֹתָהּ לְלֵוִי בְּמִצְרָיִם וַתֵּלֶד לְעַמְרָם אֶת־אַהֲרֹן וְאֶת־מֹשֶׁה וְאֵת מִרְיָם אֲחֹתָם׃

A mulher de Anrão. A mãe de Moisés, de Arão e de Miriã era *Joquebede* (ver sobre ela no *Dicionário*), a qual, por sua vez, era filha de Levi. Isso significa que o pai de Moisés se casara com uma tia. De acordo com a legislação mosaica, que foi editada posteriormente, isso estava dentro dos graus de parentesco proibidos. Ver Levítico 18 e 20. Ver comentários sobre Números 18 quanto aos vários tipos de *incesto* que foram proibidos. Ver também no *Dicionário* o verbete chamado *Incesto*. Essas leis foram baixadas tarde demais para impedir que Anrão se casasse com Joquebede. Para evitar isso, alguns intérpretes pensam que essa mulher seria apenas uma *descendente* de Levi, distante o bastante para permitir tal matrimônio. Outros também dizem que Anrão, pai de Moisés, não era o mesmo homem que aquele Anrão que era filho de Coate. Mas essas explicações forçadas apenas tentam *evitar* um problema, em lugar de explicá-lo. "Em Êxodo 6.20 é expressamente declarado que ela era irmã do pai de Anrão, e, em consequência, tia de seu próprio marido" (*Unger's Bible Dictionary*, no verbete *Jochebed*).

Ver o gráfico no v. 57 deste capítulo, que ilustra a linhagem de Moisés e Arão, bem como o fato de que eles pertenciam ao ramo coatita da família dos levitas.

26.60

וַיִּוָּלֵ֣ד לְאַהֲרֹ֗ן אֶת־נָדָב֙ וְאֶת־אֲבִיה֔וּא אֶת־אֶלְעָזָ֖ר וְאֶת־אִיתָמָֽר׃

Temos aqui a descendência de Arão. Todos os nomes que aparecem neste versículo são comentados no *Dicionário*. Cf. Êxodo 6.23.

26.61

וַיָּ֥מָת נָדָ֖ב וַאֲבִיה֑וּא בְּהַקְרִיבָ֥ם אֵשׁ־זָרָ֖ה לִפְנֵ֥י יְהוָֽה׃

Nadabe e Abiú morreram. O autor lembra-nos aqui do trágico incidente das mortes infames dos filhos de Arão que ofereceram *fogo estranho* sobre o altar. A história figura em Números 3.2-4. Ver também Levítico 10.1.

26.62

וַיִּהְי֣וּ פְקֻדֵיהֶ֗ם שְׁלֹשָׁ֤ה וְעֶשְׂרִים֙ אֶ֔לֶף כָּל־זָכָ֖ר מִבֶּן־חֹ֣דֶשׁ וָמָ֑עְלָה כִּ֣י ׀ לֹ֣א הָתְפָּקְד֗וּ בְּתוֹךְ֙ בְּנֵ֣י יִשְׂרָאֵ֔ל כִּ֠י לֹא־נִתַּ֤ן לָהֶם֙ נַחֲלָ֔ה בְּת֖וֹךְ בְּנֵ֥י יִשְׂרָאֵֽל׃

O segundo censo da casta sacerdotal revelou que eles eram 23 mil varões, de um mês de idade para cima. O primeiro recenseamento (Nm 3.39) resultara em 22 mil varões. Assim sendo, houve um acréscimo de mil homens, naqueles 38 anos de perambulações pelo deserto, entre o primeiro e o segundo censo.

O autor sacro lembra-nos de que essa *casta* havia deixado de ser uma tribo, em seu sentido estrito. Eles não participaram na divisão de terras tribais (Nm 1.47 ss.). A herança deles consistia em servir a Yahweh no tabernáculo (Nm 3.5 ss.). O território deles era o acampamento em redor do tabernáculo, a alguma distância do qual se acamparam as outras tribos, nos quatro lados ou pontos cardeais, ficando o tabernáculo no centro. Ver o gráfico imediatamente antes das notas sobre Números 1.1, quanto ao arranjo que havia no arraial. Ver no *Dicionário* o artigo chamado *Levitas*.

COMENTÁRIOS SOBRE O CENSO (26.63-65)

26.63

אֵ֚לֶּה פְּקוּדֵ֣י מֹשֶׁ֔ה וְאֶלְעָזָ֖ר הַכֹּהֵ֑ן אֲשֶׁ֨ר פָּקְד֜וּ אֶת־בְּנֵ֤י יִשְׂרָאֵל֙ בְּעַֽרְבֹ֣ת מוֹאָ֔ב עַ֖ל יַרְדֵּ֥ן יְרֵחֽוֹ׃

O resultado do segundo censo dos levitas não é repetido aqui. Ver o versículo anterior quanto a isso. Com esta observação, contudo, o autor sagrado diz-nos que ele tinha terminado suas considerações acerca da questão. O segundo censo foi efetuado nas planícies de Moabe, no lado oriental do rio Jordão, defronte da cidade de Jericó, que ficava no lado ocidental daquele rio. E o primeiro recenseamento tinha sido levado a efeito perto do Sinai (ver Nm 1.1).

26.64,65

וּבְאֵ֨לֶּה֙ לֹא־הָ֣יָה אִ֔ישׁ מִפְּקוּדֵ֣י מֹשֶׁ֔ה וְאַהֲרֹ֖ן הַכֹּהֵ֑ן אֲשֶׁ֥ר פָּקְד֛וּ אֶת־בְּנֵ֥י יִשְׂרָאֵ֖ל בְּמִדְבַּ֥ר סִינָֽי׃

כִּֽי־אָמַ֤ר יְהוָה֙ לָהֶ֔ם מ֥וֹת יָמֻ֖תוּ בַּמִּדְבָּ֑ר וְלֹא־נוֹתַ֤ר מֵהֶם֙ אִ֔ישׁ כִּ֚י אִם־כָּלֵ֣ב בֶּן־יְפֻנֶּ֔ה וִיהוֹשֻׁ֖עַ בִּן־נֽוּן׃ ס

A declaração aqui é absoluta. Toda pessoa da geração mais antiga que tinha saído do Egito, antes da invasão, já havia morrido. O vs. 65 adiciona as únicas exceções: Calebe e Josué, os dois espias (dentre doze) que tinham trazido de volta um bom relatório sobre a Terra Prometida e *também* tinham exortado que os israelitas a invadissem. Os rebeldes tinha morrido no deserto, pelo que não puderam entrar na Terra Prometida. Quanto ao relato sobre os espias, ver o capítulo 13 de Números. Quanto à predição de que a geração mais velha inteira morreria no deserto, ver Números 14.32. O trabalho de espionagem precisou de quarenta dias, pelo que aqueles que rejeitaram a vontade de Yahweh (ao aceitarem o relatório negativo) tiveram de vaguear pelo deserto por quarenta anos (Ver Nm 14.33).

Calebe e Josué foram excepcionais no bom sentido. Eles não faziam parte da maioria rebelde. Tinham um espírito diferente. "Mostraram-se exceções devido à sua devoção a Deus e no cumprimento da vontade de Deus" (Albert George Butzer, *in loc.*).

Os demais foram deixados para trás com o triste comentário: "Poderia ter sido".

Dentre todas as palavras tristes, ditas ou escritas,
As mais tristes são: "Poderia ter sido".
John Greenleaf Whittier

Ver no *Dicionário* os artigos chamados *Josué* e *Calebe*.

CAPÍTULO VINTE E SETE

LEIS ACERCA DAS HERANÇAS (27.1-11)

O capítulo à nossa frente contém uma boa variedade de assuntos que não podem ser postos sob um único título. Cada item da lista tem sua própria importância, merecendo o espaço que o autor sacro lhe concedeu. As regras levíticas sofreram algumas adições. O que já era complexo tornou-se mais complexo ainda. Os levitas receberam a incumbência de saber todos os detalhes da lei, a fim de ensiná-la ao povo.

Via de regra, as mulheres não tinham papel a desempenhar (como indivíduos) nas heranças. Esses deveres passavam de pai para filho. Assim sucedia tanto em Israel como no antigo Oriente Próximo e Médio. Ver Deuteronômio 25.5-10, quanto a regras dirigidas somente aos "filhos" homens. Sob certas circunstâncias, contudo, as *mulheres* também podiam tornar-se herdeiras, conforme fica demonstrado nos versículos que se seguem.

27.1,2

וַתִּקְרַ֜בְנָה בְּנ֣וֹת צְלָפְחָ֗ד בֶּן־חֵ֤פֶר בֶּן־גִּלְעָד֙ בֶּן־מָכִ֣יר בֶּן־מְנַשֶּׁ֔ה לְמִשְׁפְּחֹ֖ת מְנַשֶּׁ֣ה בֶן־יוֹסֵ֑ף וְאֵ֙לֶּה֙ שְׁמ֣וֹת בְּנֹתָ֔יו מַחְלָ֣ה נֹעָ֔ה וְחָגְלָ֥ה וּמִלְכָּ֖ה וְתִרְצָֽה׃

וַֽתַּעֲמֹ֜דְנָה לִפְנֵ֣י מֹשֶׁ֗ה וְלִפְנֵי֙ אֶלְעָזָ֣ר הַכֹּהֵ֔ן וְלִפְנֵ֥י הַנְּשִׂיאִ֖ם וְכָל־הָעֵדָ֑ה פֶּ֥תַח אֹֽהֶל־מוֹעֵ֖ד לֵאמֹֽר׃

Então vieram as filhas de Zelofeade. Todos os nomes que aparecem neste versículo, dentro da genealogia de *Zelofeade*, aparecem no *Dicionário*. A genealogia cuidadosa foi dada porque o homem se tornou um *precedente* de uma nova lei, a saber, *filhas* podiam ser herdeiras, se não houvesse filhos que herdassem as terras da família. Isso aconteceu no caso das filhas de Zelofeade (listadas neste versículo), que *expuseram* o seu caso diante da congregação. A questão foi apresentada diante da corte suprema, Moisés e Eleazar (o sumo sacerdote), e também dos príncipes das doze tribos. A reunião teve lugar diante da primeira cortina do tabernáculo, que separava o átrio do tabernáculo do espaço externo. Esse era um *Sinédrio* primitivo (ver a respeito no *Dicionário*), antes da formação desse corpo legislativo de Israel. Ver as notas sobre as *três cortinas* do tabernáculo, em Êxodo 26.36.

As *filhas de Zelofeade* não queriam que o nome de seu pai fosse extinto, pelo que estavam defendendo os direitos dele, e não somente os direitos delas. O caso era bastante difícil, pois Moisés teve de apelar para Yahweh, em busca de iluminação (vs. 5). Mas, uma vez recebidas instruções divinas, Moisés sabia como agir. Oh, Senhor, concede-nos tal graça! Algumas vezes, a razão não é suficiente para solucionar problemas difíceis. Nesses casos, devemos olhar para a Sabedoria Superior.

27.3

אָבִ֙ינוּ֙ מֵ֣ת בַּמִּדְבָּ֔ר וְה֨וּא לֹא־הָיָ֜ה בְּת֣וֹךְ הָעֵדָ֗ה הַנּוֹעָדִ֛ים עַל־יְהוָ֖ה בַּעֲדַת־קֹ֑רַח כִּֽי־בְחֶטְא֣וֹ מֵ֔ת וּבָנִ֖ים לֹא־הָ֥יוּ לֽוֹ׃

Argumentos das Filhas de Zelofeade. O pai delas tinha falecido e não deixara filhos homens. Talvez ele tivesse cometido algum pecado. Morrer sem herdeiros masculinos era uma calamidade em Israel, e só podia ser explicado à base de algum pecado. Os hebreus não aceitavam argumentos puramente biológicos. Diz o Targum de Jonathan que: "Ele não foi causa para outros pecarem". Jardim diz que ele deveria ter quebrado o sábado. Naturalmente, se isso tivesse mesmo acontecido, então ele teria sido executado. E há outras especulações a respeito. Mas sem importar qual tivesse sido o suposto pecado, não foi participação na rebelião de Coré. Ele era um pecador comum, tal como se dava com o resto do povo de Israel, pela que nada deveria ser feito contra as suas herdeiras.

No deserto. Ele morrera juntamente com a geração mais antiga, que não tivera permissão de entrar na Terra Prometida. Mas tinha herdeiras (filhas), as quais poderiam perpetuar seu nome e sua linhagem na Terra Prometida.

■ **27.4**

לָ֣מָּה יִגָּרַ֤ע שֵׁם־אָבִ֙ינוּ֙ מִתּ֣וֹךְ מִשְׁפַּחְתּ֔וֹ כִּ֛י אֵ֥ין ל֖וֹ בֵּ֑ן תְּנָה־לָּ֣נוּ אֲחֻזָּ֔ה בְּת֖וֹךְ אֲחֵ֥י אָבִֽינוּ׃

Havia Duas Pendências. A primeira era a perpetuação do nome de Zelofeade. E a segunda era a preservação das terras que deveriam passar de pai para filho. Por que a herança não podia passar de pai para filha? As mulheres, pois, apresentaram a Moisés um problema que não havia sido coberto pela legislação levítica, razão pela qual era mister abrir um novo parágrafo nessa legislação. Talvez a viúva de Zelofeade pudesse casar-se com outro homem, preservando assim a linhagem masculina dele mediante a lei do casamento levirato. Ver no *Dicionário* o artigo chamado *Matrimônio Levirato*. Mas talvez a viúva já fosse mulher idosa, e não mais pudesse casar-se.

A petição delas antecipou, até certo ponto, a lei de Cristo de que, nele, não há macho nem fêmea (ver Gl 3.28,29).

■ **27.5**

וַיַּקְרֵ֥ב מֹשֶׁ֛ה אֶת־מִשְׁפָּטָ֖ן לִפְנֵ֥י יְהוָֽה׃ ס

Moisés não tinha nenhuma resposta engatilhada para o caso. Não havia para nenhum precedente na legislação levítica. Por isso mesmo, ele consultou o Senhor, pedindo solução, porque sabia que a decisão se tornaria uma *lei*.

Houve quatro incidentes de difícil solução, a saber:
1. O blasfemo referido em Levítico 24.11.
2. Aqueles que se contaminassem tocando em um cadáver (Nm 9.8).
3. Aquele que não guardasse o sábado (Nm 15.34).
4. O caso das filhas de Zelofeade, neste texto.

Ver no *Dicionário* o artigo intitulado *Vontade de Deus, como Descobri-la*. Algumas vezes, a razão humana e as circunstâncias não bastam para tanto. Também precisamos de *iluminação* especial para solucionar alguns problemas difíceis. Oh, Senhor, concede-nos tal graça!

■ **27.6**

וַיֹּ֥אמֶר יְהוָ֖ה אֶל־מֹשֶׁ֥ה לֵּאמֹֽר׃

Disse o Senhor. Talvez por meio de um sonho, uma visão ou por uma voz direta, ou mesmo através do Urim e do Tumim. Talvez por meio da voz suave e ciciante, no coração, mas de modo *claro*, sem importar qual o seu *modus operandi*. Ver Êxodo 25.22, quanto à orientação *direta* que Moisés recebia da parte de Yahweh, quando ele consultava a vontade de Deus no tabernáculo.

■ **27.7-11**

כֵּ֗ן בְּנ֣וֹת צְלָפְחָד֮ דֹּבְרֹת֒ נָתֹ֨ן תִּתֵּ֤ן לָהֶם֙ אֲחֻזַּ֣ת 7
נַחֲלָ֔ה בְּת֖וֹךְ אֲחֵ֣י אֲבִיהֶ֑ם וְהַעֲבַרְתָּ֛ אֶת־נַחֲלַ֥ת אֲבִיהֶ֖ן
לָהֶֽן׃

וְאֶל־בְּנֵ֥י יִשְׂרָאֵ֖ל תְּדַבֵּ֣ר לֵאמֹ֑ר אִ֣ישׁ כִּֽי־יָמ֗וּת וּבֵן֙ 8
אֵ֣ין ל֔וֹ וְהַעֲבַרְתֶּ֥ם אֶת־נַחֲלָת֖וֹ לְבִתּֽוֹ׃

וְאִם־אֵ֥ין ל֖וֹ בַּ֑ת וּנְתַתֶּ֥ם אֶת־נַחֲלָת֖וֹ לְאֶחָֽיו׃ 9

וְאִם־אֵ֥ין ל֖וֹ אַחִ֑ים וּנְתַתֶּ֥ם אֶת־נַחֲלָת֖וֹ לַאֲחֵ֥י אָבִֽיו׃ 10

וְאִם־אֵ֣ין אַחִים֮ לְאָבִיו֒ וּנְתַתֶּ֣ם אֶת־נַחֲלָת֗וֹ לִשְׁאֵר֞וֹ 11
הַקָּרֹ֥ב אֵלָ֛יו מִמִּשְׁפַּחְתּ֖וֹ וְיָרַ֣שׁ אֹתָ֑הּ וְֽהָיְתָ֞ה לִבְנֵ֤י
יִשְׂרָאֵל֙ לְחֻקַּ֣ת מִשְׁפָּ֔ט כַּאֲשֶׁ֛ר צִוָּ֥ה יְהוָ֖ה אֶת־מֹשֶֽׁה׃

A mensagem de Yahweh incluiu estes elementos. Aparecem maiores detalhes na exposição dos versículos que se seguem:

1. As filhas de Zelofeade estavam moral e legalmente certas em suas asserções. Elas deviam receber a herança de seu pai. Na ausência de filhos, as filhas deveriam ficar com a herança paterna, preservando assim o nome da família. A herança e o nome da família não devem ser anulados (vs. 7).
2. Moisés recebeu ordens para transmitir essa mensagem: logo, a questão era agora um estatuto, acrescido à legislação levítica. Ver as notas sobre o quinto versículo, quanto às quatro questões em que Moisés precisou criar uma lei para casos ainda sem precedentes (ver o vs. 8 deste capítulo). A lei tinha sanção e autoridade divina. Após os filhos, as filhas eram as *primeiras herdeiras*.
3. Se um homem não tivesse deixado nem filhos nem filhas, então sua herança deveria ficar com os "irmãos" dele. É provável que esse seja o sentido limitado das palavras "irmãos dele", ou seja, filhos do mesmo pai e da mesma mãe (vs. 9).
4. Na ausência de filhos, filhas e irmãos, a herança deveria ficar com os "irmãos de seu pai", ou seja, tios, ou com os filhos destes (vs. 10).
5. Na ausência de filhos, filhas, irmãos e tios, então a herança deveria passar para algum parente mais próximo, como, por exemplo, *primos* (vs. 11).

Outras Ideias:

Quanto ao vs. 9. De acordo com a Mishnah (ver a respeito no *Dicionário*), filhos ou seus descendentes tinham precedência sobre as filhas. Se tivesse havido um filho que gerara filhos, para depois morrer, a herança passaria para esses netos do homem (falecido). Se não houvesse filhos, mas as filhas tivessem filhos, e então elas viessem a morrer, a herança passaria para os filhos delas, a menos que o testador tivesse irmãos.

Quanto ao vs. 10. Na ausência de filhos ou filhas, então irmãos (não irmãs) do morto tinham o direito de ser os herdeiros. As irmãs de um homem não podiam ser herdeiras deles, exceto no caso em que não houvesse outros candidatos. Mas talvez elas fossem incluídas sob o número cinco, listado acima.

Quanto ao vs. 11. A lei do parentesco aplicava-se ao grau mais remoto de relacionamento. A lei não incluía casos *raros*, quando não houvesse, em absoluto, nenhum parente. Supomos que, em tais casos, a terra revertia à possessão da tribo, a fim de ser distribuída conforme os anciãos da tribo determinassem.

Nessa preceituação temos uma legislação *ad hoc* (para casos específicos que fossem levantados), mas que se tornara parte legítima da legislação levítica e deveria vigorar por todas as gerações.

Tipologia. Em Cristo não há homem nem mulher, mas são todos (potencialmente) iguais quanto à herança espiritual (ver Gl 3.28,29; Rm 8.16,17). Ver no *Dicionário* o artigo intitulado *Herdeiro*. Naturalmente, quanto a funções eclesiásticas, no próprio Novo Testamento há distinções. Pois se este testifica a existência de profetizas e diaconisas (e talvez devêssemos incluir evangelizadoras), não se lê de nenhum caso de apóstolas, pastoras e mestras. Ver 1Timóteo 2.11 ss.

NOMEAÇÃO DE JOSUÉ COMO SUCESSOR DE MOISÉS (27.12-23)

Pouco tempo restava a Moisés; ele recebeu ordens de preparar-se para partir em breve deste mundo. Sua missão havia terminado, e ele não poderia entrar na Terra Prometida. Assim, um novo líder precisava ser oficializado a fim de liderar os israelitas até ali. Portanto, temos em Moisés um *tipo* da lei, que pode levar os homens a contemplar as promessas, mas não tem o poder de dar-lhes o que ela mesma exibe. A partir daí, vigoram a graça e a fé, administradas por meio de Cristo; estas, sim, conduzem os homens à Terra Prometida, à vida eterna. O capítulo 20 registrara a desobediência de Moisés, o que impediu que ele entrasse na Terra Prometida (ver Nm 20.11 ss.).

Isso posto, a lei que Moisés havia escrito por inspiração divina chegou a condenador o próprio legislador. Isso demonstra claramente a necessidade da graça divina e da missão de Cristo.

■ 27.12

וַיֹּאמֶר יְהוָה אֶל־מֹשֶׁה עֲלֵה אֶל־הַר הָעֲבָרִים הַזֶּה וּרְאֵה אֶת־הָאָרֶץ אֲשֶׁר נָתַתִּי לִבְנֵי יִשְׂרָאֵל׃

Vê a terra que dei. Moisés teve permissão de contemplar o território prometido, mas não de entrar nele. Ao ver a Terra Prometida, haveria de morrer. A lei foi nosso aio para conduzir-nos a Cristo, aquele em cujas mãos está a nossa salvação. Ver Gálatas 3.24,25. Porém, uma vez efetuada a tarefa de "apresentação" do aio, sua utilidade cessa. Os pais gregos da Igreja concebiam a obra do Logos como uma tarefa que incluía até mesmo as influências dos melhores aspectos da filosofia grega. A obra do Logos é muito ampla, envolvendo conhecimento e iluminação que dão origem às ciências, à filosofia e a todas as demais disciplinas do conhecimento humano. Mas a substância da fé encontra-se exclusivamente em Cristo. Ver na *Enciclopédia de Bíblia, Teologia e Filosofia* o verbete intitulado *Logos*.

monte Abarim. Ver o artigo detalhado sobre essa região montanhosa no *Dicionário*. Essa palavra significa "além", fazendo-nos entender o "além-Palestina". Era uma região montanhosa da qual o monte Nebo fazia parte. Foi ali que Moisés morreu. Ver o capítulo 34 de Deuteronômio.

Oportunidade Perdida. Moisés obteve a permissão de ver aquilo que não chegaria a possuir. Sua posição como tipo da lei, no mínimo, não teria mesmo permitido que ele entrasse na Terra Prometida. Ver sobre *monte Nebo* em Deuteronômio 32.49 e sobre *Pisga*, no *Dicionário* e em Deuteronômio 3.27.

> Dentre todas as palavras tristes ditas ou escritas,
> as mais tristes são: Poderia ter sido.
> John Greenleaf Whittier

Sobre as Oportunidades:

> Um homem sábio faz mais oportunidades do que é capaz de encontrar.
> Francis Bacon

> Quando uma porta fecha-se, outra abre-se.
> Cervantes

> Há quatro coisas que não voltam:
> A palavra dita; a flecha atirada;
> O tempo passado; a oportunidade perdida.
> Omar Ibn

■ 27.13

וְרָאִיתָה אֹתָהּ וְנֶאֱסַפְתָּ אֶל־עַמֶּיךָ גַּם־אָתָּה כַּאֲשֶׁר נֶאֱסַף אַהֲרֹן אָחִיךָ׃

Tendo-a visto, serás recolhido. Uma vez contemplada, a Terra Prometida retrocederia da visão de Moisés, e ele a perderia para sempre. Ver essa ideia também expressa em Números 25.17; 35.29 e 49.29. O trecho de Números 20.24,26 (o caso de Arão, onde dei notas úteis, que também podem ser usadas para ilustrar este texto). Em Deuteronômio 32.50, a expressão pode significar "recolhido à companhia espiritual, das almas remidas, no outro lado da existência". Todavia, esse sentido é duvidoso no contexto do Pentateuco, onde não é apresentada nenhuma doutrina clara da alma. Tal exposição teve que esperar pelo tempo dos Salmos e dos Profetas. Ver no *Dicionário* o artigo *Alma*, e na *Enciclopédia de Bíblia, Teologia e Filosofia* o artigo chamado *Imortalidade*.

Como o foi teu irmão Arão. A mesma coisa dita a Moisés havia sido dita sobre Arão, em Números 20.24,26.

Moisés pediu permissão para cruzar o rio Jordão e entrar na Terra Prometida; mas esse pedido foi-lhe negado. Ver Deuteronômio 3.25,26. Algumas oportunidades jamais voltam; mas a verdade é que a vida é o *grande contínuo*, e novas oportunidades surgem para benefício do homem espiritual.

■ 27.14

כַּאֲשֶׁר מְרִיתֶם פִּי בְּמִדְבַּר־צִן בִּמְרִיבַת הָעֵדָה לְהַקְדִּישֵׁנִי בַמַּיִם לְעֵינֵיהֶם הֵם מֵי־מְרִיבַת קָדֵשׁ מִדְבַּר־צִן׃ פ

Aqui Deus oferece a Moisés a razão pela qual ele não poderia entrar na *Terra Prometida*. Em um momento de cólera, ele se *rebelara* contra Yahweh, tendo batido na rocha por duas vezes, quando deveria apenas ter falado. Ao assim fazer, deixou de santificar Yahweh de maneira singular, diante do povo, porquanto Yahweh seria glorificado de maneira espetacular, ao prover água. Moisés, porém, havia estragado a demonstração. Ver Números 20.11,12. Nas notas sobre Números 20.12 dei várias interpretações acerca da natureza do *pecado* de Moisés.

Águas de Meribá. Ver Números 20.13 e o artigo do *Dicionário* intitulado *Meribá*. Parece que esse lugar deve ser distinguido de Refidim. Ver também Deuteronômio 32.51.

■ 27.15

וַיְדַבֵּר מֹשֶׁה אֶל־יְהוָה לֵאמֹר׃

Então disse Moisés. O mediador entre Yahweh e o povo de Israel queria consultar o Senhor acerca de quem deveria ser nomeado como seu substituto, para liderar o povo até a Terra Prometida. Esse homem era Josué, um tipo de Cristo, embora pudesse ser Calebe ou algum outro. Novamente, Moisés precisou mais do que de meras circunstâncias e da razão para que pudesse fazer a coisa certa. Ele também precisava de *iluminação* (ver a esse respeito no *Dicionário*).

■ 27.16

יִפְקֹד יְהוָה אֱלֹהֵי הָרוּחֹת לְכָל־בָּשָׂר אִישׁ עַל־הָעֵדָה׃

O Senhor, autor e conservador de toda vida. No hebraico, *Yahweh*, "o Deus dos espíritos de toda carne". Essa expressão incomum já tinha ocorrido no Pentateuco. Ver as notas a respeito em Números 16.22. Poderia haver aqui uma referência à alma imortal, pois o original hebraico diz "autor e conservador de todo espírito". Essa questão é mas detalhada nas notas sobre Números 16.22. Embora a doutrina da alma humana imortal não tenha sido desenvolvida no Pentateuco, é possível que tenhamos aqui um indício do tema.

Os críticos, como lhes parece natural, pensam que temos aqui um anacronismo, que revelaria a origem posterior a Moisés quanto ao Pentateuco. Mas parece melhor ver aqui um lampejo acerca da realidade do espírito humano. As notas referidas abordam o problema com detalhes. O Deus que é o autor e conservador de toda vida é o Senhor de toda vida e existência. Ele está profundamente interessado nos homens. Temos aí um reflexo do *teísmo,* o qual preceitua que Deus não somente criou o homem mas também continua interessado pela vida humana, guiando, castigando com vistas à correção e abençoando. Essa noção deve ser contrastada com a do *deísmo,* que ensina que pode ter havido uma força criadora (pessoal ou impessoal), mas que esta em seguida abandonou a criação, deixando-a ao encargo das leis naturais. Ver no *Dicionário* os verbetes intitulados *Teísmo* e *Deísmo*.

Em face da morte de Moisés, Yahweh nem por isso abandonaria o seu povo de Israel. Mas levantaria um novo mediador, Josué, que cuidasse de todas as responsabilidades e guiasse o povo até a sua herança, a Terra Prometida.

Esta congregação. Está em pauta o povo inteiro de Israel. Naqueles dias prevalecia o governo teocrático sobre Israel. O Senhor era o Rei, e Deus escolhia homens para serem seus embaixadores e mediadores. Nos dias do Novo Testamento, Cristo é o único Mediador entre Deus e os homens (1Tm 2.5). E o governo teocrático de Deus sobre a terra atingirá seu ponto de perfeição quando do milênio, em que Cristo governará como Rei, e seus embaixadores serão governadores sobre todos os povos. "E viveram e reinaram com Cristo durante mil anos" (Ap 20.4b).

27.17

אֲשֶׁר־יֵצֵא לִפְנֵיהֶם וַאֲשֶׁר יָבֹא לִפְנֵיהֶם וַאֲשֶׁר
יוֹצִיאֵם וַאֲשֶׁר יְבִיאֵם וְלֹא תִהְיֶה עֲדַת יְהוָה כַּצֹּאן
אֲשֶׁר אֵין־לָהֶם רֹעֶה׃

Que saia adiante deles. Israel receberia um novo pastor, entrando ou saindo, e o povo seguindo-o, conforme as ovelhas fazem com seu pastor. Essa liderança, pois, receberia uma *direção*, imprimida pelo Senhor. O fato da morte de Moisés não indicaria que o povo de Israel ficaria acéfalo. Deus sempre tem seu homem para o momento. Isso faz parte do conceito do *teísmo*, conforme as notas do versículo anterior. Ver no *Dicionário* o artigo intitulado *Pastor*, quanto a seus usos literal e metafórico.

"As expressões *que saia* e *que entre* significam que o sucessor de Moisés, tal como ele, tomaria a iniciativa de todas as atividades principais do povo, do começo ao fim, especialmente no tocante a operações militares. *Josué*, um nome que significa *Nosso Senhor*, talvez aluda à frase 'compadeceu-se deles, porque eram como ovelhas que não têm pastor', quando Marcos descreveu as multidões que se reuniam em torno de Jesus na Galileia (Mc 6.34)" (John Marsh, *in loc.*). Cf. essa passagem com João 10.3-9.

27.18

וַיֹּאמֶר יְהוָה אֶל־מֹשֶׁה קַח־לְךָ אֶת־יְהוֹשֻׁעַ בִּן־נוּן אִישׁ
אֲשֶׁר־רוּחַ בּוֹ וְסָמַכְתָּ אֶת־יָדְךָ עָלָיו׃

Toma a Josué. A escolha foi divina. O sucessor selecionado por ele era Josué. Ver o artigo detalhado sobre ele no *Dicionário*. Josué era um homem cheio do Espírito. Ele era homem de características carismáticas. "À semelhança de Moisés, Josué era tido como líder carismático, 'homem em quem há o Espírito' (Nm 11.17 e 24.2)" (*Oxford Annotated Bible*, comentando sobre este versículo). Como é sabido, Josué já havia demonstrado as suas habilidades espirituais. As circunstâncias mostraram-se harmônicas com a iluminação. (Ver Êxodo 17.8-10; 24.13; 33.11; Nm 11.28,29; 14.30,38). Josué (e Calebe) trouxera um relatório favorável, depois de terem espionado a Terra Prometida. Ele tinha sido fiel sobre o pouco, pelo que agora seria dirigente sobre muito (ver Mt 25.21).

Os Targuns de Onkelos e de Jonathan falam sobre os dons espirituais de Josué, que o qualificavam para o seu ofício, incluindo as qualidades de sabedoria para governar, coragem, prudência e grandeza mental.

Impõe-lhe a mão. O que foi aqui ordenado foi efetuado no vs. 23 deste capítulo, onde apresento as notas expositivas. Josué possuía as qualificações próprias da liderança, mas isso precisava ser publicamente *reconhecido* por Moisés, transferindo a ele o seu ofício e a sua autoridade.

27.19

וְהַעֲמַדְתָּ אֹתוֹ לִפְנֵי אֶלְעָזָר הַכֹּהֵן וְלִפְנֵי כָּל־הָעֵדָה
וְצִוִּיתָה אֹתוֹ לְעֵינֵיהֶם׃

Eleazar. Ele era filho de Arão e se tornara sumo sacerdote, por ocasião da morte de seu pai. Ver o artigo detalhado sobre ele, no *Dicionário*. Na qualidade de sumo sacerdote, naturalmente ele tomou parte na cerimônia de ordenação de Josué. A presença de Eleazar fazia Josué lembrar-se de que estava prestes a entrar em uma missão sagrada, e não meramente em uma campanha militar. Estava sujeito às leis de Yahweh, à legislação levítica, e tinha como missão cumprir as expectativas do povo de Israel. Cf. Deuteronômio 32.23. As ordens dadas a ele foram específicas: "Sê forte e corajoso". E juntamente com essas ordens recebeu a promessa divina de sucesso: "Tu farás a este povo herdar a terra que, sob juramento, prometi dar a seus pais" (Js 1.6). Ver também Deuteronômio 31.7,8.

27.20

וְנָתַתָּה מֵהוֹדְךָ עָלָיו לְמַעַן יִשְׁמְעוּ כָּל־עֲדַת בְּנֵי
יִשְׂרָאֵל׃

Põe sobre ele da tua autoridade. Essa autoridade, dada por Yahweh a Moisés, seria transferida agora a Josué. Isso talvez reflita a antiga crença no poder da imposição de mãos (vss. 18 e 23), que dizia que esse ato realmente transfere virtudes e poderes de uma pessoa para outra, de tal modo que o ato não foi visto como mero ritual. Há evidências, na tradição mística, que parecem confirmar esse ponto de vista. Contudo, Josué não possuiria todas as virtudes de Moisés. Yahweh não se comunicaria diretamente com ele, conforme se dava no caso de Moisés, mas somente através do sumo sacerdote (vs. 21).

Moisés transferiu sua *autoridade civil* a Josué, pelo que o povo precisava *obedecer* ao novo líder. Josué também era homem dotado de poderes espirituais, mas não haveria de atingir a estatura espiritual de Moisés.

27.21

וְלִפְנֵי אֶלְעָזָר הַכֹּהֵן יַעֲמֹד וְשָׁאַל לוֹ בְּמִשְׁפַּט
הָאוּרִים לִפְנֵי יְהוָה עַל־פִּיו יֵצְאוּ וְעַל־פִּיו יָבֹאוּ הוּא
וְכָל־בְּנֵי־יִשְׂרָאֵל אִתּוֹ וְכָל־הָעֵדָה׃

Moisés desfrutava de acesso direto à presença e ao conselho de Yahweh. Ver Êxodo 25.22. Josué, porém, não teria essa vantagem. Entretanto, teria acesso livre aos *meios* de iluminação. Ele deveria consultar a Eleazar, o sumo sacerdote, o qual, por sua vez, se utilizaria do Urim e do Tumim, a fim de obter iluminação. Ver a esse respeito no *Dicionário*. O método poderia ser tão simples quanto o uso das *sortes* sagradas. Ver Números 26.55 e Atos 1.26. Porém, há outras opiniões quanto à natureza do Urim e do Tumim, que aquele artigo cobre com detalhes. "O Urim e o Tumim eram alguma forma de lançamento de sortes sagrado" (John Marsh, *in loc.*). Era uma forma de adivinhação, mas o fato de que Deus estava por trás a livrava da condenação que caía sobre as adivinhações pagãs, que apelavam para o lado negro do sobrenatural. Ver no *Dicionário* o artigo *Adivinhação*.

Segundo a sua palavra. Todo o povo de Israel seria motivado ou desmotivado por Josué. A palavra "sua", que aqui aparece, refere-se a Josué, o sucessor de Moisés.

27.22

וַיַּעַשׂ מֹשֶׁה כַּאֲשֶׁר צִוָּה יְהוָה אֹתוֹ וַיִּקַּח
אֶת־יְהוֹשֻׁעַ וַיַּעֲמִדֵהוּ לִפְנֵי אֶלְעָזָר הַכֹּהֵן
וְלִפְנֵי כָּל־הָעֵדָה׃

Fez Moisés como lhe ordenara o Senhor. As determinações de Deus foram atendidas. Josué foi levado à presença do sumo sacerdote, conforme fora ordenado (vs. 19). Estavam presentes representantes das doze tribos. Foi uma ordenação pública. Josué recebeu autoridade absoluta, e assim ninguém podia pleitear ignorância quanto à autoridade dele.

27.23

וַיִּסְמֹךְ אֶת־יָדָיו עָלָיו וַיְצַוֵּהוּ כַּאֲשֶׁר דִּבֶּר יְהוָה
בְּיַד־מֹשֶׁה׃ פ

E lhe impôs as mãos. Provi um detalhado artigo no *Dicionário* intitulado *Mãos, Imposição de*. Na mente dos antigos, havia mais nessa cerimônia do que mero ritual de reconhecimento de algo. O homem que impunha as mãos sobre outrem tinha de possuir poderes que eram transmitidos. Cf. o caso da capa de Elias que caiu sobre Eliseu (2Rs 2.14). Moisés não transmitiu a Josué uma capa poderosa, mas seu toque, mediante a bênção de Yahweh, transmitiu-lhe virtudes. A tradição mística tem mostrado que a imposição de mãos é capaz de transmitir o poder de curar e de realizar outros prodígios espirituais. Naturalmente, a maior parte daquilo que é feito nas igrejas e em outros lugares nada tem a ver com o que *algumas vezes* acontece. Ver no *Dicionário* o artigo *Ordenar (Ordenação)*, que inclui o ato da imposição de mãos, que não indica mero reconhecimento ou comissionamento. O dom do Espírito era dado por meio da imposição de mãos (ver At 8.18,19; 19.6).

O *governo civil* passava agora da tribo (ou casta sacerdotal) de Levi para um membro da tribo de Efraim. Mas o *ministério sacerdotal* permanecia sob encargo dos levitas.

CAPÍTULO VINTE E OITO

REGULAMENTAÇÕES SOBRE FESTIVAIS, VOTOS E OFERENDAS (28.1—30.17)

Os capítulos 28 e 29 de Números contêm, principalmente, repetições de matérias sobre sacrifícios e adoração que já tinham sido ventiladas nos livros de Levítico e Números. Incidentalmente, esta seção nos dá uma lista das festas religiosas celebradas que, naturalmente, requeriam sacrifícios. Os críticos supõem que essas regras já estivessem sendo praticadas na Terra Prometida quando esse material foi escrito, conferindo assim ao Pentateuco uma data posterior à de Moisés. Outros supõem que passagens dessa natureza tenham sido adicionadas ao Pentateuco original, depois de o povo de Israel ter entrado na Terra Prometida. Ver no *Dicionário* o artigo intitulado *J.E.D.P.(S.)*, quanto à teoria das fontes informativas múltiplas do Pentateuco. "Os requisitos elaborados desses dois capítulos indicam o período posterior desses regulamentos, devido à impossibilidade de serem efetuados no deserto" (John Marsh, *in loc.*). Alguns intérpretes pensam que a seção diante de nós é mais tardia que o material do livro de Levítico, refletindo um tempo em que foram *marcados tempos*, ou seja, as chamadas *estações* que se harmonizavam com as situações agrícolas em qualquer dado ano (ver Dt 16.9; Êx 23.16). As regras "mais antigas" falavam sobre as refeições comunais nas quais os adoradores participavam com os sacerdotes. Mas essa questão está completamente ausente na seção diante de nós. Ademais, certas quantidades de material parecem refletir a época de Ezequiel, e não o tempo das perambulações pelo deserto. Os eruditos conservadores, por sua vez, supõem que essas observações reflitam apenas certas variações sobre como os sacrifícios e as festas religiosas eram levados a efeito, e não diferentes fontes informativas ou épocas.

"Às vésperas da conquista e ocupação da terra de Canaã, foi mister que a geração mais jovem fosse instruída acerca das ofertas apropriadas para as condições em que Israel estaria vivendo em uma sociedade agrícola fixa à terra. A primeira dessas ofertas eram os holocaustos diários. Quanto a isso, já se tinha legislado no monte Sinai (vs. 6; cf. Lv 1 e Êx 29.38-46)" (Eugene H. Merrill, *in loc.*).

Ver o gráfico imediatamente antes de Levítico 1.1, quanto a informações gerais sobre os vários tipos de ofertas e sacrifícios, bem como os rituais envolvidos. Ver também o artigo detalhado no *Dicionário* intitulado *Sacrifícios e Ofertas*.

■ 28.1

וַיְדַבֵּר יְהוָה אֶל־מֹשֶׁה לֵּאמֹר:

Disse mais o Senhor. Essa expressão é usada com frequência no Pentateuco, para introduzir novas seções ou materiais. E também nos faz lembrar da doutrina da inspiração divina das Escrituras. Ver as notas a respeito em Levítico 1.1 e 4.1.

■ 28.2

צַו אֶת־בְּנֵי יִשְׂרָאֵל וְאָמַרְתָּ אֲלֵהֶם אֶת־קָרְבָּנִי לַחְמִי לְאִשַּׁי רֵיחַ נִיחֹחִי תִּשְׁמְרוּ לְהַקְרִיב לִי בְּמוֹעֲדוֹ:

Da minha oferta, do meu manjar. Essas palavras são justificadas porque Yahweh participaria da refeição comunal. O termo hebraico *lehem* (aqui traduzido por "manjar") pode denotar alimentos em geral, pois as ofertas sacrificiais eram simbolicamente consideradas o alimento do Senhor, segundo se vê em Levítico 3.11,16. Cf. também Malaquias 3.7. Partes das ofertas cabiam a Yahweh, como a gordura e o sangue; e, além disso, ele estava com o seu povo por ocasião de seus sacrifícios, da mesma maneira que se dá com a Ceia do Senhor, dentro da tradição cristã, com ou sem a noção da transubstanciação. Se os termos são antropomórficos, há uma realidade espiritual aqui. Ver no *Dicionário* o artigo chamado *Antropomorfismo*.

A nova geração, que estava entrando na Terra Prometida, precisava dessa reiteração no que toca aos sacrifícios. Ver a introdução a este capítulo.

Aroma agradável. Ver as notas a respeito, em Levítico 1.9 e Êxodo 29.18.

AS OFERTAS DIÁRIAS (28.3-8)

Estão aqui em pauta as oferendas diárias (pela manhã e à tarde), um aspecto muito importante do culto dos hebreus.

■ 28.3

וְאָמַרְתָּ לָהֶם זֶה הָאִשֶּׁה אֲשֶׁר תַּקְרִיבוּ לַיהוָה כְּבָשִׂים בְּנֵי־שָׁנָה תְמִימִם שְׁנַיִם לַיּוֹם עֹלָה תָמִיד:

A oferta queimada. Ver a respeito em Levítico 6.9-13; e, quanto a notas adicionais, ver Levítico 1.3-17.

Sem defeito. Ver as notas a respeito em Levítico 22.20. Ver também Levítico 1 e Êxodo 29.38-46, onde aparecem as preparações para essas oferendas e as razões que as justificam.

Tipologia. Ver Hebreus 7.3 e 10.12,14 quanto à aplicação dessa noção no Novo Testamento.

■ 28.4

אֶת־הַכֶּבֶשׂ אֶחָד תַּעֲשֶׂה בַבֹּקֶר וְאֵת הַכֶּבֶשׂ הַשֵּׁנִי תַּעֲשֶׂה בֵּין הָעַרְבָּיִם:

Quanto aos *cinco* animais que podiam ser oferecidos em sacrifícios, os "sacerdotes" do reino animal, ver Levítico 1.14-16. Ver Êxodo 29.39 quanto a informações sobre o sacrifício do cordeiro, um pela manhã e outro à tarde. Quanto à aplicação neotestamentária, ver João 1.29. Ver também Êxodo 12.5,6.

■ 28.5

וַעֲשִׂירִית הָאֵיפָה סֹלֶת לְמִנְחָה בְּלוּלָה בְּשֶׁמֶן כָּתִית רְבִיעִת הַהִין:

Um efa. Se um efa equivalia a 18,9 litros, então uma décima parte correspondia a 1,89 litro.

Um him. Era equivalente a 3,15 l. Assim, uma quarta parte de um him era cerca de 0,79 litro. Quase todos os sacrifícios eram acompanhados por uma oferta de manjares, ou seja, de cereais. Quanto a isso, ver Levítico 6.14-18, com notas adicionais em Levítico 1.1-16. Ver o gráfico antes de Levítico 1.1, que ilustra os vários tipos de sacrifícios e oferendas, bem como os materiais neles usados. Quanto às medidas acerca das ofertas de manjares, ver Êxodo 29.40.

■ 28.6

עֹלַת תָּמִיד הָעֲשֻׂיָה בְּהַר סִינַי לְרֵיחַ נִיחֹחַ אִשֶּׁה לַיהוָה:

Holocausto contínuo. Um sacrifício que tinha de ser oferecido *todos os dias*, sem nenhuma falha, como um importante aspecto do culto no tabernáculo. Isso havia sido ordenado quando Israel ainda estava no Sinai (ver Êx 29.39), e vinha sendo observado durante toda a jornada pelo deserto, devendo continuar enquanto perdurasse a nação de Israel.

Aroma agradável. Ver Levítico 1.9 e Êxodo 29.18. Mediante uma expressão antropomórfica, Yahweh aspiraria o aroma do sacrifício e ficaria satisfeito. Uma vez satisfeito, ele aceitaria o sacrifício como expiação ou cobertura dos pecados cometidos.

Oferta queimada. Esse era um tipo antiquíssimo de sacrifício, que já existia antes de Moisés, mas que foi incorporado à legislação levítica. Ver Levítico 23.13. Os trechos de Levítico 2.4 ss. e 7.9,10 também devem ser consultados. Líquidos como azeite, leite, vinho, mel e sangue eram comumente usados como rituais de libação. As libações não podiam ser derramadas sobre o altar de incenso (altar de ouro); e, assim sendo, pelo que sabemos, eram derramados sobre o altar das ofertas queimadas. Ver as notas sobre o *Altar de Bronze* em Êxodo 27.1; e, no *Dicionário*, ver o verbete chamado *Altar do Incenso*. Os líquidos oferecidos eram considerados preciosos, e parte dessa preciosidade era oferecida a Yahweh. Simbolicamente, pois, Yahweh "bebia" a sua parte, tal como aspirava o odor das ofertas queimadas. Yahweh ficava satisfeito com os holocaustos e as libações, e assim aceitava as ofertas do povo.

O trecho de Eclesiastes 50.15 informa-nos que as libações eram vertidas à base do altar dos holocaustos.

28.7

וְנִסְכּוֹ רְבִיעִת הַהִין לַכֶּבֶשׂ הָאֶחָד בַּקֹּדֶשׁ הַסֵּךְ נֶסֶךְ שֵׁכָר לַיהוָה:

Sua libação... um him. Há certa ambiguidade quanto ao sistema de pesos e medidas em Israel, devido às variações sofridas ao longo dos séculos. As opiniões acerca do *him* variam desde meio litro até 3,15 litros. Neste comentário, temos optado por essa última medida.

Tipologia. Ver a aplicação no Novo Testamento, das libações, em Efésios 5.2 e 2Timóteo 4.6.

28.8

וְאֵת הַכֶּבֶשׂ הַשֵּׁנִי תַּעֲשֶׂה בֵּין הָעַרְבָּיִם כְּמִנְחַת הַבֹּקֶר וּכְנִסְכּוֹ תַּעֲשֶׂה אִשֵּׁה רֵיחַ נִיחֹחַ לַיהוָה: פ

O mesmo processo seguido no oferecimento matinal do cordeiro deveria ser repetido à tarde. Assim, as notas dadas nos vss. 4-7 deste capítulo são aplicáveis aqui. A repetição visava ênfase e eficácia. Um sacrifício por dia era bom, e dois era melhor ainda.

AS OFERENDAS DO SÁBADO (28.9,10)

28.9

וּבְיוֹם הַשַּׁבָּת שְׁנֵי־כְבָשִׂים בְּנֵי־שָׁנָה תְּמִימִם וּשְׁנֵי עֶשְׂרֹנִים סֹלֶת מִנְחָה בְּלוּלָה בַשֶּׁמֶן וְנִסְכּוֹ:

"A cada sábado as oferendas diárias (contínuas) deviam ser *dobradas*. Tal prática não foi conhecida antes de Ezequiel (46.4,5), embora aparentemente tenha sido seguida após o exílio babilônico (ver Ne 10.33)" (John Marsh, *in loc.*). A ordem da duplicação, "dois cordeiros", "duas décimas de um efa de flor de farinha", aparece pela primeira vez neste ponto do livro de Números. Essa regra atinente às libações deveria ser acompanhada no caso dos holocaustos, conforme já vimos (ver Nm 15.5). A lei do sábado figura em Êxodo 20.8-11 e Levítico 23.3. Ver no *Dicionário* o artigo *Sábado,* quanto a informações completas.

Sem defeito. Ver sobre essa questão as notas em Levítico 22.20.

28.10

עֹלַת שַׁבַּת בְּשַׁבַּתּוֹ עַל־עֹלַת הַתָּמִיד וְנִסְכָּהּ: ס

Além do holocausto contínuo. Isso quer dizer que as oferendas diárias regulares deviam ser oferecidas em dia de sábado também. Mas em adição, havia aquele duplo sacrifício, aos sábados.

Na verdade, as ofertas do sábado vinham *após* a oferta diária daquele dia, como um procedimento distinto, e isso tanto pela manhã quanto à tarde.

OFERENDAS DA LUA NOVA (28.11-15)

28.11

וּבְרָאשֵׁי חָדְשֵׁיכֶם תַּקְרִיבוּ עֹלָה לַיהוָה פָּרִים בְּנֵי־בָקָר שְׁנַיִם וְאַיִל אֶחָד כְּבָשִׂים בְּנֵי־שָׁנָה שִׁבְעָה תְּמִימִם:

Ver no *Dicionário* o artigo intitulado *Sacrifícios e Ofertas,* quanto a um exame geral do complexo sistema de sacrifícios do povo hebreu. E ver também ali o artigo *Festas (Festividades) Judaicas,* um exame geral do complexo sistema sacrificial dos hebreus, no tocante a dias especiais.

Ao todo, onze animais (se incluirmos o bode referido no vs. 15 deste capítulo) eram oferecidos por ocasião da lua nova. Ver os animais oferecidos em sacrifício, nas notas sobre Levítico 1.14-16. Muitos animais eram sacrificados. Havia então uma oferta de manjares e uma libação em maiores quantidades. Assim, o mesmo procedimento era usado, mas os materiais eram oferecidos em maiores proporções. O Pentateuco não tem muito que dizer sobre as oferendas da lua nova (ver Nm 10.10), mas há evidências de que essa festividade era bastante popular em Israel. Essas práticas parecem ter antedatado a legislação mosaica, pois parecem ter sido antigas tradições populares, que a legislação mosaica engolfou.

"Um crescente respeito foi sendo observado ao começo de cada mês. Todo comércio era levantado (Am 8.5), e parece que eram dadas instruções religiosas na ocasião (2Rs 4.23)" (Ellicott, *in loc.*). A luz era o luzeiro menor que Deus tinha criado no firmamento, e se os hebreus não adoravam a lua, conforme faziam outros povos, ela servia de importante indicador dos ciclos de tempo determinados por Deus. O tempo pertence a Deus, embora nos seja *concedido*. Temos motivos para nos mostrarmos agradecidos diante de cada novo ciclo, rogando do Senhor que continue estendendo o tempo que nos resta, para que possamos continuar a viver e a servi-lo.

Sem defeito. Ver sobre essa exigência quanto aos holocaustos nas nota sobre Levítico 22.20. Conforme já vimos, essas ofertas eram feitas *em adição* aos sacrifícios diários.

28.12

וּשְׁלֹשָׁה עֶשְׂרֹנִים סֹלֶת מִנְחָה בְּלוּלָה בַשֶּׁמֶן לַפָּר הָאֶחָד וּשְׁנֵי עֶשְׂרֹנִים סֹלֶת מִנְחָה בְּלוּלָה בַשֶּׁמֶן לָאַיִל הָאֶחָד:

As quantidades eram consideravelmente aumentadas por ocasião da festa da lua nova. Em lugar de uma décima parte de flor de farinha para a oferta de cereais (vs. 5), a oferta de manjares da lua nova requeria três décimas partes para cada *novilho*, e duas décimas partes para cada *carneiro*. E também havia uma décima parte de flor de farinha para cada *cordeiro* (vs. 13).

28.13

וְעִשָּׂרֹן עִשָּׂרוֹן סֹלֶת מִנְחָה בְּלוּלָה בַשֶּׁמֶן לַכֶּבֶשׂ הָאֶחָד עֹלָה רֵיחַ נִיחֹחַ אִשֵּׁה לַיהוָה:

Uma décima parte de um efa de farinha de trigo e azeite (cuja quantidade não foi especificada) era usada na oferta de manjares para cada cordeiro. Ver as medidas dadas em Números 15.5-8, que provavelmente também se aplicam aqui. Os cordeiros (ver Lv 6.9-13) serviam de holocaustos nesse tipo de oferenda. Tinham de ser *sem defeito*, conforme se dava no caso de todos os animais sacrificados (ver Êx 12.5; 29.1; Lv 1.3; 3.1 etc.). Ver esse princípio aplicado no Novo Testamento, em 1Pedro 1.19; Efésios 5.27. Ver Levítico 22.20 quanto a notas expositivas completas.

Aroma agradável. Ver as notas a respeito, em Levítico 1.9 e 4.1.

28.14

וְנִסְכֵּיהֶם חֲצִי הַהִין יִהְיֶה לַפָּר וּשְׁלִישִׁת הַהִין לָאַיִל וּרְבִיעִת הַהִין לַכֶּבֶשׂ יָיִן זֹאת עֹלַת חֹדֶשׁ בְּחָדְשׁוֹ לְחָדְשֵׁי הַשָּׁנָה:

As *libações* que acompanhavam as oferendas da lua nova, no caso do novilho, também eram duplicadas. Ver o vs. 7 deste capítulo quanto à libação dos dias regulares. Ver no *Dicionário* o artigo chamado *Libação.* Yahweh, por ocasião da refeição comunal, "bebia" a sua parte quando o líquido era vertido à base do altar dos holocaustos, e ficava satisfeito; assim, aceitava as oferendas de modo geral. Ver o vs. 7 quanto a detalhes. Quanto ao cordeiro, a quantidade era a mesma.

28.15

וּשְׂעִיר עִזִּים אֶחָד לְחַטָּאת לַיהוָה עַל־עֹלַת הַתָּמִיד יֵעָשֶׂה וְנִסְכּוֹ: ס

O *bode* era o décimo primeiro animal a ser oferecido, mas não como parte da oferta diária. Antes, servia de oferta pelo pecado (ver Lv 6.25,30), com notas adicionais em Lv 4.1-35). Ver no *Dicionário* o artigo intitulado *Expiação.*

Também. Os elaborados sacrifícios da lua nova eram oferecidos em adição às oferendas diárias, sendo oferecidos como ritos distintos.

O toque das trombetas fazia parte desse ritual (ver Nm 10.10), embora esse item tenha sido omitido no texto.

O Tempo. O tempo é um fator que está nas mãos de Deus. Entre os hebreus, o ano tinha por base o calendário lunar. Portanto, o mês fazia parte do ciclo anual. Os ciclos de tempo são presentes que Deus nos dá, visando o nosso bem.

Amas a vida? Então não desperdices teu tempo,
Pois disso é feito o estofo da vida.

Benjamin Franklin

Usa teu tempo, não o deixes escapar;
A beleza interior não deve ser desperdiçada;
As flores não colhidas quando estão mais belas,
Definham e estragam-se em pouco tempo.

William Shakespeare

OFERENDAS DA PÁSCOA E DA FESTA DOS PÃES ASMOS (28.16-25)

Oferendas especiais eram feitas diariamente, em cada sábado, nos dias de lua nova e em todas as grandes festividades e jejuns. As regras levíticas eram complexas e extensas, afetando cada dia e cada atividade importante, pessoal ou coletiva. Tal como se vê por todo o capítulo 28 e 29, temos aqui repetições de normas anteriores, algumas vezes com alguma leve modificação nos pormenores. Ver no *Dicionário* os artigos intitulados *Festas (Festividades) Judaicas*, em II.4.a, e *Sacrifícios e Ofertas*.

A *páscoa* assinalava o começo do ano religioso (mês de abibe ou nisã), correspondente aos nossos meses de março/abril, da mesma maneira que o mês de tisri (ver Nm 29.1) marcava o começo do ano civil.

Coisa alguma de específico é dita a respeito dos sacrifícios da páscoa, nesta seção. Ao leitor cabe lembrar o que foi ordenado para aquele dia. As regras que se seguem diziam respeito à festa dos Pães Asmos.

■ 28.16

וּבַחֹדֶשׁ הָרִאשׁוֹן בְּאַרְבָּעָה עָשָׂר יוֹם לַחֹדֶשׁ פֶּסַח לַיהוָה:

Primeiro mês... catorze dias do mês. Esse era o dia da inauguração da páscoa, conforme vemos em Êxodo 12.6,18. Ver no *Dicionário* o artigo chamado *Páscoa*, com notas adicionais na introdução ao capítulo 12 de Êxodo. A páscoa, os pães asmos e a festa dos primogênitos eram três festividades que estavam historicamente vinculadas entre si. Ver a consagração dos primogênitos em Êxodo 13.1-16, bem como o verbete referente a cada uma dessas festas no *Dicionário*. Ver Êxodo 12.43 quanto à *páscoa* como símbolo de Cristo.

■ 28.17

וּבַחֲמִשָּׁה עָשָׂר יוֹם לַחֹדֶשׁ הַזֶּה חָג שִׁבְעַת יָמִים מַצּוֹת יֵאָכֵל:

Se comerão pães asmos. No *Dicionário* ofereci um detalhado artigo sobre esse assunto. Ver também a introdução ao capítulo 12 de Êxodo, bem como Êxodo 12.15-20 e 13.1-16. Essa festividade provavelmente teve origem nas atividades agrícolas, comemorando a colheita da cevada. Foi então transformada em uma festa anual, associada à páscoa. Começava no dia quinze do mês de nisã, que veio a ser o *quinto mês* do ano religioso, porque fora então que tinham ocorrido o êxodo do Egito e a celebração da páscoa. O mês de nisã era o sétimo mês do ano civil. Essa festa durava sete dias, e era uma continuação natural da páscoa. Ver também Levítico 23.23 ss.

■ 28.18

בַּיּוֹם הָרִאשׁוֹן מִקְרָא־קֹדֶשׁ כָּל־מְלֶאכֶת עֲבֹדָה לֹא תַעֲשׂוּ:

No primeiro dia. Era um dia de sábado e assinalava o começo das celebrações. Nenhum trabalho servil podia ser feito naquele dia, exceto a preparação de alimentos (ver Êx 12.16). Ver o artigo chamado *Sábado*, no *Dicionário*. Esse primeiro dia, e também todos os demais, subsequentemente, requeriam os mesmos sacrifícios que aqueles da festa da lua nova, conforme vemos nos vss. 19 ss. deste capítulo. Cf. Números 28.11 quanto aos sacrifícios oferecidos.

■ 28.19

וְהִקְרַבְתֶּם אִשֶּׁה עֹלָה לַיהוָה פָּרִים בְּנֵי־בָקָר שְׁנַיִם וְאַיִל אֶחָד וְשִׁבְעָה כְבָשִׂים בְּנֵי שָׁנָה תְּמִימִם יִהְיוּ לָכֶם:

Este versículo é igual ao vs. 11 deste capítulo, visto que os sacrifícios da festa dos Pães Asmos eram idênticos aos sacrifícios da festa da Lua Nova.

■ 28.20,21

וּמִנְחָתָם סֹלֶת בְּלוּלָה בַשָּׁמֶן שְׁלֹשָׁה עֶשְׂרֹנִים לַפָּר וּשְׁנֵי עֶשְׂרֹנִים לָאַיִל תַּעֲשׂוּ:
עִשָּׂרוֹן עִשָּׂרוֹן תַּעֲשֶׂה לַכֶּבֶשׂ הָאֶחָד לְשִׁבְעַת הַכְּבָשִׂים:

A sua oferta de manjares. Essas oferendas eram as mesmas das da festa da Lua Nova, conforme já vimos e comentamos nos vss. 12 e 13 deste capítulo.

■ 28.22

וּשְׂעִיר חַטָּאת אֶחָד לְכַפֵּר עֲלֵיכֶם:

Os sacrifícios dessa festa também incluíam o bode como oferta pelo pecado, tal como se fazia na festa da Lua Nova. Ver comentários sobre isso no vs. 15 deste capítulo.

■ 28.23

מִלְּבַד עֹלַת הַבֹּקֶר אֲשֶׁר לְעֹלַת הַתָּמִיד תַּעֲשׂוּ אֶת־אֵלֶּה:

Estas cousas oferecereis. Todo esse maciço ritual era efetuado em *adição* às oferendas diárias regulares (ver as notas em Nm 28.3 ss.), sendo efetuado separadamente e *depois* daquelas. As oferendas diárias jamais cessavam, nem eram substituídas por quaisquer oferendas extras para os sábados e as festividades. A *oferenda da tarde* não é mencionada, mas deve ser entendida, pois as oferendas diárias tinham de incluir a oferenda matutina e a vespertina.

■ 28.24

כָּאֵלֶּה תַּעֲשׂוּ לַיּוֹם שִׁבְעַת יָמִים לֶחֶם אִשֵּׁה רֵיחַ־נִיחֹחַ לַיהוָה עַל־עוֹלַת הַתָּמִיד יֵעָשֶׂה וְנִסְכּוֹ:

Assim oferecereis. Ou seja, *diariamente* todos aqueles animais precisavam ser sacrificados, tal como haviam sido abatidos no *primeiro dia*. Assim, o que é dito no vs. 19 aplicava-se a cada dia, e não meramente ao sábado (primeiro dia), que dava início à comemoração dos sete dias.

Aroma agradável. Ver Levítico 1.9; Êxodo 29.18. Yahweh aspirava a oferenda, ficava satisfeito e a aceitava. *Libações* acompanhavam as oferendas da *Lua Nova*, e também tinham de fazer parte das oferendas da festa dos *Pães Asmos*. Ver as notas sobre o sétimo versículo deste capítulo. Assim, Yahweh "bebia" a libação e ficava satisfeito, aceitando as oferendas.

■ 28.25

וּבַיּוֹם הַשְּׁבִיעִי מִקְרָא־קֹדֶשׁ יִהְיֶה לָכֶם כָּל־מְלֶאכֶת עֲבֹדָה לֹא תַעֲשׂוּ: ס

No sétimo dia. O sétimo dia da festa dos Pães Asmos também era um sábado, tal como o primeiro dia era um sábado (vs. 18), e as mesmas regras eram aplicáveis.

O Tríplice Sacrifício. Alguns intérpretes supõem que no primeiro e no sétimo dia houvesse sacrifícios *tríplices:* os sacrifícios das oferendas diárias; os sacrifícios dos sábados (vss. 9,10); e os sacrifícios típicos da festa da Lua Nova. Nesse caso, nada menos de *quinze* animais eram abatidos e oferecidos naqueles dias!

OFERENDAS DA FESTA DAS SEMANAS (28.26-31)

Essa festa também era chamada de festa da *Colheita* (ver Êx 23.16). Ou então festa das *Semanas* (ver Êx 34.22). Ver no *Dicionário* o artigo geral chamado *Festas (Festividades) Judaicas*, seção II, 4.b. Ver as notas adicionais dadas em Êxodo 23.16. Essa festa era uma celebração própria da época da colheita, sendo um período de alegria e ação de graças, uma espécie de semana nacional de ação de graças. Ver Êxodo 34.22; Deuteronômio 16.10,16. Tinha lugar durante a primavera (junho), no começo da colheita do trigo (Êx 34.22). No Novo

Testamento, essa festa é chamada de *Pentecoste* (ver At 2.1; 1Co 16.8, bem como o artigo com esse nome, no *Dicionário*).

TEMPO
Gráfico das Divisões e Nomes
Os hebreus antigos marcavam o tempo com a ajuda da Lua, dos fenômenos naturais e das observâncias religiosas:

Hora Moderna	Tempo Judaico	Talmude
18 h 00	Pôr do sol (Gn 28.1; Êx 17.12; Js 8.29)	Crepúsculo (no árabe, ahra)
18 h 20	Estrelas aparecem	Noitinha, shema ou oração
22 h 00	Fim da primeira vigília (Lm 2.19)	O jumento orneja
24 h 00	Meia-noite (Êx 11.4; Rt 3.8; Sl 119.62; Mt 25.6; Lc 11.5)	
2 h 00	Fim da segunda vigília (Jz 7.19)	O cão ladra
3 h 00	Canto do galo (Mc 13.35; Mt 26.75)	
4 h 30	Segundo canto do galo (Mt 26.75; Mc 14.30)	
5 h 40	Início do alvorecer	
6 h 00	Nascer do sol (fim da terceira vigília) (Êx 14.24; Nm 21.11; Dt 4.41; Js 1.15; 1Sm 11.11)	Alvorada (no árabe, subah) Três toques de trombeta (no árabe, doher)
9 h 00	Primeira hora da oração (At 2.15)	Sacrifício matinal
12 h 00	Meio-dia (Gn 43.16; 1Rs 18.26; Jó 5.14)	
13 h 00	Grande vesperal	Primeira mincha (oração); (no árabe, aser)
15 h 30	Pequeno vesperal	Primeira mincha (oração); (no árabe, aser)
17 h 40		Sacrifício da tarde no altar noroeste; nove toques de trombeta
18 h 00	Pôr do sol (Gn 15.12; Êx 17.12; Lc 4.40)	Seis toques de trombeta na véspera do sábado

Você ama a vida? Então não desperdice tempo, pois é disso que a vida é feita.

Ben Franklin

Nas tuas mãos estão os meus dias; livra-me das mãos dos meus inimigos e dos meus perseguidores. Faze resplandecer o teu rosto sobre o teu servo: salva-me por tua misericórdia.

Salmo 31.15,16

Lembra-te de como é breve a minha existência! Pois criarias em vão todos os filhos dos homens!

Salmo 89.47

Os sacrifícios e demais ritos eram os mesmos que aqueles que havia na festa da Lua Nova, conforme vimos e anotamos em Números 28.11 s. Ver Levítico 23.15-21.

■ 28.26

וּבְי֣וֹם הַבִּכּוּרִ֗ים בְּהַקְרִ֨יבְכֶ֜ם מִנְחָ֤ה חֲדָשָׁה֙ לַֽיהוָ֔ה בְּשָׁבֻעֹ֣תֵיכֶ֑ם מִֽקְרָא־קֹ֨דֶשׁ֙ יִהְיֶ֣ה לָכֶ֔ם כָּל־מְלֶ֥אכֶת עֲבֹדָ֖ה לֹ֥א תַעֲשֽׂוּ׃

No dia das primícias. Em outras palavras, naquele dia em que deveriam ser trazidas oferendas apropriadas de ação de graças. Aquele dia tornava-se um *sábado* ou descanso, pelo que nenhum trabalho servil podia ser feito durante o período. Ver Levítico 23.21.

Festa de semanas. Assim chamada porquanto tinha lugar *sete semanas* depois da páscoa (ver Lv 23.15).

■ 28.27

וְהִקְרַבְתֶּ֨ם עוֹלָ֜ה לְרֵ֤יחַ נִיחֹ֨חַ֙ לַֽיהוָ֔ה פָּרִ֥ים בְּנֵֽי־בָקָ֖ר שְׁנַ֑יִם אַ֣יִל אֶחָ֔ד שִׁבְעָ֥ה כְבָשִׂ֖ים בְּנֵ֥י שָׁנָֽה׃

Ver o vs. 11 deste capítulo quanto a completas explanações sobre as oferendas aqui referidas. Essa festa das semanas requeria os mesmos sacrifícios que aqueles da festa da Lua Nova.

■ 28.28,29

וּמִנְחָתָ֔ם סֹ֖לֶת בְּלוּלָ֣ה בַשָּׁ֑מֶן שְׁלֹשָׁ֤ה עֶשְׂרֹנִים֙ לַפָּ֣ר הָֽאֶחָ֔ד שְׁנֵי֙ עֶשְׂרֹנִ֔ים לָאַ֖יִל הָאֶחָֽד׃

עִשָּׂר֤וֹן עִשָּׂרוֹן֙ לַכֶּ֣בֶשׂ הָֽאֶחָ֔ד לְשִׁבְעַ֖ת הַכְּבָשִֽׂים׃

As ofertas de manjares eram as mesmas que aquelas da festa da Lua Nova. Ver os vss. 12 e 13 deste capítulo quanto a maiores informações.

■ 28.30

שְׂעִ֥יר עִזִּ֖ים אֶחָ֑ד לְכַפֵּ֖ר עֲלֵיכֶֽם׃

O bode também era uma das ofertas que tinham de ser feitas, tal como no caso da festa da Lua Nova. Ver as notas sobre o vs. 15 deste capítulo.

■ 28.31

מִלְּבַ֞ד עֹלַ֧ת הַתָּמִ֛יד וּמִנְחָת֖וֹ תַּעֲשׂ֑וּ תְּמִימִ֥ם יִהְיוּ־לָכֶ֖ם וְנִסְכֵּיהֶֽם׃ פ

As oferendas dessa festa não podiam substituir as ofertas *diárias regulares*. Antes, deveria haver tanto as ofertas regulares quanto as especiais. Ver os vss. 2, 3 e 15 deste capítulo. Todas as oferendas deveriam ser "sem defeito". Ver notas detalhadas sobre isso em Levítico 22.20.

"Em adição, havia as primícias dos *grãos*, a razão que estava por trás dessa festividade (Lv 23.15-21)" (Eugene H. Merrill, *in loc.*).

CAPÍTULO VINTE E NOVE

OFERENDAS DA FESTA DAS TROMBETAS (29.1-6)

■ 29.1

וּבַחֹ֨דֶשׁ הַשְּׁבִיעִ֜י בְּאֶחָ֣ד לַחֹ֗דֶשׁ מִֽקְרָא־קֹ֨דֶשׁ֙ יִהְיֶ֣ה לָכֶ֔ם כָּל־מְלֶ֥אכֶת עֲבֹדָ֖ה לֹ֣א תַעֲשׂ֑וּ י֥וֹם תְּרוּעָ֖ה יִהְיֶ֥ה לָכֶֽם׃

Ver no *Dicionário* o artigo geral intitulado *Festas (Festividades) Judaicas*, seção II. f., *Dia das Trombetas*. É possível que, no começo, essa fosse uma festividade celebrada no Ano Novo, embora o ponto seja motivo de debates. Ver Números 19.1 e Levítico 23.24. Esse dia sempre caía em um sábado. Eram oferecidos sacrifícios, e todo labor cessava. Era também tempo de arrependimento e de exercícios religiosos. A festa era efetuada no primeiro dia do sétimo mês judaico. Alguns pensam que as *trombetas* se referem à convocação do povo e que poderia ser um ato profético acerca do recolhimento e restauração do povo de Israel. A tradição não se mostra clara sobre o que o toque das trombetas indicava. Ver Levítico 23.23-25.

"A celebração especial, do começo do sétimo mês, leva-nos de novo à questão da adoção e adaptação de uma antiga tradição popular. A sétima *lua nova,* com suas oferendas especiais, quase duplicava o que se oferecia nas outras *luas novas,* podendo-se comparar a relação entre essa festa e as outras celebrações mensais, tal como as celebrações do sábado estavam relacionadas às dos dias comuns" (John Marsh, *in loc.*).

Do sétimo mês. Ou seja, o mês de tisri (setembro/outubro).

A festa das trombetas chegou a assinalar o novo ano *civil* (distinto do ano religioso). O trecho de Esdras 23.16 conta que a festa da colheita caía "no fim do ano". O início do novo ano religioso era assinalado pela *páscoa,* que emprestava a Israel uma nova vida espiritual. Coincidia com o mês de abibe (ou nisã): nosso março/abril.

■ **29.2**

וַעֲשִׂיתֶ֨ם עֹלָ֜ה לְרֵ֤יחַ נִיחֹ֨חַ֙ לַֽיהוָ֔ה פַּ֧ר בֶּן־בָּקָ֛ר אֶחָ֖ד אַ֣יִל אֶחָ֑ד כְּבָשִׂ֧ים בְּנֵֽי־שָׁנָ֛ה שִׁבְעָ֖ה תְּמִימִֽם׃

Então por holocausto. Os sacrifícios dessa festa eram virtualmente iguais aos da festa da Lua Nova (ver Nm 28.11), visto que ela era uma espécie de lua nova (7ª) sabática. Ver a exposição na referência dada. Mas por razões desconhecidas, era oferecido um novilho a menos. As mesmas oferendas da festa da Lua Nova eram oferecidas durante os sete dias dos Pães Asmos, e no dia das primícias. Ver Números 28.11,19,27. Esses sacrifícios eram oferecidos *em adição* aos sacrifícios diários, e àqueles da Lua Nova (vs. 6). E visto que era um dia de sábado, podemos presumir que também eram sacrifícios adicionados aos do dia de sábado (ver Nm 28.9,10). Os sacrifícios praticamente eram o *dobro* dos da Lua Nova, ou seja, cerca de 25 animais ao todo eram sacrificados. Ver o vs. 6 deste capítulo.

■ **29.3,4**

וּמִנְחָתָ֔ם סֹ֖לֶת בְּלוּלָ֣ה בַשָּׁ֑מֶן שְׁלֹשָׁ֤ה עֶשְׂרֹנִים֙ לַפָּ֔ר שְׁנֵ֥י עֶשְׂרֹנִ֖ים לָאָֽיִל׃

וְעִשָּׂרוֹן֙ אֶחָ֔ד לַכֶּ֖בֶשׂ הָאֶחָ֑ד לְשִׁבְעַ֖ת הַכְּבָשִֽׂים׃

Sua oferta de manjares. Essa oferenda, que sempre acompanhava o sacrifícios de animais, era *a mesma* que aquela da Lua Nova, dos Pães Asmos e das Primícias, conforme vemos em Números 28.12,13,20,21,28,29, onde são dadas as notas.

■ **29.5**

וּשְׂעִיר־עִזִּ֥ים אֶחָ֖ד חַטָּ֑את לְכַפֵּ֖ר עֲלֵיכֶֽם׃

Essa festa também requeria o sacrifício de um *bode,* como *expiação* (vide a respeito no *Dicionário*), em consonância com as práticas seguidas na festa da Lua Nova (ver Nm 28.15).

■ **29.6**

מִלְּבַד֩ עֹלַ֨ת הַחֹ֜דֶשׁ וּמִנְחָתָ֗הּ וְעֹלַ֤ת הַתָּמִיד֙ וּמִנְחָתָ֔הּ וְנִסְכֵּיהֶ֖ם כְּמִשְׁפָּטָ֑ם לְרֵ֣יחַ נִיחֹ֔חַ אִשֶּׁ֖ה לַיהוָֽה׃ ס

Além do holocausto. As oferendas dessa festa eram *adicionadas* àquelas requeridas pela festa regular da Lua Nova. Era, por assim dizer, uma Lua Nova sabática, sendo comemorada por meio de um maior abate de animais. Talvez devamos entender que havia um *quádruplo* sacrifício, a saber: 1. o sacrifício diário (Nm 28.2,3); 2. o sacrifício sabático (28.9,10); 3. os sacrifícios da festa da Lua Nova (28.11-15); 4. os sacrifícios da festa das Trombetas, uma espécie de Lua Nova sabática, o dia da celebração do Ano Novo. Dessarte, cerca de 25 animais eram sacrificados em um único dia.

OFERENDAS DO DIA DA EXPIAÇÃO (29.7-11)

■ **29.7**

וּבֶעָשׂ֩וֹר֩ לַחֹ֨דֶשׁ הַשְּׁבִיעִ֜י הַזֶּ֗ה מִֽקְרָא־קֹ֨דֶשׁ֙ יִהְיֶ֣ה לָכֶ֔ם וְעִנִּיתֶ֖ם אֶת־נַפְשֹׁתֵיכֶ֑ם כָּל־מְלָאכָ֖ה לֹ֥א תַעֲשֽׂוּ׃

Ver no *Dicionário* o bem detalhado artigo *Dia da Expiação*. Há um estudo mais abreviado no artigo chamado *Festa (Festividades) Judaicas,* seção II.4.d. Ver Levítico 16.29-34 e 23.26-32, quanto a outras notas expositivas.

"No *décimo* dia do mês sétimo, a oferenda especial era igual à do primeiro dia. As pessoas deviam *afligir* suas almas, ou seja, deviam jejuar e refrear-se totalmente de qualquer trabalho, como em um dia de sábado qualquer. A *oferta pelo pecado* de expiação, que dava seu nome à festa, consistia em um novilho (Lv 16.11; Êx 29.36; 30.10)" (John Marsh, *in loc.*). Ver Números 29.1 ss. quanto às oferendas do Ano novo (festa da *Colheita* ou das *Trombetas*). Essas oferendas eram repetidas no décimo dia. Além daqueles sacrifícios, também deviam ser oferecidas as ofertas regulares pelo pecado, descritas em Levítico 16.27. E, naturalmente, as oferendas diárias não podiam ser negligenciadas. Tinham de acompanhar quaisquer oferendas extras relativas a dias especiais. Ver Números 28.3-8. É provável que as oferendas sabáticas regulares também fossem efetuadas, visto que o *Dia da Expiação* caía em um dia de sábado.

Afligireis as vossas almas. Quanto a esse aspecto da festa, ver as notas em Levítico 16.29. Isso incluía a prática do jejum (At 27.9).

■ **29.8**

וְהִקְרַבְתֶּ֨ם עֹלָ֤ה לַֽיהוָה֙ רֵ֣יחַ נִיחֹ֔חַ פַּ֧ר בֶּן־בָּקָ֛ר אֶחָ֖ד אַ֣יִל אֶחָ֑ד כְּבָשִׂ֧ים בְּנֵֽי־שָׁנָ֛ה שִׁבְעָ֖ה תְּמִימִ֥ם יִהְי֖וּ לָכֶֽם׃

Os sacrifícios eram os mesmos que aqueles oferecidos no primeiro dia do mês de tisri (ver Nm 29.1,2). Aben Ezra pensava que o "carneiro" referido neste versículo é diferente daquele aludido em Levítico 16.3,5,24. Ver a exposição nessas referências.

■ **29.9,10**

וּמִנְחָתָ֔ם סֹ֖לֶת בְּלוּלָ֣ה בַשָּׁ֑מֶן שְׁלֹשָׁ֤ה עֶשְׂרֹנִים֙ לַפָּ֔ר שְׁנֵ֥י עֶשְׂרֹנִ֖ים לָאַ֥יִל הָאֶחָֽד׃

עִשָּׂר֤וֹן עִשָּׂרוֹן֙ לַכֶּ֣בֶשׂ הָאֶחָ֔ד לְשִׁבְעַ֖ת הַכְּבָשִֽׂים׃

Sua oferta de manjares. As oferendas que acompanhavam esse rito eram idênticas às do primeiro dia do mês, da festa da colheita ou das trombetas. Ver as notas sobre os vss. 3 e 4 deste capítulo.

■ **29.11**

שְׂעִיר־עִזִּ֥ים אֶחָ֖ד חַטָּ֑את מִלְּבַ֞ד חַטַּ֤את הַכִּפֻּרִים֙ וְעֹלַ֣ת הַתָּמִ֔יד וּמִנְחָתָ֖הּ וְנִסְכֵּיהֶֽם׃ פ

Um bode. Esse animal era sacrificado (tal como na festa do Ano Novo; vs. 5), e isso além das oferendas regulares do dia da Expiação; e também havia as oferendas regulares diárias, que não eram anuladas por outras oferendas de ocasiões especiais; e também é provável que houvesse as oferendas próprias do dia de sábado. Ver a exposição no vs. 7 deste capítulo, quanto a detalhes. Parece que havia na ocasião oferendas *quádruplas*: as diárias; as do sábado; as do dia da Expiação; e a repetição das do Ano Novo (vss. 1 ss. deste capítulo).

OFERENDAS DA FESTA DOS TABERNÁCULOS (29.12-40)

■ **29.12**

וּבַחֲמִשָּׁה֩ עָשָׂ֨ר י֜וֹם לַחֹ֣דֶשׁ הַשְּׁבִיעִ֗י מִֽקְרָא־קֹ֨דֶשׁ֙ יִהְיֶ֣ה לָכֶ֔ם כָּל־מְלֶ֥אכֶת עֲבֹדָ֖ה לֹ֣א תַעֲשׂ֑וּ וְחַגֹּתֶ֥ם חַ֛ג לַיהוָ֖ה שִׁבְעַ֥ת יָמִֽים׃

Ver no *Dicionário* o artigo *Festas (Festividades) Judaicas* em II. 4.c., *Festa dos Tabernáculos*. Ver também o verbete *Sacrifícios e Ofertas*. Essa festa religiosa tinha lugar no sétimo mês do calendário judaico, cinco dias após o dia da Expiação, e prosseguia por sete dias (ver Êx 23.16,17; 34.22; Lv 23.33-43; Nm 29.12-40). O primeiro e o oitavo dia desse período eram dias de descanso, ou sábados. Eram levantadas tendas toscas, com ramos de palmeiras, folhas e raminhos. Essa experiência comemorava como o povo de Israel fora forçado a viver quando Deus os tirou do Egito (ver Lv 23.33-43).

Essa festa requeria um grande número de sacrifícios, porquanto celebrava o fim das colheitas do ano, servindo de expressão de agradecimento a Deus, pela sua provisão. Ver no *Dicionário* o artigo chamado *Providência de Deus*. No *primeiro dia*, que era um sábado, eram oferecidos treze novilhos, dois carneiros, catorze cordeiros, juntamente com a oferta de manjares apropriada. Os sacrifícios diários, contudo, não podiam ser omitidos, e presumivelmente também eram oferecidos os sacrifícios pertinentes ao dia de sábado. Ver Números 28.3-6, 9 ss. Portanto, mais de trinta animais eram oferecidos em um único dia. O mundo espiritual inteiro suspirou de alívio quando o sacrifício único de Cristo substituiu todo o sistema sacrificial do Antigo Testamento.

"A cada novo dia, o número de novilhos sacrificado diminuía em um animal (vs. 20-31), de tal modo que no sétimo dia eram sacrificados sete novilhos, talvez uma expressão de perfeição" (Eugene H. Merrill, *in loc.*).

O número *sete* é conspícuo: sete meses; sete dias; sete novilhos sacrificados no sétimo dia. Ver no *Dicionário* o artigo intitulado *Número (Numeral, Numerologia)*, onde é comentado o significado do número *sete*.

"Setenta novilhos ao todo eram oferecidos nos sete dias... Em adição aos novilhos, eram oferecidos *diariamente*, como holocaustos, dois carneiros, catorze cordeiros e um bode, este como oferta pelo pecado, *em adição* às ofertas queimadas diárias" (Ellicott, *in loc.*).

■ 29.13

וְהִקְרַבְתֶּם עֹלָה אִשֵּׁה רֵיחַ נִיחֹחַ לַיהוָה פָּרִים
בְּנֵי־בָקָר שְׁלֹשָׁה עָשָׂר אֵילִם שְׁנַיִם כְּבָשִׂים
בְּנֵי־שָׁנָה אַרְבָּעָה עָשָׂר תְּמִימִם יִהְיוּ׃

Por holocausto. Ver Levítico 6.9-13 quanto a notas expositivas sobre esse tipo de oferenda. Ver também Levítico 1.3-17.

Aroma agradável. Ver sobre isso em Levítico 1.9 e Êxodo 29.18.

Sem defeito. Ver sobre essa expressão em Levítico 22.20.

Quanto aos *cinco* animais que se podia sacrificar (os "sacerdotes" do reino animal), ver Levítico 1.14-16. Quanto ao sentido da festa dos Tabernáculos e ao grande número de animais sacrificados, naqueles sete dias de festividade, ver as notas no sétimo versículo deste capítulo.

■ 29.14,15

וּמִנְחָתָם סֹלֶת בְּלוּלָה בַשֶּׁמֶן שְׁלֹשָׁה עֶשְׂרֹנִים לַפָּר
הָאֶחָד לִשְׁלֹשָׁה עָשָׂר פָּרִים שְׁנֵי עֶשְׂרֹנִים לָאַיִל
הָאֶחָד לִשְׁנֵי הָאֵילִם׃

וְעִשָּׂרוֹן עִשָּׂרוֹן לַכֶּבֶשׂ הָאֶחָד לְאַרְבָּעָה עָשָׂר
כְּבָשִׂים׃

Pela oferta de manjares. Esse tipo de ofertas sempre acompanhava os sacrifícios de animais. Cada novilho era acompanhado por três quartas partes de um efa de farinha; cada carneiro, por duas quartas partes; e cada cordeiro, por uma quarta parte de um efa de farinha, tudo misturado com as devidas quantidades de azeite.

■ 29.16

וּשְׂעִיר־עִזִּים אֶחָד חַטָּאת מִלְּבַד עֹלַת הַתָּמִיד
מִנְחָתָהּ וְנִסְכָּהּ׃ ס

Um bode. Esse animal era sacrificado como *oferta pelo pecado*. Quanto a esse símbolo, ver Levítico 6.25,30 e 4.1-35. Ver no *Dicionário* o artigo intitulado *Expiação*. Isso era oferecido em adição ao holocausto *contínuo* dos *sacrifícios diários* (ver Nm 28.3-6). Ademais, visto que o dia caía em um sábado, provavelmente também era feito em adição às ofertas próprias de um sábado (Nm 28.9,10).

A sua oferta de manjares. Essa oferta também acompanhava as ofertas diárias e as ofertas do dia de sábado; e também havia as *libações* normais. Ver no *Dicionário* o artigo chamado *Libação*. Ficava entendido que Yahweh aspirava o aroma agradável (vs. 13), e bebia do vinho vertido à base do altar de bronze, ou dos holocaustos, deleitando-se e aceitando as ofertas.

■ 29.17

וּבַיּוֹם הַשֵּׁנִי פָּרִים בְּנֵי־בָקָר שְׁנֵים עָשָׂר אֵילִם שְׁנָיִם
כְּבָשִׂים בְּנֵי־שָׁנָה אַרְבָּעָה עָשָׂר תְּמִימִם׃

As *oferendas* dos seis dias que se sucediam à festa eram as mesmas que eram oferecidas no primeiro dia (ver a nota sobre o vs. 12 deste capítulo), exceto pelo fato de que a cada dia, o número de novilhos ia diminuindo, um por dia. Isso significa que no *sétimo* dia da festa eram oferecidos *sete* novilhos. Ver as notas sobre o vs. 12 quanto ao sentido do número *sete*. Talvez essa redução gradual do número de novilhos oferecidos simbolizasse a lua, em quarto minguante; ou talvez fosse um artifício para indicar o número "sete", o número da perfeição, no último dia. Por isso, no primeiro dia, treze novilhos eram oferecidos propositadamente. Alguns estudiosos veem nisso outro simbolismo: a redução gradual do pecado diante de Deus, à medida que o povo de Deus põe em prática a sua fé. Atingir simbolicamente o número "sete" é algo que fala do sistema sacrificial que, finalmente, atingiu perfeição no *único* e perfeito sacrifício de Cristo. Ver Hebreus 9.13,14 e 10.4 ss.

■ 29.18

וּמִנְחָתָם וְנִסְכֵּיהֶם לַפָּרִים לָאֵילִם וְלַכְּבָשִׂים
בְּמִסְפָּרָם כַּמִּשְׁפָּט׃

Nos dias sucessivos, sempre havia o acompanhamento de ofertas de manjares e de libações, tal como tinha havido no primeiro dia da festa. Ver as notas sobre o vs. 16 deste capítulo.

■ 29.19

וּשְׂעִיר־עִזִּים אֶחָד חַטָּאת מִלְּבַד עֹלַת הַתָּמִיד
וּמִנְחָתָהּ וְנִסְכֵּיהֶם׃ ס

Este versículo é idêntico ao vs. 16, exceto pelo fato de que aqui está em pauta o segundo dia da festa. Todos os sacrifícios e ofertas de manjares eram os mesmos nos dois dias, mas um novilho a menos era sacrificado. As ofertas diárias continuavam; as ofertas do sábado também continuavam, tal como também as libações. Ver as notas expositivas sobre o vs. 12 deste capítulo.

■ 29.20-34

20 וּבַיּוֹם הַשְּׁלִישִׁי פָּרִים עַשְׁתֵּי־עָשָׂר אֵילִם שְׁנָיִם
כְּבָשִׂים בְּנֵי־שָׁנָה אַרְבָּעָה עָשָׂר תְּמִימִם׃

21 וּמִנְחָתָם וְנִסְכֵּיהֶם לַפָּרִים לָאֵילִם וְלַכְּבָשִׂים
בְּמִסְפָּרָם כַּמִּשְׁפָּט׃

22 וּשְׂעִיר חַטָּאת אֶחָד מִלְּבַד עֹלַת הַתָּמִיד וּמִנְחָתָהּ
וְנִסְכָּהּ׃ ס

23 וּבַיּוֹם הָרְבִיעִי פָּרִים עֲשָׂרָה אֵילִם שְׁנָיִם כְּבָשִׂים
בְּנֵי־שָׁנָה אַרְבָּעָה עָשָׂר תְּמִימִם׃

24 מִנְחָתָם וְנִסְכֵּיהֶם לַפָּרִים לָאֵילִם וְלַכְּבָשִׂים
בְּמִסְפָּרָם כַּמִּשְׁפָּט׃

25 וּשְׂעִיר־עִזִּים אֶחָד חַטָּאת מִלְּבַד עֹלַת הַתָּמִיד
מִנְחָתָהּ וְנִסְכָּהּ׃ ס

26 וּבַיּוֹם הַחֲמִישִׁי פָּרִים תִּשְׁעָה אֵילִם שְׁנָיִם כְּבָשִׂים
בְּנֵי־שָׁנָה אַרְבָּעָה עָשָׂר תְּמִימִם׃

27 וּמִנְחָתָם וְנִסְכֵּיהֶם לַפָּרִים לָאֵילִם וְלַכְּבָשִׂים
בְּמִסְפָּרָם כַּמִּשְׁפָּט׃

28 וּשְׂעִיר חַטָּאת אֶחָד מִלְּבַד עֹלַת הַתָּמִיד וּמִנְחָתָהּ
וְנִסְכָּהּ׃ ס

וּבַיּוֹם הַשִּׁשִּׁי פָּרִים שְׁמֹנָה אֵילִם שְׁנַיִם כְּבָשִׂים 29
בְּנֵי־שָׁנָה אַרְבָּעָה עָשָׂר תְּמִימִם:

וּמִנְחָתָם וְנִסְכֵּיהֶם לַפָּרִים לָאֵילִם וְלַכְּבָשִׂים 30
בְּמִסְפָּרָם כַּמִּשְׁפָּט:

וּשְׂעִיר חַטָּאת אֶחָד מִלְּבַד עֹלַת הַתָּמִיד מִנְחָתָהּ 31
וּנְסָכֶיהָ פ

וּבַיּוֹם הַשְּׁבִיעִי פָּרִים שִׁבְעָה אֵילִם שְׁנַיִם כְּבָשִׂים 32
בְּנֵי־שָׁנָה אַרְבָּעָה עָשָׂר תְּמִימִם:

וּמִנְחָתָם וְנִסְכֵּהֶם לַפָּרִים לָאֵילִם וְלַכְּבָשִׂים 33
בְּמִסְפָּרָם כְּמִשְׁפָּטָם:

וּשְׂעִיר חַטָּאת אֶחָד מִלְּבַד עֹלַת הַתָּמִיד מִנְחָתָהּ 34
וְנִסְכָּהּ פ

Esses quinze versículos não nos proveem nenhuma informação nova além daquelas que já nos tinham sido dadas até o vs. 18. A única diferença é que, nos dias sucessivos, do "terceiro" ao "sétimo", um novilho a menos era oferecido a cada dia, de tal modo que, tendo começado com treze, no primeiro dia, *sete* novilhos eram oferecidos no sétimo dia. Isso já foi comentado nas notas sobre o vs. 12.

■ 29.35

בַּיּוֹם הַשְּׁמִינִי עֲצֶרֶת תִּהְיֶה לָכֶם כָּל־מְלֶאכֶת 35
עֲבֹדָה לֹא תַעֲשׂוּ:

No oitavo dia. Terminado o ciclo de sete dias da festa dos tabernáculos, havia uma celebração especial, uma espécie de apêndice da festa. Estritamente falando, porém, não fazia parte da festa, mas era uma espécie de confirmação do ciclo que acabara de ser devidamente observado. Era um dia de sábado. Ver Levítico 23.36 e suas notas expositivas. Ver no *Dicionário* o verbete intitulado *Sábado*; e em Números 28.9, as ofertas que deviam ser feitas todos os sábados.

Reunião solene. No hebraico, *azareth*. Ver as notas expositivas a respeito em Levítico 23.36; cf. Neemias 8.18; 2Crônicas 7.9; Deuteronômio 16.8.

Nesse *oitavo* dia de confirmação, todos os sacrifícios e oferendas do outros sete dias eram repetidos, conforme somos informados no versículo seguinte, embora um número menor de animais fosse sacrificado.

■ 29.36-38

וְהִקְרַבְתֶּם עֹלָה אִשֵּׁה רֵיחַ נִיחֹחַ לַיהוָה פַּר
אֶחָד אַיִל אֶחָד כְּבָשִׂים בְּנֵי־שָׁנָה שִׁבְעָה
תְּמִימִם:

מִנְחָתָם וְנִסְכֵּיהֶם לַפָּר לָאַיִל וְלַכְּבָשִׂים בְּמִסְפָּרָם
כַּמִּשְׁפָּט:

וּשְׂעִיר חַטָּאת אֶחָד מִלְּבַד עֹלַת הַתָּמִיד וּמִנְחָתָהּ
וְנִסְכָּהּ:

Os mesmos tipos de animais eram sacrificados, mas em número menor. Apenas um novilho (em lugar de sete), apenas um carneiro (em lugar de dois), apenas sete cordeiros (em lugar de catorze), mas igualmente um bode, e tudo acompanhado pelas devidas ofertas de manjares e libações, tal como se fizera nos outros sete dias.

Além das *ofertas do sábado*, havia aquelas outras descritas nestes três versículos, associadas à festa dos tabernáculos, além dos *sacrifícios diários*, que jamais eram descontinuados, sem importar a grande matança que havia em ocasiões especiais.

■ 29.39

אֵלֶּה תַּעֲשׂוּ לַיהוָה בְּמוֹעֲדֵיכֶם לְבַד מִנִּדְרֵיכֶם
וְנִדְבֹתֵיכֶם לְעֹלֹתֵיכֶם וּלְמִנְחֹתֵיכֶם וּלְנִסְכֵּיכֶם
וּלְשַׁלְמֵיכֶם:

Temos aqui um *sumário* e uma exortação à obediência. Este versículo atuava como incentivo ao povo de Israel para que *efetuasse* todas as oferendas e sacrifícios que tinham sido ordenados como oferendas diárias, oferendas sabáticas, para as várias festividades especiais que aparecem nos capítulos 28 e 29 de Números.

E então o autor sagrado acrescentou, a fim de que coisa alguma fosse omitida, uma menção a outros tipos de ofertas que poderiam ser oferecidas, como as ofertas pacíficas, as ofertas voluntárias etc. Em outras palavras, ele forneceu uma espécie de sumário do sistema sacrificial inteiro, além de ordens tendentes a uma estrita obediência. Ver Levítico 22.18-21 e Números 15.11-13 quanto às oferendas e sacrifícios que não foram especificamente mencionados nos capítulos 28 e 29. Quanto a um sumário do sistema inteiro, ver o gráfico que ilustra o sistema sacrificial, seus tipos e seus materiais, imediatamente antes da exposição a Levítico 1.1. Ver também Levítico 7.11-16 (ofertas pacíficas).

■ 29.40

וַיֹּאמֶר מֹשֶׁה אֶל־בְּנֵי יִשְׂרָאֵל כְּכֹל אֲשֶׁר־צִוָּה יְהוָה
אֶת־מֹשֶׁה: פ

Em Números 1.54, há um destaque dado à *obediência*, uma maneira típica de o autor terminar uma seção do Pentateuco. Ver Números 1.54 e suas notas expositivas quanto a isso. A Bíblia hebraica inicia o capítulo 30 com este versículo 40; mas esse tipo de declaração geralmente assinalava o fim de uma seção, e não o começo. Moisés recebia mensagens da parte de Yahweh, como mediador entre ele e o povo de Israel; e então Moisés comunicava essas mensagens a quem de direito. A obediência era uma questão envolvida no processo, do começo ao fim.

CAPÍTULO TRINTA

LEI DOS VOTOS FEMININOS (30.1-16)

Os *votos* eram de dois tipos: o voto *nedher*, um termo genérico que indicava qualquer tipo de voto; e o voto *'issar*, um voto de abstinência (vs. 13). Este capítulo contém ambos esses termos, o primeiro referindo-se a uma promessa feita, e o segundo referindo-se a qualquer tipo de abstinência durante certo período de tempo, como era o caso do voto do nazireado.

Esta é a única seção do Pentateuco que inclui votos tomados especificamente por mulheres. Ver no *Dicionário* o artigo detalhado chamado *Voto*.

O propósito do capítulo 30 de Números não foi o de especificar os tipos de votos que podiam ser feitos, ou como deviam ser tomados ou ab-rogados, mas tão somente ensinar quão importante era que esses votos fossem guardados" (Eugene H. Merrill, *in loc.*). Ver Gênesis 28.20-22; Levítico 27 e Deuteronômio 23.21-23.

■ 30.1

וַיְדַבֵּר מֹשֶׁה אֶל־רָאשֵׁי הַמַּטּוֹת לִבְנֵי יִשְׂרָאֵל לֵאמֹר
זֶה הַדָּבָר אֲשֶׁר צִוָּה יְהוָה:

Falou Moisés. Moisés era o mediador de Yahweh. Ele transmitia as mensagens divinas a Arão (depois Eleazar, após a morte de Arão), ao sacerdócio ou ao povo. Ver os *oito* modos de comunicação em Levítico 17.2. Neste versículo, a mensagem foi transmitida aos chefes (príncipes) das tribos, os quais, sem dúvida, deviam transmiti-la à população em geral. A mensagem específica dizia respeito aos *votos* (vss. 2 e ss.). Ver a introdução ao capítulo quanto aos tipos de votos aqui referidos. Estão incluídos votos feitos por mulheres. Esta é a única porção do Pentateuco a ter esse caráter.

30.2

אִישׁ כִּי־יִדֹּר נֶדֶר לַיהוָה אוֹ־הִשָּׁבַע שְׁבֻעָה לֶאְסֹר אִסָּר עַל־נַפְשׁוֹ לֹא יַחֵל דְּבָרוֹ כְּכָל־הַיֹּצֵא מִפִּיו יַעֲשֶׂה׃

Quando um homem fizer voto. Ver no *Dicionário* os artigos chamados *Votos* e *Juramentos*.

A alma ficava presa em face de algum voto. A fé dos hebreus levava muito a sério essa questão dos votos. O texto ensina que os votos tinham de ser guardados sem *violação* de sua palavra. Era considerado um pecado sério não cumprir um voto (ver Dt 23.22; ver também Ec 5.4). Portanto, ninguém podia fazer um voto apressado ou tolo (Ec 5.5,6; Pv 20.25). Jesus avisou acerca de votos perversos (Mt 15.3-9; Mc 7.9-13). O voto que fazemos de seguir a Cristo é eterno, um voto em torno do qual devem gerar todos os nossos planos e desejos.

Um voto podia ser feito de abstinência ou de humilhação (Nm 30.13); podia ser um voto de nazireado (Nm 6.3); ou podia envolver dar certas coisas para ganhar alguma outra coisa (Lv 7.16); ou de dar esmolas aos pobres (Dt 23.21). Um voto precipitado devia ser eliminado, devido ao fato de que os votos eram compromissos obrigatórios e demonstração de boa vontade e de honra pessoal.

O Targum de Jonathan mostra-nos que somente pessoas de 13 anos de idade para cima podiam tomar votos. Mas se um homem não podia desembaraçar-se de um voto que fizesse, o Sinédrio (ver a respeito no *Dicionário*) tinha tal autoridade. Mas um homem podia desobrigar outro homem que tivesse feito algum voto a ele.

30.3,4

וְאִשָּׁה כִּי־תִדֹּר נֶדֶר לַיהוָה וְאָסְרָה אִסָּר בְּבֵית אָבִיהָ בִּנְעֻרֶיהָ׃

וְשָׁמַע אָבִיהָ אֶת־נִדְרָהּ וֶאֱסָרָהּ אֲשֶׁר אָסְרָה עַל־נַפְשָׁהּ וְהֶחֱרִישׁ לָהּ אָבִיהָ וְקָמוּ כָּל־נְדָרֶיהָ וְכָל־אִסָּר אֲשֶׁר־אָסְרָה עַל־נַפְשָׁהּ יָקוּם׃

Quando, porém, uma mulher fizer voto. Se uma mulher jovem quisesse fazer um voto, tendo ela mais de 13 anos de idade (mas sendo solteira), esse voto tinha de ser conhecido e aprovado por seu pai. Seu pai poderia anular o voto de uma filha menor. Uma donzela ficava assim protegida, se assumisse algum compromisso precipitado, envolvendo-se em questões duvidosas. Mas se uma jovem fizesse um voto e seu pai o soubesse, mas não fizesse nenhuma objeção, então ela teria de cumprir o voto que fizera. Os rabinos sugeriam diferentes idades nas quais uma donzela podia fazer um voto, e alguns baixavam a idade da responsabilidade quanto à questão para os 11 anos (*Niddah*, cap. 5, sec. 6).

Casos de Votos Femininos:
1. Uma filha solteira, ainda sob a autoridade de seu pai (vss. 3-5).
2. Uma mulher que fizera voto quando ainda era solteira, mas então se casa antes de seu voto ser cumprido (vss. 6-8).
3. Uma mulher viúva ou divorciada (s. 9).
4. Uma mulher casada, e, assim, sob a autoridade de seu marido (vs. 10-15).

Primeiro Caso (vss. 3-5)

30.5

וְאִם־הֵנִיא אָבִיהָ אֹתָהּ בְּיוֹם שָׁמְעוֹ כָּל־נְדָרֶיהָ וֶאֱסָרֶיהָ אֲשֶׁר־אָסְרָה עַל־נַפְשָׁהּ לֹא יָקוּם וַיהוָה יִסְלַח־לָהּ כִּי־הֵנִיא אָבִיהָ אֹתָהּ׃

Uma mulher solteira não tinha nenhuma autoridade própria. Ela podia fazer um voto, mas tudo dependia da aprovação de seu pai. Se ele nada dissesse em contrário, então o voto dela tornava-se obrigatório. Mas bastava que ele fizesse uma objeção para que a ideia toda fosse anulada.

"Esses casos refletem uma sociedade na qual a mulher vivia subordinada ao homem da família. Ele podia anular o voto dela se sentisse que fora precipitado ou impensado" (*Oxford Annotated Bible*, comentando sobre o terceiro versículo deste capítulo). Em contraste com isso, votos feitos por homens eram absolutamente obrigatórios (ver Gn 28.20-22; Jz 11.30,31). Ver também Levítico 27; Deuteronômio 23.21-23.

A Força das Palavras. A Palavra de Deus é absolutamente firme. Aquilo que Deus resolve fazer, ele cumpre, pois tem o poder de cumprir a sua Palavra. O *homem*, criado à imagem de Deus, é responsabilizado pelos votos que faz, e isso de modo absoluto. A *mulher*, feita a partir do homem, dependia do homem no tocante a seus votos, segundo a legislação mosaica. Assim, as palavras proferidas têm diferentes pesos, dependendo de quem as diz.

Disse Jesus: "De modo algum jureis..." (Mt 5.34-37), visto que as palavras são enganosas e podem ser distorcidas. Mas os votos tomados diante do Senhor, em que a pessoa se compromete a corrigir seus passos, são obrigatórios (ver Sl 116.14). Um voto feito diante do Senhor é muito diferente de uma palavra dita diante de outro ser humano. Ver no *Dicionário* os verbetes intitulados *Voto* e *Juramentos*.

O Senhor lhe perdoará. Seria um pecado votar e não cumprir. No caso da mulher solteira, entretanto, ela seria perdoada se seu pai lhe anulasse o voto, pois ele exercia autoridade sobre a filha, e ela não seria moralmente responsável por votos não-cumpridos. Mas se um homem fizesse um voto e não o cumprisse, então se tornaria culpado diante de Yahweh, sendo responsabilizado por sua frivolidade.

Segundo Caso (vss. 6-8)

30.6

וְאִם־הָיוֹ תִהְיֶה לְאִישׁ וּנְדָרֶיהָ עָלֶיהָ אוֹ מִבְטָא שְׂפָתֶיהָ אֲשֶׁר אָסְרָה עַל־נַפְשָׁהּ׃

Uma mulher fizera um voto quando ainda era solteira, e seu pai tinha aprovado o voto (vs. 5); mas em seguida ela se casara. Por isso, agora seu marido tinha autoridade para anular quaisquer votos anteriores que ela tivesse feito. É de presumir que certos votos *impensados* possam ter sido feitos, embora aprovados pelo pai da mulher. O marido dela, porém, podia corrigir tais questões. Ver notas sobre os quatro casos possíveis no vs. 4 deste capítulo.

30.7

וְשָׁמַע אִישָׁהּ בְּיוֹם שָׁמְעוֹ וְהֶחֱרִישׁ לָהּ וְקָמוּ נְדָרֶיהָ וֶאֱסָרֶהָ אֲשֶׁר־אָסְרָה עַל־נַפְשָׁהּ יָקֻמוּ׃

Os votos feitos por uma mulher, quando ainda era solteira, uma vez levados ao conhecimento do marido dela, podiam ser anulados (vs. 6); ou então ele poderia aprovar os votos razoáveis. Nesse caso, os votos feitos pela mulher, antes de ela casar-se, podiam ser transferidos para seu novo estado de casada. Esses votos, pois, tinham a aprovação tanto do pai quanto do marido, e a mulher estava obrigada a cumprir o que ela havia prometido.

30.8

וְאִם בְּיוֹם שְׁמֹעַ אִישָׁהּ יָנִיא אוֹתָהּ וְהֵפֵר אֶת־נִדְרָהּ אֲשֶׁר עָלֶיהָ וְאֵת מִבְטָא שְׂפָתֶיהָ אֲשֶׁר אָסְרָה עַל־נַפְשָׁהּ וַיהוָה יִסְלַח־לָהּ׃

Este versículo é igual ao quinto versículo, exceto pelo fato de que aqui é o marido quem exerce sua autoridade para anular um voto feito por sua mulher. Isso liberava a mulher de qualquer responsabilidade moral, e Yahweh assim a perdoava e anulava seu voto do ponto de vista moral. Isso podia acontecer no caso de uma mulher, mas não no caso de um homem, o qual estava na obrigação de cumprir seus votos, pois, de outra sorte, seria considerado um pecador diante de Yahweh, por haver proferido palavras frívolas e fraudulentas.

Terceiro Caso (vs. 9)

30.9

וְנֵדֶר אַלְמָנָה וּגְרוּשָׁה כֹּל אֲשֶׁר־אָסְרָה עַל־נַפְשָׁהּ יָקוּם עָלֶיהָ׃

Uma mulher viúva ou divorciada era forçada a cumprir seus votos, porquanto não dispunha de um homem (pai ou marido) que os anulasse. Ela se tornava sua própria autoridade, sob Yahweh. Portanto, qualquer voto que ela tivesse feito como mulher solteira, ou já estando casada, e que ela ainda não houvesse cumprido, era de cumprimento obrigatório. Nesse aspecto, pois, a mulher que não estivesse sob autoridade masculina tornava-se um homem: responsável diretamente diante de Yahweh.

Um caso que não é tratado aqui é o de uma mulher que estivesse noiva, cujo noivo tivesse morrido antes de eles se casarem. Nesse caso, ela voltava à situação de mulher sob a autoridade de seu pai (*Mish. Nedarim,* cap. 10, sec. 2).

Quarto Caso (vss. 10-15)

■ **30.10,11**

וְאִם־בֵּית אִישָׁהּ נָדָרָה אוֹ־אָסְרָה אִסָּר עַל־נַפְשָׁהּ בִּשְׁבֻעָה׃

וְשָׁמַע אִישָׁהּ וְהֶחֱרִשׁ לָהּ לֹא הֵנִיא אֹתָהּ וְקָמוּ כָּל־נְדָרֶיהָ וְכָל־אִסָּר אֲשֶׁר־אָסְרָה עַל־נַפְשָׁהּ יָקֻמוּ׃

Os comentadores assumem diferentes posturas quanto a este versículo. Alguns supõem que continue o caso da mulher viúva ou divorciada, cujo voto fora aprovado por seu marido. Mas outros pensam que o caso é de uma mulher noiva, mas que acabou não se casando. Assim interpreta o Targum de Jonathan. Mas o mais provável é que temos aqui um *quarto caso,* ou seja, de uma mulher casada que vivesse sob a autoridade de seu marido.

Os vss. 10 e 11 são virtualmente iguais aos vss. 3 e 4, exceto pelo fato de que agora se aplicam à mulher casada sob a autoridade de seu marido, e não à mulher solteira, sob a autoridade de seu pai. Os votos da mulher tinham de ser aprovados por seu marido. Uma vez aprovados, tornavam-se absolutamente obrigatórios. Ver os *quatro casos* dos votos de uma mulher, nas notas sobre o vs. 4 deste capítulo, e as notas sob o título *A Força das Palavras* (vs. 5). As palavras de Deus nunca caem por terra, e assim têm cumprimento. O homem, criado à imagem de Deus, diz uma palavra sempre válida. A mulher, mediante a aprovação de seu pai ou de seu marido, também professa uma palavra válida, mediante a autoridade de um deles. A mulher não tem autoridade independente, a menos que se torne mulher viúva ou divorciada (vs. 9).

■ **30.12**

וְאִם־הָפֵר יָפֵר אֹתָם אִישָׁהּ בְּיוֹם שָׁמְעוֹ כָּל־מוֹצָא שְׂפָתֶיהָ לִנְדָרֶיהָ וּלְאִסַּר נַפְשָׁהּ לֹא יָקוּם אִישָׁהּ הֲפֵרָם וַיהוָה יִסְלַח־לָהּ׃

Este versículo é virtualmente igual aos vss. 5 e 8. A autoridade do homem, nesse caso um marido, poderia anular totalmente o voto da mulher. Nesse caso, ela não tinha nenhuma responsabilidade moral. Yahweh "perdoava" assim a mulher. Ela tinha pecado, porquanto não havia cumprido o seu voto. Mas como isso estivera fora do seu controle, ela era considerada sem culpa. Portanto, temos aqui o princípio original de que o pecado deve ter por trás a responsabilidade moral, sob pena de não ser imputado. Essa é uma das razões pela qual o *livre-arbítrio* precisa ser uma realidade: para emprestar responsabilidade moral aos atos humanos. Ver no *Dicionário* os artigos *Livre--arbítrio* e *Predestinação e Livre-arbítrio*.

Da abstinência que a si mesma se obrigou. Uma expressão muito forte, que indica que fazer um voto é uma questão muito importante na vida de uma pessoa, vida essa que chega a depender do cumprimento devido desse voto. Mesmo assim, por não ter responsabilidade moral (pois o marido havia anulado o voto dela), a mulher ficava isenta de culpa, pelo que era "perdoada" por Yahweh.

■ **30.13**

כָּל־נֵדֶר וְכָל־שְׁבֻעַת אִסָּר לְעַנֹּת נָפֶשׁ אִישָׁהּ יְקִימֶנּוּ וְאִישָׁהּ יְפֵרֶנּוּ׃

Este versículo repete a referência aos *dois tipos* de votos: os votos que envolviam a promessa de fazer alguma coisa; e os votos que envolviam alguma forma de abstinência ou sacrifício, ou seja, alguma forma de auto-aflição. Ver a introdução ao capítulo quanto a essa questão. Aben Ezra salientou que o *jejum* era uma forma comum de auto-aflição; mas também podia haver o envolvimento da abstinência de certos alimentos, ou então algum outra forma de autodisciplina. A abstinência de vinho alinhava-se entre os "sacrifícios" em que uma mulher podia envolver-se. Ou talvez a mulher poderia sacrificar seu dinheiro ou seus animais, fazendo contribuições para o sustento do culto do tabernáculo.

■ **30.14**

וְאִם־הַחֲרֵשׁ יַחֲרִישׁ לָהּ אִישָׁהּ מִיּוֹם אֶל־יוֹם וְהֵקִים אֶת־כָּל־נְדָרֶיהָ אוֹ אֶת־כָּל־אֱסָרֶיהָ אֲשֶׁר עָלֶיהָ הֵקִים אֹתָם כִּי־הֶחֱרִשׁ לָהּ בְּיוֹם שָׁמְעוֹ׃

O *estilo literário* do autor sagrado, por todo o Pentateuco, envolvia a *repetição*. Isso permeia tudo. Logo, este versículo é essencialmente igual aos vss. 4, 7 e 11. Quando o *homem* da vida de uma mulher — pai ou marido — não objetasse ao voto, ela estava na obrigação de cumpri-los. A mulher só ficava isenta da autoridade de seu homem se, tendo-se casado, agora ficara viúva ou se divorciara. Nesse caso, era diretamente responsável a Yahweh, como se ela fosse um homem.

■ **30.15**

וְאִם־הָפֵר יָפֵר אֹתָם אַחֲרֵי שָׁמְעוֹ וְנָשָׂא אֶת־עֲוֹנָהּ׃

Se uma mulher fizesse um voto e seu marido aprovasse, mas então *ela* deixasse de cumprir o voto, como é óbvio, ela era moralmente responsável por seu fracasso. Ela teria cometido um pecado, e este precisaria ser expiado (ver Lv 5.3-13). Não seria um pecado imperdoável. Se ocorresse um erro que prejudicasse a outrem, então ela ou seu marido teriam de fazer restituição. Ver no *Dicionário* o artigo chamado *Reparação (Restituição)*.

Para que haja pecado, é mister que haja responsabilidade moral. A mulher seria moralmente responsável se um voto *aprovado por seu homem* não fosse cumprido por motivo de negligência por parte *dela*. Mas se a má vontade ou negligência fosse culpa do homem, então esse homem é que seria responsabilizado moralmente pela falha. o ensino bíblico é que, se um homem aprovasse um voto de sua mulher ou filha, *depois* de havê-lo aprovado, para mais tarde anulá-lo, então tal homem passava a ser considerado culpado de *pecado*. Nesses casos, a mulher ficava isenta de toda responsabilidade moral, porquanto havia feito o voto em boa-fé, mas a autoridade maior de seu marido a tinha forçado a não cumprir seu voto (antes aprovado). O Targum de Jonathan faz a regra aplicar-se ao marido ou pai (depois ou mesmo antes do casamento), e sem dúvida essa é uma interpretação correta. Aben Ezra diz "porque ela estava sob a autoridade dele".

■ **30.16**

אֵלֶּה הַחֻקִּים אֲשֶׁר צִוָּה יְהוָה אֶת־מֹשֶׁה בֵּין אִישׁ לְאִשְׁתּוֹ בֵּין־אָב לְבִתּוֹ בִּנְעֻרֶיהָ בֵּית אָבִיהָ׃ פ

Esta nota de *sumário* encerra a seção que trata sobre os *quatro casos* de votos femininos (ver as notas sobre o vs. 4 deste capítulo). As instruções baixadas foram determinadas por Yahweh, pelo que não havia como fugir delas. Deus transmitiu sua palavra a Moisés, o mediador entre Deus e os israelitas (ver o vs. 1). Uma vez transmitido o recado divino, cada indivíduo deveria exercer o máximo empenho em cumprir seus votos, pois *a palavra era obrigatória*. Ver sobre a obrigatoriedade da *palavra dada*, nas notas sobre o vs. 5 deste capítulo.

"Fazer votos, em quase todos os casos, é um negócio perigoso; raramente resulta em algum bem, e com frequência resulta em grande mal... Se a palavra de Deus não tem peso aos olhos de um homem, suas próprias palavras serão consideradas mais leves que a inutilidade" (Adam Clarke, *in loc.*). Ver no *Dicionário* os verbetes chamados *Voto* e *Juramentos*.

CAPÍTULO TRINTA E UM

VITÓRIA SOBRE OS MIDIANITAS (31.1-54)

Vimos no final do capítulo 25 como a Moisés foi ordenado que fizesse os israelitas atacar os midianitas, visto que estes tinham atacado traiçoeiramente os filhos de Israel, em Peor. Israel sofreu uma praga horrenda, em vista de seu envolvimento com os midianitas. Em algum ponto seria mister equilibrar as contas. Tinha chegado o momento de os midianitas serem julgados. A colheita sempre se segue à semeadura. Ver no *Dicionário* o artigo intitulado *Lei Moral da Colheita segundo a Semeadura*. Portanto, por trás da guerra santa refletida neste capítulo, há os pecados anteriores dos midianitas, os quais tomaram sobre si mesmos a incumbência de corromper Israel, visto que era impossível amaldiçoar ao povo de Deus. Teve então lugar uma imensa matança, onde "todos os varões" midianitas pereceram, o que deve ser entendido em um sentido relativo, e não absoluto; pois o sexto capítulo do livro de Juízes mostra-nos que, por aquela altura, novamente se tinham tornado uma potência militar. As circunstâncias da guerra também nos conferem as leis referentes à purificação dos guerreiros (vss. 19-24 deste capítulo), bem como referentes à distribuição dos despojos (vss. 25-54). Guerra santa significa que *tudo* pertencia a Yahweh, e que *ele* é que distribuiria os despojos.

"A *derradeira incumbência* dada a Moisés foi a execução da vingança do Senhor contra os midianitas. A razão obvia da ação militar foi o papel dos midianitas no comportamento apóstata de Israel, em Baal-Peor (Nm 25.16-18). Foi uma guerra santa... que diferia de outras batalhas pelo fato de que o próprio Senhor conduziu o exército de Israel (o que explica a presença dos sacerdotes, bem como os objetos trazidos do santuário" (Eugene H. Merrill, *in loc*.).

■ 31.1

וַיְדַבֵּר יְהוָה אֶל־מֹשֶׁה לֵּאמֹר:

Disse o Senhor. Temos aqui uma expressão usada amiúde no Pentateuco, que era um artifício literário utilizado para dar início a alguma nova seção. E também nos faz lembrar da doutrina da inspiração divina das Escrituras. Os recados eram dados a Moisés, que os transmitia a Arão (mais tarde ao filho deste, Eleazar), ao sacerdócio ou ao povo em geral. Ver sobre as *oito* fórmulas de comunicação, nas notas sobre Levítico 17.2. Assim, no caso presente, Moisés ordenou ao *povo* que se preparasse para a guerra.

■ 31.2

נְקֹם נִקְמַת בְּנֵי יִשְׂרָאֵל מֵאֵת הַמִּדְיָנִים אַחַר תֵּאָסֵף אֶל־עַמֶּיךָ:

Vinga os filhos de Israel dos midianitas. Ver a introdução a este capítulo quanto à razão pela qual Yahweh ordenou que Moisés tirasse vingança dos midianitas. Essa foi a última tarefa que Moisés recebeu para cumprir, havendo algo de triste e solene no fato de que foi uma *matança*. Assim, a letra mata, mas o espírito emite luz; e a lei que Moisés transmitiu, embora tivesse o intuito de conferir vida, precisou ser substituída pela mensagem da graça e da fé em Cristo, a qual realmente transmite vida. Ver Deuteronômio 5.33; Gálatas 3.21.

"Visto que Moisés era o líder quando Israel foi desviado por meio dos midianitas, agora ele deveria atacar a fim de expurgar a ofensa aos olhos de Yahweh. E Moisés convocou mil guerreiros de cada uma das tribos, para iniciar a guerra da vingança de Yahweh contra Midiã. E esse exército ficou sob as ordens de Fineias, filho de Eleazar" (John Marsh, *in loc*.).

Serás recolhido ao teu povo. Embora Moisés tivesse algumas queixas, elas eram poucas demais para serem mencionadas. Ele fizera bem o seu trabalho e tinha terminado a tarefa, e isso com isenção de espírito. Havia chegado o tempo de ele partir deste mundo. Quanto à expressão "ser recolhido ao seu povo", ver Gênesis 25.8,17; 35.29; 49.29,33. Talvez haja aqui algum indício da existência da alma imortal. Há poucos indícios disso no Pentateuco, embora não haja ali referências claras e não-disputadas a essa doutrina, no Pentateuco. Essa doutrina só se tornou clara nos Salmos e nos Profetas, e, mais clara ainda, no Novo Testamento.

■ 31.3,4

וַיְדַבֵּר מֹשֶׁה אֶל־הָעָם לֵאמֹר הֵחָלְצוּ מֵאִתְּכֶם אֲנָשִׁים לַצָּבָא וְיִהְיוּ עַל־מִדְיָן לָתֵת נִקְמַת־יְהוָה בְּמִדְיָן:

אֶלֶף לַמַּטֶּה אֶלֶף לַמַּטֶּה לְכֹל מַטּוֹת יִשְׂרָאֵל תִּשְׁלְחוּ לַצָּבָא:

A *força-tarefa* para vingar-se dos midianitas era numerosa de acordo com os exércitos antigos, mas pequena de acordo com os padrões modernos. Cada uma das doze tribos forneceu mil homens, sem dúvida os mais aptos na arte de matar. Cada tribo havia sido corrompida pelas mulheres midianitas, pelo que também cada tribo precisava lutar. Cada tribo fazia parte integrante de Israel, pelo que cada uma delas deveria estar representada. Além de ser tirada vingança, devido ao incidente em Baal-Peor (ver o final do capítulo 26 deste livro), também teria cumprimento parcial a profecia dada a Abraão. Ver Gênesis 15.16 quanto ao fato de que os povos cananeus teriam de ser expelidos da Terra Prometida, uma vez que estivesse cheia a taça de iniquidade deles. Isso significa que eles mereciam o que estavam recebendo, em face da lei da colheita segundo a semeadura. Ver no *Dicionário* o artigo intitulado *Lei Moral da Colheita segundo a Semeadura*.

Israel dispunha de um total de mais de seiscentos mil homens capazes de ir à guerra (ver Nm 1.46), pelo que os doze mil provavelmente formavam uma força tarefa altamente treinada. Os antigos autores hebreus enfatizaram o caráter espiritual daqueles homens. Visto que se estavam vingando contra idólatras, eles precisavam ser absolutamente livres desse tipo de poluição moral. Muitos israelitas tinham sido conduzidos à idolatria espiritual, por meio da imoralidade, pelo que os homens da força-tarefa tinham de estar livres desses tipos de pecado.

■ 31.5

וַיִּמָּסְרוּ מֵאַלְפֵי יִשְׂרָאֵל אֶלֶף לַמַּטֶּה שְׁנֵים־עָשָׂר אֶלֶף חֲלוּצֵי צָבָא:

Os representantes de Moisés saíram no cumprimento de sua tarefa, selecionando os mil homens de cada tribo. É provável que tenha havido muitos voluntários, mas todos os homens precisavam ser *escolhidos*. Uma grande vitória era necessária para encorajar os israelitas a invadir a terra, e não meramente para que fosse tirada uma vingança. Havia chegado a hora da verdade. Ver no *Dicionário* o artigo chamado *Guerra*.

■ 31.6

וַיִּשְׁלַח אֹתָם מֹשֶׁה אֶלֶף לַמַּטֶּה לַצָּבָא אֹתָם וְאֶת־פִּינְחָס בֶּן־אֶלְעָזָר הַכֹּהֵן לַצָּבָא וּכְלֵי הַקֹּדֶשׁ וַחֲצֹצְרוֹת הַתְּרוּעָה בְּיָדוֹ:

Fineias. Ele foi o escolhido para liderar a força-tarefa. Fineias era filho de Eleazar, e era sacerdote. Usualmente, os sacerdotes eram isentos da guerra, como de resto todos os levitas. Mas houve agora uma exceção, porque estava sendo efetuada uma *guerra santa*. Ver no *Dicionário* o artigo intitulado *Fineias*.

Fineias, e não seu pai, Eleazar, foi enviado, porque o sumo sacerdote tinha de evitar todo contato com os mortos, ou seus serviços teriam de ser suspensos temporariamente (ver Lv 21.10-15). Nenhuma menção é feita à arca da aliança, acompanhando Israel à batalha, embora muitos estudiosos pensem que foi isso o que ocorreu. Visto que o sacerdócio tomou a liderança na batalha, isso significa que o próprio Yahweh estava envolvido na ação. A guerra era dele; a vingança lhe pertencia.

Os utensílios sagrados. Estão em foco itens tirados do tabernáculo, os símbolos sagrados, provavelmente incluindo a arca da aliança, embora isso não seja aqui especificado. A presença desses objetos acompanhava o sacerdote, e juntos eles levavam Yahweh à batalha, garantindo sucesso. Alguns intérpretes supõem que, visto que Fineias não era o sumo sacerdote, ele não poderia levar em sua companhia objetos pertencentes ao culto, pelo que talvez somente as trombetas de prata, que soavam o alarma, estejam em pauta (ver

Nm 10.9). Cf. Efésios 6.13 quanto à aplicação neotestamentária desse princípio.

Ver Josué 6.4 e 1Samuel 4.3,4 quanto ao fato de que, posteriormente, a arca acompanhava as batalhas para garantir o sucesso. O Targum de Jonathan supõe que também tenham sido levados o Urim e o Tumim, sendo esses instrumentos de adivinhação, na busca pela orientação divina. Cf. 1Samuel 3.6-12.

■ 31.7

וַיִּצְבְּאוּ עַל־מִדְיָן כַּאֲשֶׁר צִוָּה יְהוָה אֶת־מֹשֶׁה וַיַּהַרְגוּ כָּל־זָכָר׃

Como o Senhor ordenara a Moisés. Isso restaura a obediência de Moisés a Yahweh. Ele havia desobedecido e desonrado a Deus no caso da rocha, na qual bateu com o cajado, em vez de apenas falar com ela (ver Nm 20.2 ss. e suas notas expositivas). Por esse ato de rebeldia, Moisés fora proibido de entrar na Terra Prometida, posto que tivesse rogado do Senhor que a disciplina fosse afrouxada e ele pudesse liderar o povo até o interior do território prometido. Mas o Senhor não o atendeu por dois motivos: primeiro, era mister mostrar que a desobediência é uma questão séria aos olhos de Deus; não se pode desafiar a Deus impunemente ("De Deus não se zomba"). Segundo, como representante típico da lei, Moisés tinha de mostrar a falência desta como meio de justificação e, por outra parte, o seu sucesso como ministério da condenação (2Coríntios 3.9). Mas agora, obedecendo ao Senhor, Moisés terminava sua carreira terrena recuperado, como servo obediente de Yahweh.

■ 31.8

וְאֶת־מַלְכֵי מִדְיָן הָרְגוּ עַל־חַלְלֵיהֶם אֶת־אֱוִי וְאֶת־רֶקֶם וְאֶת־צוּר וְאֶת־חוּר וְאֶת־רֶבַע חֲמֵשֶׁת מַלְכֵי מִדְיָן וְאֵת בִּלְעָם בֶּן־בְּעוֹר הָרְגוּ בֶּחָרֶב׃

Mataram a todo homem feito. Mas isso deve ser entendido em um sentido relativo, e não absoluto. Pois o trecho do sexto capítulo de Juízes mostra que os midianitas se recuperaram do golpe. A explicação dada por Ellicott é que "todo homem feito" se refere aos soldados que os midianitas lançaram na guerra. Houve total aniquilamento do *exército*, e não da população masculina em geral. O vs. 17 deste capítulo talvez subentenda essa limitação da matança. Mas a verdade é que esta não parou diante da destruição do exército midianita.

Os reis dos midianitas. São fornecidos os nomes de vários reis vassalos dos midianitas, a saber:

Evi. No hebraico, *desejoso*. Ele foi um dos cinco "reis" dos midianitas que foram mortos quando Israel se vingou dos midianitas, por terem estes tentado corromper os filhos de Israel (ver Nm 25). Suas terras foram posteriormente entregues à tribo de Rúben como herança (Js 13.3). Nada mais se sabe sobre esse homem, além disso.

Requém. No hebraico, *amizade*. Esse é nome de duas personagens que figuram no Antigo Testamento. Ver no *Dicionário* sob o primeiro item, no verbete correspondente a esse nome. Ele foi um dos cinco "reis" vassalos que os israelitas mataram, ao se vingarem dos midianitas.

Zur. No hebraico, *rocha*. Esse homem já havia sido mencionado em Números 25.15, onde há notas sobre ele. *Cosbi*, a princesa midianita que corrompeu a Zimri (filho de um dos príncipes de Israel), era filha desse homem.

Hur. No hebraico, *prisão, buraco*. Esse é o apelativo de cinco homens, nas páginas do Antigo Testamento. Aquele do texto presente figura neste texto como o quarto dos "reis" vassalos na lista dos chefes midianitas mortos. Ver também Josué 13.21 e as notas sobre ele no *Dicionário*.

Reba. No hebraico, *descendência* ou *rebento*. Um dos cinco "reis" vassalos dos midianitas, mortos pelos filhos de Israel, em batalha, nas planícies de Moabe. Moisés havia recebido ordens divinas para aniquilar Midiã, devido à sua traiçoeira corrupção moral de Israel (ver Nm 25). Em Josué 13.21, esse homem é mencionado como um dos reis de Midiã. O mais provável é que esses homens fossem reis vassalos de Seom, rei dos amorreus. Ao que parece, Seom tinha-se apossado da área de Moabe, sujeitando as tribos midianitas que residiam naquele território.

Também a Balaão. Ver o artigo detalhado sobre ele no *Dicionário*. A história dele é narrada nos capítulos 22 a 24 de Números. Apesar de ele não ter podido amaldiçoar o povo de Israel, ainda assim foi o mau conselheiro que instou com Balaque para que corrompesse os homens israelitas com mulheres midianitas. É entristecedor que ele não tenha desistido da má associação com Balaque e seu povo idólatra e imoral. Por isso, morreu junto com os cinco reis midianitas vassalos de Seom, rei dos amorreus. Balaão deveria ter voltado definitivamente para a sua terra, em vez de permanecer com Balaque e sua gente (ver Nm 24.25). Não somos informados sobre como e por qual razão ele voltou a associar-se a Balaque. Mas é evidente que assim ele fez, no que errou gravemente. No vs. 16 deste capítulo, Balaão é declarado responsável pela corrupção moral de Israel, em contraste com sua anterior brilhante dedicação a Yahweh. Os escritores hebreus diziam que ele tinha apenas 34 anos de idade ao morrer (*Shalshalet Hakabala*, fol. 7.2), embora não possamos ter certeza quanto à exatidão dessa antiga tradição. Aben Ezra afirmou que ele retornou de sua residência, em Petor (ver Dt 23.4), a fim de receber dinheiro de Balaque, ao ouvir que os homens de Israel se tinham corrompido com as mulheres midianitas, e que o povo de Deus fora castigado com uma tremenda praga por essa razão. Porém, é provável que essa declaração de Aben Ezra apenas seja reflexo de uma lenda antiga.

■ 31.9

וַיִּשְׁבּוּ בְנֵי־יִשְׂרָאֵל אֶת־נְשֵׁי מִדְיָן וְאֶת־טַפָּם וְאֵת כָּל־בְּהֶמְתָּם וְאֶת־כָּל־מִקְנֵהֶם וְאֶת־כָּל־חֵילָם בָּזָזוּ׃

Levaram presas. Mulheres e crianças foram levadas cativas. As guerras antigas sempre eram usadas como meios para aumentar o número de mulheres, para efeitos de relacionamentos polígamos ou mesmo adúlteros. As meninas também eram cativas, esperando-se que crescessem, para serem incorporadas à nação conquistadora, aumentando assim a sua população. Além disso, sempre havia os *despojos*, sob a forma de animais, joias e outras objetos valiosos, que eram a "recompensa" ou "salário" dos vitoriosos. No caso em pauta, as mulheres que estiveram envolvidas na corrupção moral de Israel foram todas mortas, tal como os meninos (vs. 17). Podemos estar certos de que, apesar de toda a matança, sobraram muitas mulheres para uso de Israel. Meus amigos, isso talvez nos deixe revoltados, mas foi o que aconteceu.

O capítulo 6 de Juízes mostra-nos que os midianitas foram capazes de recuperar-se, com o tempo, do duro golpe, e continuaram sendo uma força que ainda fez muita oposição a Israel.

■ 31.10

וְאֵת כָּל־עָרֵיהֶם בְּמוֹשְׁבֹתָם וְאֵת כָּל־טִירֹתָם שָׂרְפוּ בָּאֵשׁ׃

Queimaram-lhes a fogo todas. Temos aqui a tática da "terra arrasada", tão comum para a brutalidade humana. Neste caso, o método foi empregado ao máximo de sua virulência. Pessoas foram passadas ao fio da espada; itens físicos (que não faziam parte do despojo) foram destruídos a fogo. Os fortins midianitas foram arrasados. Os midianitas eram um povo essencialmente nômade; mas o rei dos amorreus, que conquistara o território deles, tinha construído cidades. Ver Josué 13.21. Os Targuns dos judeus informam-nos que a destruição foi geral: cidades, edificações, templos, palácios — tudo foi arrasado e incendiado.

■ 31.11

וַיִּקְחוּ אֶת־כָּל־הַשָּׁלָל וְאֵת כָּל־הַמַּלְקוֹחַ בָּאָדָם וּבַבְּהֵמָה׃

Tomaram todo o despojo e toda presa. É difícil ver como alguém poderia usar e desfrutar coisas adquiridas dessa maneira; mas esse tipo de abuso sempre fez parte da história da humanidade. Os exércitos de ocupação abusam de tudo e de todos que caem sob o seu domínio. Esses despojos eram formados por coisas e por pessoas, tudo parte de uma história arrepiante. Logo virgens midianitas (vss. 17 e 18) estariam nas casas dos israelitas, e as ovelhas dos rebanhos midianitas se tornariam pratos nas mesas dos israelitas.

31.12

וַיָּבִאוּ אֶל־מֹשֶׁה וְאֶל־אֶלְעָזָר הַכֹּהֵן וְאֶל־עֲדַת בְּנֵי־יִשְׂרָאֵל אֶת־הַשְּׁבִי וְאֶת־הַמַּלְקוֹחַ וְאֶת־הַשָּׁלָל אֶל־הַמַּחֲנֶה אֶל־עַרְבֹת מוֹאָב אֲשֶׁר עַל־יַרְדֵּן יְרֵחוֹ: ס

Trouxeram. Esse foi o próximo passo do arrepiante drama. Os israelitas tangeram a companhia de miseráveis prisioneiros, em meio às zombarias e aos gritos da multidão dos israelitas, como que dizendo a Eleazar: "Eis o que fizemos!" E Moisés, que sem dúvida também estaria presente, deveria proporcionar-lhes um sinal sorridente de sua aprovação.

Nas campinas de Moabe. Ver no *Dicionário* os artigos intitulados *Moabe* e *Jericó*. Esses dados geográficos dizem-nos em qual localidade ocorreu a vingança de Israel. A capacidade militar de Israel estava-se desenvolvendo rapidamente, e logo lhes aplicaria essa força na conquista geral da terra de Canaã.

31.13

וַיֵּצְאוּ מֹשֶׁה וְאֶלְעָזָר הַכֹּהֵן וְכָל־נְשִׂיאֵי הָעֵדָה לִקְרָאתָם אֶל־מִחוּץ לַמַּחֲנֶה:

Saíram a recebê-los até fora do arraial. Temos aí a inspeção feita pelas autoridades de Israel. A multidão vitoriosa exibiu seus despojos, formados por pessoas, animais e material tomado, diante de Eleazar, o sumo sacerdote, e de Moisés, esperando palavra elogiosas. No entanto, ouviram que eles tinham executado os midianitas de uma maneira por demais *seletiva*. A reunião deveria ter sido ocasião de uma grande alegria, um momento triunfal, uma ocasião para receber "altos louvores" da parte dos grandes líderes da nação. No entanto, tudo azedou. A obediência fora apenas *parcial*. Moisés jamais elogiaria uma obediência parcial, mesmo que tivesse havido grande vitória na guerra. Ganhar a guerra não fora o único objetivo do ataque. A principal razão era *moral*. Era mister vingar-se dos midianitas da maneira mais violenta possível. Uma santa vingança não seria uma realidade enquanto não tivessem sido destruídas todas as não-virgens de Midiã, bem como todos os meninos (vss. 17 e 18 deste capítulo).

"De acordo com a ideologia da *guerra santa*, o inimigo devia ser oferecido como um *sacrifício* ao Senhor (1Sm 15)" (*Oxford Annotated Bible*, em comentário sobre o vs. 9 deste capítulo).

Fora do arraial. Isso porque os guerreiros não teriam permissão de adentrar o acampamento de Israel enquanto não fossem cerimonialmente purificados, devido ao fato de se terem poluído com cadáveres. Ver Levítico 21.1,11; Números 5.2; 6.6,11; 9.6,7,10.

31.14

וַיִּקְצֹף מֹשֶׁה עַל פְּקוּדֵי הֶחָיִל שָׂרֵי הָאֲלָפִים וְשָׂרֵי הַמֵּאוֹת הַבָּאִים מִצְּבָא הַמִּלְחָמָה:

Indignou-se Moisés. Isso a despeito do golpe devastador aplicado por Israel aos midianitas. Isso porque os líderes (capitães) do exército de Israel tinham seguido o modo de proceder normal das guerras antigas, poupando as mulheres e as crianças, mas matando todos os homens. Moisés queria uma execução generalizada, porque a guerra tinha o propósito *moral* de tirar vingança dos midianitas. Para tanto, teria sido necessário não poupar a vida de ninguém, incluindo mulheres e crianças. Moisés não elogiou uma obediência parcial, embora tivesse reconhecido a vitória das armas israelitas.

Aben Ezra informa-nos que havia 132 capitães do exército em Israel. Doze deles comandavam, cada qual, mil homens de cada tribo, ao passo que 120 dirigiam grupos de *cem* homens, em que o exército tinha sido subdividido. Não sabemos, contudo, quão exata é essa informação.

31.15

וַיֹּאמֶר אֲלֵיהֶם מֹשֶׁה הַחִיִּיתֶם כָּל־נְקֵבָה:

Todas as mulheres? Pareciam agradáveis à vista; mas tinham sido instrumentos da prevaricação moral de Israel, conforme se vê descrito em Números 26.25. Como instrumentos que tinham sido de Balaão e de Balaque, a fim de debilitar moralmente os israelitas (embora estes não pudessem ser amaldiçoados), não podiam ser deixadas em vida. Todavia, certas mulheres poderiam permanecer vivas, a saber, as virgens (vs. 18). Os vss. 17 e 18 dão a entender que não havia mulheres adultas virgens, pelo que somente às meninas foi possível poupar em vida. As não-virgens tinham servido de "instrumentos de prevaricação", no dizer de John Gill (*in loc.*), pelo que tiveram de ser eliminadas.

31.16

הֵן הֵנָּה הָיוּ לִבְנֵי יִשְׂרָאֵל בִּדְבַר בִּלְעָם לִמְסָר־מַעַל בַּיהוָה עַל־דְּבַר־פְּעוֹר וַתְּהִי הַמַּגֵּפָה בַּעֲדַת יְהוָה:

Quando lemos a história de Balaão, dada nos capítulos 22 a 24 de Números, não podemos concluir que ele esteve por trás da corrupção moral do povo de Israel, como cabeça pensante. No caso de suas profecias, ele havia demonstrado admirável fidelidade a Yahweh. Naturalmente, ele havia incluído Yahweh em seu ecléctico sistema religioso, o que já havia sido um grande erro. Em outras palavras, Balaão não servia e adorava somente a Yahweh. Mas seu propósito de não amaldiçoar a Israel tinha sido elogiável. Eis que, de súbito, ele aparece como alguém que se desviou, neste capítulo 31, como instigador da corrupção moral dos israelitas.

Em face disso, os críticos supõem que há duas *fontes informativas* por trás desses relatos, uma delas bastante positiva no tocante a Balaão, mas a outra negativa. Os eruditos conservadores, contudo, preferem pensar que o relato envolve um aspecto suplementar, de tal modo que, se Balaão aparece sob uma luz melhor nos capítulos 22 a 24 de Números, agora, neste capítulo, ele demonstrou seu aspecto errado. Alguns estudiosos supõem que Balaão, tendo visto o sucesso de seu programa de corrupção (pois Israel foi sujeitado a uma grande praga, enviada por Deus; cap. 25 de Números), voltou a Balaque a fim de cobrar pelos seus serviços, e nessa conjuntura ele foi apanhado de surpresa na companhia dos midianitas, e acabou morto juntamente com os cinco reis vassalos (ver o vs. 8 deste capítulo e suas notas). O trecho de Números 25.9 mostra que 24 mil israelitas morreram, devido à praga enviada pelo Senhor, como castigo.

31.17

וְעַתָּה הִרְגוּ כָל־זָכָר בַּטָּף וְכָל־אִשָּׁה יֹדַעַת אִישׁ לְמִשְׁכַּב זָכָר הֲרֹגוּ:

Matai... todas as do sexo masculino. Os meninos midianitas foram mortos na tentativa de exterminar-lhes a raça, ou, pelo menos, o poderio militar dos midianitas. Embora a matança sem dúvida tenha sido devastadora, Midiã recuperou-se com o tempo e voltou a fazer oposição a Israel, conforme vemos no capítulo 6 do livro de Juízes. Por causa disso, alguns intérpretes supõem que muitos meninos tenham fugido, ou que os mortos tenham sido essencialmente os soldados (alguns deles meninos ainda), e não a população masculina em geral dos midianitas. E outros acusam o autor sagrado de ter exagerado ao narrar o sucesso da guerra.

Toda mulher. O restante do versículo envolve as mulheres que não eram mais virgens. Alguns intérpretes têm limitado isso às mulheres que haviam adulterado com homens israelitas, envolvendo-se diretamente na corrupção moral que fora a causa da praga. Mas este versículo mostra, realmente, que foram executadas todas as mulheres midianitas que não eram mais virgens. Moisés não queria que houvesse mulheres entre os israelitas que tivessem sido usadas para corromper os homens israelitas. Assim, somente as "meninas" e as "jovens" (virgens) midianitas foram poupadas (vs. 18).

John Gill (*in loc.*) especulou sobre *como* teriam sido detectadas as não-virgens. Sob aquelas circunstâncias, nenhuma mulher midianita haveria de confessar que não era mais virgem. Portanto, ele supõe que as mulheres de Israel tenham recebido a tarefa de examinar as mulheres midianitas, ou que alguma revelação divina as tenha separado das virgens. Oh, os terrores da guerra! Oh, a desumanidade dos homens contra os seus semelhantes!

31.18

וְכֹל הַטַּף בַּנָּשִׁים אֲשֶׁר לֹא־יָדְעוּ מִשְׁכַּב זָכָר הַחֲיוּ לָכֶם:

Todas as meninas, e as jovens. Essas foram poupadas, porquanto eram virgens que podiam ser incorporadas à população de Israel. Dessarte, casamentos mistos em Israel foram não somente permitidos, mas até encorajados; e isso contra o exemplo deixado por Abraão e contra a prática geral em Israel. Isso reflete uma data antiga do relato, antes que a separação entre Israel e os demais povos se tornasse uma prática fixa. O próprio Moisés não havia observado as leis de separação que, finalmente, vieram a surgir no restante da legislação levítica. Ver Números 12.1 quanto ao caso, bem como as notas que versam sobre o casamento misto de israelitas com povos pagãos.

"Uma estrita aplicação das regras da guerra santa teria exigido que até mesmo as jovens midianitas fossem mortas (ver Dt 20.16), pelo que temos aqui somente uma *concessão* de Moisés, que lhes permitiu que sobrevivessem" (Eugene H. Merrill, *in loc.*).

A PURIFICAÇÃO DOS GUERREIROS (31.19-24)

■ **31.19**

וְאַתֶּם חֲנוּ מִחוּץ לַמַּחֲנֶה שִׁבְעַת יָמִים כֹּל הֹרֵג נֶפֶשׁ וְכֹל נֹגֵעַ בֶּחָלָל תִּתְחַטְּאוּ בַּיּוֹם הַשְּׁלִישִׁי וּבַיּוֹם הַשְּׁבִיעִי אַתֶּם וּשְׁבִיכֶם׃

Essa purificação deveria abranger todos os que: 1. tivessem matado a alguém; 2. tivessem tocado em algum cadáver; 3. os cativos que se tivessem envolvido na matança, bem como todos quantos fossem estrangeiros, pois isso os deixava impuros. O capítulo 19 de Números fornece-nos as várias cerimônias de purificação que deveriam ser usadas. "Uma das grandes preocupações do relato consiste em remover toda impureza cerimonial adquirida por meio de contato com os mortos" (*Oxford Annotated Bible*, comentando sobre este versículo). Os cativos que tiveram permissão de viver primeiro deveriam passar pelos ritos de purificação; e então seriam recebidos como se fossem israelitas em formação, sujeitos a todas as leis e costumes de Israel, e, finalmente, seriam tratados como qualquer hebreu, porquanto se tornariam israelitas quanto à religião, posto que não quanto à raça.

■ **31.20**

וְכָל־בֶּגֶד וְכָל־כְּלִי־עוֹר וְכָל־מַעֲשֵׂה עִזִּים וְכָל־כְּלִי־עֵץ תִּתְחַטָּאוּ׃ ס

Também purificareis. A purificação envolveria até mesmo artigos de uso pessoal, como vestes, coisas que os guerreiros tivessem tocado e usado, muitas das quais teriam sido contaminadas pelo sangue da carnificina. A purificação era feita mediante lavagem em água anta. Ver Números 19.19 e 21. E também havia os calçados, as tendas e os receptáculos de água, feitos de pele de cabra. Jarchi e outros antigos escritores judeus (*Maimon*. e *Bartenora*, na *Mishnah Celim*, cap. 2, sec. 1) referem-se também à lavagem dos chifres, cascos e ossos de animais, bem como de objetos de *madeira*, como leitos, copos e pratos, ou seja, qualquer objeto que tivesse sido usado pelos guerreiros. Ver as notas sobre Levítico 15.12. Tais objetos, feitos de peles de animais, tecido ou pelos, poderiam ter *absorvido* alguma imundícia (ver Lv 11.24-28), razão pela qual tiveram que ser *lavados*.

■ **31.21**

וַיֹּאמֶר אֶלְעָזָר הַכֹּהֵן אֶל־אַנְשֵׁי הַצָּבָא הַבָּאִים לַמִּלְחָמָה זֹאת חֻקַּת הַתּוֹרָה אֲשֶׁר־צִוָּה יְהוָה אֶת־מֹשֶׁה׃

Este é o estatuto da lei. Eleazar, o sumo sacerdote, precisava cumprir toda a legislação levítica. Assim, ele relembrou aos guerreiros que aquelas leis tinham sido baixadas por Yahweh, e precisavam ser respeitadas.

■ **31.22,23**

אַךְ אֶת־הַזָּהָב וְאֶת־הַכָּסֶף אֶת־הַנְּחֹשֶׁת אֶת־הַבַּרְזֶל אֶת־הַבְּדִיל וְאֶת־הָעֹפָרֶת׃

כָּל־דָּבָר אֲשֶׁר־יָבֹא בָאֵשׁ תַּעֲבִירוּ בָאֵשׁ וְטָהֵר אַךְ בְּמֵי נִדָּה יִתְחַטָּא וְכֹל אֲשֶׁר לֹא־יָבֹא בָּאֵשׁ תַּעֲבִירוּ בַמָּיִם׃

Os objetos de metal não absorviam a imundícia (como os materiais que a absorviam; vs. 20); mas mesmo assim ficavam imundos e tinham de ser purificados pelo fogo *e* pela água. Coisas que não ofereciam resistência ao fogo tinham de ser somente lavadas. Isso enfatiza uma lavagem *completa*. Ver Números 19.9 quanto à "água da impureza", ou seja, a água usada para *purificar* coisas de suas impurezas. Ver Hebreus 9.13,14 quanto à aplicação neotestamentária, mediante o sangue de Cristo.

É provável que os metais tivessem de ser fundidos e refeitos, embora o texto sagrado não diga isso especificamente.

Simbolismo e Tipologia. Este versículo faz-nos lembrar 1Coríntios 3.13, que diz que a obra de cada homem será testada a fogo. Deus testa as nações com o fogo do ourives (Ml 3.2). As obras dos crentes precisam ser provadas como obras que têm valor. O fogo, pois, *revela o valor*. Aquelas que, segundo a mente divina, não têm valor, serão queimadas, mesmo que tenham tido valor para nós.

A DOUTRINA DE BALAÃO E SEUS RESULTADOS

Tenho, todavia, contra ti algumas cousas, pois que tens aí os que sustentam a doutrina de Balaão, o qual ensinava a Balaque armar ciladas diante dos filhos de Israel para comerem cousas sacrificadas aos ídolos e praticarem a prostituição.
Apocalipse 2.14

Eis que estas, por conselho de Balaão, fizeram prevaricar os filhos de Israel contra o Senhor, no caso de Peor... Pelejaram contra os midianitas, como o Senhor ordenara a Moisés: e mataram a todo homem... também Balaão, filho de Beor, mataram à espada.
Números 31.16,7,8

PÉSSIMAS BARGANHAS

Na loja do diabo todas as coisas se vendem,
Cada grama de escória custa um quilo de ouro;
Por uma capa e sinetes pagamos com a vida,
Adquirimos bolhas com a tarefa inteira da alma.
James Russell Lowell

As incertezas do presente estado mortal.
Pausa agora, ó minha alma, para contemplares
Confessando, pelo fato inexorável que é mostrado.
Que para viver para o "eu" não há tempo;
Que fazer de Deus ao próprio "eu" não há rima.

Vivendo distante do desejo autêntico da alma
Será removido de ti o fogo central do universo.
O ar vivificado pela sua imensa graça
Trouxe esperança até este miserável lugar.
Não busques aqui, pois, lucro míope,
Para que não desprezes aos mundos eternos.
Russell Champlin, meditando sobre 1Pedro 1.24

■ **31.24**

וְכִבַּסְתֶּם בִּגְדֵיכֶם בַּיּוֹם הַשְּׁבִיעִי וּטְהַרְתֶּם וְאַחַר תָּבֹאוּ אֶל־הַמַּחֲנֶה׃ פ

As vítimas da *sara'at* (infecções cutâneas, incluindo a lepra) precisavam lavar suas vestes. Pensava-se que essa infecção atingia vestes e a lavagem podia purificá-las. Mas a questão também envolvia um aspecto *ritual*, que simbolizava a purificação. Aqueles que tivessem matado algum ser vivo (incluindo seres humanos) e tivessem tocado cadáveres deveriam submeter-se aos mesmos ritos a que se submetiam as vítimas da *sara'at*. Ver Levítico 14.9 quanto a essa cerimônia. Era requerido um período de espera, ou seja, um período de separação e obediência às leis da purificação, a saber, *sete* dias. Sete era o número da perfeição divina, que indicava algo completo, terminado. Ver as notas do artigo chamado *Número (Numeral, Numerologia)*, no *Dicionário*.

A DISTRIBUIÇÃO DOS DESPOJOS (31.25-54)

■ 31.25

וַיֹּאמֶר יְהוָה אֶל־מֹשֶׁה לֵּאמֹר:

Os *despojos de guerra* eram distribuídos de acordo com detalhes intrincados, muito em consonância com a mente dos hebreus, que amavam os detalhes. O modo de distribuição desses despojos foi atribuído à inspiração divina.

Disse mais o Senhor. Temos aqui uma expressão de uso frequente no Pentateuco, utilizada para introduzir novas seções de material, além de fazer-nos lembrar da doutrina da divina inspiração das Escrituras. Ver as notas em Levítico 1.1 e 4.1, que comentam o assunto de modo exaustivo. As ordens foram dadas por Yahweh a Moisés, o mediador entre Deus e o povo de Israel; e então foram transmitidas aos líderes do povo, nomeados para cuidar do processo. Eleazar, os sacerdotes e os principais líderes do povo cuidariam para que a questão fosse devidamente executada. Ver os *oito* modos de comunicação mediante os quais Moisés transmitia mensagens divinas a outras pessoas, em Levítico 17.2.

Os *versículos que se seguem* alistam laboriosamente todos os despojos, sob a forma de vida humana e animal (o que restara da execução em massa), e sob a forma de bens materiais. Os beneficiários dos despojos foram: 1. os soldados; 2. o sacerdócio (os serviçais de Yahweh, que se ocupavam do culto ao Senhor); 3. o povo de Israel em geral.

Distribuição dos Despojos (em Animais) (Nm 31.25-47):

	Ovelhas	Bois	Jumentos	Totais
Guerreiros (metade do total)	337.500	36.000	30.500	404.000
Yahweh e o sacerdócio	- 675	- 72	- 61	- 808
Guerreiros retiveram	336.825	35.928	30.439	403.192
O povo (metade do total)	337.500	36.000	30.500	404.000
Yahweh e o sacerdócio	- 6.750	- 720	- 610	- 8.080
O povo reteve	330.750	35.280	29.890	395.920

Os dados essenciais deste gráfico devem-se a Eugene H. Merril, *in loc*.

A porção que coube ao sacerdócio foi usada para sustentar o culto no tabernáculo.

Pessoas como Despojos. Os soldados ficaram com 16 mil virgens midianitas. Foram dadas ao sacerdócio 32 delas, provavelmente como escravas para ajudarem em tarefas variadas no culto. Ver 1Samuel 2.22. As demais mulheres foram distribuídas entre os homens de Israel que não se encontravam entre os doze mil soldados.

■ 31.26

שָׂא אֵת רֹאשׁ מַלְקוֹחַ הַשְּׁבִי בָּאָדָם וּבַבְּהֵמָה אַתָּה וְאֶלְעָזָר הַכֹּהֵן וְרָאשֵׁי אֲבוֹת הָעֵדָה:

Os despojos foram *classificados* de acordo com as seguintes categorias: 1. Animais. 2. Seres humanos. 3. Bens materiais. Os despojos humanos limitaram-se a meninas e jovens, todas elas virgens (vss. 17 e 18). Visto que tinha havido uma *guerra santa*, Eleazar, o sumo sacerdote, foi a principal autoridade nessa distribuição. Os *beneficiários* dos despojos foram: 1. Os guerreiros. 2. Os sacerdotes (Yahweh e o culto do tabernáculo). 3. Os israelitas (varões) que não tinham seguido para o campo de batalha juntamente com o grupo seleto de doze mil homens (ver Nm 31.4). (Ver o gráfico no versículo anterior.) Eleazar foi ajudado na distribuição pelos *líderes* das doze tribos, e estes foram ajudados por muitos subordinados, visto que a tarefa foi imensa.

Tipologia. Aqueles que cumprem bem o seu dever não deixarão de receber o seu galardão da parte do Senhor. Deus mostra-se extremamente generoso na distribuição de galardões e recompensas. Ver na *Enciclopédia de Bíblia, Teologia e Filosofia* os artigos intitulados *Galardão* e *Coroas*. A vida cristã assemelha-se a uma guerra (ver Ef 6.11 ss. e 1Co 3.14).

"Não é um tolo aquele que dá aquilo que não pode reter, a fim de ganhar aquilo que não pode perder" (James Elliott, missionário evangélico martirizado por índios do Equador).

■ 31.27

וְחָצִיתָ אֶת־הַמַּלְקוֹחַ בֵּין תֹּפְשֵׂי הַמִּלְחָמָה הַיֹּצְאִים לַצָּבָא וּבֵין כָּל־הָעֵדָה:

Divide a presa. Os despojos deviam ser divididos em partes iguais entre os guerreiros (os doze mil; vs. 4) e os demais varões de Israel. Essa última metade provavelmente devia ser distribuída por meio dos chefes de clãs ou famílias. Ver o gráfico sobre o vs. 25 deste capítulo, que ilustra a divisão dos despojos humanos, animais ou bens materiais. Ver Josué 22.8 quanto a uma regra similar. Uma divisão formal de despojos de guerra foi feita nos dias de Davi (ver 1Sm 30.24,25). Cf. também Salmo 68.12.

■ 31.28

וַהֲרֵמֹתָ מֶכֶס לַיהוָה מֵאֵת אַנְשֵׁי הַמִּלְחָמָה הַיֹּצְאִים לַצָּבָא אֶחָד נֶפֶשׁ מֵחֲמֵשׁ הַמֵּאוֹת מִן־הָאָדָם וּמִן־הַבָּקָר וּמִן־הַחֲמֹרִים וּמִן־הַצֹּאן:

Yahweh também compartilharia dos despojos mediante a porção que coubesse ao sacerdócio e para sustento do culto no tabernáculo. O *tributo* seria de 1/500; e isso aplicava-se a todos os três tipos de despojos: animal, humano e material. Ver o gráfico no vs. 25 deste capítulo, quanto aos números envolvidos. Por exemplo, 1/500 foi extraído do número total de ovelhas, que foi de 337.500, ou seja, o tributo foi de 675 ovelhas. Os *sacerdotes* foram os beneficiários desse tributo.

■ 31.29

מִמַּחֲצִיתָם תִּקָּחוּ וְנָתַתָּה לְאֶלְעָזָר הַכֹּהֵן |H |V29 תְּרוּמַת יְהוָה:

Da metade que lhes toca. Ou seja, da metade do total que cabia aos guerreiros, as 337.500 ovelhas, os 36.000 bois e os 30.500 jumentos, ou então, o grande total de 404.000 animais. E outro tanto no tocante a pessoas e bens materiais, dos quais 1/500 foi entregue a Eleazar, o sumo sacerdote, como *oferenda* a Yahweh. Uma *guerra santa* tivera lugar, da qual resultaram aqueles despojos; e era apenas justo que o sacerdócio recebesse uma parte. *Yahweh* tinha dado a vitória; e, em senso de gratidão, um tributo devia ser pago ao Senhor, pela vitória concedida.

■ 31.30

וּמִמַּחֲצִת בְּנֵי־יִשְׂרָאֵל תִּקַּח אֶחָד אָחֻז מִן־הַחֲמִשִּׁים מִן־הָאָדָם מִן־הַבָּקָר מִן־הַחֲמֹרִים וּמִן־הַצֹּאן מִכָּל־הַבְּהֵמָה וְנָתַתָּה אֹתָם לַלְוִיִּם שֹׁמְרֵי מִשְׁמֶרֶת מִשְׁכַּן יְהוָה:

O povo em geral recebeu metade dos despojos. Dessa metade, 1/50 devia ser dado a Yahweh, como tributo. Por exemplo, o povo havia recebido 337.500 ovelhas, e assim, foram dadas para o culto no tabernáculo 6.750 ovelhas. Ver o gráfico no vs. 25 quanto a todas as quantidades. Os beneficiários desses despojos foram os *levitas*, muito mais numerosos que os sacerdotes (os beneficiários referidos no vs. 28), e assim, muito naturalmente, teriam de receber despojos mais abundantes.

Este versículo deixa claro que essa porcentagem (2%) aplicava-se a todas as formas de despojo: as pessoas (jovens virgens), os animais e os bens materiais. O Targum de Jonathan informa-nos que as virgens se tornaram escravas ou foram dadas aos levitas e seus filhos, como esposas ou concubinas.

Observemos que, da porção que coube ao povo, foi extraído um tributo de 1/50; mas, da porção que coube aos guerreiros, o tributo foi de apenas 1/500. Isso significa que os soldados de Israel ficaram com uma proporção maior de animais, virgens e bens materiais do que a população em geral. Os guerreiros enfrentaram os perigos da guerra e eram merecedores dessa maior proporção. Diz um antigo hino: "Como pensaríamos em ganhar um grande galardão, se agora evitarmos a luta?" Ver as notas sobre o vs. 26 deste capítulo, quanto à *tipologia* dos galardões conferidos pelo serviço espiritual que prestamos.

■ 31.31

וַיַּעַשׂ מֹשֶׁה וְאֶלְעָזָר הַכֹּהֵן כַּאֲשֶׁר צִוָּה יְהוָה אֶת־מֹשֶׁה׃

Fizeram como o Senhor ordenara. Este versículo uma vez mais enfatiza a obediência a Yahweh, por parte do povo de Israel. Essas observações sobre a obediência também eram um recurso literário que o autor sagrado usou para indicar fim de seções de sua obra escrita. Ver acerca disso as notas expositivas sobe Números 1.54. *A vontade de Yahweh* é sempre apresentada como o grande motivo de todos os atos dos líderes da teocracia de Israel.

> De coração verdadeiro e por inteiro,
> Fiel e também leal;
> Rei das nossas vidas,
> Ele sempre haverá de ser.
>
> Frances R. Havergal

■ 31.32-46

32 וַיְהִי הַמַּלְקוֹחַ יֶתֶר הַבָּז אֲשֶׁר בָּזְזוּ עַם הַצָּבָא צֹאן שֵׁשׁ־מֵאוֹת אֶלֶף וְשִׁבְעִים אֶלֶף וַחֲמֵשֶׁת־אֲלָפִים׃

33 וּבָקָר שְׁנַיִם וְשִׁבְעִים אָלֶף׃

34 וַחֲמֹרִים אֶחָד וְשִׁשִּׁים אָלֶף׃

35 וְנֶפֶשׁ אָדָם מִן־הַנָּשִׁים אֲשֶׁר לֹא־יָדְעוּ מִשְׁכַּב זָכָר כָּל־נֶפֶשׁ שְׁנַיִם וּשְׁלֹשִׁים אָלֶף׃

36 וַתְּהִי הַמֶּחֱצָה חֵלֶק הַיֹּצְאִים בַּצָּבָא מִסְפַּר הַצֹּאן שְׁלֹשׁ־מֵאוֹת אֶלֶף וּשְׁלֹשִׁים אֶלֶף וְשִׁבְעַת אֲלָפִים וַחֲמֵשׁ מֵאוֹת׃

37 וַיְהִי הַמֶּכֶס לַיהוָה מִן־הַצֹּאן שֵׁשׁ מֵאוֹת חָמֵשׁ וְשִׁבְעִים׃

38 וְהַבָּקָר שִׁשָּׁה וּשְׁלֹשִׁים אָלֶף וּמִכְסָם לַיהוָה שְׁנַיִם וְשִׁבְעִים׃

39 וַחֲמֹרִים שְׁלֹשִׁים אֶלֶף וַחֲמֵשׁ מֵאוֹת וּמִכְסָם לַיהוָה אֶחָד וְשִׁשִּׁים׃

40 וְנֶפֶשׁ אָדָם שִׁשָּׁה עָשָׂר אָלֶף וּמִכְסָם לַיהוָה שְׁנַיִם וּשְׁלֹשִׁים נָפֶשׁ׃

41 וַיִּתֵּן מֹשֶׁה אֶת־מֶכֶס תְּרוּמַת יְהוָה לְאֶלְעָזָר הַכֹּהֵן כַּאֲשֶׁר צִוָּה יְהוָה אֶת־מֹשֶׁה׃

42 וּמִמַּחֲצִית בְּנֵי יִשְׂרָאֵל אֲשֶׁר חָצָה מֹשֶׁה מִן־הָאֲנָשִׁים הַצֹּבְאִים׃

43 וַתְּהִי מֶחֱצַת הָעֵדָה מִן־הַצֹּאן שְׁלֹשׁ־מֵאוֹת אֶלֶף וּשְׁלֹשִׁים אֶלֶף שִׁבְעַת אֲלָפִים וַחֲמֵשׁ מֵאוֹת׃

44 וּבָקָר שִׁשָּׁה וּשְׁלֹשִׁים אָלֶף׃

45 וַחֲמֹרִים שְׁלֹשִׁים אֶלֶף וַחֲמֵשׁ מֵאוֹת׃

46 וְנֶפֶשׁ אָדָם שִׁשָּׁה עָשָׂר אָלֶף׃

Os vss. 32 a 46 deste capítulo nos dão os números de cada item dos despojos, sob a forma de seres humanos ou de animais; mas os vss. 50 ss. abordam os despojos materiais, como metais preciosos. Nesses versículos, nada aparece que já não tenha figurado no gráfico que há nas notas sobre o vs. 25 deste capítulo. Os guerreiros também receberam bens materiais como despojos, mas uma porção desses bens foi entregue como oferta voluntária a Yahweh.

■ 31.47

וַיִּקַּח מֹשֶׁה מִמַּחֲצִת בְּנֵי־יִשְׂרָאֵל אֶת־הָאָחֻז אֶחָד מִן־הַחֲמִשִּׁים מִן־הָאָדָם וּמִן־הַבְּהֵמָה וַיִּתֵּן אֹתָם לַלְוִיִּם שֹׁמְרֵי מִשְׁמֶרֶת מִשְׁכַּן יְהוָה כַּאֲשֶׁר צִוָּה יְהוָה אֶת־מֹשֶׁה׃

Este versículo repete a informação que nos foi dada no vs. 30 deste capítulo, pelo que compreenderemos que sobre tudo incidiu certo tributo divino. Devemos dar daquilo que o Senhor nos tiver feito prosperar. Dando ao Senhor uma parte, teremos *toda a abundância*, e assim poderemos abundar em toda boa obra (ver 2Co 9.8 e seu contexto geral). O ato de receber qualquer coisa da parte de Deus sempre nos impõe a responsabilidade de mostrar-nos *generosos* com nossos semelhantes. Isso faz parte da lei do amor. Ver no *Dicionário* o verbete intitulado *Amor*. Mohammad Ali declarou com muita razão que todo o dinheiro que damos a outras pessoas é o *aluguel* que pagamos por estarmos neste mundo. Ninguém pode esperar viver de graça. Todos temos uma dívida de gratidão por aquilo que a vontade divina nos tiver dado.

> As mãos que ajudam são mais santas do que os lábios que oram.
>
> Robert Green Ingersoll

Era forasteiro e me hospedastes.

Mateus 25.35

■ 31.48,49

וַיִּקְרְבוּ אֶל־מֹשֶׁה הַפְּקֻדִים אֲשֶׁר לְאַלְפֵי הַצָּבָא שָׂרֵי הָאֲלָפִים וְשָׂרֵי הַמֵּאוֹת׃

וַיֹּאמְרוּ אֶל־מֹשֶׁה עֲבָדֶיךָ נָשְׂאוּ אֶת־רֹאשׁ אַנְשֵׁי הַמִּלְחָמָה אֲשֶׁר בְּיָדֵנוּ וְלֹא־נִפְקַד מִמֶּנּוּ אִישׁ׃

Nenhum falta dentre eles e nós. Yahweh havia realizado um estupendo milagre. Embora a batalha tivesse sido longa e dura, e embora os midianitas tivessem sido quase inteiramente obliterados, Israel não perdera um único homem! Isso, como *tipo simbólico*, ensina-nos o poder da *obediência*. Aqueles que se mantêm dentro da vontade de Deus são protegidos pelo Senhor. Esses são capazes de terminar triunfalmente a missão que Deus lhes tiver dado. Com base nessa demonstração da graça de Deus, os guerreiros de Israel ansiavam por dar parte dos bens materiais, adquiridos na guerra, a Yahweh.

> Quão belo é andar nos passos do Salvador,
> Andando na Luz, andando na Luz.
> Quão belo é andar nos passos do Salvador,
> Guiado por veredas de luz.
>
> E. E. Hewitt

Nenhum soldado israelita se perdeu. "Um feito notável e jamais ouvido... sem paralelo na história" (John Gill, *in loc.*). Durante a

Segunda Guerra Mundial, houve um regimento do exército britânico no qual todos os homens liam o Salmo 91 todos os dias; e nenhum de seus componentes se perdeu.

■ 31.50

וַנַּקְרֵ֞ב אֶת־קָרְבַּ֣ן יְהוָ֗ה אִישׁ֩ אֲשֶׁ֨ר מָצָ֤א כְלִֽי־זָהָב֙ אֶצְעָדָ֣ה וְצָמִ֔יד טַבַּ֖עַת עָגִ֣יל וְכוּמָ֑ז לְכַפֵּ֥ר עַל־נַפְשֹׁתֵ֖ינוּ לִפְנֵ֥י יְהוָֽה׃

Trouxemos uma oferta ao Senhor. Agradecidos, os guerreiros israelitas, que tinham recebido parte dos despojos materiais, trouxeram uma oferta voluntária a Yahweh. E essa oferenda serviria para sustentar o sacerdócio e o culto no tabernáculo.

Para fazer expiação. Os itens preciosos foram divididos com os sacerdotes, e um sacrifício expiatório foi feito por sua vez. Eles tinham muitos bens materiais, mas também estavam interessados no bem-estar de suas almas. Expiação também incluía o rito da purificação, por haverem os soldados tocado em cadáveres. Ver Levítico 1.4; Números 19.18 ss. e 31.19-24.

■ 31.51

וַיִּקַּ֨ח מֹשֶׁ֜ה וְאֶלְעָזָ֧ר הַכֹּהֵ֛ן אֶת־הַזָּהָ֖ב מֵֽאִתָּ֑ם כֹּ֖ל כְּלִ֥י מַעֲשֶֽׂה׃

Moisés e o sacerdote Eleazar. Eles receberam as oferendas voluntárias sob a forma de bens materiais (os itens listados no versículo anterior), porquanto eles eram os responsáveis pela distribuição de bens entre os sacerdotes.

Ouro. É possível que esse vocábulo represente todos os itens valiosos, e não apenas aqueles especificamente feitos desse metal precioso. Mas também é possível que todos aqueles itens fossem feitos de ouro. Ver no *Dicionário* o artigo intitulado *Joias e Pedras Preciosas*.

■ 31.52

וַיְהִ֣י ׀ כָּל־זְהַ֣ב הַתְּרוּמָ֗ה אֲשֶׁ֤ר הֵרִ֙ימוּ֙ לַֽיהוָ֔ה שִׁשָּׁ֨ה עָשָׂ֥ר אֶ֛לֶף שְׁבַע־מֵא֥וֹת וַחֲמִשִּׁ֖ים שָׁ֑קֶל מֵאֵת֙ שָׂרֵ֣י הָֽאֲלָפִ֔ים וּמֵאֵ֖ת שָׂרֵ֥י הַמֵּאֽוֹת׃

Todo o ouro. O valor total das oferendas voluntárias consistiu em 16.750 *siclos*. Ver notas informativas adicionais em Êxodo 30.13 e Levítico 27.25. Não há como fazer a comparação entre esse peso, o siclo, e o valor corrente do dinheiro, em dólares ou reais. Dizer "vários milhões de dólares", conforme li em uma de minhas fontes informativas, é falar em um sentido totalmente vago. Ao que parece, um *siclo* era o que um homem comum poderia esperar ganhar em um mês de trabalho nos campos. E isso talvez nos forneça alguma ideia da imensidão das ofertas voluntárias que foram trazidas ao serviço do Senhor.

Capitães de mil... capitães de cem. Os representantes dos guerreiros foram os que apresentaram ao Senhor a oferta voluntária dada pelo exército ao culto ao Senhor. Esses homens eram diretamente responsáveis diante dos generais, Josué e Eleazar.

■ 31.53

אַנְשֵׁי֙ הַצָּבָ֔א בָּזְז֖וּ אִ֥ישׁ לֽוֹ׃

O texto bíblico não deixa a questão absolutamente clara, embora este versículo permita-nos entender que os guerreiros tinham conquistado em batalha todos aqueles bens materiais, pelo que os despojos lhes pertenciam por direito. No entanto, contribuíram voluntariamente com *parte* desses bens (vss. 50-52). Não somos informados quanto à *porcentagem* que foi dada a Yahweh; mas a soma referida no versículo anterior mostra que as dádivas foram dadas com liberalidade. Tendo recebido gratuita e liberalmente, eles também contribuíram de forma gratuita e liberal (ver Mt 10.8).

■ 31.54

וַיִּקַּ֨ח מֹשֶׁ֜ה וְאֶלְעָזָ֤ר הַכֹּהֵן֙ אֶת־הַזָּהָ֔ב מֵאֵ֛ת שָׂרֵ֥י הָאֲלָפִ֖ים וְהַמֵּא֑וֹת וַיָּבִ֤אוּ אֹתוֹ֙ אֶל־אֹ֣הֶל מוֹעֵ֔ד זִכָּר֥וֹן לִבְנֵֽי־יִשְׂרָאֵ֖ל לִפְנֵ֥י יְהוָֽה׃ פ

Moisés e o sacerdote Eleazar. Segundo já tínhamos sido informados no vs. 50, foram eles que receberam os bens materiais. E a tarefa deles era averiguar que esses bens fossem devidamente usados para sustento do sacerdócio e do culto no tabernáculo.

Como memorial. Não somos informados sobre como foi estabelecido um memorial. Talvez tudo quanto esteja em foco seja que "o povo sempre se lembraria do que tinha acontecido", pelo que a oferenda dos guerreiros nunca seria esquecida. E o texto sagrado continua fazendo-nos saber, *até hoje*, o prodígio que aconteceu naquele dia entre os guerreiros de Israel, embora já se tenham passado nada menos de 3.400 anos! "... pois as suas obras os acompanham" (Ap 14.13). Lembrando-nos dos triunfos passados, somos encorajados a continuar lutando. Pergunta um antigo hino: "Como pensaríamos em ganhar um grande galardão, se agora evitarmos a luta?"

"Isso serviu de tributo à fidelidade e à bênção de Deus. Cf. 1Crônicas 18.11; 2Crônicas 15.18" (Eugene H. Merrill, *in loc.*). Ver no *Dicionário* o verbete intitulado *Providência de Deus*. Essa narrativa provê uma ilustração significativa da providência divina.

CAPÍTULO TRINTA E DOIS

RÚBEN E GADE PEDEM GILEADE (32.1-42)

A *alocação das terras* na Transjordânia coube às tribos de Rúben, Gade e Manassés, embora condicionada à disposição deles de ajudar outras tribos na luta pela conquista da terra de Canaã. Cf. Deuteronômio 3.12-22 e Josué 13.8-33. As tribos de Rúben e de Gade possuíam muito gado e rebanho de ovelhas, e precisavam de terras de pastagem. Essas terras estavam disponíveis em Jazer e Gileade (vs. 1). Permanece inexplicado *como* essas tribos prosperaram tanto criando rebanhos de gado vacum e ovino em uma terra desértica, onde a água era problema até mesmo para ser bebida. Alguns estudiosos supõem que a prosperidade mencionada tenha resultado da invasão da Terra Prometida, e não de algo posterior a essa invasão. Seja como for, as escolhas feitas por essas duas tribos e meia dependeram de boas terras de pastagem. Eles queriam estabelecer-se ali imediatamente, sem terem de atravessar o rio Jordão para o lado ocidental. Moisés deu-lhes tal permissão, e foi assim que teve início a invasão da Terra Prometida. Ver no *Dicionário* o artigo intitulado *Transjordânia*.

■ 32.1

וּמִקְנֶ֣ה ׀ רַ֗ב הָיָ֞ה לִבְנֵ֧י רְאוּבֵ֛ן וְלִבְנֵי־גָ֖ד עָצ֣וּם מְאֹ֑ד וַיִּרְא֞וּ אֶת־אֶ֤רֶץ יַעְזֵר֙ וְאֶת־אֶ֣רֶץ גִּלְעָ֔ד וְהִנֵּ֥ה הַמָּק֖וֹם מְק֥וֹם מִקְנֶֽה׃

Quanto a detalhes das tribos mencionadas neste versículo, ver o *Dicionário*. Ver também a introdução a esse capítulo quanto ao conjunto de informações dadas neste capítulo 32.

"Essas tribos (Rúben e Gade) tinham ocupado uma posição contígua em seus acampamentos, pelo espaço de 38 anos (ver Nm 2.10,14), e era apenas natural que tivessem desejado ficar permanentemente localizadas próximo uma da outra" (Ellicott, *in loc.*). Quanto à localização dos acampamentos das doze tribos de Israel, em volta do tabernáculo, ver o gráfico imediatamente antes da exposição sobre Números 1.1.

Terra de Jazer. Quanto a notas expositivas sobre esse lugar, ver Números 21.22. O nome dado aqui provavelmente assinala a fronteira mais oriental do território proposto. Jazer era uma cidade fronteiriça, entre os amorreus e os filhos de Amom (ver Nm 21.24). Essa área consistia em ricas pastagens, motivo pelo qual foi escolhida pelas duas tribos.

Terra de Gileade. Há um detalhado artigo sobre esse lugar no *Dicionário*, pelo que não repito aqui as informações dadas ali. Esse território ficava ao sul do ribeiro do Jaboque. Era lugar muito fértil nos tempos de Moisés, embora hoje em dia seja um lugar desolado.

"Os lugares que podem ser identificados, mencionados em Números 32.3, jazem todos entre o rio Arnom ao sul, e o ribeiro do Jaboque, ao norte" (Eugene H. Merrill, *in loc.*). Ver no *Dicionário* o artigo chamado *Transjordânia*.

■ 32.2

וַיָּבֹ֥אוּ בְנֵֽי־גָ֖ד וּבְנֵ֣י רְאוּבֵ֑ן וַיֹּאמְר֤וּ אֶל־מֹשֶׁה֙ וְאֶל־אֶלְעָזָ֣ר הַכֹּהֵ֔ן וְאֶל־נְשִׂיאֵ֥י הָעֵדָ֖ה לֵאמֹֽר׃

Moisés era o representante de Yahweh, e *Eleazar* era o sumo sacerdote diante de Yahweh. A distribuição das terras tinha de ser feita de acordo com a vontade divina. Isso posto, os representantes das tribos de Rúben, Gade e Manassés tiveram de pedir permissão para invadir as terras que pensavam que lhes eram apropriadas, especialmente em face do grande número de seus animais domesticados. Mas a permissão pedida só seria concedida às duas tribos e meia se elas ajudassem as demais na conquista da Terra Prometida (vs. 7). Ser-lhes-ia fácil estabelecer-se e gozar a vida, deixando que seus compatriotas se ocupassem da conquista da Terra Prometida. Rúben, Gade e Simeão costumavam acampar-se no lado sul do tabernáculo. Ver o gráfico imediatamente antes de Números 1.1. Era natural que as tribos de Rúben e Gade quisessem agora ficar contíguas uma à outra, como condição permanente.

■ **32.3**

עֲטָרוֹת וְדִיבֹן וְיַעְזֵר וְנִמְרָה וְחֶשְׁבּוֹן וְאֶלְעָלֵה וּשְׂבָם
וּנְבוֹ וּבְעֹן׃

Atarote... e Beom. Quanto à localização geral das nove cidades mencionadas aqui, ver as notas sobre o primeiro versículo deste capítulo. Ver também no *Dicionário* verbetes sobre cada uma dessas cidades. A cidade de Atarote é mencionada somente neste versículo em toda a Bíblia. No entanto, esse também é o nome de outras localidades do Antigo Testamento. O nome moderno da Atarote deste versículo é Khirbet Attarus. Ver o segundo ponto daquele artigo.

Dibom. No hebraico, "curso de rio".

Jazer. No hebraico, "fortificada". Ver Números 21.22 e comentários adicionais no vs. 1 deste capítulo.

Ninra. No hebraico, "límpida". Essa localidade só é mencionada, com esse nome, neste versículo, juntamente com aquelas cidades que formavam o distrito de Jazer, na terra de Gileade. Trata-se da mesma cidade chamada Bete-Ninra, no vs. 36 deste capítulo e em Josué 13.27. Parece que ficou com a tribo de Gade. Ficava localizada perto do moderno *wadi Sha'ib*.

Hesbom. No hebraico, "fortim".

Eleale. No hebraico, "Deus (El) é exaltado".

Sebã. No hebraico, "juramento". Não deve ser confundida com Seba. Algumas versões portuguesas dizem aqui "Sebá". No vs. 38 deste capítulo é chamada também de *Sibma*.

Nebo. No hebraico, "altura". Várias outras localidades são assim chamadas no Antigo Testamento. Foi do *monte Nebo* (ver no *Dicionário*) que Moisés contemplou a Terra Prometida, embora proibido de nela entrar.

Beom. No hebraico, "senhor ou casa de On". Talvez se trate da mesma *Meom* (por meio de uma variante escribal), um dos lugares próprios para pastagem, perto dos lugares anteriormente mencionados. Também é chamada de Bete-Baal-Meom, em Josué 13.17; de Baal-Meom, em Números 32.38 e Bete-Meom em Jeremias 48.23.

■ **32.4**

הָאָרֶץ אֲשֶׁר הִכָּה יְהוָה לִפְנֵי עֲדַת יִשְׂרָאֵל אֶרֶץ
מִקְנֶה הִוא וְלַעֲבָדֶיךָ מִקְנֶה׃ ס

É terra de gado. Assim argumentaram os homens das duas tribos e meia que ficaram no lado oriental do rio Jordão. Mas a distribuição das terras só podia ser feita de acordo com orientações explícitas da parte do Senhor. Moisés estava sendo guiado por Deus para saber quais regiões deviam ficar com quais tribos.

O fato é que as terras anteriormente mencionadas já estavam nas mãos dos filhos de Israel, mediante a vitória que eles já haviam obtido sobre os moabitas e os midianitas (capítulo 31). Portanto, Moisés não viu dificuldades em conceder permissão para que as tribos de Rúben e Gade, e a meia tribo de Manassés, se estabelecessem ali pacificamente. Mas Moisés também exigiu que os homens dessas duas tribos e meia ajudassem os demais israelitas a conquistar as terras a ocidente do rio Jordão, que continuavam em mãos de povos poderosos.

■ **32.5**

וַיֹּאמְרוּ אִם־מָצָאנוּ חֵן בְּעֵינֶיךָ יֻתַּן אֶת־הָאָרֶץ הַזֹּאת
לַעֲבָדֶיךָ לַאֲחֻזָּה אַל־תַּעֲבִרֵנוּ אֶת־הַיַּרְדֵּן׃

Não nos faças passar o Jordão. As tribos de Gade, Rúben e metade de Manassés queriam ficar na Transjordânia, pois ali havia terras de pastagens próprias para quem era possuidor de gado. "Dirigindo sua argumentação a Moisés, o governante da congregação, fizeram-no de maneira modesta, decente e respeitável" (John Gill, *in loc.*), procurando convencê-lo a satisfazer-lhes o pedido. Rúben e Gade tinham-se acampado juntas (com Simeão), por 38 anos, no lado sul do tabernáculo, e agora queriam continuar juntas, de maneira permanente. Ver o gráfico imediatamente antes de Números 1.1, que demonstra como se dispunham os quatro acampamentos de Israel.

■ **32.6**

וַיֹּאמֶר מֹשֶׁה לִבְנֵי־גָד וְלִבְנֵי רְאוּבֵן הַאַחֵיכֶם יָבֹאוּ
לַמִּלְחָמָה וְאַתֶּם תֵּשְׁבוּ פֹה׃

Irão vossos irmãos à guerra, e ficareis vós aqui? As duas tribos e meia não ficariam isentas da guerra, enquanto os demais israelitas tivessem de continuar lutando. Assim, a Transjordânia só ficaria com elas se se comprometessem a ajudar as outras tribos na conquista do resto da Terra Prometida.

> Na civilização não há lugar para o ocioso.
> Nenhum de nós tem direito ao lazer.
>
> Henry Ford

> Não tenho inimigos a enfrentar?
> Não preciso estancar o dilúvio?
> ...
> Devo ser transportado aos céus
> Em leitos floridos de lazer,
> Enquanto outros lutam para ganhar o prêmio,
> Velejando por mares sangrentos?
>
> Isaac Watts

A conquista da Terra Prometida precisava ser um esforço coletivo. Ajudar-nos a nós mesmos não basta. Devemos ajudar outras pessoas. Essa é a lei do amor, o aspecto mais importante de toda a lei. Ver no *Dicionário* o verbete intitulado *Amor*.

Pacifismo? Alguns intérpretes usam este texto como argumento contra o pacifismo. Ver sobre esse assunto na *Enciclopédia de Bíblia, Teologia e Filosofia*.

■ **32.7**

וְלָמָּה תְנוּאוּן אֶת־לֵב בְּנֵי יִשְׂרָאֵל מֵעֲבֹר אֶל־הָאָרֶץ
אֲשֶׁר־נָתַן לָהֶם יְהוָה׃

Por que, pois, desanimais...? Moisés vislumbrou a distante possibilidade de que as *demais* tribos de Israel se sentiriam desencorajadas a lutar, matar e debater-se diante da morte, enquanto as tribos de Rúben e Gade, e a meia tribo de Manassés, desfrutassem de uma vida folgada com seu gado, seus rebanhos e sua prosperidade material.

Esse verbo, "desanimar", deriva-se de um termo hebraico que também pode significar "alienar", "desviar". Rúben, Gade e a meia tribo de Manassés poderiam alienar Israel do propósito de invadir a Terra Prometida. O vs. 9 deste capítulo emprega essa mesma palavra hebraica, ao dizer como os espias que tinham trazido um relatório negativo, haviam *alienado* Israel do propósito de invadir a terra de Canaã. Embora fosse legítimo que as duas tribos e meia tomassem conta das terras que desejavam, na Transjordânia, a *maneira* como isso estava sendo pleiteado podia fazer dissipar a vontade e a disposição de os demais israelitas enfrentarem o perigo.

■ **32.8**

כֹּה עָשׂוּ אֲבֹתֵיכֶם בְּשָׁלְחִי אֹתָם מִקָּדֵשׁ בַּרְנֵעַ לִרְאוֹת
אֶת־הָאָרֶץ׃

Assim fizeram vossos pais. Moisés apelou para um exemplo histórico e bem conhecido de desencorajamento. A geração anterior dos israelitas tinha incorrido em erro similar, àquele que agora queriam perpetrar as duas tribos e meia, e isso em um instante extremamente crítico. A geração anterior de israelitas havia incorrido em erro similar em Cades-Barneia (ver a respeito desse lugar e daquele incidente no *Dicionário*). Dez dos doze espias que tinham sido enviados trouxeram de volta um relatório negativo e covarde, e assim conseguiram desviar a mente dos israelitas do propósito de invadir a Terra Prometida. E aquela geração perdeu sua oportunidade para sempre. O capítulo 13 deste livro de Números conta essa triste história. Ver Números 13.26 quanto à menção de Cades-Barneia em conexão com o incidente.

Os vss. 8-13 deste capítulo fornecem uma espécie de sumário dos capítulos 13-(?) de Números. E isso foi usado como advertência às duas tribos e meia potencialmente "separatistas", a fim de que não incorressem no mesmo grave erro em que tinham caído os seus "pais", cerca de quarenta anos antes.

■ **32.9**

וַיַּעֲלוּ עַד־נַחַל אֶשְׁכּוֹל וַיִּרְאוּ אֶת־הָאָרֶץ וַיָּנִיאוּ
אֶת־לֵב בְּנֵי יִשְׂרָאֵל לְבִלְתִּי־בֹא אֶל־הָאָרֶץ
אֲשֶׁר־נָתַן לָהֶם יְהוָה׃

Chegando eles até ao vale de Escol. Ver Números 13.17,23,24 quanto a esse incidente. Ver no *Dicionário* o verbete intitulado *Escol*. Essa palavra significa "cacho de uvas". Era também o nome próprio de um chefe dos filhos de Amom. Ver o segundo ponto daquele verbete.

A guerra santa obrigava *todos* os membros da confederação de Israel (ver Dt 33.21) a empenhar-se pela libertação da Terra Prometida. O mau exemplo dado em Escol seria fatal, se fosse seguido. Os espias tinham visto "gigantes" na Terra Prometida, e acovardaram-se diante do que pensavam ser uma tarefa impossível (ver Nm 13.32,33). Quão humano foi tudo isso! As tarefas que às vezes temos de enfrentar são como gigantes; pois olvidamos que dispomos dos recursos do poder de Deus. Eventualmente, Israel lutou e derrotou os gigantes, mas havia perdido uma oportunidade anterior que lhe custara quarenta anos de perambulações pelo deserto. Os gigantes podem ser derrotados *se* usarmos os recursos de que já dispomos. Oh, Senhor, concede-nos tal graça!

■ **32.10**

וַיִּחַר־אַף יְהוָה בַּיּוֹם הַהוּא וַיִּשָּׁבַע לֵאמֹר׃

A ira do Senhor se acendeu. Deus se havia indignado contra os ofensores. Naturalmente, essa ideia de Deus irar-se é uma expressão antropomórfica e antropopatética. Ver no *Dicionário* os artigos intitulados *Antropomorfismo* e *Antropopatismo*. Atribuímos a Deus nossos próprios atributos e sentimentos. Essa é uma maneira fraca e perigosa de tentar falar sobre Deus, mas essa limitação nos é imposta pela nossa condição humana.

A ira de Yahweh levou-o a retaliar contra os rebeldes, conforme somos informados no versículo que se segue. Ver no *Dicionário* o artigo chamado *Ira de Deus*. Moisés estava dizendo: "Se vocês, tribos de Rúben, Gade e a meia tribo de Manassés, forem adiante com esses planos e não ajudarem o resto do povo de Israel a derrotar os inimigos, alguma espécie de praga divina haverá de atingir vocês, tal como aconteceu com os seus pais".

■ **32.11**

אִם־יִרְאוּ הָאֲנָשִׁים הָעֹלִים מִמִּצְרַיִם מִבֶּן עֶשְׂרִים שָׁנָה
וָמַעְלָה אֵת הָאֲדָמָה אֲשֶׁר נִשְׁבַּעְתִּי לְאַבְרָהָם לְיִצְחָק
וּלְיַעֲקֹב כִּי לֹא־מִלְאוּ אַחֲרָי׃

Este versículo reitera a essência do trecho de Números 14.28,29, pelo que o leitor deve examinar as notas expositivas sobre esses dois versículos. Temos adicionado aqui a promessa do Pacto Abraâmico (ver as notas a respeito, em Gn 15.18). Essa promessa incluía a posse da Terra Prometida. Quando a taça da iniquidade dos povos cananeus estivesse cheia, então os povos pagãos seriam expulsos da Terra Prometida, por causa de seus muitos pecados, que eles vinham acumulando fazia muitos séculos. Ver Gênesis 15.16. Era questão séria tentar impedir Israel de tomar posse da Terra Prometida, que a vontade de Deus havia dado a Abraão e ao povo que dele descendia. Notemos que o autor usa os três grandes nomes associados ao Pacto Abraâmico como *patriarcas* (com os quais o pacto fora dado ou confirmado): Abraão, Isaque e Jacó. O uso desses nomes empresta grande solenidade ao mandamento de ajudar na invasão da Terra Prometida.

Há um antigo dito popular que reza que a oportunidade bate na porta da nossa vida apenas uma vez, mas, pela graça de Deus, bateu uma segunda vez em favor do povo de Israel.

> Quatro coisas não voltam:
> A palavra dita; a flecha atirada;
> O tempo passado; a oportunidade perdida.
>
> Omar Ibn

■ **32.12**

בִּלְתִּי כָלֵב בֶּן־יְפֻנֶּה הַקְּנִזִּי וִיהוֹשֻׁעַ בִּן־נוּן כִּי מִלְאוּ
אַחֲרֵי יְהוָה׃

Exceto Calebe... e Josué. Eles formavam as *duas únicas exceções*. Devido à sua sábia decisão, eles deviam ter sido emulados pelos homens de Israel quarenta anos antes. Ver Números 14.30, onde essa informação é dada e comentada. Ver também Números 14.24, onde *Calebe* é destacado para ser elogiado, antes mesmo de sermos informados de que houve outro homem, Josué, que também trouxera um relatório positivo. Esses dois homens "perseveraram em seguir" a Yahweh (ver Nm 14.24). Os outros dez espias mostraram-se deficientes quanto à visão espiritual e quanto à fé, quanto à capacidade de decidir e agir certo.

Jefoné. Ver as notas sobre ele em Números 13.6.

Quenezeu. Ver Gênesis 15.19 sobre esse termo, e ver no *Dicionário* sobre o termo *Queneus*. Todas essas pessoas estavam relacionadas umas com as outras. Comentei especificamente sobre o relacionamento entre Calebe e o *quenezeu,* na referência em Gênesis.

■ **32.13**

וַיִּחַר־אַף יְהוָה בְּיִשְׂרָאֵל וַיְנִעֵם בַּמִּדְבָּר אַרְבָּעִים
שָׁנָה עַד־תֹּם כָּל־הַדּוֹר הָעֹשֶׂה הָרַע בְּעֵינֵי יְהוָה׃

Fê-los andar errantes. Esse foi o *horrendo resultado* da desobediência — perda de oportunidade, perda de tempo e a morte da geração mais antiga. Nenhum dos incrédulos entrou na Terra Prometida, naquela geração, com a exceção exclusiva de Calebe e Josué. Ver o vs. 11 deste capítulo e Números 14.28-30 quanto ao relato e à ameaça que foi cumprida à risca. O deserto os "consumiu", conforme também vemos em Números 14.35, e onde a questão é comentada. Visto que os espias estiveram examinando a Terra Prometida por *quarenta* dias, mas não prestaram um bom relatório, por isso mesmo o povo de Israel precisou ficar vagueando por *quarenta* anos, por se terem deixado desencorajar a agir de acordo com o relatório positivo de Josué e Calebe. Ver as notas sobre Números 14.34 a respeito disso.

Quando Moisés proferiu essa palavra, relembrando os israelitas (em termos que soavam claramente como uma ameaça), toda a antiga geração incrédula já havia morrido. Naturalmente, Moisés também continuava vivo, mas sua morte era iminente. Somente Calebe e Josué escapariam da maldição contida naquela profecia.

■ **32.14**

וְהִנֵּה קַמְתֶּם תַּחַת אֲבֹתֵיכֶם תַּרְבּוּת אֲנָשִׁים חַטָּאִים
לִסְפּוֹת עוֹד עַל חֲרוֹן אַף־יְהוָה אֶל־יִשְׂרָאֵל׃

Vos levantastes em lugar de vossos pais. Há um ditado popular que diz: "Tal pai, tal filho". Esse era o perigo que Moisés estava percebendo com clareza. E, em sua ansiedade, tinha acusado as tribos de Rúben, Gade e a meia tribo de Manassés de quererem seguir o mau exemplo de seus pais. Aqueles com quem agora Moisés estava falando tinham substituído seus pais desobedientes, e agora eram cabeças das suas respectivas tribos. O antigo retrocesso podia tornar-se agora um retrocesso presente. Dessa forma, eles apenas *aumentariam* os pecados de seus pais, incorrendo, necessariamente, na ira de Yahweh. Como eles poderiam pensar que escapariam da ira divina se fizessem as mesmas coisas que seus pais tinham feito? A lei da colheita segundo a semeadura não falharia. Platão chegou a afirmar que a pior coisa que um homem pode fazer é agir errado mas não ser punido por causa disso. Quando isso acontece, a alma do tal homem é corrompida, e isso constitui uma calamidade espiritual. Ver no *Dicionário* os verbetes intitulados *Lei Moral da Colheita segundo a Semeadura* e *Ira de Deus*.

32.15

כִּי תְשׁוּבֻן מֵאַחֲרָיו וְיָסַף עוֹד לְהַנִּיחוֹ בַּמִּדְבָּר וְשִׁחַתֶּם לְכָל־הָעָם הַזֶּה׃ ס

Se não quiserdes segui-lo. Se as duas tribos e meia *abandonassem* agora Israel, então todo o Israel acabaria no deserto novamente. Um povo desobediente seria de novo destruído, e as duas tribos e meia seriam acusadas pela calamidade. Ver Números 14.43 quanto a algo similar ao que lemos neste versículo. Yahweh não haveria de acompanhar um povo rebelde; e, uma vez abandonado, tal povo por certo seria destruído. Talvez haja uma referência à *arca,* onde se manifestava a presença de Yahweh. Se a arca da aliança não fosse seguida à batalha, a presença de Deus se afastaria. Por conseguinte, Rúben, Gade e a meia tribo de Manassés precisavam seguir juntamente com o resto do povo de Israel, seguindo a arca da aliança até onde houvesse alguma batalha.

PROMESSAS FEITAS PELAS DUAS TRIBOS E MEIA (32.16-19)

32.16

וַיִּגְּשׁוּ אֵלָיו וַיֹּאמְרוּ גִּדְרֹת צֹאן נִבְנֶה לְמִקְנֵנוּ פֹּה וְעָרִים לְטַפֵּנוּ׃

Se essas duas tribos e meia tinham a intenção de abandonar os demais israelitas, naquele momento crucial, então os apelos e as ameaças de Moisés mudaram a atitude deles. "As duas tribos expressaram a sua disposição de participar *plenamente* da invasão e conquista da terra de Canaã, até que o povo de Israel tivesse conquistado a sua herança. Foi proposto que eles construiriam currais para o gado e cidades para as suas mulheres e crianças; e então brandiriam armas e se apressariam diante do povo de Israel" (John Marsh, *in loc.*).

Naturalmente, conquistariam as cidades dos amorreus, as quais passaram de mãos. É provável que as *cidades* referidas aqui sejam essas cidades. Os israelitas reparariam e fortificariam o que já existia. Construir e fortificar novas cidades teria tomado tempo demais. Ver o vs. 26 deste capítulo, que parece dar a entender isso. Ver no *Dicionário* o artigo intitulado *Transjordânia*.

32.17

וַאֲנַחְנוּ נֵחָלֵץ חֻשִׁים לִפְנֵי בְּנֵי יִשְׂרָאֵל עַד אֲשֶׁר אִם־הֲבִיאֹנֻם אֶל־מְקוֹמָם וְיָשַׁב טַפֵּנוּ בְּעָרֵי הַמִּבְצָר מִפְּנֵי יֹשְׁבֵי הָאָרֶץ׃

Uma vez que tivessem reconstruído e fortificado as cidades destruídas, pertencentes aos povos que antes haviam ocupado o território, não somente iriam à batalha, mas também iriam *adiante de todos* os demais israelitas, como a vanguarda do exército invasor. Provavelmente, também, certo número de homens ficaria para trás, a fim de defenderem, se necessário fosse, as cidades fortificadas, para que as mulheres e as crianças estivessem em segurança.

Em Números 1.2 forneci os números dos dois censos. Rúben e Gade dispunham de uma força de homens de 20 anos para cima, capazes de ir à guerra, totalizando mais de oitenta mil homens. Isso era suficiente para deixar para trás a muitos homens, ao mesmo tempo em que muitos mais poderiam acompanhar as demais tribos para a conquista da Terra Prometida. O trecho de Josué 4.13 informa-nos que, das tribos de Rúben, Gade e da meia tribo de Manassés, somente quarenta mil homens armados cruzaram o rio Jordão, a fim de ajudar seus irmãos na invasão. Isso significa que praticamente a metade dos homens das duas tribos e meia ficou para trás, e que a outra metade atravessou o rio para ajudar na invasão. Isso deve ter sido feito com a aprovação (e direção) de Josué, como proporções adequadas para a tarefa.

Até que os levemos ao seu lugar. Eles enviariam um numeroso contingente de soldados, os quais continuariam guerreando até que o propósito global de Israel, naquela invasão, tivesse cumprimento. Assim declara o versículo 18, em outras palavras.

32.18

לֹא נָשׁוּב אֶל־בָּתֵּינוּ עַד הִתְנַחֵל בְּנֵי יִשְׂרָאֵל אִישׁ נַחֲלָתוֹ׃

De posse, cada um da sua herança. O povo de Israel precisava herdar a totalidade da Terra Prometida, e não somente porções. Apesar de ser verdade que a conquista plena teria de esperar pelos dias de Davi, ainda assim a invasão original foi bastante extensa. A Terra Prometida é aqui chamada de *herança* porque pertencia, por direito, aos descendentes de Abraão. O doador era Yahweh, o Pai Espiritual. Ver Gênesis 15.18 e suas notas expositivas quanto ao Pacto Abraâmico, onde a herança da Terra Prometida figura com proeminência.

Assim sendo, a *guerra santa* foi considerada uma obrigação sagrada para toda a federação, incluindo Rúben, Gade e a meia tribo de Manassés. Ver Deuteronômio 33.21. Essas duas tribos e meia tinham escolhido a "melhor" porção do território; mas, à semelhança de um leão, também ajudariam as demais tribos a obter suas respectivas porções. O trecho de Josué 22.1-4 mostra que as duas tribos e meia mantiveram de pé a sua promessa. Josué enviou-as em paz para suas terras, e com a sua bênção, somente relembrando-lhes que deviam observar todos os mandamentos de Yahweh.

32.19

כִּי לֹא נִנְחַל אִתָּם מֵעֵבֶר לַיַּרְדֵּן וָהָלְאָה כִּי בָאָה נַחֲלָתֵנוּ אֵלֵינוּ מֵעֵבֶר הַיַּרְדֵּן מִזְרָחָה׃ פ

Já temos a nossa herança. "Herança" continuava sendo a palavra-chave, porquanto falava do território que lhes vinha do patriarca Abraão e do Pai espiritual deles, Yahweh. A terra *pertencia* a Israel por decreto divino, e passaria de pai para filho, como herança perpétua. O trecho de Deuteronômio 33.20 ss. mostra que as terras herdadas por Rúben, Gade e a meia tribo de Manassés eram as *melhores,* e o relato da invasão mostra-nos que eles terminaram merecendo o pedido que tinham feito.

Deste lado do Jordão ao oriente. Ou seja, a Transjordânia, ao passo que "doutro lado do Jordão" aponta para as terras a ocidente desse rio.

A distribuição das terras, conforme pensavam os filhos de Israel, dependia da providência divina. E isso, como é claro, foi precisamente o que aconteceu. Ver no *Dicionário* o verbete chamado *Providência de Deus*.

MOISÉS CONCEDE A PETIÇÃO (32.20-33)

32.20

וַיֹּאמֶר אֲלֵיהֶם מֹשֶׁה אִם־תַּעֲשׂוּן אֶת־הַדָּבָר הַזֶּה אִם־תֵּחָלְצוּ לִפְנֵי יְהוָה לַמִּלְחָמָה׃

Se isto fizerdes assim. Os argumentos das duas tribos e meia tinham sido convincentes; e Moisés percebeu que elas haviam falado com sinceridade. O trecho de Josué 22.1-4 mostra-nos que todas as promessas foram cumpridas, e que a aceitação dos argumentos das duas tribos e meia, por parte de Moisés, era plenamente justificada. A *guerra santa* exigia que a nação inteira entrasse em ação, a fim de que todo o povo de Israel pudesse ser abençoado e obtivesse a vitória. Yahweh é retratado como quem *participava* da guerra. A arca da aliança seria levada à batalha, e a presença do Senhor se faria presente. A *palavra falada* era tida como de suprema importância, além de ser obrigatória, mesmo que não fosse proferida em meio a um juramento. Mas a promessa dada foi igual a um voto. Ver no *Dicionário* os verbetes intitulados *Voto* e *Juramentos*.

"Se a ordem de marcha, prescrita no segundo capítulo do livro de Números, ainda estivesse em vigor, pode haver uma referência ao fato de que as duas tribos e meia — Gade, Rúben e a meia tribo de Manassés — (as duas primeiras tinham-se acampado no lado sul do tabernáculo) seguiram à frente da arca (ver Nm 10.18-22), tal como as tribos de Efraim, Benjamim e Manassés vinham logo depois da arca (Sl 80.2)" (Ellicott, *in loc.*). Lemos em Josué 4.5,11 como a arca era transportada. Na batalha de Jericó, parece que a arca foi transportada em meio às hostes, e não na sua vanguarda (ver Js 6.9).

"O pendão de Rúben marchava diretamente defronte do santuário, transportado pelos coatitas (Nm 10.18,21), pelo que se poderia dizer com razão que seguia *perante o Senhor*" (John Gill, *in loc.*).

32.21

וְעָבַ֨ר לָכֶ֧ם כָּל־חָל֛וּץ אֶת־הַיַּרְדֵּ֖ן לִפְנֵ֣י יְהוָ֑ה עַ֧ד הוֹרִישׁ֛וֹ אֶת־אֹיְבָ֖יו מִפָּנָֽיו׃

E cada um de vós armado. As tropas de Rúben, Gade e da meia tribo de Manassés *prosseguiriam* até que a tarefa da conquista terminasse. Essa era a condição para elas ficarem com as terras a oriente do rio Jordão. E foi isso que elas prometeram fazer (vs. 18). E, de acordo com Josué 22.1-4, assim fizeram. Ver Josué 3.11,17 e 14.12,13 quanto a aspectos dessa marcha.

32.22

וְנִכְבְּשָׁ֨ה הָאָ֜רֶץ לִפְנֵ֤י יְהוָה֙ וְאַחַ֣ר תָּשֻׁ֔בוּ וִהְיִיתֶ֧ם נְקִיִּ֛ם מֵיְהוָ֖ה וּמִיִּשְׂרָאֵ֑ל וְ֠הָיְתָה הָאָ֨רֶץ הַזֹּ֥את לָכֶ֛ם לַאֲחֻזָּ֖ה לִפְנֵ֥י יְהוָֽה׃

Sereis desobrigados perante o Senhor. As duas tribos e meia só seriam consideradas *inocentes* se cumprissem cada promessa feita, até que a invasão tivesse obtido sucesso. Cf. o vs. 14, onde Moisés salientou que aquelas duas tribos e meia *agravariam* os pecados de seus pais se não fossem fiéis. Lembremos que os pais deles, cerca de 38 anos antes, tinham-se negado, devido à incredulidade, a entrar na Terra Prometida. Esse agravamento do pecado se daria porque estariam desobedecendo a uma ordem direta, da parte de Yahweh, para se apossarem da Terra Prometida. Uma tremenda calamidade seria o resultado natural da desobediência. Assim sendo, a guerra santa envolvia o *princípio moral* da obediência a Yahweh. Ver no *Dicionário* o verbete intitulado *Dever*.

O correto cumprimento do dever garantiria a bênção de ficarem exatamente com as terras que haviam requerido. Ver Deuteronômio 3.12-20; Josué 13.15-33, onde vemos o cumprimento da promessa feita por Moisés.

32.23

וְאִם־לֹ֤א תַעֲשׂוּן֙ כֵּ֔ן הִנֵּ֥ה חֲטָאתֶ֖ם לַיהוָ֑ה וּדְעוּ֙ חַטַּאתְכֶ֔ם אֲשֶׁ֥ר תִּמְצָ֖א אֶתְכֶֽם׃

Este versículo repete as informações dadas nos vss. 14 e 22. Pecado e culpa estavam envolvidos na desobediência.

Vosso pecado vos há de achar. Talvez esse final deste versículo seja o mais bem conhecido de todos os versículos do livro de Números. Praticamente toda criança de Escola Dominical conhece de cor essas palavras, mesmo que não saiba dizer de onde elas derivam. Trata-se de uma *declaração enfática* que versa sobre a lei da colheita segundo a semeadura, conforme a vemos claramente expressa em Gálatas 6.7,8. Ver comentários sobre esses dos versículos no *Novo Testamento Interpretado*. Ver também no *Dicionário* o artigo chamado *Lei Moral da Colheita segundo a Semeadura*.

"Este é um dos grandes textos do livro de Números, ou mesmo da Bíblia toda. Precisamos ouvir mais sobre isso, e não menos, em nossas igrejas... O pecado não é aqui concebido como uma abstração, mas quase como um poder pessoal, ativo e inteligente. Porventura a *nossa* própria experiência pessoal não dá testemunho da verdade dessa afirmação? As pessoas normais tentam, invariavelmente, esconder seus pecados; mas o pecado parece possuir uma diabólica determinação de não permanecer escondido" (Albert George Butzer, *in loc.*).

"O pecado haveria de estampar-se na fisionomia deles acusando-os em suas consciências, carregando e sobrecarregando-os com o senso de culpa e impondo a eles um merecido castigo... O pecado, mais cedo ou mais tarde, encontrará o pecador impenitente e não-perdoado" (John Gill, *in loc.*).

O temor de algum poder divino e supremo mantém os homens na obediência.

Robert Burton

O cumprimento do dever espiritual,
em nossa vida diária, é vital à nossa sobrevivência.

Winston Churchill

32.24

בְּנֽוּ־לָכֶ֤ם עָרִים֙ לְטַפְּכֶ֔ם וּגְדֵרֹ֖ת לְצֹנַאֲכֶ֑ם וְהַיֹּצֵ֥א מִפִּיכֶ֖ם תַּעֲשֽׂוּ׃

A aceitação da proposta, por parte de Moisés, incluía a reconstrução das cidades que as duas tribos e meia (Rúben, Gade e a meia tribo de Manassés) tomassem dos habitantes originais do território. Isso já foi comentado nas notas sobre o vs. 16. Não haveria tempo para *iniciar* e terminar a edificação de cidades fortificadas. Ver o vs. 17 deste capítulo sobre como parte dessas duas tribos e meia permaneceriam na Transjordânia a fim de defender seu novo território, ao passo que a outra metade dos homens de guerra cruzaria para o lado ocidental do rio Jordão, a fim de ajudar as demais tribos na conquista da Terra Prometida.

32.25

וַיֹּ֤אמֶר בְּנֵי־גָד֙ וּבְנֵ֣י רְאוּבֵ֔ן אֶל־מֹשֶׁ֖ה לֵאמֹ֑ר עֲבָדֶ֣יךָ יַעֲשׂ֔וּ כַּאֲשֶׁ֥ר אֲדֹנִ֖י מְצַוֶּֽה׃

Assim farão teus servos. Todos os envolvidos tinham atingido um acordo quanto a todos os pontos; assim, os representantes das duas tribos e meia aceitaram todas as condições. Moisés era a autoridade que cumpria a vontade de Yahweh. Assim, em última análise, eles estavam obedecendo ao *Senhor*.

32.26

טַפֵּ֣נוּ נָשֵׁ֔ינוּ מִקְנֵ֖נוּ וְכָל־בְּהֶמְתֵּ֑נוּ יִֽהְיוּ־שָׁ֖ם בְּעָרֵ֥י הַגִּלְעָֽד׃

Em consonância com seu estilo literário de repetição, o autor sacro reitera aqui o que já tinha dito no vs. 16 deste capítulo. Agora temos a repetição da área geral que seria ocupada, a saber, a região de Gileade, juntamente com Jazer, conforme já tínhamos visto no terceiro versículo deste capítulo. Essas localizações geográficas também foram descritas, em artigos separados, no *Dicionário*, onde o leitor também deve examinar o verbete chamado *Transjordânia*.

32.27

וַעֲבָדֶ֨יךָ יַֽעַבְר֜וּ כָּל־חֲל֥וּץ צָבָ֛א לִפְנֵ֥י יְהוָ֖ה לַמִּלְחָמָ֑ה כַּאֲשֶׁ֥ר אֲדֹנִ֖י דֹּבֵֽר׃

O autor sagrado prosseguia em suas reiterações. Encontramos aqui a mensagem dos vss. 6,7,17,18,20,21. Ver as notas sobre o vs. 17 quanto ao potencial numérico deles — quantos foram enviados ao lado ocidental do rio Jordão, e quantos permaneceram para defender seus territórios recém-adquiridos. Ver Josué 4.13 e suas notas expositivas quanto ao número dos que foram para a guerra.

32.28

וַיְצַ֤ו לָהֶם֙ מֹשֶׁ֔ה אֵ֚ת אֶלְעָזָ֣ר הַכֹּהֵ֔ן וְאֵ֖ת יְהוֹשֻׁ֣עַ בִּן־נ֑וּן וְאֶת־רָאשֵׁ֛י אֲב֥וֹת הַמַּטּ֖וֹת לִבְנֵ֥י יִשְׂרָאֵֽל׃

Então Moisés deu ordem. Moisés, sendo o comandante-em-chefe, agora orientou a Eleazar, o sumo sacerdote, que brandia a autoridade religiosa mais alta. A *guerra santa* requeria a aprovação de Eleazar. Josué, o general de todas as forças de Israel, aceitou a petição das duas tribos e meia, de acordo com as *condições* estabelecidas por Moisés. Os vss. 28-32 repetem o que já tinha sido dito antes, de acordo com o estilo literário repetitivo do autor sagrado. Moisés informou a seus dois principais subordinados sobre o plano com o qual eles deveriam cooperar. O próprio Moisés em breve haveria de morrer, e seria responsabilidade daqueles dois homens cumprir todos os desejos dele, executando os planos da batalha e da invasão, além da tomada de posse da terra e a distribuição da mesma.

32.29

וַיֹּאמֶר מֹשֶׁה אֲלֵהֶם אִם־יַעַבְרוּ בְנֵי־גָד וּבְנֵי־רְאוּבֵן׀ אִתְּכֶם אֶת־הַיַּרְדֵּן כָּל־חָלוּץ לַמִּלְחָמָה לִפְנֵי יְהוָה וְנִכְבְּשָׁה הָאָרֶץ לִפְנֵיכֶם וּנְתַתֶּם לָהֶם אֶת־אֶרֶץ הַגִּלְעָד לַאֲחֻזָּה׃

Este versículo repete a mensagem dos vss. 2 a 4 deste capítulo (o pedido da possessão de áreas da Transjordânia, a leste do rio Jordão); como também dos vss. 16-18, 21-24, que mostram as condições mediante as quais a solicitação foi concedida.

32.30

וְאִם־לֹא יַעַבְרוּ חֲלוּצִים אִתְּכֶם וְנֹאחֲזוּ בְתֹכְכֶם בְּאֶרֶץ כְּנָעַן׃

A *Transjordânia* não deveria ser dada às duas tribos e meia enquanto não ajudassem seus compatriotas na batalha pelas terras a oeste do rio Jordão. Mas, se as condições não fossem cumpridas, então as duas tribos e meia também teriam de combater para possuir terras no lado ocidental do rio Jordão, obtendo herança na terra de Canaã (ver a respeito no *Dicionário*). "Canaã", neste ponto, refere-se às terras a ocidente do rio Jordão, em contraste com as terras a oriente desse rio, a Transjordânia.

32.31

וַיַּעֲנוּ בְנֵי־גָד וּבְנֵי רְאוּבֵן לֵאמֹר אֵת אֲשֶׁר דִּבֶּר יְהוָה אֶל־עֲבָדֶיךָ כֵּן נַעֲשֶׂה׃

Moisés informou Eleazar e Josué sobre o acordo a que se havia chegado. Rúben, Gade e a metade da tribo de Manassés tinham feito uma promessa solene de que cooperariam com as demais tribos, como condições da possessão de áreas da Transjordânia. Ver no *Dicionário* o artigo intitulado *Transjordânia*. No original hebraico, as duas tribos e meia responderam usando os verbos no singular, como se fossem um único homem. Eles atenderiam à vontade de Yahweh, porquanto ele era o invisível Comandante-em-chefe, o Cabeça dos exércitos que estavam executando o seu plano de possessão do território que havia sido prometido a Abraão (ver sobre o vs. 11).

32.32

נַחְנוּ נַעֲבֹר חֲלוּצִים לִפְנֵי יְהוָה אֶרֶץ כְּנָעַן וְאִתָּנוּ אֲחֻזַּת נַחֲלָתֵנוּ מֵעֵבֶר לַיַּרְדֵּן׃

Este versículo repete a promessa das duas tribos e meia — Rúben, Gade e a meia tribo de Manassés — de que cruzariam para a parte oeste do rio Jordão, a fim de ajudarem na conquista do território. Ver as notas sobre os vss. 17 e 27 deste capítulo. "E isso foi reiterado por várias vezes, como *confirmação*, para garantir que tudo seria feito de acordo com o verdadeiro intuito da invasão" (John Gill, *in loc.*). "Uma vez mais, os rubenitas e gaditas comprometeram-se a fazer tudo quanto haviam prometido (vss. 31 e 32; vss. 16-19; vss. 25-27)" (Eugene H. Merrill, *in loc.*).

32.33

וַיִּתֵּן לָהֶם׀ מֹשֶׁה לִבְנֵי־גָד וְלִבְנֵי רְאוּבֵן וְלַחֲצִי׀ שֵׁבֶט׀ מְנַשֶּׁה בֶן־יוֹסֵף אֶת־מַמְלֶכֶת סִיחֹן מֶלֶךְ הָאֱמֹרִי וְאֶת־מַמְלֶכֶת עוֹג מֶלֶךְ הַבָּשָׁן הָאָרֶץ לְעָרֶיהָ בִּגְבֻלֹת עָרֵי הָאָרֶץ סָבִיב׃

À meia tribo de Manassés. Ao mencionar aqui a meia tribo de Manassés, o autor projeta para nós o que *finalmente* sucedeu ao território da Transjordânia: ficou com Rúben, Gade e a meia tribo de Manassés. Embora tenhamos falado na meia tribo de Manassés o tempo todo, esta foi a primeira vez em que o autor sagrado a mencionou. Assim, parte da tribo de Manassés localizou-se no lado oriental (a Transjordânia); mas outra parte estabeleceu-se na região ao redor de Siquém (ver Js 17.1-3). Siquém ficava a cerca de 56 km ao norte do mar Morto.

A área que aquelas duas tribos e meia vieram a possuir tinha sido antes habitada por Seom, rei dos amorreus, e por Ogue, rei de Basã. Muitas cidades foram simplesmente conquistadas, reconstruídas e refortificadas. O segundo versículo deste capítulo fornece-nos os nomes de algumas das cidades da área; e o vs. 34 repete duas delas e adiciona outra.

Seom. Ver Números 21.21 e um verbete detalhado no *Dicionário*.
Amorreus. Ver sobre essa palavra no *Dicionário*.
Ogue. Ver Números 21.33 e o artigo detalhado sobre ele no *Dicionário*.
Basã. Ver Números 21.33 e o artigo detalhado sobre esse lugar, no *Dicionário*.

Ver Deuteronômio 3.13-15. Fica entendido (ver o vs. 30) que uma parcela da tribo de Manassés ajudou na conquista da Transjordânia, pelo que veio a possuir parte da terra. Ignora-se, contudo, as circunstâncias que levaram essa tribo a ficar com uma porção da Transjordânia, e podemos apenas especular a respeito. Mas o vs. 39 sugere a conquista por meio de forças militares.

CIDADES RESTAURADAS OU EDIFICADAS POR GADE E RÚBEN (32.34-38)

32.34

וַיִּבְנוּ בְנֵי־גָד אֶת־דִּיבֹן וְאֶת־עֲטָרֹת וְאֵת עֲרֹעֵר׃

A tribo de *Gade* restaurou ou fortificou *nove* cidades, alistadas nos vss. 34-36. *Rúben*, por sua vez, construiu (reconstruiu) *seis* cidades (vss. 37,38). Pelo menos, essas foram as principais. Mas pode ter havido outras cidades. Essas cidades tornaram-se o núcleo de sua habitação e de seu poder como tribos.

"Os gaditas reconstruíram cidades na parte sul de Gileade, desde Aroer até o rio Arnom, ao sul de Jogbeá, cerca de 16 km a noroeste de Rabate-Amom, para o norte. As cidades rubenitas geralmente iam desde Hesbom, a oeste e sudoeste, até o rio Jordão e o mar Morto. Assim sendo, o território de Rúben tornou-se, por assim dizer, um território encravado na parte centro-oeste do território de Gade" (Eugene H. Merrill, *in loc.*).

"Não é provável que, durante esse período, *novas* cidades tenham sido construídas, nem as circunstâncias enfrentadas pelos israelitas admitiam a *demora* que tal empreendimento causaria" (Ellicott, *in loc.*). Portanto, compreendemos que eles reconstruíram e fortificaram cidades previamente existentes, que tinham pertencido aos anteriores ocupantes daquelas terras.

Dibom... Atrote. Essas duas cidades já haviam sido mencionadas no vs. 3 deste capítulo, onde as notas devem ser consultadas. É interessante que em nossa versão portuguesa, o nome da segunda dessas duas cidades é grafado no vs. 3 como "Atarote", e aqui como Atrote. A razão disso deve ser a proximidade com Atrote-Sofá, que figura no versículo seguinte. No hebraico, parece que as duas formas eram igualmente usadas. Essa palavra, em qualquer de suas formas, significa "coroa". Talvez ocupasse o local da moderna cidade de *Arair*, ao sul de Dibã, quase às margens do rio Arnom.

32.35

וְאֶת־עַטְרֹת שׁוֹפָן וְאֶת־יַעְזֵר וְיָגְבֳּהָה׃

Atrote-Sofá. No hebraico, *coroas*. Uma cidade pertencente à tribo de Gade, mencionada juntamente com Aroer e Jazer. Provavelmente, esse nome deve ser entendido como uma composição com o nome que se segue (Sofá), a fim de distingui-la melhor de outra cidade da mesma região, chamada "Atarote" (ver as notas no parágrafo anterior). Ficava em uma região fértil de pastagens. Se devemos entender Atrote-Sofá como uma só localidade, e não como duas, então temos *oito* cidades dos gaditas que foram referidas, e não nove, conforme foi dito antes (ver o começo das notas sobre o versículo anterior). As traduções dão a forma combinada (como se fosse uma só cidade), ou separadamente, como se fossem duas cidades. Mas a maioria dos eruditos opina que Sofá deve ser entendida como um sufixo de Atrote, conforme faz a nossa versão portuguesa.

Jazer. Já foi mencionada e comentada no primeiro versículo deste capítulo.

Jogbeá. No hebraico, *outeiro*. Era uma cidade de Gileade. Foi fortificada pelos descendentes de Gade. Quando Gideão perseguia os midianitas, fez um circuito em torno dessa cidade, a fim de atacá-la pela retaguarda (ver Jz 8.11). O lugar tem sido identificado com a moderna Khirbet el-Ajbeihat, a cerca de 11 km a noroeste de Aman.

■ 32.36

וְאֶת־בֵּית נִמְרָה וְאֶת־בֵּית הָרָן עָרֵי מִבְצָר וְגִדְרֹת צֹאן׃

Bete-Nimra. Ver sobre *Ninra*, no versículo terceiro deste capítulo. Note o leitor como essa palavra também foi grafada de dois modos: "Nimra", aqui, e "Ninra" no terceiro versículo.

Bete-Harã. No hebraico, *casa da altura*. Uma cidade que figura apenas neste versículo, em toda a Bíblia, embora talvez seja a mesma Bete-Arã de Josué 13.27. Ficou com a tribo de Gade, na *Transjordânia* (ver o artigo a respeito no *Dicionário*). Posteriormente recebeu o nome de Livias ou Júlias. Ficava defronte de Jericó. Por ocasião da conquista da Terra Santa, pelos israelitas, foi tomada pelos amorreus e mais tarde ainda transformada em uma fortaleza, sob a possessão de Gade. Alguns estudiosos creem que se trata da cidade síria de Bete-Aramftá, mencionada por Josefo, general e historiador judeu de uma geração depois de Jesus. Seu local moderno tem sido identificado com o *Tel Iktanus*, a quase 13 km a nordeste da desembocadura do Jordão, ao sul do *wadi Heshban*.

Cidades fortificadas. Talvez já fossem cidades-fortaleza dos habitantes originais da região, e que, depois de conquistadas, foram refortificadas pela tribo de Gade. Havia boas terras de pastagens e currais (ver o vs. 16 deste capítulo). Os currais foram levantados para proteção e cuidado dos animais. Ver os vs. 24 e 26 deste capítulo.

■ 32.37

וּבְנֵי רְאוּבֵן בָּנוּ אֶת־חֶשְׁבּוֹן וְאֶת־אֶלְעָלֵא וְאֵת קִרְיָתָיִם׃

"O território de Rúben estendia-se desde Hesbom, ao sul, até o ribeiro do Arnon, na fronteira de Moabe (Js 13.15-23)" (*Oxford Annotated Bible*, comentando sobre este versículo). Ver meus comentários a respeito do vs. 3 deste capítulo.

Hesbom. Ver as notas expositivas sobre esse lugar no vs. 3 deste capítulo.

Eleal. Essa cidade já havia sido mencionada em Números 32.3, onde seu nome é grafado com a forma de "Eleale" em nossa versão portuguesa. Talvez a forma com que aparece neste versículo seja um erro de revisão, pois todas as vezes em que aparece (incluindo Isaías 15.4 e 16.9; e Jr 48.34), a forma é "Eleale". Ficava perto de Hesbom, nunca sendo mencionada separada desta.

Quiriataim. No hebraico, "cidade dupla". Esse era o nome de duas cidades mencionadas no Antigo Testamento. Ver o artigo detalhado a respeito no *Dicionário*. A cidade desse nome, que aparece aqui, é a primeira da lista, naquele verbete.

■ 32.38

וְאֶת־נְבוֹ וְאֶת־בַּעַל מְעוֹן מוּסַבֹּת שֵׁם וְאֶת־שִׂבְמָה וַיִּקְרְאוּ בְשֵׁמֹת אֶת־שְׁמוֹת הֶעָרִים אֲשֶׁר בָּנוּ׃

Nebo. Ver as notas sobre o vs. 3 deste capítulo, como também o verbete com esse nome, no *Dicionário*, segundo ponto.

Baal-Meom. Ver sobre *Beom*, no terceiro versículo. O Antigo Testamento estampa vários nomes para essa localidade.

Sibma. No hebraico, "bálsamo". Essa cidade é chamada *Sebã*, no vs. 3 deste capítulo. Ver o verbete detalhado no *Dicionário*, intitulado *Sibma*. Também forneci um artigo sobre *Sebá*, no *Dicionário*. De fato, as traduções não se mostram uniformes quanto à forma do nome dessa cidade.

Mudanças de Nomes. Os nomes locativos e pessoais, na antiguidade, estavam associados à *idolatria*. A fim de remover o estigma, ou a fim de ajustar-se ao gosto dos novos habitantes, vários nomes locativos antigos foram mudados, embora o autor sagrado não nos forneça os novos nomes. Os nomes antigos persistiram no Antigo Testamento. "Dar novo nome a uma cidade, seguindo os nomes próprios da religião dos novos habitantes, servia de reconhecimento público da dependência do povo a seu Deus, pela vitória obtida em batalha" (John Marsh, *in loc.*).

POR QUE A MEIA TRIBO DE MANASSÉS ESTABELECEU-SE NA TRANSJORDÂNIA (32.39-42)

■ 32.39

וַיֵּלְכוּ בְּנֵי מָכִיר בֶּן־מְנַשֶּׁה גִּלְעָדָה וַיִּלְכְּדֻהָ וַיּוֹרֶשׁ אֶת־הָאֱמֹרִי אֲשֶׁר־בָּהּ׃

Quase certamente John Marsh estava com a razão ao dizer, sobre esta breve seção, que ela consiste em um "fragmento isolado". Essa informação explica por que parte da tribo de Manassés acabou ficando na Transjordânia, em vez de ficar no lado ocidental do rio Jordão. A resposta a isso é: "conquista militar". Cf. também Josué 13.15-23, que confirma a herança da tribo de Manassés. O autor sagrado inseriu aqui o material, visto que estava falando acerca da ocupação do lado oriental do rio Jordão. Os críticos supõem que a mudança para a parte oriental desse rio, de parte da tribo de Manassés, tenha ocorrido em um período posterior, pós-mosaico, e que o aspecto da "conquista militar" é um toque anacrônico. Mas eles estão apenas especulando. Jair (Jz 10.3) pertencia a outra época, e constitui problema por que o texto presente apresenta-o a emprestar o seu nome como parte do território conquistado tanto tempo antes. Por isso mesmo, alguns estudiosos supõem que o Jair deste texto não seja o mesmo Jair referido no livro de Juízes.

Maquir. Ver no *Dicionário* o verbete com esse nome. No Antigo Testamento, duas pessoas aparecem com esse nome. Este Maquir era o filho mais velho de Manassés, fundador do clã dos maquiritas. Maquir participou da conquista de Gileade, e recebeu parte desse território como sua "herança". Ver naquele artigo outros detalhes.

Amorreus. Ver no *Dicionário* sobre esse povo. O território conquistado tinha pertencido aos amorreus; mas, devido à conquista, tornou-se parte permanente de Israel, tendo recebido, afinal, o nome de *Transjordânia* (ver a respeito no *Dicionário*). Cf. este texto com Deuteronômio 3.12,13, que confirma que os territórios da Transjordânia ficaram com Rúben, Gade e a meia tribo de Manassés.

■ 32.40

וַיִּתֵּן מֹשֶׁה אֶת־הַגִּלְעָד לְמָכִיר בֶּן־מְנַשֶּׁה וַיֵּשֶׁב בָּהּ׃

Deu, pois, Moisés. Este versículo informa-nos que Moisés foi quem entregou parte da Transjordânia à meia tribo de Manassés. Contudo, os manassitas não tinham feito nenhum pedido de terras ali, ou pelo menos essa petição não é mencionada, como se deu no caso das tribos de Rúben e Gade. Mas não somos informados quanto às circunstâncias que conduziram a esse resultado. O próprio Maquir deve ter morrido no deserto, visto que somente Josué e Calebe sobreviveram para poderem entrar na Terra Prometida. Portanto, devemos entender aqui que estão em pauta os "filhos de Maquir" (ver o vs. 39), e não o próprio Maquir. Ver também Números 32.11,12.

■ 32.41

וְיָאִיר בֶּן־מְנַשֶּׁה הָלַךְ וַיִּלְכֹּד אֶת־חַוֹּתֵיהֶם וַיִּקְרָא אֶתְהֶן חַוֹּת יָאִיר׃

Jair. Ver no *Dicionário* o artigo assim chamado. Quatro pessoas com esse nome figuram nas páginas do Antigo Testamento. O Jair deste texto é o primeiro da lista. Os críticos supõem que temos aqui um anacronismo, e que Jair não teria idade suficiente para estar envolvido na conquista da Transjordânia, pelo que é difícil ver por que ele teria emprestado o seu nome a uma cidade conquistada. Mas o *Jair* para o qual apontam foi um dos juízes de Israel (ver Jz 10.3,5), ao passo que o homem assim chamado, neste texto, era filho de Segube, que era filho de Hezrom, que se casou com a filha de Maquir, filho de Manassés (1Cr 2.21,22). Assim sendo, Jair era bisneto de Manassés, e bem pode ter estado entre os que conquistaram a Transjordânia. De acordo com aquela maneira frouxa de identificar os parentes próximos de um homem, Jair foi chamado de "filho de Manassés", ainda que, na realidade, fosse seu bisneto. Alguns estudiosos supõem que outro Jair esteja em foco aqui; mas isso não passa de especulação.

Havote-Jair. Cf. Deuteronômio 3.14, onde o nome aparece como Basã-Havote-Jair. Esse nome significa "estabelecimento de Jair", que envolvia certo número de povoados. Alguns eruditos preferem traduzir esse nome por "cabanas de Jair". Nesse último caso, tudo quanto devemos pensar aqui é em uma cidade que se desenvolveu a partir de certo número de cabanas ali levantadas. Portanto, no início haveria apenas uma vila. Entretanto, em Deuteronômio 3.14 já lemos sobre "aldeias"; e isso significa que com o tempo as cabanas já eram alguns povoados, tendo retido o nome de Jair. O trecho de Josué 13.29,30 menciona sessenta localidades que eram ocupadas em Basã, cada uma das quais, sem dúvida, dotada de uma pequena população. Algumas delas ainda retinham o nome de Jair. Ver aquele versículo, quanto a maiores detalhes.

■ 32.42

וְנֹבַח הָלַךְ וַיִּלְכֹּד אֶת־קְנָת וְאֶת־בְּנֹתֶיהָ וַיִּקְרָא לָה נֹבַח בִּשְׁמוֹ׃ פ

Noba. No hebraico, "latido". Esse era o nome de uma pessoa e de uma cidade, nas páginas do Antigo Testamento. Noba foi um guerreiro, provavelmente pertencente à tribo de Manassés. Entre suas diversas vitórias militares, houve aquele sobre a cidade de Quenate, com suas aldeias circunvizinhas. Em seguida, ele deu a Quenate o seu próprio nome. Ver Juízes 8.11 quanto à cidade de Noba, uma localidade situada em uma rota de caravanas, a leste de Sucote, perto de Jogbeá.

Quenate. No hebraico, "possessão". Esse era o nome de uma das cidades do território de Manassés, do outro lado do rio Jordão. Foi conquistada dos amorreus por Noba, e posteriormente recebeu o nome desse homem. Mais tarde ainda, foi recapturada por Gesur e Arã (ver 1Cr 2.23). Tornou-se uma das cidades da Decápolis, quando então recebeu o nome de Canata. Foi nesse lugar que Herodes, o Grande, foi derrotado pelos árabes (Josefo, *Guerras dos Judeus* 1.19.2). Tem sido identificada com a moderna *Qanawat*, a pouco menos de 27 km a nordeste de Bostra. Os arqueólogos têm feito ali várias escavações, com muitos resultados positivos, especialmente nas camadas referentes ao período greco-romano. O número de edifícios em ruínas, ali encontrados, é considerável.

CAPÍTULO TRINTA E TRÊS

APÊNDICE (33.1—36.13)

ITINERÁRIO (33.1-56)

No artigo intitulado *Êxodo (o Evento),* provi um mapa que dá a rota sugerida que Israel tomou do Egito à Terra Prometida; os muitos lugares onde eles se acamparam e as jornadas que fizeram pelo deserto. A rota exata e os lugares de acampamentos não podem ser perfeita e totalmente delineados hoje em dia. Muitos lugares não existem mais, e as localizações por muitas vezes são duvidosas.

As fontes originárias do Pentateuco incluíam um itinerário completo da jornada de Israel, do Egito às planícies de Moabe. Talvez a lista não seja absolutamente compreensível; mas, pelo menos, temos uma boa ideia da jornada e seus acampamentos. A maioria dos nomes que restaram não é ilustrada pela arqueologia, e os intérpretes por muitas vezes têm de apelar para meras especulações.

Moisés aparece como quem compilou as informações (vs. 2) de acordo com as ordens de Yahweh. Mas os críticos notam que ele figura na terceira pessoa do singular, o que também acontece em todo o Pentateuco. Assim, a autoria é sempre questionada. Ver sobre o *Pentateuco* e cada um dos cinco livros dessa coletânea, no tocante a uma discussão sobre a autoria.

Se excluirmos os acampamentos nas planícies de Moabe, então houve *quarenta* estágios, a saber: onze a caminho do Sinai; 21 a caminho de Cades-Barneia; e oito a caminho de Moabe. Alguns nomes bem conhecidos, que podem ser achados em outras fontes, relacionados aos quarenta anos de perambulação, não aparecem na lista, entre os quais se destaca o nome *Meribá.* Alguns estudiosos têm sugerido que tais lugares foram chamados por outros nomes. O número *quarenta* pode ter servido de artifício literário, uma *lista representativa* dos quarenta anos de vagueações pelo deserto.

Minha exposição desta seção foi abreviada pelo fato de que a maioria dos nomes dados aparecem no *Dicionário,* que o leitor deve examinar.

■ 33.1

אֵלֶּה מַסְעֵי בְנֵי־יִשְׂרָאֵל אֲשֶׁר יָצְאוּ מֵאֶרֶץ מִצְרַיִם לְצִבְאֹתָם בְּיַד־מֹשֶׁה וְאַהֲרֹן׃

São estas as caminhadas. Cada parada era um acampamento, de onde se iniciava uma etapa da jornada.

O autor sacro primeiramente nos faz lembrar do milagre divino mediante o qual o povo de Israel foi livrado da escravidão no Egito. Eles partiram de lá formando divisões tribais, que lhes conferiu uma espécie de exército, com várias divisões. "... exércitos... em grandes números, postos em boa ordem, formando fileiras e companhias, como tantos esquadrões. Ver Êxodo 7.4" (John Gill, *in loc.*). Ver Êxodo 12.40 ss.

■ 33.2

וַיִּכְתֹּב מֹשֶׁה אֶת־מוֹצָאֵיהֶם לְמַסְעֵיהֶם עַל־פִּי יְהוָה וְאֵלֶּה מַסְעֵיהֶם לְמוֹצָאֵיהֶם׃

Escreveu Moisés. O itinerário. Isso não serve de prova de que ele escreveu a totalidade do Pentateuco. Quanto a esse problema, ver o artigo chamado *Pentateuco,* bem como cada livro da coletânea, no tocante à *autoria,* quanto a completas discussões. Ver o artigo chamado *J.E.D.P.(S.)* quanto à teoria das fontes múltiplas do Pentateuco. Para Yahweh era importante que a rota e suas paradas fossem registradas para que as gerações vindouras meditassem a respeito. E então teriam provas plenas da *realidade* do evento e do *poder* que conduziu Israel através do deserto, a caminho para a terra que fora prometida a Abraão, no *pacto* (ver Gn 15.18 quanto a esse pacto). O versículo deixa entendido que cada estágio da viagem foi determinado por Yahweh. Isso era feito por meio dos movimentos da nuvem, de dia, e pelos movimentos da coluna de fogo, à noite. Ver no *Dicionário* o artigo *Colunas de Fogo e de Nuvem* quanto ao *modus operandi* da questão.

■ 33.3

וַיִּסְעוּ מֵרַעְמְסֵס בַּחֹדֶשׁ הָרִאשׁוֹן בַּחֲמִשָּׁה עָשָׂר יוֹם לַחֹדֶשׁ הָרִאשׁוֹן מִמָּחֳרַת הַפֶּסַח יָצְאוּ בְנֵי־יִשְׂרָאֵל בְּיָד רָמָה לְעֵינֵי כָּל־מִצְרָיִם׃

Ramessés. Ver o artigo detalhado sobre esse lugar, no *Dicionário.* Ver Êxodo 12.37 e notas adicionais ali. A primeira parada deu-se em Sucote (vs. 5), e esse foi o primeiro dos quarenta acampamentos que eles tiveram, até chegarem às planícies de Moabe. E então houve mais duas paradas, totalizando 42 acampamentos, sempre sob a orientação de Yahweh. Ver a introdução a este capítulo.

No dia seguinte ao da páscoa. A saída do Egito marcou o começo do calendário religioso dos israelitas. Esse evento, pois, teve lugar no décimo quinto dia do recém-inaugurado Ano Novo, que começou no mês de nisã. O nome mais antigo desse mês era abibe, correspondente ao nosso março-abril.

Corajosamente. O hebraico diz aqui "de mão erguida", isto é, publicamente, de modo conspícuo e com poder. O termo hebraico é *ruwm,* "alto," "exaltado", "levantado" e *yawd,* "mão", ou seja, com a mão erguida. A metáfora fala sobre a maneira pública e poderosa como Yahweh conduziu Israel para fora do Egito. Eles não saíram arrastando-se às ocultas. Ver Êxodo 11.7 e 12.33.

■ 33.4

וּמִצְרַיִם מְקַבְּרִים אֵת אֲשֶׁר הִכָּה יְהוָה בָּהֶם כָּל־בְּכוֹר וּבֵאלֹהֵיהֶם עָשָׂה יְהוָה שְׁפָטִים׃

Enquanto estes sepultavam a todos os seus primogênitos. Este versículo refere-se à última e mais terrível das pragas, aquela que forçou Faraó a deixar Israel ir, ou melhor, a expulsar os filhos de Israel do Egito, a saber, a morte dos *primogênitos.* Quanto a esse relato, ver os capítulos 11 e 12 de Êxodo. Ver o gráfico que ilustra todas as pragas sofridas pelo Egito, sob o poder de Yahweh, em Êxodo 7.14. Ver também o artigo no *Dicionário* chamado *Pragas do Egito.* Os *deuses* do Egito foram humilhados mediante essas práticas, e aquele gráfico mostra como cada praga humilhou deuses específicos. Ver no

Dicionário o artigo chamado *Deuses Falsos*. O autor nos está dizendo que Yahweh usou seu poder, e que a providência divina atuou sobre tudo quanto aconteceu com Israel. Ver no *Dicionário* o artigo intitulado *Providência de Deus*.

O Targum de Jonathan diz que a *Palavra* de Deus fez isso, ou seja, foi uma operação do Logos. Os ídolos do Egito "amoleceram; ídolos foram mutilados; seus ídolos de barro foram demolidos; os ídolos de madeira tornaram-se cinzas; e as feras morreram" (aquelas que eram objetos de adoração). Ver no *Dicionário* o artigo chamado *Idolatria*.

■ 33.5

וַיִּסְעוּ בְנֵי־יִשְׂרָאֵל מֵרַעְמְסֵס וַיַּחֲנוּ בְּסֻכֹּת׃

Sucote. Esse foi o primeiro estágio. Ver o artigo detalhado no *Dicionário* sobre esse lugar, e as notas sobre Êxodo 12.37. Os vss. 5-15 deste capítulo correspondem ao trecho de Êxodo 12.37-19.2, e todos os lugares ali mencionados acham-se naquela parte do Êxodo, exceto Dofca e Alus (vs. 13). Sucote ficava a cerca de 64 km a sudeste de Ramessés.

■ 33.6

וַיִּסְעוּ מִסֻּכֹּת וַיַּחֲנוּ בְאֵתָם אֲשֶׁר בִּקְצֵה הַמִּדְבָּר׃

Etã. O segundo estágio, um lugar à beira do deserto. Ver as notas a respeito desse lugar no *Dicionário* e em Êxodo 13.20. Ver o quarto ponto daquele artigo. Esse nome também foi dado a outros locais que figuram no Antigo Testamento. O deserto em questão é o de Etã ou *Sur* (Êx 15.22), a cerca de 160 km ao sul do mar Mediterrâneo, como quem vai para o mar Vermelho, e chegando ao golfo de Suez. Etã parece ter ficado bem próximo daquele braço do mar Vermelho, ou perto de um dos lagos, Timsah ou Balah.

■ 33.7

וַיִּסְעוּ מֵאֵתָם וַיָּשָׁב עַל־פִּי הַחִירֹת אֲשֶׁר עַל־פְּנֵי בַּעַל צְפוֹן וַיַּחֲנוּ לִפְנֵי מִגְדֹּל׃

Pi-Hairote. Ver Êxodo 14.2 e suas notas expositivas sobre esse lugar, bem como o detalhado artigo a respeito no *Dicionário*. Esse foi o terceiro estágio da jornada.

Baal-Zefom. Ver Êxodo 14.2 e o *Dicionário*.

Migdol. Há um artigo detalhado a respeito no *Dicionário*. Os nomes sugerem a alguns intérpretes que a rota seguida por Israel seguiu primeiramente na direção do mar Grande, mas depois virou para o sudoeste. Mas devemos lembrar que está em foco o mar dos *Juncos*, por ocasião da travessia, e não o mar Vermelho. Talvez um dos dois lagos, Timsah ou Balah, esteja em pauta. Esses lagos ficavam a poucos km diretamente ao norte do golfo de Suez.

■ 33.8

וַיִּסְעוּ מִפְּנֵי הַחִירֹת וַיַּעַבְרוּ בְתוֹךְ־הַיָּם הַמִּדְבָּרָה וַיֵּלְכוּ דֶּרֶךְ שְׁלֹשֶׁת יָמִים בְּמִדְבַּר אֵתָם וַיַּחֲנוּ בְּמָרָה׃

Passaram pelo meio do mar. Provavelmente está em pauta um dos dois lagos, Timsah ou Balah, o *mar dos Juncos*, e não o mar Vermelho, conforme comentei em Êxodo 13.18. Ver também as notas sobre o versículo anterior. Ver no *Dicionário* o artigo intitulado *mar Vermelho*. Foi a Septuaginta que fez o mar Vermelho entrar no texto, provavelmente por meio de um erro. Ver o artigo *Êxodo (o Evento)* quanto a possíveis pontos de travessia, ilustrados no mapa provido naquele artigo.

Mara. Ver Êxodo 15.23. Esse local ficava a cerca de sessenta e quatro km de Pi-Hairote (vs. 7), um espaço que foi coberto em três dias de andanças. Ver detalhes na referência dada.

■ 33.9

וַיִּסְעוּ מִמָּרָה וַיָּבֹאוּ אֵילִמָה וּבְאֵילִם שְׁתֵּים עֶשְׂרֵה עֵינֹת מַיִם וְשִׁבְעִים תְּמָרִים וַיַּחֲנוּ־שָׁם׃

Elim. Ver Êxodo 15.27. Ficava esse lugar a quase 130 km de Mara, um lugar de água abundantes, e, portanto, necessariamente no deserto. Ver os detalhes na referência dada.

■ 33.10

וַיִּסְעוּ מֵאֵילִם וַיַּחֲנוּ עַל־יַם־סוּף׃

Junto ao mar Vermelho. Na verdade, os israelitas atravessaram (vs. 8) o mar de Juncos, e não o mar Vermelho. Ver as notas sobre Êxodo 13.18. Mas Israel viajou ao longo do mar Vermelho e se acampou às suas margens. Ver no *Dicionário* o verbete intitulado *mar Vermelho*. Esse acampamento não é mencionado na informação dada no capítulo 16 de Êxodo. Sem dúvida, ficava a poucos km ao sul de Elim (vs. 9).

■ 33.11

וַיִּסְעוּ מִיַּם־סוּף וַיַּחֲנוּ בְּמִדְבַּר־סִין׃

Deserto de Sim. Ver no *Dicionário* o artigo sobre esse lugar, e ver Êxodo 16.1. O Antigo Testamento menciona dezenove desertos diferentes, um dos quais é o de Sim. Não se sabe qual a sua localização exata, mas parece ter ocupado a área entre o golfo de Ácaba e o golfo de Suez, embora haja dúvidas sobre o quanto dessa área seria o deserto de Sim.

■ 33.12,13

וַיִּסְעוּ מִמִּדְבַּר־סִין וַיַּחֲנוּ בְּדָפְקָה׃

וַיִּסְעוּ מִדָּפְקָה וַיַּחֲנוּ בְּאָלוּשׁ׃

Dofca. No livro de Êxodo não há registro sobre nenhum acampamento de Israel nesse lugar. No hebraico, esse nome quer dizer *batida* ou *tanger o gado*. Essa localidade aparece somente neste versículo e no seguinte. Foi um dos locais onde o povo de Israel acampou-se, a caminho do Sinai. Ficava entre o mar Vermelho e Refidim. Tem sido tentativamente identificada com Serabit el-Khadim, onde os egípcios tinham minas e onde foram achadas as famosas *Inscrições do Sinai*, que datam de cerca de 1525 a.C. Essas inscrições foram escritas em um alfabeto semítico hieroglífico. Alguns estudiosos ligam o termo *Maphqah* a esse lugar. O termo refere-se à turquesa, pedra preciosa que dali era extraída. Também era esse o nome do distrito em volta.

Alus. Não há menção a esse acampamento no livro de Êxodo. No hebraico significa *desolação*. Foi um dos lugares onde os filhos de Israel descansaram, a caminho do monte Sinai (ver Nm 13.13,14). Ficava entre Dofca e Refidim. A cronologia judaica Seder Olam Rabba, cap. 5, par. 27, afirma que ficava a 19 km da primeira dessas estações, e a 13 km da segunda. Como interpretação de Êxodo 16.1,30, alguns supõem que o sábado tenha sido pela primeira vez instituído e observado ali. Desconhece-se o local moderno. O Targum de Jonathan chama-o de *forte poderoso*.

■ 33.14

וַיִּסְעוּ מֵאָלוּשׁ וַיַּחֲנוּ בִּרְפִידִם וְלֹא־הָיָה שָׁם מַיִם לָעָם לִשְׁתּוֹת׃

Refidim. Ver no *Dicionário* o artigo sobre esse lugar, além de notas adicionais em Êxodo 17.1. Ali não havia água, pelo que Moisés feriu a rocha, e a água esguichou (ver Êx 17.2 ss.). Essa foi a segunda das três crises acerca de água que Israel enfrentou no deserto. Ver as notas de introdução ao capítulo 17 de Êxodo quanto a esse item. Ver também comentários sobre Êxodo 15.22.

■ 33.15

וַיִּסְעוּ מֵרְפִידִם וַיַּחֲנוּ בְּמִדְבַּר סִינָי׃

Deserto de Sinai. Ficava a cerca de 13 km de Refidim, tendo recebido seu nome por causa do monte onde Moisés recebeu a lei. Ver no *Dicionário* o detalhado artigo chamado *Sinai*. Ver também Êxodo 17.6. O deserto do Sinai ficava entre os golfos de Suez e de Ácaba, diretamente ao norte do corpo principal do mar Vermelho. Ver o artigo do *Dicionário, Êxodo (o Evento)*, onde aparece um mapa ilustrativo. Eles permaneceram ali por cerca de onze meses (ver Êx 19.1 e Nm 10.11).

■ 33.16

וַיִּסְעוּ מִמִּדְבַּר סִינָי וַיַּחֲנוּ בְּקִבְרֹת הַתַּאֲוָה׃

Quibrote-Taavá. Temos aí uma forma variante de Quibrote-Hataavá, cujas notas aparecem em Números 11.34. Ficava a cerca de 13 km do Sinai. Foi ali que Israel desejou ardentemente comer carne.

33.17

וַיִּסְעוּ מִקִּבְרֹת הַתַּאֲוָה וַיַּחֲנוּ בַּחֲצֵרֹת׃

Hazerote. Ver as notas sobre esse lugar, em Números 11.35. Ficava a cerca de 13 km de Quibrote-Taavá. Foi ali que Miriã foi ferida com lepra, segundo se vê no capítulo 12 deste livro de Números.

33.18

וַיִּסְעוּ מֵחֲצֵרֹת וַיַּחֲנוּ בְּרִתְמָה׃

Ritmá. No hebraico, *vassoura*. Uma das paradas dos filhos de Israel, em suas jornadas pelo deserto, entre Hazerote e Rimom-Perez (ver este versículo e o seguinte). A sua localização é desconhecida. Ficava a cerca de 13 km de Hazerote. Alguns eruditos identificam-na com o lugar onde havia juníperos, segundo se vê em 1Reis 19.4,5. Essa informação nos é dada no Targum de Jonathan. Pode ter sido o vale também chamado de Retheme, ou então a mesma Cades-Barneia (ver Nm 12.16), de onde foram enviados os doze espias. E também pode ser a *Dathema* de Josefo (*Antiq.* 1.12, cap. 8, sec. 4). Ver 1Macabeus 5.9.

33.19

וַיִּסְעוּ מֵרִתְמָה וַיַּחֲנוּ בְּרִמֹּן פָּרֶץ׃

Rimom-Perez. No hebraico, *irrompimento da romã*. Foi uma das estações na jornada dos israelitas pelo deserto. Ficava entre Ritmá e Libna (ver este versículo e o seguinte). Modernamente, pode ser a mesma Nasb el-Biyar, a oeste do golfo de Ácaba. Parece que ficava a cerca de 10 km de Ritmá. É mencionada somente neste versículo.

33.20

וַיִּסְעוּ מֵרִמֹּן פָּרֶץ וַיַּחֲנוּ בְּלִבְנָה׃

Libna. No *Dicionário* vê-se que há dois lugares chamados por esse nome no Antigo Testamento. Esse nome significa "brancura". A Libna deste texto só é mencionada aqui. Foi a vigésima primeira parada dos israelitas em suas jornadas pelo deserto, a caminho da Terra Prometida. Nada se sabe sobre o lugar e sua localização não é conhecida atualmente. Alguns, todavia, têm-no identificado com a *Labã* de Deuteronômio 1.1.

33.21

וַיִּסְעוּ מִלִּבְנָה וַיַּחֲנוּ בְּרִסָּה׃

Rissa. No hebraico, "orvalho", uma das paradas nas jornadas dos israelitas (ver este versículo e o seguinte), entre Libna e Queelata. Talvez possa ser identificada com a moderna *Kuntilet el-Jerafi*. É lugar mencionado somente neste texto.

33.22

וַיִּסְעוּ מֵרִסָּה וַיַּחֲנוּ בִּקְהֵלָתָה׃

Queelata. No hebraico, "convocação". Foi um dos acampamentos de Israel no deserto, a respeito do qual nada mais se sabe. Ver este versículo e o seguinte. É lugar mencionado somente neste texto.

33.23

וַיִּסְעוּ מִקְּהֵלָתָה וַיַּחֲנוּ בְּהַר־שָׁפֶר׃

Séfer. No hebraico, "beleza". Um monte diante do qual os israelitas acamparam-se, durante o período de suas vagueações pelo deserto (ver este versículo e o seguinte). Fica entre Queelata e Harada, embora sua localização exata seja desconhecida hoje em dia. É mencionado somente neste texto.

33.24

וַיִּסְעוּ מֵהַר־שָׁפֶר וַיַּחֲנוּ בַּחֲרָדָה׃

Harada. No hebraico, "lugar de terror". Nome da vigésima quinta estação dos israelitas, quando vagueavam pelo deserto do Sinai. O local só é mencionado neste versículo. Ficava em algum ponto entre o monte Sinai, Sefer e Maquelote, embora se desconheça o local preciso. Poderia ser a *Berede* de Gênesis 16.14.

33.25

וַיִּסְעוּ מֵחֲרָדָה וַיַּחֲנוּ בְּמַקְהֵלֹת׃

Maquelote. No hebraico, "assembleias". Israel estacionou nesse lugar, que ficava entre Harada e Taate. Ver este versículo e o seguinte. Foi a vigésima sexta parada de Israel, em suas vagueações pelo deserto. O lugar ainda não foi precisamente identificado, nem é mencionado algures.

33.26

וַיִּסְעוּ מִמַּקְהֵלֹת וַיַּחֲנוּ בְּתָחַת׃

Taate. Ver a respeito no *Dicionário*. Quatro lugares são assim chamados, nas páginas do Antigo Testamento. No hebraico, o nome quer dizer "depressão" ou "humildade". O local ainda não foi identificado. Ficava entre Maquelote e Tara. É mencionado somente neste versículo e no seguinte. Foi a vigésima sétima parada, desde que o povo de Israel saiu do Egito.

33.27

וַיִּסְעוּ מִתָּחַת וַיַּחֲנוּ בְּתָרַח׃

Tara. Algumas versões portuguesas também grafam o nome como Terá. Foi um dos lugares de acampamento de Israel. O nome significa "íbex", uma espécie de cabra selvagem. É mencionada somente neste versículo e no seguinte. Sua localização é desconhecida.

33.28

וַיִּסְעוּ מִתָּרַח וַיַּחֲנוּ בְּמִתְקָה׃

Mitca. No hebraico, "doçura". Nome da vigésima nona parada onde os israelitas fizeram alto, durante suas vagueações pelo deserto. Ficava entre Tara e Hasmona. Ver este versículo e o seguinte. Tem sido tentativamente identificada como o wadi *Abu Takiyeh,* embora alguns estudiosos considerem isso duvidoso. O lugar só é mencionado neste texto.

33.29

וַיִּסְעוּ מִמִּתְקָה וַיַּחֲנוּ בְּחַשְׁמֹנָה׃

Hasmona. No hebraico, "gordura". Nome de um dos locais de descanso onde os israelitas acamparam-se durante suas perambulações pelo deserto, após terem saído do Egito. A próxima parada deles foi Moserote (Nm 33.30), que ficava nas proximidades do monte Hor (ver Dt 10.6 e Nm 33.30). Em Deuteronômio 10.6, esse lugar é chamado *Moserá*. Hasmona é mencionada somente aqui, em todo o Antigo Testamento.

33.30

וַיִּסְעוּ מֵחַשְׁמֹנָה וַיַּחֲנוּ בְּמֹסֵרוֹת׃

Moserote. Ver o artigo detalhado no *Dicionário*, chamado *Moserote (Moserá)*. No hebraico esse nome significa "correção", "castigo". O local exato é desconhecido, embora ficasse perto do monte Hor (Dt 10.6).

33.31

וַיִּסְעוּ מִמֹּסֵרוֹת וַיַּחֲנוּ בִּבְנֵי יַעֲקָן׃

Bene-Jaacã. No hebraico, "filhos de Jaacã" ou "filhos da inteligência". O nome aparece aqui e em Deuteronômio 10.6 (Beerote Bene-Jaacã), que significa "poços dos filhos de Jaacã". Aparentemente o nome originou-se em 1Crônicas 1.42. Os filhos de Jaacã eram os mesmos nomeados entre os filhos de Seir, o horeu, em Gênesis 36.20-30, o que parece indicar que os poços de Jaacã estavam localizados nos montes que circundam a Arabá. O povo em questão foi finalmente expulso dali pelos idumeus (Dt 2.12).

33.32

וַיִּסְעוּ מִבְּנֵי יַעֲקָן וַיַּחֲנוּ בְּחֹר הַגִּדְגָּד׃

Hor-Gidgade. No hebraico, "buraco no monte". Ver também no *Dicionário* o artigo chamado *Gudgodá*. Foi o trigésimo terceiro lugar onde Israel se acampou, durante suas marchas pelo deserto (ver este versículo e o seguinte). Em Deuteronômio 10.7, o nome tem a forma de *Gudgodá*. É claro que esse é um nome alternativo. Alguns têm identificado esse lugar com o wadi *Ghagahed*. Esse nome só é mencionado aqui em todo o Antigo Testamento.

33.33

וַיִּסְעוּ מֵחֹר הַגִּדְגָּד וַיַּחֲנוּ בְּיָטְבָתָה׃

Jotbata. No hebraico, "deleite", "coisa agradável". Nome do vigésimo nono acampamento de Israel no deserto, entre Hor-Gidgade e Abrona. É lugar mencionado somente aqui e Deuteronômio 10.7. Ali havia abundantes águas potáveis, "terra de ribeiros de águas", diz-nos a passagem em Deuteronômio. Interessante é que, em nossa versão portuguesa, Jotbata aparece como Jotbatá, e Hor-Gidgade como Gudgodá, no livro de Deuteronômio. Alguns estudiosos têm identificado Jotbata com a moderna *'Ain Tabah,* ao norte do golfo de Ácaba.

33.34

וַיִּסְעוּ מִיָּטְבָתָה וַיַּחֲנוּ בְּעַבְרֹנָה׃

Abrona. Também chamada *Ebrona*. No hebraico, "passagem", a trigésima estação de Israel no deserto, depois de sua saída do Egito. Ficava perto de Ezion-Geber, a ocidente, não longe de Jotbata. Provavelmente ficava na planície de *Ka'a-en-Nakb,* bem defronte do passo do mesmo nome, no início do ramo elamítico do mar Vermelho. O local é mencionado somente neste texto.

33.35

וַיִּסְעוּ מֵעַבְרֹנָה וַיַּחֲנוּ בְּעֶצְיוֹן גָּבֶר׃

Eziom-Geber. Ver o artigo detalhado sobre esse lugar, no *Dicionário*. Ver também acerca de *Elate*, um lugar das proximidades, e talvez até o mesmo ponto geográfico. Esta é a primeira referência ao lugar, no Antigo Testamento. Mas depois há outras menções. A arqueologia tem iluminado o lugar.

33.36

וַיִּסְעוּ מֵעֶצְיוֹן גָּבֶר וַיַּחֲנוּ בְמִדְבַּר־צִן הִוא קָדֵשׁ׃

Deserto de Zim. Há um detalhado artigo sobre essa área, no *Dicionário*. Tratava-se de uma depressão, e o hebraico significa precisamente isso. Foi palco de certo número de importantes eventos na história de Israel. "O deserto de Zim é identificado com Cades, a qual, por sua vez, é identificada na Septuaginta com o deserto de Parã... Quão frouxamente são usados os termos geográficos pode ser visto com base no trecho de Números 13.21, que sugere, juntamente com Números 13.26, que Zim ficava a norte de Cades" (John Marsh, *in loc.*). A área exata em questão, pois, é disputada. Mas não se trata da mesma coisa que o deserto de *Sim* (vs. 12).

Que é Cades. Ver no *Dicionário* sobre *Cades-Barneia*. Esse lugar assinalava as paradas de números dezenove e trinta e sete de Israel. Ver Números 20.1. Foi ali que Miriã morreu. Foi dali que os espias foram enviados a fim de trazerem um relatório sobre a Terra Prometida. Ver o vs. 18 quanto a *Ritmá,* em Parã, que também tem sido identificada com o lugar e com o décimo ponto de parada. O nome original parece ter sido *Ritmá*. Cades, o *santuário,* aparentemente recebeu esse nome porque foi ali que o tabernáculo foi armado.

33.37-39

וַיִּסְעוּ מִקָּדֵשׁ וַיַּחֲנוּ בְּהֹר הָהָר בִּקְצֵה אֶרֶץ אֱדוֹם׃

וַיַּעַל אַהֲרֹן הַכֹּהֵן אֶל־הֹר הָהָר עַל־פִּי יְהוָה וַיָּמָת שָׁם בִּשְׁנַת הָאַרְבָּעִים לְצֵאת בְּנֵי־יִשְׂרָאֵל מֵאֶרֶץ מִצְרַיִם בַּחֹדֶשׁ הַחֲמִישִׁי בְּאֶחָד לַחֹדֶשׁ׃

וְאַהֲרֹן בֶּן־שָׁלֹשׁ וְעֶשְׂרִים וּמְאַת שָׁנָה בְּמֹתוֹ בְּהֹר הָהָר׃ ס

Monte de Hor. Ver no *Dicionário* o artigo chamado *Hor, monte.* Foi ali que Arão morreu. O relato é contado em Números 20.22-29. Ele morreu no quinto mês do quadragésimo ano depois que Israel saiu do Egito. Corria o mês de abe. Arão viveu quatro meses mais do que Miriã. Moisés morreu naquele mesmo ano, aos 120 anos de idade. Ver Deuteronômio 1.3; 34.5-7. A história da morte de Arão não diz com que idade ele morreu. Mas isso é suprido aqui.

33.40

וַיִּשְׁמַע הַכְּנַעֲנִי מֶלֶךְ עֲרָד וְהוּא־יֹשֵׁב בַּנֶּגֶב בְּאֶרֶץ כְּנָעַן בְּבֹא בְּנֵי יִשְׂרָאֵל׃

Arade. No hebraico, "fuga". Esse foi o nome de dois homens e de uma cidade, nas páginas do Antigo Testamento. *Arade* foi um rei que fez guerra contra Israel, perto de Hormá, mas foi derrotado (Nm 21.3; 33.40). Algumas traduções, no entanto, não apresentam esse nome associado ao rei, mas somente o lugar de onde era esse rei. Ver no *Dicionário* o verbete intitulado *Cananeus, Canaã*. Israel retaliou e destruiu várias cidades cananeias (ver Nm 21.3).

33.41

וַיִּסְעוּ מֵהֹר הָהָר וַיַּחֲנוּ בְּצַלְמֹנָה׃

Zalmona. No hebraico, "escura", "melancólica". Conforme outros, "terraço", "subida". Deixando Hor, o povo de Israel chegou a esse lugar. Provavelmente, essa localidade ficava a leste de Jebel Hurã, em Vir Madhkur, nomes topográficos modernos da região. Alguns a têm identificado com a moderna es-Salmaneh, a cerca de 40 km ao sul do mar Morto.

33.42

וַיִּסְעוּ מִצַּלְמֹנָה וַיַּחֲנוּ בְּפוּנֹן׃

Punom. Apresentei um detalhado artigo sobre esse lugar, no *Dicionário*. No hebraico, o nome quer dizer "trevas". Era uma das cidades de Edom. A arqueologia tem iluminado o lugar. A moderna *Feinam* assinala o local antigo. Deixo que o leitor busque outras informações naquele artigo. Nos tempos antigos, havia ali minas de cobre que usavam criminosos como mineiros, pois era um centro de mineração.

33.43

וַיִּסְעוּ מִפּוּנֹן וַיַּחֲנוּ בְּאֹבֹת׃

Obote. Ver notas expositivas sobre esse lugar em Números 21.10. Seu local exato é desconhecido. "Embora isso não seja dito no livro de Números, ao que parece os israelitas foram para o sul, tendo partido de Punom, na direção de Eziom-Geber, e dali viraram para o leste e para o norte, rodeando Edom, 'ao longo da estrada do deserto para Moabe' (cf. 21.4 e Dt 2.8)" (Eugene H. Merrill, *in loc.*).

33.44

וַיִּסְעוּ מֵאֹבֹת וַיַּחֲנוּ בְּעִיֵּי הָעֲבָרִים בִּגְבוּל מוֹאָב׃

Ijé-Abarim. Ver Números 21.11 notas completas sobre esse lugar. O itinerário de Cades às planícies de Moabe tem paralelos na narrativa de Números 20.22—22.1. É provável que o lugar ficasse próximo das cabeceiras do wadi Zered. Iim é uma forma abreviada para esse lugar, de acordo com algumas traduções, mas não outras.

Moabe. Ver no *Dicionário* o verbete detalhado com esse nome. Quarenta acampamentos levaram Israel do Egito à fronteira de Moabe, correspondentes aos quarenta anos de vagueações, embora fossem paradas de duração desigual. Os montes de Abarim (vs. 47) marcavam as planícies de Moabe.

33.45

וַיִּסְעוּ מֵעִיִּים וַיַּחֲנוּ בְּדִיבֹן גָּד׃

Dibom-Gade. Ver no *Dicionário* o verbete detalhado com esse nome. Esse lugar ficava logo ao norte do ribeiro do Arnom. Cf. Números 21.11-13.

Diferenças. Esta passagem nos dá apenas três passos intermediários entre Iim (Ijé-Abarim) e as planícies de Moabe, ao passo que a passagem de Números 21.11-20 fala em sete, mostrando que o itinerário referido neste capítulo 33 é um tanto abreviado. Os três do presente texto são Dibom-Gade, Almom-Diblataim (vs. 46) e os montes de Abarim (vs. 47).

■ 33.46

וַיִּסְעוּ מִדִּיבֹן גָּד וַיַּחֲנוּ בְּעַלְמֹן דִּבְלָתָיְמָה׃

Almom-Diblataim. No hebraico, "Almom do duplo bolo de figos". Os israelitas estacionaram nesse lugar a caminho entre o monte Hor e as planícies de Moabe (ver este versículo e o seguinte). A moderna Bete-Diblataim (ver Jr 48.22), embora alguns digam tratar-se antes de Deleilat el-Gharbihey, uma aldeia que domina três estradas, a 6 km de Libna. Esse lugar ficava a cerca de 16 km de Dibom.

■ 33.47

וַיִּסְעוּ מֵעַלְמֹן דִּבְלָתָיְמָה וַיַּחֲנוּ בְּהָרֵי הָעֲבָרִים לִפְנֵי נְבוֹ׃

Montes de Abarim. Tendo chegado nesses montes, Israel havia completado quarenta estações no deserto, o que pode ter sido um número representativo dos quarenta anos de perambulações, e não o número exato de acampamentos. Ver nas notas sobre o vs. 45 as omissões, em contraste com o trecho de Números 21.11-20. Esse lugar ficava "na altura de Jericó" (vs. 50), pelo que a invasão da Terra Prometida agora estava pronta para começar. Há no *Dicionário* um artigo detalhado sobre *Abarim*. A parte mais alta dessa serra era o monte *Nebo* (ver a respeito no *Dicionário*). E Pisga era o pico mais alto do monte Nebo, o lugar de onde Moisés contemplou a Terra Prometida, embora lhe tivesse sido negada a permissão de entrar nela.

■ 33.48

וַיִּסְעוּ מֵהָרֵי הָעֲבָרִים וַיַּחֲנוּ בְּעַרְבֹת מוֹאָב עַל יַרְדֵּן יְרֵחוֹ׃

Este versículo é uma virtual duplicação de Números 22.1, onde as notas expositivas são dadas.

Campinas de Moabe. Foi nessas planícies que houve as transações entre Balaão e Balaque (ver Nm 23—25).

■ 33.49

וַיַּחֲנוּ עַל־הַיַּרְדֵּן מִבֵּית הַיְשִׁמֹת עַד אָבֵל הַשִּׁטִּים בְּעַרְבֹת מוֹאָב׃ ס

Jordão. Ver sobre esse rio no *Dicionário*. Os filhos de Israel continuavam no lado *oriental*, embora não estivessem longe de Jericó, que ficava na margem *ocidental* daquele rio.

Bete-Jesimote. Há um artigo detalhado sobre essa localidade no *Dicionário*. De acordo com Eusébio, Bete-Jesimote ficava a cerca de 16 km de Jericó. Esse nome significa, no hebraico, "lugar de desolações".

Até. O acampamento de Israel estendia-se desde Bete-Jesimote até Abel-Sitim, o que significa que ocupava um espaço de cerca de 19 km, conforme dizem os comentários judaicos. O segundo desses dois lugares chamava-se Sitim por causa dos bosques dessa árvore (em português, *acácia*), que havia nesse local. Ver Números 25.1,6,9. Foi ali que Israel sofreu uma praga que aniquilou com 24 mil pessoas. Uma de minhas fontes informativas diz que a distância entre os dois locais mencionados era apenas de cerca de 10 km, o que significa que a distância real entre eles permanece em dúvida.

Abel-Sitim. Ver no *Dicionário* o verbete sobre essa localidade.

DEVERES DE ISRAEL QUANDO CHEGASSE À TERRA PROMETIDA (33.50-56)

■ 33.50

וַיְדַבֵּר יְהוָה אֶל־מֹשֶׁה בְּעַרְבֹת מוֹאָב עַל־יַרְדֵּן יְרֵחוֹ לֵאמֹר׃

Agora Israel estava bem perto de Jericó, preparado para iniciar a invasão formal do lado ocidental do rio Jordão. Assim sendo, Yahweh baixou instruções sobre quais seriam os deveres dos israelitas, uma vez que conquistassem a Terra Prometida, que o Senhor previa como coisa *certa*, embora o coração de muitos israelitas talvez continuasse sendo perturbado por algumas *dúvidas*. As grandes tarefas criam ansiedades próprias, mas a mente divina sabe que todas as coisas foram previstas e estão sob o seu controle. Oh, Senhor, concede-nos tal graça! Cf. Deuteronômio 12.2,3 quanto a um texto similar a este.

A invasão por parte de Israel não seria apenas a conquista de um território para servir de pátria. Também era mister que houvesse total purificação da idolatria e do paganismo, a fim de que o território conquistado fosse um lugar apropriado para a promoção do novo Israel, sob Yahweh, ou seja, a teocracia. Foi Yahweh que deu aos filhos de Israel a Terra Prometida, pelo que também foi ele que ditou as condições que deveriam prevalecer ali. Seria agora finalmente cumprida a antiga profecia dada a Abraão, ou seja, que a taça da iniquidade dos povos cananeus estaria cheia; e então a destruição haveria de atingi-los. Ver Gênesis 15.16. Tudo isso fazia parte do *Pacto Abraâmico*, que estipulava que Israel teria uma pátria especial. Ver as notas sobre esse pacto em Gênesis 15.18.

Temos Aqui o Último Discurso de Moisés a Israel. O grande homem estava prestes a entrar na Terra Prometida, mas não poderia fazê-lo. Moisés era um símbolo da lei, a qual aponta para Jesus, aquele que nos justifica e salva.

Disse o Senhor. Uma expressão muitas vezes usada no Pentateuco, como um artifício literário que mostra que novo material começa a ser apresentado, além de fazer-nos lembrar da doutrina da inspiração divina das Escrituras. Ver sobre isso as notas em Levítico 1.1 e 4.1.

Formas de Comunicação. Sempre que Yahweh falava, Moisés transmitia a mensagem a outros: a Arão (depois ao filho deste, Eleazar), ao sacerdócio ou ao povo em geral. Ver Levítico 17.2 quanto às *oito* fórmulas de comunicação. A última mensagem que Moisés transmitiu ao povo ocorreu a poucos km de Jericó, por onde a invasão da Terra Prometida deveria começar. A passagem que se segue fornece instruções sobre como Israel deveria agir, uma vez que entrasse na Terra Prometida. Ver a introdução a esta seção, acima. Cf. os vss. 50-56 com Êxodo 23.23-33 e o capítulo 26 de Levítico.

■ 33.51

דַּבֵּר אֶל־בְּנֵי יִשְׂרָאֵל וְאָמַרְתָּ אֲלֵהֶם כִּי אַתֶּם עֹבְרִים אֶת־הַיַּרְדֵּן אֶל־אֶרֶץ כְּנָעַן׃

Fala. Moisés transmitiu as instruções ao povo. Ver as oito fórmulas de comunicação nas notas sobre Levítico 17.2.

Quando houverdes passado o Jordão. Os críticos pensam ver aqui um anacronismo, supondo que essa informação teria vindo de um tempo em que Israel já havia desfechado seu ataque invasor e tinha estabelecido uma política de terra arrasada. Alguns supõem que as instruções dadas aqui realmente são um reflexo do que Israel *fez*, não do que Israel teve ordens de fazer, usando isso como apologia de seus atos brutais. Mas os estudiosos conservadores preferem entender literalmente o texto, supondo que os atos de Israel tenham sido ordenados por inspiração divina, o que constituiu a última mensagem de Moisés ao povo de Israel. A Terra Prometida não teria somente de ser invadida e possuída; mas também teria de ser purificada de todas as formas de idolatria e paganismo. Somente então o yahwismo poderia florescer ali, e Israel fortalecer-se na Terra Prometida.

■ 33.52

וְהוֹרַשְׁתֶּם אֶת־כָּל־יֹשְׁבֵי הָאָרֶץ מִפְּנֵיכֶם וְאִבַּדְתֶּם אֵת כָּל־מַשְׂכִּיֹּתָם וְאֵת כָּל־צַלְמֵי מַסֵּכֹתָם תְּאַבֵּדוּ וְאֵת כָּל־בָּמֹתָם תַּשְׁמִידוּ׃

Desapossareis. A Terra Prometida deveria ser conquistada da forma mais radical, com o aniquilamento completo dos habitantes, para evitar dificuldades futuras (vs. 55). Os *espinhos* potenciais que poderiam estar ferindo continuamente os lados de Israel tinham de ser obliterados com antecedência.

Pedras com figuras... imagens fundidas... todos os seus ídolos. Seria mister acabar com a idolatria, sob qualquer de suas formas, não deixando nenhum vestígio. Ver no *Dicionário* os artigos *Idolatria, Lugares Altos* e *Deuses Falsos*, que nos dão uma boa ideia da fantástica extensão da idolatria pagã. A idolatria saturava tudo.

Deus estava cumprindo um plano através do Pacto Abraâmico. Esse pacto incluía a terra de Israel, embora também incluísse a redenção de um povo, e teria seu cumprimento maior na redenção provida em Cristo, o Filho maior de Abraão. Isso posto, era necessário derrotar todas as formas de idolatria, a fim de que o *propósito espiritual* do pacto (ver as notas a respeito em Gn 15.18) pudesse ter cumprimento cabal.

Essas diversas expressões incluem pinturas, estatuetas, imagens e qualquer tipo de representação de uma divindade, real ou imaginária. Os símbolos pagãos também veneravam as forças da natureza. A tradução em inglês, Revised Standard Version, diz aqui "pedras figuradas", indicando mosaicos e outras representações. Obras esculpidas provavelmente estavam incluídas nessas expressões, sobretudo pedras esculpidas sob formas de seres, reais ou imaginários. Ver Levítico 26.1.

As "imagens fundidas" eram feitas de vários metais, em contraste com as imagens esculpidas. Imagens feitas de metais fundidos são aqui contrastadas com pedras esculpidas (as quais parecem ter sido incluídas na expressão "pedras com figura").

■ 33.53

וְהוֹרַשְׁתֶּם אֶת־הָאָרֶץ וִישַׁבְתֶּם־בָּהּ כִּי לָכֶם נָתַתִּי אֶת־הָאָרֶץ לָרֶשֶׁת אֹתָהּ:

Este versículo adiciona a razão, acerca da qual já comentamos, no versículo anterior, pela qual os habitantes da Terra Prometida precisavam ser expulsos. Aquele território havia sido dado a Abraão e sua descendência como parte do *Pacto Abraâmico* (ver Gn 15.18). Os cananeus tinham perdido o direito de continuar ocupando o território devido ao fato de que a sua taça de iniquidade estava cheia (Gn 15.16). Enquanto isso não sucedeu, os cananeus habitaram ali em segurança. O versículo anterior mostra-nos que o principal pecado que causou tal expulsão foi a idolatria. Ver as notas ali. Ver a promessa divina acerca do território, em Gênesis 13.17; 15.7 e Êxodo 6.2-5.

■ 33.54

וְהִתְנַחַלְתֶּם אֶת־הָאָרֶץ בְּגוֹרָל לְמִשְׁפְּחֹתֵיכֶם לָרַב תַּרְבּוּ אֶת־נַחֲלָתוֹ וְלַמְעַט תַּמְעִיט אֶת־נַחֲלָתוֹ אֶל אֲשֶׁר־יֵצֵא לוֹ שָׁמָּה הַגּוֹרָל לוֹ יִהְיֶה לְמַטּוֹת אֲבֹתֵיכֶם תִּתְנֶחָלוּ:

Este versículo reitera as informações que já haviam sido dadas em Números 26.53-56, cujas notas devem ser consultadas. Números 26.54 mostra que os números de cada tribo tiveram sua influência sobre as *dimensões* das terras distribuídas entre as tribos, bem como as heranças de família dentro das terras designadas para cada tribo. Fica entendido que a vontade de Yahweh determinaria como essa distribuição seria feita. Ver no *Dicionário* o verbete intitulado *Sortes*. Dessarte, Israel não tinha qualquer grupo de "sem-terras".

■ 33.55

וְאִם־לֹא תוֹרִישׁוּ אֶת־יֹשְׁבֵי הָאָרֶץ מִפְּנֵיכֶם וְהָיָה אֲשֶׁר תּוֹתִירוּ מֵהֶם לְשִׂכִּים בְּעֵינֵיכֶם וְלִצְנִינִם בְּצִדֵּיכֶם וְצָרֲרוּ אֶתְכֶם עַל־הָאָרֶץ אֲשֶׁר אַתֶּם יֹשְׁבִים בָּהּ:

Como espinho nos vossos olhos, e como aguilhões nas vossas ilhargas. Os cananeus que fossem deixados na Terra Prometida lutariam continuamente contra Israel. Haveria mortes, ferimentos, perdas de terras e molestamento contínuo. Porém, além desses atritos, haveria uma tentação constante ao pecado, para que os israelitas participassem de várias formas de idolatria pagã, promovidas pelos cananeus (vs. 52). E assim, as perdas materiais seriam agravadas pela corrupção espiritual. Como é claro, foi exatamente isso que sucedeu. A corrupção *interior* provocou a ação de invasores vindos de *fora*, até que Israel foi removido da Terra Prometida (vs. 56). O autor sagrado talvez estivesse antecipando os futuros exílios.

"Mediante o uso dessas metáforas, o malefício contínuo que aqueles idólatras poderiam fazer, contra o *corpo* e a *alma*, é destacado de forma muito expressiva" (Adam Clarke, *in loc.*).

■ 33.56

וְהָיָה כַּאֲשֶׁר דִּמִּיתִי לַעֲשׂוֹת לָהֶם אֶעֱשֶׂה לָכֶם: פ

Farei a vós outros. O que o Senhor faria aos pagãos, faria também a Israel, ou seja, expulsaria os filhos de Israel do território. O autor sacro, mediante visão profética, já podia ver os *cativeiros* (ver a respeito no *Dicionário*). Naturalmente, os críticos veem aqui um anacronismo: um autor que era testemunha dos exílios apresentou-os com se fossem uma *profecia*. Ver no *Dicionário* os verbetes bem detalhados intitulados *Cativeiro Assírio* e *Cativeiro Babilônico*. Cf. Josué 23.13 e 2Reis 17.7-20.

Tipologia. Os cananeus que foram deixados na Terra Prometida simbolizaram o pecado restante no coração do povo de Deus, no meio da comunidade de Deus. Ver o sétimo capítulo de Romanos quanto a uma vívida descrição do conflito daí resultante. É mister que haja uma luta constante contra as nossas tendências pecaminosas, para que seja dominada a nossa corrupção interior. Os exílios representam o julgamento divino contra o pecado. "Pois tudo quanto outrora foi escrito, para o nosso ensino foi escrito..." (Rm 15.4).

CAPÍTULO TRINTA E QUATRO

INSTRUÇÕES ANTES DE ENTRAR NA TERRA (34.1—36.13)

Quanto às dimensões do território dado a Abraão, que veio a ser a Terra Prometida de Israel, cf. Josué 15.1-14 e Ezequiel 47.13-20. "A extensão da terra, *de sul a norte*, é essencialmente do ribeiro do Egito (vs. 5) à entrada de Hamae (vs. 8), perto de Bibla. O território de Israel não se estendia tão para o norte senão já nos dias de Davi (2Sm 8.3-13; 1Rs 8.65). É possível que a tradição tenha visualizado o passado à luz dos feitos de Davi, a *estrela* de Jacó (ver Nm 24.7-19), a fim de conquistar as últimas forças opositoras, firmando assim a posse da terra de Canaã, pelos filhos de Israel, em toda a sua extensão (vs. 2)" (*Oxford Annotated Bible,* comentando sobre o primeiro versículo deste capítulo).

Isso posto, o texto à nossa frente dá as dimensões *ideais* do território que devia ser conquistado. E isso, por sua vez, simboliza o fato de que nunca obtemos a vitória espiritual ideal, mas estamos sempre em busca dessa meta.

"Israel nunca ocupou nenhum lugar à margem do mar Mediterrâneo senão quando os macabeus capturaram Jopa, na segunda metade do século II a.C. Fronteiras similares são mencionadas em Josué 15—19 e Ezequiel 47.13-20 e 48.25. O profeta do exílio continuava aguardando o futuro, quando essas fronteiras ideais se tornariam reais" (John Marsh, *in loc.*).

O *Reino de Deus,* em contraste com o reino de Israel, não tem fronteiras fixas, mas, antes, tem espaço para todos os povos, em dimensões crescentes. O Novo Testamento eliminou as dimensões impostas no Antigo Testamento. Os homens levantam fronteiras artificiais em suas denominações, mas os limites que eles estabelecem são produto de sua própria mente, e não limites espirituais autênticos.

■ 34.1

וַיְדַבֵּר יְהוָה אֶל־מֹשֶׁה לֵּאמֹר:

Disse mais o Senhor. Essa expressão, frequente no Pentateuco, é usada para introduzir novos materiais, além de fazer-nos lembrar da doutrina da divina inspiração das Escrituras. Ver as notas a respeito em Levítico 1.1 e 4.1. Quando à essência do que Deus falou, ver a introdução a este capítulo, acima.

■ 34.2

צַו אֶת־בְּנֵי יִשְׂרָאֵל וְאָמַרְתָּ אֲלֵהֶם כִּי־אַתֶּם בָּאִים אֶל־הָאָרֶץ כְּנָעַן זֹאת הָאָרֶץ אֲשֶׁר תִּפֹּל לָכֶם בְּנַחֲלָה אֶרֶץ כְּנַעַן לִגְבֻלֹתֶיהָ:

Vos cairá em herança. A *herança* em breve entraria na posse dos filhos de Israel. Essa herança vinha diretamente do patriarca Abraão e do pacto que Yahweh firmou com ele. Portanto, a posse da Terra

Prometida era um *direito* conferido ao povo de Israel por decreto divino. Ver as notas introdutórias a Números 33.50. Ver as notas em Gênesis 15.18 quanto ao Pacto Abraâmico; ver Números 33.55 quanto à necessidade de expulsar, de modo absoluto, os antigos habitantes cananeus da Terra Prometida; ver Gênesis 15.16 quanto ao fato de que isso não sucederia enquanto os habitantes originais não tivessem enchido a sua taça de iniquidade, pois somente então mereceriam ser expulsos da Terra Prometida; ver Números 33.56 quanto ao fato de que o povo de Israel seria expulso da Terra prometida, se viessem a praticar os mesmos pecados que tinham praticado os cananeus; e ver Gênesis 22.54 (26.54) quando à maneira como seria distribuído o território da Terra Prometida. Moisés recebeu a sua mensagem da parte de Yahweh, a sua derradeira comissão; e isso ele transmitiu ao povo de Israel em geral. Ver as notas sobre Levítico 17.3 quanto às *oito* fórmulas de comunicação das mensagens divinas.

A terra de Canaã, segundo os seus limites. O autor sagrado mostra aqui os limites ideais da Terra Prometida, limites esses que até hoje nunca foram atingidos. Ver acerca disso na introdução a este capítulo. Ver no *Dicionário* o artigo chamado *Cananeus, Canaã*.

■ **34.3**

וְהָיָה לָכֶם פְּאַת־נֶגֶב מִמִּדְבַּר־צִן עַל־יְדֵי אֱדוֹם וְהָיָה לָכֶם גְּבוּל נֶגֶב מִקְצֵה יָם־הַמֶּלַח קֵדְמָה:

A banda do sul. "A fronteira sul, aqui descrita, é a mesma que a da tribo de Judá, descrita em Josué 15.1,2. O território de Israel deveria estender-se para o sul até o deserto de Zim, o qual seria a fronteira entre o território deles e o dos idumeus" (Ellicott, *in loc.*).

Zim. Quanto a notas completas sobre essa área, ver o *Dicionário*.

Edom. Ver a respeito no *Dicionário*.

Mar Salgado. Ver o artigo chamado *Mar Morto*, no *Dicionário*.

■ **34.4**

וְנָסַב לָכֶם הַגְּבוּל מִנֶּגֶב לְמַעֲלֵה עַקְרַבִּים וְעָבַר צִנָה וְהָיָה תּוֹצְאֹתָיו מִנֶּגֶב לְקָדֵשׁ בַּרְנֵעַ וְיָצָא חֲצַר־אַדָּר וְעָבַר עַצְמֹנָה:

Subida de Acrabim. No hebraico, "subida dos escorpiões" (ver Nm 34.3; Js 15.3 e aqui). Era um *passo* entre as montanhas, ao lado sul do mar Morto, identificado com o moderno Nqb es-safa, a cerca de 32 km a sudoeste do mar Morto; alguns identificam-no com o Umm el-'Aqarab, no lado ocidental. Foi nesse lugar que Judas Macabeu derrotou os idumeus (ver 1Macabeus 35.3). O lugar ficava na fronteira entre a Judeia e a Idumeia. Parece que Josefo se referiu a esse lugar, situando-o a sudeste de Siquém (*Guerras*, II.xii.4; IV.ix.9). Mas talvez ele tenha aludido a um lugar diferente. A cadeia montanhosa veio a ser conhecida como as montanhas de Edom.

Zim. Ver a respeito no *Dicionário*.

Cades-Barneia. Ver a respeito no *Dicionário*.

Hazar-Adar. No hebraico, "vila de Adar", "eira" ou "lugar aberto". Esse era o nome de uma localidade situada no deserto, ao sul da Palestina, entre Cades-Barneia e Amom um, mencionada somente aqui. Alguns estudiosos identificam-na com Hezrom, mencionada em Josué 15.4. Também pode ser a Adar mencionada nesse mesmo versículo do livro de Josué, embora alguns estudiosos duvidem dessa identificação. Seja como for, ficava na fronteira sul de Judá. Talvez a moderna Khirbet el-Qudeirat corresponda ao local antigo.

■ **34.5**

וְנָסַב הַגְּבוּל מֵעַצְמוֹן נַחְלָה מִצְרַיִם וְהָיוּ תוֹצְאֹתָיו הַיָמָה:

Azmom. No hebraico, "parecido com um osso" ou "fortaleza". Era uma cidade no deserto de Amom, ao sul de Judá. Pertencia à tribo de Simeão (Nm 34.4; Js 15.4). Tem sido identificada por alguns com 'Ain el-Qaseimeh, a sudoeste de Cades-Barneia.

Ribeiro do Egito. Talvez o rio Nilo (ver a respeito no *Dicionário*). Assim dizem os Targuns; mas Aben Ezra pensa que se trata do rio Rincorura, que flui para o mar Mediterrâneo. John Marsh pensa que é o wadi el-Arism. "O grande wadi, no hebraico, *mahal*, que algumas versões chamam de ribeiro do Egito, um riacho que fluía torrencialmente no inverno, ou na estação chuvosa. Mas agora é um leito seco, chamado wadi el-Arish (Nm 3.5; Js 15.4,47; 1Rs 24.7 e Ez 47.19)" (*Unger's Bible Dictionary*). Sem dúvida esse é o parecer correto. Mas o trecho de Gênesis 15.18 mostra que o Nilo deveria ser a fronteira sul da Terra Prometida. Talvez esteja em pauta o canal mais oriental do Nilo, chamado Peleusíaco. Os rios Nilo e Eufrates deveriam ser as fronteiras da Terra Prometida. Mas permanecem em dúvida se os trechos de Gênesis 15.18 e Números 34.5 se referem ao mesmo riacho. Um dos trechos fala no *nahar* (rio), ao passo que o outro fala em um *nahal* (wadi). O wadi el-'Arish flui para o norte, desde bem dentro da península do Sinai, desaguando no mar Mediterrâneo, a cerca de meio caminho entre o canal de Suez e Gaza. Quase certamente, essa é a referência no capítulo 24 do livro de Números. Quanto a detalhes, ver no *Dicionário* o verbete intitulado *Ribeiro do Egito*. O ribeiro do Egito deságua no mar Mediterrâneo na altura de Azra, antigo Rinocorura, cerca de 320 km a leste do lugar onde deságua o rio Nilo, e a cerca de 120 km a oeste do mar Morto, quase diretamente do outro lado (para oeste) de sua extremidade sul.

■ **34.6**

וּגְבוּל יָם וְהָיָה לָכֶם הַיָם הַגָּדוֹל וּגְבוּל זֶה־יִהְיֶה לָכֶם גְּבוּל יָם:

A fronteira do ocidente. Temos aí a extremidade ocidental do território de Israel, ou seja, as margens do mar Mediterrâneo, também chamado de "mar Grande". Ver sobre esse título o verbete no *Dicionário*. Cf. Josué 15.47.

■ **34.7**

וְזֶה־יִהְיֶה לָכֶם גְּבוּל צָפוֹן מִן־הַיָם הַגָּדֹל תְּתָאוּ לָכֶם הֹר הָהָר:

O termo do norte. A fronteira norte seria uma linha traçada desde o mar Mediterrâneo até o monte Hor, além de outras dimensões que figuram nos vss. 8 e 9. Não se trata do mesmo monte Hor onde Arão morreu (Nm 33.38), mas talvez o Raw Shakkah, um pico mais ao norte, ou seja, a cerca de 16 km ao norte da cidade fenícia de Biblos. "O ponto inicial da fronteira norte não é mencionado. É claro que o monte Hor não é o mesmo monte mencionado em Números 20.22, na fronteira com Edom. Seu local exato é desconhecido. Alguns garantem que seria a cadeia do Líbano, mas outros pensam em algum local bem mais para o sul. Mas onde quer que fosse a fronteira norte ideal, a fronteira real nunca chegou ao Líbano" (John Marsh, *in loc.*). Talvez esteja em pauta o monte Hermom (ver Js 13.5). Os autores antigos apresentavam várias possibilidades, tal como fazem os autores modernos. Alguns deles pensam que o monte Hermom fique por demais para o oriente para atender às demandas das descrições deste texto.

■ **34.8**

מֵהֹר הָהָר תְּתָאוּ לְבֹא חֲמָת וְהָיוּ תוֹצְאֹת הַגְּבֻל צְדָדָה:

Desde o monte Hor. A fronteira norte estendia-se até *Hamate*. Ver no *Dicionário* o artigo chamado *Entrada de Hamate*, quanto a detalhes. A cidade de Hamate controlava toda aquela área. Ver no *Dicionário* o verbete *Hamate*. Davi ampliou a fronteira de Israel até ali (1Rs 8.65; 2Rs 14.25). Hamate ficava a cerca de 80 km ao norte de Damasco.

Zedade. No hebraico, "ladeira", "inclinação." Era uma localidade que havia na fronteira norte da Palestina (aqui e em Ez 47.15). Provavelmente idêntica à moderna Sadade, a sudeste de Homs, no caminho que vai a Ribla e Palmira. Ficava a nordeste de Lebo Hamate, a cerca de 48 km de distância.

■ **34.9**

וְיָצָא הַגְּבֻל זִפְרֹנָה וְהָיוּ תוֹצְאֹתָיו חֲצַר עֵינָן זֶה־יִהְיֶה לָכֶם גְּבוּל צָפוֹן:

Zifrom. No hebraico, "topo bonito". Uma localidade na fronteira norte, entre a Palestina e a Síria, mencionada somente aqui em toda a Bíblia. Não se sabe a sua localização exata.

Hazar-Enã. No hebraico, "vila das fontes". Nome de uma aldeia que assinalava a fronteira de Israel (aqui; Ez 47.1 e 48.1). É provável que a sua posição fosse a nordeste de Damasco. Tem sido identificada com a *Kiryatein* que fica na estrada para Palmira. Localizava-se na fronteira entre a Palestina e Hamate. Alguns eruditos identificam-na com a moderna Hadr, que fica ao pé do monte Hermom. John Marsh, *in loc.*, chama-a de *Banias*, onde está o início do rio Jordão, visto que o nome desse lugar indica uma região de fontes.

■ **34.10**

וְהִתְאַוִּיתֶם לָכֶם לִגְבוּל קֵדְמָה מֵחֲצַר עֵינָן שְׁפָמָה:

Por limite da banda do oriente. A fronteira leste começava em Hazar-Enã (vs. 9) e descia até Sefã.

Sefã. No hebraico, "frutífera". Um lugarejo, provavelmente erigido em alguma colina, na fronteira oriental ideal de Israel (Nm 34.10 e 11). Mas de acordo com outros estudiosos, esse lugar tinha um nome que significa "lugar desnudo", pelo que eles têm pensado em alguma localidade nas serras do Antilíbano. Provavelmente foi o lugar do nascimento de Zabdi, o sifmita, que cuidava das videiras usadas no fabrico do vinho guardado nas adegas reais de Davi (1Cr 27.27).

■ **34.11**

וְיָרַד הַגְּבֻל מִשְּׁפָם הָרִבְלָה מִקֶּדֶם לָעָיִן וְיָרַד הַגְּבוּל וּמָחָה עַל־כֶּתֶף יָם־כִּנֶּרֶת קֵדְמָה:

Ribla. Ver no *Dicionário* o detalhado artigo intitulado *Ribla (Dibla)*. Mas a Ribla (Dibla) bem conhecida não é a mesma deste texto, que nunca foi identificada. O trecho de Números 34.11 menciona Ribla como um ponto na fronteira leste da Terra Prometida (embora Ez 47.15-18 não a mencione). Nessa instância isolada, o nome é acompanhado pelo artigo definido hebraico. Trata-se de uma cidade em algum lugar a nordeste do mar da Galileia. A Septuaginta diz aqui *Arbela*, mas desconhece-se qualquer local com esse nome, na área do Golã.

Aim. No hebraico, "fonte", nome de dois lugares nas páginas do Antigo Testamento. Ver no *Dicionário* o artigo com esse nome. Esta Aim é a primeira das duas cidades desse artigo. A mesma palavra é o nome da décima sexta letra do alfabeto hebraico.

Mar de Quinerete. Ver no *Dicionário* o artigo detalhado intitulado *Galileia, Mar de*. Nos tempos antigos, *Quinerete* parece ter sido o nome tanto de um distrito quanto do lago próximo. Parece que a palavra deriva do termo hebraico *kinnor,* "harpa". Mas não sabemos dizer a conexão entre a palavra e o distrito do lago. O próprio mar tem a forma de uma pera, e é possível que alguma pessoa antiga, responsável pelo nome dado, tenha imaginado uma harpa como seu formato.

■ **34.12**

וְיָרַד הַגְּבוּל הַיַּרְדֵּנָה וְהָיוּ תוֹצְאֹתָיו יָם הַמֶּלַח זֹאת תִּהְיֶה לָכֶם הָאָרֶץ לִגְבֻלֹתֶיהָ סָבִיב:

Jordão. Ver no *Dicionário* o artigo com esse nome. A fronteira oriental seguiria o Jordão até ele desembocar no mar Morto. O autor se mostrou inexato em suas descrições, não tendo falado sobre o lado oriental ou ocidental do rio Jordão. Ele deixou de mencionar a Transjordânia (ver o vs. 13).

Mar Salgado. Um dos mais salgados corpos de água do mundo, com mais de 20% de sal. Ver no *Dicionário* o artigo chamado *Mar Morto*. O grande Lago Salgado, perto de Salt Lake City, Estado de Utah, nos Estados Unidos da América, cobre uma área seis vezes maior, mas é muito mais raso. Até recentemente, o conteúdo de sal nos dois lagos era quase idêntico, mas nevascas pesadas no Estado de Utah baixaram a porcentagem de sal no Lago Salgado. Forma-se um lago salgado quando não há saída para as águas, acumulando-se assim o sal que vai sendo trazido pelos rios e riachos que ali despejam suas águas. No processo de muitos milhares de anos, a porcentagem de sal pode tornar-se muito grande.

■ **34.13**

וַיְצַו מֹשֶׁה אֶת־בְּנֵי יִשְׂרָאֵל לֵאמֹר זֹאת הָאָרֶץ אֲשֶׁר תִּתְנַחֲלוּ אֹתָהּ בְּגוֹרָל אֲשֶׁר צִוָּה יְהוָה לָתֵת לְתִשְׁעַת הַמַּטּוֹת וַחֲצִי הַמַּטֶּה:

Esta é a terra que herdareis. Suas dimensões tinham sido dadas nos versículos anteriores. O território tinha de ser dividido por meio de sortes, entre nove tribos e meia. Duas tribos e meia (metade da tribo de Manassés) tinham recebido sua herança no lado leste do rio Jordão, na Transjordânia, pelo que as fronteiras do lado oriental do Jordão não foram repetidas nos vss. 3-12 deste capítulo.

Por sortes. Ver Números 26.53-56 quanto ao método exato de distribuição da terra, e como foram usadas (presumivelmente) as sortes. Ver também Números 33.54. Ver no *Dicionário* o artigo chamado *Sortes*.

■ **34.14**

כִּי לָקְחוּ מַטֵּה בְנֵי הָראוּבֵנִי לְבֵית אֲבֹתָם וּמַטֵּה בְנֵי־הַגָּדִי לְבֵית אֲבֹתָם וַחֲצִי מַטֵּה מְנַשֶּׁה לָקְחוּ נַחֲלָתָם:

Rubenitas... gaditas. Juntamente com a meia tribo de Manassés, eles haviam recebido sua herança no lado oriental do rio Jordão, na Transjordânia. Ver Números 32.33-42 quanto a como isso ocorreu. Eles receberam a terra, mas sob a condição de que também ajudassem na conquista do lado ocidental, com o que concordaram e que cumpriram. A maior parte do capítulo 32 ocupa-se em contar essa história.

Sua herança. Isso porque a terra tinha sido dada por Yahweh a Abraão, tendo agora entrado na posse de seus descendentes como uma herança derivada daquele patriarca. Ver Gênesis 15.18 quanto a notas sobre o *Pacto Abraâmico*, que inclui a questão da terra. Ver no *Dicionário* o artigo intitulado *Transjordânia*.

■ **34.15**

שְׁנֵי הַמַּטּוֹת וַחֲצִי הַמַּטֶּה לָקְחוּ נַחֲלָתָם מֵעֵבֶר לְיַרְדֵּן יְרֵחוֹ קֵדְמָה מִזְרָחָה: פ

Receberam. Assim foi dito porque eles tinham recebido *primeiro* a sua herança, para depois ajudarem na conquista da parte ocidental do rio Jordão.

Na altura de Jericó. Pois a terra deles ficava a poucos km diretamente defronte de Jericó, para o oriente. Foi dali que foi lançado o ataque invasor. As planícies de Moabe estavam envolvidas nessa herança. Cf. Números 22.1; 26.3,63; 31.12; 33.48,50, onde está em mira a área geral.

OFICIAIS QUE REPARTIRIAM A TERRA (34.16-29)

A tarefa de dividir a terra prometia ser complicada e difícil. Por essa razão, foi mister nomear certo número de homens que se ocupassem da empreitada. Os líderes das tribos eram as escolhas lógicas. Eleazar e Josué agora tomaram os lugares de Moisés e Arão, encabeçando a tarefa, visto que Arão já havia morrido, e se aproximava a hora da partida de Moisés. Os que entrassem na terra estariam sob a autoridade de Eleazar e Josué; e a tarefa deles era cuidar da questão da divisão do território. Dez líderes das tribos os ajudariam. Um deles era Calebe (cf. Nm 14.30). Foram nomeados na ordem da posição geográfica das tribos, começando pelo sul e avançando para o norte. "Uma vez mais, tal como no início das perambulações, os nomes são dados para deixar claro que, desde o começo da nova vida deles na terra de Canaã, Deus estaria com eles" (John Marsh, *in loc.*). Os rubenitas e os gaditas já tinham recebido suas terras, pelo que nenhum líder dessas duas tribos foi nomeado para a tarefa.

Todos os nomes que figuram nesta lista aparecem pela primeira vez neste texto, não tendo sido mencionados antes, exceto o primeiro, a saber, Calebe.

■ **34.16**

וַיְדַבֵּר יְהוָה אֶל־מֹשֶׁה לֵּאמֹר:

Disse mais o Senhor. Essa é uma expressão frequente no Pentateuco, empregada para introduzir novos materiais e também fazer-nos lembrar da doutrina da inspiração divina das Escrituras. Ver as notas em Levítico 1.1 e 4.1. Moisés recebeu a mensagem, mas os responsáveis pela implementação da mensagem foram Eleazar, filho de Arão, e Josué. Ver as *oito* fórmulas de comunicação (as pessoas, isoladas ou em grupos, para as quais Moisés transmitia as mensagens divinas recebidas), nas notas sobre Levítico 17.2.

34.17

אֵלֶּה שְׁמוֹת הָאֲנָשִׁים אֲשֶׁר־יִנְחֲלוּ לָכֶם אֶת־הָאָרֶץ אֶלְעָזָר הַכֹּהֵן וִיהוֹשֻׁעַ בִּן־נוּן׃

Os nomes dos homens. As autoridades que representavam as dez tribos (deixando de fora Rúben e Gade, que já tinham recebido sua herança na Transjordânia) eram Eleazar, filho de Arão, que substituíra seu pai como sumo sacerdote, e Josué, que em breve substituiria Moisés. Esses dois encabeçariam toda a operação da invasão da parte ocidental do rio Jordão. Ver os artigos detalhados sobre eles no *Dicionário*. Eleazar tinha-se tornado o supremo líder eclesiástico, e Josué em breve seria o supremo líder civil. "Ambos eram tipos de Cristo, o sumo sacerdote, sobre o seu trono, ao mesmo tempo Sacerdote e Rei. Como sacerdote, ele dá-nos o direito à herança; e como Rei, nos introduz na herança" (John Gill, *in loc.*).

34.18

וְנָשִׂיא אֶחָד נָשִׂיא אֶחָד מִמַּטֶּה תִּקְחוּ לִנְחֹל אֶת־הָאָרֶץ׃

Mais de cada tribo um príncipe. Eleazar e Josué precisavam de assistentes, pelo que um representante de cada uma das dez tribos foi escolhido para a tarefa. Eram homens honrados e diligentes, que cuidariam para que a tarefa fosse corretamente efetuada. Cada tribo recebeu o seu *território*, e cada família recebeu parte desse território. Daí por diante, as terras de uma família eram passadas de pai para filho, continuamente, de tal maneira que não havia israelitas sem terras. O método de divisão aparece em Números 26.53-56, onde notas detalhadas descrevem a questão.

34.19

וְאֵלֶּה שְׁמוֹת הָאֲנָשִׁים לְמַטֵּה יְהוּדָה כָּלֵב בֶּן־יְפֻנֶּה׃

Da tribo de Judá. Essa tribo era representada por *Calebe*. Ver os artigos detalhados sobre ambos esses nomes, no *Dicionário*. Ver Números 13.6 e 14.30 quanto a menções anteriores a Calebe, um dos dois espias (juntamente com Josué) que trouxeram um relatório positivo sobre a terra de Canaã, e que tinham animado o povo a invadi-la, quarenta anos antes.

Jefoné. Ver as notas expositivas sobre ele em Números 13.6.

34.20

וּלְמַטֵּה בְנֵי־שִׁמְעוֹן שְׁמוּאֵל בֶּן־עַמִּיהוּד׃

Simeão. Essa tribo foi representada por *Samuel*, filho de Amiúde. Coisa alguma se sabe sobre esse homem, nem sobre seu pai, *Amiúde*, exceto o que pode ser inferido do presente texto. Ele é mencionado somente aqui no Antigo Testamento, embora dois outros homens sejam assim chamados, em 1Crônicas 7.2 e 6.33; mas esta última referência fala em Samuel, em algumas traduções. Ver no *Dicionário* o verbete chamado *Amiúde*.

34.21

לְמַטֵּה בְנֵי־בִנְיָמִן אֱלִידָד בֶּן־כִּסְלוֹן׃

Benjamim. Essa tribo foi representada por *Elidade*, filho de *Quislom*. No hebraico, Elidade significa "Deus amou". Ele era um dos filhos de Quislom, um benjamita, oficial nomeado para ajudar a distribuir as terras em Canaã, quando Israel conquistou aquele território. A região que ele ajudou a dividir ficava no lado ocidental do rio Jordão. Talvez se trate do mesmo indivíduo chamado Eldade, em Números 11.26 ss. Ver no *Dicionário* sobre *Eldade* e *Medade*.

Quislom. No hebraico, "forte esperança", "confiança". Só o conhecemos mediante este texto, que nos mostra ser ele pai de Elidade.

34.22

וּלְמַטֵּה בְנֵי־דָן נָשִׂיא בֻּקִּי בֶּן־יָגְלִי׃

Dã. Essa tribo foi representada por *Buqui*, filho de *Jogli*. No hebraico, Buqui significa "dilapidador". Esse foi o nome de duas pessoas que figuram nas páginas do Antigo Testamento. Nada se sabe sobre o homem que figura neste texto. Ele é mencionado somente aqui no livro de Números. O nome de seu pai, Jogli, significa, no hebraico, "exilado". Ele também é uma figura desconhecida, mencionado somente aqui.

34.23

לִבְנֵי יוֹסֵף לְמַטֵּה בְנֵי־מְנַשֶּׁה נָשִׂיא חַנִּיאֵל בֶּן־אֵפֹד׃

Manassés. Essa tribo foi representada por *Haniel,* filho de *Éfode*. Haniel significa "graça de Deus". Coisa alguma se sabe sobre ele ou seu pai, Éfode, exceto o que nos é sugerido neste versículo. Éfode significa "cobertura". Ambos viveram em cerca de 1500 a.C. Não havia nenhuma tribo de *José*, mas seus dois filhos, Manassés e Efraim, foram adotados por Jacó e tornaram-se patriarcas de *duas* tribos. Ver Gênesis 48.13 ss.

Levi, que deixara de ser uma tribo, veio a tornar-se a casta sacerdotal, pelo que os levitas não eram considerados uma tribo. Se o tivessem sido, então haveria treze tribos. Ver as notas sobre Números 1.47 ss.

34.24

וּלְמַטֵּה בְנֵי־אֶפְרַיִם נָשִׂיא קְמוּאֵל בֶּן־שִׁפְטָן׃

Efraim. Essa tribo foi representada por *Quemuel*, filho de *Siftã*. Quemuel significa "assembleia de Deus" e foi nome de três homens, nas páginas do Antigo Testamento. Nada se sabe sobre o Quemuel deste versículo, exceto o que é sugerido por este texto. Também nada se sabe sobre seu pai, Siftã, nome que significa "como um juiz".

34.25

וּלְמַטֵּה בְנֵי־זְבוּלֻן נָשִׂיא אֱלִיצָפָן בֶּן־פַּרְנָךְ׃

Zebulom. Essa tribo foi representada por *Elizafã*, filho de *Parnaque*. Elizafã significa "Deus é protetor". Há dois homens chamados por esse nome no Antigo Testamento. O homem deste texto só aparece neste versículo. Nas traduções diversas, seu nome aparece com as formas de Elizafá, Elizafã e Eliafá. Coisa alguma é sabido sobre ele ou seu pai, Parnaque (no hebraico, "dotado"), exceto o que o texto sugere.

34.26

וּלְמַטֵּה בְנֵי־יִשָּׂשכָר נָשִׂיא פַּלְטִיאֵל בֶּן־עַזָּן׃

Issacar. Essa tribo foi representada por *Paltiel*, filho de *Azã*. Paltiel significa "livramento de El (Deus)", ou "Deus liberta". Esse nome é uma forma variante de *Palti*. Nada se sabe sobre esse homem ou seu pai, Azã (no hebraico, "espinho"), exceto o que é sugerido neste texto. Eles viveram em cerca de 1500 a.C.

34.27

וּלְמַטֵּה בְנֵי־אָשֵׁר נָשִׂיא אֲחִיהוּד בֶּן־שְׁלֹמִי׃

Aser. Essa tribo foi representada por *Aiúde*, filho de *Selomi*. Aiúde significa "irmão é majestade" ou "irmão de um famoso". Selomi significa "Yahweh é paz". Nada se sabe sobre ambos, exceto o que é sugerido neste texto.

34.28

וּלְמַטֵּה בְנֵי־נַפְתָּלִי נָשִׂיא פְּדַהְאֵל בֶּן־עַמִּיהוּד׃

Naftali. Essa tribo foi representada por *Pedael*, filho de *Amiúde*. Pedael significa "Deus libertou". Amiúde quer dizer "meu parente é glorioso". No Antigo Testamento, aparecem cinco homens com esse nome. Os dois homens referidos neste versículo não aparecem em nenhuma outra passagem do Antigo Testamento, e só se sabe sobre eles o que é dito neste texto.

34.29

אֵלֶּה אֲשֶׁר צִוָּה יְהוָה לְנַחֵל אֶת־בְּנֵי־יִשְׂרָאֵל בְּאֶרֶץ כְּנָעַן׃ פ

Este versículo repete a essência dos vss. 1-18 deste capítulo. Yahweh dera ordens acerca da divisão da terra mediante o lançamento de sortes (vs. 13), e então Eleazar e Josué trabalharam com a cooperação dos dez representantes das tribos que deveriam herdar territórios no lado ocidental do rio Jordão. A Transjordânia (parte a leste do rio

Jordão) já tinha entrado na posse das tribos de Rúben e Gade. E assim a vontade de Yahweh tinha sido conhecida e executada. Cf. Josué 9.51. Esse versículo mostra que as sortes foram lançadas na entrada do tabernáculo, para garantir que a vontade de Yahweh seria feita quanto à questão toda.

CAPÍTULO TRINTA E CINCO

AS CIDADES DOS LEVITAS (35.1-8)

Levi tinha deixado de ser uma tribo e havia-se tornado uma casta sacerdotal. Os levitas não dispunham de herança sob a forma de terras (ver Nm 1.47 ss.). Mas receberam várias cidades para nelas habitarem, incluindo as cidades de refúgio. "Cidades especiais lhes foram alocadas, porque os levitas não tinham o direito de receber herança tribal (ver Lv 25.32-34; Js 21; 1Cr 6.54-81)" (*Oxford Annotated Bible*, comentando sobre o primeiro versículo deste capítulo). A herança dos levitas era Yahweh e o serviço a ele prestado. Assim, ganhavam em herança espiritual o que tinham perdido como herança física. Entre as cidades ganhas, estavam as chamadas cidades de refúgio, para aqueles que tivessem cometido homicídio não intencional. Os vss. 9-15 tratam desse caso. Ver no *Dicionário* o artigo chamado *Cidades de Refúgio*. Ver Números 18.20, que enfatiza que Yahweh era o refúgio dos levitas. Como é óbvio, os levitas precisavam de alguma terra e de certos bens materiais, pois de outra sorte não teriam sobrevivido. Viviam do ministério, mediante dízimos e ofertas, um princípio que foi transferido para o ministério do Novo Testamento. Ver 1Coríntios 10.0. Naturalmente, as cidades que lhes couberam contavam com pastagens incorporadas. Os levitas tinham seus próprios animais domesticados e suas plantações. Suas propriedades podiam estender-se até 250 m para além das muralhas de uma cidade, e a propriedade total media mil metros de cada lado. Ver o gráfico, que mostra como isso funcionava. Ver também a localização das cidades de refúgio. Provavelmente esses números eram diretrizes gerais, pois as cidades variavam um tanto em suas dimensões. Assim, a área de cada cidade formava um quadrado de mil metros de lado, e a própria cidade ficava no meio, com muralhas que a cercavam. E estendendo-se por 250 m para fora das muralhas havia terras de pastagem e agricultura. *Dois* conceitos, todavia, são usados para explicar os números.

■ **35.1**

וַיְדַבֵּר יְהוָה אֶל־מֹשֶׁה בְּעַרְבֹת מוֹאָב עַל־יַרְדֵּן יְרֵחוֹ לֵאמֹר׃

Disse mais o Senhor. Essa é uma expressão muito repetida no Pentateuco, utilizada para introduzir novos materiais. E também nos faz lembrar da doutrina da divina inspiração da Bíblia. Ver as notas a respeito em Levítico 1.1 e 4.1. A palavra de Yahweh, que tinha garantido o necessário para os levitas, foi dada nas planícies de Moabe, não longe da parte leste de Jericó, antes de a invasão ser lançada contra a outra margem do rio Jordão. Cf. Números 22.1; 26.3,63; 31.12; 33.48,50. A provisão de Yahweh já tinha dado a herança às tribos de Rúben, Gade e metade da tribo de Manassés, na Transjordânia, a leste do rio Jordão. E a invasão daria herança às outras dez tribos. Era mister conseguir cidades para Levi, que tinha deixado de ser uma tribo para tornar-se uma casta sacerdotal (ver Nm 1.47 ss.). Ver a introdução a este capítulo, quanto a detalhes. Ver no *Dicionário* o verbete chamado *Providência de Deus*.

■ **35.2**

צַו אֶת־בְּנֵי יִשְׂרָאֵל וְנָתְנוּ לַלְוִיִּם מִנַּחֲלַת אֲחֻזָּתָם עָרִים לָשָׁבֶת וּמִגְרָשׁ לֶעָרִים סְבִיבֹתֵיהֶם תִּתְּנוּ לַלְוִיִּם׃

Minúsculas Cidades-estados. Meu gráfico, no começo deste capítulo, ilustra a questão dessas cidades, e como elas eram edificadas, com uma espécie de infra-estrutura autônoma. Os levitas foram protegidos por uma provisão física adequada, mas a verdadeira herança deles era Yahweh e o serviço do tabernáculo, a saber, prioridade espiritual e abundância. Ver as notas em Números 18.20 quanto a isso.

Arredores. As muralhas ficavam a 500 m do centro da cidade. E então, por 250 m em volta, a extensão da cidade permitia uma boa área para a criação de gado e para a agricultura. Ver a introdução a este capítulo. No hebraico, arredores é *migrash,* termo por muitas vezes usado para indicar terras de pastagem.

UM CONCEITO
CIDADES LEVÍTICAS ARRANJO

Segundo este conceito, um ponto imaginário representava a cidade. Desse ponto as medidas começavam.

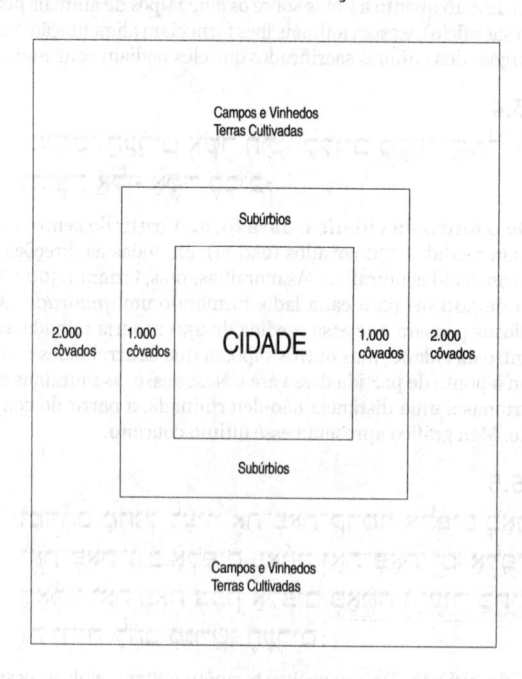

```
┌─────────────────────────────────────┐
│     Campos e Vinhedos                │
│     Terras Cultivadas                │
│   ┌─────────────────────────────┐   │
│   │        Subúrbios             │   │
│   │   ┌───────────────────┐     │   │
│ 2.000 │ 1.000 │ CIDADE │ 1.000 │ 2.000 │
│ côvados │ côvados │        │ côvados │ côvados │
│   │   └───────────────────┘     │   │
│   │        Subúrbios             │   │
│   └─────────────────────────────┘   │
│     Campos e Vinhedos                │
│     Terras Cultivadas                │
└─────────────────────────────────────┘
```

OUTRO CONCEITO
CIDADES LEVÍTICAS ARRANJO

Segundo este conceito, à cidade era dada certa dimensão não especificada no texto. Das extremidades dessa dimensão, as medidas começavam.

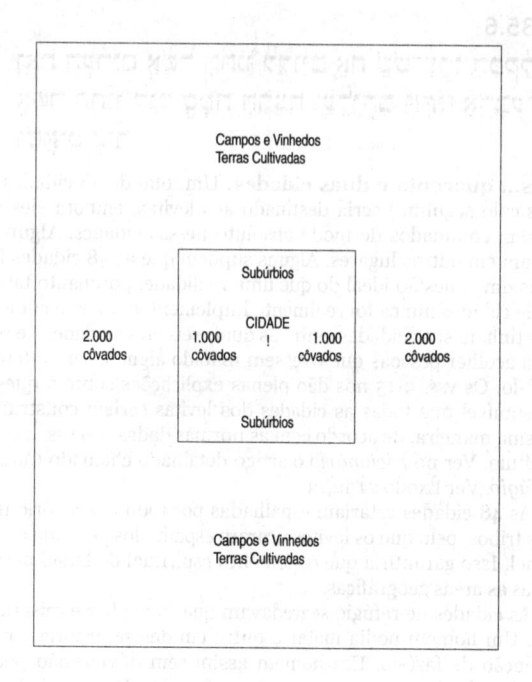

```
┌─────────────────────────────────────┐
│     Campos e Vinhedos                │
│     Terras Cultivadas                │
│   ┌─────────────────────────────┐   │
│   │        Subúrbios             │   │
│   │        CIDADE                │   │
│ 2.000 │ 1.000 │        │ 1.000 │ 2.000 │
│ côvados │ côvados │        │ côvados │ côvados │
│   │        Subúrbios             │   │
│   └─────────────────────────────┘   │
│     Campos e Vinhedos                │
│     Terras Cultivadas                │
└─────────────────────────────────────┘
```

35.3

וְהָי֧וּ הֶעָרִ֛ים לָהֶ֖ם לָשָׁ֑בֶת וּמִגְרְשֵׁיהֶ֗ם יִהְי֤וּ לִבְהֶמְתָּם֙ וְלִרְכֻשָׁ֔ם וּלְכֹ֖ל חַיָּתָֽם:

Terão... para habitá-las. As cidades dos levitas formavam uma área autocontida, com espaço suficiente para suas casas, para seus animais e para atividades agrícolas. Essa área era pequena, em comparação com o que as outras tribos possuíam; mas era adequada. Os levitas estavam mais voltados para o ministério espiritual. O Targum de Jonathan diz: "para a vida inteira", "para todas as suas necessidades" (John Gill, *in loc.*). Eles criavam animais para serem abatidos em sacrifício (ver Lv 1.14-16 quanto a notas sobre os *cinco* tipos de animais próprios para o sacrifício), e esses animais lhes forneciam alimentação, pois havia porções dos animais sacrificados que eles podiam consumir.

35.4

וּמִגְרְשֵׁי֙ הֶֽעָרִ֔ים אֲשֶׁ֥ר תִּתְּנ֖וּ לַלְוִיִּ֑ם מִקִּ֤יר הָעִיר֙ וָח֔וּצָה אֶ֥לֶף אַמָּ֖ה סָבִֽיב:

Desde o muro da cidade e para fora. A partir do centro da cidade, eram medidos 750 côvados (250 m), em todas as direções, onde eram construídas muralhas. As muralhas, pois, teriam 1.500 côvados (cerca de 500 m) para cada lado, formando um *quadrado*. Alguns estudiosos pensam que essa medida de 250 m seria tomada a partir do centro da cidade; mas outros supõem que os arrabaldes da cidade seriam o ponto de partida dessa área. Nesse caso, as muralhas seriam construídas a uma distância não-determinada, a partir do centro da cidade. Meu gráfico apresenta esse último conceito.

35.5

וּמַדֹּתֶ֞ם מִח֣וּץ לָעִ֗יר אֶת־פְּאַת־קֵ֣דְמָה אַלְפַּ֣יִם בָּאַמָּ֡ה וְאֶת־פְּאַת־נֶגֶב֩ אַלְפַּ֨יִם בָּאַמָּ֜ה וְאֶת־פְּאַת־יָ֣ם ׀ אַלְפַּ֣יִם בָּאַמָּ֗ה וְאֵ֨ת פְּאַ֥ת צָפ֛וֹן אַלְפַּ֥יִם בָּאַמָּ֖ה וְהָעִ֣יר בַּתָּ֑וֶךְ זֶ֚ה יִהְיֶ֣ה לָהֶ֔ם מִגְרְשֵׁ֖י הֶעָרִֽים:

Fora da cidade. Dois conceitos também tentam explicar essas medidas. Ambos os conceitos são ilustrados por desenhos que foram dados no começo do capítulo. Uma das ideias é que, para além das muralhas, outro espaço de dois mil côvados adicionais era marcado. E então, no centro, a cidade ocupava certo espaço, e das beiradas desse espaço começavam os mil côvados. O outro conceito é que a *área total* era de três mil côvados (cerca de 1.500 m).

35.6

וְאֵ֣ת הֶֽעָרִ֗ים אֲשֶׁ֤ר תִּתְּנוּ֙ לַלְוִיִּ֔ם אֵ֚ת שֵׁשׁ־עָרֵ֣י הַמִּקְלָ֔ט אֲשֶׁ֣ר תִּתְּנ֔וּ לָנֻ֥ס שָׁ֖מָּה הָרֹצֵ֑חַ וַעֲלֵיהֶ֣ם תִּתְּנ֔וּ אַרְבָּעִ֥ים וּשְׁתַּ֖יִם עִֽיר:

Seis... quarenta e duas cidades. Um total de 48 cidades (ver o versículo seguinte) seria destinado aos levitas, embora eles não ficassem confinados de modo absoluto nessas cidades. Alguns deles viviam em outros lugares. Alguns supõem que as 48 cidades fossem mais uma questão ideal do que uma realidade, porquanto tal número de cidades nunca foi realmente implementado. Fosse como fosse, eles tinham suas cidades, entre as quais seis eram cidades de refúgio, para acolher pessoas que tivessem matado alguém sem intenção de fazê-lo. Os vss. 9-15 nos dão plenas explicações sobre a questão. É presumível que todas as cidades dos levitas seriam construídas da mesma maneira, de acordo com as normas dadas nos vss. 4 e 5 deste capítulo. Ver no *Dicionário* o artigo detalhado chamado *Cidades de Refúgio*. Ver Êxodo 21.12,13.

As 48 cidades estariam espalhadas por todo o território das outras tribos, pelo que os levitas ficaram espalhados por toda a terra de Israel. Isso garantiria que o elemento espiritual de Israel permearia todas as áreas geográficas.

As cidades de refúgio segredavam que "o Senhor é misericordioso". Um homem podia matar a outro em defesa própria, ou sem a intenção de fazê-lo. Um homem assim sem dúvida não podia ser classificado juntamente com os assassinos. Essas cidades eram consagradas ao Senhor (Js 20.7), e aos levitas cabia administrá-las. Essas cidades representavam a justiça em um mundo brutal.

35.7

כָּל־הֶעָרִ֗ים אֲשֶׁ֤ר תִּתְּנוּ֙ לַלְוִיִּ֔ם אַרְבָּעִ֥ים וּשְׁמֹנֶ֖ה עִ֑יר אֶתְהֶ֖ן וְאֶת־מִגְרְשֵׁיהֶֽן:

Todas as cidades. Todas as 48 cidades teriam suas áreas externas e úteis, sua *migrash* (ver o segundo versículo deste capítulo), e, presumivelmente, seriam construídas da mesma maneira, de acordo com os vs. 4 e 5 deste capítulo. O trecho de Josué 21.10-37 fornece-nos os nomes das cidades e os territórios onde estavam localizadas.

35.8

וְהֶֽעָרִ֗ים אֲשֶׁ֤ר תִּתְּנוּ֙ מֵאֲחֻזַּ֣ת בְּנֵי־יִשְׂרָאֵ֔ל מֵאֵ֤ת הָרַב֙ תַּרְבּ֔וּ וּמֵאֵ֥ת הַמְעַ֖ט תַּמְעִ֑יטוּ אִ֗ישׁ כְּפִי֙ נַחֲלָת֔וֹ אֲשֶׁ֣ר יִנְחָ֔לוּ יִתֵּ֥ן מֵעָרָ֖יו לַלְוִיִּֽם: פ

Cada um dará das suas cidades aos levitas. Cada tribo entrava com sua contribuição para os levitas, de acordo com sua capacidade. As tribos maiores entrariam com maior número de cidades, e, presumivelmente, até a qualidade das cidades variava de acordo com a prosperidade de cada tribo em questão. Então essas cidades teriam suas áreas circundantes garantidas, de acordo com as informações dos vss. 4 e 5. As instruções dadas foram calculadas para evitar o empobrecimento das tribos com responsabilidades demais.

"O princípio da entrega de terras aos levitas é o mesmo que quanto à distribuição das terras (Nm 33.54), as tribos maiores cedendo mais que as menores" (John Marsh, *in loc.*). O trecho de Levítico 25.32-34 indica claramente a *possessão* dos lugares doados, embora isso não seja dito no presente texto.

AS CIDADES DE REFÚGIO (35.9-15)

No *Dicionário* o artigo chamado *Cidades de Refúgio* fornece detalhes, bem como todas as informações pertinentes, pelo que meus comentários serão breves. A questão toca em uma importante condição humana. Algumas vezes, as tragédias apanham os homens de surpresa, sem que estes tenham más intenções. Se um homem matasse a outro por acidente ou em defesa própria, ele não seria um assassino qualquer. Alguma provisão de misericórdia precisaria haver. A família do morto sairia para tirar vingança, de acordo com a lei e a prática do vingador de sangue. Ver Levítico 25.25 e o artigo no *Dicionário* chamado *Vingador de Sangue*. Essas leis não eram exatas, a bem da verdade. Por uma parte, o vingador de sangue estava atrás do homem, e eles tinham o *direito* de procurá-lo, e até mesmo o *dever* de fazer isso. Ver Êxodo 21.12-14. Por outro lado, o coitado estava fugindo para escapar com vida, procurando chegar a uma cidade de refúgio antes de perder a vida. Portanto, aqueles que fossem *mais rápidos* eram os vencedores nesse jogo cruento. A justiça, porém, dificilmente depende da velocidade. Naturalmente, qualquer provisão de misericórdia é melhor do que não haver provisão alguma.

Tipologia. Essas cidades de refúgio, como é claro, retratavam Cristo em sua missão salvadora, pois, conforme diz um antigo hino, "há misericórdia com o Senhor".

> Que venha cada alma pelo pecado oprimida,
> Pois há misericórdia com o Senhor.
> Ele dará descanso a toda alma exaurida,
> Que chegue a confiar em seu amor.
>
> J. H. Stockton

Contrapartidas Históricas. Em várias ocasiões, diversas medidas especiais têm procurado socorrer os desesperados, incluindo os homicidas não-intencionais. Igrejas, templos, santuários, altares etc., têm servido como lugares de misericórdia para os desesperados. Essa questão é abordada no artigo do *Dicionário* chamado *Cidades de Refúgio*.

35.9

וַיְדַבֵּ֥ר יְהוָ֖ה אֶל־מֹשֶׁ֥ה לֵּאמֹֽר:

Disse mais o Senhor. Essa é uma expressão de uso frequente no Pentateuco. É usada para introduzir novos materiais. Ver as notas a respeito em Levítico 1.1 e 4.1. E também nos lembra da doutrina da divina revelação da Bíblia. Moisés era o mediador de Yahweh; mais tarde essa posição foi assumida por Eleazar e Josué, quando Israel já ocupava a Terra Prometida.

■ 35.10

דַּבֵּר אֶל־בְּנֵי יִשְׂרָאֵל וְאָמַרְתָּ אֲלֵהֶם כִּי אַתֶּם עֹבְרִים אֶת־הַיַּרְדֵּן אַרְצָה כְּנָעַן׃

Fala aos filhos de Israel. Moisés recebia mensagens que transmitia a outros. Neste caso, presume-se que as ordens foram passadas a Eleazar, o sumo sacerdote, bem como a Josué, sendo eles dois as maiores autoridades religiosa e civil, respectivamente, depois que Israel se instalou na Terra Prometida. Ver as *oito* formas de comunicação, em Levítico 17.2.

Quando passardes o Jordão. Israel em breve "atravessaria" o rio Jordão e invadiria a sua margem ocidental. O lado oriental já tinha entrado na posse das tribos de Rúben, Gade e da meia tribo de Manassés. Mas antes dessa invasão, houve provisão em favor do levitas, que não receberiam nenhuma herança sob a forma de terras. Ver Números 1.47 ss.

■ 35.11

וְהִקְרִיתֶם לָכֶם עָרִים עָרֵי מִקְלָט תִּהְיֶינָה לָכֶם וְנָס שָׁמָּה רֹצֵחַ מַכֵּה־נֶפֶשׁ בִּשְׁגָגָה׃

Das 48 cidades (vs. 7), seis serviriam como cidades de refúgio. Ver os comentários sobre o vs. 6 deste capítulo, bem como as notas de introdução ao vs. 9. Ver também, no *Dicionário*, o verbete chamado *Cidades de Refúgio*. Os assassinos intencionais deveriam ser executados, de acordo com a ordem dos Dez Mandamentos. Ver sobre esse assunto no *Dicionário*. Ver Êxodo 20.13 e suas notas expositivas. O trecho de Gênesis 9.6 mostra que um assassino intencional tinha de ser executado. As notas sobre Êxodo 20.13 mostram quais tipos de homicídio não eram punidos por meio de execução.

■ 35.12

וְהָיוּ לָכֶם הֶעָרִים לְמִקְלָט מִגֹּאֵל וְלֹא יָמוּת הָרֹצֵחַ עַד־עָמְדוֹ לִפְנֵי הָעֵדָה לַמִּשְׁפָּט׃

Antes de ser apresentado. Um homem rápido, que viajasse sem bagagem, poderia chegar a uma cidade de refúgio antes que o vingador de sangue o apanhasse. Ali chegando, ele estaria seguro. Mas mesmo assim teria de enfrentar julgamento. Esse julgamento determinaria a natureza de seu crime: Seria ele um assassino intencional? Ele mataria a outrem por puro acidente? Teria ele agido em defesa própria? Se ficasse provado ser ele um assassino intencional, então seria executado, provavelmente por meio de apedrejamento. Ou então o vingador de sangue o executaria. Ver no *Dicionário* o verbete intitulado *Punição Capital*. Ver os vss. 16 ss. deste capítulo.

A congregação. Ou seja, os representantes do povo que fossem considerados dignos de julgar casos dessa natureza. "Isso ocorria diante do tribunal de justiça da cidade de refúgio que tomasse conhecimento direto do caso, para que soubessem quem poderiam ou não proteger. Ou então diante do tribunal no lugar onde o fato havia ocorrido. Os intérpretes estão divididos quanto a esse particular" (John Gill, *in loc.*). Alguns eruditos supõem que houvesse julgamentos em ambos os lugares, quanto à mesma pessoa, para que nenhum erro fosse cometido.

■ 35.13

וְהֶעָרִים אֲשֶׁר תִּתֵּנוּ שֵׁשׁ־עָרֵי מִקְלָט תִּהְיֶינָה לָכֶם׃

As cidades que derdes. Ou seja, as 48 cidades para os levitas (vss. 6 e 7). Seis delas serviriam como cidades de refúgio (vs. 6). Três estavam localizadas em um dos lados do Jordão, e três do outro lado, para efeito de conveniência (vs. 14). Nem todas as cidades dos levitas serviam como cidades de refúgio, o que é claramente explicado.

■ 35.14

אֵת שְׁלֹשׁ הֶעָרִים תִּתְּנוּ מֵעֵבֶר לַיַּרְדֵּן וְאֵת שְׁלֹשׁ הֶעָרִים תִּתְּנוּ בְּאֶרֶץ כְּנָעַן עָרֵי מִקְלָט תִּהְיֶינָה׃

Deste lado do Jordão. Ou seja, no lado oriental do rio Jordão. Cf. Josué 20.8. E as outras cidades ficavam no lado ocidental, na terra de Canaã. Assim, havia cidades de refúgio de ambos os lados do território da nação, o que era muito conveniente para aqueles que tivessem de fugir para escapar com vida. A questão da distância era importante. O vingador de sangue vinha perseguindo de perto o coitado. Quanto menor fosse a distância que o acusado tivesse de viajar, mais chance havia de ele salvar a vida. O trecho de Josué 21.10-37 nos dá os nomes e a localização dessas cidades. No artigo do *Dicionário*, chamado *Cidades de Refúgio*, em seu segundo parágrafo, apresento seus nomes e localizações aproximadas. Essas cidades estavam localizadas em lugares estratégicos, dando aos habitantes de cada tribo um lugar de refúgio, não muito distante. Nessas cidades sem dúvida havia muita atividade, servindo aos homicidas não-intencionais. Mas, muito curiosamente, não há um único exemplo do uso delas, nos dias do Antigo Testamento.

■ 35.15

לִבְנֵי יִשְׂרָאֵל וְלַגֵּר וְלַתּוֹשָׁב בְּתוֹכָם תִּהְיֶינָה שֵׁשׁ־הֶעָרִים הָאֵלֶּה לְמִקְלָט לָנוּס שָׁמָּה כָּל־מַכֵּה־נֶפֶשׁ בִּשְׁגָגָה׃

A Provisão Era Universal. Ao que tudo indica, três classes eram protegidas nas cidades de refúgio: hebreus, estrangeiros residentes, e um homem que estivesse passando no país em negócios ou em viagem de prazer. "Qualquer indivíduo acusado de homicídio encontraria santuário protetor entre os levitas" (Eugene H. Merrill, *in loc.*). No hebraico, um estrangeiro que estivesse apenas de passagem no país era um *ger*; o estrangeiro residente no país era um *toshab*. Todavia, nem sempre esses vocábulos mantiveram seus sentidos distintos.

Tipologia. Em Cristo há uma provisão universal para o perdão dos pecados e a salvação. Cristo aceita todos os pecadores, incluindo os assassinos intencionais que se arrependam. Ademais, Cristo tem missões na terra, no hades e nos céus, pois trata-se de uma missão *tridimensional,* o que lhe empresta uma verdadeira natureza universal. Ver no *Dicionário* os verbetes intitulados *Missão Universal do Logos (Cristo)* e *Mistérios da Vontade de Deus*.

DEFINIÇÕES DE HOMICIDA E HOMICIDA INVOLUNTÁRIO (35.16-21)

Era mister que houvesse alguma norma para julgar casos de alegado homicídio involuntário. Um assassino intencional não podia escapar ao castigo somente porque tivera a boa sorte de atingir uma cidade de refúgio antes que o vingador de sangue o alcançasse. Isso posto, a legislação acerca dessas cidades tinha de incluir certas diretrizes sobre como julgar os casos. E é sobre isso que falam estes dez versículos. A questão de instrumentos de morte era importante porque o seu uso podia mostrar malignidade e premeditação. Também havia a *desafeição* anterior, que poderia levar os homens a planejar matar deus desafetos, ou, pelo menos, facilitar o assassinato quando a ira se acendesse. Isso tornava-se parte da evidência. Mas também existe alguma coisa como um acidente (vss. 22 ss.), mesmo quando fossem usados instrumentos na execução do crime. Um homem podia matar a alguém que não era seu inimigo, e sem nenhuma intenção. O teste levantaria os fatos e os juízes julgariam de acordo com os fatos. O homem culpado morreria às mãos do vingador de sangue (vs. 21), ou talvez mediante uma execução formal, se o outro método viesse a falhar por algum motivo.

■ 35.16

וְאִם־בִּכְלִי בַרְזֶל הִכָּהוּ וַיָּמֹת רֹצֵחַ הוּא מוֹת יוּמַת הָרֹצֵחַ׃

Homicídio Voluntário. Um homem não tomaria uma vara de ferro e mataria a outrem, a menos que tivesse ódio e um intuito homicida. E quem tivesse intuitos assassinos e agisse covardemente mereça a punição capital. Cf. Gênesis 9.6. Ver no *Dicionário* o verbete *Punição Capital*. Ver também Êxodo 20.13: "Não matarás". O homem seria julgado pelos representantes da congregação (vs. 12). E, se fosse achado culpado, seria entregue às mãos do vingador de sangue (vs. 21). Mas se conseguisse escapar do vingador de sangue, então sem dúvida seria executado a mando do tribunal, provavelmente por apedrejamento. Ninguém podia quebrar voluntariamente o *sexto mandamento,* sem pagar por isso.

35.17

וְאִם־בְּאֶבֶן יָד אֲשֶׁר־יָמוּת בָּהּ הִכָּהוּ וַיָּמֹת רֹצֵחַ הוּא
מוֹת יוּמַת הָרֹצֵחַ׃

Com pedra na mão. Lançar contra outrem uma pedra grande o bastante para matá-lo resultaria no mesmo tremendo resultado da punição capital. Sem dúvida, o crime tinha sido *premeditado* (vss. 19 e 21), o que apenas complicava a culpa do homem. No hebraico temos, literalmente, "pedra da mão", ou seja, pequena bastante para que alguém a jogasse contra alguém, mas grande o bastante para infligir um ferimento mortal. O Targum de Jonathan diz: "uma pedra que enchesse a mão", ou seja, uma pedra que ocupasse toda a mão, uma pedra de tamanho médio.

35.18

אוֹ בִּכְלִי עֵץ־יָד אֲשֶׁר־יָמוּת בּוֹ הִכָּהוּ וַיָּמֹת רֹצֵחַ הוּא
מוֹת יוּמַת הָרֹצֵחַ׃

Ferir a outrem com instrumento. A arma do crime poderia ser uma vara, um cacete, um instrumento de madeira qualquer. O autor escolheu vários possíveis instrumentos, sem ter tentado apresentar uma lista completa. O que não muda é o intuito de matar, e, provavelmente, a premeditação. Em todos esses casos, não teria havido homicídio involuntário, mas assassinato puro e simples. A quebra do *sexto mandamento* (ver Êx 20.13) não podia ser negligenciada nem ficar sem o devido castigo. O homem culpado poderia fugir para uma das cidades de refúgio, mas seria julgado e entregue às mãos do vingador de sangue, o qual o executaria, conforme achasse melhor (vs. 21). Ou então o tribunal realizaria a sua execução.

35.19

גֹּאֵל הַדָּם הוּא יָמִית אֶת־הָרֹצֵחַ בְּפִגְעוֹ־בוֹ הוּא
יְמִיתֶנּוּ׃

O vingador do sangue. Ver no *Dicionário* o artigo com esse nome. A ele era dada a tarefa de executar o assassino, depois de este ter sido julgado e declarado culpado. A cidade de refúgio não podia mais asilá-lo. Chegara a hora de pagar pelo seu crime. O vingador do sangue não somente tinha o poder de matar o homem, mas também estava na *obrigação* de fazê-lo, visto que, de acordo com a legislação mosaica, ele era o legítimo executor. Mas os Targuns deixam claro que isso só podia ser feito após um julgamento que declarasse a culpa do acusado. Assim, o Targum de Jonathan diz: "por julgamento". E o Targum de Onkelos: "Quando for condenado em julgamento".

35.20

וְאִם־בְּשִׂנְאָה יֶהְדֳּפֶנּוּ אוֹ־הִשְׁלִיךְ עָלָיו בִּצְדִיָּה וַיָּמֹת׃

Se alguém empurrar a outrem. Alguns intérpretes pensam que devemos entender aqui a palavra hebraica correspondente como "golpear", com uma espada, uma faca etc. Mas outros defendem (como Aben Ezra) que devemos pensar mesmo em "empurrar", como do alto de um precipício ou de um lugar elevado. Em outras palavras, empurrar outro para levar uma queda fatal. O termo hebraico em foco, *hadaph*, tem ambos os sentidos.

35.21

אוֹ בְאֵיבָה הִכָּהוּ בְיָדוֹ וַיָּמֹת מוֹת־יוּמַת הַמַּכֶּה רֹצֵחַ
הוּא גֹּאֵל הַדָּם יָמִית אֶת־הָרֹצֵחַ בְּפִגְעוֹ־בוֹ׃

Ferir com a mão. A arma de ataque podia ser o próprio punho. Talvez tivesse sido aplicado um único golpe, ou muitos golpes. Naturalmente, o "boxe" tem demonstrado que isso é perfeitamente possível. O versículo diz-nos que um homem seria considerado responsável por assassínio, mesmo que não usasse outra arma além das mãos. Novamente os Targuns insistem em que a execução só podia ter lugar após um julgamento justo. E o versículo repete a lei de que o vingador do sangue seria o executor, com a sanção da lei. Podemos pensar que se alguma coisa impedisse isso, então o culpado deveria ser executado de outro modo, provavelmente por apedrejamento. A sentença precisava ser efetuada. Nenhum assassino podia andar livre na sociedade sem o cumprimento da legislação mosaica, que requeria a pena de morte para os assassinos. Nas ruas da antiga nação de Israel não viviam criminosos à solta. Ver os comentários sobre o vs. 19, acima. Cf. Gênesis 9.5,6 e Deuteronômio 19.6.

Senhor, disse eu, jamais eu poderia
matar um meu semelhante;
Crime de tal grandeza cabe a um selvagem somente,
É o crescimento venenoso de mente maligna,
Ato alienado do mais indigno.

Senhor, disse eu, jamais eu poderia matar
um meu semelhante;
Um ato horrível de raiva sem misericórdia,
Punhalada irreversível de inclinações perversas,
Ato não imaginável de plano ímpio.

Disse o Senhor a mim, Uma palavra sem afeto,
lançada contra vítima que odeias,
É um dardo abrindo feridas de dores cruéis.
Bisbilhotice corta o homem pelas costas,
Um ato covarde que não podes retirar.
Ódio no teu coração, ou inveja levantando
sua horrível cabeça, é um desejo secreto
de ver alguém morto.

Russell Champlin

HOMICÍDIO INVOLUNTÁRIO (35.22,23)

35.22,23

וְאִם־בְּפֶתַע בְּלֹא־אֵיבָה הֲדָפוֹ אוֹ־הִשְׁלִיךְ עָלָיו כָּל־
כְּלִי בְּלֹא צְדִיָּה׃

אוֹ בְכָל־אֶבֶן אֲשֶׁר־יָמוּת בָּהּ בְּלֹא רְאוֹת וַיַּפֵּל עָלָיו
וַיָּמֹת וְהוּא לֹא־אוֹיֵב לוֹ וְלֹא מְבַקֵּשׁ רָעָתוֹ׃

De maneira inexata e incompleta, o autor sagrado faz a *revisão* das possíveis maneiras pelas quais um homem poderia matar a outro (vss. 16-18,21). Mas agora supõe que isso poderia ser feito sem intuito, sem ódio, sem premeditação, por mero acidente. Nesses casos, o acusado era inocente de assassinato, e não seria entregue ao vingador do sangue (vs. 25). Portanto, voltamos aqui às considerações feitas no vs. 16, onde dei notas que também se aplicam aqui. Cf. Deuteronômio 19.4,5, onde é ilustrada essa lei. O texto de Deuteronômio assegura que, se o vingador do sangue viesse a matar o homem culpado de homicídio involuntário, tal homem "não merecia morrer". Era contra a moral correta matar um homem que tivesse morto a outro por mero acidente. Presumivelmente, a autodefesa era outra razão para não se permitir que o vingador do sangue caçasse e matasse quem assim fizesse, embora os textos em questão não abordem essa possibilidade.

35.24

וְשָׁפְטוּ הָעֵדָה בֵּין הַמַּכֶּה וּבֵין גֹּאֵל הַדָּם עַל
הַמִּשְׁפָּטִים הָאֵלֶּה׃

Julgará entre o matador e o vingador do sangue. O vingador do sangue estaria presente para fazer a sua acusação, e provavelmente tentaria mostrar que fora cometido assassinato, e não homicídio involuntário. Haveria testemunhos prestados (vs. 30) tanto pelo vingador do sangue quanto pelo homem que tivesse matado a outrem. Os representantes da congregação, os *juízes*, ouviriam as evidências e tomariam uma decisão. A decisão dos juízes seria sem apelação.

35.25

וְהִצִּילוּ הָעֵדָה אֶת־הָרֹצֵחַ מִיַּד גֹּאֵל הַדָּם וְהֵשִׁיבוּ
אֹתוֹ הָעֵדָה אֶל־עִיר מִקְלָטוֹ אֲשֶׁר־נָס שָׁמָּה וְיָשַׁב בָּהּ
עַד־מוֹת הַכֹּהֵן הַגָּדֹל אֲשֶׁר־מָשַׁח אֹתוֹ בְּשֶׁמֶן הַקֹּדֶשׁ׃

Livrará o homicida. Se o acusado fosse julgado inocente, seria dada uma ordem ao vingador do sangue para deixar o réu em paz.

Se ele desobedecesse a essa ordem e matasse o homem, então seria declarado culpado de assassinato, por ter tomado uma vingança ilegítima, sem base. Portanto, diante da declaração de inocência, o acusado ficaria livre da morte. Mas teria de ir para uma cidade de refúgio, para ali ficar até a morte do *sumo sacerdote*. Somente depois dessa morte poderia circular livremente. Portanto, temos aí uma espécie de castigo secundário. Nem mesmo o homicídio involuntário ficaria inteiramente sem punição. Essa punição equivalia ao *exílio*. Um homem que matasse involuntariamente, ou por acidente, era exilado. Presumivelmente, seu exílio seria tão agradável como fosse possível para um residente regular de uma cidade de refúgio, o que significa que não era uma vida de todo ruim. Mas não gozava o privilégio de transitar livremente pelo território de Israel. Uma ideia talvez fosse mantê-lo distante do vingador do sangue, que resolveria matar o acusado inocente, na esperança de não descoberto em seu crime.

Voltar à sua cidade de refúgio. Isso dá a entender que o homem que havia cometido homicídio involuntário tinha sido removido da cidade de refúgio, e tivera de ser julgado no lugar onde o homicídio ocorrera. Alguns intérpretes supõem que fossem efetuados dois julgamentos, um na cidade de refúgio e outro no lugar onde ocorrera o acidente, embora o texto não sugira claramente um duplo julgamento. O vs. 12 deste capítulo talvez subentenda um julgamento *na* cidade de refúgio; nesse caso, pois, temos no texto uma indicação de duplo julgamento. Contudo, a questão não está inteiramente clara. Ver as notas sobre o vs. 12 deste capítulo.

Sumo sacerdote. Os críticos percebem um anacronismo nessa expressão, porque o *sacerdote,* quer Arão, quer Eleazar, não foi chamado por esse título até este ponto, e a expressão parece ser estranha para o período descrito no Pentateuco. Somente mais tarde o principal sacerdote passou a ser chamado "sumo sacerdote". Alguns dizem que isso sucedeu durante o período persa. Mas alguns estudiosos conservadores pensam que o termo "sumo", aqui usado, foi uma glosa feita por algum revisor posterior.

O problema da *data* do Pentateuco, e de cada um dos cinco livros que o formam, é abordado nos artigos sobre cada um deles. Ver no *Dicionário* o artigo intitulado *J.E.D.P.(S.)* quanto à teoria das fontes múltiplas do Pentateuco, que supõe várias datas para várias fontes informativas.

Mesmo um homicídio involuntário era evidentemente considerado um pecado, que precisava de expiação. É possível que a morte do sumo sacerdote fosse vista como expiação. Ver a seguir sobre *Tipologia*.

Que foi ungido. Cada sumo sacerdote precisava ser ungido pessoalmente. A unção geral, da consagração original dos sacerdotes, era suficiente para todos os sacerdotes comuns, contanto que fossem descendentes diretos de Arão. Porém, cada "sumo sacerdote" recebia a sua própria unção. Por essa razão, ele era chamado de "sacerdote ungido", conforme se vê neste texto. Ver Levítico 4.3 quanto a notas sobre essa questão.

A "demora" pode ter tido por intuito permitir que os ânimos esfriassem, a fim de que o homem que tivesse cometido homicídio involuntário deixasse de atormentar a mente dos parentes do homem que fora acidentalmente morto. Esse esfriamento salvaria a vida do homem, uma vez que lhe fosse permitido circular livremente por Israel. Ademais, os principais envolvidos do caso também poderiam já ter morrido, e isso seria o fim da questão.

Tipologia. Nosso sumo sacerdote fez expiação de uma vez por todas pelos pecados de todo o povo, deixando-os assim livres da culpa e da punição. Ver Hebreus 10.5 ss.

35.26,27

וְאִם־יָצֹא יֵצֵא הָרֹצֵחַ אֶת־גְּבוּל עִיר מִקְלָטוֹ אֲשֶׁר יָנוּס שָׁמָּה:

וּמָצָא אֹתוֹ גֹּאֵל הַדָּם מִחוּץ לִגְבוּל עִיר מִקְלָטוֹ וְרָצַח גֹּאֵל הַדָּם אֶת־הָרֹצֵחַ אֵין לוֹ דָּם:

Se... sair dos termos da sua cidade de refúgio. Um homicida involuntário tinha por responsabilidade obedecer à lei. Embora não fosse um assassino, mesmo assim era considerado uma questão séria que ele tivesse matado um homem. Assim sendo, deveria "permanecer" em seu exílio. Se ele viesse a fazer uma viagem não-autorizada e deixasse o seu lugar de refúgio, e, enquanto estivesse de viagem, o vingador do sangue o achasse e matasse, então teria o *direito* de assim fazer. Essa lei tinha por intuito evitar a circulação de homicidas involuntários pelo território de Israel, o que serviria de constante espinho na ilharga das famílias das pessoas mortas. A maior parte dos homicídios não-intencionais é cometida por *descuido*, e sem dúvida acusamos as pessoas de negligência, quando isso resulta em alguma tragédia. Portanto, casos assim envolviam certa dose de culpa, embora não de assassinato.

35.28

כִּי בְעִיר מִקְלָטוֹ יֵשֵׁב עַד־מוֹת הַכֹּהֵן הַגָּדֹל וְאַחֲרֵי מוֹת הַכֹּהֵן הַגָּדֹל יָשׁוּב הָרֹצֵחַ אֶל־אֶרֶץ אֲחֻזָּתוֹ:

Pois deve ficar. O acusado havia desobedecido à lei. Cabia-lhe permanecer na cidade de refúgio até que o sumo sacerdote em vigência morresse, o que era visto como uma expiação pelo seu pecado. Ver as notas sobre o vs. 25 deste capítulo. Saindo dali, ele se expusera a um perigo insensato. Mas, uma vez que o sumo sacerdote morresse, ele estava livre para voltar à herança de sua família, a fim de reiniciar uma vida normal. Haviam terminado o seu castigo e o seu exílio. Suas terras agora esperavam pela sua volta. De fato, não tinham sido entregues a outrem. Continuava possuidor de sua "herança", porquanto, na qualidade de filho de Abraão, participava do Pacto Abraâmico, que incluía a terra. A legislação mosaica requeria a devida distribuição de terras entre as tribos, e, secundariamente, entre as famílias. As terras de herança passavam de pai para filho. Ver Números 26.53-56 quanto à distribuição de terras. Ver Gênesis 15.18 quanto ao *Pacto Abraâmico*.

35.29

וְהָיוּ אֵלֶּה לָכֶם לְחֻקַּת מִשְׁפָּט לְדֹרֹתֵיכֶם בְּכֹל מוֹשְׁבֹתֵיכֶם:

Estas cousas vos serão por estatuto. O que tinha sido dito acerca de casos de homicídio involuntário e de assassinato (vss. 16 ss.), que dependia do estabelecimento de cidades de refúgio, tornou-se uma provisão permanente da legislação mosaica. Essa lei tinha aplicação à *nação inteira de Israel,* como uma legislação universal. E também tinha aplicação *perpétua,* não estando sujeita a anulação ou mudanças.

Tipologia. Cristo é o grande refúgio de seu povo (ver Sl 9.9; 46.1,7; 62.7,8; Hb 6.18).

Quanto à expressão *vossas gerações,* ver Êxodo 29.42 e 31.16. Os hebreus não antecipavam o fim de suas leis e de seus costumes. No entanto, tudo foi absorvido por Cristo, e eles não antecipavam uma mudança tão radical. O Novo Testamento não suplementou meramente o Antigo Testamento. Antes, anulou muitas partes e absorveu outras. É um vício dos sistemas, sejam eles religiosos ou políticos, supor que perdurarão por toda a "eternidade". Mas a verdade é que todas as coisas chegam ao fim. Por outra parte, os *fins* são apenas *meios* para novos começos. Ver Êxodo 29.42; 31.16; Levítico 3.17 e 16.29, quanto a "estatutos perpétuos". Tudo isso acabou cedendo lugar ao que era novo. É como alguém já disse: "A única coisa eterna são as mudanças". Diziam os gregos: *"Panta rei"*, ou seja, "tudo flui". Efetivamente, essa é uma das leis da existência. Não se pode pisar por duas vezes no mesmo rio. As águas chegam e se vão: tudo está submetido a mudanças, com a única exceção de Deus. Porém, até mesmo as *suas obras* estão em *permanente* estado de fluxo.

35.30

כָּל־מַכֵּה־נֶפֶשׁ לְפִי עֵדִים יִרְצַח אֶת־הָרֹצֵחַ וְעֵד אֶחָד לֹא־יַעֲנֶה בְנֶפֶשׁ לָמוּת:

O autor já havia apresentado o seu sumário (vs. 29), mas agora volta a fim de tratar de uma importante questão. Todos os julgamentos de assassinatos ou de homicídios involuntários tinham de incluir "testemunhas". Nenhum julgamento podia ser efetuado sem uma testemunha. Este texto, diferente de outros, não diz "dois ou três" (ver Dt 17.6; 19.15; Mt 18.16). Porém, isso fica subentendido, porque "mais" do que uma deve começar com duas. Quanto mais testemunhas, tanto melhor, mas deveria haver um mínimo de duas delas. Uma testemunha poderia ser um inimigo do homem que era agora acusado de homicídio, pelo que poderia dar um testemunho distorcido. Ou poderia prestar um testemunho equivocado. Um caso que envolvesse punição capital, ou exílio em uma cidade de refúgio, tinha de contar com a "colaboração" de testemunhas. Haveria palavras conflitantes entre o vingador do sangue e o acusado. As testemunhas teriam de resolver o conflito. A multiplicidade de testemunhas impediria que falsas testemunhas prevalecessem, bem como distorções no julgamento. Muitos júris de nossos dias consistem em doze pessoas.

■ 35.31

וְלֹא־תִקְחוּ כֹפֶר לְנֶפֶשׁ רֹצֵחַ אֲשֶׁר־הוּא רָשָׁע לָמוּת
כִּי־מוֹת יוּמָת׃

Não aceitareis resgate. Um assassino condenado não podia subornar a família de sua vítima. Era mister que ele pagasse com a sua vida, e não com os seus bens materiais. O crime de assassinato é por demais hediondo para permitir ajustes secundários. Aquele que mata deve ser morto, e não apenas ficar um pouco mais pobre. A *pena de morte* não podia ser aplicada somente ao homem "pobre", que não podia oferecer um resgate aceitável pela sua vida. Devia ser aplicada a todos os que a merecessem, porque o assassinato requer um ajuste direito, e esse ajuste só pode ser mediante a morte do assassino. Somente assim a verdadeira justiça é servida. Os crimes de sangue requerem *vingança*, e não mera compensação.

Por outro lado, há "misericórdia no Senhor", e a alma de um assassino pode ser salva. Os juízos divinos requerem vingança, embora também sirvam de meios de restauração. Ver no *Dicionário* o verbete *Julgamento de Deus dos Homens Perdidos*, quanto ao fato de que os julgamentos divinos tanto são medidas de vingança quanto medidas remediais.

■ 35.32

וְלֹא־תִקְחוּ כֹפֶר לָנוּס אֶל־עִיר מִקְלָטוֹ לָשׁוּב לָשֶׁבֶת
בָּאָרֶץ עַד־מוֹת הַכֹּהֵן׃

Também não aceitareis resgate. Em casos de homicídio involuntário, não se podia aceitar resgate. O indivíduo envolvido ficava no exílio (em uma das cidades de refúgio) até a morte do sumo sacerdote (vs. 28). Um homem rico não podia escapar do exílio, oferecendo dinheiro. Assassinato e homicídio involuntário não admitiam nenhuma *barganha*. A lei, em sua plena severidade, precisava ser cumprida.

■ 35.33

וְלֹא־תַחֲנִיפוּ אֶת־הָאָרֶץ אֲשֶׁר אַתֶּם בָּהּ כִּי הַדָּם
הוּא יַחֲנִיף אֶת־הָאָרֶץ וְלָאָרֶץ לֹא־יְכֻפַּר לַדָּם אֲשֶׁר
שֻׁפַּךְ־בָּהּ כִּי־אִם בְּדַם שֹׁפְכוֹ׃

Assim não profanareis. O sangue derramado *poluía* a terra, razão pela qual tanto o assassinato quanto o homicídio involuntário requeriam que a lei fosse seguida de forma exata: era mister aplicar o *castigo*: a morte do assassino, o exílio do homicida involuntário. Somente então seria purificada a terra poluída. E *sangue* também purificava. O sangue do assassino seria derramado; e, por meio desse ato, a terra era purificada da poluição do sangue criminosamente derramado. Cf. Gênesis 9.6. O assassinato é um crime *hediondo*, só podendo ser expiado mediante meios radicais, ou seja, mais derramamento de sangue. Quão diferentes eram essas atitudes quando comparadas com as leis modernas, onde o assassinato, *por lei*, não pode ser castigado mediante a punição capital, e as pessoas se julgam justas por serem contrárias à pena de morte. E assim, nossa terra permanece poluída com sangue! "Deixar o assassínio sem a devida punição é deixar a terra poluída; e a terra pertence a Yahweh. Portanto, isso nunca deve acontecer. Pois ele habita em sua terra, no meio de seu povo" (John Marsh, *in loc.*).

■ 35.34

וְלֹא תְטַמֵּא אֶת־הָאָרֶץ אֲשֶׁר אַתֶּם יֹשְׁבִים בָּהּ
אֲשֶׁר אֲנִי שֹׁכֵן בְּתוֹכָהּ כִּי אֲנִי יְהוָה שֹׁכֵן בְּתוֹךְ בְּנֵי
יִשְׂרָאֵל׃ פ

Não contaminareis... a terra. "A vingança do sangue não era uma opção, mas uma necessidade teológica" (Eugene H. Merrill, *in loc.*). Yahweh habitava na terra; e a terra era dele; e o seu povo devia evitar que a terra fosse poluída. Os cananeus tinham poluído a terra com toda espécie de crimes de violência. Mas uma nova ordem de coisas estava prestes a instalar-se. Yahweh queria que a terra fosse *purificada*. Somente o sangue de um assassino podia expiar o seu crime e purificar a terra (ver Dt 19.10,13). Yahweh é o autor da vida e assim determinou as condições favoráveis à vida. A vida é um tempo de preparação para a vida eterna, e os crimes não resolvidos somente servem para corromper a alma. Platão asseverou que a pior coisa que poderia acontecer a um homem era ele cometer um crime mas não pagar por isso. Desse modo, a alma só aprende a corromper-se e continuar corrupta.

CAPÍTULO TRINTA E SEIS

HERANÇA E CASAMENTO DAS HERDEIRAS (36.1-13)

Esta seção suplementa a de Números 27.1-11, cujas notas devem ser lidas para que haja maior compreensão. A questão das heranças revestia-se de suprema importância, pois não deveria haver famílias sem terras em Israel. A terra era a fonte de todas as bênçãos materiais e de toda segurança. Mas surgiram casos excepcionais, como o referido neste texto. Que dizer sobre as filhas, quando não havia herdeiros masculinos? E se houvesse filhas herdeiras, teriam elas o direito de tomar terras pertencentes a heranças de pessoas de outras tribos, no caso de virem a casar-se com homens de outras tribos? As respostas a essas perguntas eram que filhas podiam herdar terras, na ausência de herdeiros do sexo masculino, mas tinham de casar-se dentro da tribo a que pertenciam, de modo a não haver transferência de terras de uma tribo para outra. Todos os territórios das tribos tinham de permanecer intactos; e todas as terras de famílias também tinham de permanecer intactas. O trecho de Números 27.1-11 nos fornece a primeira resposta: as filhas podem herdar terras. E este texto (Nm 36.1-13) nos fornece a segunda resposta: as filhas tinham de casar-se com homens que pertencessem à sua própria tribo.

"Essa última disposição legal do livro de Números serve para sublinhar quão próximas, na mente primitiva, estavam as pessoas de suas possessões. Roupas e ornamentos, bem como terras e propriedades, eram considerados, em certo sentido, participantes da personalidade de seu proprietário. Quando Jônatas presenteou a Davi roupas e armas, ele estava dando algo de si mesmo. Uma tribo, pois, não podia permitir que suas propriedades passassem para outra tribo, pois isso seria dar parte de si mesma, fazendo esvair-se a sua própria vida" (John Marsh, *in loc.*).

Cf. Tiago 2.2,9, onde as riquezas de um homem rico são identificadas com o seu próprio ser, enquanto as vestes etc. de um homem pobre, em certo sentido, refletiam o seu próprio valor pessoal. O homem rico, que poderia ter seguido a Jesus, afastou-se triste, porquanto teria de desistir de suas riquezas se quisesse seguir a Jesus como discípulo. Era como uma "pequena morte" para o seu próprio "eu". Ver Marcos 10.22. Mas a vida de um homem não pode ser aquilatada pela abundância das *coisas* que ele possui (ver Lc 12.15).

■ 36.1

וַיִּקְרְבוּ רָאשֵׁי הָאָבוֹת לְמִשְׁפַּחַת בְּנֵי־גִלְעָד בֶּן־מָכִיר
בֶּן־מְנַשֶּׁה מִמִּשְׁפְּחֹת בְּנֵי יוֹסֵף וַיְדַבְּרוּ לִפְנֵי מֹשֶׁה
וְלִפְנֵי הַנְּשִׂאִים רָאשֵׁי אָבוֹת לִבְנֵי יִשְׂרָאֵל׃

Chegaram os cabeças das casas paternas. *Zelofeade* era descendente de Manassés, filho de José. Ele não tivera filhos, mas tivera cinco filhas. A regra tinha sido que, em tais casos, as filhas podiam receber herança (ver Nm 27.1-11). Mas foi então que surgiu uma pergunta sobre as terras tribais e da família. Se as filhas se casassem com homens fora da tribo de Manassés, a tribo perderia as terras pertencentes àquela família? Ver a introdução a este capítulo quanto a detalhes pertinentes ao problema. E foi assim que representantes da tribo de Manassés vieram indagar Moisés acerca desse problema, buscando alguma forma de solução que favorecesse a sua tribo.

LOCALIZAÇÃO DAS SEIS CIDADES DE REFÚGIO
(Êx 21.12-14; Lv 24.17; Nm 35; Ez 18.20; Js 20.7,8)

Era feita uma diferenciação entre homicídio intencional e culposo.

As cidades de refúgio representavam, essencialmente, sentenças de prisão perpétua em um regime aberto em outro Estado; em outras palavras, exílio.

Apenas com a morte do sumo sacerdote, o homem que havia fugido para uma dessas cidades podia retornar ao seu local de origem.

Ao retornar, ele encontrava sua herança, preservada com segurança na divisão de sua família.

As cidades de refúgio representavam um avanço moral e legal quando comparadas ao conceito do vingador de sangue, lei pela qual o parente de um homem morto tinha a obrigação de matar o assassino.

Assassinos não eram protegidos nas cidades de refúgio. Julgamentos formais distinguiam assassinos daqueles que haviam cometido homicídio culposo (involuntário).

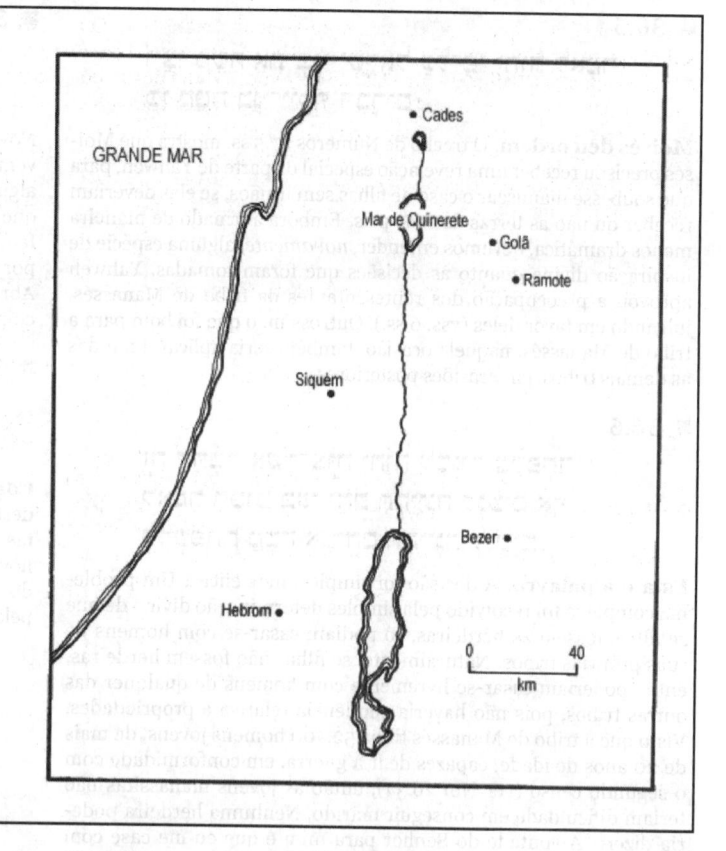

Gileade. Ver o artigo no *Dicionário*, sobre esse homem. Ver sob 3.a. Gileade era um filho de Maquir e neto de Manassés (Nm 26.29,30). Os mequiritas, pois, eram gileaditas. Ver Números 26.29,30; 27.1; 32.40; 36.1; Josué 17.1; 1Crônicas 2.21 e 7.14.

Maquir. Ver acerca dele no *Dicionário*.

José. José não era o nome de nenhuma tribo. Antes, seus descendentes dividiram-se em duas tribos, a de Efraim e a de Manassés. Portanto, duas tribos descendiam de José. Seus dois filhos foram adotados por Jacó, e isso lhes dera o direito legal de tornar-se cabeças de tribos. Ver Gênesis 48.12 ss. e 49.22 ss. Visto que Levi veio a tornar-se uma casta sacerdotal, deixando assim de ser uma tribo (Nm 1.47), houve as tradicionais doze tribos, e não treze tribos.

O *painel de juízes* era formado por Moisés e pelos chefes das tribos. Uma decisão universal qualquer tinha de ser tomada, com a qual concordassem todas as tribos. Daí a composição do grupo que passaria julgamento. Os *príncipes*, nesse caso, eram um de cada tribo, ou mesmo os setenta anciãos (ver Êx 24.1,9; Nm 11.16,24,25). Era preciso que houvesse um precedente que se tornasse lei para todas as gerações sucessivas, aplicáveis a todas as tribos.

■ **36.2**

וַיֹּאמְרוּ אֶת־אֲדֹנִי צִוָּה יְהוָה לָתֵת אֶת־הָאָרֶץ בְּנַחֲלָה בְּגוֹרָל לִבְנֵי יִשְׂרָאֵל וַאדֹנִי צֻוָּה בַיהוָה לָתֵת אֶת־נַחֲלַת צְלָפְחָד אָחִינוּ לִבְנֹתָיו׃

O Senhor ordenou. Duas grandes decisões tinham sido tomadas por Yahweh: 1. A terra deveria ser distribuída entre as tribos e então subdividida entre as famílias de cada tribo (Nm 33.54). 2. Se não houvesse filhos, filhas poderiam herdar as terras de uma família (Nm 27.1-11). De acordo com essa legislação, Zelofeade tinha recebido as suas terras, e então suas filhas as herdaram (Nm 27.1 ss.). E assim as terras estavam agora na possessão das filhas dele, por enquanto, ainda sob a jurisdição da tribo de Manassés. Os representantes daquela tribo queriam manter as coisas nesse pé. E assim o caso de Zelofeade tornou-se exemplar, servindo de precedente para a legislação adicional. Há um detalhado artigo no *Dicionário* sobre *Zelofeade*, que conta toda a história com suas implicações. E o paralelo de Números 27.1 ss. tem informações adicionais.

Nosso irmão Zelofeade. Ou seja, era ele membro da mesma tribo, posto que não da mesma família.

■ **36.3**

וְהָיוּ לְאֶחָד מִבְּנֵי שִׁבְטֵי בְנֵי־יִשְׂרָאֵל לְנָשִׁים וְנִגְרְעָה נַחֲלָתָן מִנַּחֲלַת אֲבֹתֵינוּ וְנוֹסַף עַל נַחֲלַת הַמַּטֶּה אֲשֶׁר תִּהְיֶינָה לָהֶם וּמִגֹּרַל נַחֲלָתֵנוּ יִגָּרֵעַ׃

Porém, casando-se elas. Essa era a questão crítica. A terra estava sob a possessão das *cinco* filhas (Nm 27.1). Se elas se casassem com homens pertencentes a outras tribos, a terra passaria para essas *outras* tribos, diminuindo a herança de Manassés? Os homens eram predominantes, e poder-se-ia supor que as esposas (filhas de Zelofeade) cederiam suas terras a seus maridos, em um sentido legal. E eles, pertencentes a outras tribos, aumentariam assim as terras de suas respectivas tribos.

■ **36.4**

וְאִם־יִהְיֶה הַיֹּבֵל לִבְנֵי יִשְׂרָאֵל וְנוֹסְפָה נַחֲלָתָן עַל נַחֲלַת הַמַּטֶּה אֲשֶׁר תִּהְיֶינָה לָהֶם וּמִנַּחֲלַת מַטֵּה אֲבֹתֵינוּ יִגָּרַע נַחֲלָתָן׃

O ano do jubileu. Esse ano ocorria a cada cinquenta anos, e requeria a devolução de todas as propriedades compradas ou hipotecadas aos seus proprietários *originais* (Lv 25.8-17). É de presumir que isso não poderia ocorrer se um clã qualquer, *mediante casamento*, viesse a perder uma porção de seu território para outro clã. Os maridos não teriam precedência sobre suas mulheres? O casamento poderia *fixar* uma herança como pertencente a outra tribo. Além disso, os maridos, tendo obtido direitos sobre as terras, poderiam vendê-las a uma terceira pessoa. Mas, no ano do jubileu, todas as terras assim voltariam aos seus proprietários originais. Isso evitava toda espécie de confusão quanto a questões de terra. (Ver no *Dicionário* o artigo chamado *Jubileu, Ano de*.)

■ 36.5

וַיְצַ֤ו מֹשֶׁה֙ אֶת־בְּנֵ֣י יִשְׂרָאֵ֔ל עַל־פִּ֥י יְהוָ֖ה לֵאמֹ֑ר
כֵּ֛ן מַטֵּ֥ה בְנֵֽי־יוֹסֵ֖ף דֹּבְרִֽים׃

Moisés deu ordem. O trecho de Números 27.5 ss. mostra que Moisés precisou receber uma revelação especial da parte de Yahweh, para que soubesse manusear o caso de filhas sem irmãos, se elas deveriam receber ou não as terras de seus pais. Embora afirmado de maneira menos dramática, devemos entender, *novamente*, alguma espécie de inspiração divina quanto às decisões que foram tomadas. Yahweh aprovou a preocupação dos representantes da tribo de Manassés, julgando em favor deles (vss. 6 ss.). Outrossim, o que foi bom para a tribo de Manassés, naquela ocasião, também seria aplicável a todas as demais tribos, em ocasiões posteriores.

■ 36.6

זֶ֣ה הַדָּבָ֞ר אֲשֶׁר־צִוָּ֣ה יְהוָ֗ה לִבְנ֤וֹת צְלָפְחָד֙
לֵאמֹ֔ר לַטּ֥וֹב בְּעֵינֵיהֶ֖ם תִּהְיֶ֣ינָה לְנָשִׁ֑ים אַ֗ךְ
לְמִשְׁפַּ֛חַת מַטֵּ֥ה אֲבִיהֶ֖ם תִּהְיֶ֥ינָה לְנָשִֽׁים׃

Esta é a palavra. A decisão foi simples, mas eficaz. Um problema complexo foi resolvido pela simples determinação divina de que *se* filhas fossem as herdeiras, só podiam casar-se com homens de suas próprias tribos. Naturalmente, se filhas não fossem herdeiras, então poderiam casar-se livremente com homens de qualquer das outras tribos, pois não haveria pendência relativa a propriedades. Visto que a tribo de Manassés tinha 52.700 homens jovens, de mais de 20 anos de idade, capazes de ir à guerra, em conformidade com o segundo censo (ver Nm 26.34), então as jovens manassitas não teriam dificuldade em conseguir marido. Nenhuma herdeira poderia dizer: "A vontade do Senhor para mim é que eu me case com um homem da tribo de Judá". Ela precisava ficar dentro da tribo de Manassés. Visto que a tribo de Manassés estava dividida em dois grupos, é provável que as jovens tivessem de limitar-se ao ramo de Hefer, antepassado direto dos manassitas (ver Nm 26.32,33). É provável que metade daqueles 52.700 homens estivesse de um dos lados do rio Jordão. Ver no *Dicionário* o verbete chamado *Meia Tribo de Manassés*.

■ 36.7

וְלֹֽא־תִסֹּ֤ב נַחֲלָה֙ לִבְנֵ֣י יִשְׂרָאֵ֔ל מִמַּטֶּ֖ה
אֶל־מַטֶּ֑ה כִּ֣י אִ֗ישׁ בְּנַחֲלַת֙ מַטֵּ֣ה אֲבֹתָ֔יו
יִדְבְּק֖וּ בְּנֵ֥י יִשְׂרָאֵֽל׃

A herança... não passará de tribo em tribo. A transferência de terras de uma tribo para outra anularia os mandamentos que Yahweh tinha baixado em relação à distribuição de terras; e isso não poderia ficar sujeito à escolha frívola de uma mulher que tivesse preferido casar-se com homem de outra tribo que não fosse a dela, quando ela era a herdeira. Talvez ela precisasse sacrificar algo de seus sentimentos, a fim de manter a integridade da distribuição de terras. As lealdades tribais eram mais importantes que os sentimentos pessoais.

■ 36.8

וְכָל־בַּ֞ת יֹרֶ֣שֶׁת נַחֲלָ֗ה מִמַּטּוֹת֙ בְּנֵ֣י יִשְׂרָאֵ֔ל לְאֶחָ֗ד
מִמִּשְׁפַּ֛חַת מַטֵּ֥ה אָבִ֖יהָ תִּהְיֶ֣ה לְאִשָּׁ֑ה לְמַ֗עַן יִֽירְשׁוּ֙
בְּנֵ֣י יִשְׂרָאֵ֔ל אִ֖ישׁ נַחֲלַ֥ת אֲבֹתָֽיו׃

Qualquer filha que possuir alguma herança. Uma das características literárias do autor do Pentateuco era a repetição. Aqui o autor reitera o que já havia dito. A integridade das tribos precisava ser preservada nos casos de filhas que poderiam transferir terras por elas herdadas, se se casassem com homens de alguma outra tribo. O *aprazimento* da herança que Yahweh havia dado a cada tribo seria diminuído mediante a transferência de terras. A lei baixada acerca das filhas de Zelofeade aplicava-se a *todas as filhas* de Israel que se tornassem herdeiras de terras.

■ 36.9

וְלֹֽא־תִסֹּ֤ב נַחֲלָה֙ מִמַּטֶּ֖ה לְמַטֶּ֣ה אַחֵ֑ר כִּי־אִישׁ֙
בְּנַ֣חֲלָת֔וֹ יִדְבְּק֖וּ מַטּ֥וֹת בְּנֵ֥י יִשְׂרָאֵֽל׃

Novamente, o autor sagrado repete o ponto, mediante palavras levemente diferentes. Coisa alguma podia ser "removida" por meio de algum casamento pouco sábio. Os direitos à terra eram mais fortes que os laços de casamento; eram mais fortes que os sentimentos femininos. A *herança* era uma questão de suma importância, tanto por ter sido instituída por Deus como porque fazia parte do Pacto Abraâmico. Era uma lei que não podia ser violada sem incorrer em culpa.

■ 36.10

כַּאֲשֶׁ֛ר צִוָּ֥ה יְהוָ֖ה אֶת־מֹשֶׁ֑ה כֵּ֥ן עָשׂ֖וּ בְּנ֥וֹת
צְלָפְחָֽד׃

Como o Senhor ordenara... assim fizeram. O autor sagrado destaca aqui a atitude de "obediência" das filhas de Zelofeade. Notas de obediência encerram várias seções do livro; e assim ocorre de novo. Cf. Números 1.54. "Israel fez conforme o Senhor tinha mandado". As filhas de Zelofeade não se rebelaram contra a instrução dada pelo Senhor.

Confia no Senhor de todo o coração
Isso é ordem graciosa do Senhor;
Como crente essa é tua função.
Tua herança é teu próprio
Salvador.

T. O. Chisholm

As filhas de Zelofeade reconheceram a sabedoria do Senhor e se dispuseram ao sacrifício pessoal que delas foi requerido, casando-se com primos, conforme vemos nos versículos que se seguem.

■ 36.11

וַתִּהְיֶ֜ינָה מַחְלָ֗ה תִרְצָ֧ה וְחָגְלָ֛ה וּמִלְכָּ֥ה וְנֹעָ֖ה בְּנ֣וֹת
צְלָפְחָ֑ד לִבְנֵ֥י דֹדֵיהֶ֖ן לְנָשִֽׁים׃

Este versículo lista os nomes das *cinco* filhas de Zelofeade, o que quer dizer que repete Números 26.33. No *Dicionário* ofereço artigos sobre cada um desses nomes. A única diferença é que aqui o autor sacro variou a ordem dos nomes. Esses nomes também aparecem em Números 27.1.

■ 36.12

מִמִּשְׁפְּחֹ֛ת בְּנֵֽי־מְנַשֶּׁ֥ה בֶן־יוֹסֵ֖ף הָי֣וּ לְנָשִׁ֑ים וַתְּהִי֙
נַחֲלָתָ֔ן עַל־מַטֵּ֖ה מִשְׁפַּ֥חַת אֲבִיהֶֽן׃

Casaram-se nas famílias dos filhos de Manassés. As filhas de Zelofeade casaram com primos, embora o grau de parentesco não seja determinado. Assim foi preservada integralmente a herança da tribo de Manassés. Esse veio a ser o precedente para todos os casos semelhantes, sem importar a tribo de Israel. As herdeiras não podiam casar-se com homens que não fossem de sua tribo também. Mas o casamento de pessoas de tribos diferentes era comum, no caso de mulheres que não fossem herdeiras. Aprendemos aqui o princípio de que aquilo que é bom para outra pessoa pode não ser bom para nós. As vidas diferem; os princípios diferem; os deveres diferem; as missões diferem. Cada indivíduo deve buscar a vontade do Senhor para a sua vida. Ver no *Dicionário* o artigo intitulado *Vontade de Deus, como Descobri-la*.

O autor sagro, muito provavelmente, queria que entendêssemos que, para aquelas cinco mulheres, o casamento estava circunscrito aos *heferitas*, que era a linhagem à qual elas pertenciam, dentro da tribo de Manassés. Ver Números 26.32,33. Assim, os casamentos delas confirmaram, em vez de perturbarem, as heranças tribais; e o ato de obediência delas tornou-se exemplo histórico a ser seguido, determinado pela legislação mosaica.

■ 36.13

אֵ֣לֶּה הַמִּצְוֺ֗ת וְהַמִּשְׁפָּטִים֙ אֲשֶׁ֣ר צִוָּ֣ה יְהוָ֔ה
בְּיַד־מֹשֶׁ֖ה אֶל־בְּנֵ֣י יִשְׂרָאֵ֑ל בְּעַֽרְבֹ֣ת מוֹאָ֔ב עַ֖ל
יַרְדֵּ֥ן יְרֵחֽוֹ׃

Os mandamentos e os juízos. É provável que a referência aqui seja geral: os *mandamentos* envolvem os princípios exarados no livro inteiro, não envolvendo somente as ordens referentes às filhas herdeiras. Inspiração divina é reivindicada para essas determinações. Yahweh dera as palavras; Moisés, o mediador entre Yahweh e os israelitas, transmitiu essas palavras. Ver no *Dicionário* os artigos chamados *Revelação (Inspiração)* e *Inspiração*.

"Sem a menor dúvida, essa declaração afirma que o livro de Números é a própria Palavra de Deus, por meio de seu servo, Moisés" (Eugene H. Merrill, *in loc.*). Cf. Levítico 27.34, onde temos algo que é virtualmente igual ao que lemos aqui. Ver também Números 22.1 quanto à referência às planícies de Moabe, onde foram baixadas essas ordens divinas. Estritamente falando, estão em pauta as ordens que figuram em Números 22.1—36.12, embora a maior parte dos intérpretes amplie a referência ao livro inteiro de Números. O autor por muitas vezes usou a expressão "disse o Senhor", a fim de introduzir novos materiais, pelo que sem dúvida ele concordaria com a generalização feita por esses últimos intérpretes. Ver a explicação sobre essa expressão, que também nos faz lembrar da doutrina da inspiração divina das Escrituras, em Levítico 1.1 e 4.1.

Sua opinião é importante para nós. Por gentileza envie seus comentários pelo e-mail editorial@hagnos.com.br

hagnos

Visite nosso site: www.hagnos.com.br

Esta obra foi impressa na Imprensa da Fé.
São Paulo, Brasil.
Outono de 2018